こ

広域的地域活性化のための基盤整備に関する法律……三三八
広域的地域活性化のための基盤整備に関する法律施行令……三三四
広域的地域活性化のための基盤整備に関する法律施行規則……三三四
公営住宅法……一四二一
公営住宅法施行令……一四三三
公営住宅法施行規則……一四三九
公営住宅等整備基準……一四四二
公共工事の入札及び契約の適正化の促進に関する法律……二八九〇
公共工事の入札及び契約の適正化の促進に関する法律施行令……二八九三
公共工事の品質確保の促進に関する法律……二八九五
公共工事の前払金保証事業に関する法律……二九〇一
公共工事の前払金保証事業に関する法律施行令……二九〇六
公共工事の前払金保証事業に関する法律施行規則……二九〇七
公共土木施設災害復旧事業費国庫負担法……三二四三
公共土木施設災害復旧事業費国庫負担法施行令……三二四六
害復旧事業費国庫負担法施……三二四九
法……一三二九
法施行令……一三三四
社法……一三〇三
社法施行令……一三〇五
高速道路株式会社法施行規則……一三〇六
高速道路事業等会計規則……一三〇九
交通安全施設等整備事業の推進に関する法律……一二六五
公有水面埋立法……九八〇
公有水面埋立法施行令……九八五
公有水面埋立法施行規則……九八七
高齢者、障害者等の移動等の円滑化の促進に関する法律……三九四
高齢者、障害者等の移動等の円滑化の促進に関する法律施行令……四〇八
高齢者、障害者等の移動等の円滑化の促進に関する法律施行規則……四一五
高齢者、障害者等が円滑に利用できるようにするために誘導すべき建築物特定施設の構造及び配置に関する基準を定める省令……四二三
高齢者の居住の安定確保に関する法律……一四四四
高齢者の居住の安定確保に関する法律施行令……一四五七
高齢者の居住の安定確保に関する法律施行規則……一四五九
国土開発幹線自動車道建設法……一二二六
国土開発幹線自動車道建設法施行令……一二二九
国土形成計画法……三三〇三
国土形成計画法施行令……三三〇五
国土形成計画法施行規則……三三〇六
国土交通省関係地域再生法施行規則……三三二三
国土交通省関係地域における歴史的風致の維持及び向上に関する法律施行規則……五一九
国土交通省関係中心市街地の活性化に関する法律施行規則……三七〇
国土交通省・厚生労働省関係高齢者の居住の安定確保に関する法律施行規則……一四六三
国土交通省聴聞手続規則……三三七二
国土利用計画法……三三〇七
国土利用計画法施行令……三三一七
国土利用計画法施行規則……三三二三
国有財産法……三三五六
国家賠償法……三四〇五
古都における歴史的風土の保存に関する特別措置法……五二二
古都における歴史的風土の保存に関する特別措置法施行令……五二六
古都における歴史的風土の保存に関する特別措置法施行規則……五三一

さ

災害対策基本法……三二〇三
災害対策基本法施行令……三二二九
災害対策基本法施行規則……三二三九
砂防指定地台帳等整備規則……八九七
砂防法……八九〇
砂防法施行規程……八九四
砂防法第四十四条及び砂防法施行規程第八条ノ四の規定により地方整備局長又は北海道開発局長に委任する職権を定める省令……八九八
砂防法施行規程第十一条第二号に規定する砂防設備に堆積した土石その他これに類するものの排除を定める省令……八九八

し
地すべり等防止法……八九八
地すべり等防止法施行令……九〇六
地すべり等防止法施行規則……九〇九
自転車活用推進法……一三三三
市民農園整備促進法……四五六
市民農園整備促進法施行令……四五八
市民農園整備促進法施行規則……四六〇
社会資本整備重点計画法……一三
社会資本整備重点計画法施行令……一四
社会資本整備重点計画法施行規則……一五
借地借家法……二二四九
借地借家法施行令……二二五五
借地借家法施行規則……二二五六
車両制限令……一二一四
住生活基本法……一四〇五
住生活基本法施行令……一四〇七
住生活基本法施行規則……一四〇七
住宅確保要配慮者に対する賃貸住宅の供給の促進に関する法律……一四〇七
住宅建設瑕疵担保保証金及び住宅販売瑕疵担保保証金に関する規則……一六七五
住宅地区改良法……一四七一
住宅地区改良法施行令……一四七七
住宅の品質確保の促進等に関する法律……一六二六
住宅の品質確保の促進等に関する法律施行令……一六四〇
住宅の品質確保の促進等に関する法律施行規則……一六四一
住宅融資保険法……一五九〇
住宅融資保険法施行令……一五九二
浄化槽法……二一三六
所有者不明土地の利用の円滑化等に関する特別措置法……二四七二
所有者不明土地の利用の円滑化等に関する特別措置法施行令……二四八三
所有者不明土地の利用の円滑化等に関する特別措置法施行規則……二四八六
す
水防法……九四五
水防法施行令……九五五
水防法施行規則……九五六
せ
生産緑地法……五三八
生産緑地法施行令……五四二
生産緑地法施行規則……五四二
そ
測量法……二四九二
測量法施行令……二五〇五
測量法施行規則……二五〇七
た
大規模災害からの復興に関する法律……二三七六
大規模な災害の被災地における借地借家に関する特別措置法……二三六六
大深度地下の公共的使用に関する特別措置法……二四六三
大深度地下の公共的使用に関する特別措置法施行令……二四六九
大深度地下の公共的使用に関する特別措置法施行規則……二四七一
宅地造成及び特定盛土等規制法……七〇一
宅地造成及び特定盛土等規制法施行令……七一〇
宅地造成及び特定盛土等規制法施行規則……七一七
宅地建物取引業法……二五一二
宅地建物取引業法施行令……二五六一
宅地建物取引業法施行規則……二五六七
建物の区分所有等に関する法律……一五六一
他の都府県又は他の都府県内の公共団体に砂防工事の費用を負担させる場合の手続に関する政令……八九六
ち
地域再生法〔抄〕……三一一
地域再生法施行令〔抄〕……三二一
地域における多様な需要に応じた公的賃貸住宅等の整備等に関する特別措置法……一四七九
地域における多様な需要に応じた公的賃貸住宅等の整備等に関する特別措置法施行令……一四八二
地域における歴史的風致の維持及び向上に関する法律……五〇九
地域における歴史的風致の維持及び向上に関する法律施行令……五一六
地域における歴史的風致の維持及び向上に関する法律施行規則……五二一
地域における歴史的風致の維持及び向上に関する法律第二十二条第二項において読み替えて準用する土地改良法第九十四条の六第二項に規定する土地改良施設を定める省令……五二〇
地方住宅供給公社法……一六一八
地方住宅供給公社法施行令……一六二三
地方道路公社法……一三二二
地方道路公社法施行令……一三二七
地方道路公社法施行規則……一三三〇
駐車場法……一六八一
駐車場法施行令……一六八五
駐車場法施行規則……一六八八
中心市街地の活性化に関する法律……三五二
中心市街地の活性化に関する法律施行令……三六七
長期優良住宅の普及の促進に関する法律……一六七九
長期優良住宅の普及の促進に関する法律施行令……一六八三
長期優良住宅の普及の促進に関する法律施行規則……一六八四
賃貸住宅の管理業務等の適正化に関する法律……二五九三
〈以下裏見返しへ〉

国土交通六法

（社会資本整備編）

国土交通省大臣官房総務課 監修

令和6年版

東京法令出版

はしがき

国土交通省は、人々の生き生きとした暮らしと、これを支える活力ある経済社会、日々の安全、美しく良好な環境、多様性のある地域を実現するためのハード・ソフトの基盤を形成するべく、国土の総合的かつ体系的な利用、開発及び保全、そのための社会資本の整合的な整備、交通政策の推進、観光立国の実現に向けた施策の推進等をその任務としております。

今般、これらの広範多岐にわたる国土交通行政のうち、社会資本整備に係る行政を遂行する上で必須の関係法令を最新のものまで網羅し、体系的に編集した「国土交通六法（社会資本整備編）令和六年版」を刊行することとなりました。

本書は、第二百十三回国会において成立した広域的地域活性化のための基盤整備に関する法律、都市緑地法、住宅確保要配慮者に対する賃貸住宅の供給の促進に関する法律、建設業法及び公共工事の入札及び契約の適正化の促進に関する法律の一部改正を反映するなどの内容充実を行いました。

本書が、関係者の座右に置かれ、今後の国土交通行政の推進のために活用していただければ幸甚に存じます。

令和六年七月

国土交通省大臣官房総務課長　中尾晃史

凡　例

■編集方法

本書は、建設行政に関係のある法令を十のパートに分け、各パートの中では基本法を中心に関係する法令を集めた。特に実務上の便利さを重視し、したがって諸法のパートは他の編には入りにくいが、実務上どうしても必要なものを集めたものである。実務上という意味からも法律にとどまらず、必要に応じて政令、省令をも最大限に収録した。

参照条文は全ての法令に入ることが望ましいが、主要な法律のみにとどめた。将来法令の整備をまって、漸次その範囲を広くしたい。

■原　典

本書の原典は官報による。ただし、官報により難いとき、又は官報に登載されなかったものについては、主務官庁の資料によった。

■公布・施行及び改正

1　公布年月日及び法令番号は、法令の題名の次に略記した。すなわち〔平成四・六・五 法律七六〕とあるのは、平成四年六月五日に公布された法律第七十六号の意である。

2　法律、政令、省令等の公布文（……の法律……公布する。）は全部これを省略した。

3　施行の年月日が特に公布年月日より遅れるものについては、附則中に施行の年月日を注記した。

4　法律、政令、省令が改正されたときは題名の次に「改正　令和二・三法八」というように略記し、令和二年三月に法律第八号をもって一部改正のあったことを示した。この注記が数個あるときは最後のものが、改正後の現在である。なお、法令略語は略語例による例を参照されたい。

■改正注記

法令個々の条文について、その改正経過を示すには次のような略号を用いた。すなわち条文の末尾に〔全改（改正）・令和元法三七・令和二法一二〕と表示してあるのは、当該条文が令和元年法律第三十七号、令和二年法律第十二号をもって全部改正（一部改正）されたことを示すものである。なお「全改」は規定の内容を問わずに官報をもって「第○条を次のように改める。」と形式上全部の変わったものを意味し、「改正」は条文の規定の内容が変更されたか否かを問わず部分的に改正のあったことを示すものである。ただし、改正注記は、主要法令のみに付した。

■条文内容及び項の表示

条文内容を簡潔に条文の右肩上に表示することは法令の最近の例である。原典にこれのあるものはそのとおり（　）をもって再現した。しかし、原典にないものは編者においてつけ、これは〔　〕をもって示した。

項の表示は最近の法令には表示してあるのが通常である。原典に項の表示のあるものは、そのまま2、3をもって示し、原典にはないが編者において便宜上付したものは、②、③、④をもって示した。

■附　則

附則は時の経過により不要となるもの、本来他の法律のみに関係があって、不必要なものなど削除する理由はいろいろあるが、次の方針により抄録とした。

1　施行当時の附則については、本法に直接関係あるもののほかは、削除又は省略した。この原則はその後改正のあったときも同様である。

2　附則中施行日を定める定型的文章である「……は、公布の日から……する。」との施行文は、原則として次のように整理した。

附　則〔略〕〔平成二七・六・二四法律四五施行〕

附　則〔略〕〔令和元・六・七法律二六施行〕

3　施行に関する規定が定型的でないものは原則として原文のまま表示した。

4　以上のごとく表示したものは法典の施行のときのもの及び最新改正のときのものを表示するにとどめ、中間は省略した。

■参照条文

基本的な法典に参照条文が付してあることは、最近の六法全書の例であるが、本書にも次のような例によりこれを付した。

1　参照すべき事項を示すとき　参照　【本法を適用する水流・水面

2　参照すべき事項により条数を示すとき　―法五

3　法令略語は、略語例による例を参照されたい。

4　第一項を示すときは①をもって示し、一号を示すときは1を用いた。

5　参照条文中に使用した略語例は、次のとおりである。

(1)　都市計画法関係

法	都市計画法
施行法	都市計画法施行法
令	都市計画法施行令
規則	都市計画法施行規則

(2)　河川法関係

法	河川法
施行法	河川法施行法
令	河川法施行令
規則	河川法施行規則

(3)　道路法関係

法	道路法
令	道路法施行令
規則	道路法施行規則
特別措置法	道路整備特別措置法
交通法	道路交通法
自治法	地方自治法

自治令　地方自治法施行令
地財法　地方財政法
共同溝整備法　共同溝の整備等に関する特別措置法
電線共同溝整備法　電線共同溝の整備等に関する特別措置法

(4) 建築基準法関係
法　建築基準法
令　建築基準法施行令
規則　建築基準法施行規則
機関省令　建築基準法に基づく指定建築基準適合判定資格者検定機関等に関する省令
文化財　文化財保護法
都計法　都市計画法

(5) 土地収用法関係
法　土地収用法
令　土地収用法施行令
規則　土地収用法施行規則
自治法　地方自治法

(6) 宅地建物取引業法関係
法　宅地建物取引業法
令　宅地建物取引業法施行令
規則　宅地建物取引業法施行規則

(7) 建設業法関係
法　建設業法
令　建設業法施行令
規則　建設業法施行規則
前払法　公共工事の前払金保証事業に関する法律
自治法　地方自治法
独禁法　私的独占の禁止及び公正取引の確保に関する法律
地財法　地方財政法

■法令形式略語

法　法律
政　政令
勅　勅令
総令　総理府令
法(府、庁、省)令　法務(府、庁、省)令
内令　内務省令
大令　大蔵省令
厚令　厚生省令
農令　農林(水産)省令
通産令　通商産業省令
運令　運輸省令
労令　労働省令
建令　建設省令
内府令　内閣府令
総務令　総務省令
財令　財務省令
文科令　文部科学省令
厚労令　厚生労働省令
経産令　経済産業省令
国交令　国土交通省令
環令　環境省令

なお、共同省令の場合は、頭部の一字を冠して、農・建令（農林（水産）省令／建設省令）とした。

■編目次

各パートごとに編目次をつけ、各法令の章までを示す目次を掲載し利便を図った。

■収録の基準時点

令和六年版の本書は、**令和六年七月一日現在**公布されている法令を収録し、令和七年一月一日までに施行される法令改正については、その改正を加え、令和七年一月二日以降に施行される法令改正については、改正沿革の次にその扱いを注記した。

ただし、令和四年六月十七日法律第六十八号（刑法等の一部を改正する法律の施行に伴う関係法律の整理等に関する法律）による改正については、令和七年六月一日から施行のため、一部法律を除き未補正とした。

該当する法律は、次のとおり。

都市計画　密集市街地における防災街区の整備の促進に関する法律
民間資金等の活用による公共施設等の整備等の促進に関する法律
都市の低炭素化の促進に関する法律
都市公園法
市民農園整備促進法
都市緑地法
景観法
古都における歴史的風土の保存に関する特別措置法
生産緑地法
屋外広告物法
土地区画整理法
都市再開発法
流通業務市街地の整備に関する法律
宅地造成及び特定盛土等規制法

水管理　砂防法
地すべり等防止法
急傾斜地の崩壊による災害の防止に関する法律
土砂災害警戒区域等における土砂災害防止対策の推進に関する法律
海岸法
水防法
特定都市河川浸水被害対策法

道路
公有水面埋立法
下水道法
高速自動車国道法
道路整備特別措置法
高速道路株式会社法

住宅建築
住宅確保要配慮者に対する賃貸住宅の供給の促進に関する法律
高齢者の居住の安定確保に関する法律
住宅地区改良法
マンションの管理の適正化の推進に関する法律
マンションの建替えの円滑化等に関する法律
独立行政法人住宅金融支援機構法
住宅の品質確保の促進等に関する法律
特定住宅瑕疵担保責任の履行の確保等に関する法律
建築士法
建築物のエネルギー消費性能の向上等に関する法律
浄化槽法

災害・防災
災害対策基本法
被災市街地復興特別措置法
福島復興再生特別措置法
津波防災地域づくりに関する法律

土地
大深度地下の公共的使用に関する特別措置法
所有者不明土地の利用の円滑化等に関する特別措置法
測量法
賃貸住宅の管理業務等の適正化に関する法律
不動産特定共同事業法

建設業
公共工事の前払金保証事業に関する法律
建設機械抵当法
建設工事に係る資材の再資源化等に関する法律
特定特殊自動車排出ガスの規制等に関する法律

諸法
国土利用計画法
行政不服審査法

総目次

◉は参照条文つき

●日本国憲法●

○日本国憲法（昭二一）……三

●社会資本整備重点計画関係●

○社会資本整備重点計画法（平一五法二〇）……一三
○社会資本整備重点計画法施行令（平一五政一六二）……一四
○社会資本整備重点計画法施行規則（平一五内府・農・国交令一）……一五

●都市計画関係●

◉**都市計画法**（昭四三法一〇〇）……一〇五
○都市計画法施行法〔抄〕（昭四三法一〇一）……一五五
○都市計画法施行令（昭四四政一五八）……一五五
○都市計画法施行規則（昭四四建令四九）……一七二
○都市再生特別措置法（平一四法二二）……一八八
○都市再生特別措置法施行令（平一四政一九〇）……二二四
○都市再生特別措置法施行規則（平一四国交令六六）……二二九
○密集市街地における防災街区の整備の促進に関する法律（平九法四九）……二四一
○密集市街地における防災街区の整備の促進に関する法律施行令（平九政三二四）……二八三
○密集市街地における防災街区の整備の促進に関する法律施行規則（平九建令一五）……二九四
○地域再生法〔抄〕（平一七法二四）……三一一
○地域再生法施行令〔抄〕（平一七政一五一）……三二一
○国土交通省関係地域再生法施行規則（平二七国交令五八）……三二三
○農林水産省・国土交通省関係地域再生法施行規則（平二七農・国交令四）……三二七
○民間都市開発の推進に関する特別措置法（昭六二法六二）……三二八
○民間都市開発の推進に関する特別措置法施行令（昭六二政二七五）……三三四
○民間都市開発の推進に関する特別措置法施行規則（昭六二建令一九）……三三八
○民間資金等の活用による公共施設等の整備等の促進に関する法律（平一一法一一七）……三四〇
○中心市街地の活性化に関する法律（平一〇法九二）……三五二
○中心市街地の活性化に関する法律施行令（平一〇政二六三）……三六七
○国土交通省関係中心市街地の活性化に関する法律施行規則（平一八国交令八二）……三七〇
○都市の低炭素化の促進に関する法律（平二四法八四）……三七四
○都市の低炭素化の促進に関する法律施行令（平二四政二八六）……三八四
○都市の低炭素化の促進に関する法律施行規則（平二四国交令八六）……三八五
○高齢者、障害者等の移動等の円滑化の促進に関する法律（平一八法九一）……三九四
○高齢者、障害者等の移動等の円滑化の促進に関する法律施行令（平一八政三七九）……四〇八
○高齢者、障害者等の移動等の円滑化の促進に関する法律施行規則（平一八国交令一一〇）……四一五
○高齢者、障害者等が円滑に利用できるようにするために誘導すべき建築物特定施設の構造及び配置に関する基準を定める省令（平一八国交令一一四）……四二三
○移動等円滑化のために必要な特定公園施設の設置に関する基準を定める省令（平一八国交令一一五）……四二七
○移動等円滑化のために必要な道路の構造及び旅客特定車両停留施設を使用した役務の提供の方法に関する基準を定める省令（平一八国交令一一六）……四三〇
○移動等円滑化のために必要な道路の占用に関する基準を定める省令（平一八国交令一一七）……四三六
○都市公園法（昭三一法七九）……四三七
○都市公園法施行令（昭三一政二九〇）……四四五
○都市公園法施行規則（昭三一建令三〇）……四五三
○市民農園整備促進法（平二法四四）……四五六
○市民農園整備促進法施行令（平二政二七二）……四五八
○市民農園整備促進法施行規則（平二農・建令一）……四六〇
○都市の美観風致を維持するための樹木の保存に関する法律（昭三七法一四二）……四六一
○都市の美観風致を維持するための樹木の保存に関する法律施行令（昭三七政四〇四）……四六二
○都市の美観風致を維持するための樹木の保存に関する法律施行規則（昭三七建令三〇）……四六二
○都市緑地法（昭四八法七二）……四六二
○都市緑地法施行令（昭四九政三）……四八〇
○都市緑地法施行規則（昭四九建令一）……四八四
○景観法（平一六法一一〇）……四八七
○景観法施行令（平一六政三九八）……五〇〇
○景観行政団体及び景観計画に関する省令（平一六農・国交・環令一）……五〇四
○景観法施行規則（平一六国交令一〇〇）……五〇五

○都市計画区域外の景観重要樹木及び景観協定に関する省令（平一六農・国交令四）……五〇七
○景観農業振興地域整備計画に関する省令（平一六農令九七）……五〇八
○地域における歴史的風致の維持及び向上に関する法律（平二〇法四〇）……五〇九
○地域における歴史的風致の維持及び向上に関する法律施行令（平二〇政三三七）……五一六
○国土交通省関係地域における歴史的風致の維持及び向上に関する法律施行規則（平二〇国交令九一）……五一九
○地域における歴史的風致の維持及び向上に関する法律第二十二条第二項において読み替えて準用する土地改良法第九十四条の六第二項に規定する土地改良施設を定める省令（平二〇農令七〇）……五二〇
○文部科学省関係地域における歴史的風致の維持及び向上に関する法律施行規則（平二〇文科令三三）……五二一
○地域における歴史的風致の維持及び向上に関する法律施行規則（平二〇文科・国交令一）……五二一
○文部科学省・農林水産省・国土交通省関係地域における歴史的風致の維持及び向上に関する法律施行規則（平二〇文科・農・国交令一）……五二二
○古都における歴史的風土の保存に関する特別措置法（昭四一法一）……五二二
○古都における歴史的風土の保存に関する特別措置法施行令（昭四一政三八四）……五二六
○古都における歴史的風土の保存に関する特別措置法施行規則（昭四二建令二）……五三一
○明日香村における歴史的風土の保存及び生活環境の整備等に関する特別措置法（昭五五法六〇）……五三三
○明日香村における歴史的風土の保存及び生活環境の整備等に関する特別措置法施行令（昭五五政一五六）……五三五
○生産緑地法（昭四九法六八）……五三八
○生産緑地法施行令（昭四九政二八五）……五四二
○生産緑地法施行規則（昭四九建令一一）……五四二
○屋外広告物法（昭二四法一八九）……五四三
○屋外広告物法施行規則（平一六国交令一〇二）……五四八
○土地区画整理法（昭二九法一一九）……五五〇
○土地区画整理法施行令（昭三〇政四七）……五八一
○土地区画整理法施行規則（昭三〇建令五）……五九三
○都市再開発法（昭四四法三八）……六〇一
○都市再開発法施行令（昭四四政二三二）……六四一
○都市再開発法施行規則（昭四四建令五四）……六六〇
○流通業務市街地の整備に関する法律（昭四一法一一〇）……六七一
○流通業務市街地の整備に関する法律施行令（昭四二政三）……六七七
○流通業務市街地の整備に関する法律施行規則（昭四二建令三）……六七九
○駐車場法（昭三二法一〇六）……六八一
○駐車場法施行令（昭三二政三四〇）……六八五
○駐車場法施行規則（平一二運・建令一二）……六八八
○都市開発資金の貸付けに関する法律（昭四一法二〇）……六九〇
○都市開発資金の貸付けに関する法律施行令（昭四一政一二二）……六九五
○都市開発資金の貸付けに関する法律施行規則（平五建令六）……七〇〇
○宅地造成及び特定盛土等規制法（昭三六法一九一）…七〇一
○宅地造成及び特定盛土等規制法施行令（昭三七政一六）……七一〇
○宅地造成及び特定盛土等規制法施行規則（昭三七建令三）……七一七

●水管理関係●

◉河川法（昭三九法一六七）……八〇三
○河川法施行法（昭三九法一六八）……八三三
○河川法施行令（昭四〇政一四）……八三五
○河川法施行規則（昭四〇建令七）……八五三
○河川管理施設等構造令（昭五一政一九九）……八六七
○河川管理施設等構造令施行規則（昭五一建令一三）…八七五
○特定多目的ダム法（昭三二法三五）……八八〇
○特定多目的ダム法施行令（昭三二政一八八）……八八四
○特定多目的ダム法施行規則（昭三二建令一八）……八八八
○砂防法（明三〇法二九）……八九〇
○砂防法施行規程（明三〇勅三八二）……八九四
○他の都府県又は他の都府県内の公共団体に砂防工事の費用を負担させる場合の手続に関する政令（昭二八政三一二）……八九六
○砂防指定地台帳等整備規則（昭三六建令七）……八九七
○砂防法第四十四条及び砂防法施行規程第八条ノ四の規定により地方整備局長又は北海道開発局長に委任する職権を定める省令（平一二建令四三）……八九八
○砂防法施行規程第十一条第二号に規定する砂防設備に堆積した土石その他これに類するものの排除を定める省令（平二二国交令一九）……八九八
○地すべり等防止法（昭三三法三〇）……八九八
○地すべり等防止法施行令（昭三三政一一二）……九〇六
○地すべり等防止法施行規則（昭三三農・建令一）……九〇九
○急傾斜地の崩壊による災害の防止に関する法律（昭四四法五七）……九一〇

○急傾斜地の崩壊による災害の防止に関する法律施行令（昭四四政二〇六）……九一四
○急傾斜地の崩壊による災害の防止に関する法律施行規則（昭四四建令四八）……九一六
○土砂災害警戒区域等における土砂災害防止対策の推進に関する法律（平一二法五七）……九一六
○土砂災害警戒区域等における土砂災害防止対策の推進に関する法律施行令（平一三政八四）……九二一
○土砂災害警戒区域等における土砂災害防止対策の推進に関する法律施行規則（平一三国交令七一）……九二三
○海岸法（昭三一法一〇一）……九二五
○海岸法施行令（昭三一政三三二）……九三六
○海岸法施行規則（昭三一農・運・建令一）……九四一
○水防法（昭二四法一九三）……九四五
○水防法施行令（平二三政四二八）……九五五
○水防法施行規則（平一二建令四四）……九五六
○特定都市河川浸水被害対策法（平一五法七七）……九五九
○特定都市河川浸水被害対策法施行令（平一六政一六八）……九七〇
○特定都市河川浸水被害対策法施行規則（平一六国交令六四）……九七二
○公有水面埋立法（大一〇法五七）……九八〇
○公有水面埋立法施行令（大一一勅一九四）……九八五
○公有水面埋立法施行規則（昭四九運・建令一）……九八七
○水資源開発促進法（昭三六法二一七）……九八九
○独立行政法人水資源機構法（平一四法一八二）……九九〇
○下水道法（昭三三法七九）……九九七
○下水道法施行令（昭三四政一四七）……一〇一一
○下水道法施行規則（昭四二建令三七）……一〇二六
○日本下水道事業団法（昭四七法四一）……一〇三一
○日本下水道事業団法施行令（昭四七政二八六）……一〇三七
○日本下水道事業団法施行規則（昭四七建令二八）……一〇三九

●道路関係●

◉**道路法**（昭二七法一八〇）……一一〇三
○道路法施行令（昭二七政四七九）……一一五七
○道路法施行規則（昭二七建令二五）……一一九二
○道路構造令（昭四五政三二〇）……一二〇一
○特定車両停留施設の構造及び設備の基準を定める省令（令二国交令九一）……一二一三
○車両制限令（昭三六政二六五）……一二一四
○道路の修繕に関する法律（昭二三法二八二）……一二一七
○道路の修繕に関する法律の施行に関する政令（昭二四政六一）……一二一七
○共同溝の整備等に関する特別措置法（昭三八法八一）……一二一九
○電線共同溝の整備等に関する特別措置法（平七法三九）……一二二二
○国土開発幹線自動車道建設法（昭三二法六八）……一二二六
○国土開発幹線自動車道建設法施行令（昭三二政一五一）……一二二九
○高速自動車国道法（昭三二法七九）……一二二九
○高速自動車国道法施行令（昭三二政二〇五）……一二三四
○幹線道路の沿道の整備に関する法律（昭五五法三四）……一二四〇
○道路整備事業に係る国の財政上の特別措置に関する法律（昭三三法三四）……一二四五
○道路整備事業に係る国の財政上の特別措置に関する法律施行令（昭三四政一七）……一二四九
○道路整備事業に係る国の財政上の特別措置に関する法律施行規則（昭六〇建令七）……一二五三
○踏切道改良促進法（昭三六法一九五）……一二五六
○踏切道改良促進法施行令（昭三七政三〇二）……一二六一
○踏切道改良促進法施行規則（平一三国交令八六）……一二六二
○交通安全施設等整備事業の推進に関する法律（昭四一法四五）……一二六五
○道路整備特別措置法（昭三一法七）……一二六九
○道路整備特別措置法施行令（昭三一政三一九）……一二八五
○道路整備特別措置法施行規則（昭三一建令一八）……一三〇〇
○高速道路株式会社法（平一六法九九）……一三〇三
○高速道路株式会社法施行令（平一七政二〇一）……一三〇五
○高速道路株式会社法施行規則（平一七国交令六三）……一三〇六
○高速道路事業等会計規則（平一七国交令六五）……一三〇九
○独立行政法人日本高速道路保有・債務返済機構法（平一六法一〇〇）……一三一一
○独立行政法人日本高速道路保有・債務返済機構法施行令（平一七政二〇二）……一三一四
○独立行政法人日本高速道路保有・債務返済機構に関する省令（平一七国交令六四）……一三一七
○地方道路公社法（昭四五法八二）……一三二二
○地方道路公社法施行令（昭四五政二〇二）……一三二七
○地方道路公社法施行規則（昭四五建令二一）……一三三〇
○無電柱化の推進に関する法律（平二八法一一二）……一三三二
○自転車活用推進法（平二八法一一三）……一三三三

●住宅建築関係●

○住生活基本法（平一八法六一）……一四〇五
○住生活基本法施行令（平一八政二一三）……一四〇七
○住生活基本法施行規則（平一八国交令七〇）……一四〇七
○住宅確保要配慮者に対する賃貸住宅の供給の促進に関する法律（平一九法一一二）……一四〇七

○公営住宅法（昭二六法一九三）……一四二一
○公営住宅法施行令（昭二六政二四〇）……一四三二
○公営住宅法施行規則（昭二六建令一九）……一四三九
○公営住宅等整備基準（平一〇建令八）……一四四二
○高齢者の居住の安定確保に関する法律（平一三法二六）……一四四四
○高齢者の居住の安定確保に関する法律施行令（平一三政二五〇）……一四五七
○高齢者の居住の安定確保に関する法律施行規則（平一三国交令一一五）……一四五九
○国土交通省・厚生労働省関係高齢者の居住の安定確保に関する法律施行規則（平二三厚労・国交令二）……一四六三
○特定優良賃貸住宅の供給の促進に関する法律（平五法五二）……一四六八
○特定優良賃貸住宅の供給の促進に関する法律施行令（平五政二五五）……一四七〇
○住宅地区改良法（昭三五法八四）……一四七一
○住宅地区改良法施行令（昭三五政一二八）……一四七七
○地域における多様な需要に応じた公的賃貸住宅等の整備等に関する特別措置法（平一七法七九）……一四七九
○地域における多様な需要に応じた公的賃貸住宅等の整備等に関する特別措置法施行令（平一七政二五七）……一四八二
○マンションの管理の適正化の推進に関する法律（平一二法一四九）……一四八四
○マンションの管理の適正化の推進に関する法律施行令（平一三政二三八）……一四九九
○マンションの管理の適正化の推進に関する法律施行規則（平一三国交令一一〇）……一五〇〇
○マンションの建替え等の円滑化に関する法律（平一四法七八）……一五一七
○マンションの建替え等の円滑化に関する法律施行令（平一四政三六七）……一五四四
○マンションの建替え等の円滑化に関する法律施行規則（平一四国交令一一六）……一五四八
○マンションの建替え等の円滑化に関する法律による不動産登記に関する政令（平一四政三七九）……一五五九
○建物の区分所有等に関する法律（昭三七法六九）……一五六一
○独立行政法人住宅金融支援機構法（平一七法八二）……一五七一
○独立行政法人住宅金融支援機構法施行令（平一九政三〇）……一五七七
○独立行政法人住宅金融支援機構に関する省令（平一九財・国交令一）……一五八三
○住宅融資保険法（昭三〇法六三）……一五九〇
○住宅融資保険法施行令（昭三〇政一三二）……一五九二
○独立行政法人都市再生機構法（平一五法一〇〇）……一五九三
○独立行政法人都市再生機構法施行令（平一六政一六〇）……一六〇二
○独立行政法人都市再生機構に関する省令（平一六国交令七〇）……一六一〇
○地方住宅供給公社法（昭四〇法一二四）……一六一八
○地方住宅供給公社法施行令（昭四〇政一九八）……一六二三
○住宅の品質確保の促進等に関する法律（平一一法八一）……一六二六
○住宅の品質確保の促進等に関する法律施行令（平一二政六四）……一六四〇
○住宅の品質確保の促進等に関する法律施行規則（平一二建令二〇）……一六四一
○特定住宅瑕疵担保責任の履行の確保等に関する法律（平一九法六六）……一六五七
○特定住宅瑕疵担保責任の履行の確保等に関する法律施行令（平一九政三九五）……一六六四
○特定住宅瑕疵担保責任の履行の確保等に関する法律施行規則（平二〇国交令一〇）……一六六六
○住宅建設瑕疵担保保証金及び住宅販売瑕疵担保保証金に関する規則（平二一法・国交令一）……一六七五
○長期優良住宅の普及の促進に関する法律（平二〇法八七）……一六七九
○長期優良住宅の普及の促進に関する法律施行令（平二一政二四）……一六八三
○長期優良住宅の普及の促進に関する法律施行規則（平二一国交令三）……一六八四
◉**建築基準法**（昭二五法二〇一）……一六八七
○建築基準法施行令（昭二五政三三八）……一七九五
○建築基準法施行規則（昭二五建令四〇）……一八七五
○建築基準法に基づく指定建築基準適合判定資格者検定機関等に関する省令（平一一建令一三）……一九九七
○建築士法（昭二五法二〇二）……二〇一六
○建築士法施行令（昭二五政二〇一）……二〇三五
○建築士法施行規則（昭二五建令三八）……二〇三七
○建築物の耐震改修の促進に関する法律（平七法一二三）……二〇四九
○建築物の耐震改修の促進に関する法律施行令（平七政四二九）……二〇五六
○建築物の耐震改修の促進に関する法律施行規則（平七建令二八）……二〇五九
○官公庁施設の建設等に関する法律（昭二六法一八一）……二〇六六
○官公庁施設の建設等に関する法律第十二条第一項の規定によりその敷地及び構造に係る劣化の状況の点検を要する建築物を定める政令（平一七政一九三）……二〇六八
○官公庁施設の建設等に関する法律施行規則（平一二建令三八）……二〇六八

○建築物のエネルギー消費性能の向上等に関する法律（平二七法五三）……二〇六九
○建築物のエネルギー消費性能の向上等に関する法律施行令（平二八政八）……二〇九二
○建築物のエネルギー消費性能の向上等に関する法律施行規則（平二八国交令五）……二〇九四
○建築物エネルギー消費性能基準等を定める省令（平二八経産・国交令一）……二一二五
○浄化槽法（昭五八法四三）……二一三六
○借地借家法（平三法九〇）……二一四九
○借地借家法施行令（令四政一八七）……二一五五
○借地借家法施行規則（令四法令二九）……二一五六
○空家等対策の推進に関する特別措置法（平二六法一二七）……二一五六
○空家等対策の推進に関する特別措置法施行規則（平二七総・国交令一）……二一六一
○空家等対策の推進に関する特別措置法第七条第六項に規定する敷地特例適用要件に関する基準を定める省令（令五国交令九四）……二一六一

●災害・防災関係●

○災害対策基本法（昭三六法二二三）……二二〇三
○災害対策基本法施行令（昭三七政二八八）……二二二九
○災害対策基本法施行規則（昭三七総令五二）……二二三九
○公共土木施設災害復旧事業費国庫負担法（昭二六法九七）……二二四三
○公共土木施設災害復旧事業費国庫負担法施行令（昭二六政一〇七）……二二四六
○公共土木施設災害復旧事業費国庫負担法施行規則（平一二運・建令一四）……二二四九
○激甚災害に対処するための特別の財政援助等に関する法律（昭三七法一五〇）……二二五〇
○激甚災害に対処するための特別の財政援助等に関する法律施行令（昭三七政四〇三）……二二五八
○大規模な災害の被災地における借地借家に関する特別措置法（平二五法六一）……二二六六
○被災市街地復興特別措置法（平七法一四）……二二六八
○被災市街地復興特別措置法施行令（平七政三六）……二二七四
○被災市街地復興特別措置法施行規則（平七建令二）……二二七四
○大規模災害からの復興に関する法律（平二五法五五）……二二七六
○東日本大震災復興特別区域法〔抄〕（平二三法一二二）……二二九一
○福島復興再生特別措置法（平二四法二五）……二三〇六
○津波防災地域づくりに関する法律（平二三法一二三）……二三四三
○津波防災地域づくりに関する法律施行令（平二三政四二六）……二三五四
○津波防災地域づくりに関する法律施行規則（平二三国交令九九）……二三五六

●土地関係●

○土地基本法（平元法八四）……二四〇三
◉**土地収用法**（昭二六法二一九）……二四〇五
○土地収用法施行令（昭二六政三四二）……二四四五
○土地収用法第八十八条の二の細目等を定める政令（平一四政二四八）……二四五五
○土地収用法施行規則（昭二六建令三三）……二四五七
○大深度地下の公共的使用に関する特別措置法（平一二法八七）……二四六三
○大深度地下の公共的使用に関する特別措置法施行令（平一二政五〇〇）……二四六九
○大深度地下の公共的使用に関する特別措置法施行規則（平一二総令一五七）……二四七一
○所有者不明土地の利用の円滑化等に関する特別措置法（平三〇法四九）……二四七二
○所有者不明土地の利用の円滑化等に関する特別措置法施行令（平三〇政三〇八）……二四八三
○所有者不明土地の利用の円滑化等に関する特別措置法施行規則（平三〇国交令八三）……二四八六
○測量法（昭二四法一八八）……二四九二
○測量法施行令（昭二四政三二二）……二五〇五
○測量法施行規則（昭二四建令一六）……二五〇七
◉**宅地建物取引業法**（昭二七法一七六）……二五一二
○宅地建物取引業法施行令（昭三九政三八三）……二五六一
○宅地建物取引業法施行規則（昭三二建令一二）……二五六七
○賃貸住宅の管理業務等の適正化に関する法律（令二法六〇）……二五九三
○賃貸住宅の管理業務等の適正化に関する法律施行令（令二政三一三）……二五九八
○賃貸住宅の管理業務等の適正化に関する法律施行規則（令二国交令八三）……二五九八
○不動産特定共同事業法（平六法七七）……二六〇五
○不動産特定共同事業法施行令（平六政四一三）……二六二三
○不動産特定共同事業法施行規則（平七大・建令二）……二六二七

●建設業関係●

◉**建設業法**（昭二四法一〇〇）……二八〇三
○建設業法施行令（昭三一政二七三）……二八四五
○建設業法施行規則（昭二四建令一四）……二八五二

○公共工事の入札及び契約の適正化の促進に関する法律（平一二法一二七）……二八九〇
○公共工事の入札及び契約の適正化の促進に関する法律施行令（平一三政三四）……二八九三
○公共工事の品質確保の促進に関する法律（平一七法一八）……二八九五
○建設工事従事者の安全及び健康の確保の推進に関する法律（平二八法一一一）……二九〇〇
○公共工事の前払金保証事業に関する法律（昭二七法一八四）……二九〇一
○公共工事の前払金保証事業に関する法律施行令（昭二七政二八六）……二九〇六
○公共工事の前払金保証事業に関する法律施行規則（昭二七建令二三）……二九〇七
○建設機械抵当法（昭二九法九七）……二九〇八
○建設機械抵当法施行令（昭二九政二九四）……二九一〇
○建設機械抵当法施行規則（昭二九建令三五）……二九一三
○建設工事に係る資材の再資源化等に関する法律（平一二法一〇四）……二九一三
○建設工事に係る資材の再資源化等に関する法律施行令（平一二政四九五）……二九一九
○建設工事に係る資材の再資源化等に関する法律施行規則（平一四国交・環令一）……二九二一
○特定特殊自動車排出ガスの規制等に関する法律（平一七法五一）……二九二三

●諸　法●

○国土形成計画法（昭二五法二〇五）……三三〇三
○国土形成計画法施行令（平一八政二三〇）……三三〇五
○国土形成計画法施行規則（平一七国交令一一四）……三三〇六
○国土利用計画法（昭四九法九二）……三三〇七
○国土利用計画法施行令（昭四九政三八七）……三三一七
○国土利用計画法施行規則（昭四九総府令七二）……三三二三
○広域的地域活性化のための基盤整備に関する法律（平一九法五二）……三三二八
○広域的地域活性化のための基盤整備に関する法律施行令（平一九政二四九）……三三三四
○広域的地域活性化のための基盤整備に関する法律施行規則（平一九国交令七四）……三三三四
○民法〔抄〕（明二九法八九）……三三三六
○国有財産法（昭二三法七三）……三三五六
○行政手続法（平五法八八）……三三六三
○行政手続法施行令（平六政二六五）……三三六九
○国土交通省聴聞手続規則（平一二総・運・建令一）……三三七二
○行政機関の保有する情報の公開に関する法律（平一一法四二）……三三七四
○行政機関の保有する情報の公開に関する法律施行令（平一二政四一）……三三七八
○行政代執行法（昭二三法四三）……三三八三
○行政事件訴訟法（昭三七法一三九）……三三八四
○行政不服審査法（平二六法六八）……三三九一
○国家賠償法（昭二二法一二五）……三四〇五
○日本電信電話株式会社の株式の売払収入の活用による社会資本の整備の促進に関する特別措置法（昭六二法八六）……三四〇五
○日本電信電話株式会社の株式の売払収入の活用による社会資本の整備の促進に関する特別措置法施行令（昭六二政二九一）……三四〇八

●日本国憲法細目次●

○日本国憲法（昭二一・一一・三公布）……三
第一章　天皇……三
第二章　戦争の放棄……三
第三章　国民の権利及び義務……三
第四章　国会……五
第五章　内閣……五
第六章　司法……六
第七章　財政……六
第八章　地方自治……六
第九章　改正……七
第十章　最高法規……七
第十一章　補則……七

○日本国憲法〔昭和二一・一一・三公布 / 昭和二二・五・三施行〕

朕は、日本国民の総意に基いて、新日本建設の礎が、定まるに至つたことを、深くよろこび、枢密顧問の諮詢及び帝国憲法第七十三条による帝国議会の議決を経た帝国憲法の改正を裁可し、ここにこれを公布せしめる。

御名　御璽

昭和二十一年十一月三日

内閣総理大臣兼外務大臣　吉田　茂
国務大臣　男爵　幣原喜重郎
司法大臣　木村篤太郎
内務大臣　大村清一
文部大臣　田中耕太郎
農林大臣　和田博雄
国務大臣　斎藤隆夫
逓信大臣　一松定吉
商工大臣　星島二郎
厚生大臣　河合良成
国務大臣　植原悦二郎
運輸大臣　平塚常次郎
大蔵大臣　石橋湛山
国務大臣　金森徳次郎
国務大臣　膳　桂之助

日本国憲法

〔目次〕

前文
第一章　天皇
第二章　戦争の放棄
第三章　国民の権利及び義務
第四章　国会
第五章　内閣
第六章　司法
第七章　財政
第八章　地方自治
第九章　改正
第十章　最高法規
第十一章　補則

日本国民は、正当に選挙された国会における代表者を通じて行動し、われらとわれらの子孫のために、諸国民との協和による成果と、わが国全土にわたつて自由のもたらす恵沢を確保し、政府の行為によつて再び戦争の惨禍が起ることのないやうにすることを決意し、ここに主権が国民に存することを宣言し、この憲法を確定する。そもそも国政は、国民の厳粛な信託によるものであつて、その権威は国民に由来し、その権力は国民の代表者がこれを行使し、その福利は国民がこれを享受する。これは人類普遍の原理であり、この憲法は、かかる原理に基くものである。われらは、これに反する一切の憲法、法令及び詔勅を排除する。

日本国民は、恒久の平和を念願し、人間相互の関係を支配する崇高な理想を深く自覚するのであつて、平和を愛する諸国民の公正と信義に信頼して、われらの安全と生存を保持しようと決意した。われらは、平和を維持し、専制と隷従、圧迫と偏狭を地上から永遠に除去しようと努めてゐる国際社会において、名誉ある地位を占めたいと思ふ。われらは、全世界の国民が、ひとしく恐怖と欠乏から免かれ、平和のうちに生存する権利を有することを確認する。

われらは、いづれの国家も、自国のことのみに専念して他国を無視してはならないのであつて、政治道徳の法則は、普遍的なものであり、この法則に従ふことは、自国の主権を維持し、他国と対等関係に立たうとする各国の責務であると信ずる。

日本国民は、国家の名誉にかけ、全力をあげてこの崇高な理想と目的を達成することを誓ふ。

第一章　天皇

〔天皇の地位・国民主権〕
第一条　天皇は、日本国の象徴であり日本国民統合の象徴であつて、この地位は、主権の存する日本国民の総意に基く。

〔皇位の継承〕
第二条　皇位は、世襲のものであつて、国会の議決した皇室典範の定めるところにより、これを継承する。

〔天皇の国事行為と内閣の助言・承認及び責任〕
第三条　天皇の国事に関するすべての行為には、内閣の助言と承認を必要とし、内閣が、その責任を負ふ。

〔天皇の権能の限界と権能行使の委任〕
第四条　天皇は、この憲法の定める国事に関する行為のみを行ひ、国政に関する権能を有しない。
②　天皇は、法律の定めるところにより、その国事に関する行為を委任することができる。

〔摂政〕
第五条　皇室典範の定めるところにより摂政を置くときは、摂政は、天皇の名でその国事に関する行為を行ふ。この場合には、前条第一項の規定を準用する。

〔天皇の任命権〕
第六条　天皇は、国会の指名に基いて、内閣総理大臣を任命する。
②　天皇は、内閣の指名に基いて、最高裁判所の長たる裁判官を任命する。

〔天皇の国事行為〕
第七条　天皇は、内閣の助言と承認により、国民のために、左の国事に関する行為を行ふ。
一　憲法改正、法律、政令及び条約を公布すること。
二　国会を召集すること。
三　衆議院を解散すること。
四　国会議員の総選挙の施行を公示すること。
五　国務大臣及び法律の定めるその他の官吏の任免並びに全権委任状及び大使及び公使の信任状を認証すること。
六　大赦、特赦、減刑、刑の執行の免除及び復権を認証すること。
七　栄典を授与すること。
八　批准書及び法律の定めるその他の外交文書を認証すること。
九　外国の大使及び公使を接受すること。
十　儀式を行ふこと。

〔皇室の財産授受〕
第八条　皇室に財産を譲り渡し、又は皇室が、財産を譲り受け、若しくは賜与することは、国会の議決に基かなければならない。

第二章　戦争の放棄

〔戦争の放棄と戦力及び交戦権の否認〕
第九条　日本国民は、正義と秩序を基調とする国際平和を誠実に希求し、国権の発動たる戦争と、武力による威嚇又は武力の行使は、国際紛争を解決する手段としては、永久にこれを放棄する。
②　前項の目的を達するため、陸海空軍その他の戦力は、これを保持しない。国の交戦権は、これを認めない。

第三章　国民の権利及び義務

〔国民の要件〕
第一〇条　日本国民たる要件は、法律でこれを定める。

〔基本的人権の享有〕
第一一条　国民は、すべての基本的人権の享有を妨げられない。この憲法が国民に保障する基本的人権は、侵すことのできない永久の権利として、現在及び将来の国民に与へられる。

〔自由・権利の保持の責任と濫用の禁止〕
第一二条　この憲法が国民に保障する自由及び権利は、国民の不断の努力によつて、これを保持しなければならない。又、国民は、これを濫用しては

ならないのであつて、常に公共の福祉のためにこれを利用する責任を負ふ。

〔個人の尊重〕

第一三条 すべて国民は、個人として尊重される。生命、自由及び幸福追求に対する国民の権利については、公共の福祉に反しない限り、立法その他の国政の上で、最大の尊重を必要とする。

〔法の下の平等・貴族制度の否認・栄典の授与〕

第一四条 すべて国民は、法の下に平等であつて、人種、信条、性別、社会的身分又は門地により、政治的、経済的又は社会的関係において、差別されない。

② 華族その他の貴族の制度は、これを認めない。

③ 栄誉、勲章その他の栄典の授与は、いかなる特権も伴はない。栄典の授与は、現にこれを有し、又は将来これを受ける者の一代に限り、その効力を有する。

〔公務員の選定罷免権・公務員の本質・普通選挙及び秘密投票の保障〕

第一五条 公務員を選定し、及びこれを罷免することは、国民固有の権利である。

② すべて公務員は、全体の奉仕者であつて、一部の奉仕者ではない。

③ 公務員の選挙については、成年者による普通選挙を保障する。

④ すべて選挙における投票の秘密は、これを侵してはならない。選挙人は、その選択に関し公的にも私的にも責任を問はれない。

〔請願権〕

第一六条 何人も、損害の救済、公務員の罷免、法律、命令又は規則の制定、廃止又は改正その他の事項に関し、平穏に請願する権利を有し、何人も、かかる請願をしたためにいかなる差別待遇も受けない。

〔国及び公共団体の賠償責任〕

第一七条 何人も、公務員の不法行為により、損害を受けたときは、法律の定めるところにより、国又は公共団体に、その賠償を求めることができる。

〔奴隷的拘束及び苦役からの自由〕

第一八条 何人も、いかなる奴隷的拘束も受けない。又、犯罪に因る処罰の場合を除いては、その意に反する苦役に服させられない。

〔思想及び良心の自由〕

第一九条 思想及び良心の自由は、これを侵してはならない。

〔信教の自由〕

第二〇条 信教の自由は、何人に対してもこれを保障する。いかなる宗教団体も、国から特権を受け、又は政治上の権力を行使してはならない。

② 何人も、宗教上の行為、祝典、儀式又は行事に参加することを強制されない。

③ 国及びその機関は、宗教教育その他いかなる宗教的活動もしてはならない。

〔集会・結社・表現の自由、通信の秘密〕

第二一条 集会、結社及び言論、出版その他一切の表現の自由は、これを保障する。

② 検閲は、これをしてはならない。通信の秘密は、これを侵してはならない。

〔居住・移転・職業選択の自由、外国移住及び国籍離脱の自由〕

第二二条 何人も、公共の福祉に反しない限り、居住、移転及び職業選択の自由を有する。

② 何人も、外国に移住し、又は国籍を離脱する自由を侵されない。

〔学問の自由〕

第二三条 学問の自由は、これを保障する。

〔家族生活における個人の尊厳と両性の平等〕

第二四条 婚姻は、両性の合意のみに基いて成立し、夫婦が同等の権利を有することを基本として、相互の協力により、維持されなければならない。

② 配偶者の選択、財産権、相続、住居の選定、離婚並びに婚姻及び家族に関するその他の事項に関しては、法律は、個人の尊厳と両性の本質的平等に立脚して、制定されなければならない。

〔生存権、国の社会保障義務〕

第二五条 すべて国民は、健康で文化的な最低限度の生活を営む権利を有する。

② 国は、すべての生活部面について、社会福祉、社会保障及び公衆衛生の向上及び増進に努めなければならない。

〔教育を受ける権利・義務教育〕

第二六条 すべて国民は、法律の定めるところにより、その能力に応じて、ひとしく教育を受ける権利を有する。

② すべて国民は、法律の定めるところにより、その保護する子女に普通教育を受けさせる義務を負ふ。義務教育は、これを無償とする。

〔勤労の権利と義務・勤労条件の基準・児童酷使の禁止〕

第二七条 すべて国民は、勤労の権利を有し、義務を負ふ。

② 賃金、就業時間、休息その他の勤労条件に関する基準は、法律でこれを定める。

③ 児童は、これを酷使してはならない。

〔勤労者の団結権・団体交渉権〕

第二八条 勤労者の団結する権利及び団体交渉その他の団体行動をする権利は、これを保障する。

〔財産権〕

第二九条 財産権は、これを侵してはならない。

② 財産権の内容は、公共の福祉に適合するやうに、法律でこれを定める。

③ 私有財産は、正当な補償の下に、これを公共のために用ひることができる。

〔納税の義務〕

第三〇条 国民は、法律の定めるところにより、納税の義務を負ふ。

〔法定手続の保障〕

第三一条 何人も、法律の定める手続によらなければ、その生命若しくは自由を奪はれ、又はその他の刑罰を科せられない。

〔裁判を受ける権利〕

第三二条 何人も、裁判所において裁判を受ける権利を奪はれない。

〔逮捕に対する保障〕

第三三条 何人も、現行犯として逮捕される場合を除いては、権限を有する司法官憲が発し、且つ理由となつてゐる犯罪を明示する令状によらなければ、逮捕されない。

〔抑留及び拘禁に対する保障〕

第三四条 何人も、理由を直ちに告げられ、且つ、直ちに弁護人に依頼する権利を与へられなければ、抑留又は拘禁されない。又、何人も、正当な理由がなければ、拘禁されず、要求があれば、その理由は、直ちに本人及びその弁護人の出席する公開の法廷で示されなければならない。

〔住居の不可侵〕

第三五条 何人も、その住居、書類及び所持品について、侵入、捜索及び押収を受けることのない権利は、第三十三条の場合を除いては、正当な理由に基いて発せられ、且つ捜索する場所及び押収する物を明示する令状がなければ、侵されない。

② 捜索又は押収は、権限を有する司法官憲が発する各別の令状により、これを行ふ。

〔拷問及び残虐な刑罰の禁止〕

第三六条 公務員による拷問及び残虐な刑罰は、絶対にこれを禁ずる。

〔刑事被告人の権利〕

第三七条 すべて刑事事件においては、被告人は、公平な裁判所の迅速な公開裁判を受ける権利を有する。

② 刑事被告人は、すべての証人に対して審問する機会を充分に与へられ、又、公費で自己のために強制的手続により証人を求める権利を有する。

③ 刑事被告人は、いかなる場合にも、資格を有する弁護人を依頼することができる。被告人が自らこれを依頼することができないときは、国でこれを附する。

〔自己に不利益な供述と自白の証拠能力〕

第三八条 何人も、自己に不利益な供述を強要されない。

② 強制、拷問若しくは脅迫による自白又は不当に長く抑留若しくは拘禁された後の自白は、これを証拠とすることができない。

③ 何人も、自己に不利益な唯一の証拠が本人の自白である場合には、有罪とされ、又は刑罰を科せられない。

〔遡及処罰の禁止・一事不再理〕

第三九条 何人も、実行の時に適法であつた行為又は既に無罪とされた行為については、刑事上の責任を問はれない。又、同一の犯罪について、重ねて刑事上の責任を問はれない。

〔刑事補償〕

第四〇条 何人も、抑留又は拘禁された後、無罪の裁判を受けたときは、法律の定めるところにより、国にその補償を求めることができる。

第四章　国会

〔国会の地位・立法権〕
第四一条　国会は、国権の最高機関であつて、国の唯一の立法機関である。
〔両院制〕
第四二条　国会は、衆議院及び参議院の両議院でこれを構成する。
〔両議院の組織〕
第四三条　両議院は、全国民を代表する選挙された議員でこれを組織する。
②　両議院の議員の定数は、法律でこれを定める。
〔議員及び選挙人の資格〕
第四四条　両議院の議員及びその選挙人の資格は、法律でこれを定める。但し、人種、信条、性別、社会的身分、門地、教育、財産又は収入によつて差別してはならない。
〔衆議院議員の任期〕
第四五条　衆議院議員の任期は、四年とする。但し、衆議院解散の場合には、その期間満了前に終了する。
〔参議院議員の任期〕
第四六条　参議院議員の任期は、六年とし、三年ごとに議員の半数を改選する。
〔選挙に関する事項の定〕
第四七条　選挙区、投票の方法その他両議院の議員の選挙に関する事項は、法律でこれを定める。
〔両議院議員兼職の禁止〕
第四八条　何人も、同時に両議院の議員たることはできない。
〔議員の歳費〕
第四九条　両議院の議員は、法律の定めるところにより、国庫から相当額の歳費を受ける。
〔議員の不逮捕特権〕
第五〇条　両議院の議員は、法律の定める場合を除いては、国会の会期中逮捕されず、会期前に逮捕された議員は、その議院の要求があれば、会期中これを釈放しなければならない。
〔議員の発言・表決の無責任〕
第五一条　両議院の議員は、議院で行つた演説、討論又は表決について、院外で責任を問はれない。
〔常会〕
第五二条　国会の常会は、毎年一回これを召集する。
〔臨時会〕
第五三条　内閣は、国会の臨時会の召集を決定することができる。いづれかの議院の総議員の四分の一以上の要求があれば、内閣は、その召集を決定しなければならない。
〔衆議院の解散と総選挙・特別会・緊急集会〕
第五四条　衆議院が解散されたときは、解散の日から四十日以内に、衆議院議員の総選挙を行ひ、その選挙の日から三十日以内に、国会を召集しなければならない。
②　衆議院が解散されたときは、参議院は、同時に閉会となる。但し、内閣は、国に緊急の必要があるときは、参議院の緊急集会を求めることができる。
③　前項但書の緊急集会において採られた措置は、臨時のものであつて、次の国会開会の後十日以内に、衆議院の同意がない場合には、その効力を失ふ。
〔議員の資格争訟〕
第五五条　両議院は、各〻その議員の資格に関する争訟を裁判する。但し、議員の議席を失はせるには、出席議員の三分の二以上の多数による議決を必要とする。
〔議事の定足数・表決〕
第五六条　両議院は、各〻その総議員の三分の一以上の出席がなければ、議事を開き議決することができない。
②　両議院の議事は、この憲法に特別の定のある場合を除いては、出席議員の過半数でこれを決し、可否同数のときは、議長の決するところによる。
〔会議の公開と秘密会・会議録・表決の記載〕
第五七条　両議院の会議は、公開とする。但し、出席議員の三分の二以上の多数で議決したときは、秘密会を開くことができる。
②　両議院は、各〻その会議の記録を保存し、秘密会の記録の中で特に秘密を要すると認められるもの以外は、これを公表し、且つ一般に頒布しなければならない。
③　出席議員の五分の一以上の要求があれば、各議員の表決は、これを会議録に記載しなければならない。
〔役員の選任・議院規則・懲罰〕
第五八条　両議院は、各〻その議長その他の役員を選任する。
②　両議院は、各〻その会議その他の手続及び内部の規律に関する規則を定め、又、院内の秩序をみだした議員を懲罰することができる。但し、議員を除名するには、出席議員の三分の二以上の多数による議決を必要とする。
〔法律案の議決・衆議院の優越〕
第五九条　法律案は、この憲法に特別の定のある場合を除いては、両議院で可決したとき法律となる。
②　衆議院で可決し、参議院でこれと異なつた議決をした法律案は、衆議院で出席議員の三分の二以上の多数で再び可決したときは、法律となる。
③　前項の規定は、法律の定めるところにより、衆議院が、両議院の協議会を開くことを求めることを妨げない。
④　参議院が、衆議院の可決した法律案を受け取つた後、国会休会中の期間を除いて六十日以内に、議決しないときは、衆議院は、参議院がその法律案を否決したものとみなすことができる。
〔衆議院の予算先議・衆議院の優越〕
第六〇条　予算は、さきに衆議院に提出しなければならない。
②　予算について、参議院で衆議院と異なつた議決をした場合に、法律の定めるところにより、両議院の協議会を開いても意見が一致しないとき、又は参議院が、衆議院の可決した予算を受け取つた後、国会休会中の期間を除いて三十日以内に、議決しないときは、衆議院の議決を国会の議決とする。
〔条約の承認・衆議院の優越〕
第六一条　条約の締結に必要な国会の承認については、前条第二項の規定を準用する。
〔議院の国政調査権〕
第六二条　両議院は、各〻国政に関する調査を行ひ、これに関して、証人の出頭及び証言並びに記録の提出を要求することができる。
〔国務大臣の議院出席の権利と義務〕
第六三条　内閣総理大臣その他の国務大臣は、両議院の一に議席を有すると有しないとにかかはらず、何時でも議案について発言するため議院に出席することができる。又、答弁又は説明のため出席を求められたときは、出席しなければならない。
〔弾劾裁判所〕
第六四条　国会は、罷免の訴追を受けた裁判官を裁判するため、両議院の議員で組織する弾劾裁判所を設ける。
②　弾劾に関する事項は、法律でこれを定める。

第五章　内閣

〔行政権〕
第六五条　行政権は、内閣に属する。
〔内閣の組織・国会に対する連帯責任〕
第六六条　内閣は、法律の定めるところにより、その首長たる内閣総理大臣及びその他の国務大臣でこれを組織する。
②　内閣総理大臣その他の国務大臣は、文民でなければならない。
③　内閣は、行政権の行使について、国会に対し連帯して責任を負ふ。
〔内閣総理大臣の指名・衆議院の優越〕
第六七条　内閣総理大臣は、国会議員の中から国会の議決で、これを指名する。この指名は、他のすべての案件に先だつて、これを行ふ。
②　衆議院と参議院とが異なつた指名の議決をした場合に、法律の定めるところにより、両議院の協議会を開いても意見が一致しないとき、又は衆議院が指名の議決をした後、国会休会中の期間を除いて十日以内に、参議院が、指名の議決をしないときは、衆議院の議決を国会の議決とする。
〔国務大臣の任命・罷免〕
第六八条　内閣総理大臣は、国務大臣を任命する。但し、その過半数は、国会議員の中から選ばれなければならない。
②　内閣総理大臣は、任意に国務大臣を罷免することができる。

〔衆議院の内閣不信任と解散又は総辞職〕
第六九条 内閣は、衆議院で不信任の決議案を可決し、又は信任の決議案を否決したときは、十日以内に衆議院が解散されない限り、総辞職をしなければならない。
〔内閣総理大臣の欠缺・新国会の召集と内閣の総辞職〕
第七〇条 内閣総理大臣が欠けたとき、又は衆議院議員総選挙の後に初めて国会の召集があつたときは、内閣は、総辞職をしなければならない。
〔総辞職後の内閣〕
第七一条 前二条の場合には、内閣は、あらたに内閣総理大臣が任命されるまで引き続きその職務を行ふ。
〔内閣総理大臣の職務権限〕
第七二条 内閣総理大臣は、内閣を代表して議案を国会に提出し、一般国務及び外交関係について国会に報告し、並びに行政各部を指揮監督する。
〔内閣の職務権限〕
第七三条 内閣は、他の一般行政事務の外、左の事務を行ふ。
一 法律を誠実に執行し、国務を総理すること。
二 外交関係を処理すること。
三 条約を締結すること。但し、事前に、時宜によつては事後に、国会の承認を経ることを必要とする。
四 法律の定める基準に従ひ、官吏に関する事務を掌理すること。
五 予算を作成して国会に提出すること。
六 この憲法及び法律の規定を実施するために、政令を制定すること。但し、政令には、特にその法律の委任がある場合を除いては、罰則を設けることができない。
七 大赦、特赦、減刑、刑の執行の免除及び復権を決定すること。
〔法律・政令の署名〕
第七四条 法律及び政令には、すべて主任の国務大臣が署名し、内閣総理大臣が連署することを必要とする。
〔国務大臣の訴追〕
第七五条 国務大臣は、その在任中、内閣総理大臣の同意がなければ、訴追されない。但し、これがため、訴追の権利は、害されない。

第六章 司法

〔司法権と裁判所・特別裁判所の禁止・裁判官の独立〕
第七六条 すべて司法権は、最高裁判所及び法律の定めるところにより設置する下級裁判所に属する。
② 特別裁判所は、これを設置することができない。行政機関は、終審として裁判を行ふことができない。
③ すべて裁判官は、その良心に従ひ独立してその職権を行ひ、この憲法及び法律にのみ拘束される。
〔最高裁判所の規則制定権〕
第七七条 最高裁判所は、訴訟に関する手続、弁護士、裁判所の内部規律及び司法事務処理に関する事項について、規則を定める権限を有する。
② 検察官は、最高裁判所の定める規則に従はなければならない。
③ 最高裁判所は、下級裁判所に関する規則を定める権限を、下級裁判所に委任することができる。
〔裁判官の身分の保障〕
第七八条 裁判官は、裁判により、心身の故障のために職務を執ることができないと決定された場合を除いては、公の弾劾によらなければ罷免されない。裁判官の懲戒処分は、行政機関がこれを行ふことはできない。
〔最高裁判所の裁判官・国民審査・定年・報酬〕
第七九条 最高裁判所は、その長たる裁判官及び法律の定める員数のその他の裁判官でこれを構成し、その長たる裁判官以外の裁判官は、内閣でこれを任命する。
② 最高裁判所の裁判官の任命は、その任命後初めて行はれる衆議院議員総選挙の際国民の審査に付し、その後十年を経過した後初めて行はれる衆議院議員総選挙の際更に審査に付し、その後も同様とする。
③ 前項の場合において、投票者の多数が裁判官の罷免を可とするときは、その裁判官は、罷免される。
④ 審査に関する事項は、法律でこれを定める。
⑤ 最高裁判所の裁判官は、法律の定める年齢に達した時に退官する。
⑥ 最高裁判所の裁判官は、すべて定期に相当額の報酬を受ける。この報酬は、在任中、これを減額することができない。
〔下級裁判所の裁判官・任期・定年・報酬〕
第八〇条 下級裁判所の裁判官は、最高裁判所の指名した者の名簿によつて、内閣でこれを任命する。その裁判官は、任期を十年とし、再任されることができる。但し、法律の定める年齢に達した時には退官する。
② 下級裁判所の裁判官は、すべて定期に相当額の報酬を受ける。この報酬は、在任中、これを減額することができない。
〔最高裁判所の法令審査権〕
第八一条 最高裁判所は、一切の法律、命令、規則又は処分が憲法に適合するかしないかを決定する権限を有する終審裁判所である。
〔裁判の公開〕
第八二条 裁判の対審及び判決は、公開法廷でこれを行ふ。
② 裁判所が、裁判官の全員一致で、公の秩序又は善良の風俗を害する虞があると決した場合には、対審は、公開しないでこれを行ふことができる。但し、政治犯罪、出版に関する犯罪又はこの憲法第三章〔国民の権利及び義務〕で保障する国民の権利が問題となつてゐる事件の対審は、常にこれを公開しなければならない。

第七章 財政

〔財政処理の要件〕
第八三条 国の財政を処理する権限は、国会の議決に基いて、これを行使しなければならない。
〔租税法律主義の原則〕
第八四条 あらたに租税を課し、又は現行の租税を変更するには、法律又は法律の定める条件によることを必要とする。
〔国費支出及び債務負担〕
第八五条 国費を支出し、又は国が債務を負担するには、国会の議決に基くことを必要とする。
〔予算〕
第八六条 内閣は、毎会計年度の予算を作成し、国会に提出して、その審議を受け議決を経なければならない。
〔予備費〕
第八七条 予見し難い予算の不足に充てるため、国会の議決に基いて予備費を設け、内閣の責任でこれを支出することができる。
② すべて予備費の支出については、内閣は、事後に国会の承諾を得なければならない。
〔皇室財産・皇室費用〕
第八八条 すべて皇室財産は、国に属する。すべて皇室の費用は、予算に計上して国会の議決を経なければならない。
〔公の財産の用途制限〕
第八九条 公金その他の公の財産は、宗教上の組織若しくは団体の使用、便益若しくは維持のため、又は公の支配に属しない慈善、教育若しくは博愛の事業に対し、これを支出し、又はその利用に供してはならない。
〔決算検査・会計検査院〕
第九〇条 国の収入支出の決算は、すべて毎年会計検査院がこれを検査し、内閣は、次の年度に、その検査報告とともに、これを国会に提出しなければならない。
② 会計検査院の組織及び権限は、法律でこれを定める。
〔財政状況の報告〕
第九一条 内閣は、国会及び国民に対し、定期に、少くとも毎年一回、国の財政状況について報告しなければならない。

第八章 地方自治

〔地方自治の基本原則〕
第九二条 地方公共団体の組織及び運営に関する事項は、地方自治の本旨に基いて、法律でこれを定める。
〔地方公共団体の機関・直接選挙〕
第九三条 地方公共団体には、法律の定めるところにより、その議事機関として議会を設置する。
② 地方公共団体の長、その議会の議員及び法律の定めるその他の吏員は、その地方公共団体の住民が、直接これを選挙する。

〔**地方公共団体の権能**〕
第九四条　地方公共団体は、その財産を管理し、事務を処理し、及び行政を執行する権能を有し、法律の範囲内で条例を制定することができる。
〔**特別法の住民投票**〕
第九五条　一の地方公共団体のみに適用される特別法は、法律の定めるところにより、その地方公共団体の住民の投票においてその過半数の同意を得なければ、国会は、これを制定することができない。

第九章　改正

〔**憲法改正の手続、その公布**〕
第九六条　この憲法の改正は、各議院の総議員の三分の二以上の賛成で、国会が、これを発議し、国民に提案してその承認を経なければならない。この承認には、特別の国民投票又は国会の定める選挙の際行はれる投票において、その過半数の賛成を必要とする。
②　憲法改正について前項の承認を経たときは、天皇は、国民の名で、この憲法と一体を成すものとして、直ちにこれを公布する。

第十章　最高法規

〔**基本的人権の本質**〕
第九七条　この憲法が日本国民に保障する基本的人権は、人類の多年にわたる自由獲得の努力の成果であつて、これらの権利は、過去幾多の試錬に堪へ、現在及び将来の国民に対し、侵すことのできない永久の権利として信託されたものである。
〔**憲法の最高法規性と条約及び国際法規の遵守**〕
第九八条　この憲法は、国の最高法規であつて、その条規に反する法律、命令、詔勅及び国務に関するその他の行為の全部又は一部は、その効力を有しない。
②　日本国が締結した条約及び確立された国際法規は、これを誠実に遵守することを必要とする。
〔**憲法尊重擁護の義務**〕
第九九条　天皇又は摂政及び国務大臣、国会議員、裁判官その他の公務員は、この憲法を尊重し擁護する義務を負ふ。

第十一章　補則

〔**憲法施行期日と準備手続**〕
第一〇〇条　この憲法は、公布の日から起算して六箇月を経過した日から、これを施行する。
②　この憲法を施行するために必要な法律の制定、参議院議員の選挙及び国会召集の手続並びにこの憲法を施行するために必要な準備手続は、前項の期日よりも前に、これを行ふことができる。
〔**経過規定―参議院未成立の間の国会**〕
第一〇一条　この憲法施行の際、参議院がまだ成立してゐないときは、その成立するまでの間、衆議院は、国会としての権限を行ふ。
〔**第一期参議院議員の任期**〕
第一〇二条　この憲法による第一期の参議院議員のうち、その半数の者の任期は、これを三年とする。その議員は、法律の定めるところにより、これを定める。
〔**公務員の地位に関する経過規定**〕
第一〇三条　この憲法施行の際現に在職する国務大臣、衆議院議員及び裁判官並びにその他の公務員で、その地位に相応する地位がこの憲法で認められてゐる者は、法律で特別の定をした場合を除いては、この憲法施行のため、当然にはその地位を失ふことはない。但し、この憲法によつて、後任者が選挙又は任命されたときは、当然その地位を失ふ。

●社会資本整備重点計画関係細目次●

○社会資本整備重点計画法（平一五法二〇）……一三
○社会資本整備重点計画法施行令（平一五政一六二）……一四
○社会資本整備重点計画法施行規則（平一五内府・農・国交令一）……一五

○社会資本整備重点計画法

〔平成一五・三・三一
法律二〇〕

改正　平成一五・五法五三、平成一七・七法八九、平成一九・三法二三、平成二〇・六法七五、平成二四・六法四二、令和五・五法三六

（目的）

第一条　この法律は、社会資本整備事業を重点的、効果的かつ効率的に推進するため、社会資本整備重点計画の策定等の措置を講ずることにより、交通の安全の確保とその円滑化、経済基盤の強化、生活環境の保全、都市環境の改善及び国土の保全と開発を図り、もって国民経済の健全な発展及び国民生活の安定と向上に寄与することを目的とする。

（定義）

第二条　この法律において「社会資本整備重点計画」とは、社会資本整備事業に関する計画であって、第四条の規定に従い定められたものをいう。

２　この法律において「社会資本整備事業」とは、次に掲げるものをいう。

一　道路法（昭和二十七年法律第百八十号）第二条第一項に規定する道路の新設、改築、維持及び修繕に関する事業

二　交通安全施設等整備事業の推進に関する法律（昭和四十一年法律第四十五号）第二条第三項に規定する交通安全施設等整備事業（同項第一号に掲げる事業に限る。）

三　鉄道事業法（昭和六十一年法律第九十二号）第八条第一項に規定する鉄道施設（軌道法（大正十年法律第七十六号）による軌道施設を含む。）の建設又は改良に関する事業

四　空港法（昭和三十一年法律第八十号）第二条に規定する空港及び同法附則第二条第一項の政令で定める飛行場（これらと併せて設置すべき政令で定める施設を含む。以下この号において「空港」という。）の設置及び改良に関する事業並びに空港の周辺における航空機の騒音により生ずる障害の防止等に関する事業

五　港湾法（昭和二十五年法律第二百十八号）第二条第五項に規定する港湾施設の建設又は改良に関する事業及びこれらの事業以外の事業で港湾その他の海域における汚泥その他公害の原因となる物質の堆積の排除、汚濁水の浄化その他の公害防止のために行うもの並びに同条第八項に規定する開発保全航路の開発及び保全に関する事業

六　航路標識法（昭和二十四年法律第九十九号）第一条第二項に規定する航路標識の整備に関する事業

七　都市公園法（昭和三十一年法律第七十九号）第二条第一項に規定する都市公園その他政令で定める公園又は緑地の新設又は改築に関する事業及び都市における緑地の保全に関する事業

八　水道法（昭和三十二年法律第百七十七号）第三条第八項に規定する水道施設の新設、増設又は改造に関する事業

九　下水道法（昭和三十三年法律第七十九号）第二条第三号に規定する公共下水道、同条第四号に規定する流域下水道及び同条第五号に規定する都市下水路の設置又は改築に関する事業

十　河川法（昭和三十九年法律第百六十七号）第三条第一項に規定する河川（同法第百条の規定により同法の二級河川に関する規定が準用される河川を含む。）に関する事業

十一　砂防法（明治三十年法律第二十九号）第一条に規定する砂防設備に関する事業

十二　地すべり等防止法（昭和三十三年法律第三十号）第五十一条第一項第一号又は第三号ロに規定する地すべり地域又はぼた山に関して同法第三条又は第四条の規定によって指定された地すべり防止区域又はぼた山崩壊防止区域における地すべり防止工事又はぼた山崩壊防止工事に関する事業

十三　急傾斜地の崩壊による災害の防止に関する法律（昭和四十四年法律第五十七号）第二条第三項に規定する急傾斜地崩壊防止工事に関する事業

十四　海岸法（昭和三十一年法律第百一号）第二条第一項に規定する海岸保全施設に関する事業及び海岸環境の整備に関する事業

十五　前各号に掲げるもののほか、前各号に掲げる事業と一体となってその効果を増大させるため実施される事務又は事業

（社会資本整備重点計画の基本理念）

第三条　社会資本整備重点計画（以下「重点計画」という。）は、これに基づき社会資本整備事業を重点的、効果的かつ効率的に実施することにより、国際競争力の強化等による経済社会の活力の向上及び持続的発展、豊かな国民生活の実現及びその安全の確保、環境の保全（良好な環境の創出を含む。以下同じ。）並びに自立的で個性豊かな地域社会の形成が図られるべきことを基本理念として定めるものとする。

２　重点計画は、社会資本整備事業の実施に関し、地方公共団体の自主性及び自立性を尊重しつつ、適切な役割分担の下に国の責務が十分に果たされることとなるよう定めるものとする。

３　重点計画は、民間事業者の能力の活用及び財政資金の効率的使用に配慮しつつ、社会資本の整備状況その他の地域の特性に応じた社会資本整備事業が実施されるよう定めるものとする。

（重点計画）

第四条　主務大臣等は、政令で定めるところにより、重点計画の案を作成しなければならない。

２　主務大臣は、前項の規定により作成された重点計画の案について、閣議の決定を求めなければならない。

３　重点計画には、次に掲げる事項を定めなければならない。

一　計画期間における社会資本整備事業の実施に関する重点目標

二　前号の重点目標の達成のため、計画期間において効果的かつ効率的に実施すべき社会資本整備事業の概要

三　地域住民等の理解と協力の確保、事業相互間の連携の確保、既存の社会資本の有効活用、公共工事の入札及び契約の改善、技術開発等による費用の縮減その他社会資本整備事業を効果的かつ効率的に実施するための措置に関する事項

四　その他社会資本整備事業の重点的、効果的かつ効率的な実施に関し必要な事項

４　主務大臣等は、第一項の規定により重点計画の案を作成しようとするときは、あらかじめ、主務省令で定めるところにより、国民の意見を反映させるために必要な措置を講ずるとともに、都道府県の意見を聴くものとする。

５　主務大臣等は、第一項の規定により重点計画の案を作成しようとするときは、あらかじめ、環境の保全の観点から、環境大臣に協議しなければならない。

６　主務大臣等は、第一項の規定により重点計画の案（第二条第二項第十号から第十二号までに掲げる事業（以下「治水事業」という。）に係る部分に限る。）を作成しようとするときは、治水事業と森林法（昭和二十六年法律第二百四十九号）第十条の十五第四項第四号に規定する治山事業との総合性を確保するため、同法第四条第五項に規定する森林整備保全事業計画又はその変更の案との調整を図らなければならない。

７　主務大臣等は、第二項の閣議の決定があったときは、遅滞なく、重点計画を公表しなければならない。

８　前各項の規定は、重点計画を変更しようとする場合について準用する。

（社会経済情勢の変化に対応した変更）

第五条　主務大臣等は、社会経済情勢の変化に的確に対応するために重点計画を変更する必要があると認めるときは、速やかに、前条第八項において準用する同条第一項の規定によりその変更の案を作成しなければならない。

（重点計画と国の計画との関係）

第六条　重点計画は、国土の総合的な利用、整備及び保全に関する国の計画並びに環境の保全に関する国の基本的な計画との調和が保たれたものでなければならない。

（社会資本整備事業に係る政策の評価）

第七条　主務大臣等は、行政機関が行う政策の評価に関する法律（平成十三年法律第八十六号）第六条第一項の基本計画を定めるときは、同条第二項第六号の政策として、第四条第三項第二号の規定によりその概要が重点計画に定められた社会資本整備事業を定めなければならない。

２　主務大臣等は、行政機関が行う政策の評価に関する法律第七条第一項の実施計画を定めるときは、前項の社会資本整備事業に係る同条第二項の事

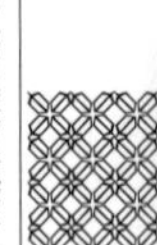

後評価の方法として、第四条第三項第一号の規定により重点計画に定められた重点目標に照らして評価を行う旨を定めなければならない。

（重点計画の実施）

第八条　政府は、この法律及び他の法律で定めるもののほか、重点計画を実施するために必要な措置を講ずるものとする。

（主務大臣等）

第九条　第四条第二項（同条第八項において準用する場合を含む。）における主務大臣は、内閣総理大臣、農林水産大臣及び国土交通大臣とする。

２　この法律における主務大臣等は、国家公安委員会、農林水産大臣及び国土交通大臣とする。

３　この法律における主務省令は、内閣府令・農林水産省令・国土交通省令とする。

附　則

（施行期日）

第一条　この法律は、平成十五年四月一日から施行する。

（国の無利子貸付け等）

第二条　国は、当分の間、政令で定める町村に対し、第二条第二項第七号に規定する公園又は緑地のうち政令で定めるものの設置で日本電信電話株式会社の株式の売払収入の活用による社会資本の整備の促進に関する特別措置法（昭和六十二年法律第八十六号）第二条第一項第二号に該当するもののうち、重点計画に照らし重点的、効果的かつ効率的に行われる必要があると認められるものに要する費用に充てる資金の一部を、予算の範囲内において、無利子で貸し付けることができる。

２　前項の国の貸付金の償還期間は、五年（二年以内の据置期間を含む。）以内で政令で定める期間とする。

３　前項に定めるもののほか、第一項の規定による貸付金の償還方法、償還期限の繰上げその他償還に関し必要な事項は、政令で定める。

４　国は、第一項の規定により町村に対し貸付けを行った場合には、当該貸付けの対象である公園又は緑地の設置について、当該貸付金に相当する金額の補助を行うものとし、当該補助については、当該貸付金の償還時において、当該貸付金の償還金に相当する金額を交付することにより行うものとする。

５　町村が、第一項の規定による貸付けを受けた無利子貸付金について、第二項及び第三項の規定に基づき定められる償還期限を繰り上げて償還を行った場合（政令で定める場合を除く。）における前項の規定の適用については、当該償還は、当該償還期限の到来時に行われたものとみなす。

（検討）

第三条　政府は、重点計画の計画期間の最終年度において、社会経済情勢の変化、当該計画期間内における社会資本の整備状況等を勘案して、重点計画に係る制度について検討を加え、必要があると認めるときは、その結果に基づいて所要の措置を講ずるものとする。

附　則〔略〕〔平成一五・五・三〇法律五三〕

附　則〔略〕〔平成一七・七・二九法律八九〕

附　則〔略〕〔平成一九・三・三一法律二三〕

附　則〔略〕〔平成二〇・六・一八法律七五施行〕

附　則〔略〕〔平成二四・六・二七法律四二〕

附　則〔抄〕〔令和五・五・二六法律三六〕

（施行期日）

第一条　この法律は、令和六年四月一日から施行する。ただし、附則第六条の規定は、公布の日から施行する。

（政令への委任）

第六条　附則第二条から前条までに定めるもののほか、この法律の施行に関し必要な経過措置（罰則に関する経過措置を含む。）は、政令で定める。

〇社会資本整備重点計画法施行令

〔平成一五・三・三一　政令一六二〕

改正　平成二〇・六政一九七、平成二七・八政三〇五

（公共の用に供される飛行場と併せて設置すべき施設）

第一条　社会資本整備重点計画法（以下「法」という。）第二条第二項第四号の政令で定める施設は、航空法（昭和二十七年法律第二百三十一号）第二条第五項に規定する航空保安施設その他航空交通の安全を確保するために必要な施設とする。

（都市公園以外の公園又は緑地）

第二条　法第二条第二項第七号の政令で定める公園又は緑地は、次に掲げるものとする。

一　国及び地方公共団体以外の者が設置する都市計画施設（都市計画法（昭和四十三年法律第百号）第四条第六項に規定する都市計画施設をいう。）である公園又は緑地

二　人口が五千以上であり、かつ、中心の市街地を形成している区域内の人口が千以上である町村が設置する公園又は緑地（都市公園法（昭和三十一年法律第七十九号）第二条第一項に規定する都市公園に該当するものを除く。）のうち、次に掲げる要件に該当するもの

イ　当該町村の中心の市街地を形成している区域内に居住する者が容易に利用することができる位置に設置されること。

ロ　敷地面積がおおむね四ヘクタール以上であること。

ハ　少なくとも園路、広場、植栽及び便所が設けられるほか、都市公園法第二条第二項第二号から第九号までに掲げる施設のうち当該公園又は緑地を休息、観賞、散歩、遊戯、運動等総合的な利用に供するため必要なものが設けられること。

（社会資本整備重点計画の計画期間）

第三条　社会資本整備重点計画は、おおむね五年を一期として定めるものとし、その変更は、当該計画期間の範囲内においてするものとする。

附　則

（施行期日）

第一条　この政令は、平成十五年四月一日から施行する。

（国の無利子貸付けの対象となる町村）

第二条　法附則第二条第一項の政令で定める町村は、第二条第二号に規定する町村とする。

（国の無利子貸付けの対象となる公園又は緑地）

第三条　法附則第二条第一項の政令で定める公園又は緑地は、第二条第二号

に掲げる公園又は緑地でその設置に要する費用の一部を国が補助するものとする。

（国の無利子貸付けの貸付金の償還期間等）

第四条　法附則第二条第二項の政令で定める期間は、五年（二年の据置期間を含む。）とする。

2　前項の期間は、日本電信電話株式会社の株式の売払収入の活用による社会資本の整備の促進に関する特別措置法（昭和六十二年法律第八十六号）第五条第一項の規定により読み替えて準用される補助金等に係る予算の執行の適正化に関する法律（昭和三十年法律第百七十九号）第六条第一項の規定による貸付けの決定（以下「貸付決定」という。）ごとに、当該貸付決定に係る法附則第二条第一項の規定による貸付金（以下「国の貸付金」という。）の交付を完了した日（その日が当該貸付決定があった日の属する年度の末日の前日以後の日である場合には、当該年度の末日の前々日）の翌日から起算する。

3　国の貸付金の償還は、均等年賦償還の方法によるものとする。

4　国は、国の財政状況を勘案し、相当と認めるときは、国の貸付金の全部又は一部について、前三項の規定により定められた償還期限を繰り上げて償還させることができる。

5　法附則第二条第五項の政令で定める場合は、前項の規定により償還期限を繰り上げて償還を行った場合とする。

附　則〔略〕〔平成二〇・六・一八政令一九七施行〕

附　則〔略〕〔平成二七・八・二八政令三〇五施行〕

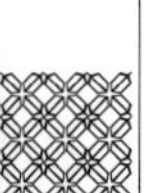

○社会資本整備重点計画法施行規則

〔平成一五・三・三一　内閣府・農林水産・国土交通省令一〕

（国民の意見を反映させるために必要な措置）

第一条　主務大臣等は、社会資本整備重点計画（以下「重点計画」という。）の案を作成しようとするときは、あらかじめ、当該重点計画の素案及び当該素案に対する意見の提出方法、提出期限、提出先その他意見の提出に必要な事項を、インターネットの利用、印刷物の配布その他適切な方法により一般に周知するものとする。

（都道府県の意見聴取）

第二条　主務大臣等は、重点計画の案を作成しようとするときは、あらかじめ、当該重点計画の素案を都道府県に送付するものとする。

2　都道府県は、前項の送付があった場合において、社会資本整備重点計画法第四条第四項の規定により主務大臣等に意見を述べようとするときは、主務大臣等が指定する期日までに意見を提出するものとする。この場合において、国土交通大臣への意見の提出は、国土交通大臣が指定する当該都道府県の区域を管轄する地方支分部局の長を経由して行うものとする。

附　則

この命令は、平成十五年四月一日から施行する。

●都市計画関係細目次●

◉都市計画法（昭四三法一〇〇）……一〇五
第一章　総則……一〇五
第二章　都市計画……一〇七
第三章　都市計画制限等……一二二
第四章　都市計画事業……一三五
第五章　都市施設等整備協定……一三八
第六章　都市計画協力団体……一三九
第七章　社会資本整備審議会の調査審議等及び都道府県都市計画審議会等……一四〇
第八章　雑則……一四一
第九章　罰則……一四三
○都市計画法施行法〔抄〕（昭四三法一〇一）……一五五
○都市計画法施行令（昭四四政一五八）……一五五
第一章　総則……一五六
第二章　都市計画……一五六
第三章　都市計画制限等……一六〇
第四章　都市計画事業……一六七
第五章　雑則……一六七
○都市計画法施行規則（昭四四建令四九）……一七二
第一章　総則……一七二
第二章　都市計画……一七三
第三章　都市計画制限等……一七五
第四章　都市計画事業……一八四
第五章　都市施設等整備協定……一八五
第六章　都市計画協力団体……一八五
第七章　雑則……一八五
○都市再生特別措置法（平一四法二二）……一八八
第一章　総則……一八九
第二章　都市再生本部……一八九
第三章　都市再生基本方針……一九〇
第四章　都市再生緊急整備地域における特別の措置……一九〇
第五章　都市再生整備計画に係る特別の措置……一九九
第六章　立地適正化計画に係る特別の措置……二〇九
第七章　市町村都市再生協議会……二一九
第八章　都市再生推進法人……二一九
第九章　雑則……二二〇
第十章　罰則……二二〇
○都市再生特別措置法施行令（平一四政一九〇）……二二四
○都市再生特別措置法施行規則（平一四国交令六六）……二二九
○密集市街地における防災街区の整備の促進に関する法律（平九法四九）……二四一
第一章　総則……二四二
第二章　防災街区整備方針……二四二
第三章　防災再開発促進地区の区域における建築物の建替え等の促進……二四二
第四章　特定防災街区整備地区……二四六
第五章　防災街区整備地区計画等……二四六
第六章　防災街区整備事業……二五五
第七章　防災都市施設の整備のための特別の措置……二七五
第八章　避難経路協定……二七五
第九章　防災街区整備推進機構……二七六
第十章　雑則……二七七
第十一章　罰則……二七八
○密集市街地における防災街区の整備の促進に関する法律施行令（平九政三二四）……二八三
第一章　総則……二八三
第二章　防災再開発促進地区の区域における建築物の建替え等の促進……二八三
第三章　防災街区整備地区計画等……二八四
第四章　防災街区整備事業……二八五
第五章　防災都市施設の整備のための特別の措置……二九二
第六章　防災街区整備推進機構……二九二
第七章　雑則……二九二
○密集市街地における防災街区の整備の促進に関する法律施行規則（平九建令一五）……二九四
第一章　防災再開発促進地区の区域における建築物の建替え等の促進……二九四
第二章　防災街区整備地区計画等……二九七
第三章　防災街区整備事業……二九九
第四章　防災都市施設の整備のための特別の措置……三〇九
第五章　避難経路協定……三一〇
第六章　防災街区整備推進機構……三一〇
第七章　雑則……三一〇
○地域再生法〔抄〕（平一七法二四）……三一一
○地域再生法施行令〔抄〕（平一七政一五一）……三一一
○国土交通省関係地域再生法施行規則（平二七国交令五八）……三一三
○農林水産省・国土交通省関係地域再生法施行規則（平二七農・国交令四）……三一七
○民間都市開発の推進に関する特別措置法（昭六二法六二）……三一八
第一章　総則……三一八
第二章　民間都市開発推進機構……三一八
第三章　事業用地適正化計画の認定……三二九
第四章　雑則……三三〇
第五章　罰則……三三一
○民間都市開発の推進に関する特別措置法施行令（昭六二政二七五）……三三四
○民間都市開発の推進に関する特別措置法施行規則（昭六二建令一九）……三三八
○民間資金等の活用による公共施設等の整備等の促進に関する法律（平一一法一一七）……三四〇
第一章　総則……三四〇
第二章　基本方針等……三四一
第三章　特定事業の実施等……三四一
第四章　公共施設等運営権……三四二
第五章　株式会社民間資金等活用事業推進機構による特定選定事業等の支援等……三四四
第六章　選定事業に対する特別の措置……三四四
第七章　民間資金等活用事業推進会議等……三四七
第八章　雑則……三四九
第九章　罰則……三五〇
○中心市街地の活性化に関する法律（平一〇法九二）……三五〇
第一章　総則……三五二
第二章　基本方針……三五二
第三章　基本計画の認定等……三五四
第四章　中心市街地の活性化のための特別の措置……三五四
第五章　中心市街地活性化本部……三五六
第六章　雑則……三六三
○中心市街地の活性化に関する法律施行令（平一〇政二六三）……三六三
○国土交通省関係中心市街地の活性化に関する法律施行規則（平一八国交令八二）……三六七
○都市の低炭素化の促進に関する法律（平二四法八四）……三七〇
第一章　総則……三七四
第二章　基本方針等……三七四
第三章　低炭素まちづくり計画に係る特別の措置……三七四
第四章　低炭素建築物の普及の促進のための措置……三七五
第五章　雑則……三八二
第六章　罰則……三八三

○都市の低炭素化の促進に関する法律施行令（平二四政二八六）……三八四
○都市の低炭素化の促進に関する法律施行規則（平二四国交令八六）……三八五
第一章　総則……三八五
第二章　低炭素まちづくり計画に係る特別の措置……三八五
第三章　低炭素建築物の普及の促進のための措置……三八九
第四章　雑則……三九一
○高齢者、障害者等の移動等の円滑化の促進に関する法律（平一八法九一）……三九四
第一章　総則……三九四
第二章　基本方針等……三九五
第三章　移動等円滑化のために施設設置管理者が講ずべき措置……三九六
第三章の二　移動等円滑化促進地区における移動等円滑化の促進に関する措置……三九九
第四章　重点整備地区における移動等円滑化に係る事業の重点的かつ一体的な実施……四〇〇
第五章　移動等円滑化経路協定……四〇三
第五章の二　移動等円滑化施設協定……四〇五
第六章　雑則……四〇五
第七章　罰則……四〇六
○高齢者、障害者等の移動等の円滑化の促進に関する法律施行令（平一八政三七九）……四〇八
○高齢者、障害者等の移動等の円滑化の促進に関する法律施行規則（平一八国交令一一〇）……四一五
○高齢者、障害者等が円滑に利用できるようにするために誘導すべき建築物特定施設の構造及び配置に関する基準を定める省令（平一八国交令一一四）……四二三
○移動等円滑化のために必要な特定公園施設の設置に関する基準を定める省令（平一八国交令一一五）……四二七
○移動等円滑化のために必要な道路の構造及び旅客特定車両停留施設を使用した役務の提供の方法に関する基準を定める省令（平一八国交令一一六）……四三〇
第一章　総則……四三〇
第二章　歩道等及び自転車歩行者専用道路等の構造……四三〇
第三章　立体横断施設の構造……四三〇
第四章　乗合自動車停留所の構造……四三二
第五章　路面電車停留場等の構造……四三二
第六章　自動車駐車場の構造……四三二
第七章　旅客特定車両停留施設の構造……四三三
第八章　移動等円滑化のために必要なその他の施設等……四三四
第九章　旅客特定車両停留施設を使用した役務の提供の方法……四三五
○移動等円滑化のために必要な道路の占用に関する基準を定める省令（平一八国交令一一七）……四三六
○都市公園法（昭三一法七九）……四三七
第一章　総則……四三七
第二章　都市公園の設置及び管理……四三七
第三章　立体都市公園……四四〇
第四章　監督……四四一
第五章　雑則……四四一
第六章　罰則……四四二
○都市公園法施行令（昭三一政二九〇）……四四五
第一章　都市公園の設置……四四五
第二章　都市公園の管理……四四七
第三章　工作物等の保管の手続等……四四九
第四章　都市公園に関する費用……四五〇
第五章　雑則……四五〇
○都市公園法施行規則（昭三一建令三〇）……四五三
○市民農園整備促進法（平二法四四）……四五六
○市民農園整備促進法施行令（平二政二七二）……四五八
○市民農園整備促進法施行規則（平二農・建令一）……四六〇
○都市の美観風致を維持するための樹木の保存に関する法律（昭三七法一四二）……四六一
○都市の美観風致を維持するための樹木の保存に関する法律施行令（昭三七政四〇四）……四六二
○都市の美観風致を維持するための樹木の保存に関する法律施行規則（昭三七建令三〇）……四六二
○都市緑地法（昭四八法七二）……四六二
第一章　総則……四六三
第二章　緑地の保全及び緑化の推進に関する基本方針及び計画……四六三
第三章　緑地保全地域等……四六四
第四章　緑化地域等……四六八
第五章　緑地協定……四六九
第六章　市民緑地……四七〇
第七章　都市緑化支援機構……四七二
第八章　緑地保全・緑化推進法人……四七三
第九章　優良緑地確保計画の認定等……四七四
第十章　雑則……四七六
第十一章　罰則……四七六
○都市緑地法施行令（昭四九政三）……四八〇
○都市緑地法施行規則（昭四九建令一）……四八四
○景観法（平一六法一一〇）……四八七
第一章　総則……四八七
第二章　景観計画及びこれに基づく措置……四八七
第三章　景観地区等……四九四
第四章　景観協定……四九七
第五章　景観整備機構……四九八
第六章　雑則……四九九
第七章　罰則……四九九
○景観法施行令（平一六政三九八）……五〇〇
○景観行政団体及び景観計画に関する省令（平一六農・国交・環令一）……五〇四
○景観法施行規則（平一六国交令一〇〇）……五〇五
○都市計画区域外の景観重要樹木及び景観協定に関する省令（平一六農・国交令四）……五〇七
○景観農業振興地域整備計画に関する省令（平一六農令九七）……五〇八
○地域における歴史的風致の維持及び向上に関する法律（平二〇法四〇）……五〇九
第一章　総則……五〇九
第二章　歴史的風致維持向上基本方針……五〇九
第三章　歴史的風致維持向上計画の認定等……五一〇
第四章　認定歴史的風致維持向上計画に基づく特別の措置……五一一
第五章　歴史的風致維持向上地区計画……五一四
第六章　歴史的風致維持向上支援法人……五一五
第七章　雑則……五一五
第八章　罰則……五一五
○地域における歴史的風致の維持及び向上に関する法律施行令（平二〇政三三七）……五一六
○国土交通省関係地域における歴史的風致の維持及び向上に関する法律施行規則（平二〇国交令九一）……五一九
○地域における歴史的風致の維持及び向上に関する法律第二十二条第二項において読み替えて準用する土地改良法第九十四条の六第二項に規定する土地改良施設を定める省令（平二〇農令七〇）……五二〇

○文部科学省関係地域における歴史的風致の維持及び向上に関する法律施行規則（平二〇文科令三三）……五二一
○地域における歴史的風致の維持及び向上に関する法律施行規則（平二〇文科・国交令一）……五二一
○文部科学省・農林水産省・国土交通省関係地域における歴史的風致の維持及び向上に関する法律施行規則（平二〇文科・農・国交令一）……五二二
○古都における歴史的風土の保存に関する特別措置法（昭四一法一）……五二三
○古都における歴史的風土の保存に関する特別措置法施行令（昭四一政三八四）……五二六
○古都における歴史的風土の保存に関する特別措置法施行規則（昭四二建令二）……五三一
○明日香村における歴史的風土の保存及び生活環境の整備等に関する特別措置法（昭五五法六〇）……五三二
○明日香村における歴史的風土の保存及び生活環境の整備等に関する特別措置法施行令（昭五五政一五六）……五三五
○生産緑地法（昭四九法六八）……五三八
○生産緑地法施行令（昭四九政二八五）……五四二
○生産緑地法施行規則（昭四九建令一一）……五四二
○屋外広告物法（昭二四法一八九）……五四三
第一章　総則……五四三
第二章　広告物等の制限……五四四
第三章　監督……五四四
第四章　屋外広告業……五四五
第五章　雑則……五四六
第六章　罰則……五四六
○屋外広告物法施行規則（平一六国交令一〇二）……五四八
○土地区画整理法（昭二九法一一九）……五五〇
第一章　総則……五五〇
第二章　施行者……五五一
第三章　土地区画整理事業……五六二
第四章　費用の負担等……五七三
第五章　監督……五七三
第六章　雑則……五七四
第七章　罰則……五七六
○土地区画整理法施行令（昭三〇政四七）……五八一
第一章　規準、規約、定款及び施行規程並びに事業計画及び事業基本方針……五八一
第二章　土地区画整理組合の役員及び総代の解任請求……五八二
第三章　土地区画整理審議会の委員……五八三
第四章　換地計画……五八七
第五章　減価補償金及び清算……五八八
第五章の二　土地区画整理士技術検定……五八八
第六章　費用の負担等……五八九
第七章　雑則……五八九
○土地区画整理法施行規則（昭三〇建令五）……五九三
第一章　規準、規約、定款、事業計画等に関する認可申請手続等……五九三
第二章　事業計画の内容及び技術的基準等……五九六
第三章　住宅先行建設区、市街地再開発事業区及び高度利用推進区への換地の申出等……五九七
第四章　換地計画の認可申請手続及び内容……五九七
第四章の二　指定検定機関……五九七
第五章　雑則……五九九
○都市再開発法（昭四四法三八）……六〇一
第一章　総則……六〇一
第一章の二　第一種市街地再開発事業及び第二種市街地再開発事業に関する都市計画……六〇二
第一章の三　市街地再開発促進区域……六〇三
第二章　施行者……六〇四
第三章　第一種市街地再開発事業……六一四
第四章　第二種市街地再開発事業……六二六
第四章の二　土地区画整理事業との一体的施行に関する特則……六三一
第五章　費用の負担等……六三一
第六章　監督等……六三一
第七章　再開発事業の計画の認定……六三三
第八章　雑則……六三四
第九章　罰則……六三五
○都市再開発法施行令（昭四四政二三二）……六四一
第一章　総則……六四一
第一章の二　第一種市街地再開発事業及び第二種市街地再開発事業に関する都市計画……六四一
第一章の三　市街地再開発促進区域……六四二
第二章　施行者……六四二
第三章　第一種市街地再開発事業……六四五
第三章の二　第二種市街地再開発事業……六四九
第三章の三　土地区画整理事業との一体的施行に関する特則……六五〇
第三章の四　再開発事業の計画の認定……六五七
第四章　雑則……六五七
○都市再開発法施行規則（昭四四建令五四）……六六〇
○流通業務市街地の整備に関する法律（昭四一法一一〇）……六七一
第一章　総則……六七一
第二章　流通業務施設の整備に関する基本指針及び基本方針……六七二
第三章　流通業務地区及び流通業務団地……六七二
第四章　流通業務団地造成事業……六七三
第五章　雑則……六七五
第六章　罰則……六七五
○流通業務市街地の整備に関する法律施行令（昭四二政三）……六七七
○流通業務市街地の整備に関する法律施行規則（昭四二建令三）……六七九
○駐車場法（昭三二法一〇六）……六八一
第一章　総則……六八一
第二章　駐車場整備地区……六八一
第三章　路上駐車場……六八二
第四章　路外駐車場……六八二
第五章　建築物における駐車施設の附置及び管理……六八三
第六章　雑則……六八三
第七章　罰則……六八三
○駐車場法施行令（昭三二政三四〇）……六八五
第一章　駐車場整備地区……六八五
第一章の二　路上駐車場……六八六
第二章　路外駐車場……六八六
第三章　特定用途……六八七
第四章　雑則……六八七
○駐車場法施行規則（平一二運・建令一二）……六八八
○都市開発資金の貸付けに関する法律（昭四一法二〇）……六九〇
○都市開発資金の貸付けに関する法律施行令（昭四一政一一二）……六九五
○都市開発資金の貸付けに関する法律施行規則（平五建令六）……七〇〇
○宅地造成及び特定盛土等規制法（昭三六法一九一）……七〇一
第一章　総則……七〇一
第二章　基本方針及び基礎調査……七〇一
第三章　宅地造成等工事規制区域……七〇二
第四章　宅地造成等工事規制区域内における宅地造成等に関する工事等の規制……七〇二

第五章　特定盛土等規制区域……七〇四
第六章　特定盛土等規制区域内における特定盛土等又は土石の堆積に関する工事等の規制……七〇四
第七章　造成宅地防災区域……七〇七
第八章　造成宅地防災区域内における災害の防止のための措置……七〇七
第九章　雑則……七〇七
第十章　罰則……七〇八
○宅地造成及び特定盛土等規制法施行令（昭三七政一六）……七一〇
第一章　総則……七一〇
第二章　宅地造成等工事規制区域内における宅地造成等に関する工事の規制……七一〇
第三章　特定盛土等規制区域内における特定盛土等又は土石の堆積に関する工事の規制……七一三
第四章　造成宅地防災区域の指定の基準……七一四
第五章　雑則……七一四
○宅地造成及び特定盛土等規制法施行規則（昭三七建令三）……七一七

◉都市計画法（昭和四三・六・一五 法律一〇〇）

改正 昭和四四・六法三八、昭和四五・四法一三、六法一〇九、昭和四六・五法八八、一二法一三一、昭和四七・六法五二、法八六、昭和四八・九法七二、法八四、昭和四九・六法六七、法六八、法七一、昭和五〇・七法四九、法五九、法六六、法六七、一二法九〇、昭和五一・一一法八三、昭和五三・四法二六、五法三八、七法八七、昭和五五・五法三四、法三五、法五三、法六〇、法六二、昭和五六・五法五八、昭和五八・一二法七八、昭和五九・五法四七、昭和六〇・七法九〇、昭和六二・六法六二、法六三、法六六、昭和六三・五法四九、平成元・六法五六、平成二・六法六一、法六二、平成三・四法三九、五法七九、平成四・六法七六、法八二、平成五・六法七二、一一法八九、平成六・六法四九、平成七・二法一三、法一四、平成八・五法四八、平成九・五法五〇、六法七九、平成一〇・五法五四、法七九、平成一一・三法一九、七法八七、法一〇二、一二法一五一、法一六〇、平成一二・五法五七、法七三、平成一四・三法一四、四法二二、七法八五、一二法一四六、平成一五・六法一〇一、平成一六・四法三五、五法六一、六法六六、法六七、法一〇九、法一一一、平成一七・五法四一、七法八九、平成一八・四法三〇、五法四六、六法五〇、法六一、平成二〇・五法四〇、平成二三・三法九、四法二四、五法三五、法三七、八法一〇五、一二法一二四、平成二五・六法四四、法五五、平成二六・五法三九、法四二、六法五一、法五三、法六九、一一法一〇九、平成二七・五法二〇、六法五〇、平成二八・六法七二、平成二九・五法二六、六法四五、平成三〇・四法二二、令和二・六法四一、法四三、令和三・五法三一、令和四・五法五五、一一法八七、令和六・五法四〇

注　┆　┆の部分は、令和四年六月一七日法律第六八号により改正され、令和七年六月一日から施行

目次

第一章　総則（第一条―第六条）
第二章　都市計画
　第一節　都市計画の内容（第六条の二―第十四条）
　第二節　都市計画の決定及び変更（第十五条―第二十八条）
第三章　都市計画制限等
　第一節　開発行為等の規制（第二十九条―第五十一条）
　第一節の二　田園住居地域内における建築等の規制（第五十二条）
　第一節の三　市街地開発事業等予定区域の区域内における建築等の規制（第五十二条の二―第五十二条の五）
　第二節　都市計画施設等の区域内における建築等の規制（第五十三条―第五十七条の六）
　第三節　風致地区内における建築等の規制（第五十八条）
　第四節　地区計画等の区域内における建築等の規制（第五十八条の二―第五十八条の四）
　第五節　遊休土地転換利用促進地区内における土地利用に関する措置等（第五十八条の五―第五十八条の十二）
第四章　都市計画事業
　第一節　都市計画事業の認可等（第五十九条―第六十四条）
　第二節　都市計画事業の施行（第六十五条―第七十五条）
第五章　都市施設等整備協定（第七十五条の二―第七十五条の四）
第六章　都市計画協力団体（第七十五条の五―第七十五条の十）
第七章　社会資本整備審議会の調査審議等及び都道府県都市計画審議会等（第七十六条―第七十八条）
第八章　雑則（第七十九条―第八十八条の二）
第九章　罰則（第八十九条―第九十八条）
附則

第一章　総則

（目的）

第一条　この法律は、都市計画の内容及びその決定手続、都市計画制限、都市計画事業その他都市計画に関し必要な事項を定めることにより、都市の健全な発展と秩序ある整備を図り、もつて国土の均衡ある発展と公共の福祉の増進に寄与することを目的とする。

（都市計画の基本理念）

第二条　都市計画は、農林漁業との健全な調和を図りつつ、健康で文化的な都市生活及び機能的な都市活動を確保すべきこと並びにこのためには適正な制限のもとに土地の合理的な利用が図られるべきことを基本理念として定めるものとする。

参照　【健康で文化的な都市生活―憲法二五①】【適正な制限―憲法二九②・③】

（国、地方公共団体及び住民の責務）

第三条　国及び地方公共団体は、都市の整備、開発その他都市計画の適切な遂行に努めなければならない。

2　都市の住民は、国及び地方公共団体がこの法律の目的を達成するため行なう措置に協力し、良好な都市環境の形成に努めなければならない。

3　国及び地方公共団体は、都市の住民に対し、都市計画に関する知識の普及及び情報の提供に努めなければならない。

〔改正・平成一二法七三〕

（定義）

第四条　この法律において「都市計画」とは、都市の健全な発展と秩序ある整備を図るための土地利用、都市施設の整備及び市街地開発事業に関する計画で、次章の規定に従い定められたものをいう。

2　この法律において「都市計画区域」とは次条の規定により指定された区域を、「準都市計画区域」とは第五条の二の規定により指定された区域をいう。

3　この法律において「地域地区」とは、第八条第一項各号に掲げる地域、地区又は街区をいう。

4　この法律において「促進区域」とは、第十条の二第一項各号に掲げる区域をいう。

5　この法律において「都市施設」とは、都市計画において定められるべき第十一条第一項各号に掲げる施設をいう。

6　この法律において「都市計画施設」とは、都市計画において定められた第十一条第一項各号に掲げる施設をいう。

7　この法律において「市街地開発事業」とは、第十二条第一項各号に掲げる事業をいう。

8　この法律において「市街地開発事業等予定区域」とは、第十二条の二第一項各号に掲げる予定区域をいう。

9　この法律において「地区計画等」とは、第十二条の四第一項

各号に掲げる計画をいう。

10　この法律において「建築物」とは建築基準法（昭和二十五年法律第二百一号）第二条第一号に定める建築物を、「建築」とは同条第十三号に定める建築をいう。

11　この法律において「特定工作物」とは、コンクリートプラントその他周辺の地域の環境の悪化をもたらすおそれがある工作物で政令で定めるもの（以下「第一種特定工作物」という。）又はゴルフコースその他大規模な工作物で政令で定めるもの（以下「第二種特定工作物」という。）をいう。

12　この法律において「開発行為」とは、主として建築物の建築又は特定工作物の建設の用に供する目的で行なう土地の区画形質の変更をいう。

13　この法律において「開発区域」とは、開発行為をする土地の区域をいう。

14　この法律において「公共施設」とは、道路、公園その他政令で定める公共の用に供する施設をいう。

15　この法律において「都市計画事業」とは、この法律で定めるところにより第五十九条の規定による認可又は承認を受けて行なわれる都市計画施設の整備に関する事業及び市街地開発事業をいう。

16　この法律において「施行者」とは、都市計画事業を施行する者をいう。

〔改正・昭和四九法六七・昭和五〇法六七・昭和五五法三五・平成一二法七三〕

参照　【都市計画―第二章【都市計画区域―法五①・②・④【準都市計画区域―法五の二①【地域地区―法八①【促進区域―法一〇の二①【都市施設、都市計画施設―法一一①【市街地開発事業―法一二①【市街地開発事業等予定区域―法一二の二①【地区計画等―法一二の四①【建築物―建築基準法二1【建築―建築基準法二13【第一種特定工作物―令一①【第二種特定工作物―令一②【開発行為―法二九【開発区域―第三章第一節【公共施設―法三二・三三①6・③・三五の二④・三六①・三九・四〇・四七①3、令一の二【都市計画事業―法五九【施行者―法五九

（都市計画区域）

第五条　都道府県は、市又は人口、就業者数その他の事項が政令で定める要件に該当する町村の中心の市街地を含み、かつ、自然的及び社会的条件並びに人口、土地利用、交通量その他国土交通省令で定める事項に関する現況及び推移を勘案して、一体の都市として総合的に整備し、開発し、及び保全する必要がある区域を都市計画区域として指定するものとする。この場合において、必要があるときは、当該市町村の区域外にわたり、都市計画区域を指定することができる。

2　都道府県は、前項の規定によるもののほか、首都圏整備法（昭和三十一年法律第八十三号）による都市開発区域、近畿圏整備法（昭和三十八年法律第百二十九号）による都市開発区域、中部圏開発整備法（昭和四十一年法律第百二号）による都市開発区域その他新たに住居都市、工業都市その他の都市として開発し、及び保全する必要がある区域を都市計画区域として指定するものとする。

3　都道府県は、前二項の規定により都市計画区域を指定しようとするときは、あらかじめ、関係市町村及び都道府県都市計画審議会の意見を聴くとともに、国土交通省令で定めるところにより、国土交通大臣に協議し、その同意を得なければならない。

4　二以上の都府県の区域にわたる都市計画区域は、第一項及び第二項の規定にかかわらず、国土交通大臣が、あらかじめ、関係都府県の意見を聴いて指定するものとする。この場合において、関係都府県が意見を述べようとするときは、あらかじめ、関係市町村及び都道府県都市計画審議会の意見を聴かなければならない。

5　都市計画区域の指定は、国土交通省令で定めるところにより、公告することによつて行なう。

6　前各項の規定は、都市計画区域の変更又は廃止について準用する。

〔改正・平成一一法八七・法一六〇〕

参照　【人口―令四一【政令で定める要件―令二【都市計画区域の指定にあたり勘案すべき事項―規則一【都市開発区域―首都圏整備法二⑤、近畿圏整備法二⑤、中部圏開発整備法二④【都市計画区域の指定の協議の申出―規則二【都道府県都市計画審議会―法七七【都市計画区域の指定等の公告の方法等―規則三【都市計画区域―建築基準法六①4、土地区画整理法二①、都市公園法二①、都市の美観風致を維持するための樹木の保存に関する法律二①、住宅地区改良法四③、土地改良法一二五の二、地方税法七〇二①、文化財保護法一四三①

（準都市計画区域）

第五条の二　都道府県は、都市計画区域外の区域のうち、相当数の建築物その他の工作物（以下「建築物等」という。）の建築若しくは建設又はこれらの敷地の造成が現に行われ、又は行われると見込まれる区域を含み、かつ、自然的及び社会的条件並びに農業振興地域の整備に関する法律（昭和四十四年法律第五十八号）その他の法令による土地利用の規制の状況その他国土交通省令で定める事項に関する現況及び推移を勘案して、そのまま土地利用を整序し、又は環境を保全するための措置を講ずることなく放置すれば、将来における一体の都市としての整備、開発及び保全に支障が生じるおそれがあると認められる一定の区域を、準都市計画区域として指定することができる。

2　都道府県は、前項の規定により準都市計画区域を指定しようとするときは、あらかじめ、関係市町村及び都道府県都市計画審議会の意見を聴かなければならない。

3　準都市計画区域の指定は、国土交通省令で定めるところにより、公告することによつて行う。

4　前三項の規定は、準都市計画区域の変更又は廃止について準用する。

5　準都市計画区域の全部又は一部について都市計画区域が指定されたときは、当該準都市計画区域は、前項の規定にかかわらず、廃止され、又は当該都市計画区域と重複する区域以外の区域に変更されたものとみなす。

〔追加・平成一二法七三、改正・平成一八法四六〕

参照　【都道府県都市計画審議会―法七七【準都市計画区域―法八②、建築基準法六①4、文化財保護法一四三①【準都市計画区域の指定に当たり勘案すべき事項―規則三の二【準都市計画区域の指定等の公告の方法等―規則三の三

（都市計画に関する基礎調査）

第六条　都道府県は、都市計画区域について、おおむね五年ごとに、都市計画に関する基礎調査として、国土交通省令で定めるところにより、人口規模、産業分類別の就業人口の規模、市街地の面積、土地利用、交通量その他国土交通省令で定める事項に関する現況及び将来の見通しについての調査を行うものとする。

2　都道府県は、準都市計画区域について、必要があると認めると

きは、都市計画に関する基礎調査として、国土交通省令で定めるところにより、土地利用その他国土交通省令で定める事項に関する現況及び将来の見通しについての調査を行うものとする。

3　都道府県は、前二項の規定による基礎調査を行うため必要があると認めるときは、関係市町村に対し、資料の提出その他必要な協力を求めることができる。

4　都道府県は、第一項又は第二項の規定による基礎調査の結果を、国土交通省令で定めるところにより、関係市町村長に通知しなければならない。

5　国土交通大臣は、この法律を施行するため必要があると認めるときは、都道府県に対し、第一項又は第二項の規定による基礎調査の結果について必要な報告を求めることができる。

〔改正・昭和六〇法九〇・平成一一法八七・法一六〇・平成一二法七三・平成一八法四六〕

参照 【入口―令四二】【基礎調査―法一三①19・③2・二一①】【基礎調査の方法―規則四・六】【基礎調査の項目―規則五・六の二、地価公示法、工業統計調査規則、国勢調査令、住宅・土地統計調査規則、建築動態統計調査規則】【基礎調査の結果の通知の方法―規則六の三】

第二章　都市計画

第一節　都市計画の内容

（都市計画区域の整備、開発及び保全の方針）

第六条の二　都市計画区域については、都市計画に、当該都市計画区域の整備、開発及び保全の方針を定めるものとする。

2　都市計画区域の整備、開発及び保全の方針には、第一号に掲げる事項を定めるものとするとともに、第二号及び第三号に掲げる事項を定めるよう努めるものとする。

一　次条第一項に規定する区域区分の決定の有無及び当該区域区分を定めるときはその方針

二　都市計画の目標

三　第一号に掲げるもののほか、土地利用、都市施設の整備及び市街地開発事業に関する主要な都市計画の決定の方針

3　都市計画区域について定められる都市計画（第十一条第一項後段の規定により都市計画区域外において定められる都市施設（以下「区域外都市施設」という。）に関するものを含む。）は、当該都市計画区域の整備、開発及び保全の方針に即したものでなければならない。

〔追加・平成一二法七三、改正・平成二三法一〇五〕

参照 【都市計画区域の整備、開発及び保全の方針―法一三①1・一五①1・二三①～③】【区域区分―法七】【土地利用―法八・一〇の二・一〇の三・一〇の四】【都市施設―法一一】【市街地開発事業―法一二・一二の二】

（区域区分）

第七条　都市計画区域について無秩序な市街化を防止し、計画的な市街化を図るため必要があるときは、都市計画に、市街化区域と市街化調整区域との区分（以下「区域区分」という。）を定めることができる。ただし、次に掲げる都市計画区域については、区域区分を定めるものとする。

一　次に掲げる土地の区域の全部又は一部を含む都市計画区域

イ　首都圏整備法第二条第三項に規定する既成市街地又は同条第四項に規定する近郊整備地帯

ロ　近畿圏整備法第二条第三項に規定する既成都市区域又は同条第四項に規定する近郊整備区域

ハ　中部圏開発整備法第二条第三項に規定する都市整備区域

二　前号に掲げるもののほか、大都市に係る都市計画区域として政令で定めるもの

2　市街化区域は、すでに市街地を形成している区域及びおおむね十年以内に優先的かつ計画的に市街化を図るべき区域とする。

3　市街化調整区域は、市街化を抑制すべき区域とする。

〔改正・平成一二法七三〕

参照 【区域区分―法一三①2・一四②・一五①2・二三①～③・二九・三四13】【市街化区域―法一四②・四八・五七・八五、都市再開発法二の三、密集市街地における防災街区の整備の促進に関する法律三、生産緑地法三①、農地法四①7・五①6・租税特別措置法三七、地方税法七〇三の三、農業振興地域の整備に関する法律六③、地方拠点都市地域の整備及び産業業務施設の再配置の促進に関する法律三〇】【市街化調整区域―法一四②・二九①2・三四・四三、土地区画整理法九②・二一②】【市街化区域と市街化調整区域との区分―令八、規則八】【大都市に係る都市計画区域―令三】

（都市再開発方針等）

第七条の二　都市計画区域については、都市計画に、次に掲げる方針（以下「都市再開発方針等」という。）を定めることができる。

一　都市再開発法（昭和四十四年法律第三十八号）第二条の三第一項又は第二項の規定による都市再開発の方針

二　大都市地域における住宅及び住宅地の供給の促進に関する特別措置法（昭和五十年法律第六十七号）第四条第一項の規定による住宅市街地の開発整備の方針

三　地方拠点都市地域の整備及び産業業務施設の再配置の促進に関する法律（平成四年法律第七十六号）第三十条の規定による拠点業務市街地の開発整備の方針

四　密集市街地における防災街区の整備の促進に関する法律（平成九年法律第四十九号。以下「密集市街地整備法」という。）第三条第一項の規定による防災街区整備方針

2　都市計画区域について定められる都市計画（区域外都市施設に関するものを含む。）は、都市再開発方針等に即したものでなければならない。

〔追加・平成一二法七三、改正・平成一五法一〇一・平成一八法六一・平成二三法一〇五〕

（地域地区）

第八条　都市計画区域については、都市計画に、次に掲げる地域、地区又は街区を定めることができる。

一　第一種低層住居専用地域、第二種低層住居専用地域、第一種中高層住居専用地域、第二種中高層住居専用地域、第一種住居地域、第二種住居地域、準住居地域、田園住居地域、近隣商業地域、商業地域、準工業地域、工業地域又は工業専用地域（以下「用途地域」と総称する。）

二　特別用途地区

二の二　特定用途制限地域

二の三　特例容積率適用地区

二の四　高層住居誘導地区

三　高度地区又は高度利用地区

四　特定街区

四の二　都市再生特別措置法（平成十四年法律第二十二号）第

三十六条第一項の規定による都市再生特別地区、同法第八十九条の規定による居住調整地域、同法第九十四条の二第一項の規定による居住環境向上用途誘導地区又は同法第百九条第一項の規定による特定用途誘導地区

五　防火地域又は準防火地域

五の二　密集市街地整備法第三十一条第一項の規定による特定防災街区整備地区

六　景観法（平成十六年法律第百十号）第六十一条第一項の規定による景観地区

七　風致地区

八　駐車場法（昭和三十二年法律第百六号）第三条第一項の規定による駐車場整備地区

九　臨港地区

十　古都における歴史的風土の保存に関する特別措置法（昭和四十一年法律第一号）第六条第一項の規定による歴史的風土特別保存地区

十一　明日香村における歴史的風土の保存及び生活環境の整備等に関する特別措置法（昭和五十五年法律第六十号）第三条第一項の規定による第一種歴史的風土保存地区又は第二種歴史的風土保存地区

十二　都市緑地法（昭和四十八年法律第七十二号）第五条の規定による緑地保全地域、同法第十二条の規定による特別緑地保全地区又は同法第三十四条第一項の規定による緑化地域

十三　流通業務市街地の整備に関する法律（昭和四十一年法律第百十号）第四条第一項の規定による流通業務地区

十四　生産緑地法（昭和四十九年法律第六十八号）第三条第一項の規定による生産緑地地区

十五　文化財保護法（昭和二十五年法律第二百十四号）第百四十三条第一項の規定による伝統的建造物群保存地区

十六　特定空港周辺航空機騒音対策特別措置法（昭和五十三年法律第二十六号）第四条第一項の規定による航空機騒音障害防止地区又は航空機騒音障害防止特別地区

2　準都市計画区域については、都市計画に、前項第一号から第二号の二まで、第三号（高度地区に係る部分に限る。）、第六号、第七号、第十二号（都市緑地法第五条の規定による緑地保全地域に係る部分に限る。）又は第十五号に掲げる地域又は地区を定めることができる。

3　地域地区については、都市計画に、第一号及び第二号に掲げる事項を定めるものとするとともに、第三号に掲げる事項を定めるよう努めるものとする。

一　地域地区の種類（特別用途地区にあつては、その指定により実現を図るべき特別の目的を明らかにした特別用途地区の種類）、位置及び区域

二　次に掲げる地域地区については、それぞれ次に定める事項

イ　用途地域　建築基準法第五十二条第一項第一号から第四号までに規定する建築物の容積率（延べ面積の敷地面積に対する割合をいう。以下同じ。）並びに同法第五十三条の二第一項及び第二項に規定する建築物の敷地面積の最低限度（建築物の敷地面積の最低限度にあつては、当該地域における市街地の環境を確保するため必要な場合に限る。）

ロ　第一種低層住居専用地域、第二種低層住居専用地域又は田園住居地域　建築基準法第五十三条第一項第一号に規定する建築物の建蔽率（建築面積の敷地面積に対する割合をいう。以下同じ。）、同法第五十四条に規定する外壁の後退距離の限度（低層住宅に係る良好な住居の環境を保護するため必要な場合に限る。）及び同法第五十五条第一項に規定する建築物の高さの限度

ハ　第一種中高層住居専用地域、第二種中高層住居専用地域、第一種住居地域、第二種住居地域、準住居地域、近隣商業地域、準工業地域、工業地域又は工業専用地域　建築基準法第五十三条第一項第一号から第三号まで又は第五号に規定する建築物の建蔽率

ニ　特定用途制限地域　制限すべき特定の建築物等の用途の概要

ホ　特例容積率適用地区　建築物の高さの最高限度（当該地区における市街地の環境を確保するために必要な場合に限る。）

ヘ　高層住居誘導地区　建築基準法第五十二条第一項第五号に規定する建築物の容積率、建築物の建蔽率の最高限度（当該地区における市街地の環境を確保するため必要な場合に限る。次条第十七項において同じ。）及び建築物の敷地面積の最低限度（当該地区における市街地の環境を確保するため必要な場合に限る。次条第十七項において同じ。）

ト　高度地区　建築物の高さの最高限度又は最低限度（準都市計画区域内にあつては、建築物の高さの最高限度。次条第十八項において同じ。）

チ　高度利用地区　建築物の容積率の最高限度及び最低限度、建築物の建蔽率の最高限度、建築物の建築面積の最低限度並びに壁面の位置の制限（壁面の位置の制限にあつては、敷地内に道路（都市計画において定められた計画道路を含む。以下この号において同じ。）に接して有効な空間を確保して市街地の環境の向上を図るため必要な場合における当該道路に面する壁面の位置に限る。次条第十九項において同じ。）

リ　特定街区　建築物の容積率並びに建築物の高さの最高限度及び壁面の位置の制限

三　面積その他の政令で定める事項

4　都市再生特別地区、居住環境向上用途誘導地区、特定用途誘導地区、特定防災街区整備地区、景観地区及び緑化地域について都市計画に定めるべき事項は、前項第一号及び第三号に掲げるもののほか、別に法律で定める。

〔改正・昭和四四法三八・昭和四五法一〇九・昭和四八法七二・昭和四九法六七・法六八・昭和五〇法四九・法六六・昭和五一法八三・昭和五三法二六・昭和五五法六〇・昭和六二法六六・平成三法三九・平成四法八二・平成九法七九・平成一〇法七九・平成一二法七三・平成一四法二二・法八五・平成一五法一〇一・平成一六法六一・法六七・法一〇九・法一一一・平成一八法四六・平成二三法一〇五・平成二六法三九・平成二九法二六・令和二法四三〕

参照　【地域地区―法四③・九・一〇・一三①7・③1・一四②3・一五①4・5【用途地域―法二三③・三三・四一・四二【風致地区―法五八【面積その他の政令で定める事項―令四

第九条　第一種低層住居専用地域は、低層住宅に係る良好な住居の環境を保護するため定める地域とする。

2　第二種低層住居専用地域は、主として低層住宅に係る良好な住居の環境を保護するため定める地域とする。

3　第一種中高層住居専用地域は、中高層住宅に係る良好な住居の環境を保護するため定める地域とする。

4　第二種中高層住居専用地域は、主として中高層住宅に係る良好な住居の環境を保護するため定める地域とする。

5　第一種住居地域は、住居の環境を保護するため定める地域と

する。

6　第二種住居地域は、主として住居の環境を保護するため定める地域とする。

7　準住居地域は、道路の沿道としての地域の特性にふさわしい業務の利便の増進を図りつつ、これと調和した住居の環境を保護するため定める地域とする。

8　田園住居地域は、農業の利便の増進を図りつつ、これと調和した低層住宅に係る良好な住居の環境を保護するため定める地域とする。

9　近隣商業地域は、近隣の住宅地の住民に対する日用品の供給を行うことを主たる内容とする商業その他の業務の利便を増進するため定める地域とする。

10　商業地域は、主として商業その他の業務の利便を増進するため定める地域とする。

11　準工業地域は、主として環境の悪化をもたらすおそれのない工業の利便を増進するため定める地域とする。

12　工業地域は、主として工業の利便を増進するため定める地域とする。

13　工業専用地域は、工業の利便を増進するため定める地域とする。

14　特別用途地区は、用途地域内の一定の地区における当該地区の特性にふさわしい土地利用の増進、環境の保護等の特別の目的の実現を図るため当該用途地域の指定を補完して定める地区とする。

15　特定用途制限地域は、用途地域が定められていない土地の区域（市街化調整区域を除く。）内において、その良好な環境の形成又は保持のため当該地域の特性に応じて合理的な土地利用が行われるよう、制限すべき特定の建築物等の用途の概要を定める地域とする。

16　特例容積率適用地区は、第一種中高層住居専用地域、第二種中高層住居専用地域、第一種住居地域、第二種住居地域、準住居地域、近隣商業地域、商業地域、準工業地域又は工業地域内の適正な配置及び規模の公共施設を備えた土地の区域において、建築基準法第五十二条第一項から第九項までの規定による建築物の容積率の限度からみて未利用となつている建築物の容積の活用を促進して土地の高度利用を図るため定める地区とする。

17　高層住居誘導地区は、住居と住居以外の用途とを適正に配分し、利便性の高い高層住宅の建設を誘導するため、第一種住居地域、第二種住居地域、準住居地域、近隣商業地域又は準工業地域でこれらの地域に関する都市計画において建築基準法第五十二条第一項第二号に規定する建築物の容積率が十分の四十又は十分の五十と定められたものの内において、建築物の容積率の最高限度、建築物の建蔽率の最高限度及び建築物の敷地面積の最低限度を定める地区とする。

18　高度地区は、用途地域内において市街地の環境を維持し、又は土地利用の増進を図るため、建築物の高さの最高限度又は最低限度を定める地区とする。

19　高度利用地区は、用途地域内の市街地における土地の合理的かつ健全な高度利用と都市機能の更新とを図るため、建築物の容積率の最高限度及び最低限度、建築物の建蔽率の最高限度、建築物の建築面積の最低限度並びに壁面の位置の制限を定める地区とする。

20　特定街区は、市街地の整備改善を図るため街区の整備又は造成が行われる地区について、その街区内における建築物の容積率並びに建築物の高さの最高限度及び壁面の位置の制限を定める街区とする。

21　防火地域又は準防火地域は、市街地における火災の危険を防除するため定める地域とする。

22　風致地区は、都市の風致を維持するため定める地区とする。

23　臨港地区は、港湾を管理運営するため定める地区とする。

〔改正・昭和四四法三八・昭和四五法一〇九・昭和五〇法六六・平成四法八二・平成九法七九・平成一〇法七九・平成一二法七三・平成一四法八五・平成一六法六七・法一一一・平成二九法二六〕

第一〇条　地域地区内における建築物その他の工作物に関する制限については、この法律に特に定めるもののほか、別に法律で定める。

参照　【用途地域、特別用途地区、特定用途制限地域、特例容積率適用地区、高層住居誘導地区、高度地区、高度利用地区、特定街区、防火地域、準防火地域、景観地区―建築基準法四八～五〇・五二～六八【都市再生特別地区、居住環境向上用途誘導地区―都市再生特別措置法三六・九四の二【特定防災街区整備地区―密集市街地における防災街区の整備の促進に関する法律三一【景観地区―景観法六一【風致地区―法五八【駐車場整備地区―駐車場法三・二〇～二〇の三【臨港地区―港湾法三八～四〇【歴史的風土特別保存地区―古都における歴史的風土の保存に関する特別措置法六・七の二・八【第一種歴史的風土保存地区・第二種歴史的風土保存地区―明日香村における歴史的風土の保存及び生活環境の整備等に関する特別措置法三【緑地保全地域―都市緑地法五、八【特別緑地保全地区―都市緑地法一二・一四【緑化地域―都市緑地法三四・三五【流通業務地区―流通業務市街地の整備に関する法律四・五【生産緑地地区―生産緑地法三・八【伝統的建造物群保存地区―文化財保護法一四二・一四三【航空機騒音障害防止地区、航空機騒音障害防止特別地区―特定空港周辺航空機騒音対策特別措置法四・五

（促進区域）

第一〇条の二　都市計画区域については、都市計画に、次に掲げる区域を定めることができる。

一　都市再開発法第七条第一項の規定による市街地再開発促進区域

二　大都市地域における住宅及び住宅地の供給の促進に関する特別措置法第五条第一項の規定による土地区画整理促進区域

三　大都市地域における住宅及び住宅地の供給の促進に関する特別措置法第二十四条第一項の規定による住宅街区整備促進区域

四　地方拠点都市地域の整備及び産業業務施設の再配置の促進に関する法律第十九条第一項の規定による拠点業務市街地整備土地区画整理促進区域

2　促進区域については、都市計画に、促進区域の種類、名称、位置及び区域のほか、別に法律で定める事項を定めるものとするとともに、区域の面積その他の政令で定める事項を定めるよう努めるものとする。

3　促進区域内における建築物の建築その他の行為に関する制限については、別に法律で定める。

〔追加・昭和五〇法六六、改正・昭和五〇法六七・平成二法六二・平成四法七六・平成一二法七三・平成二三法一〇五〕

参照　【別に法律で定める事項―都市再開発法七②、大都市地域における住宅及び住宅地の供給の促進に関する特別措置法五②・二四②、地方拠点都市地域の整備及び産業業務施設の再配置の促進に関する法律一九②【政令で定める事項―令四の二【別に法律―都市再開発法七の四、大都市地域における住宅及び住宅地の供給の促進に関する特別措置法五・七・二四・二六、地方拠点都市地域の整備及

（遊休土地転換利用促進地区）

第一〇条の三　都市計画区域については、都市計画に、次に掲げる条件に該当する土地の区域について、遊休土地転換利用促進地区を定めることができる。

一　当該区域内の土地が、相当期間にわたり住宅の用、事業の用に供する施設の用その他の用途に供されていないことその他の政令で定める要件に該当していること。

二　当該区域内の土地が前号の要件に該当していることが、当該区域及びその周辺の地域における計画的な土地利用の増進を図る上で著しく支障となつていること。

三　当該区域内の土地の有効かつ適切な利用を促進することが、当該都市の機能の増進に寄与すること。

四　おおむね五千平方メートル以上の規模の区域であること。

五　当該区域が市街化区域内にあること。

2　遊休土地転換利用促進地区については、都市計画に、名称、位置及び区域を定めるものとするとともに、区域の面積その他の政令で定める事項を定めるよう努めるものとする。

〔追加・平成二法六一、改正・平成一二法七三・平成二三法一〇五〕

参照【遊休土地転換利用促進地区―法一三①9・一四②5・一七④・二一①・五八の五～五八の一二・九二9・九二の二、地方税法三章八節六款【政令で定める要件―令四の三【政令で定める事項―令四の四

（被災市街地復興推進地域）

第一〇条の四　都市計画区域については、都市計画に、被災市街地復興特別措置法（平成七年法律第十四号）第五条第一項の規定による被災市街地復興推進地域を定めることができる。

2　被災市街地復興推進地域については、都市計画に、名称、位置及び区域のほか、別に法律で定める事項を定めるものとするとともに、区域の面積その他の政令で定める事項を定めるよう努めるものとする。

3　被災市街地復興推進地域内における建築物の建築その他の行為に関する制限については、別に法律で定める。

〔追加・平成七法一四、改正・平成一二法七三・平成二三法一〇五〕

参照【法律で定める事項―被災市街地復興特別措置法五～八【政令で定める事項―令四の五

（都市施設）

第一一条　都市計画区域については、都市計画に、次に掲げる施設を定めることができる。この場合において、特に必要があるときは、当該都市計画区域外においても、これらの施設を定めることができる。

一　道路、都市高速鉄道、駐車場、自動車ターミナルその他の交通施設

二　公園、緑地、広場、墓園その他の公共空地

三　水道、電気供給施設、ガス供給施設、下水道、汚物処理場、ごみ焼却場その他の供給施設又は処理施設

四　河川、運河その他の水路

五　学校、図書館、研究施設その他の教育文化施設

六　病院、保育所その他の医療施設又は社会福祉施設

七　市場、と畜場又は火葬場

八　一団地の住宅施設（一団地における五十戸以上の集団住宅及びこれらに附帯する通路その他の施設をいう。）

九　一団地の官公庁施設（一団地の国家機関又は地方公共団体の建築物及びこれらに附帯する通路その他の施設をいう。）

十　一団地の都市安全確保拠点施設（溢水、湛水、津波、高潮その他の自然現象による災害が発生した場合における居住者等（居住者、来訪者又は滞在者をいう。以下同じ。）の安全を確保するための拠点となる一団地の特定公益的施設（避難場所の提供、生活関連物資の配布、保健医療サービスの提供その他の当該災害が発生した場合における居住者等の安全を確保するために必要な機能を有する集会施設、購買施設、医療施設その他の施設をいう。第四項第一号において同じ。）及び公共施設をいう。）

十一　流通業務団地

十二　一団地の津波防災拠点市街地形成施設（津波防災地域づくりに関する法律（平成二十三年法律第百二十三号）第二条第十五項に規定する一団地の津波防災拠点市街地形成施設をいう。）

十三　一団地の復興再生拠点市街地形成施設（福島復興再生特別措置法（平成二十四年法律第二十五号）第三十二条第一項に規定する一団地の復興再生拠点市街地形成施設をいう。）

十四　一団地の復興拠点市街地形成施設（大規模災害からの復興に関する法律（平成二十五年法律第五十五号）第二条第八号に規定する一団地の復興拠点市街地形成施設をいう。）

十五　その他政令で定める施設

2　都市施設については、都市計画に、都市施設の種類、名称、位置及び区域を定めるものとするとともに、面積その他の政令で定める事項を定めるよう努めるものとする。

3　道路、都市高速鉄道、河川その他の政令で定める都市施設については、前項に規定するもののほか、適正かつ合理的な土地利用を図るため必要があるときは、当該都市施設の区域の地下又は空間について、当該都市施設を整備する立体的な範囲を都市計画に定めることができる。この場合において、地下に当該立体的な範囲を定めるときは、併せて当該立体的な範囲からの離隔距離の最小限度及び載荷重の最大限度（当該離隔距離に応じて定めるものを含む。）を定めることができる。

4　一団地の都市安全確保拠点施設については、第二項に規定するもののほか、都市計画に、次に掲げる事項を定めるものとする。

一　特定公益的施設及び公共施設の位置及び規模

二　建築物の高さの最高限度若しくは最低限度、建築物の容積率の最高限度若しくは最低限度又は建築物の建蔽率の最高限度

5　密集市街地整備法第三十条に規定する防災都市施設に係る都市施設、都市再生特別措置法第十九条の四の規定により付議して定める都市計画に係る都市施設及び同法第五十一条第一項の規定により決定又は変更をする都市計画に係る都市施設、都市鉄道等利便増進法（平成十七年法律第四十一号）第十九条の規定により付議して定める都市計画に係る都市施設、流通業務団地、一団地の津波防災拠点市街地形成施設、一団地の復興再生拠点市街地形成施設並びに一団地の復興拠点市街地形成施設について都市計画に定めるべき事項は、この法律に定めるもののほか、別に法律で定める。

6　次に掲げる都市施設については、第十二条の三第一項の規定により定められる場合を除き、第一号又は第二号に掲げる都市施設にあつては国の機関又は地方公共団体のうちから、第三号に掲げる都市施設にあつては流通業務市街地の整備に関する法

律第十条に規定する者のうちから、当該都市施設に関する都市計画事業の施行予定者を都市計画に定めることができる。

一　区域の面積が二十ヘクタール以上の一団地の住宅施設

二　一団地の官公庁施設

三　流通業務団地

7　前項の規定により施行予定者が定められた都市施設に関する都市計画は、これを変更して施行予定者を定めないものとすることができない。

（改正・昭和四九法六七・平成七法一三・平成一二法七三・平成一五法一〇一・平成一七法四一・平成二三法二四・法一〇五・法一二四・平成二五法五五・平成二六法三九・平成二七法二〇・平成二八法七二・令和三法三一）

参照【道路―道路法、高速自動車国道法、道路運送法【都市高速鉄道―鉄道事業法、軌道法【駐車場―駐車場法【自動車ターミナル―自動車ターミナル法【空港―空港法、航空法【港湾―港湾法、漁港及び漁場の整備等に関する法律【公園・緑地―都市公園法【墓園―墓地、埋葬等に関する法律【水道―水道法、工業用水道事業法【電気供給施設―電気事業法【ガス供給施設―ガス事業法【下水道―下水道法【ごみ焼却場その他の処理施設―廃棄物の処理及び清掃に関する法律【河川―河川法【運河―運河法【水路―独立行政法人水資源機構法【学校―学校教育法、私立学校法【図書館―図書館法【博物館―博物館法【病院―医療法【市場―卸売市場法【と畜場―と畜場法【火葬場―墓地、埋葬等に関する法律【一団地の官公庁施設―官公庁施設の建設等に関する法律【流通業務団地―流通業務市街地の整備に関する法律【電気通信事業の用に供する施設―放送法、電波法、電気通信事業法【その他政令で定める施設―令五、森林法、消防法、砂防法、河川法、海岸法、港湾法【その他政令で定める事項―令六、規則七【立体都市計画―法五三①4・五四2【政令で定める都市施設―令六の二【別に法律―流通業務市街地の整備に関する法律七②・③【国の機関等と見なされるもの―地方住宅供給公社法施行令二①7、独立行政法人都市再生機構法施行令三四①9【施行予定者―法一二⑤・一二の二②・③・一二の三・一七⑤・五二の三～五二の五・五七の二～五七の六・五九⑦・六〇の二・六〇の三

（市街地開発事業）

第一二条　都市計画区域については、都市計画に、次に掲げる事業を定めることができる。

一　土地区画整理法（昭和二十九年法律第百十九号）による土地区画整理事業

二　新住宅市街地開発法（昭和三十八年法律第百三十四号）による新住宅市街地開発事業

三　首都圏の近郊整備地帯及び都市開発区域の整備に関する法律（昭和三十三年法律第九十八号）による工業団地造成事業又は近畿圏の近郊整備区域及び都市開発区域の整備及び開発に関する法律（昭和三十九年法律第百四十五号）による工業団地造成事業

四　都市再開発法による市街地再開発事業

五　新都市基盤整備法（昭和四十七年法律第八十六号）による新都市基盤整備事業

六　大都市地域における住宅及び住宅地の供給の促進に関する特別措置法による住宅街区整備事業

七　密集市街地整備法による防災街区整備事業

2　市街地開発事業については、都市計画に、市街地開発事業の種類、名称及び施行区域を定めるものとするとともに、施行区域の面積その他の政令で定める事項を定めるよう努めるものとする。

3　土地区画整理事業については、前項に定めるもののほか、公共施設の配置及び宅地の整備に関する事項を都市計画に定めるものとする。

4　市街地開発事業について都市計画に定めるべき事項は、この法律に定めるもののほか、別に法律で定める。

5　第一項第二号、第三号又は第五号に掲げる市街地開発事業については、第十二条の三第一項の規定により定められる場合を除き、これらの事業に関する法律（新住宅市街地開発法第四十五条第一項を除く。）において施行者として定められている者のうちから、当該市街地開発事業の施行予定者を都市計画に定めることができる。

6　前項の規定により施行予定者が定められた市街地開発事業に関する都市計画は、これを変更して施行予定者を定めないものとすることができない。

（改正・昭和四七法八六・昭和四九法六七・昭和五〇法六六・法六七・平成一二法六二・平成一二法七三・平成一五法一〇一・平成一八法四六・平成二三法一〇五）

参照【土地区画整理事業―土地区画整理法二①【新住宅市街地開発事業―新住宅市街地開発法二①【工業団地造成事業―首都圏の近郊整備地帯及び都市開発区域の整備に関する法律二⑤、近畿圏の近郊整備区域及び都市開発区域の整備及び開発に関する法律二④【市街地再開発事業―都市再開発法二1【新都市基盤整備事業―新都市基盤整備法二①【住宅街区整備事業―大都市地域における住宅及び住宅地の供給の促進に関する特別措置法二4【防災街区整備事業―密集市街地における防災街区の整備の促進に関する法律二5【その他政令で定める事項―令七【別に法律―新住宅市街地開発法四①、首都圏の近郊整備地帯及び都市開発区域の整備に関する法律五①、近畿圏の近郊整備区域及び都市開発区域の整備及び開発に関する法律七①、都市再開発法四①、大都市地域における住宅及び住宅地の供給の促進に関する特別措置法三一、新都市基盤整備法四【施行者を定めるこれらの事業に関する法律―新住宅市街地開発法六、首都圏の近郊整備地帯及び都市開発区域の整備に関する法律七、近畿圏の近郊整備区域及び都市開発区域の整備及び開発に関する法律九、新都市基盤整備法六【施行予定者―法一一⑤・一二の二②・③・一二の三・一七⑤・五二の三～五二の五・五七の二～五七の六・五九⑦・六〇の二・六〇の三

（市街地開発事業等予定区域）

第一二条の二　都市計画区域については、都市計画に、次に掲げる予定区域を定めることができる。

一　新住宅市街地開発事業の予定区域

二　工業団地造成事業の予定区域

三　新都市基盤整備事業の予定区域

四　区域の面積が二十ヘクタール以上の一団地の住宅施設の予定区域

五　一団地の官公庁施設の予定区域

六　流通業務団地の予定区域

2　市街地開発事業等予定区域については、都市計画に、市街地開発事業等予定区域の種類、名称、区域、施行予定者を定めるものとするとともに、区域の面積その他の政令で定める事項を定めるよう努めるものとする。

3　施行予定者は、第一項第一号から第三号まで又は第六号に掲げる予定区域にあつてはこれらの事業又は施設に関する法律（新住宅市街地開発法第四十五条第一項を除く。）において施行者として定められている者のうちから、第一項第四号又は第五号に掲げる予定区域にあつては国の機関又は地方公共団体のうちから定めるものとする。

4　市街地開発事業等予定区域に関する都市計画が定められた場

合においては、当該都市計画についての第二十条第一項の規定による告示の日から起算して三年以内に、当該市街地開発事業等予定区域に係る市街地開発事業又は都市施設に関する都市計画を定めなければならない。

5　前項の期間内に、市街地開発事業等予定区域に係る市街地開発事業又は都市施設に関する都市計画が定められたときは当該都市計画についての第二十条第一項の規定による告示の日の翌日から起算して十日を経過した日から、その都市計画が定められなかつたときは前項の期間満了の日の翌日から、将来に向かつて、当該市街地開発事業等予定区域に関する都市計画は、その効力を失う。

〔追加・昭和四九法六七、改正・平成一二法七三・平成二三法一〇五〕

参照　【施行予定者、建築等の規制―法五二の三～五二の五】【政令で定める事項―令七の二】【これらの事業又は施設に関する法律―新住宅市街地開発法、首都圏の近郊整備地帯及び都市開発区域の整備に関する法律、近畿圏の近郊整備区域及び都市開発区域の整備及び開発に関する法律、新都市基盤整備法、流通業務市街地の整備に関する法律】【国の機関等と見なされるもの―地方住宅供給公社法施行令二①7、独立行政法人都市再生機構法施行令三四①9

（市街地開発事業等予定区域に係る市街地開発事業又は都市施設に関する都市計画に定める事項）

第十二条の三　市街地開発事業等予定区域に係る市街地開発事業又は都市施設に関する都市計画には、施行予定者をも定めるものとする。

2　前項の都市計画に定める施行区域又は区域及び施行予定者は、当該市街地開発事業等予定区域に関する都市計画に定められた区域及び施行予定者でなければならない。

〔追加・昭和四九法六七〕

参照　【施行予定者―法一一⑤・一二⑤・六〇の二・六〇の三】

（地区計画等）

第十二条の四　都市計画区域については、都市計画に、次に掲げる計画を定めることができる。

一　地区計画

二　密集市街地整備法第三十二条第一項の規定による防災街区整備地区計画

三　地域における歴史的風致の維持及び向上に関する法律（平成二十年法律第四十号）第三十一条第一項の規定による歴史的風致維持向上地区計画

四　幹線道路の沿道の整備に関する法律（昭和五十五年法律第三十四号）第九条第一項の規定による沿道地区計画

五　集落地域整備法（昭和六十二年法律第六十三号）第五条第一項の規定による集落地区計画

2　地区計画等については、都市計画に、地区計画等の種類、名称、位置及び区域を定めるものとするとともに、区域の面積その他の政令で定める事項を定めるよう努めるものとする。

〔追加・昭和五五法三四、全改・昭和五五法三五、改正・昭和六二法六三・昭和六三法四九・平成元法五六・平成二法六一・平成八法四八・平成九法五〇・平成一二法七三・平成一四法八五・平成一五法一〇一・平成二〇法四〇・平成二三法一〇五〕

参照　【その他政令で定める事項―令七の三】

（地区計画）

第十二条の五　地区計画は、建築物の建築形態、公共施設その他の施設の配置等からみて、一体としてそれぞれの区域の特性にふさわしい態様を備えた良好な環境の各街区を整備し、開発し、及び保全するための計画とし、次の各号のいずれかに該当する土地の区域について定めるものとする。

一　用途地域が定められている土地の区域

二　用途地域が定められていない土地の区域のうち次のいずれかに該当するもの

イ　住宅市街地の開発その他建築物若しくはその敷地の整備に関する事業が行われる、又は行われた土地の区域

ロ　建築物の建築又はその敷地の造成が無秩序に行われ、又は行われると見込まれる一定の土地の区域で、公共施設の整備の状況、土地利用の動向等からみて不良な街区の環境が形成されるおそれがあるもの

ハ　健全な住宅市街地における良好な居住環境その他優れた街区の環境が形成されている土地の区域

2　地区計画については、前条第二項に定めるもののほか、都市計画に、第一号に掲げる事項を定めるものとするとともに、第二号及び第三号に掲げる事項を定めるよう努めるものとする。

一　次に掲げる施設（以下「地区施設」という。）及び建築物等の整備並びに土地の利用に関する計画（以下「地区整備計画」という。）

イ　主として街区内の居住者等の利用に供される道路、公園その他の政令で定める施設

ロ　街区における防災上必要な機能を確保するための避難施設、避難路、雨水貯留浸透施設（雨水を一時的に貯留し、又は地下に浸透させる機能を有する施設であつて、浸水による被害の防止を目的とするものをいう。）その他の政令で定める施設

二　当該地区計画の目標

三　当該区域の整備、開発及び保全に関する方針

3　次に掲げる条件に該当する土地の区域における地区計画については、土地の合理的かつ健全な高度利用と都市機能の増進とを図るため、一体的かつ総合的な市街地の再開発又は開発整備を実施すべき区域（以下「再開発等促進区」という。）を都市計画に定めることができる。

一　現に土地の利用状況が著しく変化しつつあり、又は著しく変化することが確実であると見込まれる土地の区域であること。

二　土地の合理的かつ健全な高度利用を図るため、適正な配置及び規模の公共施設を整備する必要がある土地の区域であること。

三　当該区域内の土地の高度利用を図ることが、当該都市の機能の増進に貢献することとなる土地の区域であること。

四　用途地域が定められている土地の区域であること。

4　次に掲げる条件に該当する土地の区域における地区計画については、劇場、店舗、飲食店その他これらに類する用途に供する大規模な建築物（以下「特定大規模建築物」という。）の整備による商業その他の業務の利便の増進を図るため、一体的かつ総合的な市街地の開発整備を実施すべき区域（以下「開発整備促進区」という。）を都市計画に定めることができる。

一　現に土地の利用状況が著しく変化しつつあり、又は著しく変化することが確実であると見込まれる土地の区域であること。

二　特定大規模建築物の整備による商業その他の業務の利便の

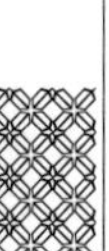

増進を図るため、適正な配置及び規模の公共施設を整備する必要がある土地の区域であること。

三　当該区域内において特定大規模建築物の整備による商業その他の業務の利便の増進を図ることが、当該都市の機能の増進に貢献することとなる土地の区域であること。

四　第二種住居地域、準住居地域若しくは工業地域が定められている土地の区域又は用途地域が定められていない土地の区域（市街化調整区域を除く。）であること。

5　再開発等促進区又は開発整備促進区を定める地区計画においては、第二項各号に掲げるもののほか、都市計画に、第一号に掲げる事項を定めるものとするとともに、第二号に掲げる事項を定めるよう努めるものとする。

一　道路、公園その他の政令で定める施設（都市計画施設及び地区施設を除く。）の配置及び規模

二　土地利用に関する基本方針

6　再開発等促進区又は開発整備促進区を都市計画に定める際、当該再開発等促進区又は開発整備促進区について、当面建築物又はその敷地の整備と併せて整備されるべき公共施設の整備に関する事業が行われる見込みがないときその他前項第一号に規定する施設の配置及び規模を定めることができない特別の事情があるときは、当該再開発等促進区又は開発整備促進区について同号に規定する施設の配置及び規模を定めることを要しない。

7　地区整備計画においては、次に掲げる事項（市街化調整区域内において定められる地区整備計画については、建築物の容積率の最低限度、建築物の建築面積の最低限度及び建築物等の高さの最低限度を除く。）を定めることができる。

一　地区施設の配置及び規模

二　建築物等の用途の制限、建築物の容積率の最高限度又は最低限度、建築物の建蔽率の最高限度、建築物の敷地面積又は建築面積の最低限度、建築物の敷地の地盤面の高さの最低限度、壁面の位置の制限、壁面後退区域（壁面の位置の制限として定められた限度の線と敷地境界線との間の土地の区域をいう。以下同じ。）における工作物の設置の制限、建築物等の高さの最高限度又は最低限度、建築物の居室（建築基準法第二条第四号に規定する居室をいう。）の床面の高さの最低限度、建築物等の形態又は色彩その他の意匠の制限、建築物の緑化率（都市緑地法第三十四条第二項に規定する緑化率をいう。）の最低限度その他建築物等に関する事項で政令で定めるもの

三　現に存する樹林地、草地等で良好な居住環境を確保するため必要なものの保全に関する事項（次号に該当するものを除く。）

四　現に存する農地（耕作の目的に供される土地をいう。以下同じ。）で農業の利便の増進と調和した良好な居住環境を確保するため必要なものにおける土地の形質の変更その他の行為の制限に関する事項

五　前各号に掲げるもののほか、土地の利用に関する事項で政令で定めるもの

8　地区計画を都市計画に定める際、当該地区計画の区域の全部又は一部について地区整備計画を定めることができない特別の事情があるときは、当該区域の全部又は一部について地区整備計画を定めることを要しない。この場合において、地区計画の区域の一部について地区整備計画を定めるときは、当該地区計画については、地区整備計画の区域をも都市計画に定めなければならない。

〔追加・平成二法六一、改正・平成四法八二・平成七法一三・平成一〇法七九・平成一一法一六〇・平成一二法七三・平成一四法八五・平成一六法一〇九・法一一一・平成一八法四六・平成二三法一〇五・平成二九法二六・令和二法四三・令和三法三一〕

参照　【地区計画―法一二①14・一四・一六②・③・一九③・三三①5・三四①10・五八の二・五八の四、建築基準法六八の二・六八の六・六八の七・六八の八・八六⑦】【地区施設―令七の四】【用途地域―法八①1】【政令で定める施設―令七の五・七の七】【公共施設―法四⑭】【都市計画施設―法四⑥】【誘導容積型地区計画―法一二の六】【容積適正配分型地区計画―法一二の七】【高度利用型地区計画―法一二の八】【用途別容積型地区計画―法一二の九】【街並み誘導型地区計画―法一二の一〇】【建築物等に関する事項―令七の六】

（建築物の容積率の最高限度を区域の特性に応じたものと公共施設の整備状況に応じたものとに区分して定める地区整備計画）

第一二条の六　地区整備計画においては、適正な配置及び規模の公共施設が整備されていない土地の区域において適正かつ合理的な土地利用の促進を図るため特に必要であると認められるときは、前条第七項第二号の建築物の容積率の最高限度について次の各号に掲げるものごとに数値を区分し、第一号に掲げるものの数値を第二号に掲げるものの数値を超えるものとして定めるものとする。

一　当該地区整備計画の区域の特性（再開発等促進区及び開発整備促進区にあつては、土地利用に関する基本方針に従つて土地利用が変化した後の区域の特性）に応じたもの

二　当該地区整備計画の区域内の公共施設の整備の状況に応じたもの

〔追加・平成二法六一、改正・平成四法八二・平成七法一三・平成一一法一六〇・平成一二法七三、全改・平成一四法八五、改正・平成一八法四六〕

参照　【誘導容積型地区計画―建築基準法六八の四】【公共施設―法四⑭】【再開発等促進区―法一二の五③】【開発整備促進区―法一二の五④】

（区域を区分して建築物の容積を適正に配分する地区整備計画）

第一二条の七　地区整備計画（再開発等促進区及び開発整備促進区におけるものを除く。以下この条において同じ。）においては、用途地域内の適正な配置及び規模の公共施設を備えた土地の区域において建築物の容積を適正に配分することが当該地区整備計画の区域の特性に応じた合理的な土地利用の促進を図るため特に必要であると認められるときは、当該地区整備計画の区域を区分して第十二条の五第七項第二号の建築物の容積率の最高限度を定めるものとする。この場合において、当該地区整備計画の区域を区分して定められた建築物の容積率の最高限度の数値にそれぞれの数値の定められた区域の面積を乗じたものの合計は、当該地区整備計画の区域内の用途地域において定められた建築物の容積率の数値に当該数値の定められた区域の面積を乗じたものの合計を超えてはならない。

〔追加・平成一四法八五、改正・平成一八法四六〕

参照　【容積適正配分型地区計画―建築基準法六八の五】【再開発等促進区―法一二の五③】【開発整備促進区―法一二の五④】【公共施設―法四⑭】

（高度利用と都市機能の更新とを図る地区整備計画）

第一二条の八　地区整備計画（再開発等促進区及び開発整備促進区におけるものを除く。）においては、用途地域（第一種低層住居専用地域、第二種低層住居専用地域及び田園住居地域を除く。）内の適正な配置及び規模の公共施設を備えた土地の区域において、その合理的かつ健全な高度利用と都市機能の更新とを図るため特に必要であると認められるときは、建築物の容積率の最高限度及び最低限度、建築物の建蔽率の最高限度、建築物の建築面積の最低限度並びに壁面の位置の制限（壁面の位置の制限にあつては、敷地内に道路（都市計画において定められた計画道路及び地区施設である道路を含む。以下この条において同じ。）に接して有効な空間を確保して市街地の環境の向上を図るため必要な場合における当該道路に面する壁面の位置を制限するもの（これを含む壁面の位置の制限を含む。）に限る。）を定めるものとする。

〔追加・平成一四法八五、改正・平成一八法四六・平成二九法二六〕

参照【高度利用型地区計画―建築基準法六八の五の三】【公共施設―法四⑭】【再開発等促進区―法一二の五③】【開発整備促進区―法一二の五④】

（住居と住居以外の用途とを適正に配分する地区整備計画）

第一二条の九　地区整備計画（開発整備促進区におけるものを除く。以下この条において同じ。）においては、住居と住居以外の用途とを適正に配分することが当該地区整備計画の区域の特性（再開発等促進区にあつては、土地利用に関する基本方針に従つて土地利用が変化した後の区域の特性）に応じた合理的な土地利用の促進を図るため特に必要であると認められるときは、第十二条の五第七項第二号の建築物の容積率の最高限度について次の各号に掲げるものごとに数値を区分し、第一号に掲げるものの数値を第二号に掲げるものの数値以上のものとして定めるものとする。

一　その全部又は一部を住宅の用途に供する建築物に係るもの

二　その他の建築物に係るもの

〔追加・平成一四法八五、改正・平成一八法四六〕

参照【用途別容積型地区計画―建築基準法六八の五の四】【再開発等促進区―法一二の五③】【開発整備促進区―法一二の五④】

（区域の特性に応じた高さ、配列及び形態を備えた建築物の整備を誘導する地区整備計画）

第一二条の一〇　地区整備計画においては、当該地区整備計画の区域の特性（再開発等促進区及び開発整備促進区にあつては、土地利用に関する基本方針に従つて土地利用が変化した後の区域の特性）に応じた高さ、配列及び形態を備えた建築物を整備することが合理的な土地利用の促進を図るため特に必要であると認められるときは、壁面の位置の制限（道路（都市計画において定められた計画道路及び第十二条の五第五項第一号に規定する施設又は地区施設である道路を含む。）に面する壁面の位置を制限するものを含むものに限る。）、壁面後退区域における工作物の設置の制限（当該壁面後退区域において連続的に有効な空地を確保するため必要なものを含むものに限る。）及び建築物の高さの最高限度を定めるものとする。

〔追加・平成一四法八五、改正・平成一八法四六・平成二三法一〇五〕

参照【街並み誘導型地区計画―建築基準法六八の五の五】【再開発等促進区―法一二の五③】【開発整備促進区―法一二の五④】

（道路の上空又は路面下において建築物等の建築又は建設を行うための地区整備計画）

第一二条の一一　地区整備計画においては、第十二条の五第七項に定めるもののほか、市街地の環境を確保しつつ、適正かつ合理的な土地利用の促進と都市機能の増進とを図るため、道路（都市計画において定められた計画道路を含む。）の上空又は路面下において建築物等の建築又は建設を行うことが適切であると認められるときは、当該道路の区域のうち、建築物等の敷地として併せて利用すべき区域を定めることができる。この場合においては、当該区域内における建築物等の建築又は建設の限界であつて空間又は地下について上下の範囲を定めるものをも定めなければならない。

〔追加・平成一四法八五、改正・平成一八法四六・平成二六法五三・平成三〇法二二〕

参照【都市計画施設―法四⑥・一一①】【立体道路―法二三⑦・五三①5、道路法第三章第四節の二】

（適正な配置の特定大規模建築物を整備するための地区整備計画）

第一二条の一二　開発整備促進区における地区整備計画においては、第十二条の五第七項に定めるもののほか、土地利用に関する基本方針に従つて土地利用が変化した後の当該地区整備計画の区域の特性に応じた適正な配置の特定大規模建築物を整備することが合理的な土地利用の促進を図るため特に必要であると認められるときは、劇場、店舗、飲食店その他これらに類する用途のうち当該区域において誘導すべき用途及び当該誘導すべき用途に供する特定大規模建築物の敷地として利用すべき土地の区域を定めることができる。

〔追加・平成一八法四六〕

参照【開発整備促進区―法一二の五④】

（防災街区整備地区計画等について都市計画に定めるべき事項）

第一二条の一三　防災街区整備地区計画、歴史的風致維持向上地区計画、沿道地区計画及び集落地区計画について都市計画に定めるべき事項は、第十二条の四第二項に定めるもののほか、別に法律で定める。

〔追加・平成二法六一、改正・平成八法四八・平成九法五〇、旧一二条の七を改正し繰下・平成一四法八五、旧一二条の一二を繰下・平成一八法四六、改正・平成二〇法四〇〕

参照【別に法律―密集市街地における防災街区の整備の促進に関する法律三二②、地域における歴史的風致の維持及び向上に関する法律三一②、幹線道路の沿道の整備に関する法律九②、集落地域整備法五③】

（都市計画基準）

第一三条　都市計画区域について定められる都市計画（区域外都市施設に関するものを含む。次項において同じ。）は、国土形成計画、首都圏整備計画、近畿圏整備計画、中部圏開発整備計画、北海道総合開発計画、沖縄振興計画その他の国土計画又は地方計画に関する法律に基づく計画（当該都市について公害防止計画が定められているときは、当該公害防止計画を含む。第三項において同じ。）及び道路、河川、鉄道、港湾、空港等の施設に関する国の計画に適合するとともに、当該都市の特質及び当該都市における自然的環境の整備又は保全の重要性を考慮して、次に掲げるところに従つて、土地利用、都市施設の整備及び市街地開発事業に関する事項で当該都市の健全な発展と秩序ある整備を図るため必要なものを、一体的かつ総合的に定めなければならない。

一　都市計画区域の整備、開発及び保全の方針は、当該都市の発展の動向、当該都市計画区域における人口及び産業の現状及び将来の見通し等を勘案して、当該都市計画区域を一体の都市として総合的に整備し、開発し、及び保全することを目途として、当該方針に即して都市計画が適切に定められることとなるように定めること。

二　区域区分は、当該都市の発展の動向、当該都市計画区域における人口及び産業の将来の見通し等を勘案して、産業活動の利便と居住環境の保全との調和を図りつつ、国土の合理的利用を確保し、効率的な公共投資を行うことができるように定めること。

三　都市再開発の方針は、市街化区域内において、計画的な再開発が必要な市街地について定めること。

四　住宅市街地の開発整備の方針は、大都市地域における住宅及び住宅地の供給の促進に関する特別措置法第四条第一項に規定する都市計画区域について、良好な住宅市街地の開発整備が図られるように定めること。

五　拠点業務市街地の開発整備の方針は、地方拠点都市地域の整備及び産業業務施設の再配置の促進に関する法律第八条第一項の同意基本計画において定められた同法第二条第二項の拠点地区に係る市街化区域について、当該同意基本計画の達成に資するように定めること。

六　防災街区整備方針は、市街化区域内において、密集市街地整備法第二条第一号の密集市街地内の各街区について同条第二号の防災街区としての整備が図られるように定めること。

七　地域地区は、土地の自然的条件及び土地利用の動向を勘案して、住居、商業、工業その他の用途を適正に配分することにより、都市機能を維持増進し、かつ、住居の環境を保護し、商業、工業等の利便を増進し、良好な景観を形成し、風致を維持し、公害を防止する等適正な都市環境を保持するように定めること。この場合において、市街化区域については、少なくとも用途地域を定めるものとし、市街化調整区域については、原則として用途地域を定めないものとする。

八　促進区域は、市街化区域又は区域区分が定められていない都市計画区域内において、主として関係権利者による市街地の計画的な整備又は開発を促進する必要があると認められる土地の区域について定めること。

九　遊休土地転換利用促進地区は、主として関係権利者による有効かつ適切な利用を促進する必要があると認められる土地の区域について定めること。

十　被災市街地復興推進地域は、大規模な火災、震災その他の災害により相当数の建築物が滅失した市街地の計画的な整備改善を推進して、その緊急かつ健全な復興を図る必要があると認められる土地の区域について定めること。

十一　都市施設は、土地利用、交通等の現状及び将来の見通しを勘案して、適切な規模で必要な位置に配置することにより、円滑な都市活動を確保し、良好な都市環境を保持するように定めること。この場合において、市街化区域及び区域区分が定められていない都市計画区域については、少なくとも道路、公園及び下水道を定めるものとし、第一種低層住居専用地域、第二種低層住居専用地域、第一種中高層住居専用地域、第二種中高層住居専用地域、第一種住居地域、第二種住居地域、準住居地域及び田園住居地域については、義務教育施設をも定めるものとする。

十二　一団地の都市安全確保拠点施設については、前号に定めるもののほか、次に掲げるところに従つて定めること。

イ　溢水、湛水、津波、高潮その他の自然現象による災害の発生のおそれが著しく、かつ、当該災害が発生した場合に居住者等の安全を確保する必要性が高いと認められる区域（当該区域に隣接し、又は近接する区域を含む。）について定めること。

ロ　第十一条第四項第一号に規定する施設は、溢水、湛水、津波、高潮その他の自然現象による災害が発生した場合においてイに規定する区域内における同条第一項第十号に規定する機能が一体的に発揮されるよう、必要な位置に適切な規模で配置すること。

ハ　第十一条第四項第二号に掲げる事項は、溢水、湛水、津波、高潮その他の自然現象による災害が発生した場合においてイに規定する区域内における居住者等の安全の確保が図られるよう定めること。

十三　市街地開発事業は、市街化区域又は区域区分が定められていない都市計画区域内において、一体的に開発し、又は整備する必要がある土地の区域について定めること。

十四　市街地開発事業等予定区域は、市街地開発事業に係るものにあつては市街化区域又は区域区分が定められていない都市計画区域内において、一体的に開発し、又は整備する必要がある土地の区域について、都市施設に係るものにあつては当該都市施設が第十一号前段の基準に合致することとなるような土地の区域について定めること。

十五　地区計画は、公共施設の整備、建築物の建築その他の土地利用の現状及び将来の見通しを勘案し、当該区域の各街区における防災、安全、衛生等に関する機能が確保され、かつ、その良好な環境の形成又は保持のためその区域の特性に応じて合理的な土地利用が行われることを目途として、当該計画に従つて秩序ある開発行為、建築又は施設の整備が行われることとなるように定めること。この場合において、次のイからハまでに掲げる地区計画については、当該イからハまでに定めるところによること。

イ　市街化調整区域における地区計画　市街化区域における市街化の状況等を勘案して、地区計画の区域の周辺における市街化を促進することがない等当該都市計画区域における計画的な市街化を図る上で支障がないように定めること。

ロ　再開発等促進区を定める地区計画　土地の合理的かつ健全な高度利用と都市機能の増進とが図られることを目途として、一体的かつ総合的な市街地の再開発又は開発整備が実施されることとなるように定めること。この場合において、第一種低層住居専用地域、第二種低層住居専用地域及び田園住居地域については、再開発等促進区の周辺の低層住宅に係る良好な住居の環境の保護に支障がないように定めること。

ハ　開発整備促進区を定める地区計画　特定大規模建築物の整備による商業その他の業務の利便の増進が図られることを目途として、一体的かつ総合的な市街地の開発整備が実施されることとなるように定めること。この場合において、第二種住居地域及び準住居地域については、開発整備促進区の周辺の住宅に係る住居の環境の保護に支障がないように定めること。

十六　防災街区整備地区計画は、当該区域の各街区が火事又は地震が発生した場合の延焼防止上及び避難上確保されるべき機能を備えるとともに、土地の合理的かつ健全な利用が図られることを目途として、一体的かつ総合的な市街地の整備が行われることとなるように定めること。

十七　歴史的風致維持向上地区計画は、地域におけるその固有の歴史及び伝統を反映した人々の活動とその活動が行われる歴史上価値の高い建造物及びその周辺の市街地とが一体となつて形成してきた良好な市街地の環境の維持及び向上並びに土地の合理的かつ健全な利用が図られるように定めること。

十八　沿道地区計画は、道路交通騒音により生ずる障害を防止するとともに、適正かつ合理的な土地利用が図られるように定めること。この場合において、沿道再開発等促進区（幹線道路の沿道の整備に関する法律第九条第三項の規定による沿道再開発等促進区をいう。以下同じ。）を定める沿道地区計画については、土地の合理的かつ健全な高度利用と都市機能の増進とが図られることを目途として、一体的かつ総合的な市街地の再開発又は開発整備が実施されることとなるように定めることとし、そのうち第一種低層住居専用地域、第二種低層住居専用地域及び田園住居地域におけるものについては、沿道再開発等促進区の周辺の低層住宅に係る良好な住居の環境の保護に支障がないように定めること。

十九　集落地区計画は、営農条件と調和のとれた居住環境を整備するとともに、適正な土地利用が図られるように定めること。

二十　前各号の基準を適用するについては、第六条第一項の規定による都市計画に関する基礎調査の結果に基づき、かつ、政府が法律に基づき行う人口、産業、住宅、建築、交通、工場立地その他の調査の結果について配慮すること。

2　都市計画区域について定められる都市計画は、当該都市の住民が健康で文化的な都市生活を享受することができるように、住宅の建設及び居住環境の整備に関する計画を定めなければならない。

3　準都市計画区域について定められる都市計画は、第一項に規定する国土計画若しくは地方計画又は施設に関する国の計画に適合するとともに、地域の特質及び当該地域における自然的環境の整備又は保全の重要性を考慮して、次に掲げるところに従つて、土地利用の整序又は環境の保全を図るため必要な事項を定めなければならない。この場合においては、当該地域における農林漁業の生産条件の整備に配慮しなければならない。

一　地域地区は、土地の自然的条件及び土地利用の動向を勘案して、住居の環境を保護し、良好な景観を形成し、風致を維持し、公害を防止する等地域の環境を適正に保持するように定めること。

二　前号の基準を適用するについては、第六条第二項の規定による都市計画に関する基礎調査の結果に基づくこと。

4　都市再開発方針等、第八条第一項第四号の二、第五号の二、第六号、第八号及び第十号から第十六号までに掲げる地域地区、促進区域、被災市街地復興推進地域、流通業務団地、一団地の津波防災拠点市街地形成施設、一団地の復興再生拠点市街地形成施設、一団地の復興拠点市街地形成施設、市街地開発事業、市街地開発事業等予定区域（第十二条の二第一項第四号及び第五号に掲げるものを除く。）、防災街区整備地区計画、歴史的風致維持向上地区計画、沿道地区計画並びに集落地区計画に関する都市計画の策定に関し必要な基準は、前三項に定めるもののほか、別に法律で定める。

5　地区計画を都市計画に定めるについて必要な基準は、第一項及び第二項に定めるもののほか、政令で定める。

6　都市計画の策定に関し必要な技術的基準は、政令で定める。

〔改正・昭和四五法一〇九・昭和四六法一三一・昭和四九法六七・法六八・昭和五〇法四九・法六六・法六七・昭和五三法二六・昭和五五法三四・法三五・法六〇・法六二・昭和六二法六三・昭和六三法四九・平成二法六一・法六二・平成四法八二・平成七法一四・平成八法四八・平成九法五〇・平成一二法七三・平成一四法一四・法二二・法八五・平成一五法一〇一・平成一六法一一一・平成一七法八九・平成一八法四六・法六一・平成二〇法四〇・平成二三法一二四・平成二五法五五・平成二七法二〇・平成二九法二六・令和三法三一・令和六法四〇〕

参照　【都市計画適合―法一五③・二三①・五四・五六④・六一】【国土計画又は地方計画に関する法律―国土形成計画法、国土利用計画法、首都圏整備法、首都圏近郊緑地保全法、近畿圏整備法、近畿圏の近郊整備区域及び都市開発区域の整備及び開発に関する法律、近畿圏の保全区域の整備に関する法律、中部圏開発整備法、中部圏の都市整備区域、都市開発区域及び保全区域の整備等に関する法律、北海道開発法、沖縄振興特別措置法、奄美群島振興開発特別措置法、山村振興法、離島振興法、豪雪地帯対策特別措置法】【施設に関する国の計画―高速自動車国道法、道路法、河川法、日本国有鉄道改革法、鉄道事業法、空港法等】【公害防止計画―環境基本法】【遊休土地転換利用促進地区―法一〇の三】【法律に基づき行う調査―統計法、国土調査法、工場立地法、法六】【人口―令四一】【都市再開発方針―都市再開発法二の三】【都市再生特別地区―都市再生特別措置法三六①】【特定防災街区整備地区―密集市街地における防災街区の整備の促進に関する法律三一①】【駐車場整備地区―駐車場法三】【臨港地区―港湾法三八―四〇】【歴史的風土特別保存地区―古都における歴史的風土の保存に関する特別措置法六①】【第一種・第二種歴史的風土保存地区―明日香村における歴史的風土の保存及び生活環境の整備等に関する特別措置法三①・②】【緑地保全地域、特別緑地保全地区―都市緑地法五・一二、首都圏近郊緑地保全法五①、近畿圏の保全区域の整備に関する法律六①】【流通業務地区―流通業務市街地の整備に関する法律四①・②】【生産緑地地区―生産緑地法三①】【伝統的建造物群保存地区―文化財保護法一四二】【航空機騒音障害防止地区、航空機騒音障害防止特別地区―特定空港周辺航空機騒音対策特別措置法四】【促進区域―都市再開発法七、大都市地域における住宅及び住宅地の供給の促進に関する特別措置法五・二四】【被災市街地復興推進地域―被災市街地復興特別措置法五①・②】【流通業務団地―流通業務市街地の整備に関する法律七①・八】【新住宅市街地開発事業―新住宅市街地開発法三・四①】【工業団地造成事業―首都圏の近郊整備地帯及び都市開発区域の整備に関する法律四①・五②、近畿圏の近郊整備区域及び都市開発区域の整備及び開発に関する法律六①・七②】【市街地再開発事業―都市再開発法三・四②】【市街地開発事業等予定区域―法一二の二】【市街化調整区域―法七③】【市街化区域―法七②】【再開発等促進区―法一二の五③】【防災街区整備地区計画―密集市街地における防災街区の整備の促進に関する法律三二①・⑤】【歴史的風致維持向上地区計画―地域における歴史的風致の維持及び向上に関する法律三一①・⑤】【沿道地区計画―幹線道路の沿道の整備に関する法律九①・⑦】【集落地区計画―集落地域整備法五】【都市計画の策定に関し必要な技術的基準―令八、規則八・八の二】【地区計画を都市計画に定めるについて必要な基準―令七の七】

（都市計画の図書）

第一四条　都市計画は、国土交通省令で定めるところにより、総括図、計画図及び計画書によつて表示するものとする。

2　計画図及び計画書における区域区分の表示又は次に掲げる区域の表示は、土地に関し権利を有する者が、自己の権利に係る土地が区域区分により区分される市街化区域若しくは市街化調整区域のいずれの区域に含まれるか又は次に掲げる区域に含まれるかどうかを容易に判断することができるものでなければならない。

一　都市再開発の方針に定められている都市再開発法第二条の三第一項第二号又は第二項の地区の区域

二　防災街区整備方針に定められている防災再開発促進地区（密集市街地整備法第三条第一項第一号に規定する防災再開発促進地区をいう。）の区域

三　地域地区の区域

四　促進区域の区域

五　遊休土地転換利用促進地区の区域

六　被災市街地復興推進地域の区域

七　都市計画施設の区域

八　市街地開発事業の施行区域

九　市街地開発事業等予定区域の区域

十　地区計画の区域（地区計画の区域の一部について再開発等促進区若しくは開発整備促進区又は地区整備計画が定められているときは、地区計画の区域及び再開発等促進区若しくは開発整備促進区又は地区整備計画の区域）

十一　防災街区整備地区計画の区域（防災街区整備地区計画の区域について地区防災施設（密集市街地整備法第三十二条第二項第一号に規定する地区防災施設をいう。以下この号及び第三十三条第一項において同じ。）、特定建築物地区整備計画（密集市街地整備法第三十二条第二項第一号の規定による特定建築物地区整備計画をいう。以下この号及び第三十三条第一項において同じ。）又は防災街区整備地区整備計画（密集市街地整備法第三十二条第二項第二号の規定による防災街区整備地区整備計画をいう。以下この号及び第三十三条第一項において同じ。）が定められているときは、防災街区整備地区計画の区域及び地区防災施設の区域、特定建築物地区整備計画の区域又は防災街区整備地区整備計画の区域）

十二　歴史的風致維持向上地区計画の区域（歴史的風致維持向上地区計画の区域の一部について地域における歴史的風致の維持及び向上に関する法律第三十一条第三項第三号に規定する土地の区域又は歴史的風致維持向上地区整備計画（同条第二項第一号の規定による歴史的風致維持向上地区整備計画をいう。以下この号及び第三十三条第一項において同じ。）が定められているときは、歴史的風致維持向上地区計画の区域及び当該定められた土地の区域又は歴史的風致維持向上地区整備計画の区域）

十三　沿道地区計画の区域（沿道地区計画の区域の一部について沿道再開発等促進区又は沿道地区整備計画（幹線道路の沿道の整備に関する法律第九条第二項第一号に掲げる沿道地区整備計画をいう。以下同じ。）が定められているときは、沿道地区計画の区域及び沿道再開発等促進区又は沿道地区整備計画の区域）

十四　集落地区計画の区域（集落地区計画の区域の一部について集落地区整備計画（集落地域整備法第五条第三項の規定による集落地区整備計画をいう。以下同じ。）が定められているときは、集落地区計画の区域及び集落地区整備計画の区域）

3　第十一条第三項の規定により都市計画施設の区域について都市施設を整備する立体的な範囲が定められている場合においては、計画図及び計画書における当該立体的な範囲の表示は、当該区域内において建築物の建築をしようとする者が、当該建築が、当該立体的な範囲外において行われるかどうか、同項後段の規定により当該立体的な範囲からの離隔距離の最小限度が定められているときは当該立体的な範囲から最小限度の離隔距離を確保しているかどうかを容易に判断することができるものでなければならない。

〔改正・昭和四九法六七・昭和五〇法六六・法六七・昭和五五法三四・法三五・昭和六二法六三・昭和六三法四九・平成二法六一・平成七法一三・法一四・平成八法四八・平成九法五〇・平成一一法一六〇・平成一二法七三・平成一四法八五・平成一五法一〇一・平成一六法六七・平成一八法四六・平成二〇法四〇・平成二三法一〇五〕

参照【都市計画の図書―規則九・附則②】【準用―法六〇④・七一②】

第二節　都市計画の決定及び変更

（都市計画を定める者）

第一五条　次に掲げる都市計画は都道府県が、その他の都市計画は市町村が定める。

一　都市計画区域の整備、開発及び保全の方針に関する都市計画

二　区域区分に関する都市計画

三　都市再開発方針等に関する都市計画

四　第八条第一項第四号の二、第九号から第十三号まで及び第十六号に掲げる地域地区（同項第四号の二に掲げる地区にあつては都市再生特別措置法第三十六条第一項の規定による都市再生特別地区に、第八条第一項第九号に掲げる地区にあつては港湾法（昭和二十五年法律第二百十八号）第二条第二項の国際戦略港湾、国際拠点港湾又は重要港湾に係るものに、第八条第一項第十二号に掲げる地区にあつては都市緑地法第五条の規定による緑地保全地域（二以上の市町村の区域にわたるものに限る。）、首都圏近郊緑地保全法（昭和四十一年法律第百一号）第四条第二項第三号の近郊緑地特別保全地区及び近畿圏の保全区域の整備に関する法律（昭和四十二年法律第百三号）第六条第二項の近郊緑地特別保全地区に限る。）に関する都市計画

五　一の市町村の区域を超える広域の見地から決定すべき地域地区として政令で定めるもの又は一の市町村の区域を超える広域の見地から決定すべき都市施設若しくは根幹的都市施設として政令で定めるものに関する都市計画

六　市街地開発事業（土地区画整理事業、市街地再開発事業、住宅街区整備事業及び防災街区整備事業にあつては、政令で定める大規模なものであつて、国の機関又は都道府県が施行すると見込まれるものに限る。）に関する都市計画

七　市街地開発事業等予定区域（第十二条の二第一項第四号から第六号までに掲げる予定区域にあつては、一の市町村の区域を超える広域の見地から決定すべき都市施設又は根幹的都市施設の予定区域として政令で定めるものに限る。）に関する都市計画

2　市町村の合併その他の理由により、前項第五号に該当する都市計画が同号に該当しないこととなつたとき、又は同号に該当しない都市計画が同号に該当することとなつたときは、当該都市計画は、それぞれ市町村又は都道府県が決定したものとみなす。

3　市町村が定める都市計画は、議会の議決を経て定められた当該市町村の建設に関する基本構想に即し、かつ、都道府県が定めた都市計画に適合したものでなければならない。

4　市町村が定めた都市計画が、都道府県が定めた都市計画と抵触するときは、その限りにおいて、都道府県が定めた都市計画が優先するものとする。

〔改正・昭和四八法七二・昭和四九法六七・昭和五三法二六・昭和五五法六〇・平成三法七九・平成一〇法七九・平成一一法八七・平成一二法七三・平成一四法二二・平成一五法一〇一・平成一六法一〇九・平成一八法四六・平成二三法九・法一〇五・平成二六法三九〕

参照【広域的・根幹的都市計画―令九【大規模な土地区画整理事業―令一〇【指定都市の特例―法八七の二①【市街地開発事業等予定区域―令一〇の二

類似規定―【基本構想―農業振興地域の整備に関する法律

（都道府県の都市計画の案の作成）

第一五条の二　市町村は、必要があると認めるときは、都道府県に対し、都道府県が定める都市計画の案の内容となるべき事項を申し出ることができる。

2　都道府県は、都市計画の案を作成しようとするときは、関係市町村に対し、資料の提出その他必要な協力を求めることができる。

〔追加・平成一二法七三〕

（公聴会の開催等）

第一六条　都道府県又は市町村は、次項の規定による場合を除くほか、都市計画の案を作成しようとする場合において必要があると認めるときは、公聴会の開催等住民の意見を反映させるために必要な措置を講ずるものとする。

2　都市計画に定める地区計画等の案は、意見の提出方法その他の政令で定める事項について条例で定めるところにより、その案に係る区域内の土地の所有者その他政令で定める利害関係を有する者の意見を求めて作成するものとする。

3　市町村は、前項の条例において、住民又は利害関係人から地区計画等に関する都市計画の決定若しくは変更又は地区計画等の案の内容となるべき事項を申し出る方法を定めることができる。

〔改正・昭和五五法三五・平成一一法八七・平成一二法七三・平成一八法四六〕

参照【政令で定める事項―令一〇の三【政令で定める利害関係を有する者―令一〇の四

（都市計画の案の縦覧等）

第一七条　都道府県又は市町村は、都市計画を決定しようとするときは、あらかじめ、国土交通省令で定めるところにより、その旨を公告し、当該都市計画の案を、当該都市計画を決定しようとする理由を記載した書面を添えて、当該公告の日から二週間公衆の縦覧に供しなければならない。

2　前項の規定による公告があつたときは、関係市町村の住民及び利害関係人は、同項の縦覧期間満了の日までに、縦覧に供された都市計画の案について、都道府県の作成に係るものにあつては都道府県に、市町村の作成に係るものにあつては市町村に、意見書を提出することができる。

3　特定街区に関する都市計画の案については、政令で定める利害関係を有する者の同意を得なければならない。

4　遊休土地転換利用促進地区に関する都市計画の案については、当該遊休土地転換利用促進地区内の土地に関する所有権又は地上権その他の政令で定める使用若しくは収益を目的とする権利を有する者の意見を聴かなければならない。

5　都市計画事業の施行予定者を定める都市計画の案については、当該施行予定者の同意を得なければならない。ただし、第十二条の三第二項の規定の適用がある事項については、この限りでない。

〔改正・昭和四九法六七・平成二法六一・平成一一法八七・法一六〇・平成一二法七三〕

参照【都市計画の案の公告―規則一〇【特定街区に関する都市計画の案につき同意を要する者―令一一【施行予定者―法一一⑤、一二⑤【政令で定める使用若しくは収益を目的とする権利―令一一の二【縦覧期間―環境影響評価法四二①【準用―法二一②

（条例との関係）

第一七条の二　前二条の規定は、都道府県又は市町村が、住民又は利害関係人に係る都市計画の決定の手続に関する事項（前二条の規定に反しないものに限る。）について、条例で必要な規定を定めることを妨げるものではない。

〔追加・平成一二法七三〕

参照【準用―法二一②

（都道府県の都市計画の決定）

第一八条　都道府県は、関係市町村の意見を聴き、かつ、都道府県都市計画審議会の議を経て、都市計画を決定するものとする。

2　都道府県は、前項の規定により都市計画の案を都道府県都市計画審議会に付議しようとするときは、第十七条第二項の規定により提出された意見書の要旨を都道府県都市計画審議会に提出しなければならない。

3　都道府県は、国の利害に重大な関係がある政令で定める都市計画の決定をしようとするときは、あらかじめ、国土交通省令で定めるところにより、国土交通大臣に協議し、その同意を得なければならない。

4　国土交通大臣は、国の利害との調整を図る観点から、前項の協議を行うものとする。

〔改正・平成一一法八七・法一六〇・平成一二法七三・平成二三法三七〕

参照【都道府県の定める都市計画―法一五①【都道府県都市計画審議会―法七七、環境影響評価法四二⑤【国の利害に重大な関係がある都市計画―令一二【都市計画の協議の申出―規則一一【準用―法二一②【指定都市の特例―法八七・八七の二【都の特例―法八七の三

（市町村の都市計画に関する基本的な方針）

第一八条の二　市町村は、議会の議決を経て定められた当該市町村の建設に関する基本構想並びに都市計画区域の整備、開発及び保全の方針に即し、当該市町村の都市計画に関する基本的な方針（以下この条において「基本方針」という。）を定めるものとする。

2　市町村は、基本方針を定めようとするときは、あらかじめ、公聴会の開催等住民の意見を反映させるために必要な措置を講ずるものとする。

3　市町村は、基本方針を定めたときは、遅滞なく、これを公表するとともに、都道府県知事に通知しなければならない。

4　市町村が定める都市計画は、基本方針に即したものでなければならない。

〔追加・平成四法八二、改正・平成一二法七三〕

参照【整備、開発又は保全の方針―法六の二】【指定都市の特例―法八七の二】【公聴会の開催等―法一六①】【市町村が定める都市計画―法一五①】

（市町村の都市計画の決定）

第一九条　市町村は、市町村都市計画審議会（当該市町村に市町村都市計画審議会が置かれていないときは、当該市町村の存する都道府県の都道府県都市計画審議会）の議を経て、都市計画を決定するものとする。

2　市町村は、前項の規定により都市計画の案を市町村都市計画審議会又は都道府県都市計画審議会に付議しようとするときは、第十七条第二項の規定により提出された意見書の要旨を市町村都市計画審議会又は都道府県都市計画審議会に提出しなければならない。

3　市町村は、都市計画区域又は準都市計画区域について都市計画（都市計画区域について定めるものにあつては区域外都市施設に関するものを含み、地区計画等にあつては当該都市計画に定めようとする事項のうち政令で定める地区施設の配置及び規模その他の事項に限る。）を決定しようとするときは、あらかじめ、都道府県知事に協議しなければならない。

4　都道府県知事は、一の市町村の区域を超える広域の見地からの調整を図る観点又は都道府県が定め、若しくは定めようとする都市計画との適合を図る観点から、前項の協議を行うものとする。

5　都道府県知事は、第三項の協議を行うに当たり必要があると認めるときは、関係市町村に対し、資料の提出、意見の開陳、説明その他必要な協力を求めることができる。

〔改正・昭和五五法三五・平成四法八二・平成九法五〇、全改・平成一一法八七、改正・平成一二法七三・平成一八法四六・平成二三法三七・令和二法四一〕

参照【市町村が定める都市計画―法一五①】【市町村都市計画審議会―法七七の二】【都道府県都市計画審議会―法七七】【政令で定める―令一三、規則一一の二】【準用―法二一②】

（都市計画の告示等）

第二〇条　都道府県又は市町村は、都市計画を決定したときは、その旨を告示し、かつ、都道府県にあつては関係市町村長に、市町村にあつては都道府県知事に、第十四条第一項に規定する図書の写しを送付しなければならない。

2　都道府県知事及び市町村長は、国土交通省令で定めるところにより、前項の図書又はその写しを当該都道府県又は市町村の事務所に備え置いて一般の閲覧に供する方法その他の適切な方法により公衆の縦覧に供しなければならない。

3　都市計画は、第一項の規定による告示があつた日から、その効力を生ずる。

〔改正・平成一一法八七・法一六〇・平成一二法七三・平成二三法一〇五・平成二五法四四〕

参照【都市計画の図書の縦覧についての公告―規則一二】【準用―法二一②】

（都市計画の変更）

第二一条　都道府県又は市町村は、都市計画区域又は準都市計画区域が変更されたとき、第六条第一項若しくは第二項の規定による都市計画に関する基礎調査又は第十三条第一項第二十号に規定する政府が行う調査の結果都市計画を変更する必要が明らかとなつたとき、遊休土地転換利用促進地区に関する都市計画についてその目的が達成されたと認めるとき、その他都市計画を変更する必要が生じたときは、遅滞なく、当該都市計画を変更しなければならない。

2　第十七条から第十八条まで及び前二条の規定は、都市計画の変更（第十七条、第十八条第二項及び第三項並びに第十九条第二項及び第三項の規定については、政令で定める軽易な変更を除く。）について準用する。この場合において、施行予定者を変更する都市計画の変更については、第十七条第五項中「当該施行予定者」とあるのは、「変更前後の施行予定者」と読み替えるものとする。

〔改正・昭和四九法六七・昭和五〇法六六・昭和五五法三四・法三五・昭和六二法六三・昭和六三法四九・平成二法六一・平成三法七九・平成四法八二・平成七法一四・平成一〇法七九・平成一一法八七・平成一二法七三・平成一四法八五・平成一八法四六・平成二〇法四〇・令和三法三一〕

参照【都市計画区域の変更―法五⑥】【準都市計画区域の変更―法五の二④】【都市計画の軽易な変更―令一四、規則一三・一三の二】【遊休土地転換利用促進地区―法一〇の三】

（都市計画の決定等の提案）

第二一条の二　都市計画区域又は準都市計画区域のうち、一体として整備し、開発し、又は保全すべき土地の区域としてふさわしい政令で定める規模以上の一団の土地の区域について、当該土地の所有権又は建物の所有を目的とする対抗要件を備えた地上権若しくは賃借権（臨時設備その他一時的に使用する施設のため設定されたことが明らかなものを除く。第四項第二号において「借地権」という。）を有する者（同号において「土地所有者等」という。）は、一人で、又は数人共同して、都道府県又は市町村に対し、都市計画（都市計画区域の整備、開発及び保全の方針並びに都市再開発方針等に関するものを除く。次項及び第三項並びに第七十五条の九第一項において同じ。）の決定又は変更をすることを提案することができる。この場合においては、当該提案に係る都市計画の素案を添えなければならない。

2　まちづくりの推進を図る活動を行うことを目的とする特定非営利活動促進法（平成十年法律第七号）第二条第二項の特定非営利活動法人、一般社団法人若しくは一般財団法人その他の営利を目的としない法人、独立行政法人都市再生機構、地方住宅供給公社若しくはまちづくりの推進に関し経験と知識を有するものとして国土交通省令で定める団体又はこれらに準ずるものとして地方公共団体の条例で定める団体は、前項に規定する土地の区域について、都道府県又は市町村に対し、都市計画の決定又は変更をすることを提案することができる。この場合においては、同項後段の規定を準用する。

3　都市緑地法第六十九条第一項の規定により指定された都市緑化支援機構は、第一項に規定する土地の区域について、都道府県又は市町村に対し、都市における緑地の保全及び緑化の推進を図るために必要な都市計画の決定又は変更をすることを提案することができる。この場合においては、同項後段の規定を準用する。

4　前三項の規定による提案（以下「計画提案」という。）は、次に掲げるところに従つて、国土交通省令で定めるところにより行うものとする。

一　当該計画提案に係る都市計画の素案の内容が、第十三条その他の法令の規定に基づく都市計画に関する基準に適合するものであること。

二　当該計画提案に係る都市計画の素案の対象となる土地（国又は地方公共団体の所有している土地で公共施設の用に供されているものを除く。以下この号において同じ。）の区域内の土地所有者等の三分の二以上の同意（同意した者が所有するその区域内の土地の地積と同意した者が有する借地権の目的となつているその区域内の土地の地積の合計が、その区域内の土地の総地積と借地権の目的となつている土地の総地積との合計の三分の二以上となる場合に限る。）を得ていること。

〔追加・平成一四法八五、改正・平成一八法四六・法五〇・平成三〇法二二・令和六法四〇〕

参照　【政令で定める規模―令一五】【まちづくりの推進に関し経験と知識を有する団体―規則一三の三】【都市計画の決定等の提案―規則一三の四・五七の七①】【都市計画区域の整備、開発及び保全の方針―法六の二】【都市再開発方針等―法七の二】

（計画提案に対する都道府県又は市町村の判断等）

第二十一条の三　都道府県又は市町村は、計画提案が行われたときは、遅滞なく、計画提案を踏まえた都市計画（計画提案に係る都市計画の素案の内容の全部又は一部を実現することとなる都市計画をいう。以下同じ。）の決定又は変更をする必要があるかどうかを判断し、当該都市計画の決定又は変更をする必要があると認めるときは、その案を作成しなければならない。

〔追加・平成一四法八五〕

（計画提案を踏まえた都市計画の案の都道府県都市計画審議会等への付議）

第二十一条の四　都道府県又は市町村は、計画提案を踏まえた都市計画（当該計画提案に係る都市計画の素案の内容の全部を実現するものを除く。）の決定又は変更をしようとする場合において、第十八条第一項又は第十九条第一項（これらの規定を第二十一条第二項において準用する場合を含む。）の規定により都市計画の案を都道府県都市計画審議会又は市町村都市計画審議会に付議しようとするときは、当該都市計画の案に併せて、当該計画提案に係る都市計画の素案を提出しなければならない。

〔追加・平成一四法八五〕

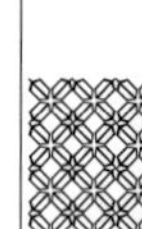

参照　【都道府県都市計画審議会―法七七】【市町村都市計画審議会―法七七の二】

（計画提案を踏まえた都市計画の決定等をしない場合にとるべき措置）

第二十一条の五　都道府県又は市町村は、計画提案を踏まえた都市計画の決定又は変更をする必要がないと判断したときは、遅滞なく、その旨及びその理由を、当該計画提案をした者に通知しなければならない。

2　都道府県又は市町村は、前項の通知をしようとするときは、あらかじめ、都道府県都市計画審議会（当該市町村に市町村都市計画審議会が置かれているときは、当該市町村都市計画審議会）に当該計画提案に係る都市計画の素案を提出してその意見を聴かなければならない。

〔追加・平成一四法八五〕

参照　【都道府県都市計画審議会―法七七】【市町村都市計画審議会―法七七の二】

（国土交通大臣の定める都市計画）

第二十二条　二以上の都府県の区域にわたる都市計画区域に係る都市計画は、国土交通大臣及び市町村が定めるものとする。この場合においては、第十五条、第十五条の二、第十七条第一項及び第二項、第二十一条第一項、第二十一条の二第一項から第三項まで並びに第二十一条の三中「都道府県」とあり、並びに第十九条第三項から第五項までの規定中「都道府県知事」とあるのは「国土交通大臣」と、第十七条の二中「都道府県又は市町村」とあるのは「市町村」と、第十八条第一項及び第二項中「都道府県は」とあるのは「国土交通大臣は」と、第十九条第四項中「都道府県が」とあるのは「国土交通大臣が」と、第二十条第一項、第二十一条の四及び前条中「都道府県又は」とあるのは「国土交通大臣又は」と、第二十条第一項中「都道府県にあつては関係市町村長」とあるのは「国土交通大臣にあつては関係都府県知事及び関係市町村長」と、「都道府県知事」とあるのは「国土交通大臣及び都府県知事」とする。

2　国土交通大臣は、都府県が作成する案に基づいて都市計画を定めるものとする。

3　都府県の合併その他の理由により、二以上の都府県の区域にわたる都市計画区域が一の都府県の区域内の区域となり、又は一の都府県の区域内の都市計画区域が二以上の都府県の区域にわたることとなつた場合における必要な経過措置については、政令で定める。

〔改正・平成一一法八七・法一六〇・平成一二法七三・平成一四法八五・平成一八法四六・平成二五法四四・令和六法四〇〕

参照　【政令で定める経過措置―令一六】

（他の行政機関等との調整等）

第二十三条　国土交通大臣が都市計画区域の整備、開発及び保全の方針（第六条の二第二項第一号に掲げる事項に限る。以下この条及び第二十四条第三項において同じ。）若しくは区域区分に関する都市計画を定め、若しくはその決定若しくは変更に同意しようとするとき、又は都道府県が都市計画区域の整備、開発及び保全の方針若しくは区域区分に関する都市計画を定めようとするとき（国土交通大臣の同意を要するときを除く。）は、国土交通大臣又は都道府県は、あらかじめ、農林水産大臣に協議しなければならない。ただし、国土交通大臣が区域区分に関する都市計画を定め、若しくはその決定若しくは変更に同意しようとする場合又は都道府県が区域区分に関する都市計画を定めようとする場合（国土交通大臣の同意を要する場合を除く。）にあつては、当該区域区分により市街化区域に定められることとなる土地の区域に農業振興地域の整備に関する法律第八条第二項第一号に規定する農用地区域その他政令で定める土地の区域が含まれるときに限る。

2　国土交通大臣は、都市計画区域の整備、開発及び保全の方針若しくは区域区分に関する都市計画を定め、又はその決定若しくは変更に同意しようとするときは、あらかじめ、経済産業大臣及び環境大臣の意見を聴かなければならない。

3　厚生労働大臣は、必要があると認めるときは、都市計画区域の整備、開発及び保全の方針、区域区分並びに用途地域に関する都市計画に関し、国土交通大臣に意見を述べることができる。

4　臨港地区に関する都市計画は、港湾法第二条第一項の港湾管理者が申し出た案に基づいて定めるものとする。

5　国土交通大臣は、都市施設に関する都市計画を定め、又はその決定若しくは変更に同意しようとするときは、あらかじめ、当該都市施設の設置又は経営について、免許、許可、認可等の処分をする権限を有する国の行政機関の長に協議しなければならない。

6　国土交通大臣、都道府県又は市町村は、都市施設に関する都市計画又は都市施設に係る市街地開発事業等予定区域に関する都市計画を定めようとするときは、あらかじめ、当該都市施設を管理することとなる者その他政令で定める者に協議しなければならない。

7　市町村は、第十二条の十一の規定により地区整備計画において建築物等の建築又は建設の限界を定めようとするときは、あらかじめ、同条に規定する道路の管理者又は管理者となるべき者に協議しなければならない。

〔改正・昭和四六法八八・昭和四九法六七・昭和五三法八七・平成元法五六・平成二法六一・平成四法八二・平成七法一三・平成一〇法七九・平成一一法八七・法一六〇・平成一二法七三・平成一四法八五・平成二三法一〇五・平成二六法五三・平成二七法五〇〕

参照　【都市計画区域の整備、開発及び保全の方針―法六の二】【区域区分に関する都市計画―法七・一五①2・二二】【指定都市の特例―法八七の二⑩】【政令で定める土地の区域―令一六の二・規則一三の五】【用途地域に関する都市計画―法八①1】【臨港地区に関する都市計画―法八①9】【都市施設に関する都市計画―法一一・一五①5】【免許、許可、認可等の処分をする権限を有する国の行政機関―鉄道事業法三・八、軌道法三・五、自動車ターミナル法三、航空法三八①、水道法六①・二六、電気事業法三、ガス事業法三五、学校教育法四、卸売市場法八・五五】【政令で定める者―令一七】【準用―法二四③】

（準都市計画区域について都市計画区域が指定された場合における都市計画の取扱い）

第二三条の二　準都市計画区域の全部又は一部について都市計画区域が指定されたときは、当該都市計画区域と重複する区域内において定められている都市計画は、当該都市計画区域について定められているものとみなす。

〔追加・平成一二法七三〕

参照　【都市計画区域の指定―法五①・②・④、五の二⑤】【準都市計画区域の指定―法五の二①】

（国土交通大臣の指示等）

第二四条　国土交通大臣は、国の利害に重大な関係がある事項に関し、必要があると認めるときは、都道府県に対し、又は都道府県知事を通じて市町村に対し、期限を定めて、都市計画区域の指定又は都市計画の決定若しくは変更のため必要な措置をとるべきことを指示することができる。この場合においては、都道府県又は市町村は、正当な理由がない限り、当該指示に従わなければならない。

2　国の行政機関の長は、その所管に係る事項で国の利害に重大な関係があるものに関し、前項の指示をすべきことを国土交通大臣に対し要請することができる。

3　第二十三条第一項及び第二項の規定は、都市計画区域の整備、開発及び保全の方針又は区域区分に関する都市計画に関し第一項の指示をする場合に、同条第五項の規定は、都市施設に関する都市計画に関し第一項の指示をする場合に準用する。

4　国土交通大臣は、都道府県又は市町村が所定の期限までに正当な理由がなく第一項の規定により指示された措置をとらないときは、正当な理由がないことについて社会資本整備審議会の確認を得た上で、自ら当該措置をとることができるものとする。ただし、市町村がとるべき措置については、国土交通大臣は、自ら行う必要があると認める場合を除き、都道府県に対し、当該措置をとるよう指示するものとする。

5　都道府県は、前項ただし書の規定による指示を受けたときは、当該指示に係る措置をとるものとする。

6　都道府県は、必要があると認めるときは、市町村に対し、期限を定めて、都市計画の決定又は変更のため必要な措置をとるべきことを求めることができる。

7　都道府県は、都市計画の決定又は変更のため必要があるときは、自ら、又は市町村の要請に基づいて、国の関係行政機関の長に対して、都市計画区域又は準都市計画区域に係る第十三条第一項に規定する国土計画若しくは地方計画又は施設に関する国の計画の策定又は変更について申し出ることができる。

8　国の行政機関の長は、前項の申出があつたときは、当該申出に係る事項について決定し、その結果を都道府県知事に通知しなければならない。

〔改正・平成一一法八七・法一六〇・平成一二法七三〕

参照　【社会資本整備審議会―法七六】

（調査のための立入り等）

第二五条　国土交通大臣、都道府県知事又は市町村長は、都市計画の決定又は変更のために他人の占有する土地に立ち入つて測量又は調査を行う必要があるときは、その必要の限度において、他人の占有する土地に、自ら立ち入り、又はその命じた者若しくは委任した者に立ち入らせることができる。

2　前項の規定により他人の占有する土地に立ち入ろうとする者は、立ち入ろうとする日の三日前までに、その旨を土地の占有者に通知しなければならない。

3　第一項の規定により、建築物が所在し、又はかき、さく等で囲まれた他人の占有する土地に立ち入ろうとするときは、その立ち入ろうとする者は、立入りの際、あらかじめ、その旨を土地の占有者に告げなければならない。

4　日出前又は日没後においては、土地の占有者の承諾があつた場合を除き、前項に規定する土地に立ち入つてはならない。

5　土地の占有者は、正当な理由がない限り、第一項の規定による立入りを拒み、又は妨げてはならない。

〔改正・平成一一法八七・法一六〇〕

参照　【事業の準備のための土地の立入等―土地収用法一一～一五】【罰則―法九二1】

（障害物の伐除及び土地の試掘等）

第二六条　前条第一項の規定により他人の占有する土地に立ち入つて測量又は調査を行う者は、その測量又は調査を行うに当たり、やむを得ない必要があつて、障害となる植物若しくは垣、柵等（以下「障害物」という。）を伐除しようとする場合又は当該土地に試掘若しくはボーリング若しくはこれらに伴う障害物の伐除（以下「試掘等」という。）を行おうとする場合において、当該障害物又は当該土地の所有者及び占有者の同意を得ることができないときは、当該障害物の所在地を管轄する市町村長の許可を受けて当該障害物を伐除し、又は当該土地の所在地を管轄する都道府県知事（市の区域内にあつては、当該市の長。以下「都道府県知事等」という。）の許可を受けて当該土地に試掘等を行うことができる。この場合において、市町村長が許可を与えようとするときは障害物の所有者及び占有者に、都道府県知事等が許可を与えようとするときは土地又は障害物の所有者及び占有者に、あらかじめ、意見を述べる機会を与えなければならない。

2　前項の規定により障害物を伐除しようとする者又は土地に試掘等を行なおうとする者は、伐除しようとする日又は試掘等を行なおうとする日の三日前までに、その旨を当該障害物又は当該土地若しくは障害物の所有者及び占有者に通知しなければならない。

3　第一項の規定により障害物を伐除しようとする場合（土地の試掘又はボーリングに伴う障害物の伐除をしようとする場合を除く。）において、当該障害物の所有者及び占有者がその場所にいないためその同意を得ることが困難であり、かつ、その現状を著しく損傷しないときは、国土交通大臣、都道府県若しくは市町村又はその命じた者若しくは委任した者は、前二項の規定にかかわらず、当該障害物の所在地を管轄する市町村長の許可を受けて、ただちに、当該障害物を伐除することができる。この場合においては、当該障害物を伐除した後、遅滞なく、その旨をその所有者及び占有者に通知しなければならない。

〔改正・平成一一法八七・法一六〇・平成二三法一〇五〕

参照　【罰則―法九二2】

（証明書等の携帯）

第二七条　第二十五条第一項の規定により他人の占有する土地に立ち入ろうとする者は、その身分を示す証明書を携帯しなければならない。

2　前条第一項の規定により障害物を伐除しようとする者又は土地に試掘等を行おうとする者は、その身分を示す証明書及び市町村長又は都道府県知事等の許可証を携帯しなければならない。

3　前二項に規定する証明書又は許可証は、関係人の請求があつたときは、これを提示しなければならない。

〔改正・平成二三法一〇五〕

（土地の立入り等に伴う損失の補償）

第二八条　国土交通大臣、都道府県又は市町村は、第二十五条第一項又は第二十六条第一項若しくは第三項の規定による行為により他人に損失を与えたときは、その損失を受けた者に対して、通常生ずべき損失を補償しなければならない。

2　前項の規定による損失の補償については、損失を与えた者と損失を受けた者とが協議しなければならない。

3　前項の規定による協議が成立しないときは、損失を与えた者又は損失を受けた者は、政令で定めるところにより、収用委員会に土地収用法（昭和二十六年法律第二百十九号）第九十四条第二項の規定による裁決を申請することができる。

〔改正・平成一一法八七・法一六〇〕

参照　【裁決申請の様式―令一八、規則一四】【準用―法五二の四②・五二の五③・五七の五・五七の六②・六〇の三②・六八③】

第三章　都市計画制限等

〔改正・平成二法六一〕

第一節　開発行為等の規制

（開発行為の許可）

第二九条　都市計画区域又は準都市計画区域内において開発行為をしようとする者は、あらかじめ、国土交通省令で定めるところにより、都道府県知事（地方自治法（昭和二十二年法律第六十七号）第二百五十二条の十九第一項の指定都市又は同法第二百五十二条の二十二第一項の中核市（以下「指定都市等」という。）の区域内にあつては、当該指定都市等の長。以下この節において同じ。）の許可を受けなければならない。ただし、次に掲げる開発行為については、この限りでない。

一　市街化区域、区域区分が定められていない都市計画区域又は準都市計画区域内において行う開発行為で、その規模が、それぞれの区域の区分に応じて政令で定める規模未満であるもの

二　市街化調整区域、区域区分が定められていない都市計画区域又は準都市計画区域内において行う開発行為で、農業、林業若しくは漁業の用に供する政令で定める建築物又はこれらの業務を営む者の居住の用に供する建築物の建築の用に供する目的で行うもの

三　駅舎その他の鉄道の施設、図書館、公民館、変電所その他これらに類する公益上必要な建築物のうち開発区域及びその周辺の地域における適正かつ合理的な土地利用及び環境の保全を図る上で支障がないものとして政令で定める建築物の建築の用に供する目的で行う開発行為

四　都市計画事業の施行として行う開発行為

五　土地区画整理事業の施行として行う開発行為

六　市街地再開発事業の施行として行う開発行為

七　住宅街区整備事業の施行として行う開発行為

八　防災街区整備事業の施行として行う開発行為

九　公有水面埋立法（大正十年法律第五十七号）第二条第一項の免許を受けた埋立地であつて、まだ同法第二十二条第二項の告示がないものにおいて行う開発行為

十　非常災害のため必要な応急措置として行う開発行為

十一　通常の管理行為、軽易な行為その他の行為で政令で定めるもの

2　都市計画区域及び準都市計画区域外の区域内において、それにより一定の市街地を形成すると見込まれる規模として政令で定める規模以上の開発行為をしようとする者は、あらかじめ、国土交通省令で定めるところにより、都道府県知事の許可を受けなければならない。ただし、次に掲げる開発行為については、この限りでない。

一　農業、林業若しくは漁業の用に供する政令で定める建築物又はこれらの業務を営む者の居住の用に供する建築物の建築の用に供する目的で行う開発行為

二　前項第三号、第四号及び第九号から第十一号までに掲げる開発行為

3　開発区域が、市街化区域、区域区分が定められていない都市計画区域、準都市計画区域又は都市計画区域及び準都市計画区域外の区域のうち二以上の区域にわたる場合における第一項第一号及び前項の規定の適用については、政令で定める。

〔改正・昭和四八法八四・昭和五〇法五九・法六六・法六七・平成四法八二・平成六法四九・平成一一法八七・法一六〇・平成一二法七三・平成一五法一〇一・平成一八法四六・平成二六法四二〕

参照　【国土交通省令で定めるところ―規則一六①】【一項一号の特則―都市再開発法七の八】【政令で定める規模―（一項一号）令一九・（二項）令二二の二】【農業・林業若しくは漁業の用に供する政令で定める建築物―令二〇】【政令で定める公益上必要な建築物―令二一】【都市計画事業―法四⑮】【土地区画整理事業―土地区画整理法二①】【市街地再開発事業―都市再開発法二1】【住宅街区整備事業―大都

市地域における住宅及び住宅地の供給の促進に関する特別措置法二
4【防災街区整備事業―密集市街地における防災街区の整備の促進に関する法律二5【その他政令で定めるもの―令二二【政令―（三項）令二二の三【監督処分―法八一【条件―法七九【罰則―法九二
3【本条の規定に適合していることの証明―規則六〇

（許可申請の手続）

第三〇条　前条第一項又は第二項の許可（以下「開発許可」という。）を受けようとする者は、国土交通省令で定めるところにより、次に掲げる事項を記載した申請書を都道府県知事に提出しなければならない。

一　開発区域（開発区域を工区に分けたときは、開発区域及び工区）の位置、区域及び規模

二　開発区域内において予定される建築物又は特定工作物（以下「予定建築物等」という。）の用途

三　開発行為に関する設計（以下この節において「設計」という。）

四　工事施行者（開発行為に関する工事の請負人又は請負契約によらないで自らその工事を施行する者をいう。以下同じ。）

五　その他国土交通省令で定める事項

2　前項の申請書には、第三十二条第一項に規定する同意を得たことを証する書面、同条第二項に規定する協議の経過を示す書面その他国土交通省令で定める図書を添付しなければならない。

〔改正・昭和四九法六七・昭和五五法三五・平成一一法一六〇・平成一二法七三〕

参照【開発許可の申請―規則一六①【特定工作物―法四⑪【設計―規則一六②～④・⑥・規則附則②【その他省令で定める事項―規則一五・一六⑤【省令で定める図書―規則一七・規則附則②

（設計者の資格）

第三一条　前条の場合において、設計に係る設計図書（開発行為に関する工事のうち国土交通省令で定めるものを実施するため必要な図面（現寸図その他これに類するものを除く。）及び仕様書をいう。）は、国土交通省令で定める資格を有する者の作成したものでなければならない。

〔改正・平成一一法一六〇〕

参照【省令で定める工事―規則一八【省令で定める資格―規則一九～一九の二六【準用―法三五の二④

（公共施設の管理者の同意等）

第三二条　開発許可を申請しようとする者は、あらかじめ、開発行為に関係がある公共施設の管理者と協議し、その同意を得なければならない。

2　開発許可を申請しようとする者は、あらかじめ、開発行為又は開発行為に関する工事により設置される公共施設を管理することとなる者その他政令で定める者と協議しなければならない。

3　前二項に規定する公共施設の管理者又は公共施設を管理することとなる者は、公共施設の適切な管理を確保する観点から、前二項の協議を行うものとする。

〔改正・平成一二法七三〕

参照【公共施設―法四⑭【公共施設の管理の帰属―法三九【公共施設の土地の帰属―法四〇【政令で定める者―令二三【準用―法三四の二②・三五の二④

（開発許可の基準）

第三三条　都道府県知事は、開発許可の申請があつた場合において、当該申請に係る開発行為が、次に掲げる基準（第四項及び第五項の条例が定められているときは、当該条例で定める制限を含む。）に適合しており、かつ、その申請の手続がこの法律又はこの法律に基づく命令の規定に違反していないと認めるときは、開発許可をしなければならない。

一　次のイ又はロに掲げる場合には、予定建築物等の用途が当該イ又はロに定める用途の制限に適合していること。ただし、都市再生特別地区の区域内において当該都市再生特別地区に定められた誘導すべき用途に適合するものにあつては、この限りでない。

イ　当該申請に係る開発区域内の土地について用途地域、特別用途地区、特定用途制限地域、居住環境向上用途誘導地区、特定用途誘導地区、流通業務地区又は港湾法第三十九条第一項の分区（以下「用途地域等」という。）が定められている場合　当該用途地域等内における用途の制限（建築基準法第四十九条第一項若しくは第二項、第四十九条の二、第六十条の二の二第四項若しくは第六十条の三第三項（これらの規定を同法第八十八条第二項において準用する場合を含む。）又は港湾法第四十条第一項（同法第五十条の五第二項の規定により読み替えて適用する場合を含む。）の条例による用途の制限を含む。）

ロ　当該申請に係る開発区域内の土地（都市計画区域（市街化調整区域を除く。）又は準都市計画区域内の土地に限る。）について用途地域等が定められていない場合　建築基準法第四十八条第十四項及び第六十八条の三第七項（同法第四十八条第十四項に係る部分に限る。）（これらの規定を同法第八十八条第二項において準用する場合を含む。）の規定による用途の制限

二　主として、自己の居住の用に供する住宅の建築の用に供する目的で行う開発行為以外の開発行為にあつては、道路、公園、広場その他の公共の用に供する空地（消防に必要な水利が十分でない場合に設置する消防の用に供する貯水施設を含む。）が、次に掲げる事項を勘案して、環境の保全上、災害の防止上、通行の安全上又は事業活動の効率上支障がないような規模及び構造で適当に配置され、かつ、開発区域内の主要な道路が、開発区域外の相当規模の道路に接続するように設計が定められていること。この場合において、当該空地に関する都市計画が定められているときは、設計がこれに適合していること。

イ　開発区域の規模、形状及び周辺の状況

ロ　開発区域内の土地の地形及び地盤の性質

ハ　予定建築物等の用途

ニ　予定建築物等の敷地の規模及び配置

三　排水路その他の排水施設が、次に掲げる事項を勘案して、開発区域内の下水道法（昭和三十三年法律第七十九号）第二条第一号に規定する下水を有効に排出するとともに、その排出によつて開発区域及びその周辺の地域に溢水等による被害が生じないような構造及び能力で適当に配置されるように設計が定められていること。この場合において、当該排水施設に関する都市計画が定められているときは、設計がこれに適合していること。

イ　当該地域における降水量

ロ　前号イからニまでに掲げる事項及び放流先の状況

四　主として、自己の居住の用に供する住宅の建築の用に供する目的で行う開発行為以外の開発行為にあつては、水道その他の給水施設が、第二号イからニまでに掲げる事項を勘案して、当該開発区域について想定される需要に支障を来さないような構造及び能力で適当に配置されるように設計が定められていること。この場合において、当該給水施設に関する都市計画が定められているときは、設計がこれに適合していること。

五　当該申請に係る開発区域内の土地について地区計画等（次のイからホまでに掲げる地区計画等の区分に応じて、当該イからホまでに定める事項が定められているものに限る。）が定められているときは、予定建築物等の用途又は開発行為の設計が当該地区計画等に定められた内容に即して定められていること。

イ　地区計画　再開発等促進区若しくは開発整備促進区（いずれも第十二条の五第五項第一号に規定する施設の配置及び規模が定められているものに限る。）又は地区整備計画

ロ　防災街区整備地区計画　地区防災施設の区域、特定建築物地区整備計画又は防災街区整備地区整備計画

ハ　歴史的風致維持向上地区計画　歴史的風致維持向上地区整備計画

ニ　沿道地区計画　沿道再開発等促進区（幹線道路の沿道の整備に関する法律第九条第四項第一号に規定する施設の配置及び規模が定められているものに限る。）又は沿道地区整備計画

ホ　集落地区計画　集落地区整備計画

六　当該開発行為の目的に照らして、開発区域における利便の増進と開発区域及びその周辺の地域における環境の保全とが図られるように公共施設、学校その他の公益的施設及び開発区域内において予定される建築物の用途の配分が定められていること。

七　地盤の沈下、崖崩れ、出水その他による災害を防止するため、開発区域内の土地について、地盤の改良、擁壁又は排水施設の設置その他安全上必要な措置が講ぜられるように設計が定められていること。この場合において、開発区域内の土地の全部又は一部が次の表の上欄に掲げる区域内の土地であるときは、当該土地における同表の中欄に掲げる工事の計画が、同表の下欄に掲げる基準に適合していること。

宅地造成及び特定盛土等規制法（昭和三十六年法律第百九十一号）第十条第一項の宅地造成等工事規制区域	開発行為に関する工事	宅地造成及び特定盛土等規制法第十三条の規定に適合するものであること。
宅地造成及び特定盛土等規制法第二十六条第一項の特定盛土等規制区域	開発行為（宅地造成及び特定盛土等規制法第三十条第一項の政令で定める規模（同法第三十二条の条例が定められているときは、当該条例で定める規模）のものに限る。）に関する工事	宅地造成及び特定盛土等規制法第三十一条の規定に適合するものであること。
津波防災地域づくりに関する法律第七十二条第一項の津波災害特別警戒区域	津波防災地域づくりに関する法律第七十三条第一項に規定する特定開発行為（同条第四項各号に掲げる行為を除く。）に関する工事	津波防災地域づくりに関する法律第七十五条に規定する措置を同条の国土交通省令で定める技術的基準に従い講じるものであること。

八　主として、自己の居住の用に供する住宅の建築の用に供する目的で行う開発行為以外の開発行為にあつては、開発区域内に建築基準法第三十九条第一項の災害危険区域、地すべり等防止法（昭和三十三年法律第三十号）第三条第一項の地すべり防止区域、土砂災害警戒区域等における土砂災害防止対策の推進に関する法律（平成十二年法律第五十七号）第九条第一項の土砂災害特別警戒区域及び特定都市河川浸水被害対策法（平成十五年法律第七十七号）第五十六条第一項の浸水被害防止区域（次条第八号の二において「災害危険区域等」という。）その他政令で定める開発行為を行うのに適当でない区域内の土地を含まないこと。ただし、開発区域及びその周辺の地域の状況等により支障がないと認められるときは、この限りでない。

九　政令で定める規模以上の開発行為にあつては、開発区域及びその周辺の地域における環境を保全するため、開発行為の目的及び第二号イからニまでに掲げる事項を勘案して、開発区域における植物の生育の確保上必要な樹木の保存、表土の保全その他の必要な措置が講ぜられるように設計が定められていること。

十　政令で定める規模以上の開発行為にあつては、開発区域及びその周辺の地域における環境を保全するため、第二号イからニまでに掲げる事項を勘案して、騒音、振動等による環境の悪化の防止上必要な緑地帯その他の緩衝帯が配置されるように設計が定められていること。

十一　政令で定める規模以上の開発行為にあつては、当該開発行為が道路、鉄道等による輸送の便等からみて支障がないと認められること。

十二　主として、自己の居住の用に供する住宅の建築の用に供する目的で行う開発行為（当該開発行為に関する工事が宅地造成及び特定盛土等規制法第十二条第一項又は第三十条第一項の許可を要するものを除く。）又は住宅以外の建築物若しくは特定工作物で自己の業務の用に供するものの建築若しくは建設の用に供する目的で行う開発行為（当該開発行為の中断により当該開発区域及びその周辺の地域に出水、崖崩れ、土砂の流出等による被害が生じるおそれがあることを考慮して政令で定める規模以上のものを除く。）以外の開発行為にあつては、申請者に当該開発行為を行うために必要な資力及び信用があること。

十三　主として、自己の居住の用に供する住宅の建築の用に供する目的で行う開発行為（当該開発行為に関する工事が宅地造成及び特定盛土等規制法第十二条第一項又は第三十条第一項の許可を要するものを除く。）又は住宅以外の建築物若しくは特定工作物で自己の業務の用に供するものの建築若しくは建設の用に供する目的で行う開発行為（当該開発行為に関

する工事が当該許可を要するもの並びに当該開発行為の中断により当該開発区域及びその周辺の地域に出水、崖崩れ、土砂の流出等による被害が生じるおそれがあることを考慮して政令で定める規模以上のものを除く。）以外の開発行為にあつては、工事施行者に当該開発行為に関する工事を完成するために必要な能力があること。

十四　当該開発行為をしようとする土地若しくは当該開発行為に関する工事をしようとする土地の区域内の土地又はこれらの土地にある建築物その他の工作物につき当該開発行為の施行又は当該開発行為に関する工事の実施の妨げとなる権利を有する者の相当数の同意を得ていること。

2　前項各号に規定する基準を適用するについて必要な技術的細目は、政令で定める。

3　地方公共団体は、その地方の自然的条件の特殊性又は公共施設の整備、建築物の建築その他の土地利用の現状及び将来の見通しを勘案し、前項の政令で定める技術的細目のみによつては環境の保全、災害の防止及び利便の増進を図ることが困難であると認められ、又は当該技術的細目によらなくとも環境の保全、災害の防止及び利便の増進上支障がないと認められる場合においては、政令で定める基準に従い、条例で、当該技術的細目において定められた制限を強化し、又は緩和することができる。

4　地方公共団体は、良好な住居等の環境の形成又は保持のため必要と認める場合においては、政令で定める基準に従い、条例で、区域、目的又は予定される建築物の用途を限り、開発区域内において予定される建築物の敷地面積の最低限度に関する制限を定めることができる。

5　景観行政団体（景観法第七条第一項に規定する景観行政団体をいう。）は、良好な景観の形成を図るため必要と認める場合においては、同法第八条第二項第一号の景観計画区域内において、政令で定める基準に従い、同条第一項の景観計画に定められた開発行為についての制限の内容を、条例で、開発許可の基準として定めることができる。

6　指定都市等及び地方自治法第二百五十二条の十七の二第一項の規定に基づきこの節の規定により都道府県知事の権限に属する事務の全部を処理することとされた市町村（以下この節において「事務処理市町村」という。）以外の市町村は、前三項の規定により条例を定めようとするときは、あらかじめ、都道府県知事と協議し、その同意を得なければならない。

7　公有水面埋立法第二十二条第二項の告示があつた埋立地において行う開発行為については、当該埋立地に関する同法第二条第一項の免許の条件において第一項各号に規定する事項（第四項及び第五項の条例が定められているときは、当該条例で定める事項を含む。）に関する定めがあるときは、その定めをもつて開発許可の基準とし、第一項各号に規定する基準（第四項及び第五項の条例が定められているときは、当該条例で定める制限を含む。）は、当該条件に抵触しない限度において適用する。

8　居住調整地域又は市街地再開発促進区域内における開発許可に関する基準については、第一項に定めるもののほか、別に法律で定める。

〔改正・昭和四八法八四・昭和四九法六七・昭和五〇法六六・昭和五五法三四・法三五・昭和六二法六三・平成四法八二・平成七法一三・平成八法四八・平成九法五〇・平成一二法五七・法七三・平成一四法二二・法八五・平成一六法一一一・平成一八法三〇・法四六・平成二〇法四〇・平成二三法一〇五・法一二四・平成二六法三九・法一〇九・平成二八法七二・平成二九法二六・令和二法四三・令和三法三一・令和四法五五・法八七〕

参照　【用途地域—法八①1、建築基準法四八・八八】【特別用途地区—法八①2、建築基準法四九】【特定用途制限地域—法八①2の2、建築基準法四九の二】【流通業務地区—法八①13、流通業務市街地の整備に関する法律四①・五】【港湾法の分区—港湾法四〇①】【都市再生特別地区・居住環境向上用途誘導地区—法八①4の2、都市再生特別措置法三六・九四の二】【地区計画等—法四⑨】【地区計画—法一二の四①1】【再開発等促進区—法一二の五③】【地区整備計画—法一二の五⑦】【防災街区整備地区計画—密集市街地における防災街区の整備の促進に関する法律三二①】【地区防災施設—密集市街地における防災街区の整備の促進に関する法律三二②2】【特定建築物地区整備計画—密集市街地における防災街区の整備の促進に関する法律三二②2】【防災街区整備地区整備計画—密集市街地における防災街区の整備の促進に関する法律三二②3】【歴史的風致維持向上地区計画—地域における歴史的風致の維持及び向上に関する法律三一①】【歴史的風致維持向上地区整備計画—地域における歴史的風致の維持及び向上に関する法律三一②】【沿道地区計画—幹線道路の沿道の整備に関する法律九①】【沿道再開発等促進区—幹線道路の沿道の整備に関する法律九③】【沿道地区整備計画—幹線道路の沿道の整備に関する法律九②】【集落地区計画—集落地域整備法五①】【集落地区整備計画—集落地域整備法五③】【公共施設—法四⑭】【特定工作物—法四⑪】【政令で定める開発行為を行うのに適当でない区域—令二三の二】【政令で定める規模—（一項九号）令二三の三・（一項一〇号）令二三の四・（一項一一号）令二四・（一項一二号）令二四の二・（一項一三号）令二四の三】【技術的細目—令二五〜二九、規則二〇〜二七】【政令で定める基準—（三項）令二九の二、規則二七の二〜二七の四・（四項）令二九の三・（五項）令二九の四】【景観行政団体—景観法七①】【景観計画区域—景観法八②1】【別に法律—都市再開発法七の八】【準用—法三五の二④】

第三四条　前条の規定にかかわらず、市街化調整区域に係る開発行為（主として第二種特定工作物の建設の用に供する目的で行う開発行為を除く。）については、当該申請に係る開発行為及びその申請の手続が同条に定める要件に該当するほか、当該申請に係る開発行為が次の各号のいずれかに該当すると認める場合でなければ、都道府県知事は、開発許可をしてはならない。

一　主として当該開発区域の周辺の地域において居住している者の利用に供する政令で定める公益上必要な建築物又はこれらの者の日常生活のため必要な物品の販売、加工若しくは修理その他の業務を営む店舗、事業場その他これらに類する建築物の建築の用に供する目的で行う開発行為

二　市街化調整区域内に存する鉱物資源、観光資源その他の資源の有効な利用上必要な建築物又は第一種特定工作物の建築又は建設の用に供する目的で行う開発行為

三　温度、湿度、空気等について特別の条件を必要とする政令で定める事業の用に供する建築物又は第一種特定工作物で、当該特別の条件を必要とするため市街化区域内において建築し、又は建設することが困難なものの建築又は建設の用に供する目的で行う開発行為

四　農業、林業若しくは漁業の用に供する建築物で第二十九条第一項第二号の政令で定める建築物以外のものの建築又は市街化調整区域内において生産される農産物、林産物若しくは水産物の処理、貯蔵若しくは加工に必要な建築物若しくは第一種特定工作物の建築若しくは建設の用に供する目的で行う開発行為

五　特定農山村地域における農林業等の活性化のための基盤整備の促進に関する法律（平成五年法律第七十二号）第九条第一項の規定による公告があつた所有権移転等促進計画の定めるところによつて設定され、又は移転された同法第二条第三

項第三号の権利に係る土地において当該所有権移転等促進計画に定める利用目的（同項第二号に規定する農林業等活性化基盤施設である建築物の建築の用に供するためのものに限る。）に従つて行う開発行為

六　都道府県が国又は独立行政法人中小企業基盤整備機構と一体となつて助成する中小企業者の行う他の事業者との連携若しくは事業の共同化又は中小企業の集積の活性化に寄与する事業の用に供する建築物又は第一種特定工作物の建築又は建設の用に供する目的で行う開発行為

七　市街化調整区域内において現に工業の用に供されている工場施設における事業と密接な関連を有する事業の用に供する建築物又は第一種特定工作物で、これらの事業活動の効率化を図るため市街化調整区域内において建築し、又は建設することが必要なものの建築又は建設の用に供する目的で行う開発行為

八　政令で定める危険物の貯蔵又は処理に供する建築物又は第一種特定工作物で、市街化区域内において建築し、又は建設することが不適当なものとして政令で定めるものの建築又は建設の用に供する目的で行う開発行為

八の二　市街化調整区域のうち災害危険区域等その他の政令で定める開発行為を行うのに適当でない区域内に存する建築物又は第一種特定工作物に代わるべき建築物又は第一種特定工作物（いずれも当該区域外において従前の建築物又は第一種特定工作物の用途と同一の用途に供されることとなるものに限る。）の建築又は建設の用に供する目的で行う開発行為

九　前各号に規定する建築物又は第一種特定工作物のほか、市街化区域内において建築し、又は建設することが困難又は不適当なものとして政令で定める建築物又は第一種特定工作物の建築又は建設の用に供する目的で行う開発行為

十　地区計画又は集落地区計画の区域（地区整備計画又は集落地区整備計画が定められている区域に限る。）内において、当該地区計画又は集落地区計画に定められた内容に適合する建築物又は第一種特定工作物の建築又は建設の用に供する目的で行う開発行為

十一　市街化区域に隣接し、又は近接し、かつ、自然的社会的諸条件から市街化区域と一体的な日常生活圏を構成していると認められる地域であつておおむね五十以上の建築物（市街化区域内に存するものを含む。）が連たんしている地域のうち、災害の防止その他の事情を考慮して政令で定める基準に従い、都道府県（指定都市等又は事務処理市町村の区域内にあつては、当該指定都市等又は事務処理市町村。以下この号及び次号において同じ。）の条例で指定する土地の区域内において行う開発行為で、予定建築物等の用途が、開発区域及びその周辺の地域における環境の保全上支障があると認められる用途として都道府県の条例で定めるものに該当しないもの

十二　開発区域の周辺における市街化を促進するおそれがないと認められ、かつ、市街化区域内において行うことが困難又は著しく不適当と認められる開発行為として、災害の防止その他の事情を考慮して政令で定める基準に従い、都道府県の条例で区域、目的又は予定建築物等の用途を限り定められたもの

十三　区域区分に関する都市計画が決定され、又は当該都市計画を変更して市街化調整区域が拡張された際、自己の居住若しくは業務の用に供する建築物を建築し、又は自己の業務の用に供する第一種特定工作物を建設する目的で土地又は土地の利用に関する所有権以外の権利を有していた者で、当該都市計画の決定又は変更の日から起算して六月以内に国土交通省令で定める事項を都道府県知事に届け出たものが、当該目的に従つて、当該土地に関する権利の行使として行う開発行為（政令で定める期間内に行うものに限る。）

十四　前各号に掲げるもののほか、都道府県知事が開発審査会の議を経て、開発区域の周辺における市街化を促進するおそれがなく、かつ、市街化区域内において行うことが困難又は著しく不適当と認める開発行為

〔改正・昭和四九法六七・昭和五五法五三・昭和六二法六三・平成五法七二・平成一〇法七九・平成一一法一九・法一六〇・平成一二法七三・平成一四法一四六・平成一八法四六・令和二法四三〕

参照【第二種特定工作物・第一種特定工作物―法四⑪【政令で定める公益上必要な建築物―令二九の五【政令で定める事業―政令未制定【独立行政法人中小企業基盤整備機構―独立行政法人中小企業基盤整備機構法【政令で定める危険物等―令二九の六【政令で定める開発行為を行うのに適当でない区域―令二九の七【政令で定める建築物等―令二九の八【地区計画―法一二の四①1【集落地区計画―集落地域整備法五①【地区整備計画―法一二の五②【集落地区整備計画―集落地域整備法五③【政令で定める基準―（一一号）令二九の九・（一二号）令二九の一〇【政令で定める期間―令三〇【省令で定める事項―規則二八【第一四号の特例―市民農園整備促進法一二①、地方拠点都市地域の整備及び産業業務施設の再配置の促進に関する法律三一③、幹線道路の沿道の整備に関する法律一〇の七①【開発審査会―法五〇・七八【準用―法三五の二④

（開発許可の特例）

第三四条の二　国又は都道府県、指定都市等若しくは事務処理市町村若しくは都道府県、指定都市等若しくは事務処理市町村がその組織に加わつている一部事務組合、広域連合若しくは港務局（以下「都道府県等」という。）が行う都市計画区域若しくは準都市計画区域内における開発行為（第二十九条第一項各号に掲げる開発行為を除く。）又は都市計画区域及び準都市計画区域外の区域内における開発行為（同条第二項の政令で定める規模未満の開発行為及び同項各号に掲げる開発行為を除く。）については、当該国の機関又は都道府県等と都道府県知事との協議が成立することをもつて、開発許可があつたものとみなす。

2　第三十二条の規定は前項の協議を行おうとする国の機関又は都道府県等について、第四十一条の規定は都道府県知事が同項の協議を成立させる場合について、第四十七条の規定は同項の協議が成立したときについて準用する。

〔追加・平成一八法四六、改正・平成二三法三五〕

参照【準用―法三五の二④【国の機関等とみなされるもの―独立行政法人都市再生機構法施行令三四①九、独立行政法人鉄道建設・運輸施設整備支援機構法施行令二八①11、地方住宅供給公社法施行令二①7、日本下水道事業団法施行令七①7、公有地の拡大の推進に関する法律施行令九①4、公共用飛行場周辺における航空機騒音による障害の防止等に関する法律施行令一五①2【一部事務組合、広域連合―地方自治法二八四①【港務局―港湾法四①

（許可又は不許可の通知）

第三五条　都道府県知事は、開発許可の申請があつたときは、遅滞なく、許可又は不許可の処分をしなければならない。

2　前項の処分をするには、文書をもつて当該申請者に通知しなければならない。

〔改正・平成五法八九〕

参照【準用―法三五の二④】

（変更の許可等）

第三五条の二　開発許可を受けた者は、第三十条第一項各号に掲げる事項の変更をしようとする場合においては、都道府県知事の許可を受けなければならない。ただし、変更の許可の申請に係る開発行為が、第二十九条第一項の許可に係るものにあつては同項各号に掲げる開発行為、同条第二項の許可に係るものにあつては同項の政令で定める規模未満の開発行為若しくは同項各号に掲げる開発行為に該当するとき、又は国土交通省令で定める軽微な変更をしようとするときは、この限りでない。

2　前項の許可を受けようとする者は、国土交通省令で定める事項を記載した申請書を都道府県知事に提出しなければならない。

3　開発許可を受けた者は、第一項ただし書の国土交通省令で定める軽微な変更をしたときは、遅滞なく、その旨を都道府県知事に届け出なければならない。

4　第三十一条の規定は変更後の開発行為に関する工事が同条の国土交通省令で定める工事に該当する場合について、第三十二条の規定は開発行為に関係がある公共施設若しくは当該開発行為若しくは当該開発行為に関する工事により設置される公共施設に関する事項の変更をしようとする場合又は同条の政令で定める者との協議に係る開発行為に関する事項であつて政令で定めるものの変更をしようとする場合について、第三十三条、第三十四条、前条及び第四十一条の規定は第一項の規定による許可について、第三十四条の二の規定は第一項の規定により国又は都道府県等が同項の許可を受けなければならない場合について、第四十七条第一項の規定は第一項の規定による許可及び第三項の規定による届出について準用する。この場合において、第四十七条第一項中「次に掲げる事項」とあるのは、「変更の許可又は届出の年月日及び第二号から第六号までに掲げる事項のうち当該変更に係る事項」と読み替えるものとする。

5　第一項又は第三項の場合における次条、第三十七条、第三十九条、第四十条、第四十二条から第四十五条まで及び第四十七条第二項の規定の適用については、第一項の規定による許可又は第三項の規定による届出に係る変更後の内容を開発許可の内容とみなす。

〔追加・平成四法八二、改正・平成一一法八七・法一六〇・平成一二法七三・平成一八法四六〕

参照【国の機関等とみなされるもの―法三四条の二参照】【省令で定める軽微な変更―規則二八の四】【省令で定める事項―規則二八の二・二八の三】【公共施設―法四⑭】【政令で定めるもの―令三一】【監督処分―法八一】【条件―法七九】【罰則―法九二3・九六】【本条の規定に適合していることの証明―規則六〇】

（工事完了の検査）

第三六条　開発許可を受けた者は、当該開発区域（開発区域を工区に分けたときは、工区）の全部について当該開発行為に関する工事（当該開発行為に関する工事のうち公共施設に関する部分については、当該公共施設に関する工事）を完了したときは、国土交通省令で定めるところにより、その旨を都道府県知事に届け出なければならない。

2　都道府県知事は、前項の規定による届出があつたときは、遅滞なく、当該工事が開発許可の内容に適合しているかどうかについて検査し、その検査の結果当該工事が当該開発許可の内容に適合していると認めたときは、国土交通省令で定める様式の検査済証を当該開発許可を受けた者に交付しなければならない。

3　都道府県知事は、前項の規定により検査済証を交付したときは、遅滞なく、国土交通省令で定めるところにより、当該工事が完了した旨を公告しなければならない。この場合において、当該工事が津波災害特別警戒区域（津波防災地域づくりに関する法律第七十二条第一項の津波災害特別警戒区域をいう。以下この項において同じ。）内における同法第七十三条第一項に規定する特定開発行為（同条第四項各号に掲げる行為を除く。）に係るものであり、かつ、当該工事の完了後において当該工事に係る同条第四項第一号に規定する開発区域（津波災害特別警戒区域内のものに限る。）に地盤面の高さが同法第五十三条第二項に規定する基準水位以上である土地の区域があるときは、その区域を併せて公告しなければならない。

〔改正・平成一一法一六〇・平成二三法一二四〕

参照【工事完了の届出―規則二九】【検査済証の様式―規則三〇】【工事完了公告―規則三一】

（建築制限等）

第三七条　開発許可を受けた開発区域内の土地においては、前条第三項の公告があるまでの間は、建築物を建築し、又は特定工作物を建設してはならない。ただし、次の各号の一に該当するときは、この限りでない。

一　当該開発行為に関する工事用の仮設建築物又は特定工作物を建築し、又は建設するとき、その他都道府県知事が支障がないと認めたとき。

二　第三十三条第一項第十四号に規定する同意をしていない者が、その権利の行使として建築物を建築し、又は特定工作物を建設するとき。

〔改正・昭和四九法六七・昭和五五法三四〕

参照【特定工作物―法四⑪】【監督処分―法八一】【罰則―法九二4】

（開発行為の廃止）

第三八条　開発許可を受けた者は、開発行為に関する工事を廃止したときは、遅滞なく、国土交通省令で定めるところにより、その旨を都道府県知事に届け出なければならない。

〔改正・平成一一法一六〇〕

参照【省令―規則三二】【罰則―法九六】

（開発行為等により設置された公共施設の管理）

第三九条　開発許可を受けた開発行為又は開発行為に関する工事により公共施設が設置されたときは、その公共施設は、第三十六条第三項の公告の日の翌日において、その公共施設の存する市町村の管理に属するものとする。ただし、他の法律に基づく管理者が別にあるとき、又は第三十二条第二項の協議により管理者について別段の定めをしたときは、それらの者の管理に属するものとする。

〔改正・平成一二法七三〕

参照【公共施設―法四⑭】

（公共施設の用に供する土地の帰属）

第四〇条　開発許可を受けた開発行為又は開発行為に関する工事により、従前の公共施設に代えて新たな公共施設が設置されることとなる場合においては、従前の公共施設の用に供していた土地で国又は地方公共団体が所有するものは、第三十六条第三項の公告の日の翌日において当該開発許可を受けた者に帰属するものとし、これに代わるものとして設置された新たな公共施設の用に供する土地は、その日においてそれぞれ国又は当該地方公共団体に帰属するものとする。

2　開発許可を受けた開発行為又は開発行為に関する工事により設置された公共施設の用に供する土地は、前項に規定するもの及び開発許可を受けた者が自ら管理するものを除き、第三十六条第三項の公告の日の翌日において、前条の規定により当該公共施設を管理すべき者（その者が地方自治法第二条第九項第一号に規定する第一号法定受託事務（以下単に「第一号法定受託事務」という。）として当該公共施設を管理する地方公共団体であるときは、国）に帰属するものとする。

3　市街化区域内における都市計画施設である幹線街路その他の主要な公共施設で政令で定めるものの用に供する土地が前項の規定により国又は地方公共団体に帰属することとなる場合においては、当該帰属に伴う費用の負担について第三十二条第二項の協議において別段の定めをした場合を除き、従前の所有者（第三十六条第三項の公告の日において当該土地を所有していた者をいう。）は、国又は地方公共団体に対し、政令で定めるところにより、当該土地の取得に要すべき費用の額の全部又は一部を負担すべきことを求めることができる。

〔改正・平成一一法八七・平成一二法七三〕

参照【公共施設―法四⑭】【都市計画施設―法四⑥】【主要な公共施設で政令で定めるもの―令三二】【政令で定めるところ―令三三、規則三三】

（建築物の建蔽率等の指定）

第四一条　都道府県知事は、用途地域の定められていない土地の区域における開発行為について開発許可をする場合において必要があると認めるときは、当該開発区域内の土地について、建築物の建蔽率、建築物の高さ、壁面の位置その他建築物の敷地、構造及び設備に関する制限を定めることができる。

2　前項の規定により建築物の敷地、構造及び設備に関する制限が定められた土地の区域内においては、建築物は、これらの制限に違反して建築してはならない。ただし、都道府県知事が当該区域及びその周辺の地域における環境の保全上支障がないと認め、又は公益上やむを得ないと認めて許可したときは、この限りでない。

〔改正・平成一二法七三・平成一九法二六〕

参照【用途地域―法八①1】【建蔽率―法八③2ロ】【監督処分―法八一】【条件―法七九】【罰則―法九二5】【準用―法三四の二②・三五の二④】【本条の規定に適合していることの証明―規則六〇】

（開発許可を受けた土地における建築等の制限）

第四二条　何人も、開発許可を受けた開発区域内においては、第三十六条第三項の公告があつた後は、当該開発許可に係る予定建築物等以外の建築物又は特定工作物を新築し、又は新設してはならず、また、建築物を改築し、又はその用途を変更して当該開発許可に係る予定の建築物以外の建築物としてはならない。ただし、都道府県知事が当該開発区域における利便の増進上若しくは開発区域及びその周辺の地域における環境の保全上支障がないと認めて許可したとき、又は建築物及び第一種特定工作物で建築基準法第八十八条第二項の政令で指定する工作物に該当するものにあつては、当該開発区域内の土地について用途地域等が定められているときは、この限りでない。

2　国又は都道府県等が行う行為については、当該国の機関又は都道府県等と都道府県知事との協議が成立することをもつて、前項ただし書の規定による許可があつたものとみなす。

〔改正・昭和四九法六七・平成一九法二六〕

参照【特定工作物―法四⑪】【建築基準法第八十八条第二項の政令で指定する工作物―建築基準法施行令一三八③】【用途地域等―法三①1・八①1～2の2・13、建築基準法四八～四九の二、流通業務市街地の整備に関する法律四①・五、港湾法三九・四〇①】【国の機関等とみなされるもの―国立大学法人法施行令二五①23、独立行政法人国立高等専門学校機構法施行令二①11、独立行政法人都市再生機構法施行令三四①9、国立研究開発法人森林研究・整備機構が行う特例業務に関する政令一五①4、独立行政法人鉄道建設・運輸施設整備支援機構法施行令二八①11、公共用飛行場周辺における航空機騒音による障害の防止等に関する法律施行令一五①2】【監督処分―法八一】【条件―法七九】【罰則―法九二4・6】【準用―法五二の二②・五三②・六五③】【本条の規定に適合していることの証明―規則六〇】

（開発許可を受けた土地以外の土地における建築等の制限）

第四三条　何人も、市街化調整区域のうち開発許可を受けた開発区域以外の区域内においては、都道府県知事の許可を受けなければ、第二十九条第一項第二号若しくは第三号に規定する建築物以外の建築物を新築し、又は第一種特定工作物を新設してはならず、また、建築物を改築し、又はその用途を変更して同項第二号若しくは第三号に規定する建築物以外の建築物としてはならない。ただし、次に掲げる建築物の新築、改築若しくは用途の変更又は第一種特定工作物の新設については、この限りでない。

一　都市計画事業の施行として行う建築物の新築、改築若しくは用途の変更又は第一種特定工作物の新設

二　非常災害のため必要な応急措置として行う建築物の新築、改築若しくは用途の変更又は第一種特定工作物の新設

三　仮設建築物の新築

四　第二十九条第一項第九号に掲げる開発行為その他の政令で定める開発行為が行われた土地の区域内において行う建築物の新築、改築若しくは用途の変更又は第一種特定工作物の新設

五　通常の管理行為、軽易な行為その他の行為で政令で定めるもの

2　前項の規定による許可の基準は、第三十三条及び第三十四条に規定する開発許可の基準の例に準じて、政令で定める。

3　国又は都道府県等が行う第一項本文の建築物の新築、改築若しくは用途の変更又は第一種特定工作物の新設（同項各号に掲げるものを除く。）については、当該国の機関又は都道府県等と都道府県知事との協議が成立することをもつて、同項の許可があつたものとみなす。

〔改正・昭和四九法六七・昭和五〇法六六・法六七・平成一二法七三・平成一五法一〇一・平成一八法四六〕

【参照】【一項の特例―市民農園整備促進法一一②、地方拠点都市地域の整備及び産業業務施設の再配置の促進に関する法律三一④、幹線道路の沿道の整備に関する法律一〇の七②】【許可の申請―規則三四】【第一種特定工作物―法四⑪】【国の機関等とみなされるもの―独立行政法人都市再生機構法施行令三四①9、独立行政法人鉄道建設・運輸施設整備支援機構法施行令二八①11、地方住宅供給公社法施行令二①7、日本下水道事業団法施行令七、公共用飛行場周辺における航空機騒音による障害の防止等に関する法律施行令一五①2】【港務局―港湾法四①】【都市計画事業―法四⑮】【政令で定める開発行為―令三四】【政令で定めるもの―令三五】【許可の基準―令三六】【監督処分―法八一】【条件―法七九】【罰則―法九二6・7】【本条の規定に適合していることの証明―規則六〇】

（許可に基づく地位の承継）

第四四条　開発許可又は前条第一項の許可を受けた者の相続人その他の一般承継人は、被承継人が有していた当該許可に基づく地位を承継する。

第四五条　開発許可を受けた者から当該開発区域内の土地の所有権その他当該開発行為に関する工事を施行する権原を取得した者は、都道府県知事の承認を受けて、当該開発許可を受けた者が有していた当該開発許可に基づく地位を承継することができる。

（開発登録簿）

第四六条　都道府県知事は、開発登録簿（以下「登録簿」という。）を調製し、保管しなければならない。

第四七条　都道府県知事は、開発許可をしたときは、当該許可に係る土地について、次に掲げる事項を登録簿に登録しなければならない。

一　開発許可の年月日
二　予定建築物等（用途地域等の区域内の建築物及び第一種特定工作物を除く。）の用途
三　公共施設の種類、位置及び区域
四　前三号に掲げるもののほか、開発許可の内容
五　第四十一条第一項の規定による制限の内容
六　前各号に定めるもののほか、国土交通省令で定める事項

2　都道府県知事は、第三十六条の規定による完了検査を行なつた場合において、当該工事が当該開発許可の内容に適合すると認めたときは、登録簿にその旨を附記しなければならない。

3　第四十一条第二項ただし書若しくは第四十二条第一項ただし書の規定による許可があつたとき、又は同条第二項の協議が成立したときも、前項と同様とする。

4　都道府県知事は、第八十一条第一項の規定による処分により第一項各号に掲げる事項について変動を生じたときは、登録簿に必要な修正を加えなければならない。

5　都道府県知事は、登録簿を常に公衆の閲覧に供するように保管し、かつ、請求があつたときは、その写しを交付しなければならない。

6　登録簿の調製、閲覧その他登録簿に関し必要な事項は、国土交通省令で定める。

〔改正・昭和四九法六七・平成四法八二・平成一一法一六〇〕

【参照】【用途地域等―法三三①1・八①1～2の2・13、建築基準法四八～四九の二、流通業務市街地の整備に関する法律四①・五、港湾法三九・四〇①】【公共施設―法四⑭】【省令で定める事項―規則三五】【登録簿の調製等―規則三六～三八】【準用―法三四の二②・三五の二④】

（国及び地方公共団体の援助）

第四八条　国及び地方公共団体は、市街化区域内における良好な市街地の開発を促進するため、市街化区域内において開発許可を受けた者に対する必要な技術上の助言又は資金上その他の援助に努めるものとする。

第四九条　削除〔平成一一法八七〕

（不服申立て）

第五〇条　第二十九条第一項若しくは第二項、第三十五条の二第一項、第四十一条第二項ただし書、第四十二条第一項ただし書若しくは第四十三条第一項の規定に基づく処分若しくはその不作為又はこれらの規定に違反した者に対する第八十一条第一項の規定に基づく監督処分についての審査請求は、開発審査会に対してするものとする。この場合において、不作為についての審査請求は、開発審査会に代えて、当該不作為に係る都道府県知事に対してすることもできる。

2　開発審査会は、前項前段の規定による審査請求がされた場合においては、当該審査請求がされた日（行政不服審査法（平成二十六年法律第六十八号）第二十三条の規定により不備を補正すべきことを命じた場合にあつては、当該不備が補正された日）から二月以内に、裁決をしなければならない。

3　開発審査会は、前項の裁決を行う場合においては、行政不服審査法第二十四条の規定により当該審査請求を却下する場合を除き、あらかじめ、審査請求人、処分をした行政庁その他の関係人又はこれらの者の代理人の出頭を求めて、公開による口頭審理を行わなければならない。

4　第一項前段の規定による審査請求については、行政不服審査法第三十一条の規定は適用せず、前項の口頭審理については、同法第九条第三項の規定により読み替えられた同法第三十一条第二項から第五項までの規定を準用する。

〔改正・平成四法八二・平成一一法八七・平成一二法七三・平成二六法六九〕

【参照】【開発審査会―法七八】【口頭審理―令三六の二、規則三八の二】

第五一条　第二十九条第一項若しくは第二項、第三十五条の二第一項、第四十二条第一項ただし書又は第四十三条第一項の規定による処分に不服がある者は、その不服の理由が鉱業、採石業又は砂利採取業との調整に関するものであるときは、公害等調整委員会に裁定の申請をすることができる。この場合においては、審査請求をすることができない。

2　行政不服審査法第二十二条の規定は、前項に規定する処分につき、処分をした行政庁が誤つて審査請求又は再調査の請求をすることができる旨を教示した場合に準用する。

〔改正・昭和四七法五二・平成四法八二・平成一二法七三・平成二六法六九〕

【参照】【公害等調整委員会―公害等調整委員会設置法、鉱業等に係る土地利用の調整手続等に関する法律】【準用―法五八②】

第一節の二　田園住居地域内における建築等の規制

〔追加・平成二九法二六〕

第五二条　田園住居地域内の農地の区域内において、土地の形質の変更、建築物の建築その他工作物の建設又は土石その他の政

令で定める物件の堆積を行おうとする者は、市町村長の許可を受けなければならない。ただし、次に掲げる行為については、この限りでない。

一　通常の管理行為、軽易な行為その他の行為で政令で定めるもの

二　非常災害のため必要な応急措置として行う行為

三　都市計画事業の施行として行う行為又はこれに準ずる行為として政令で定める行為

2　市町村長は、次に掲げる行為について前項の許可の申請があつた場合においては、その許可をしなければならない。

一　土地の形質の変更でその規模が農業の利便の増進及び良好な住居の環境の保護を図る上で支障がないものとして政令で定める規模未満のもの

二　建築物の建築又は工作物の建設で次のいずれかに該当するもの

イ　前項の許可を受けて土地の形質の変更が行われた土地の区域内において行う建築物の建築又は工作物の建設

ロ　建築物又は工作物でその敷地の規模が農業の利便の増進及び良好な住居の環境の保護を図る上で支障がないものとして政令で定める規模未満のものの建築又は建設

三　前項の政令で定める物件の堆積で当該堆積を行う土地の規模が農業の利便の増進及び良好な住居の環境の保護を図る上で支障がないものとして政令で定める規模未満のもの（堆積をした物件の飛散の防止の方法その他の事項に関し政令で定める要件に該当するものに限る。）

3　国又は地方公共団体が行う行為については、第一項の許可を受けることを要しない。この場合において、当該国の機関又は地方公共団体は、その行為をしようとするときは、あらかじめ、市町村長に協議しなければならない。

〔全改・平成二九法二六、改正・令和二法四三〕

参照【田園住居地域―法八①1・九⑧】【許可の申請―規則三八の二の二】【政令で定める―令三六の三～三六の七】【罰則―法九二8】

第一節の三　市街地開発事業等予定区域の区域内における建築等の規制

〔追加・昭和四九法六七、旧一節の二を繰下・平成二九法二六〕

（建築等の制限）

第五二条の二　市街地開発事業等予定区域に関する都市計画において定められた区域内において、土地の形質の変更を行い、又は建築物の建築その他工作物の建設を行おうとする者は、都道府県知事等の許可を受けなければならない。ただし、次に掲げる行為については、この限りでない。

一　通常の管理行為、軽易な行為その他の行為で政令で定めるもの

二　非常災害のため必要な応急措置として行う行為

三　都市計画事業の施行として行う行為又はこれに準ずる行為として政令で定める行為

2　国が行う行為については、当該国の機関と都道府県知事等との協議が成立することをもつて、前項の規定による許可があつたものとみなす。

3　第一項の規定は、市街地開発事業等予定区域に係る市街地開発事業又は都市施設に関する都市計画についての第二十条第一項の規定による告示があつた後は、当該告示に係る土地の区域内においては、適用しない。

〔追加・昭和四九法六七、改正・平成二三法一〇五〕

参照【市街地開発事業等予定区域に関する都市計画―法一二の二】【政令で定めるその他の行為―令三六の八】【政令で定める準ずる行為―令三六の九】【準用―法五七の三】

（土地建物等の先買い等）

第五二条の三　市街地開発事業等予定区域に関する都市計画についての第二十条第一項（第二十一条第二項において準用する場合を含む。）の規定による告示があつたときは、施行予定者は、すみやかに、国土交通省令で定める事項を公告するとともに、国土交通省令で定めるところにより、当該市街地開発事業等予定区域の区域内の土地又は土地及びこれに定着する建築物その他の工作物（以下「土地建物等」という。）の有償譲渡について、次項から第四項までの規定による制限があることを関係権利者に周知させるため必要な措置を講じなければならない。

2　前項の規定による公告の日の翌日から起算して十日を経過した後に市街地開発事業等予定区域の区域内の土地建物等を有償で譲り渡そうとする者は、当該土地建物等、その予定対価の額（予定対価が金銭以外のものであるときは、これを時価を基準として金銭に見積もつた額。以下この条において同じ。）及び当該土地建物等を譲り渡そうとする相手方その他国土交通省令で定める事項を書面で施行予定者に届け出なければならない。ただし、当該土地建物等の全部又は一部が文化財保護法（昭和二十五年法律第二百十四号）第四十六条（同法第八十三条において準用する場合を含む。）の規定の適用を受けるものであるときは、この限りでない。

3　前項の規定による届出があつた後三十日以内に施行予定者が届出をした者に対し届出に係る土地建物等を買い取るべき旨の通知をしたときは、当該土地建物等について、施行予定者と届出をした者との間に届出書に記載された予定対価の額に相当する代金で、売買が成立したものとみなす。

4　第二項の規定による届出をした者は、前項の期間（その期間内に施行予定者が届出に係る土地建物等を買い取らない旨の通知をしたときは、その時までの期間）内は、当該土地建物等を譲り渡してはならない。

5　第三項の規定により土地建物等を買い取つた施行予定者は、当該土地に係る都市計画に適合するようにこれを管理しなければならない。

〔追加・昭和四九法六七、改正・平成一一法一六〇・平成一六法六一〕

参照【施行予定者―法一二の二②・③】【公告の方法等―令四二】【公告の内容等の掲示―規則五八】【施行予定者の公告事項―規則三八の二の四】【省令で定めるところ―規則三八の三】【有償譲渡の届出事項―規則三八の四】【準用―法五二の四③・五七の四】【罰則―法九五】

（土地の買取請求）

第五二条の四　市街地開発事業等予定区域に関する都市計画において定められた区域内の土地の所有者は、施行予定者に対し、国土交通省令で定めるところにより、当該土地を時価で買い取るべきことを請求することができる。ただし、当該土地が他人

の権利の目的となつているとき、及び当該土地に建築物その他の工作物又は立木に関する法律（明治四十二年法律第二十二号）第一条第一項に規定する立木があるときは、この限りでない。

2　前項の規定により買い取るべき土地の価格は、施行予定者と土地の所有者とが協議して定める。第二十八条第三項の規定は、この場合について準用する。

3　前条第五項の規定は、第一項の規定により土地を買い取つた施行予定者について準用する。

4　第一項の規定は、市街地開発事業等予定区域に係る市街地開発事業又は都市施設に関する都市計画についての第二十条第一項の規定による告示があつた後は、当該告示に係る土地の区域内においては、適用しない。

〔追加・昭和四九法六七、改正・平成一一法一六〇〕

参照【施行予定者―法一二の二②・③】【土地の買取請求の手続―規則三八の五】【準用―法五七の五】

（損失の補償）

第五十二条の五　市街地開発事業等予定区域に関する都市計画に定められた区域が変更された場合において、その変更により当該市街地開発事業等予定区域の区域外となつた土地の所有者又は関係人のうちに当該都市計画が定められたことにより損失を受けた者があるときは、施行予定者が、市街地開発事業等予定区域に係る市街地開発事業又は都市施設に関する都市計画が定められなかつたため第十二条の二第五項の規定により市街地開発事業等予定区域に関する都市計画がその効力を失つた場合において、当該市街地開発事業等予定区域の区域内の土地の所有者又は関係人のうちに当該都市計画が定められたことにより損失を受けた者があるときは、当該市街地開発事業等予定区域に係る市街地開発事業又は都市施設に関する都市計画の決定をすべき者が、それぞれその損失の補償をしなければならない。

2　前項の規定による損失の補償は、損失があつたことを知つた日から一年を経過した後においては、請求することができない。

3　第二十八条第二項及び第三項の規定は、第一項の場合について準用する。

〔追加・昭和四九法六七〕

参照【施行予定者―法一二の二②・③】【準用―法五七の六・六〇の三】【都市計画の変更―法二一】

第二節　都市計画施設等の区域内における建築等の規制

〔改正・平成二三法一〇五〕

（建築の許可）

第五十三条　都市計画施設の区域又は市街地開発事業の施行区域内において建築物の建築をしようとする者は、国土交通省令で定めるところにより、都道府県知事等の許可を受けなければならない。ただし、次に掲げる行為については、この限りでない。

一　政令で定める軽易な行為

二　非常災害のため必要な応急措置として行う行為

三　都市計画事業の施行として行う行為又はこれに準ずる行為として政令で定める行為

四　第十一条第三項後段の規定により離隔距離の最小限度及び載荷重の最大限度が定められている都市計画施設の区域内において行う行為であつて、当該離隔距離の最小限度及び載荷重の最大限度に適合するもの

五　第十二条の十一に規定する道路（都市計画施設であるものに限る。）の区域のうち建築物等の敷地として併せて利用すべき区域内において行う行為であつて、当該道路を整備する上で著しい支障を及ぼすおそれがないものとして政令で定めるもの

2　第五十二条の二第二項の規定は、前項の規定による許可について準用する。

3　第一項の規定は、第六十五条第一項に規定する告示があつた後は、当該告示に係る土地の区域内においては、適用しない。

〔改正・平成元法五六・平成二法六一・平成四法八二・平成七法一三・平成一一法一六〇・平成一二法七三・平成一四法八五・平成二三法一〇五・平成二六法五三〕

参照【申請書類の様式―規則三九】【軽易な行為―令三七】【都市計画事業に準ずる行為―令三七の二】【政令で定めるもの―令三七の三】【立体都市計画―法一一③】【三項の特則―土地区画整理法三の四③・七六、都市再開発法六③】【監督処分―法八一】【許可等の条件―法七九】【罰則―法九一】

（許可の基準）

第五十四条　都道府県知事等は、前条第一項の規定による許可の申請があつた場合において、当該申請が次の各号のいずれかに該当するときは、その許可をしなければならない。

一　当該建築が、都市計画施設又は市街地開発事業に関する都市計画のうち建築物について定めるものに適合するものであること。

二　当該建築が、第十一条第三項の規定により都市計画施設の区域について都市施設を整備する立体的な範囲が定められている場合において、当該立体的な範囲外において行われ、かつ、当該都市計画施設を整備する上で著しい支障を及ぼすおそれがないと認められること。ただし、当該立体的な範囲が道路である都市施設を整備するものとして空間について定められているときは、安全上、防火上及び衛生上支障がないものとして政令で定める場合に限る。

三　当該建築物が次に掲げる要件に該当し、かつ、容易に移転し、又は除却することができるものであると認められること。

イ　階数が二以下で、かつ、地階を有しないこと。

ロ　主要構造部（建築基準法第二条第五号に定める主要構造部をいう。）が木造、鉄骨造、コンクリートブロック造その他これらに類する構造であること。

〔改正・平成一二法七三・平成二三法一〇五〕

参照【立体都市計画―法一一③】【政令で定める場合―令三七の四】【地階―建築基準法施行令一2】【階数―建築基準法施行令二①8】【木造―建築基準法施行令第三章第三節】【コンクリートブロック造―建築基準法施行令第三章第四節】【鉄骨造―建築基準法施行令第三章第五節】

（許可の基準の特例等）

第五十五条　都道府県知事等は、都市計画施設の区域内の土地でその指定したものの区域又は市街地開発事業（土地区画整理事業及び新都市基盤整備事業を除く。）の施行区域（次条及び第五十七条において「事業予定地」という。）内において行われる建築物の建築については、前条の規定にかかわらず、第五十三条第一項の許可をしないことができる。ただし、次条第二項の規定により買い取らない旨の通知があつた土地における建築物

の建築については、この限りでない。

2　都市計画事業を施行しようとする者その他政令で定める者は、都道府県知事等に対し、前項の規定による土地の指定をすべきこと又は次条第一項の規定による土地の買取りの申出及び第五十七条第二項本文の規定による届出の相手方として定めるべきことを申し出ることができる。

3　都道府県知事等は、前項の規定により土地の指定をすべきことを申し出た者を次条第一項の規定による土地の買取りの申出及び第五十七条第二項本文の規定による届出の相手方として定めることができる。

4　都道府県知事等は、第一項の規定による土地の指定をするとき、又は第二項の規定による申出に基づき、若しくは前項の規定により、次条第一項の規定による土地の買取りの申出及び第五十七条第二項本文の規定による届出の相手方を定めるときは、国土交通省令で定めるところにより、その旨を公告しなければならない。

〔改正・昭和四七法八六・平成一一法一六〇・平成二三法一〇五〕

参照【政令で定める者—令三八】【公告の方法—規則四〇】

（土地の買取り）

第五六条　都道府県知事等（前条第四項の規定により、土地の買取りの申出の相手方として公告された者があるときは、その者）は、事業予定地内の土地の所有者から、同条第一項本文の規定により建築物の建築が許可されないときはその土地の利用に著しい支障を来すこととなることを理由として、当該土地を買い取るべき旨の申出があつた場合においては、特別の事情がない限り、当該土地を時価で買い取るものとする。

2　前項の規定による申出を受けた者は、遅滞なく、当該土地を買い取る旨又は買い取らない旨を当該土地の所有者に通知しなければならない。

3　前条第四項の規定により土地の買取りの申出の相手方として公告された者は、前項の規定により土地を買い取らない旨の通知をしたときは、直ちに、その旨を都道府県知事等に通知しなければならない。

4　第一項の規定により土地を買い取つた者は、当該土地に係る都市計画に適合するようにこれを管理しなければならない。

〔改正・平成二三法一〇五〕

参照【事業予定地—法五五①】

（土地の先買い等）

第五七条　市街地開発事業に関する都市計画についての第二十条第一項（第二十一条第二項において準用する場合を含む。）の規定による告示又は市街地開発事業若しくは市街化区域若しくは区域区分が定められていない都市計画区域内の都市計画施設に係る第五十五条第四項の規定による公告があつたときは、都道府県知事等（同項の規定により、次項本文の規定による届出の相手方として公告された者があるときは、その者。以下この条において同じ。）は、速やかに、国土交通省令で定める事項を公告するとともに、国土交通省令で定めるところにより、事業予定地内の土地の有償譲渡について、次項から第四項までの規定による制限があることを関係権利者に周知させるため必要な措置を講じなければならない。

2　前項の規定による公告の日の翌日から起算して十日を経過した後に事業予定地内の土地を有償で譲り渡そうとする者（土地及びこれに定着する建築物その他の工作物を有償で譲り渡そうとする者を除く。）は、当該土地、その予定対価の額（予定対価が金銭以外のものであるときは、これを時価を基準として金銭に見積つた額。以下この条において同じ。）及び当該土地を譲り渡そうとする相手方その他国土交通省令で定める事項を書面で都道府県知事等に届け出なければならない。ただし、当該土地の全部又は一部が、文化財保護法第四十六条（同法第八十三条において準用する場合を含む。）の規定の適用を受けるものであるとき、又は第六十六条の公告の日の翌日から起算して十日を経過した後における当該公告に係る都市計画事業を施行する土地に含まれるものであるときは、この限りでない。

3　前項の規定による届出があつた後三十日以内に都道府県知事等が届出をした者に対し届出に係る土地を買い取るべき旨の通知をしたときは、当該土地について、都道府県知事等と届出をした者との間に届出書に記載された予定対価の額に相当する代金で、売買が成立したものとみなす。

4　第二項の届出をした者は、前項の期間（その期間内に都道府県知事等が届出に係る土地を買い取らない旨の通知をしたときは、その時までの期間）内は、当該土地を譲り渡してはならない。

5　前条第四項の規定は、第三項の規定により土地を買い取つた者について準用する。

〔改正・昭和四九法六七・平成一一法一六〇・平成一二法七三・平成一六法六一・平成二三法一〇五〕

参照【事業予定地—法五五①】【公告事項—規則四一】【公告の方法等—令四二】【土地の先買いに関する周知措置の方法—規則四二】【届出事項—規則四三】【公告の内容等の掲示—規則五八】【罰則—法九五】

（施行予定者が定められている都市計画施設の区域等についての特例）

第五七条の二　施行予定者が定められている都市計画に係る都市計画施設の区域及び市街地開発事業の施行区域（以下「施行予定者が定められている都市計画施設の区域等」という。）については、第五十三条から前条までの規定は適用せず、次条から第五十七条の六までに定めるところによる。ただし、第六十条の二第二項の規定による公告があつた場合における当該公告に係る都市計画施設の区域及び市街地開発事業の施行区域については、この限りでない。

〔追加・昭和四九法六七〕

参照【施行予定者が定められている都市計画—法一一⑤・一二⑤・一二の二②・③・一二の三】

（建築等の制限）

第五七条の三　施行予定者が定められている都市計画施設の区域等内における土地の形質の変更又は建築物の建築その他工作物の建設については、第五十二条の二第一項及び第二項の規定を準用する。

2　前項の規定は、第六十五条第一項に規定する告示があつた後は、当該告示に係る土地の区域内においては、適用しない。

〔追加・昭和四九法六七〕

参照　令三八の二・三八の三

（**土地建物等の先買い等**）

第五七条の四　施行予定者が定められている都市計画施設の区域等内の土地建物等の有償譲渡については、第五十二条の三の規定を準用する。この場合において、同条第一項中「市街地開発事業等予定区域に関する」とあるのは「施行予定者が定められている都市施設又は市街地開発事業に関する」と、「当該市街地開発事業等予定区域の区域内」とあるのは「当該都市計画施設の区域又は市街地開発事業の施行区域内」と、同条第二項中「市街地開発事業等予定区域の区域内」とあるのは「施行予定者が定められている都市計画施設の区域又は市街地開発事業の施行区域内」と読み替えるものとする。

〔追加・昭和四九法六七〕

参照　令四二、規則四三の二～四三の四・五八【罰則―法九五

（**土地の買取請求**）

第五七条の五　施行予定者が定められている都市計画施設の区域等内の土地の買取請求については、第五十二条の四第一項から第三項までの規定を準用する。

〔追加・昭和四九法六七〕

参照　規則四三の五

（**損失の補償**）

第五七条の六　施行予定者が定められている市街地開発事業又は都市施設に関する都市計画についての第二十条第一項の規定による告示の日から起算して二年を経過する日までの間に当該都市計画に定められた区域又は施行区域が変更された場合において、その変更により当該区域又は施行区域外となつた土地の所有者又は関係人のうちに当該都市計画が定められたことにより損失を受けた者があるときは、当該施行予定者は、その損失を補償しなければならない。

2　第五十二条の五第二項及び第三項の規定は、前項の場合について準用する。

〔追加・昭和四九法六七〕

参照　【施行予定者―法一一⑤・一二⑤【都市計画の変更―法二一

第三節　風致地区内における建築等の規制

（**建築等の規制**）

第五八条　風致地区内における建築物の建築、宅地の造成、木竹の伐採その他の行為については、政令で定める基準に従い、地方公共団体の条例で、都市の風致を維持するため必要な規制をすることができる。

2　第五十一条の規定は、前項の規定に基づく条例の規定による処分に対する不服について準用する。

〔改正・平成一一法七三〕

参照　【政令―風致地区内における建築等の規制に係る条例の制定に関する基準を定める政令【条例に罰金を科する規定の委任―法九八

第四節　地区計画等の区域内における建築等の規制

〔追加・昭和五五法三五〕

（**建築等の届出等**）

第五八条の二　地区計画の区域（再開発等促進区若しくは開発整備促進区（いずれも第十二条の五第五項第一号に規定する施設の配置及び規模が定められているものに限る。）又は地区整備計画が定められている区域に限る。）内において、土地の区画形質の変更、建築物の建築その他政令で定める行為を行おうとする者は、当該行為に着手する日の三十日前までに、国土交通省令で定めるところにより、行為の種類、場所、設計又は施行方法、着手予定日その他国土交通省令で定める事項を市町村長に届け出なければならない。ただし、次に掲げる行為については、この限りでない。

一　通常の管理行為、軽易な行為その他の行為で政令で定めるもの

二　非常災害のため必要な応急措置として行う行為

三　国又は地方公共団体が行う行為

四　都市計画事業の施行として行う行為又はこれに準ずる行為として政令で定める行為

五　第二十九条第一項の許可を要する行為その他政令で定める行為

2　前項の規定による届出をした者は、その届出に係る事項のうち国土交通省令で定める事項を変更しようとするときは、当該事項の変更に係る行為に着手する日の三十日前までに、国土交通省令で定めるところにより、その旨を市町村長に届け出なければならない。

3　市町村長は、第一項又は前項の規定による届出があつた場合において、その届出に係る行為が地区計画に適合しないと認めるときは、その届出をした者に対し、その届出に係る行為に関し設計の変更その他の必要な措置をとることを勧告することができる。

4　市町村長は、前項の規定による勧告をした場合において、必要があると認めるときは、その勧告を受けた者に対し、土地に関する権利の処分についてのあつせんその他の必要な措置を講ずるよう努めなければならない。

〔追加・昭和五五法三五、改正・平成二法六一・平成七法一三・平成一一法一六〇・平成一一法七三・平成一四法八五・平成一八法四六・平成二三法一〇五〕

参照　令三八の四～三八の七、規則四三の七～四三の一一【地区計画―法一二の五

【国の機関等とみなされるもの―独立行政法人都市再生機構法施行令三四①9、独立行政法人労働者健康安全機構法施行令一五①6、独立行政法人鉄道建設・運輸施設整備支援機構法施行令二八①11、独立行政法人中小企業基盤整備機構法施行令二①3、地方住宅供給公社法施行令二①7、日本下水道事業団法施行令七7、公有地の拡大の推進に関する法律施行令九①4、公共用飛行場周辺における航空機騒音による障害の防止等に関する法律施行令一五①2、国立大学法人法施行令二六①23、独立行政法人国立高等専門学校機構法施行令二①11、独立行政法人国立病院機構法施行令一六①16【罰則―法九三1

（**建築等の許可**）

第五八条の三　市町村は、条例で、地区計画の区域（地区整備計画において第十二条の五第七項第四号に掲げる事項が定められている区域に限る。）内の農地の区域内における第五十二条第一項本文に規定する行為について、市町村長の許可を受けなけ

ればならないこととすることができる。

2　前項の規定に基づく条例（以下この条において「地区計画農地保全条例」という。）には、併せて、市町村長が農業の利便の増進と調和した良好な居住環境を確保するために必要があると認めるときは、許可に期限その他必要な条件を付することができる旨を定めることができる。

3　地区計画農地保全条例による制限は、当該区域内における土地利用の状況等を考慮し、農業の利便の増進と調和した良好な居住環境を確保するため合理的に必要と認められる限度において行うものとする。

4　地区計画農地保全条例には、第五十二条第一項ただし書、第二項及び第三項の規定の例により、当該条例に定める制限の適用除外、許可基準その他必要な事項を定めなければならない。

〔追加・令和二法四三〕

参照【条例に罰金を科する規定の委任―法九七】

（他の法律による建築等の規制）

第五八条の四　地区計画等の区域内における建築物の建築その他の行為に関する制限については、前二条に定めるもののほか、別に法律で定める。

〔追加・昭和五五法三五、旧五八条の三を改正し繰下・令和二法四三〕

参照【別に法律―建築基準法六八の二～六八の八、密集市街地における防災街区の整備の促進に関する法律三三、地域における歴史的風致の維持及び向上に関する法律三三、幹線道路の沿道の整備に関する法律一〇、集落地域整備法六】【開発許可との関係―法三三①5】

第五節　遊休土地転換利用促進地区内における土地利用に関する措置等

〔追加・平成二法六一〕

（土地所有者等の責務等）

第五八条の五　遊休土地転換利用促進地区内の土地に係る土地所有者等（土地について所有権又は地上権その他の使用若しくは収益を目的とする権利を有する者をいう。以下同じ。）は、できる限り速やかに、当該遊休土地転換利用促進地区内の土地の有効かつ適切な利用を図ること等により、当該遊休土地転換利用促進地区に関する都市計画の目的を達成するよう努めなければならない。

2　市町村は、遊休土地転換利用促進地区に関する都市計画の目的を達成するため必要があると認めるときは、当該遊休土地転換利用促進地区内の土地に係る土地所有者等に対し、当該土地の有効かつ適切な利用の促進に関する事項について指導及び助言を行うものとする。

〔追加・平成二法六一、改正・平成三〇法二二、旧五八条の四を繰下・令和二法四三〕

参照【遊休土地転換利用促進地区―法一〇の三】

（国及び地方公共団体の責務）

第五八条の六　国及び地方公共団体は、遊休土地転換利用促進地区の区域及びその周辺の地域における計画的な土地利用の増進を図るため、地区計画その他の都市計画の決定、土地区画整理事業の施行その他の必要な措置を講ずるよう努めなければならない。

〔追加・平成二法六一、旧五八条の五を繰下・令和二法四三〕

（遊休土地である旨の通知）

第五八条の七　市町村長は、遊休土地転換利用促進地区に関する都市計画についての第二十条第一項（第二十一条第二項において準用する場合を含む。）の規定による告示の日の翌日から起算して二年を経過した後において、当該遊休土地転換利用促進地区内の土地を所有している者のその所有に係る土地（国土利用計画法（昭和四十九年法律第九十二号）第二十八条第一項の規定による通知に係る土地及び国又は地方公共団体若しくは港務局の所有する土地を除く。）が次に掲げる要件に該当すると認めるときは、国土交通省令で定めるところにより、当該土地の所有者（当該土地の全部又は一部について地上権その他の政令で定める使用又は収益を目的とする権利が設定されているときは、当該権利を有している者及び当該土地の所有者）に当該土地が遊休土地である旨を通知するものとする。

一　その土地が千平方メートル以上の一団の土地であること。

二　その土地の所有者が当該土地を取得した後二年を経過したものであること。

三　その土地が住宅の用、事業の用に供する施設の用その他の用途に供されていないことその他の政令で定める要件に該当するものであること。

四　その土地及びその周辺の地域における計画的な土地利用の増進を図るため、当該土地の有効かつ適切な利用を特に促進する必要があること。

2　市町村長は、前項の規定による通知をしたときは、遅滞なく、その旨を都道府県知事に通知しなければならない。

〔追加・平成二法六一、改正・平成一一法一六〇、旧五八条の六を繰下・令和二法四三〕

参照【港務局―港湾法四】【政令で定める使用又は収益を目的とする権利―令三八の八】【通知の様式―規則四三の一二】【政令で定める要件―令三八の九】

（遊休土地に係る計画の届出）

第五八条の八　前条第一項の規定による通知を受けた者は、その通知があつた日の翌日から起算して六週間以内に、国土交通省令で定めるところにより、その通知に係る遊休土地の利用又は処分に関する計画を市町村長に届け出なければならない。

〔追加・平成二法六一、改正・平成一一法一六〇、旧五八条の七を繰下・令和二法四三〕

参照【届出の様式―規則四三の一三】【罰則―法九二9】

（勧告等）

第五八条の九　市町村長は、前条の規定による届出があつた場合において、その届出に係る計画に従つて当該遊休土地を利用し、又は処分することが当該土地の有効かつ適切な利用の促進を図る上で支障があると認めるときは、その届出をした者に対し、相当の期限を定めて、その届出に係る計画を変更すべきことその他必要な措置を講ずべきことを勧告することができる。

2　市町村長は、前項の規定による勧告をした場合において、必要があると認めるときは、その勧告を受けた者に対し、その勧告に基づいて講じた措置について報告を求めることができる。

〔追加・平成二法六一、旧五八条の八を繰下・令和二法四三〕

参照 【罰則―法九二の二

（遊休土地の買取りの協議）

第五八条の一〇　市町村長は、前条第一項の規定による勧告をした場合において、その勧告を受けた者がその勧告に従わないときは、その勧告に係る遊休土地の買取りを希望する地方公共団体、土地開発公社その他政令で定める法人（以下この節において「地方公共団体等」という。）のうちから買取りの協議を行う者を定め、買取りの目的を示して、その者が買取りの協議を行う旨をその勧告を受けた者に通知するものとする。

2　前項の規定により協議を行う者として定められた地方公共団体等は、同項の規定による通知があつた日の翌日から起算して六週間を経過する日までの間、その通知を受けた者と当該遊休土地の買取りの協議を行うことができる。この場合において、その通知を受けた者は、正当な理由がなければ、当該遊休土地の買取りの協議を行うことを拒んではならない。

〔追加・平成二法六一、旧五八条の九を繰下・令和二法四三〕

参照 【土地開発公社―公有地の拡大の推進に関する法律一〇・一七　【政令で定める法人―令三八の一〇

（遊休土地の買取り価格）

第五八条の一一　地方公共団体等は、前条の規定により遊休土地を買い取る場合には、地価公示法（昭和四十四年法律第四十九号）第六条の規定による公示価格を規準として算定した価格（当該土地が同法第二条第一項の公示区域以外の区域内に所在するときは、近傍類地の取引価格等を考慮して算定した当該土地の相当な価格）をもつてその価格としなければならない。

〔追加・平成二法六一、改正・平成一六法六六、旧五八条の一〇を繰下・令和二法四三〕

（買取りに係る遊休土地の利用）

第五八条の一二　地方公共団体等は、第五十八条の十の規定により買い取つた遊休土地をその遊休土地に係る都市計画に適合するように有効かつ適切に利用しなければならない。

〔追加・平成二法六一、旧五八条の一一を改正し繰下・令和二法四三〕

第四章　都市計画事業

第一節　都市計画事業の認可等

（施行者）

第五九条　都市計画事業は、市町村が、都道府県知事（第一号法定受託事務として施行する場合にあつては、国土交通大臣）の認可を受けて施行する。

2　都道府県は、市町村が施行することが困難又は不適当な場合その他特別な事情がある場合においては、国土交通大臣の認可を受けて、都市計画事業を施行することができる。

3　国の機関は、国土交通大臣の承認を受けて、国の利害に重大な関係を有する都市計画事業を施行することができる。

4　国の機関、都道府県及び市町村以外の者は、事業の施行に関して行政機関の免許、許可、認可等の処分を必要とする場合においてこれらの処分を受けているとき、その他特別な事情がある場合においては、都道府県知事の認可を受けて、都市計画事業を施行することができる。

5　都道府県知事は、前項の認可をしようとするときは、あらかじめ、関係地方公共団体の長の意見をきかなければならない。

6　国土交通大臣又は都道府県知事は、第一項から第四項までの規定による認可又は承認をしようとする場合において、当該都市計画事業が、用排水施設その他農用地の保全若しくは利用上必要な公共の用に供する施設を廃止し、若しくは変更するものであるとき、又はこれらの施設の管理、新設若しくは改良に係る土地改良事業計画に影響を及ぼすおそれがあるものであるときは、当該都市計画事業について、当該施設を管理する者又は当該土地改良事業計画による事業を行う者の意見をきかなければならない。ただし、政令で定める軽易なものについては、この限りでない。

7　施行予定者が定められている都市計画に係る都市計画施設の整備に関する事業及び市街地開発事業は、その定められている者でなければ、施行することができない。

〔改正・昭和四九法六七・法七一・平成一一法八七・法一六〇〕

参照 【都市計画事業の施行者―土地区画整理法三～三の四、新住宅市街地開発法六・四五、首都圏の近郊整備地帯及び都市開発区域の整備に関する法律七、近畿圏の近郊整備区域及び都市開発区域の整備及び開発に関する法律九、都市再開発法二の二、流通業務市街地の整備に関する法律一〇、大都市地域における住宅及び住宅地の供給の促進に関する特別措置法二九　【法第五十九条の認可又は承認とみなされるもの―土地区画整理法四②・一四④・五二②・六六②・七一の二②、都市再開発法七の九④・一一⑤・五〇の二③・五一②・五八②、大都市地域における住宅及び住宅地の供給の促進に関する特別措置法三三④・三七③・五二②・五八②　【国の機関等とみなされるもの―独立行政法人都市再生機構法施行令三四①9、独立行政法人水資源機構法施行令五六①9、独立行政法人鉄道建設・運輸施設整備支援機構法施行令二八①11、地方住宅供給公社法施行令二①7、地方道路公社法施行令一〇①7、日本下水道事業団法施行令附②、国立大学法人法施行令二六①23、独立行政法人国立高等専門学校機構法施行令二①11　【罰則―法八九　【土地改良事業計画―土地改良法七　【意見をきかなくてよい軽易なもの―令三九　【準用―法六三

（認可又は承認の申請）

第六〇条　前条の認可又は承認を受けようとする者は、国土交通省令で定めるところにより、次に掲げる事項を記載した申請書を国土交通大臣又は都道府県知事に提出しなければならない。

一　施行者の名称
二　都市計画事業の種類
三　事業計画
四　その他国土交通省令で定める事項

2　前項第三号の事業計画には、次に掲げる事項を定めなければならない。

一　収用又は使用の別を明らかにした事業地（都市計画事業を施行する土地をいう。以下同じ。）
二　設計の概要
三　事業施行期間

3　第一項の申請書には、国土交通省令で定めるところにより、次に掲げる書類を添附しなければならない。

一　事業地を表示する図面
二　設計の概要を表示する図書
三　資金計画書
四　事業の施行に関して行政機関の免許、許可、認可等の処分

を必要とする場合においては、これらの処分があつたことを証明する書類又は当該行政機関の意見書
五　その他国土交通省令で定める図書
4　第十四条第二項の規定は、第二項第一号及び前項第一号の事業地の表示について準用する。
〔改正・平成一一法一六〇〕

参照【法六〇―七四までの適用除外―土地区画整理法三の四②、都市再開発法六②（第二種市街地再開発事業については法六〇～六四まで適用除外）大都市地域における住宅及び住宅地の供給の促進に関する特別措置法三二②【その他省令で定める事項―規則四四【申請書の様式―規則四五【その他省令で定める図書―規則四六【添附書類の様式―規則四七・附則②【準用―法六三

（認可又は承認の申請の義務等）
第六〇条の二　施行予定者は、当該都市施設又は市街地開発事業に関する都市計画についての第二十条第一項の規定による告示（施行予定者が定められていない都市計画がその変更により施行予定者が定められているものとなつた場合にあつては、当該都市計画についての第二十一条第二項において準用する第二十条第一項の規定による告示）の日から起算して二年以内に、当該都市計画施設の整備に関する事業又は市街地開発事業について第五十九条の認可又は承認の申請をしなければならない。
2　前項の期間内に同項の認可又は承認の申請がされなかつた場合においては、国土交通大臣又は都道府県知事は、遅滞なく、国土交通省令で定めるところにより、その旨を公告しなければならない。
〔追加・昭和四九法六七、改正・平成一一法一六〇〕

参照【施行予定者―法一一⑤・一二⑤【公告の方法等―令四二、規則四三の六

（損失の補償）
第六〇条の三　前条第二項の規定による公告があつた場合において、当該都市計画施設の区域又は市街地開発事業の施行区域内の土地の所有者又は関係人のうちに当該都市計画が定められたことにより損失を受けた者があるときは、当該施行予定者は、その損失を補償しなければならない。
2　第五十二条の五第二項及び第三項の規定は、前項の場合について準用する。
〔追加・昭和四九法六七〕

（認可等の基準）
第六一条　国土交通大臣又は都道府県知事は、申請手続が法令に違反せず、かつ、申請に係る事業が次の各号に該当するときは、第五十九条の認可又は承認をすることができる。
一　事業の内容が都市計画に適合し、かつ、事業施行期間が適切であること。
二　事業の施行に関して行政機関の免許、許可、認可等の処分を必要とする場合においては、これらの処分があつたこと又はこれらの処分がされることが確実であること。
〔改正・平成一一法一六〇〕

参照【準用―法六三

（都市計画事業の認可等の告示）
第六二条　国土交通大臣又は都道府県知事は、第五十九条の認可又は承認をしたときは、遅滞なく、国土交通省令で定めるところにより、施行者の名称、都市計画事業の種類、事業施行期間及び事業地を告示し、かつ、国土交通大臣にあつては関係都道府県知事及び関係市町村長に、都道府県知事にあつては国土交通大臣及び関係市町村長に、第六十条第三項第一号及び第二号に掲げる図書の写しを送付しなければならない。
2　市町村長は、前項の告示に係る事業施行期間の終了の日又は第六十九条の規定により適用される土地収用法第三十条の二の規定により準用される同法第三十条第二項の通知を受ける日まで、国土交通省令で定めるところにより、前項の図書の写しを当該市町村の事務所において公衆の縦覧に供しなければならない。
〔改正・平成元法五六・平成一一法八七・法一六〇〕

参照【認可の告示の方法―規則四八【都市計画事業の図書の縦覧方法―規則四九【準用―法六三

（事業計画の変更）
第六三条　第六十条第一項第三号の事業計画を変更しようとする者は、国の機関にあつては国土交通大臣の承認を、都道府県及び第一号法定受託事務として施行する市町村にあつては国土交通大臣の認可を、その他の者にあつては都道府県知事の認可を受けなければならない。ただし、設計の概要について国土交通省令で定める軽易な変更をしようとするときは、この限りでない。
2　第五十九条第六項、第六十条及び前二条の規定は、前項の認可又は承認について準用する。
〔改正・昭和四九法六七・平成元法五六・平成一一法一六〇〕

参照【国の機関等とみなされるもの―法五九【設計の概要の軽易な変更―規則五〇

（認可に基づく地位の承継）
第六四条　第五十九条第四項の認可に基づく地位は、相続その他の一般承継による場合のほか、国土交通省令で定めるところにより、都道府県知事の承認を受けて承継することができる。
2　第五十九条第四項の認可に基づく地位が承継された場合においては、この法律又はこの法律に基づく命令の規定により被承継人がした処分、手続その他の行為は、承継人がしたものとみなし、被承継人に対してした処分、手続その他の行為は、承継人に対してしたものとみなす。
〔改正・昭和四九法六七・平成一一法一六〇〕

参照【相続その他の一般承継―民法八八二、会社法七四八【承認申請書の様式―規則五一

第二節　都市計画事業の施行

（建築等の制限）
第六五条　第六十二条第一項の規定による告示又は新たな事業地の編入に係る第六十三条第二項において準用する第六十二条第一項の規定による告示があつた後においては、当該事業地内において、都市計画事業の施行の障害となるおそれがある土地の形質の変更若しくは建築物の建築その他工作物の建設を行い、又は政令で定める移動の容易でない物件の設置若しくは堆積を

行おうとする者は、都道府県知事等の許可を受けなければならない。

2　都道府県知事等は、前項の許可の申請があつた場合において、その許可を与えようとするときは、あらかじめ、施行者の意見を聴かなければならない。

3　第五十二条の二第二項の規定は、第一項の規定による許可について準用する。

〔改正・平成二三法一〇五〕

参照【移動の容易でない物件―令四〇】【監督処分―法八一】【条件―法七九】

参考規定―【同趣旨の規定―土地区画整理法七六、都市再開発法六六】

（事業の施行について周知させるための措置）

第六六条　前条第一項に規定する告示があつたときは、施行者は、すみやかに、国土交通省令で定める事項を公告するとともに、国土交通省令で定めるところにより、事業地内の土地建物等の有償譲渡について、次条の規定による制限があることを関係権利者に周知させるため必要な措置を講じ、かつ、自己が施行する都市計画事業の概要について、事業地及びその附近地の住民に説明し、これらの者から意見を聴取する等の措置を講ずることにより、事業の施行についてこれらの者の協力が得られるように努めなければならない。

〔改正・昭和四九法六七・平成一一法一六〇〕

参照【公告の方法等―令四二】【施行者の公告事項―規則五二】【土地建物等の先買いに関する周知措置―規則五三】【事業の説明等―規則五四】【補償等の周知措置―土地収用法二八の二】【公告の内容等の掲示―規則五八】

（土地建物等の先買い）

第六七条　前条の公告の日の翌日から起算して十日を経過した後に事業地内の土地建物等を有償で譲り渡そうとする者は、当該土地建物等、その予定対価の額（予定対価が金銭以外のものであるときは、これを時価を基準として金銭に見積もつた額。以下この条において同じ。）及び当該土地建物等を譲り渡そうとする相手方その他国土交通省令で定める事項を書面で施行者に届け出なければならない。ただし、当該土地建物等の全部又は一部が文化財保護法第四十六条（同法第八十三条において準用する場合を含む。）の規定の適用を受けるものであるときは、この限りでない。

2　前項の規定による届出があつた後三十日以内に施行者が届出をした者に対し届出に係る土地建物等を買い取るべき旨の通知をしたときは、当該土地建物等について、施行者と届出をした者との間に届出書に記載された予定対価の額に相当する代金で、売買が成立したものとみなす。

3　第一項の届出をした者は、前項の期間（その期間内に施行者が届出に係る土地建物等を買い取らない旨の通知をしたときは、その時までの期間）内は、当該土地建物等を譲り渡してはならない。

〔改正・平成一一法一六〇・平成一六法六一〕

参照【有償譲渡に関する届出事項―規則五五】【罰則―法九五】

（土地の買取請求）

第六八条　事業地内の土地で、次条の規定により適用される土地収用法第三十一条の規定により収用の手続が保留されているものの所有者は、施行者に対し、国土交通省令で定めるところにより、当該土地を時価で買い取るべきことを請求することができる。ただし、当該土地が他人の権利の目的となつているとき、及び当該土地に建築物その他の工作物又は立木に関する法律第一条第一項に規定する立木があるときは、この限りでない。

2　前項の規定により買い取るべき土地の価額は、施行者と土地の所有者とが協議して定める。

3　第二十八条第三項の規定は、前項の場合について準用する。

〔改正・昭和四九法六七・平成一一法一六〇〕

参照【買取請求書の様式―規則五六】

（都市計画事業のための土地等の収用又は使用）

第六九条　都市計画事業については、これを土地収用法第三条各号の一に規定する事業に該当するものとみなし、同法の規定を適用する。

第七〇条　都市計画事業については、土地収用法第二十条（同法第百三十八条第一項において準用する場合を含む。）の規定による事業の認定は行なわず、第五十九条の規定による認可又は承認をもつてこれに代えるものとし、第六十二条第一項の規定による告示をもつて同法第二十六条第一項（同法第百三十八条第一項において準用する場合を含む。）の規定による事業の認定の告示とみなす。

2　事業計画を変更して新たに事業地に編入した土地については、前項中「第五十九条」とあるのは「第六十三条第一項」と、「第六十二条第一項」とあるのは「第六十三条第二項において準用する第六十二条第一項」とする。

第七一条　都市計画事業については、土地収用法第二十九条及び第三十四条の六（同法第百三十八条第一項においてこれらの規定を準用する場合を含む。）の規定は適用せず、同法第二十九条第一項（同法第百三十八条第一項において準用する場合を含む。）の規定により事業の認定が効力を失うべき理由に該当する理由があるときは、前条第一項の規定にかかわらず、その理由の生じた時に同法第二十六条第一項（同法第百三十八条第一項において準用する場合を含む。）の規定による事業の認定の告示があつたものとみなして、同法第八条第三項、第三十五条第一項、第三十六条第一項、第三十九条第一項、第四十六条の二第一項、第七十一条（これを準用し、又はその例による場合を含む。）及び第八十九条第一項（同法第百三十八条第一項において準用する場合を含む。）の規定を適用する。

2　権利取得裁決があつた後、第六十二条第一項（第六十三条第二項において準用する場合を含む。）の規定による告示に係る事業施行期間を経過するまでに明渡裁決の申立てがないときは、その期間を経過した時に、すでにされた裁決手続開始の決定及び権利取得裁決は、取り消されたものとみなす。

〔改正・平成元法五六〕

第七二条　施行者は、第六十九条の規定により適用される土地収用法第三十一条の規定によつて収用又は使用の手続を保留しようとするときは、国土交通省令で定めるところにより、第五十九条又は第六十三条第一項の規定による認可又は承認を受けようとする際、その旨及び手続を保留する事業地の範囲を記載した申立書を提出しなければならない。この場合においては、第六十条第三項第一号（第六十三条第二項において準用する場合を含む。）に掲げる図面に手続を保留する事業地の範囲を表示しなければならない。

2　第十四条第二項の規定は、前項の規定による事業地の範囲の表示について準用する。

3　国土交通大臣又は都道府県知事は、第一項の申立てがあつたときは、第六十二条第一項（第六十三条第二項において準用する場合を含む。）の規定による告示の際、あわせて、事業の認可又は承認後の収用又は使用の手続が保留される旨及び手続が保留される事業地の範囲を告示しなければならない。

〔改正・平成一一法一六〇〕

参照【手続の保留の申立書の様式―規則五七

第七三条　前四条に定めるもののほか、都市計画事業に対する土地収用法の適用に関しては、次の各号に定めるところによる。

一　土地収用法第二十八条の三（同法第百三十八条第一項において準用する場合を含む。）及び第百四十二条の規定は適用せず、同法第八十九条第三項中「第二十八条の三第一項」とあるのは、「都市計画法第六十五条第一項」とする。

二　土地収用法第三十四条及び第百条第二項後段に定める期間の終期は、第六十二条第一項（第六十三条第二項において準用する場合を含む。）の規定による告示に係る事業施行期間の経過の時とする。

三　土地収用法第三十四条の四第二項中「第二十六条の二第二項の図面」とあるのは、「都市計画法第六十二条第二項（第六十三条第二項において準用する場合を含む。）の図書」とする。

四　土地収用法第九十二条第一項中「第二十九条若しくは第三十四条の六の規定によつて事業の認定が失効し」とあるのは、「第三十九条第一項の規定による収用又は使用の裁決の申請の期限を徒過し」とする。

五　土地収用法第百三十九条の四中「この法律」とあるのは「都市計画法第六十九条の規定により適用されるこの法律」と、「第十七条第一項各号に掲げる事業又は第二十七条第二項若しくは第四項の規定により国土交通大臣の事業の認定を受けた事業」とあるのは「都市計画法第五十九条第一項若しくは第二項の規定による国土交通大臣の認可又は同条第三項の規定による国土交通大臣の承認を受けた都市計画事業」と、「第十七条第二項に規定する事業（第二十七条第二項又は第四項の規定により国土交通大臣の事業の認定を受けた事業を除く。）」とあるのは「都市計画法第五十九条第一項又は第四項の規定による都道府県知事の認可を受けた都市計画事業」と、同条第一号中「第二十五条第二項、第二十八条の三第一項」とあるのは「第二十五条第二項」とする。

〔改正・平成一一法八七・法一六〇・平成二六法三九〕

（生活再建のための措置）

第七四条　都市計画事業の施行に必要な土地等を提供したため生活の基礎を失うこととなる者は、その受ける補償と相まつて実施されることを必要とする場合においては、生活再建のための措置で次の各号に掲げるものの実施のあつせんを施行者に申し出ることができる。

一　宅地、開発して農地とすることが適当な土地その他の土地の取得に関すること。

二　住宅、店舗その他の建物の取得に関すること。

三　職業の紹介、指導又は訓練に関すること。

2　施行者は、前項の規定による申出があつた場合においては、事情の許す限り、当該申出に係る措置を講ずるように努めるものとする。

（受益者負担金）

第七五条　国、都道府県又は市町村は、都市計画事業によつて著しく利益を受ける者があるときは、その利益を受ける限度において、当該事業に要する費用の一部を当該利益を受ける者に負担させることができる。

2　前項の場合において、その負担金の徴収を受ける者の範囲及び徴収方法については、国が負担させるものにあつては政令で、都道府県又は市町村が負担させるものにあつては当該都道府県又は市町村の条例で定める。

3　前二項の規定による受益者負担金（以下この条において「負担金」という。）を納付しない者があるときは、国、都道府県又は市町村（以下この条において「国等」という。）は、督促状によつて納付すべき期限を指定して督促しなければならない。

4　前項の場合においては、国等は、政令（都道府県又は市町村にあつては、条例）で定めるところにより、年十四・五パーセントの割合を乗じて計算した額をこえない範囲内の延滞金を徴収することができる。

5　第三項の規定による督促を受けた者がその指定する期限までにその納付すべき金額を納付しない場合においては、国等は、国税滞納処分の例により、前二項に規定する負担金及び延滞金を徴収することができる。この場合における負担金及び延滞金の先取特権の順位は、国税及び地方税に次ぐものとする。

6　延滞金は、負担金に先だつものとする。

7　負担金及び延滞金を徴収する権利は、これらを行使することができる時から五年間行使しないときは、時効により消滅する。

〔改正・昭和四五法一三・平成二九法四五〕

参照【受益者の範囲及び徴収方法の経過措置―施行法三③【国税滞納処分の例―国税徴収法四七～一四七【負担金及び延滞金の先取特権の順位―国税徴収法八～二六【消滅時効―会計法三〇、地方自治法二三六【分担金―地方自治法二二四【政令―未制定

類似規定―【受益者負担金の例―道路法六一、高速自動車国道法二五、道路整備特別措置法四〇、河川法七〇、特定多目的ダム法九、急傾斜地の崩壊による災害の防止に関する法律二三、地すべり等防止法三六、独立行政法人水資源機構法二七、住宅地区改良法二六、港湾法四三の四、海岸法三三、土地改良法九〇、自然公園法五八、津波防災地域づくりに関する法律四五

第五章　都市施設等整備協定

〔追加・平成三〇法二二〕

（都市施設等整備協定の締結等）

第七五条の二　都道府県又は市町村は、都市計画（都市施設、地区施設その他の国土交通省令で定める施設（以下この項において「都市施設等」という。）の整備に係るものに限る。）の案を作成しようとする場合において、当該都市計画に係る都市施設等の円滑かつ確実な整備を図るため特に必要があると認めるときは、当該都市施設等の整備を行うと見込まれる者（第七十五条の四において「施設整備予定者」という。）との間において、次に掲げる事項を定めた協定（以下「都市施設等整備協定」という。）を締結することができる。

一　都市施設等整備協定の目的となる都市施設等（以下この項において「協定都市施設等」という。）

二　協定都市施設等の位置、規模又は構造
三　協定都市施設等の整備の実施時期
四　次に掲げる事項のうち必要なもの
イ　協定都市施設等の整備の方法
ロ　協定都市施設等の用途の変更の制限その他の協定都市施設等の存置のための行為の制限に関する事項
ハ　その他協定都市施設等の整備に関する事項
五　都市施設等整備協定に違反した場合の措置

2　都道府県又は市町村は、都市施設等整備協定を締結したときは、国土交通省令で定めるところにより、その旨を公告し、かつ、当該都市施設等整備協定の写しを当該都道府県又は市町村の事務所に備えて公衆の縦覧に供しなければならない。

〔追加・平成三〇法二二〕

参照　【都市施設―法一一①】【地区施設―法一二の五②1】【国土交通省令で定める施設―規則五七の二】【国土交通省令で定める公告―規則五七の三】

（都市施設等整備協定に従つた都市計画の案の作成等）

第七五条の三　都道府県又は市町村は、都市施設等整備協定を締結したときは、当該都市施設等整備協定において定められた前条第一項第二号に掲げる事項に従つて都市計画の案を作成して、当該都市施設等整備協定において定められた同項第三号に掲げる事項を勘案して適当な時期までに、都道府県都市計画審議会（市町村都市計画審議会が置かれている市町村にあつては、当該市町村都市計画審議会。次項において同じ。）に付議しなければならない。

2　都道府県又は市町村は、前項の規定により都市計画の案を都道府県都市計画審議会に付議しようとするときは、当該都市計画の案に併せて、当該都市施設等整備協定の写しを提出しなければならない。

〔追加・平成三〇法二二〕

参照　【都道府県都市計画審議会―法七七】【市町村都市計画審議会―法七七の二】

（開発許可の特例）

第七五条の四　都道府県又は市町村は、都市施設等整備協定に第七十五条の二第一項第四号イに掲げる事項として施設整備予定者が行う開発行為（第二十九条第一項各号に掲げるものを除き、第三十二条第一項の同意又は同条第二項の規定による協議を要する場合にあつては、当該同意が得られ、又は当該協議が行われているものに限る。）に関する事項を定めようとするときは、国土交通省令で定めるところにより、あらかじめ、第二十九条第一項の許可の権限を有する者に協議し、その同意を得ることができる。

2　前項の規定による同意を得た事項が定められた都市施設等整備協定が第七十五条の二第二項の規定により公告されたときは、当該公告の日に当該事項に係る施設整備予定者に対する第二十九条第一項の許可があつたものとみなす。

〔追加・平成三〇法二二〕

参照　【協議―規則五七の四】【同意―規則五七の五】

第六章　都市計画協力団体

〔追加・平成三〇法二二〕

（都市計画協力団体の指定）

第七五条の五　市町村長は、次条に規定する業務を適正かつ確実に行うことができると認められる法人その他これに準ずるものとして国土交通省令で定める団体を、その申請により、都市計画協力団体として指定することができる。

2　市町村長は、前項の規定による指定をしたときは、当該都市計画協力団体の名称、住所及び事務所の所在地を公示しなければならない。

3　都市計画協力団体は、その名称、住所又は事務所の所在地を変更しようとするときは、あらかじめ、その旨を市町村長に届け出なければならない。

4　市町村長は、前項の規定による届出があつたときは、当該届出に係る事項を公示しなければならない。

〔追加・平成三〇法二二〕

参照　【国土交通省令で定める団体―規則五七の六】【都市計画協力団体―都市再生特別措置法一〇九の一四②】

（都市計画協力団体の業務）

第七五条の六　都市計画協力団体は、当該市町村の区域内において、次に掲げる業務を行うものとする。

一　当該市町村がする都市計画の決定又は変更に関し、住民の土地利用に関する意向その他の事情の把握、都市計画の案の内容となるべき事項の周知その他の協力を行うこと。
二　土地所有者等に対し、土地利用の方法に関する提案、土地利用の方法に関する知識を有する者の派遣その他の土地の有効かつ適切な利用を図るために必要な援助を行うこと。
三　都市計画に関する情報又は資料を収集し、及び提供すること。
四　都市計画に関する調査研究を行うこと。
五　都市計画に関する知識の普及及び啓発を行うこと。
六　前各号に掲げる業務に附帯する業務を行うこと。

〔追加・平成三〇法二二〕

（監督等）

第七五条の七　市町村長は、前条各号に掲げる業務の適正かつ確実な実施を確保するため必要があると認めるときは、都市計画協力団体に対し、その業務に関し報告をさせることができる。

2　市町村長は、都市計画協力団体が前条各号に掲げる業務を適正かつ確実に実施していないと認めるときは、当該都市計画協力団体に対し、その業務の運営の改善に関し必要な措置を講ずべきことを命ずることができる。

3　市町村長は、都市計画協力団体が前項の規定による命令に違反したときは、その指定を取り消すことができる。

4　市町村長は、前項の規定により指定を取り消したときは、その旨を公示しなければならない。

〔追加・平成三〇法二二〕

（情報の提供等）

第七五条の八　国土交通大臣又は市町村長は、都市計画協力団体に対し、その業務の実施に関し必要な情報の提供又は指導若しくは助言をするものとする。

〔追加・平成三〇法二二〕

（都市計画協力団体による都市計画の決定等の提案）

第七五条の九　都市計画協力団体は、市町村に対し、第七十五条の六各号に掲げる業務の実施を通じて得られた知見に基づき、当該市町村の区域内の一定の地区における当該地区の特性に応じたまちづくりの推進を図るために必要な都市計画の決定又は変更をすることを提案することができる。この場合においては、当該提案に係る都市計画の素案を添えなければならない。

2　第二十一条の二第四項及び第二十一条の三から第二十一条の五までの規定は、前項の規定による提案について準用する。

〔追加・平成三〇法二二、改正・令和六法四〇〕

参照 【準用―規則五七の七①】

（都市計画協力団体の市町村による援助への協力）

第七五条の一〇　都市計画協力団体は、市町村から都市再生特別措置法第百九条の十四第二項の規定による協力の要請を受けたときは、当該要請に応じ、低未利用土地（同法第四十六条第二十六項に規定する低未利用土地をいう。）の利用の方法に関する提案又はその方法に関する知識を有する者の派遣に関し協力するものとする。

〔追加・平成三〇法二二、改正・令和二法四三〕

第七章　社会資本整備審議会の調査審議等及び都道府県都市計画審議会等

〔改正・平成一一法一〇二、旧五章を繰下・平成三〇法二二〕

（社会資本整備審議会の調査審議等）

第七六条　社会資本整備審議会は、国土交通大臣の諮問に応じ、都市計画に関する重要事項を調査審議する。

2　社会資本整備審議会は、都市計画に関する重要事項について、関係行政機関に建議することができる。

〔改正・昭和五八法七八・平成一一法一〇二〕

参照 【政令―社会資本整備審議会令】

（都道府県都市計画審議会）

第七七条　この法律によりその権限に属させられた事項を調査審議させ、及び都道府県知事の諮問に応じ都市計画に関する事項を調査審議させるため、都道府県に、都道府県都市計画審議会を置く。

2　都道府県都市計画審議会は、都市計画に関する事項について、関係行政機関に建議することができる。

3　都道府県都市計画審議会の組織及び運営に関し必要な事項は、政令で定める基準に従い、都道府県の条例で定める。

〔改正・平成一一法八七〕

参照 【この法律による権限―法五③・④・五の二②・一八①・一九①】【組織及び運営に関する基準―都道府県都市計画審議会及び市町村都市計画審議会の組織及び運営の基準を定める政令】

参考規定―【他の法律の規定―建築基準法六①4・二二②・五一、土地区画整理法五五・六九、土地改良法一二五の二、住宅地区改良法四③、大都市地域における住宅及び住宅地の供給の促進に関する特別措置法五七・五九】

（市町村都市計画審議会）

第七七条の二　この法律によりその権限に属させられた事項を調査審議させ、及び市町村長の諮問に応じ都市計画に関する事項を調査審議させるため、市町村に、市町村都市計画審議会を置くことができる。

2　市町村都市計画審議会は、都市計画に関する事項について、関係行政機関に建議することができる。

3　市町村都市計画審議会の組織及び運営に関し必要な事項は、政令で定める基準に従い、市町村の条例で定める。

〔追加・平成一一法八七〕

参照 【この法律による権限―法五の二②・一九①】【組織及び運営に関する基準―都道府県都市計画審議会及び市町村都市計画審議会の組織及び運営の基準を定める政令】

参考規定―【他の法律の規定―建築基準法六①4・二二②・五一、住宅地区改良法四③】

（開発審査会）

第七八条　第五十条第一項前段に規定する審査請求に対する裁決その他この法律によりその権限に属させられた事項を行わせるため、都道府県及び指定都市等に、開発審査会を置く。

2　開発審査会は、委員五人以上をもつて組織する。

3　委員は、法律、経済、都市計画、建築、公衆衛生又は行政に関しすぐれた経験と知識を有し、公共の福祉に関し公正な判断をすることができる者のうちから、都道府県知事又は指定都市等の長が任命する。

> 3　委員は、法律、経済、都市計画、建築、公衆衛生又は行政に関し優れた経験と知識を有し、公共の福祉に関し公正な判断をすることができる者のうちから、都道府県知事又は指定都市等の長が任命する。

4　次の各号のいずれかに該当する者は、委員となることができない。

一　破産者で復権を得ない者

二　禁錮以上の刑に処せられ、その執行を終わるまで又はその執行を受けることがなくなるまでの者

> 二　拘禁刑以上の刑に処せられ、その執行を終わるまで又はその執行を受けることがなくなるまでの者

5　都道府県知事又は指定都市等の長は、委員が前項各号のいずれかに該当するに至つたときは、その委員を解任しなければならない。

6　都道府県知事又は指定都市等の長は、その任命に係る委員が次の各号のいずれかに該当するときは、その委員を解任することができる。

一　心身の故障のため職務の執行に堪えないと認められるとき。

二　職務上の義務違反その他委員たるに適しない非行があると認められるとき。

7　委員は、自己又は三親等以内の親族の利害に関係のある事件については、第五十条第一項前段に規定する審査請求に対する裁決に関する議事に加わることができない。

8　第二項から前項までに定めるもののほか、開発審査会の組織及び運営に関し必要な事項は、政令で定める基準に従い、都道府県又は指定都市等の条例で定める。

〔改正・平成一一法八七・法一五一・平成一二法七三・平成二五法四四・平成二六法六九〕

参照【その他この法律による権限―法三四14【政令―令四三

第八章　雑則

〔旧六章を繰下・平成三〇法二二〕

（許可等の条件）

第七九条　この法律の規定による許可、認可又は承認には、都市計画上必要な条件を附することができる。この場合において、その条件は、当該許可、認可又は承認を受けた者に不当な義務を課するものであつてはならない。

（報告、勧告、援助等）

第八〇条　国土交通大臣は国の機関以外の施行者に対し、都道府県知事は施行者である市町村又はこの法律の規定による許可、認可若しくは承認を受けた者に対し、市町村長はこの法律の規定による許可又は承認を受けた者に対し、この法律の施行のため必要な限度において、報告若しくは資料の提出を求め、又は必要な勧告若しくは助言をすることができる。

2　市町村又は施行者は、国土交通大臣又は都道府県知事に対し、都市計画の決定若しくは変更又は都市計画事業の施行の準備若しくは施行のため、それぞれ都市計画又は都市計画事業に関し専門的知識を有する職員の技術的援助を求めることができる。

〔改正・平成一一法一六〇・平成一二法七三・平成二三法一〇五・平成二九法二六〕

参照【国の機関等とみなされるもの―法五九【罰則―法九三2

（監督処分等）

第八一条　国土交通大臣、都道府県知事又は市町村長は、次の各号のいずれかに該当する者に対して、都市計画上必要な限度において、この法律の規定によつてした許可、認可若しくは承認を取り消し、変更し、その効力を停止し、その条件を変更し、若しくは新たに条件を付し、又は工事その他の行為の停止を命じ、若しくは相当の期限を定めて、建築物その他の工作物若しくは物件（以下この条において「工作物等」という。）の改築、移転若しくは除却その他違反を是正するため必要な措置をとることを命ずることができる。

一　この法律若しくはこの法律に基づく命令の規定若しくはこれらの規定に基づく処分に違反した者又は当該違反の事実を知つて、当該違反に係る土地若しくは工作物等を譲り受け、若しくは賃貸借その他により当該違反に係る土地若しくは工作物等を使用する権利を取得した者

二　この法律若しくはこの法律に基づく命令の規定若しくはこれらの規定に基づく処分に違反した工事の注文主若しくは請負人（請負工事の下請人を含む。）又は請負契約によらないで自らその工事をしている者若しくはした者

三　この法律の規定による許可、認可又は承認に付した条件に違反している者

四　詐欺その他不正な手段により、この法律の規定による許可、認可又は承認を受けた者

2　前項の規定により必要な措置をとることを命じようとする場合において、過失がなくて当該措置を命ずべき者を確知することができないときは、国土交通大臣、都道府県知事又は市町村長は、その者の負担において、当該措置を自ら行い、又はその命じた者若しくは委任した者にこれを行わせることができる。この場合においては、相当の期限を定めて、当該措置を行うべき旨及びその期限までに当該措置を行わないときは、国土交通大臣、都道府県知事若しくは市町村長又はその命じた者若しくは委任した者が当該措置を行う旨を、あらかじめ、公告しなければならない。

3　国土交通大臣、都道府県知事又は市町村長は、第一項の規定による命令をした場合においては、標識の設置その他国土交通省令で定める方法により、その旨を公示しなければならない。

4　前項の標識は、第一項の規定による命令に係る土地又は工作物等の敷地内に設置することができる。この場合においては、同項の規定による命令に係る土地又は工作物等若しくは工作物等の敷地の所有者、管理者又は占有者は、当該標識の設置を拒み、又は妨げてはならない。

〔改正・昭和四九法六七・昭和五〇法九〇・平成四法八二・平成五法八九・平成一一法一六〇・平成一二法七三・平成二三法一〇五・平成二九法二六〕

参照【公告の方法等―令四二、規則五九【代執行―行政代執行法【省令で定める方法―規則五九の二【罰則―法九一

（立入検査）

第八二条　国土交通大臣、都道府県知事若しくは市町村長又はその命じた者若しくは委任した者は、前条の規定による権限を行うため必要がある場合においては、当該土地に立ち入り、当該土地若しくは当該土地にある物件又は当該土地において行われている工事の状況を検査することができる。

2　前項の規定により他人の土地に立ち入ろうとする者は、その身分を示す証明書を携帯しなければならない。

3　前項に規定する証明書は、関係人の請求があつたときは、これを提示しなければならない。

4　第一項の規定による立入検査の権限は、犯罪捜査のために認められたものと解してはならない。

〔改正・平成一一法一六〇・平成一二法七三・平成二三法一〇五・平成二九法二六〕

参照【罰則―法九三3

（国の補助）

第八三条　国は、地方公共団体に対し、予算の範囲内において、政令で定めるところにより、重要な都市計画又は都市計画事業に要する費用の一部を補助することができる。

参照【政令―未制定

（土地基金）

第八四条　都道府県又は市は、第五十六条及び第五十七条の規定による土地の買取りを行うほか、都市計画施設の区域又は市街地開発事業の施行区域内の土地、都市開発資金の貸付けに関する法律（昭和四十一年法律第二十号）第一条第一項各号に掲げる土地その他政令で定める土地の買取りを行うため、地方自治法第二百四十一条の基金として、土地基金を設けることができる。

2　国は、前項の規定による土地基金の財源を確保するため、都道府県又は市に対し、必要な資金の融通又はあつせんその他の援助に努めるものとする。

〔改正・昭和六二法六二・平成六法四九・平成一一法八七・平成一二法七三・平成二三法一〇五〕

参照 【政令―未制定

（税制上の措置等）

第八五条　国又は地方公共団体は、都市計画の適切な遂行を図るため、市街化区域内の土地について、その有効な利用の促進及びその投機的取引の抑制に関し、税制上の措置その他の適切な措置を講ずるものとする。

（国土交通大臣の権限の委任）

第八五条の二　この法律に規定する国土交通大臣の権限は、国土交通省令で定めるところにより、その一部を地方整備局長又は北海道開発局長に委任することができる。

〔追加・平成一一法一六〇〕

参照 【国土交通大臣の権限の委任―令四三の二、規則五九の三

（都道府県知事の権限の委任）

第八六条　都道府県知事は、第三章第一節の規定によりその権限に属する事務で臨港地区に係るものを、政令で定めるところにより、港務局の長に委任することができる。

〔改正・平成一一法八七〕

参照 【臨港地区―法八、法九㉓ 【港務局―港湾法四 【港湾管理者である地方公共団体―港湾法三三 【政令―令四四

（指定都市の特例）

第八七条　国土交通大臣又は都道府県は、地方自治法第二百五十二条の十九第一項の指定都市（以下この条及び次条において単に「指定都市」という。）の区域を含む都市計画区域に係る都市計画を決定し、又は変更しようとするときは、当該指定都市の長と協議するものとする。

〔改正・平成六法四九・平成一一法八七・法一六〇・平成一二法七三〕

第八七条の二　指定都市の区域においては、第十五条第一項の規定にかかわらず、同項各号に掲げる都市計画（同項第一号に掲げる都市計画にあつては一の指定都市の区域の内外にわたり指定されている都市計画区域に係るものを除き、同項第五号に掲げる都市計画にあつては一の指定都市の区域を超えて特に広域の見地から決定すべき都市施設として政令で定めるものに関するものを除く。）は、指定都市が定める。

2　指定都市の区域における第六条の二第三項及び第七条の二第二項の規定の適用については、これらの規定中「定められる」とあるのは、「指定都市が定める」とする。

3　指定都市（その区域の内外にわたり都市計画区域が指定されているものを除く。）に対する第十八条の二第一項の規定の適用については、同項中「ものとする」とあるのは、「ことができる」とする。

4　指定都市が第一項の規定により第十八条第三項に規定する都市計画を定めようとする場合における第十九条第三項（第二十一条第二項において準用する場合を含む。以下この条において同じ。）の規定の適用については、第十九条第三項中「都道府県知事に協議しなければ」とあるのは「国土交通省令で定めるところにより、国土交通大臣に協議し、その同意を得なければ」とし、同条第四項及び第五項の規定は、適用しない。

5　国土交通大臣は、国の利害との調整を図る観点から、前項の規定により読み替えて適用される第十九条第三項の協議を行うものとする。

6　第四項の規定により読み替えて適用される第十九条第三項の規定により指定都市が国土交通大臣に協議しようとするときは、あらかじめ、都道府県知事の意見を聴き、協議書にその意見を添えて行わなければならない。

7　都道府県知事は、一の市町村の区域を超える広域の見地からの調整を図る観点又は都道府県が定め、若しくは定めようとする都市計画との適合を図る観点から、前項の意見の申出を行うものとする。

8　都道府県知事は、第六項の意見の申出を行うに当たり必要があると認めるときは、関係市町村に対し、資料の提出、意見の開陳、説明その他必要な協力を求めることができる。

9　指定都市が、二以上の都府県の区域にわたる都市計画区域に係る第一項の都市計画を定める場合においては、前三項の規定は、適用しない。

10　指定都市の区域における第二十三条第一項の規定の適用については、同項中「都道府県」とあるのは、「都道府県若しくは指定都市」とする。

11　指定都市に対する第七十七条の二第一項の規定の適用については、同項中「置くことができる」とあるのは、「置く」とする。

〔追加・平成一一法八七、改正・平成一一法一六〇・平成一二法七三・平成一八法四六・平成二三法三七・法一〇五・平成二六法五一〕

参照 【政令で定めるもの―令四五 【指定都市の定める都市計画の協議の申出―規則五九の四

（都の特例）

第八七条の三　特別区の存する区域においては、第十五条の規定により市町村が定めるべき都市計画のうち政令で定めるものは、都が定める。

2　前項の規定により都が定める都市計画に係る第二章第二節（第二十六条第一項及び第三項並びに第二十七条第二項を除く。）の規定による市町村の事務は、都が処理する。この場合においては、これらの規定中市町村に関する規定は、都に関する規定として都に適用があるものとする。

〔追加・昭和四九法六七、改正・平成一〇法五四、旧八七条の二を改正し繰下・平成一一法八七、旧八七条の四を繰上・平成二三法一〇五〕

参照 【政令―令四六

（事務の区分）

第八七条の四　この法律の規定により地方公共団体が処理することとされている事務のうち次に掲げるものは、第一号法定受託事務とする。

一　第二十条第二項（国土交通大臣から送付を受けた図書の写しを公衆の縦覧に供する事務に係る部分に限り、第二十一条第二項において準用する場合を含む。第三号において同じ。）、第二十二条第二項、第二十四条第一項前段及び第五項並びに第六十五条第一項（国土交通大臣が第五十九条第一項若しくは第二項の認可又は同条第三項の承認をした都市計画事業について許可をする事務に係る部分に限る。次号において同じ。）の規定により都道府県が処理することとされている事務

二　第六十五条第一項の規定により市が処理することとされている事務

三　第二十条第二項及び第六十二条第二項（国土交通大臣から

送付を受けた図書の写しを公衆の縦覧に供する事務に係る部分に限り、第六十三条第二項において準用する場合を含む。）の規定により市町村が処理することとされている事務

2　第二十条第二項（都道府県から送付を受けた図書の写しを公衆の縦覧に供する事務に係る部分に限り、第二十一条第二項において準用する場合を含む。）及び第六十二条第二項（都道府県知事から送付を受けた図書の写しを公衆の縦覧に供する事務に係る部分に限り、第六十三条第二項において準用する場合を含む。）の規定により市町村が処理することとされている事務は、地方自治法第二条第九項第二号に規定する第二号法定受託事務とする。

〔追加・平成一一法八七、改正・平成一一法一六〇・平成一二法七三、旧八七条の五を改正し繰上・平成二三法一〇五〕

参照【第一号法定受託事務―法四〇②】

（政令への委任）

第八八条　この法律に定めるもののほか、この法律の実施のため必要な事項は、政令で定める。

（経過措置）

第八八条の二　この法律の規定に基づき政令又は国土交通省令を制定し、又は改廃する場合においては、それぞれ、政令又は国土交通省令で、その制定又は改廃に伴い合理的に必要と判断される範囲内において、所要の経過措置（罰則に関する経過措置を含む。）を定めることができる。

〔追加・昭和五五法三五、改正・平成一一法一六〇〕

第九章　罰則

〔旧七章を繰下・平成三〇法一二〕

第八九条　第五十九条第四項の規定により認可を受けて都市計画事業を施行する者（以下「特別施行者」という。）又は特別施行者である法人の役員若しくは職員が、当該都市計画事業に係る職務に関し、賄賂を収受し、又は要求し、若しくは約束したときは、三年以下の懲役に処する。よつて不正の行為をし、又は相当の行為をしないときは、七年以下の懲役に処する。

2　特別施行者又は特別施行者である法人の役員若しくは職員であつた者が、その在職中に請託を受けて当該都市計画事業に係る職務上不正の行為をし、又は相当の行為をしなかつたことにつき賄賂を収受し、又は要求し、若しくは約束したときは、三年以下の懲役に処する。

3　特別施行者又は特別施行者である法人の役員若しくは職員が、当該都市計画事業に係る職務に関し、請託を受けて第三者に賄賂を供与させ、又はその供与を約束したときは、三年以下の懲役に処する。

4　犯人又は情を知つた第三者の収受した賄賂は、没収する。その全部又は一部を没収することができないときは、その価額を追徴する。

第八九条　第五十九条第四項の規定により認可を受けて都市計画事業を施行する者（以下「特別施行者」という。）又は特別施行者である法人の役員若しくは職員が、当該都市計画事業に係る職務に関し、賄賂を収受し、又は要求し、若しくは約束したときは、三年以下の拘禁刑に処する。よつて不正の行為をし、又は相当の行為をしないときは、七年以下の拘禁刑に処する。

2　特別施行者又は特別施行者である法人の役員若しくは職員であつた者が、その在職中に請託を受けて当該都市計画事業に係る職務上不正の行為をし、又は相当の行為をしなかつたことにつき賄賂を収受し、又は要求し、若しくは約束したときは、三年以下の拘禁刑に処する。

3　特別施行者又は特別施行者である法人の役員若しくは職員が、当該都市計画事業に係る職務に関し、請託を受けて第三者に賄賂を供与させ、又はその供与を約束したときは、三年以下の拘禁刑に処する。

4　犯人又は情を知つた第三者の収受した賄賂は、没収する。その全部又は一部を没収することができないときは、その価額を追徴する。

〔改正・昭和四九法七二〕

第九〇条　前条第一項から第三項までに規定するわいろを供与し、又はその申込み若しくは約束をした者は、三年以下の懲役又は二百万円以下の罰金に処する。

第九〇条　前条第一項から第三項までに規定する賄賂を供与し、又はその申込み若しくは約束をした者は、三年以下の拘禁刑又は二百万円以下の罰金に処する。

2　前項の罪を犯した者が自首したときは、その刑を減軽し、又は免除することができる。

〔改正・昭和四九法六七・昭和五五法三五・平成二法六一〕

第九一条　第八十一条第一項の規定による国土交通大臣、都道府県知事又は市長の命令に違反した者は、一年以下の懲役又は五十万円以下の罰金に処する。

第九一条　第八十一条第一項の規定による国土交通大臣、都道府県知事又は市長の命令に違反した者は、一年以下の拘禁刑又は五十万円以下の罰金に処する。

〔改正・昭和四九法六七・昭和五五法三五・平成二法六一・平成一一法一六〇・平成一二法七三・平成二三法一〇五〕

第九二条　次の各号のいずれかに該当する者は、五十万円以下の罰金に処する。

一　第二十五条第五項の規定に違反して、同条第一項の規定による土地の立入りを拒み、又は妨げた者

二　第二十六条第一項に規定する場合において、市町村長の許可を受けないで障害物を伐除した者又は都道府県知事等の許可を受けないで土地に試掘等を行つた者

三　第二十九条第一項若しくは第二項又は第三十五条の二第一項の規定に違反して、開発行為をした者

四　第三十七条又は第四十二条第一項の規定に違反して、建築物を建築し、又は特定工作物を建設した者

五　第四十一条第二項の規定に違反して、建築物を建築した者

六　第四十二条第一項又は第四十三条第一項の規定に違反して、建築物の用途を変更した者

七　第四十三条第一項の規定に違反して、建築物を建築し、又は第一種特定工作物を建設した者

八　第五十二条第一項の規定に違反して、土地の形質の変更、建築物の建築その他工作物の建設又は同項の政令で定める物件の堆積を行つた者

九　第五十八条の八の規定に違反して、届出をせず、又は虚偽の届出をした者

〔改正・昭和四九法六七・昭和五五法三五・平成二法六一・平成四法八二・平成一二法七三・平成二三法一〇五・平成二九法二六・令和二法四三〕

第九二条の二　第五十八条の九第二項の規定による報告を求められて、報告をせず、又は虚偽の報告をした者は、三十万円以下の罰金に処する。

〔追加・平成二法六一、改正・令和二法四三〕

第九三条　次の各号の一に該当する者は、二十万円以下の罰金に処する。

一　第五十八条の二第一項又は第二項の規定に違反して、届出をせず、又は虚偽の届出をした者

二　第八十条第一項の規定による報告又は資料の提出を求められて、報告若しくは資料の提出をせず、又は虚偽の報告若しくは資料の提出をした者

三　第八十二条第一項の規定による立入検査を拒み、妨げ、又は忌避した者

〔改正・昭和四九法六七・昭和五五法三五・平成二法六一〕

第九四条　法人の代表者又は法人若しくは人の代理人、使用人その他の従業者が、その法人又は人の業務又は財産に関して第九十一条から前条までの違反行為をしたときは、行為者を罰するほか、その法人又は人に対して各本条の罰金刑を科する。

〔改正・平成二法六一〕

第九五条　次の各号の一に該当する者は、五十万円以下の過料に処する。

一　第五十二条の三第二項（第五十七条の四において準用する場合を含む。）、第五十七条第二項又は第六十七条第一項の規定に違反して、届出をしないで土地又は土地建物等を有償で譲り渡した者

二　第五十二条の三第二項（第五十七条の四において準用する場合を含む。）、第五十七条第二項又は第六十七条第一項の届出について、虚偽の届出をした者

三　第五十二条の三第四項（第五十七条の四において準用する場合を含む。）、第五十七条第四項又は第六十七条第三項の規定に違反して、同項の期間内に土地建物等を譲り渡した者

〔改正・昭和四九法六七・昭和五五法三五・平成二法六一〕

第九六条　第三十五条の二第三項又は第三十八条の規定に違反して、届出をせず、又は虚偽の届出をした者は、二十万円以下の過料に処する。

〔改正・昭和四九法六七・昭和五五法三五・平成二法六一・平成四法八二〕

第九七条　第五十八条の三第一項の規定に基づく条例には、これに違反した者に対し、五十万円以下の罰金を科する規定を設けることができる。

〔追加・令和二法四三〕

第九八条　第五十八条第一項の規定に基づく条例には、罰金のみを科する規定を設けることができる。

〔旧九七条を繰下・令和二法四三〕

附　則　〔抄〕

（施行期日）

1　この法律は、別に法律で定める日から施行する。

〔昭和四三法一〇一第一条に基づき、第七六条の規定は公布の日、その他の規定は昭和四四政一五七により、昭和四四・六・一四からそれぞれ施行〕

（都市計画法等の廃止）

2　次に掲げる法律は、廃止する。

一　都市計画法（大正八年法律第三十六号）

二　住宅地造成事業に関する法律（昭和三十九年法律第百六十号）

〔改正・昭和四九法六七・昭和五五法三五・平成二法六一・平成四法八二・平成一一法八七・平成一二法七三〕

附　則　〔略〕〔昭和四四・六・三法律三八〕

附　則　〔略〕〔昭和四五・四・一法律一三〕

附　則　〔抄〕〔昭和四五・六・一法律一〇九〕

（施行期日）

1　この法律は、公布の日から起算して一年をこえない範囲内において政令で定める日から施行する。

〔昭和四五政二七〇により、昭和四六・一・一から施行〕

18　都市計画法施行法（昭和四十三年法律第百一号）第七条第一項の規定によりなお従前の例によるものとされる住宅地造成事業に関しては、旧住宅地造成事業に関する法律（昭和三十九年法律第百六十号）第八条第一項第二号中「工業地域」とあるのは、「工業地域又は工業専用地域」とする。ただし、この法律の施行の際現に改正前の都市計画法第二章の規定による都市計画において定められている工業地域に関しては、前項に規定する日までの間は、この限りでない。

附　則　〔略〕〔昭和四六・五・三一法律八八〕

附　則　〔略〕〔昭和四六・一二・三一法律一三〇〕

附　則　〔略〕〔昭和四七・六・三法律五二〕

附　則　〔略〕〔昭和四七・六・二二法律八六〕

附　則　〔略〕〔昭和四八・九・一法律七二〕

附　則　〔略〕〔昭和四八・九・二〇法律八四〕

附　則　〔抄〕〔昭和四九・六・一法律六七〕

（施行期日）

1　この法律は、公布の日から起算して一年をこえない範囲内において政令で定める日から施行する。

〔昭和五〇政一一により、昭和五〇・四・一から施行〕

（工業専用地域内の建築物の建築面積の敷地面積に対する割合に関する経過措置）

2　この法律の施行の際現に存する工業専用地域内の建築物の建築面積の敷地面積に対する割合は、十分の六と定められているものとみなす。

附　則　〔略〕〔昭和四九・六・一法律六八〕

附　則　〔略〕〔昭和四九・六・一法律七一〕

附　則　〔略〕〔昭和五〇・七・一法律四九〕

附　則　〔略〕〔昭和五〇・七・一法律五九〕

附　則　〔抄〕〔昭和五〇・七・一六法律六六〕

（施行期日）

1　この法律は、公布の日から起算して一年を超えない範囲内において政令で定める日から施行する。

〔昭和五〇政三〇三により、昭和五〇・一一・一から施行〕

7　改正前の都市計画法の規定により定められた市街地再開発事業に関する都市計画は、改正後の都市計画法の規定により定められた第一種市街地再開発事業に関する都市計画とみなす。

8　改正前の都市計画法の規定により市街地再開発事業に関する都市計画に関してした手続、処分その他の行為は、改正後の都市計画法の規定により第一種市街地再開発事業に関する都市計画に関してした手続、処分その他の行為とみなす。

附　則　〔略〕〔昭和五〇・七・一六法律六七〕

附　則　〔略〕〔昭和五〇・一二・二六法律九〇〕

附　則　〔抄〕〔昭和五一・一一・一五法律八三〕

（施行期日）

1　この法律は、公布の日から起算して一年を超えない範囲内において政令で定める日から施行する。

〔昭和五二政二六五により、昭和五二・一一・一から施行〕

（第二種住居専用地域内の建築物の建築面積の敷地面積に対する割合に関する経過措置）

5　この法律の施行の際現に存する第二種住居専用地域については、当該第二種住居専用地域内の建築物の建築面積の敷地面積に対する割合は、十分の六と定められているものとみなす。

附　則〔略〕〔昭和五三・四・二〇法律二六〕

附　則〔略〕〔昭和五三・五・一法律三八〕

附　則〔略〕〔昭和五三・七・五法律八七〕

附　則〔略〕〔昭和五五・五・一法律三四〕

附　則〔略〕〔昭和五五・五・一法律三五〕

附　則〔略〕〔昭和五五・五・二〇法律五三〕

附　則〔略〕〔昭和五五・五・二六法律六〇〕

附　則〔略〕〔昭和五五・五・二七法律六二〕

附　則〔略〕〔昭和五六・五・三〇法律五八〕

附　則〔昭和五八・一二・二法律七八〕

1　この法律〔中略〕は、昭和五十九年七月一日から施行する。

2　この法律の施行の日の前日において法律の規定により置かれている機関等で、この法律の施行の日以後は国家行政組織法又はこの法律による改正後の関係法律の規定に基づく政令（以下「関係政令」という。）の規定により置かれることとなるものに関し必要となる経過措置その他この法律の施行に伴う関係政令の制定又は改廃に関し必要となる経過措置は、政令で定めることができる。

附　則〔略〕〔昭和五九・五・二五法律四七〕

附　則〔略〕〔昭和六〇・七・一二法律九〇〕

附　則〔略〕〔昭和六二・六・二法律六二〕

附　則〔略〕〔昭和六二・六・二法律六三〕

附　則〔抄〕〔昭和六二・六・五法律六六〕

（施行期日）

第一条　この法律は、公布の日から起算して六月を超えない範囲内において政令で定める日から施行する。

〔昭和六二政三四七により、昭和六二・一一・一六から施行〕

（第一種住居専用地域内における建築物の高さの限度に関する経過措置）

第七条　この法律の施行の際現に存する第一種住居専用地域については、当該第一種住居専用地域内における建築物の高さの限度は、十メートルと定められているものとみなす。

附　則〔略〕〔昭和六三・五・二〇法律四九〕

附　則〔略〕〔平成元・六・二八法律五六〕

附　則〔抄〕〔平成二・六・二九法律六一〕

（施行期日）

1　この法律は、公布の日から起算して六月を超えない範囲内において政令で定める日から施行する。

〔平成二政三三二により、平成二・一一・二〇から施行〕

（罰則に関する経過措置）

3　この法律の施行前にした行為に対する罰則の適用については、なお従前の例による。

附　則〔略〕〔平成二・六・二九法律六二〕

附　則〔抄〕〔平成三・四・二六法律三九〕

（施行期日）

第一条　この法律は、公布の日から起算して六月を超えない範囲内において政令で定める日から施行する。

〔平成三政二八一により、平成三・九・一〇から施行〕

（都市計画法の一部改正に伴う経過措置）

第四条　この法律の施行の際現に前条の規定による改正前の都市計画法（以下「旧都市計画法」という。）の規定により定められている第一種生産緑地地区及び第二種生産緑地地区に関する都市計画は、同条の規定による改正後の都市計画法（以下「新都市計画法」という。）の規定により定められた生産緑地地区に関する都市計画とみなす。

2　前項の規定により新都市計画法の規定により定められた生産緑地地区に関する都市計画とみなされた旧都市計画法の規定により定められている第二種生産緑地地区に関する都市計画に係る当該都市計画が失効すべき日については、なお従前の例による。

附　則〔略〕〔平成三・五・二一法律七九〕

附　則〔略〕〔平成四・六・五法律七六〕

附　則〔抄〕〔平成四・六・二六法律八二〕

（施行期日）

第一条　この法律は、公布の日から起算して一年を超えない範囲内において政令で定める日から施行する。

〔平成五政一六九により、平成五・六・二五から施行〕

（用途地域に関する経過措置）

第二条　この法律の施行の際現に第一条の規定による改正前の都市計画法（以下「旧都市計画法」という。）第八条第一項第一号に規定する用途地域に関する都市計画が定められている都市計画区域について、建設大臣、都道府県知事又は市町村が第一条の規定による改正後の都市計画法（以下「新都市計画法」という。）第二章の規定により行う用途地域に関する都市計画の決定及びその告示は、この法律の施行の日から起算して三年以内にしなければならない。

第三条　この法律の施行の際現に旧都市計画法の規定により定められている都市計画区域内の用途地域に関しては、この法律の施行の日から起算して三年を経過する日（その日前に新都市計画法第二章の規定により、当該都市計画区域について、用途地域に関する都市計画が決定されたときは、当該都市計画の決定に係る都市計画法第二十条第一項（同法第二十二条第一項において読み替える場合を含む。）の規定による告示があった日。次条、附則第五条及び附則第十八条において同じ。）までの間は、旧都市計画法第八条、第九条、第十二条の六第一項並びに第十三条第一項第五号及び第九号の規定は、なおその効力を有する。

第四条　この法律の施行の際現に旧都市計画法の規定により定められている都市計画区域に係る用途地域内の建築物、建築物の敷地又は建築物若しくはその敷地の部分については、この法律の施行の日から起算して三年を経過する日までの間は、第二条の規定による改正後の建築基準法（以下「新建築基準法」という。）第二条第二十一号、第三条第三項第二号（第一種低層住居専用地域、第二種低層住居専用地域、第一種中高層住居専用地域、第二種中高層住居専用地域、第一種住居地域、第二種住居地域及び準住居地域に関する都市計画の決定又は変更に関する部分並びに新建築基準法第四十八条第一項から第十二項までの規定に関する部分に限る。）、第四十八条（第十三項及び第十四項を除く。）、第四十九条、第五十条、第五十二条第一項（第五号を除く。）、第五十三条第一項（第三号及び第四号を除く。）、第五十四条から第五十五条まで、第五十六条第一項、第六十八条の三第三項、第六十八条の四第六項、第六十八条の五第四項、第八十六条第九項及び第十項、第八十六条の二、第八十七条第二項及び第三項（これらの規定中新建築基準法第四十八条第一項から第十二項までの規定の準用に関する部分に限る。）、第八十八条第二項（新建築基準法第四十八条第一項から第十二項までの規定の準用に関する部分に限る。）、第九十一条、第九十九条第一項、別表第二、別表第三の一の項並びに別表第四の一の項から三の項までの規定は適用せず、第二条の規定による改正前の建築基準法（以下「旧建築基準法」という。）第二条第二十一号、第三条第三項第二号（第一種住居専用地域、第二種住居専用地域及び住居地域に関する都市計画の決定又は変更に関する部分並びに旧建築基準法第四十八条第一項から第八項までの規定に関する部分に限る。）、第四十八条（第九項及び第十項を除く。）、第四十九条、第五十条、第五十二条第一項（第五号を除く。）、第五十三条第一項（第三号及び第四号を除く。）、第五十四条、第五十五条、第五十六条第一項、第六十八条の三、第六十八条の四第六項、第六十八条の五第四項、第八十六条第八項及び第九項、第八十六条の二、第八十七条第二項及び第三項（これらの規定中旧建築基準法第四十八条第一項から第八項までの規定の準用に関する部分に限る。）、第八十八条第二項（旧建築基準法第四十八条第一項から第八項までの規定の準用に関する部分に限る。）、第九十一条、第九十九条第一項、別表第二、別表第三の一の項並びに別表第四の規定は、なおその効力を有する。

第五条　この法律の施行の際現に旧都市計画法の規定により定められている都市計画区域に係る用途地域内の建築物、建築物の敷地又は建築物若しくはその敷地の部分についてのこの法律の施行の日から起算して三年を経過する日までの間の新建築基準法第二十七条第二項第二号及び第四十八条第十三項の規定の適用については、新建築基準法第二十七条第二項第二号中「別表第二(と)項第四号に規定する危険物」とあるのは「別表第二(へ)項第一号(一)、(三)若しくは(十一)の物品、可燃性ガス又は消防法（昭和二十三年法律第百八十六号）第二条第七項に規定する危険物」と、新建築基準法第四十八条第十三項中「前各項のただし書」とあるのは「都市計画法及び建築基準法の一部を改正する法律（平成四年法律第八十二号）による改正前の建築基準法第四十八条第一項から第八項までの規定のただし書」とする。

（変更の許可等に関する経過措置）

第六条　この法律の施行前に旧都市計画法第二十九条又は旧都市計画法附則第四項の規定に基づきされた開発行為の変更の許可（以下この条において「旧都市計画法の変更の許可」という。）又は旧都市計画法の変更の許可の申請は、当該変更に係る開発行為が新都市計画法第三十五条の二第一項ただし書に該当する場合以外の場合には同項の規定によりされた許可又は同項の許可の申請とみなし、旧都市計画法の変更の許可の申請は、当該変更に係る開発行為が同項ただし書に規定する軽微な変更に該当する場合には同条第三項の規定によりされた変更の届出とみなす。

（開発登録簿に関する経過措置）

第七条　新都市計画法第四十七条第三項の規定は、この法律の施行前にされた旧都市計画法第四十一条第二項ただし書若しくは第四十二条第一項ただし書の規定による許可又は同条第二項の協議については、適用しない。

（監督処分等に関する経過措置）

第八条　新都市計画法第八十一条第一項の規定は、旧都市計画法若しくは旧都市計画法に基づく命令の規定又はこれらの規定に基づく処分に違反している事実を知って、この法律の施行前に、当該違反に係る土地若しくは工作物等（建築物その他の工作物又は物件をいう。以下この条において同じ。）を譲り受け、又は賃貸借その他により当該違反に係る土地若しくは工作物等を使用する権利を取得した者については、適用しない。

2　新都市計画法第八十一条第四項及び第五項の規定は、この法律の施行前に、旧都市計画法第八十一条第一項の規定による命令に係る土地若しくは工作物等が譲渡され、又は賃貸借その他により当該違反に係る土地若しくは工作物等を使用する権利が設定された場合については、適用しない。

（罰則に関する経過措置）

第十一条　この法律の施行前にした行為に対する罰則の適用については、なお従前の例による。附則第四条に規定する都市計画区域に係る用途地域内の建築物、建築物の敷地又は建築物若しくはその敷地の部分について、附則第三条に規定する日までの間にした行為に対する同日後における罰則の適用についても、同様とする。

附　則〔略〕〔平成五・六・一六法律七二〕

附　則〔抄〕〔平成五・一一・一二法律八九〕

（施行期日）

第一条　この法律は、行政手続法（平成五年法律第八十八号）の施行の日（平成六・一〇・一）から施行する。

（諮問等がされた不利益処分に関する経過措置）

第二条　この法律の施行前に法令に基づき審議会その他の合議制の機関に対し行政手続法第十三条に規定する聴聞又は弁明の機会の付与の手続その他の意見陳述のための手続に相当する手続を執るべきことの諮問その他の求めがされた場合においては、当該諮問その他の求めに係る不利益処分の手続に関しては、この法律による改正後の関係法律の規定にかかわらず、なお従前の例による。

（罰則に関する経過措置）

第十三条　この法律の施行前にした行為に対する罰則の適用については、なお従前の例による。

（聴聞に関する規定の整理に伴う経過措置）

第十四条　この法律の施行前に法律の規定により行われた聴聞、聴問若しくは聴聞会（不利益処分に係るものを除く。）又はこれらのための手続は、この法律による改正後の関係法律の相当規定により行われたものとみなす。

（政令への委任）

第十五条　附則第二条から前条までに定めるもののほか、この法律の施行に関して必要な経過措置は、政令で定める。

附　則〔略〕〔平成六・六・二九法律四九〕

附　則〔抄〕〔平成七・二・二六法律一三〕

（施行期日）

1　この法律は、公布の日から起算して三月を超えない範囲内において政令で定める日から施行する。

〔平成七政一二三により、平成七・五・二五から施行〕

（罰則に関する経過措置）

4　この法律の施行前にした行為に対する罰則の適用については、なお従前の例による。

附　則〔略〕〔平成七・二・二六法律一四〕

附　則〔略〕〔平成八・五・二四法律四八〕

附　則〔略〕〔平成九・五・九法律五〇〕

附　則〔略〕〔平成九・六・一三法律七九〕

附　則〔抄〕〔平成一〇・五・八法律五四〕

（施行期日）

第一条　この法律は、平成十二年四月一日から施行する。ただし、〔中略〕附則第七条及び第九条の規定は、公布の日から施行する。

（職員の引継ぎに関する事項の政令への委任）

第七条　施行日の前日において現に都又は都知事若しくは都の委員会その他の機関が処理し、又は管理し、及び執行している事務で執行日以後法律又はこれに基づく政令により特別区又は特別区の区長若しくは特別区の委員会その他の機関が処理し、又は管理し、及び執行することとなるものに従事している都の職員の特別区への引継ぎに関して必要な事項は、政令で定める。

（罰則に関する経過措置）

第八条　この法律の施行前にした行為及びこの法律の附則において従前の例によることとされる場合におけるこの法律の施行後にした行為に対する罰則の適用については、なお従前の例による。

（政令への委任）

第九条　附則第二条から前条までに定めるもののほか、この法律の施行のため必要な経過措置は、政令で定める。

附　則〔平成一〇・五・二九法律七九〕

（施行期日）

1　この法律は、公布の日から起算して六月を超えない範囲内において政令で定める日から施行する。

〔平成一〇政三三〇により、平成一〇・一一・二〇から施行〕

（特別用途地区に関する経過措置）

2　この法律の施行の際この法律による改正前の都市計画法（以下「旧法」という。）第八条第一項第二号に掲げる地区に関し、決定されている都市計画又は行われている都市計画の決定若しくは変更の手続は、この法律による改正後の都市計画法（以下「新法」という。）第八条第一項第二号に掲げる地区に関する都市計画又は都市計画の決定若しくは変更の手続とみなす。

（臨港地区に関する経過措置）

3　新法の規定によれば市町村が決定又は変更をすることとされる臨港地区に関する都市計画の決定又は変更の手続であって、この法律の施行の際現に都道府県知事が旧法の規定に基づき行っているもののうち、この法律の施行前に旧法第十七条第一項（旧法第二十一条第二項において準用する場合を含む。）の規定による公告が行われたものについては、なお従前の例による。

4　新法の規定によれば市町村が決定又は変更をすることとされる臨港地区に関する都市計画で、旧法又は前項の規定により都道府県知事が決定又は変更をした都市計画は、新法の規定により市町村が決定又は変更をした都市計画とみなす。

附　則〔略〕〔平成一一・三・三一法律一九〕

附　則〔抄〕〔平成一一・七・一六法律八七〕

（施行期日）

第一条　この法律は、平成十二年四月一日から施行する。ただし、次の各号に掲げる規定は、当該各号に定める日から施行する。

一　〔前略〕附則〔中略〕第百六十条、第百六十三条、第百六十四条並びに第二百二条の規定　公布の日

二～六　〔略〕

（都市計画法の一部改正に伴う経過措置）

第一四〇条　施行日前に第四百三十七条の規定による改正前の都市計画法（以下この条において「旧都市計画法」という。）第五条第三項（同条第六項において準用する場合を含む。）又は第十八条第三項（旧都市計画法第二十一条第二項において準用する場合を含む。）の規定によりされた認可又はこの法律の施行の際現にこれらの規定によりされている認可の申請は、それぞれ第四百三十七条の規定による改正後の都市計画法（以下この条において「新都市計画法」という。）第五条第三項（同条第六項において準用する場合を含む。）又は第十八条第三項（新都市計画法第二十一条第二項において準用する場合を含む。）によりされた同意又は協議の申出とみなす。

2　施行日前に旧都市計画法第十九条第一項又は第二項（旧都市計画法第二十一条第二項において準用する場合を含む。）の規定によりされた承認又はこの法律の施行の際現にこれらの規定によりされている承認の申請で、新都市計画法の規定により都道府県知事の同意を要することとされる都市計画の決定又は変更に係るものは、それぞれ新都市計画法第十九条第三項（新都市計画法第二十一条第二項において準用する場合を含む。）の規定によりされた同意又は協議の申出とみなす。

3　この法律の施行の際現に行われている市町村の都市計画の決定又は変更の手続のうち施行日前に旧都市計画法第十九条第三項（旧都市計画法第二十一条第二項において準用する場合を含む。）の規定による都市計画地方審議会の議を経たものについては、新都市計画法第十九条第一項（市町村都市計画審議会の議を経る部分に限る。）及び第二項（新都市計画法第二十一条第二項において準用する場合を含む。）の規定は、適用しない。

4　旧都市計画法第二十九条、第三十五条の二第一項、第四十一条第二項ただし書、第四十二条第一項ただし書若しくは第四十三条第一項の規定に基づく処分又はこれらの規定に違反した者に対する旧都市計画法第八十一条第一項の規定に基づく監督処分に係る旧都市計画法第五十条第一項又は第四項の規定による審査請求又は再審査請求については、なお従前の例による。

5　施行日前に旧都市計画法第五十九条第三項の規定によりされた承認で、新都市計画法第五十九条第一項又は第二項の認可を要することとされる都市計画事業に係るものは、これらの規定によりされた認可とみなす。

6　この法律の施行の際現に旧都市計画法第五十九条第三項の規定により建設大臣に対してされている承認の申請で、新都市計画法第五十九条第一項又は第二項の建設大臣の認可を要することとされている都市計画事業に係るものは、これらの規定により建設大臣に対しされている認可の申請とみなす。

7　新都市計画法第八十七条の二第一項の規定により指定都市が定めることとされる都市計画の決定又は変更の手続で、この法律の施行の際現に都道府県知事が旧都市計画法の規定に基づき行っているもののうち、施行日前に旧都市計画法第十七条第一項（旧都市計画法第二十一条第二項において準用する場合を含む。）の規定による公告が行われたものについては、新都市計画法の規定により都道府県が行うものとする。

（国等の事務）

第一五九条　この法律による改正前のそれぞれの法律に規定するもののほか、この法律の施行前において、地方公共団体の機関が法律又はこれに基づく政令により管理し又は執行する国、他の地方公共団体その他公共団体の事務（附則第百六十一条において「国等の事務」という。）は、この法律の施行後は、地方公共団体が法律又はこれに基づく政令により当該地方公共団体の事務として処理するものとする。

（処分、申請等に関する経過措置）

第一六〇条　この法律（附則第一条各号に掲げる規定については、当該各規定。以下この条及び附則第百六十三条において同じ。）の施行前に改正前のそれぞれの法律の規定によりされた許可等の処分その他の行為（以下この条において「処分等の行為」という。）又はこの法律の施行の際現に改正前のそれぞれの法律の規定によりされている許可等の申請その他の行為（以下この

条において「申請等の行為」という。）で、この法律の施行の日においてこれらの行為に係る行政事務を行うべき者が異なることとなるものは、附則第二条から前条までの規定又は改正後のそれぞれの法律（これに基づく命令を含む。）の経過措置に関する規定に定めるものを除き、この法律の施行の日以後における改正後のそれぞれの法律の適用については、改正後のそれぞれの法律の相当規定によりされた処分等の行為又は申請等の行為とみなす。

2　この法律の施行前に改正前のそれぞれの法律の規定により国又は地方公共団体の機関に対し報告、届出、提出その他の手続をしなければならない事項で、この法律の施行の日前にその手続がされていないものについては、この法律及びこれに基づく政令に別段の定めがあるもののほか、これを、改正後のそれぞれの法律の相当規定により国又は地方公共団体の相当の機関に対して報告、届出、提出その他の手続をしなければならない事項についてその手続がされていないものとみなして、この法律による改正後のそれぞれの法律の規定を適用する。

（不服申立てに関する経過措置）

第一六一条　施行日前にされた国等の事務に係る処分であって、当該処分をした行政庁（以下この条において「処分庁」という。）に施行日前に行政不服審査法に規定する上級行政庁（以下この条において「上級行政庁」という。）があったものについての同法による不服申立てについては、施行日以後においても、当該処分庁に引き続き上級行政庁があるものとみなして、行政不服審査法の規定を適用する。この場合において、当該処分庁の上級行政庁とみなされる行政庁は、施行日前に当該処分庁の上級行政庁であった行政庁とする。

2　前項の場合において、上級行政庁とみなされる行政庁が地方公共団体の機関であるときは、当該機関が行政不服審査法の規定により処理することとされる事務は、新地方自治法第二条第九項第一号に規定する第一号法定受託事務とする。

（手数料に関する経過措置）

第一六二条　施行日前においてこの法律による改正前のそれぞれの法律（これに基づく命令を含む。）の規定により納付すべきであった手数料については、この法律及びこれに基づく政令に別段の定めがあるもののほか、なお従前の例による。

（罰則に関する経過措置）

第一六三条　この法律の施行前にした行為に対する罰則の適用については、なお従前の例による。

（その他の経過措置の政令への委任）

第一六四条　この附則に規定するもののほか、この法律の施行に伴い必要な経過措置（罰則に関する経過措置を含む。）は、政令で定める。

2　〔略〕

附　則〔略〕〔平成一一・七・一六法律一〇二〕

附　則〔抄〕〔平成一一・一二・八法律一五一〕

（施行期日）

第一条　この法律は、平成十二年四月一日から施行する。〔以下略〕

（経過措置）

第三条　民法の一部を改正する法律（平成十一年法律第百四十九号）附則第三条第三項の規定により従前の例によることとされる準禁治産者及びその保佐人に関するこの法律による改正規定の適用については、次に掲げる改正規定を除き、なお従前の例による。

一～五　〔略〕

六　第二十八条の規定による〔中略〕都市計画法第七十八条第四項〔中略〕の改正規定

七～二十五　〔略〕

第四条　この法律の施行前にした行為に対する罰則の適用については、なお従前の例による。

附　則〔略〕〔平成一一・一二・二二法律一六〇〕

附　則〔略〕〔平成一二・五・八法律五七〕

附　則〔抄〕〔平成一二・五・一九法律七三〕

（施行期日）

第一条　この法律は、公布の日から起算して一年を超えない範囲内において政令で定める日から施行する。

〔平成一三政九七により、平成一三・五・一八から施行〕

（市街化区域及び市街化調整区域に関する都市計画に関する経過措置）

第二条　この法律の施行の際現に第一条の規定による改正前の都市計画法（以下「旧都市計画法」という。）の規定により定められている市街化区域及び市街化調整区域の区分（次項の規定に基づきなお従前の例によりこの法律の施行の日（以下「施行日」という。）以後に定められたものを含む。）は、同条の規定による改正後の都市計画法（以下「新都市計画法」という。）の規定により定められた区域区分とみなす。

2　この法律の施行の際現に旧都市計画法の規定に基づき決定又は変更の手続を行っている市街化区域及び市街化調整区域に関する都市計画のうち、施行日前に旧都市計画法第十七条第一項（旧都市計画法第二十一条第二項において準用する場合を含む。）の規定による公告が行われたものについては、新都市計画法第七条の規定にかかわらず、なお従前の例による。

3　この法律の施行の際現に旧都市計画法の規定により指定されている都市計画区域について、新都市計画法の規定により行う都市計画区域の整備、開発及び保全の方針の決定及び告示は、施行日から起算して三年以内にしなければならない。

4　この法律の施行の際現に旧都市計画法の規定により定められている市街化区域及び市街化調整区域の整備、開発又は保全の方針（第二項の規定に基づきなお従前の例により施行日以後に定められたものを含む。）は、施行日から起算して三年を経過する日（その日以前に前項の規定により都市計画区域の整備、開発及び保全の方針の決定及び告示がされたときは、当該告示の日の前日）までの間は、附則第十七条の規定による改正前の都市再開発法（昭和四十四年法律第三十八号。附則第十八条において「旧都市再開発法」という。）の規定による都市再開発の方針、附則第二十一条の規定による改正前の大都市地域における住宅及び住宅地の供給の促進に関する特別措置法（昭和五十年法律第六十七号。附則第二十二条において「旧大都市地域住宅等供給促進法」という。）の規定による住宅市街地の開発整備の方針、附則第二十九条の規定による改正前の地方拠点都市地域の整備及び産業業務施設の再配置の促進に関する法律（平成四年法律第七十六号。附則第三十条において「旧地方拠点法」という。）の規定による拠点業務市街地の開発整備の方針並びに附則第三十三条の規定による改正前の密集市街地における防災街区の整備の促進に関する法律（平成九年法律第四十九号。附則第三十四条において「旧密集市街地整備促進法」という。）の規定による防災再開発促進地区及び当該地区の整備又は開発の計画の概要に係る部分を除き、新都市計画法の規定により定められた都市計画区域の整備、開発及び保全の方針とみなす。

（都市計画の決定又は変更の手続に関する経過措置）

第三条　この法律の施行の際現に旧都市計画法の規定に基づき決定又は変更の手続を行っている都市計画のうち、施行日前に旧都市計画法第十七条第一項（旧都市計画法第二十一条第二項において準用する場合を含む。）の規定による公告が行われたものについては、新都市計画法第十七条第一項及び第十九条第一項から第四項まで（これらの規定を新都市計画法第二十一条第二項において準用する場合を含む。）の規定にかかわらず、なお従前の例による。

（開発行為の許可に関する経過措置）

第四条　施行日前に旧都市計画法第二十九条又は附則第四項の規定によりされた許可は、新都市計画法第二十九条第一項の規定によりされた許可とみなす。

2　この法律の施行の際現に旧都市計画法第二十九条又は附則第四項の規定によりされている許可の申請は、新都市計画法第二十九条第一項の規定によりされた許可の申請とみなす。

（公共施設の管理者の同意等に関する経過措置）

第五条　施行日前に旧都市計画法第三十二条（旧都市計画法第三十五条の二第四項及び附則第五項において準用する場合を含む。）の規定によりされた同意は、新都市計画法第三十二条第一項（新都市計画法第三十五条の二第四項において準用する場合を含む。）の規定によりされた同意とみなす。

2　施行日前に旧都市計画法第三十二条（旧都市計画法第三十五条の二第四項及び附則第五項において準用する場合を含む。）の規定による協議を行った者は、新都市計画法第三十二条第二項（新都市計画法第三十五条の二第四項において準用する場合を含む。）の規定による協議を行った者とみなす。

3　この法律の施行の際現に旧都市計画法第三十二条（旧都市計画法第三十五条の二第四項及び附則第五項において準用する場合を含む。）の規定によりされている同意の申請又は協議の申出は、それぞれ新都市計画法第三十二条第一項又は第二項（これらの規定を新都市計画法第三十五条の二第四項において準用する場合を含む。）の規定によりされた協議の申出とみなす。

（開発許可を受けた土地以外の土地における建築等の制限に関する経過措置）

第六条　施行日前に旧都市計画法第四十三条第一項第六号ロの規定による都道府県知事の確認（以下この条において単に「確認」という。）を受けた土地（次項の規定に基づきなお従前の例により施行日以後に確認を受けた土地を含む。）において行う自己の居住又は業務の用に供する建築物の新築、改築又は用途の変更については、施行日（次項の規定に基づきなお従前の例により施行日以後に確認を受けた土地において行うものにあっては、当該確認の日）から起算して五年を経過する日までの間は、同号の規定は、なおその効力を有する。

2　この法律の施行の際現にされている確認の申請については、都道府県知事は、なお従前の例により確認を行うものとする。

3　施行日前にされた確認（前項の規定に基づきなお従前の例により施行日以後にされた確認を含む。）についての違反を是正するため必要な措置については、なお従前の例による。

（用途地域の指定のない区域に関する経過措置）

第七条　この法律の施行の際現に旧都市計画法の規定により指定されている都市計画区域のうち用途地域の指定のない区域について、特定行政庁（建築基準法第二条第三十六号の特定行政庁をいう。以下同じ。）による第二条の規定による改正後の建築基準法（以下「新建築基準法」という。）第五十二条第一項第六号、第五十三条第一項第四号、第五十六条第一項第二号ニ及び別表第三(に)欄の五の項に掲げる数値の決定並びにその適用は、施行日から起算して三年以内にしなければならない。

2　この法律の施行の際現に旧都市計画法の規定により指定されている都市計画区域のうち用途地域の指定のない区域内の建築物については、施行日から起算して三年を経過する日（その日以前に特定行政庁が前項に規定する数値の決定及びその適用をしたときは、当該適用の日の前日）までの間は、新建築基準法第三条第三項第二号（新建築基準法第五十二条第一項第六号、第五十三条第一項第四号、第五十六条第一項第二号ニ及び別表第三(に)欄の五の項に掲げる数値の決定又は変更に係る部分に限る。）、第五十二条第一項第六号、第五十三条第一項第四号、第五十六条第一項第二号及び別表第三(に)欄の五の項の規定は適用せず、第二条の規定による改正前の建築基準法（以下「旧建築基準法」という。）第三条第三項第二号（旧建築基準法第五十三条第一項の区域の指定又はその取消しに係る部分に限る。）、第五十二条第一項第六号、第五十三条第一項第四号、第五十六条第一項第二号及び別表第三(に)欄の五の項の規定は、なおその効力を有する。

3　この法律の施行の際現に旧建築基準法第五十六条の二第一項の規定により条例で指定されている区域のうち用途地域の指定のない区域について、地方公共団体による新建築基準法第五十六条の二第一項の規定に基づく新建築基準法別表第四(ろ)欄の四の項のイ又はロ及び同表(に)欄の(一)、(二)又は(三)の号の指定並びにその適用は、施行日から起算して三年以内にしなければならない。

4　この法律の施行の際現に旧建築基準法第五十六条の二第一項の規定により条例で指定されている区域のうち用途地域の指定のない区域内の建築物については、施行日から起算して三年を経過する日（その日以前に地方公共団体が前項に規定する指定及びその適用をしたときは、当該適用の日の前日）までの間は、新建築基準法第五十六条の二第一項（新建築基準法別表第四の四の項に係る部分に限る。）及び別表第四の四の項は適用せず、旧建築基準法第五十六条の二第一項（旧建築基準法別表第四の四の項に係る部分に限る。）及び別表第四の四の項の規定は、なおその効力を有する。

（罰則に関する経過措置）

第九条　施行日前にした行為に対する罰則の適用については、なお従前の例による。附則第七条第二項及び第四項に規定する用途地域の指定のない区域内の建築物について、施行日から起算して三年を経過する日（その日以前に特定行政庁が同条第一項に規定する数値の決定及びその適用をしたとき又は地方公共団体が同条第三項に規定する指定及びその適用をしたときは、それぞれの適用の日の前日）までの間にした行為に対する同日後における罰則の適用についても、同様とする。

附　則〔略〕〔平成一四・三・三一法律一四〕

附　則〔略〕〔平成一四・四・五法律二二〕

附　則〔抄〕〔平成一四・七・一二法律八五〕

（施行期日）

第一条　この法律は、公布の日から起算して六月を超えない範囲内において政令で定める日から施行する。〔以下略〕

〔平成一四政三三〇により、平成一五・一・一から施行〕

（地区計画等に関する都市計画に関する経過措置）

第三条　この法律の施行の際現に第二条の規定による改正前の都市計画法（以下「旧都市計画法」という。）の規定により定められている住宅地高度利用地区計画又は第三条の規定による改正前の都市再開発法（以下「旧都市再開発法」という。）の規定により定められている再開発地区計画に関する都市計画は、第二条の規定による改正後の都市計画法（以下「新都市計画法」という。）の規定により定められた地区計画でその区域の全部について再開発等促進区が定められているものに関する都市計画とみなす。

2　旧都市計画法の規定により住宅地高度利用地区計画に関する都市計画に関してした手続、処分その他の行為又は旧都市再開発法の規定により再開発地区計画に関する都市計画に関してした手続、処分その他の行為は、新都市計画法の規定により地区計画に関する都市計画に関してした手続、処分その他の行為とみなす。

（罰則に関する経過措置）

第五条　この法律の施行前にした行為に対する罰則の適用については、なお従前の例による。

附　則〔略〕〔平成一四・一二・一一法律一四六〕

附　則〔抄〕〔平成一五・六・二〇法律一〇一〕

（施行期日）

第一条　この法律は、公布の日から起算して六月を超えない範囲内において政令で定める日から施行する。

〔平成一五政五二二により、平成一五・一二・一九から施行〕

（罰則に関する経過措置）

第五条　この法律の施行前にした行為に対する罰則の適用については、なお従前の例による。

（政令への委任）

第六条　附則第二条から前条までに定めるもののほか、この法律の施行に関して必要な経過措置は、政令で定める。

附　則〔略〕〔平成一六・四・二一法律三五〕

附　則〔略〕〔平成一六・五・二八法律六一〕

附　則〔略〕〔平成一六・六・二法律六六〕

附　則〔抄〕〔平成一六・六・二法律六七〕

（施行期日）

第一条　この法律は、公布の日から起算して一年を超えない範囲内において政令で定める日から施行する。ただし、次の各号に掲げる規定は、当該各号に定める日から施行する。

〔平成一七政一九一により、平成一七・六・一から施行〕

一　〔略〕

二　〔前略〕附則第五条〔中略〕の規定　公布の日

（特例容積率適用区域に関する経過措置）

第三条　この法律の施行の際現に第三条の規定による改正前の都市計画法（以下「旧都市計画法」という。）第八条第三項第二号ニの規定により商業地域に関する都市計画に定められた特例容積率適用区域は、第三条の規定による改正後の都市計画法（以下「新都市計画法」という。）第八条第一項第二号の三の規定により定められた特例容積率適用地区とみなす。

2　旧都市計画法の規定により商業地域に関する都市計画（特例容積率適用区域に係る部分に限る。）に関してした手続、処分その他の行為は、新都市計画法の規定により特例容積率適用地区に関する都市計画に関してした手続、処分その他の行為とみなす。

（罰則に関する経過措置）

第四条　この法律の施行前にした行為に対する罰則の適用については、なお従前の例による。

（政令への委任）

第五条　附則第二条から前条までに定めるもののほか、この法律の施行に関して必要な経過措置は、政令で定める。

附　則〔抄〕〔平成一六・六・一八法律一〇九〕

（施行期日）

第一条　この法律は、公布の日から起算して六月を超えない範囲内において政令で定める日から施行する。

〔平成一六政三九五により、平成一六・一二・一七から施行〕

（罰則に関する経過措置）

第五条　この法律の施行前にした行為に対する罰則の適用については、なお従前の例による。

附　則〔抄〕〔平成一六・六・一八法律一一一〕

（施行期日）

第一条　この法律は、景観法（平成十六年法律第百十号）の施行の日〔平成一六・一二・一七〕から施行する。ただし、第一条中都市計画法第八条、第九条、第十二条の五及び第十三条の改正規定、〔中略〕次条並びに附則第四条、第五条及び第七条の規定は、景観法附則ただし書に規定する日〔平成一七・六・一〕から施行する。

（美観地区に関する経過措置）

第二条　この法律の施行の際現に第一条の規定による改正前の都市計画法（以下「旧都市計画法」という。）第八条第一項第六号の規定により定められた美観地区（第三条の規定による改正前の建築基準法第六十八条の規定により地方公共団体の条例で建築物の形態又は色彩その他の意匠の制限が定められているものに限る。）は、第一条の規定による改正後の都市計画法（以下「新都市計画法」という。）第八条第一項第六号の規定により定められた景観地区とみなす。この場合において、当該条例に定められた建築物の敷地、構造又は建築設備に関する制限のうち景観法第六十一条第二項各号に掲げる事項に相当する事項は、景観地区に関する都市計画において定められた同項各号に掲げる事項とみなす。

2　この法律の施行の際現に前項前段の規定により景観地区とみなされた地区内に存する建築物についての景観法第六十九条第二項及び第三項の規定の適用については、同条第二項中「景観地区に関する都市計画が定められ、又は変更された際」とあるのは「景観法の施行に伴う関係法律の整備等に関する法律（以下この条において「景観法整備法」という。）第三条の規定による改正前の建築基準法第六十八条の規定により定められた地方公共団体の条例（建築物の形態又は色彩その他の意匠の制限に係る部分に限る。）の規定の施行又は適用の際」と、「適用しない」とあるのは「適用しない。ただし、景観法整備法の施行前に建築基準法第三条第三項の規定により当該条例について同条第二項の規定が適用されないこととなったものにあっては、この限りでない」と、同条第三項中「前項の規定」とあるのは「景観法整備法附則第二条第二項の規定により読み替えて適用する前項本文の規定」と、同項第二号及び第三号中「景観地区に関する都市計画が定められ、又は変更された後」とあるのは「景観法整備法の施行の日以後」とする。

（罰則に関する経過措置）

第五条　この法律の施行前にした行為に対する罰則の適用については、なお従前の例による。

（政令への委任）

第六条　附則第二条から前条までに定めるもののほか、この法律の施行に関して必要な経過措置は、政令で定める。

附　則〔抄〕〔平成一七・五・六法律四二〕

（施行期日）

第一条　この法律は、公布の日から起算して六月を超えない範囲内において政令で定める日から施行する。

〔平成一七政二二〇により、平成一七・八・一から施行〕

（検討）

第二条　政府は、この法律の施行後適当な時期において、この法律の施行の状況を勘案し、必要があると認めるときは、この法律の規定について検討を加え、その結果に基づいて必要な措置を講ずるものとする。

附　則　〔抄〕〔平成一七・七・二九法律八九〕

（施行期日等）

第一条　この法律は、公布の日から起算して六月を超えない範囲内において政令で定める日（以下「施行日」という。）から施行する。ただし、次項及び附則第二十七条の規定は、公布の日から施行する。

〔平成一七政三七四により、平成一七・一二・二二から施行〕

2・3　〔略〕

（政令への委任）

第二十七条　この附則に規定するもののほか、この法律の施行に関して必要な経過措置は、政令で定める。

附　則　〔抄〕〔平成一八・四・一法律三〇〕

（施行期日）

第一条　この法律は、公布の日から起算して六月を超えない範囲内において政令で定める日（以下「施行日」という。）から施行する。ただし、〔中略〕附則第五条及び第六条の規定は、公布の日から施行する。

〔平成一八政三〇九により、平成一八・九・三〇から施行〕

（都市計画法の一部改正に伴う経過措置）

第三条　施行日前に旧都市計画法第二十九条又は第三十五条の二の規定によりされた許可の申請であって、この法律の施行の際、許可又は不許可の処分がされていないものに係る許可の基準については、新都市計画法第三十三条第一項第七号（新都市計画法第三十五条の二第四項において準用する場合を含む。）の規定にかかわらず、なお従前の例による。

（罰則に関する経過措置）

第五条　この法律（附則第一条ただし書に規定する規定については、当該規定）の施行前にした行為に対する罰則の適用については、なお従前の例による。

（政令への委任）

第六条　この附則に規定するもののほか、この法律の施行に伴い必要な経過措置は、政令で定める。

附　則　〔抄〕〔平成一八・五・三一法律四六〕

（施行期日）

第一条　この法律は、公布の日から起算して一年六月を超えない範囲内において政令で定める日から施行する。ただし、次の各号に掲げる規定は、当該各号に定める日から施行する。

〔平成一八政三四九により、平成一九・一一・三〇から施行〕

一　次条の規定　公布の日

二　第一条中都市計画法第十二条第四項及び第二十一条の二第二項の改正規定〔中略〕並びに附則〔中略〕第九条から第十一条までの規定　公布の日から起算して三月を超えない範囲内において政令で定める日

〔平成一八政二七二により、平成一八・八・三〇から施行〕

三　第一条中都市計画法第五条の二第一項及び第二項、第六条、第八条第二項及び第三項、第十三条第三項、第十五条第一項並びに第十九条第三項及び第五項の改正規定、同条第六項を削る改正規定並びに同法第二十一条、第二十二条第一項及び第八十七条の二の改正規定〔中略〕並びに附則第三条〔中略〕の規定　公布の日から起算して六月を超えない範囲内において政令で定める日

〔平成一八政三四九により、平成一八・一一・三〇から施行〕

（実施のための準備）

第二条　第一条の規定による改正後の都市計画法（以下「新都市計画法」という。）第十二条の五第四項及び第十二条の十二並びに第二条の規定による改正後の建築基準法（以下「新建築基準法」という。）第四十八条第十三項並びに第六十八条の三第七項及び第八項の規定の円滑な実施を確保するため、都道府県又は市町村は、都市計画法第八条第一項第一号に規定する用途地域及び同法第十二条の四第一項第一号に掲げる地区計画に関する都市計画の決定又は変更のために必要な土地利用の状況に関する情報の収集及び提供その他必要な準備を行うものとする。

（都市計画法の一部改正に伴う経過措置）

第三条　附則第一条第三号に掲げる規定の施行の際現に第一条の規定による改正前の都市計画法（附則第九条において「旧都市計画法」という。）第五条の二第一項の規定により指定されている準都市計画区域は、新都市計画法第五条の二第一項の規定により指定された準都市計画区域とみなす。

（罰則に関する経過措置）

第一〇条　この法律（附則第一条第二号及び第三号に掲げる規定については、当該規定。以下この条において同じ。）の施行前にした行為及びこの附則の規定によりなお従前の例によることとされる場合におけるこの法律の施行後にした行為に対する罰則の適用については、なお従前の例による。

（政令への委任）

第一一条　この附則に定めるもののほか、この法律の施行に関して必要な経過措置は、政令で定める。

（検討）

第一二条　政府は、この法律の施行後五年を経過した場合において、新都市計画法、新建築基準法、新駐車場法及び第六条の規定による改正後の都市緑地法の規定の施行の状況について検討を加え、必要があると認めるときは、その結果に基づいて所要の措置を講ずるものとする。

附　則　〔略〕〔平成一八・六・二法律五〇〕

附　則　〔略〕〔平成一八・六・八法律六一〕

附　則　〔略〕〔平成二〇・五・二三法律四〇〕

附　則　〔略〕〔平成二三・三・三一法律九〕

附　則　〔略〕〔平成二三・四・二七法律二四〕

附　則　〔略〕〔平成二三・五・二法律三五〕

附　則　〔抄〕〔平成二三・五・二法律三七〕

（施行期日）

第一条　この法律は、公布の日から施行する。ただし、次の各号に掲げる規定は、当該各号に定める日から施行する。

一　〔前略〕第三十七条〔中略〕附則〔中略〕第十九条〔中略〕の規定　公布の日から起算して三月を経過した日

二～四　〔略〕

（都市計画法の一部改正に伴う経過措置）

第一九条　第三十七条の規定による改正前の都市計画法（以下この条において「旧都市計画法」という。）第八十七条の二第一項の規定により指定都市が行う旧都市計画法第十八条第三項に規定する大都市及びその周辺の都市に係る都市計画区域その他の政令で定める都市計画区域に係る都市計画の決定又は変更の手続のうち、第三十七条の規定の施行前に旧都市計画法第八十七条の二第四項の規定によりされた意見の聴取又は第三十七条の規定の施行の際現に同項の規定によりされている意見の聴取の申出は、それぞれ同条の規定による改正後の都市計画法（以下この条において「新都市計画法」という。）第十九条第三項（新都市計画法第二十一条第二項において準用する場合を含む。）の規定によりされた協議又は協議の申出とみなす。

（罰則に関する経過措置）

第二三条　この法律（附則第一条各号に掲げる規定にあっては、当該規定）の施行前にした行為に対する罰則の適用については、なお従前の例による。

（政令への委任）

第二四条　附則第二条から前条まで及び附則第三十六条に規定するもののほか、この法律の施行に関し必要な経過措置は、政令で定める。

附　則〔抄〕〔平成二三・八・三〇法律一〇五〕

（施行期日）

第一条　この法律は、公布の日から施行する。ただし、次の各号に掲げる規定は、当該各号に定める日から施行する。

一　〔略〕

二　〔前略〕第百二十条（都市計画法第六条の二、第七条の二、第八条、第十条の二から第十二条の二まで、第十二条の四、第十二条の五、第十二条の十、第十四条、第二十条、第二十三条、第三十三条及び第五十八条の二の改正規定を除く。）〔中略〕の規定並びに附則〔中略〕第五十八条〔中略〕の規定　平成二十四年四月一日

三～六　〔略〕

（都市計画法の一部改正に伴う経過措置）

第五八条　第百二十条の規定（都市計画法第六条の二、第七条の二、第八条、第十条の二から第十二条の二まで、第十二条の四、第十二条の五、第十二条の十、第十四条、第二十条、第二十三条、第三十三条及び第五十八条の二の改正規定を除く。以下この条において同じ。）による改正後の都市計画法（以下この条及び附則第六十七条において「新都市計画法」という。）第十五条第一項又は第八十七条の二第一項の規定により市町村又は指定都市が定めることとされる都市計画の決定又は変更の手続で、第百二十条の規定の施行の際現に都道府県が第百二十条の規定による改正前の都市計画法（以下この条及び附則第六十七条において「旧都市計画法」という。）の規定に基づき行っているもののうち、第百二十条の規定の施行前に旧都市計画法第十七条第一項（旧都市計画法第二十一条第二項において準用する場合を含む。）の規定による公告が行われたものについては、なお従前の例による。

2　第百二十条の規定の施行の際現に効力を有する旧都市計画法第二十六条第一項、第五十二条の二第一項（旧都市計画法第五十七条の三第一項において準用する場合を含む。）、第五十二条の二第二項（旧都市計画法第五十七条の三第一項において準用する場合を含む。）において準用する第四十二条第二項、第五十三条第一項、同条第二項において準用する第四十二条第二項、第五十五条第一項、第三項若しくは第四項、第五十七条第一項若しくは第四項、第六十五条第一項若しくは第二項、同条第三項において準用する第四十二条第二項、第七十九条若しくは第八十一条第一項から第三項までの規定により都道府県知事が行った許可その他の行為又は現に旧都市計画法第二十六条第一項、第五十二条の二第一項（旧都市計画法第五十七条の三第一項において準用する場合を含む。）、第五十二条の二第二項（旧都市計画法第五十七条の三第一項において準用する場合を含む。）において準用する第四十二条第二項、第五十三条第一項、同条第二項において準用する第四十二条第二項、第五十五条第二項、第五十六条第三項、第五十七条第二項、第六十五条第一項若しくは同条第三項において準用する第四十二条第二項の規定により都道府県知事に対して行っている許可の申請その他の行為で、新都市計画法第二十六条第一項、第五十二条の二第一項（新都市計画法第五十七条の三第一項において準用する場合を含む。）若しくは第二項（新都市計画法第五十三条第二項、第五十七条の三第一項又は第六十五条第三項において準用する場合を含む。）、第五十三条第一項、第五十五条、第五十六条第三項、第五十七条第一項、第二項若しくは第四項、第六十五条第一項若しくは第二項、第七十九条又は第八十一条第一項から第三項までの規定により市長が行うこととなる事務に係るものは、それぞれこれらの規定により当該市長が行った許可その他の行為又は当該市長に対して行った許可の申請その他の行為とみなす。

3　第百二十条の規定の施行の際現に効力を有する旧都市計画法第二十七条第二項の都道府県知事の許可証で新都市計画法第二十六条第一項の規定により市長が行うこととなる許可に係るものは、当該市長に係る新都市計画法第二十七条第二項の許可証とみなす。

4　第百二十条の規定の施行前に都道府県知事がした旧都市計画法第五十五条第一項の許可の申請についての不許可の処分に係る土地の買取りの手続については、第二項並びに新都市計画法第五十五条第二項から第四項まで及び第五十六条第一項の規定にかかわらず、なお従前の例による。

（罰則に関する経過措置）

第八一条　この法律（附則第一条各号に掲げる規定にあっては、当該規定。以下この条において同じ。）の施行前にした行為及びこの附則の規定によりなお従前の例によることとされる場合におけるこの法律の施行後にした行為に対する罰則の適用については、なお従前の例による。

（政令への委任）

第八二条　この附則に規定するもののほか、この法律の施行に関し必要な経過措置（罰則に関する経過措置を含む。）は、政令で定める。

附　則〔略〕〔平成二三・一二・一四法律一二四〕

附　則〔略〕〔平成二五・六・一四法律四四〕

附　則〔略〕〔平成二五・六・二一法律五五〕

附　則〔略〕〔平成二六・五・二一法律三九〕

附　則〔抄〕〔平成二六・五・三〇法律四二〕

（施行期日）

第一条　この法律〔中略〕は、当該各号に定める日〔平成二七・四・一〕から施行する。

（都市計画法等の一部改正に伴う経過措置）

第四六条　施行時特例市に対する前条の規定による改正後の同条各号に掲げる法律の規定の適用については、これらの規定中「指定都市又は」とあるのは「指定都市、」と、「中核市」とあるのは「中核市又は地方自治法の一部を改正する法律（平成二十六年法律第四十二号）附則第二条に規定する施行時特例市」とする。

附　則〔抄〕〔平成二六・六・四法律五一〕

（施行期日）

第一条　この法律〔中略〕は、当該各号に定める日から施行する。

一　第四十五条の規定並びに附則第六条〔中略〕の規定　公布の日から起算して一年を経過した日

二～四　〔略〕

（都市計画法の一部改正に伴う経過措置）

第六条　第四十五条の規定による改正前の都市計画法（以下この条において「旧都市計画法」という。）第十五条第一項第一号に掲げる都市計画（一の指定都市の区域の内外にわたり指定されている都市計画区域に係るものを除く。）の決定又は変更の手続で、第四十五条の規定の施行の際現に都道府県が旧都市計画法の規定に基づいて行っているもののうち、同条の規定の施行前に旧都市計画法第十七条第一項（旧都市計画法第二十一条第二項において準用する場合を含む。）の規定による公告が行

われたものについては、なお従前の例による。

附　則〔略〕〔平成二六・六・四法律五三〕

附　則〔略〕〔平成二六・六・一三法律六九〕

附　則〔略〕〔平成二六・一一・一九法律一〇九〕

附　則〔略〕〔平成二七・五・七法律二〇施行〕

附　則〔抄〕〔平成二七・六・二六法律五〇〕

（施行期日）

第一条　この法律は、平成二十八年四月一日から施行する。ただし、次の各号に掲げる規定は、当該各号に定める日から施行する。

一　〔前略〕附則第四条及び第六条から第八条までの規定　公布の日

二～五　〔略〕

（処分、申請等に関する経過措置）

第六条　この法律（附則第一条各号に掲げる規定については、当該各規定。以下この条及び次条において同じ。）の施行前にこの法律による改正前のそれぞれの法律の規定によりされた許可等の処分その他の行為（以下この項において「処分等の行為」という。）又はこの法律の施行の際現にこの法律による改正前のそれぞれの法律の規定によりされている許可等の申請その他の行為（以下この項において「申請等の行為」という。）で、この法律の施行の日においてこれらの行為に係る行政事務を行うべき者が異なることとなるものは、附則第二条から前条までの規定又は附則第八条の規定に基づく政令の規定に定めるものを除き、この法律の施行の日以後におけるこの法律による改正後のそれぞれの法律の適用については、この法律による改正後のそれぞれの法律の相当規定によりされた処分等の行為又は申請等の行為とみなす。

2　この法律の施行前にこの法律による改正前のそれぞれの法律の規定により国又は地方公共団体の機関に対し報告、届出、提出その他の手続をしなければならない事項で、この法律の施行の日前にその手続がされていないものについては、附則第二条から前条までの規定又は附則第八条の規定に基づく政令の規定に定めるもののほか、これを、この法律による改正後のそれぞれの法律の相当規定により国又は地方公共団体の相当の機関に対して報告、届出、提出その他の手続をしなければならない事項についてその手続がされていないものとみなして、この法律による改正後のそれぞれの法律の規定を適用する。

（罰則に関する経過措置）

第七条　この法律の施行前にした行為に対する罰則の適用については、なお従前の例による。

（政令への委任）

第八条　附則第二条から前条までに規定するもののほか、この法律の施行に関し必要な経過措置（罰則に関する経過措置を含む。）は、政令で定める。

附　則〔抄〕〔平成二八・六・七法律七二〕

（施行期日）

第一条　この法律は、公布の日から起算して三月を超えない範囲内において政令で定める日から施行する。

〔平成二八政二八七により、平成二八・九・一から施行〕

（政令への委任）

第三条　前条に定めるもののほか、この法律の施行に関し必要な経過措置は、政令で定める。

附　則〔抄〕〔平成二九・五・一二法律二六〕

（施行期日）

第一条　この法律は、公布の日から起算して二月を超えない範囲内において政令で定める日から施行する。ただし、次の各号に掲げる規定は、当該各号に定める日から施行する。

〔平成二九政一五五により、平成二九・六・一五から施行〕

一　附則第二十五条の規定　公布の日

二　〔前略〕第五条〔中略〕の規定〔中略〕公布の日から起算して一年を超えない範囲内において政令で定める日

〔平成二九政一五五により、平成三〇・四・一から施行〕

（罰則に関する経過措置）

第四条　施行日前にした行為に対する罰則の適用については、なお従前の例による。

（検討）

第五条　政府は、この法律の施行後五年を経過した場合において、第一条、第二条及び第四条から第六条までの規定による改正後の規定の施行の状況について検討を加え、必要があると認めるときは、その結果に基づいて必要な措置を講ずるものとする。

（政令への委任）

第二五条　この附則に定めるもののほか、この法律の施行に関し必要な経過措置は、政令で定める。

附　則〔平成二九・六・二法律四五〕

この法律は、民法改正法の施行の日〔令和二・四・一〕から施行する。ただし〔中略〕第三百六十二条の規定は、公布の日から施行する。

民法の一部を改正する法律の施行に伴う関係法律の整備等に関する法律〔抄〕

〔平成二九・六・二法律四五〕

（罰則に関する経過措置）

第三六一条　施行日前にした行為及びこの法律の規定によりなお従前の例によることとされる場合における施行日以後にした行為に対する罰則の適用については、なお従前の例による。

（政令への委任）

第三六二条　この法律に定めるもののほか、この法律の施行に伴い必要な経過措置は、政令で定める。

附　則〔抄〕〔平成三〇・四・二五法律二二〕

（施行期日）

1　この法律は、公布の日から起算して三月を超えない範囲内において政令で定める日から施行する。

〔平成三〇政二〇一により、平成三〇・七・一五から施行〕

（政令への委任）

2　この法律の施行に関し必要な経過措置は、政令で定める。

（検討）

3　政府は、この法律の施行後五年を経過した場合において、第一条から第三条までの規定による改正後の規定の施行の状況について検討を加え、必要があると認めるときは、その結果に基づいて必要な措置を講ずるものとする。

附　則〔抄〕〔令和二・六・一〇法律四一〕

（施行期日）

第一条　この法律〔中略〕は、当該各号に定める日から施行する。

一　〔前略〕第十条の規定並びに附則〔中略〕第六条〔中略〕の規定　公布の日

二～四　〔略〕

（政令への委任）

第六条　附則第二条から前条までに規定するもののほか、この法律の施行に関し必要な経過措置は、政令で定める。

附　則〔抄〕〔令和二・六・一〇法律四三〕

（施行期日）

第一条　この法律は、公布の日から起算して三月を超えない範囲内において政令で定める日から施行する。ただし〔中略〕、第二条中都市計画法第三十三条第一項第八号の改正規定、同法第三十四条第八号の次に一号を加える改正規定並びに同条第十一号及び第十二号の改正規定（中略）及び附則第三条の規定は、公布の日から起算して二年を超えない範囲内において政令で定める日から施行する。

〔令和二政二六七により、令和二・九・七から施行。ただし書の規定は、令和三政三三六により、令和四・四・一から施行〕

（都市計画法の一部改正に伴う経過措置）

第三条　附則第一条ただし書に規定する改正規定（第二条に係る部分に限る。）の施行の日前に都市計画法第二十九条又は第三十五条の二の規定によりされた許可の申請であって、当該改正規定の施行の際、許可又は不許可の処分がされていないものに係る許可の基準については、当該改正規定による改正後の都市計画法第三十三条第一項第八号（都市計画法第三十五条の二第四項において準用する場合を含む。）の規定にかかわらず、なお従前の例による。

（政令への委任）

第四条　前二条に規定するもののほか、この法律の施行に関し必要な経過措置は、政令で定める。

（検討）

第五条　政府は、この法律の施行後五年を経過した場合において、この法律による改正後の規定の施行の状況について検討を加え、必要があると認めるときは、その結果に基づいて必要な措置を講ずるものとする。

附　則〔抄〕〔令和三・五・一〇法律三一〕

（施行期日）

第一条　この法律は、公布の日から起算して六月を超えない範囲内において政令で定める日から施行する。ただし、次の各号に掲げる規定は、当該各号に定める日から施行する。

〔令和三政一九五により、令和三・一一・一から施行〕

一　附則第三条の規定　公布の日

二　（前略）第七条の規定（同条中都市計画法第三十三条第一項第八号の改正規定を除く。）（中略）の規定　公布の日から起算して三月を超えない範囲内において政令で定める日

〔令和三政二〇四により、令和三・七・一五から施行〕

（政令への委任）

第三条　前条に定めるもののほか、この法律の施行に関し必要な経過措置（罰則に関する経過措置を含む。）は、政令で定める。

（検討）

第四条　政府は、この法律の施行後五年を目途として、この法律による改正後のそれぞれの法律の規定について、その施行の状況等を勘案して検討を加え、必要があると認めるときは、その結果に基づいて所要の措置を講ずるものとする。

附　則〔略〕〔令和四・五・二七法律五五〕

附　則〔抄〕〔令和四・六・一七法律六八〕

（施行期日）

1　この法律は、刑法等一部改正法〔令和四年法律第六十七号〕施行日〔令和七・六・一〕から施行する。ただし、次の各号に掲げる規定は、当該各号に定める日から施行する。

一　第五百九条の規定　公布の日

二　〔略〕

刑法等の一部を改正する法律の施行に伴う関係法律の整理等に関する法律〔抄〕

〔令和四・六・一七法律六八〕

（罰則の適用等に関する経過措置）

第四四一条　刑法等の一部を改正する法律（令和四年法律第六十七号。以下「刑法等一部改正法」という。）及びこの法律（以下「刑法等一部改正法等」という。）の施行前にした行為の処罰については、次章に別段の定めがあるもののほか、なお従前の例による。

2　刑法等一部改正法等の施行後にした行為に対して、他の法律の規定によりなお従前の例によることとされ、なお効力を有することとされ又は改正前若しくは廃止前の法律の規定の例によることとされる罰則を適用する場合において、当該罰則に定める刑（刑法施行法第十九条第一項の規定又は第八十二条の規定による改正後の沖縄の復帰に伴う特別措置に関する法律第二十五条第四項の規定の適用後のものを含む。）に刑法等一部改正法第二条の規定による改正前の刑法（明治四十年法律第四十五号。以下この項において「旧刑法」という。）第十二条に規定する懲役（以下「懲役」という。）、旧刑法第十三条に規定する禁錮（以下「禁錮」という。）又は旧刑法第十六条に規定する拘留（以下「旧拘留」という。）が含まれるときは、当該刑のうち無期の懲役又は禁錮はそれぞれ無期拘禁刑と、有期の懲役又は禁錮はそれぞれその刑と長期及び短期（刑法施行法第二十条の規定の適用後のものを含む。）を同じくする有期拘禁刑と、旧拘留は長期及び短期（刑法施行法第二十条の規定の適用後のものを含む。）を同じくする拘留とする。

（裁判の効力とその執行に関する経過措置）

第四四二条　懲役、禁錮及び旧拘留の確定裁判の効力並びにその執行については、次章に別段の定めがあるもののほか、なお従前の例による。

（人の資格に関する経過措置）

第四四三条　懲役、禁錮又は旧拘留に処せられた者に係る人の資格に関する法令の規定の適用については、無期の懲役又は禁錮に処せられた者はそれぞれ無期拘禁刑に処せられた者と、有期の懲役又は禁錮に処せられた者はそれぞれ刑期を同じくする有期拘禁刑に処せられた者と、旧拘留に処せられた者は拘留に処せられた者とみなす。

2　拘禁刑又は拘留に処せられた者に係る他の法律の規定によりなお従前の例によることとされ、なお効力を有することとされ又は改正前若しくは廃止前の法律の規定の例によることとされる人の資格に関する法令の規定の適用については、無期拘禁刑に処せられた者は無期禁錮に処せられた者と、有期拘禁刑に処せられた者は刑期を同じくする有期禁錮に処せられた者と、拘留に処せられた者は刑期を同じくする旧拘留に処せられた者とみなす。

（経過措置の政令への委任）

第五〇九条　この編に定めるもののほか、刑法等一部改正法等の施行に伴い必要な経過措置は、政令で定める。

附　則〔略〕〔令和四・一一・一八法律八七〕

附　則〔抄〕〔令和六・五・二九法律四〇〕

（施行期日）

第一条　この法律は、公布の日から起算して六月を超えない範囲内において政令で定める日から施行する。ただし、附則第三条の規定は、公布の日から施行する。

（政令への委任）

第三条　前条に定めるもののほか、この法律の施行に関し必要な経過措置（罰則に関する経過措置を含む。）は、政令で定める。

（検討）

第四条　政府は、この法律の施行後五年を目途として、この法律による改正後のそれぞれの法律の規定について、その施行の状況等を勘案して検討を加え、必要があると認めるときは、その結果に基づいて所要の措置を講ずるものとする。

○都市計画法施行法〔抄〕

〔昭和四三・六・一五　法律一〇一〕

改正　昭和四四・四法一五、法一六、六法三八、平成一一・七法八七、平成一二・五法七三

（都市計画法の施行期日）

第一条　都市計画法（昭和四十三年法律第百号。以下「新法」という。）は、公布の日から起算して一年をこえない範囲内において政令で定める日から施行する。ただし、新法第七十六条の規定は、公布の日から施行する。

〔昭和四四政一五七により、昭和四四・六・一四から施行〕

（都市計画区域及び都市計画の経過措置）

第二条　新法の施行の際現に旧都市計画法（大正八年法律第三十六号。以下「旧法」という。）の規定により決定されている都市計画区域及び都市計画は、それぞれ新法の規定による都市計画区域又は新法の規定による相当の都市計画とみなす。

（都市計画事業の経過措置）

第三条　新法の施行の際現に執行中の旧法の規定による都市計画事業は、それぞれ新法の規定による相当の都市計画事業とみなす。

2　前項の都市計画事業に対する新法の適用に関しては、次の各号に定めるところによる。

一　当該都市計画事業を執行すべき最終年度の終了の時を新法の施行の際における事業施行期間の終了の時とみなし、かつ、その事業施行期間は、新法第六十二条第一項の規定により告示されているものとみなす。

二　新法第六十二条第二項の規定により公衆の縦覧に供すべき図書は、旧法第三条第二項の図書とする。

三　新法第六十五条から第七十三条までの規定は、旧法第十九条の規定が適用され、又は準用されていた都市計画事業に限り、適用する。

四　新法第五十三条第三項、第六十五条第一項及び第六十六条の規定の適用については、新法の施行の際に新法第六十二条第一項の規定による告示があつたものとみなす。この場合において、新法第五十三条第三項中「当該告示に係る土地」とあるのは、「当該都市計画事業を施行する土地」とする。

五　新法第七十条第一項の規定の適用については、旧法第三条第二項の規定による告示を新法第六十二条第一項の規定による告示とみなす。

六　新法第七十三条第一号中「、「都市計画法第六十五条第一項」」とあるのは、「「第二十八条の三第一項若しくは都市計画法第六十五条第一項」とし、「許可を受けたとき」とあるのは「許可を受けたとき、又は旧都市計画法第二十二条第三号の政令で定める場合に該当したとき」」とする。

3　第一項の都市計画事業で、旧法第六条第二項の規定により負担金を徴収すべきことが定められていたものについては、新法第七十五条第二項の政令又は条例が制定施行されるまでの間は、同項の規定にかかわらず、その負担金の徴収を受ける者の範囲及び徴収方法は、なお従前の例による。

（下付を受けた河岸地の管理及び処分の経過措置）

第四条　旧法第九条の規定により下付を受けた河岸地及び旧法第三十三条第一項に規定する河岸地の管理及び処分により収入する金額は、都市計画事業の財源に充てなければならない。

（風致地区の経過措置）

第五条　風致地区内における建築物の建築その他の行為の規制については、新法第五十八条の規定にかかわらず、新法の施行の日から起算して一年を経過するまでの間は、なお旧法第十一条（これに基づく命令を含む。）の規定の例による。この場合において、その期限の経過に伴い必要な経過措置については、政令で定める。

（その他の経過措置の政令への委任）

第六条　この法律に規定するもののほか、旧法の規定による都市計画及び都市計画事業に対する新法の規定の適用について必要な技術的読替えその他新法及びこの法律の施行に伴い必要な経過措置は、政令で定める。

（住宅地造成事業に関する法律の廃止に伴う経過措置）

第七条　都市計画法及び建築基準法の一部を改正する法律（平成十二年法律第七十三号。以下この項において「平成十二年改正法」という。）の施行の際現に旧住宅地造成事業に関する法律（昭和三十九年法律第百六十号）第四条の規定（平成十二年改正法附則第十六条の規定による改正前のこの項の規定に基づきなお従前の例によることとされた場合を含む。）による認可を受けている住宅地造成事業については、なお従前の例による。

2　前項の場合においては、旧住宅地造成事業に関する法律第三条第一項中「都市計画法（大正八年法律第三十六号）第二条」とあるのは「都市計画法（昭和四十三年法律第百号）第四条第二項」とし、同法第八条第一項第二号中「同法第四十八条第一項」とあるのは「都市計画法第八条第一項第一号」とする。

（新法の施行に伴う市街地改造事業に関する経過措置）

第七一条　公共施設の整備に関連する市街地の改造に関する法律（昭和三十六年法律第百九号。以下「市街地改造法」という。）の規定による市街地改造事業は、新法第四条第六項に規定する市街地開発事業とみなす。

附　則

この法律（第一条を除く。）は、新法の施行の日〔昭和四四・六・一四〕から施行する。ただし、第八条の規定は、新法の公布の日から施行する。

○都市計画法施行令

〔昭和四四・六・一三　政令一五八〕

改正　昭和四四・七政二〇六、九政二五八、昭和四五・一〇政三〇〇、一二政三三三、昭和四六・六政二〇三、政二二一、九政三〇〇、昭和四七・一二政四三七、昭和四九・一政三、三政五六、六政二〇三、昭和五〇・一政二、九政二九三、一〇政三〇四、政三〇六、一二政三八一、昭和五三・四政一二三、九政三二一、昭和五五・八政二〇八、九政二四五、一〇政二七三、昭和五六・四政一四四、昭和五八・一政五、五政一〇二、昭和五九・六政一七六、昭和六〇・三政二四、政三一、政五一、八政二四六、九政二六九、昭和六二・三政五四、昭和六三・二政二五、六政一八三、九政二七七、平成元・一一政三〇九、平成二・二政一五、七政二一一、政二一四、一一政三二三、政三二五、平成三・六政二一八、一一政三四二、平成四・八政二七八、平成五・三政五四、五政一七〇、七政二四八、平成六・九政三〇三、一〇政三三〇、一二政三九八、政四一一、平成七・二政三六、五政二一四、六政二三八、一〇政三五九、平成八・七政二一六、一〇政三〇八、政三一四、平成九・三政三七、八政二七四、一一政三二五、平成一〇・九政三〇八、一〇政三三一、平成一一・三政一〇四、六政二〇四、八政二五六、九政二七六、一〇政三一二、一一政三五二、政三七一、一二政四三一、平成一二・三政一九三、六政三一二、平成一三・三政九八、政一四九、平成一四・三政六〇、五政一九一、一一政三二九、政三三一、平成一五・二政三四、六政二九三、政二九六、七政三二九、八政三五〇、政三六四、政三六八、九政四四三、一二政四七六、政四八九、政五二三、政五五三、政五五五、政五五六、平成一六・三政五〇、政五九、四政一六〇、五政一八一、一二政三九六、政三九九、平成一七・五政一八二、政一九二、六政二〇三、政二二四、一一政三四六、平成一八・七政二三五、八政二七六、九政三一〇、一一政三五〇、政三七〇、平成一九・八政二三五、九政三〇四、一二政三六三、平成二〇・六政一九七、一〇政三三八、平成二一・二政一三、平成二三・三政八九、五政一一九、六政一六六、政一八一、七政二〇五、政二三五、八政二八二、一一政三六三、平成二四・七政二〇二、平成二五・七政二二三、八政二三七、平成二六・五政一八七、六政二二一、七政二三九、一二政四一二、平成二七・三政七四、五政二三〇、九政三五二、一〇政三六九、一一政三九二、平成二八・一政一三、二政四三、三政七八、政一八一、一二政三九二、平成二九・三政四〇、六政一五六、一一政二八〇、平成三〇・一〇政二九三、一一政三一一、令和二・九政二六

八、一一政三三七、令和三・七政二〇五、一〇政二九七、一二政三三五、令和四・二政三七、令和五・七政二四一、九政二八〇、一〇政三〇四

目次

第一章　総則（第一条—第二条）
第二章　都市計画
　第一節　都市計画の内容（第三条—第八条）
　第二節　都市計画の決定等（第九条—第十八条）
第三章　都市計画制限等
　第一節　開発行為等の規制（第十九条—第三十六条の二）
　第一節の二　田園住居地域内における建築等の規制（第三十六条の三—第三十六条の七）
　第一節の三　市街地開発事業等予定区域の区域内における建築等の規制（第三十六条の八・第三十六条の九）
　第二節　都市計画施設等の区域内における建築等の規制（第三十七条—第三十八条の三）
　第三節　地区計画の区域内における建築等の規制（第三十八条の四—第三十八条の七）
　第四節　遊休土地転換利用促進地区内における土地利用に関する措置等（第三十八条の八—第三十八条の十）
第四章　都市計画事業（第三十九条・第四十条）
第五章　雑則（第四十一条—第四十六条）
附則

第一章　総則

（特定工作物）

第一条　都市計画法（以下「法」という。）第四条第十一項の周辺の地域の環境の悪化をもたらすおそれがある工作物で政令で定めるものは、次に掲げるものとする。

一　アスファルトプラント

二　クラッシャープラント

三　危険物（建築基準法施行令（昭和二十五年政令第三百三十八号）第百十六条第一項の表の危険物品の種類の欄に掲げる危険物をいう。）の貯蔵又は処理に供する工作物（石油パイプライン事業法（昭和四十七年法律第百五号）第五条第二項第二号に規定する事業用施設に該当するもの、港湾法（昭和二十五年法律第二百十八号）第二条第五項第八号に規定する保管施設又は同項第八号の二に規定する船舶役務用施設に該当するもの、漁港及び漁場の整備等に関する法律（昭和二十五年法律第百三十七号）第三条第二号ホに規定する補給施設に該当するもの、航空法（昭和二十七年法律第二百三十一号）による公共の用に供する飛行場に建設される航空機給油施設に該当するもの、電気事業法（昭和三十九年法律第百七十号）第二条第一項第十六号に規定する電気事業（同項第二号に規定する小売電気事業及び同項第十五号の三に規定する特定卸供給事業を除く。）の用に供する同項第十八号に規定する電気工作物に該当するもの及びガス事業法（昭和二十九年法律第五十一号）第二条第十三項に規定するガス工作物（同条第二項に規定するガス小売事業の用に供するものを除く。）に該当するものを除く。）

2　法第四条第十一項の大規模な工作物で政令で定めるものは、次に掲げるもので、その規模が一ヘクタール以上のものとする。

一　野球場、庭球場、陸上競技場、遊園地、動物園その他の運動・レジャー施設である工作物（学校教育法（昭和二十二年法律第二十六号）第一条に規定する学校（大学を除く。）又は就学前の子どもに関する教育、保育等の総合的な提供の推進に関する法律（平成十八年法律第七十七号）第二条第七項に規定する幼保連携型認定こども園の施設に該当するもの、港湾法第二条第五項第九号の三に規定する港湾環境整備施設に該当するもの、都市公園法（昭和三十一年法律第七十九号）第二条第一項に規定する都市公園に該当するもの及び自然公園法（昭和三十二年法律第百六十一号）第二条第六号に規定する公園事業又は同条第四号に規定する都道府県立自然公園のこれに相当する事業により建設される施設に該当するものを除く。）

二　墓園

（公共施設）

第一条の二　法第四条第十四項の政令で定める公共の用に供する施設は、下水道、緑地、広場、河川、運河、水路及び消防の用に供する貯水施設とする。

（都市計画区域に係る町村の要件）

第二条　法第五条第一項（同条第六項において準用する場合を含む。）の政令で定める要件は、次の各号の一に掲げるものとする。

一　当該町村の人口が一万以上であり、かつ、商工業その他の都市的業態に従事する者の数が全就業者数の五十パーセント以上であること。

二　当該町村の発展の動向、人口及び産業の将来の見通し等からみて、おおむね十年以内に前号に該当することとなると認められること。

三　当該町村の中心の市街地を形成している区域内の人口が三千以上であること。

四　温泉その他の観光資源があることにより多数人が集中するため、特に、良好な都市環境の形成を図る必要があること。

五　火災、震災その他の災害により当該町村の市街地を形成している区域内の相当数の建築物が滅失した場合において、当該町村の市街地の健全な復興を図る必要があること。

第二章　都市計画

第一節　都市計画の内容

（大都市に係る都市計画区域）

第三条　法第七条第一項第二号の大都市に係る都市計画区域として政令で定めるものは、地方自治法（昭和二十二年法律第六十七号）第二百五十二条の十九第一項の指定都市（以下単に「指定都市」という。）の区域の全部又は一部を含む都市計画区域（指定都市の区域の一部を含む都市計画区域にあつては、その区域内の人口が五十万未満であるものを除く。）とする。

（地域地区について都市計画に定める事項）

第四条　法第八条第三項第三号の政令で定める事項は、面積並びに特定街区、景観地区、風致地区、臨港地区、歴史的風土特別保存地区、第一種歴史的風土保存地区、第二種歴史的風土保存地区、緑地保全地域、特別緑地保全地区、流通業務地区及び伝統的建造物群保存地区については名称とする。

（促進区域について都市計画に定める事項）

第四条の二　法第十条の二第二項の政令で定める事項は、区域の面積とする。

（法第十条の三第一項第一号の政令で定める要件）

第四条の三　法第十条の三第一項第一号の政令で定める要件は、当該区域内の土地が相当期間にわたり次に掲げる条件のいずれかに該当していることとする。

一　住宅の用、事業の用に供する施設の用その他の用途に供されていないこと。

二　住宅の用、事業の用に供する施設の用その他の用途に供されている場合には、その土地又はその土地に存する建築物その他の工作物（第三章第一節を除き、以下「建築物等」という。）の整備の状況等からみて、その土地の利用の程度がその周辺の地域における同一の用途又はこれに類する用途に供されている土地の利用の程度に比し著しく劣つていると認められること。

（遊休土地転換利用促進地区について都市計画に定める事項）

第四条の四　法第十条の三第二項の政令で定める事項は、区域の面積とする。

（被災市街地復興推進地域について都市計画に定める事項）

第四条の五　法第十条の四第二項の政令で定める事項は、区域の面積とする。

（法第十一条第一項第十五号の政令で定める施設）

第五条　法第十一条第一項第十五号の政令で定める施設は、電気通信事業の用に供する施設又は防風、防火、防水、防雪、防砂若しくは防潮の施設とする。

（都市施設について都市計画に定める事項）

第六条　法第十一条第二項の政令で定める事項は、次の各号に掲げる施設について、それぞれ当該各号に定めるものとする。

一　道路　種別及び車線の数（車線のない道路である場合を除く。）その他の構造

二　駐車場　面積及び構造
三　自動車ターミナル又は公園　種別及び面積
四　都市高速鉄道又は法第十一条第一項第四号に掲げる都市施設　構造
五　空港、緑地、広場、運動場、墓園、汚物処理場、ごみ焼却場、ごみ処理場又は法第十一条第一項第五号から第七号までに掲げる都市施設　面積
六　下水道　排水区域
七　一団地の住宅施設　面積、建築物の建蔽率の限度、建築物の容積率の限度、住宅の低層、中層又は高層別の予定戸数並びに公共施設、公益的施設及び住宅の配置の方針
八　一団地の官公庁施設　面積、建築物の建蔽率の限度、建築物の容積率の限度並びに公共施設、公益的施設及び建築物の配置の方針

2　前項の種別及び構造の細目は、国土交通省令で定める。

（立体的な範囲を都市計画に定めることができる都市施設）

第六条の二　法第十一条第三項の政令で定める都市施設は、次に掲げるものとする。
一　道路、都市高速鉄道、駐車場、自動車ターミナルその他の交通施設
二　公園、緑地、広場、墓園その他の公共空地
三　水道、電気供給施設、ガス供給施設、下水道、汚物処理場、ごみ焼却場その他の供給施設又は処理施設
四　河川、運河その他の水路
五　一団地の都市安全確保拠点施設
六　電気通信事業の用に供する施設
七　防火又は防水の施設

（市街地開発事業について都市計画に定める事項）

第七条　法第十二条第二項の政令で定める事項は、施行区域の面積とする。

（市街地開発事業等予定区域について都市計画に定める事項）

第七条の二　法第十二条の二第二項の政令で定める事項は、区域の面積とする。

（地区計画等について都市計画に定める事項）

第七条の三　法第十二条の四第二項の政令で定める事項は、区域の面積とする。

（地区施設）

第七条の四　法第十二条の五第二項第一号イの政令で定める施設は、都市計画施設以外の施設である道路又は公園、緑地、広場その他の公共空地とする。

2　法第十二条の五第二項第一号ロの政令で定める施設は、避難施設、避難路又は雨水貯留浸透施設のうち、都市計画施設に該当しないものとする。

（再開発等促進区又は開発整備促進区を定める地区計画において定める施設）

第七条の五　法第十二条の五第五項第一号の政令で定める施設は、道路又は公園、緑地、広場その他の公共空地とする。

（地区整備計画において定める建築物等に関する事項）

第七条の六　法第十二条の五第七項第二号の建築物等に関する事項で政令で定めるものは、垣又はさくの構造の制限とする。

（地区計画の策定に関する基準）

第七条の七　地区計画を都市計画に定めるについて必要な政令で定める基準は、次に掲げるものとする。
一　地区施設及び法第十二条の五第五項第一号に規定する施設の配置及び規模は、当該区域及びその周辺において定められている他の都市計画と併せて効果的な配置及び規模の公共施設を備えた健全な都市環境を形成し、又は保持するよう、必要な位置に適切な規模で定めること。
二　建築物等に関する事項（再開発等促進区及び開発整備促進区におけるものを除く。）は、建築物等が各街区においてそれぞれ適正かつ合理的な土地の利用形態を示し、かつ、その配列、用途構成等が一体として当該区域の特性にふさわしいものとなるように定めること。
三　再開発等促進区又は開発整備促進区における建築物等に関する事項は、市街地の空間の有効な利用、良好な住居の環境の確保、商業その他の業務の利便の増進等を考慮して、建築物等が当該区域にふさわしい用途、容積、高さ、配列等を備えた適正かつ合理的な土地の利用形態となるように定めること。
四　再開発等促進区又は開発整備促進区における地区整備計画の区域は、建築物及びその敷地の整備並びに公共施設の整備を一体として行うべき土地の区域としてふさわしいものとなるように定めること。

（都市計画基準）

第八条　区域区分に関し必要な技術的基準は、次に掲げるものとする。
一　既に市街地を形成している区域として市街化区域に定める土地の区域は、相当の人口及び人口密度を有する市街地その他の既成市街地として国土交通省令で定めるもの並びにこれに接続して現に市街化しつつある土地の区域とすること。
二　おおむね十年以内に優先的かつ計画的に市街化を図るべき区域として市街化区域に定める土地の区域は、原則として、次に掲げる土地の区域を含まないものとすること。
イ　当該都市計画区域における市街化の動向並びに鉄道、道路、河川及び用排水施設の整備の見通し等を勘案して市街化することが不適当な土地の区域
ロ　溢水、湛水、津波、高潮等による災害の発生のおそれのある土地の区域
ハ　優良な集団農地その他長期にわたり農用地として保存すべき土地の区域
ニ　優れた自然の風景を維持し、都市の環境を保持し、水源を涵養し、土砂の流出を防備する等のため保全すべき土地の区域
三　区域区分のための土地の境界は、原則として、鉄道その他の施設、河川、海岸、崖その他の地形、地物等土地の範囲を明示するのに適当なものにより定めることとし、これにより難い場合には、町界、字界等によること。

2　用途地域には、原則として、次に掲げる土地の区域を含まないものとする。
一　農業振興地域の整備に関する法律（昭和四十四年法律第五十八号）第八条第二項第一号に規定する農用地区域（第十六条の二第一号において単に「農用地区域」という。）又は農地法（昭和二十七年法律第二百二十九号）第五条第二項第一号ロに掲げる農地（同法第四十三条第一項の規定により農作物の栽培を耕作に該当するものとみなして適用する同号ロに掲げる農地を含む。）若しくは採草放牧地の区域
二　自然公園法第二十条第一項に規定する特別地域、森林法（昭和二十六年法律第二百四十九号）第二十五条又は第二十五条の二の規定により指定された保安林の区域その他これらに類する土地の区域として国土交通省令で定めるもの

第二節　都市計画の決定等

（都道府県が定める都市計画）

第九条　法第十五条第一項第五号の広域の見地から決定すべき地域地区として政令で定めるものは、次に掲げるものとする。
一　風致地区で面積が十ヘクタール以上のもの（二以上の市町村の区域にわたるものに限る。）
二　特別緑地保全地区（首都圏近郊緑地保全法（昭和四十一年法律第百一号）第四条第二項第三号の近郊緑地特別保全地区及び近畿圏の保全区域の整備に関する法律（昭和四十二年法律第百三号）第六条第二項の近郊緑地特別保全地区（第十二条第三号において「近郊緑地特別保全地区」という。）を除く。）で面積が十ヘクタール以上のもの（二以上の市町村の区域にわたるものに限る。）

2　法第十五条第一項第五号の広域の見地から決定すべき都市施設又は根幹的都市施設として政令で定めるものは、次に掲げるものとする。
一　次に掲げる道路
イ　道路法（昭和二十七年法律第百八十号）第三条の一般国道又は都道府県道
ロ　その他の道路で自動車専用道路であるもの
二　都市高速鉄道
三　空港法（昭和三十一年法律第八十号）第四条第一項各号に掲げる空港及び同法第五条第一項に規定する地方管理空港
四　公園、緑地、広場又は墓園で、面積が十ヘクタール以上のもの（国又は都道府県が設置するものに限る。）
五　水道法（昭和三十二年法律第百七十七号）第三条第四項に規定する水道用水供給事業の用に供する水道
六　下水道法（昭和三十三年法律第七十九号）第二条第三号に規定する公

共下水道で排水区域が二以上の市町村の区域にわたるもの又は同法第二条第四号に規定する流域下水道

七　産業廃棄物処理施設

八　河川法（昭和三十九年法律第百六十七号）第四条第一項に規定する一級河川若しくは同法第五条第一項に規定する二級河川又は運河

九　一団地の官公庁施設

十　流通業務団地

（法第十五条第一項第六号の政令で定める大規模な土地区画整理事業等）

第一〇条　法第十五条第一項第六号の政令で定める大規模な土地区画整理事業、市街地再開発事業、住宅街区整備事業及び防災街区整備事業は、それぞれ次に掲げるものとする。

一　土地区画整理法（昭和二十九年法律第百十九号）による土地区画整理事業で施行区域の面積が五十ヘクタールを超えるもの

二　都市再開発法（昭和四十四年法律第三十八号）による市街地再開発事業で施行区域の面積が三ヘクタールを超えるもの

三　大都市地域における住宅及び住宅地の供給の促進に関する特別措置法（昭和五十年法律第六十七号）による住宅街区整備事業で施行区域の面積が二十ヘクタールを超えるもの

四　密集市街地における防災街区の整備の促進に関する法律（平成九年法律第四十九号。以下「密集市街地整備法」という。）による防災街区整備事業で施行区域の面積が三ヘクタールを超えるもの

（法第十五条第一項第七号の政令で定める市街地開発事業等予定区域）

第一〇条の二　法第十五条第一項第七号の広域の見地から決定すべき都市施設又は根幹的都市施設の予定区域として政令で定めるものは、法第十二条の二第一項第五号又は第六号に掲げる予定区域とする。

（法第十六条第二項の政令で定める事項）

第一〇条の三　法第十六条第二項の政令で定める事項は、地区計画等の案の内容となるべき事項の提示方法及び意見の提出方法とする。

（地区計画等の案を作成するに当たつて意見を求める者）

第一〇条の四　法第十六条第二項の政令で定める利害関係を有する者は、地区計画等の案に係る区域内の土地について対抗要件を備えた地上権若しくは賃借権又は登記した先取特権、質権若しくは抵当権を有する者及びその土地若しくはこれらの権利に関する仮登記、その土地若しくはこれらの権利に関する差押えの登記又はその土地に関する買戻しの特約の登記の登記名義人とする。

（特定街区に関する都市計画の案につき同意を要する者）

第一一条　法第十七条第三項（法第二十一条第二項において準用する場合を含む。）の政令で定める利害関係を有する者は、当該特定街区内の土地について所有権、建物の所有を目的とする対抗要件を備えた地上権若しくは賃借権又は登記した先取特権、質権若しくは抵当権を有する者及びこれらの権利に関する仮登記、これらの権利に関する差押えの登記又はその土地に関する買戻しの特約の登記の登記名義人とする。

（遊休土地転換利用促進地区に関する都市計画の案につき意見を聴くべき者に係る権利）

第一一条の二　法第十七条第四項（法第二十一条第二項において準用する場合を含む。）の政令で定める使用又は収益を目的とする権利は、当該遊休土地転換利用促進地区内の土地に関する対抗要件を備えた地上権又は賃借権とする。

（国の利害に重大な関係がある都市計画）

第一二条　法第十八条第三項（法第二十一条第二項において準用する場合を含む。）の国の利害に重大な関係がある政令で定める都市計画は、次に掲げるものに関する都市計画とする。

一　都市計画区域の整備、開発及び保全の方針（法第六条の二第二項第一号に掲げる事項及び同項第三号に掲げる事項のうち第三号から第五号までに掲げるものに関する都市計画の決定の方針に限る。）

二　区域区分

三　法第八条第一項第四号の二又は第九号から第十二号までに掲げる地域地区（同項第九号に掲げる地区にあつては港湾法第二条第二項の国際戦略港湾又は国際拠点港湾に係るもの、法第八条第一項第十二号に掲げる地区にあつては近郊緑地特別保全地区に限る。）

四　次に掲げる都市施設

イ　道路法第三条の高速自動車国道若しくは一般国道又は独立行政法人日本高速道路保有・債務返済機構法（平成十六年法律第百号）第十二条第一項第四号に規定する首都高速道路若しくは阪神高速道路

ロ　都市高速鉄道

ハ　空港法第四条第一項第一号から第四号までに掲げる空港

ニ　国が設置する公園又は緑地

ホ　河川法第四条第一項に規定する一級河川

ヘ　一団地の官公庁施設

五　法第十二条の二第一項第五号に掲げる予定区域

（地区計画等に定める事項のうち都道府県知事への協議を要するもの）

第一三条　法第十九条第三項（法第二十一条第二項において準用する場合を含む。）の政令で定める事項は、次の表の上欄各項に定める地区計画等の区分に応じてそれぞれ同表の下欄各項に定めるものとする。

地区計画等	事項
地区計画（市街化調整区域内において定めるものを除く。）	一　地区計画の位置及び区域 二　地区施設のうち道路（袋路状のものを除く。）で幅員八メートル以上のものの配置及び規模 三　再開発等促進区又は開発整備促進区に関する事項のうち、次に掲げるもの イ　法第十二条の五第五項第一号に規定する施設の配置及び規模 ロ　土地利用に関する基本方針 四　建築物等に関する事項（再開発等促進区及び開発整備促進区におけるものを除く。）のうち、次に掲げるもの（これらの事項が都道府県が定める地域地区の区域その他国土交通省令で定める区域において定められる場合に限る。） イ　建築物等の用途の制限 ロ　建築物の容積率の最高限度 五　再開発等促進区又は開発整備促進区における建築物等に関する事項のうち、次に掲げるもの（ハに掲げるものにあつては、用途地域に関する都市計画において定められた建築物の建蔽率を超えて定められる場合に限る。） イ　建築物等の用途の制限 ロ　建築物の容積率の最高限度 ハ　建築物の建蔽率の最高限度 六　法第十二条の十一に規定する道路の区域のうち建築物等の敷地として併せて利用すべき区域及び当該区域内における同条に規定する建築物等の建築又は建設の限界 七　法第十二条の十二に規定する開発整備促進区における地区整備計画の区域において誘導すべき用途及び当該誘導すべき用途に供する特定大規模建築物の敷地として利用すべき土地の区域
市街化調整区域内において定める地区計画	一　地区計画の位置及び区域 二　当該地区計画の目標 三　当該区域の整備、開発及び保全に関する方針 四　地区施設の配置及び規模 五　建築物等に関する事項のうち、建築物の緑化率の最低限度、建築物等の形態若しくは色彩その他の意匠の制限又は垣若しくは柵の構造の制限以外のもの 六　法第十二条の十一に規定する道路の区域のうち建築物等の敷地として併せて利用すべき区域及び当該区域内における同条に規定する建築物等の建築又は建設の限界
防災街区整備地区計画	一　防災街区整備地区計画の位置及び区域 二　道路（袋路状のものを除く。）で幅員八メートル以上のものの配置及び規模又はその区域 三　建築物等に関する事項のうち、次に掲げるもの（これらの事項が都道府県が定める地域地区その他国土

	交通省令で定める区域において定められる場合に限る。） イ　建築物等の用途の制限 ロ　建築物の容積率の最高限度
歴史的風致維持向上地区計画	一　歴史的風致維持向上地区計画の位置及び区域 二　当該区域の土地利用に関する基本方針（地域における歴史的風致の維持及び向上に関する法律（平成二十年法律第四十号）第三十一条第三項第二号に掲げる事項に係る部分を除き、都道府県が定める地域地区の区域その他国土交通省令で定める区域において定められる場合に限る。） 三　地域における歴史的風致の維持及び向上に関する法律第三十一条第二項第一号に規定する地区施設のうち道路（袋路状のものを除く。）で幅員八メートル以上のものの配置及び規模 四　建築物等に関する事項のうち、次に掲げるもの（これらの事項が都道府県が定める地域地区の区域その他国土交通省令で定める区域において定められる場合に限る。） イ　建築物等の用途の制限 ロ　建築物の容積率の最高限度
沿道地区計画	一　沿道地区計画の位置及び区域 二　沿道の整備に関する方針 三　幹線道路の沿道の整備に関する法律（昭和五十五年法律第三十四号）第九条第二項第一号に規定する沿道地区施設のうち次に掲げるものの配置及び規模 イ　緑地その他の緩衝空地 ロ　道路（袋路状のものを除く。）で幅員八メートル以上のもの 四　沿道再開発等促進区に関する事項のうち、次に掲げるもの イ　幹線道路の沿道の整備に関する法律第九条第四項第一号に規定する施設の配置及び規模 ロ　土地利用に関する基本方針 五　建築物等に関する事項（沿道再開発等促進区におけるものを除く。）のうち、次に掲げるもの（ニ及びホに掲げるものにあつては、これらの事項が都道府県が定める地域地区の区域その他国土交通省令で定める区域において定められる場合に限る。） イ　建築物の沿道整備道路に係る間口率（幹線道路の沿道の整備に関する法律第九条第六項第二号に規定する建築物の沿道整備道路に係る間口率をいう。次号イにおいて同じ。）の最低限度 ロ　建築物の構造に関する防音上又は遮音上必要な制限 ハ　建築物等の高さの最低限度 ニ　建築物の容積率の最高限度 ホ　建築物等の用途の制限 六　沿道再開発等促進区における建築物等に関する事項のうち、次に掲げるもの（ホに掲げるものにあつては、用途地域に関する都市計画において定められた建築物の建蔽率を超えて定められる場合に限る。） イ　建築物の沿道整備道路に係る間口率の最低限度 ロ　建築物の構造に関する防音上又は遮音上必要な制限 ハ　建築物等の高さの最低限度 ニ　建築物の容積率の最高限度 ホ　建築物の建蔽率の最高限度 ヘ　建築物等の用途の制限
集落地区計画	一　集落地区計画の位置及び区域 二　当該集落地区計画の目標その他当該区域の整備及び保全に関する方針 三　集落地域整備法（昭和六十二年法律第六十三号）第五条第三項の集落地区施設の配置及び規模 四　建築物等に関する事項のうち、建築物等の形態若しくは色彩その他の意匠の制限又は垣若しくは柵の構造の制限以外のもの

（法第二十一条第二項の政令で定める軽易な変更）

第一四条　法第二十一条第二項の政令で定める軽易な変更は、次の各号に掲げる規定を準用する場合について、それぞれ当該各号に定めるものとする。

一　法第十七条、第十八条第二項又は第十九条第二項の規定　名称の変更

二　法第十八条第三項の規定　次に掲げるもの（ロ及びハに掲げるものにあつては、それぞれ国土交通省令で定めるものに限る。）

イ　名称の変更

ロ　位置、区域、面積又は構造の変更

ハ　一団地の官公庁施設に関する都市計画における公共施設、公益的施設又は建築物の配置の方針の変更

三　法第十九条第三項の規定　次に掲げるもの（ロ及びハに掲げるものにあつては、それぞれ国土交通省令で定めるものに限る。）

イ　名称の変更

ロ　位置、区域、面積又は構造の変更

ハ　一団地の住宅施設に関する都市計画における住宅の低層、中層若しくは高層別の予定戸数又は公共施設、公益的施設若しくは住宅の配置の方針の変更

（法第二十一条の二第一項の政令で定める規模）

第一五条　法第二十一条の二第一項の政令で定める規模は、〇・五ヘクタールとする。ただし、当該都市計画区域又は準都市計画区域において一体として行われる整備、開発又は保全に関する事業等の現況及び将来の見通し等を勘案して、特に必要があると認められるときは、都道府県又は市町村は、条例で、区域又は計画提案に係る都市計画の種類を限り、〇・一ヘクタール以上〇・五ヘクタール未満の範囲内で、それぞれ当該都道府県又は市町村に対する計画提案に係る規模を別に定めることができる。

（法第二十二条第三項の政令で定める経過措置）

第一六条　二以上の都府県の区域にわたる都市計画区域が一の都府県の区域内の区域となつたとき又は一の都府県の区域内の都市計画区域が二以上の都府県の区域にわたることとなつたときは、国土交通大臣又は都府県の定めた都市計画は、それぞれ都府県又は国土交通大臣の定めた都市計画とみなす。

（農林水産大臣への協議に係る土地の区域）

第一六条の二　法第二十三条第一項ただし書の政令で定める土地の区域は、次に掲げるものとする。

一　農業振興地域（農業振興地域の整備に関する法律第六条第一項に規定する農業振興地域をいう。以下この号において同じ。）の区域（農用地区域を除く。）内にある農地法第二条第一項に規定する農地（同法第四十三条第一項の規定により農作物の栽培を耕作に該当するものとみなして適用する同法第二条第一項に規定する農地を含む。以下この号において単に「農地」という。）若しくは採草放牧地の区域又は農業振興地域の区域外にある四ヘクタールを超える農地の区域

二　森林法第二十五条又は第二十五条の二の規定により指定された保安林の区域その他これらに類する土地の区域として国土交通省令で定めるもの

（法第二十三条第六項の政令で定める者）

第一七条　法第二十三条第六項の政令で定める者は、集団住宅が二千戸以上の一団地の住宅施設に関する都市計画又は法第十二条の二第一項第四号に掲げる予定区域に関する都市計画を定めようとする場合（当該都市計画を国土交通大臣が自ら定めようとする場合を除く。）における地方運輸局長とする。

（収用委員会に対する裁決の申請）

第一八条　法第二十八条第三項（法第五十二条の四第二項（法第五十七条の五において準用する場合を含む。）、法第五十二条の五第三項（法第五十七条の六第二項及び法第六十条の三第二項において準用する場合を含む。）及び法第六十八条第三項において準用する場合を含む。）の規定により土

地収用法（昭和二十六年法律第二百十九号）第九十四条第二項の規定による裁決を申請しようとする者は、国土交通省令で定める様式に従い、次に掲げる事項を記載した裁決申請書を収用委員会に提出しなければならない。

一　裁決申請者の氏名及び住所
二　相手方の氏名及び住所
三　都市計画の種類（地域地区、都市施設、市街地開発事業又は市街地開発事業等予定区域に関する都市計画にあつては、それぞれその種類）（法第六十八条第一項の規定による土地の買取請求に係る場合にあつては、都市計画事業の種類）
四　損失の事実並びに損失の補償の見積り及びその内訳（土地の買取請求に係る場合にあつては、買取請求に係る土地の価額の見積り及びその内訳）
五　協議の経過

第三章　都市計画制限等

第一節　開発行為等の規制

（許可を要しない開発行為の規模）

第一九条　法第二十九条第一項第一号の政令で定める規模は、次の表の第一欄に掲げる区域ごとに、それぞれ同表の第二欄に掲げる規模とする。ただし、同表の第三欄に掲げる場合には、都道府県（指定都市等（法第二十九条第一項に規定する指定都市等をいう。以下同じ。）又は事務処理市町村（法第三十三条第六項に規定する事務処理市町村をいう。以下同じ。）の区域内にあつては、当該指定都市等又は事務処理市町村。第二十二条の三、第二十三条の三及び第三十六条において同じ。）は、条例で、区域を限り、同表の第四欄に掲げる範囲内で、その規模を別に定めることができる。

第一欄	第二欄	第三欄	第四欄
市街化区域	千平方メートル	市街化の状況により、無秩序な市街化を防止するため特に必要があると認められる場合	三百平方メートル以上千平方メートル未満
区域区分が定められていない都市計画区域及び準都市計画区域	三千平方メートル	市街化の状況等により特に必要があると認められる場合	三百平方メートル以上三千平方メートル未満

2　都の区域（特別区の存する区域に限る。）及び市町村でその区域の全部又は一部が次に掲げる区域内にあるものの区域についての前項の表市街化区域の項の規定の適用については、同項中「千平方メートル」とあるのは、「五百平方メートル」とする。

一　首都圏整備法（昭和三十一年法律第八十三号）第二条第三項に規定する既成市街地又は同条第四項に規定する近郊整備地帯
二　近畿圏整備法（昭和三十八年法律第百二十九号）第二条第三項に規定する既成都市区域又は同条第四項に規定する近郊整備区域
三　中部圏開発整備法（昭和四十一年法律第百二号）第二条第三項に規定する都市整備区域

（法第二十九条第一項第二号及び第二項第一号の政令で定める建築物）

第二〇条　法第二十九条第一項第二号及び第二項第一号の政令で定める建築物は、次に掲げるものとする。

一　畜舎、蚕室、温室、育種苗施設、家畜人工授精施設、孵卵育雛施設、搾乳施設、集乳施設その他これらに類する農産物、林産物又は水産物の生産又は集荷の用に供する建築物
二　堆肥舎、サイロ、種苗貯蔵施設、農機具等収納施設その他これらに類する農業、林業又は漁業の生産資材の貯蔵又は保管の用に供する建築物
三　家畜診療の用に供する建築物
四　用排水機、取水施設等農用地の保全若しくは利用上必要な施設の管理の用に供する建築物又は索道の用に供する建築物
五　前各号に掲げるもののほか、建築面積が九十平方メートル以内の建築物

（適正かつ合理的な土地利用及び環境の保全を図る上で支障がない公益上必要な建築物）

第二一条　法第二十九条第一項第三号の政令で定める建築物は、次に掲げるものとする。

一　道路法第二条第一項に規定する道路又は道路運送法（昭和二十六年法律第百八十三号）第二条第八項に規定する一般自動車道若しくは専用自動車道（同法第三条第一号に規定する一般旅客自動車運送事業又は貨物自動車運送事業法（平成元年法律第八十三号）第二条第二項に規定する一般貨物自動車運送事業の用に供するものに限る。）を構成する建築物
二　河川法が適用され、又は準用される河川を構成する建築物
三　都市公園法第二条第二項に規定する公園施設である建築物
四　鉄道事業法（昭和六十一年法律第九十二号）第二条第一項に規定する鉄道事業若しくは同条第五項に規定する索道事業で一般の需要に応ずるものの用に供する施設である建築物又は軌道法（大正十年法律第七十六号）による軌道若しくは同法が準用される無軌条電車の用に供する施設である建築物
五　石油パイプライン事業法第五条第二項第二号に規定する事業用施設である建築物
六　道路運送法第三条第一号イに規定する一般乗合旅客自動車運送事業（路線を定めて定期に運行する自動車により乗合旅客の運送を行うものに限る。）若しくは貨物自動車運送事業法第二条第二項に規定する一般貨物自動車運送事業（同条第六項に規定する特別積合せ貨物運送をするものに限る。）の用に供する施設である建築物又は自動車ターミナル法（昭和三十四年法律第百三十六号）第二条第五項に規定する一般自動車ターミナルを構成する建築物
七　港湾法第二条第五項に規定する港湾施設である建築物又は漁港及び漁場の整備等に関する法律第三条に規定する漁港施設である建築物
八　海岸法（昭和三十一年法律第百一号）第二条第一項に規定する海岸保全施設である建築物
九　航空法による公共の用に供する飛行場に建築される建築物で当該飛行場の機能を確保するため必要なもの若しくは当該飛行場を利用する者の利便を確保するため必要なもの又は同法第二条第五項に規定する航空保安施設で公共の用に供するものの用に供する建築物
十　気象、海象、地象又は洪水その他これに類する現象の観測又は通報の用に供する施設である建築物
十一　日本郵便株式会社が日本郵便株式会社法（平成十七年法律第百号）第四条第一項第一号に掲げる業務の用に供する施設である建築物
十二　電気通信事業法（昭和五十九年法律第八十六号）第百二十条第一項に規定する認定電気通信事業者が同項に規定する認定電気通信事業の用に供する施設である建築物
十三　放送法（昭和二十五年法律第百三十二号）第二条第二号に規定する基幹放送の用に供する放送設備である建築物
十四　電気事業法第二条第一項第十六号に規定する電気事業（同項第二号に規定する小売電気事業及び同項第十五号の三に規定する特定卸供給事業を除く。）の用に供する同項第十八号に規定する電気工作物を設置する施設である建築物又はガス事業法第二条第十三項に規定するガス工作物（同条第二項に規定するガス小売事業の用に供するものを除く。）を設置する施設である建築物
十五　水道法第三条第二項に規定する水道事業若しくは同条第四項に規定する水道用水供給事業の用に供する同条第八項に規定する水道施設である建築物、工業用水道事業法（昭和三十三年法律第八十四号）第二条第六項に規定する工業用水道施設である建築物又は下水道法第二条第三号から第五号までに規定する公共下水道、流域下水道若しくは都市下水路の用に供する施設である建築物
十六　水害予防組合が水防の用に供する施設である建築物
十七　図書館法（昭和二十五年法律第百十八号）第二条第一項に規定する図書館の用に供する施設である建築物又は博物館法（昭和二十六年法律第二百八十五号）第二条第一項に規定する博物館の用に供する施設である建築物
十八　社会教育法（昭和二十四年法律第二百七号）第二十条に規定する公民館の用に供する施設である建築物
十九　国、都道府県及び市町村並びに独立行政法人高齢・障害・求職者雇

用支援機構が設置する職業能力開発促進法（昭和四十四年法律第六十四号）第十五条の七第三項に規定する公共職業能力開発施設並びに国及び独立行政法人高齢・障害・求職者雇用支援機構が設置する同法第二十七条第一項に規定する職業能力開発総合大学校である建築物

二十　墓地、埋葬等に関する法律（昭和二十三年法律第四十八号）第二条第七項に規定する火葬場である建築物

二十一　と畜場法（昭和二十八年法律第百十四号）第三条第二項に規定すると畜場である建築物又は化製場等に関する法律（昭和二十三年法律第百四十号）第一条第二項に規定する化製場若しくは同条第三項に規定する死亡獣畜取扱場である建築物

二十二　廃棄物の処理及び清掃に関する法律（昭和四十五年法律第百三十七号）による公衆便所、し尿処理施設若しくはごみ処理施設である建築物又は浄化槽法（昭和五十八年法律第四十三号）第二条第一号に規定する浄化槽である建築物

二十三　卸売市場法（昭和四十六年法律第三十五号）第四条第六項に規定する中央卸売市場若しくは同法第十三条第六項に規定する地方卸売市場の用に供する施設である建築物又は地方公共団体が設置する市場の用に供する施設である建築物

二十四　自然公園法第二条第六号に規定する公園事業又は同条第四号に規定する都道府県立自然公園のこれに相当する事業により建築される建築物

二十五　住宅地区改良法（昭和三十五年法律第八十四号）第二条第一項に規定する住宅地区改良事業により建築される建築物

二十六　国、都道府県等（法第三十四条の二第一項に規定する都道府県等をいう。）、市町村（指定都市等及び事務処理市町村を除き、特別区を含む。以下この号において同じ。）又は市町村がその組織に加わっている一部事務組合若しくは広域連合が設置する研究所、試験所その他の直接その事務又は事業の用に供する建築物で次に掲げる建築物以外のもの

イ　学校教育法第一条に規定する学校、同法第百二十四条に規定する専修学校又は同法第百三十四条第一項に規定する各種学校の用に供する施設である建築物

ロ　児童福祉法（昭和二十二年法律第百六十四号）による家庭的保育事業、小規模保育事業若しくは事業所内保育事業、社会福祉法（昭和二十六年法律第四十五号）による社会福祉事業又は更生保護事業法（平成七年法律第八十六号）による更生保護事業の用に供する施設である建築物

ハ　医療法（昭和二十三年法律第二百五号）第一条の五第一項に規定する病院、同条第二項に規定する診療所又は同法第二条第一項に規定する助産所の用に供する施設である建築物

ニ　多数の者の利用に供する庁舎（主として当該開発区域の周辺の地域において居住している者の利用に供するものを除く。）で国土交通省令で定めるもの

ホ　宿舎（職務上常駐を必要とする職員のためのものその他これに準ずるものとして国土交通省令で定めるものを除く。）

二十七　国立研究開発法人量子科学技術研究開発機構が国立研究開発法人量子科学技術研究開発機構法（平成十一年法律第百七十六号）第十六条第一項第一号に掲げる業務の用に供する施設である建築物

二十八　国立研究開発法人日本原子力研究開発機構が国立研究開発法人日本原子力研究開発機構法（平成十六年法律第百五十五号）第十七条第一項第一号から第三号までに掲げる業務の用に供する施設である建築物

二十九　独立行政法人水資源機構が設置する独立行政法人水資源機構法（平成十四年法律第百八十二号）第二条第二項に規定する水資源開発施設である建築物

三十　国立研究開発法人宇宙航空研究開発機構が国立研究開発法人宇宙航空研究開発機構法（平成十四年法律第百六十一号）第十八条第一号から第四号までに掲げる業務の用に供する施設である建築物

三十一　国立研究開発法人新エネルギー・産業技術総合開発機構が国立研究開発法人新エネルギー・産業技術総合開発機構法（平成十四年法律第百四十五号）第十五条第一号又は非化石エネルギーの開発及び導入の促進に関する法律（昭和五十五年法律第七十一号）第十一条第三号に掲げる業務の用に供する施設である建築物

（開発行為の許可を要しない通常の管理行為、軽易な行為その他の行為）

第二十二条　法第二十九条第一項第十一号の政令で定める開発行為は、次に掲げるものとする。

一　仮設建築物の建築又は土木事業その他の事業に一時的に使用するための第一種特定工作物の建設の用に供する目的で行う開発行為

二　車庫、物置その他これらに類する附属建築物の建築の用に供する目的で行う開発行為

三　建築物の増築又は特定工作物の増設で当該増築に係る床面積の合計又は当該増設に係る築造面積が十平方メートル以内であるものの用に供する目的で行う開発行為

四　法第二十九条第一項第二号若しくは第三号に規定する建築物以外の建築物の改築で用途の変更を伴わないもの又は特定工作物の改築の用に供する目的で行う開発行為

五　前号に掲げるもののほか、建築物の改築で当該改築に係る床面積の合計が十平方メートル以内であるものの用に供する目的で行う開発行為

六　主として当該開発区域の周辺の市街化調整区域内に居住している者の日常生活のため必要な物品の販売、加工、修理等の業務を営む店舗、事業場その他これらの業務の用に供する建築物で、その延べ面積（同一敷地内に二以上の建築物を新築する場合においては、その延べ面積の合計。以下この条及び第三十五条において同じ。）が五十平方メートル以内のもの（これらの業務の用に供する部分の延べ面積が全体の延べ面積の五十パーセント以上のものに限る。）の新築の用に供する目的で当該開発区域の周辺の市街化調整区域内に居住している者が自ら当該業務を営むために行う開発行為で、その規模が百平方メートル以内であるもの

（法第二十九条第二項の政令で定める規模）

第二十二条の二　法第二十九条第二項の政令で定める規模は、一ヘクタールとする。

（開発区域が二以上の区域にわたる場合の開発行為の許可の規模要件の適用）

第二十二条の三　開発区域が、市街化区域、区域区分が定められていない都市計画区域、準都市計画区域又は都市計画区域及び準都市計画区域外の区域のうち二以上の区域にわたる場合においては、法第二十九条第一項第一号の規定は、次に掲げる要件のいずれにも該当する開発行為について適用する。

一　当該開発区域の面積の合計が、一ヘクタール未満であること。

二　市街化区域、区域区分が定められていない都市計画区域又は準都市計画区域のうち二以上の区域における開発区域の面積の合計が、当該開発区域に係るそれぞれの区域について第十九条の規定により開発行為の許可を要しないこととされる規模のうち最も大きい規模未満であること。

三　市街化区域における開発区域の面積が、千平方メートル（第十九条第二項の規定が適用される場合にあっては、五百平方メートル）未満であること。ただし、同条第一項ただし書の規定により都道府県の条例で別に規模が定められている場合にあっては、その規模未満であること。

四　区域区分が定められていない都市計画区域における開発区域の面積が、三千平方メートル（第十九条第一項ただし書の規定により都道府県の条例で別に規模が定められている場合にあっては、その規模）未満であること。

五　準都市計画区域における開発区域の面積が、三千平方メートル（第十九条第一項ただし書の規定により都道府県の条例で別に規模が定められている場合にあっては、その規模）未満であること。

2　開発区域が、市街化区域、区域区分が定められていない都市計画区域又は準都市計画区域と都市計画区域及び準都市計画区域外の区域とにわたる場合においては、法第二十九条第二項の規定は、当該開発区域の面積の合計が一ヘクタール以上である開発行為について適用する。

（開発行為を行うについて協議すべき者）

第二十三条　開発区域の面積が二十ヘクタール以上の開発行為について開発許可を申請しようとする者は、あらかじめ、次に掲げる者（開発区域の面積が四十ヘクタール未満の開発行為にあっては、第三号及び第四号に掲げる者を除く。）と協議しなければならない。

一　当該開発区域内に居住することとなる者に関係がある義務教育施設の設置義務者

二　当該開発区域を給水区域に含む水道法第三条第五項に規定する水道事業者

三　当該開発区域を供給区域に含む電気事業法第二条第一項第九号に規定する一般送配電事業者及び同項第十一号の三に規定する配電事業者並びにガス事業法第二条第六項に規定する一般ガス導管事業者

四　当該開発行為に関係がある鉄道事業法による鉄道事業者及び軌道法による軌道経営者

（開発行為を行うのに適当でない区域）

第二三条の二　法第三十三条第一項第八号（法第三十五条の二第四項において準用する場合を含む。）の政令で定める開発行為を行うのに適当でない区域は、急傾斜地崩壊危険区域（急傾斜地の崩壊による災害の防止に関する法律（昭和四十四年法律第五十七号）第三条第一項の急傾斜地崩壊危険区域をいう。第二十九条の七及び第二十九条の九第三号において同じ。）とする。

（樹木の保存等の措置が講ぜられるように設計が定められなければならない開発行為の規模）

第二三条の三　法第三十三条第一項第九号（法第三十五条の二第四項において準用する場合を含む。）の政令で定める規模は、一ヘクタールとする。ただし、開発区域及びその周辺の地域における環境を保全するため特に必要があると認められるときは、都道府県は、条例で、区域を限り、〇・三ヘクタール以上一ヘクタール未満の範囲内で、その規模を別に定めることができる。

（環境の悪化の防止上必要な緩衝帯が配置されるように設計が定められなければならない開発行為の規模）

第二三条の四　法第三十三条第一項第十号（法第三十五条の二第四項において準用する場合を含む。）の政令で定める規模は、一ヘクタールとする。

（輸送の便等からみて支障がないと認められなければならない開発行為の規模）

第二四条　法第三十三条第一項第十一号（法第三十五条の二第四項において準用する場合を含む。）の政令で定める規模は、四十ヘクタールとする。

（申請者に自己の開発行為を行うために必要な資力及び信用がなければならない開発行為の規模）

第二四条の二　法第三十三条第一項第十二号（法第三十五条の二第四項において準用する場合を含む。）の政令で定める規模は、一ヘクタールとする。

（工事施工者に自己の開発行為に関する工事を完成させるために必要な能力がなければならない開発行為の規模）

第二四条の三　法第三十三条第一項第十三号（法第三十五条の二第四項において準用する場合を含む。）の政令で定める規模は、一ヘクタールとする。

（開発許可の基準を適用するについて必要な技術的細目）

第二五条　法第三十三条第二項（法第三十五条の二第四項において準用する場合を含む。以下同じ。）に規定する技術的細目のうち、法第三十三条第一項第二号（法第三十五条の二第四項において準用する場合を含む。）に関するものは、次に掲げるものとする。

一　道路は、都市計画において定められた道路及び開発区域外の道路の機能を阻害することなく、かつ、開発区域外にある道路と接続する必要があるときは、当該道路と接続してこれらの道路の機能が有効に発揮されるように設計されていること。

二　予定建築物等の用途、予定建築物等の敷地の規模等に応じて、六メートル以上十二メートル以下で国土交通省令で定める幅員（小区間で通行上支障がない場合は、四メートル）以上の幅員の道路が当該予定建築物等の敷地に接するように配置されていること。ただし、開発区域の規模及び形状、開発区域の周辺の土地の地形及び利用の態様等に照らして、これによることが著しく困難と認められる場合であつて、環境の保全上、災害の防止上、通行の安全上及び事業活動の効率上支障がないと認められる規模及び構造の道路で国土交通省令で定めるものが配置されているときは、この限りでない。

三　市街化調整区域における開発区域の面積が二十ヘクタール以上の開発行為（主として第二種特定工作物の建設の用に供する目的で行う開発行為を除く。第六号及び第七号において同じ。）にあつては、予定建築物等の敷地から二百五十メートル以内の距離に幅員十二メートル以上の道路が設けられていること。

四　開発区域内の主要な道路は、開発区域外の幅員九メートル（主として住宅の建築の用に供する目的で行う開発行為にあつては、六・五メートル）以上の道路（開発区域の周辺の道路の状況によりやむを得ないと認められるときは、車両の通行に支障がない道路）に接続していること。

五　開発区域内の幅員九メートル以上の道路は、歩車道が分離されていること。

六　開発区域の面積が〇・三ヘクタール以上五ヘクタール未満の開発行為にあつては、開発区域に、面積の合計が開発区域の面積の三パーセント以上の公園、緑地又は広場が設けられていること。ただし、開発区域の周辺に相当規模の公園、緑地又は広場が存する場合、予定建築物等の用途が住宅以外のものであり、かつ、その敷地が一である場合等開発区域の周辺の状況並びに予定建築物等の用途及び敷地の配置を勘案して特に必要がないと認められる場合は、この限りでない。

七　開発区域の面積が五ヘクタール以上の開発行為にあつては、国土交通省令で定めるところにより、面積が一箇所三百平方メートル以上であり、かつ、その面積の合計が開発区域の面積の三パーセント以上の公園（予定建築物等の用途が住宅以外のものである場合は、公園、緑地又は広場）が設けられていること。

八　消防に必要な水利として利用できる河川、池沼その他の水利が消防法（昭和二十三年法律第百八十六号）第二十条第一項の規定による勧告に係る基準に適合していない場合において設置する貯水施設は、当該基準に適合しているものであること。

第二六条　法第三十三条第二項に規定する技術的細目のうち、同条第一項第三号（法第三十五条の二第四項において準用する場合を含む。）に関するものは、次に掲げるものとする。

一　開発区域内の排水施設は、国土交通省令で定めるところにより、開発区域の規模、地形、予定建築物等の用途、降水量等から想定される汚水及び雨水を有効に排出することができるように、管渠の勾配及び断面積が定められていること。

二　開発区域内の排水施設は、放流先の排水能力、利水の状況その他の状況を勘案して、開発区域内の下水を有効かつ適切に排出することができるように、下水道、排水路その他の排水施設又は河川その他の公共の水域若しくは海域に接続していること。この場合において、放流先の排水能力によりやむを得ないと認められるときは、開発区域内において一時雨水を貯留する遊水池その他の適当な施設を設けることを妨げない。

三　雨水（処理された汚水及びその他の汚水でこれと同程度以上に清浄であるものを含む。）以外の下水は、原則として、暗渠によつて排出することができるように定められていること。

第二七条　主として住宅の建築の用に供する目的で行なう二十ヘクタール以上の開発行為にあつては、当該開発行為の規模に応じ必要な教育施設、医療施設、交通施設、購買施設その他の公益的施設が、それぞれの機能に応じ居住者の有効な利用が確保されるような位置及び規模で配置されていなければならない。ただし、周辺の状況により必要がないと認められるときは、この限りでない。

第二八条　法第三十三条第二項に規定する技術的細目のうち、同条第一項第七号（法第三十五条の二第四項において準用する場合を含む。）に関するものは、次に掲げるものとする。

一　地盤の沈下又は開発区域外の地盤の隆起が生じないように、土の置換え、水抜きその他の措置が講ぜられていること。

二　開発行為によつて崖が生じる場合においては、崖の上端に続く地盤面には、特別の事情がない限り、その崖の反対方向に雨水その他の地表水が流れるように勾配が付されていること。

三　切土をする場合において、切土をした後の地盤に滑りやすい土質の層があるときは、その地盤に滑りが生じないように、地滑り抑止ぐい又はグラウンドアンカーその他の土留（次号において「地滑り抑止ぐい等」という。）の設置、土の置換えその他の措置が講ぜられていること。

四　盛土をする場合には、盛土に雨水その他の地表水又は地下水の浸透による緩み、沈下、崩壊又は滑りが生じないように、おおむね三十センチメートル以下の厚さの層に分けて土を盛り、かつ、その層の土を盛るごとに、これをローラーその他これに類する建設機械を用いて締め固めるとともに、必要に応じて地滑り抑止ぐい等の設置その他の措置が講ぜられていること。

五　著しく傾斜している土地において盛土をする場合には、盛土をする前の地盤と盛土とが接する面が滑り面とならないように、段切りその他の措置が講ぜられていること。

六　開発行為によつて生じた崖面は、崩壊しないように、国土交通省令で定める基準により、擁壁の設置、石張り、芝張り、モルタルの吹付けその他の措置が講ぜられていること。

七　切土又は盛土をする場合において、地下水により崖崩れ又は土砂の流出が生じるおそれがあるときは、開発区域内の地下水を有効かつ適切に排出することができるように、国土交通省令で定める排水施設が設置されていること。

第二八条の二　法第三十三条第二項に規定する技術的細目のうち、同条第一項第九号（法第三十五条の二第四項において準用する場合を含む。）に関するものは、次に掲げるものとする。

一　高さが十メートル以上の健全な樹木又は国土交通省令で定める規模以上の健全な樹木の集団については、その存する土地を公園又は緑地として配置する等により、当該樹木又は樹木の集団の保存の措置が講ぜられていること。ただし、当該開発行為の目的及び法第三十三条第一項第二号イから二まで（これらの規定を法第三十五条の二第四項において準用する場合を含む。）に掲げる事項と当該樹木又は樹木の集団の位置とを勘案してやむを得ないと認められる場合は、この限りでない。

二　高さが一メートルを超える切土又は盛土が行われ、かつ、その切土又は盛土をする土地の面積が千平方メートル以上である場合には、当該切土又は盛土を行う部分（道路の路面の部分その他の植栽の必要がないことが明らかな部分及び植物の生育が確保される部分を除く。）について表土の復元、客土、土壌の改良等の措置が講ぜられていること。

第二八条の三　騒音、振動等による環境の悪化をもたらすおそれがある予定建築物等の建築又は建設の用に供する目的で行う開発行為にあつては、四メートルから二十メートルまでの範囲内で開発区域の規模に応じて国土交通省令で定める幅員以上の緑地帯その他の緩衝帯が開発区域の境界にそつてその内側に配置されていなければならない。ただし、開発区域の土地が開発区域外にある公園、緑地、河川等に隣接する部分については、その規模に応じ、緩衝帯の幅員を減少し、又は緩衝帯を配置しないことができる。

第二九条　第二十五条から前条までに定めるもののほか、道路の勾配、排水の用に供する管渠の耐水性等法第三十三条第一項第二号から第四号まで及び第七号（これらの規定を法第三十五条の二第四項において準用する場合を含む。）に規定する施設の構造又は能力に関して必要な技術的細目は、国土交通省令で定める。

（条例で技術的細目において定められた制限を強化し、又は緩和する場合の基準）

第二九条の二　法第三十三条第三項（法第三十五条の二第四項において準用する場合を含む。次項において同じ。）の政令で定める基準のうち制限の強化に関するものは、次に掲げるものとする。

一　第二十五条第二号、第三号若しくは第五号から第七号まで、第二十七条、第二十八条第二号から第六号まで又は前三条の技術的細目に定められた制限について、環境の保全、災害の防止及び利便の増進を図るために必要な限度を超えない範囲で行うものであること。

二　第二十五条第二号の技術的細目に定められた制限の強化は、配置すべき道路の幅員の最低限度について、十二メートル（小区間で通行上支障がない場合は、六メートル）を超えない範囲で行うものであること。

三　第二十五条第三号の技術的細目に定められた制限の強化は、開発区域の面積について行うものであること。

四　第二十五条第五号の技術的細目に定められた制限の強化は、歩車道を分離すべき道路の幅員の最低限度について、五・五メートルを下らない範囲で行うものであること。

五　第二十五条第六号の技術的細目に定められた制限の強化は、次に掲げるところによるものであること。

イ　主として住宅の建築の用に供する目的で行う開発行為において設置すべき施設の種類を、公園に限定すること。

ロ　設置すべき公園、緑地又は広場の数又は一箇所当たりの面積の最低限度を定めること。

ハ　設置すべき公園、緑地又は広場の面積の合計の開発区域の面積に対する割合の最低限度について、六パーセントを超えない範囲で、開発区域及びその周辺の状況並びに予定建築物等の用途を勘案して特に必要があると認められる場合に行うこと。

六　第二十五条第七号の技術的細目に定められた制限の強化は、国土交通省令で定めるところにより、設置すべき公園、緑地若しくは広場の数若しくは一箇所当たりの面積の最低限度又はそれらの面積の合計の開発区域の面積に対する割合の最低限度（六パーセントを超えない範囲に限る。）について行うものであること。

七　第二十七条の技術的細目に定められた制限の強化は、二十ヘクタール未満の開発行為においてもごみ収集場その他の公益的施設が特に必要とされる場合に、当該公益的施設を配置すべき開発行為の規模について行うものであること。

八　第二十八条第二号から第六号までの技術的細目に定められた制限の強化は、その地方の気候、風土又は地勢の特殊性により、これらの規定のみによつては開発行為に伴う崖崩れ又は土砂の流出の防止の目的を達し難いと認められる場合に行うものであること。

九　第二十八条の二第一号の技術的細目に定められた制限の強化は、保存の措置を講ずべき樹木又は樹木の集団の要件について、優れた自然的環境の保全のため特に必要があると認められる場合に行うものであること。

十　第二十八条の二第二号の技術的細目に定められた制限の強化は、表土の復元、客土、土壌の改良等の措置を講ずべき切土若しくは盛土の高さの最低限度又は切土若しくは盛土をする土地の面積の最低限度について行うものであること。

十一　第二十八条の三の技術的細目に定められた制限の強化は、配置すべき緩衝帯の幅員の最低限度について、二十メートルを超えない範囲で国土交通省令で定める基準に従い行うものであること。

十二　前条に規定する技術的細目の強化は、国土交通省令で定める基準に従い行うものであること。

2　法第三十三条第三項の政令で定める基準のうち制限の緩和に関するものは、次に掲げるものとする。

一　第二十五条第二号又は第六号の技術的細目に定められた制限について、環境の保全、災害の防止及び利便の増進上支障がない範囲で行うものであること。

二　第二十五条第二号の技術的細目に定められた制限の緩和は、既に市街地を形成している区域内で行われる開発行為において配置すべき道路の幅員の最低限度について、四メートル（当該道路と一体的に機能する開発区域の周辺の道路の幅員が四メートルを超える場合には、当該幅員）を下らない範囲で行うものであること。

三　第二十五条第六号の技術的細目に定められた制限の緩和は、次に掲げるところによるものであること。

イ　開発区域の面積の最低限度について、一ヘクタールを超えない範囲で行うこと。

ロ　地方公共団体その他の者が開発区域の周辺に相当規模の公園、緑地又は広場の設置を予定している場合に行うこと。

（条例で建築物の敷地面積の最低限度に関する基準を定める場合の基準）

第二九条の三　法第三十三条第四項（法第三十五条の二第四項において準用する場合を含む。）の政令で定める基準は、建築物の敷地面積の最低限度が二百平方メートル（市街地の周辺その他の良好な自然的環境を形成している地域においては、三百平方メートル）を超えないこととする。

（景観計画に定められた開発行為についての制限の内容を条例で開発許可の基準として定める場合の基準）

第二九条の四　法第三十三条第五項（法第三十五条の二第四項において準用する場合を含む。）の政令で定める基準は、次に掲げるものとする。

一　切土若しくは盛土によつて生じる法の高さの最高限度、開発区域内において予定される建築物の敷地面積の最低限度又は木竹の保全若しくは適切な植栽が行われる土地の面積の最低限度に関する制限を、良好な景観の形成を図るために必要な限度を超えない範囲で行うものであること。

二　切土又は盛土によつて生じる法の高さの最高限度に関する制限は、区域、目的、開発区域の規模又は予定建築物等の用途を限り、開発区域内の土地の地形に応じ、一・五メートルを超える範囲で行うものであること。

三　開発区域内において予定される建築物の敷地面積の最低限度に関する制限は、区域、目的又は予定される建築物の用途を限り、三百平方メートルを超えない範囲で行うものであること。

四　木竹の保全又は適切な植栽が行われる土地の面積の最低限度に関する制限は、区域、目的、開発区域の規模又は予定建築物等の用途を限り、木竹の保全又は適切な植栽が行われる土地の面積の開発区域の面積に対する割合が六十パーセントを超えない範囲で行うものであること。

2　前項第二号に規定する基準を適用するについて必要な技術的細目は、国土交通省令で定める。

（主として周辺の地域において居住している者の利用に供する公益上必要な建築物）

第二九条の五　法第三十四条第一号（法第三十五条の二第四項において準用する場合を含む。）の政令で定める公益上必要な建築物は、第二十一条第二十六号イからハまでに掲げる建築物とする。

（危険物等の範囲）

第二九条の六　法第三十四条第八号（法第三十五条の二第四項において準用する場合を含む。次項において同じ。）の政令で定める危険物は、火薬類取締法（昭和二十五年法律第百四十九号）第二条第一項の火薬類とする。

2　法第三十四条第八号の政令で定める建築物又は第一種特定工作物は、火薬類取締法第十二条第一項の火薬庫である建築物又は第一種特定工作物とする。

（市街化調整区域のうち開発行為を行うのに適当でない区域）

第二九条の七　法第三十四条第八号の二（法第三十五条の二第四項において準用する場合を含む。）の政令で定める開発行為を行うのに適当でない区域は、災害危険区域等（法第三十三条第一項第八号に規定する災害危険区域等をいう。）及び急傾斜地崩壊危険区域とする。

（市街化区域内において建築し、又は建設することが困難又は不適当な建築物等）

第二九条の八　法第三十四条第九号（法第三十五条の二第四項において準用する場合を含む。）の政令で定める建築物又は第一種特定工作物は、次に掲げるものとする。

一　道路の円滑な交通を確保するために適切な位置に設けられる道路管理施設、休憩所又は給油所等である建築物又は第一種特定工作物

二　火薬類取締法第二条第一項の火薬類の製造所である建築物

（法第三十四条第十一号の土地の区域を条例で指定する場合の基準）

第二九条の九　法第三十四条第十一号（法第三十五条の二第四項において準用する場合を含む。）の政令で定める基準は、同号の条例で指定する土地の区域に、原則として、次に掲げる区域を含まないこととする。

一　建築基準法（昭和二十五年法律第二百一号）第三十九条第一項の災害危険区域

二　地すべり等防止法（昭和三十三年法律第三十号）第三条第一項の地すべり防止区域

三　急傾斜地崩壊危険区域

四　土砂災害警戒区域等における土砂災害防止対策の推進に関する法律（平成十二年法律第五十七号）第七条第一項の土砂災害警戒区域

五　特定都市河川浸水被害対策法（平成十五年法律第七十七号）第五十六条第一項の浸水被害防止区域

六　水防法（昭和二十四年法律第百九十三号）第十五条第一項第四号の浸水想定区域のうち、土地利用の動向、浸水した場合に想定される水深その他の国土交通省令で定める事項を勘案して、洪水、雨水出水（同法第二条第一項の雨水出水をいう。）又は高潮が発生した場合には建築物が損壊し、又は浸水し、住民その他の者の生命又は身体に著しい危害が生ずるおそれがあると認められる土地の区域

七　前各号に掲げる区域のほか、第八条第一項第二号ロから二までに掲げる土地の区域

（開発許可をすることができる開発行為を条例で定める場合の基準）

第二九条の一〇　法第三十四条第十二号（法第三十五条の二第四項において準用する場合を含む。）の政令で定める基準は、同号の条例で定める区域に、原則として、前条各号に掲げる区域を含まないこととする。

（区域区分に関する都市計画の決定等の際土地等を有していた者が開発行為を行うことができる期間）

第三〇条　法第三十四条第十三号（法第三十五条の二第四項において準用する場合を含む。）の政令で定める期間は、当該都市計画の決定又は変更の日から起算して五年とする。

（開発行為の変更について協議すべき事項等）

第三一条　第二十三条各号に掲げる者との協議に係る開発行為に関する事項で法第三十五条の二第四項の政令で定めるものは、次に掲げるものとする。

一　開発区域の位置、区域又は規模

二　予定建築物等の用途

三　協議をするべき者に係る公益的施設の設計

2　第二十三条の規定は、開発区域の区域又は規模の変更に伴い、開発区域の面積が二十ヘクタール（同条第三号又は第四号に掲げる者との協議にあつては、四十ヘクタール）以上となる場合について準用する。

（法第四十条第三項の政令で定める主要な公共施設等）

第三二条　法第四十条第三項の主要な公共施設で政令で定めるものは、次に掲げるものとする。

一　都市計画施設である幅員十二メートル以上の道路、公園、緑地、広場、下水道（管渠を除く。）、運河及び水路

二　河川

第三三条　法第四十条第三項の規定により国又は地方公共団体に対し費用の負担の協議を求めようとする者は、法第三十六条第三項の規定による公告の日から起算して三月以内に、国土交通省令で定める書類を国又は当該地方公共団体に提出しなければならない。

（その開発行為が行われた土地の区域内における建築物の新築等が建築等の許可を要しないこととなる開発行為）

第三四条　法第四十三条第一項第四号の政令で定める開発行為は、次に掲げるものとする。

一　法第二十九条第一項第四号から第九号までに掲げる開発行為

二　旧住宅地造成事業に関する法律（昭和三十九年法律第百六十号）第四条の認可を受けた住宅地造成事業の施行として行う開発行為

（開発許可を受けた土地以外の土地における建築等の許可を要しない通常の管理行為、軽易な行為その他の行為）

第三五条　法第四十三条第一項第五号の政令で定める行為は、次に掲げるものとする。

一　既存の建築物の敷地内において行う車庫、物置その他これらに類する附属建築物の建築

二　建築物の改築又は用途の変更で当該改築又は用途の変更に係る床面積の合計が十平方メートル以内であるもの

三　主として当該建築物の周辺の市街化調整区域内に居住している者の日常生活のため必要な物品の販売、加工、修理等の業務を営む店舗、事業場その他これらの業務の用に供する建築物で、その延べ面積が五十平方メートル以内のもの（これらの業務の用に供する部分の延べ面積が全体の延べ面積の五十パーセント以上のものに限る。）の新築で、当該市街化調整区域内に居住している者が自ら当該業務を営むために行うもの

四　土木事業その他の事業に一時的に使用するための第一種特定工作物の新設

（開発許可を受けた土地以外の土地における建築等の許可の基準）

第三六条　都道府県知事（指定都市等の区域内にあつては、当該指定都市等の長。以下この項において同じ。）は、次の各号のいずれにも該当すると認めるときでなければ、法第四十三条第一項の許可をしてはならない。

一　当該許可の申請に係る建築物又は第一種特定工作物の敷地が次に定める基準（用途の変更の場合にあつては、ロを除く。）に適合していること。

イ　排水路その他の排水施設が、次に掲げる事項を勘案して、敷地内の下水を有効に排出するとともに、その排出によつて当該敷地及びその周辺の地域に出水等による被害が生じないような構造及び能力で適当に配置されていること。

(1)　当該地域における降水量

(2)　当該敷地の規模、形状及び地盤の性質

(3)　敷地の周辺の状況及び放流先の状況

(4)　当該建築物又は第一種特定工作物の用途

ロ　地盤の沈下、崖崩れ、出水その他による災害を防止するため、当該土地について、地盤の改良、擁壁又は排水施設の設置その他安全上必要な措置が講ぜられていること。

二　地区計画又は集落地区計画の区域（地区整備計画又は集落地区整備計画が定められている区域に限る。）内においては、当該許可の申請に係る建築物又は第一種特定工作物の用途が当該地区計画又は集落地区計画に定められた内容に適合していること。

三　当該許可の申請に係る建築物又は第一種特定工作物が次のいずれかに該当すること。

イ　法第三十四条第一号から第十号までに規定する建築物又は第一種特定工作物

ロ　法第三十四条第十一号の条例で指定する土地の区域内において新築し、若しくは改築する建築物若しくは新設する第一種特定工作物で同号の条例で定める用途に該当しないもの又は当該区域内において用途を変更する建築物で変更後の用途が同号の条例で定める用途に該当し

ないもの

ハ　建築物又は第一種特定工作物の周辺における市街化を促進するおそれがないと認められ、かつ、市街化区域内において行うことが困難又は著しく不適当と認められる建築物の新築、改築若しくは用途の変更又は第一種特定工作物の新設として、都道府県の条例で区域、目的又は用途を限り定められたもの。この場合において、当該条例で定める区域には、原則として、第二十九条の九各号に掲げる区域を含まないものとする。

ニ　法第三十四条第十三号に規定する者が同号に規定する土地において同号に規定する目的で建築し、又は建設する建築物又は第一種特定工作物（第三十条に規定する期間内に建築し、又は建設するものに限る。）

ホ　当該建築物又は第一種特定工作物の周辺における市街化を促進するおそれがないと認められ、かつ、市街化区域内において建築し、又は建設することが困難又は著しく不適当と認められる建築物又は第一種特定工作物で、都道府県知事があらかじめ開発審査会の議を経たもの

2　第二十六条、第二十八条及び第二十九条の規定は、前項第一号に規定する基準の適用について準用する。

（映像等の送受信による通話の方法による口頭審理）

第三十六条の二　法第五十条第三項の口頭審理については、行政不服審査法施行令（平成二十七年政令第三百九十一号）第二条の規定により読み替えられた同令第八条の規定を準用する。この場合において、同条中「総務省令」とあるのは、「国土交通省令」と読み替えるものとする。

第一節の二　田園住居地域内における建築等の規制

（堆積の許可を要する物件）

第三十六条の三　法第五十二条第一項の政令で定める物件は、次に掲げるものとする。

一　土石

二　廃棄物の処理及び清掃に関する法律第二条第一項に規定する廃棄物

三　資源の有効な利用の促進に関する法律（平成三年法律第四十八号）第二条第四項に規定する再生資源

（建築等の許可を要しない通常の管理行為、軽易な行為その他の行為）

第三十六条の四　法第五十二条第一項第一号の政令で定める行為は、次に掲げるものとする。

一　工作物（建築物以外の工作物をいう。以下同じ。）で仮設のものの建設

二　法令又はこれに基づく処分による義務の履行として行う工作物の建設又は土地の形質の変更

三　現に農業を営む者が農業を営むために行う土地の形質の変更又は前条各号に掲げる物件の堆積

（都市計画事業の施行として行う行為に準ずる行為）

第三十六条の五　法第五十二条第一項第三号の都市計画事業の施行として行う行為に準ずる行為として政令で定めるものは、国、都道府県若しくは市町村（特別区を含む。第三十六条の九、第三十七条の二及び第三十八条において同じ。）又は当該都市施設を管理することとなる者が都市施設に関する都市計画に適合して行う行為とする。

（農業の利便の増進及び良好な住居の環境の保護を図る上で支障がない土地の形質の変更等の規模）

第三十六条の六　法第五十二条第二項第一号、第二号ロ及び第三号の政令で定める規模は、三百平方メートルとする。

（堆積をした物件の飛散の防止の方法等に関する要件）

第三十六条の七　法第五十二条第二項第三号の政令で定める要件は、国土交通省令で定めるところにより、覆いの設置、容器への収納その他の堆積をした物件が飛散し、流出し、又は地下に浸透することを防止するために必要な措置を講ずることとする。

第一節の三　市街地開発事業等予定区域の区域内における建築等の規制

（市街地開発事業等予定区域の区域内における建築等の許可を要しない通常の管理行為、軽易な行為その他の行為）

第三十六条の八　法第五十二条の二第一項第一号の政令で定める行為は、次に掲げるものとする。

一　工作物で仮設のものの建設

二　法令又はこれに基づく処分による義務の履行として行う工作物の建設又は土地の形質の変更

三　既存の建築物の敷地内において行う車庫、物置その他これらに類する附属建築物（階数が二以下で、かつ、地階を有しない木造のものに限る。）の建築又は既存の建築物の敷地内において行う当該建築物に附属する工作物の建設

四　現に農林漁業を営む者が農林漁業を営むために行う土地の形質の変更

五　既存の建築物又は工作物の管理のために必要な土地の形質の変更

（都市計画事業の施行として行う行為に準ずる行為）

第三十六条の九　法第五十二条の二第一項第三号の都市計画事業の施行として行う行為に準ずる行為として政令で定めるものは、国、都道府県若しくは市町村又は当該都市施設を管理することとなる者が都市施設（法第十一条第一項第八号、第九号又は第十一号に掲げるものを除く。）に関する都市計画に適合して行う行為とする。

第二節　都市計画施設等の区域内における建築等の規制

（法第五十三条第一項第一号の政令で定める軽易な行為）

第三十七条　法第五十三条第一項第一号の政令で定める軽易な行為は、階数が二以下で、かつ、地階を有しない木造の建築物の改築又は移転とする。

（法第五十三条第一項第三号の政令で定める行為）

第三十七条の二　法第五十三条第一項第三号の政令で定める行為は、国、都道府県若しくは市町村又は当該都市計画施設を管理することとなる者が当該都市施設又は市街地開発事業に関する都市計画に適合して行うものとする。

（法第五十三条第一項第五号の政令で定める行為）

第三十七条の三　法第五十三条第一項第五号の政令で定める行為は、次に掲げる建築物の建築であつて、法第十二条の十一に規定する建築物等の建築又は建設の限界に適合して行うものとする。

一　道路法第四十七条の十八第一項第一号に規定する道路一体建物の建築

二　当該道路を管理することとなる者が行う建築物の建築

（法第五十四条第二号の政令で定める場合）

第三十七条の四　法第五十四条第二号の政令で定める場合は、次のいずれかの場合とする。

一　地下で建築物の建築が行われる場合

二　道路である都市施設を整備する立体的な範囲の下に位置する空間において建築物の建築が行われる場合（前号に掲げる場合を除く。）であつて、当該建築物が安全上、防火上及び衛生上他の建築物の利便を妨げ、その他周囲の環境を害するおそれがないと認められる場合

三　道路（次号に規定するものを除く。）である都市施設を整備する立体的な範囲の上に位置する空間において渡り廊下その他の通行又は運搬の用途に供する建築物（次のいずれにも該当するものに限る。）の建築が行われる場合であつて、当該建築物が安全上、防火上及び衛生上他の建築物の利便を妨げ、その他周囲の環境を害するおそれがないと認められる場合

イ　次のいずれかに該当するものであること。

(1)　学校、病院、老人ホームその他これらに類する用途に供する建築物に設けられるもので、生徒、患者、老人等の通行の危険を防止するために必要なもの

(2)　建築物の五階以上の階に設けられるもので、その建築物の避難施設として必要なもの

(3)　多数人の通行又は多量の物品の運搬の用途に供するもので、道路の交通の緩和に寄与するもの

ロ　次のいずれかに該当する建築物に設けられるものであること。

(1)　その特定主要構造部（建築基準法第二条第九号の二イに規定する特定主要構造部をいう。(2)において同じ。）が、同条第七号に規定する耐火構造であること。

(2)　その特定主要構造部が、建築基準法施行令第百八条の四第一項第一号又は第二号に該当すること。

(3)　その主要構造部（建築基準法第二条第五号に規定する主要構造部

をいう。）が、同条第九号に規定する不燃材料（ハにおいて単に「不燃材料」という。）で造られていること。

ハ　その構造が、次に定めるところによるものであること。

(1)　建築基準法施行令第一条第三号に規定する構造耐力上主要な部分は、鉄骨造、鉄筋コンクリート造又は鉄骨鉄筋コンクリート造とし、その他の部分は、不燃材料で造ること。

(2)　屋外に面する部分には、ガラス（網入ガラスを除く。）、瓦、タイル、コンクリートブロック、飾石、テラコッタその他これらに類する材料を用いないこと。ただし、これらの材料が道路上に落下するおそれがない部分については、この限りでない。

(3)　側面には、床面からの高さが一・五メートル以上の壁を設け、その壁の床面からの高さが一・五メートル以下の部分に開口部を設けるときは、これにはめごろし戸を設けること。

四　高度地区（建築物の高さの最低限度が定められているものに限る。）、高度利用地区又は都市再生特別地区内の自動車のみの交通の用に供する道路である都市施設を整備する立体的な範囲の上に位置する空間において建築物（その構造が、渡り廊下その他の通行又は運搬の用途に供するものにあつては前号ハ(1)から(3)まで、その他のものにあつては同号ハ(1)及び(2)に定めるところによるものに限る。）の建築が行われる場合であつて、当該建築物が安全上、防火上及び衛生上他の建築物の利便を妨げ、その他周囲の環境を害するおそれがないと認められる場合

（法第五十五条第二項の政令で定める者）

第三八条　法第五十五条第二項の政令で定める者は、都道府県及び市町村とする。

（施行予定者が定められている都市計画施設の区域等内における建築等の許可を要しない通常の管理行為、軽易な行為その他の行為）

第三八条の二　法第五十七条の三第一項において準用する法第五十二条の二第一項第一号の政令で定める行為は、第三十六条の八各号に掲げる行為とする。

（都市計画事業の施行として行う行為に準ずる行為）

第三八条の三　法第五十七条の三第一項において準用する法第五十二条の二第一項第三号の都市計画事業の施行として行う行為に準ずる行為として政令で定めるものは、第三十六条の九に規定する行為とする。

第三節　地区計画の区域内における建築等の規制

（届出を要する行為）

第三八条の四　法第五十八条の二第一項各号列記以外の部分の政令で定める行為は、工作物の建設及び次の各号に掲げる土地の区域内において行う当該各号に定める行為とする。

一　地区計画において用途の制限が定められ、又は用途に応じて建築物等に関する制限が定められている土地の区域　建築物等の用途の変更（用途変更後の建築物等が地区計画において定められた用途の制限又は用途に応じた建築物等に関する制限に適合しないこととなる場合に限る。）

二　地区計画において建築物等の形態又は色彩その他の意匠の制限が定められている土地の区域　建築物等の形態又は色彩その他の意匠の変更

三　地区計画において法第十二条の五第七項第三号に掲げる事項が定められている土地の区域　木竹の伐採

四　地区計画において法第十二条の五第七項第四号に掲げる事項（第三十六条の三各号に掲げる物件の堆積の制限に関するものに限る。）が定められている土地の区域　当該物件の堆積

（地区計画の区域内において建築等の届出を要しない通常の管理行為、軽易な行為その他の行為）

第三八条の五　法第五十八条の二第一項第一号の政令で定める行為は、次に掲げるものとする。

一　次に掲げる土地の区画形質の変更

イ　建築物で仮設のものの建築又は工作物で仮設のものの建設の用に供する目的で行う土地の区画形質の変更

ロ　既存の建築物等の管理のために必要な土地の区画形質の変更

ハ　農林漁業を営むために行う土地の区画形質の変更

二　次に掲げる建築物の建築又は工作物の建設

イ　前号イに掲げる建築物の建築又は工作物の建設（地区計画において法第十二条の五第七項第四号に掲げる事項が定められている土地の区域にあつては、前号イに掲げる工作物の建設）

ロ　屋外広告物で表示面積が一平方メートル以下であり、かつ、高さが三メートル以下であるものの表示又は掲出のために必要な工作物の建設

ハ　水道管、下水道管その他これらに類する工作物で地下に設けるものの建設

ニ　建築物の存する敷地内の当該建築物に附属する物干場、建築設備、受信用の空中線系（その支持物を含む。）、旗ざおその他これらに類する工作物の建設

ホ　農林漁業を営むために必要な物置、作業小屋その他これらに類する建築物の建築又は工作物の建設

三　次に掲げる建築物等の用途の変更

イ　建築物等で仮設のものの用途の変更

ロ　建築物等の用途を前号ホに掲げるものとする建築物等の用途の変更

四　第二号に掲げる建築物等の形態又は色彩その他の意匠の変更

五　次に掲げる木竹の伐採

イ　除伐、間伐、整枝等木竹の保育のために通常行われる木竹の伐採

ロ　枯損した木竹又は危険な木竹の伐採

ハ　自家の生活の用に充てるために必要な木竹の伐採

ニ　仮植した木竹の伐採

ホ　測量、実地調査又は施設の保守の支障となる木竹の伐採

六　現に農業を営む者が農業を営むために行う第三十六条の三各号に掲げる物件の堆積

七　前各号に掲げるもののほか、法令又はこれに基づく処分による義務の履行として行う行為

（法第五十八条の二第一項第四号の政令で定める行為）

第三八条の六　法第五十八条の二第一項第四号の都市計画事業の施行として行う行為に準ずる行為として政令で定めるものは、次に掲げるものとする。

一　都市計画施設を管理することとなる者が当該都市施設に関する都市計画に適合して行う行為

二　土地区画整理法による土地区画整理事業の施行として行う行為

三　都市再開発法による市街地再開発事業の施行として行う行為

四　大都市地域における住宅及び住宅地の供給の促進に関する特別措置法による住宅街区整備事業の施行として行う行為

五　密集市街地整備法による防災街区整備事業の施行として行う行為

（建築等の届出を要しないその他の行為）

第三八条の七　法第五十八条の二第一項第五号の政令で定める行為は、次に掲げるものとする。

一　法第四十三条第一項の許可を要する建築物の建築、工作物の建設又は建築物等の用途の変更（当該建築物等について地区計画において用途の制限のみが定められている場合に限る。）

二　法第五十八条の三第一項の規定に基づく条例の規定により同項の許可を要する法第五十二条第一項本文に規定する行為

三　建築基準法第六条第一項（同法第八十七条第一項又は第八十八条第二項において準用する場合を含む。）の確認又は同法第十八条第二項（同法第八十七条第一項又は第八十八条第二項において準用する場合を含む。）の通知を要する建築物の建築、工作物の建設又は建築物等の用途の変更（当該建築物等又はその敷地について地区計画において定められている内容（次に掲げる事項を除く。）の全てが同法第六十八条の二第一項（同法第八十七条第二項若しくは第三項又は第八十八条第二項において準用する場合を含む。）の規定に基づく条例で制限として定められている場合に限る。）

イ　地区計画において定められている建築物の容積率の最高限度で、建築基準法第六十八条の五の規定により同法第五十二条第一項第一号から第四号までに定める数値とみなされるもの、同法第六十八条の五の三第一項の規定により同法第五十二条第一項第二号から第四号までに定める数値とみなされるもの又は同法第六十八条の五の四の規定により同法第五十二条第一項第二号若しくは第三号に定める数値とみなされるもの

ロ　地区計画（地区整備計画において、法第十二条の十の規定による壁面の位置の制限、壁面後退区域における工作物の設置の制限及び建築物の高さの最高限度が定められているものに限る。）において定められている建築物の容積率の最高限度で、当該敷地に係る建築基準法第

五十二条の規定による建築物の容積率の最高限度を超えるもの

ハ　地区計画（再開発等促進区が定められている区域に限る。）において定められている次に掲げる事項

（1）建築物の容積率の最高限度で、当該敷地に係る法第八条第一項第一号に規定する用途地域に関する都市計画において定められた建築物の容積率を超えるもの

（2）建築物の建蔽率の最高限度で、当該敷地に係る法第八条第一項第一号に規定する用途地域に関する都市計画において定められた建築物の建蔽率を超えるもの

（3）建築物の高さの最高限度で、当該敷地に係る第一種低層住居専用地域又は第二種低層住居専用地域に関する都市計画において定められた建築物の高さの限度を超えるもの

ニ　法第十二条の十二に規定する開発整備促進区における地区整備計画の区域において誘導すべき用途及び当該誘導すべき用途に供する特定大規模建築物の敷地として利用すべき土地の区域

四　都市緑地法（昭和四十八年法律第七十二号）第二十条第一項の規定に基づく条例の規定により同項の許可を要する同法第十四条第一項各号に掲げる行為

五　法第二十九条第一項第三号に掲げる開発行為その他の公益上必要な事業の実施に係る行為で地区計画の目的を達成する上で著しい支障を及ぼすおそれが少ないと認められるもののうち、用途上又は構造上やむを得ないものとして国土交通省令で定めるもの

第四節　遊休土地転換利用促進地区内における土地利用に関する措置等

（法第五十八条の七第一項の政令で定める使用又は収益を目的とする権利）

第三十八条の八　法第五十八条の七第一項の政令で定める使用又は収益を目的とする権利は、土地に関する地上権又は賃借権とする。

（法第五十八条の七第一項第三号の政令で定める要件）

第三十八条の九　法第五十八条の七第一項第三号の政令で定める要件は、次に掲げる要件のいずれかとする。

一　その土地が住宅の用、事業の用に供する施設の用その他の用途に供されていないこと。

二　その土地が住宅の用、事業の用に供する施設の用その他の用途に供されている場合（現に日常的な居住の用に供されている場合を除く。）には、その土地又はその土地に存する建築物等の整備の状況等からみて、その土地の利用の程度がその周辺の地域における同一の用途又はこれに類する用途に供されている土地の利用の程度に比し著しく劣つていると認められること。

（遊休土地の買取りの協議を行う法人）

第三十八条の一〇　法第五十八条の十第一項の政令で定める法人は、港務局、地方住宅供給公社、地方道路公社、独立行政法人空港周辺整備機構、独立行政法人高齢・障害・求職者雇用支援機構、独立行政法人中小企業基盤整備機構、独立行政法人都市再生機構、日本下水道事業団、独立行政法人鉄道建設・運輸施設整備支援機構、独立行政法人水資源機構及び独立行政法人労働者健康安全機構とする。

第四章　都市計画事業

（用排水施設等を管理する者又は土地改良事業計画による事業を行う者の意見を聴かなくてよい都市計画事業の認可又は承認）

第三十九条　法第五十九条第六項ただし書（法第六十三条第二項において準用する場合を含む。）の政令で定める軽易なものは、用排水施設その他農用地の保全又は利用上必要な公共の用に供する施設の本来の機能を阻害せず、又は増進することとなることが明らかなものとする。

（設置又は堆積の制限を受ける物件）

第四〇条　法第六十五条第一項の政令で定める移動の容易でない物件は、その重量が五トンをこえる物件（容易に分割され、分割された各部分の重量がそれぞれ五トン以下となるものを除く。）とする。

第五章　雑則

（法及びこの政令における人口）

第四一条　法及びこの政令における人口は、官報で公示された最近の国勢調査又はこれに準ずる全国的な人口調査の結果による人口による。ただし、官報公示の人口の調査期日以後において市町村の境界に変更があつた場合においては、地方自治法施行令（昭和二十二年政令第十六号）第百七十七条の規定によつて都道府県知事が告示した人口による。

（公告の方法等）

第四二条　法第五十二条の三第一項（法第五十七条の四において準用する場合を含む。）、第五十七条第一項、第六十条の二第二項、第六十六条又は第八十一条第二項の公告は、官報、公報その他所定の手段により行わなければならない。

2　国土交通大臣、都道府県知事若しくは市長（法第五十五条第四項の規定により、法第五十七条第二項本文の規定による届出の相手方として公告された者があるときは、その者）、施行予定者又は施行者は、法第六十条の二第二項、第五十七条第一項、第五十二条の三第一項（法第五十七条の四において準用する場合を含む。）又は第六十六条の公告をしたときは、国土交通省令で定めるところにより、その公告の内容その他必要な事項を施行予定者が定められている都市計画施設の区域等、事業予定地、市街地開発事業等予定区域の区域又は事業地内の適当な場所に掲示しなければならない。

3　都道府県知事又は市町村長は、法第八十一条第二項の公告をしたときは、国土交通省令で定めるところにより、その公告の内容その他必要な事項を当該公告に係る措置を行おうとする土地の付近その他の適当な場所に掲示しなければならない。

（開発審査会の組織及び運営に関する基準）

第四三条　法第七十八条第八項の政令で定める基準は、次に掲げるとおりとする。

一　開発審査会に会長を置き、委員の互選によつてこれを定めるものとする。

二　会長に事故があるときは、委員のうちから会長があらかじめ指名する者がその職務を代理するものとする。

三　開発審査会は、会長（会長に事故があるときは、その職務を代理する者。次号において同じ。）のほか、委員の過半数の出席がなければ、会議を開くことができないものとする。

四　開発審査会の議事は、出席者の過半数をもつて決し、可否同数のときは、会長の決するところによるものとする。

（国土交通大臣の権限の委任）

第四三条の二　この政令に規定する国土交通大臣の権限は、国土交通省令で定めるところにより、その一部を地方整備局長又は北海道開発局長に委任することができる。

（港務局の長に対する権限の委任）

第四四条　法第八十六条の規定による都道府県知事の権限に属する事務の委任は、次に掲げる事務について行うものとする。

一　公有水面埋立法（大正十年法律第五十七号）の規定による竣功認可を受けた埋立地に係る事務

二　港湾法第三十九条第一項の規定により指定された分区に係る事務（前号に掲げるものを除く。）

（一の指定都市の区域を超えて特に広域の見地から決定すべき都市施設）

第四五条　法第八十七条の二第一項の一の指定都市の区域を超えて特に広域の見地から決定すべき都市施設として政令で定めるものは、第九条第二項各号に掲げる都市施設のうち、次に掲げるものとする。

一　空港法第四条第一項各号に掲げる空港及び同法第五条第一項に規定する地方管理空港

二　国が設置する公園又は緑地

三　水道

四　下水道

五　河川（河川法第五条第一項に規定する二級河川のうち、一の指定都市の区域内のみに存するものを除く。）

（都に関する特例）

第四六条　法第八十七条の三第一項の政令で定める都市計画は、法第十五条の規定により市町村が定めるべき都市計画のうち、次に掲げるものに関する都市計画とする。

一　用途地域、特例容積率適用地区、高層住居誘導地区、居住調整地域、

二　居住環境向上用途誘導地区又は特定用途誘導地区

二　特定街区で面積が一ヘクタールを超えるもの

三　水道、電気供給施設、ガス供給施設、下水道、市場及びと畜場

四　再開発等促進区を定める地区計画又は沿道再開発等促進区を定める沿道地区計画で、それぞれ再開発等促進区又は沿道再開発等促進区の面積が三ヘクタールを超えるもの

附　則〔抄〕

（施行期日）

第一条　この政令は、法の施行の日（昭和四十四年六月十四日）から施行する。

（勅令及び政令の廃止）

第二条　次に掲げる勅令及び政令は、廃止する。

一　都市計画法施行令（大正八年勅令第四百八十二号）

二　都市計画法及同法施行令臨時特例（昭和十八年勅令第九百四十一号）

三　住宅地造成事業に関する法律施行令（昭和三十九年政令第三百十四号）

（都市計画の図書に関する経過措置）

第五条　都市計画法施行法（以下「施行法」という。）第二条の規定により法の規定によるものとみなされた都市計画については、法の施行後はじめてされる当該都市計画の変更後の法第二十条第一項の規定による告示又は図書の写しの送付があるまでの間は、法第二十条第二項の規定により公衆の縦覧に供すべき図書は、旧都市計画法（大正八年法律第三十六号。以下「旧法」という。）第三条第二項の図書とする。

（都市計画制限の経過措置）

第六条　旧都市計画法施行令（以下「旧令」という。）第十一条ノ二から第十一条ノ四までの規定又は施行法第三十二条の規定による改正前の官公庁施設の建設等に関する法律（昭和二十六年法律第百八十一号）第五条の三第一項の規定による許可（法第五十三条第一項ただし書に規定する行為に該当するものに係るものを除く。）は、法第五十三条第一項の規定による許可とみなす。ただし、当該許可に附した条件で法第七十九条後段の規定に違反するものは、違反する限度において効力を失うものとする。

2　施行法第十四条の規定による改正前の建築基準法（昭和二十五年法律第二百一号）第四十四条第二項の規定に該当する建築物に係る同法第六条第一項の確認又は同法第十八条第四項の通知（当該確認又は通知が法第五十三条第一項ただし書に規定する行為に該当するものに係る場合を除く。）を受けた者は、当該建築物の建築に関しては、法第五十三条第一項の許可を受けることを要しない。

3　法の施行の際旧令第十一条ノ二から第十一条ノ四までの規定又は旧令第十二条の規定により附した条件に違反している者及び施行法第三十二条の規定による改正前の官公庁施設の建設等に関する法律第五条の三第一項の規定又は同条第三項の規定により附した条件に違反している者に対する違反是正のための措置（法第五十三条第一項ただし書に規定するものに係るものを除く。）については、なお従前の例による。

4　施行法第二条の規定により法の規定による都市計画とみなされた土地区画整理事業に関する都市計画の施行区域の土地についての土地区画整理事業で、法の施行の際施行法第三十五条の規定による改正前の土地区画整理法（昭和二十九年法律第百十九号。以下「旧土地区画整理法」という。）第四条、第十四条、第五十二条若しくは第百二十二条第二項又は施行法第三十九条の規定による改正前の日本住宅公団法（昭和三十年法律第五十三号）第三十六条第一項の認可を申請中のもの（都市計画事業であるものを除く。）の施行地区内における建築物の建築の制限に関しては、法第五十三条第三項中「第六十五条第一項に規定する告示」とあるのは「都市計画法施行法（昭和四十三年法律第百一号）第三十六条の規定により同法第三十五条の規定による改正前の土地区画整理法の規定の例によりなされた同法第七十六条第一項各号に掲げる公告」と、「当該告示」とあるのは「当該公告」とする。

（都市計画事業に関する経過措置）

第七条　法の施行の際現に執行中の都市計画事業のうち、都道府県知事又は市町村長が施行しているものは法第五十九条第二項又は第一項の規定により都道府県又は市町村が施行しているものとし、日本住宅公団が施行しているものは都市基盤整備公団法施行令（平成十一年政令第二百五十四号）第三十一条第十二号において準用する法第五十九条第三項の規定により都市基盤整備公団が国の機関とみなされる者として施行しているものとする。

（土地区画整理事業の経過措置）

第八条　法の施行の際現に都市計画事業として施行されている土地区画整理事業（旧土地区画整理法第三条の二第一項の規定により日本住宅公団が施行しているものを除く。以下この条において同じ。）に対する施行法第三十五条の規定による改正後の土地区画整理法（以下「新土地区画整理法」という。）の適用に関しては、当該土地区画整理事業を執行すべき最終年度の終了の時を法の施行の際における事業施行期間の終了の時とみなし、かつ、その事業施行期間は、新土地区画整理法第五十五条第九項（同条第十三項において準用する場合を含む。）又は第六十九条第九項（同条第十三項及び第十六項において準用する場合を含む。）の規定により公告されているものとみなす。

2　法の施行の際現に都市計画事業として決定されている土地区画整理事業で旧土地区画整理法第五十二条、第六十六条又は第百二十二条第二項の認可を申請中のものについては、市町村又は市町村長が施行するものにあつては事業計画の認可の申請をもつて、都道府県又は都道府県知事が施行するものにあつては設計の認可の申請をもつて新土地区画整理法第五十二条第一項又は第六十六条第一項に規定する設計の概要の認可の申請とみなす。

3　前項の土地区画整理事業に対する新土地区画整理法の適用に関しては、当該土地区画整理事業を執行すべき最終年度の終了の時を法の施行の際における事業施行期間の終了の時とみなし、かつ、その事業施行期間は、新土地区画整理法第五十四条及び第六十八条において準用する同法第六条第一項の規定による当該土地区画整理事業の事業計画において定められているものとみなす。

4　第二項の規定は、法の施行の際現に都市計画事業として施行されている土地区画整理事業で旧土地区画整理法第五十五条第九項、第六十九条第九項又は第百二十二条第二項の規定による変更の認可を申請中のもの（設計の概要の変更を伴わないもの及び附則第二十四条の規定による改正後の土地区画整理法施行令（昭和三十年政令第四十七号）第四条の二に規定する事項を内容とするものを除く。）について準用する。

5　法の施行の際現に都市計画事業として施行されている土地区画整理事業に対する新土地区画整理法第七十六条第一項の規定の適用に関しては、旧土地区画整理法第五十五条第七項（同条第十項において準用する場合を含む。）又は第六十九条第七項（同条第十項において準用する場合を含む。）の規定による認可の公告又は変更の認可の公告を新土地区画整理法第五十五条第九項（同条第十三項において準用する場合を含む。）又は第六十九条第九項（同条第十三項において準用する場合を含む。）の規定による決定の公告又は変更の公告とみなす。

第九条　法の施行の際現に都市計画事業として決定されている土地区画整理事業で日本住宅公団が施行するものに関する経過措置については、前条の規定の例による。

（市街地改造事業の事業計画の経過措置）

第一〇条　法の施行の際現に執行中の市街地改造事業に対する新法第六十二条第二項の規定の適用に関しては、施行法第三条第二項第二号に定める図書のほか、法の施行の際旧市街地改造法第十八条第一項の規定に基づき定められている事業計画又は施行法第七十三条第一項の規定により旧市街地改造法第十八条の規定の例により定められる事業計画を公衆の縦覧に供するものとする。ただし、法の施行後はじめてされる法第六十三条第一項の規定による変更後の事業計画について、同条第二項において準用する法第六十二条第一項の規定による図書の送付があつた後は、この限りでない。

（その他の経過措置）

第一一条　施行法第六十二条の規定による首都圏近郊緑地保全法（昭和四十一年法律第百一号）の一部改正、施行法第六十八条の規定による近畿圏の保全区域の整備に関する法律（昭和四十二年法律第百三号）の一部改正及び施行法第七十二条の規定による公共施設の整備に関連する市街地の改造に関する法律の一部改正に伴う経過措置については、施行法第四十六条の規定の例による。

2　法の施行の際施行法第四十五条の規定による改正前の首都圏の近郊整備地帯及び都市開発区域の整備に関する法律（昭和三十三年法律第九十八号）第十四条第一項の規定若しくは同条第三項の規定により附した条件、施行法第五十六条の規定による改正前の新住宅市街地開発法（昭和三十八年法律第百三十四号）第十三条第一項の規定若しくは同条第三項の規定により附した条件、施行法第五十八条の規定による改正前の近畿圏の近郊整備区

域及び都市開発区域の整備及び開発に関する法律（昭和三十九年法律第百四十五号）第十六条第一項の規定若しくは同条第三項の規定により附した条件、施行法第六十三条の規定による改正前の流通業務市街地の整備に関する法律（昭和四十一年法律第百十号）第十七条第一項の規定若しくは同条第三項の規定により附した条件又は旧市街地改造法第十三条第一項の規定若しくは同条第三項の規定により附した条件に違反している者（違反是正のための措置が講ぜられている者を除く。）に対する違反是正のための措置については、その者が法第八十一条第一項第一号又は第三号の規定に該当したものとみなして、法の規定を適用する。

3　法の施行の際現に施行法第五十六条の規定による改正前の新住宅市街地開発法第四十四条第一項の規定による協議がととのい、かつ、同法第三条の規定による決定がされている区域内における農地法（昭和二十七年法律第二百二十九号）第四条、第五条、第七条又は第七十三条の規定の適用については、法附則第九項の規定による改正後のこれらの規定にかかわらず、なお従前の例による。

（建ぺい率に関する経過措置）

第十二条　建築基準法等の一部を改正する法律（平成十四年法律第八十五号）の施行の際現に指定されている第一種住居地域、第二種住居地域、準住居地域、近隣商業地域、準工業地域又は工業地域については、同法の施行の日以後これらの地域に関する都市計画において建築物の建ぺい率が定められるまでの間は、当該数値が、第一種住居地域、第二種住居地域、準住居地域、準工業地域又は工業地域にあつては十分の六に、近隣商業地域にあつては十分の八に定められたものとみなす。

附　則（略）〔昭和四四・七・三一政令二〇六〕

附　則（略）〔昭和四四・九・三〇政令二五八〕

附　則（略）〔昭和四五・一〇・九政令三〇〇〕

附　則（略）〔昭和四五・一二・二政令三三三〕

附　則（略）〔昭和四六・六・二三政令二〇三〕

附　則（略）〔昭和四六・六・三〇政令二二一〕

附　則（略）〔昭和四六・九・二三政令三〇〇〕

附　則（略）〔昭和四七・一二・二一政令四三七〕

附　則（略）〔昭和四九・一・一〇政令三〕

附　則（略）〔昭和四九・三・一八政令五六〕

附　則（略）〔昭和四九・六・一〇政令二〇三〕

附　則（略）〔昭和五〇・一・九政令二〕

附　則（略）〔昭和五〇・九・三〇政令二九三〕

附　則（略）〔昭和五〇・一〇・二四政令三〇四〕

附　則（略）〔昭和五〇・一〇・二四政令三〇六〕

附　則（略）〔昭和五〇・一二・二七政令三八一〕

附　則（略）〔昭和五三・四・七政令一二三〕

附　則（略）〔昭和五三・九・五政令三二一〕

附　則（略）〔昭和五五・八・一政令二〇八〕

附　則（略）〔昭和五五・九・二九政令二四五〕

附　則（略）〔昭和五五・一〇・二四政令二七三〕

附　則（略）〔昭和五六・四・二四政令一四四〕

附　則（略）〔昭和五八・一・一九政令五〕

附　則（略）〔昭和五八・五・一三政令一〇二〕

附　則（略）〔昭和五九・六・六政令一七六〕

附　則（略）〔昭和六〇・三・五政令二四〕

附　則（略）〔昭和六〇・三・一五政令三一〕

附　則（略）〔昭和六〇・八・二政令二四六〕

附　則（略）〔昭和六〇・九・二七政令二六九〕

附　則（略）〔昭和六二・三・二〇政令五四〕

附　則（略）〔昭和六三・二・二三政令二五〕

附　則（略）〔昭和六三・九・二四政令二七七〕

附　則（略）〔平成元・一一・二一政令三〇九〕

附　則（略）〔平成二・二・一七政令一五〕

附　則（略）〔平成二・七・一〇政令二一一〕

附　則（略）〔平成二・七・一〇政令二一四〕

附　則（略）〔平成二・一一・九政令三二三〕

附　則（略）〔平成二・一一・九政令三二五〕

附　則（略）〔平成三・六・二八政令二二八〕

附　則〔平成三・一一・一五政令三四二〕

（施行期日）

1　この政令は、平成三年十一月二十日から施行する。

（経過措置）

2　改正後の都市計画法施行令（次項において「新令」という。）の規定によれば市町村が決定又は変更をすることとされる緑地保全地区、第一種市街地再開発事業、住宅街区整備事業又は公園、緑地若しくは広場に関する都市計画の決定又は変更であつて、この政令の施行の際現に都道府県知事が都市計画法に基づく手続を行つているもののうち、この政令の施行前に同法第十七条第一項（同法第二十一条第二項において準用する場合を含む。）の規定による公告が行われたものについては、なお従前の例による。

3　新令の規定によれば市町村が決定又は変更をすることとされる緑地保全地区、第一種市街地再開発事業、住宅街区整備事業又は公園、緑地若しくは広場に関する都市計画で、改正前の都市計画法施行令の規定又は前項の規定により都道府県知事が決定又は変更をした都市計画は、新令の規定により市町村が決定又は変更をした都市計画とみなす。

4　この政令の施行前にした行為及び附則第二項の規定により従前の例によることとされる場合におけるこの政令の施行後にした行為に対する罰則の適用については、なお従前の例による。

附　則（略）〔平成四・八・一二政令二七八〕

附　則（略）〔平成五・三・二四政令五四〕

附　則〔抄〕〔平成五・五・一二政令一七〇〕

（施行期日）

第一条　この政令は、都市計画法及び建築基準法の一部を改正する法律（以下「改正法」という。）の施行の日（平成五年六月二十五日）から施行する。

（用途地域に関する経過措置）

第二条　この政令の施行の際現に改正法第一条の規定による改正前の都市計画法（以下「旧都市計画法」という。）の規定により定められている都市計画区域内の用途地域に関するこの政令の施行の日から起算して三年を経過する日（その日前に改正法第一条の規定による改正後の都市計画法第二章の規定により、当該都市計画区域について、用途地域に関する都市計画が決定されたときは、当該都市計画の決定に係る都市計画法第二十条第一項（同法第二十二条第一項において読み替える場合を含む。）の規定による告示があった日。以下同じ。）までの間の第一条の規定による改正後の都市計画法施行令（以下「新都市計画法施行令」という。）第三十八条の七第三号の規定の適用については、同号イ中「同法第六十八条の三第三項の規定により同法」とあるのは「都市計画法及び建築基準法の一部を改正する法律（平成四年法律第八十二号）第二条の規定による改正前の建築基準法第六十八条の三の規定により建築基準法」とし、同号ロ中「第一種低層住居専用地域、第二種低層住居専用地域、第一種中高層住居専用地域又は第二種中高層住居専用地域」とあるのは「第一種住居専用地域又は第二種住居専用地域」と、「第一種低層住居専用地域又は第二種低層住居専用地域」とあるのは「第一種住居専用地域」とする。

（都市計画の決定又は変更に係る手続に関する経過措置）

第七条　新都市計画法施行令の規定によれば市町村が決定又は変更をすることとされる用途地域又は緑地保全地区に関する都市計画の決定又は変更であつて、この政令の施行の際現に都道府県知事が旧都市計画法に基づく手続を行つているもののうち、この政令の施行前に都市計画法第十七条第一項（同法第二十一条第二項において準用する場合を含む。）の規定による公告が行われたものについては、なお従前の例による。

2　新都市計画法施行令の規定によれば市町村が決定又は変更をすることとされる用途地域又は緑地保全地区に関する都市計画で、第一条の規定による改正前の都市計画法施行令又は前項の規定により都道府県知事が決定又は変更をした都市計画は、新都市計画法施行令の規定により市町村が決定又は変更をした都市計画とみなす。

附　則（略）〔平成五・七・九政令二四八〕

附　則（略）〔平成六・九・一九政令三〇三〕

附　則〔平成六・一〇・一三政令三三〇〕

（施行期日）

1　この政令は、平成六年十月二十日から施行する。

（経過措置）

2　改正後の都市計画法施行令（次項において「新令」という。）の規定によれば市町村が決定又は変更をすることとされる緑地保全地区に関する都市計画の決定又は変更であつて、この政令の施行の際現に都道府県知事が都市計画法に基づく手続を行っているもののうち、この政令の施行前に同法第十七条第一項（同法第二十一条第二項において準用する場合を含む。）の規定による公告が行われたものについては、なお従前の例による。

3　新令の規定によれば市町村が決定又は変更をすることとされる緑地保全地区に関する都市計画で、改正前の都市計画法施行令の規定又は前項の規定により都道府県知事が決定又は変更をした都市計画は、新令の規定により市町村が決定又は変更をした都市計画とみなす。

4　この政令の施行前にした行為及び附則第二項の規定により従前の例によることとされる場合におけるこの政令の施行後にした行為に対する罰則の適用については、なお従前の例による。

附　則〔略〕〔平成六・一二・二一政令三九八〕
附　則〔略〕〔平成六・一二・二六政令四一一〕
附　則〔略〕〔平成七・二・二六政令三六〕
附　則〔略〕〔平成七・五・二四政令二一四〕
附　則〔略〕〔平成七・六・一四政令二三八〕
附　則〔略〕〔平成七・一〇・一八政令三五九〕
附　則〔略〕〔平成八・七・一〇政令二一六〕
附　則〔略〕〔平成八・一〇・二五政令三〇八〕
附　則〔略〕〔平成八・一〇・三〇政令三一四〕
附　則〔略〕〔平成九・三・一九政令三七〕
附　則〔略〕〔平成九・八・二九政令二七四〕
附　則〔略〕〔平成九・一一・六政令三二五〕
附　則〔略〕〔平成一〇・九・一七政令三〇八〕
附　則〔抄〕〔平成一〇・一〇・二一政令三三一〕

（施行期日）

1　この政令は、都市計画法の一部を改正する法律の施行の日（平成十年十一月二十日）から施行する。

（経過措置）

2　この政令による改正後の都市計画法施行令（以下「新令」という。）第六条の規定は、この政令の施行の日以後に決定され、又は変更される都市計画（この政令の施行の際現に都市計画法の規定に基づき決定又は変更の手続を行っている都市計画のうち、この政令の施行前に同法第十七条第一項（同法第二十一条第二項において準用する場合を含む。）の規定による公告が行われたもの（以下「手続中の都市計画」という。）を除く。）で道路に関するものについて適用する。

3　手続中の都市計画については、新令第九条及び第十条の規定にかかわらず、なお従前の例による。

4　手続中の都市計画で道路に関するものについては、新令第十三条の規定にかかわらず、なお従前の例による。

附　則〔略〕〔平成一一・三・三一政令一〇四〕
附　則〔略〕〔平成一一・六・二三政令二〇四〕
附　則〔略〕〔平成一一・八・一八政令二五六〕
附　則〔略〕〔平成一一・九・二〇政令二七六〕
附　則〔抄〕〔平成一一・一〇・一政令三一二〕

（施行期日）

第一条　この政令は、地方自治法等の一部を改正する法律（平成十年法律第五十四号。以下「法」という。）の施行の日（平成十二年四月一日。以下「施行日」という。）から施行する。〔以下略〕

（都市計画法施行令の一部改正に伴う経過措置）

第九条　この政令の施行の際現に都が都市計画法（昭和四十三年法律第百号）の規定に基づき決定又は変更の手続を行っている都市計画のうち、施行日前に同法第十七条第一項（同法第二十一条第二項において準用する場合を含む。）の規定による公告が行われたものについては、第十条の規定による改正後の都市計画法施行令第四十六条の規定にかかわらず、なお従前の例による。

（許認可等に関する経過措置）

第一三条　施行日前に法による改正前のそれぞれの法律若しくはこの政令による改正前のそれぞれの政令の規定により都知事その他の都の機関が行った許可等の処分その他の行為（以下この条において「処分等の行為」という。）又は施行日前に法による改正前のそれぞれの法律若しくはこの政令による改正前のそれぞれの政令の規定によりこれらの機関に対してされた許可等の申請その他の行為（以下この条において「申請等の行為」という。）で、施行日において特別区の区長その他の機関がこれらの行為に係る行政事務を行うこととなるものは、別段の定めがあるもののほか、施行日以後における法による改正後のそれぞれの法律又はこの政令による改正後のそれぞれの政令の適用については、法による改正後のそれぞれの法律若しくはこの政令による改正後のそれぞれの政令の相当規定によりされた処分等の行為又は申請等の行為とみなす。

2　施行日前に法による改正前のそれぞれの法律又はこの政令による改正前のそれぞれの政令の規定により都知事その他の機関に対し報告、届出その他の手続をしなければならない事項で、施行日前にその手続がされていないものについては、別段の定めがあるもののほか、これを、法による改正後のそれぞれの法律又はこの政令による改正後の政令の相当規定により特別区の区長その他の相当の機関に対して報告、届出その他の手続をしなければならない事項についてその手続がされていないものとみなして、法による改正後のそれぞれの法律又はこの政令による改正後のそれぞれの政令の規定を適用する。

附　則〔略〕〔平成一一・一一・一〇政令三五二〕
附　則〔略〕〔平成一一・一一・一七政令三七一〕
附　則〔略〕〔平成一一・一二・二七政令四三一〕
附　則〔略〕〔平成一二・三・三一政令一九三〕
附　則〔略〕〔平成一二・六・七政令三一二〕
附　則〔抄〕〔平成一三・三・三〇政令九八〕

（施行期日）

第一条　この政令は、都市計画法及び建築基準法の一部を改正する法律（以下「改正法」という。）の施行の日（平成十三年五月十八日。以下「施行日」という。）から施行する。

（都市計画法施行令の一部改正に伴う経過措置）

第二条　この政令の施行の際現に改正法第一条の規定による改正前の都市計画法（昭和四十三年法律第百号。以下「旧都市計画法」という。）の規定に基づき決定又は変更の手続を行っている都市計画（改正法附則第二条第二項の規定に基づきなお従前の例により定められる市街化区域及び市街化調整区域に関する都市計画を含む。）のうち、この政令の施行前に旧都市計画法第十七条第一項（旧都市計画法第二十一条第二項において準用する場合を含む。）の規定による公告が行われたものについては、第一条の規定による改正後の都市計画法施行令（次項において「新都市計画法施行令」という。）第九条第二項第二号及び第二項第八号並びに第十四条の規定にかかわらず、なお従前の例による。

2　この政令の施行の際現に第一条の規定による改正前の都市計画法施行令附則第四条の二の規定により定められている規則は、新都市計画法施行令第十九条第一項の規定により区域区分が定められていない都市計画区域について定められた規則とみなす。

附　則〔略〕〔平成一三・三・三〇政令一四九〕
附　則〔略〕〔平成一四・三・二五政令六〇〕
附　則〔略〕〔平成一四・五・三一政令一九一〕
附　則〔略〕〔平成一四・一一・七政令三二九〕
附　則〔略〕〔平成一四・一一・一三政令三三一〕
附　則〔略〕〔平成一五・二・五政令三四〕
附　則〔略〕〔平成一五・六・二七政令二九三〕
附　則〔略〕〔平成一五・六・二七政令二九六〕
附　則〔略〕〔平成一五・七・二四政令三二九〕
附　則〔略〕〔平成一五・八・一政令三五〇〕
附　則〔略〕〔平成一五・八・八政令三六四〕
附　則〔略〕〔平成一五・八・八政令三六八〕
附　則〔略〕〔平成一五・九・二五政令四四三〕
附　則〔略〕〔平成一五・一二・三政令四七六〕
附　則〔略〕〔平成一五・一二・五政令四八九〕
附　則〔略〕〔平成一五・一二・一七政令五二三〕
附　則〔略〕〔平成一五・一二・二五政令五五三〕
附　則〔略〕〔平成一五・一二・二五政令五五五〕
附　則〔略〕〔平成一五・一二・二五政令五五六〕
附　則〔略〕〔平成一六・三・一九政令五〇〕
附　則〔略〕〔平成一六・三・二四政令五九〕
附　則〔略〕〔平成一六・四・九政令一六〇〕
附　則〔略〕〔平成一六・五・二六政令一八一〕
附　則〔抄〕〔平成一六・一二・一五政令三九六〕

（**施行期日**）

第一条　この政令は、都市緑地保全法等の一部を改正する法律（以下「改正法」という。）の施行の日（平成十六年十二月十七日。以下「施行日」という。）から施行する。

（**処分、手続等の効力に関する経過措置**）

第四条　改正法附則第二条から第五条まで及び前二条に規定するもののほか、施行日前に改正法による改正前のそれぞれの法律又はこの政令による改正前のそれぞれの政令の規定によってした処分、手続その他の行為であって、改正法による改正後のそれぞれの法律又はこの政令による改正後のそれぞれの政令に相当の規定があるものは、これらの規定によってした処分、手続その他の行為とみなす。

附　則〔略〕〔平成一六・一二・一五政令三九九〕

附　則〔略〕〔平成一七・五・二五政令一八二〕

附　則〔抄〕〔平成一七・五・二七政令一九二〕

（**施行期日**）

第一条　この政令は、建築物の安全性及び市街地の防災機能の確保等を図るための建築基準法等の一部を改正する法律（以下「改正法」という。）の施行の日（平成十七年六月一日。附則第四条において「施行日」という。）から施行する。

（**罰則に関する経過措置**）

第五条　この政令の施行前にした行為及び前条の規定によりなお従前の例によることとされる場合におけるこの政令の施行後にした行為に対する罰則の適用については、なお従前の例による。

附　則〔略〕〔平成一七・六・一政令二〇三〕

附　則〔略〕〔平成一七・六・二四政令二二四〕

附　則〔略〕〔平成一七・一一・一六政令三四六〕

附　則〔略〕〔平成一八・七・一四政令二三五〕

附　則〔略〕〔平成一八・八・一八政令二七六〕

附　則〔略〕〔平成一八・九・二二政令三一〇〕

附　則〔略〕〔平成一八・一一・六政令三五〇〕

附　則〔抄〕〔平成一八・一一・二九政令三七〇〕

（**施行期日**）

第一条　この政令は、平成十九年四月一日から施行する。

（**都市計画法施行令の一部改正に伴う経過措置**）

第四条　施行日前に都市計画法第二十九条又は第三十五条の二の規定によりされた許可の申請であって、この政令の施行の際、許可又は不許可の処分がされていないものに係る許可の基準に関する技術的細目については、第二条の規定による改正後の都市計画法施行令第二十八条第四号及び第七号の規定にかかわらず、なお従前の例による。

附　則〔略〕〔平成一九・八・三政令二三五〕

附　則〔略〕〔平成一九・九・二五政令三〇四〕

附　則〔略〕〔平成一九・一二・一二政令三六三〕

附　則〔略〕〔平成二〇・六・一八政令一九七施行〕

附　則〔略〕〔平成二〇・一〇・三一政令三三八〕

附　則〔略〕〔平成二二・二・一五政令一三〕

附　則〔略〕〔平成二三・三・三一政令八九〕

附　則〔略〕〔平成二三・五・二政令一一九〕

附　則〔略〕〔平成二三・六・一〇政令一六六〕

附　則〔抄〕〔平成二三・六・二四政令一八一〕

（**施行期日**）

第一条　この政令は、放送法等の一部を改正する法律（平成二十二年法律第六十五号。以下「放送法等改正法」という。）の施行の日（平成二十三年六月三十日。以下「施行日」という。）から施行する。

（**罰則に関する経過措置**）

第一三条　この政令の施行前にした行為に対する罰則の適用については、なお従前の例による。

附　則〔略〕〔平成二三・七・一政令二〇五〕

附　則〔略〕〔平成二三・七・二九政令二三五〕

附　則〔略〕〔平成二三・八・三〇政令二八二施行〕

附　則〔略〕〔平成二三・一一・二八政令三六三〕

附　則〔略〕〔平成二四・七・二五政令二〇二〕

附　則〔略〕〔平成二五・七・二六政令二二三施行〕

附　則〔略〕〔平成二五・八・一九政令二三七〕

附　則〔略〕〔平成二六・五・二八政令一八七〕

附　則〔略〕〔平成二六・六・二五政令二二一〕

附　則〔略〕〔平成二六・七・二政令二三九〕

附　則〔略〕〔平成二六・一二・二四政令四一二〕

附　則〔略〕〔平成二七・三・一八政令七四〕

附　則〔略〕〔平成二七・五・七政令二三〇施行〕

附　則〔略〕〔平成二七・九・三〇政令三五二〕

附　則〔略〕〔平成二七・一〇・三〇政令三六九〕

附　則〔略〕〔平成二七・一一・二六政令三九二〕

附　則〔略〕〔平成二八・一・二二政令一三〕

附　則〔略〕〔平成二八・二・一七政令四三〕

附　則〔略〕〔平成二八・三・二五政令七八〕

附　則〔略〕〔平成二八・三・三一政令一八一〕

附　則〔略〕〔平成二八・一二・二六政令三九二施行〕

附　則〔抄〕〔平成二九・三・二三政令四〇〕

（**施行期日**）

第一条　この政令は、第五号施行日（平成二十九年四月一日）から施行する。

〔以下略〕

（**都市計画法施行令の一部改正に伴う経過措置**）

第五条　第十二条の規定による改正後の都市計画法施行令（以下この条において「新都市計画法施行令」という。）第一条第一項第三号及び第二十一条第十四号の規定の適用については、旧一般ガスみなしガス小売事業者が改正法附則第二十二条第一項の義務を負う間、新都市計画法施行令第一条第一項第三号及び第二十一条第十四号中「ガス小売事業」とあるのは、「ガス小売事業（電気事業法等の一部を改正する等の法律（平成二十七年法律第四十七号）附則第二十二条第一項に規定する指定旧供給区域等小売供給を行う事業を除く。）」とする。

2　新都市計画法施行令第一条第一項第三号及び第二十一条第十四号の規定の適用については、旧簡易ガスみなしガス小売事業者が改正法附則第二十八条第一項の義務を負う間、新都市計画法施行令第一条第一項第三号及び第二十一条第十四号中「ガス小売事業」とあるのは、「ガス小売事業（電気事業法等の一部を改正する等の法律（平成二十七年法律第四十七号）附則第二十八条第一項に規定する指定旧供給地点小売供給を行う事業を除く。）」とする。

附　則〔略〕〔平成二九・六・一四政令一五六〕

附　則〔略〕〔平成二九・一一・一五政令二八〇〕

附　則〔略〕〔平成三〇・一〇・一七政令二九三〕

附　則〔略〕〔平成三〇・一一・九政令三一一〕

附　則〔略〕〔令和二・九・四政令二六八〕

附　則〔略〕〔令和二・一一・二七政令三三七〕

附　則〔略〕〔令和三・七・一四政令二〇五〕

附　則〔略〕〔令和三・一〇・二九政令二九七〕

附　則〔略〕〔令和三・一二・八政令三三五〕

附　則〔略〕〔令和四・二・二政令三七〕

附　則〔略〕〔令和五・七・一四政令二四一〕

附　則〔令和五・九・一三政令二八〇〕

（**施行期日**）

1　この政令は、脱炭素社会の実現に資するための建築物のエネルギー消費性能の向上に関する法律等の一部を改正する法律附則第一条第四号に掲げる規定の施行の日（令和六年四月一日）から施行する。

（**罰則に関する経過措置**）

2　この政令の施行前にした行為に対する罰則の適用については、なお従前の例による。

附　則〔令和五・一〇・一八政令三〇四〕

この政令は、漁港漁場整備法及び水産業協同組合法の一部を改正する法律の施行の日（令和六年四月一日）から施行する。

○都市計画法施行規則

〔昭和四四・八・二五　建設省令四九〕

改正　昭和四四・一一建令五三、昭和四九・一建令一、昭和五〇・三建令三、一二建令二〇、昭和五四・三建令七、昭和五五・一〇建令一二、昭和五六・四建令六、昭和六〇・七建令九、昭和六一・八建令九、昭和六二・一建令二、三建令四、一一建令二五、昭和六三・二建令二、一一建令一九、建令二〇、平成二・一一建令一〇、建令一二、平成五・六建令八、建令一四、平成六・三建令九、九建令二五、平成七・三建令四、建令八、一一建令二七、平成八・一一建令一六、平成九・一一建令一六、平成一〇・九建令三五、一〇建令三七、平成一一・四建令一四、平成一二・一建令九、建令一〇、五建令二六、一一建令四一、平成一三・三国交令七二、四国交令八五、五国交令九一、平成一四・一二国交令一二〇、平成一五・三国交令三〇、四国交令六三、一〇国交令一〇九、平成一六・二国交令九、三国交令三一、五国交令六四、国交令六七、一二国交令九九、国交令一〇一、平成一七・三国交令一二、九国交令九九、平成一八・四国交令五八、八国交令八三、九国交令八六、国交令九〇、一一国交令一〇四、一二国交令一一八、平成一九・三国交令二七、四国交令五四、平成二〇・六国交令四四、一〇国交令九一、平成二三・六国交令四八、八国交令六三、一二国交令一〇一、平成二四・三国交令一二、六国交令五八、平成二五・八国交令七〇、平成二六・三国交令三二、平成二七・一国交令六、国交令七、三国交令一九、五国交令四〇、一〇国交令七六、平成二八・三国交令二三、国交令二六、平成二九・三国交令一二、国交令一九、国交令二〇、六国交令三六、八国交令四九、九国交令五六、平成三〇・七国交令五八、令和元・八国交令二八、九国交令三四、令和二・九国交令七四、一一国交令九二、一二国交令九八、令和三・七国交令四八、八国交令五三、一〇国交令六九、一二国交令七九、令和四・一一国交令八〇、令和五・三国交令三〇、令和六・一国交令六

目次

第一章　総則（第一条―第六条の四）
第二章　都市計画
第一節　都市計画の内容（第七条―第九条）
第二節　都市計画の決定等（第十条―第十四条）
第三章　都市計画制限等
第一節　開発行為等の規制（第十五条―第三十八条の二）
第一節の二　田園住居地域内における建築等の規制（第三十八条の二の二・第三十八条の二の三）
第一節の三　市街地開発事業等予定区域の区域内における建築等の規制（第三十八条の二の四―第三十八条の五）
第二節　都市計画施設等の区域内における建築の規制（第三十九条―第四十三条の六）
第三節　地区計画の区域内における建築等の規制（第四十三条の七―第四十三条の十一）
第四節　遊休土地転換利用促進地区内における土地利用に関する措置等（第四十三条の十二・第四十三条の十三）
第四章　都市計画事業（第四十四条―第五十七条）
第五章　都市施設等整備協定（第五十七条の二―第五十七条の五）
第六章　都市計画協力団体（第五十七条の六・第五十七条の七）
第七章　雑則（第五十八条―第六十条）
附則

第一章　総則

（都市計画区域の指定にあたり勘案すべき事項）

第一条　都市計画法（以下「法」という。）第五条第一項（同条第六項において準用する場合を含む。）の国土交通省令で定める事項は、法第十一条第一項各号に掲げる施設の配置及び利用とする。

（都市計画区域の指定の協議の申出）

第二条　法第五条第三項（同条第六項において準用する場合を含む。）の協議の申出は、次の各号に掲げる事項を記載した協議書を提出して行うものとする。

一　都市計画区域の名称
二　都市計画区域に含まれる土地の区域
三　指定、変更又は廃止の理由

2　前項の協議書には、次の各号に掲げる図書を添附しなければならない。

一　都市計画区域の位置を示す図面及び都市計画区域に含まれる土地の区域を示す図面
二　自然公園の区域及び農業振興地域、山村振興地域その他国土交通大臣の定める地域の区域を示す図面
三　都市計画区域における人口、土地利用及び交通量の現況及び推移、主要な道路及び鉄道の現況、当該都市の特質を示す事項並びに周辺の都市との関係を記載した図書
四　都市計画区域に隣接して良好な自然の環境を形成する樹林地、水辺地又はその状況がこれらに類する土地がある場合にあつては、当該土地の現況を示す図書
五　都市計画法施行令（以下「令」という。）第二条各号に掲げる要件のいずれかに該当するものとして都市計画区域の指定の同意を得ようとする場合にあつては、その事実を示す書面
六　法第五条第二項の規定による都市計画区域の指定の同意を得ようとする場合にあつては、その旨を示す書面
七　関係市町村及び都道府県都市計画審議会の意見の要旨を記載した書面

（都市計画区域の指定等の公告の方法等）

第三条　法第五条第五項（同条第六項において準用する場合を含む。）の規定による公告は、次の各号に掲げる場合ごとに、それぞれ当該各号に定める事項を、国土交通大臣にあつては官報で、都道府県にあつてはその定める方法で行うものとする。

一　都市計画区域を指定する場合　当該都市計画区域の名称及び当該都市計画区域に含まれる土地の区域
二　都市計画区域を変更する場合　当該変更に係る都市計画区域の名称及び当該変更に係る土地の区域
三　都市計画区域を廃止する場合　当該廃止に係る都市計画区域の名称

（準都市計画区域の指定に当たり勘案すべき事項）

第三条の二　法第五条の二第一項（同条第四項において準用する場合を含む。）の国土交通省令で定める事項は、土地利用並びに道路及び河川の配置及び利用とする。

（準都市計画区域の指定等の公告の方法等）

第三条の三　法第五条の二第三項（同条第四項において準用する場合を含む。）の規定による公告は、次の各号に掲げる場合ごとに、それぞれ当該各号に定める事項を、都道府県が定める方法で行うものとする。

一　準都市計画区域を指定する場合　当該準都市計画区域の名称及び当該準都市計画区域に含まれる土地の区域
二　準都市計画区域を変更する場合　当該変更に係る準都市計画区域の名称及び当該変更に係る土地の区域
三　準都市計画区域を廃止する場合　当該廃止に係る準都市計画区域の名称

（都市計画区域についての基礎調査の方法）

第四条　法第六条第一項の規定による都市計画に関する基礎調査は、政府又は地方公共団体が同項に定める事項に関して行なう調査の結果の集計及び必要な調査の実施により行なうものとする。

（都市計画区域についての基礎調査の項目）

第五条　法第六条第一項の国土交通省令で定める事項は、次の各号に掲げるものとする。
一　地価の分布の状況
二　事業所数、従業者数、製造業出荷額及び商業販売額
三　職業分類別就業人口の規模
四　世帯数及び住宅戸数、住宅の規模その他の住宅事情
五　建築物の用途、構造、建築面積、延べ面積及び高さ
六　都市施設の位置、利用状況及び整備の状況
七　国有地及び公有地の位置、区域、面積及び利用状況
八　土地の自然的環境
九　宅地開発の状況及び建築の動態並びに低未利用土地及び空家等の状況
十　災害の発生状況並びに防災施設の位置及び整備の状況
十一　都市計画事業の執行状況
十二　地域の特性に応じて都市計画策定上必要と認められる事項

（準都市計画区域についての基礎調査の方法）
第六条　法第六条第二項の規定による都市計画に関する基礎調査は、政府又は地方公共団体が同項に定める事項に関して行う調査の結果の集計及び必要な調査の実施により行うものとする。

（準都市計画区域についての基礎調査の項目）
第六条の二　法第六条第二項の国土交通省令で定める事項は、次の各号に掲げるものとする。
一　世帯数及び住宅戸数、住宅の規模その他の住宅事情
二　建築物の用途、構造、建築面積、延べ面積及び高さ
三　土地の自然的環境
四　宅地開発の状況及び建築の動態
五　地域の特性に応じ都市計画策定上必要と認められる事項

（基礎調査の結果の通知の方法）
第六条の三　法第六条第四項の規定による通知は、基礎調査の終了後、遅滞なく、基礎調査の結果及びその概要を記載した書面を送付して行わなければならない。
2　前項の規定による書面の送付は、書面に代えて電磁的記録媒体（電磁的記録（電子的方式、磁気的方式その他の人の知覚によつては認識することができない方式で作られる記録であつて、電子計算機による情報処理の用に供されるものをいう。第十九条の十において同じ。）に係る記録媒体をいう。）を使用して行うことができる。

（基礎調査の結果の公表）
第六条の四　国土交通大臣は、法第六条第五項の報告を受けたときは、その報告を受けた基礎調査の結果を公表するよう努めなければならない。
2　前項の結果を公表するに当たつては、個人情報の保護に留意しなければならない。

第二章　都市計画

第一節　都市計画の内容

（都市施設について都市計画に定める事項）
第七条　令第六条第二項の国土交通省令で定める種別及び構造の細目は、次の各号に掲げる種別及び構造について、それぞれ当該各号に掲げるものとする。
一　道路の種別　自動車専用道路、幹線街路、区画街路又は特殊街路の別
二　道路の構造　車線の数（特殊街路その他の車線がない道路である場合を除く。）、幅員並びに嵩上式、地下式、掘割式又は地表式の別及び地表式の区間において鉄道又は自動車専用道路若しくは幹線街路と交差するときは立体交差又は平面交差の別
三　駐車場の構造　地上及び地下の階層
四　自動車ターミナルの種別　トラックターミナル又はバスターミナルの別
五　公園の種別　街区公園、近隣公園、地区公園、総合公園、運動公園、広域公園又は特殊公園の別
六　都市高速鉄道の構造　嵩上式、地下式、掘割式又は地表式の別及び地表式の構造の区間において鉄道又は自動車専用道路若しくは幹線街路と交差するときは立体交差又は平面交差の別
七　法第十一条第一項第四号に掲げる都市施設の構造　堤防式又は堀込式の別及び単断面式又は複断面式の別

（既成市街地の区域）
第八条　令第八条第一項第一号の既成市街地として国土交通省令で定める土地の区域は、次の各号に掲げる土地の区域で集団農地以外のものとする。
一　五十ヘクタール以下のおおむね整形の土地の区域ごとに算定した場合における人口密度が一ヘクタール当たり四十人以上である土地の区域が連たんしている土地の区域で、当該区域内の人口が三千以上であるもの
二　前号の土地の区域に接続する土地の区域で、五十ヘクタール以下のおおむね整形の土地の区域ごとに算定した場合における建築物の敷地その他これに類するものの面積の合計が当該区域の面積の三分の一以上であるもの

（令第八条第二項第二号の国土交通省令で定める土地の区域）
第八条の二　令第八条第二項第二号の国土交通省令で定める土地の区域は、次に掲げるものとする。
一　自然環境保全法（昭和四十七年法律第八十五号）第十四条第一項に規定する原生自然環境保全地域又は同法第二十五条第一項に規定する特別地区
二　森林法（昭和二十六年法律第二百四十九号）第三十条若しくは第三十条の二の規定により告示された保安林予定森林の区域、同法第四十一条の規定により指定された保安施設地区又は同法第四十四条において準用する同法第三十条の規定により告示された保安施設地区に予定された地区

（都市計画の図書）
第九条　法第十四条第一項の総括図は、次の各号に掲げる都市計画について、それぞれ当該各号に定める事項を表示した縮尺二万五千分の一以上の地形図とするものとする。この場合において、法第十五条第一項第二号及び第四号に掲げる都市計画並びに同項第五号に掲げる地域地区に関する都市計画は、一葉の図面に表示するものとし、同項第五号に掲げる都市施設に関する都市計画並びに同項第六号及び第七号に掲げる都市計画は、できる限り一葉の図面に表示するものとする。
一　区域区分に関する都市計画　おおむねの区域
二　地域地区に関する都市計画　十ヘクタール未満の地域地区にあつてはおおむねの位置、十ヘクタール以上の地域地区にあつてはおおむねの区域
三　促進区域に関する都市計画　おおむねの区域
四　都市施設に関する都市計画　十ヘクタール以上の一団地の住宅施設、一団地の官公庁施設、流通業務団地、一団地の津波防災拠点市街地形成施設、一団地の復興再生拠点市街地形成施設又は一団地の復興拠点市街地形成施設にあつてはおおむねの区域、その他の都市施設にあつてはおおむねの位置
五　市街地開発事業に関する都市計画　おおむねの施行区域
六　市街地開発事業等予定区域に関する都市計画　おおむねの区域
七　地区計画、防災街区整備地区計画、歴史的風致維持向上地区計画、沿道地区計画及び集落地区計画に関する都市計画　おおむねの区域
2　法第十四条第一項の計画図は、縮尺二千五百分の一以上の平面図（法第十一条第三項の規定に基づき都市施設を整備する立体的な範囲を都市計画に定める場合にあつては、平面図並びに立面図及び断面図のうち必要なもの）とするものとする。
3　法第十四条第一項の計画書には、法及び令の規定により都市計画に定めるべき事項のほか、当該都市計画を定めた理由を附記するものとする。

第二節　都市計画の決定等

（都市計画の案の公告）
第一〇条　法第十七条第一項（法第二十一条第二項において準用する場合を含む。）の規定による公告は、次に掲げる事項について、都道府県又は市町村の定める方法で行うものとする。
一　都市計画の種類
二　都市計画を定める土地の区域
三　都市計画の案の縦覧場所

（都市計画の協議の申出）
第一一条　法第十八条第三項（法第二十一条第二項において準用する場合を含む。）の協議の申出は、協議書及び当該都市計画の案を提出して行うものとする。

2　前項の協議書には、都市計画の策定の経緯の概要を示す書面を添附しなければならない。

（令第十三条の表の国土交通省令で定める区域）

第一一条の二　令第十三条の表の地区計画（市街化調整区域内において定めるものを除く。）の項、防災街区整備地区計画の項、歴史的風致維持向上地区計画の項及び沿道地区計画の項の下欄に規定する国土交通省令で定める区域は、次に掲げる区域又は施行区域とする。

一　都市計画施設（令第九条第二項第二号から第四号まで、第六号（排水管、排水渠その他の排水施設の部分を除く。）、第八号及び第九号に掲げる都市施設に係るものに限る。）の区域

二　市街地開発事業の施行区域（都道府県が定めた市街地開発事業に関する都市計画に係るものに限る。）

三　市街地開発事業等予定区域の区域（都道府県が定めた市街地開発事業等予定区域に関する都市計画に係るものに限る。）

（都市計画の図書の縦覧についての公告）

第一二条　都道府県知事又は市町村長は、都市計画を決定し、若しくは変更した旨の告示をしたとき又は法第二十条第一項（法第二十一条第二項において準用する場合を含む。）の規定により図書の送付を受けたときは、直ちに、法第十四条第一項の図書又はその写しを公衆の縦覧に供するとともに、縦覧場所を公報その他所定の手段により公告しなければならない。

（都市計画の軽易な変更）

第一三条　令第十四条第二号の国土交通省令で定めるものは、次の各号に掲げる都市計画について、それぞれ当該各号に掲げるものとする。

一　区域区分に関する都市計画　区域区分のための土地の境界とされている鉄道その他の施設又は河川、崖その他の地形若しくは地物の位置の変更（水面の埋立てによる湖岸又は海岸の位置の変更を除く。）に伴う区域の変更で、当該変更に係る部分の面積の合計が四ヘクタール未満であるもの

二　地域地区（法第八条第一項第四号の二に掲げる地区及び同項第九号に掲げる地区のうち港湾法（昭和二十五年法律第二百十八号）第二条第二項の国際戦略港湾又は国際拠点港湾に係るものに限る。）に関する都市計画　次に掲げる変更に伴う位置、区域又は面積の変更

イ　区域の境界とされている道路、鉄道、空港、公園、緑地又は河川の位置の変更で、それぞれ、次号から第七号までに掲げる区域の変更に相当するもの

ロ　区域の境界とされている自動車ターミナルの位置の変更で、区域の変更（当該変更に係る部分の面積の合計が二千平方メートル未満であり、かつ、変更前の面積の二十パーセント未満であるものに限る。）であるもの

ハ　区域の境界とされている墓園の位置の変更で、区域の変更（面積の変更を伴わない区域の変更、面積の拡張に伴う区域の変更で、当該変更に係る部分の面積の合計が変更前の面積の二十パーセント未満であるもの及び区域の境界の整正をするために行う区域の変更で、当該変更に係る部分の面積の合計が二千五百平方メートル未満であり、かつ、変更前の面積の十パーセント未満であるものに限る。）であるもの

ニ　区域の境界とされている下水道の位置の変更で、区域の変更（道路の区域内の下水管渠の区域の変更及び処理施設又はポンプ施設の区域の変更（当該変更に係る部分の面積の合計が二千平方メートル未満であり、かつ、変更前の面積の二十パーセント未満であるものに限る。）であるものに限る。）であるもの

ホ　区域の境界とされている崖その他の地形又は地物の位置の変更（水面の埋立てによる湖岸又は海岸の位置の変更を除く。）

三　道路に関する都市計画　次に掲げる位置又は区域の変更。ただし、イ及びロに掲げるものにあつては、当該変更に係る区間内に交通広場又は他の道路若しくは鉄道と立体で交差する箇所を含むものを除く。

イ　線形の変更による位置又は区域の変更で、中心線の振れが百メートル未満であり、かつ、当該変更に係る区間の延長が千メートル未満であるもの（起点又は終点の変更を伴うものにあつては、変更前の起点又は終点において道路が同一平面で四以上交会するもの及び起点又は終点の移動距離が百メートル以上であるものを除く。）

ロ　拡幅による位置又は区域の変更で、当該変更に係る区間の延長が千メートル未満であるもの

ハ　イ又はロに掲げる変更に伴う他の道路の起点又は終点の変更（起点又は終点の移動する距離が百メートル以上であるものを除く。）による当該他の道路の位置又は区域の変更

ニ　道路を支える法面その他の構造物の形状の変更による位置又は区域の変更

ホ　他の道路の廃止又は位置若しくは区域の変更に伴う隅切りの縮小又は廃止による位置又は区域の変更

四　都市高速鉄道に関する都市計画

イ　起点又は終点の変更を伴わない線形の変更による位置又は区域の変更で、中心線の振れが百メートル未満であり、かつ、当該変更に係る区間の延長が千メートル未満であるもの（当該区間内に停車場又は車庫を含むものを除く。）

ロ　停車場又は車庫の区域以外の区域における拡幅による位置又は区域の変更で、当該変更に係る区間の延長が千メートル未満であるもの

ハ　停車場又は車庫の位置又は区域の変更で、区域の境界の移動する距離が二十メートル未満であるもの

五　空港に関する都市計画　位置、区域又は面積の変更で、当該変更に係る部分の面積の合計が四千平方メートル未満であり、かつ、変更前の面積の二十パーセント未満であるもの

六　公園及び緑地に関する都市計画　次に掲げる位置、区域又は面積の変更。ただし、鉄道、道路又は河川が区域を分断することとなるものを除く。

イ　面積の変更を伴わない位置又は区域の変更

ロ　面積の拡張又はこれに伴う位置若しくは区域の変更で、当該変更に係る部分の面積の合計が変更前の面積の二十パーセント未満であるもの

ハ　区域の境界の整正をするために行う位置、区域又は面積の変更で、当該変更に係る部分の面積の合計が二千五百平方メートル未満であり、かつ、変更前の面積の十パーセント未満であるもの

七　河川に関する都市計画

イ　起点又は終点の変更を伴わない線形の変更による位置又は区域の変更で、区域の境界の移動する距離が百メートル未満であり、かつ、当該変更に係る区間の延長が千メートル未満であるもの

ロ　拡幅による位置又は区域の変更で、当該変更に係る区間の延長が千メートル未満であるもの

八　一団地の官公庁施設に関する都市計画

イ　位置、区域又は面積の変更で、当該変更に係る部分の面積の合計が四ヘクタール未満であり、かつ、変更前の面積の十パーセント未満であるもの

ロ　公共施設、公益的施設又は建築物の配置の方針の変更で、公共施設又は公益的施設の規模の変更を伴わないもの

第一三条の二　令第十四条第三号の国土交通省令で定めるものは、次の各号に掲げる都市計画について、それぞれ当該各号に掲げるものとする。

一　法第八条第一項第一号に掲げる地域に関する都市計画　位置、区域又は面積の変更で、区域区分の変更に伴い市街化区域から除外される土地の区域を当該地域の区域から除外したにとどまると認められるもの

二　道路に関する都市計画　前条第三号に掲げる位置又は区域の変更。ただし、当該変更に係る区間の道路の区域が国若しくは地方公共団体（当該変更をする市町村を除く。）が管理する他の道路又は当該他の道路以外の都市計画施設（当該変更をする市町村の都市計画において定められたものを除く。第四号において同じ。）の区域に接し、又は重複するものを除く。

三　都市高速鉄道に関する都市計画　前条第四号に掲げる位置又は区域の変更。ただし、当該変更に係る区間の都市高速鉄道の区域が当該都市高速鉄道以外の都市計画施設（当該変更をする市の都市計画において定められたものを除く。）の区域に接し、又は重複するものを除く。

四　公園及び緑地に関する都市計画　前条第六号に掲げる位置、区域又は面積の変更。ただし、当該変更に係る区域が他の都市計画施設の区域と重複するものを除く。

五　一団地の住宅施設に関する都市計画

イ　住宅の低層、中層又は高層別の予定戸数の変更で、当該変更による予定戸数の合計の変更が二百戸未満であり、かつ、変更前の予定戸数の合計の十パーセント未満であるもの

ロ　公共施設、公益的施設又は住宅の配置の方針の変更で、公共施設又は公益的施設の規模の変更を伴わないもの

（まちづくりの推進に関し経験と知識を有する団体）

第一三条の三　法第二十一条の二第二項の国土交通省令で定める団体は、次に掲げる要件のいずれにも該当するものとする。
一　次のいずれかに該当する団体であること。
イ　過去十年間に法第二十九条第一項の規定による許可を受けて開発行為（開発区域の面積が〇・五ヘクタール以上のものに限る。）を行つたことがあること。
ロ　過去十年間に法第二十九条第一項第四号から第九号までに掲げる開発行為（開発区域の面積が〇・五ヘクタール以上のものに限る。）を行つたことがあること。
二　役員（法人でない団体で代表者又は管理人の定めのあるものの代表者又は管理人を含む。）のうちに次のいずれかに該当する者がないこと。
イ　破産手続開始の決定を受けて復権を得ない者
ロ　禁錮以上の刑に処せられ、その執行を終わり、又は執行を受けることがなくなつた日から五年を経過しない者
ハ　法若しくは暴力団員による不当な行為の防止等に関する法律（平成三年法律第七十七号。同法第三十二条の三第七項の規定を除く。）に違反し、又は刑法（明治四十年法律第四十五号）第二百四条、第二百六条、第二百八条、第二百八条の二、第二百二十二条若しくは第二百四十七条の罪若しくは暴力行為等処罰に関する法律（大正十五年法律第六十号）の罪を犯し、罰金の刑に処せられ、その執行を終わり、又は執行を受けることがなくなつた日から五年を経過しない者
ニ　精神の機能の障害により計画提案を適正に行うに当たつて必要な認知、判断及び意思疎通を適切に行うことができない者

（都市計画の決定等の提案）
第一三条の四　法第二十一条の二第三項の規定により計画提案を行おうとする者（次項において「計画提案者」という。）は、氏名及び住所（法人その他の団体にあつては、その名称及び主たる事務所の所在地）を記載した提案書に次に掲げる図書を添えて、これらを都道府県又は市町村に提出しなければならない。
一　都市計画の素案
二　法第二十一条の二第三項第二号の同意を得たことを証する書類
三　計画提案を行うことができる者であることを証する書類
2　計画提案者は、事業を行うため当該事業が行われる土地の区域について都市計画の決定又は変更を必要とするときは、次に掲げる事項を記載した書面を、前項の提案書及び図書と併せて都道府県又は市町村に提出することができる。
一　当該事業の着手の予定時期
二　計画提案に係る都市計画の決定又は変更を希望する期限
三　前号の期限を希望する理由
3　前項第二号の期限は、計画提案に係る都市計画の素案の内容に応じて、当該都市計画の決定又は変更に要する期間を勘案して、相当なものでなければならない。

（令第十六条の二第二号の国土交通省令で定める土地の区域）
第一三条の五　令第十六条の二第二号の国土交通省令で定める土地の区域は、森林法第三十条若しくは第三十条の二の規定により告示された保安林予定森林の区域、同法第四十一条の規定により指定された保安施設地区又は同法第四十四条において準用する同法第三十条の規定により告示された保安施設地区に予定された地区とする。

（収用委員会に対する裁決申請書の様式）
第一四条　令第十八条の国土交通省令で定める様式は、別記様式第一とする。

第三章　都市計画制限等

第一節　開発行為等の規制

（開発許可の申請書の記載事項）
第一五条　法第三十条第一項第五号の国土交通省令で定める事項は、次に掲げるもの（主として、自己の居住の用に供する住宅の建築の用に供する目的で行う開発行為（当該開発行為に関する工事が宅地造成及び特定盛土等規制法（昭和三十六年法律第百九十一号）第十二条第一項又は第三十条第一項の許可を要するものを除く。）又は住宅以外の建築物若しくは特定工作物で自己の業務の用に供するものの建築若しくは建設の用に供する目的で行う開発行為（当該開発行為に関する工事が当該許可を要するもの及び開発区域の面積が一ヘクタール以上のものを除く。）にあつては、第四号に掲げるものを除く。）とする。
一　工事の着手予定年月日及び工事の完了予定年月日
二　主として自己の居住の用に供する住宅の建築の用に供する目的で行う開発行為、主として住宅以外の建築物又は特定工作物で自己の業務の用に供するものの建築又は建設の用に供する目的で行う開発行為、その他の開発行為の別
三　市街化調整区域内において行う開発行為にあつては、当該開発行為が該当する法第三十四条の号及びその理由
四　資金計画

（開発許可の申請）
第一六条　法第二十九条第一項又は第二項の許可を受けようとする者は、別記様式第二又は別記様式第二の二の開発行為許可申請書を都道府県知事に提出しなければならない。
2　法第三十条第一項第三号の設計は、設計説明書及び設計図（主として自己の居住の用に供する住宅の建築の用に供する目的で行う開発行為にあつては、設計図）により定めなければならない。
3　前項の設計説明書は、設計の方針、開発区域（開発区域を工区に分けたときは、開発区域及び工区。以下次項及び次条において同じ。）内の土地の現況、土地利用計画及び公共施設の整備計画（公共施設の管理者となるべき者及び公共施設の用に供する土地の帰属に関する事項を含む。）を記載したものでなければならない。
4　第二項の設計図は、次の表に定めるところにより作成したものでなければならない。たゞし、主として自己の居住の用に供する住宅の建築の用に供する目的で行う開発行為にあつては、給水施設計画平面図は除く。

図面の種類	明示すべき事項	縮尺	備考
現況図	地形、開発区域の境界、開発区域内及び開発区域の周辺の公共施設並びに令第二十八条の二第一号に規定する樹木又は樹木の集団及び同条第二号に規定する切土又は盛土を行う部分の表土の状況	二千五百分の一以上	一　等高線は、二メートルの標高差を示すものであること。 二　樹木若しくは樹木の集団又は表土の状況にあつては、規模が一ヘクタール（令第二十三条の三ただし書の規定に基づき別に規模が定められたときは、その規模）以上の開発行為について記載すること。
土地利用計画図	開発区域の境界、公共施設の位置及び形状、予定建築物等の敷地の形状、敷地に係る予定建築物等の用途、公益的施設の位置、樹木又は樹木の集団の位置並びに緩衝帯の位置及び形状	千分の一以上	
造成計画平面図	開発区域の境界、切土又は盛土をする土地の部分、がけ（地表面が水平面に対し三十度を超える角度を成す土地で硬岩盤（風化の著しいものを除く。）以外のものをいう。以下この項、第二十三条、第二	千分の一以上	切土又は盛土をする土地の部分で表土の復元等の措置を講ずるものがあるときは、その部分を図示すること。

	十七条第二項及び第三十四条第二項において同じ。）又は擁壁の位置並びに道路の位置、形状、幅員及び勾配		
造成計画断面図	切土又は盛土をする前後の地盤面	千分の一以上	高低差の著しい箇所について作成すること。
排水施設計画平面図	排水区域の区域界並びに排水施設の位置、種類、材料、形状、内のり寸法、勾配、水の流れの方向、吐口の位置及び放流先の名称	五百分の一以上	
給水施設計画平面図	給水施設の位置、形状、内のり寸法及び取水方法並びに消火栓の位置	五百分の一以上	排水施設計画平面図にまとめて図示してもよい。
がけの断面図	がけの高さ、勾配及び土質（土質の種類が二以上であるときは、それぞれの土質及びその地層の厚さ）、切土又は盛土をする前の地盤面並びにがけ面の保護の方法	五十分の一以上	一　切土をした土地の部分に生ずる高さが二メートルを超えるがけ、盛土をした土地の部分に生ずる高さが一メートルを超えるがけ又は切土と盛土とを同時にした土地の部分に生ずる高さが二メートルを超えるがけについて作成すること。 二　擁壁で覆われるがけ面については、土質に関する事項は、示すことを要しない。
擁壁の断面図	擁壁の寸法及び勾配、擁壁の材料の種類及び寸法、裏込めコンクリートの寸法、透水層の位置及び寸法、擁壁を設置する前後の地盤面、基礎地盤の土質並びに基礎ぐいの位置、材料及び寸法	五十分の一以上	

5　前条第四号の資金計画は、別記様式第三の資金計画書により定めたものでなければならない。

6　第二項の設計図には、これを作成した者がその氏名を記載しなければならない。

（開発許可の申請書の添付図書）

第一七条　法第三十条第二項の国土交通省令で定める図書は、次に掲げるものとする。

一　開発区域位置図

二　開発区域区域図

三　法第三十三条第一項第十四号の相当数の同意を得たことを証する書類

四　設計図を作成した者が第十九条に規定する資格を有する者であることを証する書類

五　法第三十四条第十三号の届出をした者が開発許可を受けようとする場合にあつては、その者が、区域区分に関する都市計画が決定され、又は当該都市計画を変更して市街化調整区域が拡張された際、自己の居住若しくは業務の用に供する建築物を建築し、又は自己の業務の用に供する第一種特定工作物を建設する目的で土地又は土地の利用に関する所有権以外の権利を有していたことを証する書類

六　開発行為に関する工事が津波災害特別警戒区域（津波防災地域づくりに関する法律（平成二十三年法律第百二十三号）第七十二条第一項の津波災害特別警戒区域をいう。以下同じ。）内における同法第七十三条第一項に規定する特定開発行為（同条第四項各号に掲げる行為を除く。第三十一条第二項において同じ。）に係るものであり、かつ、当該工事の完了後において当該工事に係る同法第七十三条第四項第一号に規定する開発区域（津波災害特別警戒区域内のものに限る。第四項及び第三十一条第二項において同じ。）に地盤面の高さが基準水位（同法第五十三条第二項に規定する基準水位をいう。第四項及び第三十一条第二項において同じ。）以上となる土地の区域があるときは、その区域の位置を表示した地形図

2　前項第一号に掲げる開発区域位置図は、縮尺五万分の一以上とし、開発区域の位置を表示した地形図でなければならない。

3　第一項第二号に掲げる開発区域区域図は、縮尺二千五百分の一以上とし、開発区域の区域並びにその区域を明らかに表示するに必要な範囲内において都道府県界、市町村界、市町村の区域内の町又は字の境界、都市計画区域界、準都市計画区域界並びに土地の地番及び形状を表示したものでなければならない。

4　第一項第六号に掲げる地形図は、縮尺千分の一以上とし、津波防災地域づくりに関する法律第七十三条第四項第一号に規定する開発区域の区域及び当該区域のうち地盤面の高さが基準水位以上となる土地の区域並びにこれらの区域を明らかに表示するに必要な範囲内において都道府県界、市町村界、市町村の区域内の町又は字の境界、津波災害特別警戒区域界、津波防災地域づくりに関する法律第七十三条第二項第二号の条例で定める区域の区域界並びに土地の地番及び形状を表示したものでなければならない。

（令第二十一条第二十六号ニの国土交通省令で定める庁舎）

第一七条の二　令第二十一条第二十六号ニの国土交通省令で定める庁舎は、次に掲げるものとする。

一　国が設置する庁舎であつて、本府若しくは本省又は本府若しくは本省の外局の本庁の用に供するもの

二　国が設置する地方支分部局の本庁の用に供する庁舎

三　都道府県庁、都道府県の支庁若しくは地方事務所、市役所、特別区の区役所又は町村役場の用に供する庁舎

四　警視庁又は道府県警察本部の本庁の用に供する庁舎

（令第二十一条第二十六号ホの国土交通省令で定める宿舎）

第一七条の三　令第二十一条第二十六号ホの国土交通省令で定める宿舎は、職務上その勤務地に近接する場所に居住する必要がある職員のためのものとする。

（資格を有する者の設計によらなければならない工事）

第一八条　法第三十一条の国土交通省令で定める工事は、開発区域の面積が一ヘクタール以上の開発行為に関する工事とする。

（設計者の資格）

第一九条　法第三十一条の国土交通省令で定める資格は、次に掲げるものとする。

一　開発区域の面積が一ヘクタール以上二十ヘクタール未満の開発行為に関する工事にあつては、次のいずれかに該当する者であること。

イ　学校教育法（昭和二十二年法律第二十六号）による大学（短期大学を除く。）又は旧大学令（大正七年勅令第三百八十八号）による大学において、正規の土木、建築、都市計画又は造園に関する課程を修めて卒業した後、宅地開発に関する技術に関して二年以上の実務の経験を有する者

ロ　学校教育法による短期大学（同法による専門職大学の前期課程を含む。ハにおいて同じ。）において、正規の土木、建築、都市計画又は造園に関する修業年限三年の課程（夜間において授業を行なうもの

を除く。）を修めて卒業した後（同法による専門職大学の前期課程にあつては、修了した後）、宅地開発に関する技術に関して三年以上の実務の経験を有する者

ハ　ロに該当する者を除き、学校教育法による短期大学若しくは高等専門学校又は旧専門学校令（明治三十六年勅令第六十一号）による専門学校において、正規の土木、建築、都市計画又は造園に関する課程を修めて卒業した後（同法による専門職大学の前期課程にあつては、修了した後）、宅地開発に関する技術に関して四年以上の実務の経験を有する者

ニ　学校教育法による高等学校若しくは中等教育学校又は旧中等学校令（昭和十八年勅令第三十六号）による中等学校において、正規の土木、建築、都市計画又は造園に関する課程を修めて卒業した後、宅地開発に関する技術に関して七年以上の実務の経験を有する者

ホ　技術士法（昭和五十八年法律第二十五号）による第二次試験のうち国土交通大臣が定める部門に合格した者で、宅地開発に関する技術に関して二年以上の実務の経験を有するもの

ヘ　建築士法（昭和二十五年法律第二百二号）による一級建築士の資格を有する者で、宅地開発に関する技術に関して二年以上の実務の経験を有するもの

ト　宅地開発に関する技術に関する七年以上の実務の経験を含む土木、建築、都市計画又は造園に関する十年以上の実務の経験を有する者で、次条から第十九条の四までの規定により国土交通大臣の登録を受けた者（以下「登録講習機関」という。）がこの省令の定めるところにより行う講習（以下「講習」という。）を修了した者

チ　国土交通大臣がイからトまでに掲げる者と同等以上の知識及び経験を有すると認めた者

二　開発区域の面積が二十ヘクタール以上の開発行為に関する工事にあつては、前号のいずれかに該当する者で、開発区域の面積が二十ヘクタール以上の開発行為に関する工事の総合的な設計に係る設計図書の作成に関する実務に従事したことのあるものその他国土交通大臣がこれと同等以上の経験を有すると認めたものであること。

（登録）

第十九条の二　前条第一号トの登録（以下単に「登録」という。）は、講習の実施に関する事務（以下「講習事務」という。）を行おうとする者の申請により行う。

２　登録を受けようとする者（以下この条において「登録申請者」という。）は、次に掲げる事項を記載した申請書を国土交通大臣に提出しなければならない。

一　登録申請者の氏名又は名称及び住所並びに法人にあつては、その代表者の氏名

二　講習事務を行おうとする事務所の名称及び所在地

三　講習事務を開始しようとする年月日

３　前項の申請書には、次に掲げる書類を添付しなければならない。

一　個人である場合においては、次に掲げる書類

イ　住民票の抄本若しくは個人番号カード（行政手続における特定の個人を識別するための番号の利用等に関する法律（平成二十五年法律第二十七号）第二条第七項に規定する個人番号カードをいう。）の写し又はこれらに類するものであつて氏名及び住所を証明する書類

ロ　登録申請者の略歴を記載した書類

二　法人である場合においては、次に掲げる書類

イ　定款又は寄付行為及び登記事項証明書

ロ　申請に係る意思の決定を証する書類

ハ　役員の氏名及び略歴を記載した書類

三　登録申請者が次条各号のいずれにも該当しない者であることを誓約する書面

四　登録申請者の行う講習が第十九条の四第一項各号に掲げる登録要件に適合していることを証する書類

五　その他参考となる事項を記載した書類

（欠格条項）

第十九条の三　次の各号のいずれかに該当する者は、登録を受けることができない。

一　法又は法に基づく命令に違反し、罰金以上の刑に処せられ、その執行を終わり、又は執行を受けることがなくなつた日から二年を経過しない者

二　第十九条の十三の規定により登録を取り消され、その取消しの日から二年を経過しない者

三　法人であつて、講習事務を行う役員のうちに前二号のいずれかに該当する者があるもの

（登録要件等）

第十九条の四　国土交通大臣は、第十九条の二の規定により登録を申請した者の行う講習が、次に掲げる要件のすべてに適合しているときは、その登録をしなければならない。

一　次に掲げる科目について行われるものであること。

イ　土木工学に関する科目

ロ　設計に関する科目

ハ　法その他の宅地開発に係る法令に関する科目

ニ　施設計画等に関する科目

ホ　工事及び防災の計画に関する科目

ヘ　その他宅地開発に関する知識の習得に必要な科目

二　次のいずれかに該当する者が講師として講習事務に従事し、その人数が二名以上であること。

イ　学校教育法による大学（短期大学を除く。）において土木工学、建築学その他の講習に関する科目を担当する教授、准教授、助教若しくは講師の職にあり、若しくはこれらの職にあつた者又は土木工学、建築学その他の講習に関する科目の研究により修士の学位を授与された者

ロ　国又は地方公共団体の職員又は職員であつた者で、講習に関する科目に係る専門的知識を有する者

ハ　土木、建築その他の講習に関する分野の試験研究機関において試験研究の業務に従事し、又は従事した経験のある者で、かつ、これらの分野について専門的知識を有する者

ニ　イからハまでに掲げる者と同等以上の能力を有する者

２　登録は、登録講習機関登録簿に次に掲げる事項を記載してするものとする。

一　登録年月日及び登録番号

二　登録講習機関の氏名又は名称及び住所並びに法人にあつては、その代表者及び講習事務を行う役員の氏名

三　講習事務を行う事務所の名称及び所在地

四　講習事務を開始する年月日

（登録の更新）

第十九条の五　登録は、五年ごとにその更新を受けなければ、その期間の経過によつて、その効力を失う。

２　前三条の規定は、前項の登録の更新について準用する。

（講習事務の実施に係る義務）

第十九条の六　登録講習機関は、公正に、かつ、第十九条の四第一項各号に掲げる要件及び次に掲げる基準に適合する方法により講習事務を行わなければならない。

一　特定の者を差別的に取り扱わないこと。

二　講習は、講義及び考査により行うこと。

三　講義時間の合計は三十三時間以上とし、第十九条の四第一項第一号イからホまでに掲げる各科目の講義時間はそれぞれ三時間以上とすること。

四　講師の責任において適切に作成された教科書を用いて講義を行うこと。

五　講義の終了後に考査を行うこと。

六　考査は、設計に関する知識を習得したかどうかを判定できるものであること。

七　講師によつて構成される合議制の機関により、考査の問題の作成及び考査の結果の判定を行うこと。

八　考査において良好な成績を修め、講習を修了した者に対してのみ修了証明書を交付すること。

九　考査に関する不正行為その他の不正な受講を防止するための措置を講じること。

十　講習を実施する日時、場所その他講習の実施に関し必要な事項を公示すること。

十一　前号の公示をしようとする日の二週間前までに、その内容を記載し

た書面を国土交通大臣に提出すること。
十二　講習を実施しようとする日の二週間前までに、当該講習に用いる教科書及び考査の問題の写しを国土交通大臣に提出すること。
十三　考査の結果を公表し、又は受講者に通知しようとする日の二週間前までに、考査の結果の判定の基準を記載した書面を国土交通大臣に提出すること。
十四　講習事務によつて知り得た秘密を保持すること。

（登録事項の変更の届出）
第一九条の七　登録講習機関は、第十九条の四第二項第二号及び第三号に掲げる事項を変更しようとするときは遅滞なく、同項第四号に掲げる事項を変更しようとするときは変更しようとする日の二週間前までに、次に掲げる事項を国土交通大臣に届け出なければならない。
一　変更しようとする事項
二　変更しようとする年月日
三　変更しようとする理由

（講習事務規程）
第一九条の八　登録講習機関は、次に掲げる事項を記載した講習事務に関する規程を定め、講習事務を開始しようとする日の二週間前までに、国土交通大臣に届け出なければならない。これを変更しようとするときも、同様とする。
一　講習事務の時間及び休日に関する事項
二　講習事務を行う事務所及び講習の実施場所に関する事項
三　講習の受講の申込みに関する事項
四　講習の受講料の額及び収納の方法に関する事項
五　講習の日程、周知の方法その他の講習の実施の方法に関する事項
六　考査の問題の作成及び考査の結果の判定の方法に関する事項
七　講習の不正受講者の処分に関する事項
八　修了証明書の交付及び再交付に関する事項
九　第十九条の十四第三項の帳簿その他の講習事務についての書類に関する事項
十　講習事務に関する秘密の保持に関する事項
十一　講習事務に関する公正の確保に関する事項
十二　その他講習事務に関し必要な事項

（講習事務の休廃止）
第一九条の九　登録講習機関は、講習事務の全部又は一部を休止し、又は廃止しようとするときは、休止又は廃止しようとする日の二週間前までに、次に掲げる事項を記載した届出書を国土交通大臣に提出しなければならない。
一　休止し、又は廃止しようとする講習事務の範囲
二　休止し、又は廃止しようとする年月日
三　休止しようとする場合にあつては、その期間
四　休止又は廃止の理由

（財務諸表等の備付け及び閲覧等）
第一九条の一〇　登録講習機関は、毎事業年度経過後三月以内に、その事業年度の財産目録、貸借対照表及び損益計算書又は収支計算書並びに事業報告書（その作成に代えて電磁的記録の作成がされている場合における当該電磁的記録を含む。次項において「財務諸表等」という。）を作成し、五年間登録講習機関の事務所に備えて置かなければならない。
2　講習を受講しようとする者その他の利害関係人は、登録講習機関の業務時間内は、いつでも、次に掲げる請求をすることができる。ただし、第二号又は第四号の請求をするには、登録講習機関の定めた費用を支払わなければならない。
一　財務諸表等が書面をもつて作成されているときは、当該書面の閲覧又は謄写の請求
二　前号の書面の謄本又は抄本の請求
三　財務諸表等が電磁的記録をもつて作成されているときは、当該電磁的記録に記録された事項を紙面又は出力装置の映像面に表示したものの閲覧又は謄写の請求
四　前号の電磁的記録に記録された事項を電磁的方法であつて、次に掲げるもののうち登録講習機関が定めるものにより提供することの請求又は当該事項を記載した書面の交付の請求
イ　送信者の使用に係る電子計算機と受信者の使用に係る電子計算機とを電気通信回線で接続した電子情報処理組織を使用する方法であつて、当該電気通信回線を通じて情報が送信され、受信者の使用に係る電子計算機に備えられたファイルに当該情報が記録されるもの
ロ　磁気ディスクその他これに準ずる方法により一定の情報を確実に記録しておくことができる物（第十九条の十四において「磁気ディスク等」という。）をもつて調製するファイルに情報を記録したものを交付する方法
3　前項第四号イ又はロに掲げる方法は、受信者がファイルへの記録を出力することによる書面を作成できるものでなければならない。

（適合命令）
第一九条の一一　国土交通大臣は、登録講習機関が第十九条の四第一項の規定に適合しなくなつたと認めるときは、その登録講習機関に対し、同項の規定に適合するため必要な措置をとるべきことを命ずることができる。

（改善命令）
第一九条の一二　国土交通大臣は、登録講習機関が第十九条の六の規定に違反していると認めるときは、その登録講習機関に対し、同条の規定による講習事務を行うべきこと又は講習の方法その他の業務の方法の改善に関し必要な措置をとるべきことを命ずることができる。

（登録の取消し等）
第一九条の一三　国土交通大臣は、登録講習機関が次の各号のいずれかに該当するときは、その登録を取り消し、又は期間を定めて講習事務の全部若しくは一部の停止を命ずることができる。
一　第十九条の三第一号又は第三号に該当するに至つたとき。
二　第十九条の七から第十九条の九まで、第十九条の十第一項又は次条の規定に違反したとき。
三　正当な理由がないのに第十九条の十第二項各号の規定による請求を拒んだとき。
四　前二条の規定による命令に違反したとき。
五　第十九条の十五の規定による報告を求められて、報告をせず、又は虚偽の報告をしたとき。
六　不正の手段により登録を受けたとき。

（帳簿の記載等）
第一九条の一四　登録講習機関は、次に掲げる事項を記載した帳簿を備えなければならない。
一　講習の実施年月日
二　講習の実施場所
三　講習を行つた講師の氏名並びに講習において担当した科目及びその時間
四　受講者の氏名、生年月日及び住所
五　講習を修了した者にあつては、前号に掲げる事項のほか、修了証明書の交付の年月日及び修了番号
2　前項各号に掲げる事項が、電子計算機に備えられたファイル又は磁気ディスク等に記録され、必要に応じ登録講習機関において電子計算機その他の機器を用いて明確に紙面に表示されるときは、当該記録をもつて同項に規定する帳簿への記載に代えることができる。
3　登録講習機関は、第一項に規定する帳簿（前項の規定による記録が行われた同項のファイル又は磁気ディスク等を含む。）を、講習事務の全部を廃止するまで保存しなければならない。
4　登録講習機関は、次に掲げる書類を備え、講習を実施した日から二年間保存しなければならない。
一　講習の受講申込書及び添付書類
二　講習に用いた教科書
三　終了した考査の問題及び答案用紙

（報告の徴収）
第一九条の一五　国土交通大臣は、講習事務の適正な実施を確保するため必要があると認めるときは、登録講習機関に対し、講習事務の状況に関し必要な報告を求めることができる。

（公示）
第一九条の一六　国土交通大臣は、次に掲げる場合には、その旨を官報に公示しなければならない。
一　登録をしたとき又は第十九条の五第一項の登録の更新をしたとき。
二　第十九条の七の規定による届出があつたとき。
三　第十九条の九の規定による届出があつたとき。
四　第十九条の十三の規定により登録を取り消し、又は講習事務の停止を

命じたとき。

（道路の幅員）

第二〇条　令第二十五条第二号の国土交通省令で定める道路の幅員は、住宅の敷地又は住宅以外の建築物若しくは第一種特定工作物の敷地でその規模が一千平方メートル未満のものにあつては六メートル（多雪地域で、積雪時における交通の確保のため必要があると認められる場合にあつては、八メートル）、その他のものにあつては九メートルとする。

（令第二十五条第二号ただし書の国土交通省令で定める道路）

第二〇条の二　令第二十五条第二号ただし書の国土交通省令で定める道路は、次に掲げる要件に該当するものとする。

一　開発区域内に新たに道路が整備されない場合の当該開発区域に接する道路であること。

二　幅員が四メートル以上であること。

（公園等の設置基準）

第二一条　開発区域の面積が五ヘクタール以上の開発行為にあつては、次に定めるところにより、その利用者の有効な利用が確保されるような位置に公園（予定建築物等の用途が住宅以外のものである場合は、公園、緑地又は広場。以下この条において同じ。）を設けなければならない。

一　公園の面積は、一箇所三百平方メートル以上であり、かつ、その面積の合計が開発区域の面積の三パーセント以上であること。

二　開発区域の面積が二十ヘクタール未満の開発行為にあつてはその面積が一千平方メートル以上の公園が一箇所以上、開発区域の面積が二十ヘクタール以上の開発行為にあつてはその面積が一千平方メートル以上の公園が二箇所以上であること。

（排水施設の管渠の勾配及び断面積）

第二二条　令第二十六条第一号の排水施設の管渠の勾配及び断面積は、五年に一回の確率で想定される降雨強度値以上の降雨強度値を用いて算定した計画雨水量並びに生活又は事業に起因し、又は付随する廃水量及び地下水量から算定した計画汚水量を有効に排出することができるように定めなければならない。

2　令第二十八条第七号の国土交通省令で定める排水施設は、その管渠の勾配及び断面積が、切土又は盛土をした土地及びその周辺の土地の地形から想定される集水地域の面積を用いて算定した計画地下水排水量を有効かつ適切に排出することができる排水施設とする。

（がけ面の保護）

第二三条　切土をした土地の部分に生ずる高さが二メートルをこえるがけ、盛土をした土地の部分に生ずる高さが一メートルをこえるがけ又は切土と盛土とを同時にした土地の部分に生ずる高さが二メートルをこえるがけのがけ面は、擁壁でおおわなければならない。ただし、切土をした土地の部分に生ずることとなるがけ又はがけの部分で、次の各号の一に該当するもののがけ面については、この限りでない。

一　土質が次の表の上欄に掲げるものに該当し、かつ、土質に応じ勾配が同表の中欄の角度以下のもの

土質	擁壁を要しない勾配の上限	擁壁を要する勾配の下限
軟岩（風化の著しいものを除く。）	六十度	八十度
風化の著しい岩	四十度	五十度
砂利、真砂土、関東ローム、硬質粘土その他これらに類するもの	三十五度	四十五度

二　土質が前号の表の上欄に掲げるものに該当し、かつ、土質に応じ勾配が同表の中欄の角度をこえ同表の下欄の角度以下のもので、その上端から下方に垂直距離五メートル以内の部分。この場合において、前号に該当するがけの部分により上下に分離されたがけの部分があるときは、同号に該当するがけの部分は存在せず、その上下のがけの部分は連続しているものとみなす。

2　前項の規定の適用については、小段等によつて上下に分離されたがけがある場合において、下層のがけ面の下端を含み、かつ、水平面に対し三十度の角度をなす面の上方に上層のがけ面の下端があるときは、その上下のがけを一体のものとみなす。

3　第一項の規定は、土質試験等に基づき地盤の安定計算をした結果がけの安全を保つために擁壁の設置が必要でないことが確かめられた場合又は災害の防止上支障がないと認められる土地において擁壁の設置に代えて他の措置が講ぜられた場合には、適用しない。

4　開発行為によつて生ずるがけのがけ面は、擁壁でおおう場合を除き、石張り、芝張り、モルタルの吹付け等によつて風化その他の侵食に対して保護しなければならない。

（樹木の集団の規模）

第二三条の二　令第二十八条の二第一号の国土交通省令で定める規模は、高さが五メートルで、かつ、面積が三百平方メートルとする。

（緩衝帯の幅員）

第二三条の三　令第二十八条の三の国土交通省令で定める幅員は、開発行為の規模が、一ヘクタール以上一・五ヘクタール未満の場合にあつては四メートル、一・五ヘクタール以上五ヘクタール未満の場合にあつては五メートル、五ヘクタール以上十五ヘクタール未満の場合にあつては十メートル、十五ヘクタール以上二十五ヘクタール未満の場合にあつては十五メートル、二十五ヘクタール以上の場合にあつては二十メートルとする。

（道路に関する技術的細目）

第二四条　令第二十九条の規定により定める技術的細目のうち、道路に関するものは、次に掲げるものとする。

一　道路は、砂利敷その他の安全かつ円滑な交通に支障を及ぼさない構造とし、かつ、適当な値の横断勾配が附されていること。

二　道路には、雨水等を有効に排出するため必要な側溝、街渠その他の適当な施設が設けられていること。

三　道路の縦断勾配は、九パーセント以下であること。ただし、地形等によりやむを得ないと認められる場合は、小区間に限り、十二パーセント以下とすることができる。

四　道路は、階段状でないこと。ただし、もつぱら歩行者の通行の用に供する道路で、通行の安全上支障がないと認められるものにあつては、この限りでない。

五　道路は、袋路状でないこと。ただし、当該道路の延長若しくは当該道路と他の道路との接続が予定されている場合又は転回広場及び避難通路が設けられている場合等避難上及び車両の通行上支障がない場合は、この限りでない。

六　歩道のない道路が同一平面で交差し、若しくは接続する箇所又は歩道のない道路のまがりかどは、適当な長さで街角が切り取られていること。

七　歩道は、縁石線又はさくその他これに類する工作物によつて車道から分離されていること。

（公園に関する技術的細目）

第二五条　令第二十九条の規定により定める技術的細目のうち、公園に関するものは、次に掲げるものとする。

一　面積が一千平方メートル以上の公園にあつては、二以上の出入口が配置されていること。

二　公園が自動車交通量の著しい道路等に接する場合は、さく又はへいの設置その他利用者の安全の確保を図るための措置が講ぜられていること。

三　公園は、広場、遊戯施設等の施設が有効に配置できる形状及び勾配で設けられていること。

四　公園には、雨水等を有効に排出するための適当な施設が設けられていること。

（排水施設に関する技術的細目）

第二六条　令第二十九条の規定により定める技術的細目のうち、排水施設に関するものは、次に掲げるものとする。

一　排水施設は、堅固で耐久力を有する構造であること。

二　排水施設は、陶器、コンクリート、れんがその他の耐水性の材料で造り、かつ、漏水を最少限度のものとする措置が講ぜられていること。ただし、崖崩れ又は土砂の流出の防止上支障がない場合においては、専ら雨水その他の地表水を排除すべき排水施設は、多孔管その他雨水を地下に浸透させる機能を有するものとすることができる。

三　公共の用に供する排水施設は、道路その他排水施設の維持管理上支障がない場所に設置されていること。

四　管渠の勾配及び断面積が、その排除すべき下水又は地下水を支障なく流下させることができるもの（公共の用に供する排水施設のうち暗渠で

ある構造の部分にあつては、その内径又は内法幅が、二十センチメートル以上のもの）であること。

五　専ら下水を排除すべき排水施設のうち暗渠である構造の部分の次に掲げる箇所には、ます又はマンホールが設けられていること。

イ　管渠の始まる箇所

ロ　下水の流路の方向、勾配又は横断面が著しく変化する箇所（管渠の清掃上支障がない箇所を除く。）

ハ　管渠の内径又は内法幅の百二十倍を超えない範囲内の長さごとの管渠の部分のその清掃上適当な場所

六　ます又はマンホールには、ふた（汚水を排除すべきます又はマンホールにあつては、密閉することができるふたに限る。）が設けられていること。

七　ます又はマンホールの底には、専ら雨水その他の地表水を排除すべきますにあつては深さが十五センチメートル以上の泥溜めが、その他のます又はマンホールにあつてはその接続する管渠の内径又は内法幅に応じ相当の幅のインバートが設けられていること。

（擁壁に関する技術的細目）

第二七条　第二十三条第一項の規定により設置される擁壁については、次に定めるところによらなければならない。

一　擁壁の構造は、構造計算、実験等によつて次のイからニまでに該当することが確かめられたものであること。

イ　土圧、水圧及び自重（以下この号において「土圧等」という。）によつて擁壁が破壊されないこと。

ロ　土圧等によつて擁壁が転倒しないこと。

ハ　土圧等によつて擁壁の基礎がすべらないこと。

ニ　土圧等によつて擁壁が沈下しないこと。

二　擁壁には、その裏面の排水をよくするため、水抜穴が設けられ、擁壁の裏面で水抜穴の周辺その他必要な場所には、砂利等の透水層が設けられていること。ただし、空積造その他擁壁の裏面の水が有効に排水できる構造のものにあつては、この限りでない。

2　開発行為によつて生ずるがけのがけ面を覆う擁壁で高さが二メートルを超えるものについては、建築基準法施行令（昭和二十五年政令第三百三十八号）第百四十二条（同令第七章の八の準用に関する部分を除く。）の規定を準用する。

（公園等の設置基準の強化）

第二七条の二　第二十一条第一号の技術的細目に定められた制限の強化は、次に掲げるところにより行うものとする。

一　設置すべき公園、緑地又は広場の数又は一箇所当たりの面積の最低限度を定めること。

二　設置すべき公園、緑地又は広場の面積の合計の開発区域の面積に対する割合の最低限度について、六パーセントを超えない範囲で、開発区域及びその周辺の状況並びに予定建築物等の用途を勘案して特に必要があると認められる場合に行うこと。

2　第二十一条第二号の技術的細目に定められた制限の強化は、設置すべき公園、緑地又は広場の数又は一箇所当たりの面積の最低限度について行うものとする。

（令第二十九条の二第一項第十一号の国土交通省令で定める基準）

第二七条の三　第二十三条の三の技術的細目に定められた制限の強化は、配置すべき緩衝帯の幅員の最低限度について、開発行為の規模が一ヘクタール以上一・五ヘクタール未満の場合にあつては六・五メートル、一・五ヘクタール以上五ヘクタール未満の場合にあつては八メートル、五ヘクタール以上十五ヘクタール未満の場合にあつては十五メートル、十五ヘクタール以上の場合にあつては二十メートルを超えない範囲で行うものとする。

（令第二十九条の二第一項第十二号の国土交通省令で定める基準）

第二七条の四　令第二十九条の二第一項第十二号の国土交通省令で定める基準は、次に掲げるものとする。

一　第二十四条、第二十五条第二号、第二十六条第四号又は第二十七条の技術的細目に定められた制限について、環境の保全、災害の防止及び利便の増進を図るために必要な限度を超えない範囲で行うものであること。

二　第二十四条の技術的細目に定められた制限の強化は、その地方の気候若しくは風土の特殊性又は土地の状況により必要と認められる場合に、同条各号に掲げる基準と異なる基準を定めるものであること。

三　第二十五条第二号の技術的細目に定められた制限の強化は、公園の利用者の安全の確保を図るため必要があると認められる場合に、さく又はへいの設置その他利用者の安全を図るための措置が講ぜられていることを要件とするものであること。

四　第二十六条第四号の技術的細目に定められた制限の強化は、公共の用に供する排水施設のうち暗渠である構造の部分の内径又は内のり幅について行うものであること。

五　第二十七条の技術的細目に定められた制限の強化は、その地方の気候、風土又は地勢の特殊性により、同条各号の規定のみによつては開発行為に伴うがけ崩れ又は土砂の流出の防止の目的を達し難いと認められる場合に行うものであること。

（法の高さの制限に関する技術的細目）

第二七条の五　令第二十九条の四第二項の国土交通省令で定める技術的細目は、小段等によつて上下に分離された法がある場合にその上下の法を一体のものとみなすことを妨げないこととする。

（令第二十九条の九第六号の国土交通省令で定める事項）

第二七条の六　令第二十九条の九第六号の国土交通省令で定める事項は、次に掲げるものとする。

一　土地利用の動向

二　水防法施行規則（平成十二年建設省令第四十四号）第二条第二号、第五条第二号又は第八条第二号に規定する浸水した場合に想定される水深及び同規則第二条第三号、第五条第三号又は第八条第三号に規定する浸水継続時間

三　過去の降雨により河川が氾濫した際に浸水した地点、その水深その他の状況

（既存の権利者の届出事項）

第二八条　法第三十四条第十三号の国土交通省令で定める事項は、次に掲げるもの（自己の居住の用に供する建築物を建築する目的で権利を有する者にあつては、第一号に掲げるものを除く。）とする。

一　届出をしようとする者の職業（法人にあつては、その業務の内容）

二　土地の所在、地番、地目及び地積

三　届出をしようとする者が、区域区分に関する都市計画が決定され、又は当該都市計画を変更して市街化調整区域が拡張された際、土地又は土地の利用に関する所有権以外の権利を有していた目的

四　届出をしようとする者が土地の利用に関する所有権以外の権利を有する場合においては、当該権利の種類及び内容

（変更の許可の申請書の記載事項）

第二八条の二　法第三十五条の二第二項の国土交通省令で定める事項は、次に掲げるものとする。

一　変更に係る事項

二　変更の理由

三　開発許可の許可番号

（変更の許可の申請書の添付図書）

第二八条の三　法第三十五条の二第二項の申請書には、法第三十条第二項に規定する図書のうち開発行為の変更に伴いその内容が変更されるものを添付しなければならない。この場合においては、第十七条第二項から第四項までの規定を準用する。

（軽微な変更）

第二八条の四　法第三十五条の二第一項ただし書の国土交通省令で定める軽微な変更は、次に掲げるものとする。

一　設計の変更のうち予定建築物等の敷地の形状の変更。ただし、次に掲げるものを除く。

イ　予定建築物等の敷地の規模の十分の一以上の増減を伴うもの

ロ　住宅以外の建築物又は第一種特定工作物の敷地の規模の増加を伴うもので、当該敷地の規模が千平方メートル以上となるもの

二　工事施行者の変更。ただし、主として、自己の居住の用に供する住宅の建築の用に供する目的で行う開発行為（当該開発行為に関する工事が宅地造成及び特定盛土等規制法第十二条第一項又は第三十条第一項の許可を要するものを除く。）又は住宅以外の建築物若しくは特定工作物で自己の業務の用に供するものの建築若しくは建設の用に供する目的で行う開発行為（当該開発行為に関する工事が当該許可を要するもの及び開発区域の面積が一ヘクタール以上のものを除く。）以外の開発行為にあつては、工事施行者の氏名若しくは名称又は住所の変更に限る。

三　工事の着手予定年月日又は工事の完了予定年月日の変更

（**工事完了の届出**）

第二九条　法第三十六条第一項の規定による届出は、開発行為に関する工事を完了したときは別記様式第四の工事完了届出書を、開発行為に関する工事のうち公共施設に関する工事を完了したときは別記様式第五の公共施設工事完了届出書を提出して行なうものとする。

（**検査済証の様式**）

第三〇条　法第三十六条第二項に規定する検査済証の様式は、開発行為に関する工事を完了したものに係る検査済証にあつては別記様式第六とし、開発行為に関する工事のうち公共施設に関する工事を完了したものに係る検査済証にあつては別記様式第七とする。

（**工事完了公告**）

第三一条　法第三十六条第三項に規定する工事の完了の公告は、開発行為に関する工事を完了した場合にあつては開発区域又は工区に含まれる地域の名称並びに開発許可を受けた者の住所及び氏名を明示して、開発行為に関する工事のうち公共施設に関する工事を完了した場合にあつては開発区域又は工区に含まれる地域の名称、公共施設の種類、位置及び区域並びに開発許可を受けた者の住所及び氏名を明示して、都道府県知事の定める方法で行なうものとする。

2　前項の場合において、当該工事が津波災害特別警戒区域内における津波防災地域づくりに関する法律第七十三条第一項に規定する特定開発行為に係るものであり、かつ、当該工事の完了後において当該工事に係る同条第四項第一号に規定する開発区域に地盤面の高さが基準水位以上である土地の区域があるときは、前項に規定するもののほか、その区域に含まれる地域の名称を併せて明示するものとする。

（**開発行為に関する工事の廃止の届出**）

第三二条　法第三十八条に規定する開発行為に関する工事の廃止の届出は、別記様式第八による開発行為に関する工事の廃止の届出書を提出して行なうものとする。

（**費用の負担の協議に関する書類**）

第三三条　令第三十三条の国土交通省令で定める書類は、次に掲げる事項を記載した書類、費用の負担を求めようとする者が法第三十六条第三項に規定する公告の日において当該費用の負担に係る土地を所有していたことを証する書類並びに当該土地の位置及び区域を明示する図面とする。

一　負担を求めようとする者の住所及び氏名

二　負担を求めようとする額

三　費用の負担を求めようとする土地の法第三十六条第三項に規定する公告の日における所在、地番、地目及び面積

四　費用の負担を求めようとする土地の取得に要すべき費用の額及びその積算の基礎

（**建築物の新築等の許可の申請**）

第三四条　法第四十三条第一項に規定する許可の申請は、別記様式第九による建築物の新築、改築若しくは用途の変更又は第一種特定工作物の新設許可申請書を提出して行うものとする。

2　前項の許可申請書には、次に掲げる図面（令第三十六条第一項第三号ニに該当するものとして許可を受けようとする場合にあつては、次に掲げる図面及び当該許可を受けようとする者が、区域区分に関する都市計画が決定され、又は当該都市計画を変更して市街化調整区域が拡張された際、自己の居住若しくは業務の用に供する建築物を建築し、又は自己の業務の用に供する第一種特定工作物を建設する目的で土地又は土地の利用に関する所有権以外の権利を有していたことを証する書類）を添付しなければならない。

図面の種類	明示すべき事項
付近見取図	方位、敷地の位置及び敷地の周辺の公共施設
敷地現況図	(一) 建築物の新築若しくは改築又は第一種特定工作物の新設の場合 敷地の境界、建築物の位置又は第一種特定工作物の位置、がけ及び擁壁の位置並びに排水施設の位置、種類、水の流れの方向、吐口の位置及び放流先の名称 (二) 建築物の用途の変更の場合 敷地の境界、建築物の位置並びに排水施設の位置、種類、水の流れの方向、吐口の位置及び放流先の名称

（**開発登録簿の記載事項**）

第三五条　法第四十七条第一項第六号の国土交通省令で定める事項は、次に掲げるものとする。

一　法第三十三条第一項第八号ただし書に該当するときは、その旨

二　法第四十五条の規定により開発許可に基づく地位を承継した者の住所及び氏名

（**開発登録簿の調製**）

第三六条　開発登録簿（以下「登録簿」という。）は、調書及び図面をもつて組成する。

2　図面は、第十六条第四項により定めた土地利用計画図とする。

（**登録簿の閉鎖**）

第三七条　都道府県知事は、法第三十八条の規定による開発行為の廃止の届出があつた場合は、遅滞なく、登録簿を閉鎖しなければならない。

（**登録簿の閲覧**）

第三八条　都道府県知事は、登録簿を公衆の閲覧に供するため、開発登録簿閲覧所（以下この条において「閲覧所」という。）を設けなければならない。

2　都道府県知事は、前項の規定により閲覧所を設けたときは、当該閲覧所の閲覧規則を定めるとともに、当該閲覧所の場所及び閲覧規則を告示しなければならない。

（**映像等の送受信による通話の方法による口頭審理**）

第三八条の二　令第三十六条の二において準用する行政不服審査法施行令（平成二十七年政令第三百九十一号）第八条に規定する方法によつて口頭審理の期日における審理を行う場合には、審理関係人（行政不服審査法（平成二十六年法律第六十八号）第二十八条に規定する審理関係人をいう。以下この条において同じ。）の意見を聴いて、当該審理に必要な装置が設置された場所であつて審査庁（同法第九条第一項に規定する審査庁をいう。）が相当と認める場所を、審理関係人ごとに指定して行う。

第一節の二　田園住居地域内における建築等の規制

（**建築行為等の許可の申請**）

第三八条の二の二　法第五十二条第一項の許可の申請は、別記様式第九の二による申請書を提出して行うものとする。

2　前項の申請書には、次に掲げる図書を添付しなければならない。

一　土地の形質の変更にあつては、当該行為を行う土地の区域を表示する図面で縮尺二千五百分の一以上のもの

二　建築物の建築その他工作物の建設にあつては、敷地内における建築物又は工作物の位置を表示する図面で縮尺五百分の一以上のもの

三　法第五十二条第一項の政令で定める物件の堆積にあつては、当該堆積を行う土地の区域を表示する図面で縮尺二千五百分の一以上のもの

（**堆積をした物件の飛散等を防止するための措置**）

第三八条の二の三　令第三十六条の七の堆積をした物件が飛散し、流出し、又は地下に浸透することを防止するために必要な措置は、次に掲げるものとする。

一　堆積をした物件が飛散するおそれがある場合にあつては、次のいずれかの措置を講ずること。

イ　当該物件の表面に覆いを設け、当該覆いが容易に移動しないように固定すること。

ロ　当該物件をその状態に応じた容器に収納すること。

二　堆積をした物件が流出するおそれがある場合にあつては、当該物件をその状態に応じた容器に収納すること。

三　物件の堆積に伴い汚水を生ずるおそれがある場合にあつては、次のいずれかの措置を講ずること。

イ　当該物件の底面に覆いを設けること。

ロ　当該物件をその状態に応じた容器に収納すること。

第一節の三　市街地開発事業等予定区域の区域内における建築等の規制

（**施行予定者の公告事項**）

第三八条の二の四　法第五十二条の三第一項の規定により施行予定者の公告

すべき事項は、次に掲げるものとする。
一　市街地開発事業等予定区域の種類及び名称
二　施行予定者の名称及び住所
三　市街地開発事業等予定区域の区域内の土地の所在

（市街地開発事業等予定区域の区域内の土地建物等の先買いに関する周知措置）

第三八条の三　法第五十二条の三第一項の関係権利者に周知させるための必要な措置は、次に掲げるものとする。
一　土地建物等の有償譲渡についての制限の内容を市街地開発事業等予定区域の区域内又はその周辺の適当な場所に掲示するとともに、施行予定者のウェブサイトに掲載して公衆の閲覧に供すること。
二　土地建物等の有償譲渡についての制限の内容を土地建物等の所有者に対して通知し、又は新聞紙に広告すること。

2　前項第一号の規定による措置は、法第五十二条の二第五項の規定により市街地開発事業等予定区域に関する都市計画がその効力を失つた日又は施行予定者が市街地開発事業等予定区域の区域内のすべての土地建物等について必要な権利を取得した日までしなければならない。

（有償譲渡の届出事項等）

第三八条の四　法第五十二条の三第二項の国土交通省令で定める事項は、土地建物等に存する所有権以外の権利の種類及び内容並びに当該権利を有する者の氏名及び住所とする。

2　法第五十二条の三第二項の規定による届出は、別記様式第九の三の土地建物等有償譲渡届出書を施行予定者に提出してしなければならない。

（土地の買取請求の手続）

第三八条の五　法第五十二条の四第一項の規定による土地の買取りを請求しようとする者は、別記様式第九の四の買取請求書に当該土地についての所有権を証する書類を添付して、これを施行予定者に提出しなければならない。

第二節　都市計画施設等の区域内における建築の規制

（都市計画施設の区域又は市街地開発事業の施行区域内における建築許可の申請）

第三九条　法第五十三条第一項の許可の申請は、別記様式第十による申請書を提出して行なうものとする。

2　前項の申請書には、次の各号に掲げる図書を添附しなければならない。
一　敷地内における建築物の位置を表示する図面で縮尺五百分の一以上のもの
二　二面以上の建築物の断面図で縮尺二百分の一以上のもの
三　その他参考となるべき事項を記載した図書

（事業予定地の指定等の公告）

第四〇条　法第五十五条第四項の規定による公告は、次の各号に掲げる場合ごとに、それぞれ当該各号に定める事項を都道府県知事等の定める方法で行なうものとする。
一　法第五十五条第一項の規定による都市計画施設の区域内の土地の指定をする場合　当該都市計画施設の種類及び名称並びに当該指定に係る土地の区域
二　法第五十六条第一項の規定による土地の買取りの申出及び法第五十七条第二項本文の規定による届出の相手方を定める場合　当該相手方の氏名及び住所、当該相手方に対し申出又は届出をすべき土地の区域並びに当該土地の区域に係る都市計画施設又は市街地開発事業の種類及び名称

2　前項の土地の区域の表示は、土地に関し権利を有する者が自己の権利に係る土地がこれらの区域に含まれるかどうかを容易に判断することができるものでなければならない。

（都道府県知事等及び法第五十七条第二項本文の規定による届出の相手方として公告された者の公告事項）

第四一条　法第五十七条第一項の規定により都道府県知事等（法第五十五条第四項の規定により法第五十七条第二項本文の規定による届出の相手方として公告された者があるときは、その者）の公告すべき事項は、次に掲げるものとする。
一　市街地開発事業又は法第五十五条第一項の規定による指定に係る都市計画施設の種類及び名称
二　法第五十七条第二項本文の規定による届出の相手方の氏名及び住所
三　届出をすべき土地の所在

（事業予定地内の土地の先買いに関する周知措置）

第四二条　法第五十七条第一項の関係権利者に周知させるための必要な措置は、次に掲げるものとする。
一　土地の有償譲渡についての制限の内容を市街地開発事業の施行区域内又は法第五十五条第一項の規定による指定に係る都市計画施設の区域内若しくはその周辺の適当な場所に掲示するとともに、都道府県知事にあつては当該都道府県の、市長にあつては当該市の、法第五十七条第二項本文の規定による届出の相手方として公告された者にあつては当該者のウェブサイトに掲載して公衆の閲覧に供すること。ただし、当該者（地方公共団体、独立行政法人都市再生機構及び地方住宅供給公社を除く。ロにおいて同じ。）が第一種市街地再開発事業（都市再開発法（昭和四十四年法律第三十八号）第二条第一号に規定する第一種市街地再開発事業をいう。）又は防災街区整備事業を施行しようとする場合において、次のいずれかに該当するときは、そのウェブサイトに掲載して公衆の閲覧に供することを要しない。
イ　当該事業の施行区域の面積が〇・四ヘクタール未満であること。
ロ　当該者が自ら管理するウェブサイトを有していないこと。
二　土地の有償譲渡についての制限の内容を土地の所有者に対して通知し、又は新聞紙に広告すること。

2　前項第一号の規定による措置は、法第六十六条の公告の日の翌日から起算して十日を経過した日又は都道府県知事等若しくは法第五十六条第一項の規定による土地の買取りの申出及び法第五十七条第二項本文の規定による届出の相手方として公告された者が事業予定地内のすべての土地について必要な権利を取得した日までしなければならない。

（有償譲渡の届出事項等）

第四三条　法第五十七条第二項に規定する国土交通省令で定める事項は、次に掲げるものとする。
一　当該土地に所有権以外の権利があるときは、当該権利の種類及び内容並びに当該権利を有する者の氏名及び住所
二　当該土地に建築物その他の工作物があるときは、当該工作物並びに当該工作物につき所有権を有する者の氏名及び住所

2　法第五十七条第二項本文の規定による届出は、別記様式第十一の土地有償譲渡届出書を提出してしなければならない。

（施行予定者の公告事項）

第四三条の二　法第五十七条の四において準用する法第五十二条の三第一項の規定により施行予定者の公告すべき事項については、第三十八条の二の規定を準用する。この場合において、同条第一号中「市街地開発事業等予定区域」とあるのは「施行予定者が定められている都市計画施設又は市街地開発事業」と、同条第三号中「市街地開発事業等予定区域の区域内」とあるのは「施行予定者が定められている都市計画施設の区域又は市街地開発事業の施行区域内」と読み替えるものとする。

（施行予定者が定められている都市計画施設の区域等内の土地建物等の先買いに関する周知措置）

第四三条の三　法第五十七条の四において準用する法第五十二条の三第一項の関係権利者に周知させるための必要な措置については、第三十八条の三第一項の規定を準用する。この場合において、同項第一号中「市街地開発事業等予定区域の区域内」とあるのは、「施行予定者が定められている都市計画施設の区域若しくは市街地開発事業の施行区域内」と読み替えるものとする。

2　前項において準用する第三十八条の三第一項第一号の規定による措置は、法第六十六条の公告の日の翌日から起算して十日を経過した日、施行予定者が施行予定者が定められている都市計画施設の区域又は市街地開発事業の施行区域内のすべての土地建物等について必要な権利を取得した日又は法第六十条の二第二項の公告の日までしなければならない。

（有償譲渡の届出事項等）

第四三条の四　法第五十七条の四において準用する法第五十二条の三第二項の国土交通省令で定める事項は、第三十八条の四第一項に規定する事項とする。

2　法第五十七条の四において準用する法第五十二条の三第二項の規定による届出は、別記様式第九の三の土地建物等有償譲渡届出書を施行予定者に提出してしなければならない。

（土地の買取請求の手続）

第四三条の五　法第五十七条の五において準用する法第五十二条の四第一項の規定による土地の買取りを請求しようとする者は、別記様式第九の四の買取請求書に当該土地についての所有権を証する書類を添付して、これを施行予定者に提出しなければならない。

（認可又は承認の申請がされなかつた旨の公告）

第四三条の六　法第六十条の二第二項の公告は、官報、公報その他所定の手段により行わなければならない。

第三節　地区計画の区域内における建築等の規制

（令第三十八条の七第五号の国土交通省令で定める行為）

第四三条の七　令第三十八条の七第五号の国土交通省令で定める行為は、次に掲げるものとする。

一　道路法（昭和二十七年法律第百八十号）第二条第一項に規定する道路の新設、改築、維持、修繕又は災害復旧に係る行為

二　道路運送法（昭和二十六年法律第百八十三号）第二条第八項に規定する一般自動車道又は専用自動車道（同法第三条第一号に規定する一般旅客自動車運送事業又は貨物自動車運送事業法（平成元年法律第八十三号）第二条第二項に規定する一般貨物自動車運送事業の用に供するものに限る。）の造設又は管理に係る行為

三　河川法（昭和三十九年法律第百六十七号）が適用され、又は準用される河川の改良工事の施行又は管理に係る行為

四　独立行政法人水資源機構が行う独立行政法人水資源機構法（平成十四年法律第百八十二号）第十二条第一項（同項第二号ハ及び第五号を除く。）に規定する業務又は同法附則第四条第一項に規定する業務（これに附帯する業務を除く。）に係る行為（前号に掲げるものを除く。）

五　土地改良法（昭和二十四年法律第百九十五号）による土地改良事業の施行に係る行為

六　国立研究開発法人森林研究・整備機構法（平成十一年法律第百九十八号）附則第十条第一項の規定により国立研究開発法人森林研究・整備機構が行う森林開発公団法の一部を改正する法律（平成十一年法律第七十号）附則第八条の規定による廃止前の農用地整備公団法（昭和四十九年法律第四十三号）第十九条第一項第一号、第四号又は第六号に規定する業務に係る行為

七　農業を営む者が組織する団体が行う農業構造の改善に関し必要な事業の施行に係る行為

八　森林法第五条に規定する地域森林計画に定める林道の開設又は改良に係る行為

九　都市公園法（昭和三十一年法律第七十九号）第二条第二項に規定する公園施設の設置又は管理に係る行為

十　鉄道事業法（昭和六十一年法律第九十二号）による鉄道事業者又は索道事業者が行うその鉄道事業又は索道事業で一般の需要に応ずるものの用に供する施設の建設又は管理に係る行為

十一　軌道法（大正十年法律第七十六号）による軌道の敷設又は管理に係る行為

十二　石油パイプライン事業法（昭和四十七年法律第百五号）第五条第二項第二号に規定する事業用施設の設置又は管理に係る行為

十三　道路運送法第三条第一号イに規定する一般乗合旅客自動車運送事業（路線を定めて定期に運行する自動車により乗合旅客の運送を行うものに限る。）若しくは貨物自動車運送事業法第二条第二項に規定する一般貨物自動車運送事業（同条第六項に規定する特別積合せ貨物運送をするものに限る。）の用に供する施設又は自動車ターミナル法（昭和三十四年法律第百三十六号）第二条第五項に規定する一般自動車ターミナルの設置又は管理に係る行為

十四　港務局が行う港湾法第十二条第一項に規定する業務に係る行為

十五　航空法（昭和二十七年法律第二百三十一号）による公共の用に供する飛行場又は同法第二条第五項に規定する航空保安施設で公共の用に供するものの設置又は管理に係る行為

十六　気象、海象、地象又は洪水その他これに類する現象の観測又は通報の用に供する施設の設置又は管理に係る行為

十七　電気通信事業法（昭和五十九年法律第八十六号）第百二十条第一項に規定する認定電気通信事業者が行う同項に規定する認定電気通信事業の用に供する施設の設置又は管理に係る行為

十八　放送法（昭和二十五年法律第百三十二号）第二条第二号に規定する基幹放送の用に供する放送設備（建築物であるものを除く。）の設置又は管理に係る行為

十九　電気事業法（昭和三十九年法律第百七十号）第二条第一項第十六号に規定する電気事業の用に供する同項第十八号に規定する電気工作物又はガス事業法（昭和二十九年法律第五十一号）第二条第十三項に規定するガス工作物（同条第二項に規定するガス小売事業の用に供するものを除く。）の設置又は管理に係る行為

二十　水道法（昭和三十二年法律第百七十七号）第三条第二項に規定する水道事業若しくは同条第四項に規定する水道用水供給事業の用に供する同条第八項に規定する水道施設、工業用水道事業法（昭和三十三年法律第八十四号）第二条第六項に規定する工業用水道施設又は下水道法（昭和三十三年法律第七十九号）第二条第三号に規定する公共下水道、同条第四号に規定する流域下水道若しくは同条第五号に規定する都市下水路の用に供する施設の設置又は管理に係る行為

二十一　熱供給事業法（昭和四十七年法律第八十八号）第二条第四項に規定する熱供給施設の設置又は管理に係る行為

二十二　水害予防組合が行う水防の用に供する施設の設置又は管理に係る行為

二十三　国立研究開発法人日本原子力研究開発機構が国立研究開発法人日本原子力研究開発機構法（平成十六年法律第百五十五号）第十七条第一項第一号若しくは第二号に掲げる業務の用に供する施設の設置若しくは管理又は国立研究開発法人日本原子力研究開発機構が行う同項第三号に掲げる業務に係る行為

二十四　国立研究開発法人宇宙航空研究開発機構が行う国立研究開発法人宇宙航空研究開発機構法（平成十四年法律第百六十一号）第十八条第一項第一号から第四号までに規定する業務に係る行為

二十五　独立行政法人エネルギー・金属鉱物資源機構が行う独立行政法人エネルギー・金属鉱物資源機構法（平成十四年法律第九十四号）第十一条第一項第六号に規定する業務（石油等（同法第三条に規定する石油等をいう。）の探鉱に係る調査に関するものに限り、これに附帯する業務を含む。）に係る行為

（地区計画の区域内における行為の届出）

第四三条の八　法第五十八条の二第一項の国土交通省令で定める事項は、行為の完了予定日とする。

第四三条の九　法第五十八条の二第一項の規定による届出は、別記様式第十一の二による届出書を提出して行うものとする。

2　前項の届出書には、次に掲げる図書を添付しなければならない。

一　土地の区画形質の変更にあつては、次に掲げる図面

イ　当該行為を行う土地の区域並びに当該区域内及び当該区域の周辺の公共施設を表示する図面で縮尺千分の一以上のもの

ロ　設計図で縮尺百分の一以上のもの

二　建築物の建築、工作物（建築物以外の工作物をいう。以下同じ。）の建設又は建築物若しくは工作物の用途の変更にあつては、次に掲げる図面

イ　敷地内における建築物又は工作物の位置を表示する図面で縮尺百分の一以上のもの

ロ　都市緑地法（昭和四十八年法律第七十二号）第三十四条第二項に規定する建築物の緑化施設の位置を表示する図面（地区整備計画において建築物の緑化率の最低限度が定められている場合に限る。）で縮尺百分の一以上のもの

ハ　二面以上の建築物又は工作物の立面図及び各階平面図（建築物である場合に限る。）で縮尺五十分の一以上のもの

ニ　二面以上の建築物の断面図（地区整備計画において建築物の敷地の地盤面又は居室の床面の高さの最低限度が定められている場合に限る。）で縮尺五十分の一以上のもの

三　建築物又は工作物の形態又は意匠の変更にあつては、前号イに掲げる図面及び二面以上の立面図で縮尺五十分の一以上のもの

四　木竹の伐採にあつては、次に掲げる図面

イ　当該行為を行う土地の区域を表示する図面で縮尺千分の一以上のもの

ロ　当該行為の施行方法を明らかにする図面で縮尺百分の一以上のもの

五　令第三十六条の三各号に掲げる物件の堆積にあつては、当該堆積を行う土地の区域を表示する図面で縮尺二千五百分の一以上のもの

六　その他参考となるべき事項を記載した図書

（変更の届出）

第四三条の一〇　法第五十八条の二第二項の国土交通省令で定める事項は、設計又は施行方法のうち、その変更により法第五十八条の二第一項の届出に係る行為が同項各号に掲げる行為に該当することとなるもの以外のものとする。

第四三条の一一　法第五十八条の二第二項の規定による届出は、別記様式第十一の三による変更届出書を提出して行うものとする。

２　第四十三条の九第二項の規定は、前項の届出について準用する。

第四節　遊休土地転換利用促進地区内における土地利用に関する措置等

（遊休土地である旨の通知）

第四三条の一二　法第五十八条の七第一項の規定による通知は、別記様式第十一の四による通知書により行うものとする。

（遊休土地に係る計画の届出）

第四三条の一三　法第五十八条の八の規定による届出は、別記様式第十一の五による届出書を提出して行うものとする。

第四章　都市計画事業

（都市計画事業等の認可等の申請書の記載事項）

第四四条　法第六十条第一項第四号の国土交通省令で定める事項は、都市計画事業の名称とする。

（都市計画事業等の認可等の申請書の様式）

第四五条　法第六十条第一項（法第六十三条第二項において準用する場合を含む。）の申請書の様式は、別記様式第十二とする。

（都市計画事業等の認可等の申請書の添附書類）

第四六条　法第六十条第三項第五号の国土交通省令で定める図書は、次の各号に掲げる事項を記載した書面とする。

一　都市計画事業に係る都市施設又は市街地開発事業に関する都市計画の種類及び名称

二　市町村以外の者にあつては、申請の理由

２　新住宅市街地開発法（昭和三十八年法律第百三十四号）第四十五条第一項の規定による施行者が施行する新住宅市街地開発事業にあつては、法第六十条第三項第五号（法第六十三条第二項において準用する場合を含む。）の国土交通省令で定める図書は、前項に定めるもののほか、次の各号に掲げるものとする。

一　新住宅市街地開発事業を施行しようとする者が所有する土地に接続する公共施設の用に供する土地について新住宅市街地開発事業を施行することに関する当該公共施設の管理者の同意を証する書面

二　新住宅市街地開発事業を施行しようとする土地（公共施設の用に供する土地を除く。）についての所有権を証する書面

三　新住宅市街地開発法第二条第九項の造成施設等の処分価額の概算額及びその算定方法を記載した書面

第四七条　法第六十条第三項（法第六十三条第二項において準用する場合を含む。）の規定により同条第一項（法第六十三条第二項において準用する場合を含む。）の申請書に添附すべき書類は、それぞれ次の各号に定めるところにより作成し、同条第三項第一号及び第二号に掲げる図書にあつては正本一部並びに事業地の存する都道府県及び市町村の数の合計に相当する部数の写し、同項第三号から第五号までに掲げる図書にあつては正本一部を提出するものとする。

一　事業地を表示する図面は、次に定めるところにより作成するものとする。

イ　縮尺五万分の一以上の地形図によつて事業地の位置を示すこと。

ロ　縮尺二千五百分の一以上の実測平面図によつて事業地を収用の部分は薄い黄色で、使用の部分は薄い緑色で着色し、事業地内に物件があるときは、その主要なものを図示すること。収用し、若しくは使用しようとする物件又は収用し、若しくは使用しようとする権利の目的である物件があるときは、これらの物件が存する土地の部分を薄い赤色で着色すること。

二　設計の概要を表示する図書は、次に定めるところにより作成するものとする。

イ　都市計画施設の整備に関する事業にあつては、縮尺二千五百分の一以上の平面図等によつて主要な施設の位置及び内容を図示すること。

ロ　市街地開発事業にあつては、縮尺二千五百分の一以上の平面図によつて住区又は街区の境界並びに主要な施設の位置、形状及び種別を図示すること。

三　資金計画書は、収支予算を明らかにして作成するものとする。この場合において、収入予算においては、収入の確実であると認められる金額を収入金として計上し、支出予算においては、適正かつ合理的な基準により算定した経費を支出金として計上するものとする。

（都市計画事業等の認可等の告示の方法）

第四八条　法第六十二条第一項（法第六十三条第二項において準用する場合を含む。）の規定による告示は、国土交通大臣にあつては官報で、都道府県知事にあつてはその定める方法で行なうものとする。

（事業地を表示する図面等の縦覧についての公告）

第四九条　市町村長は、法第六十二条第一項（法第六十三条第二項において準用する場合を含む。）の規定による図書の送付を受けたときは、直ちに、その図書を公衆の縦覧に供するとともに、縦覧場所を公報その他所定の手段により公告しなければならない。

（設計の概要の軽易な変更）

第五〇条　法第六十三条第一項の国土交通省令で定める設計の概要の軽易な変更は、都市計画施設の整備に関する事業の設計の概要の変更で、他の都市計画施設の整備に関する事業の認可若しくは承認又はその変更に伴うものとする。

（認可に基づく地位の承継の承認の申請）

第五一条　法第六十四条第一項の承認の申請は、別記様式第十三による申請書を提出して行なうものとする。

（施行者の公告事項）

第五二条　法第六十六条の規定により施行者の公告すべき事項は、次に掲げるものとする。

一　都市計画事業の種類及び名称

二　施行者の名称

三　事務所の所在地

四　事業地の所在

（事業地内の土地建物等の先買いに関する周知措置）

第五三条　法第六十六条の関係権利者に周知させるための必要な措置については、第三十八条の三第一項の規定を準用する。この場合において、同項第一号中「市街地開発事業等予定区域の区域内」とあるのは「事業地内」と、「施行予定者」とあるのは「施行者」と読み替えるものとする。

２　前項において準用する第三十八条の三第一項第一号の規定による措置は、事業施行期間の終了の日又は施行者が事業地内のすべての土地建物等について必要な権利を取得した日までしなければならない。

（事業の説明等）

第五四条　法第六十六条の住民に対する説明についての措置は、次に定めるところにより、説明のための会合を開催することとする。ただし、住民が参集しないためその他施行者の責に帰することができない理由により、あらかじめ定められた日時及び場所において説明のための会合を開催することができないときは、会合の開催以外の方法によることができる。

一　会合を開催する場所は、できる限り、事業地及び附近地の住民（以下この条において「住民」という。）の参集の便利を考慮して定めること。

二　会合の日時及び場所を会合を開催する日の一週間前までに、住民に通知し、又は新聞紙に広告すること。

三　会合には、都道府県の職員又は市町村（都の特別区の存する区域にあつては、特別区）の長若しくは職員の立会いを求めること。

（有償譲渡の届出事項等）

第五五条　法第六十七条第一項の国土交通省令で定める事項は、第三十八条の四第一項に規定する事項とする。

２　法第六十七条第一項の規定による届出は、別記様式第九の三の土地建物等有償譲渡届出書を施行者に提出してしなければならない。

（土地の買取請求の手続）

第五六条　法第六十八条第一項の規定による土地の買取りを請求しようとす

る者は、別記様式第九の四の買取請求書に当該土地についての所有権を証する書類を添付して、これを施行者に提出しなければならない。

（手続の保留の申立書の様式）

第五七条　法第七十二条第一項の申立ては、別記様式第十六の申立書を提出して行なうものとする。

2　収用又は使用の手続を保留する事業地の範囲は、法第六十条第三項第一号に掲げる図面に、黒色の斜線をもつて表示するものとする。

第五章　都市施設等整備協定

（都市施設等）

第五七条の二　法第七十五条の二第一項の国土交通省令で定める施設は、次に掲げるものとする。

一　高層住居誘導地区内の建築物（建築基準法（昭和二十五年法律第二百一号）第五十二条第一項第六号に掲げる建築物を除く。）であつて、その住宅の用途に供する部分の床面積の合計がその延べ面積の三分の二以上となることとなるもの

二　その全部又は一部を都市再生特別地区又は特定用途誘導地区において誘導すべき用途に供することとなる建築物その他の工作物

三　都市施設

四　土地区画整理事業、新住宅市街地開発事業又は工業団地造成事業の施行により整備されることとなる公共施設

五　市街地再開発事業の施行により整備されることとなる公共施設又は建築物

六　新都市基盤整備事業の施行により整備されることとなる新都市基盤整備法（昭和四十七年法律第八十六号）第二条第五項に規定する根幹公共施設

七　住宅街区整備事業の施行により整備されることとなる公共施設又は大都市地域における住宅及び住宅地の供給の促進に関する特別措置法（昭和五十年法律第六十七号）第二十八条第四号に規定する施設住宅

八　防災街区整備事業の施行により整備されることとなる公共施設又は密集市街地における防災街区の整備の促進に関する法律（平成九年法律第四十九号。第十二号において「密集市街地整備法」という。）第百十七条第五号に規定する防災施設建築物

九　地区施設

十　法第十二条の五第五項第一号に規定する施設

十一　その全部又は一部を開発整備促進区における地区整備計画の区域において誘導すべき用途に供することとなる特定大規模建築物

十二　密集市街地整備法第三十二条第二項第一号に規定する地区防災施設又は同項第二号に規定する地区施設

十三　地域における歴史的風致の維持及び向上に関する法律（平成二十年法律第四十号）第三十一条第二項第一号に規定する地区施設

十四　幹線道路の沿道の整備に関する法律（昭和五十五年法律第三十四号）第九条第二項第一号に規定する沿道地区施設

十五　幹線道路の沿道の整備に関する法律第九条第四項第一号に規定する施設

十六　集落地域整備法（昭和六十二年法律第六十三号）第五条第三項に規定する集落地区施設

（都市施設等整備協定の締結の公告）

第五七条の三　法第七十五条の二第二項の規定による公告は、次に掲げる事項について、公報、掲示その他の方法で行うものとする。

一　都市施設等整備協定の名称

二　協定都市施設等の名称及び位置

三　都市施設等整備協定の縦覧場所

（開発行為に係る同意に関する協議）

第五七条の四　法第七十五条の四第一項の規定による協議の申出をしようとする都道府県又は市町村は、協議書に当該申出に係る開発行為に関する次に掲げる書類を添えて、これを法第二十九条第一項の許可の権限を有する者に提出するものとする。

一　施設整備予定者及び協定都市施設等の整備の実施時期に関する事項を記載した書類

二　法第三十条第一項各号に掲げる事項に相当する事項を記載した書類

三　法第三十条第二項の書面に相当する書面及び同項の図書に相当する図書

（開発行為に係る同意の基準）

第五七条の五　法第七十五条の四第一項の同意は、次の各号に掲げる区分に応じてそれぞれ当該各号に定めるときは、これをすることができない。

一　市街化区域、区域区分が定められていない都市計画区域又は準都市計画区域内において開発行為を行う場合　法第三十三条第一項各号（同条第四項及び第五項の条例が定められているときは、当該条例で定める制限を含む。次号において同じ。）のいずれかに該当しないとき

二　市街化調整区域内において開発行為を行う場合　法第三十三条第一項各号のいずれかに該当しないとき又は法第三十四条各号のいずれにも該当しないとき

第六章　都市計画協力団体

（都市計画協力団体として指定することができる法人に準ずる団体）

第五七条の六　法第七十五条の五第一項の国土交通省令で定める団体は、法人でない団体であつて、事務所の所在地、構成員の資格、代表者の選任方法、総会の運営、会計に関する事項その他当該団体の組織及び運営に関する事項を内容とする規約その他これに準ずるものを有しているものとする。

（都市計画協力団体による都市計画の決定等の提案）

第五七条の七　法第七十五条の九第二項において準用する法第二十一条の二第三項の規定により計画提案を行おうとする都市計画協力団体は、その名称を記載した提案書に次に掲げる図書を添えて、これを市町村に提出しなければならない。

一　都市計画の素案

二　法第二十一条の二第三項第二号の同意を得たことを証する書類

2　第十三条の四第二項及び第三項の規定は、前項の規定による提出について準用する。

第七章　雑則

（公告の内容等の掲示）

第五八条　法第五十二条の三第一項の公告をした場合における令第四十二条第二項の規定による掲示は、その公告をした日から法第十二条の二第五項の規定により市街地開発事業等予定区域に関する都市計画がその効力を失つた日又は施行予定者が市街地開発事業等予定区域の区域内のすべての土地建物等について必要な権利を取得した日まで、法第五十七条第一項の公告をした場合における令第四十二条第二項の規定による掲示は、その公告をした日から法第六十六条の公告の日の翌日から起算して十日を経過した日又は都道府県知事等若しくは法第五十六条第一項の規定による土地の買取りの申出及び法第五十七条第二項本文の規定による届出の相手方として公告された者が事業予定地内のすべての土地について必要な権利を取得した日まで、法第五十七条の四において準用する法第五十二条の三第一項の公告をした場合における令第四十二条第二項の規定による掲示は、その公告をした日から法第六十六条の公告の日の翌日から起算して十日を経過した日、施行予定者が定められている都市計画施設の区域若しくは市街地開発事業の施行区域内のすべての土地建物等について必要な権利を取得した日又は法第六十条の二第二項の公告の日まで、法第六十条の二第二項の公告をした場合における令第四十二条第二項の規定による掲示は、その公告をした日から十日間、法第六十六条の公告をした場合における令第四十二条第二項の規定による掲示は、その公告の日の翌日から起算して十日を経過した日から事業施行期間の終了の日までしなければならない。

第五九条　法第八十一条第二項の公告をした場合における令第四十二条第三項の規定による掲示は、その公告をした日から十日間しなければならない。

（公示の方法）

第五九条の二　法第八十一条第三項の国土交通省令で定める方法は、国土交通大臣の命令に係るものにあつては官報への掲載、都道府県知事又は市町村長の命令に係るものにあつては当該都道府県又は市町村の公報への掲載とする。

（権限の委任）

第五九条の三　法及び令に規定する国土交通大臣の権限のうち、次に掲げる

もの以外のものは、地方整備局長及び北海道開発局長に委任する。

一　法第五条第四項（同条第六項において準用する場合を含む。）の規定により関係都府県の意見を聴き、及び都市計画区域を指定すること。

二　法第二十二条第一項に規定する二以上の都府県の区域にわたる都市計画区域に係る国土交通大臣の定める都市計画に関する法第十七条第一項及び第二項、第十八条第一項及び第二項、第十九条第三項及び第五項並びに第二十条第一項（法第二十一条第二項においてこれらの規定を準用する場合を含む。）、第二十一条第一項、第二十三条第一項から第三項まで、第五項及び第六項、第二十五条第一項、第二十六条第三項、第二十八条第一項、第八十七条の規定による権限

三　国家戦略特別区域法（平成二十五年法律第百七号）第二条第一項に規定する国家戦略特別区域内において定められる都市再生特別地区に関する都市計画に関する法第十八条第三項及び法第八十七条の二第四項の規定により読み替えて適用される法第十九条第三項（法第二十一条第二項においてこれらの規定を準用する場合を含む。）の規定による権限

四　国の機関が施行する都市計画事業に関する法第五十九条第三項及び第六項（法第六十三条第二項において準用する場合を含む。）、第六十条第一項（法第六十三条第二項において準用する場合を含む。）、第六十条の二第二項、第六十二条第一項（法第六十三条第二項において準用する場合を含む。）、第六十三条第一項、第七十二条第三項、第八十一条第一項から第三項まで並びに第八十二条第一項並びに令第四十二条第二項の規定による権限

五　法第七十六条の規定により社会資本整備審議会に諮問すること。

2　前項の規定により地方整備局長及び北海道開発局長に委任する国土交通大臣の権限のうち、次に掲げるものについては、国土交通大臣が自ら行うことを妨げない。

一　法第六条第五項の規定により必要な報告を求めること。

二　法第二十四条第一項及び第二項、同条第三項において準用する第二十三条第一項、第二項及び第五項並びに第二十四条第四項の規定による権限

三　法第八十条第一項の規定による報告若しくは資料の提出を求め、又は必要な勧告若しくは助言をし、及び同条第二項の規定による技術的援助をすること。

（指定都市の定める都市計画の協議の申出）

第五九条の四　法第八十七条の二第四項の規定により読み替えて適用される法第十九条第三項（法第二十一条第二項において準用する場合を含む。）の協議の申出は、協議書及び当該都市計画の案を提出して行うものとする。

2　第十一条第二項の規定は、前項の協議の申出について準用する。

（開発行為又は建築に関する証明書等の交付）

第六〇条　建築基準法第六条第一項（同法第八十八条第一項又は第二項において準用する場合を含む。）又は第六条の二第一項（同法第八十八条第一項又は第二項において準用する場合を含む。）の規定による確認済証の交付を受けようとする者は、その計画が法第二十九条第一項若しくは第二項、第三十五条の二第一項、第四十一条第二項、第四十二条、第四十三条第一項又は第五十三条第一項の規定に適合していることを証する書面の交付を都道府県知事（指定都市等における場合にあつては当該指定都市等の長とし、指定都市等以外の市における場合（法第五十三条第一項の規定に適合していることを証する書面の交付を求める場合に限る。）にあつては当該市の長とし、法第二十九条第一項若しくは第二項、第三十五条の二第一項、第四十一条第二項、第四十二条又は第四十三条第一項の事務が地方自治法（昭和二十二年法律第六十七号）第二百五十二条の十七の二第一項の規定により市町村が処理することとされている場合又は法第八十六条の規定により港務局の長に委任されている場合にあつては当該市町村の長又は港務局の長とする。）に求めることができる。

2　畜舎等の建築等及び利用の特例に関する法律（令和三年法律第三十四号）第三条第一項の認定（同法第四条第一項の変更の認定を含む。）を受けようとする者は、その計画が法第五十三条第一項の規定に適合していることを証する書面の交付を都道府県知事（指定都市等における場合にあつては当該指定都市等の長とし、指定都市等以外の市における場合にあつては当該市の長とする。）に求めることができる。

附　則

（施行期日）

1　この省令は、公布の日から施行する。

（図面の縮尺の特例）

2　当分の間、第九条第一項中「二万五千分の一」とあるのは「三万分の一」と、第九条第二項、第十六条第四項の表、第十七条第三項（第二十八条の三において準用する場合を含む。）並びに第四十七条第一号ロ及び第二号中「二千五百分の一」とあるのは「三千分の一」と、第十六条第四項の表中「五百分の一」とあるのは「六百分の一」とする。

（市街地改造事業に関する都市計画事業等の認可等の申請書の添附書類の特例）

3　市街地改造事業については、事業地を工区に分けるときは、第四十七条第一号ロに規定する図面に工区の区域を図示するものとする。

4　市街地改造事業については、第四十七条第二号ロの規定にかかわらず、設計の概要を表示する図書は、設計説明書及び設計概要図とする。

5　前項の設計説明書には、次に掲げる事項を記載しなければならない。

一　事業地内の公共の用に供する施設の現況

二　事業地内の建築物の用途別の箇数及び延べ面積

三　事業地内の建築物の建築面積の合計の敷地面積の合計に対する割合及び延べ面積の合計の敷地面積の合計に対する割合

四　公共施設の設計の概要

五　建築施設の設計の概要

六　公共施設の整備並びに建築物及び建築敷地の整備に関する事業に附帯する事業が行なわれる場合においては、その事業の概要

6　附則第六項の設計概要図は、次の表に掲げるものとする。

図面の種類		縮尺	明示すべき事項
公共の用に供する施設	平面図	二百分の一以上	方位、道路の位置及び幅員、駅前広場の位置、形状及び施設の配置並びに水路その他の公共の用に供する施設の位置及び形状
	公共施設縦断図	二百分の一以上	公共施設の路面及び現在の地盤面
	公共施設横断図	百分の一以上	公共施設の構造及び現在の地盤面
施設建築物	各階平面図	二百分の一以上	方位並びに柱、廊下、階段及び昇降機の位置
	二面以上の断面図	二百分の一以上	施設建築物、床及び各階の天井の高さ
施設建築敷地	平面図	二百分の一以上	方位並びに施設建築物、広場、駐車施設、児童遊園その他の共同施設及び通路の位置

附則〔略〕〔昭和四九・一・三一建設省令一〕

附則〔略〕〔昭和五〇・三・一八建設省令三〕

附則〔略〕〔昭和五〇・一二・二三建設省令二〇〕

附則〔昭和五四・三・三一建設省令七〕

（施行期日）

1　この省令は、昭和五十四年四月一日から施行する。

（経過措置）

２　この省令の施行の日までに都市計画法（昭和四十三年法律第百号）第十七条第一項（同法第二十一条第二項において準用する場合を含む。）の規定によりなされた公告に係る都市計画（都市計画の案を含む。）における公園の種別については、なお従前の例による。

附　則〔略〕〔昭和五五・一〇・二五建設省令一二〕

附　則〔略〕〔昭和五六・四・二四建設省令六〕

附　則〔略〕〔昭和六一・八・一四建設省令九〕

附　則〔略〕〔昭和六二・三・二五建設省令四〕

附　則〔略〕〔昭和六二・一一・六建設省令二五〕

附　則〔略〕〔昭和六三・二・二三建設省令二〕

附　則〔抄〕〔昭和六三・一一・一一建設省令二〇〕

１　この省令は、公布の日から施行する。

２　農用地整備公団法（昭和四十九年法律第四十三号）附則第十九条第一項の規定により農用地整備公団が農用地開発公団法の一部を改正する法律（昭和六十三年法律第四十四号）による改正前の農用地開発公団法（以下「旧法」という。）第十九条第一項第一号又は第三号に規定する業務を行う間は、第一条の規定による改正前の都市計画法施行規則第四十三条の七第六号の規定は、なおその効力を有する。この場合において、同号中「農用地開発公団」とあるのは「農用地整備公団」と、「農用地開発公団法（昭和四十九年法律第四十三号）」とあるのは「農用地整備公団法（昭和四十九年法律第四十三号）附則第十九条第一項に規定する業務のうち農用地開発公団法の一部を改正する法律（昭和六十三年法律第四十四号）による改正前の農用地開発公団法」とする。

附　則〔略〕〔平成二・一一・一九建設省令一〇〕

附　則〔略〕〔平成二・一一・三〇建設省令一二〕

附　則〔略〕〔平成五・六・二二建設省令八〕

附　則〔抄〕〔平成五・六・三〇建設省令一四〕

（施行期日）

１　この省令は、公布の日から施行する。

（都市計画法施行規則の一部改正に伴う経過措置）

６　この省令の施行の際現に定められている公園に関する都市計画で種別が前項の規定による改正前の都市計画法施行規則第七条第五号に規定する児童公園であるものは、種別が前項の規定による改正後の都市計画法施行規則第七条第五号に規定する街区公園である公園に関する都市計画とみなす。

附　則〔略〕〔平成六・九・一九建設省令二五〕

附　則〔略〕〔平成七・三・一建設省令四〕

附　則〔略〕〔平成七・三・二八建設省令八〕

附　則〔略〕〔平成七・一一・二四建設省令二七〕

附　則〔略〕〔平成八・一一・二八建設省令一六〕

附　則〔略〕〔平成九・一一・六建設省令一六〕

附　則〔略〕〔平成一〇・九・三〇建設省令三五〕

附　則〔平成一〇・一〇・二一建設省令三七〕

（施行期日）

１　この省令は、平成十年十一月二十日から施行する。

（経過措置）

２　この省令による改正後の都市計画法施行規則第七条の規定は、この省令の施行の日以後に決定され、又は変更される都市計画（この省令の施行の際現に都市計画法（昭和四十三年法律第百号）の規定に基づき決定又は変更の手続を行っている都市計画のうち、この省令の施行前に同法第十七条第一項（同法第二十一条第二項において準用する場合を含む。）の規定による公告が行われたものを除く。）で道路に関するものについて適用する。

附　則〔略〕〔平成一一・四・二六建設省令一四〕

附　則〔略〕〔平成一二・一・一七建設省令九〕

附　則〔略〕〔平成一二・一・三一建設省令一〇〕

附　則〔略〕〔平成一二・五・三一建設省令二六〕

附　則〔略〕〔平成一二・一一・二〇建設省令四一〕

附　則〔略〕〔平成一三・三・三〇国土交通省令七二〕

附　則〔平成一三・四・一九国土交通省令八五〕

（施行期日）

１　この省令は、都市計画法及び建築基準法の一部を改正する法律の施行の日（平成十三年五月十八日）から施行する。

（都市計画法施行規則の一部改正に伴う経過措置）

２　第一条の規定による改正後の都市計画法施行規則第九条第三項の規定は、この省令の施行の日以後に決定され、又は変更される都市計画（この省令の施行の際現に都市計画法（昭和四十三年法律第百号）の規定に基づき決定又は変更の手続を行っている都市計画のうち、この省令の施行前に同法第十七条第一項（同法第二十一条第二項において準用する場合を含む。）の規定による公告が行われたものを除く。）について、適用する。

附　則〔略〕〔平成一四・一二・二七国土交通省令一二〇〕

附　則〔略〕〔平成一五・三・二四国土交通省令三〇〕

附　則〔略〕〔平成一五・一〇・一国土交通省令一〇九〕

附　則〔略〕〔平成一六・二・二七国土交通省令九〕

附　則〔略〕〔平成一六・三・三一国土交通省令三一〕

附　則〔略〕〔平成一六・五・一四国土交通省令六四〕

附　則〔抄〕〔平成一六・五・二七国土交通省令六七〕

改正　平成一七・三国交令一二

（施行期日）

第一条　この省令は、平成十六年十月一日から施行する。ただし、次の各号に掲げる規定は、当該各号に掲げる日から施行する。

一　〔前略〕第五条の規定　公布の日

二　〔前略〕第六条の規定　平成十七年四月一日

（都市計画法施行規則の一部改正に伴う経過措置）

第六条　第六条の規定による改正後の都市計画法施行規則（以下この条において「新都市計画法施行規則」という。）第十九条第一号トの登録を受けようとする者は、第六条の規定の施行前においても、その申請を行うことができる。新都市計画法施行規則第十九条の八の規定による講習事務規程の届出についても、同様とする。

２　第六条の規定の施行の際現に同条の規定による改正前の都市計画法施行規則（以下この条において「旧都市計画法施行規則」という。）第十九条第一項第一号トの指定を受けた講習を実施している者は、第六条の規定の施行の日から起算して六月を経過する日までの間は、新都市計画法施行規則第十九条第一号トの登録を受けているものとみなす。

３　第六条の規定の施行前に旧都市計画法施行規則第十九条第一項第一号トの指定を受けた講習を修了した者については、その者を新都市計画法施行規則第十九条第一号トに掲げる講習を修了した者とみなして同条の規定を適用する。

附　則〔略〕〔平成一六・一二・一五国土交通省令九九〕

附　則〔略〕〔平成一六・一二・一五国土交通省令一〇一〕

附　則〔略〕〔平成一七・三・七国土交通省令一二〕

附　則〔略〕〔平成一七・九・三〇国土交通省令九九〕

附　則〔略〕〔平成一八・四・二八国土交通省令五八〕

附　則〔略〕〔平成一八・八・二五国土交通省令八三〕

附　則〔略〕〔平成一八・九・七国土交通省令八六〕

附　則〔略〕〔平成一八・九・二七国土交通省令九〇〕

附　則〔略〕〔平成一八・一一・六国土交通省令一〇四〕

附　則〔略〕〔平成一八・一二・二五国土交通省令一一八〕

附　則〔略〕〔平成一九・三・三〇国土交通省令二七〕

附　則〔略〕〔平成一九・四・三国土交通省令五四施行〕

附　則〔略〕〔平成二〇・六・一八国土交通省令四四施行〕

附　則〔略〕〔平成二〇・一〇・三一国土交通省令九一〕

附　則〔略〕〔平成二三・六・三〇国土交通省令四八〕

附　則〔略〕〔平成二三・八・二国土交通省令六三〕

附　則〔略〕〔平成二三・一二・二六国土交通省令一〇一〕

附　則〔略〕〔平成二四・三・五国土交通省令一二〕

附　則〔略〕〔平成二四・六・一二国土交通省令五八〕

附　則〔略〕〔平成二五・八・一九国土交通省令七〇〕

附　則〔略〕〔平成二六・三・二八国土交通省令三二〕

附　則〔略〕〔平成二七・一・三〇国土交通省令六〕

附　則〔略〕〔平成二七・一・三〇国土交通省令七〕

附　則〔略〕〔平成二七・三・三一国土交通省令一九〕

附　則〔略〕〔平成二七・五・七国土交通省令四〇施行〕

附　則〔略〕〔平成二七・一〇・三〇国土交通省令七六〕

附　則〔略〕〔平成二八・三・三一国土交通省令二三〕

附　則〔略〕〔平成二八・三・三一国土交通省令二六〕

附　則〔略〕〔平成二九・三・三一四国土交通省令一二〕

附　則〔抄〕〔平成二九・三・三一国土交通省令一九〕

（施行期日）

第一条　この省令は、電気事業法等の一部を改正する等の法律（以下「改正法」という。）附則第一条第五号に掲げる規定の施行の日（平成二十九年四月一日）から施行する。

（都市計画法施行規則の一部改正に伴う経過措置）

第三条　第三条の規定による改正後の都市計画法施行規則（以下この条において「新都市計画法施行規則」という。）第四十三条の七第十九号の規定の適用については、旧一般ガスみなしガス小売事業者が改正法附則第二十二条第一項の義務を負う間、新都市計画法施行規則第四十三条の七第十九号中「ガス小売事業」とあるのは、「ガス小売事業（電気事業法等の一部を改正する等の法律（平成二十七年法律第四十七号）附則第二十二条第一項に規定する指定旧供給区域等小売供給を行う事業を除く。）」とする。

2　新都市計画法施行規則第四十三条の七第十九号の規定の適用については、旧簡易ガスみなしガス小売事業者が改正法附則第二十八条第一項の義務を負う間、新都市計画法施行規則第四十三条の七第十九号中「ガス小売事業」とあるのは、「ガス小売事業（電気事業法等の一部を改正する等の法律（平成二十七年法律第四十七号）附則第二十八条第一項に規定する指定旧供給地点小売供給を行う事業を除く。）」とする。

附　則〔略〕〔平成二九・三・三一国土交通省令二〇施行〕

附　則〔略〕〔平成二九・六・一四国土交通省令三六〕

附　則〔略〕〔平成二九・八・二国土交通省令四九〕

附　則〔略〕〔平成二九・九・二九国土交通省令五六〕

附　則〔略〕〔平成三〇・七・一一国土交通省令五八〕

附　則〔略〕〔令和元・八・一四国土交通省令二八施行〕

附　則〔略〕〔令和元・九・一三国土交通省令三四抄〕

附　則〔令和二・九・四国土交通省令七四〕

（施行期日）

1　この省令は、都市再生特別措置法等の一部を改正する法律の施行の日（令和二年九月七日）から施行する。ただし、第二条中都市計画法施行規則第五条及び第六条の二の改正規定は、令和三年四月一日から施行する。

（都市計画法施行規則の一部改正に伴う経過措置）

2　都市計画法第六条第一項及び第二項の規定により行われた調査のうち、調査期日がこの省令の施行の日前に属する調査については、第二条の規定による改正後の都市計画法施行規則第五条及び第六条の二の規定にかかわらず、なお従前の例による。

附　則〔令和二・一一・二七国土交通省令九二〕

（施行期日）

1　この省令は、都市再生特別措置法等の一部を改正する法律（令和二年法律第四十三号）附則第一条ただし書に規定する規定の施行の日（令和四年四月一日）から施行する。

（浸水した場合に想定される水深に関する経過措置）

2　当分の間、第二条の規定による改正後の都市計画法施行規則第二十七条の六第二号の規定の適用については、「第二条第二号」とあるのは「第二条第二号若しくは第四号」とする。

（開発登録簿に関する経過措置）

3　この省令の施行の日前に都市計画法第二十九条第一項若しくは第二項若しくは第三十五条の二第一項の規定による許可若しくは同条第三項の規定による届出がされた場合又は同法第三十四条の二第一項の協議が成立した場合における開発登録簿の記載事項については、第二条の規定による改正後の都市計画法施行規則第三十五条の規定にかかわらず、なお従前の例による。

附　則〔略〕〔令和二・一二・二三国土交通省令九八〕

附　則〔略〕〔令和三・七・一四国土交通省令四八〕

附　則〔略〕〔令和三・八・三一国土交通省令五三〕

附　則〔略〕〔令和三・一〇・二九国土交通省令六九〕

附　則〔略〕〔令和三・一二・一六国土交通省令七九〕

附　則〔略〕〔令和四・一一・一四国土交通省令八〇〕

附　則〔令和五・三・三一国土交通省令三〇〕

（施行期日）

1　この省令は、宅地造成等規制法の一部を改正する法律の施行の日（令和五年五月二十六日）から施行する。

（経過措置）

2　この省令の施行の際現にある第二条〔中略〕の規定による改正前の様式による用紙は、当分の間、これを取り繕って使用することができる。

附　則〔抄〕〔令和六・一・三一国土交通省令六〕

（施行期日）

1　この省令〔中略〕は、同年〔令和六年〕四月一日から施行する。

別記様式　〔略〕

○都市再生特別措置法　〔平成一四・四・五 法律二二〕

改正　平成一四・七法八五、平成一五・五法四一、六法一〇〇、法一〇一、七法一一九、平成一六・三法一〇、平成一七・四法三四、七法八七、平成一八・五法四六、六法五〇、平成一九・三法一九、平成二〇・五法四〇、平成二一・六法四五、平成二三・四法二四、法三二、五法三五、八法一〇五、平成二四・四法二六、平成二五・五法二〇、平成二六・四法三〇、五法三九、法四二、六法五一、法五三、法六九、平成二七・六法四九、法五〇、九法六六、平成二八・六法七二、平成二九・五法二六、平成三〇・四法二二、六法三八、法六七、令和二・六法四三、令和三・五法三一、法三六、令和四・五法五五、令和五・六法五八、令和六・五法四〇

目次

第一章　総則（第一条・第二条）
第二章　都市再生本部（第三条―第十三条）
第三章　都市再生基本方針（第十四条）
第四章　都市再生緊急整備地域における特別の措置
第一節　地域整備方針等（第十五条―第十九条）
第二節　整備計画の作成等（第十九条の二―第十九条の十二）
第三節　都市再生駐車施設配置計画の作成等（第十九条の十三・第十九条の十四）
第四節　都市再生安全確保計画の作成等（第十九条の十五―第十九条の二十）
第五節　民間都市再生事業計画の認定等（第二十条―第三十五条）
第六節　都市計画等の特例
第一款　都市再生特別地区等（第三十六条―第三十六条の五）
第二款　都市計画の決定等の提案（第三十七条―第四十一条）
第三款　都市再生事業等に係る認可等の特例（第四十二条―第四十五条）
第七節　都市再生歩行者経路協定（第四十五条の二―第四十五条の十二）
第八節　都市再生安全確保施設に関する協定
第一款　退避経路協定（第四十五条の十三）
第二款　退避施設協定（第四十五条の十四）

第三款　管理協定（第四十五条の十五―第四十五条の二十）
第四款　非常用電気等供給施設協定（第四十五条の二十一）
第五章　都市再生整備計画に係る特別の措置
第一節　都市再生整備計画の作成等（第四十六条―第四十六条の八）
第二節　交付金（第四十七条―第五十条）
第三節　都市計画等の特例等
第一款　都市計画の決定等に係る権限の移譲等（第五十一条―第五十三条）
第二款　都市計画の決定等の要請及び提案（第五十四条―第五十七条の二）
第三款　道路整備に係る権限の移譲等（第五十八条―第六十一条）
第四款　道路の占用の許可基準の特例（第六十二条）
第五款　都市公園法の特例等（第六十二条の二―第六十二条の七）
第六款　都市再生推進法人を経由した道路又は都市公園の占用等の許可の申請手続（第六十二条の八）
第七款　駐車場法の特例等（第六十二条の九―第六十二条の十二）
第八款　普通財産の活用（第六十二条の十三）
第九款　景観計画の策定等の提案（第六十二条の十四）
第十款　歴史的風致維持向上計画の認定の申請手続の特例（第六十二条の十五）
第四節　民間都市再生整備事業計画の認定等（第六十三条―第七十二条）
第五節　都市再生整備歩行者経路協定（第七十三条）
第六節　都市利便増進協定（第七十四条―第八十条の二）
第七節　低未利用土地利用促進協定（第八十条の三―第八十条の九）
第六章　立地適正化計画に係る特別の措置
第一節　立地適正化計画の作成等（第八十一条―第八十五条）
第二節　居住誘導区域に係る特別の措置
第一款　都市計画の決定等の提案（第八十六条・第八十七条）
第一款の二　宅地造成等関係行政事務の処理に係る権限の移譲（第八十七条の二）
第一款の三　土地区画整理法の特例（第八十七条の三―第八十七条の五）
第二款　建築等の届出等（第八十八条）
第三款　居住調整地域等（第八十九条―第九十四条）
第四款　居住環境向上用途誘導地区（第九十四条の二）
第三節　都市機能誘導区域に係る特別の措置
第一款　民間誘導施設等整備事業計画の認定等（第九十五条―第百四条）
第一款の二　都市再開発法の特例（第百四条の二）
第二款　土地区画整理法の特例（第百五条―第百五条の四）
第三款　駐車場法の特例等（第百六条・第百七条）
第四款　建築等の届出等（第百八条）
第五款　休廃止の届出等（第百八条の二）
第六款　特定用途誘導地区（第百九条）
第三節の二　都市計画法の特例（第百九条の二・第百九条の三）
第四節　立地誘導促進施設協定（第百九条の四―第百九条の六）
第四節の二　居住誘導区域等権利設定等促進計画等（第百九条の七―第百九条の十三）
第五節　低未利用土地権利設定等促進計画等（第百九条の十四―第百九条の二十一）
第六節　跡地等管理等協定（第百十条―第百十六条）
第七章　市町村都市再生協議会（第百十七条）
第八章　都市再生推進法人（第百十八条―第百二十三条）
第九章　雑則（第百二十四条―第百二十八条）
第十章　罰則（第百二十九条―第百三十一条）
附則

第一章　総則

（目的）

第一条　この法律は、近年における急速な情報化、国際化、少子高齢化等の社会経済情勢の変化に我が国の都市が十分対応できたものとなっていないことに鑑み、これらの情勢の変化に対応した都市機能の高度化及び都市の居住環境の向上（以下「都市の再生」という。）を図り、併せて都市の防災に関する機能を確保するため、都市の再生の推進に関する基本方針等について定めるとともに、都市再生緊急整備地域における市街地の整備を推進するための民間都市再生事業計画の認定及び都市計画の特例、都市再生整備計画に基づく事業等に充てるための交付金の交付並びに立地適正化計画に基づく住宅及び都市機能増進施設の立地の適正化を図るための都市計画の特例等の特別の措置を講じ、もって社会経済構造の転換を円滑化し、国民経済の健全な発展及び国民生活の向上に寄与することを目的とする。

（定義）

第二条　この法律において「都市開発事業」とは、都市における土地の合理的かつ健全な利用及び都市機能の増進に寄与する建築物及びその敷地の整備に関する事業（これに附帯する事業を含む。）のうち公共施設の整備を伴うものをいう。

2　この法律において「公共施設」とは、道路、公園、広場その他政令で定める公共の用に供する施設をいう。

3　この法律において「都市再生緊急整備地域」とは、都市の再生の拠点として、都市開発事業等を通じて緊急かつ重点的に市街地の整備を推進すべき地域として政令で定める地域をいう。

4　この法律において「都市の国際競争力の強化」とは、都市において、外国会社、国際機関その他の者による国際的な活動に関連する居住者、来訪者又は滞在者を増加させるため、都市開発事業等を通じて、その活動の拠点の形成に資するよう、都市機能を高度化し、及び都市の居住環境を向上させることをいう。

5　この法律において「特定都市再生緊急整備地域」とは、都市再生緊急整備地域のうち、都市開発事業等の円滑かつ迅速な施行を通じて緊急かつ重点的に市街地の整備を推進することが都市の国際競争力の強化を図る上で特に有効な地域として政令で定める地域をいう。

第二章　都市再生本部

（設置）

第三条　都市の再生に関する施策を迅速かつ重点的に推進するため、内閣に、都市再生本部（以下「本部」という。）を置く。

（所掌事務）

第四条　本部は、次に掲げる事務をつかさどる。

一　第十四条第一項に規定する都市再生基本方針（次号及び次条第一項において単に「都市再生基本方針」という。）の案の作成に関すること。

二　都市再生基本方針の実施を推進すること。

三　都市再生緊急整備地域を指定する政令及び特定都市再生緊急整備地域を指定する政令の制定及び改廃の立案をすること。

四　都市再生緊急整備地域ごとに、第十五条第一項に規定する地域整備方針を作成し、及びその実施を推進すること。

五　前各号に掲げるもののほか、都市の再生に関する施策で重要なものの企画及び立案並びに総合調整に関すること。

（都市再生緊急整備地域を指定する政令等の制定改廃の立案）

第五条　地方公共団体は、その区域内に都市再生基本方針に定められた第十四条第二項第三号の基準に適合し、又は適合しなくなった地域があると認めるときは、都市再生緊急整備地域を指定する政令又は特定都市再生緊急整備地域を指定する政令の制定又は改廃の立案について、本部に対し、その旨の申出をすることができる。

2　本部は、都市再生緊急整備地域を指定する政令又は特定都市再生緊急整備地域を指定する政令の制定又は改廃の立案をしようとするときは、あらかじめ、関係地方公共団体の意見を聴き、その意見を尊重しなければならない。

（組織）

第六条　本部は、都市再生本部長、都市再生副本部長及び都市再生本部員をもって組織する。

（都市再生本部長）

第七条　本部の長は、都市再生本部長（以下「本部長」という。）とし、内閣総理大臣をもって充てる。

2　本部長は、本部の事務を総括し、所部の職員を指揮監督する。

（都市再生副本部長）

第八条　本部に、都市再生副本部長（次項及び次条第二項において「副本部長」という。）を置き、国務大臣をもって充てる。
2　副本部長は、本部長の職務を助ける。

（都市再生本部員）
第九条　本部に、都市再生本部員（次項において「本部員」という。）を置く。
2　本部員は、本部長及び副本部長以外のすべての国務大臣をもって充てる。

（資料の提出その他の協力）
第一〇条　本部は、その所掌事務を遂行するため必要があると認めるときは、国の行政機関、地方公共団体、独立行政法人（独立行政法人通則法（平成十一年法律第百三号）第二条第一項に規定する独立行政法人をいう。以下同じ。）及び地方独立行政法人（地方独立行政法人法（平成十五年法律第百十八号）第二条第一項に規定する地方独立行政法人をいう。以下同じ。）の長並びに特殊法人（法律により直接に設立された法人又は特別の法律により特別の設立行為をもって設立された法人であって、総務省設置法（平成十一年法律第九十一号）第四条第一項第八号の規定の適用を受けるものをいう。以下同じ。）の代表者に対して、資料の提出、意見の開陳、説明その他必要な協力を求めることができる。
2　本部は、その所掌事務を遂行するため特に必要があると認めるときは、前項に規定する者以外の者に対しても、必要な協力を依頼することができる。

（事務）
第一一条　本部に関する事務は、内閣府において処理する。

（主任の大臣）
第一二条　本部に係る事項については、内閣法（昭和二十二年法律第五号）にいう主任の大臣は、内閣総理大臣とする。

（政令への委任）
第一三条　この法律に定めるもののほか、本部に関し必要な事項は、政令で定める。

第三章　都市再生基本方針

第一四条　内閣総理大臣は、都市の再生に関する施策の重点的かつ計画的な推進を図るための基本的な方針（以下「都市再生基本方針」という。）の案を作成し、閣議の決定を求めなければならない。
2　都市再生基本方針には、次に掲げる事項を定めるものとする。
一　都市の再生の意義及び目標に関する事項
二　都市の再生のために政府が重点的に実施すべき施策に関する基本的な方針
三　都市再生緊急整備地域を指定する政令及び特定都市再生緊急整備地域を指定する政令の立案に関する基準その他基本的な事項
四　第四十六条第一項に規定する都市再生整備計画の作成に関する基本的な事項
五　第八十一条第一項に規定する立地適正化計画の作成に関する基本的な事項
3　都市再生基本方針は、我が国の活力の源泉である都市が、近年における急速な情報化、国際化、少子高齢化等の社会経済情勢の変化に的確に対応し、その魅力と国際競争力を高め、都市の再生を実現し、併せて都市の防災に関する機能を確保することができるものとなるよう定めなければならない。
4　第二項第三号の特定都市再生緊急整備地域を指定する政令の立案に関する基準は、特定都市再生緊急整備地域として、国内外の主要都市との交通の利便性及び都市機能の集積の程度が高く、並びに経済活動が活発に行われ、又は行われると見込まれる地域が指定されるものとなるよう定めなければならない。
5　内閣総理大臣は、第一項の規定による閣議の決定があったときは、遅滞なく、都市再生基本方針を公表しなければならない。
6　第一項及び前項の規定は、都市再生基本方針の変更について準用する。

第四章　都市再生緊急整備地域における特別の措置

第一節　地域整備方針等

（地域整備方針）
第一五条　本部は、都市再生緊急整備地域ごとに、都市再生基本方針に即して、当該都市再生緊急整備地域の整備に関する方針（以下「地域整備方針」という。）を定めなければならない。
2　地域整備方針には、次に掲げる事項を定めるものとする。
一　都市再生緊急整備地域の整備の目標（特定都市再生緊急整備地域が指定されている場合にあっては、都市再生緊急整備地域の整備の目標及び特定都市再生緊急整備地域の整備の目標）
二　都市再生緊急整備地域において都市開発事業を通じて増進すべき都市機能に関する事項
三　都市再生緊急整備地域における都市開発事業の施行に関連して必要となる公共施設その他の公益的施設（以下「公共公益施設」という。）の整備及び管理に関する基本的な事項
四　前三号に掲げるもののほか、都市再生緊急整備地域における緊急かつ重点的な市街地の整備の推進に関し必要な事項
3　地域整備方針は、大規模な地震が発生した場合における滞在者、来訪者又は居住者（以下「滞在者等」という。）の安全を確保することができるものとなるよう定めなければならない。
4　特定都市再生緊急整備地域が指定されている都市再生緊急整備地域に係る地域整備方針（当該特定都市再生緊急整備地域に係る部分に限る。）は、外国会社、国際機関その他の者による国際的な活動の拠点となるにふさわしい市街地の形成を実現することができるものとなるよう定めなければならない。
5　関係地方公共団体は、必要があると認めるときは、本部に対し、地域整備方針の案の内容となるべき事項を申し出ることができる。
6　本部は、地域整備方針を定めようとするときは、あらかじめ、関係地方公共団体の意見を聴き、その意見を尊重しなければならない。
7　本部は、地域整備方針を定めたときは、遅滞なく、これを公表するとともに、関係地方公共団体に送付しなければならない。
8　前三項の規定は、地域整備方針の変更について準用する。

（都市開発事業についての配慮）
第一六条　国の行政機関及び関係地方公共団体の長は、都市再生緊急整備地域における都市開発事業の施行に関し、法令の規定による許可その他の処分を求められたときは、当該都市開発事業が円滑かつ迅速に施行されるよう、適切な配慮をするものとする。

（公共公益施設の整備）
第一七条　国及び関係地方公共団体は、地域整備方針に即して、都市再生緊急整備地域における都市開発事業の施行に関連して必要となる公共公益施設の整備の促進に努めるものとする。

（市街地の整備のために必要な施策の推進）
第一八条　前二条に定めるもののほか、国及び関係地方公共団体は、地域整備方針に即して、都市再生緊急整備地域における市街地の整備のために必要な施策を重点的かつ効果的に推進するよう努めるものとする。

（産業の国際競争力の強化に関する施策との有機的な連携）
第一八条の二　国及び関係地方公共団体は、特定都市再生緊急整備地域における都市の国際競争力の強化を図るために必要な施策を、産業の国際競争力の強化に関する施策との有機的な連携を図りつつ総合的かつ効果的に推進するよう努めるものとする。

（都市再生緊急整備協議会）
第一九条　国の関係行政機関の長のうち本部長及びその委嘱を受けたもの並びに関係地方公共団体の長（以下「国の関係行政機関等の長」という。）は、都市再生緊急整備地域ごとに、当該都市再生緊急整備地域における緊急かつ重点的な市街地の整備に関し必要な協議（特定都市再生緊急整備地域が指定されている都市再生緊急整備地域にあっては、当該協議並びに次条第一項に規定する整備計画の作成及び当該整備計画の実施に係る連絡調整）を行うため、都市再生緊急整備協議会（以下この章において「協議会」という。）を組織することができる。
2　国の関係行政機関等の長は、必要と認めるときは、協議して、協議会に、独立行政法人の長、特殊法人の代表者、地方公共団体の長その他の執行機関（関係地方公共団体の長を除く。）、地方独立行政法人の長、当該都市再生緊急整備地域内において都市開発事業を施行する民間事業者、当該都市再生緊急整備地域内の建築物の所有者、管理者若しくは占有者、鉄道事業法（昭和六十一年法律第九十二号）第七条第一項に規定する鉄道事業者又はこれらの者及び国の関係行政機関等の長以外の者であって当該都市再生

緊急整備地域内において公共公益施設の整備若しくは管理を行う者（第七項において「独立行政法人の長等」と総称する。）を加えることができる。

3　当該都市再生緊急整備地域において都市開発事業（当該都市開発事業を施行する土地（水面を含む。）の区域の面積が政令で定める規模以上のものに限る。）を施行する民間事業者は、協議会が組織されていないときは、本部長及び関係地方公共団体の長に対して、協議会を組織するよう要請することができる。

4　前項の規定による要請を受けた本部長及び関係地方公共団体の長は、正当な理由がある場合を除き、当該要請に応じなければならない。

5　第三項の民間事業者であって協議会の構成員でないものは、第一項の規定により協議会を組織する国の関係行政機関等の長に対して、自己を協議会の構成員として加えることを申し出ることができる。

6　前項の規定による申出を受けた国の関係行政機関等の長は、正当な理由がある場合を除き、当該申出に応じなければならない。

7　第一項の協議を行うための会議（以下この条において単に「会議」という。）は、国の関係行政機関等の長並びに第二項及び前項の規定により加わった独立行政法人の長等又はこれらの指名する職員をもって構成する。

8　協議会は、会議において協議を行うため必要があると認めるときは、国の行政機関の長、地方公共団体の長その他の執行機関、独立行政法人及び地方独立行政法人の長並びに特殊法人の代表者に対して、資料の提供、意見の開陳、説明その他必要な協力を求めることができる。

9　協議会は、会議において協議を行うため特に必要があると認めるときは、前項に規定する者以外の者に対しても、必要な協力を依頼することができる。

10　協議会は、当該都市再生緊急整備地域における都市開発事業及び公共公益施設の整備を通じた市街地の整備の状況を勘案し、当該都市再生緊急整備地域の都市機能を補完するため必要があると認めるときは、地理的、経済的又は社会的な観点からみて密接な関係を有する他の都市再生緊急整備地域に係る協議会に対し、その会議において、当該他の都市再生緊急整備地域における都市開発事業及びその施行に関連して必要となる公共公益施設の整備の実施に関し協議を行うよう求めることができる。

11　会議において協議が調った事項については、協議会の構成員は、その協議の結果を尊重しなければならない。

12　協議会の庶務は、内閣府において処理する。

13　前各項に定めるもののほか、協議会の運営に関し必要な事項は、協議会が定める。

第二節　整備計画の作成等

（整備計画）

第一九条の二　特定都市再生緊急整備地域が指定されている都市再生緊急整備地域に係る協議会は、地域整備方針に基づき、特定都市再生緊急整備地域について、都市の国際競争力の強化を図るために必要な都市開発事業及びその施行に関連して必要となる公共公益施設の整備等に関する計画（以下「整備計画」という。）を作成することができる。

2　整備計画には、次に掲げる事項を記載するものとする。

一　都市開発事業及びその施行に関連して必要となる公共公益施設の整備等を通じた都市の国際競争力の強化に関する基本的な方針

二　都市の国際競争力の強化を図るために必要な次に掲げる事業並びにその実施主体及び実施期間に関する事項

イ　都市開発事業

ロ　イに掲げる事業の施行に関連して必要となる公共公益施設の整備に関する事業

三　前号イ又はロに掲げる事業により整備された公共公益施設の適切な管理のために必要な事項

四　前三号に掲げるもののほか、都市の国際競争力の強化のために必要な都市開発事業及びその施行に関連して必要となる公共公益施設の整備等の推進に関し必要な事項

3　整備計画は、国の関係行政機関等の長及び前項第二号イ又はロに掲げる事業の実施主体として記載された者の全員の合意により作成するものとする。

4　第二項第二号イ又はロに掲げる事業に関する事項には、都市施設等（都市計画法（昭和四十三年法律第百号）第四条第五項に規定する都市施設（以下「都市施設」という。）又は同条第七項に規定する市街地開発事業（以下「市街地開発事業」という。）をいう。以下同じ。）に関する都市計画に関する事項であって、同号イ又はロに掲げる事業の実施のために必要なものがあるときは、当該事項を記載することができる。

5　協議会は、整備計画に前項の事項を記載しようとするときは、当該事項について、あらかじめ、同項の都市計画に係る都市計画決定権者（都市計画法第十五条第一項の都道府県若しくは市町村又は同法第八十七条の二第一項の指定都市をいい、同法第二十二条第一項の場合にあっては、同項の国土交通大臣（同法第八十五条の二の規定により同法第二十二条第一項に規定する国土交通大臣の権限が地方整備局長又は北海道開発局長に委任されている場合にあっては、当該地方整備局長又は北海道開発局長。第六節において同じ。）又は市町村をいう。以下この節において同じ。）に協議し、その同意を得なければならない。

6　第四項の規定により整備計画に都市施設等に関する都市計画に関する事項を記載するときは、併せて、当該都市計画の案を都道府県都市計画審議会（都市計画決定権者である市町村に市町村都市計画審議会が置かれているときは、当該市町村都市計画審議会。以下この節において同じ。）に付議する期限を記載するものとする。この場合においては、当該期限は、都道府県都市計画審議会への付議に要する期間を勘案して、相当なものとなるように定めるものとする。

7　第四項の規定により整備計画に都市施設等に関する都市計画に関する事項を記載するときは、併せて、当該都市計画に係る都市施設に関する都市計画事業（都市計画法第四条第十五項に規定する都市計画事業をいう。以下同じ。）又は当該都市計画に係る市街地開発事業の施行予定者（第二項第二号イ又はロに掲げる事業の実施主体として記載された者であるものに限る。）及び施行予定者である期間として都市計画に定めるべき事項を記載することができる。

8　第二項第二号イに掲げる事業に関する事項には、国際会議場施設その他の都市の国際競争力の強化に資するものとして国土交通省令で定める施設（第三十条において「国際競争力強化施設」という。）の整備に関する事項を記載することができる。

9　第二項第二号ロに掲げる事業に関する事項及び同項第三号に掲げる事項には、下水（下水道法（昭和三十三年法律第七十九号）第二条第一号に規定する下水をいう。第十九条の七において同じ。）を熱源とする熱を利用するための設備を有する熱供給施設（熱供給事業法（昭和四十七年法律第八十八号）第二条第四項に規定する熱供給施設をいう。）その他これに準ずる施設で政令で定めるものの整備及び管理に関する事項であって第十九条の七第一項の許可に係るものに関する事項を記載することができる。

10　協議会は、整備計画に前項の事項を記載しようとするときは、当該事項について、あらかじめ、同項の許可の権限を有する公共下水道管理者（下水道法第四条第一項に規定する公共下水道管理者をいう。第十九条の七において同じ。）に協議し、その同意を得なければならない。

11　協議会は、整備計画を作成したときは、遅滞なく、これを公表しなければならない。

12　第二項から前項までの規定は、整備計画の変更について準用する。

（整備計画に記載された事業の実施）

第一九条の三　整備計画に記載された事業の実施主体は、当該整備計画に従い、事業を実施しなければならない。

（整備計画に従った都市計画の案の作成等）

第一九条の四　第十九条の二第四項の規定により整備計画に都市施設等に関する都市計画に関する事項が記載されているときは、都市計画決定権者は、当該整備計画に従って当該都市計画の案を作成して、同条第六項の期限までに、都道府県都市計画審議会に付議するものとする。ただし、災害その他やむを得ない理由があると認められるときは、この限りでない。

第一九条の五　第十九条の二第七項の規定により整備計画に都市施設に関する都市計画事業又は市街地開発事業の施行予定者及び施行予定者である期間が記載されているときは、前条の規定により付議して定める都市計画には、都市計画法第十一条第二項若しくは第三項又は第十二条第二項若しくは第三項に定める事項のほか、当該整備計画に従って当該施行予定者及び施行予定者である期間を定めるものとする。

第一九条の六　前条の規定により施行予定者として定められた者は、施行予定者である期間の満了の日までに、都市計画法第五十九条第一項から第四項までの規定による認可又は承認（都市再開発法（昭和四十四年法律第三

十八号）第五十一条第二項その他の法律の規定により都市計画法第五十九条第一項から第四項までの規定による認可又は承認とみなされるものを含む。）の申請をしなければならない。ただし、当該日までに都市計画事業の施行として行う行為に準ずる行為として国土交通省令で定めるものに着手しているときは、この限りでない。

（公共下水道の排水施設からの下水の取水等）

第一九条の七　整備計画に記載された第十九条の二第九項に規定する事業を実施する者は、条例で定めるところにより、公共下水道管理者の許可を受けて、公共下水道（下水道法第二条第三号に規定する公共下水道をいう。以下この条において同じ。）の排水施設（これを補完する施設を含む。以下この条において同じ。）に接続設備（公共下水道の排水施設と第十九条の二第九項に規定する設備とを接続する設備をいう。以下この条において同じ。）を設け、当該接続設備により当該公共下水道の排水施設から下水を取水し、及び当該公共下水道の排水施設に当該下水を流入させることができる。

2　公共下水道管理者は、前項の許可の申請があった場合において、その申請に係る事項が政令で定める基準を参酌して条例で定める技術上の基準に適合するものであると認めるときでなければ、許可をしてはならない。

3　第一項の許可を受けた者（以下この条において「許可事業者」という。）は、当該許可を受けた事項の変更（条例で定める軽微な変更を除く。）をしようとするときは、公共下水道管理者の許可を受けなければならない。この場合においては、前二項の規定を準用する。

4　下水道法第三十三条の規定は、第一項又は前項の許可について準用する。この場合において、同条第一項中「この法律」とあるのは「都市再生特別措置法第十九条の七第一項又は第三項」と、同条中「許可又は承認」とあるのは「許可」と読み替えるものとする。

5　許可事業者は、第一項の許可（第三項の許可を含む。）を受けて公共下水道の排水施設に流入させる下水に当該下水以外の物（第十九条の二第九項に規定する設備の管理上必要な政令で定めるものを除く。）を混入してはならない。

6　許可事業者については、下水道法第二十四条第一項の許可を受けた者とみなして、同法第三十八条の規定（これに係る罰則を含む。）を適用する。この場合において、同条第一項及び第二項中「この法律の規定」とあるのは「この法律又は都市再生特別措置法第十九条の七第一項若しくは第三項の規定」と、同条第一項第一号中「又はこの法律に基づく命令若しくは条例の規定」とあるのは「若しくはこの法律に基づく命令若しくは条例の規定又は都市再生特別措置法第十九条の七第三項若しくは第五項の規定」とする。

7　許可事業者が公共下水道の排水施設に接続設備を設ける場合については、下水道法第二十四条の規定は適用しない。

（開発許可の特例）

第一九条の八　協議会は、整備計画に第十九条の二第二項第二号イ又はロに掲げる事業に関する事項として都市計画法第四条第十二項に規定する開発行為（同法第二十九条第一項各号に掲げるものを除き、同法第三十二条第一項の同意又は同条第二項の規定による協議を要する場合にあっては、当該同意が得られ、又は当該協議が行われているものに限る。）に関する事項を記載しようとするときは、国土交通省令で定めるところにより、あらかじめ、同法第二十九条第一項の許可の権限を有する者に協議し、その同意を得ることができる。

2　前項の規定による同意を得た事項が記載された整備計画が第十九条の二第十一項の規定により公表されたときは、当該公表の日に当該事項に係る事業の実施主体に対する都市計画法第二十九条第一項の許可があったものとみなす。

（土地区画整理事業の認可の特例）

第一九条の九　協議会は、整備計画に第十九条の二第二項第二号イ又はロに掲げる事業に関する事項として土地区画整理事業（同法第四条第一項の規準又は規約及び事業計画が定められているものに限り、かつ、同法第七条の承認又は同法第八条第一項の同意を要する場合にあっては、当該承認又は当該同意が得られているものに限る。）に関する事項を記載しようとするときは、国土交通省令で定めるところにより、あらかじめ、同法第四条第一項の認可の権限を有する者に協議し、その同意を得ることができる。

2　前項の規定による同意を得た事項が記載された整備計画が第十九条の二第十一項の規定により公表されたときは、当該公表の日に当該事項に係る事業の実施主体に対する土地区画整理法第四条第一項の認可があったものとみなす。

（民間都市再生事業計画の認定の特例）

第一九条の一〇　協議会は、整備計画に第十九条の二第二項第二号イに掲げる事業に関する事項として第二十条第一項に規定する都市再生事業（同項に規定する民間都市再生事業計画が作成されているものに限る。）に関する事項を記載しようとするときは、国土交通省令で定めるところにより、あらかじめ、国土交通大臣に協議し、その同意を得ることができる。この場合において、国土交通大臣は、同意をしようとするときは、あらかじめ、第二十一条第三項に規定する公共施設の管理者等の意見を聴かなければならない。

2　前項の規定による同意を得た事項が記載された整備計画が第十九条の二第十一項の規定により公表されたときは、当該公表の日に当該事項に係る事業の実施主体に対する第二十条第一項の認定があったものとみなす。

（市街地再開発事業の認可の特例）

第一九条の一一　協議会は、整備計画に第十九条の二第二項第二号イに掲げる事業に関する事項として都市再開発法による第一種市街地再開発事業（同法第七条の九第一項の規準又は規約及び事業計画が定められているものに限り、かつ、同法第七条の十二又は第七条の十三第一項の同意を要する場合にあっては、当該同意が得られているものに限る。）に関する事項を記載しようとするときは、国土交通省令で定めるところにより、あらかじめ、同法第七条の九第一項の認可の権限を有する者に協議し、その同意を得ることができる。

2　前項の規定による同意を得た事項が記載された整備計画が第十九条の二第十一項の規定により公表されたときは、当該公表の日に当該事項に係る事業の実施主体に対する都市再開発法第七条の九第一項の認可があったものとみなす。

（都市計画の変更の特例等）

第一九条の一二　都市計画（当該都市計画に係る都市施設に関する都市計画事業又は当該都市計画に係る市街地開発事業が近く施行される予定のもの又は施行中のものを除く。）であって整備計画の内容を実現する上で支障となるものが定められている場合における都市計画法第二十一条第一項の規定の適用については、同項中「又は第十三条第一項第二十号に規定する政府が行う調査の結果」とあるのは、「若しくは第十三条第一項第二十号に規定する政府が行う調査の結果、又は都市再生特別措置法第十九条の二第一項に規定する整備計画（当該都道府県又は市町村の長が同条第三項の合意をしたものに限る。）が作成されたことにより」とする。

2　都市計画決定権者は、都市計画の見直しについての検討その他の都市計画についての検討、都市計画の案の作成その他の都市計画の策定の過程において、整備計画が円滑に実施されるよう配慮するものとする。

第三節　都市再生駐車施設配置計画の作成等

（都市再生駐車施設配置計画）

第一九条の一三　協議会は、都市再生緊急整備地域内の区域について、商業施設、業務施設その他の自動車の駐車需要を生じさせる程度の大きい用途の施設の集積の状況、当該施設の周辺における道路の交通の状況、公共交通機関の利用の状況その他の事情を勘案し、一般駐車施設（駐車施設（駐車場法（昭和三十二年法律第百六号）第二十条第一項に規定する駐車施設をいう。以下同じ。）のうち人の運送の用に供する自動車の駐車を主たる目的とするものをいう。）、荷さばき駐車施設（駐車施設のうち貨物の運送の用に供する自動車の駐車及び貨物の積卸しを主たる目的とするものをいう。）その他の駐車施設の種類ごとに駐車施設を適切な位置及び規模で配置することが当該都市再生緊急整備地域の都市機能の増進を図るため必要であると認めるときは、地域整備方針に基づき、駐車施設の種類ごとの配置に関する計画（以下「都市再生駐車施設配置計画」という。）を作成することができる。

2　都市再生駐車施設配置計画には、次に掲げる事項を記載するものとする。

一　都市再生駐車施設配置計画の区域（以下この節において「計画区域」という。）

二　駐車場法第二十条第一項若しくは第二項又は第二十条の二第一項に規定する者が設けるべき駐車施設の種類並びに当該種類ごとの駐車施設の

位置及び規模に関する事項

3 都市再生駐車施設配置計画においては、前項第二号の駐車施設の位置については計画区域における安全かつ円滑な交通が確保されるように、同号の駐車施設の規模については計画区域における駐車施設の種類ごとの需要が適切に充足されるように定めるものとする。

4 都市再生駐車施設配置計画は、国の関係行政機関等の長の全員の合意により作成するものとする。

5 協議会は、都市再生駐車施設配置計画を作成したときは、遅滞なく、これを公表しなければならない。

6 第二項から前項までの規定は、都市再生駐車施設配置計画の変更について準用する。

（駐車施設の附置に係る駐車場法の特例）

第一九条の一四 都市再生駐車施設配置計画に記載された計画区域（駐車場法第二十条第一項の地区若しくは地域又は同条第二項の地区の区域内に限る。）内における同条第一項及び第二項並びに同法第二十条の二第一項の規定の適用については、同法第二十条第一項中「近隣商業地域内に」とあるのは「近隣商業地域内の計画区域（都市再生特別措置法第十九条の十三第二項第一号に規定する計画区域をいう。以下同じ。）の区域内に」と、「その建築物又はその建築物の敷地内に」とあるのは「都市再生駐車施設配置計画（同条第一項に規定する都市再生駐車施設配置計画をいう。以下同じ。）に記載された同条第二項第二号に掲げる事項の内容に即して」と、「駐車場整備地区内又は商業地域内若しくは近隣商業地域内の」とあるのは「計画区域の区域内の」と、同条第二項中「地区内」とあるのは「地区内の計画区域の区域内」と、同項及び同法第二十条の二第一項中「その建築物又はその建築物の敷地内に」とあるのは「都市再生駐車施設配置計画に記載された都市再生特別措置法第十九条の十三第二項第二号に掲げる事項の内容に即して」と、同項中「前条第一項の地区若しくは地域内又は同条第二項の地区内」とあるのは「前条第一項又は第二項の計画区域の区域内」と、「地区又は地域内の」とあり、及び「地区内の」とあるのは「計画区域の区域内の」とする。

第四節　都市再生安全確保計画の作成等

（都市再生安全確保計画）

第一九条の一五 協議会は、地域整備方針に基づき、都市再生緊急整備地域について、大規模な地震が発生した場合における滞在者等の安全の確保を図るために必要な退避のために移動する経路（以下「退避経路」という。）、一定期間退避するための施設（以下「退避施設」という。）、備蓄倉庫、非常用電気等供給施設（非常用の電気又は熱の供給施設をいう。以下同じ。）その他の施設（以下「都市再生安全確保施設」という。）の整備等に関する計画（以下「都市再生安全確保計画」という。）を作成することができる。

2 都市再生安全確保計画には、次に掲げる事項を記載するものとする。

一 都市再生安全確保施設の整備等を通じた大規模な地震が発生した場合における滞在者等の安全の確保に関する基本的な方針

二 都市開発事業の施行に関連して必要となる都市再生安全確保施設の整備に関する事業並びにその実施主体及び実施期間に関する事項

三 前号に規定する事業により整備された都市再生安全確保施設の適切な管理のために必要な事項

四 都市再生安全確保施設を有する建築物の耐震改修（建築物の耐震改修の促進に関する法律（平成七年法律第百二十三号）第二条第二項に規定する耐震改修をいう。第十九条の十八第一項において同じ。）その他の大規模な地震が発生した場合における滞在者等の安全の確保を図るために必要な事業及びその実施主体に関する事項

五 大規模な地震が発生した場合における滞在者等の誘導、滞在者等に対する情報提供その他の滞在者等の安全の確保を図るために必要な事務及びその実施主体に関する事項

六 前各号に掲げるもののほか、大規模な地震が発生した場合における滞在者等の安全の確保を図るために必要な事項

3 都市再生安全確保計画は、災害対策基本法（昭和三十六年法律第二百二十三号）第二条第九号に規定する防災業務計画及び同条第十号に規定する地域防災計画との調和が保たれたものでなければならない。

4 都市再生安全確保計画は、国の関係行政機関等の長及び第二項第二号、第四号又は第五号に規定する事業又は事務の実施主体として記載された者の全員の合意により作成するものとする。

5 協議会は、都市再生安全確保計画を作成したときは、遅滞なく、これを公表しなければならない。

6 第二項から前項までの規定は、都市再生安全確保計画の変更について準用する。

（都市再生安全確保計画に記載された事業等の実施）

第一九条の一六 都市再生安全確保計画に記載された事業又は事務の実施主体は、当該都市再生安全確保計画に従い、事業又は事務を実施しなければならない。

（建築確認等の特例）

第一九条の一七 協議会は、都市再生安全確保計画に第十九条の十五第二項第二号又は第四号に掲げる事項として建築物の建築等（建築基準法（昭和二十五年法律第二百一号）第二条第十三号に規定する建築、同条第十四号に規定する大規模の修繕、同条第十五号に規定する大規模の模様替又は用途の変更をいう。以下同じ。）に関する事項を記載しようとするとき（当該建築物の建築等について同法第六条第一項（同法第八十七条第一項において準用する場合を含む。次項及び第四項において同じ。）の規定による確認又は同法第十八条第二項（同法第八十七条第一項において準用する場合を含む。次項において同じ。）の規定による通知を要する場合（次条第一項に規定する場合を除く。）に限る。）は、国土交通省令で定めるところにより、あらかじめ、建築主事又は建築副主事に協議し、その同意を得ることができる。

2 建築基準法第九十三条の規定は建築主事又は建築副主事が同法第六条第一項の規定による確認又は同法第十八条第二項の規定による通知を要する建築物の建築等に関する事項について前項の同意をしようとする場合について、同法第九十三条の二の規定は建築主事又は建築副主事が同法第六条第一項の規定による確認を要する建築物の建築等に関する事項について前項の同意をしようとする場合について、それぞれ準用する。

3 協議会は、都市再生安全確保計画に第十九条の十五第二項第二号又は第四号に掲げる事項として建築物の建築等（当該建築物の敷地若しくは建築物の敷地以外の土地で二以上のものが一団地を形成している場合であって当該一団地（その内に建築基準法第八十六条第八項の規定により現に公告されている他の対象区域（同条第六項に規定する対象区域をいう。以下この項において同じ。）があるときは、当該他の対象区域の全部を含むものに限る。）内に二若しくは二以上の構えを成す建築物（二以上の構えを成すものにあっては、総合的設計によって建築されるものに限る。）が建築される場合又は同条第二項若しくは同法第八十六条の八第一項若しくは第八十七条の二第一項に規定する場合におけるものに限る。）に関する事項を記載しようとするときは、国土交通省令で定めるところにより、あらかじめ、特定行政庁（同法第二条第三十五号に規定する特定行政庁をいう。以下同じ。）に協議し、その同意を得ることができる。

4 第一項又は前項の同意を得た事項が記載された都市再生安全確保計画が第十九条の十五第五項の規定により公表されたときは、当該公表の日に第一項の同意を得た事項に係る事業の実施主体に対する建築基準法第六条第一項若しくは第十八条第三項（同法第八十七条第一項において準用する場合を含む。）の規定による確認済証の交付又は前項の同意を得た事項に係る建築物についての同法第八十六条第一項若しくは第二項、第八十六条の八第一項若しくは第八十七条の二第一項の規定による認定があったものとみなす。

（建築物の耐震改修の計画の認定の特例）

第一九条の一八 協議会は、都市再生安全確保計画に第十九条の十五第二項第二号又は第四号に掲げる事項として建築物の耐震改修に関する事項を記載しようとするときは、国土交通省令で定めるところにより、あらかじめ、所管行政庁（建築物の耐震改修の促進に関する法律第二条第三項に規定する所管行政庁をいう。次項において同じ。）に協議し、その同意を得ることができる。

2 建築物の耐震改修の促進に関する法律第十七条第四項及び第五項の規定

は、所管行政庁が前項の同意をしようとする場合について準用する。

3　第一項の同意を得た事項が記載された都市再生安全確保計画が第十九条の十五第五項の規定により公表されたときは、当該公表の日に当該事項に係る事業の実施主体に対する建築物の耐震改修の促進に関する法律第十七条第三項の規定による認定があったものとみなす。

（都市再生安全確保施設である備蓄倉庫等の容積率の特例）

第一九条の一九　都市再生安全確保計画に記載された第十九条の十五第二項第二号又は第四号に掲げる事項に係る建築物については、都市再生安全確保施設である備蓄倉庫その他これに類する部分で、特定行政庁が交通上、安全上、防火上及び衛生上支障がないと認めるものの床面積は、建築基準法第五十二条第一項、第二項、第七項、第十二項及び第十四項、第五十七条の二第三項第二号、第五十七条の三第二項、第五十九条第一項及び第三項、第五十九条の二第一項、第六十条第一項、第六十条の二第一項及び第四項、第六十八条の三第一項、第六十八条の四、第六十八条の五（第二号イを除く。）、第六十八条の五の二（第二号イを除く。）、第六十八条の五の三第一項（第一号ロを除く。）、第六十八条の五の四（第一号ロを除く。）、第六十八条の五の五第一項第一号ロ、第六十八条の八、第六十八条の九第一項、第八十六条第三項及び第四項、第八十六条の二第二項及び第三項、第八十六条の五第三項並びに第八十六条の六第一項に規定する建築物の容積率（同法第五十九条第一項、第六十条の二第一項及び第六十八条の九第一項に規定するものについては、これらの規定に規定する建築物の容積率の最高限度に係る場合に限る。）の算定の基礎となる延べ面積に算入しない。

2　協議会は、都市再生安全確保計画に第十九条の十五第二項第二号又は第四号に掲げる事項として建築物（都市再生安全確保施設である備蓄倉庫その他これに類する部分を有するものに限る。）の建築等に関する事項を記載しようとするときは、国土交通省令で定めるところにより、あらかじめ、特定行政庁に協議し、その同意を得ることができる。

3　前項の同意を得た事項が記載された都市再生安全確保計画が第十九条の十五第五項の規定により公表されたときは、当該公表の日に当該事項に係る建築物についての第一項の規定による認定があったものとみなす。

（都市公園の占用の許可の特例）

第一九条の二〇　協議会は、都市再生安全確保計画に第十九条の十五第二項第二号に掲げる事項として都市公園（都市公園法（昭和三十一年法律第七十九号）第二条第一項に規定する都市公園をいう。以下同じ。）に設けられる都市再生安全確保施設で政令で定めるものの整備に関する事業に関する事項を記載しようとするときは、国土交通省令で定めるところにより、あらかじめ、当該都市公園の公園管理者（同法第五条第一項に規定する公園管理者をいう。以下同じ。）に協議し、その同意を得ることができる。

2　前項の同意を得た事項が記載された都市再生安全確保計画が第十九条の十五第五項の規定により公表された日から二年以内に当該都市再生安全確保計画に基づく都市公園の占用について都市公園法第六条第一項の許可の申請があった場合においては、公園管理者は、当該許可を与えるものとする。

第五節　民間都市再生事業計画の認定等

（民間都市再生事業計画の認定）

第二〇条　都市再生緊急整備地域内における都市開発事業であって、当該都市再生緊急整備地域の地域整備方針に定められた都市機能の増進を主たる目的とし、当該都市開発事業を施行する土地（水面を含む。）の区域（以下この節において「事業区域」という。）の面積が政令で定める規模以上のもの（以下「都市再生事業」という。）を施行しようとする民間事業者は、国土交通省令で定めるところにより、当該都市再生事業に関する計画（以下「民間都市再生事業計画」という。）を作成し、国土交通大臣の認定を申請することができる。

2　民間都市再生事業計画には、次に掲げる事項を記載しなければならない。

一　事業区域の位置及び面積

二　建築物及びその敷地の整備に関する事業の概要

三　公共施設の整備に関する事業の概要及び当該公共施設の管理者又は管理者となるべき者

四　工事着手の時期及び事業施行期間

五　用地取得計画

六　資金計画

七　その他国土交通省令で定める事項

（民間都市再生事業計画の認定基準等）

第二一条　国土交通大臣は、前条第一項の認定（以下この節において「計画の認定」という。）の申請があった場合において、当該申請に係る民間都市再生事業計画が次に掲げる基準に適合すると認めるときは、計画の認定をすることができる。

一　当該都市再生事業が、都市再生緊急整備地域における市街地の整備を緊急に推進する上で効果的であり、かつ、当該地域を含む都市の再生に著しく貢献するものであると認められること。

二　建築物及びその敷地並びに公共施設の整備に関する計画が、地域整備方針に適合するものであること。

三　工事着手の時期、事業施行期間及び用地取得計画が、当該都市再生事業を迅速かつ確実に遂行するために適切なものであること。

四　当該都市再生事業の施行に必要な経済的基礎及びこれを的確に遂行するために必要なその他の能力が十分であること。

2　国土交通大臣は、計画の認定をしようとするときは、あらかじめ、関係地方公共団体の意見を聴かなければならない。

3　国土交通大臣は、計画の認定をしようとするときは、あらかじめ、当該都市再生事業の施行により整備される公共施設の管理者又は管理者となるべき者（以下この節において「公共施設の管理者等」という。）の意見を聴かなければならない。

（計画の認定に関する処理期間）

第二二条　国土交通大臣は、第二十条第一項の規定による申請を受理した日から二月以内（当該申請に係る都市再生事業の事業区域の全部が特定都市再生緊急整備地域内にあるときは、当該申請を受理した日から一月以内）において速やかに、計画の認定に関する処分を行わなければならない。

2　前条第二項又は第三項の規定により意見を聴かれた者は、国土交通大臣が前項の処理期間中に計画の認定に関する処分を行うことができるよう、速やかに意見の申出を行わなければならない。

（計画の認定の通知）

第二三条　国土交通大臣は、計画の認定をしたときは、速やかに、その旨を関係地方公共団体、公共施設の管理者等及び民間都市開発の推進に関する特別措置法（昭和六十二年法律第六十二号。以下「民間都市開発法」という。）第三条第一項に規定する民間都市開発推進機構（以下「民間都市機構」という。）に通知するとともに、計画の認定を受けた者（以下「認定事業者」という。）の氏名又は名称、事業施行期間、事業区域その他国土交通省令で定める事項を公表しなければならない。

（民間都市再生事業計画の変更）

第二四条　認定事業者は、計画の認定を受けた民間都市再生事業計画（以下「認定計画」という。）の変更（国土交通省令で定める軽微な変更を除く。）をしようとするときは、国土交通大臣の認定を受けなければならない。

2　前三条の規定は、前項の場合について準用する。

（報告の徴収）

第二五条　国土交通大臣は、認定事業者に対し、認定計画（認定計画の変更があったときは、その変更後のもの。以下同じ。）に係る都市再生事業（以下「認定事業」という。）の施行の状況について報告を求めることができる。

（地位の承継）

第二六条　認定事業者の一般承継人又は認定事業者から認定計画に係る事業区域内の土地の所有権その他当該認定事業の施行に必要な権原を取得した者は、国土交通大臣の承認を受けて、当該認定事業者が有していた計画の認定に基づく地位を承継することができる。

（改善命令）

第二七条　国土交通大臣は、認定事業者が認定計画に従って認定事業を施行していないと認めるときは、当該認定事業者に対し、相当の期間を定めて、その改善に必要な措置を命ずることができる。

（計画の認定の取消し）

第二八条　国土交通大臣は、認定事業者が前条の規定による処分に違反したときは、計画の認定を取り消すことができる。

2　国土交通大臣は、前項の規定による取消しをしたときは、速やかに、その旨を、関係地方公共団体、公共施設の管理者等及び民間都市機構に通知するとともに、公表しなければならない。

（民間都市機構の行う都市再生事業支援業務）

第二九条　民間都市機構は、民間都市開発法第四条第一項各号に掲げる業務及び民間都市開発法第十四条の八第一項の規定により国土交通大臣の指示を受けて行う業務のほか、民間事業者による都市再生事業を推進するため、国土交通大臣の承認を受けて、次に掲げる業務を行うことができる。

一　次に掲げる方法により、認定事業者の認定事業の施行に要する費用の一部（公共施設並びにこれに準ずる避難施設、駐車場その他の建築物の利用者及び都市の居住者等（以下「建築物の利用者等」という。）の利便の増進に寄与する施設（以下「公共施設等」という。）その他公益的施設で政令で定めるもの並びに建築物の利用者等に有用な情報の収集、整理、分析及び提供を行うための設備で政令で定めるものの整備に要する費用の額の範囲内に限る。）について支援すること。

イ　認定事業者（株式会社、合同会社又は資産の流動化に関する法律（平成十年法律第百五号）第二条第三項に規定する特定目的会社（以下「株式会社等」という。）であって専ら認定事業の施行を目的とするものに限る。）に対する資金の貸付け又は認定事業者（専ら認定事業の施行を目的とする株式会社等に限る。）が発行する社債の取得

ロ　専ら、認定事業者から認定事業の施行により整備される建築物及びその敷地（以下このロにおいて「認定建築物等」という。）若しくは認定建築物等に係る信託の受益権を取得し、当該認定建築物等若しくは当該認定建築物等に係る信託の受益権の管理及び処分を行うことを目的とする株式会社等に対する資金の貸付け又は当該株式会社等が発行する社債の取得

ハ　イ又はロに掲げる方法に準ずるものとして国土交通省令で定める方法

二　認定事業者に対し、必要な助言、あっせんその他の援助を行うこと。

三　前二号に掲げる業務に附帯する業務を行うこと。

2　前項の規定により、民間都市機構が同項各号に掲げる業務を行う場合には、民間都市開発法第十一条第一項及び第十二条中「第四条第一項各号」とあるのは「第四条第一項各号及び都市再生特別措置法第二十九条第一項各号」と、民間都市開発法第十四条中「第四条第一項第一号及び第二号」とあるのは「第四条第一項第一号及び第二号並びに都市再生特別措置法第二十九条第一項第一号」と、民間都市開発法第二十条第一号中「第十一条第一項」とあるのは「第十一条第一項（都市再生特別措置法第二十九条第二項の規定により読み替えて適用する場合を含む。以下この号において同じ。）」と、「同項」とあるのは「第十一条第一項」と、同条第二号中「第十二条」とあるのは「第十二条（都市再生特別措置法第二十九条第二項の規定により読み替えて適用する場合を含む。）」とする。

3　民間都市機構は、第一項第一号に掲げる業務を行う場合においては、国土交通省令で定める基準に従って行わなければならない。

（民間都市開発法の特例）

第三〇条　民間都市開発法第四条第一項第一号に規定する特定民間都市開発事業であって認定事業（整備計画に記載された第十九条の二第八項に規定する事項に係る国際競争力強化施設を有する建築物の整備に関するものに限る。）であるものについての同号の規定の適用については、同号中「という。）」とあるのは、「という。）並びに都市再生特別措置法第十九条の二第一項に規定する整備計画に記載された同条第八項に規定する事項に係る国際競争力強化施設」とする。

第三一条及び第三二条　削除

（協議会における認定事業を円滑かつ迅速に施行するために必要な協議）

第三三条　認定事業者は、協議会に対し、その認定事業を円滑かつ迅速に施行するために必要な協議を行うことを求めることができる。

2　前項の協議を行うことを求められた協議会に関する第十九条第八項の規定の適用については、同項中「並びに特殊法人の代表者」とあるのは、「、特殊法人の代表者並びに第三十三条第一項の協議を行うことを求めた同項の認定事業者」とする。

3　協議会は、第一項の協議を行うことを求められた場合において、当該協議が調ったとき又は当該協議が調わないこととなったときはその結果を、当該協議の結果を得るに至っていないときは当該協議を行うことを求められた日から三月を経過するごとにその間の経過を、速やかに、当該協議を行うことを求めた認定事業者に通知するものとする。

（資金の確保）

第三四条　国及び関係地方公共団体は、認定事業者が認定事業を施行するのに必要な資金の確保に努めるものとする。

（国等の援助）

第三五条　国及び関係地方公共団体は、認定事業者に対し、認定事業の施行に関し必要な指導、助言その他の援助を行うよう努めるものとする。

第六節　都市計画等の特例

第一款　都市再生特別地区等

（都市再生特別地区）

第三六条　都市再生緊急整備地域のうち、都市の再生に貢献し、土地の合理的かつ健全な高度利用を図る特別の用途、容積、高さ、配列等の建築物の建築を誘導する必要があると認められる区域については、都市計画に、都市再生特別地区を定めることができる。

2　都市再生特別地区に関する都市計画には、都市計画法第八条第三項第一号及び第三号に掲げる事項のほか、建築物その他の工作物（以下「建築物等」という。）の誘導すべき用途（当該地区の指定の目的のために必要な場合に限る。）、建築物の容積率（延べ面積の敷地面積に対する割合をいう。以下同じ。）の最高限度及び最低限度、建築物の建蔽率（建築面積の敷地面積に対する割合をいう。第九十四条の二第二項第二号において同じ。）の最高限度、建築物の建築面積の最低限度、建築物の高さの最高限度並びに壁面の位置の制限を定めるものとする。

3　前項の建築物の容積率の最高限度は、十分の四十以上の数値でなければならない。ただし、当該地区の区域を区分して同項の建築物の容積率の最高限度を定める場合にあっては、当該地区の区域を区分して定められた建築物の容積率の最高限度の数値にそれぞれの数値の定められた区域の面積を乗じたものの合計を当該地区の全体の面積で除して得た数値が十分の四十以上であることをもって足りる。

4　第二項の建築物の高さの最高限度及び壁面の位置の制限は、当該地区にふさわしい高さ、配列等を備えた建築物の建築が誘導されること、建築物の敷地内に道路（都市計画において定められた計画道路を含む。次条第一項において同じ。）に接する有効な空地が確保されること等により、当該都市再生特別地区における防災、交通、衛生等に関する機能が確保されるように定めなければならない。

（道路の上空又は路面下における建築物等の建築又は建設）

第三六条の二　都市再生特別地区に関する都市計画には、前条第二項に定めるもののほか、都市の再生に貢献し、土地の合理的かつ健全な高度利用を図るため、道路の上空又は路面下において建築物等の建築又は建設を行うことが適切であると認められるときは、当該道路の区域のうち、建築物等の敷地として併せて利用すべき区域（以下「重複利用区域」という。）を定めることができる。この場合においては、当該重複利用区域内における建築物等の建築又は建設の限界であって空間又は地下について上下の範囲を定めるものをも定めなければならない。

2　都市計画法第十五条第一項の都道府県又は同法第八十七条の二第一項の指定都市（同法第二十二条第一項の場合にあっては、同項の国土交通大臣）は、前項の規定により建築物等の建築又は建設の限界を定めようとするときは、あらかじめ、同項に規定する道路の管理者又は管理者となるべき者に協議しなければならない。

第三六条の三　都市再生特別地区の区域のうち前条第一項の規定により重複利用区域として定められている区域内の道路（次項において「特定都市道路」という。）については、建築基準法第四十三条第一項第二号に掲げる道路とみなして、同法の規定を適用する。

2　特定都市道路の上空又は路面下に設ける建築物のうち、当該特定都市道路に係る都市再生特別地区に関する都市計画の内容に適合し、かつ、政令で定める基準に適合するものであって特定行政庁が安全上、防火上及び衛生上支障がないと認めるものについては、建築基準法第四十四条第一項第三号に該当する建築物とみなして、同項の規定を適用する。

第三六条の四　都市再生特別地区の区域のうち第三十六条の二第一項の規定により重複利用区域として定められている区域内における都市計画法第五十三条第一項の規定の適用については、同項第五号中「第十二条の十一」とあるのは、「都市再生特別措置法第三十六条の二第一項」とする。

第三六条の五　都市再生特別地区の区域のうち第三十六条の二第一項の規定により重複利用区域として定められている区域内における都市再開発法に

よる第一種市街地再開発事業又は同法による第二種市街地再開発事業については、それぞれ同法第百九条の二第一項の地区計画の区域内における第一種市街地再開発事業又は同法第百十八条の二十五第一項の地区計画の区域内における第二種市街地再開発事業とみなして、同法の規定を適用する。

第二款　都市計画の決定等の提案

（都市再生事業等を行おうとする者による都市計画の決定等の提案）

第三七条　都市再生事業又は都市再生事業の施行に関連して必要となる公共公益施設の整備に関する事業（以下「都市再生事業等」という。）を行おうとする者は、都市計画法第十五条第一項の都道府県若しくは市町村若しくは同法第八十七条の二第一項の指定都市（同法第二十二条第一項の場合にあっては、同項の国土交通大臣又は市町村）又は第五十一条第一項の規定に基づき都市計画の決定若しくは変更をする市町村（以下「都市計画決定権者」と総称する。）に対し、当該都市再生事業等を行うために必要な次に掲げる都市計画の決定又は変更をすることを提案することができる。この場合においては、当該提案に係る都市計画の素案を添えなければならない。

一　第三十六条第一項の規定による都市再生特別地区に関する都市計画

二　都市計画法第八条第一項第一号に規定する用途地域又は同項第三号の高度利用地区に関する都市計画

三　密集市街地における防災街区の整備の促進に関する法律（平成九年法律第四十九号。以下「密集市街地整備法」という。）第三十一条第一項の規定による特定防災街区整備地区に関する都市計画

四　都市計画法第十二条の四第一項第一号の地区計画であってその区域の全部に同法第十二条の五第三項に規定する再開発等促進区又は同条第四項に規定する開発整備促進区を定めるものに関する都市計画

五　都市再開発法による市街地再開発事業（以下「市街地再開発事業」という。）に関する都市計画

六　密集市街地整備法による防災街区整備事業（以下「防災街区整備事業」という。）に関する都市計画

七　土地区画整理法による土地区画整理事業（以下「土地区画整理事業」という。）に関する都市計画

八　都市施設で政令で定めるものに関する都市計画

九　その他政令で定める都市計画

2　前項の規定による提案（以下「計画提案」という。）は、当該都市再生事業等に係る土地の全部又は一部を含む一団の土地の区域について、次に掲げるところに従って、国土交通省令で定めるところにより行うものとする。

一　当該計画提案に係る都市計画の素案の内容が、都市計画法第十三条その他の法令の規定に基づく都市計画に関する基準に適合するものであること。

二　当該計画提案に係る都市計画の素案の対象となる土地（国又は地方公共団体の所有している土地で公共施設の用に供されているものを除く。以下この条において同じ。）の区域内の土地について所有権又は建物の所有を目的とする対抗要件を備えた地上権若しくは賃借権（臨時設備その他一時使用のため設定されたことが明らかなものを除く。以下この条において「借地権」という。）を有する者の三分の二以上の同意（同意した者が所有するその区域内の土地の地積と同意した者が有する借地権の目的となっているその区域内の土地の地積の合計が、その区域内の土地の総地積と借地権の目的となっている土地の総地積との合計の三分の二以上となる場合に限る。）を得ていること。

三　当該計画提案に係る都市計画の素案に係る事業が環境影響評価法（平成九年法律第八十一号）第二条第四項に規定する対象事業に該当するものであるときは、同法第二十七条に規定する公告を行っていること。

3　前項第二号の場合において、所有権又は借地権が数人の共有に属する土地があるときは、当該土地について所有権を有する者又は借地権を有する者の数をそれぞれ一とみなし、同意した所有権を有する者の共有持分の割合の合計又は同意した借地権を有する者の共有持分の割合の合計をそれぞれ当該土地について同意した者の数とみなし、当該土地の地積に同意した所有権を有する者の共有持分の割合の合計又は同意した借地権を有する者の共有持分の割合の合計を乗じて得た面積を当該土地について同意した者が所有する土地の地積又は同意した者が有する借地権の目的となっている土地の地積とみなす。

（計画提案に対する都市計画決定権者の判断等）

第三八条　都市計画決定権者は、計画提案が行われたときは、速やかに、計画提案を踏まえた都市計画（計画提案に係る都市計画の素案の内容の全部又は一部を実現することとなる都市計画をいう。以下同じ。）の決定又は変更をする必要があるかどうかを判断し、当該都市計画の決定又は変更をする必要があると認めるときは、その案を作成しなければならない。

（計画提案を踏まえた都市計画の案の都道府県都市計画審議会等への付議）

第三九条　都市計画決定権者は、計画提案を踏まえた都市計画（当該計画提案に係る都市計画の素案の内容の全部を実現するものを除く。）の決定又は変更をしようとする場合において、都市計画法第十八条第一項又は第十九条第一項（これらの規定を同法第二十一条第二項において準用する場合を含む。）の規定により都市計画の案を都道府県都市計画審議会又は市町村都市計画審議会に付議しようとするときは、当該都市計画の案に併せて、当該計画提案に係る都市計画の素案を提出しなければならない。

（計画提案を踏まえた都市計画の決定等をしない場合にとるべき措置）

第四〇条　都市計画決定権者は、計画提案を踏まえた都市計画の決定又は変更をする必要がないと判断したときは、その旨及びその理由を、当該計画提案をした者（当該都市計画決定権者が第四十三条第二項の規定による通知を受けているときは、当該計画提案をした者及び当該通知をした行政庁。次条第二項において同じ。）に通知しなければならない。

2　都市計画決定権者は、前項の通知をしようとするときは、あらかじめ、都道府県都市計画審議会（都市計画決定権者である市町村に市町村都市計画審議会が置かれているときは、当該市町村都市計画審議会）に当該計画提案に係る都市計画の素案を提出してその意見を聴かなければならない。

（計画提案を踏まえた都市計画の決定等に関する処理期間）

第四一条　都市計画決定権者は、計画提案が行われた日から六月以内に、当該計画提案を踏まえた都市計画の決定若しくは変更又は前条第一項の規定による通知をするものとする。

2　都市計画決定権者は、やむを得ない理由により前項の処理期間中に同項の規定による処理を行うことができないときは、その理由が存続する間、当該処理期間を延長することができる。この場合においては、同項の処理期間中に、当該計画提案をした者に対し、その旨、延長する期間及び延長する理由を通知しなければならない。

3　計画提案を踏まえた都市計画の決定又は変更について、都市計画法第十八条第一項又は第三項その他の法令の規定により意見を聴かれ、又は協議を受けた者は、都市計画決定権者が第一項の処理期間中に同項の規定による処理を行うことができるよう、速やかに意見の申出又は協議を行わなければならない。

第三款　都市再生事業等に係る認可等の特例

（都市再生事業等に係る認可等に関する処理期間）

第四二条　都市再生事業等を行おうとする者が国土交通省令で定めるところにより当該都市再生事業等を施行するために必要な次に掲げる認可、認定又は承認（以下この節において「認可等」という。）の申請を行った場合においては、当該認可等に関する処分を行う行政庁は、当該申請を受理した日から三月以内で認可等ごとに政令で定める期間以内において速やかに当該処分を行うものとする。

一　都市再開発法第七条の九第一項、第七条の十六第一項、第十一条第一項から第三項まで、第三十八条第一項、第五十条の二第一項、第五十条の九第一項、第五十一条第一項、第五十八条第一項後段（同法第五十六条において準用する場合を含む。）、第五十八条第一項、第百二十九条の二第一項又は第百二十九条の五第一項の規定による認可又は認定

二　密集市街地整備法第百二十二条第一項、第百二十九条第一項、第百三十六条第一項から第三項まで、第百五十七条第一項、第百六十五条第一項、第百七十二条第一項、第百七十九条第一項後段（密集市街地整備法第百八十四条において準用する場合を含む。）又は第百八十八条第一項の規定による認可

三　土地区画整理法第四条第一項前段、第十条第一項前段、第十四条第一項前段、第二項前段若しくは第三項前段、第三十九条第一項前段、第五十一条の二第一項前段、第五十一条の十第一項前段、第五十二条第一項後段、第五十五条第十二項、第七十一条の二第一項又は第七十一条の三第十四項の規定による認可

四　都市計画法第五十九条第一項から第四項まで又は第六十三条第一項の

規定による認可又は承認

（計画提案を行った場合における都市再生事業等に係る認可等の申請の特例）

第四三条 都市再生事業等を行おうとする者は、その日以前に都市計画決定権者に計画提案を行っており、かつ、いまだ当該計画提案を踏まえた都市計画についての決定若しくは変更の告示又は第四十条第一項の通知（以下「計画提案を踏まえた都市計画決定告示等」という。）が行われていないときは、国土交通省令で定めるところにより、計画提案を行っている旨及び当該計画提案に係る都市計画の素案を示して認可等の申請を行うことができる。

２ 前項の規定による申請を受けた行政庁は、当該計画提案を受けた都市計画決定権者に対し、当該申請があったことを通知しなければならない。

３ 第一項の規定による申請を受けた行政庁は、当該計画提案を踏まえた都市計画決定告示等が行われるまでは、当該申請が、法令に基づく認可等の基準のうち当該計画提案を踏まえた都市計画の決定又は変更が行われた場合において適合することとなる基準（以下「計画提案関連基準」という。）に適合していないことを理由に、認可等を拒否する処分をしてはならない。

４ 第一項の規定により前条第四号に掲げる認可又は承認を申請する場合においては、都市計画法第六十条第一項第二号及び同条第二項第一号中「都市計画事業」とあるのは、「都市再生特別措置法第三十八条に規定する計画提案を踏まえた都市計画が定められた場合における都市施設の整備に関する事業又は市街地開発事業」とする。

（計画提案を行った場合における認可等に関する処理期間）

第四四条 前条第一項の規定による申請を受けた行政庁は、当該申請が法令に基づく認可等の基準のうち計画提案関連基準以外の基準に適合しないことを理由に認可等を拒否する処分を行う場合を除き、第四十二条の規定にかかわらず、当該計画提案を踏まえた都市計画決定告示等が行われた日から一月を経過する日（その日が当該申請を受理した日から同条に規定する政令で定める期間を経過する日前である場合にあっては、当該政令で定める期間を経過する日）までに速やかに当該認可等に関する処分を行うものとする。

（都市再生事業等に係る認可等に関する意見の申出）

第四五条 認可等に関する処分について、都市再開発法第七条の九第三項その他の法令の規定により意見を聴かれた者は、行政庁が第四十二条又は前条の処理期間中に当該認可等に関する処分を行うことができるよう、速やかに意見の申出を行わなければならない。

第七節 都市再生歩行者経路協定

（都市再生歩行者経路協定の締結等）

第四五条の二 都市再生緊急整備地域内の一団の土地の所有者及び建築物等の所有を目的とする地上権又は賃借権（臨時設備その他一時使用のため設定されたことが明らかなものを除く。以下「借地権等」という。）を有する者（土地区画整理法第九十八条第一項（大都市地域における住宅及び住宅地の供給の促進に関する特別措置法（昭和五十年法律第六十七号。以下「大都市住宅等供給法」という。）第八十三条において準用する場合を含む。以下同じ。）の規定により仮換地として指定された土地にあっては、当該土地に対応する従前の土地の所有者及び借地権等を有する者。以下この章において「土地所有者等」と総称する。）は、その全員の合意により、当該都市再生緊急整備地域内における都市開発事業の施行に関連して必要となる歩行者の移動上の利便性及び安全性の向上のための経路（以下「都市再生歩行者経路」という。）の整備又は管理に関する協定（以下「都市再生歩行者経路協定」という。）を締結することができる。ただし、当該土地（土地区画整理法第九十八条第一項の規定により仮換地として指定された土地にあっては、当該土地に対応する従前の土地）の区域内に借地権等の目的となっている土地がある場合においては、当該借地権等の目的となっている土地の所有者の合意を要しない。

２ 都市再生歩行者経路協定においては、次に掲げる事項を定めるものとする。

一 都市再生歩行者経路協定の目的となる土地の区域（以下この節において「協定区域」という。）及び都市再生歩行者経路の位置

二 次に掲げる都市再生歩行者経路の整備又は管理に関する事項のうち、必要なもの

イ 前号の都市再生歩行者経路を構成する道路の幅員又は路面の構造に関する基準

ロ 前号の都市再生歩行者経路を構成する施設（エレベーター、エスカレーターその他の歩行者の移動上の利便性及び安全性の向上のために必要な設備を含む。）の整備又は管理に関する事項

ハ その他都市再生歩行者経路の整備又は管理に関する事項

三 都市再生歩行者経路協定の有効期間

四 都市再生歩行者経路協定に違反した場合の措置

３ 都市再生歩行者経路協定においては、前項各号に掲げるもののほか、都市再生緊急整備地域内の土地のうち、協定区域に隣接した土地であって、協定区域の一部とすることにより都市再生歩行者経路の整備又は管理に資するものとして協定区域の土地となることを当該協定区域内の土地に係る土地所有者等が希望するもの（以下この節において「協定区域隣接地」という。）を定めることができる。

４ 都市再生歩行者経路協定は、市町村長の認可を受けなければならない。

（認可の申請に係る都市再生歩行者経路協定の縦覧等）

第四五条の三 市町村長は、前条第四項の認可の申請があったときは、国土交通省令で定めるところにより、その旨を公告し、当該都市再生歩行者経路協定を公告の日から二週間関係人の縦覧に供さなければならない。

２ 前項の規定による公告があったときは、関係人は、同項の縦覧期間満了の日までに、当該都市再生歩行者経路協定について、市町村長に意見書を提出することができる。

（都市再生歩行者経路協定の認可）

第四五条の四 市町村長は、第四十五条の二第四項の認可の申請が次の各号のいずれにも該当するときは、同項の認可をしなければならない。

一 申請手続が法令に違反しないこと。

二 土地又は建築物等の利用を不当に制限するものでないこと。

三 第四十五条の二第二項各号に掲げる事項（当該都市再生歩行者経路協定において協定区域隣接地を定める場合にあっては、当該協定区域隣接地に関する事項を含む。）について国土交通省令で定める基準に適合するものであること。

四 その他当該都市再生緊急整備地域の地域整備方針に適合するものであること。

２ 市町村長は、第四十五条の二第四項の認可をしたときは、国土交通省令で定めるところにより、その旨を公告し、かつ、当該都市再生歩行者経路協定を当該市町村の事務所に備えて公衆の縦覧に供するとともに、協定区域である旨を当該協定区域内に明示しなければならない。

（都市再生歩行者経路協定の変更）

第四五条の五 協定区域内の土地に係る土地所有者等（当該都市再生歩行者経路協定の効力が及ばない者を除く。）は、都市再生歩行者経路協定において定めた事項を変更しようとする場合においては、その全員の合意をもってその旨を定め、市町村長の認可を受けなければならない。

２ 前二条の規定は、前項の変更の認可について準用する。

（協定区域からの除外）

第四五条の六 協定区域内の土地（土地区画整理法第九十八条第一項の規定により仮換地として指定された土地にあっては、当該土地に対応する従前の土地）で当該都市再生歩行者経路協定の効力が及ばない者の所有するものの全部又は一部について借地権等が消滅した場合においては、当該借地権等の目的となっていた土地（同項の規定により仮換地として指定された土地に対応する従前の土地にあっては、当該土地についての仮換地として指定された土地）は、当該協定区域から除外されるものとする。

２ 協定区域内の土地で土地区画整理法第九十八条第一項の規定により仮換地として指定されたものが、同法第八十六条第一項の換地計画又は大都市住宅等供給法第七十二条第一項の換地計画において当該土地に対応する従前の土地についての換地として定められず、かつ、土地区画整理法第九十一条第三項（大都市住宅等供給法第八十二条第一項において準用する場合を含む。）の規定により当該土地に対応する従前の土地の所有者に対してその共有持分を与えるように定められた土地としても定められなかったときは、当該土地は、土地区画整理法第百三条第四項（大都市住宅等供給法第八十三条において準用する場合を含む。）の規定による公告があった日が終了した時において当該協定区域から除外されるものとする。

３ 前二項の規定により協定区域内の土地が当該協定区域から除外された場合においては、当該借地権等を有していた者又は当該仮換地として指定さ

れていた土地に対応する従前の土地に係る土地所有者等（当該都市再生歩行者経路協定の効力が及ばない者を除く。）は、遅滞なく、その旨を市町村長に届け出なければならない。

4　第四十五条の四第二項の規定は、前項の規定による届出があった場合その他市町村長が第一項又は第二項の規定により協定区域内の土地が当該協定区域から除外されたことを知った場合について準用する。

（都市再生歩行者経路協定の効力）

第四五条の七　第四十五条の四第二項（第四十五条の五第二項において準用する場合を含む。）の規定による認可の公告のあった後において当該協定区域内の土地に係る土地所有者等となった者（当該都市再生歩行者経路協定について第四十五条の二第一項又は第四十五条の五第一項の規定による合意をしなかった者の有する土地の所有権を承継した者を除く。）に対しても、その効力があるものとする。

（都市再生歩行者経路協定の認可の公告のあった後都市再生歩行者経路協定に加わる手続等）

第四五条の八　協定区域内の土地の所有者（土地区画整理法第九十八条第一項の規定により仮換地として指定された土地にあっては、当該土地に対応する従前の土地の所有者）で当該都市再生歩行者経路協定の効力が及ばないものは、第四十五条の四第二項（第四十五条の五第二項において準用する場合を含む。）の規定による認可の公告があった後いつでも、市町村長に対して書面でその意思を表示することによって、当該都市再生歩行者経路協定に加わることができる。

2　協定区域隣接地の区域内の土地に係る土地所有者等は、第四十五条の四第二項（第四十五条の五第二項において準用する場合を含む。）の規定による認可の公告があった後いつでも、当該土地に係る土地所有者等の全員の合意により、市町村長に対して書面でその意思を表示することによって、都市再生歩行者経路協定に加わることができる。ただし、当該土地（土地区画整理法第九十八条第一項の規定により仮換地として指定された土地にあっては、当該土地に対応する従前の土地）の区域内に借地権等の目的となっている土地がある場合においては、当該借地権等の目的となっている土地の所有者の合意を要しない。

3　協定区域隣接地の区域内の土地で前項の規定による土地所有者等の意思の表示に係るものの区域は、その意思の表示のあった時以後、協定区域の一部となるものとする。

4　第四十五条の四第二項の規定は、第一項又は第二項の規定による意思の表示があった場合について準用する。

5　都市再生歩行者経路協定は、第一項又は第二項の規定により当該都市再生歩行者経路協定に加わった者がその時において所有し、又は借地権等を有していた当該協定区域内の土地（土地区画整理法第九十八条第一項の規定により仮換地として指定された土地にあっては、当該土地に対応する従前の土地）について、前項において準用する第四十五条の四第二項の規定による公告のあった後において土地所有者等となった者（当該都市再生歩行者経路協定について第二項の規定による合意をしなかった者の有する土地の所有権を承継した者及び前条の規定の適用がある者を除く。）に対しても、その効力があるものとする。

（都市再生歩行者経路協定の廃止）

第四五条の九　協定区域内の土地に係る土地所有者等（当該都市再生歩行者経路協定の効力が及ばない者を除く。）は、第四十五条の二第四項又は第四十五条の五第一項の認可を受けた都市再生歩行者経路協定を廃止しようとする場合においては、その過半数の合意をもってその旨を定め、市町村長の認可を受けなければならない。

2　市町村長は、前項の認可をしたときは、その旨を公告しなければならない。

（土地の共有者等の取扱い）

第四五条の一〇　土地又は借地権等が数人の共有に属するときは、第四十五条の二第一項、第四十五条の五第一項、第四十五条の八第一項及び第二項並びに前条第一項の規定の適用については、合わせて一の所有者又は借地権等を有する者とみなす。

（一の所有者による都市再生歩行者経路協定の設定）

第四五条の一一　都市再生緊急整備地域内の一団の土地で、一の所有者以外に土地所有者等が存しないものの所有者は、都市再生歩行者経路の整備又は管理のため必要があると認めるときは、市町村長の認可を受けて、当該土地の区域を協定区域とする都市再生歩行者経路協定を定めることができる。

2　市町村長は、前項の認可の申請が第四十五条の四第一項各号のいずれにも該当し、かつ、当該都市再生歩行者経路協定が都市再生歩行者経路の整備又は管理のため必要であると認める場合に限り、前項の認可をするものとする。

3　第四十五条の四第二項の規定は、第一項の認可について準用する。

4　第一項の認可を受けた都市再生歩行者経路協定は、認可の日から起算して三年以内において当該協定区域内の土地に二以上の土地所有者等が存することになった時から、第四十五条の四第二項の規定による認可の公告のあった都市再生歩行者経路協定と同一の効力を有する都市再生歩行者経路協定となる。

（借主の地位）

第四五条の一二　都市再生歩行者経路協定に定める事項が建築物等の借主の権限に係る場合においては、その都市再生歩行者経路協定については、当該建築物等の借主を土地所有者等とみなして、この節の規定を適用する。

第八節　都市再生安全確保施設に関する協定

第一款　退避経路協定

第四五条の一三　土地所有者等は、その全員の合意により、都市再生安全確保計画に記載された第十九条の十五第二項第二号から第四号までに掲げる事項に係る退避経路の整備又は管理に関する協定（以下この条において「退避経路協定」という。）を締結することができる。ただし、都市再生緊急整備地域内の一団の土地（土地区画整理法第九十八条第一項の規定により仮換地として指定された土地にあっては、当該土地に対応する従前の土地。以下この節において同じ。）の区域内に借地権等の目的となっている土地がある場合においては、当該借地権等の目的となっている土地の所有者の合意を要しない。

2　退避経路協定においては、次に掲げる事項を定めるものとする。

一　退避経路協定の目的となる土地の区域及び退避経路の位置

二　次に掲げる退避経路の整備又は管理に関する事項のうち、必要なもの

イ　前号の退避経路を構成する道路の幅員又は路面の構造に関する基準

ロ　前号の退避経路を構成する施設（誘導標識その他の退避の円滑化のために必要な設備を含む。）の整備又は管理に関する事項

ハ　前号の退避経路における看板その他の退避上支障となる工作物又は物件の設置に関する基準

ニ　その他退避経路の整備又は管理に関する事項

三　退避経路協定の有効期間

四　退避経路協定に違反した場合の措置

3　前節（第四十五条の二第一項及び第二項を除く。）の規定は、退避経路協定について準用する。この場合において、同条第三項中「前項各号」とあるのは「第四十五条の十三第二項各号」と、「協定区域に」とあるのは「協定区域（第四十五条の十三第二項第一号の土地の区域をいう。以下この節において同じ。）に」と、同項並びに第四十五条の十一第一項及び第二項中「都市再生歩行者経路の」とあるのは「退避経路の」と、第四十五条の四第一項第三号中「第四十五条の二第二項各号」とあるのは「第四十五条の十三第二項各号」と、第四十五条の七及び第四十五条の十中「第四十五条の二第一項」とあるのは「第四十五条の十三第一項」と読み替えるものとする。

第二款　退避施設協定

第四五条の一四　土地所有者等は、その全員の合意により、都市再生安全確保計画に記載された第十九条の十五第二項第二号から第四号までに掲げる事項に係る退避施設の整備又は管理に関する協定（以下「退避施設協定」という。）を締結することができる。ただし、都市再生緊急整備地域内の一団の土地の区域内に借地権等の目的となっている土地がある場合においては、当該借地権等の目的となっている土地の所有者の合意を要しない。

2　退避施設協定においては、次に掲げる事項を定めるものとする。

一　退避施設協定の目的となる土地の区域及び退避施設の位置

二　前号の退避施設及びその属する施設の構造に関する基準

三　次に掲げる退避施設の整備又は管理に関する事項のうち、必要なもの

イ　第一号の退避施設の面積

ロ　第一号の退避施設に設ける滞在者等に対し、災害の発生の状況に関する情報その他の情報を提供する設備の整備又は管理に関する事項

ハ　その他退避施設の整備又は管理に関する事項

四　退避施設協定の有効期間

五　退避施設協定に違反した場合の措置

3　前節（第四十五条の二第一項及び第二項を除く。）の規定は、退避施設協定について準用する。この場合において、同条第三項中「前項各号」とあるのは「第四十五条の十四第二項各号」と、「協定区域に」とあるのは「協定区域（第四十五条の十四第二項第一号の土地の区域をいう。以下この節において同じ。）に」と、同項並びに第四十五条の十一第一項及び第二項中「都市再生歩行者経路の」とあるのは「退避施設の」と、第四十五条の四第一項第三号中「第四十五条の二第二項各号」とあるのは「第四十五条の十四第二項各号」と、第四十五条の七及び第四十五条の十中「第四十五条の二第一項」とあるのは「第四十五条の十四第一項」と読み替えるものとする。

4　建築主事又は建築副主事を置かない市町村の市町村長は、退避施設協定について前項において準用する第四十五条の二第四項、第四十五条の五第一項又は第四十五条の十一第一項の認可をしようとするときは、都道府県知事に協議しなければならない。この場合において、前項において準用する第四十五条の二第四項又は第四十五条の五第一項の認可をしようとするときは、前項において準用する第四十五条の三第二項（前項において準用する第四十五条の五第二項において準用する場合を含む。）の規定により提出された意見書を添えて協議するものとする。

第三款　管理協定

（管理協定の締結等）

第四五条の一五　地方公共団体は、都市再生安全確保計画に記載された第十九条の十五第二項第二号から第四号までに掲げる事項に係る備蓄倉庫を自ら管理する必要があると認めるときは、備蓄倉庫所有者等（当該備蓄倉庫若しくはその属する施設の所有者、これらの敷地である土地の所有者又は当該土地の使用及び収益を目的とする権利（臨時設備その他一時使用のため設定されたことが明らかなものを除く。）を有する者をいう。以下同じ。）との間において、管理協定を締結して当該備蓄倉庫の管理を行うことができる。

2　前項の規定による管理協定については、備蓄倉庫所有者等の全員の合意がなければならない。

（管理協定の内容）

第四五条の一六　前条第一項の規定による管理協定（以下「管理協定」という。）においては、次に掲げる事項を定めるものとする。

一　管理協定の目的となる備蓄倉庫（以下この条において「協定倉庫」という。）

二　協定倉庫の管理の方法に関する事項

三　管理協定の有効期間

四　管理協定に違反した場合の措置

2　管理協定の内容は、次に掲げる基準のいずれにも適合するものでなければならない。

一　協定施設（協定倉庫又はその属する施設をいう。以下同じ。）の利用を不当に制限するものでないこと。

二　前項第二号から第四号までに掲げる事項について国土交通省令で定める基準に適合するものであること。

（管理協定の縦覧等）

第四五条の一七　地方公共団体は、管理協定を締結しようとするときは、国土交通省令で定めるところにより、その旨を公告し、当該管理協定を公告の日から二週間関係人の縦覧に供さなければならない。

2　前項の規定による公告があったときは、関係人は、同項の縦覧期間満了の日までに、当該管理協定について、地方公共団体に意見書を提出することができる。

（管理協定の公告等）

第四五条の一八　地方公共団体は、管理協定を締結したときは、国土交通省令で定めるところにより、その旨を公告し、かつ、当該管理協定を当該地方公共団体の事務所に備えて公衆の縦覧に供するとともに、協定施設又はその敷地である土地の区域内の見やすい場所に、それぞれ協定施設である旨又は協定施設が当該区域内に存する旨を明示しなければならない。

（管理協定の変更）

第四五条の一九　第四十五条の十五第二項、第四十五条の十六第二項及び前二条の規定は、管理協定において定めた事項の変更について準用する。

（管理協定の効力）

第四五条の二〇　第四十五条の十八（前条において準用する場合を含む。）の規定による公告のあった管理協定は、その公告のあった後において当該協定施設の備蓄倉庫所有者等となった者に対しても、その効力があるものとする。

第四款　非常用電気等供給施設協定

第四五条の二一　土地所有者等は、その全員の合意により、都市再生安全確保計画に記載された第十九条の十五第二項第二号から第四号までに掲げる事項に係る非常用電気等供給施設の整備又は管理に関する協定（以下この条において「非常用電気等供給施設協定」という。）を締結することができる。ただし、都市再生緊急整備地域内の一団の土地の区域内に借地権等の目的となっている土地がある場合においては、当該借地権等の目的となっている土地の所有者の合意を要しない。

2　非常用電気等供給施設協定においては、次に掲げる事項を定めるものとする。

一　非常用電気等供給施設協定の目的となる土地の区域及び非常用電気等供給施設の位置

二　前号の非常用電気等供給施設及びその属する施設の構造に関する基準

三　次に掲げる非常用電気等供給施設の整備又は管理に関する事項のうち、必要なもの

イ　第一号の非常用電気等供給施設の規模

ロ　第一号の非常用電気等供給施設の制御及び作動状態の監視に関する事項

ハ　その他非常用電気等供給施設の整備又は管理に関する事項

四　非常用電気等供給施設協定の有効期間

五　非常用電気等供給施設協定に違反した場合の措置

3　前節（第四十五条の二第一項及び第二項を除く。）の規定は、非常用電気等供給施設協定について準用する。この場合において、同条第三項中「前項各号」とあるのは「第四十五条の二十一第二項各号」と、「協定区域に」とあるのは「協定区域（第四十五条の二十一第二項第一号の土地の区域をいう。以下この節において同じ。）に」と、同項並びに第四十五条の十一第一項及び第二項中「都市再生歩行者経路の」とあるのは「非常用電気等供給施設の」と、第四十五条の四第一項第三号中「第四十五条の二第二項各号」とあるのは「第四十五条の二十一第二項各号」と、第四十五条の七及び第四十五条の十中「第四十五条の二第一項」とあるのは「第四十五条の二十一第一項」と読み替えるものとする。

4　建築主事又は建築副主事を置かない市町村の市町村長は、非常用電気等供給施設協定について前項において準用する第四十五条の二第四項、第四十五条の五第一項又は第四十五条の十一第一項の認可をしようとするときは、都道府県知事に協議しなければならない。この場合において、前項において準用する第四十五条の二第四項又は第四十五条の五第一項の認可をしようとするときは、前項において準用する第四十五条の三第二項（前項において準用する第四十五条の五第二項において準用する場合を含む。）の規定により提出された意見書を添えて協議するものとする。

第五章　都市再生整備計画に係る特別の措置

第一節　都市再生整備計画の作成等

（都市再生整備計画）

第四六条　市町村は、単独で又は共同して、都市の再生に必要な公共公益施設の整備等を重点的に実施すべき土地の区域において、都市再生基本方針（当該区域が都市再生緊急整備地域内にあるときは、都市再生基本方針及び当該都市再生緊急整備地域の地域整備方針。第八十一条第一項及び第百十九条第一号イにおいて同じ。）に基づき、当該公共公益施設の整備等に関する計画（以下「都市再生整備計画」という。）を作成することができる。

2　都市再生整備計画には、第一号から第六号までに掲げる事項を記載するものとするとともに、第七号に掲げる事項を記載するよう努めるものとする。

一　都市再生整備計画の区域及びその面積

二　前号の区域内における都市の再生に必要な次に掲げる事業に関する事項

イ　公共公益施設の整備に関する事業

ロ　市街地再開発事業

ハ　防災街区整備事業

ニ　土地区画整理事業

ホ　住宅施設の整備に関する事業

へ　その他国土交通省令で定める事業

三　前号の事業と一体となってその効果を増大させるために必要な事務又は事業に関する事項

四　前二号の事業により整備された公共公益施設の適切な管理のために必要な事項

五　第一号の区域のうち、滞在者等の滞在及び交流の促進を図るため、円滑かつ快適な歩行の確保に資する歩道の拡幅その他の道路の整備、多様な滞在者等の交流の拠点の形成に資する都市公園の整備、良好な景観の形成に資する店舗その他の滞在者等の利便の増進に寄与する建築物の開放性を高めるための改築又は色彩の変更その他の滞在の快適性及び魅力の向上（以下この条において「滞在の快適性等の向上」という。）のために必要な公共公益施設の整備又は管理を行う必要があると認められる区域（以下「滞在快適性等向上区域」という。）を定める場合にあっては、その区域

六　計画期間

七　都市の再生に必要な公共公益施設の整備等に関する方針

3　次の各号に掲げる事項には、市町村が実施する事業又は事務（以下「事業等」という。）に係るものを記載するほか、必要に応じ、当該各号に定める事項を記載することができる。

一　前項第二号及び第三号に掲げる事項　まちづくりの推進を図る活動を行うことを目的とする特定非営利活動促進法（平成十年法律第七号）第二条第二項の特定非営利活動法人若しくは一般社団法人若しくは一般財団法人又はこれらに準ずるものとして国土交通省令で定める者（以下「特定非営利活動法人等」という。）が実施する事業等（市町村が当該事業等に要する経費の一部を負担してその推進を図るものに限る。）に関する事項

二　前項第五号に掲げる事項を記載する場合における同項第二号から第四号までに掲げる事項　滞在快適性等向上区域内の一団の土地の所有者若しくは借地権等を有する者（土地区画整理法第九十八条第一項の規定により仮換地として指定された土地にあっては、当該土地に対応する従前の土地の所有者又は借地権等を有する者）又は当該滞在快適性等向上区域内の建築物の所有者（当該建築物に関する賃借権その他の使用及び収益を目的とする権利を有する者を含む。第二十五項及び第七十四条第一項において同じ。）（第二十八項第一号において「土地所有者等」という。）が実施する事業等であって、次に掲げるもの（以下「一体型滞在快適性等向上事業」という。）並びにその実施主体及び実施期間に関する事項

イ　市町村が実施する滞在の快適性等の向上に資する公共施設の整備又は管理に関する事業（以下この条において「市町村実施事業」という。）の実施区域に隣接し、又は近接して当該市町村実施事業と一体的に実施される滞在快適性等向上施設等（広場、並木、店舗その他の滞在の快適性等の向上に資する施設、工作物又は物件（以下「施設等」という。）であって国土交通省令で定めるものをいう。以下同じ。）の整備又は管理に関する事業（当該市町村実施事業に係る公共施設と一体的に活用されることが見込まれる滞在快適性等向上施設等に係るものに限る。）のうち国土交通省令で定めるもの

ロ　イの事業と一体となってその効果を増大させるために必要な事務又は事業

4　市町村は、都市再生整備計画に次の各号に掲げる事項を記載しようとするときは、当該事項について、あらかじめ、当該各号に定める者の同意を得なければならない。

一　前項第一号に掲げる事項　当該事項に係る特定非営利活動法人等

二　前項第二号に掲げる事項　当該事項に係る実施主体

5　第二項第二号イからへまでに掲げる事業に関する事項には、当該事業の実施のために必要な都市施設又は市街地開発事業に関する都市計画（都市計画法第十五条第一項の規定により都道府県が定めることとされている都市計画（同法第八十七条の二第一項の規定により同項の指定都市が定めることとされているものを除く。）で政令で定めるものに限る。）であって第五十一条第一項の規定に基づき当該市町村が決定又は変更をすることができるもの（以下「市町村決定計画」という。）及び当該市町村による当該都市計画の決定又は変更の期限（以下「計画決定期限」という。）を記載することができる。

6　市町村は、都市再生整備計画に市町村決定計画及び計画決定期限を記載しようとするときは、当該事項について、あらかじめ、都道府県知事に協議し、その同意を得なければならない。

7　第二項第二号イに掲げる事業に関する事項には、国道（道路法（昭和二十七年法律第百八十号）第三条第二号の一般国道をいう。以下同じ。）若しくは都道府県道（同条第三号の都道府県道をいう。以下この条において同じ。）の新設若しくは改築又は国道若しくは都道府県道に附属する道路の附属物（同法第二条第二項に規定する道路の附属物をいう。）の新設若しくは改築（いずれも同法第十二条ただし書、第十五条並びに第八十五条第一項及び第二項並びに道路法の一部を改正する法律（昭和三十九年法律第百六十三号。第五十八条第一項において「昭和三十九年道路法改正法」という。）附則第三項の規定により都道府県が行うこととされているもの（道路法第十七条第一項から第四項までの規定により同条第一項の指定市、同条第二項の指定市以外の市、同条第三項の町村又は同条第四項の指定市以外の市町村が行うこととされているものを除く。）で政令で定めるものに限る。第五十八条において「国道の新設等」という。）であって第五十八条第一項の規定に基づき当該市町村が行うことができるものに関する事業（以下「市町村施行国道新設等事業」という。）に関する事項を記載することができる。

8　第二項第三号に掲げる事項には、国道又は都道府県道の維持又は修繕（道路法第十三条第一項及び第十五条の規定により都道府県が行うこととされているもの（同法第十七条第一項から第四項までの規定により同条第一項の指定市、同条第二項の指定市以外の市、同条第三項の町村又は同条第四項の指定市以外の市町村が行うこととされているものを除く。）で政令で定めるものに限る。第五十八条において「国道の維持等」という。）であって第五十八条第一項の規定に基づき当該市町村が行うことができるものに関する事業（以下「市町村施行国道維持等事業」という。）に関する事項を記載することができる。

9　市町村は、都市再生整備計画に市町村施行国道新設等事業又は市町村施行国道維持等事業に関する事項を記載しようとするときは、当該事項について、あらかじめ、都道府県に協議し、その同意を得なければならない。

10　第二項第二号イ若しくはへに掲げる事業に関する事項又は同項第三号に掲げる事項には、道路法第三十二条第一項第一号又は第四号から第七号までに掲げる施設等のうち、都市の再生に貢献し、道路（同法による道路に限る。第六十二条において同じ。）の通行者又は利用者の利便の増進に資するものとして政令で定めるものの設置（道路交通環境の維持及び向上を図るための清掃その他の措置であって当該施設等の設置に伴い必要となるものが併せて講じられるものに限る。）であって、同法第三十二条第一項又は第三項の許可に係るものに関する事項を記載することができる。

11　市町村は、都市再生整備計画に前項の施設等の設置に関する事項を記載しようとするときは、当該事項について、あらかじめ、同項の許可の権限を有する道路管理者（道路法第十八条第一項に規定する道路管理者をいう。以下同じ。）及び都道府県公安委員会（以下「公安委員会」という。）に協議し、その同意を得なければならない。

12　第二項第二号イ若しくはへに掲げる事業に関する事項又は同項第三号に掲げる事項には、都市公園における自転車駐車場、観光案内所その他の都市の居住者、来訪者又は滞在者の利便の増進に寄与する施設等であって政令で定めるものの設置（都市公園の環境の維持及び向上を図るための清掃その他の措置であって当該施設等の設置に伴い必要となるものが併せて講じられるものに限る。）に関する事項を記載することができる。

13　市町村は、都市再生整備計画に前項の施設等の設置に関する事項を記載しようとするときは、当該事項について、あらかじめ、当該都市公園の公園管理者に協議し、その同意を得なければならない。

14　滞在快適性等向上区域については、次の各号に掲げる事項には、当該各号に定める事項を記載することができる。

一　第二項第二号イ若しくはへに掲げる事業に関する事項又は同項第三号に掲げる事項　地域における催しに関する情報を提供するための看板その他の政令で定める施設等（一体型滞在快適性等向上事業（都市再生整

備計画に基づき、都市公園に係る市町村実施事業と一体的に実施されるものに限る。）の実施主体がその事業の効果を増大させるために都市公園において設置するものに限る。）の設置（都市公園の環境の維持及び向上を図るための清掃その他の措置であって当該施設等の設置に伴い必要となるものが併せて講じられるものに限る。）に関する事項

二　第二項第二号イ若しくはヘに掲げる事業に関する事項又は同項第三号若しくは第四号に掲げる事項　次のイ又はロに掲げる事項

イ　飲食店、休憩所その他の国土交通省令で定める公園施設（都市公園法第二条第二項に規定する公園施設をいう。以下この条において同じ。）であって、滞在快適性等向上区域内の都市公園における多様な滞在者等の交流又は滞在の拠点となるものの設置又は管理に関する事項

ロ　飲食店、売店その他の国土交通省令で定める公園施設（第十六項において「飲食店等」という。）であって、滞在快適性等向上区域内の都市公園における当該都市公園の利用者の利便の増進に資する事業の実績を有する一体型事業実施主体等（一体型滞在快適性等向上事業の実施主体又は第百十八条第一項の規定により指定された都市再生推進法人をいう。以下同じ。）に第六十二条の三第一項に規定する公園施設設置管理協定に基づき公園管理者がその設置又は管理を行わせることが、当該都市公園の機能を損なうことなくその利用者の利便の向上を図り、かつ、当該滞在快適性等向上区域における滞在の快適性等の向上を図る上で特に有効であると認められるもの（以下「滞在快適性等向上公園施設」という。）の設置又は管理に関する事項（次に掲げる事項を併せて記載するものに限る。）

(1)　特定公園施設（第六十二条の三第一項に規定する公園施設設置管理協定に基づき公園管理者が一体型事業実施主体等に建設を行わせる園路、広場その他の国土交通省令で定める公園施設であって、滞在快適性等向上公園施設の周辺に設置することが都市公園の利用者の利便の一層の向上に寄与すると認められるものをいう。以下同じ。）の建設に関する事項

(2)　公園利便増進施設等（自転車駐車場、地域における催しに関する情報を提供するための看板その他の政令で定める施設等であって、滞在快適性等向上公園施設の周辺に設置することが地域住民の利便の増進に寄与すると認められるものをいう。以下同じ。）の設置に関する事項

(3)　都市公園の環境の維持及び向上を図るための清掃その他の措置であって滞在快適性等向上公園施設の設置又は管理及び公園利便増進施設等の設置に伴い必要となるものに関する事項

(4)　その他国土交通省令で定める事項

三　第二項第三号に掲げる事項　次のイからハまでに掲げる事項

イ　滞在快適性等向上区域における路外駐車場（駐車場法第二条第二号に規定する路外駐車場をいう。以下同じ。）の配置及び規模の基準（第六十二条の九において「路外駐車場配置等基準」という。）

ロ　滞在快適性等向上区域内に存する道路（道路交通法（昭和三十五年法律第百五号）第二条第一項第一号に規定する道路をいう。以下このロにおいて同じ。）であって、安全かつ円滑な歩行の確保及び当該滞在快適性等向上区域における催しの実施その他の活動の円滑な実施を図るため、駐車場の自動車の出入口（自動車の出口又は入口で自動車の車路の路面が道路の路面に接する部分をいう。以下同じ。）の設置を制限すべきもの（以下「駐車場出入口制限道路」という。）に関する事項

ハ　滞在快適性等向上区域における駐車施設の機能を集約するために整備する駐車施設（第六十二条の十二において「集約駐車施設」という。）の位置及び規模

四　第二項第三号に掲げる事項　一体型事業実施主体等が行う滞在快適性等向上区域における滞在の快適性等の向上に資する事業の円滑な実施のため、一体型事業実施主体等に対し普通財産（地方自治法（昭和二十二年法律第六十七号）第二百三十八条第四項に規定する普通財産をいい、市町村の所有に属するものに限る。以下同じ。）を時価よりも低い対価で貸し付けることその他の方法により一体型事業実施主体等に普通財産を使用させることに関する事項

15　市町村は、都市再生整備計画に前項第二号ロに掲げる事項を記載しようとするときは、国土交通省令で定めるところにより、あらかじめ、その旨を公告し、当該事項の案を、当該事項を都市再生整備計画に記載しようとする理由を記載した書面を添えて、当該公告の日から一月間公衆の縦覧に供しなければならない。

16　前項の規定による公告があったときは、縦覧に供された事項の案における滞在快適性等向上公園施設の場所と同一の場所に飲食店等を設け、又は管理しようとする者は、同項の縦覧期間満了の日までに、当該事項の案について、市町村に意見書を提出することができる。この場合においては、当該飲食店等の設置又は管理を自らが行うこととした場合における第十四項第二号ロに掲げる事項と同様の事項の案を記載した書類を添付しなければならない。

17　市町村は、次に掲げる場合には、都市再生整備計画に記載しようとする事項又はその案について、あらかじめ、当該事項又はその案に係る公園管理者（第三号に掲げる場合にあっては、公園管理者及び一体型事業実施主体等）に協議し、その同意を得なければならない。

一　都市再生整備計画に第十四項第一号に定める事項を記載しようとするとき。

二　都市再生整備計画に第十四項第二号イに掲げる事項を記載しようとするとき。

三　第十五項の規定により第十四項第二号ロに掲げる事項の案を縦覧に供しようとするとき。

四　前項の規定により意見書及びその添付書類（以下この条において「意見書等」という。）の提出を受けた場合において都市再生整備計画に第十五項の規定により縦覧に供された事項の案のとおりの事項を記載しようとするとき。

18　公園管理者は、前項の協議（同項第二号に係るものに限る。）を受けた場合において、当該事項に基づき設置又は管理をされることとなる公園施設が都市公園法第五条第二項各号のいずれにも該当しないときは、前項の同意をしてはならない。

19　公園管理者は、第十七項の協議（同項第三号に係るものに限る。）を受けた場合において、次の各号のいずれかに該当するときは、同項の同意をしてはならない。

一　第十五項の規定により縦覧に供しようとする事項の案における滞在快適性等向上公園施設の場所が、一体型事業実施主体等に滞在快適性等向上公園施設の設置又は管理を行わせることが都市公園の管理上適切でない場所として国土交通省令で定める場所であること。

二　第十五項の規定により縦覧に供しようとする事項の案が、当該事項に基づき滞在快適性等向上公園施設の設置又は管理を行わせることとなる都市公園の機能を損なうことなくその利用者の利便の向上を図る上で特に有効であると認められないこと。

20　市町村は、第十七項の協議（同項第四号に係るものに限る。次項において同じ。）をしようとするときは、第十六項の規定により提出された意見書等の写しを、公園管理者に提出しなければならない。

21　公園管理者は、第十七項の協議を受けた場合において、第十五項の規定により縦覧に供された事項の案及び第十六項の規定により提出された意見書等の内容を審査し、当該事項の案が当該事項に基づき滞在快適性等向上公園施設の設置又は管理を行わせることとなる都市公園の機能を損なうことなくその利用者の利便の向上を図る上で最も適切であると認められないときは、第十七項の同意をしてはならない。

22　市町村は、都市再生整備計画に次の各号に掲げる事項を記載しようとするときは、当該事項について、あらかじめ、当該各号に定める者に協議しなければならない。

一　第二項第三号に掲げる事項として記載された事項でその実施に際し道路交通法第四条第一項の規定により公安委員会の交通規制が行われることとなる事務若しくは事業に関するもの又は第十四項第三号イからハまでに掲げる事項　公安委員会

二　第十四項第三号ロ又はハに掲げる事項　都道府県知事（駐車場法第二十条第一項若しくは第二項又は第二十条の二第一項の規定に基づき条例を定めている都道府県の知事に限る。）

23　第二項第二号イ若しくはヘに掲げる事業に関する事項又は同項第三号に掲げる事項には、歴史的風致維持向上施設（地域における歴史的風致の維持及び向上に関する法律（平成二十年法律第四十号。以下「地域歴史的風致法」という。）第三条に規定する歴史的風致維持向上施設をいう。第六十二条の十五第一項において同じ。）の整備に関する事業に関する事項を

記載することができる。

24　第二項第四号に掲げる事項には、同項第一号の区域（都市再生緊急整備地域内にある土地の区域を除く。）のうち、都市開発事業を通じて緊急かつ重点的に市街地の整備を推進すべき土地の区域であって、当該区域における都市開発事業の施行後の土地の高度利用及び公共施設の整備の状況その他の状況からみて、都市開発事業の施行に関連して当該区域内の一団の土地の所有者及び借地権等を有する者（土地区画整理法第九十八条第一項の規定により仮換地として指定された土地にあっては、当該土地に対応する従前の土地の所有者及び借地権等を有する者）による歩行者の移動上の利便性及び安全性の向上のための経路の整備又は管理が必要となると認められるもの並びに当該経路の整備又は管理に関する事項を記載することができる。

25　第二項第四号に掲げる事項には、同項第一号の区域のうち、広場、街灯、並木その他の都市の居住者その他の者の利便の増進に寄与する施設等であって国土交通省令で定めるもの（以下「都市利便増進施設」という。）の配置及び利用の状況その他の状況からみて、当該区域内の一団の土地の所有者若しくは借地権等を有する者（土地区画整理法第九十八条第一項の規定により仮換地として指定された土地にあっては、当該土地に対応する従前の土地の所有者又は借地権等を有する者）若しくは当該区域内の建築物の所有者又は第百十八条第一項の規定により指定された都市再生推進法人による都市利便増進施設の一体的な整備又は管理（当該都市利便増進施設を利用して行われるまちづくりの推進を図る活動であって、当該一体的な整備又は管理の効果を増大させるために必要なものを含む。以下同じ。）が必要となると認められる区域及び当該都市利便増進施設の一体的な整備又は管理に関する事項を記載することができる。

26　第二項第四号に掲げる事項には、同項第一号の区域内にある低未利用土地（居住の用、業務の用その他の用途に供されておらず、又はその利用の程度がその周辺の地域における同一の用途若しくはこれに類する用途に供されている土地の利用の程度に比し著しく劣っていると認められる土地をいう。以下同じ。）であって、その有効かつ適切な利用の促進を図るために居住者等利用施設（緑地、広場、集会場その他の都市の居住者その他の者の利用に供する施設であって国土交通省令で定めるものをいう。以下同じ。）の整備及び管理が必要となると認められるものの区域並びに当該居住者等利用施設の整備及び管理に関する事項を記載することができる。

27　都市再生整備計画は、都市計画法第六条の二の都市計画区域の整備、開発及び保全の方針、同法第七条の二の都市再開発方針等並びに同法第十八条の二の市町村の都市計画に関する基本的な方針との調和が保たれたものでなければならない。

28　市町村は、都市再生整備計画を作成したときは、遅滞なく、これを公表するとともに、都道府県に都市再生整備計画の写しを送付しなければならない。この場合において、当該都市再生整備計画に次の各号に掲げる事項を記載したときは、当該事項について、国土交通省令で定めるところにより、当該各号に定める措置をとらなければならない。

一　滞在快適性等向上区域　当該滞在快適性等向上区域内の土地に係る土地所有者等に対し、当該滞在快適性等向上区域を周知させること。

二　市町村決定計画及び計画決定期限　これらの事項を公告すること。

29　第二項から前項までの規定は、都市再生整備計画の変更について準用する。

（都市再生推進法人等による都市再生整備計画の作成等の提案）

第四六条の二　第百十八条第一項の規定により指定された都市再生推進法人は、市町村に対し、国土交通省令で定めるところにより、その業務を行うために必要な都市再生整備計画の作成又は変更をすることを提案することができる。この場合においては、当該提案に係る都市再生整備計画の素案を添えなければならない。

2　一体型滞在快適性等向上事業を実施し、又は実施しようとする者は、市町村に対し、国土交通省令で定めるところにより、当該一体型滞在快適性等向上事業を実施し、又はその効果を一層高めるために必要な都市再生整備計画の作成又は変更をすることを提案することができる。前項後段の規定は、この場合について準用する。

3　前二項の規定による提案（以下「都市再生整備計画提案」という。）に係る都市再生整備計画の素案の内容は、都市再生基本方針（当該都市再生整備計画提案に係る土地の区域が都市再生緊急整備地域内にあるときは、都市再生基本方針及び地域整備方針）に基づくものでなければならない。

（都市再生整備計画提案に対する市町村の判断等）

第四六条の三　市町村は、都市再生整備計画提案が行われたときは、遅滞なく、都市再生整備計画提案を踏まえた都市再生整備計画（都市再生整備計画提案に係る都市再生整備計画の素案の内容の全部又は一部を実現することとなる都市再生整備計画をいう。次条において同じ。）の作成又は変更をする必要があるかどうかを判断し、当該都市再生整備計画の作成又は変更をする必要があると認めるときは、その案を作成しなければならない。

（都市再生整備計画提案を踏まえた都市再生整備計画の作成等をしない場合にとるべき措置）

第四六条の四　市町村は、都市再生整備計画提案を踏まえた都市再生整備計画の作成又は変更をする必要がないと判断したときは、遅滞なく、その旨及びその理由を、当該都市再生整備計画提案をした者に通知しなければならない。

（都市再生整備計画に記載された一体型滞在快適性等向上事業の実施）

第四六条の五　都市再生整備計画に記載された一体型滞在快適性等向上事業の実施主体は、当該都市再生整備計画（一体型滞在快適性等向上事業に係る部分に限る。）に従い、一体型滞在快適性等向上事業を実施しなければならない。

（勧告）

第四六条の六　市町村長は、都市再生整備計画に記載された一体型滞在快適性等向上事業の実施主体が当該都市再生整備計画に従って一体型滞在快適性等向上事業を実施していないと認めるときは、当該実施主体に対し、当該都市再生整備計画に従って一体型滞在快適性等向上事業を実施すべきことを勧告することができる。

（報告の徴収）

第四六条の七　市町村長は、都市再生整備計画に記載された一体型滞在快適性等向上事業の実施主体に対し、当該一体型滞在快適性等向上事業の実施の状況について報告を求めることができる。

（資料等の提供の要求等）

第四六条の八　都市再生整備計画に記載された一体型滞在快適性等向上事業の実施主体は、当該一体型滞在快適性等向上事業の実施に関して必要があるときは、市町村に対し、資料又は情報の提供その他必要な協力を求めることができる。

第二節　交付金

（交付金の交付等）

第四七条　市町村は、次項の交付金を充てて都市再生整備計画に基づく事業等の実施（特定非営利活動法人等が実施する事業等に要する費用の一部の負担を含む。次項において同じ。）をしようとするときは、当該都市再生整備計画を国土交通大臣に提出しなければならない。

2　国は、市町村に対し、前項の規定により提出された都市再生整備計画に基づく事業等の実施に要する経費に充てるため、当該事業等を通じて増進が図られる都市機能の内容、公共公益施設の整備の状況その他の事項を勘案して国土交通省令で定めるところにより、予算の範囲内で、交付金を交付することができる。

3　前項の規定による交付金を充てて行う事業に要する費用については、道路法その他の法令の規定に基づく国の負担又は補助は、当該規定にかかわらず、行わないものとする。

4　前三項に定めるもののほか、交付金の交付に関し必要な事項は、国土交通省令で定める。

（住宅地区改良法の特例）

第四八条　前条第二項の規定による交付金を充てて建設された住宅地区改良法（昭和三十五年法律第八十四号）第二条第六項に規定する改良住宅についての同法第二十九条の規定の適用については、同条第一項中「第二十七条第二項の規定により国の補助を受けて」とあるのは「都市再生特別措置法第四十七条第二項の規定による交付金を充てて」と、同条第三項中「第十三条第三項」とあるのは「第十二条第一項中「の補助」とあるのは「の補助（都市再生特別措置法第四十七条第二項の規定による交付金（以下この項において「都市再生交付金」という。）を含む。）」と、「から補助」とあるのは「から補助（都市再生交付金を含む。）」と、旧公営住宅法第十三条第三項」とする。

（大都市住宅等供給法の特例）

第四九条　大都市住宅等供給法第百一条の五第一項に規定する認定事業者である市町村が第四十七条第二項の規定による交付金を充てて実施する都心共同住宅供給事業（同法第二条第五号に規定する都心共同住宅供給事業をいう。）により建設される住宅についての同法第百一条の十一及び第百十三条の二の規定の適用については、同法第百一条の十一第一項及び第三項中「前条第一項又は第二項の規定による補助」とあるのは「都市再生特別措置法第四十七条第二項の規定による交付金」と、同法第百十三条の二第一号中「第百一条の十第一項又は第二項の規定による補助」とあるのは「都市再生特別措置法第四十七条第二項の規定による交付金の交付」と、「当該補助」とあるのは「当該交付金」とする。

（高齢者の居住の安定確保に関する法律の特例）
第五〇条　市町村が第四十七条第二項の規定による交付金を充てて整備する高齢者の居住の安定確保に関する法律（平成十三年法律第二十六号）第四十五条第一項の賃貸住宅についての同法第五十条の規定の適用については、同条中「第四十五条、第四十七条第四項、第四十八条第一項若しくは前条又は第四十七条第一項の規定による費用の補助又は負担を受けて整備し、又は家賃を減額する」とあるのは、「都市再生特別措置法第四十七条第二項の規定による交付金を充てて整備し、又は第四十五条第二項の規定による補助を受けて家賃を減額する」とする。

第三節　都市計画等の特例等

第一款　都市計画の決定等に係る権限の移譲等

（都市計画の決定等に係る権限の移譲）
第五一条　市町村は、都市計画法第十五条第一項及び第八十七条の二第一項の規定にかかわらず、第四十六条第二十八項後段（同条第二十九項において準用する場合を含む。）の規定による同条第二十八項第二号の公告の日から計画決定期限が到来する日までの間に限り、都市再生整備計画に記載された市町村決定計画に係る都市計画の決定又は変更をすることができる。
2　市町村（都市計画法第八十七条の二第一項の指定都市（以下この節において「指定都市」という。）を除く。）は、前項の規定により同法第十八条第三項に規定する都市計画の決定又は変更をしようとするときは、同法第十九条（同法第二十一条第二項において準用する場合を含む。）に規定する手続を行うほか、国土交通省令で定めるところにより、あらかじめ、国土交通大臣に協議し、その同意を得なければならない。
3　都市計画法第十八条第四項の規定は、前項の協議について準用する。
4　都市計画法第八十七条の二第四項から第九項までの規定は、指定都市が第一項の規定により同法第十八条第三項に規定する都市計画の決定又は変更をしようとする場合について準用する。

（施行予定者）
第五二条　前条第一項の規定により市町村が決定又は変更をする都市計画には、都市計画法第十一条第二項又は第十二条第二項に定める事項のほか、当該都市計画に係る都市施設に関する都市計画事業又は当該都市計画に係る市街地開発事業の施行予定者（当該市町村を施行予定者とするものに限る。）及びその期限を定めなければならない。
2　前項の規定により施行予定者が定められた都市計画は、これを変更して、施行予定者を定めないものとすること及び当該市町村以外の者を施行予定者として定めることができない。
3　前二項の規定は、前条第一項の規定により市町村が決定又は変更をする都市計画に密集市街地整備法第二百八十一条第一項の規定により当該市町村が施行予定者として定められた場合には、適用しない。この場合において、当該都市計画は、これを変更して当該市町村以外の者を施行予定者として定めることができない。

（認可の申請義務）
第五三条　前条第一項の規定により施行予定者として定められた市町村は、その期限までに、都市計画法第五十九条第一項の規定による認可（都市再開発法第五十一条第二項その他の法律の規定により都市計画法第五十九条第一項の規定による認可とみなされるものを含む。）の申請をしなければならない。

第二款　都市計画の決定等の要請及び提案

（市町村による都市計画の決定等の要請）
第五四条　市町村（指定都市を除く。次項において同じ。）は、都道府県に対し、国土交通省令で定めるところにより、都市再生整備計画に記載された事業の実施に関連して必要となる都市計画法第四条第三項の地域地区に関する都市計画（同法第十五条第一項の規定により都道府県が定めることとされている都市計画で政令で定めるものに限る。）の決定又は変更をすることを要請することができる。この場合においては、当該要請に係る都市計画の素案を添えなければならない。
2　市町村は、第百十七条第一項の規定により市町村都市再生協議会が組織されている場合において、前項の規定による要請（以下「計画要請」という。）をしようとするときは、あらかじめ、当該市町村都市再生協議会の意見を聴かなければならない。
3　計画要請に係る都市計画の素案の内容は、都市計画法第十三条その他の法令の規定に基づく都市計画に関する基準に適合するものでなければならない。

（計画要請に対する都道府県の判断等）
第五五条　都道府県は、計画要請が行われたときは、遅滞なく、計画要請を踏まえた都市計画（計画要請に係る都市計画の素案の内容の全部又は一部を実現することとなる都市計画をいう。以下同じ。）の決定又は変更をする必要があるかどうかを判断し、当該都市計画の決定又は変更をする必要があると認めるときは、その案を作成しなければならない。

（計画要請を踏まえた都市計画の案の都道府県都市計画審議会への付議）
第五六条　都道府県は、計画要請を踏まえた都市計画（当該計画要請に係る都市計画の素案の内容の全部を実現するものを除く。）の決定又は変更をしようとする場合において、都市計画法第十八条第一項（同法第二十一条第二項において準用する場合を含む。）の規定により都市計画の案を都道府県都市計画審議会に付議しようとするときは、当該都市計画の案に併せて、当該計画要請に係る都市計画の素案を提出しなければならない。

（計画要請を踏まえた都市計画の決定等をしない場合にとるべき措置）
第五七条　都道府県は、計画要請を踏まえた都市計画の決定又は変更をする必要がないと判断したときは、遅滞なく、その旨及びその理由を、当該計画要請をした市町村に通知しなければならない。
2　都道府県は、前項の通知をしようとするときは、あらかじめ、都道府県都市計画審議会に当該計画要請に係る都市計画の素案を提出してその意見を聴かなければならない。

（都市再生推進法人による都市計画の決定等の提案）
第五七条の二　第百十九条第三号（ロに係る部分に限る。）又は第五号に掲げる業務として公共施設又は同条第三号ロの国土交通省令で定める施設の整備又は管理を行う第百十八条第一項の規定により指定された都市再生推進法人は、市町村に対し、これらの施設の整備又は管理を適切に行うために必要な次に掲げる都市計画の決定又は変更をすることを提案することができる。この場合においては、当該提案に係る都市計画の素案を添えなければならない。
一　都市計画法第十二条の四第一項第一号から第四号までに掲げる計画に関する都市計画
二　次に掲げる都市計画で都市計画法第十五条第一項の規定により市町村が定めることとされているもの
イ　都市施設で政令で定めるものに関する都市計画
ロ　その他政令で定める都市計画
2　第三十七条第二項及び第三項並びに第三十八条から第四十条までの規定は、前項の規定による提案について準用する。この場合において、第三十七条第二項中「都市再生事業等」とあるのは「公共施設又は第百十九条第三号ロの国土交通省令で定める施設の整備又は管理」と、第四十条第一項中「者（当該都市計画決定権者が第四十三条第二項の規定による通知を受けているときは、当該計画提案をした者及び当該通知をした行政庁。次条第二項において同じ。）」とあるのは「都市再生推進法人」と読み替えるものとする。

第三款　道路整備に係る権限の移譲等

（道路整備に係る権限の移譲）
第五八条　市町村（道路法第十七条第一項の指定市を除く。以下この款において同じ。）は、都市再生整備計画の計画期間内に限り、同法第十二条ただし書、第十三条第一項、第十五条並びに第八十五条第一項及び第二項並びに昭和三十九年道路法改正法附則第三項の規定にかかわらず、都市再生整備計画に記載された市町村施行国道新設等事業に関する事項に係る国道の新設等又は都市再生整備計画に記載された市町村施行国道維持等事業に関する事項に係る国道の維持等を行うことができる。

2　市町村は、前項の規定により国道の新設又は改築を行おうとする場合においては、国土交通省令で定めるところにより、国土交通大臣の認可を受けなければならない。ただし、国土交通省令で定める軽易なものについては、この限りでない。

3　市町村は、第一項の規定により国道の新設等又は国道の維持等を行おうとするとき、及び当該国道の新設等又は国道の維持等の全部又は一部を完了したときは、国土交通省令で定めるところにより、その旨を公示しなければならない。

4　市町村は、第一項の規定により国道の新設等又は国道の維持等を行う場合においては、政令で定めるところにより、当該道路の道路管理者に代わってその権限を行うものとする。

5　第一項の規定により市町村が行う国道の新設等又は国道の維持等に要する費用は、当該市町村の負担とする。

（不服申立て）

第五九条　市町村が前条第四項の規定により道路管理者に代わってした処分に不服がある者は、当該市町村の長に対して審査請求をし、その裁決に不服がある者は、国土交通大臣に対して再審査請求をすることができる。

（事務の区分）

第六〇条　第五十八条の規定により国道に関して市町村が処理することとされている事務（費用の負担及び徴収に関するものを除く。）は、地方自治法第二条第九項第一号に規定する第一号法定受託事務とする。

（道路法の適用）

第六一条　第五十八条第四項の規定により道路管理者に代わってその権限を行う市町村は、道路法第八章の規定の適用については、道路管理者とみなす。

第四款　道路の占用の許可基準の特例

第六二条　都市再生整備計画の区域内の道路の道路管理者は、道路法第三十三条第一項の規定にかかわらず、都市再生整備計画の計画期間内に限り、都市再生整備計画に記載された第四十六条第十項に規定する事項に係る施設等のための道路の占用（同法第三十二条第二項第一号に規定する道路の占用をいい、同法第三十三条第二項に規定するものを除く。）で次に掲げる要件のいずれにも該当するものについて、同法第三十二条第一項又は第三項の許可を与えることができる。

一　道路管理者が施設等の種類ごとに指定した道路の区域内に設けられる施設等（当該指定に係る種類のものに限る。）のためのものであること。

二　道路法第三十三条第一項の政令で定める基準に適合するものであること。

三　その他安全かつ円滑な交通を確保するために必要なものとして政令で定める基準に適合するものであること。

2　道路管理者は、前項第一号の道路の区域（以下この条において「特例道路占用区域」という。）を指定しようとするときは、あらかじめ、市町村の意見を聴くとともに、当該特例道路占用区域を管轄する警察署長に協議しなければならない。

3　道路管理者は、特例道路占用区域を指定するときは、その旨並びに指定の区域及び施設等の種類を公示しなければならない。

4　前二項の規定は、特例道路占用区域の指定の変更又は解除について準用する。

5　第一項の許可に係る道路法第三十二条第二項及び第八十七条第一項の規定の適用については、同法第三十二条第二項中「申請書を」とあるのは「申請書に、都市再生特別措置法第四十六条第十項の措置を記載した書面を添付して、」と、同法第八十七条第一項中「円滑な交通を確保する」とあるのは「円滑な交通を確保し、又は道路交通環境の維持及び向上を図る」とする。

第五款　都市公園法の特例等

（都市公園の占用の許可の特例等）

第六二条の二　第四十六条第十二項に規定する事項又は同条第十四項第一号に定める事項が記載された都市再生整備計画が同条第二十八項前段（同条第二十九項において準用する場合を含む。）の規定により公表された日から二年以内に当該都市再生整備計画に基づく都市公園の占用について都市公園法第六条第一項又は第三項の許可の申請があった場合においては、公園管理者は、同法第七条の規定にかかわらず、当該占用が第四十六条第十二項又は第十四項第一号の施設等の外観及び構造、占用に関する工事その他の事項に関し政令で定める技術的基準に適合する限り、当該許可を与えるものとする。

2　第四十六条第十四項第二号イに掲げる事項が記載された都市再生整備計画が同条第二十八項前段（同条第二十九項において準用する場合を含む。）の規定により公表された日から二年以内に当該都市再生整備計画に基づく都市公園法第五条第一項の許可の申請があった場合においては、公園管理者は、当該許可を与えるものとする。

（公園施設設置管理協定）

第六二条の三　第四十六条第十四項第二号ロに掲げる事項に係る都市公園の公園管理者は、都市再生整備計画に基づき、一体型事業実施主体等と滞在快適性等向上公園施設の設置又は管理に関する協定（以下「公園施設設置管理協定」という。）を締結するものとする。

2　公園施設設置管理協定においては、次に掲げる事項を定めなければならない。

一　滞在快適性等向上公園施設の設置又は管理の目的

二　滞在快適性等向上公園施設の場所

三　滞在快適性等向上公園施設の設置又は管理の期間

四　滞在快適性等向上公園施設の構造

五　滞在快適性等向上公園施設の工事実施の方法

六　滞在快適性等向上公園施設の工事の時期

七　滞在快適性等向上公園施設の設置又は管理のための都市公園の使用の対価として一体型事業実施主体等が支払う使用料（第六十二条の五第三項において単に「使用料」という。）の額

八　特定公園施設の建設に関する事項（当該特定公園施設の建設に要する費用の負担の方法を含む。）

九　公園利便増進施設等の設置に関する事項

十　都市公園の環境の維持及び向上を図るための清掃その他の措置であって滞在快適性等向上公園施設の設置又は管理及び公園利便増進施設等の設置に伴い講ずるもの（第六十二条の五第一項において「都市公園の環境の維持向上のための清掃等」という。）に関する事項

十一　公園施設設置管理協定の有効期間

十二　公園施設設置管理協定に違反した場合の措置

十三　その他国土交通省令で定める事項

3　前項第十一号の有効期間は、二十年を超えないものとする。

4　公園管理者は、一体型事業実施主体等と公園施設設置管理協定を締結しようとするときは、あらかじめ、次に掲げる事項を確認しなければならない。

一　当該一体型事業実施主体等が当該公園施設設置管理協定に基づき滞在快適性等向上公園施設の設置又は管理を行うため適切な資金計画及び収支計画を有する者であること。

二　当該公園施設設置管理協定の目的となる滞在快適性等向上公園施設が都市公園法第五条第二項各号のいずれかに該当するものであること。

三　当該一体型事業実施主体等が不正又は不誠実な行為をするおそれが明らかな者でないこと。

5　公園管理者は、一体型事業実施主体等と公園施設設置管理協定を締結したときは、その締結の日並びに第二項第二号の場所及び同項第十一号の有効期間を公示しなければならない。

（公園施設設置管理協定の変更）

第六二条の四　前条第四項及び第五項の規定は、公園施設設置管理協定において定めた事項の変更について準用する。この場合において、同条第四項中「次に掲げる事項」とあるのは、「第一号及び第二号に該当すること並びに当該公園施設設置管理協定の変更をすることについて都市公園の利用者の利便の一層の向上に寄与するものであると見込まれること又はやむを得ない事情があること」と読み替えるものとする。

（滞在快適性等向上公園施設の設置又は管理の許可等）

第六二条の五　公園施設設置管理協定を締結した一体型事業実施主体等（以下「協定一体型事業実施主体等」という。）は、当該公園施設設置管理協定（変更があったときは、その変更後のもの。以下同じ。）に従って、滞在快適性等向上公園施設の設置又は管理、特定公園施設の建設、公園利便

増進施設等の設置及び都市公園の環境の維持向上のための清掃等（第百十九条第七号において「滞在快適性等向上公園施設の設置等」という。）をしなければならない。

2　公園管理者は、協定一体型事業実施主体等から公園施設設置管理協定に基づき都市公園法第五条第一項の許可の申請があった場合においては、当該許可を与えなければならない。

3　公園管理者が前項の規定により都市公園法第五条第一項の許可を与えた場合においては、当該許可に係る使用料の額は、公園施設設置管理協定に記載された使用料の額（当該額が同法第十八条の規定に基づく条例（国の設置に係る都市公園にあっては、同条の規定に基づく政令）で定める額を下回る場合にあっては、当該条例又は当該政令で定める額）とする。

4　第六十二条の三第五項の規定による公示があったときは、協定一体型事業実施主体等以外の者は、その公示に係る同条第二項第二号の場所（前条において準用する第六十二条の三第五項の規定による公示があったときは、その公示に係る同号の場所）については、都市公園法第五条第一項の許可の申請をすることができない。

（地位の承継）

第六二条の六　協定一体型事業実施主体等の一般承継人は、公園管理者の承認を受けて、当該協定一体型事業実施主体等が有していた公園施設設置管理協定に基づく地位を承継することができる。

（公園施設設置管理協定に係る滞在快適性等向上公園施設の設置基準等の特例）

第六二条の七　公園施設設置管理協定に基づき滞在快適性等向上公園施設を設ける場合における都市公園法第四条第一項の規定の適用については、同項ただし書中「動物園を設ける場合」とあるのは、「動物園を設ける場合、都市再生特別措置法（平成十四年法律第二十二号）第六十二条の三第一項に規定する公園施設設置管理協定に基づき同法第四十六条第十四項第二号ロに規定する滞在快適性等向上公園施設を設ける場合」とする。

2　公園管理者は、協定一体型事業実施主体等から公園施設設置管理協定に基づき公園利便増進施設等のための都市公園の占用について都市公園法第六条第一項又は第三項の許可の申請があった場合においては、同法第七条の規定にかかわらず、当該占用が第四十六条第十四項第二号ロ(2)の政令で定める施設等の外観及び構造、占用に関する工事その他の事項に関し政令で定める技術的基準に適合する限り、当該許可を与えなければならない。

第六款　都市再生推進法人を経由した道路又は都市公園の占用等の許可の申請手続

第六二条の八　都市再生整備計画において滞在快適性等向上区域が定められた場合における当該滞在快適性等向上区域内の道路又は都市公園に係る次に掲げる申請書の提出は、第百十八条第一項の規定により指定された都市再生推進法人を経由して行うことができる。

一　道路法第三十二条第一項又は第三項の許可に係る同条第二項の申請書

二　都市公園法第六条第一項又は第三項の許可に係る同条第二項又は第三項の申請書

三　道路交通法第七十七条第一項の許可に係る同法第七十八条第一項の申請書

2　前項の規定により次の各号に掲げる申請書の提出を受けた都市再生推進法人は、速やかに当該申請書を当該各号に定める者に送付しなければならない。

一　前項第一号に掲げる申請書　当該申請書に係る道路の道路管理者

二　前項第二号に掲げる申請書　当該申請書に係る都市公園の公園管理者

三　前項第三号に掲げる申請書　当該申請書に係る場所を管轄する警察署長

3　第百十八条第一項の規定により指定された都市再生推進法人は、第一項の規定による経由に係る事務を行うときは、前項各号に定める者との密接な連携の下にこれを行うとともに、滞在快適性等向上区域内において道路若しくは都市公園を占用し、又は道路を使用しようとする者に対し、第一項各号に規定する許可に係る申請の手続に関する情報の提供、相談、助言その他の援助を行うものとする。

4　第二項各号に定める者は、第一項の規定による経由に係る事務の適正かつ確実な実施を確保するため必要があると認めるときは、市町村長に対し、当該事務を行う都市再生推進法人に対して第百二十一条第一項から第三項までの規定により必要な措置を講ずることを要請することができる。

第七款　駐車場法の特例等

（特定路外駐車場の設置の届出等）

第六二条の九　都市再生整備計画に記載された路外駐車場配置等基準に係る滞在快適性等向上区域内において、路外駐車場で自動車の駐車の用に供する部分の面積が当該滞在快適性等向上区域内の土地利用及び交通の現状及び将来の見通しを勘案して市町村の条例で定める規模以上のもの（以下この項において「特定路外駐車場」という。）を設置しようとする者は、当該特定路外駐車場の設置に着手する日の三十日前までに、国土交通省令で定めるところにより、当該特定路外駐車場の位置、規模その他国土交通省令で定める事項を市町村長に届け出なければならない。

2　前項の規定による届出をした者は、当該届出に係る事項のうち国土交通省令で定める事項を変更しようとするときは、当該事項の変更に係る行為に着手する日の三十日前までに、国土交通省令で定めるところにより、その旨を市町村長に届け出なければならない。

3　市町村長は、前二項の規定による届出があった場合において、当該届出に係る事項が路外駐車場配置等基準に適合せず、歩行者の移動上の利便性及び安全性の向上のため必要があると認めるときは、当該届出をした者に対して、必要な勧告をすることができる。

4　市町村長は、前項の規定による勧告をした場合において、必要があると認めるときは、その勧告を受けた者に対し、土地の取得についてのあっせんその他の必要な措置を講ずるよう努めなければならない。

（出入口制限対象駐車場の自動車の出入口の設置の制限等）

第六二条の一〇　都市再生整備計画に記載された駐車場出入口制限道路に面する土地に出入口制限対象駐車場（路外駐車場であって、自動車の駐車の用に供する部分の面積が駐車場出入口制限道路の交通の現状及び滞在快適性等向上区域における催しの実施その他の活動の実施の状況を勘案して、駐車場出入口制限道路への自動車の出入りによる歩行者の安全及び滞在の快適性に及ぼす影響が大きいものとして市町村の条例で定める規模以上のものをいう。以下同じ。）を設置し、又は当該土地に設置された出入口制限対象駐車場の自動車の出入口の位置の変更をしようとする者は、当該出入口制限対象駐車場の自動車の出入口を当該駐車場出入口制限道路に接して設けてはならない。ただし、当該駐車場出入口制限道路に接して当該出入口制限対象駐車場の自動車の出入口を設けることがやむを得ないと認められる場合として市町村の条例で定める場合にあっては、この限りでない。

2　都市再生整備計画に記載された駐車場出入口制限道路に面する土地に出入口制限対象駐車場を設置しようとする者は、当該出入口制限対象駐車場の設置に着手する日の三十日前までに、国土交通省令で定めるところにより、当該出入口制限対象駐車場の自動車の出入口の位置その他国土交通省令で定める事項を市町村長に届け出なければならない。

3　都市再生整備計画に記載された駐車場出入口制限道路に面する土地に設置された出入口制限対象駐車場の自動車の出入口の位置の変更をしようとする者は、当該出入口制限対象駐車場の自動車の出入口の位置の変更に着手する日の三十日前までに、国土交通省令で定めるところにより、その変更後の当該出入口制限対象駐車場の自動車の出入口の位置その他国土交通省令で定める事項を市町村長に届け出なければならない。

4　市町村長は、前二項の規定による届出があった場合において、当該届出に係る事項が第一項の規定に適合しないと認めるときは、当該届出をした者に対し、期限を定めて、当該届出に係る出入口制限対象駐車場の自動車の出入口の位置に関し設計の変更その他の必要な措置をとるべきことを勧告することができる。

5　市町村長は、前項の規定による勧告を受けた者が正当な理由がなくてその勧告に係る措置をとらなかった場合において、安全かつ円滑な歩行の確保に特に支障を及ぼすおそれがあると認めるときは、当該勧告を受けた者に対し、期限を定めて、当該勧告に係る措置をとるべきことを命ずることができる。

（歩行者の安全の確保等についての配慮）

第六二条の一一　前条第一項に規定する条例の規定の施行若しくは適用の際駐車場出入口制限道路に面する土地に出入口制限対象駐車場（当該駐車場出入口制限道路に接して自動車の出入口を設けているものに限る。）を現に設置している者又は当該条例の規定の施行若しくは適用の後に同項ただし書の適用を受けて駐車場出入口制限道路に面する土地に出入口制限対象駐車場を設置し、若しくは当該土地に設置された出入口制限対象駐車場の自動車の出入口の位置の変更をした者は、当該駐車場出入口制限道路における安全かつ円滑な歩行の確保及び滞在快適性等向上区域における催しの実施その他の活動の円滑な実施についての適正な配慮をして当該出入口制限対象駐車場を運営しなければならない。

（駐車施設の附置に係る駐車場法の特例）

第六二条の一二　都市再生整備計画に滞在快適性等向上区域（駐車場法第二十条第一項の地区若しくは地域又は同条第二項の地区の区域内に限る。）について集約駐車施設の位置及び規模又は駐車場出入口制限道路に関する事項が記載された場合における同条第一項及び第二項並びに同法第二十条の二第一項の規定の適用については、同法第二十条第一項中「近隣商業地域内に」とあるのは「近隣商業地域内の滞在快適性等向上区域（都市再生特別措置法（平成十四年法律第二十二号）第四十六条第二項第五号に規定する滞在快適性等向上区域をいう。以下同じ。）の区域内に」と、同項及び同条第二項並びに同法第二十条の二第一項中「建築物又は」とあるのは「建築物若しくは」と、同法第二十条第一項中「旨を」とあるのは「旨、その建築物若しくはその建築物の敷地内若しくは集約駐車施設（同条第十四項第三号ハに規定する集約駐車施設をいう。以下同じ。）内に駐車施設を設けなければならない旨若しくは集約駐車施設内に駐車施設を設けなければならない旨又は当該条例の規定により設けなければならないこととされた駐車施設であつて条例で定める規模以上のものの自動車の出入口（同号ロに規定する自動車の出入口をいう。以下同じ。）は、駐車場出入口制限道路（同号ロに規定する駐車場出入口制限道路をいう。以下同じ。）に接して設けることを制限する旨（当該駐車場出入口制限道路に接して当該駐車施設の自動車の出入口を設けることがやむを得ないと認められる場合として条例で定める場合においては当該制限を適用しない旨を含む。）を」と、「駐車場整備地区内又は商業地域内若しくは近隣商業地域内の」とあるのは「滞在快適性等向上区域の区域内の」と、同条第二項中「地区内」とあるのは「地区内の滞在快適性等向上区域の区域内」と、同項及び同法第二十条の二第一項中「旨を」とあるのは「旨、その建築物若しくはその建築物の敷地内若しくは集約駐車施設内に駐車施設を設けなければならない旨又は当該条例の規定により設けなければならないこととされた駐車施設であつて条例で定める規模以上のものの自動車の出入口は、駐車場出入口制限道路に接して設けることを制限する旨（当該駐車場出入口制限道路に接して当該駐車施設の自動車の出入口を設けることがやむを得ないと認められる場合として条例で定める場合においては当該制限を適用しない旨を含む。）を」と、同項中「前条第一項の地区若しくは地域内又は同条第二項の地区内」とあるのは「前条第一項又は第二項の滞在快適性等向上区域の区域内」と、「地区又は地域内の」とあり、及び「地区内の」とあるのは「滞在快適性等向上区域の区域内の」とする。

第八款　普通財産の活用

第六二条の一三　一体型事業実施主体等は、都市再生整備計画の期間内に限り、都市再生整備計画に記載された第四十六条第十四項第四号に定める事項に基づき普通財産を使用することができる。この場合において、一体型事業実施主体等は、当該普通財産の存する地域の環境の維持及び向上を図るための清掃その他の措置であつて当該普通財産の使用に伴い必要となるものを併せて講ずるものとする。

第九款　景観計画の策定等の提案

第六二条の一四　都市再生整備計画において滞在快適性等向上区域が定められたときは、一体型事業実施主体等は、景観法（平成十六年法律第百十号）第七条第一項に規定する景観行政団体に対し、当該滞在快適性等向上区域における良好な景観の形成を促進するために必要な景観計画（同法第八条第一項に規定する景観計画をいう。以下同じ。）の策定又は変更を提案することができる。この場合においては、当該提案に係る景観計画の素案を添えなければならない。

2　景観法第十一条第三項及び第十二条から第十四条までの規定は、前項の規定による提案について準用する。この場合において、同法第十一条第三項中「当該計画提案」とあるのは、「第八条第一項に規定する土地の区域のうち、一体として良好な景観を形成すべき土地の区域としてふさわしい一団の土地の区域であつて都市再生特別措置法第四十六条第二項第五号に規定する滞在快適性等向上区域内の土地の全部又は一部を含むものについて、当該計画提案」と読み替えるものとする。

第十款　歴史的風致維持向上計画の認定の申請手続の特例

第六二条の一五　国土交通大臣は、第四十七条第一項の規定による都市再生整備計画（第四十六条第二十三項に規定する事項が記載されたものに限る。）の提出（第三項において「都市再生整備計画の提出」という。）に併せて地域歴史的風致法第五条第一項の規定による歴史的風致維持向上計画（同条第二項第三号ロに掲げる事項として歴史的風致維持向上施設整備事項（第四十六条第二十三項に規定する事項に係る歴史的風致維持向上施設の整備に関する事項をいう。第三項において同じ。）が記載されたものに限る。）の認定の申請があつた場合においては、遅滞なく、当該歴史的風致維持向上計画の写しを文部科学大臣及び農林水産大臣に送付するものとする。

2　文部科学大臣及び農林水産大臣が前項の規定による歴史的風致維持向上計画の写しの送付を受けたときは、当該歴史的風致維持向上計画について、文部科学大臣及び農林水産大臣に対する地域歴史的風致法第五条第一項の規定による認定の申請があつたものとみなす。

3　前二項の規定は、都市再生整備計画の提出に併せて地域歴史的風致法第七条第一項の規定による歴史的風致維持向上計画の変更の認定の申請（地域歴史的風致法第五条第二項第三号ロに掲げる事項として歴史的風致維持向上施設整備事項を記載する変更に係るものに限る。）があつた場合について準用する。この場合において、前項中「第五条第一項の規定による認定の申請」とあるのは、「第七条第一項の規定による変更の認定の申請」と読み替えるものとする。

第四節　民間都市再生整備事業計画の認定等

（民間都市再生整備事業計画の認定）

第六三条　都市再生整備計画の区域内における都市開発事業であつて、当該都市開発事業を施行する土地（水面を含む。）の区域（以下「整備事業区域」という。）の面積が政令で定める規模以上のもの（以下「都市再生整備事業」という。）を都市再生整備計画に記載された事業と一体的に施行しようとする民間事業者は、国土交通省令で定めるところにより、当該都市再生整備事業に関する計画（以下「民間都市再生整備事業計画」という。）を作成し、国土交通大臣の認定を申請することができる。

2　民間都市再生整備事業計画には、次に掲げる事項を記載しなければならない。

一　整備事業区域の位置及び面積
二　建築物及びその敷地の整備に関する事業の概要
三　公共施設の整備に関する事業の概要及び当該公共施設の管理者又は管理者となるべき者
四　工事着手の時期及び事業施行期間
五　用地取得計画
六　資金計画
七　その他国土交通省令で定める事項

3　第一項の民間事業者は、その施行する都市再生整備事業が都市の脱炭素化（地球温暖化対策の推進に関する法律（平成十年法律第百十七号）第二条の二に規定する脱炭素社会の実現に寄与することを旨として、社会経済活動その他の活動に伴って発生する温室効果ガス（同法第二条第三項に規定する温室効果ガスをいう。第四号において同じ。）の排出の量の削減並びに吸収作用の保全及び強化を行うことをいう。以下同じ。）の促進に資するもの（同号において「脱炭素都市再生整備事業」という。）であると認めるときは、第一項の認定（以下「整備事業計画の認定」という。）の申請に係る民間都市再生整備事業計画に、前項各号に掲げる事項のほか、次に掲げる事項を記載することができる。

一　緑地、緑化施設又は緑地等管理効率化設備（緑地又は緑化施設の管理を効率的に行うための設備をいう。以下同じ。）の整備に関する事業の概要及び当該緑地、緑化施設又は緑地等管理効率化設備の管理者又は管理者となるべき者
二　緑地又は緑化施設の管理の方法
三　再生可能エネルギー発電設備（再生可能エネルギー電気の利用の促進に関する特別措置法（平成二十三年法律第百八号）第二条第三項に規定する再生可能エネルギー発電設備をいう。）、エネルギーの効率的利用に

資する設備その他の都市の脱炭素化に資するものとして国土交通省令で定める設備（以下「再生可能エネルギー発電設備等」という。）の整備に関する事業の概要及び当該再生可能エネルギー発電設備等の管理者又は管理者となるべき者

四　脱炭素都市再生整備事業の施行に伴う温室効果ガスの排出の量を削減するための措置に関する事項

（民間都市再生整備事業計画の認定基準等）

第六四条　国土交通大臣は、整備事業計画の認定の申請があった場合において、当該申請に係る民間都市再生整備事業計画が次に掲げる基準に適合すると認めるときは、整備事業計画の認定をすることができる。

一　当該都市再生整備事業が、都市再生整備計画に記載された事業と一体的に施行されることによりその事業の効果を一層高めるものであり、かつ、当該都市再生整備計画の区域を含む都市の再生に著しく貢献するものであると認められること。

二　整備事業区域が都市再生緊急整備地域内にあるときは、建築物及びその敷地並びに公共施設の整備に関する計画が、地域整備方針に適合するものであること。

三　工事着手の時期、事業施行期間及び用地取得計画が、当該都市再生整備事業を都市再生整備計画に記載された事業と一体的かつ確実に遂行するために適切なものであること。

四　当該都市再生整備事業の施行に必要な経済的基礎及びこれを的確に遂行するために必要なその他の能力が十分であること。

五　民間都市再生整備事業計画に前条第三項各号に掲げる事項が記載されている場合にあっては、当該民間都市再生整備事業計画に基づき行う緑地、緑化施設又は緑地等管理効率化設備及び再生可能エネルギー発電設備等の整備又は管理の内容並びに同項第四号の措置の内容が、都市の脱炭素化を図るために必要なものとして国土交通省令で定める基準に適合するものであること。

2　国土交通大臣は、整備事業計画の認定をするときは、あらかじめ、関係市町村の意見を聴かなければならない。

3　国土交通大臣は、整備事業計画の認定をするときは、あらかじめ、当該都市再生整備事業の施行により整備される公共施設の管理者又は管理者となるべき者（以下この節において「公共施設の管理者等」という。）の意見を聴かなければならない。

4　都市緑地法（昭和四十八年法律第七十二号）第九十条に規定する認定優良緑地確保計画（同法第八十八条第三項に規定する事項が記載されたものに限る。）に基づき緑地、緑化施設又は緑地等管理効率化設備の整備又は管理をしようとする民間事業者が、前条第三項第一号及び第二号に掲げる事項として当該緑地、緑化施設又は緑地等管理効率化設備の整備又は管理に関する事項を記載した民間都市再生整備事業計画について整備事業計画の認定の申請をした場合における第一項の規定の適用については、当該申請に係る民間都市再生整備事業計画は、同項第五号に掲げる基準（緑地、緑化施設及び緑地等管理効率化設備に係る部分に限る。）に適合しているものとみなす。

（整備事業計画の認定の通知）

第六五条　国土交通大臣は、整備事業計画の認定をしたときは、速やかに、その旨を関係市町村、公共施設の管理者等及び民間都市機構に通知するとともに、整備事業計画の認定を受けた者（以下「認定整備事業者」という。）の氏名又は名称、事業施行期間、整備事業区域その他国土交通省令で定める事項を公表しなければならない。

（民間都市再生整備事業計画の変更）

第六六条　認定整備事業者は、整備事業計画の認定を受けた民間都市再生整備事業計画（以下「認定整備事業計画」という。）の変更（国土交通省令で定める軽微な変更を除く。）をしようとするときは、国土交通大臣の認定を受けなければならない。

2　前二条の規定は、前項の場合について準用する。

（報告の徴収）

第六七条　国土交通大臣は、認定整備事業者に対し、認定整備事業計画（認定整備事業計画の変更があったときは、その変更後のもの。以下同じ。）に係る都市再生整備事業（以下「認定整備事業」という。）の施行の状況について報告を求めることができる。

（地位の承継）

第六八条　認定整備事業者の一般承継人又は認定整備事業者から認定整備事業計画に係る整備事業区域内の土地の所有権その他当該認定整備事業の施行に必要な権原を取得した者は、国土交通大臣の承認を受けて、当該認定整備事業者が有していた整備事業計画の認定に基づく地位を承継することができる。

2　国土交通大臣は、前項の規定による承認をしようとするときは、あらかじめ、関係市町村の意見を聴かなければならない。

（改善命令）

第六九条　国土交通大臣は、認定整備事業者が認定整備事業計画に従って認定整備事業を施行していないと認めるときは、当該認定整備事業者に対し、相当の期間を定めて、その改善に必要な措置を命ずることができる。

（整備事業計画の認定の取消し）

第七〇条　国土交通大臣は、認定整備事業者が前条の規定による処分に違反したときは、整備事業計画の認定を取り消すことができる。

2　国土交通大臣は、前項の規定による取消しをしたときは、速やかに、その旨を、関係市町村、公共施設の管理者等及び民間都市機構に通知するとともに、公表しなければならない。

（民間都市機構の行う都市再生整備事業支援業務）

第七一条　民間都市機構は、第二十九条第一項に規定する業務のほか、民間事業者による都市再生整備事業を推進するため、国土交通大臣の承認を受けて、次に掲げる業務を行うことができる。

一　次に掲げる方法により、認定整備事業者の認定整備事業の施行に要する費用の一部（公共施設等その他公益的施設で政令で定めるもの並びに建築物の利用者等に有用な情報の収集、整理、分析及び提供を行うための設備、緑地等管理効率化設備並びに再生可能エネルギー発電設備等で政令で定めるもの（緑地等管理効率化設備及び再生可能エネルギー発電設備等にあっては、認定整備事業計画に第六十三条第三項第一号又は第三号に掲げる事項として記載されているものに限る。）の整備に要する費用の額の範囲内に限る。）について支援すること。

イ　認定整備事業者（専ら認定整備事業の施行を目的とする株式会社等に限る。）に対する出資若しくは資金の貸付け又は認定整備事業者（専ら認定整備事業の施行を目的とする株式会社等に限る。）が発行する社債の取得

ロ　専ら、認定整備事業者から認定整備事業の施行により整備される建築物及びその敷地（以下この号において「認定整備建築物等」という。）若しくは認定整備建築物等に係る信託の受益権を取得し、当該認定整備建築物等若しくは当該認定整備建築物等に係る信託の受益権の管理及び処分を行うことを目的とする株式会社等に対する出資若しくは資金の貸付け又は当該株式会社等が発行する社債の取得

ハ　不動産特定共同事業法（平成六年法律第七十七号）第二条第二項に規定する不動産取引（認定整備建築物等を整備し、又は整備された認定整備建築物等を取得し、当該認定整備建築物等の管理及び処分を行うことを内容とするものに限る。）を対象とする同条第三項に規定する不動産特定共同事業契約に基づく出資

ニ　信託（受託した土地に認定整備建築物等を整備し、当該認定整備建築物等の管理及び処分を行うことを内容とするものに限る。）の受益権の取得

ホ　イからニまでに掲げる方法に準ずるものとして国土交通省令で定める方法

二　認定整備事業者に対し、必要な助言、あっせんその他の援助を行うこと。

三　前二号に掲げる業務に附帯する業務を行うこと。

2　前項の規定により、民間都市機構が同項各号に掲げる業務を行う場合には、民間都市開発法第十一条第一項及び第十二条中「第四条第一項各号」とあるのは「第四条第一項各号及び都市再生特別措置法第七十一条第一項各号」と、民間都市開発法第十四条中「第四条第一項第一号及び第二号」とあるのは「第四条第一項第一号及び第二号並びに都市再生特別措置法第七十一条第一項第一号」と、民間都市開発法第二十条第一号中「第十一条第一項」とあるのは「第十一条第一項（都市再生特別措置法第七十一条第二項の規定により読み替えて適用する場合を含む。以下この号において同じ。）」と、「同項」とあるのは「第十一条第一項」と、同条第二号中「第十二条」とあるのは「第十二条（都市再生特別措置法第七十一条第二項の規定により読み替えて適用する場合を含む。）」とする。

3　民間都市機構は、第一項第一号に掲げる業務を行う場合においては、国

土交通省令で定める基準に従って行わなければならない。

（民間都市開発法の特例）

第七十一条の二　民間都市開発法第四条第一項第一号に規定する特定民間都市開発事業であって認定整備事業であるものに係る同項の規定の適用については、同号中「同じ。）」とあるのは「同じ。）であって都市再生特別措置法（平成十四年法律第二十二号）第六十七条に規定する認定整備事業であるもの」と、「という。）」とあるのは「という。）並びに同法第七十一条第一項第一号に規定する緑地等管理効率化設備及び再生可能エネルギー発電設備等」とする。

（市町村協議会における認定整備事業を円滑かつ確実に施行するために必要な協議）

第七十二条　認定整備事業者は、第百十七条第一項の市町村都市再生協議会（以下この条において「市町村協議会」という。）に対し、その認定整備事業を円滑かつ確実に施行するために必要な協議を行うことを求めることができる。

2　前項の協議を行うことを求められた市町村協議会に関する第百十七条第五項の規定の適用については、同項中「管理者」とあるのは、「管理者、第七十二条第一項の協議を行うことを求めた同項の認定整備事業者」とする。

3　市町村協議会は、第一項の協議を行うことを求められた場合において、当該協議が調ったとき又は当該協議が調わないこととなったときはその結果を、当該協議の結果を得るに至っていないときは当該協議を行うことを求められた日から六月を経過するごとにその間の経過を、速やかに、当該協議を行うことを求めた認定整備事業者に通知するものとする。

第五節　都市再生整備歩行者経路協定

第七十三条　都市再生整備計画に記載された第四十六条第二十四項に規定する区域内の一団の土地の所有者及び借地権等を有する者（土地区画整理法第九十八条第一項の規定により仮換地として指定された土地にあっては、当該土地に対応する従前の土地の所有者及び借地権等を有する者）は、その全員の合意により、当該区域内における都市開発事業の施行に関連して必要となる歩行者の移動上の利便性及び安全性の向上のための経路の整備又は管理に関する協定（次項において「都市再生整備歩行者経路協定」という。）を締結することができる。ただし、当該土地（同法第九十八条第一項の規定により仮換地として指定された土地にあっては、当該土地に対応する従前の土地）の区域内に借地権等の目的となっている土地がある場合においては、当該借地権等の目的となっている土地の所有者の合意を要しない。

2　前章第七節（第四十五条の二第一項を除く。）の規定は、都市再生整備歩行者経路協定について準用する。この場合において、同条第二項第一号中「都市再生歩行者経路の」とあるのは「都市再生整備歩行者経路（第七十三条第一項の経路をいう。以下同じ。）の」と、同項第二号中「都市再生歩行者経路」とあるのは「都市再生整備歩行者経路」と、同条第三項及び第四十五条の十一第一項中「都市再生緊急整備地域」とあるのは「第四十六条第二十四項の規定により都市再生整備計画に記載された区域」と、第四十五条の二第三項並びに第四十五条の十一第一項及び第二項中「都市再生歩行者経路の」とあるのは「都市再生整備歩行者経路の」と、第四十五条の二第三項中「土地所有者等」とあるのは「土地所有者等（第七十三条第一項本文に規定する者をいう。以下この節において同じ。）」と、第四十五条の四第一項第四号中「都市再生緊急整備地域の地域整備方針」とあるのは「第四十六条第二十四項の規定により都市再生整備計画に記載された経路の整備又は管理に関する事項」と、第四十五条の七及び第四十五条の十中「第四十五条の二第一項」とあるのは「第七十三条第一項」と読み替えるものとする。

第六節　都市利便増進協定

（都市利便増進協定）

第七十四条　都市再生整備計画に記載された第四十六条第二十五項に規定する区域内の一団の土地の所有者若しくは借地権等を有する者（土地区画整理法第九十八条第一項の規定により仮換地として指定された土地にあっては、当該土地に対応する従前の土地の所有者又は借地権等を有する者）若しくは当該区域内の建築物の所有者（以下この節において「土地所有者等」という。）又は第百十八条第一項の規定により指定された都市再生推進法人は、都市利便増進施設の一体的な整備又は管理に関する協定（以下「都市利便増進協定」という。）を締結し、市町村長の認定を申請することができる。

2　都市利便増進協定においては、次に掲げる事項を定めるものとする。

一　都市利便増進協定の目的となる都市利便増進施設の種類及び位置

二　前号の都市利便増進施設の一体的な整備又は管理の方法

三　第一号の都市利便増進施設の一体的な整備又は管理に要する費用の負担の方法

四　都市利便増進協定を変更し、又は廃止する場合の手続

五　都市利便増進協定の有効期間

六　その他必要な事項

（都市利便増進協定の認定基準）

第七十五条　市町村長は、前条第一項の認定（以下「協定の認定」という。）の申請があった場合において、当該申請に係る都市利便増進協定が次に掲げる基準に適合すると認めるときは、協定の認定をすることができる。

一　土地所有者等の相当部分が都市利便増進協定に参加していること。

二　都市利便増進協定において定める前条第二項第二号及び第三号に掲げる事項の内容が適切であり、かつ、第四十六条第二十五項の規定により都市再生整備計画に記載された事項に適合するものであること。

三　都市利便増進協定において定める前条第二項第四号から第六号までに掲げる事項の内容が適切なものであること。

四　都市利便増進協定の内容が法令に違反するものでないこと。

（都市利便増進協定の変更）

第七十六条　土地所有者等又は第百十八条第一項の規定により指定された都市再生推進法人は、協定の認定を受けた都市利便増進協定（以下「認定都市利便増進協定」という。）の変更（国土交通省令で定める軽微な変更を除く。）をしようとするときは、市町村長の認定を受けなければならない。

2　前条の規定は、前項の場合について準用する。

（協定の認定の取消し）

第七十七条　市町村長は、次の各号のいずれかに該当するときは、協定の認定を取り消すことができる。

一　認定都市利便増進協定の内容が第七十五条各号に掲げる基準に適合しなくなったと認めるとき。

二　認定都市利便増進協定の目的となる都市利便増進施設の一体的な整備又は管理が当該認定都市利便増進協定の定めるところに従い行われていないと認めるとき。

（民間都市機構の行う都市利便増進協定推進支援業務）

第七十八条　民間都市機構は、第二十九条第一項及び第七十一条第一項に規定する業務のほか、認定都市利便増進協定に基づく都市利便増進施設（民間事業者による都市開発事業に関連して整備されるものに限る。）の一体的な整備又は管理を支援するため、国土交通大臣の承認を受けて、当該認定都市利便増進協定を締結している土地所有者等に対し、当該一体的な整備又は管理に関し必要な情報の提供、助言又はあっせんその他の援助を行うことができる。

2　前項の規定により、民間都市機構が同項に規定する業務を行う場合には、民間都市開発法第十一条第一項及び第十二条中「第四条第一項各号に掲げる業務」とあるのは「第四条第一項各号に掲げる業務及び都市再生特別措置法第七十八条第一項に規定する業務」と、民間都市開発法第二十条第一号中「第十一条第一項」とあるのは「第十一条第一項（都市再生特別措置法第七十八条第二項の規定により読み替えて適用する場合を含む。以下この号において同じ。）」と、「同項」とあるのは「第十一条第一項」と、同条第二号中「第十二条」とあるのは「第十二条（都市再生特別措置法第七十八条第二項の規定により読み替えて適用する場合を含む。）」とする。

（都市の美観風致を維持するための樹木の保存に関する法律の特例）

第七十九条　第百十八条第一項の規定により指定された都市再生推進法人が認定都市利便増進協定に基づき管理する樹木又は樹木の集団で都市の美観風致を維持するための樹木の保存に関する法律（昭和三十七年法律第百四十二号）第二条第一項の規定に基づき保存樹又は保存樹林として指定されたものについての同法の規定の適用については、同法第五条第一項中「所有者」とあるのは「所有者及び推進法人（都市再生特別措置法第百十八条第一項の規定により指定された都市再生推進法人をいう。以下同じ。）」と、

同法第六条第二項及び第八条中「所有者」とあるのは「推進法人」と、同法第九条中「所有者」とあるのは「所有者又は推進法人」とする。

（国等の援助）

第八〇条　国及び関係地方公共団体は、都市利便増進協定を締結し、又は締結しようとする土地所有者等に対し、都市利便増進協定の締結及び円滑な実施に関し必要な情報の提供、指導、助言その他の援助を行うよう努めるものとする。

（都市利便増進協定の認定の特例）

第八〇条の二　都市再生整備計画に記載された一体型滞在快適性等向上事業の実施主体は、土地所有者等又は第百十八条第一項の規定により指定された都市再生推進法人でない場合であっても、当該一体型滞在快適性等向上事業の実施のため都市利便増進施設の一体的な整備又は管理を行う必要があるときは、都市利便増進協定を締結し、市町村長の認定を申請することができる。この場合における第七十五条から第七十八条まで及び前条の規定の適用については、第七十五条第一号、第七十八条第一項及び前条中「土地所有者等」とあり、並びに第七十六条第一項中「土地所有者等又は第百十八条第一項の規定により指定された都市再生推進法人」とあるのは「都市再生整備計画に記載された一体型滞在快適性等向上事業の実施主体」と、第七十五条第二号中「第四十六条第二十五項の規定により都市再生整備計画に記載された事項」とあるのは「都市再生整備計画に記載された一体型滞在快適性等向上事業の内容」と、第七十七条第一号中「第七十五条各号」とあるのは「第八十条の二の規定により読み替えて適用する第七十五条各号」と、第七十八条第二項中「第七十八条第一項」とあるのは「第七十八条第一項（同法第八十条の二の規定により読み替えて適用する場合を含む。）」とする。

第七節　低未利用土地利用促進協定

（低未利用土地利用促進協定の締結等）

第八〇条の三　市町村又は都市再生推進法人等（第百十八条第一項の規定により指定された都市再生推進法人、都市緑地法第八十一条第一項の規定により指定された緑地保全・緑化推進法人（第八十条の七第一項に規定する業務を行うものに限る。以下この項において「緑地保全・緑化推進法人」という。）又は景観法第九十二条第一項の規定により指定された景観整備機構（第八十条の八第一項に規定する業務を行うものに限る。以下この節において「景観整備機構」という。）をいう。以下この節において同じ。）は、都市再生整備計画に記載された第四十六条第二十六項に規定する事項に係る居住者等利用施設（緑地保全・緑化推進法人にあっては緑地その他の国土交通省令で定める施設に、景観整備機構にあっては景観計画区域（景観法第八条第二項第一号に規定する景観計画区域をいう。第百十一条第一項において同じ。）内において整備される良好な景観を形成する広場その他の国土交通省令で定める施設に限る。）の整備及び管理を行うため、当該事項に係る低未利用土地の所有者又は使用及び収益を目的とする権利（一時使用のため設定されたことが明らかなものを除く。）を有する者（以下「所有者等」という。）と次に掲げる事項を定めた協定（以下「低未利用土地利用促進協定」という。）を締結して、当該居住者等利用施設の整備及び管理を行うことができる。

一　低未利用土地利用促進協定の目的となる低未利用土地及び居住者等利用施設

二　前号の居住者等利用施設の整備及び管理の方法に関する事項

三　低未利用土地利用促進協定の有効期間

四　低未利用土地利用促進協定に違反した場合の措置

2　低未利用土地利用促進協定については、前項第一号の低未利用土地の所有者等の全員の合意がなければならない。

3　低未利用土地利用促進協定の内容は、次に掲げる基準のいずれにも適合するものでなければならない。

一　都市再生整備計画に記載された第四十六条第二十六項に規定する事項に適合するものであること。

二　第一項第一号の低未利用土地の利用を不当に制限するものでないこと。

三　第一項各号に掲げる事項について国土交通省令で定める基準に適合するものであること。

4　都市再生推進法人等が低未利用土地利用促進協定を締結するときは、あらかじめ、市町村長の認可を受けなければならない。

（低未利用土地利用促進協定の認可）

第八〇条の四　市町村長は、前条第四項の認可の申請が、次の各号のいずれにも該当するときは、同項の認可をしなければならない。

一　申請手続が法令に違反しないこと。

二　低未利用土地利用促進協定の内容が、前条第三項各号に掲げる基準のいずれにも適合するものであること。

（低未利用土地利用促進協定の変更）

第八〇条の五　第八十条の三第二項から第四項まで及び前条の規定は、低未利用土地利用促進協定において定めた事項を変更しようとする場合について準用する。

（都市の美観風致を維持するための樹木の保存に関する法律の特例）

第八〇条の六　都市再生推進法人等が低未利用土地利用促進協定に基づき管理する樹木又は樹木の集団で都市の美観風致を維持するための樹木の保存に関する法律第二条第一項の規定に基づき保存樹又は保存樹林として指定されたものについての同法の規定の適用については、同法第五条第一項中「所有者」とあるのは「所有者及び都市再生特別措置法（平成十四年法律第二十二号）第八十条の三第一項に規定する都市再生推進法人等（以下「都市再生推進法人等」という。）」と、同法第六条第二項及び第八条中「所有者」とあるのは「都市再生推進法人等」と、同法第九条中「所有者」とあるのは「所有者又は都市再生推進法人等」とする。

（緑地保全・緑化推進法人の業務の特例）

第八〇条の七　都市緑地法第八十一条第一項の規定により指定された緑地保全・緑化推進法人（同法第八十二条第一号ロに掲げる業務を行うものに限る。）は、同法第八十二条各号に掲げる業務のほか、次に掲げる業務を行うことができる。

一　低未利用土地利用促進協定に基づく居住者等利用施設の整備及び管理を行うこと。

二　前号に掲げる業務に附帯する業務を行うこと。

2　前項の場合においては、都市緑地法第八十三条中「前条第一号」とあるのは、「前条第一号又は都市再生特別措置法（平成十四年法律第二十二号）第八十条の七第一項第一号」とする。

（景観整備機構の業務の特例）

第八〇条の八　景観法第九十二条第一項の規定により指定された景観整備機構は、同法第九十三条各号に掲げる業務のほか、低未利用土地利用促進協定に基づく居住者等利用施設の整備及び管理を行うことができる。

2　前項の場合においては、景観法第九十五条第一項及び第二項中「掲げる業務」とあるのは、「掲げる業務及び都市再生特別措置法（平成十四年法律第二十二号）第八十条の八第一項に規定する業務」とする。

（国等の援助）

第八〇条の九　国及び関係地方公共団体は、低未利用土地利用促進協定を締結しようとする低未利用土地の所有者等に対し、低未利用土地利用促進協定の締結に関し必要な情報の提供、指導、助言その他の援助を行うよう努めるものとする。

第六章　立地適正化計画に係る特別の措置

第一節　立地適正化計画の作成等

（立地適正化計画）

第八一条　市町村は、単独で又は共同して、都市計画法第四条第二項に規定する都市計画区域内の区域について、都市再生基本方針に基づき、住宅及び都市機能増進施設（医療施設、福祉施設、商業施設その他の都市の居住者の共同の福祉又は利便のため必要な施設であって、都市機能の増進に著しく寄与するものをいう。以下同じ。）の立地の適正化を図るための計画（以下「立地適正化計画」という。）を作成することができる。

2　立地適正化計画には、その区域を記載するほか、おおむね次に掲げる事項を記載するものとする。

一　住宅及び都市機能増進施設の立地の適正化に関する基本的な方針

二　都市の居住者の居住を誘導すべき区域（以下「居住誘導区域」という。）及び居住環境の向上、公共交通の確保その他の当該居住誘導区域に都市の居住者の居住を誘導するために市町村が講ずべき施策に関する事項

三　都市機能増進施設の立地を誘導すべき区域（以下「都市機能誘導区域」

という。）及び当該都市機能誘導区域ごとにその立地を誘導すべき都市機能増進施設（以下「誘導施設」という。）並びに必要な土地の確保、費用の補助その他の当該都市機能誘導区域に当該誘導施設の立地を誘導するために市町村が講ずべき施策に関する事項（次号に掲げるものを除く。）

四　都市機能誘導区域に誘導施設の立地を図るために必要な次に掲げる事業等に関する事項

イ　誘導施設の整備に関する事業

ロ　イに掲げる事業の施行に関連して必要となる公共公益施設の整備に関する事業、市街地再開発事業、土地区画整理事業その他国土交通省令で定める事業

ハ　イ又はロに掲げる事業と一体となってその効果を増大させるために必要な事務又は事業

五　居住誘導区域にあっては住宅の、都市機能誘導区域にあっては誘導施設の立地及び立地の誘導を図るための都市の防災に関する機能の確保に関する指針（以下この条において「防災指針」という。）に関する事項

六　第二号若しくは第三号の施策、第四号の事業等又は防災指針に基づく取組の推進に関連して必要な事項

七　前各号に掲げるもののほか、住宅及び都市機能増進施設の立地の適正化を図るために必要な事項

3　前項第四号に掲げる事項には、市町村が実施する事業等に係るものを記載するほか、必要に応じ、当該市町村以外の者が実施する事業等に係るものを記載することができる。

4　市町村は、立地適正化計画に当該市町村以外の者が実施する事業等に係る事項を記載するときは、当該事項について、あらかじめ、その者の同意を得なければならない。

5　第二項第六号に掲げる事項には、居住誘導区域ごとにその立地を誘導すべき居住環境向上施設（病院、店舗その他の都市の居住者の日常生活に必要な施設であって、居住環境の向上に資するものをいう。以下同じ。）及び必要な土地の確保その他の当該居住誘導区域に当該居住環境向上施設の立地を誘導するために市町村が講ずべき施策に関する事項を記載することができる。

6　第二項第六号に掲げる事項には、次に掲げる事項を記載することができる。

一　都市機能誘導区域内の区域であって、歩行者の移動上の利便性及び安全性の向上のための駐車場の配置の適正化を図るべき区域（以下「駐車場配置適正化区域」という。）

二　駐車場配置適正化区域における路外駐車場の配置及び規模の基準（第百六条において「路外駐車場配置等基準」という。）

三　駐車場配置適正化区域における駐車施設の機能を集約するために整備する駐車施設（第百七条において「集約駐車施設」という。）の位置及び規模

7　市町村は、立地適正化計画に前項各号に掲げる事項を記載するときは、当該事項について、あらかじめ、公安委員会に協議しなければならない。

8　市町村は、立地適正化計画に第六項第三号に掲げる事項を記載するときは、当該事項について、あらかじめ、都道府県知事（駐車場法第二十条第一項若しくは第二項又は第二十条の二第一項の規定に基づき条例を定めている都道府県の知事に限る。）に協議しなければならない。

9　第二項第六号に掲げる事項には、居住誘導区域にあっては住宅の、都市機能誘導区域にあっては誘導施設の立地の誘導の促進に資する老朽化した都市計画法第四条第六項に規定する都市計画施設の改修に関する事業に関する事項を記載することができる。

10　第二項第六号に掲げる事項には、居住誘導区域又は都市機能誘導区域のうち、レクリエーションの用に供する広場、地域における催しに関する情報を提供するための広告塔、良好な景観の形成又は風致の維持に寄与する並木その他のこれらの区域における居住者、来訪者又は滞在者の利便の増進に寄与する施設等であって、居住誘導区域にあっては住宅の、都市機能誘導区域にあっては誘導施設の立地の誘導の促進に資するもの（以下「立地誘導促進施設」という。）の配置及び利用の状況その他の状況からみて、これらの区域内の一団の土地の所有者及び借地権等を有する者（土地区画整理法第九十八条第一項の規定により仮換地として指定された土地にあっては、当該土地に対応する従前の土地の所有者及び借地権等を有する者）による立地誘導促進施設の一体的な整備又は管理が必要となると認められる区域並びに当該立地誘導促進施設の一体的な整備又は管理に関する事項を記載することができる。

11　第二項第六号に掲げる事項には、居住誘導区域内の区域であって、防災指針に即した宅地（宅地造成及び特定盛土等規制法（昭和三十六年法律第百九十一号）第二条第一号に規定する宅地をいう。）における地盤の滑動、崩落又は液状化による被害の防止を促進する事業（以下この項において「宅地被害防止事業」という。）を行う必要があると認められるもの及び当該宅地被害防止事業に関する事項を記載することができる。

12　第二項第六号に掲げる事項には、溢水、湛水、津波、高潮その他による災害の発生のおそれが著しく、かつ、当該災害を防止し、又は軽減する必要性が高いと認められる区域内の土地を含む土地（居住誘導区域内にあるものに限る。）の区域において溢水、湛水、津波、高潮その他による災害を防止し、又は軽減することを目的とする防災指針に即した土地区画整理事業に関する事項を記載することができる。

13　第二項第六号に掲げる事項には、居住誘導区域又は都市機能誘導区域内の区域（溢水、湛水、津波、高潮その他による災害の防止又は軽減を図るための措置が講じられた、又は講じられる土地の区域に限る。）であって、次の各号に掲げる建物の区分に応じ当該各号に定める移転を促進するために、防災指針に即した土地及び当該土地に存する建物についての権利設定等（地上権、賃借権若しくは使用貸借による権利の設定若しくは移転又は所有権の移転をいう。以下同じ。）を促進する事業（以下「居住誘導区域等権利設定等促進事業」という。）を行う必要があると認められる区域（以下「居住誘導区域等権利設定等促進事業区域」という。）並びに当該居住誘導区域等権利設定等促進事業に関する事項を記載することができる。

一　住宅　居住誘導区域外の区域（溢水、湛水、津波、高潮その他による災害の発生のおそれのある土地の区域に限る。）から当該居住誘導区域への当該住宅の移転

二　誘導施設　都市機能誘導区域外の区域（溢水、湛水、津波、高潮その他による災害の発生のおそれのある土地の区域に限る。）から当該都市機能誘導区域への当該誘導施設の移転

14　第二項第六号に掲げる事項には、居住誘導区域にあっては住宅の、都市機能誘導区域にあっては誘導施設の立地及び立地の誘導を図るための低未利用土地の利用及び管理に関する指針（以下「低未利用土地利用等指針」という。）に関する事項を記載することができる。

15　前項の規定により立地適正化計画に低未利用土地利用等指針に関する事項を記載するときは、併せて、居住誘導区域又は都市機能誘導区域のうち、低未利用土地が相当程度存在する区域で、当該低未利用土地利用等指針に即した住宅又は誘導施設の立地又は立地の誘導を図るための土地（国又は地方公共団体が所有する土地で公共施設の用に供されているもの、農地その他の国土交通省令で定める土地を除く。第五節において同じ。）及び当該土地に存する建物についての権利設定等を促進する事業（以下「低未利用土地権利設定等促進事業」という。）を行う必要があると認められる区域（以下「低未利用土地権利設定等促進事業区域」という。）並びに当該低未利用土地権利設定等促進事業に関する事項を記載することができる。

16　第二項第六号に掲げる事項には、居住誘導区域外の区域のうち、住宅が相当数存在し、跡地（建築物の敷地であった土地で現に建築物が存しないものをいう。以下同じ。）の面積が現に増加しつつある区域（以下この項において「跡地区域」という。）で、良好な生活環境の確保及び美観風致の維持のために次に掲げる行為（以下「跡地等の管理等」という。）が必要となると認められる区域（以下「跡地等管理等区域」という。）並びに当該跡地等管理等区域における跡地等の管理等を図るための指針（以下「跡地等管理等指針」という。）に関する事項を記載することができる。

一　跡地区域内の跡地及び跡地に存する樹木（以下「跡地等」という。）の適正な管理

二　跡地区域内の跡地における緑地、広場その他の都市の居住者その他の者の利用に供する施設であって国土交通省令で定めるものの整備及び管理（第百十一条第一項において「緑地等の整備等」という。）

17　立地適正化計画は、議会の議決を経て定められた市町村の建設に関する基本構想並びに都市計画法第六条の二の都市計画区域の整備、開発及び保全の方針に即するとともに、同法第十八条の二の市町村の都市計画に関する基本的な方針及び都市緑地法第四条第一項に規定する基本計画との調和が保たれたものでなければならない。

18　立地適正化計画は、都市計画法第六条第一項の規定による都市計画に関

する基礎調査の結果に基づき、かつ、政府が法律に基づき行う人口、産業、住宅、建築、交通、工場立地その他の調査の結果を勘案したものでなければならない。

19　第二項第二号の居住誘導区域は、立地適正化計画の区域における人口、土地利用及び交通の現状及び将来の見通しを勘案して、良好な居住環境が確保され、公共投資その他の行政運営が効率的に行われるように定めるものとし、都市計画法第七条第一項に規定する市街化調整区域（以下「市街化調整区域」という。）、建築基準法第三十九条第一項に規定する災害危険区域（同条第二項の規定に基づく条例により住居の用に供する建築物の建築が禁止されているものに限る。）その他政令で定める区域については定めないものとする。

20　第二項第三号の都市機能誘導区域及び誘導施設は、立地適正化計画の区域における人口、土地利用及び交通の現状及び将来の見通しを勘案して、適切な都市機能増進施設の立地を必要な区域に誘導することにより、住宅の立地の適正化が効果的に図られるように定めるものとする。

21　市町村は、立地適正化計画の作成に当たっては、第二項第二号及び第三号の施策並びに同項第四号及び第九項の事業等において市町村の所有する土地又は建築物が有効に活用されることとなるよう努めるものとする。

22　市町村は、立地適正化計画を作成するときは、あらかじめ、公聴会の開催その他の住民の意見を反映させるために必要な措置を講ずるとともに、市町村都市計画審議会（当該市町村に市町村都市計画審議会が置かれていないときは、都道府県都市計画審議会。第八十四条において同じ。）の意見を聴かなければならない。

23　市町村は、立地適正化計画を作成したときは、遅滞なく、これを公表するとともに、都道府県に立地適正化計画の写しを送付しなければならない。

24　第二項から前項までの規定は、立地適正化計画の変更（第二十二項の規定については、国土交通省令で定める軽微な変更を除く。）について準用する。

（都市計画法の特例）

第八十二条　前条第二項第一号に掲げる事項が記載された立地適正化計画が同条第二十三項（同条第二十四項において準用する場合を含む。）の規定により公表されたときは、当該事項は、都市計画法第十八条の二第一項の規定により定められた市町村の都市計画に関する基本的な方針の一部とみなす。

（都市再生整備計画に係る交付金の特例）

第八十三条　市町村は、国土交通省令で定めるところにより、第八十一条第二項第四号に掲げる事項又は同条第九項に規定する事項（第四十六条第一項の土地の区域における同条第二項第二号又は第三号に掲げる事業等であって当該市町村又は特定非営利活動法人等が実施するものに係るものに限る。）を記載した立地適正化計画を国土交通大臣に提出することができる。

2　前項の規定により立地適正化計画が提出されたときは、第四十七条第一項の規定による都市再生整備計画の提出があったものとみなして、同条第二項から第四項まで及び第四十八条から第五十条までの規定を適用する。この場合において、第四十七条第二項中「事業等の実施」とあるのは、「第八十三条第一項に規定する事業等の実施（特定非営利活動法人等が実施する同項に規定する事業等に要する費用の一部の負担を含む。）」とする。

（立地適正化計画の評価等）

第八十四条　市町村は、立地適正化計画を作成した場合においては、おおむね五年ごとに、当該立地適正化計画の区域における住宅及び都市機能増進施設の立地の適正化に関する施策の実施の状況についての調査、分析及び評価を行うよう努めるとともに、必要があると認めるときは、立地適正化計画及びこれに関連する都市計画を変更するものとする。

2　市町村は、前項の調査、分析及び評価を行ったときは、速やかに、その結果を市町村都市計画審議会に報告しなければならない。

3　市町村都市計画審議会は、必要に応じ、市町村に対し、立地適正化計画の進捗状況について報告を求めることができる。

4　市町村都市計画審議会は、第二項又は前項の規定による報告を受けたときは、その報告に係る事項について、市町村に対し、意見を述べることができる。

（都市計画における配慮）

第八十五条　都市計画決定権者は、都市計画の見直しについての検討その他の都市計画についての検討、都市計画の案の作成その他の都市計画の策定の過程において、立地適正化計画が円滑に実施されるよう配慮するものとする。

第二節　居住誘導区域に係る特別の措置

第一款　都市計画の決定等の提案

（特定住宅整備事業を行おうとする者による都市計画の決定等の提案）

第八十六条　立地適正化計画に記載された居住誘導区域内における政令で定める戸数以上の住宅の整備に関する事業（以下「特定住宅整備事業」という。）を行おうとする者は、都市計画決定権者に対し、当該特定住宅整備事業を行うために必要な次に掲げる都市計画の決定又は変更をすることを提案することができる。この場合においては、当該提案に係る都市計画の素案を添えなければならない。

一　第三十七条第一項第二号、第三号及び第五号から第七号までに掲げる都市計画

二　都市計画法第十二条の四第一項第一号から第四号までに掲げる計画に関する都市計画

三　その他政令で定める都市計画

2　第三十七条第二項及び第三項並びに第三十八条から第四十条までの規定は、前項の規定による提案について準用する。この場合において、第三十七条第二項中「都市再生事業等」とあるのは「第八十六条第一項に規定する特定住宅整備事業」と、第四十条第一項中「者（当該都市計画決定権者が第四十三条第二項の規定による通知を受けているときは、当該計画提案をした者及び当該通知をした行政庁。次条第二項において同じ。）」とあるのは「者」と読み替えるものとする。

（特定住宅整備事業を行おうとする者による景観計画の策定等の提案）

第八十七条　特定住宅整備事業を行おうとする者は、景観法第七条第一項に規定する景観行政団体に対し、当該特定住宅整備事業を行うために必要な景観計画の策定又は変更を提案することができる。この場合においては、当該提案に係る景観計画の素案を添えなければならない。

2　景観法第十一条第三項及び第十二条から第十四条までの規定は、前項の規定による提案について準用する。この場合において、同法第十一条第三項中「当該計画提案」とあるのは、「第八条第一項に規定する土地の区域のうち、一体として良好な景観を形成すべき土地の区域としてふさわしい一団の土地の区域であって都市再生特別措置法第八十六条第一項に規定する特定住宅整備事業に係る土地の全部又は一部を含むものについて、当該計画提案」と読み替えるものとする。

第一款の二　宅地造成等関係行政事務の処理に係る権限の移譲

第八十七条の二　地方自治法第二百五十二条の十九第一項に規定する指定都市及び同法第二百五十二条の二十二第一項に規定する中核市以外の市町村が第八十一条第二十三項（同条第二十四項において準用する場合を含む。）の規定により同条第十一項に規定する事項が記載された立地適正化計画を公表したときは、当該市町村の長は、当該市町村の区域内において、都道府県知事に代わって宅地造成及び特定盛土等規制法第二章から第四章まで、第七章及び第八章の規定に基づく事務（以下この条において「宅地造成等関係行政事務」という。）を処理することができる。この場合においては、これらの規定中都道府県知事に関する規定は、市町村長に関する規定として当該市町村長に適用があるものとする。

2　前項の規定により宅地造成等関係行政事務を処理しようとする市町村長は、あらかじめ、これを処理することについて、都道府県知事と協議しなければならない。

3　第一項の規定により宅地造成等関係行政事務を処理しようとする市町村長は、その処理を開始する日の三十日前までに、国土交通省令で定めるところにより、その旨を公示しなければならない。

4　第一項の規定によりその長が宅地造成等関係行政事務を処理する市町村は、宅地造成及び特定盛土等規制法第四条、第八条、第九条、第十三条、第十五条第一項、第十八条第四項及び第十九条第二項の規定の適用については、これらの規定に規定する都道府県とみなす。この場合において、同法第十五条第一項中「宅地造成等工事規制区域内において」とあるのは、「宅地造成等工事規制区域において都市再生特別措置法（平成十四年法律第二十二号）第八十一条第十一項に規定する宅地被害防止事業として」とする。

第一款の三　土地区画整理法の特例

（防災住宅建設区）

第八七条の三　立地適正化計画に記載された土地区画整理事業（第八十一条第十二項の規定により記載されたものに限る。）の事業計画においては、国土交通省令で定めるところにより、施行地区（土地区画整理法第二条第四項に規定する施行地区をいう。以下同じ。）内の溢水、湛水、津波、高潮その他による災害の防止又は軽減を図るための措置が講じられた又は講じられる土地（居住誘導区域内にあるものに限る。）の区域において特に住宅の建設を促進する必要があると認められる土地の区域（以下「防災住宅建設区」という。）を定めることができる。

2　防災住宅建設区は、施行地区において住宅の建設を促進する上で効果的であると認められる位置に定め、その面積は、住宅が建設される見込みを考慮して相当と認められる規模としなければならない。

（防災住宅建設区への換地の申出等）

第八七条の四　前条の規定により事業計画において防災住宅建設区が定められたときは、施行地区内の住宅の用に供する宅地（土地区画整理法第二条第六項に規定する宅地をいう。以下この款及び次節第二款において同じ。）の所有者で当該宅地についての換地に住宅を建設しようとするものは、施行者（同法第二条第三項に規定する施行者をいう。以下この款及び次節第二款において同じ。）に対し、国土交通省令で定めるところにより、同法第八十六条第一項の換地計画（以下「換地計画」という。）において当該宅地についての換地を防災住宅建設区内に定めるべき旨の申出をすることができる。

2　前項の規定による申出に係る宅地について住宅の所有を目的とする借地権を有する者があるときは、当該申出についてその者の同意がなければならない。

3　第一項の規定による申出は、次の各号に掲げる場合の区分に応じ、当該各号に定める公告があった日から起算して六十日以内に行わなければならない。

一　事業計画が定められた場合　土地区画整理法第七十六条第一項各号に掲げる公告（事業計画の変更の公告又は事業計画の変更についての認可の公告を除く。）

二　事業計画の変更により新たに防災住宅建設区が定められた場合　当該事業計画の変更の公告又は当該事業計画の変更についての認可の公告

三　事業計画の変更により従前の施行地区外の土地が新たに施行地区に編入されたことに伴い防災住宅建設区の面積が拡張された場合　当該事業計画の変更の公告又は当該事業計画の変更についての認可の公告

4　施行者は、第一項の規定による申出があった場合には、遅滞なく、当該申出が次に掲げる要件に該当すると認めるときは、当該申出に係る宅地を、換地計画においてその宅地についての換地を防災住宅建設区内に定められるべき宅地として指定し、当該申出が次に掲げる要件に該当しないと認めるときは、当該申出に応じない旨を決定しなければならない。

一　当該申出に係る宅地に建築物その他の工作物（住宅及び容易に移転し、又は除却することができる工作物で国土交通省令で定めるものを除く。）が存しないこと。

二　当該申出に係る宅地に地上権、永小作権、賃借権その他の当該宅地を使用し、又は収益することができる権利（住宅の所有を目的とする借地権及び地役権を除く。）が存しないこと。

5　施行者は、前項の規定による指定又は決定をしたときは、遅滞なく、第一項の規定による申出をした者に対し、その旨を通知しなければならない。

6　施行者は、第四項の規定による指定をしたときは、遅滞なく、その旨を公告しなければならない。

7　施行者が土地区画整理法第十四条第一項の規定により設立された土地区画整理組合である場合においては、最初の役員が選挙され、又は選任されるまでの間は、第一項の規定による申出は、同条第一項の規定による認可を受けた者が受理するものとする。

（防災住宅建設区への換地）

第八七条の五　前条第四項の規定により指定された宅地については、換地計画において換地を防災住宅建設区内に定めなければならない。

第二款　建築等の届出等

第八八条　立地適正化計画の区域のうち当該立地適正化計画に記載された居住誘導区域外の区域内において、都市計画法第四条第十二項に規定する開発行為（以下「開発行為」という。）であって住宅その他人の居住の用に供する建築物のうち市町村の条例で定めるもの（以下この条において「住宅等」という。）の建築の用に供する目的で行うもの（政令で定める戸数未満の住宅の建築の用に供する目的で行うものにあっては、その規模が政令で定める規模以上のものに限る。）又は住宅等を新築し、若しくは建築物を改築し、若しくはその用途を変更して住宅等とする行為（当該政令で定める戸数未満の住宅に係るものを除く。）を行おうとする者は、これらの行為に着手する日の三十日前までに、国土交通省令で定めるところにより、行為の種類、場所、設計又は施行方法、着手予定日その他国土交通省令で定める事項を市町村長に届け出なければならない。ただし、次に掲げる行為については、この限りでない。

一　軽易な行為その他の行為で政令で定めるもの

二　非常災害のため必要な応急措置として行う行為

三　都市計画事業の施行として行う行為又はこれに準ずる行為として政令で定める行為

四　その他市町村の条例で定める行為

2　前項の規定による届出をした者は、当該届出に係る事項のうち国土交通省令で定める事項を変更しようとするときは、当該事項の変更に係る行為に着手する日の三十日前までに、国土交通省令で定めるところにより、その旨を市町村長に届け出なければならない。

3　市町村長は、第一項又は前項の規定による届出があった場合において、当該届出に係る行為が居住誘導区域内における住宅等の立地の誘導を図る上で支障があると認めるときは、当該届出をした者に対して、当該届出に係る事項に関し、住宅等の立地を適正なものとするために必要な勧告をすることができる。

4　市町村長は、前項の規定による勧告をした場合において、必要があると認めるときは、その勧告を受けた者に対し、居住誘導区域内の土地の取得についてのあっせんその他の必要な措置を講ずるよう努めなければならない。

5　市町村長は、第三項の規定による勧告をした場合において、その勧告を受けた者（建築基準法第三十九条第一項の災害危険区域、地すべり等防止法（昭和三十三年法律第三十号）第三条第一項の地すべり防止区域、土砂災害警戒区域等における土砂災害防止対策の推進に関する法律（平成十二年法律第五十七号）第九条第一項の土砂災害特別警戒区域、特定都市河川浸水被害対策法（平成十五年法律第七十七号）第五十六条第一項の浸水被害防止区域その他政令で定める区域に係る第一項又は第二項の規定による届出をした者であって、当該届出に係る行為を業として行うものに限る。）がこれに従わなかったときは、その旨を公表することができる。

第三款　居住調整地域等

（居住調整地域）

第八九条　立地適正化計画の区域（市街化調整区域を除く。）のうち、当該立地適正化計画に記載された居住誘導区域外の区域で、住宅地化を抑制すべき区域については、都市計画に、居住調整地域を定めることができる。

（開発行為等の許可等の特例）

第九〇条　居住調整地域に係る特定開発行為（住宅その他人の居住の用に供する建築物のうち市町村の条例で定めるもの（以下この条において「住宅等」という。）の建築の用に供する目的で行う開発行為（政令で定める戸数未満の住宅の建築の用に供する目的で行うものにあっては、その規模が政令で定める規模以上のものに限る。）をいう。以下同じ。）については、都市計画法第二十九条第一項第一号の規定は適用せず、特定開発行為及び特定建築等行為（住宅等を新築し、又は建築物を改築し、若しくはその用途を変更して住宅等とする行為（当該政令で定める戸数未満の住宅に係るものを除く。）をいう。第九十二条において同じ。）については、居住調整地域を市街化調整区域とみなして、同法第三十四条及び第四十三条の規定（同条第一項の規定に係る罰則を含む。）を適用する。この場合において、同法第三十四条中「開発行為（主として第二種特定工作物の建設の用に供する目的で行う開発行為を除く。）」とあるのは「都市再生特別措置法第九十条に規定する特定開発行為」と、「次の各号」とあるのは「第八号の二、第十号又は第十二号から第十四号まで」と、同法第四十三条第一項中「第二十九条第一項第二号若しくは第三号に規定する建築物以外の建築物を新築し、又は第一種特定工作物を新設しては」とあるのは「都市再生特別措置法第九十条に規定する住宅等（同条の政令で定める戸数未満の住宅を除く。以下この項において「住宅等」という。）を新築しては」と、「同項第二号若しくは第三号に規定する建築物以外の建築物」とあるのは「住宅等」と、同条第二項中「第三十四条」とあるのは「都市再生特別措置法第九十条の規定により読み替えて適用する第三十四条」とするほか、必要な技術的読替えは、政令で定める。

第九一条　特定開発行為については、居住調整地域を市街化調整区域とみなして、土地区画整理法第九条第二項、第二十一条第二項及び第五十一条の九第二項の規定を適用する。この場合において、これらの規定中「土地区画整理事業」とあるのは「土地区画整理事業（施行区域の土地について施行するものを除く。）」と、「同法第四条第十二項に規定する開発行為が同法第三十四条各号」とあるのは「都市再生特別措置法第九十条に規定する特定開発行為が同条の規定により読み替えて適用する都市計画法第三十四条第八号の二、第十号又は第十二号から第十四号まで」とする。

第九二条　特定開発行為及び特定建築等行為については、居住調整地域を市街化調整区域とみなして、大規模災害からの復興に関する法律（平成二十五年法律第五十五号）第十三条第十項から第十二項までの規定を適用する。この場合において、同条第十項中「開発行為（同法第四条第十二項に規定する開発行為をいう。）」とあるのは「都市再生特別措置法第九十条に規定する特定開発行為」と、「、同法」とあるのは「、都市計画法」と、同項及び同条第十一項中「第三十四条」とあるのは「都市再生特別措置法第九十条の規定により読み替えて適用する都市計画法第三十四条」とする。

（市町村の長による開発許可関係事務の処理）

第九三条　地方自治法第二百五十二条の十九第一項に規定する指定都市及び同法第二百五十二条の二十二第一項に規定する中核市以外の市町村が居住調整地域に関する都市計画を定めたときは、当該市町村の長は、当該市町村の区域内において、都道府県知事に代わって都市計画法第三章第一節の規定に基づく事務（以下「開発許可関係事務」という。）を処理することができる。この場合においては、当該規定中都道府県知事に関する規定は、市町村長に関する規定として当該市町村長に適用があるものとする。

２　前項の規定により開発許可関係事務を処理しようとする市町村長は、あらかじめ、これを処理することについて、都道府県知事と協議しなければならない。この場合において、町村の長にあっては都道府県知事の同意を得なければならない。

３　第一項の規定により開発許可関係事務を処理しようとする市町村長は、その処理を開始する日の三十日前までに、国土交通省令で定めるところにより、その旨を公示しなければならない。

４　第一項の規定によりその長が開発許可関係事務を処理する市町村は、都市計画法第三十三条第六項、第三十四条第十一号及び第十二号、第三十四条の二、第三十五条の二第四項、第四十三条第三項並びに第七十八条第一項、第三項、第五項、第六項及び第八項の規定の適用については、同法第二十九条第一項に規定する指定都市等とみなす。この場合において、同法第七十八条第一項中「置く」とあるのは、「置くことができる」とする。

第九四条　前条第一項の規定により開発許可関係事務を処理する市町村長は、幹線道路の沿道の整備に関する法律（昭和五十五年法律第三十四号）第十条の七第二項、地域再生法（平成十七年法律第二十四号）第十七条の二十二第二項、地域歴史的風致法第二十八条第二項並びに地域資源を活用した農林漁業者等による新事業の創出等及び地域の農林水産物の利用促進に関する法律（平成二十二年法律第六十七号）第五条第八項、第十四条第二項及び第四十二条第二項の規定の適用については、これらの規定に規定する都道府県知事とみなす。

２　前条第一項の規定によりその長が開発許可関係事務を処理する市町村は、幹線道路の沿道の整備に関する法律第十条の二第四項及び第十条の七第一項、地域再生法第十七条の十七第七項並びに大規模災害からの復興に関する法律第十三条第九項の規定の適用についてはこれらの規定に規定する指定都市等と、地域歴史的風致法第五条第四項の規定の適用については同項に規定する指定都市とみなす。

第四款　居住環境向上用途誘導地区

第九四条の二　立地適正化計画に記載された居住誘導区域のうち、当該居住誘導区域に係る居住環境向上施設を有する建築物の建築を誘導する必要があると認められる区域（都市計画法第八条第一項第一号に規定する用途地域（同号に掲げる工業専用地域を除く。第百九条第一項において同じ。）が定められている区域に限る。）については、都市計画に、居住環境向上用途誘導地区を定めることができる。

２　居住環境向上用途誘導地区に関する都市計画には、都市計画法第八条第三項第一号及び第三号に掲げる事項のほか、次に掲げる事項を定めるものとする。

一　建築物等の誘導すべき用途及びその全部又は一部を当該用途に供する建築物の容積率の最高限度

二　当該地区における市街地の環境を確保するため必要な場合にあっては、建築物の建蔽率の最高限度、壁面の位置の制限及び建築物の高さの最高限度

第三節　都市機能誘導区域に係る特別の措置

第一款　民間誘導施設等整備事業計画の認定等

（民間誘導施設等整備事業計画の認定）

第九五条　立地適正化計画に記載された都市機能誘導区域内における都市開発事業（当該都市機能誘導区域に係る誘導施設又は当該誘導施設の利用者の利便の増進に寄与する施設を有する建築物の整備に関するものに限る。）であって、当該都市開発事業を施行する土地（水面を含む。）の区域（以下「誘導事業区域」という。）の面積が政令で定める規模以上のもの（以下「誘導施設等整備事業」という。）を施行しようとする民間事業者は、国土交通省令で定めるところにより、当該誘導施設等整備事業に関する計画（以下「民間誘導施設等整備事業計画」という。）を作成し、国土交通大臣の認定を申請することができる。

２　前項の認定（以下「誘導事業計画の認定」という。）の申請は、当該申請に係る誘導施設等整備事業に係る立地適正化計画を作成した市町村（以下「計画作成市町村」という。）を経由して行わなければならない。この場合において、計画作成市町村は、当該民間誘導施設等整備事業計画を検討し、意見があるときは当該意見を付して、国土交通大臣に送付するものとする。

３　民間誘導施設等整備事業計画には、次に掲げる事項を記載しなければならない。

一　誘導事業区域の位置及び面積

二　誘導施設の概要

三　建築物及びその敷地の整備に関する事業の概要

四　公共施設の整備に関する事業の概要及び当該公共施設の管理者又は管理者となるべき者

五　工事着手の時期及び事業施行期間

六　用地取得計画

七　資金計画

八　その他国土交通省令で定める事項

（民間誘導施設等整備事業計画の認定基準等）

第九六条　国土交通大臣は、誘導事業計画の認定の申請があった場合において、当該申請に係る民間誘導施設等整備事業計画が次に掲げる基準に適合すると認めるときは、誘導事業計画の認定をすることができる。

一　当該誘導施設等整備事業が、住宅及び都市機能増進施設の立地の適正化を図る上で効果的であり、かつ、立地適正化計画に記載された都市機能誘導区域を含む都市の再生に著しく貢献するものであると認められること。

二　当該誘導施設等整備事業が、立地適正化計画に記載された第八十一条第二項第三号に掲げる事項に照らして適切なものであること。

三　誘導事業区域が都市再生緊急整備地域内にあるときは、建築物及びその敷地並びに公共施設の整備に関する計画が、地域整備方針に適合するものであること。

四　工事着手の時期、事業施行期間及び用地取得計画が、当該誘導施設等整備事業を確実に遂行するために適切なものであること。

五　当該誘導施設等整備事業の施行に必要な経済的基礎及びこれを的確に遂行するために必要なその他の能力が十分であること。

２　国土交通大臣は、誘導事業計画の認定をしようとするときは、あらかじめ、当該誘導施設等整備事業の施行により整備される公共施設の管理者又は管理者となるべき者（計画作成市町村であるものを除く。以下「公共施設の管理者等」という。）の意見を聴かなければならない。

（誘導事業計画の認定の通知）

第九七条　国土交通大臣は、誘導事業計画の認定をしたときは、速やかに、その旨を計画作成市町村、公共施設の管理者等及び民間都市機構に通知するとともに、誘導事業計画の認定を受けた者（以下「認定誘導事業者」という。）の氏名又は名称、事業施行期間、誘導事業区域その他国土交通省令で定める事項を公表しなければならない。

（民間誘導施設等整備事業計画の変更）

第九八条　認定誘導事業者は、誘導事業計画の認定を受けた民間誘導施設等整備事業計画（以下「認定誘導事業計画」という。）の変更（国土交通省令で定める軽微な変更を除く。）をしようとするときは、国土交通大臣の認定を受けなければならない。

2　第九十五条第二項及び前二条の規定は、前項の場合について準用する。

（報告の徴収）

第九九条　国土交通大臣は、認定誘導事業者に対し、認定誘導事業計画（認定誘導事業計画の変更があったときは、その変更後のもの。以下同じ。）に係る誘導施設等整備事業（以下「認定誘導事業」という。）の施行の状況について報告を求めることができる。

（地位の承継）

第一〇〇条　認定誘導事業者の一般承継人又は認定誘導事業者から認定誘導事業計画に係る誘導事業区域内の土地の所有権その他当該認定誘導事業の施行に必要な権原を取得した者は、国土交通大臣の承認を受けて、当該認定誘導事業者が有していた誘導事業計画の認定に基づく地位を承継することができる。

2　国土交通大臣は、前項の規定による承認をしようとするときは、あらかじめ、計画作成市町村の意見を聴かなければならない。

（改善命令）

第一〇一条　国土交通大臣は、認定誘導事業者が認定誘導事業計画に従って認定誘導事業を施行していないと認めるときは、当該認定誘導事業者に対し、相当の期間を定めて、その改善に必要な措置を命ずることができる。

（誘導事業計画の認定の取消し）

第一〇二条　国土交通大臣は、認定誘導事業者が前条の規定による処分に違反したときは、誘導事業計画の認定を取り消すことができる。

2　国土交通大臣は、前項の規定による取消しをしたときは、速やかに、その旨を、計画作成市町村、公共施設の管理者等及び民間都市機構に通知するとともに、公表しなければならない。

（民間都市機構の行う誘導施設等整備事業支援業務）

第一〇三条　民間都市機構は、第二十九条第一項及び第七十一条第一項に規定する業務のほか、民間事業者による誘導施設等整備事業を推進するため、国土交通大臣の承認を受けて、次に掲げる業務を行うことができる。

一　次に掲げる方法により、認定誘導事業者の認定誘導事業の施行に要する費用の一部（公共施設等その他公益的施設で政令で定めるものの整備に要する費用の額の範囲内に限る。）について支援すること。

イ　認定誘導事業者（専ら認定誘導事業の施行を目的とする株式会社等に限る。）に対する出資

ロ　専ら、認定誘導事業者から認定誘導事業の施行により整備される建築物及びその敷地（以下この号において「認定誘導建築物等」という。）又は認定誘導建築物等に係る信託の受益権を取得し、当該認定誘導建築物等又は当該認定誘導建築物等に係る信託の受益権の管理及び処分を行うことを目的とする株式会社等に対する出資

ハ　不動産特定共同事業法第二条第三項に規定する不動産取引（認定誘導建築物等を整備し、又は整備された認定誘導建築物等を取得し、当該認定誘導建築物等の管理及び処分を行うことを内容とするものに限る。）を対象とする同条第三項に規定する不動産特定共同事業契約に基づく出資

ニ　信託（受託した土地に認定誘導建築物等を整備し、当該認定誘導建築物等の管理及び処分を行うことを内容とするものに限る。）の受益権の取得

ホ　イからニまでに掲げる方法に準ずるものとして国土交通省令で定める方法

二　認定誘導事業者に対し、必要な助言、あっせんその他の援助を行うこと。

三　前二号に掲げる業務に附帯する業務を行うこと。

2　前項の規定により、民間都市機構が同項各号に掲げる業務を行う場合には、民間都市開発法第十一条第一項及び第十二条中「第四条第一項各号」とあるのは「第四条第一項各号及び都市再生特別措置法第百三条第一項各号」と、民間都市開発法第十四条中「第四条第一項第一号及び第二号」とあるのは「第四条第一項第一号及び第二号並びに都市再生特別措置法第百三条第一項第一号」と、民間都市開発法第二十条第一号中「第十一条第一項」とあるのは「第十一条第一項（都市再生特別措置法第百三条第二項の規定により読み替えて適用する場合を含む。以下この号において同じ。）」と、「同項」とあるのは「第十一条第一項」と、同条第二号中「第十二条」とあるのは「第十二条（都市再生特別措置法第百三条第二項の規定により読み替えて適用する場合を含む。）」とする。

3　民間都市機構は、第一項第一号に掲げる業務を行う場合においては、国土交通省令で定める基準に従って行わなければならない。

（民間都市開発法の特例）

第一〇四条　民間都市開発法第四条第一項第一号に規定する特定民間都市開発事業であって認定誘導事業（誘導施設を有する建築物の整備に関するものに限る。）であるものについての同号の規定の適用については、同号中「という。）」とあるのは、「という。）並びに都市再生特別措置法第百三条第一項第一号の政令で定める公益的施設」とする。

第一款の二　都市再開発法の特例

第一〇四条の二　立地適正化計画に記載された市街地再開発事業の施行者（都市再開発法第二条第二号に規定する施行者をいう。以下この条において同じ。）は、当該立地適正化計画に記載された誘導施設の整備に関する事業（第百十八条第一項の規定により指定された都市再生推進法人が実施するものに限る。）の用に供するため特に必要があると認めるときは、同法第百八条第一項（同法第百十八条の二十四の二第一項において準用する場合を含む。）の規定にかかわらず、同法による第一種市街地再開発事業により当該施行者が取得した同法第二条第九号に規定する施設建築物の一部等若しくは同法第七条の十一第二項に規定する個別利用区内の宅地又は同法による第二種市街地再開発事業により当該施行者が取得した同法第二条第十号に規定する建築施設の部分を、公募をしないで賃貸し、又は譲渡することができる。

第二款　土地区画整理法の特例

（施行地区内の権利者の全ての同意を得た場合における換地の決定）

第一〇五条　立地適正化計画に記載された土地区画整理事業の施行者は、換地計画の内容について施行地区内の土地又は物件に関し権利を有する者（施行者が土地区画整理組合である場合にあっては、参加組合員を含む。）の全ての同意を得たときは、土地区画整理法第八十九条の規定によらないで、換地計画において換地を定めることができる。この場合においては、同法第八十八条第二項から第七項までの規定は、適用しない。

（誘導施設整備区）

第一〇五条の二　立地適正化計画に記載された土地区画整理事業であって都市機能誘導区域をその施行地区に含むもののうち、建築物等の敷地として利用されていない宅地又はこれに準ずる宅地が相当程度存在する区域内において施行されるものの事業計画においては、当該施行地区内の宅地のうち次条第一項の申出が見込まれるものについての換地の地積の合計が、当該都市機能誘導区域に係る誘導施設を有する建築物を整備するのに必要な地積とおおむね等しいか又はこれを超えると認められる場合に限り、国土交通省令で定めるところにより、当該都市機能誘導区域内の土地の区域であって、当該建築物の用に供すべきもの（以下「誘導施設整備区」という。）を定めることができる。

（誘導施設整備区への換地の申出等）

第一〇五条の三　前条の規定により事業計画において誘導施設整備区が定められたときは、施行地区内の宅地の所有者は、施行者に対し、国土交通省令で定めるところにより、換地計画において当該宅地についての換地を誘導施設整備区内に定めるべき旨の申出をすることができる。

2　前項の申出は、次に掲げる要件のいずれにも該当するものでなければならない。

一　当該申出に係る宅地が建築物等の敷地として利用されていないものであること又はこれに準ずるものとして規準、規約、定款若しくは施行規程で定めるものであること。

二　当該申出に係る宅地に地上権、永小作権、賃借権その他の当該宅地を

使用し、又は収益することができる権利（誘導施設を有する建築物の所有を目的とする地上権及び賃借権並びに地役権を除く。）が存しないこと。

三　当該申出に係る宅地について誘導施設を有する建築物の所有を目的とする地上権又は賃借権を有する者があるときは、その者の同意が得られていること。

3　第一項の申出は、次の各号に掲げる場合の区分に応じ、当該各号に定める公告があつた日から起算して六十日以内に行わなければならない。

一　事業計画が定められた場合　土地区画整理法第七十六条第一項各号に掲げる公告（事業計画の変更の公告又は事業計画の変更についての認可の公告を除く。）

二　事業計画の変更により新たに誘導施設整備区が定められた場合　当該事業計画の変更の公告又は当該事業計画の変更についての認可の公告

三　事業計画の変更により従前の施行地区外の土地が新たに施行地区に編入されたことに伴い誘導施設整備区の面積が拡張された場合　当該事業計画の変更の公告又は当該事業計画の変更についての認可の公告

4　施行者は、第一項の申出があつた場合において、前項の期間の経過後遅滞なく、第一号に該当すると認めるときは当該申出に係る宅地の全部を換地計画においてその宅地についての換地を誘導施設整備区内に定められるべき宅地として指定し、第二号に該当すると認めるときは当該申出に係る宅地の一部を換地計画においてその宅地についての換地を誘導施設整備区内に定められるべき宅地として指定し、他の宅地について申出に応じない旨を決定し、第三号に該当すると認めるときは当該申出に係る宅地の全部について申出に応じない旨を決定しなければならない。

一　換地計画において、当該申出に係る宅地の全部についての換地の地積が誘導施設整備区の面積と等しいこととなる場合

二　換地計画において、当該申出に係る宅地の全部についての換地の地積が誘導施設整備区の面積を超えることとなる場合

三　換地計画において、当該申出に係る宅地の全部についての換地の地積が誘導施設整備区の面積に満たないこととなる場合

5　施行者は、前項の規定による指定又は決定をしたときは、遅滞なく、第一項の申出をした者に対し、その旨を通知しなければならない。

6　施行者は、第四項の規定による指定をしたときは、遅滞なく、その旨を公告しなければならない。

7　施行者が土地区画整理法第十四条第一項の規定により設立された土地区画整理組合である場合においては、最初の役員が選挙され、又は選任されるまでの間は、第一項の申出は、同条第一項の認可を受けた者が受理するものとする。

（誘導施設整備区への換地）

第一〇五条の四　前条第四項の規定により指定された宅地については、換地計画において換地を誘導施設整備区内に定めなければならない。

第三款　駐車場法の特例等

（駐車場配置適正化区域への準用）

第一〇六条　第六十二条の九の規定は、立地適正化計画に記載された路外駐車場配置等基準に係る駐車場配置適正化区域について準用する。

（駐車施設の附置に係る駐車場法の特例）

第一〇七条　立地適正化計画に記載された集約駐車施設の位置及び規模に係る駐車場配置適正化区域（駐車場法第二十条第一項の地区若しくは地域又は同条第二項の地区の区域内に限る。）内における同条第一項及び第二項並びに同法第二十条の二第一項の規定の適用については、同法第二十条第一項中「近隣商業地域内に」とあるのは「近隣商業地域内の駐車場配置適正化区域（都市再生特別措置法（平成十四年法律第二十二号）第八十一条第六項第一号に規定する駐車場配置適正化区域をいう。以下同じ。）の区域内に」と、同項及び同条第二項並びに同法第二十条の二第一項中「建築物又は」とあるのは「建築物若しくは」と、同法第二十条第一項中「旨を」とあるのは「旨、その建築物若しくはその建築物の敷地内若しくは集約駐車施設（同項第三号に規定する集約駐車施設をいう。以下同じ。）内に駐車施設を設けなければならない旨又は集約駐車施設内に駐車施設を設けなければならない旨を」と、「駐車場整備地区内又は商業地域内若しくは近隣商業地域内の」とあるのは「駐車場配置適正化区域の区域内の」と、同条第二項中「地区内」とあるのは「地区内の駐車場配置適正化区域の区域内」と、同項及び同法第二十条の二第一項中「旨を」とあるのは「旨、その建築物若しくはその建築物の敷地内若しくは集約駐車施設内に駐車施設を設けなければならない旨又は集約駐車施設内に駐車施設を設けなければならない旨を」と、同項中「前条第一項の地区若しくは地域内又は同条第二項の地区内」とあるのは「前条第一項又は第二項の駐車場配置適正化区域の区域内」と、「地区又は地域内の」とあり、及び「地区内の」とあるのは「駐車場配置適正化区域の区域内の」とする。

第四款　建築等の届出等

第一〇八条　立地適正化計画の区域内において、当該立地適正化計画に記載された誘導施設を有する建築物の建築の用に供する目的で行う開発行為又は当該誘導施設を有する建築物を新築し、若しくは建築物を改築し、若しくはその用途を変更して当該誘導施設を有する建築物とする行為を行おうとする者（当該誘導施設の立地を誘導するものとして当該立地適正化計画に記載された都市機能誘導区域内においてこれらの行為を行おうとする者を除く。）は、これらの行為に着手する日の三十日前までに、国土交通省令で定めるところにより、行為の種類、場所、設計又は施行方法、着手予定日その他国土交通省令で定める事項を市町村長に届け出なければならない。ただし、次に掲げる行為については、この限りでない。

一　軽易な行為その他の行為で政令で定めるもの

二　非常災害のため必要な応急措置として行う行為

三　都市計画事業の施行として行う行為又はこれに準ずる行為として政令で定める行為

四　その他市町村の条例で定める行為

2　前項の規定による届出をした者は、当該届出に係る事項のうち国土交通省令で定める事項を変更しようとするときは、当該事項の変更に係る行為に着手する日の三十日前までに、国土交通省令で定めるところにより、その旨を市町村長に届け出なければならない。

3　市町村長は、第一項又は前項の規定による届出があつた場合において、当該届出に係る行為が都市機能誘導区域内における誘導施設の立地の誘導を図る上で支障があると認めるときは、当該届出をした者に対して、当該届出に係る事項に関し、誘導施設の立地を適正なものとするために必要な勧告をすることができる。

4　市町村長は、前項の規定による勧告をした場合において、必要があると認めるときは、その勧告を受けた者に対し、当該誘導施設に係る都市機能誘導区域内の土地の取得についてのあつせんその他の必要な措置を講ずるよう努めなければならない。

第五款　休廃止の届出等

第一〇八条の二　立地適正化計画に記載された都市機能誘導区域内において、当該都市機能誘導区域に係る誘導施設を休止し、又は廃止しようとする者は、休止し、又は廃止しようとする日の三十日前までに、国土交通省令で定めるところにより、その旨を市町村長に届け出なければならない。

2　市町村長は、前項の規定による届出があつた場合において、新たな誘導施設の立地又は立地の誘導を図るため、当該休止し、又は廃止しようとする誘導施設を有する建築物を有効に活用する必要があると認めるときは、当該届出をした者に対して、当該建築物の存置その他の必要な助言又は勧告をすることができる。

第六款　特定用途誘導地区

第一〇九条　立地適正化計画に記載された都市機能誘導区域のうち、当該都市機能誘導区域に係る誘導施設を有する建築物の建築を誘導する必要があると認められる区域（都市計画法第八条第一項第一号に規定する用途地域が定められている区域に限る。）については、都市計画に、特定用途誘導地区を定めることができる。

2　特定用途誘導地区に関する都市計画には、都市計画法第八条第三項第一号及び第三号に掲げる事項のほか、次に掲げる事項を定めるものとする。

一　建築物等の誘導すべき用途及びその全部又は一部を当該用途に供する建築物の容積率の最高限度

二　当該地区における土地の合理的かつ健全な高度利用を図るため必要な場合にあつては、建築物の容積率の最低限度及び建築物の建築面積の最低限度

三　当該地区における市街地の環境を確保するため必要な場合にあつて

は、建築物の高さの最高限度

第三節の二　都市計画法の特例

第一〇九条の二　第八十一条第九項に規定する事項には、同項に規定する事業の実施に係る都市計画法第五十九条第一項の認可に関する事項を記載することができる。

2　市町村長は、立地適正化計画に前項に規定する事項を記載しようとするときは、当該事項について、国土交通省令で定めるところにより、あらかじめ、都道府県知事（次の各号に掲げる事項にあっては、都道府県知事及びそれぞれ当該各号に定める者）に協議をし、都道府県知事の同意を得なければならない。

一　都市計画法第五十九条第六項に規定する公共の用に供する施設を管理する者の意見の聴取を要する場合における同条第一項の認可に関する事項　当該公共の用に供する施設を管理する者

二　都市計画法第五十九条第六項に規定する土地改良事業計画による事業を行う者の意見の聴取を要する場合における同条第一項の認可に関する事項　当該土地改良事業計画による事業を行う者

第一〇九条の三　前条第一項に規定する事項が記載された立地適正化計画が第八十一条第二十三項（同条第二十四項において準用する場合を含む。）の規定により公表されたときは、当該公表の日に当該事項に係る同条第九項に規定する事業を実施する市町村に対する都市計画法第五十九条第一項の認可があったものとみなす。

第四節　立地誘導促進施設協定

（立地誘導促進施設協定の締結等）

第一〇九条の四　立地適正化計画に記載された第八十一条第十項に規定する区域内の一団の土地の所有者及び借地権等を有する者（土地区画整理法第九十八条第一項の規定により仮換地として指定された土地にあっては、当該土地に対応する従前の土地の所有者及び借地権等を有する者。以下「土地所有者等」という。）は、その全員の合意により、立地誘導促進施設の一体的な整備又は管理に関する協定（以下「立地誘導促進施設協定」という。）を締結することができる。ただし、当該土地（同法第九十八条第一項の規定により仮換地として指定された土地にあっては、当該土地に対応する従前の土地）の区域内に借地権等の目的となっている土地がある場合においては、当該借地権等の目的となっている土地の所有者の合意を要しない。

2　立地誘導促進施設協定においては、次に掲げる事項を定めるものとする。

一　立地誘導促進施設協定の目的となる土地の区域（以下この節において「協定区域」という。）並びに立地誘導促進施設の種類及び位置

二　次に掲げる立地誘導促進施設の一体的な整備又は管理に関する事項のうち、必要なもの

イ　前号の立地誘導促進施設の概要及び規模

ロ　前号の立地誘導促進施設の一体的な整備又は管理の方法

ハ　その他立地誘導促進施設の一体的な整備又は管理に関する事項

三　立地誘導促進施設協定の有効期間

四　立地誘導促進施設協定に違反した場合の措置

3　第四章第七節（第四十五条の二第一項及び第二項を除く。）の規定は、立地誘導促進施設協定について準用する。この場合において、同条第三項中「前項各号」とあるのは「第百九条の四第二項各号」と、同項及び第四十五条の十一第一項中「都市再生緊急整備地域」とあるのは「第八十一条第十項の規定により立地適正化計画に記載された区域」と、第四十五条の二第三項中「協定区域に」とあるのは「協定区域（第百九条の四第二項第一号に規定する協定区域をいう。以下この節において同じ。）に」と、「都市再生歩行者経路の」とあるのは「立地誘導促進施設（第八十一条第十項に規定する立地誘導促進施設をいう。以下この節において同じ。）の一体的な」と、「土地所有者等」とあるのは「土地所有者等（第百九条の四第一項に規定する土地所有者等をいう。以下この節において同じ。）」と、第四十五条の四第一項第三号中「第四十五条の二第二項各号」とあるのは「第百九条の四第二項各号」と、同項第四号中「都市再生緊急整備地域の地域整備方針」とあるのは「第八十一条第十項の規定により立地適正化計画に記載された立地誘導促進施設の一体的な整備又は管理に関する事項」と、第四十五条の七及び第四十五条の十中「第四十五条の二第一項」とあるのは「第百九条の四第一項」と、第四十五条の十一第一項及び第二項中「都市再生歩行者経路の」とあるのは「立地誘導促進施設の一体的な」と読み替えるものとする。

（立地誘導促進施設協定への参加のあっせん）

第一〇九条の五　協定区域内の土地に係る土地所有者等（当該立地誘導促進施設協定の効力が及ばない者を除く。）は、前条第三項において準用する第四十五条の二第三項に規定する協定区域隣接地の区域内の土地に係る土地所有者等に対し当該立地誘導促進施設協定への参加を求めた場合においてその参加を承諾しない者があるときは、当該協定区域内の土地に係る土地所有者等の全員の合意により、市町村長に対し、その者の承諾を得るために必要なあっせんを行うべき旨を申請することができる。

2　市町村長は、前項の規定による申請があった場合において、当該協定区域隣接地の区域内の土地に係る土地所有者等の当該立地誘導促進施設協定への参加が前条第三項において準用する第四十五条の四第一項各号（第一号を除く。次条第一項において同じ。）に掲げる要件に照らして相当であり、かつ、当該立地誘導促進施設協定の内容からみてその者に対し参加を求めることが特に必要であると認めるときは、あっせんを行うことができる。

（立地誘導促進施設協定の認可の取消し）

第一〇九条の六　市町村長は、第百九条の四第三項において準用する第四十五条の二第四項、第四十五条の五第一項又は第四十五条の十一第一項の認可をした後において、当該認可に係る立地誘導促進施設協定の内容が第百九条の四第三項において準用する第四十五条の四第一項各号に掲げる要件のいずれかに該当しなくなったときは、当該立地誘導促進施設協定の認可を取り消すものとする。

2　市町村長は、前項の規定による取消しをしたときは、速やかに、その旨を、協定区域内の土地に係る土地所有者等（当該立地誘導促進施設協定の効力が及ばない者を除く。）に通知するとともに、公告しなければならない。

第四節の二　居住誘導区域等権利設定等促進計画等

（居住誘導区域等権利設定等促進計画の作成）

第一〇九条の七　市町村は、立地適正化計画に記載された居住誘導区域等権利設定等促進事業区域内の土地及び当該土地に存する建物を対象として居住誘導区域等権利設定等促進事業を行おうとするときは、当該居住誘導区域等権利設定等促進事業に関する計画（以下「居住誘導区域等権利設定等促進計画」という。）を作成することができる。

2　居住誘導区域等権利設定等促進計画においては、第一号から第五号までに掲げる事項を記載するものとするとともに、第六号に掲げる事項を記載することができる。

一　権利設定等を受ける者の氏名又は名称及び住所

二　前号に規定する者が権利設定等を受ける土地の所在、地番、地目及び面積又は建物の所在、家屋番号、種類、構造及び床面積

三　第一号に規定する者に前号に規定する土地又は建物について権利設定等を行う者の氏名又は名称及び住所

四　第一号に規定する者が設定又は移転を受ける地上権、賃借権又は使用貸借による権利の種類、内容（土地又は建物の利用目的を含む。）、始期又は移転の時期及び存続期間又は残存期間並びに当該設定又は移転を受ける権利が地上権又は賃借権である場合にあっては地代又は借賃及びその支払の方法

五　第一号に規定する者が移転を受ける所有権の移転の後における土地又は建物の利用目的並びに当該所有権の移転の時期並びに移転の対価及びその支払の方法

六　その他権利設定等に係る法律関係に関する事項として国土交通省令で定める事項

3　居住誘導区域等権利設定等促進計画は、次に掲げる要件に該当するものでなければならない。

一　居住誘導区域等権利設定等促進計画の内容が立地適正化計画に記載された第八十一条第十三項に規定する居住誘導区域等権利設定等促進事業に関する事項に適合するものであること。

二　居住誘導区域等権利設定等促進計画において、居住誘導区域にあっては住宅の、都市機能誘導区域にあっては誘導施設の整備を図るため行う権利設定等又はこれと併せて行う当該権利設定等を円滑に推進するため

に必要な権利設定等が記載されていること。

三　前項第二号に規定する土地ごとに、同項第一号に規定する者並びに当該土地について所有権、地上権、質権、賃借権、使用貸借による権利又はその他の使用及び収益を目的とする権利を有する者の全ての同意が得られていること。

四　前項第二号に規定する建物ごとに、同項第一号に規定する者、当該建物について所有権、質権、賃借権、使用貸借による権利又はその他の使用及び収益を目的とする権利を有する者並びに当該建物について先取特権若しくは抵当権の登記、仮登記、買戻しの特約その他権利の消滅に関する事項の定めの登記又は処分の制限の登記に係る権利を有する者の全ての同意が得られていること。

五　前項第二号に規定する土地に定着する物件（同号に規定する建物を除く。）ごとに、当該物件について所有権、質権、賃借権、使用貸借による権利又はその他の使用及び収益を目的とする権利を有する者並びに当該物件について先取特権若しくは抵当権の登記、仮登記、買戻しの特約その他権利の消滅に関する事項の定めの登記又は処分の制限の登記に係る権利を有する者の全ての同意が得られていること。

六　前項第一号に規定する者が、権利設定等が行われた後において、同項第二号に規定する土地又は建物を同項第四号又は第五号に規定する土地又は建物の利用目的に即して適正かつ確実に利用することができると認められること。

（居住誘導区域等権利設定等促進計画の作成の要請）

第一〇九条の八　立地適正化計画に記載された居住誘導区域等権利設定等促進事業区域内の土地又は当該土地に存する建物について地上権、賃借権、使用貸借による権利又は所有権を有する者及び当該土地又は建物について権利設定等を受けようとする者は、その全員の合意により、前条第二項各号に掲げる事項を内容とする協定を締結した場合において、同条第三項第三号から第五号までに規定する者の全ての同意を得たときは、国土交通省令で定めるところにより、その協定の目的となっている土地又は建物につき、居住誘導区域等権利設定等促進計画を作成すべきことを市町村に対し要請することができる。

（居住誘導区域等権利設定等促進計画の公告）

第一〇九条の九　市町村は、居住誘導区域等権利設定等促進計画を作成したときは、国土交通省令で定めるところにより、遅滞なく、その旨を公告しなければならない。

（公告の効果）

第一〇九条の一〇　前条の規定による公告があったときは、その公告があった居住誘導区域等権利設定等促進計画の定めるところによって地上権、賃借権若しくは使用貸借による権利が設定され、若しくは移転し、又は所有権が移転する。

（登記の特例）

第一〇九条の一一　第百九条の九の規定による公告があった居住誘導区域等権利設定等促進計画に係る土地又は建物の登記については、政令で、不動産登記法（平成十六年法律第百二十三号）の特例を定めることができる。

（勧告）

第一〇九条の一二　市町村長は、権利設定等を受けた者が居住誘導区域等権利設定等促進計画に記載された土地又は建物の利用目的に従って土地又は建物を利用していないと認めるときは、当該権利設定等を受けた者に対し、相当の期限を定めて、当該利用目的に従って土地又は建物を利用すべきことを勧告することができる。

（居住誘導区域又は都市機能誘導区域内の土地等に関する情報の利用等）

第一〇九条の一三　市町村長は、この節の規定の施行に必要な限度で、その保有する居住誘導区域又は都市機能誘導区域内の土地（溢水、湛水、津波、高潮その他による災害の防止又は軽減を図るための措置が講じられた、又は講じられるものに限る。次項において同じ。）及び当該土地に存する建物に関する情報を、その保有に当たって特定された利用の目的以外の目的のために内部で利用することができる。

2　市町村長は、この節の規定の施行のため必要があると認めるときは、関係地方公共団体の長に対して、居住誘導区域又は都市機能誘導区域内の土地及び当該土地に存する建物に関する情報の提供を求めることができる。

第五節　低未利用土地権利設定等促進計画等

（低未利用土地の利用及び管理に関する市町村の援助等）

第一〇九条の一四　第八十一条第十四項の規定により立地適正化計画に低未利用土地利用等指針に関する事項が記載されているときは、市町村は、当該低未利用土地利用等指針に即し、居住誘導区域又は都市機能誘導区域内の低未利用土地の所有者等に対し、住宅又は誘導施設の立地及び立地の誘導を図るために必要な低未利用土地の利用及び管理に関する情報の提供、指導、助言その他の援助を行うものとする。

2　市町村は、前項の援助として低未利用土地の利用の方法に関する提案又はその方法に関する知識を有する者の派遣を行うため必要があると認めるときは、都市計画法第七十五条の五第一項の規定により指定した都市計画協力団体に必要な協力を要請することができる。

3　市町村長は、立地適正化計画に記載された居住誘導区域又は都市機能誘導区域内の低未利用土地の所有者等が当該低未利用土地利用等指針に即した低未利用土地の管理を行わないため、悪臭の発生、堆積した廃棄物（廃棄物の処理及び清掃に関する法律（昭和四十五年法律第百三十七号）第二条第一項に規定する廃棄物をいう。）の飛散その他の事由により当該低未利用土地の周辺の地域における住宅又は誘導施設の立地又は立地の誘導を図る上で著しい支障が生じていると認めるときは、当該所有者等に対し、当該低未利用土地利用等指針に即した低未利用土地の管理を行うよう勧告することができる。

（低未利用土地権利設定等促進計画の作成）

第一〇九条の一五　市町村は、立地適正化計画に記載された低未利用土地権利設定等促進事業区域内の土地及び当該土地に存する建物を対象として低未利用土地権利設定等促進事業に関する計画（以下「低未利用土地権利設定等促進計画」という。）を作成することができる。

2　低未利用土地権利設定等促進計画においては、第一号から第五号までに掲げる事項を記載するものとするとともに、第六号に掲げる事項を記載することができる。

一　権利設定等を受ける者の氏名又は名称及び住所

二　前号に規定する者が権利設定等を受ける土地の所在、地番、地目及び面積又は建物の所在、家屋番号、種類、構造及び床面積

三　第一号に規定する者に前号に規定する土地又は建物について権利設定等を行う者の氏名又は名称及び住所

四　第一号に規定する者が設定又は移転を受ける地上権、賃借権又は使用貸借による権利の種類、内容（土地又は建物の利用目的を含む。）、始期又は移転の時期及び存続期間又は残存期間並びに当該設定又は移転を受ける権利が地上権又は賃借権である場合にあっては地代又は借賃及びその支払の方法

五　第一号に規定する者が移転を受ける所有権の移転の後における土地又は建物の利用目的並びに当該所有権の移転の時期並びに移転の対価及びその支払の方法

六　その他権利設定等に係る法律関係に関する事項として国土交通省令で定める事項

3　低未利用土地権利設定等促進計画は、次に掲げる要件に該当するものでなければならない。

一　低未利用土地権利設定等促進計画の内容が立地適正化計画に記載された第八十一条第十五項に規定する低未利用土地権利設定等促進事業に関する事項に適合するものであること。

二　低未利用土地権利設定等促進計画において、居住誘導区域にあっては住宅又は住宅の立地の誘導の促進に資する施設等の、都市機能誘導区域にあっては誘導施設又は誘導施設の立地の誘導の促進に資する施設等の整備を図るため行う権利設定等又はこれと併せて行う当該権利設定等を円滑に推進するために必要な権利設定等が記載されていること。

三　前項第二号に規定する土地ごとに、同項第一号に規定する者並びに当該土地について所有権、地上権、質権、賃借権、使用貸借による権利又はその他の使用及び収益を目的とする権利を有する者の全ての同意が得られていること。

四　前項第二号に規定する建物ごとに、同項第一号に規定する者、当該建物について所有権、質権、賃借権、使用貸借による権利又はその他の使

用及び収益を目的とする権利を有する者並びに当該建物について先取特権若しくは抵当権の登記、仮登記、買戻しの特約その他権利の消滅に関する事項の定めの登記又は処分の制限の登記に係る権利を有する者の全ての同意が得られていること。

五　前項第二号に規定する土地に定着する物件（同号に規定する建物を除く。）ごとに、当該物件について所有権、質権、賃借権、使用貸借による権利又はその他の使用及び収益を目的とする権利を有する者並びに当該物件について先取特権若しくは抵当権の登記、仮登記、買戻しの特約その他権利の消滅に関する事項の定めの登記又は処分の制限の登記に係る権利を有する者の全ての同意が得られていること。

六　前項第一号に規定する者が、権利設定等が行われた後において、同項第二号に規定する土地又は建物を同項第四号又は第五号に規定する土地又は建物の利用目的に即して適正かつ確実に利用することができると認められること。

（低未利用土地権利設定等促進計画の作成の要請）

第一〇九条の一六　立地適正化計画に記載された低未利用土地権利設定等促進事業区域内の土地又は当該土地に存する建物について地上権、賃借権、使用貸借による権利又は所有権を有する者及び当該土地又は建物について権利設定等を受けようとする者は、その全員の合意により、前条第二項各号に掲げる事項を内容とする協定を締結した場合において、同条第三項第三号から第五号までに規定する者の全ての同意を得たときは、国土交通省令で定めるところにより、その協定の目的となっている土地又は建物につき、低未利用土地権利設定等促進計画を作成すべきことを市町村に対し要請することができる。

（低未利用土地権利設定等促進計画の公告）

第一〇九条の一七　市町村は、低未利用土地権利設定等促進計画を作成したときは、国土交通省令で定めるところにより、遅滞なく、その旨を公告しなければならない。

（公告の効果）

第一〇九条の一八　前条の規定による公告があったときは、その公告があった低未利用土地権利設定等促進計画の定めるところによって地上権、賃借権若しくは使用貸借による権利が設定され、若しくは移転し、又は所有権が移転する。

（登記の特例）

第一〇九条の一九　第百九条の十七の規定による公告があった低未利用土地権利設定等促進計画に係る土地又は建物の登記については、政令で、不動産登記法の特例を定めることができる。

（勧告）

第一〇九条の二〇　市町村長は、権利設定等を受けた者が低未利用土地権利設定等促進計画に記載された土地又は建物の利用目的に従って土地又は建物を利用していないと認めるときは、当該権利設定等を受けた者に対し、相当の期限を定めて、当該利用目的に従って土地又は建物を利用すべきことを勧告することができる。

（低未利用土地等に関する情報の利用等）

第一〇九条の二一　市町村長は、この節の規定の施行に必要な限度で、その保有する低未利用土地及び低未利用土地に存する建物に関する情報を、その保有に当たって特定された利用の目的以外の目的のために内部で利用することができる。

2　市町村長は、この節の規定の施行のため必要があると認めるときは、関係地方公共団体の長に対して、低未利用土地及び低未利用土地に存する建物に関する情報の提供を求めることができる。

第六節　跡地等管理等協定等

（跡地等の管理等に関する市町村の援助等）

第一一〇条　第八十一条第十六項の規定により立地適正化計画に跡地等管理等区域及び跡地等管理等指針に関する事項が記載されているときは、市町村は、当該跡地等管理等指針に即し、当該跡地等管理等区域内の跡地等の所有者等に対し、当該跡地等の管理等を行うために必要な情報の提供、指導、助言その他の援助を行うものとする。

2　市町村長は、立地適正化計画に記載された跡地等管理等区域内の跡地等の所有者等が当該跡地等管理等指針に即した跡地等の管理を行わないため、当該跡地等の周辺の生活環境及び美観風致が著しく損なわれていると認めるときは、当該所有者等に対し、当該跡地等管理等指針に即した跡地等の管理を行うよう勧告することができる。

（跡地等管理等協定の締結等）

第一一一条　市町村又は都市再生推進法人等（第百十八条第一項の規定により指定された都市再生推進法人、都市緑地法第八十一条第一項の規定により指定された緑地保全・緑化推進法人（第百十五条第一項に規定する業務を行うものに限る。以下この項において「緑地保全・緑化推進法人」という。）又は景観法第九十二条第一項の規定により指定された景観整備機構（第百十六条第一項に規定する業務を行うものに限る。以下この項において「景観整備機構」という。）をいう。以下同じ。）は、立地適正化計画に記載された跡地等管理等区域内の跡地等（緑地保全・緑化推進法人にあっては都市緑地法第三条第一項に規定する緑地であるものに、景観整備機構にあっては景観計画区域内にあるものに限る。）を適正に管理し、又は跡地（緑地保全・緑化推進法人にあっては都市緑地法第三条第一項に規定する緑地であるものに、景観整備機構にあっては景観計画区域内にあるものに限る。）における緑地等の整備等をするため、当該跡地等の所有者等と次に掲げる事項を定めた協定（以下「跡地等管理等協定」という。）を締結して、当該跡地等に係る跡地等の管理等を行うことができる。

一　跡地等管理等協定の目的となる跡地等（以下この条において「協定跡地等」という。）

二　協定跡地等に係る跡地等の管理等の方法に関する事項

三　協定跡地等に係る跡地等の管理等に必要な施設の整備に関する事項

四　跡地等管理等協定の有効期間

五　跡地等管理等協定に違反した場合の措置

2　跡地等管理等協定については、協定跡地等の所有者等の全員の合意がなければならない。

3　跡地等管理等協定の内容は、次に掲げる基準のいずれにも適合するものでなければならない。

一　立地適正化計画に記載された第八十一条第十六項に規定する事項に適合するものであること。

二　協定跡地等の利用を不当に制限するものでないこと。

三　第一項各号に掲げる事項について国土交通省令で定める基準に適合するものであること。

4　都市再生推進法人等が跡地等管理等協定を締結するときは、あらかじめ、市町村長の認可を受けなければならない。

（跡地等管理等協定の認可）

第一一二条　市町村長は、前条第四項の認可の申請が、次の各号のいずれにも該当するときは、同項の認可をしなければならない。

一　申請手続が法令に違反しないこと。

二　跡地等管理等協定の内容が、前条第三項各号に掲げる基準のいずれにも適合するものであること。

（跡地等管理等協定の変更）

第一一三条　第百十一条第二項から第四項まで及び前条の規定は、跡地等管理等協定において定めた事項を変更しようとする場合について準用する。

（都市の美観風致を維持するための樹木の保存に関する法律の特例）

第一一四条　都市再生推進法人等が跡地等管理等協定に基づき管理する樹木又は樹木の集団で都市の美観風致を維持するための樹木の保存に関する法律第二条第一項の規定に基づき保存樹又は保存樹林として指定されたものについての同法の規定の適用については、同法第五条第一項中「所有者」とあるのは「所有者及び都市再生特別措置法（平成十四年法律第二十二号）第百十一条第一項に規定する都市再生推進法人等（以下「都市再生推進法人等」という。）」と、同法第六条第二項及び第八条中「所有者」とあるのは「所有者又は都市再生推進法人等」とする。

（緑地保全・緑化推進法人の業務の特例）

第一一五条　都市緑地法第八十一条第一項の規定により指定された緑地保全・緑化推進法人（同法第八十二条第一号イに掲げる業務を行うものに限る。）は、同法第八十二条各号に掲げる業務のほか、次に掲げる業務を行うことができる。

一　跡地等管理等協定に基づく跡地等の管理等を行うこと。

二　前号に掲げる業務に附帯する業務を行うこと。

2　前項の場合においては、都市緑地法第八十三条中「前条第一号」とあるのは、「前条第一号又は都市再生特別措置法第百十五条第一項第一号」とする。

（景観整備機構の業務の特例）

第一一六条　景観法第九十二条第一項の規定により指定された景観整備機構は、同法第九十三条各号に掲げる業務のほか、跡地等管理等協定に基づく跡地等の管理等を行うことができる。

2　前項の場合においては、景観法第九十五条第一項及び第二項中「掲げる業務」とあるのは、「掲げる業務及び都市再生特別措置法第百十六条第一項に規定する業務」とする。

第七章　市町村都市再生協議会

第一一七条　次に掲げる者は、都市再生整備計画及びその実施並びに都市再生整備計画に基づく事業により整備された公共公益施設の管理並びに立地適正化計画及びその実施に関し必要な協議を行うため、市町村都市再生協議会（以下この条において「市町村協議会」という。）を組織することができる。

一　市町村

二　次条第一項の規定により当該市町村の長が指定した都市再生推進法人

三　密集市街地整備法第三百条第一項の規定により当該市町村の長が指定した防災街区整備推進機構

四　中心市街地の活性化に関する法律（平成十年法律第九十二号）第六十一条第一項の規定により当該市町村の長が指定した中心市街地整備推進機構

五　景観法第九十二条第一項の規定により当該市町村の長が指定した景観整備機構

六　地域歴史的風致法第三十四条第一項の規定により当該市町村の長が指定した歴史的風致維持向上支援法人

七　前各号に掲げる者のほか、第二号から前号までに掲げる者に準ずるものとして国土交通省令で定める特定非営利活動法人等

2　前項各号に掲げる者は、必要があると認めるときは、協議して、市町村協議会に、次に掲げる者を構成員として加えることができる。

一　関係都道府県、独立行政法人都市再生機構、地方住宅供給公社又は民間都市機構

二　当該都市再生整備計画の区域内において公共公益施設の整備若しくは管理を行い、若しくは都市開発事業を施行する民間事業者又は誘導施設若しくは誘導施設の利用者の利便の増進に寄与する施設の整備に関する事業を施行する民間事業者（次項において「誘導施設等整備民間事業者」という。）

三　関係する公共交通事業者等（地域公共交通の活性化及び再生に関する法律（平成十九年法律第五十九号）第二条第二号に規定する公共交通事業者等をいう。）又は関係する道路管理者、公園管理者その他の公共施設の管理者若しくは関係する公安委員会

四　その他都市再生整備計画及びその実施、都市再生整備計画に基づく事業により整備された公共公益施設の管理又は立地適正化計画及びその実施に関し密接な関係を有する者

3　誘導施設等整備民間事業者であって市町村協議会の構成員でないものは、第一項の規定により市町村協議会を組織する同項各号に掲げる者に対して、自己を市町村協議会の構成員として加えることを申し出ることができる。

4　前項の規定による申出を受けた第一項各号に掲げる者は、正当な理由がある場合を除き、当該申出に応じなければならない。

5　市町村協議会は、必要があると認めるときは、関係行政機関、第四十六条第二項第二号イからへまでに掲げる事業（これらの事業と一体となってその効果を増大させることとなる事業等を含む。）を実施し、又は実施することが見込まれる者、都市再生整備計画に基づく事業により整備された公共公益施設の管理者及び第八十一条第二項第四号イからハまでに掲げる事業等を実施し、又は実施することが見込まれる者に対して、資料の提供、意見の開陳、説明その他必要な協力を求めることができる。

6　市町村協議会は、特に必要があると認めるときは、前項に規定する者以外の者に対しても、必要な協力を依頼することができる。

7　第一項の協議を行うための会議において協議が調った事項については、市町村協議会の構成員は、その協議の結果を尊重しなければならない。

8　前各項に定めるもののほか、市町村協議会の運営に関し必要な事項は、市町村協議会が定める。

第八章　都市再生推進法人

（都市再生推進法人の指定）

第一一八条　市町村長は、特定非営利活動促進法第二条第二項の特定非営利活動法人、一般社団法人若しくは一般財団法人又はまちづくりの推進を図る活動を行うことを目的とする会社であって、次条に規定する業務を適正かつ確実に行うことができると認められるものを、その申請により、都市再生推進法人（以下「推進法人」という。）として指定することができる。

2　市町村長は、前項の規定による指定をしたときは、当該推進法人の名称、住所及び事務所の所在地を公示しなければならない。

3　推進法人は、その名称、住所又は事務所の所在地を変更しようとするときは、あらかじめ、その旨を市町村長に届け出なければならない。

4　市町村長は、前項の規定による届出があったときは、当該届出に係る事項を公示しなければならない。

（推進法人の業務）

第一一九条　推進法人は、次に掲げる業務を行うものとする。

一　次に掲げる事業を施行する民間事業者に対し、当該事業に関する知識を有する者の派遣、情報の提供、相談その他の援助を行うこと。

イ　第四十六条第一項の土地の区域における都市開発事業であって都市再生基本方針に基づいて行われるもの

ロ　立地適正化計画に記載された居住誘導区域内における都市開発事業であって住宅の整備に関するもの

ハ　立地適正化計画に記載された誘導施設又は当該誘導施設の利用者の利便の増進に寄与する施設の整備に関する事業

ニ　立地適正化計画に記載された居住誘導区域又は都市機能誘導区域内における低未利用土地の利用又は管理に関する事業

ホ　立地適正化計画に記載された跡地等管理等区域内における跡地等の管理等に関する事業

二　特定非営利活動法人等による前号の事業の施行に対する助成を行うこと。

三　次に掲げる事業を施行すること又は当該事業に参加すること。

イ　第一号の事業

ロ　公共施設又は駐車場その他の第四十六条第一項の土地の区域又は立地適正化計画に記載された居住誘導区域における居住者、滞在者その他の者の利便の増進に寄与するものとして国土交通省令で定める施設の整備に関する事業

四　前号の事業に有効に利用できる土地で政令で定めるものの取得、管理及び譲渡を行うこと。

五　第四十六条第一項の土地の区域又は立地適正化計画に記載された居住誘導区域における公共施設又は第三号ロの国土交通省令で定める施設の所有者（所有者が二人以上いる場合にあっては、その全員）との契約に基づき、これらの施設の管理を行うこと。

六　第四十六条第一項の土地の区域における緑地等管理効率化設備又は再生可能エネルギー発電設備等の所有者（所有者が二人以上いる場合にあっては、その全員）との契約に基づき、これらの設備の管理を行うこと。

七　公園施設設置管理協定に基づき滞在快適性等向上公園施設の設置等を行うこと。

八　都市利便増進協定に基づき都市利便増進施設の一体的な整備又は管理を行うこと。

九　低未利用土地利用促進協定に基づき居住者等利用施設の整備及び管理を行うこと。

十　跡地等管理協定に基づき跡地等の管理を行うこと。

十一　第四十六条第一項の土地の区域又は立地適正化計画に記載された居住誘導区域若しくは都市機能誘導区域の魅力及び活力の向上に資する次

に掲げる活動を行うこと（第三号から第九号までに該当するものを除く。）。

イ　滞在快適性等向上施設等その他の滞在者等の快適性の向上又は利便の増進に資する施設等の整備又は管理

ロ　滞在者等の滞在及び交流の促進を図るための広報又は行事の実施その他の活動

十二　第六十二条の八第一項の規定による道路若しくは都市公園の占用又は道路の使用の許可に係る申請書の経由に関する事務を行うこと。

十三　第四十六条第一項の土地の区域又は立地適正化計画の区域における都市の再生に関する情報の収集、整理及び提供を行うこと。

十四　第四十六条第一項の土地の区域又は立地適正化計画の区域における都市の再生に関する調査研究を行うこと。

十五　第四十六条第一項の土地の区域又は立地適正化計画の区域における都市の再生に関する普及啓発を行うこと。

十六　前各号に掲げるもののほか、第四十六条第一項の土地の区域又は立地適正化計画の区域における都市の再生のために必要な業務を行うこと。

（推進法人の業務に係る公有地の拡大の推進に関する法律の特例）

第百二十条　公有地の拡大の推進に関する法律（昭和四十七年法律第六十六号）第四条第一項の規定は、推進法人に対し、前条第四号に掲げる業務（同条第三号イに掲げる事業のうち都市再生整備計画に記載された公共施設の整備に関する事業及び同号ロに掲げる事業に係るものに限る。）の用に供させるために同項に規定する土地を有償で譲り渡そうとする者については、適用しない。

（監督等）

第百二十一条　市町村長は、第百十九条各号に掲げる業務の適正かつ確実な実施を確保するため必要があると認めるときは、推進法人に対し、その業務に関し報告をさせることができる。

2　市町村長は、推進法人が第百十九条各号に掲げる業務を適正かつ確実に実施していないと認めるときは、推進法人に対し、その業務の運営の改善に関し必要な措置を講ずべきことを命ずることができる。

3　市町村長は、推進法人が前項の規定による命令に違反したときは、第百十八条第一項の規定による指定を取り消すことができる。

4　市町村長は、前項の規定により指定を取り消したときは、その旨を公示しなければならない。

（民間都市機構の行う推進法人支援業務）

第百二十二条　民間都市機構は、第二十九条第一項、第七十一条第一項、第七十八条第一項及び第百三条第一項に規定する業務のほか、推進法人によるその業務の円滑な実施のため、国土交通大臣の承認を受けて、次に掲げる業務を行うことができる。

一　推進法人による第百十九条第二号に掲げる業務（都市開発事業に係るものに限る。）の実施に対する助成を行うこと。

二　推進法人による第百十九条第三号に掲げる業務（都市再生整備計画に記載された滞在快適性等向上区域内における都市開発事業に係るものに限る。）の実施に要する費用に充てる資金の一部を貸し付けること。

三　推進法人に対し、その業務（民間事業者による都市開発事業に係るものに限る。）の実施に関し必要な情報の提供、助言又はあっせんその他の援助を行うこと。

四　前三号に掲げる業務に附帯する業務を行うこと。

2　前項の規定により、民間都市機構が同項各号に掲げる業務を行う場合には、民間都市開発法第十一条第一項中「第四条第一項各号」とあるのは「第四条第一項各号及び都市再生特別措置法（平成十四年法律第二十二号）第百二十二条第一項各号」と、民間都市開発法第十二条中「第四条第一項各号」とあるのは「第四条第一項各号及び都市再生特別措置法第百二十二条第一項各号」と、民間都市開発法第十四条中「第四条第一項第一号及び第二号」とあるのは「第四条第一項第一号及び第二号並びに都市再生特別措置法第百二十二条第一項第一号及び第二号」と、民間都市開発法第二十条第一号中「第十一条第一項」とあるのは「第十一条第一項（都市再生特別措置法第百二十二条第二項の規定により読み替えて適用する場合を含む。以下この号において同じ。）」と、「同項」とあるのは「第十一条第一項」と、同条第二号中「第十二条」とあるのは「第十二条（都市再生特別措置法第百二十二条第二項の規定により読み替えて適用する場合を含む。）」とする。

3　民間都市機構は、第一項第一号又は第二号に掲げる業務を行う場合においては、国土交通省令で定める基準に従って行わなければならない。

（情報の提供等）

第百二十三条　国及び関係地方公共団体は、推進法人に対し、その業務の実施に関し必要な情報の提供又は指導若しくは助言をするものとする。

第九章　雑則

（区分経理）

第百二十四条　民間都市機構は、第二十九条第一項第一号に掲げる業務（同号イ及びロに掲げる方法により支援するものに限る。次条において同じ。）及び第七十一条第一項第一号に掲げる業務（同号イ及びロに掲げる方法（出資に係る部分を除く。）により支援するものに限る。次条において同じ。）に係る経理については、その他の経理と区分し、特別の勘定を設けて整理しなければならない。

（第二十九条第一項第一号に掲げる業務等に要する資金に係る債券の発行額の特例等）

第百二十五条　民間都市機構は、第二十九条第一項第一号に掲げる業務及び第七十一条第一項第一号に掲げる業務に要する資金の財源に充てるためには、民間都市開発法第八条第二項に定める限度を超えて同項の規定による債券を発行することができる。

2　政府は、法人に対する政府の財政援助の制限に関する法律（昭和二十一年法律第二十四号）第三条の規定にかかわらず、国会の議決を経た金額の範囲内において、第二十九条第一項第一号に掲げる業務及び第七十一条第一項第一号に掲げる業務に要する資金の財源に充てるための民間都市開発法第八条第一項の規定による借入金又は同条第二項の規定による債券に係る債務（国際復興開発銀行等からの外資の受入に関する特別措置に関する法律（昭和二十八年法律第五十一号）第二条第一項の規定に基づき政府が保証契約をすることができる債務を除く。）について、保証契約をすることができる。

（関係者の連携及び協力）

第百二十五条の二　国、地方公共団体、推進法人、都市開発事業を施行する民間事業者その他の関係者は、都市の滞在者等の快適性の向上又は利便の増進その他の都市の魅力及び活力の向上を図るためには、多様な主体が相互に連携及び協力を図ることが重要であることに鑑み、都市の再生に資する情報の共有その他相互の連携及び協力に努めるものとする。

（権限の委任）

第百二十六条　この法律に規定する国土交通大臣の権限は、国土交通省令で定めるところにより、その一部を地方整備局長又は北海道開発局長に委任することができる。

（命令への委任）

第百二十七条　この法律に定めるもののほか、この法律の実施のために必要な事項は、命令で定める。

（経過措置）

第百二十八条　この法律の規定に基づき命令を制定し、又は改廃する場合においては、その命令で、その制定又は改廃に伴い合理的に必要と判断される範囲内において、所要の経過措置を定めることができる。

第十章　罰則

第百二十九条　次の各号のいずれかに該当する場合には、当該違反行為をした者は、五十万円以下の罰金に処する。

一　第六十二条の九第一項又は第二項（これらの規定を第百六条において準用する場合を含む。以下この号において同じ。）の規定に違反して、届出をしないで、又は虚偽の届出をして、第六十二条の九第一項又は第二項に規定する行為をしたとき。

二　第六十二条の十第二項又は第三項の規定に違反して、届出をしないで、又は虚偽の届出をして、同条第二項又は第三項に規定する行為をしたとき。

三　第六十二条の十第五項の規定による市町村長の命令に違反したとき。

第百三十条　次の各号のいずれかに該当する者は、三十万円以下の罰金に処する。

一　第二十五条、第六十七条又は第九十九条の規定による報告をせず、又は虚偽の報告をした者

二　第八十八条第一項又は第二項の規定に違反して、届出をしないで、又は虚偽の届出をして、同条第一項本文又は第二項に規定する行為をした者

三　第百八条第一項又は第二項の規定に違反して、届出をしないで、又は虚偽の届出をして、同条第一項本文又は第二項に規定する行為をした者

第一三一条　法人の代表者又は法人若しくは人の代理人、使用人その他の従業者が、その法人又は人の業務に関し、前二条の違反行為をしたときは、行為者を罰するほか、その法人又は人に対して各本条の刑を科する。

附　則

（施行期日）

第一条　この法律は、公布の日から起算して三月を超えない範囲内において政令で定める日から施行する。

〔平成一四政一八九により、平成一四・六・一から施行〕

（検討）

第二条　政府は、この法律の施行後十年以内に、この法律の施行の状況について検討を加え、その結果に基づいて必要な措置を講ずるものとする。

（民間都市再生事業計画の認定を申請する期限）

第三条　第二十条第一項の申請は、令和九年三月三十一日までに限り行うことができる。

附　則〔略〕〔平成一四・七・一二法律八五〕

附　則〔略〕〔平成一五・五・一六法律四二〕

附　則〔略〕〔平成一五・六・二〇法律一〇〇〕

附　則〔略〕〔平成一五・六・二〇法律一〇二〕

附　則〔略〕〔平成一五・七・一六法律一一九〕

附　則〔略〕〔平成一六・三・三一法律一〇〕

附　則〔抄〕〔平成一七・四・二七法律三四〕

（施行期日）

第一条　この法律は、公布の日から起算して六月を超えない範囲内において政令で定める日から施行する。ただし、第一条の規定（都市再生特別措置法第三十条第一項及び第四十二条第三号の改正規定を除く。）〔中略〕は、公布の日から施行する。

〔平成一七政三二一により、平成一七・一〇・二四から施行〕

（罰則に関する経過措置）

第五条　この法律の施行前にした行為に対する罰則の適用については、なお従前の例による。

（政令への委任）

第六条　附則第二条から前条までに定めるもののほか、この法律の施行に関して必要な経過措置は、政令で定める。

附　則〔略〕〔平成一七・七・二六法律八七〕

附　則〔抄〕〔平成一八・五・三一法律四六〕

（施行期日）

第一条　この法律は、公布の日から起算して一年六月を超えない範囲内において政令で定める日から施行する。ただし、次の各号に掲げる規定は、当該各号に定める日から施行する。

〔平成一八政三四九により、平成一九・一一・三〇から施行〕

一　〔略〕

二　〔前略〕第七条中都市再生特別措置法第三十七条第一項第二号の改正規定〔中略〕並びに附則〔中略〕第九条から第十一条までの規定　公布の日から起算して三月を超えない範囲内において政令で定める日

〔平成一八政二七二により、平成一八・八・三〇から施行〕

三　〔前略〕第七条中都市再生特別措置法第五十一条第四項の改正規定〔中略〕　公布の日から起算して六月を超えない範囲内において政令で定める日

〔平成一八政三四九により、平成一八・一一・三〇から施行〕

（罰則に関する経過措置）

第一〇条　この法律（附則第一条第二号及び第三号に掲げる規定については、当該規定。以下この条において同じ。）の施行前にした行為及びこの附則の規定によりなお従前の例によることとされる場合におけるこの法律の施行後にした行為に対する罰則の適用については、なお従前の例による。

（政令への委任）

第一一条　この附則に定めるもののほか、この法律の施行に関して必要な経過措置は、政令で定める。

附　則〔略〕〔平成一八・六・二法律五〇〕

附　則〔抄〕〔平成一九・三・三一法律一九〕

（施行期日）

第一条　この法律は、公布の日から起算して六月を超えない範囲内において政令で定める日から施行する。ただし、第一条（都市再生特別措置法第二十九条第一項、第七十一条第一項第一号、附則第三条及び附則第四条の改正規定に限る。）及び附則第五条の規定は、平成十九年四月一日から施行する。

〔平成一九政三〇三により、平成一九・九・二八から施行〕

（都市再生特別措置法の一部改正に伴う経過措置）

第三条　この法律の施行前に第一条の規定による改正前の都市再生特別措置法第三十三条第一項の規定によりその開催を求められた会議については、第一条の規定による改正後の都市再生特別措置法第三十三条の規定にかかわらず、なお従前の例による。

2　この法律の施行の際現に第一条の規定による改正前の都市再生特別措置法第四十六条第七項（同条第十一項において準用する場合を含む。）の規定により都市再生整備計画に記載されている市町村施行国道等事業に係る交付金の交付及び国道又は都道府県道の新設又は改築については、当該都市再生整備計画の計画期間内に限り、なお従前の例による。

（罰則に関する経過措置）

第四条　この法律の施行前にした行為に対する罰則の適用については、なお従前の例による。

（政令への委任）

第五条　前三条に定めるもののほか、この法律の施行に関して必要な経過措置（罰則に関する経過措置を含む。）は、政令で定める。

（検討）

第六条　政府は、この法律の施行後五年を経過した場合において、第二条から第四条までの規定による改正後の規定の施行の状況について検討を加え、必要があると認めるときは、その結果に基づいて必要な措置を講ずるものとする。

附　則〔略〕〔平成二〇・五・二三法律四〇〕

附　則〔抄〕〔平成二一・六・三法律四五〕

（施行期日）

第一条　この法律は、公布の日から起算して六月を超えない範囲内において政令で定める日から施行する。ただし、第一条（都市再生特別措置法第四十七条第二項及び第七十四条の改正規定に限る。）〔中略〕の規定は、公布の日から起算して三月を超えない範囲内において政令で定める日から施行する。

〔平成二一政二〇七により、平成二一・一〇・一から施行。ただし書の規定は、平成二一政二〇七により、平成二一・九・一から施行〕

（経過措置）

第二条　第一条の規定による改正後の都市再生特別措置法（以下「新都市再生特別措置法」という。）第十五条の規定により地域整備方針が定められるまでの間は、この法律の施行の際現に第一条の規定による改正前の都市再生特別措置法（以下「旧都市再生特別措置法」という。）第十五条の規定により定められている地域整備方針は、新都市再生特別措置法第十五条の規定により定められた地域整備方針とみなす。

第三条　この法律の施行の際現に旧都市再生特別措置法第四十六条の規定により作成されている都市再生整備計画は、新都市再生特別措置法第四十六条の規定により作成された都市再生整備計画とみなす。

第四条　この法律の施行の際現に旧都市再生特別措置法第四十六条の二第一項の規定により組織されている市町村都市再生整備協議会は、新都市再生特別措置法第四十六条の二第一項の規定により組織された市町村都市再生整備協議会とみなす。

（政令への委任）

第五条　前三条に定めるもののほか、この法律の施行に関して必要な経過措置は、政令で定める。

附　則〔抄〕〔平成二三・四・二七法律二四〕

（施行期日）

第一条　この法律は、公布の日から起算して三月を超えない範囲内において政令で定める日から施行する。ただし、目次の改正規定（「都市再生特別地区（第三十六条―第三十六条の五）」を「都市再生特別地区等（第三十六条―第三十六条の五）」に、「都市再生整備計画に係る特別の措置」を「都市再生整備計画等に係る特別の措置」に、「・第四十六条の二」を「―第四十六条の五」に、「独立行政法人都市再生機構の業務の特例」を「道路の占用の許可基準の特例」に、「第六節　都市再生整備推進法人（第七十三条―第七十八条）」を「第六節　都市利便増進協定（第七十二条の三―第七十二条の九）
第七節　都市再生整備推進法人（第七十三条―第七十八条）」に改める部分に限る。）、第四十五条の二第一項、第四十五条の四第一項第二号及び第四十五条の十二の改正規定、第四章第三節第一款の款名の改正規定、第三十六条（見出しを含む。）の改正規定、同条の次に見出し及び四条を加える改正規定、第三十七条第一項第一号の改正規定、第五章の章名の改正規定、第四十六条の改正規定（同条第五項に係る部分を除く。）、第五章第一節に三条を加える改正規定、第五十一条第一項及び第五十八条第四項の改正規定、第五章第三節第四款の改正規定、第七十二条の二の改正規定（同条第二項中「前章第四節」を「前章第五節」に改める部分を除く。）、第七十三条第一項、第七十四条及び第七十七条第一項の改正規定、第五章中第六節を第七節とし、第五節の次に一節を加える改正規定並びに附則第四条から第九条までを削る改正規定並びに附則第六条及び第十二条の規定は、公布の日から起算して六月を超えない範囲内において政令で定める日から施行する。

〔平成二三政二二四により、平成二三・七・二五から施行。ただし書の規定は、平成二三政三二〇により、平成二三・一〇・二〇から施行〕

（経過措置）

第二条　この法律による改正後の都市再生特別措置法（以下「新法」という。）第十四条の規定により都市再生基本方針が定められるまでの間は、この法律の施行の際現にこの法律による改正前の都市再生特別措置法（以下「旧法」という。）第十四条の規定により定められている都市再生基本方針は、新法第十四条の規定により定められた都市再生基本方針とみなす。

第三条　特定都市再生緊急整備地域について、新法第十五条の規定により地域整備方針が定められるまでの間は、この法律の施行の際現に旧法第十五条の規定により定められている地域整備方針は、新法第十五条の規定により定められた地域整備方針とみなす。

第四条　この法律の施行の際現に旧法第十九条第一項の規定により組織されている都市再生緊急整備協議会は、新法第十九条第一項の規定により組織された都市再生緊急整備協議会とみなす。

（政令への委任）

第五条　前三条に定めるもののほか、この法律の施行に関し必要な経過措置は、政令で定める。

（調整規定）

第六条　附則第一条ただし書に規定する日が地方自治法の一部を改正する法律（平成二十三年法律第三十五号）の施行の日前である場合には、同法附則第四十三条のうち都市再生特別措置法第四十六条第十二項の改正規定中「第十二項」とあるのは、「第十五項」とする。

（検討）

第七条　政府は、この法律の施行後五年を経過した場合において、新法の施行の状況について検討を加え、必要があると認めるときは、その結果に基づいて所要の措置を講ずるものとする。

附　則〔略〕〔平成二三・四・二八法律三二〕

附　則〔略〕〔平成二三・五・二法律三五〕

附　則〔抄〕〔平成二三・八・三〇法律一〇五〕

（施行期日）

第一条　この法律は、公布の日から施行する。ただし、次の各号に掲げる規定は、当該各号に定める日から施行する。

一　〔前略〕第百五十五条（都市再生特別措置法第四十六条、第四十六条の二及び第五十一条第一項の改正規定に限る。）〔中略〕の規定　公布の日から起算して三月を経過した日

二　〔前略〕第百五十五条（都市再生特別措置法第五十一条第四項の改正規定に限る。）〔中略〕の規定　平成二十四年四月一日

三～六　〔略〕

（罰則に関する経過措置）

第八十一条　この法律（附則第一条各号に掲げる規定にあっては、当該規定。以下この条において同じ。）の施行前にした行為及びこの附則の規定によりなお従前の例によることとされる場合におけるこの法律の施行後にした行為に対する罰則の適用については、なお従前の例による。

（政令への委任）

第八十二条　この附則に規定するもののほか、この法律の施行に関し必要な経過措置（罰則に関する経過措置を含む。）は、政令で定める。

附　則〔平成二四・四・六法律二六〕

（施行期日）

第一条　この法律は、公布の日から起算して三月を超えない範囲内において政令で定める日から施行する。

〔平成二四政一七七により、平成二四・七・一から施行〕

（経過措置）

第二条　この法律による改正後の都市再生特別措置法（以下「新法」という。）第十四条又は第十五条の規定により都市再生基本方針又は地域整備方針が定められるまでの間は、この法律の施行の際現にこの法律による改正前の都市再生特別措置法第十四条又は第十五条の規定により定められている都市再生基本方針又は地域整備方針は、新法第十四条又は第十五条の規定により定められた都市再生基本方針又は地域整備方針とみなす。

（政令への委任）

第三条　前条に定めるもののほか、この法律の施行に関し必要な経過措置は、政令で定める。

（検討）

第四条　政府は、この法律の施行後五年を経過した場合において、新法の施行の状況について検討を加え、必要があると認めるときは、その結果に基づいて所要の措置を講ずるものとする。

附　則〔略〕〔平成二五・五・二九法律二〇〕

附　則〔略〕〔平成二六・四・二五法律三〇〕

附　則〔抄〕〔平成二六・五・二一法律三九〕

（施行期日）

第一条　この法律は、公布の日から起算して三月を超えない範囲内において政令で定める日から施行する。

〔平成二六政二三八により、平成二六・八・一から施行〕

（都市再生特別措置法の一部改正に伴う経過措置）

第二条　第一条の規定による改正後の都市再生特別措置法（以下「新都市再生特別措置法」という。）第十四条の規定により都市再生基本方針が定められるまでの間は、この法律の施行の際現に第一条の規定による改正前の都市再生特別措置法（以下「旧都市再生特別措置法」という。）第十四条の規定により定められている都市再生基本方針は、新都市再生特別措置法第十四条の規定により定められた都市再生基本方針とみなす。

第三条　この法律の施行の際現に旧都市再生特別措置法第四十六条の二第一項の規定により組織されている市町村都市再生整備協議会は、新都市再生特別措置法第百十七条第一項の規定により組織された市町村都市再生協議会とみなす。

第四条　この法律の施行の際現に旧都市再生特別措置法第七十三条第一項の規定により指定されている都市再生整備推進法人は、新都市再生特別措置法第百十八条第一項の規定により指定された都市再生推進法人とみなす。

（政令への委任）

第五条　前三条に定めるもののほか、この法律の施行に関し必要な経過措置は、政令で定める。

（調整規定）

第六条　この法律の施行の日が中心市街地の活性化に関する法律の一部を改正する法律（平成二十六年法律第三十号）の施行の日前である場合には、第一条のうち都市再生特別措置法第七十二条の九を第八十条とし、同条の次に二章及び章名を加える改正規定（同法第百十七条第一項第四号に係る部分に限る。）中「第六十一条第一項」とあるのは、「第五十一条第一項」とする。

2　前項の場合において、中心市街地の活性化に関する法律の一部を改正する法律附則第十五条のうち都市再生特別措置法第四十六条の二第一項第四号の改正規定中「第四十六条の二第一項第四号」とあるのは、「第百十七条第一項第四号」とする。

（検討）

第七条　政府は、この法律の施行後五年を経過した場合において、第一条から第三条までの規定による改正後の規定の施行の状況について検討を加え、必要があると認めるときは、その結果に基づいて必要な措置を講ずるものとする。

附　則〔抄〕〔平成二六・五・三〇法律四二〕

（施行期日）

第一条　この法律〔中略〕は、当該各号に定める日〔平成二七・四・一〕から施行する。

（都市再生特別措置法の一部改正に伴う経過措置）

第六四条　施行時特例市に対する前条の規定による改正後の都市再生特別措置法第九十三条第一項の規定の適用については、同項中「及び同法」とあるのは「、同法」と、「中核市」とあるのは「中核市及び地方自治法の一部を改正する法律（平成二十六年法律第四十二号）附則第二条に規定する施行時特例市」とする。

附　則〔略〕〔平成二六・六・四法律五一〕

附　則〔略〕〔平成二六・六・四法律五三〕

附　則〔略〕〔平成二六・六・一三法律六九〕

附　則〔略〕〔平成二七・六・二六法律四九〕

附　則〔略〕〔平成二七・六・二六法律五〇〕

附　則〔略〕〔平成二七・九・一一法律六六〕

附　則〔抄〕〔平成二八・六・七法律七二〕

（施行期日）

第一条　この法律は、公布の日から起算して三月を超えない範囲内において政令で定める日から施行する。

〔平成二八政二八七により、平成二八・九・一から施行〕

（政令への委任）

第三条　前条に定めるもののほか、この法律の施行に関し必要な経過措置は、政令で定める。

（検討）

第四条　政府は、この法律の施行後五年を経過した場合において、第一条から第三条までの規定による改正後の規定の施行の状況について検討を加え、必要があると認めるときは、その結果に基づいて必要な措置を講ずるものとする。

附　則〔抄〕〔平成二九・五・一二法律二六〕

（施行期日）

第一条　この法律は、公布の日から起算して二月を超えない範囲内において政令で定める日から施行する。ただし、次の各号に掲げる規定は、当該各号に定める日から施行する。

〔平成二九政一五五により、平成二九・六・一五から施行〕

一　附則第二十五条の規定　公布の日

二　〔略〕

（政令への委任）

第二五条　この附則に定めるもののほか、この法律の施行に関し必要な経過措置は、政令で定める。

附　則〔抄〕〔平成三〇・四・二五法律二二〕

（施行期日）

1　この法律は、公布の日から起算して三月を超えない範囲内において政令で定める日から施行する。

〔平成三〇政二〇一により、平成三〇・七・一五から施行〕

（政令への委任）

2　この法律の施行に関し必要な経過措置は、政令で定める。

（検討）

3　政府は、この法律の施行後五年を経過した場合において、第一条から第三条までの規定による改正後の規定の施行の状況について検討を加え、必要があると認めるときは、その結果に基づいて必要な措置を講ずるものとする。

附　則〔略〕〔平成三〇・六・一法律三八〕

附　則〔略〕〔平成三〇・六・二七法律六七〕

附　則〔抄〕〔令和二・六・一〇法律四三〕

（施行期日）

第一条　この法律は、公布の日から起算して三月を超えない範囲内において政令で定める日から施行する。ただし、第一条中都市再生特別措置法第八十八条に一項を加える改正規定並びに同法第九十条及び第九十一条の改正規定〔中略〕並びに次条〔中略〕の規定は、公布の日から起算して二年を超えない範囲内において政令で定める日から施行する。

〔令和二政二六七により、令和二・九・七から施行。ただし書の規定は、令和二政三三六により、令和四・四・一から施行〕

（都市再生特別措置法の一部改正に伴う経過措置）

第二条　前条ただし書に規定する改正規定（第一条に係る部分に限る。）の施行の日前に都市再生特別措置法第八十八条第一項又は第二項の規定によりされた届出に係る行為については、当該改正規定による改正後の都市再生特別措置法第八十八条第五項の規定は、適用しない。

（政令への委任）

第四条　前二条に規定するもののほか、この法律の施行に関し必要な経過措置は、政令で定める。

（検討）

第五条　政府は、この法律の施行後五年を経過した場合において、この法律による改正後の規定の施行の状況について検討を加え、必要があると認めるときは、その結果に基づいて必要な措置を講ずるものとする。

附　則〔略〕〔令和三・五・一〇法律三一〕

附　則〔略〕〔令和三・五・一九法律三六〕

附　則〔略〕〔令和四・五・二七法律五五〕

附　則〔略〕〔令和五・六・一六法律五八〕

附　則〔抄〕〔令和六・五・二九法律四〇〕

（施行期日）

第一条　この法律は、公布の日から起算して六月を超えない範囲内において政令で定める日から施行する。ただし、附則第三条の規定は、公布の日から施行する。

（政令への委任）

第三条　前条に定めるもののほか、この法律の施行に関し必要な経過措置（罰則に関する経過措置を含む。）は、政令で定める。

（検討）

第四条　政府は、この法律の施行後五年を目途として、この法律による改正後のそれぞれの法律の規定について、その施行の状況等を勘案して検討を加え、必要があると認めるときは、その結果に基づいて所要の措置を講ずるものとする。

○都市再生特別措置法施行令

〔平成一四・五・三一
政令一九〇〕

改正　平成一五・五政二二六、一二政五二三、平成一六・三政九五、一二政三九六、平成一七・四政一六五、五政一九二、一〇政三二二、平成一八・八政二六五、平成一九・四政一四一、九政三〇四、平成二〇・三政一〇四、一二政四〇〇、平成二一・八政二〇八、平成二三・五政一一九、七政二二五、一〇政三二一、一一政三六三、一二政四二四、平成二四・三政八七、六政一七八、一一政二八四、平成二五・三政四七、八政二四三、平成二六・五政一八七、七政二三九、政二四一、平成二七・一政二二、平成二八・三政一三八、政一八二、八政二八八、平成二九・六政一五六、平成三〇・七政二〇二、九政二八〇、平成三一・三政九一、令和二・九政二六八、一〇政三一四、一一政三二九、政三三七、令和三・九政二六一、一〇政二九六、令和四・三政九七、一二政三九三、令和五・三政九八

（公共施設）

第一条　都市再生特別措置法（以下「法」という。）第二条第二項の政令で定める公共の用に供する施設は、下水道、緑地、河川、運河及び水路並びに防水、防砂又は防潮の施設並びに港湾における水域施設、外郭施設及び係留施設とする。

（協議会を組織するよう要請することができる都市開発事業の規模）

第二条　法第十九条第三項の政令で定める都市開発事業を施行する土地（水面を含む。）の区域（第二号において「事業区域」という。）の面積の規模は、〇・五ヘクタールとする。ただし、特定都市再生緊急整備地域内において当該都市開発事業を施行する場合においては、次の各号に掲げる場合の区分に応じ、当該各号に定める規模とする。

一　次号に掲げる場合以外の場合　一ヘクタール

二　当該都市開発事業の事業区域に隣接し、又は近接してこれと一体的に他の都市開発事業が施行され、又は施行されることが確実であると見込まれ、かつ、これらの都市開発事業の事業区域の面積の合計が一ヘクタール以上となる場合　〇・五ヘクタール

（熱供給施設に準ずる施設）

第三条　法第十九条の二第九項の政令で定める施設は、水、蒸気その他国土交通大臣が定める液体又は気体（以下この条において「水等」という。）を加熱し、又は冷却し、かつ、当該加熱され、又は冷却された水等を利用するために必要なボイラー、冷凍設備、循環ポンプ、整圧器、導管その他の設備（熱供給施設を除く。）とする。

（公共下水道管理者の許可に係る基準）

第四条　法第十九条の七第二項の政令で定める基準は、次のとおりとする。

一　接続設備の位置は、次に掲げるところによること。

イ　公共下水道の排水施設（これを補完する施設を含む。以下この条において同じ。）から下水を取水するために設ける接続設備は、排水施設の下水の排除に著しい支障を及ぼすおそれが少ない箇所に設けること。

ロ　公共下水道の排水施設に下水を流入させるために設ける接続設備は、流入する下水の水勢により排水施設を損傷するおそれが少ない箇所に設けること。

二　法第十九条の二第九項に規定する設備及び接続設備の構造は、次に掲げるところによること。

イ　堅固で耐久力を有するとともに、公共下水道の施設又は他の施設若しくは工作物その他の物件の構造に支障を及ぼさないものであること。

ロ　コンクリートその他の耐水性の材料で造り、かつ、漏水及び地下水の浸入を最少限度のものとする措置が講ぜられていること。

ハ　管渠は、暗渠とすること。ただし、法第十九条の二第九項に規定する設備を有する建築物内においては、この限りでない。

ニ　屋外にあるもの（管渠を除く。）にあっては、覆い又は柵の設置その他下水の飛散を防止し、及び人の立入りを制限する措置が講ぜられていること。

ホ　下水の貯留等により腐食するおそれのある部分にあっては、ステンレス鋼その他の腐食しにくい材料で造り、又は腐食を防止する措置が講ぜられていること。

ヘ　地震によって公共下水道による下水の排除及び処理に支障が生じないよう可撓継手の設置その他の措置が講ぜられていること。

ト　管渠の清掃上必要な箇所にあっては、ます又はマンホールを設けること。

チ　ます又はマンホールには、密閉することができる蓋を設けること。

リ　ますの底には、その接続する管渠の内径又は内のり幅に応じ相当の幅のインバートを設けること。

ヌ　下水を一時的に貯留するものにあっては、臭気の発散により生活環境の保全上支障が生じないようにするための措置が講ぜられていること。

ル　公共下水道の排水施設から取水する下水の量及び当該公共下水道の排水施設に流入させる下水の量を調節するための設備を設けること。

三　工事の実施方法は、次に掲げるところによること。

イ　公共下水道の管渠を一時閉じ塞ぐ必要があるときは、下水が外にあふれ出るおそれがない時期及び方法を選ぶこと。

ロ　公共下水道の排水施設に下水を流入させるために設ける接続設備は、ますその他の排水施設に突出させないで設けるとともに、その設けた箇所からの漏水を防止する措置を講ずること。

ハ　その他公共下水道の施設又は他の施設若しくは工作物その他の物件の構造又は機能に支障を及ぼすおそれがないこと。

四　公共下水道の排水施設から取水する下水の量は、その公共下水道の下水の排除に著しい支障を及ぼさないものであること。

（公共下水道の排水施設に流入させる下水に混入することができる物）

第五条　法第十九条の七第五項の政令で定める物は、凝集剤であって公共下水道管理者が公共下水道の管理上著しい支障を及ぼすおそれがないと認めたものとする。

（都市公園の占用の許可の特例に係る都市再生安全確保施設）

第六条　法第十九条の二十第一項の政令で定める都市再生安全確保施設は、都市公園法施行令（昭和三十一年政令第二百九十号）第十二条第二項第一号の二、第二号又は第二号の二に掲げるものに該当するものとする。

（法第二十条第一項の政令で定める都市再生事業の規模）

第七条　法第二十条第一項の規定による民間都市再生事業計画の認定を申請することができる都市再生事業についての同項の政令で定める都市開発事業の事業区域の面積の規模は、〇・五ヘクタールとする。ただし、特定都市再生緊急整備地域内において当該都市開発事業を施行する場合においては、次の各号に掲げる場合の区分に応じ、当該各号に定める規模とする。

一　次号に掲げる場合以外の場合　一ヘクタール

二　当該特定都市再生緊急整備地域が指定されている都市再生緊急整備地域内において当該都市開発事業の事業区域に隣接し、又は近接してこれと一体的に他の都市開発事業（当該都市再生緊急整備地域に係る地域整備方針に定められた都市機能の増進を主たる目的とするものに限る。）が施行され、又は施行されることが確実であると見込まれ、かつ、これらの都市開発事業の事業区域の面積の合計が一ヘクタール以上となる場合　〇・五ヘクタール

2　法第三十七条に規定する提案並びに法第四十二条及び第四十三条第一項に規定する申請に係る都市計画等の特例（次項において単に「都市計画等の特例」という。）の対象となる都市再生事業についての法第二十条第一項の政令で定める規模は、〇・五ヘクタールとする。

3　都市計画等の特例の対象となる関連公共公益施設整備事業（都市再生事業の施行に関連して必要となる公共公益施設の整備に関する事業をいう。）に係る当該都市再生事業についての法第二十条第一項の政令で定める規模は、〇・五ヘクタールとする。

（都市再生事業支援業務に係る公益的施設の範囲）

第八条　法第二十九条第一項第一号の政令で定める公益的施設は、医療施設、福祉施設その他国土交通大臣が定める施設であって、国土交通大臣が定め

る基準に該当するものとする。

（都市再生事業支援業務に係る設備の範囲）

第九条　法第二十九条第一項第一号の政令で定める設備は、建築物の利用の状況その他の建築物の利用者等に有用な情報を把握し、伝達し、又は処理するために必要な撮影機器、通信機器、電子計算機その他国土交通大臣が定める設備であって、先端的な技術を活用することにより建築物の利用者等の利便の増進に特に寄与するものとして国土交通大臣が定める基準に該当するものとする。

（特定都市道路内に建築することができる建築物に関する基準）

第一〇条　法第三十六条の三第二項の政令で定める基準は、建築基準法施行令（昭和二十五年政令第三百三十八号）第百四十五条第一項各号に掲げる基準とする。

（特定都市道路を整備する上で著しい支障を及ぼすおそれがない行為）

第一一条　法第三十六条の四の規定により都市計画法（昭和四十三年法律第百号）第五十三条第一項の規定を読み替えて適用する場合における都市計画法施行令（昭和四十四年政令第百五十八号）第三十七条の三の規定の適用については、同条中「法第十二条の十一」とあるのは、「都市再生特別措置法（平成十四年法律第二十二号）第三十六条の二第一項」とする。

（都市再生事業等を行おうとする者がその都市計画の決定又は変更を提案することができる都市施設）

第一二条　法第三十七条第一項第八号の政令で定める都市施設は、次に掲げるものとする。

一　道路、都市高速鉄道、駐車場、自動車ターミナルその他の交通施設

二　公園、緑地、広場その他の公共空地

三　水道、電気供給施設、ガス供給施設、下水道、ごみ焼却場その他の供給施設又は処理施設

四　河川、運河その他の水路

五　学校、図書館、研究施設その他の教育文化施設

六　病院、保育所その他の医療施設又は社会福祉施設

七　防水、防砂又は防潮の施設

（都市再生事業等に係る認可等に関する処理期間）

第一三条　法第四十二条の政令で定める期間は、次の各号に掲げる認可、認定又は承認の区分に応じ、当該各号に定める期間とする。

一　都市再開発法（昭和四十四年法律第三十八号）第十一条第一項若しくは第三項、第三十八条第一項（事業計画の変更（都市再開発法施行令（昭和四十四年政令第二百三十二号）第四条第一項に規定する軽微な変更を除く。）の認可に係る部分に限る。）、第五十条の二第一項、第五十条の九第一項（同令第四条第一項又は第二項に規定する軽微な変更の認可に係る部分を除く。）又は第五十八条第一項（同令第四条第一項又は第三項に規定する軽微な変更の認可に係る部分を除く。）の規定による認可

三月

二　密集市街地における防災街区の整備の促進に関する法律（平成九年法律第四十九号）第百三十六条第一項若しくは第三項、第百五十七条第一項（事業計画の変更（同条第二項の国土交通省令で定める軽微な変更を除く。）の認可に係る部分に限る。）、第百六十五条第一項、第百七十二条第一項（同条第二項の国土交通省令で定める軽微な変更の認可に係る部分を除く。）又は第百八十八条第一項（同条第四項の国土交通省令で定める軽微な変更の認可に係る部分を除く。）の規定による認可　三月

三　土地区画整理法（昭和二十九年法律第百十九号）第十四条第一項前段若しくは第三項前段、第三十九条第一項前段（事業計画の変更（土地区画整理法施行令（昭和三十年政令第四十七号）第四条第一項に規定する軽微な変更を除く。）の認可に係る部分に限る。）、第五十一条の二第一項前段、第五十一条の十第一項前段（同令第四条第一項又は第二項に規定する軽微な変更の認可に係る部分を除く。）、第七十一条の二第一項又は第七十一条の三第十四項（同令第四条第一項又は第三項に規定する軽微な変更の認可に係る部分を除く。）の規定による認可　三月

四　その他の認可、認定又は承認　二月

（市町村が決定又は変更をすることができる都市計画）

第一四条　法第四十六条第五項の政令で定める都市計画は、次に掲げるものに関する都市計画（都市計画法第八十七条の二第一項の指定都市（以下この条及び第二十七条第一号ニにおいて「指定都市」という。）にあっては、第一号ハに掲げる都市施設（河川法（昭和三十九年法律第百六十七号）第五条第一項に規定する二級河川のうち、一の指定都市の区域内のみに存するものを除く。）に関する都市計画）とする。

一　次に掲げる都市施設

イ　次に掲げる道路（自動車専用道路を除く。）

(1)　道路法（昭和二十七年法律第百八十号）第十三条第一項の指定区間外の国道

(2)　都道府県道

ロ　公園、緑地又は広場で、面積が十ヘクタール以上のもの（国又は都道府県が設置するものに限る。）

ハ　河川法第四条第一項に規定する一級河川又は同法第五条第一項に規定する二級河川

二　次に掲げる市街地開発事業であって、国の機関又は都道府県が施行すると見込まれるもの

イ　施行区域の面積が三ヘクタールを超える市街地再開発事業

ロ　施行区域の面積が三ヘクタールを超える防災街区整備事業

ハ　施行区域の面積が五十ヘクタールを超える土地区画整理事業

ニ　その他国土交通省令で定める市街地開発事業

（市町村が行うことができる国道又は都道府県道の新設等）

第一五条　法第四十六条第七項の政令で定める国道若しくは都道府県道の新設若しくは改築又は国道若しくは都道府県道に附属する道路の附属物の新設若しくは改築は、次に掲げるものとする。

一　沿道の駐車施設への駐車を待機する自動車により発生する渋滞を解消するための車線の増設

二　道路の附属物である自動車駐車場の新設又は改築

三　その他国道若しくは都道府県道の新設若しくは改築又は国道若しくは都道府県道に附属する道路の附属物の新設若しくは改築であって、前二号に掲げるものに準ずるものとして国土交通省令で定めるもの

（市町村が行うことができる国道又は都道府県道の維持又は修繕）

第一六条　法第四十六条第八項の政令で定める国道又は都道府県道の維持又は修繕は、前条第一号に規定する車線の維持又は修繕とする。

（都市の再生に貢献し、道路の通行者又は利用者の利便の増進に資する施設等）

第一七条　法第四十六条第十項の政令で定める施設等は、次に掲げるものとする。

一　広告塔又は看板で良好な景観の形成又は風致の維持に寄与するもの

二　食事施設、購買施設その他これらに類する施設で道路の通行者又は利用者の利便の増進に資するもの

三　道路法施行令（昭和二十七年政令第四百七十九号）第十一条の十第一項に規定する自転車駐車器具で自転車を賃貸する事業の用に供するもの

（都市の居住者、来訪者又は滞在者の利便の増進に寄与する施設等）

第一八条　法第四十六条第十二項の政令で定める施設等は、次に掲げるものとする。

一　自転車駐車場で自転車を賃貸する事業の用に供するもの

二　観光案内所

三　路線バス（主として一の市町村の区域内において運行するものに限る。）の停留所のベンチ又は上家

四　都市公園法（昭和三十一年法律第七十九号）第七条第一項第六号に掲げる仮設工作物

（一体型滞在快適性等向上事業の実施主体が滞在快適性等向上区域内の都市公園において設置する施設等）

第一九条　法第四十六条第十四項第一号の政令で定める施設等は、地域における催しに関する情報を提供するための看板及び広告塔であって、国土交通省令で定める要件に適合するものとする。

（一体型事業実施主体等が滞在快適性等向上公園施設の周辺に設置する施設等）

第二〇条　法第四十六条第十四項第二号ロ(2)の政令で定める施設等は、次に掲げるものとする。

一　自転車駐車場

二　地域における催しに関する情報を提供するための看板及び広告塔

（市町村が決定又は変更を要請することができる都市計画）

第二一条　法第五十四条第一項の政令で定める都市計画は、次に掲げる地域地区に関する都市計画とする。

一　法第三十六条第一項の都市再生特別地区

二　都市計画法第八条第一項第七号の風致地区で、面積が十ヘクタール以

上のもの（二以上の市町村の区域にわたるものに限る。）

三　都市緑地法（昭和四十八年法律第七十二号）第五条の緑地保全地域（二以上の市町村の区域にわたるものに限る。）及び同法第十二条第一項の特別緑地保全地区（首都圏近郊緑地保全法（昭和四十一年法律第百一号）第四条第二項第三号の近郊緑地特別保全地区及び近畿圏の保全区域の整備に関する法律（昭和四十二年法律第百三号）第六条第二項の近郊緑地特別保全地区以外のものにあっては、面積が十ヘクタール以上で、かつ、二以上の市町村の区域にわたるものに限る。）

（都市再生推進法人がその都市計画の決定又は変更を提案することができる都市施設）

第二二条　法第五十七条の二第一項第二号イの政令で定める都市施設は、次に掲げるもの（都市計画法施行令第九条第二項各号のいずれかに該当するものを除く。）とする。

一　道路

二　公園、緑地又は広場

三　下水道

四　河川その他の水路

五　防水又は防砂の施設

六　都市施設のうち、法第百十九条第三号ロの国土交通省令で定める施設に該当するもの

（道路管理者の権限の代行）

第二三条　法第五十八条第四項の規定により市町村が道路管理者に代わって行う権限（第四項において「市町村が代行する権限」という。）は、道路法施行令第四条第一項第一号、第三号（道路法第二十二条第一項の規定に係る部分に限る。）、第四号、第五号、第二十号、第二十一号（道路法第四十六条第一項（第二号に係る部分に限る。）の規定による通行の禁止又は制限に係る部分に限る。第三項において同じ。）、第三十五号（道路法第二十四条本文の規定による承認があったものとみなされる協議に係る部分に限る。）、第三十六号（道路法第二十四条本文の規定による承認があったものとみなされる協議に係る部分に限る。）、第三十八号、第三十九号、第四十一号、第四十二号及び第四十七号（道路法第九十五条の二第一項の規定による意見の聴取又は通知に係る部分に限る。）並びに第四条の二第一項第二号（道路法第二十二条第一項の規定に係る部分に限る。）、第四号及び第十四号に掲げるもののうち、市町村が道路管理者と協議して定めるものとする。

2　市町村は、前項の規定による協議が成立したときは、遅滞なく、その内容を公示しなければならない。

3　市町村は、法第五十八条第四項の規定により道路管理者に代わって道路法施行令第四条第一項第一号、第二十号又は第二十一号に掲げる権限を行った場合には、遅滞なく、その旨を道路管理者に通知しなければならない。

4　市町村が代行する権限は、法第五十八条第三項の規定に基づき公示された国道の新設等又は国道の維持等の開始の日から同項の規定に基づき公示された当該国道の新設等又は国道の維持等の完了の日までの間に限り行うことができるものとする。ただし、道路法施行令第四条第一項第四十一号及び第四十二号に掲げる権限については、当該完了の日後においても行うことができる。

（安全かつ円滑な交通を確保するために必要な基準）

第二四条　法第六十二条第一項第三号の政令で定める基準は、第十七条第一号に掲げる施設等については、次のとおりとする。

一　自転車道、自転車歩行者道又は歩道上に設ける場合においては、道路の構造からみて道路の構造又は交通に著しい支障のない場合を除き、当該施設等を設けたときに自転車又は歩行者が通行することができる部分の一方の側の幅員が、国道にあっては道路構造令（昭和四十五年政令第三百二十号）第十条第三項本文、第十条の二第二項又は第十一条第三項に規定する幅員、都道府県道又は市町村道（道路法第三条第四号の市町村道をいう。）にあってはこれらの規定に規定する幅員を参酌して同法第三十条第三項の条例で定める幅員であること。

二　広告塔又は看板の表示部分を車両（道路交通法（昭和三十五年法律第百五号）第二条第一項第八号に規定する車両をいう。）の運転者から見えにくくするための措置が講ぜられていること。

（都市公園の占用の許可の特例に係る施設等に関する技術的基準）

第二五条　法第六十二条の二第一項の政令で定める技術的基準は、次のとおりとする。

一　法第四十六条第十二項の施設等（以下この条において「居住者等利便増進施設」という。）又は法第四十六条第十四項第一号の施設等（以下この条において「情報提供看板等」という。）の外観及び配置は、できる限り都市公園の風致及び美観その他都市公園としての機能を害しないものとすること。

二　地上に設ける居住者等利便増進施設又は情報提供看板等の構造は、倒壊、落下その他の事由による危険を防止する措置を講ずることその他の公園施設（都市公園法第二条第二項に規定する公園施設をいう。以下この条において同じ。）の保全又は公衆の都市公園の利用に支障を及ぼさないものとすること。

三　地下に設ける居住者等利便増進施設の構造は、堅固で耐久力を有するとともに、公園施設の保全、他の占用物件（都市公園法施行令第十三条第一号に規定する占用物件をいう。）の構造又は公衆の都市公園の利用に支障を及ぼさないものとすること。

四　居住者等利便増進施設のうち、第十八条第一号に掲げる自転車駐車場にあってはその敷地面積が三十平方メートル以内、同条第二号に掲げる観光案内所にあってはその建築面積が五十平方メートル以内、同条第三号に掲げる停留所の上家にあってはその建築面積が二十平方メートル以内であること。

五　情報提供看板等は、都市公園の風致の維持又は美観の形成に寄与するものとすること。

六　居住者等利便増進施設又は情報提供看板等の占用に関する工事は、次に掲げるところによること。

イ　当該工事によって公衆の都市公園の利用に支障を及ぼさないようできる限り必要な措置を講ずること。

ロ　工事現場には、柵又は覆いを設け、夜間は赤色灯をつけ、その他公衆の都市公園の利用に伴う危険を防止するため必要な措置を講ずること。

ハ　工事の時期は、公園施設に関する工事又は他の占用に関する工事の時期を勘案して適当な時期とし、かつ、公衆の都市公園の利用に著しく支障を及ぼさない時期とすること。

（一体型事業実施主体等が滞在快適性等向上公園施設の周辺に設置する施設等に関する技術的基準）

第二六条　法第六十二条の七第二項の政令で定める技術的基準については、第二十条第一号に掲げる施設等にあっては前条（第一号から第三号まで及び第六号に係る部分に限る。）の規定を、第二十条第二号に掲げる施設等にあっては前条（第一号、第二号、第五号及び第六号に係る部分に限る。）の規定を、それぞれ準用する。

2　第二十条第一号に掲げる施設等に係る法第六十二条の七第二項の政令で定める技術的基準については、前項に定めるもののほか、都市公園の外周に接する場所その他のできる限り公衆の都市公園の利用に支障を及ぼさない場所に配置するものとすることとする。

（認定を申請することができる都市再生整備事業の規模）

第二七条　法第六十三条第一項の政令で定める規模は、次の各号に掲げる都市開発事業の区分に応じ、当該各号に定める面積とする。

一　次に掲げる区域内における都市開発事業（次号、第三号及び第五号に掲げる都市開発事業を除く。）〇・五ヘクタール

イ　首都圏整備法（昭和三十一年法律第八十三号）第二条第三項に規定する既成市街地又は同条第四項に規定する近郊整備地帯

ロ　近畿圏整備法（昭和三十八年法律第百二十九号）第二条第三項に規定する既成都市区域又は同条第四項に規定する近郊整備区域

ハ　中部圏開発整備法（昭和四十一年法律第百二号）第二条第三項に規定する都市整備区域

ニ　指定都市の区域

二　前号イからニまでに掲げる区域内における都市開発事業であって、当該都市開発事業の整備事業区域に隣接し、又は近接してこれと一体的に他の都市開発事業（都市再生整備計画の区域内において、都市再生整備計画に記載された事業と一体的に施行されることによりその事業の効果を一層高めるものに限る。）が施行され、又は施行されることが確実であると見込まれ、かつ、これらの都市開発事業の整備事業区域の面積の合計が〇・五ヘクタール以上となる場合における当該都市開発事業（次号及び第五号に掲げる都市開発事業を除く。）〇・二五ヘクタール

三　第一号イからニまでに掲げる区域内における都市開発事業であって、中心市街地の活性化に関する法律（平成十年法律第九十二号）第九条第十四項に規定する認定基本計画において同条第二項第二号に掲げる事項

として定められた都市開発事業（第五号に掲げる都市開発事業を除く。）　〇・二ヘクタール

四　第一号イからニまでに掲げる区域以外の区域内における都市開発事業（次号に掲げる都市開発事業を除く。）　〇・二ヘクタール

五　低未利用土地の区域内における都市開発事業　五百平方メートル

（都市再生整備事業支援業務に係る公益的施設の範囲）

第二八条　法第七十一条第一項第一号の政令で定める公益的施設は、民間事業者間の交流又は連携の拠点となる集会施設その他国土交通大臣が定める施設であって、国土交通大臣が定める基準に該当するものとする。

（都市再生整備事業支援業務に係る設備の範囲）

第二九条　法第七十一条第一項第一号の政令で定める設備は、第九条に規定する設備とする。

（居住誘導区域を定めない区域）

第三〇条　法第八十一条第十九項の政令で定める区域は、次に掲げる区域とする。

一　都市計画法施行令第八条第二項各号に掲げる土地の区域

二　地すべり等防止法（昭和三十三年法律第三十号）第三条第一項に規定する地すべり防止区域（同法第二条第四項に規定する地すべり防止工事の施行その他の同条第一項に規定する地すべりを防止するための措置が講じられている土地の区域を除く。）

三　急傾斜地の崩壊による災害の防止に関する法律（昭和四十四年法律第五十七号）第三条第一項に規定する急傾斜地崩壊危険区域（第三十六条において「急傾斜地崩壊危険区域」といい、同法第二条第三項に規定する急傾斜地崩壊防止工事の施行その他の同条第一項に規定する急傾斜地の崩壊を防止するための措置が講じられている土地の区域を除く。）

四　土砂災害警戒区域等における土砂災害防止対策の推進に関する法律（平成十二年法律第五十七号）第九条第一項に規定する土砂災害特別警戒区域

五　特定都市河川浸水被害対策法（平成十五年法律第七十七号）第五十六条第一項に規定する浸水被害防止区域

（都市計画の決定等の提案をすることができる特定住宅整備事業の住宅の戸数の要件）

第三一条　法第八十六条第一項の政令で定める戸数は、二十戸とする。

（宅地造成等関係行政事務を処理する市町村長等の特例）

第三二条　法第八十七条の二第一項の規定により宅地造成等関係行政事務を処理する市町村長は、宅地造成及び特定盛土等規制法施行令（昭和三十七年政令第十六号）第二十条及び第三十九条の規定の適用については、これらの規定に規定する都道府県知事とみなす。

2　法第八十七条の二第一項の規定によりその長が宅地造成等関係行政事務を処理する市町村は、宅地造成及び特定盛土等規制法施行令第二十条の規定の適用については、同条に規定する都道府県とみなす。

（建築等の届出の対象となる住宅の戸数等の要件）

第三三条　法第八十八条第一項の政令で定める戸数は、三戸とする。

2　法第八十八条第一項の政令で定める規模は、〇・一ヘクタールとする。

（建築等の届出を要しない軽易な行為その他の行為）

第三四条　法第八十八条第一項第一号の政令で定める行為は、次に掲げるものとする。

一　住宅等で仮設のもの又は農林漁業を営む者の居住の用に供するものの建築の用に供する目的で行う開発行為

二　前号の住宅等の新築

三　建築物を改築し、又はその用途を変更して第一号の住宅等とする行為

（建築等の届出を要しない都市計画事業の施行として行う行為に準ずる行為）

第三五条　法第八十八条第一項第三号の政令で定める行為は、都市計画法第四条第六項に規定する都市計画施設（第四十五条において「都市計画施設」という。）を管理することとなる者が当該都市施設に関する都市計画に適合して行う行為（都市計画事業の施行として行うものを除く。）とする。

（勧告に従わなかった旨の公表に係る区域）

第三六条　法第八十八条第五項の政令で定める区域は、急傾斜地崩壊危険区域とする。

（特定開発行為に係る住宅の戸数等の要件）

第三七条　法第九十条の政令で定める戸数は、三戸とする。

2　法第九十条の政令で定める規模は、〇・一ヘクタールとする。

（技術的読替え）

第三八条　法第九十条の規定による技術的読替えは、次の表のとおりとする。

読み替える都市計画法の規定	読み替えられる字句	読み替える字句
第三十四条	同条	前条
第三十四条第八号の二	存する建築物又は第一種特定工作物	存する住宅等（都市再生特別措置法第九十条に規定する住宅等をいう。以下この条において同じ。）
	建築物又は第一種特定工作物（いずれも	住宅等（
	建築物又は第一種特定工作物の	住宅等の
	建築又は建設	建築
第三十四条第十号	建築物又は第一種特定工作物の建築又は建設	住宅等の建築
第三十四条第十二号及び第十四号	市街化を	住宅地化を
	市街化区域内	居住調整地域外
第三十四条第十三号	区域区分	居住調整地域
	居住若しくは業務	居住
	建築物を建築し、又は自己の業務の用に供する第一種特定工作物を建設する	住宅等を建築する
第四十三条第一項ただし書	建築物の新築、改築若しくは用途の変更又は第一種特定工作物の新設	特定建築等行為（同条に規定する特定建築等行為をいう。以下この条において同じ。）
第四十三条第一項第一号、第二号及び第四号	建築物の新築、改築若しくは用途の変更又は第一種特定工作物の新設	特定建築等行為
第四十三条第一項第三号	仮設建築物の新築	住宅等で仮設のもの又は第二十九条第一項第二号に規定する建築物であるものに係る特定建築等行為
第四十三条第三項	第一項本文の建築物の新築、改築若しくは用途の変更又は第一種特定工作物の新設（同項各号	特定建築等行為（第一項各号

（開発許可をすることができる開発行為を条例で定める場合の基準）

第三九条　法第九十条の規定により都市計画法第三十四条第十二号の規定を読み替えて適用する場合における都市計画法施行令第二十九条の十の規定の適用については、同条中「とする」とあるのは、「とする。この場合において、同条第五号中「建築物」とあるのは、「住宅等（都市再生特別措置法（平成十四年法律第二十二号）第九十条に規定する住宅等をいう。）」とする」とする。

（開発許可を受けた土地以外の土地における建築等の許可の基準）

第四〇条　法第九十条の規定により都市計画法第四十三条第二項の規定を読み替えて適用する場合における都市計画法施行令第三十六条第一項の規定の適用については、同項第一号中「建築物又は第一種特定工作物の敷地」

とあるのは「住宅等（都市再生特別措置法（平成十四年法律第二十二号）第九十条の規定により読み替えて適用する法第四十三条第一項に規定する住宅等をいう。第三号イを除き、以下この項において同じ。）の敷地」と、同号イ(4)並びに同項第二号並びに第三号イ及びハからホまでの規定中「建築物又は第一種特定工作物」とあるのは「住宅等」と、同号中「建築物又は第一種特定工作物が次の」とあるのは「住宅等がイ又はハからホまでの」と、同号イ中「法第三十四条第一号から第十号まで」とあるのは「都市再生特別措置法第九十条及び都市再生特別措置法施行令（平成十四年政令第百九十号）第三十八条の規定により読み替えて適用する法第三十四条第八号の二に規定する代わるべき住宅等又は同条第十号」と、同号ハ及びホ中「市街化を」とあるのは「住宅地化を」と、「市街化区域内」とあるのは「居住調整地域外」と、同号ハ中「建築物の新築、改築若しくは用途の変更又は第一種特定工作物の新設」とあるのは「住宅等を新築し、又は建築物を改築し、若しくはその用途を変更して住宅等とする行為」と、「第二十九条の九各号」とあるのは「都市再生特別措置法施行令第三十九条の規定により読み替えて適用する第二十九条の九各号」と、同号ニ中「法」とあるのは「都市再生特別措置法第九十条及び都市再生特別措置法施行令第三十八条の規定により読み替えて適用する法」と、同号ニ及びホ中「建築し、又は建設する」とあるのは「建築する」とする。

（開発許可関係事務を処理する市町村長等の特例）

第四一条　法第九十三条第一項の規定により開発許可関係事務を処理する市町村長は、都市計画法施行令第三十六条第一項の規定の適用については、同項に規定する都道府県知事とみなす。

2　法第九十三条第一項の規定によりその長が開発許可関係事務を処理する市町村は、都市計画法施行令第十九条第一項ただし書、第二十二条の三第一項第三号ただし書、第四号及び第五号、第二十三条の三ただし書並びに第三十六条第一項第三号ハの規定の適用については、これらの規定に規定する都道府県とみなす。

（認定を申請することができる誘導施設等整備事業の規模）

第四二条　法第九十五条第一項の政令で定める規模は、次の各号に掲げる都市開発事業の区分に応じ、当該各号に定める面積とする。

一　当該都市機能誘導区域に係る誘導施設を有する建築物の整備に関する都市開発事業　五百平方メートル

二　当該都市機能誘導区域に係る誘導施設の利用者の利便の増進に寄与する施設を有する建築物の整備に関する都市開発事業　〇・一ヘクタール

（誘導施設等整備事業支援業務に係る公益的施設の範囲）

第四三条　法第百三条第一項第一号の政令で定める公益的施設は、医療施設、福祉施設その他国土交通大臣が定める施設であって、国土交通大臣が定める基準に該当するものとする。

（建築等の届出を要しない軽易な行為その他の行為）

第四四条　法第百八条第一項第一号の政令で定める行為は、次に掲げるものとする。

一　当該立地適正化計画に記載された誘導施設を有する建築物で仮設のものの建築の用に供する目的で行う開発行為

二　前号の誘導施設を有する建築物で仮設のものの新築

三　建築物を改築し、又はその用途を変更して第一号の誘導施設を有する建築物で仮設のものとする行為

（建築等の届出を要しない都市計画事業の施行として行う行為に準ずる行為）

第四五条　法第百八条第一項第三号の政令で定める行為は、都市計画施設を管理することとなる者が当該都市施設に関する都市計画に適合して行う行為（都市計画事業の施行として行うものを除く。）とする。

（都市再生推進法人の業務として取得、管理及び譲渡を行う土地）

第四六条　法第百十九条第四号の政令で定める土地は、同条第三号に規定する事業の用に供する土地及び当該事業に係る代替地の用に供する土地とする。

附　則

（施行期日）

1　この政令は、法の施行の日（平成十四年六月一日）から施行する。

（認定を申請することができる都市再生整備事業の規模の特例）

2　令和七年三月三十一日までの間における第二十七条の規定の適用については、同条第一号中「次に」とあるのは「イからハまでに」と、同号イ中「既成市街地」とあるのは「既成市街地又は同条第四項に規定する近郊整備地帯」と、同号ロ中「既成都市区域」とあるのは「既成都市区域又は同条第四項に規定する近郊整備区域」と、同号ハ中「都市整備区域」とあるのは「都市整備区域（首都圏、近畿圏及び中部圏の近郊整備地帯等の整備のための国の財政上の特別措置に関する法律施行令（昭和四十一年政令第三百十八号）第一条に規定する区域であるものに限る。）」と、同条第二号から第四号までの規定中「二までに」とあるのは「ハまでに」と、同号中「〇・二ヘクタール」とあるのは「〇・二ヘクタール（都市の居住者の共同の福祉又は利便のため必要な施設を有する建築物の整備に関する都市開発事業で国土交通大臣が定める基準に該当するものにあっては、五百平方メートル）」とする。

附　則〔略〕〔平成一五・五・一六政令二二六〕

附　則〔平成一五・一二・一七政令五二三〕

（施行期日）

第一条　この政令は、密集市街地における防災街区の整備の促進に関する法律等の一部を改正する法律の施行の日（平成十五年十二月十九日）から施行する。

（罰則に関する経過措置）

第二条　この政令の施行前にした行為に対する罰則の適用については、なお従前の例による。

附　則〔略〕〔平成一六・三・三一政令九五〕

附　則〔抄〕〔平成一六・一二・一五政令三九六〕

（施行期日）

第一条　この政令は、都市緑地保全法等の一部を改正する法律（以下「改正法」という。）の施行の日（平成十六年十二月十七日。以下「施行日」という。）から施行する。

（処分、手続等の効力に関する経過措置）

第四条　改正法附則第二条から第五条まで及び前二条に規定するもののほか、施行日前に改正法による改正前のそれぞれの法律又はこの政令による改正前のそれぞれの政令の規定によってした処分、手続その他の行為であって、改正法による改正後のそれぞれの法律又はこの政令による改正後のそれぞれの政令に相当の規定があるものは、これらの規定によってした処分、手続その他の行為とみなす。

附　則〔略〕〔平成一七・四・二七政令一六五施行〕

附　則〔抄〕〔平成一七・五・二七政令一九二〕

（施行期日）

第一条　この政令は、建築物の安全性及び市街地の防災機能の確保等を図るための建築基準法等の一部を改正する法律（以下「改正法」という。）の施行の日（平成十七年六月一日。附則第四条において「施行日」という。）から施行する。

（罰則に関する経過措置）

第五条　この政令の施行前にした行為及び前条の規定によりなお従前の例によることとされる場合におけるこの政令の施行後にした行為に対する罰則の適用については、なお従前の例による。

附　則〔略〕〔平成一七・一〇・二一政令三二二〕

附　則〔略〕〔平成一八・八・一一政令二六五〕

附　則〔略〕〔平成一九・四・一政令一四一施行〕

附　則〔略〕〔平成一九・九・二五政令三〇四〕

附　則〔略〕〔平成二〇・三・三一政令一〇四〕

附　則〔略〕〔平成二〇・一二・二五政令四〇〇施行〕

附　則〔略〕〔平成二一・八・一四政令二〇八〕

附　則〔略〕〔平成二三・五・二政令一一九〕

附　則〔略〕〔平成二三・七・二二政令二二五〕

附　則〔略〕〔平成二三・一〇・一九政令三二一〕

附　則〔略〕〔平成二三・一一・二八政令三六三〕

附　則〔略〕〔平成二三・一二・二六政令四二四〕

附　則〔略〕〔平成二四・三・三〇政令八七施行〕

附　則〔略〕〔平成二四・六・二九政令一七八〕

附　則〔略〕〔平成二四・一一・三〇政令二八四施行〕

附　則〔略〕〔平成二五・三・八政令四七施行〕

附　則〔略〕〔平成二五・八・二六政令二四三〕

附　則〔略〕〔平成二六・五・二八政令一八七〕

附　則〔略〕〔平成二六・七・二政令二三九〕

附　則〔略〕〔平成二六・七・二政令二四一〕

附則〔略〕〔平成二七・一・二三政令二一〕
附則〔略〕〔平成二八・三・三一政令一三八〕
附則〔略〕〔平成二八・三・三一政令一八二〕
附則〔略〕〔平成二八・八・二九政令二八八〕
附則〔略〕〔平成二九・六・一四政令一五六〕
附則〔略〕〔平成三〇・七・一一政令二〇二〕
附則〔略〕〔平成三〇・九・二八政令二八〇〕
附則〔略〕〔平成三一・三・二九政令九一〕
附則〔略〕〔令和二・九・四政令二六八〕
附則〔略〕〔令和二・一〇・二三政令三一四〕
附則〔略〕〔令和二・一一・二〇政令三二九〕
附則〔略〕〔令和二・一一・二七政令三三七〕
附則〔略〕〔令和三・九・二四政令二六一〕
附則〔略〕〔令和三・一〇・二九政令二九六〕
附則〔略〕〔令和四・三・二五政令九七〕
附則〔略〕〔令和四・一二・二三政令三九三〕
附則〔令和五・三・三〇政令九八〕
この政令は、令和五年四月一日から施行する。

○都市再生特別措置法施行規則

〔平成一四・五・三一　国土交通省令六六〕

改正　平成一五・三国交令二三、平成一六・四国交令五三、平成一七・三国交令一二、四国交令五四、平成一八・四国交令五八、平成一九・四国交令四一、九国交令八四、平成二〇・三国交令一五、一二国交令九七、平成二一・三国交令六、八国交令五五、平成二三・七国交令五三、一〇国交令七六、一一国交令八三、平成二四・六国交令六四、九国交令七六、平成二五・五国交令三六、一〇国交令八七、平成二六・六国交令五八、七国交令六七、平成二七・一国交令五、平成二八・三国交令三七、八国交令六一、一〇国交令七五、平成三〇・七国交令五八、令和元・六国交令二〇、令和二・九国交令七四、一一国交令九二、一二国交令九八、令和三・八国交令五三、一〇国交令六九、一二国交令七九、令和四・三国交令三五、一二国交令九二、令和五・二国交令五、三国交令三〇、国交令三四、令和六・三国交令一八、国交令四〇

（国際競争力強化施設）
第一条　都市再生特別措置法（以下「法」という。）第十九条の二第八項の国土交通省令で定める施設は、国際会議場施設、医療施設その他国土交通大臣が定める施設であって、国土交通大臣が定める基準に該当するものとする。

（都市計画事業の施行として行う行為に準ずる行為）
第一条の二　法第十九条の六ただし書の都市計画事業の施行として行う行為に準ずる行為として国土交通省令で定めるものは、法第十九条の五の規定により都市施設に関する都市計画事業の施行予定者として定められた者が当該都市施設に関する都市計画に適合して行う行為とする。

（開発行為に係る同意に関する協議）
第一条の三　法第十九条の八第一項の規定による協議の申出をしようとする協議会は、協議書に当該申出に係る開発行為に関する次に掲げる書類を添えて、これらを都市計画法（昭和四十三年法律第百号）第二十九条第一項の許可の権限を有する者に提出するものとする。
一　整備計画に記載しようとする事業並びにその実施主体及び実施期間に関する事項を記載した書類
二　都市計画法第三十条第一項各号に掲げる事項に相当する事項を記載した書類

三　都市計画法第三十条第二項の書面に相当する書面及び同項の図書に相当する図書

（開発行為に係る同意の基準）

第一条の四　法第十九条の八第一項の同意は、都市計画法第三十三条第一項各号（同条第四項及び第五項の条例が定められているときは、当該条例で定める制限を含む。）のいずれかに該当しないときは、これをすることができない。

（土地区画整理事業に係る同意に関する協議）

第一条の五　法第十九条の九第一項の規定による協議の申出をしようとする協議会は、協議書に当該申出に係る土地区画整理事業に関する次に掲げる書類を添えて、これを土地区画整理法（昭和二十九年法律第百十九号）第四条第一項の認可の権限を有する者に提出するものとする。

一　整備計画に記載しようとする事業並びにその実施主体及び実施期間に関する事項を記載した書類

二　土地区画整理法第四条第一項の規準又は規約及び事業計画

三　土地区画整理法施行規則（昭和三十年建設省令第五号）第二条第一項各号に掲げる書類に相当する書類

（土地区画整理事業に係る同意の基準）

第一条の六　法第十九条の九第一項の同意は、土地区画整理法第九条第一項第二号から第四号までのいずれかに該当するときは、これをすることができない。

（土地区画整理事業に係る証明書の交付）

第一条の七　土地区画整理法第四条第一項の認可の権限を有する者は、法第十九条の九第二項の規定により土地区画整理法第四条第一項の認可があったものとみなされたときは、遅滞なく、その旨を証する書類を当該認可があったものとみなされた事業の実施主体に交付するものとする。

（民間都市再生事業計画に係る同意に関する協議）

第一条の八　法第十九条の十第一項の規定により協議の申出をしようとする協議会は、協議書に当該申出に係る民間都市再生事業に関する次に掲げる書類を添えて、これを国土交通大臣に提出するものとする。

一　整備計画に記載しようとする事業並びにその実施主体及び実施期間に関する事項を記載した書類

二　法第二十条第一項の民間都市再生事業計画

三　第二条第一項各号に掲げる図書に相当する図書

（民間都市再生事業計画に係る同意の基準）

第一条の九　法第十九条の十第一項の同意は、法第二十一条第一項各号のいずれかに該当しないときは、これをすることができない。

（市街地再開発事業に係る同意に関する協議）

第一条の一〇　法第十九条の十一第一項の規定による協議の申出をしようとする協議会は、協議書に当該申出に係る第一種市街地再開発事業に関する次に掲げる書類を添えて、これを都市再開発法（昭和四十四年法律第三十八号）第七条の九第一項の認可の権限を有する者に提出するものとする。

一　整備計画に記載しようとする事業並びにその実施主体及び実施期間に関する事項を記載した書類

二　都市再開発法第七条の九第一項の規準又は規約及び事業計画

三　都市再開発法施行規則（昭和四十四年建設省令第五十四号）第一条の七第一項各号に掲げる書類に相当する書類

（市街地再開発事業に係る同意の基準）

第一条の一一　法第十九条の十一第一項の同意は、都市再開発法第七条の十四第二号から第五号までのいずれかに該当するときは、これをすることができない。

（市街地再開発事業に係る証明書の交付）

第一条の一二　都市再開発法第七条の九第一項の認可の権限を有する者は、法第十九条の十一第二項の規定により都市再開発法第七条の九第一項の認可があったものとみなされたときは、遅滞なく、その旨を証する書類を当該認可があったものとみなされた事業の実施主体に交付するものとする。

（建築物の建築等に係る同意に関する協議）

第一条の一三　法第十九条の十七第一項の規定による協議の申出をしようとする協議会は、協議書の正本一通及び副本一通に、それぞれ、当該申出に係る建築物の建築等に関する次に掲げる書類を添えて、これを建築主事又は建築副主事に提出するものとする。

一　都市再生安全確保計画に記載しようとする事業並びにその実施主体及び実施期間に関する事項（法第十九条の十五第二項第四号に掲げる事項として記載しようとする場合にあっては、都市再生安全確保計画に記載しようとする事業及びその実施主体に関する事項。次項第一号、第一条の十六第一号及び第一条の二十第一号において同じ。）を記載した書類

二　建築基準法施行規則（昭和二十五年建設省令第四十号）第一条の三に規定する建築基準法（昭和二十五年法律第二百一号）第六条第一項（同法第八十七条第一項において準用する場合を含む。第一条の十五第一項において同じ。）の規定による確認の申請書並びにその添付図書及び添付書類に相当する書類及び図書又は同令第八条の二第一項において準用する同令第一条の三に規定する同法第十八条第二項（同法第八十七条第一項において準用する場合を含む。）の規定による通知に要する通知書並びにその添付図書及び添付書類に相当する書類及び図書

2　法第十九条の十七第三項の規定による協議の申出をしようとする協議会は、協議書の正本一通及び副本一通に、それぞれ、当該申出に係る建築物の建築等に関する次に掲げる書類を添えて、これを特定行政庁に提出するものとする。

一　都市再生安全確保計画に記載しようとする事業並びにその実施主体及び実施期間に関する事項を記載した書類

二　建築基準法施行規則第十条の十六第一項に規定する建築基準法第八十六条第一項又は第二項の規定による認定の申請書及びその添付図書又は添付書面に相当する書類及び図書（当該建築物の敷地若しくは建築物の敷地以外の土地で二以上のものが一団地を形成している場合であって当該一団地（その内に同条第八項の規定により現に公告されている他の対象区域（同条第六項に規定する対象区域をいう。以下この号において同じ。）があるときは、当該他の対象区域の全部を含むものに限る。）内に一若しくは二以上の構えを成す建築物（二以上の構えを成すものにあっては、総合的設計によって建築されるものに限る。）が建築される場合又は同条第二項に規定する場合における協議の申出の場合に限る。）

三　建築基準法施行規則第十条の二十三に規定する建築基準法第八十六条の八第一項の規定による認定の申請書並びにその添付図書及び添付書類に相当する書類及び図書（同項に規定する場合における協議の申出の場合に限る。）

（建築物の建築等に係る同意の基準）

第一条の一四　法第十九条の十七第一項の同意は、建築基準法第六条第一項に規定する建築基準関係規定に適合しないときは、これをすることができない。

2　法第十九条の十七第三項の同意は、前条第二項第二号に規定する協議の申出の場合にあっては安全上、防火上又は衛生上支障があるとき、同項第三号に規定する協議の申出の場合にあっては建築基準法第八十六条の八第一項各号のいずれかに該当しないときは、これをすることができない。

（建築物の建築等に係る証明書の交付）

第一条の一五　建築主事又は建築副主事は、法第十九条の十七第四項の規定により建築基準法第六条第一項又は第十八条第三項（同法第八十七条第一項において準用する場合を含む。）の規定による確認済証の交付があったものとみなされたときは、遅滞なく、その旨を証する書類に第一条の十三第一項の協議書の副本一通及びその添付書類を添えて、当該確認済証の交付があったものとみなされた事業の実施主体に交付するものとする。

2　特定行政庁は、法第十九条の十七第四項の規定により建築基準法第八十六条第一項若しくは第二項又は第八十六条の八第一項の規定による認定があったものとみなされたときは、遅滞なく、その旨を証する書類に第一条の十三第二項の協議書の副本一通及びその添付書類を添えて、当該認定があったものとみなされた事業の実施主体に交付するものとする。

（建築物の耐震改修に係る同意に関する協議）

第一条の一六　法第十九条の十八第一項の規定による協議の申出をしようとする協議会は、協議書の正本一通及び副本一通に、それぞれ、当該申出に係る建築物の耐震改修に関する次に掲げる書類を添えて、これを所管行政庁に提出するものとする。

一　都市再生安全確保計画に記載しようとする事業並びにその実施主体及び実施期間に関する事項を記載した書類

二　建築物の耐震改修の促進に関する法律施行規則（平成七年建設省令第二十八号）第二十八条に規定する建築物の耐震改修の促進に関する法律（平成七年法律第百二十三号）第十七条第三項の規定による認定の申請書並びにその添付図書及び添付書類に相当する書類及び図書

（建築物の耐震改修に係る同意の基準）

第一条の一七　法第十九条の十八第一項の同意は、建築物の耐震改修の促進に関する法律第十七条第三項各号のいずれかに該当しないときは、これをすることができない。

（建築物の耐震改修に係る証明書の交付）

第一条の一八　所管行政庁は、法第十九条の十八第三項の規定により建築物の耐震改修の促進に関する法律第十七条第三項の規定による認定があったものとみなされたときは、遅滞なく、その旨を証する書類に第一条の十六の協議書の副本一通及びその添付書類を添えて、当該認定があったものとみなされた事業の実施主体に交付するものとする。

（都市再生安全確保施設である備蓄倉庫等の容積率の特例に係る認定申請書及び認定通知書の様式）

第一条の一九　法第十九条の十九第一項の規定による認定を申請しようとする者は、別記様式第一の申請書の正本一通及び副本一通に、それぞれ、特定行政庁が規則で定める図書又は書面を添えて、特定行政庁に提出するものとする。

2　特定行政庁は、法第十九条の十九第一項の規定による認定をしたときは、別記様式第二の通知書に、前項の申請書の副本一通及びその添付図書を添えて、申請者に通知するものとする。

3　特定行政庁は、法第十九条の十九第一項の規定による認定をしないときは、別記様式第三の通知書に、第一項の申請書の副本一通及びその添付図書を添えて、申請者に通知するものとする。

（都市再生安全確保施設である備蓄倉庫等を有する建築物の建築等に係る同意に関する協議）

第一条の二〇　法第十九条の十九第二項の規定による協議の申出をしようとする協議会は、協議書の正本一通及び副本一通に、それぞれ、当該申出に係る建築物の建築等に関する次に掲げる書類を添えて、これらを特定行政庁に提出するものとする。

一　都市再生安全確保計画に記載しようとする事業並びにその実施主体及び実施期間に関する事項を記載した書類

二　前条第一項の申請書及びその添付図書又は添付書面に相当する書類及び図書

（都市再生安全確保施設である備蓄倉庫等を有する建築物の建築等に係る同意の基準）

第一条の二一　法第十九条の十九第二項の同意は、交通上、安全上、防火上又は衛生上支障があるときは、これをすることができない。

（都市再生安全確保施設である備蓄倉庫等を有する建築物の建築等に係る証明書の交付）

第一条の二二　特定行政庁は、法第十九条の十九第三項の規定により同条第一項の規定による認定があったものとみなされたときは、遅滞なく、その旨を証する書類に第一条の二十の協議書の副本一通及びその添付書類を添えて、当該認定があったものとみなされた事業の実施主体に交付するものとする。

（都市公園に設けられる都市再生安全確保施設の整備に関する事業に係る同意に関する協議）

第一条の二三　法第十九条の二十第一項の規定による協議の申出をしようとする協議会は、協議書に当該申出に係る都市公園に設けられる都市再生安全確保施設の整備に関する事業に関する次に掲げる書類を添えて、これらを当該都市公園の公園管理者に提出するものとする。

一　都市再生安全確保計画に記載しようとする事業並びにその実施主体及び実施期間に関する事項を記載した書類

二　都市公園法（昭和三十一年法律第七十九号）第六条第二項の申請書に相当する書類

（都市公園に設けられる都市再生安全確保施設の整備に関する事業に係る同意の基準）

第一条の二四　法第十九条の二十第一項の同意は、次の各号のいずれかに該当しないときは、これをすることができない。

一　公衆の都市公園の利用に著しい支障を及ぼさず、かつ、必要やむを得ないと認められるものであること。

二　都市公園法施行令（昭和三十一年政令第二百九十号）第十五条第一項から第三項までに規定する基準並びに同令第十六条各号及び第十七条各号に掲げる基準に適合するものであること。

（民間都市再生事業計画の認定等の申請）

第二条　法第二十条第一項の規定により認定の申請をしようとする者は、別記様式第四による申請書に次に掲げる図書（これらの図書を提出することができない正当な理由があるときは、これらに代わるべき図書として適当なものであることを国土交通大臣が認めた図書）を添えて、これらを国土交通大臣に提出しなければならない。

一　方位、道路及び目標となる地物並びに事業区域を表示した付近見取図

二　縮尺、方位、事業区域、敷地の境界線、敷地内における建築物の位置並びに事業区域内に整備する公共施設並びにこれに準ずる避難施設、駐車場その他の建築物の利用者及び都市の居住者等の利便の増進に寄与する施設並びに都市再生特別措置法施行令（平成十四年政令第百九十号。以下「令」という。）第八条に規定する公益的施設の配置を表示した事業区域内に建築する建築物の配置図

三　縮尺、方位、間取り及び設備の概要を表示した建築する建築物の各階平面図

四　都市再生事業の工程表

五　都市再生事業についての事業区域内の土地及び付近地の住民に対する説明会の開催の状況及び当該住民から提出された当該都市再生事業に関する意見の概要

六　縮尺、方位、事業区域、申請者が従前から所有権、借地権その他の使用及び収益を目的とする権利（次号並びに第二十二条第六号及び第七号において「所有権等」という。）を有する土地及び申請者が所有権の取得又は借地権その他の使用及び収益を目的とする権利の取得若しくは設定（第二十二条第六号において「所有権の取得等」という。）をしようとする土地の境界線並びに事業区域内の建築物の位置を表示した事業区域内にある土地及び建築物の配置図

七　申請者が事業区域内の土地について所有権等を有する者であることを証する書類その他の申請者が事業区域内において事業を実施することが可能であることを証する書類

八　申請者が法人である場合においては、登記事項証明書、定款並びに直前三年の各事業年度の貸借対照表、損益計算書及び収支の状況を明らかにすることができる書類

九　申請者が個人である場合においては、住民票の抄本又はこれに代わる書面、資産及び負債に関する調書並びに所得の状況を明らかにすることができる書類

十　都市再生事業により整備される建築物に係る収支の見込みを記載した書類

十一　都市再生事業の施行に必要な資金の調達の相手方並びに当該相手方ごとのおおむねの調達額及びその調達方法を記載した書類

十二　令第七条第一項ただし書に規定する場合においては、当該場合に該当することを明らかにすることができる図書

十三　前各号に掲げるもののほか、法第二十一条第一項各号に掲げる基準に適合することを明らかにするために国土交通大臣が必要と認める図書

2　法第二十四条第一項の規定により変更の認定の申請をしようとする者は、別記様式第四による申請書に前項各号に掲げる図書のうち変更に係るもの（これらの図書を提出することができない正当な理由があるときは、これらに代わるべき図書として適当なものであることを国土交通大臣が認めた図書）を添えて、これらを国土交通大臣に提出しなければならない。この場合において、同項第十三号中「法第二十一条第一項各号」とあるのは、「法第二十四条第二項において準用する法第二十一条第一項各号」とする。

（民間都市再生事業計画の記載事項）

第三条　法第二十条第二項第七号の国土交通省令で定める事項は、次に掲げるものとする。

一　都市再生事業の名称及び目的

二　当該都市再生事業が都市再生緊急整備地域における市街地の整備を緊急に推進する上で効果的であり、かつ、当該地域を含む都市の再生に著しく貢献するものであることを明らかにするために参考となるべき事項

三　建築物及びその敷地並びに公共施設の整備に関する計画が地域整備方針に適合するものであることを明らかにするために参考となるべき事項

（民間都市再生事業計画の公表）

第四条　法第二十三条（法第二十四条第二項において準用する場合を含む。）の国土交通省令で定める事項は、次に掲げるものとする。

一　都市再生事業の名称及び目的

二　認定計画に係る建築物及びその敷地並びに公共施設の整備に関する事

業の概要

（民間都市再生事業計画の軽微な変更）

第五条　法第二十四条第一項の国土交通省令で定める軽微な変更は、次に掲げるものとする。

一　地域の名称の変更又は地番の変更に伴う変更

二　工事着手の時期及び事業施行期間の六月以内の変更

三　前二号に掲げるもののほか、都市再生事業の施行に支障がないと国土交通大臣が認める変更

（認定事業の施行に要する費用の一部についての支援の方法）

第五条の二　法第二十九条第一項第一号ハの国土交通省令で定める方法は、次に掲げるものとする。

一　認定事業者（認定事業に係る財産を自己の固有財産及び他の認定事業に係る財産と分別して管理するものに限る。）に対する資金の貸付け

二　認定事業者から認定建築物等又は認定建築物等に係る信託の受益権を取得し、当該認定建築物等又は当該認定建築物等に係る信託の受益権の管理及び処分を行う株式会社等（法第二十九条第一項第一号イに規定する株式会社等をいう。以下同じ。）（認定事業に係る財産を自己の固有財産及び他の認定事業に係る財産と分別して管理するものに限る。）に対する資金の貸付け

（民間都市機構の行う都市再生事業支援業務の基準）

第六条　法第二十九条第三項の国土交通省令で定める基準のうち、同条第一項第一号に掲げる業務に係るものは、次に掲げるものとする。

一　法第二十九条第一項第一号に掲げる業務の運営に関する重要事項について審議させるため、民間都市機構に、次に掲げる者（民間都市機構の役員及び職員を除く。）のうちから、民間都市機構の代表者が選任する委員五人以上をもって組織する審査会を置き、その議を経て、当該業務を行うこと。

イ　金融若しくは経済又は民間都市開発事業の施行に関し優れた知識と経験を有し、公正な判断をすることができる者

ロ　土地の権利関係又は評価について特別の知識と経験を有し、公正な判断をすることができる者

二　次に掲げる区分に応じ、それぞれ次に定めるものであること。

イ　資金の貸付け　元利金の支払について劣後的内容を有する特約（資金の貸付け又は社債の取得（以下「資金の貸付け等」という。）を行う民間都市機構以外の者の全部又は一部が、民間都市機構に優先して弁済を受けることができる権利を有する特約をいい、民間都市機構による資金の貸付け後に資金の貸付け等を行う民間都市機構以外の者の全部又は一部が、当該権利を有することとなる特約を含む。第二十七条第二号イにおいて同じ。）が付され、かつ、担保が付されているもの（前条に掲げる方法により支援する場合にあっては、民間都市機構の求めに応じ担保を付することが約されているものを含む。）であること。

ロ　社債の取得　元利金の支払について劣後的内容を有する特約（資金の貸付け等を行う民間都市機構以外の者の全部又は一部が、民間都市機構に優先して弁済を受けることができる権利を有する特約をいい、民間都市機構による社債の取得後に資金の貸付け等を行う民間都市機構以外の者の全部又は一部が、当該権利を有することとなる特約を含む。第二十六条、第二十七条第二号ロ及び第四十六条の二において同じ。）が付された社債を取得するものであること。

三　認定事業が次のいずれにも該当するものであること。

イ　公共施設に準ずる避難施設、駐車場その他の都市の居住者等の利便の増進に寄与する施設の整備を伴うものであること。

ロ　整備される建築物の総合的な性能が高く、かつ、当該建築物の建築、使用及び解体に係る二酸化炭素の排出の抑制が図られることが確実であると見込まれるものであること。

四　一般の金融機関の行う金融等を補完するものであること。

五　民間都市機構による資金の貸付け等に係る債務の保証その他の国土交通大臣が認める信用補完措置が講じられるものであること（認定事業の工事に着手するまでに相当の期間を要すると見込まれる場合に限る。）。

（都市再生事業等を行おうとする者による都市計画の決定等の提案）

第七条　法第三十七条第二項の規定により計画提案を行おうとする者は、氏名及び住所（法人にあっては、その名称及び主たる事務所の所在地）を記載した提案書に次に掲げる図書を添えて、これらを都市計画決定権者に提出しなければならない。

一　都市再生事業を行うために必要な都市計画の決定又は変更をすることを提案する場合にあっては、次に掲げる図書

イ　当該都市計画の素案

ロ　別記様式第五による当該都市再生事業に関する計画書

ハ　当該都市再生事業に関する次に掲げる図書

(1)　方位、道路及び目標となる地物並びに事業区域を表示した付近見取図

(2)　縮尺、方位、事業区域、敷地の境界線、敷地内における建築物の位置及び事業区域内に整備する公共施設の配置を表示した事業区域内に建築する建築物の配置図

(3)　縮尺、方位及び間取りを表示した建築する建築物の各階平面図

(4)　縮尺を表示した建築する建築物の二面以上の立面図

ニ　法第三十七条第二項第二号の同意を得たことを証する書類

ホ　法第三十七条第二項第三号に定めるところにより環境影響評価法（平成九年法律第八十一号）第二十七条に規定する公告を行ったことを証する書類

二　関連公共公益施設整備事業を行うために必要な都市計画の決定又は変更をすることを提案する場合にあっては、次に掲げる図書

イ　当該都市計画の素案

ロ　別記様式第五の二による当該関連公共公益施設整備事業に関する計画書

ハ　当該関連公共公益施設整備事業の事業区域を表示した図面その他必要な図面

ニ　当該関連公共公益施設整備事業に係る都市再生事業に関する次に掲げる図書

(1)　方位、道路及び目標となる地物並びに事業区域を表示した付近見取図

(2)　縮尺、方位、事業区域、敷地の境界線、敷地内における建築物の位置及び事業区域内の当該都市再生事業に係る公共施設の配置を表示した事業区域内の当該都市再生事業に係る建築物の配置図

(3)　縮尺、方位及び間取りを表示した当該都市再生事業に係る建築物の各階平面図

(4)　縮尺を表示した当該都市再生事業に係る建築物の二面以上の立面図

ホ　前号ニ及びホに掲げる書類

2　前項第二号ニの規定にかかわらず、都市計画決定権者は、同号ニに掲げる図書の添付の必要がないと認めるときは、これを省略させることができる。

（都市再生事業等に係る認可等の申請）

第八条　法第四十二条又は第四十三条第一項の規定により認可、認定又は承認（以下「認可等」という。）の申請を行おうとする者は、申請書に次に掲げる図書を添付して、これを当該認可等に関する処分を行う行政庁に提出しなければならない。

一　都市再生事業を施行するために必要な認可等の申請を行おうとする場合にあっては、前条第一項第一号ロ及びハに掲げる図書（法第四十二条第一号に掲げる認可又は認定の申請を行おうとする場合にあっては、前条第一項第一号ロに掲げる図書）

二　関連公共公益施設整備事業を施行するために必要な認可等の申請を行おうとする場合にあっては、前条第一項第二号ロからニまでに掲げる図書

2　前項第二号の規定にかかわらず、当該認可等に関する処分を行う行政庁は、前条第一項第二号ニに掲げる図書の添付の必要がないと認めるときは、これを省略させることができる。

（都市再生歩行者経路協定の認可等の申請の公告）

第八条の二　法第四十五条の三第一項（法第四十五条の五第二項において準用する場合を含む。）の規定による公告は、次に掲げる事項について、公報、掲示その他の方法で行うものとする。

一　都市再生歩行者経路協定の名称

二　協定区域

三　協定区域隣接地が定められるときはその区域

四　都市再生歩行者経路協定の縦覧場所

（都市再生歩行者経路協定の認可の基準）

第八条の三　法第四十五条の四第一項第三号（法第四十五条の五第二項において準用する場合を含む。）の国土交通省令で定める基準は、次のとおりとする。
一　協定区域は、その境界が明確に定められていなければならない。
二　都市再生歩行者経路の整備又は管理に関する事項は、高齢者、障害者等の移動上の利便性及び安全性の向上に資するよう配慮して定められていなければならない。
三　都市再生歩行者経路協定に違反した場合の措置は、違反した者に対して不当に重い負担を課するものであってはならない。
四　協定区域隣接地の区域は、その境界が明確に定められていなければならない。
五　協定区域隣接地は、協定区域との一体性を有する土地の区域でなければならない。

（都市再生歩行者経路協定の認可等の公告）
第八条の四　第八条の二の規定は、法第四十五条の四第二項（法第四十五条の五第二項、第四十五条の六第四項、第四十五条の八第四項又は第四十五条の十一第三項において準用する場合を含む。）の規定による公告について準用する。

（退避経路協定の認可の基準）
第八条の五　法第四十五条の十三第三項において準用する法第四十五条の四第一項第三号（法第四十五条の十三第三項において準用する法第四十五条の五第二項において準用する場合を含む。）の国土交通省令で定める基準は、次のとおりとする。
一　協定区域は、その境界が明確に定められていなければならない。
二　退避経路の整備又は管理に関する事項は、都市再生安全確保計画に適合していなければならない。
三　退避経路の整備又は管理に関する事項は、大規模な地震が発生した場合における滞在者等の退避の安全上支障が生じないように定められていなければならない。
四　退避経路協定に違反した場合の措置は、違反した者に対して不当に重い負担を課するものであってはならない。
五　協定区域隣接地の区域は、その境界が明確に定められていなければならない。
六　協定区域隣接地は、協定区域との一体性を有する土地の区域でなければならない。

（退避経路協定に関する準用）
第八条の六　第八条の二及び第八条の四の規定は、法第四十五条の十三第一項に規定する退避経路協定について準用する。

（退避施設協定の認可の基準）
第八条の七　法第四十五条の十四第三項において準用する法第四十五条の四第一項第三号（法第四十五条の十四第三項において準用する法第四十五条の五第二項において準用する場合を含む。）の国土交通省令で定める基準は、次のとおりとする。
一　協定区域は、その境界が明確に定められていなければならない。
二　退避施設及びその属する施設の構造に関する基準並びに退避施設の整備又は管理に関する事項は、都市再生安全確保計画に適合していなければならない。
三　退避施設及びその属する施設の構造に関する基準並びに退避施設の整備又は管理に関する事項は、大規模な地震が発生した場合における滞在者等の退避の安全上支障が生じないように定められていなければならない。
四　退避施設協定に違反した場合の措置は、違反した者に対して不当に重い負担を課するものであってはならない。
五　協定区域隣接地の区域は、その境界が明確に定められていなければならない。
六　協定区域隣接地は、協定区域との一体性を有する土地の区域でなければならない。

（退避施設協定に関する準用）
第八条の八　第八条の二及び第八条の四の規定は、法第四十五条の十四第一項に規定する退避施設協定について準用する。

（管理協定の基準）
第八条の九　法第四十五条の十六第二項第二号（法第四十五条の十九において準用する場合を含む。）の国土交通省令で定める基準は、次に掲げるものとする。
一　協定倉庫の管理の方法に関する事項は、大規模な地震が発生した場合における滞在者等に対する災害応急対策に必要な食糧、医薬品その他の物資の適切な備蓄及び円滑な供給を図るために必要な事項並びに協定倉庫の維持修繕その他協定倉庫の適切な管理に必要な事項について定めること。
二　管理協定の有効期間は、五年以上二十年以下とすること。
三　管理協定に違反した場合の措置は、違反した者に対して不当に重い負担を課するものでないこと。

（管理協定の縦覧に係る公告）
第八条の一〇　法第四十五条の十七第一項（法第四十五条の十九において準用する場合を含む。）の規定による公告は、次に掲げる事項について、公報、掲示その他の方法で行うものとする。
一　管理協定の名称
二　協定倉庫の名称（その属する施設がある場合は、その属する施設の名称及び協定倉庫の部分）
三　管理協定の有効期間
四　管理協定の縦覧場所

（管理協定の締結等の公告）
第八条の一一　前条の規定は、法第四十五条の十八（法第四十五条の十九において準用する場合を含む。）の規定による公告について準用する。

（非常用電気等供給施設協定の認可の基準）
第八条の一二　法第四十五条の二十一第三項において準用する法第四十五条の四第一項第三号（法第四十五条の二十一第三項において準用する法第四十五条の五第二項において準用する場合を含む。）の国土交通省令で定める基準は、次のとおりとする。
一　協定区域は、その境界が明確に定められていなければならない。
二　非常用電気等供給施設及びその属する施設の構造に関する基準並びに非常用電気等供給施設の整備又は管理に関する事項は、都市再生安全確保計画に適合していなければならない。
三　非常用電気等供給施設及びその属する施設の構造に関する基準並びに非常用電気等供給施設の整備又は管理に関する事項は、大規模な地震が発生した場合において非常用電気等供給施設の機能に支障が生じないように定められていなければならない。
四　非常用電気等供給施設協定に違反した場合の措置は、違反した者に対して不当に重い負担を課するものであってはならない。
五　協定区域隣接地の区域は、その境界が明確に定められていなければならない。
六　協定区域隣接地は、協定区域との一体性を有する土地の区域でなければならない。

（非常用電気等供給施設協定に関する準用）
第八条の一三　第八条の二及び第八条の四の規定は、法第四十五条の二十一第一項に規定する非常用電気等供給施設協定について準用する。

（都市再生整備計画の区域内における都市の再生に必要な事業）
第九条　法第四十六条第二項第二号への国土交通省令で定める事業は、大都市地域における住宅及び住宅地の供給の促進に関する特別措置法（昭和五十年法律第六十七号）による住宅街区整備事業（以下「住宅街区整備事業」という。）その他国土交通大臣の定める事業とする。

第一〇条　削除

（特定非営利活動法人又は一般社団法人若しくは一般財団法人に準ずる者）
第一一条　法第四十六条第三項第一号の国土交通省令で定める者は、次のとおりとする。
一　営利を目的としない法人格を有しない社団であって、代表者の定めがあり、かつ、まちづくりの推進を図る活動を行うことを目的とするもの
二　地方公共団体が資本金、基本金その他これらに準ずるものの四分の一以上を出資している法人で、公共公益施設の整備等に関する事業を営むもの
三　商工会又は商工会議所であって、まちづくりの推進を図る活動を行うことを目的とするもの
四　前三号に掲げるもののほか、市町村長が都市の再生を推進する観点から必要と認められる事業等を実施する者として、当該市町村長が指定したもの

（滞在快適性等向上施設等）

第一一条の二　法第四十六条第三項第二号イの国土交通省令で定める施設等は、次に掲げるものとする。
一　道路、通路、公園、緑地、広場その他これらに類するもの
二　駐輪場その他これに類するもの
三　噴水、水流、池その他これらに類するもの
四　食事施設、購買施設、休憩施設、案内施設その他これらに類するもの
五　アーケード、柵、ベンチ又はその上屋その他これらに類するもの
六　街灯その他これに類するもの
七　花壇、樹木、並木その他これらに類するもの
八　電源設備その他これに類するもの
九　給排水設備その他これに類するもの
十　冷暖房設備その他これに類するもの

（一体型滞在快適性等向上事業）
第一一条の三　法第四十六条第三項第二号イの国土交通省令で定める事業は、次に掲げるものとする。
一　前条第一号に掲げる施設等の整備又は管理に関する事業
二　前条第一号に掲げる施設等並びにこれらの上に設置される同条第二号、第三号及び第五号から第十号までに掲げる施設等の整備又は管理に関する事業
三　前条第四号に掲げる施設等の整備又は管理に関する事業であって、当該施設等のうち壁（当該施設等と一体的に活用されることにより滞在快適性等の向上に資する公共施設その他これに準ずる施設（以下この号において「滞在快適性等向上公共施設等」という。）に接している階にあり、かつ、滞在快適性等向上公共施設等に面する部分に限る。）の過半について、ガラスその他の透明な素材とすること、構造上開閉できるようにすること又は位置を後退させることにより、滞在快適性等向上区域内の歩行者に対する視覚的又は物理的な高い開放性を有するもの

（市町村が決定又は変更をすることができる都市計画）
第一二条　令第十三条第二号ニの国土交通省令で定める市街地開発事業は、施行区域の面積が二十ヘクタールを超える住宅街区整備事業とする。

（令第十九条の国土交通省令で定める要件）
第一二条の二　令第十九条の国土交通省令で定める要件は、同条に規定する看板及び広告塔から生ずる収益を一体型滞在快適性等向上事業に要する費用に充てることができると認められるものとする。

（法第四十六条第十四項第二号イの国土交通省令で定める公園施設の種類）
第一二条の三　法第四十六条第十四項第二号イの国土交通省令で定める公園施設は、次に掲げるものとする。
一　休養施設
二　遊戯施設
三　運動施設
四　教養施設
五　便益施設
六　都市公園法施行令第五条第八項に規定する施設のうち、展望台又は集会所

（滞在快適性等向上公園施設の種類）
第一二条の四　法第四十六条第十四項第二号ロの国土交通省令で定める公園施設は、前条各号に掲げるものであって、当該公園施設から生ずる収益を特定公園施設の建設に要する費用に充てることができると認められるものとする。

（特定公園施設の種類）
第一二条の五　法第四十六条第十四項第二号ロ(1)の国土交通省令で定める公園施設は、滞在快適性等向上公園施設と一体的に整備することにより当該公園施設の効率的な整備が図られると認められるものとする。

（法第四十六条第十四項第二号ロ(4)の国土交通省令で定める事項）
第一二条の六　法第四十六条第十四項第二号ロ(4)の国土交通省令で定める事項は、滞在快適性等向上公園施設の設置又は管理により期待される効果その他の市町村が必要と認める事項とする。

（滞在快適性等向上公園施設の設置又は管理に係る公告）
第一二条の七　法第四十六条第十五項の規定による公告（同条第二十九項において準用する場合を含む。）は、同条第十四項第二号ロに掲げる事項を定める都市公園の名称並びに当該事項の案の縦覧の場所及び期間について、市町村の公報への掲載、インターネットの利用その他の適切な方法で行うものとする。

（滞在快適性等向上公園施設を設置することが都市公園の管理上適切でない場所）
第一二条の八　法第四十六条第十九項第一号の国土交通省令で定める場所は、次に掲げるものとする。
一　法第四十六条第二項第六号の計画期間内において、国又は地方公共団体による使用が予定されている場所
二　その他国土交通大臣が定める場所

（都市利便増進施設）
第一二条の九　法第四十六条第二十五項の国土交通省令で定める施設等は、次に掲げるものとする。
一　道路、通路、駐車場、駐輪場その他これらに類するもの
二　公園、緑地、広場その他これらに類するもの
三　噴水、水流、池その他これらに類するもの
四　食事施設、購買施設、休憩施設、案内施設その他これらに類するもの
五　広告塔、案内板、看板、標識、旗ざお、パーキング・メーター、幕、アーチその他これらに類するもの
六　アーケード、柵、ベンチ又はその上屋その他これらに類するもの
七　備蓄倉庫、耐震性貯水槽その他これらに類するもの
八　街灯、防犯カメラその他これらに類するもの
九　太陽光を電気に変換するための設備、雨水を利用するための雨水を貯留する施設その他これらに類するもの
十　彫刻、花壇、樹木、並木その他これらに類するもの
十一　電源設備その他これに類するもの
十二　給排水設備その他これに類するもの
十三　冷暖房設備その他これに類するもの
十四　民間事業者間の交流又は連携の拠点となる集会施設その他これに類するもの
十五　都市の居住者その他の者に有用な情報を把握し、伝達し、又は処理するために必要な撮影機器、通信機器、電子計算機その他これらに類するもの

（居住者等利用施設）
第一二条の一〇　法第四十六条第二十六項の国土交通省令で定める施設は、次に掲げるものとする。
一　道路、通路、駐車場、駐輪場その他これらに類するもの
二　公園、緑地、広場その他これらに類するもの
三　噴水、水流、池その他これらに類するもの
四　教育文化施設、医療施設、福祉施設その他これらに類するもの
五　集会場、業務施設、宿泊施設、食事施設、購買施設、休憩施設、案内施設その他これらに類するもの

（滞在快適性等向上区域の周知）
第一二条の一一　法第四十六条第二十八項第一号（同条第二十九項において準用する場合を含む。）の規定による周知は、滞在快適性等向上区域の区域について、インターネットの利用、印刷物の配布その他の適切な方法で行うものとする。

（市町村決定計画及び計画決定期限の公告）
第一三条　法第四十六条第二十八項第二号（同条第二十九項において準用する場合を含む。）の規定による公告は、次に掲げる事項について、市町村の定める方法で行うものとする。
一　市町村決定計画に係る都市計画の種類
二　市町村決定計画に係る都市計画を定める土地の区域
三　計画決定期限

（都市再生整備計画の作成等の提案）
第一四条　法第四十六条の二第一項又は第二項の規定により都市再生整備計画の作成又は変更の提案を行おうとする者は、氏名及び住所（法人にあっては、その名称及び主たる事務所の所在地）を記載した提案書に都市再生整備計画の素案を添えて、市町村に提出しなければならない。

（国土交通大臣に提出する都市再生整備計画の添付書類等）
第一五条　市町村は、国土交通大臣に都市再生整備計画を提出する場合においては、当該都市再生整備計画に、次に掲げる図書を添付しなければならない。
一　都市再生整備計画の区域内の土地の現況を明らかにした図面
二　次条第一項に規定する交付金の額の限度を算定するために必要な資料
2　市町村は、前項に掲げるもののほか、交付金の交付手続、交付金の経理

その他の必要な事項を国土交通大臣の定めるところにより行わなければならない。

（交付金の額）

第一六条　法第四十七条第二項の規定による交付金は市町村ごとに交付するものとし、その額は、次に掲げる式により算出された額を限度とする。

$$\{(Au-Ap)\times(Cl+Cf)+\Sigma Cn\}\times 0.5$$

この式において、Au、Ap、Cl、Cf及びCnは、それぞれ次の数値を表すものとする。

Au　都市再生整備計画の区域の面積に当該区域の特性に応じて国土交通大臣が定める割合を乗じて得た面積

Ap　都市再生整備計画の区域内における道路、公園、広場及び緑地の面積

Cl　地価公示法（昭和四十四年法律第四十九号）第六条の規定による公示価格、都市再生整備計画の区域内にある建築物の数その他の事項を基礎として、国土交通大臣が定める方法により算定した当該区域における単位面積当たりの標準的な用地費及び補償費の額

Cf　道路、公園、緑地又は広場の築造に要する標準的な単位面積当たりの費用として国土交通大臣が定める額

Cn　都市再生整備計画に基づく事業により整備される施設ごとに、当該施設の規模及び単位規模当たりの標準的な整備費を基礎として、国土交通大臣が定める方法により算定した当該施設整備に要する標準的な費用の額（都市再生整備計画に基づく事業により整備される施設に、道路、公園、緑地又は広場が含まれるときは、当該額に必要な補正を行った額）

2　前項の交付金の額は、都市再生整備計画に基づく事業等を通じて増進が図られる次に掲げる都市機能の内容を勘案して定めるものとする。

一　地域整備方針に適合する都市機能

二　立地適正化計画に適合する都市機能

三　中心市街地（中心市街地の活性化に関する法律（平成十年法律第九十二号）第二条に規定する中心市街地をいう。）の活性化に資する都市機能

四　歴史的風致（地域における歴史的風致の維持及び向上に関する法律（平成二十年法律第四十号）第一条に規定する歴史的風致をいう。）の維持及び向上に資する都市機能

五　地球温暖化対策その他の環境への負荷の低減に資する都市機能

3　前二項に定めるもののほか、交付金の額を算出するために必要な事項は、国土交通大臣が定める。

（都市計画の協議の申出）

第一七条　法第五十一条第二項の協議の申出は、協議書及び当該都市計画の案を提出して行うものとする。

2　前項の協議書には、都市計画の策定の経緯の概要を示す書面を添付しなければならない。

（都市計画の決定等の要請）

第一八条　法第五十四条第一項の規定により計画要請を行おうとする市町村は、市町村名を記載した要請書に都市計画の素案を添えて、これを都道府県に提出しなければならない。

（都市再生推進法人による都市計画の決定等の提案）

第一八条の二　法第五十七条の二第二項において準用する法第三十七条第二項の規定により計画提案を行おうとする都市再生推進法人は、その名称を記載した提案書に次に掲げる図書を添えて、これを市町村に提出しなければならない。

一　都市計画の素案

二　別記様式第六による公共施設又は第五十八条に規定する施設（次号において「公共利便施設」という。）の整備又は管理に関する計画書

三　公共利便施設の整備又は管理を行う区域を表示する図面その他必要な図面

四　法第五十七条の二第一項において準用する法第三十七条第二項第二号の同意を得たことを証する書類

五　法第五十七条の二第二項において準用する法第三十七条第二項第三号に定めるところにより環境影響評価法第二十七条に規定する公告を行ったことを証する書類

（国道の新設又は改築の認可）

第一九条　市町村は、法第五十八条第二項の規定により国道の新設又は改築について認可を受けようとする場合においては、別記様式第七による申請書を地方整備局長又は北海道開発局長に提出しなければならない。

2　前項の申請書には、次に掲げる書類を添付しなければならない。

一　工事計画書

二　工事費及び財源調書

三　平面図、縦断図、横断定規図その他必要な図面

（認可を要しない軽易な国道の新設又は改築）

第二〇条　法第五十八条第二項ただし書の国土交通省令で定める軽易な国道の新設又は改築は、国道に附属する道路の附属物の新設又は改築のみに関する工事とする。

2　市町村は、前項の工事を行った場合においては、その旨を地方整備局長又は北海道開発局長に報告しなければならない。

（国道の管理の公示）

第二一条　市町村は、法第五十八条第一項の規定により国道の新設等又は国道の維持等（以下この条において「国道の管理」という。）を行おうとするとき、及び当該国道の管理の全部又は一部を完了したときは、道路の種類、路線名、国道の管理の区間、国道の管理の種類及び国道の管理の開始の日（当該国道の管理の全部又は一部を完了したときにあっては、国道の管理の完了の日）を公示するものとする。

（公園施設設置管理協定の内容）

第二一条の二　法第六十二条の三第二項第十三号の国土交通省令で定める事項は、次に掲げるものとする。

一　一体型事業実施主体等が公園管理者に対して行う公園施設設置管理協定の実施状況についての報告に関する事項

二　その他公園管理者が必要と認める事項

（特定路外駐車場の設置の届出）

第二一条の三　法第六十二条の九第一項（法第百六条において準用する場合を含む。次条において同じ。）の規定による届出は、別記様式第七の二による届出書を提出して行うものとする。

2　前項の届出書には、次に掲げる図面を添付しなければならない。

一　特定路外駐車場の位置を表示した縮尺一万分の一以上の地形図

二　次に掲げる事項を表示した縮尺二百分の一以上の平面図

イ　特定路外駐車場の区域

ロ　特定路外駐車場の自動車の出口（自動車の出口で自動車の車路の路面が道路（道路交通法（昭和三十五年法律第百五号）第二条第一項第一号に規定する道路をいう。以下このロにおいて同じ。）の路面に接する部分をいう。以下同じ。）及び入口（自動車の入口で自動車の車路の路面が道路の路面に接する部分をいう。以下同じ。）

第二一条の四　法第六十二条の九第一項の国土交通省令で定める事項は、特定路外駐車場の自動車の出口及び入口の位置とする。

（変更の届出）

第二一条の五　法第六十二条の九第二項（法第百六条において準用する場合を含む。次条において同じ。）の国土交通省令で定める事項は、特定路外駐車場の位置、規模並びに自動車の出口及び入口の位置とする。

第二一条の六　法第六十二条の九第二項の規定による届出は、別記様式第七の三による変更届出書を提出して行うものとする。

2　第二十一条の三第二項の規定は、前項の届出について準用する。

（出入口制限対象駐車場の設置の届出）

第二一条の七　法第六十二条の十第二項の規定による届出は、別記様式第七の四による届出書を提出して行うものとする。

2　前項の届出書には、次に掲げる図書を添付しなければならない。

一　出入口制限対象駐車場の位置を表示した縮尺一万分の一以上の地形図

二　次に掲げる事項を表示した縮尺二百分の一以上の平面図

イ　出入口制限対象駐車場の区域

ロ　出入口制限対象駐車場の自動車の出口及び入口

三　法第六十二条の十第一項ただし書に該当する場合においては、同項ただし書に該当することを明らかにするために必要な図書として市町村の条例で定めるもの

第二一条の八　法第六十二条の十第二項及び第三項の国土交通省令で定める事項は、出入口制限対象駐車場の位置及び規模とする。

（出入口制限対象駐車場の自動車の出口又は入口の位置の変更の届出）

第二一条の九　法第六十二条の十第三項の規定による届出は、別記様式第七

の五による届出書を提出して行うものとする。

２　第二十一条の七第二項の規定は、前項の届出について準用する。

（民間都市再生整備事業計画の認定等の申請）

第二二条　法第六十三条第一項の規定により認定の申請をしようとする者は、別記様式第八による申請書に次に掲げる図書（これらの図書を提出することができない正当な理由があるときは、これらに代わるべき図書として適当なものであることを国土交通大臣が認めた図書）を添えて、これらを国土交通大臣に提出しなければならない。

一　方位、道路及び目標となる地物並びに整備事業区域を表示した付近見取図

二　縮尺、方位、整備事業区域、敷地の境界線、敷地内における建築物の位置並びに整備事業区域内に整備する公共施設並びにこれに準ずる避難施設、駐車場その他の建築物の利用者及び都市の居住者等の利便の増進に寄与する施設の配置を表示した整備事業区域内に建築する建築物の配置図

三　縮尺、方位、間取り及び設備の概要を表示した建築する建築物の各階平面図

四　都市再生整備事業の工程表

五　都市再生整備事業についての整備事業区域内の土地及び付近地の住民に対する説明会の開催の状況及び当該住民から提出された当該都市再生整備事業に関する意見の概要

六　縮尺、方位、整備事業区域、申請者が従前から所有権等を有する土地及び申請者が所有権の取得等をしようとする土地の境界線並びに整備事業区域内の建築物の位置を表示した整備事業区域内にある土地及び建築物の配置図

七　申請者が整備事業区域内の土地について所有権等を有する者であることを証する書類その他の申請者が整備事業区域内において事業を実施することが可能であることを証する書類

八　申請者が法人である場合においては、登記事項証明書、定款並びに直前三年の各事業年度の貸借対照表、損益計算書及び収支の状況を明らかにすることができる書類

九　申請者が個人である場合においては、住民票の抄本又はこれに代わる書面、資産及び負債に関する調書並びに所得の状況を明らかにすることができる書類

十　都市再生整備事業により整備される建築物に係る収支の見込みを記載した書類

十一　都市再生整備事業の施行に必要な資金の調達の相手方並びに当該相手方ごとのおおむねの調達額及びその調達方法を記載した書類

十二　令第二十三条第二号又は第五号に規定する事業にあっては、当該事業に該当することを明らかにすることができる図書

十三　前各号に掲げるもののほか、法第六十四条第一項各号に掲げる基準に適合することを明らかにするために国土交通大臣が必要と認める図書

２　法第六十六条第一項の規定により変更の認定の申請をしようとする者は、別記様式第八による申請書に前項各号に掲げる図書のうち変更に係るもの（これらの図書を提出することができない正当な理由があるときは、これらに代わるべき図書として適当なものであることを国土交通大臣が認めた図書）を添えて、これらを国土交通大臣に提出しなければならない。この場合において、同項第十三号中「法第六十四条第一項各号」とあるのは、「法第六十六条第二項において準用する法第六十四条第一項各号」とする。

（民間都市再生整備事業計画の記載事項）

第二三条　法第六十三条第二項第七号の国土交通省令で定める事項は、次に掲げるものとする。

一　都市再生整備事業の名称及び目的

二　当該都市再生整備事業が都市再生整備計画に記載された事業と一体的に施行されることによりその事業の効果を一層高めるものであり、かつ、当該都市再生整備計画の区域を含む都市の再生に著しく貢献するものであることを明らかにするために参考となるべき事項

三　整備事業区域が都市再生緊急整備地域内にあるときは、建築物及びその敷地並びに公共施設の整備に関する計画が地域整備方針に適合するものであることを明らかにするために参考となるべき事項

（民間都市再生整備事業計画の公表）

第二四条　法第六十五条（法第六十六条第二項において準用する場合を含む。）の国土交通省令で定める事項は、次に掲げるものとする。

一　都市再生整備事業の名称及び目的

二　認定整備事業計画に係る建築物及びその敷地並びに公共施設の整備に関する事業の概要

（民間都市再生整備事業計画の軽微な変更）

第二五条　法第六十六条第一項の国土交通省令で定める軽微な変更は、次に掲げるものとする。

一　地域の名称の変更又は地番の変更に伴う変更

二　工事着手の時期及び事業施行期間の六月以内の変更

三　前二号に掲げるもののほか、都市再生整備事業の施行に支障がないと国土交通大臣が認める変更

（認定整備事業の施行に要する費用の一部についての支援の方法）

第二六条　法第七十一条第一項第一号ホの国土交通省令で定める方法は、次に掲げるものとする。

一　認定整備事業者（専ら認定整備事業の施行を目的とする株式会社等に限る。）が発行する元利金の支払について劣後的内容を有する特約が付された社債の取得を行う民法（明治二十九年法律第八十九号）第六百六十七条第一項に規定する組合契約によって成立する組合、商法（明治三十二年法律第四十八号）第五百三十五条に規定する匿名組合契約によって成立する匿名組合、投資事業有限責任組合契約に関する法律（平成十年法律第九十号）第二条第二項に規定する投資事業有限責任組合若しくは有限責任事業組合契約に関する法律（平成十七年法律第四十号）第二条に規定する有限責任事業組合又は株式会社等若しくは投資信託及び投資法人に関する法律（昭和二十六年法律第百九十八号）第二条第十二項に規定する投資法人（以下「組合等」という。）に対する出資

二　株式会社等（専ら、認定整備事業者から認定整備建築物等又は認定整備建築物等に係る信託の受益権を取得し、当該認定整備建築物等又は当該認定整備建築物等に係る信託の受益権の管理及び処分を行うことを目的とするものに限る。）が発行する元利金の支払について劣後的内容を有する特約が付された社債の取得を行う組合等に対する出資

三　認定整備事業者（認定整備事業に係る財産を自己の固有財産及び他の認定整備事業に係る財産と分別して管理するものに限る。第五号において同じ。）に対する出資又は資金の貸付け

四　認定整備事業者から認定整備建築物等又は認定整備建築物等に係る信託の受益権を取得し、当該認定整備建築物等又は当該認定整備建築物等に係る信託の受益権の管理及び処分を行う株式会社等（認定整備事業に係る財産を自己の固有財産及び他の認定整備事業に係る財産と分別して管理するものに限る。第六号において同じ。）に対する出資又は資金の貸付け

五　認定整備事業者が発行する元利金の支払について劣後的内容を有する特約が付された社債の取得を行う組合等に対する出資

六　認定整備事業者から認定整備建築物等又は認定整備建築物等に係る信託の受益権を取得し、当該認定整備建築物等又は当該認定整備建築物等に係る信託の受益権の管理及び処分を行う株式会社等が発行する元利金の支払について劣後的内容を有する特約が付された社債の取得を行う組合等に対する出資

（民間都市機構の行う都市再生整備事業支援業務の基準）

第二七条　法第七十一条第三項の国土交通省令で定める基準のうち、同条第一項第一号イ、ロ及びホに掲げる方法（出資に係る部分を除く。）により支援する業務に係るものは第一号から第五号まで、同項第一号イからホまでに掲げる方法（同号イ、ロ及びホにあっては、出資に係る部分に限る。）により支援する業務に係るものは第四号に掲げるものとする。

一　法第七十一条第一項第一号イ、ロ及びホに掲げる方法（出資に係る部分を除く。）により支援する業務の運営に関する重要事項について審議させるため、民間都市機構に、次に掲げる者（民間都市機構の役員及び職員を除く。）のうちから、民間都市機構の代表者が選任する委員五人以上をもって組織する審査会を置き、その議を経て、当該業務を行うこと。

イ　金融若しくは経済又は民間都市開発事業の施行に関し優れた知識と経験を有し、公正な判断をすることができる者

ロ　土地の権利関係又は評価について特別の知識と経験を有し、公正な判断をすることができる者

二　次に掲げる区分に応じ、それぞれ次に定めるものであること。

イ　資金の貸付け　元利金の支払について劣後的内容を有する特約が付され、かつ、担保が付されているもの（前条に掲げる方法により支援する場合にあっては、民間都市機構の求めに応じ担保を付することが約されているものを含む。）であること。

ロ　社債の取得　元利金の支払について劣後的内容を有する特約が付された社債を取得するものであること。

三　認定整備事業が次のいずれにも該当するものであること。

イ　公共施設に準ずる避難施設、駐車場その他の都市の居住者等の利便の増進に寄与する施設の整備を伴うものであること。

ロ　整備事業区域が都市再生緊急整備地域内にあるときは、整備される建築物の総合的な性能が高く、かつ、当該建築物の建築、使用及び解体に係る二酸化炭素の排出の抑制が図られることが確実であると見込まれるものであること。

四　一般の金融機関の行う金融等を補完するものであること。

五　民間都市機構による資金の貸付け等に係る債務の保証その他の国土交通大臣が認める信用補完措置が講じられるものであること（認定整備事業の工事に着手するまでに相当の期間を要すると見込まれる場合に限る。）。

（都市再生整備歩行者経路協定に関する準用）

第二八条　第八条の二から第八条の四までの規定は、法第七十三条第一項に規定する都市再生整備歩行者経路協定について準用する。この場合において、第八条の三第二号中「都市再生歩行者経路の」とあるのは、「都市再生整備歩行者経路の」と読み替えるものとする。

（都市利便増進協定の軽微な変更）

第二九条　法第七十六条第一項の国土交通省令で定める軽微な変更は、地域の名称の変更又は地番の変更に伴う変更その他の都市利便増進協定の内容の実質的な変更を伴わない変更とする。

（緑地保全・緑化推進法人が整備及び管理を行うことができる居住者等利用施設）

第二九条の二　法第八十条の三第一項の国土交通省令で定める緑地保全・緑化推進法人が整備及び管理を行う施設は、第十二条の十第二号に掲げる緑地（通路、広場その他の当該緑地を利用する都市の居住者その他の者の利便のため必要な施設を含む。）とする。

（景観整備機構が整備及び管理を行うことができる居住者等利用施設）

第二九条の三　法第八十条の三第一項の国土交通省令で定める景観整備機構が整備及び管理を行う施設は、第十二条の十各号に掲げるものとする。

（低未利用土地利用促進協定の認可の基準）

第二九条の四　法第八十条の三第三項第三号（法第八十条の五において準用する場合を含む。）の国土交通省令で定める基準は、次に掲げるものとする。

一　低未利用土地利用促進協定において定める法第八十条の三第一項第二号及び第三号に掲げる事項の内容が適切なものであること。

二　低未利用土地利用促進協定に違反した場合の措置は、違反した者に対して不当に重い負担を課するものでないこと。

（誘導施設の整備に関する事業の施行に関連して必要となる事業）

第三〇条　法第八十一条第二項第四号ロの国土交通省令で定める事業は、法第四十六条第二項第二号ハ及びホに掲げる事業並びに第九条に規定する事業とする。

（国又は地方公共団体が所有する土地で公共施設の用に供されているもの等）

第三〇条の二　法第八十一条第十五項の国土交通省令で定める土地は、国又は地方公共団体が所有する土地で公共施設の用に供されているもの、農地、採草放牧地及び森林とする。

（都市の居住者その他の者の利用に供する施設）

第三〇条の三　法第八十一条第十六項第二号の国土交通省令で定める施設は、次に掲げるものとする。

一　道路、通路、駐車場、駐輪場その他これらに類するもの

二　公園、緑地、広場その他これらに類するもの

三　噴水、水流、池その他これらに類するもの

四　休憩施設、遊戯施設その他これらに類するもの

五　備蓄倉庫、耐震性貯水槽その他これらに類するもの

（立地適正化計画の軽微な変更）

第三一条　法第八十一条第二十四項の国土交通省令で定める軽微な変更は、同条第二項第二号、第四号及び第六号に掲げる事項の変更（第二号に掲げる事項の変更にあっては、立地適正化計画に記載された居住誘導区域から法第八十一条第十九項に規定する区域を除外する場合における変更に限り、第六号に掲げる事項の変更にあっては、同号に規定する防災指針に基づく取組の推進に関連して必要な事項並びに法第八十一条第九項から第十三項まで及び第十五項に規定する事項に係る変更に限る。）とする。

（国土交通大臣に提出する立地適正化計画の添付書類等）

第三二条　市町村は、国土交通大臣に立地適正化計画を提出する場合においては、当該立地適正化計画に、次に掲げる図書を添付しなければならない。

一　立地適正化計画の区域のうち法第四十六条第一項の土地の区域及び当該区域の面積を記載した図書

二　前号の土地の区域内の土地の現況を明らかにした図面

三　第十六条第一項に規定する交付金の額の限度を算定するために必要な資料

（交付金の額）

第三三条　法第八十三条第二項の規定により法第四十七条第二項の規定を読み替えて適用する場合における第十六条第一項の規定の適用については、同項中「の区域」とあるのは、「の区域のうち法第四十六条第一項の土地の区域」とする。

（特定住宅整備事業を行おうとする者による都市計画の決定等の提案）

第三四条　法第八十六条第二項において準用する法第三十七条第二項の規定により計画提案を行おうとする者は、氏名及び住所（法人にあっては、その名称及び主たる事務所の所在地）を記載した提案書に次に掲げる図書を添えて、これを都市計画決定権者に提出しなければならない。

一　都市計画の素案

二　別記様式第九による特定住宅整備事業に関する計画書

三　特定住宅整備事業に関する次に掲げる図書

イ　方位、道路及び目標となる地物並びに事業区域を表示した付近見取図

ロ　縮尺、方位、事業区域、敷地の境界線及び敷地内における住宅の位置を表示した事業区域内に建築する住宅の配置図

ハ　縮尺、方位及び間取りを表示した建築する住宅の各階平面図

ニ　縮尺を表示した建築する住宅の二面以上の立面図

四　法第八十六条第二項において準用する法第三十七条第二項第二号の同意を得たことを証する書類

五　法第八十六条第二項において準用する法第三十七条第二項第三号に定めるところにより環境影響評価法第二十七条に規定する公告を行ったことを証する書類

（宅地造成等関係行政事務を処理する市町村長等の特例）

第三四条の二　法第八十七条の二第一項の規定により宅地造成等関係行政事務を処理する市町村長は、宅地造成及び特定盛土等規制法施行規則（昭和三十七年建設省令第三号）第七条、第三十六条第二項及び第三項、第三十七条、第四十条、第四十三条、第四十六条、第四十八条、第五十一条並びに第八十八条の規定の適用については、これらの規定に規定する都道府県知事とみなす。

2　法第八十七条の二第一項の規定によりその長が宅地造成等関係行政事務を処理する市町村は、宅地造成及び特定盛土等規制法施行規則第六条、第七条第一項第十二号及び第二項第十号、第八条第九号及び第十号ロ並びに第八十七条第三項第十一号の規定の適用については、これらの規定に規定する都道府県とみなす。

（宅地造成等関係行政事務の処理の開始の公示）

第三四条の三　法第八十七条の二第三項の規定による公示は、次に掲げる事項について行うものとする。

一　宅地造成等関係行政事務の処理を開始する旨

二　宅地造成等関係行政事務の処理を開始する日

（防災住宅建設区を定める場合の地方公共団体施行に関する認可申請手続）

第三四条の四　土地区画整理法第五十二条第一項又は第五十五条第十二項の認可を申請しようとする者は、法第八十七条の三第一項の規定により事業計画において防災住宅建設区を定めようとするときは、認可申請書に、土地区画整理法施行規則第三条の二各号に掲げる事項のほか、防災住宅建設区の位置及び面積を記載しなければならない。

（防災住宅建設区に関する図書）

第三四条の五　防災住宅建設区は、設計説明書及び設計図を作成して定めなければならない。

2　前項の設計説明書には防災住宅建設区の面積を記載し、前項の設計図は縮尺千二百分の一以上とするものとする。

3　第一項の設計図及び土地区画整理法施行規則第六条第一項の設計図は、併せて一葉の図面とするものとする。

（防災住宅建設区への換地の申出）

第三四条の六　法第八十七条の四第一項の申出は、別記様式第九の二の申出書を提出して行うものとする。

2　前項の申出書には、法第八十七条の四第二項の同意を得たことを証する書類を添付しなければならない。

（防災住宅建設区内に換地を定められるべき宅地の指定につき支障とならない工作物）

第三四条の七　法第八十七条の四第四項第一号の国土交通省令で定める工作物は、仮設の工作物とする。

（建築等の届出）

第三五条　法第八十八条第一項の規定による届出は、次の各号に掲げる区分に応じ、それぞれ当該各号に定める様式による届出書を提出して行うものとする。

一　開発行為を行う場合　別記様式第十

二　住宅等を新築し、又は建築物を改築し、若しくはその用途を変更して住宅等とする行為を行う場合　別記様式第十一

2　前項の届出書には、次に掲げる図書を添付しなければならない。

一　開発行為を行う場合にあつては、次に掲げる図面

イ　当該行為を行う土地の区域並びに当該区域内及び当該区域の周辺の公共施設を表示する図面で縮尺千分の一以上のもの

ロ　設計図で縮尺百分の一以上のもの

二　住宅等を新築し、又は建築物を改築し、若しくはその用途を変更して住宅等とする行為を行う場合にあつては、次に掲げる図面

イ　敷地内における住宅等の位置を表示する図面で縮尺百分の一以上のもの

ロ　住宅等の二面以上の立面図及び各階平面図で縮尺五十分の一以上のもの

三　その他参考となるべき事項を記載した図書

第三六条　法第八十八条第一項の国土交通省令で定める事項は、行為の完了予定日とする。

（変更の届出）

第三七条　法第八十八条第二項の国土交通省令で定める事項は、設計又は施行方法のうち、その変更により同条第一項の届出に係る行為が同項各号に掲げる行為に該当することとなるもの以外のものとする。

第三八条　法第八十八条第二項の規定による届出は、別記様式第十二による変更届出書を提出して行うものとする。

2　第三十五条第二項の規定は、前項の届出について準用する。

（都市計画法施行規則の特例）

第三九条　居住調整地域に係る特定開発行為について都市計画法第三十条第一項の規定により申請書を提出する場合における都市計画法施行規則（昭和四十四年建設省令第四十九号）第十五条第三号及び第十七条第一項第五号の規定の適用については、同令第十五条第三号中「法」とあるのは「都市再生特別措置法（平成十四年法律第二十二号）第九十条の規定により読み替えて適用する法」と、同項第五号中「法」とあるのは「都市再生特別措置法第九十条の規定により読み替えて適用する法」と、「区域区分」とあるのは「居住調整地域」と、「居住若しくは業務」とあるのは「居住」と、「建築物を建築し、又は自己の業務の用に供する第一種特定工作物を建設する」とあるのは「都市再生特別措置法第九十条に規定する住宅等を建築する」とする。

2　居住調整地域に係る特定開発行為について都市計画法第二十九条第一項の許可を受けようとする場合においては、都市計画法施行規則第十六条第一項の開発行為許可申請書の様式は、同項の規定にかかわらず、別記様式第十三によるものとする。

3　法第九十条の規定により都市計画法第三十四条の規定を読み替えて適用する場合における都市計画法施行規則第二十八条の規定の適用については、同条中「次に掲げるもの（自己の居住の用に供する建築物を建築する目的で権利を有する者にあつては、第一号に掲げるものを除く。）」とあるのは「第二号から第四号までに掲げるもの」と、同条第三号中「区域区分」とあるのは「居住調整地域」とする。

4　法第九十条の規定により都市計画法第四十三条の規定を読み替えて適用する場合においては、同条第一項に規定する許可の申請は、都市計画法施行規則第三十四条第一項の規定にかかわらず、別記様式第十四による特定建築等行為許可申請書を提出して行うものとする。この場合において、同条第二項中「前項」とあるのは「都市再生特別措置法施行規則第三十九条第四項前段」と、「令」とあるのは「都市再生特別措置法施行令（平成十四年政令第百九十号）第四十条の規定により読み替えて適用する令」と、「区域区分」とあるのは「居住調整地域」と、「居住若しくは業務」とあるのは「居住」と、「建築物を建築し、又は自己の業務の用に供する第一種特定工作物を建設する」とあるのは「住宅等（都市再生特別措置法（平成十四年法律第二十二号）第九十条の規定により読み替えて適用する法第四十三条第一項に規定する住宅等をいう。以下この項において同じ。）を建築する」と、同項の表敷地現況図の項中「建築物の新築若しくは改築又は第一種特定工作物の新設」とあるのは「住宅等を新築し、又は建築物を改築して住宅等とする行為」と、「建築物の位置又は第一種特定工作物」とあるのは「住宅等」と、「用途の変更」とあるのは「用途を変更して住宅等とする行為」と、「建築物の位置並びに」とあるのは「住宅等の位置並びに」とする。

（国土交通省関係大規模災害からの復興に関する法律施行規則の特例）

第四〇条　法第九十二条の規定により大規模災害からの復興に関する法律（平成二十五年法律第五十五号）第十三条第十一項の規定を読み替えて適用する場合における国土交通省関係大規模災害からの復興に関する法律施行規則（平成二十五年国土交通省令第六十九号）第三条第一項の規定の適用については、同項中「都市計画法施行令」とあるのは、「都市再生特別措置法施行令（平成十四年政令第百九十号）第四十条の規定により読み替えて適用する都市計画法施行令」とする。

（開発許可関係事務の処理の開始の公示）

第四一条　法第九十三条第三項の規定による公示は、次に掲げる事項について行うものとする。

一　開発許可関係事務の処理を開始する旨

二　開発許可関係事務の処理を開始する日

（開発許可関係事務を処理する市町村長の特例）

第四二条　法第九十三条第一項の規定により開発許可関係事務を処理する市町村長は、都市計画法施行規則第十六条第一項、第三十一条第一項、第三十七条、第三十八条第一項及び第二項並びに第六十条第一項（都市計画法第五十三条第一項の規定に適合していることを証する書面の交付を求める場合を除く。）の規定の適用については、これらの規定に規定する都道府県知事とみなす。

（民間誘導施設等整備事業計画の認定等の申請）

第四三条　法第九十五条第一項の規定により認定の申請をしようとする者は、別記様式第十五による申請書に次に掲げる図書（これらの図書を提出することができない正当な理由があるときは、これらに代わるべき図書として適当なものであることを国土交通大臣が認めた図書）を添えて、これらを、計画作成市町村を経由して、国土交通大臣に提出しなければならない。

一　方位、道路及び目標となる地物並びに誘導事業区域を表示した付近見取図

二　縮尺、方位、誘導事業区域、敷地の境界線、敷地内における建築物の位置並びに誘導事業区域内に整備する公共施設並びにこれに準ずる避難施設、駐車場その他の建築物の利用者及び都市の居住者等の利便の増進に寄与する施設並びに令第四十一条に規定する公益的施設の配置を表示した誘導事業区域内に建築する建築物の配置図

三　縮尺、方位、間取り及び設備の概要を表示した建築する建築物の各階平面図

四　誘導施設等整備事業の工程表

五　誘導施設等整備事業についての誘導事業区域内の土地及び付近地の住民に対する説明会の開催の状況及び当該住民から提出された当該誘導施設等整備事業に関する意見の概要

六　縮尺、方位、誘導事業区域、申請者が従前から所有権等を有する土地及び申請者が所有権の取得等をしようとする土地の境界線並びに誘導事業区域内の建築物の位置を表示した誘導事業区域内にある土地及び建築物の配置図

七　申請者が誘導事業区域内の土地について所有権等を有する者であるこ

とを証する書類その他の申請者が誘導事業区域内において事業を実施することが可能であることを証する書類

八　申請者が法人である場合においては、登記事項証明書、定款並びに直前三年の各事業年度の貸借対照表、損益計算書及び収支の状況を明らかにすることができる書類

九　申請者が個人である場合においては、住民票の抄本又はこれに代わる書面、資産及び負債に関する調書並びに所得の状況を明らかにすることができる書類

十　誘導施設等整備事業により整備される建築物に係る収支の見込みを記載した書類

十一　誘導施設等整備事業の施行に必要な資金の調達の相手方並びに当該相手方ごとのおおむねの調達額及びその調達方法を記載した書類

十二　前各号に掲げるもののほか、法第九十六条第一項各号に掲げる基準に適合することを明らかにするために国土交通大臣が必要と認める図書

2　法第九十八条第一項の規定により変更の認定の申請をしようとする者は、別記様式第十五による申請書に前項各号に掲げる図書のうち変更に係るもの（これらの図書を提出することができない正当な理由があるときは、これらに代わるべき図書として適当なものであることを国土交通大臣が認めた図書）を添えて、これを、計画作成市町村を経由して、国土交通大臣に提出しなければならない。この場合において、同項第十二号中「法第九十六条第一項各号」とあるのは、「法第九十八条第二項において準用する法第九十六条第一項各号」とする。

（民間誘導施設等整備事業計画の記載事項）

第四四条　法第九十五条第三項第八号の国土交通省令で定める事項は、次に掲げるものとする。

一　誘導施設等整備事業の名称及び目的

二　当該誘導施設等整備事業が住宅及び都市機能増進施設の立地の適正化を図る上で効果的であり、かつ、立地適正化計画に記載された都市機能誘導区域を含む都市の再生に著しく貢献するものであることを明らかにするために参考となるべき事項

三　当該誘導施設等整備事業が立地適正化計画に記載された法第八十一条第二項第三号に掲げる事項に照らして適切なものであることを明らかにするために参考となるべき事項

四　誘導事業区域が都市再生緊急整備地域内にあるときは、建築物及びその敷地並びに公共施設の整備に関する計画が地域整備方針に適合するものであることを明らかにするために参考となるべき事項

（民間誘導施設等整備事業計画の公表）

第四五条　法第九十七条（法第九十八条第二項において準用する場合を含む。）の国土交通省令で定める事項は、次に掲げるものとする。

一　誘導施設等整備事業の名称及び目的

二　認定誘導事業計画に係る建築物及びその敷地並びに公共施設の整備に関する事業の概要

（民間誘導施設等整備事業計画の軽微な変更）

第四六条　法第九十八条第一項の国土交通省令で定める軽微な変更は、次に掲げるものとする。

一　地域の名称の変更又は地番の変更に伴う変更

二　工事着手の時期及び事業施行期間の六月以内の変更

三　前二号に掲げるもののほか、誘導施設等整備事業の施行に支障がないと国土交通大臣が認める変更

（認定誘導事業の施行に要する費用の一部についての支援の方法）

第四六条の二　法第百三条第一項第一号ホの国土交通省令で定める方法は、次に掲げるものとする。

一　認定誘導事業者（専ら認定誘導事業の施行を目的とする株式会社等に限る。）が発行する元利金の支払について劣後的内容を有する特約が付された社債の取得を行う組合等に対する出資

二　株式会社等（専ら、認定誘導事業者から認定誘導建築物等又は認定誘導建築物等に係る信託の受益権を取得し、当該認定誘導建築物等又は当該認定誘導建築物等に係る信託の受益権の管理及び処分を行うことを目的とするものに限る。）が発行する元利金の支払について劣後的内容を有する特約が付された社債の取得を行う組合等に対する出資

三　認定誘導事業者（認定誘導事業に係る財産を自己の固有財産及び他の認定誘導事業に係る財産と分別して管理するものに限る。第五号において同じ。）に対する出資

四　認定誘導事業者から認定誘導建築物等又は認定誘導建築物等に係る信託の受益権を取得し、当該認定誘導建築物等又は当該認定誘導建築物等に係る信託の受益権の管理及び処分を行う株式会社等（認定誘導事業に係る財産を自己の固有財産及び他の認定誘導事業に係る財産と分別して管理するものに限る。第六号において同じ。）に対する出資

五　認定誘導事業者が発行する元利金の支払について劣後的内容を有する特約が付された社債の取得を行う組合等に対する出資

六　認定誘導事業者から認定誘導建築物等又は認定誘導建築物等に係る信託の受益権を取得し、当該認定誘導建築物等又は当該認定誘導建築物等に係る信託の受益権の管理及び処分を行う株式会社等が発行する元利金の支払について劣後的内容を有する特約が付された社債の取得を行う組合等に対する出資

（民間都市機構の行う誘導施設等整備事業支援業務の基準）

第四七条　法第百三条第三項の国土交通省令で定める基準のうち、同条第一項第一号イからホまでに掲げる方法により支援する業務に係るものは、一般の金融機関の行う金融等を補完するものであることとする。

（誘導施設整備区を定める場合の地方公共団体施行に関する認可申請手続）

第四七条の二　土地区画整理法第五十二条第一項又は第五十五条第十二項の認可を申請しようとする者は、法第百五条の二の規定により事業計画において誘導施設整備区を定めようとするときは、認可申請書に、土地区画整理法施行規則第三条の二各号に掲げる事項のほか、誘導施設整備区の位置及び面積を記載しなければならない。

（誘導施設整備区に関する図書）

第四七条の三　誘導施設整備区は、設計説明書及び設計図を作成して定めなければならない。

2　前項の設計説明書には誘導施設整備区の面積を記載し、同項の設計図は縮尺千二百分の一以上とするものとする。

3　第一項の設計図及び土地区画整理法施行規則第六条第一項の設計図は、併せて一葉の図面とするものとする。

（誘導施設整備区への換地の申出）

第四七条の四　法第百五条の三第一項の申出は、別記様式第十五の二の申出書を提出して行うものとする。

2　前項の申出書には、法第百五条の三第二項第三号の規定による同意を得たことを証する書類を添付しなければならない。

第四八条　削除

第四九条　削除

第五〇条　削除

第五一条　削除

（建築等の届出）

第五二条　法第百八条第一項の規定による届出は、次の各号に掲げる区分に応じ、それぞれ当該各号に定める様式による届出書を提出して行うものとする。

一　開発行為を行う場合　別記様式第十八

二　誘導施設を有する建築物を新築し、又は建築物を改築し、若しくはその用途を変更して誘導施設を有する建築物とする行為を行う場合　別記様式第十九

2　前項の届出書には、次に掲げる図書を添付しなければならない。

一　開発行為を行う場合にあっては、次に掲げる図面

イ　当該行為を行う土地の区域並びに当該区域内及び当該区域の周辺の公共施設を表示する図面で縮尺千分の一以上のもの

ロ　設計図で縮尺百分の一以上のもの

二　誘導施設を有する建築物を新築し、又は建築物を改築し、若しくはその用途を変更して誘導施設を有する建築物とする行為を行う場合にあっては、次に掲げる図面

イ　敷地内における建築物の位置を表示する図面で縮尺百分の一以上のもの

ロ　建築物の二面以上の立面図及び各階平面図で縮尺五十分の一以上のもの

三　その他参考となるべき事項を記載した図書

第五三条　法第百八条第一項の国土交通省令で定める事項は、行為の完了予定日とする。

（変更の届出）

第五四条　法第百八条第二項の国土交通省令で定める事項は、設計又は施行

方法のうち、その変更により同条第一項の届出に係る行為が同項各号に掲げる行為に該当することとなるもの以外のものとする。

第五五条　法第百八条第二項の規定による届出は、別記様式第二十による変更届出書を提出して行うものとする。

2　第五十二条第二項の規定は、前項の届出について準用する。

（休廃止の届出）

第五五条の二　法第百八条の二第一項の規定による届出は、別記様式第二十一による届出書を提出して行うものとする。

（都市計画施設の改修に関する事業に係る認可に関する協議及び同意）

第五五条の二の二　法第百九条の二第二項の規定により協議をし、同意を得ようとする市町村は、協議書に次に掲げる書類を添えて、これらを都道府県知事（同項各号に掲げる事項にあっては、都道府県知事及びそれぞれ当該各号に定める者）に提出するものとする。ただし、法第八十一条第九項に規定する事業が新たに土地を収用し、又は使用する必要がない場合には、都市計画法第六十条第三項第一号に掲げる書類は、その添付を省略することができる。

一　立地適正化計画に記載しようとする法第百九条の二第一項に規定する事項を記載した書類

二　都市計画法第六十条第一項各号に掲げる事項（同項第三号に掲げる事業計画にあっては、同条第二項各号に掲げる事項を定めたもの）を記載した書類

三　都市計画法第六十条第三項各号に掲げる書類

（立地誘導促進施設協定の認可の基準）

第五五条の三　法第百九条の四第三項において準用する法第四十五条の四第一項第三号（法第百九条の四第三項において準用する法第四十五条の五第二項において準用する場合を含む。）の国土交通省令で定める基準は、次のとおりとする。

一　協定区域は、その境界が明確に定められていなければならない。

二　立地誘導促進施設の一体的な整備又は管理に関する事項は、居住誘導区域又は都市機能誘導区域における居住者、来訪者又は滞在者の利便の増進に寄与するとともに、居住誘導区域にあっては住宅の、都市機能誘導区域にあっては誘導施設の立地の誘導の促進に資するように定められていなければならない。

三　立地誘導促進施設協定に違反した場合の措置は、違反した者に対して不当に重い負担を課するものであってはならない。

四　協定区域隣接地の区域は、その境界が明確に定められていなければならない。

五　協定区域隣接地は、協定区域との一体性を有する土地の区域でなければならない。

（立地誘導促進施設協定に関する準用）

第五五条の四　第八条の二及び第八条の四の規定は、法第百九条の四第一項に規定する立地誘導促進施設協定について準用する。

（権利設定等に係る法律関係に関する事項）

第五五条の四の二　法第百九条の七第二項第六号の国土交通省令で定める事項は、同項第一号に規定する者が設定又は移転を受ける土地又は建物に係る賃借権の条件その他土地又は建物の権利設定等に係る法律関係に関する事項（同項第四号及び第五号に掲げる事項を除く。）とする。

（居住誘導区域等権利設定等促進計画についての要請）

第五五条の四の三　法第百九条の八の規定による要請をしようとする者は、居住誘導区域等権利設定等促進計画要請書に、次に掲げる図書を添付して、これを当該居住誘導区域等権利設定等促進計画を作成すべき者に提出しなければならない。

一　要請に係る土地又は建物の位置及び区域を表示した図面

二　法第百九条の八の協定の写し

三　法第百九条の七第三項第三号から第五号までに規定する者の全ての同意を得たことを証する書面

（居住誘導区域等権利設定等促進計画の決定の公告）

第五五条の四の四　法第百九条の九の規定による公告は、居住誘導区域等権利設定等促進計画を作成した旨及び当該居住誘導区域等権利設定等促進計画を市町村の公報に掲載することその他所定の手段によりするものとする。

（権利設定等に係る法律関係に関する事項）

第五五条の五　法第百九条の十五第二項第六号の国土交通省令で定める事項は、同項第一号に規定する者が設定又は移転を受ける土地又は建物に係る賃借権の条件その他土地又は建物の権利設定等に係る法律関係に関する事項（同項第四号及び第五号に掲げる事項を除く。）とする。

（低未利用土地権利設定等促進計画についての要請）

第五五条の六　法第百九条の十六の規定による要請をしようとする者は、低未利用土地権利設定等促進計画要請書に、次に掲げる図書を添付して、これを当該低未利用土地権利設定等促進計画を作成すべき者に提出しなければならない。

一　要請に係る土地又は建物の位置及び区域を表示した図面

二　法第百九条の十六の協定の写し

三　法第百九条の十五第三項第三号から第五号までに規定する者の全ての同意を得たことを証する書面

（低未利用土地権利設定等促進計画の決定の公告）

第五五条の七　法第百九条の十七の規定による公告は、低未利用土地権利設定等促進計画を作成した旨及び当該低未利用土地権利設定等促進計画を市町村の公報に掲載することその他所定の手段によりするものとする。

（跡地等管理等協定の基準）

第五六条　法第百十一条第三項第三号（法第百十三条において準用する場合を含む。）の国土交通省令で定める基準は、次に掲げるものとする。

一　協定跡地等は、跡地の境界が明確に定められていなければならない。

二　協定跡地等に係る跡地等の管理等の方法に関する事項は、清掃、除草、病害虫の防除、枝打ち、整枝、危険な樹木の伐採その他これらに類する事項で、協定跡地等に係る跡地等の適正な管理等に関連して必要とされるものでなければならない。

三　協定跡地等に係る跡地等の管理等に必要な施設の整備に関する事項は、物置、防火施設、塀、柵その他これらに類する施設の整備に関する事項で、協定跡地等に係る跡地等の適正な管理等に資するものでなければならない。

四　跡地等管理等協定に違反した場合の措置は、違反した者に対して不当に重い負担を課するものであってはならない。

（市町村都市再生協議会を組織することができる都市再生推進法人等に準ずる特定非営利活動法人等）

第五七条　法第百十七条第一項第七号の国土交通省令で定める特定非営利活動法人等は、第十一条第二号から第四号までに掲げる者とする。

（都市再生推進法人の業務として整備する施設）

第五八条　法第百十九条第三号ロの国土交通省令で定める施設は、駐車場とする。

（民間都市機構の行う都市再生推進法人支援業務の基準）

第五九条　法第百二十二条第三項の国土交通省令で定める基準は、一般の金融機関の行う金融等を補完するものであることとする。

（権限の委任）

第六〇条　法に規定する国土交通大臣の権限のうち、次に掲げるものは、地方整備局長及び北海道開発局長に委任する。

一　法第五十一条第二項の規定により協議し、同意すること。

二　法第五十八条第二項の規定により認可をすること。

附　則〔抄〕

（施行期日）

1　この省令は、法の施行の日（平成十四年六月一日）から施行する。

附　則〔略〕〔平成一五・三・二〇国土交通省令二三施行〕

附　則〔略〕〔平成一六・四・一国土交通省令五三施行〕

附　則〔略〕〔平成一七・三・七国土交通省令一二〕

附　則〔略〕〔平成一七・四・二七国土交通省令五四〕

附　則〔略〕〔平成一八・四・二八国土交通省令五八〕

附　則〔略〕〔平成一九・四・一国土交通省令四一施行〕

附　則〔略〕〔平成一九・九・二八国土交通省令八四施行〕

附　則〔略〕〔平成二〇・三・三一国土交通省令一五〕

附　則〔略〕〔平成二〇・一二・一国土交通省令九七施行〕

附　則〔略〕〔平成二一・三・二五国土交通省令六〕

附　則〔略〕〔平成二一・八・三一国土交通省令五五〕

附　則〔略〕〔平成二三・七・二二国土交通省令五三〕

附　則〔略〕〔平成二三・一〇・一九国土交通省令七六〕

附　則〔略〕〔平成二三・一一・三〇国土交通省令八三〕

附　則〔略〕〔平成二四・六・二九国土交通省令六四〕

附則（略）（平成二五・五・一六国土交通省令三六施行）
附則（略）（平成二五・一〇・九国土交通省令八七）
附則（略）（平成二六・七・二五国土交通省令六七）
附則（略）（平成二七・一・二九国土交通省令五）
附則（略）（平成二八・三・三一国土交通省令三七）
附則（略）（平成二八・八・二九国土交通省令六一）
附則（略）（平成二八・一〇・一九国土交通省令七五施行）
附則（略）（平成三〇・七・一一国土交通省令五八）
附則（略）（令和二・九・四国土交通省令七四）
附則（略）（令和二・一一・二七国土交通省令九二）
附則（略）（令和二・一二・二三国土交通省令九八）
附則（略）（令和三・八・三一国土交通省令五三）
附則（略）（令和三・一〇・二九国土交通省令六九）
附則（略）（令和三・一二・一六国土交通省令七九）
附則（略）（令和四・三・三一国土交通省令三五）
附則（略）（令和四・一二・二三国土交通省令九二）
附則（略）（令和五・二・二八国土交通省令五）
附則（略）（令和五・三・三一国土交通省令三〇）
附則（略）（令和五・三・三一国土交通省令三四）
附則（略）（令和六・三・八国土交通省令一八）
附則（略）（令和六・三・二九国土交通省令四〇）
この省令は、令和六年四月一日から施行する。

別記様式（略）

○密集市街地における防災街区の整備の促進に関する法律

（平成九・五・九 法律四九）

改正 平成九・六法七二、平成一〇・六法一〇〇、平成一一・三法二五、六法七六、七法八七、一二法一六〇、平成一二・五法七三、平成一三・一一法一二九、平成一四・二法一、三法一一、四法二二、七法八五、平成一五・六法一〇〇、法一〇一、平成一六・六法六七、法七六、法八四、法一〇九、法一一一、法一二四、一二法一四七、法一五〇、法一五四、平成一七・四法三四、七法八七、平成一八・六法五〇、法九二、平成一九・三法一九、平成二〇・四法二三、五法四〇、平成二三・五法五三、八法一〇五、平成二五・六法四四、平成二六・五法四二、六法五四、法六九、平成二八・六法七二、平成二九・四法二五、五法二六、平成三〇・六法六七、七法七二、令和二・三法八、令和三・五法三七、令和五・六法五八

目次

第一章 総則（第一条・第二条）
第二章 防災街区整備方針（第三条）
第三章 防災再開発促進地区の区域における建築物の建替え等の促進
第一節 建築物の建替えの促進（第四条―第十二条）
第二節 延焼等危険建築物に対する措置（第十三条―第二十九条）
第三節 独立行政法人都市再生機構及び地方住宅供給公社の行う受託業務等（第三十条―第三十条の三）
第四節 第二種市街地再開発事業の施行区域の特例（第三十条の四）
第四章 特定防災街区整備地区（第三十一条）
第五章 防災街区整備地区計画等
第一節 防災街区整備地区計画（第三十二条―第三十三条）
第二節 防災街区整備権利移転等促進計画（第三十四条―第三十九条）
第三節 防災街区計画整備組合
第一款 総則（第四十条―第四十四条）
第二款 事業（第四十五条―第四十七条）
第三款 組合員（第四十八条―第六十一条）
第四款 管理（第六十二条―第八十七条）
第五款 設立（第八十八条―第九十六条）
第六款 解散及び清算（第九十七条―第百四条）
第七款 監督（第百五条―第百九条）
第八款 雑則（第百十条―第百十五条）
第四節 建築物の敷地と道路との関係の特例（第百十六条）
第六章 防災街区整備事業
第一節 総則（第百十七条―第百十九条）
第二節 防災街区整備事業に関する都市計画（第百二十条・第百二十一条）
第三節 施行者
第一款 個人施行者（第百二十二条―第百三十二条）
第二款 防災街区整備事業組合
第一目 通則（第百三十三条―第百三十五条）
第二目 設立（第百三十六条―第百四十三条）
第三目 管理（第百四十四条―第百六十二条）
第四目 解散（第百六十三条・第百六十四条）
第五目 税法上の特例（第百六十四条の二）
第三款 事業会社（第百六十五条―第百七十八条）
第四款 地方公共団体（第百七十九条―第百八十七条）
第五款 独立行政法人都市再生機構等（第百八十八条―第百九十条）
第四節 防災街区整備事業の施行
第一款 測量、調査等（第百九十一条―第二百条）
第二款 権利変換手続
第一目 手続の開始（第二百一条―第二百三条）
第二目 権利変換計画（第二百四条―第二百十八条）
第三目 権利の変換（第二百十九条―第二百二十七条）
第四目 土地の明渡し等（第二百二十八条―第二百三十四条）
第五目 防災施設建築物の建築等の特例（第二百三十五条―第二百四十三条）
第六目 工事完了等に伴う措置（第二百四十四条―第二百五十三条）
第七目 権利変換手続の特則（第二百五十四条―第二百五十七条）
第三款 個人施行者等の事業の代行（第二百五十八条―第二百六十二条）
第四款 費用の負担等（第二百六十三条―第二百六十六条）
第五款 雑則（第二百六十七条―第二百八十条）
第七章 防災都市施設の整備のための特別の措置（第二百八十一条―第二百八十八条）
第八章 避難経路協定（第二百八十九条―第二百九十九条）
第九章 防災街区整備推進機構（第三百条―第三百三条）
第十章 雑則（第三百四条―第三百十一条）
第十一章 罰則（第三百十二条―第三百三十四条）
附則

第一章　総則

（目的）

第一条　この法律は、密集市街地について計画的な再開発又は開発整備による防災街区の整備を促進するために必要な措置を講ずることにより、密集市街地の防災に関する機能の確保と土地の合理的かつ健全な利用を図り、もって公共の福祉に寄与することを目的とする。

（定義）

第二条　この法律（第十号に掲げる用語にあっては、第四十八条を除く。）において、次の各号に掲げる用語の意義は、それぞれ当該各号に定めるところによる。

一　密集市街地　当該区域内に老朽化した木造の建築物が密集しており、かつ、十分な公共施設が整備されていないことその他当該区域内の土地利用の状況から、その特定防災機能が確保されていない市街地をいう。

二　防災街区　その特定防災機能が確保され、及び土地の合理的かつ健全な利用が図られた街区をいう。

三　特定防災機能　火事又は地震が発生した場合において延焼防止上及び避難上確保されるべき機能をいう。

四　防災公共施設　密集市街地において特定防災機能を確保するために整備されるべき主要な道路、公園その他政令で定める公共施設をいう。

五　防災街区整備事業　密集市街地において特定防災機能の確保と土地の合理的かつ健全な利用を図るため、この法律で定めるところに従って行われる建築物及び建築物の敷地の整備並びに防災公共施設その他の公共施設の整備に関する事業並びにこれに附帯する事業をいう。

六　建築物　建築基準法（昭和二十五年法律第二百一号）第二条第一号に規定する建築物をいう。

七　建築物の建替え　現に存する一以上の建築物（建築物が二以上の場合にあっては、これらの敷地が隣接するものに限る。）を除却するとともに、当該建築物の敷地であった一団の土地の全部又は一部の区域に一以上の建築物を新築することをいう。

八　耐火建築物等　建築基準法第五十三条第三項第一号イに規定する耐火建築物等をいう。

九　準耐火建築物等　建築基準法第五十三条第三項第一号ロに規定する準耐火建築物等をいう。

十　公共施設　道路、公園その他政令で定める公共の用に供する施設をいう。

十一　都市施設　都市計画法（昭和四十三年法律第百号）第四条第五項に規定する都市施設をいう。

十二　都市計画施設　都市計画法第四条第六項に規定する都市計画施設をいう。

十三　都市計画事業　都市計画法第四条第十五項に規定する都市計画事業をいう。

十四　借地権　借地借家法（平成三年法律第九十号）第二条第一号に規定する借地権をいう。ただし、一時使用のため設定されたことが明らかなものを除く。

十五　借家権　建物の賃借権（一時使用のため設定されたことが明らかなものを除く。第十三条第三項及び第五章を除き、以下同じ。）及び配偶者居住権をいう。

第二章　防災街区整備方針

第三条　都市計画法第七条第一項の市街化区域内においては、都市計画に、密集市街地内の各街区について防災街区としての整備を図るため、次に掲げる事項を明らかにした防災街区の整備の方針（以下「防災街区整備方針」という。）を定めることができる。

一　特に一体的かつ総合的に市街地の再開発を促進すべき相当規模の地区（以下「防災再開発促進地区」という。）及び当該地区の整備又は開発に関する計画の概要

二　防災公共施設の整備及びこれと一体となって特定防災機能を確保するための建築物その他の工作物（以下「建築物等」という。）の整備に関する計画の概要

2　国及び地方公共団体は、防災街区整備方針に従い、計画的な再開発又は開発整備による防災街区の整備を促進するため、第三十一条第一項の特定防災街区整備地区、第三十二条第一項の防災街区整備地区計画、第二百八十一条第一項の施行予定者を定める防災都市施設等の都市計画の決定、防災街区整備事業又は防災公共施設の整備に関する事業の実施その他の必要な措置を講ずるよう努めなければならない。

第三章　防災再開発促進地区の区域における建築物の建替え等の促進

第一節　建築物の建替えの促進

（建替計画の認定）

第四条　防災再開発促進地区の区域内において、建築物の建替えをしようとする者は、国土交通省令で定めるところにより、建築物の建替えに関する計画（以下この節において「建替計画」という。）を作成し、所管行政庁（建築基準法の規定により建築主事又は建築副主事を置く市町村の区域については市町村長をいい、その他の市町村の区域については都道府県知事をいう。ただし、同法第九十七条の二第一項若しくは第二項又は第九十七条の三第一項若しくは第二項の規定により建築主事又は建築副主事を置く市町村の区域内の政令で定める建築物については、都道府県知事とする。以下同じ。）の認定を申請することができる。

2　前項の認定（以下この節において「建替計画の認定」という。）を申請しようとする者は、その者以外に除却しようとする建築物又はその敷地である一団の土地について権利を有する者があるときは、建替計画についてこれらの者のすべての同意を得なければならない。ただし、その権利をもって建替計画の認定を申請しようとする者に対抗することができない者については、この限りでない。

3　前項の場合において、同項の規定により同意を得なければならないこととされている者のうち、除却しようとする建築物について所有権又は借家権を有する者及びその敷地である一団の土地について所有権又は借地権を有する者以外の者を確知することができないときは、確知することができない理由を記載した書面を添えて、建替計画の認定を申請することができる。

4　建替計画には、次に掲げる事項を記載しなければならない。

一　建築物の建替えをする土地の区域（第五号及び次条第一項第四号において「建替事業区域」という。）

二　除却する建築物の建築面積、構造方法及び敷地面積並びに当該建築物の敷地の接する道路の幅員

三　新築する建築物の配置

四　新築する建築物の建築面積、延べ面積、構造方法、建築設備、用途及び敷地面積

五　建替事業区域内に確保する空地の配置及び規模

六　建築物の建替えの事業の実施期間

七　建築物の建替えの事業に関する資金計画

八　その他国土交通省令で定める事項

（建替計画の認定基準）

第五条　所管行政庁は、建替計画の認定の申請があった場合において、当該申請に係る建替計画が次に掲げる基準に適合すると認めるときは、その旨の認定をすることができる。

一　除却する建築物の建築面積の合計に対する除却する建築物のうち延焼防止上支障がある木造の建築物で国土交通省令で定める基準に該当するものの建築面積の合計の割合が国土交通省令で定める数値以上であること。

二　新築する建築物が耐火建築物等又は準耐火建築物等であること。

三　新築する建築物の敷地面積がそれぞれ国土交通省令で定める規模以上であり、かつ、当該敷地面積の合計が国土交通省令で定める規模以上であること。

四　建替事業区域内に延焼防止上又は避難上有効な空地で国土交通省令で定める基準に該当するものが確保されていること。

五　建築物の建替えの事業の実施期間が当該建築物の建替えを迅速かつ確実に遂行するために適切なものであること。

六　建築物の建替えの事業に関する資金計画が当該建築物の建替えを確実に遂行するため適切なものであること。

2　建替計画が建築基準法第六条第一項の規定による確認又は同法第十八条第二項の規定による通知を要するものである場合において、建替計画の認定をしようとするときは、所管行政庁は、あらかじめ、建築主事又は建築副主事の同意を得なければならない。

3　建築主事又は建築副主事は、前項の同意を求められた場合において、当該建替計画のうち新築する建築物に係る部分が建築基準法第六条第一項の建築基準関係規定（同法第六条の四第一項に規定する建築物の新築について同意を求められた場合にあっては、同項の規定により読み替えて適用される同法第六条第一項に規定する建築基準関係規定）に適合するものであるときは、同意を与えてその旨を当該所管行政庁に通知しなければならない。この場合において、建築主事又は建築副主事は、同意することができない事由があると認めるときは、その事由を当該所管行政庁に通知しなければならない。

4　建築基準法第九十三条の規定は所管行政庁が同法第六条第一項の規定による確認又は同法第十八条第二項の規定による通知を要する建替計画について建替計画の認定をしようとする場合について、同法第九十三条の二の規定は所管行政庁が同法第六条第一項の規定による確認を要する建替計画について建替計画の認定をしようとする場合について準用する。

5　建替計画が建築基準法第六条第一項の規定による確認又は同法第十八条第二項の規定による通知を要するものである場合において、所管行政庁が建替計画の認定をしたときは、同法第六条第一項又は第十八条第三項の規定による確認済証の交付があったものとみなす。この場合において、所管行政庁は、その旨を建築主事又は建築副主事に通知するものとする。

（建替計画の認定通知）

第六条　所管行政庁が都道府県知事である場合において、建替計画の認定をしたときは、当該都道府県知事は、関係市町村長に、速やかに、その旨を通知しなければならない。

（建替計画の変更）

第七条　建替計画の認定を受けた者（以下この節において「認定事業者」という。）は、当該建替計画の認定を受けた建替計画（次条から第十条までにおいて「認定建替計画」という。）の変更（国土交通省令で定める軽微な変更を除く。）をしようとするときは、所管行政庁の認定を受けなければならない。

2　前二条の規定は、前項の場合について準用する。

（報告の徴収）

第八条　所管行政庁は、認定事業者に対し、認定建替計画（前条第一項の変更の認定があったときは、その変更後のもの。次条及び第十条において同じ。）に係る建築物の建替えの状況について報告を求めることができる。

（地位の承継）

第九条　認定事業者の一般承継人又は認定事業者から認定建替計画に係る除却する建築物の所有権その他当該認定建替計画に係る建築物の建替えに必要な権原を取得した者は、所管行政庁の承認を受けて、当該認定事業者が有していた建替計画の認定に基づく地位を承継することができる。

（改善命令）

第一〇条　所管行政庁は、認定事業者が認定建替計画に従って建築物の建替えを行っていないと認めるときは、当該認定事業者に対し、相当の期限を定めて、その改善に必要な措置を講ずべきことを命ずることができる。

（建替計画の認定の取消し）

第一一条　所管行政庁は、認定事業者が前条の規定による命令に違反したときは、建替計画の認定を取り消すことができる。

2　第六条の規定は、所管行政庁が前項の規定による取消しをした場合について準用する。

（費用の補助）

第一二条　市町村は、認定事業者（国土交通省令で定める認定事業者を除く。）に対して、建築物の建替えに要する費用の一部を補助することができる。

2　国は、市町村が前項の規定により補助金を交付する場合には、予算の範囲内において、政令で定めるところにより、その費用の一部を補助することができる。

第二節　延焼等危険建築物に対する措置

（延焼等危険建築物に対する除却の勧告）

第一三条　所管行政庁は、防災再開発促進地区の区域であって都市計画法第八条第一項第五号の防火地域（以下単に「防火地域」という。）、同号の準防火地域（以下単に「準防火地域」という。）又は第三十二条第一項の防災街区整備地区計画の区域（同条第二項第一号に規定する特定建築物地区整備計画又は同項第二号に規定する防災街区整備地区整備計画が定められている区域のうち建築物の構造に関し準防火地域における建築物の構造に関する防火上の制限と同等以上の防火上の制限が定められており、かつ、建築基準法第六十八条の二第一項の規定に基づく条例でこの制限が定められているものに限る。）が定められているもの（第四項において「特定防火地域等」という。）の内にある老朽化した木造の建築物で次に掲げる条件に該当するもの（以下「延焼等危険建築物」という。）の所有者に対し、相当の期限を定めて、当該延焼等危険建築物を除却すべきことを勧告することができる。

一　当該建築物及びその周辺の建築物の構造及び敷地並びにこれらの建築物の密集している状況に照らし、大規模な地震が発生した場合において延焼防止上危険である建築物として国土交通省令で定める基準に該当するものであること。

二　国土交通省令で定める規模以上の地震が発生した場合において壁、柱等の主要な構造に著しい被害を受けるおそれがある建築物として、当該建築物の構造に関し国土交通省令で定める基準に該当するものであること。

2　前項の規定による勧告をした所管行政庁は、市町村長が所管行政庁であるときは関係都道府県知事に、都道府県知事が所管行政庁であるときは関係市町村長に、速やかに、その旨を通知しなければならない。

3　第一項の規定による勧告をした所管行政庁は、当該勧告に係る延焼等危険建築物について質権、賃借権、使用貸借による権利若しくはその他の使用及び収益を目的とする権利又は先取特権若しくは抵当権の登記、仮登記、買戻しの特約その他権利の消滅に関する事項の定めの登記若しくは処分の制限の登記に係る権利を有する者があるときは、速やかに、これらの者にその旨を通知しなければならない。ただし、過失がなくてこれらの者を確知することができないときは、この限りでない。

4　所管行政庁は、第一項の規定の施行に必要な限度において、特定防火地域等の内の土地に存する建築物の所有者に対し、当該建築物の火事又は地震に対する安全性に係る事項に関し報告させ、又はその職員に、当該建築物若しくは当該建築物の敷地に立ち入り、当該建築物、当該建築物の敷地、建築設備、建築材料、書類その他の物件を検査させることができる。ただし、住居に立ち入る場合においては、あらかじめ、その居住者の承諾を得なければならない。

5　前項の規定による立入検査をする職員は、その身分を示す証明書を携帯し、関係人に提示しなければならない。

6　第四項の規定による立入検査の権限は、犯罪捜査のために認められたものと解釈してはならない。

（代替建築物の提供又はあっせん）

第一四条　前条第一項の規定による勧告に係る延焼等危険建築物の賃借人は、当該延焼等危険建築物の所在する市町村の長に対し、当該延焼等危険建築物に代わるべき建築物（以下この条において「代替建築物」という。）の提供又はあっせんを要請することができる。

2　前条第一項の規定による勧告に係る延焼等危険建築物（当該延焼等危険建築物の全部又は一部が賃貸借の目的となっている場合に限る。）の所有者は、当該延焼等危険建築物を除却しようとする場合において、当該延焼等危険建築物の賃借人（次項において「賃借人」という。）の利用に供すべき代替建築物を提供し、又はあっせんすることが困難であるときは、当該延焼等危険建築物の所在する市町村の長に対し、当該代替建築物の提供又はあっせんを要請することができる。

3　前二項の規定による要請を受けた市町村長は、賃借人の利用に供すべき代替建築物を提供し、又はあっせんするよう努めなければならない。

（居住安定計画の認定）

第一五条　第十三条第一項の規定による勧告に係る延焼等危険建築物でその全部又は一部が次に掲げる条件に該当する賃貸借の目的となっているものの所有者は、当該賃貸借の目的となっている延焼等危険建築物の全部又は一部（以下この節において「延焼等危険賃貸住宅」という。）を賃借している者（以下この節において「居住者」という。）の意見を求めて、国土交通省令で定めるところにより、当該延焼等危険建築物について、居住者の居住の安定の確保及び延焼等危険建築物の除却に関する計画（以下この章において「居住安定計画」という。）を作成し、市町村長の認定を申請することができる。

一　当該賃貸借が住宅の用途に供するためにされたものであり、かつ、事務所、店舗その他住宅以外の用途を兼ねるためにされたものでないこと。

二　当該賃貸借が一時使用のためにされたことが明らかなものでないこと。

三　当該賃貸借の目的となっている延焼等危険建築物の全部又は一部が転貸借の目的となっていないこと。

2　建物の区分所有等に関する法律（昭和三十七年法律第六十九号）第二条第一項に規定する区分所有権（以下単に「区分所有権」という。）の目的となっている延焼等危険建築物についての前項の規定の適用については、同項中「ものの所有者は」とあるのは、「ものについて建物の区分所有等に関する法律（昭和三十七年法律第六十九号）第二条第一項に規定する区分所有権を有する者（同法第六十二条第一項の規定による建替え決議があった場合にあっては、同法第六十四条の規定により建替えを行う旨の合意をしたとみなされた者）は、全員で」とする。

3　第一項の認定（以下この節において「居住安定計画の認定」という。）を申請しようとする者は、居住者以外の者で当該延焼等危険建築物について権利を有する者があるときは、居住安定計画についてその同意を得なければならない。ただし、その権利をもって居住安定計画の認定を申請しようとする者に対抗することができない者については、この限りでない。

4　前項の場合において、同項の規定により同意を得なければならないこととされている者のうち当該延焼等危険建築物について借家権を有する者以外の者を確知することができないときは、確知することができない理由を記載した書面を添えて、居住安定計画の認定を申請することができる。

5　居住安定計画には、次に掲げる事項を記載しなければならない。

一　延焼等危険建築物の位置

二　延焼等危険賃貸住宅の数

三　延焼等危険賃貸住宅の規模、構造及び設備並びに家賃

四　延焼等危険賃貸住宅の居住者の氏名、住所及び世帯構成

五　延焼等危険賃貸住宅の従前の管理の状況

六　居住者に提供する延焼等危険賃貸住宅に代わるべき住宅（延焼等危険建築物を除却した後新築する建築物の全部又は一部を当該延焼等危険賃貸住宅に代わるべき住宅として提供する場合にあっては、居住者により当該延焼等危険賃貸住宅が明け渡された日から当該新築する建築物の全部又は一部を提供する日までの間に必要となる仮住居を含む。以下この節において「代替住宅」という。）の規模、構造及び設備、家賃並びに所在及び地番

七　居住者により延焼等危険賃貸住宅が明け渡された日から延焼等危険建築物を除却する日までの間における当該延焼等危険賃貸住宅の管理に関する事項

八　延焼等危険建築物を除却する予定時期

九　延焼等危険建築物の除却の事業（延焼等危険建築物を除却した後新築する建築物の全部又は一部を代替住宅として提供する場合にあっては、当該建築物の新築の事業を含む。次条第一項第四号において同じ。）に関する資金計画

十　延焼等危険建築物に延焼等危険賃貸住宅以外の部分がある場合にあっては、当該部分についての利用状況及び居住安定計画の認定を申請した日から当該延焼等危険建築物を除却する日までの間における当該部分の管理に関する事項

十一　その他国土交通省令で定める事項

（居住安定計画の認定基準）

第一六条　市町村長は、居住安定計画の認定の申請があった場合において、当該申請に係る居住安定計画が次に掲げる基準に適合すると認めるときでなければ、居住安定計画の認定をしてはならない。

一　延焼等危険賃貸住宅の所有者が当該延焼等危険賃貸住宅の修繕その他賃貸人としてなすべき義務を履行してきていること。

二　居住者ごとに、前条第五項第三号及び第四号に掲げる事項その他居住者に関する状況を勘案して、その規模、構造及び設備並びに家賃が妥当な水準の代替住宅が居住者の生活環境に著しい変化を及ぼさない地域内において確保されることが確実であること。

三　居住安定計画の認定の申請を受けた日から延焼等危険建築物が除却される日までの間に、当該延焼等危険建築物について新たな権利が設定されないことが確実であること。

四　延焼等危険建築物の除却の事業に関する資金計画が当該事業を遂行するため適切なものであり、当該延焼等危険建築物が除却されることが確実であること。

2　市町村長は、居住安定計画の認定をしようとする場合において、当該居住安定計画に公営住宅法（昭和二十六年法律第百九十三号）第二条第二号に規定する公営住宅（以下この節において「公営住宅」という。）又は特定優良賃貸住宅の供給の促進に関する法律（平成五年法律第五十二号。第二十一条第一項において「特定優良賃貸住宅法」という。）第十八条第二項に規定する賃貸住宅（以下この節において「特定公共賃貸住宅」という。）であって都道府県が管理するものが代替住宅として定められているときは、あらかじめ、当該代替住宅を示して当該都道府県の同意を得なければならない。

3　市町村長は、居住安定計画の認定をしようとするときは、あらかじめ、当該居住安定計画に定められた代替住宅を示して居住者の意見を聴かなければならない。

（居住安定計画の認定の通知）

第一七条　市町村長は、居住安定計画の認定をしたときは、速やかに、当該居住安定計画の認定に係る居住安定計画（以下この節において「認定居住安定計画」という。）に定められた代替住宅及び当該代替住宅への入居を希望する旨を申し出ることができる期間（次項及び第十九条において「入居申出期間」という。）を示して、当該居住安定計画の認定をした旨を居住者に通知しなければならない。

2　前項の場合において、認定居住安定計画に都道府県が管理する公営住宅又は特定公共賃貸住宅が代替住宅として定められているときは、市町村長は、速やかに、当該認定居住安定計画に定められた代替住宅及び入居申出期間を示して、当該居住安定計画の認定をした旨を当該都道府県に通知しなければならない。

（居住安定計画の変更）

第一八条　居住安定計画の認定を受けた者（以下この節において「認定所有者」という。）は、認定居住安定計画の変更（国土交通省令で定める軽微な変更を除く。）をしようとするときは、市町村長の認定を受けなければならない。

2　前二条の規定は、前項の場合について準用する。

（居住者の居住の安定に関する措置）

第一九条　第十七条第一項（前条第二項により準用する場合を含む。以下この節において同じ。）の規定による通知を受けた居住者は、当該通知により示された代替住宅が公営住宅、特定公共賃貸住宅又は市町村が居住者に転貸するために借り上げた住宅（公営住宅を除く。第二十二条において「市町村借上住宅」という。）である場合においては、入居申出期間内に、当該代替住宅への入居を希望する旨を当該代替住宅を管理する地方公共団体に申し出ることができる。

第二〇条　前条の規定による申出に係る代替住宅が公営住宅である場合において、当該申出をした者が次の各号のいずれかに該当する者であるときは、当該公営住宅を管理する地方公共団体は、公営住宅法第二十二条第一項及び第二十五条第一項の規定にかかわらず、その者を当該公営住宅に入居させるものとする。

一　公営住宅法第二十三条各号に掲げる条件に該当する者

二　次に掲げる条件に該当する者

イ　当該申出をした者の収入が公営住宅法第二十三条第一号イの政令で定める金額以下で当該公営住宅を管理する地方公共団体が条例で定める金額を超えないこと。

ロ　その他当該地方公共団体が条例で定める条件に該当すること。

2　前項に規定する公営住宅を管理する地方公共団体は、同項に規定する者を公営住宅に入居させる場合において、その者が従前賃借していた延焼等危険賃貸住宅の家賃を当該公営住宅の家賃が超えることとなり、その者の家賃負担の軽減を図るため必要があると認めるときは、公営住宅法第十六条第一項若しくは第四項、第二十八条第二項若しくは第四項又は第二十九条第六項の規定にかかわらず、政令で定めるところにより、当該公営住宅の家賃を減額することができる。

3　公営住宅法第十六条第六項の規定は、前項の規定により家賃を減額する

場合について準用する。

第二一条　第十九条の規定による申出に係る代替住宅が特定公共賃貸住宅である場合において、当該申出をした者が次の各号のいずれかに該当する者であるときは、当該特定公共賃貸住宅を管理する地方公共団体は、その者を当該特定公共賃貸住宅に入居させるものとする。

一　特定優良賃貸住宅法第十八条第二項に規定する国土交通省令で定める基準のうち入居者の資格に係るものに該当する者

二　次に掲げる条件に該当する者

イ　当該申出をした者の収入が国土交通省令で定める金額以下で当該特定公共賃貸住宅を管理する地方公共団体が条例で定める金額を超えないこと。

ロ　その他当該地方公共団体が条例で定める条件に該当すること。

2　地方公共団体は、前項に規定する者を入居させた特定公共賃貸住宅の家賃については、公営住宅法第十六条第二項の規定の例により算定した近傍同種の住宅の家賃以下で条例で定める額とするものとする。

3　第一項に規定する地方公共団体は、同項に規定する者を特定公共賃貸住宅に入居させる場合において、その者が従前賃借していた延焼等危険賃貸住宅の家賃を当該特定公共賃貸住宅の家賃が超えることとなり、その者の家賃負担の軽減を図るため必要があると認めるときは、条例で定めるところにより、当該特定公共賃貸住宅の家賃を減額することができる。

第二二条　第十九条の規定による申出に係る代替住宅が市町村借上住宅である場合においては、当該市町村借上住宅を管理する市町村は、当該申出をした者を当該市町村借上住宅に入居させるものとする。

2　前条第二項及び第三項の規定は、前項に規定する者を市町村借上住宅に入居させる場合について準用する。

3　国は、市町村が前項の規定により準用される前条第三項の規定により市町村借上住宅の家賃を減額する場合には、予算の範囲内において、政令で定めるところにより、その減額に要する費用の一部を補助することができる。

（移転料の支払）

第二三条　認定居住安定計画（第十八条第一項の変更の認定があったときは、その変更後のもの。以下この節において同じ。）に定められた延焼等危険賃貸住宅（以下「認定賃貸住宅」という。）の認定所有者は、当該認定賃貸住宅の第十七条第一項の規定による通知を受けた居住者が当該認定賃貸住宅から認定居住安定計画に定められた代替住宅へその住居の移転（認定居住安定計画において延焼等危険建築物を除却した後新築する建築物の全部又は一部が代替住宅として定められている場合にあっては、当該認定居住安定計画に定められた仮住居から当該代替住宅への移転を含む。）をする場合においては、当該居住者に対して、国土交通省令で定めるところにより、あらかじめ、通常必要な移転料を支払わなければならない。

（賃貸借契約の更新拒絶等）

第二四条　認定賃貸住宅について当該認定賃貸住宅の認定所有者が当該認定賃貸住宅の第十七条第一項の規定による通知を受けた居住者（次項、次条及び第二十七条において「認定居住者」という。）に対し賃貸借の更新の拒絶の通知（条件を変更しなければ更新をしない旨の通知を除く。）をする場合については、借地借家法第二十六条第一項及び第二十八条の規定は、適用しない。

2　認定賃貸住宅について当該認定賃貸住宅の認定所有者が当該認定賃貸住宅の認定居住者に対し賃貸借の解約の申入れをする場合については、借地借家法第二十七条第二項及び第二十八条の規定は、適用しない。

（報告の徴収）

第二五条　市町村長は、認定所有者に対し、認定居住安定計画に係る認定居住者の居住の安定の確保及び延焼等危険建築物の除却の状況について報告を求めることができる。

（地位の承継）

第二六条　認定所有者の一般承継人又は認定所有者から認定賃貸住宅の所有権その他当該認定居住安定計画の実施に必要な権原を取得した者は、市町村長の承認を受けて、当該認定所有者が有していた居住安定計画の認定に基づく地位を承継することができる。

（改善命令）

第二七条　市町村長は、認定所有者が認定居住安定計画に従って、認定居住者の居住の安定を確保していないと認めるとき又は延焼等危険建築物を除却していないと認めるときは、当該認定所有者に対し、相当の期限を定めて、その改善に必要な措置を講ずべきことを命ずることができる。ただし、延焼等危険建築物を除却すべき旨の命令は、当該延焼等危険建築物から認定居住者がすべて移転した場合に限り、することができる。

（居住安定計画の認定の取消し）

第二八条　市町村長は、前条ただし書に規定する場合以外の場合において、認定所有者が同条の規定による命令に違反したときは、居住安定計画の認定を取り消すことができる。

2　第十七条の規定は、市町村長が前項の規定による取消しをした場合について準用する。

（費用の補助）

第二九条　市町村は、認定所有者（国土交通省令で定める認定所有者を除く。）に対して、第二十三条の規定による移転料の支払いに要する費用の全部又は一部を補助することができる。

2　国は、市町村が前項の規定により補助金を交付する場合には、予算の範囲内において、政令で定めるところにより、その費用の一部を補助することができる。

第三節　独立行政法人都市再生機構及び地方住宅供給公社の行う受託業務等

（独立行政法人都市再生機構の行う受託業務）

第三〇条　独立行政法人都市再生機構は、独立行政法人都市再生機構法（平成十五年法律第百号。以下この節において「機構法」という。）第十一条第一項に規定する業務のほか、都市再開発法（昭和四十四年法律第三十八号）第二条の三第一項に規定する都市計画区域について定められた防災再開発促進地区の区域内においてその一体的かつ総合的な市街地の再開発を促進し、又は当該都市計画区域内において防災都市施設（防災街区整備方針に即して都市施設として整備すべき防災公共施設をいう。以下同じ。）の整備を図るため、地方公共団体の委託に基づき、機構法第十一条第三項各号の業務を行うことができる。

（独立行政法人都市再生機構の行う従前居住者用賃貸住宅の建設等の業務）

第三〇条の二　独立行政法人都市再生機構は、機構法第十一条に規定する業務のほか、従前居住者用賃貸住宅（第十三条第一項の規定による勧告に係る延焼等危険建築物の除却の事業その他防災再開発促進地区の区域内における防災街区の整備に関する事業で国土交通省令で定めるものの実施に伴い住宅の明渡しの請求を受けた者（第五項において「従前の居住者」という。）に賃貸するための住宅をいう。以下この条において同じ。）の建設、管理、増改築及び譲渡の業務を行うことができる。

2　独立行政法人都市再生機構は、前項に規定する業務については、次項の規定による関係地方公共団体からの要請に基づき行うものとする。

3　地方公共団体は、自ら従前居住者用賃貸住宅の建設、管理、増改築及び譲渡を行うことが困難であり、又は自ら従前居住者用賃貸住宅の建設、管理、増改築及び譲渡を行うのみではその不足を補うことができないと認めるときは、独立行政法人都市再生機構に対し、第一項に規定する業務に関し、政令で定めるところにより、当該業務に関する計画を示して、その実施を要請することができる。

4　独立行政法人都市再生機構は、第一項に規定する業務を行おうとするときは、あらかじめ、国土交通省令で定めるところにより、国土交通大臣の認可を受けなければならない。

5　独立行政法人都市再生機構は、第一項に規定する業務を行うときは、第三項の規定による要請をした地方公共団体に対し、その利益を受ける限度において、当該従前居住者用賃貸住宅の建設若しくは増改築に要する費用の一部又は当該従前居住者用賃貸住宅の入居者である従前の居住者の居住の安定を図るため当該従前の居住者に係る家賃を減額する場合における当該減額に要する費用の一部を負担することを求めることができる。

6　前項の場合において、地方公共団体が負担する費用の額及び負担の方法は、独立行政法人都市再生機構と当該地方公共団体とが協議して定める。

7　前項の規定による協議が成立しないときは、当事者の申請に基づき、国土交通大臣が裁定する。この場合において、国土交通大臣は、当事者の意見を聴くとともに、総務大臣と協議しなければならない。

8　機構法第十四条第七項の規定は、従前居住者用賃貸住宅の管理に関する業務の運営について準用する。

（地方住宅供給公社の行う受託業務）

第三〇条の三　地方住宅供給公社は、地方住宅供給公社法（昭和四十年法律第百二十四号）第二十一条に規定する業務のほか、委託により、居住安定計画の作成の業務を行うことができる。

２　前項の規定により地方住宅供給公社の業務が行われる場合には、地方住宅供給公社法第四十九条第三号中「第二十一条に規定する業務」とあるのは、「第二十一条に規定する業務及び密集市街地における防災街区の整備の促進に関する法律第三十条の三第一項に規定する業務」とする。

第四節　第二種市街地再開発事業の施行区域の特例

第三〇条の四　防災再開発促進地区の区域内の土地の区域で都市再開発法第三条の二第二号イ又はロのいずれかに該当するものであって、その面積が〇・二ヘクタール以上〇・五ヘクタール未満のものについては、これを同号に掲げる条件に該当する土地の区域とみなして、同法の規定を適用する。

第四章　特定防災街区整備地区

（特定防災街区整備地区に関する都市計画）

第三一条　密集市街地内の土地の区域については、当該区域及びその周辺の密集市街地における特定防災機能の確保並びに当該区域における土地の合理的かつ健全な利用を図るため、都市計画に、特定防災街区整備地区を定めることができる。

２　特定防災街区整備地区は、防火地域又は準防火地域が定められている土地の区域のうち、防災都市計画施設（防災都市施設に係る都市計画施設をいう。以下同じ。）と一体となって特定防災機能を確保するための防災街区として整備すべき区域その他当該密集市街地における特定防災機能の効果的な確保に貢献する防災街区として整備すべき区域に定めるものとする。

３　特定防災街区整備地区に関する都市計画には、都市計画法第八条第三項第一号及び第三号に掲げる事項のほか、次に掲げる事項を定めるものとする。

一　建築物の敷地面積の最低限度

二　特定防災機能の確保又は土地の合理的かつ健全な利用を図るため必要な場合にあっては、壁面の位置の制限

三　防災街区整備方針に即して防災都市計画施設と一体となって特定防災機能を確保する建築物を整備するため必要な場合にあっては、建築物の防災都市計画施設に係る間口率（建築物の防災都市計画施設に面する部分の長さの敷地の防災都市計画施設に接する部分の長さに対する割合をいう。）の最低限度及び建築物の高さの最低限度

第五章　防災街区整備地区計画等

第一節　防災街区整備地区計画

（防災街区整備地区計画）

第三二条　次に掲げる条件に該当する密集市街地内の土地の区域で、当該区域における特定防災機能の確保と土地の合理的かつ健全な利用を図るため、当該区域の各街区を防災街区として一体的かつ総合的に整備することが適切であると認められるものについては、都市計画に防災街区整備地区計画を定めることができる。

一　当該区域における特定防災機能の確保を図るため、適正な配置及び規模の公共施設を整備する必要がある土地の区域であること。

二　当該区域における特定防災機能に支障を来している土地の区域であること。

三　都市計画法第八条第一項第一号に規定する用途地域（第三十二条の三において単に「用途地域」という。）が定められている土地の区域であること。

２　防災街区整備地区計画については、都市計画法第十二条の四第二項に定める事項のほか、都市計画に、第一号及び第二号に掲げる事項を定めるものとするとともに、第三号に掲げる事項を定めるよう努めるものとする。

一　当該区域における特定防災機能を確保するための防災公共施設（都市計画施設を除く。以下「地区防災施設」という。）の区域（地区防災施設のうち建築物等と一体となって当該特定防災機能を確保するために整備されるべきもの（以下「特定地区防災施設」という。）にあっては、当該特定地区防災施設の区域及び当該建築物等の整備に関する計画（以下「特定建築物地区整備計画」という。））

二　主として街区内の居住者等の利用に供される道路、公園その他の政令で定める施設（都市計画施設及び地区防災施設を除く。以下「地区施設」という。）及び建築物等（特定建築物地区整備計画の区域内の建築物等を除く。）の整備並びに土地の利用に関して、地区防災施設の区域以外の防災街区整備地区計画の区域について定める計画（以下「防災街区整備地区整備計画」という。）

三　当該防災街区整備地区計画の目標その他当該区域の整備に関する方針

３　特定建築物地区整備計画においては、その区域及び建築物の構造に関する防火上必要な制限、建築物の特定地区防災施設に係る間口率（建築物の特定地区防災施設に面する部分の長さの敷地の特定地区防災施設に接する部分の長さに対する割合をいう。第百十六条第一項第一号ロにおいて同じ。）の最低限度、建築物等の高さの最高限度又は最低限度、建築物等の用途の制限、建築物の容積率（延べ面積の敷地面積に対する割合をいう。以下同じ。）の最高限度又は最低限度、建築物の建ぺい率（建築面積の敷地面積に対する割合をいう。以下同じ。）の最高限度、建築物の敷地面積又は建築面積の最低限度、壁面の位置の制限、壁面後退区域（壁面の位置の制限として定められた限度の線と敷地境界線との間の土地の区域をいう。以下同じ。）における工作物の設置の制限、建築物等の形態又は色彩その他の意匠の制限、建築物の緑化率（都市緑地法（昭和四十八年法律第七十二号）第三十四条第二項に規定する緑化率をいう。次項第二号において同じ。）の最低限度その他建築物等に関する事項で政令で定めるものを定めることができる。

４　防災街区整備地区整備計画においては、次に掲げる事項を定めることができる。

一　地区施設の配置及び規模

二　建築物の構造に関する防火上必要な制限、建築物等の高さの最高限度又は最低限度、建築物等の用途の制限、建築物の容積率の最高限度又は最低限度、建築物の建ぺい率の最高限度、建築物の敷地面積又は建築面積の最低限度、壁面の位置の制限、壁面後退区域における工作物の設置の制限、建築物等の形態又は色彩その他の意匠の制限、建築物の緑化率の最低限度その他建築物等に関する事項で政令で定めるもの

三　現に存する樹林地、草地等で良好な居住環境を確保するため必要なものの保全に関する事項

四　前三号に掲げるもののほか、土地の利用に関する事項で政令で定めるもの

５　防災街区整備地区計画を都市計画に定めるに当たっては、次に掲げるところに従わなければならない。

一　地区防災施設（特定地区防災施設を除く。）は、当該地区防災施設が、当該防災街区整備地区計画の区域及びその周辺において定められている都市計画と相まって、当該区域における特定防災機能を確保するとともに、良好な都市環境の形成に資するよう、必要な位置に適切な規模で配置すること。

二　特定地区防災施設は、当該特定地区防災施設が、当該防災街区整備地区計画の区域及びその周辺において定められている都市計画と相まって、特定建築物地区整備計画の区域内の建築物等と一体となって当該防災街区整備地区計画の区域における特定防災機能を確保するとともに、良好な都市環境の形成に資するよう、必要な位置に適切な規模で配置すること。

三　特定建築物地区整備計画は、当該特定建築物地区整備計画の区域内の建築物等が特定地区防災施設と一体となって当該防災街区整備地区計画の区域における特定防災機能を確保するとともに、適切な構造、高さ、配列等を備えた建築物等が整備されることにより当該区域内の土地が合理的かつ健全な利用形態となるように定めること。

四　地区施設は、当該地区施設が、当該防災街区整備地区計画の区域及びその周辺において定められている都市計画と相まって、火事又は地震が発生した場合の当該区域における延焼により生ずる被害の軽減及び避難上必要な機能の確保と良好な都市環境の形成に資するよう、必要な位置

に適切な規模で配置すること。

五　防災街区整備計画における建築物等に関する事項は、当該防災街区整備地区計画の区域の特性にふさわしい用途、容積、高さ、配列等を備えた建築物等が整備されることにより当該区域内の土地が合理的かつ健全な利用形態となるとともに、当該防災街区整備地区整備計画の区域内の建築物等（特定建築物地区整備計画の区域内の建築物等を除く。）が火事又は地震が発生した場合の当該区域における延焼により生ずる被害の軽減に資するように定めること。

6　防災街区整備地区計画を都市計画に定める際、当該防災街区整備地区計画の区域の全部又は一部について地区防災施設の区域（防災街区整備地区計画に特定地区防災施設を定めるべき場合にあっては、特定地区防災施設の区域及び特定建築物地区整備計画。以下この項において同じ。）又は防災街区整備地区整備計画を定めることができない特別の事情があるときは、当該防災街区整備地区計画の区域の全部又は一部について地区防災施設の区域又は防災街区整備地区整備計画を定めることを要しない。この場合において、地区防災施設の区域以外の防災街区整備地区計画の区域の一部について防災街区整備地区整備計画を定めるときは、当該防災街区整備地区計画については、当該防災街区整備地区整備計画の区域をも都市計画に定めなければならない。

（建築物の容積率の最高限度を区域の特性に応じたものと公共施設の整備状況に応じたものとに区分して定める特定建築物地区整備計画等）

第三二条の二　特定建築物地区整備計画又は防災街区整備地区整備計画においては、適正かつ合理的な土地利用の促進を図るため特に必要であると認められるときは、前条第三項又は第四項第二号の建築物の容積率の最高限度について次の各号に掲げるものごとに数値を区分し、第一号に掲げるものの数値を第二号に掲げるものの数値を超えるものとして定めるものとする。

一　当該特定建築物地区整備計画又は防災街区整備地区整備計画の区域の特性に応じたもの

二　当該特定建築物地区整備計画又は防災街区整備地区整備計画の区域内の公共施設の整備の状況に応じたもの

（区域を区分して建築物の容積を適正に配分する特定建築物地区整備計画等）

第三二条の三　防災街区整備地区計画（適正な配置及び規模の公共施設が地区防災施設又は地区施設として定められているものに限る。）の区域内の土地の区域（当該防災街区整備地区計画の区域の整備に関する方針に従って現に特定地区防災施設の整備が行われつつあり、又は行われることが確実であると見込まれるものに限る。）において、建築物の容積を適正に配分することが当該防災街区整備地区計画の区域における特定防災機能の確保及び当該特定地区防災施設の整備が行われた後の当該区域の特性に応じた合理的な土地利用の促進を図るため特に必要であると認められるときは、当該防災街区整備地区計画について定められた特定建築物地区整備計画及び防災街区整備地区整備計画においては、当該特定建築物地区整備計画及び防災街区整備地区整備計画の区域をそれぞれ区分し、又は区分しないで、当該特定建築物地区整備計画の区域内の第三十二条第三項の建築物の容積率の最高限度については当該区域内の用途地域において定められた建築物の容積率の数値以上のものとして定め、当該防災街区整備地区整備計画の区域内の同条第四項第二号の建築物の容積率の最高限度については当該区域内の用途地域において定められた建築物の容積率の数値以下のものとして定めるものとする。

2　前項の場合において、当該特定建築物地区整備計画及び防災街区整備地区整備計画の区域内のそれぞれの区域について定められた建築物の容積率の最高限度の数値に当該数値の定められた区域の面積を乗じたものの合計は、当該特定建築物地区整備計画及び防災街区整備地区整備計画の区域内の用途地域において定められた建築物の容積率の数値に当該数値の定められた区域の面積を乗じたものの合計を超えてはならない。

（住居と住居以外の用途とを適正に配分する特定建築物地区整備計画等）

第三二条の四　特定建築物地区整備計画又は防災街区整備地区整備計画においては、住居と住居以外の用途とを適正に配分することが当該特定建築物地区整備計画又は防災街区整備地区整備計画の区域の特性に応じた合理的な土地利用の促進を図るため特に必要であると認められるときは、第三十二条第三項又は第四項第二号の建築物の容積率の最高限度について次の各号に掲げるものごとに数値を区分し、第一号に掲げるものの数値を第二号に掲げるものの数値以上のものとして定めるものとする。

一　その全部又は一部を住宅の用途に供する建築物に係るもの

二　その他の建築物に係るもの

（区域の特性に応じた高さ、配列及び形態を備えた建築物の整備を誘導する特定建築物地区整備計画等）

第三二条の五　特定建築物地区整備計画又は防災街区整備地区整備計画においては、当該特定建築物地区整備計画又は防災街区整備地区整備計画の区域の特性に応じた高さ、配列及び形態を備えた建築物を整備することが合理的な土地利用の促進を図るため特に必要であると認められるときは、壁面の位置の制限（道路（都市計画に定められた計画道路及び地区防災施設又は地区施設である道路を含む。）に面する壁面の位置を制限するものを含むものに限る。）、壁面後退区域（壁面の位置の制限として定められた限度の線と敷地境界線との間の土地の区域をいう。第三十二条の三以下同じ。）における工作物の設置の制限（当該壁面後退区域において連続的に有効な空地を確保するため必要なものを含むものに限る。）及び建築物の高さの最高限度を定めるものとする。

（行為の届出等）

第三三条　防災街区整備地区計画の区域（地区防災施設の区域（特定地区防災施設が定められている場合にあっては、当該特定地区防災施設の区域及び特定建築物地区整備計画）又は防災街区整備地区整備計画が定められている区域に限る。）内において、土地の区画形質の変更、建築物等の新築、改築又は増築その他政令で定める行為をしようとする者は、当該行為に着手する日の三十日前までに、国土交通省令で定めるところにより、行為の種類、場所、設計又は施行方法、着手予定日その他国土交通省令で定める事項を市町村長に届け出なければならない。ただし、次に掲げる行為については、この限りでない。

一　通常の管理行為、軽易な行為その他の行為で政令で定めるもの

二　非常災害のため必要な応急措置として行う行為

三　国又は地方公共団体が行う行為

四　都市計画事業の施行として行う行為又はこれに準ずる行為として政令で定める行為

五　都市計画法第二十九条第一項の許可を要する行為

六　第三十六条の規定による公告があった防災街区整備権利移転等促進計画の定めるところによって設定され、又は移転された次条第一項に規定する権利に係る土地において当該防災街区整備権利移転等促進計画に定められた土地の区画形質の変更、建築物等の新築、改築又は増築その他同条第二項第六号に規定する国土交通省令で定める行為に関する事項に従って行う行為

七　前各号に掲げるもののほか、政令で定める行為

2　前項の規定による届出をした者は、その届出に係る事項のうち国土交通省令で定める事項を変更しようとするときは、当該事項の変更に係る行為に着手する日の三十日前までに、国土交通省令で定めるところにより、その旨を市町村長に届け出なければならない。

3　市町村長は、第一項又は前項の規定による届出があった場合において、その届出に係る行為が防災街区整備地区計画に適合しないと認めるときは、その届出をした者に対し、その届出に係る行為に関し設計の変更その他の必要な措置を講ずべきことを勧告することができる。この場合において、火事又は地震が発生した場合の当該防災街区整備地区計画の区域における延焼により生ずる被害の軽減又は避難上必要な機能の確保に資するため必要があると認めるときは、防災街区整備地区計画に定められた事項その他の事項に関し、適切な措置を講ずることについて助言又は指導をするものとする。

第二節　防災街区整備権利移転等促進計画

（防災街区整備権利移転等促進計画の作成）

第三四条　市町村は、防災再開発促進地区の区域について定められた防災街区整備地区計画（以下この章において「促進地区内防災街区整備地区計画」という。）の区域における特定防災機能の確保と土地の合理的かつ健全な利用を図るため、当該促進地区内防災街区整備地区計画の区域内の土地（国又は地方公共団体が所有する土地で公共施設の用に供されているもの、農地その他の政令で定める土地を除く。次条において同じ。）を対象として、所有権の移転又は地上権若しくは賃借権（これらの権利で一時使用のため設定されたことが明らかなものを除く。次項第五号、次条及び第三十七条において同じ。）の設定若しくは移転（以下この節において「権利の移転等」

という。）を促進する事業を行おうとするときは、防災街区整備権利移転等促進計画を定めることができる。

2 防災街区整備権利移転等促進計画においては、第一号から第六号までに掲げる事項を定めるものとするとともに、第七号に掲げる事項を定めることができる。

一 権利の移転等を受ける者の氏名又は名称及び住所

二 前号に規定する者が権利の移転等を受ける土地の所在、地番、地目及び面積

三 第一号に規定する者に前号に規定する土地について権利の移転等を行う者の氏名又は名称及び住所

四 第一号に規定する者が移転を受ける所有権の移転の後における土地の利用目的並びに当該所有権の移転の時期並びに移転の対価及びその支払の方法

五 第一号に規定する者が設定又は移転を受ける地上権又は賃借権の種類、内容（土地の利用目的を含む。）、始期又は移転の時期、存続期間又は残存期間並びに地代又は借賃及びその支払の方法

六 権利の移転等が行われた後に第二号に規定する土地において行われることとなる土地の区画形質の変更、建築物等の新築、改築又は増築その他国土交通省令で定める行為の種類、場所、設計又は施行方法、着手予定日その他国土交通省令で定める事項

七 その他権利の移転等に係る法律関係に関する事項として国土交通省令で定める事項

3 防災街区整備権利移転等促進計画は、次に掲げる要件に該当するものでなければならない。

一 防災街区整備権利移転等促進計画の内容が促進地区内防災街区整備地区計画に適合するものであること。

二 防災街区整備権利移転等促進計画において、促進地区内防災街区整備地区計画の区域における特定防災機能の確保と土地の合理的かつ健全な利用を図るための権利の移転等で次に掲げるもののいずれかが定められていること。

イ 地区防災施設若しくは地区施設の整備を図るため行う権利の移転等又はこれと併せて行う当該権利の移転等を円滑に推進するために必要な権利の移転等

ロ 特定建築物地区整備計画の区域において特定地区防災施設と一体となって当該促進地区内防災街区整備地区計画の区域の特定防災機能を確保するためにされる建築物等の新築その他の行為で国土交通省令で定めるものを伴う権利の移転等（イに掲げるものを除く。）

三 前項第二号に規定する土地ごとに、同項第一号に規定する者並びに当該土地について所有権、地上権、質権、賃借権、使用貸借による権利又はその他の使用及び収益を目的とする権利を有する者のすべての同意が得られていること。

四 前項第二号に規定する土地に存する建物その他の土地に定着する物件ごとに、当該物件について所有権、質権、賃借権、使用貸借による権利又はその他の使用及び収益を目的とする権利を有する者並びに当該物件について先取特権若しくは抵当権の登記、仮登記、買戻しの特約その他権利の消滅に関する事項の定めの登記又は処分の制限の登記に係る権利を有する者のすべての同意が得られていること。

五 前項第一号に規定する者が、権利の移転等が行われた後において、同項第二号に規定する土地を同項第四号又は第五号に規定する土地の利用目的に即して適正かつ確実に利用することができると認められること。

（防災街区整備権利移転等促進計画の作成の要請）

第三五条 促進地区内防災街区整備地区計画の区域内の土地について所有権、地上権又は賃借権を有する者及び当該土地について権利の移転等を受けようとする者は、その全員の合意により、前条第二項各号に掲げる事項を内容とする協定を締結した場合において、同条第三項第三号及び第四号に規定する者のすべての同意を得たときは、国土交通省令で定めるところにより、その協定の目的となっている土地につき、防災街区整備権利移転等促進計画を定めるべきことを市町村に対し要請することができる。

（防災街区整備権利移転等促進計画の公告）

第三六条 市町村は、防災街区整備権利移転等促進計画を定めたときは、国土交通省令で定めるところにより、遅滞なく、その旨を公告しなければならない。

（公告の効果）

第三七条 前条の規定による公告があったときは、その公告があった防災街区整備権利移転等促進計画の定めるところによって所有権が移転し、又は地上権若しくは賃借権が設定され、若しくは移転する。

（登記の特例）

第三八条 第三十六条の規定による公告があった防災街区整備権利移転等促進計画に係る土地の登記については、政令で、不動産登記法（平成十六年法律第百二十三号）の特例を定めることができる。

（勧告）

第三九条 市町村は、権利の移転等を受けた者が防災街区整備権利移転等促進計画に定められた土地の利用目的に従って土地を利用していないと認めるときは、当該権利の移転等を受けた者に対し、相当の期限を定めて、当該防災街区整備権利移転等促進計画に定められた事項の適正かつ確実な実施を図るために必要な措置を講ずべきことを勧告することができる。

第三節 防災街区計画整備組合

第一款 総則

（防災街区計画整備組合の目的）

第四〇条 防災街区計画整備組合（以下「計画整備組合」という。）は、促進地区内防災街区整備地区計画の区域内の一団の土地について所有権又は借地権（一時使用のため設定されたものを含む。）を有する者が協同して当該一団の土地の区域内の各街区を防災街区として整備することを目的とする。

（人格及び住所）

第四一条 計画整備組合は、法人とする。

2 計画整備組合の住所は、その主たる事務所の所在地にあるものとする。

（名称）

第四二条 計画整備組合は、その名称中に防災街区計画整備組合という文字を用いなければならない。

2 計画整備組合でないものは、その名称中に防災街区計画整備組合という文字を用いてはならない。

（事業の目的）

第四三条 計画整備組合は、その行う事業によってその組合員のために直接の奉仕をすることを目的とし、営利を目的としてその事業を行ってはならない。

（登記）

第四四条 計画整備組合は、政令で定めるところにより、登記をしなければならない。

2 前項の登記を必要とする事項は、登記の後でなければ第三者に対抗することができない。

第二款 事業

（計画整備組合の事業の範囲）

第四五条 計画整備組合は、第四十条の目的を達成するため、その地区内において、次に掲げる事業で促進地区内防災街区整備地区計画に適合するものを行う。

一 土地の区画形質の変更及びこれに併せて整備することが必要な公共施設の整備

二 耐火建築物等又は準耐火建築物等の建築（建築基準法第二条第十三号に規定する建築をいう。次項において同じ。）、賃貸その他の管理又は譲渡（当該建築物の敷地である土地の賃貸その他の管理又は譲渡を含む。）

三 前二号の事業に附帯する事業

2 計画整備組合は、前項に規定する事業のほか、第四十条の目的を達成するため、その地区内において、次に掲げる事業の全部又は一部を行うことができる。

一 促進地区内防災街区整備地区計画に適合する耐火建築物等又は準耐火建築物等の建築をするために土地を必要とすると認められる者で政令で定めるものに対して行う土地の賃貸その他の管理又は譲渡

二 計画整備組合の地区における特定防災機能の確保のために必要な共同利用施設の設置又は管理

三 計画整備組合の事業に関する組合員の知識の向上を図るための教育及び組合員に対する一般的情報の提供

四 前三号の事業に附帯する事業

（防災街区整備事業）

第四五条の二　計画整備組合が前条第一項第一号及び第二号に掲げる事業を防災街区整備事業として行う場合には、計画整備組合を第百十九条第一項の規定により数人共同して施行する防災街区整備事業の施行者とみなして、次章（第百三十条を除く。）の規定を適用する。この場合において、第百二十七条第三号中「わたっていること」とあるのは、「わたっており、計画整備組合の地区と一致しておらず、又は当該計画整備組合の組合員の有する所有権若しくは借地権の目的となっている宅地以外の宅地を含んでいること」とする。

2　次章の規定の適用についての必要な技術的読替えは、政令で定める。

3　計画整備組合は、第一項の規定により適用される第百二十二条第一項の規約若しくは事業計画を定め、若しくは変更し、又は第二百四条第一項の権利変換計画を定め、若しくは変更しようとするときは、組合員全員の合意によらなければならない。

（土地区画整理事業）

第四六条　計画整備組合が第四十五条第一項第一号に掲げる事業を土地区画整理事業（土地区画整理法（昭和二十九年法律第百十九号）による土地区画整理事業をいう。以下同じ。）として行う場合には、計画整備組合を同法第三条第一項の規定により数人共同して施行する土地区画整理事業の施行者とみなして、同法（第十一条及び第十二条を除く。）の規定を適用する。この場合において、同法第六条第九項中「わたらないように」とあるのは、「わたらず、防災街区計画整備組合の地区と一致し、かつ、当該防災街区計画整備組合の組合員の有する所有権又は借地権の目的となつている宅地以外の宅地を含まないように」とする。

2　土地区画整理法の規定の適用についての必要な技術的読替えは、政令で定める。

3　計画整備組合は、第一項の規定により適用される土地区画整理法第四条第一項の規約若しくは事業計画を定め、若しくは変更し、又は同法第八十六条第一項の換地計画を定め、若しくは変更しようとするときは、組合員全員の合意によらなければならない。

4　第一項の規定による土地区画整理法第百二十三条第一項及び第百二十四条の規定の適用については、前項の規定は、同法の規定とみなす。

（第一種市街地再開発事業）

第四七条　計画整備組合が、都市計画法第八条第一項第三号の高度利用地区の区域、都市再生特別措置法（平成十四年法律第二十二号）第三十六条第一項の規定による都市再生特別地区の区域又は都市再開発法第二条の二第一項第四号に規定する防災街区整備地区計画の区域内の土地の区域であって、第四十五条第一項第一号及び第二号に掲げる事業を第一種市街地再開発事業（同法第二条第一号に規定する第一種市街地再開発事業をいう。以下この節において同じ。）として行う場合には、計画整備組合を同法第二条の二第一項の規定により数人共同して施行する第一種市街地再開発事業の施行者とみなして、同法（第七条の十七及び第七条の十八を除く。）の規定を適用する。この場合において、同法第七条の十四第三号中「わたつており」とあるのは、「わたつており、防災街区計画整備組合の地区と一致しておらず、当該防災街区計画整備組合の組合員の有する所有権若しくは借地権の目的となつている宅地以外の宅地を含んでおり」とする。

2　都市再開発法の規定の適用についての必要な技術的読替えは、政令で定める。

3　計画整備組合は、第一項の規定により適用される都市再開発法第七条の九第一項の規約若しくは事業計画を定め、若しくは変更し、又は同法第七十二条第一項の権利変換計画を定め、若しくは変更しようとするときは、組合員全員の合意によらなければならない。

4　第一項の規定による都市再開発法第百二十四条第一項及び第三項並びに第百二十四条の二の規定の適用については、前項の規定は、同法の規定とみなす。

第三款　組合員

（組合員たる資格）

第四八条　組合員たる資格を有する者は、計画整備組合の地区内の土地（防災街区整備事業を行う計画整備組合にあっては第二条第十号に規定する公共施設の、土地区画整理事業を行う計画整備組合にあっては土地区画整理法第二条第五項に規定する公共施設の、第一種市街地再開発事業を行う計画整備組合にあっては都市再開発法第二条第四号に規定する公共施設の用に供する土地で国又は地方公共団体が所有するものを除く。）について所有権又は借地権（土地区画整理事業を行う計画整備組合にあっては、一時使用のため設定されたものを含む。）を有する者であって定款で定めるものとする。

（出資）

第四九条　組合員は、出資一口以上を有しなければならない。

2　出資一口の金額は、均一でなければならない。

3　組合員の責任は、第五十二条の経費の負担を除くほか、その出資額を限度とする。

4　組合員は、出資の払込みについて、相殺をもって計画整備組合に対抗することができない。

（持分の譲渡）

第五〇条　組合員は、計画整備組合の承認を得なければ、その持分を譲り渡すことができない。

2　組合員でない者が持分を譲り受けようとするときは、加入の例によらなければならない。

3　持分の譲受人は、その持分について、譲渡人の権利義務を承継する。

4　組合員は、持分を共有することができない。

（議決権及び選挙権）

第五一条　組合員は、各一個の議決権及び役員の選挙権を有する。

2　組合員は、定款で定めるところにより、第七十条の規定によりあらかじめ通知のあった事項につき、書面又は代理人をもって議決権又は選挙権を行うことができる。

3　組合員は、定款で定めるところにより、前項の規定による書面をもってする議決権の行使に代えて、電磁的方法（電子情報処理組織を使用する方法その他の情報通信の技術を利用する方法であって国土交通省令で定めるものをいう。以下同じ。）により議決権を行うことができる。

4　前二項の規定により議決権又は選挙権を行う者は、これを出席者とみなす。

5　代理人は、五人以上の組合員を代理することができない。

6　代理人は、代理権を証する書面を計画整備組合に提出しなければならない。

7　前項の場合において、電磁的方法により議決権を行うことが定款で定められているときは、代理人は、当該書面の提出に代えて、当該書面において証すべき事項を当該電磁的方法により提供することができる。この場合において、当該代理人は、当該書面を提出したものとみなす。

（経費）

第五二条　計画整備組合は、定款で定めるところにより、組合員に経費を賦課することができる。

2　組合員は、前項の経費の支払について、相殺をもって計画整備組合に対抗することができない。

（過怠金）

第五三条　計画整備組合は、定款で定めるところにより、組合員に対して過怠金を課することができる。

（加入の自由）

第五四条　組合員たる資格を有する者が計画整備組合に加入しようとするときは、計画整備組合は、正当な理由がないのに、その加入を拒み、又はその加入につき現在の組合員が加入の際に付されたよりも困難な条件を付してはならない。

（脱退の自由）

第五五条　組合員は、六十日前までに予告し、事業年度末において脱退することができる。

2　前項に規定する予告期間は、定款で延長することができる。ただし、その期間は一年を超えてはならない。

（法定脱退）

第五六条　組合員は、次に掲げる事由によって脱退する。

一　組合員たる資格の喪失

二　死亡又は解散

三　除名

2　除名は、次の各号のいずれかに該当する組合員につき、総会の議決によってすることができる。この場合において、計画整備組合は、その総会の日の十日前までにその組合員に対しその旨を通知し、かつ、総会において弁明する機会を与えなければならない。

一　長期間にわたって計画整備組合の事業を利用しない組合員
二　出資の払込み、経費の支払その他計画整備組合に対する義務を怠った組合員
三　その他定款で定める事由に該当する組合員

3　前項の除名は、除名した組合員にその旨を通知しなければ、これをもってその組合員に対抗することができない。

（脱退者の持分の払戻し）

第五七条　組合員は、脱退したときは、定款で定めるところにより、その持分の全部又は一部の払戻しを請求することができる。

2　前項に規定する持分は、脱退した事業年度末における当該計画整備組合の財産によってこれを定める。

（損失額の払込み）

第五八条　持分を計算するに当たり、計画整備組合の財産をもって債務を完済するに足りないときは、当該計画整備組合は、定款で定めるところにより、脱退した組合員に対して、その負担に帰すべき損失額の払込みを請求することができる。

（時効）

第五九条　第五十七条第一項及び前条に規定する請求権は、脱退の時から二年間これを行わないときは、時効によって消滅する。

（持分の払戻しの停止）

第六〇条　計画整備組合は、脱退した組合員がその計画整備組合に対する債務を完済するまでは、その持分の払戻しを停止することができる。

（出資口数の減少）

第六一条　組合員は、定款で定めるところにより、その出資口数を減少することができる。

2　第五十七条から第五十九条までの規定は、前項の規定により出資口数を減少する場合について準用する。

第四款　管理

（定款）

第六二条　計画整備組合の定款には、次に掲げる事項を記載しなければならない。

一　事業
二　名称
三　地区
四　事務所の所在地
五　組合員たる資格並びに組合員の加入及び脱退に関する規定
六　出資一口の金額及びその払込みの方法並びに一組合員の有することができる出資口数の最高限度
七　経費の分担に関する規定
八　剰余金の処分及び損失の処理に関する規定
九　準備金の額及びその積立ての方法
十　役員の定数、職務の分担及び選挙又は選任に関する規定
十一　事業年度
十二　公告の方法

2　計画整備組合の定款には、前項に掲げる事項のほか、計画整備組合の存立時期を定めたときはその時期を、現物出資する者を定めたときはその者の氏名又は名称、出資の目的たる財産及びその価額並びにこれに対して与える出資口数を記載しなければならない。

3　国土交通大臣は、模範定款例を定めることができる。

（規約で定め得る事項）

第六三条　次に掲げる事項は、定款で定めなければならない事項を除いて、規約で定めることができる。

一　総会に関する規定
二　業務の執行及び会計に関する規定
三　役員に関する規定
四　組合員に関する規定
五　その他必要な事項

（役員の定数及び選挙又は選任）

第六四条　計画整備組合に役員として理事及び監事を置く。

2　理事の定数は二人以上とし、監事の定数は一人以上とする。

3　役員は、定款で定めるところにより、組合員が総会（設立当時の役員にあっては、創立総会）において選挙する。ただし、定款で定めるところにより、総会外において選挙することができる。

4　役員の選挙は、無記名投票によって行う。ただし、定款で定めるところにより、役員候補者が選挙すべき役員の定数以内であるときは、投票を省略することができる。

5　投票は、組合員一人につき一票とする。

6　定款によって定めた投票方法による選挙の結果投票の多数を得た者（第四項ただし書の規定により投票を省略した場合にあっては、当該候補者）を当選人とする。

7　総会外において役員の選挙を行うときは、投票所は、組合員の選挙権の適正な行使を妨げない場所に設けなければならない。

8　役員は、第三項の規定にかかわらず、定款で定めるところにより、組合員が総会（設立当時の役員にあっては、創立総会）において選任することができる。

9　理事の定数の少なくとも三分の二は、組合員たる個人又は組合員たる法人の業務を執行する役員でなければならない。ただし、設立当時の理事は、設立の同意を申し出た個人又は設立の同意を申し出た法人の業務を執行する役員でなければならない。

（計画整備組合と役員との関係）

第六四条の二　計画整備組合と役員との関係は、委任に関する規定に従う。

（役員の任期）

第六五条　役員の任期は、三年以内において定款で定める期間とする。

2　設立当時の役員の任期は、前項の規定にかかわらず、創立総会（合併による設立にあっては、設立委員）において定める期間とする。ただし、その期間は一年を超えてはならない。

3　前二項の規定は、定款によって、前二項の任期を任期中に終了する事業年度のうち最終のものに関する通常総会の終結の時まで伸長することを妨げない。

（役員に欠員を生じた場合の措置）

第六五条の二　役員が欠けた場合又はこの法律若しくは定款で定めた役員の員数が欠けた場合には、任期の満了又は辞任により退任した役員は、新たに選任された役員（第六十六条の六の仮理事を含む。）が就任するまで、なお役員としての権利義務を有する。

（理事の職務）

第六六条　理事は、法令、法令に基づいてする行政庁の処分、定款、事業基本方針及び規約（以下この節において「法令等」という。）並びに総会の決議を遵守し、計画整備組合のため忠実にその職務を遂行しなければならない。

2　理事がその任務を怠ったときは、その理事は、計画整備組合に対して連帯して損害賠償の責めに任ずる。

3　理事がその職務を行うにつき悪意又は重大な過失があったときは、その理事は、第三者に対し連帯して損害賠償の責めに任ずる。重要な事項につき第七十三条第一項に規定する書類に虚偽の記載をし、又は虚偽の登記若しくは公告をしたときも、同様とする。

（計画整備組合の業務の決定）

第六六条の二　計画整備組合の業務は、定款に特別の定めがある場合を除き、理事の過半数で決する。

（計画整備組合の代表）

第六六条の三　理事は、計画整備組合のすべての業務について、計画整備組合を代表する。ただし、定款の規定に反することはできず、また、総会の決議に従わなければならない。

（理事の代表権の制限）

第六六条の四　理事の代表権に加えた制限は、善意の第三者に対抗することができない。

（理事の代理行為の委任）

第六六条の五　理事は、定款又は総会の決議によって禁止されていないときに限り、特定の行為の代理を他人に委任することができる。

（仮理事）

第六六条の六　理事が欠けた場合において、業務が遅滞することにより損害を生ずるおそれがあるときは、都道府県知事は、利害関係人の請求により、仮理事を選任しなければならない。

（監事の職務）

第六六条の七　監事の職務は、次のとおりとする。

一　計画整備組合の財産の状況を監査すること。

二　理事の職務の執行の状況を監査すること。
三　財産の状況又は職務の執行について、法令若しくは定款に違反し、又は著しく不当な事項があると認めるときは、総会又は都道府県知事に報告をすること。
四　前号の報告をするため必要があるときは、総会を招集すること。

（役員の兼職禁止）
第六十七条　理事は、監事又は計画整備組合の使用人と、監事は、理事又は計画整備組合の使用人と、それぞれ兼ねてはならない。

（理事の自己契約等の禁止）
第六十八条　計画整備組合が理事と契約するときは、監事が計画整備組合を代表する。計画整備組合と理事との訴訟についても、同様とする。

（総会の招集）
第六十九条　理事は、毎事業年度一回通常総会を招集しなければならない。
2　理事は、必要があると認めるときは、いつでも総会を招集することができる。
3　組合員が総組合員の五分の一以上の同意を得て、会議の目的たる事項及び招集の理由を記載した書面を理事に提出して総会の招集を請求したときは、理事は、その請求のあった日から二十日以内に総会を招集しなければならない。
4　前項の場合において、電磁的方法により議決権を行うことが定款で定められているときは、組合員は、同項の規定による書面の提出に代えて、当該書面に記載すべき事項を当該電磁的方法により提供することができる。この場合において、当該組合員は、当該書面を提出したものとみなす。
5　前項前段の規定による書面に記載すべき事項の電磁的方法（国土交通省令で定める方法を除く。）による提供は、組合の使用に係る電子計算機に備えられたファイルへの記録がされた時に当該組合に到達したものとみなす。
6　理事の職務を行う者がないとき、又は第三項の規定による請求があった場合において理事が正当な理由がないのに総会招集の手続をしないときは、監事は、総会を招集しなければならない。

（総会招集の手続）
第七十条　総会招集の通知は、その総会の日の十日前までに、その会議の目的たる事項を示してしなければならない。

（組合員に対する通知又は催告）
第七十一条　計画整備組合が組合員に対してする通知又は催告は、組合員名簿に記載したその者の住所に、その者が別に通知又は催告を受ける場所を計画整備組合に通知したときは、その場所にあてればよい。
2　前項に規定する通知又は催告は、通常到達すべきであった時に到達したものとみなす。

（定款その他の書類の備付け及び閲覧）
第七十二条　理事は、定款、事業基本方針及び規約を各事務所に、組合員名簿を主たる事務所に備えて置かなければならない。
2　理事は、総会の議事録を十年間主たる事務所に、その謄本を五年間従たる事務所に備えて置かなければならない。
3　組合員名簿には、各組合員について次に掲げる事項を記載しなければならない。
一　氏名又は名称及び住所
二　加入の年月日
三　出資口数及び出資各口の取得の年月日
四　払込済出資額及びその払込みの年月日
4　組合員及び計画整備組合の債権者は、第一項又は第二項に規定する書類の閲覧を求めることができる。

（決算関係書類の提出、備付け及び閲覧）
第七十三条　理事は、通常総会の日から一週間前までに、事業報告書、財産目録、貸借対照表、損益計算書及び剰余金処分案又は損失処理案を監事に提出し、かつ、これらを主たる事務所に備えて置かなければならない。
2　組合員及び計画整備組合の債権者は、前項に規定する書類の閲覧を求めることができる。
3　第一項に規定する書類を通常総会に提出するときは、監事の意見書を添付しなければならない。
4　前項の監事の意見書については、これに記載すべき事項を記録した電磁的記録（電子的方式、磁気的方式その他人の知覚によっては認識することができない方式で作られる記録であって、電子計算機による情報処理の用に供されるものとして国土交通省令で定めるものをいう。）の添付をもって、当該監事の意見書の添付に代えることができる。この場合において、理事は、当該監事の意見書を添付したものとみなす。

（役員の改選の請求）
第七十四条　組合員は、総組合員の五分の一以上の連署をもって、その代表者から役員の改選を請求することができる。
2　前項の規定による請求は、理事の全員又は監事の全員について同時にしなければならない。ただし、法令等の違反を理由として改選を請求する場合は、この限りでない。
3　第一項の規定による請求は、改選の理由を記載した書面を理事に提出してしなければならない。
4　第一項の規定による請求があったときは、理事は、これを総会の議に付さなければならない。この場合においては、第六十九条第三項及び第六項の規定を準用する。
5　第三項に規定する書面の提出があったときは、理事は、総会の日の一週間前までにその請求に係る役員にその書面又はその写しを送付し、かつ、総会において弁明する機会を与えなければならない。
6　第一項の規定による請求につき第四項に規定する総会において出席者の過半数の同意があったときは、その請求に係る役員は、その時にその職を失う。

（役員についての会社法等の準用）
第七十五条　会社法（平成十七年法律第八十六号）第四百三十条の規定は理事及び監事について、一般社団法人及び一般財団法人に関する法律（平成十八年法律第四十八号）第七十八条の規定は理事について、第六十六条の規定は監事について、それぞれ準用する。この場合において、会社法第四百三十条中「役員等が」とあるのは「理事が」と、「他の役員等も」とあるのは「監事も」と読み替えるものとする。

（参事及び会計主任）
第七十六条　計画整備組合は、参事及び会計主任を選任し、その主たる事務所又は従たる事務所において、その業務を行わせることができる。
2　参事及び会計主任の選任又は解任は、理事の過半数で決する。
3　組合員は、総組合員の十分の一以上の同意を得て、理事に対し、参事又は会計主任の解任を請求することができる。
4　前項の規定による請求は、解任の理由を記載した書面を理事に提出してしなければならない。
5　第三項の規定による請求があったときは、理事は、当該参事又は会計主任の解任の可否を決しなければならない。
6　理事は、前項に規定する可否を決する日から七日前までに、当該参事又は会計主任に対し、第四項に規定する書面又はその写しを送付し、かつ、弁明する機会を与えなければならない。
7　会社法第十一条第一項及び第三項、第十二条並びに第十三条の規定は、参事について準用する。

（競業関係にある者の役員等への就任禁止）
第七十七条　計画整備組合の行う事業と実質的に競争関係にある事業を営み、又はこれに従事する者は、その計画整備組合の理事、監事、参事又は会計主任となることができない。

（総会の議決事項）
第七十八条　次に掲げる事項は、総会の議決を経なければならない。
一　定款の変更
二　事業基本方針の変更
三　規約の設定、変更又は廃止
四　毎事業年度の事業計画の設定又は変更
五　経費の賦課及び徴収の方法
六　事業報告書、財産目録、貸借対照表、損益計算書、剰余金処分案及び損失処理案
2　定款及び事業基本方針の変更は、都道府県知事の認可を受けなければ、その効力を生じない。
3　第九十三条第二項及び第九十四条の規定は、前項の規定により認可を受ける場合について準用する。
4　計画整備組合の地区に係る定款の変更については、前項に規定するもののほか、第八十八条の規定を準用する。

（総会の議事）
第七十九条　総会の議事は、この法律、定款又は規約に特別の定めがある場合

を除いて、出席者の議決権の過半数で決し、可否同数のときは、議長の決するところによる。
2 議長は、総会において選任する。
3 議長は、組合員として総会の議決に加わることができない。
4 総会においては、第七十条の規定によりあらかじめ通知をした事項についてのみ、決議をすることができる。ただし、定款に特別の定めがあるときは、この限りでない。

（特別議決事項）
第八〇条 次に掲げる事項は、総組合員の半数以上が出席し、その議決権の三分の二以上の多数による議決を必要とする。
一 定款の変更
二 事業基本方針の変更
三 計画整備組合の解散及び合併
四 組合員の除名

（延期又は続行の決議）
第八〇条の二 総会においてその延期又は続行について決議があった場合には、第七十条の規定は、適用しない。

（議事録）
第八〇条の三 総会の議事については、国土交通省令で定めるところにより、議事録を作成しなければならない。

（総会についての会社法の準用）
第八一条 会社法第八百三十条、第八百三十一条、第八百三十四条（第十六号及び第十七号に係る部分に限る。）、第八百三十五条第一項、第八百三十六条第一項及び第三項、第八百三十七条、第八百三十八条並びに第八百四十六条の規定（これらの規定中監査役に関する部分を除く。）は、総会の決議の不存在若しくは無効の確認又は取消しの訴えについて準用する。

（出資一口の金額の減少）
第八二条 計画整備組合は、出資一口の金額の減少を議決したときは、その議決の日から二週間以内に財産目録及び貸借対照表を作成しなければならない。
2 計画整備組合は、前項に規定する期間内に、債権者に対して、異議があれば一定の期間内にこれを述べるべき旨を公告し、かつ、知れている債権者には、各別にこれを催告しなければならない。
3 前項に規定する一定の期間は、一月を下ってはならない。
4 債権者が第二項に規定する一定の期間内に異議を述べなかったときは、出資一口の金額の減少を承認したものとみなす。
5 債権者が異議を述べたときは、計画整備組合は、弁済し、若しくは相当の担保を供し、又はその債権者に弁済を受けさせることを目的として信託会社若しくは信託業務を営む金融機関に相当の財産を信託しなければならない。ただし、出資一口の金額の減少をしてもその債権者を害するおそれがないときは、この限りでない。
6 会社法第八百二十八条第一項（第五号に係る部分に限る。）及び第二項（第五号に係る部分に限る。）、第八百三十四条（第五号に係る部分に限る。）、第八百三十五条第一項、第八百三十六条から第八百三十九条まで並びに第八百四十六条の規定（これらの規定中監査役に関する部分を除く。）は、計画整備組合の出資一口の金額の減少の無効の訴えについて準用する。

（準備金及び繰越金）
第八三条 計画整備組合は、定款で定める額に達するまでは、毎事業年度の剰余金の十分の一以上を準備金として積み立てなければならない。
2 前項に規定する定款で定める準備金の額は、出資総額の二分の一を下ってはならない。
3 第一項に規定する準備金は、損失をうめる場合を除いては、取り崩してはならない。
4 第四十五条第二項第三号に掲げる事業を行う計画整備組合は、当該事業の費用に充てるため、毎事業年度の剰余金の二十分の一以上を翌事業年度に繰り越さなければならない。

（剰余金の配当）
第八四条 計画整備組合は、損失をうめ、前条第一項の規定による準備金及び同条第四項の規定による繰越金を控除した後でなければ、剰余金の配当をしてはならない。
2 前項の剰余金の配当は、定款で定めるところにより、組合員の計画整備組合の行う事業の利用分量又は払込済出資額に応じてしなければならない。この場合において、払込済出資額に応じてする配当の率は、年八パーセント以内において政令で定める割合を超えてはならない。

（区分経理）
第八五条 防災街区整備事業、土地区画整理事業又は第一種市街地再開発事業を行う計画整備組合は、防災街区整備事業、土地区画整理事業又は第一種市街地再開発事業に係る経理をそれぞれ他の事業に係る経理と区分して整理しなければならない。

（財務基準）
第八六条 前三条に定めるもののほか、計画整備組合が、その組合員との間の財務関係を明らかにし、組合員の利益を保全することができるように、その財務を適正に処理するための基準として従わなければならない事項は、政令で定める。

（計画整備組合の持分取得の禁止）
第八七条 計画整備組合は、組合員の持分を取得し、又は質権の目的としてこれを受けることができない。

第五款 設立

（計画整備組合の地区）
第八八条 計画整備組合を設立するには、促進地区内防災街区整備地区計画の区域のうち建築物及び建築物の敷地の整備並びに公共施設の整備を行うべき相当規模の一団の土地の区域をその地区としなければならない。

（発起人）
第八九条 計画整備組合を設立するには、促進地区内防災街区整備地区計画の区域内の土地について所有権又は借地権（一時使用のため設定されたものを含む。）を有する者三人以上が発起人となることを必要とする。

（設立準備会）
第九〇条 発起人は、あらかじめ計画整備組合の事業及び地区並びに組合員たる資格に関する目論見書を作成し、これを設立準備会の日時及び場所とともに公告して、設立準備会を開かなければならない。
2 前項の規定による公告は、設立準備会の日の二週間前までにしなければならない。
3 設立準備会においては、出席した組合員となろうとする者の中から、定款及び事業基本方針の作成に当たるべき者（次項及び第九十二条において「定款等作成委員」という。）を選任し、かつ、地区、組合員たる資格その他定款作成の基本となるべき事項及び事業基本方針の概要を定めなければならない。
4 定款等作成委員は、三人以上でなければならない。
5 設立準備会の議事は、出席した組合員となろうとする者の過半数の同意をもって決する。

（事業基本方針）
第九一条 事業基本方針においては、次に掲げる事項を定めるものとする。
一 計画整備組合の地区内において、計画整備組合が行う事業の種類及びその実施の方針
二 その他国土交通省令で定める事項
2 前項第一号に掲げる事項は、計画整備組合の地区内の土地について定められている促進地区内防災街区整備地区計画その他の都市計画に適合するように定めなければならない。

（創立総会）
第九二条 定款等作成委員が定款及び事業基本方針を作成したときは、発起人は、これを創立総会の日時及び場所とともに公告して、創立総会を開かなければならない。
2 前項の規定による公告は、創立総会の日の二週間前までにしなければならない。
3 定款等作成委員が作成した定款及び事業基本方針の承認その他設立に必要な事項の決定は、創立総会の議決によらなければならない。
4 創立総会においては、前項に規定する定款及び事業基本方針を修正することができる。ただし、地区及び組合員たる資格に関する規定については、この限りでない。
5 創立総会の議事は、組合員たる資格を有する者でその創立総会の日までに発起人に対し設立の同意を申し出たものの半数以上が出席し、その議決権の三分の二以上でこれを決する。
6 前項に規定する者は、書面及び代理人をもって議決権及び選挙権を行使することができる。
7 創立総会においてその延期又は続行について決議があった場合には、第

一項の規定による公告をすることを要しない。

8　第五十一条（第二項を除く。）、第七十九条第二項及び第三項並びに第八十条の三の規定は創立総会について、会社法第八百三十条、第八百三十一条、第八百三十四条（第十六号及び第十七号に係る部分に限る。）、第八百三十五条第一項、第八百三十六条第一項及び第三項、第八百三十七条、第八百三十八条並びに第八百四十六条の規定（これらの規定中監査役に関する部分を除く。）は創立総会の決議の不存在若しくは無効の確認又は取消しの訴えについて、それぞれ準用する。

（設立の認可の申請）

第九三条　発起人は、創立総会の終了後遅滞なく、国土交通省令で定めるところにより、定款及び事業基本方針並びに事業計画を都道府県知事に提出して設立の認可を申請しなければならない。

2　発起人は、都道府県知事の要求があるときは、計画整備組合の設立に関する報告書を提出しなければならない。

（設立の認可）

第九四条　都道府県知事は、前条第一項の規定による設立の認可の申請があった場合において、次の各号のいずれかに該当すると認めるときは、その認可をしてはならない。

一　設立の手続又は定款若しくは事業基本方針の内容が、法令又は法令に基づいてする行政庁の処分に違反するとき。

二　計画整備組合の行う事業のために必要な経済的基礎を欠く等事業基本方針に記載される事項を達成することが著しく困難であると認められるとき。

三　地区の全部又は一部が他の計画整備組合の地区と重複することとなるとき。

2　都道府県知事は、前項の設立の認可をしようとするときは、あらかじめ、促進地区内防災街区整備地区計画の都市計画を定めた者の意見を聴かなければならない。

（理事への事務引渡し）

第九五条　前条第一項の設立の認可があったときは、発起人は、遅滞なくその事務を理事に引き渡さなければならない。

2　理事は、前項の規定による引渡しを受けたときは、遅滞なく出資の第一回の払込みをさせなければならない。

3　現物出資者は、第一回の払込みの期日に、出資の目的たる財産の全部を給付しなければならない。ただし、登記、登録その他権利の設定又は移転につき第三者に対抗するため必要な行為は、計画整備組合の成立後にすることを妨げない。

（成立の時期）

第九六条　計画整備組合は、主たる事務所の所在地において設立の登記をすることによって成立する。

第六款　解散及び清算

（解散の事由）

第九七条　計画整備組合は、次に掲げる事由によって解散する。

一　総会の決議

二　計画整備組合の合併

三　計画整備組合についての破産手続開始の決定

四　定款で定める存立時期の満了

五　第百八条の規定による解散の命令

2　解散の決議は、都道府県知事の認可を受けなければ、その効力を生じない。

3　第九十三条第二項及び第九十四条第一項第一号の規定は、前項の認可の申請があった場合について準用する。

4　計画整備組合は、第一項各号に掲げる事由のほか、組合員が三人未満になったことにより解散する。

5　計画整備組合は、前項の規定により解散したときは、遅滞なくその旨を都道府県知事に届け出なければならない。

（合併の手続）

第九八条　計画整備組合が合併しようとするときは、各計画整備組合の総会において合併を議決しなければならない。

2　合併をするには、定款及び事業基本方針を都道府県知事に提出して合併の認可を申請しなければならない。

3　第九十三条第二項及び第九十四条の規定は、前項の認可の申請があった場合について準用する。

4　第八十二条の規定は、計画整備組合の合併について準用する。

第九九条　合併によって計画整備組合を設立するには、各計画整備組合の総会において組合員の中から選任した設立委員が共同して、定款及び事業基本方針を作成し、役員を選任し、その他設立に必要な行為をしなければならない。

2　第八十条の規定は、前項の規定による設立委員の選任について準用する。

3　第六十四条第九項本文の規定は、第一項の規定による役員のうち理事の選任について準用する。

（合併の時期）

第一〇〇条　計画整備組合の合併は、合併後存続する計画整備組合又は合併によって成立する計画整備組合がその主たる事務所の所在地において登記をすることによって、その効力を生ずる。

（合併による権利義務の承継）

第一〇一条　合併後存続する計画整備組合又は合併によって成立した計画整備組合は、合併によって消滅した計画整備組合の権利義務（当該計画整備組合がその行う事業に関し、行政庁の許可、認可その他の処分に基づいて有する権利義務を含む。）を承継する。

（清算中の計画整備組合の能力）

第一〇一条の二　解散した計画整備組合は、清算の目的の範囲内において、その清算の結了に至るまではなお存続するものとみなす。

（清算人）

第一〇二条　計画整備組合が解散したときは、合併及び破産手続開始の決定による解散の場合を除いては、理事がその清算人となる。ただし、総会において他人を選任したときは、この限りでない。

（裁判所による清算人の選任）

第一〇二条の二　前条の規定により清算人となる者がないとき、又は清算人が欠けたため損害を生ずるおそれがあるときは、裁判所は、利害関係人若しくは検察官の請求により又は職権で、清算人を選任することができる。

（清算人の解任）

第一〇二条の三　重要な事由があるときは、裁判所は、利害関係人若しくは検察官の請求により又は職権で、清算人を解任することができる。

（清算人の職務及び権限）

第一〇二条の四　清算人の職務は、次のとおりとする。

一　現務の結了

二　債権の取立て及び債務の弁済

三　残余財産の引渡し

2　清算人は、前項各号に掲げる職務を行うために必要な一切の行為をすることができる。

（清算事務）

第一〇三条　清算人は、就職の後遅滞なく、計画整備組合の財産の状況を調査し、財産目録及び貸借対照表を作成し、財産処分の方法を定め、これらを総会に提出してその承認を求めなければならない。

2　清算人は、計画整備組合の債務を弁済した後でなければ、計画整備組合の財産を分配することができない。

3　清算事務が終わったときは、清算人は、遅滞なく、決算報告書を作成し、これを総会に提出してその承認を求めなければならない。

（債権の申出の催告等）

第一〇三条の二　清算人は、その就職の日から二月以内に、少なくとも三回の公告をもって、債権者に対し、一定の期間内にその債権の申出をすべき旨の催告をしなければならない。この場合において、その期間は、二月を下ることができない。

2　前項の公告には、債権者がその期間内に申出をしないときは清算から除斥されるべき旨を付記しなければならない。ただし、清算人は、知れている債権者を除斥することができない。

3　清算人は、知れている債権者には、各別にその申出の催告をしなければならない。

4　第一項の公告は、官報に掲載してする。

（期間経過後の債権の申出）

第一〇三条の三　前条第一項の期間の経過後に申出をした債権者は、計画整備組合の債務が完済された後まだ権利の帰属すべき者に引き渡されていない財産に対してのみ、請求をすることができる。

（清算中の計画整備組合についての破産手続の開始）

第一〇三条の四　清算中に計画整備組合の財産がその債務を完済するのに足りないことが明らかになったときは、清算人は、直ちに破産手続開始の申立てをし、その旨を公告しなければならない。

2　清算人は、清算中の計画整備組合が破産手続開始の決定を受けた場合において、破産管財人にその事務を引き継いだときは、その任務を終了したものとする。

3　前項に規定する場合において、清算中の計画整備組合が既に債権者に支払い、又は権利の帰属すべき者に引き渡したものがあるときは、破産管財人は、これを取り戻すことができる。

4　第一項の規定による公告は、官報に掲載してする。

（裁判所による監督）

第一〇三条の五　計画整備組合の解散及び清算は、裁判所の監督に属する。

2　裁判所は、職権で、いつでも前項の監督に必要な検査をすることができる。

3　計画整備組合の解散及び清算を監督する裁判所は、都道府県知事に対し、意見を求め、又は調査を嘱託することができる。

4　都道府県知事は、前項に規定する裁判所に対し、意見を述べることができる。

（清算結了の届出）

第一〇三条の六　清算が結了したときは、清算人は、その旨を都道府県知事に届け出なければならない。

（解散及び清算の監督等に関する事件の管轄）

第一〇三条の七　計画整備組合の解散及び清算の監督並びに清算人に関する事件は、計画整備組合の主たる事務所の所在地を管轄する地方裁判所の管轄に属する。

（不服申立ての制限）

第一〇三条の八　清算人の選任の裁判に対しては、不服を申し立てることができない。

（裁判所の選任する清算人の報酬）

第一〇三条の九　裁判所は、第百二条の二の規定により清算人を選任した場合には、計画整備組合が当該清算人に対して支払う報酬の額を定めることができる。この場合においては、裁判所は、当該清算人及び監事の陳述を聴かなければならない。

（検査役の選任）

第一〇四条　裁判所は、計画整備組合の解散及び清算の監督に必要な調査をさせるため、検査役を選任することができる。

2　前二条の規定は、前項の規定により裁判所が検査役を選任した場合について準用する。この場合において、前条中「清算人及び監事」とあるのは、「計画整備組合及び検査役」と読み替えるものとする。

第七款　監督

（報告の徴収等）

第一〇五条　都道府県知事は、計画整備組合から、その計画整備組合が法令等を守っているかどうかを知るために必要な報告を求め、又は計画整備組合に対し、その組合員、役員、使用人、事業の分量その他計画整備組合の一般的状況に関する資料であって計画整備組合に関する行政を適正に処理するために特に必要なものの提出を命ずることができる。

（検査）

第一〇六条　組合員が総組合員の十分の一以上の同意を得て、計画整備組合の業務又は会計が法令等に違反する疑いがあることを理由として検査を請求したときは、都道府県知事は、その計画整備組合の業務又は会計の状況を検査しなければならない。

2　都道府県知事は、計画整備組合の業務又は会計が法令等に違反する疑いがあると認めるときその他監督上必要があると認めるときは、いつでも、その計画整備組合の業務又は会計の状況を検査することができる。

（法令等の違反に対する措置）

第一〇七条　都道府県知事は、第百五条の規定による報告を求めた場合又は前条の規定による検査を行った場合において、その計画整備組合の業務又は会計が法令等に違反すると認めるときは、その計画整備組合に対し、期間を定めて、必要な措置を講ずべき旨を命ずることができる。

2　都道府県知事は、計画整備組合が前項の規定による命令に従わないときは、期間を定めて、業務の全部若しくは一部の停止又は役員の改選を命ずることができる。

（解散命令）

第一〇八条　都道府県知事は、次に掲げる場合には、当該計画整備組合の解散を命ずることができる。

一　計画整備組合が法律の規定に基づいて行うことができる事業以外の事業を行ったとき。

二　計画整備組合が、正当な理由がないのに、その成立の日から二年を経過してもなお第四十五条第一項に規定する事業を開始せず、又は一年以上すべての事業を停止したとき。

三　計画整備組合が法令に違反した場合において、都道府県知事が前条第一項の規定による命令をしたにもかかわらず、これに従わないとき。

（議決、選挙及び当選の取消し）

第一〇九条　組合員が総組合員の十分の一以上の同意を得て、総会の招集手続、議決の方法又は選挙が法令等に違反することを理由とし、その議決又は選挙若しくは当選決定の日から一月以内にその議決又は選挙若しくは当選の取消しを請求した場合において、都道府県知事は、その違反の事実があると認めるときは、その議決又は選挙若しくは当選を取り消すことができる。

2　前項の規定は、創立総会の場合について準用する。

3　前二項の規定による処分については、行政手続法（平成五年法律第八十八号）第三章（第十二条及び第十四条を除く。）の規定は、適用しない。

第八款　雑則

（防災街区整備事業に係る組合員の脱退等についての特例）

第一一〇条　第百二十二条第一項の防災街区整備事業の施行の認可を受けた計画整備組合の組合員は、第百二十八条第一項の規定による認可の公告の日から当該防災街区整備事業の終了の認可についての第百三十二条第二項において準用する第百二十八条第一項の規定による公告の日までの間は、第五十六条第一項各号に掲げる事由による場合を除き、計画整備組合を脱退することができない。

2　前項に規定する期間内に、計画整備組合の地区内の宅地（第百十七条第四号に規定する宅地をいう。以下この条及び次条において同じ。）について組合員が有する所有権又は借地権の全部又は一部を組合員以外の者が承継した場合においては、その者は、組合員となる。

3　第一項に規定する期間内に、組合員が計画整備組合の地区内の宅地について有する借地権の全部又は一部が消滅した場合において、その借地権の目的となっていた宅地の所有者又はその宅地の賃貸人が組合員以外の者であるときは、その消滅した借地権が地上権である場合にあってはその宅地の所有者が、その消滅した借地権が賃借権である場合にあってはその宅地の賃貸人がそれぞれ組合員となる。

4　第一項に規定する期間内に、計画整備組合の地区内の宅地について組合員が有する所有権又は借地権の全部又は一部を承継した者がある場合においては、その組合員がその所有権又は借地権の全部又は一部について防災街区整備事業に関して有する権利義務は、その承継した者に移転する。

5　第一項に規定する期間内に、計画整備組合の地区内の宅地について組合員が有する借地権の全部又は一部が消滅した場合においては、その組合員がその借地権の全部又は一部について防災街区整備事業に関して有する権利義務は、その消滅した借地権が地上権である場合にあってはその借地権の目的となっていた宅地の所有者に、その消滅した借地権が賃借権である場合にあってはその宅地の賃貸人にそれぞれ移転する。

（防災街区整備事業の施行地区内における権利処分の特例）

第一一一条　第百二十二条第一項の防災街区整備事業の施行の認可を受けた計画整備組合は、国土交通省令で定めるところにより、当該防災街区整備事業の施行地区内の宅地若しくは建築物の所有権若しくはその宅地に存する既登記の借地権で第三百条第一項の規定により指定された防災街区整備推進機構が有するものを当該計画整備組合の組合員若しくは当該計画整備組合の組合員になろうとする者に移転し、又は当該宅地についてこれらの者に借地権を設定すべきことを、当該防災街区整備推進機構に対し、要請することができる。

2　前項の規定による要請に基づき、同項に規定する防災街区整備推進機構が第二百一条第一項に規定する登記があった後に行う前項に規定する権利の移転又は借地権の設定については、同条第二項から第四項までの規定は、適用しない。

（土地区画整理事業に係る組合員の脱退等についての特例）

第一一二条　土地区画整理法第四条第一項の土地区画整理事業の施行の認可を受けた計画整備組合の組合員は、同法第九条第三項の規定による認可の公告の日から当該土地区画整理事業の廃止又は終了の認可についての同法第十三条第四項の規定による公告の日までの間は、第五十六条第一項各号に掲げる事由による場合を除き、計画整備組合を脱退することができない。

2　前項に規定する期間内に、計画整備組合の地区内の宅地（土地区画整理法第二条第六項に規定する宅地をいう。以下この条において同じ。）について組合員が有する所有権又は借地権（一時使用のため設定されたものを含む。以下この条において同じ。）の全部又は一部を組合員以外の者が承継した場合においては、その者は、組合員となる。

3　第一項に規定する期間内に、組合員が計画整備組合の地区内の宅地について有する借地権の全部又は一部が消滅した場合において、その借地権の目的となっていた宅地の所有者又はその宅地の賃貸人が組合員以外の者であるときは、その消滅した借地権が地上権である場合にあってはその宅地の所有者が、その消滅した借地権が賃借権である場合にあってはその宅地の賃貸人がそれぞれ組合員となる。

4　第一項に規定する期間内に、計画整備組合の地区内の宅地について組合員が有する所有権又は借地権の全部又は一部を承継した者がある場合においては、その組合員がその所有権又は借地権の全部又は一部について土地区画整理事業に関して有する権利義務は、その承継した者に移転する。

5　第一項に規定する期間内に、計画整備組合の地区内の宅地について組合員が有する借地権の全部又は一部が消滅した場合においては、その組合員がその借地権の全部又は一部について土地区画整理事業に関して有する権利義務は、その消滅した借地権が地上権である場合にあってはその借地権の目的となっていた宅地の所有者に、その消滅した借地権が賃借権である場合にあってはその宅地の賃貸人にそれぞれ移転する。

（第一種市街地再開発事業に係る組合員の脱退等についての特例）

第一一三条　都市再開発法第七条の九第一項の第一種市街地再開発事業の施行の認可を受けた計画整備組合の組合員は、同法第七条の十五第一項の規定による認可の公告の日から当該第一種市街地再開発事業の終了の認可についての同法第七条の二十第二項の規定による公告の日までの間は、第五十六条第一項各号に掲げる事由による場合を除き、計画整備組合を脱退することができない。

2　前項に規定する期間内に、計画整備組合の地区内の宅地（都市再開発法第二条第五号に規定する宅地をいう。以下この条及び次条において同じ。）について組合員が有する所有権又は借地権の全部又は一部を組合員以外の者が承継した場合においては、その者は、組合員となる。

3　第一項に規定する期間内に、組合員が計画整備組合の地区内の宅地について有する借地権の全部又は一部が消滅した場合において、その借地権の目的となっていた宅地の所有者又はその宅地の賃貸人が組合員以外の者であるときは、その消滅した借地権が地上権である場合にあってはその宅地の所有者が、その消滅した借地権が賃借権である場合にあってはその宅地の賃貸人がそれぞれ組合員となる。

4　第一項に規定する期間内に、計画整備組合の地区内の宅地について組合員が有する所有権又は借地権の全部又は一部を承継した者がある場合においては、その組合員がその所有権又は借地権の全部又は一部について第一種市街地再開発事業に関して有する権利義務は、その承継した者に移転する。

5　第一項に規定する期間内に、計画整備組合の地区内の宅地について組合員が有する借地権の全部又は一部が消滅した場合においては、その組合員がその借地権の全部又は一部について第一種市街地再開発事業に関して有する権利義務は、その消滅した借地権が地上権である場合にあってはその借地権の目的となっていた宅地の所有者に、その消滅した借地権が賃借権である場合にあってはその宅地の賃貸人にそれぞれ移転する。

（第一種市街地再開発事業の施行地区内における権利処分の特例）

第一一四条　都市再開発法第七条の九第一項の第一種市街地再開発事業の施行の認可を受けた計画整備組合は、当該計画整備組合の地区内の各街区を防災街区として整備するため必要があると認めるときは、国土交通省令で定めるところにより、当該第一種市街地再開発事業の施行地区内の宅地若しくは建築物の所有権若しくはその宅地に存する既登記の借地権で第三百条第一項の規定により指定された防災街区整備推進機構が有するものを当該計画整備組合の組合員若しくは当該計画整備組合の組合員となろうとする者に移転し、又は当該宅地についてこれらの者に借地権を設定すべきことを、当該防災街区整備推進機構に対し、要請することができる。

2　前項の規定による要請に基づき、同項に規定する防災街区整備推進機構が都市再開発法第七十条第一項に規定する登記があった後に行う前項に規定する権利の移転又は借地権の設定については、同条第二項から第四項までの規定は、適用しない。

（計画整備組合に対する助言又は指導）

第一一五条　国及び関係地方公共団体は、計画整備組合に対して、その事業の施行の促進を図るため必要な助言又は指導をすることができる。

第四節　建築物の敷地と道路との関係の特例

第一一六条　促進地区内防災街区整備地区計画に定められた特定地区防災施設である道が、建築基準法第六十八条の七第一項に規定する予定道路として指定された場合において、次に掲げる条件に該当する促進地区内防災街区整備地区計画の区域内にある建築物（その敷地が当該予定道路に接するもの又は当該敷地内に当該予定道路があるものに限る。）で、当該促進地区内防災街区整備地区計画の内容に適合し、かつ、特定行政庁（同法第二条第三十五号に規定する特定行政庁をいう。）が交通上、安全上、防火上及び衛生上支障がないと認めて許可したものについては、当該予定道路を同法第四十二条第一項に規定する道路とみなして、同法第四十三条第一項の規定を適用する。

一　特定建築物地区整備計画が定められている区域のうち、次に掲げる事項が定められている区域であること。

イ　建築物の構造に関する防火上必要な制限

ロ　建築物の特定地区防災施設に係る間口率

ハ　壁面の位置の制限（特定地区防災施設に面する壁面の位置を制限するものを含むものに限る。）

ニ　壁面後退区域における工作物の設置の制限

二　建築基準法第六十八条の二第一項の規定に基づく条例で、前号イからハまでに掲げる事項に関する制限が定められている区域であること。

2　建築基準法第四十四条第二項、第九十二条の二、第九十三条第一項及び第二項、第九十四条並びに第九十五条の規定は、前項の規定による許可をする場合に準用する。

第六章　防災街区整備事業

第一節　総則

（定義）

第一一七条　この章において次の各号に掲げる用語の意義は、それぞれ当該各号に定めるところによる。

一　施行者　防災街区整備事業を施行する者をいう。

二　施行地区　防災街区整備事業を施行する土地の区域をいう。

三　施行区域　都市計画法第十二条第二項の規定により防災街区整備事業について都市計画に定められた施行区域をいう。

四　宅地　公共施設の用に供されている国、地方公共団体その他政令で定める者の所有する土地以外の土地をいう。

五　防災施設建築物　防災街区整備事業によって建築される建築物をいう。

六　防災施設建築敷地　防災街区整備事業によって造成される防災施設建築物の敷地をいう。

七　防災施設建築物の一部　区分所有権の目的たる防災施設建築物の部分（建物の区分所有等に関する法律第二条第四項に規定する共用部分の共有持分を含む。）をいう。

八　防災施設建築物の一部等　防災施設建築物の一部及び当該防災施設建築物の所有を目的とする地上権の共有持分をいう。

九　防災建築施設の部分　防災施設建築物の一部及び当該防災施設建築物の存する防災施設建築敷地の共有持分をいう。

十　借地　借地権の目的となっている宅地をいう。

（施行地区となるべき土地の区域及び施行区域）

第一一八条　施行地区となるべき土地の区域は、密集市街地内の次に掲げる条件に該当する土地の区域又は施行区域内の土地の区域（都市計画事業として施行する場合にあっては、施行区域内の土地の区域）でなければならない。

一　次のいずれかに掲げる区域内にあること。

イ　特定防災街区整備地区

ロ　防災街区整備地区計画の区域のうち、建築基準法第六十七条第一項に規定する制限と同等以上の建築物の構造に関する防火上の制限及び建築物の敷地面積の最低限度（防火地域が定められている区域にあっては、建築物の敷地面積の最低限度）が定められており、かつ、同法第六十八条の二第一項の規定に基づく条例でこれらの制限が定められている区域

二　当該区域内にある耐火建築物等（地震に対する安全性に係る建築基準法又はこれに基づく命令若しくは条例の規定に適合せず、かつ、同法第三条第二項の規定の適用を受けている同法第二条第九号の二に規定する耐火建築物であって、国土交通省令で定める規模以上の地震が発生した場合において、外壁その他の部分の構造に損傷を受けることによりその耐火性能（同条第七号に規定する耐火性能をいう。）が著しく低下するおそれがあるものとして国土交通省令で定める基準に該当するものを除く。）又は準耐火建築物等の延べ面積の合計が、当該区域内にある全ての建築物の延べ面積の合計のおおむね三分の一以下であること。

三　次のいずれかに該当する土地の区域であること。

イ　当該区域内にある建築物で建築基準法第四十三条、第四十四条第一項、第五十三条、第五十三条の二若しくは第六十七条第三項若しくは第五項の規定又は建築物の建蔽率の最高限度、建築物の敷地面積の最低限度若しくは壁面の位置の制限に関する同法第六十八条の二第一項の規定に基づく条例の規定に適合しないもの（ロにおいて「不適合建築物」という。）の数の当該区域内にある全ての建築物の数に対する割合が政令で定める割合以上であること。

ロ　当該区域内にある不適合建築物の建築面積の合計の当該区域内にある全ての建築物の建築面積の合計に対する割合が政令で定める割合以上であること。

四　当該区域内に十分な公共施設が整備されていないこと、当該区域内の土地の利用が細分されていること等により、当該区域内の土地の利用状況が不健全であること。

五　当該区域を防災街区として整備することが、当該密集市街地における特定防災機能の効果的な確保に貢献すること。

2　施行区域は、密集市街地内の前項各号に掲げる条件に該当する土地の区域でなければならない。

（施行者）

第一一九条　前条第一項に規定する土地の区域内の宅地の所有者若しくは借地権者（借地権を有する者をいう。以下同じ。）又は当該所有者若しくは借地権者の同意を得た者は、一人で、又は数人共同して、当該所有者若しくは借地権者の権利の目的である宅地について、又はその宅地及び当該区域内の宅地以外の土地について防災街区整備事業を施行することができる。

2　防災街区整備事業組合は、都市計画事業として防災街区整備事業を施行することができる。

3　次に掲げる要件のすべてに該当する株式会社は、都市計画事業として防災街区整備事業を施行することができる。

一　防災街区整備事業の施行を主たる目的とするものであること。

二　公開会社（会社法第二条第五号に規定する公開会社をいう。）でないこと。

三　施行地区となるべき区域内の宅地の所有者又は借地権者が、総株主の議決権の過半数を保有していること。

四　前号の議決権の過半数を保有している者及び当該株式会社が所有する施行地区となるべき区域内の宅地の地積とそれらの者が有するその区域内の借地の地積との合計が、その区域内の宅地の総地積と借地の総地積との合計の三分の二以上であること。

4　都市再開発法第二条の二第三項第四号後段の規定は、前項第四号の規定による地積の算定について準用する。この場合において、同条第三項第四号後段中「前段」とあるのは、「密集市街地整備法第百十九条第三項第四号」と読み替えるものとする。

5　地方公共団体又は独立行政法人都市再生機構は、都市計画事業として防災街区整備事業を施行することができる。

6　地方住宅供給公社は、その住宅の建設と併せて防災街区の整備を行うための防災街区整備事業を施行する必要があると国土交通大臣（市のみが設立した地方住宅供給公社にあっては、都道府県知事）が認めるときは、都市計画事業として当該防災街区整備事業を施行することができる。

第二節　防災街区整備事業に関する都市計画

第一二〇条　防災街区整備事業に関する都市計画においては、都市計画法第十二条第二項に定める事項のほか、防災公共施設その他の公共施設の配置及び規模並びに防災施設建築物の整備に関する計画を定めるものとする。

2　防災街区整備事業に関する都市計画は、次に掲げるところに従って定めなければならない。

一　道路、公園、下水道その他の都市施設に関する都市計画が定められている場合においては、その都市計画に適合するように定めること。

二　施行区域が、適正な配置及び規模の防災公共施設その他の公共施設を備えることにより、特定防災機能が確保された良好な都市環境のものとなるように定めること。

三　防災施設建築物の整備に関する計画は、適切な構造、高さ、配列等を備えた防災施設建築物が整備されることにより、施行区域及びその周辺の密集市街地における特定防災機能の確保及び施行区域における土地の合理的かつ健全な利用が図られるように定めること。この場合において、施行区域内に、又は施行区域に接して防災都市施設に係る都市施設に関する都市計画（以下「防災都市施設に関する都市計画」という。）が定められているときは、当該防災都市施設と一体となって特定防災機能の確保が図られるように定めること。

（都市計画法の特例）

第一二一条　都市計画事業として施行する防災街区整備事業については、都市計画法第六十条から第七十四条までの規定は、適用しない。

2　施行区域内における建築物の建築の制限に関しては、都市計画法第五十三条第三項中「第六十五条第一項に規定する告示」とあるのは「密集市街地整備法第百九十一条第二項各号に定める公告」と、「当該告示」とあるのは「当該公告」とする。

第三節　施行者

第一款　個人施行者

（施行の認可）

第一二二条　第百十九条第一項の規定により防災街区整備事業を施行しようとする者は、一人で施行しようとする者にあっては規準及び事業計画を定め、数人共同して施行しようとする者にあっては規約及び事業計画を定め、国土交通省令で定めるところにより、その防災街区整備事業の施行について都道府県知事の認可を受けなければならない。

2　前項の規定による認可の申請は、施行地区となるべき区域を管轄する市町村長を経由して行わなければならない。

3　都道府県知事は、第一項の規定による認可をしようとするときは、あらかじめ、施行地区となるべき区域を管轄する市町村長の意見を聴かなければならない。

4　第百十九条第一項の規定による施行者（以下「個人施行者」という。）が施行区域内において施行する防災街区整備事業は、都市計画事業として施行するものとし、当該防災街区整備事業については、第一項の規定による認可をもって都市計画法第五十九条第四項の規定による認可とみなす。ただし、同法第七十九条、第八十条第一項、第八十一条第一項及び第八十九条第一項の規定の適用については、この限りでない。

（規準又は規約）

第一二三条　前条第一項の規準又は規約には、次の各号（規準にあっては、第五号から第七号までを除く。）に掲げる事項を記載しなければならない。

一　防災街区整備事業の名称

二　施行地区（施行地区を工区に分けるときは、施行地区及び工区）に含まれる地域の名称

三　防災街区整備事業の範囲

四　事務所の所在地

五　事業に要する経費の分担に関する事項

六　業務を代表して行う者を定めるときは、その職名、定数、任期、職務の分担及び選任の方法に関する事項

七　会議に関する事項

八　事業年度
九　公告の方法
十　その他国土交通省令で定める事項

（事業計画）
第一二四条　事業計画においては、国土交通省令で定めるところにより、施行地区（施行地区を工区に分けるときは、施行地区及び工区）、設計の概要、事業施行期間及び資金計画を定めなければならない。
2　事業計画においては、国土交通省令で定めるところにより、防災施設建築敷地以外の建築物の敷地となるべき土地の区域（以下「個別利用区」という。）を定めることができる。
3　個別利用区の位置は、特定防災機能の確保及び土地の合理的かつ健全な利用を図る上で支障がない位置に定めなければならない。この場合においては、第二百二条第一項の申出が見込まれる者が所有権又は借地権を有する宅地の位置、利用状況、環境等を勘案しなければならない。
4　個別利用区の面積は、第二百二条第一項の申出が見込まれる者に対して権利変換手続により所有権又は借地権が与えられることが見込まれる宅地の地積の合計を考慮して相当と認められる規模としなければならない。
5　第二百四十三条の規定により公共施設の管理者又は管理者となるべき者に当該公共施設の整備に関する工事の全部又は一部を行わせる場合には、事業計画において、当該管理者又は管理者となるべき者の行う工事の範囲を定めなければならない。
6　事業計画の策定について必要な技術的基準は、国土交通省令で定める。

（公共施設の管理者の同意）
第一二五条　第百二十二条第一項の規定による認可を申請しようとする者は、あらかじめ、事業計画につき、施行地区内にある公共施設の管理者及び当該防災街区整備事業の施行により整備される公共施設の管理者又は管理者となるべき者の同意を得なければならない。

（事業計画に関する関係権利者の同意）
第一二六条　第百二十二条第一項の規定による認可を申請しようとする者は、その者以外に施行地区となるべき区域内の宅地又は建築物について権利を有する者があるときは、事業計画についてこれらの者の同意を得なければならない。ただし、その権利をもって認可を申請しようとする者に対抗することができない者については、この限りでない。
2　都市再開発法第七条の十三第二項の規定は、前項の場合について準用する。

（施行の認可の基準）
第一二七条　都道府県知事は、第百二十二条第一項の規定による認可の申請があった場合において、次の各号のいずれにも該当しないと認めるときは、その認可をしなければならない。
一　申請手続が法令に違反していること。
二　規準若しくは規約又は事業計画の決定手続又は内容が法令に違反していること。
三　施行地区が、施行区域の内外にわたっていること。
四　事業計画の内容が施行地区内の土地に係る都市計画に適合せず、又は事業施行期間が適切でないこと。
五　当該防災街区整備事業を遂行するために必要な経済的基礎及びこれを的確に遂行するために必要なその他の能力が十分でないこと。

（施行の認可の公告等）
第一二八条　都道府県知事は、第百二十二条第一項の規定による認可をしたときは、速やかに、国土交通省令で定めるところにより、施行者の氏名又は名称、事業施行期間、施行地区（施行地区を工区に分けるときは、施行地区及び工区。以下この項において同じ。）その他国土交通省令で定める事項を公告し、かつ、都市計画事業として施行する防災街区整備事業については国土交通大臣及び関係市町村長に、その他の防災街区整備事業については関係市町村長に施行地区及び設計の概要を表示する図書を送付しなければならない。
2　個人施行者は、前項の公告があるまでは、施行者として、又は規準若しくは規約若しくは事業計画をもって第三者に対抗することができない。
3　市町村長は、第二百四十四条第二項又は第二百六十九条第三項の公告の日まで、政令で定めるところにより、第一項の図書を公衆の縦覧に供しなければならない。

（規準又は規約及び事業計画の変更）
第一二九条　個人施行者は、規準若しくは規約又は事業計画を変更しようとするときは、国土交通省令で定めるところにより、都道府県知事の認可を受けなければならない。
2　第百二十二条第三項の規定は個人施行者が事業計画を変更して新たに施行地区に編入しようとする土地がある場合に、第百二十五条の規定は個人施行者が公共施設に関係のある事業計画の変更をしようとする場合に、第百二十二条第二項及び前三条の規定は前項の規定による認可について準用する。この場合において、第百二十二条第三項及び第百二十六条第一項中「施行地区となるべき区域」とあるのは「施行地区及び新たに施行地区となるべき区域」と、第百二十二条第二項中「施行地区となるべき区域」とあるのは「施行地区又は新たに施行地区となるべき区域」と、前条第二項中「施行者として、又は規準若しくは規約若しくは事業計画をもって」とあるのは「規準若しくは規約又は事業計画の変更をもって」と読み替えるものとする。
3　個人施行者は、施行地区の縮小又は事業に要する経費の分担に関し、規準若しくは規約又は事業計画を変更しようとする場合において、防災街区整備事業の施行のための借入金があるときは、その変更についてその債権者の同意を得なければならない。

（個人施行者の変動等についての都市再開発法の準用）
第一三〇条　都市再開発法第七条の十七の規定は防災街区整備事業の個人施行者の変動について、同法第七条の十八の規定は防災街区整備事業の個人施行者の権利義務の移転について準用する。この場合において、同法第七条の十七第四項及び第六項中「第二条の二第一項」とあるのは「密集市街地整備法第百十九条第一項」と、同条第四項中「第七条の九第一項」とあるのは「密集市街地整備法第百二十二条第一項」と読み替えるものとする。

（審査委員）
第一三一条　個人施行者は、都道府県知事の承認を受けて、土地及び建物の権利関係又は評価について特別の知識経験を有し、かつ、公正な判断をすることができる者のうちから、この法律及び規準又は規約で定める権限を行う審査委員三人以上を選任しなければならない。
2　前項に規定するもののほか、審査委員に関し必要な事項は、政令で定める。

（防災街区整備事業の終了）
第一三二条　個人施行者は、防災街区整備事業を終了しようとするときは、国土交通省令で定めるところにより、その終了について都道府県知事の認可を受けなければならない。
2　第百二十二条第二項並びに第百二十八条第一項（図書の送付に係る部分を除く。）及び第二項の規定は、前項の規定による認可について準用する。この場合において、第百二十二条第二項中「施行地区となるべき区域」とあるのは「施行地区」と、第百二十八条第二項中「施行者として、又は規準若しくは規約若しくは事業計画をもって」とあるのは「防災街区整備事業の終了をもって」と読み替えるものとする。

第二款　防災街区整備事業組合

第一目　通則

（法人格）
第一三三条　防災街区整備事業組合（以下「事業組合」という。）は、法人とする。
2　一般社団法人及び一般財団法人に関する法律第四条及び第七十八条の規定は、事業組合について準用する。

（定款）
第一三四条　事業組合は、定款をもって次に掲げる事項を定めなければならない。
一　事業組合の名称
二　施行地区（施行地区を工区に分けるときは、施行地区及び工区）に含まれる地域の名称
三　防災街区整備事業の範囲
四　事務所の所在地
五　参加組合員に関する事項
六　事業に要する経費の分担に関する事項
七　役員の定数、任期、職務の分担並びに選挙及び選任の方法に関する事項
八　総会に関する事項
九　総代会を設けるときは、総代及び総代会に関する事項

十　事業年度
十一　公告の方法
十二　その他国土交通省令で定める事項
2　事業組合は、定款において前項第五号の参加組合員に関する事項を定めようとするときは、第百五十九条第一項に規定する負担金及び分担金を負担して防災街区整備事業に参加するのに必要な資力及び信用を有する者を参加組合員とするようにしなければならない。

（名称）
第一三五条　事業組合は、その名称中に防災街区整備事業組合という文字を用いなければならない。
2　事業組合でない者は、その名称中に防災街区整備事業組合という文字を用いてはならない。

第二目　設立

（設立の認可）
第一三六条　施行区域内の宅地の所有者又は借地権者は、五人以上共同して、定款及び事業計画を定め、国土交通省令で定めるところにより、都道府県知事の認可を受けて事業組合を設立することができる。
2　前項に規定する者は、事業計画の決定に先立って事業組合を設立する必要がある場合においては、同項の規定にかかわらず、五人以上共同して、定款及び事業基本方針を定め、国土交通省令で定めるところにより、都道府県知事の認可を受けて事業組合を設立することができる。
3　前項の規定により設立された事業組合は、国土交通省令で定めるところにより、都道府県知事の認可を受けて事業計画を定めるものとする。
4　第百二十二条第二項の規定は第一項又は前項の規定による認可の申請について、同条第三項の規定は第一項又は第二項の規定による認可について準用する。この場合において、同条第二項中「施行地区となるべき区域」とあるのは、「施行地区となるべき区域（第百三十六条第三項の規定による認可の申請にあっては、施行地区）」と読み替えるものとする。
5　事業組合が施行する防災街区整備事業については、第一項又は第三項の規定による認可をもって都市計画法第五十九条第四項の規定による認可とみなす。第百二十二条第四項ただし書の規定は、この場合について準用する。

（事業計画及び事業基本方針）
第一三七条　第百二十四条及び第百二十五条の規定は、前条第一項又は第三項の事業計画について準用する。
2　前条第二項の事業基本方針においては、国土交通省令で定めるところにより、施行地区（施行地区を工区に分けるときは、施行地区及び工区）及び防災街区整備事業の施行の方針を定めなければならない。
3　前条第三項の事業計画は、同条第二項の事業基本方針に即したものでなければならない。

（宅地の所有者及び借地権者の同意）
第一三八条　第百三十六条第一項又は第三項の規定による認可を申請しようとする者は、事業組合の設立について、施行地区となるべき区域内の宅地のすべての所有者及びその区域内の宅地のすべての借地権者のそれぞれの三分の二以上の同意を得なければならない。この場合においては、同意した所有者が所有するその区域内の宅地の地積と同意した借地権者のその区域内の借地の地積との合計が、その区域内の宅地の総地積と借地の総地積との合計の三分の二以上でなければならない。
2　都市再開発法第七条の二第五項の規定は、前項の規定により同意を得る場合について準用する。

（借地権の申告）
第一三九条　前条第一項に規定する同意を得ようとする者は、あらかじめ、施行地区となるべき区域の公告を当該区域を管轄する市町村長に申請しなければならない。
2　市町村長は、前項の申請があったときは、国土交通省令で定めるところにより、速やかに、当該申請に係る公告をしなければならない。
3　前項の公告に係る施行地区となるべき区域内の宅地について未登記の借地権を有する者は、同項の公告があった日から起算して三十日以内に同項の市町村長に対し、国土交通省令で定めるところにより、その借地の所有者（借地権者から更に借地権の設定を受けた場合にあっては、その設定者及びその借地の所有者）と連署し、又は借地権を証する書面を添えて、書面をもってその借地権の種類及び内容を申告しなければならない。
4　未登記の借地権で前項の規定による申告のないものは、同項の申告の期間を経過した後は、前条第一項の規定の適用については、存しないものとみなす。

（事業計画の案の作成及び組合員への周知等）
第一三九条の二　第百三十六条第二項の規定により設立された事業組合は、同条第三項の事業計画を定めようとするときは、あらかじめ、事業計画の案を作成し、国土交通省令で定めるところにより、説明会の開催その他組合員に当該事業計画の案を周知させるため必要な措置を講じなければならない。
2　前項の組合員は、同項の事業計画の案について意見がある場合においては、国土交通省令で定めるところにより、事業組合に意見書を提出することができる。ただし、事業基本方針において定められた事項については、この限りでない。
3　事業組合は、前項の規定により意見書の提出があったときは、その意見書に係る意見を勘案し、必要があると認めるときは事業計画の案に修正を加えなければならない。
4　事業組合が成立した後、最初の役員が選挙され、又は選任されるまでの間は、前三項に規定する事業組合の事務は、第百三十六条第二項の規定による認可を受けた者が行うものとする。

（事業計画の縦覧及び意見書の処理）
第一四〇条　都道府県知事は、第百三十六条第一項又は第三項の規定による認可の申請があったときは、施行地区となるべき区域（同項の規定による認可の申請にあっては、施行地区）を管轄する市町村長に、当該申請に係る事業計画を送付しなければならない。ただし、当該申請に関し明らかに次条各号のいずれかに該当する事実があり、認可すべきでないと認めるときは、この限りでない。
2　前項本文の規定により事業計画の送付を受けた市町村長は、政令で定めるところにより、当該事業計画を二週間公衆の縦覧に供しなければならない。
3　当該防災街区整備事業に関係のある土地若しくはその土地に定着する物件について権利を有する者又は参加組合員は、前項の規定により縦覧に供された事業計画について意見があるときは、縦覧期間満了の日の翌日から起算して二週間を経過する日までに、都道府県知事に意見書を提出することができる。ただし、都市計画において定められた事項については、この限りでない。
4　都道府県知事は、前項の規定による意見書の提出があったときは、その内容を審査し、その意見書に係る意見を採択すべきであると認めるときは事業計画に必要な修正を加えるべきことを命じ、その意見書に係る意見を採択すべきでないと認めるときはその旨を意見書を提出した者に通知しなければならない。
5　前項の規定による意見書の内容の審査については、行政不服審査法（平成二十六年法律第六十八号）第二章第三節（第二十九条、第三十条、第三十二条第二項、第三十八条、第四十条、第四十一条第三項及び第四十二条を除く。）の規定を準用する。この場合において、同節中「審理員」とあるのは、「都道府県知事」と読み替えるものとする。
6　第百三十六条第一項又は第三項の規定による認可を申請した者が、第四項の規定により事業計画に修正を加え、その旨を都道府県知事に申告したときは、その修正に係る部分について、更にこの条に規定する手続を行うものとする。

（認可の基準）
第一四一条　都道府県知事は、第百三十六条第一項から第三項までの規定による認可の申請があった場合において、次の各号のいずれにも該当しないと認めるときは、その認可をしなければならない。
一　申請手続が法令に違反していること。
二　定款又は事業計画若しくは事業基本方針の決定手続又は内容が法令（事業計画の内容にあっては、前条第四項に規定する都道府県知事の命令を含む。）に違反していること。
三　事業計画又は事業基本方針の内容が当該防災街区整備事業に関する都市計画に適合せず、又は事業施行期間が適切でないこと。
四　当該防災街区整備事業を遂行するために必要な経済的基礎及びこれを的確に遂行するために必要なその他の能力が十分でないこと。

（事業組合の成立）
第一四二条　事業組合は、第百三十六条第一項又は第二項の規定による認可により成立する。

（認可の公告等）

第一四三条　都道府県知事は、第百三十六条第一項又は第三項の規定による認可をしたときは、速やかに、国土交通省令で定めるところにより、事業組合の名称、事業施行期間、施行地区（施行地区を工区に分けるときは、施行地区及び工区。以下この条において同じ。）その他国土交通省令で定める事項を公告し、かつ、国土交通大臣及び関係市町村長に施行地区及び設計の概要を表示する図書を送付しなければならない。

２　都道府県知事は、第百三十六条第二項の規定による認可をしたときは、速やかに、国土交通省令で定めるところにより、事業組合の名称、施行地区その他国土交通省令で定める事項を公告し、かつ、関係市町村長に施行地区を表示する図書を送付しなければならない。

３　事業組合は、第百三十六条第一項の認可に係る第一項の公告があるまでは事業組合の成立又は定款若しくは事業計画をもって、前項の公告があるまでは事業組合の成立又は定款若しくは事業基本方針をもって、同条第三項の認可に係る第一項の公告があるまでは事業計画をもって、組合員その他の第三者に対抗することができない。

４　市町村長は、第百六十三条第六項又は第二百四十四条第二項の公告の日（第二項の図書にあっては、当該図書に係る防災街区整備事業についての第一項の図書の公衆の縦覧を開始する日）まで、政令で定めるところにより、第一項又は第二項の図書を公衆の縦覧に供しなければならない。

第三目　管理

（組合員）

第一四四条　事業組合が施行する防災街区整備事業に係る施行地区内の宅地の所有者及び借地権者は、すべてその事業組合の組合員とする。

２　宅地又は借地権が数人の共有に属するときは、その数人を一人の組合員とみなす。

３　前項の規定により一人の組合員とみなされる者は、それぞれのうちから代表者一人を選任し、その者の氏名及び住所（法人にあっては、その名称及び主たる事務所の所在地）を事業組合に通知しなければならない。

４　前項の代表者の権限に加えた制限は、これをもって事業組合に対抗することができない。

５　第三項の代表者の解任は、事業組合にその旨を通知するまでは、これをもって事業組合に対抗することができない。

（参加組合員）

第一四五条　前条第一項に規定する者のほか、定款で定められた参加組合員は、事業組合の組合員となる。

（組合員名簿の作成等）

第一四六条　第百三十六条第一項又は第二項の認可を受けた者は、第百四十三条第一項又は第二項の公告後、遅滞なく、組合員の氏名及び住所（法人にあっては、その名称及び主たる事務所の所在地）並びに所有者である組合員、借地権者である組合員又は参加組合員の別その他国土交通省令で定める事項を記載した組合員名簿を作成しなければならない。

２　第百三十六条第一項又は第二項の認可を受けた者又は理事長は、次項の規定による通知を受けたとき、又は組合員名簿の記載事項の変更を知ったときは、遅滞なく、組合員名簿に必要な変更を加えなければならない。

３　組合員は、組合員名簿の記載事項に変更を生じたときは、その旨を事業組合に通知しなければならない。

（組合員の権利義務の移転についての都市再開発法の準用）

第一四七条　都市再開発法第二十二条の規定は、事業組合の組合員の権利義務の移転について準用する。

（役員）

第一四八条　事業組合に、役員として、理事三人以上及び監事二人以上を置く。

２　事業組合に、役員として、理事長一人を置き、理事の互選によりこれを定める。

３　都市再開発法第二十四条から第二十八条までの規定は、事業組合の役員について準用する。この場合において、同法第二十七条第十項中「組合」とあるのは、「防災街区整備事業組合」と読み替えるものとする。

（総会の組織）

第一四九条　事業組合の総会は、総組合員で組織する。

（総会の決議事項）

第一五〇条　次に掲げる事項は、総会の議決を経なければならない。

一　定款の変更
二　事業計画の決定
三　事業計画又は事業基本方針の変更
四　借入金の借入れ及びその方法並びに借入金の利率及び償還方法
五　経費の収支予算
六　予算をもって定めるもののほか、事業組合の負担となるべき契約
七　賦課金の額及び賦課徴収の方法
八　権利変換計画及びその変更
九　事業代行開始の申請
十　第二百七十七条第一項の管理規約
十一　事業組合の解散
十二　その他定款で定める事項

（総会の招集及び議事についての都市再開発法の準用）

第一五一条　都市再開発法第三十一条の規定は事業組合の総会の招集について、同法第三十二条の規定は事業組合の総会の議事について準用する。この場合において、同法第三十一条第七項中「第十一条第一項又は第二項」とあるのは、「密集市街地整備法第百三十六条第一項又は第二項」と読み替えるものとする。

（特別の議決）

第一五二条　第百五十条第一号及び第三号に掲げる事項のうち政令で定める重要な事項並びに同条第九号から第十一号までに掲げる事項は、総組合員の三分の二以上が出席し、出席者の議決権の三分の二以上で、かつ、施行地区内の宅地の所有者である出席者の議決権及び施行地区内の宅地の借地権者である出席者の議決権のそれぞれの三分の二以上で決する。第百三十八条第一項後段の規定は、この場合について準用する。

（総会の部会）

第一五三条　事業組合は、施行地区が工区に分かれているときは、総会の議決を経て、工区ごとに総会の部会を設け、工区内の宅地及び建築物に関し、第百五十条第八号及び第十号に掲げる事項についての総会の権限をその部会に行わせることができる。

２　総会の部会は、その部会の設けられる工区に関係のある組合員で組織する。

３　都市再開発法第三十一条第二項から第六項まで及び第八項並びに第三十二条の規定並びに前条の規定は、事業組合の総会の部会について準用する。この場合において、同法第三十一条第三項中「組合員が」とあるのは「部会を組織する組合員が」と、同項及び同法第三十二条第一項並びに前条中「総組合員」とあるのは「部会を組織する総組合員」と、同法第三十一条第四項及び第八項並びに第三十二条第三項中「組合員」とあるのは「部会を組織する組合員」と読み替えるものとする。

（総代会）

第一五四条　組合員の数が五十人を超える事業組合は、総会に代わってその権限を行わせるために総代会を設けることができる。

２　総代会は、総代をもって組織するものとし、総代の定数は、組合員の総数の十分の一を下らない範囲内において定款で定める。ただし、組合員の総数が二百人を超える事業組合にあっては、二十人以上であることをもって足りる。

３　総代会が総会に代わって行う権限は、次に掲げる事項以外の事項に関する総会の権限とする。

一　理事及び監事の選挙又は選任
二　第百五十二条の規定に従って議決しなければならない事項

４　都市再開発法第三十一条第一項から第六項まで及び第八項並びに第三十二条（第三項ただし書を除く。）の規定は事業組合の総代会について、同法第三十五条第五項の規定は総代会が設けられた事業組合について準用する。

（総代）

第一五五条　総代は、定款で定めるところにより、組合員が組合員（法人にあっては、その役員）のうちから選挙する。

２　総代の任期は、五年を超えない範囲内において定款で定める。補欠の総代の任期は、前任者の残任期間とする。

３　都市再開発法第二十四条第二項及び第二十六条の規定は、事業組合の総代について準用する。この場合において、同項中「前項本文」とあるのは、「密集市街地整備法第百五十五条第一項」と読み替えるものとする。

（議決権及び選挙権）

第一五六条　組合員及び総代は、定款に特別の定めがある場合を除き、各一個の議決権及び選挙権を有する。

2　施行地区内の宅地について所有権と借地権とをともに有する組合員は、第百五十二条の規定による議決については、前項の規定にかかわらず、宅地の所有者である組合員として、及び宅地の借地権者である組合員として、それぞれ議決権を有する。施行地区内の宅地の所有者である組合員及び施行地区内の宅地の借地権者である組合員が各別に総代を選挙するものと定款で定めた場合におけるその選挙に係る選挙権についても、同様とする。

3　事業組合と特定の組合員との関係について議決をする場合には、その組合員は、議決権を有しない。

4　組合員は書面又は代理人をもって、総代は書面をもって、議決権及び選挙権を行使することができる。

5　組合員及び総代は、定款で定めるところにより、前項の規定による書面をもってする議決権及び選挙権の行使に代えて、電磁的方法により議決権及び選挙権を行使することができる。

6　前二項の規定により議決権及び選挙権を行使する者は、第百五十一条、第百五十三条第三項及び第百五十四条第四項において準用する都市再開発法第三十二条第一項の規定並びに第百五十二条（第百五十三条第三項において準用する場合を含む。）の規定の適用については、出席者とみなす。

7　代理人は、同時に五人以上の組合員を代理することができない。

8　代理人は、代理権を証する書面を事業組合に提出しなければならない。

9　前項の場合において、電磁的方法により議決権及び選挙権を行使することが定款で定められているときは、代理人は、当該書面の提出に代えて、当該書面において証すべき事項を当該電磁的方法により提供することができる。この場合において、当該代理人は、当該書面を提出したものとみなす。

（定款又は事業計画若しくは事業基本方針の変更）

第一五七条　事業組合は、定款又は事業計画若しくは事業基本方針を変更しようとするときは、国土交通省令で定めるところにより、都道府県知事の認可を受けなければならない。

2　第百二十二条第三項、第百三十八条及び第百三十九条の規定は事業組合が事業計画又は事業基本方針を変更して新たに施行地区に編入しようとする土地がある場合に、第百二十五条の規定は事業組合が公共施設に関係のある事業計画の変更をしようとする場合に、第百二十九条第三項の規定は事業組合が施行地区の縮小又は事業に要する経費の分担に関し定款又は事業計画若しくは事業基本方針を変更しようとする場合に、第百三十九条の二の規定は事業組合が事業基本方針の変更の認可を受けて事業計画を定めようとする場合に、第百四十条の規定は事業計画の変更（国土交通省令で定める軽微な変更を除く。）の認可の申請があった場合に、第百二十二条第二項、第百四十一条及び第百四十三条の規定は前項の規定による認可について準用する。この場合において、第百二十二条第三項中「施行地区となるべき区域」とあり、及び第百四十条第一項中「施行地区となるべき区域（同項の規定による認可の申請にあっては、施行地区）」とあるのは「施行地区及び新たに施行地区となるべき区域」と、第百二十二条第二項中「施行地区となるべき区域」とあるのは「施行地区又は新たに施行地区となるべき区域」と、第百四十三条第一項中「認可」とあるのは「認可に係る定款又は事業計画についての変更の認可」と、同条第二項中「認可」とあるのは「認可に係る定款又は事業基本方針についての変更の認可」と、同条第三項中「事業組合の成立又は定款若しくは事業計画」とあるのは「定款又は事業計画の変更」と、「事業組合の成立又は定款若しくは事業基本方針」とあるのは「定款又は事業基本方針の変更」と、「あるまでは事業計画」とあるのは「あるまでは事業計画の変更」と、「組合員その他の」とあるのは「その変更について第百五十七条第一項の規定による認可があった際に従前から組合員であった者以外の」と読み替えるものとする。

（経費の賦課徴収）

第一五八条　事業組合は、その事業に要する経費に充てるため、賦課金として参加組合員以外の組合員に対して金銭を賦課徴収することができる。

2　賦課金の額は、組合員が施行地区内に有する宅地又は借地の位置、地積等を考慮して公平に定めなければならない。

3　組合員は、賦課金の納付について、相殺をもって事業組合に対抗することができない。

4　事業組合は、組合員が賦課金の納付を怠ったときは、定款で定めるところにより、その組合員に対して過怠金を課することができる。

（参加組合員の負担金及び分担金）

第一五九条　参加組合員は、権利変換計画で定めるところに従い取得することとなる防災施設建築物の一部等の価額に相当する額の負担金及び事業組合の防災街区整備事業に要する経費に充てるための分担金を、国土交通省令で定めるところにより、事業組合に納付しなければならない。

2　前条第三項及び第四項の規定は、前項の負担金及び分担金について準用する。

（賦課金等の滞納処分）

第一六〇条　事業組合は、組合員が賦課金、負担金、分担金又は過怠金を滞納したときは、督促状を発して督促し、その者がその督促状において指定した期限までに納付しないときは、市町村長に対し、その徴収を申請することができる。

2　市町村長は、前項の規定による申請があったときは、事業組合のために、地方税の滞納処分の例により滞納処分をするものとする。この場合においては、事業組合は、市町村長の徴収した金額の百分の四に相当する金額を当該市町村に納付しなければならない。

3　市町村長が第一項の規定による申請を受けた日から起算して三十日以内に滞納処分に着手せず、又は九十日以内にこれを終了しないときは、事業組合の理事長は、都道府県知事の認可を受けて、地方税の滞納処分の例により、滞納処分をすることができる。

4　前二項の規定による徴収金の先取特権の順位は、国税及び地方税に次ぐものとする。

5　都市再開発法第四十二条の規定は、事業組合の賦課金、負担金、分担金及び過怠金を徴収する権利について準用する。この場合において、同条第二項中「前条第一項」とあるのは、「密集市街地整備法第百六十条第一項」と読み替えるものとする。

（審査委員）

第一六一条　事業組合に、この法律及び定款で定める権限を行わせるため、審査委員三人以上を置く。

2　審査委員は、土地及び建物の権利関係又は評価について特別の知識経験を有し、かつ、公正な判断をすることができる者のうちから総会で選任する。

3　前二項に規定するもののほか、審査委員に関し必要な事項は、政令で定める。

（組合員等の特則）

第一六二条　権利変換期日以後においては、事業組合又は参加組合員が取得するものを除き、次の各号に掲げるものは当該各号に定めるものとみなし、事業組合又は参加組合員が取得した第一号に掲げる共有持分は存しないものとみなして、組合員に関する規定を適用する。

一　防災施設建築敷地の各共有持分又は第二百二十二条第一項の規定による地上権の各共有持分　それぞれ一個の宅地又は地上権

二　防災施設建築敷地の地積に前号の各共有持分又は同号の地上権の各共有持分の割合を乗じて得た数値　それぞれ宅地の地積又は借地の地積

2　第百五十条第十号に掲げる事項の議決に係る第百五十二条の適用については、第二百二条第五項に規定する指定宅地の所有者又は借地権者であって施行地区内の他の宅地について所有権又は借地権を有しないもの（権利変換期日以後においては、個別利用区内の宅地の所有者又は借地権者であって施行地区内の他の宅地について所有権又は借地権を有しないもの）は組合員でないものとみなし、同項に規定する指定宅地（権利変換期日以後においては、個別利用区内の宅地）は施行地区内の宅地及び借地に含まれないものとみなす。

第四目　解散

（解散）

第一六三条　事業組合は、次に掲げる理由により解散する。

一　設立についての認可の取消し

二　総会の議決

三　事業の完成

2　前項第二号の議決は、権利変換期日前に限り行うことができるものとする。

3　事業組合は、第一項第二号又は第三号に掲げる理由により解散しようとする場合において、借入金があるときは、解散について債権者の同意を得なければならない。

4　事業組合は、第一項第二号又は第三号に掲げる理由により解散しようとするときは、国土交通省令で定めるところにより、都道府県知事の認可を受けなければならない。

5　第百二十二条第二項の規定は、前項の規定による認可の申請について準用する。この場合において、同条第二項中「施行地区」とあるのは、「施行地区となるべき区域」と読み替えるものとする。

6　都道府県知事は、事業組合の設立についての認可を取り消したとき、又は第四項の規定による認可をしたときは、速やかに、その旨を公告しなければならない。

7　事業組合は、前項の公告があるまでは、解散をもって組合員以外の第三者に対抗することができない。

（事業組合の解散及び清算についての都市再開発法の準用）

第一六四条　都市再開発法第四十五条の二から第五十条までの規定は、事業組合の解散及び清算について準用する。

第五目　税法上の特例

第一六四条の二　事業組合は、法人税法（昭和四十年法律第三十四号）その他法人税に関する法令の規定の適用については、同法第二条第六号に規定する公益法人等とみなす。この場合において、同法第三十七条の規定を適用する場合には同条第四項中「公益法人等（」とあるのは「公益法人等（防災街区整備事業組合並びに」と、同法第六十六条の規定を適用する場合には同条第一項中「普通法人」とあるのは「普通法人（防災街区整備事業組合を含む。）」と、同条第二項中「除く」とあるのは「除くものとし、防災街区整備事業組合を含む」と、同条第三項中「公益法人等（」とあるのは「公益法人等（防災街区整備事業組合及び」とする。

2　事業組合は、消費税法（昭和六十三年法律第百八号）その他消費税に関する法令の規定の適用については、同法別表第三に掲げる法人とみなす。

第三款　事業会社

（施行の認可）

第一六五条　第百十九条第三項の規定により防災街区整備事業を施行しようとする者は、規準及び事業計画を定め、国土交通省令で定めるところにより、都道府県知事の認可を受けなければならない。

2　第百二十二条第二項及び第三項の規定は、前項の規定による認可について準用する。

3　第百十九条第三項の規定による施行者（以下「事業会社」という。）が施行する防災街区整備事業については、第一項の規定による認可をもって都市計画法第五十九条第四項の規定による認可とみなす。第百二十二条第四項ただし書の規定は、この場合について準用する。

（規準）

第一六六条　前条第一項の規準には、次に掲げる事項を記載しなければならない。

一　防災街区整備事業の名称
二　施行地区（施行地区を工区に分けるときは、施行地区及び工区）に含まれる地域の名称
三　防災街区整備事業の範囲
四　事務所の所在地
五　特定事業参加者（第百七十三条第一項の負担金を納付し、権利変換計画で定めるところに従い防災施設建築物の一部等を取得する者をいう。以下この款において同じ。）に関する事項
六　事業に要する経費の分担に関する事項
七　事業年度
八　公告の方法
九　その他国土交通省令で定める事項

2　事業会社は、規準において前項第五号の特定事業参加者に関する事項を定めようとするときは、原則として、特定事業参加者を公募しなければならない。ただし、施行地区となるべき区域内に宅地、借地権若しくは権原に基づき建築物を有する者又は当該区域内の建築物の借家権者（借家権を有する者をいう。以下同じ。）が、事業会社が取得することとなる防災施設建築物の一部等をその居住又は業務の用に供するため特に取得する必要がある場合において、これらの者を特定事業参加者として同号の特定事業参加者に関する事項を定めようとするときは、この限りでない。

3　事業会社は、規準において第一項第五号の特定事業参加者に関する事項を定めようとするときは、第百七十三条第一項の防災施設建築物の一部等の価額に相当する額を負担するのに必要な資力及び信用を有する者を特定事業参加者とするようにしなければならない。

（宅地の所有者及び借地権者の同意）

第一六七条　第百六十五条第一項の規定による認可を申請しようとする者は、規準及び事業計画について、施行地区となるべき区域内の宅地のすべての所有者及びその区域内の宅地のすべての借地権者のそれぞれの三分の二以上の同意を得なければならない。この場合においては、同意した者が所有するその区域内の宅地の地積と同意した者のその区域内の借地の地積との合計が、その区域内の宅地の総地積と借地の総地積との合計の三分の二以上でなければならない。

2　都市再開発法第七条の二第五項の規定は、前項の規定により同意を得る場合について準用する。

（借地権の申告）

第一六八条　前条第一項に規定する同意を得ようとする者は、あらかじめ、施行地区となるべき区域の公告を当該区域を管轄する市町村長に申請しなければならない。

2　第百三十九条第二項から第四項までの規定は、前項の規定による申請があった場合について準用する。この場合において、同条第四項中「前条第一項」とあるのは、「第百六十七条第一項」と読み替えるものとする。

（事業計画等）

第一六九条　第百二十四条及び第百二十五条の規定は事業計画について、第百四十条の規定は規準及び事業計画について準用する。この場合において、第百二十五条中「第百二十二条第一項」とあり、並びに第百四十条第一項及び第六項中「第百三十六条第一項又は第三項」とあるのは「第百六十五条第一項」と、同条第一項ただし書中「次条各号」とあるのは「第百七十条各号」と、同条第三項中「参加組合員」とあるのは「第百六十六条第一項第五号の特定事業参加者」と読み替えるものとする。

（認可の基準）

第一七〇条　都道府県知事は、第百六十五条第一項の規定による認可の申請があった場合において、次の各号のいずれにも該当しないと認めるときは、その認可をしなければならない。

一　申請者が第百十九条第三項各号に掲げる要件のすべてに該当する株式会社でないこと。
二　申請手続が法令に違反していること。
三　規準又は事業計画の決定手続又は内容が法令（前条において準用する第百四十条第四項の規定による都道府県知事の命令を含む。）に違反していること。
四　事業計画の内容が当該防災街区整備事業に関する都市計画に適合せず、又は事業施行期間が適切でないこと。
五　当該防災街区整備事業を遂行するために必要な経済的基礎及びこれを的確に遂行するために必要なその他の能力が十分でないこと。

（認可の公告等）

第一七一条　都道府県知事は、第百六十五条第一項の規定による認可をしたときは、速やかに、国土交通省令で定めるところにより、事業会社の名称、防災街区整備事業の名称、事業施行期間、施行地区（施行地区を工区に分けるときは、施行地区及び工区。以下この項において同じ。）その他国土交通省令で定める事項を公告し、かつ、国土交通大臣及び関係市町村長に施行地区及び設計の概要を表示する図書を送付しなければならない。

2　事業会社は、前項の公告があるまでは、施行者として、又は規準若しくは事業計画をもって第三者に対抗することができない。

3　市町村長は、第二百四十条第二項又は第二百七十一条第五項の公告の日まで、政令で定めるところにより、第一項の図書を公衆の縦覧に供しなければならない。

（規準又は事業計画の変更）

第一七二条　事業会社は、規準又は事業計画を変更しようとするときは、国土交通省令で定めるところにより、都道府県知事の認可を受けなければならない。

2　第百二十二条第三項及び第百六十八条の規定は事業会社が事業計画を変更して新たに施行地区に編入しようとする土地がある場合に、第百二十五条の規定は事業会社が公共施設に関係のある事業計画の変更をしようとする場合に、第百二十九条第三項の規定は事業会社が施行地区の縮小又は事業に要する経費の分担に関し規準又は事業計画を変更しようとする場合

に、第百四十条の規定は規準又は事業計画の変更（国土交通省令で定める軽微な変更を除く。）の認可の申請があった場合に、第百二十二条第二項、第百六十七条及び前二条の規定は前項の規定による認可について準用する。この場合において、第百二十二条第三項及び第百六十七条第一項中「施行地区となるべき区域」とあり、並びに第百四十条第一項中「施行地区となるべき区域（同項の規定による認可の申請にあっては、施行地区）」とあるのは「施行地区及び新たに施行地区となるべき区域」と、同項ただし書中「次条各号」とあるのは「第百七十二条第二項において準用する第百七十条各号」と、同条第三項中「参加組合員」とあるのは「第百六十六条第一項第五号の特定事業参加者」と、第百二十二条第二項中「施行地区となるべき区域」とあるのは「施行地区又は新たに施行地区となるべき区域」と、第百六十七条第一項中「所有者及び」とあるのは「所有者並びに」と、第百七十条第一号中「でないこと」とあるのは「でないこと。この場合において、同項第三号及び第四号中「施行地区となるべき区域」とあるのは、「施行地区及び新たに施行地区となるべき区域」とする」と、前条第一項中「認可」とあるのは「認可に係る規準又は事業計画についての変更の認可」と、同条第二項中「施行者として、又は規準若しくは事業計画」とあるのは「規準又は事業計画の変更」と読み替えるものとする。

（特定事業参加者の負担金等）

第一七三条　事業会社が施行する防災街区整備事業における特定事業参加者は、権利変換計画で定めるところに従い取得することとなる防災施設建築物の一部等の価額に相当する額の負担金を、国土交通省令で定めるところにより、事業会社に納付しなければならない。

2　特定事業参加者は、前項の負担金の納付について、相殺をもって事業会社に対抗することができない。

3　事業会社は、特定事業参加者が負担金の納付を怠ったときは、規準で定めるところにより、特定事業参加者に対して過怠金を課することができる。

（負担金等の滞納処分）

第一七四条　事業会社は、特定事業参加者が負担金又は過怠金を滞納したときは、督促状を発して督促し、その者がその督促状において指定した期限までに納付しないときは、市町村長に対し、その徴収を申請することができる。

2　第百六十条第二項から第四項までの規定は、前項の規定による申請があった場合について準用する。この場合において、同条第二項中「事業組合」とあるのは「第百六十五条第三項の事業会社」と、同条第三項中「事業組合の理事長」とあるのは「第百六十五条第三項の事業会社の代表者」と読み替えるものとする。

3　都市再開発法第四十二条の規定は、事業会社の負担金及び過怠金を徴収する権利について準用する。この場合において、同条第二項中「前条第一項」とあるのは、「密集市街地整備法第百七十四条第一項」と読み替えるものとする。

（事業会社の合併若しくは分割又は事業の譲渡及び譲受け）

第一七五条　事業会社の合併若しくは分割又は事業会社が施行する防災街区整備事業の全部若しくは一部の譲渡及び譲受けは、都道府県知事の認可を受けなければ、その効力を生じない。

2　第百二十二条第二項及び第三項、第百七十条並びに第百七十一条の規定は、前項の規定による認可について準用する。この場合において、第百二十二条第二項及び第三項中「施行地区となるべき区域」とあるのは「施行地区」と、第百七十条中「次の各号のいずれにも該当しない」とあるのは「次の各号（第三号及び第四号を除く。）のいずれにも該当せず、規準及び事業計画の変更を伴わない」と、同条第一号中「でないこと」とあるのは「でないこと。この場合において、同項第三号及び第四号中「施行地区となるべき区域」とあるのは、「施行地区」とする」と読み替えるものとする。

（権利義務の承継についての都市再開発法の準用）

第一七六条　都市再開発法第五十条の十三の規定は、事業会社の合併若しくは分割又は事業会社の施行する防災街区整備事業の全部の譲渡があった場合の権利義務の承継について準用する。

（審査委員）

第一七七条　事業会社は、都道府県知事の承認を受けて、土地及び建物の権利関係又は評価について特別の知識経験を有し、かつ、公正な判断をすることができる者のうちから、この法律及び規準で定める権限を行う審査委員三人以上を選任しなければならない。

2　前項に規定するもののほか、審査委員に関し必要な事項は、政令で定める。

（防災街区整備事業の終了）

第一七八条　事業会社は、防災街区整備事業を終了しようとするときは、国土交通省令で定めるところにより、その終了について都道府県知事の認可を受けなければならない。

2　第百二十二条第二項並びに第百七十一条第一項（図書の送付に係る部分を除く。）及び第二項の規定は、前項の規定による認可について準用する。この場合において、第百二十二条第二項中「施行地区となるべき区域」とあるのは「施行地区」と、第百七十一条第二項中「施行者として、又は規準若しくは事業計画をもって」とあるのは「防災街区整備事業の終了を」と読み替えるものとする。

第四款　地方公共団体

（施行規程及び事業計画の決定等）

第一七九条　地方公共団体（第百十九条第五項の規定により防災街区整備事業を施行する場合に限る。以下この款、第百九十一条第二項第四号、第二百条並びに第二百五十条第三項及び第四項において同じ。）は、防災街区整備事業を施行しようとするときは、施行規程及び事業計画を定めなければならない。この場合において、事業計画において定めた設計の概要については、国土交通省令で定めるところにより、都道府県にあっては国土交通大臣の、市町村にあっては都道府県知事の認可を受けなければならない。

2　地方公共団体が施行する防災街区整備事業について事業計画が定められたときは、前項後段の規定による認可をもって都市計画法第五十九条第一項又は第二項の規定による認可とみなす。第百二十二条第四項ただし書の規定は、この場合について準用する。

（施行規程）

第一八〇条　施行規程は、前条第一項前段の地方公共団体の条例で定める。

2　施行規程には、次に掲げる事項を記載しなければならない。

一　防災街区整備事業の名称

二　施行地区（施行地区を工区に分けるときは、施行地区及び工区）に含まれる地域の名称

三　防災街区整備事業の範囲

四　事務所の所在地

五　特定事業参加者（第百八十五条第一項の負担金を納付し、権利変換計画で定めるところに従い防災施設建築物の一部等を取得する者をいう。以下この款において同じ。）に関する事項

六　事業に要する経費の分担に関する事項

七　防災街区整備事業の施行により施行者が取得する防災施設建築敷地若しくはその共有持分、防災施設建築物の一部等又は個別利用区内の宅地の管理及び処分の方法に関する事項

八　防災街区整備審査会及びその委員に関する事項（委員の報酬及び費用弁償に関する事項を除く。）

九　その他国土交通省令で定める事項

3　第百六十六条第二項及び第三項の規定は、施行規程において前項第五号の特定事業参加者に関する事項を定めようとする場合について準用する。この場合において、同条第三項中「第百七十三条第一項」とあるのは、「第百八十五条第一項」と読み替えるものとする。

（事業計画）

第一八一条　地方公共団体は、事業計画を定めようとするときは、政令で定めるところにより、当該事業計画を二週間公衆の縦覧に供しなければならない。

2　第百四十条第三項から第六項までの規定は、前項の場合について準用する。この場合において、同条第三項中「参加組合員」とあるのは「第百八十条第二項第五号の特定事業参加者」と、同項から同条第五項までの規定中「都道府県知事」とあるのは「第百七十九条第一項前段の地方公共団体」と、同条第四項中「加えるべきことを命じ」とあるのは「加え」と、同条第六項中「第百三十六条第一項又は第三項の規定による認可を申請した者」とあるのは「第百七十九条第一項前段の地方公共団体」と、「加え、その旨を都道府県知事に申告した」とあるのは「加えた」と読み替えるものとする。

3　第百七十九条第一項後段の規定による認可を申請する場合においては、施行地区（施行地区を工区に分けるときは、施行地区及び工区）及び設計の概要を表示する図書を提出しなければならない。

4　第百二十四条及び第百二十五条の規定は、事業計画について準用する。

この場合において、同条中「第百二十二条第一項の規定による認可を申請しようとする者は」とあるのは「地方公共団体は、事業計画を定めようとするときは」と、「の同意を得なければ」とあるのは「と協議しなければ」と読み替えるものとする。

（事業計画の公告）

第一八二条　地方公共団体は、事業計画を定めたときは、速やかに、国土交通省令で定めるところにより、防災街区整備事業の名称、事業施行期間、施行地区（施行地区を工区に分けるときは、施行地区及び工区）その他国土交通省令で定める事項を公告しなければならない。

2　地方公共団体は、前項の公告があるまでは、事業計画をもって第三者に対抗することができない。

（施行地区及び設計の概要を表示する図書の送付及び縦覧）

第一八三条　国土交通大臣又は都道府県知事は、第百七十九条第一項後段の規定による認可をしたときは、速やかに、国土交通大臣にあっては関係都道府県知事及び関係市町村長に、都道府県知事にあっては国土交通大臣及び関係市町村長に第百八十一条第三項の図書の写しを送付しなければならない。

2　市町村長は、前条第一項の公告の日から第二百四十四条第二項の公告の日まで、政令で定めるところにより、前項の図書を公衆の縦覧に供しなければならない。

（事業計画の変更についての準用）

第一八四条　事業計画の変更については、第百七十九条第一項後段及び前三条の規定（国土交通省令で定める軽微な事業計画の変更にあっては、第百八十一条第一項から第三項までの規定を除く。）を準用する。この場合において、第百八十一条第四項後段中「定めよう」とあるのは、「変更しよう」と読み替えるものとする。

（特定事業参加者の負担金等）

第一八五条　地方公共団体が施行する防災街区整備事業における特定事業参加者は、権利変換計画で定めるところに従い取得することとなる防災施設建築物の一部等の価額に相当する額の負担金を、国土交通省令で定めるところにより、地方公共団体に納付しなければならない。

2　特定事業参加者は、前項の負担金の納付について、相殺をもって地方公共団体に対抗することができない。

（負担金の滞納処分）

第一八六条　地方公共団体は、特定事業参加者が前条第一項の負担金を滞納したときは、督促状によって納付すべき期限を指定して督促することができる。

2　前項の督促をするときは、政令で定めるところにより、年十四・五パーセントの割合を乗じて計算した額の範囲内の延滞金を徴収することができる。

3　第一項の督促を受けた特定事業参加者がその督促状において指定した期限までにその納付すべき金額を納付しないときは、地方公共団体は、国税滞納処分の例により、同項の負担金及び前項の延滞金を徴収することができる。この場合における負担金及び延滞金の先取特権の順位は、国税及び地方税に次ぐものとする。

4　延滞金は、負担金に先立つものとする。

5　都市再開発法第四十二条の規定は、地方公共団体が第一項の負担金及び第二項の延滞金を徴収する権利について準用する。この場合において、同条第二項中「前条第一項」とあるのは、「密集市街地整備法第百八十六条第一項」と読み替えるものとする。

（防災街区整備審査会）

第一八七条　地方公共団体が施行する防災街区整備事業ごとに、この法律及び施行規程で定める権限を行わせるため、その地方公共団体に、防災街区整備審査会を置く。

2　施行地区を工区に分けたときは、防災街区整備審査会は、工区ごとに置くことができる。

3　防災街区整備審査会は、五人以上であって施行規程で定める数の委員をもって組織する。

4　防災街区整備審査会の委員は、次に掲げる者のうちから、地方公共団体の長が任命する。

一　土地及び建物の権利関係又は評価について特別の知識経験を有し、かつ、公正な判断をすることができる者

二　施行地区内の宅地の所有者又は借地権者

5　前項第一号に掲げる者のうちから任命される委員の数は、三人以上でなければならない。

第五款　独立行政法人都市再生機構等

（施行規程及び事業計画の認可等）

第一八八条　独立行政法人都市再生機構又は地方住宅供給公社（第百十九条第五項又は第六項の規定により防災街区整備事業を施行する場合に限る。以下「都市再生機構等」という。）は、防災街区整備事業を施行しようとするときは、施行規程及び事業計画を定め、国土交通省令で定めるところにより、国土交通大臣（市のみが設立した地方住宅供給公社にあっては、都道府県知事）の認可を受けなければならない。施行規程又は事業計画を変更しようとするときも、同様とする。

2　都市再生機構等が施行する防災街区整備事業については、前項前段の規定による認可をもって都市計画法第五十九条第四項の規定による認可とみなす。第百二十二条第四項ただし書の規定は、この場合について準用する。

3　第百六十六条第二項及び第三項並びに第百八十条第二項の規定は施行規程について、第百二十四条及び第百二十五条の規定は事業計画について、第百四十条（第一項ただし書を除く。）及び第百四十三条（第二項を除く。）の規定は施行規程及び事業計画について準用する。この場合において、第百六十六条第二項中「前項第五号」とあり、及び同条第三項中「第一項第五号」とあるのは「第百八十八条第三項において準用する第百八十条第二項第五号」と、同項中「第百七十三条第一項」とあり、及び第百八十条第二項第五号中「第百八十五条第一項」とあるのは「第百八十九条第一項」と、第百二十五条中「の同意を得なければ」とあるのは「と協議しなければ」と、第百四十条第一項及び第三項から第六項まで並びに第百四十三条第一項中「都道府県知事」とあるのは「国土交通大臣（市のみが設立した地方住宅供給公社にあっては、都道府県知事）」と、第百四十条第三項中「参加組合員」とあるのは「第百八十八条第三項において準用する第百八十条第二項第五号の特定事業参加者」と、同条第六項中「第百三十六条第一項又は第三項の規定による認可を申請した者」とあるのは「都市再生機構等」と、第百四十三条第一項中「事業組合」とあるのは「防災街区整備事業」と、「国土交通大臣」とあるのは「関係都道府県知事（市のみが設立した地方住宅供給公社にあっては、国土交通大臣）」と、同条第三項中「事業組合は」とあるのは「都市再生機構等は」と、「第百三十六条第一項の認可に係る第一項」とあるのは「第百八十八条第三項において準用する第百四十三条第一項」と、「事業組合の成立又は定款若しくは事業計画をもって、前項の公告があるまでは事業組合の成立又は定款若しくは事業基本方針をもって、同条第三項の認可に係る第一項の公告があるまでは」とあるのは「、施行規程又は」と、「、組合員その他の第三者」とあるのは「第三者」と読み替えるものとする。

4　第百二十五条の規定は施行規程又は事業計画の変更について、第百四十条（第一項ただし書を除く。）並びに第百四十三条第一項及び第四項の規定は施行規程又は事業計画の変更（国土交通省令で定める軽微な変更を除く。）について準用する。この場合においては、前項後段の規定を準用する。

5　都市再生機構等は、前項において準用する第百四十三条第一項の公告があるまでは、施行規程又は事業計画の変更をもって第三者に対抗することができない。

（特定事業参加者の負担金等）

第一八九条　都市再生機構等が施行する防災街区整備事業における特定事業参加者は、権利変換計画で定めるところに従い取得することとなる防災施設建築物の一部等の価額に相当する額の負担金を、国土交通省令で定めるところにより、都市再生機構等に納付しなければならない。

2　第百八十五条第二項の規定は前項の規定により特定事業参加者が負担金を都市再生機構等に納付する場合について、第百八十六条の規定は特定事業参加者が当該負担金を滞納した場合について準用する。この場合において、同条第一項中「前条第一項」とあるのは、「第百八十九条第一項」と読み替えるものとする。

（防災街区整備審査会）

第一九〇条　都市再生機構等が施行する防災街区整備事業ごとに、この法律及び施行規程で定める権限を行わせるため、都市再生機構等に、防災街区整備審査会を置く。

2　第百八十七条第二項から第五項までの規定は、前項の規定により置かれる防災街区整備審査会について準用する。この場合において、同条第四項中「地方公共団体の長」とあるのは、独立行政法人都市再生機構に置かれ

るものについては「独立行政法人都市再生機構理事長」と、地方住宅供給公社に置かれるものについては「地方住宅供給公社理事長」と読み替えるものとする。

3　第一項の防災街区整備審査会の委員は、刑法（明治四十年法律第四十五号）その他の罰則の適用については、法令により公務に従事する職員とみなす。

第四節　防災街区整備事業の施行

第一款　測量、調査等

（**測量及び調査のための土地の立入り等**）

第一九一条　施行者となろうとする者若しくは事業組合を設立しようとする者又は施行者は、防災街区整備事業の施行の準備又は施行のため他人の占有する土地に立ち入って測量又は調査を行う必要があるときは、その必要の限度において、他人の占有する土地に、自ら立ち入り、又はその命じた者若しくは委任した者に立ち入らせることができる。ただし、個人施行者若しくは事業会社となろうとする者若しくは事業組合を設立しようとする者又は個人施行者、事業組合若しくは事業会社にあっては、あらかじめ、都道府県知事（市の区域内にあっては、当該市の長。以下「都道府県知事等」という。）の許可を受けた場合に限る。

2　前項の規定は、次の各号に掲げる防災街区整備事業の区分に応じて当該各号に定める公告があった日の翌日以後、施行者が防災街区整備事業の施行の準備又は施行のため他人の占有する建築物等に立ち入って測量又は調査を行う必要がある場合について準用する。

一　個人施行者が施行する防災街区整備事業　その施行についての認可の公告又は新たな施行地区の編入に係る事業計画の変更の認可の公告

二　事業組合が施行する防災街区整備事業　第百四十三条第一項の公告又は新たな施行地区の編入に係る事業計画の変更の認可の公告

三　事業会社が施行する防災街区整備事業　その施行についての認可の公告又は新たな施行地区の編入に係る事業計画の変更の認可の公告

四　地方公共団体が施行する防災街区整備事業　事業計画の決定の公告又は新たな施行地区の編入に係る事業計画の変更の公告

五　都市再生機構等が施行する防災街区整備事業　施行規程及び事業計画の認可の公告又は新たな施行地区の編入に係る事業計画の変更の認可の公告

3　都市再開発法第六十条第三項から第六項までの規定は、前二項の規定による土地又は建築物等への立入りについて準用する。

（**障害物の伐除及び土地の試掘等**）

第一九二条　前条第一項の規定により他人の占有する土地に立ち入って測量又は調査を行う者は、その測量又は調査を行うに当たり、やむを得ない必要があって、障害となる植物若しくは垣、柵等（以下「障害物」という。）を伐除しようとする場合又は当該土地に試掘若しくはボーリング若しくはこれらに伴う障害物の伐除（以下「試掘等」という。）を行おうとする場合において、当該障害物又は当該土地の所有者及び占有者の同意を得ることができないときは、当該障害物の所在地を管轄する市町村長の許可を受けて当該障害物を伐除し、又は当該土地の所在地を管轄する都道府県知事等の許可を受けて当該土地に試掘等を行うことができる。この場合において、市町村長が許可を与えようとするときは障害物の所有者及び占有者に、都道府県知事等が許可を与えようとするときは土地又は障害物の所有者及び占有者に、あらかじめ、意見を述べる機会を与えなければならない。

2　前項の規定により障害物を伐除しようとする者又は土地に試掘等を行おうとする者は、伐除しようとする日又は試掘等を行おうとする日の三日前までに、その旨を当該障害物又は当該土地若しくは障害物の所有者及び占有者に通知しなければならない。

3　第一項の規定により障害物を伐除しようとする場合（土地の試掘又はボーリングに伴う障害物の伐除をしようとする場合を除く。）において、当該障害物の所有者及び占有者がその場所にいないためその同意を得ることが困難であり、かつ、その現状を著しく損傷しないときは、施行者となろうとする者、事業組合を設立しようとする者若しくは施行者又はその命じた者若しくは委任した者は、前二項の規定にかかわらず、当該障害物の所在地を管轄する市町村長の許可を受けて、直ちに、当該障害物を伐除することができる。この場合においては、当該障害物を伐除した後、遅滞なく、その旨をその所有者及び占有者に通知しなければならない。

（**証明書等の携帯についての都市再開発法の準用**）

第一九三条　都市再開発法第六十二条の規定は、第百九十一条第一項若しくは第二項の規定により立ち入り、又は前条の規定により伐除し、若しくは試掘等を行う場合について準用する。

（**土地の立入り等に伴う損失の補償**）

第一九四条　施行者となろうとする者若しくは事業組合を設立しようとする者又は施行者は、第百九十一条第一項若しくは第二項又は第百九十二条第一項若しくは第三項の規定による行為により他人に損失を与えたときは、その損失を受けた者に対して、通常生ずべき損失を補償しなければならない。

2　都市再開発法第六十三条第二項及び第三項の規定は、前項の規定による損失の補償について準用する。

（**測量のための標識の設置**）

第一九五条　施行者となろうとする者若しくは事業組合を設立しようとする者又は施行者は、防災街区整備事業の施行の準備又は施行に必要な測量を行うため必要があるときは、国土交通省令で定める標識を設けることができる。

2　何人も、前項の規定により設けられた標識を設置者の承諾を得ないで移転し、若しくは除却し、又は汚損し、若しくは損壊してはならない。

（**関係簿書の閲覧等についての都市再開発法の準用**）

第一九六条　都市再開発法第六十五条の規定は、防災街区整備事業の施行の準備又は施行のための関係簿書の閲覧若しくは謄写又はその謄本若しくは抄本若しくは登記事項証明書の交付について準用する。この場合において、同条中「組合」とあるのは、「防災街区整備事業組合」と読み替えるものとする。

（**建築行為等の制限**）

第一九七条　第百九十一条第二項各号に定める公告があった後は、施行地区内において、防災街区整備事業の施行の障害となるおそれがある土地の形質の変更若しくは建築物等の新築、改築若しくは増築を行い、又は政令で定める移動の容易でない物件の設置若しくは堆積を行おうとする者は、都道府県知事等の許可を受けなければならない。

2　都道府県知事等は、前項の許可の申請があった場合において、その許可をしようとするときは、あらかじめ、施行者の意見を聴かなければならない。

3　都道府県知事等は、第一項の許可をする場合において、防災街区整備事業の施行のため必要があると認めるときは、許可に期限その他必要な条件を付することができる。この場合において、これらの条件は、当該許可を受けた者に不当な義務を課するものであってはならない。

4　都道府県知事等は、第一項の規定に違反し、又は前項の規定により付した条件に違反した者があるときは、これらの者又はこれらの者から当該土地、建築物等若しくは物件についての権利を承継した者に対して、相当の期限を定めて、防災街区整備事業の施行に対する障害を排除するため必要な限度において、当該土地の原状回復又は当該建築物等若しくは物件の移転若しくは除却を命ずることができる。

5　前項の規定により土地の原状回復又は建築物等若しくは物件の移転若しくは除却を命じようとする場合において、過失がなくてその原状回復又は移転若しくは除却を命ずべき者を確知することができないときは、都道府県知事等は、それらの者の負担において、その措置を自ら行い、又はその命じた者若しくは委任した者にこれを行わせることができる。この場合においては、相当の期限を定めて、これを原状回復し、又は移転し、若しくは除却すべき旨及びその期限までに原状回復し、又は移転し、若しくは除却しないときは、都道府県知事等又はその命じた者若しくは委任した者が、原状回復し、又は移転し、若しくは除却する旨を公告しなければならない。

6　前項の規定により土地を原状回復し、又は建築物等若しくは物件を移転し、若しくは除却しようとする者は、その身分を示す証明書を携帯し、関係人の請求があったときは、これを提示しなければならない。

7　第百九十一条第二項各号に定める公告があった後に、施行地区内において土地の形質の変更、建築物等の新築、改築、増築若しくは大修繕又は物件の付加増置（以下この条において「土地の形質の変更等」と総称する。）がされたときは、当該土地の形質の変更等について都道府県知事等の承認があった場合を除き、当該土地、建築物等又は物件に関する権利を有する者は、当該土地の形質の変更等が行われる前の土地、建築物等又は物件の状況に基づいてのみ、次款の規定による施行者に対する権利を主張することができる。

8　前項の承認の申請があったときは、都道府県知事等は、あらかじめ、施行者の意見を聴いて、当該土地の形質の変更等が災害の防止その他やむを得ない理由に基づき必要があると認められる場合に限り、その承認をするものとする。

9　第一項の許可があつたときは、当該許可に係る土地の形質の変更等について第七項の承認があつたものとみなす。

（防災街区整備事業の施行についての周知措置）

第一九八条　第百九十一条第二項各号に定める公告があつたときは、施行者は、速やかに、国土交通省令で定めるところにより、関係権利者に当該防災街区整備事業の概要を周知させるため必要な措置を講ずることにより、防災街区整備事業の施行についてその協力が得られるように努めなければならない。

（土地調書及び物件調書）

第一九九条　施行者は、第百九十一条第二項各号に定める公告があつた後、遅滞なく、土地調書及び物件調書を作成しなければならない。

2　土地収用法（昭和二十六年法律第二百十九号）第三十六条第二項から第六項まで及び第三十七条から第三十八条までの規定は、前項の土地調書及び物件調書について準用する。この場合において、同法第三十七条第一項及び第二項並びに第三十七条の二中「第三十六条第一項」とあるのは「密集市街地における防災街区の整備の促進に関する法律第百九十九条第一項」と、同法第三十七条第一項及び第二項中「収用し、又は使用しようとする土地」とあるのは「施行地区内の各個の土地」と、同法第三十七条の二中「第三十五条第一項」とあるのは「同法第百九十一条第一項又は第二項」と、「同項の」とあるのは「これらの」と読み替えるものとする。

3　土地調書又は物件調書の記載について関係権利者のすべてに異議がないときは、前項において準用する土地収用法第三十六条の規定による立会いは、省略することができる。

（土地の使用）

第二〇〇条　地方公共団体又は都市再生機構等は、防災街区整備事業の施行に伴い移転し、又は除却しなければならない建築物に居住する者を一時的に収容するために必要な施設その他防災街区整備事業の施行のため欠くことのできない材料置場等の施設を設置するため必要がある場合においては、当該施設を土地収用法第三条第三十五号に掲げる施設とみなして、同法に定めるところに従い、施行地区外の土地を使用することができる。

第二款　権利変換手続

第一目　手続の開始

（権利変換手続開始の登記）

第二〇一条　施行者は、第百九十一条第二項各号に定める公告があつたときは、遅滞なく、登記所に、施行地区内の宅地及び建築物並びにその宅地に存する既登記の借地権について、権利変換手続開始の登記を申請し、又は嘱託しなければならない。

2　前項の登記があつた後においては、当該登記に係る宅地若しくは建築物の所有権を有する者又は当該登記に係る借地権を有する者は、これらの権利を処分するときは、国土交通省令で定めるところにより、施行者の承認を得なければならない。

3　施行者は、事業の遂行に重大な支障が生ずることその他正当な理由がなければ、前項の承認を拒むことができない。

4　第二項の承認を得ないでした処分は、施行者に対抗することができない。

5　権利変換期日前において第百六十三条第六項、第二百六十九条第三項又は第二百七十一条第五項の公告があつたときは、施行者（事業組合にあつては、その清算人）は、遅滞なく、登記所に、権利変換手続開始の登記の抹消を申請しなければならない。

（個別利用区内の宅地への権利変換の申出等）

第二〇二条　第百二十四条第二項（第百三十七条第一項、第百六十九条、第百八十一条第四項及び第百八十八条第三項において準用する場合を含む。）の規定により事業計画において個別利用区が定められたときは、施行地区内の宅地の所有者又は借地権者は、次の各号に掲げる場合の区分に応じて当該各号に定める公告があつた日から起算して三十日以内に、施行者に対し、国土交通省令で定めるところにより、権利変換計画において当該宅地の所有権又は借地権に対応して個別利用区内の宅地又はその借地権が与えられるように定めるべき旨の申出をすることができる。この場合において、借地権者にあつては、当該借地の所有者と共同で申出をしなければならない。

一　事業計画が定められた場合　第百九十一条第二項各号に定める公告（事業計画の変更の公告又は事業計画の変更の認可の公告を除く。）

二　事業計画の変更により新たに個別利用区が定められた場合　当該事業計画の変更の公告又は当該事業計画の変更の認可の公告

三　事業計画の変更により従前の施行地区外の土地が新たに施行地区に編入されたことに伴い個別利用区の面積が拡張された場合　当該事業計画の変更の公告又は当該事業計画の変更の認可の公告

2　前項の申出は、次に掲げる要件のすべてに該当するものでなければならない。

一　当該申出をする者以外に、当該申出に係る宅地について借地権その他の土地を使用し、若しくは収益することができる権利（地役権を除く。以下「使用収益権」と総称する。）を有する者又は当該宅地に存する建築物の所有者若しくは借家権者があるときは、これらの者の同意が得られていること。

二　当該申出に係る宅地の地積が、当該宅地に対応して権利変換計画において政令で定める面積（以下「基準面積」という。）以上の規模の宅地を与えるように定めることができるものとして規準、規約、定款又は施行規程で定める規模以上であること。

3　施行者は、第一項の申出があつた場合において、同項の期間の経過後遅滞なく、第一号に該当すると認めるときは当該申出に係る宅地の全部について権利変換計画において当該宅地に対応して個別利用区内の宅地が与えられるべき宅地として指定をし、第二号に該当すると認めるときは当該申出に係る宅地のうち一部について当該指定をし、他の宅地について申出に応じない旨を決定しなければならない。

一　権利変換計画において、第一項の申出に係る宅地の全部について当該宅地に対応して与えられるべき宅地の地積の合計が個別利用区の面積を超えないこととなるとき。

二　権利変換計画において、第一項の申出に係る宅地の全部について当該宅地に対応して与えられるべき宅地の地積の合計が個別利用区の面積を超えることとなるとき。

4　施行者は、前項の規定による指定又は決定をしたときは、速やかに、第一項の申出をした者に対し、その旨を通知しなければならない。

5　施行者は、第三項の規定による指定をしたときは、速やかに、当該指定をした宅地（以下「指定宅地」という。）を公告しなければならない。

6　施行者は、第三項の規定による決定をしたときは、速やかに、その旨を公告しなければならない。

7　次条第一項の申出に係る宅地又は同項若しくは同条第三項の申出に係る建築物が存する宅地について、第五項の規定による指定宅地の公告があつたときは、同条第一項又は第三項の申出は、なかつたものとみなす。

8　施行者が第百三十六条第一項の規定により設立された事業組合である場合においては、最初の役員が選挙され、又は選任されるまでの間は、第一項の申出は、同条第一項の規定による認可を受けた者が受理するものとする。

（権利変換を希望しない旨の申出等）

第二〇三条　施行地区内の宅地（指定宅地を除く。）の所有者若しくは借地権者又は施行地区内の土地（指定宅地を除く。）に権原に基づき建築物を所有する者は、次の各号に掲げる場合の区分に応じて当該各号に定める公告があつた日から起算して三十日以内に、施行者に対し、国土交通省令で定めるところにより、当該宅地、借地権又は建築物について第二百二十一条又は第二百二十二条第一項及び第二項の規定による権利の変換を希望せず、それらに代えて金銭の給付を希望し、又は当該建築物を施行地区外に移転すべき旨の申出をすることができる。

一　事業計画が定められた場合　第百九十一条第二項各号に定める公告（事業計画の変更の公告又は事業計画の変更の認可の公告を除く。）

二　事業計画の変更により従前の施行地区外の土地が新たに施行地区に編入された場合　当該事業計画の変更の公告又は当該事業計画の変更の認可の公告

三　個別利用区内の宅地又はその借地権が与えられるように定めるべき旨の申出に応じない旨の決定があつた場合　当該決定の公告

2　前項の宅地、借地権若しくは建築物について仮登記上の権利、買戻しの特約その他権利の消滅に関する事項の定めの登記若しくは処分の制限の登記があるとき、又は同項の未登記の借地権の存否若しくは帰属について争いがあるときは、それらの権利者又は争いの相手方の同意を得なければ、同項の規定による金銭の給付の希望を申し出ることができない。

3　施行地区内の土地（指定宅地を除く。）に存する建築物の借家権者（その者が更に借家権を設定しているときは、その借家権の設定を受けた者）は、第一項の期間内に施行者に対し、第二百二十二条第五項の規定による借家権の取得を希望しない旨の申出をすることができる。

4　第一項の期間経過後六月以内に第二百十六条の規定による権利変換計画の縦覧の開始（個人施行者が施行する防災街区整備事業にあっては、次条第一項後段の規定による権利変換計画の認可。以下この項において同じ。）がされないときは、当該六月の期間経過後三十日以内に、国土交通省令で定めるところにより、第一項若しくは前項の申出を撤回し、又は新たに第一項若しくは前項の申出をすることができる。その三十日の期間経過後更に六月を経過しても第二百十六条の規定による権利変換計画の縦覧の開始がされないときも、同様とする。

5　第一項第二号に掲げる場合においては、同号に定める公告があった日から起算して三十日以内に、国土交通省令で定めるところにより、同項第一号又は第三号に掲げる場合において同項の期間内に行った同項又は第三項の申出を撤回することができる。

6　第一項第三号に掲げる場合においては、同号に定める公告があった日から起算して三十日以内に、国土交通省令で定めるところにより、同項第一号又は第二号に掲げる場合において同項の期間内に行った同項又は第三項の申出を撤回することができる。

7　前条第八項の規定は、第一項又は第三項の申出について準用する。

第二目　権利変換計画

（権利変換計画の決定及び認可）

第二〇四条　施行者は、前二条の規定による手続に必要な期間の経過後、遅滞なく、施行地区ごとに権利変換計画を定めなければならない。この場合においては、国土交通省令で定めるところにより、都道府県（第百十九条第五項の規定により防災街区整備事業を施行する場合に限る。以下この章及び第三百六条において同じ。）又は都市再生機構等（市のみが設立した地方住宅供給公社を除く。）にあっては国土交通大臣の、個人施行者、事業組合、事業会社、市町村（同項の規定により防災街区整備事業を施行する場合に限る。第二百五十三条を除き、以下この章及び第三百六条において同じ。）又は市のみが設立した地方住宅供給公社（第百十九条第六項の規定により防災街区整備事業を施行する場合に限る。以下同じ。）にあっては都道府県知事の認可を受けなければならない。

2　第百二十六条の規定は、個人施行者が権利変換計画について認可を申請しようとする場合について準用する。この場合において、同条第一項中「施行地区となるべき区域」とあるのは、「施行地区」と読み替えるものとする。

3　第百六十七条の規定は、事業会社が権利変換計画について認可を申請しようとする場合について準用する。この場合において、同条第一項中「施行地区となるべき区域」とあるのは、「施行地区」と読み替えるものとする。

4　第一項後段及び前二項の規定は、権利変換計画を変更する場合（国土交通省令で定める軽微な変更をする場合を除く。）について準用する。

5　施行地区が工区に分かれているときは、権利変換計画は、工区ごとに定めることができる。この場合において、権利変換に関する規定中「施行地区」とあるのは、「工区」とする。

（権利変換計画の内容）

第二〇五条　権利変換計画においては、国土交通省令で定めるところにより、次に掲げる事項を定めなければならない。

一　配置設計

二　施行地区内の宅地（指定宅地を除く。）若しくはその借地権又は施行地区内の土地（指定宅地を除く。）に権原に基づき建築物を有する者で、当該権利に対応して、防災施設建築敷地若しくはその共有持分又は防災施設建築物の一部等を与えられることとなるものの氏名又は名称及び住所

三　前号に掲げる者が施行地区内に有する同号の宅地、借地権又は建築物及びそれらの価額

四　第二号に掲げる者に前号に掲げる宅地に対応して与えられることとなる防災施設建築敷地若しくはその共有持分若しくは防災施設建築物の一部等又は同号に掲げる借地権若しくは建築物に対応して与えられることとなる防災施設建築物の一部等の明細及びそれらの価額の概算額

五　第三号に掲げる宅地、借地権又は建築物について先取特権、質権若しくは抵当権の登記、仮登記、買戻しの特約その他権利の消滅に関する事項の定めの登記又は処分の制限の登記（以下「担保権等の登記」と総称する。）に係る権利を有する者の氏名又は名称及び住所並びにその権利

六　前号に掲げる者が防災施設建築敷地若しくはその共有持分又は防災施設建築物の一部等に関する権利の上に有することとなる権利

七　指定宅地又はその使用収益権を有する者の氏名又は名称及び住所

八　前号に掲げる者が有する指定宅地又はその使用収益権及びそれらの価額

九　第七号に掲げる者に前号に掲げる指定宅地又はその使用収益権に対応して与えられることとなる個別利用区内の宅地又はその使用収益権の明細及びそれらの価額の概算額

十　第八号に掲げる指定宅地又はその使用収益権について担保権等の登記に係る権利を有する者の氏名又は名称及び住所並びにその権利

十一　前号に掲げる者が個別利用区内の宅地又はその使用収益権の上に有することとなる権利

十二　施行地区内の土地（指定宅地を除く。）に存する建築物について賃借権を有する者（その者が更に賃借権を設定しているときは、その賃借権の設定を受けた者）又は施行地区内の土地（指定宅地を除く。）に存する建築物について配偶者居住権を有する者から賃借権の設定を受けた者で、当該賃借権に対応して、防災施設建築物の一部について賃借権を与えられることとなるものの氏名又は名称及び住所

十三　前号に掲げる者に賃借権が与えられることとなる防災施設建築物の一部

十四　施行地区内の土地（指定宅地を除く。）に存する建築物について配偶者居住権を有する者（その者が賃借権を設定している場合を除く。）で、当該配偶者居住権に対応して、防災施設建築物の一部について配偶者居住権を与えられることとなるものの氏名及び住所並びにその配偶者居住権の存続期間

十五　前号に掲げる者に配偶者居住権が与えられることとなる防災施設建築物の一部

十六　防災施設建築敷地の地代の概算額及び地代以外の借地条件の概要

十七　施行者が防災施設建築物の一部を賃貸する場合における標準家賃の概算額及び家賃以外の借家条件の概要

十八　第二百十二条第三項の規定が適用されることとなる者の氏名又は名称及び住所並びにこれらの者が施行地区内に有する宅地、借地権又は建築物及びそれらの価額

十九　施行地区内の宅地（指定宅地を除く。）若しくはこれに存する建築物又はこれらに関する権利を有する者で、この法律の規定により、権利変換期日において当該権利を失い、かつ、当該権利に対応して、防災施設建築敷地若しくはその共有持分若しくは防災施設建築物の一部等又は防災施設建築物の一部についての借家権を与えられないものの氏名又は名称及び住所、失われる宅地若しくは建築物又は権利並びにそれらの価額

二十　参加組合員又は第百六十六条第一項第五号若しくは第百八十条第二項第五号（第百八十八条第三項において準用する場合を含む。）に規定する特定事業参加者（以下単に「特定事業参加者」という。）に与えられることとなる防災施設建築物の一部等の明細並びにその参加組合員又は特定事業参加者の氏名又は名称及び住所

二十一　第四号、第九号及び前号に掲げるもののほか、防災施設建築敷地又はその共有持分、防災施設建築物の一部等及び個別利用区内の宅地の明細、それらの帰属並びにそれらの管理及び処分の方法

二十二　新たな公共施設の用に供する土地の帰属に関する事項

二十三　補償金の支払又は清算金の徴収に係る利子又はその決定方法

二十四　権利変換期日、土地の明渡しの予定時期、個別利用区内の宅地の整備工事の完了の予定時期及び防災施設建築物の建築工事の完了の予定時期

二十五　その他国土交通省令で定める事項

2　宅地（指定宅地を除く。）の所有者又は借地権者が当該宅地の上に建築物を有する場合において、当該宅地、借地権又は建築物について担保権等の登記に係る権利があるときは、これらの宅地、借地権又は建築物は、それぞれ別個の権利者に属するものとみなして権利変換計画を定めなければならない。ただし、次の各号のいずれかに該当する場合は、この限りでない。

一　担保権等の登記に係る権利の消滅について関係権利者のすべての同意があったとき。

二　宅地と建築物又は借地権と建築物とが同一の担保権等の登記に係る権利の目的となっており、かつ、それらのすべての権利の順位が、宅地と

建築物又は借地権と建築物とにおいてそれぞれ同一であるとき。

3　借地権の設定に係る仮登記上の権利（指定宅地に係るものを除く。）があるときは、仮登記権利者が当該借地権を有する場合を除き、宅地の所有者が当該借地権を別個の権利者として有するものとみなして、権利変換計画を定めなければならない。

4　宅地に関する権利又は建築物（指定宅地に存するものを除く。）に関する権利に関して争いがある場合において、その権利の存否又は帰属が確定しないときは、当該権利が存するものとして、又は当該権利が現在の名義人に属するものとして権利変換計画を定めなければならない。ただし、借地権以外の宅地（指定宅地を除く。）を使用し、又は収益する権利の存否が確定しない場合にあっては、その宅地の所有者に対しては、当該権利が存しないものとして、その者に与える防災施設建築物の一部等を定めなければならない。

（権利変換計画の決定の基準）

第二百六条　権利変換計画は、特定防災機能を確保し、都市環境を改善するとともに、防災施設建築物、防災施設建築敷地及び個別利用区内の宅地の合理的利用を図るように定めなければならない。

2　権利変換計画は、関係権利者間の利害の衡平に十分の考慮を払って定めなければならない。

（防災施設建築敷地）

第二百七条　権利変換計画は、一個の防災施設建築物の敷地を一筆の土地となるものとして定めなければならない。

2　一個の防災施設建築物の敷地の地積は、基準面積以上でなければならない。

3　権利変換計画は、防災施設建築敷地に、防災施設建築物の所有を目的とする地上権が設定されるものとして定めなければならない。

4　第二百五条第一項第二号に掲げる者が取得することとなる防災施設建築物の所有を目的とする地上権の共有持分及び当該防災施設建築物の共用部分の共有持分の割合は、政令で定めるところにより、その者が取得することとなる防災施設建築物の一部の位置及び床面積を勘案して定めなければならない。

第二百八条　権利変換計画においては、施行地区内の宅地（指定宅地を除く。）の所有者に対しては、防災施設建築敷地の所有権が与えられるように定めなければならない。

2　二以上の防災施設建築敷地がある場合において、各宅地（指定宅地を除く。）の所有者に与えられる防災施設建築敷地は、個別利用区以外の土地であって、当該防災街区整備事業のうち建築物の敷地及び公共施設の整備に関する事業を、土地区画整理事業として施行したならば、当該各宅地につき換地と定められるべき土地の属すべき防災施設建築敷地とする。

3　一の防災施設建築敷地について二人以上の宅地（指定宅地を除く。）の所有者が所有権を与えられるときは、当該防災施設建築敷地は、各宅地の価額に応ずる割合によりこれらの者の共有に属するものとする。

4　第二百三条第一項の申出に係る宅地については、施行者をその宅地の所有者とみなして前三項の規定を適用する。

（防災施設建築物の一部等）

第二百九条　権利変換計画においては、第二百三条第一項の申出をした者を除き、施行地区内の宅地（指定宅地を除く。）に借地権を有する者及び施行地区内の土地（指定宅地を除く。）に権原に基づき建築物を所有する者に対しては、防災施設建築物の一部等が与えられるように定めなければならない。参加組合員又は特定事業参加者に対しても、同様とする。

2　前項前段に規定する者に対して与えられる防災施設建築物の一部等は、それらの者が権利を有する施行地区内の土地又は建築物の位置、地積又は床面積、環境及び利用状況とそれらの者に与えられる防災施設建築物の一部の位置、床面積及び環境とを総合的に勘案して、それらの者の相互間に不均衡が生じないように、かつ、その価額と従前の価額との間に著しい差額が生じないように定めなければならない。この場合において、二以上の防災施設建築敷地があるときは、その防災施設建築物の一部は、特別の事情がない限り、それらの者の権利に係る土地の所有者に前条第一項及び第二項の規定により与えられることと定められる防災施設建築敷地に建築される防災施設建築物の一部としなければならない。

3　宅地（指定宅地を除く。）の所有者に対しては、その者に与えられる防災施設建築敷地に第二百二十二条第一項本文の規定により地上権が設定されることによる損失の補償として防災施設建築物の一部等が与えられるように定めなければならない。

4　権利変換計画においては、第一項又は前項の規定により与えられるように定められる防災施設建築物の一部等以外の防災施設建築物の一部等は、施行者に帰属するように定めなければならない。

5　権利変換計画においては、第二百三条第三項の申出をした者を除き、施行地区内の土地（指定宅地を除く。）に権原に基づき建築物を所有する者から当該建築物について賃借権の設定を受けている者（その者が更に賃借権を設定しているときは、その賃借権の設定を受けている者）又は施行地区内の土地（指定宅地を除く。）に存する建築物について配偶者居住権を有する者から賃借権の設定を受けている者に対しては、第一項の規定により当該建築物の所有者に与えられることとなる防災施設建築物の一部について、賃借権が与えられるように定めなければならない。ただし、当該建築物の所有者が同条第一項の申出をしたときは、前項の規定により施行者に帰属することとなる防災施設建築物の一部について、賃借権が与えられるように定めなければならない。

6　権利変換計画においては、第二百三条第三項の申出をした者を除き、施行地区内の土地（指定宅地を除く。）に存する建築物について配偶者居住権の設定を受けている者（その者が賃借権を設定している場合を除く。）に対しては、第一項の規定により当該建築物の所有者に与えられることとなる防災施設建築物の一部について、配偶者居住権が与えられるように定めなければならない。ただし、当該建築物の所有者が同条第一項の申出をしたときは、第四項の規定により施行者に帰属することとなる防災施設建築物の一部について、配偶者居住権が与えられるように定めなければならない。

7　前項の場合においては、権利変換計画は、施行地区内の土地（指定宅地を除く。）に存する建築物について配偶者居住権の設定を受けている者に対し与えられることとなる防災施設建築物の一部についての配偶者居住権の存続期間が当該土地に存する建築物の配偶者居住権の存続期間と同一の期間となるように定めなければならない。

（個別利用区内の宅地等）

第二百十条　権利変換計画においては、指定宅地の所有者又はその使用収益権を有する者に対しては、それぞれ個別利用区内の宅地又はその使用収益権が与えられるように定めなければならない。

2　個別利用区内の各宅地の地積は、基準面積以上でなければならない。

3　指定宅地の所有者に対して与えられる個別利用区内の宅地は、それらの者が所有する指定宅地の相互の位置関係、地積、環境、利用状況等と当該指定宅地に対応して与えられることとなる個別利用区内の宅地の相互の位置関係、地積、環境、利用状況等ができる限り照応し、かつ、その価額と従前の価額との間に著しい差額が生じないように定めなければならない。

4　権利変換計画においては、第一項の規定により与えられるように定められる宅地以外の個別利用区内の宅地は、施行者に帰属するように定めなければならない。

5　指定宅地の使用収益権を有する者に対して与えられる個別利用区内の宅地の使用収益権は、従前の使用収益権の目的である指定宅地の所有者に対して与えられることとなる個別利用区内の宅地の上に存するものとして定めなければならない。

（担保権等の登記に係る権利）

第二百十一条　施行地区内の宅地（指定宅地を除く。）若しくはその借地権又は施行地区内の土地（指定宅地を除く。）に権原に基づき所有される建築物について担保権等の登記に係る権利が存するときは、権利変換計画においては、当該担保権等の登記に係る権利は、その権利の目的たる宅地に対応して与えられるものとして定められた防災施設建築敷地若しくはその共有持分若しくは防災施設建築物の一部等に関する権利又はその権利の目的たる借地権若しくは建築物に対応して与えられるものとして定められた防災施設建築物の一部等に関する権利の上に存するものとして定めなければならない。この場合において、借地権の設定に係る仮登記上の権利は、当該借地権に対応して与えられる権利につき、当該仮登記に基づく本登記がされるための条件が成就することを停止条件とする当該対応して与えられる権利の移転請求権として定めなければならない。

2　前項の場合において、関係権利者間の利害の衡平を図るため必要があるときは、施行者は、当該存するものとして定められる権利につき、これらの者の意見を聴いて、必要な定めをすることができる。

3　指定宅地又はその使用収益権について担保権等の登記に係る権利が存す

るときは、権利変換計画においては、当該担保権等の登記に係る権利は、その権利の目的たる指定宅地又はその使用収益権に対応して与えられるものとして定められた個別利用区内の宅地又はその使用収益権の上に存するものとして定めなければならない。

（床面積が過小となる防災施設建築物の一部の処理）

第二百十二条　権利変換計画を第二百六条第一項の基準に適合させるため特別な必要があるときは、第二百九条第二項又は第三項の規定によれば床面積が過小となる防災施設建築物の一部の床面積を増して適正なものとすることができる。この場合においては、必要な限度において、これらの規定によれば床面積が大で余裕がある防災施設建築物の一部の床面積を減ずることができる。

2　施行者は、前項の過小な床面積の基準を定めようとするときは、権利変換計画の決定又は変更に先立って、政令で定める基準に従い、審査委員の過半数の同意を得、又は防災街区整備審査会の議決を経て定めなければならない。この場合において、防災街区整備審査会の議決は、第百八十七条第四項第一号（第百九十条第二項において準用する場合を含む。）に掲げる委員の過半数を含む委員の過半数の賛成によって決する。

3　権利変換計画においては、前項の規定により床面積の基準が定められたときは、当該基準に照らし床面積が著しく小である防災施設建築物の一部又はその防災施設建築物の一部についての借家権が与えられることとなる者に対しては、第二百九条並びに前条第一項及び第二項の規定にかかわらず、防災施設建築物の一部等又は借家権が与えられないように定めることができる。

（宅地等の価額の算定基準）

第二百十三条　第二百五条第一項第三号、第八号、第十八号又は第十九号の価額は、第二百三条第一項又は第四項の規定による三十日の期間を経過した日のうち最も遅い日（以下この節において「基準日」という。）における近傍類似の土地、近傍同種の建築物又は近傍類似の土地若しくは近傍同種の建築物に関する同種の権利の取引価格等を考慮して定める相当の価額とする。

2　第二百八条第三項の割合の基準となる宅地の価額は、当該宅地に関する所有権以外の権利が存しないものとして、前項の規定を適用して算定した相当の価額とする。

（防災施設建築敷地及び個別利用区内の宅地等の価額等の概算額の算定基準）

第二百十四条　権利変換計画においては、第二百五条第一項第四号、第九号、第十六号又は第十七号の概算額は、国土交通省令で定めるところにより、防災街区整備事業に要する費用及び基準日における近傍類似の土地、近傍同種の建築物又は近傍類似の土地若しくは近傍同種の建築物に関する同種の権利の取引価格等を考慮して定める相当の価額を基準として定めなければならない。

（公共施設の用に供する土地の帰属に関する定め）

第二百十五条　権利変換計画においては、防災街区整備事業により従前の公共施設に代えて設置される新たな公共施設の用に供する土地は、従前の公共施設の用に供される土地の所有者が国であるときは国に、地方公共団体であるときは当該地方公共団体に帰属し、その他の新たな公共施設の用に供する土地は、当該公共施設を管理すべき者（その者が地方自治法（昭和二十二年法律第六十七号）第二条第九項第一号に規定する第一号法定受託事務（以下単に「第一号法定受託事務」という。）として当該公共施設を管理する地方公共団体であるときは、国）に帰属するように定めなければならない。

（権利変換計画の縦覧等）

第二百十六条　個人施行者以外の施行者は、権利変換計画を定めようとするときは、権利変換計画を二週間公衆の縦覧に供しなければならない。この場合においては、あらかじめ、縦覧の開始の日、場所及び時間を公告するとともに、施行地区内の土地又は土地に定着する物件に関し権利を有する者及び参加組合員又は特定事業参加者にこれらの事項を通知しなければならない。

2　施行地区内の土地又は土地に定着する物件に関し権利を有する者及び参加組合員又は特定事業参加者は、縦覧期間内に、権利変換計画について施行者に意見書を提出することができる。

3　施行者は、前項の規定により意見書の提出があったときは、その内容を審査し、その意見書に係る意見を採択すべきであると認めるときは権利変換計画に必要な修正を加え、その意見書に係る意見を採択すべきでないと認めるときはその旨を意見書を提出した者に通知しなければならない。

4　施行者が権利変換計画に必要な修正を加えたときは、その修正に係る部分について更に前三項に規定する手続を行わなければならない。ただし、その修正が国土交通省令で定める軽微なものであるときは、その修正部分に係る者にその内容を通知することをもって足りる。

5　前各項の規定は、権利変換計画を変更する場合（国土交通省令で定める軽微な変更をする場合を除く。）について準用する。

（審査委員及び防災街区整備審査会の関与）

第二百十七条　施行者は、権利変換計画を定め、又は変更しようとするとき（国土交通省令で定める軽微な変更をしようとする場合を除く。）は、審査委員の過半数の同意を得、又は防災街区整備審査会の議決を経なければならない。この場合においては、第二百十二条第二項後段の規定を準用する。

2　前項の規定は、前条第二項の意見書の提出があった場合において、その採否を決定するときについて準用する。

（価額についての裁決申請等）

第二百十八条　第二百五条第一項第三号、第八号、第十八号又は第十九号の価額について第二百十六条第三項の規定により同条第二項の意見書を採択しない旨の通知を受けた者は、その通知を受けた日から起算して三十日以内に、収用委員会にその価額の裁決を申請することができる。

2　前項の規定による裁決の申請は、事業の進行を停止しない。

3　土地収用法第九十四条第三項から第八項まで、第百三十三条及び第百三十四条の規定は、第一項の規定による収用委員会の裁決及びその裁決に不服がある場合の訴えについて準用する。この場合において必要な技術的読替えは、政令で定める。

4　第一項の規定による収用委員会の裁決及び前項の規定による訴えに対する裁判は、権利変換計画において与えられることと定められた防災施設建築敷地の共有持分、防災施設建築物の一部等又は個別利用区内の宅地若しくはその使用収益権には影響を及ぼさないものとする。

第三目　権利の変換

（権利変換の処分）

第二百十九条　施行者は、権利変換計画若しくはその変更の認可を受けたとき、又は権利変換計画について第二百四条第四項の国土交通省令で定める軽微な変更をしたときは、速やかに、国土交通省令で定めるところにより、その旨を公告し、及び関係権利者に関係事項を通知しなければならない。

2　権利変換に関する処分は、前項の通知をすることによって行う。

3　権利変換に関する処分については、行政手続法第三章の規定は、適用しない。

（権利変換期日等の通知）

第二百二十条　施行者は、権利変換計画若しくはその変更（権利変換期日に係るものに限る。以下この条において同じ。）の認可を受けたとき、又は第二百四条第四項の国土交通省令で定める軽微な変更をしたときは、速やかに、国土交通省令で定めるところにより、施行地区を管轄する登記所に、権利変換期日その他国土交通省令で定める事項を通知しなければならない。

（権利変換期日における権利の変換）

第二百二十一条　施行地区内の土地は、権利変換期日において、権利変換計画で定めるところに従い、新たに所有者となるべき者に帰属する。この場合において、従前の土地を目的とする所有権以外の権利は、この法律に別段の定めがあるものを除き、消滅する。

2　権利変換期日において、施行地区内の土地（指定宅地を除く。）に権原に基づき建築物を所有する者の当該建築物は、施行者に帰属し、当該建築物を目的とする所有権以外の権利は、この法律に別段の定めがあるものを除き、消滅する。ただし、第百九十七条第七項の承認を受けないで新築された建築物及び施行地区外に移転すべき旨の第二百三条第一項の申出があった建築物については、この限りでない。

第二百二十二条　防災施設建築物の敷地となるべき土地には、権利変換期日において、権利変換計画で定めるところに従い、防災施設建築物の所有を目的とする地上権が設定されたものとみなす。ただし、権利変換期日以後第二百四十四条第二項の公告の日までの間は、権利変換計画で定めるところに従い、施行者がその地代の概算額を支払うものとする。

2　防災施設建築物の一部は、権利変換計画において、これと併せて与えられることと定められていた地上権の共有持分を有する者が取得する。

3　第二百五条第四項本文の規定により、宅地（指定宅地を除く。）に借地権が存するものとして、権利変換計画において当該借地権を有するものとされた者に対して防災施設建築物の一部等が与えられるように定められたときは、当該防災施設建築物の一部等は、その取得の際、その者から当該借地権の設定者とされた者に対し、当該借地権の存しないことの確定を停止条件として移転したものとみなす。

4　建物の区分所有等に関する法律第一条に規定する建物の部分若しくは附属の建物で権利変換計画において防災施設建築物の共用部分と定められたものがあるとき、権利変換計画において定められた防災施設建築物の共用部分の共有持分が同法第十一条第一項若しくは第十四条第一項から第三項までの規定に適合しないとき、又は権利変換計画において定められた防災施設建築物の所有を目的とする地上権の共有持分の割合が同法第二十二条第二項本文（同条第三項において準用する場合を含む。）の規定に適合しないときは、権利変換計画中その定めをした部分は、それぞれ同法第四条第二項、第十一条第二項若しくは第十四条第四項又は第二十二条第二項ただし書（同条第三項において準用する場合を含む。）の規定による規約とみなす。

5　施行地区内の土地（指定宅地を除く。）に存する建築物の借家権者（その者が更に借家権を設定していたときは、その借家権の設定を受けた者）は、権利変換計画で定めるところに従い、防災施設建築物の一部について借家権を取得する。

6　第一項の規定による地上権の設定については、地方自治法第二百三十八条の四第一項及び国有財産法（昭和二十三年法律第七十三号）第十八条第一項の規定は、適用しない。

第二二三条　指定宅地の使用収益権は、権利変換期日以後は、権利変換計画で定めるところに従い、個別利用区内の宅地の上に存するものとする。

（担保権等の移行）

第二二四条　施行地区内の宅地（指定宅地を除く。）若しくはその借地権又は施行地区内の土地（指定宅地を除く。）に権原に基づき所有される建築物について存する担保権等の登記に係る権利は、権利変換期日以後は、権利変換計画で定めるところに従い、防災施設建築敷地若しくはその共有持分又は防災施設建築物の一部等に関する権利の上に存するものとする。

2　指定宅地又はその使用収益権について存する担保権等の登記に係る権利は、権利変換期日以後は、権利変換計画で定めるところに従い、個別利用区内の宅地又はその使用収益権の上に存するものとする。

（権利変換の登記）

第二二五条　施行者は、権利変換期日後遅滞なく、施行地区内の土地につき、従前の土地の表題部の登記の抹消及び新たな土地の表題登記（不動産登記法第二条第二十号に規定する表題登記をいう。）並びに権利変換後の土地に関する権利について必要な登記を申請し、又は嘱託しなければならない。

2　施行者は、権利変換期日後遅滞なく、第二百二十一条第二項の規定により施行者に帰属した建築物については所有権の移転の登記及び所有権以外の権利の登記の抹消を、施行地区内のその他の建築物については権利変換手続開始の登記の抹消を申請し、又は嘱託しなければならない。

3　権利変換期日以後においては、施行地区内の土地及び第二百二十一条第二項の規定により施行者に帰属した建築物に関しては、前二項の登記がされるまでの間は、他の登記をすることができない。

（補償金等）

第二二六条　施行者は、施行地区内の宅地（指定宅地を除く。）若しくはこれに存する建築物又はこれらに関する権利を有する者で、この法律の規定により、権利変換期日において当該権利を失い、かつ、当該権利に対応して、防災施設建築敷地若しくはその共有持分若しくは防災施設建築物の一部等又は防災施設建築物の一部についての借家権を与えられないものに対し、その補償として、権利変換期日までに、第二百十三条第一項の規定により算定した相当の価額に基準日から第二百十九条第一項の規定による権利変換計画又はその変更に係る公告（以下この条において「権利変換計画公告」という。）の日までの物価の変動に応ずる修正率を乗じて得た額に、当該権利変換計画公告の日から補償金を支払う日までの期間につき権利変換計画で定めるところによる利息を付したものを支払わなければならない。この場合において、その修正率は、国土交通省令で定める方法によって算定するものとする。

2　収用委員会は、前項の規定による補償を受けるべき者に対し第二百十八条第一項の規定による裁決をする場合において、その裁決で定められた価額が前項に規定する相当の価額として施行者が支払った額を超えるときは、次に掲げる額の合計額を支払うべき旨の裁決を併せてしなければならない。

一　その差額につき基準日から権利変換計画公告の日までの前項に規定する物価の変動に応ずる修正率を乗じて得た額及び権利変換計画公告の日から権利変換期日までの間の同項に規定する利息

二　前号の額につき権利変換期日後その支払いを完了する日までの日数に応じ年十四・五パーセントの割合による過怠金

3　土地収用法第九十四条第十項から第十二項までの規定は、前項の裁決に関し、第二百十八条第三項の規定による訴えの提起がなかった場合について準用する。

（補償金等の供託等についての都市再開発法の準用）

第二二七条　都市再開発法第九十二条の規定は前条に規定する補償金（利息を含む。）及び過怠金（以下この条において「補償金等」という。）の支払に代えて行う供託について、同法第九十三条の規定は供託された補償金等について、同法第九十四条の規定は補償金等の支払の対象となる権利について差押え又は仮差押えがある場合について準用する。この場合において、同法第九十二条第三項中「第七十三条第四項」とあるのは「密集市街地整備法第二百五条第四項本文」と、同法第九十四条第一項中「第九十一条第一項」とあるのは「密集市街地整備法第二百二十六条第一項」と、同条第四項中「第九十一条第二項」とあるのは「密集市街地整備法第二百二十六条第二項」と読み替えるものとする。

第四目　土地の明渡し等

（占有の継続）

第二二八条　権利変換期日において第二百二十一条の規定により失った権利に基づき施行地区内の土地又は建築物を占有していた者及びその承継人は、第二百三十一条第一項の規定により施行者が通知した明渡しの期限までは、従前の用法に従い、その占有を継続することができる。ただし、第百九十七条の規定の適用を妨げない。

（工事のための施行地区内の土地の使用）

第二二九条　施行者は、権利変換期日以後防災街区整備事業に係る工事のため必要があるときは、新たに施行地区内の土地について権利を有することとなった者の同意を得ることなく、当該土地を使用することができる。

（個別利用区内の宅地の使用収益の停止）

第二三〇条　権利変換期日以後個別利用区内の宅地又はその使用収益権を取得した者は、第二百四十四条第一項の公告があるまでは、当該宅地について使用し、又は収益することができない。ただし、第二百二十八条本文の規定により当該宅地の占有を継続することができる場合は、この限りでない。

（土地の明渡し）

第二三一条　施行者は、権利変換期日以後防災街区整備事業に係る工事のため必要があるときは、施行地区内の土地又は当該土地に存する物件を占有している者に対し、期限を定めて、土地の明渡しを求めることができる。ただし、第二百二十八条本文の規定により従前指定宅地であった土地を占有している者又は当該土地に存する物件を占有している者に対しては、第二百四十四条第一項の規定による通知をするまでは、土地の明渡しを求めることができない。

2　前項の規定による明渡しの期限は、同項の請求をした日の翌日から起算して三十日の期間経過後の日でなければならない。

3　第一項の規定による明渡しの請求があった土地（従前指定宅地であった土地を除く。）又は当該土地に存する物件を占有している者は、明渡しの期限までに、施行者に土地若しくは物件を引き渡し、又は物件を移転しなければならない。ただし、第二百二十六条第一項又は次条第三項の規定による支払がないときは、この限りでない。

4　第一項の規定による明渡しの請求があった土地（従前指定宅地であった土地に限る。）又は当該土地に存する物件を占有している者は、明渡しの期限までに、施行者に土地を引き渡し、又は物件を移転し、若しくは除却しなければならない。ただし、次条第三項の規定による支払がないときは、この限りでない。

5　第二百二十八条本文の規定により建築物を占有する者が施行者に当該建築物を引き渡す場合において、当該建築物に、第百九十七条第七項の承認を受けないで改築、増築若しくは大修繕が行われ、又は物件が付加増置された部分があるときは、第二百二十一条第二項の規定により当該建築物の所有権を失った者は、当該部分又は物件を除却して、これを取得することができる。

6　第一項に規定する処分については、行政手続法第三章の規定は、適用しない。

（土地の明渡しに伴う損失補償）

第二三二条　施行者は、前条の規定による土地若しくは物件の引渡し又は物件の移転若しくは除却により同条第一項の土地の占有者及び物件に関し権利を有する者が通常受ける損失を補償しなければならない。

2　前項の規定による損失の補償額については、施行者と前条第一項の土地の占有者又は物件に関し権利を有する者とが協議しなければならない。

3　施行者は、前条第二項の明渡しの期限までに第一項の規定による補償額を支払わなければならない。この場合において、その期限までに前項の協議が成立していないときは、審査委員の過半数の同意を得、又は防災街区整備審査会の議決を経て定めた金額を支払わなければならないものとし、その議決については、第二百十二条第二項後段の規定を準用する。

4　第二項の規定による協議が成立しないときは、損失を受けた者は、収用委員会に土地収用法第九十四条第二項の規定による補償額の裁決を申請することができる。

5　第二百十八条第二項及び第三項並びに第二百二十六条第二項及び第三項の規定並びに都市再開発法第九十二条及び第九十三条の規定は、第二項の規定による損失の補償について準用する。この場合において、同法第九十二条第三項中「第七十三条第四項」とあるのは、「密集市街地整備法第二百五条第四項本文」と読み替えるものとする。

（土地又は物件の引渡し等の代行及び代執行）

第二三三条　第二百三十一条第三項又は第四項の場合において次の各号のいずれかに該当するときは、市町村長は、施行者の請求により、土地若しくは物件を引き渡し、又は物件を移転し、若しくは除却すべき者に代わって、土地若しくは物件を引き渡し、又は物件を移転し、若しくは除却しなければならない。

一　土地若しくは物件を引き渡し、又は物件を移転し、若しくは除却すべき者がその責めに帰することができない理由によりその義務を履行することができないとき。

二　施行者が過失がなくて土地若しくは物件を引き渡し、又は物件を移転し、若しくは除却すべき者を確知することができないとき。

2　第二百三十一条第三項又は第四項の場合において土地若しくは物件を引き渡し、又は物件を移転し、若しくは除却すべき者がその義務を履行しないとき、履行しても十分でないとき、又は履行しても明渡しの期限までに完了する見込みがないときは、都道府県知事等は、施行者の請求により、行政代執行法（昭和二十三年法律第四十三号）に定めるところに従い、自ら義務者のなすべき行為をし、又は第三者をしてこれをさせることができる。

3　前項の場合において、都道府県知事等は、義務者及び施行者にあらかじめ通知した上で、当該代執行に要した費用に充てるため、その費用の額の範囲内で、義務者が施行者から受けるべき前条第一項の補償金を義務者に代わって受けることができる。

4　施行者が前項の規定に基づき補償金の全部又は一部を都道府県知事等に支払った場合においては、この法律の適用については、施行者が都道府県知事等に支払った金額の限度において、前条第一項の補償金を支払ったものとみなす。

（費用の徴収）

第二三四条　市町村長は、前条第一項の規定により土地若しくは物件を引き渡し、又は物件を移転し、若しくは除却するに要した費用を第二百三十一条第三項又は第四項の規定により土地若しくは物件を引き渡し、又は物件を移転し、若しくは除却すべき者から徴収するものとする。

2　前条第三項及び第四項の規定は、前項の規定により市町村長が費用を徴収する場合について準用する。

3　市町村長は、第一項に規定する費用を前項において準用する前条第三項の規定により徴収することができないとき、又は徴収することが適当でないと認めるときは、第一項に規定する者に対し、あらかじめ、納付すべき金額並びに納付の期限及び場所を通知して、これを納付させるものとする。

4　市町村長は、前項の規定により通知を受けた者が同項の規定により通知された期限を経過しても同項の規定により納付すべき金額を完納しないときは、督促状によって納付すべき期限を指定して督促しなければならない。

5　前項の規定による督促を受けた者がその指定の期限までに第三項の規定により納付すべき金額を納付しないときは、市町村長は、国税滞納処分の例によって、これを徴収することができる。この場合における徴収金の先取特権の順位は、国税及び地方税に次ぐものとする。

第五目　防災施設建築物の建築等の特例

（施行者以外の者による防災施設建築物の建築）

第二三五条　施行者は、防災施設建築物（権利変換計画において施行者以外の第二百五条第一項第二号に掲げる者及び参加組合員又は特定事業参加者（次項において「権利床等取得者」という。）がその全部を取得するように定められたものを除く。）の建築を他の者に行わせることができる。

2　前項の規定により防災施設建築物の建築を施行者以外の者に行わせるときは、権利変換計画においてその旨及び防災施設建築物（権利変換計画において権利床等取得者が取得するように定められた部分を除く。）の全部又は一部のうち防災施設建築物の建築を行う者（以下「特定建築者」という。）に取得させるものを定めなければならない。

3　第一項の規定により施行者以外の者が建築を行う防災施設建築物（以下「特定防災施設建築物」という。）の全部又は一部は、権利変換計画で定めるところにより、第二百二十二条第二項（第二百五十四条第二項において読み替えて適用する場合を含む。）、第二百五十五条第四項及び第二百五十七条第三項の規定にかかわらず、特定建築者が取得する。

（特定建築者の公募）

第二三六条　施行者は、国、地方公共団体、地方住宅供給公社その他政令で定める者を特定建築者とする場合を除き、国土交通省令で定めるところにより、特定建築者を公募しなければならない。

2　施行者は、特定建築者を公募したときは、次に掲げる条件を備えた者で、その者が次条の規定により提出した特定防災施設建築物の建築の工期、工事概要等に関する計画（以下「建築計画」という。）並びに管理及び処分に関する計画が事業計画及び権利変換計画に適合し、かつ、当該防災街区整備事業の目的を達成する上で最も適切な計画であるものを特定建築者としなければならない。

一　特定防災施設建築物を建築するのに必要な資力及び信用を有する者であること。

二　第二百三十九条第二項の規定による譲渡の対価の支払能力がある者であること。

3　施行者（都道府県及び市町村を除く。）は、前項の規定により特定建築者を決定するときは、あらかじめ、都市再生機構等（市のみが設立した地方住宅供給公社を除く。）にあっては国土交通大臣の、個人施行者、事業組合、事業会社又は市のみが設立した地方住宅供給公社にあっては都道府県知事の承認を受けなければならない。

（建築計画等の提出）

第二三七条　特定建築者となろうとする者は、国土交通省令で定めるところにより、施行者に特定防災施設建築物の建築計画並びに管理及び処分に関する計画を提出しなければならない。

（特定防災施設建築物の建築等）

第二三八条　施行者は、特定防災施設建築物の敷地の整備を完了したときは、速やかに、その旨を特定建築者に通知しなければならない。

2　特定建築者は、前項の通知を受けたときは、建築計画に従って特定防災施設建築物を建築しなければならない。

3　前項の場合においては、特定建築者は、当該特定防災施設建築物の敷地を使用することができる。

（特定防災施設建築物の敷地等の譲渡）

第二三九条　特定建築者は、特定防災施設建築物の建築工事を完了したときは、速やかに、その旨を施行者に届け出なければならない。

2　施行者は、前項の届出があった場合において、特定建築者が建築計画に従い特定防災施設建築物の建築を完了したと認めるときは、速やかに、第二百三十五条第三項の規定により当該特定建築者が取得することとなる特定防災施設建築物の全部又は一部の所有を目的とする地上権又はその共有持分を譲渡しなければならない。

（建築計画の変更）

第二四〇条　特定建築者は、建築計画に従い当該特定防災施設建築物を建築することができないやむを得ない事情があるときは、施行者の承認を受けて、事業計画及び権利変換計画に適合する範囲内において、当該建築計画を変更することができる。

（特定防災施設建築物が建築計画に従って建築されない場合の措置）
第二四一条　施行者は、特定建築者が建築計画に従って特定防災施設建築物を建築しなかった場合においては、その者を特定建築者とする決定を取り消すことができる。
２　施行者は、前項の規定により同項の決定を取り消した場合においては、特定建築者及び特定防災施設建築物の敷地又は当該敷地に存する物件を占有している者に対し、相当の期限を定めて、当該敷地の明渡しを求めることができる。
３　前項の規定により明渡しの請求があった特定建築者及び特定防災施設建築物の敷地又は当該敷地に存する物件を占有している者は、明渡しの期限までに、施行者に当該敷地を引き渡し、又は物件を移転しなければならない。
４　施行者は、第一項の規定により同項の決定を取り消した場合においては、新たに特定建築者を決定するときを除き、自ら当該特定防災施設建築物の建築を行わなければならない。
５　第二百三十六条第三項の規定は第一項の規定により同項の決定を取り消す場合について、第二百三十三条第一項及び第二項並びに第二百三十四条（第二項を除く。）の規定は第三項の場合について準用する。この場合において、第二百三十三条第二項中「都道府県知事等」とあるのは、「都道府県知事」と読み替えるものとする。

（報告、勧告等）
第二四二条　施行者は、特定建築者に対し、特定防災施設建築物の建築に関し、その適切な遂行を確保するため必要な限度において、報告若しくは資料の提出を求め、又はその特定防災施設建築物の建築の促進を図るため必要な勧告、助言若しくは援助をすることができる。

（公共施設の管理者等による工事）
第二四三条　施行者は、政令で定める公共施設の整備に関する工事について特殊の技術を要する等特別の事情がある場合においては、当該工事の全部又は一部を当該公共施設の管理者又は管理者となるべき者に行わせることができる。

第六目　工事完了等に伴う措置

（工事の完了の公告等）
第二四四条　施行者は、個別利用区内の宅地の整備及びこれに関連する公共施設の整備に係る工事が完了したときは、速やかに、その旨を、公告するとともに、第二百二十一条第一項又は第二百二十三条の規定により当該宅地又はその使用収益権を取得した者に通知しなければならない。
２　施行者は、防災施設建築物の建築工事が完了したときは、速やかに、その旨を、公告するとともに、第二百二十二条第二項又は第五項の規定により当該防災施設建築物に関し権利を取得する者に通知しなければならない。

（防災施設建築物に関する登記）
第二四五条　施行者は、防災施設建築物の建築工事が完了したときは、遅滞なく、防災施設建築物及び防災施設建築物に関する権利について必要な登記を申請し、又は嘱託しなければならない。
２　防災施設建築物に関する権利に関しては、前項の登記がされるまでの間は、他の登記をすることができない。

（借家条件の協議及び裁定）
第二四六条　権利変換計画において防災施設建築物の一部等が与えられるように定められた者と当該防災施設建築物の一部について第二百九条第五項本文の規定により賃借権が与えられるように定められた者は、家賃その他の借家条件について協議しなければならない。
２　第二百四十四条第二項の公告の日までに前項の規定による協議が成立しないときは、施行者は、当事者の一方又は双方の申立てに基づき、審査委員の過半数の同意を得、又は防災街区整備審査会の議決を経て、次に掲げる事項について裁定することができる。この場合においては、第二百十二条第二項後段の規定を準用する。
一　賃借の目的
二　家賃の額、支払期日及び支払方法
三　敷金又は賃借権の設定の対価を支払うべきときは、その額
３　施行者は、前項の規定による裁定をするときは、賃借の目的については賃借部分の構造及び賃借人の職業を、家賃の額については賃貸人の受けるべき適正な利潤を、その他の事項についてはその地方における一般の慣行を考慮して定めなければならない。
４　第二項の規定による裁定があったときは、当事者間に、裁定で定めるところにより協議が成立したものとみなす。
５　第二項の裁定に関し必要な手続に関する事項は、国土交通省令で定める。
６　第二項の裁定に不服がある者は、その裁定があった日から六十日以内に、訴えをもってその変更を請求することができる。
７　前項の訴えにおいては、当事者の他の一方を被告としなければならない。

（防災施設建築物の一部等の価額等の確定）
第二四七条　施行者は、防災街区整備事業の工事が完了したときは、速やかに、当該事業に要した費用の額を確定するとともに、国土交通省令で定めるところにより、その確定した額及び基準日における近傍類似の土地、近傍同種の建築物又は近傍類似の土地若しくは近傍同種の建築物に関する同種の権利の取引価格等を考慮して定める相当の価額を基準として、防災施設建築敷地若しくはその共有持分、防災施設建築物の一部等若しくは個別利用区内の宅地若しくはその使用収益権を取得した者又は施行者の所有する防災施設建築物の一部について賃借権を取得した者（第二百九条第五項ただし書の規定により賃借権が与えられるように定められたものに限る。）ごとに、防災施設建築敷地若しくはその共有持分、防災施設建築物の一部等若しくは個別利用区内の宅地若しくはその使用収益権の価額、防災施設建築敷地の地代の額又は施行者が賃貸する防災施設建築物の一部の家賃の額を確定し、これらの者にその確定した額を通知しなければならない。
２　前項の規定により確定した地代の額は、当事者間に別段の合意がない限り、防災施設建築敷地について当事者の合意により定められた地代の額とみなす。ただし、その額に不服がある者は、同項の通知を受けた日から六十日以内に、訴えをもってその増減を請求することができる。
３　前項ただし書の訴えにおいては、当事者の他の一方を被告としなければならない。

（清算）
第二四八条　前条第一項の規定により確定した防災施設建築敷地若しくはその共有持分、防災施設建築物の一部等又は個別利用区内の宅地若しくはその使用収益権の価額とこれらの権利を取得した者がこれに対応する権利として有していた施行地区内の宅地、使用収益権又は建築物の価額とに差額があるときは、施行者は、その差額に相当する金額を徴収し、又は交付しなければならない。同項の規定により確定した防災施設建築敷地の地代の額と第二百二十二条第一項ただし書の規定により支払った地代の概算額とに差額があるときも、同様とする。
２　第二百三十五条第三項の規定により特定建築者が特定防災施設建築物の一部を取得する場合においては、施行者は、特定建築者が取得する部分以外の部分に係る特定防災施設建築物の整備に要した費用の額を国土交通省令で定めるところにより確定し、当該費用の額と第二百三十九条第二項の規定による譲渡の対価の額とに差額があるときは、その差額に相当する金額を徴収し、又は交付しなければならない。

（清算金の供託及び物上代位についての都市再開発法の準用）
第二四九条　都市再開発法第百五条の規定は、前条第一項に規定する宅地、使用収益権又は建築物が先取特権、質権若しくは抵当権又は仮登記若しくは買戻しの特約の登記に係る権利の目的となっていた場合について準用する。

（清算金の徴収）
第二五〇条　第二百四十八条第一項の規定により徴収すべき清算金は、権利変換計画で定めるところにより、利子を付して分割して徴収することができる。
２　個人施行者以外の施行者は、第二百四十八条第一項の規定により徴収すべき清算金（前項の規定により利子を付したときは、その利子を含む。以下同じ。）を滞納する者があるときは、督促状によって納付すべき期限を指定して督促することができる。
３　前項の督促をするときは、事業組合にあっては定款で定めるところにより、事業会社にあっては規準で定めるところにより、地方公共団体又は都市再生機構等にあっては政令で定めるところにより、年十四・五パーセントの割合を乗じて計算した額の範囲内の延滞金を徴収することができる。
４　第二項の督促を受けた者がその督促状において指定した期限までにその納付すべき金額を納付しないときは、地方公共団体又は都市再生機構等は、国税滞納処分の例により、同項の清算金及び前項の延滞金を徴収することができる。この場合における清算金及び延滞金の先取特権の順位は、国税

及び地方税に次ぐものとする。

5　延滞金は、清算金に先立つものとする。

6　第百六十条第一項から第四項までの規定は、事業組合の徴収に係る第二項の清算金及び第三項の延滞金を督促状において指定した期限までに納付しない者がある場合について準用する。

7　第百七十四条第一項及び第二項の規定は、事業会社の徴収に係る第二項の清算金及び第三項の延滞金を督促状において指定した期限までに納付しない者がある場合について準用する。

8　都市再開発法第四十二条の規定は、施行者の第二項の清算金及び第三項の延滞金を徴収する権利について準用する。この場合において、同条第二項中「前条第一項」とあるのは、「密集市街地整備法第二百五十条第二項」と読み替えるものとする。

（先取特権）

第二五一条　第二百四十八条第一項の清算金を徴収する権利を有する施行者は、その納付義務者に与えられる防災施設建築物の一部の上に先取特権を有する。

2　都市再開発法第百七条第二項及び第三項の規定は、前項の先取特権について準用する。この場合において、同条第二項中「第百一条第一項」とあるのは、「密集市街地整備法第二百四十五条第一項」と読み替えるものとする。

（施行者が取得した防災施設建築物の一部等の管理及び処分）

第二五二条　防災街区整備事業により施行者が取得した防災施設建築物の一部等又は個別利用区内の宅地は、公募により賃貸し、又は譲渡しなければならない。ただし、次の各号のいずれかに該当する場合は、この限りでない。

一　巡査派出所、電気事業者の電気工作物その他公益上欠くことができない施設の用に供するため必要があるとき。

二　施行地区内に宅地、借地権若しくは権原に基づき建築物を有する者又は施行地区内の建築物について借家権を有する者の居住又は業務の用に供するために特に必要があるとき。

三　事業会社が施行する防災街区整備事業にあっては、当該事業会社の株主又は社員の居住又は業務の用に供するため特に必要があるとき。

四　施行地区が防災再開発促進地区の区域内にある場合において、当該区域内に宅地、借地権若しくは権原に基づき建築物を有する者又は当該区域内の建築物について借家権を有する者であって、当該区域内における他の防災街区整備事業又は市街地再開発事業（都市再開発法による市街地再開発事業をいう。）、土地区画整理事業若しくは防災公共施設の整備に関する事業の実施に伴い当該宅地、借地権、建築物又は借家権を失い、かつ、当該権利に対応する権利を与えられないものの居住又は業務の用に供するため特に必要があるとき。

五　その他国土交通省令で定める場合

2　施行者が地方公共団体であるときは、施行者が防災街区整備事業により取得した防災施設建築敷地若しくはその共有持分、防災施設建築物の所有を目的とする地上権、防災施設建築物の一部等又は個別利用区内の宅地の管理及び処分については、当該地方公共団体の財産の管理又は処分に関する法令の規定は、適用しない。

（防災街区整備事業の施行により設置された公共施設の管理）

第二五三条　防災街区整備事業の施行により設置された公共施設は、当該公共施設の整備に関する工事が完了したときは、その公共施設の所在する市町村の管理に属する。ただし、法律又は規準、規約、定款若しくは施行規程に管理すべき者の定めがあるときは、それらの者の管理に属するものとする。

第七目　権利変換手続の特則

（防災施設建築敷地に地上権を設定しないこととする特則）

第二五四条　施行者は、第二百七条第三項の規定によらないで権利変換計画を定めることが適当であると認めるときは、同項の規定にかかわらず、防災施設建築敷地に地上権が設定されないものとして権利変換計画を定めることができる。

2　前項の場合においては、第二百八条、第二百九条第二項後段及び第三項並びに第二百二十二条第一項の規定は適用せず、第二百九条第一項中「に借地権」とあるのは「又はその借地権」と、「防災施設建築物の一部等」とあるのは「防災建築施設の部分」と、第二百二十二条第二項中「地上権」とあるのは「防災施設建築敷地」とするほか、この法律の適用についての必要な技術的読替えは、政令で定める。

（指定宅地の権利者以外の権利者等のすべての同意を得た場合の特則）

第二五五条　施行者は、権利変換期日に生ずべき権利の変動その他権利変換の内容につき、施行地区内の土地（指定宅地を除く。）又はこれに存する物件に関し権利を有する者及び参加組合員又は特定事業参加者のすべての同意を得たとき（第二百五十七条第一項前段に規定する場合を除く。）は、第二百五条第二項、第三項及び第四項（指定宅地に係る部分を除く。）、第二百七条第一項、第三項及び第四項、第二百八条、第二百九条並びに第二百十一条第一項及び第二項の規定によらないで、権利変換計画を定めることができる。この場合においては、第二百四十六条の規定は、適用しない。

2　前項の場合における権利変換計画においては、第二百三条第一項又は第三項の申出をした者を除き、施行地区内に宅地（指定宅地を除く。）若しくはその借地権又は施行地区内の土地（指定宅地を除く。）に権原に基づき建築物を有する者及び当該建築物の借家権者（その者が更に借家権を設定しているときは、その借家権の設定を受けた者）に対しては、防災施設建築敷地又は防災施設建築物に関する権利が与えられるように定めなければならない。参加組合員又は特定事業参加者に対しても、同様とする。

3　第一項の場合においては、権利変換計画は、前項前段に規定する者に対して与えられることとなる防災施設建築敷地又は防災施設建築物に関する権利の価額の合計がそれらの者が有する従前の権利の価額の合計を著しく超えることのないように定めなければならない。

4　第一項の規定により権利変換計画を定めた場合においては、第二百二十一条第一項（指定宅地に係る部分を除く。）及び第二項、第二百二十二条（第四項を除く。）並びに第二百二十四条第一項の規定にかかわらず、権利変換計画で定めるところにより、権利変換期日において第一項に規定する者について権利の得喪及び変更を生じる。

5　前項の規定による借地権の設定については、地方自治法第二百三十八条の四第一項及び国有財産法第十八条第一項の規定は、適用しない。

6　第一項の場合におけるこの法律の適用についての必要な技術的読替えは、政令で定める。

（指定宅地の権利者のすべての同意を得た場合の特則）

第二五六条　施行者は、権利変換期日に生ずべき権利の変動その他権利変換の内容につき、指定宅地又はこれに存する物件に関し権利を有する者のすべての同意を得たとき（次条第一項前段に規定する場合を除く。）は、第二百五条第四項（指定宅地に係る部分に限る。）、第二百十条第三項から第五項まで及び第二百十一条第三項の規定によらないで、権利変換計画を定めることができる。

2　前項の場合においては、権利変換計画は、指定宅地について権利を有する者に対し与えられることとなる個別利用区内の宅地に関する権利の価額の合計がそれらの者が有する従前の権利の価額の合計を著しく超えることのないように定めなければならない。

3　第一項の規定により権利変換計画を定めた場合においては、第二百二十一条第一項（指定宅地に係る部分に限る。）、第二百二十三条及び第二百二十四条第二項の規定にかかわらず、権利変換計画で定めるところにより、権利変換期日において第一項に規定する者について権利の得喪及び変更を生じる。

（施行地区内の権利者等のすべての同意を得た場合の特則）

第二五七条　施行者は、権利変換期日に生ずべき権利の変動その他権利変換の内容につき、施行地区内の宅地又は物件に関し権利を有する者及び参加組合員又は特定事業参加者のすべての同意を得たときは、第二百五条第二項から第四項まで、第二百七条第一項、第三項及び第四項、第二百八条、第二百九条、第二百十条第三項から第五項まで、第二百十一条、第二百十三条並びに第二百十四条の規定によらないで、権利変換計画を定めることができる。この場合においては、第二百十六条、第二百四十六条、第二百四十七条及び第二百五十二条第一項の規定は、適用しない。

2　第二百五十五条第二項の規定は、前項の場合における権利変換計画について準用する。

3　第一項の規定により権利変換計画を定めた場合においては、第二百二十一条、第二百二十二条（第四項を除く。）、第二百二十三条及び第二百二十四条の規定にかかわらず、権利変換計画で定めるところにより、権利変換期日において第一項に規定する者について権利の得喪及び変更を生じる。

4　第二百五十五条第五項の規定は、前項の規定による借地権の設定について準用する。

5　第一項の場合におけるこの法律の適用についての必要な技術的読替えは、政令で定める。

第三款　個人施行者等の事業の代行

（事業代行開始の決定）

第二五八条　都道府県知事は、防災街区整備事業について、個人施行者、事業組合又は事業会社の事業の現況その他の事情により個人施行者、事業組合又は事業会社の事業の継続が困難となるおそれがある場合において、第二百六十八条第三項及び第二百六十九条から第二百七十一条までの規定による監督処分によっては個人施行者、事業組合又は事業会社の事業の遂行の確保を図ることができないと認めるときは、事業代行の開始を決定することができる。

2　都道府県知事は、前項の規定により事業代行の開始を決定したときは、その旨その他国土交通省令で定める事項を公告しなければならない。

（事業代行者）

第二五九条　事業代行者は、都道府県知事とする。ただし、都道府県知事は、個人施行者、事業組合又は事業会社の施行地区を管轄する市町村長と協議して、当該市町村長を事業代行者と定めることができる。

（事業代行開始の効果）

第二六〇条　第二百五十八条第二項の公告があったときは、個人施行者の事業にあっては業務の執行並びに当該業務に係る財産の管理及び処分をする権限は、事業組合又は事業会社の事業にあっては事業組合又は事業会社の代表、業務の執行並びに財産の管理及び処分をする権限は、次条第一項又は第二項の公告があるまでの間、事業代行者に専属する。

（事業代行終了の公告等）

第二六一条　事業代行者は、個人施行者、事業組合又は事業会社の事業の継続が困難となるおそれがなくなったとき、又は第二百四十五条第一項の規定による登記が完了したときは、都道府県知事にあっては事業代行を終了する旨を公告し、市町村長にあってはその旨を都道府県知事に通知しなければならない。

2　都道府県知事は、市町村長から前項の通知を受けたときは、事業代行を終了する旨を公告しなければならない。

3　個人施行者、事業組合又は事業会社は、前二項の公告後遅滞なく、その財産の処分及び債務の弁済に関する計画を作成して事業代行者であった者の承認を求めなければならない。

（事業組合の債務についての都市再開発法の準用）

第二六二条　都市再開発法第百十六条及び第百十八条の規定は、事業代行をされた事業組合の債務について準用する。この場合において、同条第一項中「施設建築物の一部」とあるのは「密集市街地整備法第百十七条第七号に規定する防災施設建築物の一部」と、同条第二項中「第百一条第一項」とあるのは「密集市街地整備法第二百四十五条第一項」と読み替えるものとする。

第四款　費用の負担等

（費用の負担）

第二六三条　防災街区整備事業に要する費用は、施行者の負担とする。ただし、第二百三十五条第一項の規定により施行者以外の者が防災施設建築物の建築を行う場合の建築に要する費用は当該施行者以外の者の、第二百四十三条の規定により公共施設の管理者又は管理者となるべき者に公共施設の工事を行わせる場合の工事に要する費用は当該管理者又は管理者となるべき者の負担とする。

（地方公共団体の分担金）

第二六四条　都市再生機構等は、都市再生機構等が施行する防災街区整備事業の施行により利益を受ける地方公共団体に対し、その利益を受ける限度において、その防災街区整備事業に要する費用の一部を負担することを求めることができる。

2　前項の場合において、地方公共団体が負担する費用の額及び負担の方法は、都市再生機構等と地方公共団体とが協議して定める。

3　前項の規定による協議が成立しないときは、当事者の申請に基づき、国土交通大臣が裁定する。この場合において、国土交通大臣は、当事者の意見を聴くとともに、総務大臣と協議しなければならない。

（公共施設管理者の負担金）

第二六五条　施行者は、防災街区整備事業の施行により整備されることとなる重要な防災公共施設その他の公共施設で政令で定めるものの管理者又は管理者となるべき者に対し、当該公共施設の整備に要する費用の全部又は一部を負担することを求めることができる。

2　前項の規定による費用の負担については、あらかじめ、個人施行者、事業組合又は事業会社が施行する防災街区整備事業にあっては当該公共施設の管理者又は管理者となるべき者の承認を得、その他の防災街区整備事業にあっては当該公共施設の管理者又は管理者となるべき者と協議し、その者が負担すべき費用の額を事業計画において定めておかなければならない。

（資金の融通等）

第二六六条　国及び地方公共団体は、施行者に対し、防災街区整備事業に必要な資金の融通又はあっせんその他の援助に努めるものとする。

第五款　雑則

（借家権者の居住の安定の確保に関する施行者等の責務）

第二六七条　施行者は、施行地区内の建築物の借家権者の居住の安定の確保に努めなければならない。

2　国及び地方公共団体は、施行地区内の建築物の借家権者の居住の安定の確保を図るため、必要な措置を講ずるよう努めなければならない。

（報告、勧告等）

第二六八条　国土交通大臣は都道府県又は市町村に対し、都道府県知事は個人施行者、事業組合、事業会社又は市町村に対し、市町村長は個人施行者、事業組合又は事業会社に対し、それぞれその施行する防災街区整備事業に関し、この法律の施行のため必要な限度において、報告若しくは資料の提出を求め、又はその施行する防災街区整備事業の施行の促進を図るために必要な勧告、助言若しくは援助をすることができる。

2　国土交通大臣は、独立行政法人都市再生機構（第百七十九条第五項の規定により防災街区整備事業を施行する場合に限る。第二百七十二条第一項及び第三項並びに第三百六条第二項において同じ。）に対し、防災街区整備事業の施行の促進を図るため必要な勧告、助言又は援助をすることができる。

3　都道府県知事は、個人施行者、事業組合又は事業会社に対し、防災街区整備事業の施行の促進を図るために必要な措置を命ずることができる。

（個人施行者に対する監督）

第二六九条　都道府県知事は、個人施行者の施行する防災街区整備事業につき、その事業又は会計がこの法律若しくはこれに基づく行政庁の処分又は規準、規約、事業計画若しくは権利変換計画に違反すると認めるときその他監督上必要があるときは、その事業又は会計の状況を検査し、その結果、違反の事実があると認めるときは、当該個人施行者に対し、その違反を是正するため必要な限度において、当該個人施行者のした処分の取消し、変更若しくは停止又は当該個人施行者のした工事の中止若しくは変更その他必要な措置を命ずることができる。

2　都道府県知事は、個人施行者が前項の規定による命令に従わないときは、権利変換期日前に限り、当該個人施行者に対する防災街区整備事業の施行の認可を取り消すことができる。

3　都道府県知事は、前項の規定により認可を取り消したときは、速やかに、その旨を公告しなければならない。

4　個人施行者は、前項の公告があるまでは、認可の取消しによる防災街区整備事業の廃止をもって第三者に対抗することができない。

（事業組合に対する監督）

第二七〇条　都道府県知事は、事業組合の施行する防災街区整備事業につき、その事業又は会計がこの法律若しくはこれに基づく行政庁の処分又は定款、事業計画、事業基本方針若しくは権利変換計画に違反すると認めるときその他監督上必要があるときは、当該事業又は会計の状況を検査することができる。

2　都道府県知事は、事業組合の組合員が総組合員の十分の一以上の同意を得て、当該事業組合の事業又は会計がこの法律若しくはこれに基づく行政庁の処分又は定款、事業計画、事業基本方針若しくは権利変換計画に違反する疑いがあることを理由として当該事業又は会計の状況の検査を請求したときは、その検査をしなければならない。

3　都道府県知事は、前二項の規定により検査を行った場合において、事業組合の事業又は会計がこの法律若しくはこれに基づく行政庁の処分又は定款、事業計画、事業基本方針若しくは権利変換計画に違反していると認めるときは、当該事業組合に対し、その違反を是正するため必要な限度において、当該事業組合のした処分の取消し、変更若しくは停止又は当該事業組合のした工事の中止若しくは変更その他必要な措置を命ずることができる。

4　都道府県知事は、事業組合が前項の規定による命令に従わないとき、又は事業組合の設立についての認可を受けた者がその認可の公告があった日から起算して三十日を経過してもなお総会を招集しないときは、権利変換期日前に限り、当該事業組合の設立の認可を取り消すことができる。

5　都道府県知事は、第百五十一条において準用する都市再開発法第三十一条第三項の規定により組合員から総会の招集の請求があった場合において、理事長及び監事が総会を招集しないときは、これらの組合員の申出に基づき、総会を招集しなければならない。第百五十三条第三項又は第百五十四条第四項において準用する同法第三十一条第三項の規定により組合員又は総代から総会の部会又は総代会の招集の請求があった場合において、理事長及び監事が総会の部会又は総代会を招集しないときも、同様とする。

6　都道府県知事は、第百四十八条第三項において準用する都市再開発法第二十六条第一項の規定により組合員から理事又は監事の解任の請求があった場合において、事業組合がこれを組合員の投票に付さないときは、これらの組合員の申出に基づき、政令で定めるところにより、これを組合員の投票に付さなければならない。第百五十五条第三項において準用する同法第二十六条第一項の規定により組合員から総代の解任の請求があった場合において、事業組合がこれを組合員の投票に付さないときも、同様とする。

7　都道府県知事は、事業組合の組合員が総組合員の十分の一以上の同意を得て、総会、総会の部会若しくは総代会の招集手続若しくは議決の方法又は役員若しくは総代の選挙若しくは解任の投票の方法が、この法律又は定款に違反することを理由として、その議決、選挙、当選又は解任の投票の取消しを請求した場合において、その違反の事実があると認めるときは、その議決、選挙、当選又は解任の投票を取り消すことができる。

（事業会社に対する監督）

第二七一条　都道府県知事は、事業会社の施行する防災街区整備事業につき、その事業又は会計がこの法律若しくはこれに基づく行政庁の処分又は規準、事業計画若しくは権利変換計画に違反すると認めるときその他監督上必要があるときは、当該事業又は会計の状況を検査することができる。

2　都道府県知事は、事業会社の施行する防災街区整備事業の施行地区内の宅地の所有者又は借地権者が、その区域内の宅地について所有権又は借地権を有するすべての者の十分の一以上の同意を得て、当該事業会社の事業又は会計がこの法律若しくはこれに基づく行政庁の処分又は規準、事業計画若しくは権利変換計画に違反する疑いがあることを理由として当該事業又は会計の状況の検査を請求したときは、その検査をしなければならない。この場合においては、都市再開発法第百二十五条の二第二項後段の規定を準用する。

3　都道府県知事は、前二項の規定により検査を行った場合において、事業会社の事業又は会計がこの法律若しくはこれに基づく行政庁の処分又は規準、事業計画若しくは権利変換計画に違反していると認めるときは、当該事業会社に対し、その違反を是正するため必要な限度において、当該事業会社のした処分の取消し、変更若しくは停止又は当該事業会社のした工事の中止若しくは変更その他必要な措置を命ずることができる。

4　都道府県知事は、事業会社が前項の規定による命令に従わないときは、権利変換期日前に限り、当該事業会社に対する防災街区整備事業の施行の認可を取り消すことができる。

5　都道府県知事は、前項の規定により認可を取り消したときは、速やかに、その旨を公告しなければならない。

6　事業会社は、前項の公告があるまでは、認可の取消しによる防災街区整備事業の廃止をもって第三者に対抗することができない。

（是正の要求）

第二七二条　国土交通大臣は都道府県又は独立行政法人都市再生機構に対し、都道府県知事は市町村に対し、これらの者が施行者として行う処分又は工事が、この法律又はこれに基づく国土交通大臣若しくは都道府県知事の処分に違反していると認めるときは、防災街区整備事業の適正な施行を確保するため必要な限度において、その処分の取消し、変更若しくは停止又はその工事の中止若しくは変更その他必要な措置を講ずべきことを求めることができる。

2　国土交通大臣は、市町村に対し、その施行者として行う処分又は工事が、この法律又はこれに基づく都道府県知事の処分に違反していると認める場合において、緊急を要するときその他特に必要があると認めるときは、防災街区整備事業の適正な施行を確保するため必要な限度において、その処分の取消し、変更若しくは停止又はその工事の中止若しくは変更その他必要な措置を講ずべきことを求めることができる。

3　都道府県、市町村又は独立行政法人都市再生機構は、前二項の規定による要求を受けたときは、当該処分の取消し、変更若しくは停止又は当該工事の中止若しくは変更その他必要な措置を講じなければならない。

（技術的援助の請求）

第二七三条　個人施行者若しくは事業会社となろうとする者又は事業組合若しくは事業会社を設立しようとする者は都道府県知事及び市町村長に対し、個人施行者、事業組合又は事業会社は市町村長に対し、防災街区整備事業の施行の準備又は施行のために、それぞれ防災街区整備事業に関し専門的知識を有する職員の技術的援助を求めることができる。

（処分、手続等の効力）

第二七四条　防災街区整備事業の施行に係る土地又はその土地に存する建築物等その他の物件について権利を有する者の変更があったときは、この法律又はこの法律に基づく命令の規定又は規準、規約、定款若しくは施行規程の規定により従前のこれらの者がした手続その他の行為は、新たにこれらの者となった者がしたものとみなし、従前のこれらの者に対してした処分、手続その他の行為は、新たにこれらの者となった者に対してしたものとみなす。

（土地の分割及び合併）

第二七五条　施行者は、防災街区整備事業の施行のために必要があるときは、所有者に代わって土地の分割又は合併の手続をすることができる。

2　施行者は、一筆の土地が施行地区の内外又は二以上の工区にわたる場合において、権利変換手続開始の登記を申請し、又は嘱託をするときは、あらかじめ、その土地の分割の手続をしなければならない。

（不動産登記法の特例）

第二七六条　施行地区内の土地及びこれに存する建物の登記については、政令で、不動産登記法の特例を定めることができる。

（建物の区分所有等に関する法律の特例等）

第二七七条　施行者は、政令で定めるところにより、防災施設建築物及び防災施設建築敷地の管理又は使用に関する区分所有者相互間の事項につき、管理規約を定めることができる。この場合において、施行者（都道府県及び市町村を除く。）は、政令で定めるところにより、その管理規約について、都市再生機構等（市のみが設立した地方住宅供給公社を除く。）にあっては国土交通大臣の、個人施行者、事業組合、事業会社又は市のみが設立した地方住宅供給公社にあっては都道府県知事の認可を受けなければならない。

2　前項の管理規約は、建物の区分所有等に関する法律第三十条第一項の規約とみなす。

（関係簿書の備付け）

第二七八条　施行者は、国土交通省令で定めるところにより、防災街区整備事業に関する簿書（事業組合にあっては、組合員名簿を含む。以下同じ。）を備え付けておかなければならない。

2　利害関係者から前項の簿書の閲覧又は謄写の請求があったときは、施行者は、正当な理由がない限り、これを拒んではならない。

（書類の送付に代わる公告）

第二七九条　施行者は、防災街区整備事業の施行に関し書類を送付する場合において、送付を受けるべき者がその書類の受領を拒んだとき、又は過失がなくて、その者の住所、居所その他書類を送付すべき場所を確知することができないときは、政令で定めるところにより、その書類の内容を公告することをもって書類の送付に代えることができる。

2　前項の公告があったときは、その公告の日の翌日から起算して十日を経過した日に当該書類が送付を受けるべき者に到達したものとみなす。

（意見書等の提出の期間の計算等）

第二八〇条　この法律又はこの法律に基づく命令の規定により一定期間内に差し出すべき意見書その他の文書が郵便又は民間事業者による信書の送達に関する法律（平成十四年法律第九十九号）第二条第六項に規定する一般信書便事業者若しくは同条第九項に規定する特定信書便事業者による同条第二項に規定する信書便で差し出されたときは、送付に要した日数は、期間に算入しない。

2　前項の文書は、その提出期間が経過した後においても、容認すべき理由があるときは、受理することができる。

第七章　防災都市施設の整備のための特別の措置

（防災都市施設の施行予定者等）

第二八一条　防災都市施設に関する都市計画については、都市計画法第十一条第二項に定める事項のほか、国の機関又は地方公共団体のうちから、当該防災都市施設に関する都市計画事業の施行予定者（以下この章において「施行予定者」という。）を定めることができる。この場合においては、当該都市計画に、併せて第二百八十三条及び第二百八十四条の規定による制限が行われる期間の満了の日（以下この章において「期間満了日」という。）を定めなければならない。

2　施行予定者を定める防災都市施設に関する都市計画の案については、当該施行予定者の同意を得なければならない。当該都市計画の変更の案についても、同様とする。

3　施行予定者が定められた防災都市施設に関する都市計画は、これを変更して施行予定者を定めないものとすることができない。

4　期間満了日は、施行予定者を定める防災都市施設に関する都市計画の決定又は防災都市施設に関する都市計画に施行予定者を定める都市計画の変更に係る都市計画法第二十条第一項（同法第二十一条第二項において準用する場合を含む。）の規定による告示の日から起算して五年を超えてはならない。

（施行予定者が定められている防災都市計画施設の区域についての特例）

第二八二条　施行予定者が定められている防災都市計画施設の区域については、期間満了日までは、都市計画法第五十三条から第五十七条までの規定は適用せず、次条から第二百八十六条までに定めるところによる。

（建築の制限）

第二八三条　施行予定者が定められている防災都市計画施設の区域内において、建築物の建築を行おうとする者は、国土交通省令で定めるところにより、都道府県知事等の許可を受けなければならない。ただし、次に掲げる行為については、この限りでない。

一　通常の管理行為、軽易な行為その他の行為で政令で定めるもの

二　非常災害のため必要な応急措置として行う行為

三　都市計画事業の施行として行う行為又はこれに準ずる行為として政令で定める行為

2　前項の規定は、都市計画法第六十五条第一項に規定する告示があった後は、当該告示に係る土地の区域内においては、適用しない。

3　都市計画法第五十二条の二第二項、第七十九条、第八十一条及び第八十二条の規定は、第一項の規定による許可及び建築の制限について準用する。この場合において、同法第五十二条の二第二項中「前項」とあるのは「密集市街地整備法第二百八十三条第一項本文」と、同法第八十一条第一項第一号及び第二号中「この法律若しくはこの法律」とあるのは「密集市街地整備法第二百八十三条若しくは同条の規定」と、同項から同条第三項まで及び同法第八十二条第一項中「国土交通大臣、都道府県知事若しくは市町村長」とあり、及び「国土交通大臣、都道府県知事又は市町村長」とあるのは「都道府県知事等」と、同法第八十一条第一項中「建築物その他の工作物若しくは物件（以下この条において「工作物等」という。）」とあり、並びに同項第一号及び同条第四項中「工作物等」とあるのは「建築物」と読み替えるものとする。

（土地建物等の有償譲渡及び買取りについての都市計画法の準用）

第二八四条　都市計画法第五十二条の三の規定は、施行予定者が定められている防災都市計画施設の区域内の土地又は土地及びこれに定着する建築物等の有償譲渡及び当該施行予定者による買取りについて準用する。この場合において、同条第一項中「市街地開発事業等予定区域に関する都市計画についての第二十条第一項（第二十一条第二項において準用する場合を含む。）の規定による告示」とあるのは、「密集市街地整備法第二百八十一条第四項に規定する告示」と読み替えるものとする。

（土地の買取請求についての都市計画法の準用）

第二八五条　都市計画法第五十二条の四第一項から第三項までの規定は、施行予定者が定められている防災都市計画施設の区域内の土地の当該施行予定者に対する買取請求について準用する。

（損失の補償）

第二八六条　施行予定者が定められている防災都市施設に関する都市計画について、期間満了日までの間に施行予定者が定められている防災都市計画施設の区域が変更された場合において、その変更により当該区域外となった土地の所有者又は使用収益権を有する者のうちに当該都市計画の変更があったことにより損失を受けた者があるときは、当該施行予定者は、その損失を補償しなければならない。

2　都市計画法第二十八条第二項及び第三項並びに第五十二条の五第二項の規定は、前項の規定による損失の補償について準用する。

（認可又は承認の申請）

第二八七条　施行予定者は、期間満了日の二月前までに、当該防災都市施設に係る都市計画事業について都市計画法第五十九条第一項から第三項までの規定による認可又は承認の申請をしなければならない。

（都市計画事業の認可等に関する処理期間）

第二八八条　国土交通大臣又は都道府県知事は、前条の申請を受理した日から二月以内に、同条の認可又は承認に関する処分を行うものとする。

2　前項の処分に関し、都市計画法第五十九条第五項又は第六項の規定により意見を聴かれた者は、国土交通大臣又は都道府県知事が前項の処理期間内に当該処分を行うことができるよう、速やかに意見の申出を行わなければならない。

第八章　避難経路協定

（避難経路協定の締結等）

第二八九条　防災再開発促進地区の区域内の一団の土地の所有者及び借地権を有する者（土地区画整理法第九十八条第一項（大都市地域における住宅及び住宅地の供給の促進に関する特別措置法（昭和五十年法律第六十七号。第二百九十三条第二項において「大都市住宅等供給法」という。）第八十三条において準用する場合を含む。以下この章において同じ。）の規定により仮換地として指定された土地にあっては、当該土地に対応する従前の土地の所有者及び借地権を有する者。以下この章において「土地所有者等」と総称する。）は、その全員の合意により、火事又は地震が発生した場合の当該土地の区域における避難上必要な経路（以下この章において「避難経路」という。）の整備又は管理に関する協定（以下この章において「避難経路協定」という。）を締結することができる。ただし、当該土地（土地区画整理法第九十八条第一項の規定により仮換地として指定された土地にあっては、当該土地に対応する従前の土地）の区域内に借地権の目的となっている土地がある場合においては、当該借地権の目的となっている土地の所有者の合意を要しない。

2　避難経路協定においては、次に掲げる事項を定めるものとする。

一　避難経路協定の目的となる土地の区域（以下この章において「避難経路協定区域」という。）及び避難経路の位置

二　次に掲げる避難経路の整備又は管理に関する事項のうち、必要なもの

イ　前号の避難経路を構成する道路の幅員又は路面の構造に関する基準

ロ　前号の避難経路における看板、さくその他の避難上支障となる工作物の設置に関する基準

ハ　前号の避難経路にその敷地が接する工作物（建築物を除く。）の位置、規模又は構造に関する基準

ニ　その他避難経路の整備又は管理に関する事項

三　避難経路協定の有効期間

四　避難経路協定に違反した場合の措置

3　避難経路協定においては、前項各号に掲げるもののほか、防災再開発促進地区の区域内の土地のうち、避難経路協定区域に隣接した土地であって、避難経路協定区域の一部とすることにより避難経路の整備又は管理に資するものとして避難経路協定区域の土地となることを当該避難経路協定区域内の土地所有者等が希望するもの（以下この章において「避難経路協定区域隣接地」という。）を定めることができる。

4　避難経路協定は、市町村長の認可を受けなければならない。

（認可の申請に係る避難経路協定の縦覧等）

第二九〇条　市町村長は、前条第四項の認可の申請があったときは、国土交通省令で定めるところにより、その旨を公告し、当該避難経路協定を公告の日から二週間関係人の縦覧に供さなければならない。

2　前項の規定による公告があったときは、関係人は、同項の縦覧期間満了の日までに、当該避難経路協定について、市町村長に意見書を提出することができる。

（避難経路協定の認可）

第二九一条　市町村長は、第二百八十九条第四項の認可の申請が次の各号のいずれにも該当するときは、同項の認可をしなければならない。

一　申請手続が法令に違反しないこと。

二　土地又は建築物等の利用を不当に制限するものでないこと。

三　第二百八十九条第二項各号に掲げる事項（当該避難経路協定において避難経路協定区域隣接地を定める場合にあっては、当該避難経路協定区域隣接地に関する事項を含む。）について国土交通省令で定める基準に適合するものであること。

2　市町村長は、第二百八十九条第四項の認可をしたときは、国土交通省令で定めるところにより、その旨を公告し、かつ、当該避難経路協定を当該市町村の事務所に備えて公衆の縦覧に供するとともに、避難経路協定区域である旨を当該避難経路協定区域内に明示しなければならない。

（避難経路協定の変更）

第二九二条　避難経路協定区域内における土地所有者等（当該避難経路協定の効力が及ばない者を除く。）は、避難経路協定において定めた事項を変更しようとする場合においては、その全員の合意をもってその旨を定め、市町村長の認可を受けなければならない。

2　前二条の規定は、前項の変更の認可について準用する。

（避難経路協定区域からの除外）

第二九三条　避難経路協定区域内の土地（土地区画整理法第九十八条第一項の規定により仮換地として指定された土地にあっては、当該土地に対応する従前の土地）で当該避難経路協定の効力が及ばない者の所有するものの全部又は一部について借地権が消滅した場合においては、当該借地権の目的となっていた土地（同項の規定により仮換地として指定された土地に対応する従前の土地にあっては、当該土地についての仮換地として指定された土地）は、当該避難経路協定区域から除外されるものとする。

2　避難経路協定区域内の土地で土地区画整理法第九十八条第一項の規定により仮換地として指定されたものが、同法第八十六条第一項の換地計画又は大都市住宅等供給法第七十二条第一項の換地計画において当該土地に対応する従前の土地についての換地として定められず、かつ、土地区画整理法第九十一条第三項（大都市住宅等供給法第八十二条第一項において準用する場合を含む。）の規定により当該土地に対応する従前の土地の所有者に対してその共有持分を与えるように定められた土地としても定められなかったときは、当該土地は、土地区画整理法第百三条第四項（大都市住宅等供給法第八十三条において準用する場合を含む。）の規定による公告があった日が終了した時において当該避難経路協定区域から除外されるものとする。

3　前二項の規定により避難経路協定区域内の土地が当該避難経路協定区域から除外された場合においては、当該借地権を有していた者又は当該仮換地として指定されていた土地に対応する従前の土地に係る土地所有者等（当該避難経路協定の効力が及ばない者を除く。）は、遅滞なく、その旨を市町村長に届け出なければならない。

4　第二百九十一条第二項の規定は、前項の規定による届出があった場合その他市町村長が第一項又は第二項の規定により避難経路協定区域内の土地が当該避難経路協定区域から除外されたことを知った場合について準用する。

（避難経路協定の効力）

第二九四条　第二百九十一条第二項（第二百九十二条第二項において準用する場合を含む。）の規定による認可の公告のあった避難経路協定は、その公告のあった後において当該避難経路協定区域内の土地所有者等となった者（当該避難経路協定について第二百八十九条第一項又は第二百九十二条第一項の規定による合意をしなかった者の有する土地の所有権を承継した者を除く。）に対しても、その効力があるものとする。

（避難経路協定の認可の公告のあった後避難経路協定に加わる手続等）

第二九五条　避難経路協定区域内の土地の所有者（土地区画整理法第九十八条第一項の規定により仮換地として指定された土地にあっては、当該土地に対応する従前の土地の所有者）で当該避難経路協定の効力が及ばないものは、第二百九十一条第二項（第二百九十二条第二項において準用する場合を含む。）の規定による認可の公告があった後いつでも、市町村長に対して書面でその意思を表示することによって、当該避難経路協定に加わることができる。

2　避難経路協定区域隣接地の区域内の土地に係る土地所有者等は、第二百九十一条第二項（第二百九十二条第二項において準用する場合を含む。）の規定による認可の公告があった後いつでも、当該土地に係る土地所有者等の全員の合意により、市町村長に対して書面でその意思を表示することによって、避難経路協定に加わることができる。ただし、当該土地（土地区画整理法第九十八条第一項の規定により仮換地として指定された土地にあっては、当該土地に対応する従前の土地）の区域内に借地権の目的となっている土地がある場合においては、当該借地権の目的となっている土地の所有者の合意を要しない。

3　避難経路協定区域隣接地の区域内の土地で前項の規定による土地所有者等の意思の表示に係るものの区域は、その意思の表示のあった時以後、避難経路協定区域の一部となるものとする。

4　第二百九十一条第二項の規定は、第一項又は第二項の規定による意思の表示があった場合について準用する。

5　避難経路協定は、第一項又は第二項の規定により当該避難経路協定に加わった者がその時において所有し、又は借地権を有していた当該避難経路協定区域内の土地（土地区画整理法第九十八条第一項の規定により仮換地として指定された土地にあっては、当該土地に対応する従前の土地）について、前項において準用する第二百九十一条第二項の規定による公告のあった後において土地所有者等となった者（当該避難経路協定について第二項の規定による合意をしなかった者の有する土地の所有権を承継した者及び前条の規定の適用がある者を除く。）に対しても、その効力があるものとする。

（避難経路協定の廃止）

第二九六条　避難経路協定区域内の土地所有者等（当該避難経路協定の効力が及ばない者を除く。）は、第二百八十九条第四項又は第二百九十二条第一項の認可を受けた避難経路協定を廃止しようとする場合においては、その過半数の合意をもってその旨を定め、市町村長の認可を受けなければならない。

2　市町村長は、前項の認可をしたときは、その旨を公告しなければならない。

（土地の共有者等の取扱い）

第二九七条　土地又は借地権が数人の共有に属するときは、第二百八十九条第一項、第二百九十二条第一項、第二百九十五条第一項及び第二項並びに前条第一項の規定の適用については、合わせて一の所有者又は借地権を有する者とみなす。

（一の所有者による避難経路協定の設定）

第二九八条　防災再開発促進地区の区域内の一団の土地で、一の所有者以外に土地所有者等が存しないものの所有者は、避難経路の整備又は管理のため必要があると認めるときは、市町村長の認可を受けて、当該土地の区域を避難経路協定区域とする避難経路協定を定めることができる。

2　市町村長は、前項の認可の申請が第二百九十一条第一項各号のいずれにも該当し、かつ、当該避難経路協定が避難経路の整備又は管理のため必要であると認める場合に限り、前項の認可をするものとする。

3　第二百九十一条第二項の規定は、第一項の認可について準用する。

4　第一項の認可を受けた避難経路協定は、認可の日から起算して三年以内において当該避難経路協定区域内の土地に二以上の土地所有者等が存することになった時から、第二百九十一条第二項の規定による認可の公告のあった避難経路協定と同一の効力を有する避難経路協定となる。

（借主の地位）

第二九九条　避難経路協定に定める事項が建築物等の借主の権限に係る場合においては、その避難経路協定については、当該建築物等の借主を土地所有者等とみなして、この章の規定を適用する。

第九章　防災街区整備推進機構

（防災街区整備推進機構の指定）

第三〇〇条　市町村長は、一般社団法人若しくは一般財団法人又は特定非営利活動促進法（平成十年法律第七号）第二条第二項の特定非営利活動法人であって、次条に規定する業務を適正かつ確実に行うことができると認められるものを、その申請により、防災街区整備推進機構（以下この節において「防災機構」という。）として指定することができる。

2 市町村長は、前項の規定による指定をしたときは、当該防災機構の名称、住所及び事務所の所在地を公示しなければならない。

3 防災機構は、その名称、住所又は事務所の所在地を変更しようとするときは、あらかじめ、その旨を市町村長に届け出なければならない。

4 市町村長は、前項の規定による届出があったときは、当該届出に係る事項を公示しなければならない。

（防災機構の業務）

第三〇一条 防災機構は、次に掲げる業務を行うものとする。

一 防災街区整備事業その他の密集市街地における防災街区の整備に関する事業を行う者に対し、当該事業に関する知識を有する者の派遣、情報の提供、相談その他の援助を行うこと。

二 特定防災街区整備地区において当該地区内の各街区の防災街区としての整備に資する建築物を整備する事業若しくは防災街区整備地区計画の区域において当該区域内の各街区の防災街区としての整備に資する建築物その他の施設であって国土交通省令で定めるものを当該防災街区整備地区計画の内容に即して整備する事業を行うこと又はこれらの事業に参加すること。

三 次に掲げる土地の取得、管理及び譲渡を行うこと。

イ 特定防災街区整備地区又は防災街区整備地区計画の区域において、当該地区又は区域内の各街区の防災街区としての整備を図るために有効に利用できる土地で政令で定めるもの

ロ 防災都市施設の整備のために必要な土地で政令で定めるもの

四 密集市街地における防災街区の整備に関する調査研究を行うこと。

五 前各号に掲げるもののほか、密集市街地における防災街区の整備を推進するために必要な業務を行うこと。

（監督等）

第三〇二条 市町村長は、前条各号に掲げる業務の適正かつ確実な実施を確保するため必要があると認めるときは、防災機構に対し、その業務に関し報告をさせることができる。

2 市町村長は、防災機構が前条各号に掲げる業務を適正かつ確実に実施していないと認めるときは、防災機構に対し、その業務の運営の改善に関し必要な措置を講ずべきことを命ずることができる。

3 市町村長は、防災機構が前項の規定による命令に違反したときは、第三百条第一項の規定による指定を取り消すことができる。

4 市町村長は、前項の規定により指定を取り消したときは、その旨を公示しなければならない。

5 第三項の規定により第三百条第一項の指定を取り消した場合における前条第三号に規定する土地の取得に係る業務に関する所要の経過措置は、合理的に必要と判断される範囲内において、政令で定めることができる。

（情報の提供等）

第三〇三条 国及び関係地方公共団体は、防災機構に対し、その業務の実施に関し必要な情報の提供又は指導若しくは助言をするものとする。

第十章 雑則

（不服申立て）

第三〇四条 市町村長が第十五条第一項、第十八条第一項又は第二十八条第一項の規定に基づいてした処分に不服がある者は、都道府県知事に対して審査請求をすることができる。

2 前項の審査請求について都道府県知事がした裁決に不服がある者は、国土交通大臣に対して再審査請求をすることができる。

第三〇五条 次に掲げる処分又はその不作為については、審査請求をすることができない。

一 第百三十六条第一項若しくは第三項の規定による認可又は第百五十七条第一項の規定による認可（事業基本方針の変更に係るものを除く。）

二 第百四十条第四項（第百五十七条第二項、第百六十九条、第百七十二条第二項、第百八十一条第二項（第百八十四条において準用する場合を含む。）並びに第百八十八条第三項及び第四項において準用する場合を含む。）の規定による通知

三 第百六十五条第一項又は第百七十二条第一項の規定による認可

四 第百七十九条第一項後段（第百八十四条において準用する場合を含む。）の規定による認可

五 第百八十八条第一項の規定による認可

六 第二百十六条第三項（同条第五項において準用する場合を含む。）の規定による通知

第三〇六条 前条に規定するもののほか、事業組合、事業会社、市町村、都道府県又は都市再生機構等が第六章の規定に基づいてした処分その他公権力の行使に当たる行為（以下この条において「処分」という。）に不服のある者は、事業組合、事業会社、市町村又は市のみが設立した地方住宅供給公社がした処分にあっては都道府県知事に対して、都道府県又は都市再生機構等（市のみが設立した地方住宅供給公社を除く。）がした処分にあっては国土交通大臣に対して審査請求をすることができる。ただし、権利変換に関する処分についての審査請求においては、権利変換計画に定められた宅地若しくは建築物又はこれらに関する権利の価額についての不服をその理由とすることができない。

2 前項の場合において、都道府県知事又は国土交通大臣は、行政不服審査法第二十五条第二項及び第三項、第四十六条第一項及び第二項、第四十七条並びに第四十九条第三項の規定の適用については、それぞれ事業組合若しくは事業会社又は独立行政法人都市再生機構の上級行政庁とみなす。

3 第三百四条第二項の規定は、第一項の審査請求について準用する。

（権限の委任）

第三〇七条 この法律に規定する国土交通大臣の権限は、国土交通省令で定めるところにより、その一部を地方整備局長又は北海道開発局長に委任することができる。

（大都市等の特例）

第三〇八条 この法律中都道府県知事の権限に属する事務で政令で定めるものは、地方自治法第二百五十二条の十九第一項の指定都市（以下この条において「指定都市」という。）及び同法第二百五十二条の二十二第一項の中核市（以下この条において「中核市」という。）においては、政令で定めるところにより、指定都市又は中核市（以下この条において「指定都市等」という。）の長が行うものとする。この場合においては、この法律中都道府県知事に関する規定は、指定都市等の長に関する規定として指定都市等の長に適用があるものとする。

（政令への委任）

第三〇九条 この法律に定めるもののほか、この法律の実施のため必要な事項は、政令で定める。

（経過措置）

第三一〇条 この法律の規定に基づき政令又は国土交通省令を制定し、又は改廃する場合においては、それぞれ、政令又は国土交通省令で、その制定又は改廃に伴い合理的に必要と判断される範囲内において、所要の経過措置（罰則に関する経過措置を含む。）を定めることができる。

（事務の区分）

第三一一条 この法律の規定により地方公共団体が処理することとされている事務のうち次に掲げるものは、第一号法定受託事務とする。

一 都道府県が第百九十二条第一項、第百九十七条第一項から第八項まで、第百九十九条第二項において準用する土地収用法第三十六条第五項並びに第二百三十三条第二項（第二百四十一条第五項において準用する場合を含む。）及び第三項の規定により処理することとされている事務（都道府県又は都市再生機構等（市のみが設立した地方住宅供給公社を除く。）が施行する防災街区整備事業に係るものに限る。）

二 市が第百九十二条第一項（土地の試掘等に係る部分に限る。）、第百九十七条第一項から第八項まで並びに第二百三十三条第二項及び第三項の規定により処理することとされている事務（都道府県又は都市再生機構等（市のみが設立した地方住宅供給公社を除く。）が施行する防災街区整備事業に係るものに限る。）

三 市町村が第百八十三条第二項（第百八十四条において準用する場合を含む。）、第百八十八条第三項及び第四項において準用する第百四十条第二項及び第百四十三条第四項、第百九十二条第一項（土地の試掘等に係る部分を除く。）及び第三項、第百九十九条第一項において準用する土地収用法第三十六条第四項、第二百三十三条第一項並びに第二百三十四条第一項及び第三項から第五項まで（これらの規定を第二百四十一条第五項において準用する場合を含む。）、第二百三十四条第二項において準用する第二百三十三条第三項並びに第二百五十条第六項において準用する第百六十条第二項の規定により処理することとされている事務（都道府県又は都市再生機構等（市のみが設立した地方住宅供給公社を除く。）

が施行する防災街区整備事業に係るものに限る。）

2　この法律の規定により市町村が処理することとされている事務のうち次に掲げるものは、地方自治法第二条第九項第二号に規定する第二号法定受託事務とする。

一　第百二十二条第二項（第百二十九条第二項、第百三十二条第二項、第百三十六条第四項、第百五十七条第二項、第百六十三条第五項、第百六十五条第二項、第百七十二条第二項、第百七十五条第二項及び第百七十八条第二項において準用する場合を含む。）、第百二十八条第三項（第百二十九条第二項において準用する場合を含む。）、第百三十条において準用する都市再開発法第七条の十七第五項及び第七項、第百三十九条第二項及び第三項（これらの規定を第百五十七条第二項及び第百六十八条第二項（第百七十二条第二項において準用する場合を含む。）において準用する場合を含む。）、第百四十条第二項（第百五十七条第二項、第百六十九条及び第百七十二条第二項において準用する場合を含む。）、第百四十三条第四項（第百五十七条第二項において準用する場合を含む。）、第百四十八条第三項において準用する都市再開発法第二十八条第一項、第百六十条第二項（第百七十四条第二項（第二百五十条第七項において準用する場合を含む。）において準用する場合を含む。）及び第二百五十条第六項において準用する場合を含む。）、第百七十一条第三項（第百七十二条第二項及び第百七十五条第二項において準用する場合を含む。）、第二百五十九条、第二百六十条、第二百六十一条第一項及び第三項並びに第二百六十八条第一項に規定する事務

二　第百八十三条第二項（第百八十四条において準用する場合を含む。）並びに第百八十八条第三項及び第四項において準用する第百四十条第二項及び第百四十三条第四項に規定する事務（市町村又は市のみが設立した地方住宅供給公社が施行する防災街区整備事業に係るものに限る。）

三　第百九十二条第一項（土地の試掘等に係る部分を除く。）及び第三項、第百九十九条第二項において準用する土地収用法第三十六条第四項、第二百三十三条第一項並びに第二百三十四条第一項及び第三項から第五項まで（これらの規定を第二百四十一条第五項において準用する場合を含む。）並びに第二百三十四条第二項において準用する第二百三十三条第三項に規定する事務（個人施行者、事業組合、事業会社、市町村又は市のみが設立した地方住宅供給公社が施行する防災街区整備事業に係るものに限る。）

第十一章　罰則

第三一二条　個人施行者（法人である個人施行者にあっては、その役員又は職員）、事業組合の役員、総代若しくは職員、事業会社の役員若しくは職員又は審査委員（以下この条において「個人施行者等」と総称する。）が、職務に関して賄賂を収受し、又は要求し、若しくは約束したときは、三年以下の懲役に処する。よって不正の行為をし、又は相当の行為をしないときは、七年以下の懲役に処する。

2　個人施行者等であった者がその在職中に請託を受けて職務上不正の行為をし、又は相当の行為をしなかったことにつき賄賂を収受し、又は要求し、若しくは約束したときは、三年以下の懲役に処する。

3　個人施行者等がその職務に関し請託を受けて第三者に賄賂を供与させ、又はその供与を約束したときは、三年以下の懲役に処する。

4　犯人又は情を知った第三者の収受した賄賂は、没収する。その全部又は一部を没収することができないときは、その価額を追徴する。

第三一三条　前条第一項から第三項までに規定する賄賂を供与し、又はその申込み若しくは約束をした者は、三年以下の懲役又は百万円以下の罰金に処する。

2　前項の罪を犯した者が自首したときは、その刑を軽減し、又は免除することができる。

第三一四条　計画整備組合の役員が、どのような名義をもってするものであっても、投機取引のために計画整備組合の財産を処分したときは、これを三年以下の懲役又は百万円以下の罰金に処する。

2　前項の罪を犯した者には、情状により、懲役及び罰金を併科することができる。

3　第一項の規定は、刑法に正条がある場合には、適用しない。

第三一五条　第二百十八条第三項（第二百三十二条第五項において準用する場合を含む。以下この章において同じ。）において準用する土地収用法第九十四条第六項において準用する同法第六十五条第一項第二号の規定により出頭を命じられた鑑定人が虚偽の鑑定をしたときは、一年以下の懲役又は五十万円以下の罰金に処する。

第三一六条　第二百八十三条第三項において準用する都市計画法第八十一条第一項の規定による命令に違反した者は、一年以下の懲役又は五十万円以下の罰金に処する。

第三一七条　第百九十七条第四項の規定による命令に違反して、土地の原状回復をせず、又は建築物等若しくは物件を移転せず、若しくは除却しなかった者は、一年以下の懲役又は三十万円以下の罰金に処する。

第三一八条　次の各号のいずれかに該当する者は、六月以下の懲役又は三十万円以下の罰金に処する。

一　第百九十一条第一項又は第二項に規定する場合において、都道府県知事等の許可を受けないで、土地又は建築物等に立ち入り、又は立ち入らせた者

二　第百九十一条第一項又は第二項の規定による土地又は建築物等への立入りを拒み、又は妨げた者

三　第百九十二条第一項に規定する場合において、市町村長の許可を受けないで障害物を伐除した者又は都道府県知事等の許可を受けないで土地に試掘等を行った者

第三一九条　第二百三十八条第二項の規定に違反した者は、六月以下の懲役又は三十万円以下の罰金に処する。

第三二〇条　次の各号のいずれかに該当する者は、三十万円以下の罰金に処する。

一　第八条又は第二十五条の規定による報告をせず、又は虚偽の報告をした者

二　第二十七条の規定による市町村長の命令（延焼等危険建築物を除却すべき旨の命令に限る。）に違反した者

三　第三十三条第一項又は第二項の規定による届出をせず、又は虚偽の届出をした者

四　第二百十八条第三項において準用する土地収用法第九十四条第六項において準用する同法第六十五条第一項第三号の規定による調査を拒み、妨げ、又は忌避した者

五　第二百八十三条第三項において準用する都市計画法第八十二条第一項の規定による立入検査を拒み、妨げ、又は忌避した者

第三二一条　個人施行者が次の各号のいずれかに該当する場合においては、その行為をした個人施行者（法人である個人施行者を除く。）又は法人である個人施行者の役員若しくは職員を三十万円以下の罰金に処する。

一　第二百六十八条第一項の規定による報告又は資料の提出を求められて、報告若しくは資料の提出をせず、又は虚偽の報告若しくは資料の提出をしたとき。

二　第二百六十八条第三項又は第二百六十九条第一項の規定による都道府県知事の命令に違反したとき。

三　第二百六十九条第一項の規定による都道府県知事の検査を拒み、又は妨げたとき。

第三二二条　事業組合が次の各号のいずれかに該当する場合においては、その行為をした役員又は職員を三十万円以下の罰金に処する。

一　第二百六十八条第一項の規定による報告又は資料の提出を求められて、報告若しくは資料の提出をせず、又は虚偽の報告若しくは資料の提出をしたとき。

二　第二百六十八条第三項又は第二百七十条第三項の規定による都道府県知事の命令に違反したとき。

三　第二百七十条第一項又は第二項の規定による都道府県知事の検査を拒み、又は妨げたとき。

第三二三条　事業会社が次の各号のいずれかに該当する場合においては、その行為をした役員又は職員を三十万円以下の罰金に処する。

一　第二百六十八条第一項の規定による報告又は資料の提出を求められて、報告若しくは資料の提出をせず、又は虚偽の報告若しくは資料の提出をしたとき。

二　第二百六十八条第三項又は第二百七十一条第三項の規定による都道府県知事の命令に違反したとき。

三　第二百七十一条第一項又は第二項の規定による都道府県知事の検査を拒み、又は妨げたとき。

第三二四条　法人の代表者又は法人若しくは人の代理人、使用人その他の従

業者が、その法人又は人の業務又は財産に関して第三百十六条から前条までに規定する違反行為をしたときは、行為者を罰するほか、その法人又は人に対しても各本条の罰金刑を科する。

第三二五条　計画整備組合の代表者又は代理人、使用人その他の従業者がその計画整備組合の業務に関し、第百五条の規定による報告をせず、若しくは虚偽の報告をし、又は第百六条の規定による検査を拒み、妨げ、若しくは忌避したときは、その行為者及び計画整備組合を、それぞれ三十万円以下の罰金に処する。

第三二六条　第百九十五条第二項の規定に違反して、同条第一項の規定による標識を移転し、若しくは除却し、又は汚損し、若しくは損壊した者は、三十万円以下の罰金に処する。

第三二七条　次の各号のいずれかに該当する者は、五十万円以下の過料に処する。

一　第二百八十四条において準用する都市計画法第五十二条の三第二項の規定に違反して、届出をしないで土地又は土地及びこれに定着する建築物等を有償で譲り渡した者

二　第二百八十四条において準用する都市計画法第五十二条の三第二項の届出について、虚偽の届出をした者

三　第二百八十四条において準用する都市計画法第五十二条の三第四項の規定に違反して、同項の期間内に土地又は土地及びこれに定着する建築物等を譲り渡した者

第三二八条　次の各号のいずれかに該当する場合には、計画整備組合の役員又は清算人を二十万円以下の過料に処する。

一　この法律の規定に基づいて計画整備組合が行うことができる事業以外の事業を行ったとき。

二　第四十四条第一項の規定に基づく政令で定める登記を怠り、又は虚偽の登記をしたとき。

三　第五十四条、第五十六条第二項後段、第六十七条又は第六十九条第一項の規定に違反したとき。

四　第六十九条第三項又は第六項（これらの規定を第七十四条第四項において準用する場合を含む。）の規定に違反したとき。

五　第七十二条第一項若しくは第二項若しくは第七十三条第一項の規定に違反して、書類を備えて置かず、その書類に記載すべき事項を記載せず、若しくは虚偽の記載をし、又は正当な理由がないのに第七十二条第四項若しくは第七十三条第二項の規定による閲覧を拒んだとき。

六　第七十四条第五項又は第七十六条第六項の規定に違反したとき。

七　第八十二条第一項、第二項、第三項若しくは第五項の規定に違反して出資一口の金額を減少し、又は第九十八条第四項において準用する第八十二条第一項、第二項、第三項若しくは第五項の規定に違反して計画整備組合の合併を行ったとき。

八　第八十三条から第八十五条までの規定に違反したとき。

九　第八十七条の規定に違反して、組合員の持分を取得し、又は質権の目的としてこれを受けたとき。

十　第九十七条第五項の規定に違反したとき。

十一　第百三条第一項又は第三項の書類に記載すべき事項を記載せず、又は虚偽の記載をしたとき。

十二　第百三条第二項の規定に違反して、計画整備組合の財産を分配したとき。

十三　第百三条の二第一項又は第百三条の四第一項に規定する公告を怠り、又は不正の公告をしたとき。

十四　第百三条の二第一項の期間内に債権者に弁済したとき。

十五　第百三条の四第一項の規定に違反して、破産手続開始の申立てを怠ったとき。

2　第七十七条の規定に違反した者は、二十万円以下の過料に処する。

第三二九条　次の各号のいずれかに該当する場合においては、その行為をした個人施行者（法人である個人施行者を除く。）又は法人である個人施行者の役員若しくは清算人を二十万円以下の過料に処する。

一　第百二十九条第三項の規定に違反したとき。

二　第二百七十八条第一項の規定に違反して、簿書を備えず、又はその簿書に記載すべき事項を記載せず、若しくは不実の記載をしたとき。

三　第二百七十八条第二項の規定に違反して、正当な理由がないのに簿書の閲覧又は謄写を拒んだとき。

四　この法律の規定による公告をせず、又は不実の公告をしたとき。

第三三〇条　次の各号のいずれかに該当する場合においては、その行為をした事業組合の理事、監事又は清算人を二十万円以下の過料に処する。

一　事業組合が防災街区整備事業以外の事業を営んだとき。

二　第百四十八条第三項において準用する都市再開発法第二十七条第八項の規定に違反して、正当な理由がないのに帳簿及び書類の閲覧又は謄写を拒んだとき。

三　第百四十八条第三項において準用する都市再開発法第二十七条第十項の規定に違反して、監事が理事又は事業組合の職員と兼ねたとき。

四　第百五十一条若しくは第百五十四条第四項において準用する都市再開発法第三十一条第一項、第三項若しくは第六項の規定又は第百五十三条第三項において準用する同法第三十一条第三項若しくは第六項の規定に違反して、総会、総会の部会又は総代会を招集しなかったとき。

五　第百五十一条において準用する都市再開発法第三十一条第九項の規定に違反して、書類を備えず、又はその書類に記載すべき事項を記載せず、若しくは不実の記載をしたとき。

六　第百五十一条において準用する都市再開発法第三十一条第十項の規定に違反して、正当な理由がないのに書類の閲覧又は謄写を拒んだとき。

七　第百五十七条第二項において準用する第二十九条第三項の規定又は第百六十三条第三項の規定に違反したとき。

八　第百六十四条において準用する都市再開発法第四十七条又は第四十九条に規定する書類に記載すべき事項を記載せず、又は不実の記載をしたとき。

九　第百六十四条において準用する都市再開発法第四十八条の規定に違反して、事業組合の残余財産を処分したとき。

十　第二百七十八条第一項の規定に違反して、簿書を備えず、又はその簿書に記載すべき事項を記載せず、若しくは不実の記載をしたとき。

十一　第二百七十八条第二項の規定に違反して、正当な理由がないのに簿書の閲覧又は謄写を拒んだとき。

十二　都道府県知事若しくは市町村長又は総会、総会の部会若しくは総代会に対し、不実の申立てをし、又は事実を隠したとき。

十三　この法律の規定による公告をせず、又は不実の公告をしたとき。

第三三一条　第百五十一条において準用する都市再開発法第三十一条第七項の規定に違反して、最初の理事又は監事を選挙し、又は選任するための総会を招集しなかった者は、二十万円以下の過料に処する。

第三三二条　次の各号のいずれかに該当する場合においては、その行為をした事業会社の役員又は清算人を二十万円以下の過料に処する。

一　第百七十二条第二項において準用する第百二十九条第三項の規定に違反したとき。

二　第二百七十八条第一項の規定に違反して、簿書を備えず、又はその簿書に記載すべき事項を記載せず、若しくは不実の記載をしたとき。

三　第二百七十八条第二項の規定に違反して、正当な理由がないのに簿書の閲覧又は謄写を拒んだとき。

四　市町村長に対し、不実の申立てをし、又は事実を隠したとき。

五　この法律の規定による公告をせず、又は不実の公告をしたとき。

第三三三条　第四十二条第二項又は第百三十五条第二項の規定に違反した者は、十万円以下の過料に処する。

第三三四条　次の各号のいずれかに該当する場合においては、十万円以下の過料に処する。

一　第二百十八条第三項において準用する土地収用法第九十四条第六項において準用する同法第六十五条第一項第一号の規定により出頭を命じられた者が、正当の事由がなくて出頭せず、陳述せず、又は虚偽の陳述をしたとき。

二　第二百十八条第三項において準用する土地収用法第九十四条第六項において準用する同法第六十五条第一項第一号の規定により資料の提出を命じられた者が、正当の事由がなくて資料を提出せず、又は虚偽の資料を提出したとき。

三　第二百十八条第三項において準用する土地収用法第九十四条第六項において準用する同法第六十五条第一項第二号の規定により出頭を命じられた鑑定人が、正当の事由がなくて出頭せず、又は鑑定をしないとき。

附　則

（施行期日）

第一条　この法律は、公布の日から起算して六月を超えない範囲内において政令で定める日から施行する。

〔平成九政三二三により、平成九・一一・八から施行〕

（第二十四条の規定の適用についての経過措置）

第二条　認定賃貸住宅に係る賃貸借契約が借地借家法附則第十二条の賃貸借契約である場合における第二十四条の規定の適用については、同条第一項中「借地借家法第二十六条第二項及び第二十八条」とあるのは「借地借家法附則第十二条の規定によりなお従前の例によることとされる旧借家法（大正十年法律第五十号）第一条ノ二及び第二条第二項」と、同条第二項中「借地借家法第二十七条第二項及び第二十八条」とあるのは「借地借家法附則第十二条の規定によりなお従前の例によることとされる旧借家法第一条ノ二及び第三条第二項」とする。

（名称の使用制限に関する経過措置）

第三条　この法律の施行の際現にその名称中に防災街区整備組合という文字を用いている者については、第四十二条第二項の規定は、この法律の施行後六月間は、適用しない。

（国の無利子貸付け等）

第四条　国は、当分の間、市町村に対し、第十二条第二項の規定により国がその費用について補助することができる建築物の建替えで日本電信電話株式会社の株式の売払収入の活用による社会資本の整備の促進に関する特別措置法（昭和六十二年法律第八十六号。以下「社会資本整備特別措置法」という。）第二条第一項第二号に該当するものにつき、第十二条第一項に規定する認定事業者に対し当該市町村が補助する費用に充てる資金について、予算の範囲内において、第十二条第二項の規定により国が補助することができる金額に相当する金額を無利子で貸し付けることができる。

2　国は、当分の間、地方公共団体に対し、密集市街地における防災街区の整備に関する事業（前項に規定する建築物の建替えを除く。）で社会資本整備特別措置法第二条第一項第二号に該当するものにつき、民間事業者が行う場合にあっては当該民間事業者に対し当該地方公共団体が補助する費用に充てる資金の一部を、当該地方公共団体が自ら行う場合にあってはその要する費用に充てる資金の一部を、予算の範囲内において、無利子で貸し付けることができる。

3　前二項の国の貸付金の償還期間は、五年（二年以内の据置期間を含む。）以内で政令で定める期間とする。

4　前項に定めるもののほか、第一項及び第二項の規定による貸付金の償還方法、償還期限の繰上げその他償還に関し必要な事項は、政令で定める。

5　国は、第一項の規定により市町村に対し貸付けを行った場合には、当該貸付けの対象である事業について、第十二条第二項の規定による当該貸付金に相当する金額の補助を行うものとし、当該補助については、当該貸付金の償還時において、当該貸付金の償還金に相当する金額を交付することにより行うものとする。

6　国は、第二項の規定により地方公共団体に対し貸付けを行った場合には、当該貸付けの対象である事業について、当該貸付金に相当する金額の補助を行うものとし、当該補助については、当該貸付金の償還時において、当該貸付金の償還金に相当する金額を交付することにより行うものとする。

7　地方公共団体が、第一項又は第二項の規定による貸付けを受けた無利子貸付金について、第三項及び第四項の規定に基づき定められる償還期限を繰り上げて償還を行った場合（政令で定める場合を除く。）における前二項の規定の適用については、当該償還は、当該償還期限の到来時に行われたものとみなす。

（独立行政法人都市再生機構の行う従前居住者用賃貸住宅の建設等の業務に係る要請を行う期限）

第五条　第三十条の二第三項の規定による要請は、平成二十九年三月三十一日までに限り行うことができる。

附則〔略〕〔平成九・六・六法律七二〕

附則〔略〕〔平成一〇・六・一二法律一〇〇〕

附則〔略〕〔平成一一・三・三一法律二五〕

附則〔略〕〔平成一一・六・一六法律七六〕

附則〔略〕〔平成一一・七・一六法律八七〕

附則〔略〕〔平成一一・一二・二二法律一六〇〕

附則〔抄〕〔平成一二・五・一九法律七三〕

（施行期日）

第一条　この法律は、公布の日から起算して一年を超えない範囲内において政令で定める日から施行する。

〔平成一三政九七により、平成一三・五・一八から施行〕

（密集市街地における防災街区の整備の促進に関する法律の一部改正に伴う経過措置）

第三四条　この法律の施行の際現に旧密集市街地整備促進法の規定により旧都市計画法第七条第四項の市街化区域の整備、開発又は保全の方針において定められている防災再開発促進地区及び当該地区の整備又は開発の計画の概要（附則第二条第二項の規定に基づきなお従前の例により施行日以後に旧都市計画法第七条第四項の市街化区域の整備、開発又は保全の方針において定められたものを含む。）は、前条の規定による改正後の密集市街地における防災街区の整備の促進に関する法律の規定により定められた防災再開発の方針とみなす。

附則〔略〕〔平成一三・一一・二八法律一二九〕

附則〔略〕〔平成一四・二・八法律一〕

附則〔略〕〔平成一四・三・三一法律一一〕

附則〔略〕〔平成一四・四・五法律二二〕

附則〔略〕〔平成一四・七・一二法律八五〕

附則〔略〕〔平成一五・六・二〇法律一〇〇〕

附則〔抄〕〔平成一五・六・二〇法律一〇一〕

（施行期日）

第一条　この法律は、公布の日から起算して六月を超えない範囲内において政令で定める日から施行する。

〔平成一五政五二二により、平成一五・一二・一九から施行〕

（防災再開発の方針に関する都市計画に関する経過措置）

第二条　この法律の施行の際現に第一条の規定による改正前の密集市街地における防災街区の整備の促進に関する法律（以下「旧密集市街地整備法」という。）の規定により定められている防災再開発の方針に関する都市計画は、同条の規定による改正後の密集市街地における防災街区の整備の促進に関する法律（以下「新密集市街地整備法」という。）の規定により定められた防災街区整備方針に関する都市計画とみなす。

2　旧密集市街地整備法の規定により防災再開発の方針に関する都市計画に関してした手続、処分その他の行為は、新密集市街地整備法の規定により防災街区整備方針に関する都市計画に関してした手続、処分その他の行為とみなす。

（名称の使用制限に関する経過措置）

第三条　この法律の施行の際現にその名称中に防災街区計画整備組合という文字を用いている者については、新密集市街地整備法第四十二条第二項の規定は、この法律の施行後六月間は、適用しない。

2　この法律の施行の際現にその名称中に防災街区整備事業組合という文字を用いている者については、新密集市街地整備法第百三十五条第二項の規定は、この法律の施行後六月間は、適用しない。

（防災街区整備推進機構に関する経過措置）

第四条　この法律の施行の際現に旧密集市街地整備法第百十六条第一項の規定により指定されている防災街区整備推進機構は、新密集市街地整備法第二百八十九条第一項の規定により指定された防災街区整備推進機構とみなす。

（罰則に関する経過措置）

第五条　この法律の施行前にした行為に対する罰則の適用については、なお従前の例による。

（政令への委任）

第六条　附則第二条から前条までに定めるもののほか、この法律の施行に関して必要な経過措置は、政令で定める。

附則〔略〕〔平成一六・六・二法律六七〕

附則〔略〕〔平成一六・六・二法律七六〕

附則〔略〕〔平成一六・六・九法律八四〕

附則〔略〕〔平成一六・六・一八法律一〇九〕

附則〔略〕〔平成一六・六・一八法律一一一〕

附則〔略〕〔平成一六・一二・一法律一四七〕

附則〔略〕〔平成一六・一二・一法律一五〇〕

附則〔抄〕〔平成一六・一二・三法律一五四〕

（施行期日）

第一条　この法律は、公布の日から起算して六月を超えない範囲内において政令で定める日（以下「施行日」という。）から施行する。〔以下略〕

〔平成一六政四二六により、平成一六・一二・三〇から施行〕

（処分等の効力）

第一二一条　この法律の施行前のそれぞれの法律（これに基づく命令を含む。以下この条において同じ。）の規定によってした処分、手続その他の行為であって、改正後のそれぞれの法律の規定に相当の規定があるものは、この附則に別段の定めがあるものを除き、改正後のそれぞれの法律の相当の規定によってしたものとみなす。

（罰則に関する経過措置）

第一二二条　この法律の施行前にした行為並びにこの附則の規定によりなお従前の例によることとされる場合及びこの附則の規定によりなおその効力を有することとされる場合におけるこの法律の施行後にした行為に対する罰則の適用については、なお従前の例による。

（その他の経過措置の政令への委任）

第一二三条　この附則に規定するもののほか、この法律の施行に伴い必要な経過措置は、政令で定める。

（検討）

第一二四条　政府は、この法律の施行後三年以内に、この法律の施行の状況について検討を加え、必要があると認めるときは、その結果に基づいて所要の措置を講ずるものとする。

附　則〔略〕〔平成一七・四・二七法律三四〕

附　則〔平成一七・七・二六法律八七〕

この法律は、会社法の施行の日〔平成一八・五・一〕から施行する。〔以下略〕

会社法の施行に伴う関係法律の整備等に関する法律〔抄〕

〔平成一七・七・二六　法律八七〕

（密集市街地における防災街区の整備の促進に関する法律の一部改正に伴う経過措置）

第五〇六条　施行日前に生じた前条の規定による改正前の密集市街地における防災街区の整備の促進に関する法律（次項において「旧密集市街地整備法」という。）第九十七条第一項各号に掲げる事由により防災街区計画整備組合が解散した場合又は施行日前に同条第四項の規定により防災街区計画整備組合が解散した場合における防災街区計画整備組合の清算については、なお従前の例による。ただし、清算に関する登記の登記事項については、前条の規定による改正後の密集市街地における防災街区の整備の促進に関する法律の定めるところによる。

2　施行日前に生じた旧密集市街地整備法第百六十三条第一項各号に掲げる理由により防災街区整備事業組合が解散した場合における防災街区整備事業組合の清算については、なお従前の例による。

（罰則に関する経過措置）

第五二七条　施行日前にした行為及びこの法律の規定によりなお従前の例によることとされる場合における施行日以後にした行為に対する罰則の適用については、なお従前の例による。

（政令への委任）

第五二八条　この法律に定めるもののほか、この法律の規定による法律の廃止又は改正に伴い必要な経過措置は、政令で定める。

附　則〔略〕〔平成一八・六・二法律五〇〕

附　則〔略〕〔平成一八・六・二一法律九二〕

附　則〔抄〕〔平成一九・三・三一法律一九〕

（施行期日）

第一条　この法律は、公布の日から起算して六月を超えない範囲内において政令で定める日から施行する。ただし、〔中略〕附則第五条の規定は、平成十九年四月一日から施行する。

〔平成一九政三〇三により、平成一九・九・二八から施行〕

（密集市街地における防災街区の整備の促進に関する法律の一部改正に伴う経過措置）

第三条　この法律の施行前に第二条の規定による改正前の密集市街地における防災街区の整備の促進に関する法律（以下「旧密集市街地整備法」という。）第四条第一項の認定の申請がされた建替計画については、第二条の規定による改正後の密集市街地における防災街区の整備の促進に関する法律（以下「新密集市街地整備法」という。）第四条第四項及び第五条第一項の規定にかかわらず、なお従前の例による。

2　この法律の施行前にされた旧密集市街地整備法第百三十六条第二項若しくは第三項又は第百五十七条第一項の認可の申請であって、この法律の施行の際、認可又は不認可の処分がなされていないものについての処分については、なお従前の例による。

3　この法律の施行前に旧密集市街地整備法第百三十六条第二項の規定により設立された防災街区整備事業組合の事業計画の決定手続については、なお従前の例による。

4　新密集市街地整備法第百四十八条第三項において準用する都市再開発法（昭和四十四年法律第三十八号）第二十七条第七項の規定は、この法律の施行の日以後に通常総会の承認を得た事業報告書、収支決算書及び財産目録について適用する。

5　新密集市街地整備法第百五十一条において準用する都市再開発法第三十一条第七項の規定は、この法律の施行の日以後にその通知を発して招集する通常総会について適用する。

（罰則に関する経過措置）

第四条　この法律の施行前にした行為に対する罰則の適用については、なお従前の例による。

（政令への委任）

第五条　前三条に定めるもののほか、この法律の施行に関して必要な経過措置（罰則に関する経過措置を含む。）は、政令で定める。

（検討）

第六条　政府は、この法律の施行後五年を経過した場合において、第二条から第四条までの規定による改正後の規定の施行の状況について検討を加え、必要があると認めるときは、その結果に基づいて必要な措置を講ずるものとする。

附　則〔略〕〔平成二〇・三・三一法律九〕

附　則〔抄〕〔平成二〇・四・三〇法律二三〕

改正　平成二〇・三法九

（施行期日）

第一条　この法律〔中略〕は、当該各号に定める日〔平成二〇・一二・一〕から施行する。

（罰則に関する経過措置）

第一一九条　この法律（附則第一条各号に掲げる規定にあっては、当該規定。以下この条において同じ。）の施行前にした行為及びこの附則の規定によりなお従前の例によることとされる場合におけるこの法律の施行後にした行為に対する罰則の適用については、なお従前の例による。

（この法律の公布の日が平成二十年四月一日後となる場合における経過措置）

第一一九条の二　この法律の公布の日が平成二十年四月一日後となる場合におけるこの法律による改正後のそれぞれの法律の規定の適用に関し必要な事項（この附則の規定の読替えを含む。）その他のこの法律の円滑な施行に関し必要な経過措置は、政令で定める。

（その他の経過措置の政令への委任）

第一二〇条　この附則に規定するもののほか、この法律の施行に関し必要な経過措置は、政令で定める。

附　則〔略〕〔平成二〇・五・二三法律四〇〕

附　則〔略〕〔平成二三・五・二五法律五三〕

附　則〔抄〕〔平成二三・八・三〇法律一〇五〕

（施行期日）

第一条　この法律は、公布の日から施行する。ただし、次の各号に掲げる規定は、当該各号に定める日から施行する。

一　〔前略〕第百四十九条（密集市街地における防災街区の整備の促進に関する法律第十三条、第二百七十七条、第二百九十一条、第二百九十三条から第二百九十五条まで及び第二百九十八条の改正規定に限る。）〔中略〕の規定　公布の日から起算して三月を経過した日

二　〔前略〕第百四十九条（密集市街地における防災街区の整備の促進に関する法律第二十条、第二十一条、第百九十一条、第百九十二条、第百九十七条、第二百三十三条、第二百四十一条、第二百八十三条、第三百十一条及び第三百十八条の改正規定に限る。）〔中略〕の規定並びに附則〔中略〕第六十一条から第六十九条まで〔中略〕の規定　平成二十四年四月一日

三〜六　〔略〕

（密集市街地における防災街区の整備の促進に関する法律の一部改正に伴う経過措置）

第六七条　第百四十九条の規定（密集市街地における防災街区の整備の促進

に関する法律第二十条、第二十一条、第百九十一条、第百九十二条、第百九十七条、第二百三十三条、第二百四十一条、第二百八十三条、第三百十一条及び第三百十八条の改正規定に限る。以下この条において同じ。）の施行の際現に効力を有する第百四十九条の規定による改正前の密集市街地における防災街区の整備の促進に関する法律（以下この条において「旧密集市街地整備法」という。）第百九十一条第一項若しくは第二項、第百九十二条第一項、第百九十七条第一項から第五項まで、第七項若しくは第八項、第二百八十三条第一項、同条第三項において準用する旧都市計画法第四十二条第二項、第七十九条若しくは第八十一条第一項から第三項までの規定により都道府県知事が行った許可その他の行為又は現に旧密集市街地整備法第百九十一条第一項若しくは第二項、第百九十二条第一項、第百九十七条第一項若しくは第七項、第二百三十三条第二項、第二百八十三条第一項若しくは同条第三項において準用する旧都市計画法第四十二条第二項の規定により都道府県知事に対して行っている許可の申請その他の行為で、第百四十九条の規定による改正後の密集市街地における防災街区の整備の促進に関する法律（以下この条において「新密集市街地整備法」という。）第百九十一条第一項若しくは第二項、第百九十二条第一項、第百九十七条第一項から第五項まで、第七項若しくは第八項、第二百三十三条第二項、第二百八十三条第一項、同条第三項において準用する新都市計画法第五十二条の二第二項、第七十九条又は第八十一条第一項から第三項までの規定により市長が行うこととなる事務に係るものは、それぞれこれらの規定により当該市長が行った許可その他の行為又は当該市長に対して行った許可の申請その他の行為とみなす。

２　第百四十九条の規定の施行の際現に効力を有する旧密集市街地整備法第百九十三条において準用する旧都市再開発法第六十二条第一項又は第二項の都道府県知事の許可証で新密集市街地整備法第百九十一条第一項若しくは第二項又は第百九十二条第一項の規定により市長が行うこととなる許可に係るものは、それぞれ当該市長に係る新密集市街地整備法第百九十三条において準用する新都市再開発法第六十二条第一項又は第二項の許可証とみなす。

３　第百四十九条の規定の施行前に旧密集市街地整備法第二百三十三条第二項の規定により都道府県知事が自らし、又は第三者をしてさせた代執行については、新密集市街地整備法第二百三十三条第三項又は第四項の規定にかかわらず、なお従前の例による。

（罰則に関する経過措置）

第八一条　この法律（附則第一条各号に掲げる規定にあっては、当該規定。以下この条において同じ。）の施行前にした行為及びこの附則の規定によりなお従前の例によることとされる場合におけるこの法律の施行後にした行為に対する罰則の適用については、なお従前の例による。

（政令への委任）

第八二条　この附則に規定するもののほか、この法律の施行に関し必要な経過措置（罰則に関する経過措置を含む。）は、政令で定める。

附　則〔略〕〔平成二五・六・一四法律四四施行〕

附　則〔抄〕〔平成二六・五・三〇法律四二〕

（施行期日）

第一条　この法律〔中略〕は、当該各号に定める日〔平成二七・四・一〕から施行する。

（都市再開発法及び密集市街地における防災街区の整備の促進に関する法律の一部改正に伴う経過措置）

第四八条　施行時特例市に対する前条の規定による改正後の同条各号に掲げる法律の規定の適用については、これらの規定中「及び同法」とあるのは「、同法」と、「「中核市」」とあるのは「「中核市」という。）及び地方自治法の一部を改正する法律（平成二十六年法律第四十二号）附則第二条に規定する施行時特例市（以下この条において「施行時特例市」」と、「又は中核市」とあるのは「、中核市又は施行時特例市」とする。

附　則〔略〕〔平成二六・六・四法律五四〕

附　則〔略〕〔平成二六・六・一三法律六九〕

附　則〔略〕〔平成二八・六・七法律七二〕

附　則〔略〕〔平成二九・四・二六法律二五〕

附　則〔略〕〔平成二九・五・一二法律二六〕

附　則〔略〕〔平成三〇・六・二七法律六七〕

附　則〔抄〕〔平成三〇・七・一三法律七二〕

（施行期日）

第一条　この法律〔中略〕は、当該各号に定める日から施行する。

一　附則第三十条及び第三十一条の規定　公布の日

二・三〔略〕

四〔前略〕附則〔中略〕第二十三条〔中略〕の規定　公布の日から起算して二年を超えない範囲内において政令で定める日〔平成三〇政三二六により、令和二・四・一から施行〕

五〔略〕

（政令への委任）

第三一条　この附則に規定するもののほか、この法律の施行に関し必要な経過措置は、政令で定める。

附　則〔抄〕〔令和二・三・三一法律八〕

（施行期日）

第一条　この法律は、令和二年四月一日から施行する。ただし、次の各号に掲げる規定は、当該各号に定める日から施行する。

一〜四〔略〕

五　次に掲げる規定　令和四年四月一日

イ〔略〕

ロ〔前略〕附則〔中略〕第百五十九条から第百六十二条まで〔中略〕の規定

ハ〜ナ〔略〕

六〜十二〔略〕

（罰則に関する経過措置）

第七一条　この法律（附則第一条各号に掲げる規定にあっては、当該規定。以下この条において同じ。）の施行前にした行為並びにこの附則の規定によりなお従前の例によることとされる場合及びこの附則の規定によりなおその効力を有することとされる場合におけるこの法律の施行後にした行為に対する罰則の適用については、なお従前の例による。

（政令への委任）

第七二条　この附則に規定するもののほか、この法律の施行に関し必要な経過措置は、政令で定める。

附　則〔抄〕〔令和三・五・一九法律三七〕

（施行期日）

第一条　この法律は、令和三年九月一日から施行する。ただし、次の各号に掲げる規定は、当該各号に定める日から施行する。

一〔前略〕附則〔中略〕第七十一条から第七十三条までの規定　公布の日

二〜十〔略〕

（罰則に関する経過措置）

第七一条　この法律（附則第一条各号に掲げる規定にあっては、当該規定。以下この条において同じ。）の施行前にした行為及びこの附則の規定によりなお従前の例によることとされる場合におけるこの法律の施行後にした行為に対する罰則の適用については、なお従前の例による。

（政令への委任）

第七二条　この附則に定めるもののほか、この法律の施行に関し必要な経過措置（罰則に関する経過措置を含む。）は、政令で定める。

（検討）

第七三条　政府は、行政機関等に係る申請、届出、処分の通知その他の手続において、個人の氏名を平仮名又は片仮名で表記したものを利用して当該個人を識別できるようにするため、個人の氏名を平仮名又は片仮名で表記したものを戸籍の記載事項とすることを含め、この法律の公布後一年以内を目途としてその具体的な方策について検討を加え、その結果に基づいて必要な措置を講ずるものとする。

附　則〔抄〕〔令和五・六・一六法律五八〕

（施行期日）

第一条　この法律〔中略〕は、当該各号に定める日〔令和六・四・一〕から施行する。

○密集市街地における防災街区の整備の促進に関する法律施行令

〔平成九・一一・六　政令三二四〕

改正　平成一一・一政五、一〇政三一二、一一政三五二、平成一二・六政三一二、平成一三・三政九八、平成一四・二政二七、一一政三三一、平成一五・一二政五二三、平成一六・四政一六〇、六政二一〇、一〇政三一二、一二政三九六、政四二九、平成一七・二政二四、五政一八二、六政二〇三、平成一九・三政三九、八政二三五、九政三〇四、平成二三・八政二八二、一一政三六三、平成二四・八政二一六、平成二六・九政二九一、平成二七・一政三〇、一一政三九二、令和元・六政三〇、一二政二〇二、令和五・九政二九三

注　［　］の部分は、令和六年四月一九日政令第一七二号により改正され、令和七年四月一日から施行

目次

第一章　総則（第一条・第二条）
第二章　防災再開発促進地区の区域における建築物の建替え等の促進（第三条―第七条の二）
第三章　防災街区整備地区計画等
第一節　防災街区整備地区計画（第八条―第十三条）
第二節　防災街区整備権利移転等促進計画（第十四条）
第三節　防災街区計画整備組合（第十五条―第二十二条）
第四章　防災街区整備事業
第一節　総則（第二十三条）
第二節　施行者
第一款　総則（第二十四条―第二十五条の二）
第二款　個人施行者（第二十六条）
第三款　防災街区整備事業組合（第二十七条―第二十九条）
第四款　事業会社（第三十条）
第五款　地方公共団体及び独立行政法人都市再生機構等（第三十一条）
第三節　防災街区整備事業の施行
第一款　測量、調査等（第三十二条・第三十三条）
第二款　権利変換手続（第三十四条―第四十七条）
第三款　費用の負担（第四十八条）
第四款　雑則（第四十九条―第五十二条）
第五章　防災都市施設の整備のための特別の措置（第五十三条―第五十六条）
第六章　防災街区整備推進機構（第五十七条・第五十八条）
第七章　雑則（第五十九条―第六十二条）
附則

第一章　総則

（防災公共施設）

第一条　密集市街地における防災街区の整備の促進に関する法律（以下「法」という。）第二条第四号の政令で定める公共施設は、緑地、広場その他の公共空地（公園を除く。）とする。

（公共施設）

第二条　法第二条第十号の政令で定める公共の用に供する施設は、緑地、広場その他の公共空地（公園を除く。）並びに下水道、河川、運河、水路及び消防の用に供する貯水施設とする。

第二章　防災再開発促進地区の区域における建築物の建替え等の促進

（都道府県知事が所管行政庁となる建築物）

第三条　法第四条第一項の政令で定める建築物のうち建築基準法（昭和二十五年法律第二百一号）第九十七条の二第一項又は第二項の規定により建築主事又は建築副主事を置く市町村の区域内のものは、同法第六条第一項第四号に掲げる建築物（その新築、改築、増築、移転又は用途の変更に関して、法律並びにこれに基づく命令及び条例の規定により都道府県知事の許可を必要とするものを除く。）以外の建築物とする。

［**第三条**　法第四条第一項の政令で定める建築物のうち建築基準法（昭和二十五年法律第二百一号）第九十七条の二第一項又は第二項の規定により建築主事又は建築副主事を置く市町村の区域内のものは、建築基準法施行令（昭和二十五年政令第三百三十八号）第百四十八条第一項第一号又は第二号に掲げる建築物（その新築、改築、増築、移転又は用途の変更に関して、法律並びにこれに基づく命令及び条例の規定により都道府県知事の許可を必要とするものを除く。）以外の建築物とする。］

2　法第四条第一項の政令で定める建築物のうち建築基準法第九十七条の三第一項又は第二項の規定により建築主事又は建築副主事を置く特別区の区域内のものは、次に掲げる建築物（第二号に掲げる建築物にあっては、地方自治法（昭和二十二年法律第六十七号）第二百五十二条の十七の二第一項の規定により同号に規定する処分に関する事務を特別区が処理することとされた場合における当該建築物を除く。）とする。

一　延べ面積（建築基準法施行令（昭和二十五年政令第三百三十八号）第二条第一項第四号の延べ面積をいう。）が一万平方メートルを超える建築物

［一　延べ面積（建築基準法施行令第二条第一項第四号の延べ面積をいう。）が一万平方メートルを超える建築物］

二　その新築、改築、増築、移転又は用途の変更に関して、建築基準法第五十一条（同法第八十七条第二項及び第三項において準用する場合を含む。）（市町村都市計画審議会が置かれている特別区にあっては、卸売市場、と畜場及び産業廃棄物処理施設に係る部分に限る。）並びに同法以外の法律並びにこれに基づく命令及び条例の規定により都知事の許可を必要とする建築物

（建築物の建替えに要する費用に係る国の補助）

第四条　法第十二条第二項の規定による国の市町村に対する補助金の額は、同条第一項に規定する認定事業者が行う建築物の建替えに要する費用のうち、次に掲げるものに対して市町村が補助する額（市町村が補助する額が次の各号に掲げる費用を合計した額の三分の二に相当する額を超える場合においては、当該三分の二に相当する額）に二分の一を乗じて得た額とする。

一　建築物の除却に要する費用

二　新築する建築物の敷地内の土地についてする整地に要する費用

三　スプリンクラー設備その他の新築する建築物に設けられる火事又は地震に対する安全性の向上に資する施設で国土交通省令で定めるものの整備に要する費用

四　新築する建築物の敷地内に道路に接して設けられる空地その他の延焼防止上又は避難上有効な空地で国土交通省令で定めるものの整備に要する費用

（代替住宅として定められた公営住宅の家賃の特例）

第五条　法第二十条第二項の規定による同条第一項に規定する公営住宅の家賃の減額は、当該公営住宅の家賃の額から従前賃借していた延焼等危険賃貸住宅の家賃の額を控除した額に次の表の上欄各項に定める入居期間の区分に応じてそれぞれ下欄各項に定める率を乗じた額を減ずることによりするものとする。

入居期間	率
一年以下の場合	六分の五
一年を超え二年以下の場合	六分の四
二年を超え三年以下の場合	六分の三
三年を超え四年以下の場合	六分の二
四年を超え五年以下の場合	六分の一

（市町村借上住宅の家賃の減額に要する費用に係る国の補助）
第六条　法第二十二条第三項の規定による国の市町村に対する補助金の額は、次に掲げる額とする。
一　所得が比較的少ない入居者でその所得が国土交通省令で定める基準以下のものに係る家賃の減額については、その減額に要する費用の額（減額前の家賃の額から入居者の所得、住宅の規模等を勘案して国土交通大臣が定めるところにより算定した額を控除した額を限度とする。）に二分の一を乗じて得た額
二　前号に規定する入居者以外の入居者に係る家賃の減額については、その減額に要する費用の額（減額前の家賃の額から入居者の所得、住宅の規模等を勘案して国土交通大臣が定めるところにより算定した額を控除した額を限度とする。）に三分の一を乗じて得た額

（移転料の支払に要する費用に係る国の補助）
第七条　法第二十九条第二項の規定による国の市町村に対する補助金の額は、法第二十三条の規定による移転料の支払に要する費用に対して市町村が補助する額に三分の一を乗じて得た額とする。

（業務に関する計画の記載事項）
第七条の二　法第三十条の二第三項の規定による業務に関する計画には、次に掲げる事項を記載しなければならない。
一　当該業務に係る法第三十条の二第一項に規定する事業の実施区域
二　当該業務に係る従前居住者用賃貸住宅の戸数
三　当該業務の実施期間
四　その他当該業務に関する基本的な事項

第三章　防災街区整備地区計画等

第一節　防災街区整備地区計画

（法第三十二条第二項第二号の政令で定める施設）
第八条　法第三十二条第二項第二号の政令で定める施設は、道路又は公園、緑地、広場その他の公共空地とする。

（特定建築物地区整備計画及び防災街区整備地区整備計画において定める建築物等に関する事項）
第九条　法第三十二条第三項及び第四項第二号の建築物等に関する事項で政令で定めるものは、垣又はさくの構造の制限とする。

（届出を要する行為）
第一〇条　法第三十三条第一項各号列記以外の部分の政令で定める行為は、次に掲げるものとする。
一　建築物等の移転
二　防災街区整備地区計画において用途の制限が定められ、又は用途に応じて建築物等に関する制限が定められている土地の区域内においてする建築物等の用途の変更（用途変更後の建築物等が防災街区整備地区計画において定められた用途の制限又は用途に応じた建築物等に関する制限に適合しないこととなる場合に限る。）
三　防災街区整備地区計画において建築物等の形態又は色彩その他の意匠の制限が定められている土地の区域内においてする建築物等の形態又は色彩その他の意匠の変更
四　防災街区整備地区計画において法第三十二条第四項第三号に掲げる事項が定められている土地の区域内においてする木竹の伐採

（届出を要しない防災街区整備地区計画の区域内における通常の管理行為、軽易な行為その他の行為）
第一一条　法第三十三条第一項第一号の政令で定める行為は、次に掲げるものとする。
一　次に掲げる土地の区画形質の変更
イ　建築物等で仮設のものの新築、改築、増築又は移転の用に供する目的で行う土地の区画形質の変更
ロ　既存の建築物等の管理のために必要な土地の区画形質の変更
ハ　農林漁業を営むために行う土地の区画形質の変更
二　次に掲げる建築物等の新築、改築、増築又は移転
イ　前号イに掲げる建築物等の新築、改築、増築又は移転
ロ　屋外広告物で表示面積が一平方メートル以下であり、かつ、高さが三メートル以下であるものの表示又は掲出のために必要な工作物（建築物以外の工作物をいう。ハ及びニにおいて同じ。）の新築、改築、増築又は移転
ハ　水道管、下水道管その他これらに類する工作物で地下に設けるものの新築、改築、増築又は移転
ニ　建築物の存する敷地内の当該建築物に附属する物干場、建築設備、受信用の空中線系（その支持物を含む。）、旗ざおその他これらに類する工作物の新築、改築、増築又は移転
ホ　農林漁業を営むために必要な物置、作業小屋その他これらに類する建築物等の新築、改築、増築又は移転
三　次に掲げる建築物等の用途の変更
イ　第一号イに掲げる建築物等の用途の変更
ロ　建築物等の用途を前号ホに掲げるものとする建築物等の用途の変更
四　第二号に掲げる建築物等の形態又は色彩その他の意匠の変更
五　次に掲げる木竹の伐採
イ　除伐、間伐、整枝等木竹の保育のために通常行われる木竹の伐採
ロ　枯損した木竹又は危険な木竹の伐採
ハ　自家の生活の用に充てるために必要な木竹の伐採
ニ　仮植した木竹の伐採
ホ　測量、実地調査又は施設の保守の支障となる木竹の伐採
六　前各号に掲げるもののほか、法令又はこれに基づく処分による義務の履行として行う行為

（法第三十三条第一項第四号の政令で定める都市計画事業の施行として行う行為に準ずる行為）
第一二条　法第三十三条第一項第四号の都市計画事業の施行として行う行為に準ずる行為として政令で定めるものは、次に掲げるもの（都市計画事業の施行として行うものを除く。）とする。
一　都市計画施設を管理することとなる者が当該都市施設に関する都市計画に適合して行う行為
二　防災街区整備事業の施行として行う行為
三　土地区画整理事業の施行として行う行為
四　都市再開発法（昭和四十四年法律第三十八号）第二条第一号に規定する第一種市街地再開発事業の施行として行う行為
五　大都市地域における住宅及び住宅地の供給の促進に関する特別措置法（昭和五十年法律第六十七号）による住宅街区整備事業の施行として行う行為

（法第三十三条第一項第七号の政令で定める行為）
第一三条　法第三十三条第一項第七号の政令で定める行為は、次に掲げるものとする。
一　建築基準法第六条第一項（同法第八十七条第一項又は第八十八条第二項において準用する場合を含む。）の確認又は同法第十八条第二項（同法第八十七条第一項又は第八十八条第二項において準用する場合を含む。）の通知を要する建築物等の新築、改築、増築、移転又は用途の変更（当該建築物等又はその敷地について防災街区整備地区計画において定められている内容（次に掲げる事項を除く。）のすべてが同法第六十八条の二第一項（同法第八十七条第二項若しくは第三項又は第八十八条第二項において準用する場合を含む。）の規定に基づく条例で制限として定められている場合に限る。）
イ　防災街区整備地区計画において定められている建築物の容積率の最高限度で、建築基準法第六十八条の五の三の規定により同法第五十二条第一項第二号又は第三号に定める数値とみなされるもの
ロ　防災街区整備地区計画（特定建築物地区整備計画又は防災街区整備地区整備計画において、法第三十二条の四の規定による壁面の位置の制限、壁面後退区域における工作物の設置の制限及び建築物の高さの最高限度が定められているものに限る。）において定められている建築物の容積率の最高限度で、当該敷地に係る建築基準法第五十二条の規定による建築物の容積率の最高限度を超えるもの
二　都市緑地法（昭和四十八年法律第七十二号）第二十条第一項の規定に基づく条例の規定により、同項の許可を要する同法第十四条第一項各号に掲げる行為
三　都市計画法（昭和四十三年法律第百号）第二十九条第一項第三号に掲げる開発行為その他の公益上必要な事業の実施に係る行為で防災街区整備地区計画の目的を達成する上で著しい支障を及ぼすおそれが少ないと認められるもののうち、当該行為に係る建築物等の用途上又は構造上これを行うことがやむを得ないものとして国土交通省令で定めるもの

第二節　防災街区整備権利移転等促進計画

（法第三十四条第一項の政令で定める土地）

第一四条　法第三十四条第一項の政令で定める土地は、国又は地方公共団体が所有する土地で公共施設の用に供されているもの、農地、採草放牧地及び森林とする。

第三節　防災街区計画整備組合

（法第四十五条第二項第一号の政令で定める者）

第一五条　法第四十五条第二項第一号の政令で定める者は、次に掲げる者とする。

一　国及び地方公共団体

二　防災街区整備推進機構

三　前二号に掲げる者のほか、その資力及び信用からみて当該土地に促進地区内防災街区整備地区計画に適合する耐火建築物等又は準耐火建築物等を建築することが確実であると認められる者

（法第六章の規定の適用についての読替規定）

第一六条　法第四十五条の二第一項の規定による法第六章の規定の適用については、法第百二十六条第一項（法第百二十九条第二項及び第二百四条第二項（同条第四項において準用する場合を含む。）において準用する場合を含む。）中「その者」とあるのは「計画整備組合の組合員」と、「認可を申請しようとする者に」とあるのは「計画整備組合の組合員に」とする。

（土地区画整理法の規定の適用についての読替規定）

第一七条　法第四十六条第一項の規定による土地区画整理法（昭和二十九年法律第百十九号）の規定の適用については、同法第八条第一項（同法第十条第三項、第八十八条第一項及び第九十七条第二項において準用する場合を含む。）中「その者」とあるのは「防災街区計画整備組合の組合員」と、「認可を申請しようとする者に」とあるのは「防災街区計画整備組合の組合員に」と、同法第九十八条第三項中「施行者に」とあるのは「防災街区計画整備組合の組合員に」とする。

（土地区画整理法施行令の規定の適用についての読替規定）

第一八条　防災街区計画整備組合（以下「計画整備組合」という。）が法第四十六条第一項の規定により法第四十五条第一項第一号に掲げる事業を土地区画整理事業として行う場合の土地区画整理法施行令（昭和三十年政令第四十七号）第七十三条第四号の規定の適用については、同号中「施行者に対抗する」とあるのは、「防災街区計画整備組合の組合員に対抗する」とする。

（都市再開発法の規定の適用についての読替規定）

第一九条　法第四十七条第一項の規定による都市再開発法の規定の適用については、同法第七条の十三第一項（同法第七条の十六第二項及び第七十二条第二項（同条第四項において準用する場合を含む。）において準用する場合を含む。）中「その者」とあるのは「防災街区計画整備組合の組合員」と、「認可を申請しようとする者に」とあるのは「防災街区計画整備組合の組合員に」とする。

（計画整備組合の払込済出資額に応じてする剰余金の配当の限度）

第二〇条　法第八十四条第二項の政令で定める割合は、年七パーセントとする。

（計画整備組合の自己資本の基準）

第二一条　計画整備組合の自己資本は、次の各号に掲げる額の合計額以上でなければならない。

一　当該計画整備組合の有する有形固定資産及び無形固定資産の価額の合計額

二　当該計画整備組合の他の団体への払込済出資金の総額

2　前項の自己資本とは、払込済出資金及び準備金（準備金、積立金その他名称のいかんを問わず、剰余金のうちから積み立てられたものであって資本勘定に属するものをいう。）の額の合計額（繰越損失額がある場合には、その額を控除した額）をいう。

3　第一項の有形固定資産及び無形固定資産の価額の算定に当たっては、その有形固定資産及び無形固定資産の取得のためにした借入金（借入期間が一年を超えるものについては、数回にわたって定期に返済する契約のあるものに限る。）の残額で返済期限の到来しないものを差し引くものとする。

（計画整備組合の余裕金の運用方法）

第二二条　計画整備組合は、次の方法によるほか、業務上の余裕金を運用してはならない。

一　国債、地方債その他国土交通大臣が指定する有価証券の取得

二　銀行その他国土交通大臣が指定する金融機関への預金

三　信託業務を営む金融機関（金融機関の信託業務の兼営等に関する法律（昭和十八年法律第四十三号）第一条第一項の認可を受けた金融機関をいう。）への金銭信託

第四章　防災街区整備事業

第一節　総則

（不適合建築物の数及び建築面積の割合の最低限度）

第二三条　法第百十八条第一項第三号イ及びロの政令で定める割合は、二分の一とする。

第二節　施行者

第一款　総則

（施行地区及び設計の概要を表示する図書の縦覧）

第二四条　市町村長は、法第百二十八条第一項（法第百二十九条第二項において準用する場合を含む。）、第百四十三条第一項（法第百五十七条第二項並びに第百八十八条第三項及び第四項において準用する場合を含む。）若しくは第二項（法第百五十七条第二項において準用する場合を含む。）、第百七十一条第一項（法第百七十五条第二項及び第百八十四条において準用する場合を含む。）又は第百八十三条第一項（法第百八十四条において準用する場合を含む。）の規定による図書の送付を受けたときは、直ちに、縦覧の場所及び時間を公告した上で、その図書を当該市町村の事務所において公衆の縦覧に供しなければならない。

（事業計画等の縦覧）

第二五条　法第百四十条第二項（法第百五十七条第二項、第百六十九条、第百七十二条第二項並びに第百八十八条第三項及び第四項において準用する場合を含む。）又は第百八十一条第一項（法第百八十四条において準用する場合を含む。）の規定により市町村長又は地方公共団体が行う縦覧は、縦覧の開始の日、場所及び時間を公告した上で、当該市町村又は地方公共団体の事務所において行わなければならない。

（意見書の内容の審査についての行政不服審査法施行令の準用）

第二五条の二　法第百四十条第五項（法第百五十七条第二項、第百六十九条及び第百七十二条第二項において準用する場合を含む。以下この項において同じ。）において準用する行政不服審査法（平成二十六年法律第六十八号）第三十一条第一項本文の規定による意見の陳述については行政不服審査法施行令（平成二十七年政令第三百九十一号）第八条の規定を、法第百四十条第五項において準用する行政不服審査法第三十七条第二項の規定による意見の聴取については同令第九条の規定を、それぞれ準用する。この場合において、同令第八条及び第九条中「審理員」とあるのは「都道府県知事」と、同令第八条中「総務省令」とあるのは「国土交通省令」と読み替えるものとする。

2　前項の規定は、法第百八十一条第二項（法第百八十四条において準用する場合を含む。以下この項において同じ。）において準用する法第百四十条第五項において準用する行政不服審査法第三十一条第一項本文の規定による意見の陳述及び法第百八十一条第二項において準用する法第百四十条第五項において準用する行政不服審査法第三十七条第二項の規定による意見の聴取について準用する。この場合において、前項中「審理員」とあるのは「審理員は」と、「都道府県知事」とあるのは「密集市街地における防災街区の整備の促進に関する法律（平成九年法律第四十九号）第百七十九条第一項前段の地方公共団体は」と、「国土交通省令」」とあるのは「国土交通省令」と、「、審理員」とあるのは「、同項前段の地方公共団体」と読み替えるものとする。

3　第一項の規定は、法第百八十八条第三項及び第四項において準用する法第百四十条第五項において準用する行政不服審査法第三十一条第一項本文の規定による意見の陳述並びに法第百八十八条第三項及び第四項において準用する法第百四十条第五項において準用する行政不服審査法第三十七条第二項の規定による意見の聴取について準用する。この場合において、第

一項中「都道府県知事」とあるのは、「国土交通大臣（市のみが設立した地方住宅供給公社にあっては、都道府県知事）」と読み替えるものとする。

第二款　個人施行者

（個人施行者の選任する審査委員）

第二六条　次に掲げる者は、個人施行者が選任する審査委員となることができない。

一　破産者で復権を得ないもの

二　禁錮以上の刑に処せられ、その執行を終わるまで又はその執行を受けることがなくなるまでの者

2　審査委員は、前項各号のいずれかに該当するに至ったときは、その職を失う。

3　個人施行者は、審査委員が次の各号のいずれかに該当するとき、その他審査委員たるに適しないと認めるときは、都道府県知事の承認を受けて、その審査委員を解任することができる。

一　心身の故障のため職務の執行に堪えられないと認められるとき。

二　職務上の義務違反があるとき。

第三款　防災街区整備事業組合

（事業組合の役員等の解任の請求等についての都市再開発法施行令の準用）

第二七条　都市再開発法施行令（昭和四十四年政令第二百三十二号）第八条から第十七条まで及び第十九条の規定は、法第百四十八条第三項及び第百五十五条第三項において準用する都市再開発法第二十六条第一項及び第二項の規定による防災街区整備事業組合（以下「事業組合」という。）の理事若しくは監事又は総代の解任について準用する。この場合において、同令第十七条中「法第二十六条第二項（法第三十六条第三項において準用する場合を含む。）又は法第百二十五条第六項」とあるのは「密集市街地における防災街区の整備の促進に関する法律（平成九年法律第四十九号）第百四十八条第三項若しくは第百五十五条第三項において準用する法第二十六条第二項又は密集市街地における防災街区の整備の促進に関する法律第二百七十条第六項」と、同令第十九条中「法第三十六条第三項において準用する法第二十六条第一項及び第二項、法第百二十五条第六項後段並びに第八条、第九条、第十一条、第十三条（前条第三項において準用する場合を含む。）、第十六条（前条第三項において準用する場合を含む。）及び前条第一項」とあるのは「密集市街地における防災街区の整備の促進に関する法律第百五十五条第三項において準用する法第二十六条第一項及び第二項並びに第八条、第九条、第十一条、第十三条及び第十六条」と読み替えるものとする。

（定款又は事業計画若しくは事業基本方針の変更に関する特別議決事項）

第二八条　法第百五十条第一号に掲げる事項のうち法第百五十二条の政令で定める重要な事項は、次に掲げるものとする。

一　参加組合員に関する事項の変更

二　事業に要する経費の分担に関する事項の変更

三　総代会の新設又は廃止

四　その他国土交通省令で定める事項

2　法第百五十条第三号に掲げる事項（事業計画の変更に係るものに限る。）のうち法第百五十二条の政令で定める重要な事項は、次に掲げるものとする。

一　施行地区の変更

二　工区の新設、変更又は廃止

三　個別利用区の新設、変更又は廃止

3　法第百五十条第三号に掲げる事項（事業基本方針の変更に係るものに限る。）のうち法第百五十二条の政令で定める重要な事項は、施行地区の変更とする。

（事業組合に置かれる審査委員）

第二九条　第二十六条の規定は、事業組合に置かれる審査委員について準用する。この場合において、同条第三項中「都道府県知事の承認を受けて」とあるのは、「総会の議決を経て」と読み替えるものとする。

第四款　事業会社

（事業会社の選任する審査委員）

第三〇条　第二十六条の規定は、事業会社が選任する審査委員について準用する。

第五款　地方公共団体及び独立行政法人都市再生機構等

（延滞金）

第三一条　法第百八十六条第二項（法第百八十九条第二項において準用する場合を含む。）の規定により徴収することができる延滞金の額は、督促状において指定した期限の翌日から納付の日までの日数に応じ、当該督促に係る負担金の額（百円未満の端数があるときは、これを切り捨てる。）に年十四・五パーセントの割合を乗じて計算した額とする。この場合において、その負担金の額の一部につき納付があったときは、その納付の日以後の期間に係る延滞金の計算の基礎となる額は、その納付があった負担金の額を控除した額とする。

第三節　防災街区整備事業の施行

第一款　測量、調査等

（収用委員会の裁決の申請手続についての都市再開発法施行令の準用）

第三二条　都市再開発法施行令第二十三条の規定は、法第百九十四条第二項において準用する都市再開発法第六十三条第三項の規定による収用委員会の裁決の申請について準用する。

（設置又は堆積の制限を受ける物件）

第三三条　法第百九十七条第一項の政令で定める移動の容易でない物件は、その重量が五トンを超える物件（容易に分割され、かつ、分割された各部分の重量がそれぞれ五トン以下となるものを除く。）とする。

第二款　権利変換手続

（個別利用区内の宅地への権利変換の申出に係る基準面積）

第三四条　法第二百二条第二項第二号の政令で定める面積は、当該施行地区に係る特定防災街区整備地区若しくは防災街区整備地区計画に関する都市計画において定められた建築物の敷地面積の最低限度の数値又は百平方メートルのうち、いずれか大きい数値（公衆便所、巡査派出所その他これらに類する施設で公益上必要なものの用に供する宅地にあっては、当該数値を超えない範囲内で施行者が別に定める数値）とする。

（防災施設建築物の所有を目的とする地上権の共有持分及び防災施設建築物の共用部分の共有持分の割合）

第三五条　法第二百五条第一項第二号に掲げる者が取得することとなる防災施設建築物の所有を目的とする地上権（以下この条において単に「地上権」という。）の共有持分及び当該防災施設建築物の共用部分の共有持分の割合は、次の式によって算出するものとする。

$$R_1 = \frac{A_1 r_1}{\Sigma A_i r_i}$$

この式において、R_1、A_1、A_i、r_1及びr_iは、それぞれ次の数値を表すものとする。

R_1　その者が取得することとなる地上権の共有持分又は防災施設建築物の共用部分の共有持分の割合

A_1　その者が取得することとなる防災施設建築物の一部の床面積。この場合において、当該防災施設建築物の一部の床面積当たりの容積が著しく大又は小であるときは、必要な補正を行うものとする。

A_i　地上権にあっては当該地上権の設定された防災施設建築敷地にある各防災施設建築物の一部の床面積、防災施設建築物の共用部分にあっては当該防災施設建築物の共用部分を共用する各防災施設建築物の一部の床面積。この場合において、同一床面積当たりの容積が著しく大又は小である防災施設建築物の一部があるときは、当該防災施設建築物の一部の床面積について必要な補正を行うものとする。

r_1　地上権にあってはその者が取得することとなる防災施設建築物の一部の位置による当該地上権の設定された防災施設建築敷地の利用価値による比率でA_1に対応するもの、防災施設建築物の共用部分にあってはその者が取得することとなる防災施設建築物の一部の位置による当該防災施設建築物の共用部分に対する利用上又は構造上の依存度による比率でA_1に対応するもの

r_i　地上権にあっては当該地上権の設定された防災施設建築敷

地にある各防災施設建築物の一部の位置による当該防災施設建築敷地の利用価値による比率でA_iに対応するもの、防災施設建築物の共用部分にあっては当該防災施設建築物の共用部分を共用する各防災施設建築物の一部の位置による当該防災施設建築物の共用部分に対する利用上又は構造上の依存度による比率でA_iに対応するもの

（過小な床面積の基準）

第三十六条　法第二百十二条第二項の政令で定める基準は、次に掲げるものとする。

一　人の居住の用に供される部分については、二十五平方メートル以上五十平方メートル以下

二　事務所、店舗その他これらに類するものの用に供される部分については、十平方メートル以上二十平方メートル以下

（価額についての裁決申請等について土地収用法を準用する場合の読替規定）

第三十七条　法第二百十八条第三項の規定による土地収用法（昭和二十六年法律第二百十九号）の準用についての技術的読替えは、次の表のとおりとする。

読み替えるべき規定	読み替えられるべき字句	読み替える字句
第九十四条第三項	前項	密集市街地における防災街区の整備の促進に関する法律（平成九年法律第四十九号）第二百十八条第一項
	相手方の氏名及び住所	施行者の名称及び事務所の所在地
	事業の種類	防災街区整備事業の名称
	損失の事実	密集市街地における防災街区の整備の促進に関する法律第二百五条第一項の権利変換計画において定められた同項第三号、第八号、第十八号又は第十九号に掲げる宅地若しくは建築物又はこれらに関する権利及びそれらの価額
	損失の補償の見積及びその内訳	前号に掲げる宅地若しくは建築物又はこれらに関する権利の価額の見積り及びその内訳
	協議の経過	密集市街地における防災街区の整備の促進に関する法律第二百十六条第二項の規定により提出した意見書の内容及び同条第三項の規定により施行者のした処分
第九十四条第四項	「前条	同条（見出しを含む。）中「事業認定申請書」とあるのは「裁決申請書」と、同条第一項中「前条
	第九十四条第三項	密集市街地における防災街区の整備の促進に関する法律第二百十八条第三項において準用する第九十四条第三項
	「事業認定申請書」とあるのは「裁決申請書」と、	同条中
	収用委員会	収用委員会」と、同条第二項中「起業者」とあるのは「裁決申請者
第九十四条第五項	相手方	施行者
第九十四条第六項	及びその相手方	及び施行者
	損失の補償及び補償をすべき時期	密集市街地における防災街区の整備の促進に関する法律第二百五条第一項第三号、第八号、第十八号又は第十九号に掲げる宅地若しくは建築物又はこれらに関する権利の価額
	同条第五項	同条第二項中「場合において、その和解の内容が第七章の規定に適合するときは」とあるのは「場合においては」と、同条第五項
	第九十四条第八項	密集市街地における防災街区の整備の促進に関する法律第二百十八条第三項において準用する第九十四条第八項
	第六十三条第三項中	第六十三条第二項中「損失の補償」とあるのは「密集市街地における防災街区の整備の促進に関する法律第二百五条第一項第三号、第八号、第十八号又は第十九号に掲げる宅地若しくは建築物又はこれらに関する権利の価額」と、同条第三項中「事業の認定」とあるのは「密集市街地における防災街区の整備の促進に関する法律による防災街区整備事業の事業計画」と、
	第九十四条第三項	密集市街地における防災街区の整備の促進に関する法律第二百十八条第三項において準用する第九十四条第三項
	若しくはその相手方	若しくは施行者
	裁決申請者又はその相手方（これらの者のうち起業者である者を除く。）	裁決申請者
第九十四条第七項	第二項	密集市街地における防

		災街区の整備の促進に関する法律第二百十八条第一項
第九十四条第八項	この法律	密集市街地における防災街区の整備の促進に関する法律
	損失の補償及び補償をすべき時期	密集市街地における防災街区の整備の促進に関する法律第二百五条第一項第三号、第八号、第十八号又は第十九号に掲げる宅地若しくは建築物又はこれらに関する権利の価額
	損失の補償については、裁決申請者及びその相手方	裁決申請者及び施行者
第百三十三条第一項及び第二項	損失の補償	密集市街地における防災街区の整備の促進に関する法律第二百五条第一項第三号、第八号、第十八号又は第十九号に掲げる宅地若しくは建築物又はこれらに関する権利の価額
第百三十三条第三項	起業者	施行者
	土地所有者又は関係人	裁決申請者
第百三十四条	事業の進行及び土地の収用又は使用	事業の進行

（差押えがある場合の通知等についての都市再開発法施行令の準用）

第三八条　都市再開発法施行令第三十四条の規定は、施行地区内の宅地若しくは建築物又はその宅地に存する既登記の借地権に差押えがされている場合について準用する。この場合において、同条第一項中「法第七十条第一項」とあるのは「密集市街地における防災街区の整備の促進に関する法律第二百一条第一項」と、同条第二項中「第二十五条各号に掲げる軽微な変更」とあるのは「密集市街地における防災街区の整備の促進に関する法律第二百四条第四項の国土交通省令で定める軽微な変更」と、同条第三項中「法第七十条第五項」とあるのは「密集市街地における防災街区の整備の促進に関する法律第二百一条第五項」と、「組合」とあるのは「防災街区整備事業組合」と読み替えるものとする。

２　都市再開発法施行令第三十五条から第四十条までの規定は、法第二百二十七条において準用する都市再開発法第九十四条第一項又は第四項（これらの規定を同条第六項において準用する場合を含む。）の規定による法第二百二十七条に規定する補償金等の払渡し及びその払渡しがあった場合における滞納処分について準用する。この場合において、同令第三十八条第一項及び第三項中「法第九十四条第五項」とあるのは「密集市街地における防災街区の整備の促進に関する法律第二百二十七条において準用する法第九十四条第五項」と、同条第一項第一号及び第三項中「法第八十五条第三項」とあるのは「密集市街地における防災街区の整備の促進に関する法律第二百十八条第三項」と読み替えるものとする。

（土地の明渡しに伴う損失補償に係る裁決申請等について土地収用法を準用する場合の読替規定）

第三九条　法第二百三十二条第五項において準用する法第二百十八条第三項の規定による土地収用法の準用についての技術的読替えは、次の表のとおりとする。

読み替えるべき規定	読み替えられるべき字句	読み替える字句
第九十四条第三項	相手方の氏名及び住所	施行者の名称及び事務所の所在地
	事業の種類	防災街区整備事業の名称
第九十四条第四項	「前条	同条（見出しを含む。）中「事業認定申請書」とあるのは「裁決申請書」と、同条第一項中「前条
	第九十四条第三項	密集市街地における防災街区の整備の促進に関する法律第二百三十二条第五項において準用する同法第二百十八条第三項において準用する第九十四条第三項
	「事業認定申請書」とあるのは「裁決申請書」と、	同条中
	収用委員会	収用委員会」と、同条第二項中「起業者」とあるのは「裁決申請者
第九十四条第五項	相手方	施行者
第九十四条第六項	及びその相手方	及び施行者
	第九十四条第八項	密集市街地における防災街区の整備の促進に関する法律第二百三十二条第五項において準用する同法第二百十八条第三項において準用する第九十四条第八項
	前二項	事業の認定」とあるのは「密集市街地における防災街区の整備の促進に関する法律による防災街区整備事業の事業計画又は権利変換計画」と、「前二項
	第九十四条第三項	密集市街地における防災街区の整備の促進に関する法律第二百三十二条第五項において準用する同法第二百十八条第三項において準用する第九十四条第三項
	若しくはその相手方	若しくは施行者
	裁決申請者又はその相手方（これらの者のうち起業者である者を除く。）	裁決申請者
第九十四条第七項	この法律	この法律又は密集市街地における防災街区の整備の促進に関する法律
第九十四条第八項	その相手方	施行者

第百三十三条第三項	起業者	施行者
第百三十四条	土地所有者又は関係人	裁決申請者
	事業の進行及び土地の収用又は使用	事業の進行

（公募によらないで特定建築者となることができる者）

第四〇条　法第二百三十六条第一項の政令で定める者は、次に掲げる者のうち同条第二項各号に掲げる条件を備えたものとする。

一　地方公共団体が財産を提供して設立した一般社団法人又は一般財団法人（当該一般社団法人又は一般財団法人が財産を提供して設立した一般社団法人又は一般財団法人を含む。）で住宅建設の事業を行うもの

二　特定防災施設建築物の建築及び賃貸その他の管理を目的として設立された株式会社で、当該特定防災施設建築物に係る防災街区整備事業の施行者又は施行者である事業組合の組合員が発行済株式の総数の二分の一（施行者が地方公共団体である場合にあっては、四分の一）を超える株式を所有するもの

三　事業組合の定款により防災施設建築物の一部（その床面積が事業組合及び全ての参加組合員が取得することとなる防災施設建築物の一部の床面積の合計の二分の一以上であるものに限る。）が与えられるように定められた参加組合員である者

（その管理者等に工事を行わせることができる公共施設）

第四一条　法第二百四十三条の政令で定める公共施設は、次に掲げるものとする。

一　道路法（昭和二十七年法律第百八十号）第三条第二号の一般国道及び同法第四十八条の四に規定する自動車専用道路

二　下水道法（昭和三十三年法律第七十九号）第二条第三号に規定する公共下水道及び同条第四号に規定する流域下水道

三　河川法（昭和三十九年法律第百六十七号）第三条第一項に規定する河川

（延滞金）

第四二条　法第二百五十条第三項の規定により徴収することができる延滞金は、当該督促に係る清算金の額（以下この項において「督促額」という。）が千円以上である場合に徴収するものとし、その額は、督促状において指定した期限の翌日から納付の日までの日数に応じ、督促額（百円未満の端数があるときは、これを切り捨てる。）に年十四・五パーセントの割合を乗じて計算した額とする。この場合において、督促額の一部につき納付があったときは、その納付の日以後の期間に係る延滞金の計算の基礎となる督促額は、その納付があった督促額を控除した額とする。

２　前項の延滞金は、その額が十円未満であるときは、徴収しないものとする。

（防災施設建築敷地に地上権を設定しないこととする特則に係る法の適用についての読替規定）

第四三条　法第二百五十四条第一項の場合における法の適用についての技術的読替えは、次の表のとおりとする。

読み替えるべき規定	読み替えられるべき字句	読み替える字句
第百五十九条第一項、第百六十六条第一項第五号、第二項及び第三項、第百七十三条第一項、第百八十条第二項第五号、第百八十五条第一項、第二百五条第一項第二十号及び第四項ただし書、第二百九条の見出し、同条第二項前段及び第四項、第二百十二条第三項、第二百二十二条第三項、第二百四十六条第一項、第二百四十七条の見出し、第二百五十二条の見出し、同条第一項	防災施設建築物の一部等	防災建築施設の部分
第百六十二条第一項第一号	各共有持分又は第二百二十二条第一項の規定による地上権の各共有持分	各共有持分
	宅地又は地上権	宅地
第百六十二条第一項第二号	各共有持分又は同号の地上権の各共有持分	各共有持分
	地積又は借地の地積	地積
第百八十条第二項第七号、第二百四十七条第一項、第二百四十八条第一項	防災施設建築敷地若しくはその共有持分、防災施設建築物の一部等	防災建築施設の部分
第二百三条第一項	第二百二十二条第一項及び第二項	第二百二十二条第二項
第二百五条第一項	次に掲げる事項	次の各号（第十六号を除く。）に掲げる事項
第二百五条第一項第二号及び第六号、第二百二十四条第一項	防災施設建築敷地若しくはその共有持分又は防災施設建築物の一部等	防災建築施設の部分
第二百五条第一項第四号	宅地に対応して与えられることとなる防災施設建築敷地若しくはその共有持分若しくは防災施設建築物の一部等又は同号に掲げる借地権若しくは建築物に対応して与えられることとなる防災施設建築物の一部等	宅地、借地権又は建築物に対応して与えられることとなる防災建築施設の部分
第二百五条第一項第十九号、第二百二十六条第一項	防災施設建築敷地若しくはその共有持分若しくは防災施設建築物の一部等	防災建築施設の部分
第二百五条第一項第二十一号	防災施設建築敷地又はその共有持分、防災施設建築物の一部等	防災建築施設の部分
第二百七条第四項、第二百二十二条第四項	防災施設建築物の所有を目的とする地上権	防災施設建築敷地
第二百九条第四項	第一項又は前項	第一項
第二百十一条第一項	宅地に対応して与えられるものとして定められた防災施設建築敷地若しくはその共有持分若しくは防災施設建築物の一部等に関する権利又はその権利の目的たる借地権若しくは建築物に対応して与えられるものとして定められた防災施設建築物の	宅地、借地権又は建築物に対応して与えられるものとして定められた防災建築施設の部分

	一部等	
第二百十二条第一項	第二百九条第二項又は第三項	第二百九条第二項前段
第二百十四条	、第十六号又は第十七号	又は第十七号
第二百十八条第四項	防災施設建築敷地の共有持分、防災施設建築物の一部等	防災建築施設の部分
第二百三十九条第二項	地上権	防災施設建築敷地
第二百四十七条第一項	価額、防災施設建築敷地の地代の額	価額
第二百五十二条第二項	防災施設建築物の所有を目的とする地上権、防災施設建築物の一部等	防災建築施設の部分

（防災施設建築敷地に地上権を設定しないこととする特則に係るこの政令の適用についての読替規定）

第四四条　法第二百五十四条第一項の場合においては、第三十五条の見出し中「防災施設建築物の所有を目的とする地上権」とあり、及び同条中「防災施設建築物の所有を目的とする地上権（以下この条において単に「地上権」という。）」とあるのは「防災施設建築敷地」と、同条中「地上権の共有持分」とあるのは「防災施設建築敷地の共有持分」と、「地上権にあっては当該地上権の設定された防災施設建築敷地」とあるのは「防災施設建築敷地」と、「地上権にあってはその者が取得することとなる防災施設建築物の一部の位置による当該地上権の設定された防災施設建築敷地の利用価値」とあるのは「防災施設建築敷地にあってはその者が取得することとなる防災施設建築物の一部の位置による当該防災施設建築敷地の利用価値」とする。

（指定宅地の権利者以外の権利者等のすべての同意を得た場合の特則に係る法の適用についての読替規定）

第四五条　法第二百五十五条第一項の場合における法の適用についての技術的読替えは、次の表のとおりとする。

読み替えるべき規定	読み替えられるべき字句	読み替える字句
第百五十九条第一項、第百六十六条第一項第五号、第二項及び第三項、第百七十三条第一項、第百八十条第二項第五号、第百八十五条第一項、第百八十九条第一項、第二百五条第一項第二十号、第二百四十七条の見出し	防災施設建築物の一部等	防災施設建築敷地又は防災施設建築物に関する権利
第百六十二条第一項	第二百二十二条第一項の規定による地上権	防災施設建築敷地の借地権
	又は地上権	又は借地権
第百六十二条第二項	地上権	借地権
第百八十条第二項第七号、第二百四十八条第一項	防災施設建築敷地若しくはその共有持分、防災施設建築物の一部等	防災施設建築敷地若しくは防災施設建築物に関する権利
第二百五条第一項第二号及び第六号	防災施設建築敷地若しくはその共有持分又は防災施設建築物の一部等	防災施設建築敷地又は防災施設建築物に関する権利
第二百五条第一項第四号	宅地に対応して与えられることとなる防災施設建築敷地若しくはその共有持分若しくは防災施設建築物の一部等又は同号に掲げる借地権若しくは建築物に対応して与えられることとなる防災施設建築物の一部等	宅地、借地権又は建築物に対応して与えられることとなる防災施設建築敷地又は防災施設建築物に関する権利
第二百五条第一項第十九号、第二百二十六条第一項	防災施設建築敷地若しくはその共有持分若しくは防災施設建築物の一部等又は防災施設建築物の一部についての借家権	防災施設建築敷地又は防災施設建築物に関する権利
第二百五条第一項第二十一号	防災施設建築敷地又はその共有持分、防災施設建築物の一部等	防災施設建築敷地又は防災施設建築物に関する権利
第二百五条第一項第二十五号	その他	前各号に掲げるもののほか、権利変換の内容その他
第二百十六条第一項及び第二項	施行地区内の土地又は土地に定着する物件に関し権利を有する者及び参加組合員又は特定事業参加者	指定宅地又はこれに定着する物件に関し権利を有する者
第二百十八条第一項	第二百五条第一項第三号、第八号、第十八号又は第十九号	第二百五条第一項第八号
第二百十八条第四項	防災施設建築敷地の共有持分、防災施設建築物の一部等	防災施設建築敷地若しくは防災施設建築物に関する権利
第二百二十二条第四項	防災施設建築物の所有を目的とする地上権	防災施設建築敷地に関する権利
第二百二十五条第一項	新たな土地の表題登記（不動産登記法第二条第二十号に規定する表題登記をいう。）	新たな土地の表題登記（不動産登記法第二条第二十号に規定する表題登記をいう。）又は権利変換手続開始の登記の抹消
第二百二十五条第二項及び第三項、第二百三十一条第五項	第二百二十一条第二項	第二百五十五条第四項
第二百二十五条第二項	及び所有権以外の権利の登記の抹消	並びに権利変換に伴い消滅した権利の登記及び権利変換手続開始の登記の抹消
第二百二十八条	第二百二十一条	第二百五十五条第四項
第二百三十九条第二項	地上権又はその共有持分	防災施設建築敷地に関する権利
第二百四十四条第二項	第二百二十二条第二項又は第五項	第二百五十五条第四項

第二百四十七条第一項	防災施設建築敷地若しくはその共有持分、防災施設建築物の一部等若しくは個別利用区内の宅地若しくはその使用収益権を取得した者又は施行者の所有する防災施設建築物の一部について賃借権を取得した者（第二百九条第五項ただし書の規定により賃借権が与えられるように定められたものに限る。）	防災施設建築敷地若しくは防災施設建築物に関する権利又は個別利用区内の宅地若しくはその使用収益権を取得した者
	防災施設建築敷地若しくはその共有持分、防災施設建築物の一部等若しくは個別利用区内の宅地若しくはその使用収益権の価額、防災施設建築敷地の地代の額又は施行者が賃貸する防災施設建築物の一部の家賃の額	防災施設建築敷地若しくは防災施設建築物に関する権利又は個別利用区内の宅地若しくはその使用収益権の価額
第二百五十二条の見出し	防災施設建築物の一部等	防災施設建築敷地又は防災施設建築物に関する権利等
第二百五十二条第一項	防災施設建築物の一部等	防災施設建築敷地若しくは防災施設建築物に関する権利
第二百五十二条第二項	防災施設建築敷地若しくはその共有持分、防災施設建築物の所有を目的とする地上権、防災施設建築物の一部等	防災施設建築敷地若しくは防災施設建築物に関する権利

（指定宅地の権利者のすべての同意を得た場合の特則に係る法の適用についての読替規定）

第四六条　法第二百五十六条第一項の場合においては、法第二百四十四条第一項中「第二百二十一条第一項又は第二百二十三条」とあるのは、「第二百五十六条第三項」とする。

（施行地区内の権利者等のすべての同意を得た場合の特則に係る法の適用についての読替規定）

第四七条　法第二百五十七条第一項の場合における法の適用についての技術的読替えは、次の表のとおりとする。

読み替えるべき規定	読み替えられるべき字句	読み替える字句
第百五十九条第一項、第百六十六条第一項第五号、第二項及び第三項、第百七十三条第一項、第百八十条第二項第五号、第百八十五条第一項、第百八十九条第一項、第二百五条第一項第二十号	防災施設建築物の一部等	防災施設建築敷地又は防災施設建築物に関する権利
第百六十二条第一項第一号	第二百二十二条第一項の規定による地上権	防災施設建築敷地の借地権
	又は地上権	又は借地権
第百六十二条第一項第二号	地上権	借地権
第百八十条第二項第七号	防災施設建築敷地若しくはその共有持分、防災施設建築物の一部等	防災施設建築敷地若しくは防災施設建築物に関する権利
第二百五条第一項第二号及び第六号	防災施設建築敷地若しくはその共有持分又は防災施設建築物の一部等	防災施設建築敷地若しくは防災施設建築物に関する権利
第二百五条第一項第四号	宅地に対応して与えられることとなる防災施設建築敷地若しくはその共有持分若しくは防災施設建築物の一部等又は同号に掲げる借地権若しくは建築物に対応して与えられることとなる防災施設建築物の一部等	宅地、借地権又は建築物に対応して与えられることとなる防災施設建築敷地又は防災施設建築物に関する権利
第二百五条第一項第十九号、第二百二十六条第一項	防災施設建築敷地若しくはその共有持分若しくは防災施設建築物の一部等又は防災施設建築物の一部についての借家権	防災施設建築敷地又は防災施設建築物に関する権利
第二百五条第一項第二十一号	防災施設建築敷地又はその共有持分、防災施設建築物の一部等	防災施設建築敷地又は防災施設建築物に関する権利
第二百五条第一項第二十五号	その他	前各号に掲げるもののほか、権利変換の内容その他
第二百二十二条第四項	防災施設建築物の所有を目的とする地上権	防災施設建築敷地に関する権利
第二百二十五条第一項	新たな土地の表題登記（不動産登記法第二条第二十号に規定する表題登記をいう。）	新たな土地の表題登記（不動産登記法第二条第二十号に規定する表題登記をいう。）又は権利変換手続開始の登記の抹消
第二百二十五条第二項及び第三項、第二百三十一条第五項	第二百二十一条第二項	第二百五十七条第三項
第二百二十五条第二項	及び所有権以外の権利の登記の抹消	並びに権利変換に伴い消滅した権利の登記及び権利変換手続開始の登記の抹消
第二百二十六条第一項	第二百十三条第一項の規定により算定した相当の価額に基準日	権利変換計画において定められた第二百五条第一項第十八号又は第十九号の価額に当該価額を定める基準となった日
第二百二十八条	第二百二十一条	第二百五十七条第三項
第二百三十九条第二項	地上権又はその共有持分	防災施設建築敷地に関する権利
第二百四十四条第一	第二百二十一条第一項又	第二百五十七条第三項

項	は第二百二十三条	
第二百四十四条第二項	第二百二十二条第二項又は第五項	第二百五十七条第三項
第二百五十二条第二項	防災施設建築敷地若しくはその共有持分、防災施設建築物の所有を目的とする地上権、防災施設建築物の一部等	防災施設建築敷地若しくは防災施設建築物に関する権利

第三款　費用の負担

（**重要な公共施設**）

第四八条　法第二百六十五条第一項の政令で定める重要な防災公共施設その他の公共施設は、次に掲げるものとする。

一　防災都市計画施設その他都市施設に関する都市計画において定められた公園、緑地、広場その他の公共空地、道路、下水道、運河及び水路

二　道路法第二条第一項に規定する道路

三　河川

第四款　雑則

（**都道府県知事の行う解任の投票についての都市再開発法施行令の準用**）

第四九条　都市再開発法施行令第十八条及び第十九条の規定は、法第二百七十条第六項の規定による事業組合の理事若しくは監事又は総代の解任の投票について準用する。この場合において、同令第十八条第一項中「同項」とあるのは「密集市街地における防災街区の整備の促進に関する法律第二百七十条第六項」と、同令第十九条中「法第三十六条第三項において準用する法第二十六条第一項及び第二項、法第百二十五条第六項後段並びに第八条、第九条、第十一条、第十三条（前条第三項において準用する場合を含む。）、第十六条（前条第三項において準用する場合を含む。）及び前条第一項」とあるのは「密集市街地における防災街区の整備の促進に関する法律第二百七十条第六項後段並びに前条第一項並びに同条第三項において準用する第十三条及び第十六条」と読み替えるものとする。

（**管理規約の縦覧等**）

第五〇条　施行者は、法第二百七十七条第一項の規定により管理規約を定めようとするときは、当該管理規約を二週間公衆の縦覧に供しなければならない。この場合においては、あらかじめ、縦覧の開始の日、場所及び時間を公告するとともに、防災施設建築物の一部を有する者又は有することとなる者にこれらの事項を通知しなければならない。

2　防災施設建築物の一部を有する者又は有することとなる者は、縦覧期間内に、管理規約について施行者に意見書を提出することができる。

第五一条　施行者は、法第二百七十七条第一項の認可を申請しようとするときは、併せて前条第二項の規定により提出された意見書の要旨を提出しなければならない。

（**書類の送付に代わる公告**）

第五二条　法第二百七十九条第一項の規定による公告は、官報、公報その他国土交通省令で定める定期刊行物に掲載して行うほか、施行者がその公告すべき内容を施行地区内の適当な場所に掲示して行わなければならない。

2　前項の場合においては、当該施行地区の属する市町村及び書類の送付を受けるべき者の住所又はその者の最後の住所の属する市町村の長は、同項の掲示がされている旨の公告をしなければならない。この場合において、施行者は、市町村長に当該市町村長が行うべき公告の内容を通知しなければならない。

3　第一項の掲示は、前項の規定により市町村長が行う公告のあった日から十日間しなければならない。

4　法第二百七十九条第二項の公告の日は、前項の規定により行う掲示の期間の満了日とする。

第五章　防災都市施設の整備のための特別の措置

（**通常の管理行為、軽易な行為その他の行為**）

第五三条　法第二百八十三条第一項第一号の政令で定める行為は、既存の建築物の敷地内において行う車庫、物置その他これらに類する附属建築物（階数が二以下で、かつ、地階を有しない木造のものに限る。）の建築とする。

（**都市計画事業の施行として行う行為に準ずる行為**）

第五四条　法第二百八十三条第一項第三号の政令で定める行為は、施行予定者が当該防災都市施設に関する都市計画に適合して行う行為とする。

（**公告の方法等**）

第五五条　法第二百八十三条第三項において準用する都市計画法第八十一条第二項の公告については都市計画法施行令（昭和四十四年政令第百五十八号）第四十二条第一項及び第三項の規定を、法第二百八十四条において準用する都市計画法第五十二条の三第一項の公告については同令第四十二条第一項の規定を準用する。

2　施行予定者は、法第二百八十四条において準用する都市計画法第五十二条の三第一項の規定により公告したときは、国土交通省令で定めるところにより、その公告の内容その他必要な事項を施行予定者が定められている防災都市計画施設の区域内の適当な場所に掲示しなければならない。

（**収用委員会に対する裁決の申請手続についての都市計画法施行令の準用**）

第五六条　都市計画法施行令第十八条の規定は、法第二百八十五条において準用する都市計画法第五十二条の四第二項後段において準用する同法第二十八条第三項又は法第二百八十六条第二項において準用する都市計画法第二十八条第三項の規定により土地収用法第九十四条第二項の規定による裁決を申請する場合について準用する。この場合において、同令第十八条中「次に掲げる事項」とあるのは、「次の各号（第三号を除く。）に掲げる事項及び密集市街地整備法第三十条に規定する防災都市施設の種類」と読み替えるものとする。

第六章　防災街区整備推進機構

（**防災街区としての整備を図るために有効に利用できる土地**）

第五七条　法第三百一条第三号イの政令で定める土地は、次に掲げる土地とする。

一　道路、公園、緑地その他の公共の用に供する施設又は公用施設の整備に関する事業の用に供する土地

二　都市計画法第四条第七項に規定する市街地開発事業又は地方公共団体が行うこれに準ずる事業で国土交通省令で定めるものの用に供する土地

三　法第三百一条第二号に規定する事業の用に供する土地

四　特定防災街区整備地区又は防災街区整備地区計画の区域内において行われる前三号に規定する事業に係る代替地の用に供する土地

（**防災都市施設の整備のために必要な土地**）

第五八条　法第三百一条第三号ロの政令で定める土地は、防災都市施設の整備に関する事業の用に供する土地及び当該事業に係る代替地の用に供する土地とする。

第七章　雑則

（**大都市等の特例**）

第五九条　地方自治法第二百五十二条の十九第一項の指定都市（以下この条及び第六十一条において「指定都市」という。）において、法第三百八条の規定により指定都市の長が行う事務は、法の規定により都道府県知事が処理し、又は管理し、及び執行することとされている事務（法第百六十条第三項（法第百七十四条第二項（法第二百五十条第七項において準用する場合を含む。）及び第二百五十条第六項において準用する場合を含む。）の認可を除く。）のうち、法第五章第三節の規定による事務及び個人施行者、事業組合又は事業会社が施行する防災街区整備事業に係る事務とする。

第六〇条　地方自治法第二百五十二条の二十二第一項の中核市（以下この条において「中核市」という。）において、法第三百八条の規定により中核市の長が行う事務は、法第五章第三節の規定により都道府県知事が処理し、又は管理し、及び執行することとされている事務とする。

第六一条　第二十六条第三項（第三十条において準用する場合を含む。以下この条において同じ。）の規定により都道府県知事が処理することとされている事務は、指定都市においては、当該指定都市の長が行うものとする。この場合においては、同項の規定中都道府県知事に関する規定は、指定都市の長に関する規定として指定都市の長に適用があるものとする。

（**事務の区分**）

第六二条　この政令の規定により市町村が処理することとされている事務の

うち次に掲げるものは、地方自治法第二条第九項第一号に規定する第一号法定受託事務とする。

一　第二十四条及び第五十二条第二項に規定する事務（都道府県、独立行政法人都市再生機構又は地方住宅供給公社（市のみが設立したものを除く。次号において同じ。）が施行する防災街区整備事業に係るものに限る。）

二　第二十五条に規定する事務（独立行政法人都市再生機構又は地方住宅供給公社が施行する防災街区整備事業に係るものに限る。）

2　この政令の規定により市町村が処理することとされている事務のうち次に掲げるものは、地方自治法第二条第九項第二号に規定する第二号法定受託事務とする。

一　第二十四条及び第五十二条第二項に規定する事務（個人施行者、事業組合、事業会社、市町村又は地方住宅供給公社（市のみが設立したものに限る。次号において同じ。）が施行する防災街区整備事業に係るものに限る。）

二　第二十五条に規定する事務（事業組合、事業会社又は地方住宅供給公社が施行する防災街区整備事業に係るものに限る。）

三　第二十七条において準用する都市再開発法施行令第八条第三項に規定する事務

附　則

（施行期日）

1　この政令は、法の施行の日（平成九年十一月八日）から施行する。

（国の貸付金の償還期間等）

2　法附則第四条第三項の政令で定める期間は、五年（二年の据置期間を含む。）とする。

3　前項の期間は、日本電信電話株式会社の株式の売払収入の活用による社会資本の整備の促進に関する特別措置法（昭和六十二年法律第八十六号）第五条第一項の規定により読み替えて準用される補助金等に係る予算の執行の適正化に関する法律（昭和三十年法律第百七十九号）第六条第一項の規定による貸付けの決定（以下「貸付決定」という。）ごとに、当該貸付決定に係る法附則第四条第一項又は第二項の規定による国の貸付金（以下「国の貸付金」という。）の交付を完了した日（その日が当該貸付決定があった日の属する年度の末日の前日以後の日である場合には、当該年度の末日の前々日）の翌日から起算する。

4　国の貸付金の償還は、均等年賦償還の方法によるものとする。

5　国は、国の財政状況を勘案し、相当と認めるときは、国の貸付金の全部又は一部について、前三項の規定により定められた償還期限を繰り上げて償還させることができる。

6　法附則第四条第七項の政令で定める場合は、前項の規定により償還期限を繰り上げて償還を行った場合とする。

附　則〔略〕〔平成一一・一・一三政令五〕

附　則〔抄〕〔平成一一・一〇・一政令三一二〕

（施行期日）

第一条　この政令は、地方自治法等の一部を改正する法律（平成十年法律第五十四号。以下「法」という。）の施行の日（平成十二年四月一日。以下「施行日」という。）から施行する。〔以下略〕

（許認可等に関する経過措置）

第一三条　施行日前に法による改正前のそれぞれの法律若しくはこの政令による改正前のそれぞれの政令の規定により都知事その他の都の機関が行った許可等の処分その他の行為（以下この条において「処分等の行為」という。）又は施行日前に法による改正前のそれぞれの法律若しくはこの政令による改正前のそれぞれの政令の規定によりこれらの機関に対してされた許可等の申請その他の行為（以下この条において「申請等の行為」という。）で、施行日において特別区の区長その他の機関がこれらの行為に係る行政事務を行うこととなるものは、別段の定めがあるもののほか、施行日以後における法による改正後のそれぞれの法律又はこの政令による改正後のそれぞれの政令の適用については、法による改正後のそれぞれの法律若しくはこの政令による改正後のそれぞれの政令の相当規定によりされた処分等の行為又は申請等の行為とみなす。

2　施行日前に法による改正前のそれぞれの法律又はこの政令による改正前のそれぞれの政令の規定により都知事その他の都の機関に対し報告、届出その他の手続をしなければならない事項で、施行日前にその手続がされていないものについては、別段の定めがあるもののほか、これを、法による改正後のそれぞれの法律又はこの政令による改正後の政令の相当規定により特別区の区長その他の相当の機関に対して報告、届出その他の手続をしなければならない事項についてその手続がされていないものとみなして、法による改正後のそれぞれの法律又はこの政令による改正後のそれぞれの政令の規定を適用する。

附　則〔略〕〔平成一一・一一・一〇政令三五二〕

附　則〔略〕〔平成一二・六・七政令三一二〕

附　則〔略〕〔平成一三・三・三〇政令九八〕

附　則〔略〕〔平成一四・二・八政令二七〕

附　則〔略〕〔平成一四・一一・一三政令三三一〕

附　則〔平成一五・一二・一七政令五二三〕

（施行期日）

第一条　この政令は、密集市街地における防災街区の整備の促進に関する法律等の一部を改正する法律の施行の日（平成十五年十二月十九日）から施行する。

（罰則に関する経過措置）

第二条　この政令の施行前にした行為に対する罰則の適用については、なお従前の例による。

附　則〔略〕〔平成一六・四・九政令一六〇〕

附　則〔略〕〔平成一六・六・二三政令二一〇〕

附　則〔略〕〔平成一六・一〇・一五政令三一二〕

附　則〔抄〕〔平成一六・一二・一五政令三九六〕

（施行期日）

第一条　この政令は、都市緑地保全法等の一部を改正する法律（以下「改正法」という。）の施行の日（平成十六年十二月十七日。以下「施行日」という。）から施行する。

（処分、手続等の効力に関する経過措置）

第四条　改正法附則第二条から第五条まで及び前二条に規定するもののほか、施行日前に改正法による改正前のそれぞれの法律又はこの政令による改正前のそれぞれの政令の規定によってした処分、手続その他の行為であって、改正法による改正後のそれぞれの法律又はこの政令による改正後のそれぞれの政令に相当の規定があるものは、これらの規定によってした処分、手続その他の行為とみなす。

附　則〔略〕〔平成一六・一二・二八政令四二九〕

附　則〔略〕〔平成一七・二・一八政令二四〕

附　則〔略〕〔平成一七・五・二五政令一八二〕

附　則〔略〕〔平成一七・六・一政令二〇三〕

附　則〔略〕〔平成一九・三・二政令三九〕

附　則〔抄〕〔平成一九・八・三政令二三五〕

改正　平成一九・九政二九二

（施行期日）

第一条　この政令は、平成十九年十月一日から施行する。〔以下略〕

（輸出入取引法施行令等の一部改正に伴う経過措置）

第二〇条　旧郵便貯金は、第三十条、第三十九条、第四十条、第四十六条、第五十六条、第七十二条及び第七十三条の規定による改正後の次に掲げる政令の規定の適用については、銀行への預金とみなす。

一〜九　〔略〕

十　密集市街地における防災街区の整備の促進に関する法律施行令第二十二条第二号

十一〜十三　〔略〕

附　則〔略〕〔平成一九・九・二〇政令二九二施行〕

附　則〔略〕〔平成一九・九・二五政令三〇四〕

附　則〔略〕〔平成二三・八・三〇政令二八一施行〕

附　則〔略〕〔平成二三・一一・二八政令三六三〕

附　則〔略〕〔平成二四・八・二九政令二二六施行〕

附　則〔略〕〔平成二六・九・三政令二九一〕

附　則〔抄〕〔平成二七・一・三〇政令三〇〕

（施行期日）

第一条　この政令（中略）は、平成二十七年四月一日から施行する。

（密集市街地における防災街区の整備の促進に関する法律施行令の一部改正に伴う経過措置）

第七条　施行時特例市に対する第二十二条の規定による改正後の密集市街地における防災街区の整備の促進に関する法律施行令第六十条の規定の適用

については、同条中「「中核市」とあるのは「「中核市」という。」及び地方自治法の一部を改正する法律（平成二十六年法律第四十二号。以下この条において「平成二十六年地方自治法改正法」という。）附則第二条に規定する施行時特例市（以下この条において「施行時特例市」と、「第三百八条」とあるのは「第三百八条（平成二十六年地方自治法改正法附則第四十八条の規定により読み替えて適用される場合を含む。）」と、「中核市の」とあるのは「中核市又は施行時特例市の」とする。

附　則〔抄〕〔平成二七・一一・二六政令三九二〕

（施行期日）

第一条　この政令は、行政不服審査法の施行の日（平成二十八年四月一日）から施行する。

（経過措置の原則）

第二条　行政庁の処分その他の行為又は不作為についての不服申立てであってこの政令の施行前にされた行政庁の処分その他の行為又はこの政令の施行前にされた申請に係る行政庁の不作為に係るものについては、この附則に特別の定めがある場合を除き、なお従前の例による。

附　則〔略〕〔令和元・六・一九政令三〇〕

附　則〔略〕〔令和元・一二・二五政令二〇二〕

附　則〔略〕〔令和五・九・二九政令二九三〕

附　則〔令和六・四・一九政令一七二〕

（施行期日）

1　この政令は、脱炭素社会の実現に資するための建築物のエネルギー消費性能の向上に関する法律等の一部を改正する法律の施行の日（令和七年四月一日）から施行する。

（罰則に関する経過措置）

2　この政令の施行前にした行為に対する罰則の適用については、なお従前の例による。

○密集市街地における防災街区の整備の促進に関する法律施行規則

〔平成九・一一・六　建設省令一五〕

改正　平成一〇・九建令三五、平成一二・一建令一〇、五建令二六、七建令二八、一一建令四一、平成一四・五国交令六五、一二国交令一二〇、平成一五・一〇国交令一〇九、一二国交令一一六、平成一六・二国交令九、三国交令三一、六国交令七〇、一二国交令九九、国交令一一〇、平成一七・三国交令一二、国交令二五、平成一八・四国交令五八、九国交令八六、平成一九・三国交令二〇、四国交令五四、六国交令六七、九国交令八四、平成二〇・六国交令四四、一〇国交令九一、一一国交令九三、一二国交令九七、平成二一・三国交令一五、平成二二・一二国交令六一、平成二三・六国交令四八、一一国交令九二、平成二五・六国交令五〇、平成二七・三国交令一九、平成二八・三国交令二三、国交令二六、平成二九・三国交令一二、国交令一七、国交令一九、六国交令三六、一二国交令七一、令和二・三国交令二三、国交令二七、一二国交令九八、国交令一〇四、令和三・八国交令五三、一〇国交令六八、令和四・一一国交令八〇、令和五・三国交令一三、一二国交令九八、令和六・一国交令六

目次

第一章　防災再開発促進地区の区域における建築物の建替え等の促進
　第一節　建築物の建替えの促進（第一条―第十条）
　第二節　延焼等危険建築物に対する措置（第十一条―第二十一条）
　第三節　独立行政法人都市再生機構の行う従前居住者用賃貸住宅の建設等の業務（第二十一条の二・第二十一条の三）
第二章　防災街区整備地区計画等
　第一節　防災街区整備地区計画（第二十二条―第二十六条）
　第二節　防災街区整備権利移転等促進計画（第二十七条―第三十三条）
　第三節　防災街区計画整備組合（第三十四条―第四十三条）
第三章　防災街区整備事業
　第一節　総則（第四十三条の二・第四十三条の三）
　第二節　施行者
　　第一款　総則（第四十三条の四）
　　第二款　個人施行者（第四十四条―第四十八条）
　　第三款　防災街区整備事業組合（第四十九条―第六十条）
　　第四款　事業会社（第六十一条―第六十八条）
　　第五款　地方公共団体（第六十九条―第七十二条）
　　第六款　独立行政法人都市再生機構等（第七十三条―第七十六条）
　　第七款　事業計画の内容及び技術的基準（第七十七条―第八十一条）
　第三節　防災街区整備事業の施行
　　第一款　測量、調査等（第八十二条―第八十五条）
　　第二款　権利変換手続（第八十六条―第百十七条）
　　第三款　個人施行者等の事業の代行（第百十八条）
　　第四款　雑則（第百十九条・第百二十条）
　第四節　公告の方法等（第百二十一条）
第四章　防災都市施設の整備のための特別の措置（第百二十二条―第百三十条）
第五章　避難経路協定（第百三十一条―第百三十三条）
第六章　防災街区整備推進機構（第百三十四条・第百三十五条）
第七章　雑則（第百三十六条）
附則

第一章　防災再開発促進地区の区域における建築物の建替え等の促進

第一節　建築物の建替えの促進

（建替計画の認定の申請）

第一条　密集市街地における防災街区の整備の促進に関する法律（以下「法」という。）第四条第一項の規定により認定の申請をしようとする者は、別記第一号様式による申請書の正本及び副本に、それぞれ次の表に掲げる図書を添えて、これらを所管行政庁に提出しなければならない。ただし、第四条第二号の国土交通大臣が定める基準に適合する場合にあっては、木造建築物基準計算書に代えて、当該基準に適合することを証する書類を添付するものとする。

図書の種類		明示すべき事項
付近見取図		方位、道路及び目標となる地物並びに建替事業区域
配置図	除却する建築物	縮尺、方位、建替事業区域、敷地の境界線、敷地内における建築物の位置、敷地の接する道路の位置及び幅員並びに敷地の道路に接する部分及びその長さ
	新築する建築物	縮尺、方位、建替事業区域、敷地の境界線、敷地内における建築物の位置及び建替事業区域内に確保する空地の配置

各階平面図	新築する建築物	縮尺、方位、間取及び延焼のおそれのある部分（建築基準法（昭和二十五年法律第二百一号）第二条第六号に規定する延焼のおそれのある部分をいう。以下この表及び第四条第一号イにおいて同じ。）の外壁の構造
二面以上の立面図	新築する建築物	縮尺、開口部の位置並びに延焼のおそれのある部分の外壁及び軒裏の構造
木造建築物基準計算書		第四条第二号に規定する基準入力エネルギー及び保有限界エネルギーの計算内容
同意証書		法第四条第二項の同意を得なければならない場合におけるその同意を得たことを証する内容

2　法第五条第五項前段の規定により建築基準法第六条第一項の規定による確認又は同法第十八条第三項の規定による通知があったものとみなされるものとして法第五条第一項の建替計画の認定を受けようとする建替計画について法第四条第一項の認定の申請をしようとする者は、前項の申請書の正本及び副本に、建築基準法第六条第一項の規定による確認の申請書（次項において「確認申請書」という。）又は同法第十八条第二項の規定による通知に要する通知書を添えて、これらを所管行政庁に提出しなければならない。

3　第一項に規定する図書及び確認申請書又は前項の通知書に係る図書は、併せて作成することができる。

（建替計画の記載事項）

第二条　法第四条第四項第八号の国土交通省令で定める事項は、建築物の建替えの事業の実施時期とする。

（建替計画の認定の通知）

第三条　所管行政庁は、法第五条第一項の規定により建替計画の認定をしたときは、速やかに、その旨を申請者に通知するものとする。

2　前項の通知は、第一条第一項の申請書の副本及び図書を添えてするものとする。

（法第五条第一項第一号の国土交通省令で定める基準）

第四条　法第五条第一項第一号の国土交通省令で定める基準は、次のとおりとする。

一　次のイからニまでに掲げる基準のいずれかに該当すること。

イ　外壁又は軒裏で延焼のおそれのある部分が防火構造（建築基準法第二条第八号に規定する防火構造をいう。）でないものであること。

ロ　屋根が不燃材料（建築基準法第二条第九号に規定する不燃材料をいう。）で造られ又はふかれていないものであること。

ハ　建築物の建築面積（同一敷地内に二以上の建築物がある場合においては、その建築面積の合計）の敷地面積に対する割合が十分の八を超えるものであること。

ニ　建築基準法第四十三条第一項の規定に適合しないものであること。

二　各階の張り間方向及びけた行方向のうち、少なくともいずれかの階の一の方向について、次のイの規定により計算した基準入力エネルギーの数値が次のロの規定により計算した保有限界エネルギーの数値を超えるものであること。ただし、これと同等であるものとして国土交通大臣が定める基準に適合する場合にあっては、この限りでない。

イ　基準入力エネルギーは、次の式により計算すること。

$$Ed = \frac{(FesRgZRtAiWi)^2}{2St}$$

この式において、Ed、Fes、Rg、Z、Rt、Ai、Wi及びStは、それぞれ次の数値を表すものとする。

Ed　基準入力エネルギー（単位　ニュートンメートル）

Fes　建築基準法施行令（昭和二十五年政令第三百三十八号）第八十二条の三第二号に規定するFesの数値

Rg　次の表の地盤の種類の欄に掲げる区分に応じて係数の欄に掲げる数値

	地盤の種類	係数
(一)	腐植土、泥土その他の軟弱な土質の沖積層（埋立て又は盛土がなされている場合においては、これを含む。）でその深さが地表面から三十メートル以上ある地盤又は地盤周期等についての調査若しくは研究の結果によりこれと同程度の地盤周期を有すると認められる地盤	一・五
(二)	(一)及び(三)に掲げる地盤以外の地盤	一・二
(三)	洪積世以前の地層により構成されている地盤又は地盤周期等についての調査若しくは研究の結果によりこれと同程度の地盤周期を有すると認められる地盤	一・〇

Z　建築基準法施行令第八十八条第一項に規定するZの数値

Rt　建築基準法施行令第八十八条第一項に規定するRtの数値

Ai　建築基準法施行令第八十八条第一項に規定するAiの数値

Wi　当該階が支える部分の固定荷重と積載荷重との和（建築基準法施行令第八十六条第二項ただし書の規定により特定行政庁が指定する多雪区域においては、更に積雪荷重を加えるものとする。）（単位　ニュートン）

St　壁及び柱の初期剛性を表すものとして、国土交通大臣が定める方法により算出した数値

ロ　保有限界エネルギーは、次の式により計算すること。

$$Eu = Eu0RbRd$$

この式において、Eu、Eu0、Rb及びRdは、それぞれ次の数値を表すものとする。

Eu　保有限界エネルギー（単位　ニュートンメートル）

Eu0　壁及び柱の破壊に至るまでに要するエネルギーで、国土交通大臣が定める方法により算出した数値

Rb　建築物の基礎の種類及び地盤の種類に応じて次の表に掲げる数値

基礎の種類＼地盤の種類	Rgの表の地盤の種類の欄中(一)に掲げる地盤	Rgの表の地盤の種類の欄中(二)に掲げる地盤	Rgの表の地盤の種類の欄中(三)に掲げる地盤
鉄筋コンクリート造の布基礎	一・〇	一・〇	一・〇
無筋コンクリート造の布基礎	〇・七五	〇・八五	一・〇
足固めを使用した玉石基礎	〇・七五	〇・八五	一・〇
ひび割れのあるコンクリート造の布基礎	〇・五	〇・六	〇・七
その他の基礎	〇・五	〇・五	〇・六

Rd　次の表の建築物の劣化の程度の欄に掲げる区分に応じて係数の欄に掲げる数値

	建築物の劣化の程度	係数
(い)	建築物の外周にある柱若しくは土台の半分以上に腐食若しくは腐朽があるもの、外壁の屋外面に著しいひび割れがあるも	〇・八

	の又は各階の水平方向の層間変位の当該各階の高さに対する割合及び床の勾配が百分の一を超えるもの	
(ろ)	外壁の屋外面に局所的なひび割れがあるもの又は各階の水平方向の層間変位の当該各階の高さに対する割合若しくは床の勾配が百分の一を超えるもの（(い)に掲げるものを除く。）	○・九
(は)	(い)及び(ろ)に掲げるもの以外のもの	一・○

三　建築基準法第三条第一項各号の一に該当する建築物でないものであること。

（法第五条第一項第一号の国土交通省令で定める数値）

第五条　法第五条第一項第一号の国土交通省令で定める数値は、百分の五十とする。

（法第五条第一項第三号の国土交通省令で定める敷地面積の規模）

第六条　法第五条第一項第三号の国土交通省令で定める敷地面積の規模は、百平方メートル（新築する建築物相互間の距離が二メートル以上である場合又は隣地境界線から後退して建築基準法第四十六条第一項の規定による壁面線の指定があるとき若しくは同法第六十八条の二第一項の規定に基づく条例で定める壁面の位置の制限（隣地境界線に面する建築物の壁又はこれに代わる柱の位置及び隣地境界線に面する高さ二メートルを超える門又は塀の位置を制限するものに限る。）があるときで当該壁面線若しくは当該壁面の位置の制限として定められた限度の線から隣地境界線までの距離が○・五メートル以上である場合にあっては、七十五平方メートル）とする。

（法第五条第一項第三号の国土交通省令で定める敷地面積の合計の規模）

第六条の二　法第五条第一項第三号の国土交通省令で定める敷地面積の合計の規模は、五百平方メートル（法第四条第四項第一号に規定する建替事業区域（次条において「建替事業区域」という。）の周辺の区域において防災街区が適切に整備されている場合は、二百平方メートル）とする。

（法第五条第一項第四号の国土交通省令で定める基準）

第六条の三　法第五条第一項第四号の国土交通省令で定める基準は、当該空地が、道路若しくは公園、緑地、広場その他の公共空地であること又は建替事業区域の周辺の区域からの避難に利用可能な幅員四メートル以上の通路であることとする。ただし、建替事業区域の周辺の区域において防災街区が適切に整備されている場合は、この限りでない。

（法第七条第一項の国土交通省令で定める軽微な変更）

第七条　法第七条第一項の国土交通省令で定める軽微な変更は、次に掲げるものであって、変更後も建替計画が法第五条第一項に掲げる基準に適合することが明らかなものとする。

一　建築基準法第六条第一項（同法第八十七条第一項において準用する場合を含む。）に規定する軽微な変更（当該建替計画のうち新築する建築物に係る部分に限る。）

二　建築物の建替えの事業に関する資金計画の変更であって、当該計画に係る資金の額の十パーセント未満を増減するもの

三　建築物の建替えの事業の実施時期の変更のうち、事業の着手又は完了の予定年月日の六月以内の変更（事業の実施期間の変更が六月以内であるものに限る。）

（法第十二条第一項の国土交通省令で定める認定事業者）

第八条　法第十二条第一項の国土交通省令で定める認定事業者は、国、地方公共団体その他市町村が建築物の建替えに要する費用の一部を補助することが適当でない者として国土交通大臣が定めるものとする。

（令第四条第三号の国土交通省令で定める施設）

第九条　密集市街地における防災街区の整備の促進に関する法律施行令（以下「令」という。）第四条第三号の国土交通省令で定める施設は、次に掲げるものとする。

一　スプリンクラー設備その他の消火設備

二　廊下及び階段

三　エレベーター及びエレベーターホール

四　特殊基礎

五　立体的遊歩道及び人工地盤施設

六　給水施設、排水施設、ごみ処理施設、電気施設、熱供給施設及び情報通信施設

七　機械室、電気室及び管理事務所

八　避難設備

九　警報設備及び監視装置

十　避雷設備及び電波障害防除設備

十一　集会施設

（令第四条第四号の国土交通省令で定める空地）

第一〇条　令第四条第四号の国土交通省令で定める空地は、次に掲げるものとする。

一　通路

二　駐車場

三　児童遊園、広場及び緑地

第二節　延焼等危険建築物に対する措置

（法第十三条第一項第一号の国土交通省令で定める基準）

第一一条　法第十三条第一項第一号の国土交通省令で定める基準は、次のとおりとする。

一　次に掲げる基準に該当すること。

イ　第四条第一号イ又はロに掲げる基準

ロ　第四条第一号ハ又はニに掲げる基準

二　当該建築物及びその周辺の建築物（当該建築物の外壁の屋外面から水平距離六メートル以内にある建築物で次に掲げる基準のいずれかに該当するものに限る。）の延べ面積の合計が五百平方メートルを超えるものであること。

イ　第四条第一号イ又はロ及び第三号に掲げる基準

ロ　第四条第一号ハ又はニ、第二号及び第三号に掲げる基準

三　第四条第三号に掲げる基準

（法第十三条第一項第二号の国土交通省令で定める規模）

第一二条　法第十三条第一項第二号の国土交通省令で定める規模は、標準せん断力係数が一・○である地震の規模とする。

（法第十三条第一項第三号の国土交通省令で定める基準）

第一三条　法第十三条第一項第三号の国土交通省令で定める基準は、次のとおりとする。

一　第四条第二号に掲げる基準

二　第四条第三号に掲げる基準

（身分証明書の様式）

第一四条　法第十三条第五項の規定により立入検査をする職員の携帯する身分証明書の様式は、別記第二号様式によるものとする。

（居住安定計画の認定の申請）

第一五条　法第十五条第一項の規定により認定の申請をしようとする者は、別記第三号様式による申請書の正本及び副本に、それぞれ次に掲げる図書を添えて、これらを市町村長に提出しなければならない。

一　除却する延焼等危険建築物の位置を表示した付近見取図

二　縮尺、方位、除却する延焼等危険建築物の敷地の境界線及び境界内における除却する延焼等危険建築物の位置を表示した配置図

三　縮尺、方位及び間取並びに延焼等危険賃貸住宅の各室の用途及び設備の概要を表示した各階平面図

四　代替住宅の位置を表示した付近見取図

五　縮尺、方位及び間取並びに代替住宅の各室の用途及び設備の概要を表示した各階平面図

六　認定を申請しようとする者が除却する延焼等危険建築物を所有する者であることを証する書類

七　法第十五条第三項の意見の概要を記載した書面

八　法第十五条第三項の同意を得なければならない場合におけるその同意を得たことを証する書面

（居住安定計画の記載事項）

第一六条　法第十五条第五項第十一号の国土交通省令で定める事項は、所有者が延焼等危険建築物を除却した後新築する建築物の全部又は一部を代替住宅として提供する場合の当該建築物の概要とする。

（居住安定計画の認定の通知）

第一七条　法第十七条第一項の規定による通知は、第十五条の申請書の副本

及び図書を添えてするものとする。

（法第二十一条第一項第二号イの国土交通省令で定める金額）

第一七条の二　法第二十一条第一項第二号イの国土交通省令で定める金額は、四十八万七千円とする。

（令第六条第一号の入居者の所得）

第一八条　令第六条第一号に規定する所得は、入居者及び同居者（現に同居し、又は同居しようとする親族（婚姻の届出をしないが事実上婚姻関係と同様の事情にある者その他婚姻の予約者を含む。）をいう。以下この条において同じ。）の過去一年間における所得税法（昭和四十年法律第三十三号）第二編第二章第一節から第三節までの例に準じて算出した所得金額（給与所得者が就職後一年を経過しない場合等その額をその者の継続的収入とすることが著しく不適当である場合においては、市町村長が認定した額とし、以下この条において「所得金額」という。）の合計から次に掲げる額を控除した額を十二で除した額とする。

一　入居者又は同居者に所得税法第二十八条第一項に規定する給与所得又は同法第三十五条第三項に規定する公的年金等に係る雑所得（以下この号において「給与所得等」という。）を有する者がある場合には、その給与所得等を有する者一人につき十万円（その者の給与所得等の金額の合計額が十万円未満である場合には、当該合計額）

二　同居者又は所得税法第二条第一項第三十三号に規定する同一生計配偶者（次号において「同一生計配偶者」という。）若しくは同項第三十四号に規定する扶養親族（次号及び第三号において「扶養親族」という。）で入居者及び同居者以外のもの一人につき三十八万円

三　同一生計配偶者が七十歳以上の者である場合又は扶養親族が所得税法第二条第一項第三十四号の四に規定する老人扶養親族である場合には、その同一生計配偶者又は老人扶養親族一人につき十万円

四　扶養親族が十六歳以上二十三歳未満の者である場合には、その扶養親族一人につき二十五万円

五　入居者又は第二号に規定する者に所得税法第二条第一項第二十八号に規定する障害者がある場合には、その障害者一人につき二十七万円（その者が同項第二十九号に規定する特別障害者である場合には、四十万円）

六　入居者又は同居者に所得税法第二条第一項第三十号に規定する寡婦がある場合には、その寡婦一人につき二十七万円（その者の所得金額から第一号の規定により控除する金額を控除した残額が二十七万円未満である場合には、当該残額）

七　入居者又は同居者に所得税法第二条第一項第三十一号に規定するひとり親がある場合には、そのひとり親一人につき三十五万円（その者の所得金額から第一号の規定により控除する金額を控除した残額が三十五万円未満である場合には、当該残額）

（令第六条第一号の国土交通省令で定める基準）

第一九条　令第六条第一号の国土交通省令で定める基準は、二十五万九千円とする。

（移転料の支払）

第二〇条　認定所有者は、認定賃貸住宅の法第十七条第一項の規定による通知を受けた居住者が当該認定賃貸住宅から認定居住安定計画に定められた代替住宅へその住居の移転（認定居住安定計画において延焼等危険建築物を除却した後新築する建築物の全部又は一部が代替住宅として定められている場合にあっては、当該認定居住安定計画に定められた仮住居から当該代替住宅への移転を含む。）をする場合において当該認定所有者にその旨を申し出たときは、遅滞なく、その者に法第二十三条の移転料を支払わなければならない。

（法第二十九条第一項の国土交通省令で定める認定所有者）

第二一条　法第二十九条第一項の国土交通省令で定める認定所有者は、国及び地方公共団体とする。

第三節　独立行政法人都市再生機構の行う従前居住者用賃貸住宅の建設等の業務

（法第三十条の二第一項の国土交通省令で定める防災街区の整備に関する事業）

第二一条の二　法第三十条の二第一項の国土交通省令で定める防災街区の整備に関する事業は、都市計画法第四条第七項に規定する市街地開発事業及び公共施設の整備に関する事業とする。

（従前居住者用賃貸住宅の建設等の認可の申請）

第二一条の三　独立行政法人都市再生機構は、法第三十条の二第四項の規定による認可を申請しようとするときは、次に掲げる事項を記載した申請書を提出しなければならない。

一　従前居住者用賃貸住宅の建設、管理、増改築又は譲渡の業務を行う土地の区域（以下この条において「施行区域」という。）の面積

二　施行区域内の土地の現況

三　当該業務に係る従前居住者用賃貸住宅の戸数

四　当該業務の実施期間

五　当該業務に係る資金計画

六　当該業務に係る法第三十条の二第一項に規定する事業の内容

七　その他必要な事項

2　前項の申請書には、次に掲げる書類を添付しなければならない。

一　施行区域を表示する図面で縮尺二千五百分の一以上のもの

二　当該業務に係る法第三十条の二第三項の要請の内容を記載した書類

三　施行区域をその区域に含む地方公共団体から意見が提出されたときは、当該意見を記載した書類

第二章　防災街区整備地区計画等

第一節　防災街区整備地区計画

（防災街区整備地区計画の区域内における行為の届出）

第二二条　法第三十三条第一項の国土交通省令で定める事項は、行為の完了予定日とする。

第二三条　法第三十三条第一項の規定による届出は、別記第四号様式による届出書を提出してしなければならない。

2　前項の届出書には、次に掲げる図書を添付しなければならない。

一　土地の区画形質の変更にあっては、次に掲げる図面

イ　当該行為を行う土地の区域並びに当該区域内及び当該区域の周辺の公共施設を表示する図面で縮尺千分の一以上のもの

ロ　設計図で縮尺百分の一以上のもの

二　建築物その他の工作物（以下「建築物等」という。）の新築、改築、増築若しくは移転又は用途の変更にあっては、次に掲げる図面

イ　敷地内における建築物等の位置を表示する図面で縮尺百分の一以上のもの

ロ　都市緑地法（昭和四十八年法律第七十二号）第三十四条第二項に規定する建築物の緑化施設の位置を表示する図面（特定建築物地区整備計画又は防災街区整備地区整備計画において建築物の緑化率の最低限度が定められている場合に限る。）で縮尺百分の一以上のもの

ハ　二面以上の建築物等の断面図及び立面図並びに各階平面図（建築物である場合に限る。）で縮尺五十分の一以上のもの

三　建築物等の形態又は意匠の変更にあっては、前号イに掲げる図面及び二面以上の立面図で縮尺五十分の一以上のもの

四　木竹の伐採にあっては、次に掲げる図面

イ　当該行為を行う土地の区域を表示する図面で縮尺千分の一以上のもの

ロ　当該行為の施行方法を明らかにする図面で縮尺百分の一以上のもの

五　その他参考となるべき事項を記載した図書

（令第十三条第三号の国土交通省令で定める行為）

第二四条　令第十三条第三号の国土交通省令で定める行為は、次に掲げるものとする。

一　道路法（昭和二十七年法律第百八十号）第二条第一項に規定する道路の新設、改築、維持、修繕又は災害復旧に係る行為

二　道路運送法（昭和二十六年法律第百八十三号）第二条第八項に規定する一般自動車道又は専用自動車道（同法第三条第一号に規定する一般旅客自動車運送事業又は貨物自動車運送事業法（平成元年法律第八十三号）第二条第二項に規定する一般貨物自動車運送事業の用に供するものに限る。）の造設又は管理に係る行為

三　河川法（昭和三十九年法律第百六十七号）が適用され、又は準用される河川の改良工事の施行又は管理に係る行為

四　独立行政法人水資源機構が行う独立行政法人水資源機構法（平成十四年法律第百八十二号）第十二条第一項（同項第二号ハ及び第五号を除く。）に規定する業務又は同法附則第四条第一項に規定する業務（これに附帯

する業務を除く。）に係る行為（前号に掲げるものを除く。）

五　土地改良法（昭和二十四年法律第百九十五号）による土地改良事業の施行に係る行為

六　国立研究開発法人森林研究・整備機構法（平成十一年法律第百九十八号）附則第十条第一項の規定により国立研究開発法人森林研究・整備機構が行う森林開発公団法の一部を改正する法律（平成十一年法律第七十号）附則第八条の規定による廃止前の農用地整備公団法（昭和四十九年法律第四十三号）第十九条第一項第一号、第四号又は第六号に規定する業務に係る行為

七　農業を営む者が組織する団体が行う農業構造の改善に関し必要な事業の施行に係る行為

八　森林法（昭和二十六年法律第二百四十九号）第五条に規定する地域森林計画に定める林道の開設又は改良に係る行為

九　都市公園法（昭和三十一年法律第七十九号）第二条第二項に規定する公園施設の設置又は管理に係る行為

十　鉄道事業法（昭和六十一年法律第九十二号）による鉄道事業者又は索道事業者が行うその鉄道事業又は索道事業で一般の需要に応ずるものの用に供する施設の建設又は管理に係る行為

十一　軌道法（大正十年法律第七十六号）による軌道の敷設又は管理に係る行為

十二　石油パイプライン事業法（昭和四十七年法律第百五号）第五条第二項第二号に規定する事業用施設の設置又は管理に係る行為

十三　道路運送法第三条第一号イに規定する一般乗合旅客自動車運送事業（路線を定めて定期に運行する自動車により乗合旅客の運送を行うものに限る。）若しくは貨物自動車運送事業法第二条第二項に規定する一般貨物自動車運送事業（同条第六項に規定する特別積合せ貨物運送をするものに限る。）の用に供する施設又は自動車ターミナル法（昭和三十四年法律第百三十六号）第二条第五項に規定する一般自動車ターミナルの設置又は管理に係る行為

十四　港湾局が行う港湾法（昭和二十五年法律第二百十八号）第十二条第一項に規定する業務に係る行為

十五　航空法（昭和二十七年法律第二百三十一号）による公共の用に供する飛行場又は同法第二条第五項に規定する航空保安施設で公共の用に供するものの設置又は管理に係る行為

十六　気象、海象、地象又は洪水その他これに類する現象の観測又は通報の用に供する施設の設置又は管理に係る行為

十七　電気通信事業法（昭和五十九年法律第八十六号）第百二十条第一項に規定する認定電気通信事業者が行う同項に規定する認定電気通信事業の用に供する施設の設置又は管理に係る行為

十八　放送法（昭和二十五年法律第百三十二号）第二条第二号に規定する基幹放送の用に供する放送設備（建築物であるものを除く。）の設置又は管理に係る行為

十九　電気事業法（昭和三十九年法律第百七十号）第二条第一項第十六号に規定する電気事業の用に供する同項第十八号に規定する電気工作物又はガス事業法（昭和二十九年法律第五十一号）第二条第十三項に規定するガス工作物（同条第二項に規定するガス小売事業の用に供するものを除く。）の設置又は管理に係る行為

二十　水道法（昭和三十二年法律第百七十七号）第三条第二項に規定する水道事業若しくは同条第四項に規定する水道用水供給事業の用に供する同条第八項に規定する水道施設、工業用水道事業法（昭和三十三年法律第八十四号）第二条第六項に規定する工業用水道施設又は下水道法（昭和三十三年法律第七十九号）第二条第三号に規定する公共下水道、同条第四号に規定する流域下水道若しくは同条第五号に規定する都市下水路の用に供する施設の設置又は管理に係る行為

二十一　熱供給事業法（昭和四十七年法律第八十八号）第二条第四項に規定する熱供給施設の設置又は管理に係る行為

二十二　水害予防組合が行う水防の用に供する施設の設置又は管理に係る行為

二十三　国立研究開発法人日本原子力研究開発機構が国立研究開発法人日本原子力研究開発機構法（平成十六年法律第百五十五号）第十七条第一項第一号から第三号までに掲げる業務の用に供する施設の設置又は管理に係る行為

二十四　国立研究開発法人宇宙航空研究開発機構が行う国立研究開発法人宇宙航空研究開発機構法（平成十四年法律第百六十一号）第十八条第一項第一号から第四号までに規定する業務に係る行為

二十五　独立行政法人エネルギー・金属鉱物資源機構が行う独立行政法人エネルギー・金属鉱物資源機構法（平成十四年法律第九十四号）第十一条第一項第六号に規定する業務（石油等（同法第三条に規定する石油等をいう。）の探鉱に係る調査に関するものに限り、これに附帯する業務を含む。）に係る行為

（変更の届出）

第二五条　法第三十三条第二項の国土交通省令で定める事項は、設計又は施行方法のうち、その変更により同条第一項の規定による届出に係る行為が同項各号に掲げる行為に該当することとなるもの以外のものとする。

第二六条　法第三十三条第二項の規定による届出は、別記第五号様式による変更届出書を提出してしなければならない。

2　第二十三条第二項の規定は、前項の届出について準用する。

第二節　防災街区整備権利移転等促進計画

（法第三十四条第二項第六号の国土交通省令で定める行為）

第二七条　法第三十四条第二項第六号の国土交通省令で定める行為は、建築物等の移転、建築物等の用途の変更、建築物等の形態又は意匠の変更及び木竹の伐採とする。

（法第三十四条第二項第六号の国土交通省令で定める事項）

第二八条　法第三十四条第二項第六号の国土交通省令で定める事項は、行為の主体及び完了予定日とする。

（法第三十四条第二項第七号の国土交通省令で定める事項）

第二九条　法第三十四条第二項第七号の国土交通省令で定める事項は、同項第一号に規定する者が設定又は移転を受ける土地に係る賃借権の条件その他土地の権利の移転等に係る法律関係に関する事項（同項第四号及び第五号に掲げる事項を除く。）とする。

（法第三十四条第三項第二号ロの国土交通省令で定める行為）

第三〇条　法第三十四条第三項第二号ロの国土交通省令で定める行為は、次に掲げるものとする。

一　特定建築物地区整備計画の区域（法第三十二条第二項第一号に掲げる方針の内容、対象区域及び当該方針についての住民の意見その他の事項に照らして特定建築物地区整備計画の区域に準ずると市町村が認める区域を含む。）において特定地区防災施設と一体となって促進地区内防災街区整備地区計画の区域の特定防災機能を確保するためにされる建築物等の新築、改築、増築又は移転

二　防災街区整備地区整備計画において建築物の構造に関する防火上必要な制限が定められている土地の区域（法第三十二条第二項第一号に掲げる方針の内容、対象区域及び当該方針についての住民の意見その他の事項に照らして防災街区整備地区整備計画の区域に準ずると市町村が認める区域を含む。）において火事又は地震が発生した場合の当該区域における延焼により生ずる被害の軽減に資するためにされる建築物の新築、改築、増築又は移転

（防災街区整備権利移転等促進計画についての要請）

第三一条　法第三十五条の規定による要請をしようとする者は、防災街区整備権利移転等促進計画要請書に、次に掲げる図書を添付して、これを当該防災街区整備権利移転等促進計画を定めるべき者に提出しなければならない。

一　要請に係る土地の位置及び区域を表示した図面

二　法第三十五条の協定の写し

三　法第三十四条第三項第三号及び第四号に規定する者のすべての同意を得たことを証する書面

（防災街区整備権利移転等促進計画の決定の公告）

第三二条　法第三十六条の規定による公告は、防災街区整備権利移転等促進計画を定めた旨及び当該防災街区整備権利移転等促進計画を市町村の公報に掲載することその他所定の手段によりするものとする。

第三三条　削除

第三節　防災街区計画整備組合

（第三章の規定の適用についての読替規定）

第三四条　防災街区計画整備組合（以下「計画整備組合」という。）が法第四十五条の二第一項の規定により法第四十五条第一項第一号及び第二号に掲げる事業を防災街区整備事業として行う場合の第四十五条第一項第一号の規定の適用については、同号中「認可を申請しようとする者」とあるのは、「計画整備組合の組合員」とする。

（防災街区整備事業に係る認可申請書の添付書類）

第三五条　計画整備組合は、法第四十五条の二第一項の規定により適用される法第百二十二条第一項若しくは第百二十九条第一項又は第二百四条第一項後段（同条第四項において準用する場合を含む。）の認可を申請しようとするときは、認可申請書に法第四十五条の二第三項の合意があることを証する書面を添付しなければならない。

（土地区画整理法施行規則の規定の適用についての読替規定）

第三六条　計画整備組合が法第四十六条第一項の規定により法第四十五条第一項第一号に掲げる事業を土地区画整理事業（土地区画整理法（昭和二十九年法律第百十九号）による土地区画整理事業をいう。）として行う場合の土地区画整理法施行規則（昭和三十年建設省令第五号）第二条第一項第一号の規定の適用については、同号中「認可を申請しようとする者」とあるのは、「防災街区計画整備組合の組合員」とする。

（土地区画整理事業に係る認可申請書の添付書類）

第三七条　計画整備組合は、法第四十六条第一項の規定により適用される土地区画整理法第四条第一項若しくは第十条第一項又は第八十六条第一項後段若しくは第九十七条第一項の認可を申請しようとするときは、認可申請書に法第四十六条第三項の合意があることを証する書面を添付しなければならない。

（都市再開発法施行規則の規定の適用についての読替規定）

第三八条　計画整備組合が法第四十七条第一項の規定により法第四十五条第一項第一号及び第二号に掲げる事業を第一種市街地再開発事業（都市再開発法（昭和四十四年法律第三十八号）第二条第一号に規定する第一種市街地再開発事業をいう。）として行う場合の都市再開発法施行規則（昭和四十四年建設省令第五十四号）第一条の七第一項第一号の規定の適用については、同号中「認可を申請しようとする者」とあるのは、「防災街区計画整備組合の組合員」とする。

（第一種市街地再開発事業に係る認可申請書の添付書類）

第三九条　計画整備組合は、法第四十七条第一項の規定により適用される都市再開発法第七条の九第一項若しくは第七条の十六第一項又は第七十二条第一項後段（同条第四項において準用する場合を含む。）の認可を申請しようとするときは、認可申請書に法第四十七条第三項の合意があることを証する書面を添付しなければならない。

（電磁的方法）

第三九条の二　法第五十一条第三項に規定する国土交通省令で定めるものは、次に掲げる方法とする。

一　電子情報処理組織を使用する方法のうちイ又はロに掲げるもの

イ　送信者の使用に係る電子計算機と受信者の使用に係る電子計算機とを接続する電気通信回線を通じて送信し、受信者の使用に係る電子計算機に備えられたファイルに記録する方法

ロ　送信者の使用に係る電子計算機に備えられたファイルに記録された情報の内容を電気通信回線を通じて情報の提供を受ける者の閲覧に供し、当該情報の提供を受ける者の使用に係る電子計算機に備えられたファイルに当該情報を記録する方法

二　電磁的記録媒体（電子的方式、磁気的方式その他人の知覚によっては認識することができない方式で作られる記録であって、電子計算機による情報処理の用に供されるものに係る記録媒体をいう。第三十九条の四において同じ。）をもって調製するファイルに情報を記録したものを交付する方法

2　前項各号に掲げる方法は、受信者がファイルへの記録を出力することにより書面を作成することができるものでなければならない。

（総会の招集に係る情報通信の技術を利用する方法）

第三九条の三　法第六十九条第五項の国土交通省令で定める方法は、前条第一項第二号に掲げる方法とする。

（電磁的記録）

第三九条の四　法第七十三条第四項の国土交通省令で定める電磁的記録は、電子計算機に備えられたファイル又は電磁的記録媒体をもって調製するファイルに記録したものとする。

（定款変更の認可申請手続）

第四〇条　計画整備組合は、計画整備組合の地区に係る定款の変更について法第七十八条第二項の認可を申請しようとするときは、認可申請書に次に掲げる書類を添付しなければならない。

一　法第七十八条第一項の規定による総会の議決を経たことを証する書面

二　計画整備組合の地区の面積を記載した書面

三　計画整備組合の地区の概況図

四　新たに計画整備組合の地区となるべき区域があるときは、当該区域内の土地について法第四十八条に規定する権利を有する者のうち組合員又は組合員たる資格を有する者で組合員となることを希望しているもの（以下この号において「組合員等」という。）の氏名又は名称並びに組合員等が当該土地について有する権利の種類及び当該権利の目的となる土地の面積を記載した書面

（総会の議事録）

第四〇条の二　法第八十条の三の議事録は、次に掲げる事項を内容とするものでなければならない。

一　総会が開催された日時及び場所（当該場所に存しない理事、監事又は組合員が総会に出席をした場合における当該出席の方法を含む。）

二　総会の議事の経過の要領及びその結果

三　総会の議長及び総会に出席した理事又は監事の氏名又は名称

四　議事録の作成に係る職務を行った理事の氏名又は名称

（事業基本方針に定めるべき事項）

第四一条　法第九十一条第一項第二号の国土交通省令で定める事項は、次に掲げる事項とする。

一　法第四十五条第一項第一号に掲げる事業の完成予定時期

二　組合の事業に要する費用の概算額

（創立総会の議事録）

第四一条の二　法第九十二条第八項において準用する法第八十条の三の議事録は、次に掲げる事項を内容とするものでなければならない。

一　創立総会が開催された日時及び場所

二　創立総会の議事の経過の要領及びその結果

三　創立総会の議長及び創立総会に出席した発起人の氏名又は名称

四　議事録の作成に係る職務を行った発起人の氏名又は名称

（設立の認可申請手続）

第四二条　発起人は、法第九十三条第一項の認可を申請しようとするときは、定款及び事業基本方針並びに事業計画を認可申請書と共に提出し、かつ、当該認可申請書に次に掲げる書類を添付しなければならない。

一　発起人が促進地区内防災街区整備地区計画の区域内の土地について所有権又は借地権を有する者であることを証する書面

二　法第九十二条第三項の規定による創立総会の議決を経たことを証する書面

三　計画整備組合の地区の面積を記載した書面

四　計画整備組合の地区の概況図

五　法第九十二条第五項の規定により設立の同意を申し出た者の氏名又は名称並びにこれらの者が計画整備組合の地区内の土地について有する権利の種類及び当該権利の目的となる土地の面積を記載した書面

（防災街区整備事業又は第一種市街地再開発事業の施行地区内における権利処分要請手続）

第四三条　法第百十一条第一項又は法第百十四条第一項の規定による要請をしようとする計画整備組合は、別記第六号様式の権利処分要請書を防災街区整備推進機構に提出しなければならない。

第三章　防災街区整備事業

第一節　総則

（法第百十八条第一項第二号の国土交通省令で定める規模）

第四三条の二　法第百十八条第一項第二号の国土交通省令で定める規模は、標準せん断力係数が〇・二である地震の規模とする。

（法第百十八条第一項第二号の国土交通省令で定める基準）

第四三条の三　法第百十八条第一項第二号の国土交通省令で定める基準は、次の各号のいずれかに掲げるものとする。

一　建築物の地上部分について前条に規定する規模の地震によって各階に生ずる水平方向の層間変位を国土交通大臣が定める方法により計算し、

当該層間変位の当該各階の高さに対する割合が二百分の一（前条に規定する規模の地震による建築基準法施行令第一条第三号に規定する構造耐力上主要な部分の変形によって建築物の部分に著しい損傷が生ずるおそれのない場合にあっては、百二十分の一）を超えること。
二　損傷、腐食その他の劣化が進み前条に規定する規模の地震によって外壁が剥落するおそれがあること。

第二節　施行者

第一款　総則

（意見書の内容の審査の方法）

第四三条の四　令第二十五条の二第一項において準用する行政不服審査法施行令（平成二十七年政令第三百九十一号）第八条に規定する方法によって口頭意見陳述（法第百四十条第五項（法第百五十七条第二項、法第百六十九条及び法第百七十二条第二項において準用する場合を含む。以下この項において同じ。）において準用する行政不服審査法（平成二十六年法律第六十八号）第三十一条第二項に規定する口頭意見陳述をいう。）の期日における審理を行う場合には、審理関係人（法第百四十条第五項において準用する行政不服審査法第二十八条に規定する審理関係人をいう。以下この項において同じ。）の意見を聴いて、当該審理に必要な装置が設置された場所であって都道府県知事が相当と認める場所を、審理関係人ごとに指定して行う。

2　前項の規定は、令第二十五条の二第二項において準用する同条第一項において準用する行政不服審査法施行令第八条に規定する方法によって口頭意見陳述（法第百八十一条第二項（法第百八十四条において準用する場合を含む。）において準用する法第百四十条第五項において準用する行政不服審査法第三十一条第二項に規定する口頭意見陳述をいう。）の期日における審理を行う場合について準用する。この場合において、前項中「都道府県知事」とあるのは「法第百七十九条第一項前段の地方公共団体」と読み替えるものとする。

3　第一項の規定は、令第二十五条の二第三項において準用する同条第一項において準用する行政不服審査法施行令第八条に規定する方法によって口頭意見陳述（法第百八十八条第三項及び第四項において準用する法第百四十条第五項において準用する行政不服審査法第三十一条第二項に規定する口頭意見陳述をいう。）の期日における審理を行う場合について準用する。この場合において、第一項中「都道府県知事」とあるのは「国土交通大臣（市のみが設立した地方住宅供給公社にあっては、都道府県知事）」と読み替えるものとする。

第二款　個人施行者

（認可申請手続）

第四四条　法第百二十二条第一項、法第百二十九条第一項、法第百三十条において準用する都市再開発法第七条の十七第四項後段又は法第百三十二条第一項の規定による認可を申請しようとする者は、認可申請書を提出しなければならない。

2　法第百二十二条第一項の規定による認可を申請しようとする者は、一人で施行しようとする者にあっては規準及び事業計画を、数人共同して施行しようとする者にあっては規約及び事業計画を認可申請書とともに提出しなければならない。

3　法第百三十条において準用する都市再開発法第七条の十七第四項後段の規定による認可を申請しようとする施行者は、規約を認可申請書とともに提出しなければならない。

4　法第百二十九条第一項の規定による認可を申請しようとする個人施行者は、変更に係る規準若しくは規約又は事業計画を認可申請書とともに提出しなければならない。

（認可申請書の添付書類）

第四五条　法第百二十二条第一項の規定による認可を申請しようとする者は、認可申請書に次に掲げる書類を添付しなければならない。

一　認可を申請しようとする者が施行地区となるべき区域内の宅地の所有者又は借地権者であるときはその旨を証する書類
二　法第百二十五条の同意を得たことを証する書類
三　認可を申請しようとする者が法第百二十六条第一項の同意を得なければならない場合においては、その同意を得たことを証する書類

2　法第百二十九条第一項の規定による認可を申請しようとする個人施行者は、認可申請書に次に掲げる書類を添付しなければならない。

一　認可を申請しようとする個人施行者が法第百二十九条第二項において準用する法第百二十五条の同意を得なければならない場合においては、その同意を得たことを証する書類
二　認可を申請しようとする個人施行者が法第百二十九条第二項において準用する法第百二十六条第一項の同意を得なければならない場合においては、その同意を得たことを証する書類
三　認可を申請しようとする個人施行者が法第百二十九条第三項の同意を得なければならない場合においては、その同意を得たことを証する書類

3　法第百三十二条第一項の規定による認可を申請しようとする個人施行者は、認可申請書に防災街区整備事業の終了を明らかにする書類を添付しなければならない。

（規準又は規約の記載事項）

第四六条　法第百二十三条第十号の国土交通省令で定める事項は、次に掲げるものとする。

一　審査委員に関する事項
二　会計に関する事項
三　事業計画において個別利用区が定められたときは、法第二百二条第二項第二号の規準又は規約で定める規模

（公告事項）

第四七条　法第百二十八条第一項の国土交通省令で定める事項は、次に掲げるものとする。

一　防災街区整備事業の名称
二　事務所の所在地
三　施行認可の年月日
四　施行者の住所
五　事業年度
六　公告の方法
七　個別利用区内の宅地への権利変換の申出をすることができる期限
八　権利変換を希望しない旨の申出をすることができる期限

2　法第百二十九条第二項において準用する法第百二十八条第一項の国土交通省令で定める事項は、次に掲げるものとする。

一　防災街区整備事業の名称及び事務所の所在地並びに施行認可の年月日
二　施行者の氏名若しくは名称、事業施行期間、施行地区若しくは工区又は前項第一号、第二号、第五号若しくは第六号に掲げる事項に関して変更がされたときは、その変更の内容
三　事業計画の変更により新たに個別利用区が定められたとき又は事業計画の変更により従前の施行地区外の土地が新たに施行地区に編入されたことに伴い個別利用区の面積が拡張されたときは、個別利用区内の宅地への権利変換の申出をすることができる期限
四　事業計画の変更により従前の施行地区外の土地が新たに施行地区に編入されたとき、又は個別利用区内の宅地若しくはその借地権が与えられるように定めるべき旨の申出に応じない旨の決定があったときは、権利変換を希望しない旨の申出をすることができる期限
五　規準若しくは規約又は事業計画の変更の認可の年月日

3　都市再開発法施行規則第一条の九第三項の規定は、法第百三十条において準用する都市再開発法第七条の十七第四項後段の規定により定められた規約について認可した場合における法第百三十条において準用する都市再開発法第七条の十七第八項の国土交通省令で定める事項について準用する。

4　都市再開発法施行規則第一条の九第四項の規定は、法第百三十条において準用する都市再開発法第七条の十七第七項の規定による届出を受理した場合における法第百三十条において準用する都市再開発法第七条の十七第八項の国土交通省令で定める事項について準用する。

5　法第百三十二条第二項において準用する法第百二十八条第一項の国土交通省令で定める事項は、次に掲げるものとする。

一　防災街区整備事業の名称及び施行認可の年月日
二　防災街区整備事業の終了の認可の年月日

（施行者の変動の届出についての都市再開発法施行規則の準用）

第四八条　都市再開発法施行規則第一条の十の規定は、法第百三十条において準用する都市再開発法第七条の十七第七項に規定する施行者の変動の届出について準用する。

第三款　防災街区整備事業組合

（定款の記載事項）

第四九条　第四十六条の規定は、法第百三十四条第一項第十二号の国土交通省令で定める事項について準用する。この場合において、第四十六条第三号中「規準又は規約」とあるのは「定款」と読み替えるものとする。

（認可申請手続）

第五〇条　法第百三十六条第一項から第三項まで、法第五十七条第一項又は法第六十三条第四項の規定による認可を申請しようとする者は認可申請書を提出しなければならない。

2　法第百三十六条第一項の規定による認可を申請しようとする者は、定款及び事業計画を認可申請書とともに提出しなければならない。

3　法第百三十六条第二項の規定による認可を申請しようとする者は、定款及び事業基本方針を認可申請書とともに提出しなければならない。

4　法第百三十六条第三項の規定による認可を申請しようとする防災街区整備事業組合（以下「事業組合」という。）は、事業計画の案を認可申請書とともに提出しなければならない。

5　法第百五十七条第一項の規定による認可を申請しようとする事業組合は、変更に係る定款又は事業計画若しくは事業基本方針を認可申請書とともに提出しなければならない。

（認可申請書の添付書類）

第五一条　法第百三十六条第一項の規定による認可を申請しようとする者は、認可申請書に次に掲げる書類を添付しなければならない。

一　認可を申請しようとする者が施行地区となるべき区域内の宅地の所有者又は借地権者であることを証する書類

二　法第百三十七条第一項において準用する法第百二十五条の同意を得たことを証する書類

三　法第百三十八条第一項の同意を得たことを証する書類

2　法第百三十六条第二項の規定による認可を申請しようとする者は、認可申請書に前項第一号及び第三号に掲げる書類を添付しなければならない。

3　法第百三十六条第三項の規定による認可を申請しようとする事業組合は、認可申請書に事業計画の決定について総会の議決を経たことを証する書類及び第一項第二号に掲げる書類を添付しなければならない。

4　法第百五十七条第一項の規定による認可を申請しようとする事業組合は、認可申請書に次に掲げる書類を添付しなければならない。

一　定款の変更又は事業計画若しくは事業基本方針の変更について総会又は総代会の議決を経たことを証する書類

二　認可を申請しようとする事業組合が法第百五十七条第二項において準用する法第百二十五条の同意を得なければならない場合においては、その同意を得たことを証する書類

三　認可を申請しようとする事業組合が法第百五十七条第二項において準用する法第百二十九条第三項の同意を得なければならない場合においては、その同意を得たことを証する書類

四　認可を申請しようとする事業組合が法第百五十七条第二項において準用する法第百三十八条第一項の同意を得なければならない場合においては、その同意を得たことを証する書類

5　法第百六十三条第四項の規定による認可を申請しようとする事業組合は、認可申請書に次に掲げる書類を添付しなければならない。

一　権利変換期日前に事業組合の解散について総会の議決を経たことを証する書類又は事業の完成を明らかにする書類

二　認可を申請しようとする事業組合が法第百六十三条第三項の同意を得なければならない場合においては、その同意を得たことを証する書類

（防災街区整備事業の施行の方針）

第五二条　法第百三十七条第二項の防災街区整備事業の施行の方針においては、当該防災街区整備事業の目的、事業施行予定期間及び法第百三十六条第三項の認可を受けるまでの資金計画を定めなければならない。

（施行地区予定地の公告）

第五三条　市町村長は、法第百三十九条第二項（法第百五十七条第二項において準用する場合を含む。）の規定による公告をしようとするときは、施行地区となるべき区域に含まれる地域の名称（市町村の区域内の町又は字の区域の一部が含まれる場合においては、その一部の区域内の土地の地番を公告し、かつ、当該区域を表示する図面を当該市町村の事務所において、その公告をした日から二週間公衆の縦覧に供しなければならない。

（借地権の申告手続）

第五四条　法第百三十九条第三項（法第百五十七条第二項において準用する場合を含む。）の規定による申告をしようとする者は、別記第七号様式の借地権申告書を市町村長に提出しなければならない。

2　前項の借地権申告書には、次に掲げる図書を添付しなければならない。

一　借地権申告書に署名した者の運転免許証（道路交通法（昭和三十五年法律第百五号）第九十二条第一項に規定する運転免許証をいう。）、個人番号カード（行政手続における特定の個人を識別するための番号の利用等に関する法律（平成二十五年法律第二十七号）第二条第七項に規定する個人番号カードをいう。）、旅券（出入国管理及び難民認定法（昭和二十六年政令第三百十九号）第二条第五号に規定する旅券をいう。）の写しその他の者が本人であることを確認するに足りる書類（法人にあっては、印鑑登録証明書その他の者が本人であることを確認するに足りる書類）（第八十六条第二項において「本人確認書類」という。）

二　借地権が宅地の一部を目的としている場合においては、その部分の位置を明らかにする見取図（方位を記載すること。）

3　市町村長は、第一項の借地権申告書が借地権を証する書面を添えて提出された場合において、その書面がその借地権を証するに足りないと認めるときは、更に必要な書類の提出を求めることができる。

（組合員への周知等）

第五四条の二　法第百三十六条第二項の規定により設立された事業組合は、同条第三項の事業計画の案を作成したときは、その決定に係る総会の開催日の一月前までに、当該事業計画の案に関する説明会を開催しなければならない。この場合において、事業組合は、少なくとも説明会の開催日の五日前から第四項の規定により意見書を提出することができる期間の満了の日までの間、当該事業計画の案を主たる事務所に備え付けなければならない。

2　説明会は、できる限り、説明会に参加する組合員の参集の便を考慮して開催の日時及び場所を定め、開催するものとする。

3　事業組合は、説明会の開催日の五日前までに、説明会の開催の日時及び場所並びに次項の規定により意見書を提出することができる期間を組合員に通知しなければならない。

4　組合員は、事業組合が説明会の翌日から起算して二週間を下らない範囲内で定める期間が経過する日までの間、当該事業計画の案について、事業組合に意見書を提出することができる。

（公告事項）

第五五条　法第百四十三条第一項の国土交通省令で定める事項は、法第百三十六条第一項の認可に係る公告にあっては第一号から第六号まで、同条第三項の認可に係る公告にあっては第一号、第二号及び第五号から第七号までに掲げるものとする。

一　事務所の所在地

二　設立認可の年月日

三　事業年度

四　公告の方法

五　個別利用区内の宅地への権利変換の申出をすることができる期限

六　権利変換を希望しない旨の申出をすることができる期限

七　事業計画の認可の年月日

2　法第百四十三条第二項の国土交通省令で定める事項は、前項第一号から第四号までに掲げるもの及び事業施行予定期間とする。

3　法第百五十七条第二項において準用する法第百四十三条第一項又は第二項の国土交通省令で定める事項は、次に掲げるものとする。

一　事務所の所在地及び設立認可の年月日

二　事業組合の名称、事業施行期間若しくは事業施行予定期間、施行地区若しくは工区又は前項第一号、第三号若しくは第四号に掲げる事項に関して変更がされたときは、その変更の内容

三　事業計画の変更により新たに個別利用区が定められたとき、又は事業計画の変更により従前の施行地区外の土地が新たに施行地区に編入されたことに伴い個別利用区の面積が拡張されたときは、個別利用区内の宅地への権利変換の申出をすることができる期限

四　事業計画の変更により従前の施行地区外の土地が新たに施行地区に編入されたとき、又は個別利用区内の宅地若しくはその借地権が与えられるように定めるべき旨の申出に応じない旨の決定があったときは、権利変換を希望しない旨の申出をすることができる期限

五　定款又は事業計画の変更の認可の年月日

（組合員名簿の記載事項）

第五六条　法第百四十六条第一項の国土交通省令で定める事項は、次に掲げるものとする。

一　法第百四十四条第三項の代表者を選任したときは、その者の氏名及び住所（法人にあっては、その名称及び主たる事務所の所在地）

二　組合員名簿の作成又は変更の年月日

（定款の変更に関する特別議決事項）

第五七条　令第二十八条第一項第四号の国土交通省令で定める事項は、法第二百二条第二項第二号の規定による宅地の地積の規模の決定又は変更とする。

（縦覧手続等を要しない事業計画の変更）

第五八条　法第百五十七条第二項の国土交通省令で定める軽微な変更は、次に掲げるものとする。

一　都市計画の変更に伴う設計の概要の変更

二　防災施設建築物の設計の概要の変更で、最近の認可に係る当該防災施設建築物の延べ面積の十分の一を超える延べ面積の増減を伴わないもの

三　防災施設建築敷地内の主要な給水施設、排水施設、電気施設若しくはガス施設又は広場、駐車施設、遊び場その他の共同施設、通路若しくは消防用水利施設の位置の変更

四　公共施設の構造の変更

五　事業施行期間の変更

六　資金計画の変更

（参加組合員の負担金及び分担金の納付）

第五九条　参加組合員が法第百五十九条第一項の規定により納付すべき負担金の納付期限、分割して納付する場合における分割の回数、各納付期限及び各納付期限ごとの納付金額その他の負担金の納付に関する事項は、定款で定めるものとする。この場合において、最終の納付期限は、法第二百四十四条第二項の公告の日から一月を超えてはならない。

2　参加組合員以外の組合員が賦課金を納付すべき場合においては、参加組合員は、分担金を納付するものとする。

3　分担金の額は、参加組合員の納付する負担金の額及び参加組合員以外の組合員が施行地区内に有する宅地又は借地権の価額を考慮して、賦課金の額と均衡を失しないように定めるものとし、分担金の納付方法は、賦課金の賦課徴収の方法の例によるものとする。

（決算報告書作成についての都市再開発法施行規則の準用）

第六〇条　都市再開発法施行規則第十六条の規定は、法第百六十四条において準用する都市再開発法第四十九条の規定による決算報告書の作成について準用する。

第四款　事業会社

（認可申請手続）

第六一条　法第百六十五条第一項、法第百七十二条第一項、法第百七十五条第一項又は法第百七十八条第一項の規定による認可を申請しようとする者は、認可申請書を提出しなければならない。

2　法第百六十五条第一項の規定による認可を申請しようとする者は、規準及び事業計画を認可申請書とともに提出しなければならない。

3　法第百七十二条第一項の規定による認可を申請しようとする事業会社は、変更に係る規準又は事業計画を認可申請書とともに提出しなければならない。

（認可申請書の添付書類）

第六二条　法第百六十五条第一項の規定による認可を申請しようとする者は、認可申請書に次に掲げる書類を添付しなければならない。

一　定款の写し

二　株主名簿の写し

三　法第百十九条第三項第四号の要件を満たしていることを証する書類

四　法第百六十九条において準用する法第百二十五条の同意を得たことを証する書類

五　法第百六十七条の同意を得たことを証する書類

2　法第百七十二条第一項の規定による認可を申請しようとする事業会社は、認可申請書に次に掲げる書類を添付しなければならない。

一　定款の写し

二　株主名簿の写し

三　法第百十九条第三項第四号の要件を満たしていることを証する書類

四　認可を申請しようとする事業会社が法第百七十二条第二項において準用する法第百二十五条の同意を得なければならない場合においては、その同意を得たことを証する書類

五　認可を申請しようとする事業会社が法第百七十二条第二項において準用する法第百二十九条第三項の同意を得なければならない場合においては、その同意を得たことを証する書類

六　法第百七十二条第二項において準用する法第百六十七条の同意を得たことを証する書類

3　法第百七十五条第一項の規定による認可を申請しようとする事業会社は、認可申請書に次に掲げる書類を添付しなければならない。

一　合併後存続する会社、合併により設立される会社若しくは会社分割により防災街区整備事業を承継する会社又は防災街区整備事業の全部を譲り受ける会社若しくは防災街区整備事業の一部を譲り渡す会社及び当該事業の一部を譲り受ける会社（次号において「合併会社等」という。）に係る定款の写し

二　合併会社等に係る株主名簿の写し

三　法第百十九条第三項第四号の要件を満たしていることを証する書類

四　合併若しくは分割又は防災街区整備事業の譲渡及び譲受を必要とする理由を記載した書類

五　合併契約書、分割計画書若しくは分割契約書又は事業の譲渡及び譲受に関する契約書の写し

4　法第百七十八条第一項の規定による認可を申請しようとする事業会社は、認可申請書に防災街区整備事業の終了を明らかにする書類を添付しなければならない。

（規準の記載事項）

第六三条　第四十六条の規定は、法第百六十六条第一項第九号の国土交通省令で定める事項について準用する。

（施行地区予定地の公告）

第六四条　第五十三条の規定は、法第百六十八条第二項（法第百七十二条第二項において準用する場合を含む。）において準用する法第百三十九条第二項の規定による市町村長の公告について準用する。

（借地権の申告手続）

第六五条　法第百六十八条第二項（法第百七十二条第二項において準用する場合を含む。）において準用する法第百三十九条第三項の規定による申告をしようとする者は、別記第七号様式の借地権申告書を市町村長に提出しなければならない。

2　第五十四条第二項及び第三項の規定は、前項に規定する申告について準用する。

（公告事項）

第六六条　法第百七十一条第一項の国土交通省令で定める事項は、次に掲げるものとする。

一　事務所の所在地

二　施行認可の年月日

三　事業年度

四　公告の方法

五　個別利用区内の宅地への権利変換の申出をすることができる期限

六　権利変換を希望しない旨の申出をすることができる期限

2　法第百七十二条第二項において準用する法第百七十一条第一項の国土交通省令で定める事項は、次に掲げるものとする。

一　事務所の所在地

二　事業会社の名称、防災街区整備事業の名称、事業施行期間、施行地区若しくは工区又は前項第一号、第三号若しくは第四号に掲げる事項に関して変更がされたときは、その変更の内容

三　事業計画の変更により新たに個別利用区が定められたとき、又は事業計画の変更により従前の施行地区外の土地が新たに施行地区に編入されたことに伴い個別利用区の面積が拡張されたときは、個別利用区内の宅地への権利変換の申出をすることができる期限

四　事業計画の変更により従前の施行地区外の土地が新たに施行地区に編入されたとき、又は個別利用区内の宅地若しくはその借地権が与えられるように定めるべき旨の申出に応じない旨の決定があったときは、権利変換を希望しない旨の申出をすることができる期限

五　規準又は事業計画の変更の認可の年月日

3　法第百七十五条第二項において準用する法第百七十一条第一項の国土交通省令で定める事項は、次に掲げるものとする。
一　事務所の所在地及び施行認可の年月日
二　事業会社の名称に関して変更がされたときは、その変更の内容
4　法第百七十八条第二項において準用する法第百七十一条第一項の国土交通省令で定める事項は、次に掲げるものとする。
一　施行認可の年月日
二　防災街区整備事業の終了の認可の年月日

（縦覧手続等を要しない規準又は事業計画の変更）
第六七条　法第百七十二条第二項の国土交通省令で定める軽微な変更のうち規準に係るものは、事業に要する経費の分担に関する事項の変更以外のものとする。
2　第五十八条の規定は、法第百七十二条第二項の国土交通省令で定める軽微な変更のうち事業計画に係るものについて準用する。

（特定事業参加者の負担金の納付）
第六八条　法第百六十六条第一項第五号に規定する特定事業参加者が法第百七十三条第一項の規定により納付すべき負担金の納付期限、分割して納付する場合における分割の回数、各納付期限及び各納付期限ごとの納付金額その他の負担金の納付に関する事項は、規準で定めるものとする。

第五款　地方公共団体

（認可申請手続）
第六九条　地方公共団体は、法第百七十九条第一項後段（法第百八十四条において準用する場合を含む。）の規定による認可を申請しようとするときは、次に掲げる事項を記載した認可申請書を提出しなければならない。
一　防災街区整備事業の名称
二　施行者の名称及び事業施行期間
三　資金計画
四　防災街区整備事業の範囲
五　事業計画の縦覧及び意見書の処理の経過
2　前項の認可申請書には、法第百八十一条第四項（法第百八十四条において準用する場合を含む。）において準用する法第百二十五条の協議の内容を証する書類を添付しなければならない。

（施行規程の記載事項）
第六九条の二　法第百八十条第二項第九号の国土交通省令で定める事項は、事業計画において個別利用区が定められた場合における法第二百二条第二項第二号の施行規程で定める規模とする。

（公告事項）
第七〇条　法第百八十二条第一項の国土交通省令で定める事項は、次に掲げるものとする。
一　施行者の名称
二　事務所の所在地
三　事業計画の決定の年月日又は当該事業計画において定めた設計の概要についての認可の年月日
四　個別利用区内の宅地への権利変換の申出をすることができる期限
五　権利変換を希望しない旨の申出をすることができる期限
2　法第百八十四条において準用する法第百八十二条第一項の国土交通省令で定める事項は、次に掲げるものとする。
一　施行者の名称及び事務所の所在地並びに事業計画の決定の年月日
二　防災街区整備事業の名称、事業施行期間、施行地区若しくは工区又は前項第一号若しくは第二号に掲げる事項に関して変更がされたときは、その変更の内容
三　事業計画の変更により新たに個別利用区が定められたとき、又は事業計画の変更により従前の施行地区外の土地が新たに施行地区に編入されたことに伴い個別利用区の面積が拡張されたときは、個別利用区内の宅地への権利変換の申出をすることができる期限
四　事業計画の変更により従前の施行地区外の土地が新たに施行地区に編入されたとき、個別利用区内の宅地若しくはその借地権が与えられるように定めるべき旨の申出に応じない旨の決定があったときは、権利変換を希望しない旨の申出をすることができる期限
五　事業計画の変更の年月日又は事業計画において定めた設計の概要に関して変更がされたときは、当該設計の概要の変更についての認可の年月日

第六款　独立行政法人都市再生機構等

（縦覧手続等を要しない事業計画の変更）
第七一条　第五十八条の規定は、法第百八十四条の国土交通省令で定める軽微な事業計画の変更について準用する。

（特定事業参加者の負担金の納付）
第七二条　法第百八十条第二項第五号に規定する特定事業参加者が法第百八十五条第一項の規定により納付すべき負担金の納付期限、分割して納付する場合における分割の回数、各納付期限及び各納付期限ごとの納付金額その他の負担金の納付に関する事項は、施行規程で定めるものとする。

（認可申請手続）
第七三条　独立行政法人都市再生機構又は地方住宅供給公社（以下「機構等」と総称する。）は、法第百八十八条第一項前段の認可を申請しようとするときは施行規程及び事業計画を、同項後段の認可を申請しようとするときは変更に係る施行規程又は事業計画を認可申請書とともに提出しなければならない。
2　前項の認可申請書には、法第百八十八条第三項又は第四項において準用する法第百二十五条の協議の内容を証する書類を添付しなければならない。

（施行規程の記載事項）
第七三条の二　第六十九条の二の規定は、法第百八十八条第三項において準用する法第百八十条第二項第九号の国土交通省令で定める事項について準用する。

（公告事項）
第七四条　法第百八十八条第三項において準用する法第百四十三条第一項の国土交通省令で定める事項は、次に掲げるものとする。
一　施行者の名称
二　事務所の所在地
三　施行規程及び事業計画の認可の年月日
四　個別利用区内の宅地への権利変換の申出をすることができる期限
五　権利変換を希望しない旨の申出をすることができる期限
2　法第百八十八条第四項において準用する法第百四十三条第一項の国土交通省令で定める事項は、次に掲げるものとする。
一　施行者の名称及び事務所の所在地並びに施行規程及び事業計画の認可の年月日
二　防災街区整備事業の名称、事業施行期間、施行地区若しくは工区又は事務所の所在地に関して変更がされたときは、その変更の内容
三　事業計画の変更により新たに個別利用区が定められたとき、又は事業計画の変更により従前の施行地区外の土地が新たに施行地区に編入されたことに伴い個別利用区の面積が拡張されたときは、個別利用区内の宅地への権利変換の申出をすることができる期限
四　事業計画の変更により従前の施行地区外の土地が新たに施行地区に編入されたとき、又は個別利用区内の宅地若しくはその借地権が与えられるように定めるべき旨の申出に応じない旨の決定があったときは、権利変換を希望しない旨の申出をすることができる期限
五　施行規程又は事業計画の変更の認可の年月日

（縦覧手続等を要しない施行規程又は事業計画の変更）
第七五条　法第百八十八条第四項の国土交通省令で定める軽微な変更のうち施行規程に係るものは、次に掲げるもの以外のものとする。
一　事業に要する経費の分担に関する事項の変更
二　防災街区整備審査会の委員の任命に関する事項の変更
2　第五十八条の規定は、法第百八十八条第四項（法第百四十条（第一項ただし書を除く。）の規定の準用に係る部分に限る。）の国土交通省令で定める軽微な変更のうち事業計画に係るものについて準用する。

（特定事業参加者の負担金の納付）
第七六条　法第百八十八条第三項において準用する法第百八十条第二項第五号に規定する特定事業参加者が法第百八十九条第一項の規定により納付すべき負担金の納付期限、分割して納付する場合における分割の回数、各納付期限及び各納付期限ごとの納付金額その他の負担金の納付に関する事項は、施行規程で定めるものとする。

第七款　事業計画の内容及び技術的基準

（施行地区）

第七七条　法第百二十四条第一項（法第百三十七条第一項、法第百六十九条、法第百八十一条第四項及び法第百八十八条第三項において準用する場合を含む。以下この款において同じ。）又は法第百三十七条第三項の施行地区（施行地区を工区に分けるときは、施行地区及び工区。以下この条において同じ。）は、施行地区位置図及び施行地区区域図を作成して定めなければならない。

2　前項の施行地区位置図は、縮尺二万五千分の一以上とし、施行地区の位置を表示した地形図でなければならない。

3　第一項の施行地区区域図は、縮尺二千五百分の一以上とし、施行地区の区域並びにその区域を明らかに表示するに必要な範囲内において都道府県界、市町村界、市町村の区域内の町又は字の境界並びに土地の地番及び形状を表示したものでなければならない。

（設計の概要）

第七八条　法第百二十四条第一項の設計の概要及び同条第二項（法第百三十七条第一項、法第百六十九条、法第百八十一条第四項及び法第百八十八条第三項において準用する場合を含む。）の個別利用区は、設計説明書及び設計図を作成して定めなければならない。

2　前項の設計説明書には、次に掲げる事項を記載しなければならない。

一　防災施設建築物の設計の概要

二　防災施設建築敷地の設計の概要

三　公共施設の設計の概要

四　個別利用区内の宅地の設計の概要

3　第一項の設計図は、次の表に掲げるものとする。

図面の種類		縮尺	明示すべき事項
防災施設建築物	各階平面図	五百分の一以上	縮尺並びに柱、外壁、廊下、階段及び昇降機の位置
	二面以上の断面図	五百分の一以上	縮尺並びに防災施設建築物、床及び各階の天井の高さ
防災施設建築敷地	平面図	五百分の一以上	縮尺、方位並びに防災施設建築物、主要な給水施設、排水施設、電気施設及びガス施設並びに広場、駐車施設、遊び場その他の共同施設、通路及び消防用水利施設の位置
公共施設	平面図	五百分の一以上	縮尺、方位並びに公共施設の位置及び形状
	二面以上の断面図	五百分の一以上	縮尺並びに公共施設の構造及び現在の地盤面
個別利用区内の宅地	平面図	五百分の一以上	縮尺、方位並びに個別利用区内の宅地の位置及び形状

（設計の概要に関する技術的基準）

第七九条　法第百二十四条第一項の設計の概要に関する同条第六項（法第百三十七条第一項、法第百六十九条、法第百八十一条第四項及び法第百八十八条第三項において準用する場合を含む。第八十一条において同じ。）の技術的基準は、次に掲げるものとする。

一　設計の概要は、施行地区内の水道施設等の機能の維持と災害時における避難路等災害防止上必要な施設の確保を考慮して定めなければならない。

二　設計の概要は、施行地区又はその周辺の地域における義務教育施設、水道施設等の公益的施設の整備の状況を勘案して、当該施行地区及びその周辺の地域における利便の保全が図られるように定めなければならない。

三　設計の概要は、防災施設建築物に関し権利を与えられることとなる者の居住条件等を考慮して、できる限り、当該防災施設建築物の低廉化を図るよう定めなければならない。

四　防災施設建築物の構造は、用途が同一であり、又は類似する防災施設建築物の各戸を集約的に配置することができること、各戸の利用の独立性を確保すること等その合理的利用を確保することができるものとしなければならない。

五　防災施設建築物の構造は、防災施設建築物の規模及び各階の用途に応じた防災施設建築物の安全性並びに各階の用途に応じた機能が確保されたものとしなければならない。

六　防災施設建築物の廊下、階段その他の共用部分は、防災施設建築物の規模及び用途構成に応じた適正な規模及び配置のものとし、管理保全の利便が確保されたものとしなければならない。

七　防災施設建築敷地内の広場、駐車施設、遊び場その他の共同施設は、防災施設建築物の規模及び建築形態並びに用途構成に応じて、良好な都市環境が形成されるよう適切に配置しなければならない。

八　防災施設建築敷地内の通路は、防災施設建築物の各棟から公共施設及び当該地区内の広場、駐車施設、遊び場その他の共同施設に適切に連絡するように配置しなければならない。

九　設計の概要は、消防に必要な水利を設けるように定めなければならない。

十　防災施設建築敷地内の主要な給水施設、排水施設、電気施設及びガス施設は、防災施設建築物の規模及び用途構成に応じ、当該区域について想定される需要を確保することができるよう適切に配置しなければならない。

（資金計画）

第八〇条　法第百二十四条第一項の資金計画は、資金計画書を作成し、収支予算を明らかにして定めなければならない。

第八一条　法第百二十四条第一項の資金計画に関する同条第六項の技術的基準は、次に掲げるものとする。

一　資金計画のうち収入予算においては、収入の確実であると認められる金額を収入金として計上しなければならない。

二　資金計画のうち支出予算においては、適正かつ合理的な基準によりその経費を算定し、これを支出金として計上しなければならない。

第三節　防災街区整備事業の施行

第一款　測量、調査等

（土地の立入り等に伴う損失の補償についての裁決申請書の様式）

第八二条　令第三十二条において準用する都市再開発法施行令（昭和四十四年政令第二百三十二号）第二十三条の国土交通省令で定める様式は、別記第八号様式とし、正本一部及び写し一部を提出するものとする。

（測量標識）

第八三条　法第百九十五条第一項の国土交通省令で定める標識は、標示杭に測量の目的及び施行者となろうとする者若しくは事業組合を設立しようとする者又は施行者の氏名又は名称を表示したものとする。

（防災街区整備事業の概要を周知させるための必要な措置）

第八四条　法第百九十八条の防災街区整備事業の概要を周知させるための必要な措置は、次に定めるところにより、説明のための会合を開催することとする。ただし、関係権利者が参集しないためその他施行者の責めに帰することができない理由により、あらかじめ定められた日時及び場所において説明のための会合を開催することができないときは、会合の開催以外の方法によることができる。

一　会合を開催する場所は、できる限り、関係権利者の参集の利便を考慮して定めること。

二　会合の日時及び場所を会合を開催する日の一週間前までに、関係権利者に通知し、又は新聞紙に広告すること。

三　会合には、都道府県の職員又は市町村（都の特別区の存する区域にあっては、特別区）の長若しくは職員の立会いを求めること。

（土地調書及び物件調書の様式）

第八五条　法第百九十九条第二項において準用する土地収用法（昭和二十六年法律第二百十九号）第三十七条第四項の国土交通省令で定める土地調書の様式は別記第九号様式とし、物件調書の様式は別記第十号様式とする。

第二款　権利変換手続

（権利処分承認申請手続）

第八六条　法第二百一条第二項の規定により権利の処分について承認を得ようとする者は、別記第十一号様式の権利処分承認申請書を施行者に提出しなければならない。

２　前項の権利処分承認申請書には、権利の処分について承認を得ようとする者及び権利の処分の相手方の本人確認書類を添付しなければならない。

（個別利用区内の宅地への権利変換の申出の方法）

第八七条　法第二百二条第一項の申出は、別記第十二号様式の個別利用区内の宅地への権利変換の申出書に、自己が施行地区内の宅地の所有者又は借地権者であることを証する書面を添付して、これを施行者に提出しなければならない。この場合において、その申出について同条第二項第一号の同意を得なければならないときは、別記第十三号様式の個別利用区内の宅地への権利変換の申出に関する同意書を添付しなければならない。

（権利変換を希望しない旨の申出等の方法）

第八八条　法第二百三条第一項の申出をしようとする者（同条第四項の規定により新たに同条第一項の申出をしようとする者を含む。）は、別記第十四号様式の権利変換を希望しない旨の申出書に、自己が施行地区内の宅地（指定宅地を除く。）の所有者若しくは借地権者又は施行地区内の土地（指定宅地を除く。）に権原に基づき建築物を所有する者であることを証する書面を添付して、これを施行者に提出しなければならない。この場合において、その申出について同条第二項の同意を得なければならないときは、その同意を得たことを証する書面を添付しなければならない。

２　法第二百三条第三項の申出をしようとする者（同条第四項の規定により新たに同条第三項の申出をしようとする者を含む。）は、別記第十五号様式の借家権の取得を希望しない旨の申出書に、自己が施行地区内の建築物について借家権を有する者であることを証する書面を添付して、これを施行者に提出しなければならない。

３　法第二百三条第四項から第六項までの規定による申出の撤回をしようとする者は、別記第十六号様式の権利変換を希望しない旨の申出撤回書又は別記第十七号様式の借家権の取得を希望しない旨の申出撤回書を施行者に提出しなければならない。

（権利変換計画又はその変更の認可申請手続）

第八九条　法第二百四条第一項後段の認可を申請しようとする施行者は権利変換計画に、同条第四項において準用する同条第一項後段の認可を申請しようとする施行者は権利変換計画のうち変更に係る事項に、次に掲げる書類を添付して、認可申請書とともに、これを都道府県又は機構等（市のみが設立した地方住宅供給公社を除く。）にあっては国土交通大臣に、個人施行者、事業組合、事業会社、市町村又は市のみが設立した地方住宅供給公社にあっては都道府県知事に提出しなければならない。

一　法第二百十六条第二項又は同条第五項において準用する同条第二項の規定により提出された意見書に係る意見を採択しなかったときは、その意見の概要及び採択しなかった理由を記載した書類

二　法第二百十七条第一項の規定による審査委員の過半数の同意を得、又は防災街区整備審査会の議決を経たことを証する書類

三　認可を申請しようとする施行者が個人施行者である場合において、法第二百四条第二項において準用する法第百二十六条第一項の同意を得なければならないときは、その同意を得たことを証する書類

四　認可を申請しようとする施行者が事業組合である場合においては、権利変換計画の決定又は変更についての総会若しくはその部会又は総代会の議決を経たことを証する書類

五　認可を申請しようとする施行者が事業会社である場合においては、法第二百四条第三項において準用する法第百六十七条第一項の同意を得たことを証する書類

六　法第二百五十五条第一項の規定により権利変換計画を定めようとするときは、法第百九十九条第一項の土地調書及び物件調書（以下この条において「土地調書等」という。）並びに施行地区内の土地（指定宅地を除く。）又はこれに存する物件に関し権利を有する者及び参加組合員又は特定事業参加者のすべての同意を得たことを証する書類

七　法第二百五十六条第一項の規定により権利変換計画を定めようとするときは、土地調書等及び指定宅地又はこれに存する物件に関し権利を有する者のすべての同意を得たことを証する書類

八　法第二百五十七条第一項の規定により権利変換計画を定めようとするときは、土地調書等並びに施行地区内の宅地又は物件に関し権利を有する者及び参加組合員又は特定事業参加者のすべての同意を得たことを証する書類

九　法第二百五条第二項本文の規定によらないで権利変換計画を定めようとするときは、同項第一号の関係権利者のすべての同意があったことを証する書類

十　法第二百十一条第二項の必要な定めをするときは、関係権利者の意見の概要を記載した書類

（国土交通大臣等の認可を要しない権利変換計画の変更）

第九〇条　法第二百四条第四項の国土交通省令で定める軽微な変更は、次に掲げるものとする。

一　法第二百五条第一項第二号、第七号又は第十二号に掲げる事項の変更

二　法第二百五条第一項第五号、第十号、第十四号、第十九号又は第二十号に掲げる事項のうち氏名若しくは名称又は住所の変更

三　法第二百五条第一項第二十一号に掲げる事項のうち防災施設建築敷地若しくはその共有持分、防災施設建築物の一部等又は個別利用区内の宅地の明細の変更

四　前三号に掲げるもののほか、権利変換計画の変更で、当該変更に係る部分について利害関係を有する者の同意を得たもの

（権利変換計画に関する図書）

第九一条　法第二百五条第一項第一号に掲げる配置設計は、配置設計図を作成して定めなければならない。

２　前項の配置設計図は、次に掲げるものとする。

一　第七十八条第三項の表に掲げる防災施設建築物の各階平面図に各防災施設建築物の一部の配置及び用途を表示したもの

二　第七十八条第三項の表に掲げる防災施設建築敷地の平面図に各防災施設建築敷地の区域を表示したもの

三　第七十八条第三項の表に掲げる公共施設の平面図

四　第七十八条第三項の表に掲げる個別利用区内の宅地の平面図に各個別利用区及び当該個別利用区内の各宅地の区域を表示したもの

３　法第二百五条第一項第二号から第二十五号までに掲げる事項は、別記第十八号様式の権利変換計画書を作成して定めなければならない。

（権利変換計画に定めるべき事項）

第九二条　法第二百五条第一項第二十五号の国土交通省令で定める事項は、次に掲げるものとする。

一　一個の防災施設建築敷地の価額の概算額及び当該防災施設建築敷地に設定される地上権の価額の概算額

二　個別利用区内の宅地の価額の概算額

三　法第二百二十二条第一項ただし書の地代の概算額並びに法第二百二十六条第一項の補償金（利息相当額を含む。）の支払期日及び支払方法

（防災施設建築敷地等の価額の概算額）

第九三条　法第二百五条第一項第四号に掲げる防災施設建築敷地の価額の概算額は、同項第三号、第十八号及び第十九号に掲げる宅地及び借地権の価額の合計額と当該防災施設建築敷地の整備に要する費用の額とを合計した額（以下「合計価額」という。）以上であり、かつ、法第二百十三条第一項に規定する基準日（以下「基準日」という。）における近傍類似の土地の価額を参酌して定めた当該防災施設建築敷地の価額の見込額を超えない範囲内において定めた当該防災施設建築敷地の価額（この項及び第三項において「敷地価額」という。）から、当該敷地価額に基準日における近傍同種の建築物の所有を目的とする地上権の価額がその敷地の価額に占める割合を参酌して定めた防災施設建築物の所有を目的とする地上権の価額が当該敷地価額に占める割合（第三項において「地上権の割合」という。）を乗じて得た額を控除した額とする。この場合において、合計価額が当該防災施設建築敷地の価額の見込額を超えるときは、当該防災施設建築敷地の価額の見込額をもって敷地価額とする。

２　法第二百五条第一項第四号に掲げる防災施設建築敷地の共有持分の価額の概算額は、前項の規定により定めた防災施設建築敷地の価額の概算額に、法第二百八条第三項に規定する割合を乗じて得た額とする。

３　法第二百五条第一項第四号に掲げる防災施設建築物の一部等の価額の概算額は、防災施設建築物の整備に要する費用のうち当該防災施設建築物の一部の整備に要するものを償い、かつ、基準日における近傍同種の建築物の一部の価額を参酌して定めた当該防災施設建築物の一部の価額の見込額を超えない範囲内において定めた当該防災施設建築物の一部の価額（以下この項において「建築物価額」という。）に、敷地価額に地上権の割合を乗じて得た額に令第三十五条の規定により定めた地上権の共有持分の割合を乗じ

て得た額を加えた額とする。この場合において、当該防災施設建築物の一部の整備に要する費用の額が当該防災施設建築物の一部の価額の見込額を超えるときは、当該防災施設建築物の一部の価額の見込額をもって建築物価額とする。

4　前項の防災施設建築物の一部の整備に要する費用は、次の式によって算出するものとする。

$$C_1=\frac{CbA_1}{\Sigma Ai}+\Sigma C'bRb_1$$

この式において、C_1、Cb、$C'b$、A_1、Ai及びRb_1は、それぞれ次の数値を表すものとする。

C_1　その者が取得することとなる防災施設建築物の一部の整備に要する費用

Cb　当該防災施設建築物の整備に要する費用のうち、防災施設建築物の共用部分以外の部分に係るもの

$C'b$　当該防災施設建築物の整備に要する費用のうち、防災施設建築物の共用部分でRb_1に対応するものに係るもの

A_1　その者が取得することとなる防災施設建築物の一部の床面積。ただし、各防災施設建築物の一部の同一床面積当たりの容積が異なるときは、当該防災施設建築物の一部の床面積について必要な補正を行うものとする。

Ai　当該防災施設建築物に属する各防災施設建築物の一部の床面積。ただし、各防災施設建築物の一部の同一床面積当たりの容積が異なるときは、当該防災施設建築物の一部の床面積について必要な補正を行うものとする。

Rb_1　その者が取得することとなる各防災施設建築物の共用部分の共有持分の割合

（個別利用区内の宅地等の概算額）

第九四条　法第二百五条第一項第九号に掲げる個別利用区内の宅地（以下この条において「個別利用区内宅地」という。）の価額の概算額は、同項第八号に掲げる指定宅地及び使用収益権の価額の合計額と当該個別利用区内宅地の整備に要する費用の額とを合計した額以上であり、かつ、基準日における近傍類似の土地の価額を参酌して定めた当該個別利用区内宅地の見込額を超えない範囲内において定めた額とする。この場合において、当該合計した額が当該個別利用区内宅地の見込額を超えるときは、当該個別利用区内宅地の見込額をもって個別利用区内宅地の価額の概算額とする。

2　個別利用区内宅地の使用収益権の価額の概算額は、基準日における近傍類似の土地に関する同種の権利の取引価額等を参酌して定めた当該使用収益権の価額の見込額とする。

（地代の概算額）

第九五条　法第二百五条第一項第十六号に掲げる防災施設建築敷地の地代の概算額は、第九十三条第一項の規定により定めた防災施設建築敷地の価額の概算額に百分の六を乗じて得た額に公課及び管理事務費を加えた額と基準日における近傍類似の土地の地代の額を参酌して定めた防災施設建築敷地の地代の見込額とのうちいずれか多額のものを超えない範囲内において定めた額とする。

2　前項の管理事務費の年額は、第九十三条第一項の規定により定めた防災施設建築敷地の価額の概算額に百分の六を乗じて得た額と公課の年額との合計額に、百分の三を超えない範囲内において施行者が定める数値を乗じて得た額とする。

（防災施設建築物の一部の標準家賃の概算額）

第九六条　施行者が防災施設建築物の一部を賃貸する場合における標準家賃の概算額は、当該防災施設建築物の一部の整備に要する費用の償却額に修繕費、管理事務費、地代に相当する額、損害保険料、貸倒れ及び空家による損失をうめるための引当金並びに公課（国有資産等所在市町村交付金を含む。第八項において同じ。）を加えた額とする。

2　第九十三条第四項の規定は、前項の防災施設建築物の一部の整備に要する費用の算出について準用する。

3　第一項の償却額を算出する場合における償却方法は、防災施設建築物の一部の整備に要する費用を当該費用に充てられる資金の種類及び額並びに借入条件を考慮して施行者が定める期間及び利率で毎年元利均等に償却する方法とする。

4　第一項の修繕費の年額は、昇降機を共用する場合にあっては前項の費用（昇降機の整備に係るものを除く。）の額に百分の一・二を超えない範囲内において施行者が定める数値を乗じて得た額に前項の費用のうち昇降機の整備に係るものの額に百分の三を超えない範囲内において施行者が定める数値を乗じて得た額を加えた額とし、昇降機を共用しない場合にあっては前項の費用の額に百分の一・二を超えない範囲内において施行者が定める数値を乗じて得た額とする。

5　第一項の管理事務費の年額は、昇降機を共用する場合にあっては第三項の費用の額に百分の〇・五を超えない範囲内において施行者が定める数値を乗じて得た額に当該昇降機の運転に要する費用の年額に当該防災施設建築物の一部に係る当該昇降機の共有持分の割合を乗じて得た額を加えた額とし、昇降機を共用しない場合にあっては第三項の費用の額に百分の〇・五を超えない範囲内において施行者が定める数値を乗じて得た額とする。

6　第一項の地代に相当する額は、前条第一項の規定により算出した地代の概算額に当該防災施設建築物の一部に係る地上権の共有持分の割合を乗じて得た額に当該防災施設建築物の一部に係る地上権の価額を当該地上権の存続期間及び相当の利率により元利均等に償却するものとして算出した償却額を加えた額とする。法第二百五十四条第一項の場合における第一項の地代に相当する額は、合計価額に防災施設建築物の一部に係る防災施設建築敷地の共有持分の割合並びに防災施設建築敷地の整備に要する費用等に充てられる資金の種類及び額並びに借入条件を考慮して施行者が定める数値を乗じて得た額と基準日における近傍類似の土地の地代の額に当該土地の借地権の設定の対価を当該借地権の存続期間及び相当の利率により元利均等に償却するものとして算出した償却額を加えた地代の見込額とのうちいずれか多額のものを超えない範囲内において定めなければならない。

7　第一項の損害保険料の額は、施行者が個人施行者、事業組合又は事業会社の場合にあっては損害保険料として必要な経費の額とし、施行者が地方公共団体の場合にあっては地方自治法（昭和二十二年法律第六十七号）第二百六十三条の二の規定により地方公共団体の利益を代表する全国的な公益的法人が行う火災による損害に対する相互救済事業の事業費の負担率により算定した額とし、施行者が機構等の場合にあっては防災施設建築物の一部の整備に要する費用の額に百分の〇・〇七二を超えない範囲内において機構等が定める数値を乗じて得た額とする。

8　第一項の貸倒れ及び空家による損失をうめるための引当金の年額は、同項の償却額、修繕費、管理事務費、地代に相当する額、損害保険料及び公課の年額を合計した額に百分の二を超えない範囲内において施行者が定める数値を乗じて得た額とする。

（縦覧手続を要しない権利変換計画の修正又は変更）

第九七条　法第二百十六条第四項又は第五項の国土交通省令で定める軽微な修正又は変更は、次に掲げるものとする。

一　法第二百五条第一項第二号、第七号、第十二号、第二十一号又は第二十二号に掲げる事項の修正又は変更

二　法第二百五条第一項第五号、第十号、第十四号、第十九号又は第二十号に掲げる事項のうち氏名若しくは名称又は住所の修正又は変更

三　前二号に掲げるもののほか、権利変換計画の修正又は変更で、当該修正又は変更に係る部分について利害関係を有する者の同意を得たもの

（審査委員の同意又は防災街区整備審査会の議決を要しない権利変換計画の変更）

第九八条　法第二百十七条第一項の国土交通省令で定める軽微な変更は、次に掲げるものとする。

一　法第二百五条第一項第二号、第七号、第十二号、第二十一号又は第二十二号に掲げる事項の変更

二　法第二百五条第一項第五号、第十号、第十四号、第十九号又は第二十号に掲げる事項のうち氏名若しくは名称又は住所の変更

（価額についての裁決申請書の様式）

第九九条　法第二百十八条第三項において準用する土地収用法第九十四条第三項の規定による裁決申請書の様式は、別記第十九号様式とし、正本一部及び写し一部を提出するものとする。

（権利変換計画の公告事項等）

第一〇〇条　施行者は、権利変換計画の認可を受けたときは、次に掲げる事項を公告しなければならない。

一　防災街区整備事業の名称

二　施行者の氏名又は名称

三　事務所の所在地

四　権利変換計画に係る施行地区又は工区に含まれる地域の名称
五　権利変換期日
六　権利変換計画の認可を受けた年月日
2　施行者は、権利変換計画の変更の認可を受けたとき、又は権利変換計画について第九十条各号に掲げる軽微な変更をしたときは、次に掲げる事項を公告しなければならない。
一　前項第一号から第四号までに掲げる事項及び権利変換計画の認可を受けた年月日
二　権利変換期日について変更がされたときは、その変更の内容
三　権利変換計画の変更の認可を受けた年月日又は権利変換計画について第九十条各号に掲げる軽微な変更をした年月日
3　法第二百十九条第一項の規定により通知すべき事項は、権利変換計画の認可を受けたときにあっては第一項第一号から第四号までに掲げる事項及び権利変換計画の内容のうちその通知を受けるべき者に係る部分とし、権利変換計画の変更の認可を受けたとき、又は権利変換計画につき第九十条各号に掲げる軽微な変更をしたときにあっては第一項第一号から第四号まで及び前項第三号に掲げる事項並びに権利変換計画の内容のうちその通知を受けるべき者に係る部分とする。

（権利変換期日等の通知）
第一〇一条　法第二百二十条の規定による通知は、別記第二十号様式により行うものとする。
2　法第二百二十条の国土交通省令で定める事項は、権利変換計画の認可を受けたときにあっては前条第一項第一号から第四号まで及び第六号に掲げる事項とし、権利変換計画の変更の認可を受けたとき、又は権利変換計画につき第九十条各号に掲げる軽微な変更をしたときにあっては前条第一項第一号から第四号まで及び同条第二項第三号に掲げる事項とする。

（補償金の支払に係る修正率の算定方法）
第一〇二条　法第二百二十六条第一項の規定による修正率は、総務省統計局が統計法（平成十九年法律第五十三号）第二条第四項に規定する基幹統計である小売物価統計のための調査の結果に基づき作成する消費者物価指数のうち全国総合指数（以下「全国総合消費者物価指数」という。）及び日本銀行が同法第二十五条の規定により届け出て行う統計調査の結果に基づき作成する企業物価指数のうち投資財指数（以下単に「投資財指数」という。）を用いて、次の式により算定するものとする。

$$\frac{Pc'}{Pc}\times0.8+\frac{Pi'}{Pi}\times0.2$$

一　この式において、Pc、Pc′、Pi及びPi′は、それぞれ次の数値を表すものとする。
Pc　基準日の属する月及びその前後の月の全国総合消費者物価指数の相加平均。ただし、権利変換計画の認可の公告の日においてこれらの月の全国総合消費者物価指数及び投資財指数が公表されていない場合においては、これらの指数が公表されている最近の三箇月の全国総合消費者物価指数の相加平均とする。
Pc′　権利変換計画の認可の公告の日において全国総合消費者物価指数及び投資財指数が公表されている最近の三箇月の全国総合消費者物価指数の相加平均
Pi　基準日の属する月及びその前後の月の投資財指数の相加平均。ただし、権利変換計画の認可の公告の日においてこれらの月の全国総合消費者物価指数及び投資財指数が公表されていない場合においては、これらの指数が公表されている最近の三箇月の投資財指数の相加平均とする。
Pi′　権利変換計画の認可の公告の日において全国総合消費者物価指数及び投資財指数が公表されている最近の三箇月の投資財指数の相加平均
二　各月の全国総合消費者物価指数の基準年が異なる場合又は各月の投資財指数の基準年が異なる場合においては、従前の基準年に基づく月の指数を変更後の基準年である年の従前の基準年に基づく指数で除し、百を乗じて得た数値（その数値に小数点以下一位未満の端数があるときは、これを四捨五入する。）を、当該月の指数とする。
三　$\frac{Pc'}{Pc}$又は$\frac{Pi'}{Pi}$により算出した数値に小数点以下三位未満の端数があるときは、これを四捨五入する。

（配当機関への通知についての都市再開発法施行規則の準用）
第一〇三条　都市再開発法施行規則第三十二条の三の規定は、令第三十八条第一項において準用する都市再開発法施行令第三十四条第二項の規定により通知すべき事項について準用する。この場合において、同規則第三十二条の三中「令第三十四条第二項」とあるのは「密集市街地における防災街区の整備の促進に関する法律施行令第三十八条第一項において準用する令第三十四条第二項」と、「第三十二条第一項第一号から第四号まで」とあるのは「密集市街地における防災街区の整備の促進に関する法律施行規則（平成九年建設省令第十五号）第百条第一項第一号から第四号まで」と、「令第二十五条各号」とあるのは「密集市街地における防災街区の整備の促進に関する法律施行規則第九十条各号」と読み替えるものとする。

（補償金等払渡通知書等の様式）
第一〇四条　令第三十八条第二項において準用する都市再開発法施行令第三十五条の補償金等払渡通知書の様式は別記第二十一号様式とし、同条の権利喪失通知書の様式は別記第二十二号様式とする。

（補償金等に不服がある場合における訴えの提起等の通知についての都市再開発法施行規則の準用）
第一〇五条　都市再開発法施行規則第三十四条の規定は、令第三十八条第二項において準用する都市再開発法施行令第三十八条第三項の規定による通知について準用する。この場合において、同規則第三十四条中「法第九十四条第五項」とあるのは「密集市街地における防災街区の整備の促進に関する法律（平成九年法律第四十九号）第二百二十七条において準用する法第九十四条第五項」と、「法第八十五条第三項」とあるのは「密集市街地における防災街区の整備の促進に関する法律第二百十八条第三項」と、「令第三十八条第三項」とあるのは「密集市街地における防災街区の整備の促進に関する法律施行令（平成九年政令第三百二十四号）第三十八条第二項において準用する令第三十八条第三項」と読み替えるものとする。

（特定建築者の公募）
第一〇六条　法第二百三十六条第一項の規定により施行者が行う特定建築者の公募は、地方公共団体にあっては公報への登載その他所定の手段及び当該地方公共団体のウェブサイトへの掲載により、その他の施行者にあっては掲示及び当該施行者のウェブサイトへの掲載により行うものとする。ただし、次の各号のいずれかに該当する場合（施行者が個人施行者、事業組合又は事業会社である場合に限る。）は、当該公募をウェブサイトへの掲載により行うことを要しない。
一　施行地区の面積が〇・四ヘクタール未満である場合
二　施行者が自ら管理するウェブサイトを有していない場合
2　施行者は、前項の規定によるほか、主要な関係機関、報道機関等を通じてその旨を周知させるよう努めるものとする。

（特定防災施設建築物の建築計画の内容）
第一〇七条　法第二百三十七条の規定により提出すべき建築計画においては、次に掲げる事項を定めなければならない。
一　設計の概要
二　資金計画
三　工事の着手予定時期及び完了予定時期並びに工程
四　その他施行者が必要と認める事項
2　前項第一号の設計の概要は、設計説明書及び設計図を作成して定めなければならない。
3　前項の設計説明書には、次に掲げる事項を記載しなければならない。
一　特定防災施設建築物の設計の概要
二　特定防災施設建築物の敷地の設計の概要
4　第二項の設計図は、次の表に掲げるものとする。

図面の種類		縮尺	明示すべき事項
特定防災施設建築物	各階平面図	五百分の一以上	縮尺、方位並びに用途及び住宅の規格並びに柱、壁、開口部、廊下、階段及び昇降機の位置
	二面以上の断面図	五百分の一以上	縮尺並びに特定防災施設建築物、床及び各階の天

			井の高さ
	二面以上の立面図	五百分の一以上	縮尺及び開口部の位置
特定防災施設建築物の敷地	平面図	五百分の一以上	縮尺、方位並びに特定防災施設建築物、主要な給水施設、排水施設、電気施設及びガス施設並びに広場、駐車施設、遊び場、修景施設その他の共同施設、通路及び消防用水利施設の位置

5　第一項第二号の資金計画は、資金計画書を作成し、収支予算を明らかにして定めなければならない。

（特定防災施設建築物の管理及び処分に関する計画の内容）

第一〇八条　法第二百三十七条の規定により提出すべき管理及び処分に関する計画においては、次に掲げる事項を定めなければならない。

一　特定建築者が取得することとなる特定防災施設建築物の全部又は一部のうち業務の用に供する部分に入居を予定する業種

二　特定建築者が取得することとなる特定防災施設建築物の全部又は一部の管理及び処分の方法

三　特定建築者が取得することとなる特定防災施設建築物の全部又は一部を賃貸する場合における家賃の予定額又は譲渡する場合における譲渡価額の予定額

四　その他施行者が必要と認める事項

（借家条件の裁定手続）

第一〇九条　法第二百四十六条第二項の裁定の申立てをしようとする者は、別記第二十三号様式の裁定申立書を施行者に提出しなければならない。

2　施行者は、裁定前に当事者の意見を聴かなければならない。

3　裁定は、文書をもつてし、かつ、その理由を付さなければならない。

4　施行者は、裁定書の正本を当事者双方に送付しなければならない。

（防災施設建築物の一部等の価額等の確定）

第一一〇条　法第二百四十七条第一項の規定による防災施設建築敷地若しくはその共有持分、防災施設建築物の一部等若しくは個別利用区内の宅地若しくはその使用収益権の価額又は防災施設建築敷地の地代の額の確定は、第九十三条から第九十五条までの規定の例により行うものとする。

2　法第二百四十七条第一項の規定による防災施設建築物の一部の家賃の額の確定は、第九十六条の規定の例により定めた標準家賃の月額から、防災施設建築物の一部について賃借権を与えられることとなる者が施行地区内の建築物について有していた賃借権の価額を当該賃借権の残存期間、近隣の同類型の借家の取引慣行等を総合的に比較考量して施行者が定める期間で毎月均等に償却するものとして算定した償却額を控除して行うものとする。

（特定建築者が取得する部分以外の部分に係る特定防災施設建築物の整備に要した費用の額の確定）

第一一一条　法第二百四十八条第二項の規定による特定建築者が取得する部分以外の部分に係る特定防災施設建築物の整備に要した費用の額の確定は、当該特定防災施設建築物の整備に要した費用の額から、当該特定建築者が取得する特定防災施設建築物の部分の整備に要した費用の額を控除して行うものとする。

2　第九十三条第四項の規定は、前項の特定建築者が取得する特定防災施設建築物の部分の整備に要した費用の額の確定について準用する。この場合において、同項中「その者」とあるのは「特定建築者」と、「要する」とあるのは「要した」と読み替えるものとする。

（施行者が取得した防災施設建築物の一部等を公募によらないで賃貸し、又は譲渡することができる場合）

第一一二条　法第二百五十二条第一項第五号の国土交通省令で定める場合は、次に掲げる施設の用に供するため必要である場合とする。

一　地方公共団体又は地方住宅供給公社が自ら居住するため住宅を必要とする者に対し賃貸し、又は譲渡する住宅

二　前号に掲げる施設のほか、社会福祉施設、教育文化施設その他の施設で施行地区における都市機能の更新を図るため特に必要なもの

（防災施設建築敷地に地上権を設定しないこととする特則に係るこの省令の適用についての読替規定等）

第一一三条　法第二百五十四条第一項の場合においては、第九十三条及び第九十五条の規定は適用せず、第九十条第三号中「防災施設建築敷地若しくはその共有持分、防災施設建築物の一部等」とあるのは「防災建築施設の部分」と、第九十二条第一号中「概算額及び当該防災施設建築敷地に設定される地上権の価額の概算額」とあるのは「概算額」と、同条第三号中「法第二百二十二条第一項ただし書の地代の概算額並びに法」とあるのは「法」と、第百十条の見出し中「防災施設建築物の一部等」とあり、及び同条第一項中「防災施設建築敷地若しくはその共有持分、防災施設建築物の一部等」とあるのは「防災建築施設の部分」と、同項中「価額又は防災施設建築敷地の地代の額」とあるのは「価額」と、「第九十三条から第九十五条まで」とあるのは「第九十四条及び第百十四条」とする。

（防災建築施設の部分の価額の概算額）

第一一四条　法第二百五十四条第一項の場合においては、法第二百五条第一項第四号に掲げる防災建築施設の部分の価額の概算額は、合計価額と防災施設建築物の整備に要する費用の額とを合計した額のうち当該防災建築施設の部分に要する費用の額以上であり、かつ、基準日における近傍類似の土地の価額及び近傍同種の建築物の価額を参酌して定めた当該防災建築施設の部分の価額の見込額を超えない範囲内において定めなければならない。ただし、当該防災建築施設の部分に要する費用の額が当該防災建築施設の部分の価額の見込額を超えるときは、当該防災建築施設の部分の価額の見込額とする。

2　前項の防災建築施設の部分に要する費用は、次の式によって算出するものとする。

$$C_1 = \frac{CbA_1}{\Sigma Ai} + \Sigma C'bRb_1 + CsRs_1$$

一　この式において、C_1、Cs及びRs_1は、それぞれ次の数値を表すものとする。

C_1　その者が取得することとなる防災建築施設の部分に要する費用

Cs　合計価額

Rs_1　その者が取得することとなる防災施設建築敷地の共有持分の割合

二　Cb、C'b、A_1、Ai及びRb_1は、第九十三条第四項に定めるものの例による。

（指定宅地の権利者以外の権利者等のすべての同意を得た場合の特則に係るこの省令の適用についての読替規定等）

第一一五条　法第二百五十五条第一項の場合においては、第九十二条第一号、第九十三条、第九十五条、第九十六条、第百九条及び第百十条第二項の規定は適用せず、第九十条第三号中「防災施設建築敷地若しくはその共有持分、防災施設建築物の一部等」とあるのは「防災施設建築敷地若しくはその共有持分、防災施設建築物に関する権利」と、第九十二条第三号中「法第二百二十二条第一項ただし書の地代の概算額並びに法」とあるのは「法」と、第百十条の見出し中「防災施設建築物の一部等の価額等」とあるのは「個別利用区内の宅地の価額」と、同条第一項中「防災施設建築敷地若しくはその共有持分、防災施設建築物の一部等若しくは個別利用区内の宅地若しくはその使用収益権の価額又は防災施設建築敷地の地代の額」とあるのは「防災施設建築敷地若しくはその共有持分、防災施設建築物に関する権利又は個別利用区内の宅地若しくはその使用収益権の価額」と、「第九十三条から第九十五条まで」とあるのは「第九十四条」とする。

（指定宅地の権利者のすべての同意を得た場合の特則に係るこの省令の適用についての読替規定等）

第一一六条　法第二百五十六条第一項の場合においては、第九十二条第二号及び第九十四条の規定は適用せず、第百十条第一項中「、防災施設建築物の一部等若しくは個別利用区内の宅地若しくはその使用収益権」とあるのは「若しくは防災施設建築物の一部等」と、「第九十三条から第九十五条まで」とあるのは「第九十三条及び第九十五条」とする。

（施行地区内の権利者等のすべての同意を得た場合の特則に係るこの省令の適用についての読替規定等）

第一一七条　法第二百五十七条第一項の場合においては、第九十二条第一号及び第二号、第九十三条から第九十七条まで、第九十九条、第百九条、第

百十条並びに第百十二条の規定は適用せず、第九十条第三号中「防災施設建築敷地若しくはその共有持分、防災施設建築物の一部等」とあるのは「防災施設建築敷地若しくは防災施設建築物に関する権利」と、第九十二条第三号中「法第二百二十二条第一項ただし書の地代の概算額並びに法」とあるのは「法」と、第百二条中「基準日」とあるのは「法第二百五条第一項第十八号又は第十九号の価額を定める基準となった日」とする。

第三款　個人施行者等の事業の代行

（事業代行開始の公告事項）

第一一八条　法第二百五十八条第二項の国土交通省令で定める事項は、次に掲げるものとする。

一　個人施行者の氏名若しくは名称又は事業組合若しくは事業会社の名称

二　事業代行者の名称

三　事業代行開始の決定の年月日

四　事業代行開始の決定の理由

第四款　雑則

（事務所備付け簿書）

第一一九条　法第二百七十八条第一項の規定により施行者が備え付けておかなければならない簿書は、次に掲げるものとする。

一　規準、規約、定款又は施行規程

二　事業計画又は事業基本方針

三　配置設計図

四　権利変換計画書

五　土地調書及び物件調書

六　防災街区整備事業に関し、施行者が受けた行政庁の認可その他の処分を証する書類

七　事業組合にあっては、組合員名簿、総会及び総代会の会議の議事録並びに通常総会の承認を得た事業報告書、収支決算書及び財産目録

八　事業会社にあっては、株主名簿、株主総会の議事録、事業報告書、貸借対照表及び損益計算書

九　法第二百十二条第二項、法第二百十七条第一項（同条第二項において準用する場合を含む。）、法第二百三十二条第三項後段及び法第二百四十六条第二項の規定による審査委員の過半数の同意を得、又は防災街区整備審査会の議決を経たことを証する書類

（書類の送付に代わる公告）

第一二〇条　令第五十二条第一項の国土交通省令で定める定期刊行物は、時事に関する事項を掲載する日刊新聞紙とする。

第四節　公告の方法等

第一二一条　法第百二十八条第一項（法第百二十九条第二項及び法第百三十二条第二項において準用する場合を含む。）、法第百三十条において準用する法第四十三条第一項（法第百五十七条第二項並びに法第百八十八条第三項及び第四項において準用する場合を含む。）若しくは第二項（法第百五十七条第二項において準用する都市再開発法第七条の十七第八項、法第百四十八条第三項において準用する都市再開発法第二十八条第二項、法第百六十三条第六項、法第百七十一条第一項（法第百七十二条第二項、法第百七十五条第二項及び法第百七十八条第二項において準用する場合を含む。）、法第百八十二条第一項（法第百八十四条において準用する場合を含む。）、法第百九十七条第五項、法第二百二条第五項若しくは第六項、法第二百十九条第一項、法第二百四十四条第一項若しくは第二項、法第二百五十八条第二項、法第二百六十一条第一項若しくは第二項、法第二百六十九条第三項又は法第二百七十一条第五項の公告は、官報、公報その他所定の手段により行わなければならない。

2　国土交通大臣、都道府県知事又は施行者は、法第百二十八条第一項、法第百四十三条第一項（法第百八十八条第三項において準用する場合を含む。）若しくは第二項、法第百七十一条第一項又は法第百八十二条第一項の公告をしたときは、その公告の内容及び第七十七条第一項の施行地区区域図によって表示した施行地区について、その公告をした日から起算して三十日間、防災街区整備事業の施行地区内の適当な場所に掲示するとともに、国土交通大臣にあっては国土交通省の、都道府県知事にあっては当該都道府県の、施行者にあっては当該施行者のウェブサイトに掲載して公衆の閲覧に供しなければならない。施行地区を変更して従前の施行地区外の土地を新たに施行地区に編入することを内容とする事業計画又は事業基本方針の変更について、法第百二十九条第二項において準用する法第百二十八条第一項の公告、法第百五十七条第二項において準用する法第百四十三条第一項若しくは第二項の公告、法第百七十二条第二項において準用する法第百七十一条第一項の公告、法第百八十四条において準用する法第百八十二条第一項の公告又は法第百八十八条第四項において準用する法第百四十三条第一項の公告をした場合も、同様とする。

3　国土交通大臣、都道府県知事又は施行者は、法第百二十九条第二項において準用する法第百二十八条第一項の公告、法第百五十七条第二項において準用する法第百四十三条第一項若しくは第二項の公告、法第百七十二条第二項において準用する法第百七十一条第一項の公告、法第百八十四条において準用する法第百八十二条第一項の公告又は法第百八十八条第四項において準用する法第百四十三条第一項の公告（いずれも前項後段に掲げるものを除く。）をしたときは、その公告の内容について、その公告をした日から起算して十日間、防災街区整備事業の施行地区内の適当な場所に掲示するとともに、国土交通大臣にあっては国土交通省の、都道府県知事にあっては当該都道府県の、施行者にあっては当該施行者のウェブサイトに掲載して公衆の閲覧に供しなければならない。

4　施行者は、法第二百十九条第一項の公告をしたときは、その公告の内容及び第九十一条第一項の配置設計図によって表示した配置設計について、防災街区整備事業の施行地区内の適当な場所に、その公告をした日から起算して十日間掲示するとともに、次の各号のいずれかに該当する場合（施行者が個人施行者、事業組合又は事業会社である場合に限る。）を除き、当該施行者のウェブサイトに掲載して公衆の閲覧に供しなければならない。ただし、施行者が、権利変換計画の変更で配置設計の変更を伴わないものについて法第二百十九条第一項の公告をしたときにおいては、第九十一条第一項の配置設計図によって表示した配置設計を掲示すること及び公衆の閲覧に供することを要しない。

一　施行地区の面積が〇・四ヘクタール未満である場合

二　施行者が自ら管理するウェブサイトを有していない場合

5　都道府県知事、市長、施行者又は事業代行者は、法第百三十条において準用する都市再開発法第七条の十七第八項、法第百七十五条第二項において準用する法第百七十一条第一項、法第百九十七条第五項、法第二百二条第五項若しくは第六項、法第二百四十四条第一項若しくは第二項、法第二百五十八条第二項、法第二百六十一条第一項若しくは第二項、法第二百六十九条第三項又は法第二百七十一条第五項の公告をしたときは、その公告の内容について、その公告をした日から起算して十日間、防災街区整備事業の施行地区内の適当な場所に掲示するとともに、都道府県知事にあっては当該都道府県の、市長にあっては当該市の、施行者にあっては次の各号のいずれかに該当する場合（施行者が個人施行者、事業組合又は事業会社である場合に限る。）を除き当該施行者の、事業代行者にあっては当該事業代行者のウェブサイトに掲載して公衆の閲覧に供しなければならない。

一　施行地区の面積が〇・四ヘクタール未満である場合

二　施行者が自ら管理するウェブサイトを有していない場合

第四章　防災都市施設の整備のための特別の措置

（施行予定者が定められている防災都市計画施設の区域内における建築許可の申請）

第一二二条　法第二百八十三条第一項の許可を申請しようとする者は、別記第二十四号様式による許可申請書を提出しなければならない。

2　前項の申請書には、次に掲げる図書を添付しなければならない。

一　敷地内における建築物の位置を表示する図面で縮尺五百分の一以上のもの

二　二面以上の建築物の断面図で縮尺二百分の一以上のもの

三　その他参考となるべき事項を記載した図書

（公告の内容等の掲示についての都市計画法施行規則の準用）

第一二三条　都市計画法施行規則（昭和四十四年建設省令第四十九号）第五十九条の規定は、法第二百八十三条第三項において準用する都市計画法（昭和四十三年法律第百号）第八十一条第二項の規定による公告をした場合における令第五十五条第一項において準用する都市計画法施行令（昭和四十四年政令第百五十八号）第四十二条第三項の規定による掲示について準用

する。

（公示の方法についての都市計画法施行規則の準用）

第一二四条　都市計画法施行規則第五十九条の二（国土交通大臣の命令に係る部分を除く。）の規定は、法第二百八十三条第三項において準用する都市計画法第八十一条第三項の国土交通省令で定める方法について準用する。

（施行予定者の公告事項についての都市計画法施行規則の準用）

第一二五条　都市計画法施行規則第三十八条の二の規定は、法第二百八十四条において準用する都市計画法第五十二条の三第一項の規定により施行予定者の公告すべき事項について準用する。

（公告の内容等の掲示）

第一二六条　法第二百八十四条において準用する都市計画法第五十二条の三第一項の規定により公告をした場合における令第五十五条第二項の規定による掲示は、その公告をした日から都市計画法第六十六条の規定による公告の日の翌日から起算して十日を経過した日、法第二百八十一条に規定する期間満了日の翌日又は施行予定者が定められている防災都市計画施設の区域内の全ての土地建物等について必要な権利を取得した日までしなければならない。

（施行予定者が定められている防災都市計画施設の区域内の土地建物等の有償譲渡及び買取りに関する周知措置についての都市計画法施行規則の準用）

第一二七条　都市計画法施行規則第三十八条の三の規定は、法第二百八十四条において準用する都市計画法第五十二条の三第一項に規定する関係権利者に周知させるための必要な措置について準用する。この場合において、同条第二項中「法第十二条の二第五項の規定により市街地開発事業等予定区域に関する都市計画がその効力を失った日」とあるのは、「法第六十六条の規定による公告の日の翌日から起算して十日を経過した日、密集市街地における防災街区の整備の促進に関する法律（平成九年法律第四十九号）第二百八十一条に規定する期間満了日の翌日」と読み替えるものとする。

（有償譲渡の届出事項等）

第一二八条　都市計画法施行規則第三十八条の四第一項の規定は、法第二百八十四条において準用する都市計画法第五十二条の三第二項の国土交通省令で定める事項について準用する。

2　法第二百八十四条において準用する都市計画法第五十二条の三第二項の規定による届出は、別記第二十五号様式の土地建物等有償譲渡届出書を施行予定者に提出してしなければならない。

（土地の買取請求の手続）

第一二九条　法第二百八十五条において準用する都市計画法第五十二条の四第一項の規定による土地の買取りを請求しようとする者は、別記第二十六号様式の土地買取請求書に当該土地についての所有権を証する書類を添付して、これを施行予定者に提出しなければならない。

（収用委員会に対する裁決申請書の様式）

第一三〇条　令第五十六条において準用する都市計画法施行令第十八条に規定する国土交通省令で定める様式は、別記第二十七号様式とする。

第五章　避難経路協定

（避難経路協定の認可等の申請の公告）

第一三一条　法第二百九十条第一項（法第二百九十二条第二項において準用する場合を含む。）の規定による公告は、次に掲げる事項について、公報、掲示その他の方法及び市町村のウェブサイトへの掲載により行うものとする。

一　避難経路協定の名称
二　避難経路協定区域
三　避難経路協定区域隣接地が定められるときは、その区域
四　避難経路協定の縦覧場所

（避難経路協定の認可の基準）

第一三二条　法第二百九十一条第一項第三号（法第二百九十二条第二項において準用する場合を含む。）の国土交通省令で定める基準は、次のとおりとする。

一　避難経路協定区域は、その境界が明確に定められていなければならない。
二　法第二百八十九条第二項第二号の避難経路の整備又は管理に関する事項は、法第三条第一項の防災街区整備方針に適合していなければならない。
三　避難経路協定に違反した場合の措置は、違反した者に対して不当に重い負担を課するものであってはならない。
四　避難経路協定区域隣接地の区域は、その境界が明確に定められていなければならない。
五　避難経路協定区域隣接地は、避難経路協定区域との一体性を有する土地の区域でなければならない。

（避難経路協定の認可等の公告）

第一三三条　第百三十一条の規定は、法第二百九十一条第二項（法第二百九十二条第二項、第二百九十三条第四項、第二百九十五条第四項及び第二百九十八条第三項において準用する場合を含む。）の規定による公告について準用する。

第六章　防災街区整備推進機構

（法第三百一条第二号の国土交通省令で定める建築物その他の施設）

第一三四条　法第三百一条第二号の国土交通省令で定める建築物その他の施設は、次に掲げるものとする。

一　特定建築物地区整備計画又は防災街区整備地区整備計画の区域内において建築される建築物にあってはイ及びハに、特定建築物地区整備計画又は防災街区整備地区整備計画の区域以外の防災街区整備地区計画の区域内において建築される建築物にあってはロ及びハに掲げる要件に該当する建築物
　イ　特定建築物地区整備計画又は防災街区整備地区整備計画に適合するものであること。
　ロ　地区防災施設に面する部分の長さ（当該地区防災施設の当該建築物の敷地との境界線からの高さが五メートル以上である建築物の部分の長さに限る。）の敷地の当該地区防災施設に接する部分の長さに対する割合が十分の七以上であること。
　ハ　建築基準法第二条第九号の二イに掲げる基準に適合し、かつ、構造及び形態が延焼防止上有効なものであること。
二　道路、公園、緑地その他の公共の用に供する施設又は公用施設

（市街地開発事業に準ずる事業）

第一三五条　令第五十七条第二号の国土交通省令で定める事業は、住宅地区改良法（昭和三十五年法律第八十四号）第二条第一項に規定する住宅地区改良事業とする。

第七章　雑則

（権限の委任）

第一三六条　法に規定する国土交通大臣の権限のうち、次に掲げるもの以外のものは、地方整備局長及び北海道開発局長に委任する。ただし、法第二百六十八条第一項並びに法第二百七十二条第一項及び第二項の規定に基づく権限については、国土交通大臣が自ら行うことを妨げない。

一　法第百八十八条第一項の規定により施行規程及び事業計画を認可し、同条第三項及び第四項において準用する法第百四十条第二項の規定により施行規程及び事業計画を公衆の縦覧に供させ、法第百八十八条第三項及び第四項において準用する法第百四十条第三項の規定による意見書を受理し、並びに法第百八十八条第三項及び第四項において準用する法第百四十条第四項の規定により意見書の内容を審査し、及び必要な修正を命じ、又は通知し、並びに法第百八十八条第三項及び第四項において準用する法第四十三条第一項の規定により図書を送付すること（独立行政法人都市再生機構が施行する防災街区整備事業（以下この条において「機構施行事業」という。）に係るものに限る。）。
二　法第二百四条第一項後段（同条第四項において準用する場合を含む。）の規定による権利変換計画の認可をすること（機構施行事業に係るものに限る。）。
三　法第二百三十六条第三項の規定による特定建築者の決定の承認をすること（機構施行事業に係るものに限る。）。
四　法第二百六十四条第三項の規定により裁定し、当事者の意見を聴き、及び総務大臣と協議すること（機構施行事業に係るものに限る。）。
五　法第二百七十七条第一項の規定による管理規約の認可をすること（機

構施行事業に係るものに限る。）。

六　法第三百六条第一項の規定による審査請求又は同条第二項において準用する法第三百四条第二項の規定による再審査請求に対して裁決をすること。

附　則

この省令は、法の施行の日（平成九年十一月八日）から施行する。

附　則〔略〕〔平成一〇・九・三〇建設省令三五〕
附　則〔略〕〔平成一二・一・三一建設省令一〇〕
附　則〔略〕〔平成一二・五・三一建設省令二六〕
附　則〔略〕〔平成一二・一一・二〇建設省令四一〕
附　則〔略〕〔平成一四・五・三一国土交通省令六五〕
附　則〔略〕〔平成一四・一二・二七国土交通省令一二〇〕
附　則〔略〕〔平成一五・一〇・一国土交通省令一〇九〕
附　則〔略〕〔平成一五・一二・一八国土交通省令一一六〕
附　則〔略〕〔平成一六・二・二七国土交通省令九〕
附　則〔略〕〔平成一六・三・三一国土交通省令三一〕
附　則〔略〕〔平成一六・六・一八国土交通省令七〇〕
附　則〔略〕〔平成一六・一二・一五国土交通省令九九〕
附　則〔略〕〔平成一六・一二・二七国土交通省令一一〇〕
附　則〔略〕〔平成一七・三・二九国土交通省令二五〕
附　則〔略〕〔平成一八・四・二八国土交通省令五八〕
附　則〔略〕〔平成一八・九・七国土交通省令八六〕
附　則〔略〕〔平成一九・四・三国土交通省令五四施行〕
附　則〔略〕〔平成一九・六・一九国土交通省令六七〕
附　則〔略〕〔平成一九・九・二八国土交通省令八四施行〕
附　則〔略〕〔平成二〇・六・一八国土交通省令四四施行〕
附　則〔略〕〔平成二〇・一〇・三一国土交通省令九一〕
附　則〔略〕〔平成二〇・一一・七国土交通省令九三〕
附　則〔略〕〔平成二〇・一二・一国土交通省令九七施行〕
附　則〔略〕〔平成二一・三・三〇国土交通省令一五〕
附　則〔略〕〔平成二二・一二・二七国土交通省令六一〕
附　則〔略〕〔平成二三・六・三〇国土交通省令四八〕
附　則〔略〕〔平成二三・一一・三〇国土交通省令九二〕
附　則〔略〕〔平成二五・六・一四国土交通省令五〇施行〕
附　則〔略〕〔平成二七・三・三一国土交通省令一九〕
附　則〔略〕〔平成二八・三・三一国土交通省令二三〕
附　則〔略〕〔平成二八・三・三一国土交通省令二六〕
附　則〔略〕〔平成二九・三・二四国土交通省令一二〕
附　則〔略〕〔平成二九・三・三一国土交通省令一七施行〕
附　則〔抄〕〔平成二九・三・三一国土交通省令一九〕

（施行期日）

第一条　この省令は、電気事業法等の一部を改正する等の法律（以下「改正法」という。）附則第一条第五号に掲げる規定の施行の日（平成二十九年四月一日）から施行する。

（密集市街地における防災街区の整備の促進に関する法律施行規則の一部改正に伴う経過措置）

第六条　第三条の規定による改正後の密集市街地における防災街区の整備の促進に関する法律施行規則（以下この条において「新密集市街地における防災街区の整備の促進に関する法律施行規則」という。）第二十四条第十九号の規定の適用については、旧一般ガスみなしガス小売事業者が改正法附則第二十二条第一項の義務を負う間、新密集市街地における防災街区の整備の促進に関する法律施行規則第二十四条第十九号中「ガス小売事業」とあるのは、「ガス小売事業（電気事業法等の一部を改正する等の法律（平成二十七年法律第四十七号）附則第二十二条第一項に規定する指定旧供給区域等小売供給を行う事業を除く。）」とする。

2　新密集市街地における防災街区の整備の促進に関する法律施行規則第二十四条第十九号の規定の適用については、旧簡易ガスみなしガス小売事業者が改正法附則第二十八条第一項の義務を負う間、新密集市街地における防災街区の整備の促進に関する法律施行規則第二十四条第十九号中「ガス小売事業」とあるのは、「ガス小売事業（電気事業法等の一部を改正する等の法律（平成二十七年法律第四十七号）附則第二十八条第一項に規定する指定旧供給地点小売供給を行う事業を除く。）」とする。

附　則〔略〕〔平成二九・六・一四国土交通省令三六〕
附　則〔略〕〔平成二九・一二・二二国土交通省令七一〕
附　則〔略〕〔令和二・三・三一国土交通省令二三〕
附　則〔略〕〔令和二・三・三一国土交通省令二七〕
附　則〔略〕〔令和二・一二・二三国土交通省令九八〕
附　則〔略〕〔令和二・一二・二八国土交通省令一〇四〕
附　則〔略〕〔令和三・八・三一国土交通省令五三〕
附　則〔略〕〔令和三・一〇・二二国土交通省令六八施行〕
附　則〔略〕〔令和四・一一・一四国土交通省令八〇〕
附　則〔略〕〔令和五・三・二三国土交通省令一三〕
附　則〔略〕〔令和五・一二・二八国土交通省令九八施行〕
附　則〔抄〕〔令和六・一・三一国土交通省令六〕

（施行期日）

1　この省令は、令和六年三月三十一日から施行する。ただし〔中略〕第十一条から第十四条までの規定は、同年四月一日から施行する。

〔経過措置〕

4　〔前略〕第十三条〔中略〕の規定による改正後の次に掲げる省令の規定は、附則第一項ただし書に規定する規定の施行の日以後にされる公告について適用し、同日前にされた公告については、なお従前の例による。

一～三　〔略〕

四　密集市街地における防災街区の整備の促進に関する法律施行規則第百二十一条第二項から第五項まで

五　〔略〕

別記様式　〔略〕

○地域再生法〔抄〕

〔平成一七・四・一／法律二四〕

改正　平成一九・三法一五、平成二〇・五法三六、平成二一・三法六、平成二三・八法一〇五、平成二四・九法七四、平成二六・一一法一二八、平成二七・六法四九、法五〇、九法六三、法六六、平成二八・四法三〇、五法四七、平成二九・三法一四、六法四七、法四八、法五二、平成三〇・五法二三、六法三八、令和元・一二法六六、令和二・六法三六、法四一、法四三、法五二、令和三・五法三六、令和四・三法一二、五法五三、法五六、一二法一〇〇、令和五・五法一九、令和六・四法一七、五法二三

第三章　地域再生計画の認定等

（地域再生計画の認定）

第五条　地方公共団体は、単独で又は共同して、地域再生基本方針に基づき、内閣府令で定めるところにより、地域再生を図るための計画（以下「地域再生計画」という。）を作成し、内閣総理大臣の認定を申請することができる。

2　地域再生計画には、次に掲げる事項を記載するものとする。

一　地域再生計画の区域

二　地域再生を図るために行う事業に関する事項

三　計画期間

3　前項各号に掲げるもののほか、地域再生計画を定める場合には、次に掲げる事項を記載するよう努めるものとする。

一　地域再生計画の目標

二　その他内閣府令で定める事項

4　第二項第二号に掲げる事項には、次に掲げる事項を記載することができる。

一　まち・ひと・しごと創生法第九条第一項に規定する都道府県まち・ひと・しごと創生総合戦略（次号において単に「都道府県まち・ひと・しごと創生総合戦略」という。）に同条第二項第三号に掲げる事項として定められた事業又は同法第十条第一項に規定する市町村まち・ひと・しごと創生総合戦略（次号において単に「市町村まち・ひと・しごと創生総合戦略」という。）に同条第二項第三号に掲げる事項として定められた事業であって次に掲げるもののうち、地方公共団体、事業者、研究機

関その他の多様な主体との連携又は分野の異なる施策相互の有機的な連携を図ることにより効率的かつ効果的に行われるものその他の先導的なものに関する事項

イ　地域における就業の機会の創出、経済基盤の強化又は生活環境の整備に資する事業（ロに掲げるものを除く。）であって次に掲げるもの

(1)　結婚、出産又は育児についての希望を持つことができる社会環境の整備に資する事業

(2)　移住及び定住の促進に資する事業

(3)　地域社会を担う人材の育成及び確保に資する事業

(4)　観光の振興、農林水産業の振興その他の産業の振興に資する事業

(5)　(1)から(4)までに掲げるもののほか、地方公共団体が地域再生を図るために取り組むことが必要な政策課題の解決に資する事業

ロ　地域における就業の機会の創出、経済基盤の強化又は生活環境の整備のための基盤となる施設の整備に関する事業であって次に掲げるもの

(1)　道路、農道又は林道であって政令で定めるものの二以上を総合的に整備する事業

(2)　下水道、集落排水施設又は浄化槽であって政令で定めるものの二以上を総合的に整備する事業

(3)　港湾施設及び漁港施設であって政令で定めるものを総合的に整備する事業

二　都道府県まち・ひと・しごと創生総合戦略にまち・ひと・しごと創生法第九条第二項第三号に掲げる事項として定められた事業又は市町村まち・ひと・しごと創生総合戦略に同法第十条第二項第三号に掲げる事項として定められた事業であって前号イ又はロに掲げるもののうち、地方公共団体（地方交付税法（昭和二十五年法律第二百十一号）第十条第一項の規定による普通交付税の交付を受けないことその他の政令で定める要件に該当する都道府県及び市町村、地方自治法第二百八十四条第一項の一部事務組合及び広域連合並びに港湾法第四条第一項の規定による港務局を除く。）が法人からの寄附（当該事業の実施に必要な費用に充てられることが確実であることその他の内閣府令で定める要件に該当するものに限る。）を受け、その実施状況に関する指標を設定することその他の方法により効率的かつ効果的に行うもの（第十三条の三において「まち・ひと・しごと創生寄附活用事業」という。）に関する事項

三　地域における雇用機会の創出その他地域再生に資する経済的社会的効果を及ぼすものとして内閣府令で定める事業を行うのに必要な資金を貸し付ける事業（第十四条第一項において「地域再生支援貸付事業」という。）であって銀行その他の内閣府令で定める金融機関（以下単に「金融機関」という。）により行われるものに関する事項

四　地域における特定政策課題の解決に資する事業（第一号に規定する事業、前号の内閣府令で定める事業及び第十八号に規定する事業を除く。）であって次に掲げるもの（次項及び第九項において「特定地域再生事業」という。）に関する事項

イ　地域住民の交通手段の確保のために行う事業その他の内閣府令で定める事業であって金融機関から当該事業を行うのに必要な資金の貸付けを受けて行われるもの

ロ　地域住民の生活の利便性の向上に資する施設その他の施設の整備又は福祉サービスその他のサービスの提供に関する事業として内閣府令で定めるものであって地方公共団体、第十九条第一項の規定により指定された地域再生推進法人（同項を除き、以下単に「地域再生推進法人」という。）、株式会社その他内閣府令で定める者により行われるもの

ハ　老朽その他の事由により地域において使用されていない公共施設又は公用施設の除却を通じて地域住民の生活環境の改善を図る事業

五　次に掲げる地域において、本店又は主たる事務所その他の地域における就業の機会の創出又は経済基盤の強化に資するものとして内閣府令で定める業務施設（工場を除く。以下「特定業務施設」という。）を整備する事業（これと併せて行う事業で、特定業務施設の従業員の寄宿舎、社宅その他の福利厚生施設であって内閣府令で定めるもの又は当該従業員の児童に係る保育所その他の児童福祉施設であって内閣府令で定めるもの（第十七条の六において「特定業務児童福祉施設」という。）を整備する事業を含む。以下「地方活力向上地域等特定業務施設整備事業」という。）に関する事項

イ　地方活力向上地域（産業及び人口の過度の集中を防止する必要がある地域及びその周辺の地域であって政令で定めるもの（以下この号及び第十七条の二第一項第一号において「集中地域」という。）以外の地域であり、かつ、当該地域の活力の向上を図ることが特に必要な地域をいう。以下同じ。）

ロ　準地方活力向上地域（集中地域のうち、人口の過度の集中を是正する必要がある地域及びその周辺の地域であって政令で定めるもの以外の地域であり、かつ、当該地域の活力の向上を図ることが特に必要な地域をいう。以下同じ。）

六　自然的経済的社会的条件からみて一体である地域であって当該地域の来訪者又は滞在者（以下この号及び第十七条の七第四項において「来訪者等」という。）の増加により事業機会の増大又は収益性の向上が図られる事業を行う事業者が集積している地域において、当該地域の来訪者等の利便を増進し、これを増加させることにより経済効果の増進を図り、もって当該地域における就業の機会の創出又は経済基盤の強化に資する次に掲げる活動であって特定非営利活動法人等（特定非営利活動促進法（平成十年法律第七号）第二条第二項に規定する特定非営利活動法人、一般社団法人若しくは一般財団法人その他の営利を目的としない法人又は地域再生の推進を図る活動を行うことを目的とする会社をいう。以下この号において同じ。）が当該事業者の意向を踏まえて実施するもの（以下「地域来訪者等利便増進活動」という。）に必要な経費の財源に充てるため、地域来訪者等利便増進活動が実施される区域内において当該地域来訪者等利便増進活動により生ずる利益を受ける事業者から市町村が負担金を徴収し、当該地域来訪者等利便増進活動を実施する特定非営利活動法人等（以下「地域来訪者等利便増進活動実施団体」という。）に対して交付金を交付する事業に関する事項

イ　来訪者等の利便の増進に資する施設又は設備の整備又は管理に関する活動

ロ　来訪者等の増加を図るための広報又は行事の実施その他の活動

七　商店街活性化促進区域（地域における経済的社会的活動の拠点として商店街が形成されている区域であって、当該商店街における小売商業者又はサービス業者の集積の程度、商業活動の状況その他の状況からみてその活力の維持に支障を生じ、又は生ずるおそれがあると認められ、かつ、当該商店街の活性化により地域経済の発展及び地域住民の生活の向上を図ることが適当と認められる区域をいう。以下同じ。）において、地域における就業の機会の創出、経済基盤の強化又は生活環境の整備に資するもの（第十七条の十三第一項及び第二項において「商店街活性化促進事業」という。）に関する事項

八　集落生活圏（自然的社会的諸条件からみて一体的な日常生活圏を構成していると認められる集落及びその周辺の農用地等（農業振興地域の整備に関する法律（昭和四十四年法律第五十八号）第三条に規定する農用地等をいう。以下同じ。）を含む一定の地域をいい、市街化区域（都市計画法（昭和四十三年法律第百号）第七条第一項に規定する市街化区域をいう。第十七条の十七第七項において同じ。）その他政令で定める区域を除く。以下同じ。）において、地域における住民の生活及び産業の振興の拠点（以下「地域再生拠点」という。）の形成並びに農用地等の保全及び農業上の効率的かつ総合的な利用を図るために行う事業であって、就業の機会の創出、経済基盤の強化又は生活環境の整備に資するものに関する事項

九　前号に規定する事業と一体的に推進する事業であって、地域における持続可能な公共交通網の形成及び物資の流通の確保に資するため、自家用有償旅客運送者（道路運送法（昭和二十六年法律第百八十三号）第七十九条の七第一項に規定する自家用有償旅客運送者をいう。第十七条の二十三において同じ。）が行うものに関する事項

十　生涯活躍のまち形成地域（人口及び地域経済の動向その他の自然的経済的社会的条件からみて、地域住民が生涯にわたり活躍できる魅力ある地域社会を形成して中高年齢者の居住を誘導し、地域の持続的発展を図ることが適当と認められる地域をいう。以下同じ。）において、中高年齢者の就業、生涯にわたる学習活動への参加その他の社会的活動への参加の推進、高年齢者に適した生活環境の整備、移住を希望する中高年齢者の来訪及び滞在の促進その他の地域住民が生涯にわたり活躍できる魅力ある地域社会の形成を図るために行う事業（以下「生涯活躍のまち形

成事業」という。）に関する事項

十一　地域住宅団地再生区域（自然的経済的社会的条件からみて一体的な日常生活圏を構成していると認められる、住宅の需要に応ずるため一体的に開発された相当数の住宅の存する一団の土地及びその周辺の区域であつて、当該区域における人口の減少又は少子高齢化の進展に対応した都市機能の維持又は増進及び良好な居住環境の確保（以下「住宅団地再生」という。）を図ることが適当と認められる区域をいう。以下同じ。）において、当該地域住宅団地再生区域の住民の共同の福祉又は利便の向上を図るために行う事業であつて、地域における就業の機会の創出又は生活環境の整備に資するもの（以下「地域住宅団地再生事業」という。）に関する事項

十二　農村地域等移住促進区域（人口の減少により、その活力の維持に支障を生じ、又は生ずるおそれがあると認められる農村地域その他の農地（耕作（農地法（昭和二十七年法律第二百二十九号）第四十三条第一項の規定により耕作に該当するものとみなされる農作物の栽培を含む。以下この号において同じ。）の目的に供される土地をいう。以下同じ。）又は採草放牧地（農地以外の土地で、主として耕作又は養畜の事業のための採草又は家畜の放牧の目的に供されるものをいう。以下同じ。）を含む一定の区域であつて、当該区域に移住する者を増加させることによりその活力の向上を図ることが必要と認められる区域をいう。以下同じ。）において、当該農村地域等移住促進区域に移住する者（以下「農村地域等移住者」という。）に対して当該農村地域等移住促進区域内における既存の住宅の取得又は賃借（第十七条の六十二第三項第二号及び第十七条の六十三において「既存住宅の取得等」という。）及び農地又は採草放牧地についての同法第三条第一項本文に掲げる権利の取得を支援することにより当該農村地域等移住促進区域への移住の促進を図るために行う事業であつて、地域における就業の機会の創出又は経済基盤の強化に資するもの（第十七条の六十二第一項及び第三項において「既存住宅活用農村地域等移住促進事業」という。）に関する事項

十三　地域における農林水産業の振興に資するものとして政令で定める施設（以下「地域農林水産業振興施設」という。）を整備する事業に関する事項

十四　地方公共団体が所有し、又は管理する土地又は施設の有効活用を図る事業であつて、民間の資金、経営能力及び技術的能力を活用することにより効率的かつ効果的に実施されるもの（民間資金等の活用による公共施設等の整備等の促進に関する法律（平成十一年法律第百十七号）第二条第二項に規定する公共施設等の整備等（当該地方公共団体の長が管理者となる同条第一項に規定する公共施設等に係るものに限る。）を伴うものに限る。）のうち、地域における就業の機会の創出、経済基盤の強化又は生活環境の整備に資するもの（第十七条の六十七第一項において「民間資金等活用公共施設等整備事業」という。）に関する事項

十五　構造改革特別区域法（平成十四年法律第百八十九号）第二条第二項に規定する特定事業（同法第四条第一項に規定する構造改革特別区域計画（第十項及び第十七条の六十八において「構造改革特別区域計画」という。）が作成されているものに限る。）であつて、地域における就業の機会の創出、経済基盤の強化又は生活環境の整備に資するものに関する事項

十六　中心市街地の活性化に関する法律（平成十年法律第九十二号）第九条第二項第二号から第六号までに規定する事業及び措置（同条第一項に規定する基本計画（第十七条の十三第三項及び第十七条の六十九において「中心市街地活性化基本計画」という。）が作成されているものに限る。）であつて、地域における就業の機会の創出、経済基盤の強化又は生活環境の整備に資するものに関する事項

十七　地域経済牽引事業の促進による地域の成長発展の基盤強化に関する法律（平成十九年法律第四十号）第四条第二項第七号に規定する支援の事業（同条第一項に規定する基本計画（第十七条の七十において「地域経済牽引事業促進基本計画」という。）が作成されているものに限る。）であつて、地域における就業の機会の創出又は経済基盤の強化に資するものに関する事項

十八　地域における福祉、文化その他の地域再生に資する事業活動の基盤を充実するため、補助金等交付財産（補助金等に係る予算の執行の適正化に関する法律（昭和三十年法律第百七十九号）第二十二条に規定する財産をいう。）を当該補助金等交付財産に充てられた補助金等（同法第二条第一項に規定する補助金等をいう。）の交付の目的以外の目的に使用し、譲渡し、交換し、貸し付け、又は担保に供することにより行う事業に関する事項

5　地方公共団体は、特定地域再生事業に関する事項を記載した地域再生計画を作成しようとするときは、当該特定地域再生事業を実施する者の意見を聴かなければならない。

6　次に掲げる者は、地方公共団体に対して、地域再生計画を作成することを提案することができる。この場合においては、地域再生基本方針に即して、当該提案に係る地域再生計画の素案を作成して、これを提示しなければならない。

一　当該提案に係る地域再生計画に記載しようとする第二項第二号に規定する事業を実施しようとする者

二　前号に掲げる者のほか、同号の地域再生計画に関し密接な関係を有する者

7　前項の規定による提案を受けた地方公共団体は、当該提案に基づき地域再生計画を作成するか否かについて、遅滞なく、当該提案をした者に通知しなければならない。この場合において、地域再生計画を作成しないこととするときは、その理由を明らかにしなければならない。

8　地方公共団体は、地域再生計画を作成しようとする場合において、第十二条第一項の地域再生協議会が組織されているときは、当該地域再生計画に記載する事項について当該地域再生協議会における協議をしなければならない。

9　第一項の規定による認定の申請には、第五項の規定により特定地域再生事業を実施する者の意見を聴いた場合にあつては当該意見の概要を、前項の規定により地域再生協議会における協議をした場合にあつては当該協議の概要を添付しなければならない。

10　地方公共団体は、第四項第十五号に規定する事業が記載された地域再生計画について第一項の規定による認定の申請をしようとするときは、構造改革特別区域法第四条第七項（同法第六条第二項において準用する場合を含む。）に規定する意見の概要（同法第四条第五項（同法第六条第二項において準用する場合を含む。）の提案を踏まえた構造改革特別区域計画に係る事業が記載された地域再生計画についての当該認定の申請をする場合にあつては、当該意見及び当該提案の概要）を添付しなければならない。

11　地方公共団体は、第一項の規定による認定の申請に当たつては、内閣総理大臣に対し、その認定を受けて実施しようとする地域再生を図るために行う事業及びこれに関連する事業（以下この項において「地域再生事業等」という。）に係る補助金の交付その他の支援措置の内容並びに当該地域再生事業等に関する規制について規定する法律（法律に基づく命令（告示を含む。）を含む。次項及び第十三項において同じ。）の規定の解釈並びに当該地域再生事業等に対する当該支援措置及び当該規定の適用の有無（次項及び第十三項において「支援措置の内容等」と総称する。）について、その確認を求めることができる。

12　前項の規定による求めを受けた内閣総理大臣は、当該求めに係る支援措置の内容等の確認がその所掌する事務又は所管する法律に関するものであるときは、遅滞なく、当該求めをした地方公共団体に回答するものとする。

13　第十一項の規定による求めを受けた内閣総理大臣は、当該求めに係る支援措置の内容等の確認が他の関係行政機関の長（当該行政機関が合議制の機関である場合にあつては、当該行政機関。以下同じ。）の所掌する事務又は所管する法律に関するものであるときは、遅滞なく、当該関係行政機関の長に対し、その確認を求めるものとする。この場合において、当該確認を求められた関係行政機関の長は、遅滞なく、内閣総理大臣に回答するものとする。

14　前項の規定による回答を受けた内閣総理大臣は、遅滞なく、その回答の内容を当該回答に係る第十一項の規定による求めをした地方公共団体に通知するものとする。

15　内閣総理大臣は、第一項の規定による認定の申請があつた場合において、地域再生計画のうち第二項各号に掲げる事項に係る部分が次に掲げる基準に適合すると認めるときは、その認定をするものとする。

一　地域再生基本方針に適合するものであること。

二　当該地域再生計画の実施が当該地域における地域再生の実現に相当程度寄与するものであると認められること。

三　円滑かつ確実に実施されると見込まれるものであること。

16　内閣総理大臣は、前項の認定を行うに際し必要と認めるときは、地域再

生本部に対し、意見を求めることができる。

17 内閣総理大臣は、地域再生計画に第四項各号に掲げる事項が記載されている場合において、第十五項の認定をしようとするときは、当該事項に係る関係行政機関の長（第三十五条を除き、以下単に「関係行政機関の長」という。）の同意を得なければならない。

18 内閣総理大臣は、第十五項の認定をしたときは、遅滞なく、その旨を公示しなければならない。

（認定に関する処理期間）

第六条 内閣総理大臣は、前条第一項の規定による認定の申請を受理した日から三月以内において速やかに、同条第十五項の認定に関する処分を行わなければならない。

2 関係行政機関の長は、内閣総理大臣が前項の処理期間中に前条第十五項の認定に関する処分を行うことができるよう、速やかに、同条第十七項の同意について同意又は不同意の旨を通知しなければならない。

（都市再生整備計画等の提出）

第六条の二 地方公共団体は、第五条第一項の規定による認定の申請をしようとするときは、併せて別表の上欄に掲げる計画を提出することができる。

2 内閣総理大臣は、前項の規定による別表の上欄に掲げる計画の提出があったときは、当該計画の実施が地域再生計画の実施による当該地域における地域再生の実現に与える影響を考慮して、第五条第十五項の認定を行うものとする。

3 第一項の規定による別表の上欄に掲げる計画の提出があったときは、当該計画の提出を受けた内閣総理大臣は、遅滞なく、それぞれ同表の中欄に掲げる大臣にその写しを送付するものとする。

4 別表の中欄に掲げる大臣が前項の規定による同表の上欄に掲げる計画の写しの送付を受けたときは、それぞれ当該計画について同表の下欄に掲げる提出又は送付があったものとみなす。

（認定地域再生計画の変更）

第七条 地方公共団体は、第五条第十五項の認定を受けた地域再生計画（以下「認定地域再生計画」という。）の変更（内閣府令で定める軽微な変更を除く。）をしようとするときは、内閣総理大臣の認定を受けなければならない。

2 第五条第五項から第十八項まで及び前二条の規定は、前項の認定地域再生計画の変更について準用する。

（報告の徴収）

第八条 内閣総理大臣は、第五条第十五項の認定（前条第一項の変更の認定を含む。以下同じ。）を受けた地方公共団体（以下「認定地方公共団体」という。）に対し、認定地域再生計画（認定地域再生計画の変更があったときは、その変更後のもの。以下同じ。）の実施の状況について報告を求めることができる。

2 関係行政機関の長は、認定地域再生計画に第五条第四項各号に掲げる事項が記載されている場合には、認定地方公共団体に対し、同項各号に規定する事業及び措置の実施の状況について報告を求めることができる。

（措置の要求）

第九条 内閣総理大臣又は関係行政機関の長は、認定地域再生計画に第五条第四項各号に掲げる事項が記載されている場合において、同項各号に規定する事業及び措置の適正な実施のため必要があると認めるときは、認定地方公共団体に対し、当該事業及び措置の実施に関し必要な措置を講ずることを求めることができる。

（認定の取消し）

第一〇条 内閣総理大臣は、認定地域再生計画が第五条第十五項各号のいずれかに適合しなくなったと認めるときは、その認定を取り消すことができる。この場合において、当該認定地域再生計画に同条第四項各号に掲げる事項が記載されているときは、内閣総理大臣は、あらかじめ、関係行政機関の長にその旨を通知しなければならない。

2 前項の通知を受けた関係行政機関の長は、同項の規定による認定の取消しに関し、内閣総理大臣に意見を述べることができる。

3 前項に規定する場合のほか、関係行政機関の長は、認定地域再生計画に第五条第四項各号に掲げる事項が記載されている場合には、第一項の規定による認定の取消しに関し、内閣総理大臣に意見を述べることができる。

4 第五条第十八項の規定は、第一項の規定による認定の取消しについて準用する。

（認定地域再生計画に関する調整等）

第一〇条の二 認定地方公共団体は、認定地域再生計画を実施する上で必要があると認める場合においては、内閣総理大臣に対し、関係行政機関の事務の調整を行うことを要請することができる。

2 内閣総理大臣は、前項の規定による要請があった場合において、必要があると認めるときは、必要な調整を行うものとする。

3 内閣総理大臣は、認定地域再生計画の実施について調整を行うため必要があると認める場合においては、関係行政機関の長に対し、必要な勧告をし、当該勧告の結果とられた措置について報告を求めることができる。

（認定地方公共団体への援助等）

第一一条 認定地方公共団体は、地域再生本部に対し、認定地域再生計画の実施を通じて得られた知見に基づき、当該認定地域再生計画の円滑かつ確実な実施が促進されるよう、政府の地域再生に関する施策の改善についての提案をすることができる。

2 地域再生本部は、前項の提案について検討を加え、遅滞なく、その結果を当該認定地方公共団体に通知するとともに、インターネットの利用その他適切な方法により公表しなければならない。

3 国は、認定地方公共団体に対し、当該認定地域再生計画の円滑かつ確実な実施に関し必要な情報の提供、助言その他の援助を行うように努めなければならない。

4 前三項に定めるもののほか、国及び認定地方公共団体は、当該認定地域再生計画の円滑かつ確実な実施が促進されるよう、相互に連携を図りながら協力しなければならない。

第五章 認定地域再生計画に基づく事業に対する特別の措置

第七節 地域来訪者等利便増進活動計画の作成等

（地域来訪者等利便増進活動計画の認定等）

第一七条の七 第五条第四項第六号に規定する事業が記載された地域再生計画が同条第十五項の認定を受けたときは、当該認定の日以後は、地域来訪者等利便増進活動実施団体は、内閣府令で定めるところにより、地域来訪者等利便増進活動の実施に関する計画（以下「地域来訪者等利便増進活動計画」という。）を作成し、当該地域来訪者等利便増進活動計画が適当である旨の認定地方公共団体である市町村（以下「認定市町村」という。）の長の認定を申請することができる。

2 地域来訪者等利便増進活動計画には、次に掲げる事項を記載しなければならない。

一 地域来訪者等利便増進活動を実施する区域
二 地域来訪者等利便増進活動の目標
三 地域来訪者等利便増進活動の内容
四 地域来訪者等利便増進活動により事業者が受けると見込まれる利益の内容及び程度
五 前号の利益を受ける事業者の範囲
六 計画期間（五年を超えないものに限る。）
七 資金計画
八 その他内閣府令で定める事項

3 前項第七号の資金計画には、同項第五号の事業者（以下「受益事業者」という。）が負担することとなる負担金の額及び徴収方法の素案を添えなければならない。

4 第二項第三号に掲げる事項には、都市公園（都市公園法（昭和三十一年法律第七十九号）第二条第一項に規定する都市公園をいう。以下同じ。）における自転車駐車場、観光案内所その他の来訪者等の利便の増進に寄与する施設又は物件であって政令で定めるものの設置（都市公園の環境の維持及び向上を図るための清掃その他の措置であって当該施設又は物件の設置に伴い必要となるものが併せて講じられるものに限る。）に関する事項を記載することができる。

5 第一項の規定による認定の申請をしようとする地域来訪者等利便増進活動実施団体は、当該地域来訪者等利便増進活動計画について、総受益事業者の三分の二以上であって、その負担することとなる負担金の合計額が総受益事業者の負担することとなる負担金の総額の三分の二以上となる受益事業者の同意を得なければならない。

6 認定市町村は、第一項の規定による認定の申請があったときは、内閣府令で定めるところにより、その旨を公告し、当該地域来訪者等利便増進活動計画を当該公告の日から一月間公衆の縦覧に供しなければならない。

7　前項の規定による公告があったときは、受益事業者は、同項の縦覧期間満了の日までに、縦覧に供された当該地域来訪者等利便増進活動計画について、認定市町村に、意見書を提出することができる。

8　認定市町村の長は、第一項の規定による認定の申請があった場合において、当該地域来訪者等利便増進活動計画が次に掲げる基準に適合すると認めるときは、その認定をするものとする。

一　認定地域再生計画に適合するものであること。

二　受益事業者の事業機会の増大又は収益性の向上及び第二項第一号の区域における経済効果の増進に寄与するものであると認められること。

三　円滑かつ確実に実施されると見込まれるものであること。

四　地域来訪者等利便増進活動により受益事業者が受けると見込まれる利益の限度において、受益事業者が負担金を負担するものであること。

五　特定の者に対し不当に差別的な取扱いをするものでないこと。

9　認定市町村の長は、前項の認定をしようとするときは、あらかじめ、当該認定市町村の議会の議決を経なければならない。

10　認定市町村は、前項の議決を経ようとするときは、第七項の規定により提出された意見書の要旨を当該認定市町村の議会に提出しなければならない。

11　認定市町村は、第四項に規定する事項が記載された地域来訪者等利便増進活動計画について、第八項の認定をしようとするときは、当該事項について、あらかじめ、当該都市公園の公園管理者（都市公園法第五条第一項に規定する公園管理者をいう。以下同じ。）に協議し、その同意を得なければならない。

12　認定市町村の長は、第八項の認定をしたときは、遅滞なく、これを公表しなければならない。

13　第八項の認定を受けた地域来訪者等利便増進活動実施団体（以下「認定地域来訪者等利便増進活動実施団体」という。）は、当該認定を受けた地域来訪者等利便増進活動計画の変更（内閣府令で定める軽微な変更を除く。）をしようとするときは、認定市町村の長の認定を受けなければならない。

14　第三項及び第五項から第十二項までの規定は、前項の認定について準用する。

（負担金の徴収）

第一七条の八　認定市町村は、前条第八項の認定を受けた地域来訪者等利便増進活動計画（同条第十三項の規定による変更の認定があったときは、その変更後のもの。以下「認定地域来訪者等利便増進活動計画」という。）に基づき認定地域来訪者等利便増進活動実施団体が実施する地域来訪者等利便増進活動に必要な経費の財源に充てるため、当該地域来訪者等利便増進活動により受けると見込まれる利益の限度において、受益事業者から負担金を徴収することができる。

2　前項の場合において、その受益事業者の範囲並びに負担金の額及び徴収方法については、認定市町村の条例で定める。

3　第一項の負担金（以下単に「負担金」という。）を納付しない受益事業者があるときは、認定市町村は、督促状によって納付すべき期限を指定して督促しなければならない。

4　前項の場合においては、認定市町村は、条例で定めるところにより、年十四・五パーセントの割合を乗じて計算した額を超えない範囲内の延滞金を徴収することができる。

5　督促を受けた受益事業者がその指定する期限までにその納付すべき金額を納付しない場合においては、認定市町村は、地方税の滞納処分の例により、負担金及び前項の延滞金（以下この条において単に「延滞金」という。）を徴収することができる。この場合における負担金及び延滞金の先取特権の順位は、国税及び地方税に次ぐものとする。

6　延滞金は、負担金に先立つものとする。

7　負担金及び延滞金を徴収する権利は、これらを行使することができる時から五年間行使しないときは、時効により消滅する。

（交付金の交付等）

第一七条の九　認定市町村は、負担金を徴収したときは、これを財源の全部又は一部として、認定地域来訪者等利便増進活動計画に基づき実施される地域来訪者等利便増進活動に必要な経費の財源に充てるため、交付金を交付するものとする。

2　前項の規定により交付金の交付を受けた認定地域来訪者等利便増進活動実施団体は、計画期間が終了したときは、遅滞なく、当該交付金について精算しなければならない。

（都市公園の占用の許可の特例）

第一七条の一〇　第十七条の七第四項に規定する事項が記載された地域来訪者等利便増進活動計画が同条第八項の認定（同条第十三項の変更の認定を含む。）を受けた日から二年以内に、認定地域来訪者等利便増進活動実施団体から当該認定地域来訪者等利便増進活動計画に基づく都市公園の占用について都市公園法第六条第一項又は第三項の許可の申請があった場合においては、公園管理者は、同法第七条の規定にかかわらず、当該占用が第十七条の七第四項の施設又は物件の外観及び構造、占用に関する工事その他の事項に関し政令で定める技術的基準に適合する限り、当該許可を与えるものとする。

（受益事業者の請求による認定の取消し）

第一七条の一一　認定市町村の長は、受益事業者が、総受益事業者の三分の一を超え、又はその負担する負担金の合計額が総受益事業者の負担する負担金の総額（次条第二項において「負担金総額」という。）の三分の一を超える受益事業者の同意を得て、第十七条の七第八項の認定の取消しを請求したときは、当該認定を取り消さなければならない。

2　前項の規定により認定を取り消された地域来訪者等利便増進活動実施団体は、遅滞なく、第十七条の九第一項の規定により交付された交付金について精算しなければならない。

3　認定市町村の長は、第一項の規定により認定を取り消したときは、遅滞なく、その旨を公表しなければならない。

（監督等）

第一七条の一二　認定市町村の長は、認定地域来訪者等利便増進活動実施団体の活動又は会計が法令若しくはこれに基づく行政庁の処分又は認定地域来訪者等利便増進活動計画に違反する疑いがあると認めるときその他監督上必要があると認めるときは、当該認定地域来訪者等利便増進活動実施団体に対し、その活動又は会計の状況について報告を求めることができる。

2　認定市町村の長は、受益事業者が、総受益事業者の十分の一以上又はその負担する負担金の合計額が負担金総額の十分の一以上となる受益事業者の同意を得て、認定地域来訪者等利便増進活動実施団体の活動又は会計が法令若しくはこれに基づく行政庁の処分又は認定地域来訪者等利便増進活動計画に違反する疑いがあることを理由として当該認定地域来訪者等利便増進活動実施団体に対する報告の徴収を請求したときは、当該認定地域来訪者等利便増進活動実施団体に対し、その活動又は会計の状況について報告を求めなければならない。

3　認定市町村の長は、前二項の規定により報告を求めた場合において、認定地域来訪者等利便増進活動実施団体の活動又は会計が法令若しくはこれに基づく行政庁の処分又は認定地域来訪者等利便増進活動計画に違反していると認めるときは、当該認定地域来訪者等利便増進活動実施団体に対し、当該違反を是正するために必要な措置をとるべきことを命ずることができる。

4　認定市町村の長は、認定地域来訪者等利便増進活動実施団体が前項の規定による命令に従わないときは、第十七条の七第八項の認定を取り消すことができる。

5　前条第二項及び第三項の規定は、前項の規定による認定の取消しについて準用する。

第九節　地域再生土地利用計画の作成等

（地域再生土地利用計画の作成）

第一七条の一七　認定市町村は、協議会における協議を経て、認定地域再生計画に記載されている集落生活圏について、地域再生拠点の形成並びに農用地等の保全及び農業上の効率的かつ総合的な利用を図るための土地利用に関する計画（以下「地域再生土地利用計画」という。）を作成することができる。

2　認定市町村は、前項の協議を行う場合には、都道府県知事、農業委員会（農業委員会等に関する法律（昭和二十六年法律第八十八号）第三条第一項ただし書又は第五項の規定により農業委員会を置かない市町村にあっては、その長。第十七条の六十二第二項及び第十七条の六十四第二項において同じ。）その他農林水産省令・国土交通省令で定める者を協議会の構成員として加えるものとする。

3 地域再生土地利用計画には、集落生活圏の区域を記載するほか、おおむね次に掲げる事項を記載するものとする。
一 地域再生拠点の形成並びに農用地等の保全及び農業上の効率的かつ総合的な利用を図るための土地利用に関する基本的な方針
二 地域再生拠点を形成するために集落福利等施設（教育文化施設、医療施設、福祉施設、商業施設その他の集落生活圏の住民の共同の福祉若しくは利便のため必要な施設又は地域農林水産業振興施設その他の集落生活圏における就業の機会の創出に資する施設をいう。以下この号において同じ。）の立地を誘導すべき区域（以下「地域再生拠点区域」という。）及び当該地域再生拠点区域にその立地を誘導すべき集落福利等施設（以下「誘導施設」という。）並びに必要な土地の確保、費用の補助その他の当該地域再生拠点区域に当該誘導施設の立地を誘導するために認定市町村が講ずべき施策に関する事項
三 農用地等の保全及び農業上の効率的かつ総合的な利用の確保を図る区域（以下この号及び第十七条の十九において「農用地等保全利用区域」という。）並びに当該農用地等保全利用区域において農用地等の保全及び農業上の効率的かつ総合的な利用の確保を図るために認定市町村が講ずべき施策に関する事項
四 前三号に掲げるもののほか、地域における持続可能な公共交通網の形成に関する施策との連携に関する事項その他の地域再生拠点の形成並びに農用地等の保全及び農業上の効率的かつ総合的な利用を図るために必要な事項
4 地域再生土地利用計画には、前項各号に掲げる事項のほか、次に掲げる事項を記載することができる。
一 地域再生拠点区域において誘導施設を整備する事業に関する次に掲げる事項
イ 当該事業の実施主体
ロ 当該誘導施設の種類及び規模
ハ 当該誘導施設の用に供する土地の所在及び面積
ニ その他農林水産省令・国土交通省令で定める事項
二 前号に掲げるもののほか、地域再生拠点区域における道路、公園その他の公共の用に供する施設及び建築物の整備並びに土地の利用に関する事項であって、地域再生拠点の形成を図るために必要なものとして国土交通省令で定めるもの
5 認定市町村は、地域再生土地利用計画に前項第一号に掲げる事項（同号の誘導施設（以下「整備誘導施設」という。）の用に供する土地が農地又は採草放牧地であり、当該整備誘導施設の用に供することを目的として、農地である当該土地を農地以外のものにし、又は農地である当該土地若しくは採草放牧地である当該土地を農地若しくは採草放牧地以外のものにするため当該土地について所有権若しくは使用及び収益を目的とする権利を取得するに当たり、農地法第四条第一項又は第五条第一項の許可を受けなければならないものに係るものに限る。）を記載しようとするときは、当該事項について、都道府県知事の同意を得なければならない。この場合において、当該都道府県知事は、当該事項が次に掲げる要件に該当するものであると認めるときは、同意をするものとする。
一 農地を農地以外のものにする場合にあっては、農地法第四条第六項（第一号に係る部分を除く。）の規定により同条第一項の許可をすることができない場合に該当しないこと。
二 農地法第四条第六項第一号イ又はロに掲げる農地を農地以外のものにする場合にあっては、当該農地に代えて周辺の他の土地を供することにより前項第一号に規定する事業の目的を達成することができると認められないこと。
三 農地又は採草放牧地を農地又は採草放牧地以外のものにするためこれらの土地について所有権又は使用及び収益を目的とする権利を取得する場合にあっては、農地法第五条第二項（第一号に係る部分を除く。）の規定により同条第一項の許可をすることができない場合に該当しないこと。
四 農地法第五条第二項第一号イ又はロに掲げる農地又は採草放牧地を農地又は採草放牧地以外のものにするためこれらの土地について所有権又は使用及び収益を目的とする権利を取得する場合にあっては、これらの土地に代えて周辺の他の土地を供することにより前項第一号に規定する事業の目的を達成することができると認められないこと。
五 整備誘導施設の用に供する土地が農用地区域（農業振興地域の整備に関する法律第八条第二項第一号に規定する農用地区域をいう。以下同じ。）内の土地である場合にあっては、その周辺の土地の農業上の効率的かつ総合的な利用に支障を及ぼすおそれがないと認められることその他の農林水産省令で定める要件に該当すること。
6 認定市町村が農地法第四条第一項に規定する指定市町村である場合における前項の規定の適用については、同項中「係るもの」とあるのは「係るものであって、第一号から第四号までに掲げる要件に該当するもの」と、「次に」とあるのは「第五号に」とする。
7 認定市町村（地方自治法第二百五十二条の十九第一項の指定都市及び同法第二百五十二条の二十二第一項の中核市（以下「指定都市等」という。）であるものを除く。）は、地域再生土地利用計画に第四項第一号に掲げる事項（整備誘導施設の整備として市街化調整区域（都市計画法第七条第一項に規定する市街化調整区域をいう。第十七条の二十二において同じ。）内において、当該整備誘導施設の建築（建築基準法第二条第十三号に規定する建築をいう。次条第一項及び第十七条の二十二第一項において同じ。）の用に供する目的で行う開発行為（都市計画法第四条第十二項に規定する開発行為をいう。以下同じ。）又は当該整備誘導施設を新築し、若しくは建築物を改築し、若しくはその用途を変更して当該整備誘導施設とする行為（以下この項及び第十七条の二十二第二項において「建築行為等」という。）を行うものであり、当該開発行為又は建築行為等を行うに当たり、同法第二十九条第一項又は第四十三条第一項の許可を受けなければならないものに係るものに限る。）を記載しようとするときは、当該事項について、当該都道府県知事の同意を得なければならない。この場合において、当該都道府県知事は、当該開発行為又は建築行為等が当該開発行為をする土地又は当該建築行為等に係る整備誘導施設の敷地である土地の区域の周辺における市街化を促進するおそれがないと認められ、かつ、市街化区域内において行うことが困難又は著しく不適当と認められるときは、同意をするものとする。
8 地域再生土地利用計画は、農業振興地域の整備に関する法律第八条の農業振興地域整備計画、都市計画法第六条の二の都市計画区域の整備、開発及び保全の方針並びに同法第十八条の二の市町村の都市計画に関する基本的な方針との調和が保たれたものでなければならない。
9 認定市町村は、地域再生土地利用計画を作成しようとするときは、あらかじめ、公聴会の開催その他の住民の意見を反映させるために必要な措置を講ずるものとする。
10 認定市町村は、地域再生土地利用計画を作成したときは、遅滞なく、これを公表しなければならない。
11 第一項、第二項及び第五項から前項までの規定は、地域再生土地利用計画の変更について準用する。

（建築等の届出等）

第一七条の一八 地域再生土地利用計画に記載された集落生活圏の区域内において、次に掲げる行為を行おうとする者は、これらの行為に着手する日の三十日前までに、国土交通省令で定めるところにより、行為の種類、場所、設計又は施行方法、着手予定日その他国土交通省令で定める事項を認定市町村の長に届け出なければならない。
一 当該地域再生土地利用計画に記載された前条第三項第二号の誘導施設を有する建築物の建築の用に供する目的で行う開発行為又は当該誘導施設を有する建築物を新築し、若しくは建築物を改築し、若しくはその用途を変更して当該誘導施設を有する建築物とする行為（当該誘導施設の立地を誘導するものとして当該地域再生土地利用計画に記載された地域再生拠点区域内において行われるものを除く。）
二 当該地域再生土地利用計画（前条第四項第二号に掲げる事項が定められているものに限る。）に記載された地域再生拠点区域内における土地の区画形質の変更、建築物の建築その他政令で定める行為（当該地域再生土地利用計画に記載された同項第一号に規定する事業に係るものを除く。）
2 次に掲げる行為については、前項の規定は、適用しない。
一 軽易な行為その他の行為で政令で定めるもの
二 非常災害のため必要な応急措置として行う行為
三 都市計画法第四条第十五項に規定する都市計画事業の施行として行う行為又はこれに準ずる行為として政令で定める行為
四 その他認定市町村の条例で定める行為
3 第一項の規定による届出をした者は、当該届出に係る事項のうち国土交

通省令で定める事項を変更しようとするときは、当該事項の変更に係る行為に着手する日の三十日前までに、国土交通省令で定めるところにより、その旨を認定市町村の長に届け出なければならない。

4　認定市町村の長は、第一項又は前項の規定による届出があった場合において、当該届出に係る行為が地域再生土地利用計画に適合せず、地域再生拠点の形成を図る上で支障があると認めるときは、当該届出をした者に対し、その届出に係る行為に関し場所又は設計の変更その他の必要な措置をとることを勧告することができる。

5　認定市町村の長は、前項の規定による勧告をした場合において、必要があると認めるときは、その勧告を受けた者に対し、当該誘導施設に係る地域再生拠点区域内の土地の取得又は当該届出に係る土地に関する権利の処分についてのあっせんその他の必要な措置を講ずるよう努めなければならない。

（農用地等の保全及び利用に関する認定市町村の援助等）

第一七条の一九　認定市町村は、地域再生土地利用計画に即し、農用地等保全利用区域内の農用地等の所有者又は使用及び収益を目的とする権利（一時使用のため設定されたことが明らかなものを除く。）を有する者（次項において「所有者等」という。）に対し、当該農用地等の保全及び農業上の効率的かつ総合的な利用を行うために必要な情報の提供、指導、助言その他の援助を行うものとする。

2　認定市町村の長は、農用地等保全利用区域内の農用地等の所有者等が当該地域再生土地利用計画に即した農用地等の保全又は農業上の効率的かつ総合的な利用を行っておらず、又は行わないおそれがある場合において、当該地域再生土地利用計画の達成のため必要があると認めるときは、当該所有者等に対し、当該地域再生土地利用計画に即した農用地等の保全又は農業上の効率的かつ総合的な利用を行うよう勧告することができる。

（農地等の転用等の許可の特例）

第一七条の二〇　第十七条の十七第一項の規定により作成された地域再生土地利用計画に記載された同条第四項第一号イに規定する実施主体（次項において「誘導施設整備事業者」という。）が、当該地域再生土地利用計画に従って整備誘導施設の用に供することを目的として農地を農地以外のものにする場合には、農地法第四条第一項の許可があったものとみなす。

2　誘導施設整備事業者が、地域再生土地利用計画に従って整備誘導施設の用に供することを目的として農地又は採草放牧地を農地又は採草放牧地以外のものにするためこれらの土地について所有権又は使用及び収益を目的とする権利を取得する場合には、農地法第五条第一項の許可があったものとみなす。

（農用地区域の変更の特例）

第一七条の二一　第十七条の十七第一項の規定により作成された地域再生土地利用計画に記載された整備誘導施設の用に供する土地を農用地区域から除外するために行う農用地区域の変更については、農業振興地域の整備に関する法律第十三条第二項の規定は、適用しない。

（開発許可等の特例）

第一七条の二二　市街化調整区域内において第十七条の十七第一項の規定により作成された地域再生土地利用計画に記載された整備誘導施設の建築の用に供する目的で行われる開発行為（都市計画法第三十四条各号に掲げるものを除く。）は、同法第三十四条の規定の適用については、同条第十四号に掲げる開発行為とみなす。

2　都道府県知事又は指定都市等の長は、市街化調整区域のうち都市計画法第二十九条第一項の規定による許可を受けた同法第四条第十三項に規定する開発区域以外の区域内において第十七条の十七第一項の規定により作成された地域再生土地利用計画に記載された整備誘導施設に係る建築行為等について、同法第四十三条第一項の規定による許可の申請があった場合において、当該申請に係る建築行為等が同条第二項の政令で定める許可の基準のうち同法第三十三条に規定する開発許可の基準の例に準じて定められた基準に適合するときは、その許可をしなければならない。

第十二節　地域住宅団地再生事業計画の作成等

（地域住宅団地再生事業計画の作成）

第一七条の三六　認定市町村は、協議会における協議を経て、認定地域再生計画に記載されている地域住宅団地再生事業の実施に関する計画（以下「地域住宅団地再生事業計画」という。）を作成することができる。

2　認定市町村は、前項の協議を行う場合には、都道府県知事その他厚生労働省令・国土交通省令で定める者を協議会の構成員として加えるものとする。

3　協議会は、第一項の協議を行うため必要があると認めるときは、その構成員以外の者であって、当該地域住宅団地再生区域の当初の整備をしたものに対し、資料の提供、意見の表明、説明その他の必要な協力を求めることができる。この場合において、当該者は、その求めに応じるよう努めるものとする。

4　地域住宅団地再生事業計画には、地域住宅団地再生区域の区域を記載するほか、おおむね次に掲げる事項を記載するものとする。

一　地域住宅団地再生区域における住宅団地再生の方向性その他の地域住宅団地再生事業に関する基本的な方針

二　地域住宅団地再生区域において住宅団地再生を図るために整備すべき医療施設、福祉施設、商業施設、集会施設その他の当該地域住宅団地再生区域の住民の共同の福祉又は利便のため必要な施設及び必要な土地の確保、費用の補助その他の当該施設を整備するために認定市町村が講ずべき施策に関する事項

三　地域住宅団地再生区域において整備すべき高年齢者向け住宅及び必要な土地の確保、費用の補助その他の当該高年齢者向け住宅を整備するために認定市町村が講ずべき施策に関する事項

四　地域住宅団地再生区域において提供すべき介護サービス及び当該介護サービスの提供体制を確保するために認定市町村が講ずべき施策に関する事項

五　地域住宅団地再生区域において住民の交通手段の確保を図るために認定市町村が講ずべき施策に関する事項

六　地域住宅団地再生区域への移住を希望する者への情報の提供、便宜の供与その他の当該移住を希望する者の来訪及び滞在を促進するために認定市町村が講ずべき施策に関する事項

七　前各号に掲げるもののほか、地域住宅団地再生事業の実施のために必要な事項

5　地域住宅団地再生事業計画には、前項各号に掲げる事項のほか、次に掲げる事項を記載することができる。

一　住居専用地域建築物整備促進事業（地域住宅団地再生区域内の住居専用地域（都市計画法第八条第一項第一号に掲げる第一種低層住居専用地域、第二種低層住居専用地域、第一種中高層住居専用地域又は第二種中高層住居専用地域をいう。ハ及びホにおいて同じ。）内において、住宅団地再生を図るために必要な建築物の整備を促進する事業であって、認定市町村が行うものをいう。第十七条の四十第一項において同じ。）に関する次に掲げる事項

イ　当該住居専用地域建築物整備促進事業を実施する区域

ロ　当該住居専用地域建築物整備促進事業の内容

ハ　当該住居専用地域建築物整備促進事業に係る建築物の整備に関する基本的な方針（イに掲げる区域において指定された住居専用地域の目的に反しないものに限る。）

ニ　当該住居専用地域建築物整備促進事業に係る建築物の整備を促進する理由

ホ　当該住居専用地域建築物整備促進事業に係る建築物について講ずる措置であって、イに掲げる区域において指定された住居専用地域の目的に適合させるために必要なものの内容が定まっている場合にあっては、当該措置に関する事項

二　特別用途地区建築物整備促進事業（建築基準法第四十九条第二項の規定に基づく条例で同法第四十八条第一項から第四項までの規定による制限を緩和することにより、地域住宅団地再生区域内の特別用途地区（都市計画法第八条第一項第二号に掲げる特別用途地区をいう。ハにおいて同じ。）内において、住宅団地再生を図るために必要な建築物の整備を促進する事業であって、認定市町村が行うものをいう。）に関する次に掲げる事項

イ　当該特別用途地区建築物整備促進事業を実施する区域

ロ　当該特別用途地区建築物整備促進事業の内容

ハ　当該特別用途地区建築物整備促進事業に係る特別用途地区について建築基準法第四十九条第二項の規定に基づく条例で定めようとする同法第四十八条第一項から第四項までの規定による制限の緩和の内容

三　地区計画等建築物整備促進事業（建築基準法第六十八条の二第五項の

規定により同条第一項の規定に基づく条例で同法第四十八条第一項から第四項までの規定による制限を緩和することにより、地域住宅団地再生区域内の地区計画等（都市計画法第四条第九項に規定する地区計画等をいい、同法第十二条の四第一項第五号に掲げる集落地区計画を除く。ハにおいて同じ。）の区域内において、住宅団地再生を図るために必要な建築物の整備を促進する事業であって、認定市町村が行うものをいう。）に関する次に掲げる事項

イ　当該地区計画等建築物整備促進事業を実施する区域

ロ　当該地区計画等建築物整備促進事業の内容

ハ　当該地区計画等建築物整備促進事業に係る地区計画等の区域について建築基準法第六十八条の二第五項の規定により同条第一項の規定に基づく条例で定めようとする同法第四十八条第一項から第四項までの規定による制限の緩和の内容

四　都市計画建築物等整備促進事業（市町村が定める都市計画の決定又は変更をすることにより、地域住宅団地再生区域内において、住宅団地再生を図るために必要な建築物その他の施設の整備を促進する事業であって、認定市町村が行うものをいう。第十七条の四十二において同じ。）に関する次に掲げる事項

イ　当該都市計画建築物等整備促進事業を実施する区域

ロ　当該都市計画建築物等整備促進事業の内容

ハ　当該都市計画建築物等整備促進事業に係る都市計画に定めるべき事項

五　特定区域住宅用途変更特定建築物整備促進事業（診療所、介護施設、日用品販売店、老人福祉センターその他の地域住宅団地再生区域の住民の日常生活に必要な施設であって、当該施設が不足することにより当該住民の日常生活に支障が生ずるおそれがあるもの（第七号において「特定施設」という。）の用途に供する建築物（以下この項及び第十七条の四十五において「特定建築物」という。）の整備が必要とされる地域住宅団地再生区域内の区域（以下「特定区域」という。）において、住宅である建築物の用途を住宅団地再生を図るために必要な用途に変更することにより当該建築物を特定建築物とすること（当該変更により当該特定建築物が建築基準法第五十二条第一項、第二項又は第七項の規定に適合しないこととなる場合に限る。）を促進する事業であって、認定市町村が行うものをいう。）に関する次に掲げる事項

イ　当該特定区域の区域

ロ　当該特定区域住宅用途変更特定建築物整備促進事業の内容

ハ　当該特定区域住宅用途変更特定建築物整備促進事業に係る特定建築物の整備に関する基本的な方針

ニ　当該特定区域住宅用途変更特定建築物整備促進事業に係る特定建築物の整備を促進する理由

六　特定区域学校用途変更特定建築物整備促進事業（特定区域において、学校である建築物の用途を住宅団地再生を図るために必要な用途に変更することにより当該建築物を特定建築物とすること（当該変更により当該特定建築物が建築基準法第五十五条第一項の規定に適合しないこととなる場合に限る。）を促進する事業であって、認定市町村が行うものをいう。）に関する次に掲げる事項

イ　当該特定区域の区域

ロ　当該特定区域学校用途変更特定建築物整備促進事業の内容

ハ　当該特定区域学校用途変更特定建築物整備促進事業に係る特定建築物の整備に関する基本的な方針

ニ　当該特定区域学校用途変更特定建築物整備促進事業に係る特定建築物の整備を促進する理由

七　特定区域学校用途変更特定施設運営事業（特定区域において、特定建築物（学校である建築物の用途を住宅団地再生を図るために必要な用途に変更することにより整備されたものであって、当該認定市町村における地方自治法第二百三十八条第四項に規定する普通財産であるものに限る。第十七条の四十五において同じ。）に設けられた特定施設を運営する事業であって、地域再生推進法人（営利を目的としない法人に限る。第十六号及び第十七条の四十五において同じ。）が行うものをいう。）に関する次に掲げる事項

イ　当該地域再生推進法人の名称、住所及び事務所の所在地

ロ　当該特定区域の区域

ハ　当該特定施設の種類及び運営の方法

ニ　時価よりも低い対価で貸付けを受けることその他の当該特定建築物及びその敷地の使用の条件

ホ　当該特定区域学校用途変更特定施設運営事業の実施期間

八　特定区域都市公園活用生活利便確保事業（特定区域内の都市公園において、日用品に係る露店、商品置場その他の住宅団地再生を図るために必要な施設を設置し、及び管理する事業をいう。）に関する次に掲げる事項

イ　当該特定区域都市公園活用生活利便確保事業の実施主体

ロ　当該特定区域の区域並びに当該都市公園の名称及び所在地

ハ　当該施設の種類及び構造

ニ　当該都市公園における当該施設の設置場所

ホ　当該施設の管理の方法

ヘ　当該都市公園に当該施設を設置する理由

九　地域住宅団地再生区域において有料老人ホームを整備する事業に関する次に掲げる事項

イ　当該事業の実施主体

ロ　当該有料老人ホームの所在地

ハ　その他厚生労働省令で定める事項

十　地域住宅団地再生区域において行われる居宅サービス事業に関する次に掲げる事項

イ　当該居宅サービス事業の実施主体

ロ　当該居宅サービス事業を行う事業所の所在地

ハ　居宅サービスの種類

ニ　その他厚生労働省令で定める事項

十一　地域住宅団地再生区域において行われる地域密着型サービス事業に関する次に掲げる事項

イ　当該地域密着型サービス事業の実施主体

ロ　当該地域密着型サービス事業を行う事業所の所在地

ハ　地域密着型サービスの種類

ニ　その他厚生労働省令で定める事項

十二　地域住宅団地再生区域において行われる介護予防サービス事業に関する次に掲げる事項

イ　当該介護予防サービス事業の実施主体

ロ　当該介護予防サービス事業を行う事業所の所在地

ハ　介護予防サービスの種類

ニ　その他厚生労働省令で定める事項

十三　地域住宅団地再生区域において行われる地域密着型介護予防サービス事業に関する次に掲げる事項

イ　当該地域密着型介護予防サービス事業の実施主体

ロ　当該地域密着型介護予防サービス事業を行う事業所の所在地

ハ　地域密着型介護予防サービスの種類

ニ　その他厚生労働省令で定める事項

十四　地域住宅団地再生区域において行われる第一号介護事業に関する次に掲げる事項

イ　当該第一号介護事業の実施主体

ロ　当該第一号介護事業を行う事業所の所在地

ハ　第一号介護事業の種類

ニ　その他厚生労働省令で定める事項

十五　住宅団地再生道路運送利便増進事業（その全部又は一部の区間が地域住宅団地再生区域内に存する路線に係る一般乗合旅客自動車運送事業（道路運送法第三条第一号イに規定する一般乗合旅客自動車運送事業をいう。第十七条の五十一第三項第三号において同じ。）又は特定旅客自動車運送事業（同法第三条第二号に規定する特定旅客自動車運送事業をいう。同項第三号において同じ。）を経営し、又は経営しようとする者がこれらの事業の利用者の利便の増進を図るために実施する事業であって、住宅団地再生に資するものをいう。以下同じ。）に関する次に掲げる事項

イ　当該住宅団地再生道路運送利便増進事業の実施主体

ロ　当該住宅団地再生道路運送利便増進事業の内容

十六　住宅団地再生自家用有償旅客運送（地域住宅団地再生区域において認定市町村又は地域再生推進法人が行う住民の日常生活に必要な交通手段の確保を図るための自家用有償旅客運送であって、その路線又は運送の区域が当該地域住宅団地再生区域内に存するものをいう。）に関する

次に掲げる事項
イ　当該住宅団地再生自家用有償旅客運送の実施主体が地域再生推進法人である場合にあっては、その名称及び住所並びにその代表者の氏名
ロ　路線又は運送の区域、事務所の名称及び位置、事務所ごとに配置する自家用有償旅客運送の用に供する自家用自動車（ニにおいて「自家用有償旅客運送自動車」という。）の数その他の国土交通省令で定める事項
ハ　運送しようとする旅客の範囲
ニ　自家用有償旅客運送自動車の運行管理の体制の整備その他国土交通省令で定める事項について道路運送法第九条第七項第三号に規定する一般旅客自動車運送事業者の協力を得て運送を行おうとする場合にあっては、当該一般旅客自動車運送事業者の氏名又は名称及び住所

十七　住宅団地再生貨物運送共同化事業（地域住宅団地再生区域において、第一種貨物利用運送事業（貨物利用運送事業法（平成元年法律第八十二号）第二条第七項に規定する第一種貨物利用運送事業をいう。第十七条の五十五第三項第三号において同じ。）、第二種貨物利用運送事業（同法第二条第八項に規定する第二種貨物利用運送事業をいう。第十七条の五十五第三項第四号及び第四項において同じ。）又は一般貨物自動車運送事業（貨物自動車運送事業法第二条第二項に規定する一般貨物自動車運送事業をいう。第十七条の五十五第三項第五号において同じ。）を経営し、又は経営しようとする二以上の者が、集貨、配達その他の貨物の運送（これに付随する業務を含む。）の共同化を行う事業であって、住宅団地再生に資するものをいう。以下同じ。）に関する次に掲げる事項
イ　当該住宅団地再生貨物運送共同化事業の実施主体
ロ　当該住宅団地再生貨物運送共同化事業の内容

6　認定市町村は、地域住宅団地再生事業計画に前項第一号から第三号までに掲げる事項を記載しようとするときは、当該事項について、国土交通大臣の同意を得なければならない。

7　認定市町村は、地域住宅団地再生事業計画に第五項第一号ホに掲げる事項を記載しようとするときは、当該事項について、利害関係を有する者の出頭を求めて公開により意見を聴取し、かつ、建築審査会（建築基準法第七十八条第一項に規定する建築審査会をいう。）の同意を得なければならない。

8　認定市町村は、前項の規定により意見を聴取する場合においては、第五項第一号に掲げる事項並びに意見の聴取の期日及び場所を期日の三日前までに公告しなければならない。

9　認定市町村は、地域住宅団地再生事業計画に第五項第四号に掲げる事項を記載しようとするときは、国土交通省令で定めるところにより、その旨を公告し、同号ハに掲げる事項の案を、当該地域住宅団地再生事業計画に当該事項を記載しようとする理由を記載した書面を添えて、当該公告の日から二週間公衆の縦覧に供しなければならない。

10　前項の規定による公告があったときは、認定市町村の住民及び利害関係人は、同項の縦覧期間満了の日までに、縦覧に供された事項の案について、認定市町村に、意見書を提出することができる。

11　認定市町村は、地域住宅団地再生事業計画に第五項第四号に掲げる事項を記載しようとするときは、市町村都市計画審議会（当該認定市町村に市町村都市計画審議会が置かれていないときは、当該認定市町村の存する都道府県の都道府県都市計画審議会。以下この項において同じ。）に前項の規定により提出された意見書の要旨を提出し、同号ハに掲げる事項について、当該市町村都市計画審議会に付議し、その議を経なければならない。

12　地域住宅団地再生事業計画に第五項第四号に掲げる事項を記載しようとするときの手続については、この法律に定めるもののほか、都市計画法（第十七条第一項及び第二項並びに第十九条第一項から第三項まで（これらの規定を同法第二十一条第二項において準用する場合を含む。）を除く。）その他の法令の規定による都市計画の決定又は変更に係る手続の例による。

13　認定市町村は、地域住宅団地再生事業計画に第五項第五号又は第六号に掲げる事項を記載しようとするときは、国土交通省令で定めるところにより、その旨を公告し、当該各号に掲げる事項の案を、当該公告の日から二週間公衆の縦覧に供しなければならない。

14　前項の規定による公告があったときは、利害関係人は、同項の縦覧期間満了の日までに、縦覧に供された事項の案について、認定市町村に、意見書を提出することができる。

15　認定市町村は、地域住宅団地再生事業計画に第五項第七号から第十七号までに掲げる事項を記載しようとするとき（当該事項に係る実施主体が認定市町村である場合を除く。）は、当該事項について、それぞれ、当該事項に係る実施主体の同意を得なければならない。

16　認定市町村は、地域住宅団地再生事業計画に第五項第八号に掲げる事項を記載しようとするときは、当該事項について、当該都市公園の公園管理者の同意を得なければならない。

17　認定市町村は、地域住宅団地再生事業計画に第五項第十号に掲げる事項（同号イの実施主体が同号ロの事業所であって当該認定市町村の区域内に所在するものにより同号ハの種類の居宅サービスを行う居宅サービス事業について介護保険法第四十一条第一項本文の指定を受けていない場合に限る。第十七条の四十八第一項において同じ。）を記載しようとするときは、当該事項について、厚生労働省令で定めるところにより、都道府県知事の同意を得なければならない。この場合において、当該都道府県知事は、当該事項が同法第七十条第二項の規定により同法第四十一条第一項本文の指定をしてはならない場合又は同法第七十条第四項若しくは第五項の規定により同法第四十一条第一項本文の指定をしないことができる場合に該当しないと認めるときは、同意をするものとする。

18　都道府県知事は、第五項第十号ハの居宅サービスの種類が介護保険法第八条第十一項に規定する特定施設入居者生活介護その他の厚生労働省令で定める居宅サービスである場合において、前項の同意をしようとするときは、関係市町村の長に対し、厚生労働省令で定める事項を通知し、相当の期間を指定して、当該関係市町村の市町村介護保険事業計画との調整を図る見地からの意見を求めなければならない。

19　都道府県知事は、介護保険法第七十条第七項の規定により関係市町村の長から通知を求められた場合において、第十七項の同意をしようとするときは、当該関係市町村の長に対し、その旨を通知しなければならない。

20　前項の規定により通知を受けた関係市町村の長は、厚生労働省令で定めるところにより、第十七項の同意に関し、都道府県知事に対し、当該関係市町村の市町村介護保険事業計画との調整を図る見地からの意見を申し出ることができる。

21　認定市町村は、第五項第十一号に掲げる事項（同号イの実施主体が同号ロの事業所であって当該認定市町村の区域内に所在するものにより同号ハの種類の地域密着型サービスを行う地域密着型サービス事業について当該認定市町村の長から介護保険法第四十二条の二第一項本文の指定を受けていない場合に限る。第十七条の四十八第二項において同じ。）については、当該事項が同法第七十八条の二第四項の規定により同法第四十二条の二第一項本文の指定をしてはならない場合に該当しないと認める場合に限り、地域住宅団地再生事業計画に記載することができるものとする。

22　認定市町村は、地域住宅団地再生事業計画に第五項第十二号に掲げる事項（同号イの実施主体が同号ロの事業所であって当該認定市町村の区域内に所在するものにより同号ハの種類の介護予防サービスを行う介護予防サービス事業について介護保険法第五十三条第一項本文の指定を受けていない場合に限る。第十七条の四十八第三項において同じ。）を記載しようとするときは、当該事項について、厚生労働省令で定めるところにより、当該都道府県知事の同意を得なければならない。この場合において、当該都道府県知事は、当該事項が同法第百十五条の二第二項の規定により同法第五十三条第一項本文の指定をしてはならない場合に該当しないと認めるときは、同意をするものとする。

23　都道府県知事は、介護保険法第百十五条の二第四項の規定により関係市町村の長から通知を求められた場合において、前項の同意をしようとするときは、当該関係市町村の長に対し、その旨を通知しなければならない。

24　前項の規定により通知を受けた関係市町村の長は、厚生労働省令で定めるところにより、第二十二項の同意に関し、都道府県知事に対し、当該関係市町村の市町村介護保険事業計画との調整を図る見地からの意見を申し出ることができる。

25　認定市町村は、第五項第十三号に掲げる事項（同号イの実施主体が同号ロの事業所であって当該認定市町村の区域内に所在するものにより同号ハの種類の地域密着型介護予防サービスを行う地域密着型介護予防サービス事業について当該認定市町村の長から介護保険法第五十四条の二第一項本文の指定を受けていない場合に限る。第十七条の四十八第四項において同じ。）については、当該事項が同法第百十五条の十二第二項の規定によりその指定をしてはならない場合に該当しないと認める場合に限り、地域住宅団地再生事業計画に記載することができる

ものとする。

26　認定市町村は、第五項第十四号に掲げる事項（同号イの実施主体が同号ロの事業所であって当該認定市町村の区域内に所在するものにより同号ハの種類の第一号介護事業を行う場合において当該第一号介護事業について当該認定市町村の長から介護保険法第百十五条の四十五の三第一項の指定を受けていないときに限る。第十七条の四十八第五項において同じ。）については、当該事項が同法第百十五条の四十五の五第二項の規定により同法第百十五条の四十五の三第一項の指定をしてはならない場合に該当しないと認める場合に限り、地域住宅団地再生事業計画に記載することができるものとする。

27　認定市町村は、第五項第十六号に掲げる事項を記載しようとするときは、当該事項について、国土交通省令で定めるところにより、国土交通大臣の同意を得なければならない。この場合において、国土交通大臣は、当該事項が道路運送法第七十九条の四第一項の規定により同法第七十九条の登録を拒否しなければならない場合に該当しないと認めるときは、同意をするものとする。

28　地域住宅団地再生事業計画は、都市計画、都市計画法第十八条の二の市町村の都市計画に関する基本的な方針、市町村高齢者居住安定確保計画等及び地域公共交通の活性化及び再生に関する法律（平成十九年法律第五十九号）第五条第一項に規定する地域公共交通計画との調和が保たれたものでなければならない。

29　認定市町村は、地域住宅団地再生事業計画を作成したときは、遅滞なく、これを公表するとともに、関係行政機関の長及び関係都道府県知事に通知しなければならない。

30　第一項から第三項まで及び第六項から前項までの規定は、地域住宅団地再生事業計画の変更について準用する。

（用途地域の制限に係る許可の特例）

第一七条の四〇　第十七条の三十六第五項第一号に掲げる事項が記載された地域住宅団地再生事業計画が同条第二十九項（同条第三十項において準用する場合を含む。以下同じ。）の規定により公表されたときは、当該公表の日以後は、当該事項に係る住居専用地域建築物整備促進事業を実施する区域内の建築物に対する建築基準法第四十八条第一項から第四項まで（これらの規定を同法第八十七条第二項又は第三項において準用する場合を含む。）の規定の適用については、同法第四十八条第一項ただし書中「特定行政庁が」とあるのは「特定行政庁が、地域再生法（平成十七年法律第二十四号）第十七条の三十六第二十九項（同条第三十項において準用する場合を含む。）の規定により公表された同条第一項に規定する地域住宅団地再生事業計画に記載された同条第五項第一号ハに掲げる基本的な方針（以下この条において「基本的方針」という。）に適合すると認めて許可した場合その他」と、「認め、」とあるのは「認めて許可した場合、」と、同条第二項から第四項までの規定のただし書の規定中「特定行政庁が」とあるのは「特定行政庁が、基本的方針に適合すると認めて許可した場合その他」と、「認め、」とあるのは「認めて許可した場合、」とする。

2　前項の場合において、当該地域住宅団地再生事業計画に第十七条の三十六第五項第一号ホに掲げる事項が記載されているときについては、建築基準法第四十八条第十五項の規定は、適用しない。

（特別用途地区等に係る承認の特例）

第一七条の四一　次の各号に掲げる事項が記載された地域住宅団地再生事業計画が第十七条の三十六第二十九項の規定により公表されたときは、当該公表の日において、当該地域住宅団地再生事業計画を作成した認定市町村に対する当該各号に定める承認があったものとみなす。

一　第十七条の三十六第五項第二号に掲げる事項　建築基準法第四十九条第二項の承認

二　第十七条の三十六第五項第三号に掲げる事項　建築基準法第六十八条の二第五項の承認

（建築物の容積率の算定に係る認定の特例）

第一七条の四三　第十七条の三十六第五項第五号に掲げる事項が記載された地域住宅団地再生事業計画が同条第二十九項の規定により公表されたときは、当該公表の日以後は、当該事項に係る特定区域内の建築物に対する建築基準法第五十二条第六項の規定の適用については、同項第三号中「住宅又は」とあるのは「住宅若しくは」と、「認めるもの」とあるのは「認めるもの又は前号に掲げる部分その他建築物の容積率の算定の基礎となる延べ面積にその床面積を算入しない部分を有する住宅である建築物の用途を変更することにより当該建築物を地域再生法（平成十七年法律第二十四号）第十七条の三十六第二十九項（同条第三十項において準用する場合を含む。）の規定により公表された同条第一項に規定する地域住宅団地再生事業計画に記載された同条第五項第五号ハに掲げる基本的な方針に適合する建築物とする場合における当該部分であつて、住宅団地再生を図るためにやむを得ず、かつ、交通上、安全上、防火上及び衛生上支障がないと特定行政庁が認めるもの」とする。

（建築物の高さの限度に係る許可の特例）

第一七条の四四　第十七条の三十六第五項第六号に掲げる事項が記載された地域住宅団地再生事業計画が同条第二十九項の規定により公表されたときは、当該公表の日以後は、当該事項に係る特定区域内の建築物に対する建築基準法第五十五条第四項の規定の適用については、同項第二号中「許可したもの」とあるのは、「許可したもの又は当該許可を受けた学校である建築物の用途を変更することにより当該建築物を地域再生法（平成十七年法律第二十四号）第十七条の三十六第二十九項（同条第三十項において準用する場合を含む。）の規定により公表された同条第一項に規定する地域住宅団地再生事業計画に記載された同条第五項第六号ハに掲げる基本的な方針に適合する建築物とする場合における当該建築物であつて、住宅団地再生を図るためにやむを得ず、かつ、低層住宅に係る良好な住居の環境を害するおそれがないと特定行政庁が認めるもの」とする。

（都市公園の占用の許可の特例）

第一七条の四六　第十七条の三十六第五項第八号に掲げる事項が記載された地域住宅団地再生事業計画が同条第二十九項の規定により公表されたときは、当該公表の日から起算して二年以内に当該事項に係る実施主体から当該事項に係る都市公園の占用について都市公園法第六条第一項又は第三項の許可の申請があった場合においては、当該都市公園の公園管理者は、同法第七条の規定にかかわらず、当該占用が当該事項に係る施設の外観及び構造、占用に係る工事その他の事項に関し政令で定める技術的基準に適合する場合に限り、当該許可を与えるものとする。この場合において、当該実施主体は、当該施設の設置場所及びその周辺の地域について、当該施設の設置に伴い必要となる清掃その他の当該地域の環境の維持及び向上を図るための措置を併せて講ずるものとする。

別表（第六条の二関係）

都市再生特別措置法（平成十四年法律第二十二号）第四十六条第一項の規定により作成した都市再生整備計画	国土交通大臣	同法第四十七条第一項の規定による提出
都市再生特別措置法第八十一条第一項の規定により作成した立地適正化計画（同条第二項第四号に掲げる事項（同法第四十六条第一項の土地の区域における同条第二項第二号又は第三号に掲げる事業又は事務であって市町村又は同条第三項第一号に規定する特定非営利活動法人等が実施するものに係るものに限る。）が記載されているものに限る。）	国土交通大臣	同法第八十三条第一項の規定による提出
地域における多様な需要に応じた公的賃貸住宅等の整備等に関する特別措置法（平成十七年法律第七十九号）第六条第一項の規定により作成した地域住宅計画	国土交通大臣	同法第七条第一項の規定による提出
農山漁村の活性化のための定住等及び地域間交流の促進に関する法律（平成十九年法律第四十八号）第五条第一項の規定により作成した活性化計画	農林水産大臣	同法第七条第一項の規定による提出

広域的地域活性化のための基盤整備に関する法律（平成十九年法律第五十二号）第五条第一項の規定により作成した広域的地域活性化基盤整備計画	国土交通大臣	同法第十九条第一項の規定による提出
地域公共交通の活性化及び再生に関する法律第五条第一項の規定により作成した地域公共交通計画（当該地域公共交通計画の変更があったときは、その変更後のもの）	国土交通大臣及び総務大臣	同法第五条第十一項（同条第十三項において準用する場合を含む。）の規定による送付
観光圏の整備による観光旅客の来訪及び滞在の促進に関する法律（平成二十年法律第三十九号）第四条第一項の規定により作成した観光圏整備計画（当該観光圏整備計画の変更があったときは、その変更後のもの）	国土交通大臣及び農林水産大臣	同法第四条第七項（同条第九項において準用する場合を含む。）の規定による送付

○地域再生法施行令〔抄〕

〔平成一七・四・一 政令一五一〕

改正　平成一九・三政一一七、平成二〇・一一政三五三、平成二一・三政七七、平成二三・一一政三五一、平成二四・一〇政二六九、平成二六・一二政三八九、平成二七・八政二八九、平成二八・四政二〇三、平成二九・七政一九三、平成三〇・六政一七八、令和元・一二政二〇五、令和三・三政七二、令和五・一〇政三〇四、令和六・一政一二、二政三二

（地域における就業の機会の創出、経済基盤の強化又は生活環境の整備のための基盤となる施設）

第三条　法第五条第四項第一号ロ(1)の政令で定める道路、農道又は林道は、市町村道、広域農道又は林道とする。

2　法第五条第四項第一号ロ(2)の政令で定める下水道、集落排水施設又は浄化槽は、公共下水道、集落排水施設（農業集落排水施設及び漁業集落排水施設に限る。第十条第二号において同じ。）又は浄化槽とする。

3　法第五条第四項第一号ロ(3)の政令で定める港湾施設及び漁港施設は、港湾法（昭和二十五年法律第二百十八号）第二条第二項に規定する重要港湾又は地方港湾の港湾施設及び漁港及び漁場の整備等に関する法律（昭和二十五年法律第百三十七号）第五条に規定する第一種漁港又は第二種漁港の漁港施設とする。

（まち・ひと・しごと創生寄附活用事業の実施主体となることができない都道府県及び市町村の要件）

第四条　法第五条第四項第二号の政令で定める要件は、次の各号に掲げる地方公共団体の区分に応じ、当該各号に定めるものとする。

一　都道府県　まち・ひと・しごと創生寄附活用事業を行おうとする年度の前年度において、地方交付税法（昭和二十五年法律第二百十一号）第十条第一項の規定による普通交付税の交付（次号イにおいて単に「普通交付税の交付」という。）を受けていないこと。

二　市町村　次のいずれにも該当すること。

イ　まち・ひと・しごと創生寄附活用事業を行おうとする年度の前年度において、普通交付税の交付を受けていないこと（特別区にあっては、都が普通交付税の交付を受けていないこと。）。

ロ　その区域の全部が次条第一項に規定する区域内にあること。

（産業及び人口の過度の集中を防止する必要がある地域及びその周辺の地域等）

第五条　法第五条第四項第五号イの政令で定める地域は、平成三十年四月一日における次に掲げる区域とする。

一　首都圏整備法（昭和三十一年法律第八十三号）第二条第三項に規定する既成市街地及び同条第四項に規定する近郊整備地帯

二　近畿圏整備法（昭和三十八年法律第百二十九号）第二条第三項に規定する既成都市区域

三　首都圏、近畿圏及び中部圏の近郊整備地帯等の整備のための国の財政上の特別措置に関する法律施行令（昭和四十一年政令第三百十八号）第一条に規定する区域

2　法第五条第四項第五号ロの政令で定める地域は、平成三十年四月一日における前項第一号に掲げる区域とする。

（集落生活圏から除かれる区域）

第六条　法第五条第四項第八号の政令で定める区域は、都市計画法（昭和四十三年法律第百号）第七条第一項に規定する区域区分に関する都市計画（同法第四条第一項に規定する都市計画をいう。第十九条第一号において同じ。）が定められていない同法第四条第二項に規定する都市計画区域内の同法第八条第一項第一号に規定する用途地域が定められている土地の区域とする。

（地域農林水産業振興施設）

第七条　法第五条第四項第十三号の政令で定める施設は、主として次に掲げる事業を行う施設その他農林水産省令で定める施設とする。

一　農林水産物を生産する事業

二　地域農林水産物（その施設の所在する地域で生産された農林水産物をいう。以下この条において同じ。）を加工する事業

三　地域農林水産物又はその加工品を販売する事業

四　地域農林水産物を調理して供与する事業

五　地域農林水産物に由来するエネルギー源を電気に変換する事業

（交付金の配分計画の作成）

第八条　内閣総理大臣は、法第十三条第一項の交付金（以下単に「交付金」という。）を充てて行う法第五条第四項第一号ロに掲げる事業に関する関係行政機関の経費の配分計画を、同号ロ(1)から(3)までに掲げる事業ごとに、第十条の規定により同条第二号から第四号までに定める各大臣が交付の事務を行うこととなる交付金の額を明らかにして作成するものとする。

2　内閣総理大臣は、前項の配分計画を作成しようとするときは、あらかじめ、第十条第二号から第四号までに定める大臣と協議するものとする。

（交付金の交付の申請）

第九条　交付金は、認定地域再生計画（法第八条第一項に規定する認定地域再生計画をいう。）に記載されている法第五条第二項第三号の計画期間のうち交付金を充てて同条第四項第一号に規定する事業を行おうとする年度ごとに、認定地方公共団体（法第八条第一項に規定する認定地方公共団体をいう。）の申請に基づき、交付するものとする。

（来訪者等の利便の増進に寄与する施設又は物件）

第一二条　法第十七条の七第四項の政令で定める施設又は物件は、次に掲げるものとする。
一　自転車駐車場で自転車を賃貸する事業の用に供するもの
二　観光案内所
三　路線バス（主として一の市町村の区域内において運行するものに限る。）の停留所のベンチ又は上家
四　都市公園法（昭和三十一年法律第七十九号）第七条第一項第六号に掲げる仮設工作物

（来訪者等の利便の増進に寄与する施設又は物件に関する技術的基準）
第一四条　法第十七条の十の政令で定める技術的基準は、次のとおりとする。
一　法第十七条の七第四項の施設又は物件（以下この条において「来訪者等利便増進施設」という。）の外観及び配置は、できる限り都市公園の風致及び美観その他都市公園としての機能を害しないものとすること。
二　地上に設ける来訪者等利便増進施設の構造は、倒壊、落下その他の事由による危険を防止する措置を講ずることその他の公園施設（都市公園法第二条第二項に規定する公園施設をいう。以下この条において同じ。）の保全又は公衆の都市公園の利用に支障を及ぼさないものとすること。
三　地下に設ける来訪者等利便増進施設の構造は、堅固で耐久力を有するとともに、公園施設の保全、他の占用物件（都市公園法施行令（昭和三十一年政令第二百九十号）第十三条第一号に規定する占用物件をいう。）の構造又は公衆の都市公園の利用に支障を及ぼさないものとすること。
四　来訪者等利便増進施設のうち、第十二条第一号に掲げる自転車駐車場にあってはその敷地面積が三十平方メートル以内、同条第二号に掲げる観光案内所にあってはその建築面積が五十平方メートル以内、同条第三号に掲げる停留所の上家にあってはその建築面積が二十平方メートル以内であること。
五　来訪者等利便増進施設の占用に関する工事は、次に掲げるところによること。
イ　当該工事によって公衆の都市公園の利用に支障を及ぼさないようできる限り必要な措置を講ずること。
ロ　工事現場には、柵又は覆いを設け、夜間は赤色灯をつけ、その他公衆の都市公園の利用に伴う危険を防止するため必要な措置を講ずること。
ハ　工事の時期は、他の占用に関する工事又は公園施設に関する工事の時期を勘案して適当な時期とし、かつ、公衆の都市公園の利用に著しく支障を及ぼさない時期とすること。

（建築等の届出を要する行為）
第一七条　法第十七条の十八第一項第二号の政令で定める行為は、次に掲げるものとする。
一　工作物（建築物を除く。次条第二号において同じ。）の建設
二　屋外における土石、廃棄物（廃棄物の処理及び清掃に関する法律（昭和四十五年法律第百三十七号）第二条第一項に規定する廃棄物をいう。次条第二号ハにおいて同じ。）、再生資源（資源の有効な利用の促進に関する法律（平成三年法律第四十八号）第二条第四項に規定する再生資源をいう。次条第二号ハにおいて同じ。）その他の物件の堆積
三　前二号に掲げる行為のほか、地域再生拠点（法第五条第四項第八号に規定する地域再生拠点をいう。）の形成を図る上で支障を及ぼすおそれがある行為として国土交通省令で定めるもの

（建築等の届出を要しない軽易な行為その他の行為）
第一八条　法第十七条の十八第二項第一号の政令で定める行為は、次に掲げるものとする。
一　法第十七条の十八第一項第一号に掲げる行為であって、次に掲げるもの
イ　当該地域再生土地利用計画（法第十七条の十七第一項に規定する地域再生土地利用計画をいう。次条第二号において同じ。）に記載された法第十七条の十七第三項第二号の誘導施設を有する建築物で仮設のものの建築の用に供する目的で行う開発行為
ロ　イの誘導施設を有する建築物で仮設のものの新築
ハ　建築物を改築し、又はその用途を変更してイの誘導施設を有する建築物で仮設のものとする行為
二　法第十七条の十八第一項第二号に掲げる行為であって、次に掲げるもの
イ　次に掲げる土地の区画形質の変更
(1)　建築物で仮設のものの建築又は工作物で仮設のものの建設の用に供する目的で行う土地の区画形質の変更
(2)　既存の建築物又は工作物の管理のために必要な土地の区画形質の変更
(3)　農林漁業を営むために行う土地の区画形質の変更
ロ　次に掲げる建築物の建築又は工作物の建設
(1)　建築物で仮設のものの建築又は工作物で仮設のものの建設
(2)　屋外広告物で表示面積が一平方メートル以下であり、かつ、高さが三メートル以下であるものの表示又は掲出のために必要な工作物の建設
(3)　水道管、下水道管その他これらに類する工作物で地下に設けるものの建設
(4)　建築物の存する敷地内の当該建築物に附属する物干場、建築設備、受信用の空中線系（その支持物を含む。）、旗ざおその他これらに類する工作物の建設
(5)　農林漁業を営むために必要な物置、作業小屋その他これらに類する建築物又は工作物の建築又は建設
ハ　屋外における土石、廃棄物、再生資源その他の物件の堆積であって、建築物の存する敷地内で行うもの（国土交通省令で定める高さ以下のものに限る。）
ニ　イからハまでに掲げるもののほか、法令又はこれに基づく処分による義務の履行として行う行為

（建築等の届出を要しない都市計画事業の施行として行う行為に準ずる行為）
第一九条　法第十七条の十八第二項第三号の政令で定める行為は、次に掲げる行為（都市計画法第四条第十五項に規定する都市計画事業の施行として行うものを除く。）とする。
一　都市計画法第四条第六項に規定する都市計画施設を管理することとなる者が当該都市施設（同条第五項に規定する都市施設をいう。）に関する都市計画に適合して行う行為
二　地域再生土地利用計画に記載された公共の用に供する施設を管理することとなる者が当該地域再生土地利用計画に適合して行う行為（前号に掲げるものを除く。）

○国土交通省関係地域再生法施行規則

〔平成二七・八・七
国土交通省令五八〕

改正　平成三〇・六国交令四五、令和元・一二国交令五〇、令和二・一二国交令九八

（法第十七条の十七第四項第二号の国土交通省令で定めるもの）

第一条　地域再生法（以下「法」という。）第十七条の十七第四項第二号の国土交通省令で定めるものは、次に掲げる事項とする。

一　都市計画施設（都市計画法（昭和四十三年法律第百号）第四条第六項に規定する都市計画施設をいう。）以外の施設である道路又は公園、緑地、広場その他の公共空地の配置及び規模

二　建築物（建築基準法（昭和二十五年法律第二百一号）第二条第一号に規定する建築物をいう。以下同じ。）その他の工作物（以下「建築物等」という。）の用途の制限、建築物の延べ面積の敷地面積に対する割合の最高限度、建築物の建築面積の敷地面積に対する割合の最高限度、建築物の敷地面積の最低限度、壁面の位置の制限、壁面の位置の制限として定められた限度の線と敷地境界線との間の土地の区域における工作物の設置の制限、建築物等の高さの最高限度、建築物等の形態又は色彩その他の意匠の制限、建築物の緑化率（都市緑地法（昭和四十八年法律第七十二号）第三十四条第二項に規定する緑化率をいう。次条第二項第四号ロにおいて同じ。）の最低限度又は垣若しくは柵の構造の制限

三　現に存する樹林地、草地等で良好な居住環境を確保するため必要なものの保全に関する事項

（建築等の届出）

第二条　法第十七条の十八第一項の規定による届出は、次の各号に掲げる区分に応じ、それぞれ当該各号に定める様式による届出書を提出して行うものとする。

一　法第十七条の十八第一項第一号に掲げる行為のうち、開発行為（都市計画法第四条第十二項に規定する開発行為をいう。以下同じ。）を行う場合　別記様式第一

二　法第十七条の十八第一項第一号に掲げる行為のうち、地域再生土地利用計画（法第十七条の十七第一項に規定する地域再生土地利用計画をいう。以下同じ。）に記載された法第十七条の十七第三項第二号の誘導施設（以下この条において単に「誘導施設」という。）を有する建築物を新築し、又は建築物を改築し、若しくはその用途を変更して誘導施設を有する建築物とする行為を行う場合　別記様式第二

三　法第十七条の十八第一項第二号に掲げる行為を行う場合　別記様式第三

2　前項の届出書には、次に掲げる図書を添付しなければならない。

一　法第十七条の十八第一項第一号に掲げる行為のうち、開発行為を行う場合にあっては、次に掲げる図面

イ　当該行為を行う土地の区域並びに当該区域内及び当該区域の周辺の公共施設を表示する図面で縮尺千分の一以上のもの

ロ　設計図で縮尺百分の一以上のもの

二　法第十七条の十八第一項第一号に掲げる行為のうち、誘導施設を有する建築物を新築し、又は建築物を改築し、若しくはその用途を変更して誘導施設を有する建築物とする行為を行う場合にあっては、次に掲げる図面

イ　敷地内における建築物の位置を表示する図面で縮尺百分の一以上のもの

ロ　建築物の二面以上の立面図及び各階平面図で縮尺五十分の一以上のもの

三　法第十七条の十八第一項第二号に掲げる行為のうち、土地の区画形質の変更を行う場合にあっては、第一号イ及びロに掲げる図面

四　法第十七条の十八第一項第二号に掲げる行為のうち、建築物の建築、工作物（建築物を除く。以下この条において同じ。）の建設又は建築物若しくは工作物の用途の変更を行う場合にあっては、次に掲げる図面

イ　敷地内における建築物又は工作物の位置を表示する図面で縮尺百分の一以上のもの

ロ　都市緑地法第三十四条第二項に規定する建築物の緑化施設の位置を表示する図面（地域再生土地利用計画において建築物の緑化率の最低限度が定められている場合に限る。）で縮尺百分の一以上のもの

ハ　二面以上の建築物又は工作物の立面図及び各階平面図（建築物である場合に限る。）で縮尺五十分の一以上のもの

五　法第十七条の十八第一項第二号に掲げる行為のうち、屋外における土石、廃棄物（廃棄物の処理及び清掃に関する法律（昭和四十五年法律第百三十七号）第二条第一項に規定する廃棄物をいう。）、再生資源（資源の有効な利用の促進に関する法律（平成三年法律第四十八号）第二条第四項に規定する再生資源をいう。）その他の物件の堆積を行う場合にあっては、当該行為を行う土地の区域並びに当該区域内の堆積を行う物件の位置を表示する図面で縮尺百分の一以上のもの

六　法第十七条の十八第一項第二号に掲げる行為のうち、建築物又は工作物の形態又は意匠の変更を行う場合にあっては、第四号イに掲げる図面及び二面以上の立面図で縮尺五十分の一以上のもの

七　法第十七条の十八第一項第二号に掲げる行為のうち、木竹の伐採を行う場合にあっては、次に掲げる図面

イ　当該行為を行う土地の区域を表示する図面で縮尺千分の一以上のもの

ロ　当該行為の施行方法を明らかにする図面で縮尺百分の一以上のもの

八　その他参考となるべき事項を記載した図書

第三条　法第十七条の十八第一項の国土交通省令で定める事項は、行為の完了予定日とする。

（令第十七条第三号の国土交通省令で定めるもの）

第四条　地域再生法施行令（以下「令」という。）第十七条第三号の国土交通省令で定めるものは、次の各号に掲げる土地の区域内において行う当該各号に定める行為とする。

一　地域再生土地利用計画において用途の制限が定められ、又は用途に応じて建築物等に関する制限が定められている土地の区域　建築物等の用途の変更（用途変更後の建築物等が地域再生土地利用計画において定められた用途の制限又は用途に応じた建築物等に関する制限に適合しないこととなる場合に限り、建築物等で仮設のものに係るもの及び建築物等の用途を変更して農林漁業を営むために必要な物置、作業小屋その他これらに類する建築物等とするものを除く。）

二　地域再生土地利用計画において建築物等の形態又は色彩その他の意匠の制限が定められている土地の区域　建築物等の形態又は色彩その他の意匠の変更（令第十八条第二号ロに掲げる建築物等に係るものを除く。）

三　地域再生土地利用計画において第一条第三号に掲げる事項が定められている土地の区域　木竹の伐採（除伐、間伐、整枝等木竹の保育のために通常行われるもの及び枯損した木竹若しくは危険な木竹、自家の生活の用に充てるために必要な木竹、仮植した木竹又は測量、実地調査若しくは施設の保守の支障となる木竹に係るものを除く。）

（物件の堆積の高さ）

第五条　令第十八条第二号ハの国土交通省令で定める高さは、一・五メートルとする。

（変更の届出）

第六条　法第十七条の十八第三項の国土交通省令で定める事項は、設計又は施行方法のうち、その変更により同条第一項の届出に係る行為が同条第二項各号に掲げる行為に該当することとなるもの以外のものとする。

第七条　法第十七条の十八第三項の規定による届出は、別記様式第四による変更届出書を提出して行うものとする。

2　第二条第二項の規定は、前項の届出について準用する。

（都市計画住宅団地再生建築物等整備事業に関する事項の案の公告）

第八条　法第十七条の三十六第六項の規定による公告は、都市計画住宅団地再生建築物等整備事業（法第十七条の三十六第四項第四号に規定する都市計画住宅団地再生建築物等整備事業をいう。以下この条において同じ。）に係る都市計画に定めるべき事項の種類、当該事項を定める土地の区域及び当該都市計画住宅団地再生建築物等整備事業に関する事項の案の縦覧場所について、認定市町村（法第十七条の七第一項に規定する認定市町村をいう。）の公報への掲載、インターネットの利用その他の適切な方法により行うものとする。

（住宅団地再生道路運送利便増進実施計画の記載事項）

第九条　法第十七条の四十三第二項第六号の国土交通省令で定める事項は、地域住宅団地再生事業計画（法第十七条の三十六第一項に規定する地域住宅団地再生事業計画をいう。第十四条において同じ。）に住宅団地再生道路運送利便増進事業（法第十七条の三十六第四項第十一号に規定する住宅団地再生道路運送利便増進事業をいう。以下同じ。）に関連して実施される事業が定められている場合には、当該事業に関する事項とする。

（住宅団地再生道路運送利便増進実施計画の認定の申請）

第一〇条　法第十七条の四十四第一項の規定により住宅団地再生道路運送利便増進実施計画（法第十七条の四十三第一項に規定する住宅団地再生道路運送利便増進実施計画をいう。以下同じ。）の認定を申請しようとする者は、次に掲げる事項を記載した申請書を国土交通大臣に提出しなければならない。

一　氏名又は名称及び住所並びに法人にあっては、その代表者の氏名

二　法第十七条の四十三第二項各号に掲げる事項

2　前項の場合において、別表第一の上欄に掲げる規定の適用を受けようとするときは、同項各号に掲げる事項のほか、同表の中欄に掲げる事項（同項各号に掲げる事項を除く。）を記載し、かつ、同表の下欄に掲げる書類を添付しなければならない。

3　道路運送法施行規則（昭和二十六年運輸省令第七十五号）第十四条第三項の規定は、第一項の認定の申請について準用する。

（住宅団地再生道路運送利便増進実施計画の変更の認定の申請）

第一一条　法第十七条の四十四第六項の規定により認定住宅団地再生道路運送利便増進実施計画（法第十七条の四十四第八項に規定する認定住宅団地再生道路運送利便増進実施計画をいう。）の変更の認定を受けようとする者は、次に掲げる事項を記載した申請書を国土交通大臣に提出しなければならない。

一　氏名又は名称及び住所並びに法人にあっては、その代表者の氏名

二　変更しようとする事項（新旧の対照を明示すること。）

三　変更の理由

2　前項の申請書には、当該認定住宅団地再生道路運送利便増進実施計画に係る住宅団地再生道路運送利便増進事業の実施状況を記載した書類を添付しなければならない。

3　第一項の場合において、別表第一の上欄に掲げる規定の適用を受けようとするときは、同項各号に掲げる事項のほか、同表の中欄に掲げる事項（同項各号に掲げる事項を除く。）を記載し、かつ、前項に規定する書類のほか、同表の下欄に掲げる書類を添付しなければならない。

（道路管理者に対する意見聴取の方法）

第一二条　法第十七条の四十四第四項の国土交通省令で定める道路管理者に対する意見聴取の方法については、道路管理者の意見聴取に関する省令（昭和二十六年運輸省・建設省令第一号）第一条（第三項を除く。）、第二条（第三項を除く。）、第三条、第六条及び第七条の規定を準用する。この場合において、同令第一条第一項中「路線を定める旅客自動車運送事業につき道路運送法施行規則（昭和二十六年運輸省令第七十五号。以下「規則」という。）第四条に基づく許可申請書又は第十四条に基づく認可申請書（路線の新設に係る事業計画の変更又は」とあるのは「住宅団地再生道路運送利便増進事業につき国土交通省関係地域再生法施行規則（以下「規則」という。）第十条第一項又は第十一条第一項に基づく申請書（規則第十条第二項又は第十一条第三項の規定に基づく事項の記載及び書類の添付がなされたものであり、かつ、その内容が事業の許可又は路線の新設に係る事業計画の変更若しくは」と、「国土交通大臣又は地方運輸局長」とあるのは「地方運輸局長」と、「許可申請書又は認可申請書」とあるのは「当該申請書」と、同令第三条第一項中「第一条第一項又は第三項」とあるのは「第一条第一項」と、「許可申請書又は認可申請書（以下「許可申請書等」という。）」とあるのは「申請書」と、「当該許可申請書等」とあるのは「当該申請書」と、「地方運輸局長（第一条第三項に規定する認可申請書を提出する場合にあつては、運輸監理部長又は運輸支局長）」とあるのは「地方運輸局長」と、同令第六条中「国土交通大臣又は地方運輸局長」とあるのは「地方運輸局長」と読み替えるものとする。

（道路管理者の意見を聴く必要がない場合）

第一三条　法第十七条の四十四第四項ただし書の国土交通省令で定める道路管理者の意見を聴く必要がない場合については、道路管理者の意見聴取に関する省令第五条の規定を準用する。この場合において、同条各号列記以外の部分中「道路運送法（昭和二十六年法律第百八十三号。以下「法」という。）第九十一条」とあるのは「地域再生法（平成十七年法律第二十四号。以下「法」という。）第十七条の四十四第四項」と、同条第一号中「法第四条第一項又は第十五条第一項の規定による処分により」とあるのは「法第十七条の四十五の規定により道路運送法（昭和二十六年法律第百八十三号）第四条第一項、第十五条第一項（同法第四十三条第五項において準用する場合を含む。）又は第四十三条第一項の規定による処分を受けたものとみなされ、これによつて」と、「に係る」とあるのは「を受けたものとみなされる」と、同条第二号中「法第四条第一項又は第十五条第一項の規定による処分に係る」とあるのは「法第十七条の四十五の規定により道路運送法第四条第一項、第十五条第一項（同法第四十三条第五項において準用する場合を含む。）又は第四十三条第一項の規定による処分を受けたものとみなされる」と、「当該処分」とあるのは「当該処分を受けたものとみなされること」と、同条第三号中「法第十五条第一項の規定による処分に係る」とあるのは「法第十七条の四十五の規定により道路運送法第十五条第一項（同法第四十三条第五項において準用する場合を含む。）の規定による処分を受けたものとみなされる」と、「当該処分」とあるのは「当該処分を受けたものとみなされること」と読み替えるものとする。

（住宅団地再生貨物運送共同化実施計画の記載事項）

第一四条　法第十七条の四十六第二項第七号の国土交通省令で定める事項は、地域住宅団地再生事業計画に住宅団地再生貨物運送共同化事業（法第十七条の三十六第四項第十二号に規定する住宅団地再生貨物運送共同化事業をいう。以下同じ。）に関連して実施される事業が定められている場合には、当該事業に関する事項とする。

（住宅団地再生貨物運送共同化実施計画の認定の申請）

第一五条　法第十七条の四十七第一項の規定により住宅団地再生貨物運送共同化実施計画（法第十七条の四十六第一項に規定する住宅団地再生貨物運送共同化実施計画をいう。以下同じ。）の認定を申請しようとする者は、次に掲げる事項を記載した申請書を国土交通大臣に提出しなければならない。

一　氏名又は名称及び住所並びに法人にあっては、その代表者の氏名

二　法第十七条の四十六第二項各号に掲げる事項

2　前項の場合において、別表第二の上欄に掲げる規定の適用を受けようとするときは、同項各号に掲げる事項のほか、同表の中欄に掲げる事項（同項各号に掲げる事項を除く。）を記載し、かつ、同表の下欄に掲げる書類を添付しなければならない。

（住宅団地再生貨物運送共同化実施計画の変更の認定の申請）

第一六条　法第十七条の四十七第六項の規定により住宅団地再生貨物運送共同化実施計画の変更の認定を受けようとする者は、次に掲げる事項を記載した申請書を国土交通大臣に提出しなければならない。

一　氏名又は名称及び住所並びに法人にあっては、その代表者の氏名

二　変更しようとする事項（新旧の対照を明示すること。）

三　変更の理由

2　前項の申請書には、当該住宅団地再生貨物運送共同化実施計画に係る住宅団地再生貨物運送共同化事業の実施状況を記載した書類を添付しなければならない。

3　第一項の場合において、別表第二の上欄に掲げる規定の適用を受けようとするときは、同項各号に掲げる事項のほか、同表の中欄に掲げる事項（同項各号に掲げる事項を除く。）を記載し、かつ、前項に規定する書類のほか、同表の下欄に掲げる書類を添付しなければならない。

（権限の委任）

第一七条　法第十七条の四十四及び第十七条の四十七に規定する国土交通大臣の権限は、地方運輸局長（同条に規定する権限については、運輸監理部長を含む。次条第一項において同じ。）に委任する。

2　法第十七条の五十一に規定する国土交通大臣の権限は、地方運輸局長（運輸監理部長を含む。）も行うことができる。

（書類の提出）

第一八条　この省令の規定により地方運輸局長に提出すべき申請書は、当該事業の関する土地を管轄する地方運輸局長（当該事業が二以上の地方運輸局長の管轄区域（当該事業が住宅団地再生貨物運送共同化事業に係るものである場合の近畿運輸局長の管轄区域にあっては、神戸運輸監理部長の管轄区域を除く。）にわたるときは、当該事業の主として関する土地を管轄する地方運輸局長。以下「所轄地方運輸局長」という。）に提出しなければならない。

２　この省令の規定により地方運輸局長に提出すべき申請書であって住宅団地再生道路運送利便増進事業に係るものは、当該事案の関する土地を管轄する運輸監理部長又は運輸支局長（当該事案が運輸監理部長と運輸支局長又は二以上の運輸支局長の管轄区域にわたるときは、当該事案の主として関する土地を管轄する運輸監理部長又は運輸支局長）を経由して提出しなければならない。

３　この省令の規定により地方運輸局長に提出すべき申請書であって住宅団地再生貨物運送共同化事業に係るものは、当該事案の関する土地を管轄する運輸支局長（当該事案が二以上の運輸支局長の管轄区域にわたるときは、当該事案の主として関する土地を管轄する運輸支局長）を経由して提出することができる。

附　則

この省令は、地域再生法の一部を改正する法律（平成二十七年法律第四十九号）の施行の日（平成二十七年八月十日）から施行する。

附　則〔略〕〔平成三〇・六・一国土交通省令四五施行〕

附　則〔略〕〔令和元・一二・二七国土交通省令五〇〕

附　則〔略〕〔令和二・一二・二三国土交通省令九八〕

別表第一（第十条及び第十一条関係）

規定		事項	書類
法第十七条の四十五	道路運送法第四条第一項の許可に係る部分	道路運送法第五条第一項各号に掲げる事項	道路運送法施行規則第六条第一項各号に掲げる書類
	道路運送法第十五条第一項の認可に係る部分	道路運送法施行規則第十四条第一項各号に掲げる事項	道路運送法施行規則第十四条第二項に規定する書類
	道路運送法第十五条第三項の届出に係る部分	道路運送法施行規則第十五条第二項において準用する同令第十四条第一項各号に掲げる事項	道路運送法施行規則第十五条第二項において準用する同令第十四条第二項に規定する書類
	道路運送法第十五条第四項の届出に係る部分	道路運送法施行規則第十五条の二第二項において準用する同令第十四条第一項各号に掲げる事項	道路運送法施行規則第十五条の二第二項において準用する同令第十四条第二項に規定する書類
	道路運送法第四十三条第一項の許可に係る部分	道路運送法第四十三条第二項各号に掲げる事項	道路運送法施行規則第二十八条各号に掲げる書類
	道路運送法第四十三条第五項において準用する同法第十五条第一項の認可に係る部分	道路運送法施行規則第二十七条第四項において準用する同令第十四条第一項第一号及び第三号に掲げる事項	道路運送法施行規則第二十七条第四項において準用する同令第十四条第二項に規定する書類
	道路運送法第四十三条第五項において準用する同法第十五条第三項又は第四項の届出に係る部分	道路運送法施行規則第二十七条第四項において準用する同令第十四条第一項第一号及び第三号に掲げる事項	道路運送法施行規則第二十七条第四項において準用する同令第十四条第二項に規定する書類

別表第二（第十五条及び第十六条関係）

規定		事項	書類
法第十七条の四十八第一項関係	貨物利用運送事業法（平成元年法律第八十二号）第三条第一項の登録に係る部分	貨物利用運送事業法第四条第一項各号に掲げる事項	貨物利用運送事業法施行規則（平成二年運輸省令第二十号）第四条第二項各号に掲げる書類
	貨物利用運送事業法第七条第一項の変更登録に係る部分	貨物利用運送事業法施行規則第九条第一項各号に掲げる事項	貨物利用運送事業法施行規則第九条第二項に規定する書類
	貨物利用運送事業法第七条第三項の届出に係る部分	貨物利用運送事業法施行規則第十条第一項各号に掲げる事項	貨物利用運送事業法施行規則第十条第二項に規定する書類
法第十七条の四十八第二項関係	貨物利用運送事業法第十一条の届出に係る部分	貨物利用運送事業法施行規則第十四条第二項各号に掲げる事項	貨物利用運送事業法施行規則第十四条第三項に規定する書類
法第十七条の四十九第一項関係	貨物利用運送事業法第二十条の許可に係る部分	貨物利用運送事業法第二十一条第一項各号に掲げる事項	貨物利用運送事業法施行規則第十九条第一項各号に掲げる書類
	貨物利用運送事業法第二十五条第一項の認可に係る部分	貨物利用運送事業法施行規則第二十条第一項各号に掲げる事項	貨物利用運送事業法施行規則第二十条第二項に規定する書類
	貨物利用運送事業法第二十五条第三項の届出に係る部分	貨物利用運送事業法施行規則第二十一条第二項各号又は第二十二条第二項各号に掲げる事項	貨物利用運送事業法施行規則第二十一条第三項又は第二十二条第三項に規定する書類
	貨物利用運送事業法第四十五条第一項の許可に係る部分	貨物利用運送事業法施行規則第三十九条第一項各号に掲げる事項	貨物利用運送事業法施行規則第三十九条第二項各号に掲げる書類
	貨物利用運送事業法第四十六条第二項の認可に係る部分	貨物利用運送事業法施行規則第四十条第一項各号に掲げる事項	貨物利用運送事業法施行規則第四十条第二項に規定する書類
	貨物利用運送事業法第四十六条第四項の届出に係る部分	貨物利用運送事業法施行規則第四十一条第二項各号又は第四十二条第二項各号に掲げる事項	貨物利用運送事業法施行規則第四十一条第三項又は第四十二条第三項に規定する書類
法第十七条の四十九第二項関係	貨物利用運送事業法第三十四条第一項において準用する同法第十一条の届出に係る部分	貨物利用運送事業法施行規則第十四条第二項各号に掲げる事項	貨物利用運送事業法施行規則第十四条第三項に規定する書類
法第十七条の五十関係	貨物自動車運送事業法（平成元年法律第八十三号）第三条の許可に係る部分	貨物自動車運送事業法第四条第一項各号及び第二項第二号に掲げる事項	貨物自動車運送事業法施行規則（平成二年運輸省令第二十一号）第三条各号（第四号を除く。）に掲げる書類
	貨物自動車運送事業法第九条第一項の認可に係る部分	貨物自動車運送事業法施行規則第五条第一項各号に掲げる事項	貨物自動車運送事業法施行規則第五条第二項に規定する書類
	貨物自動車運送事業法第九条第三項の届出に係る部分	貨物自動車運送事業法施行規則第六条第二項各号又は第七条第二項各号に掲げる事項	貨物自動車運送事業法施行規則第六条第三項又は第七条第三項に規定する書類

様式〔略〕

○農林水産省・国土交通省関係地域再生法施行規則〔平成二七・八・七 農林水産省・国土交通省令四〕

改正 平成二八・三農・国交令三、四農・国交令五、平成三〇・六農・国交令一

（地域再生協議会の構成員として加える者）

第一条 地域再生法（以下「法」という。）第十七条の十七第二項の農林水産省令・国土交通省令で定める者は、農業委員会等に関する法律（昭和二十六年法律第八十八号）第四十三条第一項に規定する都道府県機構（整備誘導施設（法第十七条の十七第五項に規定する整備誘導施設をいう。以下同じ。）の用に供する土地のうち、当該整備誘導施設の用に供することを目的として、農地（法第十七条の十七第五項に規定する農地をいう。以下同じ。）である当該土地を農地以外のものにし、又は農地である当該土地を農地以外のものにするため当該土地について所有権若しくは使用及び収益を目的とする権利を取得するに当たり、農地法（昭和二十七年法律第二百二十九号）第四条第一項又は第五条第一項の許可を受けなければならないものの面積が三十アールを超える場合に限り、農業委員会等に関する法律第四十二条第一項の規定による都道府県知事の指定がされていない場合を除く。）のほか、次に掲げる者とする。

一 地域再生拠点区域（法第十七条の十七第三項第二号に規定する地域再生拠点区域をいう。以下同じ。）の全部又は一部が農用地区域（農業振興地域の整備に関する法律（昭和四十四年法律第五十八号）第八条第二項第一号に規定する農用地区域をいう。以下同じ。）内にある場合にあっては、当該地域再生拠点区域を含む農業振興地域（同法第六条第一項の規定により指定された地域をいう。）の区域の全部又は一部をその地区の全部又は一部とする農業協同組合及び土地改良区（土地改良区連合を含む。次号において同じ。）

二 地域再生拠点区域の全部又は一部が土地改良区の地区内にある場合（前号に規定する場合を除く。）にあっては、当該土地改良区

三 地縁による団体（地方自治法（昭和二十二年法律第六十七号）第二百六十条の二第一項に規定する地縁による団体であって、同条第二項各号に掲げる要件に該当するものをいう。以下この号において同じ。）の区域の全部又は一部が法第五条第四項第八号に規定する集落生活圏の区域内にある場合にあっては、当該地縁による団体の代表者又はこれに準ずる者

四 地域再生土地利用計画（法第十七条の十七第一項に規定する地域再生土地利用計画をいう。以下同じ。）に公共の用に供する施設に関する事項が記載される場合にあっては、当該公共の用に供する施設を管理することとなる者

（地域再生土地利用計画の記載事項等）

第二条 法第十七条の十七第四項第一号ニの農林水産省令・国土交通省令で定める事項は、次に掲げる事項とする。

一 地域再生土地利用計画に法第十七条の十七第五項に規定する事項を記載する場合には、次に掲げる事項

イ 整備誘導施設の用に供するため、農地を農地以外のものにする場合には、次に掲げる事項

(1) 整備誘導施設の用に供する土地の地番、地目（登記簿の地目と現況による地目とが異なるときは、登記簿の地目及び現況による地目）、利用状況及び普通収穫高

(2) 転用の時期

(3) 転用することによって生ずる付近の農地、作物等の被害の防除施設の概要

(4) その他参考となるべき事項

ロ 整備誘導施設の用に供するため、農地又は採草放牧地（法第十七条の十七第五項に規定する採草放牧地をいう。以下このロにおいて同じ。）を農地又は採草放牧地以外のものにするためこれらの土地について所有権又は使用及び収益を目的とする権利を取得する場合には、次に掲げる事項

(1) イ(1)及び(2)に掲げる事項

(2) 権利の設定又は移転の当事者の氏名及び住所（法人にあっては、その名称及び主たる事務所の所在地並びに代表者の氏名）

(3) 整備誘導施設の用に供する土地に所有権以外の使用及び収益を目的とする権利が設定されている場合には、当該権利の種類及び内容並びにその設定を受けている者の氏名又は名称

(4) 権利を設定し、又は移転しようとする契約の内容

(5) 転用することによって生ずる付近の農地又は採草放牧地、作物等の被害の防除施設の概要

(6) その他参考となるべき事項

ハ 整備誘導施設の用に供する土地が農用地区域内の土地である場合には、農林水産省関係地域再生法施行規則（平成二十六年農林水産省令第七十号）第二条各号に掲げる要件に該当する旨及びその理由

二 地域再生土地利用計画に法第十七条の十七第七項に規定する事項を記載する場合には、次に掲げる事項

イ 開発行為（都市計画法（昭和四十三年法律第百号）第四条第十二項に規定する開発行為をいう。以下同じ。）又は建築行為等（法第十七条の十七第七項に規定する建築行為等をいう。以下同じ。）の着手予定日及び完了予定日に関する事項

ロ 開発行為又は建築行為等の目的又は種別に関する事項

2 法第十七条の七第一項に規定する認定市町村は、次の各号に掲げる規定により都道府県知事の同意を得ようとする場合には、地域再生土地利用計画に当該各号に定める書類を添付してするものとする。

一 法第十七条の十七第五項 次に掲げる書類

イ 整備誘導施設の用に供する土地の位置を示す地図及び当該土地の登記事項証明書

ロ 整備誘導施設及び当該整備誘導施設を利用するために必要な道路、用排水施設その他の施設の位置を明らかにした図面

ハ 整備誘導施設の用に供する土地を転用する行為の妨げとなる権利を有する者がある場合には、その同意があったことを証する書面

ニ 整備誘導施設の用に供する土地が農用地区域内の土地であるときには、そのことを明らかにする図面

ホ その他参考となるべき書類

二 法第十七条の十七第七項 次に掲げる書類

イ 開発行為を行う場合には、次に掲げる書類

(1) 開発行為をする土地の区域（以下「開発区域」という。）内の土地利用計画の概要及び当該開発行為又は当該開発行為に関する工事により設置される公共施設の整備に関する事項を記載した書面

(2) 開発区域の位置を表示した地形図

(3) 地形、開発区域の境界並びに開発区域内及び開発区域の周辺の公共施設を表示した現況図

(4) 開発区域の境界、公共施設の位置及びおおむねの形状並びに開発区域内において予定される整備誘導施設の用途の配分を表示した土地利用計画概要図

(5) その他参考となるべき書類

ロ 建築行為等を行う場合には、次に掲げる書類

(1) 方位、建築行為等に係る整備誘導施設の敷地の位置及び当該敷地の周辺の公共施設を表示した付近見取図

(2) 建築行為等に係る整備誘導施設の敷地の境界及び当該整備誘導施設の位置を表示した敷地現況図

(3) その他参考となるべき書類

附則

この省令は、地域再生法の一部を改正する法律（平成二十七年法律第四十九号）の施行の日〔平成二七・八・一〇〕から施行する。

附則〔略〕〔平成二八・三・二三農林水産・国土交通省令三〕

附則〔略〕〔平成二八・四・二〇農林水産・国土交通省令五〕

附則〔略〕〔平成三〇・六・一農林水産・国土交通省令一施行〕

○民間都市開発の推進に関する特別措置法（昭和六二・六・二 法律六二）

改正 昭和六二・九法八七、昭和六三・四法二二、平成元・六法四〇、平成四・四法三一、平成五・五法三四、六法六三、一一法八九、平成六・三法七、平成七・二法一三、平成九・五法五〇、平成一一・三法二五、六法七三、法七六、七法一一七、一二法一六〇、平成一二・五法七三、平成一四・二法一、三法一一、六法六五、七法八五、平成一五・六法一〇〇、平成一七・四法三四、七法八七、一〇法一〇二、平成一八・五法四六、六法五〇、平成一九・六法八五、平成二一・六法四五、平成二三・八法一〇五、平成二五・三法五、令和六・五法四〇

目次

第一章　総則（第一条・第二条）
第二章　民間都市開発推進機構（第三条―第十四条）
第三章　事業用地適正化計画の認定（第十四条の二―第十四条の十三）
第四章　雑則（第十五条―第十九条）
第五章　罰則（第二十条―第二十二条）
附則

第一章　総則

（目的）

第一条　この法律は、民間事業者によつて行われる都市開発事業を推進するための特別の措置を定めることにより、良好な市街地の形成と都市機能の維持及び増進を図り、もつて地域社会の健全な発展に寄与することを目的とする。

（定義）

第二条　この法律において「公共施設」とは、道路、公園、広場その他政令で定める公共の用に供する施設をいう。

2　この法律において「民間都市開発事業」とは、民間事業者によつて行われる次に掲げる事業をいう。

一　都市における土地の合理的かつ健全な利用及び都市機能の増進に寄与する建築物及びその敷地の整備に関する事業（これに附帯する事業を含む。）のうち公共施設の整備を伴うものであつて、政令で定める要件に該当するもの

二　都市計画法（昭和四十三年法律第百号）第四条第六項の都市計画施設のうち政令で定めるものの整備に関する事業であつて、同法第五十九条第四項の認可を受けたもの

第二章　民間都市開発推進機構

（民間都市開発推進機構の指定）

第三条　国土交通大臣は、民間都市開発事業の推進を目的とする一般財団法人であつて、次条第一項各号に掲げる業務を適正かつ確実に行うことができると認められるものを、その申出により、民間都市開発推進機構（以下「機構」という。）として指定することができる。

2　国土交通大臣は、前項の指定をしたときは、当該機構の名称、住所及び事務所の所在地を官報で公示しなければならない。

3　機構は、その名称、住所又は事務所の所在地を変更しようとするときは、あらかじめ、その旨を国土交通大臣に届け出なければならない。

4　国土交通大臣は、前項の届出があつたときは、その旨を官報で公示しなければならない。

（機構の業務）

第四条　機構は、次に掲げる業務を行うものとする。

一　特定民間都市開発事業（第二条第二項第一号に掲げる民間都市開発事業のうち地域社会における都市の健全な発展を図る上でその事業を推進することが特に有効な地域として政令で定める地域において施行されるもの及び同項第二号に掲げる民間都市開発事業をいう。以下この条において同じ。）について、当該事業の施行に要する費用の一部（同項第一号に掲げる民間都市開発事業にあつては、公共施設並びにこれに準ずる避難施設、駐車場その他の建築物の利用者及び都市の居住者等の利便の増進に寄与する施設（以下この条において「公共施設等」という。）の整備に要する費用の額の範囲内に限る。）を負担して、当該事業に参加すること。

二　特定民間都市開発事業を施行する者に対し、当該事業の施行に要する費用（第二条第二項第一号に掲げる民間都市開発事業にあつては、公共施設等の整備に要する費用）に充てるための長期かつ低利の資金の融通を行うこと。

三　民間都市開発事業の基礎的調査の実施に対する助成を行うこと。

四　民間都市開発事業を施行する者に対し、必要な資金のあつせんを行うこと。

五　民間都市開発事業の推進に関する調査研究を行うこと。

六　前各号に掲げる業務に附帯する業務を行うこと。

2　機構は、前項第二号に掲げる業務については、株式会社日本政策投資銀行及び沖縄振興開発金融公庫（以下「株式会社日本政策投資銀行等」という。）とそれぞれ次に掲げる事項をその内容に含む協定を締結し、これに従いその業務を行うものとする。

一　機構は、株式会社日本政策投資銀行等に対し、前項第二号の融通に必要な資金を寄託すること。

二　株式会社日本政策投資銀行等は、機構が推薦した特定民間都市開発事業を施行する者に対し、前項第二号に規定する費用に充てるための資金の貸付けを行うこと。

三　利息その他の第一号の寄託の条件に関する事項及び前号の貸付けの条件の基準に関する事項

四　その他国土交通省令で定める事項

3　機構は、前項の協定を締結しようとするときは、あらかじめ、国土交通大臣の認可を受けなければならない。これを変更しようとするときも、同様とする。

（資金の貸付け）

第五条　政府は、機構に対し、都市開発資金の貸付けに関する法律（昭和四十一年法律第二十号）第一条第十項の規定によるもののほか、前条第一項第一号及び第二号に掲げる業務に要する資金のうち、政令で定める道路又は港湾施設の整備に関する費用に充てるべきものの一部を無利子で貸し付けることができる。

2　前項の規定による貸付金の償還方法は、政令で定める。

（事業計画等）

第六条　機構は、毎事業年度開始前に（第三条第一項の指定を受けた日の属する事業年度にあつては、その指定を受けた後速やかに）、国土交通省令で定めるところにより、事業計画及び収支予算を作成し、国土交通大臣の認可を受けなければならない。これを変更しようとするときも、同様とする。

2　機構は、毎事業年度経過後三月以内に、事業報告書、貸借対照表、収支決算書及び財産目録を作成し、国土交通大臣に提出しなければならない。

（区分経理）

第七条　機構は、第四条第一項第二号に掲げる業務に係る経理とその他の業務に係る経理とを区分して整理しなければならない。

（借入金及び債券）

第八条　機構は、弁済期限が一年を超える資金を借り入れようとするときは、国土交通大臣の認可を受けなければならない。

2　機構は、基本財産の額又は純資産額のいずれか少ない額の十倍に相当する金額を限度として、債券を発行することができる。ただし、その発行した債券の借換えのためには、一時その限度を超えて債券を発行することができる。

3　機構は、前項の規定により債券を発行しようとするときは、国土交通大臣の認可を受けなければならない。

4　機構は、第二項の規定による債券を発行する場合においては、割引の方法によることができる。

5　第二項の規定による債券の債権者は、機構の財産について他の債権者に先だつて自己の債権の弁済を受ける権利を有する。

6　前項の先取特権の順位は、民法（明治二十九年法律第八十九号）の規定

による一般の先取特権に次ぐものとする。

7　機構は、国土交通大臣の認可を受けて、第二項の規定による債券の発行に関する事務の全部又は一部を銀行又は信託会社に委託することができる。

8　会社法（平成十七年法律第八十六号）第七百五条第一項及び第二項並びに第七百九条の規定は、前項の規定により委託を受けた銀行又は信託会社について準用する。

9　第二項から前項までに定めるもののほか、第二項の規定による債券に関し必要な事項は、政令で定める。

（債務保証）

第九条　政府は、法人に対する政府の財政援助の制限に関する法律（昭和二十一年法律第二十四号）第三条の規定にかかわらず、国会の議決を経た金額の範囲内において、第四条第一項第二号に掲げる業務に要する資金の財源（公共施設の整備に要する費用に充てるものに限る。）に充てるための前条第二項の規定による債券に係る債務（国際復興開発銀行等からの外資の受入に関する特別措置に関する法律（昭和二十八年法律第五十一号）第二条第一項の規定に基づき政府が保証契約をすることができる債務を除く。）について、保証契約をすることができる。

（余裕金の運用）

第一〇条　機構は、次の方法によるほか、第四条第一項第二号に掲げる業務に係る業務上の余裕金を運用してはならない。

一　国債その他国土交通大臣の指定する有価証券の取得

二　銀行への預金

三　その他国土交通省令で定める方法

（報告及び検査）

第一一条　国土交通大臣は、第四条第一項各号に掲げる業務の適正な運営を確保するため必要があると認めるときは、機構に対し、当該業務若しくは資産の状況に関し報告をさせ、又はその職員に、機構の事務所に立ち入り、業務の状況若しくは帳簿、書類その他の物件を検査させることができる。

2　前項の規定により立入検査をする職員は、その身分を示す証明書を携帯し、関係人の請求があつたときは、これを提示しなければならない。

3　第一項の規定による立入検査の権限は、犯罪捜査のために認められたものと解釈してはならない。

（改善命令）

第一二条　国土交通大臣は、第四条第一項各号に掲げる業務の運営に関し改善が必要であると認めるときは、機構に対し、その改善に必要な措置を採るべきことを命じることができる。

（指定の取消し）

第一三条　国土交通大臣は、機構が次の各号の一に該当するときは、第三条第一項の指定を取り消すことができる。

一　第四条第一項各号に掲げる業務を適正かつ確実に行うことができないと認められるとき。

二　この法律又はこの法律に基づく命令に違反したとき。

三　前条の規定による国土交通大臣の処分に違反したとき。

2　国土交通大臣は、前項の規定により第三条第一項の指定を取り消したときは、その旨を官報で公示しなければならない。

（指定を取り消した場合における経過措置）

第一四条　前条第一項の規定により第三条第一項の指定を取り消した場合における第四条第一項第一号及び第二号に掲げる業務に関する所要の経過措置（罰則に関する経過措置を含む。）は、合理的に必要と判断される範囲内において、政令で定めることができる。

第三章　事業用地適正化計画の認定

（事業用地適正化計画の認定）

第一四条の二　民間都市開発事業を施行しようとする者は、従前から所有権又は借地権を有する土地にこれに隣接する土地を合わせて適正な形状、面積等を備えた一団の土地とし、当該一団の土地を民間都市開発事業の用に供しようとするときは、国土交通省令で定めるところにより、隣接する土地の所有権の取得又は借地権の取得若しくは設定（以下この章並びに附則第十七条第一項及び第三項において「所有権の取得等」という。）をし、民間都市開発事業の用に供する一団の土地としてその形状、面積等を適正化する計画（以下「事業用地適正化計画」という。）を作成し、国土交通大臣の認定を申請することができる。

2　建築物の敷地を整備し、当該敷地を民間都市開発事業を施行しようとする者に譲渡し、又は賃貸する事業を施行しようとする者は、従前から所有権又は借地権を有する土地（建築物の敷地を整備しようとする土地の区域内に当該民間都市開発事業を施行しようとする者が所有権又は借地権を有する土地がある場合にあつては、当該土地を含む。）にこれに隣接する土地を合わせて適正な形状、面積等を備えた一団の土地とし、当該一団の土地を建築物の敷地として整備し民間都市開発事業の用に供させようとするときは、当該民間都市開発事業を施行しようとする者と共同して、国土交通省令で定めるところにより、事業用地適正化計画を作成し、国土交通大臣の認定を申請することができる。

3　前二項の認定（以下「計画の認定」という。）を申請しようとする者は、事業用地適正化計画について、民間都市開発事業の用に供しようとする一団の土地（以下この章において「事業用地」という。）について所有権若しくはその他の使用及び収益を目的とする権利を有する者又は事業用地の区域内の建築物について権利を有する者の同意を得なければならない。ただし、その権利をもつて計画の認定を申請しようとする者に対抗することができない者については、この限りでない。

4　前項の場合において、事業用地について所有権若しくはその他の使用及び収益を目的とする権利を有する者又は事業用地の区域内の建築物について権利を有する者のうち、事業用地について所有権又は借地権を有する者及び権原に基づいて存する建築物について所有権又は借家権を有する者以外の者を確知することができないときは、確知することができない理由を記載した書面を添えて、計画の認定を申請することができる。

5　事業用地適正化計画には、次に掲げる事項を記載しなければならない。

一　事業用地の位置及び面積

二　申請者が従前から所有権又は借地権を有する事業用地の区域内の土地の所在、地番、地目及び面積並びに当該土地について申請者の有する権利の種類及び内容

三　申請者が所有権の取得等をしようとする前号の土地に隣接する土地（以下「隣接土地」という。）の所在、地番、地目及び面積、取得又は設定をしようとする権利の種類及び内容並びに隣接土地の所有権又は借地権を有する者の氏名又は名称及び住所

四　隣接土地の所有権の取得等の方法（申請者が所有権若しくは借地権を有する土地又は所有権を有する建築物との交換により取得する場合にあつては、当該土地又は建築物の所在及び地番を含む。）及び予定時期

五　事業用地において施行される民間都市開発事業の概要及び施行の予定時期

六　隣接土地の所有権の取得等及び民間都市開発事業の施行に関する資金計画

七　その他国土交通省令で定める事項

6　第二項の事業用地適正化計画には、前項各号に掲げるもののほか、建築物の敷地を整備し、当該敷地の譲渡又は賃貸をする事業を施行する者及び民間都市開発事業を施行する者の氏名又は名称を記載しなければならない。

（事業用地適正化計画の認定基準）

第一四条の三　国土交通大臣は、計画の認定の申請があつた場合において、当該申請に係る事業用地適正化計画が次に掲げる基準に適合すると認めるときは、計画の認定をすることができる。

一　事業用地が次に掲げる要件に該当すること。

イ　住宅の用、事業の用に供する施設の用その他の用途に供されておらず、又はその土地の利用の程度がその周辺の地域における同一の用途若しくはこれに類する用途に供されている土地の利用の程度に比し著しく劣つていると認められること。

ロ　次のいずれかに該当する土地の区域内にあり、かつ、都市計画法第七条第一項に規定する市街化区域の区域（同項に規定する区域区分に関する都市計画が定められていない都市計画区域にあつては、同法第八条第一項第一号に規定する用途地域が定められている土地の区域）内にあること。

(1)　首都圏整備法（昭和三十一年法律第八十三号）第二条第三項に規定する既成市街地、同条第四項に規定する近郊整備地帯又は同条第五項に規定する都市開発区域

(2) 近畿圏整備法（昭和三十八年法律第百二十九号）第二条第三項に規定する既成都市区域、同条第四項に規定する近郊整備区域又は同条第五項に規定する都市開発区域

(3) 中部圏開発整備法（昭和四十一年法律第百二号）第二条第三項に規定する都市整備区域又は同条第四項に規定する都市開発区域

(4) 道府県庁所在の市その他政令で定める都市の区域

ハ 面積が政令で定める規模以上であること。

ニ イからハまでに掲げるもののほか、民間都市開発事業の用に供されることが適当であるものとして国土交通省令で定める基準に該当するものであること。

二 申請者が従前から所有権又は借地権を有する土地が、その形状、面積等からみて申請に係る民間都市開発事業の用に供することが困難又は不適当であること。

三 取得又は設定をしようとする隣接土地の権利の内容並びに隣接土地の所有権の取得等の方法及び予定時期が適切なものであること。

四 民間都市開発事業の内容が土地の合理的かつ健全な利用及び都市機能の増進に寄与するものであり、かつ、その施行の予定時期が適切なものであること。

五 隣接土地の所有権の取得等及び民間都市開発事業の施行に必要な経済的基礎並びにこれらを的確に遂行するために必要なその他の能力が十分であること。

（事業用地適正化計画の認定通知）

第一四条の四 国土交通大臣は、計画の認定をしたときは、速やかに、その旨を機構に通知しなければならない。

（事業用地適正化計画の変更）

第一四条の五 計画の認定を受けた事業者（以下「認定事業者」という。）は、当該計画の認定を受けた事業用地適正化計画（以下「認定計画」という。）の変更（国土交通省令で定める軽微な変更を除く。）をしようとするときは、国土交通大臣の認定を受けなければならない。

2 前三条の規定は、前項の場合について準用する。

（報告の徴収）

第一四条の六 国土交通大臣は、認定事業者に対し、認定計画（前条第一項の変更の認定があつたときは、その変更後のもの。以下同じ。）に係る隣接土地の所有権の取得等及び民間都市開発事業の施行の状況について報告を求めることができる。

（地位の承継）

第一四条の七 認定事業者の一般承継人又は認定計画に係る事業用地の区域内に認定事業者が有していた土地の全部につき所有権の取得等をした者は、国土交通大臣の承認を受けて、当該認定事業者が有していた計画の認定に基づく地位を承継することができる。

（機構による支援措置）

第一四条の八 国土交通大臣は、認定計画に係る隣接土地の所有権の取得等を促進するため必要があると認めるときは、機構に対して、認定事業者（第十四条の二第二項の認定にあつては、建築物の敷地を整備し、当該敷地の譲渡又は賃貸をする事業を施行する者に限る。第十四条の十、第十四条の十一第一項及び附則第十七条第三項において同じ。）又は隣接土地の所有権若しくは借地権を有する者に対し必要な資金のあつせんを行うべきことを指示することができる。

2 機構が前項の規定により国土交通大臣の指示を受けて行う業務（以下単に「第十四条の八第一項の業務」という。）を行う場合には、第十一条第一項及び第十二条中「第四条第一項各号に掲げる業務」とあるのは「第四条第一項各号に掲げる業務及び第十四条の八第一項の業務」と、第二十条第一号中「第十一条第一項」とあるのは「第十一条第一項（第十四条の八第二項の規定により読み替えて適用する場合を含む。）」と、同条第二号中「第十二条」とあるのは「第十二条（第十四条の八第二項の規定により読み替えて適用する場合を含む。）」とする。

第一四条の九 削除

（改善命令）

第一四条の一〇 国土交通大臣は、認定事業者が認定計画に従つて隣接土地の所有権の取得等をしていないと認めるときは、当該認定事業者に対し、相当の期間を定めて、その改善に必要な措置を命ずることができる。

（計画の認定の取消し）

第一四条の一一 国土交通大臣は、認定事業者が前条の規定による処分に違反したときは、計画の認定を取り消すことができる。

2 第十四条の四の規定は、国土交通大臣が前項の規定による取消しをした場合について準用する。

（勧告）

第一四条の一二 国土交通大臣は、民間都市開発事業が認定計画に従つて施行されていないと認めるときは、認定事業者（第十四条の二第二項の認定にあつては、民間都市開発事業を施行する者に限る。）に対し、相当の期間を定めて、その改善に必要な措置を勧告することができる。

（独立行政法人都市再生機構による事業用地適正化計画の作成の特例）

第一四条の一三 独立行政法人都市再生機構（以下この条において「都市再生機構」という。）は、独立行政法人都市再生機構法（平成十五年法律第百号。以下この条において「都市再生機構法」という。）第十一条第一項第一号から第三号まで及び第十六条（第二項ただし書を除く。）の規定により建築物の敷地を整備し、公募の方法により当該敷地を民間都市開発事業を施行しようとする者に譲渡し、又は賃貸する事業を施行しようとする場合において、従前から所有権又は借地権を有する土地にこれに隣接する土地を合わせて適正な形状、面積等を備えた一団の土地とし、当該一団の土地を建築物の敷地として整備し民間都市開発事業の用に供させようとするときは、第十四条の二第二項の規定にかかわらず、国土交通省令で定めるところにより、単独で事業用地適正化計画を作成し、国土交通大臣の認定を申請することができる。

2 前項の規定により作成された事業用地適正化計画は、第十四条の二第二項の事業用地適正化計画とみなして、この章（同条第一項、第二項及び第六項並びに第十四条の七を除く。）及び附則第十七条の規定を適用する。この場合において、第十四条の二第五項第五号中「概要及び施行の予定時期」とあるのは「概要」と、同項第六号及び第十四条の三第五号中「取得等及び民間都市開発事業の施行」とあるのは「取得等」と、同条第四号中「寄与するものであり、かつ、その施行の予定時期が適切なものである」とあるのは「寄与するものである」とする。

3 第一項の認定を受けた認定計画に係る都市再生機構法第十一条第一項第九号に規定する整備敷地等（以下この条において「計画整備敷地等」という。）についての都市再生機構法第十六条（第二項ただし書を除く。）の規定の適用については、同条第一項及び第三項中「建設すべき建築物」とあるのは「施行すべき民間都市開発事業」と、同条第一項中「に建設すべき賃貸住宅」とあるのは「において施行すべき賃貸住宅の建設を行う民間都市開発事業」と、同項第一号中「建築物を建設しよう」とあるのは「民間都市開発事業を施行しよう」と、同項第二号及び同条第三項中「建築物の建設」とあるのは「民間都市開発事業の施行」とする。

4 前項の規定により読み替えて適用される都市再生機構法第十六条第一項の譲渡等計画に定められた施行すべき民間都市開発事業に関する事項は、第一項の認定を受けた認定計画に定められた民間都市開発事業の概要に適合するものでなければならない。

5 都市再生機構は、都市再生機構法第十六条第二項本文の規定により計画整備敷地等の譲受人又は賃借人を選考したときは、速やかに、第一項の認定を受けた認定計画を変更して、民間都市開発事業の施行の予定時期、民間都市開発事業の施行に関する資金計画及び民間都市開発事業を施行する者の氏名又は名称を記載し、当該民間都市開発事業を施行する者と共同して、国土交通大臣の認定を申請しなければならない。この場合においては、第二項後段の規定は、適用しない。

6 国土交通大臣は、都市再生機構が計画整備敷地等について民間都市開発事業を施行する者に譲渡若しくは賃貸をせず、又はこれに譲渡若しくは賃貸をしたにもかかわらず前項の規定による申請をしていないと認めるときは、都市再生機構に対し、相当の期限を定めて、その改善に必要な措置を命ずることができる。

7 国土交通大臣は、都市再生機構が前項の規定による処分に違反したときは、第一項の認定を取り消すことができる。

第四章 雑則

（国の援助等）

第一五条 国は、民間都市開発事業の推進を図るため、当該事業を施行する

者に対し、必要な助言、指導その他の援助を行うよう努めるものとする。

2　地方公共団体（港務局を含む。）は、民間都市開発事業の円滑な推進が図られるように、当該事業を施行する者に対し、必要な協力を行うものとする。

（協議）

第一六条　国土交通大臣は、次の場合には、あらかじめ、財務大臣に協議しなければならない。

一　第六条第一項又は第八条第一項、第三項若しくは第七項の認可をしようとするとき。

二　第十条第一号の指定をしようとするとき。

三　第十条第三号の国土交通省令を定めようとするとき。

2　国土交通大臣は、第四条第三項の認可をしようとするときは、あらかじめ、機構と株式会社日本政策投資銀行との協定に係るものにあつては財務大臣に、機構と沖縄振興開発金融公庫との協定に係るものにあつては内閣総理大臣及び財務大臣に協議しなければならない。

（沖縄振興開発金融公庫法の特例）

第一七条　沖縄振興開発金融公庫は、沖縄振興開発金融公庫法（昭和四十七年法律第三十一号）第十九条第一項の規定によるもののほか、内閣総理大臣及び財務大臣の認可を受けて、機構に拠出することができる。

2　前項の規定により沖縄振興開発金融公庫が拠出する場合においては、沖縄振興開発金融公庫法第三十九条第一号中「場合」とあるのは「場合並びに民間都市開発の推進に関する特別措置法第十七条第一項の規定により内閣総理大臣及び財務大臣の認可を受けなければならない場合」と、同条第三号中「又は附則第五条の業務」とあるのは「若しくは附則第五条の業務又は民間都市開発の推進に関する特別措置法第十七条第一項の規定による拠出」とする。

（権限の委任）

第一八条　この法律に規定する国土交通大臣の権限は、国土交通省令で定めるところにより、その一部を地方整備局長又は北海道開発局長に委任することができる。

（国土交通省令への委任）

第一九条　この法律に定めるもののほか、この法律の実施のため必要な事項は、国土交通省令で定める。

第五章　罰則

第二〇条　次の各号の一に該当する者は、二十万円以下の罰金に処する。

一　第十一条第一項の規定による報告をせず、若しくは虚偽の報告をし、又は同項の規定による検査を拒み、妨げ、若しくは忌避した者

二　第十二条の規定による国土交通大臣の処分に違反した者

第二一条　機構の代表者又は代理人、使用人その他の従業者が機構の業務に関し前条の違反行為をしたときは、行為者を罰するほか、機構に対しても、同条の刑を科する。

第二二条　第八条第一項、第三項又は第七項の規定に違反して認可を受けなかつたときは、その違反行為をした機構の役員は、五十万円以下の過料に処する。

附　則〔抄〕

（施行期日）

第一条　この法律は、公布の日から起算して三月を超えない範囲内において政令で定める日から施行する。

〔昭和六二政二七四により、昭和六二・八・五から施行〕

（機構の業務の特例）

第一四条　機構は、当分の間、第四条第一項各号に掲げる業務及び第十四条の八第一項の業務のほか、国土交通大臣の承認を受けて、次に掲げる業務を行うことができる。

一　次に掲げる事業で道路、公園、河川、砂防設備、地すべり防止施設その他の公共の用に供する施設の整備に関するもののうち、日本電信電話株式会社の株式の売払収入の活用による社会資本の整備の促進に関する特別措置法（昭和六十二年法律第八十六号。以下「社会資本整備特別措置法」という。）第二条第一項第一号に該当するものであつて政令で定めるものを施行する者に対し、当該事業の施行に要する費用に充てる資金の一部を無利子で貸し付けること。

イ　第二条第二項第一号に掲げる民間都市開発事業として行われる都市計画法第四条第六項の都市計画施設又は同法第十二条の四第一項第一号の地区計画で同法第十二条の五第三項に規定する再開発等促進区を定めるものに関する都市計画においてその配置及び規模が定められた同条第五項第一号の施設の整備に関する事業

ロ　第二条第二項第二号に掲げる民間都市開発事業その他の民間事業者によつて行われる同号の政令で定める都市計画施設の整備に関する事業

二　都市計画法第五条の規定により指定された都市計画区域以外の区域において行われる前号に規定する公共の用に供する施設の整備に関する事業（同号イ又はロに掲げる事業を除く。）で都市機能の維持及び増進に寄与するもののうち、社会資本整備特別措置法第二条第一項第一号に該当するものであつて政令で定めるものを施行する者（地方公共団体（その出資され、又は拠出された金額の全部が地方公共団体により出資され、又は拠出されている法人を含む。）の出資又は拠出に係る法人に限る。）に対し、当該事業の施行に要する費用に充てる資金の一部を無利子で貸し付けること。

三　前二号に掲げる業務に附帯する業務を行うこと。

2　機構は、当分の間、第四条第一項各号に掲げる業務、第十四条の八第一項の業務及び前項各号に掲げる業務のほか、国土交通大臣の承認を受けて、次に掲げる業務を行うことができる。この場合において、第一号及び第四号に掲げる業務のうち第一号の事業見込地又は第四号に規定する土地の取得を行うことができるのは、平成十七年三月三十一日までとする。

一　第十四条の三第一号イ及びロに掲げる要件に該当し、かつ、面積が政令で定める規模以上である土地で民間都市開発事業の用に供される見込みがあるものとして国土交通省令で定める基準に該当するもの（以下「事業見込地」という。）の取得及び管理をし、並びに取得した事業見込地を民間都市開発事業を施行する者に譲渡すること。

二　機構が取得した事業見込地における民間都市開発事業の企画及び立案並びに調整を行うこと。

三　機構が取得した事業見込地において施行される民間都市開発事業に参加すること（第四条第一項第一号に掲げる業務であるものを除く。）。

四　その整備が隣接する事業見込地における民間都市開発事業の促進に資する道路で政令で定めるものとなるべき区域内の土地の取得及び管理をし、並びに取得した土地を当該道路を管理すべき者に譲渡すること。

五　前各号に掲げる業務に附帯する業務を行うこと。

3　機構は、第四条第一項各号に掲げる業務、第十四条の八第一項の業務並びに第一項各号及び前項各号に掲げる業務のほか、国土交通大臣の承認を受けて、次に掲げる業務を行うことができる。

一　民間資金等の活用による公共施設等の整備等の促進に関する法律（平成十一年法律第百十七号）第二条第四項の選定事業のうち次号から第四号までに規定するものを施行する同条第五項の選定事業者に対し、当該事業の施行に要する費用に充てるための長期かつ低利又は無利子の資金の融通を行うこと。

二　第二条第二項第二号に掲げる民間都市開発事業で道路、公園、河川、砂防設備、地すべり防止施設その他の公共の用に供する施設の整備に関するもののうち、民間資金等の活用による公共施設等の整備等の促進に関する法律第二条第四項の選定事業として行われる政令で定める事業を施行する同条第五項の選定事業者に対し、当該事業の施行に要する費用に充てる資金の一部を無利子で貸し付けること。

三　土地区画整理法（昭和二十九年法律第百十九号）による土地区画整理事業（都市計画事業として施行されるものに限る。）又は都市再開発法（昭和四十四年法律第三十八号）による市街地再開発事業（都市計画事業として施行されるものに限る。）として行われる前号に規定する公共の用に供する施設で都市計画において定められたものの整備に関する事業のうち、民間資金等の活用による公共施設等の整備等の促進に関する法律第二条第四項の選定事業として行われる政令で定める事業を施行する同条第五項の選定事業者に対し、当該事業の施行に要する費用に充てる資金の一部を無利子で貸し付けること。

四　都市計画法第五条の規定により指定された都市計画区域以外の区域において行われる第二号に規定する公共の用に供する施設の整備に関する事業（第二条第二項第二号に掲げる民間都市開発事業を除く。）で都市機能の維持及び増進に寄与するもののうち、民間資金等の活用による公共施設等の整備等の促進に関する法律第二条第四項の選定事業として行

われる政令で定める事業を施行する同条第五項の選定事業者に対し、当該事業の施行に要する費用に充てる資金の一部を無利子で貸し付けること。

五　前各号に掲げる業務に附帯する業務を行うこと。

4　前三項の規定により、機構が第一項各号、第二項各号又は前項各号に掲げる業務を行う場合には、第四条第二項中「前項第二号」とあるのは「前項第二号及び附則第十四条第三項第一号」と、第七条中「第四条第一項第二号に掲げる業務に係る経理と」とあるのは「第四条第一項第二号及び附則第十四条第三項第一号に掲げる業務に係る経理と、同条第二項各号に掲げる業務に係る経理と、」と、第九条中「第四条第一項第二号」とあるのは「第四条第一項第二号及び附則第十四条第三項第一号」と、第十条中「第四条第一項第二号」とあるのは「第四条第一項第二号並びに附則第十四条第二項各号及び第三項第一号」と、第十一条第一項及び第十二条中「第四条第一項各号」とあるのは「第四条第一項各号並びに附則第十四条第一項各号、第二項各号及び第三項各号」と、第十四条中「第四条第一項第一号及び第二号」とあるのは「第四条第一項第一号及び第二号並びに附則第十四条第一項第一号及び第二号、第二項第一号、第三号及び第四号並びに第三項第一号から第四号まで」と、第十六条第一項第二号中「第十条第一号」とあるのは「第十条第一号（附則第十六条第四項において準用する場合を含む。）」と、同項第三号中「第十条第三号の国土交通省令」とあるのは「第十条第三号（附則第十六条第四項において準用する場合を含む。）の国土交通省令を定めようとし、又は附則第十四条第五項の国土交通省令で同条第二項第一号及び第四号に掲げる業務に係るもの」と、第二十条第一号中「第十一条第一項」とあるのは「第十一条第一項（附則第十四条第四項の規定により読み替えて適用する場合を含む。）」と、同条第二号中「第十二条」とあるのは「第十二条（附則第十四条第四項の規定により読み替えて適用する場合を含む。）」とする。

5　機構は、第一項第一号若しくは第二号、第二項第一号若しくは第四号又は第三項第一号から第四号までに掲げる業務を行う場合においては、国土交通省令で定める基準に従つて行わなければならない。

6　機構は、第一項第一号又は第三項第二号の規定による貸付けを受けた者に対しては、当該貸付けに係る事業に関しては、第四条第一項第二号に掲げる業務を行わないものとする。

7　機構は、取得した事業見込地について、都市計画法第二十一条の二第一項の規定による都市計画の決定又は変更の提案その他当該事業見込地における民間都市開発事業の促進を図るため必要な措置を講ずるよう努めなければならない。

8　国及び地方公共団体は、機構が取得した事業見込地の有効かつ適切な利用の促進を図るため必要があると認めるときは、機構に対し、前項の措置について指導及び助言を行うものとする。

9　機構が取得した事業見込地は、当該事業見込地における民間都市開発事業の施行に支障のない範囲内で、当該事業見込地の買取りを希望する国、地方公共団体その他国土交通省令で定める公共的団体に譲渡することができる。

10　機構は、第二項各号に掲げる業務を行う間、同項第一号の規定により取得した事業見込地に隣接土地を合わせて適正な形状、面積等を備えた一団の土地とし、当該一団の土地を建築物の敷地として整備し民間都市開発事業の用に供させようとする場合においては、当該事業見込地を含む土地について第十四条の二第二項の認定を受け、認定計画に定められた方法に従つて、当該隣接土地を、機構が取得した事業見込地の全部又は一部との交換により取得することができる。この場合においては、第十四条の四及び第十四条の八並びに附則第十七条の規定は、適用しない。

11　機構は、第二項各号に掲げる業務を行う間、前項前段に規定する場合において必要があるときは、第十四条の二第二項の規定にかかわらず、国土交通省令で定めるところにより、単独で事業用地適正化計画を作成し、国土交通大臣の認定を申請することができる。

12　前項の規定により作成された事業用地適正化計画は、第十四条の二第二項の事業用地適正化計画とみなして、第三章（同条第一項、第二項及び第六項、第十四条の四、第十四条の七、第十四条の八並びに第十四条の十三を除く。）及び第十項前段の規定を適用する。この場合において、第十四条の二第五項第五号中「概要及び施行の予定時期」とあるのは「概要」と、同項第六号及び第十四条の三第五号中「取得等及び民間都市開発事業の施行」とあるのは「取得等」と、同条第四号中「寄与するものであり、かつ、その施行の予定時期が適切なものである」とあるのは「寄与するものである」と、第十項前段中「第十四条の二第二項」とあるのは「次項」とする。

13　第十一項の認定を受けた認定計画に係る事業見込地（以下この条において「単独計画事業見込地」という。）についての第二項第一号の規定の適用については、同号中「民間都市開発事業」とあるのは、「第十一項の認定を受けた認定計画に定められた民間都市開発事業の概要に適合する民間都市開発事業」とする。

14　機構は、単独計画事業見込地の譲受人を選定したときは、速やかに、第十一項の認定を受けた認定計画を変更して、民間都市開発事業の施行の予定時期、民間都市開発事業の施行に関する資金計画及び民間都市開発事業を施行する者の氏名又は名称を記載し、当該民間都市開発事業を施行する者と共同して、国土交通大臣の認定を申請しなければならない。この場合においては、第十二項後段（第十項前段の読替えに係る部分を除く。）の規定は、適用しない。

15　国土交通大臣は、機構が単独計画事業見込地を民間都市開発事業を施行する者に譲渡したにもかかわらず前項の規定による申請をしていないと認めるときは、機構に対し、相当の期限を定めて、その改善に必要な措置を命ずることができる。

16　国土交通大臣は、機構が前項の規定による処分に違反したときは、第十一項の認定を取り消すことができる。

17　機構が第十項（第十二項の規定により読み替えて適用する場合を含む。）、第十一項及び第十四項の規定に基づき行う業務（以下この項において単に「附則第十四条第十項等の業務」という。）を行う場合には、第十一条第一項及び第十二条中「第四条第一項各号に掲げる業務」とあるのは「第四条第一項各号に掲げる業務及び附則第十四条第十項等の業務」と、第二十条第一号中「第十一条第一項」とあるのは「第十一条第一項（附則第十四条第十七項の規定により読み替えて適用する場合を含む。）」と、同条第二号中「第十二条」とあるのは「第十二条（附則第十四条第十七項の規定により読み替えて適用する場合を含む。）」とする。

（附則第十四条第一項第一号若しくは第二号、第二項第一号若しくは第四号又は第三項第一号から第四号までに掲げる業務に要する資金の貸付け）

第一五条　政府は、機構に対し、都市開発資金の貸付けに関する法律附則第二項、第四項及び第六項の規定によるもののほか、前条第一項第一号又は第二号に掲げる業務に要する資金のうち、政令で定める道路、河川、砂防設備又は地すべり防止施設の整備に関する費用に充てるべきものを無利子で貸し付けることができる。

2　政府は、機構に対し、都市開発資金の貸付けに関する法律附則第二項、第四項及び第六項並びに前項の規定によるもののほか、前条第二項第一号又は第四号に掲げる業務に要する資金のうち、政令で定める道路の整備に関する費用に充てるべきものの一部を無利子で貸し付けることができる。

3　政府は、機構に対し、都市開発資金の貸付けに関する法律附則第二項、第四項及び第六項並びに前二項の規定によるもののほか、前条第三項第一号に掲げる業務に要する資金のうち、政令で定める道路、河川、砂防設備又は地すべり防止施設の整備に関する費用に充てるべきものの全部又は一部及び同項第二号から第四号までに掲げる業務に要する資金のうち、政令で定める道路、河川、砂防設備又は地すべり防止施設の整備に関する費用に充てるべきものを無利子で貸し付けることができる。

4　第一項又は前項の規定による貸付金の償還期間は二十年（五年以内の据置期間を含む。）以内とし、第二項の規定による貸付金の償還期間は十年（五年以内の据置期間を含む。）以内とする。

5　前項に定めるもののほか、第一項から第三項までの規定による貸付金の償還方法、償還期限の繰上げその他償還に関し必要な事項は、政令で定める。

（附則第十四条第二項第一号に掲げる業務に要する資金に係る債券の発行限度の特例等）

第一六条　機構は、附則第十四条第二項第一号に掲げる業務に要する資金の財源に充てるためには、第八条第二項に定める限度を超えて同項の規定による債券を発行することができる。

2　政府は、法人に対する政府の財政援助の制限に関する法律第三条の規定にかかわらず、国会の議決を経た金額の範囲内において、附則第十四条第二項第一号に掲げる業務に要する資金（前条第二項に規定する費用に充てるべきものを除く。）の財源に充てるための第八条第一項の規定による借入金又は同条第二項の規定による債券に係る債務（国際復興開発銀行等からの外資の受入に関する特別措置に関する法律第二条第一項の規定に基づき政府が保証契約をすることができる債務を除く。）について、保証契約をすることができる。

3　第十条の規定は、都市開発資金の貸付けに関する法律附則第六項の規定による貸付金の運用について準用する。

（事業用地適正化計画に係る機構の支援措置の特例）

第一七条　国土交通大臣は、機構が附則第十四条第二項各号に掲げる業務を行う間、認定計画に係る隣接土地の所有権の取得等を促進するため必要があると認めるときは、機構に対して、第十四条の八第一項に規定するもののほか、認定事業者又は隣接土地の所有権若しくは借地権を有する者に対し必要な土地のあつせん又は民間都市開発事業の調整を行うべきことを指示することができる。

2　機構が前項の規定により国土交通大臣の指示を受けて行う業務（以下この項において単に「附則第十七条第一項の業務」という。）を行う場合には、第十一条第一項及び第十二条中「第四条第一項各号に掲げる業務」とあるのは「第四条第一項各号に掲げる業務及び附則第十七条第一項の業務」と、第二十条第一号中「第十一条第一項」とあるのは「第十一条第一項（附則第十七条第二項の規定により読み替えて適用する場合を含む。）」と、同条第二号中「第十二条」とあるのは「第十二条（附則第十七条第二項の規定により読み替えて適用する場合を含む。）」とする。

3　機構は、附則第十四条第二項第一号及び第九項の規定にかかわらず、認定計画に係る隣接土地の所有権の取得等を促進するため必要があると認めるときは、認定事業者の申出に応じて、取得した事業見込地における民間都市開発事業の施行に支障のない範囲内で、政令で定めるところにより、当該事業見込地の一部を当該認定事業者又は認定計画に係る隣接土地の所有権又は借地権を有する者に譲渡することができる。

附　則〔略〕〔昭和六二・九・四法律八七〕

附　則〔略〕〔昭和六三・四・二六法律二二〕

附　則〔略〕〔平成元・六・二八法律四〇〕

附　則〔略〕〔平成四・四・二四法律三一〕

附　則〔略〕〔平成五・六・一四法律六三〕

附　則〔抄〕〔平成五・一一・一二法律八九〕

（施行期日）

第一条　この法律は、行政手続法（平成五年法律第八十八号）の施行の日〔平成六・一〇・一〕から施行する。

（諮問等がされた不利益処分に関する経過措置）

第二条　この法律の施行前に法令に基づき審議会その他の合議制の機関に対し行政手続法第十三条に規定する聴聞又は弁明の機会の付与の手続その他の意見陳述のための手続に相当する手続を執るべきことの諮問その他の求めがされた場合においては、当該諮問その他の求めに係る不利益処分の手続に関しては、この法律による改正後の関係法律の規定にかかわらず、なお従前の例による。

（罰則に関する経過措置）

第一三条　この法律の施行前にした行為に対する罰則の適用については、なお従前の例による。

（聴聞に関する規定の整理に伴う経過措置）

第一四条　この法律の施行前に法律の規定により行われた聴聞、聴問若しくは聴聞会（不利益処分に係るものを除く。）又はこれらのための手続は、この法律による改正後の関係法律の相当規定により行われたものとみなす。

（政令への委任）

第一五条　附則第二条から前条までに定めるもののほか、この法律の施行に関して必要な経過措置は、政令で決める。

附　則〔略〕〔平成六・三・二法律七〕

附　則〔略〕〔平成七・二・二六法律一三〕

附　則〔略〕〔平成九・五・九法律五〇〕

附　則〔略〕〔平成一一・三・三一法律二五〕

附　則〔略〕〔平成一一・六・一一法律七三〕

附　則〔略〕〔平成一一・六・一六法律七六〕

附　則〔略〕〔平成一一・七・三〇法律一一七〕

附　則〔略〕〔平成一一・一二・二二法律一六〇〕

附　則〔略〕〔平成一二・五・一九法律七三〕

附　則〔略〕〔平成一四・二・八法律一〕

附　則〔抄〕〔平成一四・三・三一法律一一〕

（施行期日）

第一条　この法律は、公布の日から起算して三月を超えない範囲内において政令で定める日から施行する。ただし、第三条及び第四条の規定〔中略〕は、平成十四年四月一日から施行する。

〔平成一四政一八七により、平成一四・六・一から施行〕

（罰則に関する経過措置）

第二条　この法律の施行前にした行為に対する罰則の適用については、なお従前の例による。

附　則〔抄〕〔平成一四・六・一二法律六五〕

改正　平成一四・一二法一五二、平成一七・一〇法一〇二

（施行期日）

第一条　この法律は、平成十五年一月六日から施行する。ただし、次の各号に掲げる規定は、当該各号に定める日から施行する。

一　〔略〕

二　〔前略〕附則第三条、第五十八条から第七十八条まで及び第八十二条の規定　この法律の施行の日（以下「施行日」という。）から起算して五年を超えない範囲内において政令で定める日

〔平成一九政三六八により、平成二〇・一・四から施行〕

三　〔略〕

（民間都市開発の推進に関する特別措置法の一部改正に伴う経過措置）

第七〇条　附則第三条の規定によりなおその効力を有するものとされる旧社債等登録法の規定による登録社債等については、前条の規定による改正前の民間都市開発の推進に関する特別措置法第八条第九項及び同法附則第十六条第二項の規定は、なおその効力を有する。

（罰則の適用に関する経過措置）

第八四条　この法律（附則第一条各号に掲げる規定にあっては、当該規定。以下この条において同じ。）の施行前にした行為及びこの附則の規定によりなお従前の例によることとされる場合におけるこの法律の施行後にした行為に対する罰則の適用については、なお従前の例による。

（その他の経過措置の政令への委任）

第八五条　この附則に規定するもののほか、この法律の施行に関し必要な経過措置は、政令で定める。

附　則〔略〕〔平成一四・七・一二法律八五〕

附　則〔略〕〔平成一五・六・二〇法律一〇〇〕

附　則〔略〕〔平成一七・四・二七法律三四〕

附　則〔略〕〔平成一七・七・二六法律八七〕

附　則〔抄〕〔平成一七・一〇・二一法律一〇二〕

改正　平成一四・六法六五、平成一八・六法八三、平成二八・五法四〇、六法七二

（施行期日）

第一条　この法律は、郵政民営化法の施行の日〔平成一九・一〇・一〕から施行する。ただし、〔中略〕第百二十四条中証券決済制度等の改革による証券市場の整備のための関係法律の整備等に関する法律附則第一条第二号の改正規定及び同法附則第八十五条を同法附則第八十六条とし、同法附則第八十二条から第八十四条までを一条ずつ繰り下げ、同法附則第八十一条の次に一条を加える改正規定〔中略〕は、郵政民営化法附則第一条第一号に掲げる規定の施行の日〔平成一七・一〇・二一〕から施行する。

（定義）

第三条　この附則において、次の各号に掲げる用語の意義は、それぞれ当該各号に定めるところによる。

一～九　〔略〕

十　旧郵便貯金　附則第五条第一項の規定によりなおその効力を有するものとされる旧郵便貯金法第七条第一項各号に規定する郵便貯金をいう。

十一～十七　〔略〕

（無尽業法等の一部改正に伴う経過措置）

第五八条　旧郵便貯金は、第七条、第八条、第二十条、第二十二条、第二十四条、第二十八条、第三十九条、第四十三条、第八十八条、第百八条及び第百十一条の規定による改正後の次に掲げる法律の規定の適用については、銀行への預金とみなす。

一～十二　〔略〕

十三　民間都市開発の推進に関する特別措置法第十条第二号（同法附則第十四条第四項の規定により読み替えて適用する場合及び同法附則第十六

条第三項において準用する場合を含む。）

十四～二十一　〔略〕

附　則〔略〕〔平成一八・五・三一法律四六〕

附　則〔略〕〔平成一八・六・二法律五〇〕

附　則〔抄〕〔平成一九・六・一三法律八五〕

（施行期日）

第一条　この法律は、公布の日から施行する。ただし、次の各号に掲げる規定は、当該各号に定める日から施行する。

一・二　〔略〕

三　附則第二十六条から第六十条まで及び第六十二条から第六十五条までの規定　平成二十年十月一日

（検討）

第六六条　政府は、附則第一条第三号に定める日までに、電気事業会社の日本政策投資銀行からの借入金の担保に関する法律、石油の備蓄の確保等に関する法律、石油代替エネルギーの開発及び導入の促進に関する法律、民間都市開発の推進に関する特別措置法、エネルギー等の使用の合理化及び資源の有効な利用に関する事業活動の促進に関する臨時措置法、民間資金等の活用による公共施設等の整備等の促進に関する法律その他の法律（法律に基づく命令を含む。）の規定により政投銀の投融資機能が活用されている制度について、当該制度の利用者の利便にも配慮しつつ、他の事業者との対等な競争条件を確保するための措置を検討し、その検討の結果を踏まえ、所要の措置を講ずるものとする。

（会社の長期の事業資金に係る投融資機能の活用）

第六七条　政府は、会社の長期の事業資金に係る投融資機能を附則第一条第三号に定める日以後において活用する場合には、他の事業者との間の適正な競争関係に留意しつつ、対等な競争条件を確保するための措置その他当該投融資機能の活用に必要な措置を講ずるものとする。

附　則〔略〕〔平成二一・六・三法律四五〕

附　則〔略〕〔平成二三・八・三〇法律一〇五施行〕

附　則〔略〕〔平成二五・三・三〇法律五〕

附　則〔略〕〔平成二八・五・一八法律四〇〕

附　則〔略〕〔平成二八・六・七法律七二〕

附　則〔抄〕〔令和六・五・二九法律四〇〕

（施行期日）

第一条　この法律は、公布の日から起算して六月を超えない範囲内において政令で定める日から施行する。〔以下略〕

○民間都市開発の推進に関する特別措置法施行令〔昭和六二・八・四 政令二七五〕

改正　昭和六二・九政二九五、昭和六三・四政一三二、平成元・六政一八九、平成二・六政一四九、平成五・六政一八七、八政二七三、平成六・三政三四、九政二九七、平成七・一一政三七七、平成九・三政八九、一二政三六九、平成一〇・八政二七一、平成一一・三政一二六、九政二七九、一一政三五二、平成一二・三政一二三、六政三一二、平成一四・二政二七、五政一八八、一二政三六三、平成一五・四政一八五、平成一六・三政九五、平成一八・三政一〇〇、八政二六五、平成一九・一二政三六九、平成二〇・七政二一九、一二政三九九、平成二一・三政八〇、平成二五・三政四八、平成二六・七政二三九、平成二八・三政一三九、平成二九・三政八六、平成三一・三政九二、令和二・一二政三六三、令和四・三政九八

（公共施設）

第一条　民間都市開発の推進に関する特別措置法（以下「法」という。）第二条第一項の政令で定める公共の用に供する施設は、下水道、緑地、河川、運河及び水路並びに港湾における水域施設、外郭施設及び係留施設とする。

（民間都市開発事業の要件等）

第二条　法第三章及び第四章に規定する民間都市開発事業についての法第二条第二項第一号の政令で定める要件は、次の各号のいずれかに該当することとする。

一　次のイ及びロに該当するものであること。

イ　法第二条第二項第一号に規定する事業が行われる土地（水面を含む。次項において同じ。）の区域の面積が、二千平方メートル（地方拠点都市地域の整備及び産業業務施設の再配置の促進に関する法律（平成四年法律第七十六号）第八条第一項の同意基本計画に係る拠点地区内、都市計画法（昭和四十三年法律第百号）第四条第九項に規定する地区計画等の区域（その整備を特に促進すべきものとして国土交通大臣が定める基準に該当するものに限る。ロにおいて同じ。）内、都市再生特別措置法（平成十四年法律第二十二号）第四十六条第一項に規定する都市再生整備計画の区域内、同法第八十一条第一項に規定する立地適正化計画に記載された同条第二項第三号に規定する都市機能誘導区域（その整備を特に促進すべきものとして国土交通大臣が定める基準に該当するものに限る。ロにおいて同じ。）内又は中心市街地の活性化に関する法律（平成十年法律第九十二号）第十六条第一項に規定する認定中心市街地の区域内においては、千平方メートル）以上であること。

ロ　整備される建築物の延べ面積（整備される建築物が二以上あるときは、その延べ面積の合計。次項において同じ。）が、二千平方メートル（都市計画法第四条第九項に規定する地区計画等の区域内において整備される建築物若しくは貨物流通の事業を行う者が利用するための建築物（港湾法（昭和二十五年法律第二百十八号）第二条第五項に規定する港湾施設に係るものに限る。）でその整備を特に促進すべきものとして国土交通大臣が定める基準に該当するもの又は都市再生特別措置法第四十六条第一項に規定する都市再生整備計画の区域内、同法第八十一条第一項に規定する立地適正化計画に記載された同条第二項第三号に規定する都市機能誘導区域内若しくは中心市街地の活性化に関する法律第十六条第一項に規定する認定中心市街地の区域内において整備される建築物については、千平方メートル）以上であること。

二　都市再開発法（昭和四十四年法律第三十八号）第百二十九条の六の認定再開発事業計画に係る再開発事業又は都市再生特別措置法第九十九条に規定する認定誘導事業（同法第八十一条第二項第三号に規定する誘導施設を有する建築物の整備に関するものに限る。）であること。

2　法第三章並びに附則第十四条第一項第一号イ、第二項、第七項及び第九項並びに第十七条第一項及び第三項に規定する民間都市開発事業についての法第二条第二項第一号の政令で定める要件は、次の各号のいずれにも該当することとする。

一　法第二条第二項第一号に規定する事業が行われる土地の区域の面積が、五百平方メートル以上であること。

二　整備される建築物の延べ面積が、千平方メートル以上であること。

3　法第二条第二項第二号の政令で定める都市計画施設は、道路、駐車場、公園、緑地、広場、運動場、墓園、下水道、河川、運河及び水路並びに防水、防砂又は防潮の施設とする。

（民間都市開発推進機構が参加し、又は資金の融通を行うことができる民間都市開発事業の施行される地域に関する要件）

第三条　法第四条第一項第一号の政令で定める地域は、次の各号のいずれにも該当する地域とする。

一　次に掲げる区域以外の区域

イ　昭和六十二年八月一日における東京都の特別区の存する区域及び大阪市の区域

ロ　昭和六十二年八月一日において首都圏、近畿圏及び中部圏の近郊整備地帯等の整備のための国の財政上の特別措置に関する法律施行令（昭和四十一年政令第三百十八号）第一条に規定する区域

二　次に掲げる地域のいずれかの地域

イ　都市計画法第七条第一項に規定する市街化区域

ロ　都市計画法第七条第一項に規定する区域区分に関する都市計画が定められていない都市計画区域（同法第八条第一項第一号に規定する用途地域が定められている土地の区域に限る。）

ハ　港湾法第二条第三項に規定する港湾区域
ニ　港湾法第二条第四項に規定する臨港地区

2　法第四条第一項第一号に掲げる業務であつて都市再生特別措置法第九十九条に規定する認定誘導事業に係るものについては、同号の政令で定める地域は、前項の規定にかかわらず、同項第二号に該当する地域とする。

（法第五条第一項の政令で定める道路又は港湾施設）

第四条　法第五条第一項の政令で定める道路又は港湾施設は、道路法（昭和二十七年法律第百八十号）による道路又は港湾法第二条第五項に規定する港湾施設（同項第五号、第八号の二及び第十二号から第十四号までに掲げる施設を除く。）とする。

（貸付金の償還方法）

第五条　法第五条第一項の規定による貸付金の償還期間は、二十年（五年以内の据置期間を含む。）以内とし、その償還は、均等半年賦償還の方法によるものとする。

2　法第五条第一項の規定による貸付金で法第四条第一項第一号に掲げる業務（港湾法第二条第五項に規定する港湾施設に係るものに限る。）に要する資金に係るものについては、政府は、民間都市開発推進機構（以下「機構」という。）が当該貸付金を充てて負担した費用の償還方法を勘案し特に必要があると認めるときは、前項の規定にかかわらず、その償還を、一括償還の方法によるものとすることができる。この場合においては、その償還期間は、十年以内とする。

（機構債券の形式）

第六条　法第八条第二項の規定により機構が発行する債券（以下「機構債券」という。）は、無記名式とする。

（機構債券の発行の方法）

第七条　機構債券の発行は、募集の方法による。

（機構債券の申込証）

第八条　機構債券の募集に応じようとする者は、機構債券の申込証（以下「申込証」という。）に、その引き受けようとする機構債券の数並びにその氏名又は名称及び住所を記載しなければならない。

2　社債、株式等の振替に関する法律（平成十三年法律第七十五号。以下「社債等振替法」という。）の規定の適用がある機構債券（次条第二項において「振替機構債券」という。）の募集に応じようとする者は、前項の記載事項のほか、自己のために開設された当該機構債券の振替を行うための口座（同条第二項において「振替口座」という。）を申込証に記載しなければならない。

3　申込証は、機構が作成し、これに次に掲げる事項を記載しなければならない。

一　機構及び機構債券の名称
二　機構債券の総額
三　各機構債券の金額
四　機構債券の利率
五　機構債券の償還の方法及び期限
六　利息の支払の方法及び期限
七　機構債券の発行の価額
八　社債等振替法の規定の適用があるときは、その旨
九　社債等振替法の規定の適用がないときは、無記名式である旨
十　募集又は管理の委託を受けた会社があるときは、その商号

（機構債券の引受け）

第九条　前条の規定は、機構債券の募集の委託を受けた会社が自ら機構債券を引き受ける場合においては、その引き受ける部分については、適用しない。

2　前項の場合において、振替機構債券の募集の委託を受けた会社は、その引受けの際に、振替口座を機構に示さなければならない。

（機構債券の成立の特則）

第一〇条　機構債券の応募総額が機構債券の総額に達しないときでも、機構債券を成立させる旨を申込証に記載したときは、その応募額をもつて機構債券の総額とする。

（機構債券の払込み）

第一一条　機構債券の募集が完了したときは、機構は、遅滞なく、各機構債券につきその全額の払込みをさせなければならない。

（債券の発行）

第一二条　機構は、前条の払込みがあつたときは、遅滞なく、債券を発行しなければならない。ただし、機構債券につき社債等振替法の規定の適用があるときは、この限りでない。

2　各債券には、第八条第三項各号（第七号及び第八号を除く。）に掲げる事項及び番号を記載し、機構の理事がこれに記名押印しなければならない。

（機構債券の原簿）

第一三条　機構は、主たる事務所に機構債券の原簿（以下「原簿」という。）を備えて置かなければならない。

2　原簿には、次に掲げる事項を記載しなければならない。

一　債券の発行の年月日
二　債券の数（社債等振替法の規定の適用がないときは、債券の数及び番号）
三　第八条第三項第一号から第六号まで、第八号及び第十号に掲げる事項
四　元利金の支払に関する事項

（利札が欠けている場合）

第一四条　機構債券を償還する場合において、欠けている利札があるときは、これに相当する金額を償還額から控除する。ただし、既に支払期が到来した利札については、この限りでない。

2　前項の利札の所持人がこれと引換えに控除金額の支払を請求したときは、機構は、これに応じなければならない。

（機構債券の発行の認可）

第一五条　機構は、法第八条第三項の規定により機構債券の発行の認可を受けようとするときは、機構債券の募集の日の二十日前までに次に掲げる事項を記載した申請書を国土交通大臣に提出しなければならない。

一　機構債券の発行を必要とする理由
二　第八条第三項第一号から第八号までに掲げる事項
三　機構債券の募集の方法
四　機構債券の発行に要する費用の概算額
五　第二号に掲げるもののほか、債券に記載しようとする事項

2　前項の申請書には、次に掲げる書類を添付しなければならない。

一　作成しようとする申込証
二　機構債券の発行により調達する資金の使途を記載した書面
三　機構債券の引受けの見込みを記載した書面

（法第十四条の三第一号ロ⑷の政令で定める都市）

第一六条　法第十四条の三第一号ロ⑷の政令で定める都市は、人口十万以上の市とする。

（法第十四条の三第一号ハの政令で定める規模）

第一七条　法第十四条の三第一号ハの政令で定める規模は、五百平方メートルとする。

附　則

（施行期日）

第一条　この政令は、法の施行の日（昭和六十二年八月五日）から施行する。

（阪神・淡路大震災により被害を受けた市街地における民間都市開発事業の要件の特例）

第一条の二　阪神・淡路大震災により被害を受けた市街地のうち、都市計画法第四条第九項に規定する地区計画等の区域（その緊急かつ健全な復興を図るべきものとして国土交通大臣が定める基準に該当するものに限る。）又は同法第十条の四第一項に規定する被災市街地復興推進地域内において施行される法第二条第二項に規定する民間都市開発事業についての第二条第一項の規定の適用については、当分の間、同項第一号イ中「二千平方メートル（地方拠点都市地域の整備及び産業業務施設の再配置の促進に関する法律（平成四年法律第七十六号）第八条第一項の同意基本計画に係る拠点地区内、都市計画法（昭和四十三年法律第百号）第四条第九項に規定する地区計画等の区域（その整備を特に促進すべきものとして国土交通大臣が定める基準に該当するものに限る。ロにおいて同じ。）内、都市再生特別措置法（平成十四年法律第二十二号）第四十六条第一項に規定する都市再生整備計画の区域内、同法第八十一条第一項に規定する立地適正化計画に記載された同条第二項第三号に規定する都市機能誘導区域（その整備を特に促進すべきものとして国土交通大臣が定める基準に該当するものに限る。ロにおいて同じ。）内又は中心市街地の活性化に関する法律（平成十年法律第九十二号）第十六条第一項に規定する認定中心市街地の区域内においては、千平方メートル）」とあるのは「千平方メートル」と、同号ロ中「地区計画等の区域内」とあるのは「地区計画等の区域（その整備を特に促進すべきものとして国土交通大臣が定める基準に該当するものに

限る。）内」と、「都市機能誘導区域内」とあるのは「都市機能誘導区域（その整備を特に促進すべきものとして国土交通大臣が定める基準に該当するものに限る。）内」とする。

（民間都市開発推進機構が参加することができる民間都市開発事業の要件の特例）

第一条の三　令和七年三月三十一日までの間における法第四条第一項第一号及び第三号から第五号まで並びに第十五条に規定する民間都市開発事業（防災上有効な備蓄倉庫その他の施設、都市の居住者の共同の福祉若しくは利便のため必要な施設又は宿泊施設その他の都市の来訪者若しくは滞在者を増加させるため必要な施設を有する建築物の整備に関するものに限る。）で国土交通大臣が定める基準に該当するものについての第二条第一項の規定の適用については、同項第一号イ中「二千平方メートル（地方拠点都市地域の整備及び産業業務施設の再配置の促進に関する法律（平成四年法律第七十六号）第八条第一項の同意基本計画に係る拠点地区内、都市計画法（昭和四十三年法律第百号）第四条第九項に規定する地区計画等の区域（その整備を特に促進すべきものとして国土交通大臣が定める基準に該当するものに限る。ロにおいて同じ。）内、都市再生特別措置法（平成十四年法律第二十二号）第四十六条第一項に規定する都市再生整備計画の区域内、同法第八十一条第一項に規定する立地適正化計画に記載された同条第二項第三号に規定する都市機能誘導区域（その整備を特に促進すべきものとして国土交通大臣が定める基準に該当するものに限る。ロにおいて同じ。）内又は中心市街地の活性化に関する法律（平成十年法律第九十二号）第十六条第一項に規定する認定中心市街地の区域内においては、千平方メートル）」とあるのは「五百平方メートル」と、同号ロ中「地区計画等の区域内」とあるのは「地区計画等の区域（その整備を特に促進すべきものとして国土交通大臣が定める基準に該当するものに限る。）内」と、「都市機能誘導区域内」とあるのは「都市機能誘導区域（その整備を特に促進すべきものとして国土交通大臣が定める基準に該当するものに限る。）内」とする。

（特定民間都市開発事業に係る地域の特例）

第一条の四　令和七年三月三十一日までの間における法第四条第一項第一号に掲げる業務（法第二条第二項第一号に規定する民間都市開発事業のうち防災上有効な備蓄倉庫その他の施設又は宿泊施設その他の都市の来訪者若しくは滞在者を増加させるため必要な施設を有する建築物の整備に関するもので国土交通大臣が定める基準に該当するものに係るものに限る。）については、法第四条第一項第一号の政令で定める地域は、第三条第一項の規定にかかわらず、同項第二号に該当する地域とする。

（法附則第十四条第一項又は第三項の政令で定める事業）

第二条　法附則第十四条第一項第一号又は第三項第二号若しくは第三号の政令で定める事業は、次に掲げる事業であつて国土交通大臣の定める基準に該当するものとする。

一　道路法による道路の新設又は改築

二　都市公園法（昭和三十一年法律第七十九号）による都市公園の新設又は改築

三　下水道法（昭和三十三年法律第七十九号）による公共下水道、流域下水道又は都市下水路の設置又は改築

四　河川法（昭和三十九年法律第百六十七号）による河川（同法が準用される河川を含む。以下同じ。）の河川工事

五　砂防法（明治三十年法律第二十九号）による砂防工事

六　地すべり等防止法（昭和三十三年法律第三十号）による地すべり防止工事

七　急傾斜地の崩壊による災害の防止に関する法律（昭和四十四年法律第五十七号）による急傾斜地崩壊防止工事

八　海岸法（昭和三十一年法律第百一号）による海岸保全施設の新設又は改良に関する工事

2　法附則第十四条第一項第二号又は第三項第四号の政令で定める事業は、前項第三号から第八号までに掲げる事業であつて国土交通大臣の定める基準に該当するものとする。

（法附則第十四条第二項第一号の政令で定める規模）

第二条の二　法附則第十四条第二項第一号の政令で定める規模は、次の各号に掲げる土地の区分に応じ、当該各号に定める面積とする。

一　土地区画整理法（昭和二十九年法律第百十九号）による土地区画整理事業の施行地区内の一定の隣接しない土地についての換地が一団となる見込みがあると認められる場合（当該換地の面積の合計が五百平方メートル（当該換地の面積の合計に、その利用形態、位置、面積、形状等からみて当該換地と一体として民間都市開発事業の用に供される見込みがあると認められる当該土地区画整理事業の施行により当該換地に隣接することとなる換地の面積を加えた値が五百平方メートル以上となる場合にあつては、二百平方メートル）以上の場合に限る。）において、機構が当該隣接しない土地のすべてを取得するときの当該隣接しない土地　百平方メートル（都市計画法第八条第一項第一号の近隣商業地域又は商業地域内の土地にあつては、六十五平方メートル）

二　都市再開発法第二条の二第一項から第三項までに規定する者が施行する市街地再開発事業の施行地区（その面積が五百平方メートル以上であるものに限る。）内の一定の隣接しない土地の面積の合計が二百平方メートル以上である場合において、機構が当該隣接しない土地のすべてを取得するときの当該隣接しない土地　百平方メートル（都市計画法第八条第一項第一号の近隣商業地域又は商業地域内の土地にあつては、六十五平方メートル）

三　前二号のいずれにも該当しない土地で、当該土地の面積に、その利用形態、位置、面積、形状等からみて当該土地と一体として民間都市開発事業の用に供される見込みがあると認められる当該土地に隣接する土地の面積を加えた値が五百平方メートル以上であるもの　二百平方メートル

四　前三号のいずれにも該当しない土地　五百平方メートル

（法附則第十四条第三項第四号の政令で定める道路）

第二条の三　法附則第十四条第三項第四号の政令で定める道路は、都市計画法第四条第六項の都市計画施設である道路とする。

（法附則第十五条第一項又は第三項の政令で定める道路等）

第三条　法附則第十五条第一項又は第三項の政令で定める道路、河川、砂防設備又は地すべり防止施設は、次に掲げるものとする。

一　道路法による道路

二　河川法による河川

三　砂防法による砂防設備

四　地すべり等防止法による地すべり防止施設

（法附則第十五条第二項の政令で定める道路）

第三条の二　法附則第十五条第二項の政令で定める道路は、道路法による道路とする。

（法附則第十五条第一項から第三項までの規定による貸付金の償還方法等）

第四条　法附則第十五条第一項から第三項までの規定による貸付金の償還は、均等半年賦償還の方法によるものとする。

2　政府は、法附則第十五条第一項又は第三項の規定による貸付金に係る機構の貸付金に関し、当該貸付けを受けた者が償還期限を繰り上げて償還を行つた場合には、法附則第十五条第一項又は第三項の規定による貸付金のうち当該償還金に相当する金額について償還期限を繰り上げるものとする。

第五条　削除

（法附則第十七条第三項の規定による譲渡の方法）

第六条　法附則第十七条第三項の規定により機構が事業見込地の一部を譲渡する場合にあつては、機構は、機構、認定事業者及び隣接土地の所有権又は借地権を有する者の三者間の契約において、機構が事業見込地の一部を譲渡することと併せて、当該隣接土地の所有権又は借地権を有する者が認定事業者に対して当該隣接土地の所有権の譲渡又は借地権の譲渡若しくは設定をすることを定めるものとする。

附　則〔略〕〔平成五・八・四政令二七三〕

附　則〔平成六・三・九政令三四〕

（施行期日）

1　この政令は、公布の日から施行する。

（特定民間都市開発事業に係る地域の特例に係る経過措置）

2　民間都市開発推進機構が改正後の附則第一条の三第一項に規定する日までに民間都市開発の推進に関する特別措置法第四条第一項第一号の規定により参加することを約した民間都市開発事業に係る同号の政令で定める地域は、同日後も、なお従前の例による。

附　則〔平成九・三・二八政令八九〕

（施行期日）

1　この政令は、平成九年四月一日から施行する。

（特定民間都市開発事業に係る地域の特例に係る経過措置）

2　民間都市開発推進機構が改正後の附則第一条の三第一項に規定する日までに民間都市開発の推進に関する特別措置法第四条第一項第一号の規定により参加することを約した民間都市開発事業に係る同号の政令で定める地域については、同日後も、なお従前の例による。

附　則〔略〕〔平成一一・三・三一政令一二六〕

附　則〔略〕〔平成一一・九・二二政令二七九〕

附　則〔略〕〔平成一一・一一・一〇政令三五二〕

附　則〔平成一二・三・二九政令一一三〕

（施行期日）

1　この政令は、平成十二年四月一日から施行する。

（特定民間都市開発事業に係る地域の特例に係る経過措置）

2　民間都市開発推進機構が改正後の附則第一条の三第一項に規定する日までに民間都市開発の推進に関する特別措置法第四条第一項第一号の規定により参加することを約した民間都市開発事業に係る同号の政令で定める地域については、同日後も、なお従前の例による。

附　則〔略〕〔平成一二・六・七政令三一二〕

附　則〔略〕〔平成一四・二・八政令二七〕

附　則〔略〕〔平成一四・五・三一政令一八八〕

附　則〔略〕〔平成一四・一二・六政令三六三〕

附　則〔平成一五・四・一政令一八五〕

（施行期日）

第一条　この政令は、公布の日から施行する。

（特定民間都市開発事業に係る地域の特例に係る経過措置）

第二条　民間都市開発推進機構が改正後の民間都市開発の推進に関する特別措置法施行令附則第一条の三第一項に規定する日までに民間都市開発の推進に関する特別措置法第四条第一項第一号の規定により参加することを約した民間都市開発事業に係る同号の政令で定める地域については、同日後も、なお従前の例による。

附　則〔略〕〔平成一六・三・三一政令九五〕

附　則〔平成一八・三・三〇政令一〇〇〕

（施行期日）

1　この政令は、平成十八年四月一日から施行する。

（経過措置）

2　この政令の施行の際現に民間都市開発の推進に関する特別措置法第四条第二項第二号の資金の貸付けが行われている民間都市開発事業に係る民間都市開発推進機構の同条第一項第二号に掲げる業務については、なお従前の例による。

3　改正後の附則第一条の三第一項に規定する日までに民間都市開発の推進に関する特別措置法第四条第一項第一号の規定により民間都市開発推進機構が参加することを約した民間都市開発事業に係る同号の政令で定める地域については、同日後も、なお従前の例による。

附　則〔略〕〔平成一八・八・一一政令二六五〕

附　則〔抄〕〔平成一九・一二・一四政令三六九〕

（施行期日）

第一条　この政令は、平成二十年一月四日から施行する。

（民間都市開発の推進に関する特別措置法施行令の一部改正に伴う経過措置）

第二条　証券市場整備法附則第三条の規定によりなお効力を有することとされる旧社債等登録法の規定が準用される機構債券（民間都市開発の推進に関する特別措置法施行令第六条に規定する機構債券をいう。）に係る原簿については、第二十七条の規定による改正後の民間都市開発の推進に関する特別措置法施行令第十三条第二項の規定にかかわらず、なお従前の例による。

2　既登録社債等については、第二十七条の規定による改正前の民間都市開発の推進に関する特別措置法施行令第十六条の規定は、なおその効力を有する。

附　則〔略〕〔平成二〇・七・四政令二一九〕

附　則〔略〕〔平成二〇・一二・二五政令三九九施行〕

附　則〔平成二一・三・三一政令八〇〕

（施行期日）

1　この政令は、平成二十一年四月一日から施行する。

（経過措置）

2　この政令の施行の際現に民間都市開発の推進に関する特別措置法第四条第一項第二号に規定する特定民間都市開発事業に該当するものとして同条第二項第二号の資金の貸付けが行われている民間都市開発事業については、なお従前の例による。

3　改正後の附則第一条の三第一項に規定する日までに民間都市開発の推進に関する特別措置法第四条第一項第一号の規定により民間都市開発推進機構が参加することを約した民間都市開発事業に係る同号の政令で定める地域については、同日後も、なお従前の例による。

附　則〔平成二五・三・八政令四八〕

（施行期日）

1　この政令は、公布の日から施行する。

（経過措置）

2　この政令による改正後の民間都市開発の推進に関する特別措置法施行令附則第一条の四に規定する日までに民間都市開発の推進に関する特別措置法第四条第一項第一号の規定により民間都市開発推進機構が参加することを約した民間都市開発事業に係る同号の政令で定める地域については、同日後も、なお従前の例による。

附　則〔略〕〔平成二六・七・二政令二三九〕

附　則〔平成二八・三・三一政令一三九〕

（施行期日）

1　この政令は、平成二十八年四月一日から施行する。

（経過措置）

2　この政令による改正後の附則第一条の四に規定する日までに民間都市開発の推進に関する特別措置法第四条第一項第一号の規定により民間都市開発推進機構が参加することを約した民間都市開発事業に係る同号の政令で定める地域については、同日後も、なお従前の例による。

附　則〔略〕〔平成二九・三・三一政令八六〕

附　則〔平成三一・三・二九政令九一〕

（施行期日）

1　この政令は、平成三十一年四月一日から施行する。

（経過措置）

2　この政令による改正後の附則第一条の四に規定する日までに民間都市開発の推進に関する特別措置法第四条第一項第一号の規定により民間都市開発推進機構が参加することを約した民間都市開発事業に係る同号の政令で定める地域については、同日後も、なお従前の例による。

附　則〔略〕〔令和二・一一・一三政令三二三〕

附　則〔令和四・三・二五政令九八〕

（施行期日）

1　この政令は、令和四年四月一日から施行する。

（経過措置）

2　この政令による改正後の民間都市開発の推進に関する特別措置法施行令附則第一条の四に規定する日までに民間都市開発の推進に関する特別措置法第四条第一項第一号の規定により民間都市開発推進機構が参加することを約した民間都市開発事業に係る同号の政令で定める地域については、同日後も、同令第三条第一項の規定にかかわらず、同項第二号に該当する地域とする。

○民間都市開発の推進に関する特別措置法施行規則〔昭和六二・九・三〇 建設省令一九〕

改正 昭和六三・四建令八、平成元・六建令一二、平成六・三建令五、平成七・一一建令二六、平成一一・三建令九、九建令四〇、建令四一、平成一二・一一建令四一、平成一四・二国交令九、三国交令三七、五国交令六六、平成一六・六国交令七〇、平成一七・二国交令四、三国交令一二、六国交令六六、平成二〇・一国交令一、九国交令八〇、一二国交令九七、平成二二・一国交令五五、平成二三・七国交令五三、平成二六・七国交令六七、令和二・一二国交令九八、令和三・八国交令五三

（指定の申請）

第一条 民間都市開発の推進に関する特別措置法（以下「法」という。）第三条第一項の指定を受けようとする者は、次に掲げる事項を記載した申請書を国土交通大臣に提出しなければならない。

一 名称及び住所並びに代表者の氏名
二 事務所の所在地

2 前項の申請書には、次に掲げる書類を添えなければならない。

一 定款及び登記事項証明書
二 申請の日の属する事業年度の前事業年度における財産目録及び貸借対照表（申請の日の属する事業年度に設立された法人にあつては、その設立時における財産目録）
三 申請の日の属する事業年度及び翌事業年度における事業計画書及び収支予算書
四 申請に係る意思の決定を証する書類
五 役員の氏名及び略歴を記載した書類

（協定の記載事項）

第二条 法第四条第二項第四号に規定する国土交通省令で定める事項は、次に掲げるものとする。

一 株式会社日本政策投資銀行及び沖縄振興開発金融公庫が民間都市開発推進機構（以下「機構」という。）から受け入れた寄託金の経理に関する事項
二 法第四条第二項第一号の寄託の手続きに関する事項
三 法第四条第二項第二号の推薦の手続きに関する事項
四 法第四条第二項第二号の貸付けの状況の報告その他必要な事項

（事業計画等の認可等）

第三条 機構は、法第六条第一項前段の規定により認可を受けようとするときは、申請書に次に掲げる書類を添え、国土交通大臣に提出しなければならない。

一 事業計画書
二 収支予算書
三 資金計画書その他の参考となる書類

2 前項第一号の事業計画書には、業務の実施に関する計画その他必要な事項を記載しなければならない。

3 第一項第二号の収支予算書は、法第七条及び都市再生特別措置法（平成十四年法律第二十二号）第百二十四条の規定により区分した経理ごとに勘定を設け、収入にあつてはその性質、支出にあつてはその目的に従つて区分するものとする。

（事業計画等の変更の認可の申請）

第四条 機構は、法第六条第一項後段の規定により認可を受けようとするときは、次に掲げる事項を記載した申請書を国土交通大臣に提出しなければならない。この場合において、前条第一項第三号に掲げる書類の変更を伴うときは、当該変更後の書類を添付しなければならない。

一 変更しようとする事項
二 変更しようとする年月日
三 変更の理由

（余裕金の運用方法）

第五条 法第十条第三号に規定する国土交通省令で定める方法は、信託業務を営む金融機関（金融機関の信託業務の兼営等に関する法律（昭和十八年法律第四十三号）第一条第一項の認可を受けた金融機関をいう。附則第十項において同じ。）への金銭信託とする。

第六条 削除

（事業用地適正化計画の認定の申請）

第七条 法第十四条の二第一項又は第二項の規定により認定の申請をしようとする者は、別記様式第一による申請書の正本及び副本に、それぞれ次の表に掲げる図書を添えて、これらを国土交通大臣に提出しなければならない。

図書の種類	明示すべき事項
付近見取図	方位、道路及び目標となる地物並びに事業用地の区域
事業用地の区域内の土地及び建築物の配置図	縮尺、方位、事業用地の区域、申請者が従前から所有権又は借地権を有する土地及び隣接土地の境界線並びに事業用地の区域内の建築物の位置
民間都市開発事業に係る計画図	縮尺、方位、事業用地の区域、事業用地の区域内の建築物のおおむねの位置及び公共施設のおおむねの配置
同意証書	法第十四条の二第三項に規定する同意を得たことを証する書類

2 法第十四条の二第一項又は第二項の規定による申請は、機構その他国土交通大臣が指定する法人を経由してすることができる。

（計画の記載事項）

第八条 法第十四条の二第五項第七号の国土交通省令で定める事項は、民間都市開発事業の名称及び目的とする。

（法第十四条の三第一号ニの国土交通省令で定める基準）

第九条 法第十四条の三第一号ニの国土交通省令で定める基準は、当該土地の形状がおおむね整形であることとする。ただし、当該土地の規模、当該土地に隣接する土地の利用状況等からみて、当該土地における民間都市開発事業の施行に支障がないと認められる場合には、この限りでない。

（法第十四条の五第一項の国土交通省令で定める軽微な変更）

第一〇条 法第十四条の五第一項の国土交通省令で定める軽微な変更は、次に掲げるものとする。

一 隣接土地の所有権の取得等又は民間都市開発事業の施行の予定時期の一年以内の変更
二 隣接土地の所有権の取得等をした後における資金計画の変更

（独立行政法人都市再生機構による事業用地適正化計画の作成の特例）

第一一条 独立行政法人都市再生機構は、法第十四条の十三第一項の規定により認定の申請をしようとするときは、別記様式第二による申請書の正本及び副本に、それぞれ第七条第一項の表に掲げる図書を添えて、これを国土交通大臣に提出しなければならない。

2 第七条第二項の規定は、前項の認定の申請について準用する。

3 法第十四条の十三第二項の規定により法第十四条の二第二項の事業用地適正化計画とみなされた法第十四条の十三第一項の規定により作成された事業用地適正化計画についての第八条及び第十条の規定の適用については、第八条中「目的」とあるのは「目的並びに独立行政法人都市再生機構法（平成十五年法律第百号）第十六条第一項本文の規定による整備敷地等（第十条第二号において単に「整備敷地等」という。）の譲渡又は賃貸の予定時期」と、第十条第一号中「又は民間都市開発事業の施行の予定時期」とあるのは「の予定時期」と、同条第二号中「隣接土地の所有権の取得等をした後における資金計画」とあるのは「整備敷地等の譲渡又は賃貸の予定時期の一年以内」とする。

4 法第十四条の十三第三項の計画整備敷地等についての独立行政法人都市再生機構に関する省令（平成十六年国土交通省令第七十号）第二十五条の規定の適用については、同条第二項中「建築物の建設」とあるのは「民間都市開発事業の施行」とする。

（権限の委任）

第一二条 法に規定する国土交通大臣の権限のうち、次に掲げるものは、地方整備局長及び北海道開発局長に委任する。

一　法第十四条の三の規定により事業用地適正化計画の認定をすること。
二　法第十四条の五第一項の規定による認定計画の変更の認定をすること。
三　法第十四条の六の規定により認定事業者に対し報告を求めること。
四　法第十四条の七の規定による承認をすること。
五　法第十四条の十の規定により必要な措置を命ずること。
六　法第十四条の十一第一項の規定により認定を取り消すこと。
七　法第十四条の十二の規定により必要な措置を勧告すること。

附　則

（施行期日）

1　この省令は、公布の日から施行する。

（法附則第十四条第二項第一号の国土交通省令で定める基準）

2　法附則第十四条第二項第一号の国土交通省令で定める基準は、次に掲げるものとする。
一　民間都市開発事業の施行上必要な立地条件を備えているものとして次に掲げる要件のいずれかに該当すること。
イ　当該土地が次に掲げる要件（都市計画その他地方公共団体の市街地の開発整備に関する計画で公表されたものにおいて計画的な開発整備を図るべき区域として定められている区域内にあつては、(2)及び(3)に掲げる要件）に該当すること。
(1)　現に土地の利用状況が変化しつつあり、又は変化することが確実であると見込まれる区域内にあること。
(2)　当該土地及びその周辺の地域における公共施設の整備の状況及び見込みからみて、当該土地の有効かつ適切な利用を図る上で支障がないと認められること。
(3)　幹線道路、鉄道その他の交通施設の利用が容易であると認められること。
(4)　当該土地における民間都市開発事業により整備される建築物の用途として当該土地及びその周辺の地域の特性にふさわしいと認められるものに応じて、入居者、顧客その他当該建築物の利用者が相当程度見込まれること。
ロ　当該土地が都市計画法（昭和四十三年法律第百号）第四条第七項に規定する市街地開発事業の施行区域内にあること。
ハ　当該土地が法第二条第二項第二号の政令で定める都市計画施設の区域内にあること。
二　当該土地の形状がおおむね整形であること。ただし、次のいずれかに該当する場合には、この限りでない。
イ　当該土地の規模、当該土地に隣接する土地の利用状況等からみて、当該土地における民間都市開発事業の施行に支障がないと認められるとき。
ロ　当該土地が、一体的かつ総合的な市街地の開発整備が行われることが確実であると見込まれる区域内にあるとき。
三　当該土地に建築物その他の工作物がある場合には、当該建築物その他の工作物が容易に移転し、又は除却することができるものであること。
四　当該土地が所有権以外の権利又は処分の制限の目的となつていないこと。

（法附則第十四条第五項の国土交通省令で定める基準）

3　法附則第十四条第五項の国土交通省令で定める基準のうち、同条第一項第一号若しくは第二号又は第三項第二号から第四号までに掲げる業務に係るものは、次に掲げるものとする。
一　法附則第十四条第一項第一号若しくは第二号又は第三項第二号から第四号までの規定による貸付金（次号及び第三号において「機構の貸付金」という。）の償還期間は、二十年（五年以内の据置期間を含む。）以内とし、その償還は、均等半年賦償還の方法によること。
二　機構の貸付金の貸付けを受けた者が貸付けの条件に違反した場合には、必要に応じて償還期限の繰り上げを行うこと。
三　機構の貸付金の貸付けを受ける者に対し、担保の提供、保証人の保証その他の債権保全のため必要な措置を求めること。

4　法附則第十四条第五項の国土交通省令で定める基準のうち、同条第二項第一号に掲げる業務に係るものは第一号から第三号まで及び第五号から第七号まで、同項第四号に掲げる業務に係るものは第一号、第二号、第四号、第五号、第八号及び第九号に掲げるものとする。
一　法附則第十四条第二項第一号又は第四号に掲げる業務の運営に関する重要事項（機構が取得し、又は譲渡する事業見込地又は同号に規定する土地（以下「道路事業見込地」という。）の価額に係る評価に関する事項を除く。）について審議させるため、機構に、法律、経済若しくは行政又は民間都市開発事業の施行に関し優れた知識と経験を有し、公正な判断をすることができる者（機構の役員及び職員を除く。）のうちから機構の代表者が選任する委員五人以上をもつて組織する審査会を置き、その議を経て、取得する事業見込地又は道路事業見込地の選定を行うこと及び事業見込地又は道路事業見込地の譲受人の選定を公正な方法により行うこと。
二　機構が取得し、又は譲渡する事業見込地又は道路事業見込地の価額に係る評価に関する事項について審議させるため、機構に、土地の権利関係又は評価について特別の知識と経験を有し、公正な判断をすることができる者（機構の役員及び職員並びに前号の審査会の委員を除く。）のうちから機構の代表者が選任する委員五人以上をもつて組織する審査会を置き、その議を経て、事業見込地又は道路事業見込地の価額に係る評価の方法を定めること。
三　事業見込地を取得する対価及び取得した事業見込地を民間都市開発事業を施行する者に譲渡する対価は、前号の審査会の議を経て定めるものとし、当該譲渡の対価は、第七号に定める場合を除くほか、当該事業見込地の類地の時価並びに取得及び管理に要した費用の額を考慮して算定した適正な額とすること。
四　道路事業見込地を取得する対価及び取得した道路事業見込地を道路を管理すべき者に譲渡する対価は、第二号の審査会の議を経て定めるものとし、当該譲渡の対価は、当該道路事業見込地の類地の時価並びに取得及び管理に要した費用の額を考慮して算定した適正な額とすること。
五　機構が取得した事業見込地又は道路事業見込地は、法附則第十四条第二項各号に掲げる業務の目的に従つて適切に管理すること。
六　機構が取得した事業見込地を民間都市開発事業を施行する者に対し譲渡する場合においては、少なくとも次に掲げる事項を譲渡契約の内容とすること。
イ　機構が指定する期間内に、当該事業見込地において民間都市開発事業を施行すること。
ロ　イに掲げる事項その他譲渡契約の条項に違反した場合の措置
七　事業見込地の取得及び管理に要した費用の額を下回る額による当該事業見込地の譲渡は、国土交通大臣が財務大臣と協議して承認した場合に限り行うこと。
八　機構が行う道路事業見込地の取得について、当該道路事業見込地に係る道路を管理すべき者の同意が得られていること。
九　機構が道路事業見込地を取得する際に、道路の整備に関する事業がおおむね五年以内に実施されるものと見込まれること。

（法附則第十四条第九項の国土交通省令で定める公共的団体）

5　法附則第十四条第九項の国土交通省令で定める公共的団体は、地方住宅供給公社、日本勤労者住宅協会、地方道路公社、日本下水道事業団、独立行政法人都市再生機構、東日本高速道路株式会社、首都高速道路株式会社、中日本高速道路株式会社、西日本高速道路株式会社、阪神高速道路株式会社及び本州四国連絡高速道路株式会社とする。

6　機構は、法附則第十四条第十一項の規定により認定の申請をしようとするときは、別記様式第三による申請書の正本及び副本に、それぞれ第七条第一項の表に掲げる図書を添えて、これらを国土交通大臣に提出しなければならない。

7　法附則第十四条第十二項の規定により法第十四条の二第二項の事業用地適正化計画とみなされた法附則第十四条第十一項の規定により作成された事業用地適正化計画についての第八条及び第十条の規定の適用については、第八条中「目的」とあるのは「目的並びに事業見込地の譲渡の予定時期」と、第十条第一号中「又は民間都市開発事業の施行の予定時期」とあるのは「の予定時期」と、同条第二号中「隣接土地の所有権の取得等をした後における資金計画」とあるのは「事業見込地の譲渡の予定時期の一年以内」とする。

8　単独計画事業見込地についての附則第四項の規定の適用については、同項第三号及び第六号中「民間都市開発事業」とあるのは「法附則第十四条第十一項の認定を受けた認定計画に定められた民間都市開発事業の概要に適合する民間都市開発事業」とする。

（都市開発資金の貸付けに関する法律附則第六項の規定による貸付金の運

用方法）

9 法附則第十六条第四項において準用する法第十条第三号に規定する国土交通省令で定める方法は、信託業務を営む金融機関への金銭信託とする。

（三者間の契約において定める事項）

10 法附則第十七条第三項の規定により機構が事業見込地の一部を隣接土地の所有権又は借地権を有する者に譲渡する場合にあつては、民間都市開発の推進に関する特別措置法施行令（昭和六十二年政令第二百七十五号）附則第六条に規定する三者間の契約において、同条に規定する事項のほか、次の各号のいずれかに掲げる事項を定めるものとする。

一 認定事業者が、機構に対し、隣接土地の所有権又は借地権を有する者が認定事業者に対して行う当該隣接土地の所有権の譲渡又は借地権の譲渡若しくは設定の対価に相当する金額を支払うこと及び機構及び隣接土地の所有権又は借地権を有する者が、事業見込地の一部の譲渡及び当該隣接土地の所有権の譲渡又は借地権の譲渡若しくは設定を併せて行うことに伴う差金を授受すること。

二 認定事業者が、機構に対し、機構が隣接土地の所有権又は借地権を有する者に対して行う事業見込地の一部の譲渡の対価に相当する金額を支払うこと及び認定事業者及び隣接土地の所有権又は借地権を有する者が、前号に規定する差金を授受すること。

附 則（略）（平成一一・三・三一建設省令九）

附 則（略）（平成一一・九・二二建設省令四〇）

附 則（略）（平成一一・九・二七建設省令四一）

附 則（略）（平成一二・一一・二〇建設省令四一）

附 則（略）（平成一四・三・三一国土交通省令三七）

附 則（略）（平成一四・五・三一国土交通省令六六）

附 則（略）（平成一六・六・一八国土交通省令七〇）

附 則（略）（平成一七・二・二国土交通省令四施行）

附 則（略）（平成一七・三・七国土交通省令一二）

附 則（略）（平成一七・六・一国土交通省令六六）

附 則（略）（平成二〇・一・四国土交通省令一施行）

附 則（略）（平成二〇・九・三〇国土交通省令八〇）

附 則（略）（平成二〇・一二・一国土交通省令九七施行）

附 則（略）（平成二二・一一・二六国土交通省令五五）

附 則（略）（平成二三・七・二二国土交通省令五三）

附 則（略）（平成二六・七・二五国土交通省令六七）

附 則（略）（令和二・一二・二三国土交通省令九八）

附 則（抄）（令和三・八・三一国土交通省令五三）

（施行期日）

1 この省令は、令和三年九月一日から施行する。

別記様式 〔略〕

○民間資金等の活用による公共施設等の整備等の促進に関する法律

〔平成一一・七・三〇 法律一一七〕

改正 平成一一・六法七三、一二法一六〇、平成一三・一二法一五一、平成一四・五法四五、平成一五・七法一二二、平成一七・七法八七、八法九五、平成一八・六法五三、平成一九・六法八五、平成二三・六法五七、八法一〇五、平成二五・六法三四、平成二六・五法三四、六法五六、法九一、平成二七・九法七一、平成二八・五法五一、平成三〇・六法六〇、令和元・六法三七、一二法七一、令和三・五法三七、令和四・一二法一〇〇

目次

第一章 総則（第一条―第三条）
第二章 基本方針等（第四条）
第三章 特定事業の実施等（第五条―第十五条の三）
第四章 公共施設等運営権（第十六条―第三十条）
第五章 株式会社民間資金等活用事業推進機構による特定選定事業等の支援等
第一節 総則（第三十一条―第三十六条）
第二節 設立（第三十七条―第四十二条）
第三節 管理
第一款 取締役等（第四十三条・第四十四条）
第二款 民間資金等活用事業支援委員会（第四十五条―第五十条）
第三款 定款の変更（第五十一条）
第四節 業務
第一款 業務の範囲（第五十二条）
第二款 支援基準（第五十三条）
第三款 業務の実施（第五十四条―第五十六条）
第五節 情報の提供等（第五十七条）
第六節 財務及び会計（第五十八条―第六十一条）
第七節 監督（第六十二条―第六十五条）
第八節 解散等（第六十六条・第六十七条）
第六章 選定事業に対する特別の措置（第六十八条―第八十二条）
第七章 民間資金等活用事業推進会議等（第八十三条―第八十六条）
第八章 雑則（第八十七条）
第九章 罰則（第八十八条―第九十四条）
附則

第一章 総則

（目的）

第一条 この法律は、民間の資金、経営能力及び技術的能力を活用した公共施設等の整備等の促進を図るための措置を講ずること等により、効率的かつ効果的に社会資本を整備するとともに、国民に対する低廉かつ良好なサービスの提供を確保し、もって国民経済の健全な発展に寄与することを目的とする。

（定義）

第二条 この法律において「公共施設等」とは、次に掲げる施設（設備を含む。）をいう。

一 道路、鉄道、港湾、空港、河川、公園、水道、下水道、工業用水道その他の公共施設

二 庁舎、宿舎その他の公用施設

三 教育文化施設、スポーツ施設、集会施設、廃棄物処理施設、医療施設、社会福祉施設、更生保護施設、駐車場、地下街その他の公益的施設及び賃貸住宅

四 情報通信施設、熱供給施設、新エネルギー施設、リサイクル施設（廃棄物処理施設を除く。）、観光施設及び研究施設

五 船舶、航空機その他の輸送施設及び人工衛星（これらの施設の運行に必要な施設を含む。）

六 前各号に掲げる施設に準ずる施設として政令で定めるもの

2 この法律において「特定事業」とは、公共施設等の整備等（公共施設等の建設、製造、改修、維持管理若しくは運営又はこれらに関する企画をいい、国民に対するサービスの提供を含む。以下同じ。）に関する事業（市街地再開発事業、土地区画整理事業その他の市街地開発事業を含む。）であって、民間の資金、経営能力及び技術的能力を活用することにより効率的かつ効果的に実施されるものをいう。

3 この法律において「公共施設等の管理者等」とは、次に掲げる者をいう。

一 公共施設等の管理者である各省各庁の長（衆議院議長、参議院議長、最高裁判所長官、会計検査院長及び大臣をいう。以下同じ。）又は特定事業を所管する大臣

二 公共施設等の管理者である地方公共団体の長又は特定事業を実施しようとする地方公共団体の長

三 公共施設等の整備等を行う独立行政法人、特殊法人その他の公共法人（市街地再開発事業、土地区画整理事業その他の市街地開発事業を施行

する組合を含む。以下「公共法人」という。）

4　この法律において「選定事業」とは、第七条の規定により選定された特定事業をいう。

5　この法律において「選定事業者」とは、第八条第一項の規定により選定事業を実施する者として選定された者をいう。

6　この法律において「公共施設等運営事業」とは、特定事業であって、第十六条の規定による設定を受けて、公共施設等の管理者等が所有権（公共施設等を構成する建築物その他の工作物の敷地の所有権を除く。第二十九条第四項において同じ。）を有する公共施設等（利用料金（公共施設等の利用に係る料金をいう。以下同じ。）を徴収するものに限る。）について、運営等（運営及び維持管理並びにこれらに関する企画をいい、国民に対するサービスの提供を含む。以下同じ。）を行い、利用料金を自らの収入として収受するものをいう。

7　この法律において「公共施設等運営権」とは、公共施設等運営事業を実施する権利をいう。

（基本理念）

第三条　公共施設等の整備等に関する事業は、国及び地方公共団体（これらに係る公共法人を含む。以下この条及び第七十七条において同じ。）と民間事業者との適切な役割分担並びに財政資金の効率的使用の観点を踏まえつつ、行政の効率化又は国及び地方公共団体の財産の有効利用にも配慮し、当該事業により生ずる収益等をもってこれに要する費用を支弁することが可能である等の理由により民間事業者に行わせることが適切なものについては、できる限りその実施を民間事業者に委ねるものとする。

2　特定事業は、国及び地方公共団体と民間事業者との責任分担の明確化を図りつつ、収益性を確保するとともに、国及び地方公共団体の民間事業者に対する関与を必要最小限のものとすることにより民間事業者の有する技術及び経営資源、その創意工夫等が十分に発揮され、低廉かつ良好なサービスが国民に対して提供されることを旨として行われなければならない。

第二章　基本方針等

第四条　政府は、基本理念にのっとり、特定事業の実施に関する基本的な方針（以下「基本方針」という。）を定めなければならない。

2　基本方針は、特定事業の実施について、次に掲げる事項（地方公共団体が実施する特定事業については、特定事業の健全かつ効率的な促進のために必要な事項に係るもの）を定めるものとする。

一　公共施設等の整備等に関する事業における前条第一項の規定の趣旨に沿った民間の資金、経営能力及び技術的能力の活用に関する基本的な事項

二　民間事業者の提案による特定事業の選定その他特定事業の選定に関する基本的な事項

三　民間事業者の募集及び選定に関する基本的な事項

四　民間事業者の責任の明確化等事業の適正かつ確実な実施の確保に関する基本的な事項

五　公共施設等運営権に関する基本的な事項

六　法制上及び税制上の措置並びに財政上及び金融上の支援に関する基本的な事項

七　その他特定事業の実施に関する基本的な事項

3　基本方針は、次に掲げる事項に配慮して定められなければならない。

一　特定事業の選定については、公共施設等の整備等における公共性及び安全性を確保しつつ、事業に要する費用の縮減等資金の効率的使用、国民に対するサービスの提供における行政のかかわり方の改革、民間の事業機会の創出その他の成果がもたらされるようにするとともに、民間事業者の自主性を尊重すること。

二　民間事業者の選定については、公開の競争により選定を行う等その過程の透明化を図るとともに、民間事業者の創意工夫を尊重すること。

三　財政上の支援については、現行の制度に基づく方策を基本とし、又はこれに準ずるものとすること。

4　内閣総理大臣は、基本方針の案につき閣議の決定を求めなければならない。

5　内閣総理大臣は、前項の規定による閣議の決定があったときは、遅滞なく、基本方針を公表するとともに、各省各庁の長に送付しなければならない。

6　前二項の規定は、基本方針の変更について準用する。

7　地方公共団体は、基本理念にのっとり、基本方針を勘案した上で、第三項各号に掲げる事項に配慮して、地域における創意工夫を生かしつつ、特定事業が円滑に実施されるよう必要な措置を講ずるものとする。

第三章　特定事業の実施等

（実施方針）

第五条　公共施設等の管理者等は、第七条の特定事業の選定及び第八条第一項の民間事業者の選定を行おうとするときは、基本方針にのっとり、特定事業の実施に関する方針（以下「実施方針」という。）を定めることができる。

2　実施方針は、特定事業について、次に掲げる事項を具体的に定めるものとする。

一　特定事業の選定に関する事項

二　民間事業者の募集及び選定に関する事項

三　民間事業者の責任の明確化等事業の適正かつ確実な実施の確保に関する事項

四　公共施設等の立地並びに規模及び配置に関する事項

五　事業契約（選定事業（公共施設等運営事業を除く。）を実施するため公共施設等の管理者等及び選定事業者が締結する契約をいう。以下同じ。）の解釈について疑義が生じた場合における措置に関する事項

六　事業の継続が困難となった場合における措置に関する事項

七　法制上及び税制上の措置並びに財政上及び金融上の支援に関する事項

3　公共施設等の管理者等は、実施方針を定めたときは、遅滞なく、これを公表するよう努めるものとする。

4　前項の規定は、実施方針の変更（第十九条の二第二項の規定による実施方針の変更を除く。）について準用する。

（実施方針の策定の提案）

第六条　特定事業を実施しようとする民間事業者は、公共施設等の管理者等に対し、当該特定事業に係る実施方針を定めることを提案することができる。この場合においては、当該特定事業の案、当該特定事業の効果及び効率性に関する評価の結果を示す書類その他内閣府令で定める書類を添えなければならない。

2　前項の規定による提案を受けた公共施設等の管理者等は、当該提案について検討を加え、遅滞なく、その結果を当該民間事業者に通知しなければならない。

（特定事業の選定）

第七条　公共施設等の管理者等は、第五条第三項（同条第四項において準用する場合を含む。）の規定により実施方針を公表したときは、基本方針及び実施方針に基づき、実施することが適切であると認める特定事業を選定することができる。

（民間事業者の選定等）

第八条　公共施設等の管理者等は、前条の規定により特定事業を選定したときは、当該特定事業を実施する民間事業者を公募の方法等により選定するものとする。

2　前項の規定により選定された民間事業者は、本来同項の公共施設等の管理者等が行う事業のうち、事業契約において当該民間事業者が行うこととされた公共施設等の整備等（第十六条の規定により公共施設等運営権が設定された場合にあっては、当該公共施設等運営権に係る公共施設等の運営等）を行うことができる。

（欠格事由）

第九条　次の各号のいずれかに該当する者は、特定事業を実施する民間事業者の募集に応じることができない。

一　法人でない者

二　破産手続開始の決定を受けて復権を得ない法人又は外国の法令上これと同様に取り扱われている法人

三　第二十九条第一項（同項第一号に係る部分に限る。以下この条において同じ。）の規定により公共施設等運営権を取り消され、その取消しの日から起算して五年を経過しない法人

四　公共施設等運営権を有する者（以下「公共施設等運営権者」という。）が第二十九条第一項の規定により公共施設等運営権を取り消された場合において、その取消しの原因となった事実が発生した当時現に当該公共

施設等運営権者の親会社等（その法人の経営を実質的に支配することが可能となる関係にある法人として政令で定めるものをいう。第七号において同じ。）であった法人で、その取消しの日から五年を経過しないもの

五　役員のうちに次のいずれかに該当する者がある法人

イ　破産手続開始の決定を受けて復権を得ない者又は外国の法令上これと同様に取り扱われている者

ロ　禁錮以上の刑（これに相当する外国の法令による刑を含む。）に処せられ、その執行を終わり、又は執行を受けることがなくなった日から起算して五年を経過しない者

ハ　暴力団員による不当な行為の防止等に関する法律（平成三年法律第七十七号）第二条第六号に規定する暴力団員（以下この条において「暴力団員」という。）又は暴力団員でなくなった日から五年を経過しない者

ニ　公共施設等運営権者が第二十九条第一項の規定により公共施設等運営権を取り消された場合において、その取消しの日前三十日以内に当該公共施設等運営権者の役員であった者で、その取消しの日から五年を経過しないもの

ホ　心身の故障のため職務を適正に執行することができない者として内閣府令で定めるもの

ヘ　営業に関し成年者と同一の行為能力を有しない未成年者でその法定代理人がイからホまでのいずれかに該当するもの

六　暴力団員又は暴力団員でなくなった日から五年を経過しない者がその事業活動を支配する法人

七　その者の親会社等が第二号から前号までのいずれかに該当する法人

（技術提案）

第一〇条　公共施設等の管理者等は、第八条第一項の規定による民間事業者の選定に先立って、その募集に応じようとする者に対し、特定事業に関する技術又は工夫についての提案（以下この条において「技術提案」という。）を求めるよう努めなければならない。

2　公共施設等の管理者等は、技術提案がされたときは、これについて適切な審査及び評価を行うものとする。

3　技術提案については、公共工事の品質確保の促進に関する法律（平成十七年法律第十八号）第十五条第五項本文、第十六条、第十七条第一項前段、第十八条第一項及び第二項並びに第十九条の規定を準用する。この場合において、必要な技術的読替えは、政令で定める。

（客観的な評価）

第一一条　公共施設等の管理者等は、第七条の特定事業の選定及び第八条第一項の民間事業者の選定を行うに当たっては、客観的な評価（当該特定事業の効果及び効率性に関する評価を含む。）を行い、その結果を公表しなければならない。

2　公共施設等の管理者等は、第八条第一項の民間事業者の選定を行うに当たっては、民間事業者の有する技術及び経営資源、その創意工夫等が十分に発揮され、低廉かつ良好なサービスが国民に対して提供されるよう、原則として価格及び国民に提供されるサービスの質その他の条件により評価を行うものとする。

（地方公共団体の議会の議決）

第一二条　地方公共団体は、事業契約でその種類及び金額について政令で定める基準に該当するものを締結する場合には、あらかじめ、議会の議決を経なければならない。

（指定管理者の指定に当たっての配慮等）

第一三条　地方公共団体は、この法律に基づき整備される公共施設等の管理について、地方自治法（昭和二十二年法律第六十七号）第二百四十四条の二第三項の規定を適用する場合においては、同条第四項から第六項までに規定する事項について、選定事業の円滑な実施が促進されるよう適切な配慮をするとともに、同条第十一項の規定に該当する場合における選定事業の取扱いについて、あらかじめ明らかにするよう努めるものとする。

（選定事業の実施）

第一四条　選定事業（公共施設等運営事業を除く。）は、基本方針及び実施方針（第五条第四項に規定する実施方針の変更があったときは、その変更後のもの）に基づき、事業契約に従って実施されるものとする。

2　選定事業（公共施設等運営事業に限る。）は、基本方針及び実施方針（第五条第四項に規定する実施方針の変更又は第十九条の二第二項の規定による実施方針の変更があったときは、その変更後のもの）に基づき、公共施設等運営権実施契約（第二十二条第一項に規定する公共施設等運営権実施契約をいう。次項において同じ。）に従って実施されるものとする。

3　選定事業者が国又は地方公共団体の出資又は拠出に係る法人（当該法人の出資又は拠出に係る法人を含む。）である場合には、当該選定事業者の責任が不明確とならないよう特に留意して、事業契約又は公共施設等運営権実施契約において公共施設等の管理者等との責任分担が明記されなければならない。

（実施方針の策定の見通し等の公表）

第一五条　公共施設等の管理者等は、内閣府令で定めるところにより、毎年度、当該年度の実施方針の策定の見通しに関する事項で内閣府令で定めるものを公表しなければならない。ただし、当該年度にその見通しがない場合は、この限りでない。

2　公共施設等の管理者等は、前項の見通しに関する事項を変更したときは、内閣府令で定めるところにより、変更後の当該事項を公表しなければならない。

3　公共施設等の管理者等は、事業契約を締結したときは、遅滞なく、内閣府令で定めるところにより、当該事業契約の内容（公共施設等の名称及び立地、選定事業者の商号又は名称、公共施設等の整備等の内容、契約期間、事業の継続が困難となった場合における措置に関する事項その他内閣府令で定める事項に限る。）を公表しなければならない。

4　前三項の規定は、地方公共団体が、前三項に規定する事項以外の実施方針の策定の見通し及び事業契約の内容に関する情報の公表に関し、条例で必要な規定を定めることを妨げるものではない。

（解釈及び適用の確認等）

第一五条の二　公共施設等の管理者等（第二条第三項第一号に掲げる者を除く。第六項において同じ。）又は特定事業を実施し、若しくは実施しようとする民間事業者は、内閣総理大臣に対し、その実施し、又は実施しようとする特定事業に係る支援措置の内容及び当該特定事業に関する規制について規定する法律（法律に基づく命令（告示を含む。）を含む。次項及び第三項において同じ。）の規定の解釈並びに当該特定事業に対する当該支援措置及び当該規定の適用の有無（次項及び第三項において「支援措置の内容等」と総称する。）について、その確認を求めることができる。

2　前項の規定による求めを受けた内閣総理大臣は、当該求めに係る支援措置の内容等の確認がその所掌する事務又は所管する法律に関するものであるときは、遅滞なく、当該求めをした者に回答するものとする。

3　第一項の規定による求めを受けた内閣総理大臣は、当該求めに係る支援措置の内容等の確認が他の関係行政機関の長（当該行政機関が合議制の機関である場合にあっては、当該行政機関。以下この項及び第八十五条において同じ。）の所掌する事務又は所管する法律に関するものであるときは、遅滞なく、当該関係行政機関の長に対し、その確認を求めるものとする。この場合において、当該確認を求められた関係行政機関の長は、遅滞なく、内閣総理大臣に回答するものとする。

4　前項の規定による回答を受けた内閣総理大臣は、遅滞なく、その回答の内容を当該回答に係る第一項の規定による求めをした者に通知するものとする。

5　内閣総理大臣は、第二項の規定による回答又は前項の規定による通知を行ったときは、その内容を民間資金等活用事業推進委員会に報告するものとする。

6　第二項及び第四項に規定するもののほか、内閣総理大臣は、特定事業の円滑かつ効率的な遂行を図るため、公共施設等の管理者等又は特定事業を実施し、若しくは実施しようとする民間事業者の求めに応じて、必要な助言をすることができる。

7　内閣総理大臣は、前項の規定による助言を行うに際し必要と認めるときは、民間資金等活用事業推進委員会に対し、意見を求めることができる。

（報告の徴収等）

第一五条の三　内閣総理大臣は、特定事業の適正かつ確実な実施を確保するため必要があると認めるときは、公共施設等の管理者等に対し、実施方針に定めた事項その他の特定事業の実施に関する事項について、報告を求め、又は助言若しくは勧告をすることができる。

第四章　公共施設等運営権

（公共施設等運営権の設定）

第一六条　公共施設等の管理者等は、選定事業者に公共施設等運営権を設定することができる。

（公共施設等運営権に関する実施方針における記載事項の追加）

第一七条　公共施設等の管理者等は、公共施設等運営権が設定されることとなる民間事業者を選定しようとする場合には、実施方針に、第五条第二項各号に掲げる事項のほか、次に掲げる事項を定めるものとする。

一　選定事業者に公共施設等運営権を設定する旨
二　公共施設等運営権に係る公共施設等の運営等の内容
三　公共施設等運営権の存続期間
四　第二十条の規定により費用を徴収する場合には、その旨（あらかじめ徴収金額を定める場合にあっては、費用を徴収する旨及びその金額）
五　第二十二条第一項に規定する公共施設等運営権実施契約に定めようとする事項及びその解釈について疑義が生じた場合における措置に関する事項
六　利用料金に関する事項

（実施方針に関する条例）

第一八条　公共施設等の管理者等（地方公共団体の長に限る。）は、前条に規定する場合には、条例の定めるところにより、実施方針を定めるものとする。

2　前項の条例には、民間事業者の選定の手続、公共施設等運営権者が行う公共施設等の運営等の基準及び業務の範囲、利用料金に関する事項その他必要な事項を定めるものとする。

（公共施設等運営権の設定の時期等）

第一九条　公共施設等の管理者等は、第十七条の規定により実施方針に同条各号に掲げる事項を定めた場合において、第八条第一項の規定により民間事業者を選定したときは、遅滞なく（当該実施方針に定めた特定事業が公共施設等の建設、製造又は改修に関する事業を含むときは、その建設、製造又は改修の完了後直ちに）、当該実施方針に従い、選定事業者に公共施設等運営権を設定するものとする。

2　公共施設等運営権の設定は、次に掲げる事項を明らかにして行わなければならない。

一　公共施設等の名称、立地並びに規模及び配置
二　第十七条第二号及び第三号に掲げる事項

3　公共施設等の管理者等は、第一項の規定により公共施設等運営権を設定したときは、その旨並びに当該公共施設等運営権に係る公共施設等の名称及び立地並びに前項第二号に掲げる事項を公表しなければならない。

4　公共施設等の管理者等（地方公共団体の長に限る。）は、第一項の規定により公共施設等運営権を設定しようとするときは、あらかじめ、議会の議決を経なければならない。

（公共施設等運営権に関する実施方針の変更提案に基づく変更）

第一九条の二　公共施設等運営権者は、国民に対する低廉かつ良好なサービスの提供のために公共施設等運営権に係る公共施設等について維持管理としての工事を行おうとする場合において、当該公共施設等運営権に関する実施方針（第五条第四項に規定する実施方針の変更又は次項の規定による実施方針の変更があったときは、その変更後のもの。以下同じ。）の同条第二項第四号に掲げる公共施設等の規模又は配置に関する事項の変更が必要であると認めるときは、公共施設等の管理者等に対し、当該事項の変更についての提案（以下この条において「変更提案」という。）をすることができる。この場合においては、当該変更提案に係る実施方針の変更の案、当該工事による公共施設等運営事業についての効果の増進及び効率性の向上に関する評価の結果を示す書類その他内閣府令で定める書類を添えなければならない。

2　変更提案を受けた公共施設等の管理者等は、遅滞なく、当該変更提案について検討を加え、当該変更提案に係る公共施設等の工事が公共施設等運営事業の適正かつ確実な実施の確保に支障を及ぼすおそれがなく、かつ、国民に対する低廉かつ良好なサービスの提供のため必要があると認めるときは、当該変更提案に係る実施方針の変更の案の内容をその内容とする実施方針の変更をすることができる。

3　変更提案を受けた公共施設等の管理者等は、前項の規定による実施方針の変更をする必要がないと認めるときは、遅滞なく、その旨及びその理由を当該変更提案をした公共施設等運営権者に通知しなければならない。

4　公共施設等の管理者等は、第二項の規定による実施方針の変更をしたときは、遅滞なく、当該変更後の実施方針を公表しなければならない。

（費用の徴収）

第二〇条　公共施設等の管理者等は、実施方針に従い、公共施設等運営権者（公共施設等運営権に係る公共施設等の建設、製造又は改修を行っていない公共施設等運営権者に限る。）から、当該建設、製造又は改修に要した費用に相当する金額の全部又は一部を徴収することができる。

（公共施設等運営事業の開始の義務）

第二一条　公共施設等運営権者は、公共施設等の管理者等が指定する期間内に、公共施設等運営事業を開始しなければならない。

2　公共施設等の管理者等は、公共施設等運営権者から申請があった場合において、正当な理由があると認めるときは、前項の期間を延長することができる。

3　公共施設等運営権者は、公共施設等運営事業を開始したときは、遅滞なく、その旨を公共施設等の管理者等に届け出なければならない。

（公共施設等運営権実施契約）

第二二条　公共施設等運営権者は、公共施設等運営事業を開始する前に、実施方針に従い、内閣府令で定めるところにより、公共施設等の管理者等と、次に掲げる事項をその内容に含む契約（以下「公共施設等運営権実施契約」という。）を締結しなければならない。

一　公共施設等の運営等の方法
二　公共施設等運営事業の継続が困難となった場合における措置に関する事項
三　公共施設等の利用に係る約款を定める場合には、その決定手続及び公表方法
四　派遣職員（第七十八条第一項に規定する国派遣職員及び第七十九条第一項に規定する地方派遣職員をいう。以下この号において同じ。）をその業務に従事させる場合には、当該業務の内容及び派遣職員を当該業務に従事させる期間その他派遣職員を当該業務に従事させることに関し必要な事項
五　その他内閣府令で定める事項

2　公共施設等の管理者等は、公共施設等運営権実施契約を締結したときは、遅滞なく、内閣府令で定めるところにより、公共施設等運営権実施契約の内容（公共施設等運営権者の商号又は名称、前項第二号に掲げる事項その他内閣府令で定める事項に限る。）を公表しなければならない。

3　前項の規定は、地方公共団体が、同項に規定する事項以外の公共施設等運営権実施契約に関する情報の公表に関し、条例で必要な規定を定めることを妨げるものではない。

（公共施設等の利用料金）

第二三条　公共施設等運営権者は、利用料金を自らの収入として収受するものとする。

2　利用料金は、実施方針に従い、公共施設等運営権者が定めるものとする。この場合において、公共施設等運営権者は、あらかじめ、当該利用料金を公共施設等の管理者等に届け出なければならない。

3　公共施設等運営権に係る公共施設等が地方自治法第二百四十四条第一項に規定する公の施設（以下この項及び第二十六条第五項において単に「公の施設」という。）であり、かつ、公共施設等運営権者が同法第二百四十四条の二第三項に規定する指定管理者（第二十六条第五項において単に「指定管理者」という。）として当該公の施設を管理する場合（同法第二百四十四条の二第五項の規定により定められた期間が当該公共施設等運営権の存続期間を超えない場合に限る。）において、前項の規定により定められた当該公共施設等の利用料金が第十八条第一項の条例（利用料金の範囲その他利用料金に関して利用者の利益を保護するために必要なものとして内閣府令で定める事項を定めるものに限る。）において定められた利用料金に関する事項に適合し、かつ、当該公共施設等の利用料金を当該公の施設に係る同法第二百四十四条の二第八項の場合における利用料金として定めることが同条第九項の条例の定めるところに適合するときは、当該公共施設等の利用料金を当該公の施設に係る同条第八項の場合における利用料金として定めることについては、同条第九項後段の規定は、適用しない。

（性質）

第二四条　公共施設等運営権は、物権とみなし、この法律に別段の定めがある場合を除き、不動産に関する規定を準用する。

（権利の目的）

第二五条　公共施設等運営権は、法人の合併その他の一般承継、譲渡、滞納処分、強制執行、仮差押え及び仮処分並びに抵当権の目的となるほか、権

利の目的となることができない。

（**処分の制限等**）

第二六条　公共施設等運営権は、分割し、又は併合することができない。

2　公共施設等運営権は、公共施設等の管理者等の許可を受けなければ、移転することができない。

3　公共施設等の管理者等は、前項の許可を行おうとするときは、次に掲げる基準に適合するかどうかを審査して、これをしなければならない。

一　公共施設等運営権の移転を受ける者が第九条各号のいずれにも該当しないこと。

二　公共施設等運営権の移転が実施方針に照らして適切なものであること。

4　公共施設等の管理者等（地方公共団体の長に限る。）は、第二項の許可を行おうとするときは、あらかじめ、議会の議決を経なければならない。ただし、条例に特別の定めがある場合は、この限りでない。

5　公共施設等運営権に係る公共施設等が公の施設であり、かつ、第二項の許可を受けて当該公共施設等運営権を移転した者が、その移転の際、指定管理者として当該公の施設を管理していた場合において、当該移転を受けた者を当該公の施設の指定管理者として指定するとき（前項ただし書の特別の定めがある場合であって、地方自治法第二百四十四条の二第五項の規定により定められる期間が当該公共施設等運営権の存続期間を超えない場合に限る。）における同条第六項の規定の適用については、同項中「ならない」とあるのは、「ならない。ただし、第三項の条例に特別の定めがある場合は、この限りでないものとし、この場合には、当該普通地方公共団体の長は、指定管理者の指定後遅滞なく、当該指定について当該議会に報告しなければならない」とする。

6　抵当権の設定が登録されている公共施設等運営権については、その抵当権者の同意がなければ、これを放棄することができない。

7　第二項の許可を受けないで、又は前項の同意を得ないでした公共施設等運営権の移転又は放棄は、その効力を生じない。

（**登録**）

第二七条　公共施設等運営権及び公共施設等運営権を目的とする抵当権の設定、移転、変更、消滅及び処分の制限並びに第二十九条第一項の規定による公共施設等運営権の行使の停止及びその停止の解除は、公共施設等運営権登録簿に登録する。

2　前項の規定による登録は、登記に代わるものとする。

3　第一項の規定による登録に関する処分については、行政手続法（平成五年法律第八十八号）第二章及び第三章の規定は、適用しない。

4　公共施設等運営権登録簿については、行政機関の保有する情報の公開に関する法律（平成十一年法律第四十二号）の規定は、適用しない。

5　公共施設等運営権登録簿に記録されている保有個人情報（個人情報の保護に関する法律（平成十五年法律第五十七号）第六十条第一項に規定する保有個人情報をいう。）については、同法第五章第四節の規定は、適用しない。

6　前各項に規定するもののほか、登録に関し必要な事項は、政令で定める。

（**指示等**）

第二八条　公共施設等の管理者等は、公共施設等運営事業の適正を期するため、公共施設等運営権者に対して、その業務若しくは経理の状況に関し報告を求め、実地について調査し、又は必要な指示をすることができる。

（**公共施設等運営権の取消し等**）

第二九条　公共施設等の管理者等は、次の各号に掲げる場合のいずれかに該当するときは、公共施設等運営権を取り消し、又はその行使の停止を命ずることができる。

一　公共施設等運営権者が次のいずれかに該当するとき。

イ　偽りその他不正の方法により公共施設等運営権者となったとき。

ロ　第九条各号のいずれかに該当することとなったとき。

ハ　第二十一条第一項の規定により指定した期間（同条第二項の規定による延長があったときは、延長後の期間）内に公共施設等運営事業を開始しなかったとき。

ニ　公共施設等運営事業を実施できなかったとき、又はこれを実施することができないことが明らかになったとき。

ホ　ニに掲げる場合のほか、公共施設等運営権実施契約において定められた事項について重大な違反があったとき。

ヘ　正当な理由がなく、前条の指示に従わないとき。

ト　公共施設等運営事業に関する法令の規定に違反したとき。

二　公共施設等を他の公共の用途に供することその他の理由に基づく公益上やむを得ない必要が生じたとき。

2　公共施設等の管理者等は、前項の規定による公共施設等運営権の行使の停止の命令をしようとするときは、行政手続法第十三条第一項の規定による意見陳述のための手続の区分にかかわらず、聴聞を行わなければならない。

3　公共施設等の管理者等は、第一項の規定により、抵当権の設定が登録されている公共施設等運営権を取り消そうとするときは、あらかじめ、その旨を当該抵当権に係る抵当権者に通知しなければならない。

4　公共施設等の管理者等が、公共施設等の所有権を有しなくなったときは、公共施設等運営権は消滅する。

（**公共施設等運営権者に対する補償**）

第三〇条　公共施設等の管理者等は、前条第一項（第二号に係る部分に限る。以下この条において同じ。）の規定による公共施設等運営権の取消し若しくはその行使の停止又は前条第四項の規定による公共施設等運営権の消滅（公共施設等の管理者等の責めに帰すべき事由がある場合に限る。）によって損失を受けた公共施設等運営権者又は公共施設等運営権者であった者（以下この条において単に「公共施設等運営権者」という。）に対して、通常生ずべき損失を補償しなければならない。

2　前項の規定による損失の補償については、公共施設等の管理者等と公共施設等運営権者とが協議しなければならない。

3　前項の規定による協議が成立しない場合においては、公共施設等の管理者等は、自己の見積もった金額を公共施設等運営権者に支払わなければならない。

4　前項の補償金額に不服がある公共施設等運営権者は、その決定の通知を受けた日から六月以内に、訴えをもって、その増額を請求することができる。

5　前項の訴えにおいては、当該公共施設等の管理者等を被告とする。

6　前条第一項の規定により取り消された公共施設等運営権又は同条第四項の規定により消滅した公共施設等運営権（公共施設等の管理者等の責めに帰すべき事由により消滅した場合に限る。）の上に抵当権があるときは、当該抵当権に係る抵当権者から供託をしなくてもよい旨の申出がある場合を除き、公共施設等の管理者等は、その補償金を供託しなければならない。

7　前項の抵当権者は、同項の規定により供託した補償金に対してその権利を行うことができる。

8　公共施設等の管理者等は、第一項の規定による補償の原因となった損失が前条第一項の規定による公共施設等運営権の取消し又はその行使の停止によるものであるときは、当該補償金額の全部又は一部をその理由を生じさせた者に負担させることができる。

第五章　株式会社民間資金等活用事業推進機構による特定選定事業等の支援等

第一節　総則

（**機構の目的**）

第三一条　株式会社民間資金等活用事業推進機構は、国及び地方公共団体の厳しい財政状況を踏まえつつ、我が国経済の成長の促進に寄与する観点から、公共施設等の整備等における民間の資金、経営能力及び技術的能力の活用が一層重要となっていることに鑑み、特定選定事業（選定事業であって、利用料金を徴収する公共施設等の整備等を行い、利用料金を自らの収入として収受するものをいう。以下同じ。）又は特定選定事業を支援する事業（以下「特定選定事業等」と総称する。）を実施する者に対し、金融機関が行う金融及び民間の投資を補完するための資金の供給を行うことにより、特定選定事業に係る資金を調達することができる資本市場の整備を促進するとともに、特定選定事業等の実施に必要な知識及び情報の提供その他特定選定事業等の普及に資する支援を行い、もって我が国において特定選定事業を推進することを目的とする株式会社とする。

（**数**）

第三二条　株式会社民間資金等活用事業推進機構（以下「機構」という。）は、一を限り、設立されるものとする。

（**株式の政府保有**）

第三三条　政府は、常時、機構が発行している株式（株主総会において決議することができる事項の全部について議決権を行使することができないものと定められた種類の株式を除く。以下この条において同じ。）の総数の二分の一以上に当たる数の株式を保有していなければならない。

（株式、社債及び借入金の認可等）

第三四条　機構は、会社法（平成十七年法律第八十六号）第百九十九条第一項に規定する募集株式（第九十三条第一号において「募集株式」という。）、同法第二百三十八条第一項に規定する募集新株予約権（同号において「募集新株予約権」という。）若しくは同法第六百七十六条に規定する募集社債（以下「募集社債」という。）を引き受ける者の募集をし、株式交換若しくは株式交付に際して株式、社債若しくは新株予約権を発行し、又は資金を借り入れようとするときは、内閣総理大臣の認可を受けなければならない。

2　機構は、新株予約権の行使により株式を発行したときは、遅滞なく、その旨を内閣総理大臣に届け出なければならない。

（政府の出資）

第三五条　政府は、必要があると認めるときは、予算で定める金額の範囲内において、機構に出資することができる。

（商号）

第三六条　機構は、その商号中に株式会社民間資金等活用事業推進機構という文字を用いなければならない。

2　機構でない者は、その名称中に民間資金等活用事業推進機構という文字を用いてはならない。

第二節　設立

（定款の記載又は記録事項）

第三七条　機構の定款には、会社法第二十七条各号に掲げる事項のほか、次に掲げる事項を記載し、又は記録しなければならない。

一　機構の設立に際して発行する株式（以下「設立時発行株式」という。）の数（機構を種類株式発行会社として設立しようとする場合にあっては、その種類及び種類ごとの数）

二　設立時発行株式の払込金額（設立時発行株式一株と引換えに払い込む金銭又は給付する金銭以外の財産の額をいう。）

三　政府が割当てを受ける設立時発行株式の数（機構を種類株式発行会社として設立しようとする場合にあっては、その種類及び種類ごとの数）

四　会社法第百七条第一項第一号に掲げる事項

五　取締役会及び監査役を置く旨

六　第五十二条第一項各号に掲げる業務の完了により解散する旨

2　機構の定款には、次に掲げる事項を記載し、又は記録してはならない。

一　監査等委員会又は会社法第二条第十二号に規定する指名委員会等を置く旨

二　会社法第百三十九条第一項ただし書に規定する別段の定め

（設立の認可等）

第三八条　機構の発起人は、定款を作成し、かつ、発起人が割当てを受ける設立時発行株式を引き受けた後、速やかに、定款及び事業計画書を内閣総理大臣に提出して、設立の認可を申請しなければならない。

第三九条　内閣総理大臣は、前条の規定による認可の申請があった場合においては、その申請が次に掲げる基準に適合するかどうかを審査しなければならない。

一　設立の手続及び定款の内容が法令の規定に適合するものであること。

二　定款に虚偽の記載若しくは記録又は虚偽の署名若しくは記名押印（会社法第二十六条第二項の規定による署名又は記名押印に代わる措置を含む。）がないこと。

三　業務の運営が健全に行われ、我が国における特定選定事業の推進に寄与することが確実であると認められること。

2　内閣総理大臣は、前項の規定により審査した結果、その申請が同項各号に掲げる基準に適合していると認めるときは、設立の認可をしなければならない。

（設立時取締役及び設立時監査役の選任及び解任）

第四〇条　会社法第三十八条第一項に規定する設立時取締役及び同条第二項第二号に規定する設立時監査役の選任及び解任は、内閣総理大臣の認可を受けなければ、その効力を生じない。

（会社法の規定の読替え）

第四一条　会社法第三十条第二項、第三十四条第一項、第五十九条第一項第一号及び第九百六十三条第一項の規定の適用については、同法第三十条第二項中「前項の公証人の認証を受けた定款は、株式会社の成立前」とあるのは「民間資金等の活用による公共施設等の整備等の促進に関する法律（平成十一年法律第百十七号。以下「民間資金法」という。）第三十九条第二項の認可の後株式会社民間資金等活用事業推進機構の成立前は、定款」と、同法第三十四条第一項中「設立時発行株式の引受け」とあるのは「民間資金法第三十九条第二項の認可の」と、同号中「定款の認証の年月日及びその認証をした公証人の氏名」とあるのは「民間資金法第三十九条第二項の認可の年月日」と、同法第九百六十三条第一項中「第三十四条第一項」とあるのは「第三十四条第一項（民間資金法第四十一条の規定により読み替えて適用する場合を含む。）」とする。

（会社法の規定の適用除外）

第四二条　会社法第三十条第一項及び第三十三条の規定は、機構の設立については、適用しない。

第三節　管理

第一款　取締役等

（取締役及び監査役の選任等の認可）

第四三条　機構の取締役及び監査役の選任及び解任の決議は、内閣総理大臣の認可を受けなければ、その効力を生じない。

（取締役等の秘密保持義務）

第四四条　機構の取締役、会計参与、監査役若しくは職員又はこれらの職にあった者は、その職務上知ることができた秘密を漏らし、又は盗用してはならない。

第二款　民間資金等活用事業支援委員会

（設置）

第四五条　機構に、民間資金等活用事業支援委員会（以下「支援委員会」という。）を置く。

（権限）

第四六条　支援委員会は、次に掲げる決定を行う。

一　第五十四条第一項の規定による特定選定事業等支援の対象となる事業者及び当該特定選定事業等支援の内容の決定

二　第五十六条第一項の株式等又は債権の譲渡その他の処分の決定

三　前二号に掲げるもののほか、会社法第三百六十二条第四項第一号及び第二号に掲げる事項のうち取締役会の決議により委任を受けた事項の決定

2　支援委員会は、前項第一号及び第二号に掲げる事項の決定について、取締役会から委任を受けたものとみなす。

（組織）

第四七条　支援委員会は、取締役である委員三人以上七人以内で組織する。

2　委員の中には、代表取締役及び社外取締役が、それぞれ一人以上含まれなければならない。

3　委員は、取締役会の決議により定める。

4　委員の選定及び解職の決議は、内閣総理大臣の認可を受けなければ、その効力を生じない。

5　委員は、それぞれ独立してその職務を執行する。

6　支援委員会に委員長を置き、委員の互選によってこれを定める。

7　委員長は、支援委員会の会務を総理する。

8　支援委員会は、あらかじめ、委員のうちから、委員長に事故がある場合に委員長の職務を代理する者を定めておかなければならない。

（運営）

第四八条　支援委員会は、委員長（委員長に事故があるときは、前条第八項に規定する委員長の職務を代理する者。以下この条において同じ。）が招集する。

2　支援委員会は、委員長が出席し、かつ、現に在任する委員の総数の三分の二以上の出席がなければ、会議を開き、議決をすることができない。

3　支援委員会の議事は、出席した委員の過半数をもって決する。可否同数のときは、委員長が決する。

4 前項の規定による決議について特別の利害関係を有する委員は、議決に加わることができない。

5 前項の規定により議決に加わることができない委員の数は、第二項に規定する現に在任する委員の数に算入しない。

6 監査役は、支援委員会に出席し、必要があると認めるときは、意見を述べなければならない。

7 支援委員会の委員であって支援委員会によって選定された者は、第三項の規定による決議後、遅滞なく、当該決議の内容を取締役会に報告しなければならない。

8 支援委員会の議事については、内閣府令で定めるところにより、議事録を作成し、議事録が書面をもって作成されているときは、出席した委員及び監査役は、これに署名し、又は記名押印しなければならない。

9 前項の議事録が電磁的記録（電子的方式、磁気的方式その他人の知覚によっては認識することができない方式で作られる記録であって、電子計算機による情報処理の用に供されるものをいう。次条第二項第二号において同じ。）をもって作成されている場合における当該電磁的記録に記録された事項については、内閣府令で定める署名又は記名押印に代わる措置をとらなければならない。

10 前各項及び次条に定めるもののほか、議事の手続その他支援委員会の運営に関し必要な事項は、支援委員会が定める。

（議事録）

第四九条 機構は、支援委員会の日から十年間、前条第八項の議事録をその本店に備え置かなければならない。

2 株主は、その権利を行使するため必要があるときは、裁判所の許可を得て、次に掲げる請求をすることができる。

一 前項の議事録が書面をもって作成されているときは、当該書面の閲覧又は謄写の請求

二 前項の議事録が電磁的記録をもって作成されているときは、当該電磁的記録に記録された事項を内閣府令で定める方法により表示したものの閲覧又は謄写の請求

3 債権者は、委員の責任を追及するため必要があるときは、裁判所の許可を得て、第一項の議事録について前項各号に掲げる請求をすることができる。

4 裁判所は、前二項の請求に係る閲覧又は謄写をすることにより、機構に著しい損害を及ぼすおそれがあると認めるときは、前二項の許可をすることができない。

5 会社法第八百六十八条第一項、第八百六十九条、第八百七十条第二項（第一号に係る部分に限る。）、第八百七十条の二、第八百七十一条本文、第八百七十二条（第五号に係る部分に限る。）、第八百七十二条の二、第八百七十三条本文、第八百七十五条及び第八百七十六条の規定は、第二項及び第三項の許可について準用する。

6 取締役は、第一項の議事録について第二項各号に掲げる請求をすることができる。

（登記）

第五〇条 機構は、委員を選定したときは、二週間以内に、その本店の所在地において、委員の氏名を登記しなければならない。委員の氏名に変更を生じたときも、同様とする。

2 前項の規定による委員の選定の登記の申請書には、委員の選定及びその選定された委員が就任を承諾したことを証する書面を添付しなければならない。

3 委員の退任による変更の登記の申請書には、これを証する書面を添付しなければならない。

4 機構は、委員に選定された取締役のうち社外取締役であるものについて、社外取締役である旨を登記しなければならない。

第三款 定款の変更

第五一条 機構の定款の変更の決議は、内閣総理大臣の認可を受けなければ、その効力を生じない。

第四節 業務

第一款 業務の範囲

第五二条 機構は、その目的を達成するため、次に掲げる業務を営むものとする。

一 対象事業者（第五十四条第一項の規定により支援の対象となった事業者（民法（明治二十九年法律第八十九号）第六百六十七条第一項に規定する組合契約によって成立する組合、商法（明治三十二年法律第四十八号）第五百三十五条に規定する匿名組合契約によって成立する匿名組合、投資事業有限責任組合契約に関する法律（平成十年法律第九十号）第二条第二項に規定する投資事業有限責任組合若しくは有限責任事業組合契約に関する法律（平成十七年法律第四十号）第二条に規定する有限責任事業組合又は外国の法令に基づいて設立された団体であってこれらの組合に類似するものを含む。次条第一項及び第五十四条第一項において同じ。）をいう。以下同じ。）に対する出資

二 対象事業者に対する基金（一般社団法人及び一般財団法人に関する法律（平成十八年法律第四十八号）第百三十一条に規定する基金をいう。）の拠出

三 対象事業者に対する資金の貸付け

四 対象事業者が発行する有価証券（金融商品取引法（昭和二十三年法律第二十五号）第二条第一項に規定する有価証券及び同条第二項の規定により有価証券とみなされるものをいう。第八号において同じ。）の取得

五 対象事業者に対する金銭債権及び対象事業者が保有する金銭債権の取得

六 特定選定事業に係る実施方針を定め、若しくは定めようとする公共施設等の管理者等又は特定選定事業等を実施し、若しくは実施しようとする民間事業者に対する専門家の派遣

七 特定選定事業に係る実施方針を定め、若しくは定めようとする公共施設等の管理者等又は特定選定事業等を実施し、若しくは実施しようとする民間事業者に対する助言

八 保有する株式、新株予約権、持分又は有価証券（第五十六条において「株式等」という。）の譲渡その他の処分

九 債権の管理及び譲渡その他の処分

十 前各号に掲げる業務に関連して必要な交渉及び調査

十一 特定事業を推進するために必要な調査及び情報の提供

十二 前各号に掲げる業務に附帯する業務

十三 前各号に掲げるもののほか、機構の目的を達成するために必要な業務

2 機構は、前項第十三号に掲げる業務を営もうとするときは、あらかじめ、内閣総理大臣の認可を受けなければならない。

第二款 支援基準

第五三条 内閣総理大臣は、機構が特定選定事業等の支援（前条第一項第一号から第五号までに掲げる業務によりされるものに限る。以下「特定選定事業等支援」という。）の対象となる事業者及び当該特定選定事業等支援の内容を決定するに当たって従うべき基準（以下この条及び次条第一項において「支援基準」という。）を定めるものとする。

2 内閣総理大臣は、前項の規定により支援基準を定めようとするときは、あらかじめ、特定選定事業等支援の対象となる特定選定事業等に係る公共施設等を所管する大臣の意見を聴かなければならない。

3 内閣総理大臣は、第一項の規定により支援基準を定めたときは、これを公表するものとする。

第三款 業務の実施

（支援決定）

第五四条 機構は、特定選定事業等支援を行おうとするときは、支援基準に従って、その対象となる事業者及び当該特定選定事業等支援の内容を決定しなければならない。

2 機構は、特定選定事業等支援をするかどうかを決定しようとするときは、あらかじめ、内閣総理大臣にその旨を通知し、相当の期間を定めて、意見を述べる機会を与えなければならない。

3 内閣総理大臣は、前項の規定による通知を受けたときは、遅滞なく、その内容を当該特定選定事業等支援の対象となる特定選定事業等に係る公共施設等を所管する大臣に通知するものとする。

4 前項の規定による通知を受けた大臣は、当該特定選定事業等の収益性その他の当該公共施設等の運営の見込みを考慮して必要があると認めるときは、第二項の期間内に、機構に対して意見を述べることができる。

（支援決定の撤回）

第五五条　機構は、次に掲げる場合には、速やかに、前条第一項の規定による決定（次項において「支援決定」という。）を撤回しなければならない。

一　対象事業者が特定選定事業等を実施しないとき。

二　対象事業者が破産手続開始の決定、再生手続開始の決定、更生手続開始の決定、特別清算開始の命令又は外国倒産処理手続の承認の決定を受けたとき。

2　機構は、前項の規定により支援決定を撤回したときは、直ちに、対象事業者に対し、その旨を通知しなければならない。

（株式等の譲渡その他の処分等）

第五六条　機構は、その保有する対象事業者に係る株式等又は債権の譲渡その他の処分の決定を行おうとするときは、あらかじめ、内閣総理大臣にその旨を通知し、相当の期間を定めて、意見を述べる機会を与えなければならない。

2　機構は、特定選定事業の実施状況、特定選定事業に係る資金の調達状況その他の特定選定事業を取り巻く状況を考慮しつつ、令和十五年三月三十一日までに、保有する全ての株式等及び債権の譲渡その他の処分を行うよう努めなければならない。

第五節　情報の提供等

第五七条　機構は、特定選定事業の円滑な実施が促進されるよう、内閣総理大臣に対し、特定選定事業の推進に資する情報の提供を行うものとする。

2　内閣総理大臣及び特定選定事業等支援の対象となる特定選定事業等に係る公共施設等を所管する大臣は、前項の規定により提供された情報も踏まえつつ、機構の行う事業の円滑な実施が促進され、特定選定事業が推進されるよう、相互に連携を図りながら協力しなければならない。

第六節　財務及び会計

（予算の認可）

第五八条　機構は、毎事業年度の開始前に、当該事業年度の予算を内閣総理大臣に提出して、その認可を受けなければならない。これを変更しようとするときも、同様とする。

2　前項の予算には、当該事業年度の事業計画及び資金計画に関する書類を添付しなければならない。

（剰余金の配当等の決議）

第五九条　機構の剰余金の配当その他の剰余金の処分の決議は、内閣総理大臣の認可を受けなければ、その効力を生じない。

（財務諸表）

第六〇条　機構は、毎事業年度終了後三月以内に、当該事業年度の貸借対照表、損益計算書及び事業報告書を内閣総理大臣に提出しなければならない。

（政府保証）

第六一条　政府は、法人に対する政府の財政援助の制限に関する法律（昭和二十一年法律第二十四号）第三条の規定にかかわらず、国会の議決を経た金額の範囲内において、機構の第三十四条第一項の社債又は借入れに係る債務について、保証契約をすることができる。

第七節　監督

（監督）

第六二条　機構は、内閣総理大臣がこの法律の定めるところに従い監督する。

2　内閣総理大臣は、この法律を施行するため必要があると認めるときは、機構に対し、その業務に関し監督上必要な命令をすることができる。

（報告及び検査）

第六三条　内閣総理大臣は、この法律を施行するため必要があると認めるときは、機構からその業務に関し報告をさせ、又はその職員に、機構の営業所、事務所その他の事業場に立ち入り、帳簿、書類その他の物件を検査させることができる。

2　前項の規定により立入検査をする職員は、その身分を示す証明書を携帯し、関係人にこれを提示しなければならない。

3　第一項の規定による立入検査の権限は、犯罪捜査のために認められたものと解してはならない。

（財務大臣との協議）

第六四条　内閣総理大臣は、第三十四条第一項（募集社債を引き受ける者の募集をし、株式交換若しくは株式交付に際して社債を発行し、又は資金を借り入れようとするときに限る。）、第三十九条第二項、第五十一条、第五十二条第二項、第五十八条第一項、第五十九条又は第六十七条の認可をしようとするときは、財務大臣に協議しなければならない。

（業務の実績に関する評価）

第六五条　内閣総理大臣は、機構の事業年度ごとの業務の実績について、評価を行わなければならない。

2　内閣総理大臣は、前項の評価を行ったときは、遅滞なく、機構に対し、当該評価の結果を通知するとともに、これを公表しなければならない。

第八節　解散等

（解散）

第六六条　機構は、第五十二条第一項各号に掲げる業務の完了により解散する。

（合併等の決議）

第六七条　機構の合併、分割、事業の譲渡又は譲受け及び解散の決議は、内閣総理大臣の認可を受けなければ、その効力を生じない。

第六章　選定事業に対する特別の措置

（国の債務負担）

第六八条　国が選定事業について債務を負担する場合には、当該債務を負担する行為により支出すべき年限は、当該会計年度以降三十箇年度以内とする。

（行政財産の貸付け）

第六九条　国は、必要があると認めるときは、国有財産法（昭和二十三年法律第七十三号）第十八条第一項の規定にかかわらず、選定事業の用に供するため、行政財産（同法第三条第二項に規定する行政財産をいう。次項から第五項までにおいて同じ。）を選定事業者に貸し付けることができる。

2　前項に定めるもののほか、国は、選定事業者が一棟の建物の一部が当該選定事業に係る公共施設等である当該建物（以下この条において「特定建物」という。）の全部又は一部を所有しようとする場合において、必要があると認めるときは、国有財産法第十八条第一項の規定にかかわらず、行政財産である土地を、その用途又は目的を妨げない限度において、当該選定事業者に貸し付けることができる。

3　前二項に定めるもののほか、国は、前項の規定により行政財産である土地の貸付けを受けた者が特定建物のうち選定事業に係る公共施設等の部分以外の部分（以下この条において「特定民間施設」という。）を選定事業の終了（当該選定事業に係る事業契約の解除又は第二十九条第一項の規定による公共施設等運営権の取消し若しくは同条第四項の規定による公共施設等運営権の消滅による終了を含む。以下この条及び次条において同じ。）の後においても引き続き所有しようとする場合において、必要があると認めるときは、国有財産法第十八条第一項の規定にかかわらず、当該行政財産である土地を、その用途又は目的を妨げない限度において、その者（当該選定事業に係る事業契約の解除又は第二十九条第一項の規定による公共施設等運営権の取消し若しくは同条第四項の規定による公共施設等運営権の消滅による終了の場合にあっては、当該特定民間施設であった施設に係る公共施設等の管理者等が当該公共施設等の管理に関し適当と認める者に限る。第八項において同じ。）に貸し付けることができる。

4　前三項に定めるもののほか、国は、第二項の規定により行政財産である土地の貸付けを受けた選定事業者が特定民間施設を譲渡しようとする場合において、必要があると認めるときは、国有財産法第十八条第一項の規定にかかわらず、当該行政財産である土地を、その用途又は目的を妨げない限度において、当該特定民間施設を譲り受けようとする者（当該公共施設等の管理者等が当該公共施設等の管理に関し適当と認める者に限る。）に貸し付けることができる。

5　前項の規定は、第三項又は前項（この項において準用する場合を含む。）の規定により行政財産である土地の貸付けを受けた者が当該特定民間施設

（特定民間施設であった施設を含む。）を譲渡しようとする場合について準用する。この場合において、前項中「当該公共施設等の管理者等」とあるのは、「当該特定民間施設に係る公共施設等の管理者等（特定民間施設であった施設を譲渡しようとする場合にあっては、当該特定民間施設であった施設に係る公共施設等の管理者等）」と読み替えるものとする。

6　地方公共団体は、必要があると認めるときは、地方自治法第二百三十八条の四第一項の規定にかかわらず、選定事業の用に供するため、行政財産（同法第二百三十八条第三項に規定する行政財産をいう。次項から第十項まで及び次条第五項から第八項までにおいて同じ。）を選定事業者に貸し付けることができる。

7　前項に定めるもののほか、地方公共団体は、選定事業者が特定建物の全部又は一部を所有しようとする場合において、必要があると認めるときは、地方自治法第二百三十八条の四第一項の規定にかかわらず、行政財産である土地を、その用途又は目的を妨げない限度において、当該選定事業者に貸し付けることができる。

8　前二項に定めるもののほか、地方公共団体は、前項の規定により行政財産である土地の貸付けを受けた者が特定民間施設を選定事業の終了の後においても引き続き所有しようとする場合において、必要があると認めるときは、地方自治法第二百三十八条の四第一項の規定にかかわらず、当該行政財産である土地を、その用途又は目的を妨げない限度において、その者に貸し付けることができる。

9　前三項に定めるもののほか、地方公共団体は、第七項の規定により行政財産である土地の貸付けを受けた選定事業者が特定民間施設を譲渡しようとする場合において、必要があると認めるときは、地方自治法第二百三十八条の四第一項の規定にかかわらず、当該行政財産である土地を、その用途又は目的を妨げない限度において、当該特定民間施設を譲り受けようとする者（当該公共施設等の管理者等が当該公共施設等の管理に関し適当と認める者に限る。）に貸し付けることができる。

10　前項の規定は、第八項又は前項（この項において準用する場合を含む。）の規定により行政財産である土地の貸付けを受けた者が当該特定民間施設（特定民間施設であった施設を含む。）を譲渡しようとする場合について準用する。この場合において、前項中「当該公共施設等の管理者等」とあるのは、「当該特定民間施設に係る公共施設等の管理者等（特定民間施設であった施設を譲渡しようとする場合にあっては、当該特定民間施設であった施設に係る公共施設等の管理者等）」と読み替えるものとする。

11　前各項の規定による貸付けについては、民法第六百四条並びに借地借家法（平成三年法律第九十号）第三条及び第四条の規定は、適用しない。

12　国有財産法第二十一条及び第二十三条から第二十五条までの規定は第一項から第五項までの規定による貸付けについて、地方自治法第二百三十八条の二第二項及び第二百三十八条の五第四項から第六項までの規定は第六項から第十項までの規定による貸付けについて、それぞれ準用する。

第七〇条　前条第一項から第五項までに定めるもののほか、国は、必要があると認めるときは、国有財産法第十八条第一項の規定にかかわらず、特定施設（第二条第一項第三号から第五号までに掲げる施設及び同項第六号の政令で定める施設のうち同項第三号から第五号までに掲げる施設に準ずるものとして政令で定めるものをいう。以下この条において同じ。）の設置の事業であって、選定事業の実施に資すると認められるもの（以下この条において「特定民間事業」という。）の用に供するため、行政財産を、その用途又は目的を妨げない限度において、当該特定民間事業を行う選定事業者に貸し付けることができる。

2　前項に定めるもののほか、国は、同項の規定により行政財産の貸付けを受けた者が特定民間事業に係る特定施設を選定事業の終了の後においても引き続き所有し、又は利用しようとする場合において、必要があると認めるときは、国有財産法第十八条第一項の規定にかかわらず、当該行政財産を、その用途又は目的を妨げない限度において、その者（当該選定事業に係る事業契約の解除又は第二十九条第一項の規定による公共施設等運営権の取消し若しくは同条第四項の規定による公共施設等運営権の消滅による終了の場合にあっては、当該選定事業に係る公共施設等であった施設に係る公共施設等の管理者等が当該公共施設等の管理に関し適当と認める者に限る。第六項において同じ。）に貸し付けることができる。

3　前二項に定めるもののほか、国は、第一項の規定により行政財産の貸付けを受けた選定事業者が特定民間事業に係る特定施設（特定施設を利用する権利を含む。以下この項において同じ。）を譲渡しようとする場合において、必要があると認めるときは、国有財産法第十八条第一項の規定にかかわらず、当該行政財産を、その用途又は目的を妨げない限度において、当該特定施設を譲り受けようとする者（当該選定事業に係る公共施設等の管理者等が当該公共施設等の管理に関し適当と認める者に限る。）に貸し付けることができる。

4　前項の規定は、第二項又は前項（この項において準用する場合を含む。）の規定により行政財産の貸付けを受けた者が当該特定施設（特定施設を利用する権利を含む。）を譲渡しようとする場合について準用する。この場合において、前項中「当該選定事業に係る公共施設等の管理者等」とあるのは、「当該選定事業に係る公共施設等の管理者等（当該選定事業の終了の後にあっては、当該選定事業に係る公共施設等であった施設に係る公共施設等の管理者等）」と読み替えるものとする。

5　前条第六項から第十項までに定めるもののほか、地方公共団体は、必要があると認めるときは、地方自治法第二百三十八条の四第一項の規定にかかわらず、特定民間事業の用に供するため、行政財産を、その用途又は目的を妨げない限度において、当該特定民間事業を行う選定事業者に貸し付けることができる。

6　前項に定めるもののほか、地方公共団体は、同項の規定により行政財産の貸付けを受けた者が特定民間事業に係る特定施設を選定事業の終了の後においても引き続き所有し、又は利用しようとする場合において、必要があると認めるときは、地方自治法第二百三十八条の四第一項の規定にかかわらず、当該行政財産を、その用途又は目的を妨げない限度において、その者に貸し付けることができる。

7　前二項に定めるもののほか、地方公共団体は、第五項の規定により行政財産の貸付けを受けた選定事業者が特定民間事業に係る特定施設（特定施設を利用する権利を含む。以下この項において同じ。）を譲渡しようとする場合において、必要があると認めるときは、地方自治法第二百三十八条の四第一項の規定にかかわらず、当該行政財産を、その用途又は目的を妨げない限度において、当該特定施設を譲り受けようとする者（当該選定事業に係る公共施設等の管理者等が当該公共施設等の管理に関し適当と認める者に限る。）に貸し付けることができる。

8　前項の規定は、第六項又は前項（この項において準用する場合を含む。）の規定により行政財産の貸付けを受けた者が当該特定施設（特定施設を利用する権利を含む。）を譲渡しようとする場合について準用する。この場合において、前項中「当該選定事業に係る公共施設等の管理者等」とあるのは、「当該選定事業に係る公共施設等の管理者等（当該選定事業の終了の後にあっては、当該選定事業に係る公共施設等であった施設に係る公共施設等の管理者等）」と読み替えるものとする。

9　前条第十一項及び第十二項の規定は、前各項の規定による貸付けについて準用する。この場合において、同条第十二項中「第一項から第五項まで」とあるのは「第七十条第一項から第四項まで」と、「第六項から第十項まで」とあるのは「第七十条第五項から第八項まで」と読み替えるものとする。

（国有財産の無償使用等）

第七一条　国は、必要があると認めるときは、選定事業の用に供する間、国有財産（国有財産法第二条第一項に規定する国有財産をいう。）を無償又は時価より低い対価で選定事業者に使用させることができる。

2　地方公共団体は、必要があると認めるときは、選定事業の用に供する間、公有財産（地方自治法第二百三十八条第一項に規定する公有財産をいう。）を無償又は時価より低い対価で選定事業者に使用させることができる。

（無利子貸付け）

第七二条　国は、予算の範囲内において、選定事業者に対し、選定事業のうち特に公共性が高いと認めるものに係る資金について無利子で貸付けを行うことができる。

2　国は、前項の規定により無利子で貸付けを行う場合には、株式会社日本政策投資銀行又は沖縄振興開発金融公庫その他の政府系金融機関等の審査機能又は貸付け機能を活用することができる。

（資金の確保等及び地方債についての配慮）

第七三条　国又は地方公共団体は、選定事業の実施のために必要な資金の確保若しくはその融通のあっせん又は法令の範囲内における地方債について特別の配慮に努めるものとする。

（土地の取得等についての配慮）

第七四条　選定事業の用に供する土地等については、選定事業者が円滑に取得し、又は使用することができるよう、土地収用法（昭和二十六年法律第二百十九号）に基づく収用その他関係法令に基づく許可等の処分について適切な配慮が行われるものとする。

（支援等）

第七五条　第六十九条から前条までに規定するもののほか、国及び地方公共団体は、特定事業の実施を促進するため、基本方針及び実施方針に照らして、必要な財政上及び税制上の措置を講ずるとともに、選定事業者に対し、必要な財政上及び金融上の支援を行うものとする。

2　前項の措置及び支援は、整備される施設の特性、事業の実施場所等に応じた柔軟かつ弾力的なものであり、かつ、地方公共団体及び公共法人の主体性が十分に発揮されるよう配慮されたものでなければならない。

（規制緩和）

第七六条　国及び地方公共団体は、特定事業の実施を促進するため、民間事業者の技術の活用及び創意工夫の十分な発揮を妨げるような規制の撤廃又は緩和を速やかに推進するものとする。

（協力）

第七七条　国及び地方公共団体並びに民間事業者は、特定事業の円滑な実施が促進されるよう、協力体制を整備すること等により相互に協力しなければならない。

（国派遣職員に係る特例）

第七八条　国派遣職員（国家公務員法（昭和二十二年法律第百二十号）第二条に規定する一般職に属する職員が、任命権者又はその委任を受けた者の要請に応じ、公共施設等運営権者の職員（常時勤務に服することを要しない者を除き、公共施設等の運営等に関する専門的な知識及び技能を必要とする業務に従事する者に限る。以下この項及び次条第一項において同じ。）となるため退職し、引き続いて当該公共施設等運営権者の職員となり、引き続き当該公共施設等運営権者の職員として在職している場合における当該公共施設等運営権者の職員をいう。以下この条及び次条第三項において同じ。）は、同法第八十二条第二項の規定の適用については、同項に規定する特別職国家公務員等とみなす。

2　国家公務員法第百六条の二第三項に規定する退職手当通算法人には、公共施設等運営権者を含むものとする。

3　国派遣職員は、一般職の職員の給与に関する法律（昭和二十五年法律第九十五号）第十一条の七第三項、第十一条の八第三項、第十二条第四項、第十二条の二第三項及び第十四条第二項の規定の適用については、同法第十一条の七第三項に規定する行政執行法人職員等とみなす。

4　国派遣職員は、国家公務員退職手当法（昭和二十八年法律第百八十二号）第七条の二及び第二十条第三項の規定の適用については、同法第七条の二第一項に規定する公庫等職員とみなす。

5　公共施設等運営権者又は国派遣職員は、国家公務員共済組合法（昭和三十三年法律第百二十八号）第百二十四条の二（第四項を除く。）の規定の適用については、それぞれ同条第一項に規定する公庫等又は公庫等職員とみなす。

6　国派遣職員は、一般職の職員の勤務時間、休暇等に関する法律（平成六年法律第三十三号）第十七条第一項の規定の適用については、同項第三号に規定する行政執行法人職員等とみなす。

7　国派遣職員は、国家公務員の留学費用の償還に関する法律（平成十八年法律第七十号）第四条（第五号に係る部分に限る。）及び第五条（同号に係る部分に限る。）の規定の適用については、同法第二条第四項に規定する特別職国家公務員等とみなす。

（地方派遣職員に係る特例）

第七九条　地方派遣職員（地方公務員法（昭和二十五年法律第二百六十一号）第三条第二項に規定する一般職に属する職員が、任命権者又はその委任を受けた者の要請に応じ、公共施設等運営権者の職員となるため退職し、引き続き当該公共施設等運営権者の職員となり、引き続き当該公共施設等運営権者の職員として在職している場合における当該公共施設等運営権者の職員をいう。第三項において同じ。）は、同法第二十九条第二項の規定の適用については、同項に規定する特別職地方公務員等とみなす。

2　地方公務員法第三十八条の二第二項に規定する退職手当通算法人には、公共施設等運営権者を含むものとする。

3　公共施設等運営権者又は国派遣職員（前条第一項の退職前に地方公務員等共済組合法（昭和三十七年法律第百五十二号）第百四十二条第一項に規定する国の職員であった者に限る。）若しくは地方派遣職員は、同法第百四十条の規定の適用については、それぞれ同条第一項に規定する公庫等又は公庫等職員とみなす。

（職員の派遣等についての配慮）

第八〇条　前二条に規定するもののほか、国及び地方公共団体は、特定事業の円滑かつ効率的な遂行を図るため必要があると認めるときは、職員の派遣その他の適当と認める人的援助について必要な配慮を加えるよう努めるものとする。

（啓発活動等及び技術的援助等）

第八一条　国及び地方公共団体は、特定事業の実施について、知識の普及、情報の提供等を行うとともに、住民の理解、同意及び協力を得るための啓発活動を推進するものとする。

2　国及び地方公共団体は、特定事業の円滑かつ効率的な遂行を図るため、民間事業者に対する技術的な援助について必要な配慮をするとともに、特許等の技術の利用の調整その他民間事業者の有する技術の活用について特別の配慮をするものとする。

（担保不動産の活用等）

第八二条　選定事業者が選定事業を実施する際に不動産を取得した場合であって当該不動産が担保に供されていた場合において、当該不動産に担保権を有していた会社、当該不動産を担保として供していた会社又は当該不動産に所有権を有していた会社に損失が生じたときは、当該会社は、当該損失に相当する額を、当該事業年度の決算期において、貸借対照表の資産の部に計上し、繰延資産として整理することができる。この場合には、当該決算期から十年以内に、毎決算期に均等額以上の償却をしなければならない。

2　前項の規定の適用がある場合における会社法第四百六十一条第二項の規定の適用については、同項中「の合計額を減じて得た」とあるのは、「及び内閣府令で定める場合における民間資金等の活用による公共施設等の整備等の促進に関する法律（平成十一年法律第百十七号）第八十二条第一項の規定により貸借対照表の資産の部に計上した金額中内閣府令で定める金額の合計額を減じて得た」とする。

第七章　民間資金等活用事業推進会議等

（民間資金等活用事業推進会議）

第八三条　内閣府に、特別の機関として、民間資金等活用事業推進会議（以下「会議」という。）を置く。

2　会議は、次に掲げる事務をつかさどる。

一　基本方針の案を作成すること。

二　民間資金等の活用による公共施設等の整備等に係る施策について必要な関係行政機関相互の調整をすること。

三　前二号に掲げるもののほか、民間資金等の活用による公共施設等の整備等に係る施策に関する重要事項について審議し、及びその施策の実施を推進すること。

3　会議は、基本方針の案を作成しようとするときは、あらかじめ、各省各庁の長に協議するとともに、民間資金等活用事業推進委員会の意見を聴かなければならない。

第八四条　会議は、会長及び委員をもって組織する。

2　会長は、内閣総理大臣をもって充てる。

3　委員は、会長以外の国務大臣のうちから、内閣総理大臣が指定する者をもって充てる。

4　前三項に定めるもののほか、会議の組織及び運営に関し必要な事項は、政令で定める。

（民間資金等活用事業推進委員会）

第八五条　内閣府に、民間資金等活用事業推進委員会（以下「委員会」という。）を置く。

2　委員会は、この法律の規定によりその権限に属させられた事項を調査審議するほか、実施方針の策定状況、特定事業の選定状況、特定事業の客観的な評価状況その他民間資金等の活用による国の公共施設等の整備等の実施状況を調査審議する。

3　民間事業者等は、委員会に対し、民間資金等の活用による国の公共施設等の整備等に関する意見を提出することができる。

4　委員会は、前二項の場合において必要があると認めるときは、民間資金等の活用による国の公共施設等の整備等の促進及び総合調整を図るため、内閣総理大臣又は関係行政機関の長に意見を述べることができる。

5　内閣総理大臣又は関係行政機関の長は、前項の意見を受けてとった措置について、委員会に報告しなければならない。

6　委員会は、その所掌事務を遂行するため必要があると認めるときは、関係行政機関の長、関係地方公共団体の長又は関係団体に対し、資料の提出、意見の開陳、説明その他必要な協力を求めることができる。この場合において、委員会は、提出を受けた資料その他所掌事務を遂行するために収集した資料の公表に関し必要な措置を講ずるものとする。

第八六条　委員会は、学識経験者のうちから、内閣総理大臣が任命する委員九人で組織する。

2　専門の事項を調査審議させる必要があるときは、委員会に専門委員を置くことができる。

3　委員会に、必要に応じ、部会を置くことができる。

4　前三項に定めるもののほか、委員会の組織及び運営に関し必要な事項は、政令で定める。

第八章　雑則

（政令への委任）

第八七条　この法律に定めるもののほか、この法律の実施のため必要な事項は、政令で定める。

第九章　罰則

第八八条　機構の取締役、会計参与（会計参与が法人であるときは、その職務を行うべき社員）、監査役又は職員が、その職務に関して、賄賂を収受し、又はその要求若しくは約束をしたときは、三年以下の懲役に処する。これによって不正の行為をし、又は相当の行為をしなかったときは、五年以下の懲役に処する。

2　前項の場合において、犯人が収受した賄賂は、没収する。その全部又は一部を没収することができないときは、その価額を追徴する。

第八九条　前条第一項の賄賂を供与し、又はその申込み若しくは約束をした者は、三年以下の懲役又は百万円以下の罰金に処する。

2　前項の罪を犯した者が自首したときは、その刑を減軽し、又は免除することができる。

第九〇条　第八十八条第一項の罪は、日本国外において同項の罪を犯した者にも適用する。

2　前条第一項の罪は、刑法（明治四十年法律第四十五号）第二条の例に従う。

第九一条　機構の取締役、会計参与（会計参与が法人であるときは、その職務を行うべき社員）、監査役若しくは職員又はこれらの職にあった者が、第四十四条の規定に違反してその職務上知ることのできた秘密を漏らし、又は盗用したときは、一年以下の懲役又は五十万円以下の罰金に処する。

第九二条　第六十三条第一項の規定による報告をせず、若しくは虚偽の報告をし、又は同項の規定による検査を拒み、妨げ、若しくは忌避した場合には、その違反行為をした機構の取締役、会計参与（会計参与が法人であるときは、その職務を行うべき社員）、監査役又は職員は、五十万円以下の罰金に処する。

第九三条　次の各号のいずれかに該当する場合には、その違反行為をした機構の取締役、会計参与若しくはその職務を行うべき社員又は監査役は、百万円以下の過料に処する。

一　第三十四条第一項の規定に違反して、募集株式、募集新株予約権若しくは募集社債を引き受ける者の募集をし、株式交換若しくは株式交付に際して株式、社債若しくは新株予約権を発行し、又は資金を借り入れたとき。

二　第三十四条第二項の規定に違反して、株式を発行した旨の届出を行わなかったとき。

三　第五十条第一項又は第四項の規定に違反して、登記することを怠ったとき。

四　第五十二条第二項の規定に違反して、業務を行ったとき。

五　第五十四条第二項又は第五十六条第一項の規定に違反して、内閣総理大臣に通知をしなかったとき。

六　第五十八条第一項の規定に違反して、予算の認可を受けなかったとき。

七　第六十条の規定に違反して、貸借対照表、損益計算書若しくは事業報告書を提出せず、又は虚偽の記載若しくは記録をしたこれらのものを提出したとき。

八　第六十二条第二項の規定による命令に違反したとき。

第九四条　第三十六条第二項の規定に違反して、その名称中に民間資金等活用事業推進機構という文字を用いた者は、十万円以下の過料に処する。

附　則

（施行期日）

第一条　この法律は、公布の日から起算して三月を超えない範囲内において政令で定める日から施行する。

〔平成一一政二七八により、平成一一・九・二四から施行〕

（検討）

第二条　政府は、少なくとも三年ごとに、この法律に基づく特定事業の実施状況（民間事業者の技術の活用及び創意工夫の十分な発揮を妨げるような規制の撤廃又は緩和の状況を含む。）について検討を加え、その結果に基づいて必要な措置を講ずるものとする。

第三条　政府は、公共施設等に係る入札制度の改善の検討を踏まえつつ、民間事業者から質問又は提案を受けること等の特定選定（特定事業を実施する民間事業者の選定をいう。以下この条において同じ。）における民間事業者との対話の在り方、段階的な事業者選定の在り方、特定選定の手続における透明性及び公平性の確保その他の特定選定の在り方について検討を加え、その結果に基づいて必要な措置を講ずるものとする。

（水道事業等に係る旧資金運用部資金等の繰上償還に係る措置）

第四条　政府は、平成三十年度から令和五年度までの間に、次の各号に掲げる地方公共団体から、平成九年一月三十一日までに当該地方公共団体に対して貸し付けられた旧資金運用部資金（資金運用部資金法等の一部を改正する法律（平成十二年法律第九十九号）第一条の規定による改正前の資金運用部資金法（昭和二十六年法律第百号）第六条第一項に規定する資金運用部資金をいう。以下この項において同じ。）又は平成九年三月三十一日までに当該地方公共団体に対して貸し付けられた旧公営企業金融公庫資金（地方公共団体金融機構法（平成十九年法律第六十四号）附則第九条第一項の規定による解散前の公営企業金融公庫の資金をいう。以下この項において同じ。）であって、年利三パーセント以上のもののうち、水道事業等（水道法（昭和三十二年法律第百七十七号）による水道事業若しくは水道用水供給事業又は下水道法（昭和三十三年法律第七十九号）による公共下水道若しくは流域下水道の用に供する施設に関する事業をいう。以下この項において同じ。）に係る公共施設等（次の各号に規定する水道事業等公共施設等運営権条例に基づいて設定された公共施設等運営権に係るものに限る。）の建設、改修、維持管理又は運営（以下この項において「建設等」という。）に充てられた金額（当該金額が明らかでないときは、当該公共施設等の建設等に要した費用その他の事情を考慮して内閣府令・総務省令・財務省令で定める基準により算定した金額）に相当するもの（以下この条において「対象貸付金」という。）について繰上償還を行おうとする旨の申出があった場合において、当該地方公共団体の水道事業等の経営の健全化が特に必要であり、かつ、当該地方公共団体から水道事業等に係る公共施設等運営事業に関し政令で定める事項を定めた計画が提出され、当該計画の内容が当該地方公共団体の水道事業等の健全かつ効率的な運営に相当程度資するものであると認めるときは、政令で定めるところにより、当該申出に係る対象貸付金が旧資金運用部資金であるときは限度額を限度として繰上償還に応ずるものとし、当該申出に係る対象貸付金が旧公営企業金融公庫資金であるときは地方公共団体金融機構に対して限度額を限度として繰上償還に応ずるよう要請するものとする。

一　平成二十九年度までに水道事業等に係る公共施設等運営権に関する第十八条第一項の条例（次号及び次項第一号において「水道事業等公共施設等運営権条例」という。）を定めており、これに基づいて平成三十年度から令和二年度までの間に水道事業等に係る公共施設等運営事業が開始された地方公共団体

二　平成三十年度から令和三年度までの間に水道事業等公共施設等運営権条例を定めた地方公共団体

2　前項に規定する「限度額」とは、次の各号に掲げる地方公共団体の区分に応じ、それぞれ当該各号に定める額をいう。

一　前項第一号に掲げる地方公共団体又は同項第二号に掲げる地方公共団体（平成三十年度又は令和元年度に水道事業等公共施設等運営権条例を定めたものに限る。）　対象貸付金の残高又は当該公共施設等運営権の設

定の対価として当該地方公共団体が収受した金銭（第二十条の規定により徴収した金銭を含み、定期に又は分割して収受すべきときは、その最初に収受した分に限る。）の額のいずれか少ない額

二　前項第二号に掲げる地方公共団体（前号に掲げるものを除く。）　前号に定める額の二分の一に相当する額

3　第一項の場合において、政府は、繰上償還に応ずるために必要な金銭として対象貸付金の元金償還金以外の金銭を受領しないものとする。

4　前項の規定は、地方公共団体金融機構が第一項の規定に基づく政府の要請により繰上償還に応ずる場合について準用する。

附　則〔略〕〔平成一一・六・一一法律七三〕

附　則〔略〕〔平成一一・一二・二二法律一六〇〕

附　則〔略〕〔平成一四・五・二九法律四五〕

附　則〔略〕〔平成一五・七・三〇法律一三二〕

附　則〔略〕〔平成一七・七・二六法律八七〕

附　則〔略〕〔平成一七・八・一五法律九五施行〕

附　則〔略〕〔平成一八・六・七法律五三〕

附　則〔略〕〔平成一九・六・一三法律八五〕

附　則〔抄〕〔平成二三・六・一法律五七〕

（施行期日）

第一条　この法律は、公布の日から起算して六月を超えない範囲内において政令で定める日から施行する。ただし、次の各号に掲げる規定は、当該各号に定める日から施行する。

〔平成二三政三五四により、平成二三・一一・三〇から施行〕

一　第二条の改正規定（同条に二項を加える部分を除く。）及び第十一条の三第一項の改正規定〔中略〕　公布の日

二　第四条第一項、第四項及び第五項の改正規定、第二十条の次に章名及び二条を加える改正規定（二条を加える部分に限る。）並びに第二十二条の見出しの改正規定〔中略〕　公布の日から起算して一月を超えない範囲内において政令で定める日

〔平成二三政一七六により、平成二三・六・三〇から施行〕

三　第六条の改正規定　地域の自主性及び自立性を高めるための改革の推進を図るための関係法律の整備に関する法律（平成二十三年法律第百五号）の公布の日又はこの法律の施行の日のいずれか遅い日〔平成二三・一一・三〇〕

（経過措置）

第二条　この法律の施行前にこの法律の規定による改正前の民間資金等の活用による公共施設等の整備等の促進に関する法律第五条第三項の規定により公表された実施方針に係る特定事業については、この法律の規定による改正後の民間資金等の活用による公共施設等の整備等の促進に関する法律第六条、第七条第二項、第九条、第十条、第十一条の二第三項及び第八項並びに第十一条の三第二項、第四項、第六項及び第八項の規定にかかわらず、なお従前の例による。

附　則〔抄〕〔平成二三・八・三〇法律一〇五〕

（施行期日）

第一条　この法律は、公布の日から施行する。〔以下略〕

（罰則に関する経過措置）

第八一条　この法律（附則第一条各号に掲げる規定にあっては、当該規定。以下この条において同じ。）の施行前にした行為及びこの附則の規定によりなお従前の例によることとされる場合におけるこの法律の施行後にした行為に対する罰則の適用については、なお従前の例による。

（政令への委任）

第八二条　この附則に規定するもののほか、この法律の施行に関し必要な経過措置（罰則に関する経過措置を含む。）は、政令で定める。

附　則〔抄〕〔平成二五・六・一二法律三四〕

改正　平成二五・六法六七

（施行期日）

第一条　この法律は、公布の日から起算して三月を超えない範囲内において政令で定める日から施行する。〔以下略〕

〔平成二五政二五五により、平成二五・九・五から施行〕

（経過措置）

第二条　この法律の施行の際現にその名称中に民間資金等活用事業推進機構という文字を使用している者については、この法律による改正後の民間資金等の活用による公共施設等の整備等の促進に関する法律（以下「新法」という。）第三十六条第二項の規定は、この法律の施行後六月間は、適用しない。

第三条　株式会社民間資金等活用事業推進機構の成立の日の属する事業年度の株式会社民間資金等活用事業推進機構の予算については、新法第五十八条第一項中「毎事業年度の開始前に」とあるのは、「その成立後遅滞なく」とする。

（検討）

第四条　政府は、新法第五章の規定による株式会社民間資金等活用事業推進機構の支援を通じて新法第二条第二項に規定する特定事業を推進するに当たっては、災害の未然の防止及び災害が発生した場合における被害の拡大の防止を図るため公共施設等の整備等（同項に規定する公共施設等の整備等をいう。）の必要性が増大している一方で、国及び地方公共団体の厳しい財政状況に鑑み、財政資金の効率的使用を図る必要があることから、速やかに、道路その他の公共施設等（同条第一項に規定する公共施設等をいう。）の運営等（同条第六項に規定する運営等をいう。）について民間資金等の活用の一層の推進を図るための方策について検討を行うものとする。

附　則〔略〕〔平成二六・五・一四法律三四〕

附　則〔略〕〔平成二六・六・四法律五六施行〕

附　則〔略〕〔平成二六・六・二七法律九一〕

附　則〔略〕〔平成二七・九・一八法律七一〕

附　則〔略〕〔平成二八・五・二七法律五一〕

附　則〔略〕〔平成三〇・六・二〇法律六〇〕

附　則〔抄〕〔令和元・六・一四法律三七〕

（施行期日）

第一条　この法律は、公布の日から起算して三月を経過した日から施行する。ただし、次の各号に掲げる規定は、当該各号に定める日から施行する。

一　〔前略〕次条並びに附則第三条及び第六条の規定　公布の日

二　第三条、第四条〔中略〕の規定　公布の日から起算して六月を経過した日

三・四　〔略〕

（行政庁の行為等に関する経過措置）

第二条　この法律（前条各号に掲げる規定にあっては、当該規定。以下この条及び次条において同じ。）の施行の日前に、この法律による改正前の法律又はこれに基づく命令の規定（欠格条項その他の権利の制限に係る措置を定めるものに限る。）に基づき行われた行政庁の処分その他の行為及び当該規定により生じた失職の効力については、なお従前の例による。

（罰則に関する経過措置）

第三条　この法律の施行前にした行為に対する罰則の適用については、なお従前の例による。

（検討）

第七条　政府は、会社法（平成十七年法律第八十六号）及び一般社団法人及び一般財団法人に関する法律（平成十八年法律第四十八号）における法人の役員の資格を成年被後見人又は被保佐人であることを理由に制限する旨の規定について、この法律の公布後一年以内を目途として検討を加え、その結果に基づき、当該規定の削除その他の必要な法制上の措置を講ずるものとする。

附　則〔令和元・一二・一一法律七一〕

この法律は、会社法改正法の施行の日〔令和三・三・一〕から施行する。ただし、次の各号に掲げる規定は、当該各号に定める日から施行する。

一　〔前略〕第二十一条中民間資金等の活用による公共施設等の整備等の促進に関する法律第五十六条第二項及び附則第四条の改正規定〔中略〕第百二十四条及び第百二十五条の規定　公布の日

二・三　〔略〕

会社法の一部を改正する法律の施行に伴う関係法律の整備等に関する法律〔抄〕〔令和元・一二・一一法律七一〕

（罰則に関する経過措置）

第一二四条　この法律（附則各号に掲げる規定にあっては、当該規定。以下この条において同じ。）の施行前にした行為及びこの法律の規定によりなお従前の例によることとされる場合におけるこの法律の施行後にした行為に対する罰則の適用については、なお従前の例による。

（政令への委任）

第一二五条　この法律に定めるもののほか、この法律の施行に関し必要な経過措置は、政令で定める。

附　則〔抄〕〔令和三・五・一九法律三七〕

（施行期日）

第一条　この法律〔中略〕は、当該各号に定める日から施行する。

一　〔前略〕附則〔中略〕第七十一条から第七十三条までの規定　公布の日

二・三　〔略〕

四　〔前略〕附則〔中略〕第二十一条〔中略〕の規定　公布の日から起算して一年を超えない範囲内において、各規定につき、政令で定める日

〔令和三政二九一により、令和四・四・一から施行〕

五～十　〔略〕

（罰則に関する経過措置）

第七十一条　この法律（附則第一条各号に掲げる規定にあっては、当該規定。以下この条において同じ。）の施行前にした行為及びこの附則の規定によりなお従前の例によることとされる場合におけるこの法律の施行後にした行為に対する罰則の適用については、なお従前の例による。

（政令への委任）

第七十二条　この附則に定めるもののほか、この法律の施行に関し必要な経過措置（罰則に関する経過措置を含む。）は、政令で定める。

附　則〔抄〕〔令和四・一二・一六法律一〇〇〕

（施行期日）

1　この法律は、公布の日から起算して六月を超えない範囲内において政令で定める日から施行する。ただし、次の各号に掲げる規定は、当該各号に定める日から施行する。

〔令和五政一六九により、令和五・六・一五から施行〕

一　第二条第一項の改正規定及び第五十六条第二項の改正規定　公布の日

二　第五十二条の改正規定及び次項の規定　公布の日から起算して一月を経過した日

○中心市街地の活性化に関する法律

〔平成一〇・六・三法律九二〕

改正　平成一〇・一〇法一一三、平成一一・六法七三、法七六、七法八七、一二法一四六、法一六〇、法二二二、法二二三、平成一二・三法一六、五法七三、法八六、一二法一三六、平成一三・六法七五、一二法一四六、平成一四・二法一、三法一一、六法六五、法七七、一二法一〇九、一二法一三四、法一四六、平成一五・六法一〇〇、平成一六・三法一四、四法三五、六法八八、平成一七・三法二一、四法三四、七法八七、平成一八・六法五〇、法五四、平成一九・六法七〇、平成二三・五法三五、法三七、八法一〇五、平成二五・六法四四、一一法八四、平成二六・四法三〇、五法四一、平成二七・五法二〇、法二九、七法五六、九法六六、平成二九・五法二六、六法五〇、平成三〇・六法六二、令和二・六法三六、令和三・五法三六、令和五・五法二四

注　［　］の部分は、令和五年五月一二日法律第二四号により改正され、公布の日から起算して二年を超えない範囲内において政令で定める日から施行

目次

第一章　総則（第一条―第七条）
第二章　基本方針（第八条）
第三章　基本計画の認定等（第九条―第十五条）
第四章　中心市街地の活性化のための特別の措置
第一節　認定中心市街地における特別の措置（第十六条―第四十一条）
第二節　認定民間中心市街地商業活性化事業に対する特別の措置（第四十二条―第四十七条）
第三節　認定特定民間中心市街地活性化事業及び認定特定民間中心市街地経済活力向上事業に対する特別の措置（第四十八条―第六十条）
第四節　中心市街地の活性化のためのその他特別の措置（第六十一条―第六十五条）
第五章　中心市街地活性化本部（第六十六条―第七十五条）
第六章　雑則（第七十六条―第八十三条）
附則

第一章　総則

（目的）

第一条　この法律は、中心市街地が地域の経済及び社会の発展に果たす役割の重要性にかんがみ、近年における急速な少子高齢化の進展、消費生活の変化等の社会経済情勢の変化に対応して、中心市街地における都市機能の増進及び経済活力の向上（以下「中心市街地の活性化」という。）を総合的かつ一体的に推進するため、中心市街地の活性化に関し、基本理念、政府による基本方針の策定、市町村による基本計画の作成及びその内閣総理大臣による認定、当該認定を受けた基本計画に基づく事業に対する特別の措置、中心市街地活性化本部の設置等について定め、もって地域の振興及び秩序ある整備を図り、国民生活の向上及び国民経済の健全な発展に寄与することを目的とする。

（中心市街地）

第二条　この法律による措置は、都市の中心の市街地であって、次に掲げる要件に該当するもの（以下「中心市街地」という。）について講じられるものとする。

一　当該市街地に、相当数の小売商業者が集積し、及び都市機能が相当程度集積しており、その存在している市町村の中心としての役割を果たしている市街地であること。

二　当該市街地の土地利用及び商業活動の状況等からみて、機能的な都市活動の確保又は経済活力の維持に支障を生じ、又は生ずるおそれがあると認められる市街地であること。

三　当該市街地における都市機能の増進及び経済活力の向上を総合的かつ一体的に推進することが、当該市街地の存在する市町村及びその周辺の地域の発展にとって有効かつ適切であると認められること。

（基本理念）

第三条　中心市街地の活性化は、中心市街地が地域住民等の生活と交流の場であることを踏まえつつ、地域における社会的、経済的及び文化的活動の拠点となるにふさわしい魅力ある市街地の形成を図ることを基本とし、地方公共団体、地域住民及び関連事業者が相互に密接な連携を図りつつ主体的に取り組むことの重要性にかんがみ、その取組に対して国が集中的かつ効果的に支援を行うことを旨として、行われなければならない。

（国の責務）

第四条　国は、前条の基本理念にのっとり、地域の自主性及び自立性を尊重しつつ、中心市街地の活性化に関する施策を総合的に策定し、及び実施する責務を有する。

（地方公共団体の責務）

第五条　地方公共団体は、第三条の基本理念にのっとり、地域における地理的及び自然的特性、文化的所産並びに経済的環境の変化を踏まえつつ、国の施策と相まって、効果的に中心市街地の活性化を推進するよう所要の施

策を策定し、及び実施する責務を有する。

（事業者の責務）

第六条　事業者は、第三条の基本理念に配慮してその事業活動を行うとともに、国又は地方公共団体が実施する中心市街地の活性化のための施策の実施に必要な協力をするよう努めなければならない。

（定義）

第七条　この法律において「中小企業者」とは、次の各号のいずれかに該当する者をいい、「中小小売商業者」とは、主として小売業に属する事業を営む者であって、第四号から第七号までのいずれかに該当するものをいう。

一　資本金の額又は出資の総額が三億円以下の会社並びに常時使用する従業員の数が三百人以下の会社及び個人であって、製造業、建設業、運輸業その他の業種（次号から第四号までに掲げる業種及び第五号の政令で定める業種を除く。）に属する事業を主たる事業として営むもの

二　資本金の額又は出資の総額が一億円以下の会社並びに常時使用する従業員の数が百人以下の会社及び個人であって、卸売業（第五号の政令で定める業種を除く。）に属する事業を主たる事業として営むもの

三　資本金の額又は出資の総額が五千万円以下の会社並びに常時使用する従業員の数が百人以下の会社及び個人であって、サービス業（第五号の政令で定める業種を除く。）に属する事業を主たる事業として営むもの

四　資本金の額又は出資の総額が五千万円以下の会社並びに常時使用する従業員の数が五十人以下の会社及び個人であって、小売業（次号の政令で定める業種を除く。）に属する事業を主たる事業として営むもの

五　資本金の額又は出資の総額がその業種ごとに政令で定める金額以下の会社並びに常時使用する従業員の数がその業種ごとに政令で定める数以下の会社及び個人であって、その政令で定める業種に属する事業を主たる事業として営むもの

六　企業組合

七　協業組合

八　事業協同組合、協同組合連合会その他の特別の法律により設立された組合及びその連合会であって、政令で定めるもの

2　この法律において「商業基盤施設」とは、顧客その他の地域住民の利便の増進を図るための施設及び相当数の小売業の業務を行う者の業務の円滑な実施を図るための施設をいい、「商業施設」とは、小売業の業務を行う者の事業の用に供される施設であって、商業基盤施設以外のものをいう。

3　この法律において「都市型新事業」とは、中心市街地に集まる一般消費者等の多様かつ高度な需要に即応して、新商品の生産若しくは新役務の提供又は商品の生産若しくは販売若しくは役務の提供の方式の改善を行う次に掲げる事業であって、中心市街地における事業の構造の高度化又は国民生活の利便の増進に寄与するものをいう。

一　主として一般消費者の生活の用に供される工業製品の製造又は加工の事業

二　役務をその媒体である物の提供を通じて提供する事業

4　この法律において「都市福利施設」とは、教育文化施設、医療施設、社会福祉施設その他の都市の居住者等の共同の福祉又は利便のため必要な施設をいう。

5　この法律において「公営住宅等」とは、地方公共団体、地方住宅供給公社その他公法上の法人で政令で定めるものが自ら居住するため住宅を必要とする者に対し賃貸し、又は譲渡する目的で建設する住宅をいう。

6　この法律において「中心市街地共同住宅供給事業」とは、この法律で定めるところに従って行われる共同住宅の建設及びその管理又は譲渡に関する事業並びにこれらに附帯する事業をいう。

7　この法律において「中小小売商業高度化事業」とは、次の各号に掲げる者が実施（第一号又は第二号に掲げる場合にあっては、第一号又は第二号に掲げる者の組合員又は所属員による実施を含む。）をする当該各号に定める事業をいう。

一　中小小売商業振興法（昭和四十八年法律第百一号）第四条第一項に規定する商店街振興組合等　主として中小小売商業者である組合員又は所属員の経営の近代化を図るために行う同項に規定する事業（事業の用に供されていない店舗を賃借する事業を含む。）

二　事業協同組合、事業協同小組合又は協同組合連合会　主として中小小売商業者である組合員又は所属員の経営の近代化を図るために行う店舗を一の団地に集団して設置する中小小売商業振興法第四条第二項に規定する事業

三　事業協同組合又は事業協同小組合　中小小売商業者である組合員のための中小小売商業振興法第四条第三項第一号に規定する共同店舗等（第六号において「共同店舗等」という。）の設置の事業

四　協業組合　中小小売商業振興法第四条第三項第二号に定める事業

五　二以上の中小小売商業者が合併をして設立された小売業に属する事業を主たる事業として営む会社（合併後存続している会社を含む。）　当該会社の店舗等（中小小売商業振興法第四条第三項第二号に規定する店舗等をいう。次号において同じ。）の設置の事業

六　二以上の中小小売商業者が資本金の額又は出資の総額の大部分を出資している会社　当該会社及び当該会社に出資している中小小売商業者のための共同店舗等の設置の事業又は小売業に属する事業を主たる事業として営む当該会社の店舗等の設置の事業

七　商工会、商工会議所又は中小企業者が出資している会社であって政令で定める要件に該当するもの（以下「特定会社」という。）若しくは一般社団法人若しくは一般財団法人（以下「一般社団法人等」という。）　商店街の区域、団地又は建物の内部に集団して事業を営む中小小売商業者の経営の近代化を支援するために行う中小小売商業振興法第四条第六項に規定する事業（事業の用に供されていない店舗を賃借する事業を含む。）

8　この法律において「特定商業施設等整備事業」とは、商業基盤施設又は相当規模の商業施設を整備する事業（前項に掲げるものを除く。）をいう。

9　この法律において「民間中心市街地商業活性化事業」とは、中心市街地における商業の活性化を促進するために行う次に掲げる事業であって、民間事業者が行うものをいう。

一　展示会の開催その他の顧客の増加に寄与する事業を支援する事業

二　小売業の業務を行う者の経営の効率化に寄与する研修その他の事業

10　この法律において「特定事業」とは、次に掲げる事業をいう。

一　中心市街地における都市型新事業を実施する企業等の立地の促進を図るための施設であって、相当数の企業等が利用するためのものを整備する事業

二　食品（飲食料品（花きを含む。）のうち医薬品、医療機器等の品質、有効性及び安全性の確保等に関する法律（昭和三十五年法律第百四十五号）に規定する医薬品、医薬部外品及び再生医療等製品以外のものをいう。以下この号において同じ。）の小売業の業務を行う者（以下この号において「食品小売業者」という。）又は事業協同組合、事業協同小組合、協同組合連合会その他の政令で定める法人で食品小売業者を直接若しくは間接の構成員とするものの出資又は拠出に係る法人で政令で定めるものが、相当数の食品小売業者の店舗が集積する施設で、当該施設と一体的に駐車場、休憩所その他の当該施設の利用者の利便の増進に資する施設が整備されているもの（これと一体的に設置される倉庫その他の食品に係る流通業務用の施設を含む。）を整備する事業で、中心市街地における食品の流通の円滑化に特に資するもの（第五十四条において「中心市街地食品流通円滑化事業」という。）

三　その全部又は一部の区間が中心市街地に存する路線に係る一般乗合旅客自動車運送事業（道路運送法（昭和二十六年法律第百八十三号）第三条第一号イに掲げる一般乗合旅客自動車運送事業をいう。）を経営する者が当該事業の利用者の利便の増進を図るために実施する事業であって、国土交通省令で定めるもの

四　中心市街地における貨物の運送の効率化を図るために行う次に掲げる事業を併せて実施する事業（以下「貨物運送効率化事業」という。）

イ　特定の中心市街地から集貨された貨物の仕分又は当該中心市街地への貨物の配達に必要な仕分を専ら行うための次に掲げる施設であって政令で定めるものを整備する事業

(1)　貨物の積卸しのための施設

(2)　上屋又は荷さばき場

(3)　(1)又は(2)に掲げる施設に附帯する駐車場又は車庫

ロ　イに掲げる施設を利用して行う一般貨物自動車運送事業（貨物自動車運送事業法（平成元年法律第八十三号）第二条第二項に規定する一般貨物自動車運送事業をいう。）又は第一種貨物利用運送事業（貨物利用運送事業法（平成元年法律第八十二号）第二条第七項に規定する第一種貨物利用運送事業をいう。以下同じ。）であって、国土交通省令で定めるもの

11　この法律において「特定民間中心市街地活性化事業」とは、中小小売商

業高度化事業、特定商業施設等整備事業及び特定事業であって、民間事業者が行うものをいう。

12　この法律において「特定民間中心市街地経済活力向上事業」とは、中心市街地への来訪者又は中心市街地の就業者若しくは小売業の売上高を相当程度増加させることを目指した中小小売商業高度化事業、特定商業施設等整備事業及び第十項第一号に掲げる事業であって、民間事業者が行うものをいう。

第二章　基本方針

第八条　政府は、中心市街地の活性化を図るための基本的な方針（以下「基本方針」という。）を定めなければならない。

2　基本方針においては、次に掲げる事項を定めるものとする。

一　中心市街地の活性化の意義及び目標に関する事項

二　中心市街地の活性化のために政府が実施すべき施策に関する基本的な方針

三　中心市街地の位置及び区域に関する基本的な事項

四　中心市街地における土地区画整理事業（土地区画整理法（昭和二十九年法律第百十九号）による土地区画整理事業をいう。以下同じ。）、市街地再開発事業（都市再開発法（昭和四十四年法律第三十八号）による市街地再開発事業をいう。以下同じ。）、道路、公園、駐車場等の公共の用に供する施設の整備その他の市街地の整備改善のための事業に関する基本的な事項

五　中心市街地における都市福利施設を整備する事業に関する基本的な事項

六　公営住宅等を整備する事業、中心市街地共同住宅供給事業その他の中心市街地における住宅の供給のための事業及び当該事業と一体として行う居住環境の向上のための事業に関する基本的な事項

七　中小小売商業高度化事業、特定商業施設等整備事業、民間中心市街地商業活性化事業その他の中心市街地における経済活力の向上のための事業及び措置に関する基本的な事項

八　第四号から前号までに規定する事業及び措置と一体的に推進する次に掲げる事業に関する基本的な事項

イ　公共交通機関の利用者の利便の増進を図るための事業

ロ　特定事業

九　第四号から前号までに規定する事業及び措置の総合的かつ一体的推進に関する基本的な事項

十　中心市街地における都市機能の集積の促進を図るための措置に関する基本的な事項

十一　特定民間中心市街地経済活力向上事業の中心市街地への来訪者又は中心市街地の就業者若しくは小売業の売上高の増加の目標の設定に関する事項

十二　その他中心市街地の活性化に関する重要な事項

3　政府は、基本方針を定めるに当たっては、前項第四号から第八号まで及び第十号に規定する事業及び措置が総合的かつ一体的に推進されるようこれを定めるものとする。

4　内閣総理大臣は、中心市街地活性化本部（第六十六条に規定する中心市街地活性化本部をいう。次条及び第十四条において同じ。）が作成した基本方針の案について閣議の決定を求めなければならない。

5　内閣総理大臣は、前項の規定による閣議の決定があったときは、遅滞なく、基本方針を公表しなければならない。

6　政府は、情勢の推移により必要が生じたときは、基本方針を変更しなければならない。

7　第四項及び第五項の規定は、基本方針の変更について準用する。

第三章　基本計画の認定等

（基本計画の認定）

第九条　市町村は、基本方針に基づき、当該市町村の区域内の中心市街地について、中心市街地の活性化に関する施策を総合的かつ一体的に推進するための基本的な計画（以下「基本計画」という。）を作成し、内閣総理大臣の認定を申請することができる。

2　基本計画においては、次に掲げる事項について定めるものとする。

一　中心市街地の位置及び区域

二　土地区画整理事業、市街地再開発事業、道路、公園、駐車場等の公共の用に供する施設の整備その他の市街地の整備改善のための事業に関する事項

三　都市福利施設を整備する事業に関する事項

四　公営住宅等を整備する事業、中心市街地共同住宅供給事業その他の住宅の供給のための事業及び当該事業と一体として行う居住環境の向上のための事業に関する事項（地方住宅供給公社の活用により中心市街地共同住宅供給事業を促進することが必要と認められる場合にあっては、地方住宅供給公社による中心市街地共同住宅供給事業の促進に関する業務の実施に関する事項）

五　中小小売商業高度化事業、特定商業施設等整備事業、民間中心市街地商業活性化事業その他の経済活力の向上のための事業及び措置に関する事項

六　第二号から前号までに規定する事業及び措置と一体的に推進する次に掲げる事業に関する事項

イ　公共交通機関の利用者の利便の増進を図るための事業

ロ　特定事業

七　第二号から前号までに規定する事業及び措置の総合的かつ一体的推進に関する事項

八　中心市街地における都市機能の集積の促進を図るための措置に関する事項

九　計画期間

3　前項各号に掲げるもののほか、基本計画を定める場合には、次に掲げる事項について定めるよう努めるものとする。

一　中心市街地の活性化に関する基本的な方針

二　中心市街地の活性化の目標

三　その他中心市街地の活性化に資する事項

4　第二項第二号から第六号までに掲げる事項には、道路法（昭和二十七年法律第百八十号）第三十二条第一項第一号又は第四号から第七号までに掲げる施設、工作物又は物件（以下この項及び第四十一条において「施設等」という。）のうち、中心市街地の活性化に寄与し、道路（同法による道路に限る。第四十一条において同じ。）の通行者又は利用者の利便の増進に資するものとして政令で定めるものの設置（道路交通環境の維持及び向上を図るための清掃その他の措置であって、当該施設等の設置に伴い必要となるものが併せて講じられるものに限る。）であって、同項又は同法第三十二条第三項の許可に係るものに関する事項を定めることができる。

5　基本計画は、都市計画及び都市計画法（昭和四十三年法律第百号）第十八条の二の市町村の都市計画に関する基本的な方針に適合するとともに、地域公共交通の活性化及び再生に関する法律（平成十九年法律第五十九号）第五条第一項に規定する地域公共交通計画との調和が保たれたものでなければならない。

6　市町村は、第一項の規定により基本計画を作成しようとするときは、第十五条第一項の規定により中心市街地活性化協議会が組織されている場合には、基本計画に定める事項について当該中心市街地活性化協議会の意見を、同項の規定により中心市街地活性化協議会が組織されていない場合には、第二項第五号に掲げる事項について当該市町村の区域をその地区とする商工会又は商工会議所の意見を聴かなければならない。

7　市町村は、地方住宅供給公社による中心市街地共同住宅供給事業の促進に関する業務の実施に関する事項を定めようとするときは、あらかじめ、当該地方住宅供給公社の同意を得なければならない。

8　市町村は、第四項に規定する事項を定めようとするときは、あらかじめ、道路法第三十二条第一項又は第三項の許可の権限を有する道路管理者（同法第十八条第一項に規定する道路管理者をいう。第四十一条において同じ。）及び都道府県公安委員会の同意を得なければならない。

9　市町村は、第一項の規定による認定の申請に当たっては、中心市街地において実施し又はその実施を促進しようとする中心市街地の活性化に係る事業及びこれに関連する事業に関する規制について規定する法律及び法律に基づく命令（告示を含む。）の規定の解釈について、関係行政機関の長（当該行政機関が合議制の機関である場合にあっては、当該行政機関。以下この項において同じ。）に対し、その確認を求めることができる。この場合において、当該確認を求められた関係行政機関の長は、当該市町村に対し、速やかに回答しなければならない。

10　内閣総理大臣は、第一項の規定による認定の申請があった場合において、基本計画のうち第二項各号に掲げる事項（第四項の規定により同項に規定する事項を定めた場合にあっては、当該事項を含む。）に係る部分が次に掲げる基準に適合すると認めるときは、その認定をするものとする。
一　基本方針に適合するものであること。
二　当該基本計画の実施が当該市町村における中心市街地の活性化の実現に相当程度寄与するものであると認められること。
三　当該基本計画が円滑かつ確実に実施されると見込まれるものであること。
11　内閣総理大臣は、前項の認定を行うに際し必要と認めるときは、中心市街地活性化本部に対し、意見を求めることができる。
12　内閣総理大臣は、第十項の認定をしようとするときは、第二項第二号から第八号までに掲げる事項について、経済産業大臣、国土交通大臣、総務大臣その他の当該事項に係る関係行政機関の長（次条、第十二条及び第十三条において単に「関係行政機関の長」という。）の同意を得なければならない。
13　内閣総理大臣は、第十項の認定をしたときは、遅滞なく、その旨を当該市町村に通知しなければならない。
14　市町村は、前項の通知を受けたときは、遅滞なく、都道府県及び第六項の規定により意見を聴いた中心市街地活性化協議会又は商工会若しくは商工会議所に当該認定を受けた基本計画（以下「認定基本計画」という。）の写しを送付するとともに、その内容を公表しなければならない。
15　都道府県は、認定基本計画の写しの送付を受けたときは、市町村に対し、当該認定基本計画の円滑かつ確実な実施に関し必要な助言をすることができる。

（認定に関する処理期間）
第一〇条　内閣総理大臣は、前条第一項の規定による認定の申請を受理した日から三月以内において速やかに、同条第十項の認定に関する処分を行わなければならない。
2　関係行政機関の長は、内閣総理大臣が前項の処理期間中に前条第十項の認定に関する処分を行うことができるよう、速やかに、同条第十二項の同意について同意又は不同意の旨を通知しなければならない。

（認定基本計画の変更）
第一一条　市町村は、認定基本計画の変更（内閣府令で定める軽微な変更を除く。）をしようとするときは、内閣総理大臣の認定を受けなければならない。
2　第九条第六項から第十五項まで及び前条の規定は、前項の認定基本計画の変更について準用する。

（報告の徴収）
第一二条　内閣総理大臣は、第九条第十項の認定（前条第一項の規定による変更の認定を含む。）を受けた市町村（以下「認定市町村」という。）に対し、認定基本計画（認定基本計画の変更があったときは、その変更後のもの。以下同じ。）の実施の状況について報告を求めることができる。
2　関係行政機関の長は、認定市町村に対し、認定基本計画（第九条第二項第二号から第八号までに掲げる事項に限る。）の実施の状況について報告を求めることができる。

（認定の取消し）
第一三条　内閣総理大臣は、認定基本計画が第九条第十項各号のいずれかに適合しなくなったと認めるときは、その認定を取り消すことができる。この場合において、内閣総理大臣は、あらかじめ、関係行政機関の長にその旨を通知しなければならない。
2　関係行政機関の長は、前項の規定による認定の取消しに関し、内閣総理大臣に意見を述べることができる。
3　第九条第十三項の規定は、第一項の規定による認定の取消しについて準用する。
4　市町村は、前項の規定により準用する第九条第十三項の規定により通知を受けたときは、遅滞なく、その旨を、都道府県及び同条第六項（第十一条第二項において準用する場合を含む。）の規定により意見を聴いた中心市街地活性化協議会又は商工会若しくは商工会議所に通知するとともに、公表しなければならない。

（認定市町村への援助等）
第一四条　認定市町村は、中心市街地活性化本部に対し、認定基本計画の実施を通じて得られた知見に基づき、当該認定基本計画の円滑かつ確実な実施が促進されるよう、政府の中心市街地の活性化に関する施策の改善についての提案をすることができる。
2　中心市街地活性化本部は、前項の提案について検討を加え、遅滞なく、その結果を当該認定市町村に通知するとともに、インターネットの利用その他適切な方法により公表しなければならない。
3　国は、認定市町村に対し、当該認定基本計画の円滑かつ確実な実施に関し必要な情報の提供、助言その他の援助を行うように努めなければならない。
4　前三項に定めるもののほか、国及び認定市町村は、当該認定基本計画の円滑かつ確実な実施が促進されるよう、相互に連携を図りながら協力しなければならない。

（中心市街地活性化協議会）
第一五条　第九条第一項の規定により市町村が作成しようとする基本計画並びに認定基本計画及びその実施に関し必要な事項その他中心市街地の活性化の総合的かつ一体的な推進に関し必要な事項について協議するため、第一号及び第二号に掲げる者は、中心市街地ごとに、協議により規約を定め、共同で中心市街地活性化協議会（以下「協議会」という。）を組織することができる。
一　当該中心市街地における都市機能の増進を総合的に推進するための調整を図るのにふさわしい者として次に掲げるもののうちいずれか一以上の者
イ　中心市街地整備推進機構（第六十一条第一項の規定により指定された中心市街地整備推進機構をいう。次条、第十八条及び第十九条において同じ。）
ロ　良好な市街地を形成するためのまちづくりの推進を図る事業活動を行うことを目的として設立された会社であって政令で定める要件に該当するもの
二　当該中心市街地における経済活力の向上を総合的に推進するための調整を図るのにふさわしい者として次に掲げるもののうちいずれか一以上の者
イ　当該中心市街地の区域をその地区とする商工会又は商工会議所
ロ　商業等の活性化を図る事業活動を行うことを目的として設立された一般社団法人等又は特定会社であって政令で定める要件に該当するもの
2　中心市街地において、第九条第二項第二号から第六号までに規定する事業を実施しようとする者は、当該中心市街地において前項の規定による協議会が組織されていない場合にあっては、同項各号に掲げる者に対して、同項の規定による協議会を組織するよう要請することができる。
3　第一項各号に掲げる者は、同項の規定により協議会を組織したときは、遅滞なく、内閣府令・経済産業省令・国土交通省令で定めるところにより、その旨及び内閣府令・経済産業省令・国土交通省令で定める事項を公表しなければならない。
4　第一項第一号イ及びロ並びに第二号イ及びロに掲げる者並びに次に掲げる者であって協議会の構成員でないものは、自己を協議会の構成員として加えるよう協議会に申し出ることができる。
一　当該中心市街地において第九条第二項第二号から第六号までに規定する事業を実施しようとする者
二　前号に掲げる者のほか、認定基本計画及びその実施に関し密接な関係を有する者
三　当該中心市街地をその区域に含む市町村
5　前項に規定する者から同項の規定による申出があった場合においては、協議会は、正当な理由がある場合を除き、当該申出を拒むことができない。
6　協議会は、必要があると認めるときは、第四項に規定する者に対し、協議会への参加を要請することができる。
7　協議会は、必要があると認めるときは、関係行政機関及び独立行政法人中小企業基盤整備機構（以下「機構」という。）の長並びに民間都市開発の推進に関する特別措置法（昭和六十二年法律第六十二号。第二十条において「民間都市開発法」という。）第三条第一項の規定により指定された民間都市開発推進機構の代表者に対して、資料の提供、意見の表明、説明その他の協力を求めることができる。
8　協議会は、特に必要があると認めるときは、前項に規定する者以外の者に対しても、必要な協力を求めることができる。
9　協議会は、市町村に対し、第九条第一項の規定により市町村が作成しよ

うとする基本計画並びに認定基本計画及びその実施に関し必要な事項について意見を述べることができる。

10　第一項の協議を行うための会議において協議が調った事項については、協議会の構成員は、その協議の結果を尊重しなければならない。

11　前各項に定めるもののほか、協議会の運営に関し必要な事項は、規約で定めるものとする。

第四章　中心市街地の活性化のための特別の措置

第一節　認定中心市街地における特別の措置

（土地区画整理事業の換地計画において定める保留地の特例）

第一六条　認定基本計画において第九条第二項第二号に掲げる事項として定められた土地区画整理事業であって土地区画整理法第三条第四項、第三条の二又は第三条の三の規定により施行するものの換地計画（認定基本計画において定められた中心市街地（以下「認定中心市街地」という。）の区域内の宅地について定められたものに限る。）においては、都市福利施設（認定中心市街地の区域内の住民等の共同の福祉又は利便のため必要な施設に限る。）で国、地方公共団体、中心市街地整備推進機構その他政令で定める者が設置するもの（同法第二条第五項に規定する公共施設を除き、認定基本計画において第九条第二項第三号に掲げる事項として土地区画整理事業と併せてその整備が定められたものに限る。）又は公営住宅等（認定基本計画において第九条第二項第四号に掲げる事項として土地区画整理事業と併せてその整備が定められたものに限る。）の用に供するため、一定の土地を換地として定めないで、その土地を保留地として定めることができる。この場合においては、当該保留地の地積について、当該土地区画整理事業を施行する土地の区域内の宅地について所有権、地上権、永小作権、賃借権その他の宅地を使用し、又は収益することができる権利を有するすべての者の同意を得なければならない。

2　土地区画整理法第百四条第十一項及び第百八条第一項の規定は、前項の規定により換地計画において定められた保留地について準用する。この場合において、同法第百八条第一項中「第三条第四項若しくは第五項」とあるのは「第三条第四項」と、「第百四条第十一項」とあるのは「中心市街地の活性化に関する法律第十六条第二項において準用する第百四条第十一項」と読み替えるものとする。

3　施行者は、第一項の規定により換地計画において定められた保留地を処分したときは、土地区画整理法第百三条第四項の規定による公告があった日における従前の宅地について所有権、地上権、永小作権、賃借権その他の宅地を使用し、又は収益することができる権利を有する者に対して、政令で定める基準に従い、当該保留地の対価に相当する金額を交付しなければならない。土地区画整理法第百九条第二項の規定は、この場合について準用する。

4　土地区画整理法第八十五条第五項の規定は、この条の規定による処分及び決定について準用する。

（路外駐車場についての都市公園の占用の特例等）

第一七条　市町村は、基本計画において、駐車場法（昭和三十二年法律第百六号）第三条の駐車場整備地区内に整備されるべき同法第四条第二項第五号の主要な路外駐車場（都市計画において定められた路外駐車場を除く。）の整備に関する事項を定めた場合であって、当該基本計画が第九条第十項（第十一条第二項において準用する場合を含む。）の認定を受けたときは、同法第四条第一項の駐車場整備計画において、当該路外駐車場の整備に関する事項の内容に即して、おおむねその位置、規模、整備主体及び整備の目標年次を定めた路外駐車場の整備に関する事業の計画の概要を定めることができる。

2　市町村は、前項の規定により駐車場整備計画に都市公園法（昭和三十一年法律第七十九号）第二条第一項の都市公園の地下に設けられる路外駐車場の整備に関する事業の計画の概要（以下この条において「特定駐車場事業概要」という。）を定めようとする場合には、当該特定駐車場事業概要について、あらかじめ、公園管理者（同法第五条第一項の公園管理者をいう。次項において同じ。）の同意を得なければならない。

3　前項の特定駐車場事業概要が定められた駐車場法第四条第四項（同条第五項において準用する場合を含む。）の規定による駐車場整備計画の公表の日から二年以内に当該特定駐車場事業概要に基づき都市公園の地下の占用の許可の申請があった場合においては、当該占用が都市公園法第七条第一項の規定に基づく政令で定める技術的基準に適合する限り、公園管理者は、同法第六条第一項又は第三項の許可を与えるものとする。

（中心市街地公共空地等の設置及び管理）

第一八条　地方公共団体又は中心市街地整備推進機構は、認定中心市街地の区域内における国土交通省令で定める規模以上の土地又は建築物その他の工作物（以下この条において「土地等」という。）の所有者との契約に基づき、当該土地等に緑地、広場その他の公共空地、駐車場その他当該認定中心市街地の区域内の居住者等の利用に供する国土交通省令で定める施設（以下「中心市街地公共空地等」という。）を設置し、当該中心市街地公共空地等を管理することができる。

（都市の美観風致を維持するための樹木の保存に関する法律の特例）

第一九条　中心市街地整備推進機構が前条の規定により管理する中心市街地公共空地等内の樹木又は樹木の集団で都市の美観風致を維持するための樹木の保存に関する法律（昭和三十七年法律第百四十二号）第二条第一項の規定に基づき保存樹又は保存樹林として指定されたものについての同法の規定の適用については、同法第五条第一項中「所有者」とあるのは「所有者及び推進機構（中心市街地の活性化に関する法律第六十一条第一項の規定により指定された中心市街地整備推進機構をいう。以下同じ。）」と、同法第六条第二項及び第八条中「所有者」とあるのは「推進機構」と、同法第九条中「所有者」とあるのは「所有者又は推進機構」とする。

（民間都市開発法の事業用地適正化計画の認定の特例）

第二〇条　認定中心市街地の区域内の民間都市開発事業（民間都市開発法第二条第二項に規定する民間都市開発事業をいう。）の用に供する一団の土地の形状、面積等を適正化する計画について、民間都市開発法第十四条の二第一項若しくは第二項又は第十四条の十三第一項の認定の申請があった場合における民間都市開発法第十四条の三の規定（民間都市開発法第十四条の十三第二項の規定により読み替えて適用される場合を含む。）の適用については、民間都市開発法第十四条の三第一号中「次に掲げる」とあるのは、「次のイ、ハ及びニに掲げる」とする。

（都市計画に基づく事業の推進）

第二一条　国及び地方公共団体は、都市計画法第六条の二の都市計画区域の整備、開発及び保全の方針、同法第七条の二の都市再開発方針等又は同法第十八条の二の市町村の都市計画に関する基本的な方針に従い、認定基本計画の達成に資するため、土地区画整理事業又は市街地再開発事業の施行、道路、公園、駐車場その他の公共の用に供する施設の整備その他の必要な措置を講ずるよう努めなければならない。

（中心市街地共同住宅供給事業の計画の認定）

第二二条　中心市街地共同住宅供給事業を実施しようとする者（地方公共団体を除く。）は、国土交通省令で定めるところにより、中心市街地共同住宅供給事業の実施に関する計画を作成し、市町村長の認定を申請することができる。

2　前項の計画には、次に掲げる事項を記載しなければならない。

一　中心市街地共同住宅供給事業を実施する区域

二　共同住宅の規模及び配置

三　住宅の戸数並びに規模、構造及び設備

四　共同住宅の建設の事業に関する資金計画

五　住宅が賃貸住宅である場合にあっては、次に掲げる事項

イ　賃貸住宅の賃借人の資格並びに賃借人の募集及び選定の方法に関する事項

ロ　賃貸住宅の家賃その他賃貸の条件に関する事項

ハ　賃貸住宅の管理の方法及び期間

六　住宅が分譲住宅である場合にあっては、次に掲げる事項

イ　分譲住宅の譲受人の資格並びに譲受人の募集及び選定の方法に関する事項

ロ　分譲住宅の価額その他譲渡の条件に関する事項

ハ　譲渡後の分譲住宅の用途を住宅以外の用途へ変更することを規制するための措置に関する事項

七　その他国土交通省令で定める事項

（認定の基準）

第二三条　市町村長は、前条第一項の認定（以下この条から第二十九条までにおいて「計画の認定」という。）の申請があった場合において、当該申請に係る同項の計画が次に掲げる基準に適合すると認めるときは、計画の

認定をすることができる。
一　第九条第二項第四号に掲げる事項として認定基本計画に定められているものに適合するものであること。
二　良好な住居の環境の確保その他の市街地の環境の確保又は向上に資するものであること。
三　都市福利施設（居住者の共同の福祉又は利便のため必要なものに限る。以下この号及び第七号において同じ。）の整備と併せて建設し、又は都市福利施設と隣接し、若しくは近接するものであること。
四　共同住宅が地階を除く階数が三以上の建築物の全部又は一部をなすものであり、かつ、当該建築物の敷地面積が国土交通省令で定める規模以上であること。
五　住宅の戸数が、国土交通省令で定める戸数以上であること。
六　住宅の規模、構造及び設備が、当該住宅の入居者の世帯構成等を勘案して国土交通省令で定める基準に適合するものであること。
七　共同住宅の建設の事業（当該事業と併せて都市福利施設の整備を行う場合には当該都市福利施設の整備に関する事業を含む。）に関する資金計画が、当該事業を確実に遂行するため適切なものであること。
八　住宅が賃貸住宅である場合にあっては、次に掲げる基準に適合するものであること。
イ　賃貸住宅の賃借人の資格を、次の(1)又は(2)に掲げる者としているものであること。
(1)　自ら居住するため住宅を必要とする者
(2)　自ら居住するため住宅を必要とする者に対し住宅を賃貸する事業を行う者
ロ　賃貸住宅の家賃の額が、近傍同種の住宅の家賃の額と均衡を失しないよう定められるものであること。
ハ　賃貸住宅の賃借人の募集及び選定の方法並びに賃貸の条件が、国土交通省令で定める基準に従い適正に定められるものであること。
ニ　賃貸住宅の管理の方法が、国土交通省令で定める基準に適合するものであること。
ホ　賃貸住宅の管理の期間が、住宅事情の実態を勘案して国土交通省令で定める期間以上であること。
九　住宅が分譲住宅である場合にあっては、次に掲げる基準に適合するものであること。
イ　分譲住宅の譲受人の資格を、次の(1)から(3)までのいずれかに掲げる者としているものであること。
(1)　自ら居住するため住宅を必要とする者
(2)　親族の居住の用に供するため自ら居住する住宅以外に住宅を必要とする者
(3)　自ら居住するため住宅を必要とする者に対し住宅を賃貸する事業を行う者
ロ　分譲住宅の価額が、近傍同種の住宅の価額と均衡を失しないよう定められるものであること。
ハ　分譲住宅の譲受人の募集及び選定の方法並びに譲渡の条件が、国土交通省令で定める基準に従い適正に定められるものであること。
ニ　譲渡後の分譲住宅の用途の住宅以外の用途への変更の規制が、建築基準法（昭和二十五年法律第二百一号）第六十九条又は第七十六条の三第一項の規定による建築協定の締結により行われるものであることその他の国土交通省令で定める基準に従って行われるものであること。

（計画の認定の通知）
第二四条　市町村長は、計画の認定をしたときは、速やかに、その旨を関係都道府県知事に通知しなければならない。

（認定計画の変更）
第二五条　計画の認定を受けた者（次条から第三十一条まで及び第八十一条において「認定事業者」という。）は、当該計画の認定を受けた第二十二条第一項の計画（第二十八条及び第三十一条において「認定計画」という。）の変更（国土交通省令で定める軽微な変更を除く。）をしようとするときは、市町村長の認定を受けなければならない。
2　前二条の規定は、前項の規定による変更の認定について準用する。

（報告の徴収）
第二六条　市町村長は、認定事業者に対し、中心市街地共同住宅供給事業の実施の状況について報告を求めることができる。

（地位の承継）
第二七条　認定事業者の一般承継人又は認定事業者から中心市街地共同住宅供給事業を実施する区域の土地の所有権その他当該中心市街地共同住宅供給事業の実施に必要な権原を取得した者は、市町村長の承認を受けて、当該認定事業者が有していた計画の認定に基づく地位を承継することができる。

（改善命令）
第二八条　市町村長は、認定事業者が認定計画（第二十五条第一項の規定による変更の認定があったときは、その変更後のもの。第三十一条において同じ。）に従って中心市街地共同住宅供給事業を実施していないと認めるときは、当該認定事業者に対し、相当の期間を定めて、その改善に必要な措置をとるべきことを命ずることができる。

（計画の認定の取消し）
第二九条　市町村長は、認定事業者が次の各号のいずれかに該当するときは、計画の認定を取り消すことができる。
一　前条の規定による命令に違反したとき。
二　不正な手段により計画の認定を受けたとき。
2　第二十四条の規定は、市町村長が前項の規定による取消しをした場合について準用する。

（費用の補助）
第三〇条　地方公共団体は、認定事業者に対して、中心市街地共同住宅供給事業の実施に要する費用の一部を補助することができる。
2　国は、地方公共団体が前項の規定により補助金を交付する場合には、予算の範囲内において、政令で定めるところにより、その費用の一部を補助することができる。

（地方公共団体の補助に係る中心市街地共同住宅供給事業により建設された住宅の家賃又は価額）
第三一条　認定事業者は、前条第一項の規定による補助に係る中心市街地共同住宅供給事業の認定計画に定められた賃貸住宅の管理の期間における家賃について、当該賃貸住宅の建設に必要な費用、利息、修繕費、管理事務費、損害保険料、地代に相当する額、公課その他必要な費用を参酌して国土交通省令で定める額を超えて、契約し、又は受領してはならない。
2　前項の賃貸住宅の建設に必要な費用は、建築物価その他経済事情の著しい変動があった場合として国土交通省令で定める基準に該当する場合には、当該変動後において当該賃貸住宅の建設に通常要すると認められる費用とする。
3　認定事業者は、前条第一項の規定による補助に係る中心市街地共同住宅供給事業により建設された分譲住宅の価額について、当該分譲住宅の建設に必要な費用、利息、分譲事務費、公課その他必要な費用を参酌して国土交通省令で定める額を超えて、契約し、又は受領してはならない。

（資金の確保等）
第三二条　国及び地方公共団体は、中心市街地共同住宅供給事業の実施のために必要な資金の確保又はその融通のあっせんに努めるものとする。

（地方住宅供給公社の業務の特例）
第三三条　地方住宅供給公社は、地方住宅供給公社による中心市街地共同住宅供給事業の促進に関する業務の実施に関する事項が定められた認定基本計画に係る認定中心市街地の区域内において、地方住宅供給公社法（昭和四十年法律第百二十四号）第二十一条に規定する業務のほか、委託により、中心市街地共同住宅供給事業の実施並びに中心市街地共同住宅供給事業として自ら又は委託により行う共同住宅の建設と一体として建設することが適当である商店、事務所等の用に供する施設及び当該共同住宅の存する団地の居住者の利便に供する施設の建設及び賃貸その他の管理の業務を行うことができる。
2　前項の規定により地方住宅供給公社の業務が行われる場合には、地方住宅供給公社法第四十九条第三号中「第二十一条に規定する業務」とあるのは、「第二十一条に規定する業務及び中心市街地の活性化に関する法律第三十三条第一項に規定する業務」とする。

（地方公共団体による住宅の建設）
第三四条　地方公共団体は、中心市街地共同住宅供給事業の実施その他の認定中心市街地の区域内における住宅の供給の状況に照らして必要と認めるときは、良好な居住環境が確保された住宅の建設に努めなければならない。
2　国は、地方公共団体が認定中心市街地の区域内において第二十三条の基準に準じて国土交通省令で定める基準に従い住宅の供給を行う場合においては、予算の範囲内において、政令で定めるところにより、当該住宅の建設に要する費用の一部を補助することができる。

（地方住宅供給公社の設立の要件に関する特例）

第三五条　認定市町村である市に対する地方住宅供給公社法第八条の規定の適用については、同条中「人口五十万以上の市」とあるのは、「人口五十万以上の市若しくは中心市街地の活性化に関する法律第十二条第一項に規定する認定市町村である市」とする。

第三六条　削除

（大規模小売店舗立地法の特例）

第三七条　都道府県及び地方自治法（昭和二十二年法律第六十七号）第二百五十二条の十九第一項の指定都市（以下この条、次条及び第六十五条において「都道府県等」という。）は、認定中心市街地の区域（当該区域内に第六十五条第一項の規定により第二種大規模小売店舗立地法特例区域として定められた区域がある場合においては、当該定められた区域を除く。）のうち、大規模小売店舗（大規模小売店舗立地法（平成十年法律第九十一号）第二条第二項に規定する大規模小売店舗をいう。以下同じ。）の迅速な立地を促進することにより中心市街地の活性化を図ることが特に必要な区域（以下「第一種大規模小売店舗立地法特例区域」という。）を定めることができる。

2　都道府県等は、第一種大規模小売店舗立地法特例区域を定めたときは、経済産業省令で定めるところにより、その内容を公告しなければならない。

3　前項の公告の日（第一種大規模小売店舗立地法特例区域の変更があったときは、次条第一項において準用する前項の公告の日）以後は、第一種大規模小売店舗立地法特例区域（第一種大規模小売店舗立地法特例区域の変更があったときは、その変更後のもの）における大規模小売店舗については、大規模小売店舗立地法第五条、第六条第一項から第四項まで、第七条から第十条まで、第十一条第三項、第十四条及び附則第五条の規定は、適用しない。

4　都道府県等は、第一種大規模小売店舗立地法特例区域の案を作成しようとするときは、当該区域の存する認定市町村と協議しなければならない。

5　認定市町村は、認定基本計画を実施するため必要があると認めるときは、都道府県等に対し、第一種大規模小売店舗立地法特例区域の案を記載した書面をもって第一種大規模小売店舗立地法特例区域を定めるよう要請することができる。

6　都道府県等は、第一種大規模小売店舗立地法特例区域の案を作成しようとする場合において必要があると認めるときは、公聴会の開催その他の住民等（当該第一種大規模小売店舗立地法特例区域内に居住する者、当該区域において事業活動を行う者、当該区域をその地区に含む商工会又は商工会議所その他の当該区域に存する団体その他の当該第一種大規模小売店舗立地法特例区域の案について意見を有する者をいう。第八項及び第九項において同じ。）の意見を反映させるために必要な措置を講ずるものとする。

7　都道府県等は、第一種大規模小売店舗立地法特例区域を定めようとするときは、あらかじめ、経済産業省令で定めるところにより、当該第一種大規模小売店舗立地法特例区域の案を公告し、当該公告の日から二週間公衆の縦覧に供しなければならない。

8　前項の公告に係る第一種大規模小売店舗立地法特例区域の案には、次項の規定により住民等が当該第一種大規模小売店舗立地法特例区域の案について都道府県等に意見を提出するに際し参考となるべき事項として経済産業省令で定めるものを記載した書類を添付しなければならない。

9　第七項の規定による公告があったときは、住民等は、同項の縦覧期間満了の日までに、縦覧に供された第一種大規模小売店舗立地法特例区域の案について、都道府県等に意見を提出することができる。

10　第一種大規模小売店舗立地法特例区域において大規模小売店舗を設置する者は、その大規模小売店舗の周辺の地域の生活環境の保持についての適正な配慮をして当該大規模小売店舗を維持し、及び運営するよう努めなければならない。

11　前項の大規模小売店舗において事業活動を行う小売業者は、当該大規模小売店舗を設置する者が同項の規定により適正な配慮をして行う当該大規模小売店舗の維持及び運営に協力するよう努めなければならない。

第三八条　前条第二項及び第四項から第九項までの規定は、第一種大規模小売店舗立地法特例区域の変更又は廃止について準用する。

2　第一種大規模小売店舗立地法特例区域の変更又は廃止の際当該変更又は廃止により第一種大規模小売店舗立地法特例区域でなくなった区域において現に大規模小売店舗を設置している者は、前項において準用する前条第二項の公告の日以後最初に大規模小売店舗立地法第五条第一項第四号から第六号までに掲げる事項の変更をしようとするときは、その旨及び同項第一号、第二号又は第四号から第六号までに掲げる事項で当該変更に係るもの以外のものを都道府県等に届け出なければならない。この場合においては、同法附則第五条の規定は、適用しない。

3　前項の規定による変更に係る事項の届出は、大規模小売店舗立地法第六条第二項の規定による届出とみなす。

4　第二項の規定による届出のうち変更に係る事項以外のものの届出は、大規模小売店舗立地法第五条第一項の規定による届出とみなす。ただし、同法第五条第三項及び第四項並びに第七条から第九条までの規定は、適用しない。

（機構の行う商業活性化・都市型新事業立地促進業務）

第三九条　機構は、認定中心市街地における商業の活性化及び都市型新事業を実施する企業等の立地を促進するため、認定中心市街地において、都市型新事業の用に供する工場若しくは事業場又は当該工場若しくは当該事業場の利用者の利便に供する施設の整備並びにこれらの賃貸その他の管理及び譲渡を行う。

2　機構は、前項の業務のほか、独立行政法人中小企業基盤整備機構法（平成十四年法律第百四十七号）第十五条第一項の業務の遂行に支障のない範囲内で、委託を受けて、次に掲げる業務を行うことができる。

一　認定中心市街地における次に掲げる施設（イに掲げる施設にあっては、これと併せて整備される商業施設を含む。）又は都市型新事業の用に供する工場若しくは事業場の整備並びにこれらの賃貸その他の管理及び譲渡

イ　商業基盤施設

ロ　都市型新事業の技術に関する研究開発のための施設であって都市型新事業の技術に関する研究開発を行う者の共用に供するもの、都市型新事業の技術に関する研究開発及びその企業化を行うための事業場又は都市型新事業に係る商品若しくは役務の展示及び販売若しくは提供のための施設

二　前項の規定により機構が行う都市型新事業の用に供する工場若しくは事業場又は前号イ若しくはロに掲げる施設（以下この号において「工場等」という。）の整備と併せて整備されるべき公共の用に供する施設及び当該工場等の利用者の利便に供する施設の整備並びに当該施設の賃貸その他の管理及び譲渡

三　前二号に掲げる業務に関連する技術的援助並びに中心市街地における商業の活性化及び都市型新事業を実施する企業等の立地の促進のための計画の策定に係る技術的援助

（共通乗車船券）

第四〇条　運送事業者は、認定基本計画において第九条第二項第六号イに掲げる事項として定められた公共交通機関の利用者の利便の増進を図るための事業を行うため、認定中心市街地に来訪する旅客又は認定中心市街地の区域内を移動する旅客を対象とする共通乗車船券（二以上の運送事業者が期間、区間その他の条件を定めて共同で発行する証票であって、その証票を提示することにより、当該条件の範囲内で、当該各運送事業者の運送サービスの提供を受けることができるものをいう。）に係る運賃又は料金の割引を行おうとするときは、国土交通省令で定めるところにより、あらかじめ、その旨を共同で国土交通大臣に届け出ることができる。

2　前項の届出をした者は、鉄道事業法（昭和六十一年法律第九十二号）第十六条第三項後段若しくは第三十六条後段、軌道法（大正十年法律第七十六号）第十一条第二項、道路運送法第九条第三項後段又は海上運送法（昭和二十四年法律第百八十七号）第八条第一項後段（同法第二十一条の五において準用する場合を含む。）の規定による届出をしたものとみなす。

2　前項の届出をした者は、鉄道事業法（昭和六十一年法律第九十二号）第十六条第三項後段若しくは第三十六条後段、軌道法（大正十年法律第七十六号）第十一条第二項、道路運送法第九条第三項後段又は海上運送法（昭和二十四年法律第百八十七号）第七条第一項後段（同法第二十一条の五において準用する場合を含む。）の規定による届出をしたものとみなす。

（道路の占用の特例）

第四一条　認定中心市街地の区域内の道路の道路管理者は、道路法第三十三

条第一項の規定にかかわらず、認定基本計画の計画期間内に限り、認定基本計画に記載された第九条第四項に規定する事項に係る施設等のための道路の占用（同法第三十二条第二項第一号に規定するものを除く。）で次に掲げる要件のいずれにも該当するものについて、同法第三十二条第一項又は第三項の許可を与えることができる。

一　道路管理者が施設等の種類ごとに指定した道路の区域内に設けられる施設等（当該指定に係る種類のものに限る。）のためのものであること。

二　道路法第三十三条第一項の政令で定める基準に適合するものであること。

三　その他安全かつ円滑な交通を確保するために必要なものとして政令で定める基準に適合するものであること。

2　道路管理者は、前項第一号の道路の区域（以下この条において「特例道路占用区域」という。）を指定しようとするときは、あらかじめ、市町村の意見を聴くとともに、当該特例道路占用区域を管轄する警察署長に協議しなければならない。

3　道路管理者は、特例道路占用区域を指定するときは、その旨並びに指定の区域及び施設等の種類を公示しなければならない。

4　前二項の規定は、特例道路占用区域の指定の変更又は解除について準用する。

5　第一項の許可に係る道路法第三十二条第二項及び第八十七条第一項の規定の適用については、同法第三十二条第二項中「申請書を」とあるのは「申請書に、中心市街地の活性化に関する法律（平成十年法律第九十二号）第九条第四項の措置を記載した書面を添付して、」と、同法第八十七条第一項中「円滑な交通を確保する」とあるのは「円滑な交通を確保し、又は道路交通環境の維持及び向上を図る」とする。

第二節　認定民間中心市街地商業活性化事業に対する特別の措置

（民間中心市街地商業活性化事業計画の認定）

第四二条　民間中心市街地商業活性化事業（認定基本計画に記載されたものに限る。）を実施しようとする者は、単独で又は共同して、協議会における協議を経て、民間中心市街地商業活性化事業に関する計画（以下この条及び次条において「民間中心市街地商業活性化事業計画」という。）を作成し、経済産業大臣の認定を申請することができる。

2　前項の規定による認定の申請は、市町村を経由して行わなければならない。この場合において、市町村は、当該民間中心市街地商業活性化事業計画に関し意見を付すことができる。

3　民間中心市街地商業活性化事業計画には、次に掲げる事項を記載しなければならない。

一　民間中心市街地商業活性化事業の目標及び内容

二　民間中心市街地商業活性化事業の実施時期

三　民間中心市街地商業活性化事業を行うのに必要な資金の額及び調達方法

4　経済産業大臣は、第一項の認定の申請があった場合において、その民間中心市街地商業活性化事業計画が次の各号のいずれにも該当するものであると認めるときは、その認定をするものとする。

一　前項第一号及び第二号に掲げる事項が基本方針のうち第八条第二項第七号に掲げる事項の内容に照らして適切なものであること。

二　当該民間中心市街地商業活性化事業が確実に実施される見込みがあること。

5　経済産業大臣は、前項の認定を行ったときは、関係都道府県に対して、速やかにその旨を通知しなければならない。

（認定民間中心市街地商業活性化事業計画の変更等）

第四三条　前条第四項の認定を受けた者（以下「認定民間中心市街地商業活性化事業者」という。）は、当該認定に係る民間中心市街地商業活性化事業計画（以下「認定民間中心市街地商業活性化事業計画」という。）を変更しようとするときは、経済産業大臣の認定を受けなければならない。

2　経済産業大臣は、認定民間中心市街地商業活性化事業者が作成した認定民間中心市街地商業活性化事業計画（前項の規定による変更の認定があったときは、その変更後のもの。以下同じ。）に従って民間中心市街地商業活性化事業が実施されていないと認めるときは、その認定を取り消すことができる。

3　前条第二項、第四項及び第五項の規定は、第一項の認定について準用する。

（機構の協力業務）

第四四条　機構は、認定民間中心市街地商業活性化事業者である中小企業者の依頼に応じて、その行う民間中心市街地商業活性化事業（第七条第九項第二号に掲げる事業にあっては、中小小売商業者の経営のためにするものに限る。）に関する情報の提供その他必要な協力の業務を行う。

（中小企業投資育成株式会社法の特例）

第四五条　中小企業投資育成株式会社は、中小企業投資育成株式会社法（昭和三十八年法律第百一号）第五条第一項各号に掲げる事業のほか、次に掲げる事業を行うことができる。

一　中小企業者が認定民間中心市街地商業活性化事業計画に従って民間中心市街地商業活性化事業を行うために資本金の額が三億円を超える株式会社を設立する際に発行する株式の引受け及び当該引受けに係る株式の保有

二　中小企業者のうち資本金の額が三億円を超える株式会社が認定民間中心市街地商業活性化事業計画に従って民間中心市街地商業活性化事業を行うために必要とする資金の調達を図るために発行する株式、新株予約権（新株予約権付社債に付されたものを除く。）又は新株予約権付社債等（中小企業投資育成株式会社法第五条第一項第二号に規定する新株予約権付社債等をいう。以下この号及び次項において同じ。）の引受け及び当該引受けに係る株式、新株予約権（その行使により発行され、又は移転された株式を含む。）又は新株予約権付社債等（新株予約権付社債等に付された新株予約権の行使により発行され、又は移転された株式を含む。）の保有

2　前項第一号の規定による株式の引受け及び当該引受けに係る株式の保有並びに同項第二号の規定による株式、新株予約権（新株予約権付社債に付されたものを除く。）又は新株予約権付社債等の引受け及び当該引受けに係る株式、新株予約権（その行使により発行され、又は移転された株式を含む。）又は新株予約権付社債等（新株予約権付社債等に付された新株予約権の行使により発行され、又は移転された株式を含む。）の保有は、中小企業投資育成株式会社法の適用については、それぞれ同法第五条第一項第一号及び第二号の事業とみなす。

（指導及び助言）

第四六条　国及び地方公共団体は、認定民間中心市街地商業活性化事業者に対し、認定民間中心市街地商業活性化事業計画に係る事業を的確に行うことができるよう必要な指導及び助言を行うものとする。

（報告の徴収）

第四七条　経済産業大臣は、認定民間中心市街地商業活性化事業者に対し、民間中心市街地商業活性化事業の実施状況について報告を求めることができる。

第三節　認定特定民間中心市街地活性化事業及び認定特定民間中心市街地経済活力向上事業に対する特別の措置

（特定民間中心市街地活性化事業計画の認定）

第四八条　特定民間中心市街地活性化事業（認定基本計画に記載されたものに限る。）を実施しようとする者（第七条第七項第五号に定める事業を実施しようとする場合にあっては同号に掲げる会社を設立しようとする中小小売商業者とし、同項第六号に定める事業を実施しようとする場合にあっては同号に掲げる会社を設立しようとする中小小売商業者を、同項第七号に定める事業を実施しようとする場合にあっては特定会社を設立しようとする者を、同条第八項に規定する事業及び同条第十項各号に掲げる事業を実施しようとする場合にあっては当該事業を実施する法人を設立しようとする者を含む。以下「特定民間中心市街地活性化事業者」という。）は、単独で又は共同して、協議会における協議を経て、特定民間中心市街地活性化事業に関する計画（以下「特定民間中心市街地活性化事業計画」という。）を作成し、主務大臣の認定を申請することができる。

2　前項の規定による認定の申請は、市町村を経由して行わなければならない。この場合において、市町村は、当該特定民間中心市街地活性化事業計画に関し意見を付すことができる。

3　特定民間中心市街地活性化事業計画には、次に掲げる事項を記載しなければならない。

一　特定民間中心市街地活性化事業の目標及び内容

二　特定民間中心市街地活性化事業の実施時期

三　特定民間中心市街地活性化事業を行うのに必要な資金の額及びその調達方法

4　主務大臣は、第一項の認定の申請があった場合において、その特定民間中心市街地活性化事業計画が次の各号のいずれにも該当するものであると認めるときは、その認定をするものとする。

一　前項第一号及び第二号に掲げる事項が基本方針のうち第八条第二項第七号及び第八号に掲げる事項の内容に照らして適切なものであること。

二　当該特定民間中心市街地活性化事業が確実に実施される見込みがあること。

三　特定民間中心市街地活性化事業者が貨物運送効率化事業を実施する場合であって当該貨物運送効率化事業が第一種貨物利用運送事業又は貨物自動車利用運送（貨物自動車運送事業法第二条第七項の貨物自動車利用運送をいう。以下同じ。）に該当するときは、当該特定民間中心市街地活性化事業者が貨物利用運送事業法第六条第一項第一号から第四号まで又は貨物自動車運送事業法第五条各号のいずれにも該当しないこと。

四　特定民間中心市街地活性化事業者が中小小売商業高度化事業を実施する場合にあっては、当該中小小売商業高度化事業の適切な実施を図るために必要な要件として政令で定めるものに該当すること及び当該特定民間中心市街地活性化事業者が、経済産業省令で定めるところにより、現に事業の用に供されていない土地又は店舗用の建物の相当数の所有者等（所有権又はその他の使用及び収益を目的とする権利を有する者をいう。第五十条において同じ。）の協力を得て行う取組であって、当該中小小売商業高度化事業の効果的な実施に資するものを行うと見込まれること。

5　主務大臣は、前項の規定による認定を行ったときは、関係都道府県に対して、速やかにその旨を通知しなければならない。

（認定特定民間中心市街地活性化事業計画の変更等）

第四九条　前条第四項の認定を受けた者（以下「認定特定民間中心市街地活性化事業者」という。）は、当該認定に係る特定民間中心市街地活性化事業計画（以下「認定特定民間中心市街地活性化事業計画」という。）を変更しようとするときは、主務大臣の認定を受けなければならない。

2　主務大臣は、認定特定民間中心市街地活性化事業者が作成した認定特定民間中心市街地活性化事業計画（前項の規定による変更の認定があったときは、その変更後のもの。以下同じ。）に従って特定民間中心市街地活性化事業が実施されていないと認めるときは、その認定を取り消すことができる。

3　前条第二項、第四項及び第五項の規定は、第一項の認定について準用する。

（特定民間中心市街地経済活力向上事業計画の認定）

第五〇条　特定民間中心市街地経済活力向上事業（認定基本計画に記載されたものに限る。）を実施しようとする者（第七条第七項第五号に定める事業を実施しようとする場合にあっては同号に掲げる会社を設立しようとする中小小売商業者とし、同項第六号に定める事業を実施しようとする場合にあっては同号に掲げる会社を設立しようとする中小小売商業者を、同項第七号に定める事業を実施しようとする場合にあっては特定会社を設立しようとする者を、同条第八項に規定する事業及び同条第十項第一号に掲げる事業を実施しようとする場合にあっては当該事業を実施する法人を設立しようとする者を含む。第四項において「特定民間中心市街地経済活力向上事業者」という。）は、単独で又は共同して、協議会における協議を経て、特定民間中心市街地経済活力向上事業に関する計画（以下この条及び次条において「特定民間中心市街地経済活力向上事業計画」という。）を作成し、経済産業大臣の認定を申請することができる。

2　前項の規定による認定の申請は、市町村を経由して行わなければならない。この場合において、市町村は、当該特定民間中心市街地経済活力向上事業計画に関し意見を付することができる。

3　特定民間中心市街地経済活力向上事業計画には、次に掲げる事項を記載しなければならない。

一　特定民間中心市街地経済活力向上事業の中心市街地への来訪者又は中心市街地の就業者若しくは小売業の売上高の増加の目標及び内容

二　特定民間中心市街地経済活力向上事業の実施時期

三　特定民間中心市街地経済活力向上事業を行うのに必要な資金の額及びその調達方法

四　第五十八条第一項に規定する大規模小売店舗立地法の特例の適用を受けようとする場合にあっては、その旨及び当該特例の適用を受けて設置しようとする大規模小売店舗の所在地その他経済産業省令で定める事項

4　経済産業大臣は、第一項の認定の申請があった場合において、その特定民間中心市街地経済活力向上事業計画が次の各号のいずれにも該当するものであると認めるときは、その認定をするものとする。

一　前項第一号、第二号及び第四号に掲げる事項が基本方針のうち第八条第二項第七号、第八号及び第十一号に掲げる事項の内容に照らして適切なものであること。

二　当該特定民間中心市街地経済活力向上事業が確実に実施される見込みがあること。

三　特定民間中心市街地経済活力向上事業者が中小小売商業高度化事業を実施する場合にあっては、当該中小小売商業高度化事業の適切な実施を図るために必要な要件として政令で定めるものに該当すること及び当該特定民間中心市街地経済活力向上事業者が、経済産業省令で定めるところにより、現に事業の用に供されていない土地又は店舗用の建物の相当数の所有者等の協力を得て行う取組であって、当該中小小売商業高度化事業の効果的な実施に資するものを行うと見込まれること。

5　経済産業大臣は、特定民間中心市街地経済活力向上事業計画に第三項第四号に掲げる事項が記載されている場合において、前項の認定をしようとするときは、あらかじめ、当該事項に係る大規模小売店舗の所在地の属する都道府県の知事に協議し、その同意を得なければならない。

6　都道府県は、前項の規定による協議があった場合において必要があると認めるときは、特定民間中心市街地経済活力向上事業者に対し、住民等（当該協議に係る大規模小売店舗の所在地の属する認定中心市街地の区域内に居住する者、当該区域において事業活動を行う者、当該区域をその地区に含む商工会又は商工会議所その他の当該区域に存する団体その他の第三項第四号に掲げる事項について意見を有する者をいう。第八項において同じ。）に、説明会の開催その他の第三項第四号に掲げる事項の内容を周知させるために必要な措置を講ずるよう求めることができる。

7　都道府県は、第五項の規定による協議があったときは、経済産業省令で定めるところにより、第三項第四号に掲げる事項について公告し、当該公告の日から二週間公衆の縦覧に供しなければならない。

8　前項の規定による公告があったときは、住民等は、同項の縦覧期間満了の日までに、縦覧に供された第三項第四号に掲げる事項について、都道府県に意見を提出することができる。

9　経済産業大臣は、第四項の認定を行ったときは、関係都道府県に対して、速やかにその旨を通知しなければならない。

（認定特定民間中心市街地経済活力向上事業計画の変更等）

第五一条　前条第四項の認定を受けた者（以下「認定特定民間中心市街地経済活力向上事業者」という。）は、当該認定に係る特定民間中心市街地経済活力向上事業計画（以下「認定特定民間中心市街地経済活力向上事業計画」という。）を変更しようとするときは、経済産業大臣の認定を受けなければならない。

2　経済産業大臣は、認定特定民間中心市街地経済活力向上事業者が作成した認定特定民間中心市街地経済活力向上事業計画（前項の規定による変更の認定があったときは、その変更後のもの。以下同じ。）に従って特定民間中心市街地経済活力向上事業が実施されていないと認めるときは、その認定を取り消すことができる。

3　前条第二項及び第四項から第九項までの規定は、第一項の認定について準用する。

（機構の行う経済活力向上業務）

第五二条　機構は、認定中心市街地における商業の活性化を促進するため、認定特定民間中心市街地活性化事業者又は認定特定民間中心市街地経済活力向上事業者（第五十九条において「認定特定事業者」という。）が認定特定民間中心市街地活性化事業計画又は認定特定民間中心市街地経済活力向上事業計画（次条及び第五十九条において「認定特定計画」という。）に従って行う特定商業施設等整備事業に必要な資金を調達するために発行する社債（社債、株式等の振替に関する法律（平成十三年法律第七十五号）第六十六条第一号に規定する短期社債を除く。）及び当該資金の借入れに

係る債務の保証を行う。

2　機構は、認定中心市街地における経済活力の向上を促進するため、認定市町村に対し、認定特定民間中心市街地経済活力向上事業者（中小企業者及び一般社団法人、一般財団法人その他の経済産業省令で定める者であるものに限る。）が認定特定民間中心市街地経済活力向上事業計画に従って行う特定民間中心市街地経済活力向上事業（経済産業省令で定めるものに限る。）を行うのに必要な資金の貸付けに必要な資金の一部の貸付けの業務を行う。

（中小企業信用保険法の特例）

第五三条　中小企業信用保険法（昭和二十五年法律第二百六十四号）第三条第一項に規定する普通保険（以下この条において「普通保険」という。）、同法第三条の二第一項に規定する無担保保険（以下この条において「無担保保険」という。）又は同法第三条の三第一項に規定する特別小口保険（以下この条において「特別小口保険」という。）の保険関係であって、中心市街地商業等活性化関連保証（同法第三条第一項、第三条の二第一項又は第三条の三第一項に規定する債務の保証であって、認定特定計画に基づく第七条第七項第一号から第六号までに定める中小小売商業高度化事業又は同条第十項第一号に掲げる特定事業（特定会社又は一般社団法人等が当該特定事業を実施する場合にあっては、当該特定会社又は当該一般社団法人等が自ら実施する都市型新事業の用に供する施設を整備する事業に限る。）の実施に必要な資金に係るものをいう。以下この条において同じ。）を受けた中小企業者に係るものについての次の表の上欄に掲げる同法の規定の適用については、これらの規定中同表の中欄に掲げる字句は、同表の下欄に掲げる字句とする。

第三条第一項	保険価額の合計額が	中心市街地の活性化に関する法律第五十三条第一項に規定する中心市街地商業等活性化関連保証（以下「中心市街地商業等活性化関連保証」という。）に係る保険関係の保険価額の合計額とその他の保険関係の保険価額の合計額とがそれぞれ
第三条の二第一項及び第三条の三第一項	保険価額の合計額が	中心市街地商業等活性化関連保証に係る保険関係の保険価額の合計額とその他の保険関係の保険価額の合計額とがそれぞれ
第三条の二第三項及び第三条の三第二項	当該借入金の額のうち	中心市街地商業等活性化関連保証及びその他の保証ごとに、それぞれ当該借入金の額のうち
	当該債務者	中心市街地商業等活性化関連保証及びその他の保証ごとに、当該債務者

2　認定特定計画に基づく第七条第七項第七号に定める中小小売商業高度化事業又は同条第十項第一号に掲げる特定事業（以下この条において「認定中小小売商業高度化支援等事業」という。）を実施する一般社団法人等（一般社団法人にあってはその社員総会における議決権の二分の一以上を中小企業者が有しているもの、一般財団法人にあっては設立に際して拠出された財産の価額の二分の一以上が中小企業者により拠出されているものに限る。）であって、当該認定中小小売商業高度化支援等事業の実施に必要な資金に係る中小企業信用保険法第三条第一項又は第三条の二第一項に規定する債務の保証を受けたものについては、当該一般社団法人等を同法第二条第一項の中小企業者とみなして、同法第三条、第三条の二及び第四条から第八条までの規定を適用する。この場合において、同法第三条第一項及び第三条の二第一項の規定の適用については、これらの規定中「借入れ」とあるのは、「中心市街地の活性化に関する法律第五十三条第二項に規定する認定中小小売商業高度化支援等事業の実施に必要な資金の借入れ」とする。

3　普通保険又は無担保保険の保険関係であって、中心市街地商業等活性化支援関連保証（中小企業信用保険法第三条第一項又は第三条の二第一項に規定する債務の保証であって、特定会社又は前項の一般社団法人等が行う認定中小小売商業高度化支援等事業（特定会社又は一般社団法人等が当該認定中小小売商業高度化支援等事業を実施する場合にあっては、当該特定会社又は当該一般社団法人等が自ら実施する都市型新事業の用に供する施設を整備する事業を除く。）の実施に必要な資金に係るものをいう。以下この条において同じ。）を受けた者に係るものについての中小企業信用保険法第三条第一項並びに第三条の二第一項及び第三項の規定の適用については、同法第三条第一項中「二億円」とあるのは「四億円（中心市街地の活性化に関する法律第五十三条第三項に規定する認定中小小売商業高度化支援等事業に必要な資金（以下「中心市街地商業等活性化支援資金」という。）以外の資金に係る債務の保証に係る保険関係については、二億円）」と、同法第三条の二第一項及び第三項中「八千万円」とあるのは「一億六千万円（中心市街地商業等活性化支援資金以外の資金に係る債務の保証に係る保険関係については、八千万円）」とする。

4　普通保険の保険関係であって、中心市街地商業等活性化関連保証又は中心市街地商業等活性化支援関連保証に係るものについての中小企業信用保険法第三条第二項及び第五条の規定の適用については、同法第三条第二項中「百分の七十」とあり、及び同法第五条中「百分の七十（無担保保険、特別小口保険、流動資産担保保険、公害防止保険、エネルギー対策保険、海外投資関係保険、新事業開拓保険、事業再生保険及び特定社債保険にあつては、百分の八十）」とあるのは、「百分の八十」とする。

5　普通保険、無担保保険又は特別小口保険の保険関係であって、中心市街地商業等活性化関連保証又は中心市街地商業等活性化支援関連保証に係るものについての保険料の額は、中小企業信用保険法第四条の規定にかかわらず、保険金額に年百分の二以内において政令で定める率を乗じて得た額とする。

（食品等流通合理化促進機構の業務の特例）

第五四条　食品等の流通の合理化及び取引の適正化に関する法律（平成三年法律第五十九号）第十六条第一項の規定により指定された食品等流通合理化促進機構は、同法第十七条各号に掲げる業務のほか、認定中心市街地における食品の流通の円滑化を促進するため、次に掲げる業務を行う。

一　認定特定民間中心市街地活性化事業計画に係る中心市街地食品流通円滑化事業（次号において「認定食品流通円滑化事業」という。）に必要な資金の借入れに係る債務を保証すること。

二　認定食品流通円滑化事業を実施する者に対し、必要な資金のあっせんを行うこと。

三　前二号に掲げる業務に附帯する業務を行うこと。

（食品等の流通の合理化及び取引の適正化に関する法律の適用）

第五五条　前条の規定により食品等流通合理化促進機構の業務が行われる場合には、食品等の流通の合理化及び取引の適正化に関する法律第十八条第一項中「前条第一号に掲げる業務」とあるのは「前条第一号に掲げる業務及び中心市街地の活性化に関する法律（平成十年法律第九十二号。以下「中心市街地活性化法」という。）第五十四条第一号に掲げる業務」と、同法第十九条第一項中「第十七条第一号に掲げる業務」とあるのは「第十七条第一号に掲げる業務及び中心市街地活性化法第五十四条第一号に掲げる業務」と、同法第二十三条第一項、第二十四条及び第二十五条第一項第一号中「第十七条各号に掲げる業務」とあるのは「第十七条各号に掲げる業務又は中心市街地活性化法第五十四条各号に掲げる業務」と、同項第三号中「この節」とあるのは「この節若しくは中心市街地活性化法」と、同法第三十二条第二号中「第二十三条第一項」とあるのは「中心市街地活性化法第五十五条の規定により読み替えて適用する第二十三条第一項」と、同条第三号中「第二十四条」とあるのは「中心市街地活性化法第五十五条の規定により読み替えて適用する第二十四条」とする。

（道路運送法の特例）

第五六条　第七条第十項第三号に掲げる事業を実施する認定特定民間中心市街地活性化事業者が認定特定民間中心市街地活性化事業計画に従って当該事業を行うに当たり道路運送法第十五条第一項の認可を受けなければならない場合又は同条第三項若しくは同法第十五条の三第二項の届出を行わなければならない場合には、これらの規定にかかわらず、遅滞なくその旨を国土交通大臣に届け出ることをもって足りる。

（貨物利用運送事業法及び貨物自動車運送事業法の特例）

第五七条　貨物運送効率化事業を実施しようとする特定民間中心市街地活性化事業者であって第一種貨物利用運送事業についての貨物利用運送事業法第三条第一項の登録（以下この条において「第一種貨物利用運送事業登録」という。）を受けていないもの又は貨物自動車利用運送を行わないものとして貨物自動車運送事業法第三条の許可（同法第九条第一項の認可を含む。）を受けているものが特定民間中心市街地活性化事業計画に従って実施しようとする事業が第一種貨物利用運送事業又は貨物自動車利用運送に該当する場合において、当該特定民間中心市街地活性化事業者がその特定民間中心市街地活性化事業計画について第四十八条第四項の認定を受けたときは、当該特定民間中心市街地活性化事業者は、第一種貨物利用運送事業登録を受けたものとみなし、又は貨物自動車利用運送を行うものとしての同法第九条第一項の認可（以下「貨物自動車利用運送変更認可」という。）を受けたものとみなす。

2　前項の規定により第一種貨物利用運送事業登録又は貨物自動車利用運送変更認可を受けたものとみなされる者については、当該認定特定民間中心市街地活性化事業計画のうち貨物利用運送事業法第五条第一項第一号に掲げる事項に相当する部分が登録されたものとみなし、又は貨物自動車運送事業法第四条第一項第二号及び第二項第二号に掲げる事項に相当する部分を同条第一項第二号の事業計画とみなして、貨物利用運送事業法又は貨物自動車運送事業法の規定を適用する。

3　貨物運送効率化事業を実施しようとする特定民間中心市街地活性化事業者であって第一種貨物利用運送事業登録又は貨物自動車利用運送変更認可を受けているもの（第一項の規定により第一種貨物利用運送事業登録又は貨物自動車利用運送変更認可を受けたものとみなされる者を除く。）が特定民間中心市街地活性化事業計画に従って実施しようとする事業が第一種貨物利用運送事業又は貨物自動車利用運送に該当し、かつ、これを実施するに当たり貨物利用運送事業法第七条第一項の変更登録を受け、若しくは同条第三項の規定による届出をし、又は貨物自動車運送事業法第九条第一項の認可を受け、若しくは同条第三項の規定による届出をしなければならない場合において、当該特定民間中心市街地活性化事業者がその特定民間中心市街地活性化事業計画について第四十八条第四項の認定を受けたときは、当該特定民間中心市街地活性化事業者は、これらの規定により変更登録を受け、若しくは届出をし、又は認可を受け、若しくは届出をしたものとみなす。

4　貨物運送効率化事業を実施する認定特定民間中心市街地活性化事業者が認定特定民間中心市街地活性化事業計画に従って第一種貨物利用運送事業又は貨物自動車利用運送を行っている場合において、貨物利用運送事業法第七条第一項の変更登録を受け、若しくは同条第三項の規定による届出をし、又は貨物自動車運送事業法第九条第一項の認可を受け、若しくは同条第三項の規定による届出をしなければならない事項について、当該認定特定民間中心市街地活性化事業者がその認定特定民間中心市街地活性化事業計画について第四十九条第一項の認定を受けたときは、当該認定特定民間中心市街地活性化事業者は、これらの規定により変更登録を受け、若しくは届出をし、又は認可を受け、若しくは届出をしたものとみなす。

5　貨物運送効率化事業を実施する認定特定民間中心市街地活性化事業者のうち第七条第十項第四号ロに掲げる事業を実施する者が事業協同組合、協同組合連合会その他の特別の法律により設立された組合若しくはその連合会であって政令で定めるもの又は一般社団法人である場合にあっては、当該認定特定民間中心市街地活性化事業者が認定特定民間中心市街地活性化事業計画に従って行う第一種貨物利用運送事業であって荷主を認定特定民間中心市街地活性化事業者の構成員に限定して行うものについては、貨物利用運送事業法第八条第一項及び第九条（同法第十八条第三項において準用する場合を含む。）の規定は、適用しない。

6　貨物運送効率化事業を実施する認定特定民間中心市街地活性化事業者たる第一種貨物利用運送事業者（第一種貨物利用運送事業登録を受けた者をいう。）が認定特定民間中心市街地活性化事業者たる他の運送事業者と認定特定民間中心市街地活性化事業計画に従って貨物利用運送事業法第十一条に規定する運輸に関する協定を締結したときは、当該協定につき、あらかじめ、同条の規定による届出をしたものとみなす。認定特定民間中心市街地活性化事業計画に従ってこれを変更したときも、同様とする。

7　第一項の規定により第一種貨物利用運送事業登録を受けたものとみなされる者に係る登録簿への記載その他の手続的事項については、国土交通省令で定める。

（大規模小売店舗立地法の特例）

第五八条　認定特定民間中心市街地経済活力向上事業計画に記載された第五十条第三項第四号に掲げる事項に係る大規模小売店舗（次項及び第三項において「認定特例大規模小売店舗」という。）については、大規模小売店舗立地法第五条、第六条第一項から第四項まで、第七条から第十条まで、第十一条第三項、第十四条及び附則第五条の規定は、適用しない。

2　認定特例大規模小売店舗を設置する者は、その認定特例大規模小売店舗の周辺の地域の生活環境の保持についての適正な配慮をして当該認定特例大規模小売店舗を維持し、及び運営するよう努めなければならない。

3　認定特例大規模小売店舗において事業活動を行う小売業者は、当該認定特例大規模小売店舗を設置する者が前項の規定により適正な配慮をして行う当該認定特例大規模小売店舗の維持及び運営に協力するよう努めなければならない。

（指導及び助言）

第五九条　国及び地方公共団体は、認定特定事業者に対し、認定特定計画に係る事業を的確に行うことができるよう必要な指導及び助言を行うものとする。

（報告の徴収）

第六〇条　主務大臣は、認定特定民間中心市街地活性化事業者に対し、特定民間中心市街地活性化事業の実施状況について報告を求めることができる。

2　経済産業大臣は、認定特定民間中心市街地経済活力向上事業者に対し、特定民間中心市街地経済活力向上事業の実施状況について報告を求めることができる。

第四節　中心市街地の活性化のためのその他特別の措置

（中心市街地整備推進機構の指定）

第六一条　市町村長は、営利を目的としない法人であって、次条に規定する業務を適正かつ確実に行うことができると認められるものを、その申請により、中心市街地整備推進機構（以下「推進機構」という。）として指定することができる。

2　市町村長は、前項の規定による指定をしたときは、当該推進機構の名称、住所及び事務所の所在地を公示しなければならない。

3　推進機構は、その名称、住所又は事務所の所在地を変更しようとするときは、あらかじめ、その旨を市町村長に届け出なければならない。

4　市町村長は、前項の規定による届出があったときは、当該届出に係る事項を公示しなければならない。

（推進機構の業務）

第六二条　推進機構は、次に掲げる業務を行うものとする。

一　中心市街地の整備改善に関する事業を行う者に対し、情報の提供、相談その他の援助を行うこと。

二　中心市街地の整備改善に資する建築物その他の施設であって国土交通省令で定めるものを認定基本計画の内容に即して整備する事業を行うこと又は当該事業に参加すること。

三　中心市街地の整備改善を図るために有効に利用できる土地で政令で定めるものの取得、管理及び譲渡を行うこと。

四　中心市街地公共空地等の設置及び管理を行うこと。

五　中心市街地の整備改善に関する調査研究を行うこと。

六　前各号に掲げるもののほか、中心市街地の整備改善を推進するために必要な業務を行うこと。

（監督等）

第六三条　市町村長は、前条各号に掲げる業務の適正かつ確実な実施を確保するため必要があると認めるときは、推進機構に対し、その業務に関し報告をさせることができる。

2　市町村長は、推進機構が前条各号に掲げる業務を適正かつ確実に実施していないと認めるときは、推進機構に対し、その業務の運営の改善に関し必要な措置を講ずべきことを命ずることができる。

3　市町村長は、推進機構が前項の規定による命令に違反したときは、第六十一条第一項の規定による指定を取り消すことができる。

4　市町村長は、前項の規定により指定を取り消したときは、その旨を公示しなければならない。

5　第三項の規定により第六十一条第一項の指定を取り消した場合における前条第三号に規定する土地の取得に係る業務に関する所要の経過措置は、合理的に必要と判断される範囲内において、政令で定めることができる。

（情報の提供等）

第六四条　国及び関係地方公共団体は、推進機構に対し、その業務の実施に関し必要な情報の提供又は指導若しくは助言をするものとする。

（大規模小売店舗立地法の特例）

第六五条　都道府県等は、中心市街地の区域（当該区域内に第三十七条第一

項の規定により第一種大規模小売店舗立地法特例区域として定められた区域がある場合においては、当該定められた区域を除く。）において大規模小売店舗の迅速な立地を促進することにより中心市街地の活性化を図ることが必要な区域（以下「第二種大規模小売店舗立地法特例区域」という。）を定めることができる。

2 第四項において準用する第三十七条第二項の公告の日（第二種大規模小売店舗立地法特例区域の変更があったときは、第四項において準用する第三十七条第二項の公告の日）以後は、第二種大規模小売店舗立地法特例区域（第二種大規模小売店舗立地法特例区域の変更があったときは、その変更後のもの）における大規模小売店舗の新設又は同法第五条第一項の規定による届出に係る大規模小売店舗立地法第六条第一項若しくは第二項の規定による届出（第三十八条第三項の規定により同法第六条第二項の規定による届出とみなされる第三十八条第二項の規定による変更に係る事項の届出及び同法附則第五条第四項の規定により同法第六条第二項の規定による届出とみなされる同法附則第五条第一項（同条第三項において準用する場合を含む。）の規定による届出を含む。第五項において同じ。）に係る同法第五条第一項各号に掲げる事項の変更については、同法第五条第四項、第六条第四項、第八条及び第九条の規定は、適用しない。

3 第二種大規模小売店舗立地法特例区域に係る大規模小売店舗立地法第五条第一項及び第六条第二項の規定による届出には、同法第五条第二項（同法第六条第三項において準用する場合を含む。）の規定にかかわらず、経済産業省令で定める事項を記載した書類を添付しなければならない。

4 第三十七条第二項、第四項から第九項まで及び第三十八条第一項の規定は、第二種大規模小売店舗立地法特例区域について準用する。この場合において、第三十七条第四項中「認定市町村」とあるのは「市町村」と、同条第五項中「認定市町村は、認定基本計画を実施するため」とあるのは「市町村は、中心市街地において大規模小売店舗の迅速な立地を促進することにより中心市街地の活性化を図るため」と読み替えるものとする。

5 第二種大規模小売店舗立地法特例区域の変更又は廃止があった場合においては、当該変更又は廃止により第二種大規模小売店舗立地法特例区域でなくなった区域に係る当該変更又は廃止前の大規模小売店舗立地法第五条第一項の規定による届出に係る大規模小売店舗の新設又は同法第六条第一項若しくは第二項の規定による届出に係る同法第五条第一項各号に掲げる事項の変更については、当該変更又は廃止後においても、同法第五条第四項、第六条第四項、第八条及び第九条の規定は、適用しない。

第五章 中心市街地活性化本部

（設置）

第六六条 中心市街地の活性化に関する施策を総合的かつ効果的に推進するため、内閣に、中心市街地活性化本部（以下「本部」という。）を置く。

（所掌事務）

第六七条 本部は、次に掲げる事務をつかさどる。

一 基本方針の案の作成に関すること。

二 認定の申請がされた基本計画についての意見（第九条第十一項（第十一条第二項において準用する場合を含む。）の規定により内閣総理大臣に対し述べる意見をいう。）に関すること。

三 前号に掲げるもののほか、基本方針に基づく施策の実施の推進に関すること。

四 前三号に掲げるもののほか、中心市街地の活性化に関する施策で重要なものの企画及び立案並びに総合調整に関すること。

（組織）

第六八条 本部は、中心市街地活性化本部長、中心市街地活性化副本部長及び中心市街地活性化本部員をもって組織する。

（中心市街地活性化本部長）

第六九条 本部の長は、中心市街地活性化本部長（以下「本部長」という。）とし、内閣総理大臣をもって充てる。

2 本部長は、本部の事務を総括し、所部の職員を指揮監督する。

（中心市街地活性化副本部長）

第七〇条 本部に、中心市街地活性化副本部長（以下「副本部長」という。）を置き、国務大臣をもって充てる。

2 副本部長は、本部長の職務を助ける。

（中心市街地活性化本部員）

第七一条 本部に、中心市街地活性化本部員（次項において「本部員」という。）を置く。

2 本部員は、本部長及び副本部長以外の全ての国務大臣をもって充てる。

（資料の提出その他の協力）

第七二条 本部は、その所掌事務を遂行するため必要があると認めるときは、国の行政機関、地方公共団体、独立行政法人（独立行政法人通則法（平成十一年法律第百三号）第二条第一項に規定する独立行政法人をいう。）及び地方独立行政法人（地方独立行政法人法（平成十五年法律第百十八号）第二条第一項に規定する地方独立行政法人をいう。）の長並びに特殊法人（法律により直接に設立された法人又は特別の法律により特別の設立行為をもって設立された法人であって、総務省設置法（平成十一年法律第九十一号）第四条第一項第八号の規定の適用を受けるものをいう。）の代表者に対して、資料の提出、意見の表明、説明その他必要な協力を求めることができる。

2 本部は、その所掌事務を遂行するため特に必要があると認めるときは、前項に規定する者以外の者に対しても、必要な協力を依頼することができる。

（事務）

第七三条 本部に関する事務は、内閣府において処理する。

（主任の大臣）

第七四条 本部に係る事項については、内閣法（昭和二十二年法律第五号）にいう主任の大臣は、内閣総理大臣とする。

（政令への委任）

第七五条 この法律に定めるもののほか、本部に関し必要な事項は、政令で定める。

第六章 雑則

（地方債についての配慮）

第七六条 地方公共団体が認定基本計画を達成するために行う事業に要する経費に充てるために起こす地方債については、法令の範囲内において、資金事情及び当該地方公共団体の財政状況が許す限り、特別の配慮をするものとする。

（資金の確保）

第七七条 国及び地方公共団体は、その財政収支の状況を踏まえつつ、認定基本計画の達成に資する施設の整備その他の事業に必要な資金の確保に努めなければならない。

（主務大臣）

第七八条 第四十八条第一項、第二項、第四項及び第五項、第四十九条第一項及び第二項並びに第六十条第一項における主務大臣は、特定民間中心市街地活性化事業を所管する大臣とする。

（権限の委任）

第七九条 この法律による権限は、政令で定めるところにより、地方支分部局の長に委任することができる。

（罰則）

第八〇条 次の各号のいずれかに該当する者は、百万円以下の罰金に処する。

一 第三十八条第二項の規定による届出をせず、又は虚偽の届出を行った者

二 第六十五条第三項の添付書類に虚偽の記載をして提出した者

第八一条 次の各号のいずれかに該当する者は、三十万円以下の罰金に処する。

一 第三十条第一項の規定による補助を受けた認定事業者で、当該補助に係る中心市街地共同住宅供給事業により建設される住宅についての第二十八条の規定による市町村長の命令に違反したもの

二 第三十一条第一項又は第三項の規定に違反した者

第八二条 第二十六条、第四十七条又は第六十条第一項若しくは第二項の規定による報告をせず、又は虚偽の報告をした者は、二十万円以下の罰金に処する。

第八三条 法人の代表者又は法人若しくは人の代理人、使用人その他の従業者が、その法人又は人の業務に関し、第八十条、第八十一条第一号若しくは第二号又は前条の違反行為をしたときは、行為者を罰するほか、その法人又は人に対して各本条の刑を科する。

附　則

（施行期日）

第一条　この法律は、公布の日から起算して二月を超えない範囲内において政令で定める日から施行する。

〔平成一〇政二六二により、平成一〇・七・二四から施行〕

第二条から第四条まで　削除

（国の無利子貸付け等）

第五条　国は、当分の間、都道府県に対し、認定中心市街地における商業基盤施設又は商業施設を整備する事業で日本電信電話株式会社の株式の売払収入の活用による社会資本の整備の促進に関する特別措置法（昭和六十二年法律第八十六号）第二条第一項第二号に該当するものにつき、当該都道府県が自ら行う場合にあってはその要する費用に充てる資金の一部を、市町村、地方公共団体の出資若しくは拠出に係る法人又は中小小売商業高度化事業を実施する認定特定民間中心市街地活性化事業者が行う場合にあってはそれらの者に対し当該都道府県が補助する費用に充てる資金の一部を、予算の範囲内において、無利子で貸し付けることができる。

2　国は、当分の間、市町村に対し、認定中心市街地における商業基盤施設又は商業施設を整備する事業で日本電信電話株式会社の株式の売払収入の活用による社会資本の整備の促進に関する特別措置法第二条第一項第二号に該当するものにつき、当該市町村が自ら行う場合にあってはその要する費用に充てる資金の一部を、地方公共団体の出資若しくは拠出に係る法人又は中小小売商業高度化事業を実施する認定特定民間中心市街地活性化事業者が行う場合にあってはそれらの者に対し当該市町村が補助する費用に充てる資金の一部を、予算の範囲内において、無利子で貸し付けることができる。

3　前二項の国の貸付金の償還期間は、五年（二年以内の据置期間を含む。）以内で政令で定める期間とする。

4　前項に定めるもののほか、第一項及び第二項の規定による貸付金の償還方法、償還期限の繰上げその他償還に関し必要な事項は、政令で定める。

5　国は、第一項又は第二項の規定により地方公共団体に対し貸付けを行った場合には、当該貸付けの対象である事業について、当該貸付金に相当する金額の補助を行うものとし、当該補助については、当該貸付金の償還時において、当該貸付金の償還金に相当する金額を交付することにより行うものとする。

6　地方公共団体が、第一項又は第二項の規定による貸付けを受けた無利子貸付金について、第三項及び第四項の規定に基づき定められる償還期限を繰り上げて償還を行った場合（政令で定める場合を除く。）における前項の規定の適用については、当該償還は、当該償還期限の到来時に行われたものとみなす。

附　則〔略〕〔平成一〇・一〇・一法律一一三〕

附　則〔略〕〔平成一一・六・一一法律七三〕

附　則〔略〕〔平成一一・六・一六法律七六〕

附　則〔略〕〔平成一一・七・一六法律八七〕

附　則〔略〕〔平成一一・一二・三法律一四六〕

附　則〔略〕〔平成一一・一二・二二法律一六〇〕

附　則〔略〕〔平成一一・一二・二二法律二二二〕

附　則〔略〕〔平成一一・一二・二二法律二二三〕

附　則〔略〕〔平成一二・三・三一法律一六〕

附　則〔略〕〔平成一二・五・一九法律七三〕

附　則〔略〕〔平成一二・五・二六法律八六〕

附　則〔略〕〔平成一二・一二・一法律一三六〕

附　則〔抄〕〔平成一三・六・二七法律七五〕

改正　平成一四・六法六五

附　則

（施行期日等）

第一条　この法律は、平成十四年四月一日（以下「施行日」という。）から施行し、施行日以後に発行される短期社債等について適用する。

（罰則の適用に関する経過措置）

第七条　施行日前にした行為及びこの附則の規定によりなおその効力を有することとされる場合における施行日以後にした行為に対する罰則の適用については、なお従前の例による。

（その他の経過措置の政令への委任）

第八条　この附則に規定するもののほか、この法律の施行に関し必要な経過措置は、政令で定める。

（検討）

第九条　政府は、この法律の施行後五年を経過した場合において、この法律の施行状況、社会経済情勢の変化等を勘案し、振替機関に係る制度について検討を加え、必要があると認めるときは、その結果に基づいて所要の措置を講ずるものとする。

附　則〔略〕〔平成一三・一二・七法律一四六〕

附　則〔略〕〔平成一四・二・八法律一〕

附　則〔略〕〔平成一四・三・三一法律一一〕

附　則〔抄〕〔平成一四・六・一二法律六五〕

改正　平成一七・一〇法一〇二

附　則

（施行期日）

第一条　この法律は、平成十五年一月六日から施行する。〔以下略〕

（罰則の適用に関する経過措置）

第八四条　この法律（附則第一条各号に掲げる規定にあっては、当該規定。以下この条において同じ。）の施行前にした行為及びこの附則の規定によりなお従前の例によることとされる場合におけるこの法律の施行後にした行為に対する罰則の適用については、なお従前の例による。

（その他の経過措置の政令への委任）

第八五条　この附則に規定するもののほか、この法律の施行に関し必要な経過措置は、政令で定める。

附　則〔略〕〔平成一四・六・一九法律七七〕

附　則〔略〕〔平成一四・一一・二二法律一〇九〕

附　則〔抄〕〔平成一四・一二・六法律一三四〕

（施行期日）

第一条　この法律は、平成十六年四月一日から施行する。〔以下略〕

（罰則に関する経過措置）

第一一条　この法律の施行前にした行為及びこの附則の規定によりなお従前の例によることとされる場合におけるこの法律の施行後にした行為に対する罰則の適用については、なお従前の例による。

（政令への委任）

第一二条　この附則に規定するもののほか、この法律の施行に関し必要な経過措置は、政令で定める。

附　則〔略〕〔平成一四・一二・一一法律一四六〕

附　則〔略〕〔平成一五・六・二〇法律一〇〇〕

附　則〔略〕〔平成一六・三・三一法律一四〕

附　則〔略〕〔平成一六・四・二一法律三五〕

附　則〔略〕〔平成一六・六・九法律八八〕

附　則〔抄〕〔平成一七・三・三一法律二一〕

（施行期日）

第一条　この法律は、平成十七年四月一日から施行する。〔以下略〕

（その他の経過措置の政令への委任）

第八九条　この附則に規定するもののほか、この法律の施行に関し必要な経過措置は、政令で定める。

附　則〔略〕〔平成一七・四・二七法律三四〕

附　則〔略〕〔平成一七・七・二六法律八七〕

附　則〔略〕〔平成一七・一〇・二一法律一〇二〕

附　則〔略〕〔平成一八・六・二法律五〇〕

附　則〔抄〕〔平成一八・六・七法律五四〕

（施行期日）

第一条　この法律は、公布の日から起算して三月を超えない範囲内において政令で定める日から施行する。

〔平成一八政二六四により、平成一八・八・二二から施行〕

（検討）

第二条　政府は、この法律の施行後十年以内に、第一条の規定による改正後の中心市街地の活性化に関する法律（以下「新法」という。）の施行の状況について検討を加え、その結果に基づいて必要な措置を講ずるものとする。

（中心市街地における市街地の整備改善及び商業等の活性化の一体的推進に関する法律の一部改正に伴う経過措置）

第三条　この法律の施行の際現に第一条の規定による改正前の中心市街地における市街地の整備改善及び商業等の活性化の一体的推進に関する法律（以下「旧法」という。）第六条第一項の規定により作成された基本計画（以下「旧基本計画」という。）において同条第二項第四号に掲げる事項として土地区画整理事業と併せて旧法第七条第一項に規定する施設の整備が定められている場合における同項の規定による当該土地区画整理事業の換地計画において定める保留地の特例については、なお従前の例による。

第四条　この法律の施行の際現に旧法第十条第一項の規定により指定されている中心市街地整備推進機構は、新法第五十一条第一項の規定により指定された中心市街地整備推進機構とみなす。

2　前項において指定されたものとみなされた中心市街地整備推進機構は、新法第五十二条各号に掲げる業務のほか、旧法第十一条第二号に掲げる業務を行うものとする。この場合において、旧法第十二条及び第十三条の規定の適用については、なお従前の例による。

第五条　この法律の施行の際現に旧基本計画に旧法第十四条第一項の規定による路外駐車場の整備に関する事項が定められている場合における同条第二項の規定による特定駐車場事業概要を定める手続及び同条第三項の規定による都市公園の地下の占用の許可については、なお従前の例による。

第六条　この法律の施行前に旧法第十六条第一項の規定により認定の申請がされた同項の特定事業計画であってこの法律の施行の際認定をするかどうかの処分がされていないものについての主務大臣の認定については、なお従前の例による。

2　前項の規定に基づき従前の例により認定を受けた旧法第十六条第一項の特定事業計画は、第六項及び附則第十四条の規定の適用については、旧法第十七条第二項の認定特定事業計画とみなす。

3　前項の特定事業計画を実施する者は、附則第九条第二項、第十条第一項、第十二条、第十三条及び第十五条の規定の適用については、旧法第十七条第一項の認定特定事業者とみなす。

4　第二項の特定事業計画に基づく旧法第四条第四項第二号に掲げる特定事業は、附則第十条第二項の規定の適用については、旧法第二十六条第二項の認定中小小売商業高度化支援等事業とみなす。

5　第二項の特定事業計画に係る旧法第四条第四項第三号の中心市街地食品流通円滑化事業は、附則第十一条の規定の適用については、旧法第二十七条第一号の認定食品流通円滑化事業とみなす。

6　旧法第十七条第二項の認定特定事業計画の変更の認定及び取消しについては、なお従前の例による。

第七条　旧法第十九条第二項の中小小売商業高度化事業構想の変更の認定及び取消しについては、なお従前の例による。

第八条　この法律の施行前に旧法第二十条第一項の規定により認定の申請がされた同項の中小小売商業高度化事業計画であってこの法律の施行の際認定をするかどうかの処分がされていないものについての経済産業大臣の認定については、なお従前の例による。

2　前項の規定に基づき従前の例により認定を受けた旧法第二十条第一項の中小小売商業高度化事業計画は、第五項及び附則第十四条の規定の適用については、旧法第二十一条第二項の認定中小小売商業高度化事業計画とみなす。

3　前項の中小小売商業高度化事業計画を実施する者は、附則第十条第一項及び第十五条の規定の適用については、旧法第二十一条第一項の認定中小小売商業高度化事業者とみなす。

4　第二項の中小小売商業高度化事業計画に基づく旧法第四条第五項第七号の中小小売商業高度化事業は、附則第十条第二項の規定の適用については、旧法第二十六条第二項の認定中小小売商業高度化支援等事業とみなす。

5　旧法第二十一条第二項の認定中小小売商業高度化事業計画の変更の認定及び取消しについては、なお従前の例による。

第九条　この法律の施行の際現に旧法第二十二条第一項（同項第二号に係る部分に限る。）の規定により独立行政法人中小企業基盤整備機構（以下「機構」という。）が整備し、又は管理している同号に規定する工場若しくは事業場又は施設に係る同号に規定する機構の業務については、なお従前の例による。

2　旧法第十七条第一項の認定特定事業者に関する旧法第二十二条第二項第一号に規定する債務の保証については、なお従前の例による。

第一〇条　旧法第十七条第一項の認定特定事業者及び旧法第二十一条第一項の認定中小小売商業高度化事業者に関する旧法第二十六条第一項に規定する中心市街地商業等活性化関連保証及び同条第三項に規定する中心市街地商業等活性化支援関連保証についての同条に規定する中小企業信用保険法（昭和二十五年法律第二百六十四号）の特例については、なお従前の例による。

2　旧法第二十六条第二項の認定中小小売商業高度化支援等事業を実施する公益法人であって、当該認定中小小売商業高度化支援等事業の実施に必要な資金に係る中小企業信用保険法第三条第一項又は第三条の二第一項に規定する債務の保証を受けたものについての旧法第二十六条第二項の規定の適用については、なお従前の例による。

第一一条　旧法第二十七条第一号の認定食品流通円滑化事業に係る同条各号に規定する食品流通構造改善促進機構の業務については、なお従前の例による。

第一二条　旧法第十七条第一項の認定特定事業者に係る旧法第二十九条の規定による道路運送法（昭和二十六年法律第百八十三号）の特例については、なお従前の例による。

第一三条　旧法第十七条第一項の認定特定事業者に係る旧法第三十条の規定による貨物利用運送事業法（平成元年法律第八十二号）及び貨物自動車運送事業法（平成元年法律第八十三号）の特例については、なお従前の例による。

第一四条　この法律の施行の日前に、旧法第十七条第二項の認定特定事業計画又は旧法第二十一条第二項の認定中小小売商業高度化事業計画に係る商業基盤施設を設置した者について、地方公共団体が旧法第三十四条の規定により不動産取得税又は固定資産税に係る不均一の課税をした場合における地方交付税法（昭和二十五年法律第二百十一号）第十四条の規定による当該地方公共団体の基準財政収入額の算定については、なお従前の例による。

第一五条　旧法第十七条第一項の認定特定事業者及び旧法第二十一条第一項の認定中小小売商業高度化事業者に関する旧法第三十六条に規定する報告の徴収については、なお従前の例による。

（罰則の適用に関する経過措置）

第一六条　この法律の施行前にした行為及びこの法律の附則においてなお従前の例によることとされる場合におけるこの法律の施行後にした行為に対する罰則の適用については、なお従前の例による。

2　新法第三十六条第一項に規定する第一種大規模小売店舗立地法特例区域又は新法第五十五条第一項に規定する第二種大規模小売店舗立地法特例区域に係る公告の日前にした当該公告に係る区域内の大規模小売店舗（大規模小売店舗立地法（平成十年法律第九十一号）第二条第二項に規定する大規模小売店舗をいう。）に係る行為に対する大規模小売店舗立地法の罰則の適用については、なお従前の例による。

（特定商業集積の整備の促進に関する特別措置法の廃止に伴う経過措置）

第一七条　この法律の施行の際現に行われている民間事業者の能力の活用による特定施設の整備の促進に関する臨時措置法及び輸入の促進及び対内投資事業の円滑化に関する臨時措置法を廃止する法律（平成十八年法律第三十一号。以下「特定施設整備法等廃止法」という。）附則第十二条の規定によりなおその効力を有するものとされる特定施設整備法等廃止法附則第十一条の規定による改正前の特定商業集積の整備の促進に関する特別措置法第九条の債務の保証に係る機構の業務については、特定施設整備法等廃止法附則第十二条の規定は、なおその効力を有する。

（その他の経過措置の政令への委任）

第一八条　この附則に規定するもののほか、この法律の施行に伴い必要な経過措置は、政令で定める。

附　則〔略〕〔平成一九・六・一法律七〇〕

附　則〔略〕〔平成二三・五・二法律三五〕

附　則〔略〕〔平成二三・五・二法律三七〕

附　則〔略〕〔平成二三・八・三〇法律一〇五〕

附　則〔略〕〔平成二五・六・一四法律四四施行〕

附　則〔略〕〔平成二五・一一・二七法律八四〕

附　則〔抄〕〔平成二六・四・二五法律三〇〕

（施行期日）

第一条　この法律は、公布の日から起算して三月を超えない範囲内において政令で定める日から施行する。ただし、附則第五条の規定は、公布の日から施行する。

〔平成二六政二四〇により、平成二六・七・三から施行〕

（検討）

第二条　政府は、この法律の施行後平成三十六年三月三十一日までの間に、この法律による改正後の中心市街地の活性化に関する法律（次条において「新法」という。）の施行の状況について検討を加え、その結果に基づいて必要な措置を講ずるものとする。

（基本計画に関する経過措置）

第三条　新法第九条第五項の規定は、この法律の施行後に認定又は変更の認定の申請がされた基本計画に適用し、この法律の施行前に認定又は変更の認定の申請がされた基本計画については、なお従前の例による。

（独立行政法人中小企業基盤整備機構の行う商業活性化・都市型新事業立地促進業務に関する経過措置）

第四条　この法律の施行の際現にこの法律による改正前の中心市街地の活性化に関する法律第三十八条第一項（同項第一号に係る部分に限る。以下この条において同じ。）の規定により独立行政法人中小企業基盤整備機構が整備し、又は管理している同号イ若しくはロの施設に係る独立行政法人中小企業基盤整備機構の業務については、同項の規定は、この法律の施行後もなおその効力を有する。

（その他の経過措置の政令への委任）

第五条　この附則に規定するもののほか、この法律の施行に伴い必要な経過措置は、政令で定める。

附　則〔略〕〔平成二六・五・二一法律四一〕

附　則〔略〕〔平成二七・五・七法律二〇施行〕

附　則〔略〕〔平成二七・五・二七法律二九〕

附　則〔略〕〔平成二七・七・一五法律五六〕

附　則〔略〕〔平成二七・九・一一法律六六〕

附　則〔略〕〔平成二八・四・二七法律三三施行〕

附　則〔略〕〔平成二九・五・一二法律二六〕

附　則〔抄〕〔平成二九・六・二法律五〇〕

（施行期日）

第一条　この法律は、公布の日から起算して九月を超えない範囲内において政令で定める日から施行する。ただし、次条並びに附則第四条及び第二十四条の規定は、公布の日から施行する。

〔平成二九政二二六により、平成三〇・四・一から施行〕

（奄美群島振興開発特別措置法等の一部改正に伴う経過措置）

第二一条　この法律の施行の際現に次の各号に掲げる認定を受けている当該各号に定める計画については、新通訳案内士法第五十四条第一項に規定する地域通訳案内士育成等計画であって同条第三項の同意を得たものとみなす。

一・二　〔略〕

三　附則第十一条の規定による改正前の中心市街地の活性化に関する法律（以下この条において「旧中心市街地活性化法」という。）第九条第十項の認定（旧中心市街地活性化法第十一条第一項の変更の認定を含む。）　旧中心市街地活性化法第九条第一項に規定する基本計画（旧中心市街地活性化法第七条第十項に規定する中心市街地特例通訳案内士育成等事業を定めたものに限る。）

四～六　〔略〕

2　この法律の施行の際現に次の各号に掲げる規定において準用する旧通訳案内士法第十八条の規定による当該各号に定める登録を受けている者については、新通訳案内士法第五十七条において準用する新通訳案内士法第十八条の規定による地域通訳案内士の登録を受けた者とみなす。

一～三　〔略〕

四　旧中心市街地活性化法第三十六条第八項　中心市街地特例通訳案内士の登録

五～七　〔略〕

3　次の各号に掲げる規定において読み替えて準用する旧通訳案内士法第十九条の規定による当該各号に定める登録簿は、新通訳案内士法第五十七条において読み替えて準用する新通訳案内士法第十九条の規定による地域通訳案内士登録簿とみなす。

一～三　〔略〕

四　旧中心市街地活性化法第三十六条第八項　中心市街地特例通訳案内士登録簿

五～七　〔略〕

4　この法律の施行の際現に次の各号に掲げる規定において読み替えて準用する旧通訳案内士法第二十二条の規定により交付されている当該各号に定める登録証は、新通訳案内士法第五十七条において読み替えて準用する新通訳案内士法第二十二条の規定により交付された地域通訳案内士登録証とみなす。

一～三　〔略〕

四　旧中心市街地活性化法第三十六条第八項　中心市街地特例通訳案内士登録証

五～七　〔略〕

5　第二項の規定により新通訳案内士法第五十七条において準用する新通訳案内士法第十八条の規定による地域通訳案内士の登録を受けた者とみなされた者について、施行日前に、次に掲げる規定において準用する旧通訳案内士法第三十三条第一項第二号又は第三号の規定による懲戒の処分の理由とされている事実があったときは、新通訳案内士法第五十七条において準用する新通訳案内士法第二十五条第三項の規定による名称の使用の停止の処分又は登録の取消しの理由とされている事実があったものとみなして、同項の規定を適用する。

一～三　〔略〕

四　旧中心市街地活性化法第三十六条第九項

五～七　〔略〕

6　次に掲げる規定において準用する旧通訳案内士法第三十三条第一項の規定により業務の停止の処分を受け、この法律の施行の際現に業務の停止の期間中である者については、当該処分を受けた日において新通訳案内士法第五十七条において準用する新通訳案内士法第二十五条第三項の規定により地域通訳案内士の名称の使用の停止の処分を受けた者とみなす。

一～三　〔略〕

四　旧中心市街地活性化法第三十六条第九項

五～七　〔略〕

7　前各項に規定するもののほか、この法律の施行前にされた次に掲げる処分その他の行為は、この法律の施行後は、新通訳案内士法の相当規定によりされた処分その他の行為とみなす。

一～三　〔略〕

四　旧中心市街地活性化法第三十六条第一項の規定の適用を受けて旧中心市街地活性化法の規定によりされた処分その他の行為

五～七　〔略〕

8　前各項に規定するもののほか、この法律の施行の際現にされている次に掲げる申請その他の行為は、この法律の施行後は、新通訳案内士法の相当規定によりされた申請その他の行為とみなす。

一～三　〔略〕

四　旧中心市街地活性化法第三十六条第一項の規定の適用を受けて旧中心市街地活性化法の規定によりされている申請その他の行為

五～七　〔略〕

（罰則の適用に関する経過措置）

第二三条　この法律の施行前にした行為に対する罰則の適用については、なお従前の例による。

（政令への委任）

第二四条　この附則に定めるもののほか、この法律の施行に関し必要な経過措置は、政令で定める。

附　則〔抄〕〔平成三〇・六・二二法律六二〕

（施行期日）

第一条　この法律は、公布の日から起算して六月を超えない範囲内において政令で定める日から施行する。ただし、次の各号に掲げる規定は、当該各号に定める日から施行する。

〔平成三〇政二九二により、平成三〇・一〇・二二から施行〕

一　〔前略〕附則〔中略〕第三十二条の規定　公布の日

二・三　〔略〕

（中心市街地の活性化に関する法律等の一部改正に伴う経過措置）

第二八条　附則第七条第一項の規定により新食品等流通法第十六条第一項の規定による指定を受けたものとみなされた旧機構は、新食品等流通法第十七条各号に掲げる業務及びこれに附帯する業務のほか、次の各号に掲げる規定により施行日前に旧機構が締結した債務保証契約に係る当該各号に定める規定に掲げる業務及び旧債務保証業務等（以下この条において「旧特例債務保証業務等」という。）を行うものとする。この場合において、旧特例債務保証業務等は、新食品等流通法の適用については、新食品等流通法第十七条第一号に掲げる業務及びこれに附帯する業務とみなす。

一　附則第十九条の規定による改正前の中心市街地の活性化に関する法律第五十四条（第一号に係る部分に限る。）　同号

二～八　〔略〕

（罰則に関する経過措置）

第三一条　この法律の施行前にした行為及びこの附則の規定によりなお従前の例によることとされる場合におけるこの法律の施行後にした行為に対する罰則の適用については、なお従前の例による。

（政令への委任）

第三二条　この附則に定めるもののほか、この法律の施行に関し必要な経過措置（罰則に関する経過措置を含む。）は、政令で定める。

附　則〔略〕〔令和二・六・三法律三六〕

附　則〔略〕〔令和三・五・一九法律三六〕

附　則〔抄〕〔令和五・五・一二法律二四〕

（施行期日）

第一条　この法律は、公布の日から起算して一年を超えない範囲内において政令で定める日から施行する。ただし、次の各号に掲げる規定は、当該各号に定める日から施行する。

〔令和五政三三三により、令和六・四・一から施行〕

一～三　〔略〕

四　〔前略〕附則第二十条の規定（中心市街地の活性化に関する法律（平成十年法律第九十二号）第四十条第二項の改正規定（「第二十三条」を「第二十一条の五」に改める部分に限る。）を除く。）〔中略〕　公布の日から起算して二年を超えない範囲内において政令で定める日

五　〔略〕

○中心市街地の活性化に関する法律施行令

〔平成一〇・七・二三　政令二六三〕

改正　平成一一・六政二〇四、八政二五六、一二政三八六、平成一二・三政一三二、六政三一一、九政四二三、平成一四・二政二七、一〇政三二一、平成一六・五政一八一、一〇政三二六、平成一七・三政一〇三、平成一八・四政一八〇、八政二六五、平成一九・三政三九、平成二三・三政四九、平成二五・九政二七六、平成二六・七政二四一、平成二九・八政二二八、令和二・一一政三二九、令和六・二政三二

（中小企業者の範囲）

第一条　中心市街地の活性化に関する法律（以下「法」という。）第七条第一項第五号に規定する政令で定める業種並びにその業種ごとの資本金の額又は出資の総額及び従業員の数は、次の表のとおりとする。

	業種	資本金の額又は出資の総額	従業員の数
一	ゴム製品製造業（自動車又は航空機用タイヤ及びチューブ製造業並びに工業用ベルト製造業を除く。）	三億円	九百人
二	ソフトウェア業又は情報処理サービス業	三億円	三百人
三	旅館業	五千万円	二百人

2　法第七条第一項第八号の政令で定める組合及び連合会は、次のとおりとする。

一　事業協同組合及び事業協同小組合並びに協同組合連合会

二　水産加工業協同組合及び水産加工業協同組合連合会

三　商工組合及び商工組合連合会

四　商店街振興組合及び商店街振興組合連合会

（特定会社の要件）

第二条　法第七条第七項第七号の政令で定める要件は、株式会社にあっては総株主（株主総会において決議をすることができる事項の全部につき議決権を行使することができない株主を除く。以下この条、第六条並びに第十二条第五項第二号及び第六項第一号において同じ。）の議決権に占める中小企業者以外の会社（以下この条及び第十二条第六項第一号において「大企業者」という。）の有する議決権の割合が二分の一未満であること（独立行政法人中小企業基盤整備機構が出資する場合にあっては、独立行政法人中小企業基盤整備機構の出資後において、総株主の議決権に占める大企業者の有する議決権の割合が二分の一未満となることが確実と認められること）、持分会社（会社法（平成十七年法律第八十六号）第五百七十五条第一項に規定する持分会社をいう。第六条及び第十二条第五項第二号において同じ。）にあってはその社員（業務執行権を有しないものを除く。）に占める大企業者の割合が二分の一未満であることとする。

（中心市街地食品流通円滑化事業の実施主体に出資又は拠出する法人等）

第三条　法第七条第十項第二号の事業協同組合、事業協同小組合、協同組合連合会その他の政令で定める法人は、次のとおりとする。

一　事業協同組合及び事業協同小組合並びに協同組合連合会

二　協業組合、商工組合及び商工組合連合会

三　生活衛生同業組合及び生活衛生同業小組合並びに生活衛生同業組合連合会

四　消費生活協同組合連合会

五　農業協同組合連合会

六　漁業協同組合連合会及び水産加工業協同組合連合会

七　森林組合連合会

2　法第七条第十項第二号の出資又は拠出に係る法人で政令で定めるものは、食品の小売業の振興を図ることを目的とする法人とする。

（貨物運送効率化事業に係る施設）

第四条　法第七条第十項第四号イの政令で定める施設は、特定の中心市街地からの貨物の集貨又は当該中心市街地への貨物の配達を継続して行う一般貨物自動車運送事業者（貨物自動車運送事業法（平成元年法律第八十三号）第三条の許可を受けた者をいう。）又は第一種貨物利用運送事業者（貨物利用運送事業法（平成元年法律第八十二号）第二条第七項に規定する第一種貨物利用運送事業について同法第三条第一項の登録を受けた者をいう。）の全部又は大部分が利用するための施設とする。

（中心市街地の活性化に寄与し、道路の通行者又は利用者の利便の増進に資する施設等）

第五条　法第九条第四項の政令で定める施設等は、次に掲げるものとする。

一　広告塔又は看板で良好な景観の形成又は風致の維持に寄与するもの

二　食事施設、購買施設その他これらに類する施設で道路の通行者又は利用者の利便の増進に資するもの

三　道路法施行令（昭和二十七年政令第四百七十九号）第十一条の十第一項に規定する自転車駐車器具で自転車を賃貸する事業の用に供するもの

（中心市街地活性化協議会を組織することができる者の要件）

第六条　法第十五条第一項第一号ロに規定する会社についての政令で定める要件は、当該会社が株式会社である場合にあっては総株主の議決権に占める市町村（組織しようとする中心市街地活性化協議会に係る中心市街地をその区域に含む市町村をいう。以下この条において同じ。）の有する議決

権の割合が百分の三以上であること、持分会社である場合にあってはその社員のうちに市町村があることとする。

2　法第十五条第一項第二号ロの政令で定める要件は、一般社団法人又は一般財団法人である場合にあっては一般社団法人であってその社員のうちに市町村があること又は一般財団法人であってその基本財産の全部若しくは一部が市町村により拠出されていること、特定会社である場合にあっては株式会社であって総株主の議決権に占める市町村の有する議決権の割合が百分の三以上であること又は持分会社であってその社員のうちに市町村があることとする。

（保留地において都市福利施設を設置する者）

第七条　法第十六条第一項の政令で定める者は、国（国の全額出資に係る法人を含む。）又は地方公共団体が資本金、基本金その他これらに準ずるものの二分の一以上を出資している法人とする。

（都市福利施設等の用地として処分された保留地の対価に相当する金額の交付基準）

第八条　法第十六条第三項の規定により交付すべき額は、処分された保留地の対価に相当する金額を土地区画整理事業の施行前の宅地の価額の総額で除して得た数値を土地区画整理法（昭和二十九年法律第百十九号）第百三条第四項の規定による公告があった日における従前の宅地又はその宅地について存した地上権、永小作権、賃借権その他の宅地を使用し、若しくは収益することができる権利の土地区画整理事業の施行前の価額に乗じて得た額とする。

（中心市街地共同住宅供給事業の実施に要する費用に係る国の補助）

第九条　法第三十条第二項の規定による国の地方公共団体に対する補助金の額は、中心市街地共同住宅供給事業の実施に要する費用（共同住宅の建設に係るものに限る。）のうち共同住宅の共用部分及び入居者の共同の福祉のため必要な施設であって国土交通省令で定めるもの（以下この条及び次条において「共同住宅の共用部分等」という。）に係る費用に対して地方公共団体が補助する額（その額が共同住宅の共用部分等に係る費用の三分の二に相当する額を超える場合においては、当該三分の二に相当する額）に二分の一を乗じて得た額とする。

（地方公共団体が行う住宅の建設に要する費用の補助）

第一〇条　法第三十四条第二項の規定による国の地方公共団体に対する補助金の額は、地方公共団体が行う住宅の建設に要する費用のうち共同住宅の共用部分等に係る費用の額に三分の一を乗じて得た額とする。

（安全かつ円滑な交通を確保するために必要な基準）

第一一条　法第四十一条第一項第三号の政令で定める基準は、第五条第一号に掲げる施設等については、次のとおりとする。

一　自転車道、自転車歩行者道又は歩道上に設ける場合においては、道路の構造からみて道路の構造又は交通に著しい支障のない場合を除き、当該施設等を設けたときに自転車又は歩行者が通行することができる部分の一方の側の幅員が、国道（道路法（昭和二十七年法律第百八十号）第三条第二号に掲げる一般国道をいう。）にあっては道路構造令（昭和四十五年政令第三百二十号）第十条第三項本文、第十条の二第二項又は第十一条第三項に規定する幅員、都道府県道（同法第三条第三号に掲げる都道府県道をいう。）又は市町村道（同法第三条第四号に掲げる市町村道をいう。）にあってはこれらの規定に規定する幅員を参酌して同法第三十条第三項の条例で定める幅員であること。

二　広告塔又は看板の表示部分を車両（道路交通法（昭和三十五年法律第百五号）第二条第一項第八号に規定する車両をいう。）の運転者から見えにくくするための措置が講ぜられていること。

（中小小売商業高度化事業の適切な実施を図るために必要な要件）

第一二条　法第四十八条第四項第四号（法第四十九条第三項において準用する場合を含む。以下この条において同じ。）及び第五十条第四項第三号（法第五十一条第三項において準用する場合を含む。以下この条において同じ。）の政令で定める要件は、法第七条第七項第一号に定める事業については、次のとおりとする。

一　当該商店街振興組合等の組合員又は所属員の数が経済産業省令で定める数以上であること。

二　当該商店街振興組合等の組合員又は所属員の三分の二以上が中小小売商業者又は中小サービス業者（サービス業に属する事業を主たる事業として営む者であって、法第七条第一項第二号から第七号までのいずれかに該当するものをいう。以下この条において同じ。）であり、かつ、中小小売商業者の数が中小サービス業者の数以上であること。

三　当該商店街振興組合等の組合員又は所属員がその店舗その他の施設を新設し、又は改造する事業にあっては、当該組合員又は所属員が新設し、又は改造する店舗その他の施設の敷地面積の合計のうち中小企業者が新設し、又は改造する店舗その他の施設に係る部分が三分の二以上であり、かつ、当該組合員又は所属員の二分の一以上（経済産業省令で定める場合にあっては、当該組合員又は所属員のうち経済産業省令で定める数以上の者）が当該事業に参加すること。

2　法第四十八条第四項第四号及び第五十条第四項第三号の政令で定める要件は、法第七条第七項第二号に定める事業については、次のとおりとする。

一　事業協同組合、事業協同小組合又は協同組合連合会（以下この項において「事業協同組合等」という。）の組合員又は所属員の数が経済産業省令で定める数以上であること。

二　当該事業協同組合等の組合員又は所属員の三分の二以上が中小小売商業者又は中小サービス業者であり、かつ、中小小売商業者の数が中小サービス業者の数以上であること。

三　当該事業協同組合等の全ての組合員又は所属員が当該団地に店舗を設置すること。

3　法第四十八条第四項第四号及び第五十条第四項第三号の政令で定める要件は、法第七条第七項第三号に定める事業については、次のとおりとする。

一　当該組合の組合員の数が経済産業省令で定める数以上であること。

二　当該組合の組合員の三分の二以上が中小小売商業者又は中小サービス業者であり、かつ、中小小売商業者の数が中小サービス業者の数以上であること。

三　当該組合の組合員であって中小小売商業者であるものの全てが当該共同店舗において小売業に属する事業を営むこと。

四　当該共同店舗のうち小売業に属する事業の用に供する部分の床面積が経済産業省令で定める面積以上であること。

4　法第四十八条第四項第四号及び第五十条第四項第三号の政令で定める要件は、法第七条第七項第四号に定める事業については、次のとおりとする。

一　当該組合の組合員の数が経済産業省令で定める数以上であること。

二　当該組合が中小小売商業者であること。

三　当該組合が当該店舗を主として小売業に属する事業の用に供すること。

四　当該店舗のうち小売業に属する事業の用に供する部分の床面積が前項第四号の経済産業省令で定める面積以上であること。

5　法第四十八条第四項第四号及び第五十条第四項第三号の政令で定める要件は、法第七条第七項第五号及び第六号に定める事業については、次のとおりとする。

一　当該合併若しくは出資をしようとし、又は当該出資をしている中小小売商業者の数が経済産業省令で定める数以上であること。

二　法第七条第七項第六号に掲げる会社にあっては、株式会社であって総株主の議決権に占める中小小売商業者の有する議決権の割合が十分の七以上であること又は持分会社であってその社員（業務執行権を有しないものを除く。）に占める中小小売商業者の割合が二分の一を超えていること。

三　法第七条第七項第五号に定める事業又は同項第六号に定める事業のうち店舗等の設置の事業にあっては、当該会社が当該店舗を主として小売業に属する事業の用に供すること。

四　法第七条第七項第六号に定める事業のうち共同店舗等の設置の事業にあっては、当該共同店舗が主として同号に掲げる会社又はその会社に出資しようとする、若しくは出資している中小小売商業者が営む小売業に属する事業の用に供されること。

五　当該店舗又は共同店舗のうち小売業に属する事業の用に供する部分の床面積が第三項第四号の経済産業省令で定める面積以上であること。

6　法第四十八条第四項第四号及び第五十条第四項第三号の政令で定める要件は、法第七条第七項第七号に定める事業については、次のとおりとする。

一　法第七条第七項第七号の特定会社が株式会社であって当該事業を実施する場合には、次のいずれにも該当するものであること。

イ　当該特定会社に出資しようとし、又は出資している者の三分の二以上が中小企業者であること。

ロ　当該特定会社の株主のうち、その有する議決権の総株主の議決権に占める割合が最も高いものが、大企業者でないこと。

ハ　当該特定会社の株主のうち、その有する議決権の総株主の議決権に占める割合が経済産業省令で定める割合以上であるものが、いずれも大企業者でないこと。

二　共同店舗を設置する場合にあっては、次のいずれにも該当するものであること。

イ　当該共同店舗において事業を営む者の三分の二以上が中小小売商業者又は中小サービス業者であり、かつ、中小小売商業者の数が中小サービス業者の数以上であること。

ロ　当該共同店舗のうち小売業に属する事業の用に供する部分の床面積が第三項第四号の経済産業省令で定める面積以上であること。

（保険料率）

第一三条　法第五十三条第五項の政令で定める率（次項において「保険料率」という。）は、保証をした借入れの期間（中小企業信用保険法施行令（昭和二十五年政令第三百五十号）第二条第一項に規定する借入れの期間をいう。）一年につき、中小企業信用保険法（昭和二十五年法律第二百六十四号）第三条第一項に規定する普通保険及び同法第三条の二第一項に規定する無担保保険（次項において「無担保保険」という。）にあっては〇・四一パーセント（手形割引等特殊保証（同令第二条第一項に規定する手形割引等特殊保証をいう。以下この項において同じ。）及び当座貸越し特殊保証（同令第二条第一項に規定する当座貸越し特殊保証をいう。以下この項において同じ。）の場合は、〇・三五パーセント）、同法第三条の三第一項に規定する特別小口保険にあっては〇・一九パーセント（手形割引等特殊保証及び当座貸越し特殊保証の場合は、〇・一五パーセント）とする。

2　前項の規定にかかわらず、債務の保証を受けた中小企業者及び法第五十三条第二項の一般社団法人等が中小企業信用保険法第三条の二第一項の経済産業省令で定める要件を備えている法人である場合における無担保保険の保険関係についての保険料率は、前項に定める率にそれぞれ〇・〇六二五パーセントを加えた率とする。

（貨物利用運送事業法の特例に係る組合又はその連合会）

第一四条　法第五十七条第五項の政令で定める組合又はその連合会は、次のとおりとする。

一　事業協同組合若しくは事業協同小組合又は協同組合連合会

二　商工組合又は商工組合連合会

（中心市街地の整備改善を図るために有効に利用できる土地）

第一五条　法第六十二条第三号の政令で定める土地は、次のとおりとする。

一　道路、公園、駐車場その他の公共の用に供する施設又は公用施設の整備に関する事業の用に供する土地

二　都市計画法（昭和四十三年法律第百号）第四条第七項に規定する市街地開発事業の用に供する土地

三　法第六十二条第二号に規定する施設の整備に関する事業の用に供する土地

四　中心市街地の区域内において行われる前三号に規定する事業に係る代替地の用に供する土地

（権限の委任）

第一六条　法第四十条第一項、第四十八条第四項、第四十九条第一項及び第二項、第五十六条並びに第六十条第一項の規定による国土交通大臣の権限は、地方運輸局長に委任する。

附　則　〔抄〕

（施行期日）

第一条　この政令は、法の施行の日（平成十年七月二十四日）から施行する。

（国の貸付金の償還期間等）

第二条　法附則第五条第三項の政令で定める期間は、五年（二年の据置期間を含む。）とする。

2　前項の期間は、日本電信電話株式会社の株式の売払収入の活用による社会資本の整備の促進に関する特別措置法（昭和六十二年法律第八十六号）第五条第一項の規定により読み替えて準用される補助金等に係る予算の執行の適正化に関する法律（昭和三十年法律第百七十九号）第六条第一項の規定による貸付けの決定（以下「貸付決定」という。）ごとに、当該貸付決定に係る法附則第五条第一項及び第二項の規定による国の貸付金（以下「国の貸付金」という。）の交付を完了した日（その日が当該貸付決定があった日の属する年度の末日の前日以後の日である場合には、当該年度の末日の前々日）の翌日から起算する。

3　国の貸付金の償還は、均等年賦償還の方法によるものとする。

4　国は、国の財政状況を勘案し、相当と認めるときは、国の貸付金の全部又は一部について、前三項の規定により定められた償還期限を繰り上げて償還させることができる。

5　法附則第五条第六項の政令で定める場合は、前項の規定により償還期限を繰り上げて償還を行った場合とする。

附　則〔略〕〔平成一一・六・二三政令二〇四〕

附　則〔略〕〔平成一一・八・一八政令二五六〕

附　則〔略〕〔平成一一・一二・三政令三八六〕

附　則〔略〕〔平成一二・三・二九政令一三二〕

附　則〔略〕〔平成一二・六・七政令三一一〕

附　則〔略〕〔平成一二・九・一三政令四三三〕

附　則〔略〕〔平成一四・二・八政令二七〕

附　則〔略〕〔平成一四・一〇・三〇政令三二一〕

附　則〔略〕〔平成一六・五・二六政令一八一〕

附　則〔略〕〔平成一六・一〇・二七政令三二六〕

附　則〔略〕〔平成一七・三・三一政令一〇三〕

附　則〔略〕〔平成一八・四・二六政令一八〇〕

附　則〔略〕〔平成一八・八・一一政令二六五〕

附　則〔略〕〔平成一九・三・二政令三九〕

附　則〔略〕〔平成二三・三・三〇政令四九〕

附　則〔略〕〔平成二五・九・一九政令二七六〕

附　則〔略〕〔平成二六・七・二政令二四一〕

附　則〔略〕〔平成二九・八・一八政令二一八〕

附　則〔略〕〔令和二・一一・二〇政令三二九〕

附　則〔令和六・二・一六政令三二〕

この政令は、中小企業信用保険法及び株式会社商工組合中央金庫法の一部を改正する法律（令和五年法律第六十一号）の施行の日（令和六年三月十五日）から施行する。

○国土交通省関係中心市街地の活性化に関する法律施行規則

〔平成一八・八・一八
国土交通省令八二〕

改正　平成一九・三国交令二〇、平成二一・四国交令三四、平成二三・八国交令六一、平成二六・七国交令六三、平成二七・一二国交令八一、平成三〇・一国交令一、令和二・一二国交令九八、令和六・一国交令六

（定義）

第一条　この省令において、次の各号に掲げる用語の意義は、それぞれ当該各号に定めるところによる。

一　耐火構造の住宅　建築基準法（昭和二十五年法律第二百一号）第二条第九号の二イに掲げる基準に適合する住宅をいう。

二　準耐火構造の住宅　耐火構造の住宅以外の住宅で、建築基準法第二条第九号の三イ若しくはロのいずれかに該当するもの又はこれに準ずる耐火性能を有する構造の住宅として次に掲げる要件に該当するものをいう。

イ　外壁及び軒裏が、建築基準法第二条第八号に規定する防火構造であること。

ロ　屋根が、建築基準法施行令（昭和二十五年政令第三百三十八号）第百三十六条の二の二第一号及び第二号に掲げる技術的基準に適合するものであること。

ハ　天井及び壁の室内に面する部分が、通常の火災時の加熱に十五分間以上耐える性能を有するものであること。

ニ　イからハまでに掲げるもののほか、住宅の各部分が、防火上支障のない構造であること。

（法第七条第十項第三号の国土交通省令で定める事業）

第二条　中心市街地の活性化に関する法律（以下「法」という。）第七条第十項第三号の国土交通省令で定める事業は、その全部又は一部の区間が中心市街地に存する路線に係る運行系統ごとの運行回数を増加させる事業とする。

（法第七条第十項第四号の国土交通省令で定める事業）

第三条　法第七条第十項第四号ロの国土交通省令で定める事業は、特定の中心市街地からの貨物の集貨又は当該中心市街地への貨物の配達を同号イに掲げる施設を利用して行う第一種貨物利用運送事業者（貨物利用運送事業法（平成元年法律第八十二号）第二条第七項に規定する第一種貨物利用運送事業について同法第三条第一項の登録を受けた者をいう。）の需要に応じ、当該中心市街地からの貨物の集貨又は当該中心市街地への貨物の配達をまとめて行う事業とする。

（換地計画の認可申請手続）

第四条　法第十六条第一項に規定する土地区画整理事業の施行者は、土地区画整理法第八十六条第一項後段又は第九十七条第一項の認可を申請しようとするときは、認可申請書に法第十六条第一項後段の規定による同意を得たことを証する書類を添付しなければならない。

（各筆換地明細）

第五条　法第十六条第一項に規定する土地区画整理事業にあっては、土地区画整理法施行規則（昭和三十年建設省令第五号）別記様式第六㈠の「記事」欄には、同様式備考6によるもののほか、従前の土地又は換地処分後の土地につき、法第十六条第一項の規定により保留地として定める場合に、その旨を記載するものとする。

（各筆各権利別清算金明細）

第六条　法第十六条第一項に規定する土地区画整理事業にあっては、土地区画整理法施行規則別記様式第七㈠の「記事」欄には、同様式の備考8によるもののほか、従前の土地又は換地処分後の土地につき、法第十六条第一項の規定により保留地を定める場合に、その旨を記載するものとする。

（中心市街地公共空地等を設置する土地等の規模）

第七条　法第十八条の国土交通省令で定める規模は、緑地、広場その他の公共空地を設置し、当該中心市街地公共空地等を管理する場合にあっては同条の契約に係る土地の面積が三百平方メートル、駐車場を設置し、当該中心市街地公共空地等を管理する場合にあっては同条の契約に係る土地のうち自動車の駐車の用に供する部分の面積が五百平方メートルとする。

（計画の認定の申請）

第八条　法第二十二条第一項の認定の申請は、別記様式の申請書を市町村長に提出して行うものとする。

2　前項の申請書には、次に掲げる図書を添付しなければならない。

一　中心市街地共同住宅供給事業を実施する区域及び都市福利施設（居住者の共同の福祉又は利便のため必要なものに限る。以下同じ。）の位置を表示した付近見取図

二　縮尺、方位、中心市街地共同住宅供給事業を実施する区域の境界線及び当該区域内における共同住宅の位置を表示した配置図

三　縮尺、方位、間取り、各室の用途及び設備の概要を表示した各階平面図

四　認定を申請しようとする者が当該認定に係る中心市街地共同住宅供給事業を実施する区域内の土地又はその土地について建物の所有を目的とする地上権、賃借権若しくは使用貸借による権利を有する者であることを証する書類

五　住宅が賃貸住宅である場合にあっては、近傍同種の住宅の家賃の額を記載した書類

六　住宅が分譲住宅である場合にあっては、近傍同種の住宅の価額を記載した書類

（計画の記載事項）

第九条　法第二十二条第二項第七号の国土交通省令で定める事項は、次に掲げるものとする。

一　共同住宅の建設の事業の実施時期

二　都市福利施設が新たに整備される場合にあっては、当該都市福利施設の整備の事業の実施時期

（法第二十三条第四号の国土交通省令で定める規模）

第一〇条　法第二十三条第四号の国土交通省令で定める規模は、三百平方メートルとする。

（法第二十三条第五号の国土交通省令で定める戸数）

第一一条　法第二十三条第五号の国土交通省令で定める戸数は、十戸とする。

（規模、構造及び設備の基準）

第一二条　法第二十三条第六号の国土交通省令で定める規模、構造及び設備の基準は、次のとおりとする。

一　各戸が床面積（共同住宅の共用部分の床面積を除く。以下同じ。）五十平方メートル（現に同居し、又は同居しようとする親族（婚姻の届出をしないが事実上婚姻関係と同様の事情にある者その他婚姻の予約者を含む。以下「同居親族」という。）がない者の居住の用に供する住宅にあっては、二十五平方メートル）以上であり、かつ、二以上の居住室を有するものであること。

二　耐火構造の住宅又は準耐火構造の住宅であること。

三　各戸が台所、水洗便所、収納設備、洗面設備及び浴室を備えたものであること。

（法第二十三条第八号ハの国土交通省令で定める基準）

第一三条　法第二十三条第八号ハの国土交通省令で定める基準は、次条から第十九条までに定めるとおりとする。

（賃借人の募集方法）

第一四条　賃貸住宅を法第二十三条第八号イ⑴に掲げる者に賃貸する者（以下「一般賃貸人」という。）は、災害、不良住宅の撤去その他の特別の事情がある場合において賃貸住宅に入居させることが適当である者として市町村長が認めるものを入居させる場合を除くほか、当該賃貸住宅の賃借人を公募しなければならない。

2　前項の規定による公募は、市町村長が定めるところにより、賃借りの申込みの期間の末日から起算して少なくとも二週間前に、新聞掲載、掲示等により行うとともに、一般賃貸人のウェブサイトへの掲載により行わなければならない。

3　前二項の規定による公募は、棟ごとに又は団地ごとに、少なくとも次に掲げる事項を示して行わなければならない。

一　賃貸する住宅が中心市街地共同住宅供給事業により建設されたものであること。

二　賃貸住宅の所在地、戸数、規模及び構造

三　一般賃貸人の氏名及び住所又は名称及び主たる事務所の所在地

四　賃借人の資格

五　家賃その他賃貸の条件

六　賃借りの申込みの期間及び場所

七　申込みに必要な書面の種類
八　賃借人の選定方法
4　前項第六号の申込みの期間は、少なくとも一週間としなければならない。

（賃借人の選定）
第一五条　賃借りの申込みを受理した戸数が賃貸住宅の戸数を超える場合においては、一般賃貸人は、抽選その他公正な方法により賃借人を選定しなければならない。

（賃借人の選定の特例）
第一六条　一般賃貸人は、同居親族が多い者その他の特に居住の安定を図る必要がある者で市町村長が定める基準に適合するものについては、一回の募集ごとに賃貸しようとする住宅の戸数の五分の一を超えない範囲内の戸数（地域の実情を勘案して当該市町村長が別に戸数を定める場合には、その戸数）について、前二条に定めるところにより当該賃貸住宅の賃借人を選定することができる。

（賃貸借契約の解除）
第一七条　一般賃貸人は、賃借人が不正の行為によって賃貸住宅を賃借りしたときは、当該賃貸住宅に係る賃貸借契約の解除をすることを賃貸の条件としなければならない。

（賃貸条件の制限）
第一八条　賃貸住宅を賃貸する者（以下「賃貸人」という。）は、毎月その月分の家賃を受領すること及び家賃の三月分を超えない額の敷金を受領することを除くほか、賃借人から権利金、謝金等の金品を受領し、その他賃借人の不当な負担となることを賃貸の条件としてはならない。

（転貸の条件）
第一九条　法第二十三条第八号イ(2)に掲げる者に賃貸住宅を賃貸する賃貸人は、転借人の資格、転借人の選定方法、家賃その他転貸の条件に関し、同条第八号イ（(2)を除く。）、ロ、ハ及びニ並びに法第三十一条第一項及び第二項の規定に準じて賃借人が当該賃貸住宅を転貸することを賃貸の条件としなければならない。

（管理の方法の基準）
第二〇条　法第二十三条第八号ニの国土交通省令で定める管理の方法の基準は、次のとおりとする。
一　賃貸人は、賃貸住宅の管理を行うために必要な資力及び信用並びにこれを的確に行うために必要な経験及び能力を有する者で市町村長が定める基準に該当する者に当該賃貸住宅の管理を委託し、又は当該賃貸住宅を賃貸すること。ただし、当該賃貸人が当該基準に該当する者であり、かつ、当該賃貸住宅の管理を自ら行う場合には、この限りでない。
二　賃貸住宅の修繕が計画的に行われるものであること。
三　賃貸人は、賃貸住宅の賃貸借契約書並びに家賃及び敷金の収納状況を明らかにする書類をその事務所に備え付けること。

（**法第二十三条第八号ホの国土交通省令で定める期間**）
第二一条　法第二十三条第八号ホの国土交通省令で定める期間は、十年とする。ただし、住宅事情の実態により必要があると認められるときは、市町村長は、十年を超え二十年以下の範囲内で、その期間を別に定めることができる。

（**法第二十三条第九号ハの国土交通省令で定める基準**）
第二二条　法第二十三条第九号ハの国土交通省令で定める基準は、次条から第二十六条までに定めるとおりとする。

（譲受人の募集方法）
第二三条　分譲住宅を法第二十三条第九号イ(1)又は(2)に掲げる者に譲渡する者（以下「一般譲渡人」という。）は、災害、不良住宅の撤去その他の特別の事情がある場合において分譲住宅に入居させることが適当である者として市町村長が認めるものを入居させる場合を除くほか、当該分譲住宅の譲受人を公募しなければならない。
2　前項の規定による公募は、市町村長が定めるところにより、譲受けの申込みの期間の末日から起算して少なくとも二週間前に、新聞掲載、掲示等により行うとともに、一般譲渡人のウェブサイトへの掲載により行わなければならない。
3　前二項の規定による公募は、棟ごとに又は団地ごとに、少なくとも次に掲げる事項を示して行わなければならない。
一　譲渡する住宅が中心市街地共同住宅供給事業により建設されたものであること。
二　分譲住宅の所在地、戸数、規模及び構造
三　一般譲渡人の氏名及び住所又は名称及び主たる事務所の所在地
四　譲受人の資格
五　価額その他譲渡の条件
六　譲受けの申込みの期間及び場所
七　申込みに必要な書面の種類
八　譲受人の選定方法
4　前項第六号の申込みの期間は、少なくとも一週間としなければならない。

（譲受人の選定）
第二四条　譲受けの申込みを受理した戸数が分譲住宅の戸数を超える場合においては、一般譲渡人は、抽選その他公正な方法により譲受人を選定しなければならない。

（譲受人の選定の特例）
第二五条　一般譲渡人は、同居親族が多い者その他の特に居住の安定を図る必要がある者で市町村長が定める基準に適合するものについては、一回の募集ごとに譲渡しようとする住宅の戸数の五分の一を超えない範囲内の戸数（地域の実情を勘案して市町村長が別に戸数を定める場合には、その戸数）について、前二条の定めるところにより当該分譲住宅の譲受人を選定することができる。

（譲渡条件の制限）
第二六条　分譲住宅を譲渡する者（以下「譲渡人」という。）は、住宅、住宅に付随する土地又は借地権の価額を受領することを除くほか、譲受人から金品を受領し、その他譲受人の不当な負担となることを譲渡の条件としてはならない。

（**法第二十三条第九号ニの国土交通省令で定める基準**）
第二七条　法第二十三条第九号ニの国土交通省令で定める基準は、次のとおりとする。
一　譲渡後の分譲住宅の用途の住宅以外の用途への変更の規制が建築基準法第六十九条又は第七十六条の三第一項の規定による建築協定の締結により行われるものであること。
二　譲渡後の分譲住宅の用途を住宅以外の用途へ変更してはならないことを譲渡契約の内容とするものであること。

（**法第二十五条第一項の国土交通省令で定める軽微な変更**）
第二八条　法第二十五条第一項の国土交通省令で定める軽微な変更は、次に掲げるものとする。
一　住宅の戸数の変更のうち、五分の一未満の戸数の変更（変更後の戸数が十戸以上である場合に限る。）
二　共同住宅の建設又は都市福利施設の整備の事業の実施時期の変更のうち、事業の着手又は完了の予定年月日の六月以内の変更

（**中心市街地の活性化に関する法律施行令第九条の国土交通省令で定めるもの**）
第二九条　中心市街地の活性化に関する法律施行令第九条の国土交通省令で定めるものは、次に掲げるものとする。
一　廊下及び階段
二　エレベーター及びエレベーターホール
三　立体的遊歩道及び人工地盤施設
四　通路
五　駐車場
六　児童遊園、広場及び緑地
七　給水施設、排水施設、ごみ処理施設、電気施設、ガス施設、熱供給施設及び情報通信施設
八　機械室及び管理事務所
九　電波障害防除設備
十　集会施設
十一　電話施設
十二　防災関連施設
十三　高齢者等生活支援施設
十四　子育て支援施設

（賃貸住宅の家賃）
第三〇条　法第三十一条第一項の国土交通省令で定める額は、一月につき、次に掲げる額を合計した額とする。
一　賃貸住宅（都市福利施設であって市町村長が定めるものを含む。以下この条及び次条において同じ。）の建設に要した費用（当該費用のうち、国又は地方公共団体の補助に係る部分を除く。）を期間三十五年、利率年九パーセントで毎月元利均等に償却するものとして算出した額
二　賃貸住宅の建設に要した費用（昇降機設置工事費、暖房設備設置工事費、冷房設備設置工事費、給湯設備設置工事費、浴槽及びふろがまの設

置工事費並びに特殊基礎工事費を除く。）に千分の一・四を乗じて得た額

三　賃貸住宅について、昇降機、暖房設備、冷房設備、給湯設備又は浴槽及びふろがまを設置した場合においては、当該設備の工事費に、次に掲げる工事費の区分に応じ、それぞれ次に掲げる率を乗じて得た額（イからハまでに掲げる工事費にあっては、当該額に当該設備の保守に要する費用の月割額を加えた額）

イ　昇降機設置工事費　千分の一・五

ロ　暖房設備設置工事費　千分の一・五

ハ　冷房設備設置工事費　千分の一・五

ニ　給湯設備設置工事費　千分の十五・四

ホ　浴槽及びふろがまの設置工事費　千分の十・八

四　賃貸住宅の災害による損害を補てんするための損害保険又は損害保険に代わるべき火災共済に要する費用の月割額

五　賃貸住宅の建設のため通常必要な土地又は借地権を取得する場合に通常必要と認められる価額に千二百分の五を乗じて得た額（当該賃貸住宅について、地代を必要とする場合においては、当該額に、当該地代の月割額と借地契約に係る土地の価額に千二百分の六を乗じて得た額のいずれか低い額を加えた額）

六　賃貸住宅又はその敷地に租税その他の公課が賦課される場合においては賦課される額の月割額

七　前各号の規定により算出した額の合計額に百分の二を乗じて得た額

2　認定事業者は、前項の規定にかかわらず、自己の建設及び管理をする賃貸住宅で、かつ、同時期に賃借人の募集を行うものについて、住宅相互間における家賃の均衡を図るため必要があると認める場合においては、各戸の床面積、位置及び形状による利便の度合いを勘案して定める調整額を同項の規定により算出した額に加え、又はその額から減じた額を家賃の額とすることができる。ただし、この場合において、家賃の額の合計額は、同項の規定により算出した額の合計額を超えてはならない。

3　認定事業者は、当該賃貸住宅の維持及び管理を行うため必要があると認める場合においては、当該賃貸住宅に係る推定再建築費（昇降機設置工事、暖房設備設置工事、冷房設備設置工事、給湯設備設置工事、浴槽及びふろがまの設置工事並びに特殊基礎工事に係る推定再建築費に相当する額を除く。）に千分の一・四を乗じて得た額を第一項第二号に掲げる額とし、昇降機設置工事、暖房設備設置工事、冷房設備設置工事、給湯設備設置工事、浴槽及びふろがまの設置工事に係る推定再建築費に相当する額に、当該推定再建築費に相当する額の区分に応じ、それぞれ第一項第三号イからホまでに掲げる率を乗じて得た額（昇降機設置工事、暖房設備設置工事及び冷房設備設置工事に係る推定再建築費に相当する額にあっては、当該乗じて得た額に当該設備の保守に要する費用の月割額を加えた額）を同号に掲げる額とすることができる。

第三一条　法第三十一条第二項の国土交通省令で定める基準は、賃貸住宅の推定再建築費が、当該賃貸住宅の建設費に一・五を乗じて得た額を超えることとする。

2　賃貸住宅が前項の基準に該当する場合における前条第一項第一号の規定の適用については、同号中「賃貸住宅（都市福利施設であって市町村長が定めるものを含む。以下この条及び次条において同じ。）の建設に要した費用（当該費用のうち、国又は地方公共団体の補助に係る部分を除く。）」とあるのは、「賃貸住宅（都市福利施設であって市町村長が定めるものを含む。以下この条及び次条において同じ。）の建設に要した費用（当該費用のうち、国又は地方公共団体の補助に係る部分を除く。）に国土交通大臣が建築物価の変動を考慮して地域別に定める率を乗じて得た額」とする。

（分譲住宅の価額）

第三二条　法第三十一条第三項の国土交通省令で定める額は、次に掲げる額を合計した額とする。

一　分譲住宅（都市福利施設であって市町村長が定めるものを含む。以下この条において同じ。）の建設に要した費用（当該費用のうち、国又は地方公共団体の補助に係る部分を除く。）

二　分譲住宅を建設するために借り入れた資金の利息（借り入れた資金の額に利率年十パーセントを乗じて得た額を限度とする。）

三　分譲住宅又はその敷地に租税その他の公課が賦課される場合においては賦課される額

四　分譲事務費等について市町村長が定めた方法により算出した額

2　認定事業者は、前項の規定にかかわらず、自己の建設した分譲住宅で、かつ、同時期に譲受人の募集を行うものについて、住宅相互間における価額の均衡を図るため必要があると認める場合においては、各戸の床面積、位置及び形状による利便の度合いを勘案して定める調整額を同項の規定により算出した額に加え、又はその額から減じた額を価額とすることができる。ただし、この場合において、価額の合計額は、同項の規定により算出した額の合計額を超えてはならない。

3　認定事業者は、特別の事情がある場合においてやむを得ないときは、第一項の規定にかかわらず、市町村長の承認を得て、分譲住宅の価額を別に定めることができる。

（法第三十四条第二項の国土交通省令で定める基準）

第三三条　法第三十四条第二項の国土交通省令で定める基準は、次に掲げるもののほか、住宅が賃貸住宅である場合にあっては次条から第四十二条まで、住宅が分譲住宅である場合にあっては第四十三条から第四十八条までに定めるとおりとする。

一　法第九条第二項第四号に掲げる事項として認定基本計画に定められているものに適合するものであること。

二　良好な住居の環境の確保その他の市街地の環境の確保又は向上に資するものであること。

三　都市福利施設の整備と併せて建設し、又は都市福利施設と隣接し、若しくは近接するものであること。

四　共同住宅が地階を除く階数が三以上の建築物の全部又は一部をなすものであり、かつ、当該建築物の敷地面積が三百平方メートル以上であること。

五　住宅の戸数が、十戸以上であること。

六　住宅の規模、構造及び設備が、次に掲げる基準に適合するものであること。

イ　各戸が床面積五十平方メートル（同居親族がない者の居住の用に供する住宅にあっては、二十五平方メートル）以上であり、かつ、二以上の居住室を有するものであること。

ロ　耐火構造の住宅又は準耐火構造の住宅であること。

ハ　各戸が台所、水洗便所、収納設備、洗面設備及び浴室を備えたものであること。

（賃借人の資格）

第三四条　賃貸住宅の賃借人の資格は、次に掲げる者とする。

一　自ら居住するため住宅を必要とする者

二　自ら居住するための住宅を必要とする者に対し住宅を賃貸する事業を行う者

（賃借人の募集方法）

第三五条　賃貸住宅を前条第一号に掲げる者に賃貸する地方公共団体（以下第三十八条までにおいて単に「地方公共団体」という。）は、災害、不良住宅の撤去その他の特別の事情がある場合において賃貸住宅に入居させることが適当である者として当該地方公共団体の長が認めるものを入居させる場合を除くほか、当該賃貸住宅の賃借人を公募しなければならない。

2　前項の規定による公募は、地方公共団体の長が定めるところにより、賃借りの申込みの期間の末日から起算して少なくとも二週間前に、新聞掲載、掲示等により行うとともに、当該地方公共団体のウェブサイトへの掲載により行わなければならない。

3　前二項の規定による公募は、棟ごとに又は団地ごとに、少なくとも次に掲げる事項を示して行わなければならない。

一　賃貸住宅が法第三十四条第二項に規定する賃貸住宅であること。

二　賃貸住宅の所在地、戸数、規模及び構造

三　地方公共団体の名称

四　賃借人の資格

五　家賃その他賃貸の条件

六　賃借りの申込みの期間及び場所

七　申込みに必要な書面の種類

八　賃借人の選定方法

4　前項第六号の申込みの期間は、少なくとも一週間としなければならない。

（賃借人の選定）

第三六条　賃借りの申込みを受理した戸数が賃貸住宅の戸数を超える場合においては、地方公共団体は、抽選その他公正な方法により賃借人を選定しなければならない。

（賃借人の選定の特例）

第三七条　地方公共団体は、同居親族が多い者その他の特に居住の安定を図る必要がある者で当該地方公共団体の長が定める基準に適合するものにつ

いては、一回の募集ごとに賃貸しようとする住宅の戸数の五分の一を超えない範囲内の戸数（地域の実情を勘案して当該地方公共団体の長が別に戸数を定める場合には、その戸数）について、前二条に定めるところにより当該賃貸住宅の賃借人を選定することができる。

（賃貸借契約の解除）

第三八条　地方公共団体は、賃借人が不正の行為によって賃貸住宅を賃借りしたときは、当該賃貸住宅に係る賃貸借契約の解除をすることを賃貸の条件としなければならない。

（賃貸条件の制限）

第三九条　地方公共団体は、毎月その月分の家賃を受領すること及び家賃の三月分を超えない額の敷金を受領することを除くほか、賃借人から権利金、謝金等の金品を受領し、その他賃借人の不当な負担となることを賃貸の条件としてはならない。

（転貸の条件）

第四〇条　第三十四条第二号に掲げる者に賃貸住宅を賃貸する地方公共団体は、転借人の資格、転借人の選定方法、家賃その他転貸の条件に関し、法第二十三条第八号イ（(2)を除く。）、ロ、ハ及びニ並びに法第三十一条第一項及び第二項の規定に準じて賃借人が当該賃貸住宅を転貸することを賃貸の条件としなければならない。

（管理の方法の基準）

第四一条　賃貸住宅の管理の方法は、次に掲げる基準に適合するものでなければならない。

一　地方公共団体は、賃貸住宅の管理を行うために必要な資力及び信用並びにこれを的確に行うために必要な経験及び能力を有する者で当該地方公共団体の長が定める基準に該当する者に当該賃貸住宅の管理を委託し、又は当該賃貸住宅を賃貸すること。ただし、当該地方公共団体が当該賃貸住宅の管理を自ら行う場合には、この限りでない。

二　賃貸住宅の修繕が計画的に行われるものであること。

三　地方公共団体は、賃貸住宅の賃貸借契約書並びに家賃及び敷金の収納状況を明らかにする書類を当該地方公共団体の事務所に備え付けること。

（管理の期間）

第四二条　賃貸住宅の管理の期間は、十年以上でなければならない。

（譲受人の資格）

第四三条　分譲住宅の譲受人の資格は、次のいずれかに掲げる者とする。

一　自ら居住するため住宅を必要とする者

二　親族の居住の用に供するため自ら居住する住宅以外に住宅を必要とする者

三　自ら居住するため住宅を必要とする者に対し住宅を賃貸する事業を行う者

（譲受人の募集方法）

第四四条　分譲住宅を前条第一号又は第二号に掲げる者に譲渡する地方公共団体（以下第四十六条までにおいて単に「地方公共団体」という。）は、災害、不良住宅の撤去その他の特別の事情がある場合において分譲住宅に入居させることが適当である者として当該地方公共団体の長が認めるものを入居させる場合を除くほか、当該分譲住宅の譲受人を公募しなければならない。

2　前項の規定による公募は、地方公共団体の長が定めるところにより、譲受けの申込みの期間の末日から起算して少なくとも二週間前に、新聞掲載、掲示等により行うとともに、当該地方公共団体のウェブサイトへの掲載により行わなければならない。

3　前二項の規定による公募は、棟ごとに又は団地ごとに、少なくとも次に掲げる事項を示して行わなければならない。

一　分譲住宅が法第三十四条第二項に規定する分譲住宅であること。

二　分譲住宅の所在地、戸数、規模及び構造

三　地方公共団体の名称

四　譲受人の資格

五　価額その他譲渡の条件

六　譲受けの申込みの期間及び場所

七　申込みに必要な書面の種類

八　譲受人の選定方法

4　前項第六号の申込みの期間は、少なくとも一週間としなければならない。

（譲受人の選定）

第四五条　譲受けの申込みを受理した戸数が分譲住宅の戸数を超える場合においては、地方公共団体は、抽選その他公正な方法により譲受人を選定しなければならない。

（譲受人の選定の特例）

第四六条　地方公共団体は、同居親族が多い者その他の特に居住の安定を図る必要がある者で当該地方公共団体の長が定める基準に適合するものについては、一回の募集ごとに譲渡しようとする住宅の戸数の五分の一を超えない範囲内の戸数（地域の実情を勘案して当該地方公共団体の長が別に戸数を定める場合には、その戸数）について、前二条の定めるところにより当該分譲住宅の譲受人を選定することができる。

（譲渡条件の制限）

第四七条　地方公共団体は、住宅、住宅に付随する土地又は借地権の価額を受領することを除くほか、譲受人から金品を受領し、その他譲受人の不当な負担となることを譲渡の条件としてはならない。

（譲渡後の分譲住宅の用途の住宅以外の用途への変更の規制）

第四八条　地方公共団体は、譲渡後の分譲住宅の用途を住宅以外の用途へ変更してはならないことを譲渡契約の内容としなければならない。

（共通乗車船券）

第四九条　法第四十条第一項の規定により共通乗車船券に係る運賃又は料金の割引の届出をしようとする運送事業者は、次に掲げる事項を記載した届出書を共同で提出しなければならない。

一　共通乗車船券を発行しようとする運送事業者の氏名又は名称及び住所

二　共通乗車船券を発行しようとする運送事業者を代表する者の氏名又は名称

三　割引を行おうとする運賃又は料金の種類

四　発行しようとする共通乗車船券の名称

五　発行しようとする共通乗車船券の発行価額

六　発行しようとする共通乗車船券に係る期間、区間その他の条件

（第一種貨物利用運送事業登録に係る手続的事項）

第五〇条　地方運輸局長（運輸監理部長を含む。以下同じ。）は、法第五十七条第一項の規定により第一種貨物利用運送事業登録を受けたものとみなされる者がある場合には、当該認定特定民間中心市街地活性化事業計画に記載されている事項のうち貨物利用運送事業法第五条第一項第一号に掲げる事項に相当するもの及び同項第二号に掲げる事項を同項の第一種貨物利用運送事業者登録簿に記載するものとする。

2　地方運輸局長は、法第五十七条第三項又は第四項の規定により貨物利用運送事業法第七条第一項の変更登録を受けたものとみなされる者又は同条第三項の届出をしたものとみなされる者がある場合には、当該認定特定民間中心市街地活性化事業計画に記載されている事項のうち同法第四条第一項各号に掲げる事項に相当するもの（同法第七条第一項の変更登録を受け、又は同条第三項の届出をしなければならない事項に該当する事項に限る。）に係る登録の変更を行うものとする。

（法第六十二条第二号の国土交通省令で定める建築物その他の施設）

第五一条　法第六十二条第二号の国土交通省令で定める建築物その他の施設は、次に掲げるものとする。

一　都市機能の増進に資する建築物

二　道路、公園、駐車場その他の公共の用に供する施設又は公用施設

附　則〔抄〕

（施行期日）

第一条　この省令は、中心市街地における市街地の整備改善及び商業等の活性化の一体的推進に関する法律の一部を改正する等の法律（平成十八年法律第五十四号）の施行の日（平成十八年八月二十二日）から施行する。

（中心市街地における市街地の整備改善及び商業等の活性化の一体的推進に関する法律第四条第四項第四号及び第五号の特定事業に関する省令等の廃止）

第二条　次に掲げる省令は、廃止する。

一　中心市街地における市街地の整備改善及び商業等の活性化の一体的推進に関する法律第四条第四項第四号及び第五号の特定事業に関する省令（平成十年運輸省令第五十八号）

二　中心市街地における市街地の整備改善に関する省令（平成十年建設省令第三十号）

附　則〔略〕（平成一九・三・二八国土交通省令二〇）

附　則〔略〕（平成二一・四・三〇国土交通省令三四施行）

附　則〔略〕（平成二三・八・一二国土交通省令六一）

附　則〔略〕（平成二六・七・二国土交通省令六三）

附　則〔略〕（平成二七・一二・九国土交通省令八二）

附　則〔略〕〔平成三〇・一・四国土交通省令一〕

附　則〔略〕〔令和二・一二・二三国土交通省令九八〕

附　則〔抄〕〔令和六・一・三一国土交通省令六〕

（施行期日）

1　この省令は、令和六年三月三十一日から施行する。〔以下略〕

（経過措置）

2　第十条及び第十五条の規定による改正後の次に掲げる省令の規定は、この省令の施行の日以後に開始される公募について適用し、同日前に開始された公募については、なお従前の例による。

一〔略〕

二　国土交通省関係中心市街地の活性化に関する法律施行規則第十四条第二項、第二十三条第二項、第三十五条第二項及び第四十四条第二項

別記様式〔略〕

○都市の低炭素化の促進に関する法律

〔平成二四・九・五　法律八四〕

改正　平成二五・五法二五、平成二六・六法五四、平成二七・五法二二、七法五三、平成二八・五法五〇、平成二九・五法二六、令和元・五法四、令和三・五法三一、令和四・六法六九、令和五・六法五八、令和六・五法四〇、六法五三

注1　⬚の部分は、令和四年六月一七日法律第六九号により改正され、令和七年四月一日から施行

注2　□の部分は、令和五年五月一二日法律第二四号により改正され、公布の日から起算して二年を超えない範囲内において政令で定める日から施行

目次

第一章　総則（第一条・第二条）
第二章　基本方針等（第三条―第六条）
第三章　低炭素まちづくり計画に係る特別の措置
　第一節　低炭素まちづくり計画の作成等（第七条・第八条）
　第二節　集約都市開発事業等（第九条―第二十条）
　第三節　共通乗車船券等
　　第一款　共通乗車船券（第二十一条）
　　第二款　鉄道利便増進事業（第二十二条―第二十四条）
　　第三款　軌道利便増進事業（第二十五条―第二十七条）
　　第四款　道路運送利便増進事業（第二十八条―第三十条）
　　第五款　報告の徴収（第三十一条）
　第四節　貨物運送共同化事業（第三十二条―第三十七条）
　第五節　樹木等管理協定（第三十八条―第四十六条）
　第六節　下水道施設からの下水の取水等に係る特例等（第四十七条―第四十九条）
　第七節　都市の低炭素化の促進に関する援助等（第五十条―第五十二条）
第四章　低炭素建築物の普及の促進のための措置（第五十三条―第六十条）
第五章　雑則（第六十一条・第六十二条）
第六章　罰則（第六十三条―第六十六条）
附則

第一章　総則

（目的）

第一条　この法律は、社会経済活動その他の活動に伴って発生する二酸化炭素の相当部分が都市において発生しているものであることに鑑み、都市の低炭素化の促進に関する基本的な方針の策定について定めるとともに、市町村による低炭素まちづくり計画の作成及びこれに基づく特別の措置並びに低炭素建築物の普及の促進のための措置を講ずることにより、地球温暖化対策の推進に関する法律（平成十年法律第百十七号）と相まって、都市の低炭素化の促進を図り、もって都市の健全な発展に寄与することを目的とする。

（定義）

第二条　この法律において「都市の低炭素化」とは、都市における社会経済活動その他の活動に伴って発生する二酸化炭素の排出を抑制し、並びにその吸収作用を保全し、及び強化することをいう。

2　この法律において「低炭素まちづくり計画」とは、市町村が作成する都市の低炭素化を促進するためのまちづくりに関する計画であって、第七条の規定により作成されたものをいう。

3　この法律において「低炭素建築物」とは、二酸化炭素の排出の抑制に資する建築物であって、第五十四条第一項の認定を受けた第五十三条第一項に規定する低炭素建築物新築等計画（変更があったときは、その変更後のもの）に基づき新築又は増築、改築、修繕若しくは模様替若しくは空気調和設備その他の建築設備の設置若しくは改修が行われ、又は行われたものをいう。

第二章　基本方針等

（基本方針）

第三条　国土交通大臣、環境大臣及び経済産業大臣は、都市の低炭素化の促進に関する基本的な方針（以下「基本方針」という。）を定めなければならない。

2　基本方針においては、次に掲げる事項を定めるものとする。

一　都市の低炭素化の促進の意義及び目標に関する事項

二　都市の低炭素化の促進のために政府が実施すべき施策に関する基本的な方針

三　低炭素まちづくり計画の作成に関する基本的な事項

四　低炭素建築物の普及の促進に関する基本的な事項

五　都市の低炭素化の促進に関する施策の効果についての評価に関する基本的な事項

六　前各号に掲げるもののほか、都市の低炭素化の促進に関する重要事項

3　基本方針は、地球温暖化の防止を図るための施策に関する国の計画との

調和が保たれたものでなければならない。

4　国土交通大臣、環境大臣及び経済産業大臣は、基本方針を定めようとするときは、関係行政機関の長に協議しなければならない。

5　国土交通大臣、環境大臣及び経済産業大臣は、基本方針を定めたときは、遅滞なく、これを公表しなければならない。

6　前三項の規定は、基本方針の変更について準用する。

（国の責務）

第四条　国は、都市の低炭素化の促進に関する施策を総合的に策定し、及び実施する責務を有する。

2　国は、市街地の整備改善、住宅の整備その他の都市機能の維持又は増進を図るための事業に係る施策を講ずるに当たっては、都市機能の集約が図られるよう配慮し、都市の低炭素化に資するよう努めなければならない。

3　国は、地方公共団体その他の者が行う都市の低炭素化の促進に関する取組のために必要となる情報の収集及び提供その他の支援を行うよう努めなければならない。

4　国は、教育活動、広報活動その他の活動を通じて、都市の低炭素化の促進に関し、国民の理解を深めるよう努めなければならない。

（地方公共団体の責務）

第五条　地方公共団体は、都市の低炭素化の促進に関し、国との適切な役割分担を踏まえて、その地方公共団体の区域の自然的経済的社会的諸条件に応じた施策を策定し、及び実施する責務を有する。

（事業者の責務）

第六条　事業者は、土地の利用、旅客又は貨物の運送その他の事業活動に関し、都市の低炭素化に自ら努めるとともに、国又は地方公共団体が実施する都市の低炭素化の促進に関する施策に協力しなければならない。

第三章　低炭素まちづくり計画に係る特別の措置

第一節　低炭素まちづくり計画の作成等

（低炭素まちづくり計画）

第七条　市町村は、単独で又は共同して、基本方針に基づき、当該市町村の区域内の区域（都市計画法（昭和四十三年法律第百号）第七条第一項に規定する市街化区域の区域（同項に規定する区域区分に関する都市計画が定められていない同法第四条第二項に規定する都市計画区域にあっては、同法第八条第一項第一号に規定する用途地域が定められている土地の区域。第五十三条第一項において「市街化区域等」という。）に限る。）であって都市の低炭素化の促進に関する施策を総合的に推進することが効果的であると認められるものについて、低炭素まちづくり計画を作成することができる。

2　低炭素まちづくり計画には、その区域（以下「計画区域」という。）を記載するほか、おおむね次に掲げる事項を記載するものとする。

一　低炭素まちづくり計画の目標

二　前号の目標を達成するために必要な次に掲げる事項

イ　都市機能の集約（計画区域外から計画区域内に都市機能を集約することを含む。以下同じ。）を図るための拠点となる地域の整備その他都市機能の配置の適正化に関する事項

ロ　公共交通機関の利用の促進に関する事項

ハ　貨物の運送の共同化その他の貨物の運送の合理化に関する事項

ニ　緑地の保全及び緑化の推進に関する事項

ホ　下水（下水道法（昭和三十三年法律第七十九号）第二条第一号に規定する下水をいう。次項第五号イ及び第四十七条において同じ。）を熱源とする熱、太陽光その他の化石燃料以外のエネルギーの利用又は化石燃料の効率的利用に資する施設の設置のための下水道、公園、港湾その他の公共施設の活用に関する事項

ヘ　建築物のエネルギーの使用の効率性その他の性能の向上による二酸化炭素の排出の抑制（以下「建築物の低炭素化」という。）の促進に関する事項

ト　二酸化炭素の排出の抑制に資する自動車（道路運送車両法（昭和二十六年法律第百八十五号）第二条第二項に規定する自動車及び同条第三項に規定する原動機付自転車をいう。以下この号及び第五十一条において同じ。）の普及の促進その他の自動車の運行に伴い発生する二酸化炭素の排出の抑制の促進に関する事項

チ　その他都市の低炭素化の促進のために講ずべき措置として国土交通省令・環境省令・経済産業省令で定めるものに関する事項

三　低炭素まちづくり計画の達成状況の評価に関する事項

四　計画期間

五　その他国土交通省令・環境省令・経済産業省令で定める事項

3　次の各号に掲げる事項には、それぞれ当該各号に定める事項を記載することができる。

一　前項第二号イに掲げる事項　駐車場法（昭和三十二年法律第百六号）第二十条第一項の地区若しくは地域内又は同条第二項の地区内の区域であって当該区域における駐車施設（同条第一項に規定する駐車施設をいう。以下この号において同じ。）の機能を集約すべきもの（第二十条において「駐車機能集約区域」という。）並びに集約駐車施設（当該機能を集約するために整備する駐車施設をいう。）の位置及び規模に関する事項

二　前項第二号ロに掲げる事項　次のイからハまでに掲げる事項

イ　鉄道利便増進事業（その全部又は一部の区間が計画区域内に存する路線に係る旅客鉄道事業（鉄道事業法（昭和六十一年法律第九十二号）第二条第一項に規定する鉄道事業のうち旅客の運送を行うもの及び旅客の運送を行う同法第七条第一項に規定する鉄道事業者に鉄道施設を譲渡し、又は使用させるものをいう。第二十三条第三項第三号及び第四号において同じ。）を経営し、又は経営しようとする者が当該旅客鉄道事業の利用者の利便の増進を図るために実施する事業をいう。以下同じ。）の内容及び実施主体に関する事項

ロ　軌道利便増進事業（その全部又は一部の区間が計画区域内に存する路線に係る旅客軌道事業（軌道法（大正十年法律第七十六号）による軌道事業のうち旅客の運送を行うものをいう。第二十六条第三項第三号において同じ。）を経営し、又は経営しようとする者が当該旅客軌道事業の利用者の利便の増進を図るために実施する事業をいう。以下同じ。）の内容及び実施主体に関する事項

ハ　道路運送利便増進事業（その全部又は一部の区間が計画区域内に存する路線に係る一般乗合旅客自動車運送事業（道路運送法（昭和二十六年法律第百八十三号）第三条第一号イに規定する一般乗合旅客自動車運送事業をいう。第二十九条第三項第三号において同じ。）又は特定旅客自動車運送事業（同法第三条第二号に規定する特定旅客自動車運送事業をいう。同項第三号において同じ。）を経営し、又は経営しようとする者がこれらの事業の利用者の利便の増進を図るために実施する事業をいう。以下同じ。）の内容及び実施主体に関する事項

三　前項第二号ハに掲げる事項　貨物運送共同化事業（計画区域内において、第一種貨物利用運送事業（貨物利用運送事業法（平成元年法律第八十二号）第二条第七項に規定する第一種貨物利用運送事業をいう。第三十三条第三項第三号において同じ。）、第二種貨物利用運送事業（同法第二条第八項に規定する第二種貨物利用運送事業をいう。第三十三条第三項第四号及び第四項において同じ。）又は一般貨物自動車運送事業（貨物自動車運送事業法（平成元年法律第八十三号）第二条第二項に規定する一般貨物自動車運送事業をいう。第三十三条第三項第五号において同じ。）を経営し、又は経営しようとする二以上の者が、集貨、配達その他の貨物の運送（これに付随する業務を含む。）の共同化を行う事業をいう。以下同じ。）の内容及び実施主体に関する事項

四　前項第二号ニに掲げる事項　樹木が相当数存在し、これらを保全することにより都市の低炭素化が効果的に促進されることが見込まれる区域（第三十八条第一項において「樹木保全推進区域」という。）及び当該区域において保全すべき樹木又は樹林地等（樹林地又は人工地盤、建築物その他の工作物に設けられる樹木の集団をいい、これらと一体となった草地を含む。以下同じ。）の基準（第三十八条第一項において「保全樹木等基準」という。）に関する事項

五　前項第二号ホに掲げる事項　次のイからハまでに掲げる事項

イ　下水を熱源とする熱を利用するための設備を有する熱供給事業法（昭和四十七年法律第八十八号）第二条第四項に規定する熱供給施設その他これに準ずる施設で政令で定めるものの整備及び管理に関する事業であって第四十七条第一項の許可に係るものの内容及び実施主体に関する事項

ロ　都市公園（都市公園法（昭和三十一年法律第七十九号）第二条第一項に規定する都市公園をいう。次項第二号及び第四十八条において同じ。）に設けられる太陽光を電気に変換する設備その他の化石燃料以外のエネルギーの利用又は化石燃料の効率的利用に資する施設（ハにおいて「非化石エネルギー利用施設等」という。）で政令で定めるも

の整備に関する事業の内容及び実施主体に関する事項

ハ　港湾隣接地域（港湾法（昭和二十五年法律第二百十八号）第三十七条第一項に規定する港湾隣接地域をいう。）に設けられる非化石エネルギー利用施設等で国土交通省令で定めるものの整備に関する事業（その実施に当たり同項の許可を要するものに限る。）の内容及び実施主体に関する事項

4　市町村は、低炭素まちづくり計画に次の各号に掲げる事項を記載しようとするときは、当該事項について、あらかじめ、それぞれ当該各号に定める者に協議し、その同意を得なければならない。

一　前項第五号イに掲げる事項　第四十七条第一項の許可の権限を有する公共下水道管理者等（下水道法第四条第一項に規定する公共下水道管理者又は同法第二十五条の二十三第一項に規定する流域下水道管理者をいう。第四十七条及び第六十三条において同じ。）

二　前項第五号ロに掲げる事項　当該事項に係る都市公園の公園管理者（都市公園法第五条第一項に規定する公園管理者をいう。第四十八条において同じ。）

三　前項第五号ハに掲げる事項　当該事項に係る港湾の港湾管理者（港湾法第二条第一項に規定する港湾管理者をいう。第四十九条において同じ。）

5　市町村は、低炭素まちづくり計画に次の各号に掲げる事項を記載しようとするときは、当該事項について、あらかじめ、それぞれ当該各号に定める者に協議しなければならない。

一　第三項第一号に定める事項　都道府県知事（駐車場法第二十条第一項若しくは第二項又は第二十条の二第一項の規定に基づき条例を定めている都道府県の知事に限る。）

二　第三項第二号イからハまでに掲げる事項、同項第三号に定める事項又は同項第五号イからハまでに掲げる事項　当該事項に係る実施主体

三　前号に掲げるもののほか、第二項第二号に掲げる事項として記載された事項で当該市町村以外の者が実施する事務又は事業の内容及び実施主体に関するもの　当該事項に係る実施主体

四　第三項第二号イからハまでに掲げる事項として記載された事項でその実施に際し道路交通法（昭和三十五年法律第百五号）第四条第一項の規定により都道府県公安委員会（以下「公安委員会」という。）の交通の規制が行われることとなる事務又は事業に関するもの　関係する公安委員会

6　低炭素まちづくり計画は、地球温暖化対策の推進に関する法律第二十一条第一項に規定する地方公共団体実行計画に適合するとともに、都市計画法第六条の二第一項に規定する都市計画区域の整備、開発及び保全の方針並びに同法第十八条の二第一項に規定する市町村の都市計画に関する基本的な方針との調和が保たれたものでなければならない。

7　市町村は、低炭素まちづくり計画を作成したときは、遅滞なく、これを公表しなければならない。

8　第四項から前項までの規定は、低炭素まちづくり計画の変更について準用する。

（低炭素まちづくり協議会）

第八条　市町村は、低炭素まちづくり計画の作成に関する協議及び低炭素まちづくり計画の実施に係る連絡調整を行うための協議会（以下この条において「協議会」という。）を組織することができる。

2　協議会は、次に掲げる者をもって構成する。

一　低炭素まちづくり計画を作成しようとする市町村

二　低炭素まちづくり計画及びその実施に関し密接な関係を有する者

三　その他当該市町村が必要と認める者

3　協議会において協議が調った事項については、協議会の構成員は、その協議の結果を尊重しなければならない。

4　前三項に定めるもののほか、協議会の運営に関し必要な事項は、協議会が定める。

第二節　集約都市開発事業等

（集約都市開発事業計画の認定）

第九条　第七条第二項第二号イに掲げる事項が記載された低炭素まちづくり計画に係る計画区域内における病院、共同住宅その他の多数の者が利用する建築物（以下「特定建築物」という。）及びその敷地の整備に関する事業（これと併せて整備する道路、公園その他の公共施設（次条第一項第三号において「特定公共施設」という。）の整備に関する事業を含む。）並びにこれに附帯する事業であって、都市機能の集約を図るための拠点の形成に資するもの（以下「集約都市開発事業」という。）を施行しようとする者は、国土交通省令で定めるところにより、当該低炭素まちづくり計画に即して集約都市開発事業に関する計画（以下「集約都市開発事業計画」という。）を作成し、市町村長の認定を申請することができる。

2　集約都市開発事業計画には、次に掲げる事項を記載しなければならない。

一　集約都市開発事業を施行する区域

二　集約都市開発事業の内容

三　集約都市開発事業の施行予定期間

四　集約都市開発事業の資金計画

五　集約都市開発事業の施行による都市の低炭素化の効果

六　その他国土交通省令で定める事項

（集約都市開発事業計画の認定基準等）

第一〇条　市町村長は、前条第一項の規定による認定の申請があった場合において、当該申請に係る集約都市開発事業計画が次に掲げる基準に適合すると認めるときは、その認定をすることができる。

一　当該集約都市開発事業が、都市機能の集約を図るための拠点の形成に貢献し、これを通じて、二酸化炭素の排出を抑制するものであると認められること。

二　集約都市開発事業計画（特定建築物の整備に係る部分に限る。次項から第四項まで及び第六項において同じ。）が第五十四条第一項第一号及び第二号に掲げる基準に適合するものであること。

三　当該集約都市開発事業により整備される特定建築物の敷地又は特定公共施設において緑化その他の都市の低炭素化のための措置が講じられるものであること。

四　集約都市開発事業計画に記載された事項が当該集約都市開発事業を確実に遂行するため適切なものであること。

五　当該集約都市開発事業の施行に必要な経済的基礎及びこれを的確に遂行するために必要なその他の能力が十分であること。

2　建築主事又は建築副主事を置かない市町村（その区域内において施行される集約都市開発事業により整備される特定建築物が政令で定める建築物である場合における建築基準法（昭和二十五年法律第二百一号）第九十七条の二第一項若しくは第二項又は第九十七条の三第一項若しくは第二項の規定により建築主事又は建築副主事を置く市町村を含む。）の市町村長は、前項の認定をしようとするときは、当該認定に係る集約都市開発事業計画が同項第二号に掲げる基準に適合することについて、あらかじめ、都道府県知事に協議し、その同意を得なければならない。

3　前条第一項の規定による認定の申請をする者は、市町村長に対し、当該市町村長が当該申請に係る集約都市開発事業計画を建築主事又は建築副主事に通知し、当該集約都市開発事業計画が建築基準法第六条第一項に規定する建築基準関係規定に適合するかどうかの審査を受けるよう申し出ることができる。この場合においては、当該申請に併せて、同項の規定による確認の申請書を提出しなければならない。

4　前項の規定による申出を受けた市町村長は、速やかに、当該申出に係る集約都市開発事業計画を建築主事又は建築副主事に通知しなければならない。

5　建築基準法第十八条第三項及び第十五項の規定は、建築主事又は建築副主事が前項の規定による通知を受けた場合について準用する。

6　市町村長が、前項において準用する建築基準法第十八条第三項の規定による確認済証の交付を受けた場合において、第一項の認定をしたときは、当該認定を受けた集約都市開発事業計画は、同法第六条第一項の確認済証の交付があったものとみなす。

7　市町村長は、第五項において準用する建築基準法第十八条第十五項の規定による通知書の交付を受けた場合においては、第一項の認定をしてはならない。

8　建築基準法第十二条第八項及び第九項並びに第九十三条から第九十三条の三までの規定は、第五項において準用する同法第十八条第三項及び第十五項の規定による確認済証及び通知書の交付について準用する。

9　集約都市開発事業を施行しようとする者がその集約都市開発事業計画について第一項の認定を受けたときは、当該集約都市開発事業計画に基づく特定建築物の整備のうち、建築物のエネルギー消費性能の向上等に関する法律（平成二十七年法律第五十三号）第十二条第一項の建築物エネルギー消費性能適合性判定を受けなければならないものについては、第三項の規

定による申出があった場合及び同法第二条第二項の条例が定められている場合を除き、同法第十二条第三項の規定により適合判定通知書の交付を受けたものとみなして、同条第六項から第八項までの規定を適用する。

9　集約都市開発事業を施行しようとする者がその集約都市開発事業計画について第一項の認定を受けたときは、当該集約都市開発事業計画に基づく特定建築物の整備のうち、建築物のエネルギー消費性能の向上等に関する法律（平成二十七年法律第五十三号）第十一条第一項の建築物エネルギー消費性能適合性判定を受けなければならないものについては、第三項の規定による申出があった場合及び同法第二条第二項の条例が定められている場合を除き、同法第十一条第三項の規定により適合判定通知書の交付を受けたものとみなして、同条第六項から第八項までの規定を適用する。

10　集約都市開発事業を施行しようとする者がその集約都市開発事業計画について第一項の認定を受けたときは、当該集約都市開発事業計画に基づく特定建築物の整備のうち、建築物のエネルギー消費性能の向上等に関する法律第十九条第一項の規定による届出をしなければならないものについては、同法第二条第二項の条例が定められている場合を除き、同法第十九条第一項の規定による届出をしたものとみなす。この場合においては、同条第二項及び第三項の規定は、適用しない。

10項は、削られます。

（集約都市開発事業計画の変更）

第一一条　前条第一項の認定を受けた者（以下「認定集約都市開発事業者」という。）は、当該認定を受けた集約都市開発事業計画の変更（国土交通省令で定める軽微な変更を除く。）をしようとするときは、市町村長の認定を受けなければならない。

2　前条の規定は、前項の認定について準用する。

（報告の徴収）

第一二条　市町村長は、認定集約都市開発事業者に対し、第十条第一項の認定を受けた集約都市開発事業計画（変更があったときは、その変更後のもの。次条及び第十四条において「認定集約都市開発事業計画」という。）に係る集約都市開発事業（以下「認定集約都市開発事業」という。）の施行の状況について報告を求めることができる。

（地位の承継）

第一三条　認定集約都市開発事業者の一般承継人又は認定集約都市開発事業者から認定集約都市開発事業計画に係る第九条第二項第一号の区域内の土地の所有権その他当該認定集約都市開発事業の施行に必要な権原を取得した者は、市町村長の承認を受けて、当該認定集約都市開発事業者が有していた第十条第一項の認定に基づく地位を承継することができる。

（改善命令）

第一四条　市町村長は、認定集約都市開発事業者が認定集約都市開発事業計画に従って認定集約都市開発事業を施行していないと認めるときは、当該認定集約都市開発事業者に対し、相当の期限を定めて、その改善に必要な措置をとるべきことを命ずることができる。

（集約都市開発事業計画の認定の取消し）

第一五条　市町村長は、認定集約都市開発事業者が前条の規定による命令に違反したときは、第十条第一項の認定を取り消すことができる。

（特定建築物に関する特例）

第一六条　認定集約都市開発事業により整備される特定建築物については、低炭素建築物とみなして、この法律の規定を適用する。

（費用の補助）

第一七条　地方公共団体は、認定集約都市開発事業者に対して、認定集約都市開発事業の施行に要する費用の一部を補助することができる。

2　国は、地方公共団体が前項の規定により補助金を交付する場合には、予算の範囲内において、政令で定めるところにより、その費用の一部を補助することができる。

（地方公共団体の補助に係る認定集約都市開発事業により整備された特定建築物の賃貸料又は価額）

第一八条　認定集約都市開発事業者は、前条第一項の規定による補助に係る認定集約都市開発事業により整備された賃貸の用に供する特定建築物の国土交通省令で定める期間における賃貸料について、当該特定建築物の整備に必要な費用、利息、修繕費、管理事務費、損害保険料、地代に相当する額、公課その他必要な費用を参酌して国土交通省令で定める額を超えて、契約し、又は受領してはならない。

2　前項の賃貸の用に供する特定建築物の整備に必要な費用は、建築物価その他経済事情の著しい変動があった場合として国土交通省令で定める基準に該当する場合には、当該変動後において当該特定建築物の整備に通常要すると認められる費用とする。

3　認定集約都市開発事業者は、前条第一項の規定による補助に係る認定集約都市開発事業により整備された特定建築物の譲渡価額について、当該特定建築物の整備に必要な費用、利息、譲渡に要する事務費、公課その他必要な費用を参酌して国土交通省令で定める額を超えて、契約し、又は受領してはならない。

（土地区画整理事業の換地計画において定める保留地の特例）

第一九条　低炭素まちづくり計画に第七条第二項第二号イに掲げる事項として記載された都市機能の集約を図るための拠点となる地域の整備に関する事項に係る土地区画整理事業（土地区画整理法（昭和二十九年法律第百十九号）第二条第一項に規定する土地区画整理事業をいう。）であって同法第三条第四項、第三条の二又は第三条の三の規定により施行するものの換地計画においては、認定集約都市開発事業により整備される特定建築物（第九条第二項第一号の区域内の居住者の共同の福祉又は利便のため必要な建築物に限る。）の用に供するため、一定の土地を換地として定めないで、その土地を保留地として定めることができる。この場合においては、当該保留地の地積について、当該土地区画整理事業を施行する土地の区域内の宅地（同法第二条第六項に規定する宅地をいう。以下この項及び第三項において同じ。）について所有権、地上権、永小作権、賃借権その他の宅地を使用し、又は収益することができる権利を有する全ての者の同意を得なければならない。

2　土地区画整理法第百四条第十一項及び第百八条第一項の規定は、前項の規定により換地計画において定められた保留地について準用する。この場合において、同条第一項中「第三条第四項若しくは第五項」とあるのは「第三条第四項」と、「第百四条第十一項」とあるのは「都市の低炭素化の促進に関する法律第十九条第二項において準用する第百四条第十一項」と読み替えるものとする。

3　第一項に規定する土地区画整理事業を施行する者は、同項の規定により換地計画において定められた保留地を処分したときは、土地区画整理法第百三条第四項の規定による公告があった日における従前の宅地について所有権、地上権、永小作権、賃借権その他の宅地を使用し、又は収益することができる権利を有する者に対して、政令で定める基準に従い、当該保留地の対価に相当する金額を交付しなければならない。同法第百九条第二項の規定は、この場合について準用する。

4　土地区画整理法第八十五条第五項の規定は、前三項の規定による処分及び決定について準用する。

（駐車施設の附置に係る駐車場法の特例）

第二〇条　低炭素まちづくり計画に第七条第三項第一号に定める事項が記載されているときは、当該事項に係る駐車機能集約区域内における駐車場法第二十条第一項若しくは第二項又は第二十条の二第一項の規定の適用については、同法第二十条第一項中「近隣商業地域内に」とあるのは「近隣商業地域内の駐車機能集約区域（都市の低炭素化の促進に関する法律（平成二十四年法律第八十四号）第七条第三項第一号に規定する駐車機能集約区域をいう。以下この条及び次条において同じ。）の区域内に」と、同項及び同条第二項並びに同法第二十条の二第一項中「建築物又は」とあるのは「建築物若しくは」と、同法第二十条第一項中「旨を」とあるのは「旨、その建築物若しくはその建築物の敷地内若しくは集約駐車施設（同号に規定する集約駐車施設をいう。以下この条及び次条において同じ。）内に駐車施設を設けなければならない旨又は集約駐車施設内に駐車施設を設けなければならない旨を」と、「駐車場整備地区内又は商業地域内若しくは近隣商業地域内の」とあるのは「駐車機能集約区域の区域内の」と、同条第二項中「地区内」とあるのは「地区内の駐車機能集約区域の区域内」と、同項及び同法第二十条の二第一項中「旨を」とあるのは「旨、その建築物若しくはその建築物の敷地内若しくは集約駐車施設内に駐車施設を設けなければならない旨又は集約駐車施設内に駐車施設を設けなければならない旨を」と、同項中「前条第一項の地区若しくは地域内又は同条第二項の地区内」とあるのは「前条第一項又は第二項の駐車機能集約区域の区域内」と、「地区又は地域内の」とあり、及び「地区内の」とあるのは「駐車機能集約区域の区域内の」とする。

第三節　共通乗車船券等

第一款　共通乗車船券

第二一条　運送事業者は、低炭素まちづくり計画に第七条第二項第二号ロに掲げる事項として記載された公共交通機関の利用の促進に関する事項を実施するため、計画区域に来訪する旅客又は計画区域内を移動する旅客を対象とする共通乗車船券（二以上の運送事業者が期間、区間その他の条件を定めて共同で発行する証票であって、その証票を提示することにより、当該条件の範囲内で、当該各運送事業者の運送サービスの提供を受けることができるものをいう。）に係る運賃又は料金の割引を行おうとするときは、国土交通省令で定めるところにより、あらかじめ、その旨を共同で国土交通大臣に届け出ることができる。

2　前項の規定による届出をした者は、鉄道事業法第十六条第三項後段、軌道法第十一条第二項、道路運送法第九条第三項後段又は海上運送法（昭和二十四年法律第百八十七号）第八条第一項後段の規定による届出をしたものとみなす。

2　前項の規定による届出をした者は、鉄道事業法第十六条第三項後段、軌道法第十一条第二項、道路運送法第九条第三項後段又は海上運送法（昭和二十四年法律第百八十七号）第七条第一項後段の規定による届出をしたものとみなす。

第二款　鉄道利便増進事業

（鉄道利便増進事業の実施）

第二二条　低炭素まちづくり計画に第七条第三項第二号イに掲げる事項が記載されているときは、当該事項に係る鉄道利便増進事業を実施しようとする者は、単独で又は共同して、当該低炭素まちづくり計画に即して鉄道利便増進事業を実施するための計画（以下「鉄道利便増進実施計画」という。）を作成し、これに基づき、当該鉄道利便増進事業を実施するものとする。

2　鉄道利便増進実施計画には、次に掲げる事項を記載しなければならない。

一　鉄道利便増進事業を実施する区域
二　鉄道利便増進事業の内容
三　鉄道利便増進事業の実施予定期間
四　鉄道利便増進事業の資金計画
五　鉄道利便増進事業の実施による都市の低炭素化の効果
六　その他国土交通省令で定める事項

3　鉄道利便増進事業を実施しようとする者は、鉄道利便増進実施計画を作成しようとするときは、あらかじめ、当該鉄道利便増進事業に関する事項が記載されている低炭素まちづくり計画を作成した市町村（次項及び次条において「計画作成市町村」という。）の意見を聴かなければならない。

4　鉄道利便増進事業を実施しようとする者は、鉄道利便増進実施計画を作成したときは、遅滞なく、これを計画作成市町村に送付しなければならない。

5　前二項の規定は、鉄道利便増進実施計画の変更について準用する。

（鉄道利便増進実施計画の認定）

第二三条　鉄道利便増進事業を実施しようとする者は、国土交通大臣に対し、鉄道利便増進実施計画が都市の低炭素化を促進するために適当なものである旨の認定を申請することができる。

2　前項の規定による認定の申請は、計画作成市町村を経由して行わなければならない。この場合において、計画作成市町村は、当該鉄道利便増進実施計画を検討し、意見があるときは当該意見を付して、国土交通大臣に送付するものとする。

3　国土交通大臣は、第一項の規定による認定の申請があった場合において、当該申請に係る鉄道利便増進実施計画が次に掲げる基準に適合すると認めるときは、その認定をするものとする。

一　鉄道利便増進実施計画に記載された事項が基本方針に照らして適切なものであること。
二　鉄道利便増進実施計画に記載された事項が当該鉄道利便増進事業を確実に遂行するため適切なものであること。
三　鉄道利便増進実施計画に記載された旅客鉄道事業のうち、次のイからハまでに掲げる許可又は認可を受けなければならないものについては、当該旅客鉄道事業の内容がそれぞれ当該イからハまでに定める基準に適合するものであること。
イ　鉄道事業法第三条第一項の許可　同法第五条第一項各号に掲げる基準
ロ　鉄道事業法第七条第一項の認可　同条第二項において準用する同法第五条第一項各号に掲げる基準
ハ　鉄道事業法第十六条第一項の認可　同条第二項の基準
四　鉄道利便増進実施計画に記載された旅客鉄道事業のうち、鉄道事業法第三条第一項の許可を受けなければならないものについては、当該旅客鉄道事業を実施しようとする者が同法第六条各号のいずれにも該当しないこと。

4　前項の認定をする場合において、鉄道事業法第十六条第一項の認可を受けなければならないものについては、運輸審議会に諮るものとする。

5　国土交通大臣は、第三項の認定をしたときは、遅滞なく、その旨を計画作成市町村に通知するものとする。

6　第三項の認定を受けた者は、当該認定を受けた鉄道利便増進実施計画の変更をしようとするときは、国土交通大臣の認定を受けなければならない。

7　第二項から第五項までの規定は、前項の認定について準用する。

8　国土交通大臣は、第三項の認定を受けた鉄道利便増進実施計画（変更があったときは、その変更後のもの。以下この項及び第三十一条において「認定鉄道利便増進実施計画」という。）が第三項各号のいずれかに適合しなくなったと認めるとき、又は同項の認定を受けた者が認定鉄道利便増進実施計画に従って鉄道利便増進事業を実施していないと認めるときは、その認定を取り消すことができる。

9　第三項の認定及び第六項の変更の認定に関し必要な事項は、国土交通省令で定める。

（鉄道事業法の特例）

第二四条　鉄道利便増進事業を実施しようとする者がその鉄道利便増進実施計画について前条第三項又は第六項の認定を受けたときは、当該鉄道利便増進実施計画に記載された鉄道利便増進事業のうち、鉄道事業法第三条第一項の許可若しくは同法第七条第一項若しくは第十六条第一項の認可を受け、又は同法第七条第三項若しくは第十六条第三項の規定による届出をしなければならないものについては、これらの規定により許可若しくは認可を受け、又は届出をしたものとみなす。

第三款　軌道利便増進事業

（軌道利便増進事業の実施）

第二五条　低炭素まちづくり計画に第七条第三項第二号ロに掲げる事項が記載されているときは、当該事項に係る軌道利便増進事業を実施しようとする者は、当該低炭素まちづくり計画に即して軌道利便増進事業を実施するための計画（以下「軌道利便増進実施計画」という。）を作成し、これに基づき、当該軌道利便増進事業を実施するものとする。

2　軌道利便増進実施計画には、次に掲げる事項を記載しなければならない。

一　軌道利便増進事業を実施する区域
二　軌道利便増進事業の内容
三　軌道利便増進事業の実施予定期間
四　軌道利便増進事業の資金計画
五　軌道利便増進事業の実施による都市の低炭素化の効果
六　その他国土交通省令で定める事項

3　軌道利便増進事業を実施しようとする者は、軌道利便増進実施計画を作成しようとするときは、あらかじめ、当該軌道利便増進事業に関する事項が記載されている低炭素まちづくり計画を作成した市町村（次項及び次条において「計画作成市町村」という。）の意見を聴かなければならない。

4　軌道利便増進事業を実施しようとする者は、軌道利便増進実施計画を作成したときは、遅滞なく、これを計画作成市町村に送付しなければならない。

5　前二項の規定は、軌道利便増進実施計画の変更について準用する。

（軌道利便増進実施計画の認定）

第二六条　軌道利便増進事業を実施しようとする者は、国土交通大臣に対し、軌道利便増進実施計画が都市の低炭素化を促進するために適当なものである旨の認定を申請することができる。

2　前項の規定による認定の申請は、計画作成市町村を経由して行わなければならない。この場合において、計画作成市町村は、当該軌道利便増進実施計画を検討し、意見があるときは当該意見を付して、国土交通大臣に送付するものとする。

3　国土交通大臣は、第一項の規定による認定の申請があった場合において、当該申請に係る軌道利便増進実施計画が次に掲げる基準に適合すると認めるときは、その認定をするものとする。

一　軌道利便増進実施計画に記載された事項が基本方針に照らして適切なものであること。

二　軌道利便増進実施計画に記載された事項が当該軌道利便増進事業を確実に遂行するため適切なものであること。

三　軌道利便増進実施計画に記載された旅客軌道事業の内容が軌道法第三条の特許並びに同法第十一条第一項の運賃及び料金の認可の基準に適合するものであること。

4　前項の認定をする場合において、軌道法第三条の特許並びに同法第十一条第一項の運賃及び料金の認可を受けなければならないものについては、運輸審議会に諮るものとし、その他必要な手続は、政令で定める。

5　国土交通大臣は、第三項の認定をしようとするときは、国土交通省令で定めるところにより関係する道路管理者に、国土交通省令・内閣府令で定めるところにより関係する公安委員会に、それぞれ意見を聴くものとする。ただし、道路管理者に意見を聴く必要がないものとして国土交通省令で定める場合、又は公安委員会の意見を聴く必要がないものとして国土交通省令・内閣府令で定める場合は、この限りでない。

6　国土交通大臣は、第三項の認定をしたときは、遅滞なく、その旨を計画作成市町村に通知するものとする。

7　第三項の認定を受けた者は、当該認定を受けた軌道利便増進実施計画の変更をしようとするときは、国土交通大臣の認定を受けなければならない。

8　第二項から第六項までの規定は、前項の認定について準用する。

9　国土交通大臣は、第三項の認定を受けた軌道利便増進実施計画（変更があったときは、その変更後のもの。以下この項及び第三十一条において「認定軌道利便増進実施計画」という。）が第三項各号のいずれかに適合しなくなったと認めるとき、又は同項の認定を受けた者が認定軌道利便増進実施計画に従って軌道利便増進事業を実施していないと認めるときは、その認定を取り消すことができる。

10　第三項の認定及び第七項の変更の認定に関し必要な事項は、国土交通省令で定める。

（軌道法の特例）

第二七条　軌道利便増進事業を実施しようとする者がその軌道利便増進実施計画について前条第三項又は第七項の認定を受けたときは、当該軌道利便増進実施計画に記載された軌道利便増進事業のうち、軌道法第三条の特許若しくは同法第十一条第一項の運賃若しくは料金の認可を受け、又は同条第二項の規定による届出をしなければならないものについては、これらの規定により特許若しくは認可を受け、又は届出をしたものとみなす。

第四款　道路運送利便増進事業

（道路運送利便増進事業の実施）

第二八条　低炭素まちづくり計画に第七条第三項第二号ハに掲げる事項が記載されているときは、当該事項に係る道路運送利便増進事業を実施しようとする者は、単独で又は共同して、当該低炭素まちづくり計画に即して道路運送利便増進事業を実施するための計画（以下「道路運送利便増進実施計画」という。）を作成し、これに基づき、当該道路運送利便増進事業を実施するものとする。

2　道路運送利便増進実施計画には、次に掲げる事項を記載しなければならない。

一　道路運送利便増進事業を実施する区域

二　道路運送利便増進事業の内容

三　道路運送利便増進事業の実施予定期間

四　道路運送利便増進事業の資金計画

五　道路運送利便増進事業の実施による都市の低炭素化の効果

六　その他国土交通省令で定める事項

3　道路運送利便増進事業を実施しようとする者は、道路運送利便増進実施計画を作成しようとするときは、あらかじめ、当該道路運送利便増進事業に関する事項が記載されている低炭素まちづくり計画を作成した市町村（次項及び次条において「計画作成市町村」という。）の意見を聴かなければならない。

4　道路運送利便増進事業を実施しようとする者は、道路運送利便増進実施計画を作成したときは、遅滞なく、これを計画作成市町村に送付しなければならない。

5　前二項の規定は、道路運送利便増進実施計画の変更について準用する。

（道路運送利便増進実施計画の認定）

第二九条　道路運送利便増進事業を実施しようとする者は、国土交通大臣に対し、道路運送利便増進実施計画が都市の低炭素化を促進するために適当なものである旨の認定を申請することができる。

2　前項の規定による認定の申請は、計画作成市町村を経由して行わなければならない。この場合において、計画作成市町村は、当該道路運送利便増進実施計画を検討し、意見があるときは当該意見を付して、国土交通大臣に送付するものとする。

3　国土交通大臣は、第一項の規定による認定の申請があった場合において、当該申請に係る道路運送利便増進実施計画が次に掲げる基準に適合すると認めるときは、その認定をするものとする。

一　道路運送利便増進実施計画に記載された事項が基本方針に照らして適切なものであること。

二　道路運送利便増進実施計画に記載された事項が当該道路運送利便増進事業を確実に遂行するため適切なものであること。

三　道路運送利便増進実施計画に記載された一般乗合旅客自動車運送事業又は特定旅客自動車運送事業の内容が道路運送法第六条各号（同法第十五条第二項において準用する場合を含む。）又は第四十三条第三項各号（同条第五項において読み替えて準用する同法第十五条第二項において準用する場合を含む。）に掲げる基準に適合するものであり、かつ、当該一般乗合旅客自動車運送事業又は特定旅客自動車運送事業を実施しようとする者が同法第七条各号（同法第四十三条第四項において準用する場合を含む。）のいずれにも該当しないこと。

4　国土交通大臣は、前項の認定をしようとするときは、国土交通省令で定めるところにより関係する道路管理者に、国土交通省令・内閣府令で定めるところにより関係する公安委員会に、それぞれ意見を聴くものとする。ただし、道路管理者の意見を聴く必要がないものとして国土交通省令で定める場合、又は公安委員会の意見を聴く必要がないものとして国土交通省令・内閣府令で定める場合は、この限りでない。

5　国土交通大臣は、第三項の認定をしたときは、遅滞なく、その旨を計画作成市町村に通知するものとする。

6　第三項の認定を受けた者は、当該認定を受けた道路運送利便増進実施計画の変更をしようとするときは、国土交通大臣の認定を受けなければならない。

7　第二項から第五項までの規定は、前項の認定について準用する。

8　国土交通大臣は、第三項の認定を受けた道路運送利便増進実施計画（変更があったときは、その変更後のもの。以下この項及び第三十一条において「認定道路運送利便増進実施計画」という。）が第三項各号のいずれかに適合しなくなったと認めるとき、又は同項の認定を受けた者が認定道路運送利便増進実施計画に従って道路運送利便増進事業を実施していないと認めるときは、その認定を取り消すことができる。

9　第三項の認定及び第六項の変更の認定に関し必要な事項は、国土交通省令で定める。

（道路運送法の特例）

第三〇条　道路運送利便増進事業を実施しようとする者がその道路運送利便増進実施計画について前条第三項又は第六項の認定を受けたときは、当該道路運送利便増進実施計画に記載された道路運送利便増進事業のうち、道路運送法第四条第一項若しくは第四十三条第一項の許可若しくは同法第十五条第一項（同法第四十三条第五項において準用する場合を含む。）の認可を受け、又は同法第十五条第三項若しくは第四項（これらの規定を同法第四十三条第五項において準用する場合を含む。）の規定による届出をしなければならないものについては、これらの規定により許可若しくは認可を受け、又は届出をしたものとみなす。

第五款　報告の徴収

第三一条　国土交通大臣は、認定鉄道利便増進実施計画に記載された鉄道利便増進事業、認定軌道利便増進実施計画に記載された軌道利便増進事業又は認定道路運送利便増進実施計画に記載された道路運送利便増進事業を実施する者に対し、それぞれこれらの事業の実施の状況について報告を求めることができる。

第四節　貨物運送共同化事業

（貨物運送共同化事業の実施）

第三十二条　低炭素まちづくり計画に第七条第三項第三号に定める事項が記載されているときは、当該事項に係る貨物運送共同化事業を実施しようとする者（以下「共同事業者」という。）は、共同して、当該低炭素まちづくり計画に即して貨物運送共同化事業を実施するための計画（以下「貨物運送共同化実施計画」という。）を作成し、これに基づき、当該貨物運送共同化事業を実施するものとする。

2　貨物運送共同化実施計画には、次に掲げる事項を記載しなければならない。

一　貨物運送共同化事業を実施する区域
二　貨物運送共同化事業の内容
三　貨物運送共同化事業の実施予定期間
四　貨物運送共同化事業の資金計画
五　貨物運送共同化事業の実施による都市の低炭素化の効果
六　貨物運送共同化事業に係る貨物利用運送事業法第十一条（同法第三十四条第一項において準用する場合を含む。）の運輸に関する協定を締結するときは、その内容
七　その他国土交通省令で定める事項

3　共同事業者は、貨物運送共同化実施計画を作成しようとするときは、あらかじめ、当該貨物運送共同化事業に関する事項が記載されている低炭素まちづくり計画を作成した市町村（次項及び次条において「計画作成市町村」という。）の意見を聴かなければならない。

4　共同事業者は、貨物運送共同化実施計画を作成したときは、遅滞なく、これを計画作成市町村に送付しなければならない。

5　前二項の規定は、貨物運送共同化実施計画の変更について準用する。

（貨物運送共同化実施計画の認定）

第三十三条　共同事業者は、国土交通大臣に対し、貨物運送共同化実施計画が都市の低炭素化を促進するために適当なものである旨の認定を申請することができる。

2　前項の規定による認定の申請は、計画作成市町村を経由して行わなければならない。この場合において、計画作成市町村は、当該貨物運送共同化実施計画を検討し、意見があるときは当該意見を付して、国土交通大臣に送付するものとする。

3　国土交通大臣は、第一項の規定による認定の申請があった場合において、当該申請に係る貨物運送共同化実施計画が次に掲げる基準に適合すると認めるときは、その認定をするものとする。

一　貨物運送共同化実施計画に記載された事項が基本方針に照らして適切なものであること。
二　貨物運送共同化実施計画に記載された事項が当該貨物運送共同化事業を確実に遂行するため適切なものであること。
三　貨物運送共同化実施計画に記載された事業のうち、第一種貨物利用運送事業に該当するものについては、当該事業を実施する者が貨物利用運送事業法第六条第一項第一号から第四号まで、第六号及び第七号のいずれにも該当しないこと。
四　貨物運送共同化実施計画に記載された事業のうち、第二種貨物利用運送事業（外国人国際第二種貨物利用運送事業（貨物利用運送事業法第四十五条第一項の許可を受けて行う事業をいう。次項において同じ。）を除く。）に該当するものについては、当該事業を実施する者が同法第二十二条各号のいずれにも該当せず、かつ、その内容が同法第二十三条各号に掲げる基準に適合するものであること。
五　貨物運送共同化実施計画に記載された事業のうち、一般貨物自動車運送事業に該当するものについては、当該事業を実施する者が貨物自動車運送事業法第五条各号のいずれにも該当せず、かつ、その内容が同法第六条第一号から第三号までに掲げる基準に適合するものであること。

4　国土交通大臣は、第一項の規定による認定の申請があった場合において、貨物運送共同化実施計画に記載された事業のうち外国人国際第二種貨物利用運送事業に該当するものについては、その貨物運送共同化実施計画の認定において、国際約束を誠実に履行するとともに、国際貨物運送（貨物利用運送事業法第六条第一項第五号に規定する国際貨物運送をいう。）に係る第二種貨物利用運送事業の分野において公正な事業活動が行われ、その健全な発達が確保されるよう配慮するものとする。

5　国土交通大臣は、第三項の認定をしたときは、遅滞なく、その旨を計画作成市町村に通知するものとする。

6　第三項の認定を受けた者（次条第二項及び第三十五条第二項において「認定共同事業者」という。）は、当該認定を受けた貨物運送共同化実施計画の変更をしようとするときは、国土交通大臣の認定を受けなければならない。

7　第二項から第五項までの規定は、前項の認定について準用する。

8　国土交通大臣は、第三項の認定を受けた貨物運送共同化実施計画（変更があったときは、その変更後のもの。以下「認定貨物運送共同化実施計画」という。）が同項各号のいずれかに適合しなくなったと認めるとき、又は同項の認定を受けた者が認定貨物運送共同化実施計画に従って貨物運送共同化事業を実施していないと認めるときは、その認定を取り消すことができる。

9　第三項の認定及び第六項の変更の認定に関し必要な事項は、国土交通省令で定める。

（貨物利用運送事業法の特例）

第三十四条　共同事業者がその貨物運送共同化実施計画について前条第三項又は第六項の認定を受けたときは、当該貨物運送共同化実施計画に記載された貨物運送共同化事業のうち、貨物利用運送事業法第三条第一項の登録若しくは同法第七条第一項の変更登録を受け、又は同条第三項の規定による届出をしなければならないものについては、これらの規定により登録若しくは変更登録を受け、又は届出をしたものとみなす。

2　認定共同事業者たる第一種貨物利用運送事業者（貨物利用運送事業法第三条第一項の登録を受けた者をいう。）が認定共同事業者たる他の運送事業者と認定貨物運送共同化実施計画に従って同法第十一条の運輸に関する協定を締結したときは、当該協定につき、あらかじめ、同条の規定による届出をしたものとみなす。認定貨物運送共同化実施計画に従って同条の運輸に関する協定を変更したときも、同様とする。

第三十五条　共同事業者がその貨物運送共同化実施計画について第三十三条第三項又は第六項の認定を受けたときは、当該貨物運送共同化実施計画に記載された貨物運送共同化事業のうち、貨物利用運送事業法第二十条若しくは第四十五条第一項の許可若しくは同法第二十五条第一項若しくは第四十六条第二項の認可を受け、又は同法第二十五条第三項若しくは第四十六条第四項の規定による届出をしなければならないものについては、これらの規定により許可若しくは認可を受け、又は届出をしたものとみなす。

2　認定共同事業者たる第二種貨物利用運送事業者（貨物利用運送事業法第二十条の許可を受けた者をいう。）が認定共同事業者たる他の運送事業者と認定貨物運送共同化実施計画に従って同法第三十四条第一項において準用する同法第十一条の運輸に関する協定を締結したときは、当該協定につき、あらかじめ、同項において準用する同条の規定による届出をしたものとみなす。認定貨物運送共同化実施計画に従って同項において準用する同条の運輸に関する協定を変更したときも、同様とする。

（貨物自動車運送事業法の特例）

第三十六条　共同事業者がその貨物運送共同化実施計画について第三十三条第三項又は第六項の認定を受けたときは、当該貨物運送共同化実施計画に記載された貨物運送共同化事業のうち、貨物自動車運送事業法第三条の許可若しくは同法第九条第一項の認可を受け、又は同条第三項の規定による届出をしなければならないものについては、これらの規定により許可若しくは認可を受け、又は届出をしたものとみなす。

（報告の徴収）

第三十七条　国土交通大臣は、認定貨物運送共同化実施計画に記載された貨物運送共同化事業を実施する者に対し、当該貨物運送共同化事業の実施の状況について報告を求めることができる。

第五節　樹木等管理協定

（樹木等管理協定の締結等）

第三十八条　低炭素まちづくり計画に第七条第三項第四号に掲げる事項が記載されているときは、市町村又は都市緑地法（昭和四十八年法律第七十二号）第八十一条第一項の規定により指定された緑地保全・緑化推進法人（第八十五条第一項第一号に掲げる業務を行うものに限る。）は、当該事項に係る樹木保全推進区域内の保全樹木等基準に該当する樹木又は樹林地等を保全するため、当該樹木又は樹林地等の所有者又は使用及び収益を目的とする権利（一時使用のため設定されたことが明らかなものを除く。）を有す

る者（次項及び第四十三条において「所有者等」という。）と次に掲げる事項を定めた協定（以下「樹木等管理協定」という。）を締結して、当該樹木又は樹林地等の管理を行うことができる。

一　樹木等管理協定の目的となる樹木（以下「協定樹木」という。）又は樹林地等の区域（以下「協定区域」という。）

二　協定樹木又は協定区域内の樹林地等（以下この条及び第四十三条において「協定樹木等」という。）の管理の方法に関する事項

三　協定樹木等の保全に関連して必要とされる施設の整備が必要な場合にあつては、当該施設の整備に関する事項

四　樹木等管理協定の有効期間

五　樹木等管理協定に違反した場合の措置

2　樹木等管理協定については、協定樹木等の所有者等の全員の合意がなければならない。

3　樹木等管理協定の内容は、次に掲げる基準のいずれにも適合するものでなければならない。

一　都市緑地法第四条第一項に規定する基本計画との調和が保たれ、かつ、低炭素まちづくり計画に記載された第七条第二項第二号ニに掲げる事項に適合するものであること。

二　協定樹木等の利用を不当に制限するものでないこと。

三　第一項各号に掲げる事項について国土交通省令で定める基準に適合するものであること。

4　第一項の緑地保全・緑化推進法人が樹木等管理協定を締結するときは、あらかじめ、市町村長の認可を受けなければならない。

（樹木等管理協定の縦覧等）

第三九条　市町村又は市町村長は、それぞれ樹木等管理協定を締結しようとするとき、又は前条第四項の樹木等管理協定の認可の申請があつたときは、国土交通省令で定めるところにより、その旨を公告し、当該樹木等管理協定を当該公告の日から二週間関係人の縦覧に供さなければならない。

2　前項の規定による公告があつたときは、関係人は、同項の縦覧期間満了の日までに、当該樹木等管理協定について、市町村又は市町村長に意見書を提出することができる。

（樹木等管理協定の認可）

第四〇条　市町村長は、第三十八条第四項の樹木等管理協定の認可の申請が、次の各号のいずれにも該当するときは、当該樹木等管理協定を認可しなければならない。

一　申請手続が法令に違反しないこと。

二　樹木等管理協定の内容が、第三十八条第三項各号に掲げる基準のいずれにも適合するものであること。

（樹木等管理協定の公告等）

第四一条　市町村又は市町村長は、それぞれ樹木等管理協定を締結し又は前条の規定による認可をしたときは、国土交通省令で定めるところにより、その旨を公告し、かつ、当該樹木等管理協定の写しをそれぞれ当該市町村の事務所に備えて公衆の縦覧に供するとともに、協定樹木にあつては協定樹木である旨をその存する場所に、協定区域内の樹林地等にあつては協定区域である旨をその区域内に明示しなければならない。

（樹木等管理協定の変更）

第四二条　第三十八条第二項から第四項まで及び前三条の規定は、樹木等管理協定において定めた事項の変更について準用する。

（樹木等管理協定の効力）

第四三条　第四十一条（前条において準用する場合を含む。）の規定による公告のあつた樹木等管理協定は、その公告のあつた後において当該樹木等管理協定に係る協定樹木等の所有者等となつた者に対しても、その効力があるものとする。

（都市の美観風致を維持するための樹木の保存に関する法律の特例）

第四四条　第三十八条第一項の緑地保全・緑化推進法人が樹木等管理協定に基づき管理する協定樹木又は協定区域内の樹林地等に存する樹木の集団で都市の美観風致を維持するための樹木の保存に関する法律（昭和三十七年法律第百四十二号）第二条第一項の規定に基づき保存樹又は保存樹林として指定されたものについての同法の規定の適用については、同法第五条第一項中「所有者」とあるのは「所有者及び緑地保全・緑化推進法人（都市緑地法（昭和四十八年法律第七十二号）第八十一条第一項の規定により指定された緑地保全・緑化推進法人をいう。以下同じ。）」と、同法第六条第二項及び第八条中「所有者」とあるのは「緑地保全・緑化推進法人」と、同法第九条中「所有者」とあるのは「所有者又は緑地保全・緑化推進法人」とする。

（緑地保全・緑化推進法人の業務の特例）

第四五条　都市緑地法第八十一条第一項の規定により指定された緑地保全・緑化推進法人（同法第八十二条第一号イに掲げる業務を行うものに限る。）は、同法第八十二条各号に掲げる業務のほか、次に掲げる業務を行うことができる。

一　樹木等管理協定に基づく樹木又は樹林地等の管理を行うこと。

二　前号に掲げる業務に附帯する業務を行うこと。

2　前項の場合においては、都市緑地法第八十三条中「前条第一号」とあるのは、「前条第一号又は都市の低炭素化の促進に関する法律（平成二十四年法律第八十四号）第四十五条第一項第一号」とする。

第四六条　削除

第六節　下水道施設からの下水の取水等に係る特例等

（公共下水道等の排水施設からの下水の取水等）

第四七条　低炭素まちづくり計画に記載された第七条第三項第五号イに規定する事業の実施主体は、条例で定めるところにより、公共下水道管理者等の許可を受けて、公共下水道等（下水道法第二条第三号に規定する公共下水道又は同条第四号に規定する流域下水道（同号イに該当するものに限る。）をいう。以下この条において同じ。）の排水施設（これを補完する施設を含む。以下この条において同じ。）に接続設備（公共下水道等の排水施設と第七条第三項第五号イに規定する設備とを接続する設備をいう。第七項において同じ。）を設け、当該接続設備により当該公共下水道等の排水施設から下水を取水し、及び当該公共下水道等の排水施設に当該下水を流入させることができる。

2　公共下水道管理者等は、前項の許可の申請があつた場合において、当該申請に係る事項が政令で定める基準を参酌して条例で定める技術上の基準に適合すると認めるときでなければ、許可をしてはならない。

3　第一項の許可を受けた者（以下この条において「許可事業者」という。）は、当該許可を受けた事項の変更（条例で定める軽微な変更を除く。）をしようとするときは、公共下水道管理者等の許可を受けなければならない。この場合においては、前二項の規定を準用する。

4　下水道法第三十三条の規定は、第一項又は前項の許可について準用する。

5　許可事業者は、第一項又は第三項の許可を受けて公共下水道等の排水施設に流入させる下水に当該下水以外の物（第七条第三項第五号イに規定する設備の管理上必要な政令で定めるものを除く。）を混入してはならない。

6　許可事業者については、下水道法第三十八条の規定を準用する。この場合において、同条第一項中「公共下水道管理者、流域下水道管理者又は都市下水路管理者」とあるのは「都市の低炭素化の促進に関する法律（以下この項及び次項において「都市低炭素化法」という。）第七条第四項第一号に規定する公共下水道管理者等（以下この条において「公共下水道管理者等」という。）」と、「この法律の規定によつてした許可若しくは承認」とあるのは「都市低炭素化法第四十七条第一項若しくは第三項の許可」と、同項第一号中「この法律（第十一条の三第一項及び第十二条の九第一項（第二十五条の三十第一項において準用する場合を含む。）の規定を除く。）又はこの法律に基づく命令若しくは条例」とあるのは「都市低炭素化法第四十七条第三項又は第五項」と、同項第二号及び第三号並びに同条第二項中「この法律の規定による許可又は承認」とあるのは「都市低炭素化法第四十七条第一項又は第三項の許可」と、同項から同条第四項まで及び同条第六項中「公共下水道管理者、流域下水道管理者又は都市下水路管理者」とあり、並びに同条第三項中「公共下水道管理者、流域下水道管理者若しくは都市下水路管理者」とあるのは「公共下水道管理者等」と、同条第二項第一号中「公共下水道、流域下水道又は都市下水路」とあるのは「都市低炭素化法第四十七条第一項に規定する公共下水道等（次号及び第三号において「公共下水道等」という。）」と、同項第二号及び第三号中「公共下水道、流域下水道又は都市下水路」とあるのは「公共下水道等」と読み替えるものとする。

7　許可事業者が公共下水道等の排水施設に接続設備を設ける場合については、下水道法第二十四条又は第二十五条の二十九の規定は、適用しない。

（都市公園の占用の許可の特例）

第四八条　第七条第三項第五号ロに掲げる事項が記載された低炭素まちづく

り計画が同条第七項の規定により公表された日から二年以内に当該低炭素まちづくり計画に基づく都市公園の占用について都市公園法第六条第一項又は第三項の許可の申請があった場合においては、当該占用が同法第七条第一項の政令で定める技術的基準に適合する限り、公園管理者は、当該許可を与えるものとする。

（港湾隣接地域内の工事等の許可の特例）

第四九条　第七条第三項第五号ハに掲げる事項が記載された低炭素まちづくり計画が同条第七項の規定により公表された日から二年以内に当該低炭素まちづくり計画に基づく港湾法第三十七条第一項各号に掲げる行為について同項の許可の申請があった場合においては、当該行為が国土交通省令で定める技術的基準に適合する限り、港湾管理者は、当該許可を与えるものとする。

第七節　都市の低炭素化の促進に関する援助等

（既存の建築物の所有者等への援助）

第五〇条　低炭素まちづくり計画に第七条第二項第二号ヘに掲げる事項を記載した市町村は、建築物の低炭素化を促進するため、計画区域内の既存の建築物の所有者又は管理者に対し、情報の提供、助言その他の必要な援助を行うよう努めるものとする。

（自動車の使用者等への援助）

第五一条　低炭素まちづくり計画に第七条第二項第二号トに掲げる事項を記載した市町村は、自動車の計画区域内における運行に伴い発生する二酸化炭素の排出の抑制を促進するため、電気自動車（専ら電気を動力源とする自動車をいう。）に電気を供給するための施設の整備その他の環境の整備、自動車の使用者その他の自動車の計画区域内における運行に関係する者に対する情報の提供又は助言その他の必要な援助を行うよう努めるものとする。

（都市計画における配慮）

第五二条　都市計画決定権者（都市計画法第十五条第一項の都道府県若しくは市町村又は同法第八十七条の二第一項の指定都市をいい、同法第二十二条第一項の場合にあっては、同項の国土交通大臣（同法第八十五条の二の規定により同項に規定する国土交通大臣の権限が地方整備局長又は北海道開発局長に委任されている場合にあっては、当該地方整備局長又は北海道開発局長）又は市町村をいう。）は、都市計画の見直しについての検討その他の都市計画についての検討、都市計画の案の作成その他の都市計画の策定の過程において、低炭素まちづくり計画が円滑に実施されるよう配慮するものとする。

第四章　低炭素建築物の普及の促進のための措置

（低炭素建築物新築等計画の認定）

第五三条　市街化区域等内において、建築物の低炭素化に資する建築物の新築又は建築物の低炭素化のための建築物の増築、改築、修繕若しくは模様替若しくは建築物への空気調和設備その他の政令で定める建築設備（以下この項において「空気調和設備等」という。）の設置若しくは建築物に設けた空気調和設備等の改修（以下「低炭素化のための建築物の新築等」という。）をしようとする者は、国土交通省令で定めるところにより、低炭素化のための建築物の新築等に関する計画（以下「低炭素建築物新築等計画」という。）を作成し、所管行政庁（建築基準法の規定により建築主事又は建築副主事を置く市町村の区域については市町村長をいい、その他の市町村の区域については都道府県知事をいう。ただし、同法第九十七条の二第一項若しくは第二項又は第九十七条の三第一項若しくは第二項の規定により建築主事又は建築副主事を置く市町村の区域内の政令で定める建築物については、都道府県知事とする。以下同じ。）の認定を申請することができる。

2　低炭素建築物新築等計画には、次に掲げる事項を記載しなければならない。

一　建築物の位置

二　建築物の延べ面積、構造、設備及び用途並びに敷地面積

三　低炭素化のための建築物の新築等に係る資金計画

四　その他国土交通省令で定める事項

（低炭素建築物新築等計画の認定基準等）

第五四条　所管行政庁は、前条第一項の規定による認定の申請があった場合において、当該申請に係る低炭素建築物新築等計画が次に掲げる基準に適合すると認めるときは、その認定をすることができる。

一　当該申請に係る建築物のエネルギーの使用の効率性その他の性能が、建築物のエネルギー消費性能の向上等に関する法律第二条第一項第三号に規定する建築物エネルギー消費性能基準を超え、かつ、建築物のエネルギー消費性能の向上の一層の促進その他の建築物の低炭素化の促進のために誘導すべき経済産業大臣、国土交通大臣及び環境大臣が定める基準に適合するものであること。

二　低炭素建築物新築等計画に記載された事項が基本方針に照らして適切なものであること。

三　前条第二項第三号の資金計画が低炭素化のための建築物の新築等を確実に遂行するため適切なものであること。

2　前条第一項の規定による認定の申請をする者は、所管行政庁に対し、当該所管行政庁が当該申請に係る低炭素建築物新築等計画を建築主事又は建築副主事に通知し、当該低炭素建築物新築等計画が建築基準法第六条第一項に規定する建築基準関係規定に適合するかどうかの審査を受けるよう申し出ることができる。この場合においては、当該申請に併せて、同項の規定による確認の申請書を提出しなければならない。

3　前項の規定による申出を受けた所管行政庁は、速やかに、当該申出に係る低炭素建築物新築等計画を建築主事又は建築副主事に通知しなければならない。

4　建築基準法第十八条第三項及び第十五項の規定は、建築主事又は建築副主事が前項の規定による通知を受けた場合について準用する。

5　所管行政庁が、前項において準用する建築基準法第十八条第三項の規定による確認済証の交付を受けた場合において、第一項の認定をしたときは、当該認定を受けた低炭素建築物新築等計画は、同法第六条第一項の確認済証の交付があったものとみなす。

6　所管行政庁は、第四項において準用する建築基準法第十八条第十五項の規定による通知書の交付を受けた場合においては、第一項の認定をしてはならない。

7　建築基準法第十二条第八項及び第九項並びに第九十三条から第九十三条の三までの規定は、第四項において準用する同法第十八条第三項及び第十五項の規定による確認済証及び通知書の交付について準用する。

8　低炭素化のための建築物の新築等をしようとする者がその低炭素建築物新築等計画について第一項の認定を受けたときは、当該低炭素化のための建築物の新築等のうち、建築物のエネルギー消費性能の向上等に関する法律第十二条第一項の建築物エネルギー消費性能適合性判定を受けなければならないものについては、第二項の規定による申出があった場合及び同法第十二条第二項の条例が定められている場合を除き、同法第十二条第三項の規定により適合判定通知書の交付を受けたものとみなして、同条第六項から第八項までの規定を適用する。

8　低炭素化のための建築物の新築等をしようとする者がその低炭素建築物新築等計画について第一項の認定を受けたときは、当該低炭素化のための建築物の新築等のうち、建築物のエネルギー消費性能の向上等に関する法律第十一条第一項の建築物エネルギー消費性能適合性判定を受けなければならないものについては、第二項の規定による申出があった場合及び同法第十二条第二項の条例が定められている場合を除き、同法第十二条第三項の規定により適合判定通知書の交付を受けたものとみなして、同条第六項から第八項までの規定を適用する。

9　低炭素化のための建築物の新築等をしようとする者がその低炭素建築物新築等計画について第一項の認定を受けたときは、当該低炭素化のための建築物の新築等のうち、建築物のエネルギー消費性能の向上等に関する法律第十九条第一項の規定による届出をしなければならないものについては、同法第十九条第一項の規定による届出をしたものとみなす。この場合においては、同条第二項及び第三項の規定は、適用しない。

9項は、削られます。

（低炭素建築物新築等計画の変更）

第五五条　前条第一項の認定を受けた者（以下「認定建築主」という。）は、当該認定を受けた低炭素建築物新築等計画の変更（国土交通省令で定める軽微な変更を除く。）をしようとするときは、国土交通省令で定めるとこ

ろにより、所管行政庁の認定を受けなければならない。

2　前条の規定は、前項の認定について準用する。

（報告の徴収）

第五六条　所管行政庁は、認定建築主に対し、第五十四条第一項の認定を受けた低炭素建築物新築等計画（変更があったときは、その変更後のもの。次条において「認定低炭素建築物新築等計画」という。）に基づく低炭素化のための建築物の新築等（次条及び第五十九条において「低炭素建築物の新築等」という。）の状況について報告を求めることができる。

（改善命令）

第五七条　所管行政庁は、認定建築主が認定低炭素建築物新築等計画に従って低炭素建築物の新築等を行っていないと認めるときは、当該認定建築主に対し、相当の期限を定めて、その改善に必要な措置をとるべきことを命ずることができる。

（低炭素建築物新築等計画の認定の取消し）

第五八条　所管行政庁は、認定建築主が前条の規定による命令に違反したときは、第五十四条第一項の認定を取り消すことができる。

（助言及び指導）

第五九条　所管行政庁は、認定建築主に対し、低炭素建築物の新築等に関し必要な助言及び指導を行うよう努めるものとする。

（低炭素建築物の容積率の特例）

第六〇条　建築基準法第五十二条第一項、第二項、第七項、第十二項及び第十四項、第五十七条の二第三項第二号、第五十七条の三第二項、第五十九条第一項及び第三項、第五十九条の二第一項、第六十条第一項、第六十条の二第一項及び第四項、第六十八条の三第一項、第六十八条の四、第六十八条の五（第二号イを除く。）、第六十八条の五の二（第二号イを除く。）、第六十八条の五の三第一項（第一号ロを除く。）、第六十八条の五の四（第一号ロを除く。）、第六十八条の五の五第一項第一号ロ、第六十八条の八、第六十八条の九第一項、第八十六条第三項及び第四項、第八十六条の二第二項及び第三項、第八十六条の五第三項並びに第八十六条の六第一項に規定する建築物の容積率（同法第五十九条第一項、第六十条の二第一項及び第六十八条の九第一項に規定するものについては、これらの規定に規定する建築物の容積率の最高限度に係る場合に限る。）の算定の基礎となる延べ面積には、同法第五十二条第三項及び第六項に定めるもののほか、低炭素建築物の床面積のうち、第五十四条第一項第一号に掲げる基準に適合させるための措置をとることにより通常の建築物の床面積を超えることとなる場合における政令で定める床面積は、算入しないものとする。

第五章　雑則

（権限の委任）

第六一条　この法律に規定する国土交通大臣の権限は、国土交通省令で定めるところにより、その一部を地方支分部局の長に委任することができる。

（経過措置）

第六二条　この法律の規定に基づき命令を制定し、又は改廃する場合においては、その命令で、その制定又は改廃に伴い合理的に必要と判断される範囲内において、所要の経過措置（罰則に関する経過措置を含む。）を定めることができる。

第六章　罰則

第六三条　第四十七条第六項において読み替えて準用する下水道法第三十八条第一項又は第二項の規定による公共下水道管理者等の命令に違反した者は、一年以下の懲役又は百万円以下の罰金に処する。

第六四条　第三十一条又は第三十七条の規定による報告をせず、又は虚偽の報告をした者は、百万円以下の罰金に処する。

第六五条　次の各号のいずれかに該当する者は、三十万円以下の罰金に処する。

一　第十二条又は第五十六条の規定による報告をせず、又は虚偽の報告をした者

二　第十七条第一項の規定による補助を受けた認定集約都市開発事業者で、当該補助に係る認定集約都市開発事業により整備される特定建築物についての第十四条の規定による市町村長の命令に違反したもの

三　第十八条第一項又は第三項の規定に違反した者

第六六条　法人の代表者又は法人若しくは人の代理人、使用人その他の従業者が、その法人又は人の業務に関し、前三条の違反行為をしたときは、行為者を罰するほか、その法人又は人に対して各本条の罰金刑を科する。

附　則〔抄〕

（施行期日）

第一条　この法律は、公布の日から起算して三月を超えない範囲内において政令で定める日から施行する。

〔平成二四政二八五により、平成二四・一二・四から施行〕

（検討）

第二条　政府は、この法律の施行後五年を経過した場合において、この法律の施行の状況について検討を加え、その結果に基づいて必要な措置を講ずるものとする。

附　則〔略〕〔平成二五・五・三一法律二五〕

附　則〔略〕〔平成二六・六・四法律五四〕

附　則〔略〕〔平成二七・五・二〇法律二二〕

附　則〔略〕〔平成二七・七・八法律五三〕

附　則〔略〕〔平成二八・五・二七法律五〇施行〕

附　則〔略〕〔平成二九・五・一二法律二六〕

附　則〔略〕〔令和元・五・一七法律四〕

附　則〔略〕〔令和三・五・一〇法律三一〕

附　則〔略〕〔令和四・六・一七法律六九〕

附　則〔略〕〔令和五・五・一二法律二四〕

附　則〔略〕〔令和五・六・一六法律五八〕

附　則〔略〕〔令和六・五・二九法律四〇〕

附　則〔抄〕〔令和六・六・一九法律五三〕

（施行期日）

第一条　この法律〔中略〕は、当該各号に定める日〔公布の日から起算して六月を超えない範囲内において政令で定める日〕から施行する。

○都市の低炭素化の促進に関する法律施行令

〔平成二四・一二・三〇　政令二八六〕

改正　平成二九・六政一五六、令和四・三政八四、令和五・九政二九三

注　［　］の部分は、令和六年四月一九日政令第一七二号により改正され、令和七年四月一日から施行

（熱供給施設に準ずる施設）

第一条　都市の低炭素化の促進に関する法律（以下「法」という。）第七条第三項第五号イの政令で定める施設は、水、蒸気その他国土交通大臣が定める液体又は気体（以下この条において「水等」という。）を加熱し、又は冷却し、かつ、当該加熱され、又は冷却された水等を利用するために必要なボイラー、冷凍設備、循環ポンプ、整圧器、導管その他の設備（熱供給事業法（昭和四十七年法律第八十八号）第二条第四項に規定する熱供給施設を除く。）とする。

（都市公園に設けられる施設）

第二条　法第七条第三項第五号ロの政令で定める施設は、都市公園法施行令（昭和三十一年政令第二百九十号）第十二条第二項第一号の三若しくは第二号の二に掲げるもの又は同項第二号の三に掲げる熱供給施設に該当するものとする。

（都道府県知事の同意を要する建築物）

第三条　法第十条第二項の政令で定める建築物は、次の各号に掲げる区域内において整備される当該各号に定める建築物とする。

一　建築基準法（昭和二十五年法律第二百一号）第九十七条の二第一項又は第二項の規定により建築主事又は建築副主事を置く市町村の区域　同法第六条第一項第四号に掲げる建築物（その新築、改築、増築、移転又は用途の変更に関して、法律並びにこれに基づく命令及び条例の規定により都道府県知事の許可を必要とするものを除く。）以外の建築物

［一　建築基準法（昭和二十五年法律第二百一号）第九十七条の二第一項又は第二項の規定により建築主事又は建築副主事を置く市町村の区域　建築基準法施行令（昭和二十五年政令第三百三十八号）第百四十八条第一項第一号又は第二号に掲げる建築物（その新築、改築、増築、移転又は用途の変更に関して、法律並びにこれに基づく命令及び条例の規定により都道府県知事の許可を必要とするものを除く。）以外の建築物］

二　建築基準法第九十七条の三第一項又は第二項の規定により建築主事又は建築副主事を置く特別区の区域　次に掲げる建築物

イ　延べ面積（建築基準法施行令（昭和二十五年政令第三百三十八号）第二条第一項第四号の延べ面積をいう。第十三条において同じ。）が一万平方メートルを超える建築物

［イ　延べ面積（建築基準法施行令第二条第一項第四号の延べ面積をいう。第十三条において同じ。）が一万平方メートルを超える建築物］

ロ　その新築、改築、増築、移転又は用途の変更に関して、建築基準法第五十一条（同法第八十七条第二項及び第三項において準用する場合を含み、市町村都市計画審議会が置かれている特別区にあっては、卸売市場、と畜場及び産業廃棄物処理施設に係る部分に限る。）の規定又は同法以外の法律若しくはこれに基づく命令若しくは条例の規定により都知事の許可を必要とする建築物（地方自治法（昭和二十二年法律第六十七号）第二百五十二条の十七の二第一項の規定により当該許可に関する事務を特別区が処理することとされた場合における当該建築物を除く。）

（認定集約都市開発事業の施行に要する費用に係る国の補助）

第四条　法第十七条第二項の規定による国の地方公共団体に対する補助金の額は、認定集約都市開発事業の施行に要する費用のうち特定建築物の共用部分（当該認定集約都市開発事業により整備される特定建築物の部分であって当該特定建築物を所有し、又は賃借する者（当該特定建築物の全部を所有し、又は賃借する者を除く。）の全員又はその一部の共用に供されるべきものをいう。以下この条において同じ。）に係る費用に対して地方公共団体が補助する額（その額が特定建築物の共用部分に係る費用の三分の二に相当する額を超える場合においては、当該三分の二に相当する額）に二分の一を乗じて得た額とする。

（特定建築物の用地として処分された保留地の対価に相当する金額の交付基準）

第五条　法第十九条第三項の規定により交付すべき額は、処分された保留地の対価に相当する金額を土地区画整理事業の施行前の宅地の価額の総額で除して得た数値を土地区画整理法（昭和二十九年法律第百十九号）第百三条第四項の規定による公告があった日における従前の宅地又はその宅地について存した地上権、永小作権、賃借権その他の宅地を使用し、若しくは収益することができる権利の土地区画整理事業の施行前の価額に乗じて得た額とする。

（軌道事業の特許を要する軌道利便増進実施計画の認定の申請）

第六条　法第二十六条第三項（同条第八項において準用する場合を含む。）の認定（軌道法（大正十年法律第七十六号）第三条の特許を要する軌道利便増進実施計画に係るものに限る。）を受けようとする者は、申請書に国土交通省令で定める書類及び図面を添えて、地方運輸局長を経由して国土交通大臣に提出しなければならない。

2　前項に規定する者は、同項に定めるもののほか、申請書の副本並びに国土交通省令で定める書類及び図面を都道府県知事（当該都道府県の区域内の軌道を敷設する地が一の地方自治法第二百五十二条の十九第一項の指定都市（以下この項及び第十四条において「指定都市」という。）の区域内のみにある場合においては、当該指定都市の長。以下この条において同じ。）に提出しなければならない。

3　前項に規定する都道府県知事は、軌道を敷設する地が二以上の都道府県の区域にわたるものであるときは、当該軌道の起点の所在地を管轄する都道府県知事とする。

4　都道府県知事は、第二項の規定による申請書の副本並びに書類及び図面の提出を受けた場合において、軌道を敷設する地が他の都道府県知事が管轄する区域にわたるものであるときは、当該申請書の副本並びに書類及び図面の写しを当該都道府県知事に送付しなければならない。

（道路管理者の意見の聴取）

第七条　地方運輸局長は、前条第一項の申請書の提出を受けたときは、遅滞なく、期限を指定して、申請に係る軌道が敷設される道路の道路管理者の意見を聴かなければならない。

2　道路管理者である地方公共団体の長は、前項の意見を提出しようとするときは、道路管理者である地方公共団体の議会の議決を経なければならない。

（申請書の送付）

第八条　地方運輸局長は、前条第一項の意見の提出があったとき、又は同項の期限が到来したときは、遅滞なく、第六条第一項の申請書に国土交通省令で定める事項を記載した書類を添えて、国土交通大臣に送付しなければならない。

（公共下水道管理者等の許可に係る基準）

第九条　法第四十七条第二項の政令で定める基準は、次のとおりとする。

一　接続設備の位置は、次に掲げるところによること。

イ　公共下水道等の排水施設（これを補完する施設を含む。以下この条において同じ。）から下水を取水するために設ける接続設備は、排水施設の下水の排除に著しい支障を及ぼすおそれが少ない箇所に設けること。

ロ　公共下水道等の排水施設に下水を流入させるために設ける接続設備は、流入する下水の水勢により排水施設を損傷するおそれが少ない箇所に設けること。

二　法第七条第三項第五号イに規定する設備及び接続設備の構造は、次に掲げるところによること。

イ　堅固で耐久力を有するとともに、公共下水道等の施設又は他の施設若しくは工作物その他の物件の構造に支障を及ぼさないものであること。

ロ　コンクリートその他の耐水性の材料で造り、かつ、漏水及び地下水の浸入を最少限度のものとする措置が講ぜられていること。

ハ　管渠は、暗渠とすること。ただし、法第七条第三項第五号イに規定する設備を有する建築物内においては、この限りでない。

ニ　屋外にあるもの（管渠を除く。）にあっては、覆い又は柵の設置その他下水の飛散を防止し、及び人の立入りを制限する措置が講ぜられていること。
ホ　下水により腐食するおそれのある部分にあっては、ステンレス鋼その他の腐食しにくい材料で造り、又は腐食を防止する措置が講ぜられていること。
ヘ　地震によって公共下水道等による下水の排除及び処理に支障が生じないよう可撓継手の設置その他の措置が講ぜられていること。
ト　管渠の清掃上必要な箇所にあっては、ます又はマンホールを設けること。
チ　ます又はマンホールには、密閉することができる蓋を設けること。
リ　ますの底には、その接続する管渠の内径又は内のり幅に応じ相当の幅のインバートを設けること。
ヌ　下水を一時的に貯留するものにあっては、臭気の発散により生活環境の保全上支障が生じないようにするための措置が講ぜられていること。
ル　公共下水道等の排水施設から取水する下水の量及び当該公共下水道等の排水施設に流入させる下水の量を調節するための設備を設けること。
三　工事の実施方法は、次に掲げるところによること。
イ　公共下水道等の管渠を一時閉じ塞ぐ必要があるときは、下水が外にあふれ出るおそれがない時期及び方法を選ぶこと。
ロ　公共下水道等の排水施設に下水を流入させるために設ける接続設備は、ますその他の排水施設に突出させないで設けるとともに、その設けた箇所からの漏水を防止する措置を講ずること。
ハ　その他公共下水道等の施設又は他の施設若しくは工作物その他の物件の構造又は機能に支障を及ぼすおそれがないこと。
四　公共下水道等の排水施設から取水する下水の量は、その公共下水道等の下水の排除に著しい支障を及ぼさないものであること。

（公共下水道等の排水施設に流入させる下水に混入することができる物）
第一〇条　法第四十七条第五項の政令で定める物は、凝集剤又は洗浄剤であって公共下水道管理者等が公共下水道等の管理上著しい支障を及ぼすおそれがないと認めたものとする。

（空気調和設備等）
第一一条　法第五十三条第一項の政令で定める建築設備は、次のとおりとする。
一　空気調和設備その他の機械換気設備
二　照明設備
三　給湯設備
四　昇降機

（都道府県知事が所管行政庁となる建築物）
第一二条　法第五十三条第一項の政令で定める建築物は、第三条に規定する建築物とする。

（低炭素建築物の容積率の特例に係る床面積）
第一三条　法第六十条の政令で定める床面積は、低炭素建築物の床面積のうち通常の建築物の床面積を超えることとなるものとして国土交通大臣が定めるもの（当該床面積が当該低炭素建築物の延べ面積の二十分の一を超える場合においては、当該低炭素建築物の延べ面積の二十分の一）とする。

（事務の区分）
第一四条　第六条第二項及び第四項の規定により都道府県又は指定都市が処理することとされている事務は、地方自治法第二条第九項第一号に規定する第一号法定受託事務とする。

附　則〔抄〕

（施行期日）
第一条　この政令は、法の施行の日（平成二十四年十二月四日）から施行する。

附　則〔略〕〔平成二九・六・一四政令一五六〕

附　則〔略〕〔令和四・三・二五政令八四〕

附　則〔略〕〔令和五・九・二九政令二九三〕

附　則〔令和六・四・一九政令一七二〕

（施行期日）
1　この政令は、脱炭素社会の実現に資するための建築物のエネルギー消費性能の向上に関する法律等の一部を改正する法律の施行の日（令和七年四月一日）から施行する。

（罰則に関する経過措置）
2　この政令の施行前にした行為に対する罰則の適用については、なお従前の例による。

○都市の低炭素化の促進に関する法律施行規則

〔平成二四・一二・三　国土交通省令八六〕

改正　平成二五・九国交令八五、平成二八・一一国交令八〇、令和元・六国交令二〇、令和二・一二国交令九八、令和三・八国交令五三、令和四・九国交令六八、一一国交令七九、令和五・九国交令七三、国交令七五、令和六・三国交令一八、六国交令六八

注　［　　］の部分は、令和六年六月二八日国土交通省令第六八号により改正され、令和七年四月一日から施行

目次

第一章　総則（第一条）
第二章　低炭素まちづくり計画に係る特別の措置
第一節　低炭素まちづくり計画の作成（第二条）
第二節　集約都市開発事業等（第三条―第十五条）
第三節　共通乗車船券等
第一款　共通乗車船券（第十六条）
第二款　鉄道利便増進事業（第十七条―第十九条）
第三款　軌道利便増進事業（第二十条―第二十八条）
第四款　道路運送利便増進事業（第二十九条―第三十三条）
第四節　貨物運送共同化事業（第三十四条―第三十六条）
第五節　樹木等管理協定（第三十七条―第三十九条）
第六節　港湾隣接地域内の工事等の許可の特例（第四十条）
第三章　低炭素建築物の普及の促進のための措置（第四十一条―第四十六条）
第四章　雑則（第四十七条・第四十八条）
附則

第一章　総則

（定義）
第一条　この省令において使用する用語は、都市の低炭素化の促進に関する法律（以下「法」という。）において使用する用語の例による。

第二章　低炭素まちづくり計画に係る特別の措置

第一節　低炭素まちづくり計画の作成

（港湾隣接地域に設けられる非化石エネルギー利用施設等）
第二条　法第七条第三項第五号ハの国土交通省令で定める非化石エネルギー

利用施設等は、次に掲げるものとする。
一 太陽光を電気に変換する設備
二 風力を電気に変換する設備
三 蓄電池設備
四 船舶のための給電施設
五 化石燃料を効率的に利用する荷役機械
六 前各号に掲げるもののほか、港湾における化石燃料以外のエネルギーの利用又は化石燃料の効率的利用に資する施設

第二節　集約都市開発事業等

（集約都市開発事業計画の認定の申請）
第三条 法第九条第一項の規定により認定の申請をしようとする者は、別記様式第一による申請書の正本及び副本に、それぞれ次に掲げる図書（これらの図書を提出することができない正当な理由があるときは、これらに代わるべき図書として適当なものであることを市町村長が認めた図書）を添えて、これらを市町村長に提出しなければならない。
一 方位、道路及び目標となる地物並びに集約都市開発事業を施行する区域（以下この条において「事業区域」という。）を表示した付近見取図
二 縮尺、方位、事業区域、敷地の境界線、特定建築物の位置及び特定公共施設の配置を表示した特定建築物の配置図
三 特定建築物の整備に関する第四十一条第一項の申請書及びその添付図書に相当する書類及び図書
四 法第十条第一項第三号に規定する措置の内容を記載した書類
五 集約都市開発事業の工程表
六 申請者が事業区域内の土地について所有権、借地権その他の使用及び収益を目的とする権利を有する者であることを証する書類その他の申請者が事業区域内において集約都市開発事業を実施することが可能であることを証する書類
七 申請者が法人である場合においては、登記事項証明書、定款並びに直前三年の各事業年度の貸借対照表、損益計算書及び収支の状況を明らかにすることができる書類
八 申請者が個人である場合においては、住民票の抄本若しくは個人番号カード（行政手続における特定の個人を識別するための番号の利用等に関する法律（平成二十五年法律第二十七号）第二条第七項に規定する個人番号カードをいう。）の写し又はこれらに類するものであって氏名及び住所を証明する書類、資産及び負債に関する調書並びに所得の状況を明らかにすることができる書類
九 前各号に掲げるもののほか、法第十条第一項各号に掲げる基準に適合することを明らかにするために市町村長が必要と認める図書

（集約都市開発事業計画の記載事項）
第四条 法第九条第二項第六号の国土交通省令で定める事項は、集約都市開発事業の名称及び目的とする。

（集約都市開発事業計画の認定の通知）
第五条 市町村長は、法第十条第一項の認定をしたときは、速やかに、その旨（同条第六項の場合においては、同条第五項において準用する建築基準法（昭和二十五年法律第二百一号）第十八条第三項の規定による確認済証の交付を受けた旨を含む。）を申請者に通知するものとする。
2 前項の通知は、別記様式第二による通知書に第三条の申請書の副本（法第十条第六項の場合においては、第三条の申請書の副本及び前項の確認済証に添えられた建築基準法施行規則（昭和二十五年建設省令第四十号）第一条の三の申請書の副本）及びその添付図書を添えて行うものとする。

（集約都市開発事業計画の軽微な変更）
第六条 法第十一条第一項の国土交通省令で定める軽微な変更は、次に掲げるものとする。
一 地域の名称の変更又は地番の変更に伴う変更
二 集約都市開発事業の施行予定期間の六月以内の変更
三 前二号に掲げるもののほか、集約都市開発事業の施行に支障がないと市町村長が認める変更

（集約都市開発事業計画の変更の認定の申請）
第七条 法第十一条第一項の規定により変更の認定の申請をしようとする者は、別記様式第三による申請書の正本及び副本に、それぞれ第三条各号に掲げる図書のうち変更に係るもの（これらの図書を提出することができない正当な理由があるときは、これらに代わるべき図書として適当なものであることを市町村長が認めた図書）を添えて、これらを市町村長に提出しなければならない。この場合において、同条第四号中「法第十条第一項第三号」とあるのは「法第十一条第二項において準用する法第十条第一項第三号」と、同条第九号中「法第十条第一項各号」とあるのは「法第十一条第二項において準用する法第十条第一項各号」とする。

（集約都市開発事業計画の変更の認定の通知）
第八条 第五条の規定は、法第十一条第一項の変更の認定について準用する。この場合において、第五条第一項中「同条第六項」とあるのは「法第十一条第二項において準用する法第十条第六項」と、「同条第五項」とあるのは「法第十一条第二項において準用する法第十条第五項」と、同条第二項中「別記様式第二」とあるのは「別記様式第四」と、「法第十条第六項」とあるのは「法第十一条第二項において準用する法第十条第六項」と読み替えるものとする。

（磁気ディスクによる手続）
第八条の二 別記様式第一又は別記様式第三による申請書並びにその添付図書のうち市町村長が認める図書及び書類については、当該図書及び書類に代えて、市町村長が定める方法により当該図書及び書類に明示すべき事項を記録した磁気ディスク（これに準ずる方法により一定の事項を確実に記録しておくことができるものを含む。第四十六条の三において同じ。）であって、市町村長が定めるものによることができる。

（法第十八条第一項の国土交通省令で定める期間）
第九条 法第十八条第一項の国土交通省令で定める期間は、賃貸特定建築物（その全部又は一部を賃貸の用に供する特定建築物をいう。次条及び第十一条において同じ。）の整備が完了した日から起算して十年とする。

（特定建築物の賃貸料）
第一〇条 法第十八条第一項の国土交通省令で定める額は、一月につき、次に掲げる額を合計した額とする。
一 賃貸特定建築物（その一部を賃貸の用に供する場合においては、当該賃貸の用に供する部分をいう。以下この条及び次条において同じ。）の整備に要した費用（当該費用のうち、法第十七条第一項の規定による地方公共団体の補助に係る部分を除く。）を当該賃貸特定建築物の近傍同種の建築物の償却年数を考慮して定めた相当の年数、利率年九パーセントで毎月元利均等に償却するものとして算出した額
二 賃貸特定建築物の近傍同種の建築物の修繕費及び管理事務費を考慮して定めた相当の費用の月割額
三 賃貸特定建築物の災害による損害を補てんするための損害保険又は損害保険に代わるべき火災共済に要する費用の月割額
四 賃貸特定建築物の整備のため通常必要な土地又は借地権を取得する場合に通常必要と認められる価額に千二百分の五を乗じて得た額（当該賃貸特定建築物について、地代を必要とする場合においては、当該額に、当該地代の月割額と借地契約に係る土地の価額に千二百分の六を乗じて得た額のいずれか低い額を加えた額）
五 賃貸特定建築物又はその敷地に租税その他の公課が賦課される場合においては賦課される額の月割額
六 前各号の規定により算出した額の合計額に百分の二を乗じて得た額
2 認定集約都市開発事業者は、特定建築物の一部を賃貸の用に供する場合において、当該特定建築物に賃借人の全員又はその一部の共用に供されるべき部分（以下この項において「共用部分」という。）があるときは、前項の規定により算出した額に、当該共用部分について同項の規定を適用して算出した額をこれを共用する賃借人に係る賃貸の用に供する各部分の床面積の割合による按分その他の合理的な方法により按分して得た額を加えることができる。
3 認定集約都市開発事業者は、前二項の規定にかかわらず、自己の整備した賃貸特定建築物で、かつ、同時期に賃借人の募集を行うものについて、その部分相互間における賃貸料の均衡を図るため必要があると認める場合においては、各部分の床面積、位置、形状及び用途による利便の度合いを勘案して定める調整額を前二項の規定により算出した額に加え、又はその額から減じた額を賃貸料の額とすることができる。ただし、この場合において、賃貸料の額の合計額は、前二項の規定により算出した額の合計額を超えてはならない。
第一一条 法第十八条第二項の国土交通省令で定める基準は、賃貸特定建築物の推定再建築費が、当該賃貸特定建築物の整備費に一・五を乗じて得た

額を超えることとする。

2　賃貸特定建築物が前項の基準に該当する場合における前条第一項第一号の規定の適用については、同号中「費用（当該費用のうち、法第十七条第一項の規定による地方公共団体の補助に係る部分を除く。）」とあるのは、「費用（当該費用のうち、法第十七条第一項の規定による地方公共団体の補助に係る部分を除く。）に国土交通大臣が建築物価の変動を考慮して地域別に定める率を乗じて得た額」とする。

（**特定建築物の譲渡価額**）

第一二条　法第十八条第三項の国土交通省令で定める額は、次に掲げる額を合計した額とする。

一　特定建築物（その一部を譲渡する場合においては、当該譲渡する部分をいう。以下この条において同じ。）の整備に要した費用（当該費用のうち、法第十七条第一項の規定による地方公共団体の補助に係る部分を除く。）

二　特定建築物を整備するために借り入れた資金の利息（借り入れた資金の額に利率年十パーセントを乗じて得た額を限度とする。）

三　特定建築物又はその敷地に租税その他の公課が賦課される場合においては賦課される額

四　譲渡に要する事務費等について市町村長が定めた方法により算出した額

2　認定集約都市開発事業者は、前項の規定にかかわらず、自己の整備した特定建築物で、かつ、同時期に譲受人の募集を行うものについて、その部分相互間における譲渡価額の均衡を図るため必要があると認める場合においては、各部分の床面積、位置、形状及び用途による利便の度合いを勘案して定める調整額を同項の規定により算出した額に加え、又はその額から減じた額を譲渡価額とすることができる。ただし、この場合において、譲渡価額の合計額は、同項の規定により算出した額の合計額を超えてはならない。

3　認定集約都市開発事業者は、特別の事情がある場合においてやむを得ないときは、第一項の規定にかかわらず、市町村長の承認を得て、特定建築物の譲渡価額を別に定めることができる。

（**換地計画の認可申請手続**）

第一三条　法第十九条第一項に規定する土地区画整理事業の施行者は、土地区画整理法（昭和二十九年法律第百十九号）第八十六条第一項後段又は第九十七条第一項の認可を申請しようとするときは、認可申請書に法第十九条第一項後段の規定による同意を得たことを証する書類を添付しなければならない。

（**各筆換地明細**）

第一四条　法第十九条第一項に規定する土地区画整理事業にあっては、土地区画整理法施行規則（昭和三十年建設省令第五号）別記様式第六㈠の「記事」欄には、同様式備考6によるもののほか、従前の土地又は換地処分後の土地につき、同項の規定により保留地として定める場合に、その旨を記載するものとする。

（**各筆各権利別清算金明細**）

第一五条　法第十九条第一項に規定する土地区画整理事業にあっては、土地区画整理法施行規則別記様式第七㈠の「記事」欄には、同様式備考8によるもののほか、従前の土地又は換地処分後の土地につき、同項の規定により保留地を定める場合に、その旨を記載するものとする。

第三節　共通乗車船券等

第一款　共通乗車船券

（**共通乗車船券の届出**）

第一六条　法第二十一条第一項の規定により共通乗車船券に係る運賃又は料金の割引の届出をしようとする運送事業者は、次に掲げる事項を記載した届出書を国土交通大臣に共同で提出しなければならない。

一　共通乗車船券を発行しようとする運送事業者の氏名又は名称及び住所

二　共通乗車船券を発行しようとする運送事業者を代表する者の氏名又は名称

三　割引を行おうとする運賃又は料金の種類

四　発行しようとする共通乗車船券の名称

五　発行しようとする共通乗車船券の発行価額

六　発行しようとする共通乗車船券に係る期間、区間その他の条件

第二款　鉄道利便増進事業

（**鉄道利便増進実施計画の記載事項**）

第一七条　法第二十二条第二項第六号の国土交通省令で定める事項は、次に掲げる事項とする。

一　低炭素まちづくり計画に鉄道利便増進事業に関連して実施される事業が定められている場合には、当該事業に関する事項

二　前号に掲げるもののほか、鉄道利便増進事業の運営に重大な関係を有する事項がある場合には、その事項

（**鉄道利便増進実施計画の認定の申請**）

第一八条　法第二十三条第一項の規定により鉄道利便増進実施計画の認定を申請しようとする者は、次に掲げる事項を記載した申請書を国土交通大臣に提出しなければならない。

一　氏名又は名称及び住所並びに法人にあっては、その代表者の氏名

二　法第二十二条第二項各号に掲げる事項

2　前項の場合において、別表第一の上欄に掲げる規定の適用を受けようとするときは、同項各号に掲げる事項のほか、同表の中欄に掲げる事項（同項各号に掲げる事項を除く。）を記載し、かつ、同表の下欄に掲げる書類を添付しなければならない。

3　鉄道事業法施行規則（昭和六十二年運輸省令第六号）第二条第三項及び第四項の規定は、第一項の認定の申請について準用する。

（**鉄道利便増進実施計画の変更の認定の申請**）

第一九条　法第二十三条第六項の規定により認定鉄道利便増進実施計画の変更の認定を受けようとする者は、次に掲げる事項を記載した申請書を国土交通大臣に提出しなければならない。

一　氏名又は名称及び住所並びに法人にあっては、その代表者の氏名

二　変更しようとする事項（新旧の対照を明示すること。）

三　変更の理由

2　前項の申請書には、当該認定鉄道利便増進実施計画に係る鉄道利便増進事業の実施状況を記載した書類を添付しなければならない。

3　第一項の場合において、別表第一の上欄に掲げる規定の適用を受けようとするときは、同項各号に掲げる事項のほか、同表の中欄に掲げる事項（同項各号に掲げる事項を除く。）を記載し、かつ、前項に規定する書類のほか、同表の下欄に掲げる書類を添付しなければならない。

4　鉄道事業法施行規則第二条第三項及び第四項の規定は、第一項の認定の申請について準用する。

第三款　軌道利便増進事業

（**軌道利便増進実施計画の記載事項**）

第二〇条　法第二十五条第二項第六号の国土交通省令で定める事項は、次に掲げる事項とする。

一　低炭素まちづくり計画に軌道利便増進事業に関連して実施される事業が定められている場合には、当該事業に関する事項

二　前号に掲げるもののほか、軌道利便増進事業の運営に重大な関係を有する事項がある場合には、その事項

（**軌道利便増進実施計画の認定の申請**）

第二一条　法第二十六条第一項の規定により軌道利便増進実施計画の認定を申請しようとする者は、次に掲げる事項を記載した申請書を国土交通大臣に提出しなければならない。

一　氏名又は名称及び住所並びに法人にあっては、その代表者の氏名

二　法第二十五条第二項各号に掲げる事項

2　前項の場合において、別表第二の上欄に掲げる規定の適用を受けようとするときは、同項各号に掲げる事項のほか、同表の中欄に掲げる事項（同項各号に掲げる事項を除く。）を記載し、かつ、同表の下欄に掲げる書類を添付しなければならない。

（**軌道利便増進実施計画の変更の認定の申請**）

第二二条　法第二十六条第七項の規定により認定軌道利便増進実施計画の変更の認定を受けようとする者は、次に掲げる事項を記載した申請書を国土交通大臣に提出しなければならない。

一　氏名又は名称及び住所並びに法人にあっては、その代表者の氏名

二　変更しようとする事項（新旧の対照を明示すること。）

三　変更の理由

2　前項の申請書には、当該軌道利便増進実施計画に係る軌道利便増進事業の実施状況を記載した書類を添付しなければならない。

3　第一項の場合において、別表第二の上欄に掲げる規定の適用を受けようとするときは、同項各号に掲げる事項のほか、同表の中欄に掲げる事項（同項各号に掲げる事項を除く。）を記載し、かつ、前項に規定する書類のほか、同表の下欄に掲げる書類を添付しなければならない。

（**申請書の送付手続**）

第二三条　都市の低炭素化の促進に関する法律施行令第八条の国土交通省令で定める事項は、次に掲げる事項とする。

一　申請者の資産及び信用の程度

二　事業の成否及び効果

三　道路管理者の意見

四　他の鉄道、軌道、索道又は道路運送法（昭和二十六年法律第百八十三号）による自動車道事業若しくは自動車運送事業（未開業のものを含む。）に及ぼす影響

五　付近における鉄道、軌道、索道又は道路運送法による自動車道事業若しくは自動車運送事業の出願があるときは、その種類、区間、申請書及び申請書の受付年月日

六　認定の許否に関する意見

（**道路管理者への通知**）

第二四条　国土交通大臣（法第六十一条の規定により権限が地方運輸局長に委任された場合にあっては、当該委任を受けた者。以下第二十八条までにおいて同じ。）は、軌道利便増進事業につき第二十一条第一項又は第二十二条第一項の申請書（第二十一条第二項又は第二十二条第三項の規定に基づく事項の記載及び書類の添付がなされたものに限る。）を受け付けたときは、遅滞なく、当該申請書に係る事案に係る道路（道路法（昭和二十七年法律第百八十号）による道路をいう。以下同じ。）の道路管理者に対し、当該申請書の写しを添え、当該事案に関する道路管理上の意見を提出すべき旨の通知をするものとする。

2　前項の通知には、道路管理上の意見を提出すべき期限を付することができる。ただし、その期限は、道路管理者の同意がなければ十四日以内とすることができない。

（**道路管理者の意見提出**）

第二五条　道路管理者は、前条第一項の通知を受けたときは、遅滞なく、国土交通大臣に対し、道路管理上の意見を提出するものとする。

2　国土交通大臣が、前条第二項の規定により付した期限までに前項の意見の提出を受けないときは、軌道利便増進事業の実施に支障がない旨の道路管理者の意見の提出を受けたものとみなす。

（**道路管理者の意見提出の特例**）

第二六条　第二十四条第一項の申請書を提出する者が地方公共団体であって、当該地方公共団体又はその長が当該申請書に係る事案に係る道路の道路管理者である場合においては、当該地方公共団体又はその長である道路管理者は、国土交通大臣に対し、当該申請書に添付して、当該申請書に係る事案に関する道路管理上の意見を提出することができる。

2　前項の規定により意見を提出した道路管理者については、前二条の規定は、適用しない。

（**道路管理者の意見を聴く必要がない場合**）

第二七条　法第二十六条第五項ただし書の国土交通省令で定める場合は、線路及び停留場の使用の廃止に伴って他の軌道経営者（軌道法（大正十年法律第七十六号）による軌道経営者をいう。）が新たに当該線路及び停留場と同一の線路及び停留場の位置により運行しようとする場合とする。

（**処分後の道路管理者への通知**）

第二八条　国土交通大臣は、第二十五条第一項若しくは第二項又は第二十六条第一項の規定により道路管理者の意見の提出を受けた事案又は道路管理者の意見の提出を受けたものとみなされた事案について処分したときは、遅滞なく、その旨を道路管理者に通知するものとする。

第四款　道路運送利便増進事業

（**道路運送利便増進実施計画の記載事項**）

第二九条　法第二十八条第二項第六号の国土交通省令で定める事項は、低炭素まちづくり計画に道路運送利便増進事業に関連して実施される事業が定められている場合には、当該事業に関する事項とする。

（**道路運送利便増進実施計画の認定の申請**）

第三〇条　法第二十九条第一項の規定により道路運送利便増進実施計画の認定を申請しようとする者は、次に掲げる事項を記載した申請書を国土交通大臣に提出しなければならない。

一　氏名又は名称及び住所並びに法人にあっては、その代表者の氏名

二　法第二十八条第二項各号に掲げる事項

2　前項の場合において、別表第三の上欄に掲げる規定の適用を受けようとするときは、同項各号に掲げる事項のほか、同表の中欄に掲げる事項（同項各号に掲げる事項を除く。）を記載し、かつ、同表の下欄に掲げる書類を添付しなければならない。

3　道路運送法施行規則（昭和二十六年運輸省令第七十五号）第十四条第三項の規定は、第一項の認定の申請について準用する。

（**道路運送利便増進実施計画の変更の認定の申請**）

第三一条　法第二十九条第六項の規定により認定道路運送利便増進実施計画の変更の認定を受けようとする者は、次に掲げる事項を記載した申請書を国土交通大臣に提出しなければならない。

一　氏名又は名称及び住所並びに法人にあっては、その代表者の氏名

二　変更しようとする事項（新旧の対照を明示すること。）

三　変更の理由

2　前項の申請書には、当該道路運送利便増進実施計画に係る道路運送利便増進事業の実施状況を記載した書類を添付しなければならない。

3　第一項の場合において、別表第三の上欄に掲げる規定の適用を受けようとするときは、同項各号に掲げる事項のほか、同表の中欄に掲げる事項（同項各号に掲げる事項を除く。）を記載し、かつ、前項に規定する書類のほか、同表の下欄に掲げる書類を添付しなければならない。

（**道路管理者に対する意見聴取の方法**）

第三二条　法第二十九条第四項の国土交通省令で定める道路管理者に対する意見聴取の方法については、道路管理者の意見聴取に関する省令（昭和二十六年運輸省建設省令第一号）第一条（第三項を除く。）、第二条（第三項を除く。）、第三条、第六条及び第七条の規定を準用する。この場合において、同令第一条第一項中「路線を定める旅客自動車運送事業につき道路運送法施行規則（昭和二十六年運輸省令第七十五号。以下「規則」という。）第四条に基づく許可申請書又は第十四条に基づく認可申請書（路線の新設に係る事業計画の変更又は」とあるのは「道路運送利便増進事業につき都市の低炭素化の促進に関する法律施行規則（以下「規則」という。）第三十条第二項又は第三十一条第一項に基づく申請書（規則第三十条第二項又は第三十一条第三項の規定に基づく事項の記載及び書類の添付がなされたものであり、かつ、その内容が事業の許可又は路線の新設に係る事業計画の変更若しくは」と、「国土交通大臣又は地方運輸局長」とあるのは「地方運輸局長」と、「許可申請書又は認可申請書」とあるのは「当該申請書」と、同令第三条第一項中「第一条第一項又は第三項」とあるのは「第一条第一項」と、「許可申請書又は認可申請書（以下「許可申請書等」という。）」とあるのは「申請書」と、「当該許可申請書等」とあるのは「当該申請書」と、「地方運輸局長（第一条第三項に規定する認可申請書を提出する場合にあつては、運輸監理部長又は運輸支局長）」とあるのは「地方運輸局長」と、同令第六条中「国土交通大臣又は地方運輸局長」とあるのは「地方運輸局長」と読み替えるものとする。

（**道路管理者の意見を聴く必要がない場合**）

第三三条　法第二十九条第四項ただし書の国土交通省令で定める道路管理者の意見を聴く必要がない場合については、道路管理者の意見聴取に関する省令第五条の規定を準用する。この場合において、同条各号列記以外の部分中「道路運送法（昭和二十六年法律第百八十三号。以下「法」という。）第九十一条」とあるのは「都市の低炭素化の促進に関する法律（平成二十四年法律第八十四号。以下「法」という。）第二十九条第四項」と、同条第一号中「法第四条第一項又は第十五条第一項の規定による処分により」とあるのは「法第三十条の規定により道路運送法（昭和二十六年法律第百八十三号）第四条第一項、第十五条第一項（同法第四十三条第五項において準用する場合を含む。）又は第四十三条第一項の規定による処分を受けたものとみなされ、これによって」と、「に係る」とあるのは「を受けたものとみなされる」と、同条第二号中「法第四条第一項又は第十五条第一項の規定による処分に係る」とあるのは「法第三十条の規定により道路運送法第四条第一項、第十五条第一項（同法第四十三条第五項において準用する場合を含む。）又は第四十三条第一項の規定による処分を受けたもの

とみなされる」と、「当該処分」とあるのは「当該処分を受けたものとみなされること」と、同条第三号中「法第十五条第一項の規定による処分に係る」とあるのは「法第三十条の規定により道路運送法第十五条第一項（同法第四十三条第五項において準用する場合を含む。）の規定による処分を受けたものとみなされる」と、「当該処分」とあるのは「当該処分を受けたものとみなされること」と読み替えるものとする。

第四節　貨物運送共同化事業

（貨物運送共同化実施計画の記載事項）

第三四条　法第三十二条第二項第七号の国土交通省令で定める事項は、低炭素まちづくり計画に貨物運送共同化事業に関連して実施される事業が定められている場合には、当該事業に関する事項とする。

（貨物運送共同化実施計画の認定の申請）

第三五条　法第三十三条第一項の規定により貨物運送共同化実施計画の認定を申請しようとする者は、次に掲げる事項を記載した申請書を国土交通大臣に提出しなければならない。

一　氏名又は名称及び住所並びに法人にあっては、その代表者の氏名

二　法第三十二条第二項各号に掲げる事項

2　前項の場合において、別表第四の上欄に掲げる規定の適用を受けようとするときは、同項各号に掲げる事項のほか、同表の中欄に掲げる事項（同項各号に掲げる事項を除く。）を記載し、かつ、同表の下欄に掲げる書類を添付しなければならない。

（貨物運送共同化実施計画の変更の認定の申請）

第三六条　法第三十三条第六項の規定により貨物運送共同化実施計画の変更の認定を受けようとする者は、次に掲げる事項を記載した申請書を国土交通大臣に提出しなければならない。

一　氏名又は名称及び住所並びに法人にあっては、その代表者の氏名

二　変更しようとする事項（新旧の対照を明示すること。）

三　変更の理由

2　前項の申請書には、当該貨物運送共同化実施計画に係る貨物運送共同化事業の実施状況を記載した書類を添付しなければならない。

3　第一項の場合において、別表第四の上欄に掲げる規定の適用を受けようとするときは、同項各号に掲げる事項のほか、同表の中欄に掲げる事項（同項各号に掲げる事項を除く。）を記載し、かつ、前項に規定する書類のほか、同表の下欄に掲げる書類を添付しなければならない。

第五節　樹木等管理協定

（樹木等管理協定の基準）

第三七条　法第三十八条第三項第三号（法第四十二条において準用する場合を含む。）の国土交通省令で定める基準は、次に掲げるものとする。

一　協定区域は、その境界が明確に定められていなければならない。

二　協定樹木等の管理の方法に関する事項は、除伐、間伐、枯損した樹木又は危険な樹木の伐採、枝打ち、病害虫の防除その他これらに類する事項で、協定樹木等の保全に関連して必要とされるものでなければならない。

三　協定樹木等の保全に関連して必要とされる施設の整備に関する事項は、防火施設、管理用通路、さくその他これらに類する施設の整備に関する事項で、協定樹木等の適正な保全に資するものでなければならない。

四　樹木等管理協定の有効期間は、五年以上二十年以下でなければならない。

五　樹木等管理協定に違反した場合の措置は、違反した者に対して不当に重い負担を課するものであってはならない。

（樹木等管理協定の公告）

第三八条　法第三十九条第一項（法第四十二条において準用する場合を含む。）の規定による公告は、次に掲げる事項について、市町村又は都道府県の公報又はウェブサイトへの掲載その他の適切な方法で行うものとする。

一　樹木等管理協定の名称

二　協定樹木又は協定区域

三　樹木等管理協定の有効期間

四　協定樹木等の保全に関連して必要とされる施設が定められたときは、その施設

五　樹木等管理協定が緑地管理機構により締結されるものであるときは、その旨

六　樹木等管理協定の縦覧場所

（樹木等管理協定の締結等の公告）

第三九条　前条の規定は、法第四十一条（法第四十二条において準用する場合を含む。）の規定による公告について準用する。

第六節　港湾隣接地域内の工事等の許可の特例

（港湾隣接地域内の工事等の許可に関する技術的基準）

第四〇条　法第四十九条の国土交通省令で定める技術的基準は、次に掲げるものとする。

一　法第七条第四項第三号の規定に基づき港湾管理者が同意した低炭素まちづくり計画に基づき行われるものであること。

二　適切な工事の実施の計画に基づき行われるものであること。

第三章　低炭素建築物の普及の促進のための措置

（低炭素建築物新築等計画の認定の申請）

第四一条　法第五十三条第一項の規定により低炭素建築物新築等計画の認定の申請をしようとする者は、別記様式第五による申請書の正本及び副本に、それぞれ次の表の(い)項及び(ろ)項に掲げる図書その他所管行政庁が必要と認める図書（建築物のエネルギー消費性能の向上等に関する法律（平成二十七年法律第五十三号）第十二条第一項の建築物エネルギー消費性能適合性判定を受けなければならない場合の正本に添える図書にあっては、当該図書の設計者の氏名の記載があるものに限る。）を添えて、これらを所管行政庁に提出しなければならない。ただし、当該低炭素建築物新築等計画に住戸が含まれる場合においては、当該住戸については、同表の(ろ)項に掲げる図書に代えて同表の(は)項に掲げる図書を提出しなければならない。

第四一条　法第五十三条第一項の規定により低炭素建築物新築等計画の認定の申請をしようとする者は、別記様式第五による申請書の正本及び副本に、それぞれ次の表の(い)項及び(ろ)項に掲げる図書その他所管行政庁が必要と認める図書（建築物のエネルギー消費性能の向上等に関する法律（平成二十七年法律第五十三号）第十一条第一項の建築物エネルギー消費性能適合性判定を受けなければならない場合の正本に添える図書にあっては、当該図書の設計者の氏名の記載があるものに限る。）を添えて、これらを所管行政庁に提出しなければならない。ただし、当該低炭素建築物新築等計画に住戸が含まれる場合においては、当該住戸については、同表の(ろ)項に掲げる図書に代えて同表の(は)項に掲げる図書を提出しなければならない。

	図書の種類	明示すべき事項
(い)	設計内容説明書	建築物のエネルギーの使用の効率性その他の性能が法第五十四条第一項第一号に掲げる基準に適合するものであることの説明
	付近見取図	方位、道路及び目標となる地物
	配置図	縮尺及び方位
		敷地境界線、敷地内における建築物の位置及び申請に係る建築物と他の建築物との別
		空気調和設備等及び空気調和設備等以外の低炭素化に資する建築設備（以下この表において「低炭素化設備」という。）の位置
		建築物の緑化その他の建築物の低炭素化のための措置（以下この表において

「低炭素化措置」という。）

図書の種類		明示すべき事項
仕様書（仕上げ表を含む。）		部材の種別及び寸法
		低炭素化設備の種別
		低炭素化措置の内容
各階平面図		縮尺及び方位
		間取り、各室の名称、用途及び寸法並びに天井の高さ
		壁の位置及び種類
		開口部の位置及び構造
		低炭素化設備の位置
		低炭素化措置
床面積求積図		床面積の求積に必要な建築物の各部分の寸法及び算式
用途別床面積表		用途別の床面積
立面図		縮尺
		外壁及び開口部の位置
		低炭素化設備の位置
		低炭素化措置
断面図又は矩計図		縮尺
		建築物の高さ
		外壁及び屋根の構造
		軒の高さ並びに軒及びひさしの出
		小屋裏の構造
		各階の天井の高さ及び構造
		床の高さ及び構造並びに床下及び基礎の構造
各部詳細図		縮尺
		外壁、開口部、床、屋根その他断熱性を有する部分の材料の種別及び寸法
各種計算書		建築物のエネルギーの使用の効率性その他の性能に係る計算その他の計算を要する場合における当該計算の内容
低炭素化措置が法第五十四条第一項第一号に規定する経済産業大臣、国土交通大臣及び環境大臣が定める基準に適合することの確認に必要な書類		低炭素化措置の法第五十四条第一項第一号に規定する経済産業大臣、国土交通大臣及び環境大臣が定める基準への適合性審査に必要な事項

（ろ）

図書の種類	設備の種類	明示すべき事項
機器表	空気調和設備	熱源機、ポンプ、空気調和機その他の機器の種別、仕様及び数
	空気調和設備以外の機械換気設備	給気機、排気機その他これらに類する設備の種別、仕様及び数
	照明設備	照明設備の種別、仕様及び数
	給湯設備	給湯器の種別、仕様及び数
		太陽熱を給湯に利用するための設備の種別、仕様及び数
		節湯器具の種別及び数
	空気調和設備等以外の低炭素化に資する建築設備	空気調和設備等以外の低炭素化に資する建築設備の種別、仕様及び数
仕様書	昇降機	昇降機の種別、数、積載量、定格速度及び速度制御方法
系統図	空気調和設備	空気調和設備の位置及び連結先
	空気調和設備以外の機械換気設備	空気調和設備以外の機械換気設備の位置及び連結先
	給湯設備	給湯設備の位置及び連結先
	空気調和設備等以外の低炭素化に資する建築設備	空気調和設備等以外の低炭素化に資する建築設備の位置及び連結先
各階平面図	空気調和設備	縮尺
		空気調和設備の有効範囲
		熱源機、ポンプ、空気調和機その他の機器の位置
	空気調和設備以外の機械換気設備	縮尺
		給気機、排気機その他これらに類する設備の位置
	照明設備	縮尺
		照明設備の位置
	給湯設備	縮尺
		給湯設備の位置
		配管に講じた保温のための措置
		節湯器具の位置
	昇降機	縮尺
		位置
	空気調和設備等以外の低炭素化に資する建築設備	縮尺
		位置
制御図	空気調和設備	空気調和設備の制御方法
	空気調和設備以外の機械換気設備	空気調和設備以外の機械換気設備の制御方法

	照明設備	照明設備の制御方法
	給湯設備	給湯設備の制御方法
	空気調和設備等以外の低炭素化に資する建築設備	空気調和設備等以外の低炭素化に資する建築設備の制御方法
(は) 機器表	空気調和設備	空気調和設備の種別、位置、仕様、数及び制御方法
	空気調和設備以外の機械換気設備	空気調和設備以外の機械換気設備の種別、位置、仕様、数及び制御方法
	照明設備	照明設備の種別、位置、仕様、数及び制御方法
	給湯設備	給湯器の種別、位置、仕様、数及び制御方法 太陽熱を給湯に利用するための設備の種別、位置、仕様、数及び制御方法 節湯器具の種別、位置及び数
	空気調和設備等以外の低炭素化に資する建築設備	空気調和設備等以外の低炭素化に資する建築設備の種別、位置、仕様、数及び制御方法

2　前項の表の各項に掲げる図書に明示すべき事項を同項に規定する図書のうち他の図書に明示する場合には、同項の規定にかかわらず、当該事項を当該各項に掲げる図書に明示することを要しない。この場合において、当該各項に掲げる図書に明示すべき全ての事項を当該他の図書に明示したときは、当該各項に掲げる図書を同項の申請書に添えることを要しない。

3　第一項に規定する所管行政庁が必要と認める図書を添付する場合には、同項の規定にかかわらず、同項の表に掲げる図書のうち所管行政庁が不要と認めるものを同項の申請書に添えることを要しない。

（低炭素建築物新築等計画の記載事項）

第四二条　法第五十三条第二項第四号の国土交通省令で定める事項は、低炭素化のための建築物の新築等に関する工事の着手予定時期及び完了予定時期とする。

（低炭素建築物新築等計画の認定の通知）

第四三条　所管行政庁は、法第五十四条第一項の認定をしたときは、速やかに、その旨（同条第五項の場合においては、同条第四項において準用する建築基準法第十八条第三項の規定による確認済証の交付を受けた旨を含む。）を申請者に通知するものとする。

2　前項の通知は、別記様式第六による通知書に第四十一条第一項の申請書の副本（法第五十四条第五項の場合においては、第四十一条第一項の申請書の副本及び前項の確認済証に添えられた建築基準法施行規則第一条の三の申請書の副本）及びその添付図書を添えて行うものとする。

（低炭素建築物新築等計画の軽微な変更）

第四四条　法第五十五条第一項の国土交通省令で定める軽微な変更は、次に掲げるものとする。

一　低炭素化のための建築物の新築等に関する工事の着手予定時期又は完了予定時期の六月以内の変更

二　前号に掲げるもののほか、建築物のエネルギーの使用の効率性その他の性能を向上させる変更その他の変更後も認定に係る低炭素建築物新築等計画が法第五十四条第一項各号に掲げる基準に適合することが明らかな変更（同条第二項の規定により建築基準関係規定に適合するかどうかの審査を受けるよう申し出た場合には、建築基準法第六条第一項（同法第八十七条第一項において準用する場合を含む。）に規定する軽微な変更であるものに限る。）

（低炭素建築物新築等計画の変更の認定の申請）

第四五条　法第五十五条第一項の規定により変更の認定の申請をしようとする者は、別記様式第七による申請書の正本及び副本に、それぞれ第四十一条第一項に規定する図書のうち変更に係るものを添えて、これらを所管行政庁に提出しなければならない。この場合において、同項の表中「法第五十四条第一項第一号」とあるのは、「法第五十五条第二項において準用する法第五十四条第一項第一号」とする。

（低炭素建築物新築等計画の変更の認定の通知）

第四六条　第四十三条の規定は、法第五十五条第一項の変更の認定について準用する。この場合において、第四十三条第一項中「同条第五項」とあるのは「法第五十五条第二項において準用する法第五十四条第五項」と、「同条第四項」とあるのは「法第五十五条第二項において準用する法第五十四条第四項」と、同条第二項中「別記様式第六」とあるのは「別記様式第八」と、「法第五十四条第五項」とあるのは「法第五十五条第二項において準用する法第五十四条第五項」と読み替えるものとする。

（軽微な変更に関する証明書の交付）

第四六条の二　建築物のエネルギー消費性能の向上等に関する法律第十二条第一項の建築物エネルギー消費性能適合性判定を受けなければならない建築物の建築に係る建築基準法第七条第五項、同法第七条の二第五項又は同法第十八条第十八項の規定による検査済証の交付を受けようとする者は、その計画の変更が第四十四条の軽微な変更に該当していることを証する書面の交付を所管行政庁に求めることができる。

第四六条の二　建築物のエネルギー消費性能の向上等に関する法律第十一条第一項の建築物エネルギー消費性能適合性判定を受けなければならない建築物の建築に係る建築基準法第七条第五項、同法第七条の二第五項又は同法第十八条第十八項の規定による検査済証の交付を受けようとする者は、その計画の変更が第四十四条の軽微な変更に該当していることを証する書面の交付を所管行政庁に求めることができる。

（磁気ディスクによる手続）

第四六条の三　別記様式第五又は別記様式第七による申請書並びにその添付図書のうち所管行政庁が認める図書及び書類については、当該図書及び書類に代えて、所管行政庁が定める方法により当該図書及び書類に明示すべき事項を記録した磁気ディスクであって、所管行政庁が定めるものによることができる。

第四章　雑則

（権限の委任）

第四七条　法第三章第三節第一款から第四款まで及び第三十三条に規定する国土交通大臣の権限は、次に掲げるものを除き、地方運輸局長（同条に規定する権限については、運輸監理部長を含む。次条第一項において同じ。）に委任する。

一　法第二十三条第三項（同条第七項において準用する場合を含む。）の規定による認定及び同条第八項の規定による認定の取消しに係るもの（鉄道事業法（昭和六十一年法律第九十二号）第三条第一項の規定による許可、同法第七条第一項の規定による認可（鉄道事業法施行規則第七十一条第一項第一号に掲げるものを除く。）若しくは同法第十六条第一項の規定による認可又は同条第三項の規定による届出（同令第七十一条第一項第七号に掲げるものを除く。）に係る鉄道利便増進実施計画に係るものに限る。）

二　法第二十六条第三項（同条第八項において準用する場合を含む。）の規定による認定及び同条第九項の規定による認定の取消しに係るもの（軌道法第三条の規定による特許又は同法第十一条第一項の規定による認可に係る軌道利便増進実施計画に係るものに限る。）

2　法第三十一条及び第三十七条に規定する国土交通大臣の権限は、地方運輸局長（同条に規定する権限については、運輸監理部長を含む。）も行うことができる。

（書類の提出）

第四八条　この省令の規定により地方運輸局長に提出すべき申請書又は届出書は、それぞれ当該事業の関する土地を管轄する地方運輸局長（当該事業が二以上の地方運輸局長の管轄区域（当該事業が貨物運送共同化事業に係るものである場合の近畿運輸局長の管轄区域にあっては、神戸運輸監理部長の管轄区域を除く。）にわたるときは、当該事案の主として関する土地を管轄する地方運輸局長。以下「所轄地方運輸局長」という。）に提出しなければならない。

2　この省令の規定により国土交通大臣に提出すべき申請書は、所轄地方運輸局長を経由して提出しなければならない。

3　この省令の規定により地方運輸局長に提出すべき申請書であって道路運送利便増進事業に係るものは、当該事案の関する土地を管轄する運輸監理部長又は運輸支局長（当該事案が運輸監理部長と運輸支局長又は二以上の運輸支局長の管轄区域にわたるときは、当該事案の主として関する土地を管轄する運輸監理部長又は運輸支局長）を経由して提出しなければならない。

4　この省令の規定により地方運輸局長に提出すべき申請書であって貨物運送共同化事業に係るものは、当該事業の関する土地を管轄する運輸支局長（当該事案が二以上の運輸支局長の管轄区域にわたるときは、当該事案の主として関する土地を管轄する運輸支局長）を経由して提出することができる。

附　則　〔抄〕

（施行期日）

第一条　この省令は、都市の低炭素化の促進に関する法律の施行の日（平成二十四年十二月四日）から施行する。

附　則　〔略〕（平成二八・一一・三〇国土交通省令八〇）

附　則　〔略〕（令和二・一二・二三国土交通省令九八）

附　則　〔略〕（令和三・八・三一国土交通省令五三）

附　則　〔略〕（令和四・九・一六国土交通省令六八）

附　則　〔略〕（令和四・一一・七国土交通省令七九）

附　則　〔略〕（令和五・九・二二国土交通省令七三）

附　則　〔略〕（令和五・九・二五国土交通省令七五）

附　則　〔略〕（令和六・三・八国土交通省令一八）

附　則　〔抄〕（令和六・六・二八国土交通省令六八）

（施行期日）

第一条　この省令は、脱炭素社会の実現に資するための建築物のエネルギー消費性能の向上に関する法律等の一部を改正する法律（附則第五条第三項において「改正法」という。）の施行の日（令和七年四月一日）から施行する。〔以下略〕

（都市の低炭素化の促進に関する法律施行規則の一部改正に伴う経過措置）

第七条　この省令の施行の際現にある第九条及び第十条の規定による改正前の様式による用紙は、当分の間、これを取り繕って使用することができる。

別表第一（第十八条及び第十九条関係）

規定		事項	書類
法第二十四条	鉄道事業法第三条第一項の許可に係る部分	鉄道事業法第四条第一項各号に掲げる事項	鉄道事業法施行規則第二条第二項各号に掲げる書類及び図面
	鉄道事業法第七条第一項の認可に係る部分	鉄道事業法施行規則第七条第一項各号に掲げる事項	鉄道事業法施行規則第七条第二項に規定する書類及び図面
	鉄道事業法第七条第三項の届出に係る部分	鉄道事業法施行規則第八条第二項各号に掲げる事項	
	鉄道事業法第十六条第一項の認可に係る部分	鉄道事業法施行規則第三十二条第二項各号に掲げる事項	鉄道事業法施行規則第三十二条第三項に規定する書類
	鉄道事業法第十六条第三項の届出に係る部分	鉄道事業法施行規則第三十三条第一項各号に掲げる事項	

別表第二（第二十一条及び第二十二条関係）

規定		事項	書類
法第二十七条	軌道法第三条の特許に係る部分		軌道法施行規則（大正十二年内務鉄道省令）第一条第一項各号に掲げる書類及び図面並びに同条第二項に規定する事由書
	軌道法第十一条第一項（旅客運賃の設定に係るものに限る。）の認可に係る部分	軌道法施行規則第十九条第一項に規定する事項	軌道法施行規則第十九条第二項に規定する書類
	軌道法第十一条第一項（荷物運賃の設定に係るものに限る。）の認可に係る部分	軌道法施行規則第二十条第一項に規定する事項	軌道法施行規則第二十条第二項に規定する書類
	軌道法第十一条第一項（運輸に関する料金の設定に係るものに限る。）の認可に係る部分	軌道法施行規則第二十一条第一項に規定する事項	
	軌道法第十一条第二項の届出に係る部分	軌道法施行規則第二十一条第三項に規定する事項	

別表第三（第三十条及び第三十一条関係）

規定		事項	書類
法第三十条	道路運送法第四条第一項の許可に係る部分	道路運送法第五条第一項各号に掲げる事項	道路運送法施行規則第六条第一項各号に掲げる書類
	道路運送法第十五条第一項の認可に係る部分	道路運送法施行規則第十四条第一項各号に掲げる事項	道路運送法施行規則第十四条第二項に規定する書類
	道路運送法第十五条第三項の届出に係る部分	道路運送法施行規則第十五条第二項において準用する同令第十四条第一項各号に掲げる事項	道路運送法施行規則第十五条第二項において準用する同令第十四条第二項に規定する書類
	道路運送法第十五条第四項の届出に係る部分	道路運送法施行規則第十五条の二第二項において準用する同令	道路運送法施行規則第十五条の二第二項において準用する同令第十四条第二項に規定する書類

		第十四条第一項各号に掲げる事項	
	道路運送法第四十三条第一項の許可に係る部分	道路運送法第四十三条第二項各号に掲げる事項	道路運送法施行規則第二十八条各号に掲げる書類
	道路運送法第四十三条第五項において準用する同法第十五条第一項の認可に係る部分	道路運送法施行規則第二十七条第四項において準用する同令第十四条第一項第一号及び第三号に掲げる事項	道路運送法施行規則第二十七条第四項において準用する同令第十四条第二項に規定する書類
	道路運送法第四十三条第五項において準用する同法第十五条第三項の届出に係る部分	道路運送法施行規則第二十七条第四項において準用する同令第十四条第一項第一号及び第三号に掲げる事項	道路運送法施行規則第二十七条第四項において準用する同令第十四条第二項に規定する書類
	道路運送法第四十三条第五項において準用する同法第十五条第四項の届出に係る部分	道路運送法施行規則第二十七条第四項において準用する同令第十四条第一項第一号及び第三号に掲げる事項	道路運送法施行規則第二十七条第四項において準用する同令第十四条第二項に規定する書類

別表第四（第三十五条及び第三十六条関係）

規定		事項	書類
法第三十四条第一項	貨物利用運送事業法（平成元年法律第八十二号）第三条第一項の登録に係る部分	貨物利用運送事業法第四条第一項各号に掲げる事項	貨物利用運送事業法施行規則（平成二年運輸省令第二十号）第四条第二項各号に掲げる書類
	貨物利用運送事業法第七条第一項の変更登録に係る部分	貨物利用運送事業法施行規則第九条第一項各号に掲げる事項	貨物利用運送事業法施行規則第九条第二項に規定する書類
	貨物利用運送事業法第七条第三項の届出に係る部分	貨物利用運送事業法施行規則第十条第一項各号に掲げる事項	貨物利用運送事業法施行規則第十条第二項に規定する書類
法第三十四条第二項	貨物利用運送事業法第十一条の届出に係る部分	貨物利用運送事業法施行規則第十四条第二項各号に掲げる事項	貨物利用運送事業法施行規則第十四条第三項に規定する書類
法第三十五条第一項	貨物利用運送事業法第二十条の許可に係る部分	貨物利用運送事業法第二十一条第一項各号に掲げる事項	貨物利用運送事業法施行規則第十九条第一項各号に掲げる書類
	貨物利用運送事業法第二十五条第一項の認可に係る部分	貨物利用運送事業法施行規則第二十条第一項各号に掲げる事項	貨物利用運送事業法施行規則第二十条第二項に規定する書類
	貨物利用運送事業法第二十五条第三項の届出に係る部分	貨物利用運送事業法施行規則第二十一条第二項各号又は第二十二条第二項各号に掲げる事項	貨物利用運送事業法施行規則第二十一条第三項又は第二十二条第三項に規定する書類
	貨物利用運送事業法第四十五条第一項の許可に係る部分	貨物利用運送事業法施行規則第三十九条第一項各号に掲げる事項	貨物利用運送事業法施行規則第三十九条第二項各号に掲げる書類
	貨物利用運送事業法第四十六条第二項の認可に係る部分	貨物利用運送事業法施行規則第四十条第一項各号に掲げる事項	貨物利用運送事業法施行規則第四十条第二項に規定する書類
	貨物利用運送事業法第四十六条第四項の届出に係る部分	貨物利用運送事業法施行規則第四十一条第二項各号又は第四十二条第二項各号に掲げる事項	貨物利用運送事業法施行規則第四十一条第三項又は第四十二条第三項に規定する書類
法第三十五条第二項	貨物利用運送事業法第三十四条第一項において準用する同法第十一条の届出に係る部分	貨物利用運送事業法施行規則第十四条第二項各号に掲げる事項	貨物利用運送事業法施行規則第十四条第三項に規定する書類
法第三十六条	貨物自動車運送事業法（平成元年法律第八十三号）第三条の許可に係る部分	貨物自動車運送事業法第四条第一項各号及び第二項第二号に掲げる事項	貨物自動車運送事業法施行規則（平成二年運輸省令第二十一号）第三条各号（第四号を除く。）に掲げる書類
	貨物自動車運送事業法第九条第一項の認可に係る部分	貨物自動車運送事業法施行規則第五条第一項各号に掲げる事項	貨物自動車運送事業法施行規則第五条第二項に規定する書類
	貨物自動車運送事業法第九条第三項の届出に係る部分	貨物自動車運送事業法施行規則第六条第二項各号又は第七条第二項各号に掲げる事項	貨物自動車運送事業法施行規則第六条第三項又は第七条第三項に規定する書類

様式〔略〕

○高齢者、障害者等の移動等の円滑化の促進に関する法律

（平成一八・六・二一 法律九一）

改正 平成一八・六法九二、平成一九・三法一九、平成二三・五法三五、八法一〇五、平成二五・六法四四、平成二六・六法五四、法六九、平成二九・五法二六、平成三〇・五法三二、六法六七、令和二・五法二八、法三一、六法三六、法四二、令和四・六法六九、令和五・六法五八、令和六・六法五三

注1 ［　　］の部分は、令和五年五月一二日法律第二四号により改正され、公布の日から起算して二年を超えない範囲内において政令で定める日から施行

目次

第一章 総則（第一条―第二条）
第二章 基本方針等（第三条―第七条）
第三章 移動等円滑化のために施設設置管理者が講ずべき措置（第八条―第二十四条）
第三章の二 移動等円滑化促進地区における移動等円滑化の促進に関する措置（第二十四条の二―第二十四条の八）
第四章 重点整備地区における移動等円滑化に係る事業の重点的かつ一体的な実施（第二十五条―第四十条の二）
第五章 移動等円滑化経路協定（第四十一条―第五十一条）
第五章の二 移動等円滑化施設協定（第五十一条の二）
第六章 雑則（第五十二条―第五十八条）
第七章 罰則（第五十九条―第六十六条）
附則

第一章 総則

（目的）

第一条 この法律は、高齢者、障害者等の自立した日常生活及び社会生活を確保することの重要性に鑑み、公共交通機関の旅客施設及び車両等、道路、路外駐車場、公園施設並びに建築物の構造及び設備を改善するための措置、一定の地区における旅客施設、建築物等及びこれらの間の経路を構成する道路、駅前広場、通路その他の施設の一体的な整備を推進するための措置、移動等円滑化に関する国民の理解の増進及び協力の確保を図るための措置その他の措置を講ずることにより、高齢者、障害者等の移動上及び施設の利用上の利便性及び安全性の向上の促進を図り、もって公共の福祉の増進に資することを目的とする。

（基本理念）

第一条の二 この法律に基づく措置は、高齢者、障害者等にとって日常生活又は社会生活を営む上で障壁となるような社会における事物、制度、慣行、観念その他一切のものの除去に資すること及び全ての国民が年齢、障害の有無その他の事情によって分け隔てられることなく共生する社会の実現に資することを旨として、行われなければならない。

（定義）

第二条 この法律において次の各号に掲げる用語の意義は、それぞれ当該各号に定めるところによる。

第二条 この法律において次の各号に掲げる用語の意義は、当該各号に定めるところによる。

一 高齢者、障害者等 高齢者又は障害者で日常生活又は社会生活に身体の機能上の制限を受けるものその他日常生活又は社会生活に身体の機能上の制限を受ける者をいう。

二 移動等円滑化 高齢者、障害者等の移動又は施設の利用に係る身体の負担を軽減することにより、その移動上又は施設の利用上の利便性及び安全性を向上することをいう。

三 施設設置管理者 公共交通事業者等、道路管理者、路外駐車場管理者等、公園管理者等及び建築主等をいう。

四 高齢者障害者等用施設等 高齢者、障害者等が円滑に利用することができる施設又は設備であって、主としてこれらの者の利用のために設けられたものであることその他の理由により、これらの者の円滑な利用が確保されるために適正な配慮が必要となるものとして主務省令で定めるものをいう。

五 公共交通事業者等 次に掲げる者をいう。

イ 鉄道事業法（昭和六十一年法律第九十二号）による鉄道事業者（旅客の運送を行うもの及び旅客の運送を行う鉄道事業者に鉄道施設を譲渡し、又は使用させるものに限る。）

ロ 軌道法（大正十年法律第七十六号）による軌道経営者（旅客の運送を行うものに限る。第二十六号ハにおいて同じ。）

ハ 道路運送法（昭和二十六年法律第百八十三号）による一般乗合旅客自動車運送事業者（路線を定めて定期に運行する自動車により乗合旅客の運送を行うものに限る。以下この条において同じ。）、一般貸切旅客自動車運送事業者及び一般乗用旅客自動車運送事業者

ニ 自動車ターミナル法（昭和三十四年法律第百三十六号）によるバスターミナル事業を営む者

ホ 海上運送法（昭和二十四年法律第百八十七号）による一般旅客定期航路事業（日本の国籍を有する者及び日本の法令により設立された法人その他の団体以外の者が営む同法による対外旅客定期航路事業を除く。次号ニにおいて同じ。）を営む者及び旅客不定期航路事業者

ホ 海上運送法（昭和二十四年法律第百八十七号）による一般旅客定期航路事業、対外旅客定期航路事業（特定の者の需要に応じ、特定の範囲の人の運送をするもの並びに日本の国籍を有する者及び日本の法令により設立された法人その他の団体以外の者が営むものを除く。次号ニにおいて同じ。）及び旅客不定期航路事業を営む者

ヘ 航空法（昭和二十七年法律第二百三十一号）による本邦航空運送事業者（旅客の運送を行うものに限る。）

ト イからヘまでに掲げる者以外の者で次号イ、ニ又はホに掲げる旅客施設を設置し、又は管理するもの

六 旅客施設 次に掲げる施設であって、公共交通機関を利用する旅客の乗降、待合いその他の用に供するものをいう。

イ 鉄道事業法による鉄道施設

ロ 軌道法による軌道施設

ハ 自動車ターミナル法によるバスターミナル

ニ 海上運送法による輸送施設（船舶を除き、同法による一般旅客定期航路事業又は旅客不定期航路事業の用に供するものに限る。）

ニ 海上運送法による輸送施設（船舶を除き、同法による一般旅客定期航路事業、対外旅客定期航路事業又は旅客不定期航路事業の用に供するものに限る。）

ホ 航空旅客ターミナル施設

七 特定旅客施設 旅客施設のうち、利用者が相当数であること又は相当数であると見込まれることその他の政令で定める要件に該当するものをいう。

八 車両等 公共交通事業者等が旅客の運送を行うためその事業の用に供する車両、自動車（一般乗合旅客自動車運送事業者が旅客の運送を行うためその事業の用に供する自動車にあっては道路運送法第五条第一項第三号に規定する路線定期運行の用に供するもの、一般貸切旅客自動車運送事業者又は一般乗用旅客自動車運送事業者が旅客の運送を行うためこれらの事業の用に供する自動車にあっては高齢者、障害者等が移動のための車椅子その他の用具を使用したまま車内に乗り込むことが可能なものその他主務省令で定めるものに限る。）、船舶及び航空機をいう。

九 道路管理者 道路法（昭和二十七年法律第百八十号）第十八条第一項に規定する道路管理者をいう。

十 特定道路 移動等円滑化が特に必要なものとして政令で定める道路法による道路をいう。

十一 路外駐車場管理者等 駐車場法（昭和三十二年法律第百六号）第十二条に規定する路外駐車場管理者又は都市計画法（昭和四十三年法律第百号）第四条第二項の都市計画区域外において特定路外駐車場を設置する者をいう。

十二 旅客特定車両停留施設 道路法第二条第二項第八号に規定する特定

車両停留施設であって、公共交通機関を利用する旅客の乗降、待合いその他の用に供するものをいう。
十三　特定路外駐車場　駐車場法第二条第二号に規定する路外駐車場（道路法第二条第二項第七号に規定する自動車駐車場、都市公園法（昭和三十一年法律第七十九号）第二条第二項に規定する公園施設（以下「公園施設」という。）、建築物又は建築物特定施設であるものを除く。）であって、自動車の駐車の用に供する部分の面積が五百平方メートル以上であるものであり、かつ、その利用について駐車料金を徴収するものをいう。
十四　公園管理者等　都市公園法第五条第一項に規定する公園管理者（以下「公園管理者」という。）又は同項の規定による許可を受けて公園施設（特定公園施設に限る。）を設け若しくは管理し、若しくは設け若しくは管理しようとする者をいう。
十五　特定公園施設　移動等円滑化が特に必要なものとして政令で定める公園施設をいう。
十六　建築主等　建築物の建築をしようとする者又は建築物の所有者、管理者若しくは占有者をいう。
十七　建築物　建築基準法（昭和二十五年法律第二百一号）第二条第一号に規定する建築物をいう。
十八　特定建築物　学校、病院、劇場、観覧場、集会場、展示場、百貨店、ホテル、事務所、共同住宅、老人ホームその他の多数の者が利用する政令で定める建築物又はその部分をいい、これらに附属する建築物特定施設を含むものとする。
十九　特別特定建築物　不特定かつ多数の者が利用し、又は主として高齢者、障害者等が利用する特定建築物その他の特定建築物であって、移動等円滑化が特に必要なものとして政令で定めるものをいう。
二十　建築物特定施設　出入口、廊下、階段、エレベーター、便所、敷地内の通路、駐車場その他の建築物又はその敷地に設けられる施設で政令で定めるものをいう。
二十一　建築　建築物を新築し、増築し、又は改築することをいう。
二十二　所管行政庁　建築主事又は建築副主事を置く市町村又は特別区の区域については当該市町村又は特別区の長をいい、その他の市町村又は特別区の区域については都道府県知事をいう。ただし、同法第九十七条の二第一項若しくは第二項又は第九十七条の三第一項若しくは第二項の規定により建築主事又は建築副主事を置く市町村又は特別区の区域内の政令で定める建築物については、都道府県知事とする。
二十三　移動等円滑化促進地区　次に掲げる要件に該当する地区をいう。
イ　生活関連施設（高齢者、障害者等が日常生活又は社会生活において利用する旅客施設、官公庁施設、福祉施設その他の施設をいう。以下同じ。）の所在地を含み、かつ、生活関連施設相互間の移動が通常徒歩で行われる地区であること。
ロ　生活関連施設及び生活関連経路（生活関連施設相互間の経路をいう。以下同じ。）を構成する一般交通用施設（道路、駅前広場、通路その他の一般交通の用に供する施設をいう。以下同じ。）について移動等円滑化を促進することが特に必要であると認められる地区であること。
ハ　当該地区において移動等円滑化を促進することが、総合的な都市機能の増進を図る上で有効かつ適切であると認められる地区であること。
二十四　重点整備地区　次に掲げる要件に該当する地区をいう。
イ　前号イに掲げる要件
ロ　生活関連施設及び生活関連経路を構成する一般交通用施設について移動等円滑化のための事業が実施されることが特に必要であると認められる地区であること。
ハ　当該地区において移動等円滑化のための事業を重点的かつ一体的に実施することが、総合的な都市機能の増進を図る上で有効かつ適切であると認められる地区であること。
二十五　特定事業　公共交通特定事業、道路特定事業、路外駐車場特定事業、都市公園特定事業、建築物特定事業、交通安全特定事業及び教育啓発特定事業をいう。
二十六　公共交通特定事業　次に掲げる事業をいう。
イ　特定旅客施設内において実施するエレベーター、エスカレーターその他の移動等円滑化のために必要な設備の整備に関する事業
ロ　イに掲げる事業に伴う特定旅客施設の構造の変更に関する事業
ハ　特定車両（軌道経営者、一般乗合旅客自動車運送事業者、一般貸切旅客自動車運送事業者又は一般乗用旅客自動車運送事業者が旅客の運送を行うために使用する車両等をいう。以下同じ。）を床面の低いものとすることその他の特定車両に関する移動等円滑化のために必要な事業
二十七　道路特定事業　次に掲げる道路法による道路の新設又は改築に関する事業（これと併せて実施する必要がある移動等円滑化のための施設又は設備の整備に関する事業を含む。）をいう。
イ　歩道、道路用エレベーター、通行経路の案内標識その他の移動等円滑化のために必要な施設又は工作物の設置に関する事業
ロ　歩道の拡幅又は路面の構造の改善その他の移動等円滑化のために必要な道路の構造の改良に関する事業
二十八　路外駐車場特定事業　特定路外駐車場において実施する車椅子を使用している者が円滑に利用することができる駐車施設その他の移動等円滑化のために必要な施設の整備に関する事業をいう。
二十九　都市公園特定事業　都市公園の移動等円滑化のために必要な特定公園施設の整備に関する事業をいう。
三十　建築物特定事業　次に掲げる事業をいう。
イ　特別特定建築物（第十四条第三項の条例で定める特定建築物を含む。ロにおいて同じ。）の移動等円滑化のために必要な建築物特定施設の整備に関する事業
ロ　特定建築物（特別特定建築物を除き、その全部又は一部が生活関連経路であるものに限る。）における生活関連経路の移動等円滑化のために必要な建築物特定施設の整備に関する事業
三十一　交通安全特定事業　次に掲げる事業をいう。
イ　高齢者、障害者等による道路の横断の安全を確保するための機能を付加した信号機、道路交通法（昭和三十五年法律第百五号）第九条の歩行者用道路であることを表示する道路標識、横断歩道であることを表示する道路標示その他の移動等円滑化のために必要な信号機、道路標識又は道路標示（第三十六条第二項において「信号機等」という。）の同法第四条第一項の規定による設置に関する事業
ロ　違法駐車行為（道路交通法第五十一条の四第一項の違法駐車行為をいう。以下この号において同じ。）に係る車両の取締りの強化、違法駐車行為の防止についての広報活動及び啓発活動その他の移動等円滑化のために必要な生活関連経路を構成する道路における違法駐車行為の防止のための事業
三十二　教育啓発特定事業　市町村又は施設設置管理者（第三十六条の二において「市町村等」という。）が実施する次に掲げる事業をいう。
イ　移動等円滑化の促進に関する児童、生徒又は学生の理解を深めるために学校と連携して行う教育活動の実施に関する事業
ロ　移動等円滑化の促進に関する住民その他の関係者の理解の増進又は移動等円滑化の実施に関するこれらの者の協力の確保のために必要な啓発活動の実施に関する事業（イに掲げる事業を除く。）

第二章　基本方針等

（基本方針）

第三条　主務大臣は、移動等円滑化を総合的かつ計画的に推進するため、移動等円滑化の促進に関する基本方針（以下「基本方針」という。）を定めるものとする。
2　基本方針には、次に掲げる事項について定めるものとする。
一　移動等円滑化の意義及び目標に関する事項
二　移動等円滑化のために施設設置管理者が講ずべき措置に関する基本的な事項
三　第二十四条の二第一項の移動等円滑化促進方針の指針となるべき次に掲げる事項
イ　移動等円滑化促進地区における移動等円滑化の促進の意義に関する事項
ロ　移動等円滑化促進地区の位置及び区域に関する基本的な事項
ハ　生活関連施設及び生活関連経路並びにこれらにおける移動等円滑化の促進に関する基本的な事項
ニ　移動等円滑化の促進に関する住民その他の関係者の理解の増進及び

移動等円滑化の実施に関するこれらの者の協力の確保に関する基本的な事項

ホ　イから二までに掲げるもののほか、移動等円滑化促進地区における移動等円滑化の促進のために必要な事項

四　第二十五条第一項の基本構想の指針となるべき次に掲げる事項

イ　重点整備地区における移動等円滑化の意義に関する事項

ロ　重点整備地区の位置及び区域に関する基本的な事項

ハ　生活関連施設及び生活関連経路並びにこれらにおける移動等円滑化に関する基本的な事項

ニ　生活関連施設、特定車両及び生活関連経路を構成する一般交通用施設について移動等円滑化のために実施すべき特定事業その他の事業に関する基本的な事項

ホ　ニに規定する事業と併せて実施する土地区画整理事業（土地区画整理法（昭和二十九年法律第百十九号）による土地区画整理事業をいう。以下同じ。）、市街地再開発事業（都市再開発法（昭和四十四年法律第三十八号）による市街地再開発事業をいう。以下同じ。）その他の市街地開発事業（都市計画法第四条第七項に規定する市街地開発事業をいう。以下同じ。）に関し移動等円滑化のために考慮すべき基本的な事項、自転車その他の車両の駐車のための施設の整備に関する事項その他の重点整備地区における移動等円滑化に資する市街地の整備改善に関する基本的な事項その他重点整備地区における移動等円滑化のために必要な事項

五　移動等円滑化の促進に関する国民の理解の増進及び移動等円滑化の実施に関する国民の協力の確保に関する基本的な事項

六　移動等円滑化に関する情報提供に関する基本的な事項

七　移動等円滑化の促進のための施策に関する基本的な事項その他移動等円滑化の促進に関する事項

3　主務大臣は、情勢の推移により必要が生じたときは、基本方針を変更するものとする。

4　主務大臣は、基本方針を定め、又はこれを変更したときは、遅滞なく、これを公表しなければならない。

（国の責務）

第四条　国は、高齢者、障害者等、地方公共団体、施設設置管理者その他の関係者と協力して、基本方針及びこれに基づく施設設置管理者の講ずべき措置の内容その他の移動等円滑化の促進のための施策の内容について、移動等円滑化の進展の状況等を勘案しつつ、関係行政機関及びこれらの者で構成する会議における定期的な評価その他これらの者の意見を反映させるために必要な措置を講じた上で、適時に、かつ、適切な方法により検討を加え、その結果に基づいて必要な措置を講ずるよう努めなければならない。

2　国は、教育活動、広報活動等を通じて、移動等円滑化の促進に関する国民の理解を深めるとともに、高齢者、障害者等が公共交通機関を利用して移動するために必要となる支援、これらの者の高齢者障害者等用施設等の円滑な利用を確保する上で必要となる適正な配慮その他の移動等円滑化の実施に関する国民の協力を求めるよう努めなければならない。

（地方公共団体の責務）

第五条　地方公共団体は、国の施策に準じて、移動等円滑化を促進するために必要な措置を講ずるよう努めなければならない。

（施設設置管理者等の責務）

第六条　施設設置管理者その他の高齢者、障害者等が日常生活又は社会生活において利用する施設を設置し、又は管理する者は、移動等円滑化のために必要な措置を講ずるよう努めなければならない。

（国民の責務）

第七条　国民は、高齢者、障害者等の自立した日常生活及び社会生活を確保することの重要性について理解を深めるとともに、これらの者が公共交通機関を利用して移動するために必要となる支援、これらの者の高齢者障害者等用施設等の円滑な利用を確保する上で必要となる適正な配慮その他のこれらの者の円滑な移動及び施設の利用を確保するために必要な協力をするよう努めなければならない。

第三章　移動等円滑化のために施設設置管理者が講ずべき措置

（公共交通事業者等の基準適合義務等）

第八条　公共交通事業者等は、旅客施設を新たに建設し、若しくは旅客施設について主務省令で定める大規模な改良を行うとき又は車両等を新たにその事業の用に供するときは、当該旅客施設又は車両等（以下「新設旅客施設等」という。）を、移動等円滑化のために必要な旅客施設又は車両等の構造及び設備に関する主務省令で定める基準（以下「公共交通移動等円滑化基準」という。）に適合させなければならない。

2　公共交通事業者等は、その事業の用に供する新設旅客施設等を公共交通移動等円滑化基準に適合するように維持するとともに、当該新設旅客施設等を使用した役務の提供の方法に関し移動等円滑化のために必要なものとして主務省令で定める基準を遵守しなければならない。

3　公共交通事業者等は、その事業の用に供する旅客施設及び車両等（新設旅客施設等を除く。）について、公共交通移動等円滑化基準に適合させるために必要な措置を講ずるよう努めるとともに、当該旅客施設及び車両等を使用した役務の提供の方法に関し移動等円滑化のために必要なものとして主務省令で定める基準を遵守するよう努めなければならない。

4　公共交通事業者等は、高齢者、障害者等に対し、これらの者が公共交通機関を利用して移動するために必要となる乗降についての介助、旅客施設における誘導その他の支援を適切に行うよう努めなければならない。

5　公共交通事業者等は、高齢者、障害者等に対し、これらの者が公共交通機関を利用して移動するために必要となる情報を適切に提供するよう努めなければならない。

6　公共交通事業者等は、その職員に対し、移動等円滑化を図るために必要な教育訓練を行うよう努めなければならない。

7　公共交通事業者等は、その事業の用に供する新設旅客施設等の利用者に対し、高齢者、障害者等が当該新設旅客施設等における高齢者障害者等用施設等を円滑に利用するために必要となる適正な配慮についての広報活動及び啓発活動を行うよう努めなければならない。

8　公共交通事業者等は、高齢者、障害者等である旅客の乗継ぎを円滑に行うため、他の公共交通事業者等その他の関係者と相互に協力して、前各項の措置を講ずるよう努めなければならない。

9　公共交通事業者等又は道路管理者（旅客特定車両停留施設を管理する道路管理者に限る。第十条第十項において同じ。）が他の公共交通事業者等に対し前項又は同条第九項の措置に関する協議を求めたときは、当該他の公共交通事業者等は、当該措置により旅客施設の有する機能に著しい支障を及ぼすおそれがあるときその他の正当な理由がある場合を除き、これに応じなければならない。

（旅客施設及び車両等に係る基準適合性審査等）

第九条　主務大臣は、新設旅客施設等について鉄道事業法その他の法令の規定で政令で定めるものによる許可、認可その他の処分の申請があった場合には、当該処分に係る法令に定める基準のほか、公共交通移動等円滑化基準に適合するかどうかを審査しなければならない。この場合において、主務大臣は、当該新設旅客施設等が公共交通移動等円滑化基準に適合しないと認めるときは、これらの規定による許可、認可その他の処分をしてはならない。

2　公共交通事業者等は、前項の申請又は鉄道事業法その他の法令の規定で政令で定めるものによる届出をしなければならない場合を除くほか、旅客施設の建設又は前条第一項の主務省令で定める大規模な改良を行おうとするときは、あらかじめ、主務省令で定めるところにより、その旨を主務大臣に届け出なければならない。その届け出た事項を変更しようとするときも、同様とする。

3　主務大臣は、新設旅客施設等のうち車両等（第一項の規定により審査を行うものを除く。）若しくは前項の政令で定める法令の規定若しくは同項の規定による届出に係る旅客施設について前条第一項の規定に違反している事実があり、又は新設旅客施設等若しくは当該新設旅客施設等を使用した役務の提供の方法について同条第二項の規定に違反している事実があると認めるときは、公共交通事業者等に対し、当該違反を是正するために必要な措置をとるべきことを命ずることができる。

（公共交通事業者等の判断の基準となるべき事項）

第九条の二　主務大臣は、旅客施設及び車両等の移動等円滑化を促進するため、次に掲げる事項並びに移動等円滑化のために公共交通事業者等が講ずる措置によって達成すべき目標及び当該目標を達成するために当該事項と併せて講ずべき措置に関し、公共交通事業者等の判断の基準となるべき事項を定め、これを公表するものとする。

一　旅客施設及び車両等を公共交通移動等円滑化基準に適合させるために必要な措置

二　旅客施設及び車両等を使用した役務の提供の方法に関し第八条第二項及び第三項の主務省令で定める基準を遵守するために必要な措置

三　高齢者、障害者等が公共交通機関を利用して移動するために必要となる乗降についての介助、旅客施設における誘導その他の支援

四　高齢者、障害者等が公共交通機関を利用して移動するために必要となる情報の提供

五　移動等円滑化を図るために必要な教育訓練

六　高齢者、障害者等が高齢者障害者等用施設等を円滑に利用するために必要となる適正な配慮についての旅客施設及び車両等の利用者に対する広報活動及び啓発活動

2　前項に規定する判断の基準となるべき事項は、移動等円滑化の進展の状況、旅客施設及び車両等の移動等円滑化に関する技術水準その他の事情を勘案して定めるものとし、これらの事情の変動に応じて必要な改定をするものとする。

（指導及び助言）

第九条の三　主務大臣は、旅客施設及び車両等の移動等円滑化を促進するため必要があると認めるときは、公共交通事業者等に対し、前条第一項に規定する判断の基準となるべき事項を勘案して、同項各号に掲げる事項の実施について必要な指導及び助言をすることができる。

（計画の作成）

第九条の四　公共交通事業者等（旅客が相当数であることその他の主務省令で定める要件に該当する者に限る。次条から第九条の七までにおいて同じ。）は、毎年度、主務省令で定めるところにより、第九条の二第一項に規定する判断の基準となるべき事項において定められた同項の目標に関し、その達成のための計画を作成し、主務大臣に提出しなければならない。

（定期の報告）

第九条の五　公共交通事業者等は、毎年度、主務省令で定めるところにより、前条の計画に基づく措置の実施の状況その他主務省令で定める事項を主務大臣に報告しなければならない。

（公表）

第九条の六　公共交通事業者等は、毎年度、主務省令で定めるところにより、第九条の四の計画の内容、当該計画に基づく措置の実施の状況その他主務省令で定める移動等円滑化に関する情報を公表しなければならない。

（勧告等）

第九条の七　主務大臣は、公共交通事業者等の事業の用に供する旅客施設及び車両等の移動等円滑化の状況が第九条の二第一項に規定する判断の基準となるべき事項に照らして著しく不十分であると認めるときは、当該公共交通事業者等に対し、当該旅客施設及び車両等の移動等円滑化に関する技術水準その他の事情を勘案し、その判断の根拠を示して、当該旅客施設及び車両等に係る移動等円滑化に関し必要な措置をとるべき旨の勧告をすることができる。

2　主務大臣は、前項に規定する勧告を受けた公共交通事業者等がその勧告に従わなかったときは、その旨を公表することができる。

（道路管理者の基準適合義務等）

第一〇条　道路管理者は、特定道路又は旅客特定車両停留施設の新設又は改築を行うときは、当該特定道路（以下この条において「新設特定道路」という。）又は当該旅客特定車両停留施設（第三項において「新設旅客特定車両停留施設」という。）を、移動等円滑化のために必要な道路の構造に関する条例（国道（道路法第三条第二号の一般国道をいう。以下同じ。）にあっては、主務省令）で定める基準（以下この条において「道路移動等円滑化基準」という。）に適合させなければならない。

2　前項の規定に基づく条例は、主務省令で定める基準を参酌して定めるものとする。

3　道路管理者は、その管理する新設特定道路及び新設旅客特定車両停留施設（以下この条において「新設特定道路等」という。）を道路移動等円滑化基準に適合するように維持するとともに、当該新設旅客特定車両停留施設を使用した役務の提供の方法に関し移動等円滑化のために必要なものとして主務省令で定める基準を遵守しなければならない。

4　道路管理者は、その管理する道路（新設特定道路等を除く。）について、道路移動等円滑化基準に適合させるために必要な措置を講ずるよう努めるとともに、当該道路のうち旅客特定車両停留施設を使用した役務の提供の方法に関し移動等円滑化のために必要なものとして主務省令で定める基準を遵守するよう努めなければならない。

5　道路管理者は、高齢者、障害者等に対し、その管理する旅客特定車両停留施設における誘導その他の支援を適切に行うよう努めなければならない。

6　道路管理者は、高齢者、障害者等に対し、その管理する新設特定道路についてこれらの者が当該新設特定道路を円滑に利用するために必要となる情報を、その管理する旅客特定車両停留施設についてこれらの者が公共交通機関を利用して移動するために必要となる情報を、それぞれ適切に提供するよう努めなければならない。

7　道路管理者は、その職員に対し、その管理する旅客特定車両停留施設における移動等円滑化を図るために必要な教育訓練を行うよう努めなければならない。

8　道路管理者は、その管理する新設特定道路等の利用者に対し、高齢者、障害者等が当該新設特定道路等における高齢者障害者等用施設等を円滑に利用するために必要となる適正な配慮についての広報活動及び啓発活動を行うよう努めなければならない。

9　道路管理者は、その管理する旅客特定車両停留施設に係る高齢者、障害者等である旅客の乗継ぎを円滑に行うため、公共交通事業者等その他の関係者と相互に協力して、前各項（第二項を除く。）の措置を講ずるよう努めなければならない。

10　公共交通事業者等又は道路管理者が他の道路管理者に対し第八条第八項又は前項の措置に関する協議を求めたときは、当該他の道路管理者は、当該措置により旅客特定車両停留施設の有する機能に著しい支障を及ぼすおそれがあるときその他の正当な理由がある場合を除き、これに応じなければならない。

11　新設特定道路等についての道路法第三十三条第一項及び第三十六条第二項の規定の適用については、これらの規定中「政令で定める基準」とあるのは「政令で定める基準及び高齢者、障害者等の移動等の円滑化の促進に関する法律（平成十八年法律第九十一号）第二条第二号に規定する移動等円滑化のために必要なものとして国土交通省令で定める基準」と、同法第三十三条第一項中「同条第一項」とあるのは「前条第一項」とする。

（路外駐車場管理者等の基準適合義務等）

第一一条　路外駐車場管理者等は、特定路外駐車場を設置するときは、当該特定路外駐車場（以下この条において「新設特定路外駐車場」という。）を、移動等円滑化のために必要な特定路外駐車場の構造及び設備に関する主務省令で定める基準（以下「路外駐車場移動等円滑化基準」という。）に適合させなければならない。

2　路外駐車場管理者等は、その管理する新設特定路外駐車場を路外駐車場移動等円滑化基準に適合するように維持しなければならない。

3　地方公共団体は、その地方の自然的社会的条件の特殊性により、前二項の規定のみによっては、高齢者、障害者等が特定路外駐車場を円滑に利用できるようにする目的を十分に達成することができないと認める場合においては、路外駐車場移動等円滑化基準に条例で必要な事項を付加することができる。

4　路外駐車場管理者等は、その管理する特定路外駐車場（新設特定路外駐車場を除く。）を路外駐車場移動等円滑化基準（前項の条例で付加した事項を含む。第五十三条第二項において同じ。）に適合させるために必要な措置を講ずるよう努めなければならない。

5　路外駐車場管理者等は、その管理する新設特定路外駐車場について、高齢者、障害者等に対し、これらの者が当該新設特定路外駐車場を円滑に利用するために必要となる情報を適切に提供するよう努めなければならない。

6　路外駐車場管理者等は、その管理する新設特定路外駐車場の利用者に対し、高齢者、障害者等が当該新設特定路外駐車場における高齢者障害者等用施設等を円滑に利用するために必要となる適正な配慮についての広報活動及び啓発活動を行うよう努めなければならない。

（特定路外駐車場に係る基準適合命令等）

第一二条　路外駐車場管理者等は、特定路外駐車場を設置するときは、あらかじめ、主務省令で定めるところにより、その旨を都道府県知事（市の区域内にあっては、当該市の長。以下「知事等」という。）に届け出なければならない。ただし、駐車場法第十二条の規定による届出をしなければならない場合にあっては、同条の規定により知事等に提出すべき届出書に主

務省令で定める書面を添付して届け出たときは、この限りでない。

2　前項本文の規定により届け出た事項を変更しようとするときも、同項と同様とする。

3　知事等は、前条第一項から第三項までの規定に違反している事実があると認めるときは、路外駐車場管理者等に対し、当該違反を是正するために必要な措置をとるべきことを命ずることができる。

（公園管理者等の基準適合義務等）

第一三条　公園管理者等は、特定公園施設の新設、増設又は改築を行うときは、当該特定公園施設（以下この条において「新設特定公園施設」という。）を、移動等円滑化のために必要な特定公園施設の設置に関する条例（国の設置に係る都市公園にあっては、主務省令）で定める基準（以下この条において「都市公園移動等円滑化基準」という。）に適合させなければならない。

2　前項の規定に基づく条例は、主務省令で定める基準を参酌して定めるものとする。

3　公園管理者は、新設特定公園施設について都市公園法第五条第一項の規定による許可の申請があった場合には、同法第四条に定める基準のほか、都市公園移動等円滑化基準に適合するかどうかを審査しなければならない。この場合において、公園管理者は、当該新設特定公園施設が都市公園移動等円滑化基準に適合しないと認めるときは、同項の規定による許可をしてはならない。

4　公園管理者等は、その管理する新設特定公園施設を都市公園移動等円滑化基準に適合するように維持しなければならない。

5　公園管理者等は、その管理する特定公園施設（新設特定公園施設を除く。）を都市公園移動等円滑化基準に適合させるために必要な措置を講ずるよう努めなければならない。

6　公園管理者等は、その管理する新設特定公園施設について、高齢者、障害者等に対し、これらの者が当該新設特定公園施設を円滑に利用するために必要となる情報を適切に提供するよう努めなければならない。

7　公園管理者等は、その管理する新設特定公園施設の利用者に対し、高齢者、障害者等が当該新設特定公園施設における高齢者障害者等用施設等を円滑に利用するために必要となる適正な配慮についての広報活動及び啓発活動を行うよう努めなければならない。

（特別特定建築物の建築主等の基準適合義務等）

第一四条　建築主等は、特別特定建築物の政令で定める規模以上の建築（用途の変更をして特別特定建築物にすることを含む。以下この条において同じ。）をしようとするときは、当該特別特定建築物（以下この条において「新築特別特定建築物」という。）を、移動等円滑化のために必要な建築物特定施設の構造及び配置に関する政令で定める基準（以下「建築物移動等円滑化基準」という。）に適合させなければならない。

2　建築主等は、その所有し、管理し、又は占有する新築特別特定建築物を建築物移動等円滑化基準に適合するように維持しなければならない。

3　地方公共団体は、その地方の自然的社会的条件の特殊性により、前二項の規定のみによっては、高齢者、障害者等が特定建築物を円滑に利用できるようにする目的を十分に達成することができないと認める場合においては、特別特定建築物に条例で定める特定建築物を追加し、第一項の建築の規模を条例で同項の政令で定める規模未満で別に定め、又は建築物移動等円滑化基準に条例で必要な事項を付加することができる。

4　前三項の規定は、建築基準法第六条第一項に規定する建築基準関係規定とみなす。

5　建築主等（第一項から第三項までの規定が適用される者を除く。）は、その建築をしようとし、又は所有し、管理し、若しくは占有する特別特定建築物（同項の条例で定める特定建築物を含む。以下同じ。）を建築物移動等円滑化基準（同項の条例で付加した事項を含む。第十七条第三項第一号を除き、以下同じ。）に適合させるために必要な措置を講ずるよう努めなければならない。

6　建築主等は、その所有し、管理し、又は占有する新築特別特定建築物について、高齢者、障害者等に対し、これらの者が当該新築特別特定建築物を円滑に利用するために必要となる情報を適切に提供するよう努めなければならない。

7　建築主等は、その所有し、管理し、又は占有する新築特別特定建築物の利用者に対し、高齢者、障害者等が当該新築特別特定建築物における高齢者障害者等用施設等を円滑に利用するために必要となる適正な配慮についての広報活動及び啓発活動を行うよう努めなければならない。

（特別特定建築物に係る基準適合命令等）

第一五条　所管行政庁は、前条第一項から第三項までの規定に違反している事実があると認めるときは、建築主等に対し、当該違反を是正するために必要な措置をとるべきことを命ずることができる。

2　国、都道府県又は建築主事若しくは建築副主事を置く市町村の特別特定建築物については、前項の規定は、適用しない。この場合において、所管行政庁は、国、都道府県又は建築主事若しくは建築副主事を置く市町村の特別特定建築物が前条第一項から第三項までの規定に違反している事実があると認めるときは、直ちに、その旨を当該特別特定建築物を管理する機関の長に通知し、前項に規定する措置をとるべきことを要請しなければならない。

3　所管行政庁は、前条第五項に規定する措置の適確な実施を確保するため必要があると認めるときは、建築主等に対し、建築物移動等円滑化基準を勘案して、特別特定建築物の設計及び施工に係る事項その他の移動等円滑化に係る事項について必要な指導及び助言をすることができる。

（特定建築物の建築主等の努力義務等）

第一六条　建築主等は、特定建築物（特別特定建築物を除く。以下この条において同じ。）の建築（用途の変更をして特定建築物にすることを含む。次条第一項において同じ。）をしようとするときは、当該特定建築物を建築物移動等円滑化基準に適合させるために必要な措置を講ずるよう努めなければならない。

2　建築主等は、当該建築物特定施設の修繕又は模様替をしようとするときは、当該建築物特定施設を建築物移動等円滑化基準に適合させるために必要な措置を講ずるよう努めなければならない。

3　所管行政庁は、特定建築物について前二項に規定する措置の適確な実施を確保するため必要があると認めるときは、建築主等に対し、建築物移動等円滑化基準を勘案して、特定建築物又はその建築物特定施設の設計及び施工に係る事項について必要な指導及び助言をすることができる。

（特定建築物の建築等及び維持保全の計画の認定）

第一七条　建築主等は、特定建築物の建築、修繕又は模様替（修繕又は模様替にあっては、建築物特定施設に係るものに限る。以下「建築等」という。）をしようとするときは、主務省令で定めるところにより、特定建築物の建築等及び維持保全の計画を作成し、所管行政庁の認定を申請することができる。

2　前項の計画には、次に掲げる事項を記載しなければならない。

一　特定建築物の位置

二　特定建築物の延べ面積、構造方法及び用途並びに敷地面積

三　計画に係る建築物特定施設の構造及び配置並びに維持保全に関する事項

四　特定建築物の建築等の事業に関する資金計画

五　その他主務省令で定める事項

3　所管行政庁は、第一項の申請があった場合において、当該申請に係る特定建築物の建築等及び維持保全の計画が次に掲げる基準に適合すると認めるときは、認定をすることができる。

一　前項第三号に掲げる事項が、建築物移動等円滑化基準を超え、かつ、高齢者、障害者等が円滑に利用できるようにするために誘導すべき主務省令で定める建築物特定施設の構造及び配置に関する基準に適合すること。

二　前項第四号に掲げる資金計画が、特定建築物の建築等の事業を確実に遂行するため適切なものであること。

4　前項の認定の申請をする者は、所管行政庁に対し、当該申請に併せて、建築基準法第六条第一項（同法第八十七条第一項において準用する場合を含む。第七項において同じ。）の規定による確認の申請書を提出して、当該申請に係る特定建築物の建築等の計画が同法第六条第一項の建築基準関係規定に適合する旨の建築主事又は建築副主事の通知（以下この条において「適合通知」という。）を受けるよう申し出ることができる。

5　前項の申出を受けた所管行政庁は、速やかに当該申出に係る特定建築物の建築等の計画を建築主事又は建築副主事に通知しなければならない。

6　建築基準法第十八条第三項及び第十五項の規定は、建築主事又は建築副主事が前項の通知を受けた場合について準用する。この場合においては、建築主事又は建築副主事は、申請に係る特定建築物の建築等の計画が第十四条第一項の規定に適合するかどうかを審査することを要しないものとす

る。

7　所管行政庁が、適合通知を受けて第三項の認定をしたときは、当該認定に係る特定建築物の建築等の計画は、建築基準法第六条第一項の規定による確認済証の交付があつたものとみなす。

8　建築基準法第十二条第八項、第九十三条及び第九十三条の二の規定は、建築主事又は建築副主事が適合通知をする場合について準用する。

（特定建築物の建築等及び維持保全の計画の変更）

第一八条　前条第三項の認定を受けた者（以下「認定建築主等」という。）は、当該認定を受けた計画の変更（主務省令で定める軽微な変更を除く。）をしようとするときは、所管行政庁の認定を受けなければならない。

2　前条の規定は、前項の場合について準用する。

（認定特定建築物の容積率の特例）

第一九条　建築基準法第五十二条第一項、第二項、第七項、第十二項及び第十四項、第五十七条の二第三項第二号、第五十七条の三第二項、第五十九条第一項及び第三項、第五十九条の二第一項、第六十条第一項、第六十条の二第一項及び第四項、第六十八条の三第一項、第六十八条の四、第六十八条の五（第二号イを除く。）、第六十八条の五の二（第二号イを除く。）、第六十八条の五の三第一項（第一号ロを除く。）、第六十八条の五の四（第一号ロを除く。）、第六十八条の五の五第一項第一号ロ、第六十八条の八、第六十八条の九第一項、第八十六条第三項及び第四項、第八十六条の二第二項及び第三項、第八十六条の五第三項並びに第八十六条の六第一項に規定する建築物の容積率（同法第五十九条第一項、第六十条の二第一項及び第六十八条の九第一項に規定するものについては、これらの規定に規定する建築物の容積率の最高限度に係る場合に限る。）の算定の基礎となる延べ面積には、同法第五十二条第三項及び第六項に定めるもののほか、第十七条第三項の認定を受けた計画（前条第一項の規定による変更の認定があつたときは、その変更後のもの。第二十一条において同じ。）に係る特定建築物（以下「認定特定建築物」という。）の建築物特定施設の床面積のうち、移動等円滑化の措置をとることにより通常の建築物の建築物特定施設の床面積を超えることとなる場合における政令で定める床面積は、算入しないものとする。

（認定特定建築物の表示等）

第二〇条　認定建築主等は、認定特定建築物の建築等をしたときは、当該認定特定建築物、その敷地又はその利用に関する広告その他の主務省令で定めるもの（次項において「広告等」という。）に、主務省令で定めるところにより、当該認定特定建築物が第十七条第三項の認定を受けている旨の表示を付することができる。

2　何人も、前項の規定による場合を除くほか、建築物、その敷地又はその利用に関する広告等に、同項の表示又はこれと紛らわしい表示を付してはならない。

（認定建築主等に対する改善命令）

第二一条　所管行政庁は、認定建築主等が第十七条第三項の認定を受けた計画に従つて認定特定建築物の建築等又は維持保全を行つていないと認めるときは、当該認定建築主等に対し、その改善に必要な措置をとるべきことを命ずることができる。

（特定建築物の建築等及び維持保全の計画の認定の取消し）

第二二条　所管行政庁は、認定建築主等が前条の規定による処分に違反したときは、第十七条第三項の認定を取り消すことができる。

（協定建築物の建築等及び維持保全の計画の認定等）

第二二条の二　建築主等は、次の各号のいずれかに該当する建築物特定施設（以下この条において「協定建築物特定施設」という。）と一体的に利用に供しなければ公共交通移動等円滑化基準に適合させることが構造上その他の理由により著しく困難であると主務省令で定めるところにより主務大臣が認める旅客施設（次の各号の公共交通事業者等の事業の用に供するものに限る。次において「移動等円滑化困難旅客施設」という。）の敷地に隣接し、又は近接する土地において協定建築物特定施設を有する建築物（以下「協定建築物」という。）の建築等をしようとするときは、主務省令で定めるところにより、協定建築物の建築等及び維持保全の計画を作成し、所管行政庁の認定を申請することができる。

一　建築主等が公共交通事業者等と締結する第四十一条第一項に規定する移動等円滑化経路協定の目的となる経路を構成する建築物特定施設

二　建築主等が公共交通事業者等と締結する第五十一条の二第一項に規定する移動等円滑化施設協定の目的となる建築物特定施設

2　前項の申請に係る協定建築物特定施設（協定建築物特定施設と移動等円滑化困難旅客施設との間に同項第一号の経路がある場合にあつては、協定建築物特定施設及び当該経路を構成する一般交通用施設（以下この項において「特定経路施設」という。））は、協定建築物特定施設等維持保全基準（移動等円滑化困難旅客施設の公共交通移動等円滑化基準への継続的な適合の確保のために必要な協定建築物特定施設及び特定経路施設の維持保全に関する主務省令で定める基準をいう。）に適合するものとして、主務省令で定めるところにより主務大臣の認定を受けたものでなければならない。

3　第一項の計画には、次に掲げる事項を記載しなければならない。

一　協定建築物の位置

二　協定建築物の延べ面積、構造方法及び用途並びに敷地面積

三　計画に係る協定建築物特定施設の構造及び配置並びに維持保全に関する事項

四　協定建築物の建築等の事業に関する資金計画

五　その他主務省令で定める事項

4　所管行政庁は、第一項の申請があつた場合において、当該申請に係る協定建築物の建築等及び維持保全の計画が次に掲げる基準に適合すると認めるときは、認定をすることができる。

一　前項第三号に掲げる事項が、建築物移動等円滑化基準を超え、かつ、第十七条第三項第一号に規定する主務省令で定める建築物特定施設の構造及び配置に関する基準に適合すること。

二　前項第四号に掲げる資金計画が、協定建築物の建築等の事業を確実に遂行するため適切なものであること。

5　第十八条、第十九条、第二十一条及び前条の規定は、前項の認定を受けた者（第五十三条第五項において「認定協定建築主等」という。）に係る当該認定を受けた計画について準用する。この場合において、第十八条第二項中「前条」とあるのは「第二十二条の二第一項から第四項まで」と、第十九条中「特定建築物（以下「認定特定建築物」という。）の建築物特定施設」とあるのは「第二十二条の二第一項に規定する協定建築物（第二十一条において「認定協定建築物」という。）の同項に規定する協定建築物特定施設」と、第二十一条中「認定特定建築物」とあるのは「認定協定建築物」と読み替えるものとする。

（既存の特定建築物に設けるエレベーターについての建築基準法の特例）

第二三条　この法律の施行の際現に存する特定建築物に専ら車椅子を使用している者の利用に供するエレベーターを設置する場合において、当該エレベーターが次に掲げる基準に適合し、所管行政庁が防火上及び避難上支障がないと認めたときは、当該特定建築物に対する建築基準法第二十七条第二項の規定の適用については、当該エレベーターの構造は耐火構造（同法第二条第七号に規定する耐火構造をいう。）とみなす。

一　エレベーター及び当該エレベーターの設置に係る特定建築物の主要構造部の部分の構造が主務省令で定める安全上及び防火上の基準に適合していること。

二　エレベーターの制御方法及びその作動状態の監視方法が主務省令で定める安全上の基準に適合していること。

2　建築基準法第九十三条第一項本文及び第二項の規定は、前項の規定により所管行政庁が防火上及び避難上支障がないと認める場合について準用する。

（高齢者、障害者等が円滑に利用できる建築物の容積率の特例）

第二四条　建築物特定施設（建築基準法第五十二条第六項第一号に規定する昇降機並びに同項第二号に規定する共同住宅及び老人ホーム等の共用の廊下及び階段を除く。）の床面積が高齢者、障害者等の円滑な利用を確保するため通常の床面積よりも著しく大きい建築物で、主務大臣が高齢者、障害者等の円滑な利用を確保する上で有効と認めて定める基準に適合するものについては、当該建築物を同条第十四項第一号に規定する建築物とみなして、同項の規定を適用する。

第三章の二　移動等円滑化促進地区における移動等円滑化の促進に関する措置

（移動等円滑化促進方針）

第二四条の二　市町村は、基本方針に基づき、単独で又は共同して、当該市町村の区域内の移動等円滑化促進地区について、移動等円滑化の促進に関

する方針(以下「移動等円滑化促進方針」という。)を作成するよう努めるものとする。

2 移動等円滑化促進方針には、次に掲げる事項について定めるものとする。

一 移動等円滑化促進地区の位置及び区域

二 生活関連施設及び生活関連経路並びにこれらにおける移動等円滑化の促進に関する事項

三 移動等円滑化の促進に関する住民その他の関係者の理解の増進及び移動等円滑化の実施に関するこれらの者の協力の確保に関する事項

四 前三号に掲げるもののほか、移動等円滑化促進地区における移動等円滑化の促進のために必要な事項

3 前項各号に掲げるもののほか、移動等円滑化促進方針には、移動等円滑化促進地区における移動等円滑化の促進に関する基本的な方針について定めるよう努めるものとする。

4 移動等円滑化促進方針には、市町村が行う移動等円滑化促進地区に所在する旅客施設の構造及び配置その他の移動等円滑化に関する情報の収集、整理及び提供に関する事項を定めることができる。

5 移動等円滑化促進方針は、都市計画、都市計画法第十八条の二の市町村の都市計画に関する基本的な方針及び地域公共交通の活性化及び再生に関する法律(平成十九年法律第五十九号)第五条第一項に規定する地域公共交通計画との調和が保たれたものでなければならない。

6 市町村は、移動等円滑化促進方針を作成しようとするときは、あらかじめ、住民、生活関連施設を利用する高齢者、障害者等その他利害関係者、関係する施設設置管理者及び都道府県公安委員会(以下「公安委員会」という。)の意見を反映させるために必要な措置を講ずるものとする。

7 市町村は、移動等円滑化促進方針を作成したときは、遅滞なく、これを公表するとともに、主務大臣、都道府県並びに関係する施設設置管理者及び公安委員会に送付しなければならない。

8 主務大臣は、前項の規定により移動等円滑化促進方針の送付を受けたときは、市町村に対し、必要な助言をすることができる。

9 都道府県は、市町村に対し、その求めに応じ、移動等円滑化促進方針の作成及びその円滑かつ確実な実施に関し、各市町村の区域を超えた広域的な見地から、必要な助言その他の援助を行うよう努めなければならない。

10 第六項から前項までの規定は、移動等円滑化促進方針の変更について準用する。

(移動等円滑化促進方針の評価等)

第二四条の三 市町村は、移動等円滑化促進方針を作成した場合においては、おおむね五年ごとに、当該移動等円滑化促進方針において定められた移動等円滑化促進地区における移動等円滑化に関する措置の実施の状況についての調査、分析及び評価を行うよう努めるとともに、必要があると認めるときは、移動等円滑化促進方針を変更するものとする。

(協議会)

第二四条の四 移動等円滑化促進方針を作成しようとする市町村は、移動等円滑化促進方針の作成に関する協議及び移動等円滑化促進方針の実施(実施の状況についての調査、分析及び評価を含む。)に係る連絡調整を行うための協議会(以下この条において「協議会」という。)を組織することができる。

2 協議会は、次に掲げる者をもって構成する。

一 移動等円滑化促進方針を作成しようとする市町村

二 関係する施設設置管理者、公安委員会その他移動等円滑化促進地区における移動等円滑化の促進に関し密接な関係を有する者

三 高齢者、障害者等、学識経験者その他の当該市町村が必要と認める者

3 第一項の規定により協議会を組織する市町村は、同項に規定する協議を行う旨を前項第二号に掲げる者に通知するものとする。

4 前項の規定による通知を受けた者は、正当な理由がある場合を除き、当該通知に係る協議に応じなければならない。

5 協議会において協議が調った事項については、協議会の構成員はその協議の結果を尊重しなければならない。

6 前各項に定めるもののほか、協議会の運営に関し必要な事項は、協議会が定める。

(移動等円滑化促進方針の作成等の提案)

第二四条の五 次に掲げる者は、市町村に対して、移動等円滑化促進方針の作成又は変更をすることを提案することができる。この場合においては、基本方針に即して、当該提案に係る移動等円滑化促進方針の素案を作成して、これを提示しなければならない。

一 施設設置管理者その他の生活関連施設又は生活関連経路を構成する一般交通用施設の管理者

二 高齢者、障害者等その他の生活関連施設又は生活関連経路を構成する一般交通用施設の利用に関し利害関係を有する者

2 前項の規定による提案を受けた市町村は、当該提案に基づき移動等円滑化促進方針の作成又は変更をするか否かについて、遅滞なく、当該提案をした者に通知しなければならない。この場合において、移動等円滑化促進方針の作成又は変更をしないこととするときは、その理由を明らかにしなければならない。

(行為の届出等)

第二四条の六 移動等円滑化促進方針において定められた移動等円滑化促進地区の区域において、旅客施設の建設、道路の新設その他の行為であって当該区域における移動等円滑化の促進に支障を及ぼすおそれのあるものとして政令で定めるものをしようとする公共交通事業者等又は道路管理者は、当該行為に着手する日の三十日前までに、主務省令で定めるところにより、行為の種類、場所、設計又は施行方法、着手予定日その他主務省令で定める事項を市町村に届け出なければならない。ただし、非常災害のため必要な応急措置として行う行為については、この限りでない。

2 前項の規定による届出をした者は、その届出に係る事項のうち主務省令で定める事項を変更しようとするときは、当該事項の変更に係る行為に着手する日の三十日前までに、主務省令で定めるところにより、その旨を市町村に届け出なければならない。

3 市町村は、前二項の規定による届出があった場合において、その届出に係る行為が移動等円滑化促進地区における移動等円滑化の促進を図る上で支障があると認めるときは、その届出をした者に対し、その届出に係る行為に関し旅客施設又は道路の構造の変更その他の必要な措置の実施を要請することができる。

4 市町村は、前項の規定による要請を受けた者が当該要請に応じないときは、その旨を主務大臣に通知することができる。

5 主務大臣は、前項の規定による通知があった場合において、第三項の規定による要請を受けた者が正当な理由がなくて同項の措置を実施していないと認めるときは、当該要請を受けた者に対し、当該措置を実施すべきことを勧告することができる。

(市町村による情報の収集、整理及び提供)

第二四条の七 第二十四条の二第四項の規定により移動等円滑化促進方針において市町村が行う移動等円滑化に関する情報の収集、整理及び提供に関する事項が定められたときは、市町村は、当該移動等円滑化促進方針に基づき移動等円滑化に関する事項についての情報の収集、整理及び提供を行うものとする。

(施設設置管理者による市町村に対する情報の提供)

第二四条の八 公共交通事業者等及び道路管理者は、前条の規定により情報の収集、整理及び提供を行う市町村の求めがあったときは、主務省令で定めるところにより、高齢者、障害者等が旅客施設及び特定道路を利用するために必要となる情報を当該市町村に提供しなければならない。

2 路外駐車場管理者等、公園管理者等及び建築主等は、前条の規定により情報の収集、整理及び提供を行う市町村の求めがあったときは、主務省令で定めるところにより、高齢者、障害者等が特定路外駐車場、特定公園施設及び特別特定建築物を利用するために必要となる情報を当該市町村に提供するよう努めなければならない。

第四章 重点整備地区における移動等円滑化に係る事業の重点的かつ一体的な実施

(移動等円滑化基本構想)

第二五条 市町村は、基本方針(移動等円滑化促進方針が作成されているときは、基本方針及び移動等円滑化促進方針。以下同じ。)に基づき、単独で又は共同して、当該市町村の区域内の重点整備地区について、移動等円滑化に係る事業の重点的かつ一体的な推進に関する基本的な構想(以下「基本構想」という。)を作成するよう努めるものとする。

2 基本構想には、次に掲げる事項について定めるものとする。

一 重点整備地区の位置及び区域

二 生活関連施設及び生活関連経路並びにこれらにおける移動等円滑化に

関する事項

三　生活関連施設、特定車両及び生活関連経路を構成する一般交通用施設について移動等円滑化のために実施すべき特定事業その他の事業に関する事項（旅客施設の所在地を含まない重点整備地区にあっては、当該重点整備地区と同一の市町村の区域内に所在する特定旅客施設との間の円滑な移動のために実施すべき特定事業その他の事業に関する事項を含む。）

四　前号に掲げる事業と併せて実施する土地区画整理事業、市街地再開発事業その他の市街地開発事業に関し移動等円滑化のために考慮すべき事項、自転車その他の車両の駐車のための施設の整備に関する事項その他の重点整備地区における移動等円滑化に資する市街地の整備改善に関する事項その他重点整備地区における移動等円滑化のために必要な事項

3　前項各号に掲げるもののほか、基本構想には、重点整備地区における移動等円滑化に関する基本的な方針について定めるよう努めるものとする。

4　市町村は、特定旅客施設の所在地を含む重点整備地区について基本構想を作成する場合には、当該基本構想に当該特定旅客施設を第二項第二号及び第三号の生活関連施設として定めなければならない。

5　基本構想には、道路法第十二条ただし書及び第十五条並びに道路法の一部を改正する法律（昭和三十九年法律第百六十三号。以下「昭和三十九年道路法改正法」という。）附則第三項の規定にかかわらず、国道又は都道府県道（道路法第三条第三号の都道府県道をいう。第三十二条第一項において同じ。）（道路法第十二条ただし書及び第十五条並びに昭和三十九年道路法改正法附則第三項の規定により都道府県が新設又は改築を行うこととされているもの（道路法第十七条第一項から第四項までの規定により同条第一項の指定市、同条第二項の指定市以外の市、同条第三項の町村又は同条第四項の指定市以外の市町村が行うこととされているものを除く。）に限る。以下同じ。）に係る道路特定事業を実施する者として、市町村（他の市町村又は道路管理者と共同して実施する場合にあっては、市町村及び他の市町村又は道路管理者。第三十二条において同じ。）を定めることができる。

6　市町村は、基本構想を作成しようとするときは、あらかじめ、住民、生活関連施設を利用する高齢者、障害者等その他利害関係者の意見を反映させるために必要な措置を講ずるものとする。

7　市町村は、基本構想を作成しようとする場合において、第二十六条第一項の協議会が組織されていないときは、これに定めようとする特定事業に関する事項について、関係する施設設置管理者及び公安委員会と協議をしなければならない。

8　市町村は、第二十六条第一項の協議会が組織されていない場合には、基本構想を作成するに当たり、あらかじめ、関係する施設設置管理者及び公安委員会に対し、特定事業に関する事項について基本構想の案を作成し、当該市町村に提出するよう求めることができる。

9　前項の案の提出を受けた市町村は、基本構想を作成するに当たっては、当該案の内容が十分に反映されるよう努めるものとする。

10　第二十四条の二第四項、第五項及び第七項から第九項までの規定は、基本構想の作成について準用する。この場合において、同条第四項中「移動等円滑化促進地区」とあるのは、「重点整備地区」と読み替えるものとする。

11　第二十四条の二第七項から第九項まで及びこの条第六項から第九項までの規定は、基本構想の変更について準用する。

（基本構想の評価等）

第二五条の二　市町村は、基本構想を作成した場合においては、おおむね五年ごとに、当該基本構想において定められた重点整備地区における特定事業その他の事業の実施の状況についての調査、分析及び評価を行うよう努めるとともに、必要があると認めるときは、基本構想を変更するものとする。

（協議会）

第二六条　基本構想を作成しようとする市町村は、基本構想の作成に関する協議及び基本構想の実施（実施の状況についての調査、分析及び評価を含む。）に係る連絡調整を行うための協議会（以下この条において「協議会」という。）を組織することができる。

2　協議会は、次に掲げる者をもって構成する。

一　基本構想を作成しようとする市町村

二　関係する施設設置管理者、公安委員会その他基本構想に定めようとする特定事業その他の事業を実施すると見込まれる者

三　高齢者、障害者等、学識経験者その他の当該市町村が必要と認める者

3　第一項の規定により協議会を組織する市町村は、同項に規定する協議を行う旨を前項第二号に掲げる者に通知するものとする。

4　前項の規定による通知を受けた者は、正当な理由がある場合を除き、当該通知に係る協議に応じなければならない。

5　協議会において協議が調った事項については、協議会の構成員はその協議の結果を尊重しなければならない。

6　前各項に定めるもののほか、協議会の運営に関し必要な事項は、協議会が定める。

（基本構想の作成等の提案）

第二七条　次に掲げる者は、市町村に対して、基本構想の作成又は変更をすることを提案することができる。この場合においては、基本方針に即して、当該提案に係る基本構想の素案を作成して、これを提示しなければならない。

一　施設設置管理者、公安委員会その他基本構想に定めようとする特定事業その他の事業を実施しようとする者

二　高齢者、障害者等その他の生活関連施設又は生活関連経路を構成する一般交通用施設の利用に関し利害関係を有する者

2　前項の規定による提案を受けた市町村は、当該提案に基づき基本構想の作成又は変更をするか否かについて、遅滞なく、当該提案をした者に通知しなければならない。この場合において、基本構想の作成又は変更をしないこととするときは、その理由を明らかにしなければならない。

（公共交通特定事業の実施）

第二八条　第二十五条第一項の規定により基本構想が作成されたときは、関係する公共交通事業者等は、単独で又は共同して、当該基本構想に即して公共交通特定事業を実施するための計画（以下「公共交通特定事業計画」という。）を作成し、これに基づき、当該公共交通特定事業を実施するものとする。

2　公共交通特定事業計画においては、実施しようとする公共交通特定事業について次に掲げる事項を定めるものとする。

一　公共交通特定事業を実施する特定旅客施設又は特定車両

二　公共交通特定事業の内容

三　公共交通特定事業の実施予定期間並びにその実施に必要な資金の額及びその調達方法

四　その他公共交通特定事業の実施に際し配慮すべき重要事項

3　公共交通事業者等は、公共交通特定事業計画を定めようとするときは、あらかじめ、関係する市町村及び施設設置管理者の意見を聴かなければならない。

4　公共交通事業者等は、公共交通特定事業計画を定めたときは、遅滞なく、これを関係する市町村及び施設設置管理者に送付しなければならない。

5　前二項の規定は、公共交通特定事業計画の変更について準用する。

（公共交通特定事業計画の認定）

第二九条　公共交通事業者等は、主務省令で定めるところにより、主務大臣に対し、公共交通特定事業計画が重点整備地区における移動等円滑化を適切かつ確実に推進するために適当なものである旨の認定を申請することができる。

2　主務大臣は、前項の規定による認定の申請があった場合において、前条第二項第二号に掲げる事項が基本方針及び公共交通移動等円滑化基準に照らして適切なものであり、かつ、同号及び同項第三号に掲げる事項が当該公共交通特定事業を確実に遂行するために技術上及び資金上適切なものであると認めるときは、その認定をするものとする。

3　前項の認定を受けた者は、当該認定に係る公共交通特定事業計画を変更しようとするときは、主務大臣の認定を受けなければならない。

4　第二項の規定は、前項の認定について準用する。

5　主務大臣は、第二項の認定を受けた者が当該認定に係る公共交通特定事業計画（第三項の規定による変更の認定があったときは、その変更後のもの。次条において同じ。）に従って公共交通特定事業を実施していないと認めるときは、その認定を取り消すことができる。

（公共交通特定事業計画に係る地方債の特例）

第三〇条　地方公共団体が、前条第二項の認定に係る公共交通特定事業計画に基づく公共交通特定事業で主務省令で定めるものに関する助成を行おうとする場合においては、当該助成に要する経費であって地方財政法（昭和二十三年法律第百九号）第五条各号に規定する経費のいずれにも該当しな

いものは、同条第五号に規定する経費とみなす。

（道路特定事業の実施）

第三一条　第二十五条第一項の規定により基本構想が作成されたときは、関係する道路管理者は、単独で又は共同して、当該基本構想に即して道路特定事業を実施するための計画（以下「道路特定事業計画」という。）を作成し、これに基づき、当該道路特定事業を実施するものとする。

2　道路特定事業計画においては、基本構想において定められた道路特定事業について定めるほか、当該重点整備地区内の道路において実施するその他の道路特定事業について定めることができる。

3　道路特定事業計画においては、実施しようとする道路特定事業について次に掲げる事項を定めるものとする。

一　道路特定事業を実施する道路の区間

二　前号の道路の区間ごとに実施すべき道路特定事業の内容及び実施予定期間

三　その他道路特定事業の実施に際し配慮すべき重要事項

4　道路管理者は、道路特定事業計画を定めようとするときは、あらかじめ、関係する市町村、施設設置管理者及び公安委員会の意見を聴かなければならない。

5　道路管理者は、道路特定事業計画において、道路法第二十条第一項に規定する他の工作物について実施し、又は同法第二十三条第一項の規定に基づき実施する道路特定事業について定めるときは、あらかじめ、当該道路特定事業を実施する工作物又は施設の管理者と協議しなければならない。この場合において、当該道路特定事業の費用の負担を当該工作物又は施設の管理者に求めるときは、当該道路特定事業計画に当該道路特定事業の実施に要する費用の概算及び道路管理者と当該工作物又は施設の管理者との分担割合を定めるものとする。

6　道路管理者は、道路特定事業計画を定めたときは、遅滞なく、これを公表するよう努めるとともに、関係する市町村、施設設置管理者及び公安委員会並びに前項に規定する工作物又は施設の管理者に送付しなければならない。

7　前三項の規定は、道路特定事業計画の変更について準用する。

（市町村による国道等に係る道路特定事業の実施）

第三二条　第二十五条第五項の規定により基本構想において道路特定事業を実施する者として市町村（道路法第十七条第一項の指定市を除く。以下この条及び第五十五条から第五十七条までにおいて同じ。）が定められたときは、前条第一項、同法第十二条ただし書及び第十五条並びに昭和三十九年道路法改正法附則第三項の規定にかかわらず、市町村は、単独で又は他の市町村若しくは道路管理者と共同して、国道又は都道府県道に係る道路特定事業計画を作成し、これに基づき、当該道路特定事業を実施するものとする。

2　前条第二項から第七項までの規定は、前項の場合について準用する。この場合において、同条第四項から第六項までの規定中「道路管理者」とあるのは、「次条第一項の規定により道路特定事業を実施する市町村（他の市町村又は道路管理者と共同して実施する場合にあっては、市町村及び他の市町村又は道路管理者）」と読み替えるものとする。

3　市町村は、第一項の規定により国道に係る道路特定事業を実施しようとする場合においては、主務省令で定めるところにより、主務大臣に協議し、その同意を得なければならない。ただし、主務省令で定める軽易なものについては、この限りでない。

4　市町村は、第一項の規定により道路特定事業に関する工事を行おうとするとき、及び当該道路特定事業に関する工事の全部又は一部を完了したときは、主務省令で定めるところにより、その旨を公示しなければならない。

5　市町村は、第一項の規定により道路特定事業を実施する場合においては、政令で定めるところにより、当該道路の道路管理者に代わってその権限を行うものとする。

6　市町村が第一項の規定により道路特定事業を実施する場合には、その実施に要する費用の負担並びにその費用に関する国の補助及び交付金の交付については、都道府県が自ら当該道路特定事業を実施するものとみなす。

7　前項の規定により国が当該都道府県に対し交付すべき負担金、補助金及び交付金は、市町村に交付するものとする。

8　前項の場合には、市町村は、補助金等に係る予算の執行の適正化に関する法律（昭和三十年法律第百七十九号）の規定の適用については、同法第二条第三項に規定する補助事業者等とみなす。

（路外駐車場特定事業の実施）

第三三条　第二十五条第一項の規定により基本構想が作成されたときは、関係する路外駐車場管理者等は、単独で又は共同して、当該基本構想に即して路外駐車場特定事業を実施するための計画（以下この条において「路外駐車場特定事業計画」という。）を作成し、これに基づき、当該路外駐車場特定事業を実施するものとする。

2　路外駐車場特定事業計画においては、実施しようとする路外駐車場特定事業について次に掲げる事項を定めるものとする。

一　路外駐車場特定事業を実施する特定路外駐車場

二　路外駐車場特定事業の内容及び実施予定期間

三　その他路外駐車場特定事業の実施に際し配慮すべき重要事項

3　路外駐車場管理者等は、路外駐車場特定事業計画を定めようとするときは、あらかじめ、関係する市町村及び施設設置管理者の意見を聴かなければならない。

4　路外駐車場管理者等は、路外駐車場特定事業計画を定めたときは、遅滞なく、これを関係する市町村及び施設設置管理者に送付しなければならない。

5　前二項の規定は、路外駐車場特定事業計画の変更について準用する。

（都市公園特定事業の実施）

第三四条　第二十五条第一項の規定により基本構想が作成されたときは、関係する公園管理者等は、単独で又は共同して、当該基本構想に即して都市公園特定事業を実施するための計画（以下この条において「都市公園特定事業計画」という。）を作成し、これに基づき、当該都市公園特定事業を実施するものとする。ただし、都市公園法第五条第一項の規定による許可を受けて公園施設（特定公園施設に限る。）を設け若しくは管理し、又は設け若しくは管理しようとする者が都市公園特定事業計画を作成する場合にあっては、公園管理者と共同して作成するものとする。

2　都市公園特定事業計画においては、実施しようとする都市公園特定事業について次に掲げる事項を定めるものとする。

一　都市公園特定事業を実施する都市公園

二　都市公園特定事業の内容及び実施予定期間

三　その他都市公園特定事業の実施に際し配慮すべき重要事項

3　公園管理者等は、都市公園特定事業計画を定めようとするときは、あらかじめ、関係する市町村及び施設設置管理者の意見を聴かなければならない。

4　公園管理者は、都市公園特定事業計画において、都市公園法第五条の十第一項に規定する他の工作物について実施する都市公園特定事業について定めるときは、あらかじめ、当該他の工作物の管理者と協議しなければならない。この場合において、当該都市公園特定事業の費用の負担を当該他の工作物の管理者に求めるときは、当該都市公園特定事業計画に当該都市公園特定事業の実施に要する費用の概算及び公園管理者と当該他の工作物の管理者との分担割合を定めるものとする。

5　公園管理者等は、都市公園特定事業計画を定めたときは、遅滞なく、これを公表するよう努めるとともに、関係する市町村及び施設設置管理者並びに前項に規定する他の工作物の管理者に送付しなければならない。

6　前三項の規定は、都市公園特定事業計画の変更について準用する。

（建築物特定事業の実施）

第三五条　第二十五条第一項の規定により基本構想が作成されたときは、関係する建築主等は、単独で又は共同して、当該基本構想に即して建築物特定事業を実施するための計画（以下この条において「建築物特定事業計画」という。）を作成し、これに基づき、当該建築物特定事業を実施するものとする。

2　建築物特定事業計画においては、実施しようとする建築物特定事業について次に掲げる事項を定めるものとする。

一　建築物特定事業を実施する特定建築物

二　建築物特定事業の内容

三　建築物特定事業の実施予定期間並びにその実施に必要な資金の額及びその調達方法

四　その他建築物特定事業の実施に際し配慮すべき重要事項

3　建築主等は、建築物特定事業計画を定めようとするときは、あらかじめ、関係する市町村及び施設設置管理者の意見を聴かなければならない。

4　建築主等は、建築物特定事業計画を定めたときは、遅滞なく、これを関係する市町村及び施設設置管理者に送付しなければならない。

5　前二項の規定は、建築物特定事業計画の変更について準用する。

（交通安全特定事業の実施）

第三六条　第二十五条第一項の規定により基本構想が作成されたときは、関係する公安委員会は、単独で又は共同して、当該基本構想に即して交通安全特定事業を実施するための計画（以下「交通安全特定事業計画」という。）を作成し、これに基づき、当該交通安全特定事業を実施するものとする。

2　前項の交通安全特定事業（第二条第三十一号イに掲げる事業に限る。）は、当該交通安全特定事業により設置される信号機等が、重点整備地区における移動等円滑化のために必要な信号機等に関する主務省令で定める基準を参酌して都道府県の条例で定める基準に適合するよう実施されなければならない。

3　交通安全特定事業計画においては、実施しようとする交通安全特定事業について次に掲げる事項を定めるものとする。

一　交通安全特定事業を実施する道路の区間

二　前号の道路の区間ごとに実施すべき交通安全特定事業の内容及び実施予定期間

三　その他交通安全特定事業の実施に際し配慮すべき重要事項

4　公安委員会は、交通安全特定事業計画を定めようとするときは、あらかじめ、関係する市町村及び道路管理者の意見を聴かなければならない。

5　公安委員会は、交通安全特定事業計画を定めたときは、遅滞なく、これを公表するよう努めるとともに、関係する市町村及び道路管理者に送付しなければならない。

6　前三項の規定は、交通安全特定事業計画の変更について準用する。

（教育啓発特定事業の実施）

第三六条の二　第二十五条第一項の規定により基本構想が作成されたときは、関係する市町村等は、単独で又は共同して、当該基本構想に即して教育啓発特定事業を実施するための計画（以下この条において「教育啓発特定事業計画」という。）を作成し、これに基づき、当該教育啓発特定事業を実施するものとする。

2　教育啓発特定事業計画においては、実施しようとする教育啓発特定事業について次に掲げる事項を定めるものとする。

一　教育啓発特定事業の内容及び実施予定期間

二　その他教育啓発特定事業の実施に際し配慮すべき重要事項

3　市町村等は、教育啓発特定事業計画を定めようとするときは、あらかじめ、関係する市町村及び施設設置管理者（第二条第三十二号イに掲げる事業について定めようとする場合にあっては、関係する市町村、施設設置管理者及び学校）の意見を聴かなければならない。

4　市町村等は、教育啓発特定事業計画を定めたときは、遅滞なく、これを関係する市町村及び施設設置管理者（第二条第三十二号イに掲げる事業について定めた場合にあっては、関係する市町村、施設設置管理者及び学校）に送付しなければならない。

5　前二項の規定は、教育啓発特定事業計画の変更について準用する。

（生活関連施設又は一般交通用施設の整備等）

第三七条　国及び地方公共団体は、基本構想において定められた生活関連施設又は一般交通用施設の整備、土地区画整理事業、市街地再開発事業その他の市街地開発事業の施行その他の必要な措置を講ずるよう努めなければならない。

2　基本構想において定められた生活関連施設又は一般交通用施設の管理者（国又は地方公共団体を除く。）は、当該基本構想の達成に資するよう、その管理する施設について移動等円滑化のための事業の実施に努めなければならない。

（基本構想に基づく事業の実施に係る命令等）

第三八条　市町村は、第二十八条第一項の公共交通特定事業、第三十三条第一項の路外駐車場特定事業、第三十四条第一項の都市公園特定事業（公園管理者が実施すべきものを除く。）又は第三十五条第一項の建築物特定事業若しくは第三十六条の二第一項の教育啓発特定事業（いずれも国又は地方公共団体が実施すべきものを除く。）（以下この条において「公共交通特定事業等」と総称する。）が実施されていないと認めるときは、当該公共交通特定事業等を実施すべき者に対し、その実施を要請することができる。

2　市町村は、前項の規定による要請を受けた者が当該要請に応じないときは、その旨を主務大臣等（公共交通特定事業又は教育啓発特定事業にあっては主務大臣、路外駐車場特定事業にあっては知事等、都市公園特定事業にあっては公園管理者、建築物特定事業にあっては所管行政庁。以下この条において同じ。）に通知することができる。

3　主務大臣等は、前項の規定による通知があった場合において、第一項の規定による要請を受けた者が正当な理由がなくて公共交通特定事業等を実施していないと認めるときは、当該要請を受けた者に対し、当該公共交通特定事業等を実施すべきことを勧告することができる。

4　主務大臣等は、前項の規定による勧告を受けた者が正当な理由がなくてその勧告に係る措置を講じない場合において、当該勧告を受けた者の事業について移動等円滑化を阻害している事実があると認めるときは、第九条第三項、第十二条第三項及び第十五条第一項の規定により違反を是正するために必要な措置をとるべきことを命ずることができる場合を除くほか、当該勧告を受けた者に対し、移動等円滑化のために必要な措置をとるべきことを命ずることができる。

（土地区画整理事業の換地計画において定める保留地の特例）

第三九条　基本構想において定められた土地区画整理事業であって土地区画整理法第三条第四項、第三条の二又は第三条の三の規定により施行するものの換地計画（基本構想において定められた重点整備地区の区域内の宅地について定められたものに限る。）においては、重点整備地区の区域内の住民その他の者の共同の福祉又は利便のために必要な生活関連施設又は一般交通用施設で国、地方公共団体、公共交通事業者等その他政令で定める者が設置するもの（同法第二条第五項に規定する公共施設を除き、基本構想において第二十五条第二項第四号に掲げる事項として土地区画整理事業の実施に関しその整備を考慮すべきものと定められたものに限る。）の用に供するため、一定の土地を換地として定めないで、その土地を保留地として定めることができる。この場合においては、当該保留地の地積について、当該土地区画整理事業を施行する土地の区域内の宅地について所有権、地上権、永小作権、賃借権その他の宅地を使用し、又は収益することができる権利を有する全ての者の同意を得なければならない。

2　土地区画整理法第百四条第十一項及び第百八条第一項の規定は、前項の規定により換地計画において定められた保留地について準用する。この場合において、同条第一項中「第三条第四項若しくは第五項」とあるのは、「第三条第四項」と読み替えるものとする。

3　施行者は、第一項の規定により換地計画において定められた保留地を処分したときは、土地区画整理法第百三条第四項の規定による公告があった日における従前の宅地について所有権、地上権、永小作権、賃借権その他の宅地を使用し、又は収益することができる権利を有する者に対して、政令で定める基準に従い、当該保留地の対価に相当する金額を交付しなければならない。同法第百九条第二項の規定は、この場合について準用する。

4　土地区画整理法第八十五条第五項の規定は、この条の規定による処分及び決定について準用する。

5　第一項に規定する土地区画整理事業に関する土地区画整理法第百二十三条、第百二十六条、第百二十七条の二及び第百二十九条の規定の適用については、同項から第三項までの規定は、同法の規定とみなす。

（地方債についての配慮）

第四〇条　地方公共団体が、基本構想を達成するために行う事業に要する経費に充てるために起こす地方債については、法令の範囲内において、資金事情及び当該地方公共団体の財政事情が許す限り、特別の配慮をするものとする。

（市町村による情報の収集、整理及び提供等）

第四〇条の二　第二十五条第十項において読み替えて準用する第二十四条の二第四項の規定により基本構想において市町村が行う移動等円滑化に関する情報の収集、整理及び提供に関する事項が定められたときは、市町村は、当該基本構想に基づき移動等円滑化に関する事項についての情報の収集、整理及び提供を行うものとする。

2　第二十四条の八の規定は、前項の規定により情報の収集、整理及び提供を行う市町村の求めがあった場合について準用する。

第五章　移動等円滑化経路協定

（移動等円滑化経路協定の締結等）

第四一条　移動等円滑化促進地区内又は重点整備地区内の一団の土地の所有者及び建築物その他の工作物の所有を目的とする借地権その他の当該土地を使用する権利（臨時設備その他一時使用のため設定されたことが明らかなものを除く。以下「借地権等」という。）を有する者（土地区画整理法

第九十八条第一項（大都市地域における住宅及び住宅地の供給の促進に関する特別措置法（昭和五十年法律第六十七号。第四十五条第二項において「大都市住宅等供給法」という。）第八十三条において準用する場合を含む。以下同じ。）の規定により仮換地として指定された土地にあっては、当該土地に対応する従前の土地の所有者及び借地権等を有する者。以下「土地所有者等」と総称する。）は、その全員の合意により、当該土地の区域における移動等円滑化のための経路の整備又は管理に関する協定（以下「移動等円滑化経路協定」という。）を締結することができる。ただし、当該土地（土地区画整理法第九十八条第一項の規定により仮換地として指定された土地にあっては、当該土地に対応する従前の土地）の区域内に借地権等の目的となっている土地がある場合（当該借地権等が地下又は空間について上下の範囲を定めて設定されたもので、当該土地の所有者が当該土地を使用している場合を除く。）においては、当該借地権等の目的となっている土地の所有者の合意を要しない。

2　移動等円滑化経路協定においては、次に掲げる事項を定めるものとする。

一　移動等円滑化経路協定の目的となる土地の区域（以下「移動等円滑化経路協定区域」という。）及び経路の位置

二　次に掲げる移動等円滑化のための経路の整備又は管理に関する事項のうち、必要なもの

イ　前号の経路における移動等円滑化に関する基準

ロ　前号の経路を構成する施設（エレベーター、エスカレーターその他の移動等円滑化のために必要な設備を含む。）の整備又は管理に関する事項

ハ　その他移動等円滑化のための経路の整備又は管理に関する事項

三　移動等円滑化経路協定の有効期間

四　移動等円滑化経路協定に違反した場合の措置

3　移動等円滑化経路協定は、市町村長の認可を受けなければならない。

（認可の申請に係る移動等円滑化経路協定の縦覧等）

第四二条　市町村長は、前条第三項の認可の申請があったときは、主務省令で定めるところにより、その旨を公告し、当該移動等円滑化経路協定を公告の日から二週間関係人の縦覧に供さなければならない。

2　前項の規定による公告があったときは、関係人は、同項の縦覧期間満了の日までに、当該移動等円滑化経路協定について、市町村長に意見書を提出することができる。

（移動等円滑化経路協定の認可）

第四三条　市町村長は、第四十一条第三項の認可の申請が次の各号のいずれにも該当するときは、同項の認可をしなければならない。

一　申請手続が法令に違反しないこと。

二　土地又は建築物その他の工作物の利用を不当に制限するものでないこと。

三　第四十一条第二項各号に掲げる事項について主務省令で定める基準に適合するものであること。

2　市町村長は、第四十一条第三項の認可をしたときは、主務省令で定めるところにより、その旨を公告し、かつ、当該移動等円滑化経路協定を当該市町村の事務所に備えて公衆の縦覧に供するとともに、移動等円滑化経路協定区域である旨を当該移動等円滑化経路協定区域内に明示しなければならない。

（移動等円滑化経路協定の変更）

第四四条　移動等円滑化経路協定区域内における土地所有者等（当該移動等円滑化経路協定の効力が及ばない者を除く。）は、移動等円滑化経路協定において定めた事項を変更しようとする場合においては、その全員の合意をもってその旨を定め、市町村長の認可を受けなければならない。

2　前二条の規定は、前項の変更の認可について準用する。

（移動等円滑化経路協定区域からの除外）

第四五条　移動等円滑化経路協定区域内の土地（土地区画整理法第九十八条第一項の規定により仮換地として指定された土地にあっては、当該土地に対応する従前の土地）で当該移動等円滑化経路協定の効力が及ばない者の所有するものの全部又は一部について借地権等が消滅した場合においては、当該借地権等の目的となっていた土地（同項の規定により仮換地として指定された土地に対応する従前の土地にあっては、当該土地についての仮換地として指定された土地）は、当該移動等円滑化経路協定区域から除外されるものとする。

2　移動等円滑化経路協定区域内の土地で土地区画整理法第九十八条第一項の規定により仮換地として指定されたものが、同法第八十六条第一項の換地計画又は大都市住宅等供給法第七十二条第一項の換地計画において当該土地に対応する従前の土地についての換地として定められず、かつ、土地区画整理法第九十一条第三項（大都市住宅等供給法第八十二条第一項において準用する場合を含む。）の規定により当該土地に対応する従前の土地の所有者に対してその共有持分を与えるように定められた土地としても定められなかったときは、当該土地は、土地区画整理法第百三条第四項（大都市住宅等供給法第八十三条において準用する場合を含む。）の公告があった日が終了した時において当該移動等円滑化経路協定区域から除外されるものとする。

3　前二項の規定により移動等円滑化経路協定区域内の土地が当該移動等円滑化経路協定区域から除外された場合においては、当該借地権等を有していた者又は当該仮換地として指定されていた土地に対応する従前の土地に係る土地所有者等（当該移動等円滑化経路協定の効力が及ばない者を除く。）は、遅滞なく、その旨を市町村長に届け出なければならない。

4　第四十三条第二項の規定は、前項の規定による届出があった場合その他市町村長が第一項又は第二項の規定により移動等円滑化経路協定区域内の土地が当該移動等円滑化経路協定区域から除外されたことを知った場合について準用する。

（移動等円滑化経路協定の効力）

第四六条　第四十三条第二項（第四十四条第二項において準用する場合を含む。）の規定による認可の公告のあった移動等円滑化経路協定は、その公告のあった後において当該移動等円滑化経路協定区域内の土地所有者等となった者（当該移動等円滑化経路協定について第四十一条第一項又は第四十四条第一項の規定による合意をしなかった者の有する土地の所有権を承継した者を除く。）に対しても、その効力があるものとする。

（移動等円滑化経路協定の認可の公告のあった後移動等円滑化経路協定に加わる手続等）

第四七条　移動等円滑化経路協定区域内の土地の所有者（土地区画整理法第九十八条第一項の規定により仮換地として指定された土地にあっては、当該土地に対応する従前の土地の所有者）で当該移動等円滑化経路協定の効力が及ばないものは、第四十三条第二項（第四十四条第二項において準用する場合を含む。）の規定による認可の公告があった後いつでも、市町村長に対して書面でその意思を表示することによって、当該移動等円滑化経路協定に加わることができる。

2　第四十三条第二項の規定は、前項の規定による意思の表示があった場合について準用する。

3　移動等円滑化経路協定は、第一項の規定により当該移動等円滑化経路協定に加わった者がその時において所有し、又は借地権等を有していた当該移動等円滑化経路協定区域内の土地（土地区画整理法第九十八条第一項の規定により仮換地として指定された土地にあっては、当該土地に対応する従前の土地）について、前項において準用する第四十三条第二項の規定による公告のあった後において土地所有者等となった者（前条の規定の適用がある者を除く。）に対しても、その効力があるものとする。

（移動等円滑化経路協定の廃止）

第四八条　移動等円滑化経路協定区域内の土地所有者等（当該移動等円滑化経路協定の効力が及ばない者を除く。）は、第四十一条第三項又は第四十四条第一項の認可を受けた移動等円滑化経路協定を廃止しようとする場合においては、その過半数の合意をもってその旨を定め、市町村長の認可を受けなければならない。

2　市町村長は、前項の認可をしたときは、その旨を公告しなければならない。

（土地の共有者等の取扱い）

第四九条　土地又は借地権等が数人の共有に属するときは、第四十一条第一項、第四十四条第一項、第四十七条第一項及び前条第一項の規定の適用については、合わせて一の所有者又は借地権等を有する者とみなす。

（一の所有者による移動等円滑化経路協定の設定）

第五〇条　移動等円滑化促進地区内又は重点整備地区内の一団の土地で、一の所有者以外に土地所有者等が存しないものの所有者は、移動等円滑化のため必要があると認めるときは、市町村長の認可を受けて、当該土地の区域を移動等円滑化経路協定区域とする移動等円滑化経路協定を定めることができる。

2　市町村長は、前項の認可の申請が第四十三条第一項各号のいずれにも該

当し、かつ、当該移動等円滑化経路協定が移動等円滑化のため必要であると認める場合に限り、前項の認可をするものとする。

3　第四十三条第二項の規定は、第一項の認可について準用する。

4　第一項の認可を受けた移動等円滑化経路協定は、認可の日から起算して三年以内において当該移動等円滑化経路協定区域内の土地に二以上の土地所有者等が存することになった時から、第四十三条第二項の規定による認可の公告のあった移動等円滑化経路協定と同一の効力を有する移動等円滑化経路協定となる。

（借主の地位）

第五一条　移動等円滑化経路協定に定める事項が建築物その他の工作物の借主の権限に係る場合においては、その移動等円滑化経路協定については、当該建築物その他の工作物の借主を土地所有者等とみなして、この章の規定を適用する。

第五章の二　移動等円滑化施設協定

第五一条の二　移動等円滑化促進地区内又は重点整備地区内の一団の土地の土地所有者等は、その全員の合意により、高齢者、障害者等が円滑に利用することができる案内所その他の当該土地の区域における移動等円滑化に資する施設（移動等円滑化経路協定の目的となる経路を構成するものを除き、高齢者、障害者等の利用に供しない施設であって移動等円滑化のための事業の実施に伴い移転が必要となるものを含む。次項において同じ。）の整備又は管理に関する協定（以下この条において「移動等円滑化施設協定」という。）を締結することができる。ただし、当該土地（土地区画整理法第九十八条第一項の規定により仮換地として指定された土地にあっては、当該土地に対応する従前の土地）の区域内に借地権等の目的となっている土地がある場合（当該借地権等が地下又は空間について上下の範囲を定めて設定されたもので、当該土地の所有者が当該土地を使用している場合を除く。）においては、当該借地権等の目的となっている土地の所有者の合意を要しない。

2　移動等円滑化施設協定においては、次に掲げる事項を定めるものとする。

一　移動等円滑化施設協定の目的となる土地の区域及び施設の位置

二　次に掲げる移動等円滑化に資する施設の整備又は管理に関する事項のうち、必要なもの

イ　前号の施設の移動等円滑化に関する基準

ロ　前号の施設の整備又は管理に関する事項

三　移動等円滑化施設協定の有効期間

四　移動等円滑化施設協定に違反した場合の措置

3　前章（第四十一条第一項及び第二項を除く。）の規定は、移動等円滑化施設協定について準用する。この場合において、第四十三条第一項第三号中「第四十一条第二項各号」とあるのは「第五十一条の二第二項各号」と、同条第二項中「、移動等円滑化経路協定区域」とあるのは「、第五十一条の二第二項第一号の区域（以下この章において「移動等円滑化施設協定区域」という。）」と、「移動等円滑化経路協定区域内」とあるのは「移動等円滑化施設協定区域内」と、第四十四条第一項、第四十五条、第四十六条、第四十七条第一項及び第三項、第四十八条第一項並びに第五十条第一項及び第四項中「移動等円滑化経路協定区域」とあるのは「移動等円滑化施設協定区域」と、第四十六条及び第四十九条中「第四十一条第一項」とあるのは「第五十一条の二第一項」と読み替えるものとする。

第六章　雑則

（国の援助）

第五二条　国は、地方公共団体が移動等円滑化の促進に関する施策を円滑に実施することができるよう、地方公共団体に対し、助言、指導その他の必要な援助を行うよう努めなければならない。

（資金の確保等）

第五二条の二　国は、移動等円滑化を促進するために必要な資金の確保その他の措置を講ずるよう努めなければならない。

2　国は、移動等円滑化に関する研究開発の推進及びその成果の普及に努めなければならない。

（情報提供の確保）

第五二条の三　国は、移動等円滑化に関する情報提供の確保に努めなければならない。

2　国は、前項の情報提供の確保を行うに当たっては、生活の本拠の周辺地域以外の場所における移動等円滑化が高齢者、障害者等の自立した日常生活及び社会生活を確保する上で重要な役割を果たすことに鑑み、これらの者による観光施設その他の施設の円滑な利用のために必要と認める用具の備付けその他のこれらの施設における移動等円滑化に関する措置に係る情報が適切に提供されるよう、必要な措置を講ずるものとする。

（移動等円滑化の進展の状況に関する評価）

第五二条の四　国は、移動等円滑化を促進するため、関係行政機関及び高齢者、障害者等、地方公共団体、施設設置管理者その他の関係者で構成する会議を設け、定期的に、移動等円滑化の進展の状況を把握し、及び評価するよう努めなければならない。

（報告及び立入検査）

第五三条　主務大臣は、この法律の施行に必要な限度において、主務省令で定めるところにより、公共交通事業者等に対し、移動等円滑化のための事業に関し報告をさせ、又はその職員に、公共交通事業者等の事務所その他の事業場若しくは車両等に立ち入り、旅客施設、車両等若しくは帳簿、書類その他の物件を検査させ、若しくは関係者に質問させることができる。

2　知事等は、この法律の施行に必要な限度において、路外駐車場管理者等に対し、特定路外駐車場の路外駐車場移動等円滑化基準への適合に関する事項に関し報告をさせ、又はその職員に、特定路外駐車場若しくはその業務に関係のある場所に立ち入り、特定路外駐車場の施設若しくは業務に関し検査させ、若しくは関係者に質問させることができる。

3　所管行政庁は、この法律の施行に必要な限度において、政令で定めるところにより、建築主等に対し、特定建築物の建築物移動等円滑化基準への適合に関する事項に関し報告をさせ、又はその職員に、特定建築物若しくはその工事現場に立ち入り、特定建築物、建築設備、書類その他の物件を検査させ、若しくは関係者に質問させることができる。

4　所管行政庁は、認定建築主等に対し、認定特定建築物の建築等又は維持保全の状況について報告をさせることができる。

5　所管行政庁は、認定協定建築主等に対し、第二十二条の二第四項の認定を受けた計画（同条第五項において準用する第十八条第一項の規定による変更の認定があったときは、その変更後のもの）に係る協定建築物の建築等又は維持保全の状況について報告をさせることができる。

6　第一項から第三項までの規定により立入検査をする職員は、その身分を示す証明書を携帯し、関係者の請求があったときは、これを提示しなければならない。

7　第一項から第三項までの規定による立入検査の権限は、犯罪捜査のために認められたものと解釈してはならない。

（主務大臣等）

第五四条　第三条第一項、第三項及び第四項における主務大臣は、同条第二項第二号に掲げる事項については国土交通大臣とし、その他の事項については国土交通大臣、国家公安委員会、総務大臣及び文部科学大臣とする。

2　第九条、第九条の二第一項、第九条の三から第九条の五まで、第九条の七、第二十二条の二第一項及び第二項（これらの規定を同条第五項において読み替えて準用する第十八条第二項において準用する場合を含む。）、第二十四条、第二十四条の六第四項及び第五項、第二十九条第一項、第二項（同条第四項において準用する場合を含む。）、第三項及び第五項、第三十二条第三項、第三十八条第二項、前条第一項並びに次条における主務大臣は国土交通大臣とし、第二十四条の二第七項及び第八項（これらの規定を同条第十項並びに第二十五条第十項及び第十一項において準用する場合を含む。）における主務大臣は国土交通大臣、国家公安委員会、総務大臣及び文部科学大臣とする。

3　この法律における主務省令は、国土交通省令とする。ただし、第三十条における主務省令は、総務省令とし、第三十六条第二項における主務省令は、国家公安委員会規則とする。

4　この法律による国土交通大臣の権限は、国土交通省令で定めるところにより、地方支分部局の長に委任することができる。

（不服申立て）

第五五条　市町村が第三十二条第五項の規定により道路管理者に代わってした処分に不服がある者は、当該市町村の長に対して審査請求をし、その裁決に不服がある者は、主務大臣に対して再審査請求をすることができる。

（事務の区分）

第五六条　第三十二条の規定により国道に関して市町村が処理することとされている事務（費用の負担及び徴収に関するものを除く。）は、地方自治法（昭和二十二年法律第六十七号）第二条第九項第一号に規定する第一号法定受託事務とする。

（道路法の適用）

第五七条　第三十二条第五項の規定により道路管理者に代わってその権限を行う市町村は、道路法第八章の規定の適用については、道路管理者とみなす。

（経過措置）

第五八条　この法律に基づき命令を制定し、又は改廃する場合においては、その命令で、その制定又は改廃に伴い合理的に必要と判断される範囲内において、所要の経過措置（罰則に関する経過措置を含む。）を定めることができる。

第七章　罰則

第五九条　第九条第三項、第十二条第三項又は第十五条第一項の規定による命令に違反した者は、三百万円以下の罰金に処する。

第六〇条　次の各号のいずれかに該当する者は、百万円以下の罰金に処する。

一　第九条第二項の規定に違反して、届出をせず、又は虚偽の届出をした者

二　第三十八条第四項の規定による命令に違反した者

三　第五十三条第一項の規定による報告をせず、若しくは虚偽の報告をし、又は同項の規定による検査を拒み、妨げ、若しくは忌避し、若しくは質問に対して陳述をせず、若しくは虚偽の陳述をした者

第六一条　次の各号のいずれかに該当する者は、五十万円以下の罰金に処する。

一　第九条の四の規定による提出をしなかった者

二　第九条の五の規定による報告をせず、又は虚偽の報告をした者

三　第十二条第一項又は第二項の規定に違反して、届出をせず、又は虚偽の届出をした者

第六二条　次の各号のいずれかに該当する者は、三十万円以下の罰金に処する。

一　第二十条第二項の規定に違反して、表示を付した者

二　第二十四条の六第一項又は第二項の規定に違反して、届出をせず、又は虚偽の届出をして、同条第一項本文又は第二項に規定する行為をした者

三　第五十三条第三項の規定による報告をせず、若しくは虚偽の報告をし、又は同項の規定による検査を拒み、妨げ、若しくは忌避し、若しくは質問に対して陳述をせず、若しくは虚偽の陳述をした者

第六三条　次の各号のいずれかに該当する者は、二十万円以下の罰金に処する。

一　第五十三条第二項の規定による報告をせず、若しくは虚偽の報告をし、又は同項の規定による検査を拒み、妨げ、若しくは忌避し、若しくは質問に対して陳述をせず、若しくは虚偽の陳述をした者

二　第五十三条第四項又は第五項の規定による報告をせず、又は虚偽の報告をした者

第六四条　法人の代表者又は法人若しくは人の代理人、使用人その他の従業者が、その法人又は人の業務に関し、第五十九条から前条までの違反行為をしたときは、行為者を罰するほか、その法人又は人に対しても各本条の刑を科する。

第六五条　第九条の六の規定による公表をせず、又は虚偽の公表をした者は、五十万円以下の過料に処する。

第六六条　第二十四条の八第一項（第四十条の二第二項において準用する場合を含む。）の規定による情報の提供をせず、又は虚偽の情報の提供をした者は、二十万円以下の過料に処する。

附　則〔抄〕

（施行期日）

第一条　この法律は、公布の日から起算して六月を超えない範囲内において政令で定める日から施行する。

〔平成一八政三七八により、平成一八・一二・二〇から施行〕

（高齢者、身体障害者等が円滑に利用できる特定建築物の建築の促進に関する法律及び高齢者、身体障害者等の公共交通機関を利用した移動の円滑化の促進に関する法律の廃止）

第二条　次に掲げる法律は、廃止する。

一　高齢者、身体障害者等が円滑に利用できる特定建築物の建築の促進に関する法律（平成六年法律第四十四号）

二　高齢者、身体障害者等の公共交通機関を利用した移動の円滑化の促進に関する法律（平成十二年法律第六十八号）

（道路管理者、路外駐車場管理者等及び公園管理者等の基準適合義務に関する経過措置）

第三条　この法律の施行の際現に工事中の特定道路の新設又は改築、特定路外駐車場の設置及び特定公園施設の新設、増設又は改築については、それぞれ第十条第一項、第十一条第一項及び第十三条第一項の規定は、適用しない。

（高齢者、身体障害者等が円滑に利用できる特定建築物の建築の促進に関する法律の廃止に伴う経過措置）

第四条　附則第二条第一号の規定による廃止前の高齢者、身体障害者等が円滑に利用できる特定建築物の建築の促進に関する法律（これに基づく命令を含む。）の規定によりした処分、手続その他の行為は、この法律（これに基づく命令を含む。）中の相当規定によりしたものとみなす。

2　この法律の施行の際現に工事中の特別特定建築物の建築又は修繕若しくは模様替については、第十四条第一項から第三項までの規定は適用せず、なお従前の例による。

3　この法律の施行の際現に存する特別特定建築物で、政令で指定する類似の用途相互間における用途の変更をするものについては、第十四条第一項の規定は適用せず、なお従前の例による。

4　第十五条の規定は、この法律の施行後（第二項に規定する特別特定建築物については、同項に規定する工事が完了した後）に建築（用途の変更をして特別特定建築物にすることを含む。以下この項において同じ。）をした特別特定建築物について適用し、この法律の施行前に建築をした特別特定建築物については、なお従前の例による。

（高齢者、身体障害者等の公共交通機関を利用した移動の円滑化の促進に関する法律の廃止に伴う経過措置）

第五条　附則第二条第二号の規定による廃止前の高齢者、身体障害者等の公共交通機関を利用した移動の円滑化の促進に関する法律（以下この条において「旧移動円滑化法」という。）第六条第一項の規定により作成された基本構想、旧移動円滑化法第七条第一項の規定により作成された公共交通特定事業計画、旧移動円滑化法第十条第一項の規定により作成された道路特定事業計画及び旧移動円滑化法第十一条第一項の規定により作成された交通安全特定事業計画は、それぞれ第二十五条第一項の規定により作成された基本構想、第二十八条第一項の規定により作成された公共交通特定事業計画、第三十一条第一項の規定により作成された道路特定事業計画及び第三十六条第一項の規定により作成された交通安全特定事業計画とみなす。

2　旧移動円滑化法（これに基づく命令を含む。）の規定によりした処分、手続その他の行為は、この法律（これに基づく命令を含む。）中の相当規定によりしたものとみなす。

（罰則に関する経過措置）

第六条　この法律の施行前にした行為に対する罰則の適用については、なお従前の例による。

（検討）

第七条　政府は、この法律の施行後五年を経過した場合において、この法律の施行の状況について検討を加え、その結果に基づいて必要な措置を講ずるものとする。

附　則（略）〔平成一八・六・二一法律九二〕

附　則（略）〔平成一九・三・三一法律一九〕

附　則（略）〔平成二三・五・二法律三五〕

附　則〔抄〕〔平成二三・八・三〇法律一〇五〕

（施行期日）

第一条　この法律は、公布の日から施行する。ただし、次の各号に掲げる規定は、当該各号に定める日から施行する。

一　（前略）第百六十二条（高齢者、障害者等の移動等の円滑化の促進に関する法律第二十五条の改正規定（同条第七項中「ときは」を「場合において、次条第一項の協議会が組織されていないときは」に改め、「次条第一項の協議会が組織されている場合には協議会における協議を、同

項の協議会が組織されていない場合には」を削る部分を除く。）並びに同法第三十二条、第三十九条及び第五十四条の改正規定に限る。）〔中略〕の規定並びに附則〔中略〕第七十二条第四項〔中略〕の規定　公布の日から起算して三月を経過した日

二　〔前略〕第百六十二条（高齢者、障害者等の移動等の円滑化の促進に関する法律第十条、第十二条、第十三条、第三十六条第二項及び第五十六条の改正規定に限る。）〔中略〕の規定並びに附則〔中略〕第七十二条第一項から第三項まで〔中略〕の規定　平成二十四年四月一日

三～六　〔略〕

（高齢者、障害者等の移動等の円滑化の促進に関する法律の一部改正に伴う経過措置）

第七二条　第百六十二条の規定（高齢者、障害者等の移動等の円滑化の促進に関する法律第十条、第十二条、第十三条、第三十六条第二項及び第五十六条の改正規定に限る。以下この項から第三項までにおいて同じ。）の施行の日から起算して一年を超えない期間内において、第百六十二条の規定による改正後の高齢者、障害者等の移動等の円滑化の促進に関する法律（以下この項から第三項までにおいて「新高齢者移動等円滑化法」という。）第十条第一項、第十三条第一項又は第三十六条第二項の規定に基づく条例が制定施行されるまでの間は、新高齢者移動等円滑化法第十条第二項の主務省令で定める基準は同条第一項の条例で定める基準と、新高齢者移動等円滑化法第十三条第二項の主務省令で定める基準は同条第一項の条例で定める基準と、新高齢者移動等円滑化法第三十六条第二項の主務省令で定める基準は同項の条例で定める基準とみなす。

2　第百六十二条の規定の施行前に第百六十二条の規定による改正前の高齢者、障害者等の移動等の円滑化の促進に関する法律（以下この項及び次項において「旧高齢者移動等円滑化法」という。）第十二条第三項若しくは第五十三条第二項の規定により都道府県知事が行った命令その他の行為又は旧高齢者移動等円滑化法第十二条第一項若しくは第二項の規定により都道府県知事に対して行った届出で、新高齢者移動等円滑化法第十二条又は第五十三条第二項の規定により市長が行うこととなる事務に係るものは、それぞれこれらの規定により当該市長が行った命令その他の行為又は当該市長に対して行った届出とみなす。

3　第百六十二条の規定の施行前に旧高齢者移動等円滑化法第十二条第一項又は第二項の規定により都道府県知事に対し届出をしなければならないとされている事項のうち新高齢者移動等円滑化法第十二条第一項又は第二項の規定により市長に対して届出をしなければならないこととなるもので、第百六十二条の規定の施行前にその手続がされていないものについては、第百六十二条の規定の施行後は、これを、これらの規定により市長に対して届出をしなければならないとされた事項についてその手続がされていないものとみなして、これらの規定を適用する。

4　第百六十二条の規定（高齢者、障害者等の移動等の円滑化の促進に関する法律第二十五条の改正規定（同条第七項中「ときは」を「場合において、次条第一項の協議会が組織されていないときは」に改め、「次条第一項の協議会が組織されている場合には協議会における協議を、同項の協議会が組織されていない場合には」を削る部分を除く。）並びに同法第三十二条、第三十九条及び第五十四条の改正規定に限る。以下この項において同じ。）の施行前に第百六十二条の規定による改正前の高齢者、障害者等の移動等の円滑化の促進に関する法律第三十二条第三項の規定によりされた認可又は第百六十二条の規定の施行の際現に同項の規定によりされている認可の申請は、それぞれ第百六十二条の規定による改正後の高齢者、障害者等の移動等の円滑化の促進に関する法律第三十二条第三項の規定によりされた同意又は協議の申出とみなす。

（罰則に関する経過措置）

第八一条　この法律（附則第一条各号に掲げる規定にあっては、当該規定。以下この条において同じ。）の施行前にした行為及びこの附則の規定によりなお従前の例によることとされる場合におけるこの法律の施行後にした行為に対する罰則の適用については、なお従前の例による。

（政令への委任）

第八二条　この附則に規定するもののほか、この法律の施行に関し必要な経過措置（罰則に関する経過措置を含む。）は、政令で定める。

附　則〔略〕〔平成二五・六・一四法律四四施行〕

附　則〔略〕〔平成二六・六・四法律五四〕

附　則〔略〕〔平成二六・六・一三法律六九〕

附　則〔略〕〔平成二九・五・一二法律二六〕

附　則〔抄〕〔平成三〇・五・二五法律三二〕

（施行期日）

第一条　この法律は、公布の日から起算して六月を超えない範囲内において政令で定める日から施行する。ただし、第二条及び次条の規定は、平成三十一年四月一日から施行する。

〔平成三〇政二九七により、平成三〇・一一・一から施行〕

（経過措置）

第二条　第二条の規定の施行の際現に工事中の海上運送法（昭和二十四年法律第百八十七号）による輸送施設（船舶を除き、同法による旅客不定期航路事業の用に供するものに限る。）の新たな建設又は同条の規定による改正後の高齢者、障害者等の移動等の円滑化の促進に関する法律第八条第一項の主務省令で定める大規模な改良については、同項の規定は、適用しない。

（政令への委任）

第三条　前条に定めるもののほか、この法律の施行に関し必要な経過措置は、政令で定める。

（検討）

第四条　政府は、この法律の施行後五年を経過した場合において、この法律による改正後の高齢者、障害者等の移動等の円滑化の促進に関する法律の施行の状況について検討を加え、必要があると認めるときは、その結果に基づいて所要の措置を講ずるものとする。

附　則〔略〕〔平成三〇・六・二七法律六七〕

附　則〔抄〕〔令和二・五・二〇法律二八〕

（施行期日）

第一条　この法律は、令和三年四月一日から施行する。ただし、第一条並びに次条第一項及び附則第三条の規定は、公布の日から起算して一月を超えない範囲内において政令で定める日から施行する。

〔令和二政一九一により、令和二・六・一九から施行〕

（経過措置）

第二条　第一条の規定の施行の際現に同条の規定による改正前の高齢者、障害者等の移動等の円滑化の促進に関する法律第二十四条の二第一項の規定により定められている移動等円滑化促進方針には、当該移動等円滑化促進方針が第一条の規定の施行後最初に変更されるまでの間は、同条の規定による改正後の高齢者、障害者等の移動等の円滑化の促進に関する法律第二十四条の二第二項の規定にかかわらず、同項第三号に掲げる事項を定めないことができる。

2　この法律の施行の際現に新設又は改築の工事中の旅客特定車両停留施設については、第二条の規定による改正後の高齢者、障害者等の移動等の円滑化の促進に関する法律第十条第一項、第三項及び第十一項の規定は、適用しない。この場合においては、当該旅客特定車両停留施設を新設旅客特定車両停留施設以外の旅客特定車両停留施設とみなして、同条第四項の規定を適用する。

（政令への委任）

第三条　前条に定めるもののほか、この法律の施行に関し必要な経過措置は、政令で定める。

（検討）

第四条　政府は、この法律の施行後五年を経過した場合において、この法律による改正後の高齢者、障害者等の移動等の円滑化の促進に関する法律の施行の状況について検討を加え、必要があると認めるときは、その結果に基づいて所要の措置を講ずるものとする。

附　則〔略〕〔令和二・五・二七法律三一〕

附　則〔略〕〔令和二・六・三法律三六〕

附　則〔略〕〔令和二・六・一〇法律四二〕

附　則〔略〕〔令和四・六・一七法律六九〕

附　則〔略〕〔令和五・五・一二法律二四〕

附　則〔略〕〔令和五・六・一六法律五八〕

附　則〔抄〕〔令和六・六・一九法律五三〕

（施行期日）

第一条　この法律〔中略〕は、当該各号に定める日〔公布の日から起算して六月を超えない範囲内において政令で定める日〕から施行する。

○高齢者、障害者等の移動等の円滑化の促進に関する法律施行令

〔平成一八・一二・八 政令三七九〕

改正 平成一九・三政五五、八政二三五、九政三〇四、平成二六・五政一八七、平成二七・一政一二、平成二八・三政一八二、平成三〇・九政二八〇、一〇政二九八、令和二・一〇政三〇二、一一政三二九、一二政三四五、令和三・九政二六一、令和四・三政八四、令和五・九政二九三

注1 ［　　］の部分は、令和六年四月一九日政令第一七二号により改正され、令和七年四月一日から施行

注2 ［　　］の部分は、令和六年六月二一日政令第二二一号により改正され、令和七年六月一日から施行

（特定旅客施設の要件）

第一条 高齢者、障害者等の移動等の円滑化の促進に関する法律（以下「法」という。）第二条第七号の政令で定める要件は、次の各号のいずれかに該当することとする。

一 当該旅客施設の一日当たりの平均的な利用者の人数（当該旅客施設が新たに建設される場合にあっては、当該旅客施設の一日当たりの平均的な利用者の人数の見込み）が五千人以上であること。

二 次のいずれかに該当することにより当該旅客施設を利用する高齢者又は障害者の人数（当該旅客施設が新たに建設される場合にあっては、当該旅客施設を利用する高齢者又は障害者の人数の見込み）が前号の要件に該当する旅客施設を利用する高齢者又は障害者の人数と同程度以上であると認められること。

イ 当該旅客施設が所在する市町村の区域における人口及び高齢者の人数を基準として国土交通省令・内閣府令・総務省令の定めるところにより算定した当該旅客施設を利用する高齢者の人数が、全国の区域における人口及び高齢者の人数を基準として国土交通省令・内閣府令・総務省令の定めるところにより算定した前号の要件に該当する旅客施設を利用する高齢者の人数以上であること。

ロ 当該旅客施設が所在する市町村の区域における人口及び障害者の人数を基準として国土交通省令・内閣府令・総務省令の定めるところにより算定した当該旅客施設を利用する障害者の人数が、全国の区域における人口及び障害者の人数を基準として国土交通省令・内閣府令・総務省令の定めるところにより算定した前号の要件に該当する旅客施設を利用する障害者の人数以上であること。

三 前二号に掲げるもののほか、当該旅客施設及びその周辺に所在する官公庁施設、福祉施設その他の施設の利用の状況並びに当該旅客施設の周辺における移動等円滑化の状況からみて、当該旅客施設について移動等円滑化のための事業を優先的に実施する必要性が特に高いと認められるものであること。

（特定道路）

第二条 法第二条第十号の政令で定める道路は、生活関連経路を構成する道路法（昭和二十七年法律第百八十号）による道路のうち多数の高齢者、障害者等の移動が通常徒歩で行われるものであって国土交通大臣がその路線及び区間を指定したものとする。

（特定公園施設）

第三条 法第二条第十五号の政令で定める公園施設は、公園施設のうち次に掲げるもの（法令又は条例の定める現状変更の規制及び保存のための措置がとられていることその他の事由により法第十三条の都市公園移動等円滑化基準に適合させることが困難なものとして国土交通省令で定めるものを除く。）とする。

一 都市公園の出入口と次号から第十二号までに掲げる公園施設その他国土交通省令で定める主要な公園施設（以下この号において「屋根付広場等」という。）との間の経路及び第六号に掲げる駐車場と屋根付広場等（当該駐車場を除く。）との間の経路を構成する園路及び広場

二 屋根付広場

三 休憩所

四 野外劇場

五 野外音楽堂

六 駐車場

七 便所

八 水飲場

九 手洗場

十 管理事務所

十一 掲示板

十二 標識

（特定建築物）

第四条 法第二条第十八号の政令で定める建築物は、次に掲げるもの（建築基準法（昭和二十五年法律第二百一号）第三条第一項に規定する建築物及び文化財保護法（昭和二十五年法律第二百十四号）第百四十三条第一項又は第二項の伝統的建造物群保存地区内における同法第二条第一項第六号の伝統的建造物群を構成している建築物を除く。）とする。

一 学校

二 病院又は診療所

三 劇場、観覧場、映画館又は演芸場

四 集会場又は公会堂

五 展示場

六 卸売市場又は百貨店、マーケットその他の物品販売業を営む店舗

七 ホテル又は旅館

八 事務所

九 共同住宅、寄宿舎又は下宿

十 老人ホーム、保育所、福祉ホームその他これらに類するもの

十一 老人福祉センター、児童厚生施設、身体障害者福祉センターその他これらに類するもの

十二 体育館、水泳場、ボーリング場その他これらに類する運動施設又は遊技場

十三 博物館、美術館又は図書館

十四 公衆浴場

十五 飲食店又はキャバレー、料理店、ナイトクラブ、ダンスホールその他これらに類するもの

十六 理髪店、クリーニング取次店、質屋、貸衣装屋、銀行その他これらに類するサービス業を営む店舗

十七 自動車教習所又は学習塾、華道教室、囲碁教室その他これらに類するもの

十八 工場

十九 車両の停車場又は船舶若しくは航空機の発着場を構成する建築物で旅客の乗降又は待合いの用に供するもの

二十 自動車の停留又は駐車のための施設

二十一 公衆便所

二十二 公共用歩廊

（特別特定建築物）

第五条 法第二条第十九号の政令で定める特定建築物は、次に掲げるものとする。

一 小学校、中学校、義務教育学校若しくは中等教育学校（前期課程に係るものに限る。）で公立のもの（第二十三条及び第二十五条第三項第一号において「公立小学校等」という。）又は特別支援学校

一 小学校、中学校、義務教育学校若しくは中等教育学校（前期課程に係るものに限る。）で公立のもの（第二十四条及び第二十六条第三項第一号において「公立小学校等」という。）又は特別支援学校

二 病院又は診療所

三 劇場、観覧場、映画館又は演芸場

四 集会場又は公会堂

五 展示場

六 百貨店、マーケットその他の物品販売業を営む店舗

七 ホテル又は旅館

八　保健所、税務署その他不特定かつ多数の者が利用する官公署
九　老人ホーム、福祉ホームその他これらに類するもの（主として高齢者、障害者等が利用するものに限る。）
十　老人福祉センター、児童厚生施設、身体障害者福祉センターその他これらに類するもの
十一　体育館（一般公共の用に供されるものに限る。）、水泳場（一般公共の用に供されるものに限る。）若しくはボーリング場又は遊技場
十二　博物館、美術館又は図書館
十三　公衆浴場
十四　飲食店
十五　理髪店、クリーニング取次店、質屋、貸衣装屋、銀行その他これらに類するサービス業を営む店舗
十六　車両の停車場又は船舶若しくは航空機の発着場を構成する建築物で旅客の乗降又は待合いの用に供するもの
十七　自動車の停留又は駐車のための施設（一般公共の用に供されるものに限る。）
十八　公衆便所
十九　公共用歩廊

（建築物特定施設）

第六条　法第二条第二十号の政令で定める施設は、次に掲げるものとする。
一　出入口
二　廊下その他これに類するもの（以下「廊下等」という。）
三　階段（その踊場を含む。以下同じ。）
四　傾斜路（その踊場を含む。以下同じ。）
五　エレベーターその他の昇降機
六　便所

七　劇場、観覧場、映画館若しくは演芸場又は集会場若しくは公会堂（第十五条において「劇場等」という。）の客席

七　ホテル又は旅館の客室
八　敷地内の通路
九　駐車場
十　その他国土交通省令で定める施設

七号から十号は、八号から十一号に繰り下げられます。

（都道府県知事が所管行政庁となる建築物）

第七条　法第二条第二十二号ただし書の政令で定める建築物のうち建築基準法第九十七条の二第一項又は第二項の規定により建築主事又は建築副主事を置く市町村の区域内のものは、同法第六条第一項第四号に掲げる建築物（その新築、改築、増築、移転又は用途の変更に関して、法律並びにこれに基づく命令及び条例の規定により都道府県知事の許可を必要とするものを除く。）以外の建築物とする。

第七条　法第二条第二十二号ただし書の政令で定める建築物のうち建築基準法第九十七条の二第一項又は第二項の規定により建築主事又は建築副主事を置く市町村の区域内のものは、建築基準法施行令（昭和二十五年政令第三百三十八号）第百四十八条第一項第一号又は第二号に掲げる建築物（その新築、改築、増築、移転又は用途の変更に関して、法律並びにこれに基づく命令及び条例の規定により都道府県知事の許可を必要とするものを除く。）以外の建築物とする。

2　法第二条第二十二号ただし書の政令で定める建築物のうち建築基準法第九十七条の三第一項又は第二項の規定により建築主事又は建築副主事を置く特別区の区域内のものは、次に掲げる建築物（第二号に掲げる建築物にあっては、地方自治法（昭和二十二年法律第六十七号）第二百五十二条の十七の二第一項の規定により同号に規定する処分に関する事務を特別区が処理することとされた場合における当該建築物を除く。）とする。
一　延べ面積（建築基準法施行令（昭和二十五年政令第三百三十八号）第二条第一項第四号の延べ面積をいう。第二十六条において同じ。）が一万平方メートルを超える建築物

一　延べ面積（建築基準法施行令第二条第一項第四号の延べ面積をいう。第二十六条において同じ。）が一万平方メートルを超える建築物

一　延べ面積（建築基準法施行令第二条第一項第四号の延べ面積をいう。第二十七条において同じ。）が一万平方メートルを超える建築物

二　その新築、改築、増築、移転又は用途の変更に関して、建築基準法第五十一条（同法第八十七条第二項及び第三項において準用する場合を含み、市町村都市計画審議会が置かれている特別区にあっては、卸売市場に係る部分に限る。）の規定又は同法以外の法律若しくはこれに基づく命令若しくは条例の規定により都知事の許可を必要とする建築物

（基準適合性審査を行うべき許可、認可その他の処分に係る法令の規定等）

第八条　法第九条第一項の法令の規定で政令で定めるものは、次に掲げる規定とする。
一　鉄道事業法（昭和六十一年法律第九十二号）第八条第一項、第九条第一項（同法第十二条第四項において準用する場合を含む。）、第十条第一項、第十二条第一項及び第三項並びに第十三条第一項及び第二項並びに全国新幹線鉄道整備法（昭和四十五年法律第七十一号）第九条第一項
二　軌道法（大正十年法律第七十六号）第五条第一項及び第十条
三　自動車ターミナル法（昭和三十四年法律第百三十六号）第三条及び第十一条第一項

2　法第九条第二項の法令の規定で政令で定めるものは、次に掲げる規定とする。
一　鉄道事業法第九条第三項（同法第十二条第四項において準用する場合を含む。）及び第十二条第二項
二　軌道法施行令（昭和二十八年政令第二百五十八号）第六条第二項及び軌道法に規定する国土交通大臣の権限に属する事務で都道府県が処理するもの等を定める政令（昭和二十八年政令第二百五十七号）第一条第十項
三　自動車ターミナル法第十一条第三項

（基準適合義務の対象となる特別特定建築物の規模）

第九条　法第十四条第一項の政令で定める規模は、床面積（増築若しくは改築又は用途の変更の場合にあっては、当該増築若しくは改築又は用途の変更に係る部分の床面積。次条第二項において同じ。）の合計二千平方メートル（第五条第十八号に掲げる公衆便所（次条第二項において「公衆便所」という。）にあっては、五十平方メートル）とする。

（建築物移動等円滑化基準）

第一〇条　法第十四条第一項の政令で定める建築物特定施設の構造及び配置に関する基準（次項に規定する特別特定建築物に係るものを除く。）は、次条から第二十四条までに定めるところによる。

2　法第十四条第三項の規定により地方公共団体が条例で同条第一項の建築の規模を床面積の合計五百平方メートル未満で定めた場合における床面積の合計が五百平方メートル未満の当該建築に係る特別特定建築物（公衆便所を除き、同条第三項の条例で定める特定建築物を含む。第二十五条において「条例対象小規模特別特定建築物」という。）についての法第十四条第一項の政令で定める建築物特定施設の構造及び配置に関する基準は、第十九条及び第二十五条に定めるところによる。

第一〇条　法第十四条第一項の政令で定める建築物特定施設の構造及び配置に関する基準（次項に規定する特別特定建築物に係るものを除く。）は、次条から第二十五条までに定めるところによる。

2　法第十四条第三項の規定により地方公共団体が条例で同条第一項の建築の規模を床面積の合計五百平方メートル未満で定めた場合における床面積の合計が五百平方メートル未満の当該建築に係る特別特定建築物（公衆便所を除き、同条第三項の条例で定める特定建築物を含む。第二十六条において「条例対象小規模特別特定建築物」という。）についての法第十四条第一項の政令で定める建築物特定施設の構造及び配置に関する基準は、第二十条及び第二十六条に定めるところによる。

（廊下等）

第一一条　不特定かつ多数の者が利用し、又は主として高齢者、障害者等が利用する廊下等は、次に掲げるものでなければならない。
一　表面は、粗面とし、又は滑りにくい材料で仕上げること。
二　階段又は傾斜路（階段に代わり、又はこれに併設するものに限る。）の上端に近接する廊下等の部分（不特定かつ多数の者が利用し、又は主として視覚障害者が利用するものに限る。）には、視覚障害者に対し段差又は傾斜の存在の警告を行うために、点状ブロック等（床面に敷設されるブロックその他これに類するものであって、点状の突起が設けられ

ており、かつ、周囲の床面との色の明度、色相又は彩度の差が大きいことにより容易に識別できるものをいう。以下同じ。）を敷設すること。ただし、視覚障害者の利用上支障がないものとして国土交通大臣が定める場合は、この限りでない。

（階段）

第一二条 不特定かつ多数の者が利用し、又は主として高齢者、障害者等が利用する階段は、次に掲げるものでなければならない。

一 踊場を除き、手すりを設けること。

二 表面は、粗面とし、又は滑りにくい材料で仕上げること。

三 踏面の端部とその周囲の部分との色の明度、色相又は彩度の差が大きいことにより段を容易に識別できるものとすること。

四 段鼻の突き出しその他のつまずきの原因となるものを設けない構造とすること。

五 段がある部分の上端に近接する踊場の部分（不特定かつ多数の者が利用し、又は主として視覚障害者が利用するものに限る。）には、視覚障害者に対し警告を行うために、点状ブロック等を敷設すること。ただし、視覚障害者の利用上支障がないものとして国土交通大臣が定める場合は、この限りでない。

六 主たる階段は、回り階段でないこと。ただし、回り階段以外の階段を設ける空間を確保することが困難であるときは、この限りでない。

（階段に代わり、又はこれに併設する傾斜路）

第一三条 不特定かつ多数の者が利用し、又は主として高齢者、障害者等が利用する傾斜路（階段に代わり、又はこれに併設するものに限る。）は、次に掲げるものでなければならない。

一 勾配が十二分の一を超え、又は高さが十六センチメートルを超える傾斜がある部分には、手すりを設けること。

二 表面は、粗面とし、又は滑りにくい材料で仕上げること。

三 その前後の廊下等との色の明度、色相又は彩度の差が大きいことによりその存在を容易に識別できるものとすること。

四 傾斜がある部分の上端に近接する踊場の部分（不特定かつ多数の者が利用し、又は主として視覚障害者が利用するものに限る。）には、視覚障害者に対し警告を行うために、点状ブロック等を敷設すること。ただし、視覚障害者の利用上支障がないものとして国土交通大臣が定める場合は、この限りでない。

（便所）

第一四条 不特定かつ多数の者が利用し、又は主として高齢者、障害者等が利用する便所を設ける場合には、そのうち一以上（男子用及び女子用の区別があるときは、それぞれ一以上）は、次に掲げるものでなければならない。

一 便所内に、車椅子を使用している者（以下「車椅子使用者」という。）が円滑に利用することができるものとして国土交通大臣が定める構造の便房（以下「車椅子使用者用便房」という。）を一以上設けること。

二 便所内に、高齢者、障害者等が円滑に利用することができる構造の水洗器具を設けた便房を一以上設けること。

2 不特定かつ多数の者が利用し、又は主として高齢者、障害者等が利用する男子用小便器のある便所を設ける場合には、そのうち一以上に、床置式の小便器、壁掛式の小便器（受け口の高さが三十五センチメートル以下のものに限る。）その他これらに類する小便器を一以上設けなければならない。

第一四条 不特定かつ多数の者が利用し、又は主として高齢者、障害者等が利用する便所は、これらの者が当該便所を利用する上で支障がないものとして国土交通大臣が定める配置の基準に従い、これらの者が利用する階（当該階においてこれらの者が利用する部分の床面積、当該部分の利用方法その他の事情を勘案して国土交通大臣が定める階を除く。）の階数に相当する数（床面積が一万平方メートルを超える階がある場合にあっては、当該数に当該階の床面積に応じて国土交通大臣が定める数を加えた数）以上設けるものでなければならない。

2 前項の規定により便所を設ける階においては、当該便所のうち一以上（当該階の床面積が一万平方メートルを超える場合にあっては、当該床面積に応じて国土交通大臣が定める数以上）に、車椅子使用者用便房（車椅子を使用している者（以下「車椅子使用者」という。）が円滑に利用することができるものとして国土交通大臣が定める構造の便房をいう。以下同じ。）を一以上（当該車椅子使用者用便房に男子用及び女子用の区別を設ける場合にあっては、それぞれ一以上。以下この項において同じ。）設けなければならない。ただし、当該階が直接地上へ通ずる出入口のある階（第十九条第一項第一号及び第二項第五号イにおいて「地上階」という。）であり、かつ、車椅子使用者用便房を一以上設ける施設が同一敷地内の当該出入口に近接する位置にある場合その他の車椅子使用者が車椅子使用者用便房を利用する上で支障がないものとして国土交通大臣が定める場合は、この限りでない。

3 前項に定めるもののほか、第一項の規定により設ける便所のうち一以上には、高齢者、障害者等が円滑に利用することができる構造の水洗器具を設けた便房を一以上（当該便房に男子用及び女子用の区別を設ける場合にあっては、それぞれ一以上）設けなければならない。

4 前二項に定めるもののほか、第一項の規定により設ける便所であって男子用小便器を設けるもののうち一以上には、床置式の小便器、壁掛式の小便器（受け口の高さが三十五センチメートル以下のものに限る。）その他これらに類する小便器を一以上設けなければならない。

（劇場等の客席）

第一五条 劇場等の客席には、次の各号に掲げる場合の区分に応じ、当該各号に定める数以上の車椅子使用者用部分（車椅子の転回に支障がないことその他の車椅子使用者が円滑に利用することができるものとして国土交通大臣が定める基準に適合する場所をいう。第十九条第一項第一号において同じ。）を設けなければならない。

一 当該客席に設ける座席の数が四百以下の場合 二

二 当該客席に設ける座席の数が四百を超える場合 当該座席の数に二百分の一を乗じて得た数（その数に一未満の端数があるときは、その端数を切り上げた数）

（ホテル又は旅館の客室）

第一五条 ホテル又は旅館には、客室の総数が五十以上の場合は、車椅子使用者が円滑に利用できる客室（以下「車椅子使用者用客室」という。）を客室の総数に百分の一を乗じて得た数（その数に一未満の端数があるときは、その端数を切り上げた数）以上設けなければならない。

2 車椅子使用者用客室は、次に掲げるものでなければならない。

一 便所は、次に掲げるものであること。ただし、当該客室が設けられている階に不特定かつ多数の者が利用する便所（車椅子使用者用便房が設けられたものに限る。）が一以上（男子用及び女子用の区別があるときは、それぞれ一以上）設けられている場合は、この限りでない。

イ 便所内に車椅子使用者用便房を設けること。

ロ 車椅子使用者用便房及び当該便房が設けられている便所の出入口は、次に掲げるものであること。

(1) 幅は、八十センチメートル以上とすること。

(2) 戸を設ける場合には、自動的に開閉する構造その他の車椅子使用者が容易に開閉して通過できる構造とし、かつ、その前後に高低差がないこと。

二 浴室又はシャワー室（以下この号において「浴室等」という。）は、次に掲げるものであること。ただし、当該客室が設けられている建築物に不特定かつ多数の者が利用する浴室等（次に掲げるものに限る。）が一以上（男子用及び女子用の区別があるときは、それぞれ一以上）設けられている場合は、この限りでない。

イ 車椅子使用者が円滑に利用することができるものとして国土交通大臣が定める構造であること。

ロ 出入口は、前号ロに掲げるものであること。

（敷地内の通路）

第一六条 不特定かつ多数の者が利用し、又は主として高齢者、障害者等が利用する敷地内の通路は、次に掲げるものでなければならない。

一 表面は、粗面とし、又は滑りにくい材料で仕上げること。

二 段がある部分は、次に掲げるものであること。

イ 手すりを設けること。

ロ 踏面の端部とその周囲の部分との色の明度、色相又は彩度の差が大きいことにより段を容易に識別できるものとすること。

ハ 段鼻の突き出しその他のつまずきの原因となるものを設けない構造とすること。

三　傾斜路は、次に掲げるものであること。
イ　勾配が十二分の一を超え、又は高さが十六センチメートルを超え、かつ、勾配が二十分の一を超える傾斜がある部分には、手すりを設けること。
ロ　その前後の通路との色の明度、色相又は彩度の差が大きいことによりその存在を容易に識別できるものとすること。

第一五条及び第一六条は、第一六条及び第一七条に繰り下げられます。

（駐車場）
第一七条　不特定かつ多数の者が利用し、又は主として高齢者、障害者等が利用する駐車場を設ける場合には、そのうち一以上に、車椅子使用者が円滑に利用することができる駐車施設（以下「車椅子使用者用駐車施設」という。）を一以上設けなければならない。

第一八条　不特定かつ多数の者が利用し、又は主として高齢者、障害者等が利用する駐車場には、次の各号に掲げる場合の区分に応じ、当該各号に定める数以上の車椅子使用者用駐車施設（車椅子使用者が円滑に利用することができる駐車施設をいう。以下同じ。）を設けなければならない。ただし、当該駐車場が昇降機その他の機械装置により自動車を駐車させる構造のものであり、かつ、その出入口の部分に車椅子使用者が円滑に自動車に乗降することが可能な場所が一以上設けられている場合その他の車椅子使用者が駐車場を利用する上で支障がないものとして国土交通大臣が定める場合は、この限りでない。
一　当該駐車場に設ける駐車施設の数（当該駐車場を二以上設ける場合にあっては、当該駐車場に設ける駐車施設の総数。以下この号及び次号において同じ。）が二百以下の場合　当該駐車施設の数に百分の二を乗じて得た数（その数に一未満の端数があるときは、その端数を切り上げた数）
二　当該駐車場に設ける駐車施設の数が二百を超える場合　当該駐車施設の数に百分の一を乗じて得た数（その数に一未満の端数があるときは、その端数を切り上げた数）に二を加えた数

2　車椅子使用者用駐車施設は、次に掲げるものでなければならない。
一　幅は、三百五十センチメートル以上とすること。
二　次条第一項第三号に定める経路の長さができるだけ短くなる位置に設けること。

（移動等円滑化経路）
第一八条　次に掲げる場合には、それぞれ当該各号に定める経路のうち一以上（第四号に掲げる場合にあっては、その全て）を、高齢者、障害者等が円滑に利用できる経路（以下この条及び第二十五条第一項において「移動等円滑化経路」という。）にしなければならない。
一　建築物に、不特定かつ多数の者が利用し、又は主として高齢者、障害者等が利用する居室（以下「利用居室」という。）を設ける場合　道又は公園、広場その他の空地（以下「道等」という。）から当該利用居室までの経路（直接地上へ通ずる出入口のある階（以下この条において「地上階」という。）又はその直上階若しくは直下階のみに利用居室を設ける場合にあっては、当該地上階とその直上階又は直下階との間の上下の移動に係る部分を除く。）
二　建築物又はその敷地に車椅子使用者用便房（車椅子使用者用客室に設けられるものを除く。以下同じ。）を設ける場合　利用居室（当該建築物に利用居室が設けられていないときは、道等。次号において同じ。）から当該車椅子使用者用便房までの経路
三　建築物又はその敷地に車椅子使用者用駐車施設を設ける場合　当該車椅子使用者用駐車施設から利用居室までの経路
四　建築物が公共用歩廊である場合　その一方の側の道等から当該公共用歩廊を通過し、その他方の側の道等までの経路（当該公共用歩廊又はその敷地にある部分に限る。）

第一九条　次の各号に掲げる場合には、当該各号に定める経路のうち一以上（第四号に掲げる場合にあっては、その全て）を、高齢者、障害者等が円滑に利用できる経路（以下この条及び第二十六条第一項において「移動等円滑化経路」という。）にしなければならない。
一　建築物に、不特定かつ多数の者が利用し、又は主として高齢者、障害者等が利用する居室（以下「利用居室」という。）を設ける場合　道又は公園、広場その他の空地（以下「道等」という。）から当該利用居室までの経路（当該利用居室が第十五条の劇場等の客席である場合にあっては当該客席の出入口と車椅子使用者用部分との間の経路（以下この項及び第二十三条において「車椅子使用者用経路」という。）を含み、地上階又はその直上階若しくは直下階のみに利用居室を設ける場合にあっては当該地上階とその直上階又は直下階との間の上下の移動に係る部分を除く。）
二　建築物又はその敷地に車椅子使用者用便房（車椅子使用者用客室に設けられるものを除く。以下同じ。）を設ける場合　利用居室（当該建築物に利用居室が設けられていないときは、道等。次号において同じ。）から当該車椅子使用者用便房までの経路（当該利用居室が第十五条の劇場等の客席である場合にあっては、車椅子使用者用経路を含む。）
三　建築物又はその敷地に車椅子使用者用駐車施設を設ける場合　当該車椅子使用者用駐車施設から利用居室までの経路（当該利用居室が第十五条の劇場等の客席である場合にあっては、車椅子使用者用経路を含む。）
四　［略］

2　移動等円滑化経路は、次に掲げるものでなければならない。
一　当該移動等円滑化経路上に階段又は段を設けないこと。ただし、傾斜路又はエレベーターその他の昇降機を併設する場合は、この限りでない。
二　当該移動等円滑化経路を構成する出入口は、次に掲げるものであること。
イ　幅は、八十センチメートル以上とすること。
ロ　戸を設ける場合には、自動的に開閉する構造その他の車椅子使用者が容易に開閉して通過できる構造とし、かつ、その前後に高低差がないこと。
三　当該移動等円滑化経路を構成する廊下等は、第十一条の規定によるほか、次に掲げるものであること。
イ　幅は、百二十センチメートル以上とすること。
ロ　五十メートル以内ごとに車椅子の転回に支障がない場所を設けること。
ハ　戸を設ける場合には、自動的に開閉する構造その他の車椅子使用者が容易に開閉して通過できる構造とし、かつ、その前後に高低差がないこと。
四　当該移動等円滑化経路を構成する傾斜路（階段に代わり、又はこれに併設するものに限る。）は、第十三条の規定によるほか、次に掲げるものであること。
イ　幅は、階段に代わるものにあっては百二十センチメートル以上、階段に併設するものにあっては九十センチメートル以上とすること。
ロ　勾配は、十二分の一を超えないこと。ただし、高さが十六センチメートル以下のものにあっては、八分の一を超えないこと。
ハ　高さが七十五センチメートルを超えるものにあっては、高さ七十五センチメートル以内ごとに踏幅が百五十センチメートル以上の踊場を設けること。
五　当該移動等円滑化経路を構成するエレベーター（次号に規定するものを除く。以下この号において同じ。）及びその乗降ロビーは、次に掲げるものであること。
イ　籠（人を乗せ昇降する部分をいう。以下この号において同じ。）は、利用居室、車椅子使用者用便房又は車椅子使用者用駐車施設がある階及び地上階に停止すること。
ロ　籠及び昇降路の出入口の幅は、八十センチメートル以上とすること。
ハ　籠の奥行きは、百三十五センチメートル以上とすること。
ニ　乗降ロビーは、高低差がないものとし、その幅及び奥行きは、百五十センチメートル以上とすること。
ホ　籠内及び乗降ロビーには、車椅子使用者が利用しやすい位置に制御装置を設けること。
ヘ　籠内に、籠が停止する予定の階及び籠の現在位置を表示する装置を設けること。
ト　乗降ロビーに、到着する籠の昇降方向を表示する装置を設けること。
チ　不特定かつ多数の者が利用する建築物（床面積の合計が二千平方メートル以上の建築物に限る。）の移動等円滑化経路を構成するエレベーターにあっては、イからハまで、ホ及びヘに定めるもののほか、

次に掲げるものであること。

(1) 籠の幅は、百四十センチメートル以上とすること。

(2) 籠は、車椅子の転回に支障がない構造とすること。

リ 不特定かつ多数の者が利用し、又は主として視覚障害者が利用するエレベーター及び乗降ロビーにあっては、イからチまでに定めるもののほか、次に掲げるものであること。ただし、視覚障害者の利用上支障がないものとして国土交通大臣が定める場合は、この限りでない。

(1) 籠内に、籠が到着する階並びに籠及び昇降路の出入口の戸の閉鎖を音声により知らせる装置を設けること。

(2) 籠内及び乗降ロビーに設ける制御装置（車椅子使用者が利用しやすい位置及びその他の位置に制御装置を設ける場合にあっては、当該その他の位置に設けるものに限る。）は、点字その他国土交通大臣が定める方法により視覚障害者が円滑に操作することができる構造とすること。

(3) 籠内又は乗降ロビーに、到着する籠の昇降方向を音声により知らせる装置を設けること。

六 当該移動等円滑化経路を構成する国土交通大臣が定める特殊な構造又は使用形態のエレベーターその他の昇降機は、車椅子使用者が円滑に利用することができるものとして国土交通大臣が定める構造とすること。

七 当該移動等円滑化経路を構成する敷地内の通路は、第十六条の規定によるほか、次に掲げるものであること。

> 七 当該移動等円滑化経路を構成する敷地内の通路は、第十七条の規定によるほか、次に掲げるものであること。

イ 幅は、百二十センチメートル以上とすること。

ロ 五十メートル以内ごとに車椅子の転回に支障がない場所を設けること。

ハ 戸を設ける場合には、自動的に開閉する構造その他の車椅子使用者が容易に開閉して通過できる構造とし、かつ、その前後に高低差がないこと。

ニ 傾斜路は、次に掲げるものであること。

(1) 幅は、段に代わるものにあっては百二十センチメートル以上、段に併設するものにあっては九十センチメートル以上とすること。

(2) 勾配は、十二分の一を超えないこと。ただし、高さが十六センチメートル以下のものにあっては、八分の一を超えないこと。

(3) 高さが七十五センチメートルを超えるもの（勾配が二十分の一を超えるものに限る。）にあっては、高さ七十五センチメートル以内ごとに踏幅が百五十センチメートル以上の踊場を設けること。

3 第一項第一号に定める経路を構成する敷地内の通路が地形の特殊性により前項第七号の規定によることが困難である場合における前二項の規定の適用については、第一項第一号中「道又は公園、広場その他の空地（以下「道等」という。）」とあるのは、「当該建築物の車寄せ」とする。

（標識）

第一九条 移動等円滑化の措置がとられたエレベーターその他の昇降機、便所又は駐車施設の付近には、国土交通省令で定めるところにより、それぞれ、当該エレベーターその他の昇降機、便所又は駐車施設があることを表示する標識を設けなければならない。

（案内設備）

第二〇条 建築物又はその敷地には、当該建築物又はその敷地内の移動等円滑化の措置がとられたエレベーターその他の昇降機、便所又は駐車施設の配置を表示した案内板その他の設備を設けなければならない。ただし、当該エレベーターその他の昇降機、便所又は駐車施設の配置を容易に視認できる場合は、この限りでない。

2 建築物又はその敷地には、当該建築物又はその敷地内の移動等円滑化の措置がとられたエレベーターその他の昇降機又は便所の配置を点字その他国土交通大臣が定める方法により視覚障害者に示すための設備を設けなければならない。

3 案内所を設ける場合には、前二項の規定は適用しない。

（案内設備までの経路）

第二一条 道等から前条第二項の規定による設備又は同条第三項の規定による案内所までの経路（不特定かつ多数の者が利用し、又は主として視覚障害者が利用するものに限る。）は、そのうち一以上を、視覚障害者が円滑に利用できる経路（以下この条において「視覚障害者移動等円滑化経路」という。）にしなければならない。ただし、視覚障害者の利用上支障がないものとして国土交通大臣が定める場合は、この限りでない。

2 視覚障害者移動等円滑化経路は、次に掲げるものでなければならない。

一 当該視覚障害者移動等円滑化経路に、視覚障害者の誘導を行うために、線状ブロック等（床面に敷設されるブロックその他これに類するものであって、線状の突起が設けられており、かつ、周囲の床面との色の明度、色相又は彩度の差が大きいことにより容易に識別できるものをいう。）及び点状ブロック等を適切に組み合わせて敷設し、又は音声その他の方法により視覚障害者を誘導する設備を設けること。ただし、進行方向を変更する必要がない風除室内においては、この限りでない。

二 当該視覚障害者移動等円滑化経路を構成する敷地内の通路の次に掲げる部分には、視覚障害者に対し警告を行うために、点状ブロック等を敷設すること。

イ 車路に近接する部分

ロ 段がある部分又は傾斜がある部分の上端に近接する部分（視覚障害者の利用上支障がないものとして国土交通大臣が定める部分を除く。）

> 第一九条から第二一条は、第二〇条から第二二条に繰り下げられます。

（増築等に関する適用範囲）

第二二条 建築物の増築又は改築（用途の変更をして特別特定建築物にすることを含む。第一号において「増築等」という。）をする場合には、第十一条から前条までの規定は、次に掲げる建築物の部分に限り、適用する。

一 当該増築等に係る部分

二 道等から前号に掲げる部分にある利用居室までの一以上の経路を構成する出入口、廊下等、階段、傾斜路、エレベーターその他の昇降機及び敷地内の通路

三 不特定かつ多数の者が利用し、又は主として高齢者、障害者等が利用する便所

四 第一号に掲げる部分にある利用居室（当該部分に利用居室が設けられていないときは、道等）から車椅子使用者用便房（前号に掲げる便所に設けられるものに限る。）までの一以上の経路を構成する出入口、廊下等、階段、傾斜路、エレベーターその他の昇降機及び敷地内の通路

五 不特定かつ多数の者が利用し、又は主として高齢者、障害者等が利用する駐車場

六 車椅子使用者用駐車施設（前号に掲げる駐車場に設けられるものに限る。）から第一号に掲げる部分にある利用居室（当該部分に利用居室が設けられていないときは、道等）までの一以上の経路を構成する出入口、廊下等、階段、傾斜路、エレベーターその他の昇降機及び敷地内の通路

（公立小学校等に関する読替え）

第二三条 公立小学校等についての第十一条から第十四条まで、第十六条、第十七条第一項、第十八条第一項及び前条の規定（次条において「読替え対象規定」という。）の適用については、これらの規定中「不特定かつ多数の者が利用し、又は主として高齢者、障害者等が利用する」とあるのは「多数の者が利用する」と、前条中「特別特定建築物」とあるのは「第五条第一号に規定する公立小学校等」とする。

（条例で定める特定建築物に関する読替え）

第二四条 法第十四条第三項の規定により特別特定建築物に条例で定める特定建築物を追加した場合における読替え対象規定の適用については、読替え対象規定中「不特定かつ多数の者が利用し、又は主として高齢者、障害者等が利用する」とあるのは「多数の者が利用する」と、第二十二条中「特別特定建築物」とあるのは「法第十四条第三項の条例で定める特定建築物」とする。

（条例対象小規模特別特定建築物の建築物移動等円滑化基準）

第二五条 条例対象小規模特別特定建築物の移動等円滑化経路については、第十八条の規定を準用する。この場合において、同条第一項中「次に」とあるのは「第一号又は第四号に」と、同条第二項第三号中「第十一条の規定によるほか、」とあるのは「第十一条各号及び」と、同号イ及び第七号イ中「百二十センチメートル」とあり、同項第四号イ中「階段に代わるものにあっては百二十センチメートル以上、階段に併設するものにあっては九十センチメートル」とあり、並びに同項第七号ニ(1)中「段に代わるものにあっては百二十センチメートル以上、段に併設するものにあっては九十センチメートル」とあるのは「九十センチメートル」と、同項第四号中「第十三条の規定によるほか、」とあるのは「第十三条各号及び」と、

同項第七号中「第十六条の規定によるほか、」とあるのは「第十六条各号及び」と読み替えるものとする。

2　建築物の増築又は改築（用途の変更をして条例対象小規模特別特定建築物にすることを含む。以下この項において「増築等」という。）をする場合には、第十九条及び前項の規定は、当該増築等に係る部分（当該部分に道等に接する出入口がある場合に限る。）に限り、適用する。

3　条例対象小規模特別特定建築物のうち次に掲げるものについての第一項において読み替えて準用する第十八条の規定の適用については、同条第一項第一号中「不特定かつ多数の者が利用し、又は主として高齢者、障害者等が利用する」とあるのは、「多数の者が利用する」とする。

一　公立小学校等

二　法第十四条第三項の条例で定める特定建築物

（増築等に関する適用範囲）

第二三条　建築物の増築又は改築（用途の変更をして特別特定建築物にすることを含む。第一号において「増築等」という。）をする場合には、第十一条から前条までの規定は、次に掲げる建築物の部分（第二号、第四号又は第六号の経路が二以上ある場合にあっては、いずれか一の経路に係る部分）に限り、適用する。

一　〔略〕

二　道等から前号に掲げる部分にある利用居室までの経路（当該利用居室が第十五条の劇場等の客席である場合にあっては、車椅子使用者用経路を含む。）を構成する出入口、廊下等、階段、傾斜路、エレベーターその他の昇降機及び敷地内の通路

三　〔略〕

四　第一号に掲げる部分にある利用居室（当該部分に利用居室が設けられていないときは、道等）から車椅子使用者用便房（前号に掲げる便所に設けられるものに限る。）までの経路（当該利用居室が第十五条の劇場等の客席である場合にあっては、車椅子使用者用経路を含む。）を構成する出入口、廊下等、階段、傾斜路、エレベーターその他の昇降機及び敷地内の通路

五　〔略〕

六　車椅子使用者用駐車施設（前号に掲げる駐車場に設けられるものに限る。）から第一号に掲げる部分にある利用居室（当該部分に利用居室が設けられていないときは、道等）までの経路（当該利用居室が第十五条の劇場等の客席である場合にあっては、車椅子使用者用経路を含む。）を構成する出入口、廊下等、階段、傾斜路、エレベーターその他の昇降機及び敷地内の通路

（公立小学校等に関する読替え）

第二四条　公立小学校等についての第十一条から第十三条まで、第十四条第一項、第十七条、第十八条第一項、第十九条第一項及び前条の規定（次条において「読替え対象規定」という。）の適用については、これらの規定中「不特定かつ多数の者が利用し、又は主として高齢者、障害者等が利用する」とあるのは「多数の者が利用する」と、前条中「特別特定建築物」とあるのは「第五条第一号に規定する公立小学校等」とする。

（条例で定める特定建築物に関する読替え）

第二五条　法第十四条第三項の規定により特別特定建築物に条例で定める特定建築物を追加した場合における読替え対象規定の適用については、読替え対象規定中「不特定かつ多数の者が利用し、又は主として高齢者、障害者等が利用する」とあるのは「多数の者が利用する」と、第二十三条中「特別特定建築物」とあるのは「法第十四条第三項の条例で定める特定建築物」とする。

（条例対象小規模特別特定建築物の建築物移動等円滑化基準）

第二六条　条例対象小規模特別特定建築物の移動等円滑化経路については、第十九条の規定を準用する。この場合において、同条第一項中「次の各号に」とあるのは「第一号又は第四号に」と、同項第一号中「経路（当該利用居室が第十五条の劇場等の客席である場合にあっては当該客席の出入口と車椅子使用者用部分との間の経路（以下この項及び第二十三条において「車椅子使用者用経路」という。）を含み、」とあるのは「経路（」と、同条第二項第三号中「第十一条の規定によるほか、」とあるのは「第十一条各号及び」と、同号イ及び第七号イ中「百二十センチメートル」とあり、同項第四号イ中「階段に代わるものにあっては百二十センチメートル以上、階段に併設するものにあっては九十センチメートル」とあり、並びに同項第七号ニ(1)中「段に代わるものにあっては百二十センチメートル以上、段に併設するものにあっては九十センチメートル」とあるのは「九十センチメートル」と、同項第四号中「第十三条の規定によるほか、」とあるのは「第十三条各号及び」と、同項第七号中「第十七条の規定によるほか、」とあるのは「第十七条各号及び」と読み替えるものとする。

2　建築物の増築又は改築（用途の変更をして条例対象小規模特別特定建築物にすることを含む。以下この項において「増築等」という。）をする場合には、第二十条及び前項の規定は、当該増築等に係る部分（当該部分に道等に接する出入口がある場合に限る。）に限り、適用する。

3　条例対象小規模特別特定建築物のうち次に掲げるものについての第一項において読み替えて準用する第十九条の規定の適用については、同条第一項第一号中「不特定かつ多数の者が利用し、又は主として高齢者、障害者等が利用する」とあるのは、「多数の者が利用する」とする。

一・二　〔略〕

（認定特定建築物等の容積率の特例）

第二六条　法第十九条（法第二十二条の二第五項において準用する場合を含む。）の政令で定める床面積は、認定特定建築物又は認定協定建築物の延べ面積の十分の一を限度として、当該認定特定建築物の建築物特定施設又は当該認定協定建築物の協定建築物特定施設の床面積のうち、通常の建築物の建築物特定施設の床面積を超えることとなるものとして国土交通大臣が定めるものとする。

（移動等円滑化の促進に支障を及ぼすおそれのある行為）

第二七条　法第二十四条の六第一項の政令で定める行為は、次に掲げるもの（法第二十八条第一項の公共交通特定事業又は法第三十一条第一項の道路特定事業の施行として行うものを除く。）とする。

一　生活関連施設である旅客施設（以下この条において「生活関連旅客施設」という。）の建設又は改良であって、当該生活関連旅客施設における車両等の乗降口と次のイ若しくはロに掲げる施設で当該生活関連旅客施設に隣接するものとの間の経路又は高齢者、障害者等の円滑な利用に適するものとして国土交通省令で定める経路を構成する出入口の新設又は構造若しくは配置の変更を伴うもの

イ　他の生活関連旅客施設

ロ　生活関連経路を構成する一般交通用施設（移動等円滑化の促進の必要性その他の事情を勘案して国土交通省令で定めるものに限る。）

二　生活関連経路を構成する道路法による道路のうち、次のイ又はロに掲げる施設で当該道路に接するものの高齢者、障害者等による円滑な利用を確保するため必要があると認めて市町村が国土交通省令で定めるところにより指定する部分の新設、改築又は修繕

イ　生活関連旅客施設

ロ　生活関連経路を構成する一般交通用施設（移動等円滑化の促進の必要性その他の事情を勘案して国土交通省令で定めるものに限る。）

（道路管理者の権限の代行）

第二八条　法第三十二条第五項の規定により市町村が道路管理者に代わって行う権限（第四項において「市町村が代行する権限」という。）は、道路法施行令（昭和二十七年政令第四百七十九号）第四条第一項第四号、第二十号、第二十一号（道路法第四十六条第一項（第二号に係る部分に限る。）の規定による通行の禁止又は制限に係る部分に限る。第三項において同じ。）、第三十八号、第三十九号、第四十一号、第四十二号及び第四十七号（道路法第九十五条の二第一項の規定による意見の聴取又は通知に係る部分に限る。）に掲げるもののうち、市町村が道路管理者と協議して定めるものとする。

2　市町村は、前項の規定による協議が成立したときは、遅滞なく、その内容を公示しなければならない。

3　市町村は、法第三十二条第五項の規定により道路管理者に代わって道路法施行令第四条第一項第二十号又は第二十一号に掲げる権限を行った場合には、遅滞なく、その旨を道路管理者に通知しなければならない。

4　市町村が代行する権限は、法第三十二条第四項の規定に基づき公示された工事の開始の日から同項の規定に基づき公示された当該工事の完了の日までの間に限り行うことができるものとする。ただし、道路法施行令第四条第一項第四十一号及び第四十二号に掲げる権限については、当該完了の日後においても行うことができる。

（保留地において生活関連施設等を設置する者）

第二九条　法第三十九条第一項の政令で定める者は、国（国の全額出資に係る法人を含む。）又は地方公共団体が資本金、基本金その他これらに準ずるものの二分の一以上を出資している法人とする。

（生活関連施設等の用地として処分された保留地の対価に相当する金額の交付基準）

第三〇条　法第三十九条第三項の規定により交付すべき額は、処分された保留地の対価に相当する金額を土地区画整理事業の施行前の宅地の価額の総額で除して得た数値を土地区画整理法（昭和二十九年法律第百十九号）第百三条第四項の規定による公告があった日における従前の宅地又はその宅地について存した地上権、永小作権、賃借権その他の宅地を使用し、若しくは収益することができる権利の土地区画整理事業の施行前の価額に乗じて得た額とする。

（報告及び立入検査）

第三一条　所管行政庁は、法第五十三条第三項の規定により、法第十四条第一項の政令で定める規模（同条第三項の条例で別に定める規模があるときは、当該別に定める規模。以下この項において同じ。）以上の特別特定建築物（同条第三項の条例で定める特定建築物を含む。以下この項において同じ。）の建築（用途の変更をして特別特定建築物にすることを含む。）若しくは維持保全をする建築主等に対し、当該特別特定建築物につき、当該特別特定建築物の建築物移動等円滑化基準（同条第三項の条例で付加した事項を含む。次項において同じ。）への適合に関する事項に関し報告をさせ、又はその職員に、同条第一項の政令で定める規模以上の特別特定建築物若しくはその工事現場に立ち入り、当該特別特定建築物の建築物特定施設及びこれに使用する建築材料並びに設計図書その他の関係書類を検査させ、若しくは関係者に質問させることができる。

2　所管行政庁は、法第五十三条第三項の規定により、法第三十五条第一項の規定に基づき建築物特定事業を実施すべき建築主等に対し、当該建築物特定事業が実施されるべき特定建築物につき、当該特定建築物の建築物移動等円滑化基準への適合に関する事項に関し報告をさせ、又はその職員に、当該特定建築物若しくはその工事現場に立ち入り、当該特定建築物の建築物特定施設及びこれに使用する建築材料並びに設計図書その他の関係書類を検査させ、若しくは関係者に質問させることができる。

第二六条から第三一条は、第二七条から第三二条に繰り下げられます。

附　則〔抄〕

（施行期日）

第一条　この政令は、法の施行の日（平成十八年十二月二十日）から施行する。

（高齢者、身体障害者等が円滑に利用できる特定建築物の建築の促進に関する法律施行令及び高齢者、身体障害者等の公共交通機関を利用した移動の円滑化の促進に関する法律施行令の廃止）

第二条　次に掲げる政令は、廃止する。

一　高齢者、身体障害者等が円滑に利用できる特定建築物の建築の促進に関する法律施行令（平成六年政令第三百十一号）

二　高齢者、身体障害者等の公共交通機関を利用した移動の円滑化の促進に関する法律施行令（平成十二年政令第四百四十三号）

（高齢者、身体障害者等が円滑に利用できる特定建築物の建築の促進に関する法律施行令の廃止に伴う経過措置）

第三条　この政令の施行の日から起算して六月を経過する日までの間は、第五条第十九号、第九条、第十四条、第十五条、第十八条第一項第四号及び第十九条から第二十一条までの規定は適用せず、なお従前の例による。

（類似の用途）

第四条　法附則第四条第三項の政令で指定する類似の用途は、当該特別特定建築物が次の各号のいずれかに掲げる用途である場合において、それぞれ当該各号に掲げる他の用途とする。

一　病院又は診療所（患者の収容施設があるものに限る。）

二　劇場、映画館又は演芸場

三　集会場又は公会堂

四　百貨店、マーケットその他の物品販売業を営む店舗

五　ホテル又は旅館

六　老人ホーム、福祉ホームその他これらに類するもの（主として高齢者、障害者等が利用するものに限る。）

七　老人福祉センター、児童厚生施設、身体障害者福祉センターその他これらに類するもの

八　博物館、美術館又は図書館

附　則〔略〕〔平成一九・三・二二政令五五〕

附　則〔略〕〔平成一九・八・三政令二三五〕

附　則〔平成一九・九・二五政令三〇四〕

改正　令二・一〇政三〇二、一一政三四五

注　□の部分は、令和六年六月二一日政令第二二一号により改正され、令和七年六月一日から施行

（施行期日）

1　この政令は、都市再生特別措置法等の一部を改正する法律の施行の日（平成十九年九月二十八日）から施行する。

（高齢者、障害者等の移動等の円滑化の促進に関する法律施行令の一部改正に伴う経過措置）

2　この政令の施行前に高齢者、障害者等の移動等の円滑化の促進に関する法律（平成十八年法律第九十一号）第三十二条第二項において読み替えて準用する同法第三十一条第六項の規定により公表された道路特定事業計画に基づき市町村（道路法（昭和二十七年法律第百八十号）第十七条第一項の指定市を除く。）が高齢者、障害者等の移動等の円滑化の促進に関する法律第二条第二十七号に規定する道路特定事業（以下この項において単に「道路特定事業」という。）を実施する場合における同法第三十二条第五項の規定による権限の行使については、高齢者、障害者等の移動等の円滑化の促進に関する法律施行令第二十八条の規定にかかわらず、当該道路特定事業計画に定められた道路特定事業の実施予定期間内に限り、なお従前の例による。

2　この政令の施行前に高齢者、障害者等の移動等の円滑化の促進に関する法律（平成十八年法律第九十一号）第三十二条第二項において読み替えて準用する同法第三十一条第六項の規定により公表された道路特定事業計画に基づき市町村（道路法（昭和二十七年法律第百八十号）第十七条第一項の指定市を除く。）が高齢者、障害者等の移動等の円滑化の促進に関する法律第二条第二十七号に規定する道路特定事業（以下この項において単に「道路特定事業」という。）を実施する場合における同法第三十二条第五項の規定による権限の行使については、高齢者、障害者等の移動等の円滑化の促進に関する法律施行令第二十九条の規定にかかわらず、当該道路特定事業計画に定められた道路特定事業の実施予定期間内に限り、なお従前の例による。

附　則〔略〕〔平成二六・五・二八政令一八七〕

附　則〔略〕〔平成二七・一・二三政令一一〕

附　則〔略〕〔平成二八・三・三一政令一八二〕

附　則〔略〕〔平成三〇・九・二八政令二八〇〕

附　則〔抄〕〔平成三〇・一〇・一九政令二九八〕

（施行期日）

1　この政令は、高齢者、障害者等の移動等の円滑化の促進に関する法律の一部を改正する法律（平成三十年法律第三十二号）の施行の日（平成三十年十一月一日）から施行する。ただし、次の各号に掲げる規定は、当該各号に定める日から施行する。

一　第二十四条（見出しを含む。）の改正規定及び附則第三項の規定　平成三十一年四月一日

二　第十五条の改正規定（同条第一項中「一以上」を「客室の総数に百分の一を乗じて得た数（その数に一未満の端数があるときは、その端数を切り上げた数）以上」に改める部分に限る。）及び次項の規定　平成三十一年（令和元年）九月一日

（経過措置）

2　この政令による改正後の高齢者、障害者等の移動等の円滑化の促進に関する法律施行令第十五条第一項の規定は、前項第二号に掲げる規定の施行後に着手する建築（用途の変更をして特別特定建築物にすることを含む。以下この項において同じ。）及び当該建築をした特別特定建築物の維持について適用し、同号に掲げる規定の施行前に着手した建築及び当該建築をした特定建築物の維持については、なお従前の例による。

附　則〔抄〕〔令和二・一〇・二政令三〇二〕

（施行期日）

第一条　この政令は、令和三年四月一日から施行する。

（経過措置）

第二条　この政令の施行の際現に工事中の公立小学校等（この政令による改正後の高齢者、障害者等の移動等の円滑化の促進に関する法律施行令第五条第一号に規定する公立小学校等をいい、この政令の施行の日の前日において高齢者、障害者等の移動等の円滑化の促進に関する法律第十四条第三項の条例で定める特定建築物であったものを除く。）の建築又は修繕若しくは模様替及び当該建築又は修繕若しくは模様替をした当該公立小学校等の維持については、同条第一項から第三項までの規定は、適用しない。

附　則〔略〕〔令和二・一一・二〇政令三二九〕

附　則〔略〕〔令和二・一二・九政令三四五〕

附　則〔略〕〔令和三・九・二四政令二六一〕

附　則〔略〕〔令和四・三・二五政令八四〕

附　則〔略〕〔令和五・九・二九政令二九三〕

附　則〔令和六・四・一九政令一七二〕

（施行期日）

1　この政令は、脱炭素社会の実現に資するための建築物のエネルギー消費性能の向上に関する法律等の一部を改正する法律の施行の日（令和七年四月一日）から施行する。

（罰則に関する経過措置）

2　この政令の施行前にした行為に対する罰則の適用については、なお従前の例による。

附　則〔抄〕〔令和六・六・二一政令二二一〕

（施行期日）

1　この政令は、令和七年六月一日から施行する。

（経過措置）

2　この政令による改正後の高齢者、障害者等の移動等の円滑化の促進に関する法律施行令（以下この項において「新令」という。）第十四条第一項（新令第二十四条及び第二十五条の規定により読み替えて適用する場合を含む。）及び第二項から第四項まで並びに第十五条の規定並びに新令第十八条第一項、第十九条第一項（第四号に係る部分を除く。）及び第二十三条（第二号、第四号及び第六号に係る部分に限る。）（これらの規定を新令第二十四条及び第二十五条の規定により読み替えて適用する場合を含む。）の規定は、この政令の施行の日以後に着手する建築（用途の変更をして特別特定建築物（高齢者、障害者等の移動等の円滑化の促進に関する法律第二条第十九号に規定する特別特定建築物をいい、同法第十四条第三項の条例で定める特定建築物を含む。以下この項において同じ。）にすることを含む。以下この項において同じ。）及び当該建築をした特別特定建築物の維持について適用し、この政令の施行の日前に着手した建築及び当該建築をした特別特定建築物の維持については、なお従前の例による。

○高齢者、障害者等の移動等の円滑化の促進に関する法律施行規則

〔平成一八・一二・一五　国土交通省令一一〇〕

改正　平成二三・八国交令六七、一一国交令八五、平成三〇・一〇国交令八一、平成三一・三国交令七、令和元・六国交令二〇、令和二・一二国交令九八、令和三・一国交令一、三国交令一二、一〇国交令六二、令和四・三国交令三〇、令和六・三国交令一八、国交令二六

（法第二条第四号の主務省令で定める施設又は設備）

第一条　高齢者、障害者等の移動等の円滑化の促進に関する法律（以下「法」という。）第二条第四号の主務省令で定める施設又は設備は、次のとおりとする。

一　次に掲げる便所又は便房であって、移動等円滑化の措置がとられたもの

イ　車椅子使用者が円滑に利用することができる構造の便所又は便房

ロ　高齢者、障害者等が円滑に利用することができる構造の水洗器具を設けた便所又は便房

二　次に掲げる駐車施設又は停車施設であって、移動等円滑化の措置がとられたもの

イ　車椅子使用者が円滑に利用することができる駐車施設

ロ　車椅子使用者が円滑に利用することができる停車施設

三　次に掲げるエレベーター

イ　移動等円滑化された経路（移動等円滑化のために必要な旅客施設又は車両等の構造及び設備並びに旅客施設及び車両等を使用した役務の提供の方法に関する基準を定める省令（平成十八年国土交通省令第百十一号。以下「公共交通移動等円滑化基準省令」という。）第四条第一項に規定する移動等円滑化された経路をいう。以下同じ。）又は乗継ぎ経路（同条第十一項に規定する乗継ぎ経路をいう。）を構成するエレベーター

ロ　移動等円滑化された通路（移動等円滑化のために必要な道路の構造

及び旅客特定車両停留施設を使用した役務の提供の方法に関する基準を定める省令（平成十八年国土交通省令第百十六号。ハにおいて「道路移動等円滑化基準省令」という。）第三十三条第二項に規定する移動等円滑化された通路をいう。）に設けられるエレベーター

ハ　旅客施設又は旅客特定車両停留施設に隣接しており、かつ、旅客施設又は旅客特定車両停留施設と一体的に利用される他の施設のエレベーター（公共交通移動等円滑化基準省令第四条第三項前段又は道路移動等円滑化基準省令第三十三条第三項前段の規定が適用される場合に限る。）

四　次に掲げる車椅子スペース（公共交通移動等円滑化基準省令第二条第一項第五号に規定する車椅子スペースをいう。以下この号において同じ。）

イ　鉄道車両（公共交通移動等円滑化基準省令第二条第一項第十一号に規定する鉄道車両をいう。以下同じ。）又は軌道車両（同項第十二号に規定する軌道車両をいう。以下同じ。）の客室に設けられた車椅子スペース

ロ　乗合バス車両（公共交通移動等円滑化基準省令第二条第一項第十三号に規定する乗合バス車両をいう。以下同じ。）又は貸切バス車両（同項第十三号の二に規定する貸切バス車両をいう。以下同じ。）に設けられた車椅子スペース

ハ　船舶（公共交通移動等円滑化基準省令第二条第一項第十五号に規定する船舶をいう。以下同じ。）に設けられた車椅子スペース

五　次に掲げる優先席（主として高齢者、障害者等の優先的な利用のために設けられる座席をいう。以下この号において同じ。）又は基準適合客席（公共交通移動等円滑化基準省令第五十一条第一項に規定する基準適合客席をいう。ニにおいて同じ。）

イ　旅客施設又は旅客特定車両停留施設の高齢者、障害者等の休憩の用に供する設備に設けられた優先席

ロ　鉄道車両又は軌道車両の客室に設けられた優先席

ハ　乗合バス車両に設けられた優先席

ニ　船舶に設けられた基準適合客席

（法第二条第八号の主務省令で定める自動車）

第一条の二　法第二条第八号の主務省令で定める自動車は、座席が回転することにより高齢者、障害者等が円滑に車内に乗り込むことが可能なものとする。

（特定公園施設）

第二条　高齢者、障害者等の移動等の円滑化の促進に関する法律施行令（以下「令」という。）第三条の国土交通省令で定めるものは、次のとおりとする。

一　工作物の新築、改築又は増築、土地の形質の変更その他の行為についての禁止又は制限に関する文化財保護法（昭和二十五年法律第二百十四号）、古都における歴史的風土の保存に関する特別措置法（昭和四十一年法律第一号）、都市計画法（昭和四十三年法律第百号）その他の法令又は条例の規定の適用があるもの

二　山地丘陵地、崖その他の著しく傾斜している土地に設けるもの

三　自然環境を保全することが必要な場所又は動植物の生息地若しくは生育地として適正に保全する必要がある場所に設けるもの

2　令第三条第一号の国土交通省令で定める主要な公園施設は、修景施設、休養施設、遊戯施設、運動施設、教養施設、便益施設その他の公園施設のうち、当該公園施設の設置の目的を踏まえ、重要と認められるものとする。

（建築物特定施設）

第三条　令第六条第十号の国土交通省令で定める施設は、次に掲げるものとする。

一　劇場、観覧場、映画館、演芸場、集会場又は公会堂（以下「劇場等」という。）の客席

二　浴室又はシャワー室（以下「浴室等」という。）

（旅客施設の大規模な改良）

第四条　法第八条第一項の主務省令で定める旅客施設の大規模な改良は、次に掲げる旅客施設の区分に応じ、それぞれ次に定める改良とする。

一　法第二条第六号イ及びロに掲げる施設　全ての本線の高架式構造又は地下式構造への変更に伴う旅客施設の改良、旅客施設の移設その他の全面的な改良

二　法第二条第六号ハからホまでに掲げる施設　旅客の乗降、待合いその他の用に供する施設の構造の変更であって、当該変更に係る部分の敷地面積（建築物に該当する部分にあっては、床面積）の合計が当該施設の延べ面積の二分の一以上であるもの

（旅客施設の建設又は大規模な改良の届出）

第五条　法第九条第二項前段の規定により旅客施設の建設又は大規模な改良の届出をしようとする者は、当該建設又は大規模な改良の工事の開始の日の三十日前までに、次に掲げる事項を記載した届出書を国土交通大臣に提出しなければならない。

一　氏名又は名称及び住所並びに法人にあっては、その代表者の氏名

二　当該旅客施設の法第二条第六号イからホまでに掲げる施設の区分

三　当該旅客施設の名称及び位置

四　工事計画

五　工事着手予定時期及び工事完成予定時期

2　前項の届出書には、当該旅客施設が法第八条第一項の公共交通移動等円滑化基準に適合することとなることを示す当該旅客施設の構造及び設備に関する書類及び図面を添付しなければならない。

（変更の届出）

第六条　法第九条第二項後段の規定により変更の届出をしようとする者は、当該変更の届出に係る工事の開始の日の三十日前までに（工事を要しない場合にあっては、あらかじめ）、次に掲げる事項を記載した届出書を国土交通大臣に提出しなければならない。

一　氏名又は名称及び住所並びに法人にあっては、その代表者の氏名

二　当該旅客施設の名称及び位置

三　変更しようとする事項（新旧の書類又は図面を明示すること。）

四　変更を必要とする理由

2　前項の届出書には、前条第二項の書類又は図面のうち届け出た事項の変更に伴いその内容が変更されるものであって、その変更後のものを添付しなければならない。

（法第九条の四の主務省令で定める要件）

第六条の二　法第九条の四の主務省令で定める要件は、当該年度の前々年度までの過去三年度における公共交通事業者等の一年度当たりの輸送人員の平均及び当該公共交通事業者等が設置又は管理する旅客施設の一日当たりの平均的な利用者の人数その他の事情を勘案して国土交通大臣が定めるものとする。

（移動等円滑化取組計画書）

第六条の三　公共交通事業者等（前条の要件に該当する者に限る。）は、毎年六月三十日までに、次の表の上欄に掲げる公共交通事業者等の区分に応じ、同表の下欄に掲げる国土交通大臣又は地方支分部局の長に、国土交通大臣が定める様式による移動等円滑化取組計画書を提出しなければならない。

一　法第二条第五号イからニまでに掲げる者	当該公共交通事業者等の主たる事務所を管轄する地方運輸局長
二　法第二条第五号ホに掲げる者	当該公共交通事業者等の主たる事務所を管轄する地方運輸局長（運輸監理部長を含む。）
三　法第二条第五号ヘに掲げる者（特定本邦航空運送事業者（航空法施行規則（昭和二十七年運輸省令第五十六号）第二百四十条第一項第二号に規定する特定本邦航空運送事業者をいう。以下同じ。）に限る。）	国土交通大臣

四	法第二条第五号ヘに掲げる者（前号に掲げる者を除く。）又は同号トに掲げる者のうち同条第六号ホに掲げる施設を設置し、又は管理するもの	当該公共交通事業者等の主たる事務所を管轄する地方航空局長
五	法第二条第五号トに掲げる者のうち同条第六号ニに掲げる施設を設置し、又は管理するもの	当該公共交通事業者等の主たる事務所を管轄する地方整備局長又は北海道開発局長

（移動等円滑化取組報告書）

第六条の四　前条の移動等円滑化取組計画書を提出した公共交通事業者等は、当該計画を提出した年度の翌年度の六月三十日までに、前条の表の上欄に掲げる公共交通事業者等の区分に応じ、同表の下欄に掲げる国土交通大臣又は地方支分部局の長に、国土交通大臣が定める様式による移動等円滑化取組報告書を提出しなければならない。

（法第九条の五の主務省令で定める事項）

第六条の五　法第九条の五の主務省令で定める事項は、次のとおりとする。

一　前年度における移動等円滑化の達成状況

二　第六条の二の要件に関する事項

（公表）

第六条の六　公共交通事業者等は、法第九条の四の規定による提出又は法第九条の五の規定による報告をしたときは、遅滞なく、インターネットの利用その他の適切な方法により公表しなければならない。

（法第九条の六の主務省令で定める情報）

第六条の七　法第九条の六の主務省令で定める移動等円滑化に関する情報は、前年度における移動等円滑化の達成状況とする。

（特定路外駐車場の設置等の届出）

第七条　法第十二条第一項本文の規定による届出は、第一号様式により作成した届出書に次に掲げる図面を添え、これを提出して行うものとする。ただし、変更の届出書に添える図面は、変更しようとする事項に係る図面をもって足りる。

一　特定路外駐車場の位置を表示した縮尺一万分の一以上の地形図

二　次に掲げる事項を表示した縮尺二百分の一以上の平面図

イ　特定路外駐車場の区域

ロ　路外駐車場車椅子使用者用駐車施設（移動等円滑化のために必要な特定路外駐車場の構造及び設備に関する基準を定める省令（平成十八年国土交通省令第百十二号）第二条第一項に規定する路外駐車場車椅子使用者用駐車施設をいう。次項において同じ。）、路外駐車場移動等円滑化経路（同令第三条第一項に規定する路外駐車場移動等円滑化経路をいう。次項において同じ。）その他の主要な施設

２　法第十二条第一項ただし書の主務省令で定める書面は、第二号様式により作成した届出書及び路外駐車場車椅子使用者用駐車施設、路外駐車場移動等円滑化経路その他の主要な施設を表示した縮尺二百分の一以上の平面図とする。ただし、変更の届出書に添える図面は、変更しようとする事項に係る図面をもって足りる。

（特定建築物の建築等及び維持保全の計画の認定の申請）

第八条　法第十七条第一項の規定により認定の申請をしようとする者は、第三号様式による申請書の正本及び副本に、それぞれ次の表に掲げる図書を添えて、これらを所管行政庁に提出するものとする。

図書の種類		明示すべき事項
付近見取図		方位、道路及び目標となる地物
配置図		縮尺、方位、敷地の境界線、土地の高低、敷地の接する道等の位置、特定建築物及びその出入口の位置、特殊な構造又は使用形態のエレベーターその他の昇降機の位置、敷地内の通路の位置及び幅（当該通路が段又は傾斜路若しくはその踊場を有する場合にあっては、それらの位置及び幅を含む。）、敷地内の通路に設けられる手すり並びに令第十一条第二号に規定する点状ブロック等（以下単に「点状ブロック等」という。）及び令第二十一条第二項第一号に規定する線状ブロック等（以下単に「線状ブロック等」という。）の位置、敷地内の車路及び車寄せの位置、駐車場の位置、車椅子使用者用駐車施設の位置及び幅並びに案内設備の位置
各階平面図		縮尺、方位、間取、各室の用途、床の高低、特定建築物の出入口及び各室の出入口の位置及び幅、出入口に設けられる戸の開閉の方法、廊下等の位置及び幅、廊下等に設けられる点状ブロック等及び線状ブロック等、高齢者、障害者等の休憩の用に供する設備並びに突出物の位置、階段の位置、幅及び形状（当該階段が踊場を有する場合にあっては、踊場の位置及び幅を含む。）、階段に設けられる手すり及び点状ブロック等の位置、傾斜路の位置及び幅（当該傾斜路が踊場を有する場合にあっては、踊場の位置及び幅を含む。）、傾斜路に設けられる手すり及び点状ブロック等の位置、エレベーターその他の昇降機の位置、車椅子使用者用便房のある便所、令第十四条第一項第二号に規定する便房のある便所、腰掛便座及び手すりの設けられた便房（車椅子使用者用便房を除く。以下この条において同じ。）のある便所、床置式の小便器、壁掛式の小便器（受け口の高さが三十五センチメートル以下のものに限る。）その他これらに類する小便器のある便所並びにこれら以外の便所の位置、車椅子使用者用客室の位置、駐車場の位置、車椅子使用者用駐車施設の位置及び幅、劇場等の客席の位置、車椅子使用者用客席（高齢者、障害者等が円滑に利用できるようにするために誘導すべき建築物特定施設の構造及び配置に関する基準を定める省令（平成十八年国土交通省令第百十四号）第十二条の二第一項に規定する車椅子使用者用客席をいう。以下この条において同じ。）の位置、幅及び奥行き、車椅子使用者用客席に隣接して設けられる同伴者用の客席又はスペースの位置、車椅子使用者用浴室等（同令第十三条第一号に規定する車椅子使用者用浴室等をいう。以下この条において同じ。）の位置並びに案内設備の位置
縦断面図	階段又は段	縮尺並びに蹴上げ及び踏面の構造及び寸法
	傾斜路	縮尺、高さ、長さ及び踊場の踏幅
	客席	車椅子使用者用客席から舞台等まで引いた可視線
構造詳細図	エレベーターその他の昇降機	縮尺並びにかご（人を乗せ昇降する部分をいう。以下同じ。）、昇降路及び乗降ロビーの構造（かご内に設けられるかごの停止する予定の階を表示する装置、かごの現在位置を表示する装置及び乗降ロビーに設けられる到着するかごの昇降方向を表示する装置の位置並びにかご内及び乗降ロビーに設けられる制御装置の位置及び構造を含む。）

	便所	縮尺、車椅子使用者用便房のある便所の構造、車椅子使用者用便房、令第十四条第一項第二号に規定する便房並びに腰掛便座及び手すりの設けられた便房の構造並びに床置式の小便器、壁掛式の小便器（受け口の高さが三十五センチメートル以下のものに限る。）その他これらに類する小便器の構造
	浴室等	縮尺及び車椅子使用者用浴室等の構造

（特定建築物の建築等及び維持保全の計画の記載事項）

第九条　法第十七条第二項第五号の主務省令で定める事項は、特定建築物の建築等の事業の実施時期とする。

（認定通知書の様式）

第一〇条　所管行政庁は、法第十七条第三項の認定をしたときは、速やかに、その旨を申請者に通知するものとする。

2　前項の通知は、第四号様式による通知書に第八条の申請書の副本（法第十七条第七項の規定により適合通知を受けて同条第三項の認定をした場合にあっては、第八条の申請書の副本及び当該適合通知に添えられた建築基準法施行規則（昭和二十五年建設省令第四十号）第一条の三第一項の申請書の副本）及びその添付図書を添えて行うものとする。

（法第十八条第一項の主務省令で定める軽微な変更）

第一一条　法第十八条第一項の主務省令で定める軽微な変更は、特定建築物の建築等の事業の実施時期の変更のうち、事業の着手又は完了の予定年月日の三月以内の変更とする。

（表示等）

第一二条　法第二十条第一項の主務省令で定めるものは、次のとおりとする。

一　広告

二　契約に係る書類

三　その他国土交通大臣が定めるもの

2　法第二十条第一項の規定による表示は、第五号様式により行うものとする。

（移動等円滑化困難旅客施設の認定の申請等）

第一二条の二　法第二十二条の二第一項の規定により移動等円滑化困難旅客施設の認定を受けようとする者は、次に掲げる事項を記載した申請書を国土交通大臣に提出しなければならない。

一　氏名又は名称及び住所並びに法人にあっては、その代表者の氏名

二　当該旅客施設の法第二条第六号イからホまでに掲げる施設の区分

三　当該旅客施設の名称及び位置

四　当該旅客施設が協定建築物特定施設と一体的に利用に供しなければ公共交通移動等円滑化基準に適合させることが構造上その他の理由により著しく困難であると認められる理由

2　前項の申請書には、同項第四号に係る事項として申請書に記載された内容の根拠となる当該旅客施設の構造及び設備に関する書類及び図面を添付しなければならない。

3　国土交通大臣は、法第二十二条の二第一項の移動等円滑化困難旅客施設の認定をしたときは、速やかに、その旨を申請者に通知するものとする。

（協定建築物の建築等及び維持保全の計画の認定の申請）

第一二条の三　法第二十二条の二第一項の規定により認定の申請をしようとする者は、第五号の四様式による申請書の正本及び副本に、それぞれ協定建築物特定施設に係る協定の写し、前条第三項及び第十二条の五第三項の規定による通知の写し並びに次の表に掲げる図書を添えて、これらを所管行政庁に提出するものとする。

図書の種類		明示すべき事項
付近見取図		方位、道路、目標となる地物及び移動等円滑化困難旅客施設
配置図		縮尺、方位、敷地の境界線、土地の高低、敷地の接する道等の位置、協定建築物及びその出入口の位置、特殊な構造又は使用形態のエレベーターその他の昇降機の位置、敷地内の通路の位置及び幅（当該通路が段又は傾斜路若しくはその踊場を有する場合にあっては、それらの位置及び幅を含む。）、敷地内の通路に設けられる手すり並びに点状ブロック等及び線状ブロック等の位置並びに案内設備の位置
各階平面図		縮尺、方位、間取、各室の用途、床の高低、協定建築物の出入口及び各室の出入口の位置及び幅、出入口に設けられる戸の開閉の方法、廊下等の位置及び幅、廊下等に設けられる点状ブロック等及び線状ブロック等、高齢者、障害者等の休憩の用に供する設備並びに突出物の位置、階段の位置、幅及び形状（当該階段が踊場を有する場合にあっては、踊場の位置及び幅を含む。）、階段に設けられる手すり及び点状ブロック等の位置、傾斜路の位置及び幅（当該傾斜路が踊場を有する場合にあっては、踊場の位置及び幅を含む。）、傾斜路に設けられる手すり及び点状ブロック等の位置、エレベーターその他の昇降機の位置、車椅子使用者用便房のある便所、令第十四条第一項第二号に規定する便房のある便所、床置式の小便器、壁掛式の小便器（受け口の高さが三十五センチメートル以下のものに限る。）その他これらに類する小便器のある便所並びにこれら以外の便所の位置並びに案内設備の位置
縦断面図	階段又は段	縮尺並びに蹴上げ及び踏面の構造及び寸法
	傾斜路	縮尺、高さ、長さ及び踊場の踏幅
構造詳細図	エレベーターその他の昇降機	縮尺並びに籠、昇降路及び乗降ロビーの構造（籠内に設けられる籠の停止する予定の階を表示する装置、籠の現在位置を表示する装置及び乗降ロビーに設けられる到着する籠の昇降方向を表示する装置の位置並びに籠内及び乗降ロビーに設けられる制御装置の位置及び構造を含む。）
	便所	縮尺、車椅子使用者用便房のある便所の構造、車椅子使用者用便房及び令第十四条第一項第二号に規定する便房の構造並びに床置式の小便器、壁掛式の小便器（受け口の高さが三十五センチメートル以下のものに限る。）その他これらに類する小便器の構造

2　前項の規定にかかわらず、所管行政庁は、前項の表に掲げる図書の添付の必要がないと認めるときは、これを省略させることができる。

（法第二十二条の二第二項の主務省令で定める協定建築物特定施設等維持保全基準）

第一二条の四　法第二十二条の二第二項の主務省令で定める基準は、次のとおりとする。

一　隣接する移動等円滑化困難旅客施設が、協定建築物特定施設等（協定建築物特定施設及び特定経路施設をいう。以下同じ。）と一体的に利用に供することにより公共交通移動等円滑化基準に適合することが移動等円滑化経路協定において定める法第四十一条第二項第二号イに掲げる事項又は移動等円滑化施設協定において定める法第五十一条の二第二項第二号イに掲げる事項として定められ、かつ、公共交通移動等円滑化基準に適合すること。

二　移動等円滑化経路協定において定める法第四十一条第二項第二号ロに掲げる事項又は移動等円滑化施設協定において定める法第五十一条の二

第二項第二号ロに掲げる事項として、協定建築物特定施設等が隣接する移動等円滑化困難旅客施設の営業時間内において当該協定建築物特定施設等が常時利用できる旨が定められていること。

（協定建築物特定施設等維持保全基準適合の認定の申請等）

第一二条の五　法第二十二条の二第二項の規定により認定を受けようとする者は、次に掲げる事項を記載した申請書を国土交通大臣に提出しなければならない。

一　氏名又は名称及び住所並びに法人にあっては、その代表者の氏名

二　令第六条各号に掲げる建築物特定施設の区分及び特定経路施設にあっては、道路、駅前広場、通路その他の一般交通の用に供する施設の別

三　当該協定建築物特定施設等の名称及び位置

２　前項の申請書には、次に掲げる書類及び図面を添付しなければならない。

一　法第四十三条第一項（法第五十一条の二第三項において準用する場合を含む。）の認可を受けた協定の写し及びその認可を証する書類

二　当該協定建築物特定施設等の構造及び設備に関する書類及び図面

３　国土交通大臣は、法第二十二条の二第二項の認定をしたときは、速やかに、その旨を申請者に通知するものとする。

（協定建築物の建築等及び維持保全の計画の記載事項）

第一二条の六　法第二十二条の二第三項第五号の主務省令で定める事項は、協定建築物の建築等の事業の実施時期とする。

（認定通知書の様式）

第一二条の七　所管行政庁は、法第二十二条の二第四項の認定をしたときは、速やかに、その旨を申請者に通知するものとする。

２　前項の通知は、第五号の五様式による通知書に第十二条の三第一項の申請書の副本及びその添付図書を添えて行うものとする。

（法第二十二条の二第五項において準用する法第十八条第一項の主務省令で定める軽微な変更）

第一二条の八　法第二十二条の二第五項において準用する法第十八条第一項の主務省令で定める軽微な変更は、協定建築物の建築等の事業の実施時期の変更のうち、事業の着手又は完了の予定年月日の三月以内の変更とする。

（法第二十三条第一項第一号の主務省令で定める安全上及び防火上の基準）

第一三条　法第二十三条第一項第一号の主務省令で定める安全上及び防火上の基準は、次のとおりとする。

一　専ら車椅子使用者の利用に供するエレベーターの設置に係る特定建築物の壁、柱、床及びはりは、当該エレベーターの設置後において構造耐力上安全な構造であること。

二　当該エレベーターの昇降路は、出入口の戸が自動的に閉鎖する構造のものであり、かつ、壁、柱及びはり（当該特定建築物の主要構造部に該当する部分に限る。）が不燃材料で造られたものであること。

（法第二十三条第一項第二号の主務省令で定める安全上の基準）

第一四条　法第二十三条第一項第二号の主務省令で定める安全上の基準は、次のとおりとする。

一　エレベーターのかご内及び乗降ロビーには、それぞれ、車椅子使用者が利用しやすい位置に制御装置を設けること。この場合において、乗降ロビーに設ける制御装置は、施錠装置を有する覆いを設ける等当該制御装置の利用を停止することができる構造とすること。

二　エレベーターは、当該エレベーターのかご及び昇降路のすべての出入口の戸に網入ガラス入りのはめごろし戸を設ける等により乗降ロビーからかご内の車椅子使用者を容易に覚知できる構造とし、かつ、かご内と常時特定建築物を管理する者が勤務する場所との間を連絡することができる装置が設けられたものとすること。

（令第二十七条第一号の国土交通省令で定める経路）

第一四条の二　令第二十七条第一号の国土交通省令で定める経路は、移動等円滑化された経路（令第二十七条第一号に規定する生活関連旅客施設に隣接するものとの間の経路を除く。）とする。

（令第二十七条第一号ロ及び第二号ロの国土交通省令で定める一般交通用施設）

第一四条の三　令第二十七条第一号ロの国土交通省令で定める生活関連経路を構成する一般交通用施設は、次の各号に掲げる施設とする。

一　生活関連経路を構成する道路法（昭和二十七年法律第百八十号）による道路

二　前号に掲げるもののほか、生活関連経路を構成する道路法による道路に接し、かつ、令第二十七条第一号に規定する生活関連旅客施設の出入口に接する一般交通用施設のうち、移動等円滑化の措置がとられ、又はとられると見込まれるものと認めて、市町村が移動等円滑化促進方針において指定するもの

２　令第二十七条第二号ロの国土交通省令で定める生活関連経路を構成する一般交通用施設は、同号の生活関連経路を構成する道路法による道路に接し、かつ、生活関連旅客施設の出入口に接する一般交通用施設（道路法による道路を除く。）のうち、移動等円滑化の措置がとられ、又はとられると見込まれるものと認めて、市町村が移動等円滑化促進方針において指定するものとする。

（令第二十七条第二号の規定により市町村が行う指定）

第一四条の四　令第二十七条第二号の規定により市町村が行う指定は、同号イに掲げる施設の出入口又は同号ロに掲げる施設の出入口その他の通行の用に供する部分に接する部分であって、生活関連旅客施設を利用する高齢者、障害者等が通常利用する部分について、移動等円滑化促進方針において行わなければならない。

（行為の届出）

第一四条の五　法第二十四条の六第一項の規定による届出は、第五号の二様式により作成した届出書に次に掲げる行為の区分に応じ、それぞれ次に定める書類又は図面を提出して行うものとする。

一　令第二十七条第一号に掲げる行為　行為の内容を示す旅客施設の構造及び設備に関する書類及び図面

二　令第二十七条第二号に掲げる行為　平面図、縦断図、横断定規図その他必要な図面

第一四条の六　法第二十四条の六第一項の主務省令で定める事項は、行為をしようとする者の氏名又は名称及び住所並びに法人にあっては、その代表者の氏名並びに行為の完了予定日とする。

（変更の届出）

第一四条の七　法第二十四条の六第二項の国土交通省令で定める事項は、設計又は施行方法のうち、その変更により同条第一項の届出に係る行為が令第二十七条各号に掲げる行為に該当しなくなるもの以外のもの（高齢者、障害者等の移動等の円滑化の促進に支障を及ぼすおそれのない意匠の変更その他の軽微な変更を除く。）とする。

第一四条の八　法第二十四条の六第二項の規定による届出は、第五号の三様式による変更届出書を提出して行うものとする。

２　第十四条の五の規定は、前項の届出について準用する。

（施設設置管理者による市町村に対する情報の提供）

第一四条の九　公共交通事業者等及び道路管理者は、法第二十四条の八第一項の規定による市町村の求めがあったときは、旅客施設及び特定道路に関し、移動等円滑化の措置がとられたエレベーターその他の昇降機、便所又は駐車施設その他の移動等円滑化のために必要な設備の有無及びその設置箇所その他の高齢者、障害者等が旅客施設及び特定道路を利用するために必要となる情報を当該市町村に提供しなければならない。

２　市町村は、前項の提供を求めるときは、提供の対象となる旅客施設及び特定道路の範囲、提供すべき事項、提供の様式、提供の期限その他必要な事項を明示するものとする。

第一四条の一〇　路外駐車場管理者等、公園管理者等及び建築主等は、法第二十四条の八第二項の規定による市町村の求めがあったときは、特定路外駐車場、特定公園施設及び特別特定建築物に関し、移動等円滑化の措置がとられたエレベーターその他の昇降機、便所又は駐車施設その他の移動等円滑化のために必要な設備の有無及びその設置箇所その他の高齢者、障害者等が特定路外駐車場、特定公園施設及び特別特定建築物を利用するために必要となる情報を当該市町村に提供するよう努めなければならない。

２　市町村は、前項の提供を求めるときは、提供の対象となる特定路外駐車場、特定公園施設及び特別特定建築物の範囲、提供すべき事項、提供の様

式、提供の期限その他必要な事項を明示するものとする。

（公共交通特定事業計画の認定申請）

第一五条　法第二十九条第一項の規定により公共交通特定事業計画の認定を受けようとする者は、次に掲げる事項を記載した申請書を国土交通大臣に提出しなければならない。

一　氏名又は名称及び住所並びに法人にあっては、その代表者の氏名

二　公共交通特定事業を実施する特定旅客施設の法第二条第六号イからホまでに規定する区分並びに名称及び位置又は公共交通特定事業を実施する特定車両の車種、台数及び運行を予定する路線

三　公共交通特定事業の内容

四　当該認定を受けようとする者がそれ以外の者から公共交通特定事業を実施する特定旅客施設の一部又は全部の貸付けを受ける場合にあっては、当該貸付けを行う者の氏名又は名称及び住所並びに法人にあっては、その代表者の氏名

五　公共交通特定事業の実施予定期間並びにその実施に必要な資金の額及びその調達方法

六　その他公共交通特定事業の実施に際し配慮すべき重要事項

2　前項の申請書には、次に掲げる書類及び図面を添付しなければならない。

一　公共交通特定事業の内容を示す特定旅客施設又は特定車両の構造及び設備に関する書類及び図面

二　当該認定を受けようとする者がそれ以外の者から特定旅客施設の一部又は全部の貸付けを受ける場合にあっては、当該貸付契約に係る契約書の写し

（公共交通特定事業計画の変更の認定申請）

第一六条　法第二十九条第三項の規定により公共交通特定事業計画の変更の認定を受けようとする者は、次に掲げる事項を記載した申請書を国土交通大臣に提出しなければならない。

一　氏名又は名称及び住所並びに法人にあっては、その代表者の氏名

二　変更しようとする事項

三　変更を必要とする理由

2　前項の申請書には、前条第二項に掲げる書類及び図面のうち公共交通特定事業計画の変更に伴いその内容が変更されるものであって、その変更後のものを添付しなければならない。

（道路特定事業の協議の申出）

第一七条　法第三十二条第三項の協議の申出は、第六号様式による協議書を地方整備局長又は北海道開発局長に提出して行うものとする。

2　前項の協議書には、次に掲げる書類を添付しなければならない。

一　工事計画書

二　工事費及び財源調書

三　平面図、縦断図、横断定規図その他必要な図面

（同意を要しない軽易な道路特定事業）

第一八条　法第三十二条第三項ただし書の主務省令で定める軽易な道路特定事業は、道路の附属物の新設又は改築のみに関する工事とする。

2　市町村は、前項の工事を行った場合においては、その旨を地方整備局長又は北海道開発局長に報告しなければならない。

（道路特定事業に関する工事の公示）

第一九条　市町村は、法第三十二条第四項の規定により道路特定事業に関する工事を行おうとするとき、及び当該道路特定事業に関する工事の全部又は一部を完了したときは、道路の種類、路線名、工事の区間、工事の種類及び工事の開始の日（当該道路特定事業に関する工事の全部又は一部を完了したときにあっては、工事の完了の日）を公示するものとする。

（移動等円滑化経路協定の認可等の申請の公告）

第二〇条　法第四十二条第一項（法第四十四条第二項において準用する場合を含む。）の規定による公告は、次に掲げる事項について、公報、掲示その他の方法で行うものとする。

一　移動等円滑化経路協定の名称

二　移動等円滑化経路協定区域

三　移動等円滑化経路協定の縦覧場所

（移動等円滑化経路協定の認可の基準）

第二一条　法第四十三条第一項第三号（法第四十四条第二項において準用する場合を含む。）の主務省令で定める基準は、次のとおりとする。

一　移動等円滑化経路協定区域は、その境界が明確に定められていなければならない。

二　法第四十一条第二項第二号の移動等円滑化のための経路の整備又は管理に関する事項は、法第二十四条の二第三項の移動等円滑化促進地区における移動等円滑化の促進に関する基本的な方針又は法第二十五条第三項の重点整備地区における移動等円滑化に関する基本的な方針が定められているときは、これらの基本的な方針に適合していなければならない。

三　移動等円滑化経路協定に違反した場合の措置は、違反した者に対して不当に重い負担を課するものであってはならない。

（移動等円滑化経路協定の認可等の公告）

第二二条　第二十条の規定は、法第四十三条第二項（法第四十四条第二項、第四十五条第四項、第四十七条第二項又は第五十条第三項において準用する場合を含む。）の規定による公告について準用する。

（移動等円滑化施設協定に関する準用）

第二二条の二　前三条の規定は、法第五十一条の二第一項に規定する移動等円滑化施設協定について準用する。この場合において、第二十条第二号及び第二十一条第一号中「移動等円滑化経路協定区域」とあるのは「移動等円滑化施設協定区域」と読み替えるものとする。

（移動等円滑化実績等報告書）

第二三条　公共交通事業者等は、毎年六月三十日までに、次の表の上欄に掲げる公共交通事業者等の区分に応じ、同表の下欄に掲げる地方支分部局の長に、国土交通大臣が定める様式による移動等円滑化実績等報告書を提出しなければならない。ただし、第六条の三の移動等円滑化計画書及び第六条の四の移動等円滑化取組報告書を提出した場合にあっては、この限りでない。

一　法第二条第五号イからニまでに掲げる者又は同号トに掲げる者のうち同条第六号イに掲げる施設を設置し、又は管理するもの	当該公共交通事業者等の主たる事務所を管轄する地方運輸局長
二　法第二条第五号ホに掲げる者	当該公共交通事業者等の主たる事務所を管轄する地方運輸局長（運輸監理部長を含む。）
三　法第二条第五号へに掲げる者又は同号トに掲げる者のうち同条第六号ホに掲げる施設を設置し、又は管理するもの	当該公共交通事業者等の主たる事務所を管轄する地方航空局長
四　法第二条第五号トに掲げる者のうち同条第六号ニに掲げる施設を設置し、又は管理するもの	当該公共交通事業者等の主たる事務所を管轄する地方整備局長又は北海道開発局長

（臨時の報告）

第二四条　公共交通事業者等は、前条に定める移動等円滑化実績等報告書のほか、国土交通大臣、地方整備局長、北海道開発局長、地方運輸局長（運輸監理部長を含む。）又は地方航空局長から、移動等円滑化のための事業に関し報告を求められたときは、報告書を提出しなければならない。

2　国土交通大臣、地方整備局長、北海道開発局長、地方運輸局長（運輸監理部長を含む。）又は地方航空局長は、前項の報告を求めるときは、報告書の様式、報告書の提出期限その他必要な事項を明示するものとする。

（立入検査の証明書）

第二五条　法第五十三条第六項の立入検査をする職員（国の職員を除く。）の身分を示す証明書は、第七号様式によるものとする。

（権限の委任）

第二六条　法に規定する国土交通大臣の権限のうち、次の表の権限の欄に掲げるものは、それぞれ同表の地方支分部局の長の欄に掲げる地方支分部局の長に委任する。

権限		地方支分部局の長
一　法第九条第二項の規定による届出の受理	イ　法第二条第六号ハに掲げる施設のうち専用バスターミナル（自動車ターミナル法（昭和三十四年法律第百三十六号）第二条第七項に規定する専用バスターミナルをいう。以下同じ。）に係るもの	当該施設の所在地を管轄する地方運輸局長
	ロ　法第二条第六号ニに掲げる施設（当該施設を設置し、又は管理する者が一般旅客定期航路事業者又は旅客不定期航路事業者であるものに限る。）に係るもの	当該施設の所在地を管轄する地方運輸局長（運輸監理部長を含む。）
	ハ　法第二条第六号ニに掲げる施設（当該施設を設置し、又は管理する者が一般旅客定期航路事業者又は旅客不定期航路事業者であるものを除く。）に係るもの	当該施設の所在地を管轄する地方整備局長又は北海道開発局長
	ニ　法第二条第六号ホに掲げる施設に係るもの	当該施設の所在地を管轄する地方航空局長
二　法第九条第三項の規定による命令	イ　法第二条第六号ハに掲げる施設のうち専用バスターミナルに係るもの	当該施設の所在地を管轄する地方運輸局長
	ロ　乗合バス車両、貸切バス車両又は福祉タクシー車両（公共交通移動等円滑化基準省令第二条第一項第十四号に規定する福祉タクシー車両をいう。以下同じ。）に係るもの	当該乗合バス車両、貸切バス車両又は福祉タクシー車両の使用の本拠を管轄する地方運輸局長
	ハ　法第二条第六号ニに掲げる施設（当該施設を設置し、又は管理する者が一般旅客定期航路事業者又は旅客不定期航路事業者であるものに限る。）に係るもの	当該施設の所在地を管轄する地方運輸局長（運輸監理部長を含む。）
	ニ　法第二条第六号ニに掲げる施設（当該施設を設置し、又は管理する者が一般旅客定期航路事業者又は旅客不定期航路事業者であるものを除く。）に係るもの	当該施設の所在地を管轄する地方整備局長又は北海道開発局長
	ホ　船舶に係るもの	当該船舶の航路の拠点を管轄する地方運輸局長（運輸監理部長を含む。）
	ヘ　法第二条第六号ホに掲げる施設に係るもの	当該施設の所在地を管轄する地方航空局長
三　法第九条の三の指導及び助言並びに法第九条の七第一項の勧告及び同条第二項の規定による公表	イ　法第二条第六号イに掲げる施設のうち鉄道事業法（昭和六十一年法律第九十二号）第八条第一項の認可に係るもの以外のもの又は同号ハに掲げる施設のうち専用バスターミナルに係るもの	当該施設の所在地を管轄する地方運輸局長
	ロ　鉄道車両のうち鉄道事業法第十三条第一項の確認（鉄道事業法施行規則（昭和六十二年運輸省令第六号）第二十条第二項及び第三項に規定するものに限る。）に係るもの、乗合バス車両に係るもの、貸切バス車両に係るもの又は福祉タクシー車両に係るもの	当該鉄道車両、乗合バス車両、貸切バス車両又は福祉タクシー車両の使用の本拠を管轄する地方運輸局長
	ハ　法第二条第六号ニに掲げる施設（当該施設を設置し、又は管理する者が一般旅客定期航路事業者又は旅客不定期航路事業者であるものに限る。）に係るもの	当該施設の所在地を管轄する地方運輸局長（運輸監理部長を含む。）
	ニ　法第二条第六号ニに掲げる施設（当該施設を設置し、又は管理する者が一般旅客定期航路事業者又は旅客不定期航路事業者であるものを除く。）に係るもの	当該施設の所在地を管轄する地方整備局長又は北海道開発局長
	ホ　船舶に係るもの	当該船舶の航路の拠点を管轄する地方運輸局長（運輸監理部長を含む。）
	ヘ　法第二条第六号ホに掲げる施設に係るもの	当該施設の所在地を管轄する地方航空局長
	ト　特定本邦航空運送事業者の使用航空機以外の航空機（公共交通移動等円滑化基準省令第二条第一項第十六号に規定する航空機をいう。）に係るもの	当該航空機を使用する本邦航空運送事業者の主たる事務所を管轄する地方航空局長
四　法第二十二条の二第一項の移動等円滑化困難旅客施設の認定並びに同条第二項の認定及び同条第五項において準用する第十八条第二項の変更の認定	イ　法第二条第六号イに掲げる施設のうち鉄道事業法第八条第一項の認可に係るもの以外のもの又は同号ハに掲げる施設のうち専用バスターミナルに係るもの	当該施設の所在地を管轄する地方運輸局長
	ロ　法第二条第六号ニに掲げる施設（当該施設を設置し、又は管理する者が一般旅客定期航路事業者又は旅客不定期航路事業者であるものに限る。）に係るもの	当該施設の所在地を管轄する地方運輸局長（運輸監理部長を含む。）
	ハ　法第二条第六号ニに掲げる施設（当該施設を設	当該施設の所在地を管轄する地

	置し、又は管理する者が一般旅客定期航路事業者又は旅客不定期航路事業者であるものを除く。）に係るもの	方整備局長又は北海道開発局長
	ニ　法第二条第六号ホに掲げる施設に係るもの	当該施設の所在地を管轄する地方航空局長
五　法第二十四条の六第五項の規定による勧告	イ　法第二条第六号イに掲げる施設のうち鉄道事業法第八条第一項の認可に係るもの以外のもの又は同号ハに掲げる施設のうち専用バスターミナルに係るもの	当該施設の所在地を管轄する地方運輸局長
	ロ　法第二条第六号ニに掲げる施設（当該施設を設置し、又は管理する者が一般旅客定期航路事業者又は旅客不定期航路事業者であるものに限る。）に係るもの	当該施設の所在地を管轄する地方運輸局長（運輸監理部長を含む。）
	ハ　法第二条第六号ニに掲げる施設（当該施設を設置し、又は管理する者が一般旅客定期航路事業者又は旅客不定期航路事業者であるものを除く。）に係るもの	当該施設の所在地を管轄する地方整備局長又は北海道開発局長
	ニ　法第二条第六号ホに掲げる施設に係るもの	当該施設の所在地を管轄する地方航空局長
六　法第二十九条第一項の規定による申請の受理、同条第二項の認定、同条第三項の規定による変更の認定及び同条第五項の規定による認定の取消し	イ　法第二条第六号イに掲げる施設のうち鉄道事業法第八条第一項の認可に係るもの以外のもの又は同号ハに掲げる施設のうち専用バスターミナルに係るもの	当該施設の所在地を管轄する地方運輸局長
	ロ　乗合バス車両、貸切バス車両又は福祉タクシー車両に係るもの	当該乗合バス車両、貸切バス車両又は福祉タクシー車両の使用の本拠を管轄する地方運輸局長
	ハ　法第二条第六号ニに掲げる施設（当該施設を設置し、又は管理する者が一般旅客定期航路事業者又は旅客不定期航路事業者であるものに限る。）に係るもの	当該施設の所在地を管轄する地方運輸局長（運輸監理部長を含む。）
	ニ　法第二条第六号ニに掲げる施設（当該施設を設置し、又は管理する者が一般旅客定期航路事業者又は旅客不定期航路事業者であるものを除く。）に係るもの	当該施設の所在地を管轄する地方整備局長又は北海道開発局長
	ホ　法第二条第六号ホに掲げる施設に係るもの	当該施設の所在地を管轄する地方航空局長
七　法第三十二条第三項の規定による協議及び同意		市町村の区域を管轄する地方整備局長又は北海道開発局長
八　法第三十八条第二項の規定による通知の受理及び同条第三項の規定による勧告	イ　法第二条第六号イに掲げる施設のうち鉄道事業法第八条第一項の認可に係るもの以外のもの又は同号ハに掲げる施設のうち専用バスターミナルに係るもの	当該施設の所在地を管轄する地方運輸局長
	ロ　乗合バス車両、貸切バス車両又は福祉タクシー車両に係るもの	当該乗合バス車両、貸切バス車両又は福祉タクシー車両の使用の本拠を管轄する地方運輸局長
	ハ　法第二条第六号ニに掲げる施設（当該施設を設置し、又は管理する者が一般旅客定期航路事業者又は旅客不定期航路事業者であるものに限る。）に係るもの	当該施設の所在地を管轄する地方運輸局長（運輸監理部長を含む。）
	ニ　法第二条第六号ニに掲げる施設（当該施設を設置し、又は管理する者が一般旅客定期航路事業者又は旅客不定期航路事業者であるものを除く。）に係るもの	当該施設の所在地を管轄する地方整備局長又は北海道開発局長
	ホ　法第二条第六号ホに掲げる施設に係るもの	当該施設の所在地を管轄する地方航空局長
九　法第三十八条第四項の規定による命令	イ　法第二条第六号ハに掲げる施設のうち専用バスターミナルに係るもの	当該施設の所在地を管轄する地方運輸局長
	ロ　乗合バス車両、貸切バス車両又は福祉タクシー車両に係るもの	当該乗合バス車両、貸切バス車両又は福祉タクシー車両の使用の本拠を管轄する地方運輸局長
	ハ　法第二条第六号ニに掲げる施設（当該施設を設置し、又は管理する者が一般旅客定期航路事業者又は旅客不定期航路事業者であるものに限る。）に係るもの	当該施設の所在地を管轄する地方運輸局長（運輸監理部長を含む。）
	ニ　法第二条第六号ニに掲げる施設（当該施設を設置し、又は管理する者が一般旅客定期航路事業者又は旅客不定期航路事業者であるものを除く。）に係るもの	当該施設の所在地を管轄する地方整備局長又は北海道開発局長
	ホ　法第二条第六号ホに掲げる施設に係るもの	当該施設の所在地を管轄する地方航空局長

２　法に規定する国土交通大臣の権限のうち、法第二十四条の二第八項の助言（法第二十五条第十項において準用する場合を含む。）に係るもの並びに法第五十三条第一項の規定による報告、立入検査及び質問に係るものは、地方整備局長、北海道開発局長、地方運輸局長（運輸監理部長を含む。）、地方航空局長、運輸支局長及び海事事務所長も行うことができる。

３　法に規定する国土交通大臣の権限のうち、法第二十四条の六第五項の勧告に係るもの（道路管理者に係るものに限る。）は、地方整備局長及び北海道開発局長も行うことができる。

４　法に規定する道路管理者及び公園管理者である国土交通大臣の権限は、地方整備局長及び北海道開発局長に委任する。

（書類の経由）

第二十七条　第十五条第一項及び第十六条第一項の規定により国土交通大臣に提出すべき申請書のうち、法第二条第六号イに掲げる施設のうち鉄道事業法第八条第一項の認可に係るもの、同号ロに掲げる施設及び同号ハに掲げる施設のうち一般バスターミナルに係るものは、当該施設の所在地を管轄する地方運輸局長を経由して提出しなければならない。

２　この省令の規定により地方運輸局長に提出すべき申請書のうち、乗合バス車両、貸切バス車両又は福祉タクシー車両に係るものは、当該乗合バス車両、貸切バス車両又は福祉タクシー車両の使用の本拠を管轄する運輸監理部長又は運輸支局長を経由して提出しなければならない。

３　この省令の規定により地方運輸局長に提出すべき移動等円滑化実績等報告書のうち、乗合バス車両、貸切バス車両又は福祉タクシー車両に係るものは、法第二条第五号ハに掲げる者の主たる事務所を管轄する運輸監理部長又は運輸支局長を経由して提出しなければならない。

附　則〔抄〕

（施行期日）

第一条　この省令は、法の施行の日（平成十八年十二月二十日）から施行する。

（**高齢者、身体障害者等が円滑に利用できる特定建築物の建築の促進に関する法律施行規則及び高齢者、身体障害者等の公共交通機関を利用した移動の円滑化の促進に関する法律施行規則の廃止**）

第二条　次に掲げる省令は、廃止する。

一　高齢者、身体障害者等が円滑に利用できる特定建築物の建築の促進に関する法律施行規則（平成六年建設省令第二十六号）

二　高齢者、身体障害者等の公共交通機関を利用した移動の円滑化の促進に関する法律施行規則（平成十二年運輸省建設省令第九号）

附　則〔略〕〔平成二三・八・三〇国土交通省令六七施行〕

附　則〔略〕〔平成二三・一一・三〇国土交通省令八五〕

附　則〔略〕〔平成三〇・一〇・一九国土交通省令八一〕

附　則〔抄〕〔平成三一・三・八国土交通省令七〕

（施行期日）

第一条　この省令は、高齢者、障害者等の移動等の円滑化の促進に関する法律の一部を改正する法律附則第一条ただし書に規定する規定の施行の日（平成三十一年四月一日。以下「施行日」という。）から施行する。

（**高齢者、障害者等の移動等の円滑化の促進に関する法律施行規則の一部改正に伴う経過措置**）

第二条　平成三十一年度においては、第一条の規定による改正後の高齢者、障害者等の移動等の円滑化の促進に関する法律施行規則第六条の三の規定の適用については、同条中「六月三十日」とあるのは、「十二月三十一日」とする。

附　則〔略〕〔令和元・六・二八国土交通省令二〇〕

附　則〔略〕〔令和二・一二・二三国土交通省令九八〕

附　則〔略〕〔令和三・一・二〇国土交通省令一〕

附　則〔略〕〔令和三・三・三〇国土交通省令一二〕

附　則〔略〕〔令和三・一〇・一国土交通省令六二〕

附　則〔令和四・三・三一国土交通省令三〇〕

（施行期日）

第一条　この省令は、令和四年十月一日から施行する。

（経過措置）

第二条　この省令の施行の日前にされた高齢者、障害者等の移動等の円滑化の促進に関する法律（平成十八年法律第九十一号）第十七条第三項（同法第十八条第二項において準用する場合を含む。）の認定の申請であって、この省令の施行の際、まだその認定をするかどうかの処分がされていないものについての認定の処分については、なお従前の例による。

２　この省令の施行の際現に工事中の特定建築物で、認定を受けた計画又は前項の規定によりなお従前の例によることとされる認定を受ける計画に係るものについての法第十八条第一項の規定による変更の認定に関する認定の基準については、当該工事が完了するまでの間に限り、なお従前の例による。

附　則〔略〕〔令和六・三・八国土交通省令一八〕

附　則〔抄〕〔令和六・三・二九国土交通省令二六〕

（施行期日）

第一条　この省令は、令和六年四月一日から施行する。〔以下略〕

様式〔略〕

○高齢者、障害者等が円滑に利用できるようにするために誘導すべき建築物特定施設の構造及び配置に関する基準を定める省令

（平成一八・一二・一五　国土交通省令一一四）

改正　平成三一・三国交令七、令和元・六国交令二〇、令和三・一国交令一、令和四・三国交令三〇

（**建築物移動等円滑化誘導基準**）

第一条　高齢者、障害者等の移動等の円滑化の促進に関する法律（以下「法」という。）第十七条第三項第一号の主務省令で定める建築物特定施設の構造及び配置に関する基準は、この省令の定めるところによる。

（**出入口**）

第二条　多数の者が利用する出入口（次項に規定するもの並びに籠、昇降路、便所及び浴室等に設けられるものを除き、かつ、二以上の出入口を併設する場合には、そのうち一以上のものに限る。）は、次に掲げるものでなければならない。

一　幅は、九十センチメートル以上とすること。

二　戸を設ける場合には、自動的に開閉する構造その他の車椅子使用者が容易に開閉して通過できる構造とし、かつ、その前後に高低差がないこと。

２　多数の者が利用する直接地上へ通ずる出入口のうち一以上のものは、次に掲げるものでなければならない。

一　幅は、百二十センチメートル以上とすること。

二　戸を設ける場合には、自動的に開閉する構造とし、かつ、その前後に高低差がないこと。

（**廊下等**）

第三条　多数の者が利用する廊下等は、次に掲げるものでなければならない。

一　幅は、百八十センチメートル以上とすること。ただし、五十メートル以内ごとに車椅子のすれ違いに支障がない場所を設ける場合にあっては、百四十センチメートル以上とすることができる。

二　表面は、粗面とし、又は滑りにくい材料で仕上げること。

三　階段又は傾斜路（階段に代わり、又はこれに併設するものに限る。）の上端に近接する廊下等の部分（不特定かつ多数の者が利用し、又は主として視覚障害者が利用するものに限る。）には、点状ブロック等を敷設すること。ただし、視覚障害者の利用上支障がないものとして国土交

通大臣が定める場合は、この限りでない。

四　戸を設ける場合には、自動的に開閉する構造その他の車椅子使用者が容易に開閉して通過できる構造とし、かつ、その前後に高低差がないこと。

五　側面に廊下等に向かって開く戸を設ける場合には、当該戸の開閉により高齢者、障害者等の通行の安全上支障がないよう必要な措置を講ずること。

六　不特定かつ多数の者が利用し、又は主として視覚障害者が利用する廊下等に突出物を設けないこと。ただし、視覚障害者の通行の安全上支障が生じないよう必要な措置を講じた場合は、この限りでない。

七　高齢者、障害者等の休憩の用に供する設備を適切な位置に設けること。

2　前項第一号及び第四号の規定は、車椅子使用者の利用上支障がないものとして国土交通大臣が定める廊下等の部分には、適用しない。

（階段）

第四条　多数の者が利用する階段は、次に掲げるものとしなければならない。

一　幅は、百四十センチメートル以上とすること。ただし、手すりが設けられた場合にあっては、手すりの幅が十センチメートルを限度として、ないものとみなして算定することができる。

二　蹴上げの寸法は、十六センチメートル以下とすること。

三　踏面の寸法は、三十センチメートル以上とすること。

四　踊場を除き、両側に手すりを設けること。

五　表面は、粗面とし、又は滑りにくい材料で仕上げること。

六　踏面の端部とその周囲の部分との色の明度、色相又は彩度の差が大きいことにより段を容易に識別できるものとすること。

七　段鼻の突き出しその他のつまずきの原因となるものを設けない構造とすること。

八　段がある部分の上端に近接する踊場の部分（不特定かつ多数の者が利用し、又は主として視覚障害者が利用するものに限る。）には、点状ブロック等を敷設すること。ただし、視覚障害者の利用上支障がないものとして国土交通大臣が定める場合は、この限りでない。

九　主たる階段は、回り階段でないこと。

（傾斜路又はエレベーターその他の昇降機の設置）

第五条　多数の者が利用する階段を設ける場合には、階段に代わり、又はこれに併設する傾斜路又はエレベーターその他の昇降機（二以上の階にわたるときには、第七条に定めるものに限る。）を設けなければならない。ただし、車椅子使用者の利用上支障がないものとして国土交通大臣が定める場合は、この限りでない。

（階段に代わり、又はこれに併設する傾斜路）

第六条　多数の者が利用する傾斜路（階段に代わり、又はこれに併設するものに限る。）は、次に掲げるものでなければならない。

一　幅は、階段に代わるものにあっては百五十センチメートル以上、階段に併設するものにあっては百二十センチメートル以上とすること。

二　勾配は、十二分の一を超えないこと。

三　高さが七十五センチメートルを超えるものにあっては、高さ七十五センチメートル以内ごとに踏幅が百五十センチメートル以上の踊場を設けること。

四　高さが十六センチメートルを超える傾斜がある部分には、両側に手すりを設けること。

五　表面は、粗面とし、又は滑りにくい材料で仕上げること。

六　その前後の廊下等との色の明度、色相又は彩度の差が大きいことによりその存在を容易に識別できるものとすること。

七　傾斜がある部分の上端に近接する踊場の部分（不特定かつ多数の者が利用し、又は主として視覚障害者が利用するものに限る。）には、点状ブロック等を敷設すること。ただし、視覚障害者の利用上支障がないものとして国土交通大臣が定める場合は、この限りでない。

2　前項第一号から第三号までの規定は、車椅子使用者の利用上支障がないものとして国土交通大臣が定める傾斜路の部分には、適用しない。この場合において、勾配が十二分の一を超える傾斜がある部分には、両側に手すりを設けなければならない。

（エレベーター）

第七条　多数の者が利用するエレベーター（次条に規定するものを除く。以下この条において同じ。）を設ける場合には、第一号及び第二号に規定する階に停止する籠を備えたエレベーターを、第一号に規定する階ごとに一以上設けなければならない。

一　多数の者が利用する居室、車椅子使用者用客室、第十二条の二第一項に規定する車椅子使用者用便房、車椅子使用者用駐車施設、車椅子使用者用客席又は第十三条第一号に規定する車椅子使用者用浴室等がある階

二　直接地上へ通ずる出入口のある階

2　多数の者が利用するエレベーター及びその乗降ロビーは、次に掲げるものでなければならない。

一　籠及び昇降路の出入口の幅は、八十センチメートル以上とすること。

二　籠の奥行きは、百三十五センチメートル以上とすること。

三　乗降ロビーは、高低差がないものとし、その幅及び奥行きは、百五十センチメートル以上とすること。

四　籠内に、籠が停止する予定の階及び籠の現在位置を表示する装置を設けること。

五　乗降ロビーに、到着する籠の昇降方向を表示する装置を設けること。

3　第一項の規定により設けられた多数の者が利用するエレベーター及びその乗降ロビーは、前項に定めるもののほか、次に掲げるものでなければならない。

一　籠の幅は、百四十センチメートル以上とすること。

二　籠は、車椅子の転回に支障がない構造とすること。

三　籠内及び乗降ロビーには、車椅子使用者が利用しやすい位置に制御装置を設けること。

4　不特定かつ多数の者が利用するエレベーターは、第二項第一号、第二号及び第四号並びに前項第一号及び第二号に定めるものでなければならない。

5　第一項の規定により設けられた不特定かつ多数の者が利用するエレベーター及びその乗降ロビーは、第二項第二号、第四号及び第五号並びに第三項第二号及び第三号に定めるもののほか、次に掲げるものでなければならない。

一　籠の幅は、百六十センチメートル以上とすること。

二　籠及び昇降路の出入口の幅は、九十センチメートル以上とすること。

三　乗降ロビーは、高低差がないものとし、その幅及び奥行きは、百八十センチメートル以上とすること。

6　第一項の規定により設けられた不特定かつ多数の者が利用し、又は主として視覚障害者が利用するエレベーター及びその乗降ロビーは、第三項又は前項に定めるもののほか、次に掲げるものでなければならない。ただし、視覚障害者の利用上支障がないものとして国土交通大臣が定める場合は、この限りでない。

一　籠内に、籠が到着する階並びに籠及び昇降路の出入口の戸の閉鎖を音声により知らせる装置を設けること。

二　籠内及び乗降ロビーに設ける制御装置（車椅子使用者が利用しやすい位置及びその他の位置に制御装置を設ける場合にあっては、当該その他の位置に設けるものに限る。）は、点字その他国土交通大臣が定める方法により視覚障害者が円滑に操作することができる構造とすること。

三　籠内又は乗降ロビーに、到着する籠の昇降方向を音声により知らせる装置を設けること。

（特殊な構造又は使用形態のエレベーターその他の昇降機）

第八条　階段又は段に代わり、又はこれに併設する国土交通大臣が定める特殊な構造又は使用形態のエレベーターその他の昇降機は、車椅子使用者が円滑に利用できるものとして国土交通大臣が定める構造としなければならない。

（便所）

第九条　多数の者が利用する便所は、次に掲げるものでなければならない。

一　多数の者が利用する便所（男子用及び女子用の区別があるときは、それぞれの便所）が設けられている階ごとに、当該便所のうち一以上に、車椅子使用者用便房及び高齢者、障害者等が円滑に利用することができる構造の水洗器具を設けた便房を設けること。

二　多数の者が利用する便所が設けられている階の車椅子使用者用便房の数は、当該階の便房（多数の者が利用するものに限る。以下この号において同じ。）の総数が二百以下の場合は当該便房の総数に五十分の一を乗じて得た数以上とし、当該階の便房の総数が二百を超える場合は当該便房の総数に百分の一を乗じて得た数に二を加えた数以上とすること。

三　車椅子使用者用便房及び当該便房が設けられている便所の出入口は、次に掲げるものであること。

イ　幅は、八十センチメートル以上とすること。

ロ　戸を設ける場合には、自動的に開閉する構造その他の車椅子使用者が容易に開閉して通過できる構造とし、かつ、その前後に高低差がないこと。

四　多数の者が利用する便所に車椅子使用者用便房が設けられておらず、かつ、当該便所に近接する位置に車椅子使用者用便房が設けられている便所が設けられていない場合には、当該便所内に腰掛便座及び手すりの設けられた便房を一以上設けること。

２　多数の者が利用する男子用小便器のある便所が設けられている階ごとに、当該便所のうち一以上に、床置式の小便器、壁掛式の小便器（受け口の高さが三十五センチメートル以下のものに限る。）その他これらに類する小便器を一以上設けなければならない。

（ホテル又は旅館の客室）

第一〇条　ホテル又は旅館には、客室の総数が二百以下の場合は当該客室の総数に五十分の一を乗じて得た数以上、客室の総数が二百を超える場合は当該客室の総数に百分の一を乗じて得た数に二を加えた数以上の車椅子使用者用客室を設けなければならない。

２　車椅子使用者用客室は、次に掲げるものでなければならない。

一　出入口は、次に掲げるものであること。

イ　幅は、八十センチメートル以上とすること。

ロ　戸を設ける場合には、自動的に開閉する構造その他の車椅子使用者が容易に開閉して通過できる構造とし、かつ、その前後に高低差がないこと。

二　便所は、次に掲げるものであること。ただし、当該客室が設けられている階に不特定かつ多数の者が利用する便所が一以上（男子用及び女子用の区別があるときは、それぞれ一以上）設けられている場合は、この限りでない。

イ　便所内に車椅子使用者用便房を設けること。

ロ　車椅子使用者用便房及び当該便房が設けられている便所の出入口は、前条第一項第三号イ及びロに掲げるものであること。

三　浴室等は、次に掲げるものであること。ただし、当該客室が設けられている建築物に不特定かつ多数の者が利用する浴室等が一以上（男子用及び女子用の区別があるときは、それぞれ一以上）設けられている場合は、この限りでない。

イ　車椅子使用者が円滑に利用することができるものとして国土交通大臣が定める構造の浴室等（以下「車椅子使用者用浴室等」という。）であること。

ロ　出入口は、次に掲げるものであること。

(1)　幅は、八十センチメートル以上とすること。

(2)　戸を設ける場合には、自動的に開閉する構造その他の車椅子使用者が容易に開閉して通過できる構造とし、かつ、その前後に高低差がないこと。

（敷地内の通路）

第一一条　多数の者が利用する敷地内の通路は、次に掲げるものでなければならない。

一　段がある部分及び傾斜路を除き、幅は、百八十センチメートル以上とすること。

二　表面は、粗面とし、又は滑りにくい材料で仕上げること。

三　戸を設ける場合には、自動的に開閉する構造その他の車椅子使用者が容易に開閉して通過できる構造とし、かつ、その前後に高低差がないこと。

四　段がある部分は、次に掲げるものであること。

イ　幅は、百四十センチメートル以上とすること。ただし、手すりが設けられた場合にあっては、手すりの幅が十センチメートルを限度として、ないものとみなして算定することができる。

ロ　蹴上げの寸法は、十六センチメートル以下とすること。

ハ　踏面の寸法は、三十センチメートル以上とすること。

ニ　両側に手すりを設けること。

ホ　踏面の端部とその周囲の部分との色の明度、色相又は彩度の差が大きいことにより段を容易に識別できるものとすること。

ヘ　段鼻の突き出しその他のつまずきの原因となるものを設けない構造とすること。

五　段を設ける場合には、段に代わり、又はこれに併設する傾斜路又はエレベーターその他の昇降機を設けなければならない。

六　傾斜路は、次に掲げるものであること。

イ　幅は、段に代わるものにあっては百五十センチメートル以上、段に併設するものにあっては百二十センチメートル以上とすること。

ロ　勾配は、十五分の一を超えないこと。

ハ　高さが七十五センチメートルを超えるもの（勾配が二十分の一を超えるものに限る。）にあっては、高さ七十五センチメートル以内ごとに踏幅が百五十センチメートル以上の踊場を設けること。

ニ　高さが十六センチメートルを超え、かつ、勾配が二十分の一を超える傾斜がある部分には、両側に手すりを設けること。

ホ　その前後の通路との色の明度、色相又は彩度の差が大きいことによりその存在を容易に識別できるものとすること。

２　多数の者が利用する敷地内の通路（道等から直接地上へ通ずる出入口までの経路を構成するものに限る。）が地形の特殊性により前項の規定によることが困難である場合においては、同項第一号、第三号、第五号及び第六号イからハまでの規定は、当該敷地内の通路が設けられた建築物の車寄せから直接地上へ通ずる出入口までの敷地内の通路の部分に限り、適用する。

３　第一項第一号、第三号、第五号及び第六号イからハまでの規定は、車椅子使用者の利用上支障がないものとして国土交通大臣が定める敷地内の通路の部分には、適用しない。この場合において、勾配が十二分の一を超える傾斜がある部分には、両側に手すりを設けなければならない。

（駐車場）

第一二条　多数の者が利用する駐車場には、当該駐車場の全駐車台数が二百以下の場合は当該駐車台数に五十分の一を乗じて得た数以上、全駐車台数が二百を超える場合は当該駐車台数に百分の一を乗じて得た数に二を加えた数以上の車椅子使用者用駐車施設を設けなければならない。

（劇場等の客席）

第一二条の二　劇場、観覧場、映画館、演芸場、集会場又は公会堂（以下「劇場等」という。）に客席を設ける場合には、客席の総数が二百以下のときは当該客席の総数に五十分の一を乗じて得た数以上、客席の総数が二百を超え二千以下のときは当該客席の総数に百分の一を乗じて得た数に二を加えた数以上、客席の総数が二千を超えるときは当該客席の総数に一万分の七十五を乗じて得た数に七を加えた数以上の車椅子使用者用客席（車椅子使用者が円滑に利用できる客席をいう。以下この条において同じ。）を設けなければならない。

２　車椅子使用者用客席は、次に掲げるものでなければならない。

一　幅は、九十センチメートル以上とすること。

二　奥行きは、百二十センチメートル以上とすること。

三　床は、平らとすること。

四　車椅子使用者が舞台等を容易に視認できる構造とすること。

五　同伴者用の客席又はスペースを当該車椅子使用者用客席に隣接して設けること。

３　客席の総数が二百を超える場合には、第一項の規定による車椅子使用者用客席を二箇所以上に分散して設けなければならない。

（浴室等）

第一三条　多数の者が利用する浴室等を設ける場合には、そのうち一以上（男子用及び女子用の区別があるときは、それぞれ一以上）は、次に掲げるものでなければならない。

一　車椅子使用者用浴室等であること。

二　出入口は、第十条第二項第三号ロに掲げるものであること。

（標識）

第一四条　移動等円滑化の措置がとられたエレベーターその他の昇降機、便所又は駐車施設の付近には、それぞれ、当該エレベーターその他の昇降機、便所又は駐車施設があることを表示する標識を、高齢者、障害者等の見やすい位置に設けなければならない。

２　前項の標識は、当該標識に表示すべき内容が容易に識別できるもの（当該内容が日本産業規格Ｚ八二一〇に定められているときは、これに適合するもの）でなければならない。

（案内設備）

第一五条　建築物又はその敷地には、当該建築物又はその敷地内の移動等円滑化の措置がとられたエレベーターその他の昇降機、便所又は駐車施設の配置を表示した案内板その他の設備を設けなければならない。ただし、当該エレベーターその他の昇降機、便所又は駐車施設の配置を容易に視認できる場合は、この限りでない。

2 建築物又はその敷地には、当該建築物又はその敷地内の移動等円滑化の措置がとられたエレベーターその他の昇降機又は便所の配置を点字その他国土交通大臣が定める方法により視覚障害者に示すための設備を設けなければならない。

3 案内所を設ける場合には、前二項の規定は適用しない。

（案内設備までの経路）

第一六条 道等から前条第二項の規定による設備又は同条第三項の規定による案内所までの主たる経路（不特定かつ多数の者が利用し、又は主として視覚障害者が利用するものに限る。）は、視覚障害者移動等円滑化経路にしなければならない。ただし、視覚障害者の利用上支障がないものとして国土交通大臣が定める場合は、この限りでない。

（増築等又は修繕等に関する適用範囲）

第一七条 建築物の増築若しくは改築（用途の変更をして特定建築物にすることを含む。以下「増築等」という。）又は建築物の修繕若しくは模様替（建築物特定施設に係るものに限る。以下「修繕等」という。）をする場合には、第二条から前条までの規定は、次に掲げる建築物の部分に限り、適用する。

一 当該増築等又は修繕等に係る部分

二 道等から前号に掲げる部分までの一以上の経路を構成する出入口、廊下等、階段、傾斜路、エレベーターその他の昇降機及び敷地内の通路

三 多数の者が利用する便所のうち一以上のもの

四 第一号に掲げる部分から車椅子使用者用便房（前号に掲げる便所に設けられるものに限る。）までの一以上の経路を構成する出入口、廊下等、階段、傾斜路、エレベーターその他の昇降機及び敷地内の通路

五 ホテル又は旅館の客室のうち一以上のもの

六 第一号に掲げる部分から前号に掲げる客室までの一以上の経路を構成する出入口、廊下等、階段、傾斜路、エレベーターその他の昇降機及び敷地内の通路

七 多数の者が利用する駐車場のうち一以上のもの

八 車椅子使用者用駐車施設（前号に掲げる駐車場に設けられるものに限る。）から第一号に掲げる部分までの一以上の経路を構成する出入口、廊下等、階段、傾斜路、エレベーターその他の昇降機及び敷地内の通路

九 劇場等の客席のうち一以上のもの

十 第一号に掲げる部分から前号に掲げる客席までの一以上の経路を構成する出入口、廊下等、階段、傾斜路、エレベーターその他の昇降機及び敷地内の通路

十一 多数の者が利用する浴室等

十二 第一号に掲げる部分から車椅子使用者用浴室等（前号に掲げるものに限る。）までの一以上の経路を構成する出入口、廊下等、階段、傾斜路、エレベーターその他の昇降機及び敷地内の通路

2 前項第三号に掲げる建築物の部分について第九条の規定を適用する場合には、同条第一項第一号中「便所（男子用及び女子用の区別があるときは、それぞれの便所）が設けられている階ごとに、当該便所のうち一以上に、」とあるのは「便所（男子用及び女子用の区別があるときは、それぞれの便所）に、」と、同項第二号中「便所が設けられている階の」とあるのは「便所の」と、「当該階の」とあるのは「当該便所の」と、同条第二項中「便所が設けられている階ごとに、当該便所のうち」とあるのは「便所を設ける場合には、そのうち」とする。

3 第一項第五号に掲げる建築物の部分について第十条の規定を適用する場合には、同条中「客室の総数が二百以下の場合は当該客室の総数に五十分の一を乗じて得た数以上、客室の総数が二百を超える場合は当該客室の総数に百分の一を乗じて得た数に二を加えた数以上」とあるのは「一以上」とする。

4 第一項第七号に掲げる建築物の部分について第十二条の規定を適用する場合には、同条中「当該駐車場の全駐車台数が二百以下の場合は当該駐車台数に五十分の一を乗じて得た数以上、全駐車台数が二百を超える場合は当該駐車台数に百分の一を乗じて得た数に二を加えた数以上」とあるのは「一以上」とする。

5 第一項第九号に掲げる建築物の部分について第十二条の二の規定を適用する場合には、同条第一項中「客席の総数が二百以下のときは当該客席の総数に五十分の一を乗じて得た数以上、客席の総数が二百を超え二千以下のときは当該客席の総数に百分の一を乗じて得た数に二を加えた数以上、客席の総数が二千を超えるときは当該客席の総数に一万分の七十五を乗じて得た数に七を加えた数以上」とあるのは、「一以上」とする。

（特別特定建築物に関する読替え）

第一八条 法第十七条第一項の申請に係る特別特定建築物（高齢者、障害者等の移動等の円滑化の促進に関する法律施行令（平成十八年政令第三百七十九号）第五条第一号に規定する公立小学校等を除く。）における第二条から前条まで（第三条第一項第三号及び第六号、第四条第八号、第六条第一項第七号、第七条第四項から第六項まで、第十条第二項並びに第十六条を除く。）の規定の適用については、これらの規定（第二条第一項及び第七条第三項を除く。）中「多数の者が利用する」とあるのは「不特定かつ多数の者が利用し、又は主として高齢者、障害者等が利用する」と、第二条第一項中「多数の者が利用する出入口（次項に規定するもの並びに籠、昇降路、便所」とあるのは「不特定かつ多数の者が利用し、又は主として高齢者、障害者等が利用する出入口（次項に規定するもの並びに籠、昇降路、便所、車椅子使用者用客室」と、第七条第三項中「多数の者が利用する」とあるのは「主として高齢者、障害者等が利用する」と、前条中「特定建築物」とあるのは「特別特定建築物」とする。

（協定建築物に関する読替え）

第一九条 法第二十二条の二第一項の申請に係る協定建築物における第二条から第十七条まで（第七条第二項から第五項まで、第九条第一項第二号及び第四号、第十条、第十一条第二項、第十二条から第十三条まで並びに第十七条第一項各号列記の部分及び第二項から第四項までを除く。）の規定の適用については、次の表の上欄に掲げる規定中同表の中欄に掲げる字句は、それぞれ同表の下欄に掲げる字句とし、第七条第二項から第五項まで、第九条第一項第二号及び第四号、第十条、第十一条第二項、第十二条から第十三条まで並びに第十七条第一項各号列記の部分及び第二項から第四項までの規定は適用しない。

第二条第一項、第三条第一項、第四条、第五条、第六条第一項、第十一条第一項	多数の者が利用する	協定建築物特定施設である
第二条第一項	除き、かつ、二以上の出入口を併設する場合には、そのうち一以上のものに限る	除く
第二条第二項	多数の者が利用する直接地上	協定建築物特定施設であって直接移動等円滑化困難旅客施設又は当該移動等円滑化困難旅客施設への経路
第七条第一項	多数の者が利用するエレベーター	協定建築物特定施設であるエレベーター
第七条第一項第一号	多数の者が利用する居室、車椅子使用者用便房、車椅子使用者用駐車施設、車椅子使用者用客室又は第十三条第一号に規定する車椅子使用者用浴室等	協定建築物特定施設である便所
第七条第一項第二号	地上	移動等円滑化困難旅客施設又は当該移動等円滑化困難旅客施設への経路
第七条第六項	不特定かつ多数の者が利用し、又は主として視覚障害者が利用する	協定建築物特定施設である
	乗降ロビー	乗降ロビー（同項各号に規定する階にあるも

		のに限る。以下この項において同じ。）
第八条	第三項又は前項	前項
	昇降機	昇降機（協定建築物特定施設であるものに限る。）
第九条第一項	多数の者が利用する便所は	協定建築物特定施設である便所は
第九条第一項第一号	多数の者が利用する便所（男子用及び女子用の区別があるときは、それぞれの便所）が設けられている階ごとに、当該便所のうち一以上に、車椅子使用者用便房	車椅子使用者用便房
	便房を	便房を一以上
第九条第一項第三号	便房が設けられている便所	便所
第九条第二項	多数の者が利用する男子用小便器のある便所が設けられている階ごとに、当該便所のうち一以上に	協定建築物特定施設である男子用小便器のある便所には
第十四条第一項、第十五条第一項	、便所又は駐車施設	又は便所
第十六条	道等	協定建築物特定施設
第十七条第一項	増築若しくは改築（用途の変更をして特定建築物にすることを含む。以下「増築等」という。）又は建築物の修繕若しくは模様替（建築物特定施設に係るものに限る。以下「修繕等」という。）	増築、改築、修繕又は模様替（協定建築物特定施設に係るものに限る。以下「増築等」という。）
	次に掲げる建築物の	当該増築等に係る

附　則

この省令は、法の施行の日（平成十八年十二月二十日）から施行する。

附　則〔略〕〔平成三一・三・八国土交通省令七〕

附　則〔略〕〔令和元・六・二八国土交通省令二〇〕

附　則〔略〕〔令和三・一・二〇国土交通省令一〕

附　則〔令和四・三・三一国土交通省令三〇〕

（施行期日）

第一条　この省令は、令和四年十月一日から施行する。

（経過措置）

第二条　この省令の施行の日前にされた高齢者、障害者等の移動等の円滑化の促進に関する法律（平成十八年法律第九十一号）第十七条第三項（同法第十八条第二項において準用する場合を含む。）の認定の申請であって、この省令の施行の際、まだその認定をするかどうかの処分がされていないものについての認定の処分については、なお従前の例による。

２　この省令の施行の際現に工事中の特定建築物で、認定を受けた計画又は前項の規定によりなお従前の例によることとされる認定を受ける計画に係るものについての法第十八条第一項の規定による変更の認定に関する認定の基準については、当該工事が完了するまでの間に限り、なお従前の例による。

○移動等円滑化のために必要な特定公園施設の設置に関する基準を定める省令

〔平成一八・一二・一八〕
〔国土交通省令一一五〕

改正　平成二四・三国交令一〇

（趣旨）

第一条　この省令は、高齢者、障害者等の移動等の円滑化の促進に関する法律第十三条第一項に規定する都市公園移動等円滑化基準を条例で定めるに当たって参酌すべき基準（国の設置に係る都市公園にあっては同項に規定する都市公園移動等円滑化基準）を定めるものとする。

（一時使用目的の特定公園施設）

第二条　災害等のため一時使用する特定公園施設の設置については、この省令の規定によらないことができる。

（園路及び広場）

第三条　不特定かつ多数の者が利用し、又は主として高齢者、障害者等が利用する高齢者、障害者等の移動等の円滑化の促進に関する法律施行令（平成十八年政令第三百七十九号。以下「令」という。）第三条第一号に規定する園路及び広場を設ける場合は、そのうち一以上は、次に掲げる基準に適合するものでなければならない。

一　出入口は、次に掲げる基準に適合するものであること。

イ　幅は、百二十センチメートル以上とすること。ただし、地形の状況その他の特別の理由によりやむを得ない場合は、九十センチメートル以上とすることができる。

ロ　車止めを設ける場合は、当該車止めの相互間の間隔のうち一以上は、九十センチメートル以上とすること。

ハ　出入口からの水平距離が百五十センチメートル以上の水平面を確保すること。ただし、地形の状況その他の特別の理由によりやむを得ない場合は、この限りでない。

ニ　ホに掲げる場合を除き、車いす使用者が通過する際に支障となる段がないこと。

ホ　地形の状況その他の特別の理由によりやむを得ず段を設ける場合は、傾斜路（その踊場を含む。以下同じ。）を併設すること。

二　通路は、次に掲げる基準に適合するものであること。

イ　幅は、百八十センチメートル以上とすること。ただし、地形の状況その他の特別の理由によりやむを得ない場合は、通路の末端の付近の広さを車いすの転回に支障のないものとし、かつ、五十メートル以内ごとに車いすが転回することができる広さの場所を設けた上で、幅を百二十センチメートル以上とすることができる。

ロ　ハに掲げる場合を除き、車いす使用者が通過する際に支障となる段がないこと。

ハ　地形の状況その他の特別の理由によりやむを得ず段を設ける場合は、傾斜路を併設すること。

ニ　縦断勾配は、五パーセント以下とすること。ただし、地形の状況その他の特別の理由によりやむを得ない場合は、八パーセント以下とすることができる。

ホ　横断勾配は、一パーセント以下とすること。ただし、地形の状況その他の特別の理由によりやむを得ない場合は、二パーセント以下とすることができる。

ヘ　路面は、滑りにくい仕上げがなされたものであること。

三　階段（その踊場を含む。以下同じ。）は、次に掲げる基準に適合するものであること。

イ　手すりが両側に設けられていること。ただし、地形の状況その他の特別の理由によりやむを得ない場合は、この限りでない。

ロ　手すりの端部の付近には、階段の通ずる場所を示す点字をはり付けること。

ハ　回り段がないこと。ただし、地形の状況その他の特別の理由によりやむを得ない場合は、この限りでない。

ニ　踏面は、滑りにくい仕上げがなされたものであること。

ホ　段鼻の突き出しその他のつまずきの原因となるものが設けられていない構造のものであること。

ヘ　階段の両側には、立ち上がり部が設けられていること。ただし、側面が壁面である場合は、この限りでない。

四　階段を設ける場合は、傾斜路を併設しなければならない。ただし、地形の状況その他の特別の理由により傾斜路を設けることが困難である場合は、エレベーター、エスカレーターその他の昇降機であって高齢者、障害者等の円滑な利用に適した構造のものをもってこれに代えることができる。

五　傾斜路（階段又は段に代わり、又はこれに併設するものに限る。）は、次に掲げる基準に適合するものであること。

イ　幅は、百二十センチメートル以上とすること。ただし、階段又は段に併設する場合は、九十センチメートル以上とすることができる。

ロ　縦断勾配は、八パーセント以下とすること。

ハ　横断勾配は、設けないこと。

ニ　路面は、滑りにくい仕上げがなされたものであること。

ホ　高さが七十五センチメートルを超える傾斜路にあっては、高さ七十五センチメートル以内ごとに踏幅百五十センチメートル以上の踊場が設けられていること。

ヘ　手すりが両側に設けられていること。ただし、地形の状況その他の特別の理由によりやむを得ない場合は、この限りでない。

ト　傾斜路の両側には、立ち上がり部が設けられていること。ただし、側面が壁面である場合は、この限りでない。

六　高齢者、障害者等が転落するおそれのある場所には、さく、令第十一条第二号に規定する点状ブロック等及び令第二十一条第二項第一号に規定する線状ブロック等を適切に組み合わせて床面に敷設したもの（以下「視覚障害者誘導用ブロック」という。）その他の高齢者、障害者等の転落を防止するための設備が設けられていること。

七　次条から第十一条までの規定により設けられた特定公園施設のうちそれぞれ一以上及び高齢者、障害者等の移動等の円滑化の促進に関する法律施行規則（平成十八年国土交通省令第百十号）第二条第二項の主要な公園施設に接続していること。

（屋根付広場）

第四条　不特定かつ多数の者が利用し、又は主として高齢者、障害者等が利用する屋根付広場を設ける場合は、そのうち一以上は、次に掲げる基準に適合するものでなければならない。

一　出入口は、次に掲げる基準に適合するものであること。

イ　幅は、百二十センチメートル以上とすること。ただし、地形の状況その他の特別の理由によりやむを得ない場合は、八十センチメートル以上とすることができる。

ロ　ハに掲げる場合を除き、車いす使用者が通過する際に支障となる段がないこと。

ハ　地形の状況その他の特別の理由によりやむを得ず段を設ける場合は、傾斜路を併設すること。

二　車いす使用者の円滑な利用に適した広さが確保されていること。

（休憩所及び管理事務所）

第五条　不特定かつ多数の者が利用し、又は主として高齢者、障害者等が利用する休憩所を設ける場合は、そのうち一以上は、次に掲げる基準に適合するものでなければならない。

一　出入口は、次に掲げる基準に適合するものであること。

イ　幅は、百二十センチメートル以上とすること。ただし、地形の状況その他の特別の理由によりやむを得ない場合は、八十センチメートル以上とすることができる。

ロ　ハに掲げる場合を除き、車いす使用者が通過する際に支障となる段がないこと。

ハ　地形の状況その他の特別の理由によりやむを得ず段を設ける場合は、傾斜路を併設すること。

ニ　戸を設ける場合は、当該戸は、次に掲げる基準に適合するものであること。

(1)　幅は、八十センチメートル以上とすること。

(2)　高齢者、障害者等が容易に開閉して通過できる構造のものであること。

二　カウンターを設ける場合は、そのうち一以上は、車いす使用者の円滑な利用に適した構造のものであること。ただし、常時勤務する者が容易にカウンターの前に出て対応できる構造である場合は、この限りでない。

三　車いす使用者の円滑な利用に適した広さが確保されていること。

四　不特定かつ多数の者が利用し、又は主として高齢者、障害者等が利用する便所を設ける場合は、そのうち一以上は、第八条第二項、第九条及び第十条の基準に適合するものであること。

2　前項の規定は、不特定かつ多数の者が利用し、又は主として高齢者、障害者等が利用する管理事務所について準用する。この場合において、同項中「休憩所を設ける場合は、そのうち一以上は」とあるのは、「管理事務所は」と読み替えるものとする。

（野外劇場及び野外音楽堂）

第六条　不特定かつ多数の者が利用し、又は主として高齢者、障害者等が利用する野外劇場は、次に掲げる基準に適合するものでなければならない。

一　出入口は、第四条第一項第一号の基準に適合するものであること。

二　出入口と次号の車いす使用者用観覧スペース及び第四号の便所との間の経路を構成する通路は、次に掲げる基準に適合するものであること。

イ　幅は、百二十センチメートル以上とすること。ただし、地形の状況その他の特別の理由によりやむを得ない場合は、通路の末端の付近の広さを車いすの転回に支障のないものとした上で、幅を八十センチメートル以上とすることができる。

ロ　ハに掲げる場合を除き、車いす使用者が通過する際に支障となる段がないこと。

ハ　地形の状況その他の特別の理由によりやむを得ず段を設ける場合は、傾斜路を併設すること。

ニ　縦断勾配は、五パーセント以下とすること。ただし、地形の状況その他の特別の理由によりやむを得ない場合は、八パーセント以下とすることができる。

ホ　横断勾配は、一パーセント以下とすること。ただし、地形の状況その他の特別の理由によりやむを得ない場合は、二パーセント以下とすることができる。

ヘ　路面は、滑りにくい仕上げがなされたものであること。

ト　高齢者、障害者等が転落するおそれのある場所には、さく、視覚障害者誘導用ブロックその他の高齢者、障害者等の転落を防止するための設備が設けられていること。

三　当該野外劇場の収容定員が二百以下の場合は当該収容定員に五十分の一を乗じて得た数以上、収容定員が二百を超える場合は当該収容定員に百分の一を乗じて得た数に二を加えた数以上の車いす使用者が円滑に利用することができる観覧スペース（以下「車いす使用者用観覧スペース」という。）を設けること。

四　不特定かつ多数の者が利用し、又は主として高齢者、障害者等が利用する便所を設ける場合は、そのうち一以上は、第八条第二項、第九条及び第十条の基準に適合するものであること。

2 車いす使用者用観覧スペースは、次に掲げる基準に適合するものでなければならない。

一 幅は九十センチメートル以上であり、奥行きは百二十センチメートル以上であること。

二 車いす使用者が利用する際に支障となる段がないこと。

三 車いす使用者が転落するおそれのある場所には、さくその他の車いす使用者の転落を防止するための設備が設けられていること。

3 前二項の規定は、不特定かつ多数の者が利用し、又は主として高齢者、障害者等が利用する野外音楽堂について準用する。

（駐車場）

第七条 不特定かつ多数の者が利用し、又は主として高齢者、障害者等が利用する駐車場を設ける場合は、そのうち一以上に、当該駐車場の全駐車台数が二百以下の場合は当該駐車台数に五十分の一を乗じて得た数以上、全駐車台数が二百を超える場合は当該駐車台数に百分の一を乗じて得た数に二を加えた数以上の車いす使用者が円滑に利用することができる駐車施設（以下「車いす使用者用駐車施設」という。）を設けなければならない。ただし、専ら大型自動二輪車及び普通自動二輪車（いずれも側車付きのものを除く。）の駐車のための駐車場については、この限りでない。

2 車いす使用者用駐車施設は、次に掲げる基準に適合するものでなければならない。

一 幅は、三百五十センチメートル以上とすること。

二 車いす使用者用駐車施設又はその付近に、車いす使用者用駐車施設の表示をすること。

（便所）

第八条 不特定かつ多数の者が利用し、又は主として高齢者、障害者等が利用する便所は、次に掲げる基準に適合するものでなければならない。

一 床の表面は、滑りにくい仕上げがなされたものであること。

二 男子用小便器を設ける場合は、一以上の床置式小便器、壁掛式小便器（受け口の高さが三十五センチメートル以下のものに限る。）その他これらに類する小便器が設けられていること。

三 前号の規定により設けられる小便器には、手すりが設けられていること。

2 不特定かつ多数の者が利用し、又は主として高齢者、障害者等が利用する便所を設ける場合は、そのうち一以上は、前項に掲げる基準のほか、次に掲げる基準のいずれかに適合するものでなければならない。

一 便所（男子用及び女子用の区別があるときは、それぞれの便所）内に高齢者、障害者等の円滑な利用に適した構造を有する便房が設けられていること。

二 高齢者、障害者等の円滑な利用に適した構造を有する便所であること。

第九条 前条第二項第一号の便房が設けられた便所は、次に掲げる基準に適合するものでなければならない。

一 出入口は、次に掲げる基準に適合するものであること。

イ 幅は、八十センチメートル以上とすること。

ロ ハに掲げる場合を除き、車いす使用者が通過する際に支障となる段がないこと。

ハ 地形の状況その他の特別の理由によりやむを得ず段を設ける場合は、傾斜路を併設すること。

ニ 高齢者、障害者等の円滑な利用に適した構造を有する便房が設けられていることを表示する標識が設けられていること。

ホ 戸を設ける場合は、当該戸は、次に掲げる基準に適合するものであること。

(1) 幅は、八十センチメートル以上とすること。

(2) 高齢者、障害者等が容易に開閉して通過できる構造のものであること。

二 車いす使用者の円滑な利用に適した広さが確保されていること。

2 前条第二項第一号の便房は、次に掲げる基準に適合するものでなければならない。

一 出入口には、車いす使用者が通過する際に支障となる段がないこと。

二 出入口には、当該便房が高齢者、障害者等の円滑な利用に適した構造のものであることを表示する標識が設けられていること。

三 腰掛便座及び手すりが設けられていること。

四 高齢者、障害者等の円滑な利用に適した構造を有する水洗器具が設けられていること。

3 第一項第一号イ及びホ並びに第二号の規定は、前項の便房について準用する。

第一〇条 前条第一項第一号イからハまで及びホ並びに第二号並びに第二項第二号から第四号までの規定は、第八条第二項第二号の便所について準用する。この場合において、前条第二項第二号中「当該便房」とあるのは、「当該便所」と読み替えるものとする。

（水飲場及び手洗場）

第一一条 不特定かつ多数の者が利用し、又は主として高齢者、障害者等が利用する水飲場を設ける場合は、そのうち一以上は、高齢者、障害者等の円滑な利用に適した構造のものでなければならない。

2 前項の規定は、不特定かつ多数の者が利用し、又は主として高齢者、障害者等が利用する手洗場について準用する。

（掲示板及び標識）

第一二条 不特定かつ多数の者が利用し、又は主として高齢者、障害者等が利用する掲示板は、次に掲げる基準に適合するものでなければならない。

一 高齢者、障害者等の円滑な利用に適した構造のものであること。

二 当該掲示板に表示された内容が容易に識別できるものであること。

2 前項の規定は、不特定かつ多数の者が利用し、又は主として高齢者、障害者等が利用する標識について準用する。

第一三条 第三条から前条までの規定により設けられた特定公園施設の配置を表示した標識を設ける場合は、そのうち一以上は、第三条の規定により設けられた園路及び広場の出入口の付近に設けなければならない。

附　則

（施行期日）

第一条 この省令は、高齢者、障害者等の移動等の円滑化の促進に関する法律の施行の日（平成十八年十二月二十日）から施行する。

（経過措置）

第二条 この省令の施行の日から起算して六月を経過する日までの間は、第三条から第十一条まで及び第十三条の規定は適用しない。

附　則〔平成二四・三・一国土交通省令一〇〕

この省令は、地域の自主性及び自立性を高めるための改革の推進を図るための関係法律の整備に関する法律附則第一条第二号に掲げる規定の施行の日（平成二十四年四月一日）から施行する。

○移動等円滑化のために必要な道路の構造及び旅客特定車両停留施設を使用した役務の提供の方法に関する基準を定める省令

〔平成一八・一二・一九 国土交通省令一一六〕

改正 平成二四・三国交令一〇、令和三・三国交令一二

目次

第一章 総則（第一条—第二条の二）
第二章 歩道等及び自転車歩行者専用道路等の構造（第三条—第十条）
第三章 立体横断施設の構造（第十一条—第十六条）
第四章 乗合自動車停留所の構造（第十七条・第十八条）
第五章 路面電車停留場等の構造（第十九条—第二十一条）
第六章 自動車駐車場の構造（第二十二条—第三十二条）
第七章 旅客特定車両停留施設の構造（第三十三条—第四十三条）
第八章 移動等円滑化のために必要なその他の施設等（第四十四条—第四十八条）
第九章 旅客特定車両停留施設を使用した役務の提供の方法（第四十九条—第五十八条）
附則

第一章 総則

（趣旨）

第一条 この省令は、高齢者、障害者等の移動等の円滑化の促進に関する法律（以下「法」という。）第十条第一項に規定する道路移動等円滑化基準を条例で定めるに当たって参酌すべき基準（道路法（昭和二十七年法律第百八十号）第三条第二号の一般国道にあっては法第十条第一項に規定する道路移動等円滑化基準）並びに同条第三項及び第四項の主務省令で定める基準を定めるものとする。

（用語の定義）

第二条 この省令における用語の意義は、法第二条、道路交通法（昭和三十五年法律第百五号）第二条（第四号及び第十三号に限る。）及び道路構造令（昭和四十五年政令第三百二十号）第二条に定めるもののほか、次に定めるところによる。

一 有効幅員 歩道、自転車歩行者道、自転車歩行者専用道路、歩行者専用道路、立体横断施設（横断歩道橋、地下横断歩道その他の歩行者が道路等を横断するための立体的な施設をいう。以下同じ。）に設ける傾斜路、通路若しくは階段、路面電車停留場の乗降場又は自動車駐車場若しくは旅客特定車両停留施設の通路の幅員から、縁石、手すり、路上施設若しくは歩行者の安全かつ円滑な通行を妨げるおそれがある工作物、物件若しくは施設を設置するために必要な幅員、除雪のために必要な幅員又は道路構造令第四十一条第一項の歩行者の滞留の用に供する部分の幅員を除いた幅員をいう。

二 車両乗入れ部 車両の沿道への出入りの用に供される歩道又は自転車歩行者道の部分をいう。

三 視覚障害者誘導用ブロック 視覚障害者に対する誘導又は段差の存在等の警告若しくは注意喚起を行うために路面に敷設されるブロックをいう。

（災害等の場合の適用除外）

第二条の二 災害等のため一時使用する旅客特定車両停留施設の構造及び設備、当該旅客特定車両停留施設を使用した役務の提供の方法並びに災害等のためこの省令に規定する設備が使用できない場合における役務の提供の方法については、この省令の規定によらないことができる。

第二章 歩道等及び自転車歩行者専用道路等の構造

（歩道）

第三条 道路（自転車歩行者道を設ける道路、自転車歩行者専用道路及び歩行者専用道路を除く。）には、歩道を設けるものとする。

（有効幅員）

第四条 歩道の有効幅員は、道路構造令第十一条第三項に規定する幅員の値以上とするものとする。

2 自転車歩行者道の有効幅員は、道路構造令第十条の二第二項に規定する幅員の値以上とするものとする。

3 自転車歩行者専用道路の有効幅員は、道路構造令第三十九条第一項に規定する幅員の値以上とするものとする。

4 歩行者専用道路の有効幅員は、道路構造令第四十条第一項に規定する幅員の値以上とするものとする。

5 歩道若しくは自転車歩行者道（以下「歩道等」という。）又は自転車歩行者専用道路若しくは歩行者専用道路（以下「自転車歩行者専用道路等」という。）の有効幅員は、当該歩道等又は自転車歩行者専用道路等の高齢者、障害者等の交通の状況を考慮して定めるものとする。

（舗装）

第五条 歩道等又は自転車歩行者専用道路等の舗装は、雨水を地下に円滑に浸透させることができる構造とするものとする。ただし、道路の構造、気象状況その他の特別の状況によりやむを得ない場合においては、この限りでない。

2 歩道等又は自転車歩行者専用道路等の舗装は、平たんで、滑りにくく、かつ、水はけの良い仕上げとするものとする。

（勾配）

第六条 歩道等又は自転車歩行者専用道路等の縦断勾配は、五パーセント以下とするものとする。ただし、地形の状況その他の特別の理由によりやむを得ない場合においては、八パーセント以下とすることができる。

2 歩道等（車両乗入れ部を除く。）又は自転車歩行者専用道路等の横断勾配は、一パーセント以下とするものとする。ただし、前条第一項ただし書に規定する場合又は地形の状況その他の特別の理由によりやむを得ない場合においては、二パーセント以下とすることができる。

（歩道等と車道等の分離）

第七条 歩道等には、車道若しくは車道に接続する路肩がある場合の当該路肩（以下「車道等」という。）又は自転車道に接続して縁石線を設けるものとする。

2 歩道等（車両乗入れ部及び横断歩道に接続する部分を除く。）に設ける縁石の車道等に対する高さは十五センチメートル以上とし、当該歩道等の構造及び交通の状況並びに沿道の土地利用の状況等を考慮して定めるものとする。

3 歩行者の安全かつ円滑な通行を確保するため必要がある場合においては、歩道等と車道等の間に植樹帯を設け、又は歩道等の車道等側に並木若しくは柵を設けるものとする。

（高さ）

第八条 歩道等（縁石を除く。）の車道等に対する高さは、五センチメートルを標準とするものとする。ただし、横断歩道に接続する歩道等の部分にあっては、この限りでない。

2 前項の高さは、乗合自動車停留所及び車両乗入れ部の設置の状況等を考慮して定めるものとする。

（横断歩道に接続する歩道等の部分）

第九条 横断歩道に接続する歩道等の部分の縁端は、車道等の部分より高くするものとし、その段差は二センチメートルを標準とするものとする。

2 前項の段差に接続する歩道等の部分は、車椅子を使用している者（以下「車椅子使用者」という。）が円滑に転回できる構造とするものとする。

（車両乗入れ部）

第一〇条 第四条の規定にかかわらず、車両乗入れ部のうち第六条第二項の規定による基準を満たす部分の有効幅員は、二メートル以上とするものとする。

第三章 立体横断施設の構造

（立体横断施設）

第一一条 道路には、高齢者、障害者等の移動等円滑化のために必要であると認められる箇所に、高齢者、障害者等の円滑な移動に適した構造を有する

る立体横断施設（以下「移動等円滑化された立体横断施設」という。）を設けるものとする。

２　移動等円滑化された立体横断施設には、エレベーターを設けるものとする。ただし、昇降の高さが低い場合その他の特別の理由によりやむを得ない場合においては、エレベーターに代えて、傾斜路を設けることができる。

３　前項に規定するもののほか、移動等円滑化された立体横断施設には、高齢者、障害者等の交通の状況により必要がある場合においては、エスカレーターを設けるものとする。

（エレベーター）

第十二条　移動等円滑化された立体横断施設に設けるエレベーターは、次に定める構造とするものとする。

一　籠の内法幅は一・五メートル以上とし、内法奥行きは一・五メートル以上とすること。

二　前号の規定にかかわらず、籠の出入口が複数あるエレベーターであって、車椅子使用者が円滑に乗降できる構造のもの（開閉する籠の出入口を音声により知らせる設備が設けられているものに限る。）にあっては、内法幅は一・四メートル以上とし、内法奥行きは一・三五メートル以上とすること。

三　籠及び昇降路の出入口の有効幅は、第一号の規定による基準に適合するエレベーターにあっては九十センチメートル以上とし、前号の規定による基準に適合するエレベーターにあっては八十センチメートル以上とすること。

四　籠内に、車椅子使用者が乗降する際に籠及び昇降路の出入口を確認するための鏡を設けること。ただし、第二号の規定による基準に適合するエレベーターにあっては、この限りでない。

五　籠及び昇降路の出入口の戸にガラスその他これに類するものがはめ込まれていること又は籠外及び籠内に画像を表示する設備が設置されていることにより、籠外にいる者と籠内にいる者が互いに視覚的に確認できる構造とすること。

六　籠内に手すりを設けること。

七　籠及び昇降路の出入口の戸の開扉時間を延長する機能を設けること。

八　籠内に、籠が停止する予定の階及び籠の現在位置を表示する設備を設けること。

九　籠内に、籠が到着する階並びに籠及び昇降路の出入口の戸の閉鎖を音声により知らせる設備を設けること。

十　籠内及び乗降口には、車椅子使用者が円滑に操作できる位置に操作盤を設けること。

十一　籠内に設ける操作盤及び乗降口に設ける操作盤のうち視覚障害者が利用する操作盤は、点字をはり付けること等により視覚障害者が容易に操作できる構造とすること。

十二　乗降口に接続する歩道等又は通路の部分の有効幅は一・五メートル以上とし、有効奥行きは一・五メートル以上とすること。

十三　停止する階が三以上であるエレベーターの乗降口には、到着する籠の昇降方向を音声により知らせる設備を設けること。ただし、籠内に籠及び昇降路の出入口の戸が開いた時に籠の昇降方向を音声により知らせる設備が設けられている場合においては、この限りでない。

（傾斜路）

第十三条　移動等円滑化された立体横断施設に設ける傾斜路（その踊場を含む。以下この条において同じ。）は、次に定める構造とするものとする。

一　有効幅員は、二メートル以上とすること。ただし、設置場所の状況その他の特別の理由によりやむを得ない場合においては、一メートル以上とすることができる。

二　縦断勾配は、五パーセント以下とすること。ただし、設置場所の状況その他の特別の理由によりやむを得ない場合においては、八パーセント以下とすることができる。

三　横断勾配は、設けないこと。

四　二段式の手すりを両側に設けること。

五　手すり端部の付近には、傾斜路の通ずる場所を示す点字をはり付けること。

六　路面は、平たんで、滑りにくく、かつ、水はけの良い仕上げとすること。

七　傾斜路の勾配部分は、その接続する歩道等又は通路の部分との色の輝度比が大きいこと等により当該勾配部分を容易に識別できるものとすること。

八　傾斜路の両側には、立ち上がり部及び柵その他これに類する工作物を設けること。ただし、側面が壁面である場合においては、この限りでない。

九　傾斜路の下面と歩道等の路面との間が二・五メートル以下の歩道等の部分への進入を防ぐため必要がある場合においては、柵その他これに類する工作物を設けること。

十　高さが七十五センチメートルを超える傾斜路にあっては、高さ七十五センチメートル以内ごとに踏み幅一・五メートル以上の踊場を設けること。

（エスカレーター）

第十四条　移動等円滑化された立体横断施設に設けるエスカレーターは、次に定める構造とするものとする。

一　上り専用のものと下り専用のものをそれぞれ設置すること。

二　踏み段の表面及びくし板は、滑りにくい仕上げとすること。

三　昇降口において、三枚以上の踏み段が同一平面上にある構造とすること。

四　踏み段の端部とその周囲の部分との色の輝度比が大きいこと等により踏み段相互の境界を容易に識別できるものとすること。

五　くし板の端部と踏み段の色の輝度比が大きいこと等によりくし板と踏み段との境界を容易に識別できるものとすること。

六　エスカレーターの上端及び下端に近接する歩道等及び通路の路面において、エスカレーターへの進入の可否を示すこと。

七　踏み段の有効幅は、一メートル以上とすること。ただし、歩行者の交通量が少ない場合においては、六十センチメートル以上とすることができる。

（通路）

第十五条　移動等円滑化された立体横断施設に設ける通路は、次に定める構造とするものとする。

一　有効幅員は、二メートル以上とし、当該通路の高齢者、障害者等の通行の状況を考慮して定めること。

二　縦断勾配及び横断勾配は設けないこと。ただし、構造上の理由によりやむを得ない場合又は路面の排水のために必要な場合においては、この限りでない。

三　二段式の手すりを両側に設けること。

四　手すりの端部の付近には、通路の通ずる場所を示す点字をはり付けること。

五　路面は、平たんで、滑りにくく、かつ、水はけの良い仕上げとすること。

六　通路の両側には、立ち上がり部及び柵その他これに類する工作物を設けること。ただし、側面が壁面である場合においては、この限りでない。

（階段）

第十六条　移動等円滑化された立体横断施設に設ける階段（その踊場を含む。以下同じ。）は、次に定める構造とするものとする。

一　有効幅員は、一・五メートル以上とすること。

二　二段式の手すりを両側に設けること。

三　手すりの端部の付近には、階段の通ずる場所を示す点字をはり付けること。

四　回り段としないこと。ただし、地形の状況その他の特別の理由によりやむを得ない場合においては、この限りでない。

五　踏面は、平たんで、滑りにくく、かつ、水はけの良い仕上げとすること。

六　踏面の端部とその周囲の部分との色の輝度比が大きいこと等により段を容易に識別できるものとすること。

七　段鼻の突き出しその他のつまずきの原因となるものを設けない構造とすること。

八　階段の両側には、立ち上がり部及び柵その他これに類する工作物を設けること。ただし、側面が壁面である場合においては、この限りでない。

九　階段の下面と歩道等の路面との間が二・五メートル以下の歩道等の部分への進入を防ぐため必要がある場合においては、柵その他これに類する工作物を設けること。

十　階段の高さが三メートルを超える場合においては、その途中に踊場を設けること。

十一　踊場の踏み幅は、直階段の場合にあっては一・二メートル以上とし、その他の場合にあっては当該階段の幅員の値以上とすること。

第四章　乗合自動車停留所の構造

（**高さ**）
第一七条　乗合自動車停留所を設ける歩道等の部分の車道等に対する高さは、十五センチメートルを標準とするものとする。

（**ベンチ及び上屋**）
第一八条　乗合自動車停留所には、ベンチ及びその上屋を設けるものとする。ただし、それらの機能を代替する施設が既に存する場合又は地形の状況その他の特別の理由によりやむを得ない場合においては、この限りでない。

第五章　路面電車停留場等の構造

（**乗降場**）
第一九条　路面電車停留場の乗降場は、次に定める構造とするものとする。
一　有効幅員は、乗降場の両側を使用するものにあっては二メートル以上とし、片側を使用するものにあっては一・五メートル以上とすること。
二　乗降場と路面電車の車両の旅客用乗降口の床面とは、できる限り平らとすること。
三　乗降場の縁端と路面電車の車両の旅客用乗降口の床面の縁端との間隔は、路面電車の車両の走行に支障を及ぼすおそれのない範囲において、できる限り小さくすること。
四　横断勾配は、一パーセントを標準とすること。ただし、地形の状況その他の特別の理由によりやむを得ない場合においては、この限りでない。
五　路面は、平たんで、滑りにくい仕上げとすること。
六　乗降場は、縁石線により区画するものとし、その車道側に柵を設けること。
七　乗降場には、ベンチ及びその上屋を設けること。ただし、設置場所の状況その他の特別の理由によりやむを得ない場合においては、この限りでない。

（**傾斜路の勾配**）
第二〇条　路面電車停留所の乗降場と車道等との高低差がある場合においては、傾斜路を設けるものとし、その勾配は、次に定めるところによるものとする。
一　縦断勾配は、五パーセント以下とすること。ただし、地形の状況その他の特別の理由によりやむを得ない場合においては、八パーセント以下とすることができる。
二　横断勾配は、設けないこと。

（**歩行者の横断の用に供する軌道の部分**）
第二一条　歩行者の横断の用に供する軌道の部分においては、軌条面と道路面との高低差は、できる限り小さくするものとする。

第六章　自動車駐車場の構造

（**障害者用駐車施設**）
第二二条　自動車駐車場には、障害者が円滑に利用できる駐車の用に供する部分（以下「障害者用駐車施設」という。）を設けるものとする。
2　障害者用駐車施設の数は、自動車駐車場の全駐車台数が二百以下の場合にあっては当該駐車台数に五十分の一を乗じて得た数以上とし、全駐車台数が二百を超える場合にあっては当該駐車台数に百分の一を乗じて得た数に二を加えた数以上とするものとする。
3　障害者用駐車施設は、次に定める構造とするものとする。
一　当該障害者用駐車施設へ通ずる歩行者の出入口からの距離ができるだけ短くなる位置に設けること。
二　有効幅は、三・五メートル以上とすること。
三　障害者用である旨を見やすい方法により表示すること。

（**障害者用停車施設**）
第二三条　自動車駐車場の自動車の出入口又は障害者用駐車施設を設ける階には、障害者が円滑に利用できる停車の用に供する部分（以下「障害者用停車施設」という。）を設けるものとする。ただし、構造上の理由によりやむを得ない場合においては、この限りでない。
2　障害者用停車施設は、次に定める構造とするものとする。
一　当該障害者用停車施設へ通ずる歩行者の出入口からの距離ができるだけ短くなる位置に設けること。
二　車両への乗降の用に供する部分の有効幅は一・五メートル以上とし、有効奥行きは一・五メートル以上とする等、障害者が安全かつ円滑に乗降できる構造とすること。
三　障害者用である旨を見やすい方法により表示すること。

（**出入口**）
第二四条　自動車駐車場の歩行者の出入口は、次に定める構造とするものとする。ただし、当該出入口に近接した位置に設けられる歩行者の出入口については、この限りでない。
一　有効幅は、九十センチメートル以上とすること。ただし、当該自動車駐車場外へ通ずる歩行者の出入口のうち一以上の出入口の有効幅は、一・二メートル以上とすること。
二　戸を設ける場合は、当該戸は、有効幅を一・二メートル以上とする当該自動車駐車場外へ通ずる歩行者の出入口のうち、一以上の出入口にあっては自動的に開閉する構造とし、その他の出入口にあっては車椅子使用者が円滑に開閉して通過できる構造とすること。
三　車椅子使用者が通過する際に支障となる段差を設けないこと。

（**通路**）
第二五条　障害者用駐車施設へ通ずる歩行者の出入口から当該障害者用駐車施設に至る通路のうち一以上の通路は、次に定める構造とするものとする。
一　有効幅員は、二メートル以上とすること。
二　車椅子使用者が通過する際に支障となる段差を設けないこと。
三　路面は、平たんで、かつ、滑りにくい仕上げとすること。

（**エレベーター**）
第二六条　自動車駐車場外へ通ずる歩行者の出入口がない階（障害者用駐車施設が設けられている階に限る。）を有する自動車駐車場には、当該階に停止するエレベーターを設けるものとする。ただし、構造上の理由によりやむを得ない場合においては、エレベーターに代えて、傾斜路を設けることができる。
2　前項のエレベーターのうち一以上のエレベーターは、前条に規定する出入口に近接して設けるものとする。
3　第十二条第一号から第四号までの規定は、第一項のエレベーター（前項のエレベーターを除く。）について準用する。
4　第十二条の規定は、第二項のエレベーターについて準用する。

（**傾斜路**）
第二七条　第十三条の規定は、前条第一項の傾斜路について準用する。

（**階段**）
第二八条　第十六条の規定は、自動車駐車場外へ通ずる歩行者の出入口がない階に通ずる階段の構造について準用する。

（**屋根**）
第二九条　屋外に設けられる自動車駐車場の障害者用駐車施設、障害者用停車施設及び第二十五条に規定する通路には、屋根を設けるものとする。

（**便所**）
第三〇条　障害者用駐車施設を設ける階に便所を設ける場合は、当該便所は、次に定める構造とするものとする。
一　便所の出入口付近に、男子用及び女子用の区別（当該区別がある場合に限る。）並びに便所の構造を視覚障害者に示すための点字による案内板その他の設備を設けること。
二　床の表面は、滑りにくい仕上げとすること。
三　男子用小便器を設ける場合においては、一以上の床置式小便器、壁掛式小便器（受け口の高さが三十五センチメートル以下のものに限る。）その他これらに類する小便器を設けること。
四　前号の規定により設けられる小便器には、手すりを設けること。
2　障害者用駐車施設を設ける階に便所を設ける場合は、そのうち一以上の便所は、次の各号に掲げる基準のいずれかに適合するものとする。
一　便所（男子用及び女子用の区別があるときは、それぞれの便所）内に高齢者、障害者等の円滑な利用に適した構造を有する便房が設けられていること。
二　高齢者、障害者等の円滑な利用に適した構造を有する便所であること。

第三一条　前条第二項第一号の便房を設ける便所は、次に定める構造とするものとする。

一　第二十五条に規定する通路と便所との間の経路における通路のうち一以上の通路は、同条各号に定める構造とすること。
二　出入口の有効幅は、八十センチメートル以上とすること。
三　出入口には、車椅子使用者が通過する際に支障となる段を設けないこと。ただし、傾斜路を設ける場合においては、この限りでない。
四　出入口には、高齢者、障害者等の円滑な利用に適した構造を有する便房が設けられていることを表示する案内標識を設けること。
五　出入口に戸を設ける場合においては、当該戸は、次に定める構造とすること。
イ　有効幅は、八十センチメートル以上とすること。
ロ　高齢者、障害者等が容易に開閉して通過できる構造とすること。
六　車椅子使用者の円滑な利用に適した広さを確保すること。
2　前条第二項第一号の便房は、次に定める構造とするものとする。
一　出入口には、車椅子使用者が通過する際に支障となる段を設けないこと。
二　出入口には、当該便房が高齢者、障害者等の円滑な利用に適した構造を有するものであることを表示する案内標識を設けること。
三　腰掛便座及び手すりを設けること。
四　高齢者、障害者等の円滑な利用に適した構造を有する水洗器具を設けること。
3　第一項第二号、第五号及び第六号の規定は、前項の便房について準用する。

第三十二条　前条第一項第一号から第三号まで、第五号及び第六号並びに第二項第二号から第四号までの規定は、第三十条第二項第二号の便所について準用する。この場合において、前条第二項第二号中「当該便房」とあるのは、「当該便所」と読み替えるものとする。

第七章　旅客特定車両停留施設の構造

（通路）

第三十三条　公共用通路（旅客特定車両停留施設に旅客特定車両（道路法施行規則（昭和二十七年建設省令第二十五号）第一条第一号から第三号までに掲げる自動車をいう。以下同じ。）が停留することができる時間内において常時一般交通の用に供されている一般交通用施設であって、旅客特定車両停留施設の外部にあるものをいう。以下同じ。）から旅客特定車両の乗降口に至る通路のうち、乗降場ごとに一以上の通路は、次に定める構造とするものとする。
一　有効幅員は、一・四メートル以上とすること。ただし、構造上の理由によりやむを得ない場合においては、通路の末端の付近の広さを車椅子の転回に支障のないものとし、かつ、五十メートル以内ごとに車椅子が転回することができる広さの場所を設けた上で、有効幅員を一・二メートル以上とすることができる。
二　戸を設ける場合は、当該戸は、次に定める構造とすること。
イ　有効幅は、九十センチメートル以上とすること。ただし、構造上の理由によりやむを得ない場合においては、八十センチメートル以上とすることができる。
ロ　自動的に開閉する構造又は高齢者、障害者等が容易に開閉して通過できる構造とすること。
三　車椅子使用者が通過する際に支障となる段差を設けないこと。ただし、傾斜路を設ける場合においては、この限りでない。
2　第一項の一以上の通路（以下「移動等円滑化された通路」という。）において床面に高低差がある場合は、エレベーター又は傾斜路を設けるものとする。ただし、構造上の理由によりやむを得ない場合においては、エスカレーター（構造上の理由によりエスカレーターを設置することが困難である場合は、エスカレーター以外の昇降機であって車椅子使用者の円滑な利用に適した構造のもの）をもってこれに代えることができる。
3　旅客特定車両停留施設に隣接しており、かつ、旅客特定車両停留施設と一体的に利用される他の施設のエレベーター（第三十五条の基準に適合するものに限る。）又は傾斜路（第三十六条の基準に適合するものに限る。）を利用することにより高齢者、障害者等が旅客特定車両停留施設に旅客特定車両が停留することができる時間内において常時公共用通路と旅客特定車両の乗降口との間の移動を円滑に行うことができる場合は、前項の規定によらないことができる。管理上の理由により昇降機を設置することが困難である場合も、また同様とする。
4　旅客特定車両停留施設の通路は、次に定める構造とするものとする。
一　床の表面は、平たんで、滑りにくい仕上げとすること。
二　段差を設ける場合は、当該段差は、次に定める構造とすること。
イ　踏面の端部の全体とその周囲の部分との色の輝度比が大きいこと等により段差を容易に識別できるものとすること。
ロ　段鼻の突き出しその他のつまずきの原因となるものを設けない構造とすること。

（出入口）

第三十四条　移動等円滑化された通路と公共用通路の出入口は、次に定める構造とするものとする。
一　有効幅は、九十センチメートル以上とすること。ただし、構造上の理由によりやむを得ない場合においては、八十センチメートル以上とすることができる。
二　戸を設ける場合は、当該戸は、次に定める構造とすること。
イ　有効幅は、九十センチメートル以上とすること。ただし、構造上の理由によりやむを得ない場合においては、八十センチメートル以上とすることができる。
ロ　自動的に開閉する構造又は高齢者、障害者等が容易に開閉して通過できる構造とすること。
三　車椅子使用者が通過する際に支障となる段差を設けないこと。ただし、傾斜路を設ける場合においては、この限りでない。

（エレベーター）

第三十五条　移動等円滑化された通路に設けるエレベーターは、次に定める構造とするものとする。
一　籠の内法幅は一・四メートル以上とし、内法奥行きは一・三五メートル以上とすること。ただし、籠の出入口が複数あるエレベーターであって、車椅子使用者が円滑に乗降できる構造のもの（開閉する籠の出入口を音声により知らせる設備が設けられているものに限る。）にあっては、この限りでない。
二　籠及び昇降路の出入口の有効幅は、八十センチメートル以上とすること。
三　籠内に、車椅子使用者が乗降する際に籠及び昇降路の出入口を確認するための鏡を設けること。ただし、第一号ただし書の構造のエレベーターにあっては、この限りでない。
2　第十二条第五号から第十三号までの規定は、移動等円滑化された通路に設けるエレベーターについて準用する。
3　移動等円滑化された通路に設けるエレベーターの台数、籠の内法幅及び内法奥行きは、旅客特定車両停留施設の高齢者、障害者等の利用の状況を考慮して定めるものとする。

（傾斜路）

第三十六条　移動等円滑化された通路に設ける傾斜路（その踊場を含む。以下この条において同じ。）は、次に定める構造とするものとする。ただし、構造上の理由によりやむを得ない場合においては、この限りでない。
一　有効幅員は、一・二メートル以上とすること。ただし、階段に併設する場合においては、九十センチメートル以上とすることができる。
二　縦断勾配は、八パーセント以下とすること。ただし、傾斜路の高さが十六センチメートル以下の場合は、十二パーセント以下とすることができる。
三　高さが七十五センチメートルを超える傾斜路にあっては、高さ七十五センチメートル以内ごとに踏み幅一・五メートル以上の踊場を設けること。
2　移動等円滑化された通路に設ける傾斜路の床の表面は、平たんで、滑りにくい仕上げとすること。
3　第十三条第三号から第五号まで、第七号、第八号及び第十号の規定は、移動等円滑化された通路に設ける傾斜路について準用する。

（エスカレーター）

第三十七条　移動等円滑化された通路に設けるエスカレーターは、次に定める構造とするものとする。ただし、第三号及び第四号については、複数のエスカレーターが隣接した位置に設けられる場合は、そのうち一のみが適合していれば足りるものとする。
一　上り専用のものと下り専用のものをそれぞれ設置すること。ただし、旅客が同時に双方向に移動することがない場合においては、この限りでない。

二　エスカレーターの上端及び下端に近接する通路の床面等において、当該エスカレーターへの進入の可否を示すこと。ただし、上り専用又は下り専用でないエスカレーターにおいては、この限りでない。

三　踏み段の有効幅は、八十センチメートル以上とすること。

四　踏み段の面を車椅子使用者が円滑に昇降するために必要な広さとすることができる構造であり、かつ、車止めが設けられていること。

2　第十四条第二号から第五号までの規定は、移動等円滑化された通路に設けるエスカレーターについて準用する。

3　移動等円滑化された通路に設けるエスカレーターには、当該エスカレーターの行き先及び昇降方向を音声により知らせる設備を設けるものとする。

（階段）

第三八条　第十六条第二号から第八号まで、第十号及び第十一号の規定は、移動等円滑化された通路に設ける階段について準用する。

（乗降場）

第三九条　旅客特定車両停留施設の乗降場は、次に定める構造とするものとする。

一　床の表面は、平たんで、滑りにくい仕上げとすること。

二　旅客特定車両の通行方向に平行する方向の縦断勾配は、五パーセント以下とすること。ただし、地形の状況その他の特別の理由によりやむを得ない場合においては、八パーセント以下とすることができる。

三　横断勾配は、一パーセント以下とすること。ただし、誘導車路の構造、気象状況又は地形の状況その他の特別の理由によりやむを得ない場合においては、二パーセント以下とすることができる。

四　乗降場の縁端のうち、誘導車路その他の旅客特定車両の通行、停留又は駐車の用に供する場所（以下この号において「旅客特定車両用場所」という。）に接する部分には、柵、視覚障害者誘導用ブロックその他の視覚障害者の旅客特定車両用場所への進入を防止するための設備が設けられていること。

五　当該乗降場に接して停留する旅客特定車両に車椅子使用者が円滑に乗降できる構造のものであること。

（運行情報提供設備）

第四〇条　旅客特定車両の運行に関する情報を文字等により表示するための設備及び音声により提供するための設備を設けるものとする。ただし、電気設備がない場合その他技術上の理由によりやむを得ない場合は、この限りでない。

（便所）

第四一条　第三十条から第三十二条までの規定は、旅客特定車両停留施設に便所を設ける場合について準用する。この場合において、第三十一条第一項第一号中「第二十五条に規定する通路」とあるのは「移動等円滑化された通路」と、「同条各号」とあるのは「第二十五条各号」と読み替えるものとする。

（乗車券等販売所、待合所及び案内所）

第四二条　乗車券等販売所を設ける場合は、そのうち一以上は、次に定める構造とするものとする。

一　移動等円滑化された通路と乗車券等販売所との間の通路は、第三十三条第一項各号に掲げる基準に適合するものであること。

二　出入口を設ける場合は、そのうち一以上は、次に定める構造とすること。

イ　有効幅は、八十センチメートル以上とすること。

ロ　戸を設ける場合は、当該戸は、次に定める構造とするものとする。

(1)　有効幅は、八十センチメートル以上とすること。

(2)　高齢者、障害者等が容易に開閉して通過できる構造とすること。

ハ　車椅子使用者が通過する際に支障となる段差を設けないこと。ただし、傾斜路を設ける場合においては、この限りでない。

三　カウンターを設ける場合は、そのうち一以上は、車椅子使用者の円滑な利用に適した構造のものであること。ただし、常時勤務する者が容易にカウンターの前に出て対応できる構造である場合は、この限りでない。

2　前項の規定は、待合所及び案内所を設ける場合について準用する。

3　乗車券等販売所又は案内所（勤務する者を置かないものを除く。）は、聴覚障害者が文字により意思疎通を図るための設備を設けるものとする。この場合においては、当該設備を保有している旨を当該乗車券等販売所又は案内所に表示するものとする。

（券売機）

第四三条　乗車券等販売所に券売機を設ける場合は、そのうち一以上は、高齢者、障害者等の円滑な利用に適した構造とするものとする。ただし、乗車券等の販売を行う者が常時対応する窓口が設置されている場合は、この限りでない。

第八章　移動等円滑化のために必要なその他の施設等

（案内標識）

第四四条　交差点、駅前広場その他の移動の方向を示す必要がある箇所には、高齢者、障害者等が見やすい位置に、高齢者、障害者等が日常生活又は社会生活において利用すると認められる官公庁施設、福祉施設その他の施設及びエレベーターその他の移動等円滑化のために必要な施設の案内標識を設けるものとする。

2　前項の案内標識には、点字、音声その他の方法により視覚障害者を案内する設備を設けるものとする。

3　旅客特定車両停留施設のエレベーターその他の昇降機、傾斜路、便所、乗車券等販売所、待合所、案内所若しくは休憩設備（第五項において「移動等円滑化のための主要な設備」という。）又は同項に規定する案内板その他の設備の付近には、これらの設備があることを表示する案内標識を設けるものとする。

4　前項の案内標識は、日本産業規格Ｚ八二一〇に適合するものとする。

5　公共用通路に直接通ずる出入口の付近には、移動等円滑化のための主要な設備（第三十三条第三項前段の規定により昇降機を設けない場合にあっては、同項前段に規定する他の施設のエレベーターを含む。以下この条において同じ。）の配置を表示した案内板その他の設備を設けるものとする。ただし、移動等円滑化のための主要な設備の配置を容易に視認できる場合は、この限りでない。

6　公共用通路に直接通ずる出入口の付近その他の適切な場所に、旅客特定車両停留施設の構造及び主要な設備の配置を音、点字その他の方法により視覚障害者に示すための設備を設けるものとする。

（視覚障害者誘導用ブロック）

第四五条　歩道等、自転車歩行者専用道路等、立体横断施設の通路、乗合自動車停留所、路面電車停留場の乗降場並びに自動車駐車場及び旅客特定車両停留施設の通路には、視覚障害者の移動等円滑化のために必要であると認められる箇所に、視覚障害者誘導用ブロックを敷設するものとする。

2　前項の規定により視覚障害者誘導用ブロックが敷設された旅客特定車両停留施設の通路と第十二条第一号の基準に適合する乗降口に設ける操作盤、前条第六項の規定により設けられる設備（音によるものを除く。）、便所の出入口及び第四十二条の基準に適合する乗車券等販売所との間の経路を構成する通路には、それぞれ視覚障害者誘導用ブロックを敷設するものとする。ただし、視覚障害者の誘導を行う者が常駐する二以上の設備がある場合であって、当該二以上の設備間の誘導が適切に実施されるときは、当該二以上の設備間の経路を構成する通路については、この限りでない。

3　旅客特定車両停留施設の階段、傾斜路及びエスカレーターの上端及び下端に近接する通路には、視覚障害者誘導用ブロックを敷設するものとする。

4　視覚障害者誘導用ブロックの色は、黄色その他の周囲の路面との輝度比が大きいこと等により当該ブロック部分を容易に識別できる色とするものとする。

5　視覚障害者誘導用ブロックには、視覚障害者の移動等円滑化のために必要であると認められる箇所に、音声により視覚障害者を案内する設備を設けるものとする。

（休憩施設）

第四六条　歩道等又は自転車歩行者専用道路等には、適当な間隔でベンチ及びその上屋を設けるものとする。ただし、これらの機能を代替するための施設が既に存する場合その他の特別の理由によりやむを得ない場合においては、この限りでない。

2　旅客特定車両停留施設には、高齢者、障害者等の休憩の用に供する設備を一以上設けるものとする。ただし、旅客の円滑な流動に支障を及ぼすおそれのある場合は、この限りでない。

3　前項の施設に優先席（主として、高齢者、障害者等の優先的な利用のために設けられる座席をいう。以下この項において同じ。）を設ける場合は、その付近に、当該優先席における優先的に利用することができる者を表示する案内標識を設けるものとする。

（照明施設）

第四七条　歩道等、自転車歩行者専用道路等及び立体横断施設には、照明施設を連続して設けるものとする。ただし、夜間における当該歩道等、自転車歩行者専用道路等及び立体横断施設の路面の照度が十分に確保される場合においては、この限りでない。

２　乗合自動車停留所、路面電車停留場、自動車駐車場及び旅客特定車両停留施設には、高齢者、障害者等の移動等円滑化のために必要であると認められる箇所に、照明施設を設けるものとする。ただし、夜間における当該乗合自動車停留所、路面電車停留場、自動車駐車場及び旅客特定車両停留施設の路面又は床面の照度が十分に確保される場合においては、この限りでない。

（防雪施設）

第四八条　歩道等、自転車歩行者専用道路等及び立体横断施設において、積雪又は凍結により、高齢者、障害者等の安全かつ円滑な通行に支障を及ぼすおそれのある箇所には、融雪施設、流雪溝又は雪覆工を設けるものとする。

第九章　旅客特定車両停留施設を使用した役務の提供の方法

（通路）

第四九条　移動等円滑化された通路に設けるエレベーターについては、次に掲げる基準を遵守するものとする。

一　籠内については、第三十五条第一号ただし書の設備が設けられた場合には、当該設備を使用して、開閉する籠の出入口が音声により知らされるようにすること。

二　籠内については、第十二条第九号の設備が設けられた場合には、当該設備を使用して、籠が到着する階並びに籠及び昇降路の出入口の戸の閉鎖が音声により知らされるようにすること。

三　乗降ロビーについては、第十二条第十三号本文の設備が設けられた場合には、当該設備を使用して、到着する籠の昇降方向が音声により知らされるようにすること。

四　籠内については、第十二条第十三号ただし書の設備が設けられた場合には、当該設備を使用して、籠及び昇降路の出入口の戸が開いた時に籠の昇降方向が音声により知らされるようにすること。

２　移動等円滑化された通路に設けるエスカレーターその他の昇降機（エレベーターを除く。）であって車椅子使用者の円滑な利用に適した構造のものについては、車椅子使用者が当該昇降機を円滑に利用するために必要となる役務を提供するものとする。ただし、当該昇降機を使用しなくても円滑に昇降できる場合は、この限りでない。

３　移動等円滑化された通路については、照明施設が設けられた場合には、当該照明施設を使用して、適切な照度を確保するものとする。ただし、日照等によって当該照度が確保されているときは、この限りでない。

（エスカレーター）

第五〇条　旅客特定車両停留施設のエスカレーターについては、第三十七条第三項の設備が設けられた場合には、当該設備を使用して、当該エスカレーターの行き先及び昇降方向が音声により知らされるようにするものとする。

（階段）

第五一条　旅客特定車両停留施設の階段については、照明施設が設けられた場合には、当該照明施設を使用して、適切な照度を確保するものとする。ただし、日照等によって当該照度が確保されているときは、この限りでない。

（乗降場）

第五二条　旅客特定車両停留施設の乗降場については、スロープ板その他の車椅子使用者が円滑に乗降するための設備が備えられた場合には、当該設備を使用して、車椅子使用者が円滑に乗降するために必要となる役務を提供するものとする。ただし、当該設備を使用しなくても円滑に乗降できる場合は、この限りでない。

（運行情報提供設備）

第五三条　旅客特定車両の運行に関する情報を文字等により表示するための設備が備えられた場合には、当該設備を使用して、当該情報が文字等により適切に表示されるようにするものとする。ただし、文字等による表示が困難な場合は、この限りでない。

２　旅客特定車両の運行に関する情報を音声により提供するための設備が備えられた場合には、当該設備を使用して、当該情報が音声により提供されるようにするものとする。ただし、音声による提供が困難な場合は、この限りでない。

（便所）

第五四条　便所の出入口付近については、第三十条第一項第一号の設備（音によるものに限る。）が設けられた場合には、当該設備を使用して、男子用及び女子用の区別（当該区別がある場合に限る。）並びに便所の構造が音により視覚障害者に示されるようにするものとする。

２　移動等円滑化された通路と第三十条第二項第一号の便房が設けられた便所又は同項第二号の便所との間の経路における通路については、照明施設が設けられた場合には、当該照明施設を使用して、適切な照度を確保するものとする。ただし、日照等によって当該照度が確保されているときは、この限りでない。

（乗車券等販売所、待合所及び案内所）

第五五条　乗車券等販売所については、次に掲げる基準を遵守するものとする。

一　移動等円滑化された通路と乗車券等販売所との間の経路における通路については、照明施設が設けられた場合には、当該照明施設を使用して、適切な照度を確保すること。ただし、日照等によって当該照度が確保されているときは、この限りでない。

二　第四十二条第一項第三号ただし書の規定が適用される場合には、車椅子使用者からの求めに応じ、常時勤務する者がカウンターの前に出て対応すること。

２　前項の規定は、待合所及び案内所について準用する。この場合において、前項第二号中「第四十二条第一項第三号ただし書」とあるのは、「第四十二条第二項の規定により準用される同条第一項第三号ただし書」と読み替えるものとする。

３　乗車券等販売所又は案内所（勤務する者を置かないものを除く。）については、第四十二条第三項の設備が備えられた場合には、聴覚障害者からの求めに応じ、当該設備を使用して、文字により意思疎通を図るものとする。

（券売機）

第五六条　第四十三条ただし書の規定が適用される場合には、同条ただし書の窓口については、高齢者、障害者等からの求めに応じ、乗車券等の販売を行うものとする。

（旅客特定車両停留施設の構造及び主要な設備の配置の案内）

第五七条　公共用通路に直接通ずる出入口の付近その他の適切な場所については、第四十四条第六項の設備（音によるものに限る。）が設けられた場合には、当該設備を使用して、旅客特定車両停留施設の構造及び主要な設備の配置が音により視覚障害者に示されるようにするものとする。

（視覚障害者を誘導する設備等）

第五八条　第四十五条第一項の通路については、同条第五項の設備が設けられた場合には、当該設備を使用して、音声により視覚障害者を誘導するものとする。

２　第四十五条第二項ただし書の規定が適用される場合には、視覚障害者の誘導を行う者が常駐する二以上の設備間の誘導を適切に実施するものとする。

附　則

（施行期日）

１　この省令は、法の施行の日（平成十八年十二月二十日）から施行する。

（経過措置）

２　第三条の規定により歩道を設けるものとされる道路の区間のうち、一体的に移動等円滑化を図ることが特に必要な道路の区間について、市街化の状況その他の特別の理由によりやむを得ない場合においては、第三条の規定にかかわらず、当分の間、歩道に代えて、車道及びこれに接続する路肩の路面における凸部、車道における狭窄部又は屈曲部その他の自動車を減速させて歩行者又は自転車の安全な通行を確保するための道路の部分を設けることができる。

３　第三条の規定により歩道を設けるものとされる道路の区間のうち、一体的に移動等円滑化を図ることが特に必要な道路の区間について、市街化の状況その他の特別の理由によりやむを得ない場合においては、第四条の規定にかかわらず、当分の間、当該区間における歩道の有効幅員を一・五メートルまで縮小することができる。

4　移動等円滑化された立体横断施設に設けられるエレベーター又はエスカレーターが存する道路の区間について、地形の状況その他の特別の理由によりやむを得ない場合においては、第四条の規定にかかわらず、当分の間、当該区間における歩道等の有効幅員を一メートルまで縮小することができる。

5　地形の状況その他の特別の理由によりやむを得ないため、第八条の規定による基準をそのまま適用することが適当でないと認められるときは、当分の間、この規定による基準によらないことができる。

6　地形の状況その他の特別の理由によりやむを得ない場合においては、第十条の規定の適用については、当分の間、同条中「二メートル」とあるのは、「一メートル」とする。

附　則〔略〕〔平成二四・三・一国土交通省令一〇〕

附　則〔令和三・三・三〇国土交通省令一二〕

この省令は、高齢者、障害者等の移動等の円滑化の促進に関する法律の一部を改正する法律（令和二年法律第二十八号）の施行の日（令和三年四月一日）から施行する。

○移動等円滑化のために必要な道路の占用に関する基準を定める省令

〔平成一八・一二・一九〕
〔国土交通省令一一七〕

改正　平成二四・三国交令一〇、平成三〇・一〇国交令八一、令和三・一国交令一

道路法（昭和二十七年法律第百八十号）第三十二条第二項第三号に掲げる事項についての同条第一項各号に掲げる工作物、物件又は施設（市街化の状況その他の特別の理由によりやむを得ず一時的に設けられる工事用板囲その他の工事用施設及び災害による復旧工事その他緊急を要する工事に伴い一時的に設けられる工作物、物件又は施設を除く。以下「工作物等」という。）に関する高齢者、障害者等の移動等の円滑化の促進に関する法律（以下「法」という。）第十条第一項の移動等円滑化のために必要な基準は、次のとおりとする。

一　工作物等を歩道又は自転車歩行者道上に設ける場合においては、歩行者又は自転車が通行することができる部分の幅員が移動等円滑化のために必要な道路の構造に関する基準を定める省令（平成十八年国土交通省令第百十六号。以下「道路移動等円滑化基準」という。）第四条の規定に規定する有効幅員及び同令附則第三項の規定を参酌して法第十条第一項の条例で定める有効幅員（道路法第三条第二号の一般国道（以下「国道」という。）にあっては同令第四条の規定により定められた有効幅員（同令附則第三項の規定により有効幅員を縮小した場合にあっては、当該縮小した有効幅員））以上となる場所であること。

二　工作物等を道路移動等円滑化基準附則第二項の規定を参酌して条例で定めるところにより車道及びこれに接続する路肩の路面における凸部、車道における狭窄部又は屈曲部その他の自動車を減速させて歩行者又は自転車の安全な通行を確保するための道路の部分を設けた道路の区間に設ける場合（国道にあっては同項の規定により当該道路の部分を設けた道路の区間に設ける場合）においては、歩行者又は自転車の安全かつ円滑な通行を著しく妨げない場所であること。

附　則

この省令は、高齢者、障害者等の移動等の円滑化の促進に関する法律の施行の日（平成十八年十二月二十日）から施行する。

附　則〔略〕〔平成二四・三・一国土交通省令一〇〕

附　則〔略〕〔平成三〇・一〇・一九国土交通省令八一〕

附　則〔令和三・一・二〇国土交通省令一〕

この省令は、高齢者、障害者等の移動等の円滑化の促進に関する法律の一部を改正する法律の施行の日（令和三年四月一日）から施行する。

○都市公園法

〔昭和三一・四・二〇　法律七九〕

改正　昭和三二・六法一六一、昭和三七・九法一六一、昭和四二・七法七三、昭和四三・六法一〇一、昭和五一・五法二八、昭和五六・五法四八、昭和五九・八法七一、一二法八七、昭和六一・一二法九三、昭和六二・九法八七、平成五・一一法八九、平成一一・六法七六、一二法一六〇、平成一四・二法一、七法九八、法一〇〇、平成一五・六法一〇〇、平成一六・六法一〇九、平成二三・八法一〇五、平成二六・六法六九、平成二九・五法二六、令和六・五法四〇

目次

第一章　総則（第一条・第二条）
第二章　都市公園の設置及び管理（第二条の二―第十九条）
第三章　立体都市公園（第二十条―第二十六条）
第四章　監督（第二十七条・第二十八条）
第五章　雑則（第二十九条―第三十六条）
第六章　罰則（第三十七条―第四十三条）
附則

第一章　総則

（目的）

第一条　この法律は、都市公園の設置及び管理に関する基準等を定めて、都市公園の健全な発達を図り、もつて公共の福祉の増進に資することを目的とする。

（定義）

第二条　この法律において「都市公園」とは、次に掲げる公園又は緑地で、その設置者である地方公共団体又は国が当該公園又は緑地に設ける公園施設を含むものとする。

一　都市計画施設（都市計画法（昭和四十三年法律第百号）第四条第六項に規定する都市計画施設をいう。次号において同じ。）である公園又は緑地で地方公共団体が設置するもの及び地方公共団体が同条第二項に規定する都市計画区域内において設置する公園又は緑地

二　次に掲げる公園又は緑地で国が設置するもの

イ　一の都府県の区域を超えるような広域の見地から設置する都市計画施設である公園又は緑地（ロに該当するものを除く。）

ロ　国家的な記念事業として、又は我が国固有の優れた文化的資産の保存及び活用を図るため閣議の決定を経て設置する都市計画施設である公園又は緑地

２　この法律において「公園施設」とは、都市公園の効用を全うするため当該都市公園に設けられる次に掲げる施設をいう。

一　園路及び広場

二　植栽、花壇、噴水その他の修景施設で政令で定めるもの

三　休憩所、ベンチその他の休養施設で政令で定めるもの

四　ぶらんこ、滑り台、砂場その他の遊戯施設で政令で定めるもの

五　野球場、陸上競技場、水泳プールその他の運動施設で政令で定めるもの

六　植物園、動物園、野外劇場その他の教養施設で政令で定めるもの

七　飲食店、売店、駐車場、便所その他の便益施設で政令で定めるもの

八　門、柵、管理事務所その他の管理施設で政令で定めるもの

九　前各号に掲げるもののほか、都市公園の効用を全うする施設で政令で定めるもの

３　次の各号に掲げるものは、第一項の規定にかかわらず、都市公園に含まれないものとする。

一　自然公園法（昭和三十二年法律第百六十一号）の規定により決定された国立公園又は国定公園に関する公園計画に基いて設けられる施設（以下「国立公園又は国定公園の施設」という。）たる公園又は緑地

二　自然公園法の規定により国立公園又は国定公園の区域内に指定される集団施設地区たる公園又は緑地

第二章　都市公園の設置及び管理

（都市公園の設置）

第二条の二　都市公園は、次条の規定によりその管理をすることとなる者が、当該都市公園の供用を開始するに当たり都市公園の区域その他政令で定める事項を公告することにより設置されるものとする。

（都市公園の管理）

第二条の三　都市公園の管理は、地方公共団体の設置に係る都市公園にあつては当該地方公共団体が、国の設置に係る都市公園にあつては国土交通大臣が行う。

（都市公園の設置基準）

第三条　地方公共団体が都市公園を設置する場合においては、政令で定める都市公園の配置及び規模に関する技術的基準を参酌して条例で定める基準に適合するように行うものとする。

２　都道府県は、都市緑地法（昭和四十八年法律第七十二号）第三条の三第一項に規定する広域計画（次条第二項において「広域計画」という。）を定めている場合においては、前項に定めるもののほか、当該広域計画に即して都市公園を設置するよう努めるものとする。

３　市町村は、都市緑地法第四条第一項に規定する基本計画（次条第三項において「基本計画」という。）を定めている場合においては、第一項に定めるもののほか、当該基本計画に即して都市公園を設置するよう努めるものとする。

４　国が設置する都市公園（第二条第一項第二号ロに該当するものを除く。）については、政令で定める都市公園の配置、規模、位置及び区域の選定並びに整備に関する技術的基準に適合するように行うものとする。

（都市公園の管理基準）

第三条の二　都市公園の管理は、政令で定める都市公園の維持及び修繕に関する技術的基準（都市公園の修繕を効率的に行うための点検に関する基準を含む。）に適合するように行うものとする。

２　都道府県は、広域計画を定めている場合においては、前項に定めるもののほか、当該広域計画に即して都市公園を管理するよう努めるものとする。

３　市町村は、基本計画を定めている場合においては、第一項に定めるもののほか、当該基本計画に即して都市公園を管理するよう努めるものとする。

（公園施設の設置基準）

第四条　一の都市公園に公園施設として設けられる建築物（建築基準法（昭和二十五年法律第二百一号）第二条第一号に規定する建築物をいう。以下同じ。）の建築面積（国立公園又は国定公園の施設たる建築物の建築面積を除く。以下同じ。）の総計の当該都市公園の敷地面積に対する割合は、百分の二を参酌して当該都市公園を設置する地方公共団体の条例で定める割合（国の設置に係る都市公園にあつては、百分の二）を超えてはならない。ただし、動物園を設ける場合その他政令で定める特別の場合においては、政令で定める範囲を参酌して当該都市公園を設置する地方公共団体の条例で定める範囲（国の設置に係る都市公園にあつては、政令で定める範囲）内でこれを超えることができる。

２　前項に規定するもののほか、公園施設の設置に関する基準については、政令で定める。

（公園管理者以外の者の公園施設の設置等）

第五条　第二条の三の規定により都市公園を管理する者（以下「公園管理者」という。）以外の者は、都市公園に公園施設を設け、又は公園施設を管理しようとするときは、条例（国の設置に係る都市公園にあつては、国土交通省令）で定める事項を記載した申請書を公園管理者に提出してその許可を受けなければならない。許可を受けた事項を変更しようとするときも、同様とする。

２　公園管理者は、公園管理者以外の者が設ける公園施設が次の各号のいずれかに該当する場合に限り、前項の許可をすることができる。

一　当該公園管理者が自ら設け、又は管理することが不適当又は困難であると認められるもの

二　当該公園管理者以外の者が設け、又は管理することが当該都市公園の機能の増進に資すると認められるもの

３　公園管理者以外の者が公園施設を設け、又は管理する期間は、十年をこえることができない。これを更新するときの期間についても、同様とする。

４　民間資金等の活用による公共施設等の整備等の促進に関する法律（平成十一年法律第百十七号）第二条第五項に規定する選定事業者が同条第四項に規定する選定事業として行う公園施設の設置又は管理の期間は、前項の規定にかかわらず、当該選定事業に係る同法第五条第二項第五号に規定す

る事業契約の契約期間（当該契約期間が三十年を超える場合にあつては、三十年）の範囲内において公園管理者が定める期間とする。

（公募対象公園施設の公募設置等指針）

第五条の二　公園管理者は、飲食店、売店その他の国土交通省令で定める公園施設であつて、前条第一項の許可の申請を行うことができる者を公募により決定することが、公園施設の設置又は管理を行う者の公平な選定を図るとともに、都市公園の利用者の利便の向上を図る上で特に有効であると認められるもの（以下「公募対象公園施設」という。）について、公園施設の設置又は管理及び公募の実施に関する指針（以下「公募設置等指針」という。）を定めることができる。

2　公募設置等指針には、次に掲げる事項を定めなければならない。

一　公募対象公園施設の種類

二　公募対象公園施設の場所

三　公募対象公園施設の設置又は管理の開始の時期

四　公募対象公園施設の使用料（公募対象公園施設の設置又は管理に係る使用料をいう。以下同じ。）の額の最低額

五　特定公園施設（公募対象公園施設の設置又は管理を行うこととなる者との契約に基づき、公園管理者がその者に建設を行わせる園路、広場その他の国土交通省令で定める公園施設であつて、当該公募対象公園施設の周辺に設置することが都市公園の利用者の利便の一層の向上に寄与すると認められるものをいう。以下同じ。）の建設に関する事項（当該特定公園施設の建設に要する費用の負担の方法を含む。）

六　利便増進施設（自転車駐車場、地域における催しに関する情報を提供するための看板その他の政令で定める物件又は施設であつて、公募対象公園施設の周辺に設置することが地域住民の利便の増進に寄与すると認められるものをいう。以下同じ。）の設置に関する事項

七　都市公園の環境の維持及び向上を図るための清掃その他の措置であつて公募対象公園施設の設置又は管理及び利便増進施設の設置に伴い必要となるものに関する事項

八　第五条の五第一項の認定の有効期間

九　設置等予定者（公募対象公園施設に係る前条第一項の許可の申請を行うことができる者をいう。以下同じ。）を選定するための評価の基準

十　前各号に掲げるもののほか、公募の実施に関する事項その他必要な事項

3　前項第二号の場所は、前条第一項の許可の申請を行うことができる者を公募により決定することが都市公園の管理上適切でない場所として国土交通省令で定める場所については定めないものとする。

4　第二項第四号の使用料の額の最低額は、第十八条の規定に基づく条例（国の設置に係る都市公園にあつては、同条の規定に基づく政令）で定める額を下回つてはならないものとする。

5　第二項第八号の有効期間は、二十年を超えないものとする。

6　公園管理者は、第二項第九号の評価の基準を定めようとするときは、国土交通省令で定めるところにより、あらかじめ、学識経験者の意見を聴かなければならない。

7　公園管理者は、公募設置等指針を定め、又はこれを変更したときは、遅滞なく、これを公示しなければならない。

（公募設置等計画の提出）

第五条の三　都市公園に公募対象公園施設を設け、又は管理しようとする者は、公募対象公園施設の設置又は管理に関する計画（以下「公募設置等計画」という。）を作成し、その公募設置等計画が適当である旨の認定を受けるための選定の手続に参加するため、これを公園管理者に提出することができる。

2　公募設置等計画には、次に掲げる事項を記載しなければならない。

一　公募対象公園施設の設置又は管理の目的

二　公募対象公園施設の場所

三　公募対象公園施設の設置又は管理の期間

四　公募対象公園施設の構造

五　公募対象公園施設の工事実施の方法

六　公募対象公園施設の工事の時期

七　公募対象公園施設の使用料の額

八　特定公園施設の建設に関する事項（当該特定公園施設の建設に要する費用の負担の方法を含む。）

九　利便増進施設の設置に関する事項

十　都市公園の環境の維持及び向上を図るための清掃その他の措置であつて公募対象公園施設の設置又は管理及び利便増進施設の設置に伴い講ずるものに関する事項

十一　資金計画及び収支計画

十二　その他国土交通省令で定める事項

3　公募設置等計画の提出は、公園管理者が公示する一月を下らない期間内に行わなければならない。

（設置等予定者の選定）

第五条の四　公園管理者は、前条第一項の規定により公募対象公園施設を設け、又は管理しようとする者から公募設置等計画が提出されたときは、当該公募設置等計画が次に掲げる基準に適合しているかどうかを審査しなければならない。

一　当該公募設置等計画が公募設置等指針に照らし適切なものであること。

二　当該公募対象公園施設が第五条第二項各号のいずれかに該当するものであること。

三　当該公募設置等計画を提出した者が不正又は不誠実な行為をするおそれが明らかな者でないこと。

2　公園管理者は、前項の規定により審査した結果、公募設置等計画が同項各号に掲げる基準に適合していると認められるときは、第五条の二第二項第九号の評価の基準に従つて、その適合していると認められた全ての公募設置等計画について評価を行うものとする。

3　公園管理者は、前項の評価に従い、都市公園の機能を損なうことなくその利用者の利便の向上を図る上で最も適切であると認められる公募設置等計画を提出した者を設置等予定者として選定するものとする。

4　公園管理者は、前項の規定により設置等予定者を選定しようとするときは、国土交通省令で定めるところにより、あらかじめ、学識経験者の意見を聴かなければならない。

5　公園管理者は、第三項の規定により設置等予定者を選定したときは、その者にその旨を通知しなければならない。

（公募設置等計画の認定）

第五条の五　公園管理者は、前条第五項の規定により通知した設置等予定者が提出した公募設置等計画について、公募対象公園施設の場所を指定して、当該公募設置等計画が適当である旨の認定をするものとする。

2　公園管理者は、前項の認定をしたときは、当該認定をした日及び認定の有効期間並びに同項の規定により指定した公募対象公園施設の場所を公示しなければならない。

（公募設置等計画の変更等）

第五条の六　前条第一項の認定を受けた者（以下「認定計画提出者」という。）は、当該認定を受けた公募設置等計画を変更しようとする場合においては、公園管理者の認定を受けなければならない。

2　公園管理者は、前項の変更の認定の申請があつたときは、次に掲げる基準に適合すると認める場合に限り、その認定をするものとする。

一　変更後の公募設置等計画が第五条の四第一項第一号及び第二号に掲げる基準を満たしていること。

二　当該公募設置等計画の変更をすることについて、都市公園の利用者の利便の一層の向上に寄与するものであると見込まれること又はやむを得ない事情があること。

3　前条第二項の規定は、第一項の変更の認定をした場合について準用する。

（公募を行つた場合における公募対象公園施設の設置又は管理の許可等）

第五条の七　認定計画提出者は、第五条の五第一項の認定（前条第一項の変更の認定を含む。以下「計画の認定」という。）を受けた公募設置等計画（変更があつたときは、その変更後のもの。以下「認定公募設置等計画」という。）に従つて公募対象公園施設の設置又は管理をしなければならない。

2　公園管理者は、認定計画提出者から認定公募設置等計画に基づき第五条第一項の許可の申請があつた場合においては、同項の許可を与えなければならない。

3　公園管理者が前項の規定により第五条第一項の許可を与えた場合においては、当該許可に係る使用料の額は、認定公募設置等計画に記載された使用料の額（当該額が第十八条の規定に基づく条例（国の設置に係る都市公園にあつては、同条の規定に基づく政令）で定める額を下回る場合にあつては、当該条例又は当該政令で定める額）とする。

4　計画の認定がされた場合においては、認定計画提出者以外の者は、第五

条の五第二項の公募対象公園施設の場所（前条第一項の変更の認定があつたときは、同条第三項において準用する第五条の五第二項の公募対象公園施設の場所）については、第五条第一項の許可の申請をすることができない。

（地位の承継）

第五条の八　次に掲げる者は、公園管理者の承認を受けて、認定計画提出者が有していた計画の認定に基づく地位を承継することができる。

一　認定計画提出者の一般承継人

二　認定計画提出者から、認定公募設置等計画に基づき設置又は管理が行われる公募対象公園施設の所有権その他当該公募対象公園施設の設置又は管理に必要な権原を取得した者

（認定公募設置等計画に係る公園施設の設置基準等の特例）

第五条の九　認定公募設置等計画に基づき公募対象公園施設を設ける場合における第四条第一項の規定の適用については、同項ただし書中「動物園を設ける場合」とあるのは、「動物園を設ける場合、第五条の七第一項に規定する認定公募設置等計画に基づき第五条の二第一項に規定する公募対象公園施設を設ける場合」とする。

2　公園管理者は、認定計画提出者から認定公募設置等計画に基づき利便増進施設のための都市公園の占用について第六条第一項又は第三項の許可の申請があつた場合においては、第七条の規定にかかわらず、当該占用が第五条の二第二項第六号の政令で定める物件又は施設の外観及び構造、占用に関する工事その他の事項に関し政令で定める技術的基準に適合する限り、当該許可を与えなければならない。

（兼用工作物の管理）

第五条の一〇　都市公園と河川、道路、下水道その他の施設又は工作物（以下これらを「他の工作物」という。）とが相互に効用を兼ねる場合においては、当該都市公園の公園管理者及び他の工作物の管理者は、当該都市公園及び他の工作物の管理については、第二条の三の規定にかかわらず、協議して別にその管理の方法を定めることができる。ただし、他の工作物の管理者が私人である場合においては、都市公園については、都市公園に関する工事及び維持以外の管理を行わせることができない。

2　前項の規定により協議が成立した場合においては、当該都市公園の公園管理者は、成立した協議の内容を公示しなければならない。

（公園管理者の権限の代行）

第五条の一一　前条第一項の規定による協議に基づき他の工作物の管理者が都市公園を管理する場合においては、当該他の工作物の管理者は、政令で定めるところにより、当該都市公園の公園管理者に代わつてその権限を行うものとする。

（都市公園の占用の許可）

第六条　都市公園に公園施設以外の工作物その他の物件又は施設を設けて都市公園を占用しようとするときは、公園管理者の許可を受けなければならない。

2　前項の許可を受けようとする者は、占用の目的、占用の期間、占用の場所、工作物その他の物件又は施設の構造その他条例（国の設置に係る都市公園にあつては、国土交通省令）で定める事項を記載した申請書を公園管理者に提出しなければならない。

3　第一項の許可を受けた者は、許可を受けた事項を変更しようとするときは、当該事項を記載した申請書を公園管理者に提出してその許可を受けなければならない。ただし、その変更が、条例（国の設置に係る都市公園にあつては、政令）で定める軽易なものであるときは、この限りでない。

4　第一項の規定による都市公園の占用の期間は、十年をこえない範囲内において政令で定める期間をこえることができない。これを更新するときの期間についても、同様とする。

第七条　公園管理者は、前条第一項又は第三項の許可の申請に係る工作物その他の物件又は施設が次の各号に掲げるものに該当し、都市公園の占用が公衆のその利用に著しい支障を及ぼさず、かつ、必要やむを得ないと認められるものであつて、政令で定める技術的基準に適合する場合に限り、前条第一項又は第三項の許可を与えることができる。

一　電柱、電線、変圧塔その他これらに類するもの

二　水道管、下水道管、ガス管その他これらに類するもの

三　通路、鉄道、軌道、公共駐車場その他これらに類する施設で地下に設けられるもの

四　郵便差出箱、信書便差出箱又は公衆電話所

五　非常災害に際し災害にかかつた者を収容するため設けられる仮設工作物

六　競技会、集会、展示会、博覧会その他これらに類する催しのため設けられる仮設工作物

七　前各号に掲げるもののほか、政令で定める工作物その他の物件又は施設

2　公園管理者は、前条第一項又は第三項の許可の申請に係る施設が保育所その他の社会福祉施設で政令で定めるもの（通所のみにより利用されるものに限る。）に該当し、都市公園の占用が公衆のその利用に著しい支障を及ぼさず、かつ、合理的な土地利用の促進を図るため特に必要であると認められるものであつて、政令で定める技術的基準に適合する場合については、前項の規定にかかわらず、同条第一項又は第三項の許可を与えることができる。

（許可の条件）

第八条　公園管理者は、第五条第一項又は第六条第一項若しくは第三項の許可に都市公園の管理のため必要な範囲内で条件を付することができる。

（国の行う都市公園の占用の特例）

第九条　国の行う事業のため、第七条第一項各号に掲げる工作物その他の物件若しくは施設又は同条第二項に規定する社会福祉施設を設けて都市公園を占用する場合においては、国と公園管理者との協議が成立することをもつて第六条第一項又は第三項の許可があつたものとみなす。

（原状回復）

第一〇条　第五条第一項又は第六条第一項若しくは第三項の許可を受けた者は、公園施設を設け、若しくは管理する期間若しくは都市公園の占用の期間が満了したとき、又は公園施設の設置若しくは管理若しくは都市公園の占用を廃止したときは、ただちに都市公園を原状に回復しなければならない。ただし、原状に回復することが不適当な場合においては、この限りでない。

2　公園管理者は、第五条第一項又は第六条第一項若しくは第三項の許可を受けた者に対して、前項の規定による原状の回復又は原状に回復することが不適当な場合の措置について必要な指示をすることができる。

（国の設置に係る都市公園における行為の禁止等）

第一一条　国の設置に係る都市公園においては、何人も、みだりに次に掲げる行為をしてはならない。

一　都市公園を損傷し、又は汚損すること。

二　竹木を伐採し、又は植物を採取すること。

三　土石、竹木等の物件を堆積すること。

四　前三号に掲げるもののほか、公衆の都市公園の利用に著しい支障を及ぼすおそれのある行為で政令で定めるもの

第一二条　国の設置に係る都市公園において次の各号に掲げる行為をしようとするときは、国土交通省令で定めるところにより、公園管理者の許可を受けなければならない。

一　物品を販売し、又は頒布すること。

二　競技会、集会、展示会その他これらに類する催しのために都市公園の全部又は一部を独占して利用すること。

三　前二号に掲げるもののほか、都市公園の管理上支障を及ぼすおそれのある行為で政令で定めるもの

2　第八条の規定は、前項の規定による許可について準用する。

（都市公園の設置及び管理に要する費用の負担原則）

第一二条の二　都市公園の設置及び管理に要する費用は、この法律及び他の法律に特別の定めがある場合を除き、地方公共団体の設置に係る都市公園にあつては当該地方公共団体の、国の設置に係る都市公園にあつては国の負担とする。

（国の設置に係る都市公園の設置及び管理に要する費用についての関係都道府県及び市町村の負担）

第一二条の三　国の設置に係る都市公園で第二条第一項第二号イに該当するものの設置及び管理に要する費用については、当該都市公園の存する都道府県が、政令で定めるところにより、その一部を負担する。

2　前項の場合において、当該都市公園の設置及び管理により他の都道府県も著しく利益を受けるときは、国土交通大臣は、その受益の限度において、同項の規定により都道府県が負担すべき負担金の一部を著しく利益を受ける他の都道府県に分担させることができる。

3　前項の規定により国土交通大臣が著しく利益を受ける他の都道府県に負

担金の一部を分担させようとする場合においては、国土交通大臣は、関係都道府県の意見を聴かなければならない。

第一二条の四　前条の規定により都道府県の負担する費用のうち、その設置及び管理で当該都道府県の区域内の市町村を利するものについては、当該設置及び管理による受益の限度において、当該市町村に対し、その設置及び管理に要する費用の一部を負担させることができる。

2　前項の規定により市町村が負担すべき金額は、当該市町村の意見を聴いた上、当該都道府県の議会の議決を経て定めなければならない。

（負担金の納付）

第一二条の五　国の設置に係る都市公園で第二条第一項第二号イに該当するものの設置及び管理に要する費用のうち、第十二条の三第一項又は第二項の規定により都道府県が負担すべき費用は、政令で定めるところにより、国庫に納付しなければならない。

2　前条第一項の規定により市町村が負担すべき費用は、政令で定めるところにより、都道府県に納付しなければならない。

（兼用工作物の管理に要する費用の負担）

第一二条の六　都市公園と他の工作物とが相互に効用を兼ねる場合においては、当該都市公園の管理に要する費用の負担については、公園管理者と当該他の工作物の管理者とが協議して定めるものとする。

（原因者負担金）

第一三条　公園管理者は、都市公園に関する工事以外の工事（以下「他の工事」という。）又は都市公園を損傷した行為若しくは都市公園の現状を変更する必要を生じさせた行為（以下「他の行為」という。）により必要を生じた都市公園に関する工事に要する費用については、その必要を生じた限度において、当該他の工事又は他の行為について費用を負担する者にその全部又は一部を負担させるものとする。

（附帯工事に要する費用）

第一四条　都市公園に関する工事により必要を生じた他の工事又は都市公園に関する工事を行うため必要を生じた他の工事に要する費用は、第八条の規定により許可に附した条件に特別の定がある場合及び第九条の規定による協議による場合を除くほか、その必要を生じた限度において、当該都市公園に関する工事について費用を負担する者がその全部又は一部を負担しなければならない。

2　公園管理者は、前項の都市公園に関する工事が他の工事又は他の行為のため必要となつたものであるときは、同項の他の工事に要する費用の全部又は一部を、その必要を生じた限度において、その原因となつた工事又は行為について費用を負担する者に負担させることができる。

（義務履行のために要する費用）

第一五条　この法律若しくはこの法律に基く政令の規定又はこの法律の規定によつてする処分による義務を履行するため必要な費用は、この法律に特別の規定がある場合を除くほか、当該義務者が負担しなければならない。

（都市公園の保存）

第一六条　公園管理者は、次に掲げる場合のほか、みだりに都市公園の区域の全部又は一部について都市公園を廃止してはならない。

一　都市公園の区域内において都市計画法の規定により公園及び緑地以外の施設に係る都市計画事業が施行される場合その他公益上特別の必要がある場合

二　廃止される都市公園に代わるべき都市公園が設置される場合

三　公園管理者がその土地物件に係る権原を借受けにより取得した都市公園について、当該貸借契約の終了又は解除によりその権原が消滅した場合

（都市公園台帳）

第一七条　公園管理者は、その管理する都市公園の台帳（以下この条において「都市公園台帳」という。）を作成し、これを保管しなければならない。

2　都市公園台帳の記載事項その他その作成及び保管に関し必要な事項は、国土交通省令で定める。

3　公園管理者は、都市公園台帳の閲覧を求められたときは、これを拒むことができない。

（協議会）

第一七条の二　公園管理者は、都市公園の利用者の利便の向上を図るために必要な協議を行うための協議会（以下この条において「協議会」という。）を組織することができる。

2　協議会は、次に掲げる者をもつて構成する。

一　公園管理者

二　関係行政機関、関係地方公共団体、学識経験者、観光関係団体、商工関係団体その他の都市公園の利用者の利便の向上に資する活動を行う者であつて公園管理者が必要と認めるもの

3　協議会において協議が調つた事項については、協議会の構成員は、その協議の結果を尊重しなければならない。

4　前三項に定めるもののほか、協議会の運営に関し必要な事項は、協議会が定める。

（条例又は政令で規定する事項）

第一八条　この法律及びこの法律に基づく命令で定めるもののほか、都市公園の設置及び管理に関し必要な事項は、条例（国の設置に係る都市公園にあつては、政令）で定める。

（自然公園の施設に関する特例）

第一九条　国立公園又は国定公園の施設については、第五条第一項及び第三項並びに第六条第一項の規定を、自然公園法に規定する都道府県立自然公園の利用のための施設の設置及び管理については、第五条第一項及び第三項の規定を適用しない。

第三章　立体都市公園

（立体都市公園）

第二〇条　公園管理者は、都市公園の存する地域の状況を勘案し、適正かつ合理的な土地利用の促進を図るため必要があると認めるときは、都市公園の区域を空間又は地下について下限を定めたもの（以下「立体的区域」という。）とすることができる。

（設置基準）

第二一条　その区域を立体的区域とする都市公園（以下「立体都市公園」という。）の設置に関する基準については、政令で定める。

（公園一体建物に関する協定）

第二二条　公園管理者は、立体都市公園と当該立体都市公園の区域外の建物とが一体的な構造となるときは、当該建物の所有者又は所有者となろうとする者と次に掲げる事項を定めた協定（以下「協定」という。）を締結することができる。この場合において、公園管理者は、当該立体都市公園の管理上必要があると認めるときは、協定に従つて、当該建物の管理を行うことができる。

一　協定の目的となる建物（以下「公園一体建物」という。）

二　公園一体建物の新築、改築、増築、修繕又は模様替及びこれらに要する費用の負担

三　次に掲げる事項及びこれらに要する費用の負担

イ　公園一体建物に関する立体都市公園の管理上必要な行為の制限

ロ　立体都市公園の管理上必要な公園一体建物への立入り

ハ　立体都市公園に関する工事又は公園一体建物に関する工事が行われる場合の調整

ニ　立体都市公園又は公園一体建物に損害が生じた場合の措置

四　協定の有効期間

五　協定に違反した場合の措置

六　協定の掲示方法

七　その他必要な事項

2　公園管理者は、協定を締結した場合においては、国土交通省令で定めるところにより、遅滞なく、その旨を公示し、かつ、協定又はその写しを公園管理者の事務所に備えて一般の閲覧に供するとともに、協定で定めるところにより、公園一体建物又はその敷地内の見やすい場所に、公園管理者の事務所において閲覧に供している旨を掲示しなければならない。

（協定の効力）

第二三条　前条第二項の規定による公示のあつた協定は、その公示のあつた後において当該協定の目的となつている公園一体建物の所有者となつた者に対しても、その効力があるものとする。

（公園一体建物に関する私権の行使の制限等）

第二四条　公園一体建物の所有者以外の者であつてその公園一体建物の敷地に関する所有権又は地上権その他の使用若しくは収益を目的とする権利を有する者（次項において「敷地所有者等」という。）は、その公園一体建物の所有者に対する当該権利の行使が立体都市公園を支持する公園一体建物としての効用を失わせることとなる場合においては、当該権利の行使を

することができない。

2　前項の場合において、公園一体建物の所有者がこれを所有するためのその敷地に関する地上権その他の使用又は収益を目的とする権利を有しないときは、当該公園一体建物の収去を請求する権利を有する敷地所有者等は、当該公園一体建物の所有者に対し、当該公園一体建物を時価で売り渡すべきことを請求することができる。

（公園保全立体区域）

第二五条　公園管理者は、立体都市公園について、当該立体都市公園の構造を保全するため必要があると認めるときは、その立体的区域に接する一定の範囲の空間又は地下を、公園保全立体区域として指定することができる。

2　公園保全立体区域の指定は、当該立体都市公園の構造を保全するため必要な最小限度の範囲に限つてするものとする。

3　公園管理者は、公園保全立体区域を指定するときは、国土交通省令で定めるところにより、その旨を公告しなければならない。これを変更し、又は廃止するときも、同様とする。

（公園保全立体区域における行為の制限）

第二六条　公園保全立体区域内にある土地、竹木又は建築物その他の工作物の所有者又は占有者は、その土地、竹木又は建築物その他の工作物が立体都市公園の構造に損害を及ぼすおそれがあると認められる場合においては、その損害を防止するための施設を設け、その他その損害を防止するため必要な措置を講じなければならない。

2　公園管理者は、前項に規定する損害を防止するため特に必要があると認める場合においては、同項に規定する所有者又は占有者に対して、同項に規定する施設を設け、その他その損害を防止するため必要な措置を講ずべきことを命ずることができる。

3　第一項に規定する所有者又は占有者は、同項に規定するもののほか、土石の採取その他の公園保全立体区域における行為であつて、立体都市公園の構造に損害を及ぼすおそれがあると認められるものを行つてはならない。

4　公園管理者は、前項の規定に違反している者に対し、行為の中止、物件の改築、移転又は除却その他立体都市公園の構造に損害を及ぼすことを防止するための必要な措置をすることを命ずることができる。

第四章　監督

（監督処分）

第二七条　公園管理者は、次の各号のいずれかに該当する者に対して、この法律の規定によつてした許可若しくは認定を取り消し、その効力を停止し、若しくはその条件を変更し、又は行為若しくは工事の中止、都市公園に存する工作物その他の物件若しくは施設（以下この条において「工作物等」という。）の改築、移転若しくは除却、当該工作物等により生ずべき損害を予防するため必要な施設をすること、若しくは都市公園を原状に回復することを命ずることができる。

一　この法律（前条を除く。以下この号において同じ。）若しくはこの法律に基づく政令の規定又はこの法律の規定に基づく処分に違反している者

二　この法律の規定による許可に付した条件に違反している者

三　偽りその他不正な手段によりこの法律の規定による許可又は認定を受けた者

2　公園管理者は、次の各号のいずれかに該当する場合においては、この法律の規定による許可又は認定を受けた者に対し、前項に規定する処分をし、又は同項に規定する必要な措置を命ずることができる。

一　都市公園に関する工事のためやむを得ない必要が生じた場合

二　都市公園の保全又は公衆の都市公園の利用に著しい支障が生じた場合

三　前二号に掲げる場合のほか、都市公園の管理上の理由以外の理由に基づく公益上やむを得ない必要が生じた場合

3　前条第二項若しくは第四項又は前二項の規定により必要な措置を命じようとする場合において、過失がなくてその措置を命ぜられるべき者を確知することができないときは、公園管理者は、その措置を自ら行い、又はその命じた者若しくは委任した者に行わせることができる。この場合においては、相当の期限を定めて、その措置を行うべき旨及びその期限までにその措置を行わないときは、公園管理者又はその命じた者若しくは委任した者がその措置を行うべき旨をあらかじめ公告しなければならない。

4　公園管理者は、前項の規定により工作物等を除却し、又は除却させたときは、当該工作物等を保管しなければならない。

5　公園管理者は、前項の規定により工作物等を保管したときは、当該工作物等の所有者、占有者その他当該工作物等について権原を有する者（以下この条において「所有者等」という。）に対し当該工作物等を返還するため、条例（国の設置に係る都市公園にあつては、政令。以下この条において同じ。）で定めるところにより、条例で定める事項を公示しなければならない。

6　公園管理者は、第四項の規定により保管した工作物等が滅失し、若しくは破損するおそれがあるとき、又は前項の規定による公示の日から起算して二週間（工作物等が特に貴重なものであるときは、三月）を経過してもなお当該工作物等を返還することができない場合において、条例で定めるところにより評価した当該工作物等の価額に比し、その保管に不相当な費用若しくは手数を要するときは、条例で定めるところにより、当該工作物等を売却し、その売却した代金を保管することができる。

7　公園管理者は、前項に規定する工作物等の価額が著しく低い場合において、同項の規定による工作物等の売却につき買受人がないとき、又は売却しても買受人がないことが明らかであるときは、当該工作物等を廃棄することができる。

8　第六項の規定により売却した代金は、売却に要した費用に充てることができる。

9　第三項から第六項までに規定する工作物等の除却、保管、売却、公示その他の措置に要した費用は、当該工作物等の返還を受けるべき所有者等その他第三項に規定する措置を命ずべき者の負担とする。

10　第五項の規定による公示の日から起算して六月を経過してもなお第四項の規定により保管した工作物等（第六項の規定により売却した代金を含む。以下この項において同じ。）を返還することができないときは、当該工作物等の所有権は、当該工作物等を保管する公園管理者（国土交通大臣が公園管理者であるときは、国）に帰属する。

（監督処分に伴う損失の補償）

第二八条　公園管理者は、この法律の規定による許可を受けた者が前条第二項の規定により処分をされ、又は必要な措置を命ぜられたことによつて損失を受けたときは、その者に対し通常受けるべき損失を補償しなければならない。

2　前項の規定による損失の補償については、公園管理者と損失を受けた者とが協議して定める。

3　前項の規定による協議が成立しないときは、公園管理者は、自己の見積つた金額を損失を受けた者に支払わなければならない。この場合において、当該金額について不服がある者は、政令で定めるところにより、補償金額の支払を受けた日から三十日以内に収用委員会に土地収用法（昭和二十六年法律第二百十九号）第九十四条の規定による裁決を申請することができる。

4　公園管理者は、第一項の規定による補償の原因となつた損失が前条第二項第三号の規定により処分をし、又は必要な措置を命じたことによるものであるときは、当該補償金額を当該理由を生じさせた者に負担させることができる。

第五章　雑則

（補助金）

第二九条　国は、予算の範囲内において、政令で定めるところにより、地方公共団体に対し都市公園の新設又は改築に要する費用の一部を補助することができる。

（報告及び資料の提出）

第三〇条　地方公共団体は、都市公園を設置し、その区域を変更し、若しくは都市公園を廃止したとき、又はこの法律に基く条例を制定したときは、国土交通省令で定めるところにより、国土交通大臣に報告しなければならない。

2　国土交通大臣は、地方公共団体に対して、この法律の施行に関し必要な報告又は資料の提出を求めることができる。

（都市公園の行政又は技術に関する勧告等）

第三一条　国土交通大臣は、都道府県及び市町村に対し、都道府県知事は、市町村に対し、都市公園を保全し、その他都市公園の整備を促進するため都市公園の行政又は技術に関し必要な勧告、助言又は援助をすることがで

きる。

（私権の制限）

第三二条　都市公園を構成する土地物件については、私権を行使することができない。ただし、所有権を移転し、又は抵当権を設定し、若しくは移転することを妨げない。

（公園予定区域等）

第三三条　地方公共団体は、必要があると認めるときは、都市公園を設置すべき区域を定めることができる。

2　国土交通大臣は、都市公園を新設しようとするときは、都市公園を設置すべき区域を定めなければならない。

3　地方公共団体又は国土交通大臣は、都市公園を設置すべき地域の状況を勘案し、適正かつ合理的な土地利用の促進を図るため必要があると認めるときは、前二項の規定による都市公園を設置すべき区域を、立体的区域とすることができる。

4　第一項又は第二項の規定により都市公園を設置すべき区域が決定され、その旨が公告された後当該区域に都市公園が設置されるまでの間においても、当該都市公園を設置しようとする地方公共団体又は国が当該区域についての土地に関する権原を取得した後においては、第二条の三、第四条、第五条、第六条から第十二条まで、第十三条、第十四条、第十九条、第二十五条から第二十八条まで及び前条の規定は、当該区域（以下「公園予定区域」という。）又は当該公園予定区域内に設けられる施設で公園施設となるべきもの（以下「予定公園施設」という。）について準用する。

5　地方公共団体は、第一項の規定により都市公園を設置すべき区域を決定しようとするときは、あらかじめ、当該地方公共団体の議会の議決を経なければならない。

6　国土交通大臣は、第二項の規定により第二条第一項第二号イの都市公園を設置すべき区域を決定しようとするときは、あらかじめ、当該都市公園が存することとなる都道府県と協議しなければならない。

（不服申立て）

第三四条　地方公共団体である公園管理者（前条第一項の規定により都市公園を設置すべき区域を決定した地方公共団体を含む。以下この条において同じ。）がした次の各号のいずれかに掲げる処分についての審査請求の裁決に不服のある者は、国土交通大臣に対して再審査請求をすることができる。

一　第五条第一項若しくは第六条第一項若しくは第三項（前条第四項においてこれらの規定を準用する場合を含む。）の規定による許可又はこれらの規定による許可を与えないこと。

二　第五条の五第一項若しくは第五条の六第一項の規定による認定又はこれらの規定による認定を与えないこと。

三　第十条第二項（前条第四項において準用する場合を含む。）の規定による指示

四　第十三条、第十四条第二項又は第二十八条第四項（前条第四項においてこれらの規定を準用する場合を含む。）の規定による負担の決定

五　第二十六条第二項又は第四項（前条第四項においてこれらの規定を準用する場合を含む。）の規定による必要な措置の命令

六　第二十七条第一項若しくは第二項（前条第四項においてこれらの規定を準用する場合を含む。）の規定による処分又はこれらの規定による必要な措置の命令

七　第十二条第一項の規定に相当する条例の規定による許可を与え、又は与えないこと。

2　第五条の十第一項の規定による協議に基づき都道府県、市町村その他の公共団体である他の工作物の管理者が公園管理者に代わつてした前項各号に掲げる処分又は第十二条第一項の規定による許可を与え、若しくは与えない処分に不服がある者は、当該処分をした他の工作物の管理者である公共団体の長に対して審査請求をし、その裁決に不服がある者は、国土交通大臣及び当該他の工作物に関する主務大臣に対して再審査請求をすることができる。

3　第五条の十第一項の規定による協議に基づき国の機関である他の工作物の管理者が公園管理者に代わつてした第一項各号に掲げる処分又は第十二条第一項の規定による許可を与え、若しくは与えない処分に不服がある者は、国土交通大臣及び当該他の工作物に関する主務大臣に対して審査請求をすることができる。

（権限の委任）

第三五条　この法律及びこの法律に基づく政令に規定する国土交通大臣の権限は、政令で定めるところにより、その一部を地方整備局長又は北海道開発局長に委任することができる。

（経過措置）

第三六条　この法律の規定に基づき政令又は国土交通省令を制定し、又は改廃する場合においては、それぞれ、政令又は国土交通省令で、その制定又は改廃に伴い合理的に必要とされる範囲内において、所要の経過措置（罰則に関する経過措置を含む。）を定めることができる。

第六章　罰則

第三七条　国又は地方公共団体の職員が、第五条の五第一項の規定による認定に関し、その職務に反し、当該認定を受けようとする者に談合を唆すこと、当該認定を受けようとする者に当該認定に係る公募（以下「設置等公募」という。）に関する秘密を教示すること又はその他の方法により、当該設置等公募の公正を害すべき行為を行つたときは、五年以下の懲役又は二百五十万円以下の罰金に処する。

第三八条　偽計又は威力を用いて、設置等公募の公正を害すべき行為をした者は、三年以下の懲役若しくは二百五十万円以下の罰金に処し、又はこれを併科する。

2　設置等公募につき、公正な価額を害し又は不正な利益を得る目的で、談合した者も、前項と同様とする。

第三九条　第二十六条第二項若しくは第四項又は第二十七条第一項若しくは第二項（第三十三条第四項においてこれらの規定を準用する場合を含む。）の規定による公園管理者（第三十三条第一項又は第二項の規定により都市公園を設置すべき区域を決定した地方公共団体又は国土交通大臣を含む。第四十二条第二項において同じ。）の命令（第四十二条第二項各号に掲げるものを除く。）に違反した者は、一年以下の懲役又は五十万円以下の罰金に処する。

第四〇条　次の各号のいずれかに該当する者は、六月以下の懲役又は三十万円以下の罰金に処する。

一　第五条第一項（第三十三条第四項において準用する場合を含む。）の規定に違反して公園施設（予定公園施設を含む。）を設け、又は管理した者

二　第六条第一項又は第三項（第三十三条第四項においてこれらの規定を準用する場合を含む。）の規定に違反して都市公園（公園予定区域を含む。）を占用した者

第四一条　法人の代表者又は法人若しくは人の代理人、使用人その他の従業者が、その法人又は人の業務に関し、前二条の違反行為をしたときは、行為者を罰するのほか、その法人又は人に対して各本条の罰金刑を科する。

第四二条　第十一条（第三十三条第四項において準用する場合を含む。）の規定に違反して第十一条各号のいずれかに掲げる行為をした者は、十万円以下の過料に処する。

2　第二十七条第一項又は第二項（第三十三条第四項においてこれらの規定を準用する場合を含む。）の規定による公園管理者の命令で次の各号のいずれかに掲げるものに違反した者は、十万円以下の過料に処する。

一　第十一条又は第十二条第一項（第三十三条第四項においてこれらの規定を準用する場合を含む。）の規定に違反している者に対する命令

二　第十二条第一項（第三十三条第四項において準用する場合を含む。）の規定による許可を受けた者に対する命令

第四三条　第五条の十一の規定により公園管理者に代わつてその権限を行う者は、この章の規定の適用については、公園管理者とみなす。

附　則

（施行期日）

1　この法律は、公布の日から起算して六月をこえない範囲内において政令で定める日から施行する。

〔昭和三一政二八九により、昭和三一・一〇・一五から施行〕

（既設公園の取扱）

2　この法律の施行の際現に都市計画区域内において地方公共団体若しくは地方公共団体の長が設置し、若しくは管理している公園若しくは緑地又は都市計画の施設である公園若しくは緑地で地方公共団体若しくは地方公共団体の長が設置し、若しくは管理しているもの（国立公園計画等に基いて設けられている国立公園法第二条に規定する施設で公園又は緑地に該当す

るものを除く。以下「既設公園」という。）は、この法律の施行の日において、当該地方公共団体又は当該地方公共団体の長の統括する地方公共団体が設置する都市公園となるものとする。

（既設公園施設に関する経過措置）

3　この法律の施行の際現に権原に基いて既設公園の施設（第二条第二項各号に掲げる施設に該当する既設公園の施設をいい、当該既設公園を管理する地方公共団体の長がこの法律の施行の際当該既設公園の効用を全うするものでないものとして指定する施設及び国立公園計画等に基いて設けられている国立公園法第二条に規定する施設を除く。以下「既設公園施設」という。）として設けられている建築物の建築面積及びこの法律の施行の際現に権原に基いて既設公園施設として新設又は増設の工事が行われている建築物の建築予定面積の総計が、第四条第一項に規定する公園施設の設置基準に適合していない場合においても、これらの建築物は、同条同項の規定にかかわらず、この法律の施行の日以後においてもなお存置することができる。

4　この法律の施行の際現に権原に基いて既設公園施設を設け、又は管理している者で公園管理者となるべき者以外のものは、その権原に基いてなお当該既設公園施設を設け、又は管理することができるものとされている期間（当該期間が十年をこえるとき、又は当該期間について期間の定のないときは、この法律の施行の日から起算して十年とする。）、従前と同様の条件により、当該公園施設を設け、又は管理することについて第五条第二項の許可を受けたものとみなす。この法律の施行の際現に権原に基いて既設公園施設を設けるため当該既設公園施設の新設、増設又は移転の工事を行つている者で公園管理者となるべき者以外のものについても、同様とする。

（公園施設以外の既存物件に関する経過措置）

5　この法律の施行の際現に権原に基いて第七条各号に掲げる工作物その他の物件又は施設を設けて既設公園を占用している者は、その権原に基いてなお当該既設公園を占用することができるものとされている期間（当該期間が第六条第四項前段に規定する政令で定める期間をこえるとき、又は当該期間について期間の定のないときは、この法律の施行の日から起算して当該政令で定める期間とする。）、従前と同様の条件により、当該工作物その他の物件又は施設を設けて当該都市公園を占用することについて第六条第一項の許可を受けたものとみなす。この法律の施行の際現に権原に基いて第七条各号に掲げる工作物その他の物件又は施設を設けるため既設公園を占用して当該工作物その他の物件又は施設の新設、増設又は移転の工事を行つている者についても、同様とする。

6　この法律の施行の際現に権原に基いて既設公園施設及び第七条各号に掲げる工作物その他の物件又は施設以外の工作物その他の物件又は施設（以下この項において「工作物等」という。）を設けて既設公園を占用している者がある場合においては、その者がその権原に基いてなお当該既設公園を占用することができるものとされている期間（当該期間が五年をこえるとき、又は当該期間について期間の定のないときは、この法律の施行の日から起算して五年とする。）に限り、当該工作物等を第七条各号に掲げる工作物その他の物件又は施設とみなし、その者を従前と同様の条件により当該工作物等を設けて当該都市公園を占用することについて第六条第一項の許可を受けたものとみなす。この法律の施行の際現に権原に基いて工作物等を設けるため既設公園を占用して当該工作物等の新設、増設又は移転の工事を行つている者がある場合においても、同様とする。

（損失の補償）

7　公園管理者は、附則第四項から前項までに規定する者が、これらの規定によつて、従前の権原によりなお公園施設を設け、若しくは管理し、又は都市公園を占用することができるものとされていた期間を短縮されたことによつて損失を受けたときは、その者に対し通常受けるべき損失を補償するものとする。

8　第十二条第二項及び第三項の規定は、前項の場合に準用する。

（地盤国有公園に関する経過措置）

9　国は、明治六年太政官布告第十六号に基いて設置された公園又は旧東京市区改正条例（明治二十一年勅令第六十二号）により議定された事業、旧特別都市計画法（大正十二年法律第五十三号）による特別都市計画事業、旧神宮関係特別都市計画法（昭和十五年法律第七十五号）による都市計画事業若しくは旧特別都市計画法（昭和二十一年法律第十九号）による特別都市計画事業によつて生じた公園でこの法律の施行の際都市公園となるものを構成する国有に属する土地物件については、国有財産法（昭和二十三年法律第七十三号）第二十一条の規定にかかわらず、当該土地物件に係る都市公園が設置されている間、当該都市公園を管理すべきものとなつた地方公共団体に無償で貸し付けるものとする。ただし、当該都市公園を構成する国有の土地のうち附則第六項に規定する工作物等の敷地であるものについては、当該工作物等の敷地である期間中は有償とする。

（国の無利子貸付け等）

10　国は、当分の間、地方公共団体に対し、第二十九条の規定により国がその費用について補助することができる都市公園の新設又は改築で日本電信電話株式会社の株式の売払収入の活用による社会資本の整備の促進に関する特別措置法（昭和六十二年法律第八十六号）第二条第一項第二号に該当するものに要する費用に充てる資金について、予算の範囲内において、第二十九条の規定（この規定による国の補助の割合について、この規定と異なる定めをした法令の規定がある場合には、当該異なる定めをした法令の規定を含む。以下同じ。）により国が補助することができる金額に相当する金額を無利子で貸し付けることができる。

11　前項の国の貸付金の償還期間は、五年（二年以内の据置期間を含む。）以内で政令で定める期間とする。

12　前項に定めるもののほか、附則第十項の規定による貸付金の償還方法、償還期限の繰上げその他償還に関し必要な事項は、政令で定める。

13　国は、附則第十項の規定により、地方公共団体に対し貸付けを行つた場合には、当該貸付けの対象である都市公園の新設又は改築について、第二十九条の規定による当該貸付金に相当する金額の補助を行うものとし、当該補助については、当該貸付金の償還時において、当該貸付金の償還金に相当する金額を交付することにより行うものとする。

14　地方公共団体が、附則第十項の規定により貸付けを受けた無利子貸付金について、附則第十一項及び第十二項の規定に基づき定められる償還期限を繰り上げて償還を行つた場合（政令で定める場合を除く。）における前項の規定の適用については、当該償還は、当該償還期限の到来時に行われたものとみなす。

附　則〔略〕〔昭和三二・六・一法律一六一〕

附　則〔抄〕〔昭和三七・九・一五法律一六一〕

1　この法律は、昭和三十七年十月一日から施行する。

2　この法律による改正後の規定は、この附則に特別の定めがある場合を除き、この法律の施行前にされた行政庁の処分、この法律の施行前にされた申請に係る行政庁の不作為その他この法律の施行前に生じた事項についても適用する。ただし、この法律による改正前の規定によつて生じた効力を妨げない。

3　この法律の施行前に提起された訴願、審査の請求、異議の申立てその他の不服申立て（以下「訴願等」という。）については、この法律の施行後も、なお従前の例による。この法律の施行前にされた訴願等の裁決、決定その他の処分（以下「裁決等」という。）又はこの法律の施行前に提起された訴願等につきこの法律の施行後にされる裁決等にさらに不服がある場合の訴願等についても、同様とする。

4　前項に規定する訴願等で、この法律の施行後は行政不服審査法による不服申立てをすることができることとなる処分に係るものは、同法以外の法律の適用については、行政不服審査法による不服申立てとみなす。

5　第三項の規定によりこの法律の施行後にされる審査の請求、異議の申立てその他の不服申立ての裁決等については、行政不服審査法による不服申立てをすることができない。

6　この法律の施行前にされた行政庁の処分で、この法律による改正前の規定により訴願等をすることができるものとされ、かつ、その提起期間が定められていなかつたものについて、行政不服審査法による不服申立てをすることができる期間は、この法律の施行の日から起算する。

8　この法律の施行前にした行為に対する罰則の適用については、なお従前の例による。

9　前八項に定めるもののほか、この法律の施行に関して必要な経過措置は、政令で定める。

附　則〔略〕〔昭和四二・七・二〇法律七三〕

附　則〔略〕〔昭和四三・六・一五法律一〇一〕

附　則〔抄〕〔昭和五一・五・二五法律二八〕

（施行期日）

1　この法律は、公布の日から起算して三月を超えない範囲内において政令で定める日から施行する。

〔昭和五一政二二七により、昭和五一・八・二三から施行〕

（経過措置）

2　この法律の施行の際現に地方公共団体が設置している都市公園で、第二条の規定による改正後の都市公園法（以下「新法」という。）第二条の二の政令で定める事項が公告されていないものは、同条の規定にかかわらず、この法律の施行の日において新法の都市公園となるものとする。

3　前項の都市公園の公園管理者は、この法律の施行の日から三月以内に、当該都市公園について新法第二条の二の政令で定める事項を公告しなければならない。

4　この法律の施行前にした行為に対する罰則の適用については、なお従前の例による。

附　則〔略〕〔昭和五六・五・二二法律四八〕

附　則〔抄〕〔昭和五九・八・一〇法律七一〕

（施行期日）

第一条　この法律は、昭和六十年四月一日から施行する。〔以下略〕

（都市公園法の一部改正に伴う経過措置）

第二五条　この法律の施行前に第五十七条の規定による改正前の都市公園法第九条の規定により旧公社が公園管理者とした協議に基づく占用は、第五十七条の規定による改正後の都市公園法第六条第一項及び第三項の規定により会社に対して公園管理者がした許可に基づく占用とみなす。

（政令への委任）

第二七条　附則第二条から前条までに定めるもののほか、この法律の施行に関し必要な経過措置は、政令で定める。

附　則〔抄〕〔昭和五九・一二・二五法律八七〕

（施行期日）

第一条　この法律は、昭和六十年四月一日から施行する。〔以下略〕

（都市公園法の一部改正に伴う経過措置）

第二五条　この法律の施行前に第六十九条の規定による改正前の都市公園法第九条の規定により旧公社が公園管理者とした協議に基づく占用は、第六十九条の規定による改正後の都市公園法第六条第一項及び第三項の規定により会社に対して公園管理者がした許可に基づく占用とみなす。

（政令への委任）

第二八条　附則第二条から前条までに定めるもののほか、この法律の施行に関し必要な事項は、政令で定める。

附　則〔抄〕〔昭和六一・一二・四法律九三〕

（施行期日）

第一条　この法律は、昭和六十二年四月一日から施行する。〔以下略〕

（都市公園法の一部改正に伴う経過措置）

第四〇条　この法律の施行前に第百六十条の規定による改正前の都市公園法第九条の規定により日本国有鉄道が公園管理者とした協議に基づく占用は、政令で定めるところにより、第百六十条の規定による改正後の都市公園法第六条第一項及び第三項の規定により承継法人及び清算事業団のうち政令で定める者に対して公園管理者がした許可に基づく占用とみなす。

附　則〔略〕〔昭和六二・九・四法律八七〕

附　則〔抄〕〔平成五・一一・一二法律八九〕

（施行期日）

第一条　この法律は、行政手続法（平成五年法律第八十八号）の施行の日〔平成六・一〇・一〕から施行する。

（諮問等がされた不利益処分に関する経過措置）

第二条　この法律の施行前に法令に基づき審議会その他の合議制の機関に対し行政手続法第十三条に規定する聴聞又は弁明の機会の付与の手続その他の意見陳述のための手続に相当する手続を執るべきことの諮問その他の求めがされた場合においては、当該諮問その他の求めに係る不利益処分の手続に関しては、この法律による改正後の関係法律の規定にかかわらず、なお従前の例による。

（罰則に関する経過措置）

第一三条　この法律の施行前にした行為に対する罰則の適用については、なお従前の例による。

（聴聞に関する規定の整理に伴う経過措置）

第一四条　この法律の施行前に法律の規定により行われた聴聞、聴問若しくは聴聞会（不利益処分に係るものを除く。）又はこれらのための手続は、この法律による改正後の関係法律の相当規定により行われたものとみなす。

（政令への委任）

第一五条　附則第二条から前条までに定めるもののほか、この法律の施行に関して必要な経過措置は、政令で定める。

附　則〔略〕〔平成一一・六・一六法律七六〕

附　則〔略〕〔平成一一・一二・二二法律一六〇〕

附　則〔略〕〔平成一四・二・八法律一〕

附　則〔抄〕〔平成一四・七・三一法律九八〕

（施行期日）

第一条　この法律は、公社法〔日本郵政公社法〕の施行の日〔平成一五・四・一〕から施行する。ただし、次の各号に掲げる規定は、当該各号に定める日から施行する。

一　〔前略〕附則〔中略〕第三十九条の規定　公布の日

二　〔略〕

（罰則に関する経過措置）

第三八条　施行日前にした行為並びにこの法律の規定によりなお従前の例によることとされる場合及びこの附則の規定によりなおその効力を有することとされる場合における施行日以後にした行為に対する罰則の適用については、なお従前の例による。

（その他の経過措置の政令への委任）

第三九条　この法律に規定するもののほか、公社法及びこの法律の施行に関し必要な経過措置（罰則に関する経過措置を含む。）は、政令で定める。

附　則〔平成一四・七・三一法律一〇〇〕

（施行期日）

第一条　この法律は、民間事業者による信書の送達に関する法律（平成十四年法律第九十九号）の施行の日〔平成一五・四・一〕から施行する。

（罰則に関する経過措置）

第二条　この法律の施行前にした行為に対する罰則の適用については、なお従前の例による。

（その他の経過措置の政令への委任）

第三条　前条に定めるもののほか、この法律の施行に関し必要な経過措置は、政令で定める。

附　則〔抄〕〔平成一五・六・二〇法律一〇〇〕

（施行期日）

第一条　この法律は、平成十六年七月一日から施行する。〔以下略〕

（都市公園法の一部改正に伴う経過措置）

第三三条　機構が附則第十二条第一項の規定により設置し、又は管理する公園施設については、前条の規定による改正前の都市公園法第五条第三項の規定は、この法律の施行後も、なおその効力を有する。この場合において、同項中「都市基盤整備公団が都市基盤整備公団法（平成十一年法律第七十六号）第二十八条第一項第十一号」とあるのは「独立行政法人都市再生機構が独立行政法人都市再生機構法附則第十二条第一項第二号」と、「、都市基盤整備公団」とあるのは「、独立行政法人都市再生機構」とする。

附　則〔抄〕〔平成一六・六・一八法律一〇九〕

（施行期日）

第一条　この法律は、公布の日から起算して六月を超えない範囲内において政令で定める日から施行する。

〔平成一六政三九五により、平成一六・一二・一七から施行〕

（罰則に関する経過措置）

第五条　この法律の施行前にした行為に対する罰則の適用については、なお従前の例による。

（政令への委任）

第六条　附則第二条から前条までに定めるもののほか、この法律の施行に関して必要な経過措置は、政令で定める。

附　則〔抄〕〔平成二三・八・三〇法律一〇五〕

（施行期日）

第一条　この法律は、公布の日から施行する。ただし、次の各号に掲げる規定は、当該各号に定める日から施行する。

一　〔略〕

二　〔前略〕第百三条〔中略〕の規定並びに附則〔中略〕第四十七条から第四十九条まで〔中略〕の規定　平成二十四年四月一日

三～六　〔略〕

（都市公園法の一部改正に伴う経過措置）

第四九条　第百三条の規定の施行の日から起算して一年を超えない期間内に

おいて、同条の規定による改正後の都市公園法第三条第一項、第四条第一項本文又は同項ただし書の規定に基づく条例が制定施行されるまでの間は、同法第三条第一項の政令で定める技術的基準は同項の条例で定める基準と、百分の二は同法第四条第一項本文の条例で定める割合と、同項ただし書の政令で定める範囲は同項ただし書の条例で定める範囲とみなす。

（罰則に関する経過措置）

第八一条　この法律（附則第一条各号に掲げる規定にあっては、当該規定。以下この条において同じ。）の施行前にした行為及びこの附則の規定によりなお従前の例によることとされる場合におけるこの法律の施行後にした行為に対する罰則の適用については、なお従前の例による。

（政令への委任）

第八二条　この附則に規定するもののほか、この法律の施行に関し必要な経過措置（罰則に関する経過措置を含む。）は、政令で定める。

附　則〔略〕〔平成二六・六・一三法律六九〕

附　則〔抄〕〔平成二九・五・一二法律二六〕

（施行期日）

第一条　この法律は、公布の日から起算して二月を超えない範囲内において政令で定める日から施行する。ただし、次の各号に掲げる規定は、当該各号に定める日から施行する。

〔平成二九政一五五により、平成二九・六・一五から施行〕

一　附則第二十五条の規定　公布の日

二　〔前略〕第二条中都市公園法第三条第二項の改正規定及び同条の次に一条を加える改正規定〔中略〕公布の日から起算して一年を超えない範囲内において政令で定める日

〔平成二九政一五五により、平成三〇・四・一から施行〕

（罰則に関する経過措置）

第四条　施行日前にした行為に対する罰則の適用については、なお従前の例による。

（検討）

第五条　政府は、この法律の施行後五年を経過した場合において、第一条、第二条及び第四条から第六条までの規定による改正後の規定の施行の状況について検討を加え、必要があると認めるときは、その結果に基づいて必要な措置を講ずるものとする。

（政令への委任）

第二五条　この附則に定めるもののほか、この法律の施行に関し必要な経過措置は、政令で定める。

附　則〔抄〕〔令和六・五・二九法律四〇〕

（施行期日）

第一条　この法律は、公布の日から起算して六月を超えない範囲内において政令で定める日から施行する。〔以下略〕

○都市公園法施行令

〔昭和三一・九・一一／政令二九〇〕

改正　昭和三二・九政二九八、昭和三六・六政二一一、八政二九四、昭和四〇・四政一二〇、昭和四四・六政一五八、八政二三二、昭和五一・八政二二八、昭和五二・四政九四、昭和五六・八政二六八、昭和五七・五政一四三、昭和五八・六政一三五、昭和六〇・五政一三三、昭和六一・五政一五四、昭和六二・九政二九五、平成元・四政一〇八、平成三・三政九八、平成五・三政九四、六政二三五、平成六・九政三〇三、平成七・三政七七、平成八・五政一四三、平成一一・四政一四一、八政二五六、平成一二・六政三一一、平成一四・二政二七、平成一五・三政一〇一、一二政五二三、平成一六・四政一六〇、一二政三九六、政三九九、政四二一、平成二〇・一〇政三三八、平成二二・三政七八、平成二三・一一政三六三、平成二四・六政一七八、一一政二八四、平成二七・八政三〇三、一一政三九二、平成二八・八政二八八、一二政三九三、平成二九・六政一五六、平成三〇・三政五四、令和二・九政二六八、令和六・三政一六一

目次

第一章　都市公園の設置（第一条―第九条）
第二章　都市公園の管理（第十条―第二十一条）
第三章　工作物等の保管の手続等（第二十二条―第二十七条）
第四章　都市公園に関する費用（第二十八条―第三十一条）
第五章　雑則（第三十二条・第三十三条）
附則

第一章　都市公園の設置

（都市公園の配置及び規模に関する技術的基準）

第一条　都市公園法（以下「法」という。）第三条第一項の政令で定める技術的基準は、次条及び第二条に定めるところによる。

（住民一人当たりの都市公園の敷地面積の標準）

第一条の二　一の市町村（特別区を含む。以下同じ。）の区域内の都市公園の住民一人当たりの敷地面積の標準は、十平方メートル（当該市町村の区域内に都市緑地法（昭和四十八年法律第七十二号）第五十五条第一項若しくは第二項の規定による市民緑地契約又は同法第六十三条に規定する認定計画に係る市民緑地（以下この条において単に「市民緑地」という。）が存するときは、十平方メートルから当該市民緑地の住民一人当たりの敷地面積を控除して得た面積）以上とし、当該市町村の市街地の都市公園の当該市街地の住民一人当たりの敷地面積の標準は、五平方メートル（当該市街地に市民緑地が存するときは、五平方メートルから当該市民緑地の当該市街地の住民一人当たりの敷地面積を控除して得た面積）以上とする。

（地方公共団体が設置する都市公園の配置及び規模の基準）

第二条　地方公共団体が次に掲げる都市公園を設置する場合においては、それぞれその特質に応じて当該市町村又は都道府県における都市公園の分布の均衡を図り、かつ、防火、避難等災害の防止に資するよう考慮するほか、次に掲げるところによりその配置及び規模を定めるものとする。

一　主として街区内に居住する者の利用に供することを目的とする都市公園は、街区内に居住する者が容易に利用することができるように配置し、その敷地面積は、〇・二五ヘクタールを標準として定めること。

二　主として近隣に居住する者の利用に供することを目的とする都市公園は、近隣に居住する者が容易に利用することができるように配置し、その敷地面積は、二ヘクタールを標準として定めること。

三　主として徒歩圏域内に居住する者の利用に供することを目的とする都市公園は、徒歩圏域内に居住する者が容易に利用することができるように配置し、その敷地面積は、四ヘクタールを標準として定めること。

四　主として一の市町村の区域内に居住する者の休息、観賞、散歩、遊戯、運動等総合的な利用に供することを目的とする都市公園、主として運動の用に供することを目的とする都市公園及び一の市町村の区域を超える広域の利用に供することを目的とする都市公園で、休息、観賞、散歩、遊戯、運動等総合的な利用に供されるものは、容易に利用することができるように配置し、それぞれその利用目的に応じて都市公園としての機能を十分発揮することができるようにその敷地面積を定めること。

2　地方公共団体が、主として公害又は災害を防止することを目的とする緩衝地帯としての都市公園、主として風致の享受の用に供することを目的とする都市公園、主として動植物の生息地又は生育地である樹林地等の保護を目的とする都市公園、主として市街地の中心部における休息又は観賞の用に供することを目的とする都市公園等前項各号に掲げる都市公園以外の都市公園を設置する場合においては、それぞれその設置目的に応じて都市公園としての機能を十分発揮することができるように配置し、及びその敷地面積を定めるものとする。

（国が設置する都市公園の配置、規模、位置及び区域の選定並びに整備の基準）

第三条　法第三条第三項の政令で定める都市公園の配置、規模、位置及び区域の選定並びに整備に関する技術的基準は、次の表のとおりとする。

区分＼基準	災害時に広域的な災害救援活動の拠点となるものとして国が設置する都市公園	国が設置するその他の都市公園
配置	大規模な災害により国民経済上重大な損害を生ずるおそれがある区域として国土交通省令で定める都道府県の区域ごとに一箇所配置すること。	一般の交通機関による到達距離が二百キロメートルを超えない土地の区域を誘致区域とし、かつ、周辺の人口、交通の条件等を勘案して配置すること。
規模	災害時において物資の調達、配分及び輸送その他の広域的な災害救援活動を行うのに必要な規模以上とすること。	おおむね三百ヘクタール以上とすること。
位置及び区域の選定	災害時における物資の調達及び輸送の利便性を勘案して、広域的な災害救援活動の拠点としての機能を効率的に発揮する上で適切な土地の区域とすること。	できるだけ良好な自然的条件を有する土地又は歴史的意義を有する土地を含む土地の区域とすること。
公園施設の整備	広域的な災害救援活動の拠点としての機能を適切に発揮するため、広場、備蓄倉庫その他必要な公園施設を、大規模な地震に対する耐震性を有するものとして整備すること。	良好な自然的条件又は歴史的意義を有する土地が有効に利用されるように配慮し、当該都市公園の誘致区域内にある他の都市公園の公園施設の整備状況を勘案して、多様なレクリエーションの需要に応ずることができるように公園施設を整備すること。

（立体都市公園の設置基準）

第四条　法第二十一条の政令で定める立体都市公園の設置に関する基準は、次に掲げるとおりとする。

一　当該立体都市公園を徒歩により容易に利用することができるように傾斜路、階段、昇降機その他の経路によつて道路、駅その他の公衆の利用に供する施設と連絡していること。

二　標識の設置又はこれに準ずる適当な方法により、当該立体都市公園の設置場所及びそこに至る経路を明示すること。

（公園施設の種類）

第五条　法第二条第二項第二号の政令で定める修景施設は、植栽、芝生、花壇、いけがき、日陰たな、噴水、水流、池、滝、つき山、彫像、灯籠、石組、飛石その他これらに類するものとする。

2　法第二条第二項第三号の政令で定める休養施設は、次に掲げるものとする。

一　休憩所、ベンチ、野外卓、ピクニック場、キャンプ場その他これらに類するもの

二　前号に掲げるもののほか、都市公園ごとに、地方公共団体の設置に係る都市公園にあつては当該地方公共団体が条例で定める休養施設、国の設置に係る都市公園にあつては国土交通大臣が定める休養施設

3　法第二条第二項第四号の政令で定める遊戯施設は、次に掲げるものとする。

一　ぶらんこ、滑り台、シーソー、ジャングルジム、ラダー、砂場、徒渉池、舟遊場、魚釣場、メリーゴーラウンド、遊戯用電車、野外ダンス場その他これらに類するもの

二　前号に掲げるもののほか、都市公園ごとに、地方公共団体の設置に係る都市公園にあつては当該地方公共団体が条例で定める遊戯施設、国の設置に係る都市公園にあつては国土交通大臣が定める遊戯施設

4　法第二条第二項第五号の政令で定める運動施設は、次に掲げるものとする。

一　野球場、陸上競技場、サッカー場、ラグビー場、テニスコート、バスケットボール場、バレーボール場、ゴルフ場、ゲートボール場、水泳プール、温水利用型健康運動施設、ボート場、スケート場、スキー場、相撲場、弓場、乗馬場、鉄棒、つり輪、リハビリテーション用運動施設その他これらに類するもの及びこれらに附属する観覧席、更衣所、控室、運動用具倉庫、シャワーその他これらに類する工作物

二　前号に掲げるもののほか、都市公園ごとに、地方公共団体の設置に係る都市公園にあつては当該地方公共団体が条例で定める運動施設、国の設置に係る都市公園にあつては国土交通大臣が定める運動施設

5　法第二条第二項第六号の政令で定める教養施設は、次に掲げるものとする。

一　植物園、温室、分区園、動物園、動物舎、水族館、自然生態園、野鳥観察所、動植物の保護繁殖施設、野外劇場、野外音楽堂、図書館、陳列館、天体又は気象観測施設、体験学習施設、記念碑その他これらに類するもの

二　古墳、城跡、旧宅その他の遺跡及びこれらを復原したもので歴史上又は学術上価値の高いもの

三　前二号に掲げるもののほか、都市公園ごとに、地方公共団体の設置に係る都市公園にあつては当該地方公共団体が条例で定める教養施設、国の設置に係る都市公園にあつては国土交通大臣が定める教養施設

6　法第二条第二項第七号の政令で定める便益施設は、飲食店（風俗営業等の規制及び業務の適正化等に関する法律（昭和二十三年法律第百二十二号）第二条第四項に規定する接待飲食等営業に係るものを除く。）、売店、宿泊施設、駐車場、園内移動用施設及び便所並びに荷物預り所、時計台、水飲場、手洗場その他これらに類するものとする。

7　法第二条第二項第八号の政令で定める管理施設は、門、柵、管理事務所、詰所、倉庫、車庫、材料置場、苗畑、掲示板、標識、照明施設、ごみ処理場（廃棄物の再生利用のための施設を含む。以下同じ。）、くず箱、水道、井戸、暗渠、水門、雨水貯留施設、水質浄化施設、護岸、擁壁、発電施設（環境への負荷の低減に資するものとして国土交通省令で定めるものに限る。第三十一条第八号において同じ。）その他これらに類するものとする。

8　法第二条第二項第九号の政令で定める施設は、展望台及び集会所並びに食糧、医薬品等災害応急対策に必要な物資の備蓄倉庫その他災害応急対策に必要な施設で国土交通省令で定めるものとする。

（公園施設の建築面積の基準の特例が認められる特別の場合等）

第六条　法第四条第一項ただし書の政令で定める特別の場合は、次に掲げる場合とする。

一　前条第二項に規定する休養施設、同条第四項に規定する運動施設、同条第五項に規定する教養施設、同条第八項に規定する備蓄倉庫その他同項の国土交通省令で定める災害応急対策に必要な施設又は自然公園法（昭和三十二年法律第百六十一号）に規定する都道府県立自然公園の利用のための施設である建築物（次号に掲げる建築物を除く。）を設ける場合

二　前号の休養施設又は教養施設である建築物のうち次のイからハまでのいずれかに該当する建築物を設ける場合

イ　文化財保護法（昭和二十五年法律第二百十四号）の規定により国宝、重要文化財、重要有形民俗文化財、特別史跡名勝天然記念物若しくは史跡名勝天然記念物として指定され、又は登録有形文化財、登録有形民俗文化財若しくは登録記念物として登録された建築物その他これらに準じて歴史上又は学術上価値の高いものとして国土交通省令で定める建築物

ロ　景観法（平成十六年法律第百十号）の規定により景観重要建造物として指定された建築物

ハ　地域における歴史的風致の維持及び向上に関する法律（平成二十年法律第四十号）の規定により歴史的風致形成建造物として指定された建築物

三　屋根付広場、壁を有しない雨天用運動場その他の高い開放性を有する建築物として国土交通省令で定めるものを設ける場合

四　仮設公園施設（三月を限度として公園施設として臨時に設けられる建築物をいい、前三号に規定する建築物を除く。）を設ける場合

2　地方公共団体の設置に係る都市公園についての前項第一号に掲げる場合に関する法第四条第一項ただし書の政令で定める範囲は、同号に規定する建築物に限り、当該都市公園の敷地面積の百分の十を限度として同項本文

の規定により認められる建築面積を超えることができることとする。

3　地方公共団体の設置に係る都市公園についての第一項第二号に掲げる場合に関する法第四条第一項ただし書の政令で定める範囲は、同号に規定する建築物に限り、当該都市公園の敷地面積の百分の二十を限度として同項本文の規定により認められる建築面積を超えることができることとする。

4　地方公共団体の設置に係る都市公園についての第一項第三号に掲げる場合に関する法第四条第一項ただし書の政令で定める範囲は、同号に規定する建築物に限り、当該都市公園の敷地面積の百分の十を限度として同項本文又は前二項の規定により認められる建築面積を超えることができることとする。

5　地方公共団体の設置に係る都市公園についての第一項第四号に掲げる場合に関する法第四条第一項ただし書の政令で定める範囲は、同号に規定する建築物に限り、当該都市公園の敷地面積の百分の二を限度として同項本文又は前三項の規定により認められる建築面積を超えることができることとする。

6　地方公共団体の設置に係る都市公園についての認定公募設置等計画に基づき公募対象公園施設である建築物（第一項各号に規定する建築物を除く。）を設ける場合に関する法第五条の九第一項の規定により読み替えて適用する法第四条第一項ただし書の政令で定める範囲は、当該公募対象公園施設である建築物に限り、当該都市公園の敷地面積の百分の十を限度として同項本文の規定により認められる建築面積を超えることができることとする。

7　地方公共団体の設置に係る都市公園についての公園施設設置管理協定（都市再生特別措置法（平成十四年法律第二十二号）第六十二条の三第一項に規定する公園施設設置管理協定をいう。第十条の二及び第十四条第一号ニにおいて同じ。）に基づき滞在快適性等向上公園施設（同法第四十六条第十四項第二号ロに規定する滞在快適性等向上公園施設をいう。以下この項及び第十条の二第十二号において同じ。）である建築物（第一項各号に規定する建築物を除く。）を設ける場合に関する同法第六十二条の七第一項の規定により読み替えて適用する法第四条第一項ただし書の政令で定める範囲は、当該滞在快適性等向上公園施設である建築物に限り、当該都市公園の敷地面積の百分の十を限度として同項本文の規定により認められる建築面積を超えることができることとする。

8　国の設置に係る都市公園についての法第四条第一項ただし書（法第五条の九第一項又は都市再生特別措置法第六十二条の七第一項の規定により読み替えて適用する場合を含む。）の政令で定める範囲については、第二項から前項までの規定を準用する。

（公園施設の構造）

第七条　公園施設は、安全上及び衛生上必要な構造を有するものとしなければならない。

（公園施設に関する制限等）

第八条　一の都市公園に設ける運動施設の敷地面積の総計の当該都市公園の敷地面積に対する割合は、百分の五十を参酌して当該都市公園を設置する地方公共団体の条例で定める割合（国の設置に係る都市公園にあつては、百分の五十）を超えてはならない。

2　次の各号に掲げる公園施設は、それぞれ当該各号に掲げる敷地面積を有する都市公園でなければこれを設けてはならない。

一　メリーゴーラウンド、遊戯用電車その他これらに類する遊戯施設でその利用について料金を取ることを例とするもの　五ヘクタール以上

二　ゴルフ場　五十ヘクタール以上

3　都市公園に分区園を設ける場合においては、一の分区の面積は、五十平方メートルをこえてはならない。

4　都市公園に宿泊施設を設ける場合においては、当該都市公園の効用を全うするため特に必要があると認められる場合のほかこれを設けてはならない。

5　その利用に伴い危害を及ぼすおそれがあると認められる公園施設については、さくその他危害を防止するために必要な施設を設けなければならない。

6　都市公園において保安上必要と認められる場所には、照明施設を設けなければならない。

（都市公園の供用を開始するに当たり公告する事項）

第九条　法第二条の二の政令で定める事項は、都市公園の名称及び位置並びに供用開始の期日とする。

第二章　都市公園の管理

（都市公園の維持及び修繕に関する技術的基準）

第一〇条　法第三条の二第一項の政令で定める都市公園の維持及び修繕に関する技術的基準は、次のとおりとする。

一　都市公園の構造、利用状況又は維持若しくは修繕の状況、都市公園の存する地域の地形、地質又は気象の状況その他の状況（次号において「都市公園構造等」という。）を勘案して、適切な時期に、都市公園の巡視を行い、及び清掃、除草その他の都市公園の機能を維持するために必要な措置を講ずること。

二　都市公園の点検は、都市公園構造等を勘案して、適切な時期に、目視その他適切な方法により行うこと。

三　前号の点検その他の方法により都市公園の損傷、腐食その他の劣化その他の異状があることを把握したときは、都市公園の効率的な維持及び修繕が図られるよう、必要な措置を講ずること。

2　前項に規定するもののほか、都市公園の維持及び修繕に関する技術的基準は、国土交通省令で定める。

（公園管理者の権限の代行）

第一〇条の二　他の工作物の管理者が都市公園を管理する場合において、当該他の工作物の管理者が法第五条の十一の規定により当該都市公園の公園管理者に代わつて行うことのできる権限は、公園管理者の権限のうち次に掲げるもの以外のものとする。

一　法第五条の二の規定により、設置等予定者を選定するための評価の基準について学識経験者の意見を聴き、公募設置等指針を定め、及びこれを変更し、並びにこれを公示すること。

二　法第五条の四の規定により、公募設置等計画について審査し、及び評価を行い、設置等予定者の選定について学識経験者の意見を聴き、設置等予定者を選定し、並びにその旨を通知すること。

三　法第五条の五の規定により、公募対象公園施設の場所を指定し、公募設置等計画が適当である旨の認定をし、並びに当該認定をした日及び認定の有効期間並びに公募対象公園施設の場所を公示すること。

四　法第五条の六の規定により、公募設置等計画の変更の認定をし、並びに当該認定をした日及び認定の有効期間並びに公募対象公園施設の場所を公示すること。

五　法第五条の八の規定により、認定計画提出者が有していた計画の認定に基づく地位の承継の承認をすること。

六　法第十二条の三第二項の規定により国の設置に係る都市公園の設置及び管理に要する費用の一部を都道府県に対して負担させること。

七　法第十七条第一項の規定により、都市公園の台帳を作成し、及びこれを保管すること。

八　法第二十条の規定により都市公園の区域を立体的区域とすること。

九　法第二十二条第二項の規定により、協定を締結した旨を公示し、協定又はその写しを一般の閲覧に供し、及び閲覧に供している旨を掲示すること。

十　法第二十五条の規定により、公園保全立体区域を指定し、及びその旨を公告すること。

十一　都市再生特別措置法第四十六条第十七項（同項第三号及び第四号に係る部分に限る。）の規定により、都市再生整備計画（同条第一項に規定する都市再生整備計画をいう。第十四条第一号において同じ。）に記載しようとする事項又はその案について市町村から協議を受け、及び同意をすること。

十二　都市再生特別措置法第六十二条の三（同条第四項及び第五項にあつては、同法第六十二条の四において読み替えて準用する場合を含む。）の規定により、同法第六十二条の三第四項各号に掲げる事項（同法第六十二条の四において読み替えて準用する場合にあつては、同項第一号及び第二号に該当すること並びに公園施設設置管理協定の変更をすることについて都市公園の利用者の利便の一層の向上に寄与するものであると見込まれること又はやむを得ない事情があること）を確認し、公園施設設置管理協定を締結し、並びにその締結の日、滞在快適性等向上公園施設の場所及び公園施設設置管理協定の有効期間を公示すること。

十三　都市再生特別措置法第六十二条の五第一項に規定する協定一体型事業実施主体等が有していた公園施設

設置管理協定に基づく地位の承継の承認をすること。

（**公園管理者の権限を代行した場合における公園管理者への通知**）

第一一条　他の工作物の管理者が都市公園を管理する場合において、当該他の工作物の管理者が法第五条の十一の規定により当該都市公園の公園管理者に代わつて次に掲げる権限を行つたときは、遅滞なく、国土交通省令で定めるところにより、当該都市公園の公園管理者に通知しなければならない。

一　法第五条第一項又は法第六条第一項若しくは第三項の許可

二　法第九条の規定による協議

三　法第二十二条第一項の規定による協定の締結

四　法第二十六条第二項又は第四項の規定による必要な措置の命令

五　法第二十七条第一項又は第二項の規定による処分又は必要な措置の命令

（**占用物件**）

第一二条　法第五条の二第二項第六号の政令で定める物件又は施設は、次に掲げるものとする。

一　自転車駐車場

二　地域における催しに関する情報を提供するための看板及び広告塔

2　法第七条第一項第七号の政令で定める工作物その他の物件又は施設は、次に掲げるものとする。

一　標識

一の二　食糧、医薬品等災害応急対策に必要な物資の備蓄倉庫その他災害応急対策に必要な施設で国土交通省令で定めるもの

一の三　環境への負荷の低減に資する発電施設で国土交通省令で定めるもの

二　防火用貯水槽で地下に設けられるもの

二の二　蓄電池で地下に設けられるもの

二の三　国土交通省令で定める水道施設、下水道施設、河川管理施設、変電所及び熱供給施設で地下に設けられるもの

三　橋並びに道路、鉄道及び軌道で高架のもの

四　索道及び鋼索鉄道

五　警察署の派出所及びこれに附属する物件

六　天体、気象又は土地観測施設

七　工事用板囲い、足場、詰所その他の工事用施設

八　土石、竹木、瓦その他の工事用材料の置場

九　都市再開発法（昭和四十四年法律第三十八号）による市街地再開発事業に関する都市計画において定められた施行区域内の建築物に居住する者で同法第二条第六号に規定する施設建築物に入居することとなるものを一時収容するため必要な施設（国土交通省令で定めるものを除く。）及び密集市街地における防災街区の整備の促進に関する法律（平成九年法律第四十九号）による防災街区整備事業に関する都市計画において定められた施行区域内の建築物（当該防災街区整備事業の施行に伴い移転し、又は除却するものに限る。）に居住する者で当該防災街区整備事業の施行後に当該施行区域内に居住することとなるものを一時収容するため必要な施設（国土交通省令で定めるものを除く。）

十　前各号に掲げるもののほか、都市公園ごとに、地方公共団体の設置に係る都市公園にあつては当該地方公共団体が条例で定める仮設の物件又は施設、国の設置に係る都市公園にあつては国土交通大臣が定める仮設の物件又は施設

3　法第七条第二項の政令で定める社会福祉施設は、次に掲げるものとする。

一　児童福祉法（昭和二十二年法律第百六十四号）第六条の二の二第一項に規定する障害児通所支援事業（同条第四項に規定する居宅訪問型児童発達支援又は同条第五項に規定する保育所等訪問支援のみを行う事業を除く。）、同法第六条の三第二項に規定する放課後児童健全育成事業、同条第七項に規定する一時預かり事業又は同条第十項に規定する小規模保育事業の用に供する施設及び同法第三十九条第一項に規定する保育所

二　身体障害者福祉法（昭和二十四年法律第二百八十三号）第四条の二第一項に規定する身体障害者生活訓練等事業の用に供する施設及び同法第三十一条に規定する身体障害者福祉センター

三　老人福祉法（昭和三十八年法律第百三十三号）第二十条の二の二に規定する老人デイサービスセンター及び同法第二十条の七に規定する老人福祉センター

四　障害者の日常生活及び社会生活を総合的に支援するための法律（平成十七年法律第百二十三号）第五条第一項に規定する障害福祉サービス事業（同条第七項に規定する生活介護、同条第十二項に規定する自立訓練、同条第十三項に規定する就労移行支援又は同条第十四項に規定する就労継続支援を行う事業に限る。）の用に供する施設及び同条第二十七項に規定する地域活動支援センター

五　就学前の子どもに関する教育、保育等の総合的な提供の推進に関する法律（平成十八年法律第七十七号）第二条第七項に規定する幼保連携型認定こども園

六　前各号に掲げるもののほか、都市公園ごとに、前各号に掲げるものに準ずる社会福祉施設として、地方公共団体の設置に係る都市公園にあつては当該地方公共団体が条例で定めるもの、国の設置に係る都市公園にあつては国土交通大臣が定めるもの

（**法第六条第三項ただし書の政令で定める軽易な変更**）

第一三条　法第六条第三項ただし書の政令で定める軽易な変更は、次に掲げるものとする。

一　都市公園の占用をする公園施設以外の工作物その他の物件又は施設（以下「占用物件」という。）の模様替えで、当該占用物件の外観又は構造の著しい変更を伴わないもの

二　占用物件に対する物件の添加で、当該占用者が当該占用の目的に付随して行うもの

（**占用の期間**）

第一四条　法第六条第四項の政令で定める期間は、次に掲げるところによる。

一　次に掲げるものについては、十年

イ　法第七条第一項第一号から第三号までに掲げるもの並びに第十二条第一項各号、第二項第一号から第五号まで及び第三項各号に掲げるもの

ロ　都市再生特別措置法施行令（平成十四年政令第百九十号）第十八条第一号から第三号までに掲げるもの（都市再生整備計画に記載された都市再生特別措置法第四十六条第十二項に規定する事項に係るものに限る。）

ハ　都市再生特別措置法施行令第十九条に規定するもの（都市再生整備計画に記載された都市再生特別措置法第四十六条第十四項第一号に定める事項に係るものに限る。）

ニ　都市再生特別措置法施行令第二十条各号に掲げるもの（公園施設設置管理協定において定められた都市再生特別措置法第六十二条の三第二項第九号に掲げる事項に係るものに限る。）

二　法第七条第一項第四号に掲げるもの及び第十二条第二項第六号に掲げるものについては、三年

三　法第七条第一項第五号に掲げるもの並びに第十二条第二項第九号及び第十号に掲げるものについては、一年

四　法第七条第一項第六号に掲げるもの並びに第十二条第二項第七号及び第八号に掲げるものについては、三月

（**占用物件の外観、構造等**）

第一五条　占用物件の外観及び配置は、できる限り都市公園の風致及び美観その他都市公園としての機能を害しないものとしなければならない。

2　地上に設ける占用物件の構造は、倒壊、落下等を防止する措置を講ずる等公園施設の保全又は公衆の都市公園の利用に支障を及ぼさないものとしなければならない。

3　地下に設ける占用物件の構造は、堅固で耐久力を有するとともに、公園施設の保全、他の占用物件の構造又は公衆の都市公園の利用に支障を及ぼさないものとしなければならない。

（**占用に関する制限**）

第一六条　都市公園の占用については、次に掲げるところによらなければならない。

一　電線は、やむを得ない場合を除き、地下に設けること。

二　水道管、ガス管又は下水道管の本線を埋設する場合においては、その頂部と地面との距離は、原則として一・五メートル以下としないこと。ただし、幅員五メートル以上の園路その他通常重量物の圧力を受けるおそれの多い場所の地下に下水道管の本線を埋設する場合においては、原則として三メートル以下としないこと。

三　法第七条第一項第三号に掲げるもの並びに第十二条第二項第二号の三に掲げる水道施設及び下水道施設については、その頂部と地面との距離は、原則として一・五メートル以下としないこと。

三の二　第十二条第一項第一号に掲げる自転車駐車場は、都市公園の外周に接する場所その他のできる限り公衆の都市公園の利用に支障を及ぼさない場所に設けること。
三の三　第十二条第一項第二号に掲げる看板及び広告塔は、都市公園の風致の維持又は美観の形成に寄与するものであること。
四　防火用貯水槽で地下に設けられるものについては、その頂部と地面との距離は、原則として一メートル以下としないこと。
四の二　蓄電池で地下に設けられるもの並びに第十二条第二項第二号の三に掲げる河川管理施設、変電所及び熱供給施設については、その頂部と地面との距離は、原則として三メートル以下としないこと。
五　第十二条第二項第三号に掲げるものを園路の上に設ける場合においては、その園路の上に設けられる部分の最下部と園路の路面との距離は、原則として四・五メートル以下としないこと。
六　警察署の派出所の建築面積は三十平方メートル以内、天体、気象又は土地観測施設の建築面積は十平方メートル以内であること。
六の二　第十二条第三項各号に掲げる社会福祉施設は、都市公園の広場又は公園施設である建築物内に設けること。この場合において、当該社会福祉施設を都市公園の広場内に設ける場合にあつてはその敷地面積の合計は当該都市公園の広場の敷地面積の百分の三十を、当該社会福祉施設を公園施設である建築物内に設ける場合にあつてはその床面積の合計は当該建築物の延べ面積の百分の五十を、それぞれ超えないこと。
六の三　第十二条第二項第一号の二に掲げる災害応急対策に必要な施設及び同項第一号の三に掲げる発電施設は、国土交通省令で定める基準に適合すること。
七　変圧塔を設ける場合においては、当該都市公園は、五ヘクタール以上の敷地面積を有するものであること。
八　第十二条第二項第九号に掲げる施設を設ける場合においては、当該都市公園は当該市街地再開発事業又は防災街区整備事業に関する都市計画において定められた施行区域に近接するもので〇・五ヘクタール以上の敷地面積を有するものであり、占用する公園施設は広場とし、建築面積の総計は広場の敷地面積の百分の三十を超えないこと。
九　第十二条第二項第十号に掲げる仮設の施設（建築物に限る。）を設ける場合においては、占用することができる都市公園は〇・五ヘクタール以上の敷地面積を有するものとし、占用の場所は都市公園の広場内とし、建築面積の総計はその広場の敷地面積の百分の三十を超えないこと。
十　第十二条第二項第一号の三に掲げる発電施設及び同項第二号の三に掲げるものを設ける場合においては、当該都市公園は、国土交通省令で定める基準に該当するものであること。

（占用に関する工事）

第一七条　占用に関する工事については、次の各号に掲げるところによらなければならない。
一　当該工事によつて公衆の都市公園の利用に支障を及ぼさないようできる限り必要な措置を講ずること。
二　工事現場には、さく又はおおいを設け、夜間は赤色灯をつけ、その他公衆の都市公園の利用に伴う危険を防止するため必要な措置を講ずること。
三　工事の時期は、公園施設に関する工事又は他の占用に関する工事の時期を勘案して適当な時期とし、かつ、公衆の都市公園の利用に著しく支障を及ぼさない時期とすること。

（法第十一条第四号の政令で定める行為）

第一八条　法第十一条第四号の政令で定める行為は、次に掲げるものとする。
一　土石の採取その他の土地の形質の変更をすること。
二　動物を捕獲し、又は殺傷すること。
三　公園管理者が指定した場所以外の場所でたき火をすること。
四　公園管理者が指定した立入禁止区域内に立ち入ること。
五　公園管理者が指定した場所以外の場所に車両を乗り入れること。
六　はり紙、はり札その他の広告物を表示すること。

（法第十二条第一項第三号の政令で定める行為）

第一九条　法第十二条第一項第三号の政令で定める行為は、次に掲げるものとする。
一　募金、署名運動その他これらに類する行為をすること。
二　ロケーションをすること。

（国の設置に係る都市公園の使用料の徴収）

第二〇条　国土交通大臣は、国の設置に係る都市公園について、法第五条第一項又は法第六条第一項若しくは第三項（法第三十三条第四項においてこれらの規定を準用する場合を含む。）の許可を受けた者（法第九条（法第三十三条第四項において準用する場合を含む。）の規定により公園管理者と協議が成立した者を含む。）から、公園施設の設置若しくは管理又は都市公園の占用（以下「公園施設の設置等」という。）につき、国土交通省令で定めるところにより、使用料を徴収するものとする。ただし、当該公園施設の設置等が次に掲げる公園施設又は占用物件に係るものであり、かつ、営利を目的とし、又は利益をあげるものでないときは、この限りでない。
一　公園施設で国土交通大臣が指定するもの
二　占用物件で都市公園の機能を高めるものとして国土交通大臣が指定するもの
2　国土交通大臣は、前項本文に定める場合のほか、国の設置に係る都市公園を利用する者から、国土交通省令で定めるところにより、入園料その他の使用料を徴収することができる。

（国の設置に係る都市公園の公開日時等）

第二一条　国の設置に係る都市公園の公開日時その他当該都市公園の利用について必要な事項は、国土交通大臣が定める。

第三章　工作物等の保管の手続等

（工作物等を保管した場合の公示事項）

第二二条　法第二十七条第五項の政令で定める事項は、次に掲げるものとする。
一　保管した工作物その他の物件又は施設（以下この章において「工作物等」という。）の名称又は種類、形状及び数量
二　保管した工作物等の放置されていた場所及び当該工作物等を除却した日時
三　その工作物等の保管を始めた日時及び保管の場所
四　前三号に掲げるもののほか、保管した工作物等を返還するため必要と認められる事項

（工作物等を保管した場合の公示の方法）

第二三条　法第二十七条第五項の規定による公示は、次に掲げる方法により行わなければならない。
一　前条各号に掲げる事項を、保管を始めた日から起算して十四日間、当該公園管理者の事務所に掲示すること。
二　前号の掲示に係る工作物等のうち特に貴重と認められるものについては、同号の掲示の期間が満了しても、なおその工作物等の所有者、占有者その他当該工作物等について権原を有する者（第二十七条において「所有者等」という。）の氏名及び住所を知ることができないときは、その掲示の要旨を官報又は新聞紙に掲載すること。
2　公園管理者は、前項に規定する方法による公示を行うとともに、国土交通省令で定める様式による保管工作物等一覧簿を当該公園管理者の事務所に備え付け、かつ、これをいつでも関係者に自由に閲覧させなければならない。

（工作物等の価額の評価の方法）

第二四条　法第二十七条第六項の規定による工作物等の価額の評価は、取引の実例価格、当該工作物等の使用年数、損耗の程度その他当該工作物等の価額の評価に関する事情を勘案してするものとする。この場合において、公園管理者は、必要があると認めるときは、工作物等の価額の評価に関し専門的知識を有する者の意見を聴くことができる。

（保管した工作物等を売却する場合の手続）

第二五条　法第二十七条第六項の規定による保管した工作物等の売却は、競争入札に付して行わなければならない。ただし、競争入札に付しても入札者がない工作物等その他競争入札に付することが適当でないと認められる工作物等については、随意契約により売却することができる。

第二六条　公園管理者は、前条本文の規定による競争入札のうち一般競争入札に付そうとするときは、その入札期日の前日から起算して少なくとも五日前までに、その工作物等の名称又は種類、形状、数量その他国土交通省令で定める事項を当該公園管理者の事務所に掲示し、又はこれに準ずる適

当な方法で公示しなければならない。

2　公園管理者は、前条本文の規定による競争入札のうち指名競争入札に付そうとするときは、なるべく三人以上の入札者を指定し、かつ、それらの者に当該工作物等の名称又は種類、形状、数量その他国土交通省令で定める事項をあらかじめ通知しなければならない。

3　公園管理者は、前条ただし書の規定による随意契約によろうとするときは、なるべく二人以上の者から見積書を徴さなければならない。

（工作物等を返還する場合の手続）

第二七条　公園管理者は、法第二十七条第四項（法第三十三条第四項において準用する場合を含む。）の規定により保管した工作物等（法第二十七条第六項（法第三十三条第四項において準用する場合を含む。）の規定により売却した代金を含む。）を当該工作物等の所有者等に返還するときは、返還を受ける者にその氏名及び住所を証するに足りる書類の提示その他必要な情報の提供を求める方法によつてその者が当該工作物等の返還を受けるべき所有者等であることを証明させ、かつ、国土交通省令で定める様式による受領書と引換えに返還するものとする。

第四章　都市公園に関する費用

（国の設置に係る都市公園の設置及び管理に要する費用についての都道府県の負担）

第二八条　都道府県が法第十二条の三第一項の規定により負担すべき金額は、各年度ごとに、都市公園の新設に要する費用にあつては当該費用の額から法第十三条又は法第十四条第二項の規定による負担金で当該新設に係るものの額及び第二十条の規定により徴収される使用料で当該都市公園が設置されるまでの間に係るものの額を控除した額に、都市公園の改築に要する費用にあつては当該費用の額から法第十三条又は法第十四条第二項の規定による負担金で当該改築に係るものの額を控除した額に、都市公園の公共土木施設災害復旧事業費国庫負担法（昭和二十六年法律第九十七号）の規定の適用を受ける災害復旧事業に要する費用にあつては当該費用の額に、それぞれ三分の一を乗じて得た額とする。

（納付の通知）

第二九条　国土交通大臣は、国の設置に係る都市公園の設置及び管理に要する費用の負担に関し、法第十二条の三第一項又は第二項の規定によりその費用を負担すべき都道府県に対し、それぞれその負担すべき額を納付すべき旨を通知しなければならない。

（都道府県の負担金の予定額の通知）

第三〇条　国土交通大臣は、国の設置に係る都市公園の管理に要する費用の負担に関し、あらかじめ、法第十二条の三第一項又は第二項の規定によりその費用を負担すべき都道府県に対し、それぞれその負担すべき負担金の予定額を通知しなければならない。当該負担金の予定額に著しい変更があつたときも、同様とする。

（都市公園に関する費用の補助額）

第三一条　法第二十九条の規定による国の地方公共団体に対する補助金の額は、都市公園の新設又は改築に要する費用のうち、次に掲げる公園施設の新設、増設又は改築に要する費用にあつては当該費用の額に二分の一を乗じて得た額とし、都市公園の用地の取得に要する費用にあつては当該費用の額に三分の一を乗じて得た額とする。

一　園路又は広場

二　修景施設

三　休養施設のうち、休憩所、ベンチ、野外卓、キャンプ場その他これらに類するもの

四　遊戯施設のうち、ぶらんこ、滑り台、シーソー、ジャングルジム、ラダー、砂場、徒渉池その他これらに類するもの

五　運動施設（ゴルフ場及びゴルフ練習場並びにこれらに附属する工作物並びに第五条第四項第二号に掲げる運動施設を除く。）

六　教養施設のうち、次のイ又はロのいずれかに該当するもの

イ　自然生態園、野鳥観察所、動植物の保護繁殖施設、野外劇場、野外音楽堂、体験学習施設その他これらに類するもの

ロ　古墳、城跡、旧宅その他の遺跡及びこれらを復原したもので歴史上又は学術上価値の高いもの（地域における歴史的風致の維持及び向上に関する法律第八条に規定する認定歴史的風致維持向上計画に同法第五条第二項第三号ロに掲げる事項としてその新設又は改築が定められたものに限る。）

七　便益施設のうち、駐車場、園内移動用施設、便所、時計台、水飲場、手洗場その他これらに類するもの

八　管理施設のうち、門、さく、管理事務所、苗畑、照明施設、ごみ処理場、水道、井戸、暗渠、水門、雨水貯留施設、水質浄化施設、護岸、擁壁、発電施設その他これらに類するもの

九　第五条第八項に掲げる施設のうち、展望台又は同項に規定する備蓄倉庫その他国土交通省令で定める災害応急対策に必要な施設（避難地又は避難路となる都市公園（災害対策基本法（昭和三十六年法律第二百二十三号）第二条第十号に規定する地域防災計画その他これに準ずる防災に関する計画において定められたものに限る。）に設けられるものに限る。）

第五章　雑則

（損失補償の裁決申請手続）

第三二条　法第二十八条第三項の規定により土地収用法（昭和二十六年法律第二百十九号）第九十四条の規定による裁決を申請しようとする者は、国土交通省令で定める様式に従い、次に掲げる事項を記載した裁決申請書を収用委員会に提出しなければならない。

一　裁決申請者の氏名又は名称及び住所並びに法人にあつては、代表者の氏名

二　相手方の氏名又は名称及び住所

三　損失の事実

四　損失の補償の見積り及びその内容

五　協議の経過

（権限の委任）

第三三条　法及び法に基づく政令に規定する国土交通大臣の権限のうち、次に掲げるもの以外のものは、地方整備局長及び北海道開発局長に委任する。ただし、法第三十条第二項及び法第三十一条の規定に基づく権限については、国土交通大臣が自ら行うことを妨げない。

一　法第十二条の三第二項の規定により負担金の一部を分担させ、及び同条第三項の規定により意見を聴くこと。

二　法第三十三条第二項の規定により都市公園を設置すべき区域を定め、及び同条第六項の規定により協議をすること。

三　法第三十四条第一項若しくは第二項の規定による再審査請求又は同条第三項の規定による審査請求に対して裁決をすること。

四　第二十条第一項第一号又は第二号の規定により使用料を徴収しない公園施設又は占用物件を指定すること。

五　第二十九条及び第三十条の規定により負担すべき額を納付すべき旨及び負担すべき負担金の予定額を通知すること。

附　則

（施行期日）

1　この政令は、昭和三十一年十月十五日から施行する。

（公園施設に関する制限等に関する経過措置）

2　この政令の施行の際現に権原に基づいて設けられている既設公園施設（法附則第三項に規定する既設公園施設をいう。以下この項において同じ。）が、第八条第一項から第三項までの規定に適合していない場合においても、当該公園施設は、それらの規定にかかわらず、この政令の施行の日以後においてもなお存置することができる。この政令の施行の際現に権原に基づいて新設、増設又は移転の工事が行われている既設公園施設についても、同様とする。

（占用の許可に関する技術的基準に関する経過措置）

3　法附則第五項又は法附則第六項の規定により法第六条第一項の許可を受けたものとみなされる工作物その他の物件又は施設については、当該許可を受けたものとみなされる期間中は、新たに当該工作物その他の物件又は施設を増設し、又は移転する場合を除き、この政令に規定する占用の許可に関する技術的基準は、適用しない。法附則第五項の規定により法第六条第一項の許可を受けたものとみなされる工作物その他の物件又は施設について占用の期間を更新する場合においても、同様とする。

（国が設置する都市公園の配置の暫定措置）

4　国が設置する法第二条第一項第二号イの都市公園の配置の基準については、当分の間、第三条の表配置の項中「大規模な災害により国民経済上重大な損害を生ずるおそれがある区域として国土交通省令で定める都道府県

の区域ごとに」とあるのは「埼玉県、千葉県、東京都及び神奈川県の区域に」と、「一般の交通機関による到達距離が二百キロメートルを超えない土地の区域を誘致区域とし、かつ、周辺の人口、交通の条件等を勘案して」とあるのは「国土交通省令で定める都府県の区域及び道の区域ごとに一箇所」とする。

（平成二十二年度の特例）

5　平成二十二年度において都道府県が法第十二条の三第一項の規定により負担すべき金額は、第二十八条の規定にかかわらず、同条の規定により算定した額に、次に掲げる工事に要する費用の合計額から、法第十三条又は法第十四条第二項の規定による負担金で当該工事に係るものの額と第二十条の規定により徴収される使用料の額に当該都市公園の維持その他の管理（第二十八条に規定する災害復旧事業を除く。）に要する費用の額に対する当該工事に要する費用の額の合計額の割合を乗じて得た額とを合計した額を控除した額に、十分の四・五を乗じて得た額を加えた額とする。

一　園路の舗装工事であつて、都市公園を利用する者の通行の危険を防止するために速やかに行う必要があるもの

二　老朽化し、又は損傷した遊戯施設の機能を回復するための工事であつて、その利用に伴う危険を防止するために速やかに行う必要があるもの

三　老朽化し、又は損傷した管理施設の機能を回復するための工事であつて、都市公園を利用する者に対する危害を防止するために速やかに行う必要があるもの

（法附則第十項の規定による貸付金の償還期間等）

6　法附則第十一項の政令で定める期間は、五年（二年の据置期間を含む。）とする。

7　前項の期間は、日本電信電話株式会社の株式の売払収入の活用による社会資本の整備の促進に関する特別措置法（昭和六十二年法律第八十六号）第五条第一項の規定により読み替えて準用される補助金等に係る予算の執行の適正化に関する法律（昭和三十年法律第百七十九号）第六条第一項の規定による貸付けの決定（以下「貸付決定」という。）ごとに、当該貸付決定に係る法附則第十項の規定による貸付金（以下「国の貸付金」という。）の交付を完了した日（その日が当該貸付決定があつた日の属する年度の末日の前日以後の日である場合には、当該年度の末日の前々日）の翌日から起算する。

8　国の貸付金の償還は、均等年賦償還の方法によるものとする。

9　国は、国の財政状況を勘案し、相当と認めるときは、国の貸付金の全部又は一部について、前三項の規定により定められた償還期限を繰り上げて償還させることができる。

10　法附則第十四項の政令で定める場合は、前項の規定により償還期限を繰り上げて償還を行つた場合とする。

附　則〔昭和四〇・四・八政令一二〇〕

1　この政令は、公布の日から施行する。

2　この政令による改正後の第四条第一項ただし書の規定は、次の各号に掲げる建築物については、適用しない。

一　この政令の施行の際現に権原に基づいて動物園に公園施設として設けられている建築物

二　この政令の施行の際現に権原に基づいて設けられている運動施設の用に供する観覧席で建築物であるもの

三　この政令の施行の際現に権原に基づいて新設、増設又は移転の工事が行なわれている建築物で、動物園に公園施設として設けられるもの及び運動施設の用に供する観覧席であるもの

附　則〔略〕〔昭和四四・六・一三政令一五八〕

附　則〔略〕〔昭和五一・八・二〇政令二二八〕

附　則〔略〕〔昭和五六・八・三政令二六八〕

附　則〔略〕〔昭和六〇・五・一八政令一三三〕

附　則〔略〕〔昭和六一・五・八政令一五四〕

附　則〔略〕〔平成元・四・一〇政令一〇八〕

附　則〔略〕〔平成三・三・三〇政令九八〕

改正　平成五・三政九四

（施行期日）

1　この政令は、平成三年四月一日から施行する。

（経過措置）

2　改正後〔中略〕の規定は、平成三年度及び平成四年度の予算に係る国の負担又は補助（平成二年度以前の年度の国庫債務負担行為に基づき平成三年度以降の年度に支出すべきものとされた国の負担又は補助を除く。）、平成三年度及び平成四年度の国庫債務負担行為に基づき平成五年度以降の年度に支出すべきものとされる国の負担又は補助並びに平成三年度及び平成四年度の歳出予算に係る国の負担又は補助で平成五年度以降の年度に繰り越されるものについて適用し、平成二年度以前の年度の国庫債務負担行為に基づき平成三年度以降の年度に支出すべきものとされた国の負担又は補助及び平成二年度以前の年度の歳出予算に係る国の負担又は補助で平成三年度以降の年度に繰り越されたものについては、なお従前の例による。

附　則〔抄〕〔平成五・三・三一政令九四〕

（施行期日）

1　この政令は、平成五年四月一日から施行する。

（経過措置）

2　改正後〔中略〕の規定は、平成五年度以降の年度の予算に係る国の負担又は補助（平成四年度以前の年度の国庫債務負担行為に基づき平成五年度以降の年度に支出すべきものとされた国の負担又は補助を除く。）について適用し、平成四年度以前の年度の国庫債務負担行為に基づき平成五年度以降の年度に支出すべきものとされた国の負担又は補助及び平成四年度以前の年度の歳出予算に係る国の負担又は補助で平成五年度以降の年度に繰り越されたものについては、なお従前の例による。

附　則〔略〕〔平成五・六・三〇政令二三五〕

附　則〔略〕〔平成六・九・一九政令三〇三〕

附　則〔略〕〔平成一一・八・一八政令二五六〕

附　則〔略〕〔平成一二・六・七政令三一二〕

附　則〔略〕〔平成一四・二・八政令二七〕

附　則〔略〕〔平成一五・三・二八政令一〇一施行〕

附　則〔平成一五・一二・一七政令五一三〕

（施行期日）

第一条　この政令は、密集市街地における防災街区の整備の促進に関する法律等の一部を改正する法律の施行の日（平成十五年十二月十九日）から施行する。

（罰則に関する経過措置）

第二条　この政令の施行前にした行為に対する罰則の適用については、なお従前の例による。

附　則〔抄〕〔平成一六・四・九政令一六〇〕

（施行期日）

第一条　この政令は、平成十六年七月一日から施行する。〔以下略〕

（都市公園法施行令の一部改正に伴う経過措置）

第二四条　機構が法附則第十二条第一項の規定により設置し、又は管理する公園施設については、前条の規定による改正前の都市公園法施行令第二十条第一項の規定は、この政令の施行後も、なおその効力を有する。この場合において、同項第一号中「都市基盤整備公団」とあるのは、「独立行政法人都市再生機構」とする。

附　則〔抄〕〔平成一六・一二・一五政令三九六〕

（施行期日）

第一条　この政令は、都市緑地保全法等の一部を改正する法律（以下「改正法」という。）の施行の日（平成十六年十二月十七日。以下「施行日」という。）から施行する。

（工作物等の保管の手続等に関する経過措置）

第三条　施行日前に改正法第二条の規定による改正前の都市公園法（昭和三十一年法律第七十九号）第十一条第三項（同法第二十三条第三項において準用する場合を含む。）の規定により公園管理者が工作物その他の物件若しくは施設を除却し、又は除却させた場合については、改正法第二条の規定による改正後の都市公園法第二十七条第四項から第十項までの規定（これらの規定を同法第三十三条第四項において準用する場合を含む。）は、適用しない。

（処分、手続等の効力に関する経過措置）

第四条　改正法附則第二条から第五条まで及び前二条に規定するもののほか、施行日前に改正法による改正前のそれぞれの法律又はこの政令による改正前のそれぞれの政令の規定によってした処分、手続その他の行為であって、改正法による改正後のそれぞれの法律又はこの政令による改正後のそれぞれの政令に相当の規定があるものは、これらの規定によってした処分、手続その他の行為とみなす。

附　則〔略〕〔平成一六・一二・一五政令三九九〕

附　則〔略〕〔平成一六・一二・二七政令四二二〕

附　則〔略〕〔平成二〇・一〇・三一政令三三八〕

附　則〔抄〕〔平成二二・三・三一政令七八〕

（**施行期日**）

第一条　この政令は、平成二十二年四月一日から施行する。

〔**経過措置**〕

第三条　第四条、第六条、第九条、第十二条及び第十三条の規定による改正後の次の各号に掲げる政令の規定は、当該各号に定める国の負担（当該国の負担に係る都道府県又は市町村の負担を含む。以下この条及び次条において同じ。）について適用し、平成二十一年度以前の年度における事務又は事業の実施により平成二十二年度以降の年度に支出される国の負担、平成二十一年度以前の年度の国庫債務負担行為に基づき平成二十二年度以降の年度に支出すべきものとされた国の負担及び平成二十一年度以前の年度の歳出予算に係る国の負担で平成二十二年度以降の年度に繰り越されたものについては、なお従前の例による。

一　次に掲げる政令の規定　平成二十二年度の予算に係る国の負担（平成二十一年度以前の年度における事務又は事業の実施により平成二十二年度に支出される国の負担及び平成二十一年度以前の年度の国庫債務負担行為に基づき平成二十二年度に支出すべきものとされた国の負担を除く。）並びに同年度における事務又は事業の実施により平成二十三年度以降の年度に支出される国の負担、平成二十二年度の国庫債務負担行為に基づき平成二十三年度以降の年度に支出すべきものとされる国の負担及び平成二十二年度の歳出予算に係る国の負担で平成二十三年度以降の年度に繰り越されるもの

イ　道路法施行令附則第五項の規定により読み替えて適用する同令第三十一条

ロ　都市公園法施行令附則第五項

ハ　河川法施行令附則第十条の規定により読み替えて適用する同令第四十二条第三項及び第五項

ニ　沖縄振興特別措置法施行令附則第十条

ホ　独立行政法人水資源機構法施行令附則第十五条

二　次に掲げる政令の規定　平成二十二年度以降の年度の予算に係る国の負担（平成二十一年度以前の年度における事務又は事業の実施により平成二十二年度以降の年度に支出される国の負担及び平成二十一年度以前の年度の国庫債務負担行為に基づき平成二十二年度以降の年度に支出すべきものとされた国の負担を除く。）

イ　道路法施行令第三十二条第一項

ロ　都市公園法施行令第二十八条

ハ　沖縄振興特別措置法施行令第四十条第八項及び第九項

ニ　独立行政法人水資源機構法施行令第二十五条第二項

三　次に掲げる政令の規定　平成二十三年度以降の年度の予算に係る国の負担（平成二十二年度以前の年度における事務又は事業の実施により平成二十三年度以降の年度に支出される国の負担及び平成二十二年度以前の年度の国庫債務負担行為に基づき平成二十三年度以降の年度に支出すべきものとされた国の負担を除く。）

イ　道路法施行令第三十一条

ロ　河川法施行令第四十二条第三項又は第五項

2　前項に規定する国庫債務負担行為が前条各号に掲げる契約に係るものである場合における同項の規定の適用については、同項中「負担、平成二十一年度以前の年度の国庫債務負担行為に基づき平成二十二年度以降の年度に支出すべきものとされた国の負担」とあり、同項第一号中「負担及び平成二十一年度以前の年度の国庫債務負担行為に基づき平成二十二年度に支出すべきものとされた国の負担」及び「負担、平成二十二年度の国庫債務負担行為に基づき平成二十三年度以降の年度に支出すべきものとされる国の負担」とあり、同条第二号中「負担及び平成二十一年度以前の年度の国庫債務負担行為に基づき平成二十二年度以降の年度に支出すべきものとされた国の負担」とあり、並びに同項第三号中「負担及び平成二十二年度以前の年度の国庫債務負担行為に基づき平成二十三年度以降の年度に支出すべきものとされた国の負担」とあるのは、「負担」とする。

附　則〔略〕〔平成二三・一一・二八政令三六三〕

附　則〔略〕〔平成二四・六・二九政令一七八〕

附　則〔略〕〔平成二四・一一・三〇政令二八四施行〕

附　則〔略〕〔平成二七・八・二八政令三〇三〕

附　則〔抄〕〔平成二七・一一・二六政令三九二〕

（**施行期日**）

第一条　この政令は、行政不服審査法の施行の日（平成二十八年四月一日）から施行する。

（**経過措置の原則**）

第二条　行政庁の処分その他の行為又は不作為についての不服申立てであってこの政令の施行前にされた行政庁の処分その他の行為又はこの政令の施行前にされた申請に係る行政庁の不作為に係るものについては、この附則に特別の定めがある場合を除き、なお従前の例による。

附　則〔略〕〔平成二八・八・二九政令二八八〕

附　則〔略〕〔平成二八・一二・二六政令三九三〕

附　則〔抄〕〔平成二九・六・一四政令一五六〕

（**施行期日**）

第一条　この政令は、都市緑地法等の一部を改正する法律の施行の日（平成二十九年六月十五日）から施行する。ただし、第一条の規定、第二条中都市公園法施行令第十条を同令第十条の二とし、同令第二章中同条の前に一条を加える改正規定（中略）は、同法附則第一条第二号に掲げる規定の施行の日（平成三十年四月一日）から施行する。

（**都市公園法の一部改正に伴う経過措置**）

第二条　この政令の施行の日から起算して一年を超えない期間内において、第二条の規定による改正後の都市公園法施行令第八条第一項の規定に基づく条例が制定施行されるまでの間は、同項の条例で定める割合として百分の五十が定められているものとみなす。

附　則〔略〕〔平成三〇・三・二二政令五四〕

附　則〔略〕〔令和二・九・四政令二六八〕

附　則〔抄〕〔令和六・三・三〇政令一六一〕

（**施行期日**）

第一条　この政令は、令和六年四月一日から施行する。

〇都市公園法施行規則〔昭和三一・一〇・九 建設省令三〇〕

改正　昭和三六・七建令二三、一二建令三八、昭和四一・三建令七、昭和四三・一二建令三九、昭和四四・一一建令五四、昭和五一・八建令一一、昭和五六・九建令一二、平成二・六建令八、平成五・六建令一四、平成七・三建令六、平成一一・四建令一一、平成一二・一建令九、一一建令四一、平成一六・一二国交令九九、平成一七・三国交令二三、平成二四・六国交令六四、一一国交令八五、平成二八・三国交令二六、平成二九・六国交令三五、八国交令四九、令和元・五国交令一、令和二・九国交令七四、一二国交令九八

（環境への負荷の低減に資する発電施設）

第一条　都市公園法施行令（以下「令」という。）第五条第七項の国土交通省令で定める環境への負荷の低減に資する発電施設は、次に掲げるものとする。

一　風力発電施設
二　太陽電池発電施設
三　燃料電池発電施設
四　前三号に掲げる発電施設に類するもの

（災害応急対策に必要な公園施設）

第一条の二　令第五条第八項の国土交通省令で定める災害応急対策に必要な施設は、耐震性貯水槽、放送施設、情報通信施設、ヘリポート、係留施設、発電施設及び延焼防止のための散水施設とする。

（歴史上又は学術上価値の高い建築物）

第一条の三　令第六条第一項第二号イの国土交通省令で定める歴史上又は学術上価値の高い建築物は、文化財保護法（昭和二十五年法律第二百十四号）第百八十二条第二項の条例の定めるところにより歴史上又は学術上価値の高いものとして現状変更の規制及び保存のための措置が講じられている建築物とする。

（高い開放性を有する建築物）

第二条　令第六条第一項第三号の国土交通省令で定める高い開放性を有する建築物は、屋根付広場、壁を有しない雨天用運動場、壁を有しない休憩所及び屋根付野外劇場とする。

（国の設置に係る都市公園における公園管理者以外の者の公園施設の設置等の許可の申請）

第三条　都市公園法（以下「法」という。）第五条第一項の国土交通省令で定める事項は、次の各号に掲げる場合ごとに、それぞれ当該各号に定めるものとする。

一　公園施設を設けようとする場合
　イ　設置の目的
　ロ　設置の期間
　ハ　設置の場所
　ニ　公園施設の構造
　ホ　公園施設の外観
　ヘ　公園施設の管理の方法
　ト　工事の実施方法
　チ　工事の着手及び完了の時期
　リ　都市公園の復旧方法
　ヌ　その他参考となるべき事項
二　公園施設を管理しようとする場合
　イ　管理の目的
　ロ　管理の期間
　ハ　管理の場所
　ニ　管理の方法
　ホ　その他参考となるべき事項
三　許可を受けた事項を変更しようとする場合　当該変更に係る事項

（都市公園の維持及び修繕に関する技術的基準）

第三条の二　令第十条第二項の国土交通省令で定める都市公園の維持及び修繕に関する技術的基準は、次のとおりとする。

一　遊戯施設その他の公園施設のうち、損傷、腐食その他の劣化その他の異状が生じた場合に当該公園施設の利用者の安全の確保に支障を及ぼすおそれがあるもの（次号において「遊戯施設等」という。）の点検は、一年に一回の頻度で行うことを基本とすること。
二　前号の点検の結果及び遊戯施設等について令第十条第一項第三号の措置を講じたときはその内容を記録し、当該遊戯施設等が利用されている期間中は、これを保存すること。

（公募対象公園施設の種類）

第三条の三　法第五条の二第一項の国土交通省令で定める公園施設は、次に掲げるものであつて、当該公園施設から生ずる収益を特定公園施設の建設に要する費用に充てることができると認められるものとする。

一　休養施設
二　遊戯施設
三　運動施設
四　教養施設
五　便益施設
六　令第五条第八項に規定する施設のうち、展望台又は集会所

（特定公園施設の種類）

第三条の四　法第五条の二第二項第五号の国土交通省令で定める公園施設は、公募対象公園施設と一体的に整備することにより当該公園施設の効率的な整備が図られると認められるものとする。

（公募対象公園施設を設置することが都市公園の管理上適切でない場所）

第三条の五　法第五条の二第三項の国土交通省令で定める場所は、次に掲げるものとする。

一　法第五条の五第一項の規定による認定の有効期間内において、国又は地方公共団体による使用が予定されている場所
二　その他国土交通大臣が定める場所

（学識経験者からの意見聴取）

第三条の六　公園管理者は、法第五条の二第六項及び第五条の四第四項の規定により学識経験者の意見を聴くときは、二人以上の学識経験者の意見を聴かなければならない。

（公募設置等計画の記載事項）

第三条の七　法第五条の三第二項第十二号の国土交通省令で定める事項は、次に掲げるものとする。

一　都市公園に公募対象公園施設を設け、又は管理しようとする者が法人又は団体である場合においては、その役員の氏名、生年月日その他必要な事項
二　都市公園に公募対象公園施設を設け、又は管理しようとする者が個人である場合においては、その者の氏名、生年月日その他必要な事項
三　その他公園管理者が必要と認める事項

（公園管理者の権限を代行した場合における公園管理者への通知）

第四条　令第十一条の規定による通知は、次の各号に掲げる場合ごとに、それぞれ当該各号に定める事項を示して行うものとする。

一　法第五条第一項又は法第六条第一項若しくは第三項の規定による許可を行つた場合
　イ　許可を受けた者の氏名又は名称及び住所並びに法人にあつては、代表者の氏名
　ロ　許可に係る公園施設の設置若しくは管理又は都市公園の占用の目的、期間及び場所
　ハ　許可に係る公園施設又は占用物件の構造
二　法第九条の規定による協議を行つた場合
　イ　協議の相手方の名称、代表者の氏名及び住所
　ロ　協議に係る都市公園の占用の目的、期間及び場所
　ハ　協議に係る占用物件の構造
三　法第二十二条第一項の規定による協定を締結した場合　協定の相手方の氏名又は名称及び住所並びに法人にあつては、代表者の氏名
四　法第二十六条第二項又は第四項の規定による必要な措置の命令を行つた場合
　イ　命令の相手方の氏名又は名称及び住所並びに法人にあつては、代表者の氏名

ロ　命令の内容

五　法第二十七条第一項又は第二項の規定による処分又は必要な措置の命令（以下この号において「監督処分」という。）を行つた場合

イ　監督処分の相手方の氏名又は名称及び住所並びに法人にあつては、代表者の氏名

ロ　監督処分の内容

2　前項第三号に規定する協定を締結した他の工作物の管理者は、令第十一条の規定により公園管理者に通知する場合においては、当該協定又はその写しを併せて送付しなければならない。

（国の設置に係る都市公園の占用の許可の申請）

第五条　法第六条第二項の国土交通省令で定める事項は、次の各号に掲げるものとする。

一　占用物件の外観

二　占用物件の管理の方法

三　工事の実施方法

四　工事の着手及び完了の時期

五　都市公園の復旧方法

六　その他参考となるべき事項

（災害応急対策に必要な占用物件）

第五条の二　令第十二条第二項第一号の二の国土交通省令で定める災害応急対策に必要な施設は、耐震性貯水槽及び発電施設で地下に設けられるものとする。

（環境への負荷の低減に資する発電施設）

第五条の三　令第十二条第二項第一号の三の国土交通省令で定める環境への負荷の低減に資する発電施設は、次に掲げるものとする。

一　太陽電池発電施設

二　燃料電池発電施設で地下に設けられるもの（前条に規定する発電施設を除く。）

三　発電に伴つて排出される温水又は蒸気が有効に利用される発電施設で地下に設けられるもの（前条に規定する発電施設及び前号に掲げる燃料電池発電施設を除く。）

（水道施設、下水道施設、河川管理施設、変電所及び熱供給施設）

第六条　令第十二条第二項第二号の三の国土交通省令で定める水道施設、下水道施設、河川管理施設、変電所及び熱供給施設は、次に掲げるものとする。

一　水道法（昭和三十二年法律第百七十七号）第三条第八項に規定する配水施設のうち、配水池及びポンプ施設（同条第六項に規定する専用水道に係るものを除く。）

二　下水道法（昭和三十三年法律第七十九号）第二条第二号に規定する処理施設及びポンプ施設

三　河川法（昭和三十九年法律第百六十七号）第三条第二項に規定する河川管理施設のうち、遊水池及び放水路

四　電気事業法施行規則（昭和四十年通商産業省令第五十一号）第一条第二項第一号に規定する変電所（電気事業法（昭和三十九年法律第百七十号）第二条第一項第十七号に規定する電気事業者以外の者が設ける変電所を除く。）

五　熱供給事業法（昭和四十七年法律第八十八号）第二条第四項に規定する熱供給施設（導管を除く。）

（一時収容施設）

第七条　令第十二条第二項第九号に規定する施設で国土交通省令で定めるものは、次の各号に掲げるものとする。

一　風俗営業等の規制及び業務の適正化等に関する法律（昭和二十三年法律第百二十二号）第二条第四項に規定する接待飲食等営業に係る飲食店

二　劇場、映画館その他これらに類するもの

三　工場

（災害応急対策に必要な施設及び発電施設に関する基準）

第七条の二　令第十六条第六号の三の国土交通省令で定める基準は、次に掲げるとおりとする。

一　第五条の二に規定する耐震性貯水槽については、その頂部と地面との距離は、原則として一メートル以下としないこと。

二　第五条の二に規定する発電施設並びに第五条の三第二号に掲げる燃料電池発電施設及び同条第三号に掲げる発電施設については、その頂部と地面との距離は、原則として三メートル以下としないこと。

三　第五条の三第一号に掲げる太陽電池発電施設については、既設の建築物に設置し、かつ、当該建築物の建築面積を増加させないこと。

（水道施設等又は発電施設を設けることができる都市公園）

第八条　令第十二条第二項第二号の三に掲げるもの又は第五条の三各号に掲げる発電施設を設けることができる都市公園は、次に掲げる都市公園以外の都市公園とする。

一　令第二条第二項に規定する主として風致の享受の用に供することを目的とする都市公園

二　令第二条第二項に規定する主として動植物の生息地又は生育地である樹林地等の保護を目的とする都市公園

（国の設置に係る都市公園における行為の許可の申請）

第九条　法第十二条第一項の規定による許可の申請は、別記様式第一による申請書を提出して行うものとする。

（都市公園台帳）

第一〇条　都市公園台帳は、調書及び図面をもつて組成する。

2　調書には、都市公園につき、少なくとも次に掲げる事項を記載するものとする。

一　名称

二　所在地

三　設置の年月日（既設公園については、公園又は緑地として設置された年月日）

四　沿革の概要

五　敷地面積及びその土地所有者別の内訳並びに当該土地所有者の所有する敷地について公園管理者の有する権原

六　公園施設として設けられる建築物（仮設公園施設を除く。次号において同じ。）及びその他の主要な公園施設についての次に掲げる事項

イ　種類及び名称

ロ　工作物であるものについては、その構造

ハ　建築物であるものについては、その建築面積

ニ　運動施設については、その敷地面積

ホ　法第五条第一項の許可を受けたものについては、当該許可を受けた者の氏名及び住所（法人にあつては、その名称、代表者の氏名及び住所）並びに当該許可により当該公園施設を設け、又は管理する期間の初日及び末日

七　公園施設として設けられる建築物の建築面積の総計の当該都市公園の敷地面積に対する割合並びに令第六条第一項第一号から第三号までに規定する建築物、同条第六項に規定する公募対象公園施設である建築物及び同条第七項に規定する滞在快適性等向上公園施設である建築物の建築面積の総計の当該都市公園の敷地面積に対する割合

八　運動施設の敷地面積の総計の当該都市公園の敷地面積に対する割合

九　主要な占用物件についての次に掲げる事項

イ　種類及び名称

ロ　構造

ハ　建築物であるものについては、その建築面積

ニ　法第六条第一項又は第三項の許可を受けた者の氏名及び住所（法人にあつては、その名称、代表者の氏名及び住所）並びに当該許可による占用の期間の初日及び末日

十　公園一体建物の概要

3　図面は、縮尺千二百分の一以上の平面図（法第二十条の規定により都市公園の区域を立体的区域とする場合は、平面図、縦断面図及び横断面図。第十九条第五項において同じ。）とし、付近の地形、方位及び縮尺を表示し、都市公園につき、少なくとも次に掲げる事項を記載するものとする。

一　都市公園の区域の境界線

二　公園保全立体区域の境界

三　行政区画名、大字名、字名及びその境界線

四　地形

五　敷地の土地所有者別の区分

六　主要な公園施設

七　主要な占用物件

八　公園一体建物

4　調書及び図面の記載事項に変更があつたときは、公園管理者は、速やかにこれを訂正しなければならない。

（国の設置に係る都市公園の使用料の徴収）

第一一条　令第二十条第一項本文の規定により徴収する使用料の額は、公園施設の設置若しくは管理又は都市公園の占用の目的及び態様に応じて公正妥当なものとする。ただし、特に必要があると認められるときは、使用料の額を減額することができる。

２　令第二十条第二項の規定により徴収する使用料の額その他使用料の徴収に関し必要な事項は、都市公園ごとに、国土交通大臣が定める。

（公園一体建物に関する協定の公示）

第一二条　法第二十二条第二項の規定による公示は、次に掲げる事項について行うものとする。

一　公園一体建物の所在地
二　公園一体建物の所有者又は所有者になろうとする者の氏名又は名称
三　協定又はその写しの閲覧の場所

（公園保全立体区域の指定等の公告）

第一三条　法第二十五条第三項の規定による公告は、次に掲げる事項（公園保全立体区域を廃止する場合にあつては、第一号に掲げる事項）を縮尺千二百分の一以上の平面図、縦断面図及び横断面図に明示して行うものとする。

一　公園保全立体区域の存する土地の所在地
二　公園保全立体区域の境界線

（保管工作物等一覧簿の様式）

第一四条　令第二十三条第二項の国土交通省令で定める様式は、別記様式第二のとおりとする。

（競争入札における掲示事項等）

第一五条　令第二十六条第一項及び第二項に規定する国土交通省令で定める事項は、次に掲げるものとする。

一　当該競争入札の執行を担当する職員の職及び氏名
二　当該競争入札の執行の日時及び場所
三　契約条項の概要
四　その他公園管理者が必要と認める事項

（工作物の返還に係る受領書の様式）

第一六条　令第二十七条の国土交通省令で定める様式は、別記様式第三のとおりとする。

（災害応急対策に必要な施設）

第一七条　令第三十一条第九号に規定する国土交通省令で定める災害応急対策に必要な施設は、耐震性貯水槽、放送施設、情報通信施設、ヘリポート、係留施設、発電施設又は延焼防止のための散水施設とする。

（収用委員会に対する裁決申請書の様式）

第一八条　令第三十二条の国土交通省令で定める様式は、別記様式第四のとおりとする。

（国土交通大臣に対する報告）

第一九条　地方公共団体が都市公園を設置したときに国土交通大臣に報告すべき事項は、当該都市公園についての次の各号に掲げる事項とする。

一　名称
二　所在地
三　設置の年月日
四　都市公園の区域
五　敷地面積

２　地方公共団体が都市公園の区域を変更したときに国土交通大臣に報告すべき事項は、当該都市公園についての次の各号に掲げる事項とする。

一　名称
二　所在地
三　変更の年月日
四　変更の理由
五　変更前及び変更後における区域
六　変更前及び変更後における敷地面積

３　地方公共団体が都市公園を廃止したときに国土交通大臣に報告すべき事項は、当該都市公園についての次の各号に掲げる事項とする。

一　名称
二　所在地
三　廃止の年月日
四　廃止の理由
五　敷地面積

４　地方公共団体が法に基づく条例を制定したときに国土交通大臣に報告すべき事項は、当該条例とする。

５　法第三十条第一項の規定に基づく報告は、文書（第一項第四号及び第二項第五号に掲げる事項については、縮尺千二百分の一以上の平面図）により、都市公園の設置、その区域の変更若しくは都市公園の廃止又は条例の制定の都度速やかに行うものとする。

（国が設置する法第二条第一項第二号イの都市公園を設置すべき区域の決定についての協議）

第二〇条　法第三十三条第六項の規定による協議は、次に掲げる事項を示して行うものとする。

一　都市公園を設置すべき区域の面積及び当該区域内の土地の所有区分
二　公園施設として設ける施設の種類、数量及び規模の概要
三　都市公園の設置及び管理に要する費用の概算額
四　当該協議に係る都道府県が負担すべき費用の概算額

附　則

（施行期日）

１　この省令は、昭和三十一年十月十五日から施行する。

（令附則第四項の国土交通省令で定める都府県の区域）

２　令附則第四項の国土交通省令で定める都府県の区域は、次の表のとおりとする。ただし、人口の集積の程度が他の都府県の区域に比較して高い都府県の区域で国土交通大臣が定めるものにあつては、国土交通大臣が別に定める都府県の区域とする。

番号	区域
一	青森県　岩手県　宮城県　秋田県　山形県　福島県
二	茨城県　栃木県　群馬県　埼玉県　千葉県　東京都　神奈川県　山梨県　長野県
三	新潟県　富山県　石川県
四	岐阜県　静岡県　愛知県　三重県
五	福井県　滋賀県　京都府　大阪府　兵庫県　奈良県　和歌山県
六	鳥取県　島根県　岡山県　広島県　山口県
七	徳島県　香川県　愛媛県　高知県
八	福岡県　佐賀県　長崎県　熊本県　大分県　宮崎県　鹿児島県　沖縄県

附　則〔抄〕〔昭和四四・一一・二六建設省令五四〕

（施行期日）

第一条　この省令は、公布の日から施行する。

（都市公園法施行規則の一部改正に伴う経過措置）

第六条　法附則第四条第一項に規定する市街地改造事業並びに同条第二項に規定する防災建築街区造成組合、防災建築街区造成事業及び防災建築物に関しては、この省令による改正後の都市公園法施行規則の規定にかかわらず、なお従前の例による。

附　則〔略〕〔昭和五一・八・三〇建設省令一一〕
附　則〔略〕〔昭和五六・九・二八建設省令一二〕
附　則〔略〕〔平成五・六・三〇建設省令一四〕
附　則〔略〕〔平成一二・一一・二〇建設省令四一〕
附　則〔略〕〔平成一六・一二・一五国土交通省令九九〕
附　則〔略〕〔平成一七・三・二九国土交通省令二三〕
附　則〔略〕〔平成二四・六・二九国土交通省令六四〕
附　則〔略〕〔平成二四・一一・三〇国土交通省令八五施行〕
附　則〔略〕〔平成二八・三・三一国土交通省令二六〕
附　則〔略〕〔平成二九・六・一四国土交通省令三五〕
附　則〔略〕〔平成二九・八・二国土交通省令四九〕
附　則〔抄〕〔令和二・九・四国土交通省令七四〕

（施行期日）

１　この省令は、都市再生特別措置法等の一部を改正する法律の施行の日（令和二年九月七日）から施行する。〔以下略〕

附　則〔略〕〔令和二・一二・二三国土交通省令九八〕

別記様式〔略〕

○市民農園整備促進法

〔平成二・六・二二 法律四四〕

改正 平成六・六法四九、平成一一・七法八七、一二法一六〇、平成一二・五法七三、平成一八・五法四六、平成二一・六法五七、平成二三・八法一〇五、平成二六・五法四二、平成三〇・五法二三、六法六八

（目的）

第一条 この法律は、主として都市の住民のレクリエーション等の用に供するための市民農園の整備を適正かつ円滑に推進するための措置を講ずることにより、健康的でゆとりのある国民生活の確保を図るとともに、良好な都市環境の形成と農村地域の振興に資することを目的とする。

（定義）

第二条 この法律において「農地」とは、耕作（農地法（昭和二十七年法律第二百二十九号）第四十三条第一項の規定により耕作に該当するものとみなされる農作物の栽培を含む。以下同じ。）の目的に供される土地をいう。

2 この法律において「市民農園」とは、第一号に掲げる農地及び第二号に掲げる施設の総体をいう。

一 主として都市の住民の利用に供される農地で次のイ又はロのいずれかに該当するもの

イ 特定農地貸付けに関する農地法等の特例に関する法律（平成元年法律第五十八号）第二条第二項に規定する特定農地貸付け（第十一条第一項において「特定農地貸付け」という。）又は都市農地の貸借の円滑化に関する法律（平成三十年法律第六十八号）第十条に規定する特定都市農地貸付け（第十一条第一項において「特定都市農地貸付け」という。）の用に供される農地

ロ 相当数の者を対象として定型的な条件で、レクリエーションその他の営利以外の目的で継続して行われる農作業の用に供される農地（賃借権その他の使用及び収益を目的とする権利の設定又は移転を伴わないで当該農作業の用に供されるものに限る。）

二 前号に掲げる農地に附帯して設置される農機具収納施設、休憩施設その他の当該農地の保全又は利用上必要な施設（以下「市民農園施設」という。）

（基本方針）

第三条 都道府県知事は、当該都道府県の区域内において相当数の市民農園の整備が見込まれる場合において、その適正かつ円滑な整備を図ることが必要であると認めるときは、市民農園の整備に関する基本方針（以下「基本方針」という。）を定めることができる。

2 基本方針においては、次に掲げる事項を定めるものとする。

一 市民農園として整備すべき区域の設定に関する事項

二 市民農園施設の設置その他の市民農園の整備に関する事項

三 市民農園の利用条件その他の市民農園の運営に関する事項

3 基本方針においては、前項各号に掲げる事項のほか、市民農園の整備の基本的な方向その他必要な事項を定めるよう努めるものとする。

4 基本方針は、良好な都市環境の形成及び農村地域の振興に資するように定めるものでなければならない。

5 基本方針は、都市計画及び農業振興地域整備計画との調和が保たれたものでなければならない。

6 都道府県知事は、情勢の推移により必要が生じたときは、基本方針を変更することができる。

7 都道府県知事は、基本方針を定め、又はこれを変更したときは、遅滞なく、これを公表しなければならない。

（市民農園区域）

第四条 市町村は、基本方針に基づき、農業委員会の決定を経て、当該市町村の区域内の一定の区域で次に掲げる要件に該当するもの（市街化区域（都市計画法（昭和四十三年法律第百号）第七条第一項の規定による市街化区域をいう。第七条第一項において同じ。）内にある区域を除く。）を市民農園として整備すべき区域（以下「市民農園区域」という。）として指定することができる。

一 当該区域内に相当規模の一団の農地が存在し、かつ、その自然的条件及び利用の動向からみて、市民農園として利用することが適当と認められること。

二 当該区域の位置及び規模からみて、その周辺の地域における農用地（耕作の目的又は主として耕作若しくは養畜の事業のための採草若しくは家畜の放牧の目的に供される土地をいう。次条第三項において同じ。）の農業上の効率的かつ総合的な利用の確保に支障を生ずるおそれがないこと。

三 交通施設の整備の状況その他都市の住民の利用上必要な立地条件からみて、市民農園の利用者が相当程度見込まれる区域であること。

2 市町村は、市民農園区域を指定しようとするときは、あらかじめ、都道府県知事に協議しなければならない。

3 市町村は、市民農園区域を指定したときは、遅滞なく、これを公表しなければならない。

4 市町村は、基本方針の変更その他情勢の推移により必要が生じたときは、その指定した市民農園区域を変更するものとする。

5 第二項及び第三項の規定は、前項の規定による市民農園区域の変更について準用する。

（交換分合）

第五条 市町村は、前条第一項の規定により市民農園区域を指定し、又は同条第四項の規定によりその指定した市民農園区域を変更しようとする場合において、その指定し又は変更しようとする市民農園区域内における土地の保有及び利用の現況、農業経営の動向等からみて当該市民農園区域内にある土地の一部が市民農園以外の用途に供されることが見通されることにより、当該市民農園区域及びその周辺の地域における土地の市民農園としての利用と農業上の利用との調整に留意して当該市民農園区域内にある土地の市民農園としての利用を確保するため特に必要があると認めるときは、当該市民農園区域内にある土地を含む一定の土地に関し交換分合を行うことができる。

2 市町村は、前項の規定により交換分合を行おうとするときは、農林水産省令・国土交通省令で定めるところにより、交換分合計画を定め、その交換分合計画により交換分合をすべき土地について所有権、地上権、永小作権、質権、賃借権、使用貸借による権利又はその他の使用及び収益を目的とする権利を有する者のすべての同意を得て、都道府県知事の認可を受けなければならない。

3 交換分合計画は、第一項に規定する市民農園区域及びその周辺の地域における土地の市民農園としての利用と農業上の利用との調整に留意して当該市民農園区域内にある土地の市民農園としての利用を確保するとともに、当該市民農園区域の周辺の地域における農用地の集団化その他農業構造の改善に資するように定めるものでなければならない。

第六条 農業振興地域の整備に関する法律（昭和四十四年法律第五十八号）第十三条の三の規定並びに土地改良法（昭和二十四年法律第百九十五号）第九十九条（第一項及び第二項を除く。）、第百一条第二項、第百二条から第百七条まで、第百八条第一項及び第二項、第百九条、第百十二条、第百十三条、第百十四条第一項、第百十五条、第百十八条（第二項を除く。）並びに第百二十一条から第百二十三条までの規定は、前条第一項の規定による交換分合について準用する。この場合において、これらの規定の準用について必要な技術的読替えは、政令で定める。

（市民農園の開設の認定）

第七条 市民農園区域内又は市街化区域（都市計画法第四条第六項に規定する都市計画施設の区域、同条第七項に規定する市街地開発事業の施行区域その他の区域で政令で定めるものを除く。）内において市民農園を開設しようとする者は、農林水産省令・国土交通省令で定めるところにより、市民農園の整備及び運営に関する計画（以下「整備運営計画」という。）を定め、これを申請書に添えてその所在地を管轄する市町村に提出して、当該市民農園の開設が適当である旨の認定を受けることができる。

2 前項の整備運営計画には、次に掲げる事項を記載しなければならない。

一 市民農園の用に供する土地の所在、地番及び面積

二 市民農園の用に供する農地の位置及び面積並びに第二条第二項第一号に掲げる農地のいずれに属するかの別

三 市民農園施設の位置及び規模その他の市民農園施設の整備に関する事項

四 利用者の募集及び選考の方法

五 利用期間その他の条件

六　市民農園の適切な利用を確保するための方法
七　資金計画
八　その他農林水産省令・国土交通省令で定める事項

3　市町村は、第一項の認定の申請があった場合において、その申請が次に掲げる要件に該当すると認めるときは、農業委員会の決定を経て、その認定をするものとする。
一　整備運営計画の内容が基本方針に適合するものであること。
二　市民農園の適正かつ円滑な利用を確保する見地からみて、市民農園の用に供する農地及び市民農園施設が適切な位置にあり、かつ、妥当な規模であること。
三　市民農園の用に供する農地及び市民農園施設の位置及び規模からみて、周辺の道路、下水道等の公共施設の有する機能に支障を生ずるおそれがなく、かつ、周辺の地域における営農条件及び生活環境の確保に支障を生ずるおそれがないものであること。
四　利用者の募集及び選考の方法が公平かつ適正なものであること。
五　前項第五号から第八号までに掲げる事項が市民農園の確実な整備及び適正かつ円滑な利用を確保するために有効かつ適切なものであること。
六　その他政令で定める基準に適合するものであること。

4　市町村は、第一項の規定による認定をしようとするときは、あらかじめ、都道府県知事の同意を得なければならない。

5　第一項の認定を受けた者（以下「認定開設者」という。）は、当該認定に係る整備運営計画を変更しようとするときは、市町村の認定を受けなければならない。

6　第三項及び第四項の規定は、前項の規定による整備運営計画の変更の認定について準用する。

（報告の徴収）

第八条　市町村長は、認定開設者に対し、市民農園の整備又は運営の状況について報告を求めることができる。

（勧告）

第九条　市町村長は、認定開設者が認定に係る整備運営計画（第七条第五項の規定による変更の認定があったときは、その変更後のもの。以下「認定計画」という。）に従って市民農園の整備又は運営を行っていないと認めるときは、当該認定開設者に対し、相当の期限を定めて、必要な改善措置をとるべきことを勧告することができる。

（認定の取消し）

第一〇条　前条の規定による勧告を受けた認定開設者が当該勧告に従わないときは、市町村は、第七条第一項又は第五項の規定による認定を取り消すことができる。

（農地法等の特例）

第一一条　第七条第一項又は第五項の規定による認定が第二条第二項第一号イに掲げる農地に係るものである場合には、認定開設者は、当該認定を受けた市民農園に係る特定農地貸付け又は特定都市農地貸付けにつき特定農地貸付けに関する農地法等の特例に関する法律第三条第三項（都市農地の貸借の円滑化に関する法律第十一条において準用する場合を含む。）の承認を受けたものとみなす。

2　認定開設者が認定計画に従って農地を農地以外のものにする場合には、農地法第四条第一項の許可があったものとみなす。

3　認定開設者が認定計画に従って農地を農地以外のものにするため又は採草放牧地（農地以外の土地で、主として耕作又は養畜の事業のための採草又は家畜の放牧の目的に供されるものをいう。以下この項において同じ。）を採草放牧地以外のもの（農地を除く。）にするためこれらの土地について所有権又は使用及び収益を目的とする権利を取得する場合には、農地法第五条第一項の許可があったものとみなす。

（都市計画法の特例）

第一二条　認定開設者が認定計画に従って整備する市民農園施設のうち休憩施設である建築物（建築基準法（昭和二十五年法律第二百一号）第二条第一号に規定する建築物をいう。以下この条において同じ。）その他の市民農園の適正かつ有効な利用を確保するための建築物で政令で定めるもの（次項において「認定市民農園建築物」という。）の建築（建築基準法第二条第十三号に規定する建築をいう。）の用に供する目的で行う土地の区画形質の変更であって市街化調整区域（都市計画法第七条第一項の規定による市街化調整区域をいう。次項において同じ。）に係るもの（都市計画法第三十四条各号に掲げる開発行為に該当するものを除く。）は、都市計画法第三十四条の規定の適用については、同条第十四号に掲げる開発行為とみなす。

2　都道府県知事又は地方自治法（昭和二十二年法律第六十七号）第二百五十二条の十九第一項の指定都市若しくは同法第二百五十二条の二十二第一項の中核市の長は、市街化調整区域のうち都市計画法第二十九条第一項の規定による許可を受けた同法第四条第十三項に規定する開発区域以外の区域内において、認定市民農園建築物を新築し、又は建築物を改築し、若しくはその用途を変更して認定市民農園建築物とすることについて、同法第四十三条第一項の規定による許可の申請があった場合において、当該申請に係る認定市民農園建築物の新築、改築又は用途の変更が同条第二項の政令で定める許可の基準のうち同法第三十三条に規定する開発許可の基準の例に準じて定められた基準に適合するときは、その許可をしなければならない。

（市民農園の整備についての配慮）

第一三条　国の行政機関又は地方公共団体の長は、認定計画に従って土地を認定に係る市民農園の用に供するため法律の規定による許可その他の処分を求められたときは、当該市民農園の整備の促進が図られるよう適切な配慮をするものとする。

（資金の確保等）

第一四条　国及び地方公共団体は、認定計画に従って行われる市民農園の整備に要する経費に充てるために必要な資金の確保又はその融通のあっせんに努めるものとする。

（援助）

第一五条　国及び地方公共団体は、認定開設者に対し必要な助言、指導その他の援助を行うよう努めるものとする。

（罰則）

第一六条　第六条において準用する土地改良法第百九条の規定に違反した者は、一年以下の懲役又は五十万円以下の罰金に処する。

第一七条　第八条の規定による報告をせず、又は虚偽の報告をした者は、二十万円以下の罰金に処する。

第一八条　法人の代表者又は法人若しくは人の代理人、使用人その他の従業者が、その法人又は人の業務又は財産に関して前二条の違反行為をしたときは、行為者を罰するほか、その法人又は人に対して各本条の罰金刑を科する。

附　則〔抄〕

（施行期日）

第一条　この法律は、公布の日から起算して三月を超えない範囲内において政令で定める日から施行する。

〔平成二政二七一により、平成二・九・二〇から施行〕

附　則〔略〕〔平成六・六・二九法律四九〕

附　則〔抄〕〔平成一一・七・一六法律八七〕

（施行期日）

第一条　この法律は、平成十二年四月一日から施行する。ただし、次の各号に掲げる規定は、当該各号に定める日から施行する。
一　（前略）附則（中略）第百六十条、第百六十三条、第百六十四条並びに第二百二条の規定　公布の日
二～六　〔略〕

（市民農園整備促進法の一部改正に伴う経過措置）

第九九条　施行日前に第二百九十九条の規定による改正前の市民農園整備促進法（以下この条において「旧市民農園整備促進法」という。）第四条第二項（同条第五項において準用する場合を含む。次項において同じ。）の規定による同意を得た市民農園区域は、第二百九十九条の規定による改正後の市民農園整備促進法（以下この条において「新市民農園整備促進法」という。）第四条第二項（同条第五項において準用する場合を含む。次項において同じ。）の規定による協議を行った市民農園区域とみなす。

2　この法律の施行の際現に旧市民農園整備促進法第四条第二項の規定によりされている同意の申請は、新市民農園整備促進法第四条第二項の規定によりされた協議の申出とみなす。

（国等の事務）

第一五九条　この法律による改正前のそれぞれの法律に規定するもののほか、この法律の施行前において、地方公共団体の機関が法律又はこれに基づく政令により管理し又は執行する国、他の地方公共団体その他公共団体の事務（附則第百六十一条において「国等の事務」という。）は、この法

律の施行後は、地方公共団体が法律又はこれに基づく政令により当該地方公共団体の事務として処理するものとする。

（処分、申請等に関する経過措置）

第一六〇条　この法律（附則第一条各号に掲げる規定については、当該各規定。以下この条及び附則第百六十三条において同じ。）の施行前に改正前のそれぞれの法律の規定によりされた許可等の処分その他の行為（以下この条において「処分等の行為」という。）又はこの法律の施行の際現に改正前のそれぞれの法律の規定によりされている許可等の申請その他の行為（以下この条において「申請等の行為」という。）で、この法律の施行の日においてこれらの行為に係る行政事務を行うべき者が異なることとなるものは、附則第二条から前条までの規定又は改正後のそれぞれの法律（これに基づく命令を含む。）の経過措置に関する規定に定めるものを除き、この法律の施行の日以後における改正後のそれぞれの法律の適用については、改正後のそれぞれの法律の相当規定によりされた処分等の行為又は申請等の行為とみなす。

2　この法律の施行前に改正前のそれぞれの法律の規定により国又は地方公共団体の機関に対し報告、届出、提出その他の手続をしなければならない事項で、この法律の施行の日前にその手続がされていないものについては、この法律及びこれに基づく政令に別段の定めがあるもののほか、これを、改正後のそれぞれの法律の相当規定により国又は地方公共団体の相当の機関に対して報告、届出、提出その他の手続をしなければならない事項についてその手続がされていないものとみなして、この法律による改正後のそれぞれの法律の規定を適用する。

（不服申立てに関する経過措置）

第一六一条　施行日前にされた国等の事務に係る処分であって、当該処分をした行政庁（以下この条において「処分庁」という。）に施行日前に行政不服審査法に規定する上級行政庁（以下この条において「上級行政庁」という。）があったものについての同法による不服申立てについては、施行日以後においても、当該処分庁に引き続き上級行政庁があるものとみなして、行政不服審査法の規定を適用する。この場合において、当該処分庁の上級行政庁とみなされる行政庁は、施行日前に当該処分庁の上級行政庁であった行政庁とする。

2　前項の場合において、上級行政庁とみなされる行政庁が地方公共団体の機関であるときは、当該機関が行政不服審査法の規定により処理することとされる事務は、新地方自治法第二条第九項第一号に規定する第一号法定受託事務とする。

（手数料に関する経過措置）

第一六二条　施行日前においてこの法律による改正前のそれぞれの法律（これに基づく命令を含む。）の規定により納付すべきであった手数料については、この法律及びこれに基づく政令に別段の定めがあるもののほか、なお従前の例による。

（罰則に関する経過措置）

第一六三条　この法律の施行前にした行為に対する罰則の適用については、なお従前の例による。

（その他の経過措置の政令への委任）

第一六四条　この附則に規定するもののほか、この法律の施行に伴い必要な経過措置（罰則に関する経過措置を含む。）は、政令で定める。

2　〔略〕

附　則〔略〕〔平成一一・一二・二二法律一六〇〕

附　則〔略〕〔平成一二・五・一九法律七三〕

附　則〔略〕〔平成一八・五・三一法律四六〕

附　則〔略〕〔平成二一・六・二四法律五七〕

附　則〔抄〕〔平成二三・八・三〇法律一〇五〕

（施行期日）

第一条　この法律は、公布の日から施行する。〔以下略〕

（罰則に関する経過措置）

第八一条　この法律（附則第一条各号に掲げる規定にあっては、当該規定。以下この条において同じ。）の施行前にした行為及びこの附則の規定によりなお従前の例によることとされる場合におけるこの法律の施行後にした行為に対する罰則の適用については、なお従前の例による。

（政令への委任）

第八二条　この附則に規定するもののほか、この法律の施行に関し必要な経過措置（罰則に関する経過措置を含む。）は、政令で定める。

附　則〔抄〕〔平成二六・五・三〇法律四二〕

（施行期日）

第一条　この法律〔中略〕は、当該各号に定める日〔平成二七・四・一〕から施行する。

（市民農園整備促進法の一部改正に伴う経過措置）

第五五条　施行時特例市に対する前条の規定による改正後の市民農園整備促進法第十二条第二項の規定の適用については、同項中「指定都市若しくは」とあるのは「指定都市」と、「中核市」とあるのは「中核市若しくは地方自治法の一部を改正する法律（平成二十六年法律第四十二号）附則第二条に規定する施行時特例市」とする。

附　則〔略〕〔平成三〇・五・一八法律二三〕

附　則〔抄〕〔平成三〇・六・二七法律六八〕

（施行期日）

第一条　この法律は、公布の日から起算して三月を超えない範囲内において政令で定める日から施行する。

〔平成三〇政二二三により、平成三〇・九・一から施行〕

○市民農園整備促進法施行令

〔平成二・九・一四　政令二七二〕

改正　平成一一・六政三一〇、平成一三・三政九八、平成一五・一二政五二三、平成二一・一二政二八五、平成二七・一一政三九二、令和元・九政一〇二、令和三・七政二〇五

（読替規定）

第一条　市民農園整備促進法（以下「法」という。）第六条の規定により土地改良法の規定を準用する場合においては、次の表の上欄に掲げる同法の規定中の字句で同表の中欄に掲げるものは、それぞれ同表の下欄の字句と読み替えるものとする。

上欄	中欄	下欄
第九十九条第三項から第五項まで及び第十一項から第十三項まで	第一項	市民農園整備促進法第五条第二項
第九十九条第六項、第百一条第二項、第百二条、第百三条第一項から第三項まで、第百四条第一項、第百七条及び第百九条	農用地	土地
第百一条第二項、第百二条第二項及び第四項並びに第百十八条第三項	農林水産省令	農林水産省令・国土交通省令
第百五条	第百二条第一項	第百二条第一項又は市民農園整備促進法第六条において準用する農業振興地域の整備に関する法律第十三条の三第一項前段
第百六条第二項	消滅する	消滅し、市民農園整備促進法第六条において準用する農業振興地域の整備に関する法律第十三条の三第一項の規定により所有者が取得すべき土地を定めないでそ

		の所有者が失うべき土地を定めた場合には、その失うべき土地について存する同項又は同条第三項に規定する権利は、前項の規定によりその失うべき土地の所有権が移転した時において消滅する
	含む。）	含む。）又は市民農園整備促進法第六条において準用する農業振興地域の整備に関する法律第十三条の三第三項
第百十三条	又はこの法律に基づく命令	若しくはこの法律に基づく命令又は市民農園整備促進法第六条において準用する農業振興地域の整備に関する法律第十三条の三第一項
第百十三条、第百十四条第一項、第百十五条、第百十八条第一項、第百二十二条第一項及び第百二十三条第一項	土地改良事業	市民農園整備促進法による交換分合

（土地改良法施行令の準用）

第二条　土地改良法施行令（昭和二十四年政令第二百九十五号）第七十二条の五の規定は法第六条において準用する土地改良法第九十九条第七項の異議の申出について、同令第七十四条の規定は法第六条において準用する土地改良法第百二十一条第二項の規定により土地収用法（昭和二十六年法律第二百十九号）第九十四条第二項の規定による裁決を申請しようとする場合について、それぞれ準用する。この場合において、同令第七十二条の五及び第七十四条中「農林水産省令」とあるのは、「農林水産省令・国土交通省令」と読み替えるものとする。

（市街化区域のうち市民農園の開設の認定の対象から除外される区域）

第三条　法第七条第一項の政令で定める区域は、次に掲げるものとする。

一　都市計画法（昭和四十三年法律第百号）第十一条第六項の規定により施行予定者が定められている都市計画に係る同法第四条第六項に規定する都市計画施設の区域

二　都市計画法第六十二条第一項の規定による告示又は新たな事業地（同法第四条第十五項に規定する都市計画事業を施行する土地をいう。以下この条において同じ。）の編入に係る同法第六十三条第二項において準用する同法第六十二条第一項の規定による告示があった同法第四条第六項に規定する都市計画施設（地下に設けられるもの並びに公園及び緑地を除く。）に係る事業地の区域

三　都市計画法第十二条第五項の規定により施行予定者が定められている都市計画に係る同法第四条第七項に規定する市街地開発事業（同法第十二条第一項第五号に掲げるものを除く。）の施行区域

四　都市計画法第六十二条第一項の規定による告示又は新たな事業地の編入に係る同法第六十三条第二項において準用する同法第六十二条第一項の規定による告示があった同法第四条第七項に規定する市街地開発事業（同法第十二条第一項第一号、第五号及び第六号に掲げるものを除く。）に係る事業地の区域

五　都市計画法第四条第八項に規定する市街地開発事業等予定区域（同法第十二条の二第一項第三号に掲げるものを除く。）の区域

六　密集市街地における防災街区の整備の促進に関する法律（平成九年法律第四十九号）第二百八十一条第一項の規定により施行予定者が定められている都市計画に係る同法第三十一条第二項に規定する防災都市計画施設（公園及び緑地を除く。）の区域

（市民農園の開設の認定の基準）

第四条　法第七条第三項第六号の政令で定める基準は、次のとおりとする。

一　申請の手続又は整備運営計画の内容が法令に違反するものでないこと。

二　市民農園の用に供する農地が法第二条第二項第一号イに掲げる農地である場合にあっては、当該農地が所有権以外の権原に基づいて耕作の事業に供されているものでないこと。

（都市計画法の特例の対象となる建築物）

第五条　法第十二条第一項の政令で定める建築物は、次に掲げるものとする。

一　休憩施設である建築物

二　農作業の講習の用に供する建築物

三　簡易宿泊施設（専ら宿泊の用に供される施設で簡素なものをいう。）である建築物

四　管理事務所その他の管理施設である建築物

附　則〔抄〕

（施行期日）

第一条　この政令は、法の施行の日（平成二年九月二十日）から施行する。

附　則〔略〕〔平成一二・六・七政令三一〇〕

附　則〔略〕〔平成一三・三・三〇政令九八〕

附　則〔平成一五・一二・一七政令五二三〕

（施行期日）

第一条　この政令は、密集市街地における防災街区の整備の促進に関する法律等の一部を改正する法律の施行の日（平成十五年十二月十九日）から施行する。

（罰則に関する経過措置）

第二条　この政令の施行前にした行為に対する罰則の適用については、なお従前の例による。

附　則〔略〕〔平成二一・一二・一一政令二八五〕

附　則〔抄〕〔平成二七・一一・二六政令三九二〕

（施行期日）

第一条　この政令は、行政不服審査法の施行の日（平成二十八年四月一日）から施行する。

（経過措置の原則）

第二条　行政庁の処分その他の行為又は不作為についての不服申立てであってこの政令の施行前にされた行政庁の処分その他の行為又はこの政令の施行前にされた申請に係る行政庁の不作為に係るものについては、この附則に特別の定めがある場合を除き、なお従前の例による。

附　則〔略〕〔令和元・九・一一政令一〇二〕

附　則〔令和三・七・一四政令二〇五〕

この政令は、特定都市河川浸水被害対策法等の一部を改正する法律附則第一条第二号に掲げる規定の施行の日（令和三年七月十五日）から施行する。

○市民農園整備促進法施行規則

（平成二・九・一四 農林水産・建設省令一）

改正　平成一二・一〇農・建令二、平成二八・三農・国交令四、令和元・九農・国交令三、一二農・国交令四、令和二・一二農・国交令四、令和六・三農・国交令三

（交換分合計画の決定手続）

第一条　市民農園整備促進法（以下「法」という。）第五条第二項の規定による認可を受けようとするときは、法第六条において準用する土地改良法第九十九条第三項に掲げる書面のほか、次に掲げる書類を添付しなければならない。

一　法第五条第二項の同意があったことを証する書面、法第六条において準用する土地改良法第百二条第二項ただし書（法第六条において準用する土地改良法第百四条第二項及び第百七条において準用する場合を含む。）の同意があったことを証する書面、法第六条において準用する土地改良法第百二条第三項ただし書（法第六条において準用する土地改良法第百四条第二項及び第百七条において準用する場合を含む。）の同意があったことを証する書面、法第六条において準用する農業振興地域の整備に関する法律（昭和四十四年法律第五十八号）第十三条の三第一項前段の申出又は同意があったことを証する書面及び同項後段の同意があったことを証する書面

二　計画図

三　市民農園区域内にある土地の市民農園としての利用を確保するため交換分合を行うことを特に必要とする理由を記載した書面

第二条　法第六条において準用する土地改良法第九十九条第五項の規定による公告は、同項の規定により縦覧に供すべき書類の名称並びに縦覧の期間及び場所を都道府県の公報に掲載して行うものとする。

2　法第六条において準用する土地改良法第九十九条第十二項の規定による公告は、都道府県の公報により行うものとする。

（交換分合計画の定め方）

第三条　法第六条及び市民農園整備促進法施行令（以下「令」という。）第一条の規定により読み替えて準用する土地改良法第百二条第二項の農林水産省令・国土交通省令で定める処分の制限がある土地は、民事訴訟法（平成八年法律第百九号）、民事執行法（昭和五十四年法律第四号）、人事訴訟法（平成十五年法律第百九号）、国税徴収法（昭和三十四年法律第百四十七号）その他の法律の規定により処分の制限がある土地とする。

第四条　法第六条において準用する土地改良法第百二条第二項の規定による総合的な勘案は、当該所有者が取得すべきすべての土地及び失うべきすべての土地の用途及び地積並びに同項に掲げる事項に基づいて評定した当該所有者が取得すべきすべての土地及び失うべきすべての土地の等位についてしなければならない。

2　法第六条において準用する土地改良法第百四条第二項及び第百七条において準用する同法第百二条第二項の規定による総合的な勘案には、前項の規定を準用する。

（取得すべき土地を定めない場合の申出又は同意）

第五条　法第六条において準用する農業振興地域の整備に関する法律第十三条の三第一項前段の規定による申出をしようとする者は、次に掲げる事項を記載した申出書を市町村長に提出しなければならない。

一　申出者の氏名又は名称及び住所

二　当該申出に係る土地の所在、地番、地目、用途及び地積

三　当該申出に係る土地について地上権、永小作権、質権、賃借権、使用貸借による権利又はその他の使用及び収益を目的とする権利を有する者がある場合においては、その者の氏名又は名称及び住所並びにその権利の表示

2　法第六条において準用する農業振興地域の整備に関する法律第十三条の三第一項前段の規定による同意又は同項後段の規定による同意を求めるには、当該同意に係る土地の所在、地番、地目、用途及び地積を記載した書面によらなければならない。

（書類の送付に代わる公告）

第六条　法第六条において準用する土地改良法第百十二条の規定による公告は、市町村の事務所の掲示場に五日間送付すべき書類の要旨を掲示してしなければならない。

2　前項の書類は、公告をした日から十日間当該事務所において縦覧に供しなければならない。

（測量又は検査の通知）

第七条　法第六条において準用する土地改良法第百十八条第一項の規定による通知は、立入りの目的、場所及び期日を示してしなければならない。

2　法第六条において準用する土地改良法第百十八条第三項の規定による公告は、市町村の事務所の掲示場に五日間前項に掲げる事項を掲示してするとともに、その公告の内容についてインターネットを利用して公衆の閲覧に供する方法を併せて行わなければならない。

（土地改良法施行規則の準用）

第七条の二　土地改良法施行規則（昭和二十四年農林省令第七十五号）第十七条から第十七条の三までの規定は、令第二条の規定により読み替えて準用する土地改良法施行令第七十二条の五の異議の申出について準用する。この場合において、土地改良法施行規則第十七条の二及び第十七条の三の規定中「農林水産省令」とあるのは「農林水産省令・国土交通省令」と、第十七条の二第一号中「農林水産大臣」とあるのは「農林水産大臣及び国土交通大臣」と読み替えるものとする。

（損失補償の裁決申請手続の様式）

第八条　令第二条の規定により読み替えて準用する土地改良法施行令第七十四条の農林水産省令・国土交通省令で定める様式は、別記様式とする。

（市民農園の開設の認定申請手続）

第九条　法第七条第一項の認定を受けようとする者は、個人にあっては、氏名、住所及び職業、法人にあっては、名称、主たる事務所の所在地、業務の内容及び代表者の氏名を記載した申請書を市町村長に提出しなければならない。

2　前項の申請書には、次の各号に掲げる図面を添付しなければならない。

一　市民農園の位置を表示した地形図

二　市民農園の区域並びに市民農園施設の位置、形状及び種別を表示した平面図

三　建築物である市民農園施設については、その概要を表示した平面図

3　第一項の規定により申請書を提出する場合において、その申請に係る農地が土地改良区の地区内にあるときは、当該申請書に当該土地改良区の意見書を添付しなければならない。ただし、意見を求めた日から三十日を経過してもその意見を得られない場合には、その事由を記載した書面を添付すればよい。

（整備運営計画に記載すべき事項）

第一〇条　法第七条第二項第八号の農林水産省令・国土交通省令で定める事項は、次に掲げるものとする。

一　市民農園の開設の時期

二　法第七条第二項第一号に規定する土地に係る次に掲げる事項

イ　所有権又は使用及び収益を目的とする権利を有する場合には、その権利の種類

ロ　所有権又は使用及び収益を目的とする権利を有しない場合には、当該土地の所有者の氏名又は名称及び住所並びに当該土地について取得しようとする権利の種類

三　市民農園施設の敷地に供するため、農地を農地以外のものにする場合又は農地を農地以外のものにするため若しくは採草放牧地を採草放牧地以外のもの（農地を除く。）にするためこれらの土地について所有権又は使用及び収益を目的とする権利を取得する場合には、当該土地に係る次に掲げる事項

イ　地目（登記簿の地目と現況による地目とが異なるときは、登記簿の地目及び現況による地目）、利用状況及び普通収穫高

ロ　申請者がその土地の転用に伴い支払うべき給付の種類、内容及び相手方

ハ　転用の時期

ニ　転用することによって生ずる付近の土地、作物、家畜等の被害の防除施設の概要

ホ　所有権又は使用及び収益を目的とする権利を取得する場合には、当該権利を取得しようとする契約の内容

四　その他参考となるべき事項

附　則〔抄〕

（施行期日）

第一条　この省令は、法の施行の日（平成二年九月二十日）から施行する。

附　則〔略〕〔平成一二・一〇・一〇農林水産・建設省令二〕

附　則〔略〕〔平成二八・三・三一農林水産・国土交通省令四〕

附　則〔略〕〔令和元・九・一一農林水産・国土交通省令三〕

附　則〔略〕〔令和元・一二・一六農林水産・国土交通省令四〕

附　則〔略〕〔令和二・一二・二五農林水産・国土交通省令四〕

附　則〔令和六・三・二五農林水産・国土交通省令三〕

この省令は、令和六年四月一日から施行する。

別記様式〔略〕

○都市の美観風致を維持するための樹木の保存に関する法律

〔昭和三七・五・一八　法律一四二〕

改正　昭和四三・六法一〇一、昭和四九・六法七一、昭和五八・一二法八三、平成一一・七法八七、一二法一六〇、平成一六・五法六一、六法一一一

（目的）

第一条　この法律は、都市の美観風致を維持するため、樹木の保存に関し必要な事項を定め、もつて都市の健全な環境の維持及び向上に寄与することを目的とする。

（保存樹等の指定）

第二条　市町村長は、都市計画法（昭和四十三年法律第百号）第五条の規定により指定された都市計画区域内において、美観風致を維持するため必要があると認めるときは、政令で定める基準に該当する樹木又は樹木の集団を保存樹又は保存樹林として指定することができる。

２　市町村長は、前項の指定をするときは、その旨を当該保存樹又は保存樹林の所有者（以下単に「所有者」という。）に通知しなければならない。

３　第一項の規定は、次の各号に掲げる樹木又は樹木の集団については、適用しない。

一　文化財保護法（昭和二十五年法律第二百十四号）第百九条第一項、第百十条第一項又は第百八十二条第二項の規定により指定され、又は仮指定された樹木又は樹木の集団

二　森林法（昭和二十六年法律第二百四十九号）第二十五条又は第二十五条の二の規定により指定された保安林に係る樹木の集団

三　景観法（平成十六年法律第百十号）第二十八条第一項の規定により指定された景観重要樹木

四　国又は地方公共団体の所有又は管理に係る樹木又は樹木の集団で前三号に掲げるもの以外のもの

（指定の解除）

第三条　市町村長は、保存樹若しくは保存樹林が前条第三項各号の一に該当するに至つたとき、又は保存樹若しくは保存樹林について滅失、枯死等によりその指定の理由が消滅したときは、遅滞なく、その指定を解除しなければならない。

２　市町村長は、公益上の理由その他特別な理由があるときは、保存樹又は保存樹林の指定を解除することができる。

３　所有者は、市町村長に対し、保存樹又は保存樹林について前項の規定による指定の解除をすべき旨を申請することができる。

４　前条第二項の規定は、第一項又は第二項の規定により指定を解除する場合について準用する。

（標識の設置）

第四条　市町村は、保存樹又は保存樹林の指定があつたときは、条例又は規則で定めるところにより、これを表示する標識を設置しなければならない。

（所有者の保存義務等）

第五条　所有者は、保存樹又は保存樹林について、枯損の防止その他その保存に努めなければならない。

２　何人も、保存樹又は保存樹林が大切に保存されるように協力しなければならない。

（所有者の変更等の場合の届出）

第六条　保存樹又は保存樹林について、所有者が変更したときは、新たに所有者となつた者は、遅滞なく、その旨を市町村長に届け出なければならない。

２　保存樹又は保存樹林が滅失し、又は枯死したときは、所有者は、遅滞なく、その旨を市町村長に届け出なければならない。

（保存樹等に関する台帳）

第七条　市町村長は、国土交通省令で定めるところにより、保存樹及び保存樹林に関する台帳を作成し、これを保管しなければならない。

（報告の徴取）

第八条　市町村長は、必要があると認めるときは、所有者に対し、保存樹又は保存樹林の現状につき報告を求めることができる。

（市町村長の助言等）

第九条　市町村長は、所有者に対し、保存樹又は保存樹林の枯損の防止その他その保存に関し必要な助言又は援助をすることができる。

（報告、勧告等）

第一〇条　都道府県知事は、市町村長に対し、保存樹若しくは保存樹林に関し、この法律の施行のため必要な限度において、報告若しくは資料の提出を求め、又は保存樹若しくは保存樹林の指定その他その保存に関し必要な勧告、助言若しくは技術的援助をすることができる。

附　則〔略〕〔昭和三七・五・一八法律一四二施行〕

附　則〔略〕〔昭和四三・六・一五法律一〇一〕

附　則〔略〕〔昭和四九・六・一法律七一〕

附　則〔略〕〔昭和五八・一二・一〇法律八三〕

附　則〔略〕〔平成一一・七・一六法律八七〕

附　則〔略〕〔平成一一・一二・二二法律一六〇〕

附　則〔略〕〔平成一六・五・二八法律六一〕

附　則〔抄〕〔平成一六・六・一八法律一一一〕

（施行期日）

第一条　この法律は、景観法（平成十六年法律第百十号）の施行の日〔平成

一六・一二・一七〕から施行する。〔以下略〕

（罰則に関する経過措置）

第五条 この法律の施行前にした行為に対する罰則の適用については、なお従前の例による。

（政令への委任）

第六条 附則第二条から前条までに定めるもののほか、この法律の施行に関して必要な経過措置は、政令で定める。

○都市の美観風致を維持するための樹木の保存に関する法律施行令

〔昭和三七・一〇・一五 政令四〇四〕

都市の美観風致を維持するための樹木の保存に関する法律第二条第一項の政令で定める基準は、次のとおりとする。

一 樹木については、次のいずれかに該当し、健全で、かつ、樹容が美観上特にすぐれていること。

イ 一・五メートルの高さにおける幹の周囲が一・五メートル以上であること。

ロ 高さが十五メートル以上であること。

ハ 株立ちした樹木で、高さが三メートル以上であること。

ニ 攀登性樹木で、枝葉の面積が三十平方メートル以上であること。

二 樹木の集団については、次のいずれかに該当し、その集団の樹容が美観上特にすぐれていること。

イ その集団の存する土地の面積が五百平方メートル以上であること。

ロ いけがきをなす樹木の集団で、そのいけがきの長さが三十メートル以上であること。

附 則 〔略〕〔昭和三七・一〇・一五政令四〇四施行〕

○都市の美観風致を維持するための樹木の保存に関する法律施行規則

〔昭和三七・一〇・一五 建設省令三〇〕

改正 昭和五九・三建令三、昭和六一・三建令二

1 都市の美観風致を維持するための樹木の保存に関する法律第七条に規定する保存樹及び保存樹林に関する台帳（以下「台帳」という。）には、保存樹及び保存樹林につき、少なくとも次の各号に掲げる事項を記載するものとする。

一 指定番号及び指定の年月日

二 所在地

三 所有者の氏名（法人にあつては、その名称及び代表者の氏名）及び住所

四 保存樹にあつては、樹種及び幹の周囲、高さ又は枝葉の面積

五 保存樹林にあつては、主要な樹種及び面積又はいけがきの長さ

2 台帳の記載事項に変更があつたときは、市町村長は、速やかにこれを訂正しなければならない。

附 則 〔略〕〔昭和三七・一〇・一五建設省令三〇施行〕

附 則 〔略〕〔昭和五九・三・三一建設省令三〕

附 則 〔略〕〔昭和六一・三・二九建設省令二施行〕

○都市緑地法

〔昭和四八・九・一 法律七二〕

改正 平成五・一一法八九、平成六・六法四〇、法四九、平成七・四法六八、平成一一・七法八七、一二法一六〇、平成一三・五法三七、平成一六・六法六七、法一〇九、法一一一、平成一八・五法四六、六法五〇、平成二〇・五法四〇、平成二三・八法一〇五、平成二六・六法六九、平成二九・五法二六、平成三〇・六法六七、令和二・六法四三、令和三・五法三一、令和四・五法四四、令和五・六法五八、令和六・五法四〇

注 [ ]の部分は、令和六年四月一九日法律第一八号により改正され、公布の日から起算して一年を超えない範囲内において政令で定める日から施行

目次

第一章 総則（第一条―第三条）

第二章 緑地の保全及び緑化の推進に関する基本方針及び計画（第三条の二―第四条）

第三章 緑地保全地域等

第一節 緑地保全地域（第五条―第十一条）

第二節 特別緑地保全地区（第十二条―第十九条の三）

第三節 地区計画等の区域内における緑地の保全（第二十条―第二十三条）

第四節 管理協定（第二十四条―第三十条）

第五節 雑則（第三十一条―第三十三条）

第四章 緑化地域等

第一節 緑化地域（第三十四条―第三十八条）

第二節 地区計画等の区域内における緑化率規制（第三十九条）

第三節 雑則（第四十条―第四十四条）

第五章 緑地協定（第四十五条―第五十四条）

第六章 市民緑地

第一節 市民緑地契約（第五十五条―第五十九条）

第二節 市民緑地設置管理計画の認定（第六十条―第六十八条）

第七章 都市緑化支援機構（第六十九条―第八十条）

第八章 緑地保全・緑化推進法人（第八十一条―第八十六条）

第九章 優良緑地確保計画の認定等

第一節 優良緑地確保計画の認定（第八十七条―第九十四条）

第二節 登録調査機関等（第九十五条―第百十二条）

第十章 雑則（第百十三条・第百十四条）

第十一章 罰則（第百十五条―第百二十条）

附則

第一章　総則

（目的）
第一条　この法律は、都市における緑地の保全及び緑化の推進に関し必要な事項を定めることにより、都市公園法（昭和三十一年法律第七十九号）その他の都市における自然的環境の整備を目的とする法律と相まつて、良好な都市環境の形成を図り、もつて健康で文化的な都市生活の確保に寄与することを目的とする。

（国及び地方公共団体の任務等）
第二条　国及び地方公共団体は、都市における緑地が住民の健康で文化的な生活に欠くことのできないものであることにかんがみ、都市における緑地の適正な保全と緑化の推進に関する措置を講じなければならない。
2　事業者は、その事業活動の実施に当たつて、都市における緑地が適正に確保されるよう必要な措置を講ずるとともに、国及び地方公共団体がこの法律の目的を達成するために行なう措置に協力しなければならない。
3　都市の住民は、都市における緑地が適正に確保されるよう自ら努めるとともに、国及び地方公共団体がこの法律の目的を達成するために行なう措置に協力しなければならない。

（定義）
第三条　この法律において「緑地」とは、樹林地、草地、水辺地、岩石地若しくはその状況がこれらに類する土地（農地であるものを含む。）が、単独で若しくは一体となつて、又はこれらに隣接している土地が、これらと一体となつて、良好な自然的環境を形成しているものをいう。
2　この法律において「都市計画区域」とは都市計画法（昭和四十三年法律第百号）第四条第二項に規定する都市計画区域を、「準都市計画区域」とは同項に規定する準都市計画区域をいう。
3　この法律において「首都圏近郊緑地保全区域」とは、首都圏近郊緑地保全法（昭和四十一年法律第百一号。以下「首都圏保全法」という。）第三条第一項の規定による近郊緑地保全区域をいう。
4　この法律において「近畿圏近郊緑地保全区域」とは、近畿圏の保全区域の整備に関する法律（昭和四十二年法律第百三号。以下「近畿圏保全法」という。）第五条第一項の規定による近郊緑地保全区域をいう。

第二章　緑地の保全及び緑化の推進に関する基本方針及び計画

（基本方針）
第三条の二　国土交通大臣は、都市における緑地の保全及び緑化の推進に関する基本的な方針（以下「基本方針」という。）を定めなければならない。
2　基本方針においては、次に掲げる事項を定めるものとする。
一　緑地の保全及び緑化の推進の意義及び目標に関する事項
二　緑地の保全及び緑化の推進に関する基本的な事項
三　緑地の保全及び緑化の推進のために政府が実施すべき施策に関する基本的な方針
四　都道府県における緑地の保全及び緑化の目標の設定に関する事項その他の次条第一項に規定する広域計画の策定に関する基本的な事項
五　市町村における緑地の保全及び緑化の目標の設定に関する事項その他の第四条第一項に規定する基本計画の策定に関する基本的な事項
六　前各号に掲げるもののほか、緑地の保全及び緑化の推進に関する重要事項
3　基本方針は、国土形成計画法（昭和二十五年法律第二百五号）第六条第二項に規定する全国計画及び環境基本法（平成五年法律第九十一号）第十五条第一項に規定する環境基本計画との調和が保たれたものでなければならない。
4　国土交通大臣は、基本方針を定めようとするときは、関係行政機関の長に協議しなければならない。
5　国土交通大臣は、基本方針を定めたときは、遅滞なく、これを公表しなければならない。
6　前三項の規定は、基本方針の変更について準用する。

（広域計画）
第三条の三　都道府県は、都市における緑地の適正な保全及び緑化の推進に関する措置で主として都市計画区域内において講じられるものを総合的かつ計画的に実施するため、基本方針に基づき、当該都道府県の緑地の保全及び緑化の推進に関する計画（以下「広域計画」という。）を定めることができる。
2　広域計画においては、おおむね次に掲げる事項を定めるものとする。
一　緑地の保全及び緑化の目標
二　緑地の配置の方針その他の緑地の保全及び緑化の推進の方針に関する事項
三　緑地の保全及び緑化の推進のための施策に関する事項
四　都道府県の設置に係る都市公園（都市公園法第二条第一項に規定する都市公園をいう。次条第二項第四号において同じ。）の整備及び管理に関する事項
五　町村の区域内の緑地保全地域内における第八条の規定による行為の規制又は措置の基準
六　特別緑地保全地区内における第十七条の規定による土地の買入れ及び買い入れた土地の管理に関する事項
3　広域計画は、環境基本法第十五条第一項に規定する環境基本計画との調和が保たれるとともに、景観法（平成十六年法律第百十号）第八条第二項第一号の景観計画区域をその区域とする都道府県にあつては同条第一項の景観計画との調和が保たれ、かつ、都市計画法第六条の二第一項の都市計画区域の整備、開発及び保全の方針に適合するとともに、首都圏近郊緑地保全区域をその区域とする都県にあつては首都圏保全法第四条第一項の規定による近郊緑地保全計画に、近畿圏近郊緑地保全区域をその区域とする府県にあつては近畿圏保全法第三条第一項の規定による保全区域整備計画に、それぞれ適合したものでなければならない。
4　都道府県は、広域計画を定めるときは、あらかじめ、公聴会の開催その他の住民の意見を反映させるために必要な措置を講ずるよう努めるとともに、関係市町村の意見を聴かなければならない。
5　都道府県は、広域計画に第二項第五号に掲げる事項を定める場合においては、当該事項について、あらかじめ、都道府県都市計画審議会の意見を聴かなければならない。
6　都道府県は、広域計画を定めたときは、遅滞なく、これを公表するよう努めるとともに、関係市町村長に通知しなければならない。
7　第三項から前項までの規定は、広域計画の変更について準用する。

（基本計画）
第四条　市町村は、都市における緑地の適正な保全及び緑化の推進に関する措置で主として都市計画区域内において講じられるものを総合的かつ計画的に実施するため、基本方針に基づき（広域計画が定められている場合にあつては、基本方針に基づくとともに、当該広域計画を勘案して）、当該市町村の緑地の保全及び緑化の推進に関する基本計画（以下「基本計画」という。）を定めることができる。
2　基本計画においては、おおむね次に掲げる事項を定めるものとする。
一　緑地の保全及び緑化の目標
二　緑地の配置の方針その他の緑地の保全及び緑化の推進の方針に関する事項
三　緑地の保全及び緑化の推進のための施策に関する事項
四　市町村の設置に係る都市公園の整備及び管理に関する事項
五　緑地保全地域内の緑地の保全に関する次に掲げる事項（町村にあつては、ロからニまでに掲げる事項）
イ　第八条の規定による行為の規制又は措置の基準
ロ　緑地の保全に関連して必要とされる施設の整備に関する事項
ハ　第二十四条第一項の規定による管理協定（次号ニ、第八条第九項第七号及び第十四条第九項第五号において「管理協定」という。）に基づく緑地の管理に関する事項
ニ　第五十五条第一項又は第二項の規定による市民緑地契約（次号ホ、第八条第九項第八号及び第十四条第九項第六号において「市民緑地契約」という。）に基づく緑地の管理に関する事項その他緑地保全地域内の緑地の保全に関し必要な事項
六　特別緑地保全地区内の緑地の保全に関する次に掲げる事項
イ　緑地の保全に関連して必要とされる施設の整備に関する事項
ロ　緑地の有する機能の維持増進を図るために行う事業であつて高度な技術を要するものとして国土交通省令で定めるもの（以下「機能維持増進事業」という。）の実施の方針
ハ　第十七条の規定による土地の買入れ及び買い入れた土地の管理に関

する事項

ニ　管理協定に基づく緑地の管理に関する事項

ホ　市民緑地契約に基づく緑地の管理に関する事項その他特別緑地保全地区内の緑地の保全に関し必要な事項

七　生産緑地法（昭和四十九年法律第六十八号）第三条第一項の規定による生産緑地地区（次号において「生産緑地地区」という。）内の緑地の保全に関する事項

八　緑地保全地域、特別緑地保全地区及び生産緑地地区以外の区域であつて重点的に緑地の保全に配慮を加えるべき地区並びに当該地区における緑地の保全に関する事項

九　緑化地域における緑化の推進に関する事項

十　緑化地域以外の区域であつて重点的に緑化の推進に配慮を加えるべき地区及び当該地区における緑化の推進に関する事項

3　前項第六号ロに掲げる事項には、市町村又は第六十九条第一項の規定により指定された都市緑化支援機構（以下この項及び次章第二節において「都市緑化支援機構」という。）が特別緑地保全地区内の土地において行う機能維持増進事業に関する事項を定めることができる。この場合において、都市緑化支援機構が行う機能維持増進事業に関する事項を定めるときは、あらかじめ、都市緑化支援機構の同意を得なければならない。

4　基本計画は、環境基本法第十五条第一項に規定する環境基本計画との調和が保たれるとともに、景観法第八条第二項第一号の景観計画区域をその区域とする市町村にあつては同条第一項の景観計画との調和が保たれ、かつ、議会の議決を経て定められた当該市町村の建設に関する基本構想に即し、都市計画法第十八条の二第一項の市町村の都市計画に関する基本的な方針に適合するとともに、首都圏近郊緑地保全区域をその区域とする市町村にあつては首都圏保全法第四条第一項の規定による近郊緑地保全計画に、近畿圏近郊緑地保全区域をその区域とする市町村にあつては近畿圏保全法第三条第一項の規定による保全区域整備計画に、それぞれ適合したものでなければならない。

5　市町村は、基本計画を定めるときは、あらかじめ、公聴会の開催その他の住民の意見を反映させるために必要な措置を講ずるよう努めるものとする。

6　市は、基本計画に第二項第五号イに掲げる事項を定める場合においては、当該事項について、あらかじめ、市町村都市計画審議会（当該市に市町村都市計画審議会が置かれていないときは、当該市の存する都道府県の都道府県都市計画審議会）の意見を聴かなければならない。

7　町村は、基本計画に第二項第五号ロ又は第六号イ若しくはロに掲げる事項を定める場合においては、当該事項について、あらかじめ、都道府県知事と協議してその同意を得、同項第五号ハ若しくはニ又は第六号ハからホまでに掲げる事項を定める場合においては、当該事項について、あらかじめ、都道府県知事と協議しなければならない。

8　市町村は、基本計画を定めたときは、遅滞なく、これを公表するよう努めるとともに、都道府県知事に通知しなければならない。

9　第三項から前項までの規定は、基本計画の変更について準用する。

第三章　緑地保全地域等

第一節　緑地保全地域

（緑地保全地域に関する都市計画）

第五条　都市計画区域又は準都市計画区域内の緑地で次の各号のいずれかに該当する相当規模の土地の区域については、都市計画に緑地保全地域を定めることができる。

一　無秩序な市街地化の防止又は公害若しくは災害の防止のため適正に保全する必要があるもの

二　地域住民の健全な生活環境を確保するため適正に保全する必要があるもの

（緑地保全地域における行為の規制等の基準）

第六条　緑地保全地域に関する都市計画が定められた場合においては、都道府県（市の区域内にあつては、当該市。以下「都道府県等」という。）は、第八条の規定による行為の規制又は措置の基準を定め、これを公表しなければならない。この場合において、当該都道府県にあつては、これを関係町村に通知しなければならない。

2　都道府県等は、前項に規定する基準を定めるときは、あらかじめ、都道府県にあつては関係町村及び都道府県都市計画審議会の意見を、市にあつては市町村都市計画審議会（当該市に市町村都市計画審議会が置かれていないときは、当該市の存する都道府県の都道府県都市計画審議会）の意見を聴かなければならない。

3　前二項の規定は、都道府県等が第三条の三第二項第五号に掲げる事項を定めた広域計画又は第四条第二項第五号イに掲げる事項を定めた基本計画を第三条の三第六項（同条第七項において準用する場合を含む。）又は第四条第八項（同条第九項において準用する場合を含む。）の規定により公表している場合については、適用しない。

（標識の設置等）

第七条　都道府県等は、緑地保全地域に関する都市計画が定められたときは、その区域内における標識の設置その他の適切な方法により、その区域が緑地保全地域である旨を明示しなければならない。

2　緑地保全地域内の土地の所有者又は占有者は、正当な理由がない限り、前項の標識の設置を拒み、又は妨げてはならない。

3　何人も、第一項の規定により設けられた標識を設置者の承諾を得ないで移転し、若しくは除却し、又は汚損し、若しくは損壊してはならない。

4　都道府県等は、第一項の規定による行為（緑地保全地域内における標識の設置に係るものに限る。）により損失を受けた者がある場合においては、その損失を受けた者に対して、通常生ずべき損失を補償する。

5　前項の規定による損失の補償については、都道府県知事（市の区域内にあつては、当該市の長。以下「都道府県知事等」という。）と損失を受けた者が協議しなければならない。

6　前項の規定による協議が成立しない場合においては、都道府県知事等又は損失を受けた者は、政令で定めるところにより、収用委員会に土地収用法（昭和二十六年法律第二百十九号）第九十四条第二項の規定による裁決を申請することができる。

（緑地保全地域における行為の届出等）

第八条　緑地保全地域（特別緑地保全地区及び第二十条第二項に規定する地区計画等緑地保全条例により制限を受ける区域を除く。以下この条及び第六章第二節において同じ。）内において、次に掲げる行為をしようとする者は、国土交通省令で定めるところにより、あらかじめ、都道府県知事等にその旨を届け出なければならない。

一　建築物その他の工作物の新築、改築又は増築

二　宅地の造成、土地の開墾、土石の採取、鉱物の掘採その他の土地の形質の変更

三　木竹の伐採

四　水面の埋立て又は干拓

五　前各号に掲げるもののほか、当該緑地の保全に影響を及ぼすおそれのある行為で政令で定めるもの

2　都道府県知事等は、緑地保全地域内において前項の規定により届出を要する行為をしようとする者又はした者に対して、当該緑地の保全のために必要があると認めるときは、その必要な限度において、第六条第一項に規定する基準（同条第三項に規定する場合にあつては、第三条の三第二項第五号又は第四条第二項第五号イに規定する基準。第八項において同じ。）に従い、当該行為を禁止し、若しくは制限し、又は必要な措置をとるべき旨を命ずることができる。

3　前項の規定による処分は、第一項の規定による届出をした者に対しては、その届出があつた日から起算して三十日以内に限り、することができる。

4　都道府県知事等は、第一項の規定による届出があつた場合において、実地の調査をする必要があるとき、その他前項の期間内に第二項の規定による処分をすることができない合理的な理由があるときは、その理由が存続する間、前項の期間を延長することができる。この場合においては、同項の期間内に、第一項の規定による届出をした者に対し、その旨、延長する期間及び延長する理由を通知しなければならない。

5　第一項の規定による届出をした者は、その届出をした日から起算して三十日（前項の規定により第三項の期間が延長された場合にあつては、その延長された期間）を経過した後でなければ、当該届出に係る行為に着手してはならない。

6　都道府県知事等は、当該緑地の保全に支障を及ぼすおそれがないと認めるときは、前項の期間を短縮することができる。

7　前各項の規定にかかわらず、国の機関又は地方公共団体（港湾法（昭和

二十五年法律第二百十八号）に規定する港務局を含む。以下この条において同じ。）が行う行為については、第一項の規定による届出をすることを要しない。この場合において、当該国の機関又は地方公共団体は、同項の規定により届出を要する行為をするときは、あらかじめ、都道府県知事等にその旨を通知しなければならない。

8　都道府県知事等は、前項後段の通知があつた場合において、当該緑地の保全のため必要があると認めるときは、その必要な限度において、当該国の機関又は地方公共団体に対し、第六条第一項に規定する基準に従い、当該緑地の保全のためとるべき措置について協議を求めることができる。

9　次に掲げる行為については、第一項、第二項、第七項後段及び前項の規定は、適用しない。

一　公益性が特に高いと認められる事業の実施に係る行為のうち、当該緑地の保全に著しい支障を及ぼすおそれがないと認められるものとして政令で定めるもの

二　緑地保全地域に関する都市計画が定められた際既に着手していた行為

三　非常災害のため必要な応急措置として行う行為

四　首都圏保全法第四条第一項の規定による近郊緑地保全計画に基づいて行う行為

五　近畿圏保全法第八条第四項第一号の政令で定める行為に該当する行為

六　基本計画において定められた当該緑地保全地域内の緑地の保全に関連して必要とされる施設の整備に関する事項に従つて行う行為

七　管理協定において定められた当該管理協定区域内の緑地の保全に関連して必要とされる施設の整備に関する事項に従つて行う行為

八　市民緑地契約において定められた当該市民緑地内の緑地の保全に関連して必要とされる施設の整備に関する事項に従つて行う行為

九　通常の管理行為、軽易な行為その他の行為で政令で定めるもの

（原状回復命令等）

第九条　都道府県知事等は、前条第二項の規定による処分に違反した者がある場合においては、その者又はその者から当該土地、建築物その他の工作物若しくは物件についての権利を承継した者に対して、相当の期限を定めて、当該緑地の保全に対する障害を排除するため必要な限度において、その原状回復を命じ、又は原状回復が著しく困難である場合に、これに代わるべき必要な措置をとるべき旨を命ずることができる。

2　前項の規定により原状回復又はこれに代わるべき必要な措置（以下「原状回復等」という。）を命じようとする場合において、過失がなくて当該原状回復等を命ずべき者を確知することができないときは、都道府県知事等は、その者の負担において、当該原状回復等を自ら行い、又はその命じた者若しくは委任した者にこれを行わせることができる。この場合においては、相当の期限を定めて、当該原状回復等を行うべき旨及びその期限までに当該原状回復等を行わないときは、都道府県知事等又はその命じた者若しくは委任した者が当該原状回復等を行う旨をあらかじめ公告しなければならない。

3　前項の規定により原状回復等を行おうとする者は、その身分を示す証明書を携帯し、関係人の請求があつた場合においては、これを提示しなければならない。

（損失の補償）

第一〇条　都道府県知事等は、第八条第二項の規定による処分を受けたため損失を受けた者がある場合においては、その損失を受けた者に対して、通常生ずべき損失を補償する。ただし、次の各号のいずれかに該当する場合における当該処分に係る行為については、この限りでない。

一　第八条第一項の届出に係る行為をするについて、他に、行政庁の許可その他の処分を受けるべきことを定めている法律（法律に基づく命令及び条例を含むものとし、当該許可その他の処分を受けることができないため損失を受けた者に対して、その損失を補償すべきことを定めているものを除く。）がある場合において、当該許可その他の処分の申請が却下されたとき、又は却下されるべき場合に該当するとき。

二　第八条第一項の届出に係る行為が、次に掲げるものであると認められるとき。

イ　都市計画法による開発許可を受けた開発行為により確保された緑地その他これに準ずるものとして政令で定める緑地の保全に支障を及ぼす行為

ロ　イに掲げるもののほか、社会通念上緑地保全地域に関する都市計画が定められた趣旨に著しく反する行為

2　第七条第五項及び第六項の規定は、前項本文の規定による損失の補償について準用する。

（報告及び立入検査等）

第一一条　都道府県知事等は、緑地保全地域内の緑地の保全のため必要があると認めるときは、その必要な限度において、第八条第二項の規定により行為を制限され、若しくは必要な措置をとるべき旨を命ぜられた者又はその者から当該土地、建築物その他の工作物若しくは物件についての権利を承継した者に対して、当該行為の実施状況その他必要な事項について報告を求めることができる。

2　都道府県知事等は、第八条及び第九条の規定の施行に必要な限度において、当該職員をして、緑地保全地域内の土地若しくは建物内に立ち入らせ、又は第八条第一項各号に掲げる行為の実施状況を検査させ、若しくはこれらの行為が当該緑地の保全に及ぼす影響を調査させることができる。

3　前項に規定する職員は、その身分を示す証明書を携帯し、関係人の請求があつた場合においては、これを提示しなければならない。

4　第二項の規定による権限は、犯罪捜査のために認められたものと解してはならない。

第二節　特別緑地保全地区

（特別緑地保全地区に関する都市計画）

第一二条　都市計画区域内の緑地で次の各号のいずれかに該当する土地の区域については、都市計画に特別緑地保全地区を定めることができる。

一　無秩序な市街地化の防止、公害又は災害の防止等のため必要な遮断地帯、緩衝地帯又は避難地帯若しくは雨水貯留浸透地帯（雨水を一時的に貯留し又は地下に浸透させることにより浸水による被害を防止する機能を有する土地の区域をいう。）として適切な位置、規模及び形態を有するもの

二　神社、寺院等の建造物、遺跡等と一体となつて、又は伝承若しくは風俗慣習と結びついて当該地域において伝統的又は文化的意義を有するもの

三　次のいずれかに該当し、かつ、当該地域の住民の健全な生活環境を確保するため必要なもの

イ　風致又は景観が優れていること。

ロ　動植物の生息地又は生育地として適正に保全する必要があること。

2　首都圏近郊緑地保全区域又は近畿圏近郊緑地保全区域内の特別緑地保全地区で、それらの近郊緑地保全区域内において近郊緑地の保全のため特に必要とされるものに関する都市計画の策定に関し必要な基準は、前項の規定にかかわらず、それぞれ首都圏保全法第三条第一項及び近畿圏保全法第六条第一項に定めるところによるものとする。

（標識の設置等についての準用）

第一三条　第七条の規定は、特別緑地保全地区に関する都市計画が定められた場合について準用する。この場合において、同条第一項中「緑地保全地域である」とあるのは「特別緑地保全地区である」と、同条第二項及び第四項中「緑地保全地域」とあるのは「特別緑地保全地区」と読み替えるものとする。

（特別緑地保全地区における行為の制限）

第一四条　特別緑地保全地区内においては、次に掲げる行為は、都道府県知事等の許可を受けなければ、してはならない。ただし、公益性が特に高いと認められる事業の実施に係る行為のうち当該緑地の保全上著しい支障を及ぼすおそれがないと認められるもので政令で定めるもの、当該特別緑地保全地区に関する都市計画が定められた際既に着手していた行為又は非常災害のため必要な応急措置として行う行為については、この限りでない。

一　建築物その他の工作物の新築、改築又は増築

二　宅地の造成、土地の開墾、土石の採取、鉱物の掘採その他の土地の形質の変更

三　木竹の伐採

四　水面の埋立て又は干拓

五　前各号に掲げるもののほか、当該緑地の保全に影響を及ぼすおそれのある行為で政令で定めるもの

2　都道府県知事等は、前項の許可の申請があつた場合において、その申請に係る行為が当該緑地の保全上支障があると認めるときは、同項の許可をしてはならない。

3　都道府県知事等は、第一項の許可の申請があつた場合において、当該緑地の保全のため必要があると認めるときは、許可に期限その他必要な条件を付することができる。

4　特別緑地保全地区内において第一項ただし書の政令で定める行為に該当する行為であつて同項各号に掲げるものをしようとする者は、あらかじめ、都道府県知事等にその旨を通知しなければならない。

5　特別緑地保全地区に関する都市計画が定められた際当該特別緑地保全地区内において既に第一項各号に掲げる行為に着手している者は、その都市計画が定められた日から起算して三十日以内に、都道府県知事等にその旨を届け出なければならない。

6　特別緑地保全地区内において非常災害のため必要な応急措置として第一項各号に掲げる行為をした者は、その行為をした日から起算して十四日以内に、都道府県知事等にその旨を届け出なければならない。

7　都道府県知事等は、第四項の規定による通知又は第五項若しくは前項の規定による届出があつた場合において、当該緑地の保全のため必要があると認めるときは、通知又は届出をした者に対して、必要な助言又は勧告をすることができる。

8　国の機関又は地方公共団体（港湾法に規定する港務局を含む。以下この項において同じ。）が行う行為については、第一項の許可を受けることを要しない。この場合において、当該国の機関又は地方公共団体は、その行為をするときは、あらかじめ、都道府県知事等に協議しなければならない。

9　次に掲げる行為については、第一項から第七項まで及び前項後段の規定は、適用しない。

一　首都圏保全法第四条第一項の規定による近郊緑地保全計画に基づいて行う行為

二　近畿圏保全法第八条第四項第一号の政令で定める行為に該当する行為

三　基本計画において定められた当該特別緑地保全地区内の緑地の保全に関連して必要とされる施設の整備に関する事項に従つて行う行為

四　基本計画において定められた当該特別緑地保全地区内の土地における機能維持増進事業の実施の方針に従つて行う行為

五　管理協定において定められた当該管理協定区域内の緑地の保全に関連して必要とされる施設の整備に関する事項に従つて行う行為

六　市民緑地契約において定められた当該市民緑地内の緑地の保全に関連して必要とされる施設の整備に関する事項に従つて行う行為

七　通常の管理行為、軽易な行為その他の行為で政令で定めるもの

（原状回復命令等についての準用）

第一五条　第九条の規定は、前条第一項の規定に違反した者又は同条第三項の規定により許可に付された条件に違反した者がある場合について準用する。

（損失の補償についての準用）

第一六条　第十条の規定は、第十四条第一項の許可を受けることができないため損失を受けた者がある場合について準用する。この場合において、第十条第一項第一号及び第二号中「第八条第一項の届出」とあるのは「第十四条第一項の許可の申請」と、同号ロ中「緑地保全地域」とあるのは「特別緑地保全地区」と読み替えるものとする。

（土地の買入れ）

第一七条　都道府県等は、特別緑地保全地区内の土地で当該緑地の保全上必要があると認めるものについて、その所有者から第十四条第一項の許可を受けることができないためその土地の利用に著しい支障を来すこととなることにより当該土地を買い入れるべき旨の申出があつた場合においては、第三項又は次条第四項の規定による買入れが行われる場合を除き、これを買い入れるものとする。

2　前項の申出があつたときは、都道府県知事にあつては当該土地の買入れを希望する町村を、市長にあつては当該土地の買入れを希望する都道府県を、当該土地の買入れの相手方として定めることができる。

3　前項の場合においては、土地の買入れの相手方として定められた都道府県又は町村が、当該土地を買い入れるものとする。

4　第一項又は前項の規定による買入れをする場合における土地の価額は、時価によるものとする。

（都市緑化支援機構による特定緑地保全業務）

第一七条の二　都道府県等は、前条第一項の申出があつた場合において、当該申出に係る土地の規模若しくは形状又は管理の状況、当該都道府県等における同項の規定による買入れのために必要な事務の実施体制その他の事情を勘案して必要があると認めるときは、国土交通省令で定めるところにより、都市緑化支援機構に対し、当該土地（以下この条及び第七十条において「対象土地」という。）について、第七十条第一号から第四号までに掲げる業務（これらに附帯する業務を含む。以下「特定緑地保全業務」という。）を行うことを要請することができる。

2　前項の規定による要請を受けた都市緑化支援機構は、当該要請に係る対象土地が第七十一条第二項第一号に規定する基準に該当すると認めるときは、遅滞なく、当該要請をした都道府県等に対し、特定緑地保全業務を実施する旨を通知するものとする。

3　前項の規定による通知をした都市緑化支援機構及び同項の都道府県等は、当該通知の後速やかに、特定緑地保全業務の実施のため、次に掲げる事項をその内容に含む協定（以下「業務実施協定」という。）を締結するものとする。

一　都市緑化支援機構が第七十条第一号に掲げる業務として行う対象土地の買入れの時期

二　都市緑化支援機構が第七十条第二号に掲げる業務として行う機能維持増進事業の内容及び方法

三　都市緑化支援機構が第七十条第三号に掲げる業務として行う対象土地の管理の内容及び方法

四　都市緑化支援機構が第一号の買入れに係る対象土地を保有する期間（当該買入れの日から起算して十年を超えないものに限る。）

五　前号の期間内において都市緑化支援機構が第七十条第四号に掲げる業務として行う都道府県等への対象土地の譲渡の方法及び時期

六　都市緑化支援機構による第一号から第三号まで及び前号に規定する業務の実施に要する費用であつて都道府県等が負担すべきものの支払の方法及び時期

七　その他国土交通省令で定める事項

4　都市緑化支援機構は、業務実施協定の内容に従つて、前条第一項の申出をした者から対象土地を買い入れるものとする。

5　前項の規定による買入れをする場合における対象土地の価額は、時価によるものとし、当該買入れに要した費用は、第二項の都道府県等が、業務実施協定の内容に従つて負担するものとする。

6　前二項に定めるもののほか、都市緑化支援機構は、業務実施協定の内容に従つて、特定緑地保全業務を行わなければならない。

7　第五項に定めるもののほか、都道府県等は、業務実施協定の内容に従つて、第三項第六号に規定する費用を負担するものとする。

（買い入れた土地の管理）

第一八条　都道府県は、第十七条第一項若しくは第三項の規定により買い入れた土地又は業務実施協定に基づいて都市緑化支援機構から譲渡を受けた土地については、この法律の目的に適合するように、かつ、第三条の三第二項第六号に掲げる事項を定める広域計画が定められた場合にあつては、当該事項に従つて管理しなければならない。

2　前項の規定は、市町村について準用する。この場合において、同項中「第三条の三第二項第六号に掲げる事項を定める広域計画」とあるのは、「第四条第二項第六号ハに掲げる事項を定める基本計画」と読み替えるものとする。

（報告及び立入検査等についての準用）

第一九条　第十一条の規定は、特別緑地保全地区について準用する。この場合において、同条第一項中「第八条第二項の規定により行為を制限され、若しくは必要な措置をとるべき旨を命ぜられた」とあるのは「第十四条第一項の規定による許可を受けた」と、同条第二項中「第八条及び第九条」とあるのは「第十四条の規定及び第十五条において準用する第九条」と、「第八条第一項各号」とあるのは「第十四条第一項各号」と読み替えるものとする。

（都市計画の決定等に関する特例）

第一九条の二　市町村が第四条第二項第六号ロに掲げる事項を定めた基本計画を同条第八項（同条第九項において準用する場合を含む。）の規定により公表した場合において、当該市町村が都市計画に特別緑地保全地区内の土地を都市計画法第十一条第一項第二号に掲げる施設である緑地として定めるときについては、同法第十六条の規定及び同法第十九条第三項から第五項まで（同法第二十一条第二項において準用する場合を含む。）の規定は適用せず、同法第十九条第一項（同法第二十一条第二項において準用する場合を含む。）中「とする」とあるのは、「とする。ただし、当該都市計

画の案について異議がある旨の第十七条第二項の規定による意見書の提出がなかつたときは、その議を経ることを要しない」とする。

（**都市計画事業の認可に関する特例**）

第一九条の三　市町村は、第四条第三項（同条第九項において準用する場合を含む。）に規定する事項として、国土交通省令で定めるところにより、前条の規定により都市計画に定められた緑地の整備に関する事業の施行について都市計画法第五十九条第一項又は第四項の認可に関する事項を定めることができる。

2　市町村は、基本計画に前項に規定する事項を定める場合においては、当該事項について、国土交通省令で定めるところにより、あらかじめ、次の各号に掲げる場合の区分に応じ当該各号に定める者に協議をするとともに、市にあつては都道府県知事に協議をし、その同意を得なければならない。

一　前項に規定する事業を都市計画事業として施行する場合には都市計画法第五十九条第六項の規定により同項に規定する施設を管理する者の意見の聴取を要することとなるとき　当該施設を管理する者

二　前項に規定する事業を都市計画事業として施行する場合には都市計画法第五十九条第六項の規定により同項に規定する土地改良事業計画による事業を行う者の意見の聴取を要することとなるとき　当該事業を行う者

3　第一項に規定する事項が定められた基本計画が第四条第八項（同条第九項において準用する場合を含む。）の規定により公表されたときは、当該公表の日に第一項に規定する事業を実施する市町村又は都市緑化支援機構に対する都市計画法第五十九条第一項又は第四項の認可があつたものとみなす。

第三節　地区計画等の区域内における緑地の保全

（**地区計画等緑地保全条例**）

第二〇条　市町村は、地区計画等（都市計画法第四条第九項に規定する地区計画等をいう。第三十九条第一項において同じ。）の区域（地区整備計画（同法第十二条の五第二項第一号に規定する地区整備計画をいう。以下この項及び第三十九条第一項において同じ。）、防災街区整備地区整備計画（密集市街地における防災街区の整備の促進に関する法律（平成九年法律第四十九号）第三十二条第二項第二号に規定する防災街区整備地区整備計画をいう。第三十九条第一項において同じ。）、沿道地区整備計画（幹線道路の沿道の整備に関する法律（昭和五十五年法律第三十四号）第九条第二項第一号に規定する沿道地区整備計画をいう。第三十九条第一項において同じ。）若しくは集落地区整備計画（集落地域整備法（昭和六十二年法律第六十三号）第五条第三項に規定する集落地区整備計画をいう。）において、現に存する樹林地、草地等（緑地であるものに限る。次項において同じ。）で良好な居住環境を確保するため必要なものの保全に関する事項（地区整備計画にあつては、都市計画法第十二条の五第七項第四号に該当するものを除く。）が定められている区域又は歴史的風致維持向上地区整備計画（地域における歴史的風致の維持及び向上に関する法律（平成二十年法律第四十号）第三十一条第二項第一号に規定する歴史的風致維持向上地区整備計画をいう。第三十九条第一項において同じ。）において、現に存する樹林地、草地その他の緑地で歴史的風致（同法第一条に規定する歴史的風致をいう。第三項において同じ。）の維持及び向上を図るとともに、良好な居住環境を確保するために必要なものの保全に関する事項が定められている区域（同項において「歴史的風致維持向上地区整備計画区域」という。）に限り、特別緑地保全地区を除く。）内において、条例で、当該区域内における第十四条第一項各号に掲げる行為について、市町村長の許可を受けなければならないこととすることができる。

2　前項の規定に基づく条例（以下「地区計画等緑地保全条例」という。）には、併せて、市町村長が当該樹林地、草地等の保全のために必要があると認めるときは、許可に期限その他必要な条件を付することができる旨を定めることができる。

3　地区計画等緑地保全条例による制限は、当該区域内における土地利用の状況等を考慮し、良好な居住環境の確保（第一項（歴史的風致維持向上地区整備計画区域に係る部分に限る。）の規定に基づく条例による制限にあつては、歴史的風致の維持及び向上並びに良好な居住環境の確保）及び都市における緑地の適正な保全を図るため、合理的に必要と認められる限度において行うものとする。

4　地区計画等緑地保全条例には、第十四条第一項ただし書、第二項、第四項から第八項まで及び第九項（第一号、第二号、第六号及び第七号に係る部分に限る。）の規定の例により、当該条例に定める制限の適用除外、許可基準その他必要な事項を定めなければならない。

（**標識の設置等についての準用**）

第二一条　第七条の規定は、地区計画等緑地保全条例が定められた場合について準用する。この場合において、同条第一項及び第四項中「都道府県等」とあるのは「市町村」と、同条第一項中「緑地保全地域である」とあるのは「地区計画等緑地保全条例により制限を受ける区域である」と、同条第二項及び第四項中「緑地保全地域」とあるのは「地区計画等緑地保全条例により制限を受ける区域」と、同条第五項中「都道府県知事（市の区域内にあつては、当該市の長。以下「都道府県知事等」という。）」とあるのは「市町村長」と、同条第六項中「都道府県知事等」とあるのは「市町村長」と読み替えるものとする。

（**原状回復命令等**）

第二二条　地区計画等緑地保全条例には、第十五条において準用する第九条の規定及び第十九条において読み替えて準用する第十一条の規定の例により、原状回復等の命令並びに報告の徴収及び立入検査等をすることができる旨を定めることができる。

（**損失の補償についての準用**）

第二三条　第十条の規定は、地区計画等緑地保全条例による許可を受けることができないため損失を受けた者がある場合について準用する。この場合において、同条第一項本文中「都道府県等」とあるのは「市町村」と、同項第一号及び第二号中「第八条第一項の届出」とあるのは「地区計画等緑地保全条例による許可の申請」と、同号ロ中「緑地保全地域に関する都市計画」とあるのは「地区計画等緑地保全条例」と、同条第二項において準用する第七条第五項中「都道府県知事（市の区域内にあつては、当該市の長。以下「都道府県知事等」という。）」とあるのは「市町村長」と、第十条第二項において準用する第七条第六項中「都道府県知事等」とあるのは「市町村長」と読み替えるものとする。

第四節　管理協定

（**管理協定の締結等**）

第二四条　地方公共団体又は第八十一条第一項の規定により指定された緑地保全・緑化推進法人（第八十二条第一号イに掲げる業務を行うものに限る。）は、緑地保全地域又は特別緑地保全地区内の緑地の保全のため必要があると認めるときは、当該緑地保全地域又は特別緑地保全地区内の土地又は木竹の所有者又は使用及び収益を目的とする権利（臨時設備その他一時的に使用する施設のため設定されたことが明らかなものを除く。）を有する者（以下「土地の所有者等」と総称する。）と次に掲げる事項を定めた協定（以下「管理協定」という。）を締結して、当該土地の区域内の緑地の管理を行うことができる。

一　管理協定の目的となる土地の区域（以下「管理協定区域」という。）

二　管理協定区域内の緑地の管理の方法に関する事項

三　管理協定区域内の緑地の保全に関連して必要とされる施設の整備が必要な場合にあつては、当該施設の整備に関する事項

四　管理協定の有効期間

五　管理協定に違反した場合の措置

2　管理協定については、管理協定区域内の土地の所有者等の全員の合意がなければならない。

3　管理協定の内容は、次の各号に掲げる基準のいずれにも適合するものでなければならない。

一　緑地保全地域内の緑地に係る管理協定については、基本計画との調和が保たれ、かつ、基本計画に第四条第二項第五号ハに掲げる事項が定められている場合にあつては当該事項に従つて管理を行うものであること。

二　特別緑地保全地区内の緑地に係る管理協定については、基本計画との調和が保たれ、かつ、基本計画に第四条第二項第六号ニに掲げる事項が定められている場合にあつては当該事項に従つて管理を行うものであること。

三　土地及び木竹の利用を不当に制限するものでないこと。

四　第一項各号に掲げる事項について国土交通省令で定める基準に適合するものであること。

4　地方公共団体又は第一項の緑地保全・緑化推進法人は、管理協定に同項第三号に掲げる事項を定める場合においては、当該事項について、あらかじめ、都道府県知事等と協議し、その同意を得なければならない。ただし、都道府県が当該都道府県の区域（市の区域を除く。）内の土地について、又は市が当該市の区域内の土地について管理協定を締結する場合は、この限りでない。

5　第一項の緑地保全・緑化推進法人が管理協定を締結するときは、あらかじめ、市町村長の認可を受けなければならない。

（管理協定の縦覧等）

第二五条　地方公共団体又は市町村長は、それぞれ管理協定を締結しようとするとき、又は前条第五項の規定による管理協定の認可の申請があつたときは、国土交通省令で定めるところにより、その旨を公告し、当該管理協定を当該公告の日から二週間関係人の縦覧に供さなければならない。

2　前項の規定による公告があつたときは、関係人は、同項の縦覧期間満了の日までに、当該管理協定について、地方公共団体又は市町村長に意見書を提出することができる。

（管理協定の認可）

第二六条　市町村長は、第二十四条第五項の規定による管理協定の認可の申請が、次の各号のいずれにも該当するときは、当該管理協定を認可しなければならない。

一　申請手続が法令に違反しないこと。

二　管理協定の内容が、第二十四条第三項各号に掲げる基準のいずれにも適合するものであること。

（管理協定の公告等）

第二七条　地方公共団体又は市町村長は、それぞれ管理協定を締結し又は前条の認可をしたときは、国土交通省令で定めるところにより、その旨を公告し、かつ、当該管理協定の写しをそれぞれ当該地方公共団体又は当該市町村の事務所に備えて公衆の縦覧に供するとともに、管理協定区域である旨を当該区域内に明示しなければならない。

（管理協定の変更）

第二八条　第二十四条第二項から第五項まで及び前三条の規定は、管理協定において定めた事項の変更について準用する。

（管理協定の効力）

第二九条　第二十七条（前条において準用する場合を含む。）の規定による公告のあつた管理協定は、その公告のあつた後において当該管理協定区域内の土地の所有者等となつた者に対しても、その効力があるものとする。

（都市の美観風致を維持するための樹木の保存に関する法律の特例）

第三〇条　第二十四条第一項の緑地保全・緑化推進法人が管理協定に基づき管理する樹木又は樹木の集団で都市の美観風致を維持するための樹木の保存に関する法律（昭和三十七年法律第百四十二号）第二条第一項の規定に基づき保存樹又は保存樹林として指定されたものについての同法の規定の適用については、同法第五条第一項中「所有者」とあるのは「所有者及び緑地保全・緑化推進法人（都市緑地法第八十一条第一項の規定により指定された緑地保全・緑化推進法人をいう。以下同じ。）」と、同法第六条第二項及び第八条中「所有者」とあるのは「緑地保全・緑化推進法人」と、同法第九条中「所有者」とあるのは「所有者又は緑地保全・緑化推進法人」とする。

第五節　雑則

（国の補助）

第三一条　国は、都道府県等が行う第十六条において読み替えて準用する第十条第一項の規定による損失の補償及び第十七条第一項の規定による土地の買入れ又は第十七条の二第五項の規定による負担並びに都道府県又は町村が行う第十七条第三項の規定による土地の買入れに要する費用については、予算の範囲内において、政令で定めるところにより、その一部を補助することができる。

2　国は、地方公共団体が行う緑地保全地域内の緑地の保全に関連して必要とされる施設の整備（基本計画又は管理協定において定められた当該施設の整備に関する事項に従つて行われるものに限る。）又は特別緑地保全地区内の緑地の保全に関連して必要とされる施設の整備（基本計画又は管理協定において定められた当該施設の整備に関する事項に従つて行われるものに限る。）に要する費用については、予算の範囲内において、政令で定めるところにより、その一部を補助することができる。

第三二条　削除

（公害等調整委員会の裁定）

第三三条　第八条第二項若しくは第十四条第一項又は地区計画等緑地保全条例（第二十条第一項の許可に係る部分に限る。）の規定による処分に不服がある者は、その不服の理由が鉱業、採石業又は砂利採取業との調整に関するものであるときは、公害等調整委員会に裁定の申請をすることができる。この場合においては、審査請求をすることができない。

2　行政不服審査法（平成二十六年法律第六十八号）第二十二条の規定は、前項に規定する処分につき、処分をした行政庁が誤つて審査請求又は再調査の請求をすることができる旨を教示した場合に準用する。

第四章　緑化地域等

第一節　緑化地域

（緑化地域に関する都市計画）

第三四条　都市計画区域内の都市計画法第八条第一項第一号に規定する用途地域が定められた土地の区域のうち、良好な都市環境の形成に必要な緑地が不足し、建築物の敷地内において緑化を推進する必要がある区域については、都市計画に、緑化地域を定めることができる。

2　緑化地域に関する都市計画には、都市計画法第八条第三項第一号及び第三号に掲げる事項のほか、建築物の緑化施設（植栽、花壇その他の緑化のための施設及び敷地内の保全された樹木並びにこれらに附属して設けられる園路、土留その他の施設（当該建築物の空地、屋上その他の屋外に設けられるものに限る。）をいう。以下この章において同じ。）の面積の敷地面積に対する割合（以下「緑化率」という。）の最低限度を定めるものとする。

3　前項の都市計画において定める建築物の緑化率の最低限度は、十分の二・五を超えてはならない。

（緑化率）

第三五条　緑化地域内においては、敷地面積が政令で定める規模以上の建築物の新築又は増築（当該緑化地域に関する都市計画が定められた際既に着手していた行為及び政令で定める範囲内の増築を除く。以下この節において同じ。）をしようとする者は、当該建築物の緑化率を、緑化地域に関する都市計画において定められた建築物の緑化率の最低限度以上としなければならない。当該新築又は増築をした建築物の維持保全をする者についても、同様とする。

2　前項の規定は、次の各号のいずれかに該当する建築物については、適用しない。

一　その敷地の周囲に広い緑地を有する建築物であつて、良好な都市環境の形成に支障を及ぼすおそれがないと認めて市町村長が許可したもの

二　学校その他の建築物であつて、その用途によつてやむを得ないと認めて市町村長が許可したもの

三　その敷地の全部又は一部が崖地である建築物その他の建築物であつて、その敷地の状況によつてやむを得ないと認めて市町村長が許可したもの

3　市町村長は、前項各号に規定する許可の申請があつた場合において、良好な都市環境を形成するため必要があると認めるときは、許可に必要な条件を付することができる。

4　建築物の敷地が、第一項の規定による建築物の緑化率に関する制限が異なる区域の二以上にわたる場合においては、当該建築物の緑化率は、同項の規定にかかわらず、各区域の建築物の緑化率の最低限度（建築物の緑化率に関する制限が定められていない区域にあつては、零）にその敷地の当該区域内にある各部分の面積の敷地面積に対する割合を乗じて得たものの合計以上でなければならない。

（一の敷地とみなすことによる緑化率規制の特例）

第三六条　建築基準法第八十六条第一項から第四項まで（これらの規定を同法第八十六条の二第八項において準用する場合を含む。）の規定により一の敷地とみなされる一団地又は一定の一団の土地の区域内の建築物については、当該一団地又は区域を当該建築物の一の敷地とみなして前条の規定を適用する。

（違反建築物に対する措置）

第三七条　市町村長は、第三十五条（第三項を除く。）の規定又は同項の規定により許可に付された条件に違反している事実があると認めるときは、当該建築物の新築若しくは増築又は維持保全をする者に対して、相当の期限を定めて、その違反を是正するために必要な措置をとるべき旨を命ずることができる。

2　国又は地方公共団体（港湾法に規定する港務局を含む。以下この項において同じ。）の建築物については、前項の規定は、適用しない。この場合において、市町村長は、国又は地方公共団体の建築物が第三十五条（第三項を除く。）の規定又は同条第三項の規定により許可に付された条件に違反している事実があると認めるときは、その旨を当該建築物を管理する機関の長に通知し、前項に規定する措置をとるべき旨を要請しなければならない。

（報告及び立入検査）

第三八条　市町村長は、前条の規定の施行に必要な限度において、政令で定めるところにより、建築物の新築若しくは増築又は維持保全をする者に対し、建築物の緑化率の最低限度に関する基準への適合若しくは緑化施設の管理に関する事項に関し報告させ、又はその職員に、建築物若しくはその敷地若しくはそれらの工事現場に立ち入り、建築物、緑化施設、書類その他の物件を検査させることができる。

2　第十一条第三項及び第四項の規定は、前項の規定による立入検査について準用する。

第二節　地区計画等の区域内における緑化率規制

第三九条　市町村は、地区計画等の区域（地区整備計画、特定建築物地区整備計画（密集市街地における防災街区の整備の促進に関する法律第三十二条第二項第一号に規定する特定建築物地区整備計画をいう。）、防災街区整備地区整備計画、歴史的風致維持向上地区整備計画又は沿道地区整備計画において建築物の緑化率の最低限度が定められている区域に限る。）内において、当該地区計画等の内容として定められた建築物の緑化率の最低限度を、条例で、建築物の新築又は増築及び当該新築又は増築をした建築物の維持保全に関する制限として定めることができる。

2　前項の規定に基づく条例（以下「地区計画等緑化率条例」という。以下同じ。）による制限は、建築物の利用上の必要性、当該区域内における土地利用の状況等を考慮し、緑化の推進による良好な都市環境の形成を図るため、合理的に必要と認められる限度において、政令で定める基準に従い、行うものとする。

3　地区計画等緑化率条例には、第三十七条及び前条の規定の例により、違反是正のための措置並びに報告の徴収及び立入検査をすることができる旨を定めることができる。

第三節　雑則

（緑化施設の面積の算出方法）

第四〇条　建築物の緑化率の算定の基礎となる緑化施設の面積は、国土交通省令で定めるところにより算出するものとする。

（建築基準関係規定）

第四一条　第三十五条、第三十六条及び第三十九条第一項の規定は、建築基準法第六条第一項に規定する建築基準関係規定（以下単に「建築基準関係規定」という。）とみなす。

（制限の特例）

第四二条　第三十五条及び第三十九条第一項の規定は、次の各号のいずれかに該当する建築物については、適用しない。

一　建築基準法第三条第一項各号に掲げる建築物

二　建築基準法第八十五条第一項又は第二項に規定する応急仮設建築物であつて、その建築物の工事を完了した後三月以内であるもの又は同条第三項の許可を受けたもの

三　建築基準法第八十五条第二項に規定する工事を施工するために現場に設ける事務所、下小屋、材料置場その他これらに類する仮設建築物

四　建築基準法第八十五条第六項又は第七項の許可を受けた建築物

（緑化施設の工事の認定）

第四三条　第三十五条又は地区計画等緑化率条例の規定による規制の対象となる建築物の新築又は増築をしようとする者は、気温その他のやむを得ない理由により建築基準法第六条第一項の規定による工事の完了の日までに緑化施設に関する工事（植栽工事に係るものに限る。以下この条において同じ。）を完了することができない場合においては、国土交通省令で定めるところにより、市町村長に申し出て、その旨の認定を受けることができる。

2　建築基準法第七条第四項に規定する検査実施者又は同法第七条の二第一項の規定による指定を受けた者は、前項の認定を受けた者に対し、その検査に係る建築物及びその敷地が、緑化施設に関する工事が完了していないことを除き、建築基準関係規定に適合していることを認めた場合においては、同法第七条第五項又は第七条の二第五項の規定にかかわらず、これらの規定による検査済証を交付しなければならない。

3　前項の規定による検査済証の交付を受けた者は、第一項のやむを得ない理由がなくなつた後速やかに緑化施設に関する工事を完了しなければならない。

4　第三十七条及び第三十八条の規定は、前項の規定の違反について準用する。

（緑化施設の管理）

第四四条　市町村は、条例で、第三十五条又は地区計画等緑化率条例の規定により設けられた緑化施設の管理の方法の基準を定めることができる。

第五章　緑地協定

（緑地協定の締結等）

第四五条　都市計画区域又は準都市計画区域内における相当規模の一団の土地又は道路、河川等に隣接する相当の区間にわたる土地（これらの土地のうち、公共施設の用に供する土地その他の政令で定める土地を除く。）の所有者及び建築物その他の工作物の所有を目的とする地上権又は賃借権（臨時設備その他一時使用のため設定されたことが明らかなものを除く。以下「借地権等」という。）を有する者（土地区画整理法（昭和二十九年法律第百十九号）第九十八条第一項（大都市地域における住宅及び住宅地の供給の促進に関する特別措置法（昭和五十年法律第六十七号）第八十三条において準用する場合を含む。以下この項、第四十九条第一項及び第二項並びに第五十一条第一項、第二項及び第五項において同じ。）の規定により仮換地として指定された土地にあつては、当該土地に対応する従前の土地の所有者及び借地権等を有する者。以下「土地所有者等」と総称する。）は、地域の良好な環境を確保するため、その全員の合意により、当該土地の区域における緑地の保全又は緑化に関する協定（以下「緑地協定」という。）を締結することができる。ただし、当該土地（土地区画整理法第九十八条第一項の規定により仮換地として指定された土地にあつては、当該土地に対応する従前の土地）の区域内に借地権等の目的となつている土地がある場合においては、当該借地権等の目的となつている土地の所有者以外の土地所有者等の全員の合意があれば足りる。

2　緑地協定においては、次に掲げる事項を定めなければならない。

一　緑地協定の目的となる土地の区域（以下「緑地協定区域」という。）

二　次に掲げる緑地の保全又は緑化に関する事項のうち必要なもの

イ　保全又は植栽する樹木等の種類

ロ　樹木等を保全又は植栽する場所

ハ　保全又は設置する垣又はさくの構造

ニ　保全又は植栽する樹木等の管理に関する事項

ホ　その他緑地の保全又は緑化に関する事項

三　緑地協定の有効期間

四　緑地協定に違反した場合の措置

3　緑地協定においては、前項各号に掲げるもののほか、都市計画区域又は準都市計画区域内の土地のうち、緑地協定区域に隣接した土地であつて、緑地協定区域の一部とすることにより地域の良好な環境の確保に資するものとして緑地協定区域の土地となることを当該緑地協定区域内の土地所有者等が希望するもの（以下「緑地協定区域隣接地」という。）を定めることができる。

4　第一項の規定による緑地協定は、市町村長の認可を受けなければならない。

（認可の申請に係る緑地協定の縦覧等）

第四六条　市町村長は、前条第四項の規定による緑地協定の認可の申請があつたときは、国土交通省令で定めるところにより、その旨を公告し、当該緑地協定を当該公告の日から二週間関係人の縦覧に供さなければならない。

2　前項の規定による公告があつたときは、関係人は、同項の縦覧期間満了の日までに、当該緑地協定について、市町村長に意見書を提出することができる。

（緑地協定の認可）

第四七条　市町村長は、第四十五条第四項の規定による緑地協定の認可の申請が、次の各号に該当するときは、当該緑地協定を認可しなければならない。

一　申請手続が法令に違反しないこと。

二　土地の利用を不当に制限するものでないこと。

三　第四十五条第二項各号に掲げる事項について国土交通省令で定める基準に適合するものであること。

四　緑地協定において緑地協定区域隣接地を定める場合には、その区域の境界が明確に定められていることその他の緑地協定区域隣接地について国土交通省令で定める基準に適合するものであること。

2　市町村長は、前項の認可をしたときは、国土交通省令で定めるところにより、その旨を公告し、かつ、当該緑地協定の写しを当該市町村の事務所に備えて公衆の縦覧に供するとともに、緑地協定区域である旨を当該区域内に明示しなければならない。

（緑地協定の変更）

第四八条　緑地協定区域内における土地所有者等（当該緑地協定の効力が及ばない者を除く。）は、緑地協定において定めた事項を変更しようとする場合においては、その全員の合意をもつてその旨を定め、市町村長の認可を受けなければならない。

2　前二条の規定は、前項の変更の認可について準用する。

第四九条　緑地協定区域内の土地（土地区画整理法第九十八条第一項の規定により仮換地として指定された土地にあつては、当該土地に対応する従前の土地）で当該緑地協定の効力が及ばない者の所有するものの全部又は一部について借地権等が消滅した場合においては、その借地権等の目的となつていた土地（同項の規定により仮換地として指定された土地に対応する従前の土地にあつては、当該土地についての仮換地として指定された土地）は、当該緑地協定区域から除かれるものとする。

2　緑地協定区域内の土地で土地区画整理法第九十八条第一項の規定により仮換地として指定されたものが、同法第八十六条第一項の換地計画又は大都市地域における住宅及び住宅地の供給の促進に関する特別措置法第七十二条第一項の換地計画において当該土地に対応する従前の土地についての換地として定められず、かつ、土地区画整理法第九十一条第三項（大都市地域における住宅及び住宅地の供給の促進に関する特別措置法第八十二条において準用する場合を含む。）の規定により当該土地に対応する従前の土地の所有者に対してその共有持分を与えるように定められた土地としても定められなかつたときは、当該土地は、土地区画整理法第百三条第四項（大都市地域における住宅及び住宅地の供給の促進に関する特別措置法第八十三条において準用する場合を含む。）の公告があつた日が終了した時において当該緑地協定区域から除かれるものとする。

3　前二項の規定により緑地協定区域内の土地が当該緑地協定区域から除かれた場合においては、当該借地権等を有していた者又は当該仮換地として指定されていた土地に対応する従前の土地に係る土地所有者等（当該緑地協定の効力が及ばない者を除く。）は、遅滞なく、その旨を市町村長に届け出なければならない。

4　第四十七条第二項の規定は、前項の規定による届出があつた場合その他市町村長が第一項又は第二項の規定により緑地協定区域内の土地が当該緑地協定区域から除かれたことを知つた場合について準用する。

（緑地協定の効力）

第五〇条　第四十七条第二項（第四十八条第二項において準用する場合を含む。）の規定による認可の公告のあつた緑地協定は、その公告のあつた後において当該緑地協定区域内の土地所有者等となつた者（当該緑地協定について第四十五条第一項又は第四十八条第一項の規定による合意をしなかつた者の有する土地の所有権を承継した者を除く。）に対しても、その効力があるものとする。

（緑地協定の認可の公告のあつた後緑地協定に加わる手続等）

第五一条　緑地協定区域内の土地の所有者（土地区画整理法第九十八条第一項の規定により仮換地として指定された土地にあつては、当該土地に対応する従前の土地の所有者）で当該緑地協定の効力が及ばないものは、第四十七条第二項（第四十八条第二項において準用する場合を含む。）の規定による認可の公告のあつた後いつでも、市町村長に対して書面でその意思を表示することによつて、当該緑地協定に加わることができる。

2　緑地協定区域隣接地の区域内の土地に係る土地所有者等は、第四十七条第二項（第四十八条第二項において準用する場合を含む。）の規定による認可の公告のあつた後いつでも、当該土地に係る土地所有者等の全員の合意により、市町村長に対して書面でその意思を表示することによつて、緑地協定に加わることができる。ただし、当該土地（土地区画整理法第九十八条第一項の規定により仮換地として指定された土地にあつては、当該土地に対応する従前の土地）の区域内に借地権等の目的となつている土地がある場合においては、当該借地権等の目的となつている土地の所有者以外の土地所有者等の全員の合意があれば足りる。

3　緑地協定区域隣接地の区域内の土地に係る土地所有者等で前項の意思を表示したものに係る土地の区域は、その意思の表示のあつた時以後、緑地協定区域の一部となるものとする。

4　第四十七条第二項の規定は、第一項又は第二項の規定による意思の表示があつた場合について準用する。

5　緑地協定は、第一項又は第二項の規定により当該緑地協定に加わつた者がその時において所有し、又は借地権等を有していた当該緑地協定区域内の土地（土地区画整理法第九十八条第一項の規定により仮換地として指定された土地にあつては、当該土地に対応する従前の土地）について、前項において準用する第四十七条第二項の規定による公告のあつた後において土地所有者等となつた者（当該緑地協定について第二項の規定による合意をしなかつた者の有する土地の所有権を承継した者及び前条の規定の適用がある者を除く。）に対しても、その効力があるものとする。

（緑地協定の廃止）

第五二条　緑地協定区域内の土地所有者等（当該緑地協定の効力が及ばない者を除く。）は、第四十五条第四項又は第四十八条第一項の認可を受けた緑地協定を廃止しようとする場合においては、その過半数の合意をもつてその旨を定め、市町村長の認可を受けなければならない。

2　市町村長は、前項の認可をしたときは、その旨を公告しなければならない。

（土地の共有者等の取扱い）

第五三条　土地又は借地権等が数人の共有に属するときは、第四十五条第一項、第四十八条第一項、第五十一条第一項及び第二項並びに前条第一項の規定の適用については、合わせて一の所有者又は借地権等を有する者とみなす。

（緑地協定の設定の特則）

第五四条　都市計画区域又は準都市計画区域内における相当規模の一団の土地（第四十五条第一項の政令で定める土地を除く。）で、一の所有者以外に土地所有者等が存しないものの所有者は、地域の良好な環境の確保のため必要があると認めるときは、市町村長の認可を受けて、当該土地の区域を緑地協定区域とする緑地協定を定めることができる。

2　市町村長は、前項の規定による緑地協定の認可の申請が第四十七条第一項各号に該当し、かつ、当該緑地協定が地域の良好な環境の確保のため必要であると認める場合に限り、当該緑地協定を認可するものとする。

3　第四十七条第二項の規定は、市町村長が前項の規定により認可した場合について準用する。

4　第二項の規定による認可を受けた緑地協定は、認可の日から起算して三年以内において当該緑地協定区域内の土地に二以上の土地所有者等が存することとなつた時から、第四十七条第二項の規定による認可の公告のあつた緑地協定と同一の効力を有する緑地協定となる。

第六章　市民緑地

第一節　市民緑地契約

（市民緑地契約の締結等）

第五五条　地方公共団体又は第八十一条第一項の規定により指定された緑地保全・緑化推進法人（第八十二条第一号ロに掲げる業務を行うものに限る。）は、良好な都市環境の形成を図るため、都市計画区域又は準都市計画区域内における政令で定める規模以上の土地又は人工地盤、建築物その他の工作物（以下「土地等」という。）の所有者の申出に基づき、当該土地等の所有者と次に掲げる事項を定めた契約（以下「市民緑地契約」という。）を締結して、当該土地等に住民の利用に供する緑地又は緑化施設（植栽、花壇その他の緑化のための施設及びこれに附属して設けられる園路、土留その他の施設をいう。以下同じ。）を設置し、これらの緑地又は緑化施設（以下「市民緑地」という。）を管理することができる。

一　市民緑地契約の目的となる土地等の区域
二　次に掲げる事項のうち必要なもの
　イ　園路、広場その他の市民緑地を利用する住民の利便のため必要な施設の整備に関する事項
　ロ　市民緑地内の緑地の保全に関連して必要とされる施設の整備に関する事項
　ハ　緑化施設の整備に関する事項
三　市民緑地の管理の方法に関する事項
四　市民緑地の管理期間
五　市民緑地契約に違反した場合の措置

2　地方公共団体又は前項の緑地保全・緑化推進法人は、緑地保全地域、特別緑地保全地区若しくは第四条第二項第八号の地区内の緑地の保全又は緑化地域若しくは同項第十号の地区内の緑化の推進のため必要があると認めるときは、前項の規定にかかわらず、同項の規定による土地等の所有者の申出がない場合であつても、当該地区内における同項に規定する土地等の所有者と市民緑地契約を締結して、当該土地等に市民緑地を設置し、これを管理することができる。

3　市民緑地契約の内容は、基本計画との調和が保たれたものでなければならない。

4　市民緑地の管理期間は、一年以上で国土交通省令で定める期間以上でなければならない。

5　地方公共団体は、首都圏近郊緑地保全区域、近畿圏近郊緑地保全区域、緑地保全地域、特別緑地保全地区又は地区計画等緑地保全条例により制限を受ける区域内の土地について締結する市民緑地契約に第一項第二号ロに掲げる事項を定める場合においては、あらかじめ、当該市民緑地契約の対象となる土地の区域が第一号に掲げるものである場合にあつては同号に定める者に当該事項を届け出、第二号又は第三号に掲げるものである場合にあつてはそれぞれ第二号又は第三号に定める者と当該事項について協議しその同意を得なければならない。

一　首都圏近郊緑地保全区域（緑地保全地域及び特別緑地保全地区を除く。以下同じ。）及び近畿圏近郊緑地保全区域（緑地保全地域及び特別緑地保全地区を除く。以下同じ。）内の土地の区域　都府県知事（当該土地が地方自治法（昭和二十二年法律第六十七号）第二百五十二条の十九第一項の指定都市（以下「指定都市」という。）の区域内に存する場合にあつては、当該指定都市の長）
二　緑地保全地域（地区計画等緑地保全条例により制限を受ける区域を除く。第八項第二号において同じ。）及び特別緑地保全地区内の土地の区域　都道府県知事等
三　地区計画等緑地保全条例により制限を受ける区域内の土地の区域　市町村長

6　首都圏保全法第七条第二項の規定は首都圏近郊緑地保全区域内の土地について前項の規定による届出があつた場合について、近畿圏保全法第八条第二項の規定は近畿圏近郊緑地保全区域内の土地について前項の規定による届出があつた場合について準用する。

7　第一項の緑地保全・緑化推進法人は、首都圏近郊緑地保全区域、近畿圏近郊緑地保全区域、緑地保全地域、特別緑地保全地区又は地区計画等緑地保全条例により制限を受ける区域内の土地について締結する市民緑地契約に同項第二号ロに掲げる事項を定める場合においては、当該事項について、あらかじめ、当該市民緑地契約の対象となる土地の区域が第五項第一号に掲げるものである場合にあつては同号に定める者と協議し、同項第二号又は第三号に掲げるものである場合にあつてはそれぞれ同項第二号又は第三号に定める者と協議しその同意を得なければならない。

8　第五項の規定は、次に掲げる場合には、適用しない。
一　首都圏近郊緑地保全区域又は近畿圏近郊緑地保全区域内において、都道府県又は指定都市がそれぞれ当該都道府県又は当該指定都市の区域内の土地について市民緑地契約を締結する場合
二　緑地保全地域又は特別緑地保全地区内において、都道府県の区域（市の区域を除く。）内の土地について、又は市が当該市の区域内の土地についてそれぞれ市民緑地契約を締結する場合
三　地区計画等緑地保全条例により制限を受ける区域内において、市町村が当該市町村の区域内の土地について市民緑地契約を締結する場合

9　地方公共団体又は第一項の緑地保全・緑化推進法人は、市民緑地契約を締結したときは、国土交通省令で定めるところにより、その旨を公告し、かつ、市民緑地の区域である旨を当該区域内に明示しなければならない。

（国の補助）

第五六条　国は、市民緑地契約に基づき地方公共団体が行う市民緑地を利用する住民の利便のために必要な施設及び市民緑地内の緑地の保全に関連して必要とされる施設の整備に要する費用については、予算の範囲内において、政令で定めるところにより、その一部を補助することができる。

第五七条　削除

（首都圏保全法等の特例）

第五八条　首都圏近郊緑地保全区域内において行う行為で、市民緑地契約において定められた当該市民緑地内の緑地の保全に関連して必要とされる施設の整備に関する事項に従つて行うものについては、首都圏保全法第七条第一項及び第二項の規定は、適用しない。

2　近畿圏近郊緑地保全区域内において行う行為で、市民緑地契約において定められた当該市民緑地内の緑地の保全に関連して必要とされる施設の整備に関する事項に従つて行うものについては、近畿圏保全法第八条第一項及び第二項の規定は、適用しない。

（都市の美観風致を維持するための樹木の保存に関する法律の特例の準用）

第五九条　第三十条の規定は、第五十五条第一項の緑地保全・緑化推進法人が管理する市民緑地内の樹木又は樹木の集団で都市の美観風致を維持するための樹木の保存に関する法律第二条第一項の規定に基づき保存樹又は保存樹林として指定されたものについて準用する。

第二節　市民緑地設置管理計画の認定

（市民緑地設置管理計画の認定）

第六〇条　緑化地域又は第四条第二項第十号の地区内の土地等に市民緑地を設置し、これを管理しようとする者は、国土交通省令で定めるところにより、当該市民緑地の設置及び管理に関する計画（以下「市民緑地設置管理計画」という。）を作成し、市町村長の認定を申請することができる。

2　市民緑地設置管理計画には、次に掲げる事項を記載しなければならない。
一　市民緑地を設置する土地等の区域及びその面積
二　市民緑地を設置するに当たり整備する次に掲げる施設の概要、規模及び配置
　イ　緑化施設
　ロ　園路、広場その他の市民緑地を利用する住民の利便のため必要な施設
　ハ　市民緑地内の緑地の保全に関連して必要とされる施設
三　市民緑地の管理の方法
四　市民緑地の管理期間
五　市民緑地の設置及び管理の資金計画
六　その他国土交通省令で定める事項

（市民緑地設置管理計画の認定基準等）

第六一条　市町村長は、前条第一項の規定による認定の申請があつた場合において、当該申請に係る市民緑地設置管理計画が次に掲げる基準（当該市民緑地設置管理計画が町村の区域内における市民緑地の設置及び管理に係るものである場合にあつては、第八号に掲げる基準を除く。）に適合すると認めるときは、その認定をすることができる。
一　市民緑地を設置する土地等の区域の周辺の地域において、良好な都市環境の形成に必要な緑地が不足していること。
二　市民緑地を設置する土地等の区域の面積が、国土交通省令で定める規模以上であること。
三　市民緑地を設置するに当たり整備する緑化施設の面積の前号に規定する面積に対する割合が、国土交通省令で定める割合以上であること。
四　市民緑地の管理の方法が、市民緑地の管理が適切に行われるために必要なものとして国土交通省令で定める基準に適合するものであること。

五　市民緑地の管理期間が、一年以上で国土交通省令で定める期間以上であること。
六　市民緑地設置管理計画の内容が、基本計画と調和が保たれ、かつ、良好な都市環境の形成に貢献するものであること。
七　市民緑地設置管理計画を遂行するために必要な経済的基礎及びこれを的確に遂行するために必要なその他の能力が十分であること。
八　市民緑地設置管理計画に記載された前条第二項第二号イ又はロに掲げる施設の整備に係る行為が、特別緑地保全地区内において行う行為であつて第十四条第一項の許可を受けなければならないものである場合には、当該施設の整備に関する事項が同条第二項の規定により当該許可をしてはならない場合に該当しないこと。
九　その他市民緑地の設置及び管理が適正かつ確実に実施されるものとして国土交通省令で定める基準に適合するものであること。

2　前項第三号の緑化施設の面積は、国土交通省令で定めるところにより算出するものとする。

3　市町村長は、第一項の認定をしようとする場合において、その申請に係る市民緑地設置管理計画に記載された前条第二項第二号イからハまでに掲げる施設の整備に係る行為が次の各号に掲げる行為のいずれかに該当するときは、当該市民緑地設置管理計画について、あらかじめ、それぞれ当該各号に定める者に協議し、当該施設の整備に係る行為が第二号又は第三号に掲げる行為のいずれかに該当するものである場合にあつては、その同意を得なければならない。
一　指定都市以外の市町村の区域内の首都圏近郊緑地保全区域又は近畿圏近郊緑地保全区域内において行う行為であつて、首都圏保全法第七条第一項又は近畿圏保全法第八条第一項の規定による届出をしなければならないもの　都府県知事
二　町村の区域内の緑地保全地域内において行う行為であつて、第八条第一項の規定による届出をしなければならないもの　都道府県知事
三　町村の区域内の特別緑地保全地区内において行う行為であつて、第十四条第一項の許可を受けなければならないもの　都道府県知事

4　都道府県知事は、前項第三号に掲げる行為に係る市民緑地設置管理計画についての協議があつた場合において、当該協議に係る前条第二項第二号イ又はロに掲げる施設の整備に係る行為が、第十四条第二項の規定により同条第一項の許可をしてはならない場合に該当しないと認めるときは、前項の同意をするものとする。

5　市町村長は、第一項の認定をしたときは、国土交通省令で定めるところにより、その旨及び当該認定に係る市民緑地の区域を公告しなければならない。

（市民緑地設置管理計画の変更）

第六十二条　前条第一項の認定を受けた者（以下この節において「認定事業者」という。）は、当該認定を受けた市民緑地設置管理計画の変更（国土交通省令で定める軽微な変更を除く。）をしようとするときは、国土交通省令で定めるところにより、市町村長の認定を受けなければならない。

2　前条の規定は、前項の認定について準用する。

（報告の徴収）

第六十三条　市町村長は、認定事業者に対し、第六十一条第一項の認定を受けた市民緑地設置管理計画（変更があつたときは、その変更後のもの。以下「認定計画」という。）に係る市民緑地の設置及び管理の状況について報告を求めることができる。

（改善命令）

第六十四条　市町村長は、認定事業者が認定計画に従つて市民緑地の設置及び管理を行つていないと認めるときは、当該認定事業者に対し、相当の期間を定めて、その改善に必要な措置をとるべきことを命ずることができる。

（認定の取消し）

第六十五条　市町村長は、認定事業者が前条の規定による命令に違反したときは、第六十一条第一項の認定を取り消すことができる。

（首都圏保全法等の特例）

第六十六条　認定事業者が認定計画に従つて首都圏近郊緑地保全区域内において第六十条第二項第二号イからハまでに掲げる施設を整備するため行う行為については、首都圏保全法第七条第一項及び第二項の規定は、適用しない。

2　認定事業者が認定計画に従つて近畿圏近郊緑地保全区域内において第六十条第二項第二号イからハまでに掲げる施設を整備するため行う行為については、近畿圏保全法第八条第一項及び第二項の規定は、適用しない。

3　認定事業者が認定計画に従つて緑地保全地域内において第六十条第二項第二号イからハまでに掲げる施設を整備するため行う行為については、第八条第一項及び第二項の規定は、適用しない。

4　認定事業者が認定計画に従つて特別緑地保全地区内において第六十条第二項第二号イ又はロに掲げる施設を整備するため第十四条第一項の許可を受けなければならない行為を行う場合には、当該許可があつたものとみなす。

5　認定事業者が認定計画に従つて特別緑地保全地区内において第六十条第二項第二号ハに掲げる施設を整備するため行う行為については、第十四条第一項から第七項までの規定は、適用しない。

（認定市民緑地の管理）

第六十七条　地方公共団体又は第八十一条第一項の規定により指定された緑地保全・緑化推進法人（第八十二条第一号ロに掲げる業務を行うものに限る。）は、認定事業者との契約に基づき、認定計画に従つて設置された市民緑地（次条において「認定市民緑地」という。）を管理することができる。

（都市の美観風致を維持するための樹木の保存に関する法律の特例の準用）

第六十八条　第三十条の規定は、前条の緑地保全・緑化推進法人が同条の規定に基づき管理する認定市民緑地内の樹木又は樹木の集団で都市の美観風致を維持するための樹木の保存に関する法律第二条第一項の規定に基づき保存樹又は保存樹林として指定されたものについて準用する。

第七章　都市緑化支援機構

（支援機構の指定）

第六十九条　国土交通大臣は、都市における緑地の保全及び緑化の推進を支援することを目的とする一般社団法人又は一般財団法人であつて、次条に規定する業務（以下「支援業務」という。）に関し次の各号のいずれにも適合すると認められるものを、その申請により、全国を通じて一に限り、都市緑化支援機構（以下「支援機構」という。）として指定することができる。
一　支援業務を適正かつ確実に実施することができる経理的基礎及び技術的能力を有するものであること。
二　支援業務以外の業務を行つている場合にあつては、その業務を行うことによつて支援業務の適正かつ確実な実施に支障を及ぼすおそれがないものであること。
三　前二号に掲げるもののほか、支援業務を適正かつ確実に実施することができるものとして、国土交通省令で定める基準に適合するものであること。

2　次の各号のいずれかに該当する者は、前項の規定による指定（以下この章において「指定」という。）を受けることができない。
一　この法律又はこの法律に基づく命令若しくは処分に違反し、刑に処せられ、その執行を終わり、又は執行を受けることがなくなつた日から起算して二年を経過しない者
二　第七十九条第一項又は第二項の規定により指定を取り消され、その取消しの日から起算して二年を経過しない者
三　その役員のうちに、第一号に該当する者がある者

3　国土交通大臣は、指定をしたときは、支援機構の名称、住所及び支援業務を行う事務所の所在地を公示しなければならない。

4　支援機構は、その名称、住所又は支援業務を行う事務所の所在地を変更するときは、あらかじめ、その旨を国土交通大臣に届け出なければならない。

5　国土交通大臣は、前項の規定による届出があつたときは、当該届出に係る事項を公示しなければならない。

（支援機構の業務）

第七十条　支援機構は、次に掲げる業務を行うものとする。
一　第十七条の二第一項の規定による都道府県等の要請に基づき、第十七条第一項の申出をした者から対象土地を買い入れること。
二　前号の買入れに係る対象土地の区域内において機能維持増進事業を行うこと。
三　前号に掲げるもののほか、同号に規定する対象土地の管理を行うこと。
四　第十七条の二第三項第四号の期間内において都道府県等への対象土地の譲渡を行うこと。
五　第八十九条第三項に規定する認定事業者に対し、第九十条に規定する

緑地確保事業の実施のために必要な資金の貸付けを行うこと。

六　緑地の保全及び緑化の推進に関する情報又は資料を収集し、及び提供すること。

七　緑地の保全及び緑化の推進に関し必要な助言及び指導を行うこと。

八　緑地の保全及び緑化の推進に関する調査及び研究を行うこと。

九　前各号に掲げる業務に附帯する業務を行うこと。

（業務規程の認可）

第七一条　支援機構は、国土交通省令で定めるところにより、特定緑地保全業務に関する規程（以下この条及び第七十九条第二項第三号において「業務規程」という。）を定め、国土交通大臣の認可を受けなければならない。

2　業務規程には、次に掲げる事項を定めるものとする。

一　特定緑地保全業務を行うべき土地の基準に関する事項

二　業務実施協定の締結に関する事項

三　特定緑地保全業務の実施の方法に関する事項

四　特定緑地保全業務の適正かつ確実な実施を確保するための措置に関する事項

五　その他特定緑地保全業務に関し必要な事項として国土交通省令で定める事項

3　支援機構は、業務規程の変更をするときは、国土交通大臣の認可を受けなければならない。

4　支援機構は、第一項又は前項の認可を受けたときは、遅滞なく、その業務規程を公表しなければならない。

5　国土交通大臣は、第一項又は第三項の認可をした業務規程が特定緑地保全業務を適正かつ確実に実施する上で不適当となつたと認めるときは、支援機構に対し、その業務規程を変更すべきことを命ずることができる。

（事業計画等）

第七二条　支援機構は、毎事業年度、国土交通省令で定めるところにより、支援業務に係る事業計画書及び収支予算書を作成し、当該事業年度の開始前に（指定を受けた日の属する事業年度にあつては、その指定を受けた後遅滞なく）、国土交通大臣の認可を受けなければならない。

2　支援機構は、前項の認可を受けた事業計画書及び収支予算書を変更するときは、あらかじめ、国土交通省令で定めるところにより、国土交通大臣の認可を受けなければならない。

3　支援機構は、毎事業年度、国土交通省令で定めるところにより、支援業務に係る事業報告書及び収支決算書を作成し、当該事業年度の終了後三月以内に国土交通大臣に提出しなければならない。

（業務の休廃止）

第七三条　支援機構は、国土交通大臣の許可を受けなければ、支援業務の全部又は一部を休止し、又は廃止してはならない。

2　国土交通大臣は、前項の許可をしたときは、遅滞なく、その旨を公示しなければならない。

（区分経理）

第七四条　支援機構は、国土交通省令で定めるところにより、次に掲げる業務ごとに経理を区分して整理しなければならない。

一　特定緑地保全業務

二　第七十条第五号に掲げる業務及びこれに附帯する業務

三　第七十条第六号から第八号までに掲げる業務及びこれらに附帯する業務

（帳簿の記載）

第七五条　支援機構は、支援業務について、国土交通省令で定めるところにより、帳簿を備え、国土交通省令で定める事項を記載し、これを保存しなければならない。

（秘密保持義務等）

第七六条　支援機構の役員若しくは職員又はこれらの者であつた者は、支援業務に関して知り得た秘密を漏らし、又は自己の利益のために使用してはならない。

2　支援業務に従事する支援機構の役員又は職員は、刑法（明治四十年法律第四十五号）その他の罰則の適用については、法令により公務に従事する職員とみなす。

（報告徴収及び立入検査）

第七七条　国土交通大臣は、支援業務の適正かつ確実な実施を確保するために必要な限度において、支援機構に対し支援業務若しくは資産の状況に関し必要な報告を求め、又はその職員に、支援機構の事務所に立ち入り、支援業務の状況若しくは帳簿書類その他の物件を検査させ、若しくは関係者に質問させることができる。

2　第十一条第三項及び第四項の規定は、前項の規定による立入検査について準用する。

（監督命令）

第七八条　国土交通大臣は、支援業務の適正かつ確実な実施を確保するために必要な限度において、支援機構に対し、支援業務に関し監督上必要な命令をすることができる。

（指定の取消し）

第七九条　国土交通大臣は、支援機構が次の各号のいずれかに該当するときは、その指定を取り消すものとする。

一　第六十九条第二項第一号又は第三号のいずれかに該当するに至つたとき。

二　指定に関し不正の行為があつたとき。

2　国土交通大臣は、支援機構が次の各号のいずれかに該当するときは、その指定を取り消すことができる。

一　支援業務を適正かつ確実に実施することができないと認められるとき。

二　第六十九条第四項、第七十二条、第七十三条第一項、第七十四条又は第七十五条の規定に違反したとき。

三　第七十一条第一項又は第三項の認可を受けた業務規程によらないで支援業務を行つたとき。

四　第七十一条第五項又は前条の規定による命令に違反したとき。

3　国土交通大臣は、前二項の規定により指定を取り消したときは、その旨を公示しなければならない。

（指定を取り消した場合における経過措置）

第八〇条　前条第一項又は第二項の規定により指定を取り消した場合において、国土交通大臣がその取消し後に新たに指定をしたときは、取消しに係る支援機構の特定緑地保全業務に係る財産は、新たに指定を受けた支援機構に帰属する。

2　前項に定めるもののほか、前条第一項又は第二項の規定により指定を取り消した場合における特定緑地保全業務に係る財産の管理その他所要の経過措置（罰則に関する経過措置を含む。）は、合理的に必要と判断される範囲内において、政令で定める。

第八章　緑地保全・緑化推進法人

（推進法人の指定）

第八一条　市町村長は、特定非営利活動促進法（平成十年法律第七号）第二条第二項に規定する特定非営利活動法人、一般社団法人若しくは一般財団法人その他の営利を目的としない法人又は都市における緑地の保全及び緑化の推進を図ることを目的とする会社であつて、次条各号に掲げる業務を適正かつ確実に行うことができると認められるものを、その申請により、緑地保全・緑化推進法人（以下「推進法人」という。）として指定することができる。

2　市町村長は、前項の規定による指定をしたときは、推進法人の名称、住所及び事務所の所在地を公示しなければならない。

3　推進法人は、その名称、住所又は事務所の所在地を変更するときは、あらかじめ、その旨を市町村長に届け出なければならない。

4　市町村長は、前項の規定による届出があつたときは、当該届出に係る事項を公示しなければならない。

（推進法人の業務）

第八二条　推進法人は、当該市町村の区域内において、次に掲げる業務を行うものとする。

一　次のいずれかに掲げる業務

イ　管理協定に基づく緑地の管理を行うこと。

ロ　市民緑地の設置及び管理を行うこと。

二　緑地の保全及び緑化の推進に関する情報又は資料を収集し、及び提供すること。

三　緑地の保全及び緑化の推進に関し必要な助言及び指導を行うこと。

四　緑地の保全及び緑化の推進に関する調査及び研究を行うこと。

五　前各号に掲げる業務に附帯する業務を行うこと。

（地方公共団体との連携）

第八三条　推進法人は、地方公共団体との密接な連携の下に前条第一号に掲げる業務を行わなければならない。

（改善命令）

第八四条　市町村長は、推進法人の業務の運営に関し改善が必要であると認めるときは、推進法人に対し、その改善に必要な措置をとるべきことを命ずることができる。

（指定の取消し等）

第八五条　市町村長は、推進法人が前条の規定による命令に違反したときは、その指定を取り消すことができる。

2　市町村長は、前項の規定により指定を取り消したときは、その旨を公示しなければならない。

（情報の提供等）

第八六条　国及び地方公共団体は、推進法人に対し、その業務の実施に関し必要な情報の提供又は指導及び助言を行うものとする。

第九章　優良緑地確保計画の認定等

第一節　優良緑地確保計画の認定

（緑地確保指針の策定）

第八七条　国土交通大臣は、都市における緑地の保全及び緑化の推進による良好な都市環境の形成を図るために緑地確保事業者（その事業において都市における緑地の整備、保全その他の管理に関する取組を行う事業者をいう。以下同じ。）が講ずべき措置に関する指針（以下この条及び次条において「緑地確保指針」という。）を定めるものとする。

2　緑地確保指針においては、次に掲げる事項を定めるものとする。

一　周囲の自然環境と調和のとれた緑地又は緑化施設の整備又は設置、地域の自然的社会的条件に応じた多様な動植物の生息環境又は生育環境の確保その他の良好な都市環境の形成に関して緑地確保事業者が取り組むべき事項

二　その他緑地確保事業者による都市における緑地の確保に関する取組の実施に際し配慮すべき事項

3　国土交通大臣は、緑地確保指針を定め、又はこれを変更するときは、あらかじめ、関係行政機関の長に協議しなければならない。

4　国土交通大臣は、緑地確保指針を定め、又はこれを変更したときは、遅滞なく、これを公表しなければならない。

3　緑地確保指針は、地域における生物の多様性の増進のための活動の促進等に関する法律（令和六年法律第十八号）第八条第一項に規定する基本方針との調和が保たれたものでなければならない。

4　国土交通大臣は、緑地確保指針を定め、又はこれを変更するときは、あらかじめ、関係行政機関の長に協議しなければならない。

5　国土交通大臣は、緑地確保指針を定め、又はこれを変更したときは、遅滞なく、これを公表しなければならない。

（優良緑地確保計画の認定）

第八八条　緑地確保事業者は、国土交通省令で定めるところにより、その実施する都市における緑地の確保のための取組（以下「緑地確保事業」という。）に関する計画（以下「優良緑地確保計画」という。）を作成し、当該優良緑地確保計画が緑地確保指針に適合するものである旨の国土交通大臣の認定を申請することができる。

2　優良緑地確保計画には、次に掲げる事項を記載しなければならない。

一　緑地確保事業を実施する区域の位置及び面積

二　緑地確保事業の内容

三　計画期間

四　緑地確保事業の実施体制

五　資金計画

六　その他国土交通省令で定める事項

3　前項第二号に掲げる事項には、都市再生特別措置法（平成十四年法律第二十二号）第六十三条第三項第一号及び第二号に掲げる事項を記載することができる。

4　国土交通大臣は、第一項の認定の申請があつた場合において、当該申請に係る優良緑地確保計画が緑地確保指針に適合していると認めるときは、その認定をするものとする。

5　国土交通大臣は、第一項の認定のための審査に当たつては、国土交通省令で定めるところにより、その申請に係る優良緑地確保計画の緑地確保指針への適合性についての技術的な調査を行うものとする。

6　国土交通大臣は、第一項の認定をする場合において、その申請に係る優良緑地確保計画に記載された緑地確保事業の実施に係る行為が次の各号に掲げる行為のいずれかに該当するときは、当該優良緑地確保計画について、あらかじめ、当該各号に定める者に協議し、かつ、当該行為が第三号に掲げる行為に該当するものである場合にあつては、その同意を得なければならない。

一　首都圏近郊緑地保全区域又は近畿圏近郊緑地保全区域内において行う行為であつて、首都圏保全法第七条第一項又は近畿圏保全法第八条第一項の規定による届出をしなければならないもの　都府県知事（当該行為が指定都市の区域内において行われるものである場合にあつては、当該指定都市の長）

二　緑地保全地域内において行う行為であつて、第八条第一項の規定による届出をしなければならないもの　都道府県知事等

三　特別緑地保全地区内において行う行為であつて、第十四条第一項の許可を受けなければならないもの　都道府県知事等

7　都道府県知事等は、前項第三号に掲げる行為に係る優良緑地確保計画について同項の協議があつた場合において、当該協議に係る緑地確保事業の実施に係る行為が第十四条第二項の規定により同条第一項の許可をしてはならない場合に該当しないと認めるときは、前項の同意をするものとする。

8　国土交通大臣は、第一項の認定をしたときは、当該認定を受けた緑地確保事業者の氏名又は名称及び当該認定に係る優良緑地確保計画の内容を公表するものとする。

（変更の認定等）

第八九条　前条第一項の認定を受けた緑地確保事業者は、当該認定に係る優良緑地確保計画を変更するときは、国土交通省令で定めるところにより、あらかじめ、国土交通大臣の認定を受けなければならない。ただし、国土交通省令で定める軽微な変更については、この限りでない。

2　前項の変更の認定を受けようとする者は、国土交通省令で定めるところにより、変更に係る事項を記載した申請書を国土交通大臣に提出しなければならない。

3　前条第一項の認定（第一項の変更の認定を含む。以下「計画の認定」という。）を受けた緑地確保事業者（以下「認定事業者」という。）は、第一項ただし書の国土交通省令で定める軽微な変更をしたときは、遅滞なく、その旨を国土交通大臣に届け出なければならない。

4　前条第四項から第八項までの規定は、第一項の変更の認定について準用する。

（助言等）

第九〇条　国は、認定事業者に対し、計画の認定を受けた優良緑地確保計画（変更があつたときは、その変更後のもの。以下「認定優良緑地確保計画」という。）に従つて行われる緑地確保事業の実施に関し必要な助言、情報の提供その他の措置を講ずるよう努めるものとする。

（改善命令及び認定の取消し）

第九一条　国土交通大臣は、認定事業者が認定優良緑地確保計画に従つて緑地確保事業を行つていないと認めるときは、当該認定事業者に対し、相当の期限を定めて、その改善に必要な措置をとるべきことを命ずることができる。

2　国土交通大臣は、認定事業者が前項の規定による命令に違反したときは、計画の認定を取り消すことができる。

3　国土交通大臣は、前項の規定により計画の認定を取り消したときは、その旨を公表するものとする。

（定期の報告）

第九二条　認定事業者は、毎年度、国土交通省令で定めるところにより、認定優良緑地確保計画の実施状況について国土交通大臣に報告しなければならない。

（首都圏保全法等の特例）

第九三条　認定事業者が認定優良緑地確保計画に従つて首都圏近郊緑地保全区域内において行う行為については、首都圏保全法第七条第一項の規定は、適用しない。

2　認定事業者が認定優良緑地確保計画に従つて近畿圏近郊緑地保全区域内

において行う行為については、近畿圏保全法第八条第一項の規定は、適用しない。

3　認定事業者が認定優良緑地確保計画に従つて緑地保全地域内において行う行為については、第八条第一項及び第二項の規定は、適用しない。

4　特別緑地保全地区内において第十四条第一項の許可を受けなければならない行為を認定事業者が認定優良緑地確保計画に従つて行う場合には、当該行為については、同項の許可があつたものとみなす。

（都市再生推進法人の業務の特例）

第九四条　都市再生特別措置法第百十八条第一項の規定により指定された都市再生推進法人は、同法第百十九条各号に掲げる業務のほか、認定事業者に対し、当該認定事業者が実施する緑地確保事業に関する知識を有する者の派遣、情報の提供、相談その他の援助を行うことができる。

2　前項の場合においては、都市再生特別措置法第百二十一条第一項及び第二項中「掲げる業務」とあるのは、「掲げる業務及び都市緑地法（昭和四十八年法律第七十二号）第九十四条第一項に規定する業務」とする。

第二節　登録調査機関等

（登録調査機関による調査）

第九五条　国土交通大臣は、その登録を受けた者（以下「登録調査機関」という。）に第八十八条第五項（第八十九条第四項において準用する場合を含む。）に規定する技術的な調査（以下「調査」という。）の全部又は一部を行わせることができる。

2　国土交通大臣は、前項の規定により登録調査機関に調査の全部又は一部を行わせるときは、当該調査の全部又は一部を行わないものとする。この場合において、国土交通大臣は、登録調査機関が第四項の規定により通知する調査の結果を考慮して計画の認定のための審査を行わなければならない。

3　国土交通大臣が第一項の規定により登録調査機関に調査の全部又は一部を行わせることとしたときは、計画の認定を受けようとする者は、当該調査の全部又は一部については、国土交通省令で定めるところにより、登録調査機関にその実施を申請しなければならない。

4　登録調査機関は、前項の規定による申請に係る調査を行つたときは、遅滞なく、当該調査の結果を、国土交通省令で定めるところにより、国土交通大臣に通知しなければならない。

5　第三項の申請の手続その他の登録調査機関による調査の実施に関し必要な事項は、国土交通省令で定める。

（登録）

第九六条　前条第一項の登録（以下「登録」という。）は、国土交通省令で定めるところにより、調査の業務を行おうとする者の申請により行う。

（欠格条項）

第九七条　次の各号のいずれかに該当する者は、登録を受けることができない。

一　この法律又はこの法律に基づく命令若しくは処分に違反し、罰金以上の刑に処せられ、その執行を終わり、又は執行を受けることがなくなつた日から一年を経過しない者

二　第百十条第一項から第三項までの規定により登録を取り消され、その取消しの日から一年を経過しない者（当該登録を取り消された者が法人である場合においては、当該取消しの処分に係る行政手続法（平成五年法律第八十八号）第十五条第一項の規定による通知があつた日前六十日以内に当該法人の役員であつた者で当該取消しの日から一年を経過しないものを含む。）

三　法人であつて、その業務を行う役員のうちに前二号のいずれかに該当する者があるもの

（登録の基準等）

第九八条　国土交通大臣は、第九十六条の規定により登録の申請をした者（第二号において「登録申請者」という。）が次に掲げる要件の全てに適合しているときは、その登録をしなければならない。

一　調査を適確に行うために必要なものとして国土交通省令で定める基準に適合していること。

二　緑地の整備又は管理を業とする者（以下この号において「緑地整備等業者」という。）に支配されているものとして次のいずれかに該当するものでないこと。

イ　登録申請者が株式会社である場合にあつては、緑地整備等業者がその親法人（会社法（平成十七年法律第八十六号）第八百七十九条第一項に規定する親法人をいう。）であること。

ロ　登録申請者が法人である場合にあつては、その役員（持分会社（会社法第五百七十五条第一項に規定する持分会社をいう。）にあつては、業務を執行する社員）に占める緑地整備等業者の役員又は職員（過去二年間に緑地整備等業者の役員又は職員であつた者を含む。ハにおいて同じ。）の割合が二分の一を超えていること。

ハ　登録申請者（法人にあつては、その代表権を有する役員）が、緑地整備等業者の役員又は職員であること。

2　国土交通大臣は、登録をしたときは、遅滞なく、登録調査機関について、その氏名又は名称及び住所、調査の業務の範囲、調査の業務を行う事務所の所在地その他国土交通省令で定める事項を公示しなければならない。

（登録の更新）

第九九条　登録は、三年を下らない政令で定める期間ごとにその更新を受けなければ、その期間の経過によつて、効力を失う。

2　前三条の規定は、前項の登録の更新について準用する。

3　第一項の登録の更新の申請があつた場合において、同項の期間（以下この条において「登録の有効期間」という。）の満了の日までにその申請に対する処分がされないときは、従前の登録は、登録の有効期間の満了後もその処分がされるまでの間は、なおその効力を有する。

4　前項の場合において、第一項の登録の更新がされたときは、その登録の有効期間は、従前の登録の有効期間の満了の日の翌日から起算するものとする。

（調査の実施）

第一〇〇条　登録調査機関は、調査を行うことを求められたときは、正当な理由がある場合を除き、遅滞なく、調査を行わなければならない。

2　登録調査機関は、公正に、かつ、国土交通省令で定める基準に適合する方法により調査を行わなければならない。

（変更の届出）

第一〇一条　登録調査機関は、その氏名若しくは名称、住所又は調査の業務を行う事務所の所在地の変更をするときは、その二週間前までに、国土交通大臣に届け出なければならない。

2　国土交通大臣は、前項の規定による届出があつたときは、遅滞なく、その旨を公示しなければならない。

（業務規程）

第一〇二条　登録調査機関は、調査の業務に関する規程（以下この条及び第百十条第二項第二号において「業務規程」という。）を定め、国土交通大臣の認可を受けなければならない。これを変更するときも、同様とする。

2　業務規程には、調査の実施方法その他の国土交通省令で定める事項を定めておかなければならない。

3　国土交通大臣は、第一項の認可をした業務規程が調査を公正かつ適確に実施する上で不適当となつたと認めるときは、その業務規程を変更すべきことを命ずることができる。

（業務の休廃止）

第一〇三条　登録調査機関は、国土交通大臣の許可を受けなければ、調査の業務の全部又は一部を休止し、又は廃止してはならない。

2　国土交通大臣は、前項の許可をしたときは、遅滞なく、その旨を公示しなければならない。

（財務諸表等の備付け及び閲覧等）

第一〇四条　登録調査機関は、毎事業年度経過後三月以内に、当該事業年度の財産目録、貸借対照表及び損益計算書又は収支計算書並びに事業報告書（その作成に代えて電磁的記録（電子的方式、磁気的方式その他の人の知覚によつては認識することができない方式で作られる記録であつて、電子計算機による情報処理の用に供されるものをいう。以下この条において同じ。）の作成がされている場合における当該電磁的記録を含む。次項及び第百二十条において「財務諸表等」という。）を作成し、五年間事務所に備えて置かなければならない。

2　緑地確保事業者その他の利害関係人は、登録調査機関の業務時間内は、いつでも、次に掲げる請求をすることができる。ただし、第二号又は第四号の請求をするには、登録調査機関の定めた費用を支払わなければならない。

一　財務諸表等が書面をもつて作成されているときは、当該書面の閲覧又

は謄写の請求
二　前号の書面の謄本又は抄本の請求
三　財務諸表等が電磁的記録をもつて作成されているときは、当該電磁的記録に記録された事項を国土交通省令で定める方法により表示したものの閲覧又は謄写の請求
四　前号の電磁的記録に記録された事項を電磁的方法（電子情報処理組織を使用する方法その他の情報通信の技術を利用する方法であつて国土交通省令で定めるものをいう。）により提供することの請求又は当該事項を記載した書面の交付の請求

（帳簿の記載等）
第一〇五条　登録調査機関は、調査の業務について、国土交通省令で定めるところにより、帳簿を備え、国土交通省令で定める事項を記載し、これを保存しなければならない。

（秘密保持義務等）
第一〇六条　登録調査機関の役員（法人でない登録調査機関にあつては、当該登録を受けた者。次項において同じ。）若しくは職員又はこれらの者であつた者は、調査の業務に関して知り得た秘密を漏らし、又は自己の利益のために使用してはならない。
2　調査の業務に従事する登録調査機関の役員又は職員は、刑法その他の罰則の適用については、法令により公務に従事する職員とみなす。

（報告徴収及び立入検査）
第一〇七条　国土交通大臣は、調査の業務の公正かつ適確な実施を確保するために必要な限度において、登録調査機関に対し調査の業務若しくは経理の状況に関し必要な報告を求め、又はその職員に、登録調査機関の事務所に立ち入り、調査の業務の状況若しくは設備、帳簿、書類その他の物件を検査させ、若しくは関係者に質問させることができる。
2　第十一条第三項及び第四項の規定は、前項の規定による立入検査について準用する。

（適合命令）
第一〇八条　国土交通大臣は、登録調査機関が第九十八条第一項各号に掲げる要件のいずれかに適合しなくなつたと認めるときは、当該登録調査機関に対し、これらの要件に適合するため必要な措置をとるべきことを命ずることができる。

（改善命令）
第一〇九条　国土交通大臣は、登録調査機関が第百条の規定に違反していると認めるとき、又は登録調査機関が行う調査が適当でないと認めるときは、当該登録調査機関に対し、調査を行うべきこと又は調査の方法その他の業務の方法の改善に関し必要な措置をとるべきことを命ずることができる。

（登録の取消し等）
第一一〇条　国土交通大臣は、登録調査機関が次の各号のいずれかに該当するときは、その登録を取り消さなければならない。
一　第九十七条第一号又は第三号のいずれかに該当するに至つたとき。
二　不正の手段により登録又はその更新を受けたとき。
2　国土交通大臣は、登録調査機関が次の各号のいずれかに該当するときは、その登録を取り消し、又は一年以内の期間を定めて調査の業務の全部若しくは一部の停止を命ずることができる。
一　第九十五条第四項、第百一条第一項、第百三条第一項、第百四条第一項又は第百五条の規定に違反したとき。
二　第百二条第一項の認可を受けた業務規程によらないで調査の業務を行つたとき。
三　正当な理由がないのに第百四条第二項の請求を拒んだとき。
四　第百二条第三項、第百八条又は前条の規定による命令に違反したとき。
3　国土交通大臣は、前二項に規定する場合のほか、登録調査機関が、正当な理由がないのに、その登録を受けた日から一年を経過してもなおその登録に係る調査の業務を開始しないときは、その登録を取り消すことができる。
4　国土交通大臣は、前三項の規定による処分をしたときは、遅滞なく、その旨を公示しなければならない。

（国土交通大臣による調査の業務の実施）
第一一一条　国土交通大臣は、登録調査機関が第百三条第一項の許可を受けてその調査の業務の全部若しくは一部を休止した場合、前条第二項の規定により登録調査機関に対し調査の業務の全部若しくは一部の停止を命じた場合又は登録調査機関が天災その他の事由により調査の業務の全部若しくは一部を実施することが困難となつた場合において、必要があると認めるときは、第九十五条第二項の規定にかかわらず、調査の業務の全部又は一部を自ら行うものとする。
2　国土交通大臣は、前項の規定により調査の業務を行うこととし、又は同項の規定により行つている調査の業務を行わないこととするときは、あらかじめ、その旨を公示しなければならない。
3　国土交通大臣が、第一項の規定により調査の業務を行うこととし、第百三条第一項の規定により調査の業務の廃止を許可し、又は前条第一項から第三項までの規定により登録を取り消した場合における調査の業務の引継ぎその他の必要な事項は、国土交通省令で定める。

（手数料）
第一一二条　計画の認定を受けようとする者は、実費を勘案して政令で定める額の手数料を国に納めなければならない。ただし、国土交通大臣が第九十五条第一項の規定により登録調査機関に調査の全部を行わせることとしたときは、この限りでない。
2　登録調査機関が行う調査を受けようとする者は、政令で定めるところにより登録調査機関が国土交通大臣の認可を受けて定める額の手数料を、当該登録調査機関に納めなければならない。

第十章　雑則

（国等の援助）
第一一三条　国及び地方公共団体は、都市における緑地の保全及び緑化の推進を図るため、関係地方公共団体、支援機構又は推進法人に対し、必要な情報の提供、助言、指導その他の援助を行うよう努めるものとする。

（経過措置）
第一一四条　この法律の規定に基づき政令又は国土交通省令を制定し、又は改廃する場合においては、それぞれ、政令又は国土交通省令で、その制定又は改廃に伴い合理的に必要とされる範囲内において、所要の経過措置（罰則に関する経過措置を含む。）を定めることができる。

第十一章　罰則

第一一五条　第九条第一項（第十五条において準用する場合を含む。）、第三十七条第一項（第四十三条第四項において準用する場合を含む。）又は第百十条第二項の規定による命令に違反したときは、その違反行為をした者は、一年以下の懲役又は五十万円以下の罰金に処する。
2　第七十六条第一項又は第百六条第一項の規定に違反して、支援業務又は調査の業務に関して知り得た秘密を漏らし、又は自己の利益のために使用した者は、一年以下の拘禁刑又は五十万円以下の罰金に処する。
第一一六条　次の各号のいずれかに該当する場合には、その違反行為をした者は、六月以下の懲役又は三十万円以下の罰金に処する。
一　第十四条第一項の規定に違反したとき。
二　第十四条第三項の規定により許可に付された条件に違反したとき。
第一一七条　次の各号のいずれかに該当する場合には、その違反行為をした者は、三十万円以下の罰金に処する。
一　第七条第三項（第十三条において準用する場合を含む。）又は第八条第五項の規定に違反したとき。
二　第八条第一項の規定による届出をせず、又は虚偽の届出をしたとき。
三　第八条第二項の規定による都道府県知事等の命令又は第八十四条の規定による市町村長の命令に違反する行為をしたとき。
四　第十一条第一項（第十九条において読み替えて準用する場合を含む。）又は第六十三条の規定による報告をせず、又は虚偽の報告をしたとき。
五　第十一条第二項（第十九条において読み替えて準用する場合を含む。）の規定による立入検査又は立入調査を拒み、妨げ、又は忌避したとき。
六　第三十八条第一項（第四十三条第四項において準用する場合を含む。以下この号において同じ。）の規定による報告をせず、若しくは虚偽の報告をし、又は第三十八条第一項の規定による立入検査を拒み、妨げ、若しくは忌避したとき。
七　第七十三条第一項又は第百三条第一項の許可を受けないで、支援業務又は調査の業務の全部を廃止したとき。
八　第七十五条又は第百五条の規定に違反して、帳簿を備えず、帳簿に記載せず、若しくは帳簿に虚偽の記載をし、又は帳簿を保存しなかつたとき

き。

九　第七十七条第一項若しくは第百七条第一項の規定による報告をせず、若しくは虚偽の報告をし、又はこれらの規定による立入検査を拒み、妨げ、若しくは忌避し、若しくはこれらの規定による質問に対して答弁をせず、若しくは虚偽の答弁をしたとき。

第一一八条　法人の代表者又は法人若しくは人の代理人、使用人その他の従業者が、その法人又は人の業務又は財産に関して第百十五条第一項又は前二条の違反行為をしたときは、行為者を罰するほか、その法人又は人に対して各本条の罰金刑を科する。

第一一九条　地区計画等緑地保全条例、地区計画等緑化率条例又は第四十四条の規定に基づく条例には、これに違反した者に対し、三十万円以下の罰金に処する旨の規定を設けることができる。

第一二〇条　第百四条第一項の規定に違反して、財務諸表等を備えて置かず、財務諸表等に記載すべき事項を記載せず、若しくは虚偽の記載をし、又は正当な理由がないのに同条第二項の請求を拒んだ者は、二十万円以下の過料に処する。

附　則〔抄〕

（施行期日）

1　この法律は、公布の日から起算して六月をこえない範囲内において政令で定める日から施行する。

〔昭和四九政二八により、昭和四九・二・一から施行〕

（首都圏近郊緑地保全法等の一部改正に伴う経過措置）

6　この法律の施行前にこの法律による改正前の首都圏近郊緑地保全法、近畿圏の保全区域の整備に関する法律又は鉱業等に係る土地利用の調整手続等に関する法律（これらの法律に基づく命令を含む。）の規定によりされた処分、手続その他の行為は、この法律又はこの法律による改正後の鉱業等に係る土地利用の調整手続等に関する法律（これらの法律に基づく命令を含む。）の相当規定によりされた処分、手続その他の行為とみなす。

7　この法律の施行の際この法律による改正前の都市計画法第八条第一項第十一号に掲げる地区に関し、決定されている都市計画又は行なわれている都市計画の決定若しくは変更の手続は、この法律による改正後の都市計画法第八条第一項第十一号に掲げる地区に関する都市計画又は都市計画の決定若しくは変更の手続とみなす。

8　この法律の施行前にしたこの法律による改正前の首都圏近郊緑地保全法又は近畿圏の保全区域の整備に関する法律に違反する行為に対する罰則の適用については、なお従前の例による。

附　則〔抄〕〔平成五・一一・一二法律八九〕

（施行期日）

第一条　この法律は、行政手続法（平成五年法律第八十八号）の施行の日（平成六・一〇・一）から施行する。

（諮問等がされた不利益処分に関する経過措置）

第二条　この法律の施行前に法令に基づき審議会その他の合議制の機関に対し行政手続法第十三条に規定する聴聞又は弁明の機会の付与の手続その他の意見陳述のための手続に相当する手続を執るべきことの諮問その他の求めがされた場合においては、当該諮問その他の求めに係る不利益処分の手続に関しては、この法律による改正後の関係法律の規定にかかわらず、なお従前の例による。

（罰則に関する経過措置）

第一三条　この法律の施行前にした行為に対する罰則の適用については、なお従前の例による。

（聴聞に関する規定の整理に伴う経過措置）

第一四条　この法律の施行前に法律の規定により行われた聴聞、聴問若しくは聴聞会（不利益処分に係るものを除く。）又はこれらのための手続は、この法律による改正後の関係法律の相当規定により行われたものとみなす。

（政令への委任）

第一五条　附則第二条から前条までに定めるもののほか、この法律の施行に関して必要な経過措置は、政令で定める。

附　則〔抄〕〔平成六・六・二四法律四〇〕

（施行期日）

1　この法律は、公布の日から起算して六月を超えない範囲内において政令で定める日から施行する。

〔平成六政三二八により、平成六・一〇・二〇から施行〕

（一人緑化協定に関する経過措置）

2　この法律の施行前に都市緑地保全法第二十条第三項において準用する同法第十六条第二項の規定による認可の公告のあった緑化協定についての改正後の同法第二十条第四項の規定の適用については、同項中「三年」とあるのは、「一年」とする。

附　則〔略〕〔平成六・六・二九法律四九〕

附　則〔抄〕〔平成七・四・一九法律六八〕

（施行期日）

1　この法律は、公布の日から起算して六月を超えない範囲内において政令で定める日から施行する。

〔平成七政二九一により、平成七・八・一から施行〕

（緑化協定に関する経過措置）

2　この法律の施行前に改正前の都市緑地保全法（以下「旧法」という。）第十六条第二項（旧法第十七条第二項及び第二十条第三項において準用する場合を含む。）の規定による認可の公告のあった緑化協定は、改正後の都市緑地保全法（以下「新法」という。）第十六条第二項（新法第十七条第二項及び第二十条第三項において準用する場合を含む。）の規定による認可の公告のあった緑地協定とみなす。この場合において、平成六年十月二十日前に旧法第二十条第三項において準用する旧法第十六条第二項の規定による認可の公告のあった緑化協定が緑地協定としての効力を有することとなる時期については、なお従前の例による。

3　この法律の施行前に行われた旧法第十四条第四項、第十七条第一項又は第二十条第一項の規定による認可の申請は、新法第十四条第四項、第十七条第一項又は第二十条第一項の規定による認可の申請とみなす。

附　則〔抄〕〔平成一一・七・一六法律八七〕

（施行期日）

第一条　この法律は、平成十二年四月一日から施行する。ただし、次の各号に掲げる規定は、当該各号に定める日から施行する。

一　〔前略〕附則〔中略〕第百六十条、第百六十三条、第百六十四条並びに第二百二条の規定　公布の日

二～六　〔略〕

（国等の事務）

第一五九条　この法律による改正前のそれぞれの法律に規定するもののほか、この法律の施行前において、地方公共団体の機関が法律又はこれに基づく政令により管理し又は執行する国、他の地方公共団体その他公共団体の事務（附則第百六十一条において「国等の事務」という。）は、この法律の施行後は、地方公共団体が法律又はこれに基づく政令により当該地方公共団体の事務として処理するものとする。

（処分、申請等に関する経過措置）

第一六〇条　この法律（附則第一条各号に掲げる規定については、当該各規定。以下この条及び附則第百六十三条において同じ。）の施行前に改正前のそれぞれの法律の規定によりされた許可等の処分その他の行為（以下この条において「処分等の行為」という。）又はこの法律の施行の際現に改正前のそれぞれの法律の規定によりされている許可等の申請その他の行為（以下この条において「申請等の行為」という。）で、この法律の施行の日においてこれらの行為に係る行政事務を行うべき者が異なることとなるものは、附則第二条から前条までの規定又は改正後のそれぞれの法律（これに基づく命令を含む。）の経過措置に関する規定に定めるものを除き、この法律の施行の日以後における改正後のそれぞれの法律の適用については、改正後のそれぞれの法律の相当規定によりされた処分等の行為又は申請等の行為とみなす。

2　この法律の施行前に改正前のそれぞれの法律の規定により国又は地方公共団体の機関に対し報告、届出、提出その他の手続をしなければならない事項で、この法律の施行の日前にその手続がされていないものについては、この法律及びこれに基づく政令に別段の定めがあるもののほか、これを、改正後のそれぞれの法律の相当規定により国又は地方公共団体の相当の機関に対して報告、届出、提出その他の手続をしなければならない事項についてその手続がされていないものとみなして、この法律による改正後のそれぞれの法律の規定を適用する。

（不服申立てに関する経過措置）

第一六一条　施行日前にされた国等の事務に係る処分であって、当該処分をした行政庁（以下この条において「処分庁」という。）に施行日前に行政不服審査法に規定する上級行政庁（以下この条において「上級行政庁」と

いう。）があったものについての同法による不服申立てについては、施行日以後においても、当該処分庁に引き続き上級行政庁があるものとみなして、行政不服審査法の規定を適用する。この場合において、当該処分庁の上級行政庁とみなされる行政庁は、施行日前に当該処分庁の上級行政庁であった行政庁とする。

２　前項の場合において、上級行政庁とみなされる行政庁が地方公共団体の機関であるときは、当該機関が行政不服審査法の規定により処理することとされる事務は、新地方自治法第二条第九項第一号に規定する第一号法定受託事務とする。

（手数料に関する経過措置）

第一六二条　施行日前においてこの法律による改正前のそれぞれの法律（これに基づく命令を含む。）の規定により納付すべきであった手数料については、この法律及びこれに基づく政令に別段の定めがあるもののほか、なお従前の例による。

（罰則に関する経過措置）

第一六三条　この法律の施行前にした行為に対する罰則の適用については、なお従前の例による。

（その他の経過措置の政令への委任）

第一六四条　この附則に規定するもののほか、この法律の施行に伴い必要な経過措置（罰則に関する経過措置を含む。）は、政令で定める。

２　（略）

附　則　（略）〔平成一一・一二・二二法律一六〇〕

附　則　（抄）〔平成一三・五・二五法律三七〕

（施行期日）

第一条　この法律は、公布の日から起算して三月を超えない範囲内において政令で定める日から施行する。

〔平成一三政二六〇により、平成一三・八・二四から施行〕

（緑地の保全及び緑化の推進に関する基本計画に関する経過措置）

第二条　この法律の施行の日以後この法律による改正後の都市緑地保全法（以下この条において「新法」という。）第二条の二の規定に基づき緑地の保全及び緑化の推進に関する基本計画（以下この条において「基本計画」という。）が定められるまでの間においては、この法律の施行の際現にこの法律による改正前の都市緑地保全法第二条の二の規定に基づき定められている基本計画を新法第二条の二の規定に基づき定められた基本計画とみなす。

附　則　（略）〔平成一六・六・二法律六七〕

附　則　（抄）〔平成一六・六・一八法律一〇九〕

（施行期日）

第一条　この法律は、公布の日から起算して六月を超えない範囲内において政令で定める日から施行する。

〔平成一六政三九五により、平成一六・一二・一七から施行〕

（緑地の保全及び緑化の推進に関する基本計画に関する経過措置）

第二条　この法律の施行の際現に第一条の規定による改正前の都市緑地保全法（以下「都市緑地保全法」という。）第二条の二の規定に基づき定められている緑地の保全及び緑化の推進に関する基本計画（次項において「旧基本計画」という。）は、第一条の規定による改正後の都市緑地法（以下「都市緑地法」という。）第四条の規定に基づき定められた緑地の保全及び緑化の推進に関する基本計画（次項において「新基本計画」という。）とみなす。

２　この法律の施行の際旧基本計画に定められている都市緑地保全法第二条の二第二項第三号ニの地区は、新基本計画に定められた都市緑地法第四条第二項第三号ホの地区とみなす。

（緑地保全地区に関する経過措置）

第三条　この法律の施行の際現に都市緑地保全法第三条の規定により定められている緑地保全地区は、都市緑地法第十二条の規定により定められた特別緑地保全地区とみなす。

（緑地管理機構に関する経過措置）

第四条　この法律の施行の際現に都市緑地保全法第二十条の六第一項の規定により指定されている緑地管理機構は、都市緑地法第六十八条第一項の規定により指定された緑地管理機構とみなす。

（罰則に関する経過措置）

第五条　この法律の施行前にした行為に対する罰則の適用については、なお従前の例による。

（政令への委任）

第六条　附則第二条から前条までに定めるもののほか、この法律の施行に関して必要な経過措置は、政令で定める。

附　則　（抄）〔平成一六・六・一八法律一一一〕

（施行期日）

第一条　この法律は、景観法（平成十六年法律第百十号）の施行の日（平成一六・一二・一七）から施行する。ただし、〔中略〕第十六条中都市緑地法第三十五条の改正規定、〔中略〕附則第四条、第五条及び第七条の規定は、景観法附則ただし書に規定する日〔平成一七・六・一〕から施行する。

（罰則に関する経過措置）

第五条　この法律の施行前にした行為に対する罰則の適用については、なお従前の例による。

（政令への委任）

第六条　附則第二条から前条までに定めるもののほか、この法律の施行に関して必要な経過措置は、政令で定める。

附　則　（抄）〔平成一八・五・三一法律四六〕

（施行期日）

第一条　この法律は、公布の日から起算して一年六月を超えない範囲内において政令で定める日から施行する。ただし、次の各号に掲げる規定は、当該各号に定める日から施行する。

〔平成一八政三四九により、平成一九・一一・三〇から施行〕

一　（略）

二　〔前略〕附則〔中略〕第九条から第十一条までの規定　公布の日から起算して三月を超えない範囲内において政令で定める日

〔平成一八政二七二により、平成一八・八・三〇から施行〕

三　〔前略〕第六条〔中略〕並びに附則〔中略〕第八条〔中略〕の規定　公布の日から起算して六月を超えない範囲内において政令で定める日

〔平成一八政三四九により、平成一八・一一・三〇から施行〕

（都市緑地法の一部改正に伴う経過措置）

第八条　附則第一条第三号に掲げる規定の施行前に第六条の規定による改正前の都市緑地法第四十七条第二項の規定による認可の公告のあった緑地協定は、第六条の規定による改正後の都市緑地法第四十七条第二項の規定による認可の公告のあった緑地協定とみなす。

（罰則に関する経過措置）

第一〇条　この法律（附則第一条第二号及び第三号に掲げる規定については、当該規定。以下この条において同じ。）の施行前にした行為及びこの附則の規定によりなお従前の例によることとされる場合におけるこの法律の施行後にした行為に対する罰則の適用については、なお従前の例による。

（政令への委任）

第一一条　この附則に定めるもののほか、この法律の施行に関して必要な経過措置は、政令で定める。

（検討）

第一二条　政府は、この法律の施行後五年を経過した場合において、新都市計画法、新建築基準法、新駐車場法及び第六条の規定による改正後の都市緑地法の規定の施行の状況について検討を加え、必要があると認めるときは、その結果に基づいて所要の措置を講ずるものとする。

附　則　（略）〔平成一八・六・二法律五〇〕

附　則　（略）〔平成二〇・五・二三法律四〇〕

附　則　（抄）〔平成二三・八・三〇法律一〇五〕

（施行期日）

第一条　この法律は、公布の日から施行する。ただし、次の各号に掲げる規定は、当該各号に定める日から施行する。

一　（略）

二　〔前略〕第百二十八条（都市緑地法第二十条及び第三十九条の改正規定を除く。）〔中略〕の規定並びに附則〔中略〕第六十一条から第六十九条まで〔中略〕の規定　平成二十四年四月一日

三〜六　（略）

（都市緑地法の一部改正に伴う経過措置）

第六二条　第百二十八条の規定（都市緑地法第二十条及び第三十九条の改正規定を除く。以下この条において同じ。）の施行の際現に効力を有する第百二十八条の規定による改正前の都市緑地法（以下この条及び附則第九十条において「旧都市緑地法」という。）第六条第一項の規定により都道府県が定めた緑地保全計画若しくは旧都市緑地法第六条第一項若しくは第四

項、第七条第一項、第三項若しくは第四項（旧都市緑地法第十三条においてこれらの規定を準用する場合を含む。）、第七条第五項若しくは第六項（旧都市緑地法第十条第二項及び第十三条においてこれらの規定を準用する場合を含む。）、第八条第二項、第四項、第六項若しくは第八項、第九条第一項若しくは第二項（旧都市緑地法第十五条においてこれらの規定を準用する場合を含む。）、第十条第一項（旧都市緑地法第十六条において準用する場合を含む。）、第十一条第一項若しくは第二項（旧都市緑地法第十九条においてこれらの規定を準用する場合を含む。）、第十四条第一項、第三項若しくは第七項、第二十四条第四項若しくは第五十五条第五項（市民緑地契約の対象となる土地の区域が同項第二号に掲げるものである場合に限る。以下この項において同じ。）の規定により都道府県若しくは都道府県知事が行った許可その他の行為又は現に旧都市緑地法第八条第一項若しくは第七項、第十四条第一項、第四項から第六項まで若しくは第八項、第二十四条第四項若しくは第五十五条第五項の規定により都道府県知事に対して行っている許可の申請その他の行為で、第百二十八条の規定による改正後の都市緑地法（以下この条及び附則第九十条において「新都市緑地法」という。）第六条第一項、第五項若しくは第六項、第七条第一項、第三項若しくは第四項（新都市緑地法第十三条においてこれらの規定を準用する場合を含む。）、第七条第五項若しくは第六項（新都市緑地法第十条第二項及び第十三条においてこれらの規定を準用する場合を含む。）、第八条第一項、第二項、第四項若しくは第六項から第八項まで、第九条第一項若しくは第二項（新都市緑地法第十五条においてこれらの規定を準用する場合を含む。）、第十条第一項（新都市緑地法第十六条において準用する場合を含む。）、第十一条第一項若しくは第二項（新都市緑地法第十九条においてこれらの規定を準用する場合を含む。）、第十四条第一項若しくは第三項から第八項まで、第二十四条第四項又は第五十五条第五項若しくは第七項の規定により市若しくは市長が行うこととなる事務に係るものは、それぞれこれらの規定により当該市が定めた緑地保全計画若しくは当該市若しくは市長が行った許可その他の行為又は当該市長に対して行った許可の申請その他の行為とみなす。

2　第百二十八条の規定の施行前に都道府県知事がした旧都市緑地法第十四条第一項の許可の申請についての不許可の処分に係る土地の買入れの手続については、新都市緑地法第十七条の規定にかかわらず、なお従前の例による。

3　第百二十八条の規定の施行前に旧都市緑地法第十四条第五項又は第六項の規定により都道府県知事に対し届出をしなければならないとされている事項のうち新都市緑地法第十四条第五項又は第六項の規定により市長に対して届出をしなければならないこととなるもので、第百二十八条の規定の施行前にその手続がされていないものについては、第百二十八条の規定の施行後は、これを、これらの規定により市長に対して届出をしなければならないとされた事項についてその手続がされていないものとみなして、これらの規定を適用する。

4　第百二十八条の規定の施行の際現に旧都市緑地法第五十五条第五項の規定により地方公共団体がしている協議の申出（市民緑地契約の対象となる土地の区域が同項第一号に掲げるものである場合に限る。）は、新都市緑地法第五十五条第五項の規定によりされた届出とみなす。

（罰則に関する経過措置）

第八十一条　この法律（附則第一条各号に掲げる規定にあっては、当該規定。以下この条において同じ。）の施行前にした行為及びこの附則の規定によりなお従前の例によることとされる場合におけるこの法律の施行後にした行為に対する罰則の適用については、なお従前の例による。

（政令への委任）

第八十二条　この附則に規定するもののほか、この法律の施行に関し必要な経過措置（罰則に関する経過措置を含む。）は、政令で定める。

附　則〔略〕〔平成二六・六・一三法律六九〕

附　則〔抄〕〔平成二九・五・一二法律二六〕

（施行期日）

第一条　この法律は、公布の日から起算して二月を超えない範囲内において政令で定める日から施行する。ただし、次の各号に掲げる規定は、当該各号に定める日から施行する。

〔平成二九政一五五により、平成二九・六・一五から施行〕

一　附則第二十五条の規定　公布の日

二　第一条中都市緑地法第四条、第三十四条、第三十五条及び第三十七条の改正規定〔中略〕並びに次条第一項及び第二項〔中略〕の規定　公布の日から起算して一年を超えない範囲内において政令で定める日

〔平成二九政一五五により、平成三〇・四・一から施行〕

（都市緑地法の一部改正に伴う経過措置）

第二条　前条第二号に掲げる規定の施行の際現に工事中の特定建築物（第一条の規定による改正前の都市緑地法（以下この条において「旧都市緑地法」という。）第三十五条第六項又は第八項に規定する建築物に該当する建築物をいう。次項において同じ。）の新築、増築、修繕又は模様替については、第一条の規定による改正後の都市緑地法（以下この条において「新都市緑地法」という。）第三十五条の規定にかかわらず、なお従前の例による。

2　特定建築物については、新都市緑地法第三十七条の規定は、前条第二号に掲げる規定の施行後（前項の特定建築物については、同項に規定する工事が完了した後）にする新築又は増築（当該新築又は増築をした特定建築物の維持保全を含む。）について適用し、同号に掲げる規定の施行前にした新築又は増築（当該新築又は増築をした特定建築物の維持保全を含む。）については、なお従前の例による。

3　この法律の施行の際現に旧都市緑地法第六十八条第一項の規定により指定されている緑地管理機構（旧都市緑地法第六十九条第一号イからハまでのいずれかに掲げる業務を行うものに限る。次項において「旧機構」という。）は、この法律の施行の日（以下「施行日」という。）において新都市緑地法第六十九条第一項の規定によりその住所地の市町村長から指定された緑地保全・緑化推進法人（次項において「新法人」という。）とみなす。

4　この法律の施行の際現に効力を有する旧都市緑地法第六十八条第二項若しくは第四項若しくは第七十一条の規定により都道府県知事が行った命令その他の行為又は現に旧都市緑地法第六十八条第一項若しくは第三項の規定により都道府県知事に対して行っている指定の申請その他の行為であって旧機構に係るもののうち、新都市緑地法第六十九条又は第七十二条の規定により市町村長が行うこととなる事務に係るものは、それぞれこれらの規定により新法人の住所地の市町村長が行った命令その他の行為又は当該市町村長に対して行った指定の申請その他の行為とみなす。

（罰則に関する経過措置）

第四条　施行日前にした行為に対する罰則の適用については、なお従前の例による。

（検討）

第五条　政府は、この法律の施行後五年を経過した場合において、第一条、第二条及び第四条から第六条までの規定による改正後の規定の施行の状況について検討を加え、必要があると認めるときは、その結果に基づいて必要な措置を講ずるものとする。

（政令への委任）

第二十五条　この附則に定めるもののほか、この法律の施行に関し必要な経過措置は、政令で定める。

附　則〔略〕〔平成三〇・六・二七法律六七〕

附　則〔略〕〔令和二・六・一〇法律四三〕

附　則〔抄〕〔令和三・五・一〇法律三一〕

（施行期日）

第一条　この法律〔中略〕は、当該各号に定める日から施行する。

一　附則第三条の規定　公布の日

二　〔前略〕第十条〔中略〕の規定　公布の日から起算して三月を超えない範囲内において政令で定める日

〔令和三政二〇四により、令和三・七・一五から施行〕

（政令への委任）

第三条　前条に定めるもののほか、この法律の施行に関し必要な経過措置（罰則に関する経過措置を含む。）は、政令で定める。

（検討）

第四条　政府は、この法律の施行後五年を目途として、この法律による改正後のそれぞれの法律の規定について、その施行の状況等を勘案して検討を加え、必要があると認めるときは、その結果に基づいて所要の措置を講ずるものとする。

附　則〔略〕〔令和四・五・二〇法律四四〕

附　則〔略〕〔令和五・六・一六法律五八〕

附　則〔略〕〔令和六・四・一九法律一八〕

附　則〔令和六・五・二九法律四〇〕

（施行期日）

第一条　この法律は、公布の日から起算して六月を超えない範囲内において政令で定める日から施行する。ただし、附則第三条の規定は、公布の日から施行する。

（都市緑地法の一部改正に伴う経過措置）

第二条　刑法等の一部を改正する法律（令和四年法律第六十七号）の施行の日（以下この条において「刑法施行日」という。）の前日までの間における第一条の規定による改正後の都市緑地法第百十五条第二項の規定の適用については、同項中「拘禁刑」とあるのは、「懲役」とする。刑法施行日以後における刑法施行日前にした行為に対する同項の規定の適用についても、同様とする。

（政令への委任）

第三条　前条に定めるもののほか、この法律の施行に関し必要な経過措置（罰則に関する経過措置を含む。）は、政令で定める。

（検討）

第四条　政府は、この法律の施行後五年を目途として、この法律による改正後のそれぞれの法律の規定について、その施行の状況等を勘案して検討を加え、必要があると認めるときは、その結果に基づいて所要の措置を講ずるものとする。

○都市緑地法施行令

〔昭和四九・一・一〇
政令三〕

改正　昭和五〇・一政二、九政二九三、一〇政三〇六、昭和五六・四政一四四、昭和六〇・三政三一、昭和六二・三政五四、昭和六三・四政八四、平成三・九政三〇四、平成六・一〇政三二九、一二政四一一、平成七・七政二九二、平成八・九政二八〇、平成一一・一二政四三一、平成一二・六政三一二、平成一三・八政二六一、平成一四・三政四二、政六〇、平成一五・六政二九三、七政三二九、平成一六・三政五九、一二政三九六、政三九九、政四二二、平成一七・五政一九二、六政二〇三、平成二〇・一〇政三三八、平成二三・六政一八一、一二政四二七、平成二八・二政四三、平成二九・三政四〇、六政一五六、政一五八、令和四・二政三七、令和五・三政六八、一〇政三〇四

（収用委員会の裁決の申請手続）

第一条　都市緑地法（以下「法」という。）第七条第六項（法第十六条及び第二十三条において準用する場合を含む。）、第十三条及び第二十一条において準用する場合を含む。）の規定により土地収用法（昭和二十六年法律第二百十九号）第九十四条第二項の規定による裁決を申請しようとする者は、国土交通省令で定める様式に従い、同条第三項各号（第三号を除く。）に掲げる事項を記載した裁決申請書を収用委員会に提出しなければならない。

（緑地の保全に影響を及ぼすおそれのある行為）

第二条　法第八条第一項第五号及び第十四条第一項第五号の政令で定める行為は、屋外における土石、廃棄物（廃棄物の処理及び清掃に関する法律（昭和四十五年法律第百三十七号）第二条第一項に規定する廃棄物をいう。以下同じ。）又は再生資源（資源の有効な利用の促進に関する法律（平成三年法律第四十八号）第二条第四項に規定する再生資源をいう。以下同じ。）の堆積とする。

（公益性が特に高いと認められる事業の実施に係る行為）

第三条　法第八条第九項第一号及び第十四条第一項ただし書の政令で定める行為は、次に掲げる行為とする。

一　高速自動車国道若しくは道路法（昭和二十七年法律第百八十号）による自動車専用道路の新設、改築、維持、修繕若しくは災害復旧（これらの道路とこれらの道路以外の道路（道路運送法（昭和二十六年法律第百八十三号）による一般自動車道を除く。）とを連結する施設の新設及び改築を除く。）又は道路法による道路（高速自動車国道及び自動車専用道路を除く。）の改築（小規模の拡幅、舗装、勾配の緩和、線形の改良その他道路の現状に著しい変更を及ぼさないものに限る。）、維持、修繕若しくは災害復旧に係る行為

二　道路運送法による一般自動車道の造設（一般自動車道とこれ以外の道路（高速自動車国道及び道路法による自動車専用道路を除く。）とを連結する施設の造設を除く。）又は管理に係る行為

三　河川法（昭和三十九年法律第百六十七号）第三条第一項に規定する河川又は同法第百条第一項の規定により指定された河川の改良工事の施行又は管理に係る行為

四　独立行政法人水資源機構法（平成十四年法律第百八十二号）第十二条第一項（同項第二号ハ及び第五号を除く。）に規定する業務又は同法附則第四条第一項に規定する業務（これに附帯する業務を除く。）に係る行為（前号に掲げるものを除く。）

五　砂防法（明治三十年法律第二十九号）による砂防工事の施行又は砂防設備の管理（同法に規定する事項が準用されるものを含む。）に係る行為

六　地すべり等防止法（昭和三十三年法律第三十号）による地すべり防止工事の施行又は地すべり防止施設の管理に係る行為

七　急傾斜地の崩壊による災害の防止に関する法律（昭和四十四年法律第五十七号）による急傾斜地崩壊防止工事の施行又は急傾斜地崩壊防止施設の管理に係る行為

八　森林法（昭和二十六年法律第二百四十九号）第四十一条に規定する保安施設事業の施行に係る行為

九　土地改良法（昭和二十四年法律第百九十五号）による土地改良事業の施行に係る行為（水面の埋立て及び干拓を除く。）

十　地方公共団体又は農業、林業若しくは漁業を営む者が組織する団体が行う農業構造、林業構造又は漁業構造の改善に関し必要な事業の施行に係る行為（水面の埋立て及び干拓を除く。）

十一　独立行政法人鉄道建設・運輸施設整備支援機構が行う鉄道施設の建設（駅、操車場、車庫その他これらに類するもの（以下「駅等」という。）の建設を除く。）若しくは管理に係る行為又は独立行政法人日本高速道路保有・債務返済機構が行う鉄道施設の管理に係る行為

十二　鉄道事業法（昭和六十一年法律第九十二号）による鉄道事業者又は索道事業者が行うその鉄道事業又は索道事業で一般の需要に応ずるものの用に供する施設の建設（鉄道事業にあつては、駅等の建設を除く。）又は管理に係る行為

十三　軌道法（大正十年法律第七十六号）による軌道の敷設（駅等の建設を除く。）又は管理に係る行為

十四　石油パイプライン事業法（昭和四十七年法律第百五号）による石油パイプライン事業の用に供する導管の設置又は管理に係る行為

十五　海岸法（昭和三十一年法律第百一号）による海岸保全施設に関する工事の施行又は海岸保全施設の管理に係る行為

十六　津波防災地域づくりに関する法律（平成二十三年法律第百二十三号）による津波防護施設に関する工事の施行又は津波防護施設の管理に係る行為
十七　港湾法（昭和二十五年法律第二百十八号）による水域施設、外郭施設、係留施設、臨港交通施設（鉄道及び軌道（駅等を除く。）に限る。）、航行補助施設、港湾公害防止施設（公害防止用緩衝地帯に限る。）若しくは港湾環境整備施設の設置若しくは管理又は臨港交通施設（道路及び橋りように限る。）の改築（小規模の拡幅、舗装、勾配の緩和、線形の改良その他当該施設の現状に著しい変更を及ぼさないものに限る。）、維持、修繕若しくは災害復旧に係る行為
十八　漁港及び漁場の整備等に関する法律（昭和二十五年法律第百三十七号）による外郭施設、係留施設、水域施設、輸送施設（鉄道（駅等を除く。）に限る。）、航行補助施設若しくは漁港環境整備施設の設置若しくは管理又は輸送施設（道路及び橋に限る。）の改築（小規模の拡幅、舗装、勾配の緩和、線形の改良その他当該施設の現状に著しい変更を及ぼさないものに限る。）、維持、修繕若しくは災害復旧に係る行為
十九　航路標識法（昭和二十四年法律第九十九号）による航路標識の設置又は管理に係る行為
二十　港則法（昭和二十三年法律第百七十四号）による信号所の設置又は管理に係る行為
二十一　航空法（昭和二十七年法律第二百三十一号）による航空保安施設で公共の用に供するもの又は同法第九十六条に規定する指示に関する業務の用に供するレーダーの設置又は管理に係る行為
二十二　気象、海象、地象又は洪水その他これに類する現象の観測又は通報の用に供する施設の設置又は管理に係る行為
二十三　国又は地方公共団体が行う有線電気通信設備又は無線設備の設置又は管理に係る行為
二十四　電気通信事業法（昭和五十九年法律第八十六号）第百二十条第一項に規定する認定電気通信事業者が行う同項に規定する認定電気通信事業の用に供する設備の設置又は管理に係る行為
二十五　放送法（昭和二十五年法律第百三十二号）による基幹放送又はテレビジョン放送（有線電気通信設備を用いて行われるものに限る。）の用に供する放送設備の設置又は管理に係る行為
二十六及び二十七　削除
二十八　電気事業法（昭和三十九年法律第百七十号）による一般送配電事業、送電事業、配電事業、特定送配電事業又は発電事業の用に供する電気工作物の設置（発電用の電気工作物及び発電事業の用に供する蓄電用の電気工作物の設置を除く。）又は管理に係る行為
二十九　ガス事業法（昭和二十九年法律第五十一号）によるガス工作物の設置（同法第二条第二項に規定するガス小売事業の用に供するガス工作物の設置及び液化石油ガス以外の原料を主原料とするガスの製造の用に供するガス工作物の設置を除く。）又は管理に係る行為
三十　水道法（昭和三十二年法律第百七十七号）による水道事業若しくは水道用水供給事業若しくは工業用水道事業法（昭和三十三年法律第八十四号）による工業用水道事業の用に供する水管、水路若しくは配水池、下水道法（昭和三十三年法律第七十九号）による下水道の排水管又はこれらの施設を補完するために設けられるポンプ施設の設置又は管理に係る行為
三十一　警察署の派出所若しくは駐在所又は道路交通法（昭和三十五年法律第百五号）による信号機の設置又は管理に係る行為
三十二　市町村が行う消防法（昭和二十三年法律第百八十六号）による消防の用に供する施設の設置又は管理に係る行為
三十三　都道府県又は水防法（昭和二十四年法律第百九十三号）による水防管理団体が行う水防の用に供する施設の設置又は管理に係る行為
三十四　文化財保護法（昭和二十五年法律第二百十四号）第二十七条第一項の規定により指定された重要文化財、同法第七十八条第一項の規定により指定された重要有形民俗文化財、同法第九十二条第一項に規定する埋蔵文化財、同法第百九条第一項の規定により指定され、若しくは同法第百十条第一項の規定により仮指定された史跡名勝天然記念物又は同法第百四十三条第一項の規定により定められた伝統的建造物群保存地区内に所在する伝統的建造物群の保存に係る行為
三十五　地域における歴史的風致の維持及び向上に関する法律（平成二十年法律第四十号）第十二条第一項の規定により指定された歴史的風致形成建造物の保存に係る行為
三十六　景観法（平成十六年法律第百十号）第十九条第一項の規定により指定された景観重要建造物の保存に係る行為
三十七　都市公園法（昭和三十一年法律第七十九号）による都市公園又は公園施設の設置又は管理に係る行為
三十八　自然公園法（昭和三十二年法律第百六十一号）による公園事業又は都道府県立自然公園のこれに相当する事業の執行に係る行為
三十九　都市計画法（昭和四十三年法律第百号）第四条第十五項に規定する都市計画事業の施行として行う行為

（届出を要しない緑地保全地域における通常の管理行為、軽易な行為その他の行為）

第四条　法第八条第九項第九号の政令で定める行為は、次に掲げる行為とする。
一　次に掲げる建築物の新築、改築又は増築
イ　地下に設ける建築物の新築、改築又は増築
ロ　建築物の改築又は増築（改築又は増築に係る部分の高さ又は床面積の合計がそれぞれ五メートル又は十平方メートルを超えるものを除く。）
二　次に掲げる工作物（建築物以外の工作物をいう。以下この号において同じ。）の新築、改築又は増築
イ　仮設の工作物の新築、改築又は増築
ロ　地下に設ける工作物の新築、改築又は増築
ハ　次に掲げる屋外広告物（屋外広告物法（昭和二十四年法律第百八十九号）第二条第一項に規定する屋外広告物をいう。以下同じ。）の表示又は掲出のために必要な工作物の新築、改築又は増築
(1)　国又は地方公共団体（港湾法に規定する港務局を含む。）が公共的目的をもつて表示し、又は掲出する屋外広告物
(2)　日常生活に関し必要な事項を表示する標識その他の屋外広告物又は国土交通省令で営業等のためにやむを得ないものとして定める屋外広告物
ニ　電気供給のための電線路、有線電気通信のための線路又は空中線系（その支持物を含む。）の新築、改築又は増築（新築、改築又は増築に係る部分の高さが二十メートルを超えるものを除く。）
ホ　その他の工作物の新築、改築又は増築（新築、改築又は増築に係る部分の高さが五メートルを超えるものを除く。）
三　次に掲げる土地の形質の変更
イ　面積が六十平方メートル以下の土地の形質の変更（高さが五メートルを超える法を生ずる切土又は盛土を伴うものを除く。）
ロ　地下における土地の形質の変更
四　次に掲げる木竹の伐採
イ　除伐、間伐、整枝その他木竹の保育のために通常行われる木竹の伐採
ロ　枯損した木竹又は危険な木竹の伐採
ハ　自家の生活の用に充てるために必要な木竹の伐採
ニ　仮植した木竹の伐採
ホ　高さが十五メートル以下の独立木（一・五メートルの高さにおける幹の周囲が一・五メートルを超えるものを除く。）の伐採
ヘ　測量、実地調査又は施設の保守の支障となる木竹の伐採
五　面積が六十平方メートル以下の水面の埋立て又は干拓
六　面積が六十平方メートル以下の屋外における土石、廃棄物又は再生資源の堆積（高さが一・五メートルを超えるものを除く。）
七　前各号に掲げるもののほか、次に掲げる行為
イ　法令又はこれに基づく処分による義務の履行として行う行為
ロ　建築物の存する敷地内で行う行為であり、かつ、次のいずれにも該当しないもの
(1)　建築物の新築、改築又は増築
(2)　高さが五メートルを超える木竹の伐採
(3)　高さが一・五メートルを超える屋外における土石、廃棄物又は再生資源の堆積
ハ　農業、林業又は漁業を営むために行う行為であり、かつ、次のいずれにも該当しないもの
(1)　建築物の新築、改築又は増築（新築、改築又は増築に係る部分の

床面積の合計が九十平方メートル以下の物置、作業小屋その他これらに類する建築物の新築、改築又は増築（以下「特定新築等」という。）を除く。）

（２）用排水施設（幅員が二メートル以下の用排水路を除く。）又は幅員が二メートルを超える農道若しくは林道の設置

（３）宅地の造成（特定新築等のために必要な最小限度のものを除く。）又は土地の開墾

（４）森林の皆伐（林業を営むために行うものを除く。）

（５）水面の埋立て又は干拓

二　森林法第三十四条第二項の許可を受けて行う行為

（開発許可を受けた開発行為により確保された緑地に準ずる緑地）

第五条　法第十条第一項第二号イ（法第十六条及び第二十三条において準用する場合を含む。）の政令で定める緑地は、都市計画法第五十八条第一項の規定に基づく条例（風致地区内における建築等の規制に係る条例の制定に関する基準を定める政令（昭和四十四年政令第三百十七号）第四条第四号イに掲げる基準が定められているものに限る。）の規定による許可を受けた宅地の造成等（同令第三条第一項第三号の宅地の造成等をいう。）により確保された緑地とする。

（許可等を要しない特別緑地保全地区における通常の管理行為、軽易な行為その他の行為）

第六条　法第十四条第九項第六号の政令で定める行為は、次に掲げる行為とする。

一　次に掲げる工作物（建築物以外の工作物をいう。以下この号において同じ。）の新築、改築又は増築

イ　仮設の工作物の新築、改築又は増築

ロ　水道管、下水道管その他これらに類する工作物で地下に設けるものの新築、改築又は増築

ハ　次に掲げる屋外広告物の表示又は掲出のために必要な工作物の新築、改築又は増築

（１）国又は地方公共団体（港湾法に規定する港務局を含む。）が公共的目的をもつて表示し、又は掲出する屋外広告物

（２）日常生活に関し必要な事項を表示する標識その他の屋外広告物又は国土交通省令で営業等のためにやむを得ないものとして定める屋外広告物

ニ　その他の工作物の新築、改築又は増築（新築、改築又は増築に係る部分の高さが一・五メートルを超えるものを除く。）

二　面積が十平方メートル以下の土地の形質の変更（高さが一・五メートルを超える法を生ずる切土又は盛土を伴うものを除く。）

三　次に掲げる木竹の伐採

イ　除伐、間伐、整枝その他木竹の保育のために通常行われる木竹の伐採

ロ　枯損した木竹又は危険な木竹の伐採

ハ　自家の生活の用に充てるために必要な木竹の伐採

ニ　仮植した木竹の伐採

ホ　高さが十五メートル以下の独立木（一・五メートルの高さにおける幹の周囲が一・五メートルを超えるものを除く。）の伐採

ヘ　測量、実地調査又は施設の保守の支障となる木竹の伐採

四　面積が十平方メートル以下の水面の埋立て又は干拓

五　面積が十平方メートル以下の屋外における土石、廃棄物又は再生資源の堆積（高さが一・五メートルを超えるものを除く。）

六　前各号に掲げるもののほか、次に掲げる行為

イ　法令又はこれに基づく処分による義務の履行として行う行為

ロ　建築物の存する敷地内で行う行為であり、かつ、次のいずれにも該当しないもの

（１）建築物の新築、改築又は増築

（２）建築物以外の工作物（当該敷地に存する建築物に附属する物干場その他の国土交通省令で定めるものを除く。）の新築、改築又は増築

（３）高さが一・五メートルを超える法を生ずる切土又は盛土を伴う土地の形質の変更

（４）高さが五メートルを超える木竹の伐採

（５）高さが一・五メートルを超える屋外における土石、廃棄物又は再生資源の堆積

ハ　農業、林業又は漁業を営むために行う行為であり、かつ、次のいずれにも該当しないもの

（１）建築物の新築、改築又は増築（特定新築等を除く。）

（２）用排水施設（幅員が二メートル以下の用排水路を除く。）又は幅員が二メートルを超える農道若しくは林道の設置

（３）宅地の造成（特定新築等のために必要な最小限度のものを除く。）又は土地の開墾

（４）森林の皆伐又は択伐（林業を営むために行うものを除く。）

（５）水面の埋立て又は干拓

ニ　森林法第三十四条第二項の許可を受けて行う行為

（特別緑地保全地区内の土地の買入れ等に係る国庫補助金の額）

第七条　法第三十一条第一項の規定による国の地方公共団体に対する補助金の額は、同項に規定する損失の補償又は土地の買入れに要する費用の額に三分の一を乗じて得た額とする。

（緑地保全地域又は特別緑地保全地区内の施設の整備に係る国庫補助金の額）

第八条　法第三十一条第二項の規定による国の地方公共団体に対する補助金の額は、同項に規定する施設の整備に要する費用の額に二分の一を乗じて得た額とする。

（緑化率の規制の対象となる敷地面積の規模）

第九条　法第三十五条第一項の政令で定める規模は、千平方メートルとする。ただし、土地利用の状況により、建築物の敷地内において緑化を推進することが特に必要であると認められるときは、市町村は、条例で、区域を限り、三百平方メートル以上千平方メートル未満の範囲内で、その規模を別に定めることができる。

（緑化率の規制の対象とならない増築の範囲）

第一〇条　法第三十五条第一項の政令で定める範囲は、増築後の建築物の床面積（建築基準法施行令（昭和二十五年政令第三百三十八号）第二条第一項第三号の床面積をいう。以下同じ。）の合計が緑化地域に関する都市計画が定められた日における当該建築物の床面積の合計の一・二倍を超えないこととする。

（報告及び立入検査）

第一一条　市町村長は、法第三十八条第一項（法第四十三条第四項において準用する場合を含む。次項において同じ。）の規定により、緑化地域内において敷地面積が法第三十五条第一項の政令で定める規模以上の建築物の新築若しくは増築又は維持保全をする者に対し、当該建築物につき、当該建築物の緑化率の最低限度（法第三十五条第一項若しくは第四項の規定により当該建築物に適用される緑化率の最低限度又は同条第三項の規定により許可の条件として付された緑化率の最低限度をいう。）に関する基準への適合又は緑化施設の管理に関する事項に関し報告させることができる。

２　市町村長は、法第三十八条第一項の規定により、その職員に、緑化地域内における敷地面積が法第三十五条第一項の政令で定める規模以上の建築物若しくはその敷地又はそれらの工事現場に立ち入り、当該建築物、緑化施設及びこれに使用する建築材料並びに設計図書その他の関係書類を検査させることができる。

（地区計画等緑化率条例による制限）

第一二条　法第三十九条第二項の地区計画等緑化率条例（以下この条において「地区計画等緑化率条例」という。）による建築物の緑化率の最低限度は、十分の二・五を超えないものとする。

２　地区計画等緑化率条例には、次に掲げる建築物の緑化率の最低限度に関する制限の適用の除外に関する規定を定めるものとする。

一　敷地面積が一定規模未満の建築物の新築及び増築についての適用の除外に関する規定

二　地区計画等緑化率条例の施行の日において既に着手していた行為についての適用の除外に関する規定

三　増築後の建築物の床面積の合計が地区計画等緑化率条例の施行の日における当該建築物の床面積の合計の一・二倍を超えない建築物の増築についての適用の除外に関する規定

四　法第三十五条第二項の規定の例による同項の建築物についての適用の除外に関する規定

（公共施設等の用に供する土地）

第一三条　法第四十五条第一項の政令で定める土地は、道路、鉄道、河川、公園その他これらに類する公共の用に供する施設で国土交通省令で定める

ものの用に供する土地並びに農地、採草放牧地及び森林とする。

（市民緑地の規模）

第一四条　法第五十五条第一項の政令で定める規模は、同項の申出に係る土地（その水平投影面が人工地盤、建築物その他の工作物の水平投影面と一致する部分を除く。）の面積及び人工地盤、建築物その他の工作物の部分の水平投影面積の合計が三百平方メートルとする。

（市民緑地に係る国庫補助金の額）

第一五条　法第五十六条の規定による国の地方公共団体に対する補助金の額は、同条に規定する施設の整備に要する費用の額に二分の一を乗じて得た額とする。

附　則　〔抄〕

（施行期日）

1　この政令は、法の施行の日（昭和四十九年二月一日）から施行する。

附　則　〔略〕〔昭和五〇・一・九政令二〕

附　則　〔略〕〔昭和五〇・九・三〇政令二九三〕

附　則　〔略〕〔昭和五〇・一〇・二四政令三〇六〕

附　則　〔略〕〔昭和五六・四・二四政令一四四〕

附　則　〔略〕〔昭和六〇・三・一五政令三一〕

附　則　〔略〕〔昭和六二・三・二〇政令五四〕

附　則　〔略〕〔平成三・九・二五政令三〇四〕

附　則　〔略〕〔平成六・一〇・一三政令三三九〕

附　則　〔略〕〔平成六・一二・二六政令四一一〕

附　則　〔略〕〔平成七・七・一四政令二九二〕

附　則　〔略〕〔平成八・九・一九政令二八〇〕

附　則　〔略〕〔平成一一・一二・二七政令四三一〕

附　則　〔略〕〔平成一二・六・七政令三一二〕

附　則　〔抄〕〔平成一三・八・八政令二六一〕

（施行期日）

第一条　この政令は、都市緑地保全法の一部を改正する法律の施行の日（平成十三年八月二十四日）から施行する。

（経過措置）

第二条　改正後の都市緑地保全法施行令第二条の二に規定する行為であってこの政令の施行の際既に着手していたものについては、都市緑地保全法第五条第一項、第四項、第六項及び第八項後段の規定は、適用しない。

附　則　〔略〕〔平成一四・三・六政令四二〕

附　則　〔略〕〔平成一四・三・二五政令六〇〕

附　則　〔略〕〔平成一五・六・二七政令二九三〕

附　則　〔略〕〔平成一五・七・二四政令三二九〕

附　則　〔略〕〔平成一六・三・二四政令五九〕

附　則　〔抄〕〔平成一六・一二・一五政令三九六〕

（施行期日）

第一条　この政令は、都市緑地保全法等の一部を改正する法律（平成一六年六月法律第一〇九号）（以下「改正法」という。）の施行の日（平成十六年十二月十七日。以下「施行日」という。）から施行する。

（標識に関する経過措置）

第二条　施行日前に改正法第一条の規定による改正前の都市緑地保全法（昭和四十八年法律第七十二号）第四条第一項の規定により設けられた緑地保全地区である旨を表示した標識は、改正法第一条の規定による改正後の都市緑地法第十三条において準用する同法第七条第一項の規定により設けられた特別緑地保全地区である旨を表示した標識とみなす。

（処分、手続等の効力に関する経過措置）

第四条　改正法附則第二条から第五条まで及び前二条に規定するもののほか、施行日前に改正法による改正前のそれぞれの法律又はこの政令による改正前のそれぞれの政令の規定によってした処分、手続その他の行為であって、改正法による改正後のそれぞれの法律又はこの政令による改正後のそれぞれの政令に相当の規定があるものは、これらの規定によってした処分、手続その他の行為とみなす。

附　則　〔略〕〔平成一六・一二・一五政令三九九〕

附　則　〔略〕〔平成一六・一二・二七政令四二二〕

附　則　〔抄〕〔平成一七・五・二七政令一九二〕

（施行期日）

第一条　この政令は、建築物の安全性及び市街地の防災機能の確保等を図るための建築基準法等の一部を改正する法律（以下「改正法」という。）の施行の日（平成十七年六月一日。附則第四条において「施行日」という。）から施行する。

（罰則に関する経過措置）

第五条　この政令の施行前にした行為及び前条の規定によりなお従前の例によることとされる場合におけるこの政令の施行後にした行為に対する罰則の適用については、なお従前の例による。

附　則　〔略〕〔平成一七・六・一政令二〇三〕

附　則　〔略〕〔平成二〇・一〇・三一政令三三八〕

附　則　〔抄〕〔平成二三・六・二四政令一八一〕

（施行期日）

第一条　この政令は、放送法等の一部を改正する法律（平成二十二年法律第六十五号。以下「放送法等改正法」という。）の施行の日（平成二十三年六月三十日。以下「施行日」という。）から施行する。

（都市緑地法施行令の一部改正に伴う経過措置）

第七条　放送法等改正法附則第七条の規定により旧有線放送電話法の規定の適用についてはなお従前の例によることとされる旧有線放送電話法第三条の許可を受けている者が行う有線放送電話業務の用に供する設備の設置又は管理に係る行為については、第二十五条の規定による改正後の都市緑地法施行令第三条の規定にかかわらず、なお従前の例による。

（罰則に関する経過措置）

第一三条　この政令の施行前にした行為に対する罰則の適用については、なお従前の例による。

附　則　〔略〕〔平成二三・一二・二六政令四二七〕

附　則　〔略〕〔平成二八・二・一七政令四三〕

附　則　〔抄〕〔平成二九・三・二三政令四〇〕

（施行期日）

第一条　この政令は、第五号施行日（平成二十九年四月一日）から施行する。

〔以下略〕

（都市緑地法施行令の一部改正に伴う経過措置）

第六条　第十六条の規定による改正後の都市緑地法施行令（以下この条において「新都市緑地法施行令」という。）第三条第二十九号の規定の適用については、旧一般ガスみなしガス小売事業者が改正法附則第二十二条第一項の義務を負う間、同号中「ガス小売事業」とあるのは、「ガス小売事業（電気事業法等の一部を改正する等の法律（平成二十七年法律第四十七号）附則第二十二条第一項に規定する指定旧供給区域等小売供給を行う事業を除く。）」とする。

2　新都市緑地法施行令第三条第二十九号の規定の適用については、旧簡易ガスみなしガス小売事業者が改正法附則第二十八条第一項の義務を負う間、同号中「ガス小売事業」とあるのは、「ガス小売事業（電気事業法等の一部を改正する等の法律（平成二十七年法律第四十七号）附則第二十八条第一項に規定する指定旧供給地点小売供給を行う事業を除く。）」とする。

附　則　〔略〕〔平成二九・六・一四政令一五六〕

附　則　〔略〕〔平成二九・六・一四政令一五八〕

附　則　〔略〕〔令和四・二・二政令三七〕

附　則　〔略〕〔令和五・三・二三政令六八〕

附　則　〔令和五・一〇・一八政令三〇四〕

この政令は、漁港漁場整備法及び水産業協同組合法の一部を改正する法律の施行の日（令和六年四月一日）から施行する。

○都市緑地法施行規則

〔昭和四九・一・三一
建設省令一〕

改正 平成六・一〇建令三〇、平成七・三建令八、八建令二一、平成一二・一建令九、一一建令四一、平成一三・八国交令一二〇、平成一六・一二国交令九九、平成一九・三国交令二八、平成二三・一二国交令一〇八、平成二九・六国交令三五、八国交令四九、令和二・一二国交令九八、令和三・一二国交令七九

（収用委員会に対する裁決申請書の様式）

第一条 都市緑地法施行令（以下「令」という。）第一条の国土交通省令で定める様式は、別記様式第一のとおりとする。

（緑地保全地域における行為の届出等の手続）

第二条 都市緑地法（以下「法」という。）第八条第一項の規定による届出及び同条第七項の規定による通知は、都道府県知事（市の区域内にあつては、当該市の長）の定めるところにより、書面を提出してしなければならない。

（営業等のためにやむを得ない屋外広告物）

第三条 令第四条第二号ハ(2)及び第六条第一号ハ(2)の国土交通省令で営業等のためにやむを得ないものとして定める屋外広告物は、次に掲げるものとする。

一 道路運送法（昭和二十六年法律第百八十三号）による一般乗合旅客自動車運送事業の用に供する停留所標識（案内標識を含む。）

二 事業のために自己の住所、事業場又は停留所において、自己の氏名、名称、店名若しくは商標又は自己の事業の内容を表示する屋外広告物（前号に掲げるものを除く。）で、当該住所、事業場又は停留所ごとの表示面積の合計が〇・三平方メートル以下であり、かつ、高さが三メートル以下であるもの

三 土地又は物件の管理のために当該土地又は物件に表示し、又は掲出する屋外広告物で、当該土地又は物件ごとの表示面積の合計が〇・三平方メートル以下であり、かつ、高さが三メートル以下であるもの

四 講演会、展覧会、音楽会等のために当該会場の敷地内において表示し、又は掲出する屋外広告物で、当該会場の敷地ごとの表示面積の合計が一平方メートル以下であり、かつ、高さが三メートル以下であるもの

（特別緑地保全地区における行為の許可の申請等の手続）

第四条 第二条の規定は、法第十四条第一項の規定による許可の申請、同条第四項の規定による通知並びに同条第五項及び第六項の規定による届出について準用する。

（建築物に附属する物干場その他の工作物）

第五条 令第六条第六号ロ(2)の国土交通省令で定める工作物は、次に掲げるものとする。

一 道路（私道を除く。）から容易に望見されることのない物干場又は当該建築物の高さを超えない高さの物干場

二 消火設備

三 建築基準法（昭和二十五年法律第二百一号）第二条第三号に規定する建築設備（消火設備及び当該建築設備を必要とする建築物の屋根の最上端からの高さが二メートルを超えるもの（避雷針を除く。）を除く。）

四 受信用の空中線系（その支持物を含む。）その他これに類するもの

五 旗ざおその他これに類するもの

六 地下に設ける工作物（建築物を除く。）

七 高さが五メートル以下のその他の工作物（建築物を除く。）

（管理協定の基準）

第六条 法第二十四条第三項第四号の国土交通省令で定める基準は、次に掲げるものとする。

一 管理協定区域は、その境界が明確に定められていなければならない。

二 管理協定区域内の緑地の管理の方法に関する事項は、除伐、間伐、枯損した木竹又は危険な木竹の伐採、枝打ち、病害虫の防除その他これらに類する事項で、緑地の保全に関連して必要とされるものでなければならない。

三 管理協定区域内の緑地の保全に関連して必要とされる施設の整備に関する事項は、防火施設、管理用通路、さくその他これらに類する施設の整備に関する事項で、緑地の適正な保全に資するものでなければならない。

四 管理協定の有効期間は、五年以上二十年以下でなければならない。

五 管理協定に違反した場合の措置は、違反した者に対して不当に重い負担を課するものであつてはならない。

（管理協定の公告）

第七条 法第二十五条第一項（法第二十八条において準用する場合を含む。）の規定による公告は、次に掲げる事項について、公報、掲示その他の方法で行うものとする。

一 管理協定の名称

二 管理協定区域

三 管理協定の有効期間

四 管理協定区域内の緑地の保全に関連して必要とされる施設が定められたときは、その施設

五 管理協定の縦覧場所

（管理協定の締結等の公告）

第八条 前条の規定は、法第二十七条（法第二十八条において準用する場合を含む。）の規定による公告について準用する。

（建築物の緑化率の算定の基礎となる緑化施設の面積）

第九条 法第四十条の緑化施設の面積は、次の各号に掲げる緑化施設の区分に応じ、それぞれ当該各号に定める方法により算出した面積の合計とする。

一 建築物の外壁に整備された緑化施設 緑化施設が整備された部分の鉛直投影面積の合計

二 前号に掲げる緑化施設以外の緑化施設 次に掲げる緑化施設の区分に応じ、それぞれ次に定める方法により算出した面積の合計

イ 樹木 次のいずれかの方法により算出した面積の合計

(1) 樹木ごとの樹冠（その水平投影面が他の樹冠の水平投影面と一致する部分を除く。）の水平投影面積の合計

(2) 樹木（高さ一メートル以上のものに限る。以下(2)において同じ。）ごとの樹冠の水平投影面について、次の表の上欄に掲げる樹木の高さに応じてそれぞれ同表の下欄に掲げる半径をその半径とし、当該樹木の幹の中心をその中心とする円とみなして算出した当該円（その水平投影面が他の樹木の幹の中心をその中心とする円とみなしてその水平投影面積を算出した当該円の水平投影面又は(1)の樹冠の水平投影面と一致する部分を除く。）の水平投影面積の合計

樹木の高さ	半径
一メートル以上二・五メートル未満	二・一メートル
二・五メートル以上四メートル未満	一・六メートル
四メートル以上	二・一メートル

(3) 敷地内の土地又はその土地に存する建築物その他の工作物のうち樹木が生育するための土壌その他の資材で表面が被われている部分であつて、次に掲げる条件に該当するもの（その水平投影面が(1)の樹冠の水平投影面又は(2)の円の水平投影面と一致する部分を除く。）の水平投影面積の合計

(i) 当該被われている部分に植えられている樹木の本数が、次に掲げる式を満たすものであること。

$$A \leqq 18T_1 + 10T_2 + 4T_3 + T_4$$

この式において、A、T_1、T_2、T_3、T_4は、それぞれ次の数値を表すものとする。

A 当該部分の水平投影面積（単位 平方メートル）

T_1 高さが四メートル以上の樹木の本数

T_2 高さが二・五メートル以上四メートル未満の樹木の本数

T_3 高さが一メートル以上二・五メートル未満の樹木の本数

T_4 高さが一メートル未満の樹木の本数

(ii) (i)の樹木が当該部分の形状その他の条件に応じて適切な配置で植えられていること。

ロ　芝その他の地被植物　敷地内の土地又はその土地に存する建築物その他の工作物のうち芝その他の地被植物で表面が被われている部分（その水平投影面がイの規定によりその水平投影面積を算出した水平投影面と一致する部分を除く。）の水平投影面積

ハ　花壇その他これらに類するもの　敷地内の土地又はその土地に存する建築物その他の工作物のうち草花その他これらに類する植物が生育するための土壌その他の資材で表面が被われている部分（その水平投影面がイ又はロの規定によりその水平投影面積を算出した水平投影面と一致する部分を除く。）の水平投影面積

ニ　水流、池その他これらに類するもの　敷地内の土地又はその土地に存する建築物その他の工作物のうち水流、池その他これらに類するものの存する部分（その水平投影面がイからハまでの規定によりその水平投影面積を算出した水平投影面と一致する部分を除き、樹木、植栽等と一体となつて自然的環境を形成しているものに限る。）の水平投影面積

ホ　前号の施設又はイからニまでの施設に附属して設けられる園路、土留その他の施設　当該施設（その水平投影面がイからニまでの規定によりその水平投影面積を算出した水平投影面と一致する部分を除き、前号及びイからニまでの規定により算出した面積の合計の四分の一を超えない部分に限る。）の水平投影面積

（緑化施設の工事の認定の手続）

第一〇条　法第四十三条第一項の規定による認定を受けようとする者は、別記様式第二による申請書に次の表に掲げる図書並びに建築基準法第六条第一項又は第六条の二第一項の確認済証の写しを添えて、これらを市町村長に提出しなければならない。

図書の種類	明示すべき事項
付近見取図	方位、道路及び目標となる地物
配置図	縮尺、方位、敷地の境界線、敷地内における建築物の位置並びに既存の緑化施設の位置及び種別、整備する緑化施設の配置及び種別並びに当該整備する緑化施設のうち建築基準法第六条第一項の規定による工事の完了の日までに当該整備する緑化施設に関する工事を完了することができないものの配置及び種別並びに前条の規定により算出された緑化施設の面積及び当該整備する緑化施設のうち同項の規定による工事の完了の日までに当該整備する緑化施設に関する工事を完了することができないものの面積

（公共の用に供する施設）

第一一条　令第十四条の国土交通省令で定める公共の用に供する施設は、軌道、水路、緑地及び広場とする。

（緑地協定の公告）

第一二条　法第四十六条第一項（法第四十八条第二項において準用する場合を含む。）の規定による公告は、次に掲げる事項について、市町村長の定める方法で行うものとする。

一　緑地協定の名称

二　緑地協定区域

三　緑地協定区域隣接地が定められたときは、その区域

四　緑地協定の縦覧場所

（緑地協定に定める事項の基準）

第一三条　法第四十七条第一項第三号の国土交通省令で定める基準は、次に掲げるものとする。

一　緑地協定区域は、その境界が明確に定められていなければならない。

二　保全又は植栽する樹木等の種類は、緑地協定区域内の土地の風土に適しており、かつ、当該樹木等の保全又は植栽によつて地域の住民等に危害を及ぼすおそれのないものでなければならない。

三　樹木等を保全又は植栽する場所は、中庭等専ら特定の者の鑑賞等の用に供する場所であつてはならない。

四　保全又は設置する垣又はさくの構造は、当該緑地協定区域内の土地等の相互間の開放性を著しく妨げるものであつてはならない。ただし、生け垣にあつては、この限りでない。

五　保全又は植栽する樹木等の管理に関する事項は、枝打ち、整枝、病害虫の防除その他これらに類する事項で、樹木等の保全に関連して必要とされるものでなければならない。

六　その他緑地の保全又は緑化に関する事項は、修景施設に関する事項（工場立地法（昭和三十四年法律第二十四号）第四条第一項の製造業等に係る工場又は事業場にあつては、植栽及び芝生の規模及び配置に関する事項を除く。）、照明施設に関する事項その他これらに類する事項で、緑地協定区域内の環境の改善に寄与するものでなければならない。

七　緑地協定の有効期間は、五年以上三十年未満でなければならない。

八　緑地協定に違反した場合の措置は、違反した者に対して不当に重い負担を課するものであつてはならない。

（緑地協定区域隣接地の基準）

第一四条　法第四十七条第一項第四号の国土交通省令で定める基準は、次に掲げるものとする。

一　緑地協定区域隣接地の区域は、その境界が明確に定められていなければならない。

二　緑地協定区域隣接地の区域は、緑地協定区域との一体性を有する土地の区域でなければならない。

（緑地協定の認可等の公告）

第一五条　第十二条の規定は、法第四十七条第二項（法第四十八条第二項、第四十九条第四項、第五十一条第四項又は第五十四条第三項において準用する場合を含む。）の規定による公告について準用する。

（市民緑地の管理期間）

第一六条　法第五十五条第四項の国土交通省令で定める期間は、五年とする。

（市民緑地の公告）

第一七条　法第五十五条第九項の規定による公告は、次に掲げる事項について、公報、掲示その他の方法で行うものとする。

一　市民緑地の名称

二　市民緑地の区域

三　市民緑地の管理期間

四　市民緑地内の緑地の保全に関連して必要とされる施設が定められたときは、その施設

（市民緑地設置管理計画の認定の申請）

第一八条　法第六十条第一項の規定により認定の申請をしようとする者は、別記様式第三による申請書に、市民緑地を設置する土地等について所有権その他の使用の権原を有することを証する書面及び次の表に掲げる図書を添えて、これらを市町村長に提出しなければならない。

図書の種類	明示すべき事項
付近見取図	方位、道路及び目標となる地物
配置図	縮尺、方位、区域の境界線、区域内における人工地盤、建築物その他の工作物及び既存の緑化施設等（緑化施設、園路、広場その他の市民緑地を利用する住民の利便のため必要な施設及び市民緑地内の緑地の保全に関連して必要とされる施設をいう。以下同じ。）の位置、整備する緑化施設等の配置並びに第二十五条の規定により算出された緑化施設の面積

2　前項の場合において、同項の申請書に記載された緑化施設等の整備に係る行為が次の各号に掲げる行為のいずれかに該当するときは、それぞれ当該各号に定める書面を添付しなければならない。ただし、市町村長が別に書面を定めたときは、当該書面によることができる。

一　首都圏近郊緑地保全区域内において行う行為であつて、首都圏近郊緑地保全法（昭和四十一年法律第百一号）第七条第一項の規定による届出をしなければならないもの　首都圏近郊緑地保全法施行規則（平成十二年総理府・建設省令第七号）第二条の書面

二　近畿圏近郊緑地保全区域内において行う行為であつて、近畿圏の保全区域の整備に関する法律（昭和四十二年法律第百三号）第八条第一項の規定による届出をしなければならないもの　近畿圏の保全区域の整備に関する法律施行規則（平成十二年総理府・建設省令第八号）第三条の書面

三　緑地保全地域内において行う行為であつて、法第八条第一項の規定による届出をしなければならないもの　第二条の書面

四　特別緑地保全地区内において行う行為であつて、法第十四条第一項の許可を受けなければならないもの　第四条において準用する第二条の書

面

（計画の記載事項）

第一九条　法第六十条第二項第六号の国土交通省令で定める事項は、次に掲げるものとする。

一　市民緑地の名称
二　緑化施設等の整備の実施期間
三　既存の緑化施設の概要、規模及び位置
四　市民緑地の設置の予定時期

（市民緑地を設置する土地等の規模）

第二〇条　法第六十一条第一項第二号の国土交通省令で定める規模は、市民緑地を設置する土地（その水平投影面が人工地盤、建築物その他の工作物の水平投影面と一致する部分を除く。）の面積及び人工地盤、建築物その他の工作物の部分の水平投影面積の合計が三百平方メートルとする。

（緑化施設の面積の市民緑地を設置する土地等の区域の面積に対する割合）

第二一条　法第六十一条第一項第三号の国土交通省令で定める割合は、十分の二とする。

（市民緑地の管理が適切に実施される基準）

第二二条　法第六十一条第一項第四号の国土交通省令で定める基準は、次のとおりとする。

一　市民緑地の構造、利用状況又は維持若しくは修繕の状況、市民緑地の存する地域の地形、地質又は気象の状況その他の状況（次号において「市民緑地構造等」という。）を勘案して、適切な時期に、市民緑地の巡視を行い、及び清掃、除草その他の市民緑地の機能を維持するために必要な措置を講ずること。
二　市民緑地の点検は、市民緑地構造等を勘案して、適切な時期に、目視その他適切な方法により行うこと。
三　前号の点検その他の方法により市民緑地の損傷、腐食その他の劣化その他の異状があることを把握したときは、市民緑地の適切な維持及び修繕が図られるよう、必要な措置を講ずること。
四　第二号の点検の結果及び前号の措置を講じたときはその内容を記録し、当該市民緑地の管理期間中は、これを保存すること。

（市民緑地の管理期間）

第二三条　法第六十一条第一項第五号の国土交通省令で定める期間は、五年とする。

（市民緑地の設置及び管理が適正かつ確実に実施される基準）

第二四条　法第六十一条第一項第九号の国土交通省令で定める基準は、次のとおりとする。

一　緑化施設等は、安全上及び衛生上必要な構造を有するものであること。
二　市民緑地を設置及び管理しようとする者が、市民緑地を設置する土地等について所有権その他の使用の権原を有すること。
三　前号の権原を借受けにより取得するときは、当該貸借契約において、市町村長の承認を受けた場合を除き、当該貸借契約の変更又は解除をすることができない旨の定めがあること。

（市民緑地設置管理計画の認定に係る緑化施設の面積）

第二五条　法第六十一条第二項の緑化施設の面積は、第九条各号に掲げる緑化施設の区分に応じ、それぞれ当該各号に定める方法により算出した面積の合計とする。

（市民緑地設置管理計画の公告）

第二六条　法第六十一条第五項（法第六十二条第三項において準用する場合を含む。）の規定による公告は、次に掲げる事項について、公報、掲示その他の方法で行うものとする。

一　認定事業者の氏名又は名称
二　市民緑地の名称
三　市民緑地の区域
四　市民緑地の管理期間
五　整備する緑化施設等

（市民緑地設置管理計画の軽微な変更）

第二七条　法第六十二条第一項の国土交通省令で定める軽微な変更は、緑化施設等の整備の実施期間の二月以内の変更とする。

（市民緑地設置管理計画の変更の認定の申請）

第二八条　法第六十二条第一項の変更の認定の申請をしようとする者は、別記様式第四による申請書に、それぞれ第十八条に規定する図書のうち変更に係るものを添えて、これらを市町村長に提出しなければならない。

（建築物の緑化率の最低限度に関する証明書の交付）

第二九条　建築基準法第六条第一項又は第六条の二第一項の規定による確認済証の交付を受けようとする者は、その計画が法第三十五条若しくは第三十六条の規定又は法第三十九条第二項の地区計画等緑化率条例の規定に適合していることを証する書面の交付を市町村長に求めることができる。

2　畜舎等の建築等及び利用の特例に関する法律（令和三年法律第三十四号）第三条第一項の認定（同法第四条第一項の変更の認定を含む。）を受けようとする者は、その計画が法第三十九条第二項の地区計画等緑化率条例の規定に適合していることを証する書面の交付を市町村長に求めることができる。

附　則〔抄〕

（施行期日）

1　この省令は、法の施行の日（昭和四十九年二月一日）から施行する。

附　則〔略〕〔平成六・一〇・二〇建設省令三〇〕

附　則〔略〕〔平成七・三・二八建設省令八〕

附　則〔略〕〔平成七・八・一建設省令二一〕

附　則〔略〕〔平成一二・一一・二〇建設省令四一〕

附　則〔略〕〔平成一三・八・二三国土交通省令一二〇〕

附　則〔抄〕〔平成一六・一二・一五国土交通省令九九〕

（施行期日）

1　この省令は、都市緑地保全法等の一部を改正する法律（平成十六年法律第百九号）の施行の日（平成十六年十二月十七日）から施行する。

（経過措置）

2　この省令の施行の際現にあるこの省令による改正前の都市緑地保全法施行規則、都市公園法施行規則、都市計画法施行規則、幹線道路の沿道の整備に関する法律施行規則及び密集市街地における防災街区の整備の促進に関する法律施行規則の様式による用紙については、当分の間、これを取り繕って使用することができる。

附　則〔略〕〔平成一九・三・三〇国土交通省令二八〕

附　則〔略〕〔平成二三・一二・二八国土交通省令一〇八〕

附　則〔略〕〔平成二九・六・一四国土交通省令三五〕

附　則〔平成二九・八・二国土交通省令四九〕

（施行期日）

第一条　この省令は、平成三十年四月一日から施行する。

（都市緑地法施行規則の一部改正に伴う経過措置）

第二条　この省令の施行の際現に都市緑地法（昭和四十八年法律第七十二号）第三十五条又は地区計画等緑化率条例の規定による規制の対象となっている建築物のうち、第一条の規定による都市緑地法施行規則第九条第一号の規定の改正により当該建築物の緑化率が緑化地域に関する都市計画において定める建築物の緑化率の最低限度又は地区計画等緑化率条例による建築物の緑化率の最低限度を下回ることとなるものの緑化率の算定の基礎となる緑化施設の面積の算出方法については、第一条の規定による改正後の都市緑地法施行規則第九条第一号の規定にかかわらず、なお従前の例による。

附　則〔略〕〔令和二・一二・二三国土交通省令九八〕

附　則〔令和三・一二・一六国土交通省令七九〕

この省令は、畜舎等の建築等及び利用の特例に関する法律（令和三年法律第三十四号）の施行の日（令和四年四月一日）から施行する。

別記様式〔略〕

○景観法〔平成一六・六・一八 法律一一〇〕

改正 平成一六・五法六一、平成一七・六法五三、七法八九、一〇法一〇二、平成一八・六法五〇、一二法一一四、平成二〇・五法四〇、平成二一・六法四七、法五七、平成二三・五法三七、八法一〇五、一二法一二四、平成二六・六法九二、平成二七・六法五〇、平成二九・五法二六、平成三〇・五法二三、令和五・五法三四、六法五八、令和六・五法四〇

目次

第一章 総則（第一条―第七条）
第二章 景観計画及びこれに基づく措置
　第一節 景観計画の策定等（第八条―第十五条）
　第二節 行為の規制等（第十六条―第十八条）
　第三節 景観重要建造物等
　　第一款 景観重要建造物の指定等（第十九条―第二十七条）
　　第二款 景観重要樹木の指定等（第二十八条―第三十五条）
　　第三款 管理協定（第三十六条―第四十二条）
　　第四款 雑則（第四十三条―第四十六条）
　第四節 景観重要公共施設の整備等（第四十七条―第五十四条）
　第五節 景観農業振興地域整備計画等（第五十五条―第五十九条）
　第六節 自然公園法の特例（第六十条）
第三章 景観地区等
　第一節 景観地区
　　第一款 景観地区に関する都市計画（第六十一条）
　　第二款 建築物の形態意匠の制限（第六十二条―第七十一条）
　　第三款 工作物等の制限（第七十二条・第七十三条）
　第二節 準景観地区（第七十四条・第七十五条）
　第三節 地区計画等の区域内における建築物等の形態意匠の制限（第七十六条）
　第四節 雑則（第七十七条―第八十条）
第四章 景観協定（第八十一条―第九十一条）
第五章 景観整備機構（第九十二条―第九十六条）
第六章 雑則（第九十七条―第百条）
第七章 罰則（第百一条―第百八条）
附則

第一章 総則

（目的）

第一条 この法律は、我が国の都市、農山漁村等における良好な景観の形成を促進するため、景観計画の策定その他の施策を総合的に講ずることにより、美しく風格のある国土の形成、潤いのある豊かな生活環境の創造及び個性的で活力ある地域社会の実現を図り、もって国民生活の向上並びに国民経済及び地域社会の健全な発展に寄与することを目的とする。

（基本理念）

第二条 良好な景観は、美しく風格のある国土の形成と潤いのある豊かな生活環境の創造に不可欠なものであることにかんがみ、国民共通の資産として、現在及び将来の国民がその恵沢を享受できるよう、その整備及び保全が図られなければならない。

2 良好な景観は、地域の自然、歴史、文化等と人々の生活、経済活動等との調和により形成されるものであることにかんがみ、適正な制限の下にこれらが調和した土地利用がなされること等を通じて、その整備及び保全が図られなければならない。

3 良好な景観は、地域の固有の特性と密接に関連するものであることにかんがみ、地域住民の意向を踏まえ、それぞれの地域の個性及び特色の伸長に資するよう、その多様な形成が図られなければならない。

4 良好な景観は、観光その他の地域間の交流の促進に大きな役割を担うものであることにかんがみ、地域の活性化に資するよう、地方公共団体、事業者及び住民により、その形成に向けて一体的な取組がなされなければならない。

5 良好な景観の形成は、現にある良好な景観を保全することのみならず、新たに良好な景観を創出することを含むものであることを旨として、行われなければならない。

（国の責務）

第三条 国は、前条に定める基本理念（以下「基本理念」という。）にのっとり、良好な景観の形成に関する施策を総合的に策定し、及び実施する責務を有する。

2 国は、良好な景観の形成に関する啓発及び知識の普及等を通じて、基本理念に対する国民の理解を深めるよう努めなければならない。

（地方公共団体の責務）

第四条 地方公共団体は、基本理念にのっとり、良好な景観の形成の促進に関し、国との適切な役割分担を踏まえて、その区域の自然的社会的諸条件に応じた施策を策定し、及び実施する責務を有する。

（事業者の責務）

第五条 事業者は、基本理念にのっとり、土地の利用等の事業活動に関し、良好な景観の形成に自ら努めるとともに、国又は地方公共団体が実施する良好な景観の形成に関する施策に協力しなければならない。

（住民の責務）

第六条 住民は、基本理念にのっとり、良好な景観の形成に関する理解を深め、良好な景観の形成に積極的な役割を果たすよう努めるとともに、国又は地方公共団体が実施する良好な景観の形成に関する施策に協力しなければならない。

（定義）

第七条 この法律において「景観行政団体」とは、地方自治法（昭和二十二年法律第六十七号）第二百五十二条の十九第一項の指定都市（以下この項及び第九十八条第一項において「指定都市」という。）の区域にあっては指定都市、同法第二百五十二条の二十二第一項の中核市（以下この項及び第九十八条第一項において「中核市」という。）の区域にあっては中核市、その他の区域にあっては都道府県をいう。ただし、指定都市及び中核市以外の市町村であって、第九十八条第一項の規定により第二章第一節から第四節まで、第四章及び第五章の規定に基づく事務（同条において「景観行政事務」という。）を処理する市町村の区域にあっては、当該市町村をいう。

2 この法律において「建築物」とは、建築基準法（昭和二十五年法律第二百一号）第二条第一号に規定する建築物をいう。

3 この法律において「屋外広告物」とは、屋外広告物法（昭和二十四年法律第百八十九号）第二条第一項に規定する屋外広告物をいう。

4 この法律において「公共施設」とは、道路、河川、公園、広場、海岸、港湾、漁港その他政令で定める公共の用に供する施設をいう。

5 この法律において「国立公園」とは自然公園法（昭和三十二年法律第百六十一号）第二条第二号に規定する国立公園を、「国定公園」とは同条第三号に規定する国定公園をいう。

6 この法律において「都市計画区域」とは都市計画法（昭和四十三年法律第百号）第四条第二項に規定する都市計画区域を、「準都市計画区域」とは同項に規定する準都市計画区域をいう。

第二章 景観計画及びこれに基づく措置

第一節 景観計画の策定等

（景観計画）

第八条 景観行政団体は、都市、農山漁村その他市街地又は集落を形成している地域及びこれと一体となって景観を形成している地域における次の各号のいずれかに該当する土地（水面を含む。以下この項、第十一条及び第十四条第二項において同じ。）の区域について、良好な景観の形成に関する計画（以下「景観計画」という。）を定めることができる。

一 現にある良好な景観を保全する必要があると認められる土地の区域

二 地域の自然、歴史、文化等からみて、地域の特性にふさわしい良好な景観を形成する必要があると認められる土地の区域

三 地域間の交流の拠点となる土地の区域であって、当該交流の促進に資する良好な景観を形成する必要があると認められるもの

四 住宅市街地の開発その他建築物若しくはその敷地の整備に関する事業が行われ、又は行われた土地の区域であって、新たに良好な景観を創出する必要があると認められるもの

五　地域の土地利用の動向等からみて、不良な景観が形成されるおそれがあると認められる土地の区域

2　景観計画においては、次に掲げる事項を定めるものとする。

一　景観計画の区域（以下「景観計画区域」という。）

二　良好な景観の形成のための行為の制限に関する事項

三　第十九条第一項の景観重要建造物又は第二十八条第一項の景観重要樹木の指定の方針（当該景観計画区域内にこれらの指定の対象となる建造物又は樹木がある場合に限る。）

四　次に掲げる事項のうち、良好な景観の形成のために必要なもの

イ　屋外広告物の表示及び屋外広告物を掲出する物件の設置に関する行為の制限に関する事項

ロ　当該景観計画区域内の道路法（昭和二十七年法律第百八十号）による道路、河川法（昭和三十九年法律第百六十七号）による河川、都市公園法（昭和三十一年法律第七十九号）による都市公園、津波防災地域づくりに関する法律（平成二十三年法律第百二十三号）による津波防護施設、海岸保全区域等（海岸法（昭和三十一年法律第百一号）第二条第三項に規定する海岸保全区域等をいう。以下同じ。）に係る海岸、港湾法（昭和二十五年法律第二百十八号）による港湾、漁港及び漁場の整備等に関する法律（昭和二十五年法律第百三十七号）による漁港、自然公園法による公園事業（国又は同法第十条第二項に規定する公共団体が執行するものに限る。）に係る施設その他政令で定める公共施設（以下「特定公共施設」と総称する。）であって、良好な景観の形成に重要なもの（以下「景観重要公共施設」という。）の整備に関する事項

ハ　景観重要公共施設に関する次に掲げる基準であって、良好な景観の形成に必要なもの

(1)　道路法第三十二条第一項又は第三項の許可の基準

(2)　河川法第二十四条、第二十五条、第二十六条第一項又は第二十七条第一項（これらの規定を同法第百条第一項において準用する場合を含む。）の許可の基準

(3)　都市公園法第五条第一項又は第六条第一項若しくは第三項の許可の基準

(4)　津波防災地域づくりに関する法律第二十二条第一項又は第二十三条第一項の許可の基準

(5)　海岸法第七条第一項、第八条第一項、第三十七条の四又は第三十七条の五の許可の基準

(6)　港湾法第三十七条第一項の許可の基準

(7)　漁港及び漁場の整備等に関する法律第三十九条第一項の許可の基準

ニ　第五十五条第一項の景観農業振興地域整備計画の策定に関する基本的な事項

ホ　自然公園法第二十条第三項、第二十一条第三項又は第二十二条第三項の許可（政令で定める行為に係るものに限る。）の基準であって、良好な景観の形成に必要なもの（当該景観計画区域に国立公園又は国定公園の区域が含まれる場合に限る。）

3　前項各号に掲げるもののほか、景観計画においては、景観計画区域における良好な景観の形成に関する方針を定めるよう努めるものとする。

4　第二項第二号の行為の制限に関する事項には、政令で定める基準に従い、次に掲げるものを定めなければならない。

一　第十六条第一項第四号の条例で同項の届出を要する行為を定める必要があるときは、当該条例で定めるべき行為

二　次に掲げる制限であって、第十六条第三項若しくは第六項又は第十七条第一項の規定による規制又は措置の基準として必要なもの

イ　建築物又は工作物（建築物を除く。以下同じ。）の形態又は色彩その他の意匠（以下「形態意匠」という。）の制限

ロ　建築物又は工作物の高さの最高限度又は最低限度

ハ　壁面の位置の制限又は建築物の敷地面積の最低限度

ニ　その他第十六条第一項の届出を要する行為ごとの良好な景観の形成のための制限

5　景観計画は、国土形成計画、首都圏整備計画、近畿圏整備計画、中部圏開発整備計画、北海道総合開発計画、沖縄振興計画その他の国土計画又は地方計画に関する法律に基づく計画及び道路、河川、鉄道、港湾、空港等の施設に関する国の計画との調和が保たれるものでなければならない。

6　景観計画は、環境基本法（平成五年法律第九十一号）第十五条第一項に規定する環境基本計画（当該景観計画区域について公害防止計画が定められているときは、当該公害防止計画を含む。）との調和が保たれるものでなければならない。

7　都市計画区域について定める景観計画は、都市計画法第六条の二第一項の都市計画区域の整備、開発及び保全の方針に適合するものでなければならない。

8　市町村である景観行政団体が定める景観計画は、議会の議決を経て定められた当該市町村の建設に関する基本構想に即するとともに、都市計画区域又は準都市計画区域について定めるものにあっては、都市計画法第十八条の二第一項の市町村の都市計画に関する基本的な方針に適合するものでなければならない。

9　景観計画に定める第二項第四号ロ及びハに掲げる事項は、景観重要公共施設の種類に応じて、政令で定める公共施設の整備又は管理に関する方針又は計画に適合するものでなければならない。

10　第二項第四号ニに掲げる事項を定める景観計画は、同項第一号及び第四号ニに掲げる事項並びに第三項に規定する事項については、農業振興地域の整備に関する法律（昭和四十四年法律第五十八号）第四条第一項の農業振興地域整備基本方針に適合するとともに、市町村である景観行政団体が定めるものにあっては、農業振興地域整備計画（同法第八条第一項の規定により定められた農業振興地域整備計画をいう。以下同じ。）に適合するものでなければならない。

11　景観計画に定める第二項第四号ホに掲げる事項は、自然公園法第二条第五号に規定する公園計画に適合するものでなければならない。

第九条　（策定の手続）景観行政団体は、景観計画を定めようとするときは、あらかじめ、公聴会の開催等住民の意見を反映させるために必要な措置を講ずるものとする。

2　景観行政団体は、景観計画を定めようとするときは、都市計画区域又は準都市計画区域に係る部分について、あらかじめ、都道府県都市計画審議会（市町村である景観行政団体に市町村都市計画審議会が置かれているときは、当該市町村都市計画審議会）の意見を聴かなければならない。

3　都道府県である景観行政団体は、景観計画を定めようとするときは、あらかじめ、関係市町村の意見を聴かなければならない。

4　景観行政団体は、景観計画に前条第二項第四号ロ又はハに掲げる事項を定めようとするときは、あらかじめ、当該事項について、国土交通省令・農林水産省令・環境省令で定めるところにより、当該景観重要公共施設の管理者（景観行政団体であるものを除く。）に協議し、その同意を得なければならない。

5　景観行政団体は、景観計画に前条第二項第四号ホに掲げる事項を定めようとするときは、あらかじめ、当該事項について、国立公園等管理者（国立公園にあっては環境大臣、国定公園にあっては都道府県知事をいう。以下同じ。）に協議し、その同意を得なければならない。

6　景観行政団体は、景観計画を定めたときは、その旨を告示し、国土交通省令・農林水産省令・環境省令で定めるところにより、これを当該景観行政団体の事務所において公衆の縦覧に供しなければならない。

7　前各項の規定は、景観行政団体が、景観計画を定める手続に関する事項（前各項の規定に反しないものに限る。）について、条例で必要な規定を定めることを妨げるものではない。

8　前各項の規定は、景観計画の変更について準用する。

第一〇条　（特定公共施設の管理者による要請）特定公共施設の管理者は、景観計画を策定しようとする景観行政団体に対し、当該景観計画に係る景観計画区域（景観計画を策定しようとする景観行政団体に対しては、当該景観行政団体が策定しようとする景観計画に係る景観計画区域となるべき区域）内の当該管理者の管理に係る特定公共施設について、これを景観重要公共施設として当該景観計画に第八条第二項第四号ロ又はハに掲げる事項を定めるべきことを要請することができる。この場合においては、当該要請に係る景観計画の部分の素案を添えなければならない。

2　景観計画に定められた景観重要公共施設の管理者は、景観行政団体に対し、当該景観計画について、第八条第二項第四号ロ又はハに掲げる事項の追加又は変更を要請することができる。前項後段の規定は、この場合について準用する。

3　景観行政団体は、前二項の要請があった場合には、これを尊重しなければならない。

（住民等による提案）

第十一条　第八条第一項に規定する土地の区域のうち、一体として良好な景観を形成すべき土地の区域としてふさわしい一団の土地の区域であって政令で定める規模以上のものについて、当該土地の所有権又は建物の所有を目的とする対抗要件を備えた地上権若しくは賃借権（臨時設備その他一時使用のため設定されたことが明らかなものを除く。以下「借地権」という。）を有する者（以下この条において「土地所有者等」という。）は、一人で、又は数人が共同して、景観行政団体に対し、景観計画の策定又は変更を提案することができる。この場合においては、当該提案に係る景観計画の素案を添えなければならない。

2　まちづくりの推進を図る活動を行うことを目的とする特定非営利活動促進法（平成十年法律第七号）第二条第二項の特定非営利活動法人若しくは一般社団法人若しくは一般財団法人又はこれらに準ずるものとして景観行政団体の条例で定める団体は、前項に規定する土地の区域について、景観行政団体に対し、景観計画の策定又は変更を提案することができる。同項後段の規定は、この場合について準用する。

3　前二項の規定による提案（以下「計画提案」という。）は、当該計画提案に係る景観計画の素案の対象となる土地（国又は地方公共団体の所有している土地で公共施設の用に供されているものを除く。以下この項において同じ。）の区域内の土地所有者等の三分の二以上の同意（同意した者が所有するその区域内の土地の地積と同意した者が有する借地権の目的となっているその区域内の土地の地積の合計が、その区域内の土地の総地積と借地権の目的となっている土地の総地積との合計の三分の二以上となる場合に限る。）を得ている場合に、国土交通省令・農林水産省令・環境省令で定めるところにより、行うものとする。

（計画提案に対する景観行政団体の判断等）

第十二条　景観行政団体は、計画提案が行われたときは、遅滞なく、当該計画提案を踏まえて景観計画の策定又は変更をする必要があるかどうかを判断し、当該景観計画の策定又は変更をする必要があると認めるときは、その案を作成しなければならない。

（計画提案を踏まえた景観計画の案の都道府県都市計画審議会等への付議）

第十三条　景観行政団体は、前条の規定により計画提案を踏まえて景観計画の策定又は変更をしようとする場合において、その策定又は変更が当該計画提案に係る景観計画の素案の内容の一部を実現することとなるものであるときは、第九条第二項の規定により当該景観計画の案について意見を聴く都道府県都市計画審議会又は市町村都市計画審議会に対し、当該計画提案に係る景観計画の素案を提出しなければならない。

（計画提案を踏まえた景観計画の策定等をしない場合にとるべき措置）

第十四条　景観行政団体は、第十二条の規定により同条の判断をした結果、計画提案を踏まえて景観計画の策定又は変更をする必要がないと決定したときは、遅滞なく、その旨及びその理由を、当該計画提案をした者に通知しなければならない。

2　景観行政団体は、都市計画区域又は準都市計画区域内の土地について前項の通知をしようとするときは、あらかじめ、都道府県都市計画審議会（市町村である景観行政団体に市町村都市計画審議会が置かれているときは、当該市町村都市計画審議会）に当該計画提案に係る景観計画の素案を提出してその意見を聴かなければならない。

（景観協議会）

第十五条　景観計画区域における良好な景観の形成を図るために必要な協議を行うため、景観行政団体、景観計画に定められた景観重要公共施設の管理者及び第九十二条第一項の規定により指定された景観整備機構（当該景観行政団体が都道府県であるときは関係市町村を、当該景観計画区域に国立公園又は国定公園の区域が含まれるときは国立公園等管理者を含む。以下この項において「景観行政団体等」という。）は、景観協議会（以下この条において「協議会」という。）を組織することができる。この場合において、景観行政団体等は、必要と認めるときは、協議会に、関係行政機関及び観光関係団体、商工関係団体、農林漁業団体、電気事業、電気通信事業、鉄道事業等の公益事業を営む者、住民その他良好な景観の形成の促進のための活動を行う者を加えることができる。

2　協議会は、必要があると認めるときは、その構成員以外の関係行政機関及び事業者に対し、意見の表明、説明その他の必要な協力を求めることができる。

3　第一項前段の協議を行うための会議において協議がととのった事項については、協議会の構成員は、その協議の結果を尊重しなければならない。

4　前三項に定めるもののほか、協議会の運営に関し必要な事項は、協議会が定める。

第二節　行為の規制等

（届出及び勧告等）

第十六条　景観計画区域内において、次に掲げる行為をしようとする者は、あらかじめ、国土交通省令（第四号に掲げる行為にあっては、景観行政団体の条例。以下この条において同じ。）で定めるところにより、行為の種類、場所、設計又は施行方法、着手予定日その他国土交通省令で定める事項を景観行政団体の長に届け出なければならない。

一　建築物の新築、増築、改築若しくは移転、外観を変更することとなる修繕若しくは模様替又は色彩の変更（以下「建築等」という。）

二　工作物の新設、増築、改築若しくは移転、外観を変更することとなる修繕若しくは模様替又は色彩の変更（以下「建設等」という。）

三　都市計画法第四条第十二項に規定する開発行為その他政令で定める行為

四　前三号に掲げるもののほか、良好な景観の形成に支障を及ぼすおそれのある行為として景観計画に従い景観行政団体の条例で定める行為

2　前項の規定による届出をした者は、その届出に係る事項のうち、国土交通省令で定める事項を変更しようとするときは、あらかじめ、その旨を景観行政団体の長に届け出なければならない。

3　景観行政団体の長は、前二項の規定による届出があった場合において、その届出に係る行為が景観計画に定められた当該行為についての制限に適合しないと認めるときは、その届出をした者に対し、その届出に係る行為に関し設計の変更その他の必要な措置をとることを勧告することができる。

4　前項の勧告は、第一項又は第二項の規定による届出のあった日から三十日以内にしなければならない。

5　前各項の規定にかかわらず、国の機関又は地方公共団体が行う行為については、第一項の届出をすることを要しない。この場合において、当該国の機関又は地方公共団体は、同項の届出を要する行為をしようとするときは、あらかじめ、景観行政団体の長にその旨を通知しなければならない。

6　景観行政団体の長は、前項後段の通知があった場合において、良好な景観の形成のため必要があると認めるときは、その必要な限度において、当該国の機関又は地方公共団体に対し、景観計画に定められた当該行為についての制限に適合するようとるべき措置について協議を求めることができる。

7　次に掲げる行為については、前各項の規定は、適用しない。

一　通常の管理行為、軽易な行為その他の行為で政令で定めるもの

二　非常災害のため必要な応急措置として行う行為

三　景観重要建造物について、第二十二条第一項の規定による許可を受けて行う行為

四　景観計画に第八条第二項第四号ロに掲げる事項が定められた景観重要公共施設の整備として行う行為

五　景観重要公共施設について、第八条第二項第四号ハ(1)から(7)までに規定する許可（景観計画にその基準が定められているものに限る。）を受けて行う行為

六　第五十五条第二項第一号の区域内の農用地区域（農業振興地域の整備に関する法律第八条第二項第一号に規定する農用地区域をいう。）内において同法第十五条の二第一項の許可を受けて行う同項に規定する開発行為

七　国立公園又は国定公園の区域内において、第八条第二項第四号ホに規定する許可（景観計画にその基準が定められているものに限る。）を受けて行う行為

八　第六十一条第一項の景観地区（次号において「景観地区」という。）内で行う建築物の建築等

九　景観計画に定められた工作物の建設等の制限の全てについて第七十二条第二項の景観地区工作物制限条例による制限が定められている場合における当該景観地区内で行う工作物の建設等

十　地区計画等（都市計画法第四条第九項に規定する地区計画等をいう。以下同じ。）の区域（地区整備計画（同法第十二条の五第二項第一号に規定する地区整備計画をいう。第七十六条第一項において同じ。）、特定建築物地区整備計画（密集市街地における防災街区の整備の促進に関する法律（平成九年法律第四十九号）第三十二条第二項第一号に規定する特定建築物地区整備計画をいう。第七十六条第一項において同じ。）、防災街区整備地区整備計画（同法第三十二条第二項第二号に規定する防災街区整備地区整備計画をいう。第七十六条第一項において同じ。）、歴史的風致維持向上地区整備計画（地域における歴史的風致の維持及び向上に関する法律（平成二十年法律第四十号）第三十一条第二項第一号に規定する歴史的風致維持向上地区整備計画をいう。第七十六条第一項において同じ。）、沿道地区整備計画（幹線道路の沿道の整備に関する法律（昭和五十五年法律第三十四号）第九条第二項第一号に規定する沿道地区整備計画をいう。第七十六条第一項において同じ。）又は集落地区整備計画（集落地域整備法（昭和六十二年法律第六十三号）第五条第三項に規定する集落地区整備計画をいう。第七十六条第一項において同じ。）が定められている区域に限る。）内で行う土地の区画形質の変更、建築物の新築、改築又は増築その他の政令で定める行為

十一　その他政令又は景観行政団体の条例で定める行為

（変更命令等）

第一七条　景観行政団体の長は、良好な景観の形成のために必要があると認めるときは、特定届出対象行為（前条第一項第一号又は第二号の届出を要する行為のうち、当該景観行政団体の条例で定めるものをいう。第七項及び次条第一項において同じ。）について、景観計画に定められた建築物又は工作物の形態意匠の制限に適合しないものをしようとする者又はした者に対し、当該制限に適合させるため必要な限度において、当該行為に関し設計の変更その他の必要な措置をとることを命ずることができる。この場合においては、前条第三項の規定は、適用しない。

2　前項の処分は、前条第一項又は第二項の届出をした者に対しては、当該届出があった日から三十日以内に限り、することができる。

3　第一項の処分は、前条第一項又は第二項の届出に係る建築物若しくは工作物又はこれらの部分の形態意匠が政令で定める他の法令の規定により義務付けられたものであるときは、当該義務の履行に支障のないものでなければならない。

4　景観行政団体の長は、前条第一項又は第二項の届出があった場合において、実地の調査をする必要があるとき、その他第二項の期間内に第一項の処分をすることができない合理的な理由があるときは、九十日を超えない範囲でその理由が存続する間、第二項の期間を延長することができる。この場合においては、同項の期間内に、前条第一項又は第二項の届出をした者に対し、その旨、延長する期間及び延長する理由を通知しなければならない。

5　景観行政団体の長は、第一項の処分に違反した者又はその者から当該建築物又は工作物についての権利を承継した者に対して、相当の期限を定めて、景観計画に定められた建築物又は工作物の形態意匠の制限に適合させるため必要な限度において、その原状回復を命じ、又は原状回復が著しく困難である場合に、これに代わるべき必要な措置をとることを命ずることができる。

6　前項の規定により原状回復又はこれに代わるべき必要な措置（以下この条において「原状回復等」という。）を命じようとする場合において、過失がなくて当該原状回復等を命ずべき者を確知することができないときは、景観行政団体の長は、その者の負担において、当該原状回復等を自ら行い、又はその命じた者若しくは委任した者にこれを行わせることができる。この場合においては、相当の期限を定めて、当該原状回復等を行うべき旨及びその期限までに当該原状回復等を行わないときは、景観行政団体の長又はその命じた者若しくは委任した者が当該原状回復等を行う旨をあらかじめ公告しなければならない。

7　景観行政団体の長は、第一項の規定の施行に必要な限度において、同項の規定により必要な措置をとることを命ぜられた者に対し、当該措置の実施状況その他必要な事項について報告をさせ、又は景観行政団体の職員に、当該建築物の敷地若しくは当該工作物の存する土地に立ち入り、特定届出対象行為の実施状況を検査させ、若しくは特定届出対象行為が景観に及ぼす影響を調査させることができる。

8　第六項の規定により原状回復等を行おうとする者及び前項の規定により立入検査又は立入調査をする者は、その身分を示す証明書を携帯し、関係人の請求があった場合においては、これを提示しなければならない。

9　第七項の規定による立入検査又は立入調査の権限は、犯罪捜査のために認められたものと解してはならない。

（行為の着手の制限）

第一八条　第十六条第一項又は第二項の規定による届出をした者は、景観行政団体がその届出を受理した日から三十日（特定届出対象行為について前条第四項の規定により同条第二項の期間が延長された場合にあっては、その延長された期間）を経過した後でなければ、当該届出に係る行為（根切り工事その他の政令で定める工事に係るものを除く。第百三条第四号において同じ。）に着手してはならない。ただし、特定届出対象行為について前条第一項の命令を受け、かつ、これに基づき行う行為については、この限りでない。

2　景観行政団体の長は、第十六条第一項又は第二項の規定による届出に係る行為について、良好な景観の形成に支障を及ぼすおそれがないと認めるときは、前項本文の期間を短縮することができる。

第三節　景観重要建造物等

第一款　景観重要建造物の指定等

（景観重要建造物の指定）

第一九条　景観行政団体の長は、景観計画に定められた景観重要建造物の指定の方針（次条第三項において「指定方針」という。）に即し、景観計画区域内の良好な景観の形成に重要な建造物（これと一体となって良好な景観を形成している土地その他の物件を含む。以下この節において同じ。）で国土交通省令で定める基準に該当するものを、景観重要建造物として指定することができる。

2　景観行政団体の長は、前項の規定による指定をしようとするときは、あらかじめ、当該建造物の所有者（所有者が二人以上いるときは、その全員。次条第二項及び第二十一条第一項において同じ。）の意見を聴かなければならない。

3　第一項の規定は、文化財保護法（昭和二十五年法律第二百十四号）の規定により国宝、重要文化財、特別史跡名勝天然記念物又は史跡名勝天然記念物として指定され、又は仮指定された建造物については、適用しない。

（景観重要建造物の指定の提案）

第二〇条　景観計画区域内の建造物の所有者は、当該建造物について、良好な景観の形成に重要であって前条第一項の国土交通省令で定める基準に該当するものであると認めるときは、国土交通省令で定めるところにより、景観行政団体の長に対し、景観重要建造物として指定することを提案することができる。この場合において、当該建造物に当該提案に係る所有者以外の所有者がいるときは、あらかじめ、その全員の合意を得なければならない。

2　第九十二条第一項の規定により指定された景観整備機構（以下この節及び第五節において「景観整備機構」という。）は、景観計画区域内の建造物について、良好な景観の形成に重要であって前条第一項の国土交通省令で定める基準に該当するものであると認めるときは、国土交通省令で定めるところにより、あらかじめ当該建造物の所有者の同意を得て、景観行政団体の長に対し、景観重要建造物として指定することを提案することができる。

3　景観行政団体の長は、前二項の規定による提案に係る建造物について、指定方針、前条第一項の国土交通省令で定める基準等に照らし、景観重要建造物として指定する必要がないと判断したときは、遅滞なく、その旨及びその理由を、当該提案をした者に通知しなければならない。

（指定の通知等）

第二一条　景観行政団体の長は、第十九条第一項の規定により景観重要建造物を指定したときは、直ちに、その旨その他国土交通省令で定める事項を、当該景観重要建造物の所有者（当該指定が前条第二項の規定による提案に基づくものであるときは、当該景観重要建造物の所有者及び当該提案に係る景観整備機構）に通知しなければならない。

2　景観行政団体は、第十九条第一項の規定による景観重要建造物の指定があったときは、遅滞なく、条例又は規則で定めるところにより、これを表示する標識を設置しなければならない。

（現状変更の規制）

第二二条　何人も、景観行政団体の長の許可を受けなければ、景観重要建造物の増築、改築、移転若しくは除却、外観を変更することとなる修繕若しくは模様替又は色彩の変更をしてはならない。ただし、通常の管理行為、軽易な行為その他の行為で政令で定めるもの及び非常災害のため必要な応急措置として行う行為については、この限りでない。

2　景観行政団体の長は、前項の許可の申請があった場合において、その申請に係る行為が当該景観重要建造物の良好な景観の保全に支障があると認めるときは、同項の許可をしてはならない。

3　景観行政団体の長は、第一項の許可の申請があった場合において、当該景観重要建造物の良好な景観の保全のため必要があると認めるときは、許可に必要な条件を付することができる。

4　第一項の規定にかかわらず、国の機関又は地方公共団体が行う行為については、同項の許可を受けることを要しない。この場合において、当該国の機関又は地方公共団体は、その行為をしようとするときは、あらかじめ、景観行政団体の長に協議しなければならない。

（原状回復命令等）

第二三条　景観行政団体の長は、前条第一項の規定に違反した者又は同条第三項の規定により許可に付された条件に違反した者がある場合においては、これらの者又はこれらの者から当該景観重要建造物についての権利を承継した者に対して、相当の期限を定めて、当該景観重要建造物の良好な景観を保全するため必要な限度において、その原状回復を命じ、又は原状回復が著しく困難である場合に、これに代わるべき必要な措置をとるべき旨を命ずることができる。

2　前項の規定により原状回復又はこれに代わるべき必要な措置（以下この条において「原状回復等」という。）を命じようとする場合において、過失がなくて当該原状回復等を命ずべき者を確知することができないときは、景観行政団体の長は、その者の負担において、当該原状回復等を自ら行い、又はその命じた者若しくは委任した者にこれを行わせることができる。この場合においては、相当の期限を定めて、当該原状回復等を行うべき旨及びその期限までに当該原状回復等を行わないときは、景観行政団体の長又はその命じた者若しくは委任した者が当該原状回復等を行う旨をあらかじめ公告しなければならない。

3　前項の規定により原状回復等を行おうとする者は、その身分を示す証明書を携帯し、関係人の請求があった場合においては、これを提示しなければならない。

（損失の補償）

第二四条　景観行政団体は、第二十二条第一項の許可を受けることができないために損失を受けた景観重要建造物の所有者に対して、通常生ずべき損失を補償する。ただし、当該許可の申請に係る行為をするについて、他の法律（法律に基づく命令及び条例を含む。）で行政庁の許可その他の処分を受けるべきことを定めているもの（当該許可その他の処分を受けることができないために損失を受けた者に対して、その損失を補償すべきことを定めているものを除く。）がある場合において、当該許可その他の処分の申請が却下されたとき、又は却下されるべき場合に該当する場合における当該許可の申請に係る行為については、この限りでない。

2　前項の規定による損失の補償については、景観行政団体の長と損失を受けた者が協議しなければならない。

3　前項の規定による協議が成立しない場合においては、景観行政団体の長又は損失を受けた者は、政令で定めるところにより、収用委員会に土地収用法（昭和二十六年法律第二百十九号）第九十四条第二項の規定による裁決を申請することができる。

（景観重要建造物の所有者の管理義務等）

第二五条　景観重要建造物の所有者及び管理者は、その良好な景観が損なわれないよう適切に管理しなければならない。

2　景観行政団体は、条例で、景観重要建造物の良好な景観の保全のため必要な管理の方法の基準を定めることができる。

（管理に関する命令又は勧告）

第二六条　景観行政団体の長は、景観重要建造物の管理が適当でないため当該景観重要建造物が滅失し若しくは毀損するおそれがあると認められるとき、又は前条第二項の規定に基づく条例が定められている場合にあっては景観重要建造物の管理が当該条例に従って適切に行われていないと認められるときは、当該景観重要建造物の所有者又は管理者に対し、管理の方法の改善その他管理に関し必要な措置を命じ、又は勧告することができる。

（指定の解除）

第二七条　景観行政団体の長は、景観重要建造物について、第十九条第三項に規定する建造物に該当するに至ったとき、又は滅失、毀損その他の事由によりその指定の理由が消滅したときは、遅滞なく、その指定を解除しなければならない。

2　景観行政団体の長は、景観重要建造物について、公益上の理由その他特別な理由があるときは、その指定を解除することができる。

3　第二十一条第一項の規定は、前二項の規定による景観重要建造物の指定の解除について準用する。

第二款　景観重要樹木の指定等

（景観重要樹木の指定）

第二八条　景観行政団体の長は、景観計画に定められた景観重要樹木の指定の方針（次条第三項において「指定方針」という。）に即し、景観計画区域内の良好な景観の形成に重要な樹木で国土交通省令（都市計画区域外の樹木にあっては、国土交通省令・農林水産省令。以下この款において同じ。）で定める基準に該当するものを、景観重要樹木として指定することができる。

2　景観行政団体の長は、前項の規定による指定をしようとするときは、あらかじめ、その指定をしようとする樹木の所有者（所有者が二人以上いるときは、その全員。次条第二項及び第三十条第一項において同じ。）の意見を聴かなければならない。

3　第一項の規定は、文化財保護法の規定により特別史跡名勝天然記念物又は史跡名勝天然記念物として指定され、又は仮指定された樹木については、適用しない。

（景観重要樹木の指定の提案）

第二九条　景観計画区域内の樹木の所有者は、当該樹木について、良好な景観の形成に重要であって前条第一項の国土交通省令で定める基準に該当するものであると認めるときは、国土交通省令で定めるところにより、景観行政団体の長に対し、景観重要樹木として指定することを提案することができる。この場合において、当該樹木に当該提案に係る所有者以外の所有者がいるときは、あらかじめ、その全員の合意を得なければならない。

2　景観整備機構は、景観計画区域内の樹木について、良好な景観の形成に重要であって前条第一項の国土交通省令で定める基準に該当するものであると認めるときは、国土交通省令で定めるところにより、あらかじめ当該樹木の所有者の同意を得て、景観行政団体の長に対し、景観重要樹木として指定することを提案することができる。

3　景観行政団体の長は、前二項の規定による提案に係る樹木について、指定方針、前条第一項の国土交通省令で定める基準等に照らし、景観重要樹木として指定する必要がないと判断したときは、遅滞なく、その旨及びその理由を、当該提案をした者に通知しなければならない。

（指定の通知等）

第三〇条　景観行政団体の長は、第二十八条第一項の規定により景観重要樹木を指定したときは、直ちに、その旨その他国土交通省令で定める事項を、当該景観重要樹木の所有者（当該指定が前条第二項の規定による提案に基づくものであるときは、当該景観重要樹木の所有者及び当該提案に係る景観整備機構）に通知しなければならない。

2　景観行政団体は、第二十八条第一項の規定による景観重要樹木の指定があったときは、遅滞なく、条例又は規則で定めるところにより、これを表示する標識を設置しなければならない。

（現状変更の規制）

第三一条　何人も、景観行政団体の長の許可を受けなければ、景観重要樹木の伐採又は移植をしてはならない。ただし、通常の管理行為、軽易な行為その他の行為で政令で定めるもの及び非常災害のため必要な応急措置として行う行為については、この限りでない。

2　第二十二条第二項から第四項までの規定は、前項の許可について準用する。この場合において、同条第二項及び第三項中「景観重要建造物」とあるのは、「景観重要樹木」と読み替えるものとする。

（原状回復命令等についての準用）

第三二条　第二十三条の規定は、前条第一項の規定に違反した者又は同条第二項において準用する第二十二条第三項の規定により許可に付された条件に違反した者がある場合について準用する。この場合において、第二十三条第一項中「景観重要建造物」とあるのは、「景観重要樹木」と読み替えるものとする。

2　第二十四条の規定は、前条第一項の許可を受けることができないために受けた景観重要樹木の所有者の損失について準用する。

（景観重要樹木の所有者の管理義務等）

第三三条　景観重要樹木の所有者及び管理者は、その良好な景観が損なわれないよう適切に管理しなければならない。

2　景観行政団体は、条例で、景観重要樹木の管理の方法の基準を定めることができる。

（管理に関する命令又は勧告）

第三四条　景観行政団体の長は、景観重要樹木の管理が適当でないため当該景観重要樹木が滅失し若しくは枯死するおそれがあると認められるとき、又は前条第二項の規定に基づく条例が定められている場合にあっては景観重要樹木の管理が当該条例に従って適切に行われていないと認められるときは、当該景観重要樹木の所有者又は管理者に対し、管理の方法の改善その他管理に関し必要な措置を命じ、又は勧告することができる。

（指定の解除）

第三五条　景観行政団体の長は、景観重要樹木について、第二十八条第三項に規定する樹木に該当するに至ったとき、又は滅失、枯死その他の事由によりその指定の理由が消滅したときは、遅滞なく、その指定を解除しなければならない。

2　景観行政団体の長は、景観重要樹木について、公益上の理由その他特別な理由があるときは、その指定を解除することができる。

3　第三十条第一項の規定は、前二項の規定による景観重要樹木の指定の解除について準用する。

第三款　管理協定

（管理協定の締結等）

第三六条　景観行政団体又は景観整備機構は、景観重要建造物又は景観重要樹木の適切な管理のため必要があると認めるときは、当該景観重要建造物又は景観重要樹木の所有者（所有者が二人以上いるときは、その全員。第四十二条第一項において同じ。）と次に掲げる事項を定めた協定（以下「管理協定」という。）を締結して、当該景観重要建造物又は景観重要樹木の管理を行うことができる。

一　管理協定の目的となる景観重要建造物（以下「協定建造物」という。）又は管理協定の目的となる景観重要樹木（以下「協定樹木」という。）

二　協定建造物又は協定樹木の管理の方法に関する事項

三　管理協定の有効期間

四　管理協定に違反した場合の措置

2　管理協定の内容は、次の各号に掲げる基準のいずれにも適合するものでなければならない。

一　協定建造物又は協定樹木の利用を不当に制限するものでないこと。

二　前項第二号から第四号までに掲げる事項について国土交通省令（都市計画区域外の協定樹木に係る管理協定にあっては、国土交通省令・農林水産省令。以下この款において同じ。）で定める基準に適合するものであること。

3　景観整備機構が管理協定を締結しようとするときは、あらかじめ、景観行政団体の長の認可を受けなければならない。

（管理協定の縦覧等）

第三七条　景観行政団体又はその長は、それぞれ管理協定を締結しようとするとき、又は前条第三項の規定による管理協定の認可の申請があったときは、国土交通省令で定めるところにより、その旨を公告し、当該管理協定を当該公告の日から二週間関係人の縦覧に供さなければならない。

2　前項の規定による公告があったときは、関係人は、同項の縦覧期間満了の日までに、当該管理協定について、景観行政団体又はその長に意見書を提出することができる。

（管理協定の認可）

第三八条　景観行政団体の長は、第三十六条第三項の規定による管理協定の認可の申請が、次の各号のいずれにも該当するときは、当該管理協定を認可しなければならない。

一　申請手続が法令に違反しないこと。

二　管理協定の内容が、第三十六条第二項各号に掲げる基準のいずれにも適合するものであること。

（管理協定の公告）

第三九条　景観行政団体又はその長は、それぞれ管理協定を締結し、又は前条の認可をしたときは、国土交通省令で定めるところにより、その旨を公告し、かつ、当該管理協定の写しを当該景観行政団体の事務所に備えて公衆の縦覧に供しなければならない。

（管理協定の変更）

第四〇条　第三十六条第二項及び第三項並びに前三条の規定は、管理協定において定められた事項の変更について準用する。

（管理協定の効力）

第四一条　第三十九条（前条において準用する場合を含む。）の規定による公告があった管理協定は、その公告があった後において当該協定建造物又は協定樹木の所有者となった者に対しても、その効力があるものとする。

（緑地保全・緑化推進法人の業務の特例）

第四二条　都市緑地法（昭和四十八年法律第七十二号）第八十一条第一項の規定により指定された緑地保全・緑化推進法人であって同法第八十二条第一号イの業務を行うもの（以下この節において「緑地保全・緑化推進法人」という。）は、景観重要樹木の適切な管理のため必要があると認めるときは、同条各号に掲げる業務のほか、当該景観重要樹木の所有者と管理協定を締結して、当該景観重要樹木の管理及びこれに附帯する業務を行うことができる。

2　前項の場合においては、都市緑地法第八十三条中「掲げる業務」とあるのは、「掲げる業務又は景観法第四十二条第一項に規定する業務」とする。

3　第三十六条第二項及び第三項並びに第三十七条から前条までの規定は、前二項の規定により緑地保全・緑化推進法人が業務を行う場合について準用する。

第四款　雑則

（所有者の変更の場合の届出）

第四三条　景観重要建造物又は景観重要樹木の所有者が変更したときは、新たに所有者となった者は、遅滞なく、その旨を景観行政団体の長に届け出なければならない。

（台帳）

第四四条　景観行政団体の長は、景観重要建造物又は景観重要樹木に関する台帳を作成し、これを保管しなければならない。

2　前項の台帳の作成及び保管に関し必要な事項は、国土交通省令（都市計画区域外の景観重要樹木に関する台帳にあっては、国土交通省令・農林水産省令）で定める。

（報告の徴収）

第四五条　景観行政団体の長は、必要があると認めるときは、景観重要建造物又は景観重要樹木の所有者に対し、景観重要建造物又は景観重要樹木の現状について報告を求めることができる。

（助言又は援助）

第四六条　景観重要建造物の所有者は景観行政団体又は景観整備機構に対し、景観重要樹木の所有者は景観行政団体又は景観整備機構若しくは緑地保全・緑化推進法人に対し、それぞれ景観重要建造物又は景観重要樹木の管理に関し必要な助言又は援助を求めることができる。

第四節　景観重要公共施設の整備等

（景観重要公共施設の整備）

第四七条　景観計画に第八条第二項第四号ロの景観重要公共施設の整備に関する事項が定められた場合においては、当該景観重要公共施設の整備は、当該景観計画に即して行われなければならない。

（電線共同溝の整備等に関する特別措置法の特例）

第四八条　景観計画に景観重要公共施設として定められた道路法による道路（以下「景観重要道路」という。）に関する電線共同溝の整備等に関する特別措置法（平成七年法律第三十九号）第三条の規定の適用については、同条第一項中「その安全かつ円滑な交通の確保と景観の整備を図るため」とあるのは「景観計画（景観法第八条第一項に規定する景観計画をいう。）に即し、その景観の整備と安全な交通の確保を図るため」と、「特に必要である」とあるのは「必要である」と、同条第二項中「市町村を除く。」とあるのは「市町村を除く。）、当該指定に係る道路の存する区域において景観行政団体（景観法第七条第一項に規定する景観行政団体をいう。以下同じ。）である都道府県（当該指定に係る道路の道路管理者が都道府県である場合の当該都道府県及び次項の規定による要請をした都道府県を除く。）」と、同条第三項中「市町村」とあるのは「市町村又は景観行政団体である都道府県」とする。

（道路法の特例）

第四九条　景観計画に第八条第二項第四号ハ(1)の許可の基準に関する事項が定められた景観重要道路についての道路法第三十三条、第三十六条第二項及び第八十七条第一項の規定の適用については、同法第三十三条及び第三十六条第二項中「政令で定める基準」とあるのは「政令で定める基準及び景観法第八条第一項に規定する景観計画に定められた同条第二項第四号ハ(1)の許可の基準」と、同法第八十七条第一項中「円滑な交通を確保する」とあるのは「円滑な交通を確保し、又は良好な景観を形成する」とする。

（河川法の規定による許可の特例）

第五〇条　景観計画に第八条第二項第四号ハ(2)の許可の基準が定められた景観重要公共施設である河川法による河川（以下この条において「景観重要河川」という。）の河川区域（同法第六条第一項（同法第百条第一項において準用する場合を含む。）に規定する河川区域をいう。）内の土地における同法第二十四条、第二十五条、第二十六条第一項又は第二十七条第一項（これらの規定を同法第百条第一項において準用する場合を含む。）の規定による許可を要する行為については、当該景観重要河川の河川管理者（同法第七条（同法第百条第一項において準用する場合を含む。）に規定する河川管理者をいう。）は、当該行為が当該景観計画に定められた同号ハ(2)の許可の基準に適合しない場合には、これらの規定による許可をしてはならない。

（都市公園法の規定による許可の特例等）

第五一条　景観計画に第八条第二項第四号ハ(3)の許可の基準（都市公園法第五条第一項の許可に係るものに限る。以下この項において同じ。）が定められた景観重要公共施設である同法による都市公園（以下この条において「景観重要都市公園」という。）における同法第五条第一項の許可を要する行為については、当該景観重要都市公園の公園管理者（同項に規定する公園管理者をいう。）は、当該行為が当該景観計画に定められた同号ハ(3)の許可の基準に適合しない場合には、同項の許可をしてはならない。

2　景観計画に第八条第二項第四号ハ(3)の許可の基準（都市公園法第六条第一項又は第三項の許可に係るものに限る。）が定められた景観重要都市公園についての同法第七条の規定の適用については、同条中「政令で定める技術的基準」とあるのは、「政令で定める技術的基準及び景観法第八条第一項に規定する景観計画に定められた同条第二項第四号ハ(3)の許可の基準」とする。

（津波防災地域づくりに関する法律の特例）

第五一条の二　景観計画に第八条第二項第四号ハ(4)の許可の基準が定められた景観重要公共施設である津波防災地域づくりに関する法律による津波防護施設についての同法第二十二条第二項及び第二十三条第二項の規定の適用については、同法第二十二条第二項中「及ぼすおそれがある」とあるのは「及ぼすおそれがあり、又は景観法第八条第一項に規定する景観計画に定められた同条第二項第四号ハ(4)の許可の基準（前項の許可に係るものに限る。）に適合しないものである」と、同法第二十三条第二項中「前条第二項」とあるのは「景観法第五十一条の二の規定により読み替えて適用する前条第二項」と、「準用する」とあるのは「準用する。この場合において、同条第二項中「前項の許可に係るもの」とあるのは、「次条第一項の許可に係るもの」と読み替えるものとする」とする。

（海岸法の特例等）

第五二条　景観計画に第八条第二項第四号ハ(5)の許可の基準（海岸法第七条第一項又は第八条第一項の許可に係るものに限る。）が定められた景観重要公共施設である海岸保全区域等に係る海岸（次項において「景観重要海岸」という。）についての同法第七条第二項及び第八条第二項の規定の適用については、同法第七条第二項中「及ぼすおそれがある」とあるのは「及ぼすおそれがあり、又は景観法第八条第一項に規定する景観計画に定められた同条第二項第四号ハ(5)の許可の基準（前項の許可に係るものに限る。）に適合しないものである」と、同法第八条第二項中「前条第二項」とあるのは「景観法第五十二条第一項の規定により読み替えて適用する前条第二項」と、「準用する」とあるのは「準用する。この場合において、同条第二項中「前項の許可に係るもの」とあるのは、「次条第一項の許可に係るもの」と読み替えるものとする」とする。

2　景観計画に第八条第二項第四号ハ(5)の許可の基準（海岸法第三十七条の四又は第三十七条の五の許可に係るものに限る。以下この項において同じ。）が定められた景観重要海岸の一般公共海岸区域（同法第二条第二項に規定する一般公共海岸区域をいう。）内における同法第三十七条の四又は第三十七条の五の許可を要する行為については、当該景観重要海岸の海岸管理者（同法第二条第三項に規定する海岸管理者をいう。）は、当該行為が当該景観計画に定められた同号ハ(5)の許可の基準に適合しない場合には、これらの規定による許可をしてはならない。

（港湾法の特例）

第五三条　景観計画に第八条第二項第四号ハ(6)の許可の基準が定められた景観重要公共施設である港湾法による港湾についての同法第三十七条第二項の規定の適用については、同項中「又は第三条の三第九項」とあるのは「若しくは第三条の三第九項」と、「与えるものである」とあるのは「与えるものであり、又は景観法第八条第一項に規定する景観計画に定められた同条第二項第四号ハ(6)の許可の基準に適合しないものである」とする。

（漁港及び漁場の整備等に関する法律の特例）

第五四条　景観計画に第八条第二項第四号ハ(7)の許可の基準が定められた景観重要公共施設である漁港及び漁場の整備等に関する法律による漁港についての同法第三十九条第二項及び第三項の規定の適用については、同条第二項中「又は漁港」とあるのは「若しくは漁港」と、「与える」とあるのは「与え、又は景観法第八条第一項に規定する景観計画に定められた同条第二項第四号ハ(7)の許可の基準に適合しない」と、同条第三項中「保全上」とあるのは「保全上又は良好な景観の形成上」とする。

第五節　景観農業振興地域整備計画等

（景観農業振興地域整備計画）

第五五条　市町村は、第八条第二項第四号ニに掲げる基本的な事項が定められた景観計画に係る景観計画区域のうち農業振興地域（農業振興地域の整備に関する法律第六条第一項の規定により指定された地域をいう。）内にあるものについて、農業振興地域整備計画を達成するとともに、景観と調和のとれた良好な営農条件を確保するため、その地域の特性にふさわしい農用地（同法第三条第一号に規定する農用地をいう。以下同じ。）及び農業用施設その他の施設の整備を一体的に推進する必要があると認める場合には、景観農業振興地域整備計画を定めることができる。

2　景観農業振興地域整備計画においては、次に掲げる事項を定めるものとする。

一　景観農業振興地域整備計画の区域

二　前号の区域内における景観と調和のとれた土地の農業上の利用に関する事項

三　第一号の区域内における農業振興地域の整備に関する法律第八条第二項第二号、第二号の二及び第四号に掲げる事項

3　景観農業振興地域整備計画は、景観計画及び農業振興地域整備計画に適合するとともに、農業振興地域の整備に関する法律第四条第三項に規定する計画との調和が保たれたものであり、かつ、前項第一号の区域の自然的経済的社会的諸条件を考慮して、当該区域において総合的に農業の振興を図るため必要な事項を一体的に定めるものでなければならない。

4　農業振興地域の整備に関する法律第八条第四項、第十条第二項、第十一条（第九項後段及び第十二項を除く。）、第十二条並びに第十三条第一項前段及び第四項の規定は、景観農業振興地域整備計画について準用する。この場合において、同法第八条第四項中「ときは、政令で定めるところにより、当該農業振興地域整備計画のうち第二項第一号に掲げる事項に係るもの（以下「農用地利用計画」という。）について」とあるのは「ときは」と、「協議し、その同意を得なければ」とあるのは「協議しなければ」と、同法第十一条第三項中「農業振興地域整備計画のうち農用地利用計画に係る農用地区域内」とあるのは「景観農業振興地域整備計画（景観法第五十五条第一項の規定により定められた景観農業振興地域整備計画をいう。以下同じ。）に係る同条第二項第一号の区域内」と、「当該農用地利用計画」とあるのは「当該景観農業振興地域整備計画」と、「同項」とあるのは「第一項」と、同条第十項中「農用地区域」とあるのは「景観法第五十五条第二項第一号の区域」と、同条第十一項中「農用地等としての利用に供する」とあるのは「景観農業振興地域整備計画に従つて利用する」と、同法第十三条第一項前段中「農業振興地域整備基本方針」とあるのは「景観法第八条第一項の景観計画若しくは農業振興地域整備計画」と、「変更により、

前条第一項の規定による基礎調査の結果により」とあるのは「変更により」と、「生じたときは、政令で定めるところにより」とあるのは「生じたときは」と、同条第四項中「（第十二項」とあるのは「（第九条後段及び第十二項」と、「同条第二項」とあるのは「第八条第四項中「ときは、政令で定めるところにより、当該農業振興地域整備計画のうち第二項第一号に掲げる事項に係るもの（以下「農用地利用計画」という。）について」とあるのは「ときは」と、「協議し、その同意を得なければ」とあるのは「協議しなければ」と、第十二条第二項」と、「とあるのは、」とあるのは「とあるのは」と読み替えるものとする。

（土地利用についての勧告）

第五六条　市町村長は、前条第二項第一号の区域内にある土地が景観農業振興地域整備計画に従って利用されていない場合において、景観農業振興地域整備計画の達成のため必要があるときは、その土地の所有者又はその土地について所有権以外の権原に基づき使用及び収益をする者に対し、その土地を当該景観農業振興地域整備計画に従って利用すべき旨を勧告することができる。

2　市町村長は、前項の規定による勧告をした場合において、その勧告を受けた者がこれに従わないとき、又は従う見込みがないと認めるときは、その者に対し、その土地を景観農業振興地域整備計画に従って利用するためその土地について所有権又は使用及び収益を目的とする権利を取得しようとする者で市町村長の指定を受けたものとその土地についての所有権の移転又は使用及び収益を目的とする権利の設定若しくは移転に関し協議すべき旨を勧告することができる。

（農地法の特例）

第五七条　前条第二項に規定する場合において、同項の規定により景観整備機構が指定されたときは、農業委員会（農業委員会等に関する法律（昭和二十六年法律第八十八号）第三条第五項の規定により農業委員会を置かない市町村にあっては、市町村長）は、前条第二項の勧告に係る協議が調ったことによりその勧告を受けた者がその勧告に係る農地又は採草放牧地（農地法（昭和二十七年法律第二百二十九号）第二条第一項に規定する農地（同法第四十三条第一項の規定により農作物の栽培を耕作に該当するものとみなして適用する同法第二条第一項に規定する農地を含む。）又は採草放牧地をいう。以下同じ。）につき当該景観整備機構のために使用貸借による権利又は賃借権を設定しようとするときは、同法第三条第二項の規定にかかわらず、同条第一項の許可をすることができる。

2　前条第二項の勧告に係る協議が調ったことにより景観整備機構のために賃借権が設定されている農地又は採草放牧地の賃貸借については、農地法第十七条本文並びに第十八条第一項本文、第七項及び第八項の規定は、適用しない。

（農業振興地域の整備に関する法律の特例）

第五八条　都道府県知事等（農業振興地域の整備に関する法律第十五条の二第一項に規定する都道府県知事等をいう。）は、同項の許可をしようとする場合において、同項に規定する開発行為に係る土地が第五十五条第二項第一号の区域内にあるときは、当該開発行為が同法第十五条の二第四項各号のいずれかに該当するほか、当該開発行為により当該開発行為に係る土地を景観農業振興地域整備計画に従って利用することが困難となると認めるときは、これを許可してはならない。

2　前項の許可についての農業振興地域の整備に関する法律第十五条の二第五項の規定の適用については、同項中「農業上の利用を確保するために」とあるのは、「農業上の利用又は景観法第五十五条第一項の規定により定められた景観農業振興地域整備計画に従った利用を確保するために」とする。

（市町村森林整備計画の変更）

第五九条　市町村は、森林法（昭和二十六年法律第二百四十九号）第十条の六第二項及び第三項に規定する場合のほか、その区域内にある同法第五条第一項の規定によりたてられた地域森林計画の対象とする森林につき、景観計画に即してその公益的機能の維持増進を図ることが適当と認める場合には、同法第十条の五第一項の規定によりたてられた市町村森林整備計画の一部を変更することができる。

2　前項の規定による変更は、森林法第十条の六第三項の規定によりしたものとみなす。

第六節　自然公園法の特例

第六〇条　第八条第二項第四号ホに掲げる事項が定められた景観計画に係る景観計画区域内における自然公園法第二十条第四項、第二十一条第四項及び第二十二条第四項の規定の適用については、これらの規定中「環境省令で定める基準」とあるのは、「環境省令で定める基準及び景観法第八条第一項に規定する景観計画に定められた同条第二項第四号ホの許可の基準」とする。

第三章　景観地区等

第一節　景観地区

第一款　景観地区に関する都市計画

第六一条　市町村は、都市計画区域又は準都市計画区域内の土地の区域については、市街地の良好な景観の形成を図るため、都市計画に、景観地区を定めることができる。

2　景観地区に関する都市計画には、都市計画法第八条第三項第一号及び第三号に掲げる事項のほか、第一号に掲げる事項を定めるとともに、第二号から第四号までに掲げる事項のうち必要なものを定めるものとする。この場合において、これらに相当する事項が定められた景観計画に係る景観計画区域内においては、当該都市計画は、当該景観計画による良好な景観の形成に支障がないように定めるものとする。

一　建築物の形態意匠の制限
二　建築物の高さの最高限度又は最低限度
三　壁面の位置の制限
四　建築物の敷地面積の最低限度

第二款　建築物の形態意匠の制限

（建築物の形態意匠の制限）

第六二条　景観地区内の建築物の形態意匠は、都市計画に定められた建築物の形態意匠の制限に適合するものでなければならない。ただし、政令で定める他の法令の規定により義務付けられた建築物又はその部分の形態意匠にあっては、この限りでない。

（計画の認定）

第六三条　景観地区内において建築物の建築等をしようとする者は、あらかじめ、その計画が、前条の規定に適合するものであることについて、申請書を提出して市町村長の認定を受けなければならない。当該認定を受けた建築物の計画を変更して建築等をしようとする場合も、同様とする。

2　市町村長は、前項の申請書を受理した場合においては、その受理した日から三十日以内に、申請に係る建築物の計画が前条の規定に適合するかどうかを審査し、審査の結果に基づいて当該規定に適合するものと認めたときは、当該申請者に認定証を交付しなければならない。

3　市町村長は、前項の規定により審査をした場合において、申請に係る建築物の計画が前条の規定に適合しないものと認めたとき、又は当該申請書の記載によっては当該規定に適合するかどうかを決定することができない正当な理由があるときは、その旨及びその理由を記載した通知書を同項の期間内に当該申請者に交付しなければならない。

4　第二項の認定証の交付を受けた後でなければ、同項の建築物の建築等の工事（根切り工事その他の政令で定める工事を除く。第百二条第三号において同じ。）は、することができない。

5　第一項の申請書、第二項の認定証及び第三項の通知書の様式は、国土交通省令で定める。

（違反建築物に対する措置）

第六四条　市町村長は、第六十二条の規定に違反した建築物があるときは、建築等工事主（建築物の建築等をする者をいう。以下同じ。）、当該建築物の建築等の工事の請負人（請負工事の下請人を含む。以下この章において同じ。）若しくは現場管理者又は当該建築物の所有者、管理者若しくは占有者に対し、当該建築物に係る工事の施工の停止を命じ、又は相当の期限を定めて当該建築物の改築、修繕、模様替、色彩の変更その他当該規定の違反を是正するために必要な措置をとることを命ずることができる。

2　市町村長は、前項の規定による処分をした場合においては、標識の設置その他国土交通省令で定める方法により、その旨を公示しなければならない。

3　前項の標識は、第一項の規定による処分に係る建築物又はその敷地内に設置することができる。この場合においては、同項の規定による処分に係る建築物又はその敷地の所有者、管理者又は占有者は、当該標識の設置を拒み、又は妨げてはならない。

4　第一項の規定により必要な措置を命じようとする場合において、過失がなくてその措置を命ぜられるべき者を確知することができず、かつ、その違反を放置することが著しく公益に反すると認められるときは、市町村長は、その者の負担において、その措置を自ら行い、又はその命じた者若しくは委任した者に行わせることができる。この場合においては、相当の期限を定めて、その措置を行うべき旨及びその期限までにその措置を行わないときは、市町村長又はその命じた者若しくは委任した者がその措置を行うべき旨をあらかじめ公告しなければならない。

5　前項の措置を行おうとする者は、その身分を示す証明書を携帯し、関係人の請求があった場合においては、これを提示しなければならない。

（違反建築物の設計者等に対する措置）

第六五条　市町村長は、前条第一項の規定による処分をした場合においては、国土交通省令で定めるところにより、当該処分に係る建築物の設計者、工事監理者（建築士法（昭和二十五年法律第二百二号）第二条第八項に規定する工事監理をする者をいう。以下同じ。）若しくは工事の請負人又は当該建築物について宅地建物取引業（宅地建物取引業法（昭和二十七年法律第百七十六号）第二条第二号に規定する宅地建物取引業をいう。以下同じ。）に係る取引をした宅地建物取引業者（同条第三号に規定する宅地建物取引業者をいう。以下同じ。）の氏名又は名称及び住所その他国土交通省令で定める事項を、建築士法、建設業法（昭和二十四年法律第百号）又は宅地建物取引業法の定めるところによりこれらの者を監督する国土交通大臣又は都道府県知事に通知しなければならない。

2　国土交通大臣又は都道府県知事は、前項の規定による通知を受けた場合においては、遅滞なく、当該通知に係る者について、建築士法、建設業法又は宅地建物取引業法による業務の停止の処分その他必要な措置を講ずるものとし、その結果を同項の規定による通知をした市町村長に通知しなければならない。

（国又は地方公共団体の建築物に対する認定等に関する手続の特例）

第六六条　国又は地方公共団体の建築物については、第六十三条から前条までの規定は適用せず、次項から第五項までに定めるところによる。

2　景観地区内の建築物の建築等をしようとする者が国の機関又は地方公共団体（以下この条において「国の機関等」という。）である場合においては、当該国の機関等は、当該工事に着手する前に、その計画を市町村長に通知しなければならない。

3　市町村長は、前項の通知を受けた場合においては、当該通知を受けた日から三十日以内に、当該通知に係る建築物の計画が第六十二条の規定に適合するかどうかを審査し、審査の結果に基づいて、当該規定に適合するものと認めたときにあっては当該通知をした国の機関等に対して認定証を交付し、当該規定に適合しないものと認めたとき、又は当該規定に適合するかどうかを決定することができない正当な理由があるときにあってはその旨及びその理由を記載した通知書を当該通知をした国の機関等に対して交付しなければならない。

4　第二項の通知に係る建築物の建築等の工事（根切り工事その他の政令で定める工事を除く。）は、前項の認定証の交付を受けた後でなければ、することができない。

5　市町村長は、国又は地方公共団体の建築物が第六十二条の規定に違反すると認める場合においては、直ちに、その旨を当該建築物を管理する国の機関等に通知し、第六十四条第一項に規定する必要な措置をとるべきことを要請しなければならない。

（条例との関係）

第六七条　第六十三条第二項及び前条第三項の規定は、市町村が、これらの規定による認定の審査の手続について、これらの規定に反しない限り、条例で必要な規定を定めることを妨げるものではない。

（工事現場における認定の表示等）

第六八条　景観地区内の建築物の建築等の工事の施工者は、当該工事現場の見やすい場所に、国土交通省令で定めるところにより、建築等工事主、設計者（その者の責任において、設計図書を作成した者をいう。以下同じ。）、工事施工者（建築物に関する工事の請負人又は請負契約によらないで自らその工事をする者をいう。以下同じ。）及び工事の現場管理者の氏名又は名称並びに当該工事に係る計画について第六十三条第二項又は第六十六条第三項の規定による認定があった旨の表示をしなければならない。

2　景観地区内の建築物の建築等の工事の施工者は、当該工事に係る第六十三条第二項又は第六十六条第三項の規定による認定を受けた計画の写しを当該工事現場に備えて置かなければならない。

（適用の除外）

第六九条　第六十二条から前条までの規定は、次に掲げる建築物については、適用しない。

一　第十九条第一項の規定により景観重要建造物として指定された建築物

二　文化財保護法の規定により国宝、重要文化財、特別史跡名勝天然記念物又は史跡名勝天然記念物として指定され、又は仮指定された建築物

三　文化財保護法第百四十三条第一項の伝統的建造物群保存地区内にある建築物

四　第二号に掲げる建築物であったものの原形を再現する建築物で、市町村長がその原形の再現がやむを得ないと認めたもの

五　前各号に掲げるもののほか、良好な景観の形成に支障を及ぼすおそれが少ない建築物として市町村の条例で定めるもの

2　景観地区に関する都市計画が定められ、又は変更された際現に存する建築物又は現に建築等の工事中の建築物が、第六十二条の規定に適合しない場合又は同条の規定に適合しない部分を有する場合においては、当該建築物又はその部分に対しては、同条から前条までの規定は、適用しない。

3　前項の規定は、次の各号のいずれかに該当する建築物又はその部分に対しては、適用しない。

一　景観地区に関する都市計画の変更前に第六十二条の規定に違反している建築物又はその部分

二　景観地区に関する都市計画が定められ、又は変更された後に増築、改築又は移転の工事に着手した建築物

三　景観地区に関する都市計画が定められ、又は変更された後に外観を変更することとなる修繕若しくは模様替又は色彩の変更の工事に着手した建築物の当該工事に係る部分

（形態意匠の制限に適合しない建築物に対する措置）

第七〇条　市町村長は、前条第二項の規定により第六十二条から第六十八条までの規定の適用を受けない建築物について、その形態意匠が景観地区における良好な景観の形成に著しく支障があると認める場合においては、当該市町村の議会の同意を得た場合に限り、当該建築物の所有者、管理者又は占有者に対して、相当の期限を定めて、当該建築物の改築、模様替、色彩の変更その他都市計画において定められた建築物の形態意匠の制限に適合するために必要な措置をとることを命ずることができる。この場合においては、市町村は、当該命令に基づく措置によって通常生ずべき損害を時価によって補償しなければならない。

2　前項の規定によって補償を受けることができる者は、その補償金額に不服がある場合においては、政令で定めるところにより、その決定の通知を受けた日から一月以内に土地収用法第九十四条第二項の規定による収用委員会の裁決を求めることができる。

（報告及び立入検査）

第七一条　市町村長は、この款の規定の施行に必要な限度において、政令で定めるところにより、建築物の所有者、管理者若しくは占有者、建築等工事主、設計者、工事監理者若しくは工事施工者に対し、建築物の建築等に関する工事の計画若しくは施工の状況に関し報告させ、又はその職員に、建築物の敷地若しくは工事現場に立ち入り、建築物、建築材料その他建築物に関する工事に関係がある物件を検査させることができる。

2　前項の規定により立入検査をする職員は、その身分を示す証明書を携帯し、関係者に提示しなければならない。

3　第一項の規定による立入検査の権限は、犯罪捜査のために認められたものと解釈してはならない。

第三款　工作物等の制限

（工作物の形態意匠等の制限）

第七二条　市町村は、景観地区内の工作物について、政令で定める基準に従い、条例で、その形態意匠の制限、その高さの最高限度若しくは最低限度又は壁面後退区域（当該景観地区に関する都市計画において壁面の位置の制限が定められた場合における当該制限として定められた限度の線と敷地

境界線との間の土地の区域をいう。第四項において同じ。）における工作物（土地に定着する工作物以外のものを含む。同項において同じ。）の設置の制限を定めることができる。この場合において、これらの制限に相当する事項が定められた景観計画に係る景観計画区域内においては、当該条例は、当該景観計画による良好な景観の形成に支障がないように定めるものとする。

２　前項前段の規定に基づく条例（以下「景観地区工作物制限条例」という。）で工作物の形態意匠の制限を定めたものには、第六十三条、第六十四条、第六十六条、第六十八条及び前条の規定の例により、当該条例の施行に必要な市町村長による計画の認定、違反工作物に対する違反是正のための措置その他の措置に関する規定を定めることができる。

３　前項の規定は、第六十三条第二項及び第六十六条第三項の規定の例により景観地区工作物制限条例に定めた市町村長の認定の審査の手続について、これらの規定に反しない限り、当該条例で必要な規定を定めることを妨げるものではない。

４　工作物の高さの最高限度若しくは最低限度又は壁面後退区域における工作物の設置の制限を定めた景観地区工作物制限条例には、第六十四条及び前条の規定の例により、当該条例の施行に必要な違反工作物に対する違反是正のための措置その他の措置に関する規定を定めることができる。

５　景観地区工作物制限条例には、市町村長は、当該条例の規定により第六十四条第一項の処分に相当する処分をしたときは、当該処分に係る工作物の工事の請負人の氏名又は名称及び住所その他国土交通省令で定める事項を、建設業法の定めるところにより当該請負人を監督する国土交通大臣又は都道府県知事に通知しなければならない旨を定めることができる。

６　国土交通大臣又は都道府県知事は、前項の規定に基づく景観地区工作物制限条例の規定により同項の通知を受けた場合においては、遅滞なく、当該通知に係る請負人について、建設業法による業務の停止の処分その他必要な措置を講ずるものとし、その結果を当該通知をした市町村長に通知しなければならない。

（開発行為等の制限）

第七十三条　市町村は、景観地区内において、都市計画法第四条第十二項に規定する開発行為（次節において「開発行為」という。）その他政令で定める行為について、政令で定める基準に従い、条例で、良好な景観を形成するため必要な規制をすることができる。

２　都市計画法第五十一条の規定は、前項の規定に基づく条例の規定による処分に対する不服について準用する。

第二節　準景観地区

（準景観地区の指定）

第七十四条　市町村は、都市計画区域及び準都市計画区域外の景観計画区域のうち、相当数の建築物の建築が行われ、現に良好な景観が形成されている一定の区域について、その景観の保全を図るため、準景観地区を指定することができる。

２　市町村は、準景観地区を指定しようとするときは、あらかじめ、国土交通省令で定めるところにより、その旨を公告し、当該準景観地区の区域の案を、当該準景観地区を指定しようとする理由を記載した書面を添えて、当該公告から二週間公衆の縦覧に供しなければならない。

３　前項の規定による公告があったときは、住民及び利害関係人は、同項の縦覧期間満了の日までに、縦覧に供された準景観地区の区域の案について、市町村に意見書を提出することができる。

４　市町村は、第一項の規定により準景観地区を指定しようとするときは、あらかじめ、前項の規定により提出された意見書の写しを添えて、都道府県知事に協議しなければならない。この場合において、町村にあっては、都道府県知事の同意を得なければならない。

５　準景観地区の指定は、国土交通省令で定めるところにより、公告することにより行う。

６　前各項の規定は、準景観地区の変更について準用する。

（準景観地区内における行為の規制）

第七十五条　市町村は、準景観地区内における建築物又は工作物について、景観地区内におけるこれらに対する規制に準じて政令で定める基準に従い、条例で、良好な景観を保全するため必要な規制（建築物については、建築基準法第六十八条の九第二項の規定に基づく条例により行われるものを除く。）をすることができる。

２　市町村は、準景観地区内において、開発行為その他政令で定める行為について、政令で定める基準に従い、条例で、良好な景観を保全するため必要な規制をすることができる。

３　都市計画法第五十一条の規定は、前項の規定に基づく条例の規定による処分に対する不服について準用する。

第三節　地区計画等の区域内における建築物等の形態意匠の制限

第七十六条　市町村は、地区計画等の区域（地区整備計画、特定建築物地区整備計画、防災街区整備地区整備計画、歴史的風致維持向上地区整備計画、沿道地区整備計画又は集落地区整備計画において、建築物又は工作物（以下この条において「建築物等」という。）の形態意匠の制限が定められている区域に限る。）内における建築物等の形態意匠について、政令で定める基準に従い、条例で、当該地区計画等において定められた建築物等の形態意匠の制限に適合するものとしなければならないこととすることができる。

２　前項の規定による制限は、建築物等の利用上の必要性、当該区域内における土地利用の状況等を考慮し、当該地区計画等の区域の特性にふさわしい良好な景観の形成を図るため、合理的に必要と認められる限度において行うものとする。

３　第一項の規定に基づく条例（以下「地区計画等形態意匠条例」という。）には、第六十三条、第六十四条、第六十六条、第六十八条及び第七十一条の規定の例により、当該条例の施行のため必要な市町村長による計画の認定、違反建築物又は違反工作物に対する違反是正のための措置その他の措置に関する規定を定めることができる。

４　前項の規定は、第六十三条第二項及び第六十六条第三項の規定の例により地区計画等形態意匠条例に定めた市町村長の認定の審査の手続について、これらの規定に反しない限り、当該条例で必要な規定を定めることを妨げるものではない。

５　地区計画等形態意匠条例には、市町村長は、当該条例の規定により第六十四条第一項の処分に相当する処分をしたときは、当該処分が建築物の建築等に係る場合にあっては当該処分に係る建築物の設計者、工事監理者若しくは工事の請負人又は当該建築物について宅地建物取引業に係る取引をした宅地建物取引業者の氏名又は名称及び住所その他国土交通省令で定める事項を建築士法、建設業法又は宅地建物取引業法の定めるところによりこれらの者を監督する国土交通大臣又は都道府県知事に、当該処分が工作物の建設等に係る場合にあっては当該処分に係る工作物の工事の請負人の氏名又は名称及び住所その他国土交通省令で定める事項を建設業法の定めるところにより当該請負人を監督する国土交通大臣又は都道府県知事に、それぞれ通知しなければならない旨を定めることができる。

６　国土交通大臣又は都道府県知事は、前項の規定に基づく地区計画等形態意匠条例の規定により同項の通知を受けた場合においては、遅滞なく、当該通知に係る者について、建築士法、建設業法又は宅地建物取引業法による業務の停止の処分その他必要な措置を講ずるものとし、その結果を当該通知をした市町村長に通知しなければならない。

第四節　雑則

（仮設建築物又は仮設工作物に対する制限の緩和）

第七十七条　非常災害があった場合において、その発生した区域又はこれに隣接する区域で市町村長が指定するものの内においては、災害により破損した建築物若しくは工作物の応急の修繕又は次の各号のいずれかに該当する応急仮設建築物の建築等若しくは応急仮設工作物の建設等若しくは設置でその災害が発生した日から一月以内にその工事に着手するものについては、この章の規定は、適用しない。

一　国、地方公共団体又は日本赤十字社が災害救助のために建築等又は建設等若しくは設置をするもの

二　被災者が自ら使用するために建築等をする建築物でその延べ面積が政令で定める規模以内のもの

２　災害があった場合において建築等又は建設等若しくは設置をする停車場、官公署その他これらに類する公益上必要な用途に供する応急仮設建築

物若しくは応急仮設工作物又は工事を施工するために現場に設ける事務所、下小屋、材料置場その他これらに類する仮設建築物若しくは仮設工作物については、この章の規定は、適用しない。

3 前二項の応急仮設建築物の建築等又は応急仮設工作物の建設等若しくは設置をした者は、その工事を完了した後三月を超えてこの章の規定の適用を受けないで当該建築物又は工作物を存続しようとする場合においては、その超えることとなる日前に、市町村長の許可を受けなければならない。ただし、当該許可の申請をした場合において、その超えることとなる日前に当該申請に対する処分がされないときは、当該処分がされるまでの間は、なおこの章の規定の適用を受けないで当該建築物又は工作物を存続することができる。

4 市町村長は、前項の許可の申請があった場合において、良好な景観の形成に著しい支障がないと認めるときは、二年以内の期間を限って、その許可をすることができる。

5 市町村長は、第三項の許可の申請があった場合において、良好な景観の形成のため必要があると認めるときは、許可に必要な条件を付することができる。

（国土交通大臣及び都道府県知事の勧告、助言又は援助）

第七八条 市町村長は、都道府県知事又は国土交通大臣に対し、この章の規定の適用に関し必要な助言又は援助を求めることができる。

2 国土交通大臣及び都道府県知事は、市町村長に対し、この章の規定の適用に関し必要な勧告、助言又は援助をすることができる。

（市町村長に対する指示等）

第七九条 国土交通大臣は、市町村長がこの章の規定若しくは当該規定に基づく命令の規定に違反し、又はこれらの規定に基づく処分を怠っている場合において、国の利害に重大な関係がある建築物に関し必要があると認めるときは、当該市町村長に対して、期限を定めて、必要な措置をとるべきことを指示することができる。

2 市町村長は、正当な理由がない限り、前項の規定により国土交通大臣が行った指示に従わなければならない。

3 国土交通大臣は、市町村長が正当な理由がなく、所定の期限までに、第一項の規定による指示に従わない場合においては、正当な理由がないことについて社会資本整備審議会の確認を得た上で、自ら当該指示に係る必要な措置をとることができる。

（書類の閲覧）

第八〇条 市町村長は、第六十三条第一項の認定その他この章の規定並びに当該規定に基づく命令及び条例の規定による処分に関する書類であって国土交通省令で定めるものについては、国土交通省令で定めるところにより、閲覧の請求があった場合には、これを閲覧させなければならない。

第四章　景観協定

（景観協定の締結等）

第八一条 景観計画区域内の一団の土地（公共施設の用に供する土地その他の政令で定める土地を除く。）の所有者及び借地権を有する者（土地区画整理法（昭和二十九年法律第百十九号）第九十八条第一項（大都市地域における住宅及び住宅地の供給の促進に関する特別措置法（昭和五十年法律第六十七号。以下「大都市住宅等供給法」という。）第八十三条において準用する場合を含む。以下この章において同じ。）の規定により仮換地として指定された土地にあっては、当該土地に対応する従前の土地の所有者及び借地権を有する者。以下この章において「土地所有者等」という。）は、その全員の合意により、当該土地の区域における良好な景観の形成に関する協定（以下「景観協定」という。）を締結することができる。ただし、当該土地（土地区画整理法第九十八条第一項の規定により仮換地として指定された土地にあっては、当該土地に対応する従前の土地）の区域内に借地権の目的となっている土地がある場合においては、当該借地権の目的となっている土地の所有者の合意を要しない。

2 景観協定においては、次に掲げる事項を定めるものとする。

一 景観協定の目的となる土地の区域（以下「景観協定区域」という。）

二 良好な景観の形成のための次に掲げる事項のうち、必要なもの

イ 建築物の形態意匠に関する基準

ロ 建築物の敷地、位置、規模、構造、用途又は建築設備に関する基準

ハ 工作物の位置、規模、構造、用途又は形態意匠に関する基準

ニ 樹林地、草地等の保全又は緑化に関する事項

ホ 屋外広告物の表示又は屋外広告物を掲出する物件の設置に関する基準

ヘ 農用地の保全又は利用に関する事項

ト その他良好な景観の形成に関する事項

三 景観協定の有効期間

四 景観協定に違反した場合の措置

3 景観協定においては、前項各号に掲げるもののほか、景観計画区域内の土地のうち、景観協定区域に隣接した土地であって、景観協定区域の一部とすることにより良好な景観の形成に資するものとして景観協定区域の土地となることを当該景観協定区域内の土地所有者等が希望するもの（以下「景観協定区域隣接地」という。）を定めることができる。

4 景観協定は、景観行政団体の長の認可を受けなければならない。

（認可の申請に係る景観協定の縦覧等）

第八二条 景観行政団体の長は、前条第四項の規定による景観協定の認可の申請があったときは、国土交通省令・農林水産省令で定めるところにより、その旨を公告し、当該景観協定を当該公告の日から二週間関係人の縦覧に供さなければならない。

2 前項の規定による公告があったときは、関係人は、同項の縦覧期間満了の日までに、当該景観協定について、景観行政団体の長に意見書を提出することができる。

（景観協定の認可）

第八三条 景観行政団体の長は、第八十一条第四項の規定による景観協定の認可の申請が、次の各号のいずれにも該当するときは、当該景観協定を認可しなければならない。

一 申請手続が法令に違反しないこと。

二 土地、建築物又は工作物の利用を不当に制限するものでないこと。

三 第八十一条第二項各号に掲げる事項（当該景観協定において景観協定区域隣接地を定める場合にあっては、当該景観協定区域隣接地に関する事項を含む。）について国土交通省令・農林水産省令で定める基準に適合するものであること。

2 建築主事又は建築副主事を置かない市町村である景観行政団体の長は、第八十一条第二項第二号ロに掲げる事項を定めた景観協定について前項の認可をしようとするときは、前条第二項の規定により提出された意見書の写しを添えて、都道府県知事に協議しなければならない。

3 景観行政団体の長は、第一項の認可をしたときは、国土交通省令・農林水産省令で定めるところにより、その旨を公告し、かつ、当該景観協定の写しを当該景観行政団体の事務所に備えて公衆の縦覧に供するとともに、景観協定区域である旨を当該区域内に明示しなければならない。

（景観協定の変更）

第八四条 景観協定区域内における土地所有者等（当該景観協定の効力が及ばない者を除く。）は、景観協定において定めた事項を変更しようとする場合においては、その全員の合意をもってその旨を定め、景観行政団体の長の認可を受けなければならない。

2 前二条の規定は、前項の変更の認可について準用する。

（景観協定区域からの除外）

第八五条 景観協定区域内の土地（土地区画整理法第九十八条第一項の規定により仮換地として指定された土地にあっては、当該土地に対応する従前の土地）で当該景観協定の効力が及ばない者の所有するものの全部又は一部について借地権が消滅した場合においては、当該借地権の目的となっていた土地（同項の規定により仮換地として指定された土地に対応する従前の土地にあっては、当該土地についての仮換地として指定された土地）は、当該景観協定区域から除外されるものとする。

2 景観協定区域内の土地で土地区画整理法第九十八条第一項の規定により仮換地として指定されたものが、同法第八十六条第一項の換地計画又は大都市住宅等供給法第七十二条第一項の換地計画において当該土地に対応する従前の土地についての換地として定められず、かつ、土地区画整理法第九十一条第三項（大都市住宅等供給法第八十二条において準用する場合を含む。）の規定により当該土地に対応する従前の土地の所有者に対してその共有持分を与えるように定められた土地としても定められなかったときは、当該土地は、土地区画整理法第百三条第四項（大都市住宅等供給法第八十三条において準用する場合を含む。）の公告があった日が終了した時において当該景観協定区域から除外されるものとする。

3　前二項の規定により景観協定区域内の土地が当該景観協定区域から除外された場合においては、当該借地権を有していた者又は当該仮換地として指定されていた土地に対応する従前の土地に係る土地所有者等（当該景観協定の効力が及ばない者を除く。）は、遅滞なく、その旨を景観行政団体の長に届け出なければならない。

4　第八十三条第三項の規定は、前項の規定による届出があった場合その他景観行政団体の長が第一項又は第二項の規定により景観協定区域内の土地が当該景観協定区域から除外されたことを知った場合について準用する。

（景観協定の効力）

第八十六条　第八十三条第三項（第八十四条第二項において準用する場合を含む。）の規定による認可の公告のあった景観協定は、その公告のあった後において当該景観協定区域内の土地所有者等となった者（当該景観協定について第八十一条第一項又は第八十四条第一項の規定による合意をしなかった者の有する土地の所有権を承継した者を除く。）に対しても、その効力があるものとする。

（景観協定の認可の公告のあった後景観協定に加わる手続等）

第八十七条　景観協定区域内の土地の所有者（土地区画整理法第九十八条第一項の規定により仮換地として指定された土地にあっては、当該土地に対応する従前の土地の所有者）で当該景観協定の効力が及ばないものは、第八十三条第三項（第八十四条第二項において準用する場合を含む。）の規定による認可の公告があった後いつでも、景観行政団体の長に対して書面でその意思を表示することによって、当該景観協定に加わることができる。

2　景観協定区域隣接地の区域内の土地に係る土地所有者等は、第八十三条第三項（第八十四条第二項において準用する場合を含む。）の規定による認可の公告があった後いつでも、当該土地に係る土地所有者等の全員の合意により、景観行政団体の長に対して書面でその意思を表示することによって、景観協定に加わることができる。ただし、当該土地（土地区画整理法第九十八条第一項の規定により仮換地として指定された土地にあっては、当該土地に対応する従前の土地）の区域内に借地権の目的となっている土地がある場合においては、当該借地権の目的となっている土地の所有者の合意を要しない。

3　景観協定区域隣接地の区域内の土地に係る土地所有者等で前項の意思を表示したものに係る土地の区域は、その意思の表示のあった時以後、景観協定区域の一部となるものとする。

4　第八十三条第三項の規定は、第一項又は第二項の規定による意思の表示があった場合について準用する。

5　景観協定は、第一項又は第二項の規定により当該景観協定に加わった者がその時において所有し、又は借地権を有していた当該景観協定区域内の土地（土地区画整理法第九十八条第一項の規定により仮換地として指定された土地にあっては、当該土地に対応する従前の土地）について、前項において準用する第八十三条第三項の規定による公告のあった後において土地所有者等となった者（当該景観協定について第二項の規定による合意をしなかった者の有する土地の所有権を承継した者及び前条の規定の適用がある者を除く。）に対しても、その効力があるものとする。

（景観協定の廃止）

第八十八条　景観協定区域内の土地所有者等（当該景観協定の効力が及ばない者を除く。）は、第八十一条第四項又は第八十四条第一項の認可を受けた景観協定を廃止しようとする場合においては、その過半数の合意をもってその旨を定め、景観行政団体の長の認可を受けなければならない。

2　景観行政団体の長は、前項の認可をしたときは、その旨を公告しなければならない。

（土地の共有者等の取扱い）

第八十九条　土地又は借地権が数人の共有に属するときは、第八十一条第一項、第八十四条第一項、第八十七条第一項及び第二項並びに前条第一項の規定の適用については、合わせて一の所有者又は借地権を有する者とみなす。

（一の所有者による景観協定の設定）

第九十条　景観計画区域内の一団の土地（第八十一条第一項の政令で定める土地を除く。）で、一の所有者以外に土地所有者等が存しないものの所有者は、良好な景観の形成のため必要があると認めるときは、景観行政団体の長の認可を受けて、当該土地の区域を景観協定区域とする景観協定を定めることができる。

2　景観行政団体の長は、前項の規定による景観協定の認可の申請が第八十三条第一項各号のいずれにも該当し、かつ、当該景観協定が良好な景観の形成のため必要であると認める場合に限り、当該景観協定を認可するものとする。

3　第八十三条第二項及び第三項の規定は、前項の規定による認可について準用する。

4　第二項の規定による認可を受けた景観協定は、認可の日から起算して三年以内において当該景観協定区域内の土地に二以上の土地所有者等が存することとなった時から、第八十三条第三項の規定による認可の公告のあった景観協定と同一の効力を有する景観協定となる。

（借主等の地位）

第九十一条　景観協定に定める事項が建築物又は工作物の借主の権限に係る場合においては、その景観協定については、当該建築物又は工作物の借主を土地所有者等とみなして、この章の規定を適用する。

2　景観協定に農用地の保全又は利用に関する事項を定める場合においては、その景観協定については、当該農用地につき地上権、永小作権、質権、賃借権、使用貸借による権利その他の使用及び収益を目的とする権利を有する者を土地所有者等とみなして、この章の規定を適用する。

第五章　景観整備機構

（指定）

第九十二条　景観行政団体の長は、一般社団法人若しくは一般財団法人又は特定非営利活動促進法第二条第二項の特定非営利活動法人であって、次条に規定する業務を適正かつ確実に行うことができると認められるものを、その申請により、景観整備機構（以下「機構」という。）として指定することができる。

2　景観行政団体の長は、前項の規定による指定をしたときは、当該機構の名称、住所及び事務所の所在地を公示しなければならない。

3　機構は、その名称、住所又は事務所の所在地を変更しようとするときは、あらかじめ、その旨を景観行政団体の長に届け出なければならない。

4　景観行政団体の長は、前項の規定による届出があったときは、当該届出に係る事項を公示しなければならない。

（機構の業務）

第九十三条　機構は、次に掲げる業務を行うものとする。

一　良好な景観の形成に関する事業を行う者に対し、当該事業に関する知識を有する者の派遣、情報の提供、相談その他の援助を行うこと。

二　管理協定に基づき景観重要建造物又は景観重要樹木の管理を行うこと。

三　景観重要建造物と一体となって良好な景観を形成する広場その他の公共施設に関する事業若しくは景観計画に定められた景観重要公共施設に関する事業を行うこと又はこれらの事業に参加すること。

四　前号の事業に有効に利用できる土地で政令で定めるものの取得、管理及び譲渡を行うこと。

五　第五十五条第二項第一号の区域内にある土地を景観農業振興地域整備計画に従って利用するため、委託に基づき農作業を行い、並びに当該土地についての権利を取得し、及びその土地の管理を行うこと。

六　良好な景観の形成に関する調査研究を行うこと。

七　前各号に掲げるもののほか、良好な景観の形成を促進するために必要な業務を行うこと。

（機構の業務に係る公有地の拡大の推進に関する法律の特例）

第九十四条　公有地の拡大の推進に関する法律（昭和四十七年法律第六十六号）第四条第一項の規定は、機構に対し、前条第四号に掲げる業務の用に供させるために同項に規定する土地を有償で譲り渡そうとする者については、適用しない。

（監督等）

第九十五条　景観行政団体の長は、第九十三条各号に掲げる業務の適正かつ確実な実施を確保するため必要があると認めるときは、機構に対し、その業務に関し報告をさせることができる。

2　景観行政団体の長は、機構が第九十三条各号に掲げる業務を適正かつ確実に実施していないと認めるときは、機構に対し、その業務の運営の改善に関し必要な措置を講ずべきことを命ずることができる。

3　景観行政団体の長は、機構が前項の規定による命令に違反したときは、第九十二条第一項の規定による指定を取り消すことができる。

4　景観行政団体の長は、前項の規定により指定を取り消したときは、その旨を公示しなければならない。

（情報の提供等）
第九六条　国及び関係地方公共団体は、機構に対し、その業務の実施に関し必要な情報の提供又は指導若しくは助言をするものとする。

第六章　雑則

（権限の委任）
第九七条　この法律に規定する国土交通大臣の権限は、国土交通省令で定めるところにより、その一部を地方整備局長又は北海道開発局長に委任することができる。

（市町村による景観行政事務の処理）
第九八条　指定都市又は中核市以外の市町村は、当該市町村の区域内において、都道府県に代わって景観行政事務を処理することができる。
２　前項の規定により景観行政事務を処理しようとする市町村の長は、あらかじめ、これを処理することについて、都道府県知事と協議しなければならない。
３　その長が前項の規定による協議をした市町村は、景観行政事務の処理を開始する日の三十日前までに、国土交通省令・農林水産省令・環境省令で定めるところにより、その旨を公示しなければならない。

（政令への委任）
第九九条　この法律に定めるもののほか、この法律の実施のため必要な事項は、政令で定める。

（経過措置）
第一〇〇条　この法律の規定に基づき命令を制定し、又は改廃する場合においては、その命令で、その制定又は改廃に伴い合理的に必要と判断される範囲内において、所要の経過措置（罰則に関する経過措置を含む。）を定めることができる。

第七章　罰則

第一〇一条　第十七条第五項の規定による景観行政団体の長の命令又は第六十四条第一項の規定による市町村長の命令に違反した者は、一年以下の懲役又は五十万円以下の罰金に処する。

第一〇二条　次の各号のいずれかに該当する者は、五十万円以下の罰金に処する。
一　第十七条第一項の規定による景観行政団体の長の命令又は第七十条第一項の規定による市町村長の命令に違反した者
二　第六十三条第一項の規定に違反して、申請書を提出せず、又は虚偽の申請書を提出した者
三　第六十三条第四項の規定に違反して、建築物の建築等の工事をした者
四　第七十七条第三項の規定に違反して、応急仮設建築物又は応急仮設工作物を存続させた者

第一〇三条　次の各号のいずれかに該当する者は、三十万円以下の罰金に処する。
一　第十六条第一項又は第二項の規定に違反して、届出をせず、又は虚偽の届出をした者
二　第十七条第七項又は第七十一条第一項の規定による報告をせず、又は虚偽の報告をした者
三　第十七条第七項の規定による立入検査若しくは立入調査又は第七十一条第一項の規定による立入検査を拒み、妨げ、又は忌避した者
四　第十八条第一項の規定に違反して、届出に係る行為に着手した者
五　第二十二条第一項又は第三十一条第一項の規定に違反して、行為をした者
六　第二十二条第三項（第三十一条第二項において準用する場合を含む。）の規定により許可に付された条件に違反した者
七　第二十三条第一項（第三十二条第一項において準用する場合を含む。）の規定による景観行政団体の長の命令に違反した者
八　第六十八条の規定に違反して、認定があった旨の表示をせず、又は認定を受けた計画の写しを備えて置かなかった者

第一〇四条　法人の代表者又は法人若しくは人の代理人、使用人その他の従業者が、その法人又は人の業務に関し、前三条の違反行為をしたときは、行為者を罰するほか、その法人又は人に対して各本条の罰金刑を科する。

第一〇五条　第二十六条又は第三十四条の規定による景観行政団体の長の命令に違反した者は、三十万円以下の過料に処する。

第一〇六条　第四十五条の規定による報告をせず、又は虚偽の報告をした者は、二十万円以下の過料に処する。

第一〇七条　第四十三条の規定に違反して、届出をせず、又は虚偽の届出をした者は、五万円以下の過料に処する。

第一〇八条　第七十二条第一項、第七十三条第一項、第七十五条第一項若しくは第二項又は第七十六条第一項の規定に基づく条例には、これに違反した者に対し、五十万円以下の罰金に処する旨の規定を設けることができる。

附　則

この法律は、公布の日から起算して六月を超えない範囲内において政令で定める日から施行する。ただし、第三章の規定は、公布の日から起算して一年を超えない範囲内において政令で定める日から施行する。
〔平成一六政三九七により、平成一六・一二・一七から施行。ただし書の規定は、平成一七政一八一により、平成一七・六・一から施行〕

附　則〔略〕〔平成一六・五・二八法律六一〕

附　則〔抄〕〔平成一七・六・一〇法律五三〕

（施行期日）
第一条　この法律は、公布の日から起算して三月を超えない範囲内において政令で定める日から施行する。
〔平成一七政二六一により、平成一七・九・一から施行〕

（景観法の一部改正に伴う経過措置）
第一六条　この法律の施行前に前条の規定による改正前の景観法第五十五条第四項において準用する旧農振法第十一条第一項（旧農振法第十三条第四項において準用する場合を含む。）の規定による公告がされた景観農業振興地域整備計画の策定又は変更については、なお従前の例による。

附　則〔抄〕〔平成一七・七・二九法律八九〕

（施行期日等）
第一条　この法律は、公布の日から起算して六月を超えない範囲内において政令で定める日（以下「施行日」という。）から施行する。ただし、次項及び附則第二十七条の規定は、公布の日から施行する。
〔平成一七政三七四により、平成一七・一二・二一から施行〕
２・３〔略〕

（政令への委任）
第二七条　この附則に規定するもののほか、この法律の施行に関して必要な経過措置は、政令で定める。

附　則〔略〕〔平成一七・一〇・二一法律一〇二〕

附　則〔略〕〔平成一八・六・二法律五〇〕

附　則〔略〕〔平成一八・一二・二〇法律一一四〕

附　則〔略〕〔平成二〇・五・二三法律四〇〕

附　則〔略〕〔平成二一・六・三法律四七〕

附　則〔抄〕〔平成二一・六・二四法律五七〕

（施行期日）
第一条　この法律は、公布の日から起算して六月を超えない範囲内において政令で定める日から施行する。ただし、次の各号に掲げる規定は、当該各号に定める日から施行する。
一　附則第四十三条の規定　公布の日
〔平成二一政二八四により、平成二一・一二・一五から施行〕
二　〔略〕

（政令への委任）
第四三条　この附則に定めるもののほか、この法律の施行に関し必要な経過措置は、政令で定める。

附　則〔略〕〔平成二三・五・二法律三七〕

附　則〔抄〕〔平成二三・八・三〇法律一〇五〕

（施行期日）
第一条　この法律は、公布の日から施行する。ただし、次の各号に掲げる規定は、当該各号に定める日から施行する。
一　〔略〕
二　〔前略〕第百五十八条（景観法第五十七条の改正規定に限る。）〔中略〕の規定　平成二十四年四月一日
三～六　〔略〕

（景観法の一部改正に伴う経過措置）

第七〇条　この法律の施行前に第百五十八条の規定による改正前の景観法第七条第七項の規定によりされた公示で、この法律の施行の際現に効力を有するものは、第百五十八条の規定による改正後の景観法第九十八条第三項の規定によりされた公示とみなす。

（罰則に関する経過措置）

第八一条　この法律（附則第一条各号に掲げる規定にあっては、当該規定。以下この条において同じ。）の施行前にした行為及びこの附則の規定によりなお従前の例によることとされる場合におけるこの法律の施行後にした行為に対する罰則の適用については、なお従前の例による。

（政令への委任）

第八二条　この附則に規定するもののほか、この法律の施行に関し必要な経過措置（罰則に関する経過措置を含む。）は、政令で定める。

附　則〔略〕〔平成二三・一二・一四法律一二四〕

附　則〔略〕〔平成二六・六・二七法律九二〕

附　則〔略〕〔平成二七・六・二六法律五〇〕

附　則〔抄〕〔平成二九・五・一二法律二六〕

（施行期日）

第一条　この法律は、公布の日から起算して二月を超えない範囲内において政令で定める日から施行する。ただし、次の各号に掲げる規定は、当該各号に定める日から施行する。

〔平成二九政一五五により、平成二九・六・一五から施行〕

一　附則第二十五条の規定　公布の日

二　〔略〕

（政令への委任）

第二五条　この附則に定めるもののほか、この法律の施行に関し必要な経過措置は、政令で定める。

附　則〔略〕〔平成三〇・五・一八法律二三〕

附　則〔略〕〔令和五・五・二六法律三四〕

附　則〔略〕〔令和五・六・一六法律五八〕

附　則〔抄〕〔令和六・五・二九法律四〇〕

（施行期日）

第一条　この法律は、公布の日から起算して六月を超えない範囲内において政令で定める日から施行する。〔以下略〕

○景観法施行令〔平成一六・一二・一五 政令三九八〕

改正　平成一六・一二政四二二、平成一七・五政一八二、六政二〇三、七政二六二、平成二〇・一〇政三三八、一二政三六四、平成二二・二政一三、平成二三・八政二八二、一一政三六三、一二政四二四、政四二七、平成二七・七政二七三、一一政三九二、令和五・一〇政三〇四

（公共施設）

第一条　景観法（以下「法」という。）第七条第四項の政令で定める公共の用に供する施設は、下水道、緑地、運河及び水路並びに防水又は防砂の施設とする。

（特定公共施設）

第二条　法第八条第二項第四号ロの政令で定める公共施設は、次に掲げるものとする。

一　土地改良法（昭和二十四年法律第百九十五号）による土地改良事業に係る土地改良施設

二　下水道法（昭和三十三年法律第七十九号）による下水道

三　森林法（昭和二十六年法律第二百四十九号）による保安施設事業に係る施設

四　都市緑地法（昭和四十八年法律第七十二号）による市民緑地契約に係る市民緑地

五　特定都市河川浸水被害対策法（平成十五年法律第七十七号）による雨水貯留浸透施設（国若しくは地方公共団体又は同法第二条第四項に規定する河川管理者が設置し、又は管理するものに限る。）

六　砂防法（明治三十年法律第二十九号）による砂防設備

七　地すべり等防止法（昭和三十三年法律第三十号）による地すべり防止施設及びぼた山崩壊防止施設（国又は地方公共団体が設置し、又は管理するものに限る。）

八　急傾斜地の崩壊による災害の防止に関する法律（昭和四十四年法律第五十七号）による急傾斜地崩壊防止施設（地方公共団体が設置するものに限る。）

九　皇居外苑、京都御苑及び新宿御苑

（自然公園法の規定による許可の基準で景観計画に定めるもの）

第三条　法第八条第二項第四号ホの政令で定める行為は、自然公園法（昭和三十二年法律第百六十一号）第二十条第三項第一号、第七号及び第十五号（同法第二十二条第三項の許可については、同法第二十条第三項第一号及び第七号）に掲げる行為とする。

（景観計画において条例で届出を要する行為を定めるものとする場合の基準）

第四条　法第八条第四項第一号の届出を要する行為に係る同項の政令で定める基準は、次の各号のいずれかに該当する行為であって、当該景観計画区域における良好な景観の形成のため制限する必要があると認められるものを定めることとする。

一　土地の開墾、土石の採取、鉱物の掘採その他の土地の形質の変更

二　木竹の植栽又は伐採

三　さんごの採取

四　屋外における土石、廃棄物（廃棄物の処理及び清掃に関する法律（昭和四十五年法律第百三十七号）第二条第一項に規定する廃棄物をいう。以下同じ。）、再生資源（資源の有効な利用の促進に関する法律（平成三年法律第四十八号）第二条第四項に規定する再生資源をいう。以下同じ。）その他の物件の堆積

五　水面の埋立て又は干拓

六　夜間において公衆の観覧に供するため、一定の期間継続して建築物その他の工作物又は物件（屋外にあるものに限る。）の外観について行う照明（以下「特定照明」という。）

七　火入れ

（景観計画において建築物の形態意匠等の制限を定める場合の基準）

第五条　法第八条第四項第二号の制限に係る同項の政令で定める基準は、次のとおりとする。

一　建築物の建築等（法第十六条第一項第一号に規定する建築等をいう。以下同じ。）又は工作物（建築物を除く。以下同じ。）の建設等（同項第二号に規定する建設等をいう。以下同じ。）の制限は、次に掲げるものによること。

イ　建築物又は工作物の形態意匠の制限は、建築物又は工作物が一体として地域の個性及び特色の伸長に資するものとなるように定めること。この場合において、当該制限は、建築物又は工作物の利用を不当に制限するものではないように定めること。

ロ　建築物若しくは工作物の高さの最高限度若しくは最低限度又は壁面の位置の制限若しくは建築物の敷地面積の最低限度は、建築物又は工作物の高さ、位置及び規模が一体として地域の特性にふさわしいものとなるように定めること。

二　都市計画法（昭和四十三年法律第百号）第四条第十二項に規定する開発行為（以下単に「開発行為」という。）の制限は、開発行為後の地貌が地域の景観と著しく不調和とならないように、切土若しくは盛土によって生じる法の高さの最高限度、開発区域内において予定される建築物の敷地面積の最低限度又は木竹の保全若しくは適切な植栽が行われる土地の面積の最低限度について定めること。

三　法第十六条第一項第四号に掲げる行為の制限は、当該行為後の状況が地域の景観と著しく不調和とならないように、制限する行為ごとに必要な行為の方法又は態様について定めること。

（景観計画が適合すべき公共施設の整備又は管理に関する方針又は計画）

第六条　法第八条第九項の政令で定める公共施設の整備又は管理に関する方針又は計画は、次に掲げるものとする。

一　道路整備特別措置法（昭和三十一年法律第七号）第三条第一項の許可に係る新設若しくは改築に係る工事の内容、同法第十条第一項の許可若しくは同法第十八条第二項の規定による届出に係る工事の区間及び工事方法又は同法第十二条第一項の許可に係る工事実施計画

二　共同溝の整備等に関する特別措置法（昭和三十八年法律第八十一号）第六条第一項の共同溝整備計画

三　交通安全施設等整備事業の推進に関する法律（昭和四十一年法律第四十五号）第五条第一項の特定交通安全施設等整備事業の実施計画

四　電線共同溝の整備等に関する特別措置法（平成七年法律第三十九号）第五条第二項の電線共同溝整備計画

五　河川法（昭和三十九年法律第百六十七号）第十六条の二第一項の河川整備計画

六　津波防災地域づくりに関する法律（平成二十三年法律第百二十三号）第十条第一項の推進計画

七　海岸法（昭和三十一年法律第百一号）第二条の三第一項の海岸保全基本計画又は同法第十三条第二項の協議に係る海岸保全施設に関する工事の設計及び実施計画

八　港湾法（昭和二十五年法律第二百十八号）第三条の三第一項の港湾計画

九　国際航海船舶及び国際港湾施設の保安の確保等に関する法律（平成十六年法律第三十一号）第三十二条第一項の埠頭保安規程又は同法第三十三条第一項の埠頭保安規程に相当する規程

十　漁港及び漁場の整備等に関する法律（昭和二十五年法律第百三十七号）第十七条第一項、第十九条第一項若しくは第十九条の三第一項の特定漁港漁場整備事業計画又は同法第二十六条の漁港管理規程

十一　自然公園法第七条第一項又は第二項の公園計画

十二　土地改良法第七条第一項若しくは第九十五条第一項の認可に係る土地改良事業計画又は同法第八十七条第一項、第八十七条の二第一項若しくは第九十六条の二第一項の土地改良事業計画

十三　下水道法第四条第一項又は第二十五条の十一第一項の事業計画

十四　森林法第五条第一項の地域森林計画又は同法第七条の二第一項の森林計画

十五　都市緑地法第四条第一項の緑地の保全及び緑化の推進に関する基本計画

十六　特定都市河川浸水被害対策法第四条第一項の流域水害対策計画

十七　地すべり等防止法第九条の地すべり防止区域に関する基本計画又は同法第十一条第二項の協議に係る地すべり防止工事に関する設計及び実施計画

（景観計画の提案に係る一団の土地の区域の規模）

第七条　法第十一条第一項の政令で定める規模は、〇・五ヘクタールとする。ただし、法第八条第一項に規定する土地の区域において一体として行われる良好な景観の形成の促進のための住民の活動及び法第十一条第二項に規定する特定非営利活動法人その他良好な景観の形成の促進のための活動を行う者の活動の現況及び将来の見通しを勘案して、特に必要があると認められるときは、景観行政団体は、条例で、区域を限り、〇・一ヘクタール以上〇・五ヘクタール未満の範囲内で、その規模を別に定めることができる。

（届出を要しない景観計画区域内における通常の管理行為、軽易な行為その他の行為）

第八条　法第十六条第七項第一号の政令で定める行為は、次に掲げる行為とする。

一　地下に設ける建築物の建築等又は工作物の建設等

二　仮設の工作物の建設等

三　次に掲げる木竹の伐採

イ　除伐、間伐、整枝その他木竹の保育のために通常行われる木竹の伐採

ロ　枯損した木竹又は危険な木竹の伐採

ハ　自家の生活の用に充てるために必要な木竹の伐採

ニ　仮植した木竹の伐採

ホ　測量、実地調査又は施設の保守の支障となる木竹の伐採

四　前三号に掲げるもののほか、次に掲げる行為

イ　法令又はこれに基づく処分による義務の履行として行う行為

ロ　建築物の存する敷地内で行う行為であり、かつ、次のいずれにも該当しないもの

(1)　建築物の建築等

(2)　工作物（当該敷地に存する建築物に附属する物干場その他の国土交通省令で定める工作物を除く。）の建設等

(3)　木竹の伐採

(4)　屋外における土石、廃棄物、再生資源その他の物件の堆積（国土交通省令で定める高さのものを除く。）

(5)　特定照明

ハ　農業、林業又は漁業を営むために行う行為であり、かつ、次のいずれにも該当しないもの

(1)　建築物の建築等

(2)　高さが一・五メートルを超える貯水槽、飼料貯蔵タンクその他これらに類する工作物の建設等

(3)　用排水施設（幅員が二メートル以下の用排水路を除く。）又は幅員が二メートルを超える農道若しくは林道の設置

(4)　土地の開墾

(5)　森林の皆伐

(6)　水面の埋立て又は干拓

（届出を要しない地区計画等の区域内で行う行為）

第九条　法第十六条第七項第十号の政令で定める行為は、法第八条第四項第二号の制限で景観計画に定められたものの全てが法第十六条第七項第十号の地区整備計画、特定建築物地区整備計画、防災街区整備地区整備計画、歴史的風致維持向上地区整備計画、沿道地区整備計画又は集落地区整備計画において定められている場合における同号の地区計画等の区域内で行う土地の区画形質の変更、建築物の新築、改築若しくは増築、工作物の新設、改築若しくは増築又は建築物若しくは工作物の形態意匠の変更とする。

（届出を要しないその他の行為）

第一〇条　法第十六条第七項第十一号の政令で定める行為は、次に掲げる行為とする。

一　景観計画に定められた開発行為又は第二十一条各号に掲げる行為の制限のすべてについて法第七十三条第一項又は第七十五条第二項の規定に基づく条例で第二十二条第三号イ又はロ（第二十四条において準用する場合を含む。）の制限が定められている場合におけるこれらの条例の規定による許可又は協議に係る行為

二　景観計画に定められた建築物の建築等又は工作物の建設等の制限のすべてについて法第七十五条第一項の規定に基づく条例で第二十三条第一項第一号の制限が定められている場合における当該準景観地区内で行う建築物の建築等又は工作物の建設等

三　文化財保護法（昭和二十五年法律第二百十四号）第四十三条第一項若しくは第百二十五条第一項の許可若しくは同法第八十一条第一項の届出に係る行為、同法第百六十七条第一項の通知に係る同項第六号の行為若しくは同法第百六十八条第一項の同意に係る同項第一号の行為又は文化財保護法施行令（昭和五十年政令第二百六十七号）第四条第二項の許可若しくは同条第五項の協議に係る行為

四　屋外広告物法（昭和二十四年法律第百八十九号）第四条又は第五条の規定に基づく条例の規定に適合する屋外広告物の表示又は屋外広告物を掲出する物件の設置

（変更命令等においてその履行に支障のないものとしなければならない形態意匠に係る義務を定めている他の法令の規定）

第一一条　法第十七条第三項の政令で定める他の法令の規定は、次に掲げる法律の規定及びこれらの規定に基づく命令の規定で建築物若しくは工作物又はこれらの部分の形態意匠に係るものとする。

一　軌道法（大正十年法律第七十六号）第十四条

二　消防法（昭和二十三年法律第百八十六号）第十条第四項及び第十七条第一項

三　火薬類取締法（昭和二十五年法律第百四十九号）第十一条第二項及び第十二条第三項

四　道路運送法（昭和二十六年法律第百八十三号）第六十八条第五項（同法第七十五条第三項において準用する場合を含む。）

五　高圧ガス保安法（昭和二十六年法律第二百四号）第四十六条第一項

六　航空法（昭和二十七年法律第二百三十一号）第三十九条第一項第一号、第五十一条第一項、第二項（同法第五十五条の二第三項において準用する場合を含む。）及び第三項並びに第五十一条の二第一項及び第二項

七　有線電気通信法（昭和二十八年法律第九十六号）第五条（同法第十一条において準用する場合を含む。）

八　液化石油ガスの保安の確保及び取引の適正化に関する法律（昭和四十二年法律第百四十九号）第七条第一項、第十六条の二第一項及び第三十七条

（行為着手の制限の例外となる工事）

第一二条　法第十八条第一項、第六十三条第四項及び第六十六条第四項の政令で定める工事は、根切り工事、山留め工事、ウェル工事、ケーソン工事その他基礎工事とする。

（許可を要しない景観重要建造物に係る通常の管理行為、軽易な行為その他の行為）

第一三条　法第二十二条第一項ただし書の政令で定める行為は、次に掲げる行為とする。

一　地下に設ける建造物の増築、改築、移転又は除却

二　法第二十五条第二項の条例で定める管理の方法の基準に適合する行為

三　管理協定に基づく行為

四　前三号に掲げるもののほか、法令又はこれに基づく処分による義務の履行として行う行為

（景観重要建造物等の所有者に対する損失の補償に係る収用委員会の裁決の申請手続）

第一四条　法第二十四条第三項（法第三十二条第二項において準用する場合を含む。）の規定により土地収用法（昭和二十六年法律第二百十九号）第九十四条第二項の規定による裁決を申請しようとする者は、国土交通省令（都市計画区域外の景観重要樹木の所有者の損失については、国土交通省令・農林水産省令）で定める様式に従い、同条第三項各号（第三号を除く。）に掲げる事項を記載した裁決申請書を収用委員会に提出しなければならない。

（許可を要しない景観重要樹木に係る通常の管理行為、軽易な行為その他の行為）

第一五条　法第三十一条第一項ただし書の政令で定める行為は、次に掲げる行為とする。

一　次に掲げる樹木の伐採

イ　枝打ち、整枝その他樹木の保育のために通常行われる樹木の伐採

ロ　危険な樹木の伐採

二　法第三十三条第二項の条例で定める管理の方法の基準に適合する行為

三　管理協定に基づく行為

四　前三号に掲げるもののほか、法令又はこれに基づく処分による義務の履行として行う行為

（景観農業振興地域整備計画の案に係る異議の申出及び審査の申立て）

第一五条の二　法第五十五条第四項において準用する農業振興地域の整備に関する法律第十一条第三項（法第五十五条第四項において準用する農業振興地域の整備に関する法律第十三条第四項において準用する場合を含む。）の規定による異議の申出及び法第五十五条第四項において準用する農業振興地域の整備に関する法律第十一条第五項（法第五十五条第四項において準用する農業振興地域の整備に関する法律第十三条第四項において準用する場合を含む。）の規定による審査の申立てについては、農業振興地域の整備に関する法律施行令（昭和四十四年政令第二百五十四号）第八条の二の規定を準用する。

（協議等を要しない景観農業振興地域整備計画の軽微な変更）

第一六条　景観農業振興地域整備計画の変更のうち法第五十五条第四項において準用する農業振興地域の整備に関する法律第十三条第四項の政令で定める軽微な変更は、地域の名称の変更又は地番の変更に伴う変更とする。

（景観地区に関する都市計画に定められた制限に適合することを要しない形態意匠に係る義務を定めている他の法令の規定）

第一七条　法第六十二条ただし書の政令で定める他の法令の規定は、第十一条第二号、第六号及び第七号に掲げる法律の規定並びにこれらの規定に基づく命令の規定で建築物又はその部分の形態意匠に係るものとする。

（形態意匠の制限に適合しない建築物に対する措置による損害の補償に係る収用委員会の裁決の申請手続）

第一八条　法第七十条第二項の規定により土地収用法第九十四条第二項の規定による収用委員会の裁決を求めようとする者は、国土交通省令で定める様式に従い、次に掲げる事項を記載した裁決申請書を収用委員会に提出しなければならない。

一　裁決申請者の氏名又は名称及び住所

二　当該建築物の所在地

三　当該建築物について裁決申請者の有する所有権その他の権利

四　当該建築物の形態意匠、用途及び構造の概要

五　法第七十条第一項の規定による命令の内容

六　通知を受けた補償金額及びその通知を受領した年月日

七　通知を受けた補償金額を不服とする理由並びに裁決申請者が求める補償金額及びその内訳

八　前各号に掲げるもののほか、裁決申請者が必要と認める事項

2　前項の裁決申請書には、当該建築物に関する図面で国土交通省令で定めるものを添付しなければならない。

（報告及び立入検査）

第一九条　市町村長は、法第七十一条第一項の規定により、建築物の所有者、管理者若しくは占有者、建築等工事主、設計者、工事監理者又は工事施工者に対し、当該建築物につき、その建築等に関する工事のうち屋根、外壁、門、塀その他屋外に面する部分に係るものの計画又は施工の状況に関し報告させることができる。

2　市町村長は、法第七十一条第一項の規定により、その職員に、建築物の敷地又は工事現場に立ち入り、当該建築物の屋根、外壁、門、塀その他屋外に面する部分及びこれらに使用する建築材料並びに設計図書その他の関係書類を検査させることができる。

（条例で景観地区内の工作物の形態意匠等の制限を定める場合の基準）

第二〇条　法第七十二条第一項の政令で定める基準は、次のとおりとする。

一　工作物の形態意匠の制限は、当該景観地区に関する都市計画において定められた建築物の形態意匠の制限と相まって、建築物及び工作物が一体として地域の個性及び特色の伸長に資するものとなるように定めること。

二　工作物の高さの最高限度は、地域の特性に応じた高さを有する建築物及び工作物を整備し又は保全することが良好な景観の形成を図るために特に必要と認められる区域、当該市街地が連続する山の稜線（りょうせん）その他その背景と一体となって構成している良好な景観を保全するために特に必要と認められる区域その他一定の高さを超える工作物の建設等を禁止することが良好な景観の形成を図るために特に必要と認められる区域について定めること。

三　工作物の高さの最低限度は、地域の特性に応じた高さを有する建築物及び工作物を整備し又は保全することが良好な景観の形成を図るために特に必要と認められる区域について定めること。

四　壁面後退区域における工作物（土地に定着する工作物以外のものを含む。次号において同じ。）の設置の制限は、当該壁面後退区域において空地を確保することが良好な景観の形成を図るために特に必要と認められる区域について定めること。

五　前各号の制限は、工作物の利用上の必要性、当該景観地区内における土地利用の状況等を考慮し、地域の特性にふさわしい良好な景観の形成を図るため、合理的に必要と認められる限度において定めること。

六　景観地区工作物制限条例には、次に掲げる法第七十二条第一項の制限の適用の除外に関する規定を定めること。

イ　第十一条各号及び次に掲げる法律の規定並びにこれらの規定に基づく命令及び条例の規定で工作物又はその部分の形態意匠に係るものに基づく当該工作物又はその部分の形態意匠についての適用の除外に関する規定

(1)　道路法（昭和二十七年法律第百八十号）第四十五条第二項及び第三項

(2)　道路交通法（昭和三十五年法律第百五号）第四条第四項及び第五項、第六条第五項並びに第百十四条の七

ロ　法第六十九条の規定の例による工作物についての適用の除外に関する規定

ハ　屋外広告物法第四条又は第五条の規定に基づく条例の規定に適合する屋外広告物の表示又は屋外広告物を掲出する物件の設置についての適用の除外に関する規定

（条例で景観地区又は準景観地区内において規制をすることができる行為）

第二一条　法第七十三条第一項及び第七十五条第二項の政令で定める行為は、次に掲げる行為とする。

一　土地の開墾、土石の採取、鉱物の掘採その他の土地の形質の変更（開発行為を除く。）
二　木竹の植栽又は伐採
三　屋外における土石、廃棄物、再生資源その他の物件の堆積
四　水面の埋立て又は干拓
五　特定照明

第二二条　**（条例で景観地区内において開発行為等について規制をする場合の基準）**　法第七十三条第一項の政令で定める基準は、次のとおりとする。
一　開発行為又は前条各号のいずれかに該当する行為であって、地域の特性、当該景観地区における土地利用の状況等からみて、当該景観地区における良好な景観の形成に著しい支障を及ぼすおそれがあると認められるものについて規制をすること。
二　前号の行為（国の機関又は地方公共団体が行うものを除く。）をしようとするときは、あらかじめ、市町村長の許可を受けなければならないものとすること。この場合において、国の機関又は地方公共団体が同号の行為をしようとするときは、あらかじめ、市町村長に協議しなければならないものとすること。
三　第一号の行為についての規制は、次に掲げるものによること。
イ　開発行為についての規制は、開発行為後の地貌が地域の景観と著しく不調和とならないように、法第七十三条第一項の規定に基づく条例（以下この条において「景観地区開発行為等制限条例」という。）で、切土若しくは盛土によって生じる法の高さの最高限度、開発区域内において予定される建築物の敷地面積の最低限度又は木竹の保全若しくは適切な植栽が行われる土地の面積の最低限度を定めて行うこと。
ロ　前条各号に掲げる行為についての規制は、当該行為後の状況が地域の景観と著しく不調和とならないように、景観地区開発行為等制限条例で、規制をする行為ごとに必要な行為の方法又は態様を定めて行うこと。
ハ　第一号の行為についてイ又はロの制限を定める場合において、これらの制限に相当する事項が定められた景観計画に係る景観計画区域内においては、景観地区開発行為等制限条例は、当該景観計画による良好な景観の形成に支障がないように定めること。
四　景観地区開発行為等制限条例には、次に掲げる行為についての第二号並びに前号イ及びロの制限の適用の除外に関する規定を定めること。
イ　第八条第三号及び第四号に掲げる行為
ロ　非常災害のため必要な応急措置として行う行為
ハ　法第三十一条第一項の許可に係る行為
ニ　景観計画に法第八条第二項第四号ロに掲げる事項（当該景観地区開発行為等制限条例で定める前号イ又はロの制限と同等以上のものと認められる制限に関する事項に限る。）が定められた景観重要公共施設の整備として行う行為
ホ　法第八条第二項第四号ハ(1)から(7)までに規定する許可（景観計画に当該景観地区開発行為等制限条例で定める前号イ又はロの制限と同等以上のものと認められる制限に関する事項がその基準として定められているものに限る。）に係る行為
ヘ　景観農業振興地域整備計画（当該景観地区開発行為等制限条例で定める前号イ又はロの制限と同等以上のものと認められる制限に関する事項が定められているものに限る。）の区域内の農用地区域内における農業振興地域の整備に関する法律第十五条の二第一項の許可に係る行為
ト　都市計画法第二十九条第一項の許可（同法第三十三条第五項の規定に基づく条例に当該景観地区開発行為等制限条例で定める前号イの制限と同等以上のものと認められる制限がその基準として定められているものに限る。）に係る行為
チ　文化財保護法第四十三条第一項若しくは第百二十五条第一項の許可に係る行為、同法第百六十八条第一項の同意に係る同項第一号の行為又は文化財保護法施行令第四条第二項の許可若しくは同条第五項の協議に係る行為

第二三条　**（条例で準景観地区内における建築物又は工作物について規制をする場合の基準）**　法第七十五条第一項の政令で定める基準は、次項に定めるもののほか、次のとおりとする。
一　法第七十五条第一項の規定に基づく条例で、イに掲げる制限を定めるほか、ロからニまでに掲げる制限のうち、当該準景観地区における良好な景観の保全を図るために必要と認められるものを定めて行うこと。
イ　建築物の形態意匠の制限
ロ　工作物の形態意匠の制限
ハ　工作物の高さの最高限度又は最低限度
ニ　建築基準法（昭和二十五年法律第二百一号）第六十八条の九第二項の規定に基づく条例で壁面の位置の制限が定められた場合における当該制限として定められた限度の線と敷地境界線との間の土地の区域における工作物（土地に定着する工作物以外のものを含む。）の設置の制限
二　法第七十五条第一項の規定に基づく条例で前号イ又はロに掲げる制限を定めたものには、当該条例の施行に必要な法第六十三条、第六十四条、第六十六条、第六十八条、第七十条及び第七十一条の規定の例による建築物の建築等又は工作物の建設等についての市町村長による計画の認定、違反建築物又は違反工作物に対する違反是正のための措置その他の措置のうち、当該制限の内容、当該準景観地区における土地利用の状況等からみて必要と認められるものを定めること。
三　法第七十五条第一項の規定に基づく条例で第一号ハ又はニに掲げる制限を定めたものには、当該条例の施行に必要な法第六十四条又は第七十一条の規定の例による工作物の建設等についての市町村長による違反工作物に対する違反是正のための措置その他の措置のうち、当該制限の内容、当該準景観地区における土地利用の状況等からみて必要と認められるものを定めること。
2　第二十条の規定は、前項第一号の制限について準用する。この場合において、同条第一号中「工作物の形態意匠の制限は、当該景観地区に関する都市計画において定められた建築物の形態意匠の制限と相まって」とあるのは「建築物又は工作物の形態意匠の制限は」と、同条第二号から第五号までの規定中「形成」とあるのは「保全」と、同条第二号中「市街地」とあるのは「地域」と、同条第四号中「壁面後退区域における」とあるのは「第二十三条第一項第一号ニの区域における」と、「当該壁面後退区域」とあるのは「当該区域」と、同条第五号及び第六号ロ中「工作物」とあるのは「建築物又は工作物」と、同条第五号中「景観地区」とあるのは「準景観地区」と、同条第六号中「景観地区工作物制限条例」とあるのは「法第七十五条第一項の規定に基づく条例」と、「法第七十二条第一項」とあるのは「第二十三条第一項第一号」と、同号イ中「工作物又はその」とあるのは「建築物若しくは工作物又はこれらの」と読み替えるものとする。

第二四条　**（条例で準景観地区内において開発行為等について規制をする場合の基準）**　法第七十五条第二項の政令で定める基準については、第二十二条の規定を準用する。この場合において、同条第一号中「景観地区」とあるのは「準景観地区」と、同号及び同条第三号ハ中「形成」とあるのは「保全」と、同号イ中「第七十三条第一項の規定に基づく条例（以下この条において「景観地区開発行為等制限条例」という。）」とあるのは「第七十五条第二項の規定に基づく条例」と、同号ロ及びハ並びに同条第四号中「景観地区開発行為等制限条例」とあるのは「法第七十五条第二項の規定に基づく条例」と読み替えるものとする。

第二五条　**（条例で地区計画等の区域内における建築物等の形態意匠について制限を行う場合の基準）**　法第七十六条第一項の政令で定める基準は、次のとおりとする。
一　建築物又は工作物の形態意匠の制限は、建築物又は工作物が一体として地域の個性及び特色の伸長に資するものとなるように行うこと。
二　地区計画等形態意匠条例には、次に掲げる法第七十六条第一項の制限の適用の除外に関する規定を定めること。
イ　第十一条各号及び次に掲げる法律の規定並びにこれらの規定に基づく命令及び条例の規定で建築物若しくは工作物又はこれらの部分の形態意匠に係るものに基づく当該建築物若しくは工作物又はこれらの部分の形態意匠についての適用の除外に関する規定
(1)　道路法第四十五条第二項及び第三項
(2)　道路交通法第四条第四項及び第五項、第六条第五項並びに第百十四条の七
ロ　法第六十九条の規定の例による建築物又は工作物についての適用の除外に関する規定

第二六条　**（被災者が自ら使用するための応急仮設建築物の規模）**　法第七十七条第一項第二号の政令で定める規模は、三十平方メートルとする。

第二七条　**（景観協定の締結から除外される土地）**　法第八十一条第一項の政令で定める土地は、公共施設の用に供す

る土地とする。

（景観整備機構の業務として取得、管理及び譲渡を行う土地）

第二八条　法第九十三条第四号の政令で定める土地は、次に掲げる土地とする。

一　景観重要建造物と一体となって良好な景観を形成する広場その他の公共施設に関する事業の用に供する土地

二　景観計画に定められた景観重要公共施設に関する事業の用に供する土地

三　前二号に規定する事業に係る代替地の用に供する土地

附　則

（施行期日）

第一条　この政令は、法の施行の日（平成十六年十二月十七日）から施行する。

（形態意匠に係る義務を定めている他の法令の規定に関する経過措置）

第二条　法第十七条第三項の政令で定める他の法令の規定は、平成十七年三月三十一日までの間、第十一条に規定する規定のほか、鉱山保安法（昭和二十四年法律第七十号）第三十条（同法第四条に係る部分に限る。）及びこれに基づく命令の規定で建築物若しくは工作物又はこれらの部分の形態意匠に係るものとする。

附　則（略）（平成一六・一二・二七政令四二二）

附　則（略）（平成一七・五・二五政令一八二）

附　則（略）（平成一七・六・一政令二〇三）

附　則（略）（平成一七・七・二九政令二六二）

附　則（略）（平成二〇・一〇・三一政令三三八）

附　則（略）（平成二〇・一二・三政令三六四）

附　則（略）（平成二二・二・五政令一三）

附　則（略）（平成二三・八・三〇政令二八二施行）

附　則（略）（平成二三・一一・二八政令三六三）

附　則（略）（平成二三・一二・二六政令四〇四）

附　則（略）（平成二三・一二・二六政令四〇七）

附　則（略）（平成二七・七・一七政令二七三）

附　則（抄）（平成二七・一一・二六政令三九二）

（施行期日）

第一条　この政令は、行政不服審査法の施行の日（平成二十八年四月一日）から施行する。

（経過措置の原則）

第二条　行政庁の処分その他の行為又は不作為についての不服申立てであってこの政令の施行前にされた行政庁の処分その他の行為又はこの政令の施行前にされた申請に係る行政庁の不作為に係るものについては、この附則に特別の定めがある場合を除き、なお従前の例による。

附　則〔令和五・一〇・一八政令三〇四〕

この政令は、漁港漁場整備法及び水産業協同組合法の一部を改正する法律の施行の日（令和六年四月一日）から施行する。

○景観行政団体及び景観計画に関する省令

〔平成一六・一二・一五　農林水産・国土交通・環境省令一〕

改正　平成二三・八農・国交・環令一、平成二六・七農・国交・環令一、令和二・九農・国交・環令一

（景観計画の図書）

第一条　景観計画は、計画図及び計画書によって表示するものとする。

２　前項の計画図は、土地に関し権利を有する者が、自己の権利に係る土地が景観計画区域に含まれるかどうかを容易に判断することができるよう、景観行政団体が定める方法により表示する図面とする。

（景観重要公共施設の管理者との協議の申出）

第二条　景観法（以下「法」という。）第九条第四項（同条第八項において準用する場合を含む。）の協議の申出は、協議書及び当該協議に係る法第八条第二項第四号ロ又はハに掲げる事項の案を提出して行うものとする。

（景観計画の図書の縦覧についての公告）

第三条　景観行政団体は、法第九条第六項（同条第八項において準用する場合を含む。）の規定により景観計画を定めた旨（同条第八項において準用する場合にあっては、景観計画を変更した旨）の告示をしたときは、直ちに、第一条第一項に規定する図書又はその写しを公衆の縦覧に供するとともに、縦覧場所を公報その他所定の手段により公告しなければならない。

（住民等による提案）

第四条　法第十一条第三項の規定により計画提案を行おうとする者は、氏名及び住所（法人その他の団体にあっては、その名称及び主たる事務所の所在地。次条及び第六条において同じ。）を記載した提案書に次に掲げる図書を添えて、これを景観行政団体に提出しなければならない。

一　景観計画の素案

二　法第十一条第三項の同意を得たことを証する書類

（一体型事業実施主体等による提案）

第五条　都市再生特別措置法（平成十四年法律第二十二号）第六十二条の十四第二項において準用する法第十一条第三項の規定により計画提案を行おうとする者は、氏名及び住所を記載した提案書に次に掲げる図書を添えて、これらを景観行政団体に提出しなければならない。

一　景観計画の素案

二　都市再生特別措置法第六十二条の十四第二項において準用する法第十一条第三項の同意を得たことを証する書類

（特定住宅整備事業を行おうとする者による提案）

第六条　都市再生特別措置法第八十七条第二項において準用する法第十一条第三項の規定により計画提案を行おうとする者は、氏名及び住所を記載した提案書に次に掲げる図書を添えて、これらを景観行政団体に提出しなければならない。

一　景観計画の素案

二　別記様式による特定住宅整備事業（都市再生特別措置法第八十六条第一項に規定する特定住宅整備事業をいう。次号において同じ。）に関する計画書

三　特定住宅整備事業に関する次に掲げる図書

イ　方位、道路及び目標となる地物並びに事業区域を表示した付近見取図

ロ　縮尺、方位、事業区域、敷地の境界線及び敷地内における住宅の位置を表示した事業区域内に建築する住宅の配置図

ハ　縮尺、方位及び間取りを表示した建築する住宅の各階平面図

ニ　縮尺を表示した建築する住宅の二面以上の立面図

四　都市再生特別措置法第八十七条第二項において準用する法第十一条第三項の同意を得たことを証する書類

（景観行政事務の処理の開始の公示）

第七条　法第九十八条第三項の規定による公示は、次に掲げる事項について行うものとする。

一　景観行政事務の処理を開始する旨

二　景観行政事務の処理を開始する日

附　則

この省令は、法の施行の日（平成十六年十二月十七日）から施行する。

附　則（略）〔平成二三・八・三〇農林水産・国土交通・環境省令一施行〕

附　則（略）〔平成二六・七・二五農林水産・国土交通・環境省令一〕

附　則〔令和二・九・四農林水産・国土交通・環境省令一〕

この省令は、都市再生特別措置法等の一部を改正する法律の施行の日（令和二年九月七日）から施行する。

別記様式〔略〕

○景観法施行規則〔平成一六・一二・一五 国土交通省令一〇〇〕

改正 平成一七・五国交令五八、八国交令八七、平成二六・七国交令六九、令和二・一二国交令九八

（景観計画区域内における行為の届出）

第一条 景観法（以下「法」という。）第十六条第一項の規定による届出は、同項に規定する事項を記載した届出書を提出して行うものとする。

2 前項の届出書には、次に掲げる図書を添付しなければならない。ただし、行為の規模が大きいため、次に掲げる縮尺の図面によっては適切に表示できない場合には、当該行為の規模に応じて、景観行政団体の長が適切と認める縮尺の図面をもって、これらの図面に替えることができる。

一 建築物の建築等又は工作物（建築物を除く。以下この号において同じ。）の建設等にあっては、次に掲げる図書

イ 建築物又は工作物の敷地の位置及び当該敷地の周辺の状況を表示する図面で縮尺二千五百分の一以上のもの

ロ 当該敷地及び当該敷地の周辺の状況を示す写真

ハ 当該敷地内における建築物又は工作物の位置を表示する図面で縮尺百分の一以上のもの

ニ 建築物又は工作物の彩色が施された二面以上の立面図で縮尺五十分の一以上のもの

二 都市計画法（昭和四十三年法律第百号）第四条第十二項に規定する開発行為にあっては、次に掲げる図書

イ 当該開発行為を行う土地の区域並びに当該区域内及び当該区域の周辺の状況を表示する図面で縮尺二千五百分の一以上のもの

ロ 当該開発行為を行う土地の区域及び当該区域の周辺の状況を示す写真

ハ 設計図又は施行方法を明らかにする図面で縮尺百分の一以上のもの

三 その他参考となるべき事項を記載した図書

四 前三号に掲げるもののほか、添付が必要なものとして景観行政団体の条例で定める図書

3 前項の規定にかかわらず、景観行政団体の長は、前項各号に掲げる図書の添付の必要がないと認めるときは、これを省略させることができる。

（届出が必要な事項）

第二条 法第十六条第一項の国土交通省令で定める事項は、行為をしようとする者の氏名及び住所（法人その他の団体にあっては、その名称及び主たる事務所の所在地。以下同じ。）並びに行為の完了予定日とする。

（変更の届出）

第三条 法第十六条第二項の国土交通省令で定める事項は、設計又は施行方法のうち、その変更により同条第一項の届出に係る行為が同条第七項各号に掲げる行為に該当することとなるもの以外のものとする。

（物干場その他の工作物）

第四条 景観法施行令（以下「令」という。）第八条第四号ロ(2)の国土交通省令で定める工作物は、次に掲げるものとする。

一 道路（私道を除く。以下同じ。）から容易に望見されることのない物干場その他の工作物

二 消火設備

（物件の堆積の高さ）

第五条 令第八条第四号ロ(4)の国土交通省令で定める高さは、一・五メートル以下とする。

（景観重要建造物の指定の基準）

第六条 法第十九条第一項の国土交通省令で定める基準は、次に掲げるとおりとする。

一 地域の自然、歴史、文化等からみて、建造物（これと一体となって良好な景観を形成している土地その他の物件を含む。以下同じ。）の外観が景観上の特徴を有し、景観計画区域内の良好な景観の形成に重要なものであること。

二 次のいずれかに該当するものであること。

イ 道路その他の公共の場所から公衆によって容易に望見されるものであること。

ロ 政府が世界遺産委員会（世界の文化遺産及び自然遺産の保護に関する条約第八条1の世界遺産委員会をいう。以下このロにおいて同じ。）に対し同条約第十一条2の世界遺産一覧表に記載することを推薦したものであって、当該推薦の際に世界遺産委員会に提出された管理計画（変更があったときは、その変更後のもの）に従って公衆によって望見されるものであること。

（景観重要建造物の指定の提案）

第七条 法第二十条第一項の規定により景観重要建造物の指定の提案を行おうとする者は、氏名及び住所並びに当該提案に係る建造物の名称、所在地及び外観の特徴を記載した提案書に次に掲げる図書（当該建造物が前条第二号ロに該当するものとして景観重要建造物の指定の提案を行おうとする場合にあっては、第一号及び第三号に掲げる図書）を添えて、これらを景観行政団体の長に提出しなければならない。

一 当該建造物の敷地及び位置並びに当該敷地周辺の状況を示す縮尺二千五百分の一以上の図面

二 道路その他の公共の場所から撮影した当該建造物の写真

三 法第二十条第一項の合意を得たことを証する書類

2 前項の規定は、法第二十条第二項の規定により景観整備機構が提案を行おうとする場合について準用する。この場合において、前項第三号中「法第二十条第一項の合意」とあるのは、「法第二十条第二項の同意」と読み替えるものとする。

（景観重要建造物の所有者等に通知する事項）

第八条 法第二十一条第一項の国土交通省令で定める事項は、次に掲げるものとする。

一 指定番号及び指定の年月日

二 景観重要建造物の名称

三 景観重要建造物の所在地

四 景観重要建造物の所有者の氏名及び住所

五 指定の理由となった外観の特徴

六 法第十九条第一項に規定する土地その他の物件の範囲

2 前項第六号に掲げる事項は、土地その他の物件の所有者が容易に判断することができるよう、景観行政団体が定める方法により通知するものとする。

（景観重要建造物の現状変更の許可の申請）

第九条 法第二十二条第一項の許可を受けようとする者は、氏名及び住所、前条第一項第一号に掲げる事項並びに行為の種類、場所、設計又は施行方法、着手予定日及び完了予定日を記載した申請書を景観行政団体の長に提出しなければならない。

2 前項の申請書には、次に掲げる図書を添付しなければならない。

一 当該行為の設計仕様書及び設計図

二 当該景観重要建造物の敷地及び位置並びに当該敷地周辺の状況を示す縮尺二千五百分の一以上の図面

三 当該景観重要建造物及び当該行為をしようとする箇所の写真

四 申請者が所有者以外の者であるときは、所有者の意見書

（景観重要建造物等の所有者に対する損失の補償に係る収用委員会に対する裁決申請書の様式）

第一〇条 令第十四条の国土交通省令で定める様式は、別記様式第一のとおりとする。

（景観重要樹木の指定の基準）

第一一条 法第二十八条第一項の国土交通省令で定める基準は、次に掲げるとおりとする。

一 地域の自然、歴史、文化等からみて、樹容が景観上の特徴を有し、景観計画区域内の良好な景観の形成に重要なものであること。

二 道路その他の公共の場所から公衆によって容易に望見されるものであること。

（景観重要樹木の指定の提案）

第一二条 法第二十九条第一項の規定により景観重要樹木の指定の提案を行おうとする者は、氏名及び住所並びに当該提案に係る樹木の樹種、所在地及び樹容の特徴を記載した提案書に次に掲げる図書を添えて、これらを景観行政団体の長に提出しなければならない。

一 当該樹木の位置及び周辺の状況を示す縮尺二千五百分の一以上の図面

二 道路その他の公共の場所から撮影した当該樹木の写真

三 法第二十九条第一項の合意を得たことを証する書類

2　前項の規定は、法第二十九条第二項の規定により景観整備機構が提案を行おうとする場合について準用する。この場合において、前項第三号中「法第二十九条第一項の合意」とあるのは、「法第二十九条第二項の同意」と読み替えるものとする。

（景観重要樹木の所有者等に通知する事項）

第一三条　法第三十条第一項の国土交通省令で定める事項は、次に掲げるものとする。

一　指定番号及び指定の年月日
二　景観重要樹木の樹種
三　景観重要樹木の所在地
四　景観重要樹木の所有者の氏名及び住所
五　指定の理由となった樹容の特徴

（景観重要樹木の現状変更の許可の申請）

第一四条　法第三十一条第一項の許可を受けようとする者は、氏名及び住所、前条第一号に掲げる事項並びに行為の種類、場所、施行方法、着手予定日及び完了予定日を記載した申請書を景観行政団体の長に提出しなければならない。

2　前項の申請書には、次に掲げる図書を添付しなければならない。

一　当該行為の施行方法を明らかにする図面
二　当該景観重要樹木の位置及び周辺の状況を示す縮尺二千五百分の一以上の図面
三　当該景観重要樹木及び当該行為をしようとする箇所の写真
四　申請者が所有者以外の者であるときは、所有者の意見書

（管理協定の基準）

第一五条　法第三十六条第二項第二号（法第四十条及び第四十二条第三項において準用する場合を含む。）の国土交通省令で定める基準は、次に掲げるとおりとする。

一　協定建造物の管理の方法に関する事項は、建造物の維持修繕、安全上及び防火上の措置その他これらに類する事項で、建造物の適切な管理に関連して必要とされるものでなければならない。
二　協定樹木の管理の方法に関する事項は、枝打ち、整枝、病害虫の防除、危険な樹木の伐採その他これらに類する事項で、協定樹木の適切な管理に関連して必要とされるものでなければならない。
三　管理協定の有効期間は、五年以上二十年以下でなければならない。
四　管理協定に違反した場合の措置は、違反した者に対して不当に重い負担を課するものであってはならない。

（管理協定を締結しようとする旨等の公告）

第一六条　法第三十七条第一項（法第四十条及び第四十二条第三項において準用する場合を含む。）の規定による公告は、次に掲げる事項について、公報、掲示その他の方法で行うものとする。

一　管理協定の名称
二　協定建造物の名称又は協定樹木の樹種
三　管理協定の有効期間
四　管理協定が景観整備機構により締結されるものであるときは、その旨
五　管理協定の縦覧場所

（管理協定の締結等の公告）

第一七条　前条の規定は、法第三十九条（法第四十条及び第四十二条第三項において準用する場合を含む。）の規定による公告について準用する。

（台帳）

第一八条　法第四十四条第一項の景観重要建造物又は景観重要樹木に関する台帳（次項において「台帳」という。）には、景観重要建造物又は景観重要樹木につき、少なくとも次に掲げる事項を記載するものとする。

一　景観重要建造物にあっては、第八条第一項各号に掲げる事項
二　景観重要樹木にあっては、第十三条各号に掲げる事項

2　台帳の記載事項に変更があったときは、景観行政団体の長は、速やかにこれを訂正しなければならない。

3　法第十九条第一項に規定する土地その他の物件がある場合には、これらの範囲を表示する図面を併せて保管しなければならない。

（認定申請書の様式）

第一九条　法第六十三条第五項の国土交通省令で定める同条第一項の申請書は、別記様式第二による正本及び副本に、それぞれ、次に掲げる図書及び別記様式第三による建築等計画概要書を添付したものとする。ただし、建築物の建築等の規模が大きいため、次に掲げる縮尺の図面によっては適切に表示できない場合には、当該建築物の建築等の規模に応じて、市町村長が適切と認める縮尺の図面をもって、これらの図面に替えることができる。

一　建築物の敷地の位置及び当該敷地の周辺の状況を表示する図面（道路及び目標となる地物並びに隣接する土地における建築物の位置を明示したものに限る。）で縮尺二千五百分の一以上のもの
二　当該敷地及び当該敷地の周辺の状況を示す写真
三　当該敷地内における建築物の位置を表示する図面（申請に係る建築物と他の建築物との別、土地の高低及び敷地の接する道路の位置を明示したものに限る。）で縮尺百分の一以上のもの
四　建築物の彩色が施された二面以上の立面図で縮尺五十分の一以上のもの
五　その他参考となるべき事項を記載した図書
六　前各号に掲げるもののほか、添付が必要なものとして市町村の条例で定める図書

2　前項の規定にかかわらず、市町村長は、前項各号に掲げる図書の添付の必要がないと認めるときは、これを省略させることができる。

（認定証の様式）

第二〇条　法第六十三条第五項の国土交通省令で定める同条第二項の認定証の様式は、別記様式第四のとおりとする。

2　前項の認定証の交付は、前条第一項の副本及び同項各号に掲げる図書を添付して行うものとする。

（通知書の様式）

第二一条　法第六十三条第五項の国土交通省令で定める同条第三項の適合しないものと認めた旨及びその理由を記載した通知書の様式は、別記様式第五のとおりとする。

2　前項の通知書の交付は、第十九条第一項の副本及び同項各号に掲げる図書を添付して行うものとする。

3　法第六十三条第五項の国土交通省令で定める同条第三項の適合するかどうかを決定することができない旨及びその理由を記載した通知書の様式は、別記様式第六のとおりとする。

（違反建築物の公示の方法）

第二二条　法第六十四条第二項の国土交通省令で定める方法は、公報への掲載その他市町村長が定める方法とする。

（景観地区内における違反建築物の設計者等の通知）

第二三条　法第六十五条第一項の国土交通省令で定める事項は、次に掲げるものとする。

一　法第六十四条第一項の規定による命令（以下この条において「命令」という。）に係る建築物の概要
二　前号の建築物の設計者等に係る違反事実の概要
三　命令をするまでの経過及び命令後に市町村長の講じた措置
四　前三号に掲げる事項のほか、参考となるべき事項

2　法第六十五条第一項の規定による通知は、当該通知に係る者について建築士法（昭和二十五年法律第二百二号）、建設業法（昭和二十四年法律第百号）又は宅地建物取引業法（昭和二十七年法律第百七十六号）による免許、許可又は登録をした国土交通大臣又は都道府県知事にするものとする。

3　前項の通知は、文書をもって行うものとし、当該通知には命令書の写しその他の命令の内容を記載した書面を添付するものとする。

（工事現場における認定の表示の方法）

第二四条　法第六十八条第一項の表示は、別記様式第七により行うものとする。

（形態意匠の制限に適合しない建築物に対する措置による損害の補償に係る収用委員会に対する裁決申請書の様式）

第二五条　令第十八条第一項の国土交通省令で定める様式は、別記様式第八のとおりとする。

（形態意匠の制限に適合しない建築物に対する措置による損害の補償に係る収用委員会に対する裁決申請書の添付書類）

第二六条　令第十八条第二項の国土交通省令で定める図面は、建築物の付近の見取図、配置図及び各階平面図（同条第一項第五号の命令の内容に係るものに限る。）とする。

（景観地区内における違反工作物の工事の請負人の通知）

第二七条　法第七十二条第五項の国土交通省令で定める事項は、次に掲げるものとする。

一　景観地区工作物制限条例の規定による法第六十四条第一項の処分に相

当する処分（第三号において「処分」という。）に係る工作物の概要
二　前号の工作物の工事の請負人に係る違反事実の概要
三　処分をするまでの経過及び処分後に市町村長の講じた措置
四　前三号に掲げる事項のほか、参考となるべき事項

（準景観地区を指定しようとする旨の公告）
第二八条　法第七十四条第二項（同条第六項において準用する場合を含む。）の規定による公告は、次に掲げる事項について、市町村長が定める方法で行うものとする。
一　準景観地区の名称
二　準景観地区の位置及び区域
三　準景観地区の面積
2　前項第二号の区域についての公告は、土地に関し権利を有する者が、自己の権利に係る土地が準景観地区に含まれるかどうかを容易に判断することができるよう、市町村長が定める方法により表示する図面で行うものとする。

（準景観地区の指定等の公告）
第二九条　前条の規定は、法第七十四条第五項（同条第六項において準用する場合を含む。）の規定による公告について準用する。

（地区計画等の区域内における違反建築物等の設計者等の通知）
第三〇条　第二十三条第一項の規定は、法第七十六条第五項の処分が建築物の建築等に係る場合における同項の国土交通省令で定める事項について準用する。この場合において、第二十三条第一項第一号中「命令（以下この条において「命令」という。）」とあるのは「地区計画等形態意匠条例の規定による法第六十四条第一項の処分に相当する処分（第三号において「処分」という。）」と、同項第三号中「命令」とあるのは「処分」と読み替えるものとする。
2　第二十七条の規定は、法第七十六条第五項の処分が工作物の建設等に係る場合における同項の国土交通省令で定める事項について準用する。この場合において、第二十七条第一号中「景観地区工作物制限条例」とあるのは、「地区計画等形態意匠条例」と読み替えるものとする。

（書類の閲覧等）
第三一条　法第八十条の国土交通省令で定める書類は、別記様式第三による建築等計画概要書及び別記様式第九による景観法令による処分の概要書とし、かつ、当該書類は、同条の処分に係る建築物若しくは工作物若しくは建築物若しくは工作物の敷地の所有者、管理者若しくは占有者又は第三者の権利利益を不当に侵害するおそれがないものとする。
2　別記様式第九による景観法令による処分の概要書には、法第六十三条第一項の認定その他法第三章の規定並びに当該規定に基づく命令及び条例の規定による処分の概要を記載するものとする。
3　市町村長は、第一項の書類を当該建築物又は工作物が滅失し、又は除却されるまで、閲覧に供さなければならない。
4　市町村長は、第一項の書類を閲覧に供するため、閲覧の場所及び閲覧に関する規程を定めてこれを告示しなければならない。

（権限の委任）
第三二条　法に規定する国土交通大臣の権限のうち、次に掲げるものは、地方整備局長及び北海道開発局長に委任する。ただし、第四号に掲げる権限については、国土交通大臣が自ら行うことを妨げない。
一　法第六十五条第一項の規定による通知を受理し、及び同条第二項の規定により通知すること（国土交通大臣が講じた業務の停止の処分その他必要な措置に係るものを除く。）。
二　法第七十二条第五項の規定による通知を受理し、及び同条第六項の規定により通知すること（国土交通大臣が講じた業務の停止の処分その他必要な措置に係るものを除く。）。
三　法第七十六条第五項の規定による通知を受理し、及び同条第六項の規定により通知すること（国土交通大臣が講じた業務の停止の処分その他必要な措置に係るものを除く。）。
四　法第七十八条第一項の規定による助言又は援助をし、及び同条第二項の規定により必要な勧告、助言又は援助をすること。

附　則
この省令は、法の施行の日（平成十六年十二月十七日）から施行する。
附　則〔略〕〔平成一七・五・二五国土交通省令五八〕
附　則〔略〕〔平成一七・八・三〇国土交通省令八七〕
附　則〔略〕〔平成二六・七・二五国土交通省令六九施行〕
附　則〔略〕〔令和二・一二・二三国土交通省令九八〕
様式〔略〕

○都市計画区域外の景観重要樹木及び景観協定に関する省令

〔平成一六・一二・一五
農林水産・国土交通省令四〕

改正　令和二・一二農・国交令一

（景観重要樹木の指定の基準）
第一条　景観法（以下「法」という。）第二十八条第一項の国土交通省令・農林水産省令で定める都市計画区域外の景観重要樹木（以下単に「景観重要樹木」という。）に関する基準は、次に掲げるとおりとする。
一　地域の自然、歴史、文化等からみて、樹容が景観上の特徴を有し、景観計画区域内の良好な景観の形成に重要なものであること。
二　道路（私道を除く。以下同じ。）その他の公共の場所から公衆によって容易に望見されるものであること。

（景観重要樹木の指定の提案）
第二条　法第二十九条第一項の規定により景観重要樹木の指定の提案を行おうとする者は、氏名及び住所（法人その他の団体にあっては、その名称及び主たる事務所の所在地。以下同じ。）並びに当該提案に係る樹木の樹種、所在地及び樹容の特徴を記載した提案書に次に掲げる図書を添えて、これらを景観行政団体の長に提出しなければならない。
一　当該樹木の位置及び周辺の状況を示す縮尺二千五百分の一以上の図面
二　道路その他の公共の場所から撮影した当該樹木の写真
三　法第二十九条第一項の合意を得たことを証する書類
2　前項の規定は、法第二十九条第二項の規定により景観整備機構が提案を行おうとする場合について準用する。この場合において、前項第三号中「法第二十九条第一項の合意」とあるのは、「法第二十九条第二項の同意」と読み替えるものとする。

（景観重要樹木の所有者等に通知する事項）
第三条　法第三十条第一項の国土交通省令・農林水産省令で定める事項は、次に掲げるものとする。
一　指定番号及び指定の年月日
二　景観重要樹木の樹種
三　景観重要樹木の所在地
四　景観重要樹木の所有者の氏名及び住所
五　指定の理由となった樹容の特徴

（景観重要樹木の現状変更の許可の申請）
第四条　法第三十一条第一項の許可を受けようとする者は、氏名及び住所、

前条第一号に掲げる事項並びに行為の種類、場所、施行方法、着手予定日及び完了予定日を記載した申請書を景観行政団体の長に提出しなければならない。

2 前項の申請書には、次に掲げる図書を添付しなければならない。

一 当該行為の施行方法を明らかにする図面

二 当該景観重要樹木の位置及び周辺の状況を示す縮尺二千五百分の一以上の図面

三 当該景観重要樹木及び当該行為をしようとする箇所の写真

四 申請者が所有者以外の者であるときは、所有者の意見書

（収用委員会に対する裁決申請書の様式）

第五条 景観法施行令第十四条の国土交通省令・農林水産省令で定める様式は、別記様式のとおりとする。

（管理協定の基準）

第六条 法第三十六条第二項第二号（法第四十条及び第四十二条第三項において準用する場合を含む。）の国土交通省令・農林水産省令で定める基準は、次に掲げるとおりとする。

一 協定樹木の管理の方法に関する事項は、枝打ち、整枝、病害虫の防除、危険な樹木の伐採その他これらに類する事項で、協定樹木の適切な管理に関連して必要とされるものでなければならない。

二 管理協定の有効期間は、五年以上二十年以下でなければならない。

三 管理協定に違反した場合の措置は、違反した者に対して不当に重い負担を課するものであってはならない。

（管理協定を締結しようとする旨の公告）

第七条 法第三十七条第一項（法第四十条及び第四十二条第三項において準用する場合を含む。）の規定による公告は、次に掲げる事項について、公報、掲示その他の方法で行うものとする。

一 管理協定の名称

二 協定樹木の樹種

三 管理協定の有効期間

四 管理協定が景観整備機構により締結されるものであるときは、その旨

五 管理協定の縦覧場所

（管理協定の締結等の公告）

第八条 前条の規定は、法第三十九条（法第四十条及び第四十二条第三項において準用する場合を含む。）の規定による公告について準用する。

（台帳）

第九条 法第四十四条第一項の景観重要樹木に関する台帳（次項において「台帳」という。）には、少なくとも第三条各号に掲げる事項を記載するものとする。

2 台帳の記載事項に変更があったときは、景観行政団体の長は、速やかにこれを訂正しなければならない。

（景観協定の認可等の申請の公告）

第一〇条 法第八十二条第一項（法第八十四条第二項において準用する場合を含む。）の規定による公告は、次に掲げる事項について、公報、掲示その他の方法で行うものとする。

一 景観協定の名称

二 景観協定区域

三 景観協定区域隣接地が定められるときは、その区域

四 景観協定の縦覧場所

（景観協定の認可の基準）

第一一条 法第八十三条第一項第三号（法第八十四条第二項において準用する場合を含む。）の国土交通省令・農林水産省令で定める基準は、次に掲げるとおりとする。

一 景観協定区域は、その境界が明確に定められていなければならない。

二 法第八十一条第二項第二号の良好な景観の形成のための事項は、法第八条第二項第二号の景観計画区域における良好な景観の形成に関する方針に適合していなければならない。

三 法第八十一条第二項第二号へに規定する農用地の保全又は利用に関する事項は、法第五十五条第一項の景観農業振興地域整備計画が定められている場合は、当該計画に適合していなければならない。

四 景観協定の有効期間は、五年以上三十年以下でなければならない。

五 景観協定に違反した場合の措置は、違反した者に対して不当に重い負担を課するものであってはならない。

六 景観協定区域隣接地の区域は、その境界が明確に定められていなければならない。

七 景観協定区域隣接地の区域は、景観協定区域との一体性を有する土地の区域でなければならない。

（景観協定の認可等の公告）

第一二条 第十条の規定は、法第八十三条第三項（法第八十四条第二項、第八十五条第四項、第八十七条第四項及び第九十条第三項において準用する場合を含む。）の規定による公告について準用する。

附　則

この省令は、法の施行の日（平成十六年十二月十七日）から施行する。

附　則〔略〕〔令和二・一二・二三農林水産・国土交通省令一〕

様式〔略〕

○景観農業振興地域整備計画に関する省令

（平成一六・一二・一五 農林水産省令九七）

改正 平成一七・八農令九三、平成二八・三農令一三、平成二九・七農令四二、令和元・一二農令四七

（景観農業振興地域整備計画の策定又は変更）

第一条 市町村が景観法（以下「法」という。）第五十五条第一項の規定により景観農業振興地域整備計画を定めようとするときは、当該市町村の長は、農業委員会の意見を聴くものとする。

2 前項の規定は、法第五十五条第四項において準用する農業振興地域の整備に関する法律第十三条第一項の規定により市町村が行う景観農業振興地域整備計画の変更（景観法施行令（平成十六年政令第三百九十八号）第十六条に規定する軽微な変更に該当するものを除く。）について準用する。

第二条 市町村は、法第五十五条第一項の規定により景観農業振興地域整備計画を定めようとする場合において、同条第二項第一号の区域を定めようとするときは、字、小字及び地番、一定の地物、施設、工作物又はこれらからの距離及び方向、平面図等により、当該区域が明らかになるように定めなければならない。法第五十五条第四項において準用する農業振興地域の整備に関する法律第十三条第一項の規定によりこれを変更しようとするときも、同様とする。

（農業振興地域の整備に関する法律施行規則の準用）

第三条 法第五十五条第四項において準用する農業振興地域の整備に関する法律第十一条第三項（同法第十三条第四項において準用する場合を含む。）の規定による異議の申出及び同法第十一条第五項（同法第十三条第四項において準用する場合を含む。）の規定による審査の申立てについては、農業振興地域の整備に関する法律施行規則（昭和四十四年農林省令第四十五号）第四条の六から第四条の八までの規定を準用する。

（景観農業振興地域整備計画書等の縦覧）

第四条 法第五十五条第四項において準用する農業振興地域の整備に関する法律第十二条第二項（同法第十三条第四項において準用する場合を含む。）の規定により縦覧に供する景観農業振興地域整備計画書又はその写しは、当該市町村の主たる事務所に常時備え付けておかなければならない。

附　則〔抄〕

（施行期日）

第一条 この省令は、法の施行の日（平成十六年十二月十七日）から施行する。

附　則〔略〕〔平成一七・八・一九農林水産省令九三〕

附　則〔略〕〔平成二八・三・三一農林水産省令一三〕

附　則〔略〕〔平成二九・七・二一農林水産省令四二〕

附　則〔令和元・一二・一六農林水産省令四七〕

この省令は、情報通信技術の活用による行政手続等に係る関係者の利便性の向上並びに行政運営の簡素化及び効率化を図るための行政手続等における情報通信の技術の利用に関する法律等の一部を改正する法律の施行の日（令和元年十二月十六日）から施行する。

○地域における歴史的風致の維持及び向上に関する法律

〔平成二〇・五・二三　法律四〇〕

改正　平成二三・五法三五、八法一〇五、平成二六・五法四二、六法六九、平成二九・五法二六、平成三〇・六法四二、令和三・四法二二、令和六・五法四〇

目次

第一章　総則（第一条―第三条）
第二章　歴史的風致維持向上基本方針（第四条）
第三章　歴史的風致維持向上計画の認定等（第五条―第十一条）
第四章　認定歴史的風致維持向上計画に基づく特別の措置
　第一節　歴史的風致形成建造物（第十二条―第二十一条）
　第二節　歴史的風致維持向上施設の整備等に関する特例（第二十二条―第三十条）
第五章　歴史的風致維持向上地区計画（第三十一条―第三十三条）
第六章　歴史的風致維持向上支援法人（第三十四条―第三十七条）
第七章　雑則（第三十八条・第三十九条）
第八章　罰則（第四十条・第四十一条）
附則

第一章　総則

（目的）

第一条　この法律は、地域におけるその固有の歴史及び伝統を反映した人々の活動とその活動が行われる歴史上価値の高い建造物及びその周辺の市街地とが一体となって形成してきた良好な市街地の環境（以下「歴史的風致」という。）の維持及び向上を図るため、文部科学大臣、農林水産大臣及び国土交通大臣による歴史的風致維持向上基本方針の策定及び市町村が作成する歴史的風致維持向上計画の認定、その認定を受けた歴史的風致維持向上計画に基づく特別の措置、歴史的風致維持向上地区計画に関する都市計画の決定その他の措置を講ずることにより、個性豊かな地域社会の実現を図り、もって都市の健全な発展及び文化の向上に寄与することを目的とする。

（定義）

第二条　この法律において「公共施設」とは、道路、駐車場、公園、水路その他政令で定める公共の用に供する施設をいう。

2　この法律において「重点区域」とは、次に掲げる要件に該当する土地の区域をいう。

一　次のイ又はロのいずれかに該当する土地の区域及びその周辺の土地の区域であること。

イ　文化財保護法（昭和二十五年法律第二百十四号）第二十七条第一項、第七十八条第一項又は第百九条第一項の規定により重要文化財、重要有形民俗文化財又は史跡名勝天然記念物として指定された建造物（以下「重要文化財建造物等」という。）の用に供される土地

ロ　文化財保護法第百四十四条第一項の規定により選定された重要伝統的建造物群保存地区（以下単に「重要伝統的建造物群保存地区」という。）内の土地

二　当該区域において歴史的風致の維持及び向上を図るための施策を重点的かつ一体的に推進することが特に必要であると認められる土地の区域であること。

（国及び地方公共団体の努力義務）

第三条　国及び地方公共団体は、地域における歴史的風致の維持及び向上を図るため、第三十一条第一項に規定する歴史的風致維持向上地区計画その他の都市計画の決定、景観法（平成十六年法律第百十号）第八条第一項に規定する景観計画の策定、地域における歴史的風致の維持及び向上に寄与する公共施設その他の施設（以下「歴史的風致維持向上施設」という。）の整備に関する事業の実施その他の必要な措置を講ずるよう努めなければならない。

第二章　歴史的風致維持向上基本方針

第四条　主務大臣は、地域における歴史的風致の維持及び向上に関する基本的な方針（以下「歴史的風致維持向上基本方針」という。）を定めなければならない。

2　歴史的風致維持向上基本方針には、次に掲げる事項を定めるものとする。

一　地域における歴史的風致の維持及び向上の意義に関する事項
二　重点区域の設定に関する基本的事項
三　地域における歴史的風致の維持及び向上のために必要な文化財の保存及び活用に関する基本的事項
四　歴史的風致維持向上施設の整備及び管理に関する基本的事項
五　良好な景観の形成に関する施策との連携に関する基本的事項
六　次条第一項に規定する歴史的風致維持向上計画の同条第八項の認定に関する基本的事項
七　前各号に掲げるもののほか、地域における歴史的風致の維持及び向上に関する重要事項

3　主務大臣は、歴史的風致維持向上基本方針を定めようとするときは、関係行政機関の長に協議しなければならない。

4　主務大臣は、歴史的風致維持向上基本方針を定めたときは、遅滞なく、これを公表しなければならない。

5　前二項の規定は、歴史的風致維持向上基本方針の変更について準用する。

第三章　歴史的風致維持向上計画の認定等

（**歴史的風致維持向上計画の認定**）

第五条　市町村は、歴史的風致維持向上基本方針に基づき、当該市町村の区域における歴史的風致の維持及び向上に関する計画（以下「歴史的風致維持向上計画」という。）を作成し、主務大臣の認定を申請することができる。

2　歴史的風致維持向上計画には、次に掲げる事項を記載するものとする。

一　当該市町村の区域における歴史的風致の維持及び向上に関する方針

二　重点区域の位置及び区域

三　次に掲げる事項のうち、当該市町村の区域における歴史的風致の維持及び向上のために必要なもの

イ　文化財の保存又は活用に関する事項

ロ　歴史的風致維持向上施設の整備又は管理に関する事項

四　第十二条第一項の規定による歴史的風致形成建造物の指定の方針

五　第十二条第一項の規定により指定された歴史的風致形成建造物の管理の指針となるべき事項

六　計画期間

七　その他主務省令で定める事項

3　前項第三号ロに掲げる事項には、次に掲げる事項を記載することができる。

一　次のイ又はロのいずれかに該当する歴史上価値の高い農業用用水路その他の農業用用排水施設であって、現に地域における歴史的風致を形成しており、かつ、当該農業用用排水施設の有する耕作の目的に供される土地の保全又は利用上必要な機能の確保と併せてその歴史的風致の維持及び向上を図ることが必要と認められるもの並びにその管理に関する事項

イ　土地改良法（昭和二十四年法律第百九十五号）第八十五条第一項に規定する都道府県営土地改良事業によって生じた農業用用排水施設

ロ　農業振興地域の整備に関する法律（昭和四十四年法律第五十八号）第八条第二項の規定により農業振興地域整備計画において定められた同項第一号に規定する農用地区域（第二十三条において単に「農用地区域」という。）内に存する農業用用排水施設

二　都市公園法（昭和三十一年法律第七十九号）第二条第一項に規定する都市公園（以下単に「都市公園」という。）の維持又は同条第二項に規定する公園施設（以下単に「公園施設」という。）の新設、増設若しくは改築であって、公園施設である城跡に係る城の復原に関する工事その他地域における歴史的風致の維持及び向上に寄与するものとして政令で定めるもののうち、当該市町村以外の地方公共団体が公園管理者（同法第五条第一項に規定する公園管理者をいう。以下同じ。）である重点区域内の都市公園について当該市町村が行おうとするものに関する事項

三　駐車場法（昭和三十二年法律第百六号）第三条第一項に規定する駐車場整備地区内に整備されるべき同法第四条第二項第五号の主要な路外駐車場（都市計画において定められたものを除く。以下「特定路外駐車場」という。）の整備に関する事項

四　都市計画法（昭和四十三年法律第百号）第七条第一項に規定する市街化調整区域（以下単に「市街化調整区域」という。）内に存する遺跡で現に地域における歴史的風致を形成しているものに係る歴史上価値の高い楼門（建築基準法（昭和二十五年法律第二百一号）第二条第一号に規定する建築物（以下単に「建築物」という。）であるものに限る。）その他当該市町村の区域における歴史的風致の維持及び向上に寄与する建築物の復原を目的とする開発行為（都市計画法第四条第十二項に規定する開発行為のうち主として建築物の建築の用に供する目的で行うものをいう。第二十八条第一項において同じ。）又は建築行為（建築物の新築又は改築をいう。第二十八条第二項において同じ。）であって、当該建築物の用途からみて市街化調整区域内の土地において実施されることが適当と認められるものに関する事項

五　重点区域における歴史的風致の維持及び向上を図るため、電線をその地下に埋設し、その地上における電線及びこれを支持する電柱の撤去をし、又はこれらの設置の制限をすることが必要と認められる道路法（昭和二十七年法律第百八十号）第二条第一項に規定する道路又はその部分に関する事項

4　市町村は、歴史的風致維持向上計画に次の各号（当該市町村が地方自治法（昭和二十二年法律第六十七号）第二百五十二条の十九第一項に規定する指定都市（以下単に「指定都市」という。）又は同法第二百五十二条の二十二第一項に規定する中核市（以下単に「中核市」という。）である場合にあっては、第四号を除く。）に掲げる事項を記載しようとするときは、その事項について、あらかじめ、当該各号に定める者（第一号、第二号及び第五号に定める者にあっては、当該市町村を除く。）に協議し、その同意を得なければならない。

一　第二項第三号ロに掲げる事項　当該歴史的風致維持向上施設の整備又は管理を行う者

二　前項第一号に掲げる事項　次のイ又はロに掲げる農業用用排水施設の区分に応じ、それぞれイ又はロに定める者

イ　前項第一号に規定する農業用用排水施設（同号イに該当するものに限る。）　都道府県（土地改良法第九十四条の十第一項の規定により当該都道府県が当該農業用用排水施設を同法第九十四条の三第一項に規定する土地改良区等に管理させている場合にあっては、当該土地改良区等を含む。）

ロ　前項第一号に規定する農業用用排水施設（同号ロに該当するものに限る。）　都道府県知事

三　前項第二号に掲げる事項　当該都市公園の公園管理者

四　前項第四号に掲げる事項　都道府県知事

五　前項第五号に掲げる事項　当該道路又はその部分の道路管理者（道路法第十八条第一項に規定する道路管理者をいう。）

5　市町村は、歴史的風致維持向上計画に第二項第三号イに掲げる事項を記載しようとするときは、その事項について、あらかじめ、当該文化財の所有者（所有者が二人以上いる場合にあってはその全員とし、文化財保護法第三十二条の二第五項（同法第八十条において準用する場合を含む。）、第六十条第三項（同法第九十条第三項において準用する場合を含む。）又は第百十五条第一項（同法第百三十三条において準用する場合を含む。）に規定する管理団体がある場合にあっては当該管理団体とする。）及び権原に基づく占有者（いずれも当該市町村を除く。）又は保持者（当該文化財が重要無形文化財（同法第七十一条第一項に規定する重要無形文化財をいう。第十二条第一項において同じ。）又は登録無形文化財（同法第七十六条の七第五項に規定する登録無形文化財をいう。第十二条第一項において同じ。）である場合にあっては、同法第七十一条第二項又は第七十六条の七第三項の規定により保持者又は保持団体として認定されている者）の意見を聴かなければならない。

6　市町村は、歴史的風致維持向上計画を作成しようとするときは、あらかじめ、公聴会の開催その他の住民の意見を反映させるために必要な措置を講ずるよう努めるとともに、第十一条第一項の規定により協議会が組織され、又は文化財保護法第百九十条第一項若しくは第二項の規定により当該市町村の教育委員会若しくは当該市町村に地方文化財保護審議会が置かれている場合にあっては、当該協議会又は地方文化財保護審議会の意見を聴かなければならない。

7　歴史的風致維持向上計画は、都市計画法第六条の二第一項に規定する都市計画区域の整備、開発及び保全の方針並びに同法第十八条の二第一項に規定する市町村の都市計画に関する基本的な方針との調和が保たれたものでなければならない。

8　主務大臣は、第一項の規定による認定の申請があった歴史的風致維持向上計画が次に掲げる基準に適合すると認めるときは、その認定をするものとする。

一　歴史的風致維持向上基本方針に適合するものであること。

二　当該歴史的風致維持向上計画の実施が当該市町村の区域における歴史的風致の維持及び向上に寄与するものであると認められること。

三　円滑かつ確実に実施されると見込まれるものであること。

9　主務大臣は、前項の認定をしようとするときは、あらかじめ、関係行政機関の長に協議しなければならない。

10　主務大臣は、第八項の認定をしたときは、遅滞なく、その旨を当該市町村に通知しなければならない。

11　市町村は、前項の通知を受けたときは、遅滞なく、当該通知に係る歴史的風致維持向上計画を公表するよう努めるとともに、当該通知を受けた旨を都道府県に通知しなければならない。

（**認定に関する処理期間**）

第六条　主務大臣は、前条第一項の規定による認定の申請を受けた日から三月以内において速やかに、同条第八項の認定に関する処分を行わなければ

ならない。

（認定を受けた歴史的風致維持向上計画の変更）

第七条　第五条第八項の認定を受けた市町村（以下「認定市町村」という。）は、当該認定を受けた歴史的風致維持向上計画の変更（主務省令で定める軽微な変更を除く。）をしようとするときは、主務大臣の認定を受けなければならない。

２　第五条第四項から第十一項まで及び前条の規定は、前項の認定について準用する。

（認定歴史的風致維持向上計画の実施状況に関する報告の徴収）

第八条　主務大臣は、認定市町村に対し、第五条第八項の認定（前条第一項の変更の認定を含む。第二十四条第一項を除き、以下同じ。）を受けた歴史的風致維持向上計画（変更があったときは、その変更後のもの。以下「認定歴史的風致維持向上計画」という。）の実施の状況について報告を求めることができる。

（認定の取消し）

第九条　主務大臣は、認定歴史的風致維持向上計画が第五条第八項各号のいずれかに適合しなくなったと認めるときは、その認定を取り消すことができる。

２　主務大臣は、前項の規定による取消しをしたときは、遅滞なく、その旨を当該市町村に通知しなければならない。

３　市町村は、前項の通知を受けたときは、遅滞なく、その旨を、公表するよう努めるとともに、都道府県に通知しなければならない。

（認定市町村への助言、援助等）

第一〇条　都道府県は、認定市町村に対し、認定歴史的風致維持向上計画の円滑かつ確実な実施に関し必要な助言を行うことができる。

２　国は、認定市町村に対し、認定歴史的風致維持向上計画の円滑かつ確実な実施に関し必要な情報の提供、助言その他の援助を行うよう努めなければならない。

３　前項に定めるもののほか、国及び認定市町村は、認定歴史的風致維持向上計画の円滑かつ確実な実施が促進されるよう、相互に連携を図りながら協力しなければならない。

４　認定市町村の長及び教育委員会は、認定歴史的風致維持向上計画の円滑かつ確実な実施が促進されるよう、相互に緊密な連携を図りながら協力しなければならない。

（協議会）

第一一条　市町村は、歴史的風致維持向上計画の作成及び変更に関する協議並びに認定歴史的風致維持向上計画の実施に係る連絡調整を行うための協議会（以下この条において「協議会」という。）を組織することができる。

２　協議会は、次に掲げる者をもって構成する。

一　当該市町村

二　歴史的風致維持向上計画にその整備又は管理に関する事項を記載しようとする歴史的風致維持向上施設の整備又は管理を行う者

三　第三十四条第一項の規定により当該市町村の長が指定した歴史的風致維持向上支援法人（次章において「支援法人」という。）

四　都道府県、重要文化財建造物等の所有者、学識経験者その他の市町村が必要と認める者

３　協議会は、必要があると認めるときは、関係行政機関に対して、資料の提供、意見の表明、説明その他必要な協力を求めることができる。

４　第一項の協議を行うための会議において協議が調った事項については、協議会の構成員は、その協議の結果を尊重しなければならない。

５　前各項に定めるもののほか、協議会の運営に関し必要な事項は、協議会が定める。

第四章　認定歴史的風致維持向上計画に基づく特別の措置

第一節　歴史的風致形成建造物

（歴史的風致形成建造物の指定）

第一二条　市町村長は、認定歴史的風致維持向上計画に記載された第五条第二項第六号の計画期間（以下「認定計画期間」という。）内に限り、当該認定歴史的風致維持向上計画に記載された同項第四号の方針に即し、認定歴史的風致維持向上計画に記載された重点区域（以下「認定重点区域」という。）内の歴史上価値の高い重要無形文化財、登録無形文化財、重要無形民俗文化財（文化財保護法第七十八条第一項に規定する重要無形民俗文化財をいう。）又は登録無形民俗文化財（同法第九十条の六第一項に規定する登録無形民俗文化財をいう。）の用に供されることによりそれらの価値の形成に寄与している建造物その他の地域の歴史的な建造物（重要文化財建造物等及び重要伝統的建造物群保存地区内の伝統的建造物群（同法第二条第一項第六号に規定する伝統的建造物群をいう。第十七条第一項において同じ。）を構成している建造物を除く。）であって、現に当該認定重点区域における歴史的風致を形成しており、かつ、その歴史的風致の維持及び向上のためにその保全を図る必要があると認められるもの（これと一体となって歴史的風致を形成している土地又は物件を含む。）を、歴史的風致形成建造物として指定することができる。

２　市町村長は、前項の規定による指定をしようとするときは、あらかじめ、当該建造物の所有者（所有者が二人以上いる場合にあっては、その全員）及び当該市町村の教育委員会の意見を聴くとともに、当該建造物が公共施設である場合にあっては、当該公共施設の管理者（当該市町村を除く。）に協議し、その同意を得なければならない。ただし、当該市町村が文化財保護法第五十三条の八第一項に規定する特定地方公共団体（以下単に「特定地方公共団体」という。）であるときは、当該市町村の教育委員会の意見を聴くことを要しない。

３　市町村の教育委員会は、前項の規定により意見を聴かれた場合において、当該建造物が文化財保護法第二条第一項第一号に規定する有形文化財、同項第三号に規定する民俗文化財又は同項第四号に規定する記念物（以下「有形文化財等」という。）に該当すると認めるときは、その旨を市町村長に通知しなければならない。

（歴史的風致形成建造物の指定の提案）

第一三条　認定重点区域内の建造物の所有者は、認定計画期間内に限り、当該建造物が前条第一項に規定する建造物に該当すると思料するときは、主務省令で定めるところにより、市町村長に対し、当該建造物を歴史的風致形成建造物として指定することを提案することができる。この場合において、当該建造物に当該提案に係る所有者以外の所有者がいるときは、あらかじめ、その全員の合意を得なければならない。

２　支援法人は、認定計画期間内に限り、認定重点区域内の建造物が前条第一項に規定する建造物に該当すると思料するときは、主務省令で定めるところにより、あらかじめ、当該建造物の所有者（所有者が二人以上いる場合にあっては、その全員）の同意を得て、市町村長に対し、当該建造物を歴史的風致形成建造物として指定することを提案することができる。

３　市町村長は、前二項の規定による提案が行われた場合において、当該提案に係る建造物について前条第一項の規定による指定をしないこととしたときは、遅滞なく、その旨及びその理由を当該提案をした者に通知しなければならない。

４　市町村長は、前項の規定による通知をしようとするときは、あらかじめ、当該市町村の教育委員会の意見を聴かなければならない。ただし、当該市町村が特定地方公共団体であるときは、この限りでない。

（指定の通知等）

第一四条　市町村長は、第十二条第一項の規定による指定をしたときは、直ちに、その旨（当該歴史的風致形成建造物が同条第三項の規定による通知がなされた建造物である場合にあっては、当該歴史的風致形成建造物が有形文化財等に該当する旨を含む。）を当該歴史的風致形成建造物の所有者（所有者が二人以上いる場合にあってはその全員とし、当該歴史的風致形成建造物の指定が前条第二項の規定による提案に基づくものである場合にあってはその提案をした支援法人を含む。第十七条第三項において同じ。）に通知しなければならない。

２　市町村は、第十二条第一項の規定による指定をしたときは、遅滞なく、条例又は規則で定めるところにより、これを表示する標識を設置しなければならない。

（増築等の届出及び勧告等）

第一五条　歴史的風致形成建造物の増築、改築、移転又は除却をしようとする者は、当該増築、改築、移転又は除却に着手する日の三十日前までに、主務省令で定めるところにより、行為の種類、場所、着手予定日その他主務省令で定める事項を市町村長に届け出なければならない。ただし、次に掲げる行為については、この限りでない。

一　通常の管理行為、軽易な行為その他の行為で政令で定めるもの

二　非常災害のため必要な応急措置として行う行為

三　都市計画法第四条第十五項に規定する都市計画事業の施行として行う行為又はこれに準ずる行為として政令で定める行為

四　前三号に掲げるもののほか、これらに類するものとして政令で定める行為

2　前項の規定による届出をした者は、その届出に係る事項のうち主務省令で定める事項を変更しようとするときは、当該事項の変更に係る行為に着手する日の三十日前までに、主務省令で定めるところにより、その旨を市町村長に届け出なければならない。

3　市町村長は、第一項又は前項の規定による届出があった場合において、その届出に係る行為が当該歴史的風致形成建造物の保全に支障を来すものであると認めるときは、その届出をした者に対し、認定歴史的風致維持向上計画に記載された第五条第二項第五号に掲げる事項を勘案して、その届出に係る行為に関し設計の変更その他の必要な措置を講ずべきことを勧告することができる。

4　市町村長は、前項の規定による勧告をしようとする場合において、当該歴史的風致形成建造物が第十二条第三項の規定による通知がなされた建造物であるときは、あらかじめ、当該市町村の教育委員会の意見を聴かなければならない。ただし、当該市町村が特定地方公共団体であるときは、この限りでない。

5　市町村長は、第三項の規定による勧告を受けた者の申出があった場合において、当該歴史的風致形成建造物の保全を図るために必要があると認めるときは、その者に対し、当該歴史的風致形成建造物に関する権利の処分についてのあっせんその他の必要な措置を講ずるものとする。

6　国の機関又は地方公共団体が行う行為については、前各項の規定は、適用しない。この場合において、第一項の規定による届出を要する行為をしようとする者が国の機関又は地方公共団体であるときは、当該国の機関又は地方公共団体は、あらかじめ、その旨を市町村長に通知しなければならない。

7　市町村長は、前項の規定による通知があった場合において、当該歴史的風致形成建造物の保全を図るために必要があると認めるときは、その必要な限度において、当該国の機関又は地方公共団体に対し、認定歴史的風致維持向上計画に記載された第五条第二項第五号に掲げる事項を勘案して、当該歴史的風致形成建造物の保全のため講ずべき措置について協議を求めることができる。

（歴史的風致形成建造物の所有者等の管理義務）

第一六条　歴史的風致形成建造物の所有者その他歴史的風致形成建造物の管理について権原を有する者は、当該歴史的風致形成建造物の保全に支障を来さないよう、適切に管理しなければならない。

（指定の解除）

第一七条　市町村長は、歴史的風致形成建造物が重要文化財建造物等又は重要伝統的建造物群保存地区内の伝統的建造物群を構成する建造物に該当するに至ったとき、又は滅失、毀損その他の事由により歴史的風致形成建造物の指定の理由が消滅したときは、遅滞なく、当該歴史的風致形成建造物の指定を解除しなければならない。

2　市町村長は、歴史的風致形成建造物について、公益上の理由その他特別な理由があるときは、その指定を解除することができる。この場合において、当該歴史的風致形成建造物が第十二条第三項の規定による通知がなされた建造物であるときは、あらかじめ、当該市町村の教育委員会の意見を聴かなければならない。ただし、当該市町村が特定地方公共団体であるときは、当該市町村の教育委員会の意見を聴くことを要しない。

3　市町村長は、前二項の規定により歴史的風致形成建造物の指定を解除したときは、直ちに、その旨を当該歴史的風致形成建造物の所有者に通知しなければならない。

（所有者の変更の場合の届出）

第一八条　歴史的風致形成建造物の所有者が変更したときは、新たに所有者となった者は、遅滞なく、その旨を市町村長に届け出なければならない。

（台帳）

第一九条　市町村長は、歴史的風致形成建造物に関する台帳を作成し、これを保管しなければならない。

2　前項の台帳の作成及び保管に関し必要な事項は、主務省令で定める。

（歴史的風致形成建造物の現状に関する報告の徴収）

第二〇条　市町村長は、必要があると認めるときは、歴史的風致形成建造物の所有者に対し、その現状について報告を求めることができる。

（管理又は修理に関する技術的指導等）

第二一条　第十四条第一項の規定による通知（当該歴史的風致形成建造物が有形文化財等に該当する旨をその内容に含むものに限る。）を受けた歴史的風致形成建造物（文化財保護法第二条第一項第一号に規定する有形文化財、同法第九十条第三項に規定する登録有形民俗文化財又は同法第百三十三条に規定する登録記念物であるものを除く。以下この項において同じ。）の所有者その他当該歴史的風致形成建造物の管理について権原を有する者は、文部科学省令で定めるところにより、文化庁長官に対し、当該歴史的風致形成建造物の管理又は修理に関する技術的指導を求めることができる。

2　前項に定めるもののほか、歴史的風致形成建造物の所有者その他歴史的風致形成建造物の管理について権原を有する者は、市町村長又は支援法人に対し、当該歴史的風致形成建造物の管理又は修理に関し必要な助言その他の援助を求めることができる。

第三節　歴史的風致維持向上施設の整備等に関する特例

（土地改良施設である農業用用排水施設の管理の特例）

第二二条　都道府県は、支援法人に対し、認定歴史的風致維持向上計画に記載された第五条第三項第一号に規定する農業用用排水施設（同号イに該当するものに限る。）の管理の全部又は一部を委託することができる。

2　土地改良法第九十四条の六第二項の規定は、前項に規定する農業用用排水施設についての同項の規定による管理の委託について準用する。この場合において、同条第二項中「その国営土地改良事業」とあるのは「その都道府県営土地改良事業」と、「準拠して」とあるのは「準拠するとともに、地域における歴史的風致の維持及び向上に関する法律（平成二十年法律第四十号）第八条に規定する認定歴史的風致維持向上計画に記載された同法第五条第三項第一号に規定する農業用用排水施設（同号イに該当するものに限る。）の管理に関する事項の内容に即して」と読み替えるものとする。

（農用地区域内における開発行為の許可の特例）

第二三条　第五条第三項第一号に掲げる事項（同号ロに該当する農業用用排水施設に係るものに限る。）が記載された歴史的風致維持向上計画が同条第八項の認定を受けた場合において、当該農業用用排水施設の存する農用地区域内の開発行為（農業振興地域の整備に関する法律第十五条の二第一項に規定する開発行為をいう。）について、同法第十五条の二第一項の許可の申請があったときにおける同条第四項の規定の適用については、同項第三号中「機能」とあるのは、「機能又は当該農業用用排水施設が形成している歴史的風致（地域における歴史的風致の維持及び向上に関する法律（平成二十年法律第四十号）第一条に規定する歴史的風致をいう。）の維持及び向上」とする。

（文化財保護法の規定による事務の認定市町村の教育委員会による実施）

第二四条　文化庁長官は、次に掲げるその権限に属する事務であって、第五条第八項の認定を受けた町村（以下この条及び第二十九条において「認定町村」という。）の区域内の重要文化財建造物等に係るものの全部又は一部については、認定計画期間内に限り、政令で定めるところにより、当該認定町村の教育委員会（当該認定町村が特定地方公共団体である場合にあっては、当該認定町村の長。次項から第四項までにおいて同じ。）が行うこととすることができる。

一　文化財保護法第四十三条第一項から第四項まで又は第百二十五条第一項から第四項までの規定により、現状変更又は保存に影響を及ぼす行為の許可及びその取消し（重大な現状変更又は保存に重大な影響を及ぼす行為の許可及びその取消しを除く。）をし、並びに現状変更又は保存に影響を及ぼす行為の停止を命ずること。

二　文化財保護法第五十四条（同法第八十六条及び第百七十二条第五項において準用する場合を含む。）、第五十五条第一項、第百三十条（同法第百七十二条第五項において準用する場合を含む。）又は第百三十一条第一項の規定により、報告を求め、並びに立入調査及び調査のため必要な措置をさせること。

2　前項の規定により認定町村の教育委員会が文化財保護法第四十三条第四項（同法第百二十五条第三項において準用する場合を含む。）の規定による現状変更又は保存に影響を及ぼす行為の許可の取消しをする場合において、聴聞をしようとするときは、当該聴聞の期日の十日前までに、行政手続法（平成五年法律第八十八号）第十五条第一項の規定による通知をし、

かつ、当該処分の内容並びに当該聴聞の期日及び場所を公示しなければならない。この場合においては、文化財保護法第百五十四条第三項の規定を準用する。

3　第一項の規定により認定町村の教育委員会が文化財保護法第五十五条第一項又は第百三十一条第一項の規定による立入調査又は調査のため必要な措置をさせようとするときは、関係者又はその代理人の出頭を求めて、公開による意見の聴取を行わなければならない。この場合においては、同法第五十五条第二項から第四項までの規定を準用する。

4　文化財保護法第百八十四条第二項、第四項（第三号に係る部分を除く。）及び第五項から第八項までの規定は、認定町村の教育委員会について準用する。

5　認定市町村の長は、認定歴史的風致維持向上計画を実施する上で特に必要があると認めるときは、その議会の議決を経て、文部科学大臣に対し、第一項に規定する事務の全部又は一部を、文化財保護法第百八十四条第一項又は第一項の規定により当該認定市町村の教育委員会（当該認定市町村が特定地方公共団体である場合にあっては、当該認定市町村の長）が処理することとするよう要請することができる。

6　認定市町村の議会は、前項の議決をしようとするときは、あらかじめ、当該認定市町村の教育委員会の意見を聴かなければならない。ただし、当該認定市町村が特定地方公共団体であるときは、この限りでない。

（都市公園の管理の特例等）

第二五条　認定市町村は、認定計画期間内に限り、都市公園法第二条の三の規定にかかわらず、認定歴史的風致維持向上計画に記載された第五条第三項第二号に規定する都市公園の維持又は公園施設の新設、増設若しくは改築（以下この条において「都市公園の維持等」という。）を行うことができる。

2　認定市町村は、前項の規定により都市公園の維持等を行おうとするとき、及び都市公園の維持等を完了したときは、国土交通省令で定めるところにより、その旨を公示しなければならない。

3　認定市町村は、第一項の規定により都市公園の維持等を行う場合においては、政令で定めるところにより、当該都市公園の公園管理者に代わってその権限を行うものとする。

4　第一項の規定により認定市町村が行う都市公園の維持等に要する費用は、当該認定市町村の負担とする。

5　認定市町村が第三項の規定により公園管理者に代わってした都市公園法第三十四条第一項各号に掲げる処分についての審査請求の裁決に不服がある者は、国土交通大臣に対して再審査請求をすることができる。

6　第三項の規定により公園管理者に代わってその権限を行う認定市町村は、都市公園法第六章の規定の適用については、公園管理者とみなす。

（路外駐車場についての都市公園の占用の特例等）

第二六条　認定市町村は、第五条第三項第三号に掲げる事項を記載した歴史的風致維持向上計画が同条第八項の認定を受けたときは、駐車場整備計画（駐車場法第四条第一項に規定する駐車場整備計画をいう。以下この条において同じ。）において、その記載された事項の内容に即して、おおむねその位置、規模、整備主体及び整備の目標年次を定めた特定路外駐車場の整備に関する事業の計画の概要を定めることができる。

2　認定市町村は、前項の規定により駐車場整備計画において都市公園の地下に設けられる特定路外駐車場の整備に関する事業の計画の概要（以下この条において「地下駐車場整備計画概要」という。）を定めようとするときは、当該地下駐車場整備計画概要について、あらかじめ、当該都市公園の公園管理者の同意を得なければならない。

3　第一項の規定により地下駐車場整備計画概要が定められた駐車場整備計画が駐車場法第四条第四項（同条第五項において準用する場合を含む。）の規定により公表された日から二年以内に当該地下駐車場整備計画概要に基づく都市公園の地下の占用について都市公園法第六条第一項又は第三項の許可の申請があった場合においては、当該占用が同法第七条第一項の規定に基づく政令で定める技術的基準に適合する限り、公園管理者は、当該許可を与えるものとする。

（歴史的風致形成建造物等の管理の特例等）

第二七条　認定市町村又は支援法人は、認定重点区域内の次に掲げる施設の所有者（所有者が二人以上いる場合にあっては、その全員）との契約に基づき、当該施設の管理を行うことができる。

一　歴史的風致形成建造物

二　認定歴史的風致維持向上計画にその整備又は管理に関する事項が記載された歴史的風致維持向上施設である公共施設その他地域における歴史的風致の維持及び向上に寄与するものとして主務省令で定める施設

2　支援法人が前項の規定により管理する施設内の樹木又は樹木の集団であって、都市の美観風致を維持するための樹木の保存に関する法律（昭和三十七年法律第百四十二号）第二条第一項の規定に基づき保存樹又は保存樹林として指定されたものについての同法の規定の適用については、同法第五条第一項中「所有者」とあるのは「所有者及び歴史的風致維持向上支援法人（地域における歴史的風致の維持及び向上に関する法律（平成二十年法律第四十号）第三十四条第一項に規定する歴史的風致維持向上支援法人をいう。以下同じ。）」と、同法第六条第二項及び第八条中「所有者」とあるのは「歴史的風致維持向上支援法人」と、同法第九条中「所有者」とあるのは「所有者又は歴史的風致維持向上支援法人」とする。

（市街化調整区域内における開発行為の許可の特例）

第二八条　第五条第三項第四号に掲げる事項が記載された歴史的風致維持向上計画が同条第八項の認定を受けた場合には、その記載された事項の内容に即して行われる開発行為（都市計画法第三十四条各号に掲げるものを除く。）は、同法第三十四条第十四号に掲げる開発行為とみなす。

2　都道府県知事又は指定都市若しくは中核市の長は、市街化調整区域のうち都市計画法第二十九条第一項の規定による許可を受けた開発区域（同法第四条第十三項に規定する開発区域をいう。）以外の区域内において認定歴史的風致維持向上計画に記載された第五条第三項第四号に掲げる事項の内容に即して行われる建築行為について、同法第四十三条第一項の許可の申請があった場合において、当該申請に係る建築行為が同条第二項の政令で定める許可の基準のうち同法第三十三条に規定する開発許可の基準の例に準じて定められた基準に適合するときは、その許可をしなければならない。

（都市緑地法の規定による特別緑地保全地区における行為の制限に関する事務の町村長による実施）

第二九条　都道府県知事は、都市緑地法（昭和四十八年法律第七十二号）第十四条第一項から第八項まで、同法第十五条において準用する同法第九条第一項及び第二項、同法第十六条において準用する同法第十条第二項において準用する同法第七条第五項及び第六項並びに同法第十九条において読み替えて準用する同法第十一条第一項及び第二項の規定によりその権限に属する事務であって、認定重点区域内の特別緑地保全地区（同法第十二条第一項に規定する特別緑地保全地区をいう。）に係るものについては、認定計画期間内に限り、政令で定めるところにより、認定町村の長が行うこととすることができる。

2　前項の規定により認定町村の長が同項に規定する事務を行う場合における都市緑地法第四条、第三章第二節及び第三十一条の規定の適用については、同法第四条第二項第六号ハ中「第十七条」とあるのは「第十七条（地域における歴史的風致の維持及び向上に関する法律（平成二十年法律第四十号。以下「地域歴史的風致法」という。）第二十九条第二項の規定により読み替えて適用する場合を含む。）」と、同条第七項中「第六号ハからホまでに掲げる事項」とあるのは「第六号ハからホまでに掲げる事項（地域歴史的風致法第二十九条第二項の規定により読み替えて適用する第十七条の規定による土地の買入れ及び買い入れた土地の管理に関する事項を除く。）」と、同法第十六条において準用する同法第十条第一項並びに同法第十七条第一項及び第三十一条第一項中「都道府県等」とあるのは「地域歴史的風致法第二十四条第一項に規定する認定町村」と、同項中「第十六条」とあるのは「地域歴史的風致法第二十九条第二項の規定により読み替えて適用する第十六条」と、「第十七条第一項」とあるのは「地域歴史的風致法第二十九条第二項の規定により読み替えて適用する第十七条第一項」と、「買入れ又は第十七条の二第五項の規定による負担並びに都道府県又は町村が行う第十七条第三項の規定による土地の買入れ」とあるのは「買入れ」とする。

（電線共同溝を整備すべき道路の指定の特例）

第三〇条　第五条第三項第五号に掲げる事項が記載された歴史的風致維持向上計画が同条第八項の認定を受けた場合には、同号に規定する道路又はその部分に関する電線共同溝の整備等に関する特別措置法（平成七年法律第三十九号）第三条の規定の適用については、同条第一項中「安全かつ円滑な」とあるのは「安全な」と、「図る」とあるのは「図るとともに、地域における歴史的風致の維持及び向上に関する法律（平成二十年法律第四十号）第八条に規定する認定歴史的風致維持向上計画（以下単に「認定歴史的風致維持向上計画」という。）に記載された同法第五条第三項第五号に掲げる事項の内容に即し、地域における歴史的風致（同法第一条に規定する歴史的風致をいう。）の維持及び向上を図る」と、「特に必要である」とあるのは「必要である」と、同条第二項中「及び次項の規定による要請をした」とあるのは「、次項の規定による要請をした市町村及び当該道路又はその部分を認定歴史的風致維持向上計画に記載した」とする。

第五章　歴史的風致維持向上地区計画

（歴史的風致維持向上地区計画）

第三十一条　次に掲げる条件に該当する土地の区域で、当該区域における歴史的風致の維持及び向上と土地の合理的かつ健全な利用を図るため、その歴史的風致にふさわしい用途の建築物その他の工作物（以下「建築物等」という。）の整備（既存の建築物等の用途を変更して当該歴史的風致にふさわしい用途の建築物等とすることを含む。）及び当該区域内の市街地の保全を総合的に行うことが必要であると認められるものについては、都市計画に歴史的風致維持向上地区計画を定めることができる。

一　現に相当数の建築物等の建築又は用途の変更が行われつつあり、又は行われることが確実であると認められる土地の区域であること。

二　当該区域における歴史的風致の維持及び向上に支障を来し、又は来すおそれがあると認められる土地の区域であること。

三　当該区域における歴史的風致の維持及び向上と土地の合理的かつ健全な利用を図ることが、当該都市の健全な発展及び文化の向上に貢献することとなる土地の区域であること。

四　都市計画法第八条第一項第一号に規定する用途地域が定められている土地の区域であること。

2　歴史的風致維持向上地区計画については、都市計画法第十二条の四第二項に定める事項のほか、都市計画に、第一号に掲げる事項を定めるものとするとともに、第二号から第四号までに掲げる事項を定めるよう努めるものとする。

一　主として街区内の居住者、滞在者その他の者の利用に供される道路、公園その他の政令で定める施設（都市計画法第四条第六項に規定する都市計画施設（次条において単に「都市計画施設」という。）を除く。以下「地区施設」という。）及び建築物等の整備並びに土地の利用に関する計画（以下この章において「歴史的風致維持向上地区整備計画」という。）

二　当該歴史的風致維持向上地区計画の目標

三　当該区域の土地利用に関する基本方針

四　当該区域の整備及び保全に関する方針

3　前項第三号の基本方針には、次に掲げる事項を定めることができる。

一　次に掲げる建築物等のうち、当該区域における歴史的風致の維持及び向上のため、当該区域において整備をすべき建築物等の用途及び規模に関する事項

イ　地域の伝統的な技術又は技能により製造された工芸品、食品その他の物品の販売を主たる目的とする店舗

ロ　地域の伝統的な特産物を主たる材料とする料理の提供を主たる目的とする飲食店

ハ　地域の伝統的な技術又は技能による工芸品、食品その他の物品の製造を主たる目的とする工場

ニ　地域の歴史上価値の高い美術品、地域の伝統的な技術又は技能により製造された工芸品その他これらに類する物品の展示を主たる目的とする展示場、博物館又は美術館

ホ　その他地域における歴史的風致の維持及び向上に寄与するものとして政令で定める建築物等

二　前号に規定する建築物等の形態又は色彩その他の意匠の制限に関する基本的事項

三　第一号に規定する建築物等の整備（既存の建築物等の用途を変更して同号に規定する建築物等とすることを含む。）をすべき土地の区域

4　歴史的風致維持向上地区整備計画においては、次に掲げる事項を定めることができる。

一　地区施設の配置及び規模

二　建築物等の用途の制限、建築物の容積率（延べ面積の敷地面積に対する割合をいう。）の最高限度又は最低限度、建築物の建ぺい率（建築面積の敷地面積に対する割合をいう。）の最高限度、建築物の敷地面積又は建築面積の最低限度、壁面の位置の制限、壁面後退区域（壁面の位置の制限として定められた限度の線と敷地境界線との間の土地の区域をいう。次条において同じ。）における工作物（建築物を除く。次条において同じ。）の設置の制限、建築物等の高さの最高限度又は最低限度、建築物等の形態又は色彩その他の意匠の制限、建築物の緑化率（都市緑地法第三十四条第二項に規定する緑化率をいう。）の最低限度その他建築物等に関する事項で政令で定めるもの

三　現に存する樹林地、草地その他の緑地で歴史的風致の維持及び向上を図るとともに、良好な居住環境を確保するため必要なものの保全に関する事項

四　前三号に掲げるもののほか、土地の利用に関する事項で政令で定めるもの

5　歴史的風致維持向上地区計画を都市計画に定めるに当たっては、次に掲げるところに従わなければならない。

一　土地利用に関する基本方針は、当該区域における歴史的風致の維持及び向上が図られるように定めること。この場合において、都市計画法第八条第一項第一号に規定する第一種低層住居専用地域、第二種低層住居専用地域、第一種中高層住居専用地域、第二種中高層住居専用地域及び田園住居地域については、当該区域の周辺の住宅に係る良好な住居の環境の保護に支障を来さないように定めること。

二　地区施設は、当該地区施設が、当該歴史的風致維持向上地区計画の区域及びその周辺において定められている都市計画と相まって、当該区域における歴史的風致の維持及び向上並びに良好な都市環境の形成に資するよう、必要な位置に適切な規模で配置すること。

三　歴史的風致維持向上地区整備計画における建築物等に関する事項は、当該歴史的風致維持向上地区計画の区域における歴史的風致にふさわしい用途、容積、高さ、配列及び形態を備えた建築物等の整備により当該区域内において土地の合理的かつ健全な利用が行われることとなるよう定めること。

6　歴史的風致維持向上地区計画を都市計画に定める際、当該歴史的風致維持向上地区計画の区域の全部又は一部について歴史的風致維持向上地区整備計画を定めることができない特別の事情があるときは、当該区域の全部又は一部について歴史的風致維持向上地区整備計画を定めることを要しない。この場合において、歴史的風致維持向上地区計画の区域の一部について歴史的風致維持向上地区整備計画を定めるときは、当該歴史的風致維持向上地区計画については、歴史的風致維持向上地区整備計画の区域をも都市計画に定めなければならない。

（区域の特性に応じた高さ、配列及び形態を備えた建築物の整備を誘導する歴史的風致維持向上地区整備計画）

第三十二条　歴史的風致維持向上地区整備計画においては、当該歴史的風致維持向上地区整備計画の区域の特性に応じた高さ、配列及び形態を備えた建築物を整備することが合理的な土地利用の促進を図るため特に必要であると認められるときは、壁面の位置の制限（道路（都市計画施設又は地区施設である計画道路を含む。）に面する壁面の位置の制限を含むものに限る。）、壁面後退区域における工作物の設置の制限（当該壁面後退区域において連続的に有効な空地を確保するため必要な工作物の設置の制限を含むものに限る。）及び建築物の高さの最高限度を定めるものとする。

（行為の届出及び勧告等）

第三十三条　歴史的風致維持向上地区計画の区域（歴史的風致維持向上地区整備計画が定められている区域に限る。）内において、土地の区画形質の変更、建築物等の新築、改築又は増築その他政令で定める行為をしようとする者は、当該行為に着手する日の三十日前までに、国土交通省令で定めるところにより、行為の種類、場所、設計又は施行方法、着手予定日その他国土交通省令で定める事項を市町村長に届け出なければならない。ただし、次に掲げる行為については、この限りでない。

一　通常の管理行為、軽易な行為その他の行為で政令で定めるもの

二　非常災害のため必要な応急措置として行う行為

三　国の機関又は地方公共団体が行う行為

四　都市計画法第四条第十五項に規定する都市計画事業の施行として行う行為又はこれに準ずる行為として政令で定める行為

五　都市計画法第二十九条第一項の許可を要する行為

六　前各号に掲げるもののほか、これらに類するものとして政令で定める

行為

2　前項の規定による届出をした者は、その届出に係る事項のうち国土交通省令で定める事項を変更しようとするときは、当該事項の変更に係る行為に着手する日の三十日前までに、国土交通省令で定めるところにより、その旨を市町村長に届け出なければならない。

3　市町村長は、第一項又は前項の規定による届出があった場合において、その届出に係る行為が歴史的風致維持向上地区計画に適合しないと認めるときは、その届出をした者に対し、その届出に係る行為に関し設計の変更その他の必要な措置を講ずべきことを勧告することができる。この場合において、地域における歴史的風致の維持及び向上を図るため必要があると認められるときは、歴史的風致維持向上地区計画に定められた事項その他の事項に関し、適切な措置を講ずることについて助言又は指導をするものとする。

第六章　歴史的風致維持向上支援法人

（歴史的風致維持向上支援法人の指定）

第三四条　市町村長は、一般社団法人若しくは一般財団法人又は特定非営利活動促進法（平成十年法律第七号）第二条第二項に規定する特定非営利活動法人であって、次条に規定する業務を適正かつ確実に行うことができると認められるものを、その申請により、歴史的風致維持向上支援法人（以下「支援法人」という。）として指定することができる。

2　市町村長は、前項の規定による指定をしたときは、当該支援法人の名称、住所及び事務所の所在地を公示しなければならない。

3　支援法人は、その名称、住所又は事務所の所在地を変更しようとするときは、あらかじめ、その旨を市町村長に届け出なければならない。

4　市町村長は、前項の規定による届出があったときは、当該届出に係る事項を公示しなければならない。

（支援法人の業務）

第三五条　支援法人は、次に掲げる業務を行うものとする。

一　歴史的風致維持向上施設の整備に関する事業を実施しようとする者に対し、当該事業に関する知識を有する者の派遣、情報の提供、相談その他の援助を行うこと。

二　認定重点区域又は歴史的風致維持向上地区計画の区域において歴史的風致維持向上施設の整備に関する事業を実施すること、又は当該区域における歴史的風致維持向上施設の整備に関する事業に参加すること。

三　前号の歴史的風致維持向上施設の整備に関する事業に有効に利用できる土地であって政令で定めるものの取得、管理及び譲渡を行うこと。

四　歴史的風致形成建造物の管理又は修理に関し、必要な助言その他の援助を行うこと。

五　第二十二条第一項に規定する農業用用排水施設又は第二十七条第一項に規定する施設の管理を行うこと。

六　地域における歴史的風致の維持及び向上に関する調査研究を行うこと。

七　前各号に掲げるもののほか、地域における歴史的風致の維持及び向上を図るために必要な業務を行うこと。

（監督等）

第三六条　市町村長は、前条各号に掲げる業務の適正かつ確実な実施を確保するため必要があると認めるときは、支援法人に対し、その業務に関し報告をさせることができる。

2　市町村長は、支援法人が前条各号に掲げる業務を適正かつ確実に実施していないと認めるときは、支援法人に対し、その業務の運営の改善に関し必要な措置を講ずべきことを命ずることができる。

3　市町村長は、支援法人が前項の規定による命令に違反したときは、第三十四条第一項の規定による指定を取り消すことができる。

4　市町村長は、前項の規定により指定を取り消したときは、その旨を公示しなければならない。

（情報の提供等）

第三七条　国及び関係地方公共団体は、支援法人に対し、その業務の実施に関し必要な情報の提供又は指導若しくは助言をするものとする。

第七章　雑則

（主務大臣及び主務省令）

第三八条　この法律における主務大臣は、文部科学大臣、農林水産大臣及び国土交通大臣とする。

2　この法律における主務省令は、文部科学省令・国土交通省令とする。ただし、第五条第二項第七号及び第七条第一項に規定する主務省令については、文部科学省令・農林水産省令・国土交通省令とする。

（経過措置）

第三九条　この法律の規定に基づき命令を制定し、又は改廃する場合においては、その命令で、その制定又は改廃に伴い合理的に必要と判断される範囲内において、所要の経過措置（罰則に関する経過措置を含む。）を定めることができる。

第八章　罰則

第四〇条　第三十三条第一項又は第二項の規定に違反して、届出をしないで、又は虚偽の届出をして、同条第一項本文又は第二項に規定する行為をした者は、三十万円以下の罰金に処する。

2　法人の代表者又は法人若しくは人の代理人、使用人その他の従業者が、その法人又は人の業務に関し、前項の違反行為をしたときは、行為者を罰するほか、その法人又は人に対して同項の罰金刑を科する。

第四一条　次に掲げる違反があった場合においては、その違反行為をした者は、五万円以下の過料に処する。

一　第十五条第一項又は第二項の規定に違反して、届出をしないで、又は虚偽の届出をして、同条第一項本文又は第二項に規定する行為をしたとき。

二　第十八条の規定に違反して、届出をせず、又は虚偽の届出をしたとき。

附　則〔抄〕

（施行期日）

第一条　この法律は、公布の日から起算して六月を超えない範囲内において政令で定める日から施行する。

〔平成二〇政三三六により、平成二〇・一一・四から施行〕

（調整規定）

第二条　この法律の施行の日が一般社団法人及び一般財団法人に関する法律（平成十八年法律第四十八号）の施行の日前である場合には、同法の施行の日の前日までの間における第三十四条第一項の規定の適用については、同項中「一般社団法人若しくは一般財団法人」とあるのは、「民法（明治二十九年法律第八十九号）第三十四条の規定により設立された法人」とする。

（検討）

第三条　政府は、この法律の施行後五年を経過した場合において、この法律の施行の状況について検討を加え、その結果に基づいて必要な措置を講ずるものとする。

附　則〔略〕〔平成二三・五・二法律三五〕

附　則〔抄〕〔平成二三・八・三〇法律一〇五〕

（施行期日）

第一条　この法律は、公布の日から施行する。ただし、次の各号に掲げる規定は、当該各号に定める日から施行する。

一　〔略〕

二　〔前略〕第百六十五条（地域における歴史的風致の維持及び向上に関する法律第二十四条及び第二十九条の改正規定に限る。）〔中略〕の規定　平成二十四年四月一日

三～六　〔略〕

（罰則に関する経過措置）

第八一条　この法律（附則第一条各号に掲げる規定にあっては、当該規定。以下この条において同じ。）の施行前にした行為及びこの附則の規定によりなお従前の例によることとされる場合におけるこの法律の施行後にした行為に対する罰則の適用については、なお従前の例による。

（政令への委任）

第八二条　この附則に規定するもののほか、この法律の施行に関し必要な経過措置（罰則に関する経過措置を含む。）は、政令で定める。

附　則〔抄〕〔平成二六・五・三〇法律四二〕

（施行期日）

第一条　この法律〔中略〕は、当該各号に定める日〔平成二七・四・一〕か

ら施行する。

（地域における歴史的風致の維持及び向上に関する法律の一部改正に伴う経過措置）

第七三条　施行時特例市に対する前条の規定による改正後の地域における歴史的風致の維持及び向上に関する法律第五条第四項及び第二十八条第二項の規定の適用については、同法第五条第四項中「又は同法」とあるのは「、同法」と、「「中核市」とあるのは「「中核市」という。）又は地方自治法の一部を改正する法律（平成二十六年法律第四十二号）附則第二条に規定する施行時特例市（第二十八条第二項において「施行時特例市」と、同法第二十八条第二項中「若しくは中核市」とあるのは「、中核市若しくは施行時特例市」とする。

附　則〔略〕〔平成二六・六・一三法律六九〕

附　則〔抄〕〔平成二九・五・一二法律二六〕

（施行期日）

第一条　この法律は、公布の日から起算して二月を超えない範囲内において政令で定める日から施行する。ただし、次の各号に掲げる規定は、当該各号に定める日から施行する。

〔平成二九政一五五により、平成二九・六・一五から施行〕

一　附則第二十五条の規定　公布の日

二　（前略）附則（中略）第十八条（地域における歴史的風致の維持及び向上に関する法律（平成二十年法律第四十号）第三十一条第五項第一号の改正規定に限る。）（中略）の規定　公布の日から起算して一年を超えない範囲内において政令で定める日

〔平成二九政一五五により、平成三〇・四・一から施行〕

（政令への委任）

第二五条　この附則に定めるもののほか、この法律の施行に関し必要な経過措置は、政令で定める。

附　則〔略〕〔平成三〇・六・八法律四二〕

附　則〔略〕〔令和三・四・二三法律二二〕

附　則〔抄〕〔令和六・五・二九法律四〇〕

（施行期日）

第一条　この法律は、公布の日から起算して六月を超えない範囲内において政令で定める日から施行する。〔以下略〕

○地域における歴史的風致の維持及び向上に関する法律施行令

〔平成二〇・一〇・三一
政令三三七〕

改正　平成二三・八政二八二、一一政三六三、平成二七・一二政四一八、平成二九・六政一五六、平成三一・一政一八、令和二・九政二六八

（公共施設）

第一条　地域における歴史的風致の維持及び向上に関する法律（以下「法」という。）第二条第一項の政令で定める公共の用に供する施設は、下水道、緑地、広場、河川、運河及び海岸並びに防水又は防砂の施設とする。

（認定市町村が行うことができる都市公園の維持等）

第二条　法第五条第三項第二号の政令で定める都市公園の維持又は公園施設の新設、増設若しくは改築は、次に掲げるものとする。

一　次のイからホまでのいずれかに該当する公園施設が設けられている都市公園の維持

イ　都市公園法施行令（昭和三十一年政令第二百九十号）第五条第五項第二号に掲げる施設

ロ　野外劇場、野外音楽堂又は集会所であって、主として地域におけるその固有の歴史及び伝統を反映した活動を行うことを目的とするもの

ハ　イ又はロに掲げる施設に準ずるものとして国土交通省令で定めるもの

ニ　都市公園法（昭和三十一年法律第七十九号）第二条第二項第一号又は第二号に掲げる施設であって、イからハまでに掲げる施設に附帯するもの

ホ　都市公園法第二条第二項第八号に掲げる施設であって、イからニまでに掲げる施設の管理のため必要なもの

二　前号イからホまでのいずれかに該当する公園施設の新設、増設又は改築（公園施設である城跡に係る城の復原に関する工事であるものを除く。）

（歴史的風致形成建造物の増築等の届出を要しない通常の管理行為、軽易な行為その他の行為）

第三条　法第十五条第一項第一号の政令で定める行為は、次に掲げる行為とする。

一　認定歴史的風致維持向上計画に記載された法第五条第二項第五号の管理の指針となるべき事項に適合して行う行為

二　前号に掲げるもののほか、法令又はこれに基づく処分による義務の履行として行う行為

（歴史的風致形成建造物の増築等の届出を要しない都市計画事業の施行として行う行為に準ずる行為）

第四条　法第十五条第一項第三号の政令で定める行為は、次に掲げる行為（都市計画法（昭和四十三年法律第百号）第四条第十五項に規定する都市計画事業の施行として行うものを除く。）とする。

一　都市計画法第四条第六項に規定する都市計画施設を管理することとなる者がその都市計画施設の整備に関する事業の施行として当該都市計画施設に関する都市計画に適合して行う行為

二　土地区画整理法（昭和二十九年法律第百十九号）第二条第一項に規定する土地区画整理事業の施行として行う行為

三　都市再開発法（昭和四十四年法律第三十八号）第二条第一号に規定する市街地再開発事業の施行として行う行為

四　大都市地域における住宅及び住宅地の供給の促進に関する特別措置法（昭和五十年法律第六十七号）第二条第四号に規定する住宅街区整備事業の施行として行う行為

五　密集市街地における防災街区の整備の促進に関する法律（平成九年法律第四十九号）第二条第五号に規定する防災街区整備事業の施行として行う行為

（歴史的風致形成建造物の増築等の届出を要しないその他の行為）

第五条　法第十五条第一項第四号の政令で定める行為は、法第二十七条第一項の契約に基づき認定市町村又は支援法人が行う行為とする。

（認定町村の教育委員会が行うことができる文化財保護法の規定による事務等）

第六条　法第二十四条第一項の規定により認定町村の教育委員会（当該認定町村が文化財保護法（昭和二十五年法律第二百十四号）第五十三条の八第一項に規定する特定地方公共団体（次項において単に「特定地方公共団体」という。）である場合にあっては、当該認定町村の長。以下この条において同じ。）が行うこととすることができる事務は、次に掲げる事務の全部又は一部とする。

一　文化財保護法第百九条第一項の規定により指定された史跡名勝天然記念物（以下この項において単に「史跡名勝天然記念物」という。）の現状変更又は保存に影響を及ぼす行為（以下この項において「現状変更等」という。）で次のイからニまでのいずれかに該当するもの（認定重点区域内において行われるものに限る。）について、同法第百二十五条第一項から第四項までの規定による許可及びその取消しをし、並びに現状変更等の停止を命ずること。

イ　文化財保護法施行令（昭和五十年政令第二百六十七号）第五条第四項第一号イからへまでに掲げる行為

ロ　木竹（文化財保護法第百九条第一項の規定により指定された名勝又は天然記念物である木竹を除く。）の伐採

ハ　文化財保護法第百九条第一項の規定により指定された史跡又は名勝の保存のため必要な試験材料の採取

ニ　イからハまでに掲げるもののほか、史跡名勝天然記念物の指定に係る地域のうち、認定歴史的風致維持向上計画に法第五条第二項第三号イに掲げる事項として認定町村の教育委員会がその区域内における現状変更等に係る法第二十四条第一項に規定する事務の全部又は一部を行うこととする旨が定められた区域における現状変更等

二　史跡名勝天然記念物に関する前号イから二までに掲げる現状変更等（認定重点区域内において行われるものに限る。）について文化財保護法第百二十五条第一項の許可の申請があった場合において、同法第百三十条（同法第百七十二条第五項において準用する場合を含む。）又は第百三十一条第一項の規定により、報告を求め、並びに立入調査及び調査のため必要な措置をさせること。

2　文化庁長官は、法第二十四条第一項の規定により前項に規定する事務を認定町村の教育委員会が行うこととする場合には、当該認定町村の教育委員会が行うこととする事務の内容及び当該事務を行うこととする期間を明らかにして、当該認定町村の教育委員会がその事務を行うこととすることについて、あらかじめ、当該認定町村の属する都道府県の教育委員会（当該都道府県が特定地方公共団体である場合にあっては、当該都道府県の知事。第五項において同じ。）（文化財保護法施行令第五条第一項又は第四項の規定によりその事務の全部又は一部を行っているものに限る。）に協議するとともに、当該認定町村の教育委員会の同意を求めなければならない。

3　認定町村の教育委員会は、前項の規定により文化庁長官から同意を求められたときは、その内容について同意をするかどうかを決定し、その旨を文化庁長官に通知するものとする。

4　文化庁長官は、法第二十四条第一項の規定により第一項に規定する事務を認定町村の教育委員会が行うこととした場合においては、直ちに、その旨並びに当該認定町村の教育委員会が行うこととする事務の内容及び当該事務を行うこととする期間を官報で告示しなければならない。

5　前項の規定に基づき告示された期間における当該認定町村の属する都道府県の教育委員会についての文化財保護法施行令第五条第一項及び第四項の規定の適用については、これらの規定中「属する事務」とあるのは、「属する事務（地域における歴史的風致の維持及び向上に関する法律施行令（平成二十年政令第三百三十七号）第六条第四項の規定に基づき告示された事務を除く。）」とする。

（公園管理者の権限の代行）

第七条　法第二十五条第三項の規定により認定市町村が公園管理者に代わって行う権限は、次に掲げる公園管理者の権限以外の公園管理者の権限のうち、認定市町村が公園管理者と協議して定めるものとする。この場合において、当該認定市町村は、成立した協議の内容を公示しなければならない。

一　都市公園法第五条の二の規定により、設置等予定者を選定するための評価の基準について学識経験者の意見を聴き、公募設置等指針を定め、及びこれを変更し、並びにこれを公示すること。

二　都市公園法第五条の四の規定により、公募設置等計画について審査し、及び評価を行い、設置等予定者の選定について学識経験者の意見を聴き、設置等予定者を選定し、並びにその旨を通知すること。

三　都市公園法第五条の五の規定により、公募対象公園施設の場所を指定し、公募設置等計画が適当である旨の認定をし、並びに当該認定をした日及び認定の有効期間並びに公募対象公園施設の場所を公示すること。

四　都市公園法第五条の六の規定により、公募設置等計画の変更の認定をし、並びに当該認定をした日及び認定の有効期間並びに公募対象公園施設の場所を公示すること。

五　都市公園法第五条の八の規定により、認定計画提出者が有していた計画の認定に基づく地位の承継の承認をすること。

六　都市公園法第十七条第一項の規定により、都市公園台帳を作成し、及びこれを保管すること。

七　都市公園法第二十条の規定により都市公園の区域を立体的区域とすること。

八　都市公園法第二十二条第二項の規定により、協定を締結した旨を公示し、協定又はその写しを一般の閲覧に供し、及び閲覧に供している旨を掲示すること。

九　都市公園法第二十五条の規定により、公園保全立体区域を指定し、及びその旨を公告すること。

十　都市再生特別措置法（平成十四年法律第二十二号）第四十六条第十七項（同項第三号及び第四号に係る部分に限る。）の規定により、同条第一項に規定する都市再生整備計画に記載しようとする事項又はその案について市町村から協議を受け、及び同意をすること。

十一　都市再生特別措置法第六十二条の三（同条第四項及び第五項にあっては、同法第六十二条の四において読み替えて準用する場合を含む。）の規定により、同法第六十二条の三第四項各号に掲げる事項（同法第六十二条の四において読み替えて準用する場合にあっては、同項第一号及び第二号に該当すること並びに公園施設設置管理協定（同法第六十二条の三第一項に規定する公園施設設置管理協定をいう。以下この項において同じ。）の変更をすることについて都市公園の利用者の利便の一層の向上に寄与するものであると見込まれること又はやむを得ない事情があること）を確認し、公園施設設置管理協定を締結し、並びにその締結の日、同法第四十六条第十四項第二号ロに規定する滞在快適性等向上公園施設の場所及び公園施設設置管理協定の有効期間を公示すること。

十二　都市再生特別措置法第六十二条の六の規定により、同法第六十二条の五第一項に規定する協定一体型事業実施主体等が有していた公園施設設置管理協定に基づく地位の承継の承認をすること。

2　認定市町村は、法第二十五条第三項の規定により公園管理者に代わって次に掲げる権限を行ったときは、遅滞なく、国土交通省令で定めるところにより、当該公園管理者に通知しなければならない。

一　都市公園法第五条第一項又は第六条第一項若しくは第三項の許可をすること。

二　都市公園法第九条の規定による協議をすること。

三　都市公園法第二十二条第一項の規定により協定を締結すること。

四　都市公園法第二十六条第二項又は第四項の規定による命令をすること。

五　都市公園法第二十七条第一項又は第二項の規定による処分をすること。

3　法第二十五条第一項の規定により認定市町村が代わって行う公園管理者の権限は、同条第二項の規定に基づき公示される都市公園の維持等の開始の日から都市公園の維持等の完了の日までに限り行うことができるものとする。ただし、都市公園法第二十八条の規定により損失の補償について損失を受けた者と協議し、損失を補償し、及び補償金額を同法第二十七条第二項第三号の理由を生じさせた者に負担させる権限については、都市公園の維持等の完了の日後においても行うことができる。

（認定町村の長が都市緑地法の規定による事務を行うこととする場合における手続等）

第八条　都道府県知事は、法第二十九条第一項の規定により同項に規定する事務を認定町村の長が行うこととする場合には、当該認定町村の長が行うこととする事務の内容及び当該事務を行うこととする期間を明らかにして、当該認定町村の長がその事務を行うこととすることについて、あらかじめ、当該認定町村の長の同意を求めなければならない。

2　認定町村の長は、前項の規定により都道府県知事から同意を求められたときは、その内容について同意をするかどうかを決定し、その旨を都道府県知事に通知するものとする。

3　都道府県知事は、法第二十九条第一項の規定により同項に規定する事務を認定町村の長が行うこととした場合においては、直ちに、その旨並びに当該認定町村の長が行うこととする事務の内容及び当該事務を行うこととする期間を公示しなければならない。

4　認定町村の長は、法第二十九条第一項の規定により同項に規定する事務を行ったときは、都道府県知事に対し、その旨及びその内容を報告するものとする。

（地区施設）

第九条　法第三十一条第二項第一号の政令で定める施設は、道路又は公園、緑地、広場その他の公共空地とする。

（歴史的風致維持向上地区計画の区域の土地利用に関する基本方針にその用途等に関する事項を定めることができる建築物等）

第一〇条　法第三十一条第三項第一号ホの政令で定める建築物等は、次に掲げる建築物等とする。

一　地域の伝統的な行事に用いられる衣服、器具その他の物件の保管を主たる目的とする倉庫

二　地域の歴史上価値の高い芸能の用に供されることによりその価値の形

成に寄与する演芸場、観覧場、集会場その他これらに類する建築物等

三　地域の伝統的な構造、形態又は意匠の建築物等であって、主として地域の伝統的な技術、技能又は芸能の教授の用に供されるもの

四　地域の伝統的な構造、形態又は意匠の建築物等であって、主として法第三十一条第三項第一号イから二まで又は前二号に掲げる建築物等の利用者の宿泊の用に供されるもの

（歴史的風致維持向上地区整備計画において定める建築物等に関する事項）

第一一条　法第三十一条第四項第二号の政令で定める建築物等に関する事項は、垣又はさくの構造の制限とする。

（歴史的風致維持向上地区計画の区域内における行為の届出を要する行為）

第一二条　法第三十三条第一項本文の政令で定める行為は、次に掲げる行為とする。

一　建築物等の移転

二　建築物等の用途の変更（当該変更後の建築物等が歴史的風致維持向上地区整備計画において定められた建築物等の用途の制限又は用途に応じた建築物等に関する制限に適合しないこととなるものに限る。）

三　建築物等の形態又は色彩その他の意匠の変更（当該変更後の建築物等が歴史的風致維持向上地区整備計画において定められた建築物等の形態又は色彩その他の意匠の制限に適合しないこととなるものに限る。）

四　木竹の伐採（歴史的風致維持向上地区整備計画に法第三十一条第四項第三号に掲げる事項として当該木竹の伐採の制限が定められている場合に限る。）

（歴史的風致維持向上地区計画の区域内における行為の届出を要しない通常の管理行為、軽易な行為その他の行為）

第一三条　法第三十三条第一項第一号の政令で定める行為は、次に掲げる行為とする。

一　次に掲げる土地の区画形質の変更

イ　仮設の建築物等の新築、改築、増築又は移転の用に供する目的で行う土地の区画形質の変更

ロ　既存の建築物等の管理のために必要な土地の区画形質の変更

ハ　農林漁業を営むために行う土地の区画形質の変更

二　次に掲げる建築物等の新築、改築、増築又は移転

イ　仮設の建築物等の新築、改築、増築又は移転

ロ　屋外広告物で表示面積が一平方メートル以下であり、かつ、高さが三メートル以下であるものの表示又は掲出のために必要な工作物（建築物以外の工作物をいう。ハ及び二において同じ。）の新築、改築、増築又は移転

ハ　水道管、下水道管その他これらに類する工作物で地下に設けるものの新築、改築、増築又は移転

ニ　建築物の存する敷地内の当該建築物に附属する物干場、建築設備、受信用の空中線系（その支持物を含む。）、旗ざおその他これらに類する工作物の新築、改築、増築又は移転

ホ　農林漁業を営むために必要な物置、作業小屋その他これらに類する建築物等の新築、改築、増築又は移転

三　次に掲げる建築物等の用途の変更

イ　仮設の建築物等の用途の変更

ロ　建築物等の用途を前号ホに規定するものとする建築物等の用途の変更

四　第二号に規定する建築物等の形態又は色彩その他の意匠の変更

五　次に掲げる木竹の伐採

イ　除伐、間伐、整枝その他木竹の保育のために通常行われる木竹の伐採

ロ　枯損した木竹又は危険な木竹の伐採

ハ　自家の生活の用に充てるために必要な木竹の伐採

ニ　仮植した木竹の伐採

ホ　測量、実地調査又は施設の保守の支障となる木竹の伐採

六　前各号に掲げるもののほか、法令又はこれに基づく処分による義務の履行として行う行為

（歴史的風致維持向上地区計画の区域内における行為の届出を要しない都市計画事業の施行として行う行為に準ずる行為）

第一四条　法第三十三条第一項第四号の政令で定める行為は、第四条に規定する行為とする。

（歴史的風致維持向上地区計画の区域内における行為の届出を要しないその他の行為）

第一五条　法第三十三条第一項第六号の政令で定める行為は、次に掲げる行為とする。

一　建築基準法（昭和二十五年法律第二百一号）第六条第一項（同法第八十七条第一項及び第八十八条第二項において準用する場合を含む。）の確認又は同法第十八条第二項（同法第八十七条第一項及び第八十八条第二項において準用する場合を含む。）の通知を要する建築物等の新築、改築、増築若しくは移転又は用途の変更であって、歴史的風致維持向上地区整備計画において当該建築物等又はその敷地について定められている事項（当該歴史的風致維持向上地区整備計画において、壁面の位置の制限、壁面後退区域における工作物の設置の制限及び建築物の高さの最高限度が定められている場合における建築物の容積率の最高限度で、当該敷地に係る同法第五十二条の規定による建築物の容積率の最高限度を超えるものを除く。）のすべてが同法第六十八条の二第一項（同法第八十七条第二項及び第三項並びに第八十八条第二項において準用する場合を含む。）の規定に基づく条例でこれらに関する制限として定められている歴史的風致維持向上地区計画の区域内において行うもの

二　都市緑地法（昭和四十八年法律第七十二号）第二十条第一項の規定に基づく条例の規定により同項の許可を要する同法第十四条第一項各号に掲げる行為

三　都市計画法第二十九条第一項第三号に掲げる開発行為その他の公益上必要な事業の実施に係る行為であって、歴史的風致維持向上地区計画の目的の達成に支障を及ぼすおそれが少なく、かつ、当該行為に係る建築物等の用途上又は構造上これを行うことがやむを得ないものとして国土交通省令で定めるもの

（支援法人の業務として取得、管理及び譲渡を行う土地）

第一六条　法第三十五条第三号の政令で定める土地は、同条第二号に規定する事業の用に供する土地及び当該事業に係る代替地の用に供する土地とする。

（事務の区分）

第一七条　第六条第一項各号に掲げる事務のうち、同条の規定により町村が処理することとされているものは、地方自治法（昭和二十二年法律第六十七号）第二条第九項第一号に規定する第一号法定受託事務とする。

附　則〔抄〕

（施行期日）

1　この政令は、法の施行の日（平成二十年十一月四日）から施行する。

附　則〔略〕〔平成二三・八・三〇政令二八二施行〕

附　則〔略〕〔平成二三・一二・二八政令三六三〕

附　則〔平成二七・一一・一六政令四一八〕

（施行期日）

1　この政令は、平成二十八年四月一日から施行する。

（処分、申請等に関する経過措置）

2　この政令の施行前に文化財保護法若しくは地域における歴史的風致の維持及び向上に関する法律の規定によりされた許可等の処分その他の行為（以下この項において「処分等の行為」という。）又はこの政令の施行の際現にこれらの法律の規定によりされている許可の申請その他の行為（以下この項において「申請等の行為」という。）で、この政令の施行の日においてこれらの行為に係る行政事務を行うべき者が異なることとなるものは、この政令の施行の日以後においては、この政令の施行の日において新たに当該行政事務を行うこととなる者（以下この項において「新事務執行者」という。）のした処分等の行為又は新事務執行者に対して行った申請等の行為とみなす。

（罰則に関する経過措置）

3　この政令の施行前にした行為に対する罰則の適用については、なお従前の例による。

附　則〔略〕〔平成二九・六・一四政令一五六〕

附　則〔略〕〔平成三一・一・三〇政令一八〕

附　則〔令和二・九・四政令二六八〕

この政令は、都市再生特別措置法等の一部を改正する法律の施行の日（令和二年九月七日）から施行する。

○国土交通省関係地域における歴史的風致の維持及び向上に関する法律施行規則

〔平成二〇・一〇・三一 国土交通省令九一〕

改正 平成二三・六国交令四八、平成二七・三国交令一九、平成二八・三国交令二六、平成二九・三国交令一二、国交令一九、六国交令三六、令和二・一二国交令九八、令和四・一一国交令八〇

（地域における歴史的風致の形成に寄与する施設）

第一条 地域における歴史的風致の維持及び向上に関する法律施行令（以下「令」という。）第二条第一号ハの国土交通省令で定める施設は、休憩所、舟遊場、弓場、記念碑、時計台その他これらに類するものであって地域における歴史的風致の形成に寄与するものとする。

（都市公園の管理の公示）

第二条 市町村は、地域における歴史的風致の維持及び向上に関する法律（以下「法」という。）第二十五条第一項の規定により都市公園の維持等を行おうとするとき、及び都市公園の維持等を完了したときは、都市公園の名称及び位置、公園施設の種類、名称及び設置の場所（公園施設の新設、増設若しくは改築を行おうとするとき、及び当該行為を完了したときに限る。）並びに都市公園の維持等の開始の日（都市公園の維持等を完了したときにあっては、当該都市公園の維持等の完了の日）を公示するものとする。

（公園管理者の権限を代行した場合における公園管理者への通知）

第三条 令第七条第二項の規定による通知は、次の各号に掲げる場合ごとに、それぞれ当該各号に定める事項を示して行うものとする。

一 都市公園法（昭和三十一年法律第七十九号）第五条第一項又は第六条第一項若しくは第三項の規定による許可を行った場合 次に掲げる事項

イ 許可を受けた者の氏名又は名称及び住所並びに法人にあっては、代表者の氏名

ロ 許可に係る公園施設の設置若しくは管理又は都市公園の占用の目的、期間及び場所

ハ 許可に係る公園施設又は都市公園法施行令（昭和三十一年政令第二百九十号）第十三条第一号に規定する占用物件の構造

二 都市公園法第九条の規定による協議を行った場合 次に掲げる事項

イ 協議の相手方の名称、代表者の氏名及び住所

ロ 協議に係る都市公園の占用の目的、期間及び場所

ハ 協議に係る都市公園法施行令第十三条第一号に規定する占用物件の構造

三 都市公園法第二十二条第一項の規定により協定を締結した場合 協定の相手方の氏名又は名称及び住所並びに法人にあっては、代表者の氏名

四 都市公園法第二十六条第二項又は第四項の規定による必要な措置の命令を行った場合 次に掲げる事項

イ 命令の相手方の氏名又は名称及び住所並びに法人にあっては、代表者の氏名

ロ 命令の内容

五 都市公園法第二十七条第一項又は第二項の規定による処分（以下この号において「監督処分」という。）を行った場合 次に掲げる事項

イ 監督処分の相手方の氏名又は名称及び住所並びに法人にあっては、代表者の氏名

ロ 監督処分の内容

２ 前項第三号の協定を締結した認定市町村は、令第七条第二項の規定により公園管理者に通知する場合においては、当該協定又はその写しを併せて送付しなければならない。

（歴史的風致維持向上地区計画の区域内における行為の届出）

第四条 法第三十三条第一項の規定による届出は、別記様式第一による届出書を提出して行うものとする。

２ 前項の届出書には、次に掲げる図書を添付しなければならない。

一 土地の区画形質の変更にあっては、次に掲げる図面

イ 当該行為を行う土地の区域並びに当該区域内及び当該区域の周辺の公共施設を表示する図面で縮尺千分の一以上のもの

ロ 設計図で縮尺百分の一以上のもの

二 建築物その他の工作物（以下「建築物等」という。）の新築、改築、増築若しくは移転又は用途の変更にあっては、次に掲げる図面

イ 敷地内における建築物等の位置を表示する図面で縮尺百分の一以上のもの

ロ 都市緑地法（昭和四十八年法律第七十二号）第三十四条第二項に規定する建築物の緑化施設の位置を表示する図面（歴史的風致維持向上地区整備計画において建築物の緑化率の最低限度が定められている場合に限る。）で縮尺百分の一以上のもの

ハ 二面以上の建築物等の立面図で縮尺五十分の一以上のもの

ニ 建築物である場合にあっては、各階平面図で縮尺五十分の一以上のもの

三 建築物等の形態又は意匠の変更にあっては、前号イ及びハに掲げる図面

四 木竹の伐採にあっては、次に掲げる図面

イ 当該行為を行う土地の区域を表示する図面で縮尺千分の一以上のもの

ロ 当該行為の施行方法を明らかにする図面で縮尺百分の一以上のもの

五 前各号に掲げるもののほか、その他参考となるべき事項を記載した図書

第五条 法第三十三条第一項の国土交通省令で定める事項は、行為の完了予定日とする。

（令第十五条第三号の国土交通省令で定める行為）

第六条 令第十五条第三号の国土交通省令で定める行為は、次に掲げるものとする。

一 道路法（昭和二十七年法律第百八十号）第二条第一項に規定する道路の新設、改築、維持、修繕又は災害復旧に係る行為

二 道路運送法（昭和二十六年法律第百八十三号）第二条第八項に規定する一般自動車道又は専用自動車道（同法第三条第一号に規定する一般旅客自動車運送事業又は貨物自動車運送事業法（平成元年法律第八十三号）第二条第二項に規定する一般貨物自動車運送事業の用に供するものに限る。）の造設又は管理に係る行為

三 河川法（昭和三十九年法律第百六十七号）が適用され、又は準用される河川の改良工事の施行又は管理に係る行為

四 独立行政法人水資源機構が行う独立行政法人水資源機構法（平成十四年法律第百八十二号）第十二条第一項（同項第二号ハ及び第五号を除く。）に規定する業務又は同法附則第四条第一項に規定する業務（これに附帯する業務を除く。）に係る行為（前号に掲げるものを除く。）

五 土地改良法（昭和二十四年法律第百九十五号）による土地改良事業の施行に係る行為

六 国立研究開発法人森林研究・整備機構法（平成十一年法律第百九十八号）附則第十条第一項の規定により国立研究開発法人森林研究・整備機構が行う森林開発公団法の一部を改正する法律（平成十一年法律第七十号）附則第八条の規定による廃止前の農用地整備公団法（昭和四十九年法律第四十三号）第十九条第一項第一号、第四号又は第六号に規定する業務に係る行為

七 農業を営む者が組織する団体が行う農業構造の改善に関し必要な事業の施行に係る行為

八 森林法（昭和二十六年法律第二百四十九号）第五条に規定する地域森林計画に定める林道の開設又は改良に係る行為

九 都市公園法第二条第二項に規定する公園施設の設置又は管理に係る行為

十 鉄道事業法（昭和六十一年法律第九十二号）による鉄道事業者又は索道事業者が行うその鉄道事業又は索道事業で一般の需要に応ずるものの用に供する施設の建設又は管理に係る行為

十一 軌道法（大正十年法律第七十六号）による軌道の敷設又は管理に係る行為

十二 石油パイプライン事業法（昭和四十七年法律第百五号）第五条第二項第二号に規定する事業用施設の設置又は管理に係る行為

十三 道路運送法第三条第一号イに規定する一般乗合旅客自動車運送事業

（路線を定めて定期に運行する自動車により乗合旅客の運送を行うものに限る。）若しくは貨物自動車運送事業法第二条第二項に規定する一般貨物自動車運送事業（同条第六項に規定する特別積合せ貨物運送をするものに限る。）の用に供する施設又は自動車ターミナル法（昭和三十四年法律第百三十六号）第二条第五項に規定する一般自動車ターミナルの設置又は管理に係る行為

十四　港務局が行う港湾法（昭和二十五年法律第二百十八号）第十二条第一項に規定する業務に係る行為

十五　航空法（昭和二十七年法律第二百三十一号）による公共の用に供する飛行場又は同法第二条第五項に規定する航空保安施設で公共の用に供するものの設置又は管理に係る行為

十六　気象、海象、地象又は洪水その他これに類する現象の観測又は通報の用に供する施設の設置又は管理に係る行為

十七　電気通信事業法（昭和五十九年法律第八十六号）第百二十条第一項に規定する認定電気通信事業者が行う同項に規定する認定電気通信事業の用に供する施設の設置又は管理に係る行為

十八　放送法（昭和二十五年法律第百三十二号）第二条第二号に規定する基幹放送の用に供する放送設備（建築物であるものを除く。）の設置又は管理に係る行為

十九　電気事業法（昭和三十九年法律第百七十号）第二条第一項第十六号に規定する電気事業の用に供する同項第十八号に規定する電気工作物又はガス事業法（昭和二十九年法律第五十一号）第二条第十三項に規定するガス工作物（同条第二項に規定するガス小売事業の用に供するものを除く。）の設置又は管理に係る行為

二十　水道法（昭和三十二年法律第百七十七号）第三条第二項に規定する水道事業若しくは同条第四項に規定する水道用水供給事業の用に供する同条第八項に規定する水道施設、工業用水道事業法（昭和三十三年法律第八十四号）第二条第六項に規定する工業用水道施設又は下水道法（昭和三十三年法律第七十九号）第二条第三号に規定する公共下水道、同条第四号に規定する流域下水道若しくは同条第五号に規定する都市下水路の用に供する施設の設置又は管理に係る行為

二十一　熱供給事業法（昭和四十七年法律第八十八号）第二条第四項に規定する熱供給施設の設置又は管理に係る行為

二十二　水害予防組合が行う水防の用に供する施設の設置又は管理に係る行為

二十三　国立研究開発法人日本原子力研究開発機構が国立研究開発法人日本原子力研究開発機構法（平成十六年法律第百五十五号）第十七条第一項第一号から第三号までに掲げる業務の用に供する施設の設置又は管理に係る行為

二十四　国立研究開発法人宇宙航空研究開発機構が行う国立研究開発法人宇宙航空研究開発機構法（平成十四年法律第百六十一号）第十八条第一項第一号から第四号までに規定する業務に係る行為

二十五　独立行政法人エネルギー・金属鉱物資源機構が行う独立行政法人エネルギー・金属鉱物資源機構法（平成十四年法律第九十四号）第十一条第一項第六号に規定する業務（石油等（同法第三条に規定する石油等をいう。）の探鉱に係る調査に関するものに限り、これに附帯する業務を含む。）に係る行為

（変更の届出）

第七条　法第三十三条第二項の国土交通省令で定める事項は、行為の設計又は施行方法のうち、その変更により同条第一項の届出に係る行為が同項各号に掲げる行為に該当することとなるもの以外のものとする。

第八条　法第三十三条第二項の規定による届出は、別記様式第二による変更届出書を提出して行うものとする。

2　第四条第二項の規定は、前項の届出について準用する。

附　則〔抄〕

（施行期日）

第一条　この省令は、法の施行の日（平成二十年十一月四日）から施行する。

附　則〔略〕〔平成二三・六・三〇国土交通省令四八〕

附　則〔略〕〔平成二七・三・三一国土交通省令一九〕

附　則〔略〕〔平成二八・三・三一国土交通省令二六〕

附　則〔略〕〔平成二九・三・二四国土交通省令一二〕

附　則〔抄〕〔平成二九・三・三一国土交通省令一九〕

（施行期日）

第一条　この省令は、電気事業法等の一部を改正する等の法律（以下「改正法」という。）附則第一条第五号に掲げる規定の施行の日（平成二十九年四月一日）から施行する。

（国土交通省関係地域における歴史的風致の維持及び向上に関する法律施行規則の一部改正に伴う経過措置）

第七条　第三条の規定による改正後の国土交通省関係地域における歴史的風致の維持及び向上に関する法律施行規則（以下この条において「新国土交通省関係地域における歴史的風致の維持及び向上に関する法律施行規則」という。）第六条第十九号の規定の適用については、旧一般ガスみなしガス小売事業者が改正法附則第二十二条第一項の義務を負う間、新国土交通省関係地域における歴史的風致の維持及び向上に関する法律施行規則第六条第十九号中「ガス小売事業」とあるのは、「ガス小売事業（電気事業法等の一部を改正する等の法律（平成二十七年法律第四十七号）附則第二十二条第一項に規定する指定旧供給区域等小売供給を行う事業を除く。）」とする。

2　新国土交通省関係地域における歴史的風致の維持及び向上に関する法律施行規則第六条第十九号の規定の適用については、旧簡易ガスみなしガス小売事業者が改正法附則第二十八条第一項の義務を負う間、新国土交通省関係地域における歴史的風致の維持及び向上に関する法律施行規則第六条第十九号中「ガス小売事業」とあるのは、「ガス小売事業（電気事業法等の一部を改正する等の法律（平成二十七年法律第四十七号）附則第二十八条第一項に規定する指定旧供給地点小売供給を行う事業を除く。）」とする。

附　則〔略〕〔平成二九・六・一四国土交通省令三六〕

附　則〔略〕〔令和二・一二・二三国土交通省令九八〕

附　則〔令和四・一一・一四国土交通省令八〇〕

この省令は、安定的なエネルギー需給構造の確立を図るためのエネルギーの使用の合理化等に関する法律等の一部を改正する法律附則第一条第二号に掲げる規定の施行の日（令和四年十一月十四日）から施行する。

別記様式〔略〕

○地域における歴史的風致の維持及び向上に関する法律第二十二条第二項において読み替えて準用する土地改良法第九十四条の六第二項に規定する土地改良施設を定める省令

〔平成二〇・一一・四　農林水産省令七〇〕

地域における歴史的風致の維持及び向上に関する法律第二十二条第二項において読み替えて準用する土地改良法第九十四条の六第二項の農林水産省令で定める土地改良施設は、ダム（余水吐け、通水装置その他ダムと一体となってその効用を全うする施設又は工作物を含む。）その他のえん堤及び揚水施設とする。

附　則

この省令は、地域における歴史的風致の維持及び向上に関する法律の施行の日（平成二十年十一月四日）から施行する。

○文部科学省関係地域における歴史的風致の維持及び向上に関する法律施行規則

〔平成二〇・一〇・三一　文部科学省令三三〕

改正　平成三一・三文科令七

（歴史的風致形成建造物の管理又は修理に関する技術的指導）

第一条　地域における歴史的風致の維持及び向上に関する法律（平成二十年法律第四十号。以下「法」という。）第二十一条第一項の規定により歴史的風致形成建造物の管理又は修理に関し技術的指導を求める場合には、次に掲げる事項を記載した書面をもって行わなければならない。

一　歴史的風致形成建造物の名称、種類及び員数

二　歴史的風致形成建造物の構造、形式、材質その他の特徴

三　歴史的風致形成建造物に関する由来その他の説明

四　所在の場所

五　所有者その他当該歴史的風致形成建造物の管理について権原を有する者の氏名又は名称及び住所並びに法人にあっては、その代表者の氏名

六　その他参考となるべき事項

2　前項の書面には、次に掲げる書類、図面又は写真を添えなければならない。

一　管理につき技術的指導を求める場合は、管理計画の概要

二　修理につき技術的指導を求める場合は、その設計仕様書又は計画書

三　歴史的風致形成建造物の平面図

四　現状の写真又は図面

（書面等の経由）

第二条　前条第一項の書面及び同条第二項の書類、図面又は写真は、当該歴史的風致形成建造物の指定を行った市（特別区を含む。以下この条において同じ。）町村の教育委員会（当該市町村が文化財保護法（昭和二十五年法律第二百十四号）第五十三条の八第一項に規定する特定地方公共団体である場合にあっては、当該市町村の長）を経由して、文化庁長官に提出するものとする。

附　則

この省令は、法の施行の日（平成二十年十一月四日）から施行する。

附　則〔平成三一・三・二九文部科学省令七〕

この省令は、平成三十一年四月一日から施行する。

○地域における歴史的風致の維持及び向上に関する法律施行規則

〔平成二〇・一〇・三一　文部科学・国土交通省令一〕

（歴史的風致形成建造物の指定の提案）

第一条　地域における歴史的風致の維持及び向上に関する法律（以下「法」という。）第十三条第一項の規定により歴史的風致形成建造物の指定の提案を行おうとする者は、氏名及び住所並びに当該提案に係る建造物の名称、所在地及び提案の理由を記載した提案書に次に掲げる図書を添えて、これらを市町村長に提出しなければならない。

一　当該建造物の敷地及び位置並びに当該敷地周辺の状況を示す縮尺二千五百分の一以上の図面

二　当該建造物の写真

三　法第十三条第一項の合意を得たことを証する書類

2　前項の規定は、法第十三条第二項の規定により歴史的風致維持向上支援法人が提案を行おうとする場合について準用する。この場合において、「第十三条第一項の規定により」とあるのは「第十三条第二項の規定により」と、「法第十三条第一項の合意」とあるのは「法第十三条第二項の同意」と読み替えるものとする。

（歴史的風致形成建造物の増築等の届出）

第二条　法第十五条第一項の規定による届出は、同項に規定する事項を記載した届出書を提出して行うものとする。

2　前項の届出書には、次に掲げる図書を添付しなければならない。

一　当該行為の設計仕様書及び設計図

二　当該歴史的風致形成建造物の敷地及び位置並びに当該敷地周辺の状況を示す縮尺二千五百分の一以上の図面

三　当該歴史的風致形成建造物及び当該行為をしようとする箇所の写真

四　申請者が所有者以外の者であるときは、所有者の意見書

（届出が必要な事項）

第三条　法第十五条第一項の主務省令で定める事項は、行為をしようとする者の氏名及び住所、行為の設計又は施行方法並びに完了予定日とする。

（変更の届出）

第四条　法第十五条第二項の主務省令で定める事項は、設計又は施行方法のうち、その変更により同条第一項の届出に係る行為が同項各号に掲げる行為に該当することとなるもの以外のものとする。

第五条　法第十五条第二項の規定による届出は、変更に係る事項を記載した届出書を提出して行うものとする。

2　第二条第二項の規定は、前項の届出について準用する。

（台帳）

第六条　法第十九条第一項の歴史的風致形成建造物に関する台帳（次項において単に「台帳」という。）には、歴史的風致形成建造物につき、少なくとも次に掲げる事項を記載するものとする。

一　指定番号及び指定の年月日

二　歴史的風致形成建造物の名称

三　歴史的風致形成建造物の所在地

四　歴史的風致形成建造物の所有者の氏名及び住所

五　指定の理由

六　法第十二条第一項に規定する土地又は物件の範囲

2　台帳の記載事項に変更があったときは、市町村長は、速やかにこれを訂正しなければならない。

3　法第十二条第一項に規定する土地又は物件がある場合には、これらの範囲を表示する図面を併せて保管しなければならない。

（法第二十七条第一項第二号の主務省令で定める施設）

第七条　法第二十七条第一項第二号の主務省令で定める施設は、次に掲げるものとする。

一　地域におけるその固有の歴史及び伝統を反映した活動を行うことを主たる目的とする施設

二　地域の伝統的な行事に用いられる衣服、器具その他の物件の保管を主たる目的とする施設

附　則

この省令は、法の施行の日（平成二十年十一月四日）から施行する。

○文部科学省・農林水産省・国土交通省関係地域における歴史的風致の維持及び向上に関する法律施行規則

〔平成二〇・一〇・三一
文部科学・農林水産・国土交通省令一〕

（歴史的風致維持向上計画の記載事項）

第一条 地域における歴史的風致の維持及び向上に関する法律（以下「法」という。）第五条第二項第七号の主務省令で定める事項は、次に掲げるものとする。

一 歴史的風致維持向上計画の名称
二 重点区域の名称
三 重点区域の面積
四 その他主務大臣が必要と認める事項

（認定歴史的風致維持向上計画の軽微な変更）

第二条 法第七条第一項の主務省令で定める軽微な変更は、次に掲げるものとする。

一 地域の名称の変更又は地番の変更に伴う重点区域の範囲の変更
二 前号に掲げるもののほか、歴史的風致維持向上計画の実施に支障がないと主務大臣が認める変更

附　則

この省令は、法の施行の日（平成二十年十一月四日）から施行する。

○古都における歴史的風土の保存に関する特別措置法

〔昭和四一・一・一三
法律一〕

改正　昭和四一・四法六〇、昭和四三・六法一〇一、昭和四六・五法八八、昭和五五・五法六〇、昭和五八・一二法八〇、平成五・一一法八九、平成一一・七法八七、法一〇二、一二法一六〇、平成二三・八法一〇五、令和六・五法四〇

（目的）

第一条 この法律は、わが国固有の文化的資産として国民がひとしくその恵沢を享受し、後代の国民に継承されるべき古都における歴史的風土を保存するために国等において講ずべき特別の措置を定め、もつて国土愛の高揚に資するとともに、ひろく文化の向上発展に寄与することを目的とする。

（定義）

第二条 この法律において「古都」とは、わが国往時の政治、文化の中心等として歴史上重要な地位を有する京都市、奈良市、鎌倉市及び政令で定めるその他の市町村をいう。

2 この法律において「歴史的風土」とは、わが国の歴史上意義を有する建造物、遺跡等が周囲の自然的環境と一体をなして古都における伝統と文化を具現し、及び形成している土地の状況をいう。

（国及び地方公共団体の任務等）

第三条 国及び地方公共団体は、古都における歴史的風土が適切に保存されるように、この法律の趣旨の徹底を図り、かつ、この法律の適正な執行に努めなければならない。

2 一般国民は、この法律の趣旨を理解し、いやしくもこの法律の目的に反することのないように努めるとともに、国及び地方公共団体がこの法律の目的を達成するために行なう措置に協力しなければならない。

（歴史的風土保存区域の指定）

第四条 国土交通大臣は、関係地方公共団体及び社会資本整備審議会の意見を聴くとともに、関係行政機関の長に協議して、古都における歴史的風土を保存するため必要な土地の区域を歴史的風土保存区域として指定することができる。この場合において、国土交通大臣は、関係地方公共団体から意見の申出を受けたときは、遅滞なくこれに回答するものとする。

2 国土交通大臣は、歴史的風土保存区域の指定をするときは、その旨及びその区域を官報で公示しなければならない。

3 前二項の規定は、歴史的風土保存区域の変更について準用する。

（歴史的風土保存計画）

第五条 国土交通大臣は、歴史的風土保存区域の指定をしたときは、関係地方公共団体及び社会資本整備審議会の意見を聴くとともに、関係行政機関の長に協議して、当該歴史的風土保存区域について、歴史的風土の保存に関する計画（以下「歴史的風土保存計画」という。）を決定しなければならない。この場合において、国土交通大臣は、関係地方公共団体から意見の申出を受けたときは、遅滞なくこれに回答するものとする。

2 歴史的風土保存計画には、次の事項を定めなければならない。

一 歴史的風土保存区域内における行為の規制その他歴史的風土の維持保存に関する事項
二 歴史的風土保存区域内においてその歴史的風土の保存に関連して必要とされる施設の整備に関する事項
三 歴史的風土特別保存地区の指定の基準に関する事項
四 歴史的風土特別保存地区内の歴史的風土の保存に関する次に掲げる事項
　イ 歴史的風土特別保存地区内の緑地の有する機能の維持増進を図るために行う事業であつて高度な技術を要するものとして国土交通省令で定めるもの（第十三条第三項第二号及び第十四条第一項第二号において「機能維持増進事業」という。）の実施の方針
　ロ 第十二条の規定による土地の買入れに関する事項

3 国土交通大臣は、歴史的風土保存計画を決定したときは、これを関係行政機関の長及び関係地方公共団体に送付するとともに、官報で公示しなければならない。

4 前三項の規定は、歴史的風土保存計画の変更について準用する。

（歴史的風土特別保存地区に関する都市計画）

第六条 府県は、歴史的風土保存区域内において歴史的風土の保存上当該歴史的風土保存区域の枢要な部分を構成している地域については、歴史的風土保存計画に基づき、都市計画に歴史的風土特別保存地区（以下「特別保存地区」という。）を定めることができる。

2 府県は、特別保存地区に関する都市計画が定められたときは、その区域内における標識の設置その他の適切な方法により、その区域が特別保存地区である旨を明示しなければならない。

3 特別保存地区内の土地の所有者又は占有者は、正当な理由がない限り、前項の標識の設置を拒み、又は妨げてはならない。

（歴史的風土保存区域内における行為の届出）

第七条 歴史的風土保存区域（特別保存地区を除く。）内において、次の各号に掲げる行為をしようとする者は、政令で定めるところにより、あらかじめ府県知事にその旨を届け出なければならない。ただし、通常の管理行為、軽易な行為その他の行為で政令で定めるもの及び非常災害のため必要な応急措置として行なう行為については、この限りでない。

一 建築物その他の工作物の新築、改築又は増築
二 宅地の造成、土地の開墾その他の土地の形質の変更
三 木竹の伐採

四　土石の類の採取
五　前各号に掲げるもののほか、歴史的風土の保存に影響を及ぼすおそれのある行為で政令で定めるもの

2　府県知事は、前項の届出があつた場合において、歴史的風土の保存のため必要があると認めるときは、当該届出をした者に対し、必要な助言又は勧告をすることができる。

3　国の機関は、第一項の規定により届出を要する行為をしようとするときは、あらかじめ府県知事にその旨を通知しなければならない。

（特別保存地区の特例）

第八条　第二条第一項の規定に基づき古都として定められた市町村のうち、当該市町村における歴史的風土がその区域の全部にわたつて良好に維持されており、特に、その区域の全部を第六条第一項の特別保存地区に相当する地区として都市計画に定めて保存する必要がある市町村については、別に法律で定めるところにより、第四条から前条までの規定の特例を設けることができる。この場合において、当該都市計画に定められた地区についてのこの法律の規定（第四条から前条までの規定を除く。）の適用については、当該地区は、第六条第一項の特別保存地区とする。

（特別保存地区内における行為の制限）

第九条　特別保存地区内においては、次の各号に掲げる行為は、府県知事の許可を受けなければ、してはならない。ただし、通常の管理行為、軽易な行為その他の行為で政令で定めるもの、非常災害のため必要な応急措置として行う行為及び当該特別保存地区に関する都市計画が定められた際既に着手している行為については、この限りでない。

一　建築物その他の工作物の新築、改築又は増築
二　宅地の造成、土地の開墾その他の土地の形質の変更
三　木竹の伐採
四　土石の類の採取
五　建築物その他の工作物の色彩の変更
六　屋外広告物の表示又は掲出
七　前各号に掲げるもののほか、歴史的風土の保存に影響を及ぼすおそれのある行為で政令で定めるもの

2　府県知事は、前項各号に掲げる行為で政令で定める基準に適合しないものについては、同項の許可をしてはならない。

3　前条の法律により、市町村の区域を区分して二以上の特別保存地区が定められたときは、前二項の政令は、その区分の目的に応じてそれぞれ特別保存地区ごとに定めることができる。

4　国土交通大臣は、第一項又は第二項の政令の制定又は改廃の立案をするときは、あらかじめ社会資本整備審議会の意見を聴かなければならない。

5　第一項の許可には、歴史的風土を保存するため必要な限度において、期限その他の条件を附することができる。

6　府県知事は、歴史的風土の保存のため必要があると認めるときは、第一項の規定に違反し、又は前項の規定により許可に附せられた条件に違反した者に対して、その保存のため必要な限度において、原状回復を命じ、又は原状回復が著しく困難である場合に、これに代わるべき必要な措置をとるべき旨を命ずることができる。この場合において、当該命ぜられた行為を履行しない場合における代執行に関しては、行政代執行法（昭和二十三年法律第四十三号）の定めるところによる。

7　前項前段の規定により原状回復又はこれに代わるべき必要な措置（以下この項において「原状回復等」という。）を命じようとする場合において、過失がなくて当該原状回復等を命ずべき者を確知することができないときは、府県知事は、その者の負担において、当該原状回復等を自ら行い、又はその命じた者若しくは委任した者にこれを行わせることができる。この場合においては、相当の期限を定めて、当該原状回復等を行うべき旨及びその期限までに当該原状回復等を行わないときは、府県知事又はその命じた者若しくは委任した者が当該原状回復等を行うべき旨をあらかじめ公告しなければならない。

8　国の機関が行う行為については、第一項の許可を受けることを要しない。この場合において、当該国の機関は、その行為をするときは、あらかじめ府県知事に協議しなければならない。

（損失の補償）

第一〇条　前条第一項の許可を得ることができないため損失を受けた者がある場合においては、府県は、その損失を受けた者に対して通常生ずべき損失を補償しなければならない。ただし、次の各号のいずれかに該当する場合における当該許可の申請に係る行為については、この限りでない。

一　前条第一項の許可の申請に係る行為について、次に規定する法律（これに基づく命令を含む。以下この号において同じ。）の規定により許可を必要とされている場合において、当該法律の規定により不許可の処分がなされたとき。
二　前条第一項の許可の申請に係る行為が社会通念上特別保存地区に関する都市計画が定められた趣旨に著しく反すると認められるとき。

2　前項の規定による損失の補償については、府県知事と損失を受けた者とが協議しなければならない。

3　前項の規定による協議が成立しない場合においては、府県知事又は損失を受けた者は、政令で定めるところにより、収用委員会に土地収用法（昭和二十六年法律第二百十九号）第九十四条の規定による裁決を申請することができる。

（行為の禁止又は制限に関する他の法律の適用）

第一一条　第七条及び第九条の規定は、歴史的風土保存区域内における工作物の新築、改築又は増築、土地の形質の変更その他の行為についての禁止又は制限に関する都市計画法（昭和四十三年法律第百号）、文化財保護法（昭和二十五年法律第二百十四号）、建築基準法（昭和二十五年法律第二百一号）、奈良国際文化観光都市建設法（昭和二十五年法律第二百五十号）、京都国際文化観光都市建設法（昭和二十五年法律第二百五十一号）その他の法律（これらに基づく命令を含む。）の規定の適用を妨げるものではない。

（土地の買入れ）

第一二条　府県は、特別保存地区内の土地で歴史的風土の保存上必要があると認めるものについて、当該土地の所有者から第九条第一項の許可を得ることができないためその土地の利用に著しい支障を来すこととなることにより当該土地を府県において買い入れるべき旨の申出があつた場合においては、次条第四項の規定による買入れが行われる場合を除き、当該土地を買い入れるものとする。

2　前項の規定による買入れをする場合における土地の価額は、時価によるものとする。

（都市緑化支援機構による特定土地保全業務）

第一三条　府県は、前条第一項の申出があつた場合において、当該申出に係る土地の規模若しくは形状又は管理の状況、当該府県における同項の規定による買入れのために必要な事務の実施体制その他の事情を勘案して必要があると認めるときは、国土交通省令で定めるところにより、都市緑化支援機構（都市緑地法（昭和四十八年法律第七十二号）第六十九条第一項の規定により指定された都市緑化支援機構をいう。以下この条から第十五条までにおいて同じ。）に対し、当該土地（以下この条及び次条において「対象土地」という。）について、次条第一項各号に掲げる業務（以下この条において「特定土地保全業務」という。）を行うことを要請することができる。

2　前項の規定による要請を受けた都市緑化支援機構は、当該要請に係る対象土地が次条第二項の規定により読み替えて適用する都市緑地法第七十一条第二項第一号に規定する基準に該当すると認めるときは、遅滞なく、当該要請をした府県に対し、特定土地保全業務を実施する旨を通知するものとする。

3　前項の規定による通知をした都市緑化支援機構及び同項の府県は、当該通知の後速やかに、特定土地保全業務の実施のため、次に掲げる事項をその内容に含む協定（以下この条及び第十五条において「土地保全業務実施協定」という。）を締結するものとする。

一　都市緑化支援機構が次条第一項第一号に掲げる業務として行う対象土地の買入れの時期
二　都市緑化支援機構が次条第一項第二号に掲げる業務として行う機能維持増進事業の内容及び方法
三　都市緑化支援機構が次条第一項第三号に掲げる業務として行う対象土地の管理の内容及び方法
四　都市緑化支援機構が第一号の買入れに係る対象土地を保有する期間（当該買入れの日から起算して十年を超えないものに限る。）
五　前号の期間内において都市緑化支援機構が次条第一項第四号に掲げる業務として行う府県への対象土地の譲渡の方法及び時期
六　都市緑化支援機構による第一号から第三号まで及び前号に規定する業務の実施に要する費用であつて府県が負担すべきものの支払の方法及び時期

七　その他国土交通省令で定める事項

4　都市緑化支援機構は、土地保全業務実施協定の内容に従つて、前条第一項の申出をした者から対象土地を買い入れるものとする。

5　前項の規定による買入れをする場合における対象土地の価額は、時価によるものとし、当該買入れに要した費用は、第二項の府県が、土地保全業務実施協定の内容に従つて負担するものとする。

6　前二項に定めるもののほか、都市緑化支援機構は、土地保全業務実施協定の内容に従つて、特定土地保全業務を行わなければならない。

7　第五項に定めるもののほか、府県は、土地保全業務実施協定の内容に従つて、第三項第六号に規定する費用を負担するものとする。

（都市緑化支援機構の業務の特例）

第一四条　都市緑化支援機構は、都市緑地法第七十条各号に掲げる業務のほか、次に掲げる業務を行うことができる。

一　前条第一項の規定による府県の要請に基づき、第十二条第一項の申出をした者から対象土地を買い入れること。

二　前号の買入れに係る対象土地の区域内において機能維持増進事業を行うこと。

三　前号に掲げるもののほか、同号に規定する対象土地の管理を行うこと。

四　前条第三項第四号の期間内において府県への対象土地の譲渡を行うこと。

五　前各号に掲げる業務に附帯する業務を行うこと。

2　前項の規定により都市緑化支援機構が同項各号に掲げる業務を行う場合における都市緑地法第七章の規定（これらの規定に係る罰則を含む。）の適用については、次の表の上欄に掲げる同法の規定中同表の中欄に掲げる字句は、それぞれ同表の下欄に掲げる字句とする。

第七十一条第一項	特定緑地保全業務	特定緑地保全業務及び特定土地保全業務（古都における歴史的風土の保存に関する特別措置法（昭和四十一年法律第一号。以下「古都保存法」という。）第十三条第一項に規定する特定土地保全業務をいう。以下同じ。）（以下「特定緑地保全業務等」という。）
第七十一条第二項第一号及び第三号から第五号まで並びに第五項並びに第八十条	特定緑地保全業務	特定緑地保全業務等
第七十一条第二項第二号	業務実施協定	業務実施協定及び土地保全業務実施協定（古都保存法第十三条第三項に規定する土地保全業務実施協定をいう。）
第七十二条第一項及び第三項並びに第七十五条	支援業務	支援業務及び特定土地保全業務
第七十四条	業務ごと	業務及び特定土地保全業務ごと
第七十六条第一項	支援業務	支援業務又は特定土地保全業務（以下「支援業務等」という。）
第七十六条第二項、第七十七条第一項、第七十八条、第七十九条第二項第一号及び第百十五条第二項	支援業務	支援業務等
第百十七条第八号	第七十五条	第七十五条（古都保存法第十四条第二項の規定により読み替えて適用する場合を含む。）
第百十七条第九号	第七十七条第一項	第七十七条第一項（古都保存法第十四条第二項の規定により読み替えて適用する場合を含む。）

（買い入れた土地の管理）

第一五条　府県は、第十二条第一項の規定により買い入れた土地及び土地保全業務実施協定に基づいて都市緑化支援機構から譲渡を受けた土地については、この法律の目的に適合するように管理しなければならない。

（歴史的風土保存計画の実施に要する経費）

第一六条　国は、歴史的風土保存計画を実施するため必要な資金の確保を図り、かつ、国の財政の許す範囲内において、その実施を促進することに努めなければならない。

（費用の負担及び補助）

第一七条　国は、第十条の規定による損失の補償及び第十二条第一項の規定による土地の買入れ又は第十三条第五項の規定による負担に要する費用については、政令で定めるところにより、その一部を負担する。

2　国は、地方公共団体が歴史的風土保存計画に基づいて行う歴史的風土の維持保存及び施設の整備に要する費用については、予算の範囲内において、政令で定めるところにより、当該地方公共団体に対し、その一部を補助することができる。

（社会資本整備審議会の調査審議等）

第一八条　社会資本整備審議会は、国土交通大臣又は関係各大臣の諮問に応じ、歴史的風土の保存に関する重要事項を調査審議する。

2　社会資本整備審議会は、前項に規定する事項に関し、国土交通大臣又は関係大臣に意見を述べることができる。

3　社会資本整備審議会は、この法律及び明日香村における歴史的風土の保存及び生活環境の整備等に関する特別措置法（昭和五十五年法律第六十号）の規定によりその権限に属させられた事項を処理するため必要があると認めるときは、関係行政機関の長、関係地方公共団体の長又は関係団体に対し、資料の提出、意見の開陳、説明その他必要な協力を求めることができる。

（報告、立入調査等）

第一九条　府県知事は、歴史的風土の保存のため必要があると認めるときは、その必要な限度において、特別保存地区内の土地の所有者その他の関係者に対して、第九条第一項各号に掲げる行為の実施状況その他必要な事項について報告を求めることができる。

2　府県知事は、第九条第一項、第五項又は第六項前段の規定による権限を行うため必要があると認めるときは、その必要な限度において、その職員をして、特別保存地区内の土地に立ち入り、その状況を調査させ、又は同条第一項各号に掲げる行為の実施状況を検査させることができる。

3　前項に規定する職員は、その身分を示す証明書を携帯し、関係人の請求があつたときは、これを提示しなければならない。

4　第二項の規定による立入調査又は立入検査の権限は、犯罪捜査のために認められたものと解してはならない。

（大都市の特例）

第二〇条　この法律中府県が処理することとされている事務は、地方自治法（昭和二十二年法律第六十七号）第二百五十二条の十九第一項の指定都市（以下この条において「指定都市」という。）においては、指定都市が処理するものとする。この場合においては、この法律中府県に関する規定は、指定都市に関する規定として指定都市に適用があるものとする。

（罰則）

第二一条　第九条第六項前段の規定による命令に違反したときは、その違反行為をした者は、一年以下の懲役又は十万円以下の罰金に処する。

第二二条　次の各号のいずれかに該当する場合には、その違反行為をした者は、六月以下の懲役又は五万円以下の罰金に処する。

一　第九条第一項の規定に違反したとき。

二　第九条第五項の規定により許可に付せられた条件に違反したとき。

第二三条　次の各号のいずれかに該当する場合には、その違反行為をした者は、一万円以下の罰金に処する。

一　第六条第二項の規定により設置した標識を移動し、汚損し、又は破壊したとき。

二　第十九条第一項の規定による報告をせず、又は虚偽の報告をしたとき。

三　第十九条第二項の規定による立入調査又は立入検査を拒み、妨げ、又は忌避したとき。

第二四条　法人の代表者又は法人若しくは人の代理人、使用人その他の従業者がその法人又は人の業務又は財産に関して第二十一条から前条までに規定する違反行為をしたときは、行為者を罰するほか、その法人又は人に対して各本条の罰金刑を科する。

第二五条　第七条第一項の規定による届出をせず、又は虚偽の届出をした者は、一万円以下の過料に処する。

附　則〔抄〕

（施行期日）

1　この法律は、公布の日から起算して六月をこえない範囲内において政令で定める日から施行する。

〔昭和四一政一一七により、昭和四一・四・一五から施行〕

附　則〔略〕〔昭和四一・四・二八法律六〇〕

附　則〔略〕〔昭和四三・六・一五法律一〇一〕

附　則〔略〕〔昭和四六・五・三一法律八八〕

附　則〔略〕〔昭和五八・一二・二法律八〇〕

附　則〔抄〕〔平成五・一一・一二法律八九〕

（施行期日）

第一条　この法律は、行政手続法（平成五年法律第八十八号）の施行の日〔平成六・一〇・一〕から施行する。

（諮問等がされた不利益処分に関する経過措置）

第二条　この法律の施行前に法令に基づき審議会その他の合議制の機関に対し行政手続法第十三条に規定する聴聞又は弁明の機会の付与の手続その他の意見陳述のための手続に相当する手続を執るべきことの諮問その他の求めがされた場合においては、当該諮問その他の求めに係る不利益処分の手続に関しては、この法律による改正後の関係法律の規定にかかわらず、なお従前の例による。

（罰則に関する経過措置）

第一三条　この法律の施行前にした行為に対する罰則の適用については、なお従前の例による。

（聴聞に関する規定の整理に伴う経過措置）

第一四条　この法律の施行前に法律の規定により行われた聴聞、聴問若しくは聴聞会（不利益処分に係るものを除く。）又はこれらのための手続は、この法律による改正後の関係法律の相当規定により行われたものとみなす。

（政令への委任）

第一五条　附則第二条から前条までに定めるもののほか、この法律の施行に関して必要な経過措置は、政令で定める。

附　則〔抄〕〔平成一一・七・一六法律八七〕

（施行期日）

第一条　この法律は、平成十二年四月一日から施行する。ただし、次の各号に掲げる規定は、当該各号に定める日から施行する。

一　〔前略〕附則〔中略〕第百六十条、第百六十三条、第百六十四条並びに第二百二条の規定　公布の日

二〜六　〔略〕

（国等の事務）

第一五九条　この法律による改正前のそれぞれの法律に規定するもののほか、この法律の施行前において、地方公共団体の機関が法律又はこれに基づく政令により管理し又は執行する国、他の地方公共団体その他公共団体の事務（附則第百六十一条において「国等の事務」という。）は、この法律の施行後は、地方公共団体が法律又はこれに基づく政令により当該地方公共団体の事務として処理するものとする。

（処分、申請等に関する経過措置）

第一六〇条　この法律（附則第一条各号に掲げる規定については、当該各規定。以下この条及び附則第百六十三条において同じ。）の施行前に改正前のそれぞれの法律の規定によりされた許可等の処分その他の行為（以下この条において「処分等の行為」という。）又はこの法律の施行の際現に改正前のそれぞれの法律の規定によりされている許可等の申請その他の行為（以下この条において「申請等の行為」という。）で、この法律の施行の日においてこれらの行為に係る行政事務を行うべき者が異なることとなるものは、附則第二条から前条までの規定又は改正後のそれぞれの法律（これに基づく命令を含む。）の経過措置に関する規定に定めるものを除き、この法律の施行の日以後における改正後のそれぞれの法律の適用については、改正後のそれぞれの法律の相当規定によりされた処分等の行為又は申請等の行為とみなす。

2　この法律の施行前に改正前のそれぞれの法律の規定により国又は地方公共団体の機関に対し報告、届出、提出その他の手続をしなければならない事項で、この法律の施行の日前にその手続がされていないものについては、この法律及びこれに基づく政令に別段の定めがあるもののほか、これを、改正後のそれぞれの法律の相当規定により国又は地方公共団体の相当の機関に対して報告、届出、提出その他の手続をしなければならない事項についてその手続がされていないものとみなして、この法律による改正後のそれぞれの法律の規定を適用する。

（不服申立てに関する経過措置）

第一六一条　施行日前にされた国等の事務に係る処分であって、当該処分をした行政庁（以下この条において「処分庁」という。）に施行日前に行政不服審査法に規定する上級行政庁（以下この条において「上級行政庁」という。）があったものについての同法による不服申立てについては、施行日以後においても、当該処分庁に引き続き上級行政庁があるものとみなして、行政不服審査法の規定を適用する。この場合において、当該処分庁の上級行政庁とみなされる行政庁は、施行日前に当該処分庁の上級行政庁であった行政庁とする。

2　前項の場合において、上級行政庁とみなされる行政庁が地方公共団体の機関であるときは、当該機関が行政不服審査法の規定により処理することとされる事務は、新地方自治法第二条第九項第一号に規定する第一号法定受託事務とする。

（手数料に関する経過措置）

第一六二条　施行日前においてこの法律による改正前のそれぞれの法律（これに基づく命令を含む。）の規定により納付すべきであった手数料については、この法律及びこれに基づく政令に別段の定めがあるもののほか、なお従前の例による。

（罰則に関する経過措置）

第一六三条　この法律の施行前にした行為に対する罰則の適用については、なお従前の例による。

（その他の経過措置の政令への委任）

第一六四条　この附則に規定するもののほか、この法律の施行に伴い必要な経過措置（罰則に関する経過措置を含む。）は、政令で定める。

2　〔略〕

附　則〔抄〕〔平成一一・七・一六法律一〇二〕

（施行期日）

第一条　この法律は、内閣法の一部を改正する法律（平成十一年法律第八十八号）の施行の日〔平成一三・一・六〕から施行する。ただし、次の各号に掲げる規定は、当該各号に定める日から施行する。

一　〔略〕

二　附則〔中略〕第二十八条並びに第三十条の規定　公布の日

（委員等の任期に関する経過措置）

第二八条　この法律の施行の日の前日において次に掲げる従前の審議会その他の機関の会長、委員その他の職員である者（任期の定めのない者を除く。）の任期は、当該会長、委員その他の職員の任期を定めたそれぞれの法律の規定にかかわらず、その日に満了する。

一〜五十五　〔略〕

五十六　歴史的風土審議会

五十七・五十八　〔略〕

（別に定める経過措置）

第三〇条　第二条から前条までに規定するもののほか、この法律の施行に伴い必要となる経過措置は、別に法律で定める。

附　則〔略〕〔平成一一・一二・二二法律一六〇〕

附　則〔抄〕〔平成一三・八・三〇法律一〇五〕

（施行期日）

第一条　この法律は、公布の日から施行する。〔以下略〕

（罰則に関する経過措置）

第八一条　この法律（附則第一条各号に掲げる規定にあっては、当該規定。以下この条において同じ。）の施行前にした行為及びこの附則の規定によりなお従前の例によることとされる場合におけるこの法律の施行後にした行為に対する罰則の適用については、なお従前の例による。

（政令への委任）

第八二条　この附則に規定するもののほか、この法律の施行に関し必要な経過措置（罰則に関する経過措置を含む。）は、政令で定める。

附　則〔抄〕〔令和六・五・二九法律四〇〕

（施行期日）

第一条　この法律は、公布の日から起算して六月を超えない範囲内において政令で定める日から施行する。ただし、附則第三条の規定は、公布の日から施行する。

（政令への委任）

第三条　前条に定めるもののほか、この法律の施行に関し必要な経過措置（罰則に関する経過措置を含む。）は、政令で定める。

（検討）

第四条　政府は、この法律の施行後五年を目途として、この法律による改正後のそれぞれの法律の規定について、その施行の状況等を勘案して検討を加え、必要があると認めるときは、その結果に基づいて所要の措置を講ずるものとする。

○古都における歴史的風土の保存に関する特別措置法施行令

〔昭和四一・一二・一三　政令三八四〕

改正　昭和四四・六政一五八、昭和五〇・一政二、九政二九三、一〇政三〇六、昭和五五・八政二〇八、昭和五六・四政一四四、昭和六〇・五政一三五、昭和六一・五政一五六、昭和六二・三政五四、政九九、平成元・四政一一〇、平成三・三政一〇〇、平成五・三政九七、平成一二・六政三一二、平成一三・八政二六二、平成一六・一二政三九九、政四二二、平成二〇・一〇政三三八

（歴史的風土保存区域内における行為の届出の手続）

第一条　古都における歴史的風土の保存に関する特別措置法（以下「法」という。）第七条第一項の規定による届出は、府県知事（地方自治法（昭和二十二年法律第六十七号）第二百五十二条の十九第一項の指定都市においては、その長。次項を除き、以下同じ。）の定めるところにより、書面を提出してしなければならない。

2　府県知事に対する法第七条第一項の規定による届出は、市町村長を経由してしなければならない。

（法第七条第一項第五号及び第八条第一項第七号の政令で定める行為）

第二条　法第七条第一項第五号及び第八条第一項第七号の政令で定める行為は、次に掲げる行為とする。

一　水面の埋立て又は干拓

二　屋外における土石、廃棄物（廃棄物の処理及び清掃に関する法律（昭和四十五年法律第百三十七号）第二条第一項に規定する廃棄物をいう。以下同じ。）又は再生資源（資源の有効な利用の促進に関する法律（平成三年法律第四十八号）第二条第四項に規定する再生資源をいう。以下同じ。）の堆積

（法第七条第一項ただし書の政令で定める行為）

第三条　法第七条第一項ただし書の政令で定める行為は、次の各号のいずれかに該当するものとする。

一　次に掲げる建築物の新築、改築又は増築

イ　地下に設ける建築物の新築、改築又は増築

ロ　建築物の改築又は増築で、その改築又は増築に係る部分の高さ及び床面積の合計がそれぞれ五メートル及び十平方メートル以下であるもの

二　次に掲げる工作物（建築物以外の工作物をいう。以下この号において同じ。）の新築、改築又は増築

イ　仮設の工作物の新築、改築又は増築

ロ　地下に設ける工作物の新築、改築又は増築

ハ　次に掲げる工作物の新築、改築又は増築

(1)　消防又は水防の用に供する望楼及び警鐘台

(2)　電気供給のための電線路、有線電気通信のための線路、空中線系（その支持物を含む。）又は鉄道若しくは軌道の線路敷地内の運転保安のための工作物（新築、改築又は増築に係る部分の高さが二十メートルを超えるものを除く。）

ニ　その他の工作物の新築、改築又は増築で、その新築、改築又は増築に係る部分の高さが五メートル以下であるもの

三　次に掲げる土地の形質の変更

イ　面積が六十平方メートル以下の土地の形質の変更で、高さが五メートルを超える法を生ずる切土又は盛土を伴わないもの

ロ　地下における土地の形質の変更

四　次に掲げる木竹の伐採

イ　枝打ち、整枝等木竹の保育のために通常行われる木竹の伐採

ロ　枯損した木竹又は危険な木竹の伐採

ハ　自家の生活の用に充てるために必要な木竹の伐採

ニ　仮植した木竹の伐採

ホ　建築物の敷地以外の土地にある独立木で、高さが十五メートルを超えず、かつ、一・五メートルの高さにおける幹の周囲が一・五メートルを超えないものの伐採

ヘ　測量、実地調査又は施設の保守の支障となる木竹の伐採

五　次に掲げる土石の類の採取

イ　当該土石の類の採取による地形の変更が第三号イの土地の形質の変更と同程度のもの

ロ　地下における土石の類の採取

六　面積が六十平方メートル以下の水面の埋立て又は干拓

七　屋外における土石、廃棄物又は再生資源の堆積で、面積が六十平方メートル以下であり、かつ、高さが一・五メートル以下であるもの

八　前各号に掲げるもののほか、次に掲げる行為

イ　法令又はこれに基づく処分による義務の履行として行う行為

ロ　建築物の存する敷地内で行う行為。ただし、次に掲げる行為を除く。

(1)　建築物の新築、改築又は増築

(2)　高さが五メートルを超える木竹の伐採

(3)　屋外における土石、廃棄物又は再生資源の堆積で、高さが一・五メートルを超えるもの

ハ　農業、林業又は漁業を営むために行う行為。ただし、次に掲げる行為を除く。

(1)　建築物の新築、改築又は増築

(2) 用排水施設（幅員が二メートル以下の用排水路を除く。）又は幅員が二メートルを超える農道若しくは林道の設置
(3) 宅地の造成又は土地の開墾
(4) 森林の皆伐
(5) 水面の埋立て又は干拓
ニ 都市公園法（昭和三十一年法律第七十九号）の規定による都市公園及び公園施設の設置及び管理に係る行為
ホ 自然公園法（昭和三十二年法律第百六十一号）の規定による公園事業又は府県立自然公園のこれに相当する事業の執行として行う行為
ヘ 都市計画法（昭和四十三年法律第百号）第四条第十五項に規定する都市計画事業の施行として行う行為
ト 歴史的風土保存計画に基づき、法第五条第二項第二号に規定する施設の整備のために行う行為

（特別保存地区内における行為の許可の申請の手続）

第四条 第一条の規定は、法第八条第一項の規定による許可の申請について準用する。

（法第八条第一項ただし書の政令で定める行為）

第五条 法第八条第一項ただし書の政令で定める行為は、次に掲げる行為とする。

一 次に掲げる工作物（建築物以外の工作物をいう。以下この号において同じ。）の新築、改築又は増築
イ 特別保存地区内において行う工事に必要な仮設の工作物の新築、改築又は増築
ロ 第六号の屋外広告物の表示又は掲出のために必要な工作物の新築、改築又は増築
ハ 水道管、下水道管その他これらに類する工作物で地下に設けるものの新築、改築又は増築
ニ その他の工作物の新築、改築又は増築で、その新築、改築又は増築に係る部分の高さが一・五メートル以下であるもの
二 面積が十平方メートル以下の土地の形質の変更で、高さが一・五メートルを超える法（のり）を生ずる切土又は盛土を伴わないもの
三 第三条第四号に掲げる木竹の伐採
四 土石の類の採取で、その採取による地形の変更が第二号の土地の形質の変更と同程度のもの
五 建築物その他の工作物のうち、屋根、壁面、煙突、門、へい、橋、鉄塔その他これらに類するもの以外のものの色彩の変更
六 次に掲げる屋外広告物（屋外広告物法（昭和二十四年法律第百八十九号）第二条第一項に規定する屋外広告物をいう。以下同じ。）の表示又は掲出
イ 地方公共団体が公共的目的をもつて表示し、又は掲出する屋外広告物
ロ 冠婚葬祭又は祭礼等のために一時的に表示し、又は掲出する屋外広告物
ハ 日常生活に関し必要な事項を表示する標識その他の屋外広告物又は国土交通省令で営業等のためにやむを得ないものとして定める屋外広告物
七 面積が十平方メートル以下の水面の埋立て又は干拓
八 屋外における土石、廃棄物又は再生資源の堆（たい）積で、面積が十平方メートル以下であり、かつ、高さが一・五メートル以下であるもの
九 前各号に掲げるもののほか、次に掲げる行為
イ 法令又はこれに基づく処分による義務の履行として行う行為
ロ 建築物の存する敷地内で行う行為。ただし、次に掲げる行為を除く。
(1) 建築物の新築、改築又は増築
(2) 建築物以外の工作物のうち、当該敷地に存する建築物に附属する物干場その他の国土交通省令で定める工作物以外のものの新築、改築又は増築
(3) 高さが一・五メートルを超える法（のり）を生ずる切土又は盛土を伴う土地の形質の変更
(4) 高さが五メートルを超える木竹の伐採
(5) 土石の類の採取で、その採取による地形の変更が(3)の土地の形質の変更と同程度のもの
(6) 建築物その他の工作物の色彩の変更で、第五号に該当しないもの
(7) 屋外広告物の表示又は掲出で、第六号に該当しないもの
(8) 屋外における土石、廃棄物又は再生資源の堆積で、高さが一・五メートルを超えるもの
ハ 都市計画法第四条第十五項に規定する都市計画事業の施行として行う行為
ニ 歴史的風土保存計画に基づき、法第五条第二項第二号（第一種歴史的風土保存地区（明日香村における歴史的風土の保存及び生活環境の整備等に関する特別措置法（昭和五十五年法律第六十号）第三条第一項の規定による第一種歴史的風土保存地区をいう。以下同じ。）又は第二種歴史的風土保存地区（同項の規定による第二種歴史的風土保存地区をいう。以下同じ。）にあつては、同法第二条第二項第四号）に規定する施設の整備のために行う行為
ホ 農業、林業又は漁業を営むために行う行為。ただし、次に掲げる行為を除く。
(1) 第三条第八号ハ(1)から(3)まで及び(5)に掲げるもの
(2) 第二種歴史的風土保存地区以外の特別保存地区にあつては、森林の択伐
(3) 森林の皆伐又は森林でない竹林で府県知事が指定するものの皆伐
(4) 第一種歴史的風土保存地区又は第二種歴史的風土保存地区にあつては、ビニルハウスその他の国土交通省令で定める工作物（建築物以外の工作物をいう。）でその高さが一・五メートルを超えるものの新築、改築又は増築

（特別保存地区内の行為の許可基準）

第六条 法第八条第二項の政令で定める基準は、次のとおりとする。

一 建築物の新築
イ 農業、林業又は漁業の用に供するために必要な物置、作業小屋等
(1) 当該建築物の高さが、第二種歴史的風土保存地区以外の特別保存地区にあつては五メートル、第二種歴史的風土保存地区にあつては十メートル（災害復旧の場合において、災害による滅失前の建築物の高さが第二種歴史的風土保存地区以外の特別保存地区にあつては五メートル、第二種歴史的風土保存地区にあつては十メートルを超えるときは、滅失前の高さ）を超えないこと。ただし、第二種歴史的風土保存地区内において新築される建築物でその用途によつてやむを得ないと認めて奈良県知事が指定するものについては、その指定する高さを超えないときは、この限りでない。
(2) 第二種歴史的風土保存地区以外の特別保存地区にあつては、当該建築物の床面積の合計が、三十平方メートル（災害復旧の場合において、災害による滅失前の建築物の床面積の合計が三十平方メートルを超えるときは、滅失前の床面積の合計）を超えないこと。
(3) 当該建築物の形態及び意匠が、当該新築の行われる土地及びその周辺の土地の区域における歴史的風土と著しく不調和でないこと。
ロ 仮設の建築物
(1) 当該建築物の構造が、容易に移転し、又は除却することができるものであること。
(2) 当該建築物の規模及び形態が、当該新築の行われる土地及びその周辺の土地の区域における歴史的風土と著しく不調和でないこと。
ハ 地下に設ける建築物については、当該建築物の位置及び規模が、当該新築の行われる土地及びその周辺の土地の区域における歴史的風土の保存に支障を及ぼすおそれが少ないこと。
ニ 次に掲げる建築物については、その規模、形態及び意匠が、当該新築の行われる土地及びその周辺の土地の区域における歴史的風土と著しく不調和でないこと。
(1) 当該古都における重要な遺跡に存した建築物の原形を再現する建築物
(2) 文化財保護法（昭和二十五年法律第二百十四号）第二十七条第一項の規定により指定された重要文化財、同法第七十八条第一項の規定により指定された重要有形民俗文化財、同法第九十二条第一項に規定する埋蔵文化財、同法第百九条第一項の規定により指定され、若しくは同法第百十条第一項の規定により仮指定された史跡名勝天然記念物又は同法第百四十三条第一項の規定により定められた伝統的建造物群保存地区内に所在する伝統的建造物群の保存のために必要な建築物
(3) 地域における歴史的風致の維持及び向上に関する法律（平成二十年法律第四十号）第十二条第一項の規定により指定された歴史的風

致形成建造物の保存のために必要な建築物

(4) 景観法（平成十六年法律第百十号）第十九条第一項の規定により指定された景観重要建造物の保存のために必要な建築物

(5) 都市公園法に規定する公園施設である建築物

(6) 自然公園法の規定による公園事業又は府県立自然公園のこれに相当する事業の執行に係る建築物

(7) 公衆便所

(8) 公共団体が設ける警察、消防又は水防の用に供する建築物で、国土交通省令で定めるもの

(9) 道路、鉄道、河川その他の公共の用に供する施設を構成する建築物で、国土交通省令で定めるもの

ホ その他の建築物（以下ホにおいて「普通建築物」という。）

(1) 第二種歴史的風土保存地区以外の特別保存地区にあつては、当該新築が、次のいずれかの土地において行われること。

(i) 特別保存地区に関する都市計画が定められた日以前において普通建築物の敷地であつた土地

(ii) 特別保存地区に関する都市計画が定められた際現に新築の工事中の普通建築物の敷地であつた土地

(2) 第二種歴史的風土保存地区以外の特別保存地区にあつては、当該新築が、次のいずれかに該当すること。

(i) 現に存する普通建築物の建替えのために行われること。

(ii) 特別保存地区に関する都市計画が定められた日の前日から起算して前六月以内に除却した普通建築物の建替えのために行われること。

(iii) 災害により滅失した普通建築物の復旧のために行われること。

(3) 第二種歴史的風土保存地区以外の特別保存地区にあつては、当該新築後における普通建築物の高さ及び床面積の合計が、それぞれ(2)の普通建築物の高さ及び制限床面積を超えないこと。

(4) 第二種歴史的風土保存地区にあつては、当該新築後における普通建築物の高さが、十メートル（建替えの場合において、建替え前の建築物の高さが十メートルを超えるときはその高さ）を超えないこと。ただし、その用途によつてやむを得ないと認めて奈良県知事が指定する普通建築物については、その指定する高さを超えないときは、この限りでない。

(5) 第一種歴史的風土保存地区又は第二種歴史的風土保存地区にあつては、当該新築後の普通建築物（当該普通建築物の床面積の合計が国土交通省令で定める基準以下のものを除く。）の屋根が、瓦、わら、檜皮、銅板、木板その他これらに類似する外観を有する材料でふかれており、かつ、その外壁が、しつくい、木板その他これらに類似する外観を有する材料で仕上げられていること。

(6) 当該新築後の普通建築物の形態及び意匠が、新築の行われる土地及びその周辺の土地の区域における歴史的風土と著しく不調和でないこと。

二 建築物の改築

イ 当該改築後の建築物の高さが、改築前の建築物の高さ（第二種歴史的風土保存地区にあつては、その高さが十メートルに達しないときは、十メートル）を超えないこと。ただし、第二種歴史的風土保存地区内において改築される建築物でその用途によつてやむを得ないと認めて奈良県知事が指定するものについては、その指定する高さを超えないときは、この限りでない。

ロ 第一種歴史的風土保存地区又は第二種歴史的風土保存地区にあつては、当該改築後の建築物が前号ホに規定する普通建築物（当該普通建築物の床面積の合計が国土交通省令で定める基準以下のものを除く。）である場合には、その屋根が、瓦、わら、檜皮、銅板、木板その他これらに類似する外観を有する材料でふかれており、かつ、その外壁が、しつくい、木板その他これらに類似する外観を有する材料で仕上げられていること。

ハ 当該改築後の建築物の形態及び意匠が、改築の行われる土地及びその周辺の土地の区域における歴史的風土と著しく不調和でないこと。

三 建築物の増築

イ 農業、林業又は漁業の用に供するために必要な物置、作業小屋等

(1) 当該増築部分の高さが、第二種歴史的風土保存地区以外の特別保存地区にあつては五メートル、第二種歴史的風土保存地区にあつては十メートル（災害復旧の場合において、災害による滅失部分の高さが第二種歴史的風土保存地区以外の特別保存地区にあつては五メートル、第二種歴史的風土保存地区にあつては十メートルを超えるときは、滅失部分の高さ）を超えないこと。ただし、第二種歴史的風土保存地区内において増築される建築物でその用途によつてやむを得ないと認めて奈良県知事が指定するものについては、その指定する高さを超えないときは、この限りでない。

(2) 第二種歴史的風土保存地区以外の特別保存地区にあつては、当該増築部分の床面積の合計が、三十平方メートル（災害復旧の場合において、災害による滅失部分の床面積の合計が三十平方メートルを超えるときは、滅失部分の床面積の合計）を超えないこと。

(3) 当該増築後の建築物の形態及び意匠が、増築の行われる土地及びその周辺の土地の区域における歴史的風土と著しく不調和でないこと。

ロ 仮設の建築物

(1) 当該増築部分の構造が、容易に移転し、又は除去することができるものであること。

(2) 当該増築後の建築物の規模及び形態が、増築の行われる土地及びその周辺の土地の区域における歴史的風土と著しく不調和でないこと。

ハ 地下に設ける建築物については、当該増築後の建築物の位置及び規模が、増築の行われる土地及びその周辺の土地の区域における歴史的風土の保存に支障を及ぼすおそれが少ないこと。

ニ 第一号ニに掲げる建築物及び宗教法人法（昭和二十六年法律第百二十六号）に規定する境内建物である建築物又は旧宗教法人令（昭和二十年勅令第七百十九号）の規定による宗教法人のこれに相当する建築物の増築については、当該増築後の建築物の規模、形態及び意匠が、増築の行われる土地及びその周辺の土地の区域における歴史的風土と著しく不調和でないこと。

ホ その他の建築物（以下ホにおいて「普通建築物」という。）

(1) 第二種歴史的風土保存地区以外の特別保存地区にあつては、当該増築が、次のいずれかの土地において行われること。

(i) 特別保存地区に関する都市計画が定められた日以前において普通建築物の敷地であつた土地

(ii) 特別保存地区に関する都市計画が定められた際現に新築の工事中の普通建築物の敷地であつた土地

(2) 第二種歴史的風土保存地区以外の特別保存地区にあつては、当該増築部分の高さ及び当該増築後における普通建築物の床面積の合計が、それぞれ増築前の普通建築物の高さ及び制限床面積を超えないこと。

(3) 第二種歴史的風土保存地区にあつては、当該増築部分の高さが、十メートル（増築前の普通建築物の高さが十メートルを超えるときはその高さ）を超えないこと。ただし、その用途によつてやむを得ないと認めて奈良県知事が指定する普通建築物については、その指定する高さを超えないときは、この限りでない。

(4) 第一種歴史的風土保存地区又は第二種歴史的風土保存地区にあつては、当該増築後の普通建築物（当該普通建築物の床面積の合計が国土交通省令で定める基準以下のものを除く。）の屋根が、瓦、わら、檜皮、銅板、木板その他これらに類似する外観を有する材料でふかれており、かつ、その外壁が、しつくい、木板その他これらに類似する外観を有する材料で仕上げられていること。

(5) 当該増築後の建築物の形態及び意匠が、増築の行われる土地及びその周辺の土地の区域における歴史的風土と著しく不調和でないこと。

四 工作物（建築物以外の工作物をいい、第一種歴史的風土保存地区及び第二種歴史的風土保存地区にあつては、前条第九号ホ(4)に規定する工作物を除く。以下第六号までにおいて同じ。）の新築

イ 仮設の工作物

(1) 当該工作物の構造が、容易に移転し、又は除却することができるものであること。

(2) 当該工作物の規模及び形態が、当該新築の行われる土地及びその周辺の土地の区域における歴史的風土と著しく不調和でないこと。

ロ 地下に設ける工作物については、当該工作物の位置及び規模が、当

該新築の行われる土地及びその周辺の土地の区域における歴史的風土の保存に支障を及ぼすおそれが少ないこと。

ハ　その他の工作物については、当該工作物が、次のいずれかに該当し、かつ、その規模、形態及び意匠が、当該新築の行われる土地及びその周辺の土地の区域における歴史的風土と著しく不調和でないこと。

(1)　当該古都における重要な遺跡に存した工作物の原形を再現する工作物

(2)　第一号ニ(2)に規定する重要文化財その他の文化財の保存のために必要な工作物

(3)　地域における歴史的風致の維持及び向上に関する法律第十二条第一項の規定により指定された歴史的風致形成建造物の保存のために必要な工作物

(4)　景観法第十九条第一項の規定により指定された景観重要建造物の保存のために必要な工作物

(5)　宗教法人法に規定する境内建物である工作物又は旧宗教法人令の規定による宗教法人のこれに相当する工作物

(6)　都市公園法に規定する公園施設である工作物

(7)　自然公園法の規定による公園事業又は府県立自然公園のこれに相当する事業の執行に係る工作物

(8)　公共団体が設ける警察、消防又は水防の用に供する工作物で、国土交通省令で定めるもの

(9)　道路、鉄道、河川その他の公共の用に供する施設を構成する工作物で、国土交通省令で定めるもの

(10)　電気供給のための電線路、有線電気通信のための線路又は空中線系（その支持物を含む。）（高さが二十メートルを超えるものにあつては、建替えのために新築する場合に限る。）

(11)　高さが第二種歴史的風土保存地区以外の特別保存地区にあつては五メートル以下、第二種歴史的風土保存地区にあつては十メートル（その用途によつてやむを得ないと認めて奈良県知事が指定する工作物にあつては、その指定する高さ）以下の工作物

五　工作物の改築

イ　当該改築後の工作物の高さが、改築前の工作物の高さ（第二種歴史的風土保存地区にあつては、改築前の高さが十メートルに達しないときは、十メートル）を超えないこと。ただし、第二種歴史的風土保存地区内において改築される工作物でその用途によつてやむを得ないと認めて奈良県知事が指定するものについては、その指定する高さを超えないときは、この限りでない。

ロ　当該改築後の工作物の形態及び意匠が、改築の行われる土地及びその周辺の土地の区域における歴史的風土と著しく不調和でないこと。

六　工作物の増築

イ　仮設の工作物

(1)　当該増築部分の構造が、容易に移転し、又は除却することができるものであること。

(2)　当該増築後の工作物の規模及び形態が、増築の行われる土地及びその周辺の土地の区域における歴史的風土と著しく不調和でないこと。

ロ　地下に設ける工作物については、当該増築後の工作物の位置及び規模が、増築の行われる土地及びその周辺の土地の区域における歴史的風土の保存に支障を及ぼすおそれが少ないこと。

ハ　その他の工作物については、当該増築が、次のいずれかに該当し、かつ、増築後の工作物の規模、形態及び意匠が、増築の行われる土地及びその周辺の土地の区域における歴史的風土と著しく不調和でないこと。

(1)　第四号ハ(1)から(9)までに掲げる工作物の増築

(2)　電気供給のための電線路、有線電気通信のための線路又は空中線系（その支持物を含む。）の増築。ただし、次のいずれかに該当する増築を除く。

(i)　新たに高さが二十メートルを超える柱その他これに類するものを設置することとなるもの

(ii)　既に高さが二十メートルを超える柱その他これに類するものがあるときは、増築後の柱その他これに類するものの高さが増築前の高さを超えることとなるもの

(3)　当該増築部分の高さが第二種歴史的風土保存地区以外の特別保存地区にあつては五メートル以下、第二種歴史的風土保存地区にあつては十メートル（その用途によつてやむを得ないと認めて奈良県知事が指定する工作物にあつては、その指定する高さ）以下であるもの

六の二　前条第九号ホ(4)に規定する工作物の新築、改築又は増築

イ　当該新築、改築又は増築が、第一種歴史的風土保存地区内の土地以外の土地において行われること。

ロ　当該新築、改築又は増築後の工作物が、国土交通省令で定める規模、材質等に関する基準に該当すること。

ハ　当該新築、改築又は増築後の工作物の形態及び意匠が、新築、改築又は増築の行われる土地及びその周辺の土地における歴史的風土と著しく不調和とならないこと。

七　宅地の造成、土地の開墾その他の土地の形質の変更については、当該土地の形質の変更が、次のいずれかに該当し、かつ、当該変更後の地貌が、当該変更を行う土地及びその周辺の土地の区域における歴史的風土と著しく不調和とならないこと。

イ　前各号に掲げる建築物その他の工作物の新築、改築又は増築を行うために必要な最小限度の規模の土地の形質の変更

ロ　第二種歴史的風土保存地区以外の特別保存地区内における農地若しくは採草放牧地に接する土地の開墾又は第二種歴史的風土保存地区内における土地の開墾

ハ　建築物の存する敷地内で行う土地の形質の変更

ニ　文化財保護法第九十二条第一項に規定する埋蔵文化財の調査の目的でする土地の発掘又は同法第百九条第一項の規定により指定され、若しくは同法第百十条第一項の規定により仮指定された史跡名勝天然記念物の保存のために行う土地の形質の変更

ホ　道路その他の公共の用に供する施設で国土交通省令で定めるもの又は第二種歴史的風土保存地区内における用排水施設、農道若しくは林道の設置又は管理のために必要な最小限度の規模の土地の形質の変更

八　木竹の伐採については、当該木竹の伐採が、次のいずれかに該当し、かつ、伐採の行われる土地及びその周辺の土地の区域における歴史的風土を損なうおそれが少ないこと。

イ　森林の択伐

ロ　伐採後の成林が確実であると認められる森林の皆伐で、伐採区域の面積が第二種歴史的風土保存地区以外の特別保存地区にあつては一ヘクタール（人工林が相当部分を占める森林で、府県知事が歴史的風土を維持保存する上で必要と認めて指定するものにあつては、一ヘクタールを超え五ヘクタール以下の範囲内で府県知事が指定する面積）以下、第二種歴史的風土保存地区にあつては五ヘクタール以下のもの

ハ　前号に掲げる土地の形質の変更のために必要な最小限度の木竹の伐採で、森林である土地の区域において行うもの

ニ　森林である土地の区域外における木竹の伐採

九　土石の類の採取については、採取の方法が、露天掘りでなく、かつ、当該採取を行う土地及びその周辺の土地の区域における歴史的風土の保存に支障を及ぼすおそれが少ないこと。

十　建築物その他の工作物の色彩の変更については、当該変更後の色彩が、当該変更の行われる土地及びその周辺の土地の区域における歴史的風土と調和すること。

十一　屋外広告物の表示又は掲出

イ　当該屋外広告物の表示又は掲出が、営業等のために通常必要と認められるものであること。

ロ　当該屋外広告物の規模、形態及び意匠が、当該表示又は掲出の行われる土地及びその周辺の土地の区域における歴史的風土と著しく不調和でないこと。

十二　水面の埋立て又は干拓については、当該水面の埋立て又は干拓後の地貌が埋立て又は干拓を行う土地及びその周辺の土地の区域における歴史的風土と著しく不調和とならないこと。

十三　屋外における土石、廃棄物又は再生資源の堆積については、当該堆積を行う土地及びその周辺の土地の区域における歴史的風土の保存に支障を及ぼすおそれが少ないこと。

十四　次に掲げる行為については、前各号の規定にかかわらず、当該行為の行われる土地及びその周辺の土地の区域における歴史的風土を著しく損なわないこと。

イ　災害の防止のために必要やむを得ない行為
ロ　法令に基づく行政庁の勧告に応じて行う行為

（制限床面積の意義等）
第七条　前条第一号ホ(3)及び同条第三号ホ(2)において、「制限床面積」とは、当該普通建築物の敷地における次に掲げる床面積の合計をいう。この場合において、「普通建築物」とは、同条第一号ホ(3)の場合においては同号ホの普通建築物を、同条第三号ホ(2)の場合においては同号ホの普通建築物をいう。
一　特別保存地区に関する都市計画が定められた際現に存した普通建築物の床面積
二　特別保存地区に関する都市計画が定められた際現に新築、改築又は増築の工事中の普通建築物の床面積
三　特別保存地区に関する都市計画が定められた日の前日から起算して前六月以内に建替えのために除却した普通建築物の全部又は一部で、当該都市計画が定められた際まだ建替えのための新築又は改築の工事に着手していないものの床面積
四　特別保存地区に関する都市計画が定められる前に災害により滅失した普通建築物の全部又は一部で、当該都市計画が定められた際また復旧のための新築又は増築の工事に着手していないものの床面積
五　次に掲げる普通建築物が、いずれも住宅（住宅と事務所、店舗その他これらに類する用途を兼ねるものを含む。）又は住宅部分を有するものであるときは、六十平方メートル
イ　特別保存地区に関する都市計画が定められた際現に存した普通建築物、当該都市計画が定められる前に最後に存した普通建築物又は当該都市計画が定められた際現に新築、改築若しくは増築の工事中の普通建築物
ロ　当該新築に係る前条第一号ホ(2)の普通建築物又は当該増築前の普通建築物
ハ　当該新築又は増築後の普通建築物
2　この政令における「床面積」には、建築基準法施行令（昭和二十五年政令第三百三十八号）第一条第二号に規定する地階の床面積は、算入しないものとする。

（収用委員会の裁決の申請の手続）
第八条　法第九条第三項の規定により土地収用法（昭和二十六年法律第二百十九号）第九十四条の規定による裁決を申請しようとする者は、国土交通省令で定める様式に従い、同条第三項各号（第三号を除く。）に掲げる事項を記載した裁決申請書を収用委員会に提出しなければならない。

（土地の買入れ価額の算定）
第九条　法第十一条第一項の規定による買入れをする場合における土地の価額は、近傍類地の取引価額等を考慮して算定した相当な価額とする。
2　前項の価額を算定するにあたつては、不動産鑑定士その他の土地の鑑定評価について特別の知識経験を有し、かつ、公正な判断をすることができる者に評価させなければならない。

（国庫負担額）
第一〇条　国が法第十四条第一項の規定により負担する金額は、法第九条の規定による損失の補償又は法第十一条の規定による土地の買入れに要する費用の額に十分の七（第二種歴史的風土保存地区にあつては、二分の一）を乗じて得た額とする。

（国庫補助金の額）
第一一条　法第十四条第二項の規定による国の地方公共団体に対する補助金の額は、同項に規定する施設の整備に要する費用の額に二分の一を乗じて得た額とする。

附　則

（施行期日）
1　この政令は、昭和四十二年二月一日から施行する。〔以下略〕

（昭和六十年度の特例）
2　第十条の規定の昭和六十年度における適用については、同条中「五分の四」とあるのは「十分の七」と、「十分の五・五」とあるのは「二分の一」とする。

（昭和六十一年度、平成三年度及び平成四年度の特例）
3　第十条の規定の昭和六十一年度、平成三年度及び平成四年度における適用については、同条中「五分の四」とあるのは「十分の六・五」と、「十分の五・五」とあるのは「二分の一」とする。

（昭和六十二年度から平成二年度までの特例）
4　第十条の規定の昭和六十二年度から平成二年度までの各年度における適用については、同条中「五分の四」とあるのは「十分の六・二五」と、「十分の五・五」とあるのは「二分の一」とする。

附　則〔略〕〔昭和四四・六・一三政令一五八〕
附　則〔略〕〔昭和五〇・一・九政令二〕
附　則〔略〕〔昭和五〇・九・三〇政令二九三〕
附　則〔略〕〔昭和五〇・一〇・二四政令三〇六〕
附　則〔略〕〔昭和五五・八・一政令二〇八〕
附　則〔略〕〔昭和五六・四・二四政令一四四〕
附　則〔略〕〔昭和六〇・五・一八政令一三五〕
附　則〔略〕〔昭和六一・五・八政令一五六〕
附　則〔略〕〔昭和六二・三・二〇政令五四〕
附　則〔略〕〔昭和六二・三・三一政令九九〕
附　則〔平成元・四・一〇政令一一〇〕

（施行期日）
1　この政令は、公布の日から施行する。

（経過措置）
2　改正後〔中略〕の規定は、平成元年度及び平成二年度の予算に係る国の負担又は補助（昭和六十三年度以前の年度の国庫債務負担行為に基づき平成元年度以降の年度に支出すべきものとされた国の負担又は補助を除く。）、平成元年度及び平成二年度の国庫債務負担行為に基づき平成三年度以降の年度に支出すべきものとされる国の負担又は補助並びに平成元年度及び平成二年度の歳出予算に係る国の負担又は補助で平成三年度以降の年度に繰り越されるものについて適用し、昭和六十三年度以前の年度の国庫債務負担行為に基づき平成元年度以降の年度に支出すべきものとされた国の負担又は補助及び昭和六十三年度以前の年度の歳出予算に係る国の負担又は補助で平成元年度以降の年度に繰り越されたものについては、なお従前の例による。

附　則〔平成三・三・三〇政令一〇〇〕
改正　平成五・三政九七

（施行期日）
1　この政令は、平成三年四月一日から施行する。

（経過措置）
2　改正後〔中略〕の規定は、平成三年度及び平成四年度の予算に係る国の負担又は補助（平成二年度以前の年度の国庫債務負担行為に基づき平成三年度以降の年度に支出すべきものとされた国の負担又は補助を除く。）、平成三年度及び平成四年度の国庫債務負担行為に基づき平成五年度以降の年度に支出すべきものとされる国の負担又は補助並びに平成三年度及び平成四年度の歳出予算に係る国の負担又は補助で平成五年度以降の年度に繰り越されるものについて適用し、平成二年度以前の年度の国庫債務負担行為に基づき平成三年度以降の年度に支出すべきものとされた国の負担又は補助及び平成二年度以前の年度の歳出予算に係る国の負担又は補助で平成三年度以降の年度に繰り越されたものについては、なお従前の例による。

附　則〔抄〕〔平成五・三・三一政令九七〕

（施行期日）
1　この政令は、平成五年四月一日から施行する。

（経過措置）
2　改正後〔中略〕の規定は、平成五年度以降の年度の予算に係る国の負担又は補助（平成四年度以前の年度の国庫債務負担行為に基づき平成五年度以降の年度に支出すべきものとされた国の負担又は補助を除く。）について適用し、平成四年度以前の年度の国庫債務負担行為に基づき平成五年度以降の年度に支出すべきものとされた国の負担又は補助及び平成四年度以前の年度の歳出予算に係る国の負担又は補助で平成五年度以降の年度に繰り越されたものについては、なお従前の例による。

附　則〔略〕〔平成一二・六・七政令三一二〕
附　則〔平成一三・八・八政令二六二〕

（施行期日）
1　この政令は、平成十三年八月二十四日から施行する。

（経過措置）
2　改正後の古都における歴史的風土の保存に関する特別措置法施行令第二条第二号に掲げる行為であってこの政令の施行の際既に着手しているものについては、古都における歴史的風土の保存に関する特別措置法第七条第

一項及び第三項並びに第八条第一項及び第八項後段の規定は、適用しない。

附 則〔略〕〔平成一六・一二・一五政令三九九〕

附 則〔略〕〔平成一六・一二・二七政令四一二〕

附 則〔抄〕〔平成二〇・一〇・三一政令三三八〕

（施行期日）

1 この政令は、地域における歴史的風致の維持及び向上に関する法律の施行の日（平成二十年十一月四日）から施行する。

○古都における歴史的風土の保存に関する特別措置法施行規則

〔昭和四二・一一・二四 建設省令二一〕

改正 昭和四六・一一建令二六、昭和五五・八建令一〇、平成一二・一建令九、一一建令四一、平成一六・一二国交令一〇一、平成一七・三国交令二三、平成二〇・一〇国交令九一、平成二九・六国交令三五、令和二・一二国交令九八

（営業等のためにやむを得ない屋外広告物）

第一条 古都における歴史的風土の保存に関する特別措置法施行令（以下「令」という。）第五条第六号ハの国土交通省令で営業等のためにやむを得ないものとして定める屋外広告物は、次の各号に掲げるものとする。

一 事業のために自己の住所、事業場又は停留所において自己の氏名、名称、店名若しくは商標又は自己の事業の内容を表示する屋外広告物で、当該住所、事業場又は停留所ごとの表示面積の合計が〇・三平方メートル以下であり、かつ、高さが三メートル以下であるもの

二 土地又は物件の管理のために当該土地又は物件に表示し、又は掲出する屋外広告物で、当該土地又は物件ごとの表示面積の合計が〇・三平方メートル以下であり、かつ、高さが三メートル以下であるもの

三 講演会、展覧会、音楽会等のために当該会場の敷地内において表示し、又は掲出する屋外広告物で、当該会場の敷地ごとの表示面積の合計が一平方メートル以下であり、かつ、高さが三メートル以下であるもの

四 人若しくは動物又は電車、自動車その他の車両若しくは船舶に表示し、又は掲出する屋外広告物

五 公職選挙法（昭和二十五年法律第百号）による選挙運動のために表示し、又は掲出する屋外広告物

六 文化財保護法（昭和二十五年法律第二百十四号）第二十七条第一項の規定により指定された重要文化財、同法第七十八条第一項の規定により指定された重要有形民俗文化財、同法第九十二条第一項に規定する埋蔵文化財、同法第百九条第一項の規定により指定され、若しくは同法第百十条第一項の規定により仮指定された史跡名勝天然記念物又は同法第百四十三条第一項の規定により定められた伝統的建造物群保存地区内に所在する伝統的建造物群の保存のために必要な合理的な規模の屋外広告物

七 景観法（平成十六年法律第百十号）第十九条第一項の規定により指定された景観重要建造物の保存のために必要な合理的な規模の屋外広告物

八 地域における歴史的風致の維持及び向上に関する法律（平成二十年法律第四十号）第十二条第一項の規定により指定された歴史的風致形成建造物の保存のために必要な合理的な規模の屋外広告物

（令第五条第九号ロ⑵の国土交通省令で定める工作物）

第二条 令第五条第九号ロ⑵の国土交通省令で定める工作物は、次の各号に掲げるものとする。

一 道路（私道を除く。）から容易に望見されることのない物干場又は当該建築物の高さをこえない高さの物干場

二 消火設備

三 建築基準法（昭和二十五年法律第二百一号）第二条第三号に規定する建築設備（消火設備及び当該建築設備を必要とする建築物の屋根の最上端からの高さが二メートルをこえるもの（避雷針を除く。）を除く。）

四 受信用の空中線系（その支持物を含む。）その他これに類するもので、高さが十五メートル以下のもの

五 旗ざおその他これに類するもの

六 地下に設ける工作物（建築物を除く。）

七 高さが五メートル以下のその他の工作物（建築物を除く。）

（令第五条第九号ホ⑷の国土交通省令で定める工作物）

第二条の二 令第五条第九号ホ⑷の国土交通省令で定める工作物は、ビニルハウスその他これに類するものとする。

（令第六条第一号ニ⑻の国土交通省令で定める建築物）

第三条 令第六条第一号ニ⑻の国土交通省令で定める建築物は、次の各号に掲げるものとする。

一 警察署の派出所又は駐在所

二 消防又は水防の用に供する機械、器具等を格納する建築物

（令第六条第一号ニ⑼の国土交通省令で定める建築物）

第四条 令第六条第一号ニ⑼の国土交通省令で定める建築物は、次の各号に掲げる施設を構成する建築物とする。

一 道路法（昭和二十七年法律第百八十号）による道路その他の一般交通の用に供する道（自動車のみの一般交通の用に供するもので主として観光の用に供するものを除く。）

二 鉄道事業法施行規則（昭和六十二年運輸省令第六号）第四条に規定する鉄道（懸垂式鉄道、跨座式鉄道及び鋼索鉄道を除く。）

三 軌道法（大正十年法律第七十六号）第一条第一項の規定による軌道

四 河川法（昭和三十九年法律第百六十七号）による河川その他の公共の用に供する水路

五 学校教育法（昭和二十二年法律第二十六号）による幼稚園

（令第六条第一号ホ⑸、第二号ロ及び第三号ホ⑷の国土交通省令で定める基準）

第四条の二 令第六条第一号ホ⑸、第二号ロ及び第三号ホ⑷の国土交通省令で定める基準は、二十平方メートルとする。

（令第六条第四号ハ⑻の国土交通省令で定める工作物）

第五条　令第六条第四号ハ(8)の国土交通省令で定める工作物は、次の各号に掲げるものとする。

一　警察署の派出所又は駐在所に附属する工作物（建築物を除く。）及び道路交通法（昭和三十五年法律第百五号）第二条第一項第十四号に規定する信号機

二　消防又は水防の用に供する望楼及び警鐘台

（令第六条第四号ハ(9)の国土交通省令で定める工作物）

第六条　令第六条第四号ハ(9)の国土交通省令で定める工作物は、第四条各号に掲げる施設を構成する工作物（建築物を除く。）とする。

（令第六条第六号の二ロの国土交通省令で定める基準）

第六条の二　令第六条第六号の二ロの国土交通省令で定める規模、材質等に関する基準は、次のとおりとする。

一　高さが五メートルを超えないこと。

二　被覆材が軟質プラスチックフィルム又は寒冷紗であること。

（令第六条第七号ホの国土交通省令で定める施設）

第七条　令第六条第七号ホの国土交通省令で定める施設は、建築物その他の工作物でない一般交通の用に供する道及び公共の用に供する水路とする。

（収用委員会に対する裁決申請書の様式）

第八条　令第八条の国土交通省令で定める様式は、別記様式のとおりとする。

附　則

この省令は、昭和四十二年二月一日から施行する。

附　則〔略〕〔昭和四六・一一・三〇建設省令二六〕

附　則〔略〕〔平成一二・一一・二〇建設省令四一〕

附　則〔略〕〔平成一六・一二・一五国土交通省令一〇一〕

附　則〔略〕〔平成一七・三・二九国土交通省令二三〕

附　則〔略〕〔平成二〇・一〇・三一国土交通省令九一〕

附　則〔略〕〔平成二九・六・一四国土交通省令三五〕

附　則〔略〕〔令和二・一二・二三国土交通省令九八〕

別記様式〔略〕

○明日香村における歴史的風土の保存及び生活環境の整備等に関する特別措置法

〔昭和五五・五・二六 法律六〇〕

改正　昭和六〇・五法三七、昭和六一・五法四六、昭和六二・三法一一、平成元・四法二二、平成二・三法一九、六法五〇、平成三・三法一五、平成五・三法八、平成一一・七法八七、一二法一六〇、平成一二・三法三〇、五法九八、法九九、平成一四・七法九八、平成一七・四法二五、一〇法一〇二、平成二三・八法一〇五、令和六・五法四〇

（目的）

第一条　この法律は、飛鳥地方の遺跡等の歴史的文化的遺産がその周囲の環境と一体をなして、我が国の律令国家体制が初めて形成された時代における政治及び文化の中心的な地域であつたことをしのばせる歴史的風土が、明日香村の全域にわたつて良好に維持されていることにかんがみ、かつ、その歴史的風土の保存が国民の我が国の歴史に対する認識を深めることに配意し、住民の理解と協力の下にこれを保存するため、古都における歴史的風土の保存に関する特別措置法（昭和四十一年法律第一号）の特例及び国等において講ずべき特別の措置を定めることを目的とする。

（明日香村歴史的風土保存計画）

第二条　国土交通大臣は、奈良県、明日香村（奈良県高市郡明日香村をいう。以下同じ。）及び社会資本整備審議会の意見を聴くとともに、関係行政機関の長に協議して、古都における歴史的風土の保存に関する特別措置法（以下「古都保存法」という。）第五条第一項の歴史的風土保存計画として明日香村の区域の全部について、歴史的風土の保存に関する計画（以下「明日香村歴史的風土保存計画」という。）を定めなければならない。この場合において、国土交通大臣は、奈良県又は明日香村から意見の申出を受けたときは、遅滞なくこれに回答するものとする。

2　明日香村歴史的風土保存計画に定める事項は、次のとおりとする。

一　第一種歴史的風土保存地区と第二種歴史的風土保存地区との区分の基準に関する事項

二　第一種歴史的風土保存地区及び第二種歴史的風土保存地区内における行為の規制に関する事項

三　歴史的風土の保存に配意した土地利用に関する事項

四　歴史的風土の保存に関連して必要とされる施設の整備に関する事項

五　古都保存法第十二条第一項の規定による土地の買入れに関する事項

六　前各号に掲げるもののほか、歴史的風土の維持保存に関し特に必要と認められる事項

3　国土交通大臣は、明日香村歴史的風土保存計画を定めたときは、これを関係行政機関の長、奈良県及び明日香村に送付するとともに、官報で公示しなければならない。

4　前三項の規定は、明日香村歴史的風土保存計画の変更について準用する。

（第一種歴史的風土保存地区及び第二種歴史的風土保存地区に関する都市計画）

第三条　明日香村の区域については、明日香村歴史的風土保存計画に基づき、当該区域を区分して、都市計画に第一種歴史的風土保存地区及び第二種歴史的風土保存地区を定めるものとする。

2　第一種歴史的風土保存地区は、歴史的風土の保存上枢要な部分を構成していることにより、現状の変更を厳に抑制し、その状態において歴史的風土の維持保存を図るべき地域とし、第二種歴史的風土保存地区は、著しい現状の変更を抑制し、歴史的風土の維持保存を図るべき地域とする。

3　第一種歴史的風土保存地区及び第二種歴史的風土保存地区は、それぞれ古都保存法第八条後段の特別保存地区とする。

（明日香村整備基本方針等）

第四条　国土交通大臣は、奈良県、明日香村及び社会資本整備審議会の意見を聴くとともに、関係行政機関の長に協議して、明日香村における歴史的風土の保存と住民の生活との調和を図るため、明日香村における生活環境及び産業基盤の整備等に関する基本方針（以下「明日香村整備基本方針」という。）を定め、これを奈良県知事に示すものとする。この場合において、国土交通大臣は、奈良県又は明日香村から意見の申出を受けたときは、遅滞なくこれに回答するものとする。

2　奈良県知事は、前項の規定により示された明日香村整備基本方針に基づき、明日香村の意見を聴いて、明日香村における生活環境及び産業基盤の整備等に関する計画を作成することができる。この場合において、奈良県知事は、あらかじめ、国土交通大臣に協議し、その同意を得なければならない。

3　前項に規定する計画には、おおむね次に掲げる事項を定めるものとする。

一　道路の整備に関する事項

二　河川の整備に関する事項

三　下水道の整備に関する事項

四　都市公園の整備に関する事項

五　住宅の整備に関する事項

六　教育施設の整備に関する事項

七　厚生施設の整備に関する事項

八　消防施設の整備に関する事項

九　農地並びに農業用施設及び林業用施設の整備に関する事項

十　文化財の保護に関する事項

十一　前各号に掲げるもののほか、明日香村における生活環境及び産業基

盤の整備その他歴史的風土の保存と調和が保たれる地域振興に関する事項で特に必要と認められるもの

4　国土交通大臣は、第二項に規定する計画が適当なものであると認められるときは、これに同意するものとする。この場合において、国土交通大臣は、社会資本整備審議会の意見を聴くとともに、関係行政機関の長に協議しなければならない。

5　前三項の規定は、明日香村整備計画（第二項の同意を得た同項に規定する計画をいう。以下同じ。）の変更について準用する。

（国の負担又は補助の割合の特例）

第五条　明日香村整備計画に基づいて、昭和五十五年度から平成二十一年度までの各年度において明日香村が国又は奈良県から負担金、補助金又は交付金の交付を受けて行う事業（奈良県から負担金、補助金又は交付金の交付を受けて行うものにあつては、奈良県が負担し、若しくは補助し、又は交付金を交付するために要する費用の一部について国が負担し、若しくは補助し、又は交付金を交付するものに限る。）のうち、次に掲げる事業（災害復旧に係るもの、当該事業に係る経費の全額を国又は奈良県が負担するもの及び当該事業に係る経費を明日香村が負担しないものを除く。）で政令で定めるもの（以下「特定事業」という。）に係る経費に対する国の負担又は補助の割合（明日香村に対する負担又は補助のために奈良県が要する費用の一部を国が負担し、又は補助している場合にあつては、国の負担金又は補助金の当該特定事業に係る経費に対する割合）については、首都圏、近畿圏及び中部圏の近郊整備地帯等の整備のための国の財政上の特別措置に関する法律（昭和四十一年法律第百十四号）第五条の規定の例による。

一　次の施設の整備に関する事業

イ　道路

ロ　下水道

ハ　都市公園

ニ　教育施設

ホ　厚生施設

ヘ　農地並びに農業用施設及び林業用施設で政令で定めるもの

二　前号に掲げるもののほか、生活環境及び産業基盤の整備のために必要な事業で政令で定めるもの

2　前項の規定により通常の国の負担割合を超えて国が負担し、又は補助することとなる額の交付に関し必要な事項は、政令で定める。

3　明日香村整備計画に基づいて行われる道路法（昭和二十七年法律第百八十号）第二条第一項に規定する道路の改築の事業で政令で定めるものに係る経費に対する国の負担又は補助の割合は、当該事業に関する法令の規定にかかわらず、四分の三（土地区画整理事業に係るものにあつては、三分の二）の範囲内で政令で定める割合とする。

4　明日香村整備計画に基づいて行われる河川法（昭和三十九年法律第百六十七号）第四条第一項に規定する一級河川のうちその管理を県知事が行うものとされた指定区間内のものの改良工事の事業に係る経費に対する国の負担の割合は、同法の規定にかかわらず、三分の二とする。

5　明日香村整備計画に基づく事業で次の各号に掲げるものに係る経費に対する国の負担又は補助の割合については、当該各号に規定する法律に基づく政令に定める負担又は補助の割合を超える割合を政令で定めることができる。

一　下水道法（昭和三十三年法律第七十九号）第二条第三号に規定する下水道の設置又は改築

二　土地改良法（昭和二十四年法律第百九十五号）第二条第二項に規定する土地改良事業

第五条の二　国は、特定事業に係る経費に充てるため政令で定める交付金を交付する場合においては、政令で定めるところにより、当該経費について前条の規定を適用したとするならば国が負担し、又は補助することとなる割合を参酌して、当該交付金の額を算定するものとする。

（地方債についての配慮）

第六条　奈良県又は明日香村が明日香村整備計画に基づいて行う事業に要する経費に充てるために起こす地方債については、国は、奈良県又は明日香村の財政状況が許す限り起債できるよう、及び資金事情が許す限り財政融資資金をもつて引き受けるよう特別の配慮をするものとする。

（財政上及び技術上の配慮）

第七条　国は、前三条に定めるもののほか、明日香村整備計画が円滑に達成されるよう、財政上及び技術上の配慮をしなければならない。

（明日香村整備基金）

第八条　明日香村が、次に掲げる事業（特定事業を除く。）に要する経費の全部又は一部を支弁するため、地方自治法（昭和二十二年法律第六十七号）第二百四十一条の基金として、明日香村整備基金を設ける場合には、国は、二十四億円を限度として、その財源に充てるために必要な資金の一部を明日香村に対して補助するものとする。

一　歴史的風土の保存を図るために行われる事業

二　土地の形質又は建築物その他の工作物の意匠、形態等を歴史的風土と調和させるために行われる事業

三　住民の生活の安定向上を図り、又は住民の利便を増進させるために行われる事業で歴史的風土の保存に関連して必要とされるもの

附　則　〔抄〕

（施行期日）

第一条　この法律は、公布の日から施行する。

（経過措置）

第二条　この法律の施行の際現に存する古都保存法第五条第一項の規定により決定された歴史的風土保存計画のうち、明日香村の区域に係る部分は、第二条第三項の規定による明日香村歴史的風土保存計画の公示の日以後その効力を失う。

第三条　この法律の施行の際現に存する古都保存法第四条第一項の規定による明日香村の区域内の歴史的風土保存区域の指定は、第三条第一項の都市計画についての都市計画法（昭和四十三年法律第百号）第二十条第一項の規定による告示の日（以下「告示の日」という。）以後その効力を失う。

2　前項に規定する明日香村の区域内の歴史的風土保存区域に関しては、告示の日の前日までは、古都保存法第七条の規定を適用する。

第四条　この法律の施行の際現に存する古都保存法第六条第一項の規定により定められている明日香村の区域内の歴史的風土特別保存地区に関する都市計画は、告示の日の前日までは、なおその効力を有する。

第五条　告示の日前にした古都保存法又はこれに基づく命令の規定に違反する行為に対する罰則の適用については、なお従前の例による。

第六条　第五条の規定は、昭和五十五年度分の予算に係る国の負担金及び補助金から適用し、昭和五十四年度以前の年度分の予算に係る国の負担金及び補助金で、昭和五十五年度以後に繰り越されたものについては、なお従前の例による。

（昭和六十年度から平成四年度までの特例）

第七条　明日香村整備計画に基づく事業で次の各号に掲げるものに係る経費に対する国の負担又は補助の割合については、当該各号に定める法律の規定は、適用しない。

一　道路の改築（政令で定めるものを除く。）　道路整備緊急措置法（昭和三十三年法律第三十四号）附則第四項から第六項まで

二　河川の改良工事　河川法附則第二項から第四項まで

2　明日香村整備計画に基づく事業で前項第一号の政令で定めるものに係る経費に対する国の負担又は補助の割合については、道路整備緊急措置法附則第五項中「十分の六（土地区画整理事業に係るものにあつては、昭和六十一年度及び昭和六十二年度においては十分の五・五とし、平成三年度及び平成四年度においては十分の五・七五とする。）」とあり、及び同法附則第六項中「建設大臣が行う改築については十分の六（土地区画整理事業に係るものにあつては、十分の五・五）、その他の改築については十分の五・七五（土地区画整理事業に係るものにあつては、十分の五・五）」とあるのは、「十分の六」とする。

3　前二項に定めるもののほか、明日香村整備計画に基づく事業については、他の法律の規定に基づく政令の規定により昭和六十年度から平成四年度までの間における国の負担又は補助の割合につき従来の割合を下回る割合が定められた場合においては、政令で、当該規定を適用しない旨その他の特例を定めることができる。

附　則　〔略〕〔昭和六〇・五・一八法律三七〕

附　則　〔略〕〔昭和六一・五・八法律四六〕

附　則　〔略〕〔昭和六二・三・三一法律一一〕

附　則　〔抄〕〔平成元・四・一〇法律二二〕

（施行期日等）

1　この法律は、公布の日から施行する。

2　この法律〔中略〕による改正後の法律の平成元年度及び平成二年度の特

例に係る規定並びに平成元年度の特例に係る規定は、平成元年度及び平成二年度（平成元年度の特例に係るものにあっては、平成元年度。以下この項において同じ。）の予算に係る国の負担（当該国の負担に係る都道府県又は市町村の負担を含む。以下この項及び次項において同じ。）又は補助（昭和六十三年度以前の年度における事務又は事業の実施により平成元年度以降の年度に支出される国の負担及び昭和六十三年度以前の年度の国庫債務負担行為に基づき平成元年度以降の年度に支出すべきものとされた国の負担又は補助を除く。）並びに平成元年度及び平成二年度における事務又は事業の実施により平成三年度（平成元年度の特例に係るものにあっては、平成二年度。以下この項において同じ。）以降の年度に支出される国の負担、平成元年度及び平成二年度の国庫債務負担行為に基づき平成三年度以降の年度に支出すべきものとされる国の負担又は補助並びに平成元年度及び平成二年度の歳出予算に係る国の負担又は補助で平成三年度以降の年度に繰り越されるものについて適用し、昭和六十三年度以前の年度における事務又は事業の実施により平成元年度以降の年度に支出される国の負担、昭和六十三年度以前の年度の国庫債務負担行為に基づき平成元年度以降の年度に支出すべきものとされた国の負担又は補助及び昭和六十三年度以前の年度の歳出予算に係る国の負担又は補助で平成元年度以降の年度に繰り越されたものについては、なお従前の例による。

附　則〔略〕〔平成二・三・三一法律一九〕

附　則〔略〕〔平成二・六・二七法律五〇〕

附　則〔平成三・三・三〇法律一五〕

改正　平成五・三法八

1　この法律は、平成三年四月一日から施行する。

2　この法律〔中略〕による改正後の法律の平成三年度及び平成四年度の特例に係る規定並びに平成三年度の特例に係る規定は、平成三年度及び平成四年度（平成三年度の特例に係るものにあっては平成三年度とする。以下この項において同じ。）の予算に係る国の負担（当該国の負担に係る都道府県又は市町村の負担を含む。以下この項において同じ。）又は補助（平成二年度以前の年度における事務又は事業の実施により平成三年度以降の年度に支出される国の負担及び平成二年度以前の年度の国庫債務負担行為に基づき平成三年度以降の年度に支出すべきものとされた国の負担又は補助を除く。）並びに平成三年度及び平成四年度における事務又は事業の実施により平成五年度（平成三年度の特例に係るものにあっては平成四年度とする。以下この項において同じ。）以降の年度に支出される国の負担、平成三年度及び平成四年度の国庫債務負担行為に基づき平成五年度以降の年度に支出すべきものとされる国の負担又は補助並びに平成三年度及び平成四年度の歳出予算に係る国の負担又は補助で平成五年度以降の年度に繰り越されるものについて適用し、平成二年度以前の年度における事務又は事業の実施により平成三年度以降の年度に支出される国の負担、平成二年度以前の年度の国庫債務負担行為に基づき平成三年度以降の年度に支出すべきものとされた国の負担又は補助及び平成二年度以前の年度の歳出予算に係る国の負担又は補助で平成三年度以降の年度に繰り越されたものについては、なお従前の例による。

国の補助金等の臨時特例等に関する法律〔抄〕

〔平成三・三・三〇 法律一五〕

改正　平成五・三法八

第八章　地方公共団体に対する財政金融上の措置

（地方公共団体に対する財政金融上の措置）

第三四条　国は、この法律の規定による改正後の法律の規定により平成三年度及び平成四年度の予算に係る国の負担又は補助の割合の引下げ措置の対象となる地方公共団体に対し、その事務又は事業の執行及び財政運営に支障を生ずることのないよう財政金融上の措置を講ずるものとする。

附　則〔抄〕〔平成五・三・三一法律八〕

（施行期日等）

1　この法律は、平成五年四月一日から施行する。

2　この法律〔中略〕による改正後の法律の規定は、平成五年度以降の年度の予算に係る国の負担（当該国の負担に係る都道府県又は市町村の負担を含む。以下この項において同じ。）又は補助（平成四年度以前の年度における事務又は事業の実施により平成五年度以降の年度に支出される国の負担及び平成四年度以前の年度の国庫債務負担行為に基づき平成五年度以降の年度に支出すべきものとされた国の負担又は補助を除く。）について適用し、平成四年度以前の年度における事務又は事業の実施により平成五年度以降の年度に支出される国の負担、平成四年度以前の年度の国庫債務負担行為に基づき平成五年度以降の年度に支出すべきものとされた国の負担又は補助及び平成四年度以前の年度の歳出予算に係る国の負担又は補助で平成五年度以降の年度に繰り越されたものについては、なお従前の例による。

附　則〔抄〕〔平成一一・七・一六法律八七〕

（施行期日）

第一条　この法律は、平成十二年四月一日から施行する。ただし、次の各号に掲げる規定は、当該各号に定める日から施行する。

一　〔前略〕附則〔中略〕第百六十条、第百六十三条、第百六十四条並びに第二百二条の規定　公布の日

二～六　〔略〕

（国等の事務）

第一五九条　この法律による改正前のそれぞれの法律に規定するもののほか、この法律の施行前において、地方公共団体の機関が法律又はこれに基づく政令により管理し又は執行する国、他の地方公共団体その他公共団体の事務（附則第百六十一条において「国等の事務」という。）は、この法律の施行後は、地方公共団体が法律又はこれに基づく政令により当該地方公共団体の事務として処理するものとする。

（処分、申請等に関する経過措置）

第一六〇条　この法律（附則第一条各号に掲げる規定については、当該各規定。以下この条及び附則第百六十三条において同じ。）の施行前に改正前のそれぞれの法律の規定によりされた許可等の処分その他の行為（以下この条において「処分等の行為」という。）又はこの法律の施行の際現に改正前のそれぞれの法律の規定によりされている許可等の申請その他の行為（以下この条において「申請等の行為」という。）で、この法律の施行の日においてこれらの行為に係る行政事務を行うべき者が異なることとなるものは、附則第二条から前条までの規定又は改正後のそれぞれの法律（これに基づく命令を含む。）の経過措置に関する規定に定めるものを除き、この法律の施行の日以後における改正後のそれぞれの法律の適用については、改正後のそれぞれの法律の相当規定によりされた処分等の行為又は申請等の行為とみなす。

2　この法律の施行前に改正前のそれぞれの法律の規定により国又は地方公共団体の機関に対し報告、届出、提出その他の手続をしなければならない事項で、この法律の施行の日前にその手続がされていないものについては、この法律及びこれに基づく政令に別段の定めがあるもののほか、これを、改正後のそれぞれの法律の相当規定により国又は地方公共団体の相当の機関に対して報告、届出、提出その他の手続をしなければならない事項についてその手続がされていないものとみなして、この法律による改正後のそれぞれの法律の規定を適用する。

（不服申立てに関する経過措置）

第一六一条　施行日前にされた国等の事務に係る処分であって、当該処分をした行政庁（以下この条において「処分庁」という。）に施行日前に行政不服審査法に規定する上級行政庁（以下この条において「上級行政庁」という。）があったものについての同法による不服申立てについては、施行日以後においても、当該処分庁に引き続き上級行政庁があるものとみなして、行政不服審査法の規定を適用する。この場合において、当該処分庁の上級行政庁とみなされる行政庁は、施行日前に当該処分庁の上級行政庁であった行政庁とする。

2　前項の場合において、上級行政庁とみなされる行政庁が地方公共団体の機関であるときは、当該機関が行政不服審査法の規定により処理することとされる事務は、新地方自治法第二条第九項第一号に規定する第一号法定受託事務とする。

（手数料に関する経過措置）

第一六二条　施行日前においてこの法律による改正前のそれぞれの法律（これに基づく命令を含む。）の規定により納付すべきであった手数料については、この法律及びこれに基づく政令に別段の定めがあるもののほか、なお従前の例による。

（その他の経過措置の政令への委任）

第一六四条　この附則に規定するもののほか、この法律の施行に伴い必要な経過措置〔中略〕は、政令で定める。

2　〔略〕

附　則〔略〕〔平成一一・一二・二二法律一六〇〕

附　則〔略〕〔平成一二・三・三一法律三〇〕

附　則〔略〕〔平成一二・五・三一法律九八〕

附　則〔略〕〔平成一二・五・三一法律九九〕

附　則〔抄〕〔平成一四・七・三一法律九八〕

（施行期日）

第一条　この法律は、公社法〔日本郵政公社法〕の施行の日〔平成一五・四・一〕から施行する。ただし、次の各号に掲げる規定は、当該各号に定める日から施行する。

一　〔前略〕附則〔中略〕第三十九条の規定　公布の日

二　〔略〕

（その他の経過措置の政令への委任）

第三十九条　この法律に規定するもののほか、公社法及びこの法律の施行に関し必要な経過措置（罰則に関する経過措置を含む。）は、政令で定める。

附　則〔略〕〔平成一七・四・一法律二五〕

附　則〔略〕〔平成一七・一〇・二一法律一〇二〕

附　則〔略〕〔平成二三・八・三〇法律一〇五施行〕

附　則〔抄〕〔令和六・五・二九法律四〇〕

（施行期日）

第一条　この法律は、公布の日から起算して六月を超えない範囲内において政令で定める日から施行する。〔以下略〕

○明日香村における歴史的風土の保存及び生活環境の整備等に関する特別措置法施行令〔昭和五五・六・二　政令一五六〕

改正　昭和六〇・五政一三五、昭和六一・五政一五六、昭和六二・三政九九、九政三〇三、平成元・四政一一〇、七政二一六、平成三・三政一〇〇、一〇政三二二、平成四・四政一四五、七政二四七、平成五・三政九三、政九七、一〇政三三八、平成六・七政二二七、平成七・六政二四一、平成九・一〇政三一〇、平成一〇・五政一七四、平成一二・三政一九一、六政三一二、平成一五・三政一六三、平成一七・四政一二二、一〇政三二七、平成一八・三政一五一、九政三三〇、平成一九・四政一四三、平成二〇・五政一七六、平成二一・三政八三、四政一三〇、平成二二・四政九八、平成二三・一二政四二四、平成二四・四政一二八、平成二七・四政二〇六、平成二九・三政八九、令和二・一二政三四三、令和四・一二政三七〇

（法第五条第一項第一号ヘに規定する政令で定める施設）

第一条　明日香村における歴史的風土の保存及び生活環境の整備等に関する特別措置法（以下「法」という。）第五条第一項第一号ヘに規定する政令で定める施設は、農業用用排水施設、農業用道路及び林道とする。

（法第五条第一項第二号に規定する政令で定める事業）

第二条　法第五条第一項第二号に規定する政令で定める事業は、次に掲げる事業とする。

一　簡易水道事業の用に供する水道施設の整備に関する事業

二　農業振興地域（農業振興地域の整備に関する法律（昭和四十四年法律第五十八号）第六条第一項の規定により指定された地域をいう。以下同じ。）における良好な生活環境を確保するための施設等の整備に関する事業

三　農業振興地域における効率的かつ安定的な農業経営を育成するための施設等の整備に関する事業

（国の負担割合の特例の対象となる事業の範囲）

第三条　法第五条第一項の特定事業として政令で定める事業は、次に掲げる事業のうち、再度災害を防止するため災害復旧事業に合併して行う事業で当該事業に要する経費の総額が千万円未満のもの及び維持修繕に係る事業以外の事業とする。

一　道路法（昭和二十七年法律第百八十号）第二条第一項に規定する道路で次に掲げるものに関する事業のうち道路整備事業に係る国の財政上の特別措置に関する法律施行令（昭和三十四年政令第十七号）第一条第一項各号に掲げる事業（県道又は村道に関する事業にあつては、同項第二号及び第五号に掲げる事業並びに同令第二条第四項に規定する少額改築及び同条第五項に規定する特例舗装）以外の事業

イ　一般国道

ロ　道路法第五十六条の規定による国土交通大臣の指定を受けた県道

ハ　ロに掲げるもののほか、資源の開発、産業の振興その他国の施策上特に整備を行う必要があると認められる県道又は村道

二　下水道法（昭和三十三年法律第七十九号）第二条第二号に規定する下水道の設置又は改築に関する事業

三　都市公園法（昭和三十一年法律第七十九号）第二条第一項に規定する都市公園の新設又は改築に関する事業

四　義務教育諸学校等の施設費の国庫負担等に関する法律（昭和三十三年法律第八十一号）第二条第一項に規定する義務教育諸学校の建物の新築、増築、改築又は改造に関する事業

五　学校教育法（昭和二十二年法律第二十六号）第一条に規定する幼稚園の建物の新築、増築若しくは改築又は設備の整備に関する事業

六　廃棄物の処理及び清掃に関する法律（昭和四十五年法律第百三十七号）第八条第一項に規定する一般廃棄物処理施設の設置に関する事業

七　児童福祉法（昭和二十二年法律第百六十四号）第七条第一項に規定する保育所の施設の整備に関する事業

八　土地改良法（昭和二十四年法律第百九十五号）第二条第二項に規定する土地改良事業（以下「土地改良事業」という。）のうち次に掲げる事業

イ　土地改良法第二条第二項第一号に掲げる事業のうち、団体営農業生産基盤整備事業（土地改良法施行令（昭和二十四年政令第二百九十五号）第七十八条第一項第七号に規定する土地改良事業であつて農林水産大臣の定める基準に該当するものをいう。以下同じ。）又は特定地域土地改良整備事業（同令第五十条第八項に規定する特定地域土地改良整備計画に従つて行われる土地改良事業をいう。以下同じ。）として行われる農業用用排水施設及び農業用道路に係る事業並びに前条第二号に掲げる事業と併せて行われる農業用用排水施設及び農業用道路に係る事業であつて当該事業に係る土地改良事業計画が農村基盤整備計画（同令別表第五の一の項に規定する農村基盤整備計画をいう。以下同じ。）に即しているもの

ロ　土地改良法第二条第二項第二号及び第三号に掲げる事業のうち、団体営農業生産基盤整備事業として行われる事業（同項第二号に掲げるものに限る。）、特定地域土地改良整備事業として行われる事業及び前条第二号に掲げる事業と併せて行われる事業であつて当該事業に係る土地改良事業計画が農村基盤整備計画に即しているもの

ハ　土地改良法第二条第二項第七号に掲げる事業のうち特定地域土地改

良整備事業として行われる暗きよ排水に係る事業
九　森林法（昭和二十六年法律第二百四十九号）第百九十三条に規定する林道の開設に関する事業
十　水道法（昭和三十二年法律第百七十七号）第三条第三項に規定する簡易水道事業の用に供する水道施設の新設又は増設に関する事業
十一　前条第二号に掲げる事業（農業用用排水の水質保全等を目的として設けられる集落から排出される汚水の処理のための施設の整備に関する事業以外の事業にあつては、農村基盤整備計画に即して行われるものに限る。）
十二　前条第三号に掲げる事業であつて明日香村が奈良県知事の認定を受けて定める効率的かつ安定的な農業経営を育成するための施設等の整備に関する計画に即して行われるもの

（国が通常の負担割合を超えて負担し又は補助することとなる額の交付）

第四条　特定事業（法第五条第一項に規定する特定事業をいう。以下同じ。）について同項の規定により国が通常の負担割合を超えて当該年度の負担又は補助をすることとなる場合には、特定事業に係る事務を所掌する各省各庁の長（財政法（昭和二十二年法律第三十四号）第二十条第二項に規定する各省各庁の長をいう。）は、当該特定事業に係るその超える部分の額を当該年度の翌年度に交付するものとする。ただし、特別の理由によりやむを得ない事情があると認められる場合には、当該年度の翌々年度に交付することができるものとする。

（国の負担又は補助の割合の特例）

第五条　法第五条第三項に規定する道路の改築の事業で政令で定めるものは、次の各号に掲げる事業とし、同項に規定する政令で定める割合は、それぞれ当該各号に定める割合とする。
一　一般国道（都市計画において定められた道路に該当するものを除く。）の改築（土地区画整理法（昭和二十九年法律第百十九号）による土地区画整理事業に係るもの及び道路整備事業に係る国の財政上の特別措置に関する法律施行令第一条第一項各号に掲げるものを除く。）　四分の三
二　県道又は村道（都市計画において定められた道路に該当するものを除く。）の改築（土地区画整理法による土地区画整理事業に係るもの並びに道路整備事業に係る国の財政上の特別措置に関する法律施行令第一条第一項第二号及び第五号に掲げるもの並びに同令第二条第四項に規定する少額改築及び同条第五項に規定する特例舗装を除く。第四号において同じ。）　三分の二
三　道路（都市計画において定められたものを除く。）の改築で、土地区画整理法による土地区画整理事業に係るもの　三分の二
四　県道又は村道の改築で、都市計画において定められた道路の改築に該当するもの　十分の五・五
五　都市計画において定められた道路の改築で、土地区画整理法による土地区画整理事業に係るもの（国土交通大臣が行う一般国道の改築を除く。）　十分の五・五

第六条　法第四条第五項に規定する明日香村整備計画に基づく事業で下水道法第二条第二号に規定する下水道の設置又は改築に該当するものに係る経費のうち次の各号に掲げる費用に対する国の補助の割合は、下水道法施行令（昭和三十四年政令第百四十七号）第二十四条の二第一項第一号イ及び第三号の規定又は同項第二号及び第三号の規定にかかわらず、それぞれ当該各号に定める割合とする。
一　下水道法第二条第三号に規定する公共下水道の設置又は改築に要する費用中、下水道法施行令第二十四条の二第一項第一号イに規定する主要な管渠及び終末処理場並びにこれらの施設を補完するポンプ施設その他の主要な補完施設の設置又は改築に要する費用（同号イの規定により国土交通大臣が定める費用を除く。）　十分の六（終末処理場の設置又は改築に要する費用で同号イの規定により国土交通大臣が定めるものにあつては、三分の二）
二　下水道法第二条第四号に規定する流域下水道の設置又は改築に要する費用（下水道法施行令第二十四条の二第一項第二号の規定により国土交通大臣が定める費用を除く。）　三分の二（終末処理場の設置又は改築に要する費用で同令第二十四条の二第一項第二号の規定により国土交通大臣が定めるものにあつては、四分の三）

第七条　法第四条第五項に規定する明日香村整備計画に基づく事業で土地改良法第二条第二項に規定する土地改良事業に該当するもののうち次の各号に掲げるものに係る経費に対する国の補助の割合は、土地改良法施行令第七十八条第一項第一号及び別表第一の二の項並びに同条第一項第七号及び別表第四の三の項の規定、同条第一項第二号の七及び第八号の三の規定又は同項第三号並びに同項第九号及び別表第五の二の項の規定にかかわらず、それぞれ当該各号に定める割合とする。
一　農業用道路の新設又は変更であつて、イ又はロのいずれかに該当するもの　三分の二
イ　土地改良法施行令別表第一の二の項の(六)に規定する事業に該当し、かつ、農林水産大臣がその幅員、当該事業の施行に係る地域において果たすその機能その他の事項を勘案して定める基準に該当する基幹的な農業用道路に係るもの
ロ　土地改良法施行令別表第四の三の項の規定により農林水産大臣が定める基準に該当する基幹的な農業用道路に係るもの
二　特定地域土地改良整備事業として行われる土地改良事業　百分の六十
三　第二条第二号に掲げる事業と併せて行われる土地改良事業であつて当該事業に係る土地改良事業計画が農村基盤整備計画に即しているもの　百分の五十五

（交付金等）

第八条　法第五条の二に規定する政令で定める交付金は、次に掲げる交付金とする。
一　義務教育諸学校等の施設費の国庫負担等に関する法律第十二条第一項に規定する交付金
二　次世代育成支援対策推進法（平成十五年法律第百二十号）第十一条第一項に規定する交付金
三　第三条第十二号に掲げる事業に要する経費に充てるための交付金
2　法第五条の二の規定により算定する交付金の額は、特定事業に係る経費に対する通常の国の交付金の額に、首都圏、近畿圏及び中部圏の近郊整備地帯等の整備のための国の財政上の特別措置に関する法律（昭和四十一年法律第百十四号）第五条第一項に規定する引上率を乗じて算定するものとする。
3　第四条の規定は、特定事業について法第五条の二の規定により国が通常の交付金の額を超えて当該年度の交付金を交付することとなる場合について準用する。

附　則

（施行期日）

第一条　この政令は、公布の日から施行する。

（法附則第七条第一項第一号の政令で定める道路の改築）

第二条　法附則第七条第一項第一号の政令で定める道路の改築は、都市計画において定められた道路の改築とする。

（昭和六十年度から平成四年度までの特例）

第三条　法第四条第五項に規定する明日香村整備計画に基づく事業で次の各号に掲げるものに係る経費に対する国の負担又は補助の割合については、当該各号に定める政令の規定は、適用しない。
一　土地改良事業　土地改良法施行令の一部を改正する政令（平成元年政令第二百十六号）附則第三条第十二項
二　道路の改築（前条の道路の改築を除く。）　道路整備緊急措置法施行令附則第四項から第六項まで
三　下水道の設置又は改築　下水道法施行令附則第五項から第七項まで
2　法第四条第五項に規定する明日香村整備計画に基づく事業で前条の道路の改築に係る経費に対する国の負担又は補助の割合については、道路整備緊急措置法施行令附則第五項中「「十分の五・五（平成三年度及び平成四年度においては、半島振興法（昭和六十年法律第六十三号）第十条に規定する道路の改築に係るものにあつては、十分の五・七五）」」とあるのは「「十分の六」」と、「「割合は十分の五・五（建設大臣が行うものにあつては、十分の五・七五）」」とあるのは「「割合は十分の六」」と、「「率は十分の五・五（平成三年度及び平成四年度においては、半島振興法第十条に規定する道路の改築に係るものにあつては、十分の五・七五）」」とあるのは「「率は十分の六」」と、同令附則第六項中「「十分の五・二五（半島振興法第十条に規定する道路の改築に係るものにあつては、十分の五・五）」」とあるのは「「十分の六」」と、「「割合は十分の五・二五（建設大臣が行うものにあつては、十分の五・五）」」とあるのは「「割合は十分の六」」と、「「率は十分の五・二五（半島振興法第十条に規定する道路の改築に係るものにあつては、十分の五・五）」」とあるのは「「率は十分の六」」とする。

（平成元年七月七日前に工事に着手した土地改良事業に係る平成五年度以

降の特例）

第四条　法第四条第五項に規定する明日香村整備計画に基づく土地改良事業に係る経費に対する国の補助の割合については、土地改良法施行令の一部を改正する政令附則第三条第十三項の規定は、適用しない。

（国の無利子貸付けへの準用）

第五条　国が日本電信電話株式会社の株式の売払収入の活用による社会資本の整備の促進に関する特別措置法（昭和六十二年法律第八十六号）第二条第一項の規定に基づき、同項第二号に該当する事業に要する費用に充てる資金を無利子で貸し付ける場合においては、第四条の規定を準用する。この場合において、同条中「特定事業（法第五条第一項に規定する特定事業をいう。以下同じ。）について同項」とあるのは「明日香村が国又は奈良県から負担金又は補助金の交付を受けて特定事業を行ったとしたならば、当該特定事業について法第五条第一項」と、「場合には、特定事業」とあるのは「場合において、日本電信電話株式会社の株式の売払収入の活用による社会資本の整備の促進に関する特別措置法（昭和六十二年法律第八十六号）第二条第一項の規定に基づき、国が当該事業について国の当該負担又は補助に相当する額の無利子の貸付金の貸付けを行うこととなるときは、当該事業」と、「当該特定事業」とあるのは「当該事業」と、「部分の額」とあるのは「部分の額に相当する当該貸付金の額」と、「交付する」とあるのは「貸し付ける」と読み替えるものとする。

附　則〔略〕〔昭和六〇・五・一八政令一三五〕

附　則〔略〕〔昭和六一・五・八政令一五六〕

附　則〔略〕〔昭和六二・三・三一政令九九〕

附　則〔平成元・四・一〇政令一一〇〕

（施行期日）

１　この政令は、公布の日から施行する。

（経過措置）

２　改正後（中略）の規定は、平成元年度及び平成二年度の予算に係る国の負担又は補助（昭和六十三年度以前の年度の国庫債務負担行為に基づき平成元年度以降の年度に支出すべきものとされた国の負担又は補助を除く。）、平成元年度及び平成二年度の国庫債務負担行為に基づき平成三年度以降の年度に支出すべきものとされる国の負担又は補助並びに平成元年度及び平成二年度の歳出予算に係る国の負担又は補助で平成三年度以降の年度に繰り越されるものについて適用し、昭和六十三年度以前の年度の国庫債務負担行為に基づき平成元年度以降の年度に支出すべきものとされた国の負担又は補助及び昭和六十三年度以前の年度の歳出予算に係る国の負担又は補助で平成元年度以降の年度に繰り越されたものについては、なお従前の例による。

附　則〔抄〕〔平成元・七・七政令二一六〕

（施行期日）

第一条　この政令は、公布の日から施行する。

（経過措置）

第三条　１〔略〕

２　次に掲げる規定は、施行日以後にその工事に着手した土地改良事業（法第百二十六条の規定により国が補助するものに限る。以下この項において同じ。）について適用し、施行日前にその工事に着手した土地改良事業については、なお従前の例による。

一・二〔略〕

三　附則第八条の規定による改正後の明日香村における歴史的風土の保存及び生活環境の整備等に関する特別措置法施行令（昭和五十五年政令第百五十六号）附則第三条第一項

附　則〔平成三・三・三〇政令一〇〇〕

改正　平成五・三政九七

（施行期日）

１　この政令は、平成三年四月一日から施行する。

（経過措置）

２　改正後（中略）の規定は、平成三年度及び平成四年度の予算に係る国の負担又は補助（平成二年度以前の年度の国庫債務負担行為に基づき平成三年度以降の年度に支出すべきものとされた国の負担又は補助を除く。）、平成三年度及び平成四年度の国庫債務負担行為に基づき平成五年度以降の年度に支出すべきものとされる国の負担又は補助並びに平成三年度及び平成四年度の歳出予算に係る国の負担又は補助で平成五年度以降の年度に繰り越されるものについて適用し、平成二年度以前の年度の国庫債務負担行為に基づき平成三年度以降の年度に支出すべきものとされた国の負担又は補助及び平成二年度以前の年度の歳出予算に係る国の負担又は補助で平成三年度以降の年度に繰り越されたものについては、なお従前の例による。

附　則〔略〕〔平成三・一〇・一四政令三二一〕

附　則〔略〕〔平成四・七・一五政令二四七〕

附　則〔略〕〔平成五・三・三一政令九三〕

附　則〔抄〕〔平成五・三・三一政令九七〕

（施行期日）

１　この政令は、平成五年四月一日から施行する。

（経過措置）

２　改正後（中略）の規定は、平成五年度以降の年度の予算に係る国の負担又は補助（平成四年度以前の年度の国庫債務負担行為に基づき平成五年度以降の年度に支出すべきものとされた国の負担又は補助を除く。）について適用し、平成四年度以前の年度の国庫債務負担行為に基づき平成五年度以降の年度に支出すべきものとされた国の負担又は補助及び平成四年度以前の年度の歳出予算に係る国の負担又は補助で平成五年度以降の年度に繰り越されたものについては、なお従前の例による。

附　則〔略〕〔平成五・一〇・二〇政令三三八〕

附　則〔略〕〔平成六・七・八政令二二七〕

附　則〔略〕〔平成七・六・一四政令二四一〕

附　則〔略〕〔平成九・一〇・八政令三一〇〕

附　則〔略〕〔平成一〇・五・二〇政令一七四〕

附　則〔平成一二・三・三一政令一九一〕

（施行期日）

１　この政令は、平成十二年四月一日から施行する。

（経過措置）

２　改正後の第二条及び第三条の規定は、平成十二年度の予算に係る国の負担金又は補助金から適用し、平成十一年度分の予算に係る国の負担金又は補助金で翌年度に繰り越したものについては、なお従前の例による。

附　則〔略〕〔平成一二・六・七政令三一二〕

附　則〔略〕〔平成一五・三・三一政令一六三〕

附　則〔略〕〔平成一七・四・一政令一二二施行〕

附　則〔略〕〔平成一七・一〇・二六政令三二七〕

附　則〔平成一八・三・三一政令一五一〕

（施行期日）

１　この政令は、平成十八年四月一日から施行する。

（首都圏、近畿圏及び中部圏の近郊整備地帯等の整備のための国の財政上の特別措置に関する法律施行令等の一部改正に伴う経過措置）

２　第十九条及び第二十二条から第二十五条までの規定による改正後の次に掲げる政令の規定は、平成十八年度以降の年度の予算に係る国の負担若しくは補助（平成十七年度以前の年度における事務又は事業の実施により平成十八年度以降の年度に支出される国の負担又は補助及び平成十七年度以前の年度の国庫債務負担行為に基づき平成十八年度以降の年度に支出すべきものとされた国の負担又は補助を除く。）又は交付金の交付について適用し、平成十七年度以前の年度における事務又は事業の実施により平成十八年度以降の年度に支出される国の負担又は補助、平成十七年度以前の年度の国庫債務負担行為に基づき平成十八年度以降の年度に支出すべきものとされた国の負担又は補助及び平成十七年度以前の年度の歳出予算に係る国の負担又は補助で平成十八年度以降の年度に繰り越されたものについては、なお従前の例による。

一〔略〕

二　明日香村における歴史的風土の保存及び生活環境の整備等に関する特別措置法施行令

三～五〔略〕

附　則〔略〕〔平成一八・九・二六政令三二〇〕

附　則〔略〕〔平成一九・四・一政令一四三〕

附　則〔略〕〔平成二〇・五・一三政令一七六施行〕

附　則〔略〕〔平成二一・三・三一政令八三〕

附　則〔抄〕〔平成二一・四・三〇政令一三〇〕

（施行期日）

第一条　この政令は、公布の日から施行する。

（国の負担又は補助に関する経過措置）

第二条　第一条、第五条、第六条、第八条、第九条、第十二条及び第十四条

から第十六条までの規定による改正後の次に掲げる政令の規定は、平成二十一年度以降の年度の予算に係る国の負担又は補助（平成二十年度以前の年度の国庫債務負担行為に基づき平成二十一年度以降の年度に支出すべきものとされた国の負担又は補助を除く。）について適用し、平成二十年度以前の年度の予算に係る国の負担又は補助で平成二十一年以降の年度に繰り越されたもの及び平成二十年度以前の年度の国庫債務負担行為に基づき平成二十一年度以降の年度に支出すべきものとされた国の負担又は補助については、なお従前の例による。

一～六　〔略〕

七　明日香村における歴史的風土の保存及び生活環境の整備等に関する特別措置法施行令第三条

八・九　〔略〕

附　則〔略〕（平成二二・四・一政令九八施行）

附　則〔略〕（平成二三・一二・二六政令四二四）

附　則〔略〕（平成二四・四・六政令一二八施行）

附　則〔略〕（平成二七・四・一〇政令二〇六施行）

附　則〔略〕（平成二九・三・三一政令八九）

附　則〔略〕（令和二・一二・九政令三四三施行）

附　則〔抄〕（令和四・一二・二政令三七〇）

（施行期日）

第一条　この政令は、公布の日から施行する。

○生産緑地法（昭和四九・六・一法律六八）

改正　昭和五〇・七法六七、昭和五五・五法三五、平成二・六法六二、平成三・四法三九、平成五・一一法八九、平成一一・一二法一六〇、平成二三・八法一〇五、平成二九・五法二六、令和六・五法四〇

（目的）

第一条　この法律は、生産緑地地区に関する都市計画に関し必要な事項を定めることにより、農林漁業との調整を図りつつ、良好な都市環境の形成に資することを目的とする。

（定義）

第二条　この法律において次の各号に掲げる用語の意義は、それぞれ当該各号に定めるところによる。

一　農地等　現に農業の用に供されている農地若しくは採草放牧地、現に林業の用に供されている森林又は現に漁業の用に供されている池沼（これらに隣接し、かつ、これらと一体となつて農林漁業の用に供されている農業用道路その他の土地を含む。）をいう。

二　公共施設等　公園、緑地その他の政令で定める公共の用に供する施設及び学校、病院その他の公益性が高いと認められる施設で政令で定めるものをいう。

三　生産緑地　第三条第一項の規定により定められた生産緑地地区の区域内の土地又は森林をいう。

四　地方公共団体等　地方公共団体及び土地開発公社その他の政令で定める法人をいう。

（国及び地方公共団体の責務）

第二条の二　国及び地方公共団体は、公園、緑地その他の公共空地の整備の現況及び将来の見通しを勘案して、都市における農地等の適正な保全を図ることにより良好な都市環境の形成に資するよう努めなければならない。

（生産緑地地区に関する都市計画）

第三条　市街化区域（都市計画法（昭和四十三年法律第百号）第七条第一項の規定による市街化区域をいう。）内にある農地等で、次に掲げる条件に該当する一団のものの区域については、都市計画に生産緑地地区を定めることができる。

一　公害又は災害の防止、農林漁業と調和した都市環境の保全等良好な生活環境の確保に相当の効用があり、かつ、公共施設等の敷地の用に供する土地として適しているものであること。

二　五百平方メートル以上の規模の区域であること。

三　用排水その他の状況を勘案して農林漁業の継続が可能な条件を備えていると認められるものであること。

2　市町村は、公園、緑地その他の公共空地の整備の状況及び土地利用の状況を勘案して必要があると認めるときは、前項第二号の規定にかかわらず、政令で定める基準に従い、条例で、区域の規模に関する条件を別に定めることができる。

3　生産緑地地区に関する都市計画の案については、大都市地域における住宅及び住宅地の供給の促進に関する特別措置法（昭和五十年法律第六十七号）第百六条第三項又は農住組合法（昭和五十五年法律第八十六号）第八十八条第二項の規定による要請があつた土地の区域に係るものを除き、当該生産緑地地区内における農地等利害関係人の同意を得なければならない。

4　前項の「農地等利害関係人」とは、農地等（土地区画整理法（昭和二十九年法律第百十九号）第九十八条第一項（大都市地域における住宅及び住宅地の供給の促進に関する特別措置法第八十三条において準用する場合を含む。）の規定により仮換地として指定された農地等にあつては、当該農地等に対応する従前の土地。以下この項において同じ。）について所有権、対抗要件を備えた地上権若しくは賃借権又は登記した永小作権、先取特権、質権若しくは抵当権を有する者及びこれらの権利に関する仮登記若しくは差押えの登記又は農地等に関する買戻しの特約の登記の登記名義人をいう。

5　生産緑地地区に関する都市計画を定めるに当たつては、当該生産緑地地区に係る農地等及びその周辺の地域における幹線街路、下水道等の主要な都市施設の整備に支障を及ぼさないようにし、かつ、当該都市計画区域内における土地利用の動向、人口及び産業の将来の見通し等を勘案して、合理的な土地利用に支障を及ぼさないようにしなければならない。

6　生産緑地地区に関する都市計画は、都市緑地法（昭和四十八年法律第七十二号）第四条第一項に規定する基本計画（同条第二項第七号に掲げる事項が定められているものに限る。）が定められている場合においては、当該基本計画に即して定めなければならない。

第四条及び第五条　削除

（標識の設置等）

第六条　市町村は、生産緑地地区に関する都市計画が定められたときは、その地区内における標識の設置その他の適切な方法により、その地区が生産緑地地区である旨を明示しなければならない。

2　当該生産緑地の所有者又は占有者は、正当な理由がない限り、前項の標識の設置を拒み、又は妨げてはならない。

3　何人も、第一項の規定により設けられた標識を設置者の承諾を得ないで移転し、若しくは除却し、又は汚損し、若しくは損壊してはならない。

4　市町村は、第一項の規定による行為（生産緑地地区内における標識の設置に係るものに限る。）により損失を受けた者に対して、通常生ずべき損失を補償する。

5　前項の規定による損失の補償については、市町村長と損失を受けた者が

協議しなければならない。

6　前項の規定による協議が成立しない場合においては、市町村長又は損失を受けた者は、政令で定めるところにより、収用委員会に土地収用法（昭和二十六年法律第二百十九号）第九十四条第二項の規定による裁決を申請することができる。

（生産緑地の管理）

第七条　生産緑地について使用又は収益をする権利を有する者は、当該生産緑地を農地等として管理しなければならない。

2　生産緑地について使用又は収益をする権利を有する者は、市町村長に対し、当該生産緑地を農地等として管理するため必要な助言、土地の交換のあつせんその他の援助を求めることができる。

（生産緑地地区内における行為の制限）

第八条　生産緑地地区内においては、次に掲げる行為は、市町村長の許可を受けなければ、してはならない。ただし、公共施設等の設置若しくは管理に係る行為、当該生産緑地地区に関する都市計画が定められた際既に着手していた行為又は非常災害のため必要な応急措置として行う行為については、この限りでない。

一　建築物その他の工作物の新築、改築又は増築

二　宅地の造成、土石の採取その他の土地の形質の変更

三　水面の埋立て又は干拓

2　市町村長は、前項各号に掲げる行為のうち、次に掲げる施設の設置又は管理に係る行為で良好な生活環境の確保を図る上で支障がないと認めるものに限り、同項の許可をすることができる。

一　次に掲げる施設で、当該生産緑地において農林漁業を営むために必要となるもの

イ　農産物、林産物又は水産物（以下この項において「農産物等」という。）の生産又は集荷の用に供する施設

ロ　農林漁業の生産資材の貯蔵又は保管の用に供する施設

ハ　農産物等の処理又は貯蔵に必要な共同利用施設

ニ　農林漁業に従事する者の休憩施設

二　次に掲げる施設で、当該生産緑地の保全に著しい支障を及ぼすおそれがなく、かつ、当該生産緑地における農林漁業の安定的な継続に資するものとして国土交通省令で定める基準に適合するもの

イ　当該生産緑地地区及びその周辺の地域内において生産された農産物等を主たる原材料として使用する製造又は加工の用に供する施設

ロ　イの農産物等又はこれを主たる原材料として製造され、若しくは加工された物品の販売の用に供する施設

ハ　イの農産物等を主たる材料とする料理の提供の用に供する施設

三　前二号に掲げるもののほか、政令で定める施設

3　市町村長は、第一項の許可の申請があつた場合において、当該生産緑地の保全のため必要があると認めるときは、許可に期限その他必要な条件を付けることができる。

4　生産緑地地区内において公共施設等の設置又は管理に係る行為で第一項各号に掲げるものをしようとする者は、あらかじめ、市町村長にその旨を通知しなければならない。

5　生産緑地地区に関する都市計画が定められた際当該生産緑地地区内において既に第一項各号に掲げる行為に着手している者は、その都市計画が定められた日から起算して三十日以内に、市町村長にその旨を届け出なければならない。

6　生産緑地地区内において非常災害のため必要な応急措置として第一項各号に掲げる行為をした者は、その行為をした日から起算して十四日以内に、市町村長にその旨を届け出なければならない。

7　市町村長は、第四項の規定による通知又は第五項若しくは前項の規定による届出があつた場合において、当該生産緑地の保全のため必要があると認めるときは、通知又は届出をした者に対して、必要な助言又は勧告をすることができる。

8　国の機関又は地方公共団体が行う第二項各号に掲げる施設の設置又は管理に係る第一項各号に掲げる行為については、同項の許可を受けることを要しない。この場合において、当該国の機関又は地方公共団体は、その行為をしようとするときは、あらかじめ、市町村長に協議しなければならない。

9　通常の管理行為、軽易な行為その他の行為で政令で定めるものについては、第一項から第七項まで及び前項後段の規定は、適用しない。

10　都市計画法第八条第一項第一号の田園住居地域内の生産緑地地区の区域（現に農業の用に供されている農地の区域に限る。）内において行う第二項各号に掲げる施設の設置又は管理に係る行為について第一項の許可があつたときは、当該行為のうち同法第五十二条第一項の許可を要する行為に該当するものについて、同項の許可があつたものとみなす。

（原状回復命令等）

第九条　市町村長は、前条第一項の規定に違反した者又は同条第三項の規定により許可に付けられた条件に違反した者がある場合においては、これらの者又はこれらの者から当該土地若しくは建築物その他の工作物についての権利を承継した者に対して、相当の期限を定めて、当該生産緑地の保全に対する障害を排除するため必要な限度において、その原状回復を命じ、又は原状回復が著しく困難である場合に、これに代わるべき必要な措置を採るべき旨を命ずることができる。

2　前項の規定により原状回復又はこれに代わるべき必要な措置（以下この条において「原状回復等」という。）を命じようとする場合において、過失がなくて当該原状回復等を命ずべき者を確知することができないときは、市町村長は、その者の負担において、当該原状回復等を自ら行い、又はその命じた者若しくは委任した者にこれを行わせることができる。この場合においては、相当の期限を定めて、当該原状回復等を行うべき旨及びその期限までに当該原状回復等を行わないときは、市町村長又はその命じた者若しくは委任した者が当該原状回復等を行う旨をあらかじめ公告しなければならない。

3　前項の規定により原状回復等を行おうとする者は、その身分を示す証明書を携帯し、関係人の請求があつたときは、これを提示しなければならない。

（生産緑地の買取りの申出）

第一〇条　生産緑地（生産緑地のうち土地区画整理法第九十八条第一項（大都市地域における住宅及び住宅地の供給の促進に関する特別措置法第八十三条において準用する場合を含む。）の規定により仮換地として指定された土地にあつては、当該土地に対応する従前の土地。この項後段において同じ。）の所有者（以下「生産緑地所有者」という。）は、当該生産緑地に係る生産緑地地区に関する都市計画についての都市計画法第二十条第一項（同法第二十一条第二項において準用する場合を含む。）の規定による告示の日から起算して三十年を経過する日（以下「申出基準日」という。）以後において、市町村長に対し、国土交通省令で定める様式の書面をもつて、当該生産緑地を時価で買い取るべき旨を申し出ることができる。この場合において、当該生産緑地が他人の権利の目的となつているときは、第十二条第一項又は第二項の規定による買い取る旨の通知書の発送を条件として当該権利を消滅させる旨の当該権利を有する者の書面を添付しなければならない。

2　生産緑地所有者は、前項前段の場合のほか、同項の告示の日以後において、当該生産緑地に係る農林漁業の主たる従事者（当該生産緑地に係る農林漁業の業務に、当該業務につき国土交通省令で定めるところにより算定した割合以上従事している者を含む。）が死亡し、又は農林漁業に従事することを不可能にさせる故障として国土交通省令で定めるものを有するに至つたときは、市町村長に対し、国土交通省令で定める様式の書面をもつて、当該生産緑地を時価で買い取るべき旨を申し出ることができる。この場合においては、同項後段の規定を準用する。

（特定生産緑地の指定）

第一〇条の二　市町村長は、申出基準日が近く到来することとなる生産緑地のうち、その周辺の地域における公園、緑地その他の公共空地の整備の状況及び土地利用の状況を勘案して、当該申出基準日以後においてもその保全を確実に行うことが良好な都市環境の形成を図る上で特に有効であると認められるものを、特定生産緑地として指定することができる。

2　前項の規定による指定（以下単に「指定」という。）は、申出基準日までに行うものとし、その指定の期限は、当該申出基準日から起算して十年を経過する日とする。

3　市町村長は、指定をしようとするときは、あらかじめ、当該生産緑地に係る農地等利害関係人（第三条第四項に規定する農地等利害関係人をいう。以下同じ。）の同意を得るとともに、市町村都市計画審議会（当該市町村に市町村都市計画審議会が置かれていないときは、当該市町村の存する都道府県の都道府県都市計画審議会。第十条の四第三項において同じ。）の意見を聴かなければならない。

4　市町村長は、指定をしたときは、国土交通省令で定めるところにより、当該特定生産緑地を公示するとともに、その旨を当該特定生産緑地に係る農地等利害関係人に通知しなければならない。

（特定生産緑地の指定の期限の延長）

第一〇条の三　市町村長は、申出基準日から起算して十年を経過する日が近く到来することとなる特定生産緑地について当該日以後においても指定を継続する必要があると認めるときは、その指定の期限を延長することができる。当該特定生産緑地について当該延長に係る期限が経過する日以後においても更に指定を継続する必要があると認めるときも、同様とする。

2　前項の規定による期限の延長は、申出基準日から起算して十年を経過する日（同項の規定により指定の期限を延長したときは、その延長後の期限が経過する日。以下この項において「指定期限日」という。）までに行うものとし、その延長後の期限は、当該指定期限日から起算して十年を経過する日とする。

3　前条第三項及び第四項の規定は、第一項の規定による期限の延長について準用する。

（特定生産緑地の指定の提案）

第一〇条の四　生産緑地所有者は、当該生産緑地が第十条の二第一項に規定する生産緑地に該当すると思料するときは、国土交通省令で定めるところにより、市町村長に対し、当該生産緑地を特定生産緑地として指定することを提案することができる。この場合において、当該生産緑地に当該提案に係る所有者以外の農地等利害関係人がいるときは、あらかじめ、その全員の合意を得なければならない。

2　市町村長は、前項の規定による提案が行われた場合において、当該提案に係る生産緑地について指定をしないこととしたときは、遅滞なく、その旨及びその理由を、当該提案をした者に通知しなければならない。

3　市町村長は、前項の規定による通知をしようとするときは、あらかじめ、市町村都市計画審議会の意見を聴かなければならない。

（特定生産緑地の買取りの申出）

第一〇条の五　特定生産緑地についての第十条の規定の適用については、同条第一項中「当該生産緑地に係る生産緑地地区に関する都市計画についての都市計画法第二十条第一項（同法第二十一条第二項において準用する場合を含む。）の規定による告示の日から起算して三十年を経過する日（以下「申出基準日」という。）」とあるのは「第十条の三第二項に規定する指定期限日」と、同条第二項中「同項の」とあるのは「当該生産緑地に係る生産緑地地区に関する都市計画についての都市計画法第二十条第一項（同法第二十一条第二項において準用する場合を含む。）の規定による」とする。

（指定の解除）

第一〇条の六　市町村長は、特定生産緑地について、当該特定生産緑地の周辺の地域における公園、緑地その他の公共空地の整備の状況の変化その他の事由によりその指定の理由が消滅したときは、遅滞なく、その指定を解除しなければならない。

2　第十条の二第四項の規定は、前項の規定による特定生産緑地の指定の解除について準用する。

（生産緑地の買取り等）

第一一条　市町村長は、第十条の規定による申出があつたときは、次項の規定により買取りの相手方が定められた場合を除き、特別の事情がない限り、当該生産緑地を時価で買い取るものとする。

2　市町村長は、第十条の規定による申出があつたときは、当該生産緑地の買取りを希望する地方公共団体等のうちから当該生産緑地の買取りの相手方を定めることができる。この場合において、当該生産緑地の周辺の地域における公園、緑地その他の公共空地の整備の状況及び土地利用の状況を勘案して必要があると認めるときは、公園、緑地その他の公共空地の敷地の用に供することを目的として買取りを希望する者を他の者に優先して定めなければならない。

（生産緑地の買取りの通知等）

第一二条　市町村長は、前条第二項の規定により買取りの相手方が定められた場合を除き、第十条の規定による申出があつた日から起算して一月以内に、当該生産緑地を時価で買い取る旨又は買い取らない旨を書面で当該生産緑地の所有者に通知しなければならない。

2　前条第二項の規定により買取りの相手方として定められた者は、前項に規定する期間内に、当該生産緑地を時価で買い取る旨を書面で当該生産緑地の所有者及び市町村長に通知しなければならない。

3　前二項の規定により買い取る旨の通知がされた場合における当該生産緑地の時価については、買い取る旨の通知をした者と生産緑地の所有者とが協議して定める。

4　第六条第六項の規定は、前項の場合について準用する。

（生産緑地の取得のあつせん）

第一三条　市町村長は、生産緑地について、前条第一項の規定により買い取らない旨の通知をしたときは、当該生産緑地において農林漁業に従事することを希望する者がこれを取得できるようにあつせんすることに努めなければならない。

（生産緑地地区内における行為の制限の解除）

第一四条　第十条の規定による申出があつた場合において、その申出の日から起算して三月以内に当該生産緑地の所有権の移転（相続その他の一般承継による移転を除く。）が行われなかつたときは、当該生産緑地については、第七条から第九条までの規定は、適用しない。

（生産緑地の買取り希望の申出）

第一五条　生産緑地の所有者は、第十条の規定による申出ができない場合であつても、疾病等により農林漁業に従事することが困難である等の特別の事情があるときは、市町村長に対し、国土交通省令で定めるところにより、当該生産緑地の買取りを申し出ることができる。

2　市町村長は、前項の規定による申出がやむを得ないものであると認めるときは、当該生産緑地を自ら買い取ること又は地方公共団体等若しくは当該生産緑地において農林漁業に従事することを希望する者がこれを取得できるようにあつせんすることに努めなければならない。

（買い取つた生産緑地の管理）

第一六条　第十一条第一項若しくは前条第二項の規定により、又は第十二条第二項の規定により生産緑地を買い取つた市町村長又は地方公共団体等は、当該生産緑地をこの法律の目的に従つて適切に管理しなければならない。

（報告及び立入検査等）

第一七条　市町村長は、生産緑地の保全のため必要があると認めるときは、その必要な限度において、第八条第一項の許可を受けた者又はその者から当該土地若しくは建築物その他の工作物についての権利を承継した者に対して、当該行為の実施状況その他必要な事項について報告を求めることができる。

2　市町村長は、第八条第一項若しくは第三項又は第九条第一項の規定による処分をするため必要があると認めるときは、その必要な限度において、その職員に、生産緑地若しくは生産緑地地区内の建物に立ち入り、その状況を調査させ、又は第八条第一項各号に掲げる行為の実施状況を検査させ、若しくはこれらの行為が当該生産緑地の保全に及ぼす影響を調査させることができる。

3　前項に規定する職員は、その身分を示す証明書を携帯し、関係人の請求があつたときは、これを提示しなければならない。

4　第二項の規定による権限は、犯罪捜査のために認められたものと解してはならない。

（農業委員会の協力）

第一七条の二　市町村長は、生産緑地（農地又は採草放牧地に限る。以下この条において同じ。）について使用又は収益をする権利を有する者からの求めに応じて当該生産緑地を農地等として管理するため必要な助言、土地の交換のあつせんその他の援助を行う場合及び農業に従事することを希望する者が生産緑地を取得できるようにあつせんを行う場合には、農業委員会に協力を求めることができる。

（経過措置）

第一七条の三　この法律の規定に基づき政令又は国土交通省令を制定し、又は改廃する場合においては、それぞれ、政令又は国土交通省令で、その制定又は改廃に伴い合理的に必要と判断される範囲内において、所要の経過措置（罰則に関する経過措置を含む。）を定めることができる。

（罰則）

第一八条　第九条第一項の規定による命令に違反した者は、一年以下の懲役又は五十万円以下の罰金に処する。

第一九条　次の各号の一に該当する者は、六月以下の懲役又は三十万円以下の罰金に処する。

一　第八条第一項の規定に違反した者

二　第八条第三項の規定により許可に付けられた条件に違反した者

第二〇条　次の各号の一に該当する者は、二十万円以下の罰金に処する。

一　第六条第三項の規定に違反した者

二　第十七条第一項の規定により報告を求められて、これに従わず、又は虚偽の報告をした者

三　第十七条第二項の規定による立入調査又は立入検査を拒み、妨げ、又は忌避した者

第二一条　法人の代表者又は法人若しくは人の代理人、使用人その他の従業者が、その法人又は人の業務又は財産に関して前三条の違反行為をしたときは、行為者を罰するほか、その法人又は人に対しても、各本条の罰金刑を科する。

附　則〔抄〕

（施行期日）

1　この法律は、公布の日から起算して三月を超えない範囲内において政令で定める日から施行する。

〔昭和四九政二八四により、昭和四九・八・三一から施行〕

附　則〔略〕〔昭和五〇・七・一六法律六七〕

附　則〔略〕〔昭和五五・五・一法律三五〕

附　則〔略〕〔平成二・六・二九法律六二〕

附　則〔抄〕〔平成三・四・二六法律三九〕

（施行期日）

第一条　この法律は、公布の日から起算して六月を超えない範囲内において政令で定める日から施行する。

〔平成三政二八一により、平成三・九・一〇から施行〕

（生産緑地に関する経過措置）

第二条　この法律の施行の際現にこの法律による改正前の生産緑地法（以下「旧生産緑地法」という。）第三条第一項の規定により定められている第一種生産緑地地区（以下「旧第一種生産緑地地区」という。）及び旧生産緑地法第四条第一項の規定により定められている第二種生産緑地地区（以下「旧第二種生産緑地地区」という。）の区域内の土地又は森林（以下「旧生産緑地」という。）は、この法律による改正後の生産緑地法（以下「新生産緑地法」という。）第三条第一項の規定により定められた生産緑地地区の区域内の土地又は森林（以下「新生産緑地」という。）とみなす。

2　前項の規定により新生産緑地とみなされた旧生産緑地（旧生産緑地のうち土地区画整理法（昭和二十九年法律第百十九号）第九十八条第一項（大都市地域における住宅及び住宅地の供給の促進に関する特別措置法（昭和五十年法律第六十七号）第八十三条において準用する場合を含む。次項において同じ。）の規定により仮換地として指定された土地にあっては、当該土地に対応する従前の土地）の所有者に対する新生産緑地法第十条の規定の適用については、同条中「三十年」とあるのは、旧第一種生産緑地地区に係る場合にあっては「十年」と、旧第二種生産緑地地区に係る場合にあっては「五年」とする。

3　第一項の規定により新生産緑地とみなされた旧第二種生産緑地地区に係る旧生産緑地（旧生産緑地のうち土地区画整理法第九十八条第一項の規定により仮換地として指定された土地にあっては、当該土地に対応する従前の土地）の所有者に対する新生産緑地法第十四条の規定の適用については、同条中「三月」とあるのは、「一月」とする。

附　則〔抄〕〔平成五・一一・一二法律八九〕

（施行期日）

第一条　この法律は、行政手続法（平成五年法律第八十八号）の施行の日〔平成六・一〇・一〕から施行する。

（諮問等がされた不利益処分に関する経過措置）

第二条　この法律の施行前に法令に基づき審議会その他の合議制の機関に対し行政手続法第十三条に規定する聴聞又は弁明の機会の付与の手続その他の意見陳述のための手続に相当する手続を執るべきことの諮問その他の求めがされた場合においては、当該諮問その他の求めに係る不利益処分の手続に関しては、この法律による改正後の関係法律の規定にかかわらず、なお従前の例による。

（罰則に関する経過措置）

第一三条　この法律の施行前にした行為に対する罰則の適用については、なお従前の例による。

（聴聞に関する規定の整理に伴う経過措置）

第一四条　この法律の施行前に法律の規定により行われた聴聞、聴問若しくは聴聞会（不利益処分に係るものを除く。）又はこれらのための手続は、この法律による改正後の関係法律の相当規定により行われたものとみなす。

（政令への委任）

第一五条　附則第二条から前条までに定めるもののほか、この法律の施行に関して必要な経過措置は、政令で定める。

附　則〔略〕〔平成一一・一二・二二法律一六〇〕

附　則〔抄〕〔平成二三・八・三〇法律一〇五〕

（施行期日）

第一条　この法律は、公布の日から施行する。〔以下略〕

（罰則に関する経過措置）

第八一条　この法律（附則第一条各号に掲げる規定にあっては、当該規定。以下この条において同じ。）の施行前にした行為及びこの附則の規定によりなお従前の例によることとされる場合におけるこの法律の施行後にした行為に対する罰則の適用については、なお従前の例による。

（政令への委任）

第八二条　この附則に規定するもののほか、この法律の施行に関し必要な経過措置（罰則に関する経過措置を含む。）は、政令で定める。

附　則〔抄〕〔平成二九・五・一二法律二六〕

（施行期日）

第一条　この法律は、公布の日から起算して二月を超えない範囲内において政令で定める日から施行する。ただし、次の各号に掲げる規定は、当該各号に定める日から施行する。

〔平成二九政一五五により、平成二九・六・一五から施行〕

一　附則第二十五条の規定　公布の日

二　〔前略〕第四条中生産緑地法第三条に一項を加える改正規定、同法第八条に一項を加える改正規定、同法第十条の改正規定、同条の次に五条を加える改正規定及び同法第十一条の改正規定〔中略〕並びに附則第三条第二項〔中略〕の規定　公布の日から起算して一年を超えない範囲内において政令で定める日

〔平成二九政一五五により、平成三〇・四・一から施行〕

（生産緑地法の一部改正に伴う経過措置）

第三条　施行日前に行われた第四条の規定による改正前の生産緑地法第八条第一項の許可の申請は、第四条の規定による改正後の生産緑地法（次項において「新生産緑地法」という。）第八条第一項の許可の申請とみなす。

2　新生産緑地法第十条から第十条の六までの規定は、附則第一条第二号に掲げる規定の施行の際現に都市計画に定められている生産緑地地区に係る生産緑地についても、適用する。

（罰則に関する経過措置）

第四条　施行日前にした行為に対する罰則の適用については、なお従前の例による。

（検討）

第五条　政府は、この法律の施行後五年を経過した場合において、第一条、第二条及び第四条から第六条までの規定による改正後の規定の施行の状況について検討を加え、必要があると認めるときは、その結果に基づいて必要な措置を講ずるものとする。

（政令への委任）

第二五条　この附則に定めるもののほか、この法律の施行に関し必要な経過措置は、政令で定める。

附　則〔抄〕〔令和六・五・二九法律四〇〕

（施行期日）

第一条　この法律は、公布の日から起算して六月を超えない範囲内において政令で定める日から施行する。〔以下略〕

○生産緑地法施行令〔昭和四九・八・二 政令二八五〕

改正 昭和五〇・八政二四八、一〇政三〇六、昭和五六・八政二六八、平成三・九政二八二、平成一一・八政二五六、平成一二・六政三一二、平成一六・四政一六〇、五政一八一、平成二九・六政一五六

（公共施設等）

第一条 生産緑地法（以下「法」という。）第二条第二号の政令で定める公共の用に供する施設又は公益性が高いと認められる施設で政令で定めるものは、次に掲げる施設とする。

一 都市計画法（昭和四十三年法律第百号）第四条第六項に規定する都市計画施設

二 土地収用法（昭和二十六年法律第二百十九号）第三条各号（第二十九号及び第三十九号の二を除く。）に掲げる施設

三 土地収用法第三条第二十九号に掲げる公園事業に係る施設

（地方公共団体等）

第二条 法第二条第四号の政令で定める法人は、地方公共団体、港務局、土地開発公社、地方住宅供給公社、地方道路公社及び独立行政法人都市再生機構とする。

（条例で農地等の区域の規模に関する条件を定める場合の基準）

第三条 法第三条第二項の政令で定める基準は、三百平方メートル以上五百平方メートル未満の一定の規模以上の区域であることとする。

（収用委員会の裁決の申請手続）

第四条 法第六条第六項（法第十二条第四項において準用する場合を含む。）の規定により土地収用法第九十四条第二項の規定による裁決を申請しようとする者は、国土交通省令で定める様式に従い、次に掲げる事項を記載した裁決申請書を収用委員会に提出しなければならない。

一 裁決申請者の氏名及び住所

二 相手方の氏名及び住所

三 損失の事実並びに損失の補償の見積り及びその内訳（生産緑地の買取りの申出に係る場合にあつては、当該生産緑地の価額の見積り及びその内訳）

四 協議の経過

（法第八条第二項第三号の政令で定める施設）

第五条 法第八条第二項第三号の政令で定める施設は、次に掲げる施設であつて、主として都市の住民の利用に供される農地で、相当数の者を対象として定型的な条件で、レクリエーションその他の営利以外の目的で継続して行われる農作業の用に供されるものに設置される当該農地の保全又は利用上必要なものとする。

一 農作業の講習の用に供する施設

二 管理事務所その他の管理施設

（法第八条第九項の政令で定める行為）

第六条 法第八条第九項の政令で定める行為は、次に掲げる行為とする。

一 建築物以外の工作物で次に掲げるものの新設、改築又は増設

イ 仮設の工作物

ロ 水道管、下水道管渠その他これらに類する工作物で地下に設けるもの

二 法令又はこれに基づく処分による義務の履行として行う行為

三 当該生産緑地において農林漁業を営むために行う法第八条第二項第一号又は第二号に規定する施設（畜舎を除く。）の設置又は管理に係る行為で次に掲げるもの

イ 建築物その他の工作物の新築、改築又は増築で、その新築、改築又は増築に係る部分の床面積の合計又は築造面積が九十平方メートル以下であるもの

ロ 幅員が二メートル以下の用排水路又は幅員が二メートル以下の農道若しくは林道の設置又は管理

四 農地等とするための土地の形質の変更、水面の埋立て又は干拓

附 則〔抄〕

（施行期日）

1 この政令は、法の施行の日（昭和四十九年八月三十一日）から施行する。

附 則〔略〕〔昭和五〇・八・五政令二四八〕

附 則〔略〕〔昭和五〇・一〇・二四政令三〇六〕

附 則〔略〕〔昭和五六・八・三政令二六八〕

附 則〔略〕〔平成三・九・六政令二八二〕

附 則〔略〕〔平成一一・八・一八政令二五六〕

附 則〔略〕〔平成一二・六・七政令三一二〕

附 則〔略〕〔平成一六・四・九政令一六〇〕

附 則〔略〕〔平成一六・五・二六政令一八一〕

附 則〔抄〕〔平成二九・六・一四政令一五六〕

（施行期日）

第一条 この政令は、都市緑地法等の一部を改正する法律の施行の日（平成二十九年六月十五日）から施行する。〔以下略〕

○生産緑地法施行規則〔昭和四九・八・一九 建設省令一一〕

改正 昭和五〇・一二建令二〇、平成二・一一建令一一、平成三・九建令一六、平成一二・一建令九、一一建令四一、平成二九・六国交令三五、八国交令四九、平成三〇・九国交令六七、令和二・一二国交令九八

（農業委員会の意見の聴取）

第一条 市町村が生産緑地地区に関する都市計画の案を作成しようとする場合においては、当該市町村の長は、当該生産緑地地区内の土地が生産緑地法（以下「法」という。）第三条第一号に規定する農地又は採草放牧地に該当しているかどうかについて、農業委員会の意見を聴くことができる。

（法第八条第二項第二号の国土交通省令で定める基準）

第二条 法第八条第二項第二号の国土交通省令で定める基準は、次に掲げるものとする。

一 当該生産緑地地区の区域内の土地から当該生産緑地地区内にある法第八条第二項第二号イからハまでに掲げる施設の敷地を除いた面積が五百平方メートル以上であること。ただし、法第三条第二項の規定により市町村の条例で別に規模が定められている場合にあつては、その規模以上であること。

二 当該生産緑地地区内にある法第八条第二項第二号イからハまでに掲げる施設の敷地の面積の合計が当該生産緑地地区の面積の十分の二以下であること。

三 当該生産緑地に係る農林漁業の主たる従事者（当該生産緑地に係る農林漁業の業務に、当該業務につき第三条に定めるところにより算定した割合以上従事している者を含む。）が設置及び管理を行う施設であること。

四 法第八条第二項第二号イに掲げる施設にあつては、地域内農産物等（前号の従事者が生産する農産物等（農産物、林産物又は水産物をいう。以下この号において同じ。）又は当該農産物等及び当該施設が設置される市町村の区域内若しくは都市計画区域内において生産される農産物等をいう。以下この条において同じ。）を主たる原材料として使用する製造又は加工の用に供する施設であること。

五 法第八条第二項第二号ロに掲げる施設にあつては、主として、地域内農産物等又は地域内農産物等を主たる原材料として製造され、若しくは加工された物品の販売の用に供する施設であること。

六 法第八条第二項第二号ハに掲げる施設にあつては、多数人に対して、地域内農産物等を主たる材料とする料理の提供の用に供する施設であること。

（国土交通省令で定めるところにより算定した割合）

第三条　法第十条第二項の国土交通省令で定めるところにより算定した割合は、次に掲げる割合とする。

一　次号に掲げる生産緑地以外の生産緑地にあつては、次に掲げる割合

イ　法第十条第二項の規定による申出があつた日に主たる従事者が六十五歳未満である場合においては、当該者が生産緑地に係る農林漁業の業務に一年間に従事した日数の八割

ロ　法第十条第二項の規定による申出があつた日に主たる従事者が六十五歳以上である場合においては、当該者が生産緑地に係る農林漁業の業務に一年間に従事した日数の七割

二　特定農地貸付けに関する農地法等の特例に関する法律（平成元年法律第五十八号）第二条第二項に規定する特定農地貸付けの用に供される生産緑地地区の区域内の農地又は都市農地の貸借の円滑化に関する法律（平成三十年法律第六十八号）第五条に規定する認定都市農地若しくは同法第十条に規定する特定都市農地貸付けの用に供される都市農地にあつては、主たる従事者が生産緑地に係る農林漁業の業務に一年間に従事した日数の一割

（収用委員会に対する裁決申請書の様式）

第四条　生産緑地法施行令第四条の国土交通省令で定める様式は、別記様式第一のとおりとする。

（農林漁業に従事することを不可能にさせる故障）

第五条　法第十条第二項の農林漁業に従事することを不可能にさせる故障として国土交通省令で定めるものは、次に掲げる故障とする。

一　次に掲げる障害により農林漁業に従事することができなくなる故障として市町村長が認定したもの

イ　両眼の失明

ロ　精神の著しい障害

ハ　神経系統の機能の著しい障害

ニ　胸腹部臓器の機能の著しい障害

ホ　上肢若しくは下肢の全部若しくは一部の喪失又はその機能の著しい障害

ヘ　両手の手指若しくは両足の足指の全部若しくは一部の喪失又はその機能の著しい障害

ト　イからヘまでに掲げる障害に準ずる障害

二　一年以上の期間を要する入院その他の事由により農林漁業に従事することができなくなる故障として市町村長が認定したもの

（買取申出書の様式）

第六条　法第十条の国土交通省令で定める様式は、別記様式第二のとおりとする。

（特定生産緑地の指定の公示）

第七条　法第十条の二第四項の規定による指定の公示は、次に掲げる事項について、市町村の公報又はウェブサイトへの掲載その他の適切な方法により行うものとする。

一　特定生産緑地の指定をする旨

二　特定生産緑地の区域及び面積

（特定生産緑地の指定の提案）

第八条　法第十条の四第一項の規定により特定生産緑地の指定の提案を行おうとする者は、氏名及び住所並びに当該提案に係る生産緑地の所在地及び提案の理由を記載した提案書に次に掲げる図書を添えて、これらを市町村長に提出しなければならない。

一　当該生産緑地の区域を示す縮尺二千五百分の一以上の図面

二　法第十条の四第二項の合意を得たことを証する書類

（買取り希望の申出手続）

第九条　法第十五条第一項の規定による生産緑地の買取りを申し出ようとする者は、別記様式第三の買取希望申出書を市町村長に提出しなければならない。

附　則

この省令は、法の施行の日（昭和四十九年八月三十一日）から施行する。

附　則〔略〕〔平成二・一一・一九建設省令一二〕

附　則〔略〕〔平成三・九・六建設省令一六〕

附　則〔略〕〔平成一二・一一・二〇建設省令四一〕

附　則〔略〕〔平成二九・六・一四国土交通省令三五〕

附　則〔略〕〔平成二九・八・二国土交通省令四九〕

附　則〔略〕〔平成三〇・九・五国土交通省令六七施行〕

附　則〔略〕〔令和二・一二・二三国土交通省令九八〕

別記様式〔略〕

○屋外広告物法

〔昭和二四・六・三
法律一八九〕

改正　昭和二五・五法二一四、昭和二七・四法七一、昭和二九・五法一三一、昭和三一・六法一四八、昭和三七・九法一六一、昭和三八・五法九二、昭和三九・七法一六九、昭和四三・六法一〇一、昭和四五・六法一〇九、昭和四八・九法八一、昭和五〇・七法四九、平成四・六法八二、平成六・六法四九、平成一一・七法八七、平成一六・五法六一、六法一一一、平成一七・七法八三、法八七、平成二〇・五法四〇、平成二三・六法六一、平成二九・五法二六、令和二・六法四三

目次

第一章　総則（第一条・第二条）
第二章　広告物等の制限（第三条―第六条）
第三章　監督（第七条・第八条）
第四章　屋外広告業
　第一節　屋外広告業の登録等（第九条―第十一条）
　第二節　登録試験機関（第十二条―第二十五条）
第五章　雑則（第二十六条―第二十九条）
第六章　罰則（第三十条―第三十四条）
附則

第一章　総則

（目的）

第一条　この法律は、良好な景観を形成し、若しくは風致を維持し、又は公衆に対する危害を防止するために、屋外広告物の表示及び屋外広告物を掲出する物件の設置並びにこれらの維持並びに屋外広告業について、必要な規制の基準を定めることを目的とする。

（定義）

第二条　この法律において「屋外広告物」とは、常時又は一定の期間継続して屋外で公衆に表示されるものであつて、看板、立看板、はり紙及びはり札並びに広告塔、広告板、建物その他の工作物等に掲出され、又は表示されたもの並びにこれらに類するものをいう。

2　この法律において「屋外広告業」とは、屋外広告物（以下「広告物」という。）の表示又は広告物を掲出する物件（以下「掲出物件」という。）の設置を行う営業をいう。

第二章　広告物等の制限

（広告物の表示等の禁止）

第三条　都道府県は、条例で定めるところにより、良好な景観又は風致を維持するために必要があると認めるときは、次に掲げる地域又は場所について、広告物の表示又は掲出物件の設置を禁止することができる。

一　都市計画法（昭和四十三年法律第百号）第二章の規定により定められた第一種低層住居専用地域、第二種低層住居専用地域、第一種中高層住居専用地域、第二種中高層住居専用地域、田園住居地域、景観地区、風致地区又は伝統的建造物群保存地区

二　文化財保護法（昭和二十五年法律第二百十四号）第二十七条又は第七十八条第一項の規定により指定された建造物の周囲で、当該都道府県が定める範囲内にある地域、同法第百九条第一項若しくは第二項又は第百十条第一項の規定により指定され、又は仮指定された地域及び同法第百四十三条第二項に規定する条例の規定により市町村が定める地域

三　森林法（昭和二十六年法律第二百四十九号）第二十五条第一項第十一号に掲げる目的を達成するため保安林として指定された森林のある地域

四　道路、鉄道、軌道、索道又はこれらに接続する地域で、良好な景観又は風致を維持するために必要があるものとして当該都道府県が指定するもの

五　公園、緑地、古墳又は墓地

六　前各号に掲げるもののほか、当該都道府県が特に指定する地域又は場所

2　都道府県は、条例で定めるところにより、良好な景観又は風致を維持するために必要があると認めるときは、次に掲げる物件に広告物を表示し、又は掲出物件を設置することを禁止することができる。

一　橋りよう

二　街路樹及び路傍樹

三　銅像及び記念碑

四　景観法（平成十六年法律第百十号）第十九条第一項の規定により指定された景観重要建造物及び同法第二十八条第一項の規定により指定された景観重要樹木

五　前各号に掲げるもののほか、当該都道府県が特に指定する物件

3　都道府県は、条例で定めるところにより、公衆に対する危害を防止するために必要があると認めるときは、広告物の表示又は掲出物件の設置を禁止することができる。

（広告物の表示等の制限）

第四条　都道府県は、条例で定めるところにより、良好な景観を形成し、若しくは風致を維持し、又は公衆に対する危害を防止するために必要があると認めるときは、広告物の表示又は掲出物件の設置（前条の規定に基づく条例によりその表示又は設置が禁止されているものを除く。）について、都道府県知事の許可を受けなければならないとすることその他必要な制限をすることができる。

（広告物の表示の方法等の基準）

第五条　前条に規定するもののほか、都道府県は、良好な景観を形成し、若しくは風致を維持し、又は公衆に対する危害を防止するために必要があると認めるときは、条例で、広告物（第三条の規定に基づく条例によりその表示が禁止されているものを除く。）の形状、面積、色彩、意匠その他表示の方法の基準若しくは掲出物件（同条の規定に基づく条例によりその設置が禁止されているものを除く。）の形状その他設置の方法の基準又はこれらの維持の方法の基準を定めることができる。

（景観計画との関係）

第六条　景観法第八条第一項の景観計画に広告物の表示及び掲出物件の設置に関する行為の制限に関する事項が定められた場合においては、当該景観計画を策定した景観行政団体（同法第七条第一項の景観行政団体をいう。以下同じ。）の前三条の規定に基づく条例は、当該景観計画に即して定めるものとする。

第三章　監督

（違反に対する措置）

第七条　都道府県知事は、条例で定めるところにより、第三条から第五条までの規定に基づく条例に違反した広告物を表示し、若しくは当該条例に違反した掲出物件を設置し、又はこれらを管理する者に対し、これらの表示若しくは設置の停止を命じ、又は相当の期限を定め、これらの除却その他良好な景観を形成し、若しくは風致を維持し、又は公衆に対する危害を防止するために必要な措置を命ずることができる。

2　都道府県知事は、前項の規定による措置を命じようとする場合において、当該広告物を表示し、若しくは当該掲出物件を設置し、又はこれらを管理する者を過失がなくて確知することができないときは、これらの措置を自ら行い、又はその命じた者若しくは委任した者に行わせることができる。ただし、掲出物件を除却する場合においては、条例で定めるところにより、相当の期限を定め、これを除却すべき旨及びその期限までに除却しないときは、自ら又はその命じた者若しくは委任した者が除却する旨を公告しなければならない。

3　都道府県知事は、第一項の規定による措置を命じた場合において、その措置を命ぜられた者がその措置を履行しないとき、履行しても十分でないとき、又は履行しても同項の期限までに完了する見込みがないときは、行政代執行法（昭和二十三年法律第四十三号）第三条から第六条までに定めるところに従い、その措置を自ら行い、又はその命じた者若しくは委任した者に行わせ、その費用を義務者から徴収することができる。

4　都道府県知事は、第三条から第五条までの規定に基づく条例（以下この項において「条例」という。）に違反した広告物又は掲出物件が、はり紙、はり札等（容易に取り外すことができる状態で工作物等に取り付けられているはり札その他これに類する広告物をいう。以下この項において同じ。）、広告旗（容易に移動させることができる状態で立てられ、又は容易に取り外すことができる状態で工作物等に取り付けられている広告の用に供する旗（これを支える台を含む。）をいう。以下この項において同じ。）又は立看板等（容易に移動させることができる状態で立てられ、又は工作物等に立て掛けられている立看板その他これに類する広告物又は掲出物件（これらを支える台を含む。）をいう。以下この項において同じ。）であるときは、その違反に係るはり紙、はり札等、広告旗又は立看板等を自ら除却し、又はその命じた者若しくは委任した者に除却させることができる。ただし、はり紙にあつては第一号に、はり札等、広告旗又は立看板等にあつては次の各号のいずれにも該当する場合に限る。

一　条例で定める都道府県知事の許可を受けなければならない場合に明らかに該当すると認められるにもかかわらずその許可を受けないで表示され又は設置されているとき、条例に適用を除外する規定が定められている場合にあつては当該規定に明らかに該当しないと認められるにもかかわらず禁止された場所に表示され又は設置されているとき、その他条例に明らかに違反して表示され又は設置されていると認められるとき。

二　管理されずに放置されていることが明らかなとき。

（除却した広告物等の保管、売却又は廃棄）

第八条　都道府県知事は、前条第二項又は第四項の規定により広告物又は掲出物件を除却し、又は除却させたときは、当該広告物又は掲出物件を保管しなければならない。ただし、除却し、又は除却させた広告物がはり紙である場合は、この限りでない。

2　都道府県知事は、前項の規定により広告物又は掲出物件を保管したときは、当該広告物又は掲出物件の所有者、占有者その他当該広告物又は掲出物件について権原を有する者（以下この条において「所有者等」という。）に対し当該広告物又は掲出物件を返還するため、条例で定めるところにより、条例で定める事項を公示しなければならない。

3　都道府県知事は、第一項の規定により保管した広告物若しくは掲出物件が滅失し、若しくは破損するおそれがあるとき、又は前項の規定による公示の日から次の各号に掲げる広告物若しくは掲出物件の区分に従い当該各号に定める期間を経過してもなお当該広告物若しくは掲出物件を返還することができない場合において、条例で定めるところにより評価した当該広告物若しくは掲出物件の価額に比し、その保管に不相当な費用若しくは手数を要するときは、条例で定めるところにより、当該広告物又は掲出物件を売却し、その売却した代金を保管することができる。

一　前条第四項の規定により除却された広告物　二日以上で条例で定める期間

二　特に貴重な広告物又は掲出物件　三月以上で条例で定める期間

三　前二号に掲げる広告物又は掲出物件以外の広告物又は掲出物件　二週間以上で条例で定める期間

4　都道府県知事は、前項に規定する広告物又は掲出物件の価額が著しく低い場合において、同項の規定による広告物又は掲出物件の売却につき買受人がないとき、又は売却しても買受人がないことが明らかであるときは、当該広告物又は掲出物件を廃棄することができる。
5　第三項の規定により売却した代金は、売却に要した費用に充てることができる。
6　前条第二項及び第四項並びに第一項から第三項までに規定する広告物又は掲出物件の除却、保管、売却、公示その他の措置に要した費用は、当該広告物又は掲出物件の返還を受けるべき広告物又は掲出物件の所有者等（前条第二項に規定する措置を命ずべき者を含む。）に負担させることができる。
7　第二項の規定による公示の日から起算して六月を経過してもなお第一項の規定により保管した広告物又は掲出物件（第三項の規定により売却した代金を含む。以下この項において同じ。）を返還することができないときは、当該広告物又は掲出物件の所有権は、当該広告物又は掲出物件を保管する都道府県に帰属する。

第四章　屋外広告業

第一節　屋外広告業の登録等

（屋外広告業の登録）
第九条　都道府県は、条例で定めるところにより、その区域内において屋外広告業を営もうとする者は都道府県知事の登録を受けなければならないものとすることができる。
第一〇条　都道府県は、前条の条例には、次に掲げる事項を定めるものとする。
一　登録の有効期間に関する事項
二　登録の要件に関する事項
三　業務主任者の選任に関する事項
四　登録の取消し又は営業の全部若しくは一部の停止に関する事項
五　その他登録制度に関し必要な事項
2　前条の条例は、前項第一号から第四号までに掲げる事項について、次に掲げる基準に従つて定めなければならない。
一　前項第一号に規定する登録の有効期間は、五年であること。
二　前項第二号に掲げる登録の要件に関する事項は、登録を受けようとする者が次のいずれかに該当するとき、又は申請書若しくはその添付書類のうちに重要な事項について虚偽の記載があり、若しくは重要な事実の記載が欠けているときは、その登録を拒否しなければならないものとすること。
イ　当該条例の規定により登録を取り消され、その処分のあつた日から二年を経過しない者
ロ　屋外広告業を営む法人が当該条例の規定により登録を取り消された場合において、その処分のあつた日前三十日以内にその役員であつた者でその処分のあつた日から二年を経過しない者
ハ　当該条例の規定により営業の停止を命ぜられ、その停止の期間が経過しない者
ニ　この法律に基づく条例又はこれに基づく処分に違反して罰金以上の刑に処せられ、その執行を終わり、又は執行を受けることがなくなつた日から二年を経過しない者
ホ　屋外広告業に関し成年者と同一の能力を有しない未成年者でその法定代理人がイからニまで又はへのいずれかに該当するもの
へ　法人でその役員のうちにイからニまでのいずれかに該当する者があるもの
ト　業務主任者を選任していない者
三　前項第三号に掲げる業務主任者の選任に関する事項は、登録を受けようとする者にあつては営業所ごとに次に掲げる者のうちから業務主任者となるべき者を選任するものとし、登録を受けた者にあつては当該業務主任者に広告物の表示及び掲出物件の設置に係る法令の規定の遵守その他当該営業所における業務の適正な実施を確保するため必要な業務を行わせるものとすること。
イ　国土交通大臣の登録を受けた法人（以下「登録試験機関」という。）が広告物の表示及び掲出物件の設置に関し必要な知識について行う試験に合格した者
ロ　広告物の表示及び掲出物件の設置に関し必要な知識を修得させることを目的として都道府県の行う講習会の課程を修了した者
ハ　イ又はロに掲げる者と同等以上の知識を有するものとして条例で定める者
四　前項第四号の登録の取消し又は営業の全部若しくは一部の停止に関する事項は、登録を受けた者が次のいずれかに該当するときは、その登録を取消し、又は六月以内の期間を定めてその営業の全部若しくは一部の停止を命ずることができるものとすること。
イ　不正の手段により屋外広告業の登録を受けたとき。
ロ　第二号ロ又はニからトまでのいずれかに該当することとなつたとき。
ハ　この法律に基づく条例又はこれに基づく処分に違反したとき。
（屋外広告業を営む者に対する指導、助言及び勧告）
第一一条　都道府県知事は、条例で定めるところにより、屋外広告業を営む者に対し、良好な景観を形成し、若しくは風致を維持し、又は公衆に対する危害を防止するために必要な指導、助言及び勧告を行うことができる。

第二節　登録試験機関

（登録）
第一二条　第十条第二項第三号イの規定による登録は、同号イの試験の実施に関する事務（以下「試験事務」という。）を行おうとする者の申請により行う。
（欠格条項）
第一三条　次の各号のいずれかに該当する法人は、第十条第二項第三号イの規定による登録を受けることができない。
一　この法律の規定に違反して、刑に処せられ、その執行を終わり、又は執行を受けることがなくなつた日から起算して二年を経過しない者であること。
二　第二十五条第一項又は第二項の規定により登録を取り消され、その取消しの日から起算して二年を経過しない者であること。
三　その役員のうちに、第一号に該当する者があること。
（登録の基準）
第一四条　国土交通大臣は、第十二条の規定により登録を申請した者が次に掲げる要件のすべてに適合しているときは、第十条第二項第三号イの規定による登録をしなければならない。この場合において、登録に関して必要な手続は、国土交通省令で定める。
一　試験を別表の上欄に掲げる科目について行い、当該科目についてそれぞれ同表の下欄に掲げる試験委員が問題の作成及び採点を行うものであること。
二　試験の信頼性の確保のための次に掲げる措置がとられていること。
イ　試験事務について専任の管理者を置くこと。
ロ　試験事務の管理（試験に関する秘密の保持及び試験の合格の基準に関することを含む。）に関する文書が作成されていること。
ハ　ロの文書に記載されたところに従い試験事務の管理を行う専任の部門を置くこと。
三　債務超過の状態にないこと。
（登録の公示等）
第一五条　国土交通大臣は、第十条第二項第三号イの規定による登録をしたときは、当該登録を受けた者の名称及び主たる事務所の所在地並びに当該登録をした日を公示しなければならない。
2　登録試験機関は、その名称又は主たる事務所の所在地を変更しようとするときは、変更しようとする日の二週間前までに、その旨を国土交通大臣に届け出なければならない。
3　国土交通大臣は、前項の規定による届出があつたときは、その旨を公示しなければならない。
（役員の選任及び解任）

第一六条　登録試験機関は、役員を選任し、又は解任したときは、遅滞なく、その旨を国土交通大臣に届け出なければならない。

（試験委員の選任及び解任）

第一七条　登録試験機関は、第十四条第一号の試験委員を選任し、又は解任したときは、遅滞なく、その旨を国土交通大臣に届け出なければならない。

（秘密保持義務等）

第一八条 登録試験機関の役員若しくは職員（前条の試験委員を含む。次項において同じ。）又はこれらの職にあつた者は、試験事務に関して知り得た秘密を漏らしてはならない。

2 試験事務に従事する登録試験機関の役員及び職員は、刑法（明治四十年法律第四十五号）その他の罰則の適用については、法令により公務に従事する職員とみなす。

（試験事務規程）

第一九条 登録試験機関は、国土交通省令で定める試験事務の実施に関する事項について試験事務規程を定め、国土交通大臣の認可を受けなければならない。これを変更しようとするときも、同様とする。

2 国土交通大臣は、前項の規定により認可をした試験事務規程が試験事務の適正かつ確実な実施上不適当となつたと認めるときは、登録試験機関に対して、これを変更すべきことを命ずることができる。

（財務諸表等の備付け及び閲覧等）

第二〇条 登録試験機関は、毎事業年度経過後三月以内に、その事業年度の財産目録、貸借対照表及び損益計算書又は収支計算書並びに事業報告書（その作成に代えて電磁的記録（電子的方式、磁気的方式その他の人の知覚によつては認識することができない方式で作られる記録であつて、電子計算機による情報処理の用に供されるものをいう。以下この条において同じ。）の作成がされている場合における当該電磁的記録を含む。次項及び第三十三条において「財務諸表等」という。）を作成し、五年間登録試験機関の事務所に備えて置かなければならない。

2 試験を受けようとする者その他の利害関係人は、登録試験機関の業務時間内は、いつでも、次に掲げる請求をすることができる。ただし、第二号又は第四号の請求をするには、登録試験機関の定めた費用を支払わなければならない。

一 財務諸表等が書面をもつて作成されているときは、当該書面の閲覧又は謄写の請求

二 前号の書面の謄本又は抄本の請求

三 財務諸表等が電磁的記録をもつて作成されているときは、当該電磁的記録に記録された事項を国土交通省令で定める方法により表示したものの閲覧又は謄写の請求

四 前号の電磁的記録に記録された事項を電磁的方法であつて国土交通省令で定めるものにより提供することの請求又は当該事項を記載した書面の交付の請求

（帳簿の備付け等）

第二一条 登録試験機関は、国土交通省令で定めるところにより、試験事務に関する事項で国土交通省令で定めるものを記載した帳簿を備え、保存しなければならない。

（適合命令）

第二二条 国土交通大臣は、登録試験機関が第十四条各号のいずれかに適合しなくなつたと認めるときは、その登録試験機関に対し、これらの規定に適合するため必要な措置をとるべきことを命ずることができる。

（報告及び検査）

第二三条 国土交通大臣は、試験事務の適正な実施を確保するため必要があると認めるときは、登録試験機関に対して、試験事務の状況に関し必要な報告を求め、又はその職員に、登録試験機関の事務所に立ち入り、試験事務の状況若しくは設備、帳簿、書類その他の物件を検査させることができる。

2 前項の規定により立入検査をする職員は、その身分を示す証明書を携帯し、関係人の請求があつたときは、これを提示しなければならない。

3 第一項の規定による立入検査の権限は、犯罪捜査のために認められたものと解してはならない。

（試験事務の休廃止）

第二四条 登録試験機関は、国土交通大臣の許可を受けなければ、試験事務の全部又は一部を休止し、又は廃止してはならない。

2 国土交通大臣は、前項の規定による許可をしたときは、その旨を公示しなければならない。

（登録の取消し等）

第二五条 国土交通大臣は、登録試験機関が第十三条第一号又は第三号に該当するに至つたときは、当該登録試験機関の登録を取り消さなければならない。

2 国土交通大臣は、登録試験機関が次の各号のいずれかに該当するときは、当該登録試験機関に対して、その登録を取り消し、又は期間を定めて試験事務の全部若しくは一部の停止を命ずることができる。

一 第十五条第二項、第十六条、第十七条、第二十条第一項、第二十一条又は前条第一項の規定に違反したとき。

二 正当な理由がないのに第二十条第二項各号の規定による請求を拒んだとき。

三 第十九条第一項の規定による認可を受けた試験事務規程によらないで試験事務を行つたとき。

四 第十九条第二項又は第二十二条の規定による命令に違反したとき。

五 不正な手段により第十条第二項第三号イの規定による登録を受けたとき。

3 国土交通大臣は、前二項の規定により登録を取り消し、又は前項の規定により試験事務の全部若しくは一部の停止を命じたときは、その旨を公示しなければならない。

第五章　雑則

（特別区の特例）

第二六条 この法律中都道府県知事の権限に属するものとされている事務で政令で定めるものは、特別区においては、政令で定めるところにより特別区の長が行なうものとする。この場合においては、この法律中都道府県知事に関する規定は、特別区の長に関する規定として特別区の長に適用があるものとする。

（大都市等の特例）

第二七条 この法律中都道府県が処理することとされている事務で政令で定めるものは、地方自治法（昭和二十二年法律第六十七号）第二百五十二条の十九第一項の指定都市（以下「指定都市」という。）及び同法第二百五十二条の二十二第一項の中核市（以下「中核市」という。）においては、政令で定めるところにより、指定都市又は中核市（以下「指定都市等」という。）が処理するものとする。この場合においては、この法律中都道府県に関する規定は、指定都市等に関する規定として指定都市等に適用があるものとする。

（景観行政団体である市町村の特例等）

第二八条 都道府県は、地方自治法第二百五十二条の十七の二の規定によるもののほか、第三条から第五条まで、第七条又は第八条の規定に基づく条例の制定又は改廃に関する事務の全部又は一部を、条例で定めるところにより、景観行政団体である市町村、地域における歴史的風致の維持及び向上に関する法律（平成二十年法律第四十号）第七条第一項に規定する認定市町村である市町村又は都市再生特別措置法（平成十四年法律第二十二号）第四十六条第一項に規定する都市再生整備計画に同条第二項第五号に掲げる事項を記載した市町村（いずれも指定都市及び中核市を除く。）が処理することとすることができる。この場合においては、都道府県知事は、あらかじめ、当該市町村の長に協議しなければならない。

（適用上の注意）

第二九条 この法律及びこの法律の規定に基づく条例の適用に当たつては、国民の政治活動の自由その他国民の基本的人権を不当に侵害しないように留意しなければならない。

第六章　罰則

第三〇条 第十八条第一項の規定に違反した者は、一年以下の懲役又は百万円以下の罰金に処する。

第三一条 第二十五条第二項の規定による試験事務の停止の命令に違反したときは、その違反行為をした登録試験機関の役員又は職員は、一年以下の懲役又は百万円以下の罰金に処する。

第三二条 次の各号のいずれかに該当するときは、その違反行為をした登録試験機関の役員又は職員は、三十万円以下の罰金に処する。

一 第二十一条の規定に違反して帳簿を備えず、帳簿に記載せず、若しくは帳簿に虚偽の記載をし、又は帳簿を保存しなかつたとき。

二 第二十三条第一項の規定による報告を求められて、報告をせず、若しくは虚偽の報告をし、又は同項の規定による検査を拒み、妨げ、若しくは忌避したとき。

三 第二十四条第一項の規定による許可を受けないで、試験事務の全部を

廃止したとき。

第三三条　第二十条第一項の規定に違反して財務諸表等を備えて置かず、財務諸表等に記載すべき事項を記載せず、若しくは虚偽の記載をし、又は正当な理由がないのに同条第二項各号の規定による請求を拒んだ者は、二十万円以下の過料に処する。

第三四条　第三条から第五条まで及び第七条第一項の規定に基づく条例には、罰金又は過料のみを科する規定を設けることができる。

附　則

1　この法律は、公布の日から起算して九十日を経過した日から施行する。

2　広告物取締法（明治四十四年法律第七十号）は、廃止する。

3　この法律施行前にした広告物取締法に違反する行為に対する罰則の適用に関しては、なお、従前の例による。

附　則〔略〕〔昭和二五・五・三〇法律二一四〕

附　則〔略〕〔昭和二九・五・二九法律一三一〕

附　則〔昭和三一・六・一二法律一四八〕

1　この法律は、地方自治法の一部を改正する法律（昭和三十一年法律第百四十七号）の施行の日から施行する。

2　この法律の施行の際海区漁業調整委員会の委員又は農業委員会の委員の職にある者の兼業禁止及びこの法律の施行に伴う都道府県又は都道府県知事若しくは都道府県の委員会その他の機関が処理し、又は管理し、及び執行している事務の地方自治法第二百五十二条の十九第一項の指定都市（以下「指定都市」という。）又は指定都市の市長若しくは委員会その他の機関への引継に関し必要な経過措置は、それぞれ地方自治法の一部を改正する法律（昭和三十一年法律第百四十七号）附則第四項及び第九項から第十五項までに定めるところによる。

附　則〔抄〕〔昭和三七・九・一五法律一六一〕

1　この法律は、昭和三十七年十月一日から施行する。

2　この法律による改正後の規定は、この附則に特別の定めがある場合を除き、この法律の施行前にされた行政庁の処分、この法律の施行前にされた申請に係る行政庁の不作為その他この法律の施行前に生じた事項についても適用する。ただし、この法律による改正前の規定によつて生じた効力を妨げない。

3　この法律の施行前に提起された訴願、審査の請求、異議の申立てその他の不服申立て（以下「訴願等」という。）については、この法律の施行後も、なお従前の例による。この法律の施行前にされた訴願等の裁決、決定その他の処分（以下「裁決等」という。）又はこの法律の施行前に提起された訴願等につきこの法律の施行後にされる裁決等にさらに不服がある場合の訴願等についても、同様とする。

4　前項に規定する訴願等で、この法律の施行後は行政不服審査法による不服申立てをすることができることとなる処分に係るものは、同法以外の法律の適用については、行政不服審査法による不服申立てとみなす。

5　第三項の規定によりこの法律の施行後にされる審査の請求、異議の申立てその他の不服申立ての裁決等については、行政不服審査法による不服申立てをすることができない。

6　この法律の施行前にされた行政庁の処分で、この法律による改正前の規定により訴願等をすることができるものとされ、かつ、その提起期間が定められていなかつたものについて、行政不服審査法による不服申立てをすることができる期間は、この法律の施行の日から起算する。

8　この法律の施行前にした行為に対する罰則の適用については、なお従前の例による。

9　前八項に定めるもののほか、この法律の施行に関して必要な経過措置は、政令で定める。

附　則〔略〕〔昭和三八・五・二四法律九二〕

附　則〔略〕〔昭和三九・七・一一法律一六九〕

附　則〔略〕〔昭和四三・六・一五法律一〇一〕

附　則〔略〕〔昭和四五・六・一法律一〇九〕

附　則〔略〕〔昭和四八・九・一七法律八一〕

附　則〔略〕〔昭和五〇・七・一法律四九〕

附　則〔抄〕〔平成四・六・二六法律八二〕

（施行期日）

第一条　この法律は、公布の日から起算して一年を超えない範囲内において政令で定める日から施行する。

〔平成五政一六九により、平成五・六・二五から施行〕

（屋外広告物法等の一部改正に伴う経過措置）

第一八条　この法律の施行の際現に旧都市計画法の規定により定められている都市計画区域内の用途地域に関しては、この法律の施行の日から起算して三年を経過する日までの間は、この法律による改正前の次に掲げる法律の規定は、なおその効力を有する。

一　屋外広告物法

二～六　〔略〕

附　則〔略〕〔平成六・六・二九法律四九〕

附　則〔抄〕〔平成一一・七・一六法律八七〕

（施行期日）

第一条　この法律は、平成十二年四月一日から施行する。ただし、次の各号に掲げる規定は、当該各号に定める日から施行する。

一　〔前略〕附則〔中略〕第百六十条、第百六十三条、第百六十四条並びに第二百二条の規定　公布の日

二～六　〔略〕

（国等の事務）

第一五九条　この法律による改正前のそれぞれの法律に規定するもののほか、この法律の施行前において、地方公共団体の機関が法律又はこれに基づく政令により管理し又は執行する国、他の地方公共団体その他公共団体の事務（附則第百六十一条において「国等の事務」という。）は、この法律の施行後は、地方公共団体が法律又はこれに基づく政令により当該地方公共団体の事務として処理するものとする。

（処分、申請等に関する経過措置）

第一六〇条　この法律（附則第一条各号に掲げる規定については、当該各規定。以下この条及び附則第百六十三条において同じ。）の施行前に改正前のそれぞれの法律の規定によりされた許可等の処分その他の行為（以下この条において「処分等の行為」という。）又はこの法律の施行の際現に改正前のそれぞれの法律の規定によりされている許可等の申請その他の行為（以下この条において「申請等の行為」という。）で、この法律の施行の日においてこれらの行為に係る行政事務を行うべき者が異なることとなるものは、附則第二条から前条までの規定又は改正後のそれぞれの法律（これに基づく命令を含む。）の経過措置に関する規定に定めるものを除き、この法律の施行の日以後における改正後のそれぞれの法律の適用については、改正後のそれぞれの法律の相当規定によりされた処分等の行為又は申請等の行為とみなす。

2　この法律の施行前に改正前のそれぞれの法律の規定により国又は地方公共団体の機関に対し報告、届出、提出その他の手続をしなければならない事項で、この法律の施行の日前にその手続がされていないものについては、この法律及びこれに基づく政令に別段の定めがあるもののほか、これを、改正後のそれぞれの法律の相当規定により国又は地方公共団体の相当の機関に対して報告、届出、提出その他の手続をしなければならない事項についてその手続がされていないものとみなして、この法律による改正後のそれぞれの法律の規定を適用する。

（不服申立てに関する経過措置）

第一六一条　施行日前にされた国等の事務に係る処分であって、当該処分をした行政庁（以下この条において「処分庁」という。）に施行日前に行政不服審査法に規定する上級行政庁（以下この条において「上級行政庁」という。）があったものについての同法による不服申立てについては、施行日以後においても、当該処分庁に引き続き上級行政庁があるものとみなして、行政不服審査法の規定を適用する。この場合において、当該処分庁の上級行政庁とみなされる行政庁は、施行日前に当該処分庁の上級行政庁であった行政庁とする。

2　前項の場合において、上級行政庁とみなされる行政庁が地方公共団体の機関であるときは、当該機関が行政不服審査法の規定により処理することとされる事務は、新地方自治法第二条第九項第一号に規定する第一号法定受託事務とする。

（手数料に関する経過措置）

第一六二条　施行日前においてこの法律による改正前のそれぞれの法律（これに基づく命令を含む。）の規定により納付すべきであった手数料については、この法律及びこれに基づく政令に別段の定めがあるもののほか、なお従前の例による。

（罰則に関する経過措置）

第一六三条　この法律の施行前にした行為に対する罰則の適用については、

なお従前の例による。

附　則〔略〕〔平成一六・五・二八法律六一〕

附　則〔抄〕〔平成一六・六・一八法律一一一〕

（施行期日）

第一条　この法律は、景観法（平成十六年法律第百十号）の施行の日〔平成一六・一二・一七〕から施行する。ただし、〔中略〕第五条、〔中略〕附則第四条、第五条及び第七条の規定は、景観法附則ただし書に規定する日〔平成一七・六・一〕から施行する。

（罰則に関する経過措置）

第五条　この法律の施行前にした行為に対する罰則の適用については、なお従前の例による。

（政令への委任）

第六条　附則第二条から前条までに定めるもののほか、この法律の施行に関して必要な経過措置は、政令で定める。

附　則〔略〕〔平成一七・七・一五法律八三〕

附　則〔略〕〔平成一七・七・二六法律八七〕

附　則〔略〕〔平成二〇・五・二三法律四〇〕

附　則〔略〕〔平成二三・六・三法律六一〕

附　則〔略〕〔平成二九・五・一二法律二六〕

附　則〔抄〕〔令和二・六・一〇法律四三〕

（施行期日）

第一条　この法律は、公布の日から起算して三月を超えない範囲内において政令で定める日から施行する。〔以下略〕

〔令和二政二六七により、令和二・九・七から施行〕

別表（第十四条関係）

科目	試験委員
一　この法律、この法律に基づく条例その他関係法令に関する科目	一　学校教育法（昭和二十二年法律第二十六号）による大学（以下「大学」という。）において行政法学を担当する教授若しくは准教授の職にあり、又はこれらの職にあった者 二　前号に掲げる者と同等以上の知識及び経験を有する者
二　広告物の形状、色彩及び意匠に関する科目	一　大学において美術若しくはデザインを担当する教授若しくは准教授の職にあり、又はこれらの職にあった者 二　前号に掲げる者と同等以上の知識及び経験を有する者
三　広告物及び掲出物件の設計及び施工に関する科目	一　大学において建築学を担当する教授若しくは准教授の職にあり、又はこれらの職にあった者 二　前号に掲げる者と同等以上の知識及び経験を有する者

○屋外広告物法施行規則

〔平成一六・一二・一五　国土交通省令一〇二〕

改正　平成一八・四国交令五八、令和二・一二国交令九八、令和五・一二国交令九八、令和六・三国交令二六

（登録の申請）

第一条　屋外広告物法（以下「法」という。）第十条第二項第三号イの規定による登録を受けようとする者は、別記様式による申請書に次に掲げる書類を添えて、これを国土交通大臣に提出しなければならない。

一　定款又は寄附行為及び登記簿の謄本

二　申請に係る意思の決定を証する書類

三　役員（持分会社（会社法（平成十七年法律第八十六号）第五百七十五条第一項に規定する持分会社をいう。）にあっては、業務を執行する社員をいう。以下同じ。）の氏名及び略歴を記載した書類

四　試験事務（法第十二条に規定する試験事務をいう。以下同じ。）以外の業務を行おうとするときは、その業務の種類及び概要を記載した書類

五　登録を受けようとする者が法第十三条各号のいずれにも該当しない法人であることを誓約する書面

六　法別表の上欄に掲げる科目について、それぞれ同表の下欄に掲げる試験委員により問題の作成及び採点が行われるものであることを証する書類

七　試験委員の略歴を記載した書類

八　法第十四条第二号ロに規定する試験事務の管理に関する文書として、次に掲げるもの

イ　試験の実施に関する計画の策定方法に関する文書

ロ　試験に関する秘密の保持の方法を記載した文書

ハ　問題の作成の方法及び試験の合格の基準に関する事項を記載した文書

ニ　試験委員の選任及び解任の方法に関する文書

ホ　試験事務に関する公正の確保に関する事項を記載した文書

九　法第十四条第二号ハに規定する専任の部門が置かれていることを説明した書類

十　申請の日の属する事業年度の前事業年度における貸借対照表及び損益計算書

十一　その他参考となる事項を記載した書類

（登録試験機関登録簿）

第二条　法第十条第二項第三号イの規定による登録は、登録試験機関登録簿

に次に掲げる事項を記載してするものとする。
一　登録年月日及び登録番号
二　登録試験機関（法第十条第二項第三号イに規定する登録試験機関をいう。以下同じ。）の名称
三　主たる事務所の所在地
四　役員の氏名
五　試験委員の氏名

（登録事項の変更の届出）

第三条　登録試験機関は、法第十五条第二項の規定による届出をしようとするときは、次に掲げる事項を記載した届出書を国土交通大臣に提出しなければならない。
一　変更しようとする事項
二　変更しようとする年月日
三　変更の理由

2　登録試験機関は、法第十六条又は第十七条の規定による届出をしようとするときは、次に掲げる事項を記載した届出書を国土交通大臣に提出しなければならない。
一　選任又は解任された役員又は試験委員の氏名
二　選任又は解任の年月日
三　選任又は解任の理由
四　選任の場合にあっては、選任された者の略歴
五　役員の選任の場合にあっては、当該役員が法第十三条第三号に該当しない者であることを誓約する書面
六　試験委員の選任又は解任の場合にあっては、法別表の上欄に掲げる科目についてそれぞれ同表の下欄に掲げる試験委員により問題の作成及び採点が行われるものであることを証する書類

3　国土交通大臣は、前二項の規定による届出を受理したときは、当該届出に係る事項が法第十三条第三号に該当する場合又は法第十四条第一号に掲げる要件に適合しない場合を除き、届出があった事項を登録試験機関登録簿に登録しなければならない。

（試験事務規程）

第四条　登録試験機関は、法第十九条第一項前段の規定により認可を受けようとするときは、試験事務の開始前に、申請書に試験事務規程を添えて国土交通大臣に提出しなければならない。

2　法第十九条第一項の国土交通省令で定める試験事務の実施に関する事項は、次に掲げるものとする。
一　試験事務を行う時間及び休日に関する事項
二　試験事務を行う事務所及び試験地に関する事項
三　試験の受験の申込みに関する事項
四　試験の受験手数料の額及び収納の方法に関する事項
五　試験の日程、公示方法その他の試験の実施の方法に関する事項
六　終了した試験の問題及び当該試験の合格基準の公表に関する事項
七　試験の合格証明書の交付及び再交付に関する事項
八　不正受験者の処分に関する事項
九　帳簿（法第二十一条に規定する帳簿をいう。第七条第二項及び第三項において同じ。）その他の試験事務に関する書類の管理に関する事項
十　その他試験事務の実施に関し必要な事項

（電磁的記録に記録された事項を表示する方法）

第五条　法第二十条第二項第三号の国土交通省令で定める方法は、当該電磁的記録に記録された事項を紙面又は出力装置の映像面に表示する方法とする。

（電磁的記録に記録された事項を提供するための電磁的方法）

第六条　法第二十条第二項第四号の国土交通省令で定める方法は、次に掲げるもののうち、登録試験機関が定めるものとする。
一　送信者の使用に係る電子計算機（入出力装置を含む。以下この号及び次条第二項において同じ。）と受信者の使用に係る電子計算機とを電気通信回線で接続した電子情報処理組織を使用する方法であって、当該電気通信回線を通じて情報が送信され、受信者の使用に係る電子計算機に備えられたファイルに当該情報が記録されるもの
二　電磁的記録媒体（電子的方式、磁気的方式その他の人の知覚によっては認識することができない方式で作られる記録であって、電子計算機による情報処理の用に供されるものに係る記録媒体をいう。次条第二項及び第三項において同じ。）をもって調製するファイルに情報を記録したものを交付する方法

2　前項各号に掲げる方法は、受信者がファイルへの記録を出力することによる書面を作成することができるものでなければならない。

（帳簿の備付け等）

第七条　法第二十一条の国土交通省令で定める事項は、次のとおりとする。
一　試験年月日
二　試験地
三　受験者の受験番号、氏名、生年月日、住所及び合否の別
四　合格年月日

2　前項各号に掲げる事項が、電子計算機に備えられたファイル又は電磁的記録媒体に記録され、必要に応じ登録試験機関において電子計算機その他の機器を用いて明確に紙面に表示されるときは、当該記録をもって帳簿への記載に代えることができる。

3　登録試験機関は、帳簿（前項の規定による記録が行われた同項のファイル又は電磁的記録媒体を含む。）を、試験事務の全部を廃止するまで保存しなければならない。

4　登録試験機関は、次に掲げる書類を備え、試験を実施した日から三年間保存しなければならない。
一　試験の受験申込書及び添付書類
二　終了した試験の問題及び答案用紙

（試験事務の休廃止の許可の申請）

第八条　登録試験機関は、法第二十四条の規定により試験事務の全部又は一部の休止又は廃止の許可を受けようとするときは、次に掲げる事項を記載した申請書を国土交通大臣に提出しなければならない。
一　休止し、又は廃止しようとする試験事務の範囲
二　休止し、又は廃止しようとする年月日
三　休止しようとする場合にあっては、その期間
四　休止又は廃止の理由

附　則

この省令は、景観法の施行に伴う関係法律の整備等に関する法律（平成十六年法律第百十一号）の施行の日（平成十六年十二月十七日）から施行する。

附　則〔略〕〔平成一八・四・二八国土交通省令五八〕

附　則〔略〕〔令和二・一二・二三国土交通省令九八〕

附　則〔略〕〔令和五・一二・二八国土交通省令九八施行〕

附　則〔抄〕〔令和六・三・二九国土交通省令二六〕

（施行期日）

第一条　この省令は、令和六年四月一日から施行する。〔以下略〕

別記様式〔略〕

○土地区画整理法

〔昭和二九・五・二〇
法律一一九〕

改正　昭和二九・六法一八五、昭和三〇・七法五三、昭和三一・六法一四八、昭和三四・四法九〇、法一四八、昭和三五・三法一四、昭和三七・九法一六一、昭和三八・四法七五、七法一三四、昭和三九・六法九四、昭和四二・七法七五、昭和四三・六法一〇一、昭和四五・四法一三、六法一〇九、昭和四八・九法八四、昭和四九・六法六七、法六九、法七一、昭和五〇・六法四五、七法六七、昭和五五・五法三五、昭和五六・五法四八、昭和五七・五法五二、昭和五八・一二法七八、昭和六二・九法八七、昭和六三・四法二二、五法六三、平成三・一〇法九〇、平成四・六法七六、平成五・五法三四、一一法八九、平成六・六法四九、平成七・二法一四、平成一〇・六法九二、平成一一・三法二五、六法七六、七法八七、一二法一五一、法一六〇、平成一四・二法一、三法一一、四法二二、七法一〇〇、平成一五・六法一〇〇、平成一六・六法一二四、一二法一四七、法一五〇、平成一七・四法三四、七法八七、平成一八・六法五〇、平成二三・五法五三、八法一〇五、平成二六・五法四二、六法六九、平成二七・九法六三、平成二八・六法七二、平成二九・六法四五、令和元・六法三七、令和三・五法三七、令和五・六法六三

目次

第一章　総則（第一条―第三条の四）
第二章　施行者
　第一節　個人施行者（第四条―第十三条）
　第二節　土地区画整理組合
　　第一款　設立（第十四条―第二十四条）
　　第二款　管理（第二十五条―第四十四条）
　　第三款　解散及び合併（第四十五条―第五十一条）
　第三節　区画整理会社（第五十一条の二―第五十一条の十三）
　第四節　都道府県及び市町村（第五十二条―第六十五条）
　第五節　国土交通大臣（第六十六条―第七十一条）
　第六節　独立行政法人都市再生機構等（第七十一条の二―第七十一条の六）
第三章　土地区画整理事業
　第一節　通則（第七十二条―第八十五条の四）
　第二節　換地計画（第八十六条―第九十七条）
　第三節　仮換地の指定（第九十八条―第百二条）
　第四節　換地処分（第百三条―第百八条）
　第五節　減価補償金（第百九条）
　第六節　清算（第百十条―第百十二条）
　第七節　権利関係の調整（第百十三条―第百十七条）
　第八節　住宅先行建設区における住宅の建設（第百十七条の二）
　第九節　国土交通大臣の技術検定等（第百十七条の三―第百十七条の十九）
第四章　費用の負担等（第百十八条―第百二十一条）
第五章　監督（第百二十二条―第百二十七条の二）
第六章　雑則（第百二十八条―第百三十六条の四）
第七章　罰則（第百三十七条―第百四十七条）
附則

第一章　総則

（この法律の目的）

第一条　この法律は、土地区画整理事業に関し、その施行者、施行方法、費用の負担等必要な事項を規定することにより、健全な市街地の造成を図り、もつて公共の福祉の増進に資することを目的とする。

（定義）

第二条　この法律において「土地区画整理事業」とは、都市計画区域内の土地について、公共施設の整備改善及び宅地の利用の増進を図るため、この法律で定めるところに従つて行われる土地の区画形質の変更及び公共施設の新設又は変更に関する事業をいう。

2　前項の事業の施行のため若しくはその事業の施行に係る土地の利用の促進のため必要な工作物その他の物件の設置、管理及び処分に関する事業又は埋立若しくは干拓に関する事業が前項の事業にあわせて行われる場合においては、これらの事業は、土地区画整理事業に含まれるものとする。

3　この法律において「施行者」とは、土地区画整理事業を施行する者をいう。

4　この法律において「施行地区」とは、土地区画整理事業を施行する土地の区域をいう。

5　この法律において「公共施設」とは、道路、公園、広場、河川その他政令で定める公共の用に供する施設をいう。

6　この法律において「宅地」とは、公共施設の用に供されている国又は地方公共団体の所有する土地以外の土地をいう。

7　この法律において「借地権」とは、借地借家法（平成三年法律第九十号）にいう借地権をいい、「借地」とは、借地権の目的となつている宅地をいう。

8　この法律において「施行区域」とは、都市計画法（昭和四十三年法律第百号）第十二条第二項の規定により土地区画整理事業について都市計画に定められた施行区域をいう。

（土地区画整理事業の施行）

第三条　宅地について所有権若しくは借地権を有する者又は宅地について所有権若しくは借地権を有する者の同意を得た者は、一人で、又は数人共同して、当該権利の目的である宅地について、又はその宅地及び一定の区域の宅地以外の土地について土地区画整理事業を施行することができる。ただし、宅地について所有権又は借地権を有する者の同意を得た者にあつては、独立行政法人都市再生機構、地方住宅供給公社その他土地区画整理事業を施行するため必要な資力、信用及び技術的能力を有する者で政令で定めるものに限る。

2　宅地について所有権又は借地権を有する者が設立する土地区画整理組合は、当該権利の目的である宅地を含む一定の区域の土地について土地区画整理事業を施行することができる。

3　宅地について所有権又は借地権を有する者を株主とする株式会社で次に掲げる要件のすべてに該当するものは、当該所有権又は借地権の目的である宅地を含む一定の区域の土地について土地区画整理事業を施行することができる。

一　土地区画整理事業の施行を主たる目的とするものであること。

二　公開会社（会社法（平成十七年法律第八十六号）第二条第五号に規定する公開会社をいう。）でないこと。

三　施行地区となるべき区域内の宅地について所有権又は借地権を有する者が、総株主の議決権の過半数を保有していること。

四　前号の議決権の過半数を保有している者及び当該株式会社が所有する施行地区となるべき区域内の宅地の地積とそれらの者が有する借地権の目的となつているその区域内の宅地の地積との合計が、その区域内の宅地の総地積と借地権の目的となつている宅地の総地積との合計の三分の二以上であること。この場合において、これらの者が宅地の共有者又は共同借地権者であるときは、当該宅地又は借地権の目的となつている宅地の地積に当該者が有する所有権又は借地権の共有持分の割合を乗じて得た面積を、当該宅地又は借地権の目的となつている宅地について当該者が有する宅地又は借地権の目的となつている宅地の地積とみなす。

4　都道府県又は市町村は、施行区域の土地について土地区画整理事業を施行することができる。

5　国土交通大臣は、施行区域の土地について、国の利害に重大な関係がある土地区画整理事業で災害の発生その他特別の事情により急施を要すると認められるもののうち、国土交通大臣が施行する公共施設に関する工事と併せて施行することが必要であると認められるもの又は都道府県若しくは市町村が施行することが著しく困難若しくは不適当であると認められるものについては自ら施行し、その他のものについては都道府県又は市町村に施行すべきことを指示することができる。

（独立行政法人都市再生機構の施行する土地区画整理事業）

第三条の二　独立行政法人都市再生機構は、国土交通大臣が一体的かつ総合的な住宅市街地その他の市街地の整備改善を促進すべき相当規模の地区の計画的な整備改善を図るため必要な土地区画整理事業を施行する必要があると認める場合においては、施行区域の土地について、当該土地区画整理

事業を施行することができる。

2　前項に規定するもののほか、独立行政法人都市再生機構は、国土交通大臣が国の施策上特にその供給を支援すべき賃貸住宅の敷地の整備と併せてこれと関連する市街地の整備改善を図るための土地区画整理事業を施行する必要があると認める場合においては、施行区域の土地について、当該土地区画整理事業を施行することができる。

（地方住宅供給公社の施行する土地区画整理事業）

第三条の三　地方住宅供給公社は、国土交通大臣（市のみが設立した地方住宅供給公社にあつては、都道府県知事）が地方住宅供給公社の行う住宅の用に供する宅地の造成と一体的に土地区画整理事業を施行しなければ当該宅地を居住環境の良好な集団住宅の用に供する宅地として造成することが著しく困難であると認める場合においては、施行区域の土地について、当該土地区画整理事業を施行することができる。

（都市計画事業として施行する土地区画整理事業）

第三条の四　施行区域の土地についての土地区画整理事業は、都市計画事業として施行する。

2　都市計画法第六十条から第七十四条までの規定は、都市計画事業として施行する土地区画整理事業には適用しない。

3　施行区域内における建築物の建築の制限に関しては、都市計画法第五十三条第三項中「第六十五条第一項に規定する告示」とあるのは「土地区画整理法第七十六条第一項各号に掲げる公告」と、「当該告示」とあるのは「当該公告」とする。

第二章　施行者

第一節　個人施行者

（施行の認可）

第四条　土地区画整理事業を第三条第一項の規定により施行しようとする者は、一人で施行しようとする者にあつては規準及び事業計画を定め、数人共同して施行しようとする者にあつては規約及び事業計画を定め、その土地区画整理事業の施行について都道府県知事の認可を受けなければならない。この場合において、土地区画整理事業を施行しようとする者がその申請をしようとするときは、国土交通省令で定めるところにより、施行地区となるべき区域を管轄する市町村長を経由して行わなければならない。

2　第三条第一項に規定する者が施行区域の土地について施行する土地区画整理事業については、前項に規定する認可をもつて都市計画法第五十九条第四項に規定する認可とみなす。ただし、同法第七十九条、第八十条第一項、第八十一条第一項及び第八十九条第一項の規定の適用については、この限りでない。

（規準又は規約）

第五条　前条第一項の規準又は規約には、次の各号（規準にあつては、第五号から第七号までを除く。）に掲げる事項を記載しなければならない。

一　土地区画整理事業の名称

二　施行地区（施行地区を工区に分ける場合においては、施行地区及び工区）に含まれる地域の名称

三　土地区画整理事業の範囲

四　事務所の所在地

五　費用の分担に関する事項

六　業務を代表して行う者を定める場合においては、その職名、定数、任期、職務の分担及び選任の方法に関する事項

七　会議に関する事項

八　事業年度

九　公告の方法

十　その他政令で定める事項

（事業計画）

第六条　第四条第一項の事業計画においては、国土交通省令で定めるところにより、施行地区（施行地区を工区に分ける場合においては、施行地区及び工区）、設計の概要、事業施行期間及び資金計画を定めなければならない。

2　住宅の需要の著しい地域に係る都市計画区域で国土交通大臣が指定するものの区域において新たに住宅市街地を造成することを目的とする土地区画整理事業の事業計画においては、施行地区における住宅の建設を促進するため特別な必要があると認められる場合には、国土交通省令で定めるところにより、住宅を先行して建設すべき土地の区域（以下「住宅先行建設区」という。）を定めることができる。

3　住宅先行建設区は、施行地区における住宅の建設を促進する上で効果的であると認められる位置に定め、その面積は、住宅が先行して建設される見込みを考慮して相当と認められる規模としなければならない。

4　都市計画法第十二条第二項の規定により市街地再開発事業（都市再開発法（昭和四十四年法律第三十八号）による市街地再開発事業をいう。以下同じ。）について都市計画に定められた施行区域をその施行地区に含む土地区画整理事業の事業計画においては、国土交通省令で定めるところにより、当該施行区域内の全部又は一部について、土地区画整理事業と市街地再開発事業を一体的に施行すべき土地の区域（以下「市街地再開発事業区」という。）を定めることができる。

5　市街地再開発事業区の面積は、第八十五条の三第一項の規定による申出が見込まれるものについての換地の地積の合計を考慮して相当と認められる規模としなければならない。

6　高度利用地区（都市計画法第八条第一項第三号の高度利用地区をいう。以下同じ。）の区域、都市再生特別地区（都市再生特別措置法（平成十四年法律第二十二号）第三十六条第一項の規定による都市再生特別地区をいう。以下同じ。）の区域又は特定地区計画等区域（都市再開発法第二条の二第一項第四号に規定する特定地区計画等区域をいう。以下同じ。）をその施行地区に含む土地区画整理事業の事業計画においては、国土交通省令で定めるところにより、当該高度利用地区の区域、都市再生特別地区の区域又は特定地区計画等区域内の全部又は一部（市街地再開発事業区が定められた区域を除く。）について、土地の合理的かつ健全な高度利用の推進を図るべき土地の区域（以下「高度利用推進区」という。）を定めることができる。

7　高度利用推進区の面積は、第八十五条の四第一項及び第二項の規定による申出が見込まれるものについての換地の地積及び共有持分を与える土地の地積との合計を考慮して相当と認められる規模としなければならない。

8　事業計画においては、環境の整備改善を図り、交通の安全を確保し、災害の発生を防止し、その他健全な市街地を造成するために必要な公共施設及び宅地に関する計画が適正に定められていなければならない。

9　事業計画においては、施行地区は施行区域の内外にわたらないように定め、事業施行期間は適切に定めなければならない。

10　事業計画は、公共施設その他の施設又は土地区画整理事業に関する都市計画が定められている場合においては、その都市計画に適合して定めなければならない。

11　事業計画の設定について必要な技術的基準は、国土交通省令で定める。

（宅地以外の土地を管理する者の承認）

第七条　第四条第一項の事業計画を定めようとする者は、宅地以外の土地を施行地区に編入する場合においては、当該土地を管理する者の承認を得なければならない。

（事業計画に関する関係権利者の同意）

第八条　第四条第一項に規定する認可を申請しようとする者は、その者以外に施行地区となるべき区域内の宅地について権利を有する者がある場合においては、事業計画についてこれらの者の同意を得なければならない。但し、その権利をもつて認可を申請しようとする者に対抗することができない者については、この限りでない。

2　前項の場合において、宅地について権利を有する者のうち所有権又は借地権を有する者以外の者について同意を得られないとき、又はその者を確知することができないときは、その同意を得られない理由又は確知することができない理由を記載した書面を添えて、第四条第一項に規定する認可を申請することができる。

（施行の認可の基準等）

第九条　都道府県知事は、第四条第一項に規定する認可の申請があつた場合においては、次の各号の一に該当する事実があると認めるとき、及び次項の規定に該当するとき以外は、その認可をしなければならない。

一　申請手続が法令に違反していること。

二　規準若しくは規約又は事業計画の決定手続又は内容が法令に違反していること。

三　市街地とするのに適当でない地域又は土地区画整理事業以外の事業によつて市街地とすることが都市計画において定められた区域が施行地区に編入されていること。

四　土地区画整理事業を施行するために必要な経済的基礎及びこれを的確

に施行するために必要なその他の能力が十分でないこと。

2　都道府県知事は、都市計画法第七条第一項の市街化調整区域と定められた区域が施行地区に編入されている場合においては、当該区域内において土地区画整理事業として行われる同法第四条第十二項に規定する開発行為が同法第三十四条各号の一に該当すると認めるときでなければ、第四条第一項に規定する認可をしてはならない。

3　都道府県知事は、第四条第一項に規定する認可をした場合においては、遅滞なく、国土交通省令で定めるところにより、施行者の氏名又は名称、事業施行期間、施行地区（施行地区を工区に分ける場合においては、施行地区及び工区。以下この項において同じ。）その他国土交通省令で定める事項を公告し、かつ、施行区域の土地について施行する土地区画整理事業については、国土交通大臣及び関係市町村長に施行地区及び設計の概要を表示する図書を送付しなければならない。

4　市町村長は、第十三条第四項、第百三条第四項又は第百二十四条第三項の公告の日まで、政令で定めるところにより、前項の図書を当該市町村の事務所において公衆の縦覧に供しなければならない。

5　第三条第一項の規定による施行者（以下「個人施行者」という。）は、第三項の公告があるまでは、施行者として、又は規準若しくは規約若しくは事業計画をもつて第三者に対抗することができない。

（規準又は規約及び事業計画の変更）

第一〇条　個人施行者は、規準若しくは規約又は事業計画を変更しようとする場合においては、その変更について都道府県知事の認可を受けなければならない。この場合において、個人施行者がその申請をしようとするときは、国土交通省令で定めるところにより、施行地区又は施行地区となるべき区域を管轄する市町村長を経由して行わなければならない。

2　個人施行者は、施行地区の縮小又は費用の分担に関し、規準若しくは規約又は事業計画を変更しようとする場合において、その者に土地区画整理事業の施行のための借入金があるときは、その変更についてその債権者の同意を得なければならない。

3　第七条の規定は事業計画を変更しようとする個人施行者について、第八条の規定は事業計画の変更についての認可を申請しようとする個人施行者について、前条の規定は第一項に規定する認可の申請があつた場合及びその認可をした場合について準用する。この場合において、第八条第一項中「施行地区となるべき区域」とあるのは「施行地区及び施行地区となるべき区域」と、前条第三項中「を公告し」とあるのは「についての変更に係る事項を公告し」と、「施行地区及び設計の概要」とあるのは「変更に係る施行地区又は設計の概要」と、同条第五項中「施行者として、又は規準若しくは規約若しくは事業計画をもつて」とあるのは「規準若しくは規約又は事業計画の変更をもつて」と読み替えるものとする。

（施行者の変動）

第一一条　個人施行者について相続、合併その他の一般承継があつた場合において、その一般承継人が施行者以外の者であるときは、その一般承継人は、施行者となる。

2　施行地区内の宅地について個人施行者の有する所有権又は借地権の全部又は一部を施行者以外の者（前項に規定する一般承継人を除く。）が承継した場合においては、その者は、施行者となる。

3　施行地区内の宅地について個人施行者の有する借地権の全部又は一部が消滅した場合（当該借地権についての一般承継に伴う混同により消滅した場合を除く。）において、その借地権の目的となつていた宅地の所有者又はその宅地の賃貸人が施行者以外の者であるときは、その消滅した借地権が地上権である場合にあつてはその宅地の所有者が、その消滅した借地権が賃借権である場合にあつてはその宅地の賃貸人がそれぞれ施行者となる。

4　一人で施行する土地区画整理事業において、前三項の規定により施行者が数人となつた場合においては、その土地区画整理事業は、第三条第一項の規定により数人共同して施行する土地区画整理事業となるものとする。この場合において、施行者は、遅滞なく、第四条第一項の規約を定め、その規約について都道府県知事の認可を受けなければならない。

5　前項の規定による認可の申請は、施行地区を管轄する市町村長を経由して行わなければならない。

6　数人共同して施行する土地区画整理事業において、当該施行者について一般承継があり、又は施行地区内の宅地について当該施行者の有する所有権若しくは借地権の一般承継以外の事由による承継若しくは消滅があつたことにより施行者が一人となつた場合においては、その土地区画整理事業は、第三条第一項の規定により一人で施行する土地区画整理事業となるものとする。この場合において、その土地区画整理事業について定められていた規約のうち、規準に記載すべき事項に相当する事項は、その土地区画整理事業に係る規準としての効力を有するものとし、その他の事項はその効力を失うものとする。

7　個人施行者について一般承継があり、又は施行地区内の宅地について、個人施行者の有する所有権若しくは借地権の一般承継以外の事由による承継若しくは消滅があつたことにより施行者に変動を生じた場合（第四項前段に規定する場合を除く。）においては、施行者は、遅滞なく、国土交通省令で定めるところにより、施行地区を管轄する市町村長を経由して、新たに施行者となつた者の氏名又は名称及び住所並びに施行者でなくなつた者の氏名又は名称を都道府県知事に届け出なければならない。

8　都道府県知事は、第四項後段の規定により定められた規約について認可した場合又は前項の規定による届出を受理した場合においては、遅滞なく、国土交通省令で定める事項を公告しなければならない。

9　個人施行者は、前項の公告があるまでは、施行者の変動、第四項後段の規定により定めた規約又は第六項後段に規定する規約の一部の失効をもつて第三者に対抗することができない。

（施行者の権利義務の移転）

第一二条　個人施行者について一般承継があつた場合においては、その施行者が土地区画整理事業に関して有する権利義務（その施行者がその土地区画整理事業に関し、行政庁の許可、認可その他の処分に基づいて有する権利義務を含む。以下この条において同じ。）は、その一般承継人に移転する。

2　前項に規定する場合を除き、施行地区内の宅地について個人施行者の有する所有権又は借地権の全部又は一部を承継した者がある場合においては、その施行者がその所有権又は借地権の全部又は一部について土地区画整理事業に関して有する権利義務は、その承継した者に移転する。

3　第一項に規定する場合を除き、施行地区内の宅地について個人施行者の有する借地権の全部又は一部が消滅した場合においては、その施行者がその借地権の全部又は一部について土地区画整理事業に関して有する権利義務は、その消滅した借地権が地上権である場合にあつてはその借地権の目的となつていた宅地の所有者に、その消滅した借地権が賃借権である場合にあつてはその宅地の賃貸人にそれぞれ移転する。

（土地区画整理事業の廃止又は終了）

第一三条　個人施行者は、土地区画整理事業を廃止し、又は終了しようとする場合においては、その廃止又は終了について都道府県知事の認可を受けなければならない。この場合において、個人施行者がその申請をしようとするときは、国土交通省令で定めるところにより、施行地区を管轄する市町村長を経由して行わなければならない。

2　都道府県知事は、第六条第二項の規定により事業計画に住宅先行建設区が定められている場合においては、第八十五条の二第五項の規定により指定された宅地についての第百十七条の二第一項に規定する指定期間（第八十五条の二第五項の規定により指定された宅地についての指定期間の終期が異なる場合においては、その終期の最も遅いもの。以下この項、第四十五条第三項及び第五十一条の十三第二項において同じ。）を経過した後でなければ、前項に規定する土地区画整理事業の終了についての認可をしてはならない。ただし、住宅先行建設区内の換地に住宅が建設されたこと等により施行地区における住宅の建設を促進する上で支障がないと認められる場合においては、指定期間内においても当該認可をすることができる。

3　個人施行者は、土地区画整理事業を廃止しようとする場合において、その者に土地区画整理事業の施行のための借入金があるときは、その廃止についてその債権者の同意を得なければならない。

4　第九条第三項（図書の送付に係る部分を除く。）及び第五項の規定は、第一項に規定する認可をした場合の公告について準用する。この場合において、同条第五項中「施行者として、又は規準若しくは規約若しくは事業計画をもつて」とあるのは、「土地区画整理事業の廃止又は終了をもつて」と読み替えるものとする。

第二節　土地区画整理組合

第一款　設立

（設立の認可）

第一四条　第三条第二項に規定する土地区画整理組合（以下「組合」という。）を設立しようとする者は、七人以上共同して、定款及び事業計画を定め、その組合の設立について都道府県知事の認可を受けなければならない。この場合において、組合を設立しようとする者がその申請をしようとするときは、国土交通省令で定めるところにより、施行地区となるべき区域を管轄する市町村長を経由して行わなければならない。
2　組合を設立しようとする者は、事業計画の決定に先立つて組合を設立する必要があると認める場合においては、前項の規定にかかわらず、七人以上共同して、定款及び事業基本方針を定め、その組合の設立について都道府県知事の認可を受けることができる。この場合においては、前項後段の規定を準用する。
3　前項の規定により設立された組合は、都道府県知事の認可を受けて、事業計画を定めるものとする。この場合において、組合がその申請をしようとするときは、国土交通省令で定めるところにより、施行地区を管轄する市町村長を経由して行わなければならない。
4　組合が施行区域の土地について施行する土地区画整理事業については、第一項又は前項に規定する認可をもつて都市計画法第五十九条第四項に規定する認可とみなす。第四条第二項ただし書の規定は、この場合に準用する。

（定款）
第一五条　前条第一項又は第二項の定款には、次に掲げる事項を記載しなければならない。
一　組合の名称
二　施行地区（施行地区を工区に分ける場合においては、施行地区及び工区）に含まれる地域の名称
三　事業の範囲
四　事務所の所在地
五　参加組合員に関する事項
六　費用の分担に関する事項
七　役員の定数、任期、職務の分担並びに選挙及び選任の方法に関する事項
八　総会に関する事項
九　総代会を設ける場合においては、総代及び総代会に関する事項
十　事業年度
十一　公告の方法
十二　その他政令で定める事項

（事業計画及び事業基本方針）
第一六条　第六条の規定は、第十四条第一項又は第三項の事業計画について準用する。
2　第十四条第二項の事業基本方針においては、国土交通省令で定めるところにより、施行地区（施行地区を工区に分ける場合においては、施行地区及び工区）及び土地区画整理事業の施行の方針を定めなければならない。
3　事業基本方針においては、施行地区は、施行区域の内外にわたらないように定めなければならない。
4　第十四条第三項の事業計画は、同条第二項の事業基本方針に即したものでなければならない。

（宅地以外の土地を管理する者の承認）
第一七条　第七条の規定は、第十四条第一項又は第三項の事業計画を定めようとする者について準用する。

（定款及び事業計画又は事業基本方針に関する宅地の所有者及び借地権者の同意）
第一八条　第十四条第一項又は第二項に規定する認可を申請しようとする者は、定款及び事業計画又は事業基本方針について、施行地区となるべき区域内の宅地について所有権を有するすべての者及びその区域内の宅地について借地権を有するすべての者のそれぞれの三分の二以上の同意を得なければならない。この場合においては、同意した者が所有するその区域内の宅地の地積と同意した者が有する借地権の目的となつているその区域内の宅地の地積との合計が、その区域内の宅地の総地積と借地権の目的となつている宅地の総地積との合計の三分の二以上でなければならない。

（借地権の申告）
第一九条　前条に規定する同意を得ようとする者は、あらかじめ、施行地区となるべき区域の公告を当該区域を管轄する市町村長に申請しなければならない。
2　市町村長は、前項に規定する申請があつた場合においては、政令で定めるところにより、遅滞なく、施行地区となるべき区域を公告しなければならない。
3　前項の規定により公告された施行地区となるべき区域内の宅地について未登記の借地権を有する者は、前項の公告があつた日から一月以内に当該市町村長に対し、その借地権の目的となつている宅地の所有者と連署し、又はその借地権を証する書面を添えて、国土交通省令で定めるところにより、書面をもつてその借地権の種類及び内容を申告しなければならない。
4　未登記の借地権で前項の規定による申告のないものは、前項の申告の期間を経過した後は、前条の規定の適用については、存しないものとみなす。

（事業計画の案の作成及び組合員への周知等）
第一九条の二　第十四条第二項の規定により設立された組合は、同条第三項の事業計画を定めようとするときは、あらかじめ、事業計画の案を作成し、国土交通省令で定めるところにより、説明会の開催その他組合員に当該事業計画の案を周知させるため必要な措置を講じなければならない。
2　前項の組合員は、同項の事業計画の案について意見がある場合においては、国土交通省令で定めるところにより、組合に意見書を提出することができる。ただし、事業基本方針において定められた事項については、この限りでない。
3　組合は、前項の規定により意見書の提出があつたときは、その意見書に係る意見を勘案し、必要があると認めるときは事業計画の案に修正を加えなければならない。
4　組合が成立した後、最初の役員が選挙され、又は選任されるまでの間は、前三項の規定による組合の事務は、第十四条第二項の規定による認可を受けた者が行うものとする。

（事業計画の縦覧及び意見書の処理）
第二〇条　都道府県知事は、第十四条第一項又は第三項に規定する認可の申請があつた場合においては、政令で定めるところにより、施行地区となるべき区域（同項に規定する認可の申請にあつては、施行地区）を管轄する市町村長に、当該事業計画を二週間公衆の縦覧に供させなければならない。ただし、当該申請に関し明らかに次条第一項各号（第十四条第三項に規定する認可の申請にあつては、次条第一項第三号を除く。）の一に該当する事実があり、認可すべきでないと認める場合又は同条第二項の規定により認可をしてはならないことが明らかであると認める場合においては、この限りでない。
2　当該土地区画整理事業に関係のある土地若しくはその土地に定着する物件又は当該土地区画整理事業に関係のある水面について権利を有する者（以下「利害関係者」という。）は、前項の規定により縦覧に供された事業計画について意見がある場合においては、縦覧期間満了の日の翌日から起算して二週間を経過する日までに、都道府県知事に意見書を提出することができる。ただし、都市計画において定められた事項については、この限りでない。
3　都道府県知事は、前項の規定により意見書の提出があつた場合においては、その内容を審査し、その意見書に係る意見を採択すべきであると認めるときは、第十四条第一項又は第三項に規定する認可を申請した者に対し事業計画に必要な修正を加えるべきことを命じ、その意見書に係る意見を採択すべきでないと認めるときは、その旨を意見書を提出した者に通知しなければならない。
4　前項の規定による意見書の内容の審査については、行政不服審査法（平成二十六年法律第六十八号）第二章第三節（第二十九条、第三十条、第三十二条第二項、第三十八条、第四十条、第四十一条第三項及び第四十二条を除く。）の規定を準用する。この場合において、同節中「審理員」とあるのは、「都道府県知事」と読み替えるものとする。
5　第十四条第一項又は第三項に規定する認可を申請した者が、第三項の規定により事業計画に修正を加え、その旨を都道府県知事に申告した場合においては、その修正に係る部分について、更に本条に規定する手続を行うべきものとする。

（設立の認可の基準等及び組合の成立）
第二一条　都道府県知事は、第十四条第一項から第三項までに規定する認可の申請があつた場合においては、次の各号（同項に規定する認可の申請にあつては、第三号を除く。）のいずれかに該当する事実があると認めるとき以外は、その認可をしなければならない。
一　申請手続が法令に違反していること。
二　定款又は事業計画若しくは事業基本方針の決定手続又は内容が法令

（事業計画の内容にあつては、前条第三項の規定による都道府県知事の命令を含む。）に違反していること。

三　市街地とするのに適当でない地域又は土地区画整理事業以外の事業によつて市街地とすることが都市計画において定められた区域が施行地区に編入されていること。

四　土地区画整理事業を施行するために必要な経済的基礎及びこれを的確に施行するために必要なその他の能力が十分でないこと。

2　前項の規定にかかわらず、都道府県知事は、都市計画法第七条第一項の市街化調整区域と定められた区域が施行地区に編入されている場合においては、当該区域内において土地区画整理事業として行われる同法第四条第十二項に規定する開発行為が同法第三十四条各号のいずれかに該当すると認めるときでなければ、第十四条第一項又は第二項に規定する認可をしてはならない。

3　都道府県知事は、第十四条第一項又は第三項に規定する認可をした場合においては、遅滞なく、国土交通省令で定めるところにより、組合の名称、事業施行期間、施行地区（施行地区を工区に分ける場合においては、施行地区及び工区。以下この条において同じ。）その他国土交通省令で定める事項を公告し、かつ、施行区域の土地について施行する土地区画整理事業については、国土交通大臣及び関係市町村長に施行地区及び設計の概要を表示する図書を送付しなければならない。

4　都道府県知事は、第十四条第二項に規定する認可をした場合においては、遅滞なく、国土交通省令で定めるところにより、組合の名称、施行地区その他国土交通省令で定める事項を公告しなければならない。

5　組合は、第十四条第一項又は第二項に規定する認可により成立する。

6　市町村長は、第四十五条第五項又は第百三条第四項の公告の日まで、政令で定めるところにより、第三項の図書を当該市町村の事務所において公衆の縦覧に供しなければならない。

7　組合は、第十四条第一項の認可に係る第三項の公告があるまでは組合の成立又は定款若しくは事業計画をもつて、第四項の公告があるまでは組合の成立又は定款若しくは事業基本方針をもつて、同条第三項の認可に係る第三項の公告があるまでは事業計画をもつて、組合員その他の第三者に対抗することができない。

（組合の法人格）

第二十二条　組合は、法人とする。

（名称の使用制限）

第二十三条　組合は、その名称中に土地区画整理組合という文字を用いなければならない。

2　組合でない者は、その名称中に土地区画整理組合という文字を用いてはならない。

（設立の費用の負担）

第二十四条　組合の設立に関する費用は、その組合の負担とする。但し、組合が成立しなかつた場合においては、その費用は、その設立について認可を申請した者の負担とする。

第二款　管理

（組合員）

第二十五条　組合が施行する土地区画整理事業に係る施行地区内の宅地について所有権又は借地権を有する者は、すべてその組合の組合員とする。

2　施行地区内の宅地について存する未登記の借地権で第十九条第三項又は第八十五条第一項の規定による申告のないものは、その申告のない限り、前項の規定の適用については、存しないものとみなし、施行地区内の宅地について存する未登記の借地権で第十九条第三項又は第八十五条第一項の規定による申告があつたもののうち同条第三項の規定による届出のないものは、その届出のない限り、前項の規定の適用については、その借地権の移転、変更又は消滅がないものとみなす。

（参加組合員）

第二十五条の二　前条第一項に規定する者のほか、独立行政法人都市再生機構、地方住宅供給公社その他政令で定める者であつて、組合が都市計画事業として施行する土地区画整理事業に参加することを希望し、定款で定められたものは、参加組合員として、組合の組合員となる。

（組合員の権利義務の移転）

第二十六条　施行地区内の宅地について組合員の有する所有権又は借地権の全部又は一部を承継した者がある場合においては、その組合員がその所有権又は借地権の全部又は一部について組合に対して有する権利義務は、その承継した者に移転する。

2　施行地区内の宅地について組合員の有する借地権の全部又は一部が消滅した場合においては、その組合員がその借地権の全部又は一部について組合に対して有する権利義務は、その消滅した借地権が地上権である場合にあつてはその借地権の目的となつていた宅地の所有者に、その消滅した借地権が賃借権である場合にあつてはその宅地の賃貸人にそれぞれ移転する。

（役員）

第二十七条　組合に、役員として、理事及び監事を置く。

2　理事の定数は五人以上、監事の定数は二人以上とし、それぞれ定款で定める。

3　理事及び監事は、定款で定めるところにより、組合員（法人にあつては、その役員）のうちから総会で選挙する。ただし、特別の事情がある場合においては、定款で定めるところにより、組合員以外の者のうちから総会で選任することができる。

4　前項本文の規定により選挙された理事若しくは監事が組合員でなくなつたとき、又はその理事若しくは監事が組合員である法人の役員である場合において、その法人が組合員でなくなつたとき、若しくはその理事若しくは監事がその法人の役員でなくなつたときは、その理事又は監事は、その地位を失う。

5　理事及び監事の任期は、五年をこえない範囲内において定款で定める。補欠の理事及び監事の任期は、前任者の残任期間とする。

6　理事又は監事は、その任期が満了しても、後任の理事又は監事が就任するまでの間は、なおその職務を行う。

7　組合員は、組合員の三分の一以上の連署をもつて、その代表者から理由を記載した書面を組合に提出して、理事又は監事の解任を請求することができる。

8　前項の規定による請求があつた場合においては、理事は、直ちにその請求の要旨を公表し、これを組合員の投票に付さなければならない。

9　理事又は監事は、前項の規定による投票において過半数の同意があつた場合においては、その地位を失う。

10　前三項に定めるものの外、理事及び監事の解任の請求及び第八項の規定による投票に関し必要な事項は、政令で定める。

（役員の職務）

第二十八条　理事は、定款で定めるところにより、組合の業務を執行し、及び組合を代表する。

2　定款に別段の定めがある場合を除くほか、組合の業務は、理事の過半数で決する。

3　監事は、組合の業務の執行及び財産の状況を監査する。

4　監事は、組合の業務の執行及び財産の状況について不正があると認める場合においては、その旨を総会に報告しなければならない。

5　組合が理事と契約する場合においては、監事が組合を代表する。組合と理事との訴訟についても、同様とする。

6　理事は、事業報告書、収支決算書及び財産目録を毎事業年度作成し、監事の意見書を添えて、これを通常総会に提出し、その承認を求めなければならない。

7　前項の監事の意見書については、これに記載すべき事項を記録した電磁的記録（電子的方式、磁気的方式その他人の知覚によつては認識することができない方式で作られる記録であつて、電子計算機による情報処理の用に供されるものとして国土交通省令で定めるものをいう。）の添付をもつて、当該監事の意見書の添付に代えることができる。この場合において、理事は、当該監事の意見書を添付したものとみなす。

8　理事は、毎事業年度、通常総会の承認を得た事業報告書、収支決算書及び財産目録を当該承認を得た日から二週間以内に、都道府県知事に提出しなければならない。

9　理事は、組合員から総組合員の十分の一以上の同意を得て会計の帳簿及び書類の閲覧又は謄写の請求があつた場合においては、正当な理由がない限り、これを拒んではならない。

10　理事は監事と、監事は理事又は組合の職員と兼ねてはならない。

（理事の代表権の制限）

第二十八条の二　理事の代表権に加えた制限は、善意の第三者に対抗することができない。

（理事の代理行為の委任）
第二八条の三　理事は、定款によつて禁止されていないときに限り、特定の行為の代理を他人に委任することができる。

（理事の氏名等の届出）
第二九条　組合は、施行地区を管轄する市町村長を経由して、理事の氏名及び住所を都道府県知事に届け出なければならない。
2　都道府県知事は、前項の規定による届出があつた場合においては、遅滞なく、これを公告しなければならない。
3　組合は、前項の公告があるまでは、理事の代表権をもつて組合員以外の第三者に対抗することができない。

（総会の組織）
第三〇条　組合の総会は、総組合員で組織する。

（総会の議決事項）
第三一条　次に掲げる事項は、総会の議決を経なければならない。
一　定款の変更
二　事業計画の決定
三　事業計画又は事業基本方針の変更
四　借入金の借入及びその方法並びに借入金の利率及び償還方法
五　経費の収支予算
六　予算をもつて定めるものを除くほか、組合の負担となるべき契約
七　賦課金の額及び賦課徴収方法
八　換地計画
九　仮換地の指定
十　保留地の処分方法
十一　事業の引継についての同意
十二　その他定款で総会の議決を経なければならないものと定めた事項

（総会の招集）
第三二条　理事は、毎事業年度一回通常総会を招集しなければならない。
2　理事は、必要と認める場合においては、いつでも臨時総会を招集することができる。
3　組合員が組合員の五分の一以上の同意を得て会議の目的である事項及び招集の理由を記載した書面を組合に提出して総会の招集を請求した場合においては、理事は、その請求のあつた日から二十日以内に臨時総会を招集しなければならない。
4　前項の場合において、電磁的方法（電子情報処理組織を使用する方法その他の情報通信の技術を利用する方法であつて国土交通省令で定めるものをいう。以下同じ。）により議決権及び選挙権を行うことが定款で定められているときは、組合員は、同項の規定による書面の提出に代えて、当該書面に記載すべき事項を当該電磁的方法により提供することができる。この場合において、当該組合員は、当該書面を提出したものとみなす。
5　前項前段の規定による書面に記載すべき事項の電磁的方法（国土交通省令で定める方法を除く。）による提供は、組合の使用に係る電子計算機に備えられたファイルへの記録がされた時に当該組合に到達したものとみなす。
6　理事の職務を行う者がない場合においては、総会の招集は、監事が行う。
7　第三項の規定による請求があつた場合において、理事が正当な理由がないのに総会を招集しないときは、監事は、同項の期間経過後十日以内に臨時総会を招集しなければならない。
8　第二十八条第四項の規定により総会に報告しなければならないと認める場合においては、監事は、臨時総会を招集することができる。
9　第十四条第一項又は第二項に規定する認可を受けた者は、その認可の公告があつた日から一月以内に、最初の理事及び監事を選挙し、又は選任するための総会を招集しなければならない。
10　総会を招集するには、少なくとも会議を開く日の五日前までに、会議の日時、場所及び目的である事項を組合員に通知しなければならない。ただし、緊急を要する場合においては、二日前までにこれらの事項を組合員に通知して、総会を招集することができる。
11　理事は、少なくとも通常総会の会議を開く日の五日前からその会議を開く日までの間、当該通常総会の承認を求めようとする事業報告書、収支決算書及び財産目録を主たる事務所に備え付けておかなければならない。
12　理事は、組合員から前項の書類の閲覧又は謄写の請求があつた場合においては、正当な理由がない限り、これを拒んではならない。

（総会の議長）
第三三条　総会に、議長を置く。
2　議長は、組合員（法人にあつては、その役員）のうちから総会で選挙する。
3　議長は、総会の議事を主宰する。
4　議長は、組合員として総会の議決に加わることができない。但し、次条第二項の規定による議決については、この限りでない。

（総会の会議及び議事）
第三四条　総会の会議は、定款に特別の定めがある場合を除くほか、組合員の半数以上が出席しなければ開くことができず、その議事は、定款に特別の定めがある場合を除くほか、出席組合員の過半数で決し、可否同数の場合においては、議長の決するところによる。
2　第三十一条第一号及び第三号に掲げる事項のうち政令で定める重要な事項、同条第十一号に掲げる事項並びに組合の解散及び合併の決定に関する総会の議事は、前項の規定にかかわらず、組合員の三分の二以上が出席し、施行地区内の宅地について所有権を有する出席組合員及びその地区内の宅地について借地権を有する出席組合員のそれぞれの三分の二以上で決する。第十八条後段の規定は、この場合について準用する。
3　総会においては、第三十二条第十項の規定によりあらかじめ通知した会議の目的である事項についてのみ議決することができる。

（総会の部会）
第三五条　組合は、施行地区が工区に分けられている場合においては、総会の議決を経て、工区ごとに総会の部会を設け、工区内の宅地に関し第三十一条第八号から第十号までに掲げる総会の権限をその部会に行わせることができる。
2　総会の部会は、その部会の設けられる工区に関係のある組合員で組織する。
3　第三十二条第二項から第七項まで及び第十項、第三十三条第一項から第三項まで及び第四項本文並びに前条第一項及び第三項の規定は、総会の部会について準用する。この場合において、これらの規定（第三十二条第四項後段の規定を除く。）中「臨時総会」又は「総会」とあるのは「総会の部会」と、「組合員」とあるのは「当該部会を組織する組合員」と読み替えるものとする。

（総代会）
第三六条　組合員の数が百人をこえる組合は、総会に代つてその権限を行わせるために総代会を設けることができる。
2　総代会は、総代をもつて組織するものとし、総代の定数は、組合員の総数の十分の一を下らない範囲内において定款で定める。但し、組合員の総数が五百人をこえる組合にあつては、五十人以上であることをもつて足りる。
3　総代会が総会に代つて行う権限は、左の各号に掲げる事項以外の事項に関する総会の権限とする。
一　理事及び監事の選挙及び選任
二　第三十四条第二項の規定に従つて議決しなければならない事項
4　第三十二条第一項から第八項まで及び第十項、第三十三条第一項から第三項まで及び第四項本文並びに第三十四条第一項及び第三項の規定は、総代会について準用する。この場合において、これらの規定中「通常総会」とあるのは「通常総代会」と、「臨時総会」とあるのは「臨時総代会」と、「総会」とあるのは「総代会」と、「組合員」とあるのは「総代」と読み替えるものとする。
5　総代会が設けられた組合においては、理事は、第三十二条第一項の規定にかかわらず、通常総会を招集することを要しない。

（総代）
第三七条　総代は、定款で定めるところにより、組合員が組合員（法人にあつては、その役員）のうちから選挙する。
2　総代が組合員でなくなつたとき、又はその総代が組合員である法人の役員である場合において、その法人が組合員でなくなつたとき、若しくはその総代がその法人の役員でなくなつたときは、その総代は、その地位を失う。
3　総代の任期は、五年をこえない範囲内において定款で定める。補欠の総代の任期は、前任者の残任期間とする。
4　第二十七条第七項から第十項までの規定は、総代の解任の請求及び解任の投票について準用する。この場合において、施行地区内の宅地について所有権を有する組合員及び施行地区内の宅地について借地権を有する組合員が各別に総代を選挙するものと定款で定めたときについての特例は、政令で定める。

（議決権及び選挙権）

第三八条　組合員及び総代は、各一箇の議決権及び選挙権を有する。

2　施行地区内の宅地についての所有権と借地権とをともに有する組合員は、第三十四条第二項の規定による議決については、前項の規定にかかわらず、宅地について所有権を有する組合員として、及び宅地について借地権を有する組合員として、それぞれ一箇の議決権を有する。施行地区内の宅地について所有権を有する組合員及び施行地区内の宅地について借地権を有する組合員が各別に総代を選挙するものと定款で定めた場合におけるその選挙に係る選挙権についても、同様とする。

3　組合員は書面又は代理人をもつて、総代は書面をもつて議決権及び選挙権を行うことができる。

4　組合員及び総代は、定款で定めるところにより、前項の規定による書面をもつてする議決権及び選挙権の行使に代えて、電磁的方法により議決権及び選挙権を行うことができる。

5　前二項の規定により議決権及び選挙権を行う者は、第三十四条第一項（第三十五条第三項及び第三十六条第四項において準用する場合を含む。）及び第二項の規定の適用については、出席者とみなす。

6　代理人は、同時に十人以上の組合員を代理することができない。

7　代理人は、代理権を証する書面を組合に提出しなければならない。

8　前項の場合において、電磁的方法により議決権及び選挙権を行うことが定款で定められているときは、代理人は、当該書面の提出に代えて、当該書面において証すべき事項を当該電磁的方法により提供することができる。この場合において、当該代理人は、当該書面を提出したものとみなす。

（議決権のない場合）

第三八条の二　組合と特定の組合員との関係について議決をする場合には、その組合員は、議決権を有しない。

（定款又は事業計画若しくは事業基本方針の変更）

第三九条　組合は、定款又は事業計画若しくは事業基本方針を変更しようとする場合においては、その変更について都道府県知事の認可を受けなければならない。この場合において、組合がその申請をしようとするときは、国土交通省令で定めるところにより、施行地区又は新たに施行地区となるべき区域を管轄する市町村長を経由して行わなければならない。

2　第七条の規定は事業計画を変更しようとする組合について、第十八条の規定は新たに施行地区となるべき区域がある場合における事業計画又は事業基本方針の変更についての認可を申請しようとする組合について、第十九条の規定はこの項において準用する第十八条に規定する同意を得ようとする組合及び新たに施行地区となるべき区域の公告があつた場合における借地権の申告について、第十九条の二の規定は事業基本方針の変更についての認可を受けて事業計画を定めようとする組合について、第二十条の規定は事業計画の変更（政令で定める軽微な変更を除く。）について前項に規定する認可の申請があつた場合について、第二十一条第一項、第二項及び第六項の規定は前項に規定する認可の申請があつた場合又は同項に規定する認可をした場合について準用する。この場合において、第十八条及び第十九条中「施行地区となるべき区域」とあるのは「新たに施行地区となるべき区域」と、第二十条第一項中「施行地区となるべき区域」とあるのは「施行地区及び新たに施行地区となるべき区域」と、第二十一条第六項中「第三項」とあるのは「第三十九条第四項」と読み替えるものとする。

3　組合は、施行地区の縮小又は費用の分担に関し、定款又は事業計画若しくは事業基本方針を変更しようとする場合において、その組合に借入金があるときは、その変更についてその債権者の同意を得なければならない。

4　都道府県知事は、第一項に規定する認可（第十四条第一項又は第三項に規定する認可に係る定款又は事業計画の変更についてのものに限る。）をした場合においては、遅滞なく、国土交通省令で定めるところにより、組合の名称、事業施行期間、施行地区（施行地区を工区に分ける場合においては、施行地区及び工区。以下この条において同じ。）その他国土交通省令で定める事項についての変更に係る事項を公告し、かつ、施行区域の土地について施行する土地区画整理事業については、国土交通大臣及び関係市町村長に変更に係る施行地区又は設計の概要を表示する図書を送付しなければならない。

5　都道府県知事は、第一項に規定する認可（第十四条第二項に規定する認可に係る定款又は事業基本方針の変更についてのものに限る。）をした場合においては、遅滞なく、国土交通省令で定めるところにより、組合の名称、施行地区その他国土交通省令で定める事項についての変更に係る事項を公告しなければならない。

6　組合は、前二項の公告があるまでは、定款又は事業計画若しくは事業基本方針の変更をもつて、その変更について第一項に規定する認可があつた際に従前から組合員であつた者以外の第三者に対抗することができない。

（経費の賦課徴収）

第四〇条　組合は、その事業に要する経費に充てるため、賦課金として参加組合員以外の組合員に対して金銭を賦課徴収することができる。

2　賦課金の額は、組合員が施行地区内に有する宅地又は借地の位置、地積等を考慮して公平に定めなければならない。

3　組合員は、賦課金の納付について、相殺をもつて組合に対抗することができない。

4　組合は、組合員が賦課金の納付を怠つた場合においては、定款で定めるところにより、その組合員に対して過怠金を課することができる。

（参加組合員の負担金及び分担金）

第四〇条の二　参加組合員は、政令で定めるところにより、換地計画において定めるところにより取得することとなる宅地の価額に相当する額の負担金及び組合の事業に要する経費に充てるための分担金を組合に納付しなければならない。

2　前条第三項及び第四項の規定は、前項の負担金及び分担金について準用する。

（賦課金等の滞納処分）

第四一条　組合は、賦課金、負担金、分担金又は過怠金を滞納する者がある場合においては、督促状を発して督促し、その者がその督促状において指定した期限までに納付しないときは、市町村長に対し、その徴収を申請することができる。

2　組合は、前項の督促をする場合においては、定款で定めるところにより、督促状の送付に要する費用を勘案して国土交通省令で定める額以下の督促手数料を徴収することができる。

3　市町村長は、第一項の規定による申請があつた場合においては、地方税の滞納処分の例により滞納処分をする。この場合においては、組合は、市町村長の徴収した金額の百分の四に相当する金額を当該市町村に交付しなければならない。

4　市町村長が第一項の規定による申請を受けた日から三十日以内に滞納処分に着手せず、又は九十日以内にこれを終了しない場合においては、組合の理事は、都道府県知事の認可を受けて、地方税の滞納処分の例により、滞納処分をすることができる。

5　前二項の規定による徴収金の先取特権の順位は、国税及び地方税に次ぐものとする。

（賦課金等の時効）

第四二条　賦課金、負担金、分担金、過怠金及び督促手数料を徴収する権利は、これらを行使することができる時から五年間行使しない場合においては、時効により消滅する。

2　前条第一項の督促は、時効の更新の効力を有する。

（借入金）

第四三条　組合は、その事業を行うため必要がある場合においては、借入金を借り入れることができる。

（一般社団法人及び一般財団法人に関する法律の準用）

第四四条　一般社団法人及び一般財団法人に関する法律（平成十八年法律第四十八号）第四条（住所）及び第七十八条（代表者の行為についての損害賠償責任）の規定は、組合について準用する。

第三款　解散及び合併

（解散）

第四五条　組合は、左の各号に掲げる事由に因り解散する。

一　設立についての認可の取消

二　総会の議決

三　定款で定めた解散事由の発生

四　事業の完成又はその完成の不能

五　合併

六　事業の引継

2　組合は、前項第二号から第四号までの一に掲げる事由により解散しようとする場合においては、その解散について都道府県知事の認可を受けなければならない。この場合において、組合がその申請をしようとするときは、国土交通省令で定めるところにより、施行地区を管轄する市町村長を経由して行わなければならない。

3　都道府県知事は、第十六条第一項において準用する第六条第二項の規定により事業計画に住宅先行建設区が定められている場合においては、第八十五条の二第五項の規定により指定された宅地についての第百十七条の二第一項に規定する指定期間を経過した後でなければ、前項に規定する認可（事業の完成の不能による解散その他事業の廃止による解散についての認可を除く。）をしてはならない。ただし、住宅先行建設区内の換地に住宅が建設されたこと等により施行地区における住宅の建設を促進する上で支障がないと認められる場合においては、指定期間内においてもその認可をすることができる。

4　組合は、第一項第二号から第四号までの一に掲げる事由に因り解散しようとする場合において、その組合に借入金があるときは、その解散についての債権者の同意を得なければならない。

5　都道府県知事は、組合の設立についての認可を取り消した場合又は第二項に規定する認可をした場合においては、遅滞なく、その旨を公告しなければならない。

6　組合は、前項の公告があるまでは、解散をもつて組合員以外の第三者に対抗することができない。

（清算中の組合の能力）

第四五条の二　解散した組合は、清算の目的の範囲内において、その清算の結了に至るまではなお存続するものとみなす。

（清算人）

第四六条　組合が第四十五条第一項第一号から第四号までのいずれかに掲げる事由により解散した場合においては、理事がその清算人となる。ただし、総会で他の者を選任した場合においては、この限りでない。

（裁判所による清算人の選任）

第四六条の二　前条の規定により清算人となる者がないとき、又は清算人が欠けたため損害を生ずるおそれがあるときは、裁判所は、利害関係人若しくは検察官の請求により又は職権で、清算人を選任することができる。

（清算人の解任）

第四六条の三　重要な事由があるときは、裁判所は、利害関係人若しくは検察官の請求により又は職権で、清算人を解任することができる。

（清算人の職務及び権限）

第四六条の四　清算人の職務は、次のとおりとする。

一　現務の結了
二　債権の取立て及び債務の弁済
三　残余財産の引渡し

2　清算人は、前項各号に掲げる職務を行うために必要な一切の行為をすることができる。

（清算事務）

第四七条　清算人は、就職の後、遅滞なく、組合の財産の現況を調査し、財産目録を作成し、及び財産処分の方法を定め、財産目録及び財産処分の方法について総会の承認を求めなければならない。

（債権の申出の催告等）

第四七条の二　清算人は、その就職の日から二月以内に、少なくとも三回の公告をもつて、債権者に対し、一定の期間内にその債権の申出をすべき旨の催告をしなければならない。この場合において、その期間は、二月を下ることができない。

2　前項の公告には、債権者がその期間内に申出をしないときは清算から除斥されるべき旨を付記しなければならない。ただし、清算人は、知れている債権者を除斥することができない。

3　清算人は、知れている債権者には、各別にその申出の催告をしなければならない。

4　第一項の公告は、官報に掲載してする。

（期間経過後の債権の申出）

第四七条の三　前条第一項の期間の経過後に申出をした債権者は、組合の債務が完済された後まだ権利の帰属すべき者に引き渡されていない財産に対してのみ、請求をすることができる。

（残余財産の処分制限）

第四八条　清算人は、組合の債務を弁済した後でなければ、その残余財産を処分することができない。

（裁判所による監督）

第四八条の二　組合の解散及び清算は、裁判所の監督に属する。

2　裁判所は、職権で、いつでも前項の監督に必要な検査をすることができる。

3　組合の解散及び清算を監督する裁判所は、都道府県知事に対し、意見を求め、又は調査を嘱託することができる。

4　都道府県知事は、前項に規定する裁判所に対し、意見を述べることができる。

（決算報告）

第四九条　清算人は、清算事務が終つた場合においては、国土交通省令で定めるところにより、遅滞なく、決算報告書を作成し、これについて都道府県知事の承認を得た後、これを組合員に報告しなければならない。

（解散及び清算の監督等に関する事件の管轄）

第四九条の二　組合の解散及び清算の監督並びに清算人に関する事件は、組合の主たる事務所の所在地を管轄する地方裁判所の管轄に属する。

（不服申立ての制限）

第四九条の三　清算人の選任の裁判に対しては、不服を申し立てることができない。

（裁判所の選任する清算人の報酬）

第四九条の四　裁判所は、第四十六条の二の規定により清算人を選任した場合には、組合が当該清算人に対して支払う報酬の額を定めることができる。この場合においては、裁判所は、当該清算人及び監事の陳述を聴かなければならない。

（検査役の選任）

第四九条の五　裁判所は、組合の解散及び清算の監督に必要な調査をさせるため、検査役を選任することができる。

2　前二条の規定は、前項の規定により裁判所が検査役を選任した場合について準用する。この場合において、前条中「清算人及び監事」とあるのは、「組合及び検査役」と読み替えるものとする。

（合併）

第五〇条　組合は、合併しようとする場合においては、総会においてその旨を議決しなければならない。

2　事業計画を決定している組合は、事業計画を決定していない組合と合併することができない。

3　合併によつて組合を設立しようとする場合においては、関係各組合の総会で組合員のうちから選挙された者が、第十四条第一項又は第二項に規定する認可を申請する者となり、設立に必要な行為をしなければならない。この場合において、認可の申請は、関係各組合の合併の議決書を添えてしなければならない。

4　合併をする組合の一方が合併後存続する場合においては、その組合は、関係各組合の合併の議決書を添えて、定款及び事業計画又は事業基本方針の変更について第三十九条第一項に規定する認可を受けなければならない。

5　組合は、合併しようとする場合において、その組合に借入金があるときは、その合併についてその債権者の同意を得なければならない。

6　第三項の場合においては、組合の設立に関して第十七条において準用する第七条に規定する手続を行うことを要しないものとし、第四項の場合においては、定款及び事業計画又は事業基本方針の変更に関して第三十九条第二項において準用する第七条に規定する手続及び第三十九条第三項に規定する手続を行うことを要しないものとする。

7　第三項又は第四項に規定する認可があつた場合においては、その認可の公告前においても、第二十一条第七項又は第三十九条第五項の規定にかかわらず、合併により新たに設立された組合はその成立並びに定款及び事業計画又は事業基本方針をもつて、合併後存続する組合は事業計画又は事業基本方針及び定款の変更をもつて、合併により解散した組合はその解散をもつて、関係組合の組合員に対抗することができる。

8　組合が合併した場合においては、合併に因り新たに設立された組合又は合併後存続する組合は、合併に因り消滅した組合の権利義務（その組合がその行う事業に関し、行政庁の許可、認可その他の処分に基いて有する権利義務を含む。）を承継する。

第五一条　削除

第三節　区画整理会社

（施行の認可）

第五一条の二　土地区画整理事業を第三条第三項の規定により施行しようとする者は、規準及び事業計画を定め、その土地区画整理事業の施行について都道府県知事の認可を受けなければならない。この場合において、その認可の申請は、国土交通省令で定めるところにより、施行地区となるべき区域を管轄する市町村長を経由して行わなければならない。

2　第三条第三項に規定する者が施行区域の土地について施行する土地区画

整理事業については、前項に規定する認可をもつて都市計画法第五十九条第四項に規定する認可とみなす。第四条第二項ただし書の規定は、この場合について準用する。

（規準）

第五一条の三　前条第一項の規準には、次に掲げる事項を記載しなければならない。

一　土地区画整理事業の名称

二　施行地区（施行地区を工区に分ける場合においては、施行地区及び工区）に含まれる地域の名称

三　土地区画整理事業の範囲

四　事務所の所在地

五　費用の分担に関する事項

六　事業年度

七　公告の方法

八　その他政令で定める事項

（事業計画）

第五一条の四　第六条の規定は、第五十一条の二第一項の事業計画について準用する。

（宅地以外の土地を管理する者の承認）

第五一条の五　第七条の規定は、第五十一条の二第一項の事業計画を定めようとする者について準用する。

（規準及び事業計画に関する宅地の所有者及び借地権者の同意）

第五一条の六　第五十一条の二第一項に規定する認可を申請しようとする者は、規準及び事業計画について、施行地区となるべき区域内の宅地について所有権を有するすべての者及びその区域内の宅地について借地権を有するすべての者のそれぞれの三分の二以上の同意を得なければならない。この場合においては、同意した者が所有するその区域内の宅地の地積と同意した者が有する借地権の目的となつているその区域内の宅地の地積との合計が、その区域内の宅地の総地積と借地権の目的となつている宅地の総地積との合計の三分の二以上でなければならない。

（借地権の申告）

第五一条の七　前条に規定する同意を得ようとする者は、あらかじめ、施行地区となるべき区域の公告を当該区域を管轄する市町村長に申請しなければならない。

2　第十九条第二項から第四項までの規定は、前項に規定する申請があつた場合について準用する。この場合において、同条第四項中「前条」とあるのは、「第五十一条の六」と読み替えるものとする。

（規準及び事業計画の縦覧並びに意見書の処理）

第五一条の八　都道府県知事は、第五十一条の二第一項に規定する認可の申請があつた場合においては、政令で定めるところにより、施行地区となるべき区域を管轄する市町村長に、当該規準及び事業計画を二週間公衆の縦覧に供させなければならない。ただし、当該申請に関し明らかに次条第一項各号のいずれかに該当する事実があり、認可すべきでないと認める場合又は同条第二項の規定により認可をしてはならないことが明らかであると認める場合においては、この限りでない。

2　利害関係者は、前項の規定により縦覧に供された規準及び事業計画について意見がある場合においては、縦覧期間満了の日の翌日から起算して二週間を経過する日までに、都道府県知事に意見書を提出することができる。ただし、都市計画において定められた事項については、この限りでない。

3　都道府県知事は、前項の規定により意見書の提出があつた場合においては、その内容を審査し、その意見書に係る意見を採択すべきであると認めるときは、第五十一条の二第一項に規定する認可を申請した者に対し規準及び事業計画に必要な修正を加えるべきことを命じ、その意見書に係る意見を採択すべきでないと認めるときは、その旨を意見書を提出した者に通知しなければならない。

4　前項の規定による意見書の内容の審査については、行政不服審査法第二章第三節（第二十九条、第三十条、第三十二条第二項、第三十八条、第四十条、第四十一条第三項及び第四十二条を除く。）の規定を準用する。この場合において、同節中「審理員」とあるのは、「都道府県知事」と読み替えるものとする。

5　第五十一条の二第一項に規定する認可を申請した者が、第三項の規定により規準及び事業計画に修正を加え、その旨を都道府県知事に申告した場合においては、その修正に係る部分について、更にこの条に規定する手続を行うべきものとする。

（施行の認可の基準等）

第五一条の九　都道府県知事は、第五十一条の二第一項に規定する認可の申請があつた場合においては、次の各号のいずれかに該当する事実があると認めるとき以外は、その認可をしなければならない。

一　申請者が第三条第三項各号に掲げる要件のすべてに該当する株式会社でないこと。

二　申請手続が法令に違反していること。

三　規準又は事業計画の決定手続又は内容が法令（前条第三項の規定による都道府県知事の命令を含む。）に違反していること。

四　市街地とするのに適当でない地域又は土地区画整理事業以外の事業によつて市街地とすることが都市計画において定められた区域が施行地区に編入されていること。

五　土地区画整理事業を施行するために必要な経済的基礎及びこれを的確に施行するために必要なその他の能力が十分でないこと。

2　前項の規定にかかわらず、都道府県知事は、都市計画法第七条第一項の市街化調整区域と定められた区域が施行地区に編入されている場合においては、当該区域内において土地区画整理事業として行われる同法第四条第十二項に規定する開発行為が同法第三十四条各号のいずれかに該当すると認めるときでなければ、第五十一条の二第一項に規定する認可をしてはならない。

3　都道府県知事は、第五十一条の二第一項に規定する認可をした場合においては、遅滞なく、国土交通省令で定めるところにより、施行者の名称、事業施行期間、施行地区（施行地区を工区に分ける場合においては、施行地区及び工区。以下この項において同じ。）その他国土交通省令で定める事項を公告し、かつ、施行区域の土地について施行する土地区画整理事業については、国土交通大臣及び関係市町村長に施行地区及び設計の概要を表示する図書を送付しなければならない。

4　市町村長は、第五十一条の十三第四項において準用する前項、第百三条第四項又は第百二十五条の二第五項の公告の日まで、政令で定めるところにより、前項の図書を当該市町村の事務所において公衆の縦覧に供しなければならない。

5　第三条第三項の規定による施行者（以下「区画整理会社」という。）は、第三項の公告があるまでは、施行者として、又は規準若しくは事業計画をもつて第三者に対抗することができない。

（規準又は事業計画の変更）

第五一条の一〇　区画整理会社は、規準又は事業計画を変更しようとする場合においては、その変更について都道府県知事の認可を受けなければならない。この場合において、区画整理会社がその申請をしようとするときは、国土交通省令で定めるところにより、施行地区又は新たに施行地区となるべき区域を管轄する市町村長を経由して行わなければならない。

2　第七条の規定は事業計画を変更しようとする区画整理会社について、第五十一条の六の規定は規準又は事業計画の変更についての認可を申請しようとする区画整理会社について、第五十一条の七の規定は新たに施行地区となるべき区域がある場合にこの項において準用する第五十一条の六に規定する同意を得ようとする区画整理会社及び新たに施行地区となるべき区域の公告があつた場合における借地権の申告について、第五十一条の八の規定は規準又は事業計画の変更（政令で定める軽微な変更を除く。）について前項に規定する認可の申請があつた場合について、前条の規定は同項に規定する認可の申請があつた場合又は同項に規定する認可をした場合について準用する。この場合において、第五十一条の六、第五十一条の七第一項及び第五十一条の八第一項中「施行地区となるべき区域」とあるのは「施行地区及び新たに施行地区となるべき区域」と、第五十一条の六中「者及び」とあるのは「者並びに」と、第五十一条の七第二項中「第五十一条の六」とあるのは「第五十一条の十第二項において準用する第五十一条の六」と、前条第一項第一号中「でないこと」とあるのは「でないこと。この場合において、同項第三号及び第四号中「施行地区」とあるのは、「施行地区及び新たに施行地区となるべき区域」とする」と、同条第三項中「を公告し」とあるのは「についての変更に係る事項を公告し」と、「施行地区及び設計の概要」とあるのは「変更に係る施行地区又は設計の概要」と、同条第五項中「施行者として、又は規準若しくは事業計画をもつて」とあるのは「規準又は事業計画の変更をもつて」と読み替えるものとする。

3　区画整理会社は、施行地区の縮小又は費用の分担に関し、規準又は事業計画を変更しようとする場合において、その区画整理会社に土地区画整理事業の施行のための借入金があるときは、その変更についてその債権者の

同意を得なければならない。

（区画整理会社の合併又は事業の譲渡等）

第五一条の一一　区画整理会社の合併若しくは分割又は区画整理会社が施行する土地区画整理事業の全部若しくは一部の譲渡及び譲受けは、都道府県知事の認可を受けなければ、その効力を生じない。

2　第五十一条の二第一項後段の規定は前項に規定する認可の申請をしようとする者について、第五十一条の九の規定は同項に規定する認可の申請があつた場合又は同項に規定する認可をした場合について準用する。この場合において、第五十一条の二第一項後段中「施行地区となるべき区域」とあるのは「施行地区」と、第五十一条の九第一項中「次の各号のいずれかに該当する事実があると認めるとき」とあるのは「次の各号（第三号及び第四号を除く。）のいずれかに該当する事実があると認めるとき又は規準若しくは事業計画の変更を伴うとき」と、同項第一号中「でないこと」とあるのは「でないこと。この場合において、同項第三号及び第四号中「施行地区となるべき区域」とあるのは、「施行地区」とする」と読み替えるものとする。

（承継）

第五一条の一二　区画整理会社の合併若しくは分割（当該土地区画整理事業の全部を承継させるものに限る。）又は区画整理会社の施行する土地区画整理事業の全部の譲渡があつた場合においては、合併後存続する会社、合併により設立された会社若しくは分割により土地区画整理事業を承継した会社又は土地区画整理事業の全部を譲り受けた者は、土地区画整理事業の施行者の地位及び従前の区画整理会社が土地区画整理事業に関して有する権利義務（従前の区画整理会社がその土地区画整理事業に関し、行政庁の許可、認可その他の処分に基づいて有する権利義務を含む。）を、承継する。

（土地区画整理事業の廃止又は終了）

第五一条の一三　区画整理会社は、土地区画整理事業を廃止し、又は終了しようとする場合においては、その廃止又は終了について都道府県知事の認可を受けなければならない。この場合において、区画整理会社がその申請をしようとするときは、国土交通省令で定めるところにより、施行地区を管轄する市町村長を経由して行わなければならない。

2　都道府県知事は、第五十一条の四において準用する第六条第二項の規定により事業計画に住宅先行建設区が定められている場合においては、第八十五条の二第五項の規定により指定された宅地についての第百十七条の二第一項に規定する指定期間を経過した後でなければ、前項に規定する土地区画整理事業の終了についての認可をしてはならない。ただし、住宅先行建設区内の換地に住宅が建設されたこと等により施行地区における住宅の建設を促進する上で支障がないと認められる場合においては、指定期間内においても当該認可をすることができる。

3　区画整理会社は、土地区画整理事業を廃止しようとする場合において、その区画整理会社に土地区画整理事業の施行のための借入金があるときは、その廃止についてその債権者の同意を得なければならない。

4　第五十一条の九第三項（図書の送付に係る部分を除く。）及び第五項の規定は、第一項に規定する認可をした場合の公告について準用する。この場合において、同条第五項中「施行者として、又は規準若しくは事業計画をもつて」とあるのは、「土地区画整理事業の廃止又は終了をもつて」と読み替えるものとする。

第四節　都道府県及び市町村

（施行規程及び事業計画の決定）

第五二条　都道府県又は市町村は、第三条第四項の規定により土地区画整理事業を施行しようとする場合においては、施行規程及び事業計画を定めなければならない。この場合において、その事業計画において定める設計の概要について、国土交通省令で定めるところにより、都道府県にあつては国土交通大臣の、市町村にあつては都道府県知事の認可を受けなければならない。

2　都道府県又は市町村が第三条第四項の規定により施行する土地区画整理事業について事業計画を定めた場合においては、都道府県にあつては前項に規定する認可をもつて都市計画法第五十九条第二項に規定する認可と、市町村にあつては前項に規定する認可をもつて同条第一項に規定する認可とみなす。第四条第二項ただし書の規定は、この場合に準用する。

（施行規程）

第五三条　前条第一項の施行規程は、当該都道府県又は市町村の条例で定める。

2　前項の施行規程には、左の各号に掲げる事項を記載しなければならない。

一　土地区画整理事業の名称

二　施行地区（施行地区を工区に分ける場合においては、施行地区及び工区）に含まれる地域の名称

三　土地区画整理事業の範囲

四　事務所の所在地

五　費用の分担に関する事項

六　保留地を定めようとする場合においては、保留地の処分方法に関する事項

七　土地区画整理審議会並びにその委員及び予備委員に関する事項（委員の報酬及び費用弁償に関する事項を除く。）

八　その他政令で定める事項

（事業計画）

第五四条　第六条の規定は、第五十二条第一項の事業計画について準用する。

（事業計画の決定及び変更）

第五五条　都道府県又は市町村が第五十二条第一項の事業計画を定めようとする場合においては、都道府県知事又は市町村長は、政令で定めるところにより、事業計画を二週間公衆の縦覧に供しなければならない。この場合においては、市町村長は、あらかじめ、その事業計画を都道府県知事に送付しなければならない。

2　利害関係者は、前項の規定により縦覧に供された事業計画について意見がある場合においては、縦覧期間満了の日の翌日から起算して二週間を経過する日までに、都道府県知事に意見書を提出することができる。ただし、都市計画において定められた事項については、この限りでない。

3　都道府県知事は、前項の規定により意見書の提出があつた場合においては、これを都道府県都市計画審議会に付議しなければならない。

4　都道府県知事は、都道府県都市計画審議会が前項の意見書の内容を審査し、その意見書に係る意見を採択すべきであると議決した場合においては、都道府県が定めようとする事業計画についてはその市町村に対し必要な修正を加えるべきことを求め、都道府県都市計画審議会がその意見書に係る意見を採択すべきでないと議決した場合においては、その旨を意見書を提出した者に通知しなければならない。

5　前項の規定による意見書の内容の審査については、行政不服審査法第二章第三節（第二十九条、第三十条、第三十二条第二項、第三十八条、第四十条、第四十一条第三項及び第四十二条を除く。）の規定を準用する。この場合において、同節中「審理員」とあるのは、「都道府県都市計画審議会」と読み替えるものとする。

6　都道府県知事又は市町村が第四項の規定により事業計画に修正を加えた場合（政令で定める軽微な修正を加えた場合を除く。）においては、その修正に係る部分について、更に第一項から本項までに規定する手続を行うべきものとする。

7　第五十二条第一項に規定する認可を申請する場合においては、施行地区（施行地区を工区に分ける場合においては、施行地区及び工区。以下この条において同じ。）及び設計の概要を表示する図書を提出しなければならない。

8　国土交通大臣又は都道府県知事は、第五十二条第一項に規定する認可をした場合においては、遅滞なく、国土交通大臣にあつては関係市町村長に、都道府県知事にあつては国土交通大臣及び関係市町村長に前項の図書の写しを送付しなければならない。

9　都道府県又は市町村が第五十二条第一項の事業計画を定めた場合においては、都道府県知事又は市町村長は、遅滞なく、国土交通省令で定めるところにより、施行者の名称、事業施行期間、施行地区その他国土交通省令で定める事項を公告しなければならない。

10　市町村長は、前項の公告の日から第百三条第四項の公告の日まで、政令で定めるところにより、第八項の図書を当該市町村の事務所において公衆の縦覧に供しなければならない。

11　都道府県又は市町村は、第九項の公告があるまでは、事業計画をもつて第三者に対抗することができない。

12　都道府県又は市町村は、第五十二条第一項の事業計画において定めた設計の概要の変更をしようとする場合（政令で定める軽微な変更をしようとする場合を除く。）においては、その変更について、都道府県にあつては国土交通大臣の、市町村にあつては都道府県知事の認可を受けなければならない。

13 第一項から第七項までの規定は、第五十二条第一項の事業計画を変更しようとする場合（政令で定める軽微な変更をしようとする場合を除く。）について、第八項の規定は、設計の概要の変更の認可をした場合について、第九項から第十一項までの規定は、同条第一項の事業計画の変更をした場合について準用する。この場合において、第七項及び第八項中「第五十二条第一項」とあるのは「第五十五条第十二項」と、第七項中「を表示する」とあるのは「についての変更を表示する」と、第九項中「を公告し」とあるのは「についての変更に係る事項を公告し」と、第十一項中「事業計画をもつて」とあるのは「事業計画の変更をもつて」と読み替えるものとする。

（土地区画整理審議会の設置）

第五六条 都道府県又は市町村が第三条第四項の規定により施行する土地区画整理事業ごとに、都道府県又は市町村に、土地区画整理審議会（以下この節において「審議会」という。）を置く。

2 施行地区を工区に分けた場合においては、審議会は、工区ごとに置くことができる。

3 審議会は、換地計画、仮換地の指定及び減価補償金の交付に関する事項についてこの法律に定める権限を行う。

4 審議会は、その任務を終了した場合においては、廃止されるものとする。

（審議会の組織）

第五七条 審議会は、十人から五十人までの範囲内において、政令で定める基準に従つて施行規程で定める数の委員をもつて組織する。

（委員）

第五八条 委員は、政令で定めるところにより、施行地区（工区ごとに審議会を置く場合においては、工区。以下本節において同じ。）内の宅地の所有者及び施行地区内の宅地について借地権を有する者が、それぞれのうちから各別に選挙する。この場合において、それぞれ選挙される委員の数は、施行地区内の宅地の所有者の総数と施行地区内の宅地について借地権を有する者の総数との割合におおむね比例しなければならない。

2 施行地区内の宅地について存する未登記の借地権で第八十五条第一項の規定による申告のないものは、その申告のない限り、前項の規定の適用については、存しないものとみなし、施行地区内の宅地について存する未登記の借地権で第八十五条第一項の規定による申告があつたもののうち同条第三項の規定による届出のないものは、その届出のない限り、前項の規定の適用については、その借地権の移転、変更又は消滅がないものとみなす。

3 都道府県知事又は市町村長は、土地区画整理事業の施行のため必要があると認める場合においては、第一項前段の規定にかかわらず、施行規程で定めるところにより、委員の定数の五分の一をこえない範囲内において、土地区画整理事業について学識経験を有する者のうちから委員を選任することができる。

4 施行地区内の宅地の所有者のうちから選挙された委員と施行地区内の宅地について借地権を有する者のうちから選挙された委員とは、相兼ねてはならない。

5 施行地区内の宅地の所有者又は施行地区内の宅地について借地権を有する者のうちからそれぞれ選挙された委員が当該権利を有しなくなつた場合及び委員が第六十三条第四項第二号に掲げる者となつた場合においては、委員は、その地位を失う。

6 委員の任期は、五年をこえない範囲内において施行規程で定める。補欠の委員の任期は、前任者の残任期間とする。

7 施行地区内の宅地の所有者又は施行地区内の宅地について借地権を有する者は、それぞれの総数の三分の一以上の者の連署をもつて、その代表者から理由を記載した書面を都道府県知事又は市町村長に提出して、それぞれそれらの者の選挙に係る委員の改選を請求することができる。

8 前項の規定による請求があつた場合においては、都道府県知事又は市町村長は、直ちにその請求の要旨を公表し、これを施行地区内の宅地の所有者又は施行地区内の宅地について借地権を有する者の投票に付さなければならない。

9 委員は、前項の規定による投票において過半数の同意があつた場合においては、その地位を失う。この場合においては、その委員について置かれる予備委員も、その地位を失う。

10 前三項に定めるものの外、委員の改選の請求及び第八項の規定による投票に関し必要な事項は、政令で定める。

（予備委員）

第五九条 審議会に、施行規程で定めるところにより、施行地区内の宅地の所有者から選挙される委員及び施行地区内の宅地について借地権を有する者から選挙される委員についての予備委員をそれぞれ置くことができる。

2 予備委員の数は、施行規程で定めるものとし、その数は、それぞれ施行地区内の宅地の所有者から選挙すべき委員の数又は施行地区内の宅地について借地権を有する者から選挙すべき委員の数の半数をこえてはならない。但し、選挙すべき委員の数が一人の場合においては、一人とする。

3 予備委員には、前条第一項に規定する選挙において、当選人を除いて、施行規程で定める数以上の有効投票を得た者がある場合において、施行規程で定めるところにより、得票数の多い者から順次なるものとする。

4 前条第五項の規定は、予備委員について準用する。

5 前条第一項の規定により選挙された委員に欠員を生じた場合においては、施行規程で定めるところにより、予備委員をもつてこれを補充する。

6 予備委員の任期は、委員の任期による。

（委員の補欠選挙等）

第六〇条 第五十八条第一項の規定により選挙された委員の欠員の数が施行規程で定める数をこえるに至つた場合において、前条第五項の規定により委員となるべき予備委員がないときは、政令で定めるところにより、補欠選挙を行わなければならない。

2 第五十八条第三項の規定により選任された委員に欠員を生じた場合においては、施行規程で定めるところにより、委員を選任しなければならない。

（審議会の会長）

第六一条 審議会に、会長を置く。

2 会長は、委員のうちから委員が選挙する。

3 会長は、審議会を代表し、議事その他の会務を総理する。

4 会長は、委員として審議会の議決に加わることができない。

5 会長に事故がある場合においては、委員のうちからあらかじめ互選された者がその職務を代理する。

（審議会の招集、会議及び議事）

第六二条 審議会は、都道府県知事又は市町村長が招集する。

2 審議会を招集するには、少くとも会議を開く日の五日前までに、会議の日時、場所及び目的である事項を委員に通知しなければならない。但し、緊急を要する場合においては、二日前までにこれらの事項を委員に通知して、審議会を招集することができる。

3 審議会の会議は、委員の半数以上が出席しなければ開くことができず、その議事は、出席委員の過半数で決し、可否同数の場合においては、会長の決するところによる。

（委員の選挙権及び被選挙権）

第六三条 施行地区内の宅地について所有権又は借地権を有する者は、委員の選挙について、各一箇の選挙権及び被選挙権を有する。

2 施行地区内の宅地についての所有権と借地権とをともに有する者は、前項の規定にかかわらず、宅地の所有者として、及び宅地について借地権を有する者として、それぞれ一箇の選挙権及び被選挙権を有する。

3 施行地区内の宅地について存する未登記の借地権で第八十五条第一項の規定による申告のないものは、その申告のない限り、前二項の規定の適用については、存しないものとみなし、施行地区内の宅地について存する未登記の借地権で第八十五条第一項の規定による申告があつたもののうち同条第三項の規定による届出のないものは、その届出のない限り、前二項の規定の適用については、その借地権の移転、変更又は消滅がないものとみなす。

4 次の各号のいずれかに掲げる者は、第一項の規定にかかわらず、委員の被選挙権を有しない。

一 未成年者

二 禁錮以上の刑に処せられ、その執行を終わるまで又はその執行を受けることがなくなるまでの者

（審議会の会議が開かれない場合等の措置）

第六四条 都道府県又は市町村は、審議会の意見を聞いて処分又は決定をすべき場合において、審議会が同一議題について再度招集されても、正当な理由がなく、会議を開かず、又は意見を提出しないときは、その意見を聞かずに処分又は決定をすることができるものとし、審議会の同意を得て処分又は決定をすべき場合において、審議会が同一議題について再度招集されても、正当な理由がなく会議を開かないときは、その同意を得ないで処分又は決定をすることができるものとする。

（評価員）

第六五条 都道府県知事又は市町村長は、都道府県又は市町村が第三条第四

項の規定により施行する土地区画整理事業ごとに、土地又は建築物の評価について経験を有する者三人以上を、審議会の同意を得て、評価員に選任しなければならない。

2　前項の評価員は、非常勤とする。

3　都道府県又は市町村は、換地計画において清算金若しくは保留地を定めようとする場合又は第百九条第一項の規定により減価補償金を交付しようとする場合においては、土地及び土地について存する権利の価額並びに第九十三条第一項、第二項、第四項又は第五項の規定により定められる建築物の部分の価額を評価しなければならないものとし、その評価については、第一項の規定により選任された評価員の意見を聴かなければならない。

第五節　国土交通大臣

（施行規程及び事業計画の決定）

第六十六条　国土交通大臣は、第三条第五項の規定により土地区画整理事業を施行しようとする場合においては、施行規程及び事業計画を定めなければならない。

2　国土交通大臣が第三条第五項の規定により施行する土地区画整理事業について事業計画を定めた場合においては、事業計画の決定をもつて都市計画法第五十九条第三項に規定する承認とみなす。第四条第二項ただし書の規定は、この場合に準用する。

（施行規程）

第六十七条　前条第一項の施行規程は、国土交通省令で定める。

2　第五十三条第二項の規定は、前項の施行規程について準用する。

（事業計画）

第六十八条　第六条の規定は、第六十六条第一項の事業計画について準用する。

（施行規程及び事業計画の決定及び変更）

第六十九条　国土交通大臣は、第六十六条第一項の施行規程及び事業計画を定めようとする場合においては、政令で定めるところにより、施行規程及び事業計画を二週間公衆の縦覧に供しなければならない。

2　利害関係者は、前項の規定により縦覧に供された施行規程及び事業計画について意見がある場合においては、縦覧期間満了の日の翌日から起算して二週間を経過する日までに、国土交通大臣に意見書を提出することができる。ただし、都市計画において定められた事項については、この限りでない。

3　国土交通大臣は、前項の規定により意見書の提出があつた場合においては、その内容を審査し、その意見書に係る意見を採択すべきであると認めるときは、施行規程及び事業計画に必要な修正を加え、その意見書に係る意見を採択すべきでないと認めるときは、その旨を意見書を提出した者に通知しなければならない。この場合において、国土交通大臣は、意見書の内容を審査しようとするときは、施行地区となるべき区域の属する都道府県に置かれる都道府県都市計画審議会の意見を聴かなければならない。

4　前項の規定による意見書の内容の審査については、行政不服審査法第二章第三節（第二十九条、第三十条、第三十二条第二項、第三十八条、第四十条、第四十一条第三項及び第四十二条を除く。）の規定を準用する。この場合において、同節中「審理員」とあるのは、「国土交通大臣」と読み替えるものとする。

5　国土交通大臣が第三項の規定により施行規程及び事業計画に修正を加えた場合（政令で定める軽微な修正を加えた場合を除く。）においては、その修正に係る部分について、更に第一項から第三項までに規定する手続を行うべきものとする。

6　国土交通大臣は、その施行する土地区画整理事業について事業計画を定めた場合においては、遅滞なく、施行地区（施行地区を工区に分ける場合においては、施行地区及び工区。以下この条において同じ。）及び設計の概要を表示する図書を関係都道府県知事及び関係市町村長に送付しなければならない。

7　前項の場合においては、国土交通大臣は、遅滞なく、国土交通省令で定めるところにより、施行者の名称、事業施行期間、施行地区その他国土交通省令で定める事項を公告しなければならない。

8　市町村長は、前項の公告の日から第百三条第四項の公告の日まで、政令で定めるところにより、第六項の図書を当該市町村の事務所において公衆の縦覧に供しなければならない。

9　国土交通大臣は、第七項の公告があるまでは、事業計画をもつて第三者に対抗することができない。

10　第一項から第五項までの規定は、第六十六条第一項の施行規程又は事業計画を変更しようとする場合（政令で定める軽微な変更をしようとする場合を除く。）について、第六項の規定は、同条第一項の事業計画の変更をした場合（政令で定める軽微な変更をした場合を除く。）について、第七項から前項までの規定は、同条第一項の事業計画を変更した場合について準用する。この場合において、第六項中「施行地区（」とあるのは「変更に係る施行地区（」と、「及び設計の概要を」とあるのは「又は設計の概要を」と、第七項中「を公告し」とあるのは「についての変更に係る事項を公告し」と、前項中「事業計画をもつて」とあるのは「事業計画の変更をもつて」と読み替えるものとする。

（土地区画整理審議会）

第七十条　国土交通大臣が施行する土地区画整理事業ごとに、国土交通省に土地区画整理審議会（以下この条において「審議会」という。）を置く。

2　施行地区を工区に分けた場合においては、審議会は、工区ごとに置くことができる。

3　第五十六条第三項及び第四項並びに第五十七条から第六十四条までの規定は、前二項の規定により置かれる審議会について準用する。この場合において、第五十八条第三項、第七項及び第八項並びに第六十二条第一項中「都道府県知事又は市町村長」とあり、又は第六十四条中「都道府県又は市町村」とあるのは、「国土交通大臣」と読み替えるものとする。

（評価員）

第七十一条　第六十五条の規定は、国土交通大臣が施行する土地区画整理事業について準用する。この場合において、同条第一項中「都道府県知事又は市町村長」とあり、並びに同項及び同条第三項中「都道府県又は市町村」とあるのは「国土交通大臣」と、同条第一項中「第三条第四項」とあるのは「第三条第五項」と読み替えるものとする。

第六節　独立行政法人都市再生機構等

（施行規程及び事業計画の認可）

第七十一条の二　独立行政法人都市再生機構又は地方住宅供給公社（以下「機構等」という。）は、第三条の二又は第三条の三の規定により土地区画整理事業を施行しようとする場合においては、施行規程及び事業計画を定め、国土交通省令で定めるところにより、国土交通大臣（地方住宅供給公社（以下「地方公社」という。）で市のみが設立したものにあつては、都道府県知事）の認可を受けなければならない。

2　機構等が第三条の二又は第三条の三の規定により施行する土地区画整理事業については、独立行政法人都市再生機構にあつては前項に規定する認可をもつて都市計画法第五十九条第三項に規定する承認と、市のみが設立した地方公社にあつては前項に規定する認可をもつて同条第一項に規定する認可と、その他の地方公社にあつては前項に規定する認可をもつて同条第二項に規定する認可とみなす。第四条第二項ただし書の規定は、この場合に準用する。

（施行規程及び事業計画）

第七十一条の三　機構等は、前条第一項に規定する認可の申請をしようとする場合においては、第三項の規定により聴取した地方公共団体の長の意見を記載した書類を認可申請書に添付しなければならない。

2　第五十三条第二項の規定は、前条第一項の施行規程について、第六条の規定は、同項の事業計画について準用する。

3　機構等は、前条第一項の事業計画を定めようとする場合においては、当該事業計画について、あらかじめ、施行地区となるべき区域をその区域に含む地方公共団体の長の意見を聴かなければならない。

4　国土交通大臣又は都道府県知事は、前条第一項に規定する認可の申請があつた場合においては、政令で定めるところにより、施行規程及び事業計画を二週間公衆の縦覧に供しなければならない。

5　利害関係者は、前項の規定により縦覧に供された施行規程及び事業計画について意見がある場合においては、縦覧期間満了の日の翌日から起算して二週間を経過する日までに、都道府県知事に意見書を提出することができる。ただし、都市計画において定められた事項については、この限りでない。

6　都道府県知事は、前項の規定により意見書の提出があつた場合においては、遅滞なく、当該意見書について都道府県都市計画審議会の意見を聴き、その意見を付して、これを国土交通大臣に送付しなければならない。ただし、当該意見書が市のみが設立した地方公社が定めた施行規程及び事業計画に係るものである場合においては、これを国土交通大臣に送付することを要しない。

7　都道府県知事は、第五項の期間内に機構等（市のみが設立した地方公社を除く。）が定めた施行規程及び事業計画について意見書の提出がなかつた場合においては、遅滞なく、その旨を国土交通大臣に報告しなければならない。

8　国土交通大臣（市のみが設立した地方公社が定めた施行規程及び事業計画に係る意見書については、都道府県知事）は、第五項の規定により提出された意見書の内容を審査し、その意見書に係る意見を採択すべきであると認める場合においては、機構等に対し施行規程及び事業計画に必要な修正を加えるべきことを命じ、その意見書に係る意見を採択すべきでないと認める場合においては、その旨を意見書を提出した者に通知しなければならない。

9　前項の規定による意見書の内容の審査については、行政不服審査法第二章第三節（第二十九条、第三十条、第三十二条第二項、第三十八条、第四十条、第四十一条第三項及び第四十二条を除く。）の規定を準用する。この場合において、同節中「審理員」とあるのは、「国土交通大臣又は都道府県知事」と読み替えるものとする。

10　機構等が第八項の規定により施行規程及び事業計画に必要な修正を加えた場合（政令で定める軽微な修正を加えた場合を除く。）においては、その修正に係る部分について、更に第四項からこの項までに規定する手続を行うべきものとする。

11　国土交通大臣又は都道府県知事は、前条第一項に規定する認可をした場合においては、遅滞なく、国土交通省令で定めるところにより、施行者の名称、事業施行期間、施行地区（施行地区を工区に分ける場合においては、施行地区及び工区。以下この項において同じ。）その他国土交通省令で定める事項を公告し、かつ、関係都道府県知事及び関係市町村長に施行地区及び設計の概要を表示する図書を送付しなければならない。

12　市町村長は、第百三条第四項の公告の日まで、政令で定めるところにより、前項の図書を当該市町村の事務所において公衆の縦覧に供しなければならない。

13　機構等は、第十一項の公告があるまでは、施行規程及び事業計画をもつて第三者に対抗することができない。

14　機構等は、前条第一項の施行規程又は事業計画を変更しようとする場合においては、国土交通大臣（市のみが設立した地方公社にあつては、都道府県知事）の認可を受けなければならない。

15　第一項の規定は、前項に規定する認可の申請をしようとする場合について、第三項から第十項までの規定は、前条第一項の施行規程又は事業計画を変更しようとする場合（政令で定める軽微な変更をしようとする場合を除く。）について、第十一項から第十三項までの規定は、前項に規定する認可をした場合について準用する。この場合において、第一項、第三項、第四項及び第十一項中「前条第一項」とあるのは「第十四項」と、第十一項中「を公告し」とあるのは「についての変更に係る事項を公告し」と、「施行地区及び設計の概要を」とあるのは「変更に係る施行地区又は設計の概要を」と、第十三項中「施行規程及び事業計画をもつて」とあるのは「施行規程又は事業計画の変更をもつて」と読み替えるものとする。

（土地区画整理審議会）

第七一条の四　機構等が第三条の二又は第三条の三の規定により施行する土地区画整理事業ごとに、機構等に土地区画整理審議会（以下この節において「審議会」という。）を置く。

2　施行地区を工区に分けた場合においては、審議会は、工区ごとに置くことができる。

3　第五十六条第三項及び第四項並びに第五十七条から第六十四条までの規定は、前二項の規定により置かれる審議会について準用する。この場合において、第五十八条第三項、第七項及び第八項並びに第六十二条第一項中「都道府県知事又は市町村長」とあるのは「独立行政法人都市再生機構理事長又は地方住宅供給公社理事長」と、第六十四条中「都道府県又は市町村」とあるのは「機構等」と読み替えるものとする。

（評価員）

第七一条の五　第六十五条の規定は、機構等が第三条の二又は第三条の三の規定により施行する土地区画整理事業について準用する。この場合において、第六十五条第一項中「都道府県知事又は市町村長」とあるのは「独立行政法人都市再生機構理事長又は地方住宅供給公社理事長」と、「第三条第四項」とあるのは「第三条の二又は第三条の三」と、同項及び同条第三項中「都道府県又は市町村」とあるのは「機構等」と読み替えるものとする。

（審議会の委員及び評価員の公務員たる性質）

第七一条の六　審議会の委員及び前条において準用する第六十五条第一項の規定により選任される評価員は、刑法（明治四十年法律第四十五号）その他の罰則の適用については、法令により公務に従事する職員とみなす。

第三章　土地区画整理事業

第一節　通則

（測量及び調査のための土地の立入り等）

第七二条　国土交通大臣、都道府県知事、市町村長又は独立行政法人都市再生機構理事長若しくは地方住宅供給公社理事長（以下「機構理事長等」という。）は、第三条第四項若しくは第五項、第三条の二又は第三条の三の規定により施行する土地区画整理事業の施行の準備又は施行のために他人の占有する土地に立ち入つて測量し、又は調査する必要がある場合においては、その必要の限度において、他人の占有する土地に、自ら立ち入り、又はその命じた者若しくは委任した者に立ち入らせることができる。第三条第一項の規定により土地区画整理事業を施行しようとする者、個人施行者、組合を設立しようとする者、組合、同条第三項の規定により土地区画整理事業を施行しようとする者又は区画整理会社についても、その者が当該土地の属する区域を管轄する市町村長の認可を受けた場合においては、同様とする。

2　前項の規定により他人の占有する土地に立ち入ろうとする者は、立ち入ろうとする日の三日前までにその旨を土地の占有者に通知しなければならない。ただし、同項前段に掲げる者にあつては、通知することが著しく困難である場合においては、公告をもつてその通知に代えることができる。

3　第一項の規定により、建築物が所在し、又はかき、さく等で囲まれた他人の占有する土地に立ち入ろうとする場合においては、その立ち入ろうとする者は、立入りの際、あらかじめ、その旨をその土地の占有者に告げなければならない。

4　日出前及び日没後においては、土地の占有者の承諾があつた場合を除き、前項に規定する土地に立ち入つてはならない。

5　土地の占有者は、正当な理由がない限り、第一項の規定による立入りを拒み、又は妨げてはならない。

6　第一項の規定により他人の占有する土地に立ち入つて測量又は調査を行う者が、その測量又は調査を行うに当たり、やむを得ない必要があつて、障害となる植物又はかき、さく等を伐除しようとする場合において、その所有者及び占有者がその場所にいないため、その承諾を得ることが困難であり、かつ、その現状を著しく損傷しないときは、同項前段に掲げる者又は同項後段に掲げる者（その命じた者又は委任した者を含む。）は、当該土地の属する区域を管轄する市町村長の認可を受けて、これを伐除することができる。この場合においては、植物又はかき、さく等を伐除した後、遅滞なく、その旨をその所有者及び占有者に通知しなければならない。

7　第一項の規定により他人の占有する土地に立ち入ろうとする者又は前項の規定により植物若しくはかき、さく等を伐除しようとする者は、その身分を示す証票又は市町村長の認可証を携帯し、関係人の請求があつた場合においては、これを提示しなければならない。

（土地の立入等に伴う損失の補償）

第七三条　国、都道府県、市町村若しくは機構等又は前条第一項後段に掲げる者は、同項又は同条第六項の規定による行為により他人に損失を与えた場合においては、その損失を受けた者に対して、通常生ずべき損失を補償しなければならない。

2　前項の規定による損失の補償については、損失を与えた者と損失を受けた者が協議しなければならない。

3　前項の規定による協議が成立しない場合においては、損失を与えた者又は損失を受けた者は、政令で定めるところにより、収用委員会に土地収用法（昭和二十六年法律第二百十九号）第九十四条第二項の規定による裁決を申請することができる。

4　国土交通大臣、都道府県知事、市町村長若しくは機構理事長等又は前条第一項後段に掲げる者は、同項又は同条第六項の規定による行為を自らし、又はその命じた者若しくは委任した者にさせた場合において、その行為により他人に損失を与えたと認めるときは、その損失の程度を証するために必要な資料を作成しておかなければならない。

（関係簿書の閲覧等）

第七十四条　国土交通大臣、都道府県知事、市町村長若しくは機構理事長等又は第七十二条第一項後段に掲げる者は、土地区画整理事業の施行の準備又は施行のため必要がある場合においては、施行地区となるべき区域又は施行地区を管轄する登記所に対し、又はその他の官公署の長に対し、無償で必要な簿書の閲覧若しくは謄写又はその謄本若しくは抄本若しくは登記事項証明書の交付を求めることができる。

（技術的援助の請求）

第七十五条　第三条第一項の規定により土地区画整理事業を施行しようとする者、個人施行者、組合を設立しようとする者、組合、同条第三項の規定により土地区画整理事業を施行しようとする者又は区画整理会社は都道府県知事及び市町村長に対し、市町村（同条第四項の規定により土地区画整理事業を施行する場合に限る。第百二十三条第一項、第百二十六条及び第百二十七条の二第一項において同じ。）は国土交通大臣及び都道府県知事に対し、都道府県（第三条第四項の規定により土地区画整理事業を施行する場合に限る。第百三条第四項、第百二十三条第一項、第百二十六条及び第百二十七条の二第一項において同じ。）は国土交通大臣に対し、機構等（第三条の二又は第三条の三の規定により土地区画整理事業を施行する場合に限る。第百二十七条の二第一項において同じ。）は国土交通大臣、都道府県知事及び市町村長に対し、土地区画整理事業の施行の準備又は施行のために、それぞれ土地区画整理事業に関し専門的知識を有する職員の技術的援助を求めることができる。

（建築行為等の制限）

第七十六条　次に掲げる公告があつた日後、第百三条第四項の公告がある日までは、施行地区内において、土地区画整理事業の施行の障害となるおそれがある土地の形質の変更若しくは建築物その他の工作物の新築、改築若しくは増築を行い、又は政令で定める移動の容易でない物件の設置若しくは堆積を行おうとする者は、国土交通大臣が施行する土地区画整理事業にあつては国土交通大臣の、その他の者が施行する土地区画整理事業にあつては都道府県知事（市の区域内において個人施行者、組合若しくは区画整理会社が施行し、又は市が第三条第四項の規定により施行する土地区画整理事業にあつては、当該市の長。以下この条において「都道府県知事等」という。）の許可を受けなければならない。

一　個人施行者が施行する土地区画整理事業にあつては、その施行についての認可の公告又は施行地区の変更を含む事業計画の変更（以下この項において「事業計画の変更」という。）についての認可の公告

二　組合が施行する土地区画整理事業にあつては、第二十一条第三項の公告又は事業計画の変更についての認可の公告

三　区画整理会社が施行する土地区画整理事業にあつては、その施行についての認可の公告又は事業計画の変更についての認可の公告

四　市町村、都道府県又は国土交通大臣が第三条第四項又は第五項の規定により施行する土地区画整理事業にあつては、事業計画の決定の公告又は事業計画の変更の公告

五　機構等が第三条の二又は第三条の三の規定により施行する土地区画整理事業にあつては、施行規程及び事業計画の認可の公告又は事業計画の変更の認可の公告

2　都道府県知事等は、前項に規定する許可の申請があつた場合において、その許可をしようとするときは、施行者の意見を聴かなければならない。

3　国土交通大臣又は都道府県知事等は、第一項に規定する許可をする場合において、土地区画整理事業の施行のため必要があると認めるときは、許可に期限その他必要な条件を付することができる。この場合において、これらの条件は、当該許可を受けた者に不当な義務を課するものであつてはならない。

4　国土交通大臣又は都道府県知事等は、第一項の規定に違反し、又は前項の規定により付した条件に違反した者がある場合においては、これらの者又はこれらの者から当該土地、建築物その他の工作物又は物件についての権利を承継した者に対して、相当の期限を定めて、土地区画整理事業の施行に対する障害を排除するため必要な限度において、当該土地の原状回復を命じ、又は当該建築物その他の工作物若しくは物件の移転若しくは除却を命ずることができる。

5　前項の規定により土地の原状回復を命じ、又は建築物その他の工作物若しくは物件の移転若しくは除却を命じようとする場合において、過失がなくてその原状回復又は移転若しくは除却を命ずべき者を確知することができないときは、国土交通大臣又は都道府県知事等は、その措置を自ら行い、又はその命じた者若しくは委任した者にこれを行わせることができる。この場合においては、相当の期限を定めて、これを原状回復し、又は移転し、若しくは除却すべき旨及びその期限までに原状回復し、又は移転し、若しくは除却しないときは、国土交通大臣若しくは都道府県知事等又はその命じた者若しくは委任した者が、原状回復し、又は移転し、若しくは除却する旨をあらかじめ公告しなければならない。

（建築物等の移転及び除却）

第七十七条　施行者は、第九十八条第一項の規定により仮換地若しくは仮換地について仮に権利の目的となるべき宅地若しくはその部分を指定した場合、第百条第一項の規定により従前の宅地若しくはその部分について使用し、若しくは収益することを停止させた場合又は公共施設の変更若しくは廃止に関する工事を施行する場合において、従前の宅地又は公共施設の用に供する土地に存する建築物その他の工作物又は竹木土石等（以下これらをこの条及び次条において「建築物等」と総称する。）を移転し、又は除却することが必要となつたときは、これらの建築物等を移転し、又は除却することができる。

2　施行者は、前項の規定により建築物等を移転し、又は除却しようとする場合においては、相当の期限を定め、その期限後においてはこれを移転し、又は除却する旨をその建築物等の所有者及び占有者に対し通知するとともに、その期限までに自ら移転し、又は除却する意思の有無をその所有者に対し照会しなければならない。

3　前項の場合において、住居の用に供している建築物については、同項の相当の期限は、三月を下つてはならない。ただし、建築物の一部について政令で定める軽微な移転若しくは除却をする場合又は前条第一項の規定に違反し、若しくは同条第三項の規定により付された条件に違反して建築されている建築物で既に同条第四項若しくは第五項の規定により移転若しくは除却が命ぜられ、若しくはその旨が公告されたものを移転し、若しくは除却する場合については、この限りでない。

4　第一項の規定により建築物等を移転し、又は除却しようとする場合において、施行者は、過失がなくて建築物等の所有者を確知することができないときは、これに対し第二項の通知及び照会をしないで、過失がなくて占有者を確知することができないときは、これに対し同項の通知をしないで、移転し、又は除却することができる。この場合においては、相当の期限を定め、その期限後においてはこれを移転し、又は除却する旨の公告をしなければならない。

5　前項後段の公告は、国土交通省令で定めるところにより、官報その他政令で定める定期刊行物への掲載及び電気通信回線に接続して行う自動公衆送信（公衆によつて直接受信されることを目的として公衆からの求めに応じ自動的に送信を行うことをいい、放送又は有線放送に該当するものを除く。以下この項において同じ。）により行うほか、その公告すべき内容を政令で定めるところにより当該土地区画整理事業の施行地区内の適当な場所に掲示して行わなければならない。ただし、その事業の規模が著しく小さい場合その他の国土交通省令で定める場合は、当該公告を電気通信回線に接続して行う自動公衆送信により行うことを要しない。

6　前項の公告を行う施行者は、その公告すべき内容を当該土地区画整理事業の施行地区を管轄する市町村長に通知し、当該市町村長は、同項の規定による掲示がされている旨の公告をしなければならない。

7　第三項の規定は、第四項後段の規定により公告をする場合における期限について準用する。

8　施行者は、第二項の規定により建築物等の所有者に通知した期限後又は第四項後段の規定により公告された期限後においては、いつでも自ら建築物等を移転し、若しくは除却し、又はその命じた者若しくは委任した者に建築物等を移転させ、若しくは除却させることができる。この場合において、個人施行者、組合又は区画整理会社は、建築物等の所在する土地の属する区域を管轄する市町村長の認可を受けなければならない。

9　前項の規定により建築物等を移転し、又は除却する場合においては、その建築物等の所有者及び占有者は、施行者の許可を得た場合を除き、その建築物等を移転又は除却の開始から完了に至るまでの間は、その建築物等を使用する

ことができない。

10　第八項の規定により建築物等を移転し、又は除却しようとする者は、その身分を示す証票又は市町村長の認可証を携帯し、関係人の請求があつた場合においては、これを提示しなければならない。

（移転等に伴う損失補償）

第七八条　前条第一項の規定により施行者が建築物等を移転し、若しくは除却したことにより他人に損失を与えた場合又は同条第二項の照会を受けた者が自ら建築物等を移転し、若しくは除却したことによりその者が損失を受け、若しくは他人に損失を与えた場合においては、施行者（施行者が国土交通大臣である場合においては国。次項、第百一条第一項から第三項まで及び第百四条第十一項において同じ。）は、その損失を受けた者に対して、通常生ずべき損失を補償しなければならない。

2　前条第一項の規定により施行者が移転し、若しくは除却した建築物等又は同条第二項の照会を受けた者が自ら移転し、若しくは除却した建築物等が、第七十六条第四項若しくは第五項、都市計画法第八十一条第一項若しくは第二項又は建築基準法（昭和二十五年法律第二百一号）第九条の規定により移転又は除却を命ぜられているものである場合においては、施行者は、前項の規定にかかわらず、これらの建築物等の所有者に対しては、移転又は除却により生じた損失を補償することを要しないものとし、前条第一項の規定によりこれらの建築物等を移転し、又は除却した場合におけるその移転又は除却に要した費用は、これらの建築物等の所有者から徴収することができるものとする。

3　第七十三条第二項から第四項までの規定は、第一項の規定による損失の補償について準用する。この場合において、同条第四項中「国土交通大臣、都道府県知事、市町村長若しくは機構理事長等又は前条第一項後段に掲げる者」とあるのは「施行者」と、「同項又は同条第六項」とあるのは「第七十七条第一項」と読み替えるものとする。

4　行政代執行法（昭和二十三年法律第四十三号）第五条及び第六条の規定は施行者（個人施行者、組合及び区画整理会社を除く。）が第二項の規定により費用を徴収する場合について、第四十一条の規定は組合又は区画整理会社が同項の規定により徴収する徴収金を滞納する者がある場合について準用する。この場合において、同条第一項から第三項までの規定中「組合」とあるのは「組合又は区画整理会社」と、同条第二項中「定款」とあるのは「定款又は規準」と、同条第四項中「組合の理事」とあるのは「組合の理事又は区画整理会社の代表者」と読み替えるものとする。

5　施行者は、前条第一項の規定により除却した建築物等に対する補償金を支払う場合において、その建築物等について先取特権、質権又は抵当権があるときは、その補償金を供託しなければならない。ただし、先取特権、質権又は抵当権を有する債権者から供託をしなくてもよい旨の申出があつた場合においては、この限りでない。

6　前項に規定する先取特権、質権又は抵当権を有する債権者は、同項の規定により供託された補償金についてその権利を行うことができる。

（土地の使用等）

第七九条　第三条第四項若しくは第五項、第三条の二又は第三条の三の規定による施行者は、移転し、又は除却しなければならない建築物に居住する者を一時的に収容するために必要な施設、公共施設に関する工事の施行のために必要な材料置場等の施設その他土地区画整理事業の施行のために欠くことのできない施設を設置するため必要がある場合においては、土地収用法で定めるところに従い、土地を使用することができる。

2　前項の規定により施行地区内の土地を使用する場合においては、土地収用法第二十八条の三及び第百四十二条の規定は適用せず、同法第八十九条第三項中「第二十八条の三第一項」とあるのは、「土地区画整理法第七十六条第一項」とする。

第八〇条　第九十八条第一項の規定により仮換地若しくは仮換地について仮に権利の目的となるべき宅地若しくはその部分を指定した場合又は第百条第一項の規定により従前の宅地若しくはその部分について使用し、若しくは収益することを停止させた場合において、それらの処分に因り使用し、又は収益することができる者のなくなつた従前の宅地又はその部分については、施行者又はその命じた者若しくは委任した者は、その宅地の所有者及び占有者の同意を得ることなく、土地区画整理事業の工事を行うことができる。

（標識の設置）

第八一条　施行者は、土地区画整理事業の施行に必要な測量を行うため、又は仮換地若しくは換地の位置を表示するため必要がある場合においては、国土交通省令で定める標識を設けることができる。

2　何人も、第百三条第四項の公告がある日までは、前項の規定により設けられた標識を施行者の承諾を得ないで移転し、若しくは除却し、又は汚損し、若しくはき損してはならない。

（土地の分割及び合併）

第八二条　施行者は、土地区画整理事業の施行のために必要がある場合においては、所有者に代わつて土地の分割又は合併の手続をすることができる。

2　施行者は、次条の規定による届出をする場合において、一筆の土地が施行地区の内外又は二以上の工区にわたるときは、その届出とともに、その土地の分割の手続をしなければならない。

（登記所への届出）

第八三条　施行者は、第七十六条第一項各号に掲げる公告があつた場合においては、当該施行地区を管轄する登記所に、国土交通省令で定める事項を届け出なければならない。

（関係簿書の備付け）

第八四条　施行者は、規準、規約、定款又は施行規程並びに事業計画又は事業基本方針及び換地計画に関する図書その他政令で定める簿書を主たる事務所に備え付けておかなければならない。

2　利害関係者から前項の簿書の閲覧又は謄写の請求があつた場合においては、施行者は、正当な理由がない限り、これを拒んではならない。

（権利の申告）

第八五条　施行地区（個人施行者の施行する土地区画整理事業に係るものを除く。）内の宅地についての所有権以外の権利で登記のないものを有し、又は有することとなつた者は、当該権利の存する宅地の所有者若しくは当該権利の目的である権利を有する者と連署し、又は当該権利を証する書類を添えて、国土交通省令で定めるところにより、書面をもつてその権利の種類及び内容を施行者に申告しなければならない。

2　第十九条第三項（第三十九条第二項及び第五十一条の七第二項（第五十一条の十第二項において準用する場合を含む。）において準用する場合を含む。）の規定による申告のあつた未登記の借地権は、前項の規定による申告があつたものとみなす。

3　第一項の規定による申告に係る登記のない権利（前項の規定により第一項の規定による申告があつたものとみなされた借地権を含む。）の移転、変更又は消滅があつた場合においては、当該移転、変更又は消滅に係る当事者の双方又は一方は、連署し、又は当該移転、変更若しくは消滅があつたことを証する書類を添えて、国土交通省令で定めるところにより、書面をもつてその旨を施行者に届け出なければならない。

4　個人施行者以外の施行者は、議決権又は選挙権を行う者を確定するため必要がある場合においては借地権について、換地計画の決定又は仮換地の指定のため必要がある場合においては宅地についての所有権以外の権利について、その必要な限度において、第一項又は前項の規定にかかわらず、定款、規準又は施行規程で定めるところにより、一定期間第一項の申告又は前項の届出を受理しないこととすることができる。

5　個人施行者以外の施行者は、第一項の規定により申告しなければならない権利でその申告のないもの（第二項の規定により第一項の規定による申告があつたものとみなされた借地権を除く。）については、その申告がない限り、これを存しないものとみなして、次条第五項、第八十五条の三第四項、第八十五条の四第五項及び本章第二節から第六節までの規定による処分又は決定をすることができるものとし、第一項の規定による申告があつた施行地区内の宅地について存する登記のない権利（第二項の規定により第一項の規定による申告があつたものとみなされた借地権を含む。）で第三項の規定による届出のないものについては、その届出のない限り、その権利の移転、変更又は消滅がないものとみなして、次条第五項、第八十五条の三第四項、第八十五条の四第五項及び本章第二節から第六節までの規定による処分又は決定をすることができる。

6　組合が成立した後、最初の役員が選挙され、又は選任されるまでの間は、第一項又は第三項の規定により組合に対してされた申告又は届出は、第十四条第一項又は第二項に規定する認可を受けた者が受理するものとする。

（住宅先行建設区への換地の申出等）

第八五条の二　第六条第二項（第十六条第一項、第五十一条の四、第五十四条、第六十八条及び第七十一条の三第二項において準用する場合を含む。）の規定により事業計画において住宅先行建設区が定められたときは、施行地区内の宅地の所有者で当該宅地についての換地に住宅を先行して建設しようとするものは、施行者に対し、国土交通省令で定めるところにより、換地計画において当該宅地についての換地を住宅先行建設区内に定めるべき旨の申出をすることができる。

2　前項の規定による申出をしようとする者は、国土交通省令で定めるところにより、施行者に、当該申出に係る宅地についての換地に建設しようとする住宅の建設に関する計画（次項及び第五項並びに第百十七条の二第一項及び第二項において「建設計画」という。）を提出しなければならない。

3　第一項の規定による申出に係る宅地について住宅の所有を目的とする借地権を有する者があるときは、当該申出及び建設計画についてその者の同意がなければならない。

4　第一項の規定による申出は、次の各号に掲げる場合の区分に応じ、当該各号に掲げる公告があつた日から起算して六十日以内に行わなければならない。

一　事業計画が定められた場合　第七十六条第一項各号に掲げる公告（事業計画の変更の公告又は事業計画の変更についての認可の公告を除く。）

二　事業計画の変更により新たに住宅先行建設区が定められた場合　当該事業計画の変更の公告又は当該事業計画の変更についての認可の公告

三　事業計画の変更により従前の施行地区外の土地が新たに施行地区に編入されたことに伴い住宅先行建設区の面積が拡張された場合　当該事業計画の変更の公告又は当該事業計画の変更についての認可の公告

5　施行者は、第一項の規定による申出があつた場合には、遅滞なく、当該申出が次に掲げる要件に該当すると認めるときは、当該申出に係る宅地を、換地計画においてその宅地についての換地を住宅先行建設区内に定められるべき宅地として指定し、当該申出が次に掲げる要件に該当しないと認めるときは、当該申出に応じない旨を決定しなければならない。

一　当該申出に係る宅地に建築物その他の工作物（容易に移転し、又は除却することができるもので国土交通省令で定めるものを除く。）が存しないこと。

二　当該申出に係る宅地に地上権、永小作権、賃借権その他の当該宅地を使用し、又は収益することができる権利（住宅の所有を目的とする借地権及び地役権を除く。）が存しないこと。

三　当該申出に係る宅地についての換地に、第百十七条の二第一項に規定する指定期間を経過する日までに、建設計画に従つて住宅が建設されることが確実であると見込まれること。

6　施行者は、前項の規定による指定又は決定をしたときは、遅滞なく、第一項の規定による申出をした者に対し、その旨を通知しなければならない。

7　施行者は、第五項の規定による指定をしたときは、遅滞なく、その旨を公告しなければならない。

8　施行者が第十四条第一項の規定により設立された組合である場合においては、最初の役員が選挙され、又は選任されるまでの間は、第一項の規定による申出は、同条第一項の規定による認可を受けた者が受理するものとする。

（市街地再開発事業区への換地の申出等）

第八五条の三　第六条第四項（第十六条第一項、第五十一条の四、第五十四条、第六十八条及び第七十一条の三第二項において準用する場合を含む。）の規定により事業計画において市街地再開発事業区が定められたときは、施行地区内の宅地について所有権又は借地権を有する者は、施行者に対し、国土交通省令で定めるところにより、換地計画において当該宅地についての換地を市街地再開発事業区内に定めるべき旨の申出をすることができる。

2　前項の規定による申出をしようとする者は、申出に係る宅地（市街地再開発事業区外のものに限る。）について、当該申出をする者以外に所有権若しくは地上権、永小作権、賃借権その他の当該宅地を使用し、若しくは収益することができる権利（地役権を除く。）又は当該宅地に存する建築物その他の工作物の所有権若しくは賃借権その他の当該工作物を使用し、若しくは収益することができる権利を有する者があるときは、当該申出についてこれらの者の同意を得なければならない。

3　第一項の規定による申出は、次の各号に掲げる場合の区分に応じ、当該各号に掲げる公告があつた日から起算して六十日以内に行わなければならない。

一　事業計画が定められた場合　第七十六条第一項各号に掲げる公告（事業計画の変更の公告又は事業計画の変更についての認可の公告を除く。）

二　事業計画の変更により新たに市街地再開発事業区が定められた場合　当該事業計画の変更の公告又は当該事業計画の変更についての認可の公告

三　事業計画の変更により従前の施行地区外の土地が新たに施行地区に編入されたことに伴い市街地再開発事業区の面積が拡張された場合　当該事業計画の変更の公告又は当該事業計画の変更についての認可の公告

4　施行者は、第一項の規定による申出があつた場合においては、前項の期間の経過後遅滞なく、第一号に該当すると認めるときは当該申出に係る宅地の全部を換地計画においてその宅地についての換地が市街地再開発事業区内に定められるべき宅地として指定し、第二号に該当すると認めるときは当該申出に係る宅地のうち一部を指定し、他の宅地について申出に応じない旨を決定しなければならない。

一　換地計画において、当該申出に係る宅地の全部についての換地の地積が市街地再開発事業区の面積を超えないこととなる場合

二　換地計画において、当該申出に係る宅地の全部についての換地の地積が市街地再開発事業区の面積を超えることとなる場合

5　施行者は、前項の規定による指定又は決定をしたときは、遅滞なく、第一項の規定による申出をした者に対し、その旨を通知しなければならない。

6　施行者は、第四項の規定による指定をしたときは、遅滞なく、その旨を公告しなければならない。

7　施行者が第十四条第一項の規定により設立された組合である場合においては、最初の役員が選挙され、又は選任されるまでの間は、第一項の規定による申出は、同条第一項の規定による認可を受けた者が受理するものとする。

（高度利用推進区への換地の申出等）

第八五条の四　第六条第六項（第十六条第一項、第五十一条の四、第五十四条、第六十八条及び第七十一条の三第二項において準用する場合を含む。次項において同じ。）の規定により事業計画において高度利用推進区が定められたときは、施行地区内の宅地について所有権又は借地権を有する者は、施行者に対し、国土交通省令で定めるところにより、一人で、又は数人共同して、換地計画において当該宅地についての換地を高度利用推進区内に定めるべき旨の申出をすることができる。この場合において、借地権を有する者にあつては、当該借地権の目的となつている土地の所有権を有する者と共同でしなければならない。

2　第六条第六項の規定により事業計画において高度利用推進区が定められたときは、施行地区内の宅地について所有権を有する者は、施行者に対し、国土交通省令で定めるところにより、数人共同して、換地計画において当該宅地について換地を定めないで高度利用推進区内の土地の共有持分を与えるように定めるべき旨の申出をすることができる。

3　前二項の申出は、次に掲げる要件のすべてに該当するものでなければならない。

一　当該申出に係る宅地について、当該申出をする者以外に地上権、永小作権、賃借権その他の当該宅地を使用し、又は収益することができる権利（地役権を除く。）が存しないこと。

二　当該申出に係る宅地について、建築物その他の工作物（容易に移転し、又は除却することができるもので国土交通省令で定めるものを除く。）の所有権又は賃借権その他の当該工作物を使用し、若しくは収益することができる権利を有する者があるときは、これらの者の同意（当該申出をした者が、新たに高度利用推進区において高度利用地区、都市再生特別地区又は特定地区計画等区域の都市計画に適合する建築物を建築することについての同意を含む。）が得られていること。

三　当該申出に係る宅地の地積（数人共同して申出をする場合にあつては、当該申出に係る宅地の地積の合計）が、高度利用地区、都市再生特別地区又は特定地区計画等区域の都市計画において定められた建築物の建ぺい率（建築面積の敷地面積に対する割合をいう。）の最高限度及び建築物の建築面積の最低限度を勘案して、土地の合理的かつ健全な高度利用を図るのに必要な地積の換地又は共有持分を与える土地を定めることができるものとして規準、規約、定款又は施行規程で定める規模以上であること。

4　第一項及び第二項の規定による申出は、次の各号に掲げる場合の区分に応じ、当該各号に定める公告があつた日から起算して六十日以内に行わなければならない。

一　事業計画が定められた場合　第七十六条第一項各号に掲げる公告（事

業計画の変更の公告又は事業計画の変更についての認可の公告を除く。）

二　事業計画の変更により新たに高度利用推進区が定められた場合　当該事業計画の変更の公告又は当該事業計画の変更についての認可の公告

三　事業計画の変更により従前の施行地区外の土地が新たに施行地区に編入されたことに伴い高度利用推進区の面積が拡張された場合　当該事業計画の変更の公告又は当該事業計画の変更についての認可の公告

5　施行者は、第一項又は第二項の規定による申出があつた場合において、前項の期間の経過後遅滞なく、第一号に該当すると認めるときは当該申出に係る宅地の全部を換地計画においてその宅地についての換地又は共有持分を与える土地を高度利用推進区内に定められるべき宅地として指定し、第二号に該当すると認めるときは当該申出に係る宅地のうち一部を指定し、他の宅地について申出に応じない旨を決定しなければならない。

一　換地計画において、第一項の規定による申出に係る宅地の全部についての換地の地積及び第二項の規定による申出に係る宅地の全部についての共有持分を与える土地の地積との合計が高度利用推進区の面積を超えないこととなる場合

二　換地計画において、第一項の規定による申出に係る宅地の全部についての換地の地積及び第二項の規定による申出に係る宅地の全部についての共有持分を与える土地の地積との合計が高度利用推進区の面積を超えることとなる場合

6　施行者は、前項の規定による指定又は決定をしたときは、遅滞なく、第一項又は第二項の規定による申出をした者に対し、その旨を通知しなければならない。

7　施行者は、第五項の規定による指定をしたときは、遅滞なく、その旨を公告しなければならない。

8　施行者が第十四条第一項の規定により設立された組合である場合においては、最初の役員が選挙され、又は選任されるまでの間は、第一項又は第二項の規定による申出は、同条第一項の規定による認可を受けた者が受理するものとする。

第二節　換地計画

（換地計画の決定及び認可）

第八十六条　施行者は、施行地区内の宅地について換地処分を行うため、換地計画を定めなければならない。この場合において、施行者が個人施行者、組合、区画整理会社、市町村又は機構等であるときは、国土交通省令で定めるところにより、その換地計画について都道府県知事の認可を受けなければならない。

2　個人施行者、組合又は区画整理会社が前項の規定による認可の申請をしようとするときは、換地計画に係る区域を管轄する市町村長を経由して行わなければならない。

3　施行地区が工区に分かれている場合においては、第一項の換地計画は、工区ごとに定めることができる。

4　都道府県知事は、第一項に規定する認可の申請があつた場合においては、次の各号のいずれかに該当する事実があると認めるとき以外は、その認可をしなければならない。

一　申請手続が法令に違反していること。

二　換地計画の決定手続又は内容が法令に違反していること。

三　換地計画の内容が事業計画の内容と抵触していること。

5　前項の規定にかかわらず、都道府県知事は、換地計画に係る区域に市街地再開発事業の施行地区（都市再開発法第二条第三号に規定する施行地区をいう。）が含まれている場合においては、当該市街地再開発事業の施行に支障を及ぼさないと認めるときでなければ、第一項に規定する認可をしてはならない。

（換地計画）

第八十七条　前条第一項の換地計画においては、国土交通省令で定めるところにより、次に掲げる事項を定めなければならない。

一　換地設計

二　各筆換地明細

三　各筆各権利別清算金明細

四　保留地その他の特別の定めをする土地の明細

2　施行者は、清算金の決定に先立つて前項第一号、第二号及び第四号に掲げる事項を定める必要があると認める場合においては、これらの事項のみを定める換地計画を定めることができる。

3　施行者は、前項の換地計画を定めた場合には、第百三条第一項の規定による換地処分を行うまでに、当該換地計画に第一項第三号に掲げる事項を定めなければならない。

（換地計画に関する関係権利者の同意、縦覧及び意見書の処理）

第八十八条　第八条の規定は換地計画について認可を申請しようとする個人施行者について、第五十一条の六の規定は換地計画について認可を申請しようとする区画整理会社について準用する。この場合において、第八条第一項及び第五十一条の六中「施行地区となるべき区域」とあるのは、「換地計画に係る区域」と読み替えるものとする。

2　個人施行者以外の施行者は、換地計画を定めようとする場合においては、政令で定めるところにより、その換地計画を二週間公衆の縦覧に供しなければならない。

3　利害関係者は、前項の規定により縦覧に供された換地計画について意見がある場合においては、縦覧期間内に、施行者に意見書を提出することができる。

4　施行者は、前項の規定により意見書の提出があつた場合においては、その内容を審査し、その意見書に係る意見を採択すべきであると認めるときは換地計画に必要な修正を加え、その意見書に係る意見を採択すべきでないと認めるときはその旨を意見書を提出した者に通知しなければならない。

5　施行者が前項の規定により換地計画に必要な修正を加えた場合においては、その修正に係る部分について更に第二項からこの項までに規定する手続を行うべきものとする。ただし、その修正が政令で定める軽微なもの又は形式的なものである場合においては、この限りでない。

6　第三条第四項若しくは第五項、第三条の二又は第三条の三の規定による施行者は、第二項の規定により縦覧に供すべき換地計画を作成しようとする場合及び第四項の規定により意見書の内容を審査する場合においては、土地区画整理審議会の意見を聴かなければならない。

7　施行者は、第四項の規定により意見書の内容を審査する場合において、その意見書が農地法（昭和二十七年法律第二百二十九号）にいう農地又は採草放牧地に係るものであり、かつ、その意見書を提出した者が当該換地計画に係る区域内の宅地について所有権又は借地権を有する者以外の者であるときは、その農地又は採草放牧地を管轄する農業委員会の意見を聴かなければならない。

（換地）

第八十九条　換地計画において換地を定める場合においては、換地及び従前の宅地の位置、地積、土質、水利、利用状況、環境等が照応するように定めなければならない。

2　前項の規定により換地を定める場合において、従前の宅地について所有権及び地役権以外の権利又は処分の制限があるときは、その換地についてこれらの権利又は処分の制限の目的となるべき宅地又はその部分を前項の規定に準じて定めなければならない。

（住宅先行建設区への換地）

第八十九条の二　第八十五条の二第五項の規定により指定された宅地については、換地計画において換地を住宅先行建設区内に定めなければならない。

（市街地再開発事業区への換地）

第八十九条の三　第八十五条の三第四項の規定により指定された宅地については、換地計画において換地を市街地再開発事業区内に定めなければならない。

（高度利用推進区への換地等）

第八十九条の四　第八十五条の四第五項の規定により指定された宅地については、換地計画において、換地を高度利用推進区内に定め、又は換地を定めないで高度利用推進区内の土地の共有持分を与えるように定めなければならない。

（所有者の同意により換地を定めない場合）

第九〇条　宅地の所有者の申出又は同意があつた場合においては、換地計画において、その宅地の全部又は一部について換地を定めないことができる。この場合において、施行者は、換地を定めない宅地又はその部分について地上権、永小作権、賃借権その他の宅地を使用し、又は収益することができる権利を有する者があるときは、換地を定めないことについてこれらの者の同意を得なければならない。

（宅地地積の適正化）

第九一条　第三条第四項若しくは第五項、第三条の二又は第三条の三の規定により施行する土地区画整理事業の換地計画においては、災害を防止し、及び衛生の向上を図るため宅地の地積の規模を適正にする特別な必要があると認められる場合においては、その換地計画に係る区域内の地積が小である宅地について、過小宅地とならないように換地を定めることができる。

2　前項の過小宅地の基準となる地積は、政令で定める基準に従い、施行者が土地区画整理審議会の同意を得て定める。

3　第一項の場合において、同項に規定する地積が小である宅地の所有者及びその宅地に隣接する宅地の所有者の申出があつたときは、当該申出に係る宅地について、換地計画において換地を定めないで、施行地区内の土地の共有持分を与えるように定めることができる。ただし、当該申出に係る宅地について地上権、永小作権、賃借権その他の宅地を使用し、又は収益することができる権利（地役権を除く。）が存する場合においては、この限りでない。

4　第一項の場合において、土地区画整理審議会の同意があつたときは、地積が著しく小であるため地積を増して換地を定めることが適当でないと認められる宅地について、換地計画において換地を定めないことができる。

5　第一項の規定により宅地が過小宅地とならないように換地を定めるため特別な必要があると認められる場合において、土地区画整理審議会の同意があつたときは、地積が大で余裕がある宅地について、換地計画において地積を特に減じて換地を定めることができる。

（借地地積の適正化）

第九二条　第三条第四項若しくは第五項、第三条の二又は第三条の三の規定により施行する土地区画整理事業の換地計画においては、災害を防止し、及び衛生の向上を図るため借地の地積の規模を適正にする特別な必要があると認められる場合においては、その換地計画に係る区域内の地積が小である借地の借地権について、過小借地とならないように当該借地権の目的となるべき宅地又はその部分を定めることができる。

2　前項の過小借地の基準となる地積は、前条第二項の規定により定められた地積とする。

3　第一項の場合において、土地区画整理審議会の同意があつたときは、地積が著しく小であるため地積を増して借地権の目的となるべき宅地又はその部分を定めることが適当でないと認められる借地の借地権について、換地計画において当該借地権の目的となるべき宅地又はその部分を定めないことができる。

4　第一項の規定により借地が過小借地とならないように借地権の目的となるべき宅地又はその部分を定めるため特別な必要があると認められる場合において、土地区画整理審議会の同意があつたときは、その借地の所有者が所有し、かつ、当該借地権の目的となつていない宅地又はその部分について存する地上権、永小作権、賃借権その他の宅地を使用し、若しくは収益することができる権利について、換地計画において、地積を特に減じて当該権利の目的となるべき宅地又はその部分を定めることができる。

（宅地の立体化）

第九三条　第三条第四項若しくは第五項、第三条の二又は第三条の三の規定による施行者は、第九十一条第一項の規定により過小宅地とならないように換地を定めることができる宅地又は前条第一項の規定により過小借地とならないように借地権の目的となるべき宅地若しくはその部分を定めることができる借地権については、土地区画整理審議会の同意を得て、換地計画において、換地又は借地権の目的となるべき宅地若しくはその部分を定めないで、施行者が処分する権限を有する建築物の一部（その建築物の共用部分の共有持分を含む。以下同じ。）及びその建築物の存する土地の共有持分を与えるように定めることができる。

2　第三条第四項若しくは第五項、第三条の二又は第三条の三の規定による施行者は、市街地における土地の合理的利用を図り、及び災害を防止するため特に必要がある場合においては、都市計画法第八条第一項第五号の防火地域内で、かつ、同項第三号の高度地区（建築物の高さの最低限度が定められているものに限る。）内の宅地の全部又は一部について、土地区画整理審議会の同意を得て、換地計画において、換地又は借地権の目的となるべき宅地若しくはその部分を定めないで、施行者が処分する権限を有する建築物の一部及びその建築物の存する土地の共有持分を与えるように定めることができる。

3　前二項の場合において、建築物の一部及びその建築物の存する土地の共有持分を与えられないで、金銭により清算すべき旨の申出があつたときは、当該宅地又は借地権については、これらの規定により建築物の一部及びその建築物の存する土地の共有持分を与えるように定めることができないものとする。

4　施行者は、換地計画に係る区域内の宅地の所有者の申出又は同意があつた場合においては、その宅地の全部又は一部について、換地計画において換地を定めないで、施行者が処分する権限を有する建築物の一部及びその建築物の存する土地の共有持分を与えるように定めることができる。この場合において、施行者は、換地を定めない部分について地上権、永小作権、賃借権その他の宅地を使用し、又は収益することができる権利を有する者があるときは、これらの者の同意を得なければならない。

5　第九十条又は前項の規定により換地を定めない宅地又はその部分について借地権を有する者がある場合において、その者がこれらの規定による同意に併せて、その借地権について建築物の一部及びその建築物の存する土地の共有持分を与えられるべき旨を申し出たときは、施行者は、換地計画においてその借地権について施行者が処分する権限を有する建築物の一部及びその建築物の存する土地の共有持分を与えるように定めることができる。

6　第一項、第二項、第四項及び前項に規定する建築物は、その主要構造部が建築基準法第二条第七号に規定する耐火構造のものでなければならない。

（清算金）

第九四条　換地又は換地について権利（処分の制限を含み、所有権及び地役権を含まない。以下この条において同じ。）の目的となるべき宅地若しくはその部分を定め、又は定めない場合において、不均衡が生ずると認められるときは、従前の宅地又はその宅地について存する権利の目的である宅地若しくはその部分及び換地若しくは換地について定める権利の目的となるべき宅地若しくはその部分又は第八十九条の四若しくは第九十一条第三項の規定により共有となるべきものとして定める土地の位置、地積、土質、水利、利用状況、環境等を総合的に考慮して、金銭により清算するものとし、換地計画においてその額を定めなければならない。この場合において、前条第一項、第二項、第四項又は第五項の規定により建築物の一部及びその建築物の存する土地の共有持分を与えるように定める宅地又は借地権については、当該建築物の一部及びその建築物の存する土地の位置、面積、利用状況、環境等をも考慮しなければならないものとする。

（特別の宅地に関する措置）

第九五条　次に掲げる宅地に対しては、換地計画において、その位置、地積等に特別の考慮を払い、換地を定めることができる。

一　鉄道、軌道、飛行場、港湾、学校、市場、と畜場、墓地、火葬場、ごみ焼却場及び防火、防水、防砂又は防潮の施設その他の公共の用に供する施設で政令で定めるものの用に供している宅地

二　病院、療養所、診療所その他の医療事業の用に供する施設で政令で定めるものの用に供している宅地

三　養護老人ホーム、救護施設その他の社会福祉事業の用に供する施設で政令で定めるものの用に供している宅地

四　電気工作物、ガス工作物その他の公益事業の用に供する施設で政令で定めるものの用に供している宅地

五　国又は地方公共団体が設置する庁舎、工場、研究所、試験所その他の直接その事務又は事業の用に供する施設で政令で定めるものの用に供している宅地

六　公共施設の用に供している宅地

七　その他特別の事情のある宅地で政令で定めるもの

2　工区ごとに換地計画を定める場合において必要があるときは、一の工区において換地を定めないこととされる宅地について、その宅地を他の工区にあるものとみなして、当該他の工区に係る換地計画において換地を定めることができる。

3　第一項第一号から第五号までに掲げる施設で主として当該換地計画に係る区域内に居住する者の利便に供するものの用に新たに供すべき土地については、換地計画において、一定の土地を換地として定めないで、その土地を当該施設の用に供すべき宅地として定めることができる。この場合においては、この土地は、換地計画において、換地とみなされるものとする。

4　文化財保護法（昭和二十五年法律第二百十四号）の規定により重要文化財又は史跡名勝天然記念物として指定された建造物その他の土地の定着物でその文化財としての性質上これを移転することが適当でないものの所在する宅地については、これらの定着物の移転の必要を生じないように、換

地計画において換地を定めなければならない。

5　第一項第一号から第五号までに掲げる施設で主として当該換地計画に係る区域内に居住する者の利便に供するものの用に供している宅地又はその用に供すべき土地については、換地計画において、金銭により清算すべき額に関し特別の定めをすることができる。

6　第一項第六号に掲げる宅地については、土地区画整理事業の施行により当該宅地に存する公共施設に代わるべき公共施設が設置され、その結果、当該公共施設が廃止される場合その他特別の事情のある場合においては、換地計画において、当該宅地について換地を定めないことができる。

7　第三条第四項若しくは第五項、第三条の二又は第三条の三の規定による施行者は、前各項の規定により換地計画において特別の定めをしようとする場合においては、土地区画整理審議会の同意を得なければならない。

第九五条の二　第三条第二項の規定により施行する土地区画整理事業の換地計画においては、組合の定款で施行地区内の土地が参加組合員に与えられるように定められているときは、一定の土地を換地として定めないで、その土地を当該参加組合員に対して与えるべき宅地として定めなければならない。

（保留地）

第九六条　第三条第一項から第三項までの規定により施行する土地区画整理事業の換地計画においては、土地区画整理事業の施行の費用に充てるため、又は規準、規約若しくは定款で定める目的のため、一定の土地を換地として定めないで、その土地を保留地として定めることができる。

2　第三条第四項若しくは第五項、第三条の二又は第三条の三の規定により施行する土地区画整理事業の換地計画においては、その土地区画整理事業の施行後の宅地の価額の総額（第九十三条第一項、第二項、第四項又は第五項の規定により建築物の一部及びその建築物の存する土地の共有持分を与えるように定める場合においては、当該建築物の価額を含むものとする。以下同じ。）がその土地区画整理事業の施行前の宅地の価額の総額を超える場合においては、土地区画整理事業の施行の費用に充てるため、その差額に相当する金額を超えない価額の一定の土地を換地として定めないで、その土地を保留地として定めることができる。

3　第三条第四項若しくは第五項、第三条の二又は第三条の三の規定による施行者は、前項の規定により保留地を定めようとする場合においては、土地区画整理審議会の同意を得なければならない。

（換地計画の変更）

第九七条　個人施行者、組合、区画整理会社、市町村又は機構等は、換地計画を変更しようとする場合においては、国土交通省令で定めるところにより、その換地計画の変更について都道府県知事の認可を受けなければならない。この場合において、個人施行者、組合又は区画整理会社がその申請をしようとするときは、換地計画に係る区域を管轄する市町村長を経由して行わなければならない。

2　第八条の規定は換地計画を変更しようとする個人施行者について、第八十六条第四項及び第五項の規定は個人施行者から前項に規定する認可の申請があつた場合について準用する。この場合において、第八条第一項中「施行地区となるべき区域」とあるのは、「換地計画に係る区域」と読み替えるものとする。

3　第五十一条の六の規定は換地計画を変更しようとする区画整理会社について、第八十六条第四項及び第五項の規定は個人施行者以外の施行者から第一項に規定する認可の申請があつた場合について、第八十八条第二項から第七項までの規定は個人施行者以外の施行者が換地計画を変更しようとする場合（政令で定める軽微な又は形式的な変更をしようとする場合を除く。）について準用する。この場合において、第五十一条の六中「施行地区となるべき区域」とあるのは「換地計画に係る区域」と、第八十八条第二項中「その換地計画」とあるのは「その換地計画の変更に係る部分」と読み替えるものとする。

第三節　仮換地の指定

（仮換地の指定）

第九八条　施行者は、換地処分を行う前において、土地の区画形質の変更若しくは公共施設の新設若しくは変更に係る工事のため必要がある場合又は換地計画に基づき換地処分を行うため必要がある場合においては、施行地区内の宅地について仮換地を指定することができる。この場合において、従前の宅地について地上権、永小作権、賃借権その他の宅地を使用し、又は収益することができる権利を有する者があるときは、その仮換地について仮にそれらの権利の目的となるべき宅地又はその部分を指定しなければならない。

2　施行者は、前項の規定により仮換地を指定し、又は仮換地について仮に権利の目的となるべき宅地若しくはその部分を指定する場合においては、換地計画において定められた事項又はこの法律に定める換地計画の決定の基準を考慮してしなければならない。

3　第一項の規定により仮換地を指定し、又は仮換地について仮に権利の目的となるべき宅地若しくはその部分を指定しようとする場合においては、あらかじめ、その指定について、個人施行者は、従前の宅地の所有者及びその宅地についての同項後段に規定する権利をもつて施行者に対抗することができる者並びに仮換地となるべき宅地の所有者及びその宅地についての同項後段に規定する権利をもつて施行者に対抗することができる者の同意を得なければならないものとし、組合は、総会若しくはその部会又は総代会の同意を得なければならず、第三条第四項若しくは第五項、第三条の二又は第三条の三の規定による施行者は、土地区画整理審議会の意見を聴かなければならないものとする。

4　区画整理会社は、第一項の規定により仮換地を指定し、又は仮換地について仮に権利の目的となるべき宅地若しくはその部分を指定しようとする場合においては、あらかじめ、その指定について、施行地区内の宅地について所有権を有するすべての者及びその区域内の宅地について借地権を有するすべての者のそれぞれの三分の二以上の同意を得なければならない。この場合においては、同意した者が所有するその区域内の宅地の地積と同意した者が有する借地権の目的となつているその区域内の宅地の地積との合計が、その区域内の宅地の総地積と借地権の目的となつている宅地の総地積との合計の三分の二以上でなければならない。

5　第一項の規定による仮換地の指定は、その仮換地となるべき土地の所有者及び従前の宅地の所有者に対し、仮換地の位置及び地積並びに仮換地の指定の効力発生の日を通知してするものとする。

6　前項の規定により通知をする場合において、仮換地となるべき土地について地上権、永小作権、賃借権その他の土地を使用し、又は収益することができる権利を有する者があるときは、これらの者に仮換地の位置及び地積並びに仮換地の指定の効力発生の日を、従前の宅地についてこれらの権利を有する者があるときは、これらの者にその宅地に対する仮換地となるべき土地について定められる仮にこれらの権利の目的となるべき宅地又はその部分及び仮換地の指定の効力発生の日を通知しなければならない。

7　第一項の規定による仮換地の指定又は仮換地について仮に権利の目的となるべき宅地若しくはその部分の指定については、行政手続法（平成五年法律第八十八号）第三章の規定は、適用しない。

（仮換地の指定の効果）

第九九条　前条第一項の規定により仮換地が指定された場合においては、従前の宅地について権原に基づき使用し、又は収益することができる者は、仮換地の指定の効力発生の日から第百三条第四項の公告がある日まで、仮換地又は仮換地について仮に使用し、若しくは収益することができる権利の目的となるべき宅地若しくはその部分について、従前の宅地について有する権利の内容である使用又は収益と同じ使用又は収益をすることができるものとし、従前の宅地については、使用し、又は収益することができないものとする。

2　施行者は、前条第一項の規定により仮換地を指定した場合において、その仮換地に使用又は収益の障害となる物件が存するときその他特別の事情があるときは、その仮換地について使用又は収益を開始することができる日を同条第五項に規定する日と別に定めることができる。この場合においては、同項及び同条第六項の規定による通知に併せてその旨を通知しなければならない。

3　前二項の場合においては、仮換地について権原に基づき使用し、又は収益することができる者は、前条第五項に規定する日（前項前段の規定によりその仮換地について使用又は収益を開始することができる日を別に定めた場合においては、その日）から第百三条第四項の公告がある日まで、当該仮換地を使用し、又は収益することができない。

（使用収益の停止）

第一〇〇条　施行者は、換地処分を行う前において、土地の区画形質の変更若しくは公共施設の新設若しくは変更に係る工事のため必要がある場合又は換地計画に基き換地処分を行うため必要がある場合においては、換地計画において換地を定めないこととされる宅地の所有者又は換地について権利の目的となるべき宅地若しくはその部分を定めないこととされる権利を有する者に対して、期日を定めて、その期日からその宅地又はその部分について使用し、又は収益することを停止させることができる。この場合においては、その期日の相当期間前に、その旨をこれらの者に通知しなければならない。

2　前項の規定により宅地又はその部分について使用し、又は収益することが停止された場合においては、当該宅地又はその部分について権原に基き使用し、又は収益することができる者は、同項の期日から第百三条第四項の公告がある日まで、当該宅地又はその部分について使用し、又は収益することができない。

3　第一項の規定による宅地又はその部分についての使用又は収益の停止については、行政手続法第三章の規定は、適用しない。

（仮換地に指定されない土地の管理）

第一〇〇条の二　第九十八条第一項の規定により仮換地若しくは仮換地について仮に権利の目的となるべき宅地若しくはその部分を指定した場合又は前条第一項の規定により従前の宅地若しくはその部分について使用し、若しくは収益することを停止させた場合において、それらの処分に因り使用し、又は収益することができる者のなくなつた従前の宅地又はその部分については、当該処分に因り当該宅地又はその部分を使用し、又は収益することができる者のなくなつた時から第百三条第四項の公告がある日までは、施行者がこれを管理するものとする。

（仮換地の指定等に伴う補償）

第一〇一条　従前の宅地の所有者及びその宅地について地上権、永小作権、賃借権その他の宅地を使用し、又は収益することができる権利を有する者が、第九十九条第二項の規定によりその仮換地について使用又は収益を開始することができる日を別に定められたため、従前の宅地について使用し、又は収益することができなくなつたことにより損失を受けた場合においては、施行者は、その損失を受けた者に対して、通常生ずべき損失を補償しなければならない。

2　仮換地の所有者及びその仮換地について地上権、永小作権、賃借権その他の土地を使用し、又は収益することができる権利を有する者が、第九十九条第三項の規定によりその仮換地を使用し、又は収益することができなくなつたことに因り損失を受けた場合においては、施行者は、その損失を受けた者に対して、通常生ずべき損失を補償しなければならない。

3　従前の宅地の所有者及びその宅地について地上権、永小作権、賃借権その他の宅地を使用し、又は収益することができる権利を有する者が、第百条第二項の規定によりその従前の宅地を使用し、又は収益することができなくなつたことに因り損失を受けた場合においては、施行者は、その損失を受けた者に対して、通常生ずべき損失を補償しなければならない。

4　第七十三条第二項及び第三項の規定は、前各項の規定による損失の補償について準用する。

5　第七十八条第五項及び第六項の規定は、施行者が第一項から第三項までの規定による補償金を支払う場合について準用する。この場合において、同条第五項中「その建築物等について」とあるのは、「当該宅地又はその宅地について存する権利について」と読み替えるものとする。

（仮清算）

第一〇二条　施行者は、第九十八条第一項の規定により仮換地を指定した場合又は第百条第一項の規定により使用し、若しくは収益することを停止させた場合において、必要があると認めるときは、第九十四条に定めるところに準じて仮に算出した仮清算金を、清算金の徴収又は交付の方法に準ずる方法により徴収し、又は交付することができる。

2　第百十二条の規定は、施行者が前項の規定により仮清算金を交付する場合において、宅地又は宅地について存する権利について先取特権、質権又は抵当権があるときについて準用する。

第四節　換地処分

（換地処分）

第一〇三条　換地処分は、関係権利者に換地計画において定められた関係事項を通知してするものとする。

2　換地処分は、換地計画に係る区域の全部について土地区画整理事業の工事が完了した後において、遅滞なく、しなければならない。ただし、規準、規約、定款又は施行規程に別段の定めがある場合においては、換地計画に係る区域の全部について工事が完了する以前においても換地処分をすることができる。

3　個人施行者、組合、区画整理会社、市町村又は機構等は、換地処分をした場合においては、遅滞なく、その旨を都道府県知事に届け出なければならない。

4　国土交通大臣は、換地処分をした場合においては、その旨を公告しなければならない。都道府県知事は、都道府県が換地処分をした場合又は前項の届出があつた場合においては、換地処分があつた旨を公告しなければならない。

5　換地処分の結果、市町村の区域内の町又は字の区域又は名称について変更又は廃止をすることが必要となる場合においては、前項の公告に係る換地処分の効果及びこれらの変更又は廃止の効力が同時に発生するように、その公告をしなければならない。

6　換地処分については、行政手続法第三章の規定は、適用しない。

（換地処分の効果）

第一〇四条　前条第四項の公告があつた場合においては、換地計画において定められた換地は、その公告があつた日の翌日から従前の宅地とみなされるものとし、換地計画において換地を定めなかつた従前の宅地について存する権利は、その公告があつた日が終了した時において消滅するものとする。

2　前条第四項の公告があつた場合においては、従前の宅地について存した所有権及び地役権以外の権利又は処分の制限について、換地計画において換地について定められたこれらの権利又は処分の制限の目的となるべき宅地又はその部分は、その公告があつた日の翌日から従前の宅地について存したこれらの権利又は処分の制限の目的である宅地又はその部分とみなされるものとし、換地計画において換地について目的となるべき宅地の部分を定められなかつたこれらの権利は、その公告があつた日が終了した時において消滅するものとする。

3　前二項の規定は、行政上又は裁判上の処分で従前の宅地に専属するものに影響を及ぼさない。

4　施行地区内の宅地について存する地役権は、第一項の規定にかかわらず、前条第四項の公告があつた日の翌日以後においても、なお従前の宅地の上に存する。

5　土地区画整理事業の施行に因り行使する利益がなくなつた地役権は、前条第四項の公告があつた日が終了した時において消滅する。

6　第八十九条の四又は第九十一条第三項の規定により換地計画において土地の共有持分を与えられるように定められた宅地を有する者は、前条第四項の公告があつた日の翌日において、換地計画において定められたところにより、その土地の共有持分を取得するものとする。この場合において、従前の宅地について存した先取特権、質権若しくは抵当権又は仮登記、買戻しの特約その他権利の消滅に関する事項の定めの登記若しくは処分の制限の登記に係る権利は、同項の公告があつた日の翌日以後においては、その土地の共有持分の上に存するものとする。

7　第九十三条第一項、第二項、第四項又は第五項の規定により換地計画において建築物の一部及びその建築物の存する土地の共有持分を与えられるように定められた宅地又は借地権を有する者は、前条第四項の公告があつた日の翌日において、換地計画において定められたところにより、その建築物の一部及びその建築物の存する土地の共有持分を取得するものとする。前項後段の規定は、この場合について準用する。

8　第九十四条の規定により換地計画において定められた清算金は、前条第四項の公告があつた日の翌日において確定する。

9　第九十五条第二項又は第三項の規定により換地計画において定められた換地は、前条第四項の公告があつた日の翌日において、当該換地の所有者となるべきものとして換地計画において定められた者が取得する。

10　第九十五条の二の規定により換地計画において参加組合員に対して与えるべきものとして定められた宅地は、前条第四項の公告があつた日の翌日において、当該宅地の所有者となるべきものとして換地計画において定められた参加組合員が取得する。

11　第九十六条第一項又は第二項の規定により換地計画において定められた保留地は、前条第四項の公告があつた日の翌日において、施行者が取得する。

（公共施設の用に供する土地の帰属）

第一〇五条　換地計画において換地を宅地以外の土地に定めた場合におい

て、その土地に存する公共施設が廃止されるときは、これに代るべき公共施設の用に供する土地は、その廃止される公共施設の用に供していた土地が国の所有する土地である場合においては国に、地方公共団体の所有する土地である場合においては地方公共団体に、第百三条第四項の公告があつた日の翌日においてそれぞれ帰属する。

2　換地計画において換地を宅地以外の土地に定めた場合においては、その土地について存する従前の権利は、第百三条第四項の公告があつた日が終了した時において消滅する。

3　土地区画整理事業の施行により生じた公共施設の用に供する土地は、第一項の規定に該当する場合を除き、第百三条第四項の公告があつた日の翌日において、その公共施設を管理すべき者（当該公共施設を管理すべき者が地方自治法（昭和二十二年法律第六十七号）第二条第九項第一号に規定する第一号法定受託事務（以下単に「第一号法定受託事務」という。）として管理する地方公共団体であるときは、国）に帰属するものとする。

（土地区画整理事業の施行により設置された公共施設の管理）

第百六条　土地区画整理事業の施行により公共施設が設置された場合においては、その公共施設は、第百三条第四項の公告があつた日の翌日において、その公共施設の所在する市町村の管理に属するものとする。ただし、管理すべき者について、他の法律又は規準、規約、定款若しくは施行規程に別段の定めがある場合においては、この限りでない。

2　施行者は、第百三条第四項の公告がある日以前においても、公共施設に関する工事が完了した場合においては、前項の規定にかかわらず、その公共施設を管理する者となるべき者にその管理を引き継ぐことができる。

3　施行者は、第百三条第四項の公告があつた日の翌日において、公共施設に関する工事を完了していない場合においては、第一項の規定にかかわらず、その工事が完了したときにおいて、その公共施設を管理すべき者にその管理を引き継ぐことができる。但し、当該公共施設のうち工事を完了した部分についてその管理を引き継ぐことができると認められる場合においては、この限りでない。

4　公共施設を管理すべき者は、前二項の規定により施行者からその公共施設について管理の引継の申出があつた場合においては、その公共施設に関する工事が事業計画において定められた設計の概要に適合しない場合の外、その引継を拒むことができない。

（換地処分に伴う登記等）

第百七条　施行者は、第百三条第四項の公告があつた場合においては、直ちに、その旨を換地計画に係る区域を管轄する登記所に通知しなければならない。

2　施行者は、第百三条第四項の公告があつた場合において、施行地区内の土地及び建物について土地区画整理事業の施行に因り変動があつたときは、政令で定めるところにより、遅滞なく、その変動に係る登記を申請し、又は嘱託しなければならない。

3　第百三条第四項の公告があつた日後においては、施行地区内の土地及び建物に関しては、前項に規定する登記がされるまでは、他の登記をすることができない。但し、登記の申請人が確定日付のある書類によりその公告前に登記原因が生じたことを証明した場合においては、この限りでない。

4　施行地区内の土地及びその土地に存する建物の登記については、政令で、不動産登記法（平成十六年法律第百二十三号）の特例を定めることができる。

（保留地等の処分）

第百八条　第三条第四項若しくは第五項、第三条の二又は第三条の三の規定による施行者は、第百四条第十一項の規定により取得した保留地を、当該保留地を定めた目的のために、当該保留地を定めた目的に適合し、かつ、施行規程で定める方法に従つて処分しなければならない。この場合において、施行者が国土交通大臣であるときは国の、都道府県であるときは都道府県の、市町村であるときは市町村の、それぞれの財産の処分に関する法令の規定は、適用しない。

2　第三条第四項又は第五項の規定による施行者は、第百四条第七項前段の規定により建築物の一部及びその建築物の存する土地の共有持分を取得させる場合については、施行者が国土交通大臣であるときは国の、都道府県であるときは都道府県の、市町村であるときは市町村の、それぞれの財産の処分に関する法令の規定は、適用しない。

第五節　減価補償金

（減価補償金）

第百九条　第三条第四項若しくは第五項、第三条の二又は第三条の三の規定による施行者は、土地区画整理事業の施行により、土地区画整理事業の施行後の宅地の価額の総額が土地区画整理事業の施行前の宅地の価額の総額より減少した場合においては、その差額に相当する金額を、その公告があつた日における従前の宅地の所有者及びその宅地について地上権、永小作権、賃借権その他の宅地を使用し、又は収益することができる権利を有する者に対して、政令で定める基準に従い、減価補償金として交付しなければならない。

2　施行者は、前項の規定による減価補償金を交付しようとする場合においては、各権利者別の交付額について、土地区画整理審議会の意見を聴かなければならない。

第六節　清算

（清算金の徴収及び交付）

第百十条　施行者は、第百三条第四項の公告があつた場合においては、第百四条第八項の規定により確定した清算金を徴収し、又は交付しなければならない。この場合において、確定した清算金の額と第百二条第一項の規定により徴収し、又は交付した仮清算金の額との間に差額があるときは、施行者は、その差額に相当する金額を徴収し、又は交付しなければならない。

2　前項の規定により徴収し、又は交付すべき清算金は、政令で定めるところにより、利子を付して、分割徴収し、又は分割交付することができる。

3　第三条第二項から第五項まで、第三条の二又は第三条の三の規定による施行者は、第一項の規定により徴収すべき清算金（前項の規定により利子を付した場合においては、その利子を含む。以下同じ。）を滞納する者がある場合においては、督促状によつて納付すべき期限を指定して督促しなければならない。

4　前項の督促をする場合においては、第三条第二項の規定による施行者は定款で定めるところにより、同条第三項の規定による施行者は規準で定めるところにより、同条第四項若しくは第五項、第三条の二又は第三条の三の規定による施行者は施行規程で定めるところにより、督促状の送付に要する費用を勘案して国土交通省令で定める額以下の督促手数料及び年十・七五パーセントの割合を乗じて計算した額の範囲内の延滞金を徴収することができる。

5　第三項の規定による督促を受けた者がその督促状において指定した期限までにその納付すべき金額を納付しない場合においては、第三条第四項若しくは第五項、第三条の二又は第三条の三の規定による施行者は、国税滞納処分の例により、第三項に規定する清算金並びに前項に規定する督促手数料及び延滞金を徴収することができる。この場合における清算金並びに督促手数料及び延滞金の先取特権の順位は、国税及び地方税に次ぐものとする。

6　督促手数料及び延滞金は、清算金に先立つものとする。

7　第四十一条第一項及び第三項から第五項までの規定は、第三条第二項又は第三項の規定による施行者の徴収に係る第三項に規定する清算金並びに第四項に規定する督促手数料及び延滞金を督促状において指定した期限までに納付しない者がある場合について準用する。この場合において、第四十一条第一項及び第三項中「組合」とあるのは「組合又は区画整理会社」と、同条第四項中「組合の理事」とあるのは「組合の理事又は区画整理会社の代表者」と読み替えるものとする。

8　第四十二条の規定は、第三条第二項から第五項まで、第三条の二又は第三条の三の規定による施行者が第三項に規定する清算金並びに第四項に規定する督促手数料及び延滞金を徴収する権利について準用する。この場合において、第四十二条第二項中「前条第一項」とあるのは、「第百十条第三項」と読み替えるものとする。

（清算金等の相殺）

第百十一条　施行者は、施行地区内の宅地又は宅地について存する権利について清算金又は減価補償金を交付すべき場合において、その交付を受けるべき者から徴収すべき清算金があるときは、その者から徴収すべき清算金とその者に交付すべき清算金又は減価補償金とを相殺することができる。

2　施行者は、減価補償金が次条第一項の規定により供託する必要があるものである場合においては、その減価補償金は、前項の規定にかかわらず、その減価補償金に係る宅地又はその宅地について存する権利について徴収すべき清算金とのみ相殺することができる。

（抵当権等が存する場合の清算金等の供託）

第一一二条　施行者は、施行地区内の宅地又は宅地について存する権利について清算金又は減価補償金を交付する場合において、当該宅地又は権利について先取特権、質権又は抵当権があるときは、その清算金又は減価補償金を供託しなければならない。但し、先取特権、質権又は抵当権を有する債権者から供託しなくてもよい旨の申出があつた場合においては、この限りでない。

2　前項に規定する先取特権、質権又は抵当権を有する債権者は、同項の規定により供託された清算金又は減価補償金についてその権利を行うことができる。

第七節　権利関係の調整

（地代等の増減の請求等）

第一一三条　土地区画整理事業の施行に因り地上権、永小作権、賃借権その他の土地を使用し、若しくは収益することができる権利の目的である土地又は地役権についての承役地の利用が増し、又は妨げられるに至つたため、従前の地代、小作料、賃貸借料その他の使用料又は地役権の対価が不相当となつた場合においては、当事者は、契約の条件にかかわらず、将来に向つてこれらの増減を請求することができる。

2　前項の規定により従前の地代、小作料、賃貸料その他の使用料又は地役権の対価の増額の請求があつた場合において、同項に掲げる権利を有する者は、その権利を放棄し、又は契約を解除してその義務を免かれることができる。

（権利の放棄等）

第一一四条　土地区画整理事業の施行に因り地上権、永小作権、賃借権その他の土地について使用し、若しくは収益することができる権利又は地役権を設定した目的を達することができなくなつた場合においては、これらの権利を有する者は、その権利を放棄し、又は契約を解除することができる。

2　前項の規定により権利を放棄し、又は契約を解除しようとする者は、当該宅地（地役権については、当該要役地）を他の者に使用させ、又は収益させている場合においては、その者の同意を得なければならない。

3　第一項の規定により権利を放棄し、又は契約を解除した者は、その権利を放棄し、又は契約を解除したことに因り生じた損失の補償を施行者に対して請求することができる。この場合において、施行者が損失の補償をしたときは、施行者は、当該宅地（地役権については、当該承役地。以下本項において同じ。）の所有者又は当該宅地をその損失の補償を受けた者に使用させ、若しくは収益させていた者に対して、その者が受ける利益の限度において求償することができる。

4　第七十三条第二項及び第三項の規定は、前項前段の規定による損失の補償について準用する。この場合において、これらの規定中「損失を与えた者」とあるのは、「施行者」と読み替えるものとする。

（地役権の設定の請求）

第一一五条　土地区画整理事業の施行に因り従前と同一の利益を受けることができなくなつた地役権者は、その利益を保存する範囲内において、地役権の設定を請求することができる。但し、第百十三条第一項の規定による請求に基く地役権の対価の減額があつた場合においては、この限りでない。

（移転建築物の賃貸借料の増減の請求等）

第一一六条　土地区画整理事業の施行に因り建築物が移転された結果、その建築物の利用が増し、又は妨げられるに至つたため、従前の賃貸借料が不相当となつた場合においては、当事者は、契約の条件にかかわらず、将来に向つて賃貸借料の増減を請求することができる。

2　前項の規定により賃貸借料の増額の請求があつた場合においては、建築物について賃借権を有する者は、その契約を解除してその義務を免かれることができる。

3　土地区画整理事業の施行に因り建築物が移転された結果、その建築物を賃借した目的を達することができなくなつた場合においては、建築物について賃借権を有する者は、その契約を解除することができる。

4　前項の規定により契約を解除した者は、施行者に対し、その契約を解除したことに因り生じた損失の補償を請求することができる。この場合において、施行者が損失の補償をしたときは、施行者は、当該建築物の賃貸人に対して、その者が受ける利益の限度において求償することができる。

5　第七十三条第二項及び第三項の規定は、前項の規定による損失の補償について準用する。この場合において、これらの規定中「損失を与えた者」とあるのは、「施行者」と読み替えるものとする。

（請求の期限）

第一一七条　第百三条第四項の公告があつた日から起算して二月を経過した日後は、第百十三条第一項の規定による地代等の増減の請求、第百十四条第一項の規定による権利の放棄若しくは契約の解除、第百十五条の規定による地役権の設定の請求、前条第一項の規定による賃貸借料の増減の請求又は同条第三項の規定による契約の解除の請求は、することができない。

第八節　住宅先行建設区における住宅の建設

（住宅先行建設区における住宅の建設）

第一一七条の二　第八十五条の二第五項の規定により指定された宅地について所有権又は住宅の所有を目的とする借地権を有する者は、換地計画において当該宅地についての換地が住宅先行建設区内に定められた場合においては、第百三条第四項の公告があつた日の翌日から起算して指定期間（その期間内にこれらの者が建設計画に従つて住宅を建設すべきものとして規準、規約、定款又は施行規程で定められたものをいう。次項において同じ。）を経過する日までに、当該宅地についての換地に、建設計画に従つて住宅を建設しなければならない。

2　前項に規定する場合において、第八十五条の二第五項の規定により指定された宅地について、第九十八条第一項の規定により換地計画に基づき当該宅地についての換地となるべき住宅先行建設区内の土地に仮換地が指定されたときは、当該宅地について所有権又は住宅の所有を目的とする借地権を有する者は、前項の規定にかかわらず、同条第五項に規定する日（第九十九条第二項前段の規定により当該仮換地について使用又は収益を開始することができる日を別に定めた場合においては、その日）から起算して指定期間を経過する日までに、当該仮換地（第百三条第四項の公告があつた場合においては、当該公告があつた日の翌日以後は当該宅地についての換地。次項において同じ。）に、建設計画に従つて住宅を建設しなければならない。

3　施行者は、住宅先行建設区における住宅建設の適切な遂行を確保する上で支障があると認めるときは、第八十五条の二第五項の規定により指定された宅地について所有権又は住宅の所有を目的とする借地権を有する者に対し、相当の期限を定めて、当該宅地についての換地（前項の場合にあつては、当該宅地について指定された仮換地）における住宅の建設のため必要な措置を講ずべきことを勧告することができる。

4　施行者は、前項の規定による勧告をした場合において、その勧告を受けた者がその勧告に従わないときは、第八十五条の二第五項の規定による指定の取消し、換地計画の変更その他必要な措置を講ずることができる。

第九節　国土交通大臣の技術検定等

（国土交通大臣の技術検定等）

第一一七条の三　国土交通大臣は、仮換地の指定及び換地処分の適正な実施その他土地区画整理事業の円滑な施行が進められるよう、広く当該事業に関する専門的知識の維持向上に努めるものとする。

2　国土交通大臣は、政令で定めるところにより、換地計画に関する専門的技術を有する者の養成確保を図るため必要な技術検定を行うことができる。

（指定検定機関の指定）

第一一七条の四　国土交通大臣は、その指定する者（以下「指定検定機関」という。）に、前条第二項の技術検定の実施に関する事務（以下「検定事務」という。）を行わせることができる。

2　前項の規定による指定は、一を限り、検定事務を行おうとする者の申請により行う。

3　国土交通大臣は、指定検定機関に検定事務を行わせるときは、当該検定事務を行わないものとする。

（指定の基準）

第一一七条の五　国土交通大臣は、前条第二項の規定による申請が次の各号に適合していると認めるときでなければ、同条第一項の規定による指定をしてはならない。

一　職員、設備、検定事務の実施の方法その他の事項についての検定事務の実施に関する計画が検定事務の適正かつ確実な実施のために適切なものであること。

二　前号の検定事務の実施に関する計画の適正かつ確実な実施に必要な経理的及び技術的な基礎を有するものであること。

三　検定事務以外の業務を行つている場合には、その業務を行うことによつて検定事務が不公正になるおそれがないこと。

2　国土交通大臣は、前条第二項の規定による申請をした者が次の各号のいずれかに該当するときは、同条第一項の規定による指定をしてはならない。

一　一般社団法人又は一般財団法人以外の者であること。

二　この法律の規定に違反して、刑に処せられ、その執行を終わり、又は執行を受けることがなくなつた日から起算して二年を経過しない者であること。

三　第百十七条の十六第一項又は第二項の規定により指定を取り消され、その取消しの日から起算して二年を経過しない者であること。

四　その役員のうちに、次のいずれかに該当する者があること。

イ　第二号に該当する者

ロ　第百十七条の七第二項の規定による命令により解任され、その解任の日から起算して二年を経過しない者

（指定の公示等）

第一一七条の六　国土交通大臣は、第百十七条の四第一項の規定による指定をしたときは、当該指定を受けた者の名称及び主たる事務所の所在地並びに当該指定をした日を公示しなければならない。

2　指定検定機関は、その名称又は主たる事務所の所在地を変更しようとするときは、変更しようとする日の二週間前までに、その旨を国土交通大臣に届け出なければならない。

3　国土交通大臣は、前項の規定による届出があつたときは、その旨を公示しなければならない。

（役員の選任及び解任）

第一一七条の七　指定検定機関の役員の選任及び解任は、国土交通大臣の認可を受けなければ、その効力を生じない。

2　国土交通大臣は、指定検定機関の役員が、第百十七条の十第一項の検定事務規程に違反する行為をしたとき、又は検定事務に関し著しく不適当な行為をしたときは、指定検定機関に対して、その役員を解任すべきことを命ずることができる。

（検定委員）

第一一七条の八　指定検定機関は、国土交通省令で定める要件を備える者のうちから検定委員を選任し、試験の問題の作成及び採点を行わせなければならない。

2　指定検定機関は、前項の検定委員を選任し、又は解任したときは、遅滞なく、その旨を国土交通大臣に届け出なければならない。

3　前条第二項の規定は、第一項の検定委員の解任について準用する。

（秘密保持義務等）

第一一七条の九　指定検定機関の役員若しくは職員（前条第一項の検定委員を含む。次項において同じ。）又はこれらの職にあつた者は、検定事務に関して知り得た秘密を漏らしてはならない。

2　検定事務に従事する指定検定機関の役員及び職員は、刑法その他の罰則の適用については、法令により公務に従事する職員とみなす。

（検定事務規程）

第一一七条の一〇　指定検定機関は、国土交通省令で定める検定事務の実施に関する事項について検定事務規程を定め、国土交通大臣の認可を受けなければならない。これを変更しようとするときも、同様とする。

2　国土交通大臣は、前項の規定により認可をした検定事務規程が検定事務の適正かつ確実な実施上不適当となつたと認めるときは、指定検定機関に対して、これを変更すべきことを命ずることができる。

（事業計画等）

第一一七条の一一　指定検定機関は、毎事業年度、事業計画及び収支予算を作成し、当該事業年度の開始前に（第百十七条の四第一項の規定による指定を受けた日の属する事業年度にあつては、その指定を受けた後遅滞なく）、国土交通大臣の認可を受けなければならない。これを変更しようとするときも、同様とする。

2　指定検定機関は、毎事業年度、事業報告書及び収支決算書を作成し、当該事業年度の終了後三月以内に、国土交通大臣に提出しなければならない。

（帳簿の備付け等）

第一一七条の一二　指定検定機関は、国土交通省令で定めるところにより、検定事務に関する事項で国土交通省令で定めるものを記載した帳簿を備え、保存しなければならない。

（監督命令）

第一一七条の一三　国土交通大臣は、検定事務の適正な実施を確保するため必要があると認めるときは、指定検定機関に対して、検定事務に関し監督上必要な命令をすることができる。

（報告及び検査）

第一一七条の一四　国土交通大臣は、検定事務の適正な実施を確保するため必要があると認めるときは、指定検定機関に対して、検定事務の状況に関し必要な報告を求め、又はその職員に、指定検定機関の事務所に立ち入り、検定事務の状況若しくは設備、帳簿、書類その他の物件を検査させることができる。

2　前項の規定により立入検査をする職員は、その身分を示す証明書を携帯し、関係人の請求があつたときは、これを提示しなければならない。

3　第一項の規定による立入検査の権限は、犯罪捜査のために認められたものと解してはならない。

（検定事務の休廃止）

第一一七条の一五　指定検定機関は、国土交通大臣の許可を受けなければ、検定事務の全部又は一部を休止し、又は廃止してはならない。

2　国土交通大臣は、前項の規定による許可をしたときは、その旨を公示しなければならない。

（指定の取消し等）

第一一七条の一六　国土交通大臣は、指定検定機関が第百十七条の五第二項各号（第三号を除く。）の一に該当するに至つたときは、当該指定検定機関の指定を取り消さなければならない。

2　国土交通大臣は、指定検定機関が次の各号の一に該当するときは、当該指定検定機関に対して、その指定を取り消し、又は期間を定めて検定事務の全部若しくは一部の停止を命ずることができる。

一　第百十七条の五第一項各号の一に適合しなくなつたと認められるとき。

二　第百十七条の六第二項、第百十七条の八第一項若しくは第二項、第百十七条の十一、第百十七条の十二又は前条第一項の規定に違反したとき。

三　第百十七条の七第二項（第百十七条の八第三項において準用する場合を含む。）、第百十七条の十第二項又は第百十七条の十三の規定による命令に違反したとき。

四　第百十七条の十第一項の規定により認可を受けた検定事務規程によらないで検定事務を行つたとき。

五　不正な手段により第百十七条の四第一項の規定による指定を受けたとき。

3　国土交通大臣は、前二項の規定により指定を取り消し、又は前項の規定により検定事務の全部若しくは一部の停止を命じたときは、その旨を公示しなければならない。

（国土交通大臣による検定事務の実施）

第一一七条の一七　国土交通大臣は、指定検定機関が第百十七条の十五第一項の規定により検定事務の全部若しくは一部を休止したとき、前条第二項の規定により指定検定機関に対して検定事務の全部若しくは一部の停止を命じたとき、又は指定検定機関が天災その他の事由により検定事務の全部若しくは一部を実施することが困難となつた場合において必要があると認めるときは、第百十七条の四第三項の規定にかかわらず、当該検定事務の全部又は一部を行うものとする。

2　国土交通大臣は、前項の規定により検定事務を行うこととし、又は同項の規定により行つている検定事務を行わないこととするときは、あらかじめ、その旨を公示しなければならない。

3　国土交通大臣が、第一項の規定により検定事務を行うこととし、第百十七条の十五第一項の規定により検定事務の廃止を許可し、又は前条第一項若しくは第二項の規定により指定を取り消した場合における検定事務の引継ぎその他の必要な事項は、国土交通省令で定める。

（手数料）

第一一七条の一八　技術検定を受けようとする者は、政令で定めるところにより、実費を勘案して政令で定める額の手数料を国（指定検定機関が行う

試験を受けようとする者は、指定検定機関）に納めなければならない。

2　前項の規定により指定検定機関に納められた手数料は、指定検定機関の収入とする。

（指定検定機関がした処分等に係る審査請求）

第一一七条の一九　指定検定機関が行う検定事務に係る処分又はその不作為については、国土交通大臣に対して、審査請求をすることができる。この場合において、国土交通大臣は、行政不服審査法第二十五条第二項及び第三項、第四十六条第一項及び第二項、第四十七条並びに第四十九条第三項の規定の適用については、指定検定機関の上級行政庁とみなす。

第四章　費用の負担等

（費用の負担）

第一一八条　第三条第一項から第四項まで、第三条の二又は第三条の三の規定により施行する土地区画整理事業に要する費用は、施行者が負担する。

2　第三条第五項の規定により国土交通大臣が施行する土地区画整理事業に要する費用は、国が負担する。

3　国は、第三条第五項の規定により国土交通大臣の指示を受けて都道府県又は市町村が施行する土地区画整理事業については、第一項の規定にかかわらず、政令で定めるところにより、その土地区画整理事業に要する費用の一部を負担する。

（地方公共団体の分担金）

第一一九条　都道府県知事は、第三条第四項の規定により都道府県が施行する土地区画整理事業の施行により利益を受ける市町村に対し、国土交通大臣は、同条第五項の規定により施行する土地区画整理事業の施行により利益を受ける地方公共団体に対し、その利益を受ける限度において、政令で定めるところにより、その土地区画整理事業に要する費用の一部を負担させることができる。

2　都道府県知事又は国土交通大臣は、前項の規定により、利益を受ける市町村又は地方公共団体に対し、土地区画整理事業に要する費用の一部を負担させようとする場合においては、あらかじめ、当該市町村又は地方公共団体の意見を聴かなければならない。

第一一九条の二　機構等は、第三条の二又は第三条の三の規定により機構等が施行する土地区画整理事業の施行により利益を受ける地方公共団体に対し、その利益を受ける限度において、その土地区画整理事業に要する費用の一部を負担することを求めることができる。

2　前項の場合において、地方公共団体が負担する費用の額及び負担の方法は、機構等と地方公共団体とが協議して定める。

3　前項に規定する協議が成立しない場合においては、当事者の申請に基づき、国土交通大臣が裁定する。この場合において、国土交通大臣は、当事者の意見を聴くとともに、総務大臣と協議しなければならない。

（公共施設管理者の負担金）

第一二〇条　都市計画において定められた幹線街路その他の重要な公共施設で政令で定めるものの用に供する土地の造成を主たる目的とする土地区画整理事業を施行する場合においては、施行者は、他の法律の規定に基づき当該公共施設の新設又は変更に関する事業を行うべき者（以下本条において「公共施設管理者」という。）に対し、当該公共施設の用に供する土地の取得に要すべき費用の額の範囲内において、政令で定めるところにより、その土地区画整理事業に要する費用の全部又は一部を負担することを求めることができる。

2　施行者は、前項の規定により公共施設管理者に対し、土地区画整理事業に要する費用の全部又は一部を負担することを求めようとする場合においては、あらかじめ、当該公共施設管理者と協議し、その者が負担すべき費用の額及び負担の方法を事業計画において定めておかなければならない。

（補助金）

第一二一条　国は、第三条第四項の規定により施行する土地区画整理事業が大規模な公共施設の新設若しくは変更に係るものである場合又は災害その他の特別の事情により施行されるものである場合において、必要があると認めるときは、予算の範囲内において、政令で定めるところにより、その土地区画整理事業に要する費用の一部に充てるため、その費用の二分の一以内を施行者に対し補助金として交付することができる。

第五章　監督

第一二二条　削除

（報告、勧告等）

第一二三条　国土交通大臣は都道府県又は市町村に対し、都道府県知事は個人施行者、組合、区画整理会社又は市町村に対し、市町村長は個人施行者、組合又は区画整理会社に対し、それぞれその施行する土地区画整理事業に関し、この法律の施行のため必要な限度において、報告若しくは資料の提出を求め、又はその施行する土地区画整理事業の施行の促進を図るため必要な勧告、助言若しくは援助をすることができる。

2　国土交通大臣は、独立行政法人都市再生機構（第三条の二の規定により土地区画整理事業を施行する場合に限る。第百二十六条及び第百二十七条の二第一項において同じ。）に対し、その施行する土地区画整理事業の施行の促進を図るため必要な勧告、助言又は援助をすることができる。

（個人施行者に対する監督）

第一二四条　都道府県知事は、個人施行者の施行する土地区画整理事業について、その事業又は会計がこの法律（これに基づく命令を含む。以下この章において同じ。）若しくはこれに基づく行政庁の処分又は規準、規約、事業計画若しくは換地計画に違反すると認める場合その他監督上必要がある場合においては、その事業又は会計の状況を検査し、その結果、違反の事実があると認める場合においては、その施行者に対し、その違反を是正するため必要な限度において、その施行者のした処分の取消し、変更しくは停止又はその施行者のした工事の中止若しくは変更その他必要な措置を命ずることができる。

2　都道府県知事は、個人施行者が前項の規定による命令に従わない場合においては、その施行者に対する土地区画整理事業の施行についての認可を取り消すことができる。

3　都道府県知事は、前項の規定により認可を取り消した場合においては、遅滞なく、その旨を公告しなければならない。

4　個人施行者は、前項の公告があるまでは、認可の取消に因る土地区画整理事業の廃止をもつて第三者に対抗することができない。

（組合に対する監督）

第一二五条　都道府県知事は、組合の施行する土地区画整理事業について、その事業又は会計がこの法律若しくはこれに基づく行政庁の処分又は定款、事業計画、事業基本方針若しくは換地計画に違反すると認める場合その他監督上必要がある場合においては、その組合の事業又は会計の状況を検査することができる。

2　都道府県知事は、組合の組合員が総組合員の十分の一以上の同意を得て、その組合の事業又は会計がこの法律若しくはこれに基づく行政庁の処分又は定款、事業計画、事業基本方針若しくは換地計画に違反する疑いがあることを理由として組合の事業又は会計の状況の検査を請求した場合においては、その組合の事業又は会計の状況を検査しなければならない。

3　都道府県知事は、前二項の規定により検査を行つた場合において、組合の事業又は会計がこの法律若しくはこれに基づく行政庁の処分又は定款、事業計画、事業基本方針若しくは換地計画に違反していると認めるときは、組合に対し、その違反を是正するため必要な限度において、組合のした処分の取消、変更若しくは停止、又は組合のした工事の中止若しくは変更その他必要な措置を命ずることができる。

4　都道府県知事は、組合が前項の規定による命令に従わない場合又は組合の設立についての認可を受けた者がその認可の公告があつた日から一月を経過してもなお総会を招集しない場合においては、その組合の設立についての認可を取り消すことができる。

5　都道府県知事は、第三十二条第三項の規定により組合員から総会の招集の請求があつた場合において、理事及び監事が総会を招集しないときは、これらの組合員の申出に基き、総会を招集しなければならない。第三十五条第三項又は第三十六条第四項において準用する第三十二条第三項の規定により組合員又は総代から総会の部会又は総代会の招集の請求があつた場合において、理事及び監事が総会の部会又は総代会を招集しないときも、同様とする。

6　都道府県知事は、第二十七条第七項の規定により組合員から理事又は監事の解任の請求があつた場合において、理事がこれを組合員の投票に付さないときは、これらの組合員の申出に基き、これを組合員の投票に付さなければならない。第三十七条第四項の規定により組合員から総代の解任の請求があつた場合において、理事がこれを組合員の投票に付さないときも同様とする。

7　都道府県知事は、組合の組合員が総組合員の十分の一以上の同意を得て、総会若しくはその部会若しくは総代会の招集手続若しくは議決の方法又は役員若しくは総代の選挙若しくは解任の投票の方法が、この法律又は定款に違反することを理由として、その議決、選挙、当選又は解任の投票の取消を請求した場合において、その違反の事実があると認めるときは、その議決、選挙、当選又は解任の投票を取り消すことができる。

（区画整理会社に対する監督）

第一二五条の二　都道府県知事は、区画整理会社の施行する土地区画整理事業について、その事業又は会計がこの法律若しくはこれに基づく行政庁の処分又は規準、事業計画若しくは換地計画に違反すると認める場合その他監督上必要がある場合においては、その区画整理会社の事業又は会計の状況を検査することができる。

2　都道府県知事は、区画整理会社の施行する土地区画整理事業の施行地区内の宅地について所有権又は借地権を有する者が、その区域内の宅地について所有権又は借地権を有するすべての者の十分の一以上の同意を得て、その区画整理会社の事業又は会計がこの法律若しくはこれに基づく行政庁の処分又は規準、事業計画若しくは換地計画に違反する疑いがあることを理由として区画整理会社の事業又は会計の状況の検査を請求した場合においては、その区画整理会社の事業又は会計の状況を検査しなければならない。

3　都道府県知事は、前二項の規定により検査を行つた場合において、区画整理会社の事業又は会計がこの法律若しくはこれに基づく行政庁の処分又は規準、事業計画若しくは換地計画に違反していると認めるときは、区画整理会社に対し、その違反を是正するため必要な限度において、区画整理会社のした処分の取消し、変更若しくは停止、又は区画整理会社のした工事の中止若しくは変更その他必要な措置を命ずることができる。

4　都道府県知事は、区画整理会社が前項の規定による命令に従わない場合においては、その区画整理会社に対する土地区画整理事業の施行についての認可を取り消すことができる。

5　都道府県知事は、前項の規定により認可を取り消した場合においては、遅滞なく、その旨を公告しなければならない。

6　区画整理会社は、前項の公告があるまでは、認可の取消しによる土地区画整理事業の廃止をもつて第三者に対抗することができない。

（是正の要求）

第一二六条　国土交通大臣は、都道府県、市町村又は独立行政法人都市再生機構に対し、これらの者が施行者として行う処分又は工事が、この法律又はこれに基づく国土交通大臣若しくは都道府県知事の処分に違反していると認める場合においては、土地区画整理事業の適正な施行を確保するため必要な限度において、その処分の取消し、変更若しくは停止又はその工事の中止若しくは変更その他必要な措置を講ずべきことを求めることができる。

2　都道府県、市町村又は独立行政法人都市再生機構は、前項の規定による要求を受けたときは、当該処分の取消し、変更若しくは停止又は当該工事の中止若しくは変更その他必要な措置を講じなければならない。

（不服申立て）

第一二七条　次に掲げる処分又はその不作為については、審査請求をすることができない。

一　第十四条第一項若しくは第三項又は第三十九条第一項の規定による認可（事業基本方針の変更に係るものを除く。）

二　第二十条第三項（第三十九条第二項において準用する場合を含む。）の規定による通知

三　第五十一条の二第一項又は第五十一条の十第一項の規定による認可

四　第五十一条の八第三項（第五十一条の十第二項において準用する場合を含む。）の規定による通知

五　都道府県又は市町村が第五十二条第一項の規定によつてする事業計画の決定（事業計画の変更を含む。）

六　第五十二条第一項又は第五十五条第十二項の規定による認可

七　第五十五条第四項（同条第十三項において準用する場合を含む。）の規定による通知

八　国土交通大臣が第六十六条第一項の規定によつてする事業計画の決定（事業計画の変更を含む。）

九　第六十九条第三項（同条第十項において準用する場合を含む。）の規定による通知

十　第七十一条の二第一項又は第七十一条の三第十四項の規定による認可

十一　第七十一条の三第八項（同条第十五項において準用する場合を含む。）の規定による通知

十二　第八十八条第四項（第九十七条第三項において準用する場合を含む。）の規定による通知

第一二七条の二　前条に規定するものを除くほか、組合、区画整理会社、市町村、都道府県又は機構等がこの法律に基づいてした処分その他公権力の行使に当たる行為（以下この条において「処分」という。）に不服がある者は、組合、区画整理会社、市町村又は市のみが設立した地方公社がした処分にあつては都道府県知事に対して、都道府県又は機構等（市のみが設立した地方公社を除く。）がした処分にあつては国土交通大臣に対して審査請求をすることができる。この場合において、都道府県知事又は国土交通大臣は、行政不服審査法第二十五条第二項及び第三項、第四十六条第一項及び第二項、第四十七条並びに第四十九条第三項の規定の適用については、それぞれ組合若しくは区画整理会社又は独立行政法人都市再生機構の上級行政庁とみなす。

2　前項の審査請求につき都道府県知事がした裁決に不服がある者は、国土交通大臣に対して再審査請求をすることができる。

第六章　雑則

（土地区画整理事業の重複施行の制限及び引継ぎ）

第一二八条　現に施行されている土地区画整理事業の施行地区となつている区域については、その施行者の同意を得なければ、その施行者以外の者は、土地区画整理事業を施行することができない。

2　現に施行されている土地区画整理事業の施行地区となつている区域について、前項の同意を得て、新たに施行者となつた者がある場合においては、その土地区画整理事業は、新たに施行者となつた者に引き継がれるものとする。

3　個人施行者、組合又は区画整理会社は、第一項に規定する同意を与えようとする場合において、土地区画整理事業の施行のための借入金があるときは、その土地区画整理事業の引継ぎについてその債権者の同意を得なければならない。

4　第二項の規定により個人施行者、組合又は区画整理会社が施行していた土地区画整理事業が引き継がれた場合においては、当該施行地区となつている区域について新たに施行者となつた者に係る第九条第三項（第十条第三項において準用する場合を含む。）、第二十一条第三項若しくは第四項、第三十九条第四項、第五十一条の九第三項（第五十一条の十第二項において準用する場合を含む。）、第五十五条第九項（同条第十三項において準用する場合を含む。）又は第七十一条の三第十一項（同条第十五項において準用する場合を含む。）の公告（第二十一条第三項の公告にあつては、第十四条第一項の規定による認可に係るものに限る。）があつた日において、当該個人施行者又は区画整理会社が施行する土地区画整理事業は廃止されるものとし、当該組合は解散するものとする。

5　第二項の規定により土地区画整理事業を引き継いで施行することとなつた施行者は、引き継がれることとなつた施行者が土地区画整理事業の施行に関して有していた権利義務（その者がその施行する土地区画整理事業に関し、行政庁の許可、認可その他の処分に基づいて有する権利義務を含む。）を承継する。

（処分、手続等の効力）

第一二九条　土地区画整理事業を施行しようとする者、組合を設立しようとする者若しくは施行者又は土地区画整理事業の施行に係る土地若しくはその土地に存する工作物その他の物件について権利を有する者の変更があつた場合においては、この法律又はこの法律に基づく命令、規準、規約、定款若しくは施行規程の規定により従前のこれらの者がした処分、手続その他の行為は、新たにこれらの者となつた者がしたものとみなし、従前のこれらの者に対してした処分、手続その他の行為は、新たにこれらの者となつた者に対してしたものとみなす。

（宅地の共有者等の取扱い）

第一三〇条　宅地の共有者若しくは共同借地権者又は宅地の同一部分に二人以上の借地権者がある場合のこれらの借地権者は、第八条（第十条第三項において準用する場合を含む。）、第十八条（第三十九条第二項において準用する場合を含む。）、第二十五条第一項、第五十一条の十第二項、第八十八条第一項及び第九十七条第三項において準用する場合を含む。）、第五十八条第一項（第七十条第三項及び第七十一条の四第三項において準用する場合を含む。）、第六十三条第一項及び第二項（第七十条第三項及び第七十一条の四第三項において準用する場合を含む。）、第九十八条第四項並びに第百二十五条の二第二項の規定の適用については、併せて一の所有者又は借地権者とみなす。ただし、これらの者のみにより土地区画整理事業を施行しようとし、若しくは施行する場合又はこれらの者のみにより組合を設立しようとし、若しくはこれらの者のみが組合の組合員となつている場合においては、この限りでない。

2　前項本文の規定により一の所有者又は借地権者とみなされる者は、それぞれのうちから代表者一人を選任し、その者の氏名及び住所を施行者に通知しなければならない。

3　前項の代表者の権限に加えた制限は、これをもつて、施行者に対抗することができない。

4　第二項の代表者の解任は、施行者にその旨を通知するまでは、これをもつて施行者に対抗することができない。

5　第二項の規定により代表者を選任しなければならない場合において、同項の規定による通知がないときは、施行者がこの法律又はこの法律に基づく命令、規準、規約、定款若しくは施行規程の規定により第一項本文に掲げる者に対してする行為は、これらの者のうちいずれか一人に対してすることをもつて足りる。

（公有水面の取扱）

第一三一条　公有水面埋立法（大正十年法律第五十七号）第二条第一項に規定する免許を受けた者がある場合においては、この法律の規定の適用については、その免許に係る水面を宅地とみなし、その者を宅地の所有者とみなす。

（債権者の同意の基準）

第一三二条　第十条第二項、第十三条第三項、第三十九条第三項、第四十五条第四項、第五十条第五項、第五十一条の十第三項、第五十一条の十三第三項又は第百二十八条第三項の規定による同意を求められた債権者は、正当な理由がある場合を除いては、その同意を拒むことができない。

（書類の送付にかわる公告）

第一三三条　施行者は、土地区画整理事業の施行に関して書類を送付する場合において、送付を受けるべき者がその書類の受領を拒んだとき、又は過失がなくてその者の住所、居所その他書類を送付すべき場所を確知することができないときは、その書類の内容の公告をすることをもつて書類の送付にかえることができる。

2　第七十七条第五項及び第六項の規定は、前項の場合について準用する。この場合において、同条第五項中「前項後段の公告」とあるのは「前項の公告」と、同条第六項中「当該土地区画整理事業の施行地区を管轄する市町村長」とあるのは「当該土地区画整理事業の施行地区を管轄する市町村長及び書類の送付を受けるべき者の住所又はその者の最後の住所を管轄する市町村長」と読み替えるものとする。

3　第一項の公告があつた場合においては、その公告があつた日から起算して十日を経過した日に、当該書類が送付を受けるべき者に到達したものとみなす。

（意見書の提出の期間の計算等）

第一三四条　この法律の規定による意見書が郵便又は民間事業者による信書の送達に関する法律（平成十四年法律第九十九号）第二条第六項に規定する一般信書便事業者若しくは同条第九項に規定する特定信書便事業者による同条第二項に規定する信書便で差し出された場合においては、送付に要した日数は、期間に算入しない。

2　この法律の規定による意見書は、その提出期間が経過した後においても、容認すべき事由がある場合においては、受理することができる。

（他の工事の費用の負担）

第一三五条　土地区画整理事業の施行に因りその施行地区に隣接する鉄道若しくは軌道の踏切又は橋の新設若しくは変更の工事を施行する必要が生じた場合においては、その工事に要する費用は、その必要を生じた限度において、施行者が負担するものとする。

2　前項の工事の設計及び施行方法は、当該工事を施行する者と当該施行者との協議により定めなければならない。

（土地区画整理事業と農地等の関係の調整）

第一三六条　都道府県知事は事業計画若しくは事業計画の変更について審査する場合又は事業計画を定め、若しくは変更しようとする場合において、地方公社（市のみが設立したものを除く。）は第七十一条の二第一項の事業計画を定め、又は変更しようとする場合において、当該土地区画整理事業が、都市計画法第七条第一項の市街化区域と定められた区域外の農用地の廃止を伴うものであるとき、又は用排水施設その他農用地の保全若しくは利用上必要な公共の用に供する施設を廃止し、変更し、その他これらの施設の管理若しくはこれらの施設の新設若しくは改良に係る土地改良事業計画に影響を及ぼすおそれがあるときは、当該事業計画又はその変更について、農業委員会（農業委員会等に関する法律（昭和二十六年法律第八十八号）第三条第一項ただし書又は第五項の規定により農業委員会を置かない市町村にあつては、市町村長。以下この条において同じ。）及び当該施設を管理する土地改良区の意見を聴かなければならない。ただし、政令で定める軽微なものについては、この限りでない。

2　農業委員会は、前項の規定により意見を述べようとするとき（同項の土地区画整理事業が都市計画法第七条第一項の市街化区域と定められた区域外の三十アールを超える農地法にいう農地の廃止を伴うものであるときに限る。）は、あらかじめ、農業委員会等に関する法律第四十三条第一項に規定する都道府県機構（次項において「都道府県機構」という。）の意見を聴かなければならない。ただし、同法第四十二条第一項の規定による都道府県知事の指定がされていない場合においては、この限りでない。

3　前項に規定するもののほか、農業委員会は、第一項の規定により意見を述べるため必要があると認めるときは、都道府県機構の意見を聴くことができる。

（権限の委任）

第一三六条の二　この法律に規定する国土交通大臣の権限は、国土交通省令で定めるところにより、その一部を地方整備局長又は北海道開発局長に委任することができる。

（大都市等の特例）

第一三六条の三　この法律中都道府県知事の権限に属する事務で政令で定めるものは、地方自治法第二百五十二条の十九第一項の指定都市（以下この条において「指定都市」という。）及び同法第二百五十二条の二十二第一項の中核市（以下この条において「中核市」という。）においては、政令で定めるところにより、指定都市又は中核市（以下この条において「指定都市等」という。）の長が行うものとする。この場合においては、この法律中都道府県知事に関する規定は、指定都市等の長に関する規定として指定都市等の長に適用があるものとする。

（事務の区分）

第一三六条の四　この法律の規定により地方公共団体が処理することとされている事務のうち次に掲げるものは、第一号法定受託事務とする。

一　都道府県が第七十一条の三第六項及び第七項（これらの規定を同条第十五項において準用する場合を含む。）並びに第七十六条の規定により処理することとされている事務（都道府県又は機構等（市のみが設立した地方公社を除く。）が施行する土地区画整理事業に係るものに限る。）

二　市町村が処理することとされている次に掲げる事務

イ　第五十五条第十項（同条第十三項において準用する場合を含む。）、第六十九条第八項（同条第十項において準用する場合を含む。）、第七十一条の三第十二項（同条第十五項において準用する場合を含む。）及び第七十七条第六項（第百三十三条第二項において準用する場合を含む。）に規定する事務（国土交通大臣、都道府県又は機構等（市のみが設立した地方公社を除く。）が施行する土地区画整理事業に係るものに限る。）

ロ　第七十二条第六項に規定する事務（都道府県又は機構等（市のみが設立した地方公社を除く。）が施行する土地区画整理事業に係るものに限る。）

2　この法律の規定により市町村が処理することとされている事務のうち次に掲げるものは、地方自治法第二条第九項第二号に規定する第二号法定受託事務とする。

一　第四条第一項後段、第九条第四項（第十条第三項において準用する場合を含む。）、第十条第一項後段、第十一条第五項及び第七項、第十三条第一項後段、第十四条第一項後段（同条第二項において準用する場合を含む。）及び第三項後段、第十九条第二項及び第三項（これらの規定を第三十九条第二項及び第五十一条の七第二項（第五十一条の十第二項において準用する場合を含む。）において準用する場合を含む。）、第二十条第一項（第三十九条第二項において準用する場合を含む。）、第二十一条第六項（第三十九条第二項において準用する場合を含む。）、第二十九条第一項、第三十九条第一項後段、第四十一条第三項（第七十八条第四項及び第百十条第七項において準用する場合を含む。）、第四十五条第二項後段、第五十一条の二第一項後段（第五十一条の十一第二項において準用する場合を含む。）、第五十一条の八第一項（第五十一条の十第二項において準用する場合を含む。）、第五十一条の九第四項（第五十一条の十第二項において準用する場合を含む。）、第五十一条の十第一項後段、第五十一条の十三第一項後段、第七十二条第一項後段、第七十七条第八項後段、第八十六条第二項並びに第九十七条第一項後段に規定する事務

二　第五十五条第十項（同条第十三項において準用する場合を含む。）及び第七十一条の三第十二項（同条第十五項において準用する場合を含む。）に規定する事務（市町村又は市のみが設立した地方公社が施行する土地区画整理事業に係るものに限る。）

三　第七十二条第六項及び第七十七条第六項（第百三十三条第二項において準用する場合を含む。）に規定する事務（個人施行者、組合、区画整理会社、市町村又は市のみが設立した地方公社が施行する土地区画整理事業に係るものに限る。）

第七章　罰則

第一三七条　個人施行者（法人である個人施行者にあつては、その役員又は職員）、組合の役員、総代若しくは職員又は区画整理会社の役員若しくは職員（以下「個人施行者等」と総称する。）が、その職務に関して賄賂を収受し、又は要求し、若しくは約束したときは、三年以下の懲役に処する。よつて不正の行為をし、又は相当の行為をしないときは、七年以下の懲役に処する。

2　個人施行者等であつた者がその在職中に請託を受けて職務上不正な行為をし、又は相当の行為をしなかつたことに関し賄賂を収受し、要求し、又は約束したときは、三年以下の懲役に処する。

3　個人施行者等がその職務に関し請託を受けて第三者に賄賂を供与させ、又はその供与を約束したときは、三年以下の懲役に処する。

4　犯人又は情を知つた第三者の収受した賄賂は、没収する。その全部又は一部を没収することができないときは、その価額を追徴する。

第一三八条　前条第一項から第三項までに掲げる者に対して賄賂を供与し、又はその申込み若しくは約束をした者は、三年以下の懲役又は百万円以下の罰金に処する。

2　前項の罪を犯した者が自首したときは、その刑を減軽し、又は免除することができる。

第一三八条の二　第百十七条の九第一項の規定に違反した者は、一年以下の懲役又は三十万円以下の罰金に処する。

第一三八条の三　第百十七条の十六第二項の規定による検定事務の停止の命令に違反したときは、その違反行為をした指定検定機関の役員又は職員は、一年以下の懲役又は三十万円以下の罰金に処する。

第一三九条　第七十二条第一項の規定による土地の立入りを拒み、又は妨げた者は、六月以下の懲役又は二十万円以下の罰金に処する。

第一四〇条　第七十六条第四項の規定による命令に違反して土地の原状回復をせず、又は建築物その他の工作物若しくは物件を移転し、若しくは除却しなかつた者は、六月以下の懲役又は二十万円以下の罰金に処する。

第一四一条　法人の代表者又は法人若しくは人の代理人、使用人その他の従業者がその法人又は人の業務又は財産に関して第百三十九条又は前条に規定する違反行為をしたときは、行為者を罰する外、その法人又は人に対して各本条の罰金刑を科する。

第一四二条　第八十一条第二項の規定に違反して同条第一項の規定による標識を移転し、除却し、汚損し、又はき損した者は、二十万円以下の罰金に処する。

第一四二条の二　次の各号の一に該当するときは、その違反行為をした指定検定機関の役員又は職員は、二十万円以下の罰金に処する。

一　第百十七条の十二の規定に違反して帳簿を備えず、帳簿に記載せず、若しくは帳簿に虚偽の記載をし、又は帳簿を保存しなかつたとき。

二　第百十七条の十四第一項の規定による報告を求められて、報告をせず、若しくは虚偽の報告をし、又は同項の規定による検査を拒み、妨げ、若しくは忌避したとき。

三　第百十七条の十五第一項の規定による許可を受けないで、検定事務の全部を廃止したとき。

第一四三条　次の各号のいずれかに該当する場合においては、個人施行者は、二十万円以下の過料に処する。

一　第十条第二項、第十三条第三項又は第百二十八条第三項の規定に違反したとき。

二　第八十四条第一項の規定に違反して簿書を備えず、又はその簿書に記載すべき事項を記載せず、若しくは不実の記載をしたとき。

三　第八十四条第二項の規定に違反して正当な理由がないのに簿書の閲覧又は謄写を拒んだとき。

四　第百二十四条第一項の規定による都道府県知事の検査を妨げたとき。

五　第百二十四条第一項の規定による都道府県知事の命令に違反したとき。

第一四四条　次の各号のいずれかに該当する場合においては、その行為をした組合の理事、監事又は清算人は、二十万円以下の過料に処する。

一　組合が土地区画整理事業以外の事業を営んだとき。

二　第二十八条第九項の規定に違反して正当な理由がないのに帳簿及び書類の閲覧又は謄写を拒んだとき。

三　第二十八条第十項の規定に違反したとき。

四　第三十二条第一項（第三十六条第四項において準用する場合を含む。）又は第三項、第六項若しくは第七項（第三十五条第三項及び第三十六条第四項において準用する場合を含む。）の規定に違反したとき。

五　第三十二条第十一項の規定に違反して書類を備えず、又はその書類に記載すべき事項を記載せず、若しくは不実の記載をしたとき。

六　第三十二条第十二項の規定に違反して正当な理由がないのに書類の閲覧又は謄写を拒んだとき。

七　第三十九条第三項、第四十五条第四項、第五十条第五項又は第百二十八条第三項の規定に違反したとき。

八　第四十七条又は第四十九条に規定する書類に記載すべき事項を記載せず、又は不実の記載をしたとき。

九　第四十八条の規定に違反して組合の残余財産を処分したとき。

十　第八十四条第一項の規定に違反して簿書を備えず、又はその簿書に記載すべき事項を記載せず、若しくは不実の記載をしたとき。

十一　第八十四条第二項の規定に違反して正当な理由がないのに簿書の閲覧又は謄写を拒んだとき。

十二　第百二十五条第一項又は第二項の規定による都道府県知事の検査を妨げたとき。

十三　第百二十五条第三項の規定による都道府県知事の命令に違反したとき。

十四　国土交通大臣、都道府県知事若しくは市町村長又は総会、総会の部会若しくは総代会に対し、不実の申立てをし、又は事実を隠ぺいしたとき。

十五　組合がこの法律の規定による公告をすべき場合において、公告をせず、又は不実の公告をしたとき。

第一四五条　次の各号のいずれかに該当する場合においては、その行為をした区画整理会社の役員又は清算人は、二十万円以下の過料に処する。

一　第五十一条の十第三項、第五十一条の十三第三項又は第百二十八条第三項の規定に違反したとき。

二　第八十四条第一項の規定に違反して簿書を備えず、又はその簿書に記載すべき事項を記載せず、若しくは不実の記載をしたとき。

三　第八十四条第二項の規定に違反して正当な理由がないのに簿書の閲覧又は謄写を拒んだとき。

四　第百二十五条の二第一項又は第二項の規定による都道府県知事の検査を妨げたとき。

五　第百二十五条の二第三項の規定による都道府県知事の命令に違反したとき。

六　国土交通大臣又は都道府県知事若しくは市町村長に対し、不実の申立てをし、又は事実を隠ぺいしたとき。

七　区画整理会社がこの法律の規定による公告をすべき場合において、公

告をせず、又は不実の公告をしたとき。

第一四六条　第三十二条第九項の規定に違反した者は、二十万円以下の過料に処する。

第一四七条　第二十三条第二項の規定に違反した者は、十万円以下の過料に処する。

附　則

1　この法律は、公布の日から起算して一年をこえない範囲内において政令で定める日から施行する。

〔昭和三〇政四六により、昭和三〇・四・一から施行〕

2　国は、当分の間、機構等に対し、都市開発資金の貸付けに関する法律（昭和四十一年法律第二十号）附則第三項の規定によるもののほか、第三条の二又は第三条の三の規定により施行する土地区画整理事業として行われる政令で定める道路、河川、砂防設備又は地すべり防止施設の整備に関する事業のうち、日本電信電話株式会社の株式の売払収入の活用による社会資本の整備の促進に関する特別措置法（昭和六十二年法律第八十六号。以下「社会資本整備特別措置法」という。）第二条第一項第一号に該当するものに要する費用に充てる資金の一部を無利子で貸し付けることができる。

3　前項の国の貸付金の償還期間は、二十年（五年以内の据置期間を含む。）以内とする。

4　前項に定めるもののほか、附則第二項の規定による貸付金の償還方法は、政令で定める。

5　国は、当分の間、都道府県又は市町村に対し、第百十八条第三項の規定により国がその費用について負担する土地区画整理事業で社会資本整備特別措置法第二条第一項第二号に該当するものに要する費用に充てる資金について、予算の範囲内において、第百十八条第三項の規定（この規定による国の負担の割合について、この規定と異なる定めをした法令の規定がある場合には、当該異なる定めをした法令の規定を含む。以下同じ。）により国が負担する金額に相当する金額を無利子で貸し付けることができる。

6　国は、当分の間、第三条第四項の規定による施行者に対し、第百二十一条の規定により国がその費用について補助することができる土地区画整理事業で社会資本整備特別措置法第二条第一項第二号に該当するものに要する費用に充てる資金について、予算の範囲内において、第百二十一条の規定（この規定による国の補助の割合について、この規定と異なる定めをした法令の規定がある場合には、当該異なる定めをした法令の規定を含む。以下同じ。）により国が補助することができる金額に相当する金額を無利子で貸し付けることができる。

7　国は、当分の間、第三条第四項の規定による施行者に対し、前項の規定による場合のほか、土地区画整理事業で社会資本整備特別措置法第二条第一項第二号に該当するものに要する費用に充てる資金の一部を、予算の範囲内において、無利子で貸し付けることができる。

8　国は、当分の間、独立行政法人都市再生機構に対し、第三条の二の規定により施行する土地区画整理事業で社会資本整備特別措置法第二条第一項第二号に該当するものに要する費用に充てる資金の一部を、予算の範囲内において、無利子で貸し付けることができる。

9　国は、当分の間、地方公共団体に対し、土地区画整理事業で社会資本整備特別措置法第二条第一項第二号に該当するものにつき、個人施行者（政令で定めるものに限る。）又は組合が施行する場合にあつては当該個人施行者又は組合に対し当該地方公共団体が補助する費用に充てる資金の一部を、機構等が施行する場合にあつては当該機構等に対し当該地方公共団体が第百十九条の二第一項の規定により負担する費用に充てる資金の一部を、予算の範囲内において、無利子で貸し付けることができる。

10　国は、当分の間、地方公共団体に対し、施行区域内に居住する者で土地区画整理事業の施行により従前の住宅が除却されこれに代わるべき新たな住宅を必要とすることとなるものに賃貸するための住宅の建設の事業で、社会資本整備特別措置法第二条第一項第二号に該当するものに要する費用に充てる資金の一部を、予算の範囲内において、無利子で貸し付けることができる。

11　附則第五項から前項までの国の貸付金の償還期間は、五年（二年以内の据置期間を含む。）以内で政令で定める期間とする。

12　前項に定めるもののほか、附則第五項から第十項までの規定による貸付金の償還方法、償還期限の繰上げその他償還に関し必要な事項は、政令で定める。

13　国は、附則第五項の規定により、都道府県又は市町村に対し貸付けを行つた場合には、当該貸付けの対象である土地区画整理事業に係る第百十八条第三項の規定による国の負担については、当該貸付金の償還時において、当該貸付金の償還金に相当する金額を交付することにより行うものとする。

14　国は、附則第六項の規定により、第三条第四項の規定による施行者に対し貸付けを行つた場合には、当該貸付けの対象である土地区画整理事業について、第百二十一条の規定による当該貸付金に相当する金額の補助を行うものとし、当該補助については、当該貸付金の償還時において、当該貸付金の償還金に相当する金額を交付することにより行うものとする。

15　国は、附則第七項から第十項までの規定により、地方公共団体又は独立行政法人都市再生機構に対し貸付けを行つた場合には、当該貸付けの対象である事業について、当該貸付金に相当する金額の補助を行うものとし、当該補助については、当該貸付金の償還時において、当該貸付金の償還金に相当する金額を交付することにより行うものとする。

16　地方公共団体又は独立行政法人都市再生機構が、附則第五項から第十項までの規定による貸付けを受けた無利子貸付金について、附則第十一項及び第十二項の規定に基づき定められる償還期限を繰り上げて償還を行つた場合（政令で定める場合を除く。）における前三項の規定の適用については、当該償還は、当該償還期限の到来時に行われたものとみなす。

附　則〔略〕〔昭和二九・六・一五法律一八五〕

附　則〔略〕〔昭和三〇・七・八法律五三〕

附　則〔略〕〔昭和三一・六・一二法律一四八〕

附　則〔略〕〔昭和三四・四・一法律九〇〕

附　則〔略〕〔昭和三四・四・二〇法律一四八〕

附　則〔略〕〔昭和三五・三・三一法律一四〕

附　則〔抄〕〔昭和三七・九・一五法律一六一〕

1　この法律は、昭和三十七年十月一日から施行する。

2　この法律による改正後の規定は、この附則に特別の定めがある場合を除き、この法律の施行前にされた行政庁の処分、この法律の施行前にされた申請に係る行政庁の不作為その他この法律の施行前に生じた事項についても適用する。ただし、この法律による改正前の規定によつて生じた効力を妨げない。

3　この法律の施行前に提起された訴願、審査の請求、異議の申立てその他の不服申立て（以下「訴願等」という。）については、この法律の施行後も、なお従前の例による。この法律の施行前にされた訴願等の裁決、決定その他の処分（以下「裁決等」という。）又はこの法律の施行前に提起された訴願等につきこの法律の施行後にされる裁決等にさらに不服がある場合の訴願等についても、同様とする。

4　前項に規定する訴願等で、この法律の施行後は行政不服審査法による不服申立てをすることができることとなる処分に係るものは、同法以外の法律の適用については、行政不服審査法による不服申立てとみなす。

5　第三項の規定によりこの法律の施行後にされる審査の請求、異議の申立てその他の不服申立ての裁決等については、行政不服審査法による不服申立てをすることができない。

6　この法律の施行前にされた行政庁の処分で、この法律による改正前の規定により訴願等をすることができるものとされ、かつ、その提起期間が定められていなかつたものについて、行政不服審査法による不服申立てをすることができる期間は、この法律の施行の日から起算する。

8　この法律の施行前にした行為に対する罰則の適用については、なお従前の例による。

9　前八項に定めるもののほか、この法律の施行に関して必要な経過措置は、政令で定める。

附　則〔略〕〔昭和三八・四・一法律七五〕

附　則〔略〕〔昭和三八・七・一一法律一三四〕

附　則〔略〕〔昭和三九・六・二法律九四〕

附　則〔略〕〔昭和四二・七・二一法律七五〕

附　則〔略〕〔昭和四三・六・一五法律一〇一〕

附　則〔略〕〔昭和四五・四・一法律一三〕

附　則〔略〕〔昭和四五・六・一法律一〇九〕

附　則〔略〕〔昭和四八・九・二〇法律八四〕

附　則〔略〕〔昭和四九・六・一法律六七〕

附　則〔略〕〔昭和四九・六・一法律六九〕

附　則〔略〕〔昭和四九・六・一法律七一〕

附　則〔略〕〔昭和五〇・六・二五法律四五〕

附　則〔略〕〔昭和五〇・七・一六法律六七〕

附　則〔略〕〔昭和五五・五・一法律三五〕

附　則〔略〕〔昭和五六・五・二二法律四八〕

附　則〔略〕〔昭和五七・五・二一法律五二〕

附　則〔略〕〔昭和五八・一二・二法律七八〕

附　則〔略〕〔昭和六二・九・四法律八七〕

附　則〔略〕〔昭和六三・四・二六法律二二〕

附　則〔略〕〔昭和六三・五・二四法律六三〕

附　則〔略〕〔平成三・一〇・四法律九〇〕

附　則〔略〕〔平成四・六・五法律七六〕

附　則〔抄〕〔平成五・五・六法律三四〕

（施行期日等）

第一条　この法律は、公布の日から施行〔中略〕する。ただし、第一条（土地区画整理法の目次の改正規定中「第百二十一条の二」を「第百二十一条」に改める部分、同法第百二十一条の二を削る改正規定及び同法第百三十六条の二の改正規定を除く。）〔中略〕の規定は、公布の日から起算して三月を超えない範囲内において政令で定める日から施行する。

〔平成五政二五一により、平成五・七・三〇から施行〕

（経過措置）

第二条　平成四年度における一般会計の歳出予算のうち、第一条の規定による改正前の土地区画整理法第百二十一条の二第一項の規定による資金の貸付けに係る経費で財政法（昭和二十二年法律第三十四号）第四十二条ただし書の規定による繰越しを必要とするものは、都市開発資金融通特別会計に繰り越して使用することができる。

第三条　前条の規定により繰越しをしたときは、財政法第四十一条の規定により平成五年度の一般会計の歳入に繰り入れるべき平成四年度の同会計の歳入歳出の決算上の剰余金のうち、前条の繰越額に相当する金額は、都市開発資金融通特別会計の平成五年度の歳入に繰り入れるものとする。

第四条　平成五年四月一日において一般会計に所属する資産及び負債で第一条の規定による改正前の土地区画整理法第百二十一条の二第一項の規定による資金の貸付けに係るものは、政令で定めるところにより、都市開発資金融通特別会計に帰属するものとする。

第五条　第一条の規定による改正前の土地区画整理法第百二十一条の二の規定によりされた資金の貸付けについては、なお従前の例による。

附　則〔抄〕〔平成五・一一・一二法律八九〕

（施行期日）

第一条　この法律は、行政手続法（平成五年法律第八十八号）の施行の日〔平成六・一〇・一〕から施行する。

（諮問等がされた不利益処分に関する経過措置）

第二条　この法律の施行前に法令に基づき審議会その他の合議制の機関に対し行政手続法第十三条に規定する聴聞又は弁明の機会の付与の手続その他の意見陳述のための手続に相当する手続を執るべきことの諮問その他の求めがされた場合においては、当該諮問その他の求めに係る不利益処分の手続に関しては、この法律による改正後の関係法律の規定にかかわらず、なお従前の例による。

（罰則に関する経過措置）

第十三条　この法律の施行前にした行為に対する罰則の適用については、なお従前の例による。

（聴聞に関する規定の整理に伴う経過措置）

第十四条　この法律の施行前に法律の規定により行われた聴聞、聴問若しくは聴聞会（不利益処分に係るものを除く。）又はこれらのための手続は、この法律による改正後の関係法律の相当規定により行われたものとみなす。

（政令への委任）

第十五条　附則第二条から前条までに定めるもののほか、この法律の施行に関して必要な経過措置は、政令で定める。

附　則〔略〕〔平成六・六・二九法律四九〕

附　則〔略〕〔平成七・二・二六法律一四〕

附　則〔略〕〔平成一〇・六・三法律九二〕

附　則〔略〕〔平成一一・三・三一法律二五〕

附　則〔略〕〔平成一一・六・一六法律七六〕

附　則〔抄〕〔平成一一・七・一六法律八七〕

（施行期日）

第一条　この法律は、平成十二年四月一日から施行する。ただし、次の各号に掲げる規定は、当該各号に定める日から施行する。

一　〔前略〕附則〔中略〕第百六十条、第百六十三条、第百六十四条並びに第二百二条の規定　公布の日

二～六　〔略〕

（土地区画整理法の一部改正に伴う経過措置）

第百三十条　この法律の施行の際現に第四百十八条の規定による改正前の土地区画整理法（以下この条において「旧土地区画整理法」という。）第三条第四項の規定により都道府県知事又は市町村長が施行している土地区画整理事業（附則第百八十九条の規定による改正前の土地区画整理法施行法（昭和二十九年法律第百二十号。以下この条において「旧土地区画整理法施行法」という。）第五条第一項の規定により旧土地区画整理法第三条第四項の規定により施行される土地区画整理事業となったものを含む。次項において「行政庁施行土地区画整理事業」という。）は、第四百十八条の規定による改正後の土地区画整理法（以下この条において「新土地区画整理法」という。）第三条第四項の規定により建設大臣の指示を受けて都道府県又は市町村が施行する土地区画整理事業（次項において「大臣指示土地区画整理事業」という。）とみなす。

2　行政庁施行土地区画整理事業に関し、施行日前に旧土地区画整理法の規定によりした処分、手続その他の行為、旧土地区画整理法第六十六条第一項及び第六十七条第一項の規定により都道府県若しくは市町村の規則で定められた施行規程（旧土地区画整理法施行法第五条第二項の規定により旧土地区画整理法の規定により定められた施行規程とみなされた施行規程を含む。）（同項後段の規定により効力を有しないこととされた部分を除く。）又は旧土地区画整理法第六十六条第一項の規定により定められた事業計画（旧土地区画整理法施行法第五条第二項の規定により旧土地区画整理法の規定により事業計画において定められたものとみなされた施行地区及び設計書（同項後段の規定により効力を有しないこととされた部分を除く。）に係る当該事業計画を含む。）は、大臣指示土地区画整理事業に関し、新土地区画整理法の相当する規定によりした処分、手続その他の行為、新土地区画整理法第五十二条第一項及び第五十三条第一項の規定により都道府県若しくは市町村の条例で定められた施行規程又は新土地区画整理法第五十二条第一項の規定により定められた事業計画とみなす。

3　施行日前に旧土地区画整理法第五十五条第四項又は第百二十六条の規定により都道府県知事又は建設大臣がした命令は、それぞれ新土地区画整理法第五十五条第四項又は第百二十六条第一項の規定により都道府県知事又は建設大臣がした要求とみなす。

（国等の事務）

第百五十九条　この法律による改正前のそれぞれの法律に規定するもののほか、この法律の施行前において、地方公共団体の機関が法律又はこれに基づく政令により管理し又は執行する国、他の地方公共団体その他公共団体の事務（附則第百六十一条において「国等の事務」という。）は、この法律の施行後は、地方公共団体が法律又はこれに基づく政令により当該地方公共団体の事務として処理するものとする。

（処分、申請等に関する経過措置）

第百六十条　この法律（附則第一条各号に掲げる規定については、当該各規定。以下この条及び附則第百六十三条において同じ。）の施行前に改正前のそれぞれの法律の規定によりされた許可等の処分その他の行為（以下この条において「処分等の行為」という。）又はこの法律の施行の際現に改正前のそれぞれの法律の規定によりされている許可等の申請その他の行為（以下この条において「申請等の行為」という。）で、この法律の施行の日においてこれらの行為に係る行政事務を行うべき者が異なることとなるものは、附則第二条から前条までの規定又は改正後のそれぞれの法律（これに基づく命令を含む。）の経過措置に関する規定に定めるものを除き、この法律の施行の日以後における改正後のそれぞれの法律の適用については、改正後のそれぞれの法律の相当規定によりされた処分等の行為又は申請等の行為とみなす。

2　この法律の施行前に改正前のそれぞれの法律の規定により国又は地方公共団体の機関に対し報告、届出、提出その他の手続をしなければならない事項で、この法律の施行の日前にその手続がされていないものについては、この法律及びこれに基づく政令に別段の定めがあるもののほか、これを、

改正後のそれぞれの法律の相当規定により国又は地方公共団体の相当の機関に対して報告、届出、提出その他の手続をしなければならない事項についてその手続がされていないものとみなして、この法律による改正後のそれぞれの法律の規定を適用する。

（不服申立てに関する経過措置）

第一六一条　施行日前にされた国等の事務に係る処分であって、当該処分をした行政庁（以下この条において「処分庁」という。）に施行日前に行政不服審査法に規定する上級行政庁（以下この条において「上級行政庁」という。）があったものについての同法による不服申立てについては、施行日以後においても、当該処分庁に引き続き上級行政庁があるものとみなして、行政不服審査法の規定を適用する。この場合において、当該処分庁の上級行政庁とみなされる行政庁は、施行日前に当該処分庁の上級行政庁であった行政庁とする。

２　前項の場合において、上級行政庁とみなされる行政庁が地方公共団体の機関であるときは、当該機関が行政不服審査法の規定により処理することとされる事務は、新地方自治法第二条第九項第一号に規定する第一号法定受託事務とする。

（手数料に関する経過措置）

第一六二条　施行日前においてこの法律による改正前のそれぞれの法律（これに基づく命令を含む。）の規定により納付すべきであった手数料については、この法律及びこれに基づく政令に別段の定めがあるもののほか、なお従前の例による。

（罰則に関する経過措置）

第一六三条　この法律の施行前にした行為に対する罰則の適用については、なお従前の例による。

（その他の経過措置の政令への委任）

第一六四条　この附則に規定するもののほか、この法律の施行に伴い必要な経過措置（罰則に関する経過措置を含む。）は、政令で定める。

２　〔略〕

附　則〔抄〕〔平成一一・一二・八法律一五一〕

（施行期日）

第一条　この法律は、平成十二年四月一日から施行する。〔以下略〕

（経過措置）

第三条　民法の一部を改正する法律（平成十一年法律第百四十九号）附則第三条第三項の規定により従前の例によることとされる準禁治産者及びその保佐人に関するこの法律による改正規定の適用については、〔中略〕なお従前の例による。〔以下略〕

第四条　この法律の施行前にした行為に対する罰則の適用については、なお従前の例による。

附　則〔略〕〔平成一一・一二・二二法律一六〇〕

附　則〔略〕〔平成一四・二・八法律一〕

附　則〔略〕〔平成一四・三・三一法律一一〕

附　則〔略〕〔平成一四・四・五法律二二〕

附　則〔略〕〔平成一四・七・三一法律一〇〇〕

附　則〔略〕〔平成一五・六・二〇法律一〇〇〕

附　則〔略〕〔平成一六・六・一八法律一二四〕

附　則〔略〕〔平成一六・一二・一法律一四七〕

附　則〔略〕〔平成一六・一二・一法律一五〇〕

附　則〔抄〕〔平成一七・四・二七法律三四〕

（施行期日）

第一条　この法律は、公布の日から起算して六月を超えない範囲内において政令で定める日から施行する。〔以下略〕

〔平成一七政三二一により、平成一七・一〇・二四から施行〕

（土地区画整理法の一部改正に伴う経過措置）

第二条　この法律の施行前にされた第二条の規定による改正前の土地区画整理法（以下「旧土地区画整理法」という。）第十四条第一項から第三項まで又は第三十九条第一項に規定する認可の申請であって、この法律の施行の際、認可又は不認可の処分がなされていないものについての処分については、なお従前の例による。

２　この法律の施行前に旧土地区画整理法第十四条第二項の規定により設立された土地区画整理組合の事業計画の決定手続については、なお従前の例による。

３　第二条の規定による改正後の土地区画整理法（以下「新土地区画整理法」という。）第二十八条第八項の規定は、この法律の施行の日以後に通常総会の承認を得た事業報告書、収支決算書及び財産目録について適用する。

４　新土地区画整理法第三十二条第九項の規定は、この法律の施行の日以後に会議の日時、場所及び目的である事項を組合員に通知して招集する通常総会について適用する。

（罰則に関する経過措置）

第五条　この法律の施行前にした行為に対する罰則の適用については、なお従前の例による。

（政令への委任）

第六条　附則第二条から前条までに定めるもののほか、この法律の施行に関して必要な経過措置は、政令で定める。

附　則〔平成一七・七・二六法律八七〕

この法律は、会社法の施行の日（平成一八・五・一）から施行する。〔以下略〕

会社法の施行に伴う関係法律の整備等に関する法律〔抄〕〔平成一七・七・二六法律八七〕

（土地区画整理法の一部改正に伴う経過措置）

第四七九条　施行日前に生じた前条の規定による改正前の土地区画整理法第四十五条第一項各号に掲げる事由により土地区画整理組合が解散した場合における土地区画整理組合の清算については、なお従前の例による。

（罰則に関する経過措置）

第五二七条　施行日前にした行為及びこの法律の規定によりなお従前の例によることとされる場合における施行日以後にした行為に対する罰則の適用については、なお従前の例による。

（政令への委任）

第五二八条　この法律に定めるもののほか、この法律の規定による法律の廃止又は改正に伴い必要な経過措置は、政令で定める。

附　則〔略〕〔平成一八・六・二法律五〇〕

附　則〔略〕〔平成二三・五・二五法律五三〕

附　則〔抄〕〔平成二三・八・三〇法律一〇五〕

（施行期日）

第一条　この法律は、公布の日から施行する。ただし、次の各号に掲げる規定は、当該各号に定める日から施行する。

一　〔略〕

二　〔前略〕第百一条（土地区画整理法第七十六条の改正規定に限る。）〔中略〕の規定並びに附則〔中略〕第四十七条から第四十九条まで〔中略〕の規定　平成二十四年四月一日

三～六　〔略〕

（土地区画整理法の一部改正に伴う経過措置）

第四七条　第百一条の規定（土地区画整理法第七十六条の改正規定に限る。以下この条において同じ。）の施行の際現に効力を有する第百一条の規定による改正前の土地区画整理法（附則第六十三条第一項において「旧土地区画整理法」という。）第七十六条の規定により都道府県知事が行った許可その他の行為又は現に同条第一項の規定により都道府県知事に対して行っている許可の申請で、第百一条の規定による改正後の土地区画整理法（附則第六十三条第一項において「新土地区画整理法」という。）第七十六条の規定により市長が行うこととなる事務に係るものは、同条の規定により当該市長が行った許可その他の行為又は当該市長に対して行った許可の申請とみなす。

（罰則に関する経過措置）

第八一条　この法律（附則第一条各号に掲げる規定にあっては、当該規定。以下この条において同じ。）の施行前にした行為及びこの附則の規定によりなお従前の例によることとされる場合におけるこの法律の施行後にした行為に対する罰則の適用については、なお従前の例による。

（政令への委任）

第八二条　この附則に規定するもののほか、この法律の施行に関し必要な経過措置（罰則に関する経過措置を含む。）は、政令で定める。

附　則〔抄〕〔平成二六・五・三〇法律四二〕

（施行期日）

第一条　この法律〔中略〕は、当該各号に定める日〔平成二七・四・一〕から施行する。

（土地区画整理法の一部改正に伴う経過措置）

第三四条　施行時特例市に対する前条の規定による改正後の土地区画整理法第百三十六条の三の規定の適用については、同条中「及び同法」とあるのは「、同法」と、「「中核市」とあるのは「「中核市」という。）及び地方自治法の一部を改正する法律（平成二十六年法律第四十二号）附則第二条に規定する施行時特例市（以下この条において「施行時特例市」と、「又は中核市」とあるのは「、中核市又は施行時特例市」とする。

附　則〔略〕〔平成二六・六・一三法律六九〕

附　則〔抄〕〔平成二七・九・四法律六三〕

（施行期日）

第一条　この法律は、平成二十八年四月一日から施行する。ただし、次の各号に掲げる規定は、当該各号に定める日から施行する。

一　附則〔中略〕第百十五条の規定　公布の日（以下「公布日」という。）

二・三　〔略〕

（土地区画整理法の一部改正に伴う経過措置）

第六〇条　施行日前に前条の規定による改正前の土地区画整理法第百三十六条の規定により都道府県農業会議が述べた意見は、前条の規定による改正後の土地区画整理法第百三十六条第一項の規定により農業委員会が述べた意見とみなす。

（罰則に関する経過措置）

第一一四条　この法律の施行前にした行為並びにこの附則の規定によりなお従前の例によることとされる場合及びこの附則の規定によりなおその効力を有することとされる場合におけるこの法律の施行後にした行為に対する罰則の適用については、なお従前の例による。

（政令への委任）

第一一五条　この附則に定めるもののほか、この法律の施行に関し必要な経過措置（罰則に関する経過措置を含む。）は、政令で定める。

附　則〔略〕〔平成二八・六・七法律七二〕

附　則〔平成二九・六・二法律四五〕

この法律は、民法改正法の施行の日〔令和二・四・一〕から施行する。ただし、〔中略〕第三百六十二条の規定は、公布の日から施行する。

民法の一部を改正する法律の施行に伴う関係法律の整備等に関する法律〔抄〕〔平成二九・六・二法律四五〕

（土地区画整理法の一部改正に伴う経過措置）

第三二二条　施行日前に前条の規定による改正前の土地区画整理法（以下この条において「旧土地区画整理法」という。）第四十二条第二項（旧土地区画整理法第百十条第八項において準用する場合を含む。）に規定する時効の中断の事由が生じた場合におけるその事由の効力については、なお従前の例による。

（罰則に関する経過措置）

第三六一条　施行日前にした行為及びこの法律の規定によりなお従前の例によることとされる場合における施行日以後にした行為に対する罰則の適用については、なお従前の例による。

（政令への委任）

第三六二条　この法律に定めるもののほか、この法律の施行に伴い必要な経過措置は、政令で定める。

附　則〔抄〕〔令和元・六・一四法律三七〕

（施行期日）

第一条　この法律は、公布の日から起算して三月を経過した日から施行する。ただし、次の各号に掲げる規定は、当該各号に定める日から施行する。

一　〔前略〕第百五十二条〔中略〕並びに次条並びに附則第三条及び第六条の規定　公布の日

二～四　〔略〕

（行政庁の行為等に関する経過措置）

第二条　この法律（前条各号に掲げる規定にあっては、当該規定。以下この条及び次条において同じ。）の施行の日前に、この法律による改正前の法律又はこれに基づく命令の規定（欠格条項その他の権利の制限に係る措置を定めるものに限る。）に基づき行われた行政庁の処分その他の行為及び当該規定により生じた失職の効力については、なお従前の例による。

（罰則に関する経過措置）

第三条　この法律の施行前にした行為に対する罰則の適用については、なお従前の例による。

（検討）

第七条　政府は、会社法（平成十七年法律第八十六号）及び一般社団法人及び一般財団法人に関する法律（平成十八年法律第四十八号）における法人の役員の資格を成年被後見人又は被保佐人であることを理由に制限する旨の規定について、この法律の公布後一年以内を目途として検討を加え、その結果に基づき、当該規定の削除その他の必要な法制上の措置を講ずるものとする。

附　則〔抄〕〔令和三・五・一九法律三七〕

（施行期日）

第一条　この法律は、令和三年九月一日から施行する。ただし、次の各号に掲げる規定は、当該各号に定める日から施行する。

一　〔前略〕附則〔中略〕第七十一条から第七十三条までの規定　公布の日

二～十　〔略〕

（罰則に関する経過措置）

第七一条　この法律（附則第一条各号に掲げる規定にあっては、当該規定。以下この条において同じ。）の施行前にした行為及びこの附則の規定によりなお従前の例によることとされる場合におけるこの法律の施行後にした行為に対する罰則の適用については、なお従前の例による。

（政令への委任）

第七二条　この附則に定めるもののほか、この法律の施行に関し必要な経過措置（罰則に関する経過措置を含む。）は、政令で定める。

（検討）

第七三条　政府は、行政機関等に係る申請、届出、処分の通知その他の手続において、個人の氏名を平仮名又は片仮名で表記したものを利用して当該個人を識別できるようにするため、個人の氏名を平仮名又は片仮名で表記したものを戸籍の記載事項とすることを含め、この法律の公布後一年以内を目途としてその具体的な方策について検討を加え、その結果に基づいて必要な措置を講ずるものとする。

附　則〔抄〕〔令和五・六・一六法律六三〕

（施行期日）

第一条　この法律は、公布の日から起算して一年を超えない範囲内において政令で定める日から施行する。ただし、次の各号に掲げる規定は、当該各号に定める日から施行する。

〔令和五政二八四により、令和六・四・一から施行〕

一　〔前略〕附則第七条〔中略〕の規定　公布の日

二　〔略〕

（罰則に関する経過措置）

第六条　この法律の施行前にした行為に対する罰則の適用については、なお従前の例による。

（政令への委任）

第七条　この附則に定めるもののほか、この法律の施行に関し必要な経過措置（罰則に関する経過措置を含む。）は、政令で定める。

○土地区画整理法施行令

〔昭和三〇・三・三一
政令四七〕

改正　昭和三〇・七政一二四、八政一九二、一一政三一三、昭和三一・八政二六五、昭和三二・九政二九八、一二政三三六、政三四〇、昭和三三・五政一二五、一〇政二九一、昭和三四・四政一四七、六政二二四、昭和三七・九政三九一、昭和三八・六政一八五、昭和四〇・二政一四、三政五五、昭和四四・六政一五八、昭和四五・四政四八、一二政三三三、昭和四六・六政二一一、昭和四八・一二政三六五、昭和五〇・四政一二三、一二政三八一、昭和五三・七政二八二、昭和五六・八政二六八、昭和五七・一〇政二八一、昭和五九・四政八三、昭和六〇・三政三一、昭和六二・三政五四、政五七、九政二九五、昭和六三・四政一三二、九政二六四、一一政三二四、平成元・三政七二、平成二・二政一五、七政二一四、一一政三三五、一二政三四七、平成三・三政二五、平成五・五政一六四、平成六・三政六九、九政二八二、政三〇三、一二政三九八、平成七・二政三六、一〇政三五九、平成八・三政四二、平成九・三政三七、政七四、一二政三五五、平成一〇・一〇政三五一、一二政四二一、平成一一・三政一二六、六政二〇九、八政二五六、九政二九七、一一政三五二、一二政四三一、平成一二・六政三一二、政三三四、平成一四・二政二七、三政六〇、六政一九四、一二政三八五、政三八六、平成一五・三政四七、八政三五〇、一二政五一六、平成一六・三政五九、四政一六〇、平成一七・一〇政三二二、平成一八・四政一八一、九政三二〇、平成一九・二政三一、三政三九、五政一六八、八政二三五、一二政三六三、平成二一・一二政二九六、平成二二・三政四一、政七八、平成二三・三政八九、六政一八一、一一政三六一、平成二六・三政一二一、平成二七・一政三〇、三政七四、一一政三九二、平成二八・一政二七、二政四三、平成二九・九政二三二、平成三〇・六政一八三、令和三・八政二二四、令和五・二政三五、四政一六三、八政二五八、一〇政三〇四、一二政三五〇

目次

第一章　規準、規約、定款及び施行規程並びに事業計画及び事業基本方針（第一条―第五条）
第二章　土地区画整理組合の役員及び総代の解任請求（第六条―第十七条）
第三章　土地区画整理審議会の委員（第十八条―第五十五条）
第四章　換地計画（第五十五条の二―第五十九条）
第五章　減価補償金及び清算（第六十条・第六十一条）
第五章の二　土地区画整理士技術検定（第六十一条の二―第六十二条の七）
第六章　費用の負担等（第六十三条―第六十六条）
第七章　雑則（第六十七条―第七十八条）
附則

第一章　規準、規約、定款及び施行規程並びに事業計画及び事業基本方針

（**規準、規約、定款及び施行規程の記載事項**）

第一条　土地区画整理法（以下「法」という。）第五条第十号、第十五条第十二号及び第五十一条の三第八号に規定する政令で定める事項は、次に掲げるものとする。

一　宅地及び宅地について存する権利の価額の評価の方法に関する事項

二　地積の決定の方法に関する事項

三　法第二条第二項に規定する工作物その他の物件の設置を行う場合においては、当該工作物その他の物件の管理及び処分に関する事項

四　会計に関する事項

2　法第五十三条第二項第八号（法第六十七条第二項及び第七十一条の三第二項において準用する場合を含む。）に規定する政令で定める事項は、地積の決定の方法に関する事項とする。

（**施行地区及び設計の概要を表示する図書の縦覧についての公告**）

第一条の二　市町村長は、法第九条第三項（法第十条第三項において準用する場合を含む。）、第二十一条第三項、第三十九条第四項、第五十一条の九第三項（法第五十一条の十第二項において準用する場合を含む。）、第五十五条第八項（同条第十三項において準用する場合を含む。）、第六十九条第六項（同条第十項において準用する場合を含む。）又は第七十一条の三第十一項（同条第十五項において準用する場合を含む。）の規定による図書の送付を受けた場合においては、直ちに、その図書を公衆の縦覧に供する旨、縦覧場所及び縦覧時間を公告しなければならない。

（**定款又は事業計画若しくは事業基本方針の変更に関する特別議決事項**）

第二条　定款の変更のうち法第三十四条第二項に規定する政令で定める重要な事項は、次に掲げるものとする。

一　参加組合員に関する事項の変更

二　費用の分担に関する事項の変更

三　総代会の新設又は廃止

2　事業計画又は事業基本方針の変更のうち法第三十四条第二項に規定する政令で定める重要な事項は、次に掲げるものとする。

一　施行地区の変更

二　工区の新設、変更又は廃止

（**事業計画又は規準若しくは施行規程の縦覧についての公告**）

第三条　市町村長、都道府県知事又は国土交通大臣は、法第二十条第一項（法第三十九条第二項において準用する場合を含む。）、第五十一条の八第一項（法第五十一条の十第二項において準用する場合を含む。）、第五十五条第一項（同条第十三項において準用する場合を含む。）、第六十九条第一項（同条第十項において準用する場合を含む。）又は第七十一条の三第四項（同条第十五項において準用する場合を含む。）の規定により事業計画又は規準若しくは施行規程を公衆の縦覧に供しようとする場合においては、あらかじめ、縦覧開始の日、縦覧場所及び縦覧時間を公告しなければならない。

（**意見書の内容の審査の方法**）

第三条の二　法第二十条第四項（法第三十九条第二項において準用する場合を含む。以下この項において同じ。）又は第五十一条の八第四項（法第五十一条の十第二項において準用する場合を含む。以下この項において同じ。）において準用する行政不服審査法（平成二十六年法律第六十八号）第三十一条第一項本文の規定による意見の陳述については行政不服審査法施行令（平成二十七年政令第三百九十一号）第八条の規定を、法第二十条第四項又は第五十一条の八第四項において準用する行政不服審査法第三十七条第二項の規定による意見の聴取については同令第九条の規定を、それぞれ準用する。この場合において、同令第八条及び第九条中「審理員」とあるのは「都道府県知事」と、同令第八条中「総務省令」とあるのは「国土交通省令」と読み替えるものとする。

2　法第五十五条第五項（同条第十三項において準用する場合を含む。以下この項において同じ。）において準用する行政不服審査法第三十一条第一項本文の規定による意見の陳述については行政不服審査法施行令第八条の規定を、法第五十五条第五項において準用する行政不服審査法第三十七条第二項の規定による意見の聴取については同令第九条の規定を、それぞれ準用する。この場合において、同令第八条及び第九条中「審理員」とあるのは「都道府県都市計画審議会」と、同令第八条中「総務省令」とあるのは「国土交通省令」と読み替えるものとする。

3　法第六十九条第四項（同条第十項において準用する場合を含む。以下この項において同じ。）において準用する行政不服審査法第三十一条第一項本文の規定による意見の陳述については行政不服審査法施行令第八条の規定を、法第六十九条第四項において準用する行政不服審査法第三十七条第二項の規定による意見の聴取については同令第九条の規定を、それぞれ準用する。この場合において、同令第八条及び第九条中「審理員」とあるのは「国土交通大臣」と、同令第八条中「総務省令」とあるのは「国土交通省令」と読み替えるものとする。

4　法第七十一条の三第九項（同条第十五項において準用する場合を含む。以下この項において同じ。）において準用する行政不服審査法第三十一条第一項本文の規定による意見の陳述については行政不服審査法施行令第八

条の規定を、法第七十一条の三第九項において準用する行政不服審査法第三十七条第二項の規定による意見の聴取については同令第九条の規定を、それぞれ準用する。この場合において、同令第八条及び第九条中「審理員」とあるのは「国土交通大臣又は都道府県知事」と、同令第八条中「総務省令」とあるのは「国土交通省令」と読み替えるものとする。

（縦覧手続等を省略することができる事業計画又は規準若しくは施行規程の修正又は変更）

第四条　事業計画の修正又は変更のうち法第五十五条第六項、第六十九条第五項若しくは第七十一条の三第十項又は第三十九条第二項、第五十一条の十第二項、第五十五条第十三項、第六十九条第十項（事業計画を変更しようとする場合に係る部分に限る。）若しくは第七十一条の三第十五項に規定する政令で定める軽微な修正又は変更は、次に掲げるものとする。

一　都市計画において定められた都市施設その他の事項で当該都市計画の変更に伴うもの

二　都市計画において定められた都市施設に関する都市計画事業の認可若しくは承認又はその変更に伴うもの

三　施行地区の変更に伴う設計の概要の変更で、施行地区から除外される区域についての設計を廃止したにとどまると認められるもの

四　事業施行期間の修正又は変更

五　幅員四メートル以下の道路の廃止又は当該道路に代わるべき道路で幅員四メートル以下のものの新設

六　道路又は水路の起点又は終点の修正又は変更を伴わない位置の修正又は変更で、修正又は変更後の道路又は水路の中心線の当初事業計画において定めようとし、又は定めた中心線からの振れが当該道路又は水路の幅員以下のもの

七　道路の幅員の縮小で、縮小後の道路の幅員が四メートル未満とならず、かつ、当初事業計画において定めようとし、又は定めた幅員から二メートル以下を減ずることとなるもの

八　公園、広場又は緑地の区域の縮小で、縮小された区域の面積の合計が当該施設の当初事業計画において定めようとし、又は定めた面積からその十分の一を減ずることとならないもの

九　資金計画の修正又は変更

2　規準の変更のうち法第五十一条の十第二項に規定する政令で定める軽微な変更は、次に掲げるもの以外のものとする。

一　費用の分担に関する事項の変更

二　法第八十五条第四項の規定による申告又は届出の受理の停止に関する事項の新設、変更又は廃止

三　地積の決定の方法に関する事項の変更

3　施行規程の修正又は変更のうち法第六十九条第五項若しくは第七十一条の三第十項又は第六十九条第十項若しくは第七十一条の三第十五項に規定する政令で定める軽微な修正又は変更は、次に掲げるもの以外のものとする。

一　費用の分担に関する事項の修正又は変更

二　土地区画整理審議会の委員の選挙又は選任に関する事項の修正又は変更

三　法第八十五条第四項の規定による申告又は届出の受理の停止に関する事項の新設、修正、変更又は廃止

四　地積の決定の方法に関する事項の修正又は変更

（国土交通大臣又は都道府県知事の認可を要しない設計の概要の変更）

第四条の二　法第五十五条第十二項に規定する政令で定める軽微な設計の概要の変更は、前条第一項各号（第四号及び第九号を除く。）に掲げるものとする。

（国土交通大臣が土地区画整理事業を施行する場合における関係都道府県知事及び関係市町村長に図書を送付することを要しない施行地区又は設計の概要の変更）

第五条　法第六十九条第十項（事業計画の変更をした場合に係る部分に限る。）に規定する政令で定める軽微な変更は、第四条第一項各号に掲げるもの及び設計の概要の変更を伴わない施行地区の変更とする。

第二章　土地区画整理組合の役員及び総代の解任請求

（解任請求代表者証明書の交付）

第六条　法第二十七条第七項又は法第三十七条第四項において準用する法第二十七条第七項の規定により土地区画整理組合（以下「組合」という。）の理事若しくは監事又は総代の解任を請求しようとする組合員の代表者（以下「解任請求代表者」という。）は、次の各号に掲げる事項を記載した解任請求書を添え、当該組合に対し、文書をもつて解任請求代表者証明書の交付を請求しなければならない。

一　その解任を請求しようとする理事若しくは監事又は総代の氏名

二　解任の請求の理由

三　解任請求代表者の氏名及び住所（法人にあつては、その名称及び主たる事務所の所在地）

2　前項の請求があつた場合においては、当該組合は、解任請求代表者が組合員であることを確認した上、直ちにこれに解任請求代表者証明書を交付し、かつ、その旨を公告するとともに、あわせて当該組合の主たる事務所の存する市町村の長に通知しなければならない。

3　市町村長は、前項の規定による通知があつた場合においては、直ちに次条第一項の規定による署名の収集の際に立ち合わせるため、その職員のうちから立会人を指名し、これを解任請求代表者及び組合に通知しなければならない。

4　組合は、第二項の規定による公告の際あわせて組合員の三分の一の数を公告しなければならない。

（署名の収集）

第七条　解任請求代表者は、あらかじめ、場所及び前条第二項の公告があつた日から二週間を超えない範囲内において日時を定めて、署名簿に解任請求書又はその写し及び解任請求代表者証明書又はその写しを添え、組合員に対し、署名簿に署名をすることを求めなければならない。

2　解任請求代表者は、前項の場所及び日時を定めた場合においては、その日前二日までに立会人に通知しなければならない。

3　署名をしようとする者は、組合員名簿に記載された者であるかどうかについて立会人の確認を受けた上、署名簿に署名をするものとする。

4　前項の場合において、組合員が法人であるときは、その指定する者が署名をするものとし、かつ、当該法人が組合員名簿に記載された者であるかどうか及び当該署名をする者が当該法人の指定する者であるかどうかについて立会人の確認を受けるものとする。

（解任請求書の提出）

第八条　解任請求代表者は、署名簿に署名をした者の数が第六条第四項の規定により公告された数以上の数となつた場合においては、署名期間満了の日から五日以内に、立会人の証明を経た署名簿を添えて、解任請求書を組合に提出しなければならない。

2　前項の立会人の証明は、署名簿の末尾にその旨を記載した上、署名をすることによつて行うものとする。

（組合員及び組合員名簿）

第九条　第六条第二項及び第四項並びに第七条第一項及び第四項において「組合員」とは、第六条第二項の公告があつた日の前日現在における組合員名簿に記載された者をいう。

2　第七条第三項及び第四項において「組合員名簿」とは、前項の組合員名簿をいう。

（解任の投票）

第一〇条　法第二十七条第八項又は法第三十七条第四項において準用する法第二十七条第八項の規定による組合の理事若しくは監事又は総代の解任の投票（以下「解任の投票」という。）は、第八条第一項の規定による解任請求書の提出があつた日から二週間以内に行われなければならない。

2　前項の場合において、理事は、解任投票所並びに投票の期日及び時間を定め、これらの事項を、その解任を請求された理事若しくは監事又は総代の氏名及びその請求の要旨とともに、投票の期日の少くとも五日前に公告しなければならない。

（投票）

第一一条　解任の投票における投票は、前条第二項の公告があつた日現在における組合員名簿（以下第七項において「組合員名簿」という。）に記載された組合員（以下本条第二項、第三項、第六項、第九項及び第十一項並びに第十四条第一項において「組合員」という。）が投票用紙に解任に対する同意又は不同意の旨を記載してするものとする。

2　前項の場合において、組合員が法人であるときは、その指定する者が同項の投票をするものとする。

3　組合員（法人を除く。以下本項において同じ。）は、代理人をもつて第

一項に規定する投票をすることができる。この場合において、代理人は、同時に十人以上の組合員を代理することができない。

4　第二項又は前項の場合において、法人の指定する者又は代理人は、それぞれ投票の際その権限を証する書面を理事に提出しなければならない。

5　投票は、無記名により行うものとする。投票は、一人一票に限る。

6　投票用紙は、理事が、投票日の当日、解任投票所において組合員に交付しなければならない。

7　組合員名簿に記載されていない者、組合員名簿に記載された者であつても組合員名簿に記載されることができない者及び投票の当日組合員でない者は、投票をすることができない。

8　理事は、投票をしようとする者が明らかに本人でないと認められる場合においては、その投票を拒否することができる。

9　前二項の場合において、投票の拒否は、理事が立会人（理事が組合員のうちから本人の承諾を得て選任した者一人及び解任請求代表者が組合員のうちから本人の承諾を得て理事に届け出た者一人とする。以下本章において同じ。）の意見を聞いて定めなければならない。

10　理事は、立会人の立会の下に投票を点検し、同意又は不同意の別に有効投票数を計算しなければならない。

11　前項の場合においては、理事は、立会人の意見を聞いて投票の効力を決定するものとする。その決定に当つては、次項の規定に反しない限りにおいて、その投票をした組合員の意思が明らかであれば、その投票を有効とするようにしなければならない。

12　次の各号の一に該当する投票は、無効とする。

一　所定の投票用紙を用いないもの

二　同意又は不同意の旨以外の事項を記載したもの

三　同意又は不同意の旨の記載のないもの

四　同意又は不同意の旨を確認し難いもの

（解任の投票の結果の公告）

第一二条　解任の投票の結果が判明した場合においては、組合は、直ちにこれを公告しなければならない。

2　理事若しくは監事又は総代は、解任の投票において過半数の同意があつた場合においては、前項の公告があつた日にその地位を失う。

（解任投票録）

第一三条　理事は、解任投票録を作り、解任の投票に関する次第を記載し、立会人とともに、これに署名しなければならない。

2　解任投票録は、組合において、その解任を請求された理事若しくは監事又は総代の任期間保存しなければならない。

（解任の投票又は解任の投票の結果の効力に関する異議の申出）

第一四条　組合員は、解任の投票又は解任の投票の結果の効力に関し異議がある場合においては、第十二条第一項の公告があつた日から二週間以内に、組合に対し、文書をもつて異議を申し出ることができる。

2　組合は、前項の異議の申出を受けた場合においては、その申出を受けた日から二週間以内にこれを決定しなければならない。この場合において、決定は、文書をもつてし、理由を附けて申出人に交付するとともに、その要旨を公告しなければならない。

3　組合は、第一項の規定により解任の投票の効力に関する異議の申出があつた場合において、解任の投票に関する規定に違反することがあるときは、投票の結果に異動を及ぼすおそれがある場合に限り、その解任の投票の全部又は一部の無効を決定しなければならない。

4　組合は、第一項の規定により解任の投票の結果の効力に関する異議の申出があつた場合においても、その解任の投票が前項の場合に該当するときは、その解任の投票の全部又は一部の無効を決定しなければならない。

（解任請求の禁止期間）

第一五条　法第二十七条第七項又は法第三十七条第四項において準用する法第二十七条第七項の規定による組合の理事若しくは監事又は総代の解任の請求は、その就任の日から六月間及び法第二十七条第八項若しくは法第三十七条第四項において準用する法第二十七条第八項又は法第百二十五条第六項の規定によるその解任の投票の日から六月間は、することができない。

（都道府県知事の行う解任の投票）

第一六条　法第百二十五条第六項の規定による組合の理事若しくは監事又は総代の解任の投票（以下「都道府県知事の行う解任の投票」という。）は、同項に規定する組合員の申出があつた日から二週間以内に行われなければならない。

2　前項の場合において、都道府県知事は、解任投票所並びに投票の期日及び時間を定め、これらの事項を、その解任を請求された理事若しくは監事又は総代の氏名及びその請求の要旨とともに、投票の期日の少くとも五日前に公告しなければならない。

3　第十一条から第十四条までの規定は、都道府県知事の行う解任の投票について準用する。この場合において、第十一条第一項中「前条第二項」とあるのは「第十六条第二項」と、第十一条第四項、第六項及び第八項から第十一項まで並びに第十三条第一項中「理事」とあるのは「都道府県知事が指名するその職員」と、第十二条第一項、第十三条第二項及び第十四条中「組合」とあるのは「都道府県知事」と、第十四条第一項中「第十二条第一項」とあるのは「第十六条第三項において準用する第十二条第一項」と読み替えるものとする。

（総代の解任の請求に関する特例）

第一七条　施行地区内の宅地について所有権を有する組合員及び施行地区内の宅地について借地権を有する組合員が各別に総代を選挙するものと定款で定めている場合における法第三十七条第四項において準用する法第二十七条第七項及び第八項、法第百二十五条第六項後段並びに第六条、第七条、第九条、第十一条（前条第三項において準用する場合を含む。）、第十四条（前条第三項において準用する場合を含む。）及び前条第一項の規定の適用については、これらの規定中「組合員」とあるのは、「施行地区内の宅地の所有者である組合員又は施行地区内の宅地について借地権を有する者である組合員」と読み替えるものとする。

第三章　土地区画整理審議会の委員

（土地区画整理審議会の委員の定数の基準）

第一八条　土地区画整理審議会の委員（以下本章において「委員」という。）の定数は、次の各号に掲げる基準に従わなければならない。

一　面積五十ヘクタール未満の施行地区（工区ごとに土地区画整理審議会を置く場合においては、工区。以下本章において同じ。）　十人

二　面積五十ヘクタール以上百五十ヘクタール未満の施行地区　十五人以下

三　面積百五十ヘクタール以上五百ヘクタール未満の施行地区　二十人以下

四　面積五百ヘクタール以上千五百ヘクタール未満の施行地区　三十人以下

五　面積千五百ヘクタール以上の施行地区　五十人以下

2　施行地区の縮小があつた場合において、委員の定数が前項の基準に適合しなくなつたときは、当該委員の任期中に限り、同項の規定を適用せず、従前の定数をもつて定数とする。

3　法第五十八条第三項（法第七十条第三項及び第七十一条の四第三項において準用する場合を含む。）の規定により土地区画整理事業について学識経験を有する者のうちから委員を選任することと施行規程で定める場合においては、併せて当該選任すべき委員の数及び法第五十八条第一項（法第七十条第三項及び第七十一条の四第三項において準用する場合を含む。）の規定により選挙すべき委員の数を施行規程で定めなければならない。

（委員の選挙期日の公告）

第一九条　委員の選挙を行う場合においては、市町村長等（国土交通大臣が土地区画整理事業を施行する場合における国土交通大臣、都道府県が土地区画整理事業を施行する場合における都道府県知事、市町村が土地区画整理事業を施行する場合における市町村長、独立行政法人都市再生機構が土地区画整理事業を施行する場合における独立行政法人都市再生機構理事長又は地方住宅供給公社が土地区画整理事業を施行する場合における地方住宅供給公社理事長をいう。以下この章において同じ。）は、あらかじめ、選挙期日を定め、これを公告しなければならない。この場合において、選挙期日は、その公告の日から百日以内としなければならない。

（選挙人名簿）

第二〇条　市町村長等は、前条の公告をした場合においては、その公告をした日から起算して二十日を経過した日現在における施行地区内の宅地の所有者又は施行地区内の宅地について借地権を有する者で当該選挙において選挙をなすべきものの氏名、住所、性別及び生年月日（法人にあつては、その名称及び主たる事務所の所在地）を記載した名簿（以下「選挙人名簿」という。）を作成しなければならない。

（選挙人名簿の縦覧及び異議の申出）

第二一条　市町村長等は、選挙人名簿を作成した場合においては、これを二週間公衆の縦覧に供しなければならない。

2　第三条の規定は、前項の規定による縦覧について準用する。

3　第十九条の公告があつた日から起算して二十日を経過した日現在における施行地区内の宅地の所有者又は施行地区内の宅地について借地権を有する者で当該選挙において選挙をなすべきものは、前項の規定により縦覧に供された選挙人名簿に記載の漏れ又は誤りがあると認める場合においては、縦覧期間内に、文書で市町村長等に異議を申し出ることができる。

4　市町村長等は、前項の申出を受けた場合においては、その申出を受けた日から二週間以内に、その申出が正当であるかないかを決定しなければならない。その申出を正当であると決定した場合においては、直ちに選挙人名簿を修正し、その旨を申出人及び関係人に通知し、あわせてこれを公告しなければならない。その申出を正当でないと決定した場合においては、直ちにその旨を申出人に通知しなければならない。

（選挙人名簿の確定及び選挙すべき委員の数の公告）

第二二条　市町村長等は、前条第一項の規定による縦覧期間内に異議の申出がなかつたとき、又は同条第三項の規定によるすべての異議について決定をしたときは、その旨を公告しなければならない。

2　前項の公告は、選挙期日の少くとも二十日前にしなければならない。

3　選挙人名簿は、第一項の公告があつた日において確定するものとする。

4　市町村長等は、第一項の公告をする場合においては、併せて施行地区内の宅地の所有者又は施行地区内の宅地について借地権を有する者が当該選挙において選挙すべき委員の数を公告しなければならない。この場合において、当該選挙が法第五十八条第一項（法第七十条第三項及び第七十一条の四第三項において準用する場合を含む。）の選挙であるときは、当該選挙において選挙すべき委員の数は、前項の規定により確定した選挙人名簿（以下「確定選挙人名簿」という。）に記載されている施行地区内の宅地の所有者及び施行地区内の宅地について借地権を有する者の数に基づいて市町村長等が定めた数とする。

（選挙人）

第二三条　委員は、確定選挙人名簿に記載された者（以下第三十四条を除き、本章において「選挙人」という。）がこれらの者のうちから選挙する。

（立候補制）

第二四条　委員は、施行規程で定めた場合においては、候補者のうちから選挙するものとすることができる。

2　前項の規定により委員を候補者のうちから選挙するものと施行規程で定めている場合においては、選挙人は、第二十二条第一項の公告があつた日から十日以内に、立候補届を市町村長等に提出して候補者となり、又は他の選挙人の承諾を得て立候補推薦届を市町村長等に提出してその選挙人を候補者とすることができる。

3　前項の立候補届又は立候補推薦届の様式その他必要な事項は、市町村長等が定める。

4　第一項の規定により委員を候補者のうちから選挙するものと施行規程で定めている場合においては、施行地区内の宅地の所有者のうちから選挙される委員の候補者となつた者は、同時に、施行地区内の宅地について借地権を有する者のうちから選挙される委員の候補者となることができず、施行地区内の宅地について借地権を有する者のうちから選挙される委員の候補者となつた者は、同時に、施行地区内の宅地の所有者のうちから選挙される委員の候補者となることができない。

5　第一項の規定により委員を候補者のうちから選挙するものと施行規程で定めている場合においては、市町村長等は、第二項の期間を経過した日において、同項の規定により届出のあつた候補者の氏名及び住所（法人にあつては、その名称及び主たる事務所の所在地）を公告しなければならない。

（選挙場並びに投票時間及び開票の日時の公告）

第二五条　市町村長等は、選挙場並びに投票時間及び開票の日時を定め、選挙期日の少くとも五日前に、これらの事項を公告しなければならない。

（投票を行わない場合）

第二六条　第二十四条第一項の規定により委員を候補者のうちから選挙するものと施行規程で定めている場合において、同条第二項の規定による届出のあつた候補者の数が当該選挙において選挙すべき委員の数をこえないとき、又はこえなくなつたときは、投票を行わないものとし、市町村長等は、直ちにその旨を公告しなければならない。

（選挙管理者及び立会人）

第二七条　市町村長等は、選挙場ごとに、投票及び開票に関する事務を担任させるため、その職員のうちから選挙管理者を任命しなければならない。

2　市町村長等は、選挙場ごとに、施行地区内の宅地の所有者である選挙人二人及び施行地区内の宅地について借地権を有する者である選挙人二人を立会人として選任しなければならない。ただし、当該選挙が施行地区内の宅地の所有者又は施行地区内の宅地について借地権を有する者のいずれか一方のうちから委員を選挙するものである場合においては、当該選挙における選挙人二人を選任するものとする。

（選挙場の設備及び秩序の維持）

第二八条　選挙管理者は、選挙人が投票の記載をする際に他人がその投票を見ることその他不正の手段が用いられることがないようにするために、選挙場に相当の設備をしなければならない。

2　選挙場において、演説討論をし、若しくは騒ぎ、又は投票に関し協議若しくは勧誘をし、その他選挙場の秩序をみだす者がある場合においては、選挙管理者は、これを制止し、その指示に従わないときは、選挙場外に退出させることができる。

（投票）

第二九条　委員の選挙は、無記名投票によつて行うものとする。

2　選挙人は、選挙の当日、自ら選挙場に行き、確定選挙人名簿又はその抄本の対照を経て、投票用紙に選挙すべき者一人の氏名を記載し、これを投票箱に入れて投票をしなければならない。

3　前項の場合において、選挙人が法人であるときは、その法人の指定する者が同項の投票をするものとする。この場合において、法人の指定する者は、投票の際その権限を証する書面を選挙管理者に提出しなければならない。

4　投票用紙は、選挙の当日、選挙場において選挙人に交付しなければならない。

（投票のできない者）

第三〇条　確定選挙人名簿に記載されていない者、確定選挙人名簿に記載された者であつても確定選挙人名簿に記載されることができない者及び選挙の当日選挙権を有しない者は、投票をすることができない。

2　選挙管理者は、投票をしようとする者が明らかに本人でないと認められる場合においては、その投票を拒否することができる。

3　前二項の場合において、投票の拒否は、選挙管理者が立会人の意見を聞いて定めなければならない。

（退出させられた者の投票）

第三一条　第二十八条第二項の規定により選挙場外に退出させられたため投票をすることができなかつた者は、最後になつて投票をすることができる。ただし、選挙管理者は、選挙場の秩序をみだすおそれがないと認める場合においては、投票をさせることを妨げない。

（開票日）

第三二条　開票は、選挙場において、投票の当日又は翌日に行う。

（開票）

第三三条　選挙管理者は、立会人の立会の下に、投票を点検しなければならない。

2　前項の場合においては、選挙管理者は、立会人の意見を聞いて、投票の効力を決定するものとする。その決定に当つては、次条の規定に反しない限りにおいて、その投票をした選挙人の意思が明らかであれば、その投票を有効とするようにしなければならない。

3　投票の点検が終つた場合においては、選挙管理者は、有効投票を得た者ごとにその得票数を計算し、直ちにその結果を市町村長等に報告しなければならない。

4　選挙人は、選挙場における開票の参観を求めることができる。

（投票の効力）

第三四条　委員の選挙については、次の各号の一に該当する投票は、無効とする。

一　所定の投票用紙を用いないもの

二　確定選挙人名簿に記載された者（以下本条において「被選挙人」という。）でない者の氏名（法人の名称を含む。以下本項において同じ。）を記載したもの

三　一投票用紙に二人以上の被選挙人の氏名を記載したもの

四　被選挙権のない者の氏名を記載したもの

五　被選挙人の氏名のほか、他事を記載したもの。ただし、職業、住所又は敬称の類を記載したものは、この限りでない。

六　被選挙人の氏名を自書しないもの

七　被選挙人の何人を記載したかを確認し難いもの

八　第二十四条第一項の規定により委員を候補者のうちから選挙するものと施行規程で定めている場合において候補者でない者の氏名を記載したもの

九　選挙が補欠選挙である場合において現に委員である者の氏名を記載したもの

2　同一の氏名、氏又は名（法人の名称又は名称の一部を含む。以下本項において同じ。）の被選挙人（第二十四条第一項の規定により委員を候補者のうちから選挙するものと施行規程で定めている場合においては、候補者）が二人以上ある場合において、その氏名、氏又は名のみを記載した投票は、前項第七号の規定にかかわらず、有効とする。

3　前項の有効投票は、当該被選挙人のその他の有効投票に応じてあん分し、それぞれこれに加えるものとする。

（当選人の決定）

第三五条　市町村長等は、第三十三条第三項の規定による報告を受けた場合においては、直ちに有効投票を得た者ごとにその得票総数を計算し、当選人を定めなければならない。

2　市町村長等は、当選の効力に関する異議の申出又は訴訟の結果、再選挙を行わないで当選人を定めることができる場合においては、直ちに当選人を定めなければならない。

3　前二項の場合においては、施行規程で定める数（法第五十九条第一項（法第七十条第三項及び第七十一条の四第三項において準用する場合を含む。）の規定により委員についての予備委員を置くものと施行規程で定めている場合においては、法第五十九条第三項（法第七十条第三項及び第七十一条の四第三項において準用する場合を含む。）の施行規程で定める数。以下この条において同じ。）以上の得票を得た者のうち得票数の多い者から順次当選人を定めるものとし、得票数が同じであるときは、市町村長等がくじで当選人を定めるものとする。

4　第二十四条第一項の規定により委員を候補者のうちから選挙するものと施行規程で定めている場合において、同条第二項の規定による届出のあつた候補者の数が当該選挙において選挙すべき委員の数をこえないとき、又はこえなくなつたときは、市町村長等は、その選挙期日後直ちにその候補者をもつて当選人と定めなければならない。

5　第一項、第二項又は前項の規定により当選人を定めた場合においては、市町村長等は、直ちに当選人の氏名及び住所（法人にあつては、その名称及び主たる事務所の所在地）を公告するとともに、当選人に対して当選の旨を通知しなければならない。

6　委員を候補者のうちから選挙するものと施行規程で定めていない場合においては、当選人は、当選を辞退することができる。この場合においては、前項の公告があつた日から十日以内に、その旨を市町村長等に申し出なければならない。

7　当選人が前項の期間内に同項の規定による申出をしない場合においては、当選を承諾したものとみなす。この場合において、施行地区内の宅地の所有者又は施行地区内の宅地について借地権を有する者からともに選挙されて当選人となつた者が双方の当選を承諾したものとみなされるときは、市町村長等がくじでいずれの当選を承諾したものとみなすかを定める。

8　委員を候補者のうちから選挙するものと施行規程で定めていない場合において、当選人の辞退、次条の規定による当選人の失格又は当選人の死亡により、当選人の数が当該選挙において選挙すべき委員の数に達しなくなつたときは、市町村長等は、第六項の期間内においては、当選人とならなかつた者で第三項の施行規程で定める数以上の得票数を得たもの（以下次項において「補充予定者」という。）のうちあらかじめ当選を承諾すべき旨の意思を表示した者について当選人を定めるものとする。この場合においては、得票数の多い者から順次に当選人を定めるものとし、得票数が同じであるときは、市町村長等がくじで当選人を定めるものとする。

9　前項の場合においては、市町村長等は、あらかじめ必要と認められる範囲内の補充予定者について、当選を承諾するかどうかを照会しなければならない。

10　市町村長等は、第七項の規定により当選を承諾したものとみなされた者及び第八項の規定により当選人と定めた者については、第六項の期間経過後直ちにこれらの者の氏名及び住所（法人にあつては、その名称及び主たる事務所の所在地）を公告しなければならない。

（当選人の失格）

第三六条　当選人は、選挙期日後において被選挙権を有しなくなつたときは、当選を失う。

（当選の効力の発生）

第三七条　当選人の当選の効力は、第二十四条第一項の規定により委員を候補者のうちから選挙するものと施行規程で定めている場合においては第三十五条第五項の公告があつた日、委員を候補者のうちから選挙するものと施行規程で定めていない場合においては同条第十項の公告があつた日から生ずるものとする。

（当選人がない場合等の公告）

第三八条　第三十五条の場合において当選人がないとき、又は当選人がなくなつたときは、市町村長等は、直ちにその旨を公告しなければならない。

（選挙録）

第三九条　選挙管理者は、選挙録を作り、投票及び開票に関する次第を記載し、立会人とともに、これに署名しなければならない。

2　選挙管理者は、第三十三条第三項の規定による報告をする場合においては、あわせて前項の選挙録及び投票を市町村長等に送付しなければならない。この場合において、投票は、有効無効を区別するものとする。

3　市町村長等は、選挙録及び投票の送付を受けた場合においては、選挙録に当選人の決定の次第を記載し、選挙録及び投票を当該選挙に係る委員の任期間、保存しなければならない。

（委員の選挙及び当選の効力に関する異議の申出等）

第四〇条　選挙人又は当選しなかつた者は、選挙又は当選の効力に関する異議（選挙人名簿の記載に関する異議を除く。）がある場合においては、選挙に関しては選挙期日、当選に関しては第三十七条の規定により当選の効力が発生した日又は第三十八条の公告があつた日から二週間以内に、市町村長等に対し、文書をもつてこれを申し出ることができる。

2　市町村長等は、前項の異議の申出を受けた場合においては、その申出を受けた日から二週間以内にこれを決定しなければならない。この場合において、決定は、文書をもつてし、理由を附けて申出人に交付するとともに、その要旨を公告しなければならない。

3　市町村長等は、第一項の規定により選挙の効力に関する異議の申出があつた場合において、選挙に関する規定に違反することがあるときは、選挙の結果に異動を及ぼすおそれがある場合に限り、その選挙の全部又は一部の無効を決定しなければならない。

4　市町村長等は、第一項の規定により当選の効力に関する異議の申出があつた場合においても、その選挙が前項の場合に該当するときは、その選挙の全部又は一部の無効を決定しなければならない。

5　委員は、選挙又は当選の効力に関する異議の申出又は訴訟の提起に対する決定又は判決が確定するまでは、その職を失わない。

（再選挙）

第四一条　選挙又は当選の効力に関する異議の申出又は訴訟の結果選挙の全部又は一部が無効となつた場合においては、再選挙を行わなければならない。

2　再選挙の選挙期日は、第十九条後段の規定にかかわらず、選挙期日の公告の日から五十日以内としなければならない。

3　再選挙の選挙期日を公告した場合における第二十条及び第二十一条第三項の規定の適用については、第二十条中「その公告」とあり、又は第二十一条第三項中「第十九条の公告」とあるのは、「再選挙を必要とするに至つた選挙の選挙期日の公告」と読み替えるものとする。

（補欠選挙又は再選挙を行わない場合）

第四二条　補欠選挙又は再選挙は、これを行うべき必要が当該委員の任期の終る前六月以内に生じた場合においては、行わない。

（災害の場合における選挙の特例）

第四二条の二　災害の発生により急施を要する土地区画整理事業であつて、法第九十八条第一項の規定による仮換地の指定をすみやかに行うことが特に必要であり、かつ、国土交通大臣が適当と認めて指定したものに係る土地区画整理審議会の委員の選挙に関し第二十条、第二十一条第一項及び第三項、第二十二条第二項並びに第二十四条第二項の規定を適用する場合には、第二十条及び第二十一条第三項中「二十日」とあるのは「一週間」と、第二十一条第一項中「二週間」とあるのは「一週間」と、第二十二条第二項中「二十日前」とあるのは「十日前」と、第二十四条第二項中「十日」とあるのは「五日」とする。

2　前項の規定による国土交通大臣の指定があつた場合においては、市町村長等は、第十九条の公告をする前にその旨を公告しなければならない。

（改選請求代表者証明書の交付）

第四三条　法第五十八条第七項（法第七十条第三項及び第七十一条の四第三項において準用する場合を含む。）の規定により委員の改選を請求しようとする施行地区内の宅地の所有者又は施行地区内の宅地について借地権を有する者の代表者（以下「改選請求代表者」という。）は、次の各号に掲げる事項を記載した改選請求書を添え、市町村長等に対し、文書をもつて改選請求代表者証明書の交付を請求しなければならない。

一　その改選を請求しようとする委員が施行地区内の宅地の所有者の選挙した委員であるか又は施行地区内の宅地について借地権を有する者の選挙した委員であるかの別

二　改選の請求の理由

三　改選請求代表者の氏名及び住所（法人にあつては、その名称及び主たる事務所の所在地）

2　前項の請求があつた場合においては、市町村長等は、その改選を請求しようとする委員の別に応じて改選請求代表者が施行地区内の宅地の所有者又は施行地区内の宅地について借地権を有する者であることを確認した上、直ちにこれに改選請求代表者証明書を交付し、かつ、その旨を公告しなければならない。

3　市町村長等は、前項の規定により改選請求代表者証明書を交付した場合においては、直ちに次条において準用する第七条第一項の規定による署名の収集の際に立ち会わせるため、その職員のうちから立会人を指名し、これを改選請求代表者に通知しなければならない。

4　市町村長等は、第二項の規定による公告の際あわせて施行地区内の宅地の所有者又は施行地区内の宅地について借地権を有する者の三分の一の数を公告しなければならない。

（署名の収集及び改選請求書の提出）

第四四条　第七条及び第八条の規定は、改選請求代表者の行う署名の収集及び改選請求書の提出について準用する。この場合において、第七条第一項中「前条第二項」とあるのは「第四十三条第二項」と、「解任請求書」とあるのは「改選請求書」と、「解任請求代表者証明書」とあるのは「改選請求代表者証明書」と、「組合員」とあるのは「施行地区内の宅地の所有者又は施行地区内の宅地について借地権を有する者」と、同条第三項及び第四項中「組合員名簿」とあるのは「選挙人名簿」と、同条第四項中「組合員」とあるのは「施行地区内の宅地の所有者又は施行地区内の宅地について借地権を有する者」と、第八条第一項中「第六条第四項」とあるのは「第四十三条第四項」と、「組合」とあるのは「市町村長等」と読み替えるものとする。

（施行地区内の宅地の所有者又は施行地区内の宅地について借地権を有する者及び選挙人名簿）

第四五条　第四十三条第二項及び第四項並びに前条において「施行地区内の宅地の所有者」又は「施行地区内の宅地について借地権を有する者」とは、その改選を請求しようとする委員の選挙に係る確定選挙人名簿で第四十三条第一項の規定による改選請求代表者証明書の交付の請求のあつた日前最も近く作成されたものに記載された者をいう。

2　前条において「選挙人名簿」とは、前項の確定選挙人名簿をいう。

（改選の投票）

第四六条　法第五十八条第八項（法第七十条第三項及び第七十一条の四第三項において準用する場合を含む。）の規定による委員の改選の投票（以下「改選の投票」という。）は、第四十四条において準用する第八条第一項の規定による改選請求書の提出があつた日から二週間以内に行われなければならない。

2　前項の場合において、市町村長等は、改選投票所並びに投票及び開票の日時を定め、これらの事項を、その改選を請求された委員が施行地区内の宅地の所有者の選挙した委員であるか又は施行地区内の宅地について借地権を有する者の選挙した委員であるかの別及びその請求の要旨とともに、投票の期日の少くとも五日前に公告しなければならない。

（投票人）

第四七条　改選の投票は、第四十五条第一項の確定選挙人名簿に記載された者（以下「投票人」という。）が行うものとする。

（改選投票管理者及び立会人）

第四八条　市町村長等は、改選投票所ごとに、投票及び開票に関する事務を担任させるため、その職員のうちから改選投票管理者を任命しなければならない。

2　市町村長等は、改選投票所ごとに、投票人のうちから本人の承諾を得て立会人二人を選任しなければならない。この場合において、市町村長等は、土地区画整理審議会又は改選請求代表者が立会人として選任されるべき者を投票の期日の二日前までに届け出たときは、それぞれ届け出た者のうちから各一人を選任しなければならない。

（改選投票所の設備及び秩序の維持）

第四九条　第二十八条の規定は、改選投票所の設備及び秩序の維持について準用する。この場合において、同条中「選挙管理者」とあるのは「改選投票管理者」と、「選挙人」とあるのは「投票人」と読み替えるものとする。

（投票）

第五〇条　改選の投票における投票は、投票人が投票用紙に改選に対する同意又は不同意の旨を記載して行うものとする。

2　第十一条第二項及び第四項から第九項までの規定は、改選の投票における投票について準用する。この場合において、第十一条第二項、第六項及び第七項中「組合員」とあるのは「投票人」と、同条第四項、第六項、第八項及び第九項中「理事」とあるのは「改選投票管理者」と、同条第六項中「解任投票所」とあるのは「改選投票所」と、同条第七項中「組合員名簿」とあるのは「第四十五条第一項の確定選挙人名簿」と読み替えるものとする。

3　第三十一条の規定は、前条において準用する第二十八条第二項の規定により改選投票所外に退出させられたために投票することができなかつた者について準用する。この場合において、第三十一条ただし書中「選挙管理者」とあるのは「改選投票管理者」と、「選挙場」とあるのは「改選投票所」と読み替えるものとする。

（開票）

第五一条　改選の投票における開票は、改選投票所において、投票の当日又はその翌日に行う。

2　改選投票管理者は、立会人の立会のもとに、投票を点検しなければならない。

3　第十一条第十一項及び第十二項の規定は、改選の投票における投票の効力について準用する。この場合において、同条第十一項中「理事」とあるのは「改選投票管理者」と、「組合員」とあるのは「投票人」と読み替えるものとする。

4　投票の点検が終つた場合においては、改選投票管理者は、改選に対する同意又は不同意の別に有効投票数を計算し、直ちにその結果を市町村長等に報告しなければならない。

5　投票人は、改選投票所における開票の参観を求めることができる。

（改選の投票の結果の公告）

第五二条　市町村長等は、前条第四項の規定による報告を受けた場合においては、改選に対する同意又は不同意の別に有効投票の総数を計算しなければならない。

2　改選の投票の結果が判明した場合においては、市町村長等は、直ちにこれを公告しなければならない。

3　委員は、改選の投票において過半数の同意があつた場合においては、前項の公告があつた日にその地位を失う。

（改選投票録）

第五三条　第三十九条の規定は、改選投票録について準用する。この場合において、同条第一項及び第二項中「選挙管理者」とあるのは「改選投票管理者」と、同条第二項中「第三十三条第三項」とあるのは「第五十一条第四項」と、同条第三項中「当選人の決定の次第」とあるのは「改選の投票の結果」と、「当該選挙に係る」とあるのは「その改選を請求された」と読み替えるものとする。

（改選の投票又は改選の投票の結果の効力に関する異議の申出）

第五四条　第十四条の規定は、改選の投票又は改選の投票の結果の効力に関する異議の申出について準用する。この場合において、同条第一項中「組合員又はその解任を請求された理事、監事若しくは総代」とあるのは「投票人又はその改選を請求された委員」と、「第十二条第一項」とあるのは「第五十二条第二項」と、同条中「組合」とあるのは「市町村長等」と読み替えるものとする。

（改選請求の禁止期間）

第五五条　法第五十八条第七項（法第七十条第三項及び第七十一条の四第三項において準用する場合を含む。）の規定による委員の改選の請求は、法第五十八条第一項の規定による選挙により選挙された委員の就任の日から六月間及び法第五十八条第八項（法第七十条第三項及び第七十一条の四第三項において準用する場合を含む。）の規定による委員の改選の投票の日から六月間は、することができない。

第四章　換地計画

（換地計画の縦覧についての公告）

第五五条の二　第三条の規定は、法第八十八条第二項（法第九十七条第三項において準用する場合を含む。）の規定により換地計画を公衆の縦覧に供しようとする場合について準用する。

（再び縦覧手続を要しない換地計画の修正）

第五六条　法第八十八条第五項に規定する政令で定める形式的な修正は、宅地について権利を有する者又は宅地についての権利の内容に関する換地計画書の明らかな記載の誤りの修正とする。

（過小宅地の基準）

第五七条　施行者は、換地計画に係る区域の全域について、又はその区域を二以上の区域に分ち、それぞれの区域について、法第九十一条第二項に規定する過小宅地の基準となる地積を定めることができる。

2　法第九十一条第二項に規定する過小宅地の基準となる地積は、百平方メートル以上でなければならない。ただし、都市計画法（昭和四十三年法律第百号）第八条第一項第一号の近隣商業地域若しくは商業地域又は同項第五号の防火地域若しくは準防火地域においては、六十五平方メートル以上であることをもつて足りる。

3　次に掲げる宅地については、前項の規定にかかわらず、過小宅地の基準となる地積を別に定めることができる。

一　巡査派出所、公衆便所その他これらに類する公益上必要な施設の用に供する宅地で、百平方メートル（前項ただし書に規定する地域においては、六十五平方メートル。以下本項において同じ。）以上の宅地となるように換地を定める必要がないと認められるもの

二　法第九十八条第一項の規定による仮換地の指定後の分筆により生じた宅地で、事業計画を変更しなければ百平方メートル以上の宅地となるように換地を定めることが困難なもの

三　法第九十一条第四項の規定による土地区画整理審議会の同意が得られなかつた宅地

四　換地技術上百平方メートル以上の宅地となるように換地を定めることが困難であると都道府県知事が認めた宅地

（公共の用に供する施設等）

第五八条　法第九十五条第一項第一号に規定する政令で定める施設は、次に掲げるものとする。

一　鉄道事業法（昭和六十一年法律第九十二号）による鉄道事業者又は索道事業者がその鉄道事業又は索道事業で一般の需要に応ずるものの用に供する施設

二　軌道法（大正十年法律第七十六号）第一条第一項の規定により同法が適用される軌道及び同法第三十一条の規定により同法が準用される無軌条電車の用に供する施設

三　航空法（昭和二十七年法律第二百三十一号）の規定により設置する飛行場及び航空保安施設で公共の用に供するもの

四　港湾法（昭和二十五年法律第二百十八号）にいう港湾施設（公共施設を除く。）で港湾管理者又は国若しくは地方公共団体が設置するもの及び漁港及び漁場の整備等に関する法律（昭和二十五年法律第百三十七号）にいう漁港施設（公共施設を除く。）で国、地方公共団体又は水産業協同組合が設置するもの

五　学校教育法（昭和二十二年法律第二十六号）第一条に規定する学校、同法第百二十四条に規定する専修学校及び同法第百三十四条第一項に規定する各種学校

六　社会教育法（昭和二十四年法律第二百七号）第二十一条の規定により設置される公民館

七　図書館法（昭和二十五年法律第百十八号）にいう図書館及び国が設置する図書館

八　博物館法（昭和二十六年法律第二百八十五号）にいう博物館（同法第三十一条第二項に規定する指定施設を含む。）及び国が設置する博物館

九　卸売市場法（昭和四十六年法律第三十五号）にいう中央卸売市場及び地方公共団体が設置する市場

十　と畜場法（昭和二十八年法律第百十四号）にいうと畜場及び化製場等に関する法律（昭和二十三年法律第百四十号）にいう死亡獣畜取扱場

十一　墓地、埋葬等に関する法律（昭和二十三年法律第四十八号）にいう墓地及び火葬場

十二　地方公共団体が設置する公衆便所、ごみ処理施設及びし尿消化そう

十三　都市計画において定められた防火施設及び市町村が設置する消防施設

十四　都道府県又は水防法（昭和二十四年法律第百九十三号）の規定による水防管理団体が設置する水防に必要な機械、器具及び資材を格納する施設

十五　砂防法（明治三十年法律第二十九号）にいう砂防設備及び同法第三条の規定により同法が準用される砂防のための施設

十六　水道法（昭和三十二年法律第百七十七号）による水道事業又は水道用水供給事業の用に供する水道、工業用水道事業法（昭和三十三年法律第八十四号）による工業用水道事業の用に供する工業用水道及び下水道法（昭和三十三年法律第七十九号）にいう下水道

十七　自然公園法（昭和三十二年法律第百六十一号）による公園事業により設置された施設（公共施設を除く。）

十八　航路標識法（昭和二十四年法律第九十九号）にいう航路標識及び港則法（昭和二十三年法律第百七十四号）第五条第二項又は第三項の規定により港長がびよう地を指定する場合において港長が設置する船舶交通に関する信号施設

十九　放送法（昭和二十五年法律第百三十二号）にいう基幹放送事業者又は基幹放送局提供事業者がその事業の用に供する無線通信施設

二十　道路運送法（昭和二十六年法律第百八十三号）にいう一般自動車道及び同法にいう専用自動車道（同法にいう一般旅客自動車運送事業又は貨物自動車運送事業法（平成元年法律第八十三号）にいう一般貨物自動車運送事業の用に供するものに限る。）

二十一　駐車場法（昭和三十二年法律第百六号）にいう路外駐車場

二十二　森林法（昭和二十六年法律第二百四十九号）第二十五条第一項又は第二十五条の二第一項前段若しくは第二項前段の規定により農林水産大臣又は都道府県知事が指定した保安林

二十三　電気通信事業法（昭和五十九年法律第八十六号）第百二十条第一項に規定する認定電気通信事業者が同項に規定する認定電気通信事業の用に供する施設

2　法第九十五条第一項第二号に規定する政令で定める施設は、国、都道府県、市町村、独立行政法人国立病院機構、国立研究開発法人国立がん研究センター、国立研究開発法人国立循環器病研究センター、国立研究開発法人国立精神・神経医療研究センター、国立研究開発法人国立国際医療研究センター、国立研究開発法人国立成育医療研究センター、国立研究開発法人国立長寿医療研究センター、独立行政法人地域医療機能推進機構、健康保険組合若しくは健康保険組合連合会、法律に基づき組織された共済組合若しくは共済組合連合会、日本私立学校振興・共済事業団又は医療法（昭和二十三年法律第二百五号）第三十一条の規定により厚生労働大臣の定める者が設置する病院、診療所及び助産所並びに船員保険法（昭和十四年法律第七十三号）第五十三条第一項第六号に掲げる療養の給付（同項第五号に掲げるものを除く。）をするのに必要な施設とする。

3　法第九十五条第一項第三号に規定する政令で定める施設は、次に掲げるものとする。

一　生活保護法（昭和二十五年法律第百四十四号）第三十八条に規定する救護施設、更生施設、医療保護施設、授産施設及び宿所提供施設

一の二　老人福祉法（昭和三十八年法律第百三十三号）第五条の三に規定する養護老人ホーム、特別養護老人ホーム及び軽費老人ホーム

二　児童福祉法（昭和二十二年法律第百六十四号）にいう児童福祉施設

三　身体障害者福祉法（昭和二十四年法律第二百八十三号）にいう身体障害者社会参加支援施設で国、地方公共団体、社会福祉法人又は一般社団法人若しくは一般財団法人が設置するもの

四　前各号に掲げる施設のほか、社会福祉法（昭和二十六年法律第四十五号）にいう社会福祉事業の施設で国、地方公共団体又は社会福祉法人が

設置するもの

五　国、地方公共団体、更生保護事業法（平成七年法律第八十六号）第四十五条の認可を受けて宿泊型保護事業を営む者又は同法第四十七条の二の届出をして通所・訪問型保護事業若しくは地域連携・助成事業を営む者が、同法の規定により行う更生保護事業の用に供する施設

4　法第九十五条第一項第四号に規定する政令で定める施設は、電気事業法（昭和三十九年法律第百七十号）第二条第一項第十六号に規定する電気事業の用に供する電気工作物及びガス事業法（昭和二十九年法律第五十一号）にいうガス工作物とする。

5　法第九十五条第一項第五号に規定する政令で定める施設は、庁舎、工場、倉庫、研究所、試験所、職員研修施設、刑務所、少年刑務所、拘置所、少年院、少年鑑別所、留置施設、通信施設、気象観測所、水路観測所、検潮所、営舎、演習場、射撃場、飛行場、体育館、美術館、物品陳列所、公会堂、劇場、音楽堂、動物園、植物園及び職務上常駐を必要とする職員の詰所とする。

6　法第九十五条第一項第七号に規定する政令で定める特別の事情のある宅地は、次に掲げるものとする。

一　建築物その他の工作物で、構造上移転若しくは除却の著しく困難なもの又は学術上若しくは芸術上移転若しくは除却の適当でないものの存する宅地

二　学術上又は宗教上特別の価値ある宅地

（縦覧手続を省略することができる換地計画の変更）

第五九条　法第九十七条第三項に規定する形式的な変更は、次の各号に掲げるものとする。

一　換地設計、各筆換地明細及び各筆各権利別清算金明細の変更で、従前の宅地の分合筆又は従前の宅地について存する権利の変更に伴うもの

二　換地設計、各筆換地明細及び各筆各権利別清算金明細の変更で、地域の名称の変更又は地番の変更に伴うもの

第五章　減価補償金及び清算

（減価補償金の交付基準）

第六〇条　法第百九条第一項に規定する土地区画整理事業の施行後の宅地の価額の総額が土地区画整理事業の施行前の宅地の価額の総額より減少した旨の公告は、国土交通大臣が土地区画整理事業を施行する場合にあつては国土交通大臣が、その他の者が土地区画整理事業を施行する場合にあつては都道府県知事がそれぞれ法第百三条第四項の公告にあわせて行うものとする。

2　法第百九条第一項の規定により減価補償金として交付すべき額は、同法同条同項に規定する差額を土地区画整理事業の施行前の宅地の価額の総額で除して得た数値を同法同条同項の公告があつた日における従前の宅地又はその宅地について存した地上権、永小作権、賃借権その他の宅地を使用し、若しくは収益することができる権利の土地区画整理事業の施行前の価額に乗じて得た額とする。

（清算金の分割徴収又は分割交付）

第六一条　法第百十条第二項の規定により清算金（法第百十一条の規定により相殺することができる場合においては、その相殺をした後の残額。以下この条において同じ。）を分割徴収し、又は分割交付する場合において当該清算金に付すべき利子の利率は、法第百三条第四項の規定による公告があつた日の翌日における法定利率（分割徴収する場合にあつては、当該法定利率以内で規準、規約、定款又は施行規程で定める率）とし、第一回の分割徴収し、又は分割交付すべき期日の翌日から付するものとする。

2　法第百十条第二項の規定により清算金を分割徴収し、又は分割交付する場合において当該清算金の徴収又は交付を完了すべき期限は、第一回の徴収し、又は交付すべき期日の翌日から起算して、五年以内とする。ただし、当該清算金を納付すべき者の資力が乏しいため当該清算金を五年以内に納付することが困難であると認められるときは、当該清算金の徴収を完了すべき期限は、十年以内とすることができる。

3　法第百十条第二項の規定により清算金を分割徴収し、又は分割交付する場合において当該分割徴収又は分割交付に関し必要な事項は、前項に定めるもののほか、規準、規約、定款又は施行規程で定めるものとする。

第五章の二　土地区画整理士技術検定

（方法及び基準）

第六二条　法第百十七条の三第二項の規定による技術検定（以下「土地区画整理士技術検定」という。）は、換地計画に関する専門的技術についての基礎的知識を有するかどうかを判定するための学科試験及び当該技術を用いて実務を適正に実施するために必要な高等の専門的応用能力を有するかどうかを判定するための実地試験によつて行う。

2　実地試験は、その回の土地区画整理士技術検定における学科試験を受験した者及び学科試験の全部の免除を受けた者について行うものとする。

3　学科試験及び実地試験の科目及び基準は、国土交通省令で定める。

（受験資格）

第六二条の二　学科試験又は実地試験を受けることができる者は、次のとおりとする。

一　学校教育法による大学（短期大学を除き、旧大学令（大正七年勅令第三百八十八号）による大学を含む。）を卒業した後土地区画整理事業に関し三年（在学中に国土交通省令で定める学科を修めた者にあつては、一年）以上の実務経験を有する者

二　学校教育法による短期大学（同法による専門職大学の前期課程を含む。）又は高等専門学校（旧専門学校令（明治三十六年勅令第六十一号）による専門学校を含む。）を卒業した後（同法による専門職大学の前期課程にあつては、修了した後）土地区画整理事業に関し四年（在学中に国土交通省令で定める学科を修めた者にあつては、二年）以上の実務経験を有する者

三　学校教育法による高等学校（旧中等学校令（昭和十八年勅令第三十六号）による中等学校を含む。）又は中等教育学校を卒業した後土地区画整理事業に関し五年（在学中に国土交通省令で定める学科を修めた者にあつては、三年）以上の実務経験を有する者

四　国土交通大臣が前三号に掲げる者と同等以上の知識及び経験を有するものと認定した者

五　土地区画整理事業に関し八年以上の実務経験を有する者

（試験の免除）

第六二条の三　次の各号に掲げる者については、申請により、それぞれ当該各号に掲げる試験を免除する。

一　学科試験に合格した者　次回の土地区画整理士技術検定の学科試験の全部

二　前条各号のいずれかに該当する者のうち他の法令の規定による免許で国土交通大臣の定めるものを受けた者又は国土交通大臣の定める検定若しくは試験に合格した者　国土交通大臣の定める学科試験の全部又は一部

（合格証明書）

第六二条の四　国土交通大臣は、土地区画整理士技術検定に合格した者の申請により、その申請者に対して、合格証明書を交付する。

2　合格証明書の交付を受けた者は、合格証明書を滅失し、又は損傷したときは、合格証明書の再交付を申請することができる。

3　合格証明書の交付を受けた者は、その記載事項に変更を生じたときは、当該合格証明書の書換え交付を申請することができる。

（合格の決定の取消し）

第六二条の五　国土交通大臣は、土地区画整理士技術検定の合格者が不正の方法によつて土地区画整理士技術検定を受けたことが明らかになつたときは、その者に係る合格の決定を取り消さなければならない。

2　合格の決定を取り消された者は、合格証明書を国土交通大臣に返付しなければならない。

（手数料）

第六二条の六　土地区画整理士技術検定を受けようとする者は、学科試験を受けようとする場合にあつては九千円（第六十二条の三第二号の規定により学科試験の一部の免除を受ける者については、九千円から国土交通大臣が定める額を減じた額）を、実地試験を受けようとする場合にあつては九千円を、手数料として納めなければならない。

2　合格証明書の交付、再交付又は書換え交付を受けようとする者は、手数料として千九百円を納めなければならない。

3　前二項の手数料は、国に納める場合にあつては国土交通省令で定めるところにより収入印紙をもつて納めるものとし、法第百十七条の四第一項の指定検定機関に納める場合にあつては法第百十七条の十第一項の検定事務

規程で定めるところにより納めるものとし、これを納めた後においては返還しない。

（国土交通省令への委任）

第六二条の七　この政令で定めるもののほか、土地区画整理士技術検定に関し必要な事項は、国土交通省令で定める。

第六章　費用の負担等

（国庫負担金）

第六三条　法第百十八条第三項の規定により国が負担する費用の額は、土地区画整理事業に要する費用のうち、次の各号に掲げる費用の額に二分の一を乗じて得た額とする。

一　公共施設（第六十七条に規定する運河及び公共物揚場については、国土交通大臣が特に重要と認めて指定したものに限る。）の新設及び変更の工事に要する費用

二　法第七十七条第一項の規定による建築物等の移転及び除却の工事に要する費用

三　整地工事に要する費用

四　法第九十三条第一項、第二項、第四項及び第五項に規定する建築物の建築工事に要する費用

五　前各号に掲げる工事に要する機械器具費

六　第一号から第四号までに掲げる工事、事業計画の設定、換地計画の作成及び仮換地の指定に必要な測量に要する費用

七　法第七十三条の規定による土地の立入等に伴う損失の補償、法第七十八条の規定による建築物等の移転等に伴う損失の補償及び法第百一条の規定による仮換地の指定等に伴う損失の補償に要する費用

八　国土交通大臣が必要と認める法第百九条第一項に規定する減価補償金に充てる費用

九　権利調査、土地等の評価、換地設計書の作成、仮換地の指定、登記、市町村の区域内の町又は字の名称及び地番の整理並びに清算金の徴収及び交付に要する費用

2　土地区画整理事業が法第百二十条第一項の規定により公共施設管理者にその事業に要する費用の全部又は一部を負担させるものである場合においては、法第百十八条第三項の規定により国が負担する費用の額は、前項の規定にかかわらず、同項各号に掲げる費用の額から公共施設管理者に負担させる費用の額を控除した額に二分の一を乗じて得た額とする。

3　土地区画整理事業が法第九十六条第二項の規定により保留地を定めることができるもの又は都市計画法第七十五条第一項の規定により当該事業によつて著しく利益を受ける者にその事業に要する費用の一部を負担させることができるものであると国土交通大臣が認めた場合においては、法第百十八条第三項の規定により国が負担する費用の額は、前二項の規定にかかわらず、これらの規定により算出された金額を当該土地区画整理事業に要する費用の額（法第百二十条第一項の規定により公共施設管理者にその事業に要する費用の全部又は一部を負担させる場合においては、当該土地区画整理事業に要する費用の額からその負担させる費用の額を控除した額）で除して得た数値を国土交通大臣が定める保留地の価額又は当該事業によつて著しく利益を受ける者に負担させる費用の額に乗じて得た額をこえない額を、これらの規定により算出された金額から控除した額とすることができる。

（地方公共団体の分担金）

第六四条　法第百十九条第一項の規定により都道府県が施行する土地区画整理事業について市町村に負担させる費用の額は、負担基本額の二分の一（法第三条第五項の規定により国土交通大臣の指示を受けて施行するものにあつては、負担基本額から法第百十八条第三項の規定により国が負担する費用の額を控除した額の二分の一）を超えてはならず、法第百十九条第一項の規定により国土交通大臣が施行する土地区画整理事業について都道府県及び市町村に負担させる費用の総額は、負担基本額の二分の一を超えてはならない。

2　前項の負担基本額は、当該土地区画整理事業に要する費用の額とする。ただし、土地区画整理事業が、法第九十六条第二項の規定により保留地を定めるもの又は都市計画法第七十五条第一項の規定により当該事業によつて著しく利益を受ける者にその事業に要する費用の一部を負担させるものである場合においては保留地の価額又は当該事業によつて著しく利益を受ける者に負担させる費用の額を、法第百二十条第一項の規定により公共施設管理者にその事業に要する費用の全部又は一部を負担させるものである場合においては公共施設管理者に負担させる費用の額を、法第百二十一条の規定により補助金の交付を受けて都道府県が施行するものである場合においては補助金の額をそれぞれ当該土地区画整理事業に要する費用の額から控除するものとする。

（重要な公共施設）

第六四条の二　法第百二十条第一項に規定する政令で定める重要な公共施設は、次の各号に掲げるものとする。

一　都市計画において定められた幹線街路、運河、水路、公園、緑地又は広場

二　道路法（昭和二十七年法律第百八十号）にいう道路

三　河川法（昭和三十九年法律第百六十七号）にいう河川

四　港湾法にいう港湾施設又は漁港及び漁場の整備等に関する法律にいう漁港施設である公共施設

五　運河法（大正二年法律第十六号）にいう運河（これに附属する公共施設を含む。）

六　海岸法（昭和三十一年法律第百一号）にいう海岸保全施設である公共施設

（公共施設管理者の負担金）

第六四条の三　土地区画整理事業が法第九十六条第二項の規定により保留地を定めるもの又は都市計画法第七十五条第一項の規定により当該事業によつて著しく利益を受ける者にその事業に要する費用の一部を負担させるものである場合においては、法第百二十条第一項の規定により公共施設管理者に負担させる費用の額は、当該土地区画整理事業に要する費用の額から保留地の価額又は当該事業によつて著しく利益を受ける者に負担させる費用の額を控除した額をこえてはならない。

第六五条　削除

（国庫補助金）

第六六条　法第百二十一条の規定により国が交付する補助金の額は、次の各号のいずれかに該当する土地区画整理事業で国土交通大臣が指定するものについては、第六十三条第一項各号に掲げる費用の額に二分の一以内において国土交通大臣が定める割合を乗じて得た額とする。

一　都市計画において定められた幹線道路又は駅前広場の新設又は変更を目的とするもの

二　前号に掲げるものを除くほか、都市計画において定められた施設で国土交通大臣が特に重要と認めて指定したものの新設又は変更を目的とするもの

三　河川法にいう河川の改修を目的とするもの

四　港湾法にいう国際戦略港湾、国際拠点港湾又は重要港湾の後背地区の整備を目的とするもの

五　重要な官庁地帯の整備を目的とするもの

六　国の補助、出資又は融資を受けて建設する一団地の住宅の敷地の造成を目的とするもの

七　被災地の面積が十ヘクタール以上であり、かつ、その被災戸数が五百戸以上の火災、震災、風水害その他の災害による被災地の復興を目的とするもの

2　第六十三条第二項及び第三項の規定は、前項の規定により国が交付する補助金の額の算出について準用する。この場合において、第六十三条第二項中「前項」とあるのは「第六十六条第一項」と、「同項各号」とあるのは「第六十三条第一項各号」と、「二分の一」とあるのは「第六十六条第一項の規定により国土交通大臣が定めた割合」と、同条第三項中「前二項」又は「これらの規定」とあるのは「第六十六条第一項及び同条第二項において準用する第六十三条第二項」と読み替えるものとする。

第七章　雑則

（公共施設）

第六七条　法第二条第五項に規定する政令で定める公共の用に供する施設は、運河、船だまり、水路、堤防、護岸、公共物揚場及び緑地とする。

（宅地について所有権又は借地権を有する者の同意を得て土地区画整理事業を施行することができる者）

第六七条の二　法第三条第一項の政令で定める者は、次に掲げる者とする。

一　地方公共団体
二　日本勤労者住宅協会
三　土地区画整理事業を施行するため必要な資力、信用及び技術的能力を有する者で次に掲げるもの
イ　地方公共団体の出資又は拠出に係る法人
ロ　宅地を造成して賃貸し、又は譲渡する事業を行う法人

（施行地区予定地の公告）
第六八条　市町村長は、法第十九条第一項（法第三十九条第二項において準用する場合を含む。）又は法第五十一条の七第一項（法第五十一条の十第二項において準用する場合を含む。）の規定による施行地区となるべき区域又は新たに施行地区となるべき区域の公告の申請があつた場合においては、当該区域に含まれる地域の名称（市町村の区域内の町又は字の区域の一部が含まれる場合においては、その一部の区域内の土地の地番）を公告し、かつ、当該区域を表示する図面を当該市町村の事務所においてその公告をした日から二週間公衆の縦覧に供しなければならない。

（参加組合員）
第六八条の二　法第二十五条の二の政令で定める者は、次に掲げる者とする。
一　地方公共団体
二　特別の法律により設立された法人で国又は地方公共団体が出資金額の全額を出資しているもの（法人税法（昭和四十年法律第三十四号）別表第一に掲げる公共法人に限る。）
三　地方公共団体が基本財産たる財産の全部を拠出している一般財団法人で、宅地を造成して賃貸し、又は譲渡する事業を行うもの

（参加組合員の負担金及び分担金の納付）
第六八条の三　参加組合員が法第四十条の二第一項の規定により納付すべき負担金の納付期限、分割して納付する場合における分割の回数、各納付期限、各納付期限ごとの納付金額その他の負担金の納付に関する事項は、定款で定めるものとする。この場合において、最終の納付期限は、法第百三条第四項の公告の日から一月を超えてはならない。
2　参加組合員以外の組合員が賦課金を納付すべき場合においては、参加組合員は、分担金を納付するものとする。
3　分担金の額は、参加組合員の納付する負担金の額及び参加組合員以外の組合員が施行地区内に有する宅地又は借地権の価額を考慮して、賦課金の額と均衡を失しないように定めるものとし、分担金の納付方法は、賦課金の賦課徴収の方法の例によるものとする。

（収用委員会の裁決申請手続）
第六九条　法第七十三条第三項（法第七十八条第三項、第百一条第四項、第百十四条第四項及び第百十六条第五項において準用する場合を含む。）の規定により土地収用法（昭和二十六年法律第二百十九号）第九十四条第二項の規定による裁決を申請しようとする者は、国土交通省令で定める様式に従い、同法同条第三項各号（第三号を除く。）に掲げる事項を記載した裁決申請書を収用委員会に提出しなければならない。

（設置又はたい積の制限を受ける物件）
第七〇条　法第七十六条第一項に規定する政令で定める移動の容易でない物件は、その重量が五トンをこえる物件（容易に分割され、分割された各部分の重量がそれぞれ五トン以下となるものを除く。）とする。

（三月の予告期間を要しない建築物の軽微な移転又は除却）
第七一条　法第七十七条第三項ただし書に規定する建築物の一部について行う政令で定める軽微な移転は、物置、ガレージその他これらに類するものについて行う移転とし、同法同条同項ただし書に規定する建築物の一部について行う政令で定める軽微な除却は、ひさし、屋外階段その他これらに類するものについて行う除却とする。

（建築物等の移転又は除却の通知等に代わるべき公告）
第七二条　法第七十七条第五項（法第百三十三条第二項において準用する場合を含む。以下この条において同じ。）に規定する政令で定める定期刊行物は、公報又は時事に関する事項を掲載する日刊新聞紙とする。
2　法第七十七条第五項の掲示は、同条第六項の規定により市町村長が行う公告のあつた日から十日間しなければならない。

（事務所備付簿書）
第七三条　法第八十四条第一項に規定する政令で定める簿書は、次に掲げるものとする。
一　土地区画整理事業に関し、当該施行者が受けた行政庁の認可その他の処分を証する書類
二　組合にあつては、組合員名簿、総会及び総代会の会議の議事録並びに通常総会の承認を得た事業報告書、収支決算書及び財産目録
三　区画整理会社にあつては、株主名簿、株主総会の議事録、事業報告書、貸借対照表及び損益計算書
四　法第三条第一項から第三項までの規定により土地区画整理事業を施行する者以外の施行者にあつては、確定選挙人名簿及び土地区画整理審議会の意見（同意又は不同意の意見を含む。）を記載した書類
五　施行地区内の宅地について権利を有する者（個人施行者にあつては施行者に対抗することのできない権利を有する者を含まないものとし、その他の施行者にあつては所有権以外の登記のない権利で法第八十五条第一項の規定による申告（同条第二項の規定により同条第一項の規定による申告があつたものとみなされる申告を含む。）のないもの又は所有権以外の登記のない権利で同条第三項の規定による移転、変更又は消滅の届出のないものを有する者を含まないものとする。）の氏名（法人にあつては、その名称）及びその権利の内容を記載した簿書

第七四条　削除

（書類の送付に代わる公告）
第七五条　法第百三十三条第三項に規定する公告のあつた日は、同条第二項において準用する法第七十七条第五項の規定により行う掲示の期間の満了日とする。

（農業委員会及び土地改良区の意見を聴かなくてよい事業計画の決定又は変更）
第七六条　法第百三十六条第一項ただし書に規定する政令で定める軽微な場合は、当該土地区画整理事業が用排水施設その他農地の保全又は利用上必要な公共の用に供する施設の本来の機能を阻害せず、又は増進することとなることが明らかな場合とする。

（権限の委任）
第七六条の二　この政令に規定する国土交通大臣の権限は、国土交通省令で定めるところにより、その一部を地方整備局長又は北海道開発局長に委任することができる。

（大都市等の特例）
第七七条　地方自治法（昭和二十二年法律第六十七号）第二百五十二条の十九第一項の指定都市（以下「指定都市」という。）において、法第百三十六条の三の規定により、指定都市の市長が行う事務については、地方自治法施行令（昭和二十二年政令第十六号）第百七十四条の三十九に定めるところによる。
2　地方自治法第二百五十二条の二十二第一項の中核市（以下この項において「中核市」という。）において、法第百三十六条の三の規定により、中核市の市長が行う事務については、地方自治法施行令第百七十四条の四十九の十八に定めるところによる。

（事務の区分）
第七八条　第一条の二の規定により市町村が処理することとされている事務（国土交通大臣、都道府県、独立行政法人都市再生機構又は地方住宅供給公社（市のみが設立したものを除く。）が施行する土地区画整理事業に係るものに限る。）は、地方自治法第二条第九項第一号に規定する第一号法定受託事務とする。
2　この政令の規定により市町村が処理することとされている事務のうち次に掲げるものは、地方自治法第二条第九項第二号に規定する第二号法定受託事務とする。
一　第一条の二に規定する事務（個人施行者、組合、区画整理会社、市町村又は市のみが設立した地方住宅供給公社が施行する土地区画整理事業に係るものに限る。）
二　第三条に規定する事務（法第二十条第一項（法第三十九条第二項において準用する場合を含む。）又は第五十一条の八第一項（法第五十一条の十第二項において準用する場合を含む。）の規定に係るものに限る。）
三　第六条第三項及び第六十八条に規定する事務

附　則〔抄〕

（施行期日）
第一条　この政令は、法の施行の日（昭和三十年四月一日）から施行する。

（市町村の分担金の経過規定）
第二条　地方分権の推進を図るための関係法律の整備等に関する法律（平成十一年法律第八十七号）附則第百八十六条の規定による改正前の土地区画整理法施行法（昭和二十九年法律第百二十号）第五条第一項の規定により

地方分権の推進を図るための関係法律の整備等に関する法律第四百十八条の規定による改正前の法第三条第四項の規定により都道府県知事が施行する土地区画整理事業となつた土地区画整理事業については、第六十四条第一項中「法第百十八条第三項の規定により国が負担する費用の額を控除した額の二分の一」とあるのは、「法第百十八条第三項の規定により国が負担する費用の額を控除した額に従前の例に準じて都道府県知事が定める割合を乗じて得た額」と読み替えるものとする。

（特別都市計画法施行令等の廃止）

第三条　次に掲げる勅令は、廃止する。

一　特別都市計画法施行令（昭和二十一年勅令第四百二十二号）

二　戦災復興土地区画整理施行地区内建築制限令（昭和二十一年勅令第三百八十九号）

（法附則第二項の政令で定める道路等）

第三条の二　法附則第二項に規定する政令で定める道路、河川、砂防設備又は地すべり防止施設は、次に掲げるもので都市計画において定められたものとする。

一　道路法による道路

二　河川法による河川（同法が準用される河川を含む。）

三　砂防法による砂防設備

四　地すべり等防止法（昭和三十三年法律第三十号）による地すべり防止施設

（法附則第二項の規定による貸付金の償還方法）

第三条の三　法附則第二項の規定による貸付金の償還は、均等半年賦償還の方法によるものとする。

（法附則第九項の政令で定める個人施行者）

第四条　法附則第九項に規定する政令で定める個人施行者は、大都市地域における住宅及び住宅地の供給の促進に関する特別措置法（昭和五十年法律第六十七号）第五条第一項に規定する土地区画整理促進区域内の土地についての土地区画整理事業を施行する市町村（指定都市を除く。）、地方住宅供給公社及び農住組合とする。

（法附則第五項から第十項までの規定による貸付金の償還期間等）

第五条　法附則第十一項に規定する政令で定める期間は、五年（二年の据置期間を含む。）とする。

2　前項に規定する期間は、日本電信電話株式会社の株式の売払収入の活用による社会資本の整備の促進に関する特別措置法（昭和六十二年法律第八十六号）第五条第一項の規定により読み替えて準用される補助金等に係る予算の執行の適正化に関する法律（昭和三十年法律第百七十九号）第六条第一項の規定による貸付けの決定（以下「貸付決定」という。）ごとに、当該貸付決定に係る法附則第五項から第十項までの規定による貸付金の交付を完了した日（その日が当該貸付決定があつた日の属する年度の末日の前日以後の日である場合には、当該年度の末日の前々日）の翌日から起算する。

3　法附則第五項から第十項までの規定による貸付金の償還は、均等年賦償還の方法によるものとする。

4　国は、国の財政状況を勘案し、相当と認めるときは、法附則第五項から第十項までの規定による貸付金の全部又は一部について、前三項の規定により定められた償還期限を繰り上げて償還させることができる。

5　法附則第十六項に規定する政令で定める場合は、前項の規定により償還期限を繰り上げて償還を行つた場合とする。

（都市計画法施行令の改正及び戦災復興土地区画整理施行地区内建築制限令の廃止に伴う経過規定）

第七条　この政令の施行の際現に効力を有する前条の規定による改正前の都市計画法施行令第十一条の規定による土地区画整理の境域内に係る許可若しくは前条の規定による改正前の都市計画法施行令第十一条ノ二の規定による土地区画整理の区域内に係る許可又は旧戦災復興土地区画整理施行地区内建築制限令第二条第三号若しくは第三条の規定による許可は、この政令の施行後も、なおその効力を有する。

2　この政令の施行の際現に前条の規定による改正前の都市計画法施行令第十一条の規定の土地区画整理の境域内に係る部分若しくは前条の規定による改正前の都市計画法施行令第十一条ノ二の規定の土地区画整理の区域内に係る部分又はこれらの規定による許可に同令第十二条の規定により附けられた条件に違反している者に対する同令第十四条の規定の適用及びこの政令の施行の際現に旧戦災復興土地区画整理施行地区内建築制限令第二条の規定に違反している者又は同令第四条の規定によりこの政令の施行後にわたらない存続期限を附けられた建築物でこの政令の施行の際現に存するものに対する同令第五条の規定の適用については、なお従前の例による。

3　第一項の規定によりなおその効力を有するものとされた許可に都市計画法施行令第十二条の規定により附けられた条件にこの政令の施行後に違反することとなつた者に対する同令第十四条の規定の適用及び第一項の規定によりなおその効力を有するものとされた許可に旧戦災復興土地区画整理施行地区内建築制限令第四条の規定によりこの政令の施行後にわたる存続期限を附けられた建築物でその期限後もなお存続するものに対する同令第五条の規定の適用については、なお従前の例による。

附則〔略〕〔昭和三〇・七・一五政令一二四〕

附則〔略〕〔昭和三〇・八・二四政令一九二〕

附則〔略〕〔昭和三〇・一一・二八政令三一三〕

附則〔略〕〔昭和三一・八・二一政令二六五〕

附則〔略〕〔昭和三二・九・三〇政令二九八〕

附則〔略〕〔昭和三二・一二・一二政令三三六〕

附則〔略〕〔昭和三三・一二・一三政令三四〇〕

附則〔略〕〔昭和三三・一〇・二〇政令二九一〕

附則〔略〕〔昭和三四・四・二二政令一四七〕

附則〔略〕〔昭和三四・六・二九政令二二四〕

附則〔昭和三七・九・二九政令三九一〕

1　この政令は、行政不服審査法（昭和三十七年法律第百六十号）の施行の日（昭和三十七年十月一日）から施行する。

2　この政令による改正後の規定は、この政令の施行前にされた行政庁の処分その他この政令の施行前に生じた事項についても適用する。ただし、この政令による改正前の規定によつて生じた効力を妨げない。

3　この政令の施行前に提起された訴願、審査の請求、異議の申立てその他の不服申立て（以下「訴願等」という。）については、この政令の施行後も、なお従前の例による。この政令の施行前にされた訴願等の裁決、決定その他の処分（以下「裁決等」という。）又はこの政令の施行前に提起された訴願等につきこの政令の施行後にされる裁決等にさらに不服がある場合の訴願等についても、同様とする。

4　前項に規定する訴願等で、この政令の施行後は行政不服審査法による不服申立てをすることができることとなる処分に係るものは、この政令による改正後の規定の適用については、同法による不服申立てとみなす。

附則〔略〕〔昭和四〇・二・一一政令一四〕

附則〔略〕〔昭和四〇・三・二九政令五五〕

附則〔略〕〔昭和四四・六・一三政令一五八〕

附則〔略〕〔昭和四五・四・一政令四八〕

附則〔略〕〔昭和四五・一二・二政令三三三〕

附則〔略〕〔昭和四六・六・三〇政令二二一〕

附則〔略〕〔昭和五〇・一二・二七政令三八一〕

附則〔略〕〔昭和五三・七・五政令二八二〕

附則〔略〕〔昭和五六・八・三政令二六八〕

附則〔略〕〔昭和五七・一〇・一政令二八一〕

附則〔略〕〔昭和六〇・三・一五政令三一〕

附則〔略〕〔昭和六二・三・二〇政令五四〕

附則〔略〕〔昭和六二・三・二五政令五七〕

附則〔略〕〔昭和六三・九・六政令二六四〕

附則〔略〕〔昭和六三・一一・一一政令三二四〕

附則〔略〕〔平成元・三・二八政令七二〕

附則〔略〕〔平成二・二・一七政令一五〕

附則〔略〕〔平成二・七・一〇政令二一四〕

附則〔略〕〔平成二・一一・九政令三二五〕

附則〔略〕〔平成二・一二・七政令三四七〕

附則〔略〕〔平成三・三・一三政令二五〕

附則〔略〕〔平成五・五・六政令一六四〕

土地区画整理法及び都市開発資金の貸付けに関する法律の一部を改正する法律の施行に伴う関係政令の整備等に関する政令〔抄〕

〔平成五・五・六政令一六四〕

（一般会計に所属する資産及び負債の帰属）

第四条　土地区画整理法及び都市開発資金の貸付けに関する法律の一部を改正する法律附則第四条の規定により都市開発資金融通特別会計に帰属する資産及び負債の範囲、帰属の時期その他帰属に関し必要な事項は、建設大臣が大蔵大臣に協議して定める。

附　則〔略〕〔平成六・三・二四政令六九〕
附　則〔略〕〔平成六・九・二政令二八二〕
附　則〔略〕〔平成六・九・一九政令三〇三〕
附　則〔略〕〔平成六・一二・二一政令三九八〕
附　則〔略〕〔平成七・二・二六政令三六〕
附　則〔略〕〔平成七・一〇・一八政令三五九〕
附　則〔略〕〔平成八・三・二五政令四二〕
附　則〔略〕〔平成九・三・一九政令三七〕
附　則〔略〕〔平成九・三・二六政令七四〕
附　則〔略〕〔平成九・一二・一〇政令三五五〕
附　則〔略〕〔平成一〇・一〇・三〇政令三五一〕
附　則〔略〕〔平成一〇・一二・二八政令四二一〕
附　則〔略〕〔平成一一・三・三一政令一二六〕
附　則〔抄〕〔平成一一・六・二五政令二〇九〕

（施行期日）
第一条　この政令は、都市開発資金の貸付けに関する法律等の一部を改正する法律（平成十一年法律第二十五号）の一部の施行の日（平成十一年六月三十日）から施行する。

（経過措置）
第三条　この政令の施行の際現に施行中の土地区画整理事業であって土地区画整理法第百十条第二項の規定により清算金を分割徴収するものに係る当該清算金に付すべき利子の利率は、第二条の規定による改正後の土地区画整理法施行令第六十一条第一項の規定により定められた率が適用されるまでの間については、同項の規定にかかわらず、なお従前の例による。

附　則〔略〕〔平成一一・八・一八政令二五六〕
附　則〔抄〕〔平成一一・九・二九政令二九七〕

（施行期日）
第一条　この政令は、都市開発資金の貸付けに関する法律等の一部を改正する法律の一部の施行の日（平成十一年九月三十日）から施行する。

（土地区画整理法施行令の一部改正に伴う経過措置）
第二条　改正後の土地区画整理法施行令第五章の二の規定は、この政令の施行の日以後に実施の公告がされる土地区画整理士技術検定から適用するものとし、この政令の施行の日前に実施の公告がされた土地区画整理士技術検定については、同章の規定にかかわらず、なお従前の例による。

附　則〔略〕〔平成一一・一一・一〇政令三五二〕
附　則〔略〕〔平成一一・一二・二七政令四三一〕
附　則〔略〕〔平成一二・六・七政令三一二〕
附　則〔略〕〔平成一四・二・八政令二七〕
附　則〔略〕〔平成一四・三・二五政令六〇〕
附　則〔略〕〔平成一四・六・五政令一九四〕
附　則〔略〕〔平成一四・一二・一八政令三八五〕
附　則〔略〕〔平成一四・一二・一八政令三八六〕
附　則〔略〕〔平成一五・三・一二政令四七〕
附　則〔略〕〔平成一五・八・一政令三五〇〕
附　則〔略〕〔平成一五・一二・一二政令五一六〕
附　則〔略〕〔平成一六・三・二四政令五九〕
附　則〔略〕〔平成一六・四・九政令一六〇〕
附　則〔略〕〔平成一七・一〇・二一政令三三二〕
附　則〔略〕〔平成一八・四・二六政令一八二〕
附　則〔略〕〔平成一八・九・二六政令三二〇〕
附　則〔抄〕〔平成一九・二・二三政令三二〕

（施行期日）
第一条　この政令は、平成十九年四月一日から施行する。〔以下略〕

（土地区画整理法施行令の一部改正に伴う経過措置）
第三条　法附則第七条第二項の規定により独立行政法人住宅金融支援機構が同項第一号又は第二号ロに掲げる貸付けの業務を行う場合には、第五条の規定による改正後の土地区画整理法施行令第六十六条第一項第六号中「又は」とあるのは、「若しくは融資又は独立行政法人住宅金融支援機構の」とする。

附　則〔略〕〔平成一九・三・二二政令三九〕
附　則〔略〕〔平成一九・五・二五政令一六八〕
附　則〔抄〕〔平成一九・八・三政令二三五〕

改正　平成一九・九政二九二

（施行期日）
第一条　この政令は、平成十九年十月一日から施行する。〔以下略〕

（土地区画整理法施行令の一部改正に伴う経過措置）
第一九条　この政令の施行前に土地区画整理法（昭和二十九年法律第百十九号）第九十八条第一項の規定により仮換地の指定がなされた郵便局の用に供している宅地については、同法第九十五条第一項に規定する宅地とみなす。

（罰則に関する経過措置）
第四一条　この政令の施行前にした行為に対する罰則の適用については、なお従前の例による。

附　則〔略〕〔平成一九・九・二〇政令二九二施行〕
附　則〔略〕〔平成一九・一二・一二政令三六三〕
附　則〔略〕〔平成二一・一二・二四政令二九六〕
附　則〔略〕〔平成二二・三・二五政令四一〕
附　則〔抄〕〔平成二二・三・三一政令七八〕

（施行期日）
第一条　この政令は、平成二十二年四月一日から施行する。

（経過措置）
第四条　第三条、第五条、第八条、第十条、第十一条及び第十三条の規定による改正後の次に掲げる政令の規定は、平成二十二年度以降の年度の予算に係る国の負担又は補助について適用し、平成二十一年度以前の年度の歳出予算に係る国の負担又は補助で平成二十二年度以降の年度に繰り越されたものについては、なお従前の例による。
一　〔略〕
二　土地区画整理法施行令第六十三条第一項
三〜六　〔略〕

附　則〔略〕〔平成二三・三・三一政令八九〕
附　則〔略〕〔平成二三・六・二四政令一八一〕
附　則〔略〕〔平成二三・一一・二八政令三六一〕
附　則〔略〕〔平成二六・三・三一政令一二一〕
附　則〔抄〕〔平成二七・一・三〇政令三〇〕

（施行期日）
第一条　この政令〔中略〕は、平成二十七年四月一日から施行する。

（土地区画整理法施行令の一部改正に伴う経過措置）
第三条　施行時特例市については、第十四条の規定による改正前の土地区画整理法施行令第七十七条第三項の規定は、なおその効力を有する。この場合において、同項中「地方自治法第二百五十二条の二十六の三第一項の」とあるのは「地方自治法の一部を改正する法律（平成二十六年法律第四十二号）附則第二条に規定する」と、「特例市」とあるのは「施行時特例市」と、「法第百三十六条の三」とあるのは「同法附則第三十四条の規定により読み替えて適用される法第百三十六条の三」と、「地方自治法施行令」とあるのは「地方自治法施行令等の一部を改正する政令（平成二十七年政令第三十号）附則第二条の規定によりなおその効力を有するものとされた同令第一条の規定による改正前の地方自治法施行令」とする。

附　則〔略〕〔平成二七・三・一八政令七四〕
附　則〔略〕〔平成二七・一一・二六政令三九二〕
附　則〔略〕〔平成二八・一・二九政令二七〕
附　則〔略〕〔平成二八・二・一七政令四三〕
附　則〔略〕〔平成二九・九・一政令二三二〕
附　則〔平成三〇・六・六政令一八三〕

改正　令和元・六政四四

この政令は、民法の一部を改正する法律の施行の日（令和二年四月一日）から施行する。

民法の一部を改正する法律及び民法の一部を改正する法律の施行に伴う関係法律の整備等に関する法律の施行に伴う関係政令の整備に関する政令〔抄〕
〔平成三〇・六・六政令一八三〕

（土地区画整理法施行令の一部改正に伴う経過措置）

第三一条　施行日の前々日までに土地区画整理法（昭和二十九年法律第百十九号）第百三条第四項の規定による公告があった場合における同法第百十条第二項の規定による分割徴収又は分割交付に係る清算金に付すべき利子の利率については、前条の規定による改正後の土地区画整理法施行令第六十一条第一項の規定にかかわらず、なお従前の例による。

附　則〔略〕〔令和元・六・二八政令四四〕

附　則〔略〕〔令和三・八・四政令二二四〕

附　則〔略〕〔令和五・二・一〇政令三五〕

附　則〔略〕〔令和五・四・七政令一六三〕

附　則〔略〕〔令和五・八・四政令二五八〕

附　則〔略〕〔令和五・一〇・一八政令三〇四〕

附　則〔令和五・一二・六政令三五〇〕

この政令は、デジタル社会の形成を図るための規制改革を推進するためのデジタル社会形成基本法等の一部を改正する法律の施行の日（令和六年四月一日）から施行する。

○土地区画整理法施行規則

〔昭和三〇・三・三二
建設省令五〕

改正　昭和三〇・八建令二三、建令二四、昭和三四・六建令一八、昭和三六・三建令四、昭和三七・九建令二六、昭和四一・三建令一二、昭和四二・一〇建令二八、昭和四四・六建令四二、八建令四九、昭和四五・一二建令一七、昭和五〇・三建令三、一二建令二〇、昭和五七・一〇建令一五、昭和六三・一一建令二二、平成元・三建令三、平成五・七建令一五、平成一〇・八建令三二、平成一一・三建令九、九建令四一、建令四二、平成一二・一建令九、建令一〇、一一建令四一、平成一四・五国交令六五、平成一五・三国交令三八、平成一六・六国交令七〇、平成一七・三国交令一二、国交令二五、一〇国交令一〇二、平成一八・四国交令五八、平成一九・八国交令七五、平成二〇・一二国交令九七、平成二八・一国交令四、三国交令一六、国交令二三、平成三〇・三国交令一六、令和元・五国交令一、令和二・一二国交令九八、令和三・八国交令五三、令和四・三国交令一〇、令和五・一二国交令九八、令和六・一国交令二

目次

第一章　規準、規約、定款、事業計画等に関する認可申請手続等（第一条―第四条の五）
第二章　事業計画の内容及び技術的基準等（第五条―第十条の二）
第三章　住宅先行建設区、市街地再開発事業区及び高度利用推進区への換地の申出等（第十条の二の二―第十条の七）
第四章　換地計画の認可申請手続及び内容（第十一条―第十四条）
第四章の二　指定検定機関（第十四条の二―第十四条の十三）
第五章　雑則（第十五条―第二十五条）
附則

第一章　規準、規約、定款、事業計画等に関する認可申請手続等

（個人施行、組合施行及び区画整理会社施行に関する認可申請手続）

第一条　土地区画整理法（以下「法」という。）第四条第一項に規定する認可を申請しようとする者は、一人で施行しようとする者にあつては規準及び事業計画を、数人共同して施行しようとする者にあつては規約及び事業計画を、認可申請書とともに提出しなければならない。

2　法第十四条第一項に規定する認可を申請しようとする者は、定款及び事業計画を認可申請書とともに提出しなければならない。

3　法第十四条第二項に規定する認可を申請しようとする者は、定款及び事業基本方針を認可申請書とともに提出しなければならない。

4　法第五十一条の二第一項に規定する認可を申請しようとする者は、規準及び事業計画を認可申請書とともに提出しなければならない。

（個人施行、組合施行及び区画整理会社施行に関する認可申請書の添付書類）

第二条　法第四条第一項に規定する認可を申請しようとする者は、認可申請書に次に掲げる書類を添付しなければならない。

一　認可を申請しようとする者が施行地区となるべき区域内の宅地の所有者若しくはその区域内の宅地について借地権を有する者若しくはその区域内の水面について公有水面埋立法（大正十年法律第五十七号）第二条第一項に規定する免許を受けている者又はこれらの者の同意を得た者であることを証する書類

二　認可を申請しようとする者が法第七条の規定により宅地以外の土地を管理する者の承認を得なければならない場合においては、その承認を得たことを証する書類

三　認可を申請しようとする者が法第八条第一項の規定により施行地区となるべき区域内の宅地について権利を有する者の同意を得なければならない場合においては、その同意を得たことを証する書類

2　法第十条第一項に規定する認可を申請しようとする者は、認可申請書に次に掲げる書類を添付しなければならない。

一　認可を申請しようとする者が法第十条第二項の規定により債権者の同意を得なければならない場合においては、その同意を得たことを証する書類

二　認可を申請しようとする者が法第十条第三項において準用する法第七条の規定により宅地以外の土地を管理する者の承認を得なければならない場合においては、その承認を得たことを証する書類

三　認可を申請しようとする者が法第十条第三項において準用する法第八条第一項の規定により施行地区及び施行地区となるべき区域内の宅地について権利を有する者の同意を得なければならない場合においては、その同意を得たことを証する書類

3　法第十三条第一項に規定する認可を申請しようとする者は、認可申請書に次に掲げる書類を添付しなければならない。

一　土地区画整理事業を廃止しなければならない理由を記載した書類又は土地区画整理事業の終了を明らかにする書類

二　認可を申請しようとする者が法第十三条第三項の規定により債権者の同意を得なければならない場合においては、その同意を得たことを証する書類

三　法第六条第二項の規定により事業計画に住宅先行建設区を定めている場合において、事業の終了についての認可を申請しようとするときは、

法第八十五条の二第五項の規定により指定された宅地についての法第百十七条の二第一項に規定する指定期間を経過したことを証する書類又は法第十三条第二項ただし書の規定により施行地区における住宅の建設を促進する上で支障がないと認められることを明らかにする書類

4 法第十四条第一項に規定する認可を申請しようとする者は、認可申請書に次に掲げる書類を添付しなければならない。

一 認可を申請しようとする者が施行地区となるべき区域内の宅地の所有者若しくはその区域内の宅地について借地権を有する者又はその区域内の水面について公有水面埋立法第二条第一項に規定する免許を受けている者であることを証する書類

二 認可を申請しようとする者が事業計画を定めようとする場合において法第十七条において準用する法第七条の規定により宅地以外の土地を管理する者の承認を得なければならないときは、その承認を得たことを証する書類

三 法第十八条に規定する同意を得たことを証する書類

5 法第十四条第二項に規定する認可を申請しようとする者は、認可申請書に前項第一号及び第三号に掲げる書類を添付しなければならない。

6 法第十四条第三項に規定する認可を申請しようとする土地区画整理組合（以下「組合」という。）は、認可申請書に次に掲げる書類を添付しなければならない。

一 事業計画の決定について総会の議決を経たことを証する書類

二 認可を申請しようとする組合が法第十七条において準用する法第七条の規定により宅地以外の土地を管理する者の承認を得なければならない場合においては、その承認を得たことを証する書類

三 法第十九条の二第一項に規定する説明会の開催の状況を記載した書類

四 法第十九条の二第二項の規定により提出された意見書があつたときは、その意見書の処理の経緯を説明する書類

7 法第三十九条第一項に規定する認可を申請しようとする組合は、認可申請書に次に掲げる書類を添付しなければならない。

一 定款の変更又は事業計画若しくは事業基本方針の変更について総会又は総代会の議決を経たことを証する書類

二 認可を申請しようとする組合が法第三十九条第二項において準用する法第七条の規定により宅地以外の土地を管理する者の承認を得なければならない場合においては、その承認を得たことを証する書類

三 認可を申請しようとする組合が法第三十九条第二項において準用する法第十八条の規定により新たに施行地区となるべき区域内の宅地の所有者及びその区域内の宅地について借地権を有する者の同意を得なければならない場合においては、その同意を得たことを証する書類

四 認可を申請しようとする組合が法第三十九条第三項の規定により債権者の同意を得なければならない場合においては、その同意を得たことを証する書類

8 法第四十五条第二項に規定する認可を申請しようとする組合は、認可申請書に次に掲げる書類を添付しなければならない。

一 次に掲げるいずれかの書類

イ 解散の認可の決定に関する総会の議決があつたことを証する書類

ロ 定款で定めた解散事由の発生を証する書類

ハ 事業の完成又はその完成の不能を明らかにする書類

二 認可を申請しようとする組合が法第四十五条第四項の規定により債権者の同意を得なければならない場合においては、その同意を得たことを証する書類

三 法第十六条第一項において準用する法第六条第二項の規定により事業計画に住宅先行建設区を定めている場合において、事業の完成の不能による解散その他事業の廃止による解散以外の解散についての認可を申請しようとするときは、法第八十五条の二第五項の規定により指定された宅地についての法第百十七条の二第一項に規定する指定期間を経過したことを証する書類又は法第四十五条第三項ただし書の規定により施行地区における住宅の建設を促進する上で支障がないと認められることを明らかにする書類

9 法第五十一条の二第一項に規定する認可を申請しようとする者は、認可申請書に次に掲げる書類を添付しなければならない。

一 定款の写し

二 株主名簿の写し

三 法第三条第三項第四号前段の要件を満たしていることを証する書類

四 認可を申請しようとする者が法第五十一条の五において準用する法第七条の規定により宅地以外の土地を管理する者の承認を得なければならない場合においては、その承認を得たことを証する書類

五 法第五十一条の六に規定する同意を得たことを証する書類

10 法第五十一条の十第一項に規定する認可を申請しようとする区画整理会社は、認可申請書に次に掲げる書類を添付しなければならない。

一 前項第一号から第三号までに掲げる書類

二 認可を申請しようとする区画整理会社が法第五十一条の十第二項において準用する法第七条の規定により宅地以外の土地を管理する者の承認を得なければならない場合においては、その承認を得たことを証する書類

三 法第五十一条の十第二項において準用する法第五十一条の六に規定する同意を得たことを証する書類

四 認可を申請しようとする区画整理会社が法第五十一条の十第三項の規定により債権者の同意を得なければならない場合においては、その同意を得たことを証する書類

11 法第五十一条の十一第一項に規定する認可を申請しようとする区画整理会社は、認可申請書に次に掲げる書類を添付しなければならない。

一 合併後存続する会社、合併により設立される会社若しくは会社分割により土地区画整理事業を承継する会社又は土地区画整理事業の全部を譲り受ける会社若しくは土地区画整理事業の一部を譲り渡す会社及び当該事業の一部を譲り受ける会社（以下この項において「合併会社等」という。）に係る定款の写し

二 合併会社等に係る株主名簿の写し

三 法第三条第三項第四号前段の要件を満たしていることを証する書類

四 合併若しくは会社分割又は土地区画整理事業の譲渡及び譲受けを必要とする理由を記載した書類

五 合併契約書、分割計画書若しくは分割契約書又は事業の譲渡及び譲受けに関する契約書の写し

12 法第五十一条の十三第一項に規定する認可を申請しようとする区画整理会社は、認可申請書に次に掲げる書類を添付しなければならない。

一 土地区画整理事業を廃止しなければならない理由を記載した書類又は土地区画整理事業の終了を明らかにする書類

二 認可を申請しようとする区画整理会社が法第五十一条の十三第三項の規定により債権者の同意を得なければならない場合においては、その同意を得たことを証する書類

三 法第五十一条の四において準用する法第六条第二項の規定により事業計画に住宅先行建設区を定めている場合において、事業の終了についての認可を申請しようとするときは、法第八十五条の二第五項の規定により指定された宅地についての法第百十七条の二第一項に規定する指定期間を経過したことを証する書類又は法第五十一条の十三第二項ただし書の規定により施行地区における住宅の建設を促進する上で支障がないと認められることを明らかにする書類

（個人施行、組合施行及び区画整理会社施行に関する都道府県知事の公告事項）

第三条 法第九条第三項に規定する国土交通省令で定める事項は、次に掲げるものとする。

一 土地区画整理事業の名称

二 事務所の所在地

三 施行認可の年月日

四 施行者の住所

五 事業年度

六 公告の方法

2 法第十条第三項において準用する法第九条第三項に規定する国土交通省令で定める事項は、次に掲げるものとする。

一 土地区画整理事業の名称及び事務所の所在地（これらの事項に関して変更がなされた場合においては、その変更前のものとする。）並びに施行認可の年月日

二 前項各号（第三号及び第四号を除く。）に掲げる事項に関して変更がなされた場合においては、その変更の内容

三 変更認可の年月日

3 法第十一条第四項後段の規定により定められた規約について認可した場合における同条第八項に規定する国土交通省令で定める事項は、次に掲げ

るものとする。
一　土地区画整理事業の名称及び事務所の所在地並びに施行認可の年月日
二　法第十一条第四項後段の規定により規約について認可した旨及びその認可の年月日

4　法第十三条第四項において準用する法第九条第三項に規定する国土交通省令で定める事項は、次に掲げるものとする。
一　土地区画整理事業の名称及び施行認可の年月日
二　土地区画整理事業の廃止又は終了の認可の年月日

5　法第二十一条第三項に規定する国土交通省令で定める事項は、法第十四条第一項に規定する認可に係る公告にあつては第一号から第四号まで、同条第三項に規定する認可に係る公告にあつては第一号、第二号及び第五号に掲げるものとする。
一　事務所の所在地
二　設立認可の年月日
三　事業年度
四　公告の方法
五　事業計画の認可の年月日

6　法第二十一条第四項に規定する国土交通省令で定める事項は、前項第一号から第四号までに掲げるもの及び事業施行予定期間とする。

7　法第三十九条第四項に規定する国土交通省令で定める事項は、次に掲げるものとする。
一　組合の名称及び事務所の所在地（これらの事項に関して変更がなされた場合においては、その変更前のものとする。）並びに設立認可の年月日
二　第五項各号（第二号を除く。）に掲げる事項に関して変更がなされた場合においては、その変更の内容
三　変更認可の年月日

8　法第三十九条第五項に規定する国土交通省令で定める事項は、前項各号に掲げるもの及び事業施行予定期間とする。

9　法第五十一条の九第三項に規定する国土交通省令で定める事項は、次に掲げるものとする。
一　土地区画整理事業の名称
二　事務所の所在地
三　施行認可の年月日
四　事業年度
五　公告の方法

10　法第五十一条の十第二項において準用する法第五十一条の九第三項に規定する国土交通省令で定める事項は、次に掲げるものとする。
一　土地区画整理事業の名称及び事務所の所在地（これらの事項に関して変更がなされた場合においては、その変更前のものとする。）並びに施行認可の年月日
二　前項各号（第三号を除く。）に掲げる事項に関して変更がなされた場合においては、その変更の内容
三　変更認可の年月日

11　法第五十一条の十一第二項において準用する法第五十一条の九第三項に規定する国土交通省令で定める事項は、次に掲げるものとする。
一　土地区画整理事業の名称及び事務所の所在地並びに施行認可の年月日
二　区画整理会社の名称に関して変更がされたときは、その変更の内容

12　法第五十一条の十三第四項において準用する法第五十一条の九第三項に規定する国土交通省令で定める事項は、次に掲げるものとする。
一　土地区画整理事業の名称及び施行認可の年月日
二　土地区画整理事業の廃止又は終了の認可の年月日

（地方公共団体施行に関する認可申請手続）

第三条の二　法第五十二条第一項又は第五十五条第十二項に規定する認可を申請しようとする者は、次に掲げる事項を記載した認可申請書を提出しなければならない。
一　施行者の名称及び事業施行期間
二　資金計画
三　土地区画整理事業の範囲
四　都道府県が施行する土地区画整理事業にあつては、事業計画の縦覧及び意見書の処理の経過
五　法第五十四条において準用する法第六条第二項、第四項又は第六項の規定により事業計画に住宅先行建設区、市街地再開発事業区又は高度利用推進区を定めようとするときは、住宅先行建設区、市街地再開発事業区又は高度利用推進区の位置及び面積

（地方公共団体施行及び国土交通大臣施行に関する公告事項）

第四条　法第五十五条第九項及び第六十九条第七項に規定する国土交通省令で定める事項は、次の各号に掲げるものとする。
一　土地区画整理事業の名称
二　事務所の所在地
三　事業計画の決定の年月日

2　法第五十五条第十三項において準用する同条第九項及び法第六十九条第十項において施行規程又は事業計画を変更した場合の公告について準用する同条第七項に規定する国土交通省令で定める事項は、次の各号に掲げるものとする。
一　土地区画整理事業の名称及び事務所の所在地（これらの事項に関して変更がなされた場合においては、その変更前のものとする。）並びに事業計画の決定の年月日
二　前項各号（第三号を除く。）に掲げる事項に関して変更がなされた場合においては、その変更の内容
三　変更の年月日

（地方住宅供給公社施行に関する認可申請書の添付書類）

第四条の二　法第七十一条の二第一項又は第七十一条の三第十四項に規定する認可を申請しようとする地方住宅供給公社（市のみが設立したものを除く。）は、法第百三十六条第一項の規定により農業委員会（農業委員会等に関する法律（昭和二十六年法律第八十八号）第三条第一項ただし書又は第五項の規定により農業委員会を置かない市町村にあつては、市町村長。）及び土地改良区の意見を聴いた場合においては、当該意見を記載した書類を認可申請書に添付しなければならない。

（機構等施行に関する公告事項）

第四条の三　法第七十一条の三第十一項に規定する国土交通省令で定める事項は、次の各号に掲げるものとする。
一　土地区画整理事業の名称
二　事務所の所在地
三　施行規程及び事業計画の認可の年月日

2　法第七十一条の三第十五項において準用する同条第十一項に規定する国土交通省令で定める事項は、次の各号に掲げるものとする。
一　土地区画整理事業の名称及び事務所の所在地（これらの事項に関して変更がなされた場合においては、その変更前のもの）並びに施行規程及び事業計画の認可の年月日
二　前項第一号又は第二号に掲げる事項に関して変更がなされた場合においては、その変更の内容
三　変更認可の年月日

（公告の方法）

第四条の四　法第九条第三項（法第十条第三項及び第十三条第四項において準用する場合を含む。）、第十一条第八項、第二十一条第三項若しくは第四項、第三十九条第四項若しくは第五項、第四十五条第五項、第五十一条の九第三項（法第五十一条の十第二項、第五十一条の十一第二項及び第五十一条の十三第四項において準用する場合を含む。）、第五十五条第九項（同条第十三項において準用する場合を含む。）、第六十九条第七項（同条第十項において準用する場合を含む。）又は第七十一条の三第十一項（同条第十五項において準用する場合を含む。）の公告は、官報、公報その他所定の手段により行わなければならない。

（意見書の内容の審査の方法）

第四条の五　土地区画整理法施行令（以下「令」という。）第三条の二第一項において準用する行政不服審査法施行令（平成二十七年政令第三百九十一号）第八条に規定する方法によつて口頭意見陳述（法第二十条第四項（法第三十九条第二項において準用する場合を含む。以下この項において同じ。）又は第五十一条の八第四項（法第五十一条の十第二項において準用する場合を含む。以下この項において同じ。）において準用する行政不服審査法（平成二十六年法律第六十八号）第三十一条第二項に規定する口頭意見陳述をいう。）の期日における審理を行う場合には、審理関係人（法第二十条第四項又は第五十一条の八第四項において準用する行政不服審査法第二十八条に規定する審理関係人をいう。以下この項において同じ。）の意見を聴いて、当該審理に必要な装置が設置された場所であつて都道府県知事が相当と認める場所を、審理関係人ごとに指定して行う。

2　令第三条の二第二項において準用する行政不服審査法施行令第八条に規定する方法によつて口頭意見陳述（法第五十五条第五項（同条第十三項において準用する場合を含む。以下この項において同じ。）において準用する行政不服審査法第三十一条第二項に規定する口頭意見陳述をいう。）の期日における審理を行う場合には、審理関係人（法第五十五条第五項において準用する行政不服審査法第二十八条に規定する審理関係人をいう。以下この項において同じ。）の意見を聴いて、当該審理に必要な装置が設置された場所であつて都道府県都市計画審議会が相当と認める場所を、審理関係人ごとに指定して行う。

3　令第三条の二第三項において準用する行政不服審査法施行令第八条に規定する方法によつて口頭意見陳述（法第六十九条第四項（同条第十項において準用する場合を含む。以下この項において同じ。）において準用する行政不服審査法第三十一条第二項に規定する口頭意見陳述をいう。）の期日における審理を行う場合には、審理関係人（法第六十九条第四項において準用する行政不服審査法第二十八条に規定する審理関係人をいう。以下この項において同じ。）の意見を聴いて、当該審理に必要な装置が設置された場所であつて国土交通大臣が相当と認める場所を、審理関係人ごとに指定して行う。

4　令第三条の二第四項において準用する行政不服審査法施行令第八条に規定する方法によつて口頭意見陳述（法第七十一条の三第九項（同条第十五項において準用する場合を含む。以下この項において同じ。）において準用する行政不服審査法第三十一条第二項に規定する口頭意見陳述をいう。）の期日における審理を行う場合には、審理関係人（法第七十一条の三第九項において準用する行政不服審査法第二十八条に規定する審理関係人をいう。以下この項において同じ。）の意見を聴いて、当該審理に必要な装置が設置された場所であつて国土交通大臣又は都道府県知事が相当と認める場所を、審理関係人ごとに指定して行う。

第二章　事業計画の内容及び技術的基準等

（施行地区位置図及び施行地区区域図）

第五条　法第六条第一項（法第十六条第一項、第五十一条の四、第五十四条、第六十八条及び第七十一条の三第二項において準用する場合を含む。以下この条から第十条までにおいて同じ。）又は第十六条第二項に規定する施行地区（施行地区を工区に分ける場合においては、施行地区及び工区。以下この条において同じ。）は、施行地区位置図及び施行地区区域図を作成して定めなければならない。

2　前項の施行地区位置図は、縮尺二万分の一以上とし、施行地区の位置、都市計画区域及び市街化区域を表示した地形図でなければならない。ただし、土地区画整理事業が災害の発生その他特別の事情により急施を要すると認められるものである場合において縮尺三万分の一以上の地形図がないときは、施行地区位置図の縮尺は、五万分の一以上であることをもつて足りる。

3　第一項の施行地区区域図は、縮尺二千五百分の一以上とし、施行地区の区域並びにその区域を明らかに表示するに必要な範囲内において都道府県界、市町村界、市町村の区域内の町又は字の境界、都市計画区域界、市街化区域界並びに宅地の地番及び形状を表示したものでなければならない。

（設計の概要に関する図書）

第六条　法第六条第一項に規定する設計の概要、同条第二項（法第十六条第一項、第五十一条の四、第五十四条、第六十八条及び第七十一条の三第二項において準用する場合を含む。）に規定する住宅先行建設区、同条第四項（法第十六条第一項、第五十一条の四、第五十四条、第六十八条及び第七十一条の三第二項において準用する場合を含む。）に規定する市街地再開発事業区及び同条第六項（法第十六条第一項、第五十一条の四、第五十四条、第六十八条及び第七十一条の三第二項において準用する場合を含む。）に規定する高度利用推進区は、設計説明書及び設計図を作成して定めなければならない。

2　前項の設計説明書には、次に掲げる事項を記載しなければならない。

一　当該土地区画整理事業の目的

二　施行地区内の土地の現況

三　土地区画整理事業の施行後における施行地区内の宅地の地積（保留地の予定地積を除く。）の合計の土地区画整理事業の施行前における施行地区内の宅地の地積の合計に対する割合

四　保留地の予定地積

五　公共施設の整備改善の方針

六　法第二条第二項に規定する工作物その他の物件の設置、管理及び処分に関する事業又は埋立て若しくは干拓に関する事業が行われる場合においては、その事業の概要

七　住宅先行建設区の面積

八　市街地再開発事業区の面積

九　高度利用推進区の面積

3　第一項の設計図は、縮尺千二百分の一以上とし、土地区画整理事業の施行後における施行地区内の公共施設並びに鉄道、軌道、官公署、学校及び墓地の用に供する宅地の位置及び形状を、土地区画整理事業の施行により新設し、又は変更される部分と既設のもので変更されない部分とに区別して表示したものでなければならない。

（資金計画書）

第七条　法第六条第一項に規定する資金計画は、資金計画書を作成し、収支予算を明らかにして定めなければならない。

（施行地区及び工区の設定に関する基準）

第八条　法第六条第一項に規定する施行地区の設定に関する同条第十一項（法第十六条第一項、第五十一条の四、第五十四条、第六十八条及び第七十一条の三第二項において準用する場合を含む。）に規定する技術的基準は、次に掲げるものとする。

一　施行地区は、道路、河川、運河、鉄道その他の土地の範囲を表示するに適当な施設で土地区画整理事業の施行によりその位置が変更しないものに接して定めなければならない。ただし、当該土地区画整理事業によりこれらの施設の整備改善を図ろうとする場合において、この整備改善により利益を受けることとなる宅地の範囲で施行地区を定める必要がある場合その他特別の事情がある場合においては、この限りでない。

二　施行地区は、当該土地区画整理事業の施行を著しく困難にすると認められる場合を除き、都市計画において定められている公共施設の用に供する土地を避けて定めてはならない。

三　施行地区を工区に分ける場合においては、工区と工区との境界は、できる限り道路、河川、運河、鉄道その他の土地の範囲を表示するに適当な施設で土地区画整理事業の施行によりその位置が変更しないものに接して、又はその中心線により定めなければならない。

四　施行地区を工区に分ける場合においては、土地区画整理事業の施行後における工区内の宅地の地積（保留地の予定地積を除く。）の合計の土地区画整理事業の施行前における工区内の宅地の地積の合計に対する割合において、各工区間に著しい不均衡を生じないように工区を定めなければならない。

（設計の概要の設定に関する基準）

第九条　法第六条第一項に規定する設計の概要の設定に関する同条第十一項（法第十六条第一項、第五十一条の四、第五十四条、第六十八条及び第七十一条の三第二項において準用する場合を含む。）に規定する技術的基準は、次に掲げるものとする。

一　設計の概要は、施行地区又は施行地区を含む一定の地域について近隣住区（小学校（義務教育学校の前期課程を含む。）を中心とする人口一人当り三十平方メートルから百平方メートルまでの地積を基準とし、人口約一万を収容することができることとされる地区をいう。以下同じ。）を想定し、その住区内に居住することとなる者の生活の利便を促進するように考慮して定めなければならない。

二　設計の概要は、幹線道路と幹線道路以外の道路との交差が少なくなるように考慮して定めなければならない。

三　区画道路（幹線道路以外の道路をいい、裏口通路を除く。）の幅員は、住宅地にあつては六メートル以上、商業地又は工業地にあつては八メートル以上としなければならない。ただし、特別の事情により、やむを得ないと認められる場合においては、住宅地にあつては四メートル以上、商業地又は工業地にあつては六メートル以上であることをもつて足りる。

四　住宅地においては、道路をできる限り通過交通の用に供され難いように配置しなければならない。

五　道路（裏口通路を除く。）が交差し、又は屈曲する場合においては、その交差又は屈曲の部分の街角について適当なすみきりをしなければならない。

六　設計の概要は、公園の面積の合計が施行地区内に居住することとなる人口について一人当り三平方メートル以上であり、かつ、施行地区の面積の三パーセント以上となるように定めなければならない。ただし、施行地区の大部分が都市計画法（昭和四十三年法律第百号）第八条第一項第一号の工業専用地域である場合その他特別の事情により健全な市街地を造成するのに支障がないと認められる場合及び道路、広場、河川、堤防又は運河の整備改善を主たる目的として土地区画整理事業を施行する場合その他特別の事情によりやむを得ないと認められる場合においては、この限りでない。

七　設計の概要は、施行地区内の宅地が建築物を建築するのに適当な宅地となるよう必要な排水施設の整備改善を考慮して定めなければならない。

八　設計の概要は、施行地区及びその周辺の地域における環境を保全するため、当該土地区画整理事業の目的並びに施行地区の規模、形状及び周辺の状況並びに施行地区内の土地の地形及び地盤の性質を勘案して、施行地区における植物の生育の確保上必要な樹木の保存、表土の保全その他の必要な措置が講ぜられるように定めなければならない。

（資金計画に関する基準）

第一〇条　法第六条第一項に規定する資金計画に関する同条第十一項（法第十六条第一項、第五十一条の四、第五十四条、第六十八条及び第七十一条の三第二項において準用する場合を含む。）に規定する技術的基準は、次に掲げるものとする。

一　資金計画のうち収入予算においては、収入の確実であると認められる金額を収入金として計上しなければならない。

二　資金計画のうち支出予算においては、適正かつ合理的な基準によりその経費を算定し、これを支出金として計上しなければならない。

（土地区画整理事業の施行の方針）

第一〇条の二　法第十六条第二項に規定する土地区画整理事業の施行の方針は、次に掲げる事項を記載した説明書を作成して定めなければならない。ただし、第二号及び第三号に掲げる事項については、その概数を記載すれば足りる。

一　当該土地区画整理事業の目的

二　土地区画整理事業の施行後における施行地区内の宅地の地積（保留地の予定地積を除く。）の合計の土地区画整理事業の施行前における施行地区内の宅地の地積の合計に対する割合

三　保留地の予定地積

四　事業施行予定期間

五　法第十四条第三項に規定する認可を受けるまでの資金計画

第三章　住宅先行建設区、市街地再開発事業区及び高度利用推進区への換地の申出等

（住宅先行建設区への換地の申出）

第一〇条の二の二　法第八十五条の二第一項の申出は、別記様式第一の申出書を提出してするものとする。

2　前項の申出書には、法第八十五条の二第三項の規定による同意を得たことを証する書類を添付しなければならない。

（建設計画書）

第一〇条の三　法第八十五条の二第二項の建設計画は、別記様式第二の建設計画書を作成して提出しなければならない。

2　前項の建設計画書には、建設計画を明らかにするために施行者が必要と認める書類を添付しなければならない。

（法第八十五条の二第五項第一号の国土交通省令で定める工作物）

第一〇条の四　法第八十五条の二第五項第一号の国土交通省令で定める工作物は、仮設の工作物とする。

（市街地再開発事業区への換地の申出）

第一〇条の五　法第八十五条の三第一項の申出は、別記様式第三の申出書を提出してするものとする。

2　前項の申出書には、法第八十五条の三第二項の規定による同意を得たことを証する書類を添付しなければならない。

（高度利用推進区への換地等の申出）

第一〇条の六　法第八十五条の四第一項の申出は、別記様式第四の申出書を提出してするものとする。

2　法第八十五条の四第二項の申出は、別記様式第五の申出書を提出してするものとする。

3　前二項の申出書には、法第八十五条の四第三項の規定による同意を得たことを証する書類を添付しなければならない。

（法第八十五条の四第三項第二号の国土交通省令で定める工作物）

第一〇条の七　法第八十五条の四第三項第二号の国土交通省令で定める工作物は、仮設の工作物とする。

第四章　換地計画の認可申請手続及び内容

（換地計画の認可申請手続）

第一一条　法第八十六条第一項又は第九十七条第一項に規定する認可を申請しようとする者は、認可申請書に次に掲げる書類を添付し、これを都道府県知事に提出しなければならない。

一　認可を申請しようとする者が個人施行者である場合において、法第八十八条第一項又は第九十七条第二項において準用する法第八条第一項の規定により換地計画に係る区域内の宅地について権利を有する者の同意を得なければならないときは、その同意を得たことを証する書類

二　認可を申請しようとする者が組合である場合においては、換地計画の決定又は変更についての総会若しくはその部会又は総代会の議決を経たことを証する書類

三　認可を申請しようとする者が区画整理会社である場合においては、法第八十八条第一項又は第九十七条第三項において準用する法第五十一条の六に規定する同意を得たことを証する書類

四　認可を申請しようとする者が個人施行者、組合又は区画整理会社以外の施行者である場合においては、法第八十八条第六項（法第九十七条第三項において準用する場合を含む。）の規定による土地区画整理審議会の意見書

五　認可を申請しようとする者が個人施行者以外の施行者である場合において、法第八十八条第三項（法第九十七条第三項において準用する場合を含む。）の規定により提出された意見書があつたときは、その意見書の処理の経緯を説明する書類（法第八十八条第六項又は第七項（法第九十七条第三項において準用する場合を含む。）の規定による土地区画整理審議会又は農業委員会の意見書を含む。）

（換地設計）

第一二条　法第八十七条第一項第一号に掲げる換地設計は、換地図を作成して定めなければならない。

2　前項の換地図は、縮尺千二百分の一以上とし、次に掲げる土地の位置及び形状を表示し、土地区画整理事業の施行後における町又は字の区域及び各筆の土地ごとの予定地番を記入したものでなければならない。

一　従前の宅地及び換地（従前の宅地について所有権及び地役権以外の権利又は処分の制限がある場合においては、これらの権利又は処分の制限の目的となつている宅地又はその部分及び換地について定めたこれらの権利又は処分の制限の目的となるべき宅地又はその部分を含む。）

二　保留地

三　法第八十九条の四又は法第九十一条第三項の規定により換地計画において施行地区内の土地の共有持分を与えるように定める場合におけるその土地

四　法第九十三条第一項、第二項、第四項又は第五項の規定により換地計画において建築物の一部及びその建築物の存する土地の共有持分を与えるように定める場合におけるその建築物の存する土地

五　法第九十五条の二の規定により換地計画において施行地区内の土地を参加組合員に対して与えるべき宅地として定める場合におけるその宅地

（各筆換地明細）

第一三条　法第八十七条第一項第二号に掲げる各筆換地明細及び同条第四号に掲げる保留地その他の特別の定めをする土地の明細は、別記様式第六により定めなければならない。

（各筆各権利別清算金明細）

第一四条　法第八十七条第一項第三号に掲げる各筆各権利別清算金明細は、別記様式第七により定めなければならない。

第四章の二　指定検定機関

（指定検定機関の指定の申請）

第一四条の二　法第百十七条の四第二項に規定する指定を受けようとする者は、次に掲げる事項を記載した申請書を国土交通大臣に提出しなければならない。

一　名称及び住所
二　検定事務を行おうとする事務所の名称及び所在地
三　行おうとする検定事務の範囲
四　検定事務を開始しようとする年月日

2　前項の申請書には、次に掲げる書類を添えなければならない。

一　定款及び登記事項証明書
二　申請の日の属する事業年度の前事業年度における財産目録及び貸借対照表（申請の日の属する事業年度に設立された法人にあつては、その設立時における財産目録）
三　申請の日の属する事業年度及び翌事業年度における事業計画書及び収支予算書
四　申請に係る意思の決定を証する書類
五　役員の氏名及び略歴を記載した書類
六　組織及び運営に関する事項を記載した書類
七　検定事務を行おうとする事務所ごとの検定用設備の概要及び整備計画を記載した書類
八　現に行つている業務の概要を記載した書類
九　検定事務の実施の方法に関する計画を記載した書類
十　法第百十七条の八第一項に規定する検定委員の選任に関する事項を記載した書類
十一　法第百十七条の五第二項第四号イ又はロの規定に関する役員の誓約書
十二　その他参考となる事項を記載した書類

（名称等の変更の届出）

第一四条の三　指定検定機関は、法第百十七条の六第二項の規定による届出をしようとするときは、次に掲げる事項を記載した届出書を国土交通大臣に提出しなければならない。

一　変更後の指定検定機関の名称又は主たる事務所の所在地
二　変更しようとする年月日
三　変更の理由

（役員の選任又は解任の認可の申請）

第一四条の四　指定検定機関は、法第百十七条の七第一項の規定により認可を受けようとするときは、次に掲げる事項を記載した申請書を国土交通大臣に提出しなければならない。

一　役員として選任しようとする者又は解任しようとする役員の氏名
二　選任又は解任の理由
三　選任の場合にあつては、その者の略歴

2　前項の場合において、選任の認可を受けようとするときは、同項の申請書に、当該選任に係る者の就任承諾書及び法第百十七条の五第二項第四号イ又はロの規定に関する誓約書を添えなければならない。

（検定委員の要件）

第一四条の五　法第百十七条の八第一項の国土交通省令で定める要件は、土地区画整理士技術検定に関し識見を有する者であつて、換地計画について専門的な技術又は学識経験を有するものであることとする。

（検定委員の選任又は解任の届出）

第一四条の六　指定検定機関は、法第百十七条の八第二項の規定による届出をしようとするときは、次に掲げる事項を記載した届出書を国土交通大臣に提出しなければならない。

一　検定委員の氏名
二　選任又は解任の理由
三　選任の場合にあつては、その者の略歴

（検定事務規程の記載事項）

第一四条の七　法第百十七条の十第一項の国土交通省令で定める検定事務の実施に関する事項は、次のとおりとする。

一　検定事務を行う時間及び休日に関する事項
二　検定事務を行う事務所及び検定地に関する事項
三　検定事務の実施の方法に関する事項
四　検定手数料の収納の方法に関する事項
五　検定委員の選任又は解任に関する事項
六　検定事務に関する秘密の保持に関する事項
七　検定事務に関する帳簿及び書類の管理に関する事項
八　その他検定事務の実施に関し必要な事項

（検定事務規程の認可の申請）

第一四条の八　指定検定機関は、法第百十七条の十第一項前段の規定により認可を受けようとするときは、その旨を記載した申請書に、当該認可に係る検定事務規程を添え、これを国土交通大臣に提出しなければならない。

2　指定検定機関は、法第百十七条の十第一項後段の規定により認可を受けようとするときは、次に掲げる事項を記載した申請書を国土交通大臣に提出しなければならない。

一　変更しようとする事項
二　変更しようとする年月日
三　変更の理由

（事業計画等の認可の申請）

第一四条の九　指定検定機関は、法第百十七条の十一第一項前段の規定により認可を受けようとするときは、その旨を記載した申請書に、当該認可に係る事業計画書及び収支予算書を添え、これを国土交通大臣に提出しなければならない。

2　指定検定機関は、法第百十七条の十一第一項後段の規定により認可を受けようとするときは、次に掲げる事項を記載した申請書を国土交通大臣に提出しなければならない。

一　変更しようとする事項
二　変更しようとする年月日
三　変更の理由

（帳簿）

第一四条の一〇　法第百十七条の十二の国土交通省令で定める事項は、次のとおりとする。

一　検定年月日
二　検定地
三　受検者の受検番号、氏名、生年月日及び合否の別
四　合格した者に書面でその旨を通知した日（以下「合格通知日」という。）

2　前項各号に掲げる事項が電子計算機に備えられたファイル又は電磁的記録媒体（電子的方式、磁気的方式その他人の知覚によつては認識することができない方式で作られる記録であつて、電子計算機による情報処理の用に供されるものに係る記録媒体をいう。第十六条の三及び第十六条の四第一項第二号において同じ。）に記録され、必要に応じ電子計算機その他の機器を用いて明確に紙面に表示されるときは、当該記録をもつて法第百十七条の十二に規定する帳簿への記載に代えることができる。

3　法第百十七条の十二に規定する帳簿（前項の規定による記録が行われた同項のファイル又は電磁的記録媒体を含む。）は、検定事務を廃止するまで保存しなければならない。

（検定事務の実施結果の報告）

第一四条の一一　指定検定機関は、検定事務を実施したときは、遅滞なく次に掲げる事項を記載した報告書を国土交通大臣に提出しなければならない。

一　検定年月日
二　検定地
三　受検申請者数
四　受検者数
五　合格者数
六　合格通知日

2　前項の報告書には、合格者の受検番号、氏名及び生年月日を記載した合格者一覧表を添えなければならない。

（検定事務の休廃止の許可）

第一四条の一二　指定検定機関は、法第百十七条の十五第一項の規定により許可を受けようとするときは、次に掲げる事項を記載した申請書を国土交通大臣に提出しなければならない。

一　休止し、又は廃止しようとする検定事務の範囲
二　休止し、又は廃止しようとする年月日及び休止しようとする場合にあつては、その期間
三　休止又は廃止の理由

（検定事務の引継ぎ）

第一四条の一三　指定検定機関は、法第百十七条の十七第三項に規定する場

合には、次に掲げる事項を行わなければならない。
一　検定事務を国土交通大臣に引き継ぐこと。
二　検定事務に関する帳簿及び書類を国土交通大臣に引き継ぐこと。
三　その他国土交通大臣が必要と認める事項

第五章　雑則

（施行者の変動があつた場合における届出及び都道府県知事の公告事項）

第一五条　法第十一条第七項の規定により届け出ようとする施行者は、当該変動に係る者の氏名及び住所（法人にあつては、その名称及び主たる事務所の所在地。次項において同じ。）を記載した施行者変動届出書を当該変動の原因である所有権又は借地権の承継又は消滅があつたことを証する書類を添付して、都道府県知事に提出しなければならない。

2　法第十一条第七項の規定による届出を受理した場合における同条第八項に規定する国土交通省令で定める事項は、次に掲げるものとする。
一　土地区画整理事業の名称及び事務所の所在地並びに施行認可の年月日
二　新たに施行者となつた者の氏名及び住所並びに施行者でなくなつた者の氏名（法人にあつては、その名称）

（借地権の申告手続）

第一六条　法第十九条第三項（法第三十九条第二項及び第五十一条の七第二項（法第五十一条の十第二項において準用する場合を含む。）において準用する場合を含む。）の規定により申告しようとする者は、別記様式第八による借地権申告書を市町村長に提出しなければならない。

2　前項の借地権申告書には、次に掲げる図書を添付しなければならない。
一　借地権申告書に署名した者の運転免許証（道路交通法（昭和三十五年法律第百五号）第九十二条第一項に規定する運転免許証をいう。）、個人番号カード（行政手続における特定の個人を識別するための番号の利用等に関する法律（平成二十五年法律第二十七号）第二条第七項に規定する個人番号カードをいう。）、旅券（出入国管理及び難民認定法（昭和二十六年政令第三百十九号）第二条第五号に規定する旅券をいう。）の写しその他の者が本人であることを確認するに足りる書類（法人にあつては、印鑑登録証明書その他の者が本人であることを確認するに足りる書類）（以下「本人確認書類」という。）
二　借地権が宅地の一部を目的としている場合においては、その部分の位置を明らかにする図面（方位を記載すること。）

3　市町村長は、第一項の借地権申告書が借地権を証する書面を添えて提出された場合においてその書面がその借地権を証するに足りないと認めるときは、更に必要な書類の提出を求めることができる。

（組合員への周知等）

第一六条の二　法第十四条第二項の規定により設立された組合は、同条第三項の事業計画の案を作成したときは、その決定に係る総会の開催日の一月前までに、当該事業計画の案に関する説明会を開催しなければならない。この場合において、組合は、少なくとも説明会の開催日の五日前から第四項の規定により意見書を提出することができる期間の満了の日までの間、当該事業計画の案を主たる事務所に備え付けなければならない。

2　説明会は、できる限り、説明会に参加する組合員の参集の便を考慮して開催の日時及び場所を定め、開催するものとする。

3　組合は、説明会の開催日の五日前までに、説明会の開催の日時及び場所並びに次項の規定により意見書を提出することができる期間を組合員に通知しなければならない。

4　組合員は、組合が説明会の開催日の翌日から起算して二週間を下らない範囲内で定める期間が経過する日までの間、当該事業計画の案について、組合に意見書を提出することができる。

（電磁的記録）

第一六条の三　法第二十八条第七項の国土交通省令で定める電磁的記録は、電子計算機に備えられたファイル又は電磁的記録媒体をもつて調製するファイルに記録したものとする。

（電磁的方法）

第一六条の四　法第三十二条第四項（法第三十五条第三項及び第三十六条第四項において準用する場合を含む。）に規定する国土交通省令で定めるものは、次に掲げる方法とする。
一　電子情報処理組織を使用する方法のうちイ又はロに掲げるもの
イ　送信者の使用に係る電子計算機と受信者の使用に係る電子計算機とを接続する電気通信回線を通じて送信し、受信者の使用に係る電子計算機に備えられたファイルに記録する方法
ロ　送信者の使用に係る電子計算機に備えられたファイルに記録された情報の内容を電気通信回線を通じて情報の提供を受ける者の閲覧に供し、当該情報の提供を受ける者の使用に係る電子計算機に備えられたファイルに当該情報を記録する方法
二　電磁的記録媒体をもつて調製するファイルに情報を記録したものを交付する方法

2　前項各号に掲げる方法は、受信者がファイルへの記録を出力することにより書面を作成することができるものでなければならない。

（総会の招集に係る情報通信の技術を利用する方法）

第一六条の五　法第三十二条第五項（法第三十五条第三項及び第三十六条第四項において準用する場合を含む。）の国土交通省令で定める方法は、前条第一項第二号に掲げる方法とする。

（賦課金等の督促手数料の額の限度）

第一七条　法第四十一条第二項及び第百十条第四項に規定する国土交通省令で定める額は、督促状一通につき郵便法（昭和二十二年法律第百六十五号）第六十七条第二項第三号に規定する定形郵便物の料金の額を超えない範囲内において国土交通大臣が定める額とする。

（決算報告書）

第一八条　法第四十九条に規定する決算報告書は、次の各号に掲げる事項を記載して作成しなければならない。
一　組合の解散の時における財産及び債務の明細
二　債権の取立及び債務の弁済の経緯
三　残余財産の処分の明細

（収用委員会に対する裁決申請書の様式）

第一九条　令第六十九条に規定する国土交通省令で定める様式は、別記様式第九とする。

（電気通信回線に接続して行う自動公衆送信により行う公告の方法）

第一九条の二　法第七十七条第五項（法第百三十三条第二項において準用する場合を含む。第三項において同じ。）の規定による電気通信回線に接続して行う自動公衆送信により行う公告は、施行者のウェブサイトへの掲載により行うものとする。

2　前項の規定による公告を行うに当たつては、個人又は法人その他の団体に関する情報の保護に留意しなければならない。

3　法第七十七条第五項の規定による電気通信回線に接続して行う自動公衆送信により行う公告は、同条第六項の規定により市町村長が行う公告のあつた日から十日間しなければならない。

（公告を電気通信回線に接続して行う自動公衆送信により行うことを要しない場合）

第一九条の三　法第七十七条第五項ただし書（法第百三十三条第二項において準用する場合を含む。）に規定する国土交通省令で定める場合は、次の各号のいずれかに該当する場合（施行者が個人施行者、組合又は区画整理会社である場合に限る。）とする。
一　施行地区の面積が二ヘクタール未満である場合
二　施行者が自ら管理するウェブサイトを有していない場合

（標識）

第二〇条　法第八十一条第一項に規定する国土交通省令で定める標識は、標示杭に土地区画整理事業の名称及び施行者の氏名（法人にあつては、その名称）を表示したものとする。

（登記所への届出事項）

第二一条　施行者が法第八十三条の規定により登記所に届け出なければならない事項は、次の各号に掲げるものとする。
一　施行地区（施行地区を工区に分ける場合においては、施行地区及び工区）に含まれる土地の名称（町名若しくは字名及び地番）又は公有水面埋立法第二条第一項に規定する免許を受けた水面の位置及び範囲
二　法第七十六条第一項各号の一に掲げる公告のあつた年月日
三　第五条第一項に規定する施行地区区域図
四　換地処分の予定時期

（登記所への通知）

第二二条　法第百七条第一項の規定による通知は、その通知書に次に掲げる書類を添付してしなければならない。
一　法第八十六条第一項の規定による認可書の謄本

二　第十二条第一項に規定する換地図
三　第十三条に規定する換地明細書

2　前項第二号及び第三号の書類は、当該土地区画整理事業の施行地区（法第八十六条第三項の規定により工区ごとに換地計画を定めたときは、工区）が二以上の登記所の管轄にわたる場合には、それぞれの登記所の管轄に属する地域ごとに分割したものをもつてこれに代えることができる。ただし、一登記所の管轄に属する従前の土地に対する換地が他の登記所の管轄に属する土地であるときは、それぞれこれらの土地に照応する換地又は従前の土地を当該分割書類に表示しなければならない。

（権利申告手続）

第二三条　第十六条の規定は、法第八十五条第一項の規定により登記のない借地権について申告しようとする者について準用する。この場合において、第十六条第一項及び第三項中「市町村長」とあるのは、「施行者」と読み替えるものとする。

2　法第八十五条第一項の規定により所有権及び借地権以外の権利で登記のないものについて申告しようとする者は、別記様式第十による借地権以外の権利の申告書を施行者に提出しなければならない。

3　前項の借地権以外の権利の申告書には、次に掲げる図書を添付しなければならない。

一　借地権以外の権利の申告書に署名した者の本人確認書類
二　当該権利が法第百条の二の規定により施行者が管理する宅地又はその部分を目的としている場合においては、当該宅地又はその部分の位置を明らかにする図面（方位を記載すること。）
三　当該権利が宅地（前号の宅地以外のものに限る。）の一部を目的としている場合においては、その部分の位置を明らかにする図面（方位を記載すること。）

4　施行者は、第二項の借地権以外の権利の申告書が当該権利を証する書面を添えて提出された場合においてその書面が当該権利を証するに足りないと認めるときは、更に必要な書類の提出を求めることができる。

5　法第八十五条第三項の規定により届け出ようとする者は、別記様式第十一による権利変動届出書を施行者に提出しなければならない。

6　第三項の規定は前項の権利変動届出書について、第四項の規定は前項の権利変動届出書が提出された場合について準用する。この場合において、第三項中「借地権以外の権利の申告書」とあるのは「権利変動届出書」と、第四項中「第二項の借地権以外の権利の申告書」とあるのは「前項の権利変動届出書」と読み替えるものとする。

（権限の委任）

第二四条　法及び令に規定する国土交通大臣の権限のうち、次に掲げるもの以外のものは、地方整備局長及び北海道開発局長に委任する。ただし、法第七十五条、第百二十三条及び第百二十六条第一項の規定に基づく権限については、国土交通大臣が自ら行うことを妨げない。

一　法第三条第五項の規定により指示すること。
二　法第三条の二の規定により土地区画整理事業を施行する必要があると認めること。
三　法第六条第二項の規定により住宅の需要の著しい地域に係る都市計画区域を指定すること。
四　法第六十六条第一項の規定により施行規程及び事業計画を定めること。
五　法第六十九条第一項（同条第十項において準用する場合を含む。）の規定により施行規程及び事業計画を公衆の縦覧に供し、同条第二項（同条第十項において準用する場合を含む。）の規定による意見書を受理し、同条第三項（同条第十項において準用する場合を含む。）の規定により意見書の内容を審査し、必要な修正を加え、又は通知し、及び都道府県都市計画審議会の意見を聴き、同条第六項（同条第十項において準用する場合を含む。）の規定により図書を送付し、並びに同条第七項（同条第十項において準用する場合を含む。）の規定により公告すること。
六　法第七十一条の二第一項の規定による施行規程及び事業計画の認可をすること（独立行政法人都市再生機構が施行する土地区画整理事業（以下「機構施行事業」という。）に係るものに限る。）。
七　法第七十一条の三第四項（同条第十五項において準用する場合を含む。）の規定により施行規程及び事業計画を公衆の縦覧に供し、同条第六項（同条第十五項において準用する場合を含む。）の規定による意見書若しくは同条第七項（同条第十五項において準用する場合を含む。）の規定による報告を受理し、同条第八項（同条第十五項において準用する場合を含む。）の規定により意見書の内容を審査し、必要な修正を命じ、又は通知し、同条第十一項（同条第十五項において準用する場合を含む。）の規定により公告し、及び図書を送付し、並びに同条第十四項の規定による認可をすること（機構施行事業に係るものに限る。）。
八　法第三章第九節に規定する権限
九　法第百十九条第一項の規定により土地区画整理事業に要する費用の一部を負担させ、及び同条第二項の規定により意見を聞くこと。
十　法第百十九条の二第三項の規定により裁定し、当事者の意見を聴き、及び総務大臣と協議すること（機構施行事業に係るものに限る。）。
十一　法第百二十七条の二の規定による審査請求又は再審査請求に対して裁決をすること。
十二　令第三条の規定により公告すること（国土交通大臣が施行する土地区画整理事業及び機構施行事業に係るものに限る。）。
十三　令第四十二条の二第一項の規定による指定をすること（機構施行事業に係るものに限る。）。
十四　令第五章の二及び第六章に規定する権限

（大都市等の特例）

第二五条　令第七十七条第一項の規定により地方自治法（昭和二十二年法律第六十七号）第二百五十二条の十九第一項の指定都市（以下「指定都市」という。）が土地区画整理事業に関する事務を処理する場合においては、第三条の見出し、第四条の五第一項、第十一条及び第十五条（見出しを含む。）中「都道府県知事」とあるのは「指定都市の長」と、第三条の二第四号中「都道府県」とあるのは「指定都市」と、第四条の五第二項中「都道府県都市計画審議会」とあるのは「市町村都市計画審議会」と読み替えるものとする。

2　令第七十七条第二項の規定により地方自治法第二百五十二条の二十二第一項の中核市（以下「中核市」という。）が土地区画整理事業に関する事務を処理する場合においては、第三条の見出し、第四条の五第一項、第十一条及び第十五条（見出しを含む。）中「都道府県知事」とあるのは「中核市の長」と読み替えるものとする。

附　則

（この省令の施行期日）

第一条　この省令は、法の施行の日（昭和三十年四月一日）から施行する。

（土地区画整理ノ施行ニ関スル件及び特別都市計画法施行規則の廃止）

第二条　次に掲げる命令は、廃止する。

一　土地区画整理ノ施行ニ関スル件（昭和四年内務省令第二号）
二　特別都市計画法施行規則（昭和二十一年閣令第七十五号）

附　則〔略〕〔昭和三〇・八・二五建設省令二三〕
附　則〔略〕〔昭和三四・六・二九建設省令一八〕
附　則〔略〕〔昭和三六・三・一一建設省令四〕
附　則〔略〕〔昭和三七・九・二九建設省令二六〕
附　則〔略〕〔昭和四一・三・三一建設省令一二〕
附　則〔略〕〔昭和四四・六・一四建設省令四二〕
附　則〔略〕〔昭和四四・八・二五建設省令四九〕
附　則〔略〕〔昭和四五・一二・二三建設省令二七〕
附　則〔略〕〔昭和五〇・三・一八建設省令三〕
附　則〔略〕〔昭和五七・一〇・一建設省令一五〕
附　則〔略〕〔昭和六三・一一・一四建設省令二二〕
附　則〔略〕〔平成五・七・二九建設省令一五〕
附　則〔略〕〔平成一一・三・三一建設省令九〕
附　則〔略〕〔平成一一・九・二七建設省令四一〕
附　則〔略〕〔平成一一・九・二九建設省令四二〕
附　則〔略〕〔平成一二・一・三一建設省令一〇〕
附　則〔略〕〔平成一二・一一・二〇建設省令四一〕
附　則〔略〕〔平成一四・五・三一国土交通省令六五〕
附　則〔略〕〔平成一五・三・二八国土交通省令三八〕
附　則〔略〕〔平成一六・六・一八国土交通省令七〇〕
附　則〔略〕〔平成一七・三・七国土交通省令一二〕
附　則〔略〕〔平成一七・三・二九国土交通省令二五〕
附　則〔略〕〔平成一七・一〇・二一国土交通省令一〇二〕
附　則〔略〕〔平成一八・四・二八国土交通省令五八〕
附　則〔略〕〔平成一九・八・三国土交通省令七五〕

附則〔略〕〔平成二〇・一二・一国土交通省令九七施行〕

附則〔略〕〔平成二八・一・二八国土交通省令四〕

附則〔略〕〔平成二八・三・一〇国土交通省令一六〕

附則〔略〕〔平成二八・三・三一国土交通省令二三〕

附則〔平成三〇・三・三〇国土交通省令一六〕

1 この省令は、平成三十年四月一日から施行する。

2 この省令の施行前に土地区画整理法（昭和二十九年法律第百十九号）第五十五条第一項（同条第十三項において準用する場合を含む。）の規定により縦覧に供された事業計画に係る土地区画整理事業については、この省令による改正後の土地区画整理法施行規則第二十五条第一項の規定により読み替えて適用される同規則第四条の五第二項の規定にかかわらず、なお従前の例による。

附則〔略〕〔令和二・一二・二三国土交通省令九八〕

附則〔略〕〔令和三・八・三一国土交通省令五三〕

附則〔略〕〔令和四・三・一国土交通省令一〇施行〕

附則〔略〕〔令和五・一二・二八国土交通省令九八施行〕

附則〔抄〕〔令和六・一・一九国土交通省令二〕

（施行期日）

1 この省令は、デジタル社会の形成を図るための規制改革を推進するためのデジタル社会形成基本法等の一部を改正する法律の施行の日（令和六年四月一日）から施行する。

（経過措置）

2 第六条の規定による改正後の土地区画整理法施行規則第十九条の二第三項（第十一条の規定による改正後の新都市基盤整備法施行規則第二十七条の二及び第十二条の規定による改正後の大都市地域における住宅及び住宅地の供給の促進に関する特別措置法施行規則第三十九条の二において準用する場合を含む。）の規定は、土地区画整理法（昭和二十九年法律第百十九号）第七十七条第六項（同法第百三十三条第二項（大都市地域における住宅及び住宅地の供給の促進に関する特別措置法（昭和五十年法律第六十七号。以下この項において「大都市法」という。）第百一条において準用する場合を含む。）、新都市基盤整備法（昭和四十七年法律第八十六号）第二十九条及び大都市法第七十一条において準用する場合を含む。）の規定により市町村長が行う公告のあった日がこの省令の施行の日前である場合には、適用しない。

様式〔略〕

〇都市再開発法〔昭和四四・六・三 法律三八〕

改正 昭和四五・四法二三、六法一〇九、昭和四七・五法三六、昭和四九・六法六九、法七一、昭和五〇・七法六六、昭和五四・三法五、昭和五五・五法三四、法三五、法六二、昭和五六・五法四八、昭和五八・五法五一、昭和六二・九法八七、昭和六三・五法四九、平成元・六法五六、一二法九一、平成二・六法六一、平成四・六法七六、平成五・一一法八九、平成六・六法四九、平成七・二法一三、法一四、平成八・五法四八、平成九・五法五〇、六法七九、平成一〇・五法八〇、六法九二、平成一一・三法二五、六法七六、七法八七、一二法一六〇、平成一二・五法七三、平成一四・二法一、三法一一、四法二二、七法八五、法一〇〇、平成一五・六法一〇〇、法一〇一、平成一六・六法八四、法一〇二、法一一一、法一二四、一二法一四七、法一五〇、平成一七・四法三四、七法八七、平成一八・六法五〇、法六一、平成二三・五法五三、八法一〇五、平成二五・六法四四、平成二六・五法四二、六法六九、平成二八・六法七二、平成二九・六法四五、平成三〇・七法七二、令和三・五法三七

目次

第一章 総則（第一条—第二条の三）
第一章の二 第一種市街地再開発事業及び第二種市街地再開発事業に関する都市計画（第三条—第六条）
第一章の三 市街地再開発促進区域（第七条—第七条の八）
第二章 施行者
第一節 個人施行者（第七条の九—第七条の二十）
第一節の二 市街地再開発組合
第一款 通則（第八条—第十条）
第二款 設立（第十一条—第十九条）
第三款 管理（第二十条—第四十四条）
第四款 解散（第四十五条—第五十条）
第一節の三 再開発会社（第五十条の二—第五十条の十五）
第二節 地方公共団体（第五十一条—第五十七条）
第三節 独立行政法人都市再生機構等（第五十八条—第五十九条）
第三章 第一種市街地再開発事業
第一節 測量、調査等（第六十条—第六十九条）
第二節 権利変換手続
第一款 手続の開始（第七十条—第七十一条）
第二款 権利変換計画（第七十二条—第八十五条）
第三款 権利の変換（第八十六条—第九十四条）
第四款 土地の明渡し（第九十五条—第九十九条）
第四款の二 施設建築物の建築等の特例（第九十九条の二—第九十九条の十）
第五款 工事完了等に伴う措置（第百条—第百九条）
第五款の二 施設建築敷地内の道路等に関する特例（第百九条の二・第百九条の三）
第六款 権利変換手続の特則（第百十条—第百十一条）
第三節 個人施行者等の事業の代行（第百十二条—第百十八条）
第四章 第二種市街地再開発事業
第一節 管理処分手続
第一款 管理処分計画（第百十八条の二—第百十八条の十）
第二款 建築施設の部分による対償の給付等（第百十八条の十一—第百十八条の十六）
第三款 権利関係の確定等（第百十八条の十七—第百十八条の二十四の二）
第三款の二 施設建築敷地内の道路等に関する特例（第百十八条の二十五・第百十八条の二十五の二）
第四款 管理処分手続の特則（第百十八条の二十五の三）
第二節 雑則（第百十八条の二十六—第百十八条の三十）
第四章の二 土地区画整理事業との一体的施行に関する特則（第百十八条の三十一・第百十八条の三十二）
第五章 費用の負担等（第百十九条—第百二十三条）
第六章 監督等（第百二十四条—第百二十九条）
第七章 再開発事業の計画の認定（第百二十九条の二—第百二十九条の九）
第八章 雑則（第百三十条—第百三十九条の三）
第九章 罰則（第百四十条—第百四十九条）
附則

第一章 総則

（目的）

第一条 この法律は、市街地の計画的な再開発に関し必要な事項を定めることにより、都市における土地の合理的かつ健全な高度利用と都市機能の更新とを図り、もつて公共の福祉に寄与することを目的とする。

（定義）

第二条 この法律において、次の各号に掲げる用語の意義は、それぞれ当該各号に定めるところによる。

一 市街地再開発事業 市街地の土地の合理的かつ健全な高度利用と都市機能の更新とを図るため、都市計画法（昭和四十三年法律第百号）及び

この法律（第七章を除く。）で定めるところに従つて行われる建築物及び建築敷地の整備並びに公共施設の整備に関する事業並びにこれに附帯する事業をいい、第三章の規定により行われる第一種市街地再開発事業と第四章の規定により行われる第二種市街地再開発事業とに区分する。

二　施行者　市街地再開発事業を施行する者をいう。

三　施行地区　市街地再開発事業を施行する土地の区域をいう。

四　公共施設　道路、公園、広場その他政令で定める公共の用に供する施設をいう。

五　宅地　公共施設の用に供されている国、地方公共団体その他政令で定める者の所有する土地以外の土地をいう。

六　施設建築物　市街地再開発事業によつて建築される建築物をいう。

七　施設建築敷地　市街地再開発事業によつて造成される建築敷地をいう。

八　施設建築物の一部　建物の区分所有等に関する法律（昭和三十七年法律第六十九号）第二条第一項に規定する区分所有権の目的たる施設建築物の部分（同条第四項に規定する共用部分の共有持分を含む。）をいう。

九　施設建築物の一部等　施設建築物の一部及び当該施設建築物の所有を目的とする地上権の共有持分をいう。

十　建築施設の部分　施設建築物の一部及び当該施設建築物の存する施設建築敷地の共有持分をいう。

十一　借地権　建物の所有を目的とする地上権及び賃借権をいう。ただし、臨時設備その他一時使用のため設定されたことが明らかなものを除く。

十二　借地　借地権の目的となつている宅地をいう。

十三　借家権　建物の賃借権（一時使用のため設定されたことが明らかなものを除く。以下同じ。）及び配偶者居住権をいう。

（市街地再開発事業の施行）

第二条の二　次に掲げる区域内の宅地について所有権若しくは借地権を有する者又はこれらの宅地について所有権若しくは借地権を有する者の同意を得た者は、一人で、又は数人共同して、当該権利の目的である宅地について、又はその宅地及び一定の区域内の宅地以外の土地について第一種市街地再開発事業を施行することができる。

一　高度利用地区（都市計画法第八条第一項第三号の高度利用地区をいう。以下同じ。）の区域

二　都市再生特別地区（都市再生特別措置法（平成十四年法律第二十二号）第三十六条第一項の規定による都市再生特別地区をいう。第三条において同じ。）の区域

三　特定用途誘導地区（都市再生特別措置法第百九条第一項の規定による特定用途誘導地区をいい、建築物の容積率（延べ面積の敷地面積に対する割合をいう。以下同じ。）の最低限度及び建築物の建築面積の最低限度が定められているものに限る。第三条において同じ。）の区域

四　都市計画法第十二条の四第一項第一号の地区計画、密集市街地における防災街区の整備の促進に関する法律（平成九年法律第四十九号。以下「密集市街地整備法」という。）第三十二条第一項の規定による防災街区整備地区計画又は幹線道路の沿道の整備に関する法律（昭和五十五年法律第三十四号）第九条第一項の規定による沿道地区計画の区域（次に掲げる条件の全てに該当するものに限る。第三条第一号において「特定地区計画等区域」という。）

イ　地区整備計画（都市計画法第十二条の五第二項第一号の地区整備計画をいう。以下同じ。）、密集市街地整備法第三十二条第二項第一号に規定する特定建築物地区整備計画若しくは同項第二号に規定する防災街区整備地区整備計画又は幹線道路の沿道の整備に関する法律第九条第二項第一号の沿道地区整備計画（ロにおいて「地区整備計画等」という。）が定められている区域であること。

ロ　地区整備計画等において都市計画法第八条第三項第二号チに規定する高度利用地区について定めるべき事項（特定建築物地区整備計画において建築物の特定地区防災施設に係る間口率（密集市街地整備法第三十二条第三項に規定する建築物の特定地区防災施設に係る間口率をいう。）の最低限度及び建築物の高さの最低限度が定められている場合並びに沿道地区整備計画において建築物の沿道整備道路に係る間口率（幹線道路の沿道の整備に関する法律第九条第六項第二号に規定する建築物の沿道整備道路に係る間口率をいう。）の最低限度及び建築物の高さの最低限度が定められている場合にあつては、建築物の容積率の最低限度を除く。）が定められていること。

ハ　建築基準法（昭和二十五年法律第二百一号）第六十八条の二第一項の規定に基づく条例で、ロに規定する事項に関する制限が定められていること。

2　市街地再開発組合は、第一種市街地再開発事業の施行区域内の土地について第一種市街地再開発事業を施行することができる。

3　次に掲げる要件のすべてに該当する株式会社は、市街地再開発事業の施行区域内の土地について市街地再開発事業を施行することができる。

一　市街地再開発事業の施行を主たる目的とするものであること。

二　公開会社（会社法（平成十七年法律第八十六号）第二条第五号に規定する公開会社をいう。）でないこと。

三　施行地区となるべき区域内の宅地について所有権又は借地権を有する者が、総株主の議決権の過半数を保有していること。

四　前号の議決権の過半数を保有している者及び当該株式会社が所有する施行地区となるべき区域内の宅地の地積とそれらの者が有するその区域内の借地の地積との合計が、その区域内の宅地の総地積と借地の総地積との合計の三分の二以上であること。この場合において、所有権又は借地権が数人の共有に属する宅地又は借地について前段に規定する者が共有持分を有しているときは、当該宅地又は借地の地積に当該者が有する所有権又は借地権の共有持分の割合を乗じて得た面積を、当該宅地又は借地について当該者が有する宅地又は借地の地積とみなす。

4　地方公共団体は、市街地再開発事業の施行区域内の土地について市街地再開発事業を施行することができる。

5　独立行政法人都市再生機構は、国土交通大臣が次に掲げる事業を施行する必要があると認めるときは、市街地再開発事業の施行区域内の土地について当該事業を施行することができる。

一　一体的かつ総合的に市街地の再開発を促進すべき相当規模の地区の計画的な整備改善を図るため当該地区の全部又は一部について行う市街地再開発事業

二　前号に規定するもののほか、国の施策上特に供給が必要な賃貸住宅の建設と併せてこれと関連する市街地の再開発を行うための市街地再開発事業

6　地方住宅供給公社は、国土交通大臣（市のみが設立した地方住宅供給公社にあつては、都道府県知事）が地方住宅供給公社の行う住宅の建設と併せてこれと関連する市街地の再開発を行うための市街地再開発事業を施行する必要があると認めるときは、市街地再開発事業の施行区域内の土地について当該市街地再開発事業を施行することができる。

（都市再開発方針）

第二条の三　人口の集中の特に著しい政令で定める大都市を含む都市計画区域内の市街化区域（都市計画法第七条第一項に規定する市街化区域をいう。以下同じ。）においては、都市計画に、次の各号に掲げる事項を明らかにした都市再開発の方針を定めるよう努めるものとする。

一　当該都市計画区域内にある計画的な再開発が必要な市街地に係る再開発の目標並びに当該市街地の土地の合理的かつ健全な高度利用及び都市機能の更新に関する方針

二　前号の市街地のうち特に一体的かつ総合的に市街地の再開発を促進すべき相当規模の地区及び当該地区の整備又は開発の計画の概要

2　前項の都市計画区域以外の都市計画区域内の市街化区域においては、都市計画に、当該市街化区域内にある計画的な再開発が必要な市街地のうち特に一体的かつ総合的に市街地の再開発を促進すべき相当規模の地区及び当該地区の整備又は開発の計画の概要を明らかにした都市再開発の方針を定めることができる。

3　国及び地方公共団体は、前二項の都市再開発の方針に従い、第一項第二号又は前項の地区の再開発を促進するため、市街地の再開発に関する事業の実施その他の必要な措置を講ずるよう努めなければならない。

第一章の二　第一種市街地再開発事業及び第二種市街地再開発事業に関する都市計画

（第一種市街地再開発事業の施行区域）

第三条　都市計画法第十二条第二項の規定により第一種市街地再開発事業に

ついて都市計画に定めるべき施行区域は、第七条第一項の規定による市街地再開発促進区域内の土地の区域又は次に掲げる条件に該当する土地の区域でなければならない。

一　当該区域が高度利用地区、都市再生特別地区、特定用途誘導地区又は特定地区計画等区域内にあること。

二　当該区域内にある耐火建築物（建築基準法第二条第九号の二に規定する耐火建築物をいう。以下同じ。）で次に掲げるもの以外のものの建築面積の合計が、当該区域内にある全ての建築物の建築面積の合計のおおむね三分の一以下であること又は当該区域内にある耐火建築物で次に掲げるもの以外のものの敷地面積の合計が、当該区域内の全ての宅地の面積の合計のおおむね三分の一以下であること。

イ　地階を除く階数が二以下であるもの

ロ　政令で定める耐用年限の三分の二を経過しているもの

ハ　災害その他の理由によりロに掲げるものと同程度の機能低下を生じているもの

ニ　建築面積が、当該区域に係る高度利用地区、都市再生特別地区、特定用途誘導地区、地区計画、防災街区整備地区計画又は沿道地区計画に関する都市計画（以下「高度利用地区等に関する都市計画」という。）において定められた建築物の建築面積の最低限度の四分の三未満であるもの

ホ　容積率（同一敷地内に二以上の建築物がある場合においては、その延べ面積の合計を算定の基礎とする容積率。以下同じ。）が、当該区域に係る高度利用地区等に関する都市計画において定められた建築物の容積率の最高限度の三分の一未満であるもの

ヘ　都市計画法第四条第六項に規定する都市計画施設（以下「都市計画施設」という。）である公共施設の整備に伴い除却すべきもの

三　当該区域内に十分な公共施設がないこと、当該区域内の土地の利用が細分されていること等により、当該区域内の土地の利用が著しく不健全であること。

四　当該区域内の土地の高度利用を図ることが、当該都市の機能の更新に貢献すること。

（第二種市街地再開発事業の施行区域）

第三条の二　都市計画法第十二条第二項の規定により第二種市街地再開発事業について都市計画に定めるべき施行区域は、次の各号に掲げる条件に該当する土地の区域でなければならない。

一　前条各号に掲げる条件

二　次のいずれかに該当する土地の区域で、その面積が〇・五ヘクタール以上のものであること。

イ　次のいずれかに該当し、かつ、当該区域内にある建築物が密集しているため、災害の発生のおそれが著しく、又は環境が不良であること。

(1)　当該区域内にある安全上又は防火上支障がある建築物で政令で定めるものの数の当該区域内にあるすべての建築物の数に対する割合が政令で定める割合以上であること。

(2)　(1)に規定する政令で定める建築物の延べ面積の合計の当該区域内にあるすべての建築物の延べ面積の合計に対する割合が政令で定める割合以上であること。

ロ　当該区域内に駅前広場、大規模な火災等が発生した場合における公衆の避難の用に供する公園又は広場その他の重要な公共施設で政令で定めるものを早急に整備する必要があり、かつ、当該公共施設の整備と併せて当該区域内の建築物及び建築敷地の整備を一体的に行うことが合理的であること。

（第一種市街地再開発事業又は第二種市街地再開発事業に関する都市計画に定める事項）

第四条　第一種市街地再開発事業又は第二種市街地再開発事業に関する都市計画においては、都市計画法第十二条第二項に定める事項のほか、公共施設の配置及び規模並びに建築物及び建築敷地の整備に関する計画を定めるものとする。

2　第一種市街地再開発事業又は第二種市街地再開発事業に関する都市計画は、次の各号に規定するところに従つて定めなければならない。

一　道路、公園、下水道その他の施設に関する都市計画が定められている場合においては、その都市計画に適合するように定めること。

二　当該区域が、適正な配置及び規模の道路、公園その他の公共施設を備えた良好な都市環境のものとなるように定めること。

三　建築物の整備に関する計画は、市街地の空間の有効な利用、建築物相互間の開放性の確保及び建築物の利用者の利便を考慮して、建築物が都市計画上当該地区にふさわしい容積、建築面積、高さ、配列及び用途構成を備えた健全な高度利用形態となるように定めること。

四　建築敷地の整備に関する計画は、前号の高度利用形態に適合した適正な街区が形成されるように定めること。

（住宅建設の目標の設定）

第五条　住宅不足の著しい地域における第一種市街地再開発事業又は第二種市街地再開発事業に関する都市計画においては、前条第二項の規定に抵触しない限り、当該市街地再開発事業が住宅不足の解消に寄与するよう、当該市街地再開発事業により確保されるべき住宅の戸数その他住宅建設の目標を定めることができる。

（都市計画事業として施行する市街地再開発事業）

第六条　市街地再開発事業の施行区域内においては、市街地再開発事業は、都市計画事業として施行する。

2　都市計画事業として施行する第一種市街地再開発事業については都市計画法第六十条から第七十四条までの規定を、第二種市街地再開発事業については同法第六十条から第六十四条までの規定を適用しない。

3　市街地再開発事業の施行区域内における建築物の建築の制限に関しては、都市計画法第五十三条第三項中「第六十五条第一項に規定する告示」とあるのは「都市再開発法第六十条第二項各号に掲げる公告又は第百十八条の二第一項各号（同条第六項において準用する場合を含む。）に掲げる公告」と、「当該告示」とあるのは「当該公告」とする。

4　第二種市街地再開発事業についての都市計画法第六十五条から第七十三条までの規定の適用に関し必要な技術的読替えは、政令で定める。

第一章の三　市街地再開発促進区域

（市街地再開発促進区域に関する都市計画）

第七条　次の各号に掲げる条件に該当する土地の区域で、その区域内の宅地について所有権又は借地権を有する者による市街地の計画的な再開発の実施を図ることが適切であると認められるものについては、都市計画に市街地再開発促進区域を定めることができる。

一　第三条各号に掲げる条件

二　当該土地の区域が第三条の二第二号イ又はロに該当しないこと。

2　市街地再開発促進区域に関する都市計画においては、都市計画法第十条の二第二項に定める事項のほか、公共施設の配置及び規模並びに単位整備区を定めるものとする。

3　市街地再開発促進区域に関する都市計画は、次の各号に規定するところに従つて定めなければならない。

一　道路、公園、下水道その他の施設に関する都市計画が定められている場合においては、その都市計画に適合するように定めること。

二　当該区域が、適正な配置及び規模の道路、公園その他の公共施設を備えた良好な都市環境のものとなるように定めること。

三　単位整備区は、その区域が市街地再開発促進区域内における建築敷地の造成及び公共施設の用に供する敷地の造成を一体として行うべき土地の区域としてふさわしいものとなるように定めること。

（第一種市街地再開発事業等の施行）

第七条の二　市街地再開発促進区域内の宅地について所有権又は借地権を有する者は、当該区域内の宅地について、できる限り速やかに、第一種市街地再開発事業を施行する等により、高度利用地区等に関する都市計画及び当該市街地再開発促進区域に関する都市計画の目的を達成するよう努めなければならない。

2　市町村は、市街地再開発促進区域に関する都市計画に係る都市計画法第二十条第一項の告示の日から起算して五年以内に、当該市街地再開発促進区域内の宅地について同法第二十九条第一項の許可がされておらず、又は第七条の九第一項、第十一条第一項若しくは第二項若しくは第五十条の二第一項の規定による認可に係る第一種市街地再開発事業の施行地区若しくは第百二十九条の三の規定による認定を受けた第百二十九条の二第一項の再開発事業の同条第五項第一号の再開発事業区域に含まれていない単位整備区については、施行の障害となる事由がない限り、第一種市街地再開発事業を施行するものとする。

3　一の単位整備区の区域内の宅地について所有権又は借地権を有する者

が、国土交通省令で定めるところにより、その区域内の宅地について所有権又は借地権を有するすべての者の三分の二以上の同意（同意した者が所有するその区域内の宅地の地積と同意した者のその区域内の借地の地積との合計が、その区域内の宅地の総地積と借地の総地積との合計の三分の二以上となる場合に限る。）を得て、第一種市街地再開発事業を施行すべきことを市町村に対して要請したときは、当該市町村は、前項の期間内であつても、当該単位整備区について第一種市街地再開発事業を施行することができる。

4　前二項の場合において、都道府県は、当該市町村と協議の上、前二項の規定による第一種市街地再開発事業を施行することができる。当該第一種市街地再開発事業が独立行政法人都市再生機構又は地方住宅供給公社の施行することができるものであるときは、これらの者についても、同様とする。

5　第三項の場合において、所有権又は借地権が数人の共有に属する宅地又は借地があるときは、当該宅地又は借地について所有権を有する者又は借地権を有する者の数をそれぞれ一とみなし、同意した所有権を有する者の共有持分の割合の合計又は同意した借地権を有する者の共有持分の割合の合計をそれぞれ当該宅地又は借地について同意した者の数とみなし、当該宅地又は借地の地積に同意した所有権を有する者の共有持分の割合の合計又は同意した借地権を有する者の共有持分の割合の合計を乗じて得た面積を当該宅地又は借地について同意した者が所有する宅地の地積又は同意した者の借地の地積とみなす。

（借地権の申告）

第七条の三　前条第三項の同意を得ようとする者は、あらかじめ、当該単位整備区の区域内の宅地について未登記の借地権を有する者は第三項の規定による申告を行うべき旨の公告を、当該単位整備区の区域を管轄する市町村長に申請しなければならない。

2　市町村長は、前項の申請があつたときは、国土交通省令で定めるところにより、遅滞なく、当該申請に係る公告をしなければならない。

3　前項の公告に係る単位整備区の区域内の宅地について未登記の借地権を有する者は、同項の公告があつた日から起算して三十日以内に当該市町村長に対し、国土交通省令で定めるところにより、その借地の所有者（借地権を有する者から更に借地権の設定を受けた場合にあつては、その設定者及びその借地の所有者）と連署し、又は借地権を証する書面を添えて、書面をもつてその借地権の種類及び内容を申告しなければならない。

4　未登記の借地権で前項の規定による申告のないものは、同項の申告の期間を経過した後は、前条第三項の規定の適用については、存しないものとみなす。

（建築の許可）

第七条の四　市街地再開発促進区域内においては、建築基準法第五十九条第一項第一号に該当する建築物（同項第二号又は第三号に該当する建築物を除く。）、同法第六十条の二第一項第一号に該当する建築物（同項第二号又は第三号に該当する建築物を除く。）又は同法第六十条の三第一項第一号に該当する建築物（同項第二号又は第三号に該当する建築物を除く。）の建築をしようとする者は、国土交通省令で定めるところにより、都道府県知事（市の区域内にあつては、当該市の長。以下この条から第七条の六まで及び第百四十一条の二第一号において「建築許可権者」という。）の許可を受けなければならない。ただし、非常災害のため必要な応急措置として行う行為又はその他の政令で定める軽易な行為については、この限りでない。

2　建築許可権者は、前項の許可の申請があつた場合において、当該建築が第七条の六第四項の規定により買い取らない旨の通知があつた土地におけるものであるときは、その許可をしなければならない。

3　第一項の規定は、第一種市街地再開発事業に関する都市計画に係る都市計画法第二十条第一項（同法第二十一条第二項において準用する場合を含む。）の規定による告示又は第六十条第二項第一号の公告があつた後は、当該告示又は公告に係る土地の区域内においては、適用しない。

（違反行為に対する措置）

第七条の五　建築許可権者は、前条第一項の規定に違反した者があるときは、その者に対して、その違反を是正するため必要な措置を命ずることができる。

2　前項の規定により必要な措置を命じようとする場合において、過失がなくて当該措置を命ずべき者を確知することができないときは、建築許可権者は、その者の負担において、当該措置を自ら行い、又はその命じた者若しくは委任した者にこれを行わせることができる。この場合においては、相当の期限を定めて、当該措置を行うべき旨及びその期限までに当該措置を行わないときは、建築許可権者又はその命じた者若しくはその委任した者が当該措置を行う旨を、あらかじめ、公告しなければならない。

3　前項の規定により必要な措置を行おうとする者は、その身分を示す証明書を携帯し、関係人の請求があつたときは、これを提示しなければならない。

（土地の買取り）

第七条の六　都道府県又は市町村は、建築許可権者に対し、第三項の規定による土地の買取りの申出の相手方として定めるべきことを申し出ることができる。

2　建築許可権者は、前項の規定による申出に基づき、次項の規定による土地の買取りの申出の相手方を定めるときは、国土交通省令で定めるところにより、その旨を公告しなければならない。

3　建築許可権者（前項の規定により、土地の買取りの申出の相手方として公告された者があるときは、その者）は、市街地再開発促進区域内の土地の所有者から、第七条の四第一項の許可がされないときはその土地の利用に著しい支障を来すこととなることを理由として、当該土地を買い取るべき旨の申出があつたときは、特別の事情がない限り、当該土地を時価で買い取るものとする。

4　前項の申出を受けた者は、遅滞なく、当該土地を買い取る旨又は買い取らない旨を当該土地の所有者に通知しなければならない。

5　第二項の規定により土地の買取りの申出の相手方として公告された者は、前項の規定により土地を買い取らない旨の通知をしたときは、直ちに、その旨を建築許可権者に通知しなければならない。

（買い取つた土地の処分等）

第七条の七　前条第三項の規定により土地を買い取つた者（以下この条において「土地買取者」という。）は、当該土地を第一種市街地再開発事業その他当該土地に係る都市計画に適合して事業を施行する者又は公共施設の管理者若しくは管理者となるべき者に賃貸し、又は譲渡することができる。

2　土地買取者は、前項の規定により土地を賃貸し、又は譲渡するときは、同項の趣旨を達成するため必要な条件を付けることができる。この場合において、その条件は、当該土地を賃借りし、又は譲り受けた者に不当な義務を課するものであつてはならない。

3　土地買取者は、第一項の規定により土地を賃借りし、又は譲り受けた者が前項の条件に違反したときは、当該土地の賃貸又は譲渡に係る契約を解除することができる。

4　第一項の規定により土地を賃貸し、又は譲渡する場合のほか、土地買取者は、前条第三項の規定により買い取つた土地を当該土地に係る都市計画に適合するように管理しなければならない。

（開発行為の許可の基準の特例）

第七条の八　市街地再開発促進区域内における都市計画法第四条第十二項に規定する開発行為（第七条の四第一項の許可に係る建築物の建築又は建築基準法第五十九条第一項第二号若しくは第三号、第六十条の二第一項第二号若しくは第三号若しくは第六十条の三第一項第二号若しくは第三号に該当する建築物の建築に係るものを除く。）については、都市計画法第二十九条第一項第一号の規定は適用せず、同法第三十三条第一項中「基準（第四項及び第五項の条例が定められているときは、当該条例で定める制限を含む。）」とあるのは、「基準（第二十九条第一項第一号の政令で定める規模未満の開発行為にあつては第二号から第十四号までに規定する基準、第二十九条第一項第一号の政令で定める規模以上の開発行為にあつては第二号（貯水施設に係る部分を除く。）に規定する基準を除き、第四項及び第五項の条例が定められているときは当該条例で定める制限を含む。）及び市街地再開発促進区域に関する都市計画」と読み替えて、同条の規定を適用する。

第二章　施行者

第一節　個人施行者

（施行の認可）

第七条の九　第二条の二第一項の規定により第一種市街地再開発事業を施行しようとする者は、一人で施行しようとする者にあつては規準及び事業計画を定め、数人共同して施行しようとする者にあつては規約及び事業計画を定め、国土交通省令で定めるところにより、その第一種市街地再開発事業の施行について都道府県知事の認可を受けなければならない。

2　前項の規定による認可の申請は、施行地区となるべき区域を管轄する市町村長を経由して行わなければならない。

3　都道府県知事は、第一項の規定による認可をしようとするときは、あらかじめ、施行地区となるべき区域を管轄する市町村長の意見を聴かなければならない。

4　第二条の二第一項に規定する者が第一種市街地再開発事業の施行区域内において施行する第一種市街地再開発事業については、第一項の規定による認可をもつて都市計画法第五十九条第四項の規定による認可とみなす。ただし、同法第七十九条、第八十条第一項、第八十一条第一項及び第八十九条第一項の規定の適用については、この限りでない。

（規準又は規約）

第七条の一〇　前条第一項の規準又は規約には、次の各号（規準にあつては、第五号から第七号までを除く。）に掲げる事項を記載しなければならない。

一　第一種市街地再開発事業の名称

二　施行地区（施行地区を工区に分けるときは、施行地区及び工区）に含まれる地域の名称

三　第一種市街地再開発事業の範囲

四　事務所の所在地

五　費用の分担に関する事項

六　業務を代表して行う者を定めるときは、その職名、定数、任期、職務の分担及び選任の方法に関する事項

七　会議に関する事項

八　事業年度

九　公告の方法

十　その他国土交通省令で定める事項

（事業計画）

第七条の一一　事業計画においては、国土交通省令で定めるところにより、施行地区（施行地区を工区に分けるときは、施行地区及び工区）、設計の概要、事業施行期間及び資金計画を定めなければならない。

2　事業計画においては、国土交通省令で定めるところにより、施設建築敷地以外の建築物の敷地となるべき土地の区域（以下「個別利用区」という。）を定めることができる。

3　個別利用区の位置は、市街地の土地の合理的かつ健全な高度利用と都市機能の更新を図る上で支障がない位置に定めなければならない。この場合においては、第七十条の二第一項の申出が見込まれる者が所有権又は借地権を有する宅地の位置、利用状況、環境その他の事情を勘案しなければならない。

4　個別利用区の面積は、第七十条の二第一項の申出が見込まれる者に対して権利変換手続により所有権又は借地権が与えられることが見込まれる宅地の地積の合計を考慮して相当と認められる規模としなければならない。

5　第九十九条の十の規定により公共施設の管理者又は管理者となるべき者に当該公共施設の整備に関する工事の全部又は一部を行わせる場合には、事業計画において、当該管理者又は管理者となるべき者の行う工事の範囲を定めなければならない。

6　事業計画の設定について必要な技術的基準は、国土交通省令で定める。

（公共施設の管理者の同意）

第七条の一二　第七条の九第一項の規定による認可を申請しようとする者は、あらかじめ、事業計画につき、施行地区内にある公共施設の管理者、当該第一種市街地再開発事業の施行により整備される公共施設の管理者又は管理者となるべき者その他政令で定める施設の管理者又は管理者となるべき者の同意を得なければならない。

（事業計画に関する関係権利者の同意）

第七条の一三　第七条の九第一項の規定による認可を申請しようとする者は、その者以外に施行地区となるべき区域内の宅地又は建築物について権利を有する者があるときは、事業計画についてこれらの者の同意を得なければならない。ただし、その権利をもつて認可を申請しようとする者に対抗することができない者については、この限りでない。

2　前項の場合において、宅地又は建築物について権利を有する者のうち、宅地について所有権又は借地権を有する者及び権原に基づいて存する建築物について所有権又は借家権を有する者以外の者について同意を得られないとき、又はその者を確知することができないときは、その同意を得られない理由又は確知することができない理由を記載した書面を添えて、第七条の九第一項の規定による認可を申請することができる。

（施行の認可の基準）

第七条の一四　都道府県知事は、第七条の九第一項の規定による認可の申請があつた場合において、次の各号のいずれにも該当しないと認めるときは、その認可をしなければならない。

一　申請手続が法令に違反していること。

二　規準若しくは規約又は事業計画の決定手続又は内容が法令に違反していること。

三　施行地区が、第一種市街地再開発事業の施行区域の内外にわたつており、又は第三条第二号から第四号までに掲げる条件に該当しないこと。

四　事業計画の内容が施行地区内の土地に係る都市計画に適合せず、又は事業施行期間が適切でないこと。

五　当該第一種市街地再開発事業を遂行するために必要な経済的基礎及びこれを的確に遂行するために必要なその他の能力が十分でないこと。

（施行の認可の公告等）

第七条の一五　都道府県知事は、第七条の九第一項の規定による認可をしたときは、遅滞なく、国土交通省令で定めるところにより、施行者の氏名又は名称、事業施行期間、施行地区（施行地区を工区に分けるときは、施行地区及び工区。以下この項において同じ。）その他国土交通省令で定める事項を公告し、かつ、第一種市街地再開発事業の施行区域内において施行する第一種市街地再開発事業については国土交通大臣及び関係市町村長に、その他の第一種市街地再開発事業については関係市町村長に施行地区及び設計の概要を表示する図書を送付しなければならない。

2　第二条の二第一項の規定による施行者（以下「個人施行者」という。）は、前項の公告があるまでは、施行者として、又は規準若しくは規約若しくは事業計画をもつて第三者に対抗することができない。

3　市町村長は、第百条第二項又は第百二十四条の二第三項の公告の日まで、政令で定めるところにより、第一項の図書を当該市町村の事務所において公衆の縦覧に供しなければならない。

（規準又は規約及び事業計画の変更）

第七条の一六　個人施行者は、規準若しくは規約又は事業計画を変更しようとするときは、国土交通省令で定めるところにより、都道府県知事の認可を受けなければならない。

2　第七条の九第三項の規定は個人施行者が事業計画を変更して新たに施行地区に編入しようとする土地がある場合に、第七条の十二の規定は個人施行者が公共施設又は同条の政令で定める施設に関係のある事業計画の変更をしようとする場合に、第七条の九第二項及び前三条の規定は前項の規定による認可について準用する。この場合において、第七条の九第三項及び第七条の十三第一項中「施行地区となるべき区域」とあるのは「施行地区及び新たに施行地区となるべき区域」と、第七条の九第二項中「施行地区となるべき区域」とあるのは「施行地区又は新たに施行地区となるべき区域」と、前条第二項中「施行者として、又は規準若しくは規約若しくは事業計画をもつて」とあるのは「規準若しくは規約又は事業計画の変更をもつて」と読み替えるものとする。

3　個人施行者は、施行地区の縮小又は費用の分担に関し、規準若しくは規約又は事業計画を変更しようとする場合において、第一種市街地再開発事業の施行のための借入金があるときは、その変更についてその債権者の同意を得なければならない。

（施行者の変動）

第七条の一七　個人施行者について相続、合併その他の一般承継があつた場合において、その一般承継人が施行者以外の者であるときは、その一般承継人は、施行者となる。

2　施行地区内の宅地について、個人施行者の有する所有権又は借地権の全部又は一部を施行者以外の者（前項に規定する一般承継人を除く。）が承継したときは、その者は、施行者となる。

3　施行地区内の宅地について、個人施行者の有する借地権の全部又は一部が消滅した場合（当該借地権についての一般承継に伴う混同により消滅した場合を除く。）において、その借地権の設定者が施行者以外の者であるときは、その借地権の設定者は、施行者となる。

4　一人で施行する第一種市街地再開発事業において、前三項の規定により施行者が数人となつたときは、その第一種市街地再開発事業は、第二条の

二第一項の規定により数人共同して施行する第一種市街地再開発事業となるものとする。この場合において、施行者は、遅滞なく、第七条の九第一項の規約を定め、その規約について都道府県知事の認可を受けなければならない。

5　前項の規定による認可の申請は、施行地区を管轄する市町村長を経由して行わなければならない。

6　数人共同して施行する第一種市街地再開発事業において、当該施行者について一般承継があり、又は施行地区内の宅地について当該施行者の有する所有権若しくは借地権の一般承継以外の事由による承継若しくは消滅があつたことにより施行者が一人となつたときは、その第一種市街地再開発事業は、第二条の二第一項の規定により一人で施行する第一種市街地再開発事業となるものとする。この場合において、当該第一種市街地再開発事業について定められていた規約のうち、規準に記載すべき事項に相当する事項は、当該第一種市街地再開発事業に係る規準としての効力を有するものとし、その他の事項はその効力を失うものとする。

7　個人施行者について一般承継があり、又は施行地区内の宅地について、個人施行者の有する所有権若しくは借地権の一般承継以外の事由による承継若しくは消滅があつたことにより施行者に変動を生じたとき（第四項前段に規定する場合を除く。）は、施行者は、遅滞なく、国土交通省令で定めるところにより、施行地区を管轄する市町村長を経由して、新たに施行者となつた者の氏名又は名称及び住所並びに施行者でなくなつた者の氏名又は名称を都道府県知事に届け出なければならない。

8　都道府県知事は、第四項後段の規定により定められた規約について認可したときは新たに施行者となつた者の氏名又は名称その他国土交通省令で定める事項を、前項の規定による届出を受理したときは新たに施行者となつた者及び施行者でなくなつた者の氏名又は名称その他国土交通省令で定める事項を、遅滞なく、公告しなければならない。

9　個人施行者は、前項の公告があるまでは、施行者の変動、第四項後段の規定により定めた規約又は第六項後段の規定による規約の一部の失効をもつて第三者に対抗することができない。

（施行者の権利義務の移転）

第七条の一八　個人施行者について一般承継があつたときは、その施行者が第一種市街地再開発事業に関して有する権利義務（その施行者が当該第一種市街地再開発事業に関し、行政庁の認可、許可その他の処分に基づいて有する権利義務を含む。以下この条において同じ。）は、その一般承継人に移転する。

2　前項に規定する場合を除き、施行地区内の宅地について個人施行者の有する所有権又は借地権の全部又は一部を承継した者があるときは、その施行者がその所有権又は借地権の全部又は一部について第一種市街地再開発事業に関して有する権利義務は、その承継した者に移転する。

3　第一項に規定する場合を除き、施行地区内の宅地について、個人施行者の有する借地権の全部又は一部が消滅したときは、その施行者がその借地権の全部又は一部について第一種市街地再開発事業に関して有する権利義務は、その消滅した借地権の設定者に移転する。

（審査委員）

第七条の一九　個人施行者は、都道府県知事の承認を受けて、土地及び建物の権利関係又は評価について特別の知識経験を有し、かつ、公正な判断をすることができる者のうちから、この法律及び規準又は規約で定める権限を行う審査委員三人以上を選任しなければならない。

2　前項に規定するもののほか、審査委員に関し必要な事項は、政令で定める。

（第一種市街地再開発事業の終了）

第七条の二〇　個人施行者は、第一種市街地再開発事業を終了しようとするときは、国土交通省令で定めるところにより、その終了について都道府県知事の認可を受けなければならない。

2　第七条の九第二項並びに第七条の十五第一項（図書の送付に係る部分を除く。）及び第二項の規定は、前項の規定による認可について準用する。この場合において、第七条の九第二項中「施行地区となるべき区域」とあるのは「施行地区」と、第七条の十五第二項中「施行者として、又は規準若しくは規約若しくは事業計画をもつて」とあるのは「第一種市街地再開発事業の終了をもつて」と読み替えるものとする。

第一節の二　市街地再開発組合

第一款　通則

（法人格）

第八条　市街地再開発組合（以下「組合」という。）は、法人とする。

2　一般社団法人及び一般財団法人に関する法律（平成十八年法律第四十八号）第四条及び第七十八条の規定は、組合について準用する。

（定款）

第九条　組合は、定款をもつて次の各号に掲げる事項を定めなければならない。

一　組合の名称
二　施行地区（施行地区を工区に分けるときは、施行地区及び工区）に含まれる地域の名称
三　第一種市街地再開発事業の範囲
四　事務所の所在地
五　参加組合員に関する事項
六　費用の分担に関する事項
七　役員の定数、任期、職務の分担並びに選挙及び選任の方法に関する事項
八　総会に関する事項
九　総代会を設けるときは、総代及び総代会に関する事項
十　事業年度
十一　公告の方法
十二　その他国土交通省令で定める事項

（名称の使用制限）

第一〇条　組合は、その名称中に市街地再開発組合という文字を用いなければならない。

2　組合でない者は、その名称中に市街地再開発組合という文字を用いてはならない。

第二款　設立

（認可）

第一一条　第一種市街地再開発事業の施行区域内の宅地について所有権又は借地権を有する者は、五人以上共同して、定款及び事業計画を定め、国土交通省令で定めるところにより、都道府県知事の認可を受けて組合を設立することができる。

2　前項に規定する者は、事業計画の決定に先立つて組合を設立する必要がある場合においては、同項の規定にかかわらず、五人以上共同して、定款及び事業基本方針を定め、国土交通省令で定めるところにより、都道府県知事の認可を受けて組合を設立することができる。

3　前項の規定により設立された組合は、国土交通省令で定めるところにより、都道府県知事の認可を受けて事業計画を定めるものとする。

4　第七条の九第二項の規定は前三項の規定による認可に、同条第三項の規定は第一項又は第二項の規定による認可について準用する。この場合において、同条第二項中「施行地区となるべき区域」とあるのは、「施行地区となるべき区域（第十一条第三項の規定による認可の申請にあつては、施行地区）」と読み替えるものとする。

5　組合が施行する第一種市街地再開発事業については、第一項又は第三項の規定による認可をもつて都市計画法第五十九条第四項の規定による認可とみなす。第七条の九第四項ただし書の規定は、この場合について準用する。

（事業計画及び事業基本方針）

第一二条　第七条の十一及び第七条の十二の規定は、前条第一項又は第三項の事業計画について準用する。

2　前条第二項の事業基本方針においては、国土交通省令で定めるところにより、施行地区（施行地区を工区に分けるときは、施行地区及び工区）及び市街地再開発事業の施行の方針を定めなければならない。

3　前条第三項の事業計画は、同条第二項の事業基本方針に即したものでなければならない。

（参加組合員としての参加の機会の付与）

第一三条　第五条の規定により住宅建設の目標が定められた第一種市街地再開発事業に関し第十一条第一項又は第二項の規定による認可を申請しようとする者は、あらかじめ、施行地区となるべき区域において住生活基本法

（平成十八年法律第六十一号）第二条第二項に規定する公営住宅等を建設することが適当と認められる者に対して、これらの者が参加組合員として参加する機会を与えなければならない。

（宅地の所有者及び借地権者の同意）

第一四条　第十一条第一項又は第二項の規定による認可を申請しようとする者は、組合の設立について、施行地区となるべき区域内の宅地について所有権を有するすべての者及びその区域内の宅地について借地権を有するすべての者のそれぞれの三分の二以上の同意を得なければならない。この場合においては、同意した者が所有するその区域内の宅地の地積と同意した者のその区域内の借地の地積との合計が、その区域内の宅地の総地積と借地の総地積との合計の三分の二以上でなければならない。

2　第七条の二第五項の規定は、前項の規定により同意を得る場合について準用する。

（借地権の申告）

第一五条　前条第一項に規定する同意を得ようとする者は、あらかじめ、施行地区となるべき区域の公告を当該区域を管轄する市町村長に申請しなければならない。

2　第七条の三第二項から第四項までの規定は、前項の規定による申請があつた場合について準用する。この場合において、同条第四項中「前条第三項」とあるのは、「第十四条」と読み替えるものとする。

（事業計画の案の作成及び組合員への周知等）

第一五条の二　第十一条第二項の規定により設立された組合は、同条第三項の事業計画を定めようとするときは、あらかじめ、事業計画の案を作成し、国土交通省令で定めるところにより、説明会の開催その他組合員に当該事業計画の案を周知させるため必要な措置を講じなければならない。

2　前項の組合員は、同項の事業計画の案について意見がある場合においては、国土交通省令で定めるところにより、組合に意見書を提出することができる。ただし、事業基本方針において定められた事項については、この限りでない。

3　組合は、前項の規定により意見書の提出があつたときは、その意見書に係る意見を勘案し、必要があると認めるときは事業計画の案に修正を加えなければならない。

4　組合が成立した後、最初の役員が選挙され、又は選任されるまでの間は、前三項に規定する組合の事務は、第十一条第二項の規定による認可を受けた者が行うものとする。

（事業計画の縦覧及び意見書の処理）

第一六条　都道府県知事は、第十一条第一項又は第三項の規定による認可の申請があつたときは、施行地区となるべき区域（同項の規定による認可の申請にあつては、施行地区）を管轄する市町村長に、当該事業計画を二週間公衆の縦覧に供させなければならない。ただし、当該申請に関し明らかに次条各号の一に該当する事実があり、認可すべきでないと認めるときは、この限りでない。

2　当該第一種市街地再開発事業に関係のある土地若しくはその土地に定着する物件について権利を有する者又は参加組合員は、前項の規定により縦覧に供された事業計画について意見があるときは、縦覧期間満了の日の翌日から起算して二週間を経過する日までに、都道府県知事に意見書を提出することができる。ただし、都市計画において定められた事項については、この限りでない。

3　都道府県知事は、前項の規定により意見書の提出があつたときは、その内容を審査し、その意見書に係る意見を採択すべきであると認めるときは事業計画に必要な修正を加えるべきことを命じ、その意見書に係る意見を採択すべきでないと認めるときはその旨を意見書を提出した者に通知しなければならない。

4　前項の規定による意見書の内容の審査については、行政不服審査法（平成二十六年法律第六十八号）第二章第三節（第二十九条、第三十条、第三十二条第二項、第三十八条、第四十条、第四十一条第三項及び第四十二条を除く。）の規定を準用する。この場合において、同節中「審理員」とあるのは、「都道府県知事」と読み替えるものとする。

5　第十一条第一項又は第三項の規定による認可を申請した者が、第三項の規定により事業計画に修正を加え、その旨を都道府県知事に申告したときは、その修正に係る部分について、更にこの条に規定する手続を行うべきものとする。

（認可の基準）

第一七条　都道府県知事は、第十一条第一項から第三項までの規定による認可の申請があつた場合において、次の各号のいずれにも該当しないと認めるときは、その認可をしなければならない。

一　申請手続が法令に違反していること。

二　定款又は事業計画若しくは事業基本方針の決定手続又は内容が法令（事業計画の内容にあつては、前条第三項に規定する都道府県知事の命令を含む。）に違反していること。

三　事業計画又は事業基本方針の内容が当該第一種市街地再開発事業に関する都市計画に適合せず、又は事業施行期間が適切でないこと。

四　当該第一種市街地再開発事業を遂行するために必要な経済的基礎及びこれを的確に遂行するために必要なその他の能力が十分でないこと。

（組合の成立）

第一八条　組合は、第十一条第一項又は第二項の規定による認可により成立する。

（認可の公告等）

第一九条　都道府県知事は、第十一条第一項又は第三項の規定による認可をしたときは、遅滞なく、国土交通省令で定めるところにより、組合の名称、事業施行期間、施行地区（施行地区を工区に分けるときは、施行地区及び工区。以下この条において同じ。）その他国土交通省令で定める事項を公告し、かつ、国土交通大臣及び関係市町村長に施行地区及び設計の概要を表示する図書を送付しなければならない。

2　都道府県知事は、第十一条第二項の規定による認可をしたときは、遅滞なく、国土交通省令で定めるところにより、組合の名称、施行地区その他国土交通省令で定める事項を公告し、かつ、関係市町村長に施行地区を表示する図書を送付しなければならない。

3　組合は、第十一条第一項の認可に係る第一項の公告があるまでは組合の成立又は定款若しくは事業計画をもつて、前項の公告があるまでは組合の成立又は定款若しくは事業基本方針をもつて、同条第三項の認可に係る第一項の公告があるまでは事業計画をもつて組合員その他の第三者に対抗することができない。

4　市町村長は、第四十五条第六項又は第百条第二項の公告の日（第二項の図書にあつては、当該図書に係る市街地再開発事業についての第一項の図書の公衆の縦覧を開始する日）まで、政令で定めるところにより、第一項又は第二項の図書を当該市町村の事務所において公衆の縦覧に供しなければならない。

第三款　管理

（組合員）

第二〇条　組合が施行する第一種市街地再開発事業に係る施行地区内の宅地について所有権又は借地権を有する者は、すべてその組合の組合員とする。

2　宅地又は借地権が数人の共有に属するときは、その数人を一人の組合員とみなす。ただし、当該宅地の共有者（参加組合員がある場合にあつては、参加組合員を含む。）のみが組合の組合員となつている場合は、この限りでない。

（参加組合員）

第二一条　前条に規定する者のほか、住生活基本法第二条第二項に規定する公営住宅等を建設する者、不動産賃貸業者、商店街振興組合その他政令で定める者であつて、組合が施行する第一種市街地再開発事業に参加することを希望し、定款で定められたものは、参加組合員として、組合の組合員となる。

（組合員の権利義務の移転）

第二二条　施行地区内の宅地について組合員の有する所有権又は借地権の全部又は一部を承継した者があるときは、その組合員がその所有権又は借地権の全部又は一部について組合に対して有する権利義務は、その承継した者に移転する。

2　施行地区内の宅地について、組合員の有する借地権の全部又は一部が消滅したときは、その組合員がその借地権の全部又は一部について組合に対して有する権利義務は、その消滅した借地権の設定者に移転する。

（役員）

第二三条　組合に、役員として、理事三人以上及び監事二人以上を置く。

2　組合に、役員として、理事長一人を置き、理事の互選によりこれを定める。

（役員の資格、選挙及び選任）

第二四条　理事及び監事は、組合員（法人にあつては、その役員）のうちから総会で選挙する。ただし、特別の事情があるときは、組合員以外の者のうちから総会で選任することができる。

2　前項本文の規定により選挙された理事若しくは監事が組合員でなくなつたとき、又はその理事若しくは監事が組合員である法人の役員である場合において、その法人が組合員でなくなつたとき、若しくはその理事若しくは監事がその法人の役員でなくなつたときは、その理事又は監事は、その地位を失う。

（役員の任期）

第二五条　理事及び監事の任期は、五年以内とし、補欠の理事及び監事の任期は、前任者の残任期間とする。

2　理事又は監事は、その任期が満了しても、後任の理事又は監事が就任するまでの間は、なおその職務を行なう。

（役員の解任請求）

第二六条　組合員は、総組合員の三分の一以上の連署をもつて、その代表者から、組合に対し、理事又は監事の解任の請求をすることができる。

2　前項の規定による請求があつたときは、組合は、ただちに、その請求の要旨を公表し、これを組合員の投票に付さなければならない。

3　理事又は監事は、前項の規定による投票において過半数の同意があつたときは、その地位を失う。

4　前三項に定めるもののほか、理事及び監事の解任の請求及び第二項の規定による投票に関し必要な事項は、政令で定める。

（役員の職務）

第二七条　理事長は、組合を代表し、その業務を総理する。

2　理事は、定款の定めるところにより、理事長を補佐して組合の業務を掌理し、理事長に事故があるときはその職務を代理し、理事長が欠けたときはその職務を行う。

3　定款に特別の定めがある場合を除くほか、組合の業務は、理事の過半数で決する。

4　監事の職務は、次のとおりとする。

一　組合の財産の状況を監査すること。

二　理事長及び理事の業務の執行の状況を監査すること。

三　財産の状況又は業務の執行について、法令若しくは定款に違反し、又は著しく不当な事項があると認めるときは、総会又は都道府県知事に報告をすること。

四　前号の報告をするため必要があるときは、総会を招集すること。

5　組合と理事長との利益が相反する事項については、理事長は、代表権を有しない。この場合においては、監事が組合を代表する。

6　理事長は、事業年度ごとに事業報告書、収支決算書及び財産目録を作成し、監事の意見書を添えて、これを通常総会に提出し、その承認を求めなければならない。

7　前項の監事の意見書については、これに記載すべき事項を記録した電磁的記録（電子的方式、磁気的方式その他人の知覚によつては認識することができない方式で作られる記録であつて、電子計算機による情報処理の用に供されるものとして国土交通省令で定めるものをいう。）の添付をもつて、当該監事の意見書の添付に代えることができる。この場合において、理事長は、当該監事の意見書を添付したものとみなす。

8　理事長は、毎事業年度、通常総会の承認を得た事業報告書、収支決算書及び財産目録を当該承認を得た日から二週間以内に、都道府県知事に提出しなければならない。

9　理事長は、組合員から総組合員の十分の一以上の同意を得て会計の帳簿及び書類の閲覧又は謄写の請求があつたときは、正当な理由がない限り、これを拒んではならない。

10　監事は、理事又は組合の職員と兼ねてはならない。

（理事長の代表権の制限）

第二七条の二　理事長の代表権に加えた制限は、善意の第三者に対抗することができない。

（理事長の代理行為の委任）

第二七条の三　理事長は、定款又は総会の議決によつて禁止されていないときに限り、特定の行為の代理を他人に委任することができる。

（理事長の氏名等の届出及び公告）

第二八条　組合は、理事長の氏名及び住所を、施行地区を管轄する市町村長を経由して都道府県知事に届け出なければならない。

2　都道府県知事は、前項の規定による届出があつたときは、遅滞なく、理事長の氏名及び住所を公告しなければならない。

3　組合は、前項の公告があるまでは、理事長の代表権をもつて組合員以外の第三者に対抗することができない。

（総会の組織）

第二九条　組合の総会は、総組合員で組織する。

（総会の決議事項）

第三〇条　次の各号に掲げる事項は、総会の議決を経なければならない。

一　定款の変更

二　事業計画の決定

三　事業計画又は事業基本方針の変更

四　借入金の借入れ及びその方法並びに借入金の利率及び償還方法

五　経費の収支予算

六　予算をもつて定めるものを除くほか、組合の負担となるべき契約

七　賦課金の額及び賦課徴収の方法

八　権利変換計画

九　事業代行開始の申請

十　第百三十三条第一項の管理規約

十一　組合の解散

十二　その他定款で定める事項

（総会の招集）

第三一条　理事長は、毎事業年度一回通常総会を招集しなければならない。

2　理事長は、必要があると認めるときは、いつでも、臨時総会を招集することができる。

3　組合員が総組合員の五分の一以上の同意を得て、会議の目的である事項及び招集の理由を記載した書面を組合に提出して総会の招集を請求したときは、理事長は、その請求のあつた日から起算して二十日以内に臨時総会を招集しなければならない。

4　前項の場合において、電磁的方法（電子情報処理組織を使用する方法その他の情報通信の技術を利用する方法であつて国土交通省令で定めるものをいう。以下同じ。）により議決権及び選挙権を行使することが定款で定められているときは、組合員は、同項の規定による書面の提出に代えて、当該書面に記載すべき事項を当該電磁的方法により提供することができる。この場合において、当該組合員は、当該書面を提出したものとみなす。

5　前項前段の規定による書面に記載すべき事項の電磁的方法（国土交通省令で定める方法を除く。）による提供は、組合の使用に係る電子計算機に備えられたファイルへの記録がされた時に当該組合に到達したものとみなす。

6　第三項の規定による請求があつた場合において、理事長が正当な理由がないのに総会を招集しないときは、監事は、同項の期間経過後十日以内に臨時総会を招集しなければならない。

7　第十一条第一項又は第二項の規定による認可を受けた者は、その認可の公告があつた日から起算して三十日以内に、最初の理事及び監事を選挙し、又は選任するための総会を招集しなければならない。

8　総会を招集するには、少なくとも会議を開く日の五日前までに、会議の日時、場所及び目的である事項を組合員に通知しなければならない。ただし、緊急を要するときは、二日前までにこれらの事項を組合員に通知して、総会を招集することができる。

9　理事長は、少なくとも通常総会の会議を開く日の五日前からその会議を開く日までの間、当該通常総会の承認を求めようとする事業報告書、収支決算書及び財産目録を主たる事務所に備え付けておかなければならない。

10　理事長は、組合員から前項の書類の閲覧又は謄写の請求があつたときは、正当な理由がない限り、これを拒んではならない。

（総会の議事等）

第三二条　総会は、総組合員の半数以上の出席がなければ議事を開くことができず、その議事は、この法律に特別の定めがある場合を除くほか、出席者の議決権の過半数で決し、可否同数のときは、議長の決するところによる。

2　議長は、総会において選任する。

3　議長は、組合員として総会の議決に加わることができない。ただし、次条の規定による議決については、この限りでない。

4　総会においては、前条第八項の規定によりあらかじめ通知した会議の目的である事項についてのみ議決することができる。

（特別の議決）

第三三条　特別決議事項（第三十条第一号及び第三号に掲げる事項のうち政令で定める重要な事項並びに同条第九号から第十一号までに掲げる事項をいう。以下同じ。）は、総組合員の三分の二以上が出席し、出席者の議決権の三分の二以上で、かつ、施行地区内の宅地について所有権を有する出席者の議決権及び施行地区内の宅地について借地権を有する出席者の議決権のそれぞれの三分の二以上で決する。この場合においては、その有する議決権を当該特別決議事項に同意するものとして行使した者（以下この条において「同意者」という。）が所有する施行地区内の宅地の地積と同意者の施行地区内の借地の地積との合計（第二十条第二項ただし書の場合にあつては、施行地区内の宅地の地積に同意者が有する当該宅地の所有権の共有持分の割合の合計を乗じて得た面積）が、施行地区内の宅地の総地積と借地の総地積との合計の三分の二（同項ただし書の場合にあつては、施行地区内の宅地の総地積の三分の二）以上でなければならない。

（総会の部会）

第三四条　組合は、施行地区が工区に分かれているときは、総会の議決を経て、工区ごとに総会の部会を設け、工区内の宅地及び建築物に関し、第三十条第八号及び第十号に掲げる事項についての総会の権限をその部会に行なわせることができる。

2　総会の部会は、その部会の設けられる工区に関係のある組合員で組織する。

3　第三十一条第二項から第六項まで及び第八項並びに前二条の規定は、総会の部会について準用する。

（総代会）

第三五条　組合員の数が五十人をこえる組合は、総会に代わつてその権限を行なわせるために総代会を設けることができる。

2　総代会は、総代をもつて組織するものとし、総代の定数は、組合員の総数の十分の一を下らない範囲内において定款で定める。ただし、組合員の総数が二百人をこえる組合にあつては、二十人以上であることをもつて足りる。

3　総代会が総会に代わつて行う権限は、次に掲げる事項以外の事項に関する総会の権限とする。

一　理事及び監事の選挙又は選任

二　特別決議事項

4　第三十一条第一項から第六項まで及び第八項並びに第三十二条（第三項ただし書を除く。）の規定は、総代会について準用する。

5　総代会が設けられた組合においては、理事長は、第三十一条第一項の規定にかかわらず、通常総会を招集することを要しない。

（総代）

第三六条　総代は、定款で定めるところにより、組合員が組合員（法人にあつては、その役員）のうちから選挙する。

2　総代の任期は、五年をこえない範囲内において定款で定める。補欠の総代の任期は、前任者の残任期間とする。

3　第二十四条第二項及び第二十六条の規定は、総代について準用する。

（議決権及び選挙権）

第三七条　組合員及び総代は、定款に特別の定めがある場合を除き、各一個の議決権及び選挙権を有する。

2　施行地区内の宅地について所有権と借地権とをともに有する組合員は、第三十三条の規定による議決については、前項の規定にかかわらず、宅地について所有権を有する組合員として、及び宅地について借地権を有する組合員として、それぞれ議決権を有する。施行地区内の宅地について所有権を有する組合員及び施行地区内の宅地について借地権を有する組合員が各別に総代を選挙するものと定款で定めた場合におけるその選挙に係る選挙権についても、同様とする。

3　組合と特定の組合員との関係について議決をする場合には、その組合員は、議決権を有しない。

4　組合員は書面又は代理人をもつて、総代は書面をもつて、議決権及び選挙権を行使することができる。

5　組合員及び総代は、定款で定めるところにより、前項の規定による書面をもつてする議決権及び選挙権の行使に代えて、電磁的方法により議決権及び選挙権を行使することができる。

6　前二項の規定により議決権及び選挙権を行使する者は、第三十二条第一項（第三十四条第三項及び第三十五条第四項において準用する場合を含む。）及び第三十三条（第三十四条第三項において準用する場合を含む。）の規定の適用については、出席者とみなす。

7　代理人は、同時に五人以上の組合員を代理することができない。

8　代理人は、代理権を証する書面を組合に提出しなければならない。

9　前項の場合において、電磁的方法により議決権及び選挙権を行使することが定款で定められているときは、代理人は、当該書面の提出に代えて、当該書面において証すべき事項を当該電磁的方法により提供することができる。この場合において、当該代理人は、当該書面を提出したものとみなす。

（定款又は事業計画若しくは事業基本方針の変更）

第三八条　組合は、定款又は事業計画若しくは事業基本方針を変更しようとするときは、国土交通省令で定めるところにより、都道府県知事の認可を受けなければならない。

2　第七条の九第三項、第十四条及び第十五条の規定は組合が事業計画又は事業基本方針を変更して新たに施行地区に編入しようとする土地がある場合に、第七条の十二の規定は組合が公共施設又は同条の政令で定める施設に関係のある事業計画の変更をしようとする場合に、第七条の十六第三項の規定は組合が施行地区の縮小又は費用の分担に関し定款又は事業計画若しくは事業基本方針を変更しようとする場合に、第十五条の二の規定は組合が事業基本方針の変更の認可を受けて事業計画を定めようとする場合に、第十六条の規定は事業計画の変更（政令で定める軽微な変更を除く。）の認可の申請があつた場合に、第七条の九第二項、第十七条及び第十九条の規定は前項の規定による認可について準用する。この場合において、第七条の九第三項中「施行地区となるべき区域」とあり、第十六条第一項中「施行地区」とあるのは「施行地区となるべき区域（同項の規定による認可の申請にあつては、施行地区及び新たに施行地区となるべき区域）」と、第七条の九第二項中「施行地区となるべき区域」とあるのは「施行地区又は新たに施行地区となるべき区域」と、第十九条第一項中「認可」とあるのは「認可に係る定款又は事業計画についての変更の認可」と、同条第二項中「認可」とあるのは「認可に係る定款又は事業基本方針についての変更の認可」と、同条第三項中「組合の成立又は定款若しくは事業計画」とあるのは「定款又は事業計画の変更」と、「組合の成立又は定款若しくは事業基本方針」とあるのは「定款又は事業基本方針の変更」と、「あるまでは事業計画」とあるのは「あるまでは事業計画の変更」と、「組合員その他の」とあるのは「その変更について第三十八条第一項の規定による認可があつた際に従前から組合員であつた者以外の」と読み替えるものとする。

（経費の賦課徴収）

第三九条　組合は、その事業に要する経費に充てるため、賦課金として参加組合員以外の組合員に対して金銭を賦課徴収することができる。

2　賦課金の額は、組合員が施行地区内に有する宅地又は借地の位置、地積等を考慮して公平に定めなければならない。

3　組合員は、賦課金の納付について、相殺をもつて組合に対抗することができない。

4　組合は、組合員が賦課金の納付を怠つたときは、定款で定めるところにより、その組合員に対して過怠金を課することができる。

（参加組合員の負担金及び分担金）

第四〇条　参加組合員は、政令で定めるところにより、権利変換計画の定めるところに従い取得することとなる施設建築物の一部等の価額に相当する額の負担金及び組合の事業に要する経費に充てるための分担金を組合に納付しなければならない。

2　前条第三項及び第四項の規定は、前項の負担金及び分担金について準用する。

（賦課金等の滞納処分）

第四一条　組合は、組合員が賦課金、負担金、分担金又は過怠金を滞納したときは、督促状を発して督促し、その者がその督促状において指定した期限までに納付しないときは、市町村長に対し、その徴収を申請することができる。

2　市町村長は、前項の規定による申請があつたときは、組合のために、地方税の滞納処分の例により滞納処分をするものとする。この場合においては、組合は、市町村長の徴収した金額の百分の四に相当する金額を当該市町村に納付しなければならない。

3　市町村長が第一項の規定による申請を受けた日から起算して、三十日以内に滞納処分に着手せず、又は九十日以内にこれを終了しないときは、組合の理事長は、都道府県知事の認可を受けて、地方税の滞納処分の例により、滞納処分をすることができる。

4　前二項の規定による徴収金の先取特権の順位は、国税及び地方税に次ぐものとする。

（賦課金等の時効）

第四二条　賦課金、負担金、分担金及び過怠金を徴収する権利は、これらを行使することができる時から五年間行使しないときは、時効により消滅する。

2　前条第一項の督促は、時効の更新の効力を有する。

（審査委員）

第四三条　組合に、この法律及び定款で定める権限を行なわせるため、審査委員三人以上を置く。

2　審査委員は、土地及び建物の権利関係又は評価について特別の知識経験を有し、かつ、公正な判断をすることができる者のうちから総会で選任する。

3　前二項に規定するもののほか、審査委員に関し必要な事項は、政令で定める。

（権利変換期日以後における組合員の特則）

第四四条　権利変換期日以後においては、組合又は参加組合員が取得するものを除き、施設建築敷地の各共有持分及び第八十八条第一項の規定による地上権の各共有持分は、それぞれ一個の宅地又は地上権と、その各共有持分の割合は、それぞれ宅地の地積又は地上権の目的となつている宅地の地積と、その各共有持分の割合の合計は、それぞれ施行地区内の宅地の総地積又は地上権の目的となつている宅地の総地積とみなし、組合又は参加組合員が取得したそれらの共有持分は、存しないものとみなして、組合員に関する規定を適用する。

2　第三十条第十号に掲げる事項の議決に係る第三十三条の規定の適用については、施行地区内の宅地のうち第七十条の二第五項に規定する指定宅地（権利変換期日以後においては、個別利用区内の宅地。以下この項において同じ。）についてのみ所有権又は借地権を有する者は組合員でないものとみなし、同条第五項に規定する指定宅地は施行地区内の宅地及び借地に含まれないものとみなす。

第四款　解散

（解散）

第四五条　組合は、次の各号に掲げる理由により解散する。

一　設立についての認可の取消し

二　総会の議決

三　事業の完成

2　前項第二号の議決は、権利変換期日前に限り行うことができるものとする。

3　組合は、第一項第二号又は第三号に掲げる理由により解散しようとする場合において、借入金があるときは、解散について債権者の同意を得なければならない。

4　組合は、第一項第二号又は第三号に掲げる理由により解散しようとするときは、国土交通省令で定めるところにより、都道府県知事の認可を受けなければならない。

5　第七条の九第二項の規定は、前項の規定による認可について準用する。この場合において、同条第二項中「施行地区となるべき区域」とあるのは、「施行地区」と読み替えるものとする。

6　都道府県知事は、組合の設立についての認可を取り消したとき、又は第四項の規定による認可をしたときは、遅滞なく、その旨を公告しなければならない。

7　組合は、前項の公告があるまでは、解散をもつて組合員以外の第三者に対抗することができない。

（清算中の組合の能力）

第四五条の二　解散した組合は、清算の目的の範囲内において、その清算の結了に至るまではなお存続するものとみなす。

（清算人）

第四六条　組合が解散したときは、理事がその清算人となる。ただし、総会で他の者を選任したときは、この限りでない。

（裁判所による清算人の選任）

第四六条の二　前条の規定により清算人となる者がないとき、又は清算人が欠けたため損害を生ずるおそれがあるときは、裁判所は、利害関係人若しくは検察官の請求により又は職権で、清算人を選任することができる。

（清算人の解任）

第四六条の三　重要な事由があるときは、裁判所は、利害関係人若しくは検察官の請求により又は職権で、清算人を解任することができる。

（清算人の職務及び権限）

第四六条の四　清算人の職務は、次のとおりとする。

一　現務の結了

二　債権の取立て及び債務の弁済

三　残余財産の引渡し

2　清算人は、前項各号に掲げる職務を行うために必要な一切の行為をすることができる。

（清算事務）

第四七条　清算人は、就職の後遅滞なく、組合の財産の現況を調査し、財産目録を作成し、及び財産処分の方法を定め、財産目録及び財産処分の方法について総会の承認を求めなければならない。

（債権の申出の催告等）

第四七条の二　清算人は、その就職の日から二月以内に、少なくとも三回の公告をもつて、債権者に対し、一定の期間内にその債権の申出をすべき旨の催告をしなければならない。この場合において、その期間は、二月を下ることができない。

2　前項の公告には、債権者がその期間内に申出をしないときは清算から除斥されるべき旨を付記しなければならない。ただし、清算人は、知れている債権者を除斥することができない。

3　清算人は、知れている債権者には、各別にその申出の催告をしなければならない。

4　第一項の公告は、官報に掲載してする。

（期間経過後の債権の申出）

第四七条の三　前条第一項の期間の経過後に申出をした債権者は、組合の債務が完済された後まだ権利の帰属すべき者に引き渡されていない財産に対してのみ、請求をすることができる。

（残余財産の処分制限）

第四八条　清算人は、組合の債務を弁済した後でなければ、その残余財産を処分することができない。

（裁判所による監督）

第四八条の二　組合の解散及び清算は、裁判所の監督に属する。

2　裁判所は、職権で、いつでも前項の監督に必要な検査をすることができる。

3　組合の解散及び清算を監督する裁判所は、都道府県知事に対し、意見を求め、又は調査を嘱託することができる。

4　都道府県知事は、前項に規定する裁判所に対し、意見を述べることができる。

（決算報告）

第四九条　清算人は、清算事務が終わつたときは、遅滞なく、国土交通省令で定めるところにより、決算報告書を作成し、これについて都道府県知事の承認を得た後、これを組合員に報告しなければならない。

（解散及び清算の監督等に関する事件の管轄）

第四九条の二　組合の解散及び清算の監督並びに清算人に関する事件は、組合の主たる事務所の所在地を管轄する地方裁判所の管轄に属する。

（不服申立ての制限）

第四九条の三　清算人の選任の裁判に対しては、不服を申し立てることができない。

（裁判所の選任する清算人の報酬）

第四九条の四　裁判所は、第四十六条の二の規定により清算人を選任した場合には、組合が当該清算人に対して支払う報酬の額を定めることができる。この場合においては、裁判所は、当該清算人及び監事の陳述を聴かなければならない。

（検査役の選任）

第五〇条　裁判所は、組合の解散及び清算の監督に必要な調査をさせるため、検査役を選任することができる。

2　前二条の規定は、前項の規定により裁判所が検査役を選任した場合について準用する。この場合において、前条中「清算人及び監事」とあるのは、

「組合及び検査役」と読み替えるものとする。

第一節の三　再開発会社

（施行の認可）

第五〇条の二　第二条の二第三項の規定により市街地再開発事業を施行しようとする者は、規準及び事業計画を定め、国土交通省令で定めるところにより、都道府県知事の認可を受けなければならない。

2　第七条の九第二項及び第三項の規定は、前項の規定による認可について準用する。

3　第二条の二第三項の規定による施行者（以下「再開発会社」という。）が施行する市街地再開発事業については、第一項の規定による認可をもつて都市計画法第五十九条第四項の規定による認可とみなす。第七条の九第四項ただし書の規定は、この場合について準用する。

（規準）

第五〇条の三　前条第一項の規準には、次に掲げる事項を記載しなければならない。

一　市街地再開発事業の種類及び名称

二　施行地区（施行地区を工区に分けるときは、施行地区及び工区）に含まれる地域の名称

三　市街地再開発事業の範囲

四　事務所の所在地

五　特定事業参加者（第五十条の十第一項の負担金を納付し、権利変換計画又は管理処分計画の定めるところに従い施設建築物の一部等又は建築施設の部分を取得する者をいう。以下この節において同じ。）に関する事項

六　費用の分担に関する事項

七　事業年度

八　公告の方法

九　その他国土交通省令で定める事項

2　再開発会社は、規準において前項第五号の特定事業参加者に関する事項を定めようとするときは、原則として、特定事業参加者を公募しなければならない。ただし、施行地区となるべき区域内に宅地、借地権若しくは権原に基づき存する建築物を有する者又は当該区域内の建築物について借家権を有する者が、再開発会社が取得することとなる施設建築物の一部等又は建築施設の部分をその居住又は業務の用に供するため特に取得する必要がある場合において、これらの者を特定事業参加者として同号の特定事業参加者に関する事項を定めようとするときは、この限りでない。

3　再開発会社は、規準において第一項第五号の特定事業参加者に関する事項を定めようとするときは、施設建築物の一部等又は建築施設の部分の価額に相当する額を負担するのに必要な資力及び信用を有し、かつ、取得後の施設建築物の一部等又は建築施設の部分を当該市街地再開発事業の目的に適合して利用すると認められる者を特定事業参加者としなければならない。

（宅地の所有者及び借地権者の同意）

第五〇条の四　第五十条の二第一項の規定による認可を申請しようとする者は、規準及び事業計画について、施行地区となるべき区域内の宅地について所有権を有するすべての者及びその区域内の宅地について借地権を有するすべての者のそれぞれの三分の二以上の同意を得なければならない。この場合においては、同意した者が所有するその区域内の宅地の地積と同意した者のその区域内の借地の地積との合計が、その区域内の宅地の総地積と借地の総地積との合計の三分の二以上でなければならない。

2　第七条の二第五項の規定は、前項の規定により同意を得る場合について準用する。

（借地権の申告）

第五〇条の五　前条第一項に規定する同意を得ようとする者は、あらかじめ、施行地区となるべき区域の公告を当該区域を管轄する市町村長に申請しなければならない。

2　第七条の三第二項から第四項までの規定は、前項の規定による申請があつた場合について準用する。この場合において、同条第四項中「前条第三項」とあるのは、「第五十条の四」と読み替えるものとする。

（事業計画等）

第五〇条の六　第七条の十一及び第七条の十二の規定は事業計画について、第十六条の規定は規準及び事業計画について、それぞれ準用する。この場合において、第七条の十一第二項中「事業計画」とあるのは「第一種市街地再開発事業の事業計画」と、第七条の十二中「第七条の九第一項」とあるのは「第五十条の二第一項」と、同条及び第十六条第二項中「第一種市街地再開発事業」とあるのは「市街地再開発事業」と、同条第一項及び第五項中「第十一条第一項又は第三項」とあるのは「第五十条の二第一項」と、同条第一項ただし書中「次条各号の一」とあるのは「第五十条の七各号のいずれか」と、同条第二項中「参加組合員」とあるのは「第五十条の三第一項第五号の特定事業参加者」と読み替えるものとする。

（認可の基準）

第五〇条の七　都道府県知事は、第五十条の二第一項の規定による認可の申請があつた場合において、次の各号のいずれにも該当しないと認めるときは、その認可をしなければならない。

一　申請者が第二条の二第三項各号に掲げる要件のすべてに該当する株式会社でないこと。

二　申請手続が法令に違反していること。

三　規準又は事業計画の決定手続又は内容が法令（前条において準用する第十六条第三項に規定する都道府県知事の命令を含む。）に違反していること。

四　事業計画の内容が当該市街地再開発事業に関する都市計画に適合せず、又は事業施行期間が適切でないこと。

五　当該市街地再開発事業を遂行するために必要な経済的基礎及びこれを的確に遂行するために必要なその他の能力が十分でないこと。

（認可の公告等）

第五〇条の八　都道府県知事は、第五十条の二第一項の規定による認可をしたときは、遅滞なく、国土交通省令で定めるところにより、再開発会社の名称、市街地再開発事業の種類及び名称、事業施行期間、施行地区（施行地区を工区に分けるときは、施行地区及び工区。以下この項において同じ。）その他国土交通省令で定める事項を公告し、かつ、国土交通大臣及び関係市町村長に施行地区及び設計の概要を表示する図書を送付しなければならない。

2　再開発会社は、前項の公告があるまでは、施行者として、又は規準若しくは事業計画をもつて第三者に対抗することができない。

3　市町村長は、第百条第二項又は第百二十五条の二第五項の公告の日まで、政令で定めるところにより、第一項の図書を当該市町村の事務所において公衆の縦覧に供しなければならない。

（規準又は事業計画の変更）

第五〇条の九　再開発会社は、規準又は事業計画を変更しようとするときは、国土交通省令で定めるところにより、都道府県知事の認可を受けなければならない。

2　第七条の九第三項及び第五十条の五の規定は再開発会社が事業計画を変更して新たに施行地区に編入しようとする土地がある場合に、第七条の十二の規定は再開発会社が公共施設又は同条の政令で定める施設に関係のある事業計画の変更をしようとする場合に、第七条の十六第三項の規定は再開発会社が施行地区の縮小又は費用の分担に関し規準又は事業計画を変更しようとする場合に、第十六条の規定は規準又は事業計画の変更（政令で定める軽微な変更を除く。）の認可の申請があつた場合に、第七条の九第二項、第五十条の四及び前二条の規定は前項の規定による認可について準用する。この場合において、第七条の九第三項及び第五十条の四第一項中「施行地区となるべき区域」とあり、並びに第十六条第一項中「施行地区となるべき区域（同項の規定による認可の申請にあつては、施行地区）」とあるのは「施行地区及び新たに施行地区となるべき区域」と、第七条の十二、第七条の十六第三項及び第十六条第二項中「第一種市街地再開発事業」とあるのは「市街地再開発事業」と、同条第一項ただし書中「次条各号の一」とあるのは「第五十条の九第二項において準用する第五十条の七各号のいずれか」と、同条第二項中「参加組合員」とあるのは「第五十条の三第一項第五号の特定事業参加者」と、第七条の九第二項中「施行地区となるべき区域」と、第五十条の四第一項中「者及び」とあるのは「者並びに」と、第五十条の七第一号中「でないこと」とあるのは「でないこと。この場合において、同項第三号及び第四号中「施行地区となるべき区域」とあるのは、「施行地区及び新たに施行地区となるべき区域」とする」と、前条第一項中「認可」とあるのは「認可に係る規準又は事業計画についての変更の認

可」と、同条第二項中「施行者として、又は規準若しくは事業計画」とあるのは「規準又は事業計画の変更」と読み替えるものとする。

（特定事業参加者の負担金等）

第五〇条の一〇 再開発会社が施行する市街地再開発事業における特定事業参加者は、政令で定めるところにより、権利変換計画又は管理処分計画の定めるところに従い取得することとなる施設建築物の一部等又は建築施設の部分の価額に相当する額の負担金を再開発会社に納付しなければならない。

2 特定事業参加者は、前項の負担金の納付について、相殺をもつて再開発会社に対抗することができない。

3 再開発会社は、特定事業参加者が負担金の納付を怠つたときは、規準で定めるところにより、特定事業参加者に対して過怠金を課することができる。

（負担金等の滞納処分）

第五〇条の一一 再開発会社は、特定事業参加者が負担金又は過怠金を滞納したときは、督促状を発して督促し、その者がその督促状において指定した期限までに納付しないときは、市町村長に対し、その徴収を申請することができる。

2 第四十一条第二項から第四項までの規定は、前項の規定による徴収を申請した場合について準用する。この場合において、同条第二項中「組合」とあるのは「再開発会社」と、同条第三項中「組合の理事長」とあるのは「再開発会社の代表者」と読み替えるものとする。

3 第四十二条の規定は、再開発会社の負担金及び過怠金を徴収する権利について準用する。この場合において、同条第二項中「前条第一項」とあるのは、「第五十条の十一第一項」と読み替えるものとする。

（再開発会社の合併若しくは分割又は事業の譲渡及び譲受）

第五〇条の一二 再開発会社の合併若しくは分割又は再開発会社が施行する市街地再開発事業の全部若しくは一部の譲渡及び譲受は、都道府県知事の認可を受けなければ、その効力を生じない。

2 第七条の九第二項及び第三項、第五十条の七並びに第五十条の八の規定は、前項の規定による認可について準用する。この場合において、第七条の九第二項及び第三項中「施行地区となるべき区域」とあるのは「施行地区」と、第五十条の七中「次の各号のいずれにも該当しない」とあるのは「次の各号（第三号及び第四号を除く。）のいずれにも該当せず、規準及び事業計画の変更を伴わない」と、同条第一号中「でないこと」とあるのは「でないこと。この場合において、同項第三号及び第四号中「施行地区となるべき区域」とあるのは「施行地区」とする」と読み替えるものとする。

（承継）

第五〇条の一三 再開発会社の合併若しくは分割（当該市街地再開発事業の全部を承継させるものに限る。）又は再開発会社の施行する市街地再開発事業の全部の譲渡があつたときは、合併後存続する会社、合併により設立された会社若しくは分割により市街地再開発事業を承継した会社又は市街地再開発事業の全部を譲り受けた者は、市街地再開発事業の施行者の地位及び従前の再開発会社が市街地再開発事業に関して有する権利義務（従前の再開発会社が当該市街地再開発事業に関し、行政庁の認可、許可その他の処分に基づいて有する権利義務を含む。）を、承継する。

（審査委員）

第五〇条の一四 再開発会社は、都道府県知事の承認を受けて、土地及び建物の権利関係又は評価について特別の知識経験を有し、かつ、公正な判断をすることができる者のうちから、この法律及び規準で定める権限を行う審査委員三人以上を選任しなければならない。

2 前項に規定するもののほか、審査委員に関し必要な事項は、政令で定める。

（市街地再開発事業の終了）

第五〇条の一五 再開発会社は、市街地再開発事業を終了しようとするときは、国土交通省令で定めるところにより、その終了について都道府県知事の認可を受けなければならない。

2 第七条の九第二項並びに第五十条の八第一項（図書の送付に係る部分を除く。）及び第二項の規定は、前項の規定による認可について準用する。この場合において、第七条の九第二項中「施行地区となるべき区域」とあるのは「施行地区」と、第五十条の八第二項中「施行者として、又は規準若しくは事業計画をもつて」とあるのは「市街地再開発事業の終了をもつて」と読み替えるものとする。

第二節　地方公共団体

（施行規程及び事業計画の決定等）

第五一条 地方公共団体（第二条の二第四項の規定により市街地再開発事業を施行する場合に限る。以下この節、第六十条第二項第四号、第六十九条第一項（第百十八条の二十九において準用する場合を含む。）、第百六条第三項及び第四項（これらの規定を第百十八条の二十四第二項において準用する場合を含む。）並びに第四章において同じ。）は、市街地再開発事業を施行しようとするときは、施行規程及び事業計画を定めなければならない。この場合において、事業計画において定めた設計の概要については、国土交通省令で定めるところにより、都道府県にあつては国土交通大臣の、市町村にあつては都道府県知事の認可を受けなければならない。

2 地方公共団体が施行する市街地再開発事業について事業計画が定められたときは、前項の規定による認可をもつて都市計画法第五十九条第一項又は第二項の規定による認可とみなす。第七条の九第四項ただし書の規定は、この場合について準用する。

（施行規程）

第五二条 施行規程は、当該地方公共団体の条例で定める。

2 施行規程には、次に掲げる事項を記載しなければならない。

一 市街地再開発事業の種類及び名称

二 施行地区（施行地区を工区に分けるときは、施行地区及び工区）に含まれる地域の名称

三 市街地再開発事業の範囲

四 事務所の所在地

五 特定事業参加者（第五十六条の二第一項の負担金を納付し、権利変換計画又は管理処分計画の定めるところに従い施設建築物の一部等又は建築施設の部分を取得する者をいう。以下この節において同じ。）に関する事項

六 費用の分担に関する事項

七 市街地再開発事業の施行により施行者が取得する施設建築敷地若しくはその共有持分、施設建築物の一部等若しくは建築施設の部分又は個別利用区内の宅地の管理処分の方法に関する事項

八 市街地再開発審査会及びその委員に関する事項（委員の報酬及び費用弁償に関する事項を除く。）

九 その他国土交通省令で定める事項

3 第五十条の三第二項及び第三項の規定は、施行規程において前項第五号の特定事業参加者に関する事項を定めようとする場合について準用する。

（事業計画）

第五三条 地方公共団体は、事業計画を定めようとするときは、当該事業計画を二週間公衆の縦覧に供しなければならない。

2 第十六条第二項から第五項までの規定は、前項の場合に準用する。この場合において、同条第二項中「第一種市街地再開発事業」とあるのは「市街地再開発事業」と、「参加組合員」とあるのは「第五十二条第二項第五号の特定事業参加者」と、同項から同条第四項までの規定中「都道府県知事」とあるのは「地方公共団体」と、同条第三項中「加えるべきことを命じ」とあるのは「加え」と、同条第五項中「第十一条第一項又は第三項の規定による認可を申請した者」とあるのは「地方公共団体」と、「加え、その旨を都道府県知事に申告し」とあるのは「加え」と読み替えるものとする。

3 第五十一条第一項の規定による認可を申請する場合においては、施行地区（施行地区を工区に分けるときは、施行地区及び工区）及び設計の概要を表示する図書を提出しなければならない。

4 第七条の十一及び第七条の十二の規定は、事業計画について準用する。この場合において、第七条の十一第二項中「事業計画」とあるのは「第一種市街地再開発事業の事業計画」と、第七条の十二中「第七条の九第一項の規定による認可を申請しようとする者は」とあるのは「地方公共団体は、事業計画を定めようとするときは」と、「第一種市街地再開発事業」とあるのは「市街地再開発事業」と、「の同意を得」とあるのは「と協議し」と読み替えるものとする。

（事業計画の公告）

第五四条 地方公共団体は、事業計画を定めたときは、遅滞なく、国土交通省令で定めるところにより、市街地再開発事業の種類及び名称、事業施行

期間、施行地区（施行地区を工区に分けるときは、施行地区及び工区）その他国土交通省令で定める事項を公告しなければならない。

2　地方公共団体は、前項の公告があるまでは、事業計画をもつて第三者に対抗することができない。

（施行地区及び設計の概要を表示する図書の送付及び縦覧）

第五五条　国土交通大臣又は都道府県知事は、第五十一条第一項の規定による認可をしたときは、遅滞なく、国土交通大臣にあつては関係都道府県知事及び関係市町村長に、都道府県知事にあつては国土交通大臣及び関係市町村長に第五十三条第三項の図書の写しを送付しなければならない。

2　市町村長は、前条第一項の公告の日から第百条第二項の公告の日まで、政令で定めるところにより、前項の図書を当該市町村の事務所において公衆の縦覧に供しなければならない。

（事業計画の変更）

第五六条　第五十一条第一項後段及び前三条の規定は、事業計画の変更（第五十三条第一項から第三項までの規定に係る場合は、政令で定める軽微な変更を除く。）について準用する。この場合において、第五十三条第四項後段中「定め」とあるのは、「変更し」と読み替えるものとする。

（特定事業参加者の負担金）

第五六条の二　地方公共団体が施行する市街地再開発事業における特定事業参加者は、政令で定めるところにより、権利変換計画又は管理処分計画の定めるところに従い取得することとなる施設建築物の一部等又は建築施設の部分の価額に相当する額の負担金を地方公共団体に納付しなければならない。

2　特定事業参加者は、前項の負担金の納付について、相殺をもつて地方公共団体に対抗することができない。

（負担金の滞納処分）

第五六条の三　地方公共団体は、特定事業参加者が前条第一項の負担金を滞納したときは、督促状によつて納付すべき期限を指定して督促することができる。

2　前項の督促をするときは、政令で定めるところにより、年十四・五パーセントの割合を乗じて計算した額の範囲内の延滞金を徴収することができる。

3　第一項の督促を受けた特定事業参加者がその督促状において指定した期限までにその納付すべき金額を納付しないときは、地方公共団体は、国税滞納処分の例により、同項の負担金及び前項の延滞金を徴収することができる。この場合における負担金及び延滞金の先取特権の順位は、国税及び地方税に次ぐものとする。

4　延滞金は、負担金に先立つものとする。

5　第四十二条の規定は、地方公共団体が第一項の負担金及び第二項の延滞金を徴収する権利について準用する。この場合において、同条第二項中「前条第一項」とあるのは、「第五十六条の三第一項」と読み替えるものとする。

（市街地再開発審査会）

第五七条　地方公共団体が施行する市街地再開発事業ごとに、この法律及び施行規程で定める権限を行なわせるため、その地方公共団体に、市街地再開発審査会を置く。

2　施行地区を工区に分けたときは、市街地再開発審査会は、工区ごとに置くことができる。

3　市街地再開発審査会は、五人から二十人までの範囲内において、施行規程で定める数の委員をもつて組織する。

4　市街地再開発審査会の委員は、次の各号に掲げる者のうちから、地方公共団体の長が任命する。

一　土地及び建物の権利関係又は評価について特別の知識経験を有し、かつ、公正な判断をすることができる者

二　施行地区内の宅地について所有権又は借地権を有する者

5　前項第一号に掲げる者のうちから任命される委員の数は、三人以上でなければならない。

第三節　独立行政法人都市再生機構等

（施行規程及び事業計画の認可等）

第五八条　独立行政法人都市再生機構及び地方住宅供給公社（第二条の二第五項又は第六項の規定により市街地再開発事業を施行する場合に限る。以下「機構等」と総称する。）は、市街地再開発事業を施行しようとするときは、施行規程及び事業計画を定め、国土交通省令で定めるところにより、国土交通大臣（市のみが設立した地方住宅供給公社にあつては、都道府県知事）の認可を受けなければならない。施行規程又は事業計画を変更しようとするときも、同様とする。

2　機構等が施行する市街地再開発事業については、前項前段の規定による認可をもつて都市計画法第五十九条第四項の規定による認可とみなす。第七条の九第四項ただし書の規定は、この場合について準用する。

3　第五十条の三第二項及び第三項並びに第五十二条第二項の規定は施行規程について、第七条の十一及び第七条の十二の規定は事業計画について、第十六条（第一項ただし書を除く。）及び第十九条（第二項を除く。）の規定は施行規程及び事業計画について、それぞれ準用する。この場合において、第七条の十一第二項中「事業計画」とあるのは「第一種市街地再開発事業の事業計画」と、第七条の十二及び第十六条第二項中「第一種市街地再開発事業」とあるのは「市街地再開発事業」と、第七条の十二中「の同意を得」とあるのは「と協議し」と、第十六条及び第十九条第一項中「都道府県知事」とあるのは「国土交通大臣（市のみが設立した地方住宅供給公社にあつては、都道府県知事）」と、第十六条第二項中「参加組合員」とあるのは「第五十八条第三項において準用する第五十二条第二項第五号の特定事業参加者」と、同条第五項中「第十一条第一項又は第三項の規定による認可を申請した者」とあるのは「機構等」と、第十九条第一項中「組合の名称」とあるのは「市街地再開発事業の種類及び名称」と、「国土交通大臣」とあるのは「関係都道府県知事（市のみが設立した地方住宅供給公社にあつては、国土交通大臣）」と、同条第三項中「組合は」とあるのは「機構等は」と、「第十一条第一項の認可に係る第一項」とあるのは「第五十八条第三項において準用する第十九条第一項」と、「組合の成立又は定款若しくは事業計画をもつて、前項の公告があるまでは組合の成立又は定款若しくは事業基本方針をもつて、同条第三項の認可に係る第一項の公告があるまでは」とあるのは「、施行規程又は」と、「、組合員その他の第三者」とあるのは「第三者」と、第五十条の三第二項中「前項第五号」とあり、及び同条第三項中「第一項第五号」とあるのは「第五十八条第三項において準用する第五十二条第二項第五号」と、第五十二条第二項第五号中「第五十六条の二第一項」とあるのは「第五十八条の二第一項」と読み替えるものとする。

4　第七条の十二、第十六条（第一項ただし書を除く。）並びに第十九条第一項及び第四項の規定は、施行規程又は事業計画の変更（第七条の十二の規定に係る場合を除き、政令で定める軽微な変更を除く。）について準用する。この場合においては、前項後段の規定を準用する。

5　機構等は、前項において準用する第十九条第一項の公告があるまでは、施行規程又は事業計画の変更をもつて第三者に対抗することができない。

（特定事業参加者の負担金等）

第五八条の二　機構等が施行する市街地再開発事業における特定事業参加者は、政令で定めるところにより、権利変換計画又は管理処分計画の定めるところに従い取得することとなる施設建築物の一部等又は建築施設の部分の価額に相当する額の負担金を機構等に納付しなければならない。

2　第五十六条の二第二項及び第五十六条の三の規定は、前項の規定により特定事業参加者が負担金を機構等に納付する場合について準用する。この場合において、同条第一項中「前条第一項」とあるのは「第五十八条の二第一項」と、同条第二項中「前項」とあり、同条第三項中「第一項」とあるのは「第五十八条の二第二項において準用する第五十六条の三第一項」と、同項中「前項」とあるのは「第五十六条の三第二項」と、同条第五項中「第一項の」とあるのは「第五十八条の二第二項において準用する第五十六条の三第一項の」と、「第二項の」とあるのは「同条第二項の」と、「同条第二項」とあるのは「第四十二条第二項」と、「第五十六条の三第一項」とあるのは「第五十八条の二第二項において準用する第五十六条の三第一項」と読み替えるものとする。

（市街地再開発審査会）

第五九条　機構等が施行する市街地再開発事業ごとに、この法律及び施行規程で定める権限を行わせるため、機構等に市街地再開発審査会を置く。

2　第五十七条第二項から第五項までの規定は、前項の規定により置かれる市街地再開発審査会について準用する。この場合において、同条第四項中「地方公共団体の長」とあるのは、独立行政法人都市再生機構に置かれるものについては「独立行政法人都市再生機構理事長」と、地方住宅供給公

社に置かれるものについては「地方住宅供給公社理事長」と読み替えるものとする。

3　第一項の市街地再開発審査会の委員は、刑法（明治四十年法律第四十五号）その他の罰則の適用については、法令により公務に従事する職員とみなす。

第三章　第一種市街地再開発事業

第一節　測量、調査等

（測量及び調査のための土地の立入り等）

第六〇条　施行者となろうとする者若しくは組合を設立しようとする者又は施行者は、第一種市街地再開発事業の施行の準備又は施行のため他人の占有する土地に立ち入つて測量又は調査を行う必要があるときは、その必要の限度において、他人の占有する土地に、自ら立ち入り、又はその命じた者若しくは委任した者に立ち入らせることができる。ただし、個人施行者若しくは再開発会社となろうとする者若しくは組合を設立しようとする者又は個人施行者、組合若しくは再開発会社にあつては、あらかじめ、都道府県知事（市の区域内にあつては、当該市の長。第六十二条第一項及び第百四十二条第一号において「立入許可権者」という。）の許可を受けた場合に限る。

2　前項の規定は、次に掲げる公告があつた日後、施行者が第一種市街地再開発事業の施行の準備又は施行のため他人の占有する建築物その他の工作物に立ち入つて測量又は調査を行う必要がある場合について準用する。

一　個人施行者が施行する第一種市街地再開発事業にあつては、その施行についての認可の公告又は新たな施行地区の編入に係る事業計画の変更の認可の公告

二　組合が施行する第一種市街地再開発事業にあつては、第十九条第一項の公告又は新たな施行地区の編入に係る事業計画の変更の認可の公告

三　再開発会社が施行する第一種市街地再開発事業にあつては、その施行についての認可の公告又は新たな施行地区の編入に係る事業計画の変更の認可の公告

四　地方公共団体が施行する第一種市街地再開発事業にあつては、事業計画の決定の公告又は新たな施行地区の編入に係る事業計画の変更の公告

五　機構等が施行する第一種市街地再開発事業にあつては、施行規程及び事業計画の認可の公告又は新たな施行地区の編入に係る事業計画の変更の認可の公告

3　前二項の規定により他人の占有する土地又は工作物に立ち入ろうとする者は、立ち入ろうとする日の三日前までに、その旨を当該土地又は工作物の占有者に通知しなければならない。

4　第一項の規定により建築物が存し、若しくはかき、さく等で囲まれた他人の占有する土地に立ち入ろうとするとき、又は第二項の規定により他人の占有する工作物に立ち入ろうとするときは、その立ち入ろうとする者は、立入りの際、あらかじめ、その旨を当該土地又は工作物の占有者に告げなければならない。

5　日出前及び日没後においては、土地又は工作物の占有者の承諾があつた場合を除き、前項に規定する土地又は工作物に立ち入つてはならない。

6　土地又は工作物の占有者は、正当な理由がない限り、第一項又は第二項の規定による立入りを拒み、又は妨げてはならない。

（障害物の伐除及び土地の試掘等）

第六一条　前条第一項の規定により他人の占有する土地に立ち入つて測量又は調査を行う者は、その測量又は調査を行うに当たり、やむを得ない必要があつて、障害となる植物若しくは垣、柵等（以下「障害物」という。）を伐除しようとする場合又は当該土地に試掘若しくはボーリング若しくはこれらに伴う障害物の伐除（以下「試掘等」という。）を行おうとする場合において、当該障害物又は当該土地の所有者及び占有者の同意を得ることができないときは、当該障害物の所在地を管轄する市町村長の許可を受けて当該障害物を伐除し、又は当該土地の所在地を管轄する都道府県知事（市の区域内において施行者（第二条の二第四項の規定により第一種市街地再開発事業を施行する地方公共団体を除く。以下この項において同じ。）となろうとする者若しくは組合を設立しようとする者若しくは施行者が試掘等を行おうとし、又は第二条の二第四項の規定により第一種市街地再開発事業を施行し、若しくは施行しようとする市が試掘等を行おうとする場合にあつては、当該市の長。以下この項、次条第二項及び第百四十二条第三号において「試掘等許可権者」という。）の許可を受けて当該土地に試掘等を行うことができる。この場合において、市町村長が許可を与えようとするときは障害物の所有者及び占有者に、試掘等許可権者が許可を与えようとするときは土地又は障害物の所有者及び占有者に、あらかじめ、意見を述べる機会を与えなければならない。

2　前項の規定により障害物を伐除しようとする者又は土地に試掘等を行なおうとする者は、伐除しようとする日又は試掘等を行なおうとする日の三日前までに、その旨を当該障害物又は当該土地若しくは障害物の所有者及び占有者に通知しなければならない。

3　第一項の規定により障害物を伐除しようとする場合（土地の試掘又はボーリングに伴う障害物の伐除をしようとする場合を除く。）において、当該障害物の所有者及び占有者がその場所にいないためその同意を得ることが困難であり、かつ、その現状を著しく損傷しないときは、施行者となろうとする者、組合を設立しようとする者若しくは施行者又はその命じた者若しくは委任した者は、前二項の規定にかかわらず、当該障害物の所在地を管轄する市町村長の許可を受けて、ただちに、当該障害物を伐除することができる。この場合においては、当該障害物を伐除した後、遅滞なく、その旨をその所有者及び占有者に通知しなければならない。

（証明書等の携帯）

第六二条　第六十条第一項又は第二項の規定により他人の占有する土地又は工作物に立ち入ろうとする者は、その身分を示す証明書（個人施行者若しくは再開発会社となろうとする者若しくは組合を設立しようとする者又は個人施行者、組合若しくは再開発会社にあつては、その身分を示す証明書及び立入許可権者の許可証）を携帯しなければならない。

2　前条の規定により障害物を伐除しようとする者又は土地に試掘等を行おうとする者は、その身分を示す証明書及び市町村長又は試掘等許可権者の許可証を携帯しなければならない。

3　前二項に規定する証明書又は許可証は、関係人の請求があつたときは、これを提示しなければならない。

（土地の立入り等に伴う損失の補償）

第六三条　施行者となろうとする者若しくは組合を設立しようとする者又は施行者は、第六十条第一項若しくは第二項又は第六十一条第一項若しくは第三項の規定による行為により他人に損失を与えたときは、その損失を受けた者に対して、通常生ずべき損失を補償しなければならない。

2　前項の規定による損失の補償については、損失を与えた者と損失を受けた者とが協議しなければならない。

3　前項の規定による協議が成立しないときは、損失を与えた者又は損失を受けた者は、政令で定めるところにより、収用委員会に土地収用法（昭和二十六年法律第二百十九号）第九十四条第二項の規定による裁決を申請することができる。

（測量のための標識の設置）

第六四条　施行者となろうとする者若しくは組合を設立しようとする者又は施行者は、第一種市街地再開発事業の施行の準備又は施行に必要な測量を行うため必要があるときは、国土交通省令で定める標識を設けることができる。

2　何人も、前項の規定により設けられた標識を設置者の承諾を得ないで移転し、若しくは除却し、又は汚損し、若しくは損壊してはならない。

（関係簿書の閲覧等）

第六五条　施行者となろうとする者若しくは組合を設立しようとする者又は施行者は、第一種市街地再開発事業の施行の準備又は施行のため必要があるときは、施行地区となるべき区域若しくは施行地区を管轄する登記所に対し、又はその他の官公署の長に対し、無償で必要な簿書の閲覧若しくは謄写又はその謄本若しくは抄本若しくは登記事項証明書の交付を求めることができる。

（建築行為等の制限）

第六六条　第六十条第二項各号に掲げる公告があつた後は、施行地区内において、第一種市街地再開発事業の施行の障害となるおそれがある土地の形質の変更若しくは建築物その他の工作物の新築、改築若しくは増築を行い、又は政令で定める移動の容易でない物件の設置若しくは堆積を行おうとする者は、都道府県知事（市の区域内において個人施行者、組合、再開発会社若しくは機構等が施行し、又は市が第二条の二第四項の規定により施行する第一種市街地再開発事業にあつては、当該市の長。以下この条、第九十八条及び第百四十一条の二第二号において「都道府県知事等」という。）

の許可を受けなければならない。

2　都道府県知事等は、前項の許可の申請があつた場合において、その許可をしようとするときは、あらかじめ、施行者の意見を聴かなければならない。

3　都道府県知事等は、第一項の許可をする場合において、第一種市街地再開発事業の施行のため必要があると認めるときは、許可に期限その他必要な条件を付けることができる。この場合において、これらの条件は、当該許可を受けた者に不当な義務を課するものであつてはならない。

4　都道府県知事等は、第一項の規定に違反し、又は前項の規定により付けた条件に違反した者があるときは、これらの者又はこれらの者から当該土地、建築物その他の工作物若しくは物件についての権利を承継した者に対して、相当の期限を定めて、第一種市街地再開発事業の施行に対する障害を排除するため必要な限度において、当該土地の原状回復又は当該建築物その他の工作物若しくは物件の移転若しくは除却を命ずることができる。

5　前項の規定により土地の原状回復又は建築物その他の工作物若しくは物件の移転若しくは除却を命じようとする場合において、過失がなくてその原状回復又は移転若しくは除却を命ずべき者を確知することができないときは、都道府県知事等は、それらの者の負担において、その措置を自ら行い、又はその命じた者若しくは委任した者にこれを行わせることができる。この場合においては、相当の期限を定めて、これを原状回復し、又は移転し、若しくは除却すべき旨及びその期限までに原状回復し、又は移転し、若しくは除却しないときは、都道府県知事等又はその命じた者若しくは委任した者が、原状回復し、又は移転し、若しくは除却する旨を公告しなければならない。

6　前項の規定により土地を原状回復し、又は建築物その他の工作物若しくは物件を移転し、若しくは除却しようとする者は、その身分を示す証明書を携帯し、関係人の請求があつたときは、これを提示しなければならない。

7　第六十条第二項各号に掲げる公告があつた後に、施行地区内において土地の形質の変更、建築物その他の工作物の新築、改築、増築若しくは大修繕又は物件の付加増置（以下この条において「土地の形質の変更等」と総称する。）がされたときは、当該土地の形質の変更等について都道府県知事等の承認があつた場合を除き、当該土地、工作物又は物件に関する権利を有する者は、当該土地の形質の変更等が行われる前の土地、工作物又は物件の状況に基づいてのみ、次節の規定による施行者に対する権利を主張することができる。

8　前項の承認の申請があつたときは、都道府県知事等は、あらかじめ、施行者の意見を聴いて、当該土地の形質の変更等が災害の防止その他やむを得ない理由に基づき必要があると認められる場合に限り、その承認をするものとする。

9　第一項の許可があつたときは、当該許可に係る土地の形質の変更等について第七項の承認があつたものとみなす。

（第一種市街地再開発事業の施行についての周知措置）

第六七条　第六十条第二項各号に掲げる公告があつたときは、施行者は、速やかに、国土交通省令で定めるところにより、関係権利者に当該第一種市街地再開発事業の概要を周知させるため必要な措置を講ずることにより、第一種市街地再開発事業の施行についてその協力が得られるように努めなければならない。

（土地調書及び物件調書）

第六八条　第六十条第二項各号に掲げる公告があつた後、施行者は、土地調書及び物件調書を作成しなければならない。

2　土地収用法第三十六条第二項から第六項まで及び第三十七条から第三十八条までの規定は、前項の土地調書及び物件調書について準用する。この場合において、同法第三十七条第一項及び第二項並びに第三十七条の二中「第三十六条第一項」とあるのは「都市再開発法第六十八条第一項」と、同法第三十七条第一項及び第二項中「収用し、又は使用しようとする土地」とあるのは「施行地区内の各個の土地」と、同法第三十七条の二中「第三十五条第一項」とあるのは「同法第六十条第一項又は第二項」と、「同項の」とあるのは「これらの」と読み替えるものとする。

3　土地調書又は物件調書の記載について関係権利者のすべてに異議がないときは、前項において準用する土地収用法第三十六条の規定による立会いは、省略することができる。

（土地の使用）

第六九条　地方公共団体又は機構等は、施行地区内の土地に存する建築物に居住する者で施設建築物に入居することとなるものを一時収容するため必要な施設その他第一種市街地再開発事業の施行のため欠くことのできない材料置場等の施設を設置するため必要な施行地区外の土地又はこれに関する所有権以外の権利を使用することができる。

2　前項の規定による使用に関しては、土地収用法の規定を適用する。

第二節　権利変換手続

第一款　手続の開始

（権利変換手続開始の登記）

第七〇条　施行者は、第六十条第二項各号に掲げる公告があつたときは、遅滞なく、登記所に、施行地区内の宅地及び建築物並びにその宅地に存する既登記の借地権について、権利変換手続開始の登記を申請し、又は嘱託しなければならない。

2　前項の登記があつた後においては、当該登記に係る宅地若しくは建築物の所有権を有する者又は当該登記に係る借地権を有する者は、これらの権利を処分するには、国土交通省令で定めるところにより、施行者の承認を得なければならない。

3　施行者は、事業の遂行に重大な支障が生ずることその他正当な理由がなければ、前項の承認を拒むことができない。

4　第二項の承認を得ないでした処分は、施行者に対抗することができない。

5　権利変換期日前において第四十五条第六項、第百二十四条の二第三項又は第百二十五条の二第五項の公告があつたときは、施行者（組合にあつては、その清算人）は、遅滞なく、登記所に、権利変換手続開始の登記の抹消を申請しなければならない。

（個別利用区内の宅地への権利変換の申出等）

第七〇条の二　第七条の十一第二項（第十一条第一項、第五十条の六、第五十三条第四項及び第五十八条第三項において準用する場合を含む。）の規定により事業計画において個別利用区が定められたときは、施行地区内の宅地について所有権又は借地権を有する者は、次の各号に掲げる場合の区分に応じて当該各号に定める公告があつた日から起算して三十日以内に、施行者に対し、国土交通省令で定めるところにより、権利変換計画において当該所有権又は借地権に対応して個別利用区内の宅地又はその借地権が与えられるように定めるべき旨の申出をすることができる。この場合において、借地権を有する者にあつては、当該借地の所有者と共同で申出をしなければならない。

一　事業計画が定められた場合　第六十条第二項各号に掲げる公告（事業計画の変更の公告又は事業計画の変更の認可の公告を除く。）

二　事業計画の変更により新たに個別利用区が定められた場合　当該事業計画の変更の公告又は当該事業計画の変更の認可の公告

三　事業計画の変更により従前の施行地区外の土地が新たに施行地区に編入されたことに伴い個別利用区の面積が拡張された場合　当該事業計画の変更の公告又は当該事業計画の変更の認可の公告

2　前項の申出は、次に掲げる要件の全てに該当するものでなければならない。

一　当該申出をする者以外に、当該申出に係る宅地について借地権その他の土地を使用し、若しくは収益することができる権利（地役権を除く。以下「使用収益権」という。）を有する者又は当該宅地に存する建築物について所有権若しくは借家権を有する者があるときは、これらの者の同意が得られていること。

二　当該申出が、施行地区内に現に存する建築物のうち次のいずれかに該当するものを存置し、又は移転することを目的とするものであること。

イ　容積率及び建築面積が、それぞれ、当該施行地区に係る高度利用地区等に関する都市計画において定められた建築物の容積率の最低限度及び建築物の建築面積の最低限度を超えるものとして規準、規約、定款又は施行規程で定める数値以上である建築物

ロ　建築基準法第三条第一項各号のいずれかに該当する建築物

ハ　公衆便所、巡査派出所その他これらに類する建築物で、公益上必要なもの

ニ　学校、駅舎、卸売市場その他これらに類する公益上必要な建築物で、建築基準法第五十九条第一項第三号、第六十条の二第一項第三号又は第六十条の三第一項第三号の規定による許可を受けたもの

三　当該申出に係る宅地の地積が、当該宅地に対応して権利変換計画にお

いて前号に規定する建築物を存置し、又は移転するのに必要な面積以上の規模の宅地を与えるように定めることができるものとして規準、規約、定款又は施行規程で定める規模以上であること。

3　施行者は、第一項の申出があつた場合において、同項の期間の経過後遅滞なく、第一号に該当すると認めるときは当該申出に係る宅地の全部について権利変換計画において当該宅地に対応して個別利用区内の宅地が与えられるべき宅地として指定をし、第二号に該当すると認めるときは当該申出に係る宅地のうち一部について当該指定をし、他の宅地について申出に応じない旨を決定しなければならない。

一　権利変換計画において、第一項の申出に係る宅地の全部について当該宅地に対応して与えられるべき宅地の地積の合計が個別利用区の面積を超えないこととなるとき。

二　権利変換計画において、第一項の申出に係る宅地の全部について当該宅地に対応して与えられるべき宅地の地積の合計が個別利用区の面積を超えることとなるとき。

4　施行者は、前項の規定による指定又は決定をしたときは、速やかに、第一項の申出をした者に対し、その旨を通知しなければならない。

5　施行者は、第三項の規定による指定をしたときは、速やかに、当該指定をした宅地（以下「指定宅地」という。）を公告しなければならない。

6　施行者は、第三項の規定による決定をしたときは、速やかに、その旨を公告しなければならない。

7　次条第一項の規定による申出に係る宅地又は同項若しくは同条第三項の規定による申出に係る建築物が存する宅地について、第五項の規定による指定宅地の公告があつたときは、同条第一項又は第三項の規定による申出は、なかつたものとみなす。

8　施行者が第十一条第一項の規定により設立された組合である場合においては、最初の役員が選挙され、又は選任されるまでの間は、第一項の申出は、同条第一項の規定による認可を受けた者が受理するものとする。

（権利変換を希望しない旨の申出等）

第七十一条　個人施行者若しくは再開発会社の施行の認可の公告、第十九条第一項の規定による公告若しくは事業計画の決定若しくは認可の公告（第六項において「施行認可の公告等」という。）又は前条第六項の規定による公告があつたときは、施行地区内の宅地（指定宅地を除く。）について所有権若しくは借地権を有する者又は施行地区内の土地（指定宅地を除く。）に権原に基づき建築物を所有する者は、その公告があつた日から起算して三十日以内に、施行者に対し、第八十七条又は第八十八条第一項及び第二項の規定による権利の変換を希望せず、自己の有する宅地、借地権若しくは建築物に代えて金銭の給付を希望し、又は自己の有する建築物を施行地区外に移転すべき旨を申し出ることができる。

2　前項の宅地、借地権若しくは建築物について仮登記上の権利、買戻しの特約その他権利の消滅に関する事項の定めの登記若しくは処分の制限の登記があるとき、又は同項の未登記の借地権の存否若しくは帰属について争いがあるときは、それらの権利者又は争いの相手方の同意を得なければ、同項の規定による金銭の給付の希望を申し出ることができない。

3　施行地区内の土地（指定宅地を除く。）に存する建築物について借家権を有する者（その者が更に借家権を設定しているときは、その借家権の設定を受けた者）は、第一項の期間内に施行者に対し、第八十八条第五項の規定による借家権の取得を希望しない旨を申し出ることができる。

4　第一項の期間経過後六月以内に第八十三条の規定による権利変換計画の縦覧の開始（個人施行者が施行する第一種市街地再開発事業にあつては、次条第一項後段の規定による権利変換計画の認可。以下この項において同じ。）がされないときは、当該六月の期間経過後三十日以内に、第一項若しくは前項の規定による申出を撤回し、又は新たに第一項若しくは前項の規定による申出をすることができる。その三十日の期間経過後更に六月を経過しても第八十三条の規定による権利変換計画の縦覧の開始がされないときも、同様とする。

5　事業計画を変更して従前の施行地区外の土地を新たに施行地区に編入した場合においては、前項前段中「第一項の期間経過後六月以内に第八十三条の規定による権利変換計画の縦覧の開始（個人施行者が施行する第一種市街地再開発事業にあつては、次条第一項後段の規定による権利変換計画の認可。以下この項において同じ。）がされないときは、当該六月の期間経過後」とあるのは「新たな施行地区の編入に係る事業計画の変更の公告又はその変更の認可の公告があつたときは、その公告があつた日から起算して」とする。

6　前条第三項の規定による決定があつた場合においては、同条第六項の規定による公告があつた日から起算して三十日以内に、施行認可の公告等があつた場合又は新たな施行地区の編入に係る事業計画の変更の公告若しくはその変更の認可の公告があつた場合において行つた第一項又は第三項の規定による申出を撤回することができる。

7　第一項又は第三項から前項までの規定による申出又は申出の撤回は、国土交通省令で定めるところにより、書面でしなければならない。

8　前条第八項の規定は、第一項又は第三項の規定による申出について準用する。

第二款　権利変換計画

（権利変換計画の決定及び認可）

第七十二条　施行者は、前条の規定による手続に必要な期間の経過後、遅滞なく、施行地区ごとに権利変換計画を定めなければならない。この場合においては、国土交通省令で定めるところにより、都道府県（第二条の二第四項の規定により市街地再開発事業を施行する場合に限る。以下同じ。）又は機構等（市のみが設立した地方住宅供給公社を除く。）にあつては国土交通大臣の、個人施行者、組合、再開発会社、市町村（同項の規定により市街地再開発事業を施行する場合に限る。第百九条を除き、以下同じ。）又は市のみが設立した地方住宅供給公社（第二条の二第六項の規定により市街地再開発事業を施行する場合に限る。以下同じ。）にあつては都道府県知事の認可を受けなければならない。

2　第七条の十三の規定は、個人施行者が権利変換計画について認可を申請しようとする場合について準用する。この場合において、同条第一項中「施行地区となるべき区域」とあるのは、「施行地区」と読み替えるものとする。

3　第五十条の四の規定は、再開発会社が権利変換計画について認可を申請しようとする場合について準用する。この場合において、同条第一項中「施行地区となるべき区域」とあるのは、「施行地区」と読み替えるものとする。

4　第一項後段及び前二項の規定は、権利変換計画を変更する場合（政令で定める軽微な変更をする場合を除く。）に準用する。

5　施行地区が工区に分かれているときは、権利変換計画は、工区ごとに定めることができる。この場合において、権利変換に関する規定中「施行地区」とあるのは、「工区」とする。

（権利変換計画の内容）

第七十三条　権利変換計画においては、国土交通省令で定めるところにより、次に掲げる事項を定めなければならない。

一　配置設計

二　施行地区内の宅地（指定宅地を除く。）若しくはその借地権又は施行地区内の土地（指定宅地を除く。）に権原に基づき建築物を有する者で、当該権利に対応して、施設建築敷地若しくはその共有持分又は施設建築物の一部等を与えられることとなるものの氏名又は名称及び住所

三　前号に掲げる者が施行地区内に有する同号の宅地、借地権又は建築物及びそれらの価額

四　第二号に掲げる者に前号に掲げる宅地、借地権又は建築物に対応して与えられることとなる施設建築敷地若しくはその共有持分又は施設建築物の一部等の明細及びそれらの価額の概算額

五　第三号に掲げる宅地、借地権又は建築物について先取特権、質権若しくは抵当権の登記、仮登記、買戻しの特約その他権利の消滅に関する事項の定めの登記又は処分の制限の登記（以下「担保権等の登記」と総称する。）に係る権利を有する者の氏名又は名称及び住所並びにその権利

六　前号に掲げる者が施設建築敷地若しくはその共有持分又は施設建築物の一部等に関する権利の上に有することとなる権利

七　指定宅地又はその使用収益権を有する者の氏名又は名称及び住所

八　前号に掲げる者が有する指定宅地又はその使用収益権及びそれらの価額

九　第七号に掲げる者に前号に掲げる指定宅地又はその使用収益権に対応して与えられることとなる個別利用区内の宅地又はその使用収益権の明細及びそれらの価額の概算額

十　第八号に掲げる指定宅地又はその使用収益権について担保権等の登記に係る権利を有する者の氏名又は名称及び住所並びにその権利

十一　前号に掲げる者が個別利用区内の宅地又はその使用収益権の上に有することとなる権利

十二　施行地区内の土地（指定宅地を除く。）に存する建築物について賃借権を有する者（その者が更に賃借権を設定しているときは、その賃借権の設定を受けた者）又は施行地区内の土地（指定宅地を除く。）に存する建築物について配偶者居住権を有する者から賃借権の設定を受けた者で、当該賃借権に対応して、施設建築物の一部について賃借権を与えられることとなるものの氏名又は名称及び住所
十三　前号に掲げる者に賃借権が与えられることとなる施設建築物の一部
十四　施行地区内の土地（指定宅地を除く。）に存する建築物について配偶者居住権を有する者（その者が賃借権を設定している場合を除く。）で、当該配偶者居住権に対応して、施設建築物の一部について配偶者居住権を与えられることとなるものの氏名及び住所並びにその配偶者居住権の存続期間
十五　前号に掲げる者に配偶者居住権が与えられることとなる施設建築物の一部
十六　施設建築敷地の地代の概算額及び地代以外の借地条件の概要
十七　施行者が施設建築物の一部を賃貸しする場合における標準家賃の概算額及び家賃以外の借家条件の概要
十八　第七十九条第三項の規定が適用されることとなる者の氏名又は名称及び住所並びにこれらの者が施行地区内に有する宅地、借地権又は建築物及びそれらの価額
十九　施行地区内の宅地（指定宅地を除く。）若しくはこれに存する建築物又はこれらに関する権利を有する者で、この法律の規定により、権利変換期日において当該権利を失い、かつ、当該権利に対応して、施設建築敷地若しくはその共有持分、施設建築物の一部等又は施設建築物の一部についての借家権を与えられないものの氏名又は名称及び住所、失われる宅地若しくは建築物又は権利並びにそれらの価額
二十　組合の参加組合員に与えられることとなる施設建築物の一部等の明細並びにその参加組合員の氏名又は名称及び住所
二十一　特定事業参加者に与えられることとなる施設建築物の一部等の明細並びにその特定事業参加者の氏名又は名称及び住所
二十二　第四号、第九号及び前二号に掲げるもののほか、施設建築敷地又はその共有持分、施設建築物の一部等及び個別利用区内の宅地の明細、それらの帰属並びにそれらの管理処分の方法
二十三　新たな公共施設の用に供する土地の帰属に関する事項
二十四　権利変換期日、土地の明渡しの予定時期、個別利用区内の宅地の整備工事の完了の予定時期及び施設建築物の建築工事の完了の予定時期
二十五　その他国土交通省令で定める事項

2　宅地（指定宅地を除く。）について所有権又は借地権を有する者が当該宅地の上に建築物を有する場合において、当該宅地、借地権又は建築物について担保権等の登記に係る権利があるときは、これらの宅地、借地権又は建築物は、それぞれ別個の権利者に属するものとみなして権利変換計画を定めなければならない。ただし、次の各号のいずれかに該当する場合は、この限りでない。
一　担保権等の登記に係る権利の消滅について関係権利者の全ての同意があつたとき。
二　宅地と建築物又は借地権と建築物とが同一の担保権等の登記に係る権利の目的となつており、かつ、それらの全ての権利の順位が、宅地と建築物又は借地権と建築物とにおいてそれぞれ同一であるとき。

3　借地権の設定に係る仮登記上の権利（指定宅地に係るものを除く。）があるときは、仮登記権利者が当該借地権を有する場合を除き、宅地の所有者が当該借地権を別個の権利者として有するものとみなして、権利変換計画を定めなければならない。

4　宅地又は建築物（指定宅地に存するものを除く。）に関する権利に関して争いがある場合において、その権利の存否又は帰属が確定しないときは、当該権利が存するものとして、又は当該権利が現在の名義人に属するものとして権利変換計画を定めなければならない。ただし、借地権以外の宅地（指定宅地を除く。）を使用し、又は収益する権利の存否が確定しない場合にあつては、その宅地の所有者に対しては、当該権利が存しないものとして、その者に与える施設建築物の一部等を定めなければならない。

（権利変換計画の決定の基準）

第七十四条　権利変換計画は、災害を防止し、衛生を向上し、その他居住条件を改善するとともに、施設建築物、施設建築敷地及び個別利用区内の宅地の合理的利用を図るように定めなければならない。

2　権利変換計画は、関係権利者間の利害の衡平に十分の考慮を払つて定めなければならない。

（施設建築敷地）

第七十五条　権利変換計画は、一個の施設建築物の敷地は一筆の土地となるものとして定めなければならない。

2　権利変換計画は、施設建築敷地には施設建築物の所有を目的とする地上権が設定されるものとして定めなければならない。

3　第七十三条第一項第二号に掲げる者が取得することとなる施設建築物の所有を目的とする地上権の共有持分及び当該施設建築物の共用部分の共有持分の割合は、政令で定めるところにより、その者が取得することとなる施設建築物の一部の位置及び床面積を勘案して定めなければならない。

第七十六条　権利変換計画においては、施行地区内に宅地（指定宅地を除く。）を有する者に対しては、施設建築敷地の所有権が与えられるように定めなければならない。

2　二以上の施設建築敷地がある場合において、各宅地（指定宅地を除く。）の所有者に与えられる施設建築敷地は、個別利用区以外の土地であつて、当該第一種市街地再開発事業のうち建築敷地及び公共施設の整備に関する事業を土地区画整理事業として施行したならば、当該宅地につき換地と定められるべき土地の属すべき施設建築敷地とする。

3　一の施設建築敷地について二人以上の宅地（指定宅地を除く。）の所有者が所有権を与えられるときは、当該施設建築敷地は、各宅地の価額に応ずる割合によりこれらの者の共有に属するものとする。

4　第七十一条第一項の申出をした宅地の所有者の有する宅地については、施行者をその宅地の所有者とみなして前三項の規定を適用する。

（施設建築物の一部等）

第七十七条　権利変換計画においては、第七十一条第一項の申出をした者を除き、施行地区内の宅地（指定宅地を除く。）について借地権を有する者及び施行地区内の土地（指定宅地を除く。）に権原に基づき建築物を所有する者に対しては、施設建築物の一部等が与えられるように定めなければならない。組合の定款により施設建築物の一部等が与えられるように定められた参加組合員又は特定事業参加者に対しても、同様とする。

2　前項前段に規定する者に対して与えられる施設建築物の一部等は、それらの者が権利を有する施行地区内の土地又は建築物の位置、地積又は床面積、環境及び利用状況とそれらの者に与えられる施設建築物の一部の位置、床面積及び環境とを総合的に勘案して、それらの者の相互間に不均衡が生じないように、かつ、その価額と従前の価額との間に著しい差額が生じないように定めなければならない。この場合において、二以上の施設建築敷地があるときは、その施設建築物の一部は、特別の事情がない限り、それらの者の権利に係る土地の所有者に前条第一項及び第二項の規定により与えられることと定められる施設建築敷地に建築される施設建築物の一部としなければならない。

3　宅地（指定宅地を除く。）の所有者である者に対しては、その者に与えられる施設建築敷地に第八十八条第一項の規定により地上権が設定されることによる損失の補償として施設建築物の一部等が与えられるように定めなければならない。

4　権利変換計画においては、第一項又は前項の規定により与えられるように定められる施設建築物の一部等以外の部分は、施行者に帰属するように定めなければならない。

5　権利変換計画においては、第七十一条第三項の申出をした者を除き、施行地区内の土地（指定宅地を除く。）に権原に基づき建築物を所有する者から当該建築物について賃借権の設定を受けている者（その者が更に賃借権を設定しているときは、その賃借権の設定を受けた者）又は施行地区内の土地（指定宅地を除く。）に存する建築物について配偶者居住権を有する者から賃借権の設定を受けている者に対しては、第一項の規定によりそれぞれ当該建築物の所有者に与えられることとなる施設建築物の一部について、賃借権が与えられるように定めなければならない。ただし、当該建築物の所有者が同条第一項の申出をしたときは、前項の規定により施行者に帰属することとなる施設建築物の一部について、賃借権が与えられるように定めなければならない。

6　権利変換計画においては、第七十一条第三項の申出をした者を除き、施行地区内の土地（指定宅地を除く。）に存する建築物について配偶者居住権の設定を受けている者（その者が賃借権を設定している場合を除く。）

に対しては、第一項の規定により当該建築物の所有者に与えられることとなる施設建築物の一部について、配偶者居住権が与えられるように定めなければならない。ただし、当該建築物の所有者が同条第一項の申出をしたときは、第四項の規定により施行者に帰属することとなる施設建築物の一部について、配偶者居住権が与えられるように定めなければならない。

7　前項の場合においては、権利変換計画は、施行地区内の土地（指定宅地を除く。）に存する建築物について配偶者居住権の設定を受けている者に対し与えられることとなる施設建築物の一部についての配偶者居住権の存続期間が当該土地に存する建築物の配偶者居住権の存続期間と同一の期間となるように定めなければならない。

（個別利用区内の宅地等）

第七七条の二　権利変換計画においては、指定宅地の所有者又はその使用収益権を有する者に対しては、それぞれ個別利用区内の宅地又はその使用収益権が与えられるように定めなければならない。

2　個別利用区内の各宅地の地積は、第七十条の二第二項第三号に規定する面積以上でなければならない。

3　指定宅地の所有者に対して与えられる個別利用区内の宅地は、それらの者が所有する指定宅地の相互の位置関係、地積、環境、利用状況その他の事情と当該指定宅地に対応して与えられることとなる個別利用区内の宅地の相互の位置関係、地積、環境、利用状況その他の事情ができる限り照応し、かつ、その価額と従前の価額との間に著しい差額が生じないように定めなければならない。

4　権利変換計画においては、第一項の規定により与えられるように定められる宅地以外の個別利用区内の宅地は、施行者に帰属するように定めなければならない。

5　指定宅地の使用収益権を有する者に対して与えられる個別利用区内の宅地の使用収益権は、従前の使用収益権の目的である指定宅地の所有者に対して与えられることとなる個別利用区内の宅地の上に存するものとして定めなければならない。

（担保権等の登記に係る権利）

第七八条　施行地区内の宅地（指定宅地を除く。）若しくはその借地権又は施行地区内の土地（指定宅地を除く。）に権原に基づき所有される建築物について担保権等の登記に係る権利が存するときは、権利変換計画においては、当該担保権等の登記に係る権利は、その権利の目的たる宅地、借地権又は建築物に対応して与えられるものとして定められた施設建築敷地若しくはその共有持分又は施設建築物の一部等に関する権利の上に存するものとして定めなければならない。この場合において、借地権の設定に係る仮登記上の権利は、当該借地権に対応して与えられる権利につき、当該仮登記に基づく本登記がされるための条件が成就することを停止条件とする当該対応して与えられる権利の移転請求権として定めなければならない。

2　前項の場合において、関係権利者間の利害の衡平を図るため必要があるときは、施行者は、当該存するものとして定められる権利につき、これらの者の意見をきいて、必要な定めをすることができる。

3　指定宅地又はその使用収益権について担保権等の登記に係る権利が存するときは、権利変換計画においては、当該担保権等の登記に係る権利は、その権利の目的たる指定宅地又はその使用収益権に対応して与えられるものとして定められた個別利用区内の宅地又はその使用収益権の上に存するものとして定めなければならない。

（床面積が過小となる施設建築物の一部の処理）

第七九条　権利変換計画を第七十四条第一項の基準に適合させるため特別な必要があるときは、第七十七条第二項又は第三項の規定によれば床面積が過小となる施設建築物の一部の床面積を増して適正なものとすることができる。この場合においては、必要な限度において、これらの規定によれば床面積が大で余裕がある施設建築物の一部の床面積を減ずることができる。

2　前項の過小な床面積の基準は、政令で定める基準に従い、施行者が審査委員の過半数の同意を得、又は市街地再開発審査会の議決を経て定める。この場合において、市街地再開発審査会の議決は、第五十七条第四項第一号（第五十九条第二項において準用する場合を含む。）に掲げる委員の過半数を含む委員の過半数の賛成によつて決する。

3　権利変換計画においては、前項の規定により定められた床面積の基準に照らし、床面積が著しく小である施設建築物の一部又はその施設建築物の一部についての借家権が与えられることとなる者に対しては、第七十七条並びに前条第一項及び第二項の規定にかかわらず、施設建築物の一部等又は借家権が与えられないように定めることができる。

（宅地等の価額の算定基準）

第八〇条　第七十三条第一項第三号、第八号、第十八号又は第十九号の価額は、第七十一条第一項又は第四項（同条第五項において読み替えて適用する場合を含む。）の規定による三十日の期間を経過した日における近傍類似の土地、近傍同種の建築物又は近傍類似の土地若しくは近傍同種の建築物に関する同種の権利の取引価格等を考慮して定める相当の価額とする。

2　第七十六条第三項の割合の基準となる宅地の価額は、当該宅地に関する所有権以外の権利が存しないものとして、前項の規定を適用して算定した相当の価額とする。

（施設建築敷地及び個別利用区内の宅地等の価額等の概算額の算定基準）

第八一条　権利変換計画においては、第七十三条第一項第四号、第九号、第十六号又は第十七号の概算額は、政令で定めるところにより、第一種市街地再開発事業に要する費用及び前条第一項に規定する三十日の期間を経過した日における近傍類似の土地、近傍同種の建築物又は近傍類似の土地若しくは近傍同種の建築物に関する同種の権利の取引価格等を考慮して定める相当の価額を基準として定めなければならない。

（公共施設の用に供する土地の帰属に関する定め）

第八二条　権利変換計画においては、第一種市街地再開発事業により従前の公共施設に代えて設置される新たな公共施設の用に供する土地は、従前の公共施設の用に供される土地の所有者が国であるときは国に、地方公共団体であるときは当該地方公共団体に帰属し、その他の新たな公共施設の用に供する土地は、当該公共施設を管理すべき者（その者が地方自治法（昭和二十二年法律第六十七号）第二条第九項第一号に規定する第一号法定受託事務（以下単に「第一号法定受託事務」という。）として当該公共施設を管理する地方公共団体であるときは、国）に帰属するように定めなければならない。

（権利変換計画の縦覧等）

第八三条　個人施行者以外の施行者は、権利変換計画を定めようとするときは、権利変換計画を二週間公衆の縦覧に供しなければならない。この場合においては、あらかじめ、縦覧の開始の日、縦覧の場所及び縦覧の時間を公告するとともに、施行地区内の土地又は土地に定着する物件に関し権利を有する者及び参加組合員又は特定事業参加者にこれらの事項を通知しなければならない。

2　施行地区内の土地又は土地に定着する物件に関し権利を有する者及び参加組合員又は特定事業参加者は、縦覧期間内に、権利変換計画について施行者に意見書を提出することができる。

3　施行者は、前項の規定により意見書の提出があつたときは、その内容を審査し、その意見書に係る意見を採択すべきであると認めるときは権利変換計画に必要な修正を加え、その意見書に係る意見を採択すべきでないと認めるときはその旨を意見書を提出した者に通知しなければならない。

4　施行者が権利変換計画に必要な修正を加えたときは、その修正に係る部分についてさらに第一項からこの項までに規定する手続を行なうべきものとする。ただし、その修正が政令で定める軽微なものであるときは、その修正部分に係る者にその内容を通知することをもつて足りる。

5　第一項から前項までの規定は、権利変換計画を変更する場合（政令で定める軽微な変更をする場合を除く。）に準用する。

（審査委員及び市街地再開発審査会の関与）

第八四条　施行者は、権利変換計画を定め、又は変更しようとするとき（政令で定める軽微な変更をしようとする場合を除く。）は、審査委員の過半数の同意を得、又は市街地再開発審査会の議決を経なければならない。この場合においては、第七十九条第二項後段の規定を準用する。

2　前項の規定は、前条第二項の意見書の提出があつた場合において、その採否を決定するときに準用する。

（価額についての裁決申請等）

第八五条　第七十三条第一項第三号、第八号、第十八号又は第十九号の価額について第八十三条第三項の規定により同条第二項の意見書を採択しない旨の通知を受けた者は、その通知を受けた日から起算して三十日以内に、収用委員会にその価額の裁決を申請することができる。

2　前項の規定による裁決の申請は、事業の進行を停止しない。

3　土地収用法第九十四条第三項から第八項まで、第百三十三条及び第百三十四条の規定は、第一項の規定による収用委員会の裁決及びその裁決に不服がある場合の訴えについて準用する。この場合において必要な技術的読替えは、政令で定める。

4　第一項の規定による収用委員会の裁決及び前項の規定による訴えに対する裁判は、権利変換計画において与えられることと定められた施設建築敷地の共有持分、施設建築物の一部等又は個別利用区内の宅地若しくはその使用収益権には影響を及ぼさないものとする。

第三款　権利の変換

（権利変換の処分）

第八六条　施行者は、権利変換計画若しくはその変更の認可を受けたとき、又は権利変換計画について第七十二条第四項の政令で定める軽微な変更をしたときは、遅滞なく、国土交通省令で定めるところにより、その旨を公告し、及び関係権利者に関係事項を書面で通知しなければならない。

2　権利変換に関する処分は、前項の通知をすることによつて行なう。

3　権利変換に関する処分については、行政手続法（平成五年法律第八十八号）第三章の規定は、適用しない。

（権利変換期日等の通知）

第八六条の二　施行者は、権利変換計画若しくはその変更（権利変換期日に係るものに限る。以下この条において同じ。）の認可を受けたとき、又は第七十二条第四項の政令で定める軽微な変更をしたときは、遅滞なく、国土交通省令で定めるところにより、施行地区を管轄する登記所に、権利変換期日その他国土交通省令で定める事項を通知しなければならない。

（権利変換期日における権利の変換）

第八七条　施行地区内の土地は、権利変換期日において、権利変換計画の定めるところに従い、新たに所有者となるべき者に帰属する。この場合において、従前の土地を目的とする所有権以外の権利は、この法律に別段の定めがあるものを除き、消滅する。

2　権利変換期日において、施行地区内の土地（指定宅地を除く。）に権原に基づき建築物を所有する者の当該建築物は、施行者に帰属し、当該建築物を目的とする所有権以外の権利は、この法律に別段の定めがあるものを除き、消滅する。ただし、第六十六条第七項の承認を受けないで新築された建築物及び施行地区外に移転すべき旨の第七十一条第一項の申出があつた建築物については、この限りでない。

第八八条　施設建築物の敷地となるべき土地には、権利変換期日において、権利変換計画の定めるところに従い、施設建築物の所有を目的とする地上権が設定されたものとみなす。ただし、権利変換期日以後第百条第二項の規定による公告の日までの間は、権利変換計画の定めるところに従い、施行者がその地代の概算額を支払うものとする。

2　施設建築物の一部は、権利変換計画において、これとあわせて与えられることと定められていた地上権の共有持分を有する者が取得する。

3　第七十三条第四項の規定により宅地（指定宅地を除く。）に借地権が存するものとして権利変換計画が定められたときは、当該借地権を有するものとされた者が取得した施設建築物の一部等は、その取得の際、その者から当該借地権の設定者とされた者に対し、当該借地権の存しないことの確定を停止条件として移転したものとみなす。

4　建物の区分所有等に関する法律第一条に規定する建物の部分若しくは附属の建物で権利変換計画において施設建築物の共用部分と定められたものがあるとき、権利変換計画において定められた施設建築物の共用部分の共有持分が同法第十一条第一項若しくは第十四条第一項から第三項までの規定に適合しないとき、又は権利変換計画において定められた施設建築物の所有を目的とする地上権の共有持分の割合が同法第二十二条第二項本文（同条第三項において準用する場合を含む。）の規定に適合しないときは、権利変換計画中その定めをした部分は、それぞれ同法第四条第二項、第十一条第二項若しくは第十四条第四項又は第二十二条第二項ただし書（同条第三項において準用する場合を含む。）の規定による規約とみなす。

5　施行地区内の土地（指定宅地を除く。）に存する建築物について借家権を有していた者（その者が更に借家権を設定していたときは、その借家権の設定を受けた者）は、権利変換計画の定めるところに従い、施設建築物の一部について借家権を取得する。

6　第一項の規定による地上権の設定については、地方自治法第二百三十八条の四第一項及び国有財産法（昭和二十三年法律第七十三号）第十八条第一項の規定は、適用しない。

第八八条の二　指定宅地の使用収益権は、権利変換期日以後は、権利変換計画の定めるところに従い、個別利用区内の宅地の上に存するものとする。

（担保権等の移行）

第八九条　施行地区内の宅地（指定宅地を除く。）若しくはその借地権又は施行地区内の土地（指定宅地を除く。）に権原に基づき所有される建築物について存する担保権等の登記に係る権利は、権利変換期日以後は、権利変換計画の定めるところに従い、施設建築敷地若しくはその共有持分又は施設建築物の一部等に関する権利の上に存するものとする。

2　指定宅地又はその使用収益権について存する担保権等の登記に係る権利は、権利変換期日以後は、権利変換計画の定めるところに従い、個別利用区内の宅地又はその使用収益権の上に存するものとする。

（権利変換の登記）

第九〇条　施行者は、権利変換期日後遅滞なく、施行地区内の土地につき、従前の土地の表題部の登記の抹消及び新たな土地の表題登記（不動産登記法（平成十六年法律第百二十三号）第二条第二十号に規定する表題登記をいう。）並びに権利変換後の土地に関する権利について必要な登記を申請し、又は嘱託しなければならない。

2　施行者は、権利変換期日後遅滞なく、第八十七条第二項の規定により施行者に帰属した建築物については所有権の移転の登記及び所有権以外の権利の登記の抹消を、施行地区内のその他の建築物については権利変換手続開始の登記の抹消を申請し、又は嘱託しなければならない。

3　権利変換期日以後においては、施行地区内の土地及び第八十七条第二項の規定により施行者に帰属した建築物に関しては、前二項の登記がされるまでの間は、他の登記をすることができない。

（補償金等）

第九一条　施行者は、施行地区内の宅地（指定宅地を除く。）若しくはこれに存する建築物又はこれらに関する権利を有する者で、この法律の規定により、権利変換期日において当該権利を失い、かつ、当該権利に対応して、施設建築敷地若しくはその共有持分、施設建築物の一部等又は施設建築物の一部についての借家権を与えられないものに対し、その補償として、権利変換期日までに、第八十条第一項の規定により算定した相当の価額に同項に規定する三十日の期間を経過した日から権利変換計画の認可の公告の日までの物価の変動に応ずる修正率を乗じて得た額に、当該権利変換計画の認可の公告の日から補償金を支払う日までの期間につき法定利率による利息相当額を付してこれを支払わなければならない。この場合において、その修正率は、政令で定める方法によつて算定するものとする。

2　収用委員会は、前項の規定による補償を受けるべき者に対し第八十五条第一項の規定による裁決をする場合において、その裁決で定められた価額が前項に規定する相当の価額として施行者が支払つた額を超えるときは、次に掲げる額の合計額を支払うべき旨の裁決をあわせてしなければならない。

一　その差額につき第八十条第一項に規定する三十日を経過した日から権利変換計画の認可の公告の日までの前項に規定する物価の変動に応ずる修正率を乗じて得た額及び権利変換計画の認可の公告の日から権利変換期日までの間の同項に規定する利息相当額

二　前号の額につき権利変換期日後その支払いを完了する日までの日数に応じ年十四・五パーセントの割合による過怠金

3　土地収用法第九十四条第十項から第十二項までの規定は、前項の裁決に関し、第八十五条第三項の規定による訴えの提起がなかつた場合に準用する。

（補償金等の供託）

第九二条　施行者は、次の各号のいずれかに該当する場合においては、前条に規定する補償金（利息相当額を含む。）及び過怠金（以下「補償金等」という。）の支払に代えてこれを供託することができる。

一　補償金等の提供をした場合において、補償金等を受けるべき者がその受領を拒んだとき。

二　補償金等を受けるべき者が補償金等を受領することができないとき。

三　施行者が補償金等を受けるべき者を確知することができないとき。ただし、施行者に過失があるときは、この限りでない。

四　施行者が収用委員会の裁決した補償金等の額に対して不服があるとき。

五　施行者が差押え又は仮差押えにより補償金等の払渡しを禁じられたとき。

2　前項第四号の場合において、補償金等を受けるべき者の請求があるときは、施行者は、自己の見積り金額を払い渡し、裁決による補償金等の額との差額を供託しなければならない。

3　施行者は、第七十三条第四項の場合においては、権利変換計画において存するものとされた権利に係る補償金等（併存し得ない二以上の権利が存するものとされた場合においては、それらの権利に対する補償金等のうち最高額のもの）の支払に代えてこれを供託しなければならない。

4　施行者は、先取特権、質権若しくは抵当権又は仮登記若しくは買戻しの特約の登記に係る権利の目的物について補償金等を支払うときは、これらの権利者のすべてから供託しなくてもよい旨の申出があつたときを除き、その補償金等を供託しなければならない。

5　前四項の規定による供託は、施行地区内の土地の所在地の供託所にしなければならない。

6　施行者は、第一項から第四項までの規定による供託をしたときは、遅滞なく、その旨を補償金等を取得すべき者（その供託が第三項の規定によるものであるときは、争いの当事者）に通知しなければならない。

（物上代位）

第九三条　前条第四項の先取特権、質権又は抵当権を有する者は、同項の規定により供託された補償金等に対してその権利を行うことができる。

（差押え又は仮差押えがある場合の措置）

第九四条　差押えに係る権利については、第九十一条第一項の規定にかかわらず、施行者は、権利変換期日までに、同項の規定により支払うべき金額を当該差押えによる配当手続を実施すべき機関に払い渡さなければならない。ただし、強制執行若しくは担保権の実行としての競売（その例による競売を含む。以下単に「競売」という。）による代金の納付又は滞納処分による売却代金の支払があつた後においては、この限りでない。

2　前項の規定により配当手続を実施すべき機関が払渡しを受けた金銭は、配当に関しては、強制執行若しくは競売による代金又は滞納処分による売却代金とみなし、その払渡しを受けた時が強制競売又は競売に係る配当要求の終期の到来前であるときは、その時に配当要求の終期が到来したものとみなす。

3　強制競売若しくは競売に係る売却許可決定後代金の納付前又は滞納処分による売却決定後売却代金の支払前に第一項本文の規定による払渡しがあつたときは、売却許可決定又は売却決定は、その効力を失う。

4　差押えに係る権利について第九十一条第二項の裁決があつたときは、施行者は、その補償金等を当該差押えによる配当手続を実施すべき機関に払い渡さなければならない。

5　施行者は、前項の場合において、収用委員会の裁決した補償金等の額に対して不服があるときは、同項の規定による払渡しをする際、自己の見積り金額を同項に規定する配当手続を実施すべき機関に通知しなければならない。

6　第一項及び前二項の規定は、仮差押えの執行に係る権利に対する補償金等の払渡しに準用する。

7　施行者に補償金等の支払を命ずる判決が確定したときは、その補償金等の支払に関しては、第一項の規定による補償金等の例による。この場合において、施行者が補償金等を配当手続を実施すべき機関に払い渡したときは、補償金等の支払を命ずる判決に基づく給付をしたものとみなす。

8　第一項、第四項又は前二項の規定による補償金等の裁判所への払渡し及びその払渡しがあつた場合における強制執行、仮差押えの執行又は競売に関しては、最高裁判所規則で民事執行法（昭和五十四年法律第四号）又は民事保全法（平成元年法律第九十一号）の特例その他必要な事項を、その補償金等の裁判所以外の配当手続を実施すべき機関への払渡し及びその払渡しがあつた場合における滞納処分に関しては、政令で国税徴収法（昭和三十四年法律第百四十七号）の特例その他必要な事項を定めることができる。

第四款　土地の明渡し

（占有の継続）

第九五条　権利変換期日において、第八十七条の規定により失つた権利に基づき施行地区内の土地又は建築物を占有していた者及びその承継人は、第九十六条第一項の規定により施行者が通知した明渡しの期限までは、従前の用法に従い、その占有を継続することができる。ただし、第六十六条の規定の適用を妨げない。

（個別利用区内の宅地の使用収益の停止）

第九五条の二　権利変換期日以後個別利用区内の宅地又はその使用収益権を取得した者は、第百条第一項の規定による公告があるまでは、当該宅地について使用し、又は収益することができない。ただし、前条の規定により当該宅地の占有を継続することができる場合は、この限りでない。

（土地の明渡し）

第九六条　施行者は、権利変換期日後第一種市街地再開発事業に係る工事のため必要があるときは、施行地区内の土地又は当該土地に存する物件を占有している者に対し、期限を定めて、土地の明渡しを求めることができる。ただし、第九十五条の規定により従前指定宅地であつた土地を占有している者又は当該土地に存する物件を占有している者に対しては、第百条第一項の規定による通知をするまでは、土地の明渡しを求めることができない。

2　前項の規定による明渡しの期限は、同項の請求をした日の翌日から起算して三十日を経過した後の日でなければならない。

3　第一項の規定による明渡しの請求があつた土地（従前指定宅地であつた土地を除く。）又は当該土地に存する物件を占有している者は、明渡しの期限までに、施行者に土地若しくは物件を引き渡し、又は物件を移転しなければならない。ただし、第九十一条第一項又は次条第三項の規定による支払がないときは、この限りでない。

4　第一項の規定による明渡しの請求があつた土地（従前指定宅地であつた土地に限る。）又は当該土地に存する物件を占有している者は、明渡しの期限までに、施行者に土地を引き渡し、又は物件を移転し、若しくは除却しなければならない。ただし、次条第三項の規定による支払がないときは、この限りでない。

5　第九十五条の規定により建築物を占有する者が施行者に当該建築物を引き渡す場合において、当該建築物に、第六十六条第七項の承認を受けないで改築、増築若しくは大修繕が行われ、又は物件が付加増置された部分があるときは、第八十七条第二項の規定により当該建築物の所有権を失つた者は、当該部分又は物件を除却して、これを取得することができる。

6　第一項に規定する処分については、行政手続法第三章の規定は、適用しない。

（土地の明渡しに伴う損失補償）

第九七条　施行者は、前条の規定による土地若しくは物件の引渡し又は物件の移転により同条第一項の土地の占有者及び物件に関し権利を有する者が通常受ける損失を補償しなければならない。

2　前項の規定による損失の補償額については、施行者と前条第一項の土地の占有者又は物件に関し権利を有する者とが協議しなければならない。

3　施行者は、前条第二項の明渡しの期限までに第一項の規定による補償額を支払わなければならない。この場合において、その期限までに前項の協議が成立していないときは、審査委員の過半数の同意を得、又は市街地再開発審査会の議決を経て定めた金額を支払わなければならないものとし、その議決については、第七十九条第二項後段の規定を準用する。

4　第二項の規定による協議が成立しないときは、施行者又は損失を受けた者は、収用委員会に土地収用法第九十四条第二項の規定による補償額の裁決を申請することができる。

5　第八十五条第二項及び第三項、第九十一条第二項及び第三項、第九十二条並びに第九十三条の規定は、第二項の規定による損失の補償について準用する。

（土地若しくは物件の引渡し又は物件の移転の代行及び代執行）

第九八条　第九十六条第三項の場合において次の各号の一に該当するときは、市町村長は、施行者の請求により、土地若しくは物件を引き渡し、又は物件を移転すべき者に代わつて、土地若しくは物件を引き渡し、又は物件を移転しなければならない。

一　土地若しくは物件を引き渡し、又は物件を移転すべき者がその責めに帰することができない理由によりその義務を履行することができないとき。

二　施行者が過失がなくて土地若しくは物件を引き渡し、又は物件を移転すべき者を確知することができないとき。

2　第九十六条第三項の場合において土地若しくは物件を引き渡し、又は物件を移転すべき者がその義務を履行しないとき、履行しても十分でないとき、又は履行しても明渡しの期限までに完了する見込みがないときは、都道府県知事等は、施行者の請求により、行政代執行法（昭和二十三年法律第四十三号）の定めるところに従い、自ら義務者のなすべき行為をし、又は第三者をしてこれをさせることができる。

3　前項の場合において、都道府県知事等は、義務者及び施行者にあらかじめ通知した上で、当該代執行に要した費用に充てるため、その費用の額の範囲内で、義務者が施行者から受けるべき前条第一項の補償金を義務者に代わつて受けることができる。

4　施行者が前項の規定に基づき補償金の全部又は一部を都道府県知事等に支払つた場合においては、この法律の適用については、施行者が都道府県知事等に支払つた金額の限度において、前条第一項の補償金を支払つたものとみなす。

（費用の徴収）

第九九条　市町村長は、前条第一項の規定により土地若しくは物件を引き渡し、又は物件を移転するに要した費用を第九十六条第三項の規定により土地若しくは物件を引き渡し、又は物件を移転すべき者から徴収するものとする。

2　前条第三項及び第四項の規定は、市町村長が前項の規定によつて費用を徴収する場合に準用する。

3　市町村長は、第一項に規定する費用を前項において準用する前条第三項の規定によつて徴収することができないとき、又は徴収することが適当でないと認めるときは、第一項に規定する者に対し、あらかじめ、納付すべき金額、納付の期限及び場所を通知して、これを納付させるものとする。

4　市町村長は、前項の規定によつて通知を受けた者が同項の規定によつて通知された期限を経過しても同項の規定により納付すべき金額を完納しないときは、督促状によつて納付すべき期限を指定して督促しなければならない。

5　前項の規定による督促を受けた者がその指定の期限までに第三項の規定により納付すべき金額を納付しないときは、市町村長は、国税滞納処分の例によつて、これを徴収することができる。この場合における徴収金の先取特権の順位は、国税及び地方税に次ぐものとする。

第四款の二　施設建築物の建築等の特例

（施行者以外の者による施設建築物の建築）

第九九条の二　施行者は、施設建築物（権利変換計画において第七十三条第一項第二号に掲げる者（施行者を除く。）がその全部を取得するように定められたものを除く。）の建築を他の者に行わせることができる。

2　前項の規定により施設建築物の建築を施行者以外の者に行わせるときは、権利変換計画においてその旨及び施行者が取得する施設建築物の全部又は一部のうちその建築を行う者（以下「特定建築者」という。）に取得させるものを定めなければならない。

3　第一項の規定により施行者以外の者が建築を行う施設建築物（以下「特定施設建築物」という。）の全部又は一部は、権利変換計画の定めるところに従い、第八十八条第二項（第百十一条において読み替えて適用する場合を含む。）、第百十条第三項及び第百十条の二第四項の規定にかかわらず、特定建築者が取得する。

（特定建築者の公募）

第九九条の三　施行者は、国、地方公共団体、地方住宅供給公社、日本勤労者住宅協会その他政令で定める者を特定建築者とする場合を除き、国土交通省令で定めるところにより、特定建築者を公募しなければならない。

2　施行者は、特定建築者を公募したときは、次の各号に掲げる条件を備えた者で、その者が次条の規定により提出した特定施設建築物の建築の工期、工事概要等に関する計画（以下「建築計画」という。）及び管理処分に関する計画が事業計画及び権利変換計画に適合し、かつ、当該第一種市街地再開発事業の目的を達成する上で最も適切な計画であるものを特定建築者としなければならない。

一　特定施設建築物を建築するのに必要な資力及び信用を有する者であること。

二　第九十九条の六第二項の規定による譲渡の対価の支払能力がある者であること。

3　施行者（都道府県及び市町村を除く。）は、前項の規定により特定建築者を決定するときは、あらかじめ、機構等（市のみが設立した地方住宅供給公社を除く。）にあつては国土交通大臣の、個人施行者、組合、再開発会社又は市のみが設立した地方住宅供給公社にあつては都道府県知事の承認を受けなければならない。

（建築計画等の提出）

第九九条の四　特定建築者となろうとする者は、国土交通省令で定めるところにより、施行者に建築計画及び当該特定施設建築物の管理処分に関する計画を提出しなければならない。

（特定施設建築物の建築等）

第九九条の五　施行者は、特定施設建築物の敷地の整備を完了したときは、速やかに、その旨を特定建築者に通知しなければならない。

2　特定建築者は、前項の通知を受けたときは、建築計画に従つて特定施設建築物を建築しなければならない。

3　前項の場合においては、特定建築者は、当該特定施設建築物の敷地を使用することができる。

（特定施設建築物の敷地等の譲渡）

第九九条の六　特定建築者は、特定施設建築物の建築工事を完了したときは、速やかに、その旨を施行者に届け出なければならない。

2　施行者は、前項の届出があつた場合において、特定建築者が建築計画に従い特定施設建築物の建築を完了したと認めるときは、速やかに、第九十九条の二第三項の規定により当該特定建築者が取得することとなる特定施設建築物の全部又は一部の所有を目的とする地上権又はその共有持分を譲渡しなければならない。

（建築計画の変更）

第九九条の七　特定建築者は、建築計画に従い当該特定施設建築物を建築することができないやむを得ない事情があるときは、事業計画及び権利変換計画に適合する範囲内において、施行者の承認を受けて、建築計画を変更することができる。

（特定施設建築物が建築計画に従つて建築されない場合の措置）

第九九条の八　施行者は、特定建築者が建築計画に従つて特定施設建築物を建築しなかつた場合においては、その者を特定建築者とする決定を取り消すことができる。

2　施行者は、前項の規定により同項の決定を取り消した場合においては、特定建築者及び特定施設建築物の敷地又は当該敷地にある物件を占有している者に対し、相当の期限を定めて、当該敷地の明渡しを求めることができる。

3　前項の規定により明渡しの請求があつた特定建築者及び特定施設建築物の敷地又は当該敷地にある物件を占有している者は、明渡しの期限までに、施行者に当該敷地を引き渡し、又は物件を移転しなければならない。

4　施行者は、第一項の規定により同項の決定を取り消した場合においては、新たに特定建築者を決定するときを除き、自ら当該特定施設建築物の建築を行わなければならない。

5　第九十九条の三第三項の規定は第一項の規定により同項の決定を取り消す場合について、第九十八条第一項及び第二項並びに第九十九条（第三項を除く。）の規定は第三項の場合について準用する。この場合において、第九十八条第二項中「都道府県知事等」とあるのは、「都道府県知事」と読み替えるものとする。

（報告、勧告等）

第九九条の九　施行者は、特定建築者に対し、特定施設建築物の建築に関し、その適切な遂行を確保するため必要な限度において、報告若しくは資料の提出を求め、又はその特定施設建築物の建築の促進を図るため必要な勧告、助言若しくは援助をすることができる。

（公共施設の管理者等による工事）

第九九条の一〇　施行者は、政令で定める公共施設の整備に関する工事について特殊の技術を要する等特別の事情がある場合においては、当該工事の全部又は一部を当該公共施設の管理者又は管理者となるべき者に行わせることができる。

第五款　工事完了等に伴う措置

（工事の完了の公告等）

第一〇〇条　施行者は、個別利用区内の宅地の整備及びこれに関連する公共施設の整備に係る工事が完了したときは、速やかに、その旨を、公告するとともに、第八十七条第一項又は第八十八条の二の規定により当該宅地又はその使用収益権を取得した者に通知しなければならない。

2　施行者は、施設建築物の建築工事が完了したときは、速やかに、その旨を、公告するとともに、第八十八条第二項又は第五項の規定により施設建築物に関し権利を取得する者に通知しなければならない。

（施設建築物に関する登記）

第一〇一条　施行者は、施設建築物の建築工事が完了したときは、遅滞なく、施設建築物及び施設建築物に関する権利について必要な登記を申請し、又は嘱託しなければならない。

2　施設建築物に関する権利に関しては、前項の登記がされるまでの間は、他の登記をすることができない。

（借家条件の協議及び裁定）

第一〇二条　権利変換計画において施設建築物の一部等が与えられるように定められた者と当該施設建築物の一部について第七十七条第五項本文の規定により賃借権が与えられるように定められた者は、家賃その他の借家条件について協議しなければならない。

2　第百条第二項の規定による公告の日までに前項の規定による協議が成立しないときは、施行者は、当事者の一方又は双方の申立てにより、審査委員の過半数の同意を得、又は市街地再開発審査会の議決を経て、次に掲げる事項について裁定することができる。この場合においては、第七十九条第二項後段の規定を準用する。

一　賃借りの目的

二　家賃の額、支払期日及び支払方法

三　敷金又は賃借権の設定の対価を支払うべきときは、その額

3　施行者は、前項の規定による裁定をするときは、賃借りの目的については賃借部分の構造及び賃借人の職業を、家賃の額については賃貸人の受けるべき適正な利潤を、その他の事項についてはその地方における一般の慣行を考慮して定めなければならない。

4　第二項の規定による裁定があつたときは、裁定の定めるところにより、当事者間に協議が成立したものとみなす。

5　第二項の裁定に関し必要な手続に関する事項は、国土交通省令で定める。

6　第二項の裁定に不服がある者は、その裁定があつた日から六十日以内に、訴えをもつてその変更を請求することができる。

7　前項の訴えにおいては、当事者の他の一方を被告としなければならない。

（施設建築物の一部等の価額等の確定）

第一〇三条　施行者は、第一種市街地再開発事業の工事が完了したときは、速やかに、当該事業に要した費用の額を確定するとともに、政令で定めるところにより、その確定した額及び第八十条第一項に規定する三十日の期間を経過した日における近傍類似の土地、近傍同種の建築物又は近傍類似の土地若しくは近傍同種の建築物に関する同種の権利の取引価格等を考慮して定める相当の価額を基準として、施設建築敷地若しくはその共有持分、施設建築物の一部等若しくは個別利用区内の宅地若しくはその使用収益権を取得した者又は施行者の所有する施設建築物の一部について第七十七条第五項ただし書の規定により賃借権が与えられるように定められ、第八十八条第五項の規定により賃借権を取得した者ごとに、施設建築敷地若しくはその共有持分、施設建築物の一部等若しくは個別利用区内の宅地若しくはその使用収益権の価額、施設建築敷地の地代の額又は施行者が賃貸しする施設建築物の一部の家賃の額を確定し、これらの者にその確定した額を通知しなければならない。

2　前項の規定により確定した地代の額は、当事者間に別段の合意がない限り、施設建築敷地について当事者の合意により定められた地代の額とみなす。ただし、その額に不服がある者は、前項の通知を受けた日から六十日以内に、訴えをもつてその増減を請求することができる。

3　前項ただし書の訴えにおいては、当事者の他の一方を被告としなければならない。

（清算）

第一〇四条　前条第一項の規定により確定した施設建築敷地若しくはその共有持分、施設建築物の一部等又は個別利用区内の宅地若しくはその使用収益権の価額とこれを与えられた者がこれに対応する権利として有していた施行地区内の宅地、使用収益権又は建築物の価額とに差額があるときは、施行者は、その差額に相当する金額を徴収し、又は交付しなければならない。同項の規定により確定した施設建築敷地の地代の額と第八十八条第一項ただし書の規定により支払つた地代の概算額とに差額があるときも、同様とする。

2　第九十九条の二第三項の規定により特定建築者が特定施設建築物の一部を取得する場合においては、施行者は、特定建築者が取得する部分以外の部分に係る特定施設建築物の整備に要した費用の額を政令で定めるところにより確定し、当該費用の額と第九十九条の六第二項の規定による譲渡の対価の額とに差額があるときは、その差額に相当する金額を徴収し、又は交付しなければならない。

（清算金の供託及び物上代位）

第一〇五条　前条第一項に規定する宅地、使用収益権又は建築物が先取特権、質権若しくは抵当権又は仮登記若しくは買戻しの特約の登記に係る権利の目的となつていたときは、これらの権利者の全てから供託しなくてもよい旨の申出があつたときを除き、施行者は、同項の規定により交付すべき清算金の交付に代えてこれを供託しなければならない。第九十二条第五項及び第六項の規定は、この場合について準用する。

2　前項の先取特権、質権又は抵当権を有していた者は、同項の規定により供託された清算金に対してその権利を行うことができる。

（清算金の徴収）

第一〇六条　第百四条第一項の規定により徴収すべき清算金は、政令で定めるところにより、利子を付して分割して徴収することができる。

2　個人施行者以外の施行者は、第百四条第一項の規定により徴収すべき清算金（前項の規定により利子を付したときは、その利子を含む。以下同じ。）を滞納する者があるときは、督促状によつて納付すべき期限を指定して督促することができる。

3　前項の督促をするときは、組合にあつては定款で定めるところにより、再開発会社にあつては規準で定めるところにより、地方公共団体又は機構等にあつては政令で定めるところにより、年十四・五パーセントの割合を乗じて計算した額の範囲内の延滞金を徴収することができる。

4　第二項の督促を受けた者がその督促状において指定した期限までにその納付すべき金額を納付しないときは、地方公共団体又は機構等は、国税滞納処分の例により、同項の清算金及び前項の延滞金を徴収することができる。この場合における清算金及び延滞金の先取特権の順位は、国税及び地方税に次ぐものとする。

5　延滞金は、清算金に先だつものとする。

6　第四十一条の規定は、組合の徴収に係る第二項の清算金及び第三項の延滞金を督促状において指定した期限までに納付しない者がある場合について準用する。

7　第五十条の十一第一項及び第二項の規定は、再開発会社の徴収に係る第二項の清算金及び第三項の延滞金を督促状において指定した期限までに納付しない者がある場合について準用する。

8　第四十二条の規定は、施行者が第二項の清算金及び第三項の延滞金を徴収する権利について準用する。この場合において、同条第二項中「前条第一項」とあるのは、「第百六条第二項」と読み替えるものとする。

（先取特権）

第一〇七条　第百四条第一項の清算金を徴収する権利を有する施行者は、その納付義務者に与えられる施設建築物の一部の上に先取特権を有する。

2　前項の先取特権は、第百一条第一項の規定による登記の際に清算金の予算額を登記することによつてその効力を保存する。ただし、清算金の額がその予算額を超過するときは、その超過額については存在しない。

3　第一項の先取特権は、不動産工事の先取特権とみなし、前項本文の規定に従つてした登記は、民法（明治二十九年法律第八十九号）第三百三十八条第一項前段の規定に従つてした登記とみなす。

（施行者が取得した施設建築物の一部等の管理処分）

第一〇八条　第一種市街地再開発事業により施行者が取得した施設建築物の一部等又は個別利用区内の宅地は、次に掲げる場合を除き、公募により賃貸し、又は譲渡しなければならない。この場合において、施行者は、賃貸又は譲渡後の施設建築物の一部等又は個別利用区内の宅地が当該第一種市街地再開発事業の目的に適合して利用されるよう十分に配慮しなければならない。

一　巡査派出所、電気事業者の電気工作物その他公益上欠くことができない施設の用に供するため必要があるとき。

二　施行地区内に宅地、借地権若しくは権原に基づき存する建築物を有する者又は施行地区内の建築物について借家権を有する者の居住又は業務の用に供するため特に必要があるとき。

三　再開発会社が施行する第一種市街地再開発事業にあつては、当該再開発会社の株主又は社員の居住又は業務の用に供するため特に必要があるとき。

四　施行地区が第二条の三第一項第二号又は第二項の地区内にある場合において、当該地区内に宅地、借地権若しくは権原に基づき存する建築物を有する者又は当該地区内の建築物について借家権を有する者であつて、当該地区内における他の市街地再開発事業又は土地区画整理法による土地区画整理事業、密集市街地整備法による防災街区整備事業若しく

は都市計画事業の施行に伴い当該宅地、借地権、建築物又は借家権を失い、かつ、当該権利に対応する権利を与えられないものの居住又は業務の用に供するため特に必要があるとき。

五　その他国土交通省令で定める場合

2　施行者が地方公共団体であるときは、施行者が第一種市街地再開発事業により取得した施設建築敷地若しくはその共有持分、施設建築物の所有を目的とする地上権、施設建築物の一部等又は個別利用区内の宅地の管理処分については、当該地方公共団体の財産の管理処分に関する法令の規定は、適用しない。

（第一種市街地再開発事業の施行により設置された公共施設の管理）

第一〇九条　第一種市街地再開発事業の施行により設置された公共施設は、当該公共施設の整備に関する工事が完了したときは、その存する市町村の管理に属する。ただし、法律又は規準、規約、定款若しくは施行規程に管理すべき者の定めがあるときは、それらの者の管理に属するものとする。

第五款の二　施設建築敷地内の道路等に関する特例

（施設建築敷地内の道路に関する特例）

第一〇九条の二　都市計画法第十二条の四第一項第一号に掲げる地区計画の区域（地区整備計画が定められている区域のうち同法第十二条の十一の規定により建築物その他の工作物の敷地として併せて利用すべき区域として定められている区域に限る。）内における第一種市街地再開発事業その他政令で定める第一種市街地再開発事業については、事業計画において、施設建築敷地の上の空間又は地下に道路を設置し、又は道路が存するように定めることができる。

2　前項の規定により事業計画において施設建築敷地の上の空間又は地下に道路を設置し、又は道路が存するように定めた場合においては、権利変換計画は、第七十五条第一項の規定にかかわらず、一個の施設建築物の敷地のうちその上の空間又は地下に道路を設置し、又は道路が存することとなる部分（以下この項において「一個の施設建築物の敷地の道路部分」という。）については、それ以外の部分と別の筆の土地となるものとして定めなければならない。この場合において、当該一個の施設建築物の敷地の道路部分は、特別の事情がない限り、一筆の土地となるものとして定めなければならない。

3　前項前段に規定する場合においては、権利変換計画は、施設建築敷地のうちその上の空間又は地下に道路を設置し、又は道路が存することとなる部分（以下「施設建築敷地の道路部分」という。）には、第七十五条第二項に定めるもののほか、当該道路の所有を目的とする民法第二百六十九条の二第一項の地上権が設定されるものとして定めなければならない。

4　第二項前段に規定する場合においては、第八十二条の規定にかかわらず、権利変換計画において、第一種市街地再開発事業により従前の道路に代えて設置される新たな道路に係る前項に規定する地上権は、従前の道路の用に供される土地の所有者が国であるときは国に、地方公共団体であるときは当該地方公共団体に帰属し、その他の新たな道路に係る同項に規定する地上権は、当該道路を管理すべき者（その者が第一号法定受託事務として当該道路を管理する地方公共団体であるときは、国）に帰属するように定めなければならない。

5　第二項前段に規定する場合においては、権利変換計画において、従前より存する道路に係る第三項に規定する地上権は、当該道路の管理者（その者が第一号法定受託事務として当該道路を管理する地方公共団体であるときは、国）に帰属するように定めなければならない。

6　第二項前段に規定する場合においては、権利変換計画において、第七十三条第一項各号に掲げる事項のほか、国土交通省令で定めるところにより、第三項に規定する地上権の明細及びその帰属並びにその存続期間その他の条件（民法第二百六十九条の二第一項後段の制限を加える場合にあつては、その制限を含む。）の概要を定めなければならない。

7　第二項から前項までの規定により権利変換計画を定めた場合においては、施設建築敷地の道路部分には、第八十八条第一項に定めるもののほか、権利変換期日において、権利変換計画の定めるところに従い、民法第二百六十九条の二の規定により道路の所有を目的とする同条第一項の地上権が設定されたものとみなす。

8　第八十八条第六項の規定は、前項の規定による地上権の設定について準用する。

（施設建築敷地内の都市高速鉄道に関する特例）

第一〇九条の三　都市計画施設の区域をその施行地区に含む第一種市街地再開発事業のうち施設建築敷地を立体的に利用する必要があるものとして政令で定めるものについては、事業計画において、施設建築敷地の上の空間又は地下（いずれも政令で定める範囲内に位置するものに限る。）に都市高速鉄道が存するように定めることができる。

2　前項の規定により事業計画において施設建築敷地の上の空間又は地下に都市高速鉄道が存するように定めた場合においては、権利変換計画は、第七十五条第一項の規定にかかわらず、一個の施設建築物の敷地のうちその上の空間又は地下に都市高速鉄道が存することとなる部分（以下この項において「一個の施設建築物の敷地の都市高速鉄道部分」という。）については、それ以外の部分と別の筆の土地となるものとして定めなければならない。この場合において、当該一個の施設建築物の敷地の都市高速鉄道部分は、特別の事情がない限り、一筆の土地となるものとして定めなければならない。

3　前項前段に規定する場合においては、権利変換計画は、施設建築敷地のうちその上の空間又は地下に都市高速鉄道が存することとなる部分（以下「施設建築敷地の都市高速鉄道部分」という。）には、第七十五条第二項に定めるもののほか、当該都市高速鉄道の所有を目的とする民法第二百六十九条の二第一項の地上権が設定されるものとして定めなければならない。

4　第二項前段に規定する場合においては、権利変換計画において、従前より存する都市高速鉄道に係る前項に規定する地上権は、当該都市高速鉄道の管理者に帰属するように定めなければならない。

5　第二項前段に規定する場合においては、権利変換計画において、第七十三条第一項各号に掲げる事項のほか、国土交通省令で定めるところにより、第三項に規定する地上権の明細及びその帰属並びにその存続期間その他の条件（民法第二百六十九条の二第一項後段の制限を加える場合にあつては、その制限を含む。）の概要を定めなければならない。

6　第二項から前項までの規定により権利変換計画を定めた場合においては、施設建築敷地の都市高速鉄道部分には、第八十八条第一項に定めるもののほか、権利変換期日において、権利変換計画の定めるところに従い、民法第二百六十九条の二の規定により都市高速鉄道の所有を目的とする同条第一項の地上権が設定されたものとみなす。

7　第八十八条第六項の規定は、前項の規定による地上権の設定について準用する。

第六款　権利変換手続の特則

（施行地区内の権利者等の全ての同意を得た場合の特則）

第一一〇条　施行者は、権利変換期日に生ずべき権利の変動その他権利変換の内容につき、施行地区内の土地又は物件に関し権利を有する者及び参加組合員又は特定事業参加者の全ての同意を得たときは、第七十三条第二項から第四項まで、第七十五条から第七十七条まで、第七十七条の二第三項から第五項まで、第七十八条、第八十条、第八十一条、第百九条の二第二項後段、前条第二項後段及び第百十八条の三十二第一項の規定によらないで、権利変換計画を定めることができる。この場合においては、第八十三条、第九十九条の三第一項、第百二条、第百三条及び第百八条第一項の規定は、適用しない。

2　前項の場合における権利変換計画においては、第七十一条第一項又は第三項の規定による申出をした者を除き、施行地区内に宅地（指定宅地を除く。）若しくはその借地権又は施行地区内の土地（指定宅地を除く。）に権原に基づき建築物を有する者及び当該建築物について借家権を有する者（その者が更に借家権を設定しているときは、その借家権の設定を受けた者）に対しては、施設建築敷地又は施設建築物に関する権利が与えられるように定めなければならない。参加組合員又は特定事業参加者に対しても、同様とする。

3　第一項の規定により権利変換計画を定めた場合においては、第八十七条から第八十九条までの規定にかかわらず、権利変換計画の定めるところにより、権利変換期日において土地及び土地に存する物件に関する権利の得喪及び変更を生じ、当該第一種市街地再開発事業により建築される施設建築物に関する権利は、権利変換計画の定めるところにより、これを取得すべき者が取得する。

4　前項の規定による借地権の設定については、地方自治法第二百三十八条の四第一項及び国有財産法第十八条第一項の規定は、適用しない。

5　第一項の場合においては、次の表の上欄に掲げる規定の同表中欄に掲げる字句は、同表下欄に掲げる字句に読み替えて、これらの規定を適用する。

第四十条第一項、第七十三条第一項第二十号及び第二十一号	施設建築物の一部等	施設建築敷地又は施設建築物に関する権利
第四十四条第一項	第八十八条第一項の規定による地上権	借地権
	又は地上権	又は借地権
第五十条の三第一項第五号、第二項及び第三項、第五十条の十第一項、第五号、第五十二条第二項第五号、第五十六条の二第一項、第五十八条の二第一項	施設建築物の一部等	施設建築敷地若しくは施設建築物に関する権利
第五十二条第二項第七号	施設建築敷地若しくはその共有持分、施設建築物の一部等若しくは	施設建築敷地若しくは施設建築物に関する権利、
第七十三条第一項第二号、第四号及び第六号	施設建築敷地若しくはその共有持分又は施設建築物の一部等	施設建築敷地又は施設建築物に関する権利
第七十三条第一項第十九号	施設建築敷地若しくはその共有持分、施設建築物の一部等又は施設建築物の一部についての借家権	施設建築敷地又は施設建築物に関する権利
第七十三条第一項第二十二号	施設建築敷地又はその共有持分、施設建築物の一部等及び	施設建築敷地及び施設建築物に関する権利並びに
第七十三条第一項第二十五号	その他	前各号に掲げるもののほか、権利変換の内容その他
第九十条第一項	新たな土地の表題登記（不動産登記法（平成十六年法律第百二十三号）第二条第二十号に規定する表題登記をいう。）	新たな土地の表題登記（不動産登記法（平成十六年法律第百二十三号）第二条第二十号に規定する表題登記をいう。）又は権利変換手続開始の登記の抹消
第九十条第二項及び第三項、第九十六条第五項	第八十七条第二項	第百十条第三項
第九十条第二項	及び所有権以外の権利の登記の抹消	並びに権利変換に伴い消滅した権利の登記及び権利変換手続開始の登記の抹消
第九十五条	第八十七条	第百十条第三項
第九十九条の六第二項	地上権又はその共有持分	施設建築敷地に関する権利
第百条第一項	第八十七条第一項又は第八十八条の二	第百十条第三項
第百条第二項	第八十八条第二項又は第五項	第百十条第三項
第百八条第二項	施設建築敷地若しくはその共有持分、施設建築物の所有を目的とする地上権、施設建築物の一部等	施設建築敷地若しくは施設建築物に関する権利

（指定宅地の権利者以外の権利者等の全ての同意を得た場合の特則）

第一一〇条の二　施行者は、権利変換期日に生ずべき権利の変動その他権利変換の内容につき、施行地区内の土地（指定宅地を除く。）又はこれに存する物件に関し権利を有する者及び参加組合員又は特定事業参加者の全ての同意を得たとき（前条第一項前段に規定する場合を除く。）は、第七十三条第二項、第三項及び第四項（指定宅地に係る部分を除く。）、第七十五条から第七十七条まで、第七十八条第一項及び第二項、第百九条の二第二項後段、第百九条の三第二項後段並びに第百十八条の三十二第一項の規定によらないで、権利変換計画を定めることができる。この場合においては、第百二条の規定は、適用しない。

2　前条第二項の規定は、前項の場合における権利変換計画について準用する。

3　第一項の場合においては、権利変換計画は、前項において準用する前条第二項前段に規定する者に対して与えられることとなる施設建築敷地又は施設建築物に関する権利の価額の合計がそれらの者が有する従前の権利の価額の合計を著しく超えることのないように定めなければならない。

4　第一項の規定により権利変換計画を定めた場合においては、第八十七条第一項（指定宅地に係る部分を除く。）及び第二項、第八十八条並びに第八十九条第一項の規定にかかわらず、権利変換計画の定めるところにより、権利変換期日において土地及び土地に存する物件に関する権利の得喪及び変更を生じ、当該第一種市街地再開発事業により建築される施設建築物に関する権利は、権利変換計画の定めるところにより、これを取得すべき者が取得する。

5　前条第四項の規定は、前項の規定による借地権の設定について準用する。

6　第一項の場合においては、次の表の上欄に掲げる規定の同表中欄に掲げる字句は、同表下欄に掲げる字句に読み替えて、これらの規定を適用する。

第四十条第一項、第七十三条第一項第二十号及び第二十一号、第百三条の見出し	施設建築物の一部等	施設建築敷地又は施設建築物に関する権利
第四十四条第一項	第八十八条第一項の規定による地上権	借地権
	又は地上権	又は借地権
第五十条の三第一項第五号、第二項及び第三項、第五十条の十第一項、第五号、第五十二条第二項第五号、第五十六条の二第一項、第五十八条の二第一項、第百八条第一項	施設建築物の一部等	施設建築敷地若しくは施設建築物に関する権利
第五十二条第二項第七号	施設建築敷地若しくはその共有持分、施設建築物の一部等若しくは	施設建築敷地若しくは施設建築物に関する権利、
第七十三条第一項第二号、第四号及び第六号	施設建築敷地若しくはその共有持分又は施設建築物の一部等	施設建築敷地又は施設建築物に関する権利
第七十三条第一項第十	施設建築敷地若しくは	施設建築敷地又は施設

九号、第九十一条第一項	その共有持分、施設建築物の一部等又は施設建築物の一部についての借家権	建築物に関する権利
第七十三条第一項第十二号	施設建築敷地又はその共有持分、施設建築物の一部等及び	施設建築敷地及び施設建築物に関する権利並びに
第七十三条第一項第十五号	その他	前各号に掲げるもののほか、権利変換の内容その他
第八十三条第一項及び第二項	施行地区内の土地又は土地に定着する物件に関し権利を有する者及び参加組合員又は特定事業参加者	指定宅地又はこれに定着する物件に関し権利を有する者
第八十五条第一項	第七十三条第一項第三号、第八号、第十八号又は第十九号	第七十三条第一項第八号
第八十五条第四項	施設建築敷地の共有持分、施設建築物の一部等	施設建築敷地若しくは施設建築物に関する権利
第九十条第一項	新たな土地の表題登記（不動産登記法（平成十六年法律第百二十三号）第二条第二十号に規定する表題登記をいう。）	新たな土地の表題登記（不動産登記法（平成十六年法律第百二十三号）第二条第二十号に規定する表題登記をいう。）又は権利変換手続開始の登記の抹消
第九十条第二項及び第三項、第九十六条第五項	第八十七条第二項	第百十条の二第四項
第九十条第二項	及び所有権以外の権利の登記の抹消	並びに権利変換に伴い消滅した権利の登記及び権利変換手続開始の登記の抹消
第九十五条	第八十七条	第百十条の二第四項
第九十九条の六第二項	地上権又はその共有持分	施設建築敷地に関する権利
第百条第二項	第八十八条第二項又は第五項	第百十条の二第四項
第百三条第一項	施設建築敷地若しくはその共有持分、施設建築物の一部等若しくは個別利用区内の宅地若しくはその使用収益権を取得した者又は施行者の所有する施設建築物の一部について第七十七条第五項ただし書の規定により賃借権が与えられるように定められ、第八十八条第五項の規定により賃借権を取得した者	施設建築敷地若しくは施設建築物に関する権利又は個別利用区内の宅地若しくはその使用収益権を取得した者
	施設建築敷地若しくはその共有持分、施設建築物の一部等若しくは個別利用区内の宅地若しくはその使用収益権の価額、施設建築敷地の地代の額又は施行者が賃貸しする施設建築物の一部の家賃の額	施設建築敷地若しくは施設建築物に関する権利又は個別利用区内の宅地若しくはその使用収益権の価額
第百四条第一項	施設建築敷地若しくはその共有持分、施設建築物の一部等	施設建築敷地若しくは施設建築物に関する権利
第百八条の見出し	施設建築物の一部等	施設建築敷地又は施設建築物に関する権利等
第百八条第二項	施設建築敷地若しくはその共有持分、施設建築物の所有を目的とする地上権、施設建築物の一部等	施設建築敷地若しくは施設建築物に関する権利

（指定宅地の権利者の全ての同意を得た場合の特則）

第一一〇条の三　施行者は、権利変換期日に生ずべき権利の変動その他権利変換の内容につき、指定宅地又はこれに存する物件に関し権利を有する者の全ての同意を得たとき（第百十条第一項前段に規定する場合を除く。）は、第七十三条第四項（指定宅地に係る部分に限る。）、第七十七条の二第三項から第五項まで及び第七十八条第三項の規定によらないで、権利変換計画を定めることができる。

２　前項の場合においては、権利変換計画は、指定宅地について権利を有する者に対して与えられることとなる個別利用区内の宅地に関する権利の価額の合計がそれらの者が有する従前の権利の価額の合計を著しく超えることのないように定めなければならない。

３　第一項の規定により権利変換計画を定めた場合においては、第八十七条第一項（指定宅地に係る部分に限る。）、第八十八条の二及び第八十九条第二項の規定にかかわらず、権利変換計画の定めるところにより、権利変換期日において指定宅地に関する権利の得喪及び変更を生じる。

４　第一項の場合においては、第百条第一項中「第八十七条第一項又は第八十八条の二」とあるのは、「第百十条の三第三項」とする。

（施設建築敷地を一筆の土地としないこととする特則）

第一一〇条の四　施行者は、施行地区内の宅地の所有者の数が僅少であることその他の特別の事情がある場合において、第七十五条第一項の規定によらないで権利変換計画を定めることが適当であると認めるときは、同項の規定にかかわらず、一個の施設建築物の敷地が二筆以上の土地となるものとして権利変換計画を定めることができる。この場合においては、第七十六条第二項及び第三項の規定は、適用しない。

２　前項の場合における権利変換計画においては、施行地区内に宅地（指定宅地を除く。）を有する者に対して与えられる施設建築敷地は、それらの者が有する宅地の位置、地積、環境及び利用状況とそれらの者に与えられることとなる施設建築敷地の位置、地積及び環境とを総合的に勘案して、それらの者の相互間に不均衡が生じないように、かつ、その価額と従前の価額との間に著しい差額が生じないように定めなければならない。

３　第一項の場合においては、第八十五条第四項中「施設建築敷地の共有持分」とあるのは、「施設建築敷地」とする。

（施設建築敷地に地上権を設定しないこととする特則）

第一一一条　施行者は、第七十五条第二項の規定により権利変換計画を定めることが適当でないと認められる特別の事情があるときは、同項の規定にかかわらず、施設建築敷地に地上権（第百九条の二第三項及び第百九条の三第三項に規定する地上権を除く。）が設定されないものとして権利変換計画を定めることができる。この場合においては、第七十六条、第七十七条第二項後段及び第三項並びに第八十八条第一項の規定は適用せず、次の表の上欄に掲げる規定の同表中欄に掲げる字句は、同表下欄に掲げる字句に読み替えて、これらの規定を適用する。

第四十条第一項、第七十三条第一項第二十号及び第二十一号並びに第四項ただし書、第七十七条の見出し、同条第一項、第二項前段及び第四項、第七十九条第三項、第八十八条第三項、第百二条第一項、第百三条の見出し、第百八条の見出し、同条第一項	施設建築物の一部等	建築施設の部分
第五十条の三第一項第五号、第二項及び第三項、第五十条の十第一項、第五十二条第二項第五号、第五十六条の二第一項、第五十八条の二第一項	施設建築物の一部等又は建築施設の部分	建築施設の部分
第七十三条第一項第二号、第四号及び第六号、第七十八条第一項、第八十九条第一項	施設建築敷地若しくはその共有持分又は施設建築物の一部等	建築施設の部分
第七十三条第一項第十九号、第九十一条第一項、第百三条第一項、第百四条第一項	施設建築敷地若しくはその共有持分、施設建築物の一部等	建築施設の部分
第七十三条第一項第二十二号	施設建築敷地又はその共有持分、施設建築物の一部等	建築施設の部分
第七十五条第三項、第八十八条第四項	施設建築物の所有を目的とする地上権	施設建築敷地
第七十七条第一項	借地権	所有権又は借地権
第七十九条第一項	第二項又は第三項	第二項前段
第八十一条	、第十六号又は第十七号	又は第十七号
第八十五条第四項	施設建築敷地の共有持分、施設建築物の一部等	建築施設の部分
第八十八条第二項、第九十九条の六第二項	地上権	施設建築敷地
第百三条第一項	価額、施設建築敷地の地代の額	価額
第百八条第二項	施設建築敷地若しくはその共有持分、施設建築物の所有を目的とする地上権、施設建築物の一部等	施設建築敷地、建築施設の部分
第百十八条の三十二第一項	所有権及び地上権	所有権

第三節　個人施行者等の事業の代行

（**事業代行開始の決定**）

第一一二条　都道府県知事は、第一種市街地再開発事業について、個人施行者、組合又は再開発会社の事業の現況その他の事情により個人施行者、組合又は再開発会社の事業の継続が困難となるおそれがある場合において、第百二十四条第三項、第百二十四条の二から第百二十五条の二までの規定による監督処分によつては個人施行者、組合又は再開発会社の事業の遂行の確保を図ることができないと認めるときは、事業代行の開始を決定することができる。

（**事業代行開始の公告**）

第一一三条　都道府県知事は、前条の規定により事業代行の開始を決定したときは、個人施行者の氏名若しくは名称又は組合若しくは再開発会社の名称、個人施行者、組合又は再開発会社の事業が事業代行者により代行される旨、当該事業代行者の名称、事業代行開始の決定の年月日その他国土交通省令で定める事項を公告しなければならない。

（**事業代行者**）

第一一四条　事業代行者は、都道府県知事とする。ただし、都道府県知事は、個人施行者、組合又は再開発会社の施行地区を管轄する市町村長と協議して、当該市町村長を事業代行者と定めることができる。

（**事業代行開始の効果**）

第一一五条　事業代行開始の公告があつたときは、個人施行者の事業にあつては業務の執行並びに当該業務に係る財産の管理及び処分をする権限は、組合又は再開発会社の事業にあつては組合又は再開発会社の代表、業務の執行並びに財産の管理及び処分をする権限は、事業代行終了の公告があるまでの間、事業代行者に専属する。

（**法人に対する政府の財政援助の制限に関する法律の特例**）

第一一六条　事業代行者である都道府県知事又は市町村長が統轄する地方公共団体は、法人に対する政府の財政援助の制限に関する法律（昭和二十一年法律第二十四号）第三条の規定にかかわらず、事業代行開始の公告の日後における組合の債務について保証契約をすることができる。

（**事業代行終了の公告等**）

第一一七条　事業代行者は、個人施行者、組合又は再開発会社の事業の継続が困難となるおそれがなくなつたとき、又は第百一条第一項の規定による登記が完了したときは、都道府県知事にあつては事業代行終了の旨を公告し、市町村長にあつてはその旨を都道府県知事に通知しなければならない。

2　都道府県知事は、前項の通知を受けたときは、事業代行終了の旨を公告しなければならない。

3　個人施行者、組合又は再開発会社は、事業代行終了の公告後遅滞なく、その財産の処分及び債務の弁済に関する計画を作成して事業代行者であつた者の承認を求めなければならない。

（**先取特権**）

第一一八条　事業代行者である都道府県知事又は市町村長が統轄する地方公共団体は、組合の債務について保証契約をした場合において、その保証に係る債務を弁済したときは、その求償権に関し、組合の取得すべき施設建築物の一部の上に先取特権を有する。

2　前項の先取特権は、第百一条第一項の規定による登記の際に求償債権の額を登記することによつてその効力を保存する。

3　第一項の先取特権は、不動産工事の先取特権とみなし、前項の規定に従つてした登記は、民法第三百三十八条第一項前段の規定に従つてした登記とみなす。

第四章　第二種市街地再開発事業

第一節　管理処分手続

第一款　管理処分計画

（**譲受け希望の申出及び賃借り希望の申出**）

第一一八条の二　次に掲げる公告があつたときは、施行地区内の宅地の所有者、その宅地について借地権を有する者又は施行地区内の土地に権原に基づき建築物を所有する者は、その公告があつた日から起算して三十日以内に、施行者に対し、その者が施行者から払渡しを受けることとなる当該宅地、借地権又は建築物の対償に代えて、建築施設の部分の譲受けを希望する旨の申出（以下「譲受け希望の申出」という。）をすることができる。

一　再開発会社が施行する第二種市街地再開発事業にあつては、規準及び事業計画の認可の公告

二　地方公共団体が施行する第二種市街地再開発事業にあつては、事業計画の決定の公告

三　機構等が施行する第二種市街地再開発事業にあつては、施行規程及び事業計画の認可の公告

2　前項の宅地若しくは建築物の所有権又は同項の借地権で既登記のものの存否又は帰属について争いがある場合においては、争いの当事者のうち当該権利の登記名義人又は当該権利に関する仮登記若しくは処分の制限の登記を有する者に限り、同項の譲受け希望の申出をすることができる。

3　第一項の借地権で未登記のものの存否又は帰属について争いがある場合においては、争いの当事者は、同項の譲受け希望の申出をすることができる。

4　前二項の規定により、争いの当事者の一方が譲受け希望の申出をしたときは、争いの他方の当事者は、譲受け希望の申出をしたものとみなす。

5　第一項の建築物について借家権を有する者（その者が更に借家権を設定しているときは、その借家権の設定を受けた者）は、同項の期間内に、施行者に対し、施設建築物の一部の賃借りを希望する旨の申出（以下「賃借り希望の申出」という。）をすることができる。

6　前五項の規定は、事業計画を変更して従前の施行地区外の土地を新たに施行地区に編入した場合について準用する。この場合において、第一項中「施行地区」とあるのは「施行地区に編入された土地の区域」と、同項第一号中「規準及び事業計画の認可の公告」とあるのは「新たな施行地区の編入に係る事業計画の変更の認可の公告」と、同項第二号中「事業計画の決定の公告」とあるのは「新たな施行地区の編入に係る事業計画の変更の公告」と、同項第三号中「施行規程及び事業計画の認可の公告」とあるのは「新たな施行地区の編入に係る事業計画の変更の認可の公告」と読み替えるものとする。

7　施行者は、譲受け希望の申出をした者の建築物について借家権を有する者から賃借り希望の申出があつたときは、遅滞なく、その旨を譲受け希望の申出をした者に通知しなければならない。

8　譲受け希望の申出又は賃借り希望の申出は、国土交通省令で定めるところにより、書面でしなければならない。

（譲受け希望の申出に係る宅地等の処分制限）

第一一八条の三　譲受け希望の申出をした者（前条第四項の規定により譲受け希望の申出をしたものとみなされた者を含む。以下同じ。）は、その者が施行地区内に有する宅地、借地権又は建築物の処分をするには、施行者の承認を得なければならない。

2　施行者は、事業の遂行に重大な支障が生ずることその他正当な理由がなければ、前項の承認を拒むことができない。

3　前二項の規定は、土地収用法第四十五条の二に規定する裁決手続開始の登記があつた後における当該登記に係る宅地については、適用しない。

（譲受け希望の申出と補償金の支払請求との調整）

第一一八条の四　土地収用法第四十六条の二第一項の規定による補償金の支払の請求に係る宅地又は借地権については、譲受け希望の申出をすることができない。

2　譲受け希望の申出に係る宅地又は借地権については、土地収用法第四十六条の二第一項の規定による補償金の支払の請求をすることができない。

（譲受け希望の申出等の撤回）

第一一八条の五　譲受け希望の申出をした者又は賃借り希望の申出をした者は、第百十八条の二第一項の期間（事業計画を変更して新たに編入した施行地区に係る譲受け希望の申出又は賃借り希望の申出をした者にあつては、同条第六項において準用する同条第一項の期間）が経過した後においては、施行者の同意を得た場合に限り、その譲受け希望の申出又は賃借り希望の申出を撤回することができる。

2　施行者は、事業の遂行に重大な支障がない限り、前項の同意をしなければならない。

3　第百十八条の二第八項の規定は、譲受け希望の申出又は賃借り希望の申出の撤回について準用する。

4　第百十八条の二第二項又は第三項の規定により譲受け希望の申出がされた場合における譲受け希望の申出の撤回は、争いの当事者が共同してしなければならない。

（管理処分計画の決定及び認可）

第一一八条の六　施行者は、第百十八条の二の規定による手続に必要な期間の経過後、遅滞なく、施行地区ごとに管理処分計画を定めなければならない。この場合においては、国土交通省令で定めるところにより、都道府県又は機構等（市のみが設立した地方住宅供給公社を除く。）にあつては国土交通大臣の、再開発会社、市町村又は市のみが設立した地方住宅供給公社にあつては都道府県知事の認可を受けなければならない。

2　再開発会社は、前項後段の認可を受けようとするときは、管理処分計画について、施行地区内の宅地について所有権を有する者のうち譲受け希望の申出をしたすべての者及び施行地区内の宅地について借地権を有する者のうち譲受け希望の申出をしたすべての者のそれぞれの三分の二以上の同意を得なければならない。この場合においては、同意した者が所有する施行地区内の宅地の地積と同意した者の施行地区内の借地の地積との合計が、譲受け希望の申出をした者が有する施行地区内の宅地の総地積と借地の総地積との合計の三分の二以上でなければならない。

3　第七条の二第五項の規定は、前項の規定により同意を得る場合について準用する。この場合において、同条第五項中「所有権を有する者」とあるのは「譲受け希望の申出をした所有権を有する者」と、「借地権を有する者」とあるのは「譲受け希望の申出をした借地権を有する者」と読み替えるものとする。

4　第一項後段及び前二項の規定は、管理処分計画を変更する場合（政令で定める軽微な変更をする場合を除く。）について準用する。

5　施行地区が工区に分かれているときは、管理処分計画は、工区ごとに定めることができる。

（管理処分計画の内容）

第一一八条の七　管理処分計画においては、国土交通省令で定めるところにより、次の各号に掲げる事項を定めなければならない。

一　配置設計

二　譲受け希望の申出をした者で建築施設の部分を譲り受けることができるものの氏名又は名称及び住所

三　前号に掲げる者が施行地区内に有する宅地、借地権又は建築物及びその見積額並びにその者がその対償に代えて譲り受けることとなる建築施設の部分の明細及びその価額の概算額

四　賃借り希望の申出をした者で施設建築物の一部を賃借りすることができるものの氏名又は名称及び住所

五　前号に掲げる者が賃借りすることとなる施設建築物の一部

六　施行者が施設建築物の一部を賃貸しする場合における標準家賃の概算額及び家賃以外の借家条件の概要

七　特定事業参加者が譲り受けることとなる建築施設の部分の明細並びにその特定事業参加者の氏名又は名称及び住所

八　第三号及び前号の建築施設の部分以外の建築施設の部分の明細及びその管理処分の方法

九　新たな公共施設の用に供する土地の帰属に関する事項

十　第三号の見積額並びに同号及び第六号の概算額の算定の基準日並びに工事完了の予定時期

十一　その他国土交通省令で定める事項

2　前項第三号の見積額は、同項第十号の基準日における近傍類似の土地、近傍同種の建築物又は近傍類似の土地に関する同種の権利の取引価格等を考慮して定める相当の価額を基準として定めなければならない。

3　第一項第十号の基準日は、第百十八条の二第一項各号に掲げる公告（事業計画を変更して新たに編入した施行地区については、同条第六項において準用する同条第一項各号に掲げる公告）の日（都市計画法第七十一条第一項に規定する理由があるときは、同項の規定により事業の認定の告示があつたものとみなされる日）とする。

（建築施設の部分等）

第一一八条の八　管理処分計画においては、譲受け希望の申出をした者及び特定事業参加者に対しては建築施設の部分を譲り渡すように定め、賃借り希望の申出をした者のうち、譲受け希望の申出をした者の所有する建築物について借家権を有する者（その者が更に借家権を設定しているときは、その借家権の設定を受けた者）に対してはその所有者が譲り受けることとなる施設建築物の一部を、その他の者に対しては施行者に帰属することとなる施設建築物の一部を賃借りすることができるように定めなければなら

ない。

（建築施設の部分の価額等の概算額）

第一一八条の九　管理処分計画においては、第百十八条の七第一項第三号又は第六号の概算額は、政令で定めるところにより、第二種市街地再開発事業に要する費用及び同項第十号の基準日における近傍類似の土地、近傍同種の建築物又は近傍同種の建築物に関する同種の権利の取引価格等を考慮して定める相当の価額を基準として定めなければならない。

（権利変換計画に関する規定の準用）

第一一八条の一〇　第七十三条第二項から第四項まで、第七十四条、第七十五条第一項及び第三項、第七十七条第二項前段、第七十九条、第八十二条から第八十四条まで並びに第八十六条第一項の規定は、管理処分計画について準用する。この場合において、次の表の上欄に掲げる規定の同表中欄に掲げる字句は、同表下欄に掲げる字句に読み替えるものとする。

第七十三条第二項	権利がある	権利（第百十八条の三第一項の承認を受けないで設定された質権又は抵当権を除く。）がある
第七十五条第三項	第七十三条第一項第二号	第百十八条の七第一項第二号
第七十五条第三項	施設建築物の所有を目的とする地上権	施設建築敷地
第七十七条第二項前段	前項前段に規定する者	譲受け希望の申出をした者
第七十七条第二項前段、第七十九条第三項	施設建築物の一部等	建築施設の部分
第七十七条第二項前段	従前の価額	従前の宅地、借地権又は建築物の見積額
第七十九条第一項	第二項又は第三項	第二項前段
第七十九条第三項	第七十七条並びに前条第一項及び第二項	第百十八条の八
第八十六条第一項	第七十二条第四項	第百十八条の六第四項

第二款　建築施設の部分による対償の給付等

（建築施設の部分による対償の給付）

第一一八条の一一　管理処分計画において建築施設の部分を譲り受けることとなる者として定められた者（特定事業参加者を除く。以下「譲受け予定者」という。）に対しては、その者が施行地区内に有する宅地、借地権又は建築物が、契約に基づき、又は収用により、施行者に取得され、又は消滅するときは、その取得又は消滅につき施行者が払い渡すべき対償に代えて、この法律で定めるところにより当該建築施設の部分が給付されるものとする。

2　前項の場合において、譲受け希望の申出をした者が第百十八条の三第一項の承認を受けないで施行地区内に有する宅地、借地権又は建築物を処分したことにより、二以上の者に建築施設の部分を譲り渡す必要が生じたときは、当該二以上の者に対しては、これらの処分がなかつたとすれば当該譲受け希望の申出をした者に譲り渡すべき建築施設の部分について、それぞれ対償の額に応ずる共有持分が給付されるものとする。

3　土地収用法第百条の規定は、前二項に規定する対償に関しては、適用しない。

4　第一項の宅地、借地権又は建築物が、契約に基づき施行者に取得されたときは、これらの宅地、借地権又は建築物の上の先取特権、質権及び抵当権は、消滅する。

（仮登記等に係る権利の消滅について同意が得られない場合における譲受け希望の申出の撤回）

第一一八条の一二　譲受け予定者の有する宅地、借地権又は建築物について仮登記、買戻しの特約その他権利の消滅に関する事項の定めの登記又は処分の制限の登記を有する者がある場合において、当該宅地又は借地権に係るものにあつては土地収用法第四十八条第一項の権利取得裁決において定められた権利取得の時期までに、当該建築物に係るものにあつては同法第四十九条第一項の明渡裁決において定められた明渡しの期限までに、これらの登記に係る権利の消滅につき、これらの者のすべての同意が得られないときは、その時において、当該譲受け予定者は、その譲受け希望の申出を撤回したものとみなす。

2　第百十八条の二第二項の規定により同項の仮登記又は処分の制限の登記を有する者が譲受け希望の申出をした場合における前項の規定の適用については、これらの者の同意があつたものとみなす。

3　第一項の場合における土地収用法第九十五条第一項、第二項及び第四項、第九十六条第一項、第九十七条、第百条、第百一条第一項及び第三項、第百一条の二、第百二条並びに第百二条の二第二項の規定の適用については、同法第九十五条第一項、第百条第一項並びに第百一条第一項及び第三項中「定められた権利取得の時期」とあり、同法第九十五条第二項及び第四項、第九十六条第一項並びに第九十七条第二項中「権利取得の時期」とあるのは「権利取得の時期として定められた日から起算して一週間を経過する日」と、同法第九十六条第一項、第九十七条第二項及び第百二条の二第二項中「明渡しの期限」とあり、同法第九十七条第一項、第百条第二項、第百一条第三項及び第百二条中「定められた明渡しの期限」とあるのは「明渡しの期限として定められた日から起算して一週間を経過する日」と、同法第百一条の二中「定められる明渡しの期限」とあるのは「明渡しの期限として定められる日から起算して一週間を経過する日」とする。

（物上代位）

第一一八条の一三　第百十八条の十一第一項の宅地、借地権又は建築物が先取特権、質権又は抵当権の目的であるときは、その先取特権、質権又は抵当権を有する者は、同項の規定による建築施設の部分の給付を受ける権利（以下「譲受け権」という。）及び第百十八条の十五第二項又は第百十八条の十九第一項の規定により供託された修正対償額等に対して、その権利を行うことができる。

2　第百十八条の十一第二項の規定により一の建築施設の部分が二以上の宅地、借地権又は建築物の対償に代えて給付されることとなるときは、各宅地、借地権又は建築物の上に先取特権、質権又は抵当権を有する者が前項の規定に基づき優先弁済を受けることができる範囲は、同条第二項の共有持分に応じて配分した額を限度とする。

3　譲受け希望の申出をした者が第百十八条の三第一項の承認を受けないで施行地区内に有する宅地、借地権又は建築物の上に質権又は抵当権を設定したときは、当該質権又は抵当権を有する者が第一項の規定に基づき優先弁済を受けることができる範囲は、当該質権又は抵当権の目的である宅地、借地権又は建築物に係る額を限度とする。

（土地等の取得又は消滅の制限）

第一一八条の一四　譲受け希望の申出をした者の宅地、借地権又は建築物は、管理処分計画の認可の公告（事業計画を変更して新たに編入した施行地区に係る譲受け希望の申出をした者の宅地、借地権又は建築物にあつては、当該事業計画の変更に伴う管理処分計画又はその変更の認可の公告）の日前においては、契約に基づき、又は収用により、施行者が取得し、又は消滅させることはできない。

（譲受け希望の申出の撤回に伴う対償の支払等）

第一一八条の一五　譲受け予定者が第百十八条の五第一項の規定により譲受け希望の申出を撤回した場合において、その者の宅地、借地権又は建築物が、契約に基づき、又は収用により、施行者に取得され、又は消滅しているときは、施行者は、その宅地、借地権又は建築物の対償に当該取得又は消滅の時から当該譲受け希望の申出を撤回した日までの物価の変動に応ずる修正率を乗じて得た額に、当該譲受け希望の申出を撤回した日から当該対償に修正率を乗じて得た額を支払う時までの期間につき法定利率による利息に相当する金額を付けてこれを支払わなければならない。この場合において、その修正率は、政令で定める方法によつて算定するものとする。

2　前項に規定する場合において、同項の宅地、借地権又は建築物が、契約に基づき、又は収用により、施行者に取得され、又は消滅する時に先取特権、質権又は抵当権の目的となつていたときは、施行者は、同項の規定により支払うべき対償に修正率を乗じて得た額及び利息に相当する金額（以下「修正対償額等」という。）の支払に代えてこれを供託しなければならない。前項に規定する場合において、第百十八条の十において準用する第七十三条第四項の規定により管理処分計画において存するものとされた権利に係る修正対償額等（併存し得ない二以上の権利が存するものとされた場合においては、それらの権利に対する修正対償額等のうち最高額のもの）についても、同様とする。

3　第九十二条第五項及び第六項の規定は、前項の規定による供託について準用する。この場合において、同条第六項中「第三項の」とあるのは、「第百十八条の十五第二項後段の」と読み替えるものとする。

第三款　権利関係の確定等

（譲受け権の譲渡等の対抗要件）

第一一八条の一六　譲受け権の譲渡又は譲受け権を目的とする質権の設定は、民法第四百六十七条の規定に従い、国土交通省令で定めるところにより、施行者に通知しなければ、施行者その他の第三者に対抗することができない。

（建築工事の完了の公告等）

第一一八条の一七　施行者は、施設建築物の建築工事を完了したときは、速やかに、その旨を公告するとともに、譲受け予定者及び管理処分計画において施設建築物の一部を賃借りすることができる者として定められた者（以下「賃借り予定者」という。）並びに特定事業参加者に通知しなければならない。

（建築施設の部分等の取得）

第一一八条の一八　前条の公告の日の翌日において、譲受け予定者及び特定事業参加者は管理処分計画において定められた建築施設の部分を、賃借り予定者は管理処分計画において定められた施設建築物の一部についての借家権を取得する。

（修正対償額等の供託等）

第一一八条の一九　譲受け予定者の宅地、借地権又は建築物が、契約に基づき、又は収用により、施行者に取得され、又は消滅する時に先取特権、質権又は抵当権の目的となつていた場合において、第百十八条の十七の公告の日までに、その者とその先取特権、質権又は抵当権（これらの権利を目的とする権利を含む。）を有していた者との間に、当該譲受け予定者の譲受け権に対する第百十八条の十三第一項の権利の消滅に関する合意が成立しないときは、当該譲受け予定者は、第百十八条の十七の公告の日において、その譲受け希望の申出を撤回したものとみなし、施行者は、その者の宅地、借地権又は建築物に係る修正対償額等の支払に代えてこれを供託しなければならない。第九十二条第五項及び第六項の規定は、この場合について準用する。

2　前項の合意が成立したときは、当事者は、第百十八条の十七の公告の日の翌日から起算して一週間を経過する日までに、国土交通省令で定めるところにより、その旨を施行者に届け出なければならない。

3　前項の期日までに同項の規定による届出がないときは、第一項の合意が成立しなかつたものとみなす。

（公共施設の用に供する土地の帰属等）

第一一八条の二〇　施行者は、公共施設の整備に関する工事が完了したときは、速やかに、その旨を、公告しなければならない。

2　公共施設の用に供する土地は、当該公共施設に係る前項の公告の日の翌日において、管理処分計画の定めるところに従い、新たに所有者となるべき者に帰属する。

3　第百九条の規定は、第二種市街地再開発事業の施行により設置された公共施設の管理について準用する。

（建築施設の部分等の登記）

第一一八条の二一　施行者は、施設建築物の建築工事が完了したときは、遅滞なく、施設建築敷地及び施設建築物について必要な登記を申請し、又は嘱託しなければならない。

2　第百十八条の十九第一項の合意が、第百十八条の十八の規定により取得される建築施設の部分に質権又は抵当権を設定すべきことを条件として成立したものであるときは、施行者は、前項の登記の際に、当該権利を有する者のために、当該権利の設定の登記を登記所に申請し、又は嘱託しなければならない。

3　施設建築敷地及び施設建築物に関する権利に関しては、前二項の登記がされるまでの間は、他の登記をすることができない。

（借家条件の協議及び裁定）

第一一八条の二二　譲受け予定者と管理処分計画においてその者が譲り受けることと定められた施設建築物の一部についての賃借り予定者は、家賃その他の借家条件について協議しなければならない。

2　第百二条第二項から第七項までの規定は、前項の規定による協議について準用する。この場合において、同条第二項中「第百条第二項」とあるのは、「第百十八条の十七」と読み替えるものとする。

（建築施設の部分等の価額等の確定）

第一一八条の二三　施行者は、第二種市街地再開発事業の工事が完了したときは、速やかに、当該事業に要した費用の額を確定するとともに、建築施設の部分を取得した者がこれに対応するものとして有していた施行地区内の宅地、借地権若しくは建築物の価額（以下「従前の権利の価額」という。）及びその取得した建築施設の部分の価額（建築施設の部分を取得した者が特定事業参加者である場合にあつては、その取得した建築施設の部分の価額）又は第百十八条の十八の規定により借家権を取得した者に対して施行者が賃貸しする施設建築物の一部の家賃の額を確定し、これらの者にその確定した額を通知しなければならない。

2　前項の従前の権利の価額は、同項の宅地、借地権又は建築物の対償の額に、これらが契約に基づき、又は収用により、施行者に取得され、又は消滅した時から第百十八条の十七の公告の日までの物価の変動に応ずる修正率を乗じて得た額をもつてその確定額とする。この場合において、その修正率は、政令で定める方法によつて算定するものとする。

3　第一項の建築施設の部分の価額及び家賃の額は、政令で定めるところにより、当該事業に要した費用の確定額及び第百十八条の七第一項第十号の基準日における近傍類似の土地、近傍同種の建築物又は近傍同種の建築物に関する同種の権利の取引価格等を考慮して定める相当の価額に同号の基準日から第百十八条の十七の公告の日までの物価の変動に応ずる修正率を乗じて得た額を基準として確定する。前項後段の規定は、この場合について準用する。

（清算）

第一一八条の二四　前条第一項の規定により確定した従前の権利の価額と同項の規定により確定した建築施設の部分の価額とに差額があるときは、施行者は、その差額に相当する金額を徴収し、又は交付しなければならない。

2　第百五条から第百七条まで（第百六条第六項を除く。）の規定は、前項の場合について準用する。この場合において、第百五条第一項中「前条第一項」とあるのは「第百十八条の二十三第一項」と、「同項」とあるのは「第百十八条の二十三第一項」と、第百六条第一項及び第二項中「第百四条第一項」とあるのは「第百十八条の二十四第一項」と、第百七条第一項中「第百四条第一項」とあるのは「第百十八条の二十四第一項」と、「施設建築物の一部」とあるのは「建築施設の部分」と、同条第二項中「第百一条第一項」とあるのは「第百十八条の二十一第一項」と読み替えるものとする。

（建築施設の部分の管理処分）

第一一八条の二四の二　第百八条第一項の規定は、第二種市街地再開発事業により譲受け予定者及び特定事業参加者が取得した建築施設の部分並びに賃借り予定者が取得した借家権に係る建築施設の部分以外の建築施設の部分について準用する。

2　施行者が地方公共団体であるときは、施行者が第二種市街地再開発事業により取得した建築施設の部分の管理処分については、当該地方公共団体の財産の管理処分に関する法令の規定は、適用しない。

第三款の二　施設建築敷地内の道路等に関する特例

（施設建築敷地内の道路に関する特例）

第一一八条の二五　都市計画法第十二条の四第一項第一号に掲げる地区計画の区域（地区整備計画が定められている区域のうち同法第十二条の十一の規定により建築物その他の工作物の敷地として併せて利用すべき区域として定められている区域に限る。）内における第二種市街地再開発事業その他政令で定める第二種市街地再開発事業については、事業計画において、施設建築敷地の上の空間又は地下に道路を設置し、又は道路が存するように定めることができる。

2　第百九条の二第二項から第六項までの規定は、前項の規定により事業計画において施設建築敷地の上の空間又は地下に道路を設置し、又は道路が存するように定めた場合の管理処分計画について準用する。この場合において、同条第二項中「第七十五条第一項」とあるのは「第百十八条の十において準用する第七十五条第一項」と、同条第三項中「第七十五条第二項に定めるもののほか、当該道路」とあるのは「当該道路」と、同条第四項中「第八十二条」とあるのは「第百十八条の十において準用する第八十二条」と、同条第六項中「第七十三条第一項各号」とあるのは「第百十八条の七第一項各号」と読み替えるものとする。

3　前項において準用する第百九条の二第二項から第六項までの規定により管理処分計画を定めた場合においては、施設建築敷地の道路部分には、第百十八条の二十第二項の規定にかかわらず、当該施設建築敷地の施設建築物に係る第百十八条の十七の公告の日（その公告の日前に当該施設建築敷地の道路に係る第百十八条の二十第一項の公告がなされた場合にあつては、当該公告の日）の翌日において、管理処分計画の定めるところに従い、民法第二百六十九条の二の規定により道路の所有を目的とする同条第一項の地上権が設定されたものとみなす。

4　第八十八条第六項の規定は、前項の規定による地上権の設定について準用する。

（施設建築敷地内の都市高速鉄道に関する特例）

第一一八条の二五の二　都市計画施設の区域をその施行地区に含む第二種市街地再開発事業のうち施設建築敷地を立体的に利用する必要があるものとして政令で定めるものについては、事業計画において、施設建築敷地の上の空間又は地下（いずれも政令で定める範囲内に位置するものに限る。）に都市高速鉄道が存するように定めることができる。

2　第百九条の三第二項から第五項までの規定は、前項の規定により事業計画において施設建築敷地の上の空間又は地下に都市高速鉄道が存するように定めた場合の管理処分計画について準用する。この場合において、同条第二項中「第七十五条第一項」とあるのは「第百十八条の十において準用する第七十五条第一項」と、同条第三項中「第七十五条第二項に定めるもののほか、当該都市高速鉄道」とあるのは「当該都市高速鉄道」と、同条第五項中「第七十三条第一項各号」とあるのは「第百十八条の七第一項各号」と読み替えるものとする。

3　前項において準用する第百九条の三第二項から第五項までの規定により管理処分計画を定めた場合においては、施設建築敷地の都市高速鉄道部分には、当該施設建築敷地の施設建築物に係る第百十八条の十七の規定による公告の日の翌日において、管理処分計画の定めるところに従い、民法第二百六十九条の二の規定により都市高速鉄道の所有を目的とする同条第一項の地上権が設定されたものとみなす。

4　第八十八条第六項の規定は、前項の規定による地上権の設定について準用する。

第四款　管理処分手続の特則

第一一八条の二五の三　施行者は、施設建築物の建築並びに施設建築敷地及び施設建築物に関する権利の取得につき、譲受け希望の申出をした者及び賃借り希望の申出をした者（第百十八条の十八又は次項の規定により建築施設の部分若しくは施設建築物の一部についての借家権又は施設建築敷地若しくは施設建築物に関する権利を取得した者を除く。）並びに特定事業参加者の全ての同意を得たときは、第百十八条の八、第百十八条の十において準用する第七十五条第一項及び第三項並びに第七十七条第二項前段、第百十八条の二十五第二項において準用する第百九条の二第二項後段、前条第二項において準用する第百九条の三第二項後段並びに第百十八条の三十二第三項において準用する同条第一項の規定によらないで、管理処分計画を定めることができる。この場合においては、第百十八条の二十二の規定は、適用しない。

2　前項の規定により管理処分計画を定めた場合においては、第百十八条の十八の規定にかかわらず、当該第二種市街地再開発事業に係る施設建築敷地又は施設建築物に関する権利は、第百十八条の十七の公告の日の翌日において、管理処分計画の定めるところにより、これを取得すべき者が取得する。

3　第一項の場合においては、次の表の上欄に掲げる規定の同表中欄に掲げる字句は、同表下欄に掲げる字句に読み替えて、これらの規定を適用する。

第五十条の三第一項第五号、第二項及び第三項、第五十条の十第一項、第五十二条第二項第五号、第五十六条の二第一項、第五十八条の二第一項	建築施設の部分	施設建築敷地若しくは施設建築物に関する権利
第百十八条の七第一項第二号、第三号、第七号及び第八号、第百十八条の九の見出し、第百十八条の十一の見出し、同条第一項及び第二項、第百十八条の十三第一項及び第二項、第百十八条の二十一の見出し、同条第二項、第百十八条の二十三の見出し、同条第三項、第百十八条の二十四、第百十八条の二十四の二（見出しを含む。）	建築施設の部分	施設建築敷地又は施設建築物に関する権利
第百十八条の七第一項第十一号	その他	前各号に掲げるもののほか、管理処分の内容その他
第百十八条の二十一第二項	第百十八条の十八	第百十八条の二十五の三第二項
第百十八条の二十三第一項	建築施設の部分を	施設建築敷地又は施設建築物に関する権利を
第百十八条の二十三第一項	建築施設の部分の価額（	施設建築敷地若しくは施設建築物に関する権利の価額（
第百十八条の二十三第一項	建築施設の部分の価額）	施設建築敷地又は施設建築物に関する権利の価額）
第百十八条の二十八第二項	施設建築敷地又はその共有持分	施設建築敷地に関する権利

第二節　雑則

（建築物の収用の請求）

第一一八条の二六　第二種市街地再開発事業につき都市計画法第六十九条の規定により適用される土地収用法の規定により土地又は権利が収用されるときは、権原により当該土地又は当該権利の目的である土地に建築物を所有する者は、その建築物の収用を請求することができる。

2　第百十八条の二第一項の規定により建築物の所有者が譲受け希望の申出をしたときは、土地収用法第四十七条の四第二項において準用する同法第四十二条第二項の公告の日から起算して二週間を経過する日以後に第百十八条の五第一項の規定により当該譲受け希望の申出が撤回され、又は第百十八条の十二若しくは第百十八条の十九第一項の規定により当該譲受け希望の申出が撤回されたものとみなされた場合であつても、当該建築物については、収用の請求をしたものとみなす。この場合においては、施行者は、同法第四十七条の三第一項の明渡裁決の申立てをする際に、当該譲受け希望の申出があつたことを証する書面を収用委員会に提出しなければならない。

3　土地収用法第八十七条の規定は第一項の規定による収用の請求について、同法第百一条第三項の規定は第一項の規定による収用の請求及び第二項の規定によりみなされる収用の請求について準用する。

（物件の移転命令）

第一一八条の二七　第二種市街地再開発事業の施行者は、当該第二種市街地再開発事業の施行のため必要があるときは、施行地区内の土地にある物件の所有者で当該物件のある土地に関し施行者に対抗することができる権利を有しないものに対し、相当の期限を定めて、当該物件の移転を命じ、当該物件の占有者で当該物件に関し所有者に対抗することができる権利を有しないものに対し、相当の期限を定めて、当該物件を所有者に引き渡すべきことを命ずることができる。

2　第九十八条第二項の規定は、前項の場合について準用する。この場合において、同項中「第九十六条第三項の場合」とあるのは、「第百十八条の二十七第一項の規定により物件の移転又は引渡しが命ぜられた場合」と読み替えるものとする。

（施行者以外の者による施設建築物の建築）

第一一八条の二八　施行者は、施設建築物（管理処分計画においてその全部を譲受け予定者又は特定事業参加者が譲り受けるように定められたものを除く。）の建築を他の者に行わせることができる。

2　第九十九条の二第二項及び第三項、第九十九条の三から第九十九条の九まで並びに第百四条第二項の規定は、前項の規定により施行者以外の者に施設建築物の建築を行わせる場合について準用する。この場合において、第九十九条の二第二項及び第三項、第九十九条の三第二項並びに第九十九条の七中「権利変換計画」とあるのは「管理処分計画」と、第九十九条の六第二項中「第九十九条の二第三項」とあるのは「第百十八条の二十八第二項において準用する第九十九条の二第三項」と、「地上権又はその共有持分」とあるのは「施設建築敷地又はその共有持分」と、第百四条第二項中「第九十九条の二第三項」とあるのは「第百十八条の二十八第二項において準用する第九十九条の二第三項」と、「第九十九条の六第二項」とあるのは「第百十八条の二十八第二項において準用する第九十九条の六第二項」と読み替えるものとする。

（測量のための標識の設置等）

第一一八条の二九　第六十四条、第六十五条、第六十九条及び第九十九条の十の規定は、第二種市街地再開発事業について準用する。

（再開発会社の事業の代行）

第一一八条の三〇　都道府県知事は、第二種市街地再開発事業について、再開発会社の事業の現況その他の事情により再開発会社の事業の継続が困難となるおそれがある場合において、第百二十四条第三項又は第百二十五条の二の規定による監督処分によつては再開発会社の事業の遂行の確保を図ることができないと認めるときは、事業代行の開始を決定することができる。

2　第百十三条から第百十五条まで及び第百十七条の規定は、再開発会社の事業について事業代行の開始を決定した場合に準用する。この場合において、第百十三条中「前条」とあるのは「第百十八条の三十第一項」と、「個人施行者の氏名若しくは名称又は組合若しくは再開発会社」とあるのは「再開発会社」と、同条、第百十四条並びに第百十七条第一項及び第三項中「個人施行者、組合又は再開発会社」とあるのは「再開発会社」と、第百十五条中「個人施行者の事業にあつては業務の執行並びに当該業務に係る財産の管理及び処分をする権限は、組合又は再開発会社の事業にあつては組合又は再開発会社」とあるのは「再開発会社」と、第百十七条第一項中「第百一条第一項」とあるのは「第百十八条の二十一第一項」と読み替えるものとする。

第四章の二　土地区画整理事業との一体的施行に関する特則

（土地区画整理事業との一体的施行に関する特則）

第一一八条の三一　土地区画整理法第九十八条第一項の規定により仮換地として指定された土地（同法第八十七条第一項又は第二項に規定する換地計画に基づき換地となるべき土地に指定されたものに限る。以下この章において「特定仮換地」という。）を含む土地の区域においては、当該特定仮換地に対応する従前の宅地に関する権利を施行地区又は施行地区となるべき区域内の土地に関する権利とみなし、これを施行地区又は施行地区となるべき区域内の当該特定仮換地に係る土地に関する権利に代えて、市街地再開発事業を施行するものとする。

2　前項の場合において、特定仮換地に対応する従前の宅地に関する権利の価額若しくはその概算額又は見積額を定めるときは、当該権利が当該特定仮換地に存するものとみなすものとする。

3　前二項の場合におけるこの法律の適用についての必要な技術的読替えは、政令で定める。

第一一八条の三二　前条の規定により第一種市街地再開発事業が施行される場合においては、権利変換計画において、一個の施設建築物に係る特定仮換地以外の施設建築敷地及び施設建築敷地となるべき特定仮換地に対応する従前の宅地に関する所有権及び地上権の共有持分の割合が、当該宅地ごとにそれぞれ等しくなるよう定めなければならない。この場合においては、第七十五条第一項の規定は、適用しない。

2　前項の場合における第九十条第一項の規定の適用については、同項中「従前の土地の表示の登記の抹消及び新たな土地の表示の登記」とあるのは、「特定仮換地以外の土地については従前の土地の表題部の登記の抹消及び新たな土地の表題登記（不動産登記法（平成十六年法律第百二十三号）第二条第二十号に規定する表題登記をいう。）又は権利変換手続開始の登記の抹消、特定仮換地に対応する従前の宅地については権利変換手続開始の登記の抹消」とする。

3　第一項の規定は、第二種市街地再開発事業の管理処分計画について準用する。この場合において、同項中「所有権及び地上権」とあるのは「所有権」と、「第七十五条第一項」とあるのは「第百十八条の十において準用する第七十五条第一項」と読み替えるものとする。

第五章　費用の負担等

（費用の負担）

第一一九条　市街地再開発事業に要する費用は、施行者の負担とする。ただし、第九十九条の二第一項又は第百十八条の二十八第一項の規定により施行者以外の者が施設建築物の建築を行う場合の建築に要する費用は当該施行者以外の者の、第九十九条の十（第百十八条の二十九において準用する場合を含む。）の規定により公共施設の管理者又は管理者となるべき者に公共施設の工事を行わせる場合の工事に要する費用は当該管理者又は管理者となるべき者の負担とする。

（地方公共団体の分担金）

第一二〇条　機構等は、機構等が施行する市街地再開発事業の施行により利益を受ける地方公共団体に対し、その利益を受ける限度において、その市街地再開発事業に要する費用の一部を負担することを求めることができる。

2　前項の場合において、地方公共団体が負担する費用の額及び負担の方法は、機構等と地方公共団体とが協議して定める。

3　前項の規定による協議が成立しないときは、当事者の申請に基づき、国土交通大臣が裁定する。この場合において、国土交通大臣は、当事者の意見をきくとともに、総務大臣と協議しなければならない。

（公共施設管理者の負担金）

第一二一条　施行者は、市街地再開発事業の施行により整備されることとなる重要な公共施設で政令で定めるものの管理者又は管理者となるべき者に対し、当該公共施設の整備に要する費用の全部又は一部を負担することを求めることができる。

2　前項の規定による費用の負担については、あらかじめ、個人施行者、組合又は再開発会社が施行する市街地再開発事業にあつては当該公共施設の管理者又は管理者となるべき者の承認を得、その他の市街地再開発事業にあつては当該公共施設の管理者又は管理者となるべき者と協議し、その者が負担すべき費用の額を事業計画において定めておかなければならない。

（費用の補助）

第一二二条　地方公共団体は、施行者（政令で定める施行者を除く。）に対して、市街地再開発事業に要する費用の一部を補助することができる。

2　国は、地方公共団体が、前項の規定により補助金を交付し、又はみずから市街地再開発事業を施行する場合には、予算の範囲内において、政令で定めるところにより、その費用の一部を補助することができる。

（資金の融通等）

第一二三条　国及び地方公共団体は、施行者に対し、市街地再開発事業に必要な資金の融通又はあつせんその他の援助に努めるものとする。

第六章　監督等

（報告、勧告等）

第一二四条　国土交通大臣は都道府県又は市町村に対し、都道府県知事は個人施行者、組合、再開発会社又は市町村に対し、市町村長は個人施行者、組合又は再開発会社に対し、それぞれその施行する市街地再開発事業に関し、この法律の施行のため必要な限度において、報告若しくは資料の提出を求め、又はその施行する市街地再開発事業の施行の促進を図るため必要な勧告、助言若しくは援助をすることができる。

2　国土交通大臣は、独立行政法人都市再生機構（第二条の二第五項の規定により市街地再開発事業を施行する場合に限る。第百二十八条第二項において同じ。）に対し、市街地再開発事業の施行の促進を図るため必要な勧告、助言又は援助をすることができる。

3　都道府県知事は、個人施行者、組合又は再開発会社に対し、市街地再開発事業の施行の促進を図るため必要な措置を命ずることができる。

（個人施行者に対する監督）

第一二四条の二　都道府県知事は、個人施行者の施行する第一種市街地再開発事業につき、その事業又は会計がこの法律若しくはこれに基づく行政庁の処分又は規準、規約、事業計画若しくは権利変換計画に違反すると認めるときその他監督上必要があるときは、その事業又は会計の状況を検査し、その結果、違反の事実があると認めるときは、その施行者に対し、その違反を是正するため必要な限度において、その施行者のした処分の取消し、変更若しくは停止又はその施行者のした工事の中止若しくは変更その他必要な措置を命ずることができる。

2　都道府県知事は、個人施行者が前項の規定による命令に従わないときは、権利変換期日前に限り、その施行者に対する第一種市街地再開発事業の施行についての認可を取り消すことができる。

3　都道府県知事は、前項の規定により認可を取り消したときは、遅滞なく、その旨を公告しなければならない。

4　個人施行者は、前項の公告があるまでは、認可の取消しによる第一種市街地再開発事業の廃止をもつて第三者に対抗することができない。

（組合に対する監督）

第一二五条　都道府県知事は、組合の施行する第一種市街地再開発事業につき、その事業又は会計がこの法律若しくはこれに基づく行政庁の処分又は定款、事業計画、事業基本方針若しくは権利変換計画に違反すると認めるときその他監督上必要があるときは、その組合の事業又は会計の状況を検査することができる。

2　都道府県知事は、組合の組合員が総組合員の十分の一以上の同意を得て、その組合の事業又は会計がこの法律若しくはこれに基づく行政庁の処分又は定款、事業計画、事業基本方針若しくは権利変換計画に違反する疑いがあることを理由として組合の事業又は会計の状況の検査を請求したときは、その組合の事業又は会計の状況を検査しなければならない。

3　都道府県知事は、前二項の規定により検査を行つた場合において、組合の事業又は会計がこの法律若しくはこれに基づく行政庁の処分又は定款、事業計画、事業基本方針若しくは権利変換計画に違反していると認めるときは、組合に対し、その違反を是正するため必要な限度において、組合のした処分の取消し、変更若しくは停止又は組合のした工事の中止若しくは変更その他必要な措置を命ずることができる。

4　都道府県知事は、組合が前項の規定による命令に従わないとき、又は組合の設立についての認可を受けた者がその認可の公告があつた日から起算して三十日を経過してもなお総会を招集しないときは、権利変換期日前に限り、その組合についての設立の認可を取り消すことができる。

5　都道府県知事は、第三十一条第三項の規定により組合員から総会の招集の請求があつた場合において、理事長及び監事が総会を招集しないときは、これらの組合員の申出に基づき、総会を招集しなければならない。第三十四条第三項又は第三十五条第四項において準用する第三十一条第三項の規定により組合員又は総代から総会の部会又は総代会の招集の請求があつた場合において、理事長及び監事が総会の部会又は総代会を招集しないときも、同様とする。

6　都道府県知事は、第二十六条第一項の規定により組合員から理事又は監事の解任の請求があつた場合において、組合がこれを組合員の投票に付さないときは、これらの組合員の申出に基づき、これを組合員の投票に付さなければならない。第三十六条第三項において準用する第二十六条第一項の規定により組合員から総代の解任の請求があつた場合において、組合がこれを組合員の投票に付さないときも、同様とする。

7　都道府県知事は、組合の組合員が総組合員の十分の一以上の同意を得て、総会、総会の部会若しくは総代会の招集手続若しくは議決の方法又は役員若しくは総代の選挙若しくは解任の投票の方法が、この法律又は定款に違反することを理由として、その議決、選挙、当選又は解任の投票の取消しを請求した場合において、その違反の事実があると認めるときは、その議決、選挙、当選又は解任の投票を取り消すことができる。

（再開発会社に対する監督）

第一二五条の二　都道府県知事は、再開発会社の施行する市街地再開発事業につき、その事業又は会計がこの法律若しくはこれに基づく行政庁の処分又は規準、事業計画、権利変換計画若しくは管理処分計画に違反すると認めるときその他監督上必要があるときは、その再開発会社の事業又は会計の状況を検査することができる。

2　都道府県知事は、再開発会社の施行する市街地再開発事業の施行地区内の宅地について所有権又は借地権を有する者が、その区域内の宅地について所有権又は借地権を有するすべての者の十分の一以上の同意を得て、その再開発会社の事業又は会計がこの法律若しくはこれに基づく行政庁の処分又は規準、事業計画、権利変換計画若しくは管理処分計画に違反する疑いがあることを理由として再開発会社の事業又は会計の状況の検査を請求したときは、その再開発会社の事業又は会計の状況を検査しなければならない。この場合において、所有権又は借地権が数人の共有に属する宅地又は借地があるときは、当該宅地又は借地について所有権を有する者又は借地権を有する者の数をそれぞれ一とみなし、同意した所有権を有する者の共有持分の割合の合計又は同意した借地権を有する者の共有持分の割合の合計をそれぞれ当該宅地又は借地について同意した者の数とみなす。

3　都道府県知事は、前二項の規定により検査を行つた場合において、再開発会社の事業又は会計がこの法律若しくはこれに基づく行政庁の処分又は規準、事業計画、権利変換計画若しくは管理処分計画に違反していると認めるときは、再開発会社に対し、その違反を是正するため必要な限度において、再開発会社のした処分の取消し、変更若しくは停止又は再開発会社のした工事の中止若しくは変更その他必要な措置を命ずることができる。

4　都道府県知事は、再開発会社が前項の規定による命令に従わないときは、権利変換期日前又は管理処分計画の認可の公告の日前に限り、その再開発会社に対する市街地再開発事業の施行についての認可を取り消すことができる。

5　都道府県知事は、前項の規定により認可を取り消したときは、遅滞なく、その旨を公告しなければならない。

6　再開発会社は、前項の公告があるまでは、認可の取消しによる市街地再開発事業の廃止をもつて第三者に対抗することができない。

（是正の要求）

第一二六条　国土交通大臣は都道府県又は独立行政法人都市再生機構に対し、都道府県知事は市町村に対し、これらの者が施行者として行う処分又は工事が、この法律又はこれに基づく国土交通大臣若しくは都道府県知事の処分に違反していると認めるときは、市街地再開発事業の適正な施行を確保するため必要な限度において、その処分の取消し、変更若しくは停止又はその工事の中止若しくは変更その他必要な措置を講ずべきことを求めることができる。

2　国土交通大臣は、市町村に対し、その施行者として行う処分又は工事が、この法律又はこれに基づく都道府県知事の処分に違反していると認める場合において、緊急を要するときその他特に必要があると認めるときは、市街地再開発事業の適正な施行を確保するため必要な限度において、その処分の取消し、変更若しくは停止又はその工事の中止若しくは変更その他必要な措置を講ずべきことを求めることができる。

3　都道府県、市町村又は独立行政法人都市再生機構は、前二項の規定による要求を受けたときは、当該処分の取消し、変更若しくは停止又は当該工事の中止若しくは変更その他必要な措置を講じなければならない。

（不服申立て）

第一二七条　次に掲げる処分又はその不作為については、審査請求をすることができない。

一　第十一条第一項若しくは第三項又は第三十八条第一項の規定による認可（事業基本方針の変更に係るものを除く。）

二　第十六条第三項、第三十八条第二項、第五十条の六、第五十条の九第二項、第五十三条第二項（第五十六条において準用する場合を含む。）並びに第五十八条第三項及び第四項において準用する場合を含む。）の規定による通知

三　第五十条の二第一項又は第五十条の九第一項の規定による認可

四　第五十一条第一項（第五十六条において準用する場合を含む。）の規

定による認可

五　第五十八条第一項の規定による認可

六　第八十三条第三項（同条第五項において準用する場合を含む。）の規定による通知

七　第百十八条の十において準用する第八十三条第三項（同条第五項において準用する場合を含む。）の規定による通知

第一二八条　前条に規定するものを除くほか、組合、再開発会社、市町村、都道府県又は機構等がこの法律に基づいてした処分その他公権力の行使に当たる行為（以下この条において「処分」という。）に不服のある者は、組合、再開発会社、市町村又は市のみが設立した地方住宅供給公社がした処分にあつては都道府県知事に対して、都道府県又は機構等（市のみが設立した地方住宅供給公社を除く。）がした処分にあつては国土交通大臣に対して審査請求をすることができる。ただし、権利変換に関する処分についての審査請求においては、権利変換計画に定められた宅地若しくは建築物又はこれらに関する権利の価額についての不服をその理由とすることができない。

2　前項の場合において、都道府県知事又は国土交通大臣は、行政不服審査法第二十五条第二項及び第三項、第四十六条第一項及び第二項、第四十七条並びに第四十九条第三項の規定の適用については、それぞれ組合若しくは再開発会社又は独立行政法人都市再生機構の上級行政庁とみなす。

3　第一項の審査請求について都道府県知事がした裁決に不服がある者は、国土交通大臣に対して再審査請求をすることができる。

（技術的援助の請求）

第一二九条　個人施行者若しくは再開発会社となろうとする者又は組合を設立しようとする者は都道府県知事及び市町村長に対し、個人施行者、組合又は再開発会社は市町村長に対し、市街地再開発事業の施行の準備又は施行のために、それぞれ市街地再開発事業に関し専門的知識を有する職員の技術的援助を求めることができる。

第七章　再開発事業の計画の認定

（再開発事業の計画の認定）

第一二九条の二　建築物及び建築敷地の整備並びに公共施設の整備に関する事業並びにこれに附帯する事業であつて、市街地の土地の合理的かつ健全な高度利用と都市機能の更新に資するもの（市街地再開発事業を除く。以下この章において「再開発事業」という。）を実施しようとする者は、国土交通省令で定めるところにより、再開発事業に関する計画（以下この章において「再開発事業計画」という。）を作成し、都道府県知事の認定を申請することができる。

2　前項の認定（以下この章において「再開発事業計画の認定」という。）を申請しようとする者は、あらかじめ、再開発事業計画に関係がある公共施設の管理者の同意を得、かつ、当該再開発事業計画の実施により設置される公共施設を管理することとなる者その他政令で定める者と協議しなければならない。

3　再開発事業計画の認定を申請しようとする者は、その者以外に再開発事業を実施しようとする土地の区域内の宅地又は建築物について権利を有する者があるときは、当該再開発事業計画についてこれらの者の同意を得なければならない。ただし、その権利をもつて再開発事業計画の認定を申請しようとする者に対抗することができない者については、この限りでない。

4　前項の場合において、宅地又は建築物について権利を有する者のうち、宅地について所有権又は借地権を有する者及び権原に基づいて存する建築物について所有権又は借家権を有する者以外の者を確知することができないときは、確知することができない理由を記載した書面を添えて、再開発事業計画の認定を申請することができる。

5　再開発事業計画には、次に掲げる事項を記載しなければならない。

一　再開発事業を実施する土地の区域（以下この章において「再開発事業区域」という。）

二　再開発事業区域内にある建築物の建築面積、延べ面積、構造方法、主たる用途、建築時期及び敷地面積

三　建築する建築物の建築面積、階数、延べ面積、構造方法、建築設備、用途及び敷地面積

四　整備する公共施設の種類、配置及び規模

五　再開発事業の実施期間

六　再開発事業の資金計画

七　その他国土交通省令で定める事項

（再開発事業計画の認定基準）

第一二九条の三　都道府県知事は、再開発事業計画の認定の申請があつた場合において、当該申請に係る再開発事業計画が次に掲げる条件に該当すると認めるときは、再開発事業計画の認定をすることができる。

一　再開発事業区域が第二条の三第一項第二号又は第二項の地区内にあり、次に掲げる条件に該当すること。

イ　当該再開発事業区域内にある耐火建築物で次に掲げるもの以外のものの建築面積の合計が、当該再開発事業区域内にあるすべての建築物の建築面積の合計のおおむね二分の一以下であること又は当該再開発事業区域内にある耐火建築物で次に掲げるもの以外のものの敷地面積の合計が、当該再開発事業区域内のすべての宅地の面積の合計のおおむね二分の一以下であること。

(1)　政令で定める耐用年限の三分の二を経過しているもの

(2)　災害その他の理由により(1)に掲げるものと同程度の機能低下を生じているもの

(3)　容積率が、当該再開発事業区域に係る都市計画法第八条第一項第一号に規定する用途地域に関する都市計画において定められた建築物の容積率（当該再開発事業区域の全部又は一部について定められた同号に規定する用途地域に関する都市計画以外の都市計画において建築物の容積率の最高限度が定められている場合にあつては、当該最高限度の割合。次号ハにおいて「基準割合」という。）の三分の一未満であるもの

(4)　都市計画施設である公共施設の整備に伴い除却すべきもの

ロ　当該再開発事業区域内に十分な公共施設がないこと、当該再開発事業区域内の土地の利用が細分されていること等により、当該再開発事業区域内の土地の利用状況が著しく不健全であること。

二　建築物及び建築敷地の整備並びに公共施設の整備に関する計画が、第二条の三第一項第二号又は第二項の地区の整備又は開発の計画の概要に即したものであり、かつ、次に掲げる条件に該当すること。

イ　建築する建築物の地階を除く階数が三以上の耐火建築物であること。

ロ　建築する建築物の建築面積が、国土交通省令で定める規模以上であること。

ハ　建築する建築物の容積率の基準割合に対する割合が、国土交通省令で定める割合以上であること。

ニ　建築する建築物の建ぺい率（建築面積の敷地面積に対する割合をいう。以下この号において同じ。）が、建築基準法第五十三条の規定により建ぺい率の限度が定められている場合にあつては当該限度から国土交通省令で定める数値を減じた数値以下、同条の規定により建ぺい率の限度が定められていない場合にあつては国土交通省令で定める数値以下であること。

ホ　道路、公園その他の公共施設が、当該再開発事業区域の良好な都市環境を形成するよう必要な位置に適切な規模で配置されていること。

三　再開発事業計画の内容が再開発事業区域について定められた都市計画に適合していること。

四　再開発事業計画の内容が当該都市の機能の更新に貢献するものであること。

五　再開発事業の実施期間が当該再開発事業を確実に遂行するため適切なものであること。

六　再開発事業を遂行するために必要な経済的基礎及びこれを的確に遂行するために必要なその他の能力が十分であること。

（再開発事業計画の認定通知）

第一二九条の四　都道府県知事は、再開発事業計画の認定をしたときは、速やかに、その旨を関係市町村長に通知しなければならない。

（再開発事業計画の変更）

第一二九条の五　再開発事業計画の認定を受けた者（以下この章において「認定事業者」という。）は、当該再開発事業計画の認定を受けた再開発事業計画（以下この章において「認定再開発事業計画」という。）の変更（国土交通省令で定める軽微な変更を除く。）をしようとするときは、都道府県知事の認定を受けなければならない。

2　前二条の規定は、前項の場合について準用する。

（報告の徴収）

第一二九条の六　都道府県知事は、認定事業者に対し、認定再開発事業計画（前条第一項の変更の認定があつたときは、その変更後のもの。次条及び第百二十九条の八において同じ。）に係る再開発事業の実施の状況について報告を求めることができる。

（地位の承継）

第一二九条の七　認定事業者の一般承継人又は認定事業者から認定再開発事業計画に係る再開発事業区域内の土地の所有権その他当該認定再開発事業計画に係る再開発事業の実施に必要な権原を取得した者は、都道府県知事の承認を受けて、当該認定事業者が有していた再開発事業計画の認定に基づく地位を承継することができる。

（改善命令）

第一二九条の八　都道府県知事は、認定事業者が認定再開発事業計画に従つて再開発事業を実施していないと認めるときは、当該認定事業者に対し、相当の期間を定めて、その改善に必要な措置を命ずることができる。

（再開発事業計画の認定の取消し）

第一二九条の九　都道府県知事は、認定事業者が前条の規定による処分に違反したときは、再開発事業計画の認定を取り消すことができる。

2　第百二十九条の四の規定は、都道府県知事が前項の規定による取消しをした場合について準用する。

第八章　雑則

（処分、手続等の効力）

第一三〇条　市街地再開発事業の施行に係る土地又はその土地に存する工作物その他の物件について権利を有する者の変更があつたときは、この法律又はこの法律に基づく命令、規準、規約、定款若しくは施行規程の規定により従前のこれらの者がした手続その他の行為は、新たにこれらの者となつた者がしたものとみなし、従前のこれらの者に対してした処分、手続その他の行為は、新たにこれらの者となつた者に対してしたものとみなす。

（土地の分割及び合併）

第一三一条　施行者は、第一種市街地再開発事業の施行のために必要があるときは、所有者に代わつて土地の分割又は合併の手続をすることができる。

2　施行者は、一筆の土地が施行地区の内外又は二以上の工区にわたる場合において、権利変換手続開始の登記を申請し、又は嘱託をするときは、あらかじめ、その土地の分割の手続をしなければならない。

（不動産登記法の特例）

第一三二条　施行地区内の土地及びその土地に存する建物の登記については、政令で、不動産登記法の特例を定めることができる。

（建物の区分所有等に関する法律の特例等）

第一三三条　施行者は、政令で定めるところにより、施設建築物及び施設建築敷地の管理又は使用に関する区分所有者相互間の事項につき、管理規約を定めることができる。この場合において、施行者（都道府県及び市町村を除く。）は、政令で定めるところにより、その管理規約について、機構等（市のみが設立した地方住宅供給公社を除く。）にあつては国土交通大臣の、個人施行者、組合、再開発会社又は市のみが設立した地方住宅供給公社にあつては都道府県知事の認可を受けなければならない。

2　前項の管理規約は、建物の区分所有等に関する法律第三十条第一項の規約とみなす。

（関係簿書の備付け）

第一三四条　施行者は、国土交通省令で定めるところにより、市街地再開発事業に関する簿書をその事務所に備え付けておかなければならない。

2　利害関係者から前項の簿書の閲覧又は謄写の請求があつたときは、施行者は、正当な理由がない限り、これを拒んではならない。

（書類の送付に代わる公告）

第一三五条　施行者は、市街地再開発事業の施行に関し書類を送付する場合において、送付を受けるべき者がその書類の受領を拒んだとき、又は過失がなくて、その者の住所、居所その他書類を送付すべき場所を確知することができないときは、政令で定めるところにより、その書類の内容を公告することをもつて書類の送付に代えることができる。

2　前項の公告があつたときは、その公告の日の翌日から起算して十日を経過した日に当該書類が送付を受けるべき者に到達したものとみなす。

（意見書等の提出の期間の計算等）

第一三六条　この法律又はこの法律に基づく命令の規定により一定期間内に差し出すべき意見書その他の文書が郵便又は民間事業者による信書の送達に関する法律（平成十四年法律第九十九号）第二条第六項に規定する一般信書便事業者若しくは同条第九項に規定する特定信書便事業者による同条第二項に規定する信書便で差し出されたときは、送付に要した日数は、期間に算入しない。

2　前項の文書は、その提出期間が経過した後においても、容認すべき理由があるときは、受理することができる。

（権限の委任）

第一三六条の二　この法律に規定する国土交通大臣の権限は、国土交通省令で定めるところにより、その一部を地方整備局長又は北海道開発局長に委任することができる。

（大都市等の特例）

第一三七条　この法律又はこの法律に基づく政令の規定により、都道府県知事が処理し、又は管理し、及び執行することとされている事務（都道府県が施行する市街地再開発事業に係る事務を除く。）で政令で定めるものは、地方自治法第二百五十二条の十九第一項の指定都市（以下この条において「指定都市」という。）及び同法第二百五十二条の二十二第一項の中核市（以下この条において「中核市」という。）においては、政令で定めるところにより、指定都市又は中核市（以下この条において「指定都市等」という。）の長が行うものとする。この場合においては、この法律又はこの法律に基づく政令中都道府県知事に関する規定は、指定都市等の長に関する規定として指定都市等の長に適用があるものとする。

（固定資産税の軽減等）

第一三八条　高度利用地区内において当該高度利用地区に関する都市計画に適合して建築された耐火建築物で政令で定めるものに対して課する固定資産税については、地方税法（昭和二十五年法律第二百二十六号）第六条第二項の規定の適用があるものとする。

2　国及び地方公共団体は、第百二十三条に規定する場合のほか、高度利用地区内において土地の合理的かつ健全な高度利用を実現する者に対し、建築物の建築に必要な技術上の助言又は資金のあつせんその他の援助に努めるものとする。

（政令への委任）

第一三九条　この法律に特に定めるもののほか、この法律の実施のため必要な事項は、政令で定める。

（経過措置）

第一三九条の二　この法律の規定に基づき政令又は国土交通省令を制定し、又は改廃する場合においては、それぞれ、政令又は国土交通省令で、その制定又は改廃に伴い合理的に必要と判断される範囲内において、所要の経過措置（罰則に関する経過措置を含む。）を定めることができる。

（事務の区分）

第一三九条の三　この法律の規定により地方公共団体が処理することとされている事務のうち次に掲げるものは、第一号法定受託事務とする。

一　都道府県が第六十一条第一項、第六十六条第一項から第八項まで、第六十八条第二項において準用する土地収用法第三十六条第五項並びに第九十八条第二項（第九十九条の八第五項（第百十八条の二十八第二項において準用する場合を含む。）及び第百十八条の二十七第二項において準用する場合を含む。）及び第三項の規定により処理することとされている事務（都道府県又は機構等（市のみが設立した地方住宅供給公社を除く。）が施行する市街地再開発事業に係るものに限る。）

二　市が第六十一条第一項（土地の試掘等に係る部分に限る。）、第六十六条第一項から第八項まで並びに第九十八条第二項（第百十八条の二十七第二項において準用する場合を含む。）及び第三項の規定により処理することとされている事務（機構等（市のみが設立した地方住宅供給公社を除く。）が施行する市街地再開発事業に係るものに限る。）

三　市町村が第五十五条第二項（第五十六条において準用する場合を含む。）、第五十八条第三項及び第四項において準用する第十六条第一項（ただし書を除く。）及び第十九条第四項、第六十一条第一項（土地の試掘等に係る部分を除く。）及び第三項、第六十八条第二項において準用する土地収用法第三十六条第四項、第九十八条第一項並びに第九十九条第一項及び第三項から第五項まで（これらの規定を第九十九条の八第五項（第百十八条の二十八第二項において準用する場合を含む。）において準用する場合を含む。）、第九十九条第二項において準用する第九十八条第三項並びに第百六条第六項において準用する第四十一条第二項の規定により処理することとされている事務（都道府県又は機構等（市のみが設立した地方住宅供給公社を除く。）が施行する市街地再開発事業に係るものに限る。）

2　この法律の規定により市町村が処理することとされている事務のうち次に掲げるものは、地方自治法第二条第九項第二号に規定する第二号法定受託事務とする。

一　第七条の九第二項（第七条の十六第二項、第七条の二十第二項、第十一条第四項、第三十八条第二項、第四十五条第五項、第五十条の二第二項、第五十条の九第二項、第五十条の十二第二項及び第五十条の十五第二項において準用する場合を含む。）、第七条の十五第三項（第七条の十六第二項において準用する場合を含む。）、第七条の十七第五項及び第七項、第十五条第二項（第三十八条第二項において準用する場合を含む。）及び第五十条の五第二項（第五十条の九第二項において準用する場合を含む。）において準用する第七条の三第二項及び第三項、第十六条第一項（第三十八条第二項、第五十条の六及び第五十条の九第二項において準用する場合を含む。）、第十九条第四項（第三十八条第二項において準用する場合を含む。）、第二十八条第一項、第四十一条第二項（第五十条の十一第二項（第百六条第七項（第百十八条の二十四第二項において準用する場合を含む。）において準用する場合を含む。）及び第百六条第六項において準用する場合を含む。）、第五十条の八第三項（第五十条の九第二項において準用する場合を含む。）、第百十四条（第百十八条の三十第二項において準用する場合を含む。）、第百十五条（第百十八条の三十第二項において準用する場合を含む。）、第百十七条第一項及び第三項（これらの規定を第百十八条の三十第二項において準用する場合を含む。）並びに第百二十四条第一項に規定する事務

二　第五十五条第二項（第五十六条において準用する場合を含む。）、第五十八条第三項及び第四項において準用する第十六条第一項（ただし書を除く。）及び第十九条第四項並びに第百十八条の二十八第二項において準用する第九十九条の八第五項において準用する第九十八条第一項並びに第九十九条第一項及び第三項から第五項までに規定する事務（市町村又は市のみが設立した地方住宅供給公社が施行する市街地再開発事業に係るものに限る。）

三　第六十一条第一項（土地の試掘等に係る部分を除く。）及び第三項、第六十八条第二項において準用する土地収用法第三十六条第四項、第九十八条第一項並びに第九十九条第一項及び第三項から第五項まで（これらの規定を第九十九条の八第五項において準用する場合を含む。）並びに第九十九条第二項において準用する第九十八条第三項に規定する事務（個人施行者、組合、再開発会社、市町村又は市のみが設立した地方住宅供給公社が施行する市街地再開発事業に係るものに限る。）

第九章　罰則

第百四十条　個人施行者（法人である個人施行者にあつては、その役員又は職員）、組合の役員、総代若しくは職員、再開発会社の役員若しくは職員又は審査委員（以下「個人施行者等」と総称する。）が職務に関して賄賂を収受し、又は要求し、若しくは約束したときは、三年以下の懲役に処する。よつて不正の行為をし、又は相当の行為をしないときは、七年以下の懲役に処する。

2　個人施行者等であつた者がその在職中に請託を受けて職務上不正の行為をし、又は相当の行為をしなかつたことにつき賄賂を収受し、又は要求し、若しくは約束したときは、三年以下の懲役に処する。

3　個人施行者等がその職務に関し請託を受けて第三者に賄賂を供与させ、又はその供与を約束したときは、三年以下の懲役に処する。

4　犯人又は情を知つた第三者の収受した賄賂は、没収する。その全部又は一部を没収することができないときは、その価額を追徴する。

第百四十一条　前条第一項から第三項までに規定する賄賂を供与し、又はその申込み若しくは約束をした者は、三年以下の懲役又は百万円以下の罰金に処する。

2　前項の罪を犯した者が自首したときは、その刑を減軽し、又は免除することができる。

第百四十一条の二　次の各号のいずれかに該当する者は、一年以下の懲役又は三十万円以下の罰金に処する。

一　第七条の五第一項の規定による建築許可権者の命令に違反した者

二　第六十六条第四項の規定による都道府県知事等の命令に違反して、土地の原状回復をせず、又は建築物その他の工作物若しくは物件を移転せず、若しくは除却しなかつた者

第百四十二条　次の各号のいずれかに該当する者は、六月以下の懲役又は二十万円以下の罰金に処する。

一　第六十条第一項又は第二項に規定する場合において、立入許可権者の許可を受けないで、土地又は工作物に立ち入り、又は立ち入らせた者

二　第六十条第一項又は第二項の規定による土地又は工作物への立入りを拒み、又は妨げた者

三　第六十一条第一項に規定する場合において、市町村長の許可を受けないで障害物を伐除した者又は試掘等許可権者の許可を受けないで土地に試掘等を行つた者

第百四十二条の二　第九十九条の五第二項（第百十八条の二十八第二項において準用する場合を含む。）の規定に違反した者は、六月以下の懲役又は二十万円以下の罰金に処する。

第百四十三条　第六十四条第二項（第百十八条の二十九において準用する場合を含む。）の規定に違反して、第六十四条第一項（第百十八条の二十九において準用する場合を含む。）の規定による標識を移転し、若しくは除却し、又は汚損し、若しくは損壊した者は、二十万円以下の罰金に処する。

第百四十三条の二　個人施行者が次の各号のいずれかに該当する場合においては、その行為をした個人施行者（法人である個人施行者を除く。）又は法人である個人施行者の役員若しくは職員を二十万円以下の罰金に処する。

一　第百二十四条第一項の規定による報告又は資料の提出を求められて、報告若しくは資料の提出をせず、又は虚偽の報告若しくは資料の提出をしたとき。

二　第百二十四条第三項又は第百二十四条の二第一項の規定による都道府県知事の命令に違反したとき。

三　第百二十四条の二第一項の規定による都道府県知事の検査を拒み、又は妨げたとき。

第百四十四条　組合が次の各号のいずれかに該当する場合においては、その行為をした役員又は職員を二十万円以下の罰金に処する。

一　第百二十四条第一項の規定による報告又は資料の提出を求められて、報告若しくは資料の提出をせず、又は虚偽の報告若しくは資料の提出をしたとき。

二　第百二十四条第三項又は第百二十五条第三項の規定による都道府県知事の命令に違反したとき。

三　第百二十五条第一項又は第二項の規定による都道府県知事の検査を拒み、又は妨げたとき。

第百四十四条の二　再開発会社が次の各号のいずれかに該当する場合においては、その行為をした役員又は職員を二十万円以下の罰金に処する。

一　第百二十四条第一項の規定による報告又は資料の提出を求められて、報告若しくは資料の提出をせず、又は虚偽の報告若しくは資料の提出をしたとき。

二　第百二十四条第三項又は第百二十五条の二第三項の規定による都道府県知事の命令に違反したとき。

三　第百二十五条の二第一項又は第二項の規定による都道府県知事の検査を拒み、又は妨げたとき。

第百四十四条の三　第百二十九条の六の規定による報告をせず、又は虚偽の報告をした者は、二十万円以下の罰金に処する。

第百四十五条　法人の代表者又は法人若しくは人の代理人、使用人その他の従業者が、その法人又は人の業務又は財産に関して第百四十一条の二から第百四十二条の二まで又は第百四十三条の二から前条までに規定する違反行為をしたときは、行為者を罰するほか、その法人又は人に対して各本条の罰金刑を科する。

第百四十五条の二　個人施行者が次の各号のいずれかに該当する場合においては、その行為をした個人施行者（法人である個人施行者を除く。）又は法人である個人施行者の役員若しくは清算人を二十万円以下の過料に処する。

一　第七条の十六第三項の規定に違反したとき。

二　第百三十四条第一項の規定に違反して簿書を備えず、又はその簿書に記載すべき事項を記載せず、若しくは不実の記載をしたとき。
三　第百三十四条第二項の規定に違反して正当な理由がないのに簿書の閲覧又は謄写を拒んだとき。
第一四六条　次の各号のいずれかに該当する場合においては、その行為をした組合の理事、監事又は清算人は、二十万円以下の過料に処する。
一　組合が第一種市街地再開発事業以外の事業を営んだとき。
二　第二十七条第九項の規定に違反して正当な理由がないのに帳簿及び書類の閲覧又は謄写を拒んだとき。
三　第二十七条第十項の規定に違反して監事が理事又は組合の職員と兼ねたとき。
四　第三十一条第一項（第三十五条第四項において準用する場合を含む。）又は第三項若しくは第六項（第三十四条第三項及び第三十五条第四項において準用する場合を含む。）の規定に違反して総会、総会の部会又は総代会を招集しなかつたとき。
五　第三十一条第九項の規定に違反して書類を備えず、又はその書類に記載すべき事項を記載せず、若しくは不実の記載をしたとき。
六　第三十一条第十項の規定に違反して正当な理由がないのに書類の閲覧又は謄写を拒んだとき。
七　第三十八条第二項において準用する第七条の十六第三項又は第四十五条第三項の規定に違反したとき。
八　第四十七条又は第四十九条に掲げる書類に記載すべき事項を記載せず、又は不実の記載をしたとき。
九　第四十八条の規定に違反して組合の残余財産を処分したとき。
十　第百三十四条第一項の規定に違反して簿書を備えず、又はその簿書に記載すべき事項を記載せず、若しくは不実の記載をしたとき。
十一　第百三十四条第二項の規定に違反して正当な理由がないのに簿書の閲覧又は謄写を拒んだとき。
十二　都道府県知事若しくは市町村長又は総会、総会の部会若しくは総代会に対し、不実の申立てをし、又は事実を隠したとき。
十三　組合がこの法律の規定による公告をすべき場合において、公告をせず、又は不実の公告をしたとき。
第一四七条　第三十一条第七項の規定に違反して最初の理事又は監事を選挙し、又は選任するための総会を招集しなかつた者は、二十万円以下の過料に処する。
第一四八条　次の各号のいずれかに該当する場合においては、その行為をした再開発会社の役員又は清算人は、二十万円以下の過料に処する。
一　第五十条の九第二項において準用する第七条の十六第三項の規定に違反したとき。
二　第百三十四条第一項の規定に違反して簿書を備えず、又はその簿書に記載すべき事項を記載せず、若しくは不実の記載をしたとき。
三　第百三十四条第二項の規定に違反して正当な理由がないのに簿書の閲覧又は謄写を拒んだとき。
四　市町村長に対し、不実の申立てをし、又は事実を隠したとき。
五　この法律の規定による公告をせず、又は不実の公告をしたとき。
第一四九条　第十条第二項の規定に違反してその名称中に市街地再開発組合という文字を用いた者は、十万円以下の過料に処する。

附　則　〔抄〕

（施行期日）
第一条　この法律は、都市計画法の施行の日〔昭和四四・六・一四〕から施行する。〔以下略〕
（名称の使用制限に関する経過措置）
第二条　この法律の施行の際、現にその名称中に市街地再開発組合という文字を用いている者については、この法律の施行の日から起算して六月間は、第十条第二項の規定を適用しない。
（公共施設の整備に関連する市街地の改造に関する法律等の廃止）
第三条　次の各号に掲げる法律は、廃止する。
一　公共施設の整備に関連する市街地の改造に関する法律（昭和三十六年法律第百九号）
二　防災建築街区造成法（昭和三十六年法律第百十号）
（市街地改造事業等に関する経過措置）
第四条　この法律の施行の際、現に市街地改造事業に関する都市計画において施行区域として定められている土地の区域について施行される市街地改造事業については、旧公共施設の整備に関連する市街地の改造に関する法律は、この法律の施行後も、なおその効力を有する。
2　この法律の施行の際、現に存する防災建築街区造成組合、現に施行されている旧防災建築街区造成法第五十四条に規定する防災建築街区造成事業及び現に同法第五十六条の規定による補助金の交付の決定があつた防災建築物に関しては、同法は、この法律の施行後も、なおその効力を有する。
（国の無利子貸付け等）
第五条　国は、当分の間、第百二十二条第一項に規定する施行者に対し、市街地再開発事業で日本電信電話株式会社の株式の売払収入の活用による社会資本の整備の促進に関する特別措置法（昭和六十二年法律第八十六号。以下「社会資本整備特別措置法」という。）第二条第一項第二号に該当するものに要する費用に充てる資金の一部を、予算の範囲内において、無利子で貸し付けることができる。
2　国は、当分の間、地方公共団体に対し、市街地再開発事業で社会資本整備特別措置法第二条第一項第二号に該当するものにつき、第百二十二条第一項に規定する施行者が施行する場合にあつては当該施行者に対し当該地方公共団体が同項の規定により補助する費用に充てる資金の一部を、当該地方公共団体が自ら施行する場合にあつてはその要する費用に充てる資金の一部を、機構等が施行する場合にあつては当該機構等に対し当該地方公共団体が第百二十条第一項の規定により負担する費用に充てる資金の一部を、予算の範囲内において、無利子で貸し付けることができる。
3　国は、当分の間、地方公共団体又は独立行政法人都市再生機構に対し、市街地再開発事業の施行区域内に居住する者で第七十九条第三項の規定により権利変換計画において施設建築物の一部等又は借家権が与えられないように定められたものその他当該事業の施行により特に新たな住宅を必要とすることとなるものに賃貸するための住宅の建設の事業で、社会資本整備特別措置法第二条第一項第二号に該当するものに要する費用に充てる資金の一部を、予算の範囲内において、無利子で貸し付けることができる。
4　前三項の国の貸付金の償還期間は、五年（二年以内の据置期間を含む。）以内で政令で定める期間とする。
5　前項に定めるもののほか、第一項から第三項までの規定による貸付金の償還方法、償還期限の繰上げその他償還に関し必要な事項は、政令で定める。
6　国は、第一項から第三項までの規定により、第百二十二条第一項に規定する施行者、地方公共団体又は独立行政法人都市再生機構に対し貸付けを行つた場合には、当該貸付けの対象である事業について、当該貸付金に相当する金額の補助を行うものとし、当該補助については、当該貸付金の償還時において、当該貸付金の償還金に相当する金額を交付することにより行うものとする。
7　第百二十二条第一項に規定する施行者、地方公共団体又は独立行政法人都市再生機構が、第一項から第三項までの規定による貸付けを受けた無利子貸付金について、第四項及び第五項の規定に基づき定められる償還期限を繰り上げて償還を行つた場合（政令で定める場合を除く。）における前項の規定の適用については、当該償還は、当該償還期限の到来時に行われたものとみなす。
（地方自治法等の一部改正に伴う経過措置）
第二二条　附則第四条第一項に規定する市街地改造事業並びに同条第二項に規定する防災建築街区造成組合、防災建築街区造成事業及び防災建築物に関しては、この法律の附則の規定による改正後の次の各号に掲げる法律の規定にかかわらず、なお従前の例による。
一　地方自治法
二　建設省設置法
三　削除
四　地方税法
五　租税特別措置法
六　首都高速道路公団法
七　災害対策基本法
八　阪神高速道路公団法
九　登録免許税法
2　前項の場合において、この法律の施行後の不動産の取得について附則第十条の規定による改正前の地方税法第七十三条の十四第七項の規定を適用するときは、同項中「その者が市街地改造事業又は防災建築街区造成事業を施行する土地の区域内に所有していた不動産の固定資産課税台帳に登録された価格（当該不動産の価格が固定資産課税台帳に登録されていない場合にあつては、政令で定めるところにより、道府県知事が第三百八十八条第一項の固定資産評価基準によつて決定した価格）に相当する額を」とあるのは、「当該建築施設の部分の価格に同法第四十六条（防災建築街区造成法第五十五条第一項において準用する場合を含む。）の規定により確定した当該建築施設の部分の価額に対するその者が市街地改造事業又は防災建築街区造成事業を施行する土地の区域内に有していた土地、借地権又は建築物の対償の額の割合を乗じて得た額を当該建築施設の部分の」とする。

（罰則に関する経過措置）

第二三条　この法律の施行前にした行為に対する罰則の適用については、なお従前の例による。

附　則〔略〕〔昭和四五・六・一法律一〇九〕

附　則〔略〕〔昭和四七・五・二二法律三六〕

附　則〔略〕〔昭和四九・六・一法律六九〕

附　則〔略〕〔昭和四九・六・一法律七一〕

附　則〔抄〕〔昭和五〇・七・一六法律六六〕

（施行期日）

1　この法律は、公布の日から起算して一年を超えない範囲内において政令で定める日から施行する。

〔昭和五〇政三〇三により、昭和五〇・一一・一から施行〕

（市街地再開発事業に関する経過措置）

2　この法律の施行の際現に施行中の市街地再開発事業は、この法律による改正後の都市再開発法の規定による第一種市街地再開発事業とみなす。

3　この法律による改正前の都市再開発法の規定により市街地再開発事業に関してした手続、処分その他の行為は、この法律による改正後の都市再開発法の規定により第一種市街地再開発事業に関してした手続、処分その他の行為とみなす。

（罰則に関する経過措置）

14　この法律の施行前にした行為に対する罰則の適用については、なお従前の例による。

附　則〔略〕〔昭和五四・三・三〇法律五〕

附　則〔略〕〔昭和五五・五・一法律三四〕

附　則〔略〕〔昭和五五・五・一法律三五〕

附　則〔略〕〔昭和五五・五・二七法律六二〕

附　則〔略〕〔昭和五六・五・二二法律四八〕

附　則〔略〕〔昭和五八・五・二一法律五一〕

附　則〔略〕〔昭和六二・九・四法律八七〕

附　則〔略〕〔昭和六三・五・二〇法律四九〕

附　則〔略〕〔平成元・六・二八法律五六〕

附　則〔略〕〔平成元・一二・二二法律九一〕

附　則〔略〕〔平成二・六・二九法律六一〕

附　則〔略〕〔平成四・六・五法律七六〕

附　則〔抄〕〔平成五・一一・一二法律八九〕

（施行期日）

第一条　この法律は、行政手続法（平成五年法律第八十八号）の施行の日〔平成六・一〇・一〕から施行する。

（諮問等がされた不利益処分に関する経過措置）

第二条　この法律の施行前に法令に基づき審議会その他の合議制の機関に対し行政手続法第十三条に規定する聴聞又は弁明の機会の付与の手続その他の意見陳述のための手続に相当する手続を執るべきことの諮問その他の求めがされた場合においては、当該諮問その他の求めに係る不利益処分の手続に関しては、この法律による改正後の関係法律の規定にかかわらず、なお従前の例による。

（罰則に関する経過措置）

第一三条　この法律の施行前にした行為に対する罰則の適用については、なお従前の例による。

（聴聞に関する規定の整理に伴う経過措置）

第一四条　この法律の施行前に法律の規定により行われた聴聞、聴問若しくは聴聞会（不利益処分に係るものを除く。）又はこれらのための手続は、この法律による改正後の関係法律の相当規定により行われたものとみなす。

（政令への委任）

第一五条　附則第二条から前条までに定めるもののほか、この法律の施行に関して必要な経過措置は、政令で定める。

附　則〔略〕〔平成六・六・二九法律四九〕

附　則〔略〕〔平成七・二・二六法律一三〕

附　則〔略〕〔平成七・二・二六法律一四〕

附　則〔抄〕〔平成八・五・二四法律四八〕

（施行期日）

1　この法律は、公布の日から起算して六月を超えない範囲内において政令で定める日から施行する。

〔平成八政三〇七により、平成八・一一・一〇から施行〕

（経過措置）

2　この法律の施行の際現にこの法律による改正前の幹線道路の沿道の整備に関する法律（以下「旧法」という。）の規定により定められている沿道整備計画に関する都市計画は、この法律による改正後の幹線道路の沿道の整備に関する法律（以下「新法」という。）の規定により定められた沿道地区計画でその区域の全部について沿道地区整備計画が定められているものに関する都市計画とみなす。

3　旧法の規定により沿道整備計画に関する都市計画に関してした手続、処分その他の行為は、新法の規定により沿道地区計画に関する都市計画に関してした手続、処分その他の行為とみなす。

4　この法律の施行の際現に旧法の規定により定められている沿道整備計画の区域は、新法の規定により定められた沿道地区計画の区域で沿道地区整備計画が定められている区域とみなす。

5　旧法第十三条第一項に規定する区域内において同項の制限が定められた際、当該制限が定められた区域内に現に存する人の居住の用に供する建築物又はその部分は、新法第十三条第一項に規定する特定住宅に該当するものとみなす。

6　この法律の施行前にした行為に対する罰則の適用については、なお従前の例による。

附　則〔略〕〔平成九・五・九法律五〇〕

附　則〔略〕〔平成九・六・一三法律七九〕

附　則〔略〕〔平成一〇・五・二九法律八〇〕

附　則〔略〕〔平成一〇・六・三法律九二〕

附　則〔抄〕〔平成一一・三・三一法律二五〕

（施行期日）

第一条　この法律は、平成十一年四月一日から施行する。ただし、次の各号に掲げる規定は、当該各号に定める日から施行する。

一　第四条中都市再開発法第七条の十四の改正規定、同法第十六条に一項を加える改正規定、同法第十七条の改正規定（「に限り、その認可をすることができる」を「は、その認可をしなければならない」に改める部分に限る。）、同条第二号の改正規定（「法令」の下に「（事業計画の内容にあつては、前条第三項に規定する都道府県知事の命令を含む。）」を加える部分に限る。）、同法第五十三条の改正規定、同法第五十八条第三項の改正規定（「の規定及び」を「及び第五項並びに」に改める部分及び「特定事業参加者」と」の下に「、第十六条第五項中「第十一条第一項又は第三項の規定による認可を申請した者」とあるのは「公団等」と」を加える部分に限る。）、同法第九十一条、第九十九条の二、第九十九条の三、第九十九条の六、第九十九条の七、第百四条から第百七条まで及び第百十条第三項の改正規定、同法第百十一条の改正規定（同条の表第七十三条第一項第二号、第四号及び第六号、第七十八条第一項、第八十九条、第百四条の項中「第百四条」を「第百四条第一項」に改める部分並びに同表第八十八条第二項の項中「第八十八条第二項」の下に「、第九十九条の六第二項」を加える部分に限る。）並びに同法第百十八条の十三、第百十八条の十五、第百十八条の十九、第百十八条の二十四、第百十八条の二十五の二第三項及び第百十八条の二十八の改正規定並びに附則第二条〔中略〕の規定　公布の日から起算して三月を超えない範囲内において政令で定める日

〔平成一一政二〇八により、平成一一・六・三〇から施行〕

二　〔前略〕第四条中都市再開発法の目次の改正規定、同法第百十条第一項の改正規定、同法第百十一条の改正規定（同条の表に次のように加える部分に限る。）、同法第百十八条の二十五の二第一項の改正規定並びに同法第四章の次に一章を加える改正規定〔中略〕　公布の日から起算して六月を超えない範囲内において政令で定める日

〔平成一一政二九六により、平成一一・九・三〇から施行〕

（経過措置）

第二条　都市再開発法第八十条第一項に規定する三十日の期間を経過した日が前条第一号に掲げる改正規定の施行の日前である場合における第四条の

規定による改正後の都市再開発法（以下この条において「新都市再開発法」という。）第九十一条の規定の適用並びに都市再開発法第百十八条の五第一項の規定による譲受け希望の申出を撤回した者の宅地、借地権又は建築物が当該改正規定の施行前に施行者に取得され、又は消滅している場合における新都市再開発法第百十八条の十三、第百十八条の十五及び第百十八条の十九の規定の適用については、なお従前の例による。

附　則〔略〕〔平成一一・六・一六法律七六〕

附　則〔抄〕〔平成一一・七・一六法律八七〕

（施行期日）

第一条　この法律は、平成十二年四月一日から施行する。ただし、次の各号に掲げる規定は、当該各号に定める日から施行する。

一　〔前略〕附則〔中略〕第百六十条、第百六十三条、第百六十四条並びに第二百二条の規定　公布の日

二～六　〔略〕

（都市再開発法の一部改正に伴う経過措置）

第一四一条　施行日前に第四百三十八条の規定による改正前の都市再開発法（以下この条において「旧都市再開発法」という。）第百二十六条の規定により建設大臣が都道府県に対してした命令若しくは都道府県知事が市町村に対してした命令又は同条の規定により建設大臣が市町村に対してした命令は、それぞれ第四百三十八条の規定による改正後の都市再開発法（以下この条において「新都市再開発法」という。）第百二十六条第一項の規定により建設大臣若しくは都道府県知事がした要求又は同条第二項の規定により建設大臣がした要求とみなす。

2　施行日前に旧都市再開発法第百三十三条第一項の規定により都道府県若しくは市町村に対してされた認可又はこの法律の施行の際現に同項の規定により都道府県若しくは市町村からされている認可の申請は、それぞれ新都市再開発法第百三十三条第一項の規定によりされた同意又は協議の申出とみなす。

（国等の事務）

第一五九条　この法律による改正前のそれぞれの法律に規定するもののほか、この法律の施行前において、地方公共団体の機関が法律又はこれに基づく政令により管理し又は執行する国、他の地方公共団体その他公共団体の事務（附則第百六十一条において「国等の事務」という。）は、この法律の施行後は、地方公共団体が法律又はこれに基づく政令により当該地方公共団体の事務として処理するものとする。

（処分、申請等に関する経過措置）

第一六〇条　この法律（附則第一条各号に掲げる規定については、当該各規定。以下この条及び附則第百六十三条において同じ。）の施行前に改正前のそれぞれの法律の規定によりされた許可等の処分その他の行為（以下この条において「処分等の行為」という。）又はこの法律の施行の際現に改正前のそれぞれの法律の規定によりされている許可等の申請その他の行為（以下この条において「申請等の行為」という。）で、この法律の施行の日においてこれらの行為に係る行政事務を行うべき者が異なることとなるものは、附則第二条から前条までの規定又は改正後のそれぞれの法律（これに基づく命令を含む。）の経過措置に関する規定に定めるものを除き、この法律の施行の日以後における改正後のそれぞれの法律の適用については、改正後のそれぞれの法律の相当規定によりされた処分等の行為又は申請等の行為とみなす。

2　この法律の施行前に改正前のそれぞれの法律の規定により国又は地方公共団体の機関に対し報告、届出、提出その他の手続をしなければならない事項で、この法律の施行の日前にその手続がされていないものについては、この法律及びこれに基づく政令に別段の定めがあるもののほか、これを、改正後のそれぞれの法律の相当規定により国又は地方公共団体の相当の機関に対して報告、届出、提出その他の手続をしなければならない事項についてその手続がされていないものとみなして、この法律による改正後のそれぞれの法律の規定を適用する。

（不服申立てに関する経過措置）

第一六一条　施行日前にされた国等の事務に係る処分であって、当該処分をした行政庁（以下この条において「処分庁」という。）に施行日前に行政不服審査法に規定する上級行政庁（以下この条において「上級行政庁」という。）があったものについての同法による不服申立てについては、施行日以後においても、当該処分庁に引き続き上級行政庁があるものとみなして、行政不服審査法の規定を適用する。この場合において、当該処分庁の上級行政庁とみなされる行政庁は、施行日前に当該処分庁の上級行政庁であった行政庁とする。

2　前項の場合において、上級行政庁とみなされる行政庁が地方公共団体の機関であるときは、当該機関が行政不服審査法の規定により処理することとされる事務は、新地方自治法第二条第九項第一号に規定する第一号法定受託事務とする。

（手数料に関する経過措置）

第一六二条　施行日前においてこの法律による改正前のそれぞれの法律（これに基づく命令を含む。）の規定により納付すべきであった手数料については、この法律及びこれに基づく政令に別段の定めがあるもののほか、なお従前の例による。

（罰則に関する経過措置）

第一六三条　この法律の施行前にした行為に対する罰則の適用については、なお従前の例による。

（その他の経過措置の政令への委任）

第一六四条　この附則に規定するもののほか、この法律の施行に伴い必要な経過措置（罰則に関する経過措置を含む。）は、政令で定める。

2　〔略〕

附　則〔略〕〔平成一一・一二・二二法律一六〇〕

附　則〔抄〕〔平成一二・五・一九法律七三〕

（施行期日）

第一条　この法律は、公布の日から起算して一年を超えない範囲内において政令で定める日から施行する。

〔平成一三政九七により、平成一三・五・一八から施行〕

（都市再開発法の一部改正に伴う経過措置）

第一八条　この法律の施行の際旧都市再開発法の規定により旧都市計画法第七条第四項の市街化区域の整備、開発又は保全の方針において定められている都市再開発の方針（附則第二条第二項の規定に基づきなお従前の例により施行日以後に旧都市計画法第七条第四項の市街化区域の整備、開発又は保全の方針において定められたものを含む。）は、前条の規定による改正後の都市再開発法の規定により定められた都市再開発の方針とみなす。

附　則〔略〕〔平成一四・二・八法律一〕

附　則〔略〕〔平成一四・三・三一法律一一〕

附　則〔略〕〔平成一四・四・五法律二二〕

附　則〔略〕〔平成一四・七・一二法律八五〕

附　則〔平成一四・七・三一法律一〇〇〕

（施行期日）

第一条　この法律は、民間事業者による信書の送達に関する法律（平成十四年法律第九十九号）の施行の日〔平成一五・四・一〕から施行する。

（罰則に関する経過措置）

第二条　この法律の施行前にした行為に対する罰則の適用については、なお従前の例による。

（その他の経過措置の政令への委任）

第三条　前条に定めるもののほか、この法律の施行に関し必要な経過措置は、政令で定める。

附　則〔略〕〔平成一五・六・二〇法律一〇〇〕

附　則〔抄〕〔平成一五・六・二〇法律一〇二〕

（施行期日）

第一条　この法律は、公布の日から起算して六月を超えない範囲内において政令で定める日から施行する。

〔平成一五政五二二により、平成一五・一二・一九から施行〕

（罰則に関する経過措置）

第五条　この法律の施行前にした行為に対する罰則の適用については、なお従前の例による。

（政令への委任）

第六条　附則第二条から前条までに定めるもののほか、この法律の施行に関して必要な経過措置は、政令で定める。

附　則〔略〕〔平成一六・六・九法律八四〕

附　則〔抄〕〔平成一六・六・九法律一〇二〕

（施行期日）

第一条　この法律は、平成十八年三月三十一日までの間において政令で定める日から施行する。〔以下略〕

〔平成一七政二〇〇により、平成一七・一〇・一から施行〕

（検討）

第二条　政府は、この法律の施行後十年以内に、日本道路公団等民営化関係法の施行の状況について検討を加え、その結果に基づいて必要な措置を講

ずるものとする。

附　則〔略〕〔平成一六・六・一八法律一一一〕

附　則〔略〕〔平成一六・六・一八法律一二四〕

附　則〔略〕〔平成一六・一二・一法律一四七〕

附　則〔抄〕〔平成一六・一二・一法律一五〇〕

（施行期日）

第一条　この法律は、平成十七年四月一日から施行する。

（罰則に関する経過措置）

第四条　この法律の施行前にした行為に対する罰則の適用については、なお従前の例による。

附　則〔抄〕〔平成一七・四・二七法律三四〕

（施行期日）

第一条　この法律は、公布の日から起算して六月を超えない範囲内において政令で定める日から施行する。〔以下略〕

〔平成一七政三二一により、平成一七・一〇・二四から施行〕

（都市再開発法の一部改正に伴う経過措置）

第三条　この法律の施行前にされた第三条の規定による改正前の都市再開発法（以下「旧都市再開発法」という。）第十一条第二項若しくは第三項又は第三十八条第一項に規定する認可の申請であって、この法律の施行の際、認可又は不認可の処分がなされていないものについての処分については、なお従前の例による。

2　この法律の施行前に旧都市再開発法第十一条第二項の規定により設立された市街地再開発組合の事業計画の決定手続については、なお従前の例による。

3　第三条の規定による改正後の都市再開発法（以下「新都市再開発法」という。）第二十七条第七項の規定は、この法律の施行の日以後に通常総会の承認を得た事業報告書、収支決算書及び財産目録について適用する。

4　新都市再開発法第三十一条第七項の規定は、この法律の施行の日以後に会議の日時、場所及び目的である事項を組合員に通知して招集する通常総会について適用する。

（罰則に関する経過措置）

第五条　この法律の施行前にした行為に対する罰則の適用については、なお従前の例による。

（政令への委任）

第六条　附則第二条から前条までに定めるもののほか、この法律の施行に関して必要な経過措置は、政令で定める。

附　則〔平成一七・七・二六法律八七〕

この法律は、会社法の施行の日〔平成一八・五・一〕から施行する。〔以下略〕

会社法の施行に伴う関係法律の整備等に関する法律〔抄〕〔平成一七・七・二六法律八七〕

（都市再開発法の一部改正に伴う経過措置）

第四九二条　施行日前に生じた前条の規定による改正前の都市再開発法第四十五条第一項各号に掲げる理由により市街地再開発組合が解散した場合における市街地再開発組合の清算については、なお従前の例による。

（罰則に関する経過措置）

第五二七条　施行日前にした行為及びこの法律の規定によりなお従前の例によることとされる場合における施行日以後にした行為に対する罰則の適用については、なお従前の例による。

（政令への委任）

第五二八条　この法律に定めるもののほか、この法律の規定による法律の廃止又は改正に伴い必要な経過措置は、政令で定める。

附　則〔略〕〔平成一八・六・二法律五〇〕

附　則〔抄〕〔平成一八・六・八法律六一〕

（施行期日）

第一条　この法律は、公布の日から施行する。

（政令への委任）

第一七条　この附則に規定するもののほか、この法律の施行に伴い必要な経過措置は、政令で定める。

附　則〔略〕〔平成二三・五・二五法律五三〕

附　則〔抄〕〔平成二三・八・三〇法律一〇五〕

（施行期日）

第一条　この法律は、公布の日から施行する。ただし、次の各号に掲げる規定は、当該各号に定める日から施行する。

一　〔前略〕第百二十一条（都市再開発法第百三十三条の改正規定に限る。）〔中略〕の規定　公布の日から起算して三月を経過した日

二　〔前略〕第百二十一条（都市再開発法第七条の四から第七条の七まで、第六十条から第六十二条まで、第六十六条、第九十八条、第九十九条の八、第百三十九条の三、第百四十一条の二及び第百四十二条の改正規定に限る。）〔中略〕の規定並びに附則〔中略〕第五十九条〔中略〕の規定　平成二十四年四月一日

三～六　〔略〕

（都市再開発法の一部改正に伴う経過措置）

第五九条　第百二十一条の規定（都市再開発法第七条の四から第七条の七まで、第六十条から第六十二条まで、第六十六条、第九十八条、第九十九条の八、第百三十九条の三、第百四十一条の二及び第百四十二条の改正規定に限る。以下この条において同じ。）の施行の際現に効力を有する第百二十一条の規定による改正前の都市再開発法（以下この条及び附則第六十七条において「旧都市再開発法」という。）第七条の四第一項、第七条の五第一項若しくは第二項、第七条の六第一項、第六十条第一項若しくは第二項、第六十一条第一項、第六十六条第一項から第五項まで、第七項若しくは第八項の規定により都道府県知事が行った許可その他の行為又は現に旧都市再開発法第七条の四第一項、第七条の六第一項若しくは第五項、第六十条第一項若しくは第二項、第六十一条第一項、第六十六条第一項若しくは第七項若しくは第九十八条第二項の規定により都道府県知事に対して行っている許可の申請その他の行為で、第百二十一条の規定による改正後の都市再開発法（以下この条及び附則第六十七条において「新都市再開発法」という。）第七条の四第一項、第七条の五第一項若しくは第二項、第七条の六第一項、第六十条第一項若しくは第二項、第六十一条第一項、第六十六条第一項から第五項まで、第七項若しくは第八項又は第九十八条第二項の規定により当該市長が行うこととなる事務に係るものは、それぞれこれらの規定により当該市長が行った許可その他の行為又は当該市長に対して行った許可の申請その他の行為とみなす。

2　第百二十一条の規定の施行の際現に効力を有する旧都市再開発法第六十二条第一項又は第二項の都道府県知事の許可証で新都市再開発法第六十条第一項若しくは第二項又は第六十一条第一項の規定により市長が行うこととなる許可に係るものは、それぞれ当該市長に係る新都市再開発法第六十二条第一項又は第二項の許可証とみなす。

3　第百二十一条の規定の施行前に都道府県知事がした旧都市再開発法第七条の四第一項の許可の申請についての不許可の処分に係る土地の買取りの手続については、第一項及び新都市再開発法第七条の六第一項から第三項までの規定にかかわらず、なお従前の例による。

4　第百二十一条の規定の施行前に旧都市再開発法第九十八条第二項の規定により都道府県知事が自らし、又は第三者をしてさせた代執行については、新都市再開発法第九十八条第三項又は第四項の規定にかかわらず、なお従前の例による。

（罰則に関する経過措置）

第八一条　この法律（附則第一条各号に掲げる規定にあっては、当該規定。以下この条において同じ。）の施行前にした行為及びこの附則の規定によりなお従前の例によることとされる場合におけるこの法律の施行後にした行為に対する罰則の適用については、なお従前の例による。

（政令への委任）

第八二条　この附則に規定するもののほか、この法律の施行に関し必要な経過措置（罰則に関する経過措置を含む。）は、政令で定める。

附　則〔略〕〔平成二五・六・一四法律四四〕

附　則〔抄〕〔平成二六・五・三〇法律四二〕

（施行期日）

第一条　この法律〔中略〕は、当該各号に定める日〔平成二七・四・一〕から施行する。

（都市再開発法及び密集市街地における防災街区の整備の促進に関する法律の一部改正に伴う経過措置）

第四八条　施行時特例市に対する前条の規定による改正後の同条各号に掲げる法律の規定の適用については、これらの規定中「及び同法」とあるのは「、同法」と、「「中核市」」とあるのは「「中核市」という。）及び地方自治法の一部を改正する法律（平成二十六年法律第四十二号）附則第二条に規定する施行時特例市（以下この条において「施行時特例市」と、「又は中核市」とあるのは「、中核市又は施行時特例市」とする。

附　則〔略〕〔平成二六・六・一三法律六九〕

附　則〔抄〕〔平成二八・六・七法律七二〕

（施行期日）

第一条　この法律は、公布の日から起算して三月を超えない範囲内において政令で定める日から施行する。

〔平成二八政二八七により、平成二八・九・一から施行〕

（都市再開発法の一部改正に伴う経過措置）

第二条　この法律の施行前にされた第二条の規定による改正前の都市再開発法第七条の九第一項の規定による認可の申請であって、この法律の施行の際、認可又は不認可の処分がなされていないものについての処分については、なお従前の例による。

（政令への委任）

第三条　前条に定めるもののほか、この法律の施行に関し必要な経過措置は、政令で定める。

（検討）

第四条　政府は、この法律の施行後五年を経過した場合において、第一条から第三条までの規定による改正後の規定の施行の状況について検討を加え、必要があると認めるときは、その結果に基づいて必要な措置を講ずるものとする。

附　則　〔平成二九・六・二法律四五〕

この法律は、民法改正法の施行の日〔令和二・四・一〕から施行する。ただし、〔中略〕第三百六十二条の規定は、公布の日から施行する。

民法の一部を改正する法律の施行に伴う関係法律の整備等に関する法律〔抄〕

〔平成二九・六・二法律四五〕

（都市再開発法の一部改正に伴う経過措置）

第三三五条　施行日前に前条の規定による改正前の都市再開発法（以下この条において「旧都市再開発法」という。）第四十二条第二項（旧都市再開発法第五十条の十一第三項、第五十六条の三第五項（旧都市再開発法第五十八条の二第二項において準用する場合を含む。）及び第百六条第八項（旧都市再開発法第百十八条の二十四第二項において準用する場合を含む。）において準用する場合を含む。）に規定する時効の中断の事由が生じた場合におけるその事由の効力については、なお従前の例による。

2　施行日前に権利変換計画の認可の公告がされた場合におけるその権利変換計画に係る旧都市再開発法第九十一条第一項に規定する補償金については、なお従前の例による。

3　施行日前に旧都市再開発法第九十一条（旧都市再開発法第九十七条第五項において準用する場合を含む。）の規定により補償金等又は損失の補償額の支払義務が生じた場合におけるその補償金等又は損失の補償額の供託については、なお従前の例による。

4　施行日前に譲受け希望の申出の撤回がされた場合におけるその申出の撤回に伴う対償の支払については、前条の規定による改正後の都市再開発法第百十八条の十五第一項の規定にかかわらず、なお従前の例による。

（罰則に関する経過措置）

第三六一条　施行日前にした行為及びこの法律の規定によりなお従前の例によることとされる場合における施行日以後にした行為に対する罰則の適用については、なお従前の例による。

（政令への委任）

第三六二条　この法律に定めるもののほか、この法律の施行に伴い必要な経過措置は、政令で定める。

附　則　〔抄〕〔平成三〇・七・一三法律七二〕

（施行期日）

第一条　この法律〔中略〕は、当該各号に定める日から施行する。

一　附則第三十条及び第三十一条の規定　公布の日

二・三　〔略〕

四　〔前略〕附則〔中略〕第十八条〔中略〕の規定　公布の日から起算して二年を超えない範囲内において政令で定める日

〔平成三〇政三一六により、令和二・四・一から施行〕

五　〔略〕

（政令への委任）

第三一条　この附則に規定するもののほか、この法律の施行に関し必要な経過措置は、政令で定める。

附　則　〔抄〕〔令和三・五・一九法律三七〕

（施行期日）

第一条　この法律は、令和三年九月一日から施行する。ただし、次の各号に掲げる規定は、当該各号に定める日から施行する。

一　〔前略〕附則〔中略〕第七十一条から第七十三条までの規定　公布の日

二〜十　〔略〕

（罰則に関する経過措置）

第七一条　この法律（附則第一条各号に掲げる規定にあっては、当該規定。以下この条において同じ。）の施行前にした行為及びこの附則の規定によりなお従前の例によることとされる場合におけるこの法律の施行後にした行為に対する罰則の適用については、なお従前の例による。

（政令への委任）

第七二条　この附則に定めるもののほか、この法律の施行に関し必要な経過措置（罰則に関する経過措置を含む。）は、政令で定める。

（検討）

第七三条　政府は、行政機関等に係る申請、届出、処分の通知その他の手続において、個人の氏名を平仮名又は片仮名で表記したものを利用して当該個人を識別できるようにするため、個人の氏名を平仮名又は片仮名で表記したものを戸籍の記載事項とすることを含め、この法律の公布後一年以内を目途としてその具体的な方策について検討を加え、その結果に基づいて必要な措置を講ずるものとする。

○都市再開発法施行令〔昭和四四・八・二六 政令二三二〕

改正　昭和四五・四政四八、昭和四七・五政二〇〇、昭和四九・七政二七九、昭和五〇・一〇政三〇四、昭和五五・八政二三一、一二政三三五、昭和五六・八政二六八、昭和五九・六政一八二、昭和六二・九政二九五、昭和六三・一一政三三二、平成元・一一政三〇九、平成二・一一政三二五、平成六・九政三〇三、一二政三九八、平成七・二政三六、平成九・一一政三二五、平成一〇・八政二八六、平成一一・三政一一六、六政二〇九、八政二五六、九政二九七、一一政三五二、平成一二・二政三七、四政二一一、六政三一二、平成一三・三政九八、四政一七八、一二政四〇八、平成一四・二政二七、五政一八八、一一政三三一、平成一五・一政一、一二政五二三、平成一六・四政一六〇、一〇政三二二、平成一七・三政三七、六政二〇三、一〇政三二二、平成一九・三政三九、平成二〇・一〇政三三四、平成二三・一一政三六三、平成二四・八政二一六、平成二五・一一政三一一、平成二七・一一政三〇、一一政三九二、一二政四二一、平成二八・二政四三、八政二八八、平成二九・三政四〇、平成三〇・六政一八三、令和元・六政三〇、一二政二〇二、令和三・八政二二四、令和四・二政三七

注　令和六年三月三〇日政令第一五〇号の改正は、令和四年五月二五日から起算して四年を超えない範囲内において政令で定める日から施行のため、改正を加えてありません。

目次

第一章　総則（第一条・第一条の二）
第一章の二　第一種市街地再開発事業及び第二種市街地再開発事業に関する都市計画（第一条の三―第一条の五）
第一章の三　市街地再開発促進区域（第一条の六）
第二章　施行者
　第一節　総則（第二条―第四条）
　第二節　個人施行者（第四条の二）
　第三節　市街地再開発組合（第五条―第二十二条）
　第四節　再開発会社（第二十二条の二・第二十二条の三）
　第五節　地方公共団体及び独立行政法人都市再生機構等（第二十二条の四・第二十二条の五）
第三章　第一種市街地再開発事業（第二十三条―第四十六条）
第三章の二　第二種市街地再開発事業（第四十六条の二―第四十六条の十四）
第三章の三　土地区画整理事業との一体的施行に関する特則（第四十六条の十五・第四十六条の十六）
第三章の四　再開発事業の計画の認定（第四十六条の十七・第四十六条の十八）
第四章　雑則（第四十七条―第五十五条）
附則

第一章　総則

（公共施設）

第一条　都市再開発法（以下「法」という。）第二条第四号の政令で定める公共の用に供する施設は、緑地、下水道、河川、運河、水路並びに学校教育法（昭和二十二年法律第二十六号）第二条第二項に規定する公立学校のうち小学校、中学校及び義務教育学校とする。

（法第二条の三第一項の政令で定める大都市）

第一条の二　法第二条の三第一項の政令で定める大都市は、東京都（特別区の存する区域に限る。）、大阪市、名古屋市、京都市、横浜市、神戸市、北九州市、札幌市、川崎市、福岡市、広島市、仙台市、川口市、さいたま市、千葉市、船橋市、立川市、堺市、東大阪市、尼崎市及び西宮市とする。

第一章の二　第一種市街地再開発事業及び第二種市街地再開発事業に関する都市計画

（法第三条第二号ロの政令で定める耐用年限）

第一条の三　法第三条第二号ロの政令で定める耐用年限は、次の表に定めるところによる。

	建築物の主たる用途	耐用年限：鉄骨鉄筋コンクリート造又は鉄筋コンクリート造のもの	耐用年限：その他のもの
一	(一)事務所 (二)図書館、博物館その他これらに類するもの (三)二から八までに掲げるもの以外のもの	五十年	三十八年
二	(一)住宅、宿泊所その他これらに類するもの (二)学校その他これに類するもの (三)ボーリング場	四十七年	三十四年
三	(一)飲食店、料理店、キャバレーその他これらに類するもの (二)劇場、映画館その他これらに類するもの	四十一年	三十一年
四	(一)店舗 (二)遊技場その他これに類するもの	三十九年	三十四年
五	(一)ホテル又は旅館 (二)病院又は診療所	三十九年	二十九年
六	公衆浴場	三十一年	二十七年
七	(一)工場 (二)変電所 (三)車庫 (四)停車場 (五)倉庫（八に掲げるものを除く。）その他これに類するもの	三十八年	三十一年
八	倉庫事業用の倉庫	三十一年	二十六年

（法第三条の二第二号イ(1)の政令で定める安全上又は防火上支障がある建築物等）

第一条の四　法第三条の二第二号イ(1)の安全上又は防火上支障がある建築物で政令で定めるものは、その敷地が建築基準法（昭和二十五年法律第二百一号）第四十三条の規定に適合しない建築物、同法第四十四条第一項の規定に適合しない建築物（同法第四十二条第一項第四号の道路に係るものを除く。）、同法第五十三条の規定に適合しない建築物（その建蔽率が十分の八を超えていないもの及び耐火建築物であるものを除く。）、同法第六十一条の規定に適合しない建築物（その外壁及び軒裏で延焼のおそれのある部分（同法第二条第六号に規定する延焼のおそれのある部分をいう。）を防火構造としたものを除く。）又は同法第六十二条の規定に適合しない建築物とする。

2　法第三条の二第二号イ(1)及び(2)の政令で定める割合は、十分の七とする。

3　法第三条の二第二号ロの重要な公共施設で政令で定めるものは、次に掲げる公共施設で、都市計画法（昭和四十三年法律第百号）第十一条第一項の都市施設に関する都市計画において定められたものとする。

一　駅前広場で、面積が六千平方メートル以上のもの（二以上の駅前広場で、相互にその機能を補足し、かつ、それらの合計面積が六千平方メートル以上であるものを含む。）

二　大規模な火災等が発生した場合における公衆の避難の用に供する公

園、緑地又は広場として、災害対策基本法（昭和三十六年法律第二百二十三号）第二条第十号に規定する地域防災計画においてその位置及び面積が定められているもの

三　次に掲げる道路

イ　道路法（昭和二十七年法律第百八十号）第三条の一般国道又は都道府県道

ロ　その他の道路で、幅員十六メートル（地方自治法（昭和二十二年法律第六十七号）第二百五十二条の十九第一項の指定都市（以下「指定都市」という。）の区域の全部又は一部を含む都市計画区域内においては、二十二メートル）以上のもの

（第二種市街地再開発事業について都市計画法を適用する場合の読替え）

第一条の五　法第六条第四項の規定による技術的読替えは、次の表のとおりとする。

読み替えるべき規定	読み替えられるべき字句	読み替える字句
第六十五条第一項	第六十二条第一項の規定による告示又は新たな事業地の編入に係る第六十三条第二項において準用する第六十二条第一項の規定による告示	都市再開発法第百十八条の二第一項各号（同条第六項において準用する場合を含む。）に掲げる公告
第六十五条第一項、第六十六条、第六十七条第一項、第六十八条第一項、第七十条第二項、第七十二条	事業地	施行地区
第六十六条	告示	公告
第七十条第一項	第五十九条の規定による認可又は承認	都市再開発法第五十条の二第一項、同法第五十一条第一項又は同法第五十八条第一項前段の規定による認可
第七十条第一項	第六十二条第一項の規定による告示	同法第百十八条の二第一項各号に掲げる公告
第七十条第一項	同法第二十六条第一項	土地収用法第二十六条第一項
第七十条第二項	「第五十九条」とあるのは「第六十三条第一項」と	「第五十条の二第一項、同法第五十一条第一項又は同法第五十八条第一項前段」とあるのは「第五十条の九第一項、同法第五十六条において準用する同法第五十条の二第一項、同法第五十一条第一項又は同法第五十八条第一項後段」と
第七十条第二項	「第六十二条第一項」とあるのは「第六十三条第二項において準用する第六十二条第一項」と	「第百十八条の二第一項各号」とあるのは「第百十八条の二第六項において準用する同条第一項各号」と
第七十一条第二項、第七十二条第三項、第七十三条第二号	第六十二条第一項（第六十三条第二項において準用する場合を含む。）の規定による告示	都市再開発法第百十八条の二第一項各号（同条第六項において準用する場合を含む。）に掲げる公告
第七十二条第一項	第五十九条又は第六十三条第一項の規定による認可又は承認	都市再開発法第五十条の二第一項、同法第五十一条第一項（同法第五十六条において準用する場合を含む。）又は同法第五十八条第一項の規定による認可
第七十二条第一項	第六十条第三項第一号（第六十三条第二項において準用する場合を含む。）に掲げる図面	その認可の申請の際に提出すべき施行地区（施行地区を工区に分けるときは、施行地区及び工区）を表示する図書
第七十二条第三項	事業の認可又は承認後	同法第五十条の二第一項、同法第五十条の九第一項、同法第五十一条第一項（同法第五十六条において準用する場合を含む。）又は同法第五十八条第一項の規定による認可後
第七十三条第三号	都市計画法第六十二条第二項（第六十三条第二項において準用する場合を含む。）	都市再開発法第五十条の八第三項（同法第五十条の九第二項において準用する場合を含む。）、同法第五十五条第二項（同法第五十六条において準用する場合を含む。）又は同法第五十八条第三項及び第四項において準用する同法第十九条第四項

第一章の三　市街地再開発促進区域

（市街地再開発促進区域内における建築で都道府県知事の許可を要しない軽易なもの）

第一条の六　法第七条の四第一項ただし書の政令で定める軽易な行為は、階数が二以下で、かつ、地階を有しない木造の建築物の改築又は移転とする。

第二章　施行者

第一節　総則

（管理者等の同意を得べき施設）

第二条　法第七条の十二（法第十二条第一項及び法第五十条の六において準用する場合を含む。）の政令で定める施設は、市街地再開発事業の施行により整備される鉄道施設及び自動車ターミナルとする。

（施行地区及び設計の概要を表示する図書の縦覧）

第二条の二　市町村長は、法第七条の十五第一項（法第七条の十六第二項において準用する場合を含む。）、法第十九条第一項（法第三十八条第二項並びに法第五十八条第三項及び第四項において準用する場合を含む。）若しくは第二項（法第三十八条第二項において準用する場合を含む。）、法第五十条の八第一項（法第五十条の九第二項及び法第五十条の十二第二項にお

いて準用する場合を含む。）又は法第五十五条第一項（法第五十六条において準用する場合を含む。）の規定による図書の送付を受けたときは、直ちに、その図書を公衆の縦覧に供する旨、縦覧の場所及び縦覧の時間を公告しなければならない。

（事業計画等の縦覧についての公告）

第三条　市町村長又は地方公共団体は、法第十六条第一項（法第三十八条第二項、法第五十条の六、法第五十条の九第二項並びに法第五十八条第三項及び第四項において準用する場合を含む。）又は法第五十三条第一項（法第五十六条において準用する場合を含む。）の規定により事業計画、規準又は施行規程を公衆の縦覧に供しようとするときは、あらかじめ、縦覧の開始の日、縦覧の場所及び縦覧の時間を公告しなければならない。

（意見書の内容の審査の方法）

第三条の二　法第十六条第四項（法第三十八条第二項、法第五十条の六及び法第五十条の九第二項において準用する場合を含む。以下この項において同じ。）において準用する行政不服審査法（平成二十六年法律第六十八号）第三十一条第一項本文の規定による意見の陳述については行政不服審査法施行令（平成二十七年政令第三百九十一号）第八条の規定を、法第十六条第四項において準用する行政不服審査法第三十七条第二項の規定による意見の聴取については同令第九条の規定を、それぞれ準用する。この場合において、同令第八条及び第九条中「審理員」とあるのは「都道府県知事」と、同令第八条中「総務省令」とあるのは「国土交通省令」と読み替えるものとする。

２　前項の規定は、法第五十三条第二項（法第五十六条において準用する場合を含む。以下この項において同じ。）において準用する法第十六条第四項において準用する行政不服審査法第三十一条第一項本文の規定による意見の陳述及び法第五十三条第二項において準用する法第十六条第四項において準用する行政不服審査法第三十七条第二項の規定による意見の聴取について準用する。この場合において、前項中「都道府県知事」とあるのは、「地方公共団体」と読み替えるものとする。

３　第一項の規定は、法第五十八条第三項及び第四項において準用する法第十六条第四項において準用する行政不服審査法第三十一条第一項本文の規定による意見の陳述並びに法第五十八条第三項及び第四項において準用する法第十六条第四項において準用する行政不服審査法第三十七条第二項の規定による意見の聴取について準用する。この場合において、第一項中「都道府県知事」とあるのは、「国土交通大臣（市のみが設立した地方住宅供給公社にあつては、都道府県知事）」と読み替えるものとする。

（縦覧手続等を要しない事業計画等の変更）

第四条　事業計画の変更のうち法第三十八条第二項、法第五十条の九第二項及び法第五十六条の政令で定める軽微な変更並びに法第十六条（第一項ただし書を除く。）の規定に係る法第五十八条第四項の政令で定める軽微な変更は、次に掲げるものとする。

一　都市計画の変更に伴う設計の概要の変更

二　施設建築物の設計の概要の変更で、最近の認可に係る当該施設建築物の延べ面積の十分の一をこえる延べ面積の増減を伴わないもの

三　事業施行期間の変更

四　資金計画の変更

五　その他第二号に掲げるものに準ずる軽微な設計の概要の変更で、国土交通省令で定めるもの

２　規準の変更のうち法第五十条の九第二項の政令で定める軽微な変更は、費用の分担に関する事項の変更以外のものとする。

３　施行規程の変更のうち法第五十八条第四項の政令で定める軽微な変更は、次に掲げるもの以外のものとする。

一　費用の分担に関する事項の変更

二　市街地再開発審査会の委員の任命に関する事項の変更

第二節　個人施行者

（法第七条の十九第一項の審査委員）

第四条の二　次に掲げる者は、審査委員となることができない。

一　破産者で復権を得ないもの

二　禁錮以上の刑に処せられ、その執行を終わるまで又はその執行を受けることがなくなるまでの者

２　審査委員は、前項各号の一に該当するに至つたときは、その職を失う。

３　個人施行者は、審査委員が次の各号の一に該当するとき、その他審査委員たるに適しないと認めるときは、都道府県知事の承認を受けて、その審査委員を解任することができる。

一　心身の故障のため職務の執行に堪えられないと認められるとき。

二　職務上の義務違反があるとき。

第三節　市街地再開発組合

（代表者の選任）

第五条　法第二十条第二項の規定により一人の組合員とみなされる者は、それぞれのうちから代表者一人を選任し、その者の氏名及び住所（法人にあつては、その名称及び主たる事務所の所在地）を市街地再開発組合（以下「組合」という。）に通知しなければならない。

２　前項の代表者の権限に加えた制限は、これをもつて組合に対抗することができない。

３　第一項の代表者の解任は、組合にその旨を通知するまでは、これをもつて組合に対抗することができない。

（参加組合員）

第六条　法第二十一条の政令で定める者は、次に掲げる者とする。

一　地方公共団体又は地方公共団体が財産を提供して設立した一般社団法人若しくは一般財団法人（第四十条の二第一号において「特定一般社団法人等」という。）

二　地方住宅供給公社又は日本勤労者住宅協会

三　前二号に掲げる者以外の者で参加組合員として組合が施行する市街地再開発事業に参加するのに必要な資力及び信用を有するもの

（組合員名簿の作成等）

第七条　法第十一条第一項又は第二項の認可を受けた者は、組合の設立の認可の公告後、遅滞なく、組合員の氏名及び住所（法人にあつては、その名称及び主たる事務所の所在地）並びに所有権を有する組合員、借地権を有する組合員又は参加組合員の別その他国土交通省令で定める事項を記載した組合員名簿を作成しなければならない。

２　法第十一条第一項又は第二項の認可を受けた者又は理事長は、次項の規定による通知を受けたとき、又は組合員名簿の記載事項の変更を知つたときは、遅滞なく、組合員名簿に必要な変更を加えなければならない。

３　組合員は、組合員名簿の記載事項に変更を生じたときは、その旨を組合に通知しなければならない。

（解任請求代表者証明書の交付）

第八条　法第二十六条第一項（法第三十六条第三項において準用する場合を含む。）の規定により組合の理事若しくは監事又は総代の解任を請求しようとする組合員の代表者（以下「解任請求代表者」という。）は、次に掲げる事項を記載した解任請求書を添え、当該組合に対し、文書をもつて解任請求代表者証明書の交付を請求しなければならない。

一　その解任を請求しようとする理事若しくは監事又は総代の氏名

二　解任の請求の理由

三　解任請求代表者の氏名及び住所（法人にあつては、その名称及び主たる事務所の所在地）

２　前項の請求があつたときは、当該組合は、解任請求代表者が組合員であることを確認したうえ、直ちにこれに解任請求代表者証明書を交付し、かつ、その旨を公告するとともに、あわせて当該組合の主たる事務所の存する市町村の長に通知しなければならない。

３　市町村長は、前項の規定による通知があつたときは、直ちに次条第一項の規定による署名の収集の際に立ち合わせるためその職員のうちから立会人を指名し、これを解任請求代表者及び組合に通知しなければならない。

４　組合は、第二項の規定による公告の際あわせて組合員の三分の一の数を公告しなければならない。

（署名の収集）

第九条　解任請求代表者は、あらかじめ、場所及び前条第二項の公告があつた日から二週間を超えない範囲内において日時を定めて、署名簿に解任請求書又はその写し及び解任請求代表者証明書又はその写しを添え、組合員に対し、署名簿に署名をすることを求めなければならない。

2　解任請求代表者は、前項の場所及び日時を定めたときは、その日の少なくとも二日前に立会人に通知しなければならない。

3　署名をしようとする者は、組合員名簿に記載された者であるかどうかについて立会人の確認を受けた上、署名簿に署名をするものとする。

4　前項の場合において、組合員が法人であるときは、その指定する者が署名をするものとし、かつ、当該法人が組合員名簿に記載された者であるかどうか及び当該署名をする者が当該法人の指定する者であるかどうかについて立会人の確認を受けるものとする。

（解任請求書の提出）

第一〇条　解任請求代表者は、署名簿に署名をした者の数が第八条第四項の規定により公告された数以上の数となつたときは、署名期間満了の日から五日以内に立会人の証明を経た署名簿を添えて、解任請求書を組合に提出しなければならない。

2　前項の立会人の証明は、署名簿の末尾にその旨を記載した上、署名をすることによつて行うものとする。

（組合員及び組合員名簿）

第一一条　第八条第二項及び第四項並びに第九条第一項及び第四項において「組合員」とは、第八条第二項の公告があつた日の前日現在における組合員名簿に記載された者をいう。

2　第九条第三項及び第四項において「組合員名簿」とは、前項の組合員名簿をいう。

（解任の投票）

第一二条　法第二十六条第二項（法第三十六条第三項において準用する場合を含む。）の規定による組合の理事若しくは監事又は総代の解任の投票（以下「解任の投票」という。）は、第十条第一項の規定による解任請求書の提出があつた日から二週間以内に行なわなければならない。

2　前項の場合において、組合は、解任投票所並びに投票の期日及び時間を定め、これらの事項を、その解任を請求された理事若しくは監事又は総代の氏名及びその請求の要旨とともに、投票の期日の少なくとも五日前に公告しなければならない。

（投票）

第一三条　解任の投票における投票は、前条第二項の公告があつた日現在における組合員名簿（第七項において「組合員名簿」という。）に記載された組合員（次項、第三項、第六項、第九項及び第十一項並びに第十六条第一項において「組合員」という。）が投票用紙に解任に対する同意又は不同意の旨を記載してするものとする。

2　前項の場合において、組合員が法人であるときは、その指定する者が同項の投票をするものとする。

3　組合員（法人を除く。以下この項において同じ。）は、代理人により第一項の投票をすることができる。この場合において、代理人は、同時に五人以上の組合員を代理することができない。

4　第二項又は前項の場合において、法人の指定する者又は代理人は、それぞれ投票の際その権限を証する書面を組合に提出しなければならない。

5　投票は、一人一票とし、無記名により行なう。

6　投票用紙は、投票日の当日、解任投票所において組合員に交付するものとする。

7　組合員名簿に記載されていない者、組合員名簿に記載された者であつても組合員名簿に記載されることができない者及び投票の当日組合員でない者は、投票をすることができない。

8　投票をしようとする者が明らかに本人でないと認められるときは、理事長は、その投票を拒否しなければならない。

9　前二項の場合において、理事長が投票を拒否しようとするときは、あらかじめ、立会人（組合が組合員のうちから本人の承諾を得て選任した者一人及び解任請求代表者が組合員のうちから本人の承諾を得て組合に届け出た者一人とする。以下同じ。）の意見をきかなければならない。

10　理事長は、立会人の立会の下に投票を点検し、同意又は不同意の別に有効投票数を計算しなければならない。

11　前項の場合においては、理事長は、立会人の意見をきいて投票の効力を決定するものとする。その決定に当たつては、次項の規定に反しない限りにおいて、その投票をした組合員の意思が明らかであれば、その投票を有効とするようにしなければならない。

12　次の各号の一に該当する投票は、無効とする。

一　所定の投票用紙を用いないもの

二　同意又は不同意の旨以外の事項を記載したもの

三　同意又は不同意の旨の記載のないもの

四　同意又は不同意の旨を確認することが困難なもの

（解任の投票の結果の公告）

第一四条　解任の投票の結果が判明したときは、組合は、直ちにこれを公告しなければならない。

2　理事若しくは監事又は総代は、解任の投票において過半数の同意があつたときは、前項の公告があつた日にその地位を失う。

（解任投票録）

第一五条　理事長は、解任投票録を作り、解任の投票に関する次第を記載し、立会人とともに、これに署名しなければならない。

2　解任投票録は、組合において、その解任を請求された理事若しくは監事又は総代の任期間保存しなければならない。

（解任の投票又は解任の投票の結果の効力に関する異議の申出）

第一六条　組合員は、解任の投票又は解任の投票の結果の効力に関し異議があるときは、第十四条第一項の公告があつた日から二週間以内に、組合に対し、文書をもつて異議を申し出ることができる。

2　組合は、前項の異議の申出を受けたときは、その申出を受けた日から二週間以内に、異議に対する決定をしなければならない。この場合において、決定は、文書によつて行ない、理由を附して申出人に交付するとともに、その要旨を公告しなければならない。

3　組合は、第一項の規定により解任の投票の効力に関する異議の申出があつた場合において、解任の投票に関する規定に違反することがあるときは、投票の結果に異動を及ぼすおそれがある場合に限り、その解任の投票の全部又は一部の無効を決定しなければならない。

4　組合は、第一項の規定により解任の投票の結果の効力に関する異議の申出があつた場合においても、その解任の投票が前項の場合に該当するときは、その解任の投票の全部又は一部の無効を決定しなければならない。

（解任請求の禁止期間）

第一七条　法第二十六条第一項（法第三十六条第三項において準用する場合を含む。）の規定による組合の理事若しくは監事又は総代の解任の請求は、その就任の日から六箇月間及び法第二十六条第二項（法第三十六条第三項において準用する場合を含む。）又は法第百二十五条第六項の規定による解任の投票の日から六箇月間は、することができない。

（都道府県知事の行う解任の投票）

第一八条　法第百二十五条第六項の規定による組合の理事若しくは監事又は総代の解任の投票（以下「都道府県知事の行う解任の投票」という。）は、同項に規定する組合員の申出があつた日から二週間以内に行わなければならない。

2　前項の場合において、都道府県知事は、解任投票所並びに投票の期日及び時間を定め、これらの事項を、その解任を請求された理事若しくは監事又は総代の氏名及びその請求の要旨とともに、投票の期日の少なくとも五日前に公告しなければならない。

3　第十三条から第十六条までの規定は、都道府県知事の行う解任の投票について準用する。この場合において、第十三条第一項中「前条第二項」とあるのは「第十八条第二項」と、第十三条第四項及び第九項、第十四条第一項、第十五条第二項並びに第十六条中「組合」とあるのは「都道府県知事」と、第十三条第八項から第十一項までの規定及び第十五条第一項中「理事長」とあるのは「都道府県知事が指名するその職員」と、第十六条第一項中「第十四条第一項」とあるのは「第十八条第三項において準用する第十四条第一項」と読み替えるものとする。

（総代の解任の請求に関する特例）

第一九条　施行地区内の宅地について所有権を有する組合員及び施行地区内の宅地について借地権を有する組合員が各別に総代を選挙するものと定款で定めている場合における法第三十六条第三項において準用する法第二十六条第一項及び第二項、法第百二十五条第六項後段並びに第八条、第九条、第十一条、第十三条（前条第三項において準用する場合を含む。）、第十六条（前条第三項において準用する場合を含む。）及び前条第一項の規定の適用については、これらの規定中「組合員」及び「総組合員」とあるのは、「施行地区内の宅地の所有者である組合員又は施行地区内の宅地について借地権を有する者である組合員」と読み替えるものとする。

（定款又は事業計画若しくは事業基本方針の変更に関する特別議決事項）

第二〇条　定款の変更のうち法第三十三条の政令で定める重要な事項は、次に掲げるものとする。

一　参加組合員に関する事項の変更

二　費用の分担に関する事項の変更

三　総代会の新設又は廃止

2　事業計画又は事業基本方針の変更のうち法第三十三条の政令で定める重要な事項は、次に掲げるものとする。

一　施行地区の変更

二　工区の新設、変更又は廃止

（参加組合員の負担金及び分担金の納付）

第二一条　参加組合員が法第四十条第一項の規定により納付すべき負担金の納付期限、分割して納付する場合における分割の回数、各納付期限及び各納付期限ごとの納付金額その他の負担金の納付に関する事項は、定款で定めるものとする。この場合において、最終の納付期限は、法第百条第二項の公告の日から一月を超えてはならない。

2　参加組合員以外の組合員が賦課金を納付すべき場合においては、参加組合員は、分担金を納付するものとする。

3　分担金の額は、参加組合員の納付する負担金の額及び参加組合員以外の組合員が施行地区内に有する宅地又は借地権の価額を考慮して、賦課金の額と均衡を失しないように定めるものとし、分担金の納付方法は、賦課金の賦課徴収の方法の例によるものとする。

（組合に置かれる審査委員）

第二二条　第四条の二の規定は、組合に置かれる審査委員について準用する。この場合において、同条第三項中「都道府県知事の承認を受けて」とあるのは、「総会の議決を経て」と読み替えるものとする。

第四節　再開発会社

（特定事業参加者の負担金の納付）

第二二条の二　法第五十条の三第一項第五号に規定する特定事業参加者が法第五十条の十第一項の規定により納付すべき負担金の納付期限、分割して納付する場合における分割の回数、各納付期限及び各納付期限ごとの納付金額その他の負担金の納付に関する事項は、規準で定めるものとする。

（法第五十条の十四第一項の審査委員）

第二二条の三　第四条の二の規定は、再開発会社が選任する審査委員について準用する。

第五節　地方公共団体及び独立行政法人都市再生機構等

（特定事業参加者の負担金の納付）

第二二条の四　法第五十二条第二項第五号（法第五十八条第三項において準用する場合を含む。）に規定する特定事業参加者が法第五十六条の二第一項又は法第五十八条の二第一項の規定により納付すべき負担金の納付期限、分割して納付する場合における分割の回数、各納付期限及び各納付期限ごとの納付金額その他の負担金の納付に関する事項は、施行規程で定めるものとする。

（延滞金）

第二二条の五　法第五十六条の三第二項（法第五十八条の二第二項において準用する場合を含む。）の規定により徴収することができる延滞金の額は、督促状において指定した期限の翌日から納付の日までの日数に応じ、当該督促に係る負担金の額（百円未満の端数があるときは、これを切り捨てる。）に年十四・五パーセントの割合を乗じて計算した額とする。この場合において、その負担金の額の一部につき納付があつたときは、その納付の日以後の期間に係る延滞金の計算の基礎となる額は、その納付があつた負担金の額を控除した額とする。

第三章　第一種市街地再開発事業

（収用委員会の裁決の申請手続）

第二三条　法第六十三条第三項の規定により土地収用法（昭和二十六年法律第二百十九号）第九十四条第二項の規定による裁決を申請しようとする者は、国土交通省令で定める様式に従い、同条第三項各号（第三号を除く。）に掲げる事項を記載した裁決申請書を収用委員会に提出しなければならない。

（設置又は堆積の制限を受ける物件）

第二四条　法第六十六条第一項の政令で定める移動の容易でない物件は、その重量が五トンをこえる物件（容易に分割され、分割された各部分の重量がそれぞれ五トン以下となるものを除く。）とする。

（国土交通大臣等の認可を要しない権利変換計画の変更）

第二五条　権利変換計画の変更のうち法第七十二条第四項の政令で定める軽微な変更は、次に掲げるものとする。

一　法第七十三条第一項第二号、第七号又は第十二号に掲げる事項の変更

二　法第七十三条第一項第五号、第十号又は第十九号から第二十一号までに掲げる事項のうち氏名若しくは名称又は住所の変更

三　法第七十三条第一項第十四号に掲げる事項のうち氏名又は住所の変更

四　法第七十三条第一項第二十二号に掲げる事項のうち施設建築敷地若しくはその共有持分、施設建築物の一部等又は個別利用区内の宅地の明細の変更

五　前各号に掲げるもののほか、権利変換計画の変更で、当該変更に係る部分について利害関係を有する者の同意を得たもの

（施設建築物の所有を目的とする地上権の共有持分及び施設建築物の共用部分の共有持分の割合）

第二六条　法第七十三条第一項第二号に掲げる者が取得することとなる施設建築物の所有を目的とする地上権の共有持分及び当該施設建築物の共用部分の共有持分の割合は、付録第一の式によつて算出しなければならない。

（過小な床面積の基準）

第二七条　法第七十九条第二項の政令で定める基準は、次に掲げるものとする。

一　人の居住の用に供される部分については、三十平方メートル以上五十平方メートル以下

二　事務所、店舗その他これらに類するものの用に供される部分については、十平方メートル以上二十平方メートル以下

（施設建築敷地等の価額の概算額）

第二八条　法第七十三条第一項第四号に掲げる施設建築敷地の価額の概算額は、同項第三号、第十八号及び第十九号に掲げる宅地及び借地権の価額の合計額と当該施設建築敷地の整備に要する費用の額とを合計した額（以下「合計価額」という。）以上であり、かつ、法第八十条第一項に規定する三十日の期間を経過した日（以下この章及び付録第三において「基準日」という。）における近傍類似の土地の価額を参酌して定めた当該施設建築敷地の価額の見込額を超えない範囲内において定めた当該施設建築敷地の価額（以下「敷地価額」という。）から、当該敷地価額に基準日における近傍同種の建築物の所有を目的とする地上権の価額がその敷地の価額に占める割合を参酌して定めた施設建築物の所有を目的とする地上権の価額が当該敷地価額に占める割合（以下「地上権の割合」という。）を乗じて得た額を控除した額とする。この場合において、合計価額が当該施設建築敷地の価額の見込額を超えるときは、当該施設建築敷地の価額の見込額をもつて敷地価額とする。

2　法第七十三条第一項第四号に掲げる施設建築敷地の共有持分の価額の概算額は、前項の規定により定めた施設建築敷地の価額の概算額に、法第七十六条第三項に規定する割合を乗じて得た額とする。

3　法第七十三条第一項第四号に掲げる施設建築物の一部等の価額の概算額は、施設建築物の整備に要する費用のうち当該施設建築物の一部の整備に要するものを償い、かつ、基準日における近傍同種の建築物の一部の価額を参酌して定めた当該施設建築物の一部の価額の見込額をこえない範囲内において定めた当該施設建築物の一部の価額（以下「建築物価額」という。）に、敷地価額に地上権の割合を乗じて得た額に第二十六条の規定により定めた地上権の共有持分の割合を乗じて得た額を加えた額とする。この場合にお

いて、当該施設建築物の一部の整備に要する費用の額が当該施設建築物の一部の価額の見込額をこえるときは、当該施設建築物の一部の価額の見込額をもつて建築物価額とする。

4　前項の施設建築物の一部の整備に要する費用は、付録第二の式によつて算出するものとする。

（個別利用区内の宅地等の価額の概算額）

第二八条の二　法第七十三条第一項第九号に掲げる個別利用区内の宅地の価額の概算額は、当該個別利用区内の宅地に係る同項第八号に掲げる指定宅地及びその使用収益権の価額の合計額と当該個別利用区内の宅地の整備に要する費用の額とを合計した額以上であり、かつ、基準日における近傍類似の土地の価額を参酌して定めた当該個別利用区内の宅地の価額の見込額を超えない範囲内において定めた当該個別利用区内の宅地の価額（以下この条において「宅地価額」という。）から、当該宅地価額に基準日における近傍類似の土地の使用収益権の価額がその土地の価額に占める割合を参酌して定めた個別利用区内の宅地の使用収益権の価額が当該宅地価額に占める割合（次項において「使用収益権の割合」という。）を乗じて得た額を控除した額とする。この場合において、当該合計した額が当該個別利用区内の宅地の価額の見込額を超えるときは、当該個別利用区内の宅地の価額の見込額をもつて宅地価額とする。

2　法第七十三条第一項第九号に掲げる個別利用区内の宅地の使用収益権の価額の概算額は、宅地価額に使用収益権の割合を乗じて得た額とする。

（地代の概算額）

第二九条　法第七十三条第一項第十六号に掲げる施設建築敷地の地代の概算額は、第二十八条第一項の規定により定めた施設建築敷地の価額の概算額に百分の六を乗じて得た額に公課及び管理事務費を加えた額と基準日における近傍類似の土地の地代の額を参酌して定めた施設建築敷地の地代の見込額とのうちいずれか多額のものを超えない範囲内において定めなければならない。

2　前項の管理事務費の算出方法は、国土交通省令で定める。

（施設建築物の一部の標準家賃の概算額）

第三〇条　施行者が施設建築物の一部を賃貸しする場合における標準家賃の概算額は、当該施設建築物の一部の整備に要する費用の償却額に修繕費、管理事務費、地代に相当する額、損害保険料、貸倒れ及び空家による損失をうめるための引当金並びに公課（国有資産等所在市町村交付金を含む。）を加えたものとする。

2　前項の施設建築物の一部の整備に要する費用は、付録第二の式によつて算出するものとする。

3　第一項の償却額を算出する場合における償却方法並びに同項の修繕費、管理事務費、地代に相当する額、損害保険料及び引当金の算出方法は、国土交通省令で定める。

（縦覧手続を要しない権利変換計画の修正又は変更）

第三一条　権利変換計画の修正又は変更のうち法第八十三条第四項ただし書又は第五項の政令で定める軽微な修正又は変更は、次に掲げるものとする。

一　法第七十三条第一項第二号、第七号、第十二号、第二十二号又は第二十三号に掲げる事項の修正又は変更

二　法第七十三条第一項第五号、第十号又は第十九号から第二十一号までに掲げる事項のうち氏名若しくは名称又は住所の修正又は変更

三　法第七十三条第一項第十四号に掲げる事項のうち氏名又は住所の修正又は変更

四　前三号に掲げるもののほか、権利変換計画の修正又は変更で、当該修正又は変更に係る部分について利害関係を有する者の同意を得たもの

（審査委員の同意又は市街地再開発審査会の議決を要しない権利変換計画の変更）

第三二条　権利変換計画の変更のうち法第八十四条第一項の政令で定める軽微な変更は、次に掲げるものとする。

一　法第七十三条第一項第二号、第七号、第十二号、第二十二号又は第二十三号に掲げる事項の変更

二　法第七十三条第一項第五号、第十号又は第十九号から第二十一号までに掲げる事項のうち氏名若しくは名称又は住所の変更

三　法第七十三条第一項第十四号に掲げる事項のうち氏名又は住所の変更

（価額についての裁決申請等について土地収用法を準用する場合の読替え）

第三三条　法第八十五条第三項の規定による技術的読替えは、次の表のとおりとする。

読み替えるべき規定	読み替えられるべき字句	読み替える字句
第九十四条第三項	前項	都市再開発法（昭和四十四年法律第三十八号）第八十五条第一項
	相手方の氏名及び住所	施行者の名称及び事務所の所在地
	事業の種類	市街地再開発事業の名称
	損失の事実	都市再開発法第七十三条第一項の権利変換計画において定められた同項第三号、第八号、第十八号又は第十九号に掲げる宅地若しくは建築物又はこれらに関する権利及びそれらの価額
	損失の補償の見積及びその内訳	前号に掲げる宅地若しくは建築物又はこれらに関する権利の価額の見積り及びその内訳
	協議の経過	都市再開発法第八十三条第二項の規定により提出した意見書の内容及び同条第三項の規定により施行者のした通知の内容
第九十四条第四項	第九十四条第三項	都市再開発法第八十五条第一項
	「国土交通大臣又は都道府県知事」	「同条又は同条」とあるのは「同条第三項において準用する第九十四条第三項」と、「国土交通大臣又は都道府県知事」
	「収用委員会」	「収用委員会」と、「起業者」とあるのは「裁決申請者」
第九十四条第五項	相手方	施行者
	及びその相手方	及び施行者
第九十四条第六項	損失の補償及び補償をすべき時期	都市再開発法第七十三条第一項第三号、第八号、第十八号又は第十九号に掲げる宅地若しくは建築物又はこれらに関する権利の価額
	同条第五項	同条第二項中「場合において、その和解の内容が第七章の規定に適合するときは」とあるのは「場合においては」と、同条第五項
	第九十四条第八項	都市再開発法第八十五条第三項において準用する第九十四条第八項
	第六十三条第三項中	第六十三条第二項中「損失の補償」とあるのは「都市再開発法第七十三条第一項第三号、第八

		号、第十八号又は第十九号に掲げる宅地若しくは建築物又はこれらに関する権利の価額」と、同条第三項中「事業の認定」とあるのは「都市再開発法による第一種市街地再開発事業の事業計画」と、
	第九十四条第三項	都市再開発法第八十五条第三項において準用する第九十四条第三項
	若しくはその相手方	若しくは施行者
	裁決申請者又はその相手方（これらの者のうち起業者である者を除く。）	裁決申請者
第九十四条第七項	第二項	都市再開発法第八十五条第一項
	この法律	都市再開発法
第九十四条第八項	損失の補償及び補償をすべき時期	都市再開発法第七十三条第一項第三号、第八号、第十八号又は第十九号に掲げる宅地若しくは建築物又はこれらに関する権利の価額
	損失の補償については、裁決申請者及びその相手方	裁決申請者及び施行者
第百三十三条第一項及び第二項	損失の補償	都市再開発法第七十三条第一項第三号、第八号、第十八号又は第十九号に掲げる宅地若しくは建築物又はこれらに関する権利の価額
第百三十三条第三項	起業者	施行者

第百三十四条	土地所有者又は関係人	裁決申請者
	事業の進行及び土地の収用又は使用	事業の進行

（補償金の支払に係る修正率の算定方法）

第三三条の二　法第九十一条第一項の規定による修正率は、総務省統計局が統計法（平成十九年法律第五十三号）第二条第四項に規定する基幹統計である小売物価統計のための調査の結果に基づき作成する消費者物価指数のうち全国総合指数（以下「全国総合消費者物価指数」という。）及び日本銀行が同法第二十五条の規定により届け出て行う統計調査の結果に基づき作成する企業物価指数のうち投資財指数（以下単に「投資財指数」という。）を用いて、付録第三の式により算定するものとする。

（差押えがある場合の通知）

第三四条　施行者は、強制執行、担保権の実行としての競売（その例による競売を含む。）又は滞納処分（国税徴収法（昭和三十四年法律第百四十七号）による滞納処分及びその例による滞納処分をいう。）による差押えがされている宅地若しくは建築物又はその宅地に存する既登記の借地権について、法第七十条第一項の登記がされたときは、遅滞なく、その旨を当該差押えに係る配当機関（差押えに係る配当手続を実施すべき機関をいう。以下同じ。）に通知しなければならない。

2　施行者は、権利変換計画若しくはその変更の認可を受けたとき、又は権利変換計画について第二十五条各号に掲げる軽微な変更をしたときは、遅滞なく、前項の差押えに係る権利について国土交通省令で定める事項を同項の差押えに係る配当機関に通知しなければならない。

3　第一項の差押えに係る宅地若しくは建築物又はその宅地に存する既登記の借地権について法第七十条第五項の規定により権利変換手続開始の登記が抹消されたときは、施行者（組合にあつては、その清算人）は、遅滞なく、その旨を第一項の差押えに係る配当機関に通知しなければならない。

（配当機関への補償金等の払渡し）

第三五条　施行者は、法第九十四条第一項又は第四項（同条第六項において準用する場合を含む。以下同じ。）の規定により補償金等を払い渡すときは、あわせて、国土交通省令で定める様式による補償金等払渡通知書及び権利喪失通知書又は裁決書の正本を提出しなければならない。

（補償金等の受領の効果）

第三六条　国税徴収法第百十六条第二項の規定は、法第九十四条第一項又は第四項の規定により裁判所以外の配当機関が補償金等を受領した場合に準用する。

2　第三十八条第一項の規定により供託すべき補償金等については、同条第二項において準用する国税徴収法施行令（昭和三十四年政令第三百二十九号）第五十条第二項に規定する支払委託書を発送したときに当該補償金等を受領したものとみなして、前項の規定を適用する。

（債権額の確認方法等）

第三七条　法第九十四条第一項又は第四項の規定により裁判所以外の配当機関に補償金等が払い渡された場合においては、国税徴収法第百三十条第一項中「売却決定の日の前日」とあるのは「税務署長が指定した日」と、同条第三項中「売却決定の時」とあるのは「第一項の規定により税務署長が指定した日」と、同法第百三十一条中「換価財産の買受代金の納付の日」とあるのは「前条第一項の規定により指定した日」とする。

2　前項の規定により読み替えられた国税徴収法第百三十条第一項の規定により、又はその例により、日を指定するときは、同法第九十五条第二項及び第九十六条第二項の規定の例により、公告及び催告をしなければならない。

（施行者が不服を通知した場合の補償金等の取扱い等）

第三八条　法第九十四条第五項（同条第六項において準用する場合を含む。以下同じ。）の規定による通知がされた場合においては、裁判所以外の配当機関は、同条第四項の規定により払い渡された補償金等のうち施行者の見積金額を超える部分に相当する金銭については、次の各号に掲げるいずれかの事由が生ずるまで、配当を実施せず、配当機関所在地の供託所にこれを供託するものとする。

一　施行者が補償金等の額について、法第八十五条第三項において準用する土地収用法第百三十三条第二項の規定による訴えを提起したことを証する書面が、同項に定める期間の経過後一週間以内に提出されないとき。

二　施行者が提起した前号の訴訟が終了したことを知つたとき。

2　国税徴収法施行令第五十条第二項及び第三項の規定は、前項の規定による供託をした場合において、同項各号に掲げるいずれかの事由が生じたときに準用する。

3　法第九十四条第五項の規定による通知をした施行者は、補償金等の額について、法第八十五条第三項において準用する土地収用法第百三十三条第二項の規定による訴えを提起したとき、同項に定める期間内に同項の訴えを提起しなかつたとき、又は施行者が提起した同項の訴訟が終了したときは、直ちに、国土交通省令で定めるところにより、配当機関にその旨を通知しなければならない。

（保全差押え等に係る補償金等の取扱い）

第三九条　裁判所以外の配当機関は、国税通則法（昭和三十七年法律第六十六号）第三十八条第三項、国税徴収法第百五十九条第一項又は地方税法（昭和二十五年法律第二百二十六号）第十六条の四第一項の規定による差押えに基づき法第九十四条第一項又は第四項の規定による補償金等の払渡しを受けたときは、当該金銭を配当機関所在地の供託所に供託するものとする。

（仮差押えの執行に係る権利に対する補償金等の払渡し）

第四〇条　仮差押えの執行に係る権利に対する補償金等の支払についての法第九十四条第一項又は第四項に規定する配当手続を実施すべき機関は、当該権利の強制執行について管轄権を有する裁判所とする。

（公募によらないで特定建築者となることができる者）

第四〇条の二　法第九十九条の三第一項の政令で定める者は、次に掲げる者のうち同条第二項各号に掲げる条件を備えた者とする。

一　特定一般社団法人等（特定一般社団法人等が財産を提供して設立した一般社団法人又は一般財団法人を含む。）で住宅建設の事業を行うもの

二　特定施設建築物の建築及び賃貸その他の管理を目的として設立された株式会社で、当該特定施設建築物に係る第一種市街地再開発事業の施行者又は施行者である組合の組合員が発行済株式の総数の二分の一（施行者が地方公共団体である場合には四分の一）を超える株式を所有するもの

三　組合の定款により施設建築物の一部（その床面積が組合及び全ての参加組合員が取得することとなる施設建築物の一部の床面積の合計の二分の一以上であるものに限る。）が与えられるように定められた参加組合員である者

（管理者等が工事を行うことができる公共施設）

第四〇条の三　法第九十九条の十の政令で定める公共施設は、道路法第三条第二号の一般国道及び同法第四十八条の四に規定する自動車専用道路、下水道法（昭和三十三年法律第七十九号）第二条第三号に規定する公共下水道及び同条第四号に規定する流域下水道、河川法（昭和三十九年法律第百六十七号）第三条第一項に規定する河川並びに学校教育法第二条第二項に規定する公立学校のうち小学校、中学校及び義務教育学校とする。

（施設建築物の一部等の価額等の確定）

第四一条　法第百三条第一項の規定による施設建築敷地若しくはその共有持分、施設建築物の一部等若しくは個別利用区内の宅地若しくはその使用収益権の価額又は施設建築敷地の地代の額の確定は、第二十八条から第二十九条までの規定の例により行わなければならない。

2　法第百三条第一項の規定による施設建築物の一部の家賃の額は、第三十条の規定の例により定めた標準家賃の額に、国土交通省令で定めるところにより、当該施設建築物の一部について賃借権を与えられることとなる者が施行地区内の建築物について有していた賃借権の価額を考慮して、必要な補正を行つて確定しなければならない。

（特定建築者が取得する部分以外の部分に係る特定施設建築物の整備に要した費用の額の確定）

第四一条の二　法第百四条第二項の規定による特定建築者が取得する部分以外の部分に係る特定施設建築物の整備に要した費用の額の確定は、当該特定施設建築物の整備に要した費用の額から、当該特定建築者が取得する特定施設建築物の部分の整備に要した費用の額を控除して行うものとする。

2　前項の特定建築者が取得する特定施設建築物の部分の整備に要した費用の額の確定については、第二十八条第四項の規定を準用する。この場合において、付録第二中「その者」とあるのは「特定建築者」と、「要する」とあるのは「要した」と読み替えるものとする。

（清算金の分割徴収）

第四二条　法第百六条第一項の規定により清算金を分割して徴収する場合において当該清算金に付すべき利子は、その利率を法第百三条第一項の規定による通知を発した日における法定利率以内で施行者が定める率とし、第一回の納付期限の翌日から付するものとする。この場合において、当該利率は、施行者が、組合であるときは定款で、再開発会社であるときは規準で、地方公共団体又は独立行政法人都市再生機構若しくは地方住宅供給公社（以下「機構等」という。）であるときはその施行規程で定めなければならない。

2　法第百六条第一項の規定により清算金を分割して徴収する場合においてその最終回の納付期限は、第一回の納付期限の翌日から起算して、五年以内とする。ただし、当該清算金を納付する者の資力が乏しいため当該清算金を五年以内に納付することが困難であると認められるときは、十年以内とすることができる。

3　法第百六条第一項の規定により清算金を分割して徴収する場合における当該清算金の分割徴収に関し必要な事項は、前二項に定めるもののほか、施行者が、組合であるときは定款で、再開発会社であるときは規準で、地方公共団体又は機構等であるときはその施行規程で定めなければならない。

（延滞金）

第四三条　法第百六条第三項の規定により徴収することができる延滞金は、当該督促に係る清算金の額（以下この項において「督促額」という。）が千円以上である場合に徴収するものとし、その額は、督促状において指定した期限の翌日から納付の日までの日数に応じ、督促額（百円未満の端数があるときは、これを切り捨てる。）に年十四・五パーセントの割合を乗じて計算した額とする。この場合において、督促額の一部につき納付があつたときは、その納付の日以後の期間に係る延滞金の計算の基礎となる額は、その納付があつた督促額を控除した額とする。

2　前項の延滞金は、その額が十円未満であるときは、徴収しないものとする。

（法第百九条の二第一項の政令で定める第一種市街地再開発事業）

第四三条の二　法第百九条の二第一項の政令で定める第一種市街地再開発事業は、建築基準法第四十四条（第一項第三号を除く。）の規定に適合して、道路の上下の空間又は地下において施設建築物の全部又は一部を建築する第一種市街地再開発事業とする。

（施設建築敷地の道路部分の価額の概算額）

第四三条の三　法第百九条の二第二項前段に規定する場合においては、第二十八条第一項中「控除した額」とあるのは、「控除した額（法第百九条の二第三項に規定する施設建築敷地の道路部分にあつては、当該敷地価額から、当該敷地価額に基準日における近傍同種の道路の所有を目的とする民法（明治二十九年法律第八十九号）第二百六十九条の二第一項の地上権の価額がその地上権に係る土地の価額に占める割合を参酌して定めた当該施設建築敷地の道路部分に係る道路の所有を目的とする同項の地上権の価額が当該敷地価額に占める割合（以下「道路の地上権割合」という。）を乗じて得た額及び当該敷地価額に地上権の割合を乗じて得た額を控除した額）」と読み替えて、同項の規定を適用する。

（施設建築敷地を立体的に利用する必要がある第一種市街地再開発事業）

第四三条の四　法第百九条の三第一項の政令で定める第一種市街地再開発事業は、都市計画法第十一条第三項の規定により当該都市計画施設の区域について都市高速鉄道を整備する立体的な範囲が定められている第一種市街地再開発事業とする。

（都市高速鉄道が存することとすることができる施設建築敷地の上の空間又は地下の範囲）

第四三条の五　法第百九条の三第一項の政令で定める範囲は、都市計画法第十一条第三項の規定により当該都市計画施設の区域について定められている都市高速鉄道を整備する立体的な範囲とする。

（施設建築敷地の都市高速鉄道部分の価額の概算額）

第四三条の六　法第百九条の三第二項前段に規定する場合においては、第二十八条第一項中「控除した額」とあるのは、「控除した額（法第百九条の三第三項に規定する施設建築敷地の都市高速鉄道部分にあつては、当該敷地価額から、当該敷地価額に基準日における近傍同種の都市高速鉄道の所有を目的とする民法（明治二十九年法律第八十九号）第二百六十九条の二第一項の地上権の価額がその地上権に係る土地の価額に占める割合を参酌して定めた当該施設建築敷地の都市高速鉄道部分に係る都市高速鉄道の所有を目的とする同項の地上権の価額が当該敷地価額に占める割合（以下「都市高速鉄道の地上権割合」という。）を乗じて得た額及び当該敷地価額に地上権の割合を乗じて得た額を控除した額）」と読み替えて、同項の規定を適用する。

（施行地区内の権利者等の全ての同意を得た場合の特則に係るこの政令の適用についての読替え）

第四四条　法第百十条第一項の場合においては、第二十五条第四号中「施設建築敷地若しくはその共有持分、施設建築物の一部等」とあるのは、「施設建築敷地若しくは施設建築物に関する権利」と読み替えて、同号の規定を適用する。

（指定宅地の権利者以外の権利者等の全ての同意を得た場合の特則に係るこの政令の適用についての読替え等）

第四四条の二　法第百十条の二第一項の場合においては、第二十五条第四号中「施設建築敷地若しくはその共有持分、施設建築物の一部等」とあるのは「施設建築敷地若しくは施設建築物に関する権利」と、第二十八条第一

項中「掲げる施設建築敷地」とあるのは「掲げる施設建築敷地に関する権利」と、「から、当該敷地価額に基準日における近傍同種の建築物の所有を目的とする地上権の価額がその敷地の価額に占める割合を参酌して定めた施設建築物の所有を目的とする地上権の価額が当該敷地価額に占める割合（以下「地上権の割合」という。）を乗じて得た額を控除した」とあるのは「に、当該施設建築敷地に関する権利を与えられることとなる者及び当該施設建築敷地に関する他の権利を与えられることとなる者の全ての同意を得て定めた当該施設建築敷地に関する権利の価額が当該敷地価額に占める割合を乗じて得た」と、同条第三項中「施設建築物の一部等」とあるのは「施設建築物に関する権利」と、「、施設建築物」とあるのは「、当該施設建築物」と、「費用のうち当該施設建築物の一部の整備に要するもの」とあるのは「費用」と、「施設建築物の一部の価額」とあるのは「施設建築物の価額」と、「敷地価額に地上権の割合を乗じて得た額に第二十六条の規定により定めた地上権の共有持分の割合を乗じて得た額を加えた」とあるのは「当該施設建築物に関する権利を与えられることとなる者及び当該施設建築物に関する他の権利を与えられることとなる者の全ての同意を得て定めた当該施設建築物に関する権利の価額が当該建築物価額に占める割合を乗じて得た」と、「施設建築物の一部の整備に要する費用」とあるのは「施設建築物の整備に要する費用」と、第四十一条の見出し中「施設建築物の一部等」とあるのは「施設建築敷地又は施設建築物に関する権利」と、同条第一項中「施設建築敷地若しくはその共有持分、施設建築物の一部等若しくは」とあるのは「施設建築敷地若しくは施設建築物に関する権利又は」と、「価額又は施設建築敷地の地代の額」とあるのは「価額」と、「から第二十九条まで」とあるのは「及び第二十八条の二」と読み替えて、これらの規定を適用する。

２　次の各号に掲げる場合においては、それぞれ当該各号に定める規定は、適用しない。

一　法第百十条の二第一項の場合及び法第百九条の二第二項前段に規定する場合のいずれにも該当する場合　第四十三条の三

二　法第百十条の二第一項の場合及び法第百九条の三第二項前段に規定する場合のいずれにも該当する場合　第四十三条の六

（施設建築敷地に地上権を設定しないこととする特則に係るこの政令の適用についての読替え等）

第四五条　法第百十一条の場合においては、第二十五条第四号中「施設建築敷地若しくはその共有持分、施設建築物の一部等」とあるのは「建築施設の部分」と、第二十六条（見出しを含む。）中「施設建築物の所有を目的とする地上権」とあり、及び付録第一中「施設建築物の所有を目的とする地上権（以下「地上権」という。）」とあるのは「施設建築敷地」と、第四十一条の見出し中「施設建築物の一部等」とあるのは「建築施設の部分」と、同条第一項中「施設建築敷地若しくはその共有持分、施設建築物の一部等若しくは」とあるのは「建築施設の部分又は」と、「価額又は施設建築敷地の地代の額」とあるのは「価額」と、「第二十八条から第二十九条まで」とあるのは「第二十八条の二及び第四十六条」と、付録第一中「地上権にあつては、当該地上権の設定された施設建築敷地」とあるのは「施設建築敷地にあつては、当該施設建築敷地」と、「地上権にあつては、その者が取得することとなる施設建築物の一部の位置による当該地上権の設定された施設建築敷地の利用価値」とあるのは「施設建築敷地にあつては、その者が取得することとなる施設建築物の一部の位置による利用価値」と読み替えて、これらの規定を適用する。

第四六条　法第百十一条の場合においては、法第七十三条第一項第四号に掲げる建築施設の部分の価額の概算額は、合計価額と施設建築物の整備に要する費用の額とを合計した額のうち当該建築施設の部分に要する費用の額以上であり、かつ、基準日における近傍類似の土地の価額及び近傍同種の建築物の価額を参酌して定めた当該建築施設の部分の価額の見込額をこえない範囲内において定めなければならない。ただし、当該建築施設の部分に要する費用の額が当該建築施設の部分の価額の見込額をこえるときは、当該建築施設の部分に要する費用の額とする。

２　前項の建築施設の部分の価額の見込額は、付録第四の式によつて算出するものとする。

３　次の各号に掲げる場合においては、法第七十三条第一項第四号に掲げる建築施設の部分の価額の概算額は、前二項の規定にかかわらず、前二項の規定により定めた額から、それぞれ当該各号に定める額を控除した額とする。

一　法第百十一条の場合及び法第百九条の二第二項前段に規定する場合のいずれにも該当する場合　同条第三項に規定する施設建築敷地の道路部分の価額に施設建築敷地の共有持分の割合及び道路の地上権割合を乗じて得た額

二　法第百十一条の場合及び法第百九条の三第二項前段に規定する場合のいずれにも該当する場合　同条第三項に規定する施設建築敷地の都市高速鉄道部分の価額に施設建築敷地の共有持分の割合及び都市高速鉄道の地上権割合を乗じて得た額

第三章の二　第二種市街地再開発事業

（国土交通大臣等の認可を要しない管理処分計画の変更）

第四六条の二　管理処分計画の変更のうち法第百十八条の六第四項の政令で定める軽微な変更は、次に掲げるものとする。

一　法第百十八条の七第一項第二号又は第四号に掲げる事項の変更

二　譲受け希望の申出又は賃借り希望の申出の撤回に伴う法第百十八条の七第一項第三号又は第五号に掲げる事項の変更

三　法第百十八条の七第一項第七号に掲げる事項のうち氏名若しくは名称又は住所の変更

四　法第百十八条の七第一項第八号に規定する建築施設の部分の明細の変更

五　前各号に掲げるもののほか、管理処分計画の変更で、当該変更に係る部分について利害関係を有する者の同意を得たもの

（建築施設の部分の価額の概算額）

第四六条の三　法第百十八条の七第一項第三号に掲げる建築施設の部分の価額の概算額は、施設建築敷地及び施設建築物の整備に要する費用の額のうち当該建築施設の部分に要する費用の額以上であり、かつ、法第百十八条の七第一項第十号の基準日における近傍類似の土地の価額及び近傍同種の建築物の価額を参酌して定めた当該建築施設の部分の価額の見込額を超えない範囲内において定めなければならない。ただし、当該建築施設の部分に要する費用の額が当該建築施設の部分の価額の見込額を超えるときは、当該建築施設の部分の価額の見込額とする。

２　前項の建築施設の部分の価額の見込額は、付録第五の式によつて算出するものとする。

３　次の各号に掲げる場合においては、法第百十八条の七第一項第三号に掲げる建築施設の部分の価額の概算額は、前二項の規定にかかわらず、前二項の規定により定めた額から、それぞれ当該各号に定める額を控除した額とする。

一　法第百十八条の二十五第二項前段に規定する場合　同項において準用する法第百九条の二第三項に規定する施設建築敷地の道路部分の価額に施設建築敷地の共有持分の割合及び道路の地上権割合を乗じて得た額

二　法第百十八条の二十五の二第二項前段に規定する場合　同項において準用する法第百九条の三第三項に規定する施設建築敷地の都市高速鉄道部分の価額に施設建築敷地の共有持分の割合及び都市高速鉄道の地上権割合を乗じて得た額

（施設建築物の一部の標準家賃の概算額）

第四六条の四　施行者が施設建築物の一部を賃貸しする場合における標準家賃の概算額の算定については、第三十条の規定の例による。

（施設建築敷地の共有持分及び施設建築物の共用部分の共有持分の割合）

第四六条の五　法第百十八条の七第一項第二号に掲げる者が取得することとなる施設建築敷地の共有持分及び当該施設建築物の共用部分の共有持分の割合については、第二十六条の規定を準用する。この場合において、同条中「施設建築物の所有を目的とする地上権」とあり、及び付録第一中「施設建築物の所有を目的とする地上権（以下「地上権」という。）」とあるのは「施設建築敷地」と、付録第一中「地上権にあつては、当該地上権の設定された施設建築敷地」とあるのは「施設建築敷地にあつては、当該施設建築敷地」と、「地上権にあつては、その者が取得することとなる施設建築物の一部の位置による当該地上権の設定された施設建築敷地の利用価値」とあるのは「施設建築敷地にあつては、その者が取得することとなる施設建築物の一部の位置による利用価値」と読み替えるものとする。

（過小な床面積の基準）

第四六条の六　法第百十八条の十において準用する法第七十九条第二項の政令で定める基準については、第二十七条の規定を準用する。

（縦覧手続を要しない管理処分計画の修正又は変更）

第四六条の七　管理処分計画の修正又は変更のうち法第百十八条の十において準用する法第八十三条第四項ただし書又は第五項の政令で定める軽微な修正又は変更は、次に掲げるものとする。

一　法第百十八条の七第一項第二号、第四号、第八号又は第九号に掲げる事項の修正又は変更

二　譲受け希望の申出又は賃借り希望の申出の撤回に伴う法第百十八条の七第一項第三号又は第五号に掲げる事項の変更

三　法第百十八条の七第一項第七号に掲げる事項のうち氏名若しくは名称又は住所の修正又は変更

四　前三号に掲げるもののほか、管理処分計画の変更で、当該変更に係る部分について利害関係を有する者の同意を得たもの

（審査委員の同意又は市街地再開発審査会の議決を要しない管理処分計画の変更）

第四六条の八　管理処分計画の変更のうち法第百十八条の十において準用する法第八十四条第一項の政令で定める軽微な変更は、次に掲げるものとする。

一　法第百十八条の七第一項第二号、第四号、第八号又は第九号に掲げる事項の変更

二　譲受け希望の申出又は賃借り希望の申出の撤回に伴う法第百十八条の七第一項第三号又は第五号に掲げる事項の変更

三　法第百十八条の七第一項第七号に掲げる事項のうち氏名若しくは名称又は住所の変更

（譲受け希望の申出の撤回に伴う対償の支払に係る修正率の算定方法）

第四六条の八の二　法第百十八条の十五第一項の規定による修正率については、第三十三条の二の規定を準用する。この場合において、付録第三中「基準日」とあるのは「宅地、借地権又は建築物が契約に基づき、又は収用により、施行者に取得され、又は消滅した日」と、「権利変換計画の認可の公告の日」とあるのは「譲受け希望の申出を撤回した日」と読み替えるものとする。

（従前の権利の価額等の確定に係る修正率の算定方法）

第四六条の九　法第百十八条の二十三第二項（同条第三項において準用する場合を含む。）の規定による修正率については、第三十三条の二の規定を準用する。この場合において、付録第三中「基準日」とあるのは「法第百十八条の二十三第一項の規定により従前の権利の価額を確定する場合にあつては施行地区内の宅地、借地権又は建築物が契約に基づき、又は収用により、施行者に取得され、又は消滅した日の属する月及びその前後の月の、同項の規定により建築施設の部分の価額を確定する場合にあつては法第百十八条の七第一項第十号の基準日」と、「権利変換計画の認可」とあるのは「法第百十八条の十七」と読み替えるものとする。

（建築施設の部分の価額等の確定）

第四六条の一〇　法第百十八条の二十三第三項の規定による建築施設の部分又は施設建築敷地若しくは施設建築物に関する権利の価額及び家賃の額の確定は、それぞれ第四十六条の三若しくは第四十六条の十三の規定により読み替えて適用される第四十六条の三又は第四十六条の四の規定の例により行わなければならない。この場合においては、第四十六条の三に規定する建築施設の部分の価額の見込額又は第四十六条の十三の規定により読み替えて適用される第四十六条の三に規定する施設建築敷地若しくは施設建築物に関する権利の価額の見込額につき、法第百十八条の二十三第三項の規定による修正率を乗ずるものとする。

（清算金の分割徴収等）

第四六条の一一　法第百十八条の二十四第二項において準用する法第百六条第一項の規定による清算金の分割徴収については第四十二条の規定を、法第百十八条の二十四第二項において準用する法第百六条第三項の規定による延滞金の徴収については第四十三条の規定を、それぞれ準用する。この場合において、第四十二条第一項中「法第百三条第一項」とあるのは、「法第百十八条の二十三第一項」と読み替えるものとする。

（法第百十八条の二十五第一項の政令で定める第二種市街地再開発事業）

第四六条の一二　法第百十八条の二十五第一項の政令で定める第二種市街地再開発事業は、建築基準法第四十四条（第一項第三号を除く。）の規定に適合して、道路の上下の空間又は地下において施設建築物の全部又は一部を建築する第二種市街地再開発事業とする。

（施設建築敷地を立体的に利用する必要がある第二種市街地再開発事業）

第四六条の一二の二　法第百十八条の二十五の二第一項の政令で定める第二種市街地再開発事業は、都市計画法第十一条第三項の規定により当該都市計画施設の区域について都市高速鉄道を整備する立体的な範囲が定められている第二種市街地再開発事業とする。

（都市高速鉄道が存することとすることができる施設建築敷地の上の空間又は地下の範囲）

第四六条の一二の三　法第百十八条の二十五の二第一項の政令で定める範囲は、都市計画法第十一条第三項の規定により当該都市計画施設の区域について定められている都市高速鉄道を整備する立体的な範囲とする。

（管理処分手続の特則）

第四六条の一三　法第百十八条の二十五の三第一項の場合においては、第四十六条の二第四号中「建築施設の部分」とあるのは「施設建築敷地又は施設建築物に関する権利」と、第四十六条の三の見出し中「建築施設の部分」とあるのは「施設建築敷地又は施設建築物に関する権利」と、同条第一項中「建築施設の部分の価額」とあるのは「施設建築敷地又は施設建築物に関する権利の価額」と、「建築施設の部分に要する」とあるのは「施設建築敷地又は施設建築物に関する権利に係る」と、「近傍類似の土地の価額及び近傍同種の建築物の価額」とあるのは「近傍類似の土地、近傍同種の建築物又は近傍類似の土地に関する同種の権利の価額」と、同条第二項中「建築施設の部分に要する」とあるのは「施設建築敷地又は施設建築物に関する権利に係る」と、「付録第五の式」とあるのは「付録第六の式」と、第四十六条の九中「建築施設の部分」とあるのは「施設建築敷地又は施設建築物に関する権利」と読み替えて、これらの規定を適用する。

（公募によらないで特定建築者となることができる者等）

第四六条の一四　法第百十八条の二十八第二項において準用する法第九十九条の三第一項の政令で定める者については第四十条の二（第三号を除く。）の規定を、法第百十八条の二十八第二項において準用する法第百四条第二項の規定による特定建築者が取得する部分以外の部分に係る特定施設建築物の整備に要した費用の額の確定については第四十一条の二の規定を、法第百十八条の二十九において準用する法第九十九条の十の政令で定める公共施設については第四十条の三の規定を準用する。

第三章の三　土地区画整理事業との一体的施行に関する特則

（土地区画整理事業との一体的施行について法を適用する場合の読替え）

第四六条の一五　法第百十八条の三十一第三項の規定による技術的読替えは、次の表のとおりとする。

読み替えるべき規定	読み替えられるべき字句	読み替える字句
第二条第十号、第四十四条第一項、第五十二条第二項第七号、第七十三条第一項第二号、第四号、第六号、第十六号、第十九号及び第二十二号、第七十五条第二項、第七十六条第一項及び第三項、第七十七条第三項、第七十八条第一項、第八十五条第四項、第八十九条第一項、第九十一条第一項、第百三条第一項及び第二項、第百四条第一項、第百八条第二項、第百十条第二項及び第五項、第百十条の二第三項及び第六項、第百十条の四第二項及び第三項、第百十一条、第百十八条の十、第百十八条の二十一第一項及び第三項、第百十八条の二十五の三、第百十八条の二十八第二項	施設建築敷地	施設建築敷地（特定仮換地である施設建築敷地を除き、施設建築敷地となるべき特定仮換地に対応する従前の宅地を含む。）
第二条の二第一項及び第三項第三号、第七条の十三第一項、第十一条第一項、第百二十五条の二第二項	内の宅地	内の宅地（特定仮換地である宅地を除き、当該区域内の特定仮換地に対応する従前の宅地を含む。）
第二条の二第一項	目的である宅地	目的である宅地（特定仮換地に対応する従前の宅地にあつては、当該宅地についての特定仮換地）
第二条の二第三項第四号前段、第十四条第一項、同条第二項において準用する第七条の二第五項、第五十条の四第一項、同条第二項において準用する第七条の二第五項	宅地の地積	宅地の地積（当該区域内の特定仮換地に対応する従前の宅地にあつては、当該宅地についての特定仮換地の地積）
	借地の地積と	借地の地積（当該区域内の特定仮換地に対応する従前の借地にあつては、当該借地についての特定仮換地の地積）と
第二条の二第三項第四号前段、第十四条第一項、第三十三条、第五十条の四第一項、第百十八条の六第二項	宅地の総地積	特定仮換地以外の宅地及び特定仮換地の総地積
第二条の二第三項第四号前段、第十四条第一項、第五十条の四第一項	借地の総地積	その区域内の特定仮換地以外の借地及びその区域内の特定仮換地に対応する従前の借地についての特定仮換地の総地積
第二条の二第三項第四号後段、第十四条第二項及び第五十条の四第二項において準用する第七条の二第五項	宅地又は借地の地積	宅地又は借地の地積（当該区域内の特定仮換地に対応する従前の宅地又は借地にあつては、当該宅地又は借地についての特定仮換地の地積）
第七条の十三第一項	建築物	建築物（当該区域内の特定仮換地に存する建築物であつて土地区画整理事業の施行に伴い当該特定仮換地から移転し、又は除却すべきもの（以下「施行地区となるべき区域内の特定仮換地からの移転建築物等」という。）を除き、当該区域内の特定仮換地に対応する従前の宅地に存する建築物であつて土地区画整理事業の施行に伴い当該特定仮換地に移転し、又は除却すべきもの（以下「施行地区となるべき区域内の特定仮換地への移転建築物等」という。）を含む。）
第七条の十六第二項	及び第七条の十三第一項中「施行地区となるべき区域」とあるのは「施行地区及び新たに施行地区となるべき区域」	中「施行地区となるべき区域」とあるのは「施行地区及び新たに施行地区となるべき区域」と、第七条の十三第一項中「に施行地区となるべき区域」とあるのは「に施行地区及び新たに施行地区となるべき区域」と、「当該区域」とあるのは「施行地区及び新たに施行地区となるべき区域」と、「もの（以下「施行地区となるべき区域内の特定仮換地からの移転建築物等」という。）」とあり、及び「もの（以下「施行地区となるべき区域内の特定仮換地への移転建築物等」という。）」とあるのは「もの」
第七条の十七第二項、第三項、第六項及び第七項、第七条の十八第二項及び第三項、第二十条第一項、第二十二条、第三十七条第二項、第五十七条第四項第二号、第七十条第一項	宅地	宅地（特定仮換地である宅地を除き、施行地区内の特定仮換地に対応する従前の宅地を含む。）
第十四条第一項、第五十条の四第一項	宅地に	宅地（特定仮換地である宅地を除き、当該区域内の特定仮換地に対応する従前の宅地を含む。）に
第十五条第一項、第五十条の五第一項	なるべき区域	なるべき区域（当該区域内の特定仮換地に対応する従前の宅地を含む。）

第十六条第一項	施行地区）	施行地区）（施行地区となるべき区域又は施行地区内の特定仮換地に対応する従前の宅地を含む。）
第三十三条、第百十八条の六第二項	宅地に	宅地（特定仮換地である宅地を除き、施行地区内の特定仮換地に対応する従前の宅地を含む。）に
	借地の総地積	施行地区内の特定仮換地以外の借地及び施行地区内の特定仮換地に対応する従前の借地についての特定仮換地の総地積
第三十三条、第百十八条の六第二項、同条第三項において準用する第七条の二第五項	宅地の地積	宅地の地積（施行地区内の特定仮換地に対応する従前の宅地にあつては、当該宅地についての特定仮換地の地積）
	借地の地積と	借地の地積（施行地区内の特定仮換地に対応する従前の借地にあつては、当該借地についての特定仮換地の地積）と
第三十四条第一項	宅地及び建築物	宅地（工区内の特定仮換地に対応する従前の宅地を含む。）及び建築物（工区内の特定仮換地に存する建築物であつて土地区画整理事業の施行に伴い当該特定仮換地から移転し、又は除却すべきものを除き、工区内の特定仮換地に対応する従前の宅地に存する建築物であつて土地区画整理事業の施行に伴い当該特定仮換地に移転し、又は除却すべきものを含む。）
第三十八条第二項、第五十条の九第二項	施行地区）	施行地区）」とあり、及び「施行地区となるべき区域又は施行地区
第三十九条第二項、第七十三条第一項第三号及び第十八号、第百十八条の三第一項、第百十八条の七第一項第三号、第百十八条の十一第一項	施行地区内に有する	有する施行地区内の
第三十九条第二項	宅地又は借地の位置、地積等	宅地又は借地（特定仮換地である宅地又は借地を除き、施行地区内の特定仮換地に対応する従前の宅地又は借地を含む。）の位置、地積等（施行地区内の特定仮換地に対応する従前の宅地又は借地にあつては、当該宅地又は借地についての特定仮換地の位置、地積等）
第四十四条第一項	宅地の地積	宅地の地積（施行地区内の特定仮換地に対応する従前の宅地にあつては、当該宅地についての特定仮換地の地積）
	施行地区内の宅地の総地積	施行地区内の特定仮換地以外の宅地及び特定仮換地の総地積
	目的となつている宅地の総地積	目的となつている特定仮換地以外の宅地及び特定仮換地に対応する従前の宅地についての特定仮換地の総地積
第五十条の三第二項ただし書	区域内に宅地、借地権	区域内の宅地（特定仮換地である宅地を除き、当該区域内の特定仮換地に対応する従前の宅地を含む。）若しくはその借地権
	存する建築物	存する当該区域内の建築物（施行地区となるべき区域内の特定仮換地からの移転建築物等を除き、施行地区となるべき区域内の特定仮換地への移転建築物等を含む。）
	当該区域内の建築物	当該区域内の建築物（施行地区となるべき区域内の特定仮換地からの移転建築物等を除き、施行地区となるべき区域内の特定仮換地への移転建築物等を含む。）
第五十条の九第二項	区域」とあり	区域」とあり、同条中「当該区域」とあり、及び「その区域」とあり
第五十条の九第二項、第五十条の十二第二項	区域」とあるのは、	区域」とあり、及び「当該区域」とあり、並びに同号中「その区域」とあるのは、
第六十五条	施行地区を	施行地区（施行地区となるべき区域又は施行地区内の特定仮換地に対応する従前の宅地を含む。）を
第六十六条第七項	施行地区内において	施行地区内における
	付加増置（	付加増置（工作物の新築、改築、増築若しくは大修繕又は物件の付加増置にあつては、施行地区内の特定仮換地に対応する従前の宅地に存する工作物又は物件であつて

		土地区画整理事業の施行に伴い当該特定仮換地に移転し、又は除却すべきもの（以下「施行地区内の特定仮換地への移転工作物等」という。）の新築、改築、増築若しくは大修繕又は付加増置を含み、
第六十八条第二項	各個の土地	各個の土地（施行地区内の特定仮換地に対応する従前の各個の宅地を含む。）
第六十九条第一項	存する建築物	存する建築物（施行地区内の特定仮換地に存する建築物であつて土地区画整理事業の施行に伴い当該特定仮換地から移転し、又は除却すべきもの（以下「施行地区内の特定仮換地からの移転建築物等」という。）を除き、施行地区内の特定仮換地に対応する従前の宅地に存する建築物であつて土地区画整理事業の施行に伴い当該特定仮換地に移転し、又は除却すべきもの（以下「施行地区内の特定仮換地への移転建築物等」という。）を含む。）
第七十条第一項、第九十条第二項及び第三項、第百八条第一項第二号	建築物	建築物（施行地区内の特定仮換地からの移転建築物等を除き、施行地区内の特定仮換地への移転建築物等を含む。）
第七十条の二第一項	宅地に	宅地（特定仮換地である宅地を除く。）に
第七十一条第一項、第七十三条第一項第二号及び第十九号、第七十六条第一項、第七十七条第一項、第七十八条第一項、第八十九条第一項、第九十一条第一項、第百十条第二項、第百十条の四第二項	宅地（指定宅地を除く。）	宅地（指定宅地及び特定仮換地である宅地を除き、施行地区内の特定仮換地に対応する従前の宅地を含む。）
第七十一条第一項、第七十三条第一項第二号、第七十七条第一項及び第五項、第八十七条第二項、第百十条第二項	施行地区内の土地（指定宅地を除く。）に権原に基づき建築物	権原に基づき施行地区内の建築物（指定宅地に存する建築物及び施行地区内の特定仮換地からの移転建築物等を除き、施行地区内の特定仮換地への移転建築物等を含む。）
第七十一条第三項、第七十三条第一項第十二号及び第十四号、第七十七条第五項から第七項まで、第八十八条第五項	土地（指定宅地を除く。）に存する建築物	建築物（指定宅地に存する建築物及び施行地区内の特定仮換地からの移転建築物等を除き、施行地区内の特定仮換地への移転建築物等を含む。）
第七十二条第二項	施行地区となるべき区域」とあるのは、「施行地区	に施行地区となるべき区域」とあるのは「に施行地区」と、「当該区域」とあるのは「施行地区」と、「もの（以下「施行地区となるべき区域内の特定仮換地からの移転建築物等」という。）」とあり、及び「もの（以下「施行地区となるべき区域内の特定仮換地への移転建築物等」という。）」とあるのは「もの
第七十二条第三項	区域	区域」とあり、「当該区域」とあり、及び「その区域
第七十三条第一項第三号	同号の宅地、借地権又は建築物	宅地（指定宅地及び特定仮換地である宅地を除き、施行地区内の特定仮換地に対応する従前の宅地を含む。）若しくはその借地権又は施行地区内の建築物（指定宅地に存する建築物及び施行地区内の特定仮換地からの移転建築物等を除き、施行地区内の特定仮換地への移転建築物等を含む。）
第七十三条第一項第十八号、第百八条第一項第二号、第百十八条の三第一項、第百十八条の七第一項第三号、第百十八条の十、第百十八条の十一第一項及び第二項、第百十八条の二十三第一項	宅地、借地権	宅地（特定仮換地である宅地を除き、施行地区内の特定仮換地に対応する従前の宅地を含む。）若しくはその借地権
第七十三条第一項第十八号、第百十八条の三第一項、第百十八条の七第一項第三号、第百十八条の十一第一項及び第二項	建築物	施行地区内の建築物（施行地区内の特定仮換地からの移転建築物等を除き、施行地区内の特定仮換地への移転建築物等を含む。）
第七十三条第一項第十九号、第九十一条第一項	これに存する建築物	建築物（指定宅地に存する建築物及び施行地区内の特定仮換地からの移転建築物等を除き、施行地区内の特定仮換地への移転建築物等を含む。）
第七十三条第三項	場合に	場合（特定仮換地に対応する従前の宅地又はその宅地に存する借地権を有する者が当該宅地についての特定仮換地の上に建築物を有する場合を含む。）に
第七十六条第一項、第百八条第一項第二号、第百十条第二項、第百十条の四第二項	施行地区内に	施行地区内の
第七十六条第二項	与えられる施設建築敷地	与えられる施設建築敷地（特定仮換地であ

<table>
<tr><td></td><td></td><td>る施設建築敷地を除き、施設建築敷地となるべき特定仮換地に対応する従前の宅地を含む。）</td></tr>
<tr><td></td><td>定められるべき土地の属すべき施設建築敷地</td><td>定められるべき土地（特定仮換地に対応する従前の宅地にあつては、当該宅地についての特定仮換地につき換地と定められるべき土地）の属すべき施設建築敷地（特定仮換地である施設建築敷地を除き、施設建築敷地となるべき特定仮換地に対応する従前の宅地を含む。）</td></tr>
<tr><td>第七十七条第二項、第八十三条第一項及び第二項、第九十条第一項及び第三項</td><td>施行地区内の土地</td><td>施行地区内の土地（特定仮換地を除き、施行地区内の特定仮換地に対応する従前の宅地を含む。）</td></tr>
<tr><td rowspan="3">第七十七条第二項</td><td>又は建築物</td><td>又は建築物（施行地区内の特定仮換地からの移転建築物等を除き、施行地区内の特定仮換地への移転建築物等を含む。）</td></tr>
<tr><td>位置、地積又は床面積、環境及び利用状況</td><td>位置、地積又は床面積、環境及び利用状況（特定仮換地に対応する従前の宅地にあつては、当該宅地についての特定仮換地の位置、地積、環境及び利用状況）</td></tr>
<tr><td>定められる施設建築敷地</td><td>定められる施設建築敷地（特定仮換地である施設建築敷地を除き、施設建築敷地となるべき特定仮換地に対応する従前の宅地を含む。）の上（特定仮換地に対応する従前の宅地にあつては、当該宅地についての特定仮換地の上）</td></tr>
<tr><td>第七十七条第七項</td><td>土地に存する建築物</td><td>建築物</td></tr>
<tr><td>第七十八条第一項、第八十九条第一項</td><td>施行地区内の土地（指定宅地を除く。）に権原に基づき所有される建築物</td><td>権原に基づき所有される施行地区内の建築物（指定宅地に存する建築物及び施行地区内の特定仮換地からの移転建築物等を除き、施行地区内の特定仮換地への移転建築物等を含む。）</td></tr>
<tr><td>第八十三条第一項</td><td>物件</td><td>物件（施行地区内の特定仮換地に存する物件であつて土地区画整理事業の施行に伴い当該特定仮換地から移転し、又は除却すべきもの（以下「施行地区内の特定仮換地からの移転物件等」という。）を除き、施行地区内の特定仮換地への移転工作物等を含む。）</td></tr>
<tr><td>第八十三条第二項、第百十条第一項</td><td>物件</td><td>物件（施行地区内の特定仮換地からの移転物件等を除き、施行地区内の特定仮換地への移転工作物等を含む。）</td></tr>
<tr><td>第八十六条の二</td><td>施行地区</td><td>施行地区（特定仮換地を除き、施行地区内の特定仮換地に対応する従前の宅地を含む。）</td></tr>
<tr><td>第八十七条第一項、第百十条第一項</td><td>土地</td><td>土地（特定仮換地を除き、施行地区内の特定仮換地に対応する従前の宅地を含む。）</td></tr>
<tr><td>第八十八条第一項</td><td>土地</td><td>土地（特定仮換地を除き、施設建築物の敷地となるべき特定仮換地に対応する従前の宅地を含む。）</td></tr>
<tr><td>第九十条第二項</td><td>施行地区内のその他の</td><td>その他の施行地区内の</td></tr>
<tr><td>第百四条第一項</td><td>宅地、使用収益権又は建築物</td><td>宅地（特定仮換地である宅地を除き、施行地区内の特定仮換地に対応する従前の宅地を含む。）若しくはその使用収益権又は施行地区内の建築物（施行地区内の特定仮換地からの移転建築物等を除き、施行地区内の特定仮換地への移転建築物等を含む。）</td></tr>
<tr><td>第百八条第一項第二号</td><td>存する</td><td>存する施行地区内の</td></tr>
<tr><td rowspan="2">第百十条の二第一項</td><td>土地（指定宅地を除く。）</td><td>土地（指定宅地及び特定仮換地を除き、施行地区内の特定仮換地に対応する従前の宅地を含む。）</td></tr>
<tr><td>これに存する物件</td><td>物件（指定宅地に存する物件及び施行地区内の特定仮換地からの移転物件等を除き、施行地区内の特定仮換地への移転工作物等を含む。）</td></tr>
<tr><td>第百十条の二第六項</td><td><table><tr><td>第八十三条第一項及び第二項</td><td>施行地区内の土地又は土地に定着</td><td>指定宅地又はこれに定着する物件</td></tr></table></td><td><table><tr><td>第八十三条第一項</td><td>施行地区内の土地（特定仮換地を除き、施行地区内の特定仮換地に</td><td>指定宅地又はこれに定着する物件に関し権利を有する者</td></tr></table></td></tr>
</table>

	する物件に関し権利を有する者及び参加組合員又は特定事業参加者	に関し権利を有する者

	対応する従前の宅地を含む。）又は土地に定着する物件（施行地区内の特定仮換地に存する物件であつて土地区画整理事業の施行に伴い当該特定仮換地から移転し、又は除却すべきもの（以下「施行地区内の特定仮換地からの移転物件等」という。）を除き、施行地区内の特定仮換地への移転工作物等を含む。）に関し権利を有する者及び参加組合員又は特定事業参加者	
第八十三条第二項	施行地区内の土地（特定仮換地を除き、施行地区内の特定仮換地に対応する従前の宅地を含む。）又は土地に定着する物件（施行地区内の特定仮換地からの移転物件等を除	指定宅地又はこれに定着する物件に関し権利を有する者

		き、施行地区内の特定仮換地への移転工作物等を含む。）に関し権利を有する者及び参加組合員又は特定事業参加者
第百十条の四第二項	位置、地積、環境及び利用状況	位置、地積、環境及び利用状況（特定仮換地に対応する従前の宅地にあつては、当該宅地についての特定仮換地の位置、地積、環境及び利用状況）
第百十八条の二第一項	宅地の	宅地（特定仮換地である宅地を除き、施行地区内の特定仮換地に対応する従前の宅地を含む。）の
	施行地区内の土地に権原に基づき建築物	権原に基づき施行地区内の建築物（施行地区内の特定仮換地からの移転建築物等を除き、施行地区内の特定仮換地への移転建築物等を含む。）
第百十八条の六第二項	借地の総地積	施行地区内の特定仮換地以外の借地及び施行地区内の特定仮換地に対応する従前の借地についての特定仮換地の総地積
第百十八条の六第三項において準用する第七条の二第五項	宅地又は借地の地積	宅地又は借地の地積（施行地区内の特定仮換地に対応する従前の宅地又は借地にあつては、当該宅地又は借地についての特定仮換地の地積）
第百十八条の十	又は建築物	又は従前の建築物（施行地区内の特定仮換地からの移転建築物等を除き、施行地区内の特定仮換地への移転建築物等を含む。）
第百十八条の十一第二項、第百十八条の十三第三項	第百十八条の三第一項の承認を受けないで施行地区内に有する	有する施行地区内の
第百十八条の十一第二項	処分した	第百十八条の三第一項の承認を受けないで処分した

第百十八条の十三第三項	宅地、借地権又は建築物の上に	宅地（特定仮換地である宅地を除き、施行地区内の特定仮換地に対応する従前の宅地を含む。）若しくはその借地権又は施行地区内の建築物（施行地区内の特定仮換地からの移転建築物等を除き、施行地区内の特定仮換地への移転建築物等を含む。）の上に第百十八条の三第一項の承認を受けないで
第百十八条の二十三第一項	若しくは建築物	若しくは施行地区内の建築物（施行地区内の特定仮換地からの移転建築物等を除き、施行地区内の特定仮換地への移転建築物等を含む。）
第百十八条の二十六第一項	所有する者	所有する者（当該土地又は当該権利のうち特定仮換地に対応する従前の宅地又はその宅地に存する権利を有する者であつて権原により当該宅地についての特定仮換地に建築物を所有する者を含む。）
第百三十二条	土地及びその土地に存する建物	土地（特定仮換地を除き、施行地区内の特定仮換地に対応する従前の宅地を含む。）及び建物（施行地区内の特定仮換地からの移転建築物等を除き、施行地区内の特定仮換地への移転建築物等を含む。）
附則第五条第三項	施行区域内	施行区域内の建築物（当該区域内の特定仮換地に存する建築物であつて土地区画整理事業の施行に伴い当該特定仮換地から移転し、又は除却すべきものを除き、当該区域内の特定仮換地に対応する従前の宅地に存する建築物であつて土地区画整理事業の施行に伴い当該特定仮換地に移転し、又は除却すべきものを含む。）

（土地区画整理事業との一体的施行についてこの政令を適用する場合の読替え）

第四六条の一六　法第百十八条の三十一第一項及び第二項の場合においては、次の表の上欄に掲げる規定中同表の中欄に掲げる字句は、それぞれ同表の下欄に掲げる字句に読み替えるものとする。

第十九条、第四十七条の二	内の宅地	内の宅地（特定仮換地である宅地を除き、施行地区内の特定仮換地に対応する従前の宅地を含む。）
第二十一条第三項	施行地区内に有する宅地又は借地権	有する施行地区内の宅地（特定仮換地である宅地を除き、施行地区内の特定仮換地に対応する従前の宅地を含む。）又はその借地権
第二十五条第四号、第二十八条第二項、第二十九条第一項、第四十一条第一項、第四十四条、第四十四条の二第一項、第四十五条、第四十六条の五、第四十六条の十、第四十六条の十三、第四十八条、付録第一、付録第四	施設建築敷地（第四十四条の二第一項中「施設建築敷地又は」とある場合及び第四十六条の十三中「見出し中「建築施設の部分」とあるのは「施設建築敷地」とある場合を除く。）	施設建築敷地（特定仮換地である施設建築敷地を除き、施設建築敷地となるべき特定仮換地に対応する従前の宅地を含む。）
第二十八条第一項	掲げる施設建築敷地	掲げる施設建築敷地（特定仮換地である施設建築敷地を除き、施設建築敷地となるべき特定仮換地に対応する従前の宅地を含む。）
	宅地及び借地権	宅地及び借地権（特定仮換地である宅地及びその宅地に存する借地権を除き、施行地区内の特定仮換地に対応する従前の宅地及びその宅地に存する借地権を含む。）
	当該施設建築敷地の整備	施設建築物の敷地の整備
第三十三条	第十九号に掲げる宅地若しくは建築物	第十九号に掲げる宅地（特定仮換地である宅地を除き、施行地区内の特定仮換地に対応する従前の宅地を含む。）若しくは建築物（施行地区内の特定仮換地からの移転建築物等を除き、施行地区内の特定仮換地への移転建築物等を含む。）
第四十一条第二項	施行地区内の建築物	施行地区内の建築物（施行地区内の特定仮換地からの移転建築物等を除き、施行地区内の特定仮換地への移転建築物等を含む。）
第四十五条	（見出しを含む。）	の見出し中「施設建築物の所有を目的とする地上権」とあるのは「施設建築敷地」と、同条
第四十五条、第四十六条の五、付録第一	利用価値	利用価値（特定仮換地に対応する従前の宅地にあつては、当該宅地についての特定仮換地の利用価値）

第四十六条の九	宅地、借地権又は建築物	宅地（特定仮換地である宅地を除き、施行地区内の特定仮換地に対応する従前の宅地を含む。）若しくはその借地権又は施行地区内の建築物（施行地区内の特定仮換地からの移転建築物等を除き、施行地区内の特定仮換地への移転建築物等を含む。）
第四十七条の二	建築物	建築物（施行地区内の特定仮換地からの移転建築物等を除き、施行地区内の特定仮換地への移転建築物等を含む。）

付録第一	にある各施設建築物	にある各施設建築物（特定仮換地に対応する従前の宅地にあつては、当該宅地についての特定仮換地にある各施設建築物）
付録第六	こととなる施設建築敷地	こととなる施設建築敷地（特定仮換地である施設建築敷地を除き、施設建築敷地となるべき特定仮換地に対応する従前の宅地を含む。）

第三章の四　再開発事業の計画の認定

（再開発事業計画の認定申請について協議すべき者）

第四六条の一七　再開発事業を実施する土地の区域（以下この条において「再開発事業区域」という。）の面積が二十ヘクタール以上の再開発事業について法第百二十九条の二第一項の再開発事業計画の認定を申請しようとする者は、あらかじめ、次に掲げる者（再開発事業区域の面積が四十ヘクタール未満の再開発事業にあつては、第二号及び第三号に掲げる者を除く。）と協議しなければならない。

一　当該再開発事業区域を給水区域に含む水道法（昭和三十二年法律第百七十七号）第三条第五項に規定する水道事業者

二　当該再開発事業区域を供給区域に含む電気事業法（昭和三十九年法律第百七十号）第二条第一項第九号に規定する一般送配電事業者及び同項第十一号の三に規定する配電事業者並びにガス事業法（昭和二十九年法律第五十一号）第二条第六項に規定する一般ガス導管事業者

三　当該再開発事業に関係がある鉄道事業法（昭和六十一年法律第九十二号）第七条第一項に規定する鉄道事業者及び軌道法（大正十年法律第七十六号）第四条に規定する軌道経営者

（法第百二十九条の三第一号イ(1)の政令で定める耐用年限）

第四六条の一八　法第百二十九条の三第一号イ(1)の政令で定める耐用年限については、第一条の三の規定を準用する。

第四章　雑則

（重要な公共施設）

第四七条　法第百二十一条第一項の政令で定める重要な公共施設は、次に掲げるものとする。

一　都市計画法第十一条第一項の都市施設に関する都市計画において定められた道路、公園、緑地、広場、下水道、運河及び水路

二　道路法第二条第一項に規定する道路

三　河川

四　学校教育法第二条第二項に規定する公立学校のうち小学校、中学校及び義務教育学校

（費用の補助を受けることができる施行者から除かれる施行者）

第四七条の二　法第百二十二条第一項の政令で定める施行者は、個人施行者（一人で施行する者にあつては、その施行の認可の際、当該第一種市街地再開発事業の施行地区内の宅地について所有権若しくは借地権を有する者（以下この条において「宅地の所有者等」という。）が五人以上であるものの施行者又は宅地の所有者等が二人以上四人以下であるもので当該施行地区内の宅地に権原に基づいて存する建築物について所有権若しくは借家権を有する者（宅地の所有者等を除く。）が国土交通省令で定める人数以上であるものの施行者に限る。）でその施行する第一種市街地再開発事業の施行地区が市街地再開発促進区域内又は第一種市街地再開発事業の施行区域内にあるものを施行するもの、組合及び再開発会社以外の施行者とする。

（管理規約の縦覧等）

第四八条　施行者は、法第百三十三条第一項の規定により管理規約を定めようとするときは、管理規約を二週間公衆の縦覧に供しなければならない。この場合においては、あらかじめ、縦覧の開始の日、縦覧の場所及び縦覧の時間を公告するとともに、施設建築物又は施設建築敷地に関し権利を有する者又は有することとなる者にこれらの事項を通知しなければならない。

2　施設建築物又は施設建築敷地に関し権利を有する者又は有することとなる者は、縦覧期間内に、管理規約について施行者に意見書を提出することができる。

第四九条　施行者は、法第百三十三条第一項の認可を申請しようとするときは、前条第二項の規定により提出された意見書の要旨を国土交通大臣又は都道府県知事に提出しなければならない。

（書類の送付に代わる公告）

第五〇条　法第百三十五条第一項の規定による公告は、官報、公報その他所定の手段により行なうほか、施行者がその公告すべき内容を当該市街地再開発事業の施行地区内の適当な場所に掲示して行なわなければならない。

2　前項の場合においては、当該市街地再開発事業の施行地区の属する市町村及び書類の送付を受けるべき者の住所又はその者の最後の住所の属する市町村の長は、当該掲示がされている旨の公告をしなければならない。この場合において、施行者は、市町村長が行なうべき公告の内容を市町村長に通知しなければならない。

3　第一項の掲示は、前項の規定により市町村長が行なう公告のあつた日から十日間しなければならない。

4　法第百三十五条第二項の公告の日は、前項の規定により行なう掲示の期間の満了日とする。

（大都市等の特例）

第五一条　指定都市において、法第百三十七条の規定により、指定都市の長が行う事務は、法及びこの政令の規定により都道府県知事が処理し、又は管理し、及び執行することとされている事務（法第四十一条第三項（法第五十条の十一第二項（法第百六条第七項において準用する場合を含む。）及び法第百六条第六項において準用する場合を含む。）の認可を除く。）のうち、個人施行者、組合又は再開発会社が施行する第一種市街地再開発事業に係る事務及び法第七章の規定による事務とする。

第五二条　地方自治法第二百五十二条の二十二第一項の中核市（以下この条において「中核市」という。）において、法第百三十七条の規定により、中核市の長が行う事務は、法第七章の規定により都道府県知事が処理し、又は管理し、及び執行することとされている事務とする。

（固定資産税の軽減の対象となる耐火建築物）

第五三条　法第百三十八条第一項の耐火建築物で政令で定めるものは、地上階数三以上のもの若しくは高さ十一メートル以上のもの又は基礎及び主要構造部を地上第三階以上の部分の増築を予定した構造とした地上階数二のものとする。

2　一の高度利用地区（都市計画法第八条第一項第三号の高度利用地区をいう。）内に二以上の耐火建築物を総合的設計によつて建築する場合におい

て、都道府県知事が、その地区及びその地区内の建築物の位置及び規模を考慮して、その都市における土地の合理的かつ健全な高度利用と都市機能の更新とを図るうえにおいて支障がないと認めるものについては、これらの建築物を一の建築物とみなして、前項の規定を適用する。

（事務の区分）

第五四条 この政令の規定により市町村が処理することとされている事務のうち次に掲げるものは、地方自治法第二条第九項第一号に規定する第一号法定受託事務とする。

一 第二条の二及び第五十条第二項に規定する事務（都道府県又は機構等（市のみが設立した地方住宅供給公社を除く。）が施行する市街地再開発事業に係るものに限る。）

二 第三条に規定する事務（機構等（市のみが設立した地方住宅供給公社を除く。）が施行する市街地再開発事業に係るものに限る。）

2 この政令の規定により市町村が処理することとされている事務のうち次に掲げるものは、地方自治法第二条第九項第二号に規定する第二号法定受託事務とする。

一 第二条の二及び第五十条第二項に規定する事務（個人施行者、組合、再開発会社、市町村又は市のみが設立した地方住宅供給公社が施行する市街地再開発事業に係るものに限る。）

二 第三条に規定する事務（組合、再開発会社及び市のみが設立した地方住宅供給公社が施行する市街地再開発事業に係るものに限る。）

三 第八条第三項に規定する事務

（国土交通省令への委任）

第五五条 法及びこの政令に定めるもののほか、法及びこの政令の実施のため必要な手続その他の事項は、国土交通省令で定める。

附 則〔抄〕

（施行期日）

第一条 この政令は、公布の日から施行する。

（防災建築街区造成法施行令等の廃止）

第二条 次に掲げる政令は、廃止する。

一 防災建築街区造成法施行令（昭和三十六年政令第二百十一号）

二 公共施設の整備に関連する市街地の改造に関する法律施行令（昭和三十六年政令第二百九十四号）

（市街地改造事業等に関する経過措置）

第三条 法附則第四条第一項に規定する市街地改造事業については、旧公共施設の整備に関連する市街地の改造に関する法律施行令は、この政令の施行後も、なおその効力を有する。

2 法附則第四条第二項に規定する防災建築街区造成組合、防災建築街区造成事業及び防災建築物については、旧防災建築街区造成法施行令は、この政令の施行後も、なおその効力を有する。

（法附則第五条第一項から第三項までの規定による貸付金の償還期間等）

第四条 法附則第五条第四項の政令で定める期間は、五年（二年の据置期間を含む。）とする。

2 前項の期間は、日本電信電話株式会社の株式の売払収入の活用による社会資本の整備の促進に関する特別措置法（昭和六十二年法律第八十六号）第五条第一項の規定により読み替えて準用される補助金等に係る予算の執行の適正化に関する法律（昭和三十年法律第百七十九号）第六条第一項の規定による貸付けの決定（以下「貸付決定」という。）ごとに、当該貸付決定に係る法附則第五条第一項から第三項までの規定による貸付金（以下「国の貸付金」という。）の交付を完了した日（その日が当該貸付決定があつた日の属する年度の末日の前日以後の日である場合には、当該年度の末日の前々日）の翌日から起算する。

3 国の貸付金の償還は、均等年賦償還の方法によるものとする。

4 国は、国の財政状況を勘案し、相当と認めるときは、国の貸付金の全部又は一部について、前三項の規定により定められた償還期限を繰り上げて償還させることができる。

5 法附則第五条第七項の政令で定める場合は、前項の規定により償還期限を繰り上げて償還を行つた場合とする。

附 則〔略〕〔昭和四九・七・三〇政令二七九〕

附 則〔略〕〔昭和五〇・一〇・二四政令三〇四〕

附 則〔略〕〔昭和五五・八・三〇政令二三一〕

附 則〔略〕〔昭和五五・一二・二三政令三三五〕

附 則〔略〕〔昭和五六・八・三政令二六八〕

附 則〔略〕〔昭和五九・六・九政令一八二〕

附 則〔略〕〔昭和六三・一一・一一政令三二二〕

附 則〔略〕〔平成元・一一・二一政令三〇九〕

附 則〔略〕〔平成二・一一・九政令三二五〕

附 則〔略〕〔平成六・九・一九政令三〇三〕

附 則〔略〕〔平成六・一二・二一政令三九八〕

附 則〔略〕〔平成七・二・二六政令三六〕

附 則〔略〕〔平成九・一一・六政令三二五〕

附 則〔略〕〔平成一〇・八・二六政令二八六〕

附 則〔略〕〔平成一一・三・三一政令一二六〕

附 則〔抄〕〔平成一一・六・二五政令二〇九〕

（施行期日）

第一条 この政令は、都市開発資金の貸付けに関する法律等の一部を改正する法律（平成十一年法律第二十五号）の一部の施行の日（平成十一年六月三十日）から施行する。

（経過措置）

第二条 この政令の施行の際現に施行中の市街地再開発事業であって都市再開発法第百六条第一項（同法第百十八条の二十四第二項において準用する場合を含む。）の規定により清算金を分割徴収するものに係る当該清算金に付すべき利子の利率は、第一条の規定による改正後の都市再開発法施行令第四十二条第一項の規定により定められた率が適用されるまでの間については、同項の規定にかかわらず、なお従前の例による。

附 則〔略〕〔平成一一・八・一八政令二五六〕

附 則〔略〕〔平成一一・九・二九政令二九七〕

附 則〔略〕〔平成一一・一一・一〇政令三五二〕

附 則〔平成一二・二・一六政令三七〕

（施行期日）

第一条 この政令は、平成十二年四月一日から施行する。

（経過措置）

第二条 民法の一部を改正する法律附則第三条第三項の規定により従前の例によることとされる準禁治産者及びその保佐人に関するこの政令による改正規定の適用については、第十一条の規定による都市再開発法施行令第四条の二第一項の改正規定並びに第十五条の規定による旧公共施設の整備に関連する市街地の改造に関する法律施行令第十九条第二項及び第三項の改正規定を除き、なお従前の例による。

附 則〔略〕〔平成一二・四・二六政令二一一〕

附 則〔略〕〔平成一二・六・七政令三一二〕

附 則〔略〕〔平成一三・三・三〇政令九八〕

附 則〔略〕〔平成一三・四・二六政令一七八〕

附 則〔略〕〔平成一四・二・八政令二七〕

附 則〔略〕〔平成一四・五・三一政令一八八〕

附 則〔略〕〔平成一四・一一・一三政令三三一〕

附 則〔抄〕〔平成一五・一・八政令一〕

（施行期日）

第一条 この政令は、平成十五年一月十七日から施行する。

（都市再開発法施行令の一部改正に伴う経過措置）

第二条 第一条の規定による改正後の都市再開発法施行令第三十三条の二に規定する企業物価指数（以下この条において「企業物価指数」という。）が公表されていない月についての同条（同令第四十六条の八の二及び第四十六条の九において準用する場合を含む。）及び同令付録第三の規定の適用については、第一条の規定による改正前の都市再開発法施行令第三十三条の二に規定する卸売物価指数を企業物価指数とみなす。

附 則〔平成一五・一二・一七政令五二三〕

（施行期日）

第一条 この政令は、密集市街地における防災街区の整備の促進に関する法律等の一部を改正する法律の施行の日（平成十五年十二月十九日）から施行する。

（罰則に関する経過措置）

第二条 この政令の施行前にした行為に対する罰則の適用については、なお従前の例による。

附 則〔略〕〔平成一六・四・九政令一六〇〕

附 則〔略〕〔平成一六・一〇・一五政令三二二〕

附 則〔略〕〔平成一七・三・九政令三七〕

附　則〔略〕〔平成一七・六・一政令二〇三〕

附　則〔略〕〔平成一七・一〇・二一政令三二二〕

附　則〔略〕〔平成一九・三・二政令三九〕

附　則〔略〕〔平成二〇・一〇・三一政令三三四〕

附　則〔略〕〔平成二三・一一・二八政令三六三〕

附　則〔略〕〔平成二四・八・二九政令二二六施行〕

附　則〔平成二五・一一・一五政令三一一〕

（施行期日）

1　この政令は、平成二十六年四月一日から施行する。

（経過措置）

2　この政令の施行の日（以下「施行日」という。）前に都市再開発法若しくは都市再開発法施行令の規定により都道府県知事が行った認可その他の行為又はこの政令の施行の際現に同法若しくは同令の規定により都道府県知事に対して行っている認可の申請その他の行為で、施行日以後これらの規定により地方自治法（昭和二十二年法律第六十七号）第二百五十二条の十九第一項の指定都市（以下「指定都市」という。）の長が処理し、又は管理し、及び執行することとなる事務に係るものは、それぞれこれらの規定により当該指定都市の長が行った認可その他の行為又は当該指定都市の長に対して行った認可の申請その他の行為とみなす。

3　この政令の施行前にした行為に対する罰則の適用については、なお従前の例による。

附　則〔抄〕〔平成二七・一・三〇政令三〇〕

（施行期日）

第一条　この政令（中略）は、平成二十七年四月一日から施行する。

（都市再開発法施行令の一部改正に伴う経過措置）

第六条　施行時特例市に対する第二十二条の規定による改正後の都市再開発法施行令第五十二条の規定の適用については、同条中「「中核市」とあるのは「「中核市」という。）及び地方自治法の一部を改正する法律（平成二十六年法律第四十二号。以下この条において「平成二十六年地方自治法改正法」という。）附則第二条に規定する施行時特例市（以下この条において「施行時特例市」と、「第百三十七条」とあるのは「第百三十七条（平成二十六年地方自治法改正法附則第四十八条の規定により読み替えて適用される場合を含む。）」と、「中核市の」とあるのは「中核市又は施行時特例市の」とする。

附　則〔略〕〔平成二七・一一・二六政令三九二〕

附　則〔略〕〔平成二七・一二・一六政令四二一〕

附　則〔略〕〔平成二八・二・一七政令四三〕

附　則〔略〕〔平成二八・八・二九政令二八八〕

附　則〔略〕〔平成二九・三・二三政令四〇〕

附　則〔平成三〇・六・六政令一八三〕

改正　令和元・六政四四

この政令は、民法の一部を改正する法律の施行の日（令和二年四月一日）から施行する。

民法の一部を改正する法律及び民法の一部を改正する法律の施行に伴う関係法律の整備等に関する法律の施行に伴う関係政令の整備に関する政令〔抄〕
〔平成三〇・六・六政令一八三〕

（都市再開発法施行令の一部改正に伴う経過措置）

第三四条　施行日前に都市再開発法（昭和四十四年法律第三十八号）第百三条第一項又は第百十八条の二十三第一項の規定による通知が発せられた場合における同法第百六条第一項（同法第百十八条の二十四第二項において準用する場合を含む。）の規定による分割徴収に係る清算金に付すべき利子の利率については、前条の規定による改正後の都市再開発法施行令（以下この条において「新都市再開発法施行令」という。）第四十二条第一項（新都市再開発法施行令第四十六条の十一において準用する場合を含む。）の規定にかかわらず、なお従前の例による。

附　則〔略〕〔令和元・六・一九政令三〇〕

附　則〔略〕〔令和元・六・二八政令四四〕

附　則〔略〕〔令和元・一二・二五政令二〇二〕

附　則〔略〕〔令和三・八・四政令二二四〕

附　則〔抄〕〔令和四・二・二政令三七〕

（施行期日）

1　この政令は、令和四年四月一日から施行する。〔以下略〕

付録第一（第二十六条、第四十五条、第四十六条の五関係）

$$R_1 = \frac{A_1 r_1}{\Sigma A i r i}$$

R_1は、その者が取得することとなる施設建築物の所有を目的とする地上権（以下「地上権」という。）の共有持分又は施設建築物の共用部分の共有持分の割合

A_1は、その者が取得することとなる施設建築物の一部の床面積

Aiは、地上権にあつては、当該地上権の設定された施設建築敷地にある各施設建築物の一部の床面積、施設建築物の共用部分にあつては、当該施設建築物の共用部分を共用する各施設建築物の一部の床面積

r_1は、地上権にあつては、その者が取得することとなる施設建築物の一部の位置による当該地上権の設定された施設建築敷地の利用価値による比率でA_1に対応するもの、施設建築物の共用部分にあつては、その者が取得することとなる施設建築物の一部の位置による当該施設建築物の共用部分に対する利用上又は構造上の依存度による比率でA_1に対応するもの

riは、地上権にあつては、当該地上権の設定された施設建築敷地にある各施設建築物の一部の位置による当該施設建築敷地の利用価値による比率でAiに対応するもの、施設建築物の共用部分にあつては、当該施設建築物の共用部分を共用する各施設建築物の一部の位置による当該施設建築物の共用部分に対する利用上又は構造上の依存度による比率でAiに対応するもの

備考　A_1及びAiについては、同一床面積当たりの容積が著しく大又は小である施設建築物の一部があるときは、必要な補正を行なうものとする。

付録第二（第二十八条、第三十条、第四十一条、第四十一条の二、第四十六条の四、第四十六条の十四関係）

$$C_1 = \frac{CbA_1}{\Sigma Ai} + \Sigma C'bRb_1$$

C_1は、その者が取得することとなる施設建築物の一部の整備に要する費用

Cbは、当該施設建築物の整備に要する費用のうち、施設建築物の共用部分以外の部分に係るもの

A_1は、その者が取得することとなる施設建築物の一部の床面積

Aiは、当該施設建築物に属する各施設建築物の一部の床面積

$C'b$は、当該施設建築物の整備に要する費用のうち、施設建築物の共用部分でRb_1に対応するものに係るもの

Rb_1は、その者が取得することとなる各施設建築物の共用部分の共有持分の割合

備考　A_1及びAiについては、各施設建築物の一部の同一床面積当たりの容積が異なるときは、必要な補正を行なうものとする。

付録第三（第三十三条の二、第四十六条の八の二、第四十六条の九関係）

$$\frac{Pc'}{Pc}\times 0.8+\frac{Pi'}{Pi}\times 0.2$$

備考

一　Pc、Pc'、Pi、Pi'は、それぞれ次の数値を表すものとする。

Pc　基準日の属する月及びその前後の月の全国総合消費者物価指数の相加平均。ただし、権利変換計画の認可の公告の日においてこれらの月の全国総合消費者物価指数及び投資財指数が公表されていない場合においては、これらの指数が公表されている最近の三箇月の全国総合消費者物価指数の相加平均とする。

Pc'　権利変換計画の認可の公告の日において全国総合消費者物価指数及び投資財指数が公表されている最近の三箇月の全国総合消費者物価指数の相加平均

Pi　基準日の属する月及びその前後の月の投資財指数の相加平均。ただし、権利変換計画の認可の公告の日においてこれらの月の全国総合消費者物価指数及び投資財指数が公表されていない場合においては、これらの指数が公表されている最近の三箇月の投資財指数の相加平均とする。

Pi'　権利変換計画の認可の公告の日において全国総合消費者物価指数及び投資財指数が公表されている最近の三箇月の投資財指数の相加平均

二　各月の全国総合消費者物価指数の基準年が異なる場合又は各月の投資財指数の基準年が異なる場合においては、従前の基準年に基づく月の指数を変更後の基準年である年の従前の基準年に基づく指数で除し、百を乗じて得た数値（その数値に小数点以下一位未満の端数があるときは、これを四捨五入する。）を、当該月の指数とする。

三　$\frac{Pc'}{Pc}$又は$\frac{Pi'}{Pi}$により算出した数値に小数点以下三位未満の端数があるときは、これを四捨五入する。

付録第四（第四十一条、第四十六条関係）

$$C_1=\frac{CbA_1}{\Sigma Ai}+\Sigma C'bRb_1+CsRs_1$$

C_1は、その者が取得することとなる建築施設の部分に要する費用

Csは、合計価額

Rs_1は、その者が取得することとなる施設建築敷地の共有持分の割合

Cb、$C'b$、A_1、Ai及びRb_1は、付録第二に定めるものの例による。

付録第五（第四十六条の三、第四十六条の十関係）

$$C_1=\frac{CbA_1}{\Sigma Ai}+\Sigma C'bRb_1+CsRs_1$$

C_1は、その者が取得することとなる建築施設の部分に要する費用

Csは、当該施設建築敷地の整備に要する費用

Cb、$C'b$、A_1、Ai及びRb_1は付録第二に、Rs_1は付録第四に定めるものの例による。

付録第六（第四十六条の十、第四十六条の十三関係）

次の表の上欄に掲げる施設建築物の区分に応じ、同表の下欄に掲げる式

一	当該施設建築物が建物の区分所有等に関する法律（昭和三十七年法律第六十九号）第二条第一項に規定する区分所有権の目的たる施設建築物の部分のある建築物である場合	$C_1=\frac{CbA_1Rb_1}{\Sigma Ai}+\Sigma C'bR'b_1+CsRs_1$
二	当該施設建築物が一の項に規定する建築物以外の建築物である場合	$C_1=CbRb_1+CsRs_1$

C_1は、施設建築敷地又は施設建築物の整備に要する費用のうち、その者が取得することとなる施設建築敷地又は施設建築物に関する権利に係る費用

Cbは、一の項に掲げる場合にあつては、当該施設建築物の整備に要する費用のうち施設建築物の共用部分以外の部分に係るもの、二の項に掲げる場合にあつては、当該施設建築物の整備に要する費用

$C'b$は、当該施設建築物の整備に要する費用のうち、施設建築物の共用部分で$R'b_1$に対応するものに係るもの

A_1は、その者が取得することとなる施設建築物の一部の床面積又はその者がその共有持分を取得することとなる施設建築物の一部の床面積

Rb_1は、一の項に掲げる場合にあつては、その者が施設建築物の一部を取得することとなるときは一、その者が施設建築物の一部の共有持分を取得することとなるときは当該共有持分の割合、二の項に掲げる場合にあつては、その者が施設建築物を取得することとなるときは一、その者が施設建築物の共有持分を取得することとなるときは当該共有持分の割合

$R'b_1$は、その者が取得することとなる各施設建築物の共用部分の共有持分の割合（その者が取得することとなる各施設建築物の共用部分にあつては、一）

Rs_1は、その者が取得することとなる施設建築敷地に関する権利の価額が当該施設建築敷地の価額に占める割合

Csは付録第五に、Aiは付録第二に定めるものの例による。

備考　A_1については、付録第二の備考の規定の例による。

○都市再開発法施行規則

〔昭和四四・一一・二六　建設省令五四〕

改正　昭和四九・八建令一〇、昭和五〇・一二建令二一、昭和五六・三建令二、九建令二二、昭和六三・一一建令二一、平成元・一一建令一七、平成二・一一建令一二、平成六・二建令四、三建令一二、九建令二五、平成七・三建令四、一一建令二七、平成八・一一建令一六、平成一〇・八建令三三、九建令三五、平成一一・三建令九、五建令一五、六建令三六、九建令四一、建令四二、平成一二・一建令一〇、一一建令四一、平成一四・五国交令六五、一二国交令一二〇、平成一五・一二国交令一一六、平成一六・六国交令七〇、平成一七・三国交令一二、国交令二四、国交令二五、六国交令六六、一〇国交令一〇二、平成一八・四国交令五八、平成一九・四国交令五四、平成二〇・一二国交令九七、平成二四・二国交令五、平成二八・三国交令二三、八国交令六一、令和元・六国交令二〇、令和二・三国交令二七、一二国交令九八、令和三・八国交令五三、令和五・一二国交令九八、令和六・一国交令六

（市街地再開発促進区域内の第一種市街地再開発事業の施行の要請手続）

第一条　都市再開発法（以下「法」という。）第七条の二第三項の規定による要請をしようとする者は、施行要請書に、次に掲げる書類を添付して、これを市町村長に提出しなければならない。

一　要請しようとする者が一の単位整備区の区域内の宅地について所有権又は借地権を有する者であることを証する書類

二　法第七条の二第三項の同意を得たことを証する書類

（施行要請に関する借地権の申告を行うべき旨の公告）

第一条の二　市町村長は、法第七条の三第一項の公告をしようとするときは、法第七条の二第三項に規定する単位整備区の区域に含まれる地域の名称（市町村の区域内の町又は字の区域の一部が含まれる場合においては、その一部の区域内の土地の地番）並びに当該単位整備区の区域内の宅地について未登記の借地権を有する者は法第七条の三第三項の規定による借地権の種類及び内容の申告を行うべき旨を公告し、かつ、当該区域を表示する図面を当該市町村の事務所においてその公告をした日から二週間公衆の縦覧に供しなければならない。

（施行要請に関する借地権の申告手続）

第一条の三　法第七条の三第三項の規定による申告をしようとする者は、別記様式第一の借地権申告書を市町村長に提出しなければならない。

2　前項の借地権申告書には、次に掲げる図書を添付しなければならない。

一　借地権申告書に署名した者の運転免許証（道路交通法（昭和三十五年法律第百五号）第九十二条第一項に規定する運転免許証をいう。）、個人番号カード（行政手続における特定の個人を識別するための番号の利用等に関する法律（平成二十五年法律第二十七号）第二条第七項に規定する個人番号カードをいう。）、旅券（出入国管理及び難民認定法（昭和二十六年政令第三百十九号）第二条第五号に規定する旅券をいう。）の写しその他その者が本人であることを確認するに足りる書類（法人にあつては、印鑑登録証明書その他その者が本人であることを確認するに足りる書類）（第二十四条第二項において「本人確認書類」という。）

二　借地権が宅地の一部を目的としている場合においては、その部分の位置を明らかにする見取図（方位を記載すること。）

3　市町村長は、第一項の借地権申告書が借地権を証する書面を添えて提出された場合において、その書面がその借地権を証するに足りないと認めるときは、更に必要な書類の提出を求めることができる。

（市街地再開発促進区域内における建築許可の申請）

第一条の四　法第七条の四第一項の許可の申請は、別記様式第一の二の建築許可申請書を提出してするものとする。

2　前項の建築許可申請書には、次に掲げる図書を添付しなければならない。

一　敷地内における建築物の位置を表示する図面で縮尺五百分の一以上のもの

二　二面以上の建築物の断面図で縮尺二百分の一以上のもの

（土地の買取りの申出の相手方の公告）

第一条の五　法第七条の六第二項の規定による公告は、次に掲げる事項を都道府県知事（市の区域内にあつては、当該市の長）の定める方法でするものとする。

一　当該市街地再開発促進区域の名称

二　土地の買取りの申出の相手方の名称及び住所

三　当該相手方に対し申出をすべき土地の区域

2　前項第三号の土地の区域の表示は、土地に関し権利を有する者が自己の権利に係る土地が当該区域に含まれるかどうかを容易に判断することができるものでなければならない。

（個人施行に関する認可申請手続）

第一条の六　法第七条の九第一項の認可を申請しようとする者は、一人で施行しようとする者にあつては規準及び事業計画を、数人共同して施行しようとする者にあつては規約及び事業計画を認可申請書とともに提出しなければならない。

（個人施行に関する認可申請書の添付書類）

第一条の七　法第七条の九第一項の認可を申請しようとする者は、認可申請書に次に掲げる書類を添付しなければならない。

一　認可を申請しようとする者が施行地区となるべき区域内の宅地について所有権又は借地権を有する者であるときはその旨を証する書類

二　法第七条の十二の同意を得たことを証する書類

三　認可を申請しようとする者が法第七条の十三第一項の同意を得なければならない場合においては、その同意を得たことを証する書類

2　法第七条の十六第一項の認可を申請しようとする個人施行者は、認可申請書に次に掲げる書類を添付しなければならない。

一　認可を申請しようとする個人施行者が法第七条の十六第二項において準用する法第七条の十二の同意を得なければならない場合においては、その同意を得たことを証する書類

二　認可を申請しようとする個人施行者が法第七条の十六第二項において準用する法第七条の十三第一項の同意を得なければならない場合においては、その同意を得たことを証する書類

三　認可を申請しようとする個人施行者が法第七条の十六第三項の同意を得なければならない場合においては、その同意を得たことを証する書類

3　法第七条の二十第一項の認可を申請しようとする個人施行者は、認可申請書に第一種市街地再開発事業の終了を明らかにする書類を添付しなければならない。

（規準又は規約の記載事項）

第一条の八　法第七条の十第十号の国土交通省令で定める事項は、次に掲げるものとする。

一　審査委員に関する事項

二　会計に関する事項

三　事業計画において個別利用区が定められたときは、法第七十条の二第二項第三号の規準又は規約で定める規模

（個人施行に関する公告事項）

第一条の九　法第七条の十五第一項の国土交通省令で定める事項は、次に掲げるものとする。

一　第一種市街地再開発事業の名称

二　事務所の所在地

三　施行認可の年月日

四　施行者の住所

五　事業年度

六　公告の方法

七　個別利用区内の宅地への権利変換の申出をすることができる期限

八　権利変換を希望しない旨の申出をすることができる期限

2　法第七条の十六第二項において準用する法第七条の十五第一項の国土交通省令で定める事項は、次に掲げるものとする。

一　第一種市街地再開発事業の名称及び事務所の所在地並びに施行認可の年月日

二　施行者の氏名若しくは名称、事業施行期間、施行地区若しくは工区又は前項第一号、第二号、第五号若しくは第六号に掲げる事項に関して変更がされたときは、その変更の内容

三　事業計画の変更により新たに個別利用区が定められたとき、又は事業計画の変更により従前の施行地区外の土地が新たに施行地区に編入されたことに伴い個別利用区の面積が拡張されたときは、個別利用区内の宅地への権利変換の申出をすることができる期限

四　事業計画の変更により従前の施行地区外の土地が新たに施行地区に編入されたとき、又は個別利用区内の宅地若しくはその借地権が与えられるように定めるべき旨の申出に応じない旨の決定があつたときは、権利変換を希望しない旨の申出をすることができる期限

五　規準若しくは規約又は事業計画の変更の認可の年月日

3　法第七条の十七第四項後段の規定により定められた規約について認可した場合における同条第八項の国土交通省令で定める事項は、次に掲げるものとする。

一　第一種市街地再開発事業の名称及び事務所の所在地並びに施行認可の年月日

二　法第七条の十七第四項後段の規定により規約について認可した旨及びその認可の年月日

4　法第七条の十七第七項の規定による届出を受理した場合における同条第八項の国土交通省令で定める事項は、第一種市街地再開発事業の名称及び事務所の所在地並びに施行認可の年月日とする。

5　法第七条の二十第二項において準用する法第七条の十五第一項の国土交通省令で定める事項は、次に掲げるものとする。

一　第一種市街地再開発事業の名称及び施行認可の年月日

二　第一種市街地再開発事業の終了の認可の年月日

（施行者の変動の届出）

第一条の一〇　法第七条の十七第七項の規定による届出をしようとする施行者は、施行者変動届出書に、当該変動の原因である一般承継又は所有権若しくは借地権の一般承継以外の事由による承継若しくは消滅があつたことを証する書類を添付して、都道府県知事に提出しなければならない。

（定款の記載事項）

第一条の一一　法第九条第十二号の国土交通省令で定める事項については、第一条の八の規定を準用する。この場合において、第一条の八第三号中「規準又は規約」とあるのは「定款」と読み替えるものとする。

（組合施行に関する認可申請手続）

第二条　法第十一条第一項の認可を申請しようとする者は、定款及び事業計画を認可申請書とともに提出しなければならない。

2　法第十一条第二項の認可を申請しようとする者は、定款及び事業基本方針を認可申請書とともに提出しなければならない。

（組合施行に関する認可申請書の添付書類）

第三条　法第十一条第一項の認可を申請しようとする者は、認可申請書に次に掲げる書類を添付しなければならない。

一　認可を申請しようとする者が施行地区となるべき区域内の宅地につい

て所有権又は借地権を有する者であることを証する書類

二　法第十二条第一項において準用する法第七条の十二の同意を得たことを証する書類

三　法第十三条の規定により公的資金による住宅を建設することが適当と認められる者に対して参加組合員として参加する機会を与えたことを証する書類

四　法第十四条第一項の同意を得たことを証する書類

2　法第十一条第二項の認可を申請しようとする者は、認可申請書に前項第一号、第三号及び第四号に掲げる書類を添付しなければならない。

3　法第十一条第三項の認可を申請しようとする市街地再開発組合（以下「組合」という。）は、認可申請書に次に掲げる書類を添付しなければならない。

一　事業計画の決定について総会の議決を経たことを証する書類

二　第一項第二号に掲げる書類

三　法第十五条の二第一項の説明会の開催の状況を記載した書類

四　法第十五条の二第二項の規定により提出された意見書があつたときは、その意見書の処理の経緯を説明する書類

4　法第三十八条第一項の認可を申請しようとする組合は、認可申請書に次に掲げる書類を添付しなければならない。

一　定款の変更又は事業計画若しくは事業基本方針の変更について総会又は総代会の議決を経たことを証する書類

二　認可を申請しようとする組合が法第三十八条第二項において準用する法第七条の十二の同意を得なければならない場合においては、その同意を得たことを証する書類

三　認可を申請しようとする組合が法第三十八条第二項において準用する法第十四条第一項の同意を得なければならない場合においては、その同意を得たことを証する書類

四　認可を申請しようとする組合が法第三十八条第二項において準用する法第七条の十六第三項の同意を得なければならない場合においては、その同意を得たことを証する書類

5　法第四十五条第四項の認可を申請しようとする組合は、認可申請書に次に掲げる書類を添付しなければならない。

一　権利変換期日前に組合の解散について総会の議決を経たことを証する書類又は事業の完成を明らかにする書類

二　認可を申請しようとする組合が法第四十五条第三項の同意を得なければならない場合においては、その同意を得たことを証する書類

（施行地区位置図及び施行地区区域図）

第四条　法第七条の十一第一項（法第十二条第一項、法第五十条の六、法第五十三条第四項及び法第五十八条第三項において準用する場合を含む。以下この条から第八条までにおいて同じ。）又は法第十二条第二項の施行地区（施行地区を工区に分けるときは、施行地区及び工区。以下この条において同じ。）は、施行地区位置図及び施行地区区域図を作成して定めなければならない。

2　前項の施行地区位置図は、縮尺二万五千分の一以上とし、施行地区の位置を表示した地形図でなければならない。

3　第一項の施行地区区域図は、縮尺二千五百分の一以上とし、施行地区の区域並びにその区域を明らかに表示するに必要な範囲内において都道府県界、市町村界、市町村の区域内の町又は字の境界並びに土地の地番及び形状を表示したものでなければならない。

（設計の概要に関する図書）

第五条　法第七条の十一第一項の設計の概要及び同条第二項（法第十二条第一項、法第五十条の六、法第五十三条第四項及び法第五十八条第三項において準用する場合を含む。）の個別利用区は、設計説明書及び設計図を作成して定めなければならない。

2　前項の設計説明書には、次に掲げる事項を記載しなければならない。

一　施設建築物の設計の概要

二　施設建築敷地の設計の概要

三　公共施設の設計の概要

四　住宅建設の目標が定められた場合においては、市街地再開発事業により建設する住宅の概要

五　個別利用区内の宅地の設計の概要

3　第一項の設計図は、次の表に掲げるものとする。

図面の種類		縮尺	明示すべき事項
施設建築物	各階平面図	五百分の一以上	縮尺、方位並びに柱、外壁、廊下、階段及び昇降機の位置
	二面以上の断面図	五百分の一以上	縮尺並びに施設建築物、床及び各階の天井の高さ
施設建築敷地	平面図	五百分の一以上	縮尺、方位、施設建築物、主要な給水施設、排水施設、電気施設及びガス施設の位置並びに広場、駐車施設、遊び場その他の共同施設、通路及び消防用水利施設の位置
公共施設	平面図	五百分の一以上	縮尺、方位並びに公共施設の位置及び形状
	二面以上の断面図	五百分の一以上	縮尺並びに公共施設の構造及び現在の地盤面
個別利用区内の宅地	平面図	五百分の一以上	縮尺、方位並びに個別利用区内の宅地の位置及び形状

（資金計画書）

第六条　法第七条の十一第一項の資金計画は、資金計画書を作成し、収支予算を明らかにして定めなければならない。

（設計の概要の設定に関する基準）

第七条　法第七条の十一第一項の設計の概要の設定に関する同条第六項の技術的基準は、次に掲げるものとする。

一　設計の概要は、施行地区内の水道施設等の機能の維持と災害時における避難路等災害防止上必要な施設の確保を考慮して定めなければならない。

二　設計の概要は、施行地区又はその周辺の地域における義務教育施設、水道施設等の公益的施設の整備の状況を勘案して、当該施行地区及びその周辺の地域における利便の保全が図られるように定めなければならない。

三　設計の概要は、施設建築物に関し権利を与えられることとなる者の居住条件等を考慮して、できる限り、当該施設建築物の低廉化を図るよう定めなければならない。

四　施設建築物の構造は、用途が同一であり、又は類似する施設建築物の各戸を集約的に配置することができること、各戸の利用の独立性を確保すること等その合理的利用を確保することができるものとしなければならない。

五　施設建築物の構造は、施設建築物の規模及び各階の用途に応じた施設建築物の安全性並びに各階の用途に応じた機能が確保されたものとしなければならない。

六　施設建築物の廊下、階段その他の共用部分は、施設建築物の規模及び用途構成に応じた適正な規模及び配置のものとし、管理保全の利便が確保されたものとしなければならない。

七　施設建築敷地内の広場、駐車施設、遊び場その他の共同施設は、施設建築物の規模及び建築形態並びに用途構成に応じて、良好な都市環境が形成されるよう適切に配置しなければならない。

八　施設建築敷地内の通路は、施設建築物の各棟から公共施設及び当該地区内の広場、駐車施設、遊び場その他の共同施設に適切に連絡するように配置しなければならない。

九　設計の概要は、消防に必要な水利を設けるように定めなければならない。

十　施設建築敷地内の主要な給水施設、排水施設、電気施設及びガス施設は、施設建築物の規模及び用途構成に応じ、当該区域について想定される需要を確保することができるよう適切に配置しなければならない。

（資金計画に関する基準）

第八条　法第七条の十一第一項の資金計画に関する同条第六項の技術的基準は、次に掲げるものとする。

一　資金計画のうち収入予算においては、収入の確実であると認められる金額を収入金として計上しなければならない。

二　資金計画のうち支出予算においては、適正かつ合理的な基準によりそ

の経費を算定し、これを支出金として計上しなければならない。

（市街地再開発事業の施行の方針）

第八条の二　法第十二条第二項の市街地再開発事業の施行の方針においては、当該市街地再開発事業の目的、事業施行予定期間及び法第十一条第三項の認可を受けるまでの資金計画を定めなければならない。

（組合の施行地区予定地の公告）

第九条　市町村長は、法第十五条第二項（法第三十八条第二項において準用する場合を含む。）において準用する法第七条の三第二項の規定による公告をしようとするときは、施行地区となるべき区域に含まれる地域の名称（市町村の区域内の町又は字の区域の一部が含まれる場合においては、その一部の区域内の土地の地番）を公告し、かつ、当該区域を表示する図面を当該市町村の事務所においてその公告をした日から二週間公衆の縦覧に供しなければならない。

（組合施行に関する借地権の申告手続）

第一〇条　法第十五条第二項（法第三十八条第二項において準用する場合を含む。）において準用する法第七条の三第三項の規定による申告をしようとする者は、別記様式第一の借地権申告書を市町村長に提出しなければならない。

2　第一条の三第二項及び第三項の規定は、前項に規定する申告について準用する。

（組合員への周知等）

第一〇条の二　法第十一条第二項の規定により設立された組合は、同条第三項の事業計画の案を作成したときは、その決定に係る総会の開催日の一月前までに、当該事業計画の案に関する説明会を開催しなければならない。この場合において、組合は、少なくとも説明会の開催日の五日前から第四項の規定により意見書を提出することができる期間の満了の日までの間、当該事業計画の案を主たる事務所に備え付けなければならない。

2　説明会は、できる限り、説明会に参加する組合員の参集の便を考慮して開催の日時及び場所を定め、開催するものとする。

3　組合は、説明会の開催日の五日前までに、説明会の開催の日時及び場所並びに次項の規定により意見書を提出することができる期間を組合員に通知しなければならない。

4　組合員は、組合が説明会の翌日から起算して二週間を下らない範囲内で定める期間が経過する日までの間、当該事業計画の案について、組合に意見書を提出することができる。

（意見書の内容の審査の方法）

第一〇条の三　都市再開発法施行令（以下「令」という。）第三条の二第一項において準用する行政不服審査法施行令（平成二十七年政令第三百九十一号）第八条に規定する方法によつて口頭意見陳述（法第十六条第四項（法第三十八条第二項、法第五十条の六及び法第五十条の九第二項において準用する場合を含む。以下この項において同じ。）において準用する行政不服審査法（平成二十六年法律第六十八号）第三十一条第二項に規定する口頭意見陳述をいう。）の期日における審理を行う場合には、審理関係人（法第十六条第四項において準用する行政不服審査法第二十八条に規定する審理関係人をいう。以下この項において同じ。）の意見を聴いて、当該審理に必要な装置が設置された場所であつて都道府県知事が相当と認める場所を、審理関係人ごとに指定して行う。

2　前項の規定は、令第三条の二第二項において準用する同条第一項において準用する行政不服審査法施行令第八条に規定する方法によつて口頭意見陳述（法第五十三条第二項（法第五十六条において準用する場合を含む。）において準用する法第十六条第四項において準用する行政不服審査法第三十一条第二項に規定する口頭意見陳述をいう。）の期日における審理を行う場合について準用する。この場合において、前項中「都道府県知事」とあるのは、「地方公共団体」と読み替えるものとする。

3　第一項の規定は、令第三条の二第三項において準用する同条第一項において準用する行政不服審査法施行令第八条に規定する方法によつて口頭意見陳述（法第五十八条第三項及び第四項において準用する法第十六条第四項において準用する行政不服審査法第三十一条第二項に規定する口頭意見陳述をいう。）の期日における審理を行う場合について準用する。この場合において、第一項中「都道府県知事」とあるのは、「国土交通大臣（市のみが設立した地方住宅供給公社にあつては、都道府県知事）」と読み替えるものとする。

（組合施行に関する公告事項）

第一一条　法第十九条第一項の国土交通省令で定める事項は、法第十一条第一項の認可に係る公告にあつては第一号から第六号まで、同条第三項の認可に係る公告にあつては第一号、第二号及び第五号から第七号までに掲げるものとする。

一　事務所の所在地
二　設立認可の年月日
三　事業年度
四　公告の方法
五　個別利用区内の宅地への権利変換の申出をすることができる期限
六　権利変換を希望しない旨の申出をすることができる期限
七　事業計画の認可の年月日

2　法第十九条第二項の国土交通省令で定める事項は、前項第一号から第四号までに掲げるもの及び事業施行予定期間とする。

3　法第三十八条第二項において準用する法第十九条第一項又は第二項の国土交通省令で定める事項は、次に掲げるものとする。

一　事務所の所在地及び設立認可の年月日
二　組合の名称、事業施行期間若しくは事業施行予定期間、施行地区若しくは工区又は事務所の所在地に関して変更がされたときは、その変更の内容
三　第一項第三号又は第四号に掲げる事項に関して変更がされたときは、その変更の内容
四　事業計画の変更により新たに個別利用区が定められたとき、又は事業計画の変更に伴い個別利用区の面積が拡張されたときは、個別利用区内の宅地への権利変換の申出をすることができる期限
五　事業計画の変更により従前の施行地区外の土地が新たに施行地区に編入されたとき、又は個別利用区内の宅地若しくはその借地権が与えられるように定めるべき旨の申出に応じない旨の決定があつたときは、権利変換を希望しない旨の申出をすることができる期限
六　定款又は事業計画若しくは事業基本方針の変更の認可の年月日

（電磁的記録）

第一二条　法第二十七条第七項の国土交通省令で定める電磁的記録は、電子計算機に備えられたファイル又は電磁的記録媒体（電子的方式、磁気的方式その他人の知覚によつては認識することができない方式で作られる記録であつて、電子計算機による情報処理の用に供されるものに係る記録媒体をいう。次条第一項第二号において同じ。）をもつて調製するファイルに記録したものとする。

（電磁的方法）

第一三条　法第三十一条第四項（法第三十四条第三項及び第三十五条第四項において準用する場合を含む。）に規定する国土交通省令で定めるものは、次に掲げる方法とする。

一　電子情報処理組織を使用する方法のうちイ又はロに掲げるもの
　イ　送信者の使用に係る電子計算機と受信者の使用に係る電子計算機とを接続する電気通信回線を通じて送信し、受信者の使用に係る電子計算機に備えられたファイルに記録する方法
　ロ　送信者の使用に係る電子計算機に備えられたファイルに記録された情報の内容を電気通信回線を通じて情報の提供を受ける者の閲覧に供し、当該情報の提供を受ける者の使用に係る電子計算機に備えられたファイルに当該情報を記録する方法
二　電磁的記録媒体をもつて調製するファイルに情報を記録したものを交付する方法

2　前項各号に掲げる方法は、受信者がファイルへの記録を出力することにより書面を作成することができるものでなければならない。

（総会の招集に係る情報通信の技術を利用する方法）

第一三条の二　法第三十一条第五項（法第三十四条第三項及び第三十五条第四項において準用する場合を含む。）の国土交通省令で定める方法は、前条第一項第二号に掲げる方法とする。

（縦覧手続等を要しない事業計画の変更）

第一四条　令第四条第一項第五号の国土交通省令で定めるものは、次に掲げるものとする。

一　施設建築敷地内の主要な給水施設、排水施設、電気施設又はガス施設の位置の変更
二　施設建築敷地内の広場、駐車施設、遊び場その他の共同施設又は通路

若しくは消防用水利施設の位置の変更
三　公共施設の構造の変更

（組合員名簿の記載事項）
第一五条　令第七条第一項の国土交通省令で定める事項は、次に掲げるものとする。
一　令第五条第一項の代表者を選任したときは、その者の氏名及び住所（法人にあつては、その名称及び主たる事務所の所在地）
二　組合員名簿の作成又は変更の年月日

（決算報告書）
第一六条　法第四十九条の決算報告書は、次に掲げる事項を記載して作成しなければならない。
一　組合の解散の時における財産及び債務の明細
二　債権の取立及び債務の弁済の経緯
三　残余財産の処分の明細

（再開発会社施行に関する認可申請手続）
第一六条の二　法第五十条の二第一項の認可を申請しようとする者は、規準及び事業計画を認可申請書とともに提出しなければならない。

（再開発会社施行に関する認可申請書の添付書類）
第一六条の三　法第五十条の二第一項の認可を申請しようとする者は、認可申請書に次に掲げる書類を添付しなければならない。
一　定款の写し
二　株主名簿の写し
三　法第二条の二第三項第四号前段の要件を満たしていることを証する書類
四　法第五十条の六において準用する法第七条の十二の同意を得たことを証する書類
五　法第五十条の四第一項の同意を得たことを証する書類
2　法第五十条の九第一項の認可を申請しようとする再開発会社は、認可申請書に次に掲げる書類を添付しなければならない。
一　定款の写し
二　株主名簿の写し
三　法第二条の二第三項第四号前段の要件を満たしていることを証する書類
四　認可を申請しようとする再開発会社が法第五十条の九第二項において準用する法第七条の十二の同意を得なければならない場合においては、その同意を得たことを証する書類
五　法第五十条の九第二項において準用する法第五十条の四第一項の同意を得たことを証する書類
六　認可を申請しようとする再開発会社が法第五十条の九第二項において準用する法第七条の十六第三項の同意を得なければならない場合においては、その同意を得たことを証する書類
3　法第五十条の十二第一項の認可を申請しようとする再開発会社は、認可申請書に次に掲げる書類を添付しなければならない。
一　合併後存続する会社、合併により設立される会社若しくは会社分割により市街地再開発事業を承継する会社又は市街地再開発事業の全部を譲り受ける会社若しくは市街地再開発事業の一部を譲り渡す会社及び当該事業の一部を譲り受ける会社（以下この項において「合併会社等」という。）に係る定款の写し
二　合併会社等に係る株主名簿の写し
三　法第二条の二第三項第四号前段の要件を満たしていることを証する書類
四　合併若しくは会社分割又は市街地再開発事業の譲渡及び譲受を必要とする理由を記載した書類
五　合併契約書、分割計画書若しくは分割契約書又は事業の譲渡及び譲受に関する契約書の写し
4　法第五十条の十五第一項の認可を申請しようとする再開発会社は、認可申請書に市街地再開発事業の終了を明らかにする書類を添付しなければならない。

（規準の記載事項）
第一六条の四　法第五十条の三第一項第九号の国土交通省令で定める事項については、第一条の八の規定を準用する。

（再開発会社の施行地区予定地の公告）
第一六条の五　市町村長は、法第五十条の五第二項（法第五十条の九第二項において準用する場合を含む。）において準用する法第七条の三第二項の規定による公告をしようとするときは、施行地区となるべき区域に含まれる地域の名称（市町村の区域内の町又は字の区域の一部が含まれる場合においては、その一部の区域内の土地の地番）を公告し、かつ、当該区域を表示する図面を当該市町村の事務所においてその公告をした日から二週間公衆の縦覧に供しなければならない。

（再開発会社施行に関する借地権の申告手続）
第一六条の六　法第五十条の五第二項（法第五十条の九第二項において準用する場合を含む。）において準用する法第七条の三第三項の規定による申告をしようとする者は、別記様式第一の借地権申告書を市町村長に提出しなければならない。
2　第一条の三第二項及び第三項の規定は、前項に規定する申告について準用する。

（再開発会社施行に関する公告事項）
第一六条の七　法第五十条の八第一項の国土交通省令で定める事項は、次に掲げるものとする。
一　事務所の所在地
二　施行認可の年月日
三　事業年度
四　公告の方法
五　個別利用区内の宅地への権利変換の申出をすることができる期限
六　権利変換を希望しない旨の申出又は譲受け希望の申出若しくは賃借り希望の申出をすることができる期限
2　法第五十条の九第二項において準用する法第五十条の八第一項の国土交通省令で定める事項は、次に掲げるものとする。
一　事務所の所在地及び施行認可の年月日
二　再開発会社の名称、市街地再開発事業の名称、事業施行期間、施行地区若しくは工区又は前項第一号、第三号若しくは第四号に掲げる事項に関して変更がされたときは、その変更の内容
三　事業計画の変更により新たに個別利用区が定められたとき、又は事業計画の変更により従前の施行地区外の土地が新たに施行地区に編入されたことに伴い個別利用区の面積が拡張されたときは、個別利用区内の宅地への権利変換の申出をすることができる期限
四　事業計画の変更により従前の施行地区外の土地が新たに施行地区に編入されたとき、又は個別利用区内の宅地若しくはその借地権が与えられるように定めるべき旨の申出に応じない旨の決定があつたときは、権利変換を希望しない旨の申出又は譲受け希望の申出若しくは賃借り希望の申出をすることができる期限
五　規準又は事業計画の変更の認可の年月日
3　法第五十条の十二第二項において準用する法第五十条の八第一項の国土交通省令で定める事項は、次に掲げるものとする。
一　事務所の所在地及び施行認可の年月日
二　再開発会社の名称に関して変更がされたときは、その変更の内容
4　法第五十条の十五第二項において準用する法第五十条の八第一項の国土交通省令で定める事項は、次に掲げるものとする。
一　施行認可の年月日
二　市街地再開発事業の終了の認可の年月日

（地方公共団体施行及び機構等施行に関する認可申請手続）
第一七条　地方公共団体は、法第五十一条第一項後段（法第五十六条において準用する場合を含む。）の認可を申請しようとするときは、次に掲げる事項を記載した認可申請書を提出しなければならない。
一　市街地再開発事業の種類
二　施行者の名称及び事業施行期間
三　資金計画
四　市街地再開発事業の範囲
五　事業計画の縦覧及び意見書の処理の経過
2　機構等（法第五十八条第一項に規定する機構等をいう。以下同じ。）は、法第五十八条第一項前段の認可を申請しようとするときは施行規程及び事業計画を、同項後段の認可を申請しようとするときは変更に係る施行規程又は事業計画を認可申請書とともに提出しなければならない。
3　前二項の認可申請書には、法第五十三条第四項（法第五十六条において準用する場合を含む。）又は法第五十八条第三項及び第四項において準用する法第七条の十二の協議の内容を証する書類を添付しなければならな

い。

（施行規程の記載事項）

第一七条の二　法第五十二条第二項第九号の国土交通省令で定める事項は、事業計画において個別利用区が定められた場合における法第七十条の二第二項第三号の施行規程で定める規模とする。

（地方公共団体施行に関する公告事項）

第一八条　法第五十四条第一項の国土交通省令で定める事項は、次に掲げるものとする。

一　施行者の名称
二　事務所の所在地
三　事業計画の決定の年月日又は当該事業計画において定めた設計の概要についての認可の年月日
四　個別利用区内の宅地への権利変換の申出をすることができる期限
五　権利変換を希望しない旨の申出又は譲受け希望の申出若しくは賃借り希望の申出をすることができる期限

2　法第五十六条において準用する法第五十四条第一項の国土交通省令で定める事項は、次に掲げるものとする。

一　施行者の名称及び事務所の所在地並びに事業計画の決定の年月日
二　市街地再開発事業の名称、事業施行期間、施行地区若しくは工区、施行者の名称又は事務所の所在地に関して変更がされたときは、その変更の内容
三　事業計画の変更により新たに個別利用区が定められたとき、又は事業計画の変更により従前の施行地区外の土地が新たに施行地区に編入されたことに伴い個別利用区の面積が拡張されたときは、個別利用区内の宅地への権利変換の申出をすることができる期限
四　事業計画の変更により従前の施行地区外の土地が新たに施行地区に編入されたとき、又は個別利用区内の宅地若しくはその借地権が与えられるように定めるべき旨の申出に応じない旨の決定があつたときは、権利変換を希望しない旨の申出又は譲受け希望の申出若しくは賃借り希望の申出をすることができる期限
五　事業計画の変更の年月日又は事業計画において定めた設計の概要に関して変更がされたときは、当該設計の概要の変更についての認可の年月日

（施行規程の記載事項）

第一八条の二　第十七条の二の規定は、法第五十八条第三項において準用する法第五十二条第二項第九号の国土交通省令で定める事項について準用する。

（機構等施行に関する公告事項）

第一九条　法第五十八条第三項において準用する法第十九条第一項の国土交通省令で定める事項は、次に掲げるものとする。

一　施行者の名称
二　事務所の所在地
三　施行規程及び事業計画の認可の年月日
四　個別利用区内の宅地への権利変換の申出をすることができる期限
五　権利変換を希望しない旨の申出又は譲受け希望の申出若しくは賃借り希望の申出をすることができる期限

2　法第五十八条第四項において準用する法第十九条第一項の国土交通省令で定める事項は、次に掲げるものとする。

一　施行者の名称及び事務所の所在地並びに施行規程及び事業計画の認可の年月日
二　市街地再開発事業の名称、事業施行期間、施行地区若しくは工区又は事務所の所在地に関して変更がされたときは、その変更の内容
三　事業計画の変更により新たに個別利用区が定められたとき、又は事業計画の変更により従前の施行地区外の土地が新たに施行地区に編入されたことに伴い個別利用区の面積が拡張されたときは、個別利用区内の宅地への権利変換の申出をすることができる期限
四　事業計画の変更により従前の施行地区外の土地が新たに施行地区に編入されたとき、又は個別利用区内の宅地若しくはその借地権が与えられるように定めるべき旨の申出に応じない旨の決定があつたときは、権利変換を希望しない旨の申出又は譲受け希望の申出若しくは賃借り希望の申出をすることができる期限
五　施行規程又は事業計画の変更の認可の年月日

（収用委員会に対する裁決申請書の様式）

第二〇条　令第二十三条の国土交通省令で定める様式は、別記様式第二とし、正本一部及び写し一部を提出するものとする。

（測量標識）

第二一条　法第六十四条第一項（法第百十八条の二十九において準用する場合を含む。）の国土交通省令で定める標識は、標示杭に測量の目的及び施行者となろうとする者若しくは組合を設立しようとする者又は施行者の氏名又は名称を表示したものとする。

（第一種市街地再開発事業の概要を周知させるため必要な措置）

第二二条　法第六十七条の第一種市街地再開発事業の概要を周知させるため必要な措置は、次に定めるところにより、説明のための会合を開催することとする。ただし、関係権利者が参集しないためその他施行者の責に帰すことができない理由により、あらかじめ定められた日時及び場所において説明のための会合を開催することができないときは、会合の開催以外の方法によることができる。

一　会合を開催する場所は、できる限り、関係権利者の参集の利便を考慮して定めること。
二　会合の日時及び場所を会合を開催する日の一週間前までに、関係権利者に通知し、又は新聞紙に広告すること。
三　会合には、都道府県の職員又は市町村（都の特別区の存する区域にあつては、特別区）の長若しくは職員の立会いを求めること。

（土地調書及び物件調書の様式）

第二三条　法第六十八条第二項において準用する土地収用法（昭和二十六年法律第二百十九号）第三十七条第四項の規定による土地調書の様式は、別記様式第三とし、物件調書の様式は、別記様式第四とする。

（権利処分承認申請手続）

第二四条　法第七十条第二項の規定により権利の処分について承認を得ようとする者は、別記様式第五の権利処分承認申請書を施行者に提出しなければならない。

2　前項の権利処分承認申請書には、権利の処分について承認を得ようとする者及び権利の処分の相手方の本人確認書類を添附しなければならない。

（個別利用区内の宅地への権利変換の申出の方法）

第二四条の二　法第七十条の二第一項の申出は、別記様式第五の二個別利用区内の宅地への権利変換の申出書に、自己が施行地区内の宅地について所有権又は借地権を有する者であることを証する書面を添付して、これを施行者に提出しなければならない。この場合において、その申出について同条第二項第一号の同意を得なければならないときは、別記様式第五の三の個別利用区内の宅地への権利変換の申出に関する同意書を添付しなければならない。

（権利変換を希望しない旨の申出等の方法）

第二五条　法第七十一条第一項の規定による申出をしようとする者は、別記様式第六の金銭給付等希望申出書に、自己が施行地区内の宅地（指定宅地を除く。）の所有者、その宅地について借地権を有する者又は施行地区内の土地（指定宅地を除く。）に権原に基づき建築物を所有する者であることを証する書面を添附して、これを施行者に提出しなければならない。この場合において、その申出について同条第二項の同意を得なければならないときは、同項の同意を得たことを証する書面も添附しなければならない。

2　法第七十一条第三項の規定による申出をしようとする者は、別記様式第七の借家権消滅希望申出書に、自己が施行地区内の建築物について借家権を有する者であることを証する書面を添附して、これを施行者に提出しなければならない。

3　法第七十一条第四項から第六項までの規定による申出の撤回をしようとする者は、別記様式第八の金銭給付等希望申出撤回書又は別記様式第九の借家権消滅希望申出撤回書を施行者に提出しなければならない。

（権利変換計画又はその変更の認可申請手続）

第二六条　法第七十二条第一項後段の認可を申請しようとする施行者は権利変換計画に、同条第四項において準用する同条第一項後段の認可を申請しようとする施行者は権利変換計画のうち変更に係る事項に、次に掲げる書類を添付して、認可申請書とともに、これを都道府県又は機構等（市のみが設立した地方住宅供給公社を除く。）にあつては国土交通大臣に、個人施行者、組合、再開発会社、市町村又は市のみが設立した地方住宅供給公社にあつては都道府県知事に提出しなければならない。

一　法第八十三条第二項又は同条第五項において準用する同条第三項の規定により提出された意見書に係る意見を採択しなかつたときは、その意

見の概要及び採択しなかつた理由を記載した書類

二　法第八十四条の規定による審査委員の過半数の同意を得、又は市街地再開発審査会の議決を経たことを証する書類

三　認可を申請しようとする施行者が個人施行者である場合において、法第七十二条第二項において準用する法第七条の十三第一項の同意を得なければならないときは、その同意を得たことを証する書類

四　認可を申請しようとする施行者が組合である場合においては、権利変換計画の決定又は変更についての総会若しくはその部会又は総代会の議決を経たことを証する書類

五　認可を申請しようとする施行者が再開発会社である場合においては、法第七十二条第三項において準用する法第五十条の四第一項の同意を得たことを証する書類

六　法第百十条の規定により権利変換計画を定めようとするときは、法第六十八条第一項の土地調書及び物件調書（以下この条において「土地調書等」という。）並びに施行地区内の土地又は物件に関し権利を有する者及び参加組合員又は特定事業参加者のすべての同意を得たことを証する書類

七　法第百十条の二の規定により権利変換計画を定めようとするときは、土地調書等及び施行地区内の土地（指定宅地を除く。）又はこれに存する物件に関し権利を有する者及び参加組合員又は特定事業参加者の全ての同意を得たことを証する書類

八　法第百十条の三の規定により権利変換計画を定めようとするときは、土地調書等及び指定宅地又はこれに存する物件に関し権利を有する者の全ての同意を得たことを証する書類

九　法第七十三条第二項本文の規定によらないで権利変換計画を定めようとするときは、同項第一号の関係権利者のすべての同意があつたことを証する書類

十　法第七十八条第二項の必要な定めをするときは、関係権利者の意見の概要を記載した書類

（権利変換計画に定めるべき事項）

第二七条　法第七十三条第一項第二十五号の国土交通省令で定める事項は、次に掲げるものとする。

一　一個の施設建築敷地の価額の概算額及び当該施設建築敷地に設定される地上権の価額の概算額

二　個別利用区内の宅地の価額の概算額

三　法第八十八条第一項ただし書の地代の概算額及び法第九十一条第一項の補償金（利息相当額を含む。）の支払い期日及び支払い方法

（権利変換計画に関する図書）

第二八条　法第七十三条第一項第一号に掲げる配置設計は、配置設計図を作成して定めなければならない。

2　前項の配置設計図は、次に掲げるものとする。

一　第五条第三項の表に掲げる施設建築物の各階平面図に各施設建築物の一部の配置及び用途を表示したもの

二　第五条第三項の表に掲げる施設建築敷地の平面図に各施設建築敷地の区域を表示したもの

三　第五条第三項の表に掲げる公共施設の平面図

四　第五条第三項の表に掲げる個別利用区内の宅地の平面図に各個別利用区及び当該個別利用区内の各宅地の区域を表示したもの

3　法第七十三条第一項第二号から第二十五号までに掲げる事項並びに法第百九条の二第六項及び法第百九条の三第五項の規定により定めることとされている地上権の明細及びその帰属並びにその存続期間その他の条件の概要は、別記様式第十（法第百十条及び法第百十条の二の場合においては、別記様式第十一又は法第百十一条の場合においては、別記様式第十二）の権利変換計画書を作成して定めなければならない。

（管理事務費の算出方法）

第二九条　令第二十九条第一項の管理事務費の年額は、令第二十八条第一項の規定により定めた施設建築敷地の価額の概算額に百分の六を乗じて得た額と公課の年額との合計額に、百分の三をこえない範囲内において施行者が定める数値を乗じて得た額とする。

（令第三十条第一項の償却額を算出する場合における償却方法等）

第三〇条　令第三十条第一項の償却額を算出する場合における償却方法は、施設建築物の一部の整備に要する費用を当該費用にあてられる資金の種類及び額並びに借入条件を考慮して施行者が定める期間及び利率で毎年元利均等に償却する方法とする。

2　令第三十条第一項の修繕費の年額は、昇降機を共用する場合にあつては、前項の費用（昇降機の整備に係るものを除く。）の額に百分の一・二をこえない範囲内において施行者が定める数値を乗じて得た額に前項の費用のうち昇降機の整備に係るものの額に百分の三をこえない範囲内において施行者が定める数値を乗じて得た額を加えた額とし、昇降機を共用しない場合にあつては、前項の費用の額に百分の一・二をこえない範囲内において施行者が定める数値を乗じて得た額とする。

3　令第三十条第一項の管理事務費の年額は、昇降機を共用する場合にあつては、第一項の費用の額に百分の〇・五をこえない範囲内において施行者が定める数値を乗じて得た額に当該昇降機の運転に要する費用の年額に当該施設建築物の一部に係る当該昇降機の共有持分の割合を乗じて得た額を加えた額とし、昇降機を共用しない場合にあつては、第一項の費用の額に百分の〇・五をこえない範囲内において施行者が定める数値を乗じて得た額とする。

4　令第三十条第一項の地代に相当する額は、令第二十九条の規定により算出した地代の額に施設建築物の一部に係る地上権の共有持分の割合を乗じて得た額に当該施設建築物の一部に係る地上権の価額を当該地上権の存続期間及び相当の利率により元利均等に償却するものとして算出した償却額を加えた額とする。法第百十一条の場合における令第三十条第一項の地代に相当する額は、令第二十八条第一項の合計価額に施設建築物の一部に係る施設建築敷地の共有持分の割合並びに施設建築敷地の整備に要する費用等にあてられる資金の種類及び額並びに借入条件を考慮して施行者が定める数値を乗じて得た額と令第二十八条第一項の基準日における近傍類似の土地の地代の額に当該土地の借地権の設定の対価を当該借地権の存続期間及び相当の利率により元利均等に償却するものとして算出した償却額を加えた地代の見込額とのうちいずれか多額のものをこえない範囲内において定めなければならない。

5　法第百十一条の場合及び法第百九条の二第二項前段に規定する場合のいずれにも該当する場合においては、前項後段中「合計価額」とあるのは、「合計価額から、合計価額に令第四十三条の三に規定する道路の地上権割合を乗じて得た額を控除した額」と読み替えて、同項後段の規定を適用する。

6　法第百十一条の場合及び法第百九条の三第二項前段に規定する場合のいずれにも該当する場合においては、前項後段中「合計価額」とあるのは、「合計価額から、合計価額に令第四十三条の六に規定する都市高速鉄道の地上権割合を乗じて得た額を控除した額」と読み替えて、同項後段の規定を適用する。

7　令第三十条第一項の損害保険料の額は、施行者が個人施行者、組合又は再開発会社の場合にあつては、損害保険料として必要な経費の額とし、施行者が地方公共団体の場合にあつては、地方自治法（昭和二十二年法律第六十七号）第二百六十三条の二の規定により地方公共団体の利益を代表する全国的な公益的法人が行う火災による損害に対する相互救済事業の事業費の負担率により算定した額とし、施行者が機構等の場合にあつては、施設建築物の一部の整備に要する費用の額に百分の〇・〇七二を超えない範囲内において機構等が定める数値を乗じて得た額とする。

8　令第三十条第一項の貸倒れ及び空家による損失をうめるための引当金の年額は、同項の償却額、修繕費、管理事務費、地代に相当する額、損害保険料及び公課（国有資産等所在市町村交付金を含む。）の年額を合計した額に百分の二をこえない範囲内において施行者が定める数値を乗じて得た額とする。

（価額についての裁決申請書の様式）

第三一条　法第八十五条第三項において準用する土地収用法第九十四条第三項の規定による裁決申請書の様式は、別記様式第十三とし、正本一部及び写し一部を提出するものとする。

（権利変換計画の公告事項等）

第三二条　施行者は、権利変換計画の認可を受けたときは、次に掲げる事項を公告しなければならない。

一　第一種市街地再開発事業の名称

二　施行者の氏名又は名称

三　事務所の所在地

四　権利変換計画に係る施行地区又は工区に含まれる地域の名称

五　権利変換期日

六　権利変換計画の認可を受けた年月日

2　施行者は、権利変換計画の変更の認可を受けたとき、又は権利変換計画について令第二十五条各号に掲げる軽微な変更をしたときは、次に掲げる事項を公告しなければならない。
一　前項第一号から第四号までに掲げる事項及び権利変換計画の認可を受けた年月日
二　権利変換期日について変更がされたときは、その変更の内容
三　権利変換計画の変更の認可を受けた年月日又は権利変換計画について令第二十五条各号に掲げる軽微な変更をした年月日
3　法第八十六条第一項の規定により通知すべき事項は、権利変換計画の認可を受けたときにあつては、第一項第一号から第四号までに掲げる事項及び権利変換計画の内容のうちその通知を受けるべき者に係る部分とし、権利変換計画の変更の認可を受けたとき、又は権利変換計画につき令第二十五条各号に掲げる軽微な変更をしたときにあつては、第一項第一号から第四号まで及び前項第三号に掲げる事項並びに権利変換計画の内容のうちその通知を受けるべき者に係る部分とする。

（権利変換期日等の通知）

第三二条の二　法第八十六条の二の規定による通知は、別記様式第十三の二により行うものとする。
2　法第八十六条の二の国土交通省令で定める事項は、権利変換計画の認可を受けたときにあつては、前条第一項第一号から第四号まで及び第六号に掲げる事項とし、権利変換計画の変更の認可を受けたとき、又は権利変換計画につき令第二十五条各号に掲げる軽微な変更をしたときにあつては、前条第一項第一号から第四号まで及び同条第二項第三号に掲げる事項とする。

（配当機関への通知）

第三二条の三　令第三十四条第二項の国土交通省令で定める事項は、権利変換計画の認可を受けたときにあつては第三十二条第一項第一号から第四号までに掲げる事項及び権利変換計画の内容のうちその通知を受けるべき配当機関に係る部分とし、権利変換計画の変更の認可を受けたとき、又は権利変換計画につき令第二十五条各号に掲げる軽微な変更をしたときにあつては第三十二条第一項第一号から第四号まで及び同条第二項第三号に掲げる事項並びに権利変換計画の内容のうちその通知を受けるべき配当機関に係る部分とする。

（補償金等払渡通知書等の様式）

第三三条　令第三十五条の補償金等払渡通知書の様式は、別記様式第十四とし、同条の権利喪失通知書の様式は、別記様式第十五とする。

（令第三十八条第三項の規定による通知の手続）

第三四条　法第九十四条第五項の規定による通知をした施行者は、法第八十五条第三項において準用する土地収用法第百三十三条第二項の規定による訴えを提起した場合又は同項の訴訟が終了した場合において、令第三十八条第三項の規定による通知をするときは、当該通知書に裁判所のその旨を証する書面を添附しなければならない。

（特定建築者の公募）

第三四条の二　法第九十九条の三第一項（法第百十八条の二十八第二項において準用する場合を含む。）の規定により施行者が行う特定建築者の公募は、地方公共団体にあつては公報への登載その他所定の手段及び当該地方公共団体のウェブサイトへの掲載により、その他の施行者にあつては掲示及び当該施行者のウェブサイトへの掲載により行うものとする。ただし、次の各号のいずれかに該当する場合（施行者が第一種市街地再開発事業を施行する個人施行者、組合又は再開発会社である場合に限る。）は、当該公募をウェブサイトへの掲載により行うことを要しない。
一　施行地区の面積が〇・四ヘクタール未満である場合
二　施行者が自ら管理するウェブサイトを有していない場合
2　施行者は、前項の規定によるほか、主要な関係機関、報道機関等を通じてその旨を周知させるよう努めるものとする。

（特定施設建築物の建築計画の内容）

第三四条の三　法第九十九条の四（法第百十八条の二十八第二項において準用する場合を含む。）の規定により提出すべき建築計画においては、次の各号に掲げる事項を定めなければならない。
一　設計の概要
二　資金計画
三　工事の着手予定時期及び完了予定時期並びに工程
四　その他施行者が必要と認める事項
2　前項第一号の設計の概要は、設計説明書及び設計図を作成して定めなければならない。
3　前項の設計説明書には、次に掲げる事項を記載しなければならない。
一　特定施設建築物の設計の概要
二　特定施設建築物の敷地の設計の概要
4　第二項の設計図は、次の表に掲げるものとする。

図面の種類		縮尺	明示すべき事項
特定施設建築物	各階平面図	五百分の一以上	縮尺、方位並びに用途及び住宅の規格並びに柱、壁、開口部、廊下、階段及び昇降機の位置
	二面以上の断面図	五百分の一以上	縮尺並びに特定施設建築物、床及び各階の天井の高さ
	二面以上の立面図	五百分の一以上	縮尺及び開口部の位置
特定施設建築物の敷地	平面図	五百分の一以上	縮尺、方位並びに特定施設建築物、主要な給水施設、排水施設、電気施設及びガス施設の位置並びに広場、駐車施設、遊び場、修景施設その他の共同施設、通路及び消防用水利施設の位置

5　第一項第二号の資金計画は、資金計画書を作成し、収支予算を明らかにして定めなければならない。

（特定施設建築物の管理処分に関する計画の内容）

第三四条の四　法第九十九条の四（法第百十八条の二十八第二項において準用する場合を含む。）の規定により提出すべき管理処分に関する計画においては、次の各号に掲げる事項を定めなければならない。
一　特定建築者が取得することとなる特定施設建築物の全部又は一部のうち業務の用に供する部分に入居を予定する業種
二　特定建築者が取得することとなる特定施設建築物の全部又は一部の管理処分の方法
三　特定建築者が取得することとなる特定施設建築物の全部又は一部を賃貸しする場合における家賃の予定額又は譲渡する場合における譲渡価額の予定額
四　その他施行者が必要と認める事項

（借家条件の裁定手続）

第三五条　法第百二条第二項（法第百十八条の二十二第二項において準用する場合を含む。）の裁定の申立てをしようとする者は、別記様式第十六の裁定申立書を施行者に提出しなければならない。
2　施行者は、裁定前に当事者の意見をきかなければならない。
3　裁定は、文書をもつてし、かつ、その理由を附さなければならない。
4　施行者は、裁定書の正本を当事者双方に送付しなければならない。

（標準家賃の額の確定の補正方法）

第三六条　令第四十一条第二項の標準家賃の額の補正は、令第三十条の規定の例により定めた標準家賃の月額から、施設建築物の一部について賃借権を与えられることとなる者が施行地区内の建築物について有していた賃借権の価額を当該賃借権の残存期間、近隣の同類型の借家の取引慣行等を総合的に比較考量して施行者が定める期間で毎月均等に償却するものとして

算定した償却額を控除して行なうものとする。

（法第百八条第一項第五号の国土交通省令で定める場合）

第三六条の二　法第百八条第一項第五号の国土交通省令で定める場合は、次に掲げる施設の用に供するため必要である場合とする。

一　地方公共団体又は地方住宅供給公社が自ら居住するため住宅を必要とする者に対し賃貸し、又は譲渡する住宅

二　前号に掲げる施設のほか、社会福祉施設、教育文化施設その他の施設で施行地区における都市機能の更新を図るため特に必要なもの

（事業代行開始の公告事項）

第三七条　法第百十三条（法第百十八条の三十第二項において準用する場合を含む。）の国土交通省令で定める事項は、事業代行開始の決定の理由とする。

（譲受け希望の申出等の方法）

第三七条の二　法第百十八条の二第一項（同条第六項において準用する場合を含む。）の申出をしようとする者は、別記様式第十七の譲受け希望申出書に、自己が施行地区内の宅地の所有者、その宅地について借地権を有する者又は施行地区内の土地に権原に基づき建築物を所有する者であることを証する書面を添付して、これを施行者に提出しなければならない。

2　法第百十八条の二第五項（同条第六項において準用する場合を含む。）の申出をしようとする者は、別記様式第十八の賃借り希望申出書に、自己が施行地区内の建築物について借家権を有する者であることを証する書面を添付して、これを施行者に提出しなければならない。

3　法第百十八条の五第一項の規定による申出の撤回をしようとする者は、別記様式第十九の譲受け希望申出撤回書又は別記様式第二十の賃借り希望申出撤回書を施行者に提出しなければならない。

（管理処分計画又はその変更の認可申請手続）

第三七条の三　法第百十八条の六第一項後段（同条第四項において準用する場合を含む。）の認可を申請しようとする施行者は、認可申請書に、次に掲げる書類を添付して、これを、都道府県又は機構等（市のみが設立した地方住宅供給公社を除く。）にあつては国土交通大臣に、再開発会社、市町村又は市のみが設立した地方住宅供給公社にあつては都道府県知事に提出しなければならない。

一　法第百十八条の十において準用する法第八十三条第二項又は法第百十八条の十において準用する法第八十三条第五項において準用する同条第二項の規定により提出された意見書に係る意見を採択しなかつたときは、その意見の概要及び採択しなかつた理由を記載した書類

二　法第百十八条の十において準用する法第八十四条の規定による審査委員の過半数の同意を得、又は市街地再開発審査会の議決を経たことを証する書類

三　認可を申請しようとする施行者が再開発会社である場合においては、法第百十八条の六第二項の同意を得たことを証する書類

四　法第百十八条の二十五の三の規定により管理処分計画を定めようとするときは、同条第一項の譲受け希望の申出をした者及び賃借り希望の申出をした者（法第百十八条の十八又は法第百十八条の二十五の三第二項の規定により建築施設の部分若しくは施設建築物の一部についての借家権又は施設建築敷地若しくは施設建築物に関する権利を取得した者を除く。）並びに特定事業参加者のすべての同意を得たことを証する書類

五　法第百十八条の十において準用する法第七十三条第二項本文の規定によらないで管理処分計画を定めようとするときは、同項第一号の関係権利者のすべての同意があつたことを証する書類

（管理処分計画に定めるべき事項）

第三七条の四　法第百十八条の七第一項第十一号の国土交通省令で定める事項は、法第百十八条の十において準用する法第七十九条第三項の規定が適用されることとなる者の氏名又は名称及び住所並びにこれらの者が施行地区内に有する宅地、借地権若しくは建築物とする。

（管理処分計画に関する図書）

第三七条の五　法第百十八条の七第一項第一号に掲げる配置設計は、配置設計図を作成して定めなければならない。

2　前項の配置設計図は、第五条第三項の表に掲げる施設建築物の各階平面図に各施設建築物の一部の配置及び用途を表示したもの、同表に掲げる施設建築敷地の平面図に各施設建築敷地の区域を表示したもの並びに同表に掲げる公共施設の平面図とする。

3　法第百十八条の七第一項第二号から第十一号までに掲げる事項並びに法第百十八条の二十五第二項において準用する法第百九条の二第六項及び法第百十八条の二十五の二第二項において準用する法第百九条の三第五項の規定により定めることとされている地上権の明細及びその帰属並びにその存続期間その他の条件の概要は、別記様式第二十一（法第百十八条の二十五の三の場合においては、別記様式第二十一の二）の管理処分計画書を作成して定めなければならない。

（管理処分計画の公告事項等）

第三七条の六　施行者は、管理処分計画の認可を受けたときは、次に掲げる事項を公告しなければならない。

一　第二種市街地再開発事業の名称

二　施行者の名称

三　事務所の所在地

四　管理処分計画に係る施行地区又は工区に含まれる地域の名称

五　管理処分計画の認可を受けた年月日

2　施行者は、管理処分計画の変更の認可を受けたとき、又は管理処分計画について令第四十六条の二各号に掲げる軽微な変更をしたときは、次に掲げる事項を公告しなければならない。

一　前項各号に掲げる事項

二　管理処分計画の変更の認可を受けた年月日又は管理処分計画について令第四十六条の二各号に掲げる軽微な変更をした年月日

3　法第百十八条の十において準用する法第八十六条第一項の規定により通知すべき事項は、管理処分計画の認可を受けたときにあつては第一項第一号から第四号までに掲げる事項及び管理処分計画の内容のうちその通知を受けるべき者に係る部分とし、管理処分計画の変更の認可を受けたとき、又は管理処分計画につき令第四十六条の二各号に掲げる軽微な変更をしたときにあつては第一項第一号から第四号まで及び前項第二号に掲げる事項並びに管理処分計画の内容のうちその通知を受けるべき者に係る部分とする。

（譲受け権の譲渡等の通知）

第三七条の七　法第百十八条の十六の規定による通知は、譲受け権の譲渡については別記様式第二十二の権利譲渡通知書にその譲渡を証する書類を添付して、譲受け権を目的とする質権の設定については別記様式第二十三の質権設定通知書にその設定を証する書類を添付して、これを施行者に提出してしなければならない。

（法第百十八条の十三第一項の権利の消滅に関する合意の成立の届出）

第三七条の八　法第百十八条の十九第二項の規定による届出は、別記様式第二十四の合意成立届出書を施行者に提出してしなければならない。

（令第四十七条の二の国土交通省令で定める人数）

第三七条の九　令第四十七条の二の国土交通省令で定める人数は、第一種市街地再開発事業の施行の認可の際、当該施行地区内の宅地について所有権又は借地権を有する者（以下この条において「宅地の所有者等」という。）が四人である場合にあつては三人、宅地の所有者等が三人である場合にあつては六人、宅地の所有者等が二人である場合にあつては九人とする。

（土地区画整理事業との一体的施行についてこの省令を適用する場合の読替え）

第三七条の九の二　法第百十八条の三十一第一項及び第二項の場合においては、次の表の上欄に掲げる規定中同表の中欄に掲げる字句は、それぞれ同表の下欄に掲げる字句に読み替えるものとする。

第一条の七第一項第一号、第三条第一項第一号	宅地	宅地（特定仮換地である宅地を除き、当該区域内の特定仮換地に対応する従前の宅地を含む。）
第九条、第十六条の五	区域	区域（当該区域内の特定仮換地に対応する従前の宅地を含む。）
第二十五条第一項	内の宅地（指定宅地を除く。）	内の宅地（指定宅地及び特定仮換地である宅地を除き、施行地区内の特定仮換地に対応する従前の宅地を含む。）
第二十五条第一項	施行地区内の土地（指定宅地を除く。）に権	権原に基づき施行地区内の

	原に基づき	
第二十五条第一項	建築物	建築物（指定宅地に存する建築物及び施行地区内の特定仮換地に存する建築物であつて土地区画整理事業の施行に伴い当該特定仮換地から移転し、又は除却すべきもの（以下「施行地区内の特定仮換地からの移転建築物等」という。）を除き、施行地区内の特定仮換地に対応する従前の宅地に存する建築物であつて土地区画整理事業の施行に伴い当該特定仮換地に移転し、又は除却すべきもの（以下「施行地区内の特定仮換地への移転建築物等」という。）を含む。）
第二十五条第二項	建築物	建築物（指定宅地に存する建築物及び施行地区内の特定仮換地からの移転建築物等を除き、施行地区内の特定仮換地への移転建築物等を含む。）
第二十六条第六号	土地又は物件	土地（特定仮換地を除き、特定仮換地に対応する従前の宅地を含む。）又は物件（施行地区内の特定仮換地に存する物件であつて土地区画整理事業の施行に伴い当該特定仮換地から移転し、又は除却すべきものを除き、施行地区内の特定仮換地に対応する従前の宅地に存する物件であつて土地区画整理事業の施行に伴い当該特定仮換地に移転し、又は除却すべきものを含む。）
第二十六条第七号	を除く。	及び特定仮換地を除き、特定仮換地に対応する従前の宅地を含む。
第二十七条第一号	一個の	一個の施設建築物に係る
第二十七条第一号、第二十九条、第三十七条の三第四号	施設建築敷地	施設建築敷地（特定仮換地である施設建築敷地を除き、施設建築敷地となるべき特定仮換地に対応する従前の宅地を含む。）
第三十条第四項	施設建築敷地の共有持分	施設建築敷地（特定仮換地である施設建築敷地を除き、施設建築敷地となるべき特定仮換地に対応する従前の宅地を含む。）の共有持分
第三十六条	建築物に	建築物（施行地区内の特定仮換地からの移転建築物等を除き、施行地区内の特定仮換地への移転建築物等を含む。）に
第三十七条の二第一項、第三十七条の九	内の宅地	内の宅地（特定仮換地である宅地を除き、施行地区内の特定仮換地に対応する従前の宅地を含む。）
第三十七条の二第一項	施行地区内の土地に権原に基づき	権原に基づき施行地区内の
第三十七条の二第一項及び第二項	建築物	建築物（施行地区内の特定仮換地からの移転建築物等を除き、施行地区内の特定仮換地への移転建築物等を含む。）
第三十七条の四	施行地区内に存する宅地、借地権若しくは建築物	有する施行地区内の宅地若しくはその宅地に存する借地権（特定仮換地である宅地又はその宅地に存する借地権を除き、施行地区内の特定仮換地に対応する従前の宅地又はその宅地に存する借地権を含む。）又は施行地区内の建築物（施行地区内の特定仮換地からの移転建築物等を除き、施行地区内の特定仮換地への移転建築物等を含む。）

（再開発事業計画の認定の申請）

第三十七条の一〇　法第百二十九条の二第一項の規定により認定の申請をしようとする者は、別記様式第二十五による申請書に次の表に掲げる図書を添えて、これらを都道府県知事に提出しなければならない。

図書の種類		明示すべき事項
付近見取図		方位、道路及び目標となる地物並びに再開発事業を実施する土地の区域（以下「再開発事業区域」という。）
配置図	再開発事業区域内にある建築物	縮尺、方位、再開発事業区域、敷地の境界線及び敷地内における建築物の位置
	建築する建築物	縮尺、方位、再開発事業区域、敷地の境界線、敷地内における建築物の位置及び再開発事業区域内に整備する公共施設の配置
建築する建築物の各階平面図		縮尺、方位及び間取
建築する建築物の二面以上の立面図		縮尺
同意証書等		法第百二十九条の二第二項に規定する同意を得たことを証する書類及び同項に規定する協議の経過を示す書面
		法第百二十九条の二第三項に規定する同意を得たことを証する書類

（計画の記載事項）

第三十七条の一一　法第百二十九条の二第五項第七号の国土交通省令で定める事項は、再開発事業区域の面積及び再開発事業区域内の土地の権利関係とする。

（法第百二十九条の三第二号ロの国土交通省令で定める規模等）

第三十七条の一二　法第百二十九条の三第二号ロの国土交通省令で定める規模は、二百平方メートルとする。

2　法第百二十九条の三第二号ハの国土交通省令で定める割合は、三分の一とする。

3　法第百二十九条の三第二号ニの建ぺい率の限度が定められている場合における当該限度から減じる数値として国土交通省令で定める数値は、十分の一とする。

4　法第百二十九条の三第二号ニの建ぺい率の限度が定められていない場合における国土交通省令で定める数値は、十分の九とする。

（法第百二十九条の五第一項の国土交通省令で定める軽微な変更）

第三十七条の一三　法第百二十九条の五第一項の国土交通省令で定める軽微な変更は、再開発事業の実施期間の六月以内の変更とする。

（事務所備付け簿書）

第三十八条　法第百三十四条の規定により施行者が備え付けておかなければならない簿書は、次に掲げるものとする。

一　規準、規約、定款又は施行規程
二　事業計画又は事業基本方針
三　配置設計図
四　権利変換計画書又は管理処分計画書
五　土地調書及び物件調書
六　市街地再開発事業に関し、施行者が受けた行政庁の認可その他の処分

を証する書類

七　組合にあつては、組合員名簿、総会及び総代会の会議の議事録並びに通常総会の承認を得た事業報告書、収支決算書及び財産目録

八　再開発会社にあつては、株主名簿、株主総会の議事録、事業報告書、貸借対照表及び損益計算書

九　法第七十九条第二項（法第百十八条の十において準用する場合を含む。）、法第八十四条第一項（同条第二項（法第百十八条の十において準用する場合を含む。）及び法第百十八条の十において準用する場合を含む。）、法第九十七条第三項後段及び法第百二条第二項（法第百十八条の二十二第二項において準用する場合を含む。）の規定による審査委員の過半数の同意を得、又は市街地再開発審査会の議決を経たことを証する書類

（公告の方法等）

第三九条　法第七条の五第二項、法第七条の十五第一項（法第七条の十六第二項及び法第七条の二十第二項において準用する場合を含む。）、法第七条の十七第八項、法第十九条第一項（法第三十八条第二項並びに法第五十八条第三項及び第四項において準用する場合を含む。）若しくは第二項（法第三十八条第二項において準用する場合を含む。）、法第四十五条第六項、法第五十条の八第一項（法第五十条の九第二項、法第五十条の十二第二項及び法第五十条の十五第二項において準用する場合を含む。）、法第五十四条第一項（法第五十六条において準用する場合を含む。）、法第六十六条第五項、法第七十条の二第五項若しくは第六項、法第八十六条第一項（法第百十八条の十において準用する場合を含む。）、法第百条第一項若しくは第二項、法第百十三条（法第百十八条の三十第二項において準用する場合を含む。）、法第百十七条第一項若しくは第二項（これらの規定を法第百十八条の三十第二項において準用する場合を含む。）、法第百十八条の十七、法第百十八条の二十第一項、法第百二十四条の二第三項又は法第百二十五条の二第五項の公告は、官報、公報その他所定の手段により行わなければならない。

2　国土交通大臣、都道府県知事又は施行者は、法第七条の十五第一項、法第十九条第一項（法第五十八条第三項において準用する場合を含む。）若しくは第二項、法第五十条の八第一項又は法第五十四条第一項の公告をしたときは、その公告の内容及び第四条第一項の施行地区区域図によつて表示した施行地区について、その公告をした日から起算して三十日間、市街地再開発事業の施行地区内の適当な場所に掲示するとともに、国土交通大臣にあつては国土交通省の、都道府県知事にあつては当該都道府県の、施行者にあつては当該施行者のウェブサイトに掲載して公衆の閲覧に供しなければならない。施行地区を変更して従前の施行地区外の土地を新たに施行地区に編入することを内容とする事業計画又は事業基本方針の変更について、法第七条の十六第二項において準用する法第七条の十五第一項の公告、法第三十八条第二項において準用する法第十九条第一項及び第二項の公告、法第五十八条第四項において準用する法第十九条第一項の公告、法第五十条の九第二項において準用する法第五十条の八第一項並びに法第五十六条において準用する法第五十四条第一項の公告をした場合も、同様とする。

3　国土交通大臣、都道府県知事又は施行者は、法第七条の十六第二項において準用する法第七条の十五第一項の公告、法第三十八条第二項において準用する法第十九条第一項及び第二項の公告、法第五十条の九第二項において準用する法第五十条の八第一項の公告、法第五十八条第四項において準用する法第十九条第一項の公告又は法第五十六条において準用する法第五十四条第一項の公告（いずれも前項後段に掲げるものを除く。）をしたときは、その公告の内容について、その公告をした日から起算して十日間、市街地再開発事業の施行地区内の適当な場所に掲示するとともに、国土交通大臣にあつては国土交通省の、都道府県知事にあつては当該都道府県の、施行者にあつては当該施行者のウェブサイトに掲載して公衆の閲覧に供しなければならない。

4　施行者は、法第八十六条第一項（法第百十八条の十において準用する場合を含む。）の公告をしたときは、その公告の内容及び第二十八条第一項又は第三十七条の五第一項の配置設計図によつて表示した配置設計について、その公告をした日から起算して十日間、市街地再開発事業の施行地区内の適当な場所に掲示するとともに、次の各号のいずれかに該当する場合（施行者が第一種市街地再開発事業を施行する個人施行者、組合又は再開発会社である場合に限る。）を除き、当該施行者のウェブサイトに掲載して公衆の閲覧に供しなければならない。ただし、施行者が、権利変換計画又は管理処分計画の変更で配置設計の変更を伴わないものについて法第八十六条第一項（法第百十八条の十において準用する場合を含む。）の公告をしたときにおいては、第二十八条第一項又は第三十七条の五第一項の配置設計図によつて表示した配置設計を掲示すること及び公衆の閲覧に供することを要しない。

一　施行地区の面積が〇・四ヘクタール未満である場合

二　施行者が自ら管理するウェブサイトを有していない場合

5　都道府県知事、市長、施行者又は事業代行者は、法第七条の五第二項、法第七条の十七第八項、法第五十条の十二第二項において準用する法第五十条の八第一項、法第六十六条第五項、法第七十条の二第五項若しくは第六項、法第百条第一項若しくは第二項、法第百十三条（法第百十八条の三十第二項において準用する場合を含む。）、法第百十七条第一項若しくは第二項（これらの規定を法第百十八条の三十第二項において準用する場合を含む。）、法第百十八条の十七、法第百十八条の二十第一項、法第百二十四条の二第三項又は法第百二十五条の二第五項の公告をしたときは、その公告の内容について、その公告をした日から起算して十日間、市街地再開発事業の施行地区内の適当な場所に掲示するとともに、都道府県知事にあつては当該都道府県の、市長にあつては当該市の、施行者にあつては次の各号のいずれかに該当する場合（施行者が第一種市街地再開発事業を施行する個人施行者、組合又は再開発会社である場合に限る。）を除き当該施行者の、事業代行者にあつては当該事業代行者のウェブサイトに掲載して公衆の閲覧に供しなければならない。

一　施行地区の面積が〇・四ヘクタール未満である場合

二　施行者が自ら管理するウェブサイトを有していない場合

（権限の委任）

第四〇条　法に規定する国土交通大臣の権限のうち、次に掲げるもの以外のものは、地方整備局長及び北海道開発局長に委任する。ただし、法第百二十四条第一項並びに第百二十六条第一項及び第二項の規定に基づく権限については、国土交通大臣が自ら行うことを妨げない。

一　法第二条の二第五項の規定により市街地再開発事業を施行する必要があると認め、及び同条第六項の規定により自動車専用道路の新設又は改築が著しく困難であると認めること。

二　法第五十八条第一項の規定により施行規程及び事業計画を認可し、同条第三項（同条第四項において準用する場合を含む。）において準用する法第十六条第一項の規定により施行規程及び事業計画を公衆の縦覧に供させ、同条第二項の規定による意見書を受理し、並びに同条第三項の規定により意見書の内容を審査し、及び必要な修正を命じ、又は通知し、並びに法第五十八条第三項において準用する法第十九条第一項の規定により図書を送付すること（独立行政法人都市再生機構が施行する市街地再開発事業（以下この条において「機構施行事業」という。）に係るものに限る。）。

三　法第七十二条第一項後段（同条第四項において準用する場合を含む。）の規定による権利変換計画の認可をすること（機構施行事業に係るものに限る。）。

四　法第九十九条の三第三項（法第百十八条の二十八第二項において準用する場合を含む。）の規定による特定建築者の決定の承認をすること（機構施行事業に係るものに限る。）。

五　法第百十八条の六第一項後段（同条第四項において準用する場合を含む。）の規定による管理処分計画の認可をすること（機構施行事業に係るものに限る。）。

六　法第百二十条第三項の規定により裁定し、当事者の意見を聴き、及び総務大臣と協議すること（機構施行事業に係るものに限る。）。

七　法第百二十八条第一項の規定による審査請求又は同条第二項の規定による再審査請求に対して裁決をすること。

八　法第百三十三条第一項の規定による管理規約の認可をすること（機構施行事業に係るものに限る。）。

附　則　〔抄〕

（施行期日）

第一条　この省令は、公布の日から施行する。

（防災建築街区造成法施行規則等の廃止）

第二条　次に掲げる省令は、廃止する。

一　防災建築街区造成法施行規則（昭和三十六年建設省令第二十三号）

二　公共施設の整備に関連する市街地の改造に関する法律施行規則（昭和三十六年建設省令第三十八号）

（市街地改造事業等に関する経過措置）

第三条　法附則第四条第一項に規定する市街地改造事業については、旧公共施設の整備に関連する市街地の改造に関する法律施行規則は、この省令の施行後も、なおその効力を有する。

2　法附則第四条第二項に規定する防災建築街区造成組合、防災建築街区造成事業及び防災建築物については、旧防災建築街区造成法施行規則は、この省令の施行後も、なおその効力を有する。

附　則〔略〕〔昭和五六・九・二八建設省令二二〕

附　則〔昭和六三・一一・一一建設省令二二〕

1　この省令は、都市再開発法及び建築基準法の一部を改正する法律（昭和六十三年法律第四十九号）の施行の日（昭和六十三年十一月十五日）から施行する。

2　農用地整備公団法（昭和四十九年法律第四十三号）附則第十九条第一項の規定により農用地整備公団が農用地開発公団法の一部を改正する法律（昭和六十三年法律第四十四号）による改正前の農用地開発公団法第十九条第一項第一号又は第三号に規定する業務を行う間は、この省令による改正後の都市再開発法施行規則第一条の五の二第五号中「第十九条第一項第一号、第四号又は第六号に規定する業務」とあるのは、「第十九条第一項第一号、第四号若しくは第六号に規定する業務又は同法附則第十九条第一項の規定により農用地整備公団が行う農用地開発公団法の一部を改正する法律（昭和六十三年法律第四十四号）による改正前の農用地開発公団法第十九条第一項第一号若しくは第三号に規定する業務」とする。

附　則〔略〕〔平成元・一一・二一建設省令一七〕
附　則〔略〕〔平成二・一一・三〇建設省令一二〕
附　則〔略〕〔平成六・九・一九建設省令二五〕
附　則〔略〕〔平成七・三・一建設省令四〕
附　則〔略〕〔平成七・一一・二四建設省令二七〕
附　則〔略〕〔平成八・一一・二八建設省令一六〕
附　則〔略〕〔平成一〇・八・二六建設省令三三〕
附　則〔略〕〔平成一〇・九・三〇建設省令三五〕
附　則〔略〕〔平成一一・三・三一建設省令九〕
附　則〔略〕〔平成一一・六・二五建設省令三六〕
附　則〔略〕〔平成一一・九・二七建設省令四一〕
附　則〔略〕〔平成一一・九・二九建設省令四二〕
附　則〔略〕〔平成一二・一・三一建設省令一〇〕
附　則〔略〕〔平成一二・一一・二〇建設省令四一〕
附　則〔略〕〔平成一四・五・三一国土交通省令六五〕
附　則〔略〕〔平成一四・一二・二七国土交通省令一二〇〕
附　則〔略〕〔平成一五・一二・一八国土交通省令一一六〕
附　則〔略〕〔平成一六・六・一八国土交通省令七〇〕
附　則〔略〕〔平成一七・三・二九国土交通省令二四〕
附　則〔略〕〔平成一七・三・二九国土交通省令二五〕
附　則〔略〕〔平成一七・六・一国土交通省令六六〕
附　則〔略〕〔平成一七・一〇・二一国土交通省令一〇二〕
附　則〔略〕〔平成一八・四・二八国土交通省令五八〕
附　則〔略〕〔平成一九・四・三国土交通省令五四〕
附　則〔略〕〔平成二〇・一二・一国土交通省令九七施行〕
附　則〔略〕〔平成二四・二・三国土交通省令五〕
附　則〔略〕〔平成二八・三・三一国土交通省令二三〕
附　則〔略〕〔平成二八・八・二九国土交通省令六一〕
附　則〔略〕〔令和二・三・三一国土交通省令二七〕
附　則〔略〕〔令和二・一二・二三国土交通省令九八〕
附　則〔略〕〔令和三・八・三一国土交通省令五三〕
附　則〔略〕〔令和五・一二・二八国土交通省令九八施行〕
附　則〔抄〕〔令和六・一・三一国土交通省令六〕

（施行期日）

1　この省令は、令和六年三月三十一日から施行する。ただし、第四条から第九条まで〔中略〕の規定は、同年四月一日から施行する。

（経過措置）

4　第八条〔中略〕の規定による改正後の次に掲げる省令の規定は、附則第一項ただし書に規定する規定の施行の日以後にされる公告について適用し、同日前にされた公告については、なお従前の例による。

一　都市再開発法施行規則第三十九条第二項から第五項まで

二～五〔略〕

別記様式〔略〕

○流通業務市街地の整備に関する法律

〔昭和四一・七・一
法律一一〇〕

改正　昭和四二・七法一〇二、昭和四三・六法一〇一、昭和四五・六法一〇九、昭和四七・七法一一一、昭和四九・六法六七、法六九、昭和五〇・六法四五、昭和五三・七法八七、昭和五四・三法五、昭和五六・五法四八、平成五・五法五三、一一法八九、平成六・六法四九、平成一一・六法七六、七法八七、一二法一六〇、平成一四・七法一〇〇、一二法一四六、平成一五・六法一〇〇、平成一六・六法一二四、平成一七・七法八九、平成二三・八法一〇五

注　令和六年六月一四日法律第五二号の改正は、公布の日から起算して二年六月を超えない範囲内において政令で定める日から施行のため、改正を加えてありません。

目次

第一章　総則（第一条・第二条）
第二章　流通業務施設の整備に関する基本指針及び基本方針（第三条・第三条の二）
第三章　流通業務地区及び流通業務団地（第四条―第八条）
第四章　流通業務団地造成事業
第一節　流通業務団地造成事業の施行（第九条・第十条）
第二節　削除（第十一条―第二十四条）
第三節　施行計画及び処分計画（第二十五条―第二十九条）
第四節　造成施設等の処分等（第三十条―第三十九条）
第五節　補則（第三十九条の二―第四十七条）
第五章　雑則（第四十七条の二―第四十八条の三）
第六章　罰則（第四十九条―第五十三条）
附則

第一章　総則

（目的）

第一条　この法律は、都市における流通業務市街地の整備に関し必要な事項を定めることにより、流通機能の向上及び道路交通の円滑化を図り、もつて都市の機能の維持及び増進に寄与することを目的とする。

（定義）

第二条　この法律において「流通業務施設」とは、第五条第一項第一号から第六号までに掲げる施設をいう。

2　この法律において「流通業務団地造成事業」とは、第七条第一項の流通

業務団地について、都市計画法（昭和四十三年法律第百号）及びこの法律で定めるところに従つて行なわれる同項第二号に規定する流通業務施設の全部又は一部の敷地の造成、造成された敷地の処分並びにこれらの敷地とあわせて整備されるべき公共施設及び公益的施設の敷地の造成又はそれらの施設の整備に関する事業並びにこれに附帯する事業をいう。

3　この法律において「施行者」とは、流通業務団地造成事業を施行する者をいう。

4　この法律において「事業地」とは、流通業務団地造成事業を施行する土地の区域をいう。

5　この法律において「公共施設」とは、道路、自動車駐車場その他政令で定める公共の用に供する施設をいう。

6　この法律において「公益的施設」とは、官公庁施設、医療施設その他の施設で、流通業務地区の利便のために必要なものをいう。

7　この法律において「造成施設等」とは、流通業務団地造成事業により造成された敷地及び整備された施設をいう。

8　この法律において「造成敷地等」とは、造成施設等のうち、公共施設及びその敷地以外のものをいう。

9　この法律において「処分計画」とは、施行者が行なう造成施設等の処分に関する計画をいう。

第二章　流通業務施設の整備に関する基本指針及び基本方針

（基本指針）

第三条　主務大臣は、流通業務施設の整備に関する基本指針（以下この章において「基本指針」という。）を定めなければならない。

2　基本指針においては、次に掲げる事項につき、次条第一項の基本方針の指針となるべきものを定めるものとする。

一　流通業務施設の整備に関する基本的な事項
二　流通業務市街地を整備すべき都市の設定に関する事項
三　流通業務施設の機能及び立地に関する事項
四　流通業務施設の整備に際し配慮すべき重要事項

3　主務大臣は、基本指針を作成するに当たつては、あらかじめ、関係行政機関の長の意見を聴かなければならない。

4　主務大臣は、基本指針を定めたときは、遅滞なく、これを公表しなければならない。

5　主務大臣は、情勢の推移により必要が生じたときは、基本指針を変更するものとする。

6　第三項及び第四項の規定は、前項の規定による基本指針の変更について準用する。

（基本方針）

第三条の二　都道府県知事は、基本指針に基づき、次に掲げる要件のいずれかに該当する都市（その周辺の地域を含む。以下この条、次条及び第三十六条において同じ。）について、流通業務施設の整備に関する基本方針（以下この条及び次条において「基本方針」という。）を定めることができる。

一　相当数の流通業務施設の立地により流通機能の低下及び自動車交通の渋滞を来している都市であつて、流通業務市街地を整備することが相当と認められるものであること。
二　高速自動車国道その他の高速輸送に係る施設の整備の状況、土地利用の動向等からみて相当数の流通業務施設の立地が見込まれ、これにより流通機能の低下及び自動車交通の渋滞を来すおそれがあると認められる都市であつて、流通業務市街地を整備することが相当と認められるものであること。

2　基本方針においては、おおむね次に掲げる事項を定めるものとする。

一　流通業務市街地を整備すべき都市に関する事項
二　流通業務施設の機能及び立地に関する基本的事項
三　流通業務地区の数、位置、規模及び機能に関する基本的事項
四　流通業務地区内の流通業務施設の種類、規模及び機能に関する基本的事項
五　流通業務施設の整備に際し配慮すべき事項

3　基本方針は、おおむね次に掲げる事項を勘案して定めるものとする。

一　物資の流通量の見通し
二　物資の流通に関する技術の向上及び流通機構の改善の見通し
三　自動車の交通量の見通し
四　道路、鉄道、港湾等の交通施設の整備の見通し

4　基本方針は、国土形成計画、首都圏整備計画、近畿圏整備計画、中部圏開発整備計画その他の国土計画又は地方計画に関する法律に基づく計画との調和が保たれたものでなければならない。

5　都道府県知事は、基本方針を定めようとするときは、関係市町村の意見を聴かなければならない。

6　都道府県知事は、基本方針を定めたときは、遅滞なく、これを公表するよう努めるものとする。

7　前三項の規定は、基本方針の変更について準用する。

第三章　流通業務地区及び流通業務団地

（流通業務地区）

第四条　前条の規定により定められた基本方針に係る都市の区域のうち、幹線道路、鉄道等の交通施設の整備の状況に照らして、流通業務市街地として整備することが適当であると認められる区域については、当該都市における流通機能の向上及び道路交通の円滑化を図るため、都市計画に流通業務地区を定めることができる。

2　流通業務地区に関する都市計画は、前条の規定により定められた基本方針に基づいて定めなければならない。

3　国土交通大臣、都道府県又は地方自治法（昭和二十二年法律第六十七号）第二百五十二条の十九第一項の指定都市は、流通業務地区に関する都市計画を定めようとするときは、あわせて当該地区が流通業務市街地として整備されるために必要な公共施設に関する都市計画を定めなければならない。

（流通業務地区内の規制）

第五条　何人も、流通業務地区においては、次の各号のいずれかに該当する施設以外の施設を建設してはならず、また、施設を改築し、又はその用途を変更して次の各号のいずれかに該当する施設以外の施設としてはならない。ただし、都道府県知事（市の区域内にあつては、当該市の長。次条第一項及び第二項において「都道府県知事等」という。）が流通業務地区の機能を害するおそれがないと認め、又は公益上やむを得ないと認めて許可した場合においては、この限りでない。

一　トラックターミナル、鉄道の貨物駅その他貨物の積卸しのための施設
二　卸売市場
三　倉庫、野積場若しくは貯蔵槽（政令で定める危険物の保管の用に供するもので、政令で定めるものを除く。）又は貯木場
四　上屋又は荷さばき場
五　道路貨物運送業、貨物運送取扱業、信書送達業、倉庫業又は卸売業の用に供する事務所又は店舗
六　前号に掲げる事業以外の事業を営む者が流通業務の用に供する事務所
七　金属板、金属線又は紙の切断、木材の引割りその他物資の流通の過程における簡易な加工の事業で政令で定めるものの用に供する工場
八　製氷又は冷凍の事業の用に供する工場
九　前各号に掲げる施設に附帯する自動車駐車場又は自動車車庫
十　自動車に直接燃料を供給するための施設、自動車修理工場又は自動車整備工場
十一　前各号に掲げるもののほか、流通業務地区の機能を害するおそれがない施設で政令で定めるもの

2　公共施設又は国土交通省令で定める公益的施設の建設及び改築並びに流通業務地区に関する都市計画が定められた際すでに着手していた建設及び改築については、前項の規定は、適用しない。

3　流通業務地区については、建築基準法（昭和二十五年法律第二百一号）第四十八条及び第四十九条の規定は、適用しない。

（違反施設に対する措置）

第六条　都道府県知事等は、前条第一項の規定に違反した施設については、その所有者又は占有者に対して、相当の期限を定めて、その施設の移転、除却若しくは改築又は用途の変更（以下この条及び第四十九条において「施設の移転等」という。）をすべきことを命ずることができる。

2　前項の規定により施設の移転等を命じようとする場合において、過失がなくてその施設の移転等を命ずべき者を確知することができないときは、都道府県知事等は、その者の負担において、その施設の移転等を自ら行い、

又はその命じた者若しくは委任した者にこれを行わせることができる。この場合においては、相当の期限を定めて、施設の移転等を行うべき旨及びその期限までに施設の移転等を行わないときは、都道府県知事等又はその命じた者若しくは委任した者が、施設の移転等を行う旨を公告しなければならない。

3　前項の規定により施設の移転等を行なおうとする者は、その身分を示す証明書を携帯し、関係人の請求があつた場合においては、これを提示しなければならない。

（流通業務団地に係る市街地開発事業等予定区域に関する都市計画）

第六条の二　都市計画法第十二条の二第二項の規定により流通業務団地に係る市街地開発事業等予定区域に関する都市計画において定めるべき区域は、流通業務地区内の次の各号に規定する条件に該当する土地の区域でなければならない。

一　流通業務地区外の幹線道路、鉄道等の交通施設の利用が容易であること。

二　良好な流通業務団地として一体的に整備される自然的条件を備えていること。

三　当該区域内の土地の大部分が建築物の敷地として利用されていないこと。

（流通業務団地に関する都市計画）

第七条　都市計画法第十一条第二項の規定により流通業務団地に関する都市計画において定めるべき区域は、流通業務地区内の次の各号に規定する条件に該当する土地の区域でなければならない。

一　前条各号に規定する条件に該当すること。

二　当該区域内において整備されるべきトラックターミナル、鉄道の貨物駅又は中央卸売市場及びこれらと密接な関連を有するその他の流通業務施設の敷地が、これらの施設における貨物の集散量及びこれらの施設の配置に応じた適正な規模のものであること。

2　流通業務団地に関する都市計画においては、前項第二号の流通業務施設の敷地の位置及び規模並びに公共施設及び公益的施設の位置及び規模を定めるものとする。

3　流通業務団地に関する都市計画においては、建築物の建築面積の敷地面積に対する割合若しくは延べ面積の敷地面積に対する割合、建築物の高さ又は壁面の位置の制限を定めるものとする。

第八条　流通業務団地に関する都市計画は、次の各号に規定するところに従つて定めなければならない。

一　道路、自動車駐車場その他の施設に関する都市計画が定められている場合においては、その都市計画に適合するように定めること。

二　当該区域が、流通業務施設が適正に配置され、かつ、各流通業務施設を連絡する適正な配置及び規模の道路その他の主要な公共施設を備えることにより、流通業務地区の中核として一体的に構成されることとなるように定めること。

第四章　流通業務団地造成事業

第一節　流通業務団地造成事業の施行

（流通業務団地造成事業の施行）

第九条　流通業務団地造成事業は、都市計画事業として施行する。

（施行者）

第一〇条　流通業務団地造成事業は、地方公共団体又は独立行政法人都市再生機構（以下「機構」という。）が施行する。

第二節　削除

第一一条から第二四条まで　削除

第三節　施行計画及び処分計画

（施行計画及び処分計画）

第二五条　施行者は、施行計画及び処分計画を定めなければならない。

2　施行計画においては、国土交通省令で定めるところにより、事業地（事業地を工区に分けるときは、事業地及び工区）、設計及び資金計画を定めなければならない。

3　処分計画においては、造成施設等の処分方法及び処分価額に関する事項並びに処分後の造成敷地等の利用の規制に関する事項を定めなければならない。

4　この法律に規定するもののほか、施行計画及び処分計画の設定の技術的基準その他施行計画及び処分計画に関し必要な事項は、国土交通省令で定める。

（処分計画の認可等）

第二六条　施行者は、処分計画を定めようとする場合においては、国土交通省令で定めるところにより、機構にあつては国土交通大臣の認可を受け、地方公共団体にあつては都道府県知事（都道府県にあつては、国土交通大臣）に協議し、その同意を得なければならない。これを変更しようとする場合（国土交通省令で定める軽微な変更をしようとする場合を除く。）においても、同様とする。

2　施行者は、施行計画を定めた場合においては、国土交通省令で定めるところにより、これを都道府県又は機構にあつては国土交通大臣に、その他の者にあつては都道府県知事に届け出なければならない。これを変更した場合（国土交通省令で定める軽微な変更をした場合を除く。）においても、同様とする。

（処分計画の基準）

第二七条　処分計画においては、造成敷地等の処分価額は、類地等の時価を基準とし、かつ、当該造成敷地等の取得及び造成又は整備に要する費用（公共施設及び公益的施設の敷地の造成及びそれらの施設の整備に要する費用のうち当該造成敷地等である敷地に配分されるべき費用を含む。）並びに当該造成敷地等の位置、品位及び用途を勘案して決定するように定めなければならない。

第二八条　処分計画においては、処分後の造成施設等のうち、都市計画が定められているものについてはその都市計画に適合するように、その他のものについては当該流通業務団地にふさわしい規模及び用途の施設が建設されるように定めなければならない。

（施行計画及び処分計画に関する協議）

第二九条　施行者は、施行計画又は処分計画を定め、又は変更しようとするときは、あらかじめ、施行計画若しくは処分計画又はその変更に関係のある公共施設の管理者又は管理者となるべき者その他政令で定める者に協議しなければならない。

第四節　造成施設等の処分等

（工事完了の公告）

第三〇条　施行者は、事業地（事業地を工区に分けたときは、工区。以下この条において同じ。）の全部について工事（施行計画で特に定める工事を除く。）を完了したときは、遅滞なく、その旨を都道府県知事（施行者が機構であるときは、国土交通大臣。以下この条において同じ。）に届け出なければならない。

2　都道府県知事は、前項の届出があつた場合において、その届出に係る工事が施行計画に適合していると認めたときは、遅滞なく、当該事業地について工事が完了した旨を公告しなければならない。

（流通業務団地造成事業の施行により設置された公共施設の管理）

第三一条　流通業務団地造成事業の施行により公共施設が設置された場合においては、その公共施設は、前条第二項の公告の日の翌日において、その公共施設の存する市町村の管理に属するものとする。ただし、他の法律に基づき管理すべき者が別にあるとき、又は処分計画に特に管理すべき者の定めがあるときは、それらの者の管理に属するものとする。

2　施行者は、前条第二項の公告の日以前においても、公共施設に関する工事が完了した場合においては、前項の規定にかかわらず、その公共施設を管理すべき者にその管理を引き継ぐことができる。

3　施行者は、前条第二項の公告の日の翌日において、公共施設に関する工事を完了していない場合においては、第一項の規定にかかわらず、その工事が完了したときにおいて、その公共施設を管理すべき者にその管理を引き継ぐことができる。

4　公共施設を管理すべき者は、前二項の規定により施行者からその公共施設について管理の引継ぎの申出があつた場合においては、その公共施設に関する工事が施行計画において定められた設計に適合しない場合のほか、その引継ぎを拒むことができない。

（公共施設の用に供する土地の帰属）

第三二条　流通業務団地造成事業の施行により、従前の公共施設に代えて新たな公共施設が設置されることとなる場合においては、従前の公共施設の用に供していた土地で国又は地方公共団体が所有するものは、第三十条第二項の公告の日の翌日において施行者に帰属するものとし、これに代わるものとして処分計画で定める新たな公共施設の用に供する土地は、その日においてそれぞれ国又は当該地方公共団体に帰属するものとする。

２　流通業務団地造成事業の施行により設置された公共施設の用に供する土地は、前項に規定するもの及び処分計画で特別の定めをしたものを除き、第三十条第二項の公告の日の翌日において、当該公共施設を管理すべき者（その者が地方自治法第二条第九項第一号に規定する第一号法定受託事務（以下単に「第一号法定受託事務」という。）として当該公共施設を管理する地方公共団体であるときは、国）に帰属するものとする。

（造成施設等の処分）

第三三条　施行者は、造成施設等をこの法律及び処分計画に従つて処分しなければならない。

２　地方公共団体がこの法律の規定により行なう造成施設等の処分については、当該地方公共団体の財産の処分に関する法令の規定は、適用しない。

（造成敷地等の譲受人の公募）

第三四条　施行者は、造成敷地等について、政令で特別の定めをするものを除き、国土交通省令で定めるところにより、その譲受人を公募しなければならない。

（造成敷地等の譲受人の資格）

第三五条　公募による造成敷地等の譲受人は、少なくとも、次の各号に掲げる条件を備えた者でなければならない。

一　造成敷地等である敷地においてみずから流通業務施設を経営しようとする者であること。

二　流通業務施設の建設及び経営に必要な資力及び信用を有する者であること。

三　譲渡の対価の支払能力がある者であること。

（造成敷地等の譲受人の選考）

第三六条　施行者は、造成敷地等の譲受人を公募する場合には、次に掲げる者の順に、公正な方法で選考して、その譲受人を決定するものとする。

一　流通業務施設の敷地を当該流通業務団地造成事業に必要な土地として提供した者

二　当該流通業務地区の存する都市の区域内にある流通業務施設の敷地に代えて流通業務施設の敷地を取得しようとする者

三　当該流通業務地区の存する都市の区域内に流通業務施設を有する者で、造成敷地等である敷地にその流通業務施設と同一の業種に属する流通業務施設を新設しようとするもの（前号に該当する者を除く。）

四　その他の者

（流通業務施設の建設義務）

第三七条　施行者から流通業務施設を建設すべき敷地を譲り受けた者（その承継人を含むものとし、国、地方公共団体その他政令で定める者を除く。）は、施行者が定めた期間内に、国土交通省令で定めるところにより流通業務施設の建設の工期、工事概要等に関する計画を定めて、施行者の承認を受け、当該計画に従つて流通業務施設を建設しなければならない。

２　施行者は、前項の規定に違反して、その定めた期間内に同項の規定による承認を受ける手続をせず、又は承認を受けた計画に従つて流通業務施設を建設しなかつた者に対して、当該敷地の譲渡契約を解除することができる。

（造成敷地等に関する権利の処分の制限）

第三八条　第三十条第二項の公告の日の翌日から起算して十年間は、造成敷地等又は造成敷地等である敷地の上に建設された流通業務施設又は公益的施設に関する所有権、地上権、質権、使用貸借による権利又は賃借権その他の使用及び収益を目的とする権利の設定又は移転については、国土交通省令で定めるところにより、当事者が都道府県知事の承認を受けなければならない。ただし、次の各号の一に掲げる場合は、この限りではない。

一　当事者の一方又は双方が国、地方公共団体その他政令で定める者である場合

二　相続その他の一般承継により当該権利が移転する場合

三　滞納処分、強制執行、担保権の実行としての競売（その例による競売を含む。）又は企業担保権の実行により当該権利が移転する場合

四　土地収用法（昭和二十六年法律第二百十九号）その他の法律により収用され、又は使用される場合

五　その他政令で定める場合

２　前項に規定する承認に関する処分は、当該権利を設定し、又は移転しようとする者がその設定又は移転により不当に利益を受けるものでないかどうか、及びその設定又は移転の相手方が処分計画に定められた処分後の造成敷地等の利用の規制の趣旨に従つて当該造成敷地等を利用すると認められるものであるかどうかを考慮してしなければならない。

３　第一項に規定する承認には、処分計画に定められた処分後の造成敷地等の利用の規制の趣旨を達成するため必要な条件を附することができる。この場合において、その条件は、当該承認を受けた者に不当な義務を課するものであつてはならない。

（図書の備置き等）

第三九条　施行者は、第三十条第二項の公告があつたときは、造成施設等の存する市町村の長に対し、国土交通省令で定めるところにより、当該造成施設等の存する区域を表示した図書を送付しなければならない。

２　前項の図書の送付を受けた市町村長は、第三十条第二項の公告をした日の翌日から起算して十年間、その図書を当該市町村の役場に備え置いて、関係人の請求があつたときは、これを閲覧させなければならない。

３　都道府県知事は、国土交通省令で定めるところにより、第三十条第二項の公告の日の翌日から起算して十年間、流通業務団地造成事業が施行された土地の区域内の見やすい場所に、流通業務団地造成事業が施行された土地である旨を表示した標識を設置しなければならない。

４　何人も、前項の規定により設けられた標識を都道府県知事の承諾を得ないで移転し、若しくは除却し、又は汚損し、若しくは損壊してはならない。

第五節　補則

（測量のための標識の設置）

第三九条の二　流通業務団地造成事業を施行しようとする者又は施行者は、流通業務団地造成事業の施行の準備又は施行に必要な測量を行なうため必要がある場合においては、国土交通省令で定める標識を設けることができる。

２　何人も、前項の規定により設けられた標識を設置者の承諾を得ないで移転し、若しくは除却し、又は汚損し、若しくは損壊してはならない。

（関係簿書の閲覧等）

第三九条の三　流通業務団地造成事業を施行しようとする者又は施行者は、流通業務団地造成事業の施行の準備又は施行のため必要がある場合においては、流通業務団地造成事業を施行しようとする、又は施行する土地を管轄する登記所に対し、又はその他の官公署の長に対し、無償で必要な簿書の閲覧若しくは謄写又はその謄本若しくは抄本若しくは登記事項証明書の交付を求めることができる。

（建築物等の収用の請求）

第三九条の四　流通業務団地造成事業につき都市計画法第六十九条の規定により適用される土地収用法の規定により土地又は権利が収用される場合において、権原により当該土地又は当該権利の目的である土地に建築物その他の土地に定着する工作物を所有する者は、その工作物の収用を請求することができる。

２　土地収用法第八十七条の規定は、前項の規定による収用の請求について準用する。

（費用の負担）

第四〇条　流通業務団地造成事業に要する費用は、施行者の負担とする。

（書類の送付に代わる公告）

第四一条　施行者は、流通業務団地造成事業の施行に関し書類を送付する場合において、送付を受けるべき者がその書類の受領を拒んだとき、又は過失がなくて、その者の住所、居所その他書類を送付すべき場所を確知することができないときは、その書類の内容を公告することをもつて書類の送付に代えることができる。

２　前項の公告があつた場合においては、その公告の日の翌日から起算して十日を経過した日に、当該書類が送付を受けるべき者に到達したものとみなす。

（資金の調達についての配慮等）

第四二条　国は、流通業務団地造成事業に必要な資金の調達について配慮す

るものとする。

2　国は、造成敷地等である敷地を譲り受けて流通業務施設を建設しようとする者又は流通業務団地に関する都市計画に従い流通業務施設を建設しようとする者に対し、必要な資金のあつせんに努めるものとする。

3　農林水産大臣又は都道府県知事は、流通業務団地の区域内の農地又は採草放牧地を流通業務団地造成事業又は流通業務団地に関する都市計画に適合した流通業務施設の用に供するため農地法（昭和二十七年法律第二百二十九号）の規定による許可を求められた場合においては、流通業務団地造成事業の施行又は流通業務施設の建設が促進されるよう配慮するものとする。

（技術的援助の請求）

第四三条　都道府県及び機構は国土交通大臣に対して、市町村は国土交通大臣及び都道府県知事に対して、流通業務団地造成事業の施行の準備又は施行のため、それぞれ流通業務団地造成事業に関し専門的知識を有する職員の技術的援助を求めることができる。

（施行者に対する監督等）

第四四条　国土交通大臣は施行者である機構に対し、機構が定めた施行計画又は機構が行う工事若しくは処分が、この法律、この法律に基づく命令若しくは流通業務団地造成事業である都市計画事業の内容又は施行計画若しくは処分計画に従つていないと認める場合においては、流通業務団地造成事業の適正な施行を確保するため必要な限度において、施行計画の変更又は工事の中止若しくは変更若しくは処分の差止めその他必要な措置を命ずることができる。

2　国土交通大臣は、施行者である都道府県に対し、都道府県知事は施行者であるその他の地方公共団体に対し、それぞれそれらの者が定めた施行計画又はそれらの者が行う工事若しくは処分が、この法律、この法律に基づく命令若しくは流通業務団地造成事業である都市計画事業の内容又は施行計画若しくは処分計画に従つていないと認める場合においては、流通業務団地造成事業の適正な施行を確保するため必要な限度において、施行計画の変更又は工事の中止若しくは変更若しくは処分の差止めその他必要な措置を講ずべきことを求めることができる。

3　施行者である地方公共団体は、前項の規定による要求を受けたときは、当該施行計画の変更又は当該工事の中止若しくは変更若しくは当該処分の差止めその他必要な措置を講じなければならない。

4　国土交通大臣は、違法又は不当な第三十八条第一項の規定に基づく承認の処分が行なわれたときは、造成敷地等の適正な利用を確保するため必要な限度において、その承認の処分を取り消し、又は変更することができる。

（関連公共施設の整備）

第四五条　国及び地方公共団体は、流通業務団地造成事業の施行に関連して必要となる公共施設の整備に努めるものとする。

（関係行政機関との調整）

第四六条　国土交通大臣は、流通業務地区、流通業務団地に係る市街地開発事業等予定区域又は流通業務団地に関する都市計画を定め、又はその決定若しくは変更に同意しようとするときは、あらかじめ、農林水産大臣及び経済産業大臣に協議するものとする。

2　国土交通大臣又は都道府県知事は、第二十六条第一項の規定により処分計画を認可し、又は処分計画に同意しようとするときは、あらかじめ、当該処分計画に係る造成敷地等である敷地の上に建設されることとなる流通業務施設の設置又は経営について、他の法律の規定により許可、認可その他の処分をする権限を有する行政機関の長に協議しなければならない。

（不動産登記法の特例）

第四七条　事業地内の土地及び建物の登記については、政令で不動産登記法（平成十六年法律第百二十三号）の特例を定めることができる。

第五章　雑則

（主務大臣）

第四七条の二　第二章における主務大臣は、農林水産大臣、経済産業大臣及び国土交通大臣とする。

（権限の委任）

第四七条の三　第三章及び第四章に規定する国土交通大臣の権限は、国土交通省令で定めるところにより、その一部を地方整備局長又は北海道開発局長に委任することができる。

（政令への委任）

第四八条　この法律に特に定めるもののほか、この法律によりすべき公告の方法その他この法律の実施のため必要な事項は、政令で定める。

（経過措置）

第四八条の二　この法律の規定に基づき政令又は国土交通省令を制定し、又は改廃する場合においては、それぞれ、政令又は国土交通省令で、その制定又は改廃に伴い合理的に必要と判断される範囲内において、所要の経過措置（罰則に関する経過措置を含む。）を定めることができる。

（事務の区分）

第四八条の三　この法律の規定により地方公共団体が処理することとされている事務のうち次に掲げるものは、第一号法定受託事務とする。

一　都道府県が第三十条第二項、第三十八条第一項並びに第三十九条第三項及び第四項の規定により処理することとされている事務（都道府県又は機構が施行する流通業務団地造成事業に係るものに限る。）

二　市町村が第三十九条第二項の規定により処理することとされている事務（都道府県又は機構が施行する流通業務団地造成事業に係るものに限る。）

三　他の法律の規定により許可、認可その他の処分をする権限を有する行政機関（地方公共団体に限る。）が第四十六条第二項の規定により処理することとされている事務（他の法律により当該権限に属する事務が第一号法定受託事務とされている場合に限る。）

2　この法律の規定により市町村が処理することとされている事務のうち次に掲げるものは、地方自治法第二条第九項第二号に規定する第二号法定受託事務（以下単に「第二号法定受託事務」という。）とする。

一　第三十九条第二項に規定する事務（都道府県以外の地方公共団体が施行する流通業務団地造成事業に係るものに限る。）

二　他の法律の規定により許可、認可その他の処分をする権限を有する市町村が第四十六条第二項の規定により処理することとされている事務（他の法律により当該権限に属する事務が第二号法定受託事務とされている場合に限る。）

第六章　罰則

第四九条　次の各号の一に該当する者は、六月以下の懲役又は二十万円以下の罰金に処する。

一　第六条第一項の規定による命令に違反して、施設の移転等をしなかつた者

二　第三十七条第一項の規定に違反して、施行者が定めた期間内に、計画の承認を受ける手続をせず、又は承認を受けた計画に従つて流通業務施設を建設しなかつた者

三　第三十八条第一項の規定に違反して、同項に掲げる権利の設定又は移転につき承認を受けないで、造成敷地等又は造成敷地等である敷地の上に建設された流通業務施設又は公益的施設を権利者に引き渡した者

四　第三十八条第三項の規定により一定の期限までに一定の用途の施設を建設すべきことを内容とする条件を付された者で、その条件に違反して、その用途以外の施設を建設したもの

第五〇条　第五条第一項の規定に違反した者は、三十万円以下の罰金に処する。

第五一条　第三十九条第四項又は第三十九条の二第一項の規定に違反して、第三十九条第三項又は第三十九条の二第一項の規定により設けられた標識を移転し、若しくは除却し、又は汚損し、若しくは損壊した者は、二十万円以下の罰金に処する。

第五二条　第三十八条第一項の承認について虚偽の申請をした者は、五十万円以下の過料に処する。

第五三条　法人の代表者又は法人若しくは人の代理人、使用人その他の従業者がその法人又は人の業務又は財産に関して第四十九条又は第五十条に規定する違反行為をしたときは、行為者を罰するほか、その法人又は人に対して各本条の罰金刑を科する。

附則〔略〕〔昭和四一・七・一法律一一〇施行〕

附則〔略〕〔昭和四三・六・一五法律一〇一〕

附則〔抄〕〔昭和四五・六・一法律一〇九〕

（施行期日）

1　この法律は、公布の日から起算して一年をこえない範囲内において政令

で定める日から施行する。

〔昭和四五政二七〇により、昭和四六・一・一から施行〕

17　この法律の施行の際現に改正前の都市計画法第二章の規定による都市計画において定められている用途地域、住居専用地区若しくは工業専用地区又は空地地区若しくは容積地区に関しては、この法律の施行の日から起算して三年を経過する日までの間は、この法律による改正前の次の各号に掲げる法律の規定は、なおその効力を有する。

一〜七　〔略〕

八　流通業務市街地の整備に関する法律

九　〔略〕

附　則　〔略〕〔昭和四七・七・一法律一一一〕

附　則　〔略〕〔昭和四九・六・一法律六七〕

附　則　〔略〕〔昭和四九・六・一法律六九〕

附　則　〔略〕〔昭和五〇・六・二五法律四五〕

附　則　〔略〕〔昭和五三・七・五法律八七〕

附　則　〔略〕〔昭和五四・三・三〇法律五〕

附　則　〔略〕〔昭和五六・五・二二法律四八〕

附　則　〔抄〕〔平成五・五・二六法律五三〕

（施行期日）

第一条　この法律は、公布の日から起算して六月を超えない範囲内において政令で定める日から施行する。

〔平成五政三五三により、平成五・一一・一〇から施行〕

（基本方針に関する経過措置）

第二条　この法律の施行前にこの法律による改正前の流通業務市街地の整備に関する法律第三条の規定により定められた流通業務施設の整備に関する基本方針は、この法律による改正後の流通業務市街地の整備に関する法律第三条の二の規定により定められた流通業務施設の整備に関する基本方針とみなす。

（造成敷地等の譲受人の選考に関する経過措置）

第三条　流通業務市街地の整備に関する法律第二条第二項の流通業務団地造成事業であってこの法律の施行の際現に施行中のものに係る同条第八項の造成敷地等の譲受人を公募する場合の選考の順については、なお従前の例による。

（産業基盤整備基金の持分の払戻しの禁止の特例）

第四条　政府及び日本開発銀行以外の出資者は、産業基盤整備基金に対し、この法律の施行の日から起算して一月を経過した日までの間に限り、その持分の払戻しを請求することができる。

2　産業基盤整備基金は、前項の規定による請求があったときは、民間事業者の能力の活用による特定施設の整備の促進に関する臨時措置法第十八条第一項の規定にかかわらず、当該持分に係る出資額に相当する金額により払戻しをしなければならない。この場合において、産業基盤整備基金は、その払戻しをした金額により資本金を減少するものとする。

（罰則に関する経過措置）

第五条　この法律の施行前にした行為に対する罰則の適用については、なお従前の例による。

附　則　〔抄〕〔平成五・一一・一二法律八九〕

（施行期日）

第一条　この法律は、行政手続法（平成五年法律第八十八号）の施行の日（平成六・一〇・一）から施行する。

（諮問等がされた不利益処分に関する経過措置）

第二条　この法律の施行前に法令に基づき審議会その他の合議制の機関に対し行政手続法第十三条に規定する聴聞又は弁明の機会の付与の手続その他の意見陳述のための手続に相当する手続を執るべきことの諮問その他の求めがされた場合においては、当該諮問その他の求めに係る不利益処分の手続に関しては、この法律による改正後の関係法律の規定にかかわらず、なお従前の例による。

（罰則に関する経過措置）

第一三条　この法律の施行前にした行為に対する罰則の適用については、なお従前の例による。

（聴聞に関する規定の整理に伴う経過措置）

第一四条　この法律の施行前に法律の規定により行われた聴聞、聴問若しくは聴聞会（不利益処分に係るものを除く。）又はこれらのための手続は、この法律による改正後の関係法律の相当規定により行われたものとみなす。

（政令への委任）

第一五条　附則第二条から前条までに定めるもののほか、この法律の施行に関して必要な経過措置は、政令で定める。

附　則　〔略〕〔平成六・六・二九法律四九〕

附　則　〔略〕〔平成一一・六・一六法律七六〕

附　則　〔抄〕〔平成一一・七・一六法律八七〕

（施行期日）

第一条　この法律は、平成十二年四月一日から施行する。ただし、次の各号に掲げる規定は、当該各号に定める日から施行する。

一　〔前略〕附則〔中略〕第百六十条、第百六十三条、第百六十四条並びに第二百二条の規定　公布の日

二〜六　〔略〕

（流通業務市街地の整備に関する法律の一部改正に伴う経過措置）

第一三九条　施行日前に第四百三十六条の規定による改正前の流通業務市街地の整備に関する法律（以下この条において「旧流通業務市街地法」という。）第三条の二第六項の規定による承認を受けた流通業務施設の整備に関する基本方針（以下この項において「基本方針」という。）は、第四百三十六条の規定による改正後の流通業務市街地の整備に関する法律（以下この条において「新流通業務市街地法」という。）第三条の二第六項の規定による協議を行った基本方針とみなす。

2　この法律の施行の際現に旧流通業務市街地法第三条の二第六項の規定によりされている承認の申請は、新流通業務市街地法第三条の二第六項の規定によりされた協議の申出とみなす。

3　施行日前に旧流通業務市街地法第二十六条第一項の規定により地方公共団体に対してされた認可又はこの法律の施行の際現に同項の規定により地方公共団体からされている認可の申請は、それぞれ新流通業務市街地法第二十六条第一項の規定によりされた同意又は協議の申出とみなす。

4　施行日前に旧流通業務市街地法第四十四条第一項の規定により建設大臣が都道府県に対してした命令又は都道府県知事がその他の施行者に対してした命令は、それぞれ新流通業務市街地法第四十四条第二項の規定により建設大臣が都道府県に対してした要求又は都道府県知事がその他の地方公共団体に対してした要求とみなす。

（国等の事務）

第一五九条　この法律による改正前のそれぞれの法律に規定するもののほか、この法律の施行前において、地方公共団体の機関が法律又はこれに基づく政令により管理し又は執行する国、他の地方公共団体その他公共団体の事務（附則第百六十一条において「国等の事務」という。）は、この法律の施行後は、地方公共団体が法律又はこれに基づく政令により当該地方公共団体の事務として処理するものとする。

（処分、申請等に関する経過措置）

第一六〇条　この法律（附則第一条各号に掲げる規定については、当該各規定。以下この条及び附則第百六十三条において同じ。）の施行前に改正前のそれぞれの法律の規定によりされた許可等の処分その他の行為（以下この条において「処分等の行為」という。）又はこの法律の施行の際現に改正前のそれぞれの法律の規定によりされている許可等の申請その他の行為（以下この条において「申請等の行為」という。）で、この法律の施行の日においてこれらの行為に係る行政事務を行うべき者が異なることとなるものは、附則第二条から前条までの規定又は改正後のそれぞれの法律（これに基づく命令を含む。）の経過措置に関する規定に定めるものを除き、この法律の施行の日以後における改正後のそれぞれの法律の適用については、改正後のそれぞれの法律の相当規定によりされた処分等の行為又は申請等の行為とみなす。

2　この法律の施行前に改正前のそれぞれの法律の規定により国又は地方公共団体の機関に対し報告、届出、提出その他の手続をしなければならない事項で、この法律の施行の日前にその手続がされていないものについては、この法律及びこれに基づく政令に別段の定めがあるもののほか、これを、改正後のそれぞれの法律の相当規定により国又は地方公共団体の相当の機関に対して報告、届出、提出その他の手続をしなければならない事項についてその手続がされていないものとみなして、この法律による改正後のそれぞれの法律の規定を適用する。

（不服申立てに関する経過措置）

第一六一条　施行日前にされた国等の事務に係る処分であって、当該処分を

した行政庁（以下この条において「処分庁」という。）に施行日前に行政不服審査法に規定する上級行政庁（以下この条において「上級行政庁」という。）があったものについての同法による不服申立てについては、施行日以後においても、当該処分庁に引き続き上級行政庁があるものとみなして、行政不服審査法の規定を適用する。この場合において、当該処分庁の上級行政庁とみなされる行政庁は、施行日前に当該処分庁の上級行政庁であった行政庁とする。

２　前項の場合において、上級行政庁とみなされる行政庁が地方公共団体の機関であるときは、当該機関が行政不服審査法の規定により処理することとされる事務は、新地方自治法第二条第九項第一号に規定する第一号法定受託事務とする。

（手数料に関する経過措置）

第百六十二条　施行日前においてこの法律による改正前のそれぞれの法律（これに基づく命令を含む。）の規定により納付すべきであった手数料については、この法律及びこれに基づく政令に別段の定めがあるもののほか、なお従前の例による。

（罰則に関する経過措置）

第百六十三条　この法律の施行前にした行為に対する罰則の適用については、なお従前の例による。

（その他の経過措置の政令への委任）

第百六十四条　この附則に規定するもののほか、この法律の施行に伴い必要な経過措置（罰則に関する経過措置を含む。）は、政令で定める。

２　（略）

附　則　（略）（平成一一・一二・二二法律一六〇）

附　則　（平成一四・七・三一法律一〇〇）

（施行期日）

第一条　この法律は、民間事業者による信書の送達に関する法律（平成十四年法律第九十九号）の施行の日（平成一五・四・一）から施行する。

（罰則に関する経過措置）

第二条　この法律の施行前にした行為に対する罰則の適用については、なお従前の例による。

（その他の経過措置の政令への委任）

第三条　前条に定めるもののほか、この法律の施行に関し必要な経過措置は、政令で定める。

附　則　（略）（平成一四・一二・一一法律一四六）

附　則　（略）（平成一五・六・二〇法律一〇〇）

附　則　（略）（平成一六・四・二一法律三五）

附　則　（略）（平成一六・六・一八法律一二四）

附　則　（略）（平成一七・七・二九法律八九）

附　則　（抄）（平成二三・八・三〇法律一〇五）

（施行期日）

第一条　この法律は、公布の日から施行する。ただし、次の各号に掲げる規定は、当該各号に定める日から施行する。

一　（略）

二　（前略）第百十六条（流通業務市街地の整備に関する法律第三条の二の改正規定を除く。）（中略）の規定並びに附則（中略）第五十五条（中略）の規定　平成二十四年四月一日

三～六　（略）

（流通業務市街地の整備に関する法律の一部改正に伴う経過措置）

第五十五条　第百十六条の規定（流通業務市街地の整備に関する法律第三条の二の改正規定を除く。以下この条において同じ。）の施行の際現に効力を有する第百十六条の規定による改正前の流通業務市街地の整備に関する法律第五条第一項ただし書若しくは第六条第一項若しくは第二項の規定により都道府県知事が行った許可その他の行為又は現に同法第五条第一項ただし書の規定により都道府県知事に対して行っている許可の申請で、第百十六条の規定による改正後の流通業務市街地の整備に関する法律第五条第一項ただし書又は第六条第一項若しくは第二項の規定により市長が行うこととなる事務に係るものは、それぞれこれらの規定により当該市長が行った許可その他の行為又は当該市長に対して行った許可の申請とみなす。

（罰則に関する経過措置）

第八十一条　この法律（附則第一条各号に掲げる規定にあっては、当該規定。以下この条において同じ。）の施行前にした行為及びこの附則の規定によりなお従前の例によることとされる場合におけるこの法律の施行後にした行為に対する罰則の適用については、なお従前の例による。

（政令への委任）

第八十二条　この附則に規定するもののほか、この法律の施行に関し必要な経過措置（罰則に関する経過措置を含む。）は、政令で定める。

○流通業務市街地の整備に関する法律施行令〔昭和四一・一・六　政令三〕

改正　昭和四四・六政一五八、昭和四五・一二政三三三、昭和五三・六政二三九、昭和六〇・四政一一一、昭和六二・三政五四、平成五・五政一七〇、一〇政三二九、一一政三五四、平成一一・一一政三五二、平成一二・六政三一二、平成一三・九政二八六、平成一四・一一政三三二、平成一六・四政一六〇、五政一八一、平成二九・六政一五六

（公共施設）

第一条　流通業務市街地の整備に関する法律（以下「法」という。）第二条第五項の政令で定める公共の用に供する施設は、公園、広場、緑地、下水道、河川、水路、運河、堤防、護岸及び公共物揚場とする。

（危険物等）

第二条　法第五条第一項第三号の政令で定める危険物は、建築基準法（昭和二十五年法律第二百一号）別表第二(る)項第一号(一)から(三)まで、(十一)及び(十二)に掲げる物品とする。

２　法第五条第一項第三号の政令で定める倉庫、野積場又は貯蔵槽（以下「倉庫等」という。）は、建築基準法施行令（昭和二十五年政令第三百三十八号）第百三十条の九第一項の表商業地域の欄に定める数量をこえる前項の危険物の保管の用に供するもの（第一石油類、第二石油類又は第三石油類の保管の用に供する地下貯蔵槽を除く。）とする。

３　建築基準法施行令第百十六条第二項の規定は倉庫等に係る第一項の危険物の数量の限度について、同条第三項の規定は倉庫等に係る第一項の危険物のうち同令第百三十条の九第一項の表(二)項から(四)項までに掲げる危険物の数量の限度について準用する。

（物資の流通の過程における簡易な加工の事業）

第三条　法第五条第一項第七号の物資の流通の過程における簡易な加工の事業で政令で定めるものは、次に掲げるものとする。

一　板ガラス又はカーテン、床敷物その他これらに類する繊維製品の切断の事業

二　家具、建具又は自転車の部品を組み立てることによりこれらを製品又は半製品とする事業
三　包装又はこん包の事業
四　商品又はその包装若しくはこん包に商品名その他の事項の表示を行い、又は当該表示がされた物を付ける事業

（流通業務地区の機能を害するおそれがない施設）
第四条　法第五条第一項第十一号の流通業務地区の機能を害するおそれがない施設で政令で定めるものは、次に掲げるものとする。
一　農産物、畜産物若しくは水産物の処理若しくは加工又は木製、紙製若しくは合成樹脂製の包装材料の製造の事業の用に供する工場
二　流通業務地区において流通業務を営む者が主としてその従業者の一時的な休泊の用に供するため設置する施設
三　液化石油ガスの販売所
四　計量法（平成四年法律第五十一号）第百七条に規定する計量証明の事業の用に供する事業所

（施行計画及び処分計画について協議すべき者）
第五条　法第二十九条の政令で定める者は、次に掲げる者とする。
一　次条第一項の規定により造成敷地等の譲受人として特定される者
二　公共施設以外の公共の用に供する施設で、国土交通省令で定めるものの管理者

（譲受人の公募をしない造成敷地等）
第六条　施行者は、次に掲げる造成敷地等については、公募をしないで譲受人を決定することができる。
一　土地収用法（昭和二十六年法律第二百十九号）第三条に規定する事業の用に供する造成敷地等
二　前号に掲げるもののほか、次に掲げる要件に該当する敷地である造成敷地等
イ　当該敷地の用途、位置及び規模が、流通業務団地に関する都市計画において定められていること。
ロ　法第三条の二第一項の流通業務施設の整備に関する基本方針において定められた流通業務地区の規模に照らして適正な規模であり、かつ、当該地区に立地することが当該基本方針において定められた当該地区の機能の増進に著しく寄与すると認められる流通業務施設を建設する法人で次のいずれかに該当するものが、それぞれ次に規定する事業の用に供する敷地であること。
(1)　当該流通業務施設を法第三十五条第一号及び第二号（流通業務施設の建設に関する部分を除く。以下同じ。）に掲げる条件を備えた者に賃貸し、又は譲渡する事業を営むことを主たる目的とする法人で、地方公共団体が資本金、基本金その他これらに準ずるものの三分の一以上を出資しているものその他当該事業の経営に必要な資力及び信用を有するもの
(2)　当該流通業務施設を法第三十五条第一号及び第二号に掲げる条件を備えた者に賃貸し、又は譲渡する事業を行う中小企業等協同組合法（昭和二十四年法律第百八十一号）による事業協同組合、事業協同小組合又は協同組合連合会で、当該事業を行うために必要な資力及び信用を有するもの
(3)　当該流通業務施設を自ら経営する農業協同組合法（昭和二十二年法律第百三十二号）第十条第一項第八号の事業を行う全国的な組織を有する農業協同組合連合会

2　施行者である地方公共団体がその事務又は事業の用に供する造成敷地等は、施行者がみずから当該用途に供することができる。

（公告の方法等）
第七条　法第三十条第二項の公告は、官報、公報その他所定の手段により行なわなければならない。
第八条　法第四十一条第一項の公告は、公報その他所定の手段により行なうほか、当該公報その他所定の手段による公告を行なつた日から起算して十日間、流通業務団地造成事業を施行すべき土地の区域又は流通業務団地造成事業の事業地内の適当な場所に掲示して行なわなければならない。
2　前項の場合において、流通業務団地造成事業を施行すべき土地の区域又は流通業務団地造成事業の事業地の属する市町村及び書類の送付を受けるべき者の住所又はその者の最後の住所の属する市町村の長は、施行者の求めにより、同項の規定による掲示がされている旨の公告をしなければならない。この場合においては、前項の規定による掲示は、同項の規定にかかわらず、当該市町村の長の公告があつた日（二以上の市町村の長の公告があつたときは、最後の公告があつた日）から起算して十日を経過した日まででしなければならない。
3　前項の規定により市町村が処理することとされている事務は、都道府県又は独立行政法人都市再生機構が施行する流通業務団地造成事業に係るものにあつては地方自治法（昭和二十二年法律第六十七号）第二条第九項第一号に規定する第一号法定受託事務とし、都道府県以外の地方公共団体が施行する流通業務団地造成事業に係るものにあつては同項第二号に規定する第二号法定受託事務とする。
4　法第四十一条第一項の公告があつた日は、第一項の規定による掲示の期間の満了日とする。

（国土交通省令への委任）
第九条　法及びこの政令に定めるもののほか、法及びこの政令の実施のため必要な手続その他の事項は、国土交通省令で定める。

附　則〔略〕〔昭和四二・一一・六政令三施行〕
附　則〔略〕〔昭和四四・六・一三政令一五八〕
附　則〔抄〕〔昭和四五・一二・二政令三三三〕

（施行期日）
1　この政令は、建築基準法の一部を改正する法律（昭和四十五年法律第百九号。以下「改正法」という。）の施行の日（昭和四十六年一月一日）から施行する。

15　この政令の施行の際現に改正前の都市計画法第二章の規定による都市計画において定められている用途地域、住居専用地区若しくは工業専用地区又は空地地区若しくは容積地区に関しては、この政令の施行の日から起算して三年を経過する日までの間は、この政令による改正前の次の各号に掲げる政令の規定は、なおその効力を有する。
一～五〔略〕
六　流通業務市街地の整備に関する法律施行令
七〔略〕

附　則〔略〕〔昭和五三・六・一六政令二三九〕
附　則〔略〕〔昭和六二・三・二〇政令五四〕
附　則〔抄〕〔平成五・五・一二政令一七〇〕

（施行期日）
第一条　この政令は、都市計画法及び建築基準法の一部を改正する法律（以下「改正法」という。）の施行の日（平成五年六月二十五日）から施行する。

（地方公共団体手数料令等の一部改正に伴う経過措置）
第一三条　この政令の施行の際現に旧都市計画法の規定により定められている都市計画区域に係る用途地域に関しては、この政令の施行の日から起算して三年を経過する日までの間は、この政令による改正後の次に掲げる政令の規定中用途地域に係る部分は適用せず、この政令による改正前の次に掲げる政令の規定中用途地域に係る部分は、なおその効力を有する。
一～三〔略〕
四　流通業務市街地の整備に関する法律施行令

附　則〔略〕〔平成五・一〇・六政令三二九〕
附　則〔抄〕〔平成五・一一・八政令三五四〕

（施行期日）
1　この政令は、流通業務市街地の整備に関する法律の一部を改正する法律の施行の日（平成五年十一月十日）から施行する。

（流通業務市街地の整備に関する法律第三条第一項の大都市を定める政令の廃止）
2　流通業務市街地の整備に関する法律第三条第一項の大都市を定める政令（昭和四十二年政令第六十六号）は、廃止する。

附　則〔略〕〔平成一一・一一・一〇政令三五二〕
附　則〔略〕〔平成一二・六・七政令三一二〕
附　則〔略〕〔平成一三・九・五政令二八六〕
附　則〔略〕〔平成一四・一一・一三政令三三一〕
附　則〔略〕〔平成一六・四・九政令一六〇〕
附　則〔略〕〔平成一六・五・二六政令一八一〕
附　則〔抄〕〔平成二九・六・一四政令一五六〕

（施行期日）
第一条　この政令は、都市緑地法等の一部を改正する法律（中略）附則第一条第二号に掲げる規定の施行の日（平成三十年四月一日）から施行する。

○流通業務市街地の整備に関する法律施行規則〔昭和四二・一・二七 建設省令三〕

改正　昭和四四・八建令四九、一一建令五三、昭和四九・八建令一〇、昭和五〇・三建令三、昭和五一・一建令二、昭和五三・五建令一一、昭和五六・九建令一二、平成六・九建令二七、平成七・三建令五、建令八、平成一一・四建令一四、九建令四一、平成一二・一建令九、建令一〇、一一建令四一、一二総・運・建令一、平成一五・三国交令三七、平成一六・六国交令七〇、平成一七・三国交令一二、平成一九・八国交令七五、平成二三・一二国交令一〇五、平成二九・三国交令一九、令和二・一二国交令九八、令和三・一二国交令七九、令和六・一国交令六

（法第五条第二項の国土交通省令で定める公益的施設）

第一条　流通業務市街地の整備に関する法律（以下「法」という。）第五条第二項の国土交通省令で定める公益的施設は、次の各号のいずれかに該当するものとする。

一　国又は地方公共団体が設置する施設

二　電気事業法（昭和三十九年法律第百七十号）による電気事業の用に供する電気工作物、ガス事業法（昭和二十九年法律第五十一号）によるガス事業（同法第二条第二項に規定するガス小売事業を除く。）の用に供するガス工作物、水道、電気通信の用に供する施設及び鉄道、軌道、索道又は無軌条電車の用に供する施設（前号に該当するものを除く。）

三　銀行、信用協同組合若しくは信用協同組合連合会又は信用金庫若しくは信用金庫連合会の営業所

第二条から第八条まで　削除

（事業地位置図及び事業地区域図）

第九条　法第二十五条第二項に規定する事業地（事業地を工区に分けるときは、事業地及び工区。以下この条及び次条第三項において同じ。）は、事業地位置図及び事業地区域図を作成して定めなければならない。

2　前項の事業地位置図は、縮尺二万五千分の一以上とし、事業地の位置を表示した地形図でなければならない。

3　第一項の事業地区域図は、縮尺二千五百分の一以上とし、事業地の区域並びにその区域を明らかに表示するために必要な範囲内において都道府県界、市町村界、市町村の区域内の町又は字の境界並びに土地の地番及び形状を表示したものでなければならない。

（設計図書）

第一〇条　法第二十五条第二項に規定する設計は、設計説明書及び設計図を作成して定めなければならない。

2　前項の設計説明書には、次に掲げる事項を記載しなければならない。

一　設計の方針

二　土地利用計画

三　街区の設定計画（処分後の造成敷地等である敷地の上に建設されることとなる流通業務施設及び公益的施設の配置の想定を含む。）

四　公共施設及び公益的施設の整備計画

五　附帯事業の概要

3　第一項の設計図は、縮尺二千五百分の一以上とし、事業地及び街区の境界並びに造成施設等の位置、形状及び種別を表示した平面図並びに前項第三号及び第四号に掲げる事項の概要を表示したその他の図面でなければならない。

（資金計画書）

第一一条　法第二十五条第二項に規定する資金計画は、別記様式第一の資金計画書により定めなければならない。

（設計の設定に関する技術的基準）

第一二条　法第二十五条第二項に規定する設計の設定に関する同条第四項に規定する技術的基準は、次に掲げるものとする。

一　設計は、当該流通業務団地内に建設されることとなる公共施設、公益的施設及び流通業務施設の規模、構造等を考慮して、これらの施設が一体的に機能し得るように定めなければならない。

二　街区は、地形、地盤の性質等を考慮し、当該街区内に建設されることとなる公共施設、公益的施設及び流通業務施設の規模、構造等を想定して適切なものとなるように定めなければならない。

三　道路及び自動車駐車場は、車両及び歩行者のそれぞれの交通の安全及び円滑が確保されるように定めなければならない。

四　幹線街路以外の道路（歩行者専用道路を除く。）の幅員は、八メートル（特別の事情によりやむを得ない場合においては、小区間に限り六メートル）以上としなければならない。

五　公園、緑地及び広場は、休息、運動、避難等の利用目的が十分に確保されるように定めなければならない。

六　下水道は、当該流通業務団地の規模等から想定される汚水量及び地形、降水量等から想定される雨水流出量を支障なく処理できるように定めなければならない。

七　公益的施設は、それぞれの機能に応じ、流通業務地区の利便が確保されるようにその位置、規模等を定めなければならない。

八　流通業務施設の敷地は、当該敷地に建設されることとなる流通業務施設の用途、規模、構造等を想定して適切なものとなるように定めなければならない。この場合において騒音、振動等による環境の悪化の防止上必要な緑地帯その他の緩衝帯が配置されるよう考慮しなければならない。

九　設計は、流通業務団地及びその周辺の地域における環境を保全するため、流通業務団地の規模、形状及び周辺の状況、流通業務団地内の土地の地形及び地盤の性質並びに流通業務団地内に建設されることとなる流通業務施設等の用途並びに敷地の規模及び配置を勘案して、流通業務団地における植物の生育の確保上必要な樹木の保存、表土の保全その他の必要な措置が講ぜられるように定めなければならない。

（処分計画書）

第一三条　法第二十五条第一項に規定する処分計画は、別記様式第二の処分計画書により定めなければならない。

（処分計画又はその変更の認可申請等の手続）

第一四条　法第二十六条第一項前段の規定による認可を受け、又は同項前段の規定による協議を申し出ようとする施行者は処分計画を、同項後段の規定による処分計画の変更の認可を受け、又は同項後段の規定による処分計画の変更の協議を申し出ようとする施行者は処分計画のうち変更に係る事項を、認可申請書又は協議申出書とともに都道府県又は独立行政法人都市再生機構にあつては国土交通大臣に、その他の者にあつては都道府県知事に提出しなければならない。

2　法第二十九条の協議をしなければならない場合においては、前項の認可申請書又は協議申出書にその協議をしたことを証する書類を添付しなければならない。

（国土交通大臣又は都道府県知事の認可等を要しない処分計画の変更）

第一五条　法第二十六条第一項の国土交通省令で定める軽微な変更は、次に掲げるものとする。

一　処分計画書に掲げる者の氏名又は名称の変更

二　設計の変更に伴う造成施設等の面積の変更

三　造成施設等の面積の変更に伴う処分価額の変更

四　造成敷地等の取得及び造成若しくは建設に要する費用又は公共施設の整備に要する費用の変更に伴う処分価額の一割以内の変更

五　同一年度内における処分の時期の変更

（施行計画又はその変更の届出手続）

第一六条　法第二十六条第二項前段の規定による届出をしようとする施行者は施行計画を、同項後段の規定による施行計画の変更の届出をしようとする施行者は施行計画のうち変更に係る事項を、届出書とともに都道府県又は独立行政法人都市再生機構にあつては国土交通大臣に、その他の者にあつては都道府県知事に提出しなければならない。

2　法第二十九条の協議をしなければならない場合においては、前項の届出書にその協議をしたことを証する書類を添付しなければならない。

（国土交通大臣又は都道府県知事への届出を要しない施行計画の変更）

第一七条　法第二十六条第二項の国土交通省令で定める軽微な変更は、次に掲げるものとする。

一　街区の境界又は造成施設等の位置若しくは形状の軽微な変更

二　工事の仕様を変更する設計の変更

（施行計画及び処分計画について協議すべき者）

第一八条　流通業務市街地の整備に関する法律施行令（以下「令」という。）第五条第二号の国土交通省令で定める施設は、次に掲げるものとする。

一　次に掲げる施設で、流通業務団地造成事業の施行によりその効用を失い、又は害されるおそれがあるもの

イ　農業用のため池及び用排水機場

ロ　工業用水道事業法（昭和三十三年法律第八十四号）による工業用水道事業の用に供する工業用水道

二　次に掲げる施設で、施行地区内に設けられるもの

イ　電気事業法による電気事業の用に供する電気工作物

ロ　ガス事業法によるガス事業（同法第二条第二項に規定するガス小売事業を除く。）の用に供するガス工作物

（造成敷地等の譲受人の公募）

第一九条　法第三十四条の規定により施行者が行う譲受人の公募は、地方公共団体にあつては公報への登載その他所定の手段及び当該地方公共団体のウェブサイトへの掲載により、独立行政法人都市再生機構にあつては掲示及び独立行政法人都市再生機構のウェブサイトへの掲載によつて行うものとする。

2　施行者は、前項の規定によるほか、主要な関係機関、報道機関等を通じてその旨を周知させるよう努めるものとする。

3　第一項の公募は、少なくとも申込みの受付開始の日の二週間前からしなければならない。

（流通業務施設の建設計画）

第二〇条　法第三十七条第一項の規定により流通業務施設を建設すべき敷地を譲り受けた者が定めるべき流通業務施設の建設の計画は、別記様式第三の流通業務施設の建設計画書に図面を添附して定めなければならない。

2　前項の図面は、次の各号に掲げる事項を記載し、流通業務施設の建設計画書に記載された事項に対照する番号を付した縮尺五百分の一以上の平面図でなければならない。

一　当該敷地の境界線及び当該敷地内における流通業務施設の配置

二　前号の流通業務施設の建設の年度別区分

（造成敷地等に関する権利の処分についての承認申請手続）

第二一条　令第六条第一項の規定により造成敷地等を公募によらないで譲り受けた者が当該譲受けの趣旨に従つて法第三十八条第一項の権利を設定し、又は移転する場合には、別記様式第四又は第五の権利処分承認申請書を、その他の場合には、別記様式第四の権利処分承認申請書を都道府県知事に提出しなければならない。

（施行者の行なう図書の送付）

第二二条　法第三十九条第一項の規定による送付は、法第三十条第二項の公告をした日から起算して三十日以内に、造成施設等の存する区域に含まれる地域の名称及び当該区域の面積を記載した書面に図面を添附してしなければならない。

2　前項の図面は、縮尺千分の一以上とし、造成施設等の存する区域並びに当該造成施設等の位置、形状及び種別を表示した平面図でなければならない。

（標識の設置）

第二三条　法第三十九条第三項の規定による標識の設置は、次に掲げる事項を表示した標識により行なうものとする。

一　流通業務団地造成事業が施行された土地の区域に含まれる地域の名称

二　施行者の名称

三　工事完了公告の年月日

四　標識設置者の名称

（測量標識）

第二四条　法第三十九条の二第一項の国土交通省令で定める標識は、表示杭に測量の目的及び流通業務団地造成事業を施行しようとする者又は施行者の名称を表示したものとする。

（法第五条第一項の規定に適合していることを証する書面の交付）

第二五条　建築基準法（昭和二十五年法律第二百一号）第六条第一項若しくは第六条の二第一項の規定による確認済証の交付を受けようとする者又は畜舎等の建築等及び利用の特例に関する法律（令和三年法律第三十四号）第三条第一項の認定（同法第四条第一項の変更の認定を含む。）を受けようとする者は、その計画が法第五条第一項の規定に適合していることを証する書面の交付を都道府県知事（市の区域内にあつては、当該市の長）に求めることができる。

（流通業務効率化基盤整備事業に関する計画の認定を取り消そうとする場合における聴聞手続）

第二六条　主務大臣が法第四十七条の三第二項の規定に基づき流通業務効率化基盤整備事業に関する計画の認定を取り消そうとする場合において行政手続法（平成五年法律第八十八号）第三章第二節の定めるところにより行う聴聞の手続については、国土交通省聴聞手続規則（平成十二年総理府・運輸省・建設省令第一号）第二条から第十三条までの規定を準用する。この場合において、同令第三条第一項中「行政庁」とあるのは「流通業務市街地の整備に関する法律（昭和四十一年法律第百十号）第四十七条の三第二項の主務大臣」と、同令第三条第二項及び第三項、第五条、第六条第二項から第四項まで、第十条、第十二条第一項第五号及び第八号並びに第十三条中「行政庁」とあるのは「流通業務市街地の整備に関する法律第四十七条の三第二項の主務大臣」と読み替えるものとする。

（権限の委任）

第二七条　法第三章及び第四章に規定する国土交通大臣の権限のうち、次に掲げるものは、地方整備局長及び北海道開発局長に委任する。ただし、第三号及び第四号に掲げる事務については、国土交通大臣が自ら行うことを妨げない。

一　法第二十六条第一項の規定により処分計画について協議し、及び同意すること。

二　法第二十六条第二項の規定により施行計画の届出を受理すること（都道府県が施行する流通業務団地造成事業に係るものに限る。）。

三　法第四十三条の規定により都道府県又は市町村に対し技術的援助を行うこと。

四　法第四十四条第二項の規定により必要な措置を講ずべきことを求めること。

五　法第四十四条第四項の規定により承認の処分を取り消し、又は変更すること（地方公共団体が施行する流通業務団地造成事業に係るものに限る。）。

六　法第四十六条第一項の規定により農林水産大臣及び経済産業大臣に協議すること（流通業務地区、流通業務団地に係る市街地開発事業等予定区域又は流通業務団地に関する都市計画の決定又は変更に同意しようとする場合に限る。）。

七　法第四十六条第二項の規定により行政機関の長に協議すること（都道府県が施行する流通業務団地造成事業に係るものに限る。）。

附　則〔略〕〔昭和四二・一一・二七建設省令三三施行〕

附　則〔略〕〔昭和五〇・三・一八建設省令三〕

附　則〔略〕〔昭和五六・九・二八建設省令一二〕

附　則〔略〕〔平成六・九・二九建設省令二七〕

附　則〔略〕〔平成七・三・一建設省令五〕

附　則〔略〕〔平成七・三・二八建設省令八〕

附　則〔略〕〔平成一一・四・二六建設省令一四〕

附　則〔略〕〔平成一一・九・二七建設省令四一〕

附　則〔略〕〔平成一二・一・三一建設省令一〇〕

附　則〔略〕〔平成一二・一一・二〇建設省令四一〕

附　則〔略〕〔平成一二・一二・一四総理府・運輸・建設省令二〕

附　則〔略〕〔平成一五・三・二八国土交通省令三七〕

附　則〔略〕〔平成一六・六・一八国土交通省令七〇〕

附　則〔略〕〔平成一九・八・三国土交通省令七五〕

附　則〔略〕〔平成二三・一二・二六国土交通省令一〇五〕

附　則〔抄〕〔平成二九・三・三一国土交通省令一九〕

（施行期日）

第一条　この省令は、電気事業法等の一部を改正する等の法律（以下「改正法」という。）附則第一条第五号に掲げる規定の施行の日（平成二十九年四月一日）から施行する。

（流通業務市街地の整備に関する法律施行規則の一部改正に伴う経過措置）

第二条　第二条の規定による改正後の流通業務市街地の整備に関する法律施行規則（以下この条において「新流通業務市街地の整備に関する法律施行規則」という。）第一条第二号及び第十八条第二号ロの規定の適用については、改正法附則第二十二条第一項に規定する旧一般ガスみなしガス小売事業者（以下単に「旧一般ガスみなしガス小売事業者」という。）が同項

の義務を負う間、新流通業務市街地の整備に関する法律施行規則第一条第二号及び第十八条第二号ロ中「ガス小売事業」とあるのは、「ガス小売事業（電気事業法等の一部を改正する等の法律（平成二十七年法律第四十七号）附則第二十二条第一項に規定する指定旧供給区域等小売供給を行う事業を除く。）」とする。

2　新流通業務市街地の整備に関する法律施行規則第一条第二号及び第十八条第二号ロの規定の適用については、改正法附則第二十八条第一項に規定する旧簡易ガスみなしガス小売事業者（以下単に「旧簡易ガスみなしガス小売事業者」という。）が同項の義務を負う間、新流通業務市街地の整備に関する法律施行規則第一条第二号及び第十八条第二号ロ中「ガス小売事業」とあるのは、「ガス小売事業（電気事業法等の一部を改正する等の法律（平成二十七年法律第四十七号）附則第二十八条第一項に規定する指定旧供給地点小売供給を行う事業を除く。）」とする。

附　則〔略〕〔令和二・一二・二三国土交通省令九八〕

附　則〔略〕〔令和三・一二・一六国土交通省令七九〕

附　則〔抄〕〔令和六・一・三一国土交通省令六〕

（施行期日）

1　この省令は、令和六年三月三十一日から施行する。ただし、第四条から第九条まで〔中略〕の規定は、同年四月一日から施行する。

（経過措置）

3　第六条の規定による改正後の流通業務市街地の整備に関する法律施行規則第十九条第一項の規定は、前項ただし書に規定する規定の施行の日以後に開始される公募について適用し、同日前に開始された公募については、なお従前の例による。

別記様式〔略〕

○駐車場法〔昭和三二・五・一六　法律一〇六〕

改正　昭和三三・三法三六、昭和三五・六法一〇五、昭和三七・四法八一、昭和三九・七法一六三、昭和四〇・六法九六、昭和四三・六法一〇一、昭和四五・六法一〇九、昭和四六・四法四六、六法九八、昭和六〇・一二法一〇二、昭和六一・一二法一〇九、平成三・五法六〇、平成四・六法八二、平成五・一一法八九、平成六・六法四九、平成七・四法七四、平成一〇・六法八九、平成一一・七法八七、一二法一六〇、平成一八・五法四六、平成二三・八法一〇五、平成二九・五法二六

目次

第一章　総則（第一条―第二条の二）
第二章　駐車場整備地区（第三条―第四条の二）
第三章　路上駐車場（第五条―第九条）
第四章　路外駐車場（第十条―第十九条）
第五章　建築物における駐車施設の附置及び管理（第二十条―第二十条の三）
第六章　雑則（第二十条の四）
第七章　罰則（第二十一条―第二十四条）
附則

第一章　総則

（目的）

第一条　この法律は、都市における自動車の駐車のための施設の整備に関し必要な事項を定めることにより、道路交通の円滑化を図り、もつて公衆の利便に資するとともに、都市の機能の維持及び増進に寄与することを目的とする。

（用語の定義）

第二条　この法律において次の各号に掲げる用語の意義は、それぞれ当該各号に定めるところによる。

一　路上駐車場　駐車場整備地区内の道路の路面に一定の区画を限つて設置される自動車の駐車のための施設であつて一般公共の用に供されるものをいう。

二　路外駐車場　道路の路面外に設置される自動車の駐車のための施設であつて一般公共の用に供されるものをいう。

三　道路　道路法（昭和二十七年法律第百八十号）による道路をいう。

四　自動車　道路交通法（昭和三十五年法律第百五号）第二条第一項第九号に規定する自動車をいう。

五　駐車　道路交通法第二条第一項第十八号に規定する駐車をいう。

（国及び地方公共団体の責務）

第二条の二　国及び地方公共団体は、自動車の駐車のための施設の需要に応じ、自動車の駐車のための施設の総合的かつ計画的な整備の推進が図られるよう努めなければならない。

第二章　駐車場整備地区

（駐車場整備地区）

第三条　都市計画法（昭和四十三年法律第百号）第八条第一項第一号の商業地域（以下「商業地域」という。）、同号の近隣商業地域（以下「近隣商業地域」という。）、同号の第一種住居地域、同号の第二種住居地域、同号の準住居地域若しくは同号の準工業地域（同号の第一種住居地域、同号の第二種住居地域、同号の準住居地域又は同号の準工業地域にあつては、同項第二号の特別用途地区で政令で定めるものの区域内に限る。）内において自動車交通が著しくふくそうする地区又は当該地区の周辺の地域内において自動車交通が著しくふくそうする地区で、道路の効用を保持し、円滑な道路交通を確保する必要があると認められる区域については、都市計画に駐車場整備地区を定めることができる。

2　駐車場整備地区に関する都市計画を定め、又はこれに同意しようとする場合においては、あらかじめ、都道府県知事にあつては都道府県公安委員会の、国土交通大臣にあつては国家公安委員会の意見を聴かなければならない。

（駐車場整備計画）

第四条　駐車場整備地区に関する都市計画が定められた場合においては、市町村は、その駐車場整備地区における路上駐車場及び路外駐車場の需要及び供給の現況及び将来の見通しを勘案して、その地区における路上駐車場及び路外駐車場の整備に関する計画（以下「駐車場整備計画」という。）を定めることができる。

2　駐車場整備計画においては、おおむね次に掲げる事項を定めるものとする。

一　路上駐車場及び路外駐車場の整備に関する基本方針

二　路上駐車場及び路外駐車場の整備の目標年次及び目標量

三　前号の目標量を達成するために必要な路上駐車場及び路外駐車場の整備に関する施策

四　地方公共団体の設置する路上駐車場で駐車場整備地区内にある路外駐車場によつては満たされない自動車の駐車需要に応ずるため必要なものの配置及び規模並びに設置主体

五　主要な路外駐車場の整備に関する事業の計画の概要

3　市町村は、駐車場整備計画を定めようとする場合においては、前項第四

号に掲げる事項について、あらかじめ、都道府県と協議するとともに関係のある道路管理者（道路法第十八条第一項に規定する道路管理者（同法第八十八条第二項の規定により国土交通大臣が維持を行う道路にあつては、国土交通大臣）をいう。以下同じ。）及び都道府県公安委員会の意見を聴かなければならない。

4　市町村は、駐車場整備計画を定めたときは、遅滞なく、これを公表するよう努めるとともに、第二項第四号に掲げる事項について関係のある道路管理者及び都道府県公安委員会に通知しなければならない。

5　前二項の規定は、駐車場整備計画の変更について準用する。

（地方公共団体の責務）

第四条の二　地方公共団体は、駐車場整備計画の達成のため、路上駐車場及び路外駐車場の整備に関し必要な措置を講ずるよう努めなければならない。

第三章　路上駐車場

（路上駐車場の設置）

第五条　第四条第一項の規定により駐車場整備計画（同条第二項第四号に掲げる事項が定められているものに限る。）が定められた場合においては、地方公共団体は、その駐車場整備計画に基づいて路上駐車場を設置するものとする。

2　前項の規定により地方公共団体が路上駐車場を設置しようとする場合においては、当該地方公共団体の長は、あらかじめ、都道府県公安委員会の意見を聴かなければならない。

（路上駐車場の駐車料金及び割増金）

第六条　前条第一項の規定により路上駐車場を設置する地方公共団体（以下「路上駐車場管理者」という。）は、条例で定めるところにより、同項の規定により設置した路上駐車場に自動車を駐車させる者から、駐車料金を徴収することができる。ただし、道路交通法第三十九条第一項に規定する緊急自動車その他政令で定める自動車が駐車する場合においては、この限りでない。

2　前項の駐車料金の額は、次の原則によつて定めなければならない。

一　自動車を駐車させる特定の者に対し不当な差別的取扱をするものでないこと。

二　自動車を駐車させる者の負担能力にかんがみ、その利用を困難にするおそれのないものであること。

三　附近の路外駐車場の駐車料金に比して著しく均衡を失しないものであること。

3　路上駐車場管理者は、条例で定めるところにより、不法に第一項の駐車料金を免かれた者から、その免かれた額のほか、その免かれた額の二倍に相当する額を割増金として徴収することができる。

4　道路法第七十三条の規定は、第一項の規定による駐車料金及び前項の規定による割増金について準用する。

（駐車料金等の使途）

第七条　路上駐車場管理者は、政令で定めるところにより、前条第一項の規定により徴収した駐車料金及び同条第三項の規定により徴収した割増金を、路上駐車場の管理に要する費用に充てるほか、駐車場整備地区内の地方公共団体の設置する路外駐車場の整備に要する費用に充てるように努めなければならない。

（路上駐車場の表示）

第八条　道路管理者は、路上駐車場管理者の設置に係る路上駐車場の位置を表示するため、道路法第四十五条の規定による道路標識及び区画線を設けなければならない。

2　前項に規定するもののほか、路上駐車場管理者は、条例で定めるところにより、駐車料金その他路上駐車場の利用について必要な事項を表示するため、標識を設けなければならない。

（政令への委任）

第九条　この章に定めるもののほか、路上駐車場管理者の設置に係る路上駐車場に関し必要な事項は、政令で定める。

第四章　路外駐車場

（駐車場整備地区内の路外駐車場の整備）

第一〇条　国土交通大臣、都道府県又は市町村は、駐車場整備地区に関する都市計画を定めた場合においては、その地区内の長時間の自動車の駐車需要に応ずるために必要な路外駐車場に関する都市計画を定めなければならない。

2　地方公共団体は、前項の都市計画に基いて、路外駐車場の整備に努めなければならない。

（構造及び設備の基準）

第一一条　路外駐車場で自動車の駐車の用に供する部分の面積が五百平方メートル以上であるものの構造及び設備は、建築基準法（昭和二十五年法律第二百一号）その他の法令の規定の適用がある場合においてはそれらの法令の規定によるほか、政令で定める技術的基準によらなければならない。

（設置の届出）

第一二条　都市計画法第四条第二項の都市計画区域（以下「都市計画区域」という。）内において、前条の路外駐車場でその利用について駐車料金を徴収するものを設置する者（以下「路外駐車場管理者」という。）は、あらかじめ、国土交通省令で定めるところにより、路外駐車場の位置、規模、構造、設備その他必要な事項を都道府県知事（市の区域内にあつては、当該市の長。以下「都道府県知事等」という。）に届け出なければならない。届け出てある事項を変更しようとするときも、また同様とする。

（管理規程）

第一三条　路外駐車場管理者は、路外駐車場の供用を開始しようとするときは、あらかじめその業務の運営の基本となるべき管理規程を定め、これを当該路外駐車場の供用開始後十日以内に都道府県知事等に届け出なければならない。

2　前項の管理規程には、国土交通省令で定めるところにより、次の各号に掲げる事項を定めなければならない。

一　路外駐車場の名称

二　路外駐車場管理者の氏名及び住所（法人にあつては、その名称及び主たる事務所の所在地並びに代表者の氏名及び住所）

三　路外駐車場の供用時間に関する事項

四　駐車料金に関する事項

五　前号に掲げるもののほか、路外駐車場の供用契約に関する事項

六　前各号に掲げるもののほか、国土交通省令で定める事項

3　前項第四号の駐車料金の額の基準は、政令で定める。

4　路外駐車場管理者は、管理規程に定めた事項を変更したときは、十日以内に、都道府県知事等に届け出なければならない。

（休止等の届出）

第一四条　路外駐車場管理者は、路外駐車場の全部又は一部の供用を休止し、又は廃止したときは、十日以内に、都道府県知事等に届け出なければならない。現に休止している路外駐車場の全部又は一部の供用を再開したときも、また同様とする。

（路外駐車場管理者の責務）

第一五条　路外駐車場管理者は、管理規程に定めた路外駐車場の供用時間内においては、正当な理由のない限り、その路外駐車場の供用を拒んではならない。

2　路外駐車場管理者は、管理規程に従つて路外駐車場に関する業務を運営するとともに、建築基準法第八条の規定によるほか、その路外駐車場の構造及び設備を第十一条の規定に基く政令で定める技術的基準に適合するように維持しなければならない。

第一六条　路外駐車場管理者は、その路外駐車場に駐車する自動車の保管に関し、善良な管理者の注意を怠らなかつたことを証明する場合を除いては、その自動車の滅失又は損傷について損害賠償の責任を免かれることができない。

（助成措置）

第一七条　都市計画において定められた路外駐車場の用に供するため、道路の地下又は都市公園法（昭和三十一年法律第七十九号）第二条第一項の都市公園の地下の占用の許可の申請があつた場合においては、当該占用がそれぞれ道路法第三十三条第一項又は都市公園法第七条第一項の規定に基づく政令で定める技術的基準に適合する限り、道路管理者又は都市公園法第五条第一項の公園管理者は、それぞれこれらの法律による占用の許可を与えるものとする。

2　国は、都市計画において定められた路外駐車場を設置する地方公共団体その他の者に対し、その設置に必要な資金の融通又はあつせんに努めなけ

ればならない。

（立入検査等）

第一八条　都道府県知事等は、この法律を施行するため必要な限度において、路外駐車場管理者から報告若しくは資料の提出を求め、又は部下の職員をして路外駐車場若しくはその業務に関係のある場所に立ち入り、路外駐車場の施設若しくは業務に関し検査をさせることができる。

２　前項の規定により立入検査をする職員は、その身分を示す証明書を携帯し、関係人の請求があつたときは、これを提示しなければならない。

３　第一項の立入検査の権限は、犯罪捜査のために認められたものと解釈してはならない。

（是正命令）

第一九条　都道府県知事等は、路外駐車場の構造及び設備が第十一条の規定に基づく政令で定める技術的基準に適合せず、又は路外駐車場の業務の運営がこの法律若しくはこれに基づく命令の規定に違反していると認めるときは、路外駐車場管理者に対し、その是正のために必要な措置をとるべきことを命ずることができる。この場合において、都道府県知事等は、路外駐車場の構造及び設備が当該路外駐車場の利用上著しく危険であると認めるときは、当該是正のための措置がとられるまでの間、当該路外駐車場の供用を停止すべきことを命ずることができる。

第五章　建築物における駐車施設の附置及び管理

（建築物の新築又は増築の場合の駐車施設の附置）

第二〇条　地方公共団体は、駐車場整備地区内又は商業地域内若しくは近隣商業地域内において、延べ面積が二千平方メートル以上で条例で定める規模以上の建築物を新築し、延べ面積が当該規模以上の建築物について増築をし、又は建築物の延べ面積が当該規模以上となる増築をしようとする者に対し、条例で、その建築物又はその建築物の敷地内に自動車の駐車のための施設（以下「駐車施設」という。）を設けなければならない旨を定めることができる。劇場、百貨店、事務所その他の自動車の駐車需要を生じさせる程度の大きい用途で政令で定めるもの（以下「特定用途」という。）に供する部分のある建築物で特定用途に供する部分（以下「特定部分」という。）の延べ面積が当該駐車場整備地区内又は商業地域内若しくは近隣商業地域内の道路及び自動車交通の状況を勘案して条例で定める規模以上のものを新築し、特定部分の延べ面積が当該規模以上の建築物について特定用途に係る増築をし、又は建築物の特定部分の延べ面積が当該規模以上となる増築をしようとする者に対しては、当該新築又は増築後の当該建築物の延べ面積が二千平方メートル未満である場合においても、同様とする。

２　地方公共団体は、駐車場整備地区若しくは商業地域若しくは近隣商業地域の周辺の都市計画区域内の地域（以下「周辺地域」という。）内で条例で定める地区内、又は周辺地域、駐車場整備地区並びに商業地域及び近隣商業地域以外の都市計画区域内の地域であつて自動車交通の状況が周辺地域に準ずる地域内若しくは自動車交通がふくそうすることが予想される地域内で条例で定める地区内において、特定部分の延べ面積が二千平方メートル以上で条例で定める規模以上の建築物を新築し、特定部分の延べ面積が当該規模以上の建築物について特定用途に係る増築をし、又は建築物の特定部分の延べ面積が当該規模以上となる増築をしようとする者に対し、条例で、その建築物又はその建築物の敷地内に駐車施設を設けなければならない旨を定めることができる。

３　前二項の延べ面積の算定については、同一敷地内の二以上の建築物で用途上不可分であるものは、これを一の建築物とみなす。

（建築物の用途変更の場合の駐車施設の附置）

第二〇条の二　地方公共団体は、前条第一項の地区若しくは地域内又は同条第二項の地区内において、建築物の部分の用途の変更（以下「用途変更」という。）で、当該用途変更により特定部分の延べ面積が一定規模（同条第一項の地区又は地域内のものにあつては特定用途について同項に規定する条例で定める規模、同条第二項の地区内のものにあつては同項に規定する条例で定める規模をいう。以下同じ。）以上となるもののために大規模の修繕又は大規模の模様替（建築基準法第二条第十四号又は第十五号に規定するものをいう。以下同じ。）をしようとする者又は特定部分の延べ面積が一定規模以上の建築物の用途変更で、当該用途変更により特定部分の延べ面積が増加することとなるもののために大規模の修繕又は大規模の模様替をしようとする者に対し、条例で、その建築物又はその建築物の敷地内に駐車施設を設けなければならない旨を定めることができる。

２　前条第三項の規定は、前項の延べ面積の算定について準用する。

（駐車施設の管理）

第二〇条の三　地方公共団体は、第二十条第一項若しくは第二項又は前条第一項の規定に基づく条例で定めるところにより設けられた駐車施設の所有者又は管理者に対し、条例で当該駐車施設をその設置の目的に適合するように管理しなければならない旨を定めることができる。

第六章　雑則

（権限の委任）

第二〇条の四　この法律に規定する国土交通大臣の権限は、国土交通省令で定めるところにより、その全部又は一部を地方整備局長又は北海道開発局長に委任することができる。

第七章　罰則

第二一条　第十九条の規定による都道府県知事等の命令に従わなかつた者は、百万円以下の罰金に処する。

第二二条　第十二条、第十三条第一項若しくは第四項又は第十四条の規定に違反した者は、五十万円以下の罰金に処する。

第二三条　第十八条第一項の規定による報告をせず、若しくは虚偽の報告をし、又は同項の規定による検査を拒み、妨げ、若しくは忌避した者は、二十万円以下の罰金に処する。

第二四条　法人の代表者又は法人若しくは人の代理人、使用人その他の従業者が、その法人又は人の業務又は財産に関し、前三条の違反行為をしたときは、その行為者を罰するほか、その法人又は人に対しても、各本条の刑を科する。

附　則〔抄〕

（施行期日）

１　この法律は、公布の日から起算して一年をこえない範囲内において政令で定める日から施行する。

〔昭和三三政三三九により、昭和三三・二・一から施行〕

（路外駐車場に関する経過措置）

２　この法律の施行の際都市計画区域内において現にその利用について駐車料金を徴収する路外駐車場で自動車の駐車の用に供する部分の面積が五百平方メートル以上であるものを設置している者は、この法律の施行の日から起算して三月以内に、第十二条及び第十三条の規定による届出をしなければならないものとし、それまでの間は、これらの規定による届出をして業務を営んでいるものとみなす。

３　建築基準法第三条第二項及び第三項の規定は、この法律の施行の際現に存する路外駐車場（自動車の駐車の用に供する部分の面積が五百平方メートル以上であるものに限る。以下この項において同じ。）又はこの法律の施行の際現に建築、修繕若しくは模様替の工事中の路外駐車場の構造及び設備が第十一条の規定に基く政令で定める技術的基準に適合しない場合について準用する。

附　則〔略〕〔昭和三九・七・九法律一六三〕

附　則〔略〕〔昭和四〇・六・一法律九六〕

附　則〔略〕〔昭和四三・六・一五法律一〇一〕

附　則〔略〕〔昭和四五・六・一法律一〇九〕

附　則〔略〕〔昭和四六・四・一五法律四六〕

附　則〔略〕〔昭和四六・六・二法律九八〕

附　則〔抄〕〔昭和六〇・一二・二四法律一〇二〕

（施行期日）

第一条　この法律は、公布の日から施行する。〔以下略〕

（駐車場法の一部改正に伴う経過措置）

第七条　第二十四条の規定の施行前に同条の規定による改正前の駐車場法第十三条第一項若しくは第四項又は第十四条の規定による届出を行つた者は、それぞれ第二十四条の規定による改正後の駐車場法第十三条第一項若しくは第四項又は第十四条の規定による届出を行つたものとみなす。

（罰則に関する経過措置）

第八条　この法律（中略）の施行前にした行為〔中略〕に対する罰則の適用については、なお従前の例による。

附　則〔略〕〔昭和六一・一二・二六法律一〇九〕

附　則〔抄〕〔平成三・五・二法律六〇〕

（施行期日）

第一条　この法律は、公布の日から起算して六月を超えない範囲内において政令で定める日から施行する。

〔平成三政三二六により、平成三・一一・一から施行〕

（経過措置）

第二条　この法律の施行の際現に第二条の規定による改正前の駐車場法第四条第一項の規定により定められている路上駐車場設置計画及びその路上駐車場設置計画において定められている路上駐車場については、第二条の規定による改正後の駐車場法の規定にかかわらず、なお従前の例による。

附　則〔略〕〔平成四・六・二六法律八二〕

附　則〔抄〕〔平成五・一一・一二法律八九〕

（施行期日）

第一条　この法律は、行政手続法（平成五年法律第八十八号）の施行の日〔平成六・一〇・一〕から施行する。

（諮問等がされた不利益処分に関する経過措置）

第二条　この法律の施行前に法令に基づき審議会その他の合議制の機関に対し行政手続法第十三条に規定する聴聞又は弁明の機会の付与の手続その他の意見陳述のための手続に相当する手続を執るべきことの諮問その他の求めがされた場合においては、当該諮問その他の求めに係る不利益処分の手続に関しては、この法律による改正後の関係法律の規定にかかわらず、なお従前の例による。

（罰則に関する経過措置）

第十三条　この法律の施行前にした行為に対する罰則の適用については、なお従前の例による。

（聴聞に関する規定の整理に伴う経過措置）

第十四条　この法律の施行前に法律の規定により行われた聴聞、聴問若しくは聴聞会（不利益処分に係るものを除く。）又はこれらのための手続は、この法律による改正後の関係法律の相当規定により行われたものとみなす。

（政令への委任）

第十五条　附則第二条から前条までに定めるもののほか、この法律の施行に関して必要な経過措置は、政令で定める。

附　則〔略〕〔平成六・六・二九法律四九〕

附　則〔略〕〔平成七・四・二一法律七四〕

附　則〔略〕〔平成一〇・六・三法律八九〕

附　則〔抄〕〔平成一一・七・一六法律八七〕

（施行期日）

第一条　この法律は、平成十二年四月一日から施行する。ただし、次の各号に掲げる規定は、当該各号に定める日から施行する。

一　〔前略〕附則〔中略〕第百六十条、第百六十三条、第百六十四条並びに第二百二条の規定　公布の日

二～六　〔略〕

（国等の事務）

第百五十九条　この法律による改正前のそれぞれの法律に規定するもののほか、この法律の施行前において、地方公共団体の機関が法律又はこれに基づく政令により管理し又は執行する国、他の地方公共団体その他公共団体の事務（附則第百六十一条において「国等の事務」という。）は、この法律の施行後は、地方公共団体が法律又はこれに基づく政令により当該地方公共団体の事務として処理するものとする。

（処分、申請等に関する経過措置）

第百六十条　この法律（附則第一条各号に掲げる規定については、当該各規定。以下この条及び附則第百六十三条において同じ。）の施行前に改正前のそれぞれの法律の規定によりされた許可等の処分その他の行為（以下この条において「処分等の行為」という。）又はこの法律の施行の際現に改正前のそれぞれの法律の規定によりされている許可等の申請その他の行為（以下この条において「申請等の行為」という。）で、この法律の施行の日においてこれらの行為に係る行政事務を行うべき者が異なることとなるものは、附則第二条から前条までの規定又は改正後のそれぞれの法律（これに基づく命令を含む。）の経過措置に関する規定に定めるものを除き、この法律の施行の日以後における改正後のそれぞれの法律の適用については、改正後のそれぞれの法律の相当規定によりされた処分等の行為又は申請等の行為とみなす。

2　この法律の施行前に改正前のそれぞれの法律の規定により国又は地方公共団体の機関に対し報告、届出、提出その他の手続をしなければならない事項で、この法律の施行の日前にその手続がされていないものについては、この法律及びこれに基づく政令に別段の定めがあるもののほか、これを、改正後のそれぞれの法律の相当規定により国又は地方公共団体の相当の機関に対して報告、届出、提出その他の手続をしなければならない事項についてその手続がされていないものとみなして、この法律による改正後のそれぞれの法律の規定を適用する。

（不服申立てに関する経過措置）

第百六十一条　施行日前にされた国等の事務に係る処分であって、当該処分をした行政庁（以下この条において「処分庁」という。）に施行日前に行政不服審査法に規定する上級行政庁（以下この条において「上級行政庁」という。）があったものについての同法による不服申立てについては、施行日以後においても、当該処分庁に引き続き上級行政庁があるものとみなして、行政不服審査法の規定を適用する。この場合において、当該処分庁の上級行政庁とみなされる行政庁は、施行日前に当該処分庁の上級行政庁であった行政庁とする。

2　前項の場合において、上級行政庁とみなされる行政庁が地方公共団体の機関であるときは、当該機関が行政不服審査法の規定により処理することとされる事務は、新地方自治法第二条第九項第一号に規定する第一号法定受託事務とする。

（手数料に関する経過措置）

第百六十二条　施行日前においてこの法律による改正前のそれぞれの法律（これに基づく命令を含む。）の規定により納付すべきであった手数料については、この法律及びこれに基づく政令に別段の定めがあるもののほか、なお従前の例による。

（罰則に関する経過措置）

第百六十三条　この法律の施行前にした行為に対する罰則の適用については、なお従前の例による。

（その他の経過措置の政令への委任）

第百六十四条　この附則に規定するもののほか、この法律の施行に伴い必要な経過措置（罰則に関する経過措置を含む。）は、政令で定める。

2　〔略〕

附　則〔略〕〔平成一一・一二・二二法律一六〇〕

附　則〔抄〕〔平成一八・五・三一法律四六〕

（施行期日）

第一条　この法律〔中略〕は、当該各号に定める日〔公布の日から起算して六月を超えない範囲内において政令で定める日〕から施行する。

〔平成一八政三四九により、平成一八・一一・三〇から施行〕

（駐車場法の一部改正に伴う経過措置）

第五条　特定路外駐車場（第三条の規定による改正後の駐車場法（以下「新駐車場法」という。）第二条第二号に規定する路外駐車場のうち、大型自動二輪車又は普通自動二輪車（いずれも側車付きのものを除く。以下この項において同じ。）の駐車のためのもの又は道路交通法（昭和三十五年法律第百五号）第二条第一項第九号に規定する自動車（大型自動二輪車又は普通自動二輪車を除く。）の駐車の用に供する部分の面積が五百平方メートル未満のものをいう。）であって附則第一条第三号に掲げる規定の施行の際現に存するものについては、新駐車場法第十一条の規定による基準は、適用しない。附則第一条第三号に掲げる規定の施行前にその工事に着手した建築、修繕又は模様替に係る特定路外駐車場についても、同様とする。

2　前項の規定は、当該特定路外駐車場について、附則第一条第三号に掲げる規定の施行後に増築、改築、建築基準法第二条第十四号に規定する大規模の修繕又は同条第十五号に規定する大規模の模様替を行う場合には、適用しない。

3　附則第一条第三号に掲げる規定の施行の際都市計画法第四条第二項に規定する都市計画区域内において現に特定路外駐車場でその利用について駐車料金を徴収するものを設置している者についての新駐車場法第十二条及び第十三条の規定の適用については、新駐車場法第十二条中「あらかじめ」とあるのは「都市の秩序ある整備を図るための都市計画法等の一部を改正する法律（平成十八年法律第四十六号）附則第一条第三号に掲げる規定の施行の日から起算して三月以内に」と、新駐車場法第十三条第一項中「供用を開始しようとするときは、あらかじめその業務」とあるのは「業務」と、

「当該路外駐車場の供用開始後十日以内に」とあるのは「都市の秩序ある整備を図るための都市計画法等の一部を改正する法律附則第一条第三号に掲げる規定の施行の日から起算して三月以内に」とする。この場合において、新駐車場法第二十二条中「第十二条、第十三条第一項若しくは第四項」とあるのは、「第十二条若しくは第十三条第一項（これらの規定を都市の秩序ある整備を図るための都市計画法等の一部を改正する法律附則第五条第三項の規定により読み替えて適用する場合を含む。）、第十三条第四項」とする。

附　則〔抄〕〔平成二三・八・三〇法律一〇五〕

（施行期日）

第一条　この法律は、公布の日から施行する。ただし、次の各号に掲げる規定は、当該各号に定める日から施行する。

一　〔略〕

二　〔前略〕第百五条（駐車場法第四条の改正規定を除く。）〔中略〕の規定並びに附則〔中略〕第五十一条から第五十三条まで〔中略〕の規定

平成二十四年四月一日

三〜六　〔略〕

（駐車場法の一部改正に伴う経過措置）

第五一条　第百五条の規定（駐車場法第四条の改正規定を除く。以下この条において同じ。）の施行の日から起算して一年を超えない期間内において、第百五条の規定による改正後の駐車場法（以下この条において「新駐車場法」という。）第八条第二項の規定に基づく条例が制定施行されるまでの間は、路上駐車場の表示については、同項の規定にかかわらず、なお従前の例による。

2　第百五条の規定の施行前に第百五条の規定による改正前の駐車場法（以下この条において「旧駐車場法」という。）第十八条第一項若しくは第十九条の規定により都道府県知事が行った報告の徴収その他の行為又は旧駐車場法第十二条、第十三条第一項若しくは第四項若しくは第十四条の規定により都道府県知事に対して行った届出で、新駐車場法第十二条、第十三条第一項若しくは第四項、第十四条、第十八条第一項又は第十九条の規定により市長が行うこととなる事務に係るものは、それぞれこれらの規定により当該市長が行った報告の徴収その他の行為又は当該市長に対して行った届出とみなす。

3　第百五条の規定の施行前に旧駐車場法第十二条、第十三条第一項若しくは第四項又は第十四条の規定により都道府県知事に対し届出をしなければならないとされている事項のうち新駐車場法第十二条、第十三条第一項若しくは第四項又は第十四条の規定により市長に対して届出をしなければならないこととなるもので、第百五条の規定の施行前にその手続がされていないものについては、第百五条の規定の施行後は、これを、これらの規定により市長に対して届出をしなければならないとされた事項についてその手続がされていないものとみなして、これらの規定を適用する。

（罰則に関する経過措置）

第八一条　この法律（附則第一条各号に掲げる規定にあっては、当該規定。以下この条において同じ。）の施行前にした行為及びこの附則の規定によりなお従前の例によることとされる場合におけるこの法律の施行後にした行為に対する罰則の適用については、なお従前の例による。

（政令への委任）

第八二条　この附則に規定するもののほか、この法律の施行に関し必要な経過措置（罰則に関する経過措置を含む。）は、政令で定める。

附　則〔抄〕〔平成二九・五・一二法律二六〕

（施行期日）

第一条　この法律は、公布の日から起算して二月を超えない範囲内において政令で定める日から施行する。〔以下略〕

〔平成二九政一五五により、平成二九・六・一五から施行〕

○駐車場法施行令〔昭和三二・一二・一三　政令三四〇〕

改正　昭和三五・一二政三〇二、昭和三七・七政三一〇、昭和四四・六政一五八、昭和四六・七政二五三、昭和六一・一二政三九三、平成三・一〇政三一七、平成一〇・一〇政三三一、一一政三七二、平成一一・一二政三八四、平成一二・四政二一一、六政三一二、平成一六・七政二一九、平成一八・一一政三五〇、平成一九・三政五五、一二政三六三、平成二四・二政二六、平成二六・一二政四一二、平成二七・一二政四二一、平成二八・七政二五九、平成二九・三政六三、平成三〇・一一政三五四、令和二・一一政三二三

目次

第一章　駐車場整備地区（第一条・第二条）

第一章の二　路上駐車場（第三条―第五条）

第二章　路外駐車場

　第一節　構造及び設備の基準（第六条―第十五条）

　第二節　駐車料金等（第十六条・第十七条）

第三章　特定用途（第十八条）

第四章　雑則（第十九条）

附則

第一章　駐車場整備地区

（駐車場整備地区を定めることができる特別用途地区）

第一条　駐車場法（以下「法」という。）第三条第一項の政令で定める特別用途地区は、次に掲げる施設に係る業務の利便の増進を図ることを目的とする特別用途地区とする。

一　小売店舗

二　事務所

三　娯楽・レクリエーション施設

四　流通業務施設その他自動車の駐車需要を生じさせる程度の大きい特別の業務の用に供する施設

（路上駐車場の配置及び規模の基準）

第二条　法第四条第二項第四号に掲げる路上駐車場の配置及び規模は、次に掲げる基準によるものとする。

一　路上駐車場は、駐車場整備地区内及びその周辺にある路外駐車場その他の自動車の駐車の用に供される施設又は場所との関連を考慮してその配置及び規模を定めるとともに、駐車場整備地区内におけるその適正な

分布を図ること。

二　路上駐車場は、主要幹線街路に設置しないこと。ただし、分離帯その他の道路の部分で道路の交通に支障を及ぼすおそれの少ないものに設置するときは、この限りでない。

三　路上駐車場は、歩道と車道の区別のない道路に設置しないこと。ただし、幅員が八メートル以上ある道路の歩行者の通行及び沿道の利用に支障を及ぼさない部分に設置するときは、この限りでない。

四　路上駐車場は、歩道と車道の区別のある道路にあつては、その車道の幅員が六メートル未満の道路に設置しないこと。

五　路上駐車場は、縦断勾配が四パーセントを超える道路に設置しないこと。ただし、縦断勾配が六パーセント以下の道路で、歩道と車道の区別があり、かつ、その車道の幅員が十三メートル以上のものに設置するときは、この限りでない。

六　路上駐車場は、陸橋の下又は橋に設置しないこと。

七　路上駐車場は、道路交通法（昭和三十五年法律第百五号）第四十四条第一項各号に掲げる道路の部分又は同法第四十五条第一項第一号若しくは第三号から第五号までに掲げる道路の部分に設置しないこと。

八　路上駐車場は、当該路上駐車場を設置する道路の幅員及び交通の状況に応じ、車両の通行に必要な幅（少なくとも三・五メートル）の道路の部分を保つように設置すること。

第一章の二　路上駐車場

（駐車料金を徴収することができない自動車）

第三条　法第六条第一項ただし書の政令で定める自動車は、道路工事その他特別の理由に基づき当該路上駐車場に駐車することがやむを得ないと認められる自動車で、国土交通大臣が定めるものとする。

第四条　削除

（路上駐車場の管理に要する費用）

第五条　法第七条の路上駐車場の管理に要する費用は、次の各号に掲げる費用とする。

一　路上駐車場の設置、維持及び修繕に要する費用

二　駐車料金及び割増金の徴収に要する費用

三　前二号に掲げる費用の財源に充てるための一時借入金の利息の支払に要する費用

第二章　路外駐車場

第一節　構造及び設備の基準

（適用の範囲）

第六条　この節の規定は、路外駐車場で自動車の駐車の用に供する部分の面積が五百平方メートル以上であるものに適用する。

（自動車の出口及び入口に関する技術的基準）

第七条　法第十一条の政令で定める技術的基準のうち、自動車の出口（路外駐車場の自動車の車路の路面が道路（道路交通法第二条第一項第一号に規定する道路をいう。以下この条において同じ。）の路面に接する部分をいう。以下この条において同じ。）及び入口（路外駐車場の自動車の入口で自動車の車路の路面が道路の路面に接する部分をいう。以下この条において同じ。）に関するものは、次のとおりとする。

一　次に掲げる道路又はその部分以外の道路又はその部分に設けること。

イ　道路交通法第四十四条第一項各号に掲げる道路の部分

ロ　横断歩道橋（地下横断歩道を含む。）の昇降口から五メートル以内の道路の部分

ハ　幼稚園、小学校、義務教育学校、特別支援学校、幼保連携型認定こども園、保育所、児童発達支援センター、児童心理治療施設、児童公園、児童遊園又は児童館の出入口から二十メートル以内の部分（当該出入口に接する柵の設けられた歩道を有する道路及び当該出入口に接する歩道を有し、かつ、縁石線又は柵その他これに類する工作物により車線が往復の方向別に分離されている道路以外の道路にあつては、当該出入口の反対側及びその左右二十メートル以内の部分を含む。）

ニ　橋

ホ　幅員が六メートル未満の道路

ヘ　縦断勾配が十パーセントを超える道路

二　路外駐車場の前面道路が二以上ある場合においては、歩行者の通行に著しい支障を及ぼすおそれのあるときその他特別の理由があるときを除き、その前面道路のうち自動車交通に支障を及ぼすおそれの少ない道路に設けること。

三　自動車の駐車の用に供する部分の面積が六千平方メートル以上の路外駐車場にあつては、縁石線又は柵その他これに類する工作物により自動車の出口及び入口を設ける道路の車線が往復の方向別に分離されている場合を除き、自動車の出口と入口とを分離した構造とし、かつ、それらの間隔を道路に沿つて十メートル以上とすること。

四　自動車の出口又は入口において、自動車の回転を容易にするため必要があるときは、隅切りをすること。この場合において、切取線と自動車の車路との角度及び切取線と道路との角度を等しくすることを標準とし、かつ、切取線の長さは、一・五メートル以上とすること。

五　自動車の出口付近の構造は、当該出口から、イ又はロに掲げる路外駐車場又はその部分の区分に応じ、当該イ又はロに定める距離後退した自動車の車路の中心線上一・四メートルの高さにおいて、道路の中心線に直角に向かつて左右にそれぞれ六十度以上の範囲内において、当該道路を通行する者の存在を確認できるようにすること。

イ　専ら大型自動二輪車及び普通自動二輪車（いずれも側車付きのものを除く。以下「特定自動二輪車」という。）の駐車のための路外駐車場又は路外駐車場の専ら特定自動二輪車の駐車のための部分（特定自動二輪車以外の自動車の進入を防止するための駒止めその他これに類する工作物により特定自動二輪車以外の自動車の駐車のための部分と区分されたものに限る。）　一・三メートル

ロ　その他の路外駐車場又はその部分　二メートル

2　前項第一号の規定は、自動車の出口又は入口を次に掲げる道路又はその部分（当該道路又はその部分以外の同号イからヘまでに掲げる道路又はその部分に該当するものを除く。）に設ける路外駐車場であつて、必要な変速車線を設けること、必要な交通整理が行われること等により、国土交通大臣が当該出口又は入口を設ける道路の円滑かつ安全な交通の確保に支障がないと認めるものについては、適用しない。

一　道路交通法第四十四条第一項第一号、第二号、第四号又は第五号に掲げる道路の部分（同項第一号に掲げる道路の部分にあつては、交差点の側端及びトンネルに限る。）

二　橋

三　幅員が六メートル未満の道路

3　国土交通大臣は、前項の規定による認定をしようとするときは、あらかじめ、自動車の出口又は入口を同項第一号に掲げる道路の部分（トンネルを除く。）又は同項第三号に掲げる道路に設ける場合にあつては関係のある道路管理者及び都道府県公安委員会と協議し、その他の場合にあつては関係のある道路管理者及び都道府県公安委員会の意見を聴かなければならない。

4　第一項第二号から第五号までの規定は、自動車の出口又は入口を道路内に設ける場合における当該自動車の出口（出口付近を含む。）又は入口については、適用しない。

（車路に関する技術的基準）

第八条　法第十一条の政令で定める技術的基準のうち車路に関するものは、次のとおりとする。

一　自動車が円滑かつ安全に走行することができる車路を設けること。

二　自動車の車路の幅員は、イからハまでに掲げる自動車の車路又はその部分の区分に応じ、当該イからハまでに定める幅員とすること。

イ　一方通行の自動車の車路のうち、当該車路に接して駐車料金の徴収施設が設けられており、かつ、歩行者の通行の用に供しない部分　二・七五メートル（前条第一項第五号イに掲げる路外駐車場又はその部分（以下この条において「自動二輪車専用駐車場」という。）の特定自動二輪車の車路又はその部分にあつては、一・七五メートル）以上

ロ　一方通行の自動車の車路又はその部分（イに掲げる車路の部分を除く。）　三・五メートル（自動二輪車専用駐車場の特定自動二輪車の車路又はその部分にあつては、二・二五メートル）以上

ハ　その他の自動車の車路又はその部分　五・五メートル（自動二輪車専用駐車場の特定自動二輪車の車路又はその部分にあつては、三・五メートル）以上

三　建築物（建築基準法（昭和二十五年法律第二百一号）第二条第一号に

規定する建築物をいう。以下同じ。）である路外駐車場の自動車の車路にあつては、次のいずれにも適合する構造とすること。

イ　はり下の高さは、二・三メートル以上であること。

ロ　屈曲部（ターンテーブルが設けられているものを除く。以下同じ。）は、自動車を五メートル以上の内法半径で回転させることができる構造（自動二輪車専用駐車場の屈曲部にあつては、特定自動二輪車を三メートル以上の内法半径で回転させることができる構造）であること。

ハ　傾斜部の縦断勾配は、十七パーセントを超えないこと。

ニ　傾斜部の路面は、粗面とし、又は滑りにくい材料で仕上げること。

（駐車の用に供する部分の高さ）

第九条　建築物である路外駐車場の自動車の駐車の用に供する部分のはり下の高さは、二・一メートル以上でなければならない。

（避難階段）

第一〇条　建築物である路外駐車場において、直接地上へ通ずる出入口のある階以外の階に自動車の駐車の用に供する部分を設けるときは、建築基準法施行令（昭和二十五年政令第三百三十八号）第百二十三条第一項若しくは第二項に規定する避難階段又はこれに代る設備を設けなければならない。

（防火区画）

第一一条　建築物である路外駐車場に給油所その他の火災の危険のある施設を附置する場合においては、当該施設と当該路外駐車場とを耐火構造（建築基準法第二条第七号に規定する耐火構造をいう。）の壁又は特定防火設備（建築基準法施行令第百十二条第一項に規定する特定防火設備をいう。）によつて区画しなければならない。

（換気装置）

第一二条　建築物である路外駐車場には、その内部の空気を床面積一平方メートルにつき毎時十四立方メートル以上直接外気と交換する能力を有する換気装置を設けなければならない。ただし、窓その他の開口部を有する階でその開口部の換気に有効な部分の面積がその階の床面積の十分の一以上であるものについては、この限りでない。

（照明装置）

第一三条　建築物である路外駐車場には、次の各号に定める照度を保つために必要な照明装置を設けなければならない。

一　自動車の車路の路面　十ルックス以上

二　自動車の駐車の用に供する部分の床面　二ルックス以上

（警報装置）

第一四条　建築物である路外駐車場には、自動車の出入及び道路交通の安全を確保するために必要な警報装置を設けなければならない。

（特殊の装置）

第一五条　この節の規定は、その予想しない特殊の装置を用いる路外駐車場については、国土交通大臣がその装置がこの節の規定による構造又は設備と同等以上の効力があると認める場合においては、適用しない。

第二節　駐車料金等

（駐車料金の額の基準）

第一六条　法第十三条第三項の駐車料金の額の基準は、次のとおりとする。

一　能率的な経営の下における適正な原価を償い、かつ、適正な利潤を含む額をこえないこと。

二　自動車を駐車させる者に対し不当な差別的取扱となる額でないこと。

三　自動車を駐車させる者の負担能力にかんがみ、その利用を困難にするおそれのない額であること。

（供用時間等の明示）

第一七条　法第十二条に規定する路外駐車場管理者は、路外駐車場を利用しようとする者の見やすい場所に、路外駐車場の供用時間及び駐車料金の額を明示しなければならない。

第三章　特定用途

（特定用途）

第一八条　法第二十条第一項後段の自動車の駐車需要を生じさせる程度の大きい用途で政令で定めるものは、劇場、映画館、演芸場、観覧場、放送用スタジオ、公会堂、集会場、展示場、結婚式場、斎場、旅館、ホテル、料理店、飲食店、待合、キャバレー、カフェー、ナイトクラブ、バー、舞踏場、遊技場、ボーリング場、体育館、百貨店その他の店舗、事務所、病院、卸売市場、倉庫及び工場とする。

第四章　雑則

（権限の委任）

第一九条　この政令に規定する国土交通大臣の権限は、国土交通省令で定めるところにより、その全部又は一部を地方整備局長又は北海道開発局長に委任することができる。

附　則〔抄〕

（施行期日）

1　この政令は、法の施行の日（昭和三十三年二月一日）から施行する。

附　則〔略〕〔昭和四四・六・一三政令一五八〕

附　則〔昭和四六・七・一二政令二五三〕

（施行期日）

1　この政令は、道路法等の一部を改正する法律（昭和四十六年法律第四十六号）の施行の日（昭和四十六年十二月一日）から施行する。

（経過措置）

2　この政令の施行の際現に設置されている路上駐車場若しくは路外駐車場又は現に新設工事中の路上駐車場若しくは路外駐車場については、この政令による改正後の駐車場法施行令第一条の二第七号及び第七条第一項の規定にかかわらず、なお従前の例による。ただし、この政令の施行後自動車の出口又は入口の位置を変更する路外駐車場の当該自動車の出口又は入口については、この限りでない。

附　則〔略〕〔平成三・一〇・四政令三一七〕

附　則〔抄〕〔平成一〇・一〇・二一政令三三一〕

（施行期日）

1　この政令は、都市計画法の一部を改正する法律の施行の日（平成十年十一月二十日）から施行する。

（駐車場法施行令の一部改正に伴う経過措置）

8　前項の規定の施行の際小売店舗地区、事務所地区、娯楽・レクリエーション地区又は特別業務地区に関し、決定されている都市計画又は行われている都市計画の決定若しくは変更の手続は、同項の規定による改正後の駐車場法施行令第一条に規定する特別用途地区に関する都市計画又は都市計画の決定若しくは変更の手続とみなす。

附　則〔略〕〔平成一〇・一一・二六政令三七二〕

附　則〔略〕〔平成一二・四・二六政令二一一〕

附　則〔略〕〔平成一二・六・七政令三一二〕

附　則〔略〕〔平成一六・七・二政令二一九施行〕

附　則〔略〕〔平成一八・一一・六政令三五〇〕

附　則〔略〕〔平成一九・三・二二政令五五〕

附　則〔略〕〔平成一九・一二・一二政令三六三〕

附　則〔抄〕〔平成二四・二・三政令二六〕

（施行期日）

第一条　この政令は、平成二十四年四月一日から施行する。〔以下略〕

（駐車場法施行令の一部改正に伴う経過措置）

第三条　この政令の施行の際現に設置されている路外駐車場又は現に新設工事中の路外駐車場については、第十四条の規定による改正後の駐車場法施行令第七条第一項の規定にかかわらず、なお従前の例による。ただし、この政令の施行後自動車の出口又は入口の位置を変更する路外駐車場の当該自動車の出口又は入口については、この限りでない。

附　則〔略〕〔平成二六・一二・二四政令四一二〕

附　則〔略〕〔平成二七・一二・一六政令四二一〕

附　則〔略〕〔平成二八・七・一五政令二五九〕

附　則〔略〕〔平成二九・三・二九政令六三〕

附　則〔略〕〔平成三〇・一二・二七政令三五四施行〕

附　則〔抄〕〔令和二・一一・一三政令三二三〕

（施行期日）

第一条　この政令は、道路交通法の一部を改正する法律（次条において「改正法」という。）附則第一条第二号に掲げる規定の施行の日（令和二年十二月一日）から施行する。

○駐車場法施行規則〔平成一二・一一・二四 運輸・建設省令一二〕

改正 平成一六・七国交令七九、平成一八・一一国交令一〇四、平成二三・一二国交令一〇二、平成二六・七国交令六八、平成二八・四国交令四〇、平成三〇・一二国交令九一、令和三・八国交令五三

（路外駐車場に関する届出書及び添付図面）

第一条 駐車場法（以下「法」という。）第十二条の規定による届出は、別記様式により作成した届出書に次に掲げる図面を添え、これを提出して行うものとする。ただし、変更の届出書に添える図面は、変更しようとする事項に係る図面をもって足りる。

一 路外駐車場の位置を表示した縮尺一万分の一以上の地形図

二 次に掲げる事項を表示した縮尺二百分の一以上の平面図

イ 路外駐車場の区域

ロ 路外駐車場の自動車の出口及び入口、自動車の車路その他の主要な施設（建築物の内部にあるものを除く。）

ハ 路外駐車場の附近の道路並びにその道路内の駐車場法施行令（以下「令」という。）第七条第一項に規定する道路の部分及び橋

三 建築物である路外駐車場にあっては、縮尺二百分の一以上の各階平面図並びに二面以上の立面図及び断面図

（路外駐車場に関する管理規程）

第二条 法第十三条第二項第三号の路外駐車場の供用時間に関する事項は、休業日並びに一日における供用時間の開始及び終了の時刻について定めなければならない。

2 法第十三条第二項第四号の駐車料金に関する事項のうち駐車料金の額は、上限額をもって定めなければならない。

3 法第十三条第二項第五号の路外駐車場の供用契約に関する事項は、路外駐車場に駐車する自動車の滅失又は損傷についての損害賠償に関する事項を含むものでなければならない。

第三条 法第十三条第二項第六号の国土交通省令で定める事項は、次に掲げるものとする。

一 路外駐車場の構造上駐車することができない自動車

二 路外駐車場の業務に附帯して行う燃料の販売、自動車の修理その他の業務の概要

（特殊装置認定の基準）

第四条 国土交通大臣は、令第十五条に規定する特殊の装置（以下「特殊装置」という。）であって、構造及び設備並びに安全性を確保するために必要な機能（以下「安全機能」という。）について国土交通大臣が定める基準に適合しているものを、同条の規定に基づき、令第二章第一節の規定による構造又は設備と同等以上の効力があると認めるものとする。

2 前項の場合において、特殊装置が、その安全機能について認証を受けたものであるときは、当該特殊装置については、前項の国土交通大臣が定める基準のうち安全機能に係る部分に適合しているものとみなす。

（認証）

第五条 前条第二項の認証（以下単に「認証」という。）は、第七条から第九条までの規定により国土交通大臣の登録を受けた者（以下「登録認証機関」という。）が行うものとする。

2 認証を申請しようとする者（以下「認証申請者」という。）は、次に掲げる事項を記載した申請書を登録認証機関に提出しなければならない。

一 認証申請者の氏名又は名称及び住所並びに法人にあっては、その代表者の氏名

二 申請に係る特殊装置の名称及び型式

三 その他登録認証機関が必要と認める事項

（認証の更新）

第六条 認証は、五年以上十年以内において登録認証機関が定める期間（以下「有効期間」という。）ごとにその更新を受けなければ、その期間の経過によって、その効力を失う。

2 前条第二項の規定は、前項の認証の更新の場合について準用する。

（登録）

第七条 第五条第一項の登録（以下単に「登録」という。）は、認証の実施に関する事務（以下「認証事務」という。）を行おうとする者の申請により行う。

2 登録を受けようとする者（以下この条において「登録申請者」という。）は、次に掲げる事項を記載した申請書を国土交通大臣に提出しなければならない。

一 登録申請者の氏名又は名称及び住所並びに法人にあっては、その代表者の氏名

二 認証事務を行おうとする事務所の名称及び所在地

三 認証事務を開始しようとする年月日

3 前項の申請書には、次に掲げる書類を添付しなければならない。

一 個人である場合においては、次に掲げる書類

イ 住民票の抄本若しくは個人番号カード（行政手続における特定の個人を識別するための番号の利用等に関する法律（平成二十五年法律第二十七号）第二条第七項に規定する個人番号カードをいう。）の写し又はこれらに類するものであって氏名及び住所を証明する書類

ロ 登録申請者の略歴を記載した書類

二 法人である場合においては、次に掲げる書類

イ 定款及び登記事項証明書

ロ 申請に係る意思の決定を証する書類

ハ 役員の氏名及び略歴を記載した書類

三 登録申請者が次条各号のいずれにも該当しない者であることを誓約する書面

四 登録申請者の行う認証が第九条第一項各号に掲げる登録要件に適合していることを証する書類

五 その他参考となる事項を記載した書類

（欠格条項）

第八条 次の各号のいずれかに該当する者は、登録を受けることができない。

一 法又は法に基づく命令に違反し、罰金以上の刑に処せられ、その執行を終わり、又は執行を受けることがなくなった日から二年を経過しない者

二 第十八条の規定により登録を取り消され、その取消しの日から二年を経過しない者

三 法人であって、認証事務を行う役員のうちに前二号のいずれかに該当する者があるもの

（登録要件等）

第九条 国土交通大臣は、第七条の規定により登録を申請した者の行う認証が、次に掲げる要件の全てに適合しているときは、その登録をしなければならない。

一 次のいずれかに該当する者が、認証の申請に係る特殊装置の安全機能を確認するための審査を行うものであること。

イ 学校教育法（昭和二十二年法律第二十六号）による大学（短期大学を除く。以下同じ。）において機械工学若しくは電気工学に属する科目の教授、准教授、助教若しくは講師の職にあり、若しくはこれらの職にあった者又は機械工学若しくは電気工学に属する科目に関する研究により修士の学位を授与された者

ロ 国又は地方公共団体の職員又は職員であった者で、特殊装置の安全機能に関する専門的知識を有する者

ハ 機械に関する分野の試験研究機関において試験研究の業務に従事し、又は従事した経験のある者で、かつ、これらの分野について専門的知識を有する者

ニ イからハまでに掲げる者と同等以上の能力を有する者

二 前号の審査の結果に基づき、次のいずれかに該当する者三名以上によって構成される合議制の機関の議を経て、認証するかどうかを決定するものであること。

イ 学校教育法による大学において機械工学若しくは電気工学に属する科目の教授若しくは准教授の職にあり、若しくはこれらの職にあった者又は機械工学若しくは電気工学に属する科目に関する研究により博士の学位を授与された者

ロ 前号ロ又はハに該当する者

ハ イ又はロに掲げる者と同等以上の能力を有する者

2 登録は、登録認証機関登録簿に次に掲げる事項を記載してするものとする。

一　登録年月日及び登録番号
二　登録認証機関の氏名又は名称及び住所並びに法人にあっては、その代表者及び認証事務を行う役員の氏名
三　認証事務を行う事務所の名称及び所在地
四　認証事務を開始する年月日

（登録の更新）
第一〇条　登録は、五年ごとにその更新を受けなければ、その期間の経過によって、その効力を失う。
2　前三条の規定は、前項の登録の更新について準用する。

（認証事務の実施に係る義務）
第一一条　登録認証機関は、公正に、かつ、第九条第一項各号に掲げる要件及び次に掲げる基準に適合する方法により認証事務を行わなければならない。
一　特定の者を差別的に取り扱わないこと。
二　認証をするかどうかを決定するために必要とされる基準（以下「認証基準」という。）を定めること。
三　認証基準を定め、又はこれを変更したときは、遅滞なく、これを公表すること。
四　認証をしたときは、認証申請者に認証証明書を交付すること。
五　次のいずれかに該当するときは、その認証を取り消すこと。
イ　認証を受けた特殊装置の安全性が適切に確保されていないと認めるとき。
ロ　不正の手段により認証を受けたとき。
六　第九条第一項第一号の審査を行う者若しくは同項第二号の合議制の機関の構成員を決定しようとするとき、又はこれらを変更しようとするときは、その旨を、当該決定又は変更を行おうとする日の二週間前までに、国土交通大臣に届け出ること。
七　認証、認証の更新又は認証の取消し（以下この号において「認証等」という。）を行ったときは、その旨（認証の取消しにあっては、その理由を含む。）を記載した書面を、当該認証等の日から二週間以内に、国土交通大臣に届け出ること。
八　認証事務によって知り得た秘密の保持を行うこと。

（登録事項の変更の届出）
第一二条　登録認証機関は、第九条第二項第二号又は第三号に掲げる事項を変更しようとするときは遅滞なく、同項第四号に掲げる事項を変更しようとするときは変更しようとする日の二週間前までに、次に掲げる事項を国土交通大臣に届け出なければならない。
一　変更しようとする事項
二　変更しようとする年月日
三　変更しようとする理由

（認証事務規程）
第一三条　登録認証機関は、次に掲げる事項を記載した認証事務に関する規程を定め、認証事務を開始しようとする日の二週間前までに、国土交通大臣に届け出なければならない。これを変更しようとするときも、同様とする。
一　認証事務の時間及び休日に関する事項
二　認証事務を行う事務所及び認証の実施場所に関する事項
三　認証の申請に関する事項
四　認証の手数料の額及び収納の方法に関する事項
五　認証基準に関する事項
六　認証基準の公表の方法その他の認証の実施の方法に関する事項
七　不正の手段により認証を受けた者又は受けようとした者の処分に関する事項
八　認証証明書の交付及び再交付に関する事項
九　認証の有効期間その他認証の更新に関する事項
十　認証の取消しに関する事項
十一　第十九条第三項の帳簿その他の認証事務についての書類に関する事項
十二　認証事務に関する秘密の保持に関する事項
十三　認証事務に関する公正の確保に関する事項
十四　その他認証事務に関し必要な事項

（認証事務の休廃止）
第一四条　登録認証機関は、認証事務の全部又は一部を休止し、又は廃止しようとするときは、休止又は廃止しようとする日の二週間前までに、次に掲げる事項を記載した届出書を国土交通大臣に提出しなければならない。
一　休止し、又は廃止しようとする認証事務の範囲
二　休止し、又は廃止しようとする年月日
三　休止しようとする場合にあっては、その期間
四　休止又は廃止の理由

（財務諸表等の備付け及び閲覧等）
第一五条　登録認証機関は、毎事業年度経過後三月以内に、その事業年度の財産目録、貸借対照表及び損益計算書若しくは収支計算書又はこれらに準ずるもの並びに事業報告書（その作成に代えて電磁的記録（電子的方式、磁気的方式その他の人の知覚によっては認識することができない方式で作られる記録であって、電子計算機による情報処理の用に供されるものをいう。以下この条において同じ。）の作成がされている場合における当該電磁的記録を含む。次項において「財務諸表等」という。）を作成し、五年間登録認証機関の事務所に備えて置かなければならない。
2　認証を受けようとする者その他の利害関係人は、登録認証機関の業務時間内は、いつでも、次に掲げる請求をすることができる。ただし、第二号又は第四号の請求をするには、登録認証機関の定めた費用を支払わなければならない。
一　財務諸表等が書面をもって作成されているときは、当該書面の閲覧又は謄写の請求
二　前号の書面の謄本又は抄本の請求
三　財務諸表等が電磁的記録をもって作成されているときは、当該電磁的記録に記録された事項を紙面又は出力装置の映像面に表示したものの閲覧又は謄写の請求
四　前号の電磁的記録に記録された事項を電磁的方法であって、次に掲げるもののうち登録認証機関が定めるものにより提供することの請求又は当該事項を記載した書面の交付の請求
イ　送信者の使用に係る電子計算機と受信者の使用に係る電子計算機とを電気通信回線で接続した電子情報処理組織を使用する方法であって、当該電気通信回線を通じて情報が送信され、受信者の使用に係る電子計算機に備えられたファイルに当該情報が記録されるもの
ロ　磁気ディスクその他これに準ずる方法により一定の情報を確実に記録しておくことができるもの（第十九条において「磁気ディスク等」という。）をもって調製するファイルに情報を記録したものを交付する方法
3　前項第四号イ又はロに掲げる方法は、受信者がファイルへの記録を出力することによる書面を作成できるものでなければならない。

（適合命令）
第一六条　国土交通大臣は、登録認証機関が第九条第一項各号の要件に適合しなくなったと認めるときは、その登録認証機関に対し、当該要件に適合するため必要な措置をとるべきことを命ずることができる。

（改善命令）
第一七条　国土交通大臣は、登録認証機関が第十一条の規定に違反していると認めるときは、その登録認証機関に対し、同条の規定による認証事務を行うべきこと又は認証の方法その他の業務の方法の改善に関し必要な措置をとるべきことを命ずることができる。

（登録の取消し等）
第一八条　国土交通大臣は、登録認証機関が次の各号のいずれかに該当するときは、その登録を取り消し、又は期間を定めて認証事務の全部若しくは一部の停止を命ずることができる。
一　第八条第一号又は第三号に該当するに至ったとき。
二　第十二条から第十四条まで、第十五条第一項又は次条の規定に違反したとき。
三　正当な理由がないのに第十五条第二項の規定による請求を拒んだとき。
四　前二条の規定による命令に違反したとき。
五　第二十条の規定による報告を求められて、報告をせず、又は虚偽の報告をしたとき。
六　不正の手段により登録を受けたとき。

（帳簿の記載等）
第一九条　登録認証機関は、次に掲げる事項を記載した帳簿を備えなければならない。
一　認証の申請を受け付けた年月日
二　認証申請者の氏名又は名称及び住所並びに法人にあっては、その代表

者の氏名
三　認証の申請に係る特殊装置の名称及び型式
四　認証の申請に係る特殊装置について第九条第一項第一号の審査を行った年月日及び当該審査を行った者の氏名
五　認証の申請に係る特殊装置について認証をするかどうかを決定した年月日及び当該決定に係る議を経た第九条第一項第二号の合議制の機関の構成員の氏名
六　認証をした特殊装置にあっては、前各号に掲げる事項のほか、認証証明書の交付の年月日及び認証番号

2　前項各号に掲げる事項が、電子計算機に備えられたファイル又は磁気ディスク等に記録され、必要に応じ登録認証機関において電子計算機その他の機器を用いて明確に紙面に表示されるときは、当該記録をもって同項に規定する帳簿への記載に代えることができる。

3　登録認証機関は、第一項に規定する帳簿（前項の規定による記録が行われた同項のファイル又は磁気ディスク等を含む。）を、認証事務の全部を廃止するまで保存しなければならない。

4　登録認証機関は、次に掲げる書類を備え、認証の有効期間が満了した日（認証をしなかったときは、第一項第五号に規定する日）から二年間保存しなければならない。
一　認証の申請書及び添付書類
二　認証の判定とその結果に関する書類

（報告の徴収）
第二〇条　国土交通大臣は、認証事務の適正な実施を確保するため必要があると認めるときは、登録認証機関に対し、認証事務の状況に関し必要な報告を求めることができる。

（公示）
第二一条　国土交通大臣は、次に掲げる場合には、その旨を官報に公示しなければならない。
一　登録をしたとき又は第十条第一項の登録の更新をしたとき。
二　第十二条の規定による届出があったとき。
三　第十四条の規定による届出があったとき。
四　第十八条の規定により登録を取り消し、又は認証事務の停止を命じたとき。

（権限の委任）
第二二条　法及び令に規定する国土交通大臣の権限のうち、次に掲げるものは、地方整備局長及び北海道開発局長に委任する。ただし、第三号に掲げる権限については、国土交通大臣が自ら行うことを妨げない。
一　法第四条第三項の規定により意見を述べ、及び同条第四項の規定による通知を受理すること。
二　令第七条第二項の規定により認定をし、並びに同条第三項の規定により道路管理者及び都道府県公安委員会と協議し、並びに道路管理者及び都道府県公安委員会の意見を聴くこと。
三　令第十五条の規定により認定をすること。

附　則

（施行期日）
1　この省令は、内閣法の一部を改正する法律（平成十一年法律第八十八号）の施行の日（平成十三年一月六日）から施行する。

（路外駐車場に関する届出等に関する省令等の廃止）
2　次に掲げる省令は、廃止する。
一　路外駐車場に関する届出等に関する省令（昭和三十三年運輸省建設省令第一号）
二　路上駐車場の利用に関する標識に関する省令（昭和三十三年建設省令第三号）

附　則〔略〕〔平成一六・七・二国土交通省令七九施行〕

附　則〔略〕〔平成一八・一一・六国土交通省令一〇四〕

附　則〔略〕〔平成二三・一二・二六国土交通省令一〇二〕

附　則〔平成二六・七・二五国土交通省令六八〕

（施行期日）
1　この省令は、平成二十七年一月一日から施行する。

（経過措置）
2　この省令による改正後の駐車場法施行規則（以下「新規則」という。）第五条第一項の登録を受けようとする者は、この省令の施行前においても、その申請を行うことができる。新規則第十三条の規定による認証事務規程の届出についても、同様とする。

3　この省令の施行前に駐車場法施行令（以下この項及び次項において「令」という。）第十五条の規定により国土交通大臣が令第二章第一節の規定による構造又は設備と同等以上の効力があると認めた特殊の装置については、新規則第四条第一項の規定により国土交通大臣が令第二章第一節の規定による構造又は設備と同等以上の効力があると認めたものとみなす。

4　令第十五条に規定する特殊の装置については、新規則第四条第一項の規定にかかわらず、この省令の施行の日から起算して一年六月を経過する日までの間は、なお従前の例によることができる。

附　則〔略〕〔平成二八・四・一国土交通省令四〇〕

附　則〔平成三〇・一一・二七国土交通省令九一〕

（施行期日）
1　この省令は、公布の日から施行する。

（経過措置）
2　この省令の施行前に行われた法第十三条第一項及び第四項の規定による管理規程の届出に関しては、改正前の駐車場法施行規則第二条第二項の規定は、なお、その効力を有する。

附　則〔抄〕〔令和三・八・三一国土交通省令五三〕

（施行期日）
1　この省令は、令和三年九月一日から施行する。

別記様式〔略〕

〇都市開発資金の貸付けに関する法律

（昭和四一・三・三一法律二〇）

改正　昭和四三・六法一〇一、昭和五五・五法三三、昭和六二・六法六二、九法八七、昭和六三・四法二二、平成元・六法四〇、平成四・四法三二、六法七六、平成五・五法三四、平成六・三法二一、平成七・二法一四、平成八・三法二一、平成九・五法五〇、平成一〇・五法八〇、六法九二、平成一一・三法二五、六法七六、七法一一七、一二法一六〇、平成一四・二法一、三法一一、四法二二、七法八三、法八五、平成一五・六法一〇〇、法一〇一、平成一六・六法一一一、平成一七・四法三四、七法八七、平成一八・六法五四、平成一九・三法一九、法二三、平成二一・六法四五、平成二三・四法二四、五法三七、平成二五・一一法七六、平成二六・四法三〇、五法三九、平成二九・五法二六、平成三〇・四法二二、令和六・五法四〇

（都市開発資金の貸付け）
第一条　国は、地方公共団体に対し、次に掲げる土地の買取りに必要な資金を貸し付けることができる。
一　人口の集中の著しい政令で定める大都市（その周辺の地域を含む。）又は地方拠点都市地域の整備及び産業業務施設の再配置の促進に関する法律（平成四年法律第七十六号）第四条第一項の規定により指定された地方拠点都市地域の中心となる都市で政令で定めるもの（その周辺の地域を含む。）の秩序ある発展を図るために整備されるべき主要な道路、公園、緑地、広場その他の政令で定める公共施設で、都市計画において定められたものの区域内の土地
二　次に掲げる土地（イからニまでに掲げる土地にあつては都市計画法（昭和四十三年法律第百号）第十二条の四第一項第二号に規定する防災街区整備地区計画の区域で政令で定めるもの及び同法第八条第一項第三号に規定する高度利用地区の区域その他の政令で定める区域の内にあるものに限る。）で、都市の機能を維持し、及び増進するため計画的に整備改善を図る必要がある重要な市街地の区域内にあり、その計画的な整備改善を促進するために有効に利用できるもの
イ　首都圏整備法（昭和三十一年法律第八十三号）第二条第三項に規定する既成市街地及びこれに接続して既に市街地を形成している区域内の土地
ロ　近畿圏整備法（昭和三十八年法律第百二十九号）第二条第三項に規

定する既成都市区域及びこれに接続して既に市街地を形成している区域内の土地

ハ　人口の集中の特に著しい政令で定める大都市の既に市街地を形成している区域内の土地

ニ　前号の地方拠点都市地域の中心となる都市で政令で定めるものの既に市街地を形成している区域内の土地

ホ　現に地域社会の中心となつている都市（その中心市街地の活性化に関する法律（平成十年法律第九十二号）第二条の中心市街地について同法第九条第一項に規定する基本計画が同条第十項の認定を受けたものに限る。）で政令で定めるものの既に市街地を形成している区域内の土地（同法第十六条第一項に規定する認定中心市街地の区域で政令で定めるものの区域内にあるものに限る。）

ヘ　大規模な災害を受けた都市で政令で定めるものの既に市街地を形成している区域内の土地（被災市街地復興特別措置法（平成七年法律第十四号）第五条第一項の規定により都市計画に定められた被災市街地復興推進地域内にあるものに限る。）

2　国は、地方公共団体が次に掲げる資金の貸付けを行うときは、当該地方公共団体に対し、当該貸付けに必要な資金（第三号に掲げる資金の貸付けにあつては、当該貸付けに必要な資金の二分の一以内）を貸し付けることができる。

一　密集市街地における防災街区の整備の促進に関する法律（平成九年法律第四十九号）第三百条第一項の規定により指定された防災街区整備推進機構で政令で定めるものに対する同法第三百一条第三号に規定する土地で政令で定めるもののうち前項第二号に掲げる土地に該当するものの買取りに要する費用に充てる資金の貸付け

二　中心市街地の活性化に関する法律第六十一条第一項の規定により指定された中心市街地整備推進機構で政令で定めるものに対する同法第六十二条第三号に規定する土地のうち前項第二号に掲げる土地に該当するものの買取りに要する費用に充てる資金の貸付け

三　都市公園法（昭和三十一年法律第七十九号）第五条の六第一項に規定する認定計画提出者に対する同法第五条の七第一項に規定する認定公募設置等計画に基づく同法第五条の二第一項に規定する公募対象公園施設及び同条第二項第五号に規定する特定公園施設の建設に要する費用で政令で定める範囲内のものに充てる資金の貸付け

3　国は、市街地再開発事業（都市再開発法（昭和四十四年法律第三十八号）による市街地再開発事業をいう。以下同じ。）による土地の合理的かつ健全な高度利用と都市機能の更新に資するため、地方公共団体が次に掲げる貸付けを行う場合において、特に必要があると認めるときは、当該地方公共団体に対し、当該貸付けに必要な資金の二分の一以内を貸し付けることができる。

一　市街地再開発事業を施行する個人施行者（都市再開発法第七条の十五第二項に規定する個人施行者をいう。）で政令で定めるもの、市街地再開発組合又は再開発会社（同法第五十条の二第三項に規定する再開発会社をいう。次号において同じ。）に対する当該市街地再開発事業に要する費用で政令で定める範囲内のものに充てるための無利子の資金の貸付け

二　市街地再開発事業の施行者（都市再開発法第二条第二号に規定する施行者をいう。以下この号及び次条第四項において同じ。）が、施設建築物又は施設建築敷地（同法第二条第六号又は第七号に規定する施設建築物又は施設建築敷地をいう。以下この号において同じ。）に関する権利（施行地区（同条第三号に規定する施行地区をいう。以下この号において同じ。）内に宅地（同条第五号に規定する宅地をいう。以下この号において同じ。）、借地権（同条第十一号に規定する借地権をいう。以下この号において同じ。）又は権原に基づき建築物を有する者（施行者を除く。）が当該権利に対応して与えられることとなるものを除く。以下この号及び次条第四項において「施設に関する権利」という。）の全部又は一部を、国土交通省令で定めるところにより公募して譲渡しようとしたにもかかわらず譲渡することができなかつた場合において、次のいずれかに該当する者が出資している法人で政令で定めるものに取得させるときの当該法人に対する当該施設に関する権利の全部又は一部の取得に必要な費用で政令で定める範囲内のものに充てるための無利子の資金の貸付け

イ　施行者

ロ　市街地再開発組合の組合員

ハ　再開発会社の株主（当該再開発会社の施行する市街地再開発事業の施行地区内に宅地又は借地権を有する者で当該権利に対応して施設建築物又は施設建築敷地に関する権利を与えられることとなるものに限る。）

4　国は、土地区画整理事業（土地区画整理法（昭和二十九年法律第百十九号）による土地区画整理事業をいう。以下同じ。）に関し地方公共団体が次に掲げる貸付けを行う場合において、特に必要があると認めるときは、当該地方公共団体に対し、当該貸付けに必要な資金の二分の一以内を貸し付けることができる。

一　公共施設（土地区画整理法第二条第五項に規定する公共施設をいう。以下この条において同じ。）のうち都市計画において定められた街路その他の重要な公共施設の新設又は改良に関する事業を含む土地区画整理事業で、施行地区（同法第二条第四項に規定する施行地区をいう。以下この条において同じ。）の面積、公共施設の種類及び規模等が政令で定める基準に適合するものを施行する個人施行者（同法第九条第五項に規定する個人施行者をいう。以下この項において同じ。）、土地区画整理組合又は区画整理会社（同法第五十一条の九第五項に規定する区画整理会社をいう。以下この項において同じ。）に対する当該土地区画整理事業に要する費用で政令で定める範囲内のものに充てるための無利子の資金の貸付け

二　土地の合理的かつ健全な高度利用に資する次に掲げる土地区画整理事業で、施行地区の面積、公共施設の種類及び規模等が政令で定める基準に適合するものを施行する個人施行者、土地区画整理組合又は区画整理会社に対する当該土地区画整理事業に要する費用で政令で定める範囲内のものに充てるための無利子の資金の貸付け

イ　土地区画整理法第六条第四項（同法第十六条第一項及び第五十一条の四において準用する場合を含む。）の規定による市街地再開発事業区が事業計画において定められている土地区画整理事業

ロ　土地区画整理法第六条第六項（同法第十六条第一項及び第五十一条の四において準用する場合を含む。）の規定による高度利用推進区が事業計画において定められている土地区画整理事業

三　都市再生特別措置法（平成十四年法律第二十二号）第百五条の二の規定による誘導施設整備区が事業計画において定められている土地区画整理事業で、施行地区の面積、公共施設の種類及び規模等が政令で定める基準に適合するものを施行する個人施行者、土地区画整理組合又は区画整理会社に対する当該土地区画整理事業に要する費用で政令で定める範囲内のものに充てるための無利子の資金の貸付け

四　施行地区の全部又は一部が景観計画区域（景観法（平成十六年法律第百十号）第八条第二項第一号に規定する景観計画区域をいう。以下この号において同じ。）に含まれる土地区画整理事業で、施行地区の面積（施行地区の一部が景観計画区域に含まれるものにあつては、施行地区の面積及び施行地区内の景観計画区域の面積。以下この条において同じ。）、公共施設の種類及び規模等が政令で定める基準に適合するものを施行する個人施行者、土地区画整理組合又は区画整理会社に対する当該土地区画整理事業に要する費用で政令で定める範囲内のものに充てるための無利子の資金の貸付け

五　土地区画整理事業（前各号に規定する土地区画整理事業で、施行地区の面積、公共施設の種類及び規模等が当該各号の政令で定める基準に適合するものに限る。）の施行者（土地区画整理法第二条第三項に規定する施行者をいう。以下この条及び次条第五項において同じ。）が、保留地（同法第九十六条第一項又は第二項の規定により換地として定めない土地をいう。以下この号及び次条第五項において同じ。）の全部又は一部を、国土交通省令で定めるところにより公募して譲渡しようとしたにもかかわらず譲渡することができなかつた場合において、次のいずれかに該当する者が出資している法人で政令で定めるものに取得させるときの当該法人に対する当該保留地の全部又は一部の取得に必要な費用で政令で定める範囲内のものに充てるための無利子の資金の貸付け

イ　施行者

ロ　土地区画整理組合の組合員

ハ　区画整理会社の株主（当該区画整理会社の施行する土地区画整理事業の施行地区内の宅地（土地区画整理法第二条第六項に規定する宅地をいい、保留地を除く。）について所有権又は借地権（同条第七項に規定する借地権をいう。）を有する者に限る。）

5　国は、地方公共団体に対し、土地区画整理組合が国土交通省令で定める土地区画整理事業の施行の推進を図るための措置を講じたにもかかわらず、その施行する土地区画整理事業を遂行することができないと認められるに至つた場合において、当該地方公共団体が、その施行地区となつている区域について新たに施行者となり、土地区画整理法第百二十八条第二項の規定により当該土地区画整理組合から引き継いで施行することとなつた土地区画整理事業（前項第一号から第四号までに規定する土地区画整理事業で、施行地区の面積、公共施設の種類及び規模等が当該各号の政令で定める基準に適合するものに限る。）に要する費用で政令で定める範囲内のものに充てる資金を貸し付けることができる。

6　国は、地方公共団体が、都市再生特別措置法第百十八条第一項の規定により指定された都市再生推進法人又はまちづくりの推進を図る活動を行うことを目的とする法人（いずれも政令で定める要件に該当するものに限る。）に対する同法第百十九条第三号に規定する事業に要する費用で政令で定める範囲内のものに充てるための無利子の資金の貸付けを行うときは、当該地方公共団体に対し、当該貸付けに必要な資金の二分の一以内を貸し付けることができる。

7　国は、独立行政法人都市再生機構に対し、独立行政法人都市再生機構法（平成十五年法律第百号）第十一条第一項第一号から第五号まで、第七号、第九号及び第十号に掲げる業務（委託に基づき行うものを除く。）に要する資金の一部を貸し付けることができる。

8　国は、土地開発公社に対し、公有地の拡大の推進に関する法律（昭和四十七年法律第六十六号）第六条第一項の手続による土地の買取りに必要な資金を貸し付けることができる。

9　国は、都市緑地法（昭和四十八年法律第七十二号）第六十九条第一項の規定により指定された都市緑化支援機構に対し、同法第七十条第一号、第二号及び第五号並びに古都における歴史的風土の保存に関する特別措置法（昭和四十一年法律第一号）第十四条第一項第一号及び第二号に掲げる業務に要する資金を貸し付けることができる。

10　国は、民間都市開発の推進に関する特別措置法（昭和六十二年法律第六十二号。以下「民間都市開発法」という。）第三条第一項の規定により指定された民間都市開発推進機構（以下「民間都市機構」という。）に対し、同法第四条第一項第一号及び第二号に掲げる業務に要する資金の一部を貸し付けることができる。

（利率、償還方法等）

第二条　前条第一項、第二項又は第八項の規定による貸付金の利率は、国土交通大臣が財務大臣と協議して定める。この場合において、同条第一項第二号の土地（同号イからニまでに掲げる土地で防災街区整備地区計画の区域内のもの、同号ニに掲げる土地の区域内の土地で政令で定めるもの並びに同号ホ及びヘに掲げる土地に限る。）に係る貸付金又は同条第二項若しくは第八項の規定による貸付金の利率については、特にこれらの貸付金に係る土地の買取りが促進されるよう配慮して定めなければならない。

2　前条第三項から第七項まで、第九項又は第十項の規定による貸付金は、無利子とする。

3　前条第一項、第二項又は第八項の規定による貸付金の償還期間は、十年（四年以内の据置期間を含む。）以内とし、その償還は、元金均等半年賦償還の方法によるものとする。

4　前条第三項の国又は地方公共団体の貸付金の償還期間、据置期間及び償還方法は、次の表の区分の欄各項に掲げる区分に応じ、それぞれ同表の償還期間の欄、据置期間の欄及び償還方法の欄各項に掲げるとおりとする。

項	区分	償還期間	据置期間	償還方法
一	前条第三項第一号の貸付金（二の項に掲げるものを除く。）	八年（都市再開発法第十一条第二項の規定により設立された市街地再開発組合で同条第三項の規定による事業計画の認可を受けていないものにあつては、十二年）以内	—	一括償還
二	前条第三項第一号の貸付金のうち施行者が施設に関する権利の全部又は一部を、国土交通省令で定めるところにより公募して譲渡しようとしたにもかかわらず譲渡することができなかつた場合における当該施設に関する権利の管理処分に要する費用に充てるための貸付金	二十五年以内（据置期間を含む。）	十年以内	均等半年賦償還
三	前条第三項第二号の貸付金	二十五年以内（据置期間を含む。）	十年以内	均等半年賦償還

5　前条第四項の国又は地方公共団体の貸付金の償還期間、据置期間、償還方法及び償還期限は、次の表の区分の欄各項に掲げる区分に応じ、それぞれ同表の償還期間の欄、据置期間の欄、償還方法の欄及び償還期限の欄各項に掲げるとおりとする。

項	区分	償還期間	据置期間	償還方法	償還期限
一	前条第四項第一号から第四号までの貸付金（二の項及び三の項に掲げるものを除く。）	八年以内（据置期間を含む。）	六年以内	均等半年賦償還	土地区画整理法第九条第三項、第二十一条第三項又は第五十一条の九第三項の規定による公告があつた日（土地区画整理組合が国土交通省令で定める土地区画整理事業の施行の推進を図るための措置を講じたにもかかわらず、工事その他国土交通省令で定める主要な部分が相当期間にわたり実施されていない土地区画整理事業で、当該主要な部分を実施するために事業計画を変更したものを施行する場合における当該土地区画整理組合に対する貸付金（二の項において「特定貸付金」という。）にあつては、当該事業計画の変更に係る同法第三十九条第四項の規定による公告があつた日（二の項において「変更公告の日」という。））の翌日から起算して十年以内
二	前条第四項第一号から第四号までの貸付金のうち土地区画整理	十年以内（据置期	八年以内	均等半年賦償還	土地区画整理法第二十一条第四項の規定による公告があつた日の翌日から起算し

	法第十四条第二項の規定により設立された土地区画整理組合で同条第三項の規定による事業計画の認可を受けていないものに対するもの（三の項に掲げるものを除く。）	間を含む。）		
三	前条第四項第一号から第四号までの貸付金のうち施行者が保留地の全部又は一部を、国土交通省令で定めるところにより公募	二十五年以内（据置期間を含む。）	十年以内	均等半年賦償還

て十二年（特定貸付金にあつては、変更公告の日の翌日から起算して十年）以内

	して譲渡しようとしたにもかかわらず譲渡することができなかつた場合における当該保留地の管理処分に要する費用に充てるための貸付金			
四	前条第四項第五号の貸付金	二十五年以内（据置期間を含む。）	十年以内	均等半年賦償還

6　前条第五項の規定による貸付金の償還期間は、八年（六年以内の据置期間を含む。）以内とし、その償還は、均等半年賦償還の方法によるものとする。ただし、償還期限は、土地区画整理法第五十五条第九項の規定による公告があつた日の翌日から起算して十年以内とする。

7　前条第三項又は第四項の地方公共団体の貸付金の貸付けを受けた者が貸付金を貸付けの目的以外の目的に使用したとき、その他貸付けの条件に違反したときは、当該地方公共団体は、政令で定めるところにより、当該貸付けを受けた者から加算金を徴収することができるものとし、かつ、その徴収した加算金の全部又は一部に相当する金額を国に納付するものとする。

8　前項に定めるもののほか、前条第三項から第五項までの国又は地方公共団体の貸付金に関する償還期限の繰上げ又は延長、延滞金の徴収その他必要な貸付けの条件の基準については、政令で定める。

9　前条第六項又は第九項の規定による貸付金の償還期間は、十年（四年以内の据置期間を含む。）以内とし、その償還は、均等半年賦償還の方法によるものとする。

10　前条第七項又は第十項の規定による貸付金の償還期間は、二十年（同条第七項の規定による貸付金にあつては十年以内の、同条第十項の規定による貸付金にあつては五年以内の据置期間を含む。）以内とし、その償還は、均等半年賦償還の方法によるものとする。

11　国は、前条第十項の規定による貸付金で民間都市開発法第四条第一項第一号に掲げる業務に要する資金に係るものについて民間都市機構が当該貸付金を充てて負担した費用の償還方法を勘案し特に必要があると認めるときは、前項の規定にかかわらず、その償還を、一括償還の方法によるものとすることができる。この場合においては、その償還期間は、十年以内とする。

附　則

1　この法律は、昭和四十一年四月一日から施行する。

2　国は、当分の間、民間都市機構に対し、民間都市開発法附則第十四条第一項第一号又は第二号に掲げる業務に要する資金を無利子で貸し付けることができる。

3　国は、当分の間、独立行政法人都市再生機構又は地方住宅供給公社に対し、土地区画整理事業として行われる政令で定める公園、下水道その他の公共施設の整備に関する事業のうち、日本電信電話株式会社の株式の売払収入の活用による社会資本の整備の促進に関する特別措置法（昭和六十二年法律第八十六号）第二条第一項第一号に該当するものに要する費用に充てる資金の一部を無利子で貸し付けることができる。

4　国は、民間都市機構に対し、民間都市開発法附則第十四条第三項第一号に掲げる業務に要する資金の全部又は一部及び同項第二号から第四号までに掲げる業務に要する資金を無利子で貸し付けることができる。

5　前三項の規定による貸付金の償還期間は、二十年（五年以内の据置期間を含む。）以内とする。

6　国は、当分の間、民間都市機構に対し、附則第二項の規定によるもののほか、次に掲げる業務に係る事務の管理及び運営に要する費用の財源をその運用によつて得るための資金を無利子で貸し付けることができる。

一　民間都市開発法附則第十四条第二項各号に掲げる業務

二　民間都市開発法附則第十四条第十項（同条第十二項の規定により読み替えて適用する場合を含む。）、第十一項及び第十四項の規定に基づき行う業務

三　民間都市開発法附則第十七条第一項の規定により国土交通大臣の指示を受けて行う業務

7　民間都市機構は、前項に規定する業務を廃止したときは、同項の規定による貸付金を国に償還しなければならない。

8　附則第五項及び前項に定めるもののほか、附則第二項から第四項まで及び第六項の規定による貸付金の償還方法、償還期限の繰上げその他償還に関し必要な事項は、政令で定める。

9　平成十三年三月三十一日までの間における第一条第一項の規定による貸付金のうち同項第一号の土地（その整備がその周辺の市街地の再開発の促進に資する道路で政令で定めるもの（東京都の特別区の存する区域又は指定都市の区域内にあるものに限る。）の区域内の土地に限る。）に係る貸付金についての第二条第三項の規定の適用については、同項中「十年（四年）」とあるのは、「十二年（六年）」とする。

10　平成十二年三月三十一日までの間における第一条第三項又は第四項の規定による貸付金については、同条第三項中「資金の二分の一以内」とあり、及び同条第四項中「資金（第一号又は第三号に掲げる貸付けにあつては、当該貸付けに必要な資金の二分の一以内）」とあるのは「資金」と、同条第三項並びに第四項第一号及び第三号中「政令で定める範囲内」とあるのは「政令で定める範囲の二分の一以内」とする。

附　則〔略〕〔昭和四三・六・一五法律一〇一〕

附　則〔昭和五五・五・一法律三三〕

（施行期日）

1　この法律は、公布の日から施行する。

（経過措置）

2　この法律の施行の際現にこの法律による改正前の都市開発資金の貸付けに関する法律第一条の規定により貸し付けられている貸付金の利率については、なお従前の例による。

附　則〔略〕〔昭和六二・六・二法律六二〕

附　則〔略〕〔昭和六二・九・四法律八七〕

附　則〔略〕〔平成四・四・二四法律三一〕

附　則〔略〕〔平成四・六・五法律七六〕

附　則〔抄〕〔平成五・五・六法律三四〕

（施行期日等）

第一条　この法律は、公布の日から施行〔中略〕する。ただし、〔中略〕第二条のうち都市開発資金の貸付けに関する法律第一条に一項を加える改正規定中同条第二項第一号イに係る部分〔中略〕の規定は、公布の日から起算して三月を超えない範囲内において政令で定める日から施行する。

〔平成五政二五一により、平成五・七・三〇から施行〕

（経過措置）

第二条　平成四年度における一般会計の歳出予算のうち、第一条の規定による改正前の土地区画整理法第百二十一条の二第一項の規定による資金の貸

付けに係る経費で財政法（昭和二十二年法律第三十四号）第四十二条ただし書の規定による繰越しを必要とするものは、都市開発資金融通特別会計に繰り越して使用することができる。

第三条 前条の規定により繰越しをしたときは、財政法第四十一条の規定により平成五年度の一般会計の歳入に繰り入れるべき平成四年度の同会計の歳入歳出の決算上の剰余金のうち、前条の繰越額に相当する金額は、都市開発資金融通特別会計の平成五年度の歳入に繰り入れるものとする。

第四条 平成五年四月一日において一般会計に所属する資産及び負債で第一条の規定による改正前の土地区画整理法第百二十一条の二第一項の規定による資金の貸付けに係るものは、政令で定めるところにより、都市開発資金融通特別会計に帰属するものとする。

第五条 第一条の規定による改正前の土地区画整理法第百二十一条の二の規定により貸し付けた資金の貸付けについては、なお従前の例による。

附則〔略〕〔平成六・三・三一法律七〕

附則〔略〕〔平成七・二・二六法律一四〕

附則〔略〕〔平成八・三・三一法律二一〕

附則〔略〕〔平成九・五・九法律五〇〕

附則〔抄〕〔平成一〇・五・二九法律八〇〕

（施行期日）

1 この法律〔中略〕は、公布の日から施行する。

（経過措置）

2 第二条の規定の施行の際現に同条の規定による改正前の都市開発資金の貸付けに関する法律第一条第一項の規定により貸し付けられている貸付金の償還期間については、なお従前の例による。

附則〔略〕〔平成一〇・六・三法律九二〕

附則〔略〕〔平成一一・三・三一法律二五〕

附則〔略〕〔平成一一・六・一六法律七六〕

附則〔略〕〔平成一一・七・三〇法律一一七〕

附則〔略〕〔平成一一・一二・二二法律一六〇〕

附則〔略〕〔平成一四・二・八法律一〕

附則〔抄〕〔平成一四・三・三一法律一一〕

（施行期日）

第一条 この法律は、公布の日から起算して三月を超えない範囲内において政令で定める日から施行する。ただし、〔中略〕第五条中都市開発資金の貸付けに関する法律第二条第一項及び附則第六項の改正規定は、平成十四年四月一日から施行する。

〔平成一四政一八七により、平成一四・六・一から施行〕

（罰則に関する経過措置）

第二条 この法律の施行前にした行為に対する罰則の適用については、なお従前の例による。

附則〔略〕〔平成一四・四・五法律二二〕

附則〔抄〕〔平成一四・七・一二法律八三〕

（施行期日）

第一条 この法律は、公布の日から施行する。

（都市開発資金の貸付けに関する法律の一部改正に伴う経過措置）

第六条 この法律の施行の際現に前条の規定による改正前の都市開発資金の貸付けに関する法律（次項において「旧都市開発資金法」という。）第一条第一項第一号の規定によりされている資金の貸付けについては、なお従前の例による。

2 前条の規定による改正後の都市開発資金の貸付けに関する法律の規定にかかわらず、国は、この法律の施行の日から起算して二年を超えない範囲内において政令で定める日〔平成一四政二五三により、平成一六・三・三一〕までの間は、旧都市開発資金法第一条第一項第一号の規定による資金の貸付けをすることができる。この場合においては、同号イ中「首都圏の既成市街地における工業等の制限に関する法律」とあるのは「首都圏整備法及び近畿圏整備法の一部を改正する等の法律（平成十四年法律第八十三号）による廃止前の首都圏の既成市街地における工業等の制限に関する法律」と、同号ロ中「近畿圏の既成都市区域における工場等の制限に関する法律」とあるのは「首都圏整備法及び近畿圏整備法の一部を改正する等の法律による廃止前の近畿圏の既成都市区域における工場等の制限に関する法律」として、旧都市開発資金法及び都市開発資金融通特別会計法（昭和四十一年法律第五十号）の規定を適用する。

附則〔略〕〔平成一四・七・一二法律八五〕

附則〔抄〕〔平成一五・六・二〇法律一〇〇〕

改正 平成一七・四法三四、平成一九・三法二三、平成二一・六法四五、平成二五・一一法七六

（施行期日）

第一条 この法律は、平成十六年七月一日から施行する。〔以下略〕

（都市開発資金の貸付けに関する法律の一部改正に伴う経過措置）

第四四条 国は、当分の間、機構に対し、機構が附則第十二条第一項の規定により行う旧地域公団法第十九条第一項第一号に掲げる業務並びに旧都市公団法第二十八条第一項第一号から第四号まで及び第六号から第九号までに掲げる業務に要する資金の一部を貸し付けることができる。この場合において、都市開発資金の貸付けに関する法律第二条第二項中「又は第九項」とあるのは「若しくは第九項又は独立行政法人都市再生機構法（以下「機構法」という。）附則第四十四条」と、同条第十項中「又は第九項」とあるのは「若しくは第九項又は機構法附則第四十四条」と、「同条第七項」とあるのは「同条第七項又は機構法附則第四十四条」とする。

附則〔略〕〔平成一五・六・二〇法律一〇二〕

附則〔略〕〔平成一六・六・一八法律一一一〕

附則〔抄〕〔平成一七・四・二七法律三四〕

（施行期日）

第一条 この法律は、公布の日から起算して六月を超えない範囲内において政令で定める日から施行する。〔以下略〕

〔平成一七政三二一により、平成一七・一〇・二四から施行〕

（都市開発資金の貸付けに関する法律の一部改正に伴う経過措置）

第四条 第四条の規定による改正前の都市開発資金の貸付けに関する法律第一条第四項第一号及び第二号の規定によりされた資金の貸付けについては、なお従前の例による。

（政令への委任）

第六条 附則第二条から前条までに定めるもののほか、この法律の施行に関して必要な経過措置は、政令で定める。

附則〔略〕〔平成一七・七・二六法律八七〕

附則〔抄〕〔平成一八・六・七法律五四〕

（施行期日）

第一条 この法律は、公布の日から起算して三月を超えない範囲内において政令で定める日から施行する。

〔平成一八政二六四により、平成一八・八・二二から施行〕

（都市開発資金の貸付けに関する法律の一部改正に伴う経過措置）

第二〇条 前条の規定による改正前の都市開発資金の貸付けに関する法律第一条第二項（第二号ホに係る部分に限る。）及び同条第二項（第二号に係る部分に限る。）の規定によりされた資金の貸付けについては、なお従前の例による。

附則〔略〕〔平成一九・三・三一法律一九〕

附則〔略〕〔平成一九・三・三一法律二三〕

附則〔略〕〔平成二一・六・三法律四五〕

附則〔抄〕〔平成二三・四・二七法律二四〕

（施行期日）

第一条 この法律は、公布の日から起算して三月を超えない範囲内において政令で定める日から施行する。〔以下略〕

〔平成二三政二二四により、平成二三・七・二五から施行〕

（都市開発資金の貸付けに関する法律の一部改正に伴う経過措置）

第九条 この法律の施行の際現に前条の規定による改正前の都市開発資金の貸付けに関する法律第一条第九項の規定によりされている資金の貸付けについては、なお従前の例による。

附則〔略〕〔平成二三・五・二法律三七〕

附則〔略〕〔平成二五・一一・二二法律七六〕

附則〔略〕〔平成二六・四・二五法律三〇〕

附則〔略〕〔平成二六・五・二一法律三九〕

附則〔抄〕〔平成二九・五・一二法律二六〕

（施行期日）

第一条 この法律は、公布の日から起算して二月を超えない範囲内において政令で定める日から施行する。ただし、次の各号に掲げる規定は、当該各号に定める日から施行する。

〔平成二九政一五五により、平成二九・六・一五から施行〕

一 附則第二十五条の規定 公布の日

二　〔略〕

（政令への委任）

第二五条　この附則に定めるもののほか、この法律の施行に関し必要な経過措置は、政令で定める。

附　則　〔抄〕〔平成三〇・四・二五法律二二〕

（施行期日）

1　この法律は、公布の日から起算して三月を超えない範囲内において政令で定める日から施行する。

〔平成三〇政二〇一により、平成三〇・七・一五から施行〕

（政令への委任）

2　この法律の施行に関し必要な経過措置は、政令で定める。

附　則　〔抄〕〔令和六・五・二九法律四〇〕

（施行期日）

第一条　この法律は、公布の日から起算して六月を超えない範囲内において政令で定める日から施行する。ただし、附則第三条の規定は、公布の日から施行する。

（政令への委任）

第三条　前条に定めるもののほか、この法律の施行に関し必要な経過措置（罰則に関する経過措置を含む。）は、政令で定める。

（検討）

第四条　政府は、この法律の施行後五年を目途として、この法律による改正後のそれぞれの法律の規定について、その施行の状況等を勘案して検討を加え、必要があると認めるときは、その結果に基づいて所要の措置を講ずるものとする。

○都市開発資金の貸付けに関する法律施行令

〔昭和四一・四・一八　政令一一二〕

改正　昭和四六・四政一〇七、昭和四七・五政一九三、昭和四八・四政九九、昭和五三・四政一一四、昭和五五・五政一二一、一二政三二四、昭和五六・四政一四四、五政一六一、昭和五七・一政一六、昭和五八・四政八四、昭和五九・一政三、四政八二、昭和六〇・一〇政二八三、昭和六一・三政三〇、五政一八五、昭和六二・三政七一、六政二三四、八政二七五、九政二九五、政三二八、一二政三九九、昭和六三・三政三七、四政一三二、五政一五〇、一〇政二九四、平成元・一政七、五政一五三、八政二四六、平成二・二政一三、三政三六、六政一五〇、八政二三四、九政二八〇、一一政三二三、政三二六、政三四一、平成三・二政一六、一〇政三二〇、一一政三五一、平成四・二政三二、八政二八五、一〇政三三五、平成五・三政三七、五政一六四、政一八〇、七政二五二、九政三〇六、一一政三五五、一二政四〇七、平成六・三政三五、四政一二六、六政一八二、七政二三八、九政二九一、一二政三八七、平成七・二政三六、三政六四、五政一九八、六政二二九、七政二八三、八政三二〇、一一政三九一、一二政四〇五、平成八・三政八七、平成九・三政九〇、一一政三二五、平成一〇・五政一八九、七政二六三、八政二九一、平成一一・三政一二六、八政二五六、九政二七九、一一政三五二、平成一二・三政九四、六政三一二、平成一四・五政一八八、政一九一、七政二五一、一一政三三一、平成一五・四政一八〇、一二政五二三、平成一六・一二政三九九、平成一七・六政二〇三、一〇政三二二、平成一八・六政二二三、八政二六五、一一政三五〇、平成一九・三政三九、九政三〇四、平成二一・八政二〇八、平成二六・七政二三九、平成二八・三政一三五、平成二九・六政一五六、平成三〇・七政二〇二

（法第一条第一項第一号の政令で定める大都市）

第一条　都市開発資金の貸付けに関する法律（以下「法」という。）第一条第一項第一号の政令で定める大都市は、東京都、大阪市、名古屋市、京都市、横浜市、神戸市、北九州市、札幌市、川崎市、福岡市、広島市、旭川市、青森市、仙台市、宇都宮市、新潟市、富山市、金沢市、岐阜市、静岡市、浜松市、姫路市、和歌山市、岡山市、福山市、高松市、松山市、高知市、長崎市、熊本市、大分市、鹿児島市及び那覇市とする。

（その秩序ある発展を図るための土地の買取りが資金の貸付けの対象となる地方拠点都市地域の中心となる都市）

第二条　法第一条第一項第一号の地方拠点都市地域の中心となる都市で政令で定めるものは、函館市、旭川市、釧路市、帯広市、北見市、網走市、苫小牧市、千歳市、弘前市、八戸市、宮古市、大船渡市、水沢市、花巻市、北上市、釜石市、石巻市、古川市、能代市、横手市、大館市、湯沢市、大仙市、鹿角市、米沢市、鶴岡市、酒田市、福島市、会津若松市、水戸市、筑西市、結城市、足利市、栃木市、佐野市、小山市、大田原市、前橋市、高崎市、桐生市、太田市、館林市、本庄市、茂原市、東金市、長岡市、上越市、高岡市、魚津市、黒部市、七尾市、小松市、加賀市、羽咋市、越前市、鯖江市、甲府市、富士吉田市、上田市、飯田市、高山市、関市、美濃加茂市、浜松市、沼津市、富士市、豊橋市、豊田市、津市、松阪市、伊賀市、名張市、彦根市、長浜市、近江八幡市、東近江市、福知山市、舞鶴市、姫路市、豊岡市、加古川市、橿原市、橋本市、田辺市、鳥取市、米子市、松江市、浜田市、出雲市、益田市、津山市、笠岡市、井原市、呉市、福山市、山口市、周南市、防府市、徳島市、高松市、丸亀市、坂出市、宇和島市、八幡浜市、大洲市、高知市、南国市、四万十市、宿毛市、土佐清水市、北九州市、久留米市、直方市、行橋市、佐賀市、唐津市、佐世保市、諫早市、大村市、八代市、荒尾市、玉名市、宇土市、中津市、日田市、佐伯市、宇佐市、都城市、延岡市、日向市、薩摩川内市、鹿屋市、宜野湾市、名護市及び沖縄市とする。

（法第一条第一項第一号の政令で定める公共施設）

第三条　法第一条第一項第一号の政令で定める公共施設は、次に掲げるものとする。

一　都市構成上重要な幹線道路網を構成する道路で、幅員が、道路法（昭和二十七年法律第百八十号）第四十八条の四に規定する自動車専用道路にあつては十八メートル以上、その他の道路にあつては二十二メートル（特に防災に資する道路、特に市街地の計画的な整備改善の促進に資する道路又は幹線道路網の構成上特に重要な道路としてそれぞれ国土交通大臣が定める基準に該当するものにあつては、十六メートル）以上のもの

二　都市構成上重要な公園又は緑地で、面積十ヘクタール（特に防災に資する公園又は緑地として国土交通大臣が定める基準に該当するものにあつては四ヘクタール（災害発生時の円滑な避難を確保するため特に必要な公園又は緑地として国土交通大臣が定める基準に該当するものにあつては、一ヘクタール）、都市計画法（昭和四十三年法律第百号）第八条第一項第十四号の生産緑地地区内の特に良好な生活環境の確保に資する公園又は緑地として国土交通大臣が定める基準に該当するものにあつては二ヘクタール）以上のもの

三　都市構成上重要な下水道の終末処理場で、計画処理人口十万以上のもの

四　都市構成上重要な河川の高規格堤防（河川法（昭和三十九年法律第百

六十七号）第六条第二項に規定する高規格堤防をいう。）

（その区域内の土地の買取りが資金の貸付けの対象となる防災街区整備地区計画の区域）

第四条　法第一条第一項第二号の防災街区整備地区計画の区域で政令で定めるものは、その区域の面積が三ヘクタール以上のものとする。

（その区域内の土地の買取りが資金の貸付けの対象となる高度利用地区等の区域）

第五条　法第一条第一項第二号の高度利用地区の区域その他の政令で定める区域は、次に掲げる区域で面積が三ヘクタール（第一号に掲げる土地区画整理促進区域の区域、同号に掲げる地区計画の区域（都市計画法第八条第一項第一号に規定する第一種低層住居専用地域、第二種低層住居専用地域、第一種中高層住居専用地域及び第二種中高層住居専用地域以外の区域内の同法第十二条の五第三項に規定する再開発等促進区及び同条第四項に規定する開発整備促進区を除く。）又は第四号に掲げる区域で、現に土地の利用状況が著しく変化しつつあり、又は著しく変化することが確実であると見込まれることからその計画的な整備改善を特に促進すべきものとして国土交通大臣が定める基準に該当するものにあつては、二ヘクタール）以上のものとする。

一　都市計画法第八条第一項第三号の高度利用地区の区域、同項第四号の二の都市再生特別地区の区域、同法第十条の二第一項第二号の土地区画整理促進区域の区域及び同法第十二条の四第一項第一号の地区計画の区域

二　都市再開発法（昭和四十四年法律第三十八号）第二条の三第一項第二号及び第二項の地区の区域

三　地方拠点都市地域の整備及び産業業務施設の再配置の促進に関する法律（平成四年法律第七十六号）第八条第一項の同意基本計画に係る拠点地区（第二十八条において「同意基本計画に係る拠点地区」という。）の区域

四　住生活基本法（平成十八年法律第六十一号）第十七条第一項に規定する都道府県計画において定められた同条第二項第六号の住宅の供給等及び住宅地の供給を重点的に図るべき地域の区域

（都市の機能を維持し、及び増進するための土地の買取りが資金の貸付けの対象となる人口の集中の特に著しい大都市）

第六条　法第一条第一項第二号ハの政令で定める大都市は、名古屋市、北九州市、札幌市、福岡市、広島市、仙台市、宇都宮市、新潟市、金沢市、静岡市、浜松市、姫路市、岡山市、熊本市及び鹿児島市とする。

（都市の機能を維持し、及び増進するための土地の買取りが資金の貸付けの対象となる現に地域社会の中心となつている都市）

第七条　法第一条第一項第二号ホの政令で定める都市は、次に掲げるものとする。

一　人口十万以上の市（特別区を含む。）

二　第二条の都市

（その区域内の土地の買取りが資金の貸付けの対象となる認定中心市街地の区域）

第八条　法第一条第一項第二号ホの認定中心市街地の区域で政令で定めるものは、その区域の面積が三ヘクタール以上のものとする。

（都市の機能を維持し、及び増進するための土地の買取りが資金の貸付けの対象となる大規模な災害を受けた都市）

第九条　法第一条第一項第二号ヘの政令で定める都市は、神戸市、尼崎市、西宮市、芦屋市、伊丹市、宝塚市及び淡路市とする。

（資金の貸付けの対象となる防災街区整備推進機構及び中心市街地整備推進機構）

第一〇条　法第一条第二項第一号の政令で定める防災街区整備推進機構及び同項第二号の政令で定める中心市街地整備推進機構は、一般社団法人又は一般財団法人であるものとする。

（防災街区整備推進機構に対する資金の貸付けの対象となる土地）

第一一条　法第一条第二項第一号の政令で定める土地は、都市計画法第十二条の四第一項第二号の防災街区整備地区計画の区域内の密集市街地における防災街区の整備の促進に関する法律（平成九年法律第四十九号）第三百一条第三号イに掲げる土地とする。

（資金の貸付けの対象となる公募対象公園施設及び特定公園施設の建設に要する費用の範囲）

第一二条　法第一条第二項第三号の政令で定める費用の範囲は、同号の建設に要する費用の二分の一とする。

（資金の貸付けの対象となる市街地再開発事業の個人施行者）

第一三条　法第一条第三項第一号の政令で定める個人施行者は、その施行地区（都市再開発法第二条第三号に規定する施行地区をいう。）が都市計画法第十条の二第一項第一号の市街地再開発促進区域内又は同法第十二条第二項の規定により第一種市街地再開発事業について都市計画に定められた施行区域内にある第一種市街地再開発事業を施行する個人施行者とする。

（資金の貸付けの対象となる市街地再開発事業に要する費用の範囲）

第一四条　法第一条第三項第一号の政令で定める費用の範囲は、市街地再開発事業に要する費用の二分の一とする。

（資金の貸付けの対象となる市街地再開発事業の施行者等が出資している法人）

第一五条　法第一条第三項第二号の政令で定める法人は、次に掲げる要件のいずれにも該当するものとする。

一　次に掲げる者のいずれかが、それぞれに定める割合を超えて（イにあつては、イに定める割合以上）資本金、基本金その他これらに準ずるものを出資している法人であること。

イ　法第一条第三項第二号イに掲げる者（地方公共団体に限る。）　四分の一

ロ　法第一条第三項第二号イに掲げる者（地方公共団体以外の者に限る。ハにおいて同じ。）又は同号ロ若しくはハに掲げる者　二分の一

ハ　ロに掲げる者（法第一条第三項第二号イに掲げる者にあつては、個人施行者及び再開発会社に限る。）及び地方公共団体　二分の一

二　取得する施設建築物の賃貸その他の管理を行うために必要な経済的基礎及びこれを的確に遂行するために必要なその他の能力が十分であること。

（資金の貸付けの対象となる施設建築物又は施設建築敷地に関する権利の取得に必要な費用の範囲）

第一六条　法第一条第三項第二号の政令で定める費用の範囲は、同号の取得に必要な費用の二分の一とする。

（資金の貸付けの対象となる重要な公共施設の新設等に関する事業を含む土地区画整理事業の基準）

第一七条　法第一条第四項第一号の政令で定める基準は、次の各号に掲げる当該土地区画整理事業が施行される区域の区分に応じ、当該各号に定めるものとする。

一　既に市街地を形成している区域　次に掲げる基準

イ　施行地区（土地区画整理法（昭和二十九年法律第百十九号）第二条第四項に規定する施行地区をいう。以下同じ。）の面積が〇・四ヘクタール以上であること。

ロ　都市計画において定められた街路又は道路法による道路（以下「街路等」という。）で幅員が九メートル（特に防災に資する街路等又は特に市街地の計画的な整備改善の促進に資する街路等としてそれぞれ国土交通大臣が定める基準に該当するものにあつては、六メートル）以上のものの新設又は改良に関する事業を含むこと。

ハ　当該土地区画整理事業の施行後における施行地区内の道路、公園、広場又は緑地の用に供する土地の面積の合計が施行地区の面積の十五パーセント以上であること。

二　その他の区域　次に掲げる基準

イ　施行地区の面積が五ヘクタール以上であること。

ロ　幅員が十二メートル以上の街路等の新設又は改良に関する事業を含むこと。

ハ　当該土地区画整理事業の施行後における施行地区内の道路、公園、広場又は緑地の用に供する土地の面積の合計が施行地区の面積の二十二パーセント以上であること。

ニ　新たに造成される住宅市街地が施行地区の大部分を占め、又は一以上の住区（一ヘクタール当たり百人から三百人を基準として約一万人が居住することができる地区で、住宅市街地を構成する単位となるべきものをいう。以下同じ。）により構成される住宅市街地が新たに造成されること。

（資金の貸付けの対象となる重要な公共施設の新設等に関する事業を含む土地区画整理事業に要する費用の範囲）

第一八条　法第一条第四項第一号の政令で定める土地区画整理事業に要する費用の範囲は、土地区画整理法施行令（昭和三十年政令第四十七号）第六

十三条第一項各号（第八号を除く。）に掲げる費用（法第二条第五項の表三の項区分の欄に規定する場合にあつては、同欄の保留地の管理処分に要する費用を含む。）の二分の一とする。

（資金の貸付けの対象となる合理的かつ健全な高度利用に資する土地区画整理事業等の基準）

第一九条　法第一条第四項第二号及び第三号の政令で定める基準は、次に掲げるものとする。

一　施行地区の面積が〇・二ヘクタール以上であること。

二　幅員が六メートル以上の街路等の新設又は改良に関する事業を含むこと。

三　当該土地区画整理事業の施行後における施行地区内の道路、公園、広場又は緑地の用に供する土地の面積の合計が施行地区の面積の十五パーセント以上であること。

（資金の貸付けの対象となる合理的かつ健全な高度利用に資する土地区画整理事業等に要する費用の範囲）

第二〇条　法第一条第四項第二号及び第三号の政令で定める土地区画整理事業に要する費用の範囲は、土地区画整理法施行令第六十三条第一項各号（第八号を除く。）に掲げる費用（法第二条第五項の表三の項区分の欄に規定する場合にあつては、同欄の保留地の管理処分に要する費用を含む。）及び水道、電気供給施設、ガス供給施設、下水道その他の供給施設又は処理施設の新設又は変更の工事に要する費用の二分の一とする。

（資金の貸付けの対象となる施行地区の全部又は一部が景観計画区域に含まれる土地区画整理事業の基準）

第二一条　法第一条第四項第四号の政令で定める基準は、次の各号に掲げる当該土地区画整理事業が施行される区域の区分に応じ、当該各号に定めるものとする。

一　既に市街地を形成している区域　次に掲げる基準

イ　施行地区の面積が〇・四ヘクタール以上であること。

ロ　街路等で幅員が六メートル（施行地区の面積が五ヘクタール以上の土地区画整理事業にあつては、八メートル）以上のものの新設又は改良に関する事業を含むこと。

ハ　当該土地区画整理事業の施行後における施行地区内の道路、公園、広場又は緑地の用に供する土地の面積の合計が施行地区の面積の十五パーセント以上であること。

ニ　施行地区内の景観計画区域の面積が〇・一ヘクタール以上であること。

二　その他の区域　次に掲げる基準

イ　施行地区の面積が五ヘクタール以上であること。

ロ　幅員が八メートル以上の街路等の新設又は改良に関する事業を含むこと。

ハ　当該土地区画整理事業の施行後における施行地区内の道路、公園、広場又は緑地の用に供する土地の面積の合計が施行地区の面積の二十二パーセント以上であること。

ニ　新たに造成される住宅市街地が施行地区の大部分を占め、又は一以上の住区により構成される住宅市街地が新たに造成されること。

ホ　施行地区内の景観計画区域の面積が〇・一ヘクタール以上であること。

（資金の貸付けの対象となる施行地区の全部又は一部が景観計画区域に含まれる土地区画整理事業に要する費用の範囲）

第二二条　法第一条第四項第四号の政令で定める土地区画整理事業に要する費用の範囲は、土地区画整理法施行令第六十三条第一項各号（第八号を除く。）に掲げる費用（法第二条第五項の表三の項区分の欄に規定する場合にあつては、同欄の保留地の管理処分に要する費用を含む。）の二分の一とする。

（資金の貸付けの対象となる土地区画整理事業の施行者等が出資している法人）

第二三条　法第一条第四項第五号の政令で定める法人は、次に掲げる要件のいずれにも該当するものとする。

一　次に掲げる者のいずれかが、それぞれに定める割合を超えて（イにあつては、イに定める割合以上）資本金、基本金その他これらに準ずるものを出資している法人であること。

イ　法第一条第四項第五号イに掲げる者（地方公共団体に限る。）　四分の一

ロ　法第一条第四項第五号イに掲げる者（地方公共団体以外の者に限る。ハにおいて同じ。）又は同号ロ若しくはハに掲げる者　二分の一

ハ　ロに掲げる者（法第一条第四項第五号イに掲げる者にあつては、個人施行者及び区画整理会社に限る。）及び地方公共団体　二分の一

二　取得する保留地の賃貸その他の管理を行うために必要な経済的基礎及びこれを的確に遂行するために必要なその他の能力が十分であること。

（資金の貸付けの対象となる保留地の取得に必要な費用の範囲）

第二四条　法第一条第四項第五号の政令で定める費用の範囲は、同号の取得に必要な費用の二分の一とする。

（資金の貸付けの対象となる地方公共団体が引き継いで施行することとなつた土地区画整理事業に要する費用の範囲）

第二五条　法第一条第五項の政令で定める土地区画整理事業に要する費用の範囲は、土地区画整理法施行令第六十三条第一項各号（第八号を除く。）に掲げる費用（法第一条第四項第二号の土地区画整理事業にあつては、当該費用及び水道、電気供給施設、ガス供給施設、下水道その他の供給施設又は処理施設の新設又は改良の工事に要する費用）の四分の一とする。

（資金の貸付けの対象となる都市再生推進法人又はまちづくりの推進を図る活動を行うことを目的とする法人）

第二六条　法第一条第六項の政令で定める要件は、次の各号のいずれかに該当することとする。

一　一般社団法人又は一般財団法人である都市再生推進法人であること。

二　次のいずれにも該当する法人であること。

イ　地方公共団体が資本金、基本金その他これらに準ずるものの四分の一以上を出資していること。

ロ　都市再生特別措置法（平成十四年法律第二十二号）第百十九条第三号に規定する事業を施行するために必要な経済的基礎及びこれを的確に遂行するために必要なその他の能力が十分であること。

（資金の貸付けの対象となる都市開発事業等に要する費用の範囲）

第二七条　法第一条第六項の政令で定める費用の範囲は、都市再生特別措置法第百十九条第三号に規定する事業に要する費用の二分の一とする。

（特にその買取りが促進されるよう配慮して貸付金の利率を定める地方拠点都市地域の中心となる都市の土地）

第二八条　法第二条第一項の政令で定める土地は、同意基本計画に係る拠点地区の区域内の土地とする。

（加算金の徴収等）

第二九条　法第二条第七項の規定により地方公共団体が法第一条第三項又は第四項の貸付金の貸付けを受けた者から徴収することができる加算金の額は、次条第一号イ又はハに掲げる理由により償還期限を繰り上げられた貸付金の貸付けをした日の翌日から支払の日までの日数に応じ、当該償還期限を繰り上げられた貸付金の額に年十・七五パーセントの割合を乗じて計算した額とする。

2　法第二条第七項の規定により地方公共団体が国に納付すべき金額は、同項の規定により徴収した金額に、当該貸付金を貸し付けた日の属する会計年度における、法第一条第三項又は第四項の貸付金に係る国から当該地方公共団体への貸付金の額の当該地方公共団体からそれぞれ同条第三項又は第四項の貸付金の貸付けを受けた者への当該貸付金の額に対する割合を乗じて得た額とする。

3　地方公共団体は、前項の金額をその徴収した日の属する月の翌月の末日までに国に納付するものとする。

（貸付けの条件の基準）

第三〇条　法第二条第八項の貸付けの条件の基準は、次のとおりとする。

一　地方公共団体は、貸付けを受ける者が次のいずれかに該当するときは、貸付金の全部又は一部について償還期限を繰り上げることができるものとすること。

イ　貸付金を貸付けの目的以外の目的に使用したとき。

ロ　貸付金の償還を怠つたとき。

ハ　イ及びロに掲げる場合のほか、貸付けの条件に違反したとき。

二　地方公共団体が、貸付けを受ける者に対し、災害、経済事情の著しい変動その他特別の事情により償還が著しく困難であると認めて、貸付金の償還期限を延長したときは、国の債権の管理等に関する法律（昭和三十一年法律第百十四号）第二十四条第一項の規定の適用については、同項第六号に該当するものとみなし、かつ、この場合における国の貸付金の償還期限の延長については、同法第二十六条第一項の規定は、適用さ

れないものとするること。

三　地方公共団体は、貸付けを受ける者が貸付金の償還を怠つたときは、償還期限の翌日から償還の日までの日数に応じ、当該償還すべき金額に年十・七五パーセントの割合を乗じて計算した延滞金を徴収することができるものとすること。

四　地方公共団体は、貸付けを受ける者に対し、担保を提供させ、又は貸付けを受ける者と連帯して債務を負担する保証人を立てさせなければならないものとすること。

五　法第一条第三項第二号又は第四項第五号の貸付けを受ける者は、国又は地方公共団体が、貸付けに係る債権の保全その他貸付けの条件の適正な実施を図るため必要があると認めて、貸付けを受ける者の業務及び資産の状況に関し報告を求め、又はその職員に、貸付けを受ける者の事務所その他の事業場に立ち入り、帳簿、書類その他の必要な物件を調査させ、若しくは関係者に質問させる場合において、報告をし、立入調査を受忍し、又は質問に応じなければならないものとすること。

附　則

1　この政令は、公布の日から施行する。

2　平成二十四年三月三十一日までの間は、第三条第一号中「特に防災」とあるのは「都市の再生に資する道路として国土交通大臣が定める基準に該当するものにあつては二十メートル、特に防災」と、「、十六メートル」とあるのは「十六メートル」と、第五条中「面積が三ヘクタール（第一号」とあるのは「、第一号に掲げる都市再生特別地区の区域にあつては面積が二ヘクタール以上、その他の区域にあつては面積が三ヘクタール（同号」とする。

3　法附則第三項の政令で定める公園、下水道その他の公共施設は、次に掲げるもので都市計画において定められたものとする。

一　都市公園法（昭和三十一年法律第七十九号）による都市公園

二　下水道法（昭和三十三年法律第七十九号）による公共下水道、流域下水道又は都市下水路

三　急傾斜地の崩壊による災害の防止に関する法律（昭和四十四年法律第五十七号）による急傾斜地崩壊防止施設

四　海岸法（昭和三十一年法律第百一号）による海岸保全施設

4　法附則第二項から第四項までの規定による貸付金の償還は、均等半年賦償還の方法によるものとする。

5　国は、法附則第二項又は第四項の規定による貸付金に係る民間都市開発の推進に関する特別措置法（昭和六十二年法律第六十二号）第三条第一項の規定により指定された民間都市開発推進機構の貸付金に関し、当該貸付けを受けた者が償還期限を繰り上げて償還を行つた場合には、法附則第二項又は第四項の規定による貸付金のうち当該償還金に相当する金額について償還期限を繰り上げるものとする。

6　法附則第九項の政令で定める道路は、都市再開発法第二条の三第一項第一号の市街地の区域内の道路又は当該市街地と当該市街地を含む都市の構成上重要な幹線道路網を構成する道路とを連絡する道路で、幅員が二十五メートル以上のものとする。

附　則〔略〕〔昭和五五・一二・九政令三二四〕
附　則〔略〕〔昭和五六・四・二四政令一四四〕
附　則〔略〕〔昭和五六・五・一二政令一六一〕
附　則〔略〕〔昭和五七・一・二九政令一六〕
附　則〔略〕〔昭和五九・一・三一政令三〕
附　則〔略〕〔昭和六〇・一〇・二二政令二八三〕
附　則〔略〕〔昭和六一・三・二二政令三〇〕
附　則〔略〕〔昭和六一・五・二九政令一八五〕
附　則〔略〕〔昭和六二・三・二七政令七一〕
附　則〔略〕〔昭和六二・六・二六政令二三四〕
附　則〔略〕〔昭和六二・八・四政令二七五〕
附　則〔略〕〔昭和六二・九・二九政令三二八〕
附　則〔略〕〔昭和六二・一二・一五政令三九九〕
附　則〔略〕〔昭和六三・三・一八政令三七〕
附　則〔略〕〔昭和六三・五・二〇政令一五〇〕
附　則〔略〕〔昭和六三・一〇・七政令二九四〕
附　則〔略〕〔平成元・一・二四政令七〕
附　則〔略〕〔平成元・八・二二政令二四六〕
附　則〔略〕〔平成二・二・九政令一三〕
附　則〔略〕〔平成二・三・一六政令三六〕
附　則〔略〕〔平成二・六・八政令一五〇〕
附　則〔略〕〔平成二・八・一政令二三四〕
附　則〔略〕〔平成二・九・二七政令二八〇〕
附　則〔略〕〔平成二・一一・九政令三二三〕
附　則〔略〕〔平成二・一一・九政令三二六〕
附　則〔略〕〔平成二・一一・三〇政令三四一〕
附　則〔略〕〔平成三・二・八政令一六〕
附　則〔略〕〔平成三・一〇・五政令三二〇〕
附　則〔略〕〔平成三・一一・二七政令三五一〕
附　則〔略〕〔平成四・二・二六政令三一〕
附　則〔略〕〔平成四・八・二八政令二八五〕
附　則〔略〕〔平成四・一〇・一四政令三三五〕
附　則〔略〕〔平成五・三・一二政令三七〕
附　則〔平成五・五・六政令一六四〕

この政令は、公布の日から施行する。ただし、〔中略〕第三条のうち都市開発資金の貸付けに関する法律施行令第五条の次に六条を加える改正規定中都市開発資金の貸付けに関する法律（昭和四十一年法律第二十号）第一条第二項第一号イに係る部分〔中略〕の改正規定は、土地区画整理法及び都市開発資金の貸付けに関する法律の一部を改正する法律附則第一条ただし書の政令で定める日〔平成五・七・三〇〕から施行する。

土地区画整理法及び都市開発資金の貸付けに関する法律の一部を改正する法律の施行に伴う関係政令の整備等に関する政令

〔平成五・五・六　政令一六四〕

〔抄〕

（一般会計に所属する資産及び負債の帰属）

第四条　土地区画整理法及び都市開発資金の貸付けに関する法律の一部を改正する法律附則第四条の規定により都市開発資金融通特別会計に帰属する資産及び負債の範囲、帰属の時期その他帰属に関し必要な事項は、建設大臣が大蔵大臣に協議して定める。

附　則〔略〕〔平成五・五・二八政令一八〇〕
附　則〔略〕〔平成五・七・二三政令二五二〕
附　則〔略〕〔平成五・九・二七政令三〇六〕
附　則〔略〕〔平成五・一一・八政令三五五〕
附　則〔略〕〔平成五・一二・二七政令四〇七〕
附　則〔略〕〔平成六・三・九政令三五〕
附　則〔略〕〔平成六・四・一八政令一二六〕
附　則〔略〕〔平成六・七・一五政令二三八〕
附　則〔平成六・九・九政令二九二〕

（施行期日）

1　この政令は、平成六年九月十三日から施行する。

（経過措置）

2　この政令の施行の際現に貸し付けられている貸付金の利率については、なお従前の例による。

附　則〔平成六・一二・二政令三八七〕

（施行期日）

1　この政令は、平成六年十二月六日から施行する。

（経過措置）

2　この政令の施行の際現に貸し付けられている貸付金の利率については、なお従前の例による。

附　則〔略〕〔平成七・二・二六政令三六〕
附　則〔平成七・三・一七政令六四〕

（施行期日）

1　この政令は、公布の日から施行する。

（経過措置）

2　改正後の第十二条の規定（次項に規定する部分を除く。）は、平成七年二月十五日以後に行う資金の貸付けから適用し、同日前に貸付けを行った貸付金の利率については、なお従前の例による。

3　改正後の第十二条の規定中都市開発資金の貸付けに関する法律第一条第一項第三号の土地（同号ホに掲げる土地に限る。）に係る貸付金の利率に係る部分は、被災市街地復興特別措置法（平成七年法律第十四号）の施行の日（平成七年二月十六日）以後に行う資金の貸付けから適用する。

附　則〔平成七・五・八政令一九八〕

1　この政令は、公布の日から施行する。

（経過措置）

2　改正後の第十二条の規定は、平成七年四月七日以後に行う資金の貸付けから適用し、同日前に貸付けを行った貸付金の利率については、なお従前の例による。

附　則〔平成七・六・二政令二二九〕

（施行期日）

1　この政令は、公布の日から施行する。

（経過措置）

2　この政令の施行の際現に貸し付けられている貸付金の利率については、なお従前の例による。

附　則〔平成七・七・五政令二八三〕

（施行期日）

1　この政令は、公布の日から施行する。

（経過措置）

2　改正後の第十二条の規定は、平成七年六月七日以後に行う資金の貸付けから適用し、同日前に貸付けを行った貸付金の利率については、なお従前の例による。

附　則〔平成七・八・二五政令三二〇〕

（施行期日）

1　この政令は、公布の日から施行する。

（経過措置）

2　改正後の第十二条の規定は、平成七年七月十四日以後に行う資金の貸付けから適用し、同日前に貸付けを行った貸付金の利率については、なお従前の例による。

附　則〔平成七・一一・一七政令三九一〕

（施行期日）

1　この政令は、公布の日から施行する。

（経過措置）

2　この政令の施行の際現に貸し付けられている貸付金の利率については、なお従前の例による。

附　則〔平成七・一二・八政令四〇五〕

（施行期日）

1　この政令は、公布の日から施行する。

（経過措置）

2　この政令の施行の際現に貸し付けられている貸付金の利率については、なお従前の例による。

附　則〔略〕〔平成八・三・三一政令八七〕

附　則〔略〕〔平成九・三・二八政令九〇〕

附　則〔略〕〔平成九・一一・六政令三二五〕

附　則〔略〕〔平成一〇・七・二三政令二六三〕

附　則〔略〕〔平成一一・三・三一政令一二六〕

附　則〔略〕〔平成一一・八・一八政令二五六〕

附　則〔略〕〔平成一一・九・二二政令二七九〕

附　則〔略〕〔平成一一・一一・一〇政令三五二〕

附　則〔略〕〔平成一二・三・二四政令九四〕

附　則〔略〕〔平成一二・六・七政令三一二〕

附　則〔略〕〔平成一四・五・三一政令一八八〕

附　則〔平成一四・七・一二政令二五一〕

（施行期日）

1　この政令は、公布の日から施行する。

（都市開発資金の貸付けに関する法律施行令の一部改正に伴う経過措置）

2　首都圏整備法及び近畿圏整備法の一部を改正する等の法律附則第六条第二項の規定による資金の貸付けについては、第二条の規定による改正前の都市開発資金の貸付けに関する法律施行令第一条の規定は、なおその効力を有する。

附　則〔略〕〔平成一四・一一・一三政令三三一〕

附　則〔略〕〔平成一五・四・一政令一八〇施行〕

附　則〔平成一五・一二・一七政令五一三〕

（施行期日）

第一条　この政令は、密集市街地における防災街区の整備の促進に関する法律等の一部を改正する法律の施行の日（平成十五年十二月十九日）から施行する。

（罰則に関する経過措置）

第二条　この政令の施行前にした行為に対する罰則の適用については、なお従前の例による。

附　則〔略〕〔平成一六・一二・一五政令三九九〕

附　則〔略〕〔平成一七・六・一政令二〇三〕

附　則〔略〕〔平成一七・一〇・二一政令三二二〕

附　則〔抄〕〔平成一八・六・八政令二一三〕

（施行期日）

第一条　この政令は、公布の日から施行する。

（都市開発資金の貸付けに関する法律施行令の一部改正に伴う経過措置）

第六条　住生活基本法第十七条第一項の規定により都道府県計画が定められるまでの間は、この政令の施行の際現に同法附則第九条の規定によりなおその効力を有するものとされる同法附則第八条の規定による改正前の大都市地域における住宅及び住宅地の供給の促進に関する特別措置法（昭和五十年法律第六十七号）第三条の三第一項の規定により定められている供給計画において定められている同条第二項第四号の住宅及び住宅地の供給を重点的に図るべき地域は、前条の規定による改正後の都市開発資金の貸付けに関する法律施行令第五条第四号に規定する住宅の供給等及び住宅地の供給を重点的に図るべき地域とみなす。

附　則〔略〕〔平成一八・八・一一政令二六五〕

附　則〔略〕〔平成一八・一一・六政令三五〇〕

附　則〔略〕〔平成一九・三・二政令三九〕

附　則〔略〕〔平成一九・九・二五政令三〇四〕

附　則〔略〕〔平成二一・八・一四政令二〇八〕

附　則〔略〕〔平成二六・七・二政令二三九〕

附　則〔略〕〔平成二八・三・三一政令一三五〕

附　則〔略〕〔平成二九・六・一四政令一五六〕

附　則〔平成三〇・七・一一政令二〇二〕

この政令は、都市再生特別措置法等の一部を改正する法律の施行の日（平成三十年七月十五日）から施行する。

○都市開発資金の貸付けに関する法律施行規則〔平成五・五・六 建設省令六〕

改正　平成九・一一建令一六、平成一一・三建令九、平成一二・一一建令四一、平成一四・五国交令六五、平成一六・一二国交令一〇一、平成一七・一〇国交令一〇二、平成三〇・七国交令五八、令和六・一国交令六

（法第一条第三項第二号の規定による公募）

第一条　都市開発資金の貸付けに関する法律（以下「法」という。）第一条第三項第二号の規定により施行者が行う公募は、地方公共団体にあっては公報その他所定の手段及び当該地方公共団体のウェブサイトへの掲載により、その他の施行者にあっては掲示及び当該施行者のウェブサイトへの掲載により行うものとする。ただし、次の各号のいずれかに該当する場合（施行者が第一種市街地再開発事業（都市再開発法（昭和四十四年法律第三十八号）第二条第一号に規定する第一種市街地再開発事業をいう。第四条において同じ。）を施行する個人施行者（同法第七条の十五第二項に規定する個人施行者をいう。）、市街地再開発組合又は再開発会社である場合に限る。）は、当該公募をウェブサイトへの掲載により行うことを要しない。

一　施行地区（都市再開発法第二条第三号に規定する施行地区をいう。第四条第一号において同じ。）の面積が〇・四ヘクタール未満である場合

二　施行者が自ら管理するウェブサイトを有していない場合

（土地区画整理事業の施行者が行う公募）

第二条　法第一条第四項第五号の規定により施行者が行う公募は、国土交通大臣、都道府県又は市町村にあっては官報、公報その他所定の手段及び国土交通省、当該都道府県又は当該市町村のウェブサイトへの掲載により、その他の施行者にあっては掲示及び当該施行者のウェブサイトへの掲載により行うものとする。ただし、次の各号のいずれかに該当する場合（施行者が個人施行者（土地区画整理法（昭和二十九年法律第百十九号）第九条第五項に規定する個人施行者をいう。）、土地区画整理組合又は区画整理会社である場合に限る。）は、当該公募をウェブサイトへの掲載により行うことを要しない。

一　施行地区（土地区画整理法第二条第四項に規定する施行地区をいう。次条及び第七条第一号において同じ。）の面積が二ヘクタール未満である場合

二　施行者が自ら管理するウェブサイトを有していない場合

（土地区画整理事業の施行の推進を図るための措置）

第三条　法第一条第五項の国土交通省令で定める土地区画整理事業の施行の推進を図るための措置は、事業計画（土地区画整理法第十四条第一項又は第三項の事業計画をいう。）の変更のうち次に掲げるものとする。

一　土地区画整理事業の施行後における施行地区内の宅地（土地区画整理法第二条第六項に規定する宅地をいう。以下同じ。）の地積（保留地の予定地積を除く。）の合計の土地区画整理事業の施行前における施行地区内の宅地の地積の合計に対する割合の変更

二　保留地の予定地積の変更

三　公共施設（土地区画整理法第二条第五項に規定する公共施設をいう。以下同じ。）の整備改善の方針の変更

四　設計図（土地区画整理法施行規則（昭和三十年建設省令第五号）第六条第一項の設計図をいう。）の変更（土地区画整理事業の施行後における施行地区内の公共施設の用に供する宅地の位置及び形状を変更するものに限る。）

五　資金計画（土地区画整理法第十六条第一項において準用する同法第六条の資金計画をいう。）の変更

六　前各号に掲げるもののほか、土地区画整理事業の完成を確実にするため特に必要があると認められる変更

（管理処分に要する費用の貸付金の要件となる市街地再開発事業の施行者が行う公募）

第四条　法第二条第四項の表二の項の規定により施行者が行う公募は、掲示及び当該施行者のウェブサイトへの掲載により行うものとする。ただし、次の各号のいずれかに該当する場合（施行者が第一種市街地再開発事業を施行する場合に限る。）は、当該公募をウェブサイトへの掲載により行うことを要しない。

一　施行地区の面積が〇・四ヘクタール未満である場合

二　施行者が自ら管理するウェブサイトを有していない場合

（土地区画整理事業の施行の推進を図るための措置）

第五条　法第二条第五項の表一の項の国土交通省令で定める土地区画整理事業の施行の推進を図るための措置は、第三条に規定する措置とする。

（土地区画整理事業の主要な部分）

第六条　法第二条第五項の表一の項の国土交通省令で定める主要な部分は、次に掲げるものとする。

一　工事、換地計画の作成及び仮換地の指定に必要な測量

二　換地処分

三　保留地の処分

（管理処分に要する費用の貸付金の要件となる土地区画整理事業の施行者が行う公募）

第七条　法第二条第五項の表三の項の規定により施行者が行う公募は、掲示及び当該施行者のウェブサイトへの掲載により行うものとする。ただし、次の各号のいずれかに該当する場合は、当該公募をウェブサイトへの掲載により行うことを要しない。

一　施行地区の面積が二ヘクタール未満である場合

二　施行者が自ら管理するウェブサイトを有していない場合

附　則〔略〕〔平成五・五・六建設省令六施行〕

附　則〔略〕〔平成九・一一・六建設省令一六〕

附　則〔略〕〔平成一一・三・三一建設省令九〕

附　則〔略〕〔平成一二・一一・二〇建設省令四一〕

附　則〔略〕〔平成一四・五・三一国土交通省令六五〕

附　則〔略〕〔平成一六・一二・一五国土交通省令一〇一〕

附　則〔略〕〔平成一七・一〇・二一国土交通省令一〇二〕

附　則〔略〕〔平成三〇・七・一一国土交通省令五八〕

附　則〔抄〕〔令和六・一・三一国土交通省令六〕

（施行期日）

1　この省令〔中略〕は、同年〔令和六年〕四月一日から施行する。

○宅地造成及び特定盛土等規制法

（昭和三六・一一・七　法律一九一）

改正　昭和三七・九法一六一、昭和三九・七法一六〇、昭和四三・六法一〇一、昭和五三・五法三八、昭和五六・五法五八、昭和五九・五法四七、平成三・五法七九、平成五・一一法八九、平成六・六法四九、平成一一・七法八七、一二法一六〇、平成一八・四法三〇、平成二五・六法四四、平成二六・五法四二、令和四・五法五五

目次

第一章　総則（第一条・第二条）
第二章　基本方針及び基礎調査（第三条―第九条）
第三章　宅地造成等工事規制区域（第十条）
第四章　宅地造成等工事規制区域内における宅地造成等に関する工事等の規制（第十一条―第二十五条）
第五章　特定盛土等規制区域（第二十六条）
第六章　特定盛土等規制区域内における特定盛土等又は土石の堆積に関する工事等の規制（第二十七条―第四十四条）
第七章　造成宅地防災区域（第四十五条）
第八章　造成宅地防災区域内における災害の防止のための措置（第四十六条―第四十八条）
第九章　雑則（第四十九条―第五十四条）
第十章　罰則（第五十五条―第六十一条）
附則

第一章　総則

（目的）

第一条　この法律は、宅地造成、特定盛土等又は土石の堆積に伴う崖崩れ又は土砂の流出による災害の防止のため必要な規制を行うことにより、国民の生命及び財産の保護を図り、もつて公共の福祉に寄与することを目的とする。

（定義）

第二条　この法律において、次の各号に掲げる用語の意義は、当該各号に定めるところによる。

一　宅地　農地、採草放牧地及び森林（以下この条、第二十一条第四項及び第四十条第四項において「農地等」という。）並びに道路、公園、河川その他政令で定める公共の用に供する施設の用に供されている土地（以下「公共施設用地」という。）以外の土地をいう。

二　宅地造成　宅地以外の土地を宅地にするために行う盛土その他の土地の形質の変更で政令で定めるものをいう。

三　特定盛土等　宅地又は農地等において行う盛土その他の土地の形質の変更で、当該宅地又は農地等に隣接し、又は近接する宅地において災害を発生させるおそれが大きいものとして政令で定めるものをいう。

四　土石の堆積　宅地又は農地等において行う土石の堆積で政令で定めるもの（一定期間の経過後に当該土石を除却するものに限る。）をいう。

五　災害　崖崩れ又は土砂の流出による災害をいう。

六　設計　その者の責任において、設計図書（宅地造成、特定盛土等又は土石の堆積に関する工事を実施するために必要な図面（現寸図その他これに類するものを除く。）及び仕様書をいう。第五十五条第二項において同じ。）を作成することをいう。

七　工事主　宅地造成、特定盛土等若しくは土石の堆積に関する工事の請負契約の注文者又は請負契約によらないで自らその工事をする者をいう。

八　工事施行者　宅地造成、特定盛土等若しくは土石の堆積に関する工事の請負人又は請負契約によらないで自らその工事をする者をいう。

九　造成宅地　宅地造成又は特定盛土等（宅地において行うものに限る。）に関する工事が施行された宅地をいう。

第二章　基本方針及び基礎調査

（基本方針）

第三条　主務大臣は、宅地造成、特定盛土等又は土石の堆積に伴う災害の防止に関する基本的な方針（以下「基本方針」という。）を定めなければならない。

2　基本方針においては、次に掲げる事項について定めるものとする。

一　この法律に基づき行われる宅地造成、特定盛土等又は土石の堆積に伴う災害の防止に関する基本的な事項

二　次条第一項の基礎調査の実施について指針となるべき事項

三　第十条第一項の規定による宅地造成等工事規制区域の指定、第二十六条第一項の規定による特定盛土等規制区域の指定及び第四十五条第一項の規定による造成宅地防災区域の指定について指針となるべき事項

四　前三号に掲げるもののほか、宅地造成、特定盛土等又は土石の堆積に伴う災害の防止に関する重要事項

3　主務大臣は、基本方針を定めるときは、あらかじめ、関係行政機関の長に協議するとともに、社会資本整備審議会、食料・農業・農村政策審議会及び林政審議会の意見を聴かなければならない。

4　主務大臣は、基本方針を定めたときは、遅滞なく、これを公表しなければならない。

5　前二項の規定は、基本方針の変更について準用する。

（基礎調査）

第四条　都道府県（地方自治法（昭和二十二年法律第六十七号）第二百五十二条の十九第一項の指定都市（以下この項、次条第一項、第十五条第一項及び第三十四条第一項において「指定都市」という。）又は同法第二百五十二条の二十二第一項の中核市（以下この項、次条第一項、第十五条第一項及び第三十四条第一項において「中核市」という。）の区域内の土地については、それぞれ指定都市又は中核市。第十五条第一項及び第三十四条第一項を除き、以下同じ。）は、基本方針に基づき、おおむね五年ごとに、第十条第一項の規定による宅地造成等工事規制区域の指定、第二十六条第一項の規定による特定盛土等規制区域の指定及び第四十五条第一項の規定による造成宅地防災区域の指定その他この法律に基づき行われる宅地造成、特定盛土等又は土石の堆積に伴う災害の防止のための対策に必要な基礎調査として、宅地造成、特定盛土等又は土石の堆積に伴う崖崩れ又は土砂の流出のおそれがある土地に関する地形、地質の状況その他主務省令で定める事項に関する調査（以下「基礎調査」という。）を行うものとする。

2　都道府県は、基礎調査の結果を、主務省令で定めるところにより、関係市町村長（特別区の長を含む。以下同じ。）に通知するとともに、公表しなければならない。

（基礎調査のための土地の立入り等）

第五条　都道府県知事（指定都市又は中核市の区域内の土地については、それぞれ指定都市又は中核市の長。第五十条を除き、以下同じ。）は、基礎調査のために他人の占有する土地に立ち入つて測量又は調査を行う必要があるときは、その必要の限度において、他人の占有する土地に、自ら立ち入り、又はその命じた者若しくは委任した者に立ち入らせることができる。

2　前項の規定により他人の占有する土地に立ち入ろうとする者は、立ち入ろうとする日の三日前までに、その旨を当該土地の占有者に通知しなければならない。

3　第一項の規定により建築物が存し、又は垣、柵その他の工作物で囲まれた他人の占有する土地に立ち入るときは、その立ち入る者は、立入りの際、あらかじめ、その旨を当該土地の占有者に告げなければならない。

4　日出前及び日没後においては、土地の占有者の承諾があつた場合を除き、前項に規定する土地に立ち入つてはならない。

5　土地の占有者は、正当な理由がない限り、第一項の規定による立入りを拒み、又は妨げてはならない。

（基礎調査のための障害物の伐除及び土地の試掘等）

第六条　前条第一項の規定により他人の占有する土地に立ち入つて測量又は調査を行う者は、その測量又は調査を行うに当たり、やむを得ない必要があつて、障害となる植物若しくは垣、柵その他の工作物（以下この条、次条第二項及び第五十八条第二号において「障害物」という。）を伐除しようとする場合又は当該土地に試掘若しくはボーリング若しくはこれに伴う障害物の伐除（以下この条、次条第二項及び同号において「試掘等」という。）を行おうとする場合において、当該障害物又は当該土地の所有者及

び占有者の同意を得ることができないときは、当該障害物の所在地を管轄する市町村長の許可を受けて当該障害物を伐除し、又は当該土地の所在地を管轄する都道府県知事の許可を受けて当該土地に試掘等を行うことができる。この場合において、市町村長が許可を与えるときは障害物の所有者及び占有者に、都道府県知事が許可を与えるときは土地又は障害物の所有者及び占有者に、あらかじめ、意見を述べる機会を与えなければならない。

2　前項の規定により障害物を伐除しようとする者又は土地に試掘等を行おうとする者は、伐除しようとする日又は試掘等を行おうとする日の三日前までに、その旨を当該障害物又は当該土地若しくは障害物の所有者及び占有者に通知しなければならない。

3　第一項の規定により障害物を伐除しようとする場合（土地の試掘又はボーリングに伴う障害物の伐除をしようとする場合を除く。）において、当該障害物の所有者及び占有者がその場所にいないためその同意を得ることが困難であり、かつ、その現状を著しく損傷しないときは、都道府県知事又はその命じた者若しくは委任した者は、前二項の規定にかかわらず、当該障害物の所在地を管轄する市町村長の許可を受けて、直ちに、当該障害物を伐除することができる。この場合においては、当該障害物を伐除した後、遅滞なく、その旨をその所有者及び占有者に通知しなければならない。

（証明書等の携帯）

第七条　第五条第一項の規定により他人の占有する土地に立ち入ろうとする者は、その身分を示す証明書を携帯しなければならない。

2　前条第一項の規定により障害物を伐除しようとする者又は土地に試掘等を行おうとする者は、その身分を示す証明書及び市町村長又は都道府県知事の許可証を携帯しなければならない。

3　前二項に規定する証明書又は許可証は、関係人の請求があつたときは、これを提示しなければならない。

（土地の立入り等に伴う損失の補償）

第八条　都道府県は、第五条第一項又は第六条第一項若しくは第三項の規定による行為により他人に損失を与えたときは、その損失を受けた者に対して、通常生ずべき損失を補償しなければならない。

2　前項の規定による損失の補償については、都道府県と損失を受けた者とが協議しなければならない。

3　前項の規定による協議が成立しないときは、都道府県又は損失を受けた者は、政令で定めるところにより、収用委員会に土地収用法（昭和二十六年法律第二百十九号）第九十四条第二項の規定による裁決を申請することができる。

（基礎調査に要する費用の補助）

第九条　国は、都道府県に対し、予算の範囲内において、都道府県の行う基礎調査に要する費用の一部を補助することができる。

第三章　宅地造成等工事規制区域

第一〇条　都道府県知事は、基本方針に基づき、かつ、基礎調査の結果を踏まえ、宅地造成、特定盛土等又は土石の堆積（以下この章及び次章において「宅地造成等」という。）に伴い災害が生ずるおそれが大きい市街地若しくは市街地となろうとする土地の区域又は集落の区域（これらの区域に隣接し、又は近接する土地の区域を含む。第五項及び第二十六条第一項において「市街地等区域」という。）であつて、宅地造成等に関する工事について規制を行う必要があるものを、宅地造成等工事規制区域として指定することができる。

2　都道府県知事は、前項の規定により宅地造成等工事規制区域を指定しようとするときは、関係市町村長の意見を聴かなければならない。

3　第一項の指定は、この法律の目的を達成するため必要な最小限度のものでなければならない。

4　都道府県知事は、第一項の指定をするときは、主務省令で定めるところにより、当該宅地造成等工事規制区域を公示するとともに、その旨を関係市町村長に通知しなければならない。

5　市町村長は、宅地造成等に伴い市街地等区域において災害が生ずるおそれが大きいため第一項の指定をする必要があると認めるときは、その旨を都道府県知事に申し出ることができる。

6　第一項の指定は、第四項の公示によつてその効力を生ずる。

第四章　宅地造成等工事規制区域内における宅地造成等に関する工事等の規制

（住民への周知）

第一一条　工事主は、次条第一項の許可の申請をするときは、あらかじめ、主務省令で定めるところにより、宅地造成等に関する工事の施行に係る土地の周辺地域の住民に対し、説明会の開催その他の当該宅地造成等に関する工事の内容を周知させるため必要な措置を講じなければならない。

（宅地造成等に関する工事の許可）

第一二条　宅地造成等工事規制区域内において行われる宅地造成等に関する工事については、工事主は、当該工事に着手する前に、主務省令で定めるところにより、都道府県知事の許可を受けなければならない。ただし、宅地造成等に伴う災害の発生のおそれがないと認められるものとして政令で定める工事については、この限りでない。

2　都道府県知事は、前項の許可の申請が次に掲げる基準に適合しないと認めるとき、又はその申請の手続がこの法律若しくはこの法律に基づく命令の規定に違反していると認めるときは、同項の許可をしてはならない。

一　当該申請に係る宅地造成等に関する工事の計画が次条の規定に適合するものであること。

二　工事主に当該宅地造成等に関する工事を行うために必要な資力及び信用があること。

三　工事施行者に当該宅地造成等に関する工事を完成するために必要な能力があること。

四　当該宅地造成等に関する工事（土地区画整理法（昭和二十九年法律第百十九号）第二条第一項に規定する土地区画整理事業その他の公共施設の整備又は土地利用の増進を図るための事業として政令で定めるものの施行に伴うものを除く。）をしようとする土地の区域内の土地について所有権、地上権、質権、賃借権、使用貸借による権利又はその他の使用及び収益を目的とする権利を有する者の全ての同意を得ていること。

3　都道府県知事は、第一項の許可に、工事の施行に伴う災害を防止するため必要な条件を付することができる。

4　都道府県知事は、第一項の許可をしたときは、速やかに、主務省令で定めるところにより、工事主の氏名又は名称、宅地造成等に関する工事が施行される土地の所在地その他主務省令で定める事項を公表するとともに、関係市町村長に通知しなければならない。

（宅地造成等に関する工事の技術的基準等）

第一三条　宅地造成等工事規制区域内において行われる宅地造成等に関する工事（前条第一項ただし書に規定する工事を除く。第二十一条第一項において同じ。）は、政令（その政令で都道府県の規則に委任した事項に関しては、その規則を含む。）で定める技術的基準に従い、擁壁、排水施設その他の政令で定める施設（以下「擁壁等」という。）の設置その他宅地造成等に伴う災害を防止するため必要な措置が講ぜられたものでなければならない。

2　前項の規定により講ずべきものとされる措置のうち政令（同項の政令で都道府県の規則に委任した事項に関しては、その規則を含む。）で定めるものの工事は、政令で定める資格を有する者の設計によらなければならない。

（許可証の交付又は不許可の通知）

第一四条　都道府県知事は、第十二条第一項の許可の申請があつたときは、遅滞なく、許可又は不許可の処分をしなければならない。

2　都道府県知事は、前項の申請をした者に、同項の許可の処分をしたときは許可証を交付し、同項の不許可の処分をしたときは文書をもつてその旨を通知しなければならない。

3　宅地造成等に関する工事は、前項の許可証の交付を受けた後でなければ、することができない。

4　第二項の許可証の様式は、主務省令で定める。

（許可の特例）

第一五条　国又は都道府県、指定都市若しくは中核市が宅地造成等工事規制区域内において行う宅地造成等に関する工事については、これらの者と都道府県知事との協議が成立することをもつて第十二条第一項の許可があつたものとみなす。

2　宅地造成等工事規制区域内において行われる宅地造成又は特定盛土等について当該宅地造成等工事規制区域の指定後に都市計画法（昭和四十三年法律第百号）第二十九条第一項又は第二項の許可を受けたときは、当該宅地造成又は特定盛土等に関する工事については、第十二条第一項の許可を受けたものとみなす。

（変更の許可等）

第一六条　第十二条第一項の許可を受けた者は、当該許可に係る宅地造成等に関する工事の計画の変更をしようとするときは、主務省令で定めるところにより、都道府県知事の許可を受けなければならない。ただし、主務省令で定める軽微な変更をしようとするときは、この限りでない。

2　第十二条第一項の許可を受けた者は、前項ただし書の主務省令で定める軽微な変更をしたときは、遅滞なく、その旨を都道府県知事に届け出なければならない。

3　第十二条第二項から第四項まで、第十三条、第十四条及び前条第一項の規定は、第一項の許可について準用する。

4　第一項又は第二項の場合における次条から第十九条までの規定の適用については、第一項の許可又は第二項の規定による届出に係る変更後の内容を第十二条第一項の許可の内容とみなす。

5　前条第二項の規定により第十二条第一項の許可を受けたものとみなされた宅地造成又は特定盛土等に関する工事に係る都市計画法第三十五条の二第一項の許可又は同条第三項の規定による届出は、当該工事に係る第一項の許可又は第二項の規定による届出とみなす。

（完了検査等）

第一七条　宅地造成又は特定盛土等に関する工事について第十二条第一項の許可を受けた者は、当該許可に係る工事を完了したときは、主務省令で定める期間内に、主務省令で定めるところにより、その工事が第十三条第一項の規定に適合しているかどうかについて、都道府県知事の検査を申請しなければならない。

2　都道府県知事は、前項の検査の結果、工事が第十三条第一項の規定に適合していると認めた場合においては、主務省令で定める様式の検査済証を第十二条第一項の許可を受けた者に交付しなければならない。

3　第十五条第二項の規定により第十二条第一項の許可を受けたものとみなされた宅地造成又は特定盛土等に関する工事に係る都市計画法第三十六条第一項の規定による届出又は同条第二項の規定により交付された検査済証は、当該工事に係る第一項の規定による申請又は前項の規定により交付された検査済証とみなす。

4　土石の堆積に関する工事について第十二条第一項の許可を受けた者は、当該許可に係る工事（堆積した全ての土石を除却するものに限る。）を完了したときは、主務省令で定める期間内に、主務省令で定めるところにより、堆積されていた全ての土石の除却が行われたかどうかについて、都道府県知事の確認を申請しなければならない。

5　都道府県知事は、前項の確認の結果、堆積されていた全ての土石が除却されたと認めた場合においては、主務省令で定める様式の確認済証を第十二条第一項の許可を受けた者に交付しなければならない。

（中間検査）

第一八条　第十二条第一項の許可を受けた者は、当該許可に係る宅地造成又は特定盛土等（政令で定める規模のものに限る。）に関する工事が政令で定める工程（以下この条において「特定工程」という。）を含む場合において、当該特定工程に係る工事を終えたときは、その都度主務省令で定める期間内に、主務省令で定めるところにより、都道府県知事の検査を申請しなければならない。

2　都道府県知事は、前項の検査の結果、当該特定工程に係る工事が第十三条第一項の規定に適合していると認めた場合においては、主務省令で定める様式の当該特定工程に係る中間検査合格証を第十二条第一項の許可を受けた者に交付しなければならない。

3　特定工程ごとに政令で定める当該特定工程後の工程に係る工事は、前項の規定による当該特定工程に係る中間検査合格証の交付を受けた後でなければ、することができない。

4　都道府県は、第一項の検査について、宅地造成又は特定盛土等に伴う災害を防止するために必要があると認める場合においては、同項の政令で定める宅地造成若しくは特定盛土等の規模を当該規模未満で条例で定める規模とし、又は特定工程（当該特定工程後の前項に規定する工程を含む。）として条例で定める工程を追加することができる。

5　都道府県知事は、第一項の検査において第十三条第一項の規定に適合することを認められた特定工程に係る工事については、前条第一項の検査において当該工事に係る部分の検査をすることを要しない。

（定期の報告）

第一九条　第十二条第一項の許可（政令で定める規模の宅地造成等に関する工事に係るものに限る。）を受けた者は、主務省令で定めるところにより、主務省令で定める期間ごとに、当該許可に係る宅地造成等に関する工事の実施の状況その他主務省令で定める事項を都道府県知事に報告しなければならない。

2　都道府県は、前項の報告について、宅地造成等に伴う災害を防止するために必要があると認める場合においては、同項の政令で定める宅地造成等の規模を当該規模未満で条例で定める規模とし、同項の主務省令で定める期間を当該期間より短い期間で条例で定める期間とし、又は同項の主務省令で定める事項に条例で必要な事項を付加することができる。

（監督処分）

第二〇条　都道府県知事は、偽りその他不正な手段により第十二条第一項若しくは第十六条第一項の許可を受けた者又はその許可に付した条件に違反した者に対して、その許可を取り消すことができる。

2　都道府県知事は、宅地造成等工事規制区域内において行われている宅地造成等に関する次に掲げる工事については、当該工事主又は当該工事の請負人（請負工事の下請人を含む。）若しくは現場管理者（第四項から第六項までにおいて「工事主等」という。）に対して、当該工事の施行の停止を命じ、又は相当の猶予期限を付けて、擁壁等の設置その他宅地造成等に伴う災害の防止のため必要な措置（以下この条において「災害防止措置」という。）をとることを命ずることができる。

一　第十二条第一項又は第十六条第一項の規定に違反して第十二条第一項又は第十六条第一項の許可を受けないで施行する工事

二　第十二条第三項（第十六条第三項において準用する場合を含む。）の規定により許可に付した条件に違反する工事

三　第十三条第一項の規定に適合していない工事

四　第十八条第一項の規定に違反して同項の検査を申請しないで施行する工事

3　都道府県知事は、宅地造成等工事規制区域内の次に掲げる土地については、当該土地の所有者、管理者若しくは占有者又は当該工事主（第五項第一号及び第二号並びに第六項において「土地所有者等」という。）に対して、当該土地の使用を禁止し、若しくは制限し、又は相当の猶予期限を付けて、災害防止措置をとることを命ずることができる。

一　第十二条第一項又は第十六条第一項の規定に違反して第十二条第一項又は第十六条第一項の許可を受けないで宅地造成等に関する工事が施行された土地

二　第十七条第一項の規定に違反して同項の検査を申請せず、又は同項の検査の結果工事が第十三条第一項の規定に適合していないと認められた土地

三　第十七条第四項の規定に違反して同項の確認を申請せず、又は同項の確認の結果堆積されていた全ての土石が除却されていないと認められた土地

四　第十八条第一項の規定に違反して同項の検査を申請しないで宅地造成又は特定盛土等に関する工事が施行された土地

4　都道府県知事は、第二項の規定により工事の施行の停止を命じようとする場合において、緊急の必要により弁明の機会の付与を行うことができないときは、同項に規定する工事に該当することが明らかな場合に限り、弁明の機会の付与を行わないで、工事主等に対して、当該工事の施行の停止を命ずることができる。この場合において、当該工事主等が当該工事の現場にいないときは、当該工事に従事する者に対して、当該工事に係る作業の停止を命ずることができる。

5　都道府県知事は、次の各号のいずれかに該当すると認めるときは、自ら災害防止措置の全部又は一部を講ずることができる。この場合において、第二号に該当すると認めるときは、相当の期限を定めて、当該災害防止措置を講ずべき旨及びその期限までに当該災害防止措置を講じないときは自ら当該災害防止措置を講じ、当該災害防止措置に要した費用を徴収することがある旨を、あらかじめ、公告しなければならない。

一　第二項又は第三項の規定により災害防止措置を講ずべきことを命ぜられた工事主等又は土地所有者等が、当該命令に係る期限までに当該命令

に係る措置を講じないとき、講じても十分でないとき、又は講ずる見込みがないとき。

二　第二項又は第三項の規定により災害防止措置を講ずべきことを命じようとする場合において、過失がなくて当該災害防止措置を命ずべき工事主等又は土地所有者等を確知することができないとき。

三　緊急に災害防止措置を講ずる必要がある場合において、第二項又は第三項の規定により災害防止措置を講ずべきことを命ずるいとまがないとき。

6　都道府県知事は、前項の規定により同項の災害防止措置の全部又は一部を講じたときは、当該災害防止措置に要した費用について、主務省令で定めるところにより、当該工事主等又は土地所有者等に負担させることができる。

7　前項の規定により負担させる費用の徴収については、行政代執行法（昭和二十三年法律第四十三号）第五条及び第六条の規定を準用する。

（工事等の届出）

第二一条　宅地造成等工事規制区域の指定の際、当該宅地造成等工事規制区域内において行われている宅地造成等に関する工事の工事主は、その指定があつた日から二十一日以内に、主務省令で定めるところにより、当該工事について都道府県知事に届け出なければならない。

2　都道府県知事は、前項の規定による届出を受理したときは、速やかに、主務省令で定めるところにより、工事主の氏名又は名称、宅地造成等に関する工事が施行される土地の所在地その他主務省令で定める事項を公表するとともに、関係市町村長に通知しなければならない。

3　宅地造成等工事規制区域内の土地（公共施設用地を除く。以下この章において同じ。）において、擁壁等に関する工事その他の工事で政令で定めるものを行おうとする者（第十二条第一項若しくは第十六条第一項の許可を受け、又は同条第二項の規定による届出をした者を除く。）は、その工事に着手する日の十四日前までに、主務省令で定めるところにより、その旨を都道府県知事に届け出なければならない。

4　宅地造成等工事規制区域内において、公共施設用地を宅地又は農地等に転用した者（第十二条第一項若しくは第十六条第一項の許可を受け、又は同条第二項の規定による届出をした者を除く。）は、その転用した日から十四日以内に、主務省令で定めるところにより、その旨を都道府県知事に届け出なければならない。

（土地の保全等）

第二二条　宅地造成等工事規制区域内の土地の所有者、管理者又は占有者は、宅地造成等（宅地造成等工事規制区域の指定前に行われたものを含む。次項及び次条第一項において同じ。）に伴う災害が生じないよう、その土地を常時安全な状態に維持するように努めなければならない。

2　都道府県知事は、宅地造成等工事規制区域内の土地について、宅地造成等に伴う災害の防止のため必要があると認める場合においては、その土地の所有者、管理者、占有者、工事主又は工事施行者に対し、擁壁等の設置又は改造その他宅地造成等に伴う災害の防止のため必要な措置をとることを勧告することができる。

（改善命令）

第二三条　都道府県知事は、宅地造成等工事規制区域内の土地で、宅地造成若しくは特定盛土等に伴う災害の防止のため必要な擁壁等が設置されておらず、若しくは極めて不完全であり、又は土石の堆積に伴う災害の防止のため必要な措置がとられておらず、若しくは極めて不十分であるために、これを放置するときは、宅地造成等に伴う災害の発生のおそれが大きいと認められるものがある場合においては、その災害の防止のため必要であり、かつ、土地の利用状況その他の状況からみて相当であると認められる限度において、当該宅地造成等工事規制区域内の土地又は擁壁等の所有者、管理者又は占有者（次項において「土地所有者等」という。）に対して、相当の猶予期限を付けて、擁壁等の設置若しくは改造、地形若しくは盛土の改良又は土石の除却のための工事を行うことを命ずることができる。

2　前項の場合において、土地所有者等以外の者の宅地造成等に関する不完全な工事その他の行為によつて同項の災害の発生のおそれが生じたことが明らかであり、その行為をした者（その行為が隣地における土地の形質の変更又は土石の堆積であるときは、その土地の所有者を含む。以下この項において同じ。）に前項の工事の全部又は一部を行わせることが相当であると認められ、かつ、これを行わせることについて当該土地所有者等に異議がないときは、都道府県知事は、その行為をした者に対して、同項の工事の全部又は一部を行うことを命ずることができる。

3　第二十条第五項から第七項までの規定は、前二項の場合について準用する。

（立入検査）

第二四条　都道府県知事は、第十二条第一項、第十六条第一項、第十七条第一項若しくは第四項、第十八条第一項、第二十条第一項から第四項まで又は前条第一項若しくは第二項の規定による権限を行うために必要な限度において、その職員に、当該土地に立ち入り、当該土地又は当該土地において行われている宅地造成等に関する工事の状況を検査させることができる。

2　第七条第一項及び第三項の規定は、前項の場合について準用する。

3　第一項の規定による立入検査の権限は、犯罪捜査のために認められたものと解してはならない。

（報告の徴取）

第二五条　都道府県知事は、宅地造成等工事規制区域内の土地の所有者、管理者又は占有者に対して、当該土地又は当該土地において行われている工事の状況について報告を求めることができる。

第五章　特定盛土等規制区域

第二六条　都道府県知事は、基本方針に基づき、かつ、基礎調査の結果を踏まえ、宅地造成等工事規制区域以外の土地の区域であつて、土地の傾斜度、渓流の位置その他の自然的条件及び周辺地域における土地利用の状況その他の社会的条件からみて、当該区域内の土地において特定盛土等又は土石の堆積が行われた場合には、これに伴う災害により市街地等区域その他の区域の居住者その他の者（第五項及び第四十五条第一項において「居住者等」という。）の生命又は身体に危害を生ずるおそれが特に大きいと認められる区域を、特定盛土等規制区域として指定することができる。

2　都道府県知事は、前項の規定により特定盛土等規制区域を指定しようとするときは、関係市町村長の意見を聴かなければならない。

3　第一項の指定は、この法律の目的を達成するため必要な最小限度のものでなければならない。

4　都道府県知事は、第一項の指定をするときは、主務省令で定めるところにより、当該特定盛土等規制区域を公示するとともに、その旨を関係市町村長に通知しなければならない。

5　市町村長は、特定盛土等又は土石の堆積に伴う災害により当該市町村の区域の居住者等の生命又は身体に危害を生ずるおそれが特に大きいため第一項の指定をする必要があると認めるときは、その旨を都道府県知事に申し出ることができる。

6　第一項の指定は、第四項の公示によつてその効力を生ずる。

第六章　特定盛土等規制区域内における特定盛土等又は土石の堆積に関する工事等の規制

（特定盛土等又は土石の堆積に関する工事の届出等）

第二七条　特定盛土等規制区域内において行われる特定盛土等又は土石の堆積に関する工事については、工事主は、当該工事に着手する日の三十日前までに、主務省令で定めるところにより、当該工事の計画を都道府県知事に届け出なければならない。ただし、特定盛土等又は土石の堆積に伴う災害の発生のおそれがないと認められるものとして政令で定める工事については、この限りでない。

2　都道府県知事は、前項の規定による届出を受理したときは、速やかに、主務省令で定めるところにより、工事主の氏名又は名称、特定盛土等又は土石の堆積に関する工事が施行される土地の所在地その他主務省令で定める事項を公表するとともに、関係市町村長に通知しなければならない。

3　都道府県知事は、第一項の規定による届出があつた場合において、当該届出に係る工事の計画について当該特定盛土等又は土石の堆積に伴う災害の防止のため必要があると認めるときは、当該届出を受理した日から三十日以内に限り、当該届出をした者に対し、当該工事の計画の変更その他必要な措置をとるべきことを勧告することができる。

4　都道府県知事は、前項の規定による勧告を受けた者が、正当な理由がなくて当該勧告に係る措置をとらなかつたときは、その者に対し、相当の期限を定めて、当該勧告に係る措置をとるべきことを命ずることができる。

5　特定盛土等規制区域内において行われる特定盛土等について都市計画法第二十九条第一項又は第二項の許可の申請をしたときは、当該特定盛土等に関する工事については、第一項の規定による届出をしたものとみなす。

（変更の届出等）

第二八条　前条第一項の規定による届出をした者は、当該届出に係る特定盛土等又は土石の堆積に関する工事の計画の変更（主務省令で定める軽微な変更を除く。）をしようとするときは、当該変更後の工事に着手する日の三十日前までに、主務省令で定めるところにより、当該変更後の工事の計画を都道府県知事に届け出なければならない。

2　前条第五項の規定により同条第一項の規定による届出をしたものとみなされた特定盛土等に関する工事に係る都市計画法第三十五条の二第一項の許可の申請は、当該工事に係る前項の規定による届出とみなす。

3　前条第二項から第四項までの規定は、第一項の規定による届出について準用する。

（住民への周知）

第二九条　工事主は、次条第一項の許可の申請をするときは、あらかじめ、主務省令で定めるところにより、特定盛土等又は土石の堆積に関する工事の施行に係る土地の周辺地域の住民に対し、説明会の開催その他の当該特定盛土等又は土石の堆積に関する工事の内容を周知させるため必要な措置を講じなければならない。

（特定盛土等又は土石の堆積に関する工事の許可）

第三〇条　特定盛土等規制区域内において行われる特定盛土等又は土石の堆積（大規模な崖崩れ又は土砂の流出を生じさせるおそれが大きいものとして政令で定める規模のものに限る。以下この条から第三十九条まで及び第五十五条第一項第二号において同じ。）に関する工事については、工事主は、当該工事に着手する前に、主務省令で定めるところにより、都道府県知事の許可を受けなければならない。ただし、特定盛土等又は土石の堆積に伴う災害の発生のおそれがないと認められるものとして政令で定める工事については、この限りでない。

2　都道府県知事は、前項の許可の申請が次に掲げる基準に適合しないと認めるとき、又はその申請の手続がこの法律若しくはこの法律に基づく命令の規定に違反していると認めるときは、同項の許可をしてはならない。

一　当該申請に係る特定盛土等又は土石の堆積に関する工事の計画が次条の規定に適合するものであること。

二　工事主に当該特定盛土等又は土石の堆積に関する工事を行うために必要な資力及び信用があること。

三　工事施行者に当該特定盛土等又は土石の堆積に関する工事を完成するために必要な能力があること。

四　当該特定盛土等又は土石の堆積に関する工事（土地区画整理法第二条第一項に規定する土地区画整理事業その他の公共施設の整備又は土地利用の増進を図るための事業として政令で定めるものの施行に伴うものを除く。）をしようとする土地の区域内の土地について所有権、地上権、質権、賃借権、使用貸借による権利又はその他の使用及び収益を目的とする権利を有する者の全ての同意を得ていること。

3　都道府県知事は、第一項の許可に、工事の施行に伴う災害を防止するため必要な条件を付することができる。

4　都道府県知事は、第一項の許可をしたときは、速やかに、主務省令で定めるところにより、工事主の氏名又は名称、特定盛土等又は土石の堆積に関する工事が施行される土地の所在地その他主務省令で定める事項を公表するとともに、関係市町村長に通知しなければならない。

5　第一項の許可を受けた者は、当該許可に係る工事については、第二十七条第一項の規定による届出をすることを要しない。

（特定盛土等又は土石の堆積に関する工事の技術的基準等）

第三一条　特定盛土等規制区域内において行われる特定盛土等又は土石の堆積に関する工事（前条第一項ただし書に規定する工事を除く。第四十条第一項において同じ。）は、政令（その政令で都道府県の規則に委任した事項に関しては、その規則を含む。）で定める技術的基準に従い、擁壁等の設置その他特定盛土等又は土石の堆積に伴う災害を防止するため必要な措置が講ぜられたものでなければならない。

2　前項の規定により講ずべきものとされる措置のうち政令（同項の政令で都道府県の規則に委任した事項に関しては、その規則を含む。）で定めるものの工事は、政令で定める資格を有する者の設計によらなければならない。

（条例で定める特定盛土等又は土石の堆積の規模）

第三二条　都道府県は、第三十条第一項の許可について、特定盛土等又は土石の堆積に伴う災害を防止するために必要があると認める場合においては、同項の政令で定める特定盛土等又は土石の堆積の規模を当該規模未満で条例で定める規模とすることができる。

（許可証の交付又は不許可の通知）

第三三条　都道府県知事は、第三十条第一項の許可の申請があつたときは、遅滞なく、許可又は不許可の処分をしなければならない。

2　都道府県知事は、前項の申請をした者に、同項の許可の処分をしたときは許可証を交付し、同項の不許可の処分をしたときは文書をもつてその旨を通知しなければならない。

3　特定盛土等又は土石の堆積に関する工事は、前項の許可証の交付を受けた後でなければ、することができない。

4　第二項の許可証の様式は、主務省令で定める。

（許可の特例）

第三四条　国又は都道府県、指定都市若しくは中核市が特定盛土等規制区域内において行う特定盛土等又は土石の堆積に関する工事については、これらの者と都道府県知事との協議が成立することをもつて第三十条第一項の許可があつたものとみなす。

2　特定盛土等規制区域内において行われる特定盛土等について当該特定盛土等規制区域の指定後に都市計画法第二十九条第一項又は第二項の許可を受けたときは、当該特定盛土等に関する工事については、第三十条第一項の許可を受けたものとみなす。

（変更の許可等）

第三五条　第三十条第一項の許可を受けた者は、当該許可に係る特定盛土等又は土石の堆積に関する工事の計画の変更をしようとするときは、主務省令で定めるところにより、都道府県知事の許可を受けなければならない。ただし、主務省令で定める軽微な変更をしようとするときは、この限りでない。

2　第三十条第一項の許可を受けた者は、前項ただし書の主務省令で定める軽微な変更をしたときは、遅滞なく、その旨を都道府県知事に届け出なければならない。

3　第三十条第二項から第四項まで、第三十一条から第三十三条まで及び前条第一項の規定は、第一項の許可について準用する。

4　第一項又は第二項の場合における次条から第三十八条までの規定の適用については、第一項の許可又は第二項の規定による届出に係る変更後の内容を第三十条第一項の許可の内容とみなす。

5　前条第二項の規定により第三十条第一項の許可を受けたものとみなされた特定盛土等に関する工事に係る都市計画法第三十五条の二第一項の許可又は同条第三項の規定による届出は、当該工事に係る第一項の許可又は第二項の規定による届出とみなす。

（完了検査等）

第三六条　特定盛土等に関する工事について第三十条第一項の許可を受けた者は、当該許可に係る工事を完了したときは、主務省令で定める期間内に、主務省令で定めるところにより、その工事が第三十一条第一項の規定に適合しているかどうかについて、都道府県知事の検査を申請しなければならない。

2　都道府県知事は、前項の検査の結果、工事が第三十一条第一項の規定に適合していると認めた場合においては、主務省令で定める様式の検査済証を第三十条第一項の許可を受けた者に交付しなければならない。

3　第三十四条第二項の規定により第三十条第一項の許可を受けたものとみなされた特定盛土等に関する工事に係る都市計画法第三十六条第一項の規定による届出又は同条第二項の規定により交付された検査済証は、当該工事に係る第一項の規定による申請又は前項の規定により交付された検査済証とみなす。

4　土石の堆積に関する工事について第三十条第一項の許可を受けた者は、当該許可に係る工事（堆積した全ての土石を除却するものに限る。）を完了したときは、主務省令で定める期間内に、主務省令で定めるところにより、堆積されていた全ての土石の除却が行われたかどうかについて、都道府県知事の確認を申請しなければならない。

5　都道府県知事は、前項の確認の結果、堆積されていた全ての土石が除却されたと認めた場合においては、主務省令で定める様式の確認済証を第三十条第一項の許可を受けた者に交付しなければならない。

（中間検査）

第三七条　第三十条第一項の許可を受けた者は、当該許可に係る特定盛土等（政令で定める規模のものに限る。）に関する工事が政令で定める工程（以下この条において「特定工程」という。）を含む場合において、当該特定工程に係る工事を終えたときは、その都度主務省令で定める期間内に、主務省令で定めるところにより、都道府県知事の検査を申請しなければならない。

2　都道府県知事は、前項の検査の結果、当該特定工程に係る工事が第三十一条第一項の規定に適合していると認めた場合においては、主務省令で定める様式の当該特定工程に係る中間検査合格証を第三十条第一項の許可を受けた者に交付しなければならない。

3　特定工程ごとに政令で定める当該特定工程後の工程に係る工事は、前項の規定による当該特定工程に係る中間検査合格証の交付を受けた後でなければ、することができない。

4　都道府県は、第一項の検査について、特定盛土等に伴う災害を防止するために必要があると認める場合においては、同項の政令で定める特定盛土等の規模を当該規模未満で条例で定める規模とし、又は特定工程（当該特定工程後の前項に規定する工程を含む。）として条例で定める工程を追加することができる。

5　都道府県知事は、第一項の検査において第三十一条第一項の規定に適合することを認められた特定工程に係る工事については、前条第一項の検査において当該工事に係る部分の検査をすることを要しない。

（定期の報告）

第三八条　第三十条第一項の許可（政令で定める規模の特定盛土等又は土石の堆積に関する工事に係るものに限る。）を受けた者は、主務省令で定めるところにより、主務省令で定める期間ごとに、当該許可に係る特定盛土等又は土石の堆積に関する工事の実施の状況その他主務省令で定める事項を都道府県知事に報告しなければならない。

2　都道府県は、前項の報告について、特定盛土等又は土石の堆積に伴う災害を防止するために必要があると認める場合においては、同項の政令で定める特定盛土等若しくは土石の堆積の規模を当該規模未満で条例で定める規模とし、同項の主務省令で定める期間を当該期間より短い期間で条例で定める期間とし、又は同項の主務省令で定める事項に条例で必要な事項を付加することができる。

（監督処分）

第三九条　都道府県知事は、偽りその他不正な手段により第三十条第一項若しくは第三十五条第一項の許可を受けた者又はその許可に付した条件に違反した者に対して、その許可を取り消すことができる。

2　都道府県知事は、特定盛土等規制区域内において行われている特定盛土等又は土石の堆積に関する次に掲げる工事については、当該工事主又は当該工事の請負人（請負工事の下請人を含む。）若しくは現場管理者（第四項から第六項までにおいて「工事主等」という。）に対して、当該工事の施行の停止を命じ、又は相当の猶予期限を付けて、擁壁等の設置その他特定盛土等若しくは土石の堆積に伴う災害の防止のため必要な措置（以下この条において「災害防止措置」という。）をとることを命ずることができる。

一　第三十条第一項又は第三十五条第一項の規定に違反して第三十条第一項又は第三十五条第一項の許可を受けないで施行する工事

二　第三十条第三項（第三十五条第三項において準用する場合を含む。）の規定により許可に付した条件に違反する工事

三　第三十一条第一項の規定に適合していない工事

四　第三十七条第一項の規定に違反して同項の検査を申請しないで施行する工事

3　都道府県知事は、特定盛土等規制区域内の次に掲げる土地については、当該土地の所有者、管理者若しくは占有者又は当該工事主（第五項第一号及び第二号並びに第六項において「土地所有者等」という。）に対して、当該土地の使用を禁止し、若しくは制限し、又は相当の猶予期限を付けて、災害防止措置をとることを命ずることができる。

一　第三十条第一項又は第三十五条第一項の規定に違反して第三十条第一項又は第三十五条第一項の許可を受けないで特定盛土等又は土石の堆積に関する工事が施行された土地

二　第三十六条第一項の規定に違反して同項の検査を申請せず、又は同項の検査の結果工事が第三十一条第一項の規定に適合していないと認められた土地

三　第三十六条第四項の規定に違反して同項の確認を申請せず、又は同項の確認の結果堆積されていた全ての土石が除却されていないと認められた土地

四　第三十七条第一項の規定に違反して同項の検査を申請しないで特定盛土等に関する工事が施行された土地

4　都道府県知事は、第二項の規定により工事の施行の停止を命じようとする場合において、緊急の必要により弁明の機会の付与を行うことができないときは、同項に規定する工事に該当することが明らかな場合に限り、弁明の機会の付与を行わないで、工事主等に対して、当該工事の施行の停止を命ずることができる。この場合において、当該工事主等が当該工事の現場にいないときは、当該工事に従事する者に対して、当該工事に係る作業の停止を命ずることができる。

5　都道府県知事は、次の各号のいずれかに該当すると認めるときは、自ら災害防止措置の全部又は一部を講ずることができる。この場合において、第二号に該当すると認めるときは、相当の期限を定めて、当該災害防止措置を講ずべき旨及びその期限までに当該災害防止措置を講じないときは自ら当該災害防止措置を講じ、当該災害防止措置に要した費用を徴収することがある旨を、あらかじめ、公告しなければならない。

一　第二項又は第三項の規定により災害防止措置を講ずべきことを命ぜられた工事主等又は土地所有者等が、当該命令に係る期限までに当該命令に係る措置を講じないとき、講じても十分でないとき、又は講ずる見込みがないとき。

二　第二項又は第三項の規定により災害防止措置を講ずべきことを命じようとする場合において、過失がなくて当該災害防止措置を命ずべき工事主等又は土地所有者等を確知することができないとき。

三　緊急に災害防止措置を講ずる必要がある場合において、第二項又は第三項の規定により災害防止措置を講ずべきことを命ずるいとまがないとき。

6　都道府県知事は、前項の規定により同項の災害防止措置の全部又は一部を講じたときは、当該災害防止措置に要した費用について、主務省令で定めるところにより、当該工事主等又は土地所有者等に負担させることができる。

7　前項の規定により負担させる費用の徴収については、行政代執行法第五条及び第六条の規定を準用する。

（工事等の届出）

第四〇条　特定盛土等規制区域の指定の際、当該特定盛土等規制区域内において行われている特定盛土等又は土石の堆積に関する工事の工事主は、その指定があつた日から二十一日以内に、主務省令で定めるところにより、当該工事について都道府県知事に届け出なければならない。

2　都道府県知事は、前項の規定による届出を受理したときは、速やかに、主務省令で定めるところにより、工事主の氏名又は名称、特定盛土等又は土石の堆積に関する工事が施行される土地の所在地その他主務省令で定める事項を公表するとともに、関係市町村長に通知しなければならない。

3　特定盛土等規制区域内の土地（公共施設用地を除く。以下この章において同じ。）において、擁壁等に関する工事その他の工事で政令で定めるものを行おうとする者（第三十条第一項若しくは第三十五条第一項の許可を受け、又は第二十七条第一項、第二十八条第一項若しくは第三十五条第二項の規定による届出をした者を除く。）は、その工事に着手する日の十四日前までに、主務省令で定めるところにより、その旨を都道府県知事に届け出なければならない。

4　特定盛土等規制区域内において、公共施設用地を宅地又は農地等に転用した者（第三十条第一項若しくは第三十五条第一項の許可を受け、又は第二十七条第一項、第二十八条第一項若しくは第三十五条第二項の規定による届出をした者を除く。）は、その転用した日から十四日以内に、主務省令で定めるところにより、その旨を都道府県知事に届け出なければならない。

（土地の保全等）

第四一条　特定盛土等規制区域内の土地の所有者、管理者又は占有者は、特定盛土等又は土石の堆積（特定盛土等規制区域の指定前に行われたものを含む。次項及び次条第一項において同じ。）に伴う災害が生じないよう、その土地を常時安全な状態に維持するように努めなければならない。

2　都道府県知事は、特定盛土等規制区域内の土地について、特定盛土等又は土石の堆積に伴う災害の防止のため必要があると認める場合においては

は、その土地の所有者、管理者、占有者、工事主又は工事施行者に対し、擁壁等の設置又は改造その他特定盛土等又は土石の堆積に伴う災害の防止のため必要な措置をとることを勧告することができる。

（改善命令）

第四二条　都道府県知事は、特定盛土等規制区域内の土地で、特定盛土等に伴う災害の防止のため必要な擁壁等が設置されておらず、若しくは極めて不完全であり、又は土石の堆積に伴う災害の防止のため必要な措置がとられておらず、若しくは極めて不十分であるために、これを放置するときは、特定盛土等又は土石の堆積に伴う災害の発生のおそれが大きいと認められるものがある場合においては、その災害の防止のため必要であり、かつ、土地の利用状況その他の状況からみて相当であると認められる限度において、当該特定盛土等規制区域内の土地又は擁壁等の所有者、管理者又は占有者（次項において「土地所有者等」という。）に対して、相当の猶予期限を付けて、擁壁等の設置若しくは改造、地形若しくは盛土の改良又は土石の除却のための工事を行うことを命ずることができる。

2　前項の場合において、土地所有者等以外の者の特定盛土等又は土石の堆積に関する不完全な工事その他の行為によつて同項の災害の発生のおそれが生じたことが明らかであり、その行為をした者（その行為が隣地における土地の形質の変更又は土石の堆積であるときは、その土地の所有者を含む。以下この項において同じ。）に前項の工事の全部又は一部を行わせることが相当であると認められ、かつ、これを行わせることについて当該土地所有者等に異議がないときは、都道府県知事は、その行為をした者に対して、同項の工事の全部又は一部を行うことを命ずることができる。

3　第三十九条第五項から第七項までの規定は、前二項の場合について準用する。

（立入検査）

第四三条　都道府県知事は、第二十七条第四項（第二十八条第三項において準用する場合を含む。）、第三十条第一項、第三十五条第一項、第三十六条第一項若しくは第四項、第三十七条第一項、第三十九条第一項から第四項まで又は前条第一項若しくは第二項の規定による権限を行うために必要な限度において、その職員に、当該土地に立ち入り、当該土地又は当該土地において行われている特定盛土等若しくは土石の堆積に関する工事の状況を検査させることができる。

2　第七条第一項及び第三項の規定は、前項の場合について準用する。

3　第一項の規定による立入検査の権限は、犯罪捜査のために認められたものと解してはならない。

（報告の徴取）

第四四条　都道府県知事は、特定盛土等規制区域内の土地の所有者、管理者又は占有者に対して、当該土地又は当該土地において行われている工事の状況について報告を求めることができる。

第七章　造成宅地防災区域

第四五条　都道府県知事は、基本方針に基づき、かつ、基礎調査の結果を踏まえ、この法律の目的を達成するために必要があると認めるときは、宅地造成又は特定盛土等（宅地において行うものに限る。第四十七条第二項において同じ。）に伴う災害で相当数の居住者等に危害を生ずるものの発生のおそれが大きい一団の造成宅地（これに附帯する道路その他の土地を含み、宅地造成等工事規制区域内の土地を除く。）の区域であつて政令で定める基準に該当するものを、造成宅地防災区域として指定することができる。

2　都道府県知事は、擁壁等の設置又は改造その他前項の災害の防止のため必要な措置を講ずることにより、造成宅地防災区域の全部又は一部について同項の指定の事由がなくなつたと認めるときは、当該造成宅地防災区域の全部又は一部について同項の指定を解除するものとする。

3　第十条第二項から第六項までの規定は、第一項の規定による指定及び前項の規定による指定の解除について準用する。

第八章　造成宅地防災区域内における災害の防止のための措置

（災害の防止のための措置）

第四六条　造成宅地防災区域内の造成宅地の所有者、管理者又は占有者は、前条第一項の災害が生じないよう、その造成宅地について擁壁等の設置又は改造その他必要な措置を講ずるように努めなければならない。

2　都道府県知事は、造成宅地防災区域内の造成宅地について、前条第一項の災害の防止のため必要があると認める場合においては、その造成宅地の所有者、管理者又は占有者に対し、擁壁等の設置又は改造その他同項の災害の防止のため必要な措置をとることを勧告することができる。

（改善命令）

第四七条　都道府県知事は、造成宅地防災区域内の造成宅地で、第四十五条第一項の災害の防止のため必要な擁壁等が設置されておらず、又は極めて不完全であるために、これを放置するときは、同項の災害の発生のおそれが大きいと認められるものがある場合においては、その災害の防止のため必要であり、かつ、土地の利用状況その他の状況からみて相当であると認められる限度において、当該造成宅地又は擁壁等の所有者、管理者又は占有者（次項において「造成宅地所有者等」という。）に対して、相当の猶予期限を付けて、擁壁等の設置若しくは改造又は地形若しくは盛土の改良のための工事を行うことを命ずることができる。

2　前項の場合において、造成宅地所有者等以外の者の宅地造成又は特定盛土等に関する不完全な工事その他の行為によつて第四十五条第一項の災害の発生のおそれが生じたことが明らかであり、その行為をした者（その行為が隣地における土地の形質の変更であるときは、その土地の所有者を含む。以下この項において同じ。）に前項の工事の全部又は一部を行わせることが相当であると認められ、かつ、これを行わせることについて当該造成宅地所有者等に異議がないときは、都道府県知事は、その行為をした者に対して、同項の工事の全部又は一部を行うことを命ずることができる。

3　第二十条第五項から第七項までの規定は、前二項の場合について準用する。

（準用）

第四八条　第二十四条の規定は都道府県知事が前条第一項又は第二項の規定による権限を行うため必要がある場合について、第二十五条の規定は造成宅地防災区域内における造成宅地の所有者、管理者又は占有者について準用する。

第九章　雑則

（標識の掲示）

第四九条　第十二条第一項若しくは第三十条第一項の許可を受けた工事主又は第二十七条第一項の規定による届出をした工事主は、当該許可又は届出に係る土地の見やすい場所に、主務省令で定めるところにより、氏名又は名称その他の主務省令で定める事項を記載した標識を掲げなければならない。

（市町村長の意見の申出）

第五〇条　市町村長は、宅地造成等工事規制区域、特定盛土等規制区域及び造成宅地防災区域内における宅地造成、特定盛土等又は土石の堆積に伴う災害の防止に関し、都道府県知事に意見を申し出ることができる。

（緊急時の指示）

第五一条　主務大臣は、宅地造成、特定盛土等又は土石の堆積に伴う災害が発生し、又は発生するおそれがあると認められる場合において、当該災害を防止し、又は軽減するため緊急の必要があると認められるときは、都道府県知事に対し、この法律の規定により都道府県知事が行う事務のうち政令で定めるものに関し、必要な指示をすることができる。

（都道府県への援助）

第五二条　主務大臣は、第十条第一項の規定による宅地造成等工事規制区域の指定、第二十六条第一項の規定による特定盛土等規制区域の指定及び第四十五条第一項の規定による造成宅地防災区域の指定その他この法律に基づく都道府県が行う事務が適正かつ円滑に行われるよう、都道府県に対する必要な助言、情報の提供その他の援助を行うよう努めなければならない。

（主務大臣等）

第五三条　この法律における主務大臣は、国土交通大臣及び農林水産大臣とする。

2　この法律における主務省令は、主務大臣が共同で発する命令とする。

（政令への委任）

第五四条　この法律に特に定めるもののほか、この法律によりなすべき公告の方法その他この法律の実施のため必要な事項は、政令で定める。

第十章　罰則

第五五条　次の各号のいずれかに該当する場合には、当該違反行為をした者は、三年以下の懲役又は千万円以下の罰金に処する。
一　第十二条第一項又は第十六条第一項の規定に違反して、宅地造成、特定盛土等又は土石の堆積に関する工事をしたとき。
二　第三十条第一項又は第三十五条第一項の規定に違反して、特定盛土等又は土石の堆積に関する工事をしたとき。
三　偽りその他不正な手段により、第十二条第一項、第十六条第一項、第三十条第一項又は第三十五条第一項の許可を受けたとき。
四　第二十条第二項から第四項まで又は第三十九条第二項から第四項までの規定による命令に違反したとき。

2　第十三条第一項又は第三十一条第一項の規定に違反して宅地造成、特定盛土等又は土石の堆積に関する工事の設計をした場合において、当該工事が施行されたときは、当該違反行為をした当該工事の設計をした者（設計図書を用いないで当該工事を施行し、又は設計図書に従わないで当該工事を施行したときは、当該工事施行者（当該工事施行者が法人である場合にあつては、その代表者）又はその代理人、使用人その他の従業者（次項において「工事施行者等」という。））は、三年以下の懲役又は千万円以下の罰金に処する。

3　前項に規定する違反があつた場合において、その違反が工事主（当該工事主が法人である場合にあつては、その代表者）又はその代理人、使用人その他の従業者（以下この項において「工事主等」という。）の故意によるものであるときは、当該設計をした者又は工事施行者等を罰するほか、当該工事主等に対して前項の刑を科する。

第五六条　次の各号のいずれかに該当する場合には、当該違反行為をした者は、一年以下の懲役又は三百万円以下の罰金に処する。
一　第十七条第一項若しくは第四項、第十八条第一項、第三十六条第一項若しくは第四項又は第三十七条第一項の規定による申請をせず、又は虚偽の申請をしたとき。
二　第十九条第一項又は第三十八条第一項の規定による報告をせず、又は虚偽の報告をしたとき。
三　第二十三条第一項若しくは第二項、第二十七条第四項（第二十八条第三項において準用する場合を含む。）、第四十二条第一項若しくは第二項又は第四十七条第一項若しくは第二項の規定による命令に違反したとき。
四　第二十四条第一項（第四十八条において準用する場合を含む。）又は第四十三条第一項の規定による検査を拒み、妨げ、又は忌避したとき。

第五七条　第二十七条第一項又は第二十八条第一項の規定による届出をしないでこれらの規定に規定する工事を行い、又は虚偽の届出をしたときは、当該違反行為をした者は、一年以下の懲役又は百万円以下の罰金に処する。

第五八条　次の各号のいずれかに該当する場合には、当該違反行為をした者は、六月以下の懲役又は三十万円以下の罰金に処する。
一　第五条第一項の規定による土地の立入りを拒み、又は妨げたとき。
二　第六条第一項に規定する場合において、市町村長の許可を受けないで障害物を伐除したとき、又は都道府県知事の許可を受けないで土地に試掘等を行つたとき。
三　第二十一条第一項若しくは第四項又は第四十条第一項若しくは第四項の規定による届出をせず、又は虚偽の届出をしたとき。
四　第二十一条第三項又は第四十条第三項の規定による届出をしないでこれらの規定に規定する工事を行い、又は虚偽の届出をしたとき。
五　第二十五条（第四十八条において準用する場合を含む。）又は第四十四条の規定による報告をせず、又は虚偽の報告をしたとき。

第五九条　第四十九条の規定に違反したときは、当該違反行為をした者は、五十万円以下の罰金に処する。

第六〇条　法人の代表者又は法人若しくは人の代理人、使用人その他の従業者が、その法人又は人の業務又は財産に関し、次の各号に掲げる規定の違反行為をしたときは、行為者を罰するほか、その法人に対して当該各号に定める罰金刑を、その人に対して各本条の罰金刑を科する。
一　第五十五条　三億円以下の罰金刑
二　第五十六条第三号　一億円以下の罰金刑
三　第五十六条第一号、第二号若しくは第四号又は前三条　各本条の罰金刑

第六一条　第十六条第二項又は第三十五条第二項の規定に違反して、届出をせず、又は虚偽の届出をした者は、三十万円以下の過料に処する。

附　則〔抄〕

（**施行期日**）

1　この法律は、公布の日から起算して三月をこえない範囲内において政令で定める日から施行する。

〔昭和三七政一五により、昭和三七・二・一から施行〕

附　則〔抄〕〔昭和三七・九・一五法律一六一〕

1　この法律は、昭和三十七年十月一日から施行する。

2　この法律による改正後の規定は、この附則に特別の定めがある場合を除き、この法律の施行前にされた行政庁の処分、この法律の施行前にされた申請に係る行政庁の不作為その他この法律の施行前に生じた事項についても適用する。ただし、この法律による改正前の規定によつて生じた効力を妨げない。

3　この法律の施行前に提起された訴願、審査の請求、異議の申立てその他の不服申立て（以下「訴願等」という。）については、この法律の施行後も、なお従前の例による。この法律の施行前にされた訴願等の裁決、決定その他の処分（以下「裁決等」という。）又はこの法律の施行前に提起された訴願等につきこの法律の施行後にされる裁決等にさらに不服がある場合の訴願等についても、同様とする。

4　前項に規定する訴願等で、この法律の施行後は行政不服審査法による不服申立てをすることができることとなる処分に係るものは、同法以外の法律の適用については、行政不服審査法による不服申立てとみなす。

5　第三項の規定によりこの法律の施行後にされる審査の請求、異議の申立てその他の不服申立ての裁決等については、行政不服審査法による不服申立てをすることができない。

6　この法律の施行前にされた行政庁の処分で、この法律による改正前の規定により訴願等をすることができるものとされ、かつ、その提起期間が定められていなかつたものについて、行政不服審査法による不服申立てをすることができる期間は、この法律の施行の日から起算する。

8　この法律の施行前にした行為に対する罰則の適用については、なお従前の例による。

9　前八項に定めるもののほか、この法律の施行に関して必要な経過措置は、政令で定める。

附　則〔略〕〔昭和三九・七・九法律一六〇〕

附　則〔略〕〔昭和四三・六・一五法律一〇一〕

附　則〔略〕〔昭和五三・五・一法律三八〕

附　則〔略〕〔昭和五六・五・三〇法律五八〕

附　則〔略〕〔昭和五九・五・二五法律四七〕

附　則〔略〕〔平成三・五・二一法律七九〕

附　則〔抄〕〔平成五・一一・一二法律八九〕

（**施行期日**）

第一条　この法律は、行政手続法（平成五年法律第八十八号）の施行の日（平成六・一〇・一）から施行する。

（**諮問等がされた不利益処分に関する経過措置**）

第二条　この法律の施行前に法令に基づき審議会その他の合議制の機関に対し行政手続法第十三条に規定する聴聞又は弁明の機会の付与の手続その他の意見陳述のための手続に相当する手続を執るべきことの諮問その他の求めがされた場合においては、当該諮問その他の求めに係る不利益処分の手続に関しては、この法律による改正後の関係法律の規定にかかわらず、なお従前の例による。

（**罰則に関する経過措置**）

第一三条　この法律の施行前にした行為に対する罰則の適用については、なお従前の例による。

（**聴聞に関する規定の整理に伴う経過措置**）

第一四条　この法律の施行前に法律の規定により行われた聴聞、聴問若しくは聴聞会（不利益処分に係るものを除く。）又はこれらのための手続は、この法律による改正後の関係法律の相当規定により行われたものとみなす。

（**政令への委任**）

第一五条　附則第二条から前条までに定めるもののほか、この法律の施行に関して必要な経過措置は、政令で定める。

附　則〔略〕〔平成六・六・二九法律四九〕

附　則〔抄〕〔平成一一・七・一六法律八七〕

（**施行期日**）

第一条　この法律は、平成十二年四月一日から施行する。ただし、次の各号に掲げる規定は、当該各号に定める日から施行する。

一　〔前略〕附則〔中略〕第百六十条、第百六十三条、第百六十四条並びに第二百二条の規定　公布の日

二～六　〔略〕

（**国等の事務**）

第一五九条　この法律による改正前のそれぞれの法律に規定するもののほか、この法律の施行前において、地方公共団体の機関が法律又はこれに基づく政令により管理し又は執行する国、他の地方公共団体その他公共団体の事務（附則第百六十一条において「国等の事務」という。）は、この法律の施行後は、地方公共団体が法律又はこれに基づく政令により当該地方公共団体の事務として処理するものとする。

（**処分、申請等に関する経過措置**）

第一六〇条　この法律（附則第一条各号に掲げる規定については、当該各規定。以下この条及び附則第百六十三条において同じ。）の施行前に改正前のそれぞれの法律の規定によりされた許可等の処分その他の行為（以下この条において「処分等の行為」という。）又はこの法律の施行の際現に改正前のそれぞれの法律の規定によりされている許可等の申請その他の行為（以下この条において「申請等の行為」という。）で、この法律の施行の日においてこれらの行為に係る行政事務を行うべき者が異なることとなるものは、附則第二条から前条までの規定又は改正後のそれぞれの法律（これに基づく命令を含む。）の経過措置に関する規定に定めるものを除き、この法律の施行の日以後における改正後のそれぞれの法律の適用については、改正後のそれぞれの法律の相当規定によりされた処分等の行為又は申請等の行為とみなす。

2　この法律の施行前に改正前のそれぞれの法律の規定により国又は地方公共団体の機関に対し報告、届出、提出その他の手続をしなければならない事項で、この法律の施行の日前にその手続がされていないものについては、この法律及びこれに基づく政令に別段の定めがあるもののほか、これを、改正後のそれぞれの法律の相当規定により国又は地方公共団体の相当の機関に対して報告、届出、提出その他の手続をしなければならない事項についてその手続がされていないものとみなして、この法律による改正後のそれぞれの法律の規定を適用する。

（**不服申立てに関する経過措置**）

第一六一条　施行日前にされた国等の事務に係る処分であって、当該処分をした行政庁（以下この条において「処分庁」という。）に施行日前に行政不服審査法に規定する上級行政庁（以下この条において「上級行政庁」という。）があったものについての同法による不服申立てについては、施行日以後においても、当該処分庁に引き続き上級行政庁があるものとみなして、行政不服審査法の規定を適用する。この場合において、当該処分庁の上級行政庁とみなされる行政庁は、施行日前に当該処分庁の上級行政庁であった行政庁とする。

2　前項の場合において、上級行政庁とみなされる行政庁が地方公共団体の機関であるときは、当該機関が行政不服審査法の規定により処理することとされる事務は、新地方自治法第二条第九項第一号に規定する第一号法定受託事務とする。

（**手数料に関する経過措置**）

第一六二条　施行日前においてこの法律による改正前のそれぞれの法律（これに基づく命令を含む。）の規定により納付すべきであった手数料については、この法律及びこれに基づく政令に別段の定めがあるもののほか、なお従前の例による。

（**罰則に関する経過措置**）

第一六三条　この法律の施行前にした行為に対する罰則の適用については、なお従前の例による。

（**その他の経過措置の政令への委任**）

第一六四条　この附則に規定するもののほか、この法律の施行に伴い必要な経過措置（罰則に関する経過措置を含む。）は、政令で定める。

2　〔略〕

附　則〔略〕〔平成一一・一二・二二法律一六〇〕

附　則〔抄〕〔平成一八・四・一法律三〇〕

（**施行期日**）

第一条　この法律は、公布の日から起算して六月を超えない範囲内において政令で定める日（以下「施行日」という。）から施行する。ただし、〔中略〕附則第五条及び第六条の規定は、公布の日から施行する。

〔平成一八政三〇九により、平成一八・九・三〇から施行〕

（**宅地造成等規制法の一部改正に伴う経過措置**）

第二条　この法律の施行の際現に第一条の規定による改正前の宅地造成等規制法（以下この条において「旧法」という。）第三条第一項の規定により指定されている宅地造成工事規制区域は、第一条の規定による改正後の宅地造成等規制法（以下この条において「新法」という。）第三条第一項の規定により指定された宅地造成工事規制区域とみなす。

2　新法第八条第一項ただし書の規定は、第二条の規定による改正前の都市計画法（以下「旧都市計画法」という。）第二十九条第一項若しくは第二項の許可又は次条の規定によりその基準についてなお従前の例によることとされる第二条の規定による改正後の都市計画法（以下「新都市計画法」という。）第二十九条第一項若しくは第二項の許可を受けて行われる宅地造成に関する工事については、適用しない。

3　施行日前に旧法第八条第一項の規定によりされた宅地造成に関する工事の計画の変更の許可（以下この項において「旧法による変更許可」という。）又は旧法による変更許可の申請は当該変更が新法第十二条第一項ただし書の国土交通省令で定める軽微な変更に該当する場合以外の場合には同項の規定によりされた許可又は同項の許可の申請とみなし、旧法による変更許可の申請は当該変更が同項ただし書の国土交通省令で定める軽微な変更に該当する場合には同条第二項の規定によりされた変更の届出とみなす。

4　施行日前に旧法第十六条の規定によりされた命令は、新法第十七条の規定によりされた命令とみなす。

（**罰則に関する経過措置**）

第五条　この法律（附則第一条ただし書に規定する規定については、当該規定）の施行前にした行為に対する罰則の適用については、なお従前の例による。

（**政令への委任**）

第六条　この附則に規定するもののほか、この法律の施行に伴い必要な経過措置は、政令で定める。

附　則〔略〕〔平成二五・六・一四法律四四〕

附　則〔抄〕〔平成二六・五・三〇法律四二〕

（**施行期日**）

第一条　この法律〔中略〕は、当該各号に定める日〔平成二七・四・一〕から施行する。

（**宅地造成等規制法の一部改正に伴う経過措置**）

第四条　施行時特例市に対する前条の規定による改正後の宅地造成等規制法第三条第一項、第七条第一項及び第十一条の規定の適用については、同法第三条第一項中「又は同法」とあるのは「、同法」と、「中核市」とあるのは「中核市」という。）又は地方自治法の一部を改正する法律（平成二十六年法律第四十二号）附則第二条に規定する施行時特例市（以下「施行時特例市」と、同項並びに同法第七条第一項及び第十一条中「又は中核市」とあるのは「、中核市又は施行時特例市」とする。

附　則〔抄〕〔令和四・五・二七法律五五〕

（**施行期日**）

第一条　この法律は、公布の日から起算して一年を超えない範囲内において政令で定める日から施行する。ただし、附則第四条の規定は、公布の日から施行する。

〔令和四政三九二により、令和五・五・二六から施行〕

（**経過措置**）

第二条　この法律の施行の際現にこの法律による改正前の宅地造成等規制法（以下この条において「旧法」という。）第三条第一項の規定による指定がされている宅地造成工事規制区域（以下この項及び次項において「旧宅地造成工事規制区域」という。）の区域内における宅地造成に関する工事等の規制については、この法律の施行の日（第三項において「施行日」という。）から起算して二年を経過する日（その日までにこの法律による改正後の宅地造成及び特定盛土等規制法（以下「新法」という。）第十条第四項の規定による公示がされた新法第四条第一項の都道府県の区域内にある

旧宅地造成工事規制区域にあっては、当該公示の日の前日）までの間（次項において「経過措置期間」という。）は、なお従前の例による。

2　旧宅地造成工事規制区域の区域内において行われる宅地造成に関する工事について旧法第八条第一項本文（前項の規定によりなお従前の例によることとされる場合を含む。）の許可（経過措置期間の経過前にされた都市計画法（昭和四十三年法律第百号）第二十九条第一項又は第二項の許可を含む。）を受けた者に係る当該許可に係る宅地造成に関する工事の規制については、経過措置期間の経過後においても、なお従前の例による。

3　この法律の施行の際現に旧法第二十条第一項の規定による指定がされている造成宅地防災区域（以下この項において「旧造成宅地防災区域」という。）の指定の効力及び解除並びに旧造成宅地防災区域内における災害の防止のための措置については、施行日から起算して二年を経過する日（その日までに新法第四十五条第三項において準用する新法第十条第四項の規定による公示がされた新法第四条第一項の都道府県の区域内にある旧造成宅地防災区域にあっては、当該公示の日の前日）までの間は、なお従前の例による。

（罰則に関する経過措置）

第三条　この法律の施行前にした行為及び前条の規定によりなお従前の例によることとされる場合におけるこの法律の施行後にした行為に対する罰則の適用については、なお従前の例による。

（政令への委任）

第四条　前二条に定めるもののほか、この法律の施行に関し必要な経過措置（罰則に関する経過措置を含む。）は、政令で定める。

（検討）

第五条　政府は、この法律の施行後五年以内に、新法第十条第一項の宅地造成等工事規制区域及び新法第二十六条第一項の特定盛土等規制区域以外の土地における盛土等の状況その他この法律による改正後の規定の施行の状況等を勘案し、盛土等に関する工事、土砂の管理等に係る規制の在り方について検討を加え、必要があると認めるときは、その結果に基づいて所要の措置を講ずるものとする。

○宅地造成及び特定盛土等規制法施行令

〔昭和三七・一・三〇
政令一六〕

改正　昭和四〇・二政一五、昭和四五・一二政三三三、昭和五三・五政二〇五、昭和五五・七政一九六、昭和五六・四政一四四、七政二四八、昭和五九・六政二三一、昭和六二・三政五七、一〇政三四八、平成三・三政二五、平成六・三政六九、九政三〇三、一二政三九八、平成九・三政七四、平成一〇・一〇政三五一、平成一一・一政五、一一政三五二、平成一二・四政二一一、六政三一二、平成一八・九政三一〇、一一政三七〇、平成一九・三政四九、平成二三・一二政四二七、平成二七・一政三〇、平成二九・九政二三二、令和四・一二政三九三

目次

第一章　総則（第一条―第四条）
第二章　宅地造成等工事規制区域内における宅地造成等に関する工事の規制（第五条―第二十六条）
第三章　特定盛土等規制区域内における特定盛土等又は土石の堆積に関する工事の規制（第二十七条―第三十四条）
第四章　造成宅地防災区域の指定の基準（第三十五条）
第五章　雑則（第三十六条―第四十一条）
附則

第一章　総則

（定義等）

第一条　この政令において、「崖」とは地表面が水平面に対し三十度を超える角度をなす土地で硬岩盤（風化の著しいものを除く。）以外のものをいい、「崖面」とはその地表面をいう。

2　崖面の水平面に対する角度を崖の勾配とする。

3　小段その他の崖以外の土地によつて上下に分離された崖がある場合において、下層の崖面の下端を含み、かつ、水平面に対し三十度の角度をなす面の上方に上層の崖面の下端があるときは、その上下の崖は一体のものとみなす。

4　擁壁の前面の上端と下端（擁壁の前面の下部が地盤面と接する部分をいう。以下この項において同じ。）とを含む面の水平面に対する角度を擁壁の勾配とし、その上端と下端との垂直距離を擁壁の高さとする。

（公共の用に供する施設）

第二条　宅地造成及び特定盛土等規制法（昭和三十六年法律第百九十一号。以下「法」という。）第二条第一号の政令で定める公共の用に供する施設は、砂防設備、地すべり防止施設、海岸保全施設、津波防護施設、港湾施設、漁港施設、飛行場、航空保安施設、鉄道、軌道、索道又は無軌条電車の用に供する施設その他これらに準ずる施設で主務省令で定めるもの及び国又は地方公共団体が管理する学校、運動場、墓地その他の施設で主務省令で定めるものとする。

（宅地造成及び特定盛土等）

第三条　法第二条第二号及び第三号の政令で定める土地の形質の変更は、次に掲げるものとする。

一　盛土であつて、当該盛土をした土地の部分に高さが一メートルを超える崖を生ずることとなるもの

二　切土であつて、当該切土をした土地の部分に高さが二メートルを超える崖を生ずることとなるもの

三　盛土と切土とを同時にする場合において、当該盛土及び切土をした土地の部分に高さが二メートルを超える崖を生ずることとなるときにおける当該盛土及び切土（前二号に該当する盛土又は切土を除く。）

四　第一号又は前号に該当しない盛土であつて、高さが二メートルを超えるもの

五　前各号のいずれにも該当しない盛土又は切土であつて、当該盛土又は切土をする土地の面積が五百平方メートルを超えるもの

（土石の堆積）

第四条　法第二条第四号の政令で定める土石の堆積は、次に掲げるものとする。

一　高さが二メートルを超える土石の堆積

二　前号に該当しない土石の堆積であつて、当該土石の堆積を行う土地の面積が五百平方メートルを超えるもの

第二章　宅地造成等工事規制区域内における宅地造成等に関する工事の規制

（宅地造成等に伴う災害の発生のおそれがないと認められる工事等）

第五条　法第十二条第一項ただし書の政令で定める工事は、次に掲げるものとする。

一　鉱山保安法（昭和二十四年法律第七十号）第十三条第一項の規定による届出をした者が行う当該届出に係る工事又は同法第三十六条、第三十七条、第三十九条第一項若しくは第四十八条第一項若しくは第二項の規定による産業保安監督部長若しくは鉱務監督官の命令を受けた者が行う当該命令の実施に係る工事

二　鉱業法（昭和二十五年法律第二百八十九号）第六十三条第一項の規定

による届出をし、又は同条第二項（同法第八十七条において準用する場合を含む。）若しくは同法第六十三条の二第一項若しくは第二項の規定による認可を受けた者（同法第六十三条の三の規定により同法第六十三条の二第一項又は第二項の規定により施業案の認可を受けたとみなされた者を含む。）が行う当該届出又は認可に係る施業案の実施に係る工事

三　採石法（昭和二十五年法律第二百九十一号）第三十三条若しくは第三十三条の五第一項の規定による認可を受けた者が行う当該認可に係る工事又は同法第三十三条の十三若しくは第三十三条の十七の規定による命令を受けた者が行う当該命令の実施に係る工事

四　砂利採取法（昭和四十三年法律第七十四号）第十六条若しくは第二十条第一項の規定による認可を受けた者が行う当該認可に係る工事又は同法第二十三条の規定による都道府県知事若しくは河川管理者の命令を受けた者が行う当該命令の実施に係る工事

五　前各号に掲げる工事と同等以上に宅地造成等に伴う災害の発生のおそれがないと認められる工事として主務省令で定めるもの

2　法第十二条第二項第四号（法第十六条第三項において準用する場合を含む。）の政令で定める事業は、次に掲げるものとする。

一　土地区画整理法（昭和二十九年法律第百十九号）第二条第一項に規定する土地区画整理事業

二　土地収用法（昭和二十六年法律第二百十九号）第二十六条第一項の規定による告示（他の法律の規定による告示又は公告で同項の規定による告示とみなされるものを含む。）に係る事業

三　都市再開発法（昭和四十四年法律第三十八号）第二条第一号に規定する第一種市街地再開発事業

四　大都市地域における住宅及び住宅地の供給の促進に関する特別措置法（昭和五十年法律第六十七号）第二条第四号に規定する住宅街区整備事業

五　密集市街地における防災街区の整備の促進に関する法律（平成九年法律第四十九号）第二条第五号に規定する防災街区整備事業

六　所有者不明土地の利用の円滑化等に関する特別措置法（平成三十年法律第四十九号）第二条第三項に規定する地域福利増進事業のうち同法第十九条第一項に規定する使用権設定土地において行うもの

（擁壁、排水施設その他の施設）

第六条　法第十三条第一項（法第十六条第三項において準用する場合を含む。以下同じ。）の政令で定める施設は、擁壁、崖面崩壊防止施設（崖面の崩壊を防止するための施設（擁壁を除く。）で、崖面を覆うことにより崖の安定を保つことができるものとして主務省令で定めるものをいう。以下同じ。）、排水施設若しくは地滑り抑止ぐい又はグラウンドアンカーその他の土留とする。

（地盤について講ずる措置に関する技術的基準）

第七条　法第十三条第一項の政令で定める宅地造成に関する工事の技術的基準のうち地盤について講ずる措置に関するものは、次に掲げるものとする。

一　盛土をする場合においては、盛土をした後の地盤に雨水その他の地表水又は地下水（以下「地表水等」という。）の浸透による緩み、沈下、崩壊又は滑りが生じないよう、次に掲げる措置を講ずること。

イ　おおむね三十センチメートル以下の厚さの層に分けて土を盛り、かつ、その層の土を盛るごとに、これをローラーその他これに類する建設機械を用いて締め固めること。

ロ　盛土の内部に浸透した地表水等を速やかに排除することができるよう、砂利その他の資材を用いて透水層を設けること。

ハ　イ及びロに掲げるもののほか、必要に応じて地滑り抑止ぐい又はグラウンドアンカーその他の土留（以下「地滑り抑止ぐい等」という。）の設置その他の措置を講ずること。

二　著しく傾斜している土地において盛土をする場合においては、盛土をする前の地盤と盛土とが接する面が滑り面とならないよう、段切りその他の措置を講ずること。

2　前項に定めるもののほか、法第十三条第一項の政令で定める宅地造成に関する工事の技術的基準のうち盛土又は切土をした後の地盤について講ずる措置に関するものは、次に掲げるものとする。

一　盛土又は切土（第三条第四号の盛土及び同条第五号の盛土又は切土を除く。）をした後の土地の部分に生じた崖の上端に続く当該土地の地盤面には、特別の事情がない限り、その崖の反対方向に雨水その他の地表水が流れるよう、勾配を付すること。

二　山間部における河川の流水が継続して存する土地その他の宅地造成に伴い災害が生ずるおそれが特に大きいものとして主務省令で定める土地において高さが十五メートルを超える盛土をする場合においては、盛土をした後の土地の地盤について、土質試験その他の調査又は試験に基づく地盤の安定計算を行うことによりその安定が保持されるものであることを確かめること。

三　切土をした後の地盤に滑りやすい土質の層があるときは、その地盤に滑りが生じないよう、地滑り抑止ぐい等の設置、土の置換えその他の措置を講ずること。

（擁壁の設置に関する技術的基準）

第八条　法第十三条第一項の政令で定める宅地造成に関する工事の技術的基準のうち擁壁の設置に関するものは、次に掲げるものとする。

一　盛土又は切土（第三条第四号の盛土及び同条第五号の盛土又は切土を除く。）をした土地の部分に生ずる崖面で次に掲げる崖面以外のものには擁壁を設置し、これらの崖面を覆うこと。

イ　切土をした土地の部分に生ずる崖又は崖の部分であつて、その土質が別表第一上欄に掲げるものに該当し、かつ、次のいずれかに該当するものの崖面

(1)　その土質に応じ勾配が別表第一中欄の角度以下のもの

(2)　その土質に応じ勾配が別表第一中欄の角度を超え、同表下欄の角度以下のもの（その上端から下方に垂直距離五メートル以内の部分に限る。）

ロ　土質試験その他の調査又は試験に基づき地盤の安定計算をした結果崖の安定を保つために擁壁の設置が必要でないことが確かめられた崖面

ハ　第十四条第一号の規定により崖面崩壊防止施設が設置された崖面

二　前号の擁壁は、鉄筋コンクリート造、無筋コンクリート造又は間知石練積み造その他の練積み造のものとすること。

2　前項第一号イ(1)に該当する崖の部分により上下に分離された崖の部分がある場合における同号イ(2)の規定の適用については、同号イ(1)に該当する崖の部分は存在せず、その上下の崖の部分は連続しているものとみなす。

（鉄筋コンクリート造等の擁壁の構造）

第九条　前条第一項第二号の鉄筋コンクリート造又は無筋コンクリート造の擁壁の構造は、構造計算によつて次の各号のいずれにも該当することを確かめたものでなければならない。

一　土圧、水圧及び自重（以下この条及び第十四条第二号ロにおいて「土圧等」という。）によつて擁壁が破壊されないこと。

二　土圧等によつて擁壁が転倒しないこと。

三　土圧等によつて擁壁の基礎が滑らないこと。

四　土圧等によつて擁壁が沈下しないこと。

2　前項の構造計算は、次に定めるところによらなければならない。

一　土圧等によつて擁壁の各部に生ずる応力度が、擁壁の材料である鋼材又はコンクリートの許容応力度を超えないことを確かめること。

二　土圧等による擁壁の転倒モーメントが擁壁の安定モーメントの三分の二以下であることを確かめること。

三　土圧等による擁壁の基礎の滑り出す力が擁壁の基礎の地盤に対する最大摩擦抵抗力その他の抵抗力の三分の二以下であることを確かめること。

四　土圧等によつて擁壁の地盤に生ずる応力度が当該地盤の許容応力度を超えないことを確かめること。ただし、基礎ぐいを用いた場合においては、土圧等によつて基礎ぐいに生ずる応力が基礎ぐいの許容支持力を超えないことを確かめること。

3　前項の構造計算に必要な数値は、次に定めるところによらなければならない。

一　土圧等については、実況に応じて計算された数値。ただし、盛土の場合の土圧については、盛土の土質に応じ別表第二の単位体積重量及び土圧係数を用いて計算された数値を用いることができる。

二　鋼材、コンクリート及び地盤の許容応力度並びに基礎ぐいの許容支持力については、建築基準法施行令（昭和二十五年政令第三百三十八号）第九十条（表一を除く。）、第九十一条、第九十三条及び第九十四条中長期に生ずる力に対する許容応力度及び許容支持力に関する部分の例により計算された数値

三　擁壁の基礎の地盤に対する最大摩擦抵抗力その他の抵抗力について

は、実況に応じて計算された数値。ただし、その地盤の土質に応じ別表第三の摩擦係数を用いて計算された数値を用いることができる。

（練積み造の擁壁の構造）

第一〇条　第八条第一項第二号の間知石練積み造その他の練積み造の擁壁の構造は、次に定めるところによらなければならない。

一　擁壁の勾配、高さ及び下端部分の厚さ（第一条第四項に規定する擁壁の前面の下端以下の擁壁の部分の厚さをいう。別表第四において同じ。）が、崖の土質に応じ別表第四に定める基準に適合し、かつ、擁壁の上端の厚さが、擁壁の設置される地盤の土質が、同表上欄の第一種又は第二種に該当するものであるときは四十センチメートル以上、その他のものであるときは七十センチメートル以上であること。

二　石材その他の組積材は、控え長さを三十センチメートル以上とし、コンクリートを用いて一体の擁壁とし、かつ、その背面に栗石、砂利又は砂利混じり砂で有効に裏込めすること。

三　前二号に定めるところによつても、崖の状況等によりはらみ出しその他の破壊のおそれがあるときは、適当な間隔に鉄筋コンクリート造の控え壁を設ける等必要な措置を講ずること。

四　擁壁を岩盤に接着して設置する場合を除き、擁壁の前面の根入れの深さは、擁壁の設置される地盤の土質が、別表第四上欄の第一種又は第二種に該当するものであるときは擁壁の高さの百分の十五（その値が三十五センチメートルに満たないときは、三十五センチメートル）以上、その他のものであるときは擁壁の高さの百分の二十（その値が四十五センチメートルに満たないときは、四十五センチメートル）以上とし、かつ、擁壁には、一体の鉄筋コンクリート造又は無筋コンクリート造で、擁壁の滑り及び沈下に対して安全である基礎を設けること。

（設置しなければならない擁壁についての建築基準法施行令の準用）

第一一条　第八条第一項第一号の規定により設置される擁壁については、建築基準法施行令第三十六条の三から第三十九条まで、第五十二条（第三項を除く。）、第七十二条から第七十五条まで及び第七十九条の規定を準用する。

（擁壁の水抜穴）

第一二条　第八条第一項第一号の規定により設置される擁壁には、その裏面の排水を良くするため、壁面の面積三平方メートル以内ごとに少なくとも一個の内径が七・五センチメートル以上の陶管その他これに類する耐水性の材料を用いた水抜穴を設け、かつ、擁壁の裏面の水抜穴の周辺その他必要な場所には、砂利その他の資材を用いて透水層を設けなければならない。

（任意に設置する擁壁についての建築基準法施行令の準用）

第一三条　法第十二条第一項又は第十六条第一項の許可を受けなければならない宅地造成に関する工事により設置する擁壁で高さが二メートルを超えるもの（第八条第一項第一号の規定により設置されるものを除く。）については、建築基準法施行令第百四十二条（同令第七章の八の規定の準用に係る部分を除く。）の規定を準用する。

（崖面崩壊防止施設の設置に関する技術的基準）

第一四条　法第十三条第一項の政令で定める宅地造成に関する工事の技術的基準のうち崖面崩壊防止施設の設置に関するものは、次に掲げるものとする。

一　盛土又は切土（第三条第四号の盛土及び同条第五号の盛土又は切土を除く。以下この号において同じ。）をした土地の部分に生ずる崖面に第八条第一項第一号（ハに係る部分を除く。）の規定により擁壁を設置することとした場合に、当該盛土又は切土をした後の地盤の変動、当該地盤の内部への地下水の浸入その他の当該擁壁が有する崖の安定を保つ機能を損なうものとして主務省令で定める事象が生ずるおそれが特に大きいと認められるときは、当該擁壁に代えて、崖面崩壊防止施設を設置し、これらの崖面を覆うこと。

二　前号の崖面崩壊防止施設は、次のいずれにも該当するものでなければならない。

イ　前号に規定する事象が生じた場合においても崖面と密着した状態を保持することができる構造であること。

ロ　土圧等によつて損壊、転倒、滑動又は沈下をしない構造であること。

ハ　その裏面に浸入する地下水を有効に排除することができる構造であること。

（崖面及びその他の地表面について講ずる措置に関する技術的基準）

第一五条　法第十三条第一項の政令で定める宅地造成に関する工事の技術的基準のうち崖面について講ずる措置に関するものは、盛土又は切土をした土地の部分に生ずることとなる崖面（擁壁又は崖面崩壊防止施設で覆われた崖面を除く。）が風化その他の侵食から保護されるよう、石張り、芝張り、モルタルの吹付けその他の措置を講ずることとする。

2　法第十三条第一項の政令で定める宅地造成に関する工事の技術的基準のうち盛土又は切土をした後の土地の地表面（崖面であるもの及び次に掲げる地表面であるものを除く。）について講ずる措置に関するものは、当該地表面が雨水その他の地表水による侵食から保護されるよう、植栽、芝張り、板柵工その他の措置を講ずることとする。

一　第七条第二項第一号の規定による措置が講じられた土地の地表面

二　道路の路面の部分その他当該措置の必要がないことが明らかな地表面

（排水施設の設置に関する技術的基準）

第一六条　法第十三条第一項の政令で定める宅地造成に関する工事の技術的基準のうち排水施設の設置に関するものは、盛土又は切土をする場合において、地表水等により崖崩れ又は土砂の流出が生ずるおそれがあるときは、その地表水等を排除することができるよう、排水施設で次の各号のいずれにも該当するものを設置することとする。

一　堅固で耐久性を有する構造のものであること。

二　陶器、コンクリート、れんがその他の耐水性の材料で造られ、かつ、漏水を最少限度のものとする措置が講ぜられているものであること。ただし、崖崩れ又は土砂の流出の防止上支障がない場合においては、専ら雨水その他の地表水を排除すべき排水施設は、多孔管その他雨水を地下に浸透させる機能を有するものとすることができる。

三　その管渠の勾配及び断面積が、その排除すべき地表水等を支障なく流下させることができるものであること。

四　専ら雨水その他の地表水を排除すべき排水施設は、その暗渠である構造の部分の次に掲げる箇所に、ます又はマンホールが設けられているものであること。

イ　管渠の始まる箇所

ロ　排水の流路の方向又は勾配が著しく変化する箇所（管渠の清掃上支障がない箇所を除く。）

ハ　管渠の内径又は内法幅の百二十倍を超えない範囲内の長さごとの管渠の部分のその清掃上適当な箇所

五　ます又はマンホールに、蓋が設けられているものであること。

六　ますの底に、深さが十五センチメートル以上の泥溜めが設けられているものであること。

2　前項に定めるもののほか、同項の技術的基準は、盛土をする場合において、盛土をする前の地盤面から盛土の内部に地下水が浸入するおそれがあるときは、当該地下水を排除することができるよう、当該地盤面に排水施設で同項各号（第二号ただし書及び第四号を除く。）のいずれにも該当するものを設置することとする。

（特殊の材料又は構法による擁壁）

第一七条　構造材料又は構造方法が第八条第一項第二号及び第九条から第十二条までの規定によらない擁壁で、国土交通大臣がこれらの規定による擁壁と同等以上の効力があると認めるものについては、これらの規定は、適用しない。

（特定盛土等に関する工事の技術的基準）

第一八条　法第十三条第一項の政令で定める特定盛土等に関する工事の技術的基準については、第七条から前条までの規定を準用する。この場合において、第十五条第二項第二号中「地表面」とあるのは、「地表面及び農地等（法第二条第一号に規定する農地等をいう。）における植物の生育が確保される部分の地表面」と読み替えるものとする。

（土石の堆積に関する工事の技術的基準）

第一九条　法第十三条第一項の政令で定める土石の堆積に関する工事の技術的基準は、次に掲げるものとする。

一　堆積した土石の崩壊を防止するために必要なものとして主務省令で定める措置を講ずる場合を除き、土石の堆積は、勾配が十分の一以下である土地において行うこと。

二　土石の堆積を行うことによつて、地表水等による地盤の緩み、沈下、崩壊又は滑りが生ずるおそれがあるときは、土石の堆積を行う土地について地盤の改良その他の必要な措置を講ずること。

三　堆積した土石の周囲に、次のイ又はロに掲げる場合の区分に応じ、それぞれイ又はロに定める空地（勾配が十分の一以下であるものに限る。）を設けること。

イ　堆積する土石の高さが五メートル以下である場合　当該高さを超える幅の空地

ロ　堆積する土石の高さが五メートルを超える場合　当該高さの二倍を超える幅の空地

四　堆積した土石の周囲には、主務省令で定めるところにより、柵その他これに類するものを設けること。

五　雨水その他の地表水により堆積した土石の崩壊が生ずるおそれがあるときは、当該地表水を有効に排除することができるよう、堆積した土石の周囲に側溝を設置することその他の必要な措置を講ずること。

2　前項第三号及び第四号の規定は、堆積した土石の周囲にその高さを超える鋼矢板を設置することその他の堆積した土石の崩壊に伴う土砂の流出を有効に防止することができるものとして主務省令で定める措置を講ずる場合には、適用しない。

（規則への委任）

第二〇条　都道府県知事（地方自治法（昭和二十二年法律第六十七号）第二百五十二条の十九第一項の指定都市（以下この項において「指定都市」という。）又は同法第二百五十二条の二十二第一項の中核市（以下この項において「中核市」という。）の区域内の土地については、それぞれ指定都市又は中核市の長。次項及び第三十九条において同じ。）は、都道府県（指定都市又は中核市の区域内の土地については、それぞれ指定都市又は中核市。次項において同じ。）の規則で、災害の防止上支障がないと認められる土地において第八条の規定による擁壁又は第十四条の規定による崖面崩壊防止施設の設置に代えて他の措置をとることを定めることができる。

2　都道府県知事は、その地方の気候、風土又は地勢の特殊性により、第七条から前条までの規定のみによっては宅地造成、特定盛土等又は土石の堆積に伴う崖崩れ又は土砂の流出の防止の目的を達し難いと認める場合においては、都道府県の規則で、これらの規定に規定する技術的基準を強化し、又は必要な技術的基準を付加することができる。

（資格を有する者の設計によらなければならない措置）

第二一条　法第十三条第二項（法第十六条第三項において準用する場合を含む。次条において同じ。）の政令で定める措置は、次に掲げるものとする。

一　高さが五メートルを超える擁壁の設置

二　盛土又は切土をする土地の面積が千五百平方メートルを超える土地における排水施設の設置

（設計者の資格）

第二二条　法第十三条第二項の政令で定める資格は、次に掲げるものとする。

一　学校教育法（昭和二十二年法律第二十六号）による大学（短期大学を除く。）又は旧大学令（大正七年勅令第三百八十八号）による大学において、正規の土木又は建築に関する課程を修めて卒業した後、土木又は建築の技術に関して二年以上の実務の経験を有する者であること。

二　学校教育法による短期大学（同法による専門職大学の前期課程を含む。次号において同じ。）において、正規の土木又は建築に関する修業年限三年の課程（夜間において授業を行うものを除く。）を修めて卒業した後（同法による専門職大学の前期課程にあつては、修了した後。同号において同じ。）、土木又は建築の技術に関して三年以上の実務の経験を有する者であること。

三　前号に該当する者を除き、学校教育法による短期大学若しくは高等専門学校又は旧専門学校令（明治三十六年勅令第六十一号）による専門学校において、正規の土木又は建築に関する課程を修めて卒業した後、土木又は建築の技術に関して四年以上の実務の経験を有する者であること。

四　学校教育法による高等学校若しくは中等教育学校又は旧中等学校令（昭和十八年勅令第三十六号）による中等学校において、正規の土木又は建築に関する課程を修めて卒業した後、土木又は建築の技術に関して七年以上の実務の経験を有する者であること。

五　主務大臣が前各号に規定する者と同等以上の知識及び経験を有する者であると認めた者であること。

（中間検査を要する宅地造成又は特定盛土等の規模）

第二三条　法第十八条第一項の政令で定める規模の宅地造成又は特定盛土等は、次に掲げるものとする。

一　盛土であつて、当該盛土をした土地の部分に高さが二メートルを超える崖を生ずることとなるもの

二　切土であつて、当該切土をした土地の部分に高さが五メートルを超える崖を生ずることとなるもの

三　盛土と切土とを同時にする場合において、当該盛土及び切土をした土地の部分に高さが五メートルを超える崖を生ずることとなるときにおける当該盛土及び切土（前二号に該当する盛土又は切土を除く。）

四　第一号又は前号に該当しない盛土であつて、高さが五メートルを超えるもの

五　前各号のいずれにも該当しない盛土又は切土であつて、当該盛土又は切土をする土地の面積が三千平方メートルを超えるもの

（特定工程等）

第二四条　法第十八条第一項の政令で定める工程は、盛土をする前の地盤面又は切土をした後の地盤面に排水施設を設置する工事の工程とする。

2　前項に規定する工程に係る法第十八条第三項の政令で定める工程は、前項に規定する排水施設の周囲を砕石その他の資材で埋める工事の工程とする。

（定期の報告を要する宅地造成等の規模）

第二五条　法第十九条第一項の政令で定める規模の宅地造成又は特定盛土等は、第二十三条各号に掲げるものとする。

2　法第十九条第一項の政令で定める規模の土石の堆積は、次に掲げるものとする。

一　高さが五メートルを超える土石の堆積であつて、当該土石の堆積を行う土地の面積が千五百平方メートルを超えるもの

二　前号に該当しない土石の堆積であつて、当該土石の堆積を行う土地の面積が三千平方メートルを超えるもの

（届出を要する工事）

第二六条　法第二十一条第三項の政令で定める工事は、擁壁若しくは崖面崩壊防止施設で高さが二メートルを超えるもの、地表水等を排除するための排水施設又は地滑り抑止ぐい等の全部又は一部の除却の工事とする。

2　前項の崖面崩壊防止施設の高さは、崖面崩壊防止施設の前面の上端と下端（当該前面の下部が地盤面と接する部分をいう。）との垂直距離によるものとする。

第三章　特定盛土等規制区域内における特定盛土等又は土石の堆積に関する工事の規制

（特定盛土等又は土石の堆積に伴う災害の発生のおそれがないと認められる工事）

第二七条　法第二十七条第一項ただし書の政令で定める工事は、第五条第一項各号に掲げるものとする。

（許可を要する特定盛土等又は土石の堆積の規模）

第二八条　法第三十条第一項の政令で定める規模の特定盛土等は、第二十三条各号に掲げるものとする。

2　法第三十条第一項の政令で定める規模の土石の堆積は、第二十五条第二項各号に掲げるものとする。

（特定盛土等又は土石の堆積に伴う災害の発生のおそれがないと認められる工事等）

第二九条　法第三十条第一項ただし書の政令で定める工事は、第五条第一項各号に掲げるものとする。

2　法第三十条第二項第四号（法第三十五条第三項において準用する場合を含む。）の政令で定める事業は、第五条第二項各号に掲げるものとする。

（特定盛土等又は土石の堆積に関する工事の技術的基準）

第三〇条　法第三十一条第一項（法第三十五条第三項において準用する場合を含む。次項において同じ。）の政令で定める特定盛土等に関する工事の技術的基準については、第七条から第十七条まで及び第二十条の規定を準用する。この場合において、第十三条中「第十二条第一項又は第十六条第一項」とあるのは「第三十条第一項又は第三十五条第一項」と、第十五条第二項第二号中「地表面」とあるのは「地表面及び農地等（法第二条第一号に規定する農地等をいう。）における植物の生育が確保される部分の地表面」と読み替えるものとする。

2　法第三十一条第一項の政令で定める土石の堆積に関する工事の技術的基準については、第十九条及び第二十条第二項の規定を準用する。

（資格を有する者の設計によらなければならない措置等）

第三一条　法第三十一条第二項（法第三十五条第三項において準用する場合を含む。次項において同じ。）の政令で定める措置は、第二十一条各号に掲げるものとする。

２　法第三十一条第二項の政令で定める資格は、第二十二条各号に掲げるものとする。

（中間検査を要する特定盛土等の規模等）

第三二条　法第三十七条第一項の政令で定める規模の特定盛土等は、第二十三条各号に掲げるものとする。

２　法第三十七条第一項の政令で定める工程は、第二十四条第一項に規定する工程とする。

３　前項に規定する工程に係る法第三十七条第三項の政令で定める工程は、第二十四条第二項に規定する工程とする。

（定期の報告を要する特定盛土等又は土石の堆積の規模）

第三三条　法第三十八条第一項の政令で定める規模の特定盛土等は、第二十三条各号に掲げるものとする。

２　法第三十八条第一項の政令で定める規模の土石の堆積は、第二十五条第二項各号に掲げるものとする。

（届出を要する工事）

第三四条　法第四十条第三項の政令で定める工事は、第二十六条第一項に規定する工事とする。この場合においては、同条第二項の規定を準用する。

第四章　造成宅地防災区域の指定の基準

第三五条　法第四十五条第一項の政令で定める基準は、次の各号のいずれかに該当する一団の造成宅地（これに附帯する道路その他の土地を含み、宅地造成等工事規制区域内の土地を除く。以下この条において同じ。）の区域であることとする。

一　次のいずれかに該当する一団の造成宅地の区域（盛土をした土地の区域に限る。次項第三号において同じ。）であつて、安定計算によつて、地震力及びその盛土の自重による当該盛土の滑り出す力がその滑り面に対する最大摩擦抵抗力その他の抵抗力を上回ることが確かめられたもの

イ　盛土をした土地の面積が三千平方メートル以上であり、かつ、盛土をしたことにより、当該盛土をした土地の地下水位が盛土をする前の地盤面の高さを超え、盛土の内部に浸入しているもの

ロ　盛土をする前の地盤面が水平面に対し二十度以上の角度をなし、かつ、盛土の高さが五メートル以上であるもの

二　盛土又は切土をした後の地盤の滑動、宅地造成又は特定盛土等（宅地において行うものに限る。）に関する工事により設置された擁壁の沈下、盛土又は切土をした土地の部分に生じた崖の崩落その他これらに類する事象が生じている一団の造成宅地の区域

２　前項第一号の計算に必要な数値は、次に定めるところによらなければならない。

一　地震力については、当該盛土の自重に、水平震度として〇・二五に建築基準法施行令第八十八条第一項に規定するＺの数値を乗じて得た数値を乗じて得た数値

二　自重については、実況に応じて計算された数値。ただし、盛土の土質に応じ別表第二の単位体積重量を用いて計算された数値を用いることができる。

三　盛土の滑り面に対する最大摩擦抵抗力その他の抵抗力については、イ又はロに掲げる一団の造成宅地の区域の区分に応じ、当該イ又はロに定める滑り面に対する抵抗力であつて、実況に応じて計算された数値。ただし、盛土の土質に応じ別表第三の摩擦係数を用いて計算された数値を用いることができる。

イ　前項第一号イに該当する一団の造成宅地の区域　その盛土の形状及び土質から想定される滑り面であつて、複数の円弧又は直線によつて構成されるもの

ロ　前項第一号ロに該当する一団の造成宅地の区域　その盛土の形状及び土質から想定される滑り面であつて、単一の円弧によつて構成されるもの

第五章　雑則

（収用委員会の裁決申請手続）

第三六条　法第八条第三項の規定により土地収用法第九十四条第二項の規定による裁決を申請しようとする者は、主務省令で定める様式に従い同条第三項各号（第三号を除く。）に掲げる事項を記載した裁決申請書を収用委員会に提出しなければならない。

（緊急時の指示）

第三七条　法第五十一条の政令で定める事務は、法第十条第一項、第二項及び第四項、第二十二条第二項、第二十六条第一項、第二項及び第四項並びに第四十一条第二項の規定により都道府県知事が行う事務とする。

（公告の方法）

第三八条　法第二十条第五項（法第二十三条第三項及び第四十七条第三項において準用する場合を含む。）又は第三十九条第五項（法第四十二条第三項において準用する場合を含む。）の規定による公告は、公報その他所定の手段により行うほか、当該公報その他所定の手段による公告を行つた日から十日間、当該土地の付近の適当な場所に掲示して行わなければならない。

（報告の徴取）

第三九条　法第二十五条（法第四十八条において準用する場合を含む。）又は第四十四条の規定により都道府県知事が報告を求めることができる事項は、次に掲げるものとする。

一　土地の面積及び崖の高さ、勾配その他の現況

二　擁壁、崖面崩壊防止施設、排水施設及び地滑り抑止ぐい等の構造、規模その他の現況

三　土地に関する工事の計画及び施行状況

（権限の委任）

第四〇条　この政令に規定する主務大臣の権限は、主務省令で定めるところにより、その一部を地方支分部局の長に委任することができる。

（主務省令への委任）

第四一条　法及びこの政令に定めるもののほか、法及びこの政令を実施するため必要な事項は、主務省令で定める。

附　則〔抄〕

（施行期日）

１　この政令は、法の施行の日（昭和三十七年二月一日）から施行する。

附　則〔昭和四〇・二・一二政令一五〕

（施行期日）

１　この政令は、昭和四十年三月一日から施行する。

（経過規定）

２　この政令の施行前に着手した宅地造成に関する工事については、なお従前の例による。

附　則〔略〕〔昭和四五・一二・二政令三三三〕

附　則〔略〕〔昭和五三・五・三〇政令二〇五〕

附　則〔抄〕〔昭和五五・七・一四政令一九六〕

（施行期日）

１　この政令は、昭和五十六年六月一日から施行する。〔以下略〕

（宅地造成等規制法施行令の一部改正に伴う経過措置）

３　この政令の施行前に着手した宅地造成等規制法（昭和三十六年法律第百九十一号）第八条第一項の規定による許可を受けなければならない工事に対する宅地造成等規制法施行令第七条第三項第二号、第九条及び第十一条の規定の適用については、なお従前の例による。

附　則〔略〕〔昭和五六・四・二四政令一四四〕

附　則〔略〕〔昭和五六・七・七政令二四八〕

附　則〔略〕〔昭和五九・六・二九政令二三一〕

附　則〔略〕〔昭和六二・三・二五政令五七〕

附　則〔略〕〔昭和六二・一〇・六政令三四八〕

附　則〔略〕〔平成三・三・一三政令二五〕

附　則〔略〕〔平成六・三・二四政令六九〕

附　則〔略〕〔平成六・九・一九政令三〇三〕

附　則〔略〕〔平成六・一二・二一政令三九八〕

附　則〔略〕〔平成九・三・二六政令七四〕

附　則〔略〕〔平成一〇・一〇・三〇政令三五一〕

附　則〔略〕〔平成一一・一・一三政令五〕

附　則〔略〕〔平成一一・一一・一〇政令三五二〕

附　則〔略〕〔平成一二・四・二六政令二一一〕

附　則〔略〕〔平成一二・六・七政令三一二〕

附　則〔平成一八・九・二二政令三一〇〕

（施行期日）

1　この政令は、宅地造成等規制法等の一部を改正する法律の施行の日（平成十八年九月三十日）から施行する。

（宅地造成等規制法施行令の一部改正に伴う経過措置）

2　この政令の施行前に第一条の規定による改正前の宅地造成等規制法施行令（以下この項において「旧令」という。）第十五条の規定により国土交通大臣が旧令第六条から第十条までの規定による擁壁と同等以上の効力があると認めた擁壁は、第一条の規定による改正後の宅地造成等規制法施行令（以下「新令」という。）第十四条の規定により国土交通大臣が新令第六条第一項第二号及び第七条から第十条までの規定による擁壁と同等以上の効力があると認めた擁壁とみなす。

3　この政令の施行の日から十四日以内に新令第十八条に規定する地滑り抑止ぐい等の全部又は一部の除却の工事を行おうとする者に関する宅地造成等規制法（昭和三十六年法律第百九十一号）第十五条第二項の規定の適用については、同項中「その工事に着手する日の十四日前までに」とあるのは、「あらかじめ」とする。

附　則〔抄〕〔平成一八・一一・二九政令三七〇〕

（施行期日）

第一条　この政令は、平成十九年四月一日から施行する。

（宅地造成等規制法施行令の一部改正に伴う経過措置）

第二条　この政令の施行の日（以下「施行日」という。）前に宅地造成等規制法第八条第一項本文の許可を受けた宅地造成に関する工事又は施行日前に同項若しくは同法第十二条第一項の規定によりされた許可の申請に係る宅地造成に関する工事であってこの政令の施行の際許可若しくは不許可の処分がされていないものの技術的基準については、第一条の規定による改正後の宅地造成等規制法施行令第五条第三号及び第十三条の規定にかかわらず、なお従前の例による。

第三条　施行日から十四日以内に第一条の規定による改正後の宅地造成等規制法施行令第十八条に規定する地下水を排除するための排水施設の全部又は一部の除却の工事を行おうとする者に関する宅地造成等規制法第十五条第二項の規定の適用については、同項中「その工事に着手する日の十四日前までに」とあるのは、「あらかじめ」とする。

附　則〔略〕〔平成一九・三・一六政令四九〕

附　則〔略〕〔平成二三・一二・二六政令四一七〕

附　則〔抄〕〔平成二七・一・三〇政令三〇〕

（施行期日）

第一条　この政令（中略）は、平成二十七年四月一日から施行する。

（宅地造成等規制法施行令の一部改正に伴う経過措置）

第四条　施行時特例市に対する第十七条の規定による改正後の宅地造成等規制法施行令第十五条第一項の規定の適用については、同項中「又は同法」とあるのは「、同法」と、「「中核市」とあるのは「「中核市」という。）又は地方自治法の一部を改正する法律（平成二十六年法律第四十二号）附則第二条に規定する施行時特例市（以下この項において「施行時特例市」という。）」と、「又は中核市」とあるのは「、中核市又は施行時特例市」とする。

附　則〔略〕〔平成二九・九・一政令二三二〕

附　則〔抄〕〔令和四・一二・二三政令三九三〕

（施行期日）

1　この政令は、宅地造成等規制法の一部を改正する法律の施行の日（令和五年五月二十六日）から施行する。

別表第一（第八条、第三十条関係）

土質	擁壁を要しない勾配の上限	擁壁を要する勾配の下限
軟岩（風化の著しいものを除く。）	六十度	八十度
風化の著しい岩	四十度	五十度
砂利、真砂土、関東ローム、硬質粘土その他これらに類するもの	三十五度	四十五度

別表第二（第九条、第三十条、第三十五条関係）

土質	単位体積重量（一立方メートルにつき）	土圧係数
砂利又は砂	一・八トン	〇・三五
砂質土	一・七トン	〇・四〇
シルト、粘土又はそれらを多量に含む土	一・六トン	〇・五〇

別表第三（第九条、第三十条、第三十五条関係）

土質	摩擦係数
岩、岩屑、砂利又は砂	〇・五
砂質土	〇・四
シルト、粘土又はそれらを多量に含む土（擁壁の基礎底面から少なくとも十五センチメートルまでの深さの土を砂利又は砂に置き換えた場合に限る。）	〇・三

別表第四（第十条、第三十条関係）

土質	擁壁 勾配	擁壁 高さ	擁壁 下端部分の厚さ
第一種 岩、岩屑、砂利又は砂利混じり砂	七十度を超え七十五度以下	二メートル以下	四十センチメートル以上
		二メートルを超え三メートル以下	五十センチメートル以上
	六十五度を超え七十度以下	二メートル以下	四十センチメートル以上
		二メートルを超え三メートル以下	四十五センチメートル以上
		三メートルを超え四メートル以下	五十センチメートル以上
	六十五度以下	三メートル以下	四十センチメートル以上
		三メートルを超え四メートル以下	四十五センチメートル以上
		四メートルを超え五メートル以下	六十センチメートル以上
第二種 真砂土、関東ローム、硬質粘土その他これらに類するもの	七十度を超え七十五度以下	二メートル以下	五十センチメートル以上
		二メートルを超え三メートル以下	七十センチメートル以上
	六十五度を超え七十度以下	二メートル以下	四十五センチメートル以上
		二メートルを超え三メートル以下	六十センチメートル以上
		三メートルを超え四メートル以下	七十五センチメートル以上
	六十五度以下	二メートル以下	四十センチメートル以上
		二メートルを超え三メートル以下	五十センチメートル以上
		三メートルを超え四メートル以下	六十五センチメートル以上
		四メートルを超え五メートル以下	八十センチメートル以上
第三種 その他の土質	七十度を超え七十五度以下	二メートル以下	八十五センチメートル以上
		二メートルを超え三メートル以下	九十センチメートル以上
	六十五度を超え七十度以下	二メートル以下	七十五センチメートル以上
		二メートルを超え三メートル以下	八十五センチメートル以上
		三メートルを超え四メートル以下	百五センチメートル以上
	六十五度以下	二メートル以下	七十センチメートル以上
		二メートルを超え三メートル以下	八十センチメートル以上
		三メートルを超え四メートル以下	九十五センチメートル以上
		四メートルを超え五メートル以下	百二十センチメートル以上

○宅地造成及び特定盛土等規制法施行規則

〔昭和三七・二・二〇　建設省令三〕

改正　平成三・六建令一二、平成六・二建令四、平成七・三建令八、平成一一・四建令一四、平成一二・一建令九、建令一〇、一一建令四一、平成一三・三国交令七二、平成一五・四国交令六三、平成一六・五国交令六七、平成一八・四国交令五八、九国交令九〇、平成一九・三国交令二七、平成二五・九国交令七七、平成二七・一国交令七、令和二・一二国交令九八、令和三・八国交令五三、一二国交令七九、令和五・三農水・国交令三

（公共の用に供する施設）

第一条　宅地造成及び特定盛土等規制法施行令（昭和三十七年政令第十六号。以下「令」という。）第二条の主務省令で定める砂防設備、地すべり防止施設、海岸保全施設、津波防護施設、港湾施設、漁港施設、飛行場、航空保安施設、鉄道、軌道、索道又は無軌条電車の用に供する施設その他これらに準ずる施設は、雨水貯留浸透施設、農業用ため池及び防衛施設周辺の生活環境の整備等に関する法律（昭和四十九年法律第百一号）第二条第二項に規定する防衛施設とする。

２　令第二条の主務省令で定める国又は地方公共団体が管理する施設は、学校、運動場、緑地、広場、墓地、廃棄物処理施設、水道、下水道、営農飲雑用水施設、水産飲雑用水施設、農業集落排水施設、漁業集落排水施設、林地荒廃防止施設及び急傾斜地崩壊防止施設とする。

（基礎調査の調査事項）

第二条　宅地造成及び特定盛土等規制法（昭和三十六年法律第百九十一号。以下「法」という。）第四条第一項の主務省令で定める事項は、次に掲げるものとする。

一　土地の利用状況

二　過去に宅地造成又は特定盛土等に関する工事が行われた土地の所在地

三　過去に宅地造成又は特定盛土等に関する工事が行われた土地における災害発生の危険性

（基礎調査の結果の通知及び公表の方法）

第三条　法第四条第二項の規定による通知は、基礎調査の終了後、遅滞なく、基礎調査の結果及びその概要を記載した書面を送付して行わなければならない。

２　法第四条第二項の規定による公表は、次に掲げる事項を平面図に明示して、インターネットの利用その他の適切な方法により行うものとする。

一　宅地造成等（法第十条第一項に規定する宅地造成等をいう。以下同じ。）に伴い災害が生ずるおそれが大きい市街地等区域（法第十条第一項に規定する市街地等区域をいう。）

二　特定盛土等又は土石の堆積が行われた場合には、これに伴う災害により居住者等（法第二十六条第一項に規定する居住者等をいう。次号において同じ。）の生命又は身体に危害を生ずるおそれが特に大きいと認められる区域

三　宅地造成又は特定盛土等（宅地において行うものに限る。）に伴う災害で相当数の居住者等に危害を生ずるものの発生のおそれが大きい一団の造成宅地の区域

四　過去に宅地造成又は特定盛土等に関する工事が行われた土地の所在地

（収用委員会に対する裁決申請書の様式）

第四条　令第三十六条の主務省令で定める様式は、別記様式第一とする。

（宅地造成等工事規制区域及び造成宅地防災区域の指定等の公示）

第五条　法第十条第四項（法第四十五条第三項において準用する場合を含む。）の規定による公示は、次の各号のいずれかの方法により宅地造成等工事規制区域又は造成宅地防災区域を明示して、インターネットの利用その他の適切な方法により行うものとする。

一　市町村（特別区を含む。）、大字、字、小字及び地番

二　一定の地物、施設、工作物又はこれらからの距離及び方向

三　平面図

（住民への周知の方法）

第六条　法第十一条の宅地造成等に関する工事の施行に係る土地の周辺地域の住民に周知させるための必要な措置は、次に掲げるいずれかの方法により行うものとする。ただし、令第七条第二項第二号に規定する土地において同号に規定する盛土をする場合又は都道府県（地方自治法（昭和二十二年法律第六十七号）第二百五十二条の十九第一項の指定都市（以下この条及び次条第一項において「指定都市」という。）又は同法第二百五十二条の二十二第一項の中核市（以下この条及び次条第一項において「中核市」という。）の区域内の土地については、それぞれ指定都市又は中核市。以下同じ。）の条例若しくは規則で定める場合にあつては、第一号に掲げる方法により行うものとする。

一　宅地造成等に関する工事の内容についての説明会を開催すること。

二　宅地造成等に関する工事の内容を記載した書面を、当該工事の施行に係る土地の周辺地域の住民に配布すること。

三　宅地造成等に関する工事の内容を当該工事の施行に係る土地又はその周辺の適当な場所に掲示するとともに、当該内容をインターネットを利用して住民の閲覧に供すること。

四　前三号に掲げるもののほか、都道府県の条例又は規則で定める方法

（宅地造成等に関する工事の許可の申請）

第七条　宅地造成又は特定盛土等に関する工事について、法第十二条第一項の許可を受けようとする者は、別記様式第二の申請書の正本及び副本に、次に掲げる書類を添付して、都道府県知事（指定都市又は中核市の区域内の土地については、それぞれ指定都市又は中核市の長。以下同じ。）に提出しなければならない。

一　次の表に掲げる図面

図面の種類	明示すべき事項	縮尺	備考
位置図	方位、道路及び目標となる地物	一万分の一以上	
地形図	方位及び土地の境界線	二千五百分の一以上	等高線は、二メートルの標高差を示すものとすること。
土地の平面図	方位及び土地の境界線並びに盛土又は切土をする土地の部分、崖、擁壁、崖面崩壊防止施設、排水施設及び地滑り抑止ぐい又はグラウンドアンカーその他の土留の位置	二千五百分の一以上	断面図を作成した箇所に断面図と照合できるように記号を付すること。植栽、芝張り等の措置を行う必要がない場合は、その旨を付すること。

			擁壁、崖面崩壊防止施設及び排水施設については、申請書と照合できるように番号を付すること。
土地の断面図	盛土又は切土をする前後の地盤面	二千五百分の一以上	高低差の著しい箇所について作成すること。
排水施設の平面図	排水施設の位置、種類、材料、形状、内法寸法、勾配及び水の流れの方向並びに吐口の位置及び放流先の名称	五百分の一以上	
崖の断面図	崖の高さ、勾配及び土質（土質の種類が二以上であるときは、それぞれの土質及びその地層の厚さ）、盛土又は切土をする前の地盤面並びに崖面の保護の方法	五十分の一以上	擁壁で覆われる崖面については、土質に関する事項は示すことを要しない。
擁壁の断面図	擁壁の寸法及び勾配、擁壁の材料の種類及び寸法、裏込めコンクリートの寸法、透水層の位置及び寸法、擁壁を設置する前後の地盤面、基礎地盤の土質並びに基礎ぐいの位置、材料及び寸法	五十分の一以上	
擁壁の背面図	擁壁の高さ、水抜穴の位置、材料及び内径並びに透水層の位置及び寸法	五十分の一以上	
崖面崩壊防止施設の断面図	崖面崩壊防止施設の寸法及び勾配、崖面崩壊防止施設の材料の種類及び寸法、崖面崩壊防止施設を設置する前後の地盤面、基礎地盤の土質並びに透水層の位置及び寸法	五十分の一以上	
崖面崩壊防止施設の背面図	崖面崩壊防止施設の寸法、水抜穴の位置、材料及び内径並びに透水層の位置及び寸法	五十分の一以上	水抜穴及び透水層に係る事項については、必要に応じて記載すること。

二　鉄筋コンクリート造又は無筋コンクリート造の擁壁を設置するときは、擁壁の概要、構造計画、応力算定及び断面算定を記載した構造計算書

三　令第七条第二項第二号に規定する土地において同号に規定する盛土をするときは、土質試験その他の調査又は試験に基づく地盤の安定計算を記載した安定計算書

四　令第八条第一項第一号ロの崖面を擁壁で覆わないときは、土質試験その他の調査又は試験に基づく地盤の安定計算を記載した安定計算書

五　第一号の表に掲げる図面（令第二十一条各号に掲げる措置に係るものに限る。）を作成した者が令第二十二条各号に掲げる資格を有する者であることを証する書類

六　盛土又は切土をしようとする土地及びその付近の状況を明らかにする写真

七　許可を受けようとする者が個人であるときは、住民票の写し若しくは個人番号カード（行政手続における特定の個人を識別するための番号の利用等に関する法律（平成二十五年法律第二十七号）第二条第七項に規定する個人番号カードをいう。以下この条及び第十六条第三項第一号イにおいて同じ。）の写し又はこれらに類するものであつて、氏名及び住所を証する書類

八　許可を受けようとする者が法人であるときは、次に掲げる書類

イ　登記事項証明書

ロ　役員の住民票の写し若しくは個人番号カードの写し又はこれらに類するものであつて氏名及び住所を証する書類

九　別記様式第三の資金計画書

十　法第十二条第二項第四号の全ての同意を得たことを証する書類

十一　法第十一条の規定に基づく措置を講じたことを証する書類

十二　前各号に掲げる書類のほか、都道府県が宅地造成又は特定盛土等に関する工事の安全性を確かめるために特に必要があると認めて規則で定める書類

2　土石の堆積に関する工事について、法第十二条第一項の許可を受けようとする者は、別記様式第四の申請書の正本及び副本に、次に掲げる書類を添付して、都道府県知事に提出しなければならない。

一　次の表に掲げる図面

図面の種類	明示すべき事項	縮尺	備考
位置図	方位、道路及び目標となる地物	一万分の一以上	
地形図	方位及び土地の境界線	二千五百分の一以上	等高線は、二メートルの標高差を示すものとすること。
土地の平面図	方位及び土地の境界線並びに勾配が十分の一を超える土地における堆積した土石の崩壊を防止するための措置を講ずる位置及び当該措置の内容、空地の位置、柵その他これに類するものを設置する位置、雨水その他の地表水を有効に排除する措置を講ずる位置及び当該措置の内容並びに堆積した土石の崩壊に伴う土砂の流出を防止する措置を講ずる位置及び当該措置の内容	五百分の一以上	断面図を作成した箇所に断面図と照合できるように記号を付すること。空地、雨水その他の地表水による堆積した土石の崩壊を防止するための措置及び堆積した土石の崩壊に伴う土砂の流出を防止する措置については、申請書と照合できるように番号を付すること。
土地の断面図	土石の堆積を行う土地の地盤面	五百分の一以上	

二　第三十二条に定める措置を講ずるときは、当該措置の内容が適切であることを証する書類
三　第三十四条第一項各号に掲げるいずれかの措置を講ずるときは、当該措置の内容が適切であることを証する書類
四　土石の堆積を行おうとする土地及びその付近の状況を明らかにする写真
五　許可を受けようとする者が個人であるときは、住民票の写し若しくは個人番号カードの写し又はこれらに類するものであつて、氏名及び住所を証する書類
六　許可を受けようとする者が法人であるときは、次に掲げる書類
イ　登記事項証明書
ロ　役員の住民票の写し若しくは個人番号カードの写し又はこれらに類するものであつて氏名及び住所を証する書類
七　別記様式第五の資金計画書
八　法第十二条第二項第四号の全ての同意を得たことを証する書類
九　法第十一条の規定に基づく措置を講じたことを証する書類
十　前各号に掲げる書類のほか、都道府県が土石の堆積に関する工事の安全性を確かめるために特に必要があると認めて規則で定める書類

（宅地造成等に伴う災害の発生のおそれがないと認められる工事）
第八条　令第五条第一項第五号の主務省令で定める工事は、次に掲げるものとする。
一　土地改良法（昭和二十四年法律第百九十五号）第二条第二項に規定する土地改良事業、同法第十五条第二項に規定する事業又は土地改良事業に準ずる事業に係る工事
二　火薬類取締法（昭和二十五年法律第百四十九号）第三条若しくは第十条第一項の許可を受け、若しくは同条第二項の規定による届出をした者が行う火薬類の製造施設の設置に係る工事、同法第十二条第一項の許可を受け、若しくは同条第二項の規定による届出をした者が行う当該許可若しくは届出に係る工事又は同法第二十七条第一項の許可を受けた者が行う当該許可に係る工事
三　家畜伝染病予防法（昭和二十六年法律第百六十六号）第二十一条第一項若しくは第四項（同法第四十六条第一項の規定により読み替えて適用する場合を含む。）の規定による家畜の死体の埋却に係る工事又は同法第二十三条第一項若しくは第三項（同法第四十六条第一項の規定により読み替えて適用する場合を含む。）の規定による家畜伝染病の病原体により汚染し、若しくは汚染したおそれがある物品の埋却に係る工事
四　廃棄物の処理及び清掃に関する法律（昭和四十五年法律第百三十七号）第七条第六項若しくは第十四条第六項の許可を受けた者若しくは市町村の委託（非常災害時における市町村から委託を受けた者による委託を含む。）を受けて一般廃棄物の処分を業として行う者が行う当該許可若しくは委託に係る工事又は同法第八条第一項、第九条第一項、第十五条第一項若しくは第十五条の二の六第一項の許可を受けた者が行う当該許可に係る工事
五　土壌汚染対策法（平成十四年法律第五十三号）第十六条第一項の規定による届出をした者が行う当該届出に係る工事又は同法第二十二条第一項若しくは第二十三条第一項の許可を受けた者が行う当該許可に係る工事
六　平成二十三年三月十一日に発生した東北地方太平洋沖地震に伴う原子力発電所の事故により放出された放射性物質による環境の汚染への対処に関する特別措置法（平成二十三年法律第百十号）第十五条若しくは第十九条の規定による廃棄物の保管若しくは処分、第十七条第二項（同法第十八条第五項において準用する場合を含む。）の規定による廃棄物の保管、同法第三十条第一項若しくは第三十八条第一項の規定による除去土壌の保管若しくは処分又は同法第三十一条第一項若しくは第三十九条第一項の規定による除去土壌等の保管に係る工事
七　森林の施業を実施するために必要な作業路網の整備に関する工事
八　国若しくは地方公共団体又は次に掲げる法人が非常災害のために必要な応急措置として行う工事
イ　地方住宅供給公社
ロ　土地開発公社
ハ　日本下水道事業団
ニ　独立行政法人鉄道建設・運輸施設整備支援機構
ホ　独立行政法人水資源機構
ヘ　独立行政法人都市再生機構
九　宅地造成又は特定盛土等（令第三条第五号の盛土又は切土に限る。）に関する工事のうち、高さが二メートル以下であつて、盛土又は切土をする前後の地盤面の標高の差が三十センチメートル（都道府県が規則で別に定める場合にあつては、その値）を超えない盛土又は切土をするもの
十　次に掲げる土石の堆積に関する工事
イ　令第四条第一号の土石の堆積であつて、土石の堆積を行う土地の面積が三百平方メートルを超えないもの
ロ　令第四条第二号の土石の堆積であつて、土石の堆積を行う土地の地盤面の標高と堆積した土石の表面の標高との差が三十センチメートル（都道府県が規則で別に定める場合にあつては、その値）を超えないもの
ハ　工事の施行に付随して行われる土石の堆積であつて、当該工事に使用する土石又は当該工事で発生した土石を当該工事の現場又はその付近に堆積するもの

（宅地造成等に関する工事の許可に係る公表の方法）
第九条　法第十二条第四項（法第十六条第三項において準用する場合を含む。次条において同じ。）の規定による公表は、インターネットの利用その他の適切な方法により行うものとする。

（宅地造成等に関する工事の許可に係る公表事項）
第一〇条　法第十二条第四項の主務省令で定める事項は、次に掲げるものとする。
一　宅地造成等に関する工事が施行される土地の位置図
二　工事の許可年月日及び許可番号
三　工事施行者の氏名又は名称
四　工事の着手予定年月日及び工事の完了予定年月日
五　盛土若しくは切土の高さ又は土石の堆積の最大堆積高さ
六　盛土若しくは切土をする又は土石の堆積を行う土地の面積
七　盛土若しくは切土の土量又は土石の堆積の最大堆積土量

（崖面崩壊防止施設）
第一一条　令第六条の主務省令で定める施設は、鋼製の骨組みに栗石その他の資材が充塡された構造の施設その他これに類する施設とする。

（宅地造成又は特定盛土等に伴い災害が生ずるおそれが特に大きい土地）
第一二条　令第七条第二項第二号（令第十八条及び第三十条第一項において準用する場合を含む。）の主務省令で定める土地は、次に掲げるものとする。
一　山間部における、河川の流水が継続して存する土地
二　山間部における、地形、草木の生茂の状況その他の状況が前号の土地に類する状況を呈している土地
三　前二号の土地及びその周辺の土地の地形から想定される集水地域にあつて、雨水その他の地表水が集中し、又は地下水が湧出するおそれが大きい土地

（擁壁認定の基準）
第一三条　国土交通大臣は、令第八条第一項第二号及び第九条から第十二条まで（これらの規定を令第十八条及び第三十条第一項において準用する場合を含む。以下この項において同じ。）の規定によらない擁壁であつて、構造材料、構造方法、製造工程管理その他の事項について国土交通大臣が定める基準に適合しているものを、令第十七条（令第十八条及び第三十条第一項において準用する場合を含む。第九十条において同じ。）の規定に基づき、令第八条第一項第二号及び第九条から第十二条までの規定による擁壁と同等以上の効力があると認めるものとする。
2　前項の場合において、擁壁がプレキャスト鉄筋コンクリート部材によつて築造されるものであり、かつ、当該部材が、製造工程管理が適切に行われていることについて認証を受けた工場において製造されたものであるときは、当該擁壁については、同項の国土交通大臣の定める基準のうち製造工程管理に係る部分に適合しているものとみなす。

（認証）
第一四条　前条第二項の認証（以下単に「認証」という。）は、第十六条から第十八条までの規定により国土交通大臣の登録を受けた者（以下「登録認証機関」という。）が行うものとする。
2　認証を申請しようとする者（以下この項、第二十条第四号及び第二十八条第一項第二号において「認証申請者」という。）は、次に掲げる事項を記載した申請書を登録認証機関に提出しなければならない。

一　認証申請者の氏名又は名称及び住所並びに法人にあつては、その代表者の氏名
二　申請に係る工場の名称及び所在地
三　その他登録認証機関が必要と認める事項

（認証の更新）

第一五条　認証は、五年以上十年以内において登録認証機関が定める期間（第二十二条第九号及び第二十八条第四項において「有効期間」という。）ごとにその更新を受けなければ、その期間の経過によつて、その効力を失う。
2　前条第二項の規定は、前項の認証の更新について準用する。

（登録）

第一六条　第十四条第一項の登録（以下単に「登録」という。）は、認証の実施に関する事務（以下「認証事務」という。）を行おうとする者の申請により行う。
2　登録を受けようとする者（以下この条において「登録申請者」という。）は、次に掲げる事項を記載した申請書を国土交通大臣に提出しなければならない。
一　登録申請者の氏名又は名称及び住所並びに法人にあつては、その代表者の氏名
二　認証事務を行おうとする事務所の名称及び所在地
三　認証事務を開始しようとする年月日
3　前項の申請書には、次に掲げる書類を添付しなければならない。
一　個人であるときは、次に掲げる書類
イ　住民票の抄本若しくは個人番号カードの写し又はこれらに類するものであつて氏名及び住所を証明する書類
ロ　登録申請者の略歴を記載した書類
二　法人であるときは、次に掲げる書類
イ　定款又は寄付行為及び登記事項証明書
ロ　申請に係る意思の決定を証する書類
ハ　役員の氏名及び略歴を記載した書類
三　登録申請者が次条各号のいずれにも該当しない者であることを誓約する書面
四　登録申請者の行う認証が第十八条第一項各号に掲げる登録要件に適合していることを証する書類
五　その他参考となる事項を記載した書類

（欠格条項）

第一七条　次の各号のいずれかに該当する者は、登録を受けることができない。
一　法又は法に基づく命令に違反し、罰金以上の刑に処せられ、その執行を終わり、又は執行を受けることがなくなつた日から二年を経過しない者
二　第二十七条の規定により登録を取り消され、その取消しの日から二年を経過しない者
三　法人であつて、認証事務を行う役員のうちに前二号のいずれかに該当する者があるもの

（登録要件等）

第一八条　国土交通大臣は、第十六条の規定により登録を申請した者の行う認証が、次に掲げる要件のすべてに適合しているときは、その登録をしなければならない。
一　次のいずれかに該当する者が、認証の申請に係る工場の製造工程管理の状況を把握するための調査を行うものであること。
イ　学校教育法（昭和二十二年法律第二十六号）による大学（短期大学を除く。次号イにおいて同じ。）において建築学若しくは土木工学に属する科目の教授、准教授、助教若しくは講師の職にあり、若しくはこれらの職にあつた者又は建築学若しくは土木工学に属する科目に関する研究により修士の学位を授与された者
ロ　国又は地方公共団体の職員又は職員であつた者で、プレキャスト鉄筋コンクリート部材によつて築造される擁壁の構造に関する専門的知識を有する者
ハ　建築又は土木に関する分野の試験研究機関において試験研究の業務に従事し、又は従事した経験のある者で、かつ、これらの分野について専門的知識を有する者
ニ　イからハまでに掲げる者と同等以上の能力を有する者
二　前号の調査の結果に基づき、次のいずれかに該当する者三名以上によつて構成される合議制の機関の議を経て、認証するかどうかを決定するものであること。
イ　学校教育法による大学において建築学若しくは土木工学に属する科目の教授若しくは准教授の職にあり、若しくはこれらの職にあつた者又は建築学若しくは土木工学に属する科目に関する研究により博士の学位を授与された者
ロ　前号ロ又はハに該当する者
ハ　イ又はロに掲げる者と同等以上の能力を有する者
2　登録は、登録認証機関登録簿に次に掲げる事項を記載してするものとする。
一　登録年月日及び登録番号
二　登録認証機関の氏名又は名称及び住所並びに法人にあつては、その代表者及び認証事務を行う役員の氏名
三　認証事務を行う事務所の名称及び所在地
四　認証事務を開始する年月日

（登録の更新）

第一九条　登録は、五年ごとにその更新を受けなければ、その期間の経過によつて、その効力を失う。
2　前三条の規定は、前項の登録の更新について準用する。

（認証事務の実施に係る義務）

第二〇条　登録認証機関は、公正に、かつ、第十八条第一項各号に掲げる要件及び次に掲げる基準に適合する方法により認証事務を行わなければならない。
一　特定の者を差別的に取り扱わないこと。
二　認証をするかどうかを決定するために必要とされる基準（次号及び第二十二条において「認証基準」という。）を定めること。
三　認証基準を定め、又はこれを変更したときは、遅滞なく、これを公表すること。
四　認証をしたときは、認証申請者に認証証明書を交付すること。
五　次のいずれかに該当するときは、その認証を取り消すこと。
イ　認証を受けた工場の製造工程管理が適切でないと認めるとき。
ロ　不正の手段により認証を受けたとき。
六　第十八条第一項第一号の調査を行う者若しくは同項第二号の合議制の機関の構成員を決定しようとするとき、又はこれらを変更しようとするときは、その旨を、当該決定又は変更を行おうとする日の二週間前までに、国土交通大臣に届け出ること。
七　認証、認証の更新又は認証の取消し（以下この号において「認証等」という。）を行つたときは、その旨（認証の取消しにあつては、その理由を含む。）を記載した書面を、当該認証等の日から二週間以内に、国土交通大臣に届け出ること。
八　認証事務によつて知り得た秘密の保持を行うこと。

（登録事項の変更の届出）

第二一条　登録認証機関は、第十八条第二項第二号及び第三号に掲げる事項を変更しようとするときは遅滞なく、同項第四号に掲げる事項を変更しようとするときは変更しようとする日の二週間前までに、次に掲げる事項を国土交通大臣に届け出なければならない。
一　変更しようとする事項
二　変更しようとする年月日
三　変更しようとする理由

（認証事務規程）

第二二条　登録認証機関は、次に掲げる事項を記載した認証事務に関する規程を定め、認証事務を開始しようとする日の二週間前までに、国土交通大臣に届け出なければならない。これを変更しようとするときも、同様とする。
一　認証事務の時間及び休日に関する事項
二　認証事務を行う事務所及び認証の実施場所に関する事項
三　認証の申請に関する事項
四　認証の手数料の額及び収納の方法に関する事項
五　認証基準に関する事項
六　認証基準の公表の方法その他の認証の実施の方法に関する事項
七　不正の手段により認証を受けた者又は受けようとした者の処分に関する事項
八　認証証明書の交付及び再交付に関する事項

九　認証の有効期間その他認証の更新に関する事項
十　認証の取消しに関する事項
十一　第二十八条第三項の帳簿その他の認証事務についての書類に関する事項
十二　認証事務に関する秘密の保持に関する事項
十三　認証事務に関する公正の確保に関する事項
十四　その他認証事務に関し必要な事項

（認証事務の休廃止）

第二三条　登録認証機関は、認証事務の全部又は一部を休止し、又は廃止しようとするときは、休止又は廃止しようとする日の二週間前までに、次に掲げる事項を記載した届出書を国土交通大臣に提出しなければならない。
一　休止し、又は廃止しようとする認証事務の範囲
二　休止し、又は廃止しようとする年月日
三　休止しようとするときは、その期間
四　休止又は廃止の理由

（財務諸表等の備付け及び閲覧等）

第二四条　登録認証機関は、毎事業年度経過後三月以内に、その事業年度の財産目録、貸借対照表及び損益計算書又は収支計算書並びに事業報告書（その作成に代えて電磁的記録（電子的方式、磁気的方式その他の人の知覚によつては認識することができない方式で作られる記録であつて、電子計算機による情報処理の用に供されるものをいう。以下この条において同じ。）の作成がされている場合における当該電磁的記録を含む。次項において「財務諸表等」という。）を作成し、五年間登録認証機関の事務所に備えて置かなければならない。

2　認証を受けようとする者その他の利害関係人は、登録認証機関の業務時間内は、いつでも、次に掲げる請求をすることができる。ただし、第二号又は第四号の請求をするには、登録認証機関の定めた費用を支払わなければならない。
一　財務諸表等が書面をもつて作成されているときは、当該書面の閲覧又は謄写の請求
二　前号の書面の謄本又は抄本の請求
三　財務諸表等が電磁的記録をもつて作成されているときは、当該電磁的記録に記録された事項を紙面又は出力装置の映像面に表示したものの閲覧又は謄写の請求
四　前号の電磁的記録に記録された事項を電磁的方法であつて、次に掲げるもののうち登録認証機関が定めるものにより提供することの請求又は当該事項を記載した書面の交付の請求
イ　送信者の使用に係る電子計算機と受信者の使用に係る電子計算機とを電気通信回線で接続した電子情報処理組織を使用する方法であつて、当該電気通信回線を通じて情報が送信され、受信者の使用に係る電子計算機に備えられたファイルに当該情報が記録されるもの
ロ　磁気ディスクその他これに準ずる方法により一定の情報を確実に記録しておくことができる物（第二十八条において「磁気ディスク等」という。）をもつて調製するファイルに情報を記録したものを交付する方法

3　前項第四号イ又はロに掲げる方法は、受信者がファイルへの記録を出力することによる書面を作成できるものでなければならない。

（適合命令）

第二五条　国土交通大臣は、登録認証機関が第十八条第一項の規定に適合しなくなつたと認めるときは、その登録認証機関に対し、同項の規定に適合するため必要な措置をとるべきことを命ずることができる。

（改善命令）

第二六条　国土交通大臣は、登録認証機関が第二十条の規定に違反していると認めるときは、その登録認証機関に対し、同条の規定による認証事務を行うべきこと又は認証の方法その他の業務の方法の改善に関し必要な措置をとるべきことを命ずることができる。

（登録の取消し等）

第二七条　国土交通大臣は、登録認証機関が次の各号のいずれかに該当するときは、その登録を取り消し、又は期間を定めて認証事務の全部若しくは一部の停止を命ずることができる。
一　第十七条第一号又は第三号に該当するに至つたとき。
二　第二十一条から第二十三条まで、第二十四条第一項又は次条の規定に違反したとき。
三　正当な理由がないのに第二十四条第二項各号の規定による請求を拒んだとき。
四　前二条の規定による命令に違反したとき。
五　第二十九条の規定による報告を求められて、報告をせず、又は虚偽の報告をしたとき。
六　不正の手段により登録を受けたとき。

（帳簿の記載等）

第二八条　登録認証機関は、次に掲げる事項を記載した帳簿を備えなければならない。
一　認証の申請を受け付けた年月日
二　認証申請者の氏名又は名称及び住所並びに法人にあつては、その代表者の氏名
三　認証の申請に係る工場の名称及び所在地
四　認証の申請に係る工場について第十八条第一項第一号の調査を行つた年月日及び当該調査を行つた者の氏名
五　認証の申請に係る工場について認証をするかどうかを決定した年月日及び当該決定に係る議を経た第十八条第一項第二号の合議制の機関の構成員の氏名
六　認証を受けた工場にあつては、前各号に掲げる事項のほか、認証証明書の交付の年月日及び認証番号

2　前項各号に掲げる事項が、電子計算機に備えられたファイル又は磁気ディスク等に記録され、必要に応じ登録認証機関において電子計算機その他の機器を用いて明確に紙面に表示されるときは、当該記録をもつて同項に規定する帳簿への記載に代えることができる。

3　登録認証機関は、第一項に規定する帳簿（前項の規定による記録が行われた同項のファイル又は磁気ディスク等を含む。）を、認証事務の全部を廃止するまで保存しなければならない。

4　登録認証機関は、次に掲げる書類を備え、認証の有効期間が満了した日（認証をしなかつたときは、第一項第五号に規定する日）から二年間保存しなければならない。
一　認証の申請書及び添付書類
二　認証の判定とその結果に関する書類

（報告の徴収）

第二九条　国土交通大臣は、認証事務の適正な実施を確保するため必要があると認めるときは、登録認証機関に対し、認証事務の状況に関し必要な報告を求めることができる。

（公示）

第三〇条　国土交通大臣は、次に掲げるときは、その旨を官報に公示しなければならない。
一　登録をしたとき又は第十九条第一項の登録の更新をしたとき。
二　第二十一条の規定による届出があつたとき。
三　第二十三条の規定による届出があつたとき。
四　第二十七条の規定により登録を取り消し、又は認証事務の停止を命じたとき。

（擁壁が有する崖の安定を保つ機能を損なう事象）

第三一条　令第十四条第一号（令第十八条及び第三十条第一項において準用する場合を含む。）の主務省令で定める事象は、次に掲げるものとする。
一　盛土又は切土をした後の地盤の変動
二　盛土又は切土をした後の地盤の内部への地下水の浸入
三　前二号に掲げるもののほか、擁壁が有する崖の安定を保つ機能を損なう事象

（堆積した土石の崩壊を防止するための措置）

第三二条　令第十九条第一項第一号（令第三十条第二項において準用する場合を含む。）の主務省令で定める措置は、土石の堆積を行う面（鋼板等を使用したものであつて、勾配が十分の一以下であるものに限る。）を有する堅固な構造物を設置する措置その他の堆積した土石の滑動を防ぐ又は滑動する堆積した土石を支えることができる措置とする。

（柵その他これに類するものの設置）

第三三条　令第十九条第一項第四号（令第三十条第二項において準用する場合を含む。）に規定する柵その他これに類するものは、土石の堆積に関する工事が施行される土地の区域内に人がみだりに立ち入らないよう、見やすい箇所に関係者以外の者の立入りを禁止する旨の表示を掲示して設けるものとする。

(土石の崩壊に伴う土砂の流出を防止する措置)

第三四条　令第十九条第二項（令第三十条第二項において準用する場合を含む。）の主務省令で定める措置は、次に掲げるいずれかの措置とする。

一　堆積した土石の周囲にその高さを超える鋼矢板又はこれに類する施設（次項において「鋼矢板等」という。）を設置すること

二　次に掲げる全ての措置

イ　堆積した土石を防水性のシートで覆うことその他の堆積した土石の内部に雨水その他の地表水が浸入することを防ぐための措置

ロ　堆積した土石の土質に応じた緩やかな勾配で土石を堆積することその他の堆積した土石の傾斜部を安定させて崩壊又は滑りが生じないようにするための措置

2　前項第一号の鋼矢板等は、土圧、水圧及び自重によつて損壊、転倒、滑動又は沈下をしない構造でなければならない。

(設計者の資格)

第三五条　令第二十二条第五号の規定により、主務大臣が同条第一号から第四号までに掲げる者と同等以上の知識及び経験を有する者であると認めた者は、次に掲げる者とする。

一　土木又は建築の技術に関して十年以上の実務の経験を有する者で、都市計画法施行規則（昭和四十四年建設省令第四十九号）第十九条第一号トに規定する講習を修了した者

二　前号に掲げる者のほか主務大臣が令第二十二条第一号から第四号までに掲げる者と同等以上の知識及び経験を有する者であると認めた者

(許可証の様式)

第三六条　法第十四条第四項（法第十六条第三項において準用する場合を含む。）の主務省令で定める様式は、別記様式第六とする。

2　都道府県知事は、宅地造成又は特定盛土等に関する工事について法第十四条第一項の許可の処分をしたときは、同条第二項の許可証に、第七条第一項の申請書の副本を添えて、申請者に交付するものとする。

3　都道府県知事は、土石の堆積に関する工事について法第十四条第一項の許可の処分をしたときは、同条第二項の許可証に、第七条第二項の申請書の副本を添えて、申請者に交付するものとする。

4　前二項の規定は、法第十六条第三項において準用する法第十四条第一項の規定による変更の許可の処分をしたときについて準用する。この場合において、第二項中「第七条第一項」とあるのは「第三十七条第一項」と、前項中「第七条第二項」とあるのは「第三十七条第二項」と読み替えるものとする。

(変更の許可の申請)

第三七条　宅地造成又は特定盛土等に関する工事について、法第十六条第一項の許可を受けようとする者は、別記様式第七の申請書の正本及び副本に、第七条第一項各号に掲げる書類のうち宅地造成又は特定盛土等に関する工事の計画の変更に伴いその内容が変更されるものを添付して、都道府県知事に提出しなければならない。

2　土石の堆積に関する工事について、法第十六条第一項の許可を受けようとする者は、別記様式第八の申請書の正本及び副本に、第七条第二項各号に掲げる書類のうち土石の堆積に関する工事の計画の変更に伴いその内容が変更されるものを添付して、都道府県知事に提出しなければならない。

(軽微な変更)

第三八条　宅地造成又は特定盛土等に関する工事について、法第十六条第一項ただし書の主務省令で定める軽微な変更は、次に掲げるものとする。

一　工事主、設計者又は工事施行者の氏名若しくは名称又は住所の変更

二　工事の着手予定年月日又は工事の完了予定年月日の変更

2　土石の堆積に関する工事について、法第十六条第一項ただし書の主務省令で定める軽微な変更は、次に掲げるものとする。

一　工事主、設計者又は工事施行者の氏名若しくは名称又は住所の変更

二　工事の着手予定年月日又は工事の完了予定年月日の変更（当該変更後の工事予定期間（着手予定年月日から完了予定年月日までの期間をいう。以下この号において同じ。）が当該変更前の工事予定期間を超えないものに限る。）

(完了検査の申請期間)

第三九条　法第十七条第一項の主務省令で定める期間は、工事が完了した日から四日以内とする。

(完了検査の申請)

第四〇条　法第十七条第一項の検査を申請しようとする者は、別記様式第九の完了検査申請書を都道府県知事に提出しなければならない。

(検査済証の様式)

第四一条　法第十七条第二項の主務省令で定める様式は、別記様式第十とする。

(確認の申請期間)

第四二条　法第十七条第四項の主務省令で定める期間は、工事が完了した日から四日以内とする。

(確認の申請)

第四三条　法第十七条第四項の確認を申請しようとする者は、別記様式第十一の確認申請書を都道府県知事に提出しなければならない。

(確認済証の様式)

第四四条　法第十七条第五項の主務省令で定める様式は、別記様式第十二とする。

(中間検査の申請期間)

第四五条　法第十八条第一項の主務省令で定める期間は、特定工程に係る工事を終えた日から四日以内とする。

(中間検査の申請)

第四六条　法第十八条第一項の検査を申請しようとする者は、別記様式第十三の中間検査申請書に検査の対象となる特定工程に係る工事の内容を明示した平面図を添付して都道府県知事に提出しなければならない。

(中間検査合格証の様式)

第四七条　法第十八条第二項の主務省令で定める様式は、別記様式第十四とする。

(定期の報告)

第四八条　宅地造成又は特定盛土等に関する工事について、法第十九条第一項の規定による報告をしようとする者は、当該工事が完了するまでの間、報告書に、報告の時点における盛土又は切土をしている土地及びその付近の状況を明らかにする写真その他の書類を添付して、都道府県知事に提出しなければならない。

2　土石の堆積に関する工事について、法第十九条第一項の規定による報告をしようとする者は、当該工事が完了するまでの間、報告書に、報告の時点における土石の堆積を行つている土地及びその付近の状況を明らかにする写真その他の書類を添付して、都道府県知事に提出しなければならない。

(定期の報告の期間)

第四九条　法第十九条第一項の主務省令で定める期間は、三月とする。

(定期の報告の報告事項)

第五〇条　法第十九条第一項の主務省令で定める事項は、次に掲げるものとする。ただし、第三号に掲げる事項については、二回目以降の定期の報告を行う場合に限るものとする。

一　工事が施行される土地の所在地

二　工事の許可年月日及び許可番号

三　前回の報告年月日

2　宅地造成又は特定盛土等に関する工事について、法第十九条第一項の規定による工事の実施の状況の報告は、次に掲げる事項について行うものとする。

一　報告の時点における盛土又は切土の高さ

二　報告の時点における盛土又は切土の面積

三　報告の時点における盛土又は切土の土量

四　報告の時点における擁壁等（法第十三条第一項に規定する擁壁等をいう。）に関する工事の施行状況

3　土石の堆積に関する工事について、法第十九条第一項の規定による工事の実施の状況の報告は、次に掲げる事項について行うものとする。

一　報告の時点における土石の堆積の高さ

二　報告の時点における土石の堆積の面積

三　報告の時点における堆積されている土石の土量

四　前回の報告の時点から新たに堆積された土石の土量及び除却された土石の土量

(災害防止措置に係る費用負担)

第五一条　都道府県知事は、法第二十条第六項（法第二十三条第三項及び第四十七条第三項において準用する場合を含む。）の規定により当該災害防止措置に要した費用を負担させようとするときは、当該工事主等又は土地所有者等に対し負担させようとする費用の額の算定基礎を明示するものとする。

（宅地造成等工事規制区域内において行われている宅地造成等に関する工事の届出の方法）

第五二条　宅地造成又は特定盛土等に関する工事について、法第二十一条第一項の規定による届出をしようとする者は、別記様式第十五の届出書を提出しなければならない。

2　前項の届出書が令第二十三条各号に掲げる規模の宅地造成又は特定盛土等に関する工事の届出に係るものであるときは、当該届出書には、次の表に掲げる図面並びに盛土又は切土をしている土地及びその付近の状況を明らかにする写真その他の書類を添付しなければならない。

図面の種類	明示すべき事項	備考
位置図	縮尺、方位、道路及び目標となる地物	
地形図	縮尺、方位及び土地の境界線	等高線は、二メートルの標高差を示すものとすること。
土地の平面図	縮尺、方位及び土地の境界線並びに盛土又は切土をする土地の部分、崖、擁壁、崖面崩壊防止施設、排水施設及び地滑り抑止ぐい又はグラウンドアンカーその他の土留の位置	植栽、芝張り等の措置を行う必要がない場合は、その旨を付すること。

3　土石の堆積に関する工事について、法第二十一条第一項の規定による届出をしようとする者は、別記様式第十六の届出書を提出しなければならない。

4　前項の届出書が令第二十五条第二項各号に掲げる規模の土石の堆積に関する工事の届出に係るものであるときは、当該届出書には、次の表に掲げる図面並びに土石の堆積を行つている土地及びその付近の状況を明らかにする写真その他の書類を添付しなければならない。

図面の種類	明示すべき事項	備考
位置図	縮尺、方位、道路及び目標となる地物	
地形図	縮尺、方位及び土地の境界線	等高線は、二メートルの標高差を示すものとすること。
土地の平面図	縮尺、方位及び土地の境界線並びに勾配が十分の一を超える土地における堆積した土石の崩壊を防止するための措置を講ずる位置及び当該措置の内容、空地の位置、柵その他これに類するものを設置する位置、雨水その他の地表水を有効に排除する措置を講ずる位置及び当該措置の内容並びに堆積した土石の崩壊に伴う土砂の流出を防止する措置を講ずる位置及び当該措置の内容	

（宅地造成等工事規制区域内において行われている宅地造成等に関する工事の届出に係る公表の方法）

第五三条　法第二十一条第二項の規定による公表は、インターネットの利用その他の適切な方法により行うものとする。

（宅地造成等工事規制区域内において行われている宅地造成等に関する工事の届出に係る公表事項）

第五四条　法第二十一条第二項の主務省令で定める事項は、次に掲げるものとする。

一　宅地造成等に関する工事が施行される土地の位置図
二　工事の届出年月日
三　工事施行者の氏名又は名称
四　工事の着手年月日及び工事の完了予定年月日
五　盛土若しくは切土の高さ又は土石の堆積の最大堆積高さ
六　盛土若しくは切土をする又は土石の堆積を行う土地の面積
七　盛土若しくは切土の土量又は土石の堆積の最大堆積土量

（擁壁等に関する工事の届出）

第五五条　法第二十一条第三項の規定による届出をしようとする者は、別記様式第十七の届出書を提出しなければならない。

（公共施設用地の転用の届出）

第五六条　法第二十一条第四項の規定による届出をしようとする者は、別記様式第十八の届出書を提出しなければならない。

（特定盛土等規制区域の指定等の公示）

第五七条　法第二十六条第四項の規定による公示は、第五条に規定するところにより行うものとする。この場合において、同条中「宅地造成等工事規制区域又は造成宅地防災区域」とあるのは「特定盛土等規制区域」と読み替えるものとする。

（特定盛土等又は土石の堆積に関する工事の届出）

第五八条　特定盛土等に関する工事について、法第二十七条第一項の規定による届出をしようとする者は、別記様式第十九の届出書に、次に掲げる書類を添付して、都道府県知事に提出しなければならない。

一　第七条第一項第一号及び第六号から第八号までに掲げる書類（この場合において、同項第一号の表中「申請書」とあるのは「届出書」と、同項第七号及び第八号中「許可を受け」とあるのは「届出をし」と読み替えるものとする。）
二　前号に掲げる書類のほか、都道府県が特定盛土等に関する工事の安全性を確かめるために特に必要があると認めて規則で定める書類

2　土石の堆積に関する工事について、法第二十七条第一項の規定による届出をしようとする者は、別記様式第二十の届出書に、次に掲げる書類を添付して、都道府県知事に提出しなければならない。

一　第七条第二項第一号及び第四号から第六号までに掲げる書類（この場合において、同項第一号の表中「申請書」とあるのは「届出書」と、同項第五号及び第六号中「許可を受け」とあるのは「届出をし」と読み替えるものとする。）
二　前号に掲げる書類のほか、都道府県が土石の堆積に関する工事の安全性を確かめるために特に必要があると認めて規則で定める書類

（特定盛土等又は土石の堆積に関する工事の届出に係る公表の方法）

第五九条　法第二十七条第二項（法第二十八条第三項において準用する場合を含む。次条において同じ。）の規定による公表は、第九条に規定するところにより行うものとする。

（特定盛土等又は土石の堆積に関する工事の届出に係る公表事項）

第六〇条　法第二十七条第二項の主務省令で定める事項は、第五十四条各号に掲げる事項とする。この場合において、同条第一号中「宅地造成等」とあるのは、「特定盛土等又は土石の堆積」に読み替えるものとする。

（変更の届出）

第六一条　特定盛土等に関する工事について、法第二十八条第一項の規定による届出をしようとする者は、別記様式第二十一の届出書に、第五十八条第一項各号に掲げる書類のうち特定盛土等に関する工事の計画の変更に伴いその内容が変更されるものを添付して、都道府県知事に提出しなければならない。

2　土石の堆積に関する工事について、法第二十八条第一項の規定による届出をしようとする者は、別記様式第二十二の届出書に、第五十八条第二項各号に掲げる書類のうち土石の堆積に関する工事の計画の変更に伴いその内容が変更されるものを添付して、都道府県知事に提出しなければならない。

（住民への周知の方法）

第六二条　法第二十九条の特定盛土等又は土石の堆積に関する工事の施行に係る土地の周辺地域の住民に周知させるための必要な措置は、第六条各号に掲げるいずれかの方法により行うものとする。ただし、同項ただし書に規定する場合にあつては、同項第一号に掲げる方法により行うものとする。

（特定盛土等又は土石の堆積に関する工事の許可の申請）

第六三条　特定盛土等に関する工事について、法第三十条第一項の許可を受けようとする者は、別記様式第二の申請書の正本及び副本に、次に掲げる書類を添付して、都道府県知事に提出しなければならない。

一　第七条第一項第一号から第十一号までに掲げる書類

二　前号に掲げる書類のほか、都道府県が特定盛土等に関する工事の安全性を確かめるために特に必要があると認めて規則で定める書類

2　土石の堆積に関する工事について、法第三十条第一項の許可を受けようとする者は、別記様式第四の申請書の正本及び副本に、次に掲げる書類を添付して、都道府県知事に提出しなければならない。

一　第七条第二項第一号から第九号までに掲げる書類

二　前号に掲げる書類のほか、都道府県が土石の堆積に関する工事の安全性を確かめるために特に必要があると認めて規則で定める書類

（特定盛土等又は土石の堆積に関する工事の許可に係る公表の方法）

第六四条　法第三十条第四項（法第三十五条第三項において準用する場合を含む。次条において同じ。）の規定による公表は、第九条に規定するところにより行うものとする。

（特定盛土等又は土石の堆積に関する工事の許可に係る公表事項）

第六五条　法第三十条第四項の主務省令で定める事項は、第十条各号に掲げる事項とする。この場合において、同条第一号中「宅地造成等」とあるのは、「特定盛土等又は土石の堆積」と読み替えるものとする。

（許可証の様式）

第六六条　法第三十三条第四項（法第三十五条第三項において準用する場合を含む。）の主務省令で定める様式は、別記様式第六とする。

2　都道府県知事は、特定盛土等に関する工事について法第三十三条第一項の許可の処分をしたときは、同条第二項の許可証に、第六十三条第一項の申請書の副本を添えて、申請者に交付するものとする。

3　都道府県知事は、土石の堆積に関する工事について法第三十三条第一項の許可の処分をしたときは、同条第二項の許可証に、第六十三条第二項の申請書の副本を添えて、申請者に交付するものとする。

4　前二項の規定は、法第三十五条第三項において準用する法第三十三条第一項の規定による変更の許可の処分をしたときについて準用する。この場合において、第二項中「第六十三条第一項」とあるのは「第六十七条第一項」と、前項中「第六十三条第二項」とあるのは「第六十七条第二項」と読み替えるものとする。

（変更の許可の申請）

第六七条　特定盛土等に関する工事について、法第三十五条第一項の許可を受けようとする者は、別記様式第七の申請書の正本及び副本に、第六十三条第一項各号に掲げる書類のうち特定盛土等に関する工事の計画の変更に伴いその内容が変更されるものを添付して、都道府県知事に提出しなければならない。

2　土石の堆積に関する工事について、法第三十五条第一項の許可を受けようとする者は、別記様式第八の申請書の正本及び副本に、第六十三条第二項各号に掲げる書類のうち土石の堆積に関する工事の計画の変更に伴いその内容が変更されるものを添付して、都道府県知事に提出しなければならない。

（軽微な変更）

第六八条　特定盛土等に関する工事について、法第三十五条第一項ただし書の主務省令で定める軽微な変更は、第三十八条第一項各号に掲げるものとする。

2　土石の堆積に関する工事について、法第三十五条第一項ただし書の主務省令で定める軽微な変更は、第三十八条第二項各号に掲げるものとする。

（完了検査の申請期間）

第六九条　法第三十六条第一項の主務省令で定める期間は、第三十九条に規定する期間とする。

（完了検査の申請）

第七〇条　法第三十六条第一項の検査を申請しようとする者は、別記様式第九の完了検査申請書を都道府県知事に提出しなければならない。

（検査済証の様式）

第七一条　法第三十六条第二項の主務省令で定める様式は、別記様式第十とする。

（確認の申請期間）

第七二条　法第三十六条第四項の主務省令で定める期間は、第四十二条に規定する期間とする。

（確認の申請）

第七三条　法第三十六条第四項の検査を申請しようとする者は、別記様式第十一の確認申請書を都道府県知事に提出しなければならない。

（確認済証の様式）

第七四条　法第三十六条第五項の主務省令で定める様式は、別記様式第十二とする。

（中間検査の申請期間）

第七五条　法第三十七条第一項の主務省令で定める期間は、第四十五条に規定する期間とする。

（中間検査の申請）

第七六条　法第三十七条第一項の検査を申請しようとする者は、別記様式第十三の中間検査申請書に検査の対象となる特定工程に係る工事の内容を明示した平面図を添付して都道府県知事に提出しなければならない。

（中間検査合格証の様式）

第七七条　法第三十七条第二項の主務省令で定める様式は、別記様式第十四とする。

（定期の報告）

第七八条　特定盛土等に関する工事について、法第三十八条第一項の規定による報告をしようとする者は、当該工事が完了するまでの間、報告書に、報告の時点における盛土又は切土をしている土地及びその付近の状況を明らかにする写真その他の書類を添付して、都道府県知事に提出しなければならない。

2　土石の堆積に関する工事について、法第三十八条第一項の規定による報告をしようとする者は、当該工事が完了するまでの間、報告書に、報告の時点における土石の堆積を行つている土地及びその付近の状況を明らかにする写真その他の書類を添付して、都道府県知事に提出しなければならない。

（定期の報告の期間）

第七九条　法第三十八条第一項の主務省令で定める期間は、第四十九条に規定する期間とする。

（定期の報告の報告事項）

第八〇条　法第三十八条第一項の主務省令で定める事項は、第五十条第一項各号に掲げる事項とする。この場合においては、同項ただし書の規定を準用する。

2　特定盛土等に関する工事について、法第三十八条第一項の規定による工事の実施の状況の報告は、第五十条第二項各号に掲げる事項について行うものとする。

3　土石の堆積に関する工事について、法第三十八条第一項の規定による工事の実施の状況の報告は、第五十条第三項各号に掲げる事項について行うものとする。

（災害防止措置に係る費用負担）

第八一条　都道府県知事は、法第三十九条第六項（法第四十二条第三項において準用する場合を含む。）の規定により当該災害防止措置に要した費用を負担させようとするときは、当該工事主等又は土地所有者等に対し負担させようとする費用の額の算定基礎を明示するものとする。

（特定盛土等規制区域内において行われている特定盛土等又は土石の堆積に関する工事の届出の方法）

第八二条　特定盛土等に関する工事について、法第四十条第一項の規定による届出をしようとする者は、別記様式第十五の届出書を提出しなければならない。この場合においては、第五十二条第二項の規定を準用する。

2　土石の堆積に関する工事について、法第四十条第一項の規定による届出をしようとする者は、別記様式第十六の届出書を提出しなければならない。この場合においては、第五十二条第四項の規定を準用する。

（特定盛土等規制区域内において行われている特定盛土等又は土石の堆積に関する工事の届出に係る公表の方法）

第八三条　法第四十条第二項の規定による公表は、第五十三条に規定するところにより行うものとする。

（特定盛土等規制区域内において行われている特定盛土等又は土石の堆積に関する工事の届出に係る公表事項）

第八四条　法第四十条第二項の主務省令で定める事項は、第五十四条各号に掲げる事項とする。この場合において、同条第一号中「宅地造成等」とあるのは、「特定盛土等又は土石の堆積」に読み替えるものとする。

（擁壁等に関する工事の届出）

第八五条　法第四十条第三項の規定による届出をしようとする者は、別記様式第十七の届出書を提出しなければならない。

（公共施設用地の転用の届出）

第八六条　法第四十条第四項の規定による届出をしようとする者は、別記様式第十八の届出書を提出しなければならない。

（標識の様式及び記載事項）

第八七条　宅地造成又は特定盛土等に関する工事について、法第四十九条の規定により工事主が掲げる標識は、別記様式第二十三によるものとする。

2　土石の堆積に関する工事について、法第四十九条の規定により工事主が掲げる標識は、別記様式第二十四によるものとする。

3　法第四十九条の主務省令で定める事項は、次に掲げるものとする。

一　工事主の氏名又は名称及び住所並びに法人にあつては、その代表者の氏名

二　工事の許可年月日及び許可番号又は工事の届出年月日

三　工事施行者の氏名又は名称

四　現場管理者の氏名又は名称

五　工事の着手予定年月日及び工事の完了予定年月日

六　宅地造成等に関する工事を行う土地の区域の見取図

七　盛土若しくは切土の高さ又は土石の堆積の最大堆積高さ

八　盛土若しくは切土をする又は土石の堆積を行う土地の面積

九　盛土若しくは切土の土量又は土石の堆積の最大堆積土量

十　工事に係る問合せを受けるための工事関係者の連絡先

十一　許可又は届出を担当した都道府県の部局の名称及び連絡先

（法第十二条第一項、第十六条第一項、第三十条第一項又は第三十五条第一項の規定に適合していることを証する書面の交付）

第八八条　建築基準法（昭和二十五年法律第二百一号）第六条第一項（同法第八十八条第一項又は第二項において準用する場合を含む。）若しくは第六条の二第一項（同法第八十八条第一項又は第二項において準用する場合を含む。）の規定による確認済証の交付を受けようとする者又は畜舎等の建築等及び利用の特例に関する法律（令和三年法律第三十四号）第三条第一項の認定（同法第四条第一項の変更の認定を含む。）を受けようとする者は、その計画が法第十二条第一項、第十六条第一項、第三十条第一項又は第三十五条第一項の規定に適合していることを証する書面の交付を都道府県知事に求めることができる。

（権限の委任）

第八九条　令第十七条に規定する国土交通大臣の権限は、地方整備局長及び北海道開発局長に委任する。ただし、国土交通大臣が自ら行うことを妨げない。

附　則〔略〕〔昭和三七・二・二〇建設省令三施行〕

附　則〔略〕〔平成三・六・二一建設省令一二〕

附　則〔略〕〔平成六・二・二三建設省令四〕

附　則〔略〕〔平成七・三・二八建設省令八〕

附　則〔略〕〔平成一一・四・二六建設省令一四〕

附　則〔略〕〔平成一二・一・三一建設省令一〇〕

附　則〔平成一二・一一・二〇建設省令四一〕

附　則〔略〕〔平成一三・三・三〇国土交通省令七二〕

附　則〔抄〕〔平成一六・五・二七国土交通省令六七〕

改正　平成一七・三国交令一二

（施行期日）

第一条　この省令（中略）は、当該各号に掲げる日（平成一七・四・一）から施行する。

（宅地造成等規制法施行規則の一部改正に伴う経過措置）

第四条　第三条の規定による改正後の宅地造成等規制法施行規則（以下この条において「新宅地造成等規制法施行規則」という。）第六条第一項の登録を受けようとする者は、第三条の規定の施行前においても、その申請を行うことができる。新宅地造成等規制法施行規則第十四条の規定による認証事務規程の届出についても、同様とする。

2　第三条の規定の施行の際現に同条の規定による改正前の宅地造成等規制法施行規則（以下この条において「旧宅地造成等規制法施行規則」という。）第四条の二第一項第二号の指定を受けた証明事業を実施している者は、第三条の規定の施行の日から起算して六月を経過する日までの間は、新宅地造成等規制法施行規則第六条第一項の登録を受けているものとみなす。

3　第三条の規定の施行の際現に旧宅地造成等規制法施行規則第四条の二第一項第二号の証明を受けている工場は、その証明を受けた日から五年を経過する日までの間は、新宅地造成等規制法施行規則第五条第二項の認証を受けている工場とみなす。

4　第三条の規定の施行前に旧宅地造成等規制法施行規則第四条の三第一項第一号の指定を受けた講習を修了した者については、その者を新宅地造成等規制法施行規則第二十三条第一号に掲げる講習を修了した者とみなして同条の規定を適用する。

附　則〔略〕〔平成一七・三・七国土交通省令一二〕

附　則〔略〕〔平成一八・四・二八国土交通省令五八〕

附　則〔略〕〔平成一八・九・二七国土交通省令九〇〕

附　則〔平成一九・三・三〇国土交通省令二七〕

改正　令和五・三農水・国交令三

（施行期日）

1　この省令は、平成十九年四月一日から施行する。

（助教授の在職に関する経過措置）

2　この省令の規定による改正後の次に掲げる省令の規定の適用については、この省令の施行前における助教授としての在職は、准教授としての在職とみなす。

一〜六　〔略〕

七　宅地造成及び特定盛土等規制法施行規則（昭和三十七年建設省令第三号）第十八条

八〜十四　〔略〕

附　則〔略〕〔平成二五・九・一三国土交通省令七七〕

附　則〔抄〕〔平成二七・一・三〇国土交通省令七〕

（施行期日）

第一条　この省令は、地方自治法の一部を改正する法律附則第一条第二号に掲げる規定の施行の日（平成二十七年四月一日）から施行する。

（宅地造成等規制法施行規則の一部改正に伴う経過措置）

第二条　地方自治法の一部を改正する法律附則第二条に規定する施行時特例市（以下「施行時特例市」という。）に対する第一条の規定による改正後の宅地造成等規制法施行規則第二条、第四条第一項、別記様式第二及び別記様式第四の規定の適用については、同規則第二条中「又は同法」とあるのは「、同法」と、「中核市」とあるのは「「中核市」という。）又は地方自治法の一部を改正する法律（平成二十六年法律第四十二号）附則第二条に規定する施行時特例市（以下「施行時特例市」と、同条及び同規則第四条第一項中「又は中核市」とあるのは「、中核市又は施行時特例市」と〔中略〕する。

附　則〔略〕〔令和二・一二・二三国土交通省令九八〕

附　則〔略〕〔令和三・八・三一国土交通省令五三〕

附　則〔略〕〔令和三・一二・一六国土交通省令七九〕

附　則〔抄〕〔令和五・三・三一農林水産・国土交通省令三〕

（施行期日）

1　この省令は、宅地造成等規制法の一部を改正する法律の施行の日（令和五年五月二十六日）から施行する。

（経過措置）

2　この省令の施行の際現にある第一条の規定による改正前の様式による用紙は、当分の間、これを取り繕って使用することができる。

別記様式　〔略〕

●水管理関係細目次●

◉**河川法**（昭三九法一六七）……八〇三
第一章　総則……八〇三
第二章　河川の管理……八〇四
第二章の二　河川立体区域……八一六
第二章の三　河川協力団体……八一七
第三章　河川に関する費用……八一八
第四章　監督……八二一
第五章　社会資本整備審議会の調査審議等及び都道府県河川審議会……八二三
第六章　雑則……八二三
第七章　罰則……八二六
○河川法施行法（昭三九法一六八）……八三三
第一章　経過措置……八三三
第二章　関係法律の一部改正……八三四
○河川法施行令（昭四〇政一四）……八三五
第一章　河川の管理……八三五
第二章　河川に関する費用……八四二
第二章の二　工作物の保管の手続等……八四五
第三章　道の区域内の河川の特例……八四五
第四章　雑則……八四六
第五章　罰則……八四九
○河川法施行規則（昭四〇建令七）……八五三
○河川管理施設等構造令（昭五一政一九九）……八六七
第一章　総則……八六七
第二章　ダム……八六八
第三章　堤防……八六九
第四章　床止め……八七〇
第五章　堰……八七〇
第六章　水門及び樋門……八七一
第七章　揚水機場、排水機場及び取水塔……八七二
第八章　橋……八七二
第九章　伏せ越し……八七三
第十章　雑則……八七四
○河川管理施設等構造令施行規則（昭五一建令一三）……八七五
○特定多目的ダム法（昭三二法三五）……八八〇
第一章　総則……八八〇
第二章　多目的ダムの建設……八八〇
第三章　ダム使用権……八八一
第四章　多目的ダムの管理……八八二
第五章　雑則……八八二
○特定多目的ダム法施行令（昭三二政一八八）……八八四
○特定多目的ダム法施行規則（昭三二建令一八）……八八八
○砂防法（明三〇法二九）……八九〇
第一章　総則……八九〇
第二章　土地ノ制限及砂防設備……八九〇
第三章　砂防ニ関スル費用ノ負担、土地所有者ノ権利義務並収入等……八九〇
第四章　警察、監督及強制手続……八九一
第五章　補則……八九一
第六章　附則……八九一
○砂防法施行規程（明三〇勅三八二）……八九四
○他の都府県又は他の都府県内の公共団体に砂防工事の費用を負担させる場合の手続に関する政令（昭二八政三一二）……八九六
○砂防指定地台帳等整備規則（昭三六建令七）……八九七
○砂防法第四十四条及び砂防法施行規程第八条ノ四の規定により地方整備局長又は北海道開発局長に委任する職権を定める省令（平一二建令四三）……八九八
○砂防法施行規程第十一条第二号に規定する砂防設備に堆積した土石その他これに類するものの排除を定める省令（平二二国交令一九）……八九八
○地すべり等防止法（昭三三法三〇）……八九八
第一章　総則……八九八
第二章　地すべり防止区域に関する管理……八九九
第三章　地すべり防止区域に関する費用……九〇一
第四章　ぼた山崩壊防止区域に関する管理等……九〇二
第五章　雑則……九〇二
第六章　罰則……九〇三
○地すべり等防止法施行令（昭三三政一一二）……九〇六
○地すべり等防止法施行規則（昭三三農・建令一）……九〇九
○急傾斜地の崩壊による災害の防止に関する法律（昭四四法五七）……九一〇
第一章　総則……九一〇
第二章　急傾斜地崩壊危険区域に関する管理等……九一一
第三章　急傾斜地崩壊危険区域に関する費用……九一二
第四章　雑則……九一二
第五章　罰則……九一三
○急傾斜地の崩壊による災害の防止に関する法律施行令（昭四四政二〇六）……九一四
○急傾斜地の崩壊による災害の防止に関する法律施行規則（昭四四建令四八）……九一六
○土砂災害警戒区域等における土砂災害防止対策の推進に関する法律（平一二法五七）……九一六
第一章　総則……九一六
第二章　土砂災害防止対策基本指針等……九一六
第三章　土砂災害警戒区域……九一七
第四章　土砂災害特別警戒区域……九一八
第五章　避難に資する情報の提供等……九一九
第六章　雑則……九二〇
第七章　罰則……九二〇
○土砂災害警戒区域等における土砂災害防止対策の推進に関する法律施行令（平一三政八四）……九二一
○土砂災害警戒区域等における土砂災害防止対策の推進に関する法律施行規則（平一三国交令七一）……九二三
○海岸法（昭三一法一〇一）……九二五
第一章　総則……九二五
第二章　海岸保全区域に関する管理……九二六
第三章　海岸保全区域に関する費用……九三〇
第三章の二　海岸保全区域に関する管理等の特例……九三一
第三章の三　一般公共海岸区域に関する管理及び費用……九三一
第四章　雑則……九三二
第五章　罰則……九三二
○海岸法施行令（昭三一政三三二）……九三六
○海岸法施行規則（昭三一農・運・建令一）……九四一
○水防法（昭二四法一九三）……九四五
第一章　総則……九四五
第二章　水防組織……九四六
第三章　水防活動……九四七
第四章　指定水防管理団体……九五二
第五章　水防協力団体……九五二
第六章　費用の負担及び補助……九五二
第七章　雑則……九五三
第八章　罰則……九五三
○水防法施行令（平二三政四二八）……九五五
○水防法施行規則（平一二建令四四）……九五六
○特定都市河川浸水被害対策法（平一五法七七）……九五九
第一章　総則……九五九
第二章　流域水害対策計画等……九六〇
第三章　特定都市河川流域における規制等……九六二

第四章　雑則……九六八
第五章　罰則……九六八
○特定都市河川浸水被害対策法施行令（平一六政一六八）……九七〇
○特定都市河川浸水被害対策法施行規則（平一六国交令六四）……九七二
○公有水面埋立法（大一〇法五七）……九八〇
○公有水面埋立法施行令（大一一勅一九四）……九八五
○公有水面埋立法施行規則（昭四九運・建令一）……九八七
○水資源開発促進法（昭三六法二一七）……九八九
○独立行政法人水資源機構法（平一四法一八二）……九九〇
第一章　総則……九九〇
第二章　役員及び職員……九九一
第三章　業務等……九九一
第四章　雑則……九九五
第五章　罰則……九九五
○下水道法（昭三三法七九）……九九七
第一章　総則……九九七
第一章の二　流域別下水道整備総合計画……九九八
第二章　公共下水道……九九八
第二章の二　流域下水道……一〇〇四
第三章　都市下水路……一〇〇五
第四章　雑則……一〇〇五
第五章　罰則……一〇〇七
○下水道法施行令（昭三四政一四七）……一〇一一
○下水道法施行規則（昭四二建令三七）……一〇二六
○日本下水道事業団法（昭四七法四一）……一〇三一
第一章　総則……一〇三一
第二章　設立……一〇三二
第三章　管理……一〇三二
第四章　業務……一〇三三
第五章　財務及び会計……一〇三四
第六章　監督……一〇三四
第七章　補則……一〇三四
第八章　罰則……一〇三五
○日本下水道事業団法施行令（昭四七政二八六）……一〇三七
○日本下水道事業団法施行規則（昭四七建令二八）……一〇三九

水管理

●河川法 〔昭和三九・七・一〇 法律一六七〕

改正 昭和四五・四法一三、六法一一一、昭和四七・六法四七、法五二、昭和五三・五法五五、七法八七、昭和五七・七法六六、昭和六〇・五法三七、昭和六一・五法四六、昭和六二・三法一一、五法三四、九法八七、平成元・四法二二、平成三・三法一五、五法六一、平成五・三法八、平成七・四法六四、平成九・六法六九、平成一一・七法八七、法一〇二、一二法一六〇、平成一二・四法五三、五法七八、法九一、平成一三・六法九二、平成一四・二法一、三法四、平成一六・六法八四、平成一七・七法八九、平成二二・三法二〇、平成二三・五法三七、平成二五・六法三五、平成二六・六法六九、平成二七・五法二二、平成二九・五法三一、六法四五、令和三・五法三一、令和五・五法三四

注 ［　　］の部分は、令和四年六月一七日法律第六八号により改正され、令和七年六月一日から施行

目次

第一章　総則（第一条―第八条）
第二章　河川の管理
　第一節　通則（第九条―第十五条の二）
　第二節　河川工事等（第十六条―第二十二条の三）
　第三節　河川の使用及び河川に関する規制
　　第一款　通則（第二十三条―第三十七条の二）
　　第二款　水利調整（第三十八条―第四十三条）
　　第三款　ダムに関する特則（第四十四条―第五十一条の三）
　　第四款　緊急時の措置（第五十二条―第五十三条の二）
　第四節　河川保全区域（第五十四条・第五十五条）
　第五節　河川予定地（第五十六条―第五十八条）
第二章の二　河川立体区域（第五十八条の二―第五十八条の七）
第二章の三　河川協力団体（第五十八条の八―第五十八条の十三）
第三章　河川に関する費用（第五十九条―第七十四条）
第四章　監督（第七十五条―第七十九条の二）
第五章　社会資本整備審議会の調査審議等及び都道府県河川審議会（第八十条―第八十六条）
第六章　雑則（第八十七条―第百一条）
第七章　罰則（第百二条―第百九条）
附則

第一章　総則

（目的）

第一条　この法律は、河川について、洪水、津波、高潮等による災害の発生が防止され、河川が適正に利用され、流水の正常な機能が維持され、及び河川環境の整備と保全がされるようにこれを総合的に管理することにより、国土の保全と開発に寄与し、もつて公共の安全を保持し、かつ、公共の福祉を増進することを目的とする。

〔改正・平成九法六九・平成二五法三五〕

（河川管理の原則等）

第二条　河川は、公共用物であつて、その保全、利用その他の管理は、前条の目的が達成されるように適正に行なわれなければならない。

2　河川の流水は、私権の目的となることができない。

参照　【旧法による河川敷地等の帰属―施行法四・一九

（河川及び河川管理施設）

第三条　この法律において「河川」とは、一級河川及び二級河川をいい、これらの河川に係る河川管理施設を含むものとする。

2　この法律において「河川管理施設」とは、ダム、堰、水門、堤防、護岸、床止め、樹林帯（堤防又はダム貯水池に沿つて設置された国土交通省令で定める帯状の樹林で堤防又はダム貯水池の治水上又は利水上の機能を維持し、又は増進する効用を有するものをいう。）その他河川の流水によつて生ずる公利を増進し、又は公害を除却し、若しくは軽減する効用を有する施設をいう。ただし、河川管理者以外の者が設置した施設については、当該施設を河川管理施設とすることについて河川管理者が権原に基づき当該施設を管理する者の同意を得たものに限る。

〔改正・平成九法六九・平成一一法一六〇〕

参照　【一級河川―法四【二級河川―法五【準用河川―法一〇〇【指定の特例―施行法二【河川管理施設の構造基準―法一三【河川管理施設の操作規則―法一四【兼用工作物―法一七・六六【樹林帯―規則一【旧法による河川の附属物の帰属―施行法四【特定施設―独立行政法人水資源機構法一七①

（一級河川）

第四条　この法律において「一級河川」とは、国土保全上又は国民経済上特に重要な水系で政令で指定したものに係る河川（公共の水流及び水面をいう。以下同じ。）で国土交通大臣が指定したものをいう。

2　国土交通大臣は、前項の政令の制定又は改廃の立案をしようとするときは、あらかじめ、社会資本整備審議会及び関係都道府県知事の意見をきかなければならない。

3　国土交通大臣は、第一項の規定により河川を指定しようとするときは、あらかじめ、関係行政機関の長に協議するとともに、社会資本整備審議会及び関係都道府県知事の意見をきかなければならない。

4　前二項の規定により関係都道府県知事が意見を述べようとするときは、当該都道府県の議会の議決を経なければならない。

5　国土交通大臣は、第一項の規定により河川を指定するときは、国土交通省令で定めるところにより、水系ごとに、その名称及び区間を公示しなければならない。

6　一級河川の指定の変更又は廃止の手続は、第一項の規定による河川の指定の手続に準じて行なわれなければならない。

〔改正・昭和四七法四七・平成一一法一六〇〕

参照　【水系を指定する政令―河川法第四条第一項の水系を指定する政令【特に重要な水系を指定する政令の制定又は改廃の立案の基準―規則一の二【社会資本整備審議会―法八〇【管理―法九【指定による二級河川の指定の失効―法五⑦【指定による準用河川の指定の失効―令五五④【一級河川の指定の公示―規則一の三

参考規定―水資源開発促進法三、特定都市河川浸水被害対策法三

（二級河川）

第五条　この法律において「二級河川」とは、前条第一項の政令で指定された水系以外の水系で公共の利害に重要な関係があるものに係る河川で都道府県知事が指定したものをいう。

2　都府県知事は、前項の規定により河川を指定しようとする場合において、当該河川が他の都府県との境界に係るものであるときは、当該他の都府県知事に協議しなければならない。

3 都道府県知事は、第一項の規定により河川を指定するときは、国土交通省令で定めるところにより、水系ごとに、その名称及び区間を公示しなければならない。

4 都道府県知事は、第一項の規定により河川を指定しようとするときは、あらかじめ、関係市町村長の意見をきかなければならない。

5 前項の規定により関係市町村長が意見を述べようとするときは、当該市町村の議会の議決を経なければならない。

6 二級河川の指定の変更又は廃止の手続は、第一項の規定による指定の手続に準じて行なわれなければならない。

7 二級河川について、前条第一項の一級河川の指定があつたときは、当該二級河川についての第一項の指定は、その効力を失う。

〔改正・平成一一法一六〇〕

参照 【二級河川の指定の公示―規則一の四【指定の特例―施行法二【管理―法一〇・一一【指定による準用河川の指定の失効―令五五④【立入り等―法八九【機構の意見の聴取―独立行政法人都市再生機構法一九、独立行政法人水資源機構法一九の三

（河川区域）

第六条 この法律において「河川区域」とは、次の各号に掲げる区域をいう。

一 河川の流水が継続して存する土地及び地形、草木の生茂の状況その他その状況が河川の流水が継続して存する土地に類する状況を呈している土地（河岸の土地を含み、洪水その他異常な天然現象により一時的に当該状況を呈している土地を除く。）の区域

二 河川管理施設の敷地である土地の区域

三 堤外の土地（政令で定めるこれに類する土地及び政令で定める遊水地を含む。第三項において同じ。）の区域のうち、第一号に掲げる区域と一体として管理を行う必要があるものとして河川管理者が指定した区域

2 河川管理者は、その管理する河川管理施設である堤防のうち、その敷地である土地の区域内の大部分の土地が通常の利用に供されても計画高水流量を超える流量の洪水の作用に対して耐えることができる規格構造を有する堤防（以下「高規格堤防」という。）については、その敷地である土地の区域のうち通常の利用に供することができる土地の区域を高規格堤防特別区域として指定するものとする。

3 河川管理者は、第一項第二号の区域のうち、その管理する樹林帯（堤外の土地にあるものを除く。）の敷地である土地の区域（以下単に「樹林帯区域」という。）については、その区域を指定しなければならない。

4 河川管理者は、第一項第三号の区域、高規格堤防特別区域又は樹林帯区域を指定するときは、国土交通省令で定めるところにより、その旨を公示しなければならない。これを変更し、又は廃止するときも、同様とする。

5 河川管理者は、港湾法（昭和二十五年法律第二百十八号）に規定する港湾区域又は漁港及び漁場の整備等に関する法律（昭和二十五年法律第百三十七号）に規定する漁港の区域につき第一項第三号の区域の指定又はその変更をしようとするときは、港湾管理者又は漁港管理者に協議しなければならない。

6 河川管理者は、森林法（昭和二十六年法律第二百四十九号）第二十五条若しくは第二十五条の二の規定に基づき保安林として指定された森林、同法第三十条若しくは第三十条の二の規定に基づき保安林予定森林として告示された森林、同法第四十一条の規定に基づき保安施設地区として指定された土地又は同法第四十四条において準用する同法第三十条の規定に基づき保安施設地区に予定された地区として告示された土地につき樹林帯区域の指定又はその変更をしようとするときは、農林水産大臣（都道府県知事が同法第二十五条の二の規定に基づき指定した保安林又は同法第三十条の二の規定に基づき告示した保安林予定森林については、当該都道府県知事）に協議しなければならない。

〔改正・昭和五三法八七・平成三法六一・平成九法六九・平成一一法八七・法一六〇・平成一二法七八・平成一三法九二・令和五法三四〕

参照 【指定区間外の一級河川における地方整備局長等への非委任―令五三【政令で定める堤外の土地に類する土地―令一①【政令で定める遊水地―令一②【高規格堤防の他人の土地における原状回復措置等―法二二の三【高規格堤防特別区域内の土地における規制の特例―法二六②・③、二七②・⑥【公示方法―規則二【河川区域の経過措置―施行法三・令附則三【旧法による河川敷地等の帰属―施行法四【新たに土地を生じたときの土地の表示の登記―不動産登記法三六【河川区域内の土地又は高規格堤防特別区域内の土地である旨の嘱託登記―不動産登記法四三【滅失した河川区域内の土地の嘱託登記―不動産登記法四三⑤・⑥【河川区域について港湾区域の認可、漁港の指定等をする場合の協議―港湾法四⑤・九②・三三②・五六②、漁港及び漁場の整備等に関する法律六⑨【固定資産税の非課税―地方税法三四八②１【河川区域に対する他の法令の適用除外―港湾法二⑧、海岸法三①、工業用水法二①、建築物用地下水の採取の規制に関する法律二②、水産資源保護法二二①、採石法一〇①１・三五【河川区域に対する他の法令の適用の特則―電気通信事業法一四一①、砂利採取法一六【準用河川における五項の不準用―令五六

（河川管理者）

第七条 この法律において「河川管理者」とは、第九条第一項又は第十条第一項若しくは第二項の規定により河川を管理する者をいう。

〔改正・平成一一法五三〕

参照 【権限の委任―法九②・九八、令二・五三【協議による管理の特例―法一一・一六の三・一七【地方公共団体への委託―法九九、令五四【準用河川の管理者―法一〇〇①

（河川工事）

第八条 この法律において「河川工事」とは、河川の流水によつて生ずる公利を増進し、又は公害を除却し、若しくは軽減するために河川について行なう工事をいう。

参照 【法における河川管理者以外の河川工事施行者―法一六の三・一七・一八・二〇【特定多目的ダムの建設―法九①、特定多目的ダム法二①【独立行政法人水資源機構による特定施設の新築・改築―独立行政法人水資源機構法一七、同施行令一四【特定公共施設の新設等に関する工事の施行―独立行政法人都市再生機構法一八【工事施行に関する協議―法一五・一七、水産資源保護法二三③【附帯工事の施行―法一九【工事施行に伴う損失補償―法二一【河川整備基本方針―法一六【河川整備計画―法一六の二

第二章 河川の管理

第一節 通則

（一級河川の管理）

第九条　一級河川の管理は、国土交通大臣が行なう。

２　国土交通大臣が指定する区間（以下「指定区間」という。）内の一級河川に係る国土交通大臣の権限に属する事務の一部は、政令で定めるところにより、当該一級河川の部分の存する都道府県を統轄する都道府県知事が行うこととすることができる。

３　国土交通大臣は、指定区間を指定しようとするときは、あらかじめ、関係都道府県知事の意見をきかなければならない。これを変更し、又は廃止しようとするときも、同様とする。

４　国土交通大臣は、指定区間を指定するときは、国土交通省令で定めるところにより、その旨を公示しなければならない。これを変更し、又は廃止するときも、同様とする。

５　地方自治法（昭和二十二年法律第六十七号）第二百五十二条の十九第一項の指定都市（以下「指定都市」という。）の区域内に存する指定区間内の一級河川のうち国土交通大臣が指定する区間については、第二項の規定により都道府県知事が行うものとされた管理は、同項の規定にかかわらず、政令で定めるところにより、当該一級河川の部分の存する指定都市の長が行うこととすることができる。

６　第三項及び第四項の規定は、前項の規定による区間の指定について準用する。この場合において、第三項中「関係都道府県知事」とあるのは、「関係都道府県知事及び当該区間の存する指定都市の長」と読み替えるものとする。

７　第五項の場合におけるこの法律の規定の適用についての必要な技術的読替えは、政令で定める。

〔改正・平成一一法八七・法一六〇・平成一二法五三〕

参照【指定区間の指定の基準―規則二の二【指定区間内の一級河川における知事・指定都市の長への委任事項―令二【指定区間の指定等の公示方法―規則三【地方整備局長等への権限の委任―法九八、令五三【地方公共団体等への委託―法九九①、令五四【管理の特例―法一六の三・一七・一八・二〇、施行法九・一〇、令附則六、独立行政法人水資源機構法一七【道の特例―法九六、令四〇【費用の負担―法五九・六〇・六一等【七項の政令・技術的読替え―令二の二【立入り等―法八九【多目的ダム―特定多目的ダム法二

（二級河川の管理）

第一〇条　二級河川の管理は、当該河川の存する都道府県を統轄する都道府県知事が行なう。

２　二級河川のうち指定都市の区域内に存する部分であつて、当該部分の存する都道府県を統括する都道府県知事が当該指定都市の長が管理することが適当であると認めて指定する区間の管理は、前項の規定にかかわらず、当該指定都市の長が行う。

３　前条第三項及び第四項の規定は、前項の規定に基づく都道府県知事による区間の指定について準用する。この場合において、同条第三項中「関係都道府県知事の意見をきかなければ」とあるのは、「当該区間の存する指定都市の長の同意を得なければ」と読み替えるものとする。

４　第二項の場合におけるこの法律の規定の適用についての必要な技術的読替えは、政令で定める。

〔改正・平成一二法五三〕

参照【地方公共団体等への委託―法九九①、令五四【管理の特例―法一一・一六の三・一七・一八・二〇、施行法六・七・一〇・一二七③、令附則四・五、独立行政法人水資源機構法一七【道の特例―法九六、令四一【費用の負担―法五九・六二等【沖縄の特例―沖縄振興特別措置法九九【四項の政令・技術的読替え―令二の三【準用河川における二項～四項の不準用―令五六

（境界に係る二級河川の管理の特例）

第一一条　二級河川の二以上の都府県の境界に係る部分については、関係都府県知事は、協議して別に管理の方法を定めることができる。

２　前項の規定による協議が成立した場合においては、関係都府県知事は、国土交通省令で定めるところにより、その成立した協議の内容を公示しなければならない。

３　第一項の規定による協議に基づき、一の都府県知事が他の都府県の区域内に存する部分について管理を行なう場合においては、その都府県知事は、政令で定めるところにより、当該他の都府県知事に代わつてその権限を行なうものとする。

〔改正・平成一一法一六〇〕

参照【協議内容の公示手続―規則四【他の都府県知事の権限代行事項―令三【管理費用の協議―法六五【流水占用料等の額の協議―令一八②3

（河川の台帳）

第一二条　河川管理者は、その管理する河川の台帳を調製し、これを保管しなければならない。

２　河川の台帳は、河川現況台帳及び水利台帳とする。

３　河川の台帳の記載事項その他その調製及び保管に関し必要な事項は、政令で定める。

４　河川管理者は、河川の台帳の閲覧を求められた場合においては、正当な理由がなければ、これを拒むことができない。

参照【指定区間内の一級河川における知事への非委任―令二①【河川台帳の調製方法―令四・五・六、規則五・六【河川台帳の保管―令七、規則七

類似規定―海岸法二四、地すべり等防止法二六、道路法二八、都市公園法一七

（河川管理施設等の構造の基準）

第一三条　河川管理施設又は第二十六条第一項の許可を受けて設置される工作物（以下「許可工作物」という。）は、水位、流量、地形、地質その他の河川の状況及び自重、水圧その他の予想される荷重を考慮した安全な構造のものでなければならない。

２　河川管理施設又は許可工作物のうち、ダム、堤防その他の主要なものの構造について河川管理上必要とされる技術的基準は、政令で定める。

〔改正・平成三法六一・平成二五法三五〕

参照【構造基準に関する政令―河川管理施設等構造令

類似規定―海岸法一四、道路法三〇

（河川管理施設の操作規則）

第一四条　河川管理者は、その管理する河川管理施設のうち、ダム、堰、水門その他の操作を伴う施設で政令で定めるものについては、政令で定めるところにより、操作規則を定めなければならない。

２　河川管理者は、前項の操作規則を定め、又は変更しようとするときは、あらかじめ、政令で定めるところにより、関係行政機関の長に協議し、又は関係都道府県知事、関係市町村長若しくは当該河川管理施設の管理に要する費用の一部を負担する者

で政令で定めるものの意見をきかなければならない。

〔改正・昭和四七法四七〕

参照 【指定区間外の一級河川における地方整備局長への非委任―令五三【定めるべき河川管理施設―令八【他の河川管理者に対する協議―法一五【定めるべき事項―令九【ダムの操作規程―法四七【多目的ダムの操作規則―特定多目的ダム法三一【水資源開発施設の施設管理規程―独立行政法人水資源機構法一六【独立行政法人水資源機構が行う権限―独立行政法人水資源機構法一七②【特別水利使用者の意見聴取―令九の二①【手続―令九の二②【準用河川における二項の不準用―令五六

（他の河川管理者に対する協議）

第一五条 河川管理者は、前条第一項の河川管理施設の操作規則を定め、若しくは変更しようとする場合又は河川工事を施行し、若しくは第二十三条若しくは第二十四条から第二十九条までの規定による処分（当該処分に係る第七十五条の規定による処分を含む。）をしようとする場合において、当該操作規則に基づく操作又は当該河川工事若しくは当該処分に係る工事その他の行為が他の河川管理者の管理する河川に著しい影響を及ぼすおそれがあると認められるときは、あらかじめ、当該他の河川管理者に協議しなければならない。

〔改正・昭和四七法四七・平成二五法三五〕

（河川管理施設等の維持又は修繕）

第一五条の二 河川管理者又は許可工作物の管理者は、河川管理施設又は許可工作物を良好な状態に保つように維持し、修繕し、もつて公共の安全が保持されるように努めなければならない。

2 河川管理施設又は許可工作物の維持又は修繕に関する技術的基準その他必要な事項は、政令で定める。

3 前項の技術的基準は、河川管理施設又は許可工作物の修繕を効率的に行うための点検に関する基準を含むものでなければならない。

〔追加・平成二五法三五〕

参照 【河川管理施設等―令九の三①3、規則七の二①【技術的基準その他必要な事項―令九の三②、規則七の二②

第二節 河川工事等

（河川整備基本方針）

第一六条 河川管理者は、その管理する河川について、計画高水流量その他当該河川の河川工事及び河川の維持（次条において「河川の整備」という。）についての基本となるべき方針に関する事項（以下「河川整備基本方針」という。）を定めておかなければならない。

2 河川整備基本方針は、水害発生の状況、水資源の利用の現況及び開発並びに河川環境の状況を考慮し、かつ、国土形成計画及び環境基本計画との調整を図つて、政令で定めるところにより、水系ごとに、その水系に係る河川の総合的管理が確保できるように定められなければならない。

3 国土交通大臣は、河川整備基本方針を定めようとするときは、あらかじめ、社会資本整備審議会の意見を聴かなければならない。

4 都道府県知事は、河川整備基本方針を定めようとする場合において、当該都道府県知事が統括する都道府県に都道府県河川審議会が置かれているときは、あらかじめ、当該都道府県河川審議会の意見を聴かなければならない。

5 河川管理者は、河川整備基本方針を定めたときは、遅滞なく、これを公表しなければならない。

6 前三項の規定は、河川整備基本方針の変更について準用する。

〔改正・平成九法六九・平成一一法一六〇・平成一七法八九〕

参照 【一級河川における知事・地方整備局長等への非委任―令二①・五三【作成の準則―令一〇【定めるべき事項―令一〇の二【二級河川における認可―法七九②1【社会資本整備審議会―法八〇【準用河川における不準用―令五六【国土形成計画―国土形成計画法二

（河川整備計画）

第一六条の二 河川管理者は、河川整備基本方針に沿つて計画的に河川の整備を実施すべき区間について、当該河川の整備に関する計画（以下「河川整備計画」という。）を定めておかなければならない。

2 河川整備計画は、河川整備基本方針に即し、かつ、公害防止計画が定められている地域に存する河川にあつては当該公害防止計画との調整を図つて、政令で定めるところにより、当該河川の総合的な管理が確保できるように定められなければならない。この場合において、河川管理者は、降雨量、地形、地質その他の事情によりしばしば洪水による災害が発生している区域につき、災害の発生を防止し、又は災害を軽減するために必要な措置を講ずるように特に配慮しなければならない。

3 河川管理者は、河川整備計画の案を作成しようとする場合において必要があると認めるときは、河川に関し学識経験を有する者の意見を聴かなければならない。

4 河川管理者は、前項に規定する場合において必要があると認めるときは、公聴会の開催等関係住民の意見を反映させるために必要な措置を講じなければならない。

5 河川管理者は、河川整備計画を定めようとするときは、あらかじめ、政令で定めるところにより、関係都道府県知事又は関係市町村長の意見を聴かなければならない。

6 河川管理者は、河川整備計画を定めたときは、遅滞なく、これを公表しなければならない。

7 第三項から前項までの規定は、河川整備計画の変更について準用する。

〔追加・平成九法六九、改正・平成一一法一六〇〕

参照 【一級河川における知事・地方整備局長等への非委任―令二①・五三【作成の準則―令一〇【定めるべき事項―令一〇の三【二級河川における認可―法七九②1【準用河川における不準用―令五六【関係都道府県知事又は関係市町村長の意見の聴取―令一〇の四①②【高規格堤防の設置に係る河川工事の施行の場所を定めたときの関係都道府県知事への通知―令一〇の四③

（市町村長の施行する工事等）

第一六条の三 市町村長は、第九条第五項及び第十条第二項の規定による場合のほか、第九条第一項及び第二項並びに第十条第一項の規定にかかわらず、あらかじめ、河川管理者と協議して、河川工事又は河川の維持を行うことができる。ただし、その実施の目的、河川に及ぼす影響の程度、市町村長の統括する市町村の人口規模その他の事由により河川管理上適切でないものとして政令で定めるものについては、この限りでない。

2 市町村長は、前項の規定による協議に基づき、河川工事又は河川の維持を行おうとするとき、及び当該河川工事又は河川の維持を完了したときは、国土交通省令で定めるところにより、その旨を公示しなければならない。

3　市町村長は、第一項の規定による協議に基づき、河川工事又は河川の維持を行う場合においては、政令で定めるところにより、河川管理者に代わつてその権限を行うものとする。

〔追加・昭和六二法三四、旧一六条の二を繰下・平成九法六九、改正・平成一一法一六〇・平成一二法五三〕

参照【市町村長の施行することができない工事等―令一〇の五、規則七の三・七の四】【公示方法―規則七の五】【市町村長の代行する権限―令一〇の六】【費用の負担―法六五の二】【一級河川における認可―法七九①、令四五】【二級河川における協議―法七九②3、令四六の二】【準用河川における不準用―令五六】

（国土交通大臣の施行する工事等）

第一六条の四　国土交通大臣は、都道府県知事又は指定都市の長（以下「都道府県知事等」という。）から要請があり、かつ、当該都道府県知事等が統括する都道府県又は指定都市（以下「都道府県等」という。）における河川の改良工事若しくは修繕（以下この項において「改良工事等」という。）又は公共土木施設災害復旧事業費国庫負担法（昭和二十六年法律第九十七号）の規定の適用を受ける災害復旧事業（以下この項及び第六十条第一項において単に「災害復旧事業」という。）に関する工事の実施体制その他の地域の実情を勘案して、当該都道府県知事等が管理の一部を行う指定区間内の一級河川若しくは管理する二級河川に係る政令で定める改良工事等又はこれらの河川に係る災害復旧事業に関する工事（いずれも高度の技術を要するもの又は高度の機械力を使用して実施することが適当であると認められるものに限る。次項及び第六十五条の三において「特定河川工事」という。）を当該都道府県知事等に代わつて自ら行うことが適当であると認められる場合においては、第九条第二項及び第五項並びに第十条第一項及び第二項の規定にかかわらず、その事務の遂行に支障のない範囲内で、これを行うことができる。

2　国土交通大臣は、前項の規定により特定河川工事を行う場合においては、政令で定めるところにより、当該都道府県知事等に代わつてその権限を行うものとする。

〔追加・平成二九法三一、改正・令和三法三一〕

参照【一項の政令―令一〇の七】【二項の政令―令一〇の八】

（災害が発生した場合における国土交通大臣の実施する維持）

第一六条の五　国土交通大臣は、災害が発生した場合において、都道府県知事等から要請があり、かつ、当該都道府県知事等が統括する都道府県等における河川の維持の実施体制その他の地域の実情を勘案して、当該都道府県知事等が管理の一部を行う指定区間内の一級河川又は管理する二級河川に係る維持（河川の埋塞に係るものであつて、高度の技術を要するもの又は高度の機械力を使用して実施することが適当であると認められるものに限る。次項及び第六十五条の四において「特定維持」という。）を当該都道府県知事等に代わつて自ら行うことが適当であると認められる場合においては、第九条第二項及び第五項並びに第十条第一項及び第二項の規定にかかわらず、その事務の遂行に支障のない範囲内で、これを行うことができる。

2　国土交通大臣は、前項の規定により特定維持を行う場合においては、政令で定めるところにより、当該都道府県知事等に代わつてその権限を行うものとする。

〔追加・令和三法三一〕

参照【特定維持に係る権限の代行―令一〇の九、規則七の七】

（兼用工作物の工事等の協議）

第一七条　河川管理者及び他の工作物の管理者は、河川管理施設と河川管理施設以外の施設又は工作物（以下「他の工作物」という。）とが相互に効用を兼ねる場合においては、協議して別に管理の方法を定め、当該河川管理施設及び他の工作物の工事、維持又は操作を行なうことができる。

2　河川管理者は、前項の規定による協議に基づき、他の工作物の管理者が河川管理施設の工事、維持又は操作を行なう場合においては、国土交通省令で定めるところにより、その旨を公示しなければならない。

〔改正・平成一一法一六〇〕

参照【兼用工作物であるダムの特例―法五一、令三三】【公示方法―規則八】【費用負担の協議―法六六】【不服申立ての特例―法九七②③】【独立行政法人水資源機構が行う権限―独立行政法人水資源機構法一七②、同法施行令一四①・一七の三】

類似規定―道路法二〇・二一、高速自動車国道法八、海岸法一五、地すべり等防止法一三、港湾法四三の二

（工事原因者の工事の施行等）

第一八条　河川管理者は、河川工事以外の工事（以下「他の工事」という。）又は河川を損傷し、若しくは汚損した行為若しくは河川の現状を変更する必要を生じさせた行為（以下「他の行為」という。）によつて必要を生じた河川工事又は河川の維持を当該他の工事の施行者又は当該他の行為の行為者に行わせることができる。

〔改正・平成九法六九〕

参照【原因者負担金―法六七】【附帯工事の原因者負担金―法六八②】【他の法令の附帯工事の規定に優先する場合―道路法二三②、海岸法一七②、地すべり等防止法一五②、急傾斜地の崩壊による災害の防止に関する法律一六②】

（附帯工事の施行）

第一九条　河川管理者は、河川工事により必要を生じた他の工事又は河川工事を施行するために必要を生じた他の工事を当該河川工事とあわせて施行することができる。

参照【附帯工事の費用負担―法六八①】【附帯工事の原因者負担金―法六八②】【事務取扱省令―河川附帯工事の費用負担に関する事務取扱規則】【他の法令の原因者工事の規定が優先する場合―道路法二二②】【他の法令の原因者工事の規定に優先する場合―海岸法一六②、地すべり等防止法一四②】

（河川管理者以外の者の施行する工事等）

第二〇条　河川管理者以外の者は、第十一条、第十六条の三第一項、第十六条の四第一項、第十六条の五第一項、第十七条第一項及び第十八条の規定による場合のほか、あらかじめ、政令で定めるところにより河川管理者の承認を受けて、河川工事又は河川の維持を行うことができる。ただし、政令で定める軽易なものについては、河川管理者の承認を受けることを要しない。

〔改正・昭和六二法三四・平成九法六九・平成二九法三一・令和三法三一〕

参照【承認申請手続―令一一】【承認を要しない軽易なもの―令一二】【国の特例―法九五】【費用負担―法六九】【監督処分―法七五】【条件―法九〇】【河川監理員―法七七】

（工事の施行に伴う損失の補償）

第二十一条　土地収用法（昭和二十六年法律第二百十九号）第九十三条第一項の規定による場合を除き、河川工事の施行により、当該河川に面する土地について、通路、みぞ、かき、さくその他の施設若しくは工作物を新築し、増築し、修繕し、若しくは移転し、又は盛土若しくは切土をするやむを得ない必要があると認められる場合においては、河川管理者（当該河川工事が河川管理者以外の者が行なうものであるときは、その者。以下この条において同じ。）は、これらの工事をすることを必要とする者（以下この条において、「損失を受けた者」という。）の請求により、これに要する費用の全部又は一部を補償しなければならない。この場合において、河川管理者又は損失を受けた者は、補償金の全部又は一部に代えて河川管理者が当該工事を施行することを要求することができる。

2　前項の規定による損失の補償は、河川工事の完了の日から一年を経過した後においては、請求することができない。

3　第一項の規定による損失の補償については、河川管理者と損失を受けた者とが協議しなければならない。

4　前項の規定による協議が成立しない場合においては、河川管理者又は損失を受けた者は、政令で定めるところにより、収用委員会に土地収用法第九十四条の規定による裁決を申請することができる。

参照【収用委員会への裁決申請手続―令一三、規則九【市町村長による権限の代行―法一六の三③

（洪水時等における緊急措置）

第二十二条　洪水、津波、高潮等による危険が切迫した場合において、水災を防御し、又はこれによる被害を軽減する措置をとるため緊急の必要があるときは、河川管理者は、その現場において、必要な土地を使用し、土石、竹木その他の資材を使用し、若しくは収用し、車両その他の運搬具若しくは器具を使用し、又は工作物その他の障害物を処分することができる。

2　河川管理者は、前項に規定する措置をとるため緊急の必要があるときは、その附近に居住する者又はその現場にある者を当該業務に従事させることができる。

3　河川管理者は、第一項の規定による収用、使用又は処分により損失を受けた者があるときは、その者に対して、通常生ずべき損失を補償しなければならない。

4　前項の規定による損失の補償については、河川管理者と損失を受けた者とが協議しなければならない。

5　前項の規定による協議が成立しない場合においては、河川管理者は、自己の見積つた金額を損失を受けた者に支払わなければならない。この場合において、当該金額について不服がある者は、政令で定めるところにより、補償金の支払を受けた日から三十日以内に、収用委員会に土地収用法第九十四条の規定による裁決を申請することができる。

6　第二項の規定により業務に従事した者が当該業務に従事したことにより死亡し、負傷し、若しくは病気にかかり、又は当該業務に従事したことによる負傷若しくは病気により死亡し、若しくは障害の状態となつたときは、河川管理者は、政令で定めるところにより、その者又はその者の遺族若しくは被扶養者がこれらの原因によつて受ける損害を補償しなければならない。

〔改正・昭和五七法六六・平成二五法三五〕

参照【収用委員会への裁決申請手続等―令一三、規則九【緊急措置に係る損害補償の額・手続等―令一四、規則一〇【旧法による処分に係る損失補償の経過措置―施行法一六【洪水調節のための指示―法五二【不服申立ての制限―法九七①【罰則―刑法一二一、軽犯罪法一8

参考規定―水防法二四・二八・四五

（水防管理団体が行う水防への協力）

第二十二条の二　河川管理者は、水防法（昭和二十四年法律第百九十三号）第七条第三項（同法第三十三条第四項において準用する場合を含む。）に規定する同意をした水防計画（同法第二条第六項に規定する水防計画をいう。以下この条において同じ。）に河川管理者の協力が必要な事項が定められたときは、当該水防計画に基づき水防管理団体（同法第二条第二項に規定する水防管理団体をいう。第三十七条の二において同じ。）が行う水防に協力するものとする。

〔追加・平成二五法三五、改正・平成二七法二二〕

（高規格堤防の他人の土地における原状回復措置等）

第二十二条の三　河川管理者又はその命じた者若しくはその委任を受けた者は、高規格堤防特別区域内における高規格堤防の部分が損傷し、又は損傷するおそれがあり、河川管理上著しい支障が生ずると認められる場合においては、他人の土地において、その支障を除去するために必要な限度において、その高規格堤防の部分を原状に回復する措置又はその原状回復若しくは保全のために必要な地盤の修補、物件の除却その他の措置（以下「原状回復措置等」という。）をとることができる。

2　前項の規定により他人の土地において原状回復措置等をとろうとする場合においては、あらかじめ、当該土地の所有者及び占有者に通知して、その意見を聴かなければならない。

3　第一項の場合において、他人の占有する土地に立ち入るときは、前項の規定によるほか、第八十九条第二項から第五項までの規定によらなければならない。

4　土地の所有者又は占有者は、正当な理由がない限り、第一項の規定による原状回復措置等を拒み、又は妨げてはならない。

5　河川管理者は、第一項の規定による原状回復措置等により損失を受けた者があるときは、その者に対して、通常生ずべき損失を補償しなければならない。

6　第二十二条第四項及び第五項の規定は、前項の規定による損失の補償について準用する。

〔追加・平成三法六一、旧二二条の二を改正し繰下・平成二五法三五〕

参照【罰則―法一〇三1・一〇七

第三節　河川の使用及び河川に関する規制

第一款　通則

（流水の占用の許可）

第二十三条　河川の流水を占用しようとする者は、国土交通省令で定めるところにより、河川管理者の許可を受けなければならない。ただし、次条に規定する発電のために河川の流水を占用しようとする場合は、この限りでない。

〔改正・平成一一法一六〇・平成二五法三五〕

参照【一級河川における特定水利使用に関するものの知事・地方整備局長等への非委任―令二①・五三【許可等申請の手続等―規則一一・三九～四一【一級河川における中規模水利使用に関するものの認可―法七九①、令四五4【二級河川における特定水利使用に関するものの協議―法七九②4、令四七【処分権者の特例―施行法六

①・二七③、【処分の際の協議等―法一五・三五①・三六①・②、施行法二七④、水産資源保護法二二③、電気事業法一〇三【水利調整―法三八～四三【渇水時の水利使用の調整―法五三【知事への通知―法三三④【条件―法九〇【監督処分―法七五【国の特例―法九五【流水占用料―法三二【みなし許可等―法八七、施行法二〇①【慣行水利権の届出―法八八、施行法二〇②、令四八、令附則八【許可等に基づく地位の承継―法三三【権利の譲渡―法三四【罰則―法一〇二1・一〇五4・一〇七

（流水の占用の登録）

第二十三条の二　前条の許可を受けた水利使用（流水の占用又は第二十六条第一項に規定する工作物で流水の占用のためのものの新築若しくは改築をいう。以下同じ。）のために取水した流水その他これに類する流水として政令で定めるもののみを利用する発電のために河川の流水を占用しようとする者は、国土交通省令で定めるところにより、河川管理者の登録を受けなければならない。

〔追加・平成二五法三五〕

参照【一級河川における特定水利使用に関するものの知事・地方整備局長等への非委任―令二①【許可等申請の手続等―規則一一・一一の二・三九～四一【政令で定める流水―令一四の二【罰則―法一〇二1・一〇五4・一〇七

（登録の実施）

第二十三条の三　河川管理者は、前条の登録の申請があつたときは、次条の規定により登録を拒否する場合を除き、政令で定める事項を第十二条第二項の水利台帳に登録しなければならない。

〔追加・平成二五法三五〕

参照【一級河川における特定水利使用に関するものの知事・地方整備局長等への非委任―令二①【許可等申請の手続等―規則一一・一一の五・三九～四一【政令で定める事項―令一四の三

（登録の拒否）

第二十三条の四　河川管理者は、第二十三条の二の登録の申請が次の各号のいずれかに該当する場合には、その登録を拒否しなければならない。

一　申請者がこの法律の規定に違反して罰金以上の刑に処せられ、その執行を終わり、又はその執行を受けることがなくなつた日から二年を経過しない者であるとき。

二　申請者が第七十五条第一項の規定により許可、登録又は承認の取消しを受け、その取消しの日から二年を経過しない者であるとき。

三　申請者が法人又は団体であつて、その役員が前二号のいずれかに該当する者であるとき。

四　第二十三条の許可を受けた水利使用のために取水した流水を利用する発電のために河川の流水を占用しようとする場合において、申請者と当該許可を受けた者とが異なるときは、当該申請者が当該申請に係る流水の占用について当該許可を受けた者の同意を得ていないとき。

五　前各号に掲げるもののほか、国土交通省令で定める場合に該当するとき。

〔追加・平成二五法三五〕

参照【五号の国土交通省令で定める場合―規則一一の四

（土地の占用の許可）

第二十四条　河川区域内の土地（河川管理者以外の者がその権原に基づき管理する土地を除く。以下次条において同じ。）を占用しようとする者は、国土交通省令で定めるところにより、河川管理者の許可を受けなければならない。

〔改正・平成一一法一六〇〕

参照【一級河川における特定水利使用に関するものの知事・地方整備局長等への非委任―令二①・五三【許可等申請の手続等―規則一一・一一の二・一二・一五・三九～四一【占用の特則―施行法一九【二級河川における特定水利使用に関するものの協議―法七九②4、令四七【処分の際の協議等―法一五・三五①・三六①、水産資源保護法二二③【知事への通知―法三三④【条件―法九〇【監督処分―法七五【国の特例―法九五【土地占用料―法三二【みなし許可等―法八七、施行法二〇①【許可等に基づく地位の承継―法三三【権利の譲渡―法三四【罰則―刑法二三五の二

（土石等の採取の許可）

第二十五条　河川区域内の土地において土石（砂を含む。以下同じ。）を採取しようとする者は、国土交通省令で定めるところにより、河川管理者の許可を受けなければならない。河川区域内の土地において土石以外の河川の産出物で政令で指定したものを採取しようとする者も、同様とする。

〔改正・平成一一法一六〇〕

参照【許可等申請の手続等―規則一三・三九～四一【政令で指定する河川産出物―令一五、規則一四【処分の際の協議―法一五、水産資源保護法二二③【知事への通知―法三三④【条件―法九〇【監督処分―法七五【国の特例―法九五【採取料―法三二【みなし許可等―法八七、施行法二〇①【許可等に基づく地位の承継―法三三【権利の譲渡―法三四

（工作物の新築等の許可）

第二十六条　河川区域内の土地において工作物を新築し、改築し、又は除却しようとする者は、国土交通省令で定めるところにより、河川管理者の許可を受けなければならない。河川の河口附近の海面において河川の流水を貯留し、又は停滞させるための工作物を新築し、改築し、又は除却しようとする者も、同様とする。

2　高規格堤防特別区域内の土地においては、前項の規定にかかわらず、次に掲げる行為については、同項の許可を受けることを要しない。

一　基礎ぐいその他の高規格堤防の水の浸透に対する機能を減殺するおそれのないものとして政令で定める工作物の新築又は改築

二　前号の工作物並びに用排水路その他の通水施設及び池その他の貯水施設で漏水のおそれのあるもの以外の工作物の地上又は地表から政令で定める深さ以内の地下における新築又は改築

三　工作物の地上における除却又は工作物の地表から前号の政令で定める深さ以内の地下における除却で当該工作物が設けられていた土地を直ちに埋め戻すもの

3　河川管理者は、高規格堤防特別区域内の土地における工作物の新築、改築又は除却について第一項の許可の申請又は第三十七条の二、第五十八条の十三、第九十五条若しくは第九十九条第二項の規定による協議があつた場合において、その申請又は協議に係る工作物の新築、改築又は除却が高規格堤防としての効用を確保する上で支障を及ぼすおそれのあるものでない限り、これを許可し、又はその協議を成立させなければならない。

4　第一項前段の規定は、樹林帯区域内の土地における工作物の新築、改築及び除却については、適用しない。ただし、当該工作物の新築又は改築が、隣接する河川管理施設（樹林帯を除く。）を保全するため特に必要であるとして河川管理者が指定した樹林帯区域（次項及び次条第三項において「特定樹林帯区域」という。）内の土地においてされるものであるときは、この限りでない。

5　河川管理者は、特定樹林帯区域を指定するときは、国土交通省令で定めるところにより、その旨を公示しなければならない。これを変更し、又は廃止するときも、同様とする。

〔改正・平成三法六一・平成九法六九・平成一一法一六〇・平成二五法三五・平成二九法三二〕

参照【一級河川における特定水利使用に関するものの知事・地方整備局長等への非委任―令二①・五三【許可等申請の手続等―規則一一・一一の二・一五・三九～四一【一級河川における認可―法七九①、令四五4【二級河川における特定水利使用に関するものの協議―法七九②4、令四七【ダムに関する特則―法四四～五一【第二項第一号の政令で定める工作物―令一五の二【第二項第二号の政令で定める深さ―令一五の三【処分の際の協議等―法一五・三五①・三六①②、水産資源保護法二二③【構造基準―法一三【使用制限―法三〇【用途廃止の届出・原状回復命令―法三一【工事の受託―法三七【条件―法九〇【監督処分―法七五【国の特例―法九五【みなし許可等―法八七、施行法二〇①、軌道法六、砂利採取法二七【許可等に基づく地位の承継―法三三【罰則―法一〇二2・一〇五4・一〇六3・一〇七【公示方法―規則一五の二

（**土地の掘削等の許可**）

第二七条　河川区域内の土地において土地の掘削、盛土若しくは切土その他土地の形状を変更する行為（前条第一項の許可に係る行為のためにするものを除く。）又は竹木の栽植若しくは伐採をしようとする者は、国土交通省令で定めるところにより、河川管理者の許可を受けなければならない。ただし、政令で定める軽易な行為については、この限りでない。

2　高規格堤防特別区域内の土地においては、前項の規定にかかわらず、次に掲げる行為については、同項の許可を受けることを要しない。

一　前条第二項第一号の行為のためにする土地の掘削又は地表から政令で定める深さ以内の土地の掘削で当該掘削した土地を直ちに埋め戻すもの

二　盛土

三　土地の掘削、盛土及び切土以外の土地の形状を変更する行為

四　竹木の栽植又は伐採

3　樹林帯区域内の土地においては、第一項の規定にかかわらず、次の各号（特定樹林帯区域内の土地にあつては、第二号及び第三号）に掲げる行為については、同項の許可を要しない。

一　工作物の新築若しくは改築のためにする土地の掘削又は工作物の除却のためにする土地の掘削で当該掘削した土地を直ちに埋め戻すもの

二　竹木の栽植

三　通常の管理行為で政令で定めるもの

4　河川管理者は、河川区域内の土地における土地の掘削、盛土又は切土により河川管理施設又は許可工作物が損傷し、河川管理上著しい支障が生ずると認められる場合においては、当該河川管理施設又は許可工作物の存する敷地を含む一定の河川区域内の土地については、第一項の許可をし、又は第五十八条の十三、第九十五条若しくは第九十九条第二項の規定による協議に応じてはならない。

5　河川管理者は、前項の区域については、国土交通省令で定めるところにより、これを公示しなければならない。

6　前条第三項の規定は、高規格堤防特別区域内の土地における土地の掘削又は切土について第一項の許可の申請又は第五十八条の十三、第九十五条若しくは第九十九条第二項の規定による協議があつた場合に準用する。

〔改正・平成三法六一・平成九法六九・平成一一法一六〇・平成二五法三五・平成二九法三二〕

参照【一級河川における特定水利使用に関するものの知事・地方整備局長等への非委任―令二①・五三【許可等申請の手続等―規則一一・一一の二・一三・一六・三九～四一【許可等を要しない軽易な行為―令一五の四、規則一七【第二項第一号の政令で定める深さ―令一五の五【通常の管理行為―令一六【区域の公示方法―規則一八【一級河川における認可―法七九①、令四五6【処分の際の協議等―法一五・三五②・三六⑤、水産資源保護法二二③【条件―法九〇【監督処分―法七五【国の特例―法九五【みなし許可等―法八七、施行法二〇①、砂利採取法二七【許可等に基づく地位の承継―法三三【罰則―法一〇二3・一〇五4・一〇六4・一〇七

（**竹木の流送等の禁止、制限又は許可**）

第二八条　河川における竹木の流送又は舟若しくはいかだの通航については、一級河川にあつては政令で、二級河川にあつては都道府県の条例で、河川管理上必要な範囲内において、これを禁止し、若しくは制限し、又は河川管理者の許可を受けさせることができる。

〔改正・平成一四法四〕

参照【処分の際の協議―法一五【政令―令一六の二・一六の三【政令又は都道府県の条例の罰則―法一〇九、令五九1・六〇1・六一2・六三

（**河川の流水等について河川管理上支障を及ぼすおそれのある行為の禁止、制限又は許可**）

第二九条　第二十三条から前条までに規定するものを除くほか、河川の流水の方向、清潔、流量、幅員又は深浅等について、河川管理上支障を及ぼすおそれのある行為については、政令で、これを禁止し、若しくは制限し、又は河川管理者の許可を受けさせることができる。

2　二級河川については、前項に規定する行為で政令で定めるものについて、都道府県の条例で、これを禁止し、若しくは制限し、又は河川管理者の許可を受けさせることができる。

〔改正・平成一四法四〕

参照　処分の際の協議―法一五【一項の政令―令一六の四～一六の一一【二項の政令―未制定【政令又は都道府県の条例の罰則―法一〇九、令五八・五九2・3・六〇2・六一～六三

（**許可工作物の使用制限**）

第三〇条　第二十六条第一項の許可を受けてダムその他の政令で定める工作物を新築し、又は改築する者は、当該工事について河川管理者の完成検査を受け、これに合格した後でなければ、当該工作物を使用してはならない。

2　前項の規定にかかわらず、特別の事情があるときは、同項に規定する者は、当該工作物の工事の完成前においても、河川管理者の承認を受けて、当該工作物の一部を使用することができ

る。

〔改正・平成三法六一〕

参照【一級河川における特定水利使用に関するものの知事への非委任―令二①】【完成検査を受けるべき工作物―令一七】【完成検査の申請―規則一九・四一】【一部使用の承認申請―規則二〇・四一】【条件―法九〇】【監督処分―法七五】【国の特例―法九五】【二級河川における多目的ダムの特例―施行法二七⑤】【罰則―法一〇三2・一〇五5・一〇六5・一〇七

（原状回復命令等）

第三一条　第二十六条第一項の許可を受けて工作物を設置している者は、当該工作物の用途を廃止したときは、速やかに、その旨を河川管理者に届け出なければならない。

2　河川管理者は、前項の届出があつた場合において、河川管理上必要があると認めるときは、当該許可に係る工作物を除却し、河川を原状に回復し、その他河川管理上必要な措置をとることを命ずることができる。

〔改正・平成三法六一〕

参照【一級河川における特定水利使用に関するものの知事への非委任―令二①】【義務履行に要する費用の負担者―法七三

（流水占用料等の徴収等）

第三二条　都道府県知事は、当該都道府県の区域内に存する河川について第二十三条、第二十四条若しくは第二十五条の許可又は第二十三条の二の登録を受けた者から、流水占用料、土地占用料又は土石採取料その他の河川産出物採取料（以下「流水占用料等」という。）を徴収することができる。

2　流水占用料等の額の基準及びその徴収に関して必要な事項は、政令で定める。

3　流水占用料等は、当該都道府県の収入とする。

4　国土交通大臣又は指定都市の長は、第二十三条、第二十四条若しくは第二十五条の許可又は第二十三条の二の登録をしたときは、速やかに、当該許可又は登録に係る事項を当該許可又は登録に係る河川の存する都道府県を統括する都道府県知事に通知しなければならない。当該許可又は登録について第七十五条の規定による処分をしたときも、同様とする。

〔改正・平成一一法一六〇・平成一二法五三・平成二五法三五〕

参照【額の基準等―令一八】【道の特例―法九六、令四三、道の区域内の国土交通大臣が管理する河川に係る流水占用料等に関する省令、施行法八】【額の決定の特例―電気事業法六五】【強制徴収―法七四】【準用河川における四項の不準用―令五六

（許可等に基づく地位の承継）

第三三条　相続人、合併又は分割により設立される法人その他の第二十三条若しくは第二十四条から第二十七条までの許可又は第二十三条の二の登録を受けた者の一般承継人（分割による承継の場合にあつては、第二十三条、第二十四条若しくは第二十五条の許可若しくは第二十三条の二の登録に基づく権利を承継し、又は第二十六条第一項若しくは第二十七条第一項の許可に係る工作物、土地若しくは竹木若しくは当該許可に係る工作物の新築等若しくは竹木の栽植等をすべき土地（以下この条において「許可に係る工作物等」という。）を承継する法人に限る。）は、被承継人が有していたこれらの規定による許可又は登録に基づく地位を承継する。

2　第二十六条第一項又は第二十七条第一項の許可を受けた者からその許可に係る工作物等を譲り受けた者は、当該許可を受けた者が有していた当該許可に基づく地位を承継する。当該許可を受けた者から賃貸借その他により当該許可に係る工作物等を使用する権利を取得した者についても、当該工作物等の使用に関しては、同様とする。

3　前二項の規定により地位を承継した者は、その承継の日から三十日以内に、河川管理者にその旨を届け出なければならない。

〔改正・平成三法六一・平成一二法九一・平成二五法三五〕

参照【一級河川における特定水利使用に関する三項の権限の知事への非委任―令二①】【承継の届出―規則二一・四一】【他の法令による特則―砂利採取法二七②】【罰則―法一〇八

（権利の譲渡）

第三四条　第二十三条、第二十四条若しくは第二十五条の許可又は第二十三条の二の登録に基づく権利は、河川管理者の承認を受けなければ、譲渡することができない。

2　前項に規定する許可又は登録に基づく権利を譲り受けた者は、譲渡人が有していたその許可又は登録に基づく地位を承継する。

3　第二十三条の三及び第二十三条の四の規定は、第一項に規定する登録に係る同項の承認について準用する。

〔改正・平成二五法三五〕

参照【一級河川における特定水利使用に関するものの知事・地方整備局長等への非委任―令二①・五三】【承認の申請―規則二二・四一】【二級河川における特定水利使用に関するものの協議―法七九②4、令四七】【処分の際の協議等―法三五①・三六①】【条件―法九〇】【監督処分―法七五】【国の特例―法九五】【特例―漁業法八一

（関係行政機関の長との協議）

第三五条　国土交通大臣は、水利使用に関し、第二十三条の許可、第二十四条若しくは第二十六条第一項の許可（第二十三条の二の登録の対象となる流水の占用に係る水利使用に関する許可を除く。）又は前条第一項に規定する許可（第二十三条の二の登録の対象となる流水の占用に係る水利使用に関する第二十四条の許可を除く。）に係る同項の承認の申請があつた場合において、その申請に対する処分をしようとするときは、その処分が政令で定める流水の占用に係るものである場合を除き、関係行政機関の長に協議しなければならない。これらの規定による許可に関し第七十五条の規定による処分をしようとするとき、又は都道府県知事が第七十九条第二項第四号の同意の申請をした場合においてその申請に対する処分をしようとするときも、同様とする。

2　国土交通大臣は、第二十七条第一項の許可をしようとする場合において、当該許可に係る行為により著しい影響を受ける事業があるときは、当該事業を主管する行政機関の長に協議しなければならない。

〔改正・昭和六二法三四・平成三法六一・平成一一法八七・法一六〇・平成二五法三五〕

参照【協議を要しない水利使用―令一九】【特例―施行法二七④】【準用河川における不準用―令五六

（関係地方公共団体の長の意見の聴取）

第三六条　国土交通大臣は、水利使用に関し、第二十三条の許可、

第二十四条若しくは第二十六条第一項の許可（第二十三条の二の登録の対象となる流水の占用に係る水利使用に関する許可を除く。）又は第三十四条第一項に規定する許可（第二十三条の二の登録の対象となる流水の占用に係る水利使用に関する第二十四条の許可を除く。）に係る同項の承認の申請があつた場合において、その申請に対する処分をしようとするときは、その処分が前条第一項の政令で定める流水の占用に係るものである場合を除き、あらかじめ、関係都道府県知事の意見を聴かなければならない。これらの規定による許可に関し第七十五条の規定による処分をしようとするときも、同様とする。

2　都道府県知事は、二級河川について、水利使用で政令で定めるものに関し、第二十三条の許可又は第二十六条第一項の許可（第二十三条の二の登録の対象となる流水の占用に係る水利使用に関する許可を除く。）をしようとするときは、あらかじめ、関係市町村長の意見を聴かなければならない。

3　指定都市の長は、水利使用に関し、第九条第五項の規定により行うものとされた一級河川の管理で政令で定めるものを行おうとするときは、あらかじめ、関係都道府県知事の意見を聴かなければならない。

4　指定都市の長は、二級河川について、水利使用で政令で定めるものに関し、第二十三条の許可又は第二十六条第一項の許可（第二十三条の二の登録の対象となる流水の占用に係る水利使用に関する許可を除く。）をしようとするときは、あらかじめ、関係都道府県知事及び関係市町村長の意見を聴かなければならない。

5　国土交通大臣は、第二十七条第一項の許可をしようとする場合において、当該許可が政令で定める行為に係るものであるときは、あらかじめ、関係都道府県知事の意見をきかなければならない。

〔改正・平成三法六一・平成一一法一六〇・平成一二法五三・平成二五法三五〕

参照　【市町村長の意見を聴くべき水利使用―令二〇】【特例―施行法二七④】【準用河川における二項及び四項の不準用―令五六】【三項の政令―令二〇の二】【四項の政令―令二〇の三】【五項の政令―未制定】

（河川管理者の工作物に関する工事の施行）

第三七条　河川管理者は、第二十六条第一項の許可を受けた者の委託があつた場合においては、同項の許可に係る工作物に関する工事を自ら行うことができる。

〔改正・平成三法六一〕

（土地の占用等に関する水防管理団体等の特例）

第三七条の二　水防管理団体又は水防協力団体（水防法第三十六条第一項の規定により指定された水防協力団体をいう。以下この条において同じ。）が行う水防に必要な器具、資材又は設備を保管するための倉庫その他これに類する施設として国土交通省令で定めるものの設置についての第二十四条、第二十六条第一項及び第三十四条第一項（第二十四条の許可に係る部分に限る。）の規定の適用については、水防管理団体又は水防協力団体と河川管理者との協議が成立することをもつて、これらの規定による許可又は承認があつたものとみなす。

〔追加・平成二五法三五〕

参照　【施設―規則一二の二】

第二款　水利調整

（水利使用の申請があつた場合の通知）

第三八条　河川管理者は、水利使用に関し第二十三条の許可又は第二十六条第一項の許可（第二十三条の二の登録の対象となる流水の占用に係る水利使用に関する許可を除く。）の申請があつた場合においては、当該申請が却下すべきものである場合を除き、国土交通省令で定めるところにより、申請者の氏名、水利使用の目的その他国土交通省令で定める事項を第二十三条及び第二十四条から第二十九条までの規定による許可を受けた者並びに政令で定める河川に関し権利を有する者（以下「関係河川使用者」と総称する。）に通知しなければならない。ただし、当該水利使用により損失を受けないことが明らかである者及び当該水利使用を行うことについて同意をした者については、この限りでない。

〔改正・平成三法六一・平成一一法一六〇・平成二五法三五〕

参照　【一級河川における特定水利使用に関するものの知事・地方整備局長等への非委任―令二①・五三】【通知手続等―規則一三】【河川に関し権利を有する者―令二一】

（関係河川使用者の意見の申出）

第三九条　前条の通知があつたときは、関係河川使用者は、国土交通省令で定めるところにより、河川管理者に対し、当該水利使用によりその者が受ける損失を明らかにして、当該水利使用について意見を申し出ることができる。

〔改正・平成一一法一六〇〕

参照　【一級河川における特定水利使用に関するものの知事・地方整備局長等への非委任―令二①・五三】【意見申出の手続―規則一四・四一】【効果―法四〇・四三】

（申出をした関係河川使用者がある場合の水利使用の許可の要件）

第四〇条　河川管理者は、水利使用に関し第二十三条又は第二十六条第一項の許可をしようとする場合において、前条の申出をした関係河川使用者で当該申請に係る水利使用により損失を受けるものがあるときは、当該水利使用を行うことについて当該関係河川使用者のすべての同意がある場合を除き、次の各号の一に該当する場合でなければ、その許可をしてはならない。

一　当該水利使用に係る事業が関係河川使用者の当該河川の使用に係る事業に比し公益性が著しく大きい場合

二　損失を防止するために必要な施設（以下「損失防止施設」という。）を設置すれば関係河川使用者の当該河川の使用に係る事業の実施に支障がないと認められる場合

2　国土交通大臣は、前項第一号に該当するものとして水利使用に関し第二十三条又は第二十六条第一項の許可をしようとする場合においては、あらかじめ、社会資本整備審議会の意見を聴かなければならない。

〔改正・平成三法六一・平成一一法一六〇〕

参照　【二項の権限の地方整備局長等への非委任―令五三】【許可等に係る損失の補償―法四一】【損失防止施設の裁定・担保―法四二③・四三】【社会資本整備審議会―法八〇】

参考規定―【監督処分―法七五②5】

（水利使用の許可等に係る損失の補償）

第四一条　水利使用に関する第二十三条若しくは第二十六条第一項の許可又は第二十三条の二の登録により損失を受ける者があるときは、当該水利使用に関する許可又は登録を受けた者がその損失を補償しなければならない。

〔改正・平成三法六一・平成二五法三五〕

参照　【補償の手続等―法四二】

（**損失の補償の協議等**）

第四二条　前条の規定による損失の補償で関係河川使用者に係るものについては、水利使用の許可を受けた者と関係河川使用者とが協議しなければならない。

2　前項の規定による協議が成立しない場合においては、当事者は、政令で定めるところにより、河川管理者の裁定を求めることができる。

3　河川管理者は、前項の裁定をする場合において、損失の補償として、損失防止施設を設置すべき旨の関係河川使用者の要求があり、かつ、水利使用の許可を受けた者の意見をきいてその要求を相当と認めるときは、損失防止施設の機能、規模、構造、設置場所等を定めて、当該水利使用の許可を受けた者が損失防止施設を設置すべき旨の裁定をすることができる。

4　河川管理者は、第二項の裁定をしようとする場合においては、あらかじめ、関係河川使用者が当該河川の使用を行なう土地の所在する都道府県の収用委員会の意見をきかなければならない。

5　第二項の裁定に不服がある者は、その裁定があつた日から六十日以内に、訴えをもつてその変更を請求することができる。

6　前項の訴えにおいては、当事者の他の一方を被告としなければならない。

7　第五項の規定による訴えの提起は、水利使用及び当該水利使用に係る事業の実施を妨げない。

〔改正・平成一六法八四〕

参照　【一級河川における特定水利使用に関する二項の権限の知事・地方整備局長等への非委任―令二①・五三】【裁定の手続等―令二二、規則二五・四一】【収用委員会―土地収用法第五章】【当事者訴訟―行政事件訴訟法四・三九～四一】【損失補償の担保―法四三】

（**流水の貯留又は取水の制限**）

第四三条　水利使用の許可を受けた者は、第三十九条の申出をした関係河川使用者に係る前条第一項の協議又は同条第二項の裁定に係る損失を補償した後（損失の補償が損失防止施設の設置に係るものであるときは、当該施設を設置し、かつ、河川管理者の確認を得た後）でなければ、流水を貯留し、又は取水してはならない。ただし、第三十九条の申出をした関係河川使用者の受ける損失であつて河川管理者が当該水利使用の許可に係る流水の貯留若しくは取水の後でなければその程度を確定することができない旨の決定をし、若しくは当該水利使用の許可に係る工作物が完成しなければ当該損失防止施設を設置することができないことその他当該損失防止施設の種類、構造等について特別の事情があることにより、損失防止施設の設置の時期について当該水利使用の許可に係る流水の貯留若しくは取水の後でよい旨の決定をしたもの又は当該水利使用の許可に係る流水の貯留若しくは取水につき同意をした関係河川使用者の受ける損失については、この限りでない。

2　前項の場合において、次の各号のいずれかに該当するときは、水利使用の許可を受けた者は、補償金を供託することができる。

一　補償金の提供をした場合において、補償金を受けるべき者がその受領を拒んだとき。

二　補償金を受けるべき者が補償金を受領することができないとき。

三　水利使用の許可を受けた者が補償金を受けるべき者を確知することができないとき。ただし、水利使用の許可を受けた者に過失があるときは、この限りでない。

四　水利使用の許可を受けた者が河川管理者の裁定した補償金額に対して不服があるとき。

五　水利使用の許可を受けた者が差押え又は仮差押えにより補償金の払渡しを禁じられたとき。

3　前項第四号の場合において補償金を受けるべき者の請求があるときは、水利使用の許可を受けた者は、自己の見積金額を払い渡し、裁定による補償金額との差額を供託しなければならない。

4　第二項の規定による供託は、水利使用を行なう土地のもよりの供託所にしなければならない。

5　水利使用の許可を受けた者は、第二項に規定する供託をしたときは、遅滞なく、その旨を補償金を取得すべき者に通知しなければならない。

6　水利使用の許可を受けた者は、第二項に規定する供託をしたときは、遅滞なく、供託物受入の記載ある供託書の写しを添付して、その旨を河川管理者に届け出なければならない。

〔改正・平成一九法四五〕

参照　【一級河川における特定水利使用に関する一項・六項の権限の知事・地方整備局長等への非委任―令二①・五三】【供託―供託法】

第三款　ダムに関する特則

（**河川の従前の機能の維持**）

第四四条　ダム（河川の流水を貯留し、又は取水するため第二十六条第一項の許可を受けて設置するダムで、基礎地盤から堤頂までの高さが十五メートル以上のもの（第五十一条の二及び第五十一条の三を除き、以下同じ。）で政令で定めるものを設置する者は、当該ダムの設置により河川の状態が変化し、洪水時における従前の当該河川の機能が減殺されることとなる場合においては、河川管理者の指示に従い、当該機能を維持するために必要な施設を設け、又はこれに代わるべき措置をとらなければならない。

2　前項の河川管理者の指示の基準は、政令で定める。

〔改正・平成三法六一・令和三法三一〕

参照　【一級河川における特定水利使用に関する一項の権限の知事・地方整備局長等への非委任―令二①・五三】【洪水調節のための指示―法五二】【措置をとるべきダム―令二三】【指示基準―令二四】【罰則―法一〇五1・一〇七】

（**水位、流量等の観測**）

第四五条　ダムで政令で定めるものを設置する者は、当該ダムの操作が当該河川の管理上適正に行なわれることを確保するため、政令で定める基準に従い、観測施設を設け、水位、流量及び雨雪量を観測しなければならない。

参照　【観測すべきダム―令二五】【施設設置基準―令二六・附則九

【特例―法五一、令三三

（ダムの操作状況の通報等）

第四六条 前条のダムの設置者は、洪水が発生し、又は発生するおそれがある場合においては、政令で定めるところにより、同条の規定による観測の結果及び当該ダムの操作の状況を河川管理者及び関係都道府県知事に通報しなければならない。

2 前条のダムの設置者は、政令で定める基準に従い、前項の通報がすみやかに、かつ、的確に行なわれるために必要な通報施設を設けておかなければならない。

参照【一級河川における特定水利使用に関する一項の権限の知事への非委任―令二①【通報の内容―令二七【施設設置基準―令二八・附則九【特例―法五一、令三三

（ダムの操作規程）

第四七条 ダムを設置する者は、当該ダムを流水の貯留又は取水の用に供しようとするときは、あらかじめ、政令で定めるところにより、当該ダムの操作の方法について操作規程を定め、河川管理者の承認を受けなければならない。これを変更しようとするときも、同様とする。

2 河川管理者は、ダムで政令で定めるものについて前項の承認をしようとするときは、あらかじめ、関係都道府県知事の意見をきかなければならない。

3 ダムの操作は、第一項の承認を受けた操作規程に従つて行なわなければならない。

4 河川管理者は、当該ダムに関する工事又は河川の状況の変化その他当該河川に関する特別の事情により、当該操作規程によつては河川管理上支障を生ずると認める場合においては、当該操作規程の変更を命ずることができる。

参照【一級河川における特定水利使用に関する一項・四項の権限の知事・地方整備局長等への非委任―令二①・五三【定めるべき事項―令二九【知事の意見をきくべきダム―令三〇【特例―法五一、令三三、施行法一二、独立行政法人水資源機構法一七④【国の特例―法九五【河川管理施設の操作規則―法一四【多目的ダムの操作規則―特定多目的ダム法三一【水資源開発施設の施設管理規程―独立行政法人水資源機構法一六【罰則―法一〇五2・3・一〇七

（危害防止のための措置）

第四八条 ダムを設置する者は、ダムを操作することによつて流水の状況に著しい変化を生ずると認められる場合において、これによつて生ずる危害を防止するため必要があると認められるときは、政令で定めるところにより、あらかじめ、関係都道府県知事、関係市町村長及び関係警察署長に通知するとともに、一般に周知させるため必要な措置をとらなければならない。

参照【通知・周知の方法―令三一、規則二六【特例―法五一、令三三

参考規定―特定多目的ダム法三二、独立行政法人水資源機構法一九

（記録の作成等）

第四九条 ダムを設置する者は、国土交通省令で定めるところにより、洪水時におけるダムの操作に関する記録を作成し、これを保管するとともに、河川管理者からその提出を求められたときは、遅滞なく、これを河川管理者に提出しなければならない。

〔改正・平成一一法一六〇〕

参照【一級河川における特定水利使用に関するものの知事への非委任―令二①【作成方法等―規則二七【特例―法五一、令三三【罰則―法一〇六1・一〇七

（管理主任技術者の設置）

第五〇条 ダムを設置する者は、当該ダムを流水の貯留又は取水の用に供する場合においては、当該ダムの維持、操作その他の管理を適正に行なうため、政令で定める資格を有する管理主任技術者を置かなければならない。

2 ダムを設置する者は、前項の規定により管理主任技術者を選任したときは、当該管理主任技術者につき、国土交通省令で定める事項を河川管理者に届け出なければならない。

〔改正・平成一一法一六〇〕

参照【一級河川における特定水利使用に関する二項の権限の知事への非委任―令二①【地方整備局長等への権限委任―令五三②1【資格―令三二【管理主任技術者の資格を有する者と同等以上の知識及び経験を有すると認められる者等―規二七の二～二七の二の二【届出事項等―規則二八・四一【特例―法五一、令三三【罰則―法一〇六

（兼用工作物であるダムについての特例）

第五一条 ダムと河川管理施設とが相互に効用を兼ねる場合における当該施設について、第十七条第一項の協議に基づき、河川管理者がその維持及び操作を行なう場合には、この款の規定の適用について、政令で特別の定めをすることができる。

参照【政令の特別の定め―令三三

（ダム洪水調節機能協議会）

第五一条の二 河川管理者は、その管理する一級河川に設置された第四十四条第一項に規定するダム又は河川管理施設であるダム（次項及び次条において「利水ダム等」という。）の洪水調節機能の向上を図るために必要な協議を行うため、ダム洪水調節機能協議会を組織するものとする。

2 ダム洪水調節機能協議会は、次に掲げる者をもつて構成する。

一 河川管理者

二 利水ダム等に係る水利使用に関し第二十三条又は第二十六条第一項の許可を受けた者

三 関係都道府県知事

四 関係行政機関、関係市町村長その他の河川管理者が必要と認める者

3 第一項の規定によりダム洪水調節機能協議会を組織する河川管理者は、同項に規定する協議を行う旨を前項第二号及び第三号に掲げる者に通知しなければならない。

4 前項の規定による通知を受けた者は、正当な理由がある場合を除き、当該通知に係る協議に応じなければならない。

5 ダム洪水調節機能協議会は、必要があると認めるときは、その構成員以外の関係行政機関に対し、資料の提供、意見の表明、説明その他必要な協力を求めることができる。

6 ダム洪水調節機能協議会において協議が調つた事項については、ダム洪水調節機能協議会の構成員はその協議の結果を尊重しなければならない。

7 前各項に定めるもののほか、ダム洪水調節機能協議会の運営に関し必要な事項は、ダム洪水調節機能協議会が定める。

〔追加・令和三法三一〕

（都道府県ダム洪水調節機能協議会）

第五一条の三　河川管理者は、その管理する二級河川に設置された利水ダム等の洪水調節機能の向上を図るために必要な協議を行うため、都道府県ダム洪水調節機能協議会を組織することができる。

２　都道府県ダム洪水調節機能協議会は、次に掲げる者をもつて構成する。

一　河川管理者

二　利水ダム等に係る水利使用に関し第二十三条又は第二十六条第一項の許可を受けた者

三　関係行政機関、関係市町村長その他の河川管理者が必要と認める者

３　前条第三項から第七項までの規定は、都道府県ダム洪水調節機能協議会について準用する。この場合において、同条第三項中「第一項」とあるのは「次条第一項」と、「前項第二号及び第三号」とあるのは「同条第二項第二号」と読み替えるものとする。

〔追加・令和三法三二〕

第四款　緊急時の措置

（洪水調節のための指示）

第五二条　河川管理者は、洪水による災害が発生し、又は発生するおそれが大きいと認められる場合において、災害の発生を防止し、又は災害を軽減するため緊急の必要があると認められるときは、ダムを設置する者に対し、当該ダムの操作について、その水系に係る河川の状況を総合的に考慮して、災害の発生を防止し、又は災害を軽減するために必要な措置をとるべきことを指示することができる。

参照【一級河川における知事への非委任―令二①】

（渇水時における水利使用の調整）

第五三条　異常な渇水により、許可に係る水利使用が困難となり、又は困難となるおそれがある場合においては、水利使用の許可を受けた者（以下この款において「水利使用者」という。）は、相互にその水利使用の調整について必要な協議を行うように努めなければならない。この場合において、河川管理者は、当該協議が円滑に行われるようにするため、水利使用の調整に関して必要な情報の提供に努めなければならない。

２　前項の協議を行うに当たつては、水利使用者は、相互に他の水利使用を尊重しなければならない。

３　河川管理者は、第一項の協議が成立しない場合において、水利使用者から申請があつたとき、又は緊急に水利使用の調整を行わなければ公共の利益に重大な支障を及ぼすおそれがあると認められるときは、水利使用の調整に関して必要なあつせん又は調停を行うことができる。

〔改正・平成九法六九〕

参照【一級河川における三項の権限の知事・地方整備局長等への非委任―令二①・五三】

（渇水時における水利使用の特例）

第五三条の二　水利使用者は、河川管理者の承認を受けて、異常な渇水により許可に係る水利使用が困難となつた他の水利使用者に対して、当該異常な渇水が解消するまでの間に限り、自己が受けた第二十三条及び第二十四条の許可に基づく水利使用の全部又は一部を行わせることができる。

２　前項の承認に係る水利使用を行わないこととなつた場合においては、当該承認を受けた者は、遅滞なく、河川管理者にその旨を届け出なければならない。

３　河川管理者は、前項の規定による届出があつた場合又は第一項に規定する他の水利使用者の許可に係る水利使用が困難でなくなつた場合においては、同項の承認を取り消さなければならない。

〔追加・平成九法六九〕

参照【承認の申請―規則二八の二】【一級河川における特定水利使用に関するものの知事への非委任―令二①】

第四節　河川保全区域

（河川保全区域）

第五四条　河川管理者は、河岸又は河川管理施設（樹林帯を除く。第三項において同じ。）を保全するため必要があると認めるときは、河川区域（第五十八条の二第一項の規定により指定したものを除く。第三項において同じ。）に隣接する一定の区域を河川保全区域として指定することができる。

２　国土交通大臣は、河川保全区域を指定しようとするときは、あらかじめ、関係都道府県知事の意見をきかなければならない。これを変更し、又は廃止しようとするときも、同様とする。

３　河川保全区域の指定は、当該河岸又は河川管理施設を保全するため必要な最小限度の区域に限つてするものとし、かつ、河川区域（樹林帯区域を除く。）の境界から五十メートルをこえてしてはならない。ただし、地形、地質等の状況により必要やむを得ないと認められる場合においては、五十メートルをこえて指定することができる。

４　河川管理者は、河川保全区域を指定するときは、国土交通省令で定めるところにより、その旨を公示しなければならない。これを変更し、又は廃止するときも、同様とする。

〔改正・平成七法六四・平成九法六九・平成一一法一六〇〕

参照【指定区間外の一級河川における地方整備局長等への非委任―令五三】【公示方法―規則二九】【指定の特例―施行法一三】【他の法令の適用の特例―採石法一〇②、砂利採取法一六

（河川保全区域における行為の制限）

第五五条　河川保全区域内において、次の各号の一に掲げる行為をしようとする者は、国土交通省令で定めるところにより、河川管理者の許可を受けなければならない。ただし、政令で定める行為については、この限りでない。

一　土地の掘さく、盛土又は切土その他土地の形状を変更する行為

二　工作物の新築又は改築

２　第三十三条の規定は、相続人、合併又は分割により設立される法人その他の前項の許可を受けた者の一般承継人（分割による承継の場合にあつては、その許可に係る土地若しくは工作物又は当該許可に係る工作物の新築等をすべき土地（以下この項において「許可に係る土地等」という。）を承継する法人に限る。）、同項の許可を受けた者からその許可に係る土地等を譲り受けた者及び同項の許可を受けた者から賃貸借その他により当

該許可に係る土地等を使用する権利を取得した者について準用する。

〔改正・平成一一法一六〇・平成一二法九一〕

参照【一級河川における特定水利使用に関する権限の知事・地方整備局長等への非委任—令二①・五三】【許可等申請の手続等—規則三〇・三九〜四一】【許可等を要しない行為—令三四、規則三一】【条件—法九〇】【監督処分—法七五】【国の特例—法九五】【みなし許可等—法八七、施行法二〇①、砂利採取法二七①】【罰則—法一〇四1・一〇五4・一〇七・一〇八】

類似規定—港湾法三七・三七の二、道路法四四

第五節　河川予定地

(河川予定地)

第五六条　河川管理者は、河川工事を施行するため必要があると認めるときは、河川工事の施行により新たに河川区域(第五十八条の二第一項の規定により指定するものを除く。)内の土地となるべき土地を河川予定地として指定することができる。

2　河川予定地の指定は、当該河川工事を施行することが当該工事の実施の計画からみて確実となつた日以後でなければ、してはならない。

3　河川管理者は、河川予定地を指定するときは、国土交通省令で定めるところにより、その旨を公示しなければならない。これを変更し、又は廃止するときも、同様とする。

〔改正・平成七法六四・平成一一法一六〇〕

参照【指定区間外の一級河川における地方整備局長等への非委任—令五三】【公示方法—規則三二】【指定の特例—施行法一四】【他の法令の適用特例—採石法一〇②】

(河川予定地における行為の制限)

第五七条　河川予定地において、次の各号の一に掲げる行為をしようとする者は、国土交通省令で定めるところにより、河川管理者の許可を受けなければならない。ただし、政令で定める行為については、この限りでない。

一　土地の掘さく、盛土又は切土その他土地の形状を変更する行為

二　工作物の新築又は改築

2　河川管理者は、前項の規定による制限により損失を受けた者がある場合においては、その者に対して、通常生ずべき損失を補償しなければならない。

3　第二十二条第四項及び第五項の規定は前項の規定による損失の補償について、第三十三条の規定は相続人、合併又は分割により設立される法人その他の第一項の許可を受けた者の一般承継人(分割による承継の場合にあつては、その許可に係る土地若しくは工作物又は当該許可に係る工作物の新築等をすべき土地(以下この項において「許可に係る土地等」という。)を承継する法人に限る。)、同項の許可を受けた者からその許可に係る土地等を譲り受けた者及び同項の許可を受けた者から賃借その他により当該許可に係る土地等を使用する権利を取得した者について、準用する。

〔改正・平成一一法一六〇・平成一二法九一〕

参照【一級河川における特定水利使用に関する権限の知事・地方整備局長等への非委任—令二①・五三】【許可等申請の手続等—規則三三・三九〜四一】【許可等を要しない行為—令三五】【河川管理者が権限を取得した河川予定地—法五八】【条件—法九〇】【監督処分—法七五】【国の特例—法九五】【みなし許可等—法八七、施行法二〇①】【罰則—法一〇八】

(河川管理者が権原を取得した河川予定地)

第五八条　河川管理者が河川予定地内の土地について権原を取得した後においては、当該土地の区域が河川区域となる前においても、この法律の適用については、その土地は、河川区域内の土地とみなす。ただし、罰則の適用については、特にその旨の定めがある場合に限る。

参照【罰則—法一〇六3〜5・一〇七】

第三章の二　河川立体区域

〔追加・平成七法六四〕

(河川立体区域)

第五八条の二　河川管理者は、河川管理施設が、地下に設けられたもの、建物その他の工作物内に設けられたもの又は洪水時の流水を貯留するためのもので柱若しくは壁及びこれらによつて支えられる人工地盤から成る構造を有するものである場合において、当該河川管理施設の存する地域の状況を勘案し、適正かつ合理的な土地利用の確保を図るため必要があると認めるときは、第六条第一項の規定にかかわらず、当該河川管理施設に係る河川区域を地下又は空間について一定の範囲を定めた立体的な区域として指定することができる。

2　河川管理者は、前項の河川区域(以下この章及び第百六条第三号において「河川立体区域」という。)を指定するときは、国土交通省令で定めるところにより、その旨を公示しなければならない。これを変更し、又は廃止するときも、同様とする。

〔追加・平成七法六四、改正・平成一一法一六〇〕

参照【公示方法—規則三三の二】

(河川保全立体区域)

第五八条の三　河川管理者は、河川立体区域を指定する河川管理施設を保全するため必要があると認めるときは、当該河川立体区域に接する一定の範囲の地下又は空間を河川保全立体区域として指定することができる。

2　国土交通大臣は、河川保全立体区域を指定しようとするときは、あらかじめ、関係都道府県知事の意見を聴かなければならない。これを変更し、又は廃止しようとするときも、同様とする。

3　河川保全立体区域の指定は、当該河川管理施設を保全するため必要な最小限度の範囲に限つてするものとする。

4　河川管理者は、河川保全立体区域を指定するときは、国土交通省令で定めるところにより、その旨を公示しなければならない。これを変更し、又は廃止するときも、同様とする。

5　河川保全区域が指定されている前条第一項の河川管理施設について、河川保全立体区域の指定があつたときは、当該河川保全区域の指定は、その効力を失う。

〔追加・平成七法六四、改正・平成一一法一六〇〕

参照【公示方法—規則三三の三】

(河川保全立体区域における行為の制限)

第五八条の四　河川保全立体区域内において、次に掲げる行為をしようとする者は、国土交通省令で定めるところにより、河川管理者の許可を受けなければならない。ただし、政令で定める行為については、この限りでない。

一　土地の掘削、盛土又は切土その他土地の形状を変更する行為

二　工作物の新築、改築又は除却

三　載荷重が一平方メートルにつき政令で定める重量以上の土石その他の物件の集積

2　第三十三条の規定は、相続人、合併又は分割により設立される法人その他の前項の許可を受けた者の一般承継人（分割による承継の場合にあつては、その許可に係る土地若しくは工作物又は当該許可に係る工作物の新築等をすべき土地（以下この項において「許可に係る土地等」という。）を承継する法人に限る。）、同項の許可を受けた者からその許可に係る土地等を譲り受けた者及び同項の許可を受けた者から賃貸借その他により当該許可に係る土地等を使用する権利を取得した者について準用する。

〔追加・平成七法六四、改正・平成一一法一六〇・平成一二法九一〕

参照【許可等申請の手続―規則三三の四【許可等を要しない行為―令三五の二【許可等を要する場合の重量―令三五の三【罰則―法一〇四2・一〇五4・一〇七・一〇八【一級河川における特定水利使用に関する権限の知事・地方整備局長等への非委任―令二①・五三

（河川予定立体区域）

第五八条の五　河川管理者は、河川工事を施行するため必要があると認めるときは、河川工事の施行により新たに河川立体区域として指定すべき地下又は空間を河川予定立体区域として指定することができる。

2　河川予定立体区域の指定は、当該河川工事を施行することが当該工事の実施の計画からみて確実となつた日以後でなければ、してはならない。

3　河川管理者は、河川予定立体区域を指定するときは、国土交通省令で定めるところにより、その旨を公示しなければならない。これを変更し、又は廃止するときも、同様とする。

4　河川予定地が指定されている第五十八条の二第一項の河川管理施設について、河川予定立体区域の指定があつたときは、当該河川予定地の指定は、その効力を失う。

〔追加・平成七法六四、改正・平成一一法一六〇〕

参照【公示方法―規則三三の六

（河川予定立体区域における行為の制限）

第五八条の六　河川予定立体区域内において、次に掲げる行為をしようとする者は、国土交通省令で定めるところにより、河川管理者の許可を受けなければならない。ただし、政令で定める行為については、この限りでない。

一　土地の掘削、盛土、切土その他土地の形状を変更する行為

二　工作物の新築又は改築

2　河川管理者は、前項の規定による制限により損失を受けた者がある場合においては、その者に対して、通常生ずべき損失を補償しなければならない。

3　第二十二条第四項及び第五項の規定は前項の規定による損失の補償について、第三十三条の規定は相続人、合併又は分割により設立される法人その他の第一項の許可を受けた者の一般承継人（分割による承継の場合にあつては、その許可に係る土地若しくは工作物又は当該許可に係る工作物の新築等をすべき土地（以下この項において「許可に係る土地等」という。）を承継する法人に限る。）、同項の許可を受けた者からその許可に係る土地等を譲り受けた者及び同項の許可を受けた者から賃貸借その他により当該許可に係る土地等を使用する権利を取得した者について、準用する。

〔追加・平成七法六四、改正・平成一一法一六〇・平成一二法九一〕

参照【許可等申請の手続―規則三三の七【許可等を要しない行為―令三五の四【罰則―法一〇八【一級河川における特定水利使用に関する権限の知事・地方整備局長等への非委任―令二①・五三

（河川管理者が権原を取得した河川予定立体区域）

第五八条の七　河川管理者が河川予定立体区域内の地下又は空間について権原を取得した後においては、当該区域が河川立体区域となる前においても、この法律の適用については、その地下又は空間は、河川立体区域内の地下又は空間とみなす。ただし、罰則の適用については、特にその旨の定めがある場合に限る。

〔追加・平成七法六四〕

参照【罰則―法一〇六3

第二章の三　河川協力団体

〔追加・平成二五法三五〕

（河川協力団体の指定）

第五八条の八　河川管理者は、次条に規定する業務を適正かつ確実に行うことができると認められる法人その他これに準ずるものとして国土交通省令で定める団体を、その申請により、河川協力団体として指定することができる。

2　河川管理者は、前項の規定による指定をしたときは、当該河川協力団体の名称、住所及び事務所の所在地を公示しなければならない。

3　河川協力団体は、その名称、住所又は事務所の所在地を変更しようとするときは、あらかじめ、その旨を河川管理者に届け出なければならない。

4　河川管理者は、前項の規定による届出があつたときは、当該届出に係る事項を公示しなければならない。

〔追加・平成二五法三五〕

参照【河川協力団体の特例―令一六の一二【団体―規則三三の八

（河川協力団体の業務）

第五八条の九　河川協力団体は、当該河川協力団体を指定した河川管理者が管理する河川について、次に掲げる業務を行うものとする。

一　河川管理者に協力して、河川工事又は河川の維持を行うこと。

二　河川の管理に関する情報又は資料を収集し、及び提供すること。

三　河川の管理に関する調査研究を行うこと。

四　河川の管理に関する知識の普及及び啓発を行うこと。

五　前各号に掲げる業務に附帯する業務を行うこと。

〔追加・平成二五法三五〕

参照【河川協力団体の特例―令一六の二

（河川協力団体の河川管理者による援助への協力）

第五八条の一〇　河川協力団体は、水防法第十五条の十二第二項の規定により河川管理者から協力を要請されたときは、当該要請に応じ、同条第一項に規定する必要な情報提供、助言その他の援助に関し協力するものとする。

2　河川協力団体は、特定都市河川浸水被害対策法（平成十五年法律第七十七号）第七十八条第二項の規定により河川管理者から協力を要請されたときは、当該要請に応じ、河川管理者が行う同条第一項の規定による援助に関し協力するものとする。

〔追加・平成二九法三一、改正・令和三法三一〕

（監督等）

第五八条の一一　河川管理者は、第五十八条の九各号に掲げる業務の適正かつ確実な実施を確保するため必要があると認めるときは、河川協力団体に対し、その業務に関し報告をさせることができる。

2　河川管理者は、河川協力団体が第五十八条の九各号に掲げる業務を適正かつ確実に実施していないと認めるときは、河川協力団体に対し、その業務の運営の改善に関し必要な措置を講ずべきことを命ずることができる。

3　河川管理者は、河川協力団体が前項の規定による命令に違反したときは、その指定を取り消すことができる。

4　河川管理者は、前項の規定により指定を取り消したときは、その旨を公示しなければならない。

〔追加・平成二五法三五、旧五八条の一〇を改正し繰下・平成二九法三一〕

（情報の提供等）

第五八条の一二　国土交通大臣又は河川管理者は、河川協力団体に対し、その業務の実施に関し必要な情報の提供又は指導若しくは助言をするものとする。

〔追加・平成二五法三五、旧五八条の一一を繰下・平成二九法三一〕

（河川協力団体に対する河川管理者の許可等の特例）

第五八条の一三　河川協力団体が第五十八条の九各号に掲げる業務として行う国土交通省令で定める行為についての第二十条、第二十四条、第二十五条後段、第二十六条第一項、第二十七条第一項及び第三十四条第一項（第二十四条及び第二十五条後段の許可に係る部分に限る。）の規定の適用については、河川協力団体と河川管理者との協議が成立することをもつて、これらの規定による許可又は承認があつたものとみなす。

〔追加・平成二五法三五、旧五八条の一二を繰下・平成二九法三一〕

参照【国土交通省令で定める行為―規則三三の一〇①

第三章　河川に関する費用

（河川の管理に要する費用の負担原則）

第五九条　河川の管理に要する費用は、この法律及び他の法律に特別の定めがある場合を除き、一級河川に係るものにあつては国、二級河川に係るものにあつては当該二級河川の存する都道府県の負担とする。

参照【この法律の特別の定め―法六〇～六三・六五～七〇の二・九六【他の法律の特別の定め―施行法五～七・一一・一五、特定多目的ダム法、独立行政法人水資源機構法、公共土木施設災害復旧事業費国庫負担法、激甚災害に対処するための特別の財政援助等に関する法律、台風常襲地帯における災害の防除に関する特別措置法、奄美群島振興開発特別措置法、後進地域の開発に関する公共事業に係る国の負担割合の特例に関する法律等

（一級河川の管理に要する費用の都道府県の負担）

第六〇条　都道府県は、その区域内における一級河川の管理に要する費用（指定区間内における管理で第九条第二項の規定により都道府県知事が行うものとされたものに係る費用を除く。）については、政令で定めるところにより、改良工事のうち政令で定める大規模な工事（次項において「大規模改良工事」という。）に要する費用にあつてはその十分の三を、その他の改良工事に要する費用にあつてはその三分の一を、災害復旧事業に要する費用にあつてはその十分の四・五を、改良工事及び修繕以外の河川工事に要する費用にあつてはその二分の一を負担する。

2　第九条第二項の規定により都道府県知事が行うものとされた指定区間内の一級河川の管理に要する費用は、当該都道府県知事の統轄する都道府県の負担とする。この場合において、国は、政令で定めるところにより、当該費用のうち、堤防の欠壊等の危険な状況に対処するために施行する緊急河川事業に係る改良工事に要する費用にあつてはその三分の二を、再度災害を防止するために施行する改良工事であつて又は大規模改良工事であつて、堤防の欠壊等の危険な状況に対処するために施行する緊急河川事業に係るもの以外のものに要する費用にあつてはその十分の五・五を、その他の改良工事に要する費用にあつてはその二分の一を負担する。

〔改正・平成五法八・平成二三法二〇・平成二九法三一〕

参照【一級河川の管理に要する費用についての都道府県の負担―令三六・三六の二【都道府県知事の行う一級河川の改良工事に要する費用についての国の負担―令三七①【費用の特則―施行法五【道の特例―法九六、令四二①～④【納付又は支出―法六四【国の無利子貸付け等―法附則③～⑨・令附則一一

（指定区間内の一級河川の修繕に要する費用の補助）

第六一条　国は、第九条第二項の規定により都道府県知事が行なうものとされた指定区間内の一級河川の修繕に要する費用については、予算の範囲内において、その三分の一以内を補助することができる。

（二級河川の管理に要する費用の国の負担）

第六二条　国は、二級河川の改良工事（第十六条の三第一項の規定による協議に基づき市町村長が行うものを除く。）に要する費用については、政令で定めるところにより、二分の一を超えない範囲内でその一部を負担する。

〔改正・昭和六二法三四・平成九法六九〕

参照【都道府県知事の行う二級河川の改良工事に要する費用についての国の負担割合―令三七②【道の特例―令四二⑤・⑥【準用河川における不準用―令五六【国の無利子貸付け等―法附則③～⑨・令附則一一

（他の都府県の費用の負担）

第六三条　国土交通大臣が行なう河川の管理により、第六十条第一項の規定により当該管理に要する費用の一部を負担する都府県以外の都府県が著しく利益を受ける場合においては、国土交

通大臣は、その受益の限度において、同項の規定により当該都府県が負担すべき費用の一部を当該利益を受ける都府県に負担させることができる。

2　国土交通大臣は、前項の規定により当該利益を受ける都府県に河川の管理に要する費用の一部を負担させようとするときは、あらかじめ、当該都府県を統轄する都府県知事の意見をきかなければならない。

3　都府県知事が行なう河川の管理により、当該都府県以外の都府県が著しく利益を受ける場合においては、当該都府県は、その受益の限度において、当該都府県が負担した当該管理に要する費用の一部を、当該利益を受ける都府県に負担させることができる。

4　都府県知事は、前項の規定により当該利益を受ける都府県に河川の管理に要する費用の一部を負担させようとするときは、あらかじめ、当該利益を受ける都府県を統轄する都府県知事に協議しなければならない。

〔改正・平成一一法一六〇〕

参照【納付又は支出―法六四【納付―令三八

（負担金の納付又は支出）

第六四条　国土交通大臣が行なう一級河川の管理に要する費用のうち、第六十条第一項の規定により都道府県が負担すべき費用又は前条第一項の規定により利益を受ける都府県が負担すべき費用は、政令で定めるところにより、国庫に納付しなければならない。

2　都道府県知事が行なう河川の管理に要する費用のうち、第六十条第二項後段若しくは第六十二条の規定により国が負担すべき費用又は前条第三項の規定により利益を受ける都府県が負担すべき費用は、政令で定めるところにより、当該都道府県知事の統轄する都道府県に対して支出しなければならない。

〔改正・平成一一法一六〇〕

参照【都道府県への納付の通知―令三八①【他の都府県の負担金の支出―令三八②

参考規定―地方財政法一七・一七の二・一八・一九、地方自治法一七七②、補助金等に係る予算の執行の適正化に関する法律等

（境界に係る二級河川の管理に要する費用の特例）

第六五条　二級河川の二以上の都府県の境界に係る部分について第十一条第一項の規定による協議に基づき関係都府県知事が別に管理の方法を定めた場合においては、当該河川の管理に要する費用については、関係都府県知事は、協議してその分担すべき金額及び分担の方法を定めることができる。

（市町村長の施行する工事等に要する費用）

第六五条の二　第十六条の三第一項の規定による協議に基づき市町村長が行う河川工事又は河川の維持に要する費用は、当該市町村長の統括する市町村の負担とする。この場合において、国及び都道府県は、当該費用のうち改良工事に要する費用については、政令で定めるところにより、その一部を負担する。

2　前項後段の改良工事により、同項後段の費用の一部を負担する都府県以外の都府県が著しく利益を受ける場合においては、当該費用の一部を負担する都府県は、その受益の限度において、当該都府県が負担すべき費用の一部を当該利益を受ける都府県に負担させることができる。

3　第六十三条第四項の規定は、前項の場合について準用する。

4　第一項後段の規定により国及び都道府県が負担すべき費用又は第二項の規定により利益を受ける都府県が負担すべき費用は、政令で定めるところにより、第一項前段の規定により費用を負担する市町村に対して支出しなければならない。

〔追加・昭和六二法三四、改正・平成九法六九〕

参照【一・四項の政令・市町村に対する支出―令三八の二【国の無利子貸付け等―法附則③～⑨・令附則一一【準用河川における不準用―令五六

（国土交通大臣の施行する特定河川工事に要する費用）

第六五条の三　第十六条の四第一項の規定により国土交通大臣が行う特定河川工事（二級河川の修繕を除く。以下この項において同じ。）に要する費用は、政令で定めるところにより、国が負担金等相当額（都道府県知事等が自ら当該特定河川工事を行うこととした場合に国が当該都道府県知事等が統括する都道府県等に交付すべき負担金又は補助金の額に相当する額をいう。以下この項において同じ。）を、当該都道府県等が当該特定河川工事に要する費用の額から負担金等相当額を控除した額を負担する。

2　第十六条の四第一項の規定により国土交通大臣が行う二級河川の修繕に要する費用は、政令で定めるところにより、当該都道府県等の負担とする。

3　第十六条の四第一項の規定により国土交通大臣が行う特定河川工事により、前二項の費用の全部又は一部を負担する都府県以外の都府県が著しく利益を受ける場合においては、当該費用の全部又は一部を負担する都府県は、その受益の限度において、当該都府県が負担すべき費用の一部を当該利益を受ける都府県に負担させることができる。

4　第十六条の四第一項の規定により国土交通大臣が行う特定河川工事について、第一項又は第二項の規定によりその費用を指定都市が負担する場合において、都道府県が当該都道府県の区域（その区域内に当該指定都市が存する都道府県にあつては、当該指定都市の区域を除く。）について著しく利益を受けるときは、当該指定都市は、その受益の限度において、当該指定都市が負担すべき費用の一部を当該利益を受ける都道府県に負担させることができる。

5　第六十三条第四項の規定は、前二項の場合について準用する。

6　国土交通大臣が第十六条の四第一項の規定により特定河川工事を行う場合においては、まず全額国費をもつてこれを行つた後、都道府県等は、政令で定めるところにより、第一項又は第二項の規定により都道府県等が負担すべき費用について、国庫に納付しなければならない。この場合において、第三項又は第四項の規定により利益を受ける都道府県が負担すべき費用があるときは、当該利益を受ける都道府県は、政令で定めるところにより、当該都道府県等に対してその費用を支出しなければならない。

〔追加・平成二九法三一、改正・令和三法三一〕

参照【一項の政令―令三七の二①【二項の政令―令三七の二②

（災害が発生した場合における国土交通大臣の行う特定維持に要する費用）

第六五条の四　第十六条の五第一項の規定により国土交通大臣が行う特定維持に要する費用は、政令で定めるところにより、当

該都道府県等の負担とする。

2　第十六条の五第一項の規定により国土交通大臣が行う特定維持により、前項の費用を負担する都府県以外の都府県が著しく利益を受ける場合においては、当該費用を負担する都府県は、その受益の限度において、当該都府県が負担すべき費用の一部を当該利益を受ける都府県に負担させることができる。

3　第十六条の五第一項の規定により国土交通大臣が行う特定維持について、第一項の規定によりその費用を指定都市が負担する場合において、都道府県が当該都道府県の区域（その区域内に当該指定都市が存する都道府県にあつては、当該指定都市の区域を除く。）について著しく利益を受けるときは、当該指定都市は、その受益の限度において、当該指定都市が負担すべき費用の一部を当該利益を受ける都道府県に負担させることができる。

4　第六十三条第四項の規定は、前二項の場合について準用する。

5　国土交通大臣が第十六条の五第一項の規定により特定維持を行う場合においては、まず全額国費をもつてこれを行つた後、都道府県等は、政令で定めるところにより、第一項の規定により都道府県等が負担すべき費用について、国庫に納付しなければならない。この場合において、第二項又は第三項の規定により利益を受ける都道府県が負担すべき費用があるときは、当該利益を受ける都道府県は、政令で定めるところにより、当該都道府県等に対してその費用を支出しなければならない。

〔追加・令和三法三一〕

参照【一項の政令—令三七の三

（兼用工作物の費用）

第六六条　河川管理施設が他の工作物の効用を兼ねる場合においては、当該河川管理施設の管理に要する費用の負担については、河川管理者（第五十九条及び第六十条第二項前段の規定により当該費用を負担する者が、国であるときは国土交通大臣、都道府県であるときは当該都道府県を統轄する都道府県知事とする。以下次条、第六十八条、第七十条及び第七十条の二において同じ。）と当該他の工作物の管理者とが協議して定めるものとする。

〔改正・昭和四七法四七・平成一一法一六〇〕

参照【兼用工作物の工事等の協議—法一七　**類似規定**—海岸法三〇、地すべり等防止法三三、道路法五五、高速自動車国道法二一、港湾法四三の二、漁港及び漁場の整備等に関する法律二〇の三

（原因者負担金）

第六七条　河川管理者は、他の工事又は他の行為により必要を生じた河川工事又は河川の維持に要する費用については、その必要を生じた限度において、当該他の工事又は他の行為につき費用を負担する者にその全部又は一部を負担させるものとする。

〔改正・平成九法六九〕

参照【河川管理者の意義—法六六【工事原因者の工事の施行—法一八【通知・納入手続等—法七一【帰属—法七二【強制徴収—法七四【附帯工事の原因者負担金—法六八②【他の法令の附帯工事費用の規定に優先する場合—道路法五九②、海岸法三二②、地すべり等防止法三五②、急傾斜地の崩壊による災害の防止に関する法律二二②

（附帯工事に要する費用）

第六八条　河川工事により必要を生じた他の工事又は河川工事を施行するために必要を生じた他の工事に要する費用は、第二十六条第一項の許可に付した条件に特別の定めがある場合並びに第三十七条の二、第五十八条の十三、第九十五条及び第九十九条第二項の規定による協議において特別の定めをした場合を除き、その必要を生じた限度において、第五十九条、第六十条第二項前段及び第六十五条の二第一項前段の規定に基づいて当該河川工事について費用を負担すべき者がその全部又は一部を負担しなければならない。

2　河川管理者は、前項の河川工事が他の工事又は他の行為のために必要を生じたものである場合においては、その必要を生じた限度において、同項の他の工事に要する費用の全部又は一部をその原因となつた他の工事又は他の行為につき費用を負担する者に負担させることができる。

〔改正・昭和六二法三四・平成三法六一・平成二五法三五・平成二九法三一〕

参照【河川管理者の意義—法六六【事務取扱省令—河川附帯工事の費用負担に関する事務取扱規則【附帯工事の施行—法一九【二項の通知・納入手続等—法七一【二項の負担金の帰属—法七二【強制徴収—法七四【他の法令の原因者負担金の規定が優先する場合—道路法五八②【他の法令の原因者負担金の規定に優先する場合—海岸法三一②、地すべり等防止法三四②、砂防法一六

（河川管理者以外の者が行なう工事等に要する費用）

第六九条　第二十条の規定により河川管理者以外の者が行なう河川工事又は河川の維持に要する費用は、当該河川工事又は河川の維持を行なう者が負担しなければならない。

参照【河川管理者以外の者の施行する工事等—法二〇

（受益者負担金）

第七〇条　河川管理者は、河川工事により著しく利益を受ける者がある場合においては、その利益を受ける限度において、その者に、当該河川工事に要する費用の一部を負担させることができる。

2　前項の場合において、負担金の徴収を受ける者の範囲及びその徴収方法については、国土交通大臣が負担させるものにあつては政令で、都道府県知事が負担させるものにあつては当該都道府県知事が統轄する都道府県の条例で定める。

〔改正・平成一一法一六〇〕

参照【河川管理者の意義—法六六【二項の政令—未制定【通知・納入手続等—法七一【帰属—法七二【強制徴収—法七四　**類似規定**—特定多目的ダム法九・一〇、独立行政法人水資源機構法二七、海岸法三三

（特別水利使用者負担金）

第七〇条の二　河川管理者は、河川の流水の状況を改善するため二以上の河川を連絡する河川工事で、流水によつて生ずる公害を除却し、又は軽減することのほか、専用の施設を新設し、又は拡張して流水を占用する者（以下この条において「特別水利使用者」という。）に対する水の供給を確保することをその目的に含むもの（河川の流水を貯留するための河川管理施設の設置を伴うものを除く。）に要する費用及び当該河川工事により設置する河川管理施設の管理に要する費用については、当該特

別水利使用者が受けることとなると認められる利益の限度において、その者に、その一部を負担させることができる。

2　河川管理者は、前項の河川工事を施行しようとするときは、あらかじめ、政令で定めるところにより、関係行政機関の長に協議し、及び一級河川に係るものにあつては関係都道府県知事、二級河川に係るものにあつては関係市町村長の意見をきくとともに、当該工事に要する費用及び当該工事により設置する河川管理施設の管理に要する費用の負担について特別水利使用者の同意を得なければならない。

3　第一項の場合において、負担金の額の算出方法及び負担金の還付に関する事項については、政令で、負担金の徴収方法については、国土交通大臣が負担させるものにあつては政令で、都道府県知事が負担させるものにあつては当該都道府県知事が統轄する都道府県の条例で定める。

4　第一項の河川工事は、関係河川における流水の正常な機能の維持に支障のない範囲内において施行するものとする。

〔追加・昭和四七法四七、改正・平成一一法一六〇〕

参照 【河川管理者の意義―法六六【二項の政令・関係行政機関の長との協議―令三八の三【三項の政令・特別水利使用者負担金の額の算出方法―令三八の四～三八の六【三項の政令・特別水利使用者負担金の徴収―令三八の七【工事負担金の還付―令三八の八【準用河川における不準用―令五六

（負担金の通知及び納入手続等）

第七十一条　第六十七条、第六十八条第二項、第七十条第一項、前条第一項及び第七十五条第九項の規定による負担金の額の通知及び納入手続その他負担金に関し必要な事項は、政令で定める。

〔改正・昭和四七法四七・平成九法六九〕

参照 【政令―未制定【旧法による負担金等の経過措置―施行法一五

参考規定―会計法六、予算決算及び会計令二九、地方自治法二三一、同法施行令一五四

（負担金の帰属）

第七十二条　第六十七条、第六十八条第二項、第七十条第一項、第七十条の二第一項又は第七十五条第九項の規定に基づく負担金は、国土交通大臣が負担させるものにあつては国、都道府県知事が負担させるものにあつては当該都道府県知事が統括する都道府県の収入とする。

〔改正・昭和四七法四七・平成九法六九・平成一一法一六〇〕

（義務の履行のために要する費用）

第七十三条　この法律、この法律に基づく政令若しくは都道府県の条例の規定又はこれらの規定に基づく処分による義務を履行するために必要な費用は、この法律に特別の定めがある場合を除き、当該義務者が負担しなければならない。

〔改正・平成一四法四〕

（強制徴収）

第七十四条　この法律、この法律に基づく政令若しくは都道府県の条例の規定又はこれらの規定に基づく処分により納付すべき負担金又は流水占用料等（以下これらを「負担金等」という。）をその納期限までに納付しない者がある場合においては、河川管理者（当該負担金等が、国の収入となる場合にあつては国土交通大臣、都道府県の収入となる場合にあつては当該都道府県を統括する都道府県知事とする。以下この条において同じ。）は、期限を指定して、その納付を督促しなければならない。

2　河川管理者は、前項の規定により督促をする場合においては、納付義務者に対し督促状を発する。この場合において、督促状により指定すべき期限は、督促状を発する日から起算して二十日以上経過した日でなければならない。

3　河川管理者は、第一項の規定による督促を受けた納付義務者がその指定の期限までにその負担金等及び第五項の規定による延滞金を納付しない場合においては、当該負担金等が国の収入となる場合にあつては国税の、都道府県の収入となる場合にあつては地方税の滞納処分の例により、滞納処分をすることができる。

4　前項の規定による徴収金の先取特権の順位は、国税及び地方税に次ぐものとし、その時効については、国税の例による。

5　河川管理者は、第一項の規定により督促をした場合においては、政令で定めるところにより、同項の負担金等の額につき年十四・五パーセントの割合で、納期限の翌日からその負担金等の完納の日又は財産差押えの日の前日までの日数により計算した延滞金を徴収することができる。

〔改正・昭和四五法一三・平成一一法一六〇・平成一四法四〕

参照 【延滞金の計算基礎となる負担金等の額―令三九【国税滞納処分の例―国税通則法、国税徴収法

第四章　監督

（河川管理者の監督処分）

第七十五条　河川管理者は、次の各号のいずれかに該当する者に対して、この法律若しくはこの法律に基づく政令若しくは都道府県の条例の規定によつて与えた許可、登録若しくは承認を取り消し、変更し、その効力を停止し、その条件を変更し、若しくは新たに条件を付し、又は工事その他の行為の中止、工作物の改築若しくは除却（第二十四条の規定に違反する係留施設に係留されている船舶の除却を含む。）、工事その他の行為若しくは工作物により生じた若しくは生ずべき損害を除去し、若しくは予防するために必要な施設の設置その他の措置をとること若しくは河川を原状に回復することを命ずることができる。

一　この法律若しくはこの法律に基づく政令若しくは都道府県の条例の規定若しくはこれらの規定に基づく処分に違反した者、その者の一般承継人若しくはその者から当該違反に係る工作物（除却を命じた船舶を含む。以下この条において同じ。）若しくは土地を譲り受けた者又は当該違反した者から賃貸借その他により当該違反に係る工作物若しくは土地を使用する権利を取得した者

二　この法律又はこの法律に基づく政令若しくは都道府県の条例の規定による許可、登録又は承認に付した条件に違反している者

三　詐欺その他不正な手段により、この法律又はこの法律に基づく政令若しくは都道府県の条例の規定による許可、登録又は承認を受けた者

2　河川管理者は、次の各号のいずれかに該当する場合においては、この法律又はこの法律に基づく政令若しくは都道府県の条例の規定による許可、登録又は承認を受けた者に対し、前項に規定する処分をすることができる。

一　許可、登録若しくは承認に係る工事その他の行為につき、又はこれらに係る事業を営むことにつき、他の法令の規定による行政庁の許可又は認可その他の処分を受けることを必要とする場合において、これらの処分を受けることができなか

つたとき、又はこれらの処分が取り消され、若しくは効力を失つたとき。

二　許可、登録若しくは承認に係る工事その他の行為又はこれらに係る事業の全部又は一部の廃止があつたとき。

三　洪水、津波、高潮その他の天然現象により河川の状況が変化したことにより、許可、登録又は承認に係る工事その他の行為が河川管理上著しい支障を生ずることとなつたとき。

四　河川工事のためやむを得ない必要があるとき。

五　前号に掲げる場合のほか、公益上やむを得ない必要があるとき。

3　前二項の規定により必要な措置をとることを命じようとする場合において、過失がなくて当該措置を命ずべき者を確知することができないときは、河川管理者は、当該措置を自ら行い、又はその命じた者若しくは委任した者にこれを行わせることができる。この場合においては、相当の期限を定めて、当該措置を行うべき旨及びその期限までに当該措置を行わないときは、河川管理者又はその命じた者若しくは委任した者が当該措置を行う旨を、あらかじめ公告しなければならない。

4　河川管理者は、前項の規定により工作物を除却し、又は除却させたときは、当該工作物を保管しなければならない。

5　河川管理者は、前項の規定により工作物を保管したときは、当該工作物の所有者、占有者その他当該工作物について権原を有する者（以下この条において「所有者等」という。）に対し当該工作物を返還するため、政令で定めるところにより、政令で定める事項を公示しなければならない。

6　河川管理者は、第四項の規定により保管した工作物が滅失し、若しくは破損するおそれがあるとき、又は前項の規定による公示の日から起算して三月を経過してもなお当該工作物を返還することができない場合において、政令で定めるところにより評価した当該工作物の価額に比し、その保管に不相当な費用若しくは手数を要するときは、政令で定めるところにより、当該工作物を売却し、その売却した代金を保管することができる。

7　河川管理者は、前項の規定による工作物の売却につき買受人がない場合において、同項に規定する価額が著しく低いときは、当該工作物を廃棄することができる。

8　第六項の規定により売却した代金は、売却に要した費用に充てることができる。

9　第三項から第六項までに規定する工作物の除却、保管、売却、公示その他の措置に要した費用は、当該工作物の返還を受けるべき所有者等その他第三項に規定する当該措置を命ずべき者の負担とする。

10　第五項の規定による公示の日から起算して六月を経過してもなお第四項の規定により保管した工作物（第六項の規定により売却した代金を含む。以下この項において同じ。）を返還することができないときは、当該工作物の所有権は、国土交通大臣が保管する工作物にあつては国、都道府県知事が保管する工作物にあつては当該都道府県知事が統括する都道府県に帰属する。

〔改正・平成七法六四・平成九法六九・平成一一法一六〇・平成一四法四・平成二五法三五〕

参照　【一級河川における特定水利使用に関するものの知事・地方整備局長等への非委任―令二①・五三】【二級河川における特定水利使用に関するものの協議―法七九②4、令四七】【処分の際の協議等―法一五・三五①・三六①、施行法二七④】【損失の補償等―法七六】【義務履行に要する費用―法七三】【義務履行の確保―行政代執行法】【公示事項―令三九の二・三九の三、規則三三の一一】【工作物の価額の評価―令三九の四～三九の七、規則三三の一二・三三の一三】

（監督処分に伴う損失の補償等）

第七六条　河川管理者は、前条第二項第四号又は第五号に該当することにより同項の規定による処分をした場合において、当該処分により損失を受けた者があるときは、その者に対して通常生ずべき損失を補償しなければならない。ただし、水利使用に関し第二十三条若しくは第二十六条第一項の許可又は第二十三条の二の登録を受けた者が、第四十一条の規定によりその損失を補償する場合は、この限りでない。

2　第二十二条第四項及び第五項の規定は、前項の規定による損失の補償について準用する。

3　河川管理者は、第一項の規定により河川管理者が補償すべき損失が、前条第二項第五号に該当するものとして同項の規定による処分があつたことによるものである場合においては、当該補償金額を当該理由を生じさせた者に負担させることができる。

〔改正・平成三法六一・平成二五法三五〕

参照　【一級河川における特定水利使用に関する権限の非委任―令二①・五三】

（河川監理員）

第七七条　河川管理者は、その職員のうちから河川監理員を命じ、第二十条、第二十三条、第二十三条の二、第二十四条から第二十七条まで、第三十条、第三十一条第二項、第五十五条第一項、第五十七条第一項、第五十八条の四第一項若しくは第五十八条の六第一項の規定若しくは第二十八条若しくは第二十九条の規定に基づく政令若しくは都道府県の条例の規定又はこれらの規定に基づく処分に違反している者（第七十五条第一項若しくは第二項の規定による処分又は第九十条第一項の規定による条件に違反している者を含む。）に対して、その違反を是正するために必要な措置をとるべき旨を指示する権限を行わせることができる。

2　河川監理員は、前項の規定による権限を行使する場合においては、その身分を示す証明書を携帯し、関係人に提示しなければならない。

3　前項の規定による証明書の様式その他必要な事項は、国土交通省令で定める。

〔改正・平成七法六四・平成一一法一六〇・平成一四法四・平成二五法三五〕

参照　【一級河川における特定水利使用に関する一項の権限の非委任―令二①】【証明書の様式―規則三五①】【官吏又は公吏の告発義務―刑事訴訟法二三九②】

類似規定―道路法七一④～⑦

（許可を受けた者等からの報告の徴収及び立入検査）

第七八条　国土交通大臣又は河川管理者は、この法律を施行するため必要がある場合においては、この法律若しくはこの法律に基づく政令若しくは都道府県の条例の規定により許可、登録若しくは承認を受けた者から河川管理上必要な報告を徴し、又はこの法律による権限を行うため必要な限度において、その職員に当該許可、登録若しくは承認に係る工事その他の行為に係る場所若しくは当該許可、登録若しくは承認を受けた者の事務所若しくは事業場に立ち入り、工事その他の行為の状況又は工作物、帳簿、書類その他必要な物件を検査させることができる。

2　前項の規定により立入検査をする職員は、その身分を示す証明書を携帯し、関係人に提示しなければならない。

3　第一項の規定による立入検査の権限は、犯罪捜査のため認められたものと解してはならない。

〔改正・平成一二法一六〇・平成一四法四・平成二五法三五〕

参照【一級河川における特定水利使用に関する一項の権限の非委任―令二①【証明書の様式―規則三五②【罰則―法一〇六6・一〇七

（国土交通大臣の認可等）

第七九条　都道府県知事は、第九条第二項の規定により行うものとされた一級河川の管理で政令で定めるものを行おうとするときは、国土交通大臣の認可を受けなければならない。

2　都道府県知事は、その管理する二級河川について、第一号又は第四号に該当する場合においては、あらかじめ国土交通大臣に協議してその同意を得、第二号又は第三号に該当する場合においては、あらかじめ国土交通大臣に協議しなければならない。

一　河川整備基本方針又は河川整備計画を定め、又は変更しようとする場合

二　河川工事で政令で定めるものを行おうとする場合

三　第十六条の三第一項の河川工事で政令で定めるものにつき、同項の規定による協議に応じようとする場合

四　政令で定める水利使用に関し、第二十三条、第二十九条若しくは第三十四条第一項の規定による処分若しくは第二十四条若しくは第二十六条第一項の規定による処分（第二十三条の二の登録の対象となる流水の占用に係る水利使用に関する処分を除く。）又はこれらの処分に係る第七十五条の処分をしようとする場合

〔改正・昭和六二法三四・平成三法六一・平成九法六九・平成一一法八七・法一六〇・平成二五法三五〕

参照【一級河川の管理で認可を要するもの―令四五【二級河川の河川工事で認可を要するもの―令四六・四六の二【二級河川の水利使用で認可を要するもの―令四七【関係行政機関の長との協議―法三五①【準用河川における二項三号及び四号の不準用―令五六

（国土交通大臣の指示）

第七九条の二　国土交通大臣は、指定区間内の一級河川又は二級河川において、洪水、津波、高潮等により、災害が発生し、若しくは発生するおそれがあると認められる場合、異常な渇水により、水利使用が困難となり、若しくは困難となるおそれがあると認められる場合又は汚水の流入等により、河川環境の保全に支障が生じ、若しくは生ずるおそれがあると認められる場合において、それらの防止又は軽減を図るため緊急の必要があると認められるときは、当該指定区間内の一級河川の管理の一部を行い又は二級河川を管理する都道府県知事に対し、必要な措置をとるべきことを指示することができる。

〔追加・平成一一法八七、改正・平成一一法一六〇・平成二五法三五〕

第五章　社会資本整備審議会の調査審議等及び都道府県河川審議会

〔改正・平成一一法一〇二〕

（社会資本整備審議会の調査審議等）

第八〇条　社会資本整備審議会は、国土交通大臣の諮問に応じ、河川に関する重要事項を調査審議する。

2　社会資本整備審議会は、前項に規定する事項について関係行政機関に対し、意見を述べることができる。

〔改正・平成一一法一〇二〕

参照【法による権限―法四②・③・一六③・④・四〇②

第八一条から第八五条まで　削除〔平成一一法一〇二〕

（都道府県河川審議会）

第八六条　都道府県知事の諮問に応じて、二級河川に関する重要事項を調査審議するため、都道府県に条例で、都道府県河川審議会を置くことができる。

2　都道府県河川審議会に関し必要な事項は、条例で定める。

第六章　雑則

（経過措置）

第八七条　一級河川、二級河川、河川区域、河川保全区域、河川予定地、河川保全立体区域又は河川予定立体区域の指定の際現に権原に基づき、この法律の規定により許可若しくは登録を要する行為を行っている者又はこの法律の規定によりその設置について許可を要する工作物を設置している者は、従前と同様の条件により、当該行為又は工作物の設置についてこの法律の規定による許可又は登録を受けたものとみなす。第二十五条、第二十七条第一項、第五十五条第一項、第五十七条第一項、第五十八条の四第一項若しくは第五十八条の六第一項の政令又はこれを改廃する政令の施行の際現に権原に基づき、当該政令の施行に伴い新たに許可を要することとなる行為を行い、又は工作物を設置している者についても、同様とする。

〔改正・平成七法六四・平成二五法三五〕

参照【許可等を受けたものとみなされる者の届出―法八八【旧法からの経過措置―施行法二〇

（許可等を受けたものとみなされる者の届出）

第八八条　前条に規定する指定があつた場合においては、同条の規定により、第二十三条若しくは第二十四条から第二十七条までの許可又は第二十三条の二の登録を受けたものとみなされる者で政令で定めるものは、河川管理者に対し、政令で定めるところにより、必要な事項を届け出なければならない。

〔改正・平成二五法三五〕

参照【届け出るべき者―令四八①【届け出るべき事項―令四八②、規則三六【旧法からの経過措置に係る届出―施行法二〇②、令附則八、規則附則三

（調査、工事等のための立入り等）

第八九条　国土交通大臣若しくは都道府県知事又はその命じた者若しくはその委任を受けた者は、一級河川、二級河川、河川区域、河川保全区域、河川予定地、河川保全立体区域若しくは河川予定立体区域の指定のための調査又は河川工事、河川の維持その他河川の管理を行うためやむを得ない必要がある場合においては、他人の占有する土地に立ち入り、又は特別の用途のない他人の土地を材料置場若しくは作業場として一時使用するこ

とができる。

2　前項の規定により他人の占有する土地に立ち入ろうとする場合においては、あらかじめ、当該土地の占有者にその旨を通知しなければならない。ただし、あらかじめ通知することが困難である場合においては、この限りでない。

3　第一項の規定により宅地又はかき、さく等で囲まれた土地に立ち入ろうとする場合においては、立入りの際、あらかじめ、その旨を当該土地の占有者に告げなければならない。

4　日出前及び日没後においては、占有者の承諾があつた場合を除き、前項に規定する土地に立ち入つてはならない。

5　第一項の規定により土地に立ち入ろうとする者は、その身分を示す証明書を携帯し、関係人に提示しなければならない。

6　第一項の規定により特別の用途のない他人の土地を材料置場又は作業場として一時使用しようとする場合においては、あらかじめ、当該土地の占有者及び所有者に通知して、その意見をきかなければならない。

7　土地の占有者又は所有者は、正当な理由がない限り、第一項の規定による立入り又は一時使用を拒み、又は妨げてはならない。

8　国土交通大臣又は都道府県知事は、第一項の規定による処分により損失を受けた者がある場合においては、その者に対して、通常生ずべき損失を補償しなければならない。

9　第二十二条第四項及び第五項の規定は、前項の規定による損失の補償について準用する。

〔改正・平成七法六四・平成一一法一六〇〕

参照　【証明書の様式―規則三五③】【罰則―法一〇三3・一〇七】

（許可等の条件）

第九〇条　河川管理者は、この法律又はこの法律に基づく政令若しくは都道府県の条例の規定による許可、登録又は承認には、必要な条件を付することができる。

2　前項の条件は、適正な河川の管理を確保するため必要な最小限度のものに限り、かつ、許可、登録又は承認を受けた者に対し、不当な義務を課することとなるものであつてはならない。

〔改正・平成一四法四・平成二五法三五〕

参照　【一級河川における特定水利使用に関する一項の権限の知事・地方整備局長等への非委任―令二①・五三】【監督処分―法七五】【経過措置―法八七、施行法二〇①】

（廃川敷地等の管理）

第九一条　河川区域の変更又は廃止があつた場合においては、従前の河川区域内の土地又は当該区域内の河川管理施設であつて河川管理施設として管理する必要がなくなつたもの（国有であるものに限る。以下「廃川敷地等」という。）は、従前当該河川を管理していた者が一年をこえない範囲内において政令で定める期間、管理しなければならない。

2　廃川敷地等は、土地収用法第百六条の規定の適用については、前項の期間内においては、廃川敷地等とならないものとみなす。

参照　【管理期間―令五〇】【廃川敷地等の公示―令四九】【処分の特例―施行法一七・一八、令附則七】【交換―法九二】【譲与―法九三】【管理費用・収益―法九四】

（廃川敷地等の交換）

第九二条　前条第一項の規定により廃川敷地等を管理する者は、同項の期間内において、政令で定めるところにより、当該廃川敷地等と新たに河川区域となる土地とを交換することができる。

参照　【交換差額―令五一】【交換に要する費用―法九四】

（二級河川に係る廃川敷地等の譲与）

第九三条　国土交通大臣は、二級河川に係る廃川敷地等で前条の規定による交換が行なわれなかつたものについては、財務大臣と協議の上、国有財産として存置する必要があるものを除き、第九十一条第一項の期間満了後、その区域内に当該廃川敷地等が存する都道府県にこれを譲与することができる。

2　前項の場合において、土地収用法第百六条又は民法（明治二十九年法律第八十九号）第五百七十九条の規定による買受け又は買戻しの相手方は、譲与を受けた都道府県とする。

〔改正・平成一一法一六〇〕

参照　【譲与申請手続―令五二】【指定河川に係る特例―令四四】

（廃川敷地等に関する費用等）

第九四条　第九十一条第一項の期間内における廃川敷地等の管理又は第九十二条の規定による廃川敷地等の交換に要する費用は、廃川敷地等となる前の当該河川が一級河川（指定区間内を除く。）であるときは国、二級河川又は指定区間内の一級河川であるときは当該河川の存する都道府県の負担とし、廃川敷地等の管理に伴う収益は、その管理の費用を負担する者の収入とする。

（河川の使用等に関する国の特例）

第九五条　国が行う事業についての第二十条、第二十三条、第二十三条の二、第二十四条から第二十七条まで、第三十条第二項、第三十四条第一項、第四十七条第一項、第五十三条の二第一項、第五十五条第一項、第五十七条第一項、第五十八条の四第一項及び第五十八条の六第一項の規定の適用については、国と河川管理者との協議が成立することをもつて、これらの規定による許可、登録又は承認があつたものとみなす。

〔改正・平成七法六四・平成九法六九・平成二五法三五〕

参照　【協議手続―規則四二】【国の行政機関とみなされる場合―独立行政法人水資源機構法施行令五六①七】

（道の特例）

第九六条　道の区域内の河川については、この法律の規定にかかわらず、河川の管理に要する費用の負担、河川管理者の権限、流水占用料等の帰属その他の事項につき、政令で特別の定めをすることができる。

参照　【道の区域内の河川の特例―令四〇〜四四、規則三四、施行法八】

（不服申立て）

第九七条　第二十二条第一項又は第二項の規定による処分その他公権力の行使に当たる行為については、審査請求をすることができない。

2　第十七条第一項の規定による協議に基づき都道府県、市町村その他の公共団体である他の工作物の管理者が河川管理者に代わつてした処分に不服がある者は、当該公共団体の長に対して審査請求をし、その裁決に不服がある者は、都道府県である他の工作物の管理者がした処分については国土交通大臣及び当該他の工作物に関する主務大臣に対して、その他の者がした処分については都道府県知事に対して再審査請求をすることができる。

3　第十七条第一項の規定による協議に基づき他の工作物の管理者である国又は国の機関が河川管理者に代わつてした処分に不服がある者は、国土交通大臣及び当該他の工作物に関する主務大臣に対して審査請求をすることができる。

4　次に掲げる処分に不服がある者は、その不服の理由が鉱業又は採石業との調整に関するものであるときは、公害等調整委員会に対して裁定の申請をすることができる。この場合には、審査請求をすることができない。

一　第二十四条から第二十七条まで、第二十九条、第五十五条第一項、第五十七条第一項、第五十八条の四第一項若しくは第五十八条の六第一項の規定による許可又はこれらの規定による許可を与えないこと。

二　前号に規定する処分に関する第七十五条の規定による処分

5　行政不服審査法（平成二十六年法律第六十八号）第二十二条の規定は、前項各号の処分につき、処分をした行政庁が誤つて審査請求又は再調査の請求をすることができる旨を教示した場合に準用する。

〔改正・昭和四七法五二・平成七法六四・平成一一法八七・法一六〇・平成二六法六九〕

参照　【公害等調整委員会―公害等調整委員会設置法　【準用河川における二項の不準用―令五六

（権限の委任）

第九八条　この法律に規定する国土交通大臣の権限は、政令で定めるところにより、その一部を地方整備局長又は北海道開発局長に委任することができる。

〔改正・昭和四五法一一一・平成一一法一六〇〕

参照　【委任事項―令五三

（地方公共団体等への委託）

第九九条　河川管理者は、特に必要があると認めるときは、政令で定める河川管理施設の維持又は操作その他これに類する河川の管理に属する事項を関係地方公共団体又は当該事項を適正かつ確実に実施することができると認められる者として国土交通省令で定める要件に該当するもの（次項において「地方公共団体等」という。）に委託することができる。

2　前項の規定により委託を受けた地方公共団体等が当該委託を受けた事項についての第二十条、第二十四条、第二十五条後段、第二十六条第一項、第二十七条第一項及び第三十四条第一項（第二十四条及び第二十五条後段の許可に係る部分に限る。）の規定の適用については、当該地方公共団体等と河川管理者との協議が成立することをもつて、これらの規定による許可又は承認があつたものとみなす。

〔改正・平成二五法三五〕

参照　【委託できる河川管理施設―令五四　【準用河川における不準用―令五六　【国土交通省令で定める要件―規則三七の六

参考規定―地方自治法二五二の一四

（この法律の規定を準用する河川）

第一〇〇条　一級河川及び二級河川以外の河川で市町村長が指定したもの（以下「準用河川」という。）については、この法律中二級河川に関する規定（政令で定める規定を除く。）を準用する。この場合において、これらの規定（第十六条の四、第十六条の五、第六十五条の三及び第六十五条の四の規定を除く。）中「都道府県知事」とあるのは「市町村長」と、「都道府県」とあるのは「市町村」と、「国土交通大臣」とあるのは「都道府県知事」と、第十三条第二項中「政令」とあるのは「政令で定める基準を参酌して市町村の条例」と、第十六条の四第一項中「都道府県知事又は指定都市の長（以下「都道府県知事等」という。）」とあるのは「市町村長」と、「都道府県知事等が統括する都道府県又は指定都市（以下「都道府県等」という。）」とあるのは「市町村長が統括する市町村」と、「勘案して、当該都道府県知事等に」とあるのは「勘案して、当該市町村長」と、「都道府県知事等に」とあるのは「市町村長に」と、同条第二項、第十六条の五及び第六十五条の三第一項中「都道府県知事等」とあるのは「市町村長」と、第十六条の五第一項、第六十五条の三第一項、第二項及び第六項並びに第六十五条の四第一項及び第五項中「都道府県等」とあるのは「市町村」と、第六十五条の三第六項及び第六十五条の四第五項中「受ける都道府県」とあるのは「受ける市町村」と読み替えるものとする。

2　前項に規定するもののほか、この法律の規定の準用についての必要な技術的読替えは、政令で定める。

〔改正・昭和四七法四七・平成一一法八七・法一六〇・平成二三法三七・令和三法三一〕

参照　【準用しない規定―令五六　【読替規定―令五七　【指定等の手続―令五五、規則三八　【都道府県知事等の指揮監督―法七九②

（一級河川、二級河川又は準用河川の指定に係る無償貸付け等）

第一〇〇条の二　一級河川又は二級河川の指定があつた場合において、市町村が所有する当該一級河川又は二級河川の用に供される土地（一級河川、二級河川及び準用河川以外の河川（以下「普通河川」という。）の用に供するため第三項又は国有財産特別措置法（昭和二十七年法律第二百十九号）第五条第一項第五号の規定により市町村に譲与されたものに限る。）は、当該土地が当該一級河川又は二級河川の用に供されている間、国に無償で貸し付けられたものとみなす。

2　準用河川の指定があつた場合において、国が所有する当該準用河川の用に供される土地は、国有財産法（昭和二十三年法律第七十三号）第二十一条及び第二十二条の規定にかかわらず、当該土地が当該準用河川の用に供されている間、当該準用河川を管理する市町村長の統轄する市町村に無償で貸し付けられたものとみなす。

3　国土交通大臣は、一級河川、二級河川又は準用河川の指定が廃止された場合において、市町村が当該一級河川、二級河川又は準用河川の用に供されていた国の所有する土地を引き続き普通河川の用に供しようとするときは、当該土地について、国有財産法第二十八条の規定にかかわらず、当該普通河川を管理する市町村長の統轄する市町村に譲与することができる。

〔追加・平成一一法八七、改正・平成一一法一六〇〕

（事務の区分）

第一〇〇条の三　この法律の規定により地方公共団体が処理する

こととされている事務のうち次に掲げるものは、地方自治法第二条第九項第一号に規定する第一号法定受託事務（次項において単に「第一号法定受託事務」という。）とする。

一　第五条第一項から第四項まで及び第六項、第六条第一項第三号及び第二項から第六項まで、第十条第一項及び第二項、同条第三項において読み替えて準用する第九条第三項（都道府県知事が行う事務に係る部分に限る。）及び第四項、第十一条、第十二条第一項、第十四条、第十五条、第十五条の二第一項、第十六条第一項、同条第四項及び第五項（同条第六項においてこれらの規定を準用する場合を含む。）、第十六条の二第一項、同条第三項から第六項まで（同条第七項においてこれらの規定を準用する場合を含む。）、第十六条の三第一項、第十六条の四第一項、第十六条の五第一項、第十七条から第二十条まで、第二十一条第一項、第三項及び第四項、第二十二条第一項から第三項まで及び第六項、同条第四項及び第五項（第二十二条の三第六項、第五十七条第三項、第五十八条の六第三項、第七十六条第二項及び第八十九条第九項においてこれらの規定を準用する場合を含む。）、第二十二条の二、第二十二条の三第一項から第三項まで及び第五項、第二十三条から第二十三条の三まで、第二十四条、第二十五条、第二十六条第一項、第四項及び第五項、第二十七条第一項及び第五項、第二十八条から第三十条まで、第三十一条第二項、第三十二条第四項、第三十四条第一項、第三十六条第二項及び第四項、第三十七条から第三十八条まで、第四十二条第二項から第四項まで、第四十三条第一項、第四十四条第一項、第四十七条第一項、第二項及び第四項、第五十二条、第五十三条第三項、第五十三条の二第一項及び第三項、第五十四条第一項及び第四項、第五十五条第一項、第五十六条第一項及び第三項、第五十七条第一項及び第二項、第五十八条の二、第五十八条の三第一項及び第四項、第五十八条の四第一項、第五十八条の五第一項及び第三項、第五十八条の六第一項及び第二項、第五十八条の八第一項、第二項及び第四項、第五十八条の十一から第五十八条の十三まで、第六十六条、第六十七条、第六十八条第二項、第七十条第一項、第七十条の二第一項及び第二項、第七十四条第一項から第三項まで及び第五項、第七十五条第一項から第七項まで、第七十六条第一項及び第三項、第七十七条第一項（河川監理員を命ずる事務に係る部分を除く。）、第七十八条第一項、第八十九条第一項から第三項まで、第六項及び第八項、第九十一条第一項、第九十二条、第九十五条並びに第九十九条第二項の規定により、二級河川に関して都道府県又は指定都市が処理することとされている事務

二　第十六条の四第一項及び第十六条の五第一項の規定により、指定区間内の一級河川に関して都道府県が処理することとされている事務

三　第十六条の四第一項、第十六条の五第一項、第三十二条第四項及び第三十六条第三項の規定により、指定区間内の二級河川に関して指定都市が処理することとされている事務

四　第十六条の三の規定により、市町村が処理することとされている事務

2　他の法律及びこれに基づく政令の規定により、指定区間内の一級河川及び二級河川の管理に関して都道府県又は指定都市が処理することとされている事務は、第一号法定受託事務とする。

〔追加・平成一一法八七、改正・平成一二法五三・平成二五法三五・平成二九法三一・令和三法三一〕

（政令への委任）

第一〇一条　この法律に定めるもののほか、この法律の実施のため必要な事項は、政令で定める。

参照【政令―令五〇・五二・五五等

第七章　罰則

第一〇二条　次の各号のいずれかに該当する者は、一年以下の懲役又は五十万円以下の罰金に処する。

第一〇二条　次の各号のいずれかに該当する者は、一年以下の拘禁刑又は五十万円以下の罰金に処する。

一　第二十三条又は第二十三条の二の規定に違反して、河川の流水を占用した者

二　第二十六条第一項の規定に違反して、工作物の新築、改築又は除却をした者

三　第二十七条第一項の規定に違反して、土地の掘削、盛土若しくは切土その他土地の形状を変更する行為をし、又は竹木の栽植若しくは伐採をした者

〔改正・平成三法六一・平成二五法三五〕

参照【両罰規定―法一〇七【経過措置―施行法二二

第一〇三条　次の各号のいずれかに該当する者は、六月以下の懲役又は三十万円以下の罰金に処する。

第一〇三条　次の各号のいずれかに該当する者は、六月以下の拘禁刑又は三十万円以下の罰金に処する。

一　第二十二条の三第四項の規定に違反して、原状回復措置等を拒み、又は妨げた者

二　第三十条第一項の規定に違反して、工作物を使用した者

三　第八十九条第七項の規定に違反して、土地の立入り又は一時使用を拒み、又は妨げた者

〔改正・平成三法六一・平成二五法三五〕

参照【両罰規定―法一〇七【経過措置―施行法二二

第一〇四条　次の各号の一に該当する者は、三月以下の懲役又は二十万円以下の罰金に処する。

一　第五十五条第一項の規定に違反して、河川保全区域内において同項各号の一に該当する行為をした者

二　第五十八条の四第一項の規定に違反して、河川保全立体区域内において同項各号の一に該当する行為をした者

第一〇四条　次の各号のいずれかに該当する者は、三月以下の拘禁刑又は二十万円以下の罰金に処する。

一　第五十五条第一項の規定に違反して、河川保全区域内において同項各号のいずれかに該当する行為をした者

二　第五十八条の四第一項の規定に違反して、河川保全立体区域内において同項各号のいずれかに該当する行為をした者

〔改正・平成三法六一、全改・平成七法六四〕

参照【両罰規定―法一〇七【経過措置―施行法二二

第一〇五条　次の各号のいずれかに該当する者は、三十万円以下の罰金に処する。
一　第四十四条第一項の規定による指示に従わなかつた者
二　第四十七条第一項前段に規定する操作規程の承認を受けないで、ダムを流水の貯留又は取水の用に供した者
三　第四十七条第三項の規定に違反して、ダムを操作した者
四　詐欺その他不正な手段により、第二十三条、第二十六条第一項、第二十七条第一項、第五十五条第一項若しくは第五十八条の四第一項の許可又は第二十三条の二の登録を受けた者
五　詐欺その他不正な手段により、第三十条第一項の規定による検査に合格して、工作物を使用した者
〔改正・平成三法六一・平成七法六四・平成二五法三五〕

参照【両罰規定―法一〇七】【経過措置―施行法二二】

第一〇六条　次の各号の一に該当する者は、二十万円以下の罰金に処する。
一　第四十九条の規定に違反して、記録を作成せず、又は記録の提出を拒み、若しくは虚偽の記録を提出した者
二　第五十条第一項に規定する管理主任技術者を置かないで、ダムを流水の貯留又は取水の用に供した者
三　第五十八条の規定により河川区域内の土地とみなされる河川予定地内の土地又は第五十八条の七の規定により河川立体区域内の地下若しくは空間とみなされる河川予定立体区域内の地下若しくは空間において、第二十六条第一項の規定に違反して、工作物の新築、改築又は除却をした者
四　前号に規定する河川予定地内の土地又は同号に規定する河川予定立体区域内の地下若しくは空間において、第二十七条第一項の規定に違反して、土地の掘削、盛土若しくは切土その他土地の形状を変更する行為をし、又は竹木の栽植若しくは伐採をした者
五　第三号に規定する河川予定地内の土地又は同号に規定する河川予定立体区域内の地下若しくは空間において新築し、又は改築した工作物を、第三十条第一項の規定に違反して、使用した者
六　第七十八条第一項の規定に違反して、報告をせず、若しくは虚偽の報告をし、又は同項の規定による検査を拒み、若しくは妨げた者
〔改正・平成三法六一・平成七法六四〕

参照【両罰規定―法一〇七】【経過措置―施行法二二】

第一〇七条　法人の代表者又は法人若しくは人の代理人、使用人その他の従業者が、その法人又は人の業務に関し、第百二条から前条までの違反行為をしたときは、行為者を罰するのほか、その法人又は人に対して各本条の罰金刑を科する。

第一〇八条　第三十三条第三項（第五十五条第二項、第五十七条第三項、第五十八条の四第二項及び第五十八条の六第三項において準用する場合を含む。）の規定に違反して、届出をせず、又は虚偽の届出をした者は、五万円以下の過料に処する。
〔改正・平成三法六一・平成七法六四〕

参照【手続―非訟事件手続法】

第一〇九条　第二十八条又は第二十九条第一項若しくは第二項の規定に基づく政令又は都道府県若しくは指定都市の条例には、必要な罰則を設けることができる。
2　前項の罰則は、政令にあつては六月以下の懲役、三十万円以下の罰金、拘留又は科料、条例にあつては三月以下の懲役、二十万円以下の罰金、拘留又は科料とする。

2　前項の罰則は、政令にあつては六月以下の拘禁刑、三十万円以下の罰金、拘留又は科料、条例にあつては三月以下の拘禁刑、二十万円以下の罰金、拘留又は科料とする。

〔改正・平成三法六一・平成一一法五三・平成一四法四〕

附　則

1　この法律は、昭和四十年四月一日から施行する。ただし、第五章の規定は、公布の日から施行する。
2　第六十条第一項の規定の平成二十二年度における適用については、同項中「災害復旧事業に」とあるのは、「災害復旧事業又は災害の発生を防止し、若しくは流水の正常な機能を維持するために速やかに行う必要があるものとして政令で定める河川管理施設に係る工事若しくは河川の管理のための設備の更新に」とする。
3　国は、当分の間、地方公共団体に対し、第六十条第二項後段、第六十二条、第六十五条の二第一項後段又は第九十六条の規定により国がその費用について負担する改良工事で日本電信電話株式会社の株式の売払収入の活用による社会資本の整備の促進に関する特別措置法（昭和六十二年法律第八十六号。以下「社会資本整備特別措置法」という。）第二条第一項第二号に該当するものに要する費用に充てる資金について、予算の範囲内において、第六十条第二項後段、第六十二条、第六十五条の二第一項後段又は第九十六条の規定（これらの規定による国の負担の割合について、これらの規定と異なる定めをした法令の規定がある場合には、当該異なる定めをした法令の規定を含む。以下同じ。）により国が負担する金額に相当する金額を無利子で貸し付けることができる。
4　国は、当分の間、地方公共団体に対し、一級河川又は二級河川（第百条の規定によりこの法律の二級河川に関する規定が準用される河川を含む。）に関する事業（前項の改良工事を除く。）で社会資本整備特別措置法第二条第一項第二号に該当するものに要する費用に充てる資金の一部を、予算の範囲内において、無利子で貸し付けることができる。
5　前二項の国の貸付金の償還期間は、五年（二年以内の据置期間を含む。）以内で政令で定める期間とする。
6　前項に定めるもののほか、附則第三項又は第四項の規定による貸付金の償還方法、償還期限の繰上げその他償還に関し必要な事項は、政令で定める。
7　国は、附則第三項の規定により、地方公共団体に対し貸付けを行つた場合には、当該貸付けの対象である改良工事に係る第六十条第二項後段、第六十二条、第六十五条の二第一項後段又は第九十六条の規定による国の負担については、当該貸付金の償還時において、当該貸付金の償還金に相当する金額を交付することにより行うものとする。
8　国は、附則第四項の規定により、地方公共団体に対し貸付けを行つた場合には、当該貸付けの対象である事業について、当該貸付金に相当する金額の補助を行うものとし、当該補助については、当該貸付金の償還時において、当該貸付金の償還金に相当する金額を交付することにより行うものとする。
9　地方公共団体が、附則第三項又は第四項の規定による貸付けを受けた無利子貸付金について、附則第五項及び第六項の規定

に基づき定められる償還期限を繰り上げて償還を行つた場合（政令で定める場合を除く。）における前二項の規定の適用については、当該償還は、当該償還期限の到来時に行われたものとみなす。

〔改正・昭和六〇法三七・昭和六一法四六・昭和六二法一一・法八七・平成元法二二・平成三法一五・平成五法八・平成一四法一・平成二二法二〇〕

参照 【五項・六項の規定による貸付金の償還期間等—令附則一八

附　則〔略〕〔昭和四五・四・一法律一三〕

附　則〔略〕〔昭和四五・六・一法律一一一〕

附　則〔抄〕〔昭和四七・六・一法律四七〕

（施行期日）

1　この法律は、公布の日から施行する。

（一級河川の指定の経過措置）

2　この法律の施行前に改正前の第四条の規定によりした河川の指定は、改正後の同条の規定によりした河川の指定とみなす。

附　則〔略〕〔昭和四七・六・三法律五二〕

附　則〔略〕〔昭和五三・五・二三法律五五〕

附　則〔略〕〔昭和五三・七・五法律八七〕

附　則〔略〕〔昭和五七・七・一六法律六六〕

附　則〔略〕〔昭和六〇・五・一八法律三七〕

附　則〔略〕〔昭和六一・五・八法律四六〕

附　則〔略〕〔昭和六二・三・三一法律一一〕

附　則〔略〕〔昭和六二・五・二九法律三四〕

附　則〔略〕〔昭和六二・九・四法律八七〕

附　則〔抄〕〔平成元・四・一〇法律二二〕

（施行期日等）

1　この法律は、公布の日から施行する。

2　この法律〔中略〕による改正後の法律の平成元年度及び平成二年度の特例に係る規定並びに平成元年度の特例に係る規定は、平成元年度及び平成二年度（平成元年度の特例に係るものにあっては、平成元年度。以下この項において同じ。）の予算に係る国の負担（当該国の負担に係る都道府県又は市町村の負担を含む。以下この項及び次項において同じ。）又は補助（昭和六十三年度以前の年度における事務又は事業の実施により平成元年度以降の年度に支出される国の負担及び昭和六十三年度以前の年度の国庫債務負担行為に基づき平成元年度以降の年度に支出すべきものとされた国の負担又は補助を除く。）並びに平成元年度及び平成二年度における事務又は事業の実施により平成三年度（平成元年度の特例に係るものにあっては、平成二年度。以下この項において同じ。）以降の年度に支出される国の負担、平成元年度及び平成二年度の国庫債務負担行為に基づき平成三年度以降の年度に支出すべきものとされる国の負担又は補助並びに平成元年度及び平成二年度の歳出予算に係る国の負担又は補助で平成三年度以降の年度に繰り越されるものについて適用し、昭和六十三年度以前の年度における事務又は事業の実施により平成元年度以降の年度に支出される国の負担、昭和六十三年度以前の年度の国庫債務負担行為に基づき平成元年度以降の年度に支出すべきものとされた国の負担又は補助及び昭和六十三年度以前の年度の歳出予算に係る国の負担又は補助で平成元年度以降の年度に繰り越されたものについては、なお従前の例による。

附　則〔平成三・三・三〇法律一五〕

改正　平成五・三法八

1　この法律は、平成三年四月一日から施行する。

2　この法律〔中略〕による改正後の法律の平成三年度及び平成四年度の特例に係る規定並びに平成三年度の特例に係る規定は、平成三年度及び平成四年度（平成三年度の特例に係るものにあっては平成三年度とする。以下この項において同じ。）の予算に係る国の負担（当該国の負担に係る都道府県又は市町村の負担を含む。以下この項において同じ。）又は補助（平成二年度以前の年度における事務又は事業の実施により平成三年度以降の年度に支出される国の負担及び平成二年度以前の年度の国庫債務負担行為に基づき平成三年度以降の年度に支出すべきものとされた国の負担又は補助を除く。）並びに平成三年度及び平成四年度における事務又は事業の実施により平成五年度（平成三年度の特例に係るものにあっては平成四年度とする。以下この項において同じ。）以降の年度に支出される国の負担、平成三年度及び平成四年度の国庫債務負担行為に基づき平成五年度以降の年度に支出すべきものとされる国の負担又は補助並びに平成三年度及び平成四年度の歳出予算に係る国の負担又は補助で平成五年度以降の年度に繰り越されるものについて適用し、平成二年度以前の年度における事務又は事業の実施により平成三年度以降の年度に支出される国の負担、平成二年度以前の年度の国庫債務負担行為に基づき平成三年度以降の年度に支出すべきものとされた国の負担又は補助及び平成二年度以前の年度の歳出予算に係る国の負担又は補助で平成三年度以降の年度に繰り越されたものについては、なお従前の例による。

国の補助金等の臨時特例等に関する法律〔抄〕

〔平成三・三・三〇法律一五〕

改正　平成五・三法八

第八章　地方公共団体に対する財政金融上の措置

（地方公共団体に対する財政金融上の措置）

第三四条　国は、この法律の規定による改正後の法律の規定により平成三年度及び平成四年度の予算に係る国の負担又は補助の割合の引下げ措置の対象となる地方公共団体に対し、その事務又は事業の執行及び財政運営に支障を生ずることのないよう財政金融上の措置を講ずるものとする。

附　則〔抄〕〔平成三・五・二法律六一〕

（施行期日）

1　この法律は、公布の日から起算して六月を超えない範囲内において政令で定める日から施行する。

〔平成三政三三三により、平成三・一一・一から施行〕

（罰則に関する経過措置）

2　この法律の施行前にした行為に対する罰則の適用については、なお従前の例による。

附　則〔抄〕〔平成五・三・三一法律八〕

（施行期日等）

1　この法律は、平成五年四月一日から施行する。

2　この法律〔中略〕による改正後の法律の規定は、平成五年度以降の年度の予算に係る国の負担（当該国の負担に係る都道府県又は市町村の負担を含む。以下この項において同じ。）又は補助（平成四年度以前の年度における事務又は事業の実施により平成五年度以降の年度に支出される国の負担及び平成四年度以前の年度の国庫債務負担行為に基づき平成五年度以降の年度に支出すべきものとされた国の負担又は補助を除く。）について適用し、平成四年度以前の年度における事務又は事業の実施により平成五年度以降の年度に支出される国の負担、平成四年度以前の年度の国庫債務負担行為に基づき平成五年度以降の年度に支出すべきものとされた国の負担又は補助及び平成四年度以前の年度の歳出予算に係る国の負担又は補助で平成五年度以降の年度に繰り越されたものについては、なお従前の例による。

附　則〔略〕〔平成七・四・五法律六四〕

附　則〔抄〕〔平成九・六・四法律六九〕

（施行期日）

第一条　この法律は、公布の日から起算して六月を超えない範囲内において政令で定める日から施行する。

〔平成九政三四一により、平成九・一二・一から施行〕

（河川整備基本方針及び河川整備計画に関する経過措置）

第二条　この法律の施行の日以後この法律による改正後の河川法（以下「新法」という。）第十六条第一項の規定に基づき当該河川について河川整備基本方針が定められるまでの間においては、この法律の施行の際現にこの法律による改正前の河川法（以下「旧法」という。）第十六条第一項の規定に基づき当該河川について定められている工事実施基本計画の一部を、政令で定めるところにより、新法第十六条第一項の規定に基づき当該河川について定められた河川整備基本方針とみなす。

2　この法律の施行の日以後新法第十六条の二第一項の規定に基づき当該河川の区間について河川整備計画が定められるまでの間においては、この法律の施行の際現に旧法第十六条第一項の規定に基づき当該河川について定められている工事実施基本計画の一部を、政令で定めるところにより、新法第十六条の二第一項の規定に基づき当該河川の区間について定められた河川整備計画とみなす。

附　則〔抄〕〔平成一一・七・一六法律八七〕

（施行期日）

第一条　この法律は、平成十二年四月一日から施行する。ただし、次の各号に掲げる規定は、当該各号に定める日から施行する。

一　〔前略〕附則〔中略〕第百六十条、第百六十三条、第百六十四条並びに第二百二条の規定　公布の日

二～六　〔略〕

（河川法の一部改正に伴う経過措置）

第一三七条　施行日前に第四百三十三条の規定による改正前の河川法（以下この条において「旧河川法」という。）第七十九条第二項第一号又は第四号の規定によりされた認可は、第四百三十三条の規定による改正後の河川法（以下この条において「新河川法」という。）第七十九条第二項第一号又は第四号の規定によりされた同意とみなす。

2　施行日前に旧河川法第七十九条第二項第二号又は第三号の規定による建設大臣の認可を受けた都道府県知事は、新河川法第七十九条第二項第二号又は第三号の規定による建設大臣との協議を行ったものとみなす。

3　この法律の施行の際現に旧河川法第七十九条第二項の規定によりされている認可の申請は、新河川法第七十九条第二項の規定によりされた協議の申出とみなす。

4　この法律の施行の際現に準用河川の用に供されている国の所有する土地は、国有財産法第二十一条及び第二十二条の規定にかかわらず、当該土地が準用河川の用に供されている間、当該準用河川を管理する市町村長の統轄する市町村に無償で貸し付けられたものとみなす。

（国等の事務）

第一五九条　この法律による改正前のそれぞれの法律に規定するもののほか、この法律の施行前において、地方公共団体の機関が法律又はこれに基づく政令により管理し又は執行する国、他の地方公共団体その他公共団体の事務（附則第百六十一条において「国等の事務」という。）は、この法律の施行後は、地方公共団体が法律又はこれに基づく政令により当該地方公共団体の事務として処理するものとする。

（処分、申請等に関する経過措置）

第一六〇条　この法律（附則第一条各号に掲げる規定については、当該各規定。以下この条及び附則第百六十三条において同じ。）の施行前に改正前のそれぞれの法律の規定によりされた許可等の処分その他の行為（以下この条において「処分等の行為」という。）又はこの法律の施行の際現に改正前のそれぞれの法律の規定によりされている許可等の申請その他の行為（以下この条において「申請等の行為」という。）で、この法律の施行の日においてこれらの行為に係る行政事務を行うべき者が異なることとなるものは、附則第二条から前条までの規定又は改正後のそれぞれの法律（これに基づく命令を含む。）の経過措置に関する規定に定めるものを除き、この法律の施行の日以後における改正後のそれぞれの法律の適用については、改正後のそれぞれの法律の相当規定によりされた処分等の行為又は申請等の行為とみなす。

2　この法律の施行前に改正前のそれぞれの法律の規定により国又は地方公共団体の機関に対し報告、届出、提出その他の手続をしなければならない事項で、この法律の施行の日前にその手続がされていないものについては、この法律及びこれに基づく政令に別段の定めがあるもののほか、これを、改正後のそれぞれの法律の相当規定により国又は地方公共団体の相当の機関に対して報告、届出、提出その他の手続をしなければならない事項についてその手続がされていないものとみなして、この法律による改正後のそれぞれの法律の規定を適用する。

（不服申立てに関する経過措置）

第一六一条　施行日前にされた国等の事務に係る処分であって、当該処分をした行政庁（以下この条において「処分庁」という。）に施行日前に行政不服審査法に規定する上級行政庁（以下この条において「上級行政庁」という。）があったものについての同法による不服申立てについては、施行日以後においても、当該処分庁に引き続き上級行政庁があるものとみなして、行政不服審査法の規定を適用する。この場合において、当該処分庁の上級行政庁とみなされる行政庁は、施行日前に当該処分庁の上級行政庁であった行政庁とする。

2　前項の場合において、上級行政庁とみなされる行政庁が地方公共団体の機関であるときは、当該機関が行政不服審査法の規定により処理することとされる事務は、新地方自治法第二条第九項第一号に規定する第一号法定受託事務とする。

（手数料に関する経過措置）

第一六二条　施行日前においてこの法律による改正前のそれぞれの法律（これに基づく命令を含む。）の規定により納付すべきであった手数料については、この法律及びこれに基づく政令に別段の定めがあるもののほか、なお従前の例による。

（罰則に関する経過措置）

第一六三条　この法律の施行前にした行為に対する罰則の適用に

ついては、なお従前の例による。

（その他の経過措置の政令への委任）

第一六四条　この附則に規定するもののほか、この法律の施行に伴い必要な経過措置（罰則に関する経過措置を含む。）は、政令で定める。

２　（略）

附　則　〔抄〕〔平成一一・七・一六法律一〇二〕

（施行期日）

第一条　この法律は、内閣法の一部を改正する法律（平成十一年法律第八十八号）の施行の日（平成一三・一・六）から施行する。ただし、次の各号に掲げる規定は、当該各号に定める日から施行する。

一　（略）

二　附則（中略）第二十八条並びに第三十条の規定　公布の日

（委員等の任期に関する経過措置）

第二八条　この法律の施行の日の前日において次に掲げる従前の審議会その他の機関の会長、委員その他の職員である者（任期の定めのない者を除く。）の任期は、当該会長、委員その他の職員の任期を定めたそれぞれの法律の規定にかかわらず、その日に満了する。

一～五十四　（略）

五十五　河川審議会

五十六～五十八　（略）

（別に定める経過措置）

第三〇条　第二条から前条までに規定するもののほか、この法律の施行に伴い必要となる経過措置は、別に法律で定める。

附　則　〔略〕〔平成一一・一二・二二法律一六〇〕

附　則　〔略〕〔平成一二・四・二八法律五三〕

附　則　〔抄〕〔平成一二・五・一九法律七八〕

（施行期日）

第一条　この法律は、平成十三年四月一日から施行する。〔以下略〕

（河川法の一部改正に伴う経過措置）

第一五条　この法律の施行前に前条の規定による改正前の河川法第六条第五項の規定による農林水産大臣との協議をした河川管理者は、前条の規定による改正後の河川法第六条第五項の規定による漁港管理者との協議をしたものとみなす。

附　則　〔略〕〔平成一二・五・三一法律九一〕

附　則　〔略〕〔平成一三・六・二九法律九二〕

附　則　〔略〕〔平成一四・二・八法律一〕

附　則　〔抄〕〔平成一四・三・三〇法律四〕

（施行期日）

第一条　この法律（中略）は、当該各号に定める日から施行する。

一　（前略）附則第十二条の規定　公布の日

二　（略）

三　第四条から第七条まで及び附則第十一条の規定　平成十五年一月一日

（罰則に関する経過措置）

第一一条　附則第一条第三号に掲げる規定の施行前にした行為に対する罰則の適用については、なお従前の例による。

（その他の経過措置の政令への委任）

第一二条　この附則に規定するもののほか、この法律の施行に伴い必要な経過措置（罰則に関する経過措置を含む。）は、政令で定める。

附　則　〔略〕〔平成一六・六・九法律八四〕

附　則　〔抄〕〔平成一七・七・二九法律八九〕

（施行期日等）

第一条　この法律は、公布の日から起算して六月を超えない範囲内において政令で定める日（以下「施行日」という。）から施行する。ただし、次項及び附則第二十七条の規定は、公布の日から施行する。

〔平成一七政三七四により、平成一七・一二・二二から施行〕

２・３　（略）

（政令への委任）

第二七条　この附則に規定するもののほか、この法律の施行に関して必要な経過措置は、政令で定める。

附　則　〔抄〕〔平成二二・三・三一法律二〇〕

（施行期日）

第一条　この法律は、平成二十二年四月一日から施行する。

（経過措置）

第二条　第一条から第八条まで並びに附則第六条及び第九条の規定による改正後の次の各号に掲げる法律の規定は、当該各号に定める国の負担（当該国の負担に係る都道府県又は市町村の負担を含む。以下この条において同じ。）について適用し、平成二十一年度以前の年度における事務又は事業の実施により平成二十二年度以降の年度に支出される国の負担、平成二十一年度以前の年度の国庫債務負担行為に基づき平成二十二年度以降の年度に支出すべきものとされた国の負担及び平成二十一年度以前の年度の歳出予算に係る国の負担で平成二十二年度以降の年度に繰り越されたものについては、なお従前の例による。

一　次に掲げる法律の規定　平成二十二年度の予算に係る国の負担（平成二十一年度以前の年度における事務又は事業の実施により平成二十二年度に支出される国の負担及び平成二十一年度以前の年度の国庫債務負担行為に基づき平成二十二年度に支出すべきものとされた国の負担を除く。）並びに同年度における事務又は事業の実施により平成二十三年度以降の年度に支出される国の負担、平成二十二年度の国庫債務負担行為に基づき平成二十三年度以降の年度に支出すべきものとされる国の負担及び平成二十二年度の歳出予算に係る国の負担で平成二十三年度以降の年度に繰り越されるもの

イ～ニ　（略）

ホ　河川法附則第二項の規定により読み替えて適用する同法第六十条第一項

ヘ　（略）

二　（略）

三　次に掲げる法律の規定　平成二十三年度以降の年度の予算に係る国の負担（平成二十二年度以前の年度における事務又は事業の実施により平成二十三年度以降の年度に支出される国の負担及び平成二十二年度以前の年度の国庫債務負担行為に基づき平成二十三年度以降の年度に支出すべきものとされた国の負担を除く。）

イ～ハ　（略）

ニ　河川法第六十条第一項

ホ　（略）

（政令への委任）

第三条　前条に定めるもののほか、この法律の施行に関し必要な経過措置は、政令で定める。

附　則　〔抄〕〔平成二三・五・二法律三七〕

（施行期日）

第一条　この法律は、公布の日から施行する。ただし、次の各号に掲げる規定は、当該各号に定める日から施行する。
一　〔略〕
二　〔前略〕第三十六条の規定並びに附則〔中略〕第十八条〔中略〕の規定　平成二十四年四月一日
三・四　〔略〕

（**河川法の一部改正に伴う経過措置**）
第一八条　第三十六条の規定の施行の日から起算して一年を超えない期間内において、同条の規定による改正後の河川法第百条第一項において準用する同法第十三条第二項の規定に基づく条例が制定施行されるまでの間は、同項の政令で定める基準は、当該条例で定める技術的基準とみなす。

（**罰則に関する経過措置**）
第二三条　この法律（附則第一条各号に掲げる規定にあっては、当該規定）の施行前にした行為に対する罰則の適用については、なお従前の例による。

（**政令への委任**）
第二四条　附則第二条から前条まで及び附則第三十六条に規定するもののほか、この法律の施行に関し必要な経過措置は、政令で定める。

附　則〔抄〕〔平成二五・六・一二法律三五〕

（**施行期日**）
第一条　この法律は、公布の日から起算して一月を超えない範囲内において政令で定める日から施行する。ただし、第二条（河川法目次の改正規定（「第十五条」を「第十五条の二」に改める部分に限る。）、同法第十五条の改正規定、同法第二章第一節中同条の次に一条を加える改正規定、同法第二十三条の改正規定、同条の次に三条を加える改正規定、同法第三十二条の改正規定、同法第三十三条（見出しを含む。）の改正規定、同法第三十四条から第三十六条まで及び第三十八条の改正規定、同法第四十一条（見出しを含む。）の改正規定、同法第七十五条の改正規定（同条第二項第三号中「洪水」の下に「、津波」を加える部分を除く。）、同法第七十六条から第七十九条まで及び第八十七条の改正規定、同法第八十八条（見出しを含む。）の改正規定、同法第九十条及び第九十五条の改正規定、同法第百条の三第一項第一号の改正規定（「第十五条」の下に「、第十五条の二第一項」を加える部分及び「第二十五条まで」を「第二十三条の三まで、第二十四条、第二十五条」に改める部分に限る。）並びに同法第百二条及び第百五条の改正規定に限る。）並びに附則第三条〔中略〕の規定は、公布の日から起算して六月を超えない範囲内において政令で定める日から施行する。

〔平成二五政二一三により、平成二五・七・一一から施行。ただし書の規定は、平成二五政三三二により、平成二五・一二・一一から施行〕

（**河川法の一部改正に伴う経過措置**）
第三条　附則第一条ただし書に規定する規定の施行の際現に第二条の規定による改正前の河川法（次項において「旧河川法」という。）第二十三条の規定による許可であって、第二条の規定による改正後の河川法（以下この条及び附則第六条において「新河川法」という。）第二十三条の二の規定が適用される流水の占用に係るものは、同条の規定によりした登録とみなす。この場合において、新河川法第二十三条の三の規定は、適用しない。

2　附則第一条ただし書に規定する規定の施行の際現にされている旧河川法第二十三条の規定による許可の申請であって、新河川法第二十三条の二の規定が適用される流水の占用に係るものは、同条の規定によりした登録の申請とみなす。

（**罰則の適用に関する経過措置**）
第四条　この法律の施行前にした行為に対する罰則の適用については、なお従前の例による。

（**政令への委任**）
第五条　前三条に定めるもののほか、この法律の施行に関し必要な経過措置は、政令で定める。

（**検討**）
第六条　政府は、この法律の施行後五年を経過した場合において、新水防法及び新河川法の施行の状況について検討を加え、必要があると認めるときは、その結果に基づいて所要の措置を講ずるものとする。

附　則〔略〕〔平成二六・六・一三法律六九〕

附　則〔略〕〔平成二七・五・二〇法律二二〕

附　則〔抄〕〔平成二九・五・一九法律三一〕

（**施行期日**）
第一条　この法律は、公布の日から起算して三月を超えない範囲内において政令で定める日から施行する。

〔平成二九政一五七により、平成二九・六・一九から施行〕

（**罰則に関する経過措置**）
第二条　この法律の施行前にした行為に対する罰則の適用については、なお従前の例による。

（**政令への委任**）
第三条　前条に定めるもののほか、この法律の施行に関し必要な経過措置は、政令で定める。

（**検討**）
第四条　政府は、この法律の施行後五年を経過した場合において、第一条から第三条までの規定による改正後の規定の施行の状況について検討を加え、必要があると認めるときは、その結果に基づいて所要の措置を講ずるものとする。

附　則〔平成二九・六・二法律四五〕

この法律は、民法改正法の施行の日〔令和二・四・一〕から施行する。ただし、〔中略〕第三百六十二条の規定は、公布の日から施行する。

民法の一部を改正する法律の施行に伴う関係法律の整備等に関する法律〔抄〕〔平成二九・六・二法律四五〕

（**河川法の一部改正に伴う経過措置**）
第三三二条　施行日前に前条の規定による改正前の河川法（以下この条において「旧河川法」という。）第四十一条（旧河川法第百条第一項において準用する場合を含む。）の規定により補償金の支払義務が生じた場合におけるその補償金の供託については、なお従前の例による。

（**罰則に関する経過措置**）
第三六一条　施行日前にした行為及びこの法律の規定によりなお従前の例によることとされる場合における施行日以後にした行為に対する罰則の適用については、なお従前の例による。

（**政令への委任**）
第三六二条　この法律に定めるもののほか、この法律の施行に伴い必要な経過措置は、政令で定める。

附　則〔抄〕〔令和三・五・一〇法律三一〕

（**施行期日**）

第一条　この法律は、公布の日から起算して六月を超えない範囲内において政令で定める日から施行する。ただし、次の各号に掲げる規定は、当該各号に定める日から施行する。
〔令和三政二九五により、令和三・一二・一から施行〕

一　附則第三条の規定　公布の日

二　〔前略〕第六条の規定（同条中河川法第五十八条の十に一項を加える改正規定を除く。）〔中略〕　公布の日から起算して三月を超えない範囲内において政令で定める日
〔令和三政二〇四により、令和三・七・一五から施行〕

（政令への委任）

第三条　前条に定めるもののほか、この法律の施行に関し必要な経過措置（罰則に関する経過措置を含む。）は、政令で定める。

（検討）

第四条　政府は、この法律の施行後五年を目途として、この法律による改正後のそれぞれの法律の規定について、その施行の状況等を勘案して検討を加え、必要があると認めるときは、その結果に基づいて所要の措置を講ずるものとする。

附　則〔抄〕〔令和四・六・一七法律六八〕

（施行期日）

1　この法律は、刑法等一部改正法（令和四年法律第六十七号）施行日〔令和七・六・一〕から施行する。ただし、次の各号に掲げる規定は、当該各号に定める日から施行する。

一　第五百九条の規定　公布の日

二　〔略〕

刑法等の一部を改正する法律の施行に伴う関係法律の整理等に関する法律〔抄〕〔令和四・六・一七法律六八〕

（罰則の適用等に関する経過措置）

第四四一条　刑法等の一部を改正する法律（令和四年法律第六十七号。以下「刑法等一部改正法」という。）及びこの法律（以下「刑法等一部改正法等」という。）の施行前にした行為の処罰については、次章に別段の定めがあるもののほか、なお従前の例による。

2　刑法等一部改正法等の施行後にした行為に対して、他の法律の規定によりなお従前の例によることとされ、なお効力を有することとされ又は改正前若しくは廃止前の法律の規定の例によることとされる罰則を適用する場合において、当該罰則に定める刑（刑法施行法第十九条第一項の規定又は第八十二条の規定による改正後の沖縄の復帰に伴う特別措置に関する法律第二十五条第四項の規定の適用後のものを含む。）に刑法等一部改正法第二条の規定による改正前の刑法（明治四十年法律第四十五号。以下この項において「旧刑法」という。）第十二条に規定する懲役（以下「懲役」という。）、旧刑法第十三条に規定する禁錮（以下「禁錮」という。）又は旧刑法第十六条に規定する拘留（以下「旧拘留」という。）が含まれるときは、当該刑のうち無期の懲役又は禁錮はそれぞれ無期拘禁刑と、有期の懲役又は禁錮はそれぞれその刑と長期及び短期（刑法施行法第二十条の規定の適用後のものを含む。）を同じくする有期拘禁刑と、旧拘留は長期及び短期（刑法施行法第二十条の規定の適用後のものを含む。）を同じくする拘留とする。

（裁判の効力とその執行に関する経過措置）

第四四二条　懲役、禁錮及び旧拘留の確定裁判の効力並びにその執行については、次章に別段の定めがあるもののほか、なお従前の例による。

（人の資格に関する経過措置）

第四四三条　懲役、禁錮又は旧拘留に処せられた者に係る人の資格に関する法令の規定の適用については、無期の懲役又は禁錮に処せられた者はそれぞれ無期拘禁刑に処せられた者と、有期の懲役又は禁錮に処せられた者はそれぞれ刑期を同じくする有期拘禁刑に処せられた者と、旧拘留に処せられた者は拘留に処せられた者とみなす。

2　拘禁刑又は拘留に処せられた者に係る他の法律の規定によりなお従前の例によることとされ、なお効力を有することとされ又は改正前若しくは廃止前の法律の規定の例によることとされる人の資格に関する法令の規定の適用については、無期拘禁刑に処せられた者は無期禁錮に処せられた者と、有期拘禁刑に処せられた者は刑期を同じくする有期禁錮に処せられた者と、拘留に処せられた者は刑期を同じくする旧拘留に処せられた者とみなす。

（経過措置の政令への委任）

第五〇九条　この編に定めるもののほか、刑法等一部改正法等の施行に伴い必要な経過措置は、政令で定める。

附　則〔略〕〔令和五・五・二六法律三四〕

○河川法施行法〔昭和三九・七・一〇 法律一六八〕

改正　昭和四五・三法一一、昭和六〇・五法三七、昭和六一・五法四六、昭和六二・三法一一、平成元・四法二二、平成三・三法一五、平成五・三法八、平成一一・一二法一六〇

目次

第一章　経過措置（第一条―第二十三条）
第二章　関係法律の一部改正（第二十四条―第五十六条）
附則

第一章　経過措置

（旧法の廃止）

第一条　河川法（明治二十九年法律第七十一号。以下「旧法」という。）は、廃止する。

（河川指定の経過措置）

第二条　河川法（昭和三十九年法律第百六十七号。以下「新法」という。）の施行の際現に存する旧法第一条の河川、同法第四条第一項の支川若しくは派川又は同法第五条の規定により同法が準用される河川、水流若しくは水面は、一級河川に指定されるものを除き、二級河川となる。

（河川区域の経過措置）

第三条　新法の施行の際現に存する旧法の規定による河川の区域のうち、新法第六条第一項第一号又は第二号の区域でない区域については、政令で定める日までの間は、当該期間内に廃川敷地等（新法第九十一条第一項に規定する廃川敷地等をいう。以下同じ。）となつたものの区域を除き、新法の規定による河川区域とみなす。

（旧法による河川敷地等の帰属）

第四条　新法の施行の際現に存する旧法第一条の河川若しくは同法第四条第一項の支川若しくは派川の敷地又は同条第二項の附属物若しくはその敷地（以下「旧法による河川敷地等」という。）で、同法第三条の規定により私権の目的となることを得ないものとされているものは、国に帰属する。

（一級河川の改良工事に要する費用の特則）

第五条　平成五年三月三十一日までに施行される一級河川の改良工事のうち、ダムに関する工事その他政令で定める大規模な工事に要する費用についての新法第六十条の規定の適用については、同条第一項中「三分の二」とあるのは「四分の三」と、同条第二項後段中「三分の二」とあるのは「四分の三」とする。同日の属する年度以前の年度の予算に係る一級河川の改良工事のうち、ダムに関する工事その他政令で定める大規模な工事で、その工事又はその工事に係る負担金に係る経費の金額が翌年度以降に繰り越されたものに要する費用についても、同様とする。

（旧法による直轄の管理又は維持修繕等の経過措置）

第六条　新法の施行の際建設大臣が旧法第六条第一項ただし書（河川法準用令（明治三十二年勅令第四百四号）において準用する場合を含む。）の規定により管理し、又は維持修繕を行なつている河川がある場合においては、当該河川が二級河川となつた場合においても、昭和四十四年度までの間（昭和四十四年度以前の年度の予算に係る工事で当該工事に係る経費の金額が翌年度以降に繰り越されるものについては、その繰り越された年度までの間）は、新法第十条の規定にかかわらず、建設大臣が当該河川を管理し、又はその維持修繕を行なうことができるものとし、その管理又は維持修繕に係る費用の負担については、旧法第二十七条、第二十八条及び第六十七条の規定並びに北海道指定河川特例（昭和九年勅令第三百八号）及び河川法第四条第二項の規定に基く共同施設に関する省令（昭和二十九年建設省令第十一号）の規定は、なおその効力を有する。

2　建設大臣は、前項の規定により河川を管理し、又はその維持修繕を行なう場合においては、政令で定めるところにより、河川管理者に代わつてその権限を行なうものとする。

（旧法による直轄工事等の経過措置）

第七条　新法の施行の際建設大臣が旧法第八条第一項（河川法準用令において準用する場合を含む。）の規定により施行中の河川に関する工事がある場合においては、当該河川が二級河川となつた場合においても、昭和四十四年度までの間（昭和四十四年度以前の年度の予算に係る工事で当該工事に係る経費の金額が翌年度以降に繰り越されるものについては、その繰り越された年度までの間）は、新法第十条の規定にかかわらず、建設大臣がその工事を行なうことができるものとし、その工事に係る費用の負担については、旧法第二十七条、第二十八条及び第六十七条の規定並びに北海道指定河川特例の規定は、なおその効力を有する。

2　建設大臣は、前項の規定により河川工事を施行する場合においては、政令で定めるところにより、河川管理者に代わつてその権限を行なうものとする。

（北海道の指定河川についての河川から生ずる収入の帰属の特則）

第八条　前二条の規定によりなおその効力を有するものとされる北海道指定河川特例第二条の規定により国が河川に関する費用を負担する場合における河川から生ずる収入の帰属については、同令第三条の規定は、なおその効力を有する。

（新法の施行前に事業費の決定があつた災害復旧事業の経過措置）

第九条　新法の施行前に公共土木施設災害復旧事業費国庫負担法（昭和二十六年法律第九十七号）第七条の規定による主務大臣の事業費の決定があつた災害復旧事業に係る河川工事（主務大臣の施行に係るものを除く。）については、当該河川が一級河川となつた場合においても、当該工事が完了するまでの間は、新法第九条の規定にかかわらず、都道府県知事がその工事を行なうことができるものとする。

2　都道府県知事は、前項の規定により河川工事を施行する場合においては、政令で定めるところにより、河川管理者に代わつてその権限を行なうものとする。

（旧法による下級行政庁の工事等の経過措置）

第一〇条　新法の施行の際現に旧法第九条（河川法準用令において準用する場合を含む。）の規定に基づく命令により下級行政庁が施行中の河川に関する工事がある場合においては、当該下級行政庁は、新法第九条又は第十条の規定にかかわらず、当該工事を行なうものとする。

2　前項の工事に要する費用については、旧法第二十九条（河川法準用令において準用する場合を含む。）の規定は、なおその効力を有する。この場合において、同条中「地方行政庁」とあるのは、「河川管理者」とする。

（経費の金額が繰り越された工事に要する費用についての国及び都道府県の負担割合の経過措置）

第一一条　第六条及び第七条に規定するもののほか、昭和三十九年度以前の年度の予算に係る河川に関する工事でその工事又はその工事に係る負担金若しくは補助金に係る経費の金額が昭和四十年度以降に繰り越されたものに要する費用についての国及び都道府県の負担割合は、なお従前の例による。

（操作規程の経過措置）

第一二条　新法の施行の際現に河川堰堤規則（昭和十年内務省令第三十六号）第十三条の規定により都道府県知事に届け出ている堰堤操作に関する規程は、新法第四十七条第一項の規定による河川管理者の承認を受けて定めた操作規程とみなす。

（河川保全区域の経過措置）

第一三条　新法の施行の際現に存する旧法の規定による河川附近の土地の区域は、新法の規定による河川区域となるものを除き、新法第五十四条第一項の規定による河川保全区域の指定があつたものとみなす。

（河川予定地の経過措置）

第一四条　新法の施行の際現に存する旧法の規定による河川となるべき区域内の土地は、新法第五十六条第一項の規定による河川予定地の指定があつたものとみなす。

（旧法による負担金等の経過措置）

第一五条　新法の施行前に旧法の規定によりした河川に関する工事又は維持に係る旧法第二十九条から第三十四条まで（河川法準用令においてこれらの規定を準用する場合を含む。）の規定による負担金又は旧法第三十七条（河川法準用令において準用する場合を含む。）の規定による賦課金の徴収及び帰属については、なお従前の例による。

（旧法による処分に係る損失の補償に関する経過措置）

第一六条　新法の施行前に旧法第二十三条第一項、第三十八条若しくは第三

十九条第一項若しくは第二項（河川法準用令においてこれらの規定を準用する場合を含む。）の規定又は河川予定地制限令（明治三十年勅令第三百七十七号）若しくは河川附近地制限令（明治三十三年勅令第三百号）の規定によりした処分に係る損失の補償に関しては、なお従前の例による。

（旧法により公用を廃止した河川敷地等の処分の経過措置）

第一七条　新法の施行前に旧法の規定により公用を廃止した旧法による河川敷地等の処分に関しては、なお従前の例による。

（廃川敷地等の処分の特則）

第一八条　第四条の規定により国に帰属した旧法による河川敷地等で廃川敷地等となつたものについては、旧法第四十四条ただし書の規定は、なおその効力を有する。

（河川敷地等の占用の特則）

第一九条　第四条の規定により国に帰属した旧法による河川敷地等の占用に関しては、河川法施行規程（明治二十九年勅令第二百三十六号）第九条及び第十条の規定は、なおその効力を有する。この場合において、これらの規定中「都道府県知事」又は「都道府県」とあるのは、一級河川については、「国土交通大臣」又は「国」とする。

（処分、手続等の経過措置）

第二〇条　第三条及び第十二条から第十六条までに規定する場合を除くほか、新法の施行前に旧法又はこれに基づく命令の規定によつてした処分（河川法施行規程第十一条第一項の規定により、旧法又はこれに基づく命令の規定による許可を受けたものとみなされるものを含む。）、手続その他の行為は、新法の適用については、新法中これらの規定に相当する規定がある場合においては、新法の規定によつてしたものとみなす。ただし、旧法の規定による許可に附した条件で新法第九十条第二項の規定に違反するものは、違反する限度において効力を失うものとする。

2　新法第八十八条の規定は、前項の規定により新法第二十三条から第二十七条までの許可を受けたものとみなされる者で政令で定めるものについて準用する。

（罰則の経過措置）

第二一条　新法の施行前にした旧法又はこれに基づく命令の規定に違反する行為に対する罰則の適用については、なお従前の例による。

（新法の施行のため必要な準備行為）

第二二条　新法を施行するため必要な一級河川、二級河川の指定区間又は二級河川の指定その他の準備行為は、新法の施行前においても行なうことができる。

（政令への委任）

第二三条　この法律に定めるものを除くほか、新法及びこの法律の施行に伴い必要な経過措置は、政令で定める。

第二章　関係法律の一部改正

第二四条～第五六条　〔略〕

附　則

1　この法律は、新法の施行の日（昭和四十年四月一日）から施行する。ただし、第二十二条及び第二十五条の規定は、公布の日から施行する。

2　第五条の規定の昭和六十年度における適用については、同条中「新法第六十条」とあるのは「新法附則第二項の規定により読み替えられた新法第六十条」と、「三分の一」とあるのは「十分の四」と、「四分の一」とあるのは「三分の一」と、「三分の二」とあるのは「十分の六」と、「四分の三」とあるのは「三分の二」とする。

3　第五条の規定の昭和六十一年度、平成三年度及び平成四年度における適用については、同条中「新法第六十条」とあるのは「新法附則第三項の規定により読み替えられた新法第六十条」と、「三分の一」とあるのは「十分の四」と、「四分の一」とあるのは「三分の一」と、「三分の二」とあるのは「十分の五・五」と、「四分の三」とあるのは「十分の六」とする。ただし、堤防の欠壊等の危険な状況に対処するために施行する緊急河川事業に係る改良工事について平成三年度及び平成四年度において同条の規定を適用する場合においては、この限りでない。

4　第五条の規定の昭和六十二年度から平成二年度までの各年度における適用については、同条中「新法第六十条」とあるのは「新法附則第四項の規定により読み替えられた新法第六十条」と、「三分の一」とあるのは「十分の四・五（再度災害を防止するために施行する改良工事であつて附則第四項ただし書の緊急河川事業に係るもの以外のものに要する費用にあつては、その十分の四）」と、「四分の一」とあるのは「十分の四（再度災害を防止するために施行する改良工事であつて附則第四項ただし書の緊急河川事業に係るもの以外のものに要する費用にあつては、その三分の一）」と、「三分の二」とあるのは「十分の五・二五（再度災害を防止するために施行する改良工事であつて附則第四項ただし書の緊急河川事業に係るもの以外のものに要する費用にあつては、その十分の五・五）」と、「四分の三」とあるのは「十分の五・七五（再度災害を防止するために施行する改良工事であつて附則第四項ただし書の緊急河川事業に係るもの以外のものに要する費用にあつては、その十分の六）」とする。ただし、堤防の欠壊等の危険な状況に対処するために施行する緊急河川事業に係る改良工事について同条の規定を適用する場合においては、この限りでない。

附　則〔略〕〔昭和四五・三・三一法律一一〕

附　則〔略〕〔昭和六〇・五・一八法律三七〕

附　則〔略〕〔昭和六一・五・八法律四六〕

附　則〔略〕〔昭和六二・三・三一法律一一〕

附　則〔抄〕〔平成元・四・一〇法律二二〕

（施行期日等）

1　この法律は、公布の日から施行する。

2　この法律〔中略〕による改正後の法律の平成元年度及び平成二年度の特例に係る規定並びに平成元年度の特例に係る規定は、平成元年度及び平成二年度（平成元年度の特例に係るものにあっては、平成元年度。以下この項において同じ。）の予算に係る国の負担（当該国の負担に係る都道府県又は市町村の負担を含む。以下この項及び次項において同じ。）又は補助（昭和六十三年度以前の年度における事務又は事業の実施により平成元年度以降の年度に支出される国の負担及び昭和六十三年度以前の年度の国庫債務負担行為に基づき平成元年度以降の年度に支出すべきものとされた国の負担又は補助を除く。）並びに平成元年度及び平成二年度における事務又は事業の実施により平成三年度（平成元年度の特例に係るものにあっては、平成二年度。以下この項において同じ。）以降の年度に支出される国の負担、平成元年度及び平成二年度の国庫債務負担行為に基づき平成三年度以降の年度に支出すべきものとされる国の負担又は補助並びに平成元年度及び平成二年度の歳出予算に係る国の負担又は補助で平成三年度以降の年度に繰り越されるものについて適用し、昭和六十三年度以前の年度における事務又は事業の実施により平成元年度以降の年度に支出される国の負担、昭和六十三年度以前の年度の国庫債務負担行為に基づき平成元年度以降の年度に支出すべきものとされた国の負担又は補助及び昭和六十三年度以前の年度の歳出予算に係る国の負担又は補助で平成元年度以降の年度に繰り越されたものについては、なお従前の例による。

附　則〔平成三・三・三〇法律一五〕

改正　平成五・三法八

1　この法律は、平成三年四月一日から施行する。

2　この法律〔中略〕による改正後の法律の平成三年度及び平成四年度の特例に係る規定並びに平成三年度の特例に係る規定は、平成三年度及び平成四年度（平成三年度の特例に係るものにあっては平成三年度とする。以下この項において同じ。）の予算に係る国の負担（当該国の負担に係る都道府県又は市町村の負担を含む。以下この項において同じ。）又は補助（平成二年度以前の年度における事務又は事業の実施により平成三年度以降の年度に支出される国の負担及び平成二年度以前の年度の国庫債務負担行為に基づき平成三年度以降の年度に支出すべきものとされた国の負担又は補助を除く。）並びに平成三年度及び平成四年度における事務又は事業の実施により平成五年度（平成三年度の特例に係るものにあっては平成四年度とする。以下この項において同じ。）以降の年度に支出される国の負担、平成三年度及び平成四年度の国庫債務負担行為に基づき平成五年度以降の年度に支出すべきものとされる国の負担又は補助並びに平成三年度及び平成四年度の歳出予算に係る国の負担又は補助で平成五年度以降の年度に繰り越されるものについて適用し、平成二年度以前の年度における事務又は事業の実施により平成三年度以降の年度に支出される国の負担、平成二年度以前の年度の国庫債務負担行為に基づき平成三年度以降の年度に支出すべきものとされた国の負担又は補助及び平成二年度以前の年度の歳出予算に係る国の負担又は補助で平成三年度以降の年度に繰り越されたものについては、なお従前の例による。

国の補助金等の臨時特例等に関する法律〔抄〕

改正　平成五・三法八

第八章　地方公共団体に対する財政金融上の措置　〔平成三・三・三〇 法律一五〕

（地方公共団体に対する財政金融上の措置）

第三四条　国は、この法律の規定による改正後の法律の規定により平成三年度及び平成四年度の予算に係る国の負担又は補助の割合の引下げ措置の対象となる地方公共団体に対し、その事務又は事業の執行及び財政運営に支障を生ずることのないよう財政金融上の措置を講ずるものとする。

附　則　〔抄〕〔平成五・三・三一法律八〕

（施行期日等）

1　この法律は、平成五年四月一日から施行する。

2　この法律〔中略〕による改正後の法律の規定は、平成五年度以降の年度の予算に係る国の負担（当該国の負担に係る都道府県又は市町村の負担を含む。以下この項において同じ。）又は補助（平成四年度以前の年度における事務又は事業の実施により平成五年度以降の年度に支出される国の負担及び平成四年度以前の年度の国庫債務負担行為に基づき平成五年度以降の年度に支出すべきものとされた国の負担又は補助を除く。）について適用し、平成四年度以前の年度における事務又は事業の実施により平成五年度以降の年度に支出される国の負担、平成四年度以前の年度の国庫債務負担行為に基づき平成五年度以降の年度に支出すべきものとされた国の負担又は補助及び平成四年度以前の年度の歳出予算に係る国の負担又は補助で平成五年度以降の年度に繰り越されたものについては、なお従前の例による。

附　則　〔抄〕〔平成一一・一二・二二法律一六〇〕

（施行期日）

第一条　この法律〔中略〕は、平成十三年一月六日から施行する。〔以下略〕

○河川法施行令

〔昭和四〇・二・一一 政令一四〕

改正　昭和四三・九政二八〇、昭和四五・三政三三、政四〇、六政一六一、七政二一二、八政二三五、昭和四六・四政一〇五、六政一八八、八政二七九、九政三〇〇、昭和四七・五政一四六、九政三三九、昭和五〇・三政四四、昭和五三・三政四五、昭和五四・五政一三二、昭和五五・三政二四、昭和五七・三政五八、昭和六〇・三政三七、政五〇、五政一三三、八政二四六、昭和六一・五政一五四、昭和六二・三政九八、九政二九五、政三二七、平成元・四政一〇八、六政一七九、平成二・三政八〇、平成三・三政九八、一〇政三三三、平成四・六政二一八、平成五・三政九四、平成六・四政一三四、五政一四〇、七政二二八、九政三〇三、平成七・九政三四五、平成九・二政一七、一一政三四二、一二政三五三、平成一〇・一〇政三五一、平成一一・一一政三五二、平成一二・六政三一二、一〇政四五七、平成一三・三政九九、平成一四・二政二七、三政一〇二、平成一五・一政二八、一〇政四四九、政四五四、平成一六・二政二七、一〇政三三八、平成一七・六政一九五、平成二二・三政七八、一二政二四八、平成二三・一政八、一二政四二四、平成二五・一政一七、七政二一四、一二政三三三、平成二八・三政八四、一二政三六六、平成二九・六政一五八、九政二三二、令和元・一二政一八三、令和三・七政二〇五、一〇政二九六、令和四・三政一六七、令和六・三政一〇三

目次

第一章　河川の管理（第一条―第三十五条の四）
第二章　河川に関する費用（第三十六条―第三十九条）
第二章の二　工作物の保管の手続等（第三十九条の二―第三十九条の七）
第三章　道の区域内の河川の特例（第四十条―第四十四条）
第四章　雑則（第四十五条―第五十七条の五）
第五章　罰則（第五十八条―第六十三条）
附則

第一章　河川の管理

（堤外の土地に類する土地等）

第一条　河川法（以下「法」という。）第六条第一項第三号の政令で定める堤外の土地に類する土地は、次の各号に掲げる土地とする。

一　地形上堤防が設置されているのと同一の状況を呈している土地のうち、堤防に隣接する土地又は当該土地若しくは堤防の対岸に存する土地

二　前号の土地と法第六条第一項第一号の土地との間に存する土地

三　ダムによつて貯留される流水の最高の水位における水面が土地に接する線によつて囲まれる地域内の土地

2　法第六条第一項第三号の政令で定める遊水地は、河川整備計画において、計画高水流量を低減するものとして定められた遊水地とする。

（都道府県知事又は指定都市の長による指定区間内の一級河川の管理）

第二条　法第九条第二項の規定により、指定区間内の一級河川について、都道府県知事が行うこととされる管理は、次に掲げるもの以外のものとする。

一　法第十二条第一項の規定により河川の台帳を調製し、これを保管すること。

二　河川整備基本方針を定め、又は変更すること。

三　水利使用で次に掲げるもの（以下「特定水利使用」という。）に関し、法第二十三条、第二十三条の二、第二十四条、第二十六条第一項、第三十四条第一項及び第五十三条の二の規定による権限を行うこと。

イ　出力が最大千キロワット以上の発電のためにするもの。ただし、法第二十三条の二の登録の対象となる流水の占用に係るものを除く。

ロ　取水量が一日につき最大二千五百立方メートル以上又は給水人口が一万人以上の水道のためにするもの

ハ　取水量が一日につき最大二千五百立方メートル以上の鉱工業用水道のためにするもの

ニ　取水量が一秒につき最大一立方メートル以上又はかんがい面積が三百ヘクタール以上のかんがいのためにするもの

ホ　法第二十三条の二の登録の対象となる流水の占用に係るものであつてイからニまでに掲げる水利使用のために貯留し、又は取水した流水を利用する発電のためにするもの

四　特定水利使用に関し、法第二十三条の三、第二十七条第一項、第三十条、第三十一条、第三十三条第三項（法第五十五条第二項、第五十七条第三項、第五十八条の四第二項及び第五十八条の六第三項において準用する場合を含む。）、第三十八条、第三十九条、第四十二条第二項、第四十三条第一項及び第六項、第四十四条第一項、第四十六条第一項、第四十七条第一項及び第四項、第四十九条、第五十条第二項、第五十五条第一項、第五十七条第一項及び第二項、第五十八条の四第一項、第五十八条の六第一項及び第二項、第七十五条、第七十六条、第七十七条第一項、第七十八条第一項並びに第九十条第一項の規定による権限を行うこと。

五　特定水利使用に関し、法第二十三条、第二十四条又は第二十六条第一項の許可を与えるため必要な特定水利使用以外の水利使用に関する法第二十三条若しくは第二十四条から第二十七条までの許可又は法第二十三条の二の登録の取消しその他の当該許可又は登録に係る法第七十五条の規定による処分を行うこと。

六　法第五十一条の二第一項の規定によりダム洪水調節機能協議会を組織すること。

七　法第五十二条及び第五十三条第三項の規定による権限を行うこと。

八　指定区間外の一級河川の改良工事（法第十六条の三第一項の規定による協議に基づき市町村長が行うものを除く。）の施行に伴い必要を生じ

た河川工事で当該改良工事と一体として施行する必要があるものを施行すること。

2　法第九条第五項の規定により、同項に規定する区間について、指定都市の長が行うこととされる管理は、前項各号に掲げるもの以外のものとする。

3　法第九条第二項又は第五項の規定により都道府県知事又は指定都市の長が指定区間内の一級河川の管理の一部を行う場合においては、法及びこの政令中一級河川の管理であつて第一項各号に掲げるもの以外のものに係る河川管理者に関する規定は、都道府県知事又は指定都市の長に関する規定として都道府県知事又は指定都市の長に適用があるものとする。

（読替規定）

第二条の二　法第九条第七項の規定による技術的読替えは、次の表のとおりとする。

読み替える規定	読み替えられる字句	読み替える字句
第六十条第一項及び第二項、第六十一条、第七十九条第一項	第九条第二項	第九条第五項
第六十条第一項及び第二項、第六十一条、第六十四条第一項、第六十六条、第七十条第二項、第七十条の二第三項、第七十二条、第七十四条第一項、第七十五条第十項、第七十九条第一項、第七十九条の二、第八十九条第一項及び第八項	都道府県知事	指定都市の長
第六十条第二項、第七十条第二項、第七十条の二第三項、第七十二条	都道府県の	指定都市の
第六十三条第三項	都府県知事	指定都市の長
	当該都府県以外の都府県が	都道府県が当該都道府県の区域（その区域内に当該指定都市が存する都道府県にあつては、当該指定都市の区域を除く。）について
	都府県は	指定都市は
	当該都府県が	当該指定都市が
第六十三条第三項及び第四項	都府県に	都道府県に
第六十三条第四項	都府県知事は	指定都市の長は
	都府県を	都道府県を
	都府県知事に	都道府県知事に
第六十四条第二項	都府県	都道府県
第六十四条第二項、第七十五条第十項	都道府県に	指定都市に
第六十六条	都道府県である	指定都市である
第六十六条、第七十四条第一項	都道府県を	指定都市を
第七十四条第一項	都道府県の収入	指定都市の収入
第七十四条第三項、第九十四条	都道府県	指定都市

第二条の三　法第十条第四項の規定による技術的読替えは、次の表のとおりとする。

読み替える規定	読み替えられる字句	読み替える字句
第十一条第一項、第六十五条	二以上の都府県	指定都市
第十一条第一項	関係都府県知事	関係する指定都市の長（第十条第二項の規定により当該二級河川の管理を行う指定都市の長をいう。以下この条及び第六十五条において同じ。）
第十一条第二項、第六十五条	関係都府県知事	関係する指定都市の長及び都道府県知事
第十一条第三項	一の都府県知事が他の都府県の区域内に存する部分について管理を行なう場合	指定都市の長が当該指定都市の区域以外の区域内に存する部分について管理を行う場合又は都道府県知事が指定都市の区域内に存する部分について管理を行う場合
	都府県知事は	指定都市の長又は都道府県知事は
	当該他の都府県知事	当該部分を管理すべき他の河川管理者
第十六条第四項、第三十五条第一項、第六十四条第二項、第六十六条、第七十条第二項、第七十条の二第三項、第七十二条、第七十四条第一項、第七十五条第十項、第七十九条第二項、第七十九条の二、第八十六条第一項、第八十九条第一項及び第八項	都道府県知事	指定都市の長
第十六条第四項、第六十四条第二項、第七十五条第十項、第八十六条第一項	都道府県に	指定都市に
第十六条第四項、第八十六条	都道府県河川審議会	指定都市河川審議会
第二十八条、第二十九条第二項、第五十九条、第七十三条、第七十四条第三項、第七十五条第一項及び第二項、第七十七条第一項、第七十八条第一項、第九十条第一項、第九十三条、第九十四条	都道府県	指定都市
第五十一条の三	都道府県ダム洪水調節機能協議会	指定都市ダム洪水調節機能協議会

第六十三条第三項	都府県知事	指定都市の長
	当該都府県以外の都府県が	都道府県が当該都道府県の区域（その区域内に当該指定都市が存する都道府県にあつては、当該指定都市の区域を除く。）について
	都府県は	指定都市は
	当該都府県が	当該指定都市が
第六十三条第三項及び第四項	都府県に	都道府県に
第六十三条第四項	都府県知事は	指定都市の長は
	都府県を	都道府県を
	都府県知事に	都道府県知事に
第六十四条第二項	都府県	都道府県
第六十六条	都道府県である	指定都市である
第六十六条、第七十四条第一項	都道府県を	指定都市を
第七十条第二項、第七十条の二第三項、第七十二条、第七十四条第一項	都道府県の	指定都市の

（他の都府県知事の権限の代行）

第三条　法第十一条第三項の規定により一の都府県知事が他の都府県知事に代わつて行う権限は、法第六条、第十二条第一項、第十六条第一項、第十六条の二第一項、第二十六条第四項ただし書、第五十四条第一項、第五十六条第一項、第五十八条の二、第五十八条の三第一項及び第五十八条の五第一項に規定する権限以外の権限とする。

（河川の台帳の組成）

第四条　法第十二条第二項の河川現況台帳及び水利台帳は、それぞれ調書及び図面をもつて組成する。

（河川現況台帳）

第五条　河川現況台帳の調書には、国土交通省令で定める様式に従い、次に掲げる事項（一級河川については第四号に掲げる事項を、二級河川については第三号に掲げる事項を除く。）について記載をするものとする。

一　水系の名称及び一級河川にあつては当該水系の指定の年月日
二　河川の名称及び区間並びに当該河川の指定の年月日
三　法第九条第二項に規定する指定区間及びその指定の年月日並びに同条第五項の規定により国土交通大臣が指定した区間及びその指定の年月日
四　法第十条第二項の規定により都道府県知事が指定した区間及びその指定の年月日
五　河川の延長
六　河川区域の概要
七　河川保全区域及びその指定の年月日
八　河川予定地及びその指定の年月日
九　河川保全立体区域及びその指定の年月日
十　河川予定立体区域及びその指定の年月日
十一　主要な河川管理施設の概要
十二　河川の使用の許可等の概要
十三　その他必要な事項

２　河川現況台帳の図面は、付近の地形及び方位を表示した縮尺二千五百分の一以上（地形その他の事情により縮尺二千五百分の一以上とする必要がないと認められる場合においては、五千分の一以上）の平面図（河川立体区域、河川保全立体区域及び河川予定立体区域にあつては、平面図、縦断面図及び横断面図）に、次に掲げる事項について記載をして調製するものとする。

一　河川区域の境界
二　河川区域内の土地の国有、地方公共団体有又は民有の別及び河川区域内の土地について河川管理者が有する権原の概要
三　河川保全区域の境界
四　河川予定地の境界
五　河川保全立体区域の境界
六　河川予定立体区域の境界
七　主要な河川管理施設
八　法第二十六条第一項の許可に係る工作物で主要なもの
九　その他必要な事項

（水利台帳）

第六条　法第二十三条の許可に係る水利台帳の調書には、一の水利使用ごとに、国土交通省令で定める様式に従い、次に掲げる事項について記載をするものとする。

一　水利使用に係る水系及び河川の名称
二　水利使用の許可を受けた者の氏名及び住所（法人にあつては、その名称及び住所並びに代表者の氏名）
三　水利使用の目的
四　許可水量
五　許可期間
六　取水口又は放水口の位置その他の水利使用の場所
七　法第二十六条第一項の許可に係る工作物で主要なものの概要
八　その他必要な事項

２　法第二十三条の二の登録に係る水利台帳の調書には、一の水利使用ごとに、国土交通省令で定める様式に従い、前項第一号及び第七号並びに第十四条の三各号に掲げる事項について記載をするものとする。

３　水利台帳の図面は、付近の地形及び方位を表示した縮尺二千五百分の一以上（水利使用の状況により縮尺二千五百分の一以上とする必要がないと認められる場合においては、五千分の一以上）の平面図（河川立体区域、河川保全立体区域及び河川予定立体区域にあつては、平面図、縦断面図及び横断面図）に、第一項第三号、第四号及び第六号に掲げる事項並びに同項第七号に規定する工作物の位置及び種類について記載をして調製するものとする。

（河川の台帳の保管）

第七条　河川の台帳は、国土交通省令で定めるところにより、一級河川に係るものにあつては関係地方整備局の事務所（北海道開発局の事務所を含む。第三十九条の三第一項第一号において同じ。）において、二級河川に係るものにあつては関係都道府県の事務所において保管するものとする。

（操作規則を定めなければならない河川管理施設）

第八条　法第十四条第一項の政令で定める施設は、次の各号のいずれかに該当するものとする。

一　洪水を調節する施設
二　流水を分流させる施設
三　内水を排除する施設であつて治水上特に重要なもの
四　洪水の逆流又は津波、高潮その他海水の流入を防止する施設であつて治水上又は利水上特に重要なもの
五　前各号に規定するもののほか、流水の正常な機能を維持する施設であつて治水上又は利水上特に重要なもの
六　舟の通航の用に供する施設

（河川管理施設の操作規則）

第九条　法第十四条第一項に規定する操作規則には、次の各号に掲げる事項を定めなければならない。

一　施設の操作の基準となる水位、流量等に関する事項
二　施設の操作の方法に関する事項
三　施設及び施設を操作するため必要な機械、器具等の点検及び整備に関する事項
四　施設を操作するため必要な気象及び水象の観測に関する事項
五　施設の操作の際にとるべき措置に関する事項
六　その他施設の操作に関し必要な事項

（河川管理施設の操作規則の作成の手続）

第九条の二　法第十四条第二項の政令で定める者は、法第七十条の二第一項に規定する特別水利使用者とする。

2　河川管理者は、法第十四条第一項に規定する操作規則を定め、又は変更しようとするときは、あらかじめ、一級河川の河川管理施設に係るものにあつては関係都道府県知事の意見を、二級河川の河川管理施設に係るものにあつては関係市町村長の意見をきかなければならない。この場合において、当該操作規則が法第十七条の二第一項の規定によりその管理に要する費用の一部を特別水利使用者に負担させる河川管理施設に係るものであるときは、あわせて、関係行政機関の長に協議し、及び当該特別水利使用者の意見をきかなければならない。

（河川管理施設等の維持又は修繕に関する技術的基準等）

第九条の三　法第十五条の二第二項の政令で定める河川管理施設又は許可工作物（以下この条において「河川管理施設等」という。）の維持又は修繕に関する技術的基準その他必要な事項は、次のとおりとする。

一　河川管理施設等の構造又は維持若しくは修繕の状況、河川の状況、河川管理施設等の存する地域の気象の状況その他の状況（次号において「河川管理施設等の構造等」という。）を勘案して、適切な時期に、河川管理施設等の巡視を行い、及び草刈り、障害物の処分その他の河川管理施設等の機能（許可工作物にあつては、河川管理上必要とされるものに限る。）を維持するために必要な措置を講ずること。

二　河川管理施設等の点検は、河川管理施設等の構造等を勘案して、適切な時期に、目視その他適切な方法により行うこと。

三　前号の点検は、ダム、堤防その他の国土交通省令で定める河川管理施設等にあつては、一年に一回以上の適切な頻度で行うこと。

四　第二号の点検その他の方法により河川管理施設等の損傷、腐食その他の劣化その他の異状があることを把握したときは、河川管理施設等の効率的な維持及び修繕が図られるよう、必要な措置を講ずること。

2　前項に規定するもののほか、河川管理施設等の維持又は修繕に関する技術的基準その他必要な事項は、国土交通省令で定める。

（河川整備基本方針及び河川整備計画の作成の準則）

第一〇条　河川整備基本方針及び河川整備計画は、次に定めるところにより作成しなければならない。

一　洪水、津波、高潮その他の天然現象（以下この号において「洪水等」という。）による災害の発生の防止又は軽減に関する事項については、過去の主要な洪水等及びこれらによる災害の発生の状況並びに流域及び災害の発生を防止すべき地域の現在及び将来の気象の状況、土地利用の現状及び将来の見通し、地形、地質その他の事情を総合的に考慮すること。

二　河川の適正な利用及び流水の正常な機能の維持に関する事項については、流水の占用、舟運、漁業、観光、流水の清潔の保持、塩害の防止、河口の閉塞の防止、河川管理施設の保護、地下水位の維持その他の事情を総合的に考慮すること。

三　河川環境の整備と保全に関する事項については、流水の清潔の保持、景観、動植物の生息地又は生育地の状況、人と河川との豊かな触れ合いの確保その他の事情を総合的に考慮すること。

（河川整備基本方針に定める事項）

第一〇条の二　河川整備基本方針には、次に掲げる事項を定めなければならない。

一　当該水系に係る河川の総合的な保全と利用に関する基本方針

二　河川の整備の基本となるべき事項

イ　基本高水（洪水防御に関する計画の基本となる洪水をいう。）並びにその河道及び洪水調節ダムへの配分に関する事項

ロ　主要な地点における計画高水流量に関する事項

ハ　主要な地点における計画高水位及び計画横断形に係る川幅に関する事項

ニ　主要な地点における流水の正常な機能を維持するため必要な流量に関する事項

（河川整備計画に定める事項）

第一〇条の三　河川整備計画には、次に掲げる事項を定めなければならない。

一　河川整備計画の目標に関する事項

二　河川の整備の実施に関する事項

イ　河川工事の目的、種類及び施行の場所並びに当該河川工事の施行により設置される河川管理施設の機能の概要

ロ　河川の維持の目的、種類及び施行の場所

（関係都道府県知事等の意見の聴取等）

第一〇条の四　河川管理者は、河川整備計画を定め、又は変更しようとするときは、あらかじめ、国土交通大臣である場合にあつては関係都道府県知事の意見を、都道府県知事である場合にあつては関係市町村長の意見を聴かなければならない。

2　前項の場合において、関係都道府県知事が意見を述べようとするときは、あらかじめ、関係市町村長の意見を聴かなければならない。

3　河川管理者は、河川整備計画に高規格堤防の設置に係る河川工事の施行の場所を定めたときは、速やかに、その場所を関係都道府県知事に通知するものとする。

（市町村長の施行することができない工事等）

第一〇条の五　法第十六条の三第一項ただし書の政令で定める河川工事又は河川の維持は、次の各号のいずれかに該当するものとする。

一　指定区間内の一級河川に係る第二条第一項第八号の河川工事又は第四十条第一項に規定する特別指定区間内の一級河川に係る改良工事

二　第四十一条第一項に規定する指定河川又は沖縄振興特別措置法（平成十四年法律第十四号）第九十九条第一項に規定する区間に係る河川工事又は河川の維持

三　次に掲げる事業に係る河川工事

イ　公共土木施設災害復旧事業費国庫負担法（昭和二十六年法律第九十七号）の規定の適用を受ける災害復旧事業（以下単に「災害復旧事業」という。）

ロ　イの事業の施行のみでは再度災害の防止に十分な効果が期待できないと認められるため、これと合併して行う改良に関する事業その他イの事業以外の事業であつて、堤防の欠壊等の危険な状況に対処するために施行する緊急河川事業

四　ダムに関する河川工事又はダムの維持若しくは操作

五　法第十七条の二第一項の河川工事

六　主として河川の適正な利用、流水の正常な機能の維持及び河川環境の整備と保全を目的として施行する護岸の設置、高水敷の整備その他の国土交通省令で定める河川工事（河川整備基本方針において定められた河川の総合的な保全と利用に関する基本方針に沿つて計画的に実施すべき改良工事を除く。）以外の河川工事。ただし、特別区又は人口五万以上の市の区域内において施行する河川工事（指定区間内の一級河川及び二級河川にあつてはその施行の場所より上流の流域面積が国土交通省令で定める面積を超えない河川工事又は周辺の地域における市街地の整備と関連して施行する必要がある河川工事に、指定区間外の一級河川にあつては周辺の地域における市街地の整備と関連して施行する必要がある河川工事で堤防の側帯の整備その他の国土交通省令で定めるものに限る。）を除く。

（市町村長による河川管理者の権限の代行等）

第一〇条の六　市町村長は、法第十六条の三第一項の規定により河川工事又は河川の維持を行う場合においては、当該河川工事又は河川の維持に係る法第十七条から第十九条まで、第二十一条、第三十七条、第六十六条から第六十八条まで、第七十条第一項、第七十四条及び第八十九条に規定する河川管理者の権限を代わつて行うものとする。

2　前項の規定により市町村長が負担させる法第七十条第一項の規定に基づく負担金の徴収を受ける者の範囲及びその徴収方法については、当該市町村長が統括する市町村の条例で定める。

3　第一項の規定により市町村長が負担させる法第六十七条、第六十八条第二項又は第七十条第一項の規定に基づく負担金は、当該市町村長の統括する市町村の収入とし、市町村長は、法第七十四条第三項の場合においては、地方税の滞納処分の例により、滞納処分をすることができる。

（国土交通大臣の施行する改良工事等）

第一〇条の七　法第十六条の四第一項の政令で定める改良工事等は、次に掲げるものとする。

一　ダム、導水路、放水路、捷水路その他これらに類する施設で国土交通大臣が指定するものに関する改良工事等（次号に掲げるものを除く。）

二　災害復旧事業の施行のみでは再度災害の防止に十分な効果が期待できないと認められるため、これと合併して行う改良工事

（特定河川工事に係る権限の代行）

第一〇条の八　国土交通大臣は、法第十六条の四第一項の規定により特定河川工事を施行しようとするときは、国土交通省令で定めるところにより、あらかじめ、特定河川工事を行う河川の名称及び区間、特定河川工事の内

容並びに特定河川工事の開始の日を公示しなければならない。特定河川工事の全部又は一部を完了し、又は廃止しようとするときも、同様とする。

２　国土交通大臣は、法第十六条の四第一項の規定により特定河川工事を行う場合においては、当該特定河川工事に係る法第十七条から第十九条まで、第二十一条、第三十七条、第六十六条から第六十八条まで、第七十条第一項、第七十条の二（第三項を除く。）、第七十四条及び第八十九条に規定する権限を都道府県知事等（法第十六条の四第一項の都道府県知事等をいう。第四項並びに次条第二項及び第四項において同じ。）に代わつて行うものとする。

３　前項の規定により国土交通大臣が代わつて行う権限は、第一項前段の規定により公示された河川の区間につき、同項前段の規定により公示された当該特定河川工事の開始の日から同項後段の規定により公示された当該特定河川工事の完了又は廃止の日までの間に限り行うことができるものとする。ただし、法第二十一条、第六十六条から第六十八条まで、第七十条第一項、第七十条の二（第三項を除く。）、第七十四条並びに第八十九条第八項及び第九項に規定する権限については、当該完了又は廃止の日後においても行うことができる。

４　国土交通大臣は、法第十八条、第六十六条又は第七十条の二第一項に規定する権限を都道府県知事等に代わつて行つたときは、遅滞なく、その旨を当該都道府県知事等に通知しなければならない。

（特定維持に係る権限の代行）

第一〇条の九　国土交通大臣は、法第十六条の五第一項の規定により特定維持を行おうとするときは、国土交通省令で定めるところにより、あらかじめ、特定維持を行う河川の名称及び区間、特定維持の内容並びに特定維持の開始の日を公示しなければならない。特定維持の全部又は一部を完了し、又は廃止しようとするときも、同様とする。

２　国土交通大臣は、法第十六条の五第一項の規定により特定維持を行う場合においては、当該特定維持に係る法第十七条、第十八条、第六十六条、第六十七条、第七十四条及び第八十九条に規定する権限を都道府県知事等に代わつて行うものとする。

３　前項の規定により国土交通大臣が代わつて行う権限は、第一項前段の規定により公示された河川の区間につき、同項前段の規定により公示された当該特定維持の開始の日から同項後段の規定により公示された当該特定維持の完了又は廃止の日までの間に限り行うことができるものとする。ただし、法第六十六条、第六十七条、第七十四条並びに第八十九条第八項及び第九項に規定する権限については、当該完了又は廃止の日後においても行うことができる。

４　国土交通大臣は、法第十八条又は第六十六条に規定する権限を都道府県知事等に代わつて行つたときは、遅滞なく、その旨を当該都道府県知事等に通知しなければならない。

（河川管理者以外の者の施行する工事等の承認申請手続）

第一一条　法第二十条の承認を受けようとする者は、工事の設計及び実施計画又は維持の実施計画を記載した承認申請書を河川管理者に提出しなければならない。

（河川管理者以外の者の施行する工事等で承認を要しないもの）

第一二条　法第二十条ただし書の政令で定める軽易なものは、草刈り、軽易な障害物の処分その他これらに類する小規模な維持とする。

（収用委員会の裁決申請手続）

第一三条　法第二十一条第四項又は第二十二条第五項（法第二十二条の三第六項、第五十七条第三項、第五十八条の六第三項、第七十六条第二項及び第八十九条第九項において準用する場合を含む。）の規定により、土地収用法（昭和二十六年法律第二百十九号）第九十四条の規定による裁決を申請しようとする者は、国土交通省令で定める様式に従い、同条第三項各号（第三号を除く。）に掲げる事項を記載した裁決申請書を収用委員会に提出しなければならない。

（洪水時等における緊急措置に係る損害補償の額等）

第一四条　法第二十二条第六項に規定する損害補償は、非常勤消防団員等に係る損害補償の基準を定める政令（昭和三十一年政令第三百三十五号）中水防法（昭和二十四年法律第百九十三号）第二十四条の規定により水防に従事した者に係る損害補償の基準を定める規定の例に準じて行うものとし、この場合における手続その他必要な事項は、国土交通省令で定める。

（流水の占用の許可を受けた水利使用のために取水した流水に類する流水）

第一四条の二　法第二十三条の二の政令で定める流水は、ダム又は堰（第二号において「ダム等」という。）から専ら次に掲げる場合に放流される流水とする。ただし、魚道その他の魚類の通路となる施設を流下するものを除く。

一　河川の流水の正常な機能を維持するために必要なとき。

二　ダム等の洪水調節容量を確保するために必要なとき。

三　法第二十三条の許可を受けた水利使用（発電以外のためにするものに限る。）のために必要なとき。

（登録事項）

第一四条の三　法第二十三条の三の政令で定める事項は、次に掲げる事項とする。

一　氏名及び住所（法人にあつては、その名称及び住所並びに代表者の氏名）

二　登録の対象となる流水の占用に係る発電のために利用する法第二十三条の二に規定する流水に関する次に掲げる事項

イ　法第二十三条の許可を受けた者の氏名及び住所（法人にあつては、その名称及び住所並びに代表者の氏名）

ロ　前条に規定する流水が放流されるダム又は堰の位置及び名称

三　登録の対象となる流水の占用に係る流水の量

四　登録の対象となる流水の占用に係る権利の存続期間

五　取水口又は放水口の位置その他の流水の占用の場所

六　登録の年月日その他国土交通省令で定める事項

（河川の産出物）

第一五条　法第二十五条の河川の産出物で政令で指定するものは、竹木、あし、かやその他これらに類するもので河川管理者が指定するものとする。

２　河川管理者は、前項の規定による指定をするときは、国土交通省令で定めるところにより、その旨を公示しなければならない。これを変更し、又は廃止するときも、同様とする。

（高規格堤防特別区域における新築等について許可を要しない工作物）

第一五条の二　法第二十六条第二項第一号の政令で定める工作物は、基礎ぐい、電柱その他棒状の工作物で地下に設けられることとなる部分以外の土地の掘削を伴わずに鉛直方向に設置されるものとする。

（高規格堤防特別区域における工作物の地下における新築等について許可を要しない場合の深さ）

第一五条の三　法第二十六条第二項第二号の政令で定める深さは、一メートルとする。

（河川区域における土地の掘削等で許可を要しないもの）

第一五条の四　法第二十七条第一項ただし書の政令で定める軽易な行為は、次に掲げるものとする。

一　河川管理施設の敷地から十メートル（河川管理施設の構造又は地形、地質その他の状況により河川管理者がこれと異なる距離を指定した場合には、当該距離）以上離れた土地における耕耘

二　法第二十六条第一項の許可を受けて設置された取水施設又は排水施設（その設置について、法第八十七条若しくは第九十五条、河川法施行法第二十条第一項又は砂利採取法（昭和四十三年法律第七十四号）第二十七条第一項の規定により、法第二十六条第一項の許可があつたものとみなされるものを含む。）の機能を維持するために行う取水口又は排水口の付近に積もつた土砂等の排除

三　地形、地質、河川管理施設及びその他の施設の設置状況その他の状況からみて、竹木の現に有する治水上又は利水上の機能を確保する必要があると認められる区域（法第六条第一項第三号の堤外の土地の区域に限る。）として河川管理者が指定した区域及び樹林帯区域以外の土地における竹木の伐採

四　前三号に掲げるもののほか、河川管理者が治水上及び利水上影響が少ないと認めて指定した行為

２　第十五条第二項の規定は、前項の規定による指定について準用する。

（高規格堤防特別区域における土地の掘削等について許可を要しない場合の深さ）

第一五条の五　法第二十七条第二項第一号の政令で定める深さは、一・五メートルとする。

（樹林帯区域における通常の管理行為で許可を要しないもの）

第一六条　法第二十七条第三項第三号の政令で定める通常の管理行為は、次に掲げる竹木の伐採とする。

一　除伐、間伐、整枝等竹木の保育のために通常行われる竹木の伐採

二　枯損した竹木又は危険な竹木の伐採

（一級河川における舟又はいかだの通航の制限）

第一六条の二　河川管理者は、一級河川の河川管理施設である閘門（一級河川の河川管理施設である水門で河川管理者が指定したものを含む。以下この条において単に「閘門」という。）を通航する舟又はいかだの長さ、幅、水面上の高さ又は喫水の最高限度を、閘門ごとに指定する。

2　舟又はいかだでその長さ、幅、水面上の高さ又は喫水が前項の規定により河川管理者が指定した最高限度をこえるものは、当該閘門を通航させてはならない。

3　一級河川の河川区域のうち河川が損傷し、河川工事若しくは河川管理施設の操作に支障が生じ、若しくは他の河川の使用に著しい支障が生じないようにするため、舟若しくはいかだの通航を制限する必要があると認めて河川管理者が指定した水域又は閘門を通航する舟又はいかだは、河川管理者が指定した方法により通航させなければならない。

4　河川管理者は、前項の規定により通航の方法を指定するときは、漁業その他の舟又はいかだを利用して行なわれる事業に支障を及ぼすことのないように配慮しなければならない。

5　第十五条第二項の規定は、第一項又は第三項の規定による指定について準用する。

（一級河川における竹木の流送の許可）

第一六条の三　一級河川において竹木の流送をしようとする者は、国土交通省令で定めるところにより、河川管理者の許可を受けなければならない。ただし、河川管理者が指定した水域において河川管理者が指定した方法により行なう竹木の流送については、この限りでない。

2　第十五条第二項の規定は、前項の規定による指定について準用する。

（河川の流水等について河川管理上支障を及ぼすおそれのある行為の禁止）

第一六条の四　何人も、みだりに次に掲げる行為をしてはならない。

一　河川を損傷すること。

二　河川区域内の土地（高規格堤防特別区域内の土地を除く。次号及び第十六条の八第一項各号において同じ。）に次に掲げるものを捨て、又は放置すること。ただし、河川区域内において農業、林業又は漁業を営むために通常行われる行為は、この限りでない。

イ　船舶その他の河川管理者が指定したもの

ロ　土石（砂を含む。以下同じ。）

ハ　イ又はロに掲げるもののほか、ごみ、ふん尿、鳥獣の死体その他の汚物又は廃物

三　次に掲げる区域に自動車その他の河川管理者が指定したものを入れること。

イ　河川管理施設を保全するため必要があると認めて河川管理者が指定した河川区域内の土地の区域

ロ　動植物の生息地又は生育地として特に保全する必要があると認めて河川管理者が指定した河川区域内の土地の区域

2　第十五条第二項の規定は、前項第二号イ及び第三号の規定による指定について準用する。

（汚水の排出の届出）

第一六条の五　河川に一日につき五十立方メートル（河川の流量、利用状況等により河川管理者がこれと異なる量を指定したときは、当該量）以上の汚水（生活又は事業（耕作又は養魚の事業を除く。）に起因し、又は附随する廃水をいう。以下同じ。）を排出しようとする者は、あらかじめ、国土交通省令で定めるところにより、次の各号に掲げる事項を河川管理者に届け出なければならない。ただし、当該事業、汚水を排出する施設の設置等又は汚水の排出について、別表上欄に掲げる認可等の処分を受け、又は同欄に掲げる届出をしているときは、この限りでない。

一　氏名又は名称及び住所

二　汚水を排出しようとする河川の種類及び名称

三　汚水を排出しようとする場所

四　汚水の排出の方法及び期間

五　排出しようとする汚水の量

六　排出しようとする汚水の水質

七　排出しようとする汚水の処理の方法

2　前項本文の規定による届出をした者は、その届出に係る同項第一号に掲げる事項に変更があつたとき、若しくはその届出に係る同項第三号から第七号までに掲げる事項を変更したとき、又は汚水の排出を廃止したときは、遅滞なく、その旨を河川管理者に届け出なければならない。前項ただし書の規定は、この場合について準用する。

3　第一項ただし書に規定する事項について、別表上欄に掲げる認可等の処分をし、若しくは同欄に掲げる届出を受理し、又は同表下欄に掲げる命令等の処分（汚水の排出に係るものに限る。）をした行政庁は、遅滞なく、その旨を河川管理者に通報するものとする。

4　第十五条第二項の規定は、第一項の規定による指定について準用する。

（緊急時の措置）

第一六条の六　河川管理者は、異常な渇水等により河川の汚濁が著しく進行し、河川の管理に重大な支障を及ぼすおそれがあると認められるときは、その旨を関係行政機関、関係地方公共団体及び利害関係を有すると認められる関係河川使用者（法第三十八条に規定する関係河川使用者をいう。）に通報するものとする。

2　前項に規定する場合には、河川管理者は、当該支障を除去するために必要な限度において、河川に汚水を排出する者に対し、排出する汚水の量を減ずること、汚水の排出を一時停止することその他必要な措置をとるべきことを求めることができる。

（洪水時等における舟、いかだ等についての措置）

第一六条の七　洪水、津波又は高潮のおそれがあると認められるときは、河川区域内にある舟、いかだ、竹木その他これらに類する物件の所有者、管理者又は占有者は、当該物件を係留する等当該物件が洪水、津波又は高潮によつて流されることを防止するために必要な措置を講じなければならない。ただし、当該措置を講ずる者の生命又は身体に危害が生ずるおそれがあると認められるときは、この限りでない。

（河川の流水等について河川管理上支障を及ぼすおそれのある行為の許可）

第一六条の八　次の各号の一に掲げる行為をしようとする者は、国土交通省令で定めるところにより、河川管理者の許可を受けなければならない。ただし、日常生活のために必要な行為、農業若しくは漁業を営むために通常行なわれる行為又は営業等のためにやむを得ないものとして河川管理者が指定した行為については、この限りでない。

一　河川区域内の土地において土、汚物、染料その他の河川の流水を汚濁するおそれのあるものが付着した物件を洗浄すること。

二　河川区域内の土地において土石、竹木その他の物件を堆積し、又は設置すること。

2　第十五条第二項の規定は、前項の規定による指定について準用する。

（許可に基づく地位の承継）

第一六条の九　相続人、合併又は分割により設立される法人その他の第十六条の三第一項又は前条第一項の許可を受けた者の一般承継人（分割による承継の場合にあつては、分割前の法人が受けた第十六条の三第一項若しくは前条第一項の許可に係る竹木の流送若しくは物件の洗浄を行うこととなる法人又は同項の許可に係る同項第二号の土地を承継する法人に限る。）は、被承継人が有していたこれらの規定による許可に基づく地位を承継する。

2　前条第一項第二号に掲げる行為に係る同項の許可を受けた者からその許可に係る土地を譲り受けた者は、当該許可を受けた者が有していた当該許可に基づく地位を承継する。当該許可を受けた者から賃貸借その他により当該許可に係る土地を使用する権利を取得した者についても、当該土地の使用に関しては、同様とする。

3　前二項の規定により地位を承継した者は、その承継の日から三十日以内に、河川管理者にその旨を届け出なければならない。

（経過措置）

第一六条の一〇　一級河川、二級河川又は河川区域の指定の際現に権原に基づき、第十六条の三第一項又は第十六条の八第一項の規定により許可を要する行為を行なつている者は、従前と同様の条件により、当該行為についてこれらの規定による許可を受けたものとみなす。

2　一級河川又は二級河川の指定の際現に第十六条の五第一項の規定により届出を要する行為を行なつている者は、当該指定の日から二月以内に、国土交通省令で定めるところにより、同項各号に掲げる事項を河川管理者に届け出なければならない。同項ただし書の規定は、この場合について準用する。

（国の特例）

第一六条の一一　国が行なう事業についての第十六条の三第一項及び第十六

条の八第一項の規定の適用については、国と河川管理者との協議が成立することをもつて、これらの規定による許可があつたものとみなす。

2　自衛隊法（昭和二十九年法律第百六十五号）第七十六条第一項（第一号に係る部分に限る。）の規定により出動を命ぜられ、又は同法第七十七条の二の規定による措置を命ぜられた自衛隊の部隊等（同法第八条に規定する部隊等をいう。）についての第十六条の八第一項の規定の適用については、前項の規定にかかわらず、自衛隊法施行令（昭和二十九年政令第百七十九号）の定めるところによる。

（河川協力団体の特例）

第一六条の一二　法第五十八条の八第一項の河川協力団体が法第五十八条の九各号に掲げる業務として行う国土交通省令で定める行為についての第十六条の八第一項の規定の適用については、当該河川協力団体と河川管理者との協議が成立することをもつて、同項の規定による許可があつたものとみなす。

（地方公共団体等の特例）

第一六条の一三　法第九十九条第一項の規定により委託を受けた地方公共団体等が当該委託を受けた事項についての第十六条の八第一項の規定の適用については、当該地方公共団体等と河川管理者との協議が成立することをもつて、同項の規定による許可があつたものとみなす。

（完成検査を受けなければならない工作物）

第一七条　法第三十条第一項の政令で定める工作物は、次の各号の一に該当するものとする。

一　法第四十四条第一項のダム

二　河川管理施設と効用を兼ねる工作物

三　堤防を開削して設置される工作物

（流水占用料等の額の基準等）

第一八条　法第三十二条第一項の流水占用料等の額の基準は、次のとおりとする。

一　流水若しくは土地の占用又は土石等の採取（以下「流水の占用等」という。）の目的及び態様に応じて公正妥当なものであること。

二　流水の占用等に係る公益的な事業の適正かつ合理的な運営に支障を及ぼすものでないこと。

三　発電のための流水占用料等にあつては、河川の管理に要する費用、当該流水の占用等が河川の管理に及ぼす影響、河川の使用の態様等を勘案して国土交通大臣が定める額の範囲内であること。

2　法第三十二条第一項の流水占用料等の徴収に関しては、次の各号に定めるところによらなければならない。

一　流水の占用等をすることができる期間が、当該流水の占用等に係る法第二十三条、第二十四条若しくは第二十五条の許可又は法第二十三条の二の登録をした日の属する年度の翌年度以降にわたるときは、翌年度以降の流水占用料等は、毎年度、当該年度分を徴収すること。ただし、当該期間における流水占用料等の総額その他の状況を勘案して、河川管理上支障がなく、かつ、流水占用料等の徴収を受ける者に過重な負担を課するものでないと認められる場合として条例で定める場合には、当該期間の分の流水占用料等を一括して徴収することができる。

二　法第二十三条、第二十四条若しくは第二十五条の許可又は法第二十三条の二の登録について、当該許可若しくは登録を受けた者の申請に基づき、又は法第七十五条第二項の規定による処分により、流水の占用等をすることができる期間その他流水占用料等の額の算出の基礎となつた事項に変更があつたときは、その額を変更するものとし、既に納めた流水占用料等の額が当該変更後の額を超えるときは、その超える額の流水占用料等は返還すること。

三　二以上の都府県の区域にわたつて行われる水利使用については、当該都府県を統轄する都府県知事があらかじめ協議して、それぞれその徴収すべき流水占用料等の額を定めること。

（関係行政機関の長との協議を要しない水利使用）

第一九条　法第三十五条第一項の政令で定める流水の占用は、特定水利使用に係るもの以外のものとする。

（関係市町村長の意見をきかなければならない水利使用）

第二〇条　法第三十六条第一項の水利使用で政令で定めるものは、特定水利使用とする。

（関係都道府県知事の意見を聴かなければならない一級河川の管理）

第二〇条の二　法第三十六条第三項の一級河川の管理で政令で定めるものは、特定水利使用以外の水利使用で次に掲げるものに関する法第二十三条の許可又は法第二十六条第一項の許可（法第二十三条の二の登録の対象となる流水の占用に係る水利使用に関する許可を除く。）とする。

一　出力が最大二百キロワット以上の発電のためにするもの

二　取水量が一日につき最大千二百立方メートル以上又は給水人口が五千人以上の水道のためにするもの

三　取水量が一秒につき最大〇・三立方メートル以上又はかんがい面積が百ヘクタール以上のかんがいのためにするもの

四　取水量が一日につき最大千二百立方メートル以上の水利使用であつて発電、水道又はかんがい以外のためにするもの

（関係都道府県知事等の意見を聴かなければならない水利使用）

第二〇条の三　法第三十六条第四項の水利使用で政令で定めるものは、特定水利使用とする。

（河川に関し権利を有する者）

第二一条　法第三十八条の政令で定める河川に関し権利を有する者は、漁業権者及び入漁権者とする。

（損失の補償に関する河川管理者の裁定）

第二二条　法第四十二条第二項の規定により、河川管理者の裁定を求めようとする者は、国土交通省令で定める様式に従い、次の各号に掲げる事項を記載した裁定申請書の正本一部及び相手方の数に二を加えた部数の副本を河川管理者に提出しなければならない。

一　裁定申請者の氏名及び住所（法人にあつては、その名称及び住所並びに代表者の氏名）

二　相手方の氏名及び住所（法人にあつては、その名称及び住所並びに代表者の氏名）

三　損失の事実

四　損失の補償の見積り及びその内容

五　協議の経過

六　裁定申請の年月日

七　その他参考となるべき事項

2　河川管理者は、前項の規定による裁定申請書を受理したときは、裁定申請書の副本を相手方に送付し、相当の期間を定めて、意見書を提出する機会を与えなければならない。

3　裁定は、書面で行い、かつ、理由を付し、河川管理者がこれに記名押印をしなければならない。

4　河川管理者は、裁定を行つたときは、遅滞なく、裁定申請者及び相手方に裁定書の謄本を送付しなければならない。ただし、送付すべき者の所在が知れないとき、その他裁定書の謄本を送付することができないときは、国土交通大臣にあつては官報に、都道府県知事にあつてはその統轄する都道府県の公報にその内容を掲載することによつて送付に代えることができる。

（河川の従前の機能を維持するために必要な措置をとらなければならないダム）

第二三条　法第四十四条第一項のダムで政令で定めるものは、次の各号の一に該当するものとする。

一　洪水吐ゲートを有するダムで、当該ダムに係る湛水区間の総延長（湛水区域内に存する湛水前の河川の延長の総和をいう。以下この条において同じ。）が十キロメートル以上であるもの

二　河川に沿つて三十キロメートル以内の間隔で存する二以上のダムに係る湛水区間の総延長の和が十五キロメートル以上である場合における当該二以上のダムのうち、洪水吐ゲートを有するもの

三　前二号に掲げるダム以外のダムで基礎地盤から越流頂までの高さが十五メートル以上であるもの

（河川管理者の指示の基準）

第二四条　法第四十四条第二項の河川管理者の指示の基準は、次のとおりとする。

一　当該ダムの設置に伴う上流における河床又は水位の上昇により災害が発生するおそれがある場合においては、必要に応じ、堤防の新築又は改築、低地の盛土、河床のしゆんせつ、貯水池末端附近における自然排砂を促進させるための予備放流その他これらに類する措置を行なわせること。

二　前条第一号又は第二号に掲げるダムの設置に伴い下流の洪水流量が著しく増加し災害が発生するおそれがある場合においては、当該ダムの設

置者にサーチャージ方式、制限水位方式又は予備放流方式のうちいずれか一以上の方式により、当該増加流量を調節することができると認められる容量を確保させること。

（水位等の観測をしなければならないダム）

第二五条 法第四十五条のダムで政令で定めるものは、洪水吐ゲートを有するダムとする。

（観測施設の設置の基準）

第二六条 法第四十五条の政令で定める基準は、次のとおりとする。

一 当該ダムに係る集水地域の面積が二百平方キロメートル未満の場合は一以上、二百平方キロメートル以上六百平方キロメートル未満の場合は二以上、六百平方キロメートル以上の場合は三以上の雨量計を、河川、気象等の状況を考慮して当該集水地域内に適正に設置すること。

二 当該ダムに係る集水地域の全部又は一部が積雪地域に属する場合は、一以上の雪量計を、河川、気象等の状況を考慮して当該集水地域内に適正に設置すること。

三 ダムの直上流部に水位計を設置するものとし、特に貯水池への流入量の変動をあらかじめ知る必要がある場合又は下流部の水位の変動を知る必要がある場合には、それぞれ貯水池の上流又はダムの下流にも水位計を設置すること。

四 雨量計及び水位計は、自記のものとすること。

2 前項の規定の適用については、当該ダムの設置者以外の者が設置した雨量計、雪量計又は水位計で、当該ダムの設置者がその観測の結果をすみやかに知ることができるものがあるときは、当該雨量計、雪量計又は水位計は、当該ダムの設置者が設置したものとみなす。

（観測の結果等の通報）

第二七条 法第四十六条第一項の規定による通報は、観測の結果については各観測地点における時間雨量及び累計雨量並びに貯水池への流入量及び累計流入量について、操作の状況については放流の予定、放流量、ゲートの開度、貯水池の水位その他必要な事項について行なうものとする。

（通報施設の設置の基準）

第二八条 法第四十六条第二項の政令で定める基準は、次のとおりとする。

一 洪水時においても通報することができる施設であること。

二 通報をすみやかに、かつ、的確に行なう上において重要な区間は、無線電話その他の専用の通信施設によること。

（ダムの操作規程）

第二九条 法第四十七条第一項の操作規程には、次の各号に掲げる事項を定めなければならない。

一 貯留及び放流の方法に関する事項

二 ダム及びダムを操作するため必要な機械、器具等の点検及び整備に関する事項

三 ダムを操作するため必要な気象及び水象の観測に関する事項

四 放流の際にとるべき措置に関する事項

五 その他ダムの操作の方法に関し必要な事項

第三〇条 法第四十七条第二項のダムで政令で定めるものは、第二十三条第一号及び第二号に掲げるものとする。

（危害防止のための措置）

第三一条 ダムを設置する者は、ダムの操作に関し、法第四十八条の規定により関係都道府県知事、関係市町村長及び関係警察署長に通知するときは、ダムを操作する日時のほか、その操作によつて放流される流水の量又はその操作によつて上昇する下流の水位の見込みを示してこれを行い、同条の規定により一般に周知させるときは、国土交通省令で定めるところにより、その操作を行うダムの名称及び位置その他の国土交通省令で定める事項について、立札による掲示を行うとともに、電気通信回線に接続して行う自動公衆送信（公衆によつて直接受信されることを目的として公衆からの求めに応じ自動的に送信を行うことをいい、放送又は有線放送に該当するものを除く。）により公衆の閲覧に供するほか、サイレン、警鐘、拡声機等により警告しなければならない。

（管理主任技術者の資格）

第三二条 法第五十条第一項の政令で定める資格は、次のとおりとする。

一 学校教育法（昭和二十二年法律第二十六号）による大学若しくは高等専門学校、旧大学令（大正七年勅令第三百八十八号）による大学又は旧専門学校令（明治三十六年勅令第六十一号）による専門学校において、正規の土木に関する課程を修めて卒業した（当該課程を修めて同法による専門職大学の前期課程を修了した場合を含む。）後、ダム又は河川の管理に関して三年以上の実務の経験を有する者であること。

二 学校教育法による高等学校若しくは中等教育学校又は旧中等学校令（昭和十八年勅令第三十六号）による中等学校において、正規の土木に関する課程を修めて卒業した後、ダム又は河川の管理に関して五年以上の実務の経験を有する者であること。

三 国土交通大臣が前各号に規定する者と同等以上の知識及び経験を有すると認めた者であること。

（兼用工作物であるダムについての特例）

第三三条 法第五十一条に規定する場合においては、当該ダムについて、法第四十五条から第五十条までの規定は、適用しない。

（河川保全区域における行為で許可を要しないもの）

第三四条 法第五十五条第一項ただし書の政令で定める行為は、次の各号に掲げるもの（第二号から第五号までに掲げる行為で、河川管理施設の敷地から五メートル（河川管理施設の構造又は形態、地質その他の状況により河川管理者がこれと異なる距離を指定した場合には、当該距離）以内の土地におけるものを除く。）とする。

一 耕耘

二 堤内の土地における地表から高さ三メートル以内の盛土（堤防に沿つて行なう盛土で堤防に沿う部分の長さが二十メートル以上のものを除く。）

三 堤内の土地における地表から深さ一メートル以内の土地の掘さく又は切土

四 堤内の土地における工作物（コンクリート造、石造、れんが造等の堅固なもの及び貯水池、水槽、井戸、水路等水が浸透するおそれのあるものを除く。）の新築又は改築

五 前各号に掲げるもののほか、河川管理者が河岸又は河川管理施設の保全上影響が少ないと認めて指定した行為

2 第十五条第二項の規定は、前項の規定による指定について準用する。

（河川予定地における行為で許可を要しないもの）

第三五条 法第五十七条第一項ただし書の政令で定める行為は、次の各号に掲げるものとする。

一 耕耘

二 地表から深さ一・五メートル以内の土地の掘さく又は切土

（河川保全立体区域における行為で許可を要しないもの）

第三五条の二 法第五十八条の四第一項ただし書の政令で定める行為は、次に掲げるものとする。

一 耕耘

二 次に掲げる行為で、これらの行為による載荷重の増加が一平方メートルにつき二トン未満のもの

イ 地表から高さ一メートル以内の盛土

ロ 地上又は地表から深さ一メートル以内の地下における工作物の新築又は改築

ハ 土石その他の物件の集積

三 地表から深さ一・五メートル以内の土地の掘削又は切土

四 地上又は地表から深さ一メートル以内の地下における工作物の除却

五 前各号に掲げるもののほか、河川管理者が河川管理施設の保全上影響が少ないと認めて指定した行為

2 第十五条第二項の規定は、前項第五号の規定による指定について準用する。

（河川保全立体区域における物件の集積について許可を要する場合の重量）

第三五条の三 法第五十八条の四第一項第三号の政令で定める重量は、二トンとする。

（河川予定立体区域における行為で許可を要しないもの）

第三五条の四 法第五十八条の六第一項ただし書の政令で定める行為は、第三十五条各号に掲げる行為とする。

第二章 河川に関する費用

（一級河川の管理に要する費用についての都道府県の負担）

第三六条 都道府県が法第六十条第一項の規定により負担すべき金額は、河川の管理に要する費用の額（法第六十七条、第六十八条第二項、第七十条第一項若しくは第七十条の二第一項又は水道原水水質保全事業の実施の促

進に関する法律（平成六年法律第八号）第十四条第一項の規定による負担金があるときは、当該費用の額からこれらの負担金の額を控除した額。以下「負担基本額」という。）に法第六十条第一項に規定する都道府県の負担割合を乗じて得た額とする。

（一級河川の管理に要する費用の特例負担率に係る大規模な工事）

第三十六条の二　法第六十条第一項の政令で定める大規模な工事は、次に掲げる施設に関する工事でこれに要する費用の額が百二十億円を超えるもの（以下「大規模改良工事」という。）とする。

一　貯留量八百万立方メートル以上のダム

二　湖沼水位調節施設

三　長さ七百五十メートル以上の導水路、放水路又は捷水路

四　面積百五十ヘクタール以上の遊水池

五　長さ百五十メートル以上の堰又は床止め

六　前各号に掲げる施設に類する施設で国土交通大臣が指定するもの

（都道府県知事の行う改良工事に要する費用についての国の負担）

第三十七条　法第六十条第二項の規定による指定区間内の一級河川の改良工事に要する費用についての国の負担及び法第六十二条の規定による二級河川の改良工事に要する費用についての国の負担は、これらの費用に係る負担基本額について行なうものとする。

２　河川整備基本方針において定められた河川の総合的な保全と利用に関する基本方針に沿つて計画的に実施すべき二級河川の改良工事に要する費用についての法第六十二条の規定による国の負担の割合は、二分の一とする。

（国土交通大臣の行う特定河川工事に要する費用についての都道府県等の負担）

第三十七条の二　都道府県等が法第六十五条の三第一項の規定により負担すべき金額は、特定河川工事に要する費用に係る負担基本額から、当該都道府県等の長が自ら当該特定河川工事を行うこととした場合に国が当該負担基本額を基準として当該都道府県等に交付すべき負担金又は補助金の額に相当する額を控除した額とする。

２　都道府県等が法第六十五条の三第二項の規定により負担すべき金額は、二級河川の修繕に要する費用の額（法第六十七条、第六十八条第二項又は第七十条の二第一項の規定による負担金があるときは、当該費用の額からこれらの負担金の額を控除した額）に相当する額とする。

（国土交通大臣の行う特定維持に要する費用についての都道府県等の負担）

第三十七条の三　都道府県等が法第六十五条の四第一項の規定により負担すべき金額は、特定維持に要する費用の額（法第六十七条の規定による負担金があるときは、当該費用の額から当該負担金の額を控除した額）に相当する額とする。

（納付）

第三十八条　国土交通大臣は、その行う一級河川の管理に要する費用の負担に関し、法第六十条第一項又は第六十三条第一項の規定によりその費用を負担すべき都道府県に対し、それぞれその負担すべき額を納付すべき旨を通知しなければならない。ただし、法第六十条第一項の規定により甲都府県が負担すべき額の一部を法第六十三条第一項の規定により乙都府県が負担すべきときは、甲都府県に対しては、乙都府県が負担すべき額を控除した額を納付すべき旨を通知するものとする。

２　国土交通大臣は、その行う法第十六条の四第一項の特定河川工事又は法第十六条の五第一項の特定維持に要する費用の負担に関し、法第六十五条の三第一項若しくは第二項又は第六十五条の四第一項の規定によりその費用を負担すべき都道府県等に対し、その負担すべき額を納付すべき旨を通知しなければならない。

３　法第六十三条第三項、第六十五条の三第三項若しくは第六十五条の四第二項の規定により他の都府県が負担すべき負担金又は法第六十五条の三第四項若しくは第六十五条の四第三項の規定により都道府県が負担すべき負担金は、その負担金を財源とする費用の支出時期に遅れないように支出しなければならない。

（市町村に対する支出）

第三十八条の二　法第六十五条の二第一項後段の規定により甲都府県が負担すべき額の一部を同条第二項の規定により乙都府県が負担すべきときは、甲都府県は、乙都府県が負担すべき額を控除した額を同条第一項前段の規定により費用を負担する市町村に対して支出しなければならない。

２　法第六十五条の二第二項の規定により利益を受ける都府県が負担すべき負担金は、その負担金を財源とする費用の支出時期に遅れないように支出しなければならない。

（法第七十条の二第二項の協議等の内容等）

第三十八条の三　河川管理者は、法第七十条の二第二項の規定により、協議し、意見をきき、及び同意を得ようとするときは、当該河川工事に関し、目的、計画の概要、流水の状況の改善に関する事項、特別水利使用者に関する事項並びに費用及び費用の負担に関する事項を明らかにしなければならない。

２　河川管理者は、前項に掲げる事項を変更しようとするときは、あらかじめ、法第七十条の二第二項の規定の例により、関係行政機関の長に協議し、及び関係都道府県知事又は関係市町村長の意見をきくとともに、特別水利使用者の同意を得なければならない。

（特別水利使用者負担金の額の算出方法）

第三十八条の四　法第七十条の二第一項の河川工事（かんがい又は発電のため流水を占用する特別水利使用者に対する水の供給を確保することをその目的に含むものを除く。以下「流況調整河川工事」という。）に要する費用について同項の規定により河川管理者が負担させる負担金（以下「工事負担金」という。）の額は、当該流況調整河川工事に要する費用の額（消費税及び地方消費税に相当する額を除くほか、次に掲げる額が含まれるときは、当該額を控除した額。次項第一号ロにおいて同じ。）に特別水利使用者の負担割合（身替り支出法を基準として算定する割合をいう。以下この条において同じ。）を乗じて得た額並びにその者に当該流況調整河川工事により設置する河川管理施設（以下「流況調整河川管理施設」という。）を利用させることにつき課されるべき消費税に相当する額及び当該課されるべき消費税の額を課税標準として課されるべき地方消費税に相当する額とする。

一　流況調整河川工事に関する事業（以下この条、第三十八条の六及び第三十八条の八第二号において「事業」という。）の縮小に係る不要支出額

二　第三十八条の三第二項の規定により流況調整河川工事に関する費用及び費用の負担に関する事項を変更する場合であつて当該変更前に事業からの撤退（当該事業に係る特別水利使用者が、その後の事情の変化により当該事業に係る流況調整河川管理施設を利用して水の供給を受けようとしなくなることをいう。以下同じ。）をした特別水利使用者が負担する工事負担金の額として第二項の規定により算出した額

２　事業が縮小された場合において、かんがい又は発電以外の用途（以下この条において「特定用途」という。）に係る部分を縮小した特別水利使用者が負担する工事負担金の額は、前項の規定にかかわらず、同項の規定により算出した額に、次の各号に掲げる場合の区分に応じて、当該各号に定める額を加えた額とし、事業からの撤退をした特別水利使用者が負担する工事負担金の額は、同項の規定にかかわらず、次の各号に掲げる場合の区分に応じて、当該各号に定める額とする。ただし、これらにより算出することが著しく公平を欠くと認められるときは、国土交通大臣が関係行政機関の長と協議して定める方法により算出した額とすることができる。

一　特定用途に係る部分の縮小又は事業からの撤退のみがあつた場合　次に掲げる額を合算した額。ただし、特定用途に係る部分を縮小し又は事業からの撤退をした特別水利使用者が二以上あるときは、当該合算した額に、当該二以上の者のそれぞれが単独で当該特定用途に係る部分を縮小し又は事業からの撤退をしたものと仮定した場合におけるイに掲げる額の合計額に対するその者が単独で当該特定用途に係る部分を縮小し又は事業からの撤退をしたものと仮定した場合におけるイに掲げる額の割合を乗じて得た額とする。

イ　当該事業の縮小に係る不要支出額

ロ　当該事業の縮小後において、流況調整河川工事に要する費用の額に消費税及び地方消費税に相当する額から国が納める義務がある消費税及び地方消費税に相当する額を控除した額を加えた額に河川の流水の状況の改善及び流水によつて生ずる公害の除却又は軽減のための用途（以下この条及び第三十八条の六第二項において「治水関係用途」という。）に係る負担割合を乗じて得た額が、当該治水関係用途に係る身替り建設費を超えるときにあつては当該超える額、当該身替り建設費を超えないときにあつては零

ハ　当該事業の縮小後において、流水を特定用途に供する特別水利使用者の前項の規定により算出した額からその額に含まれる国が納める義務がある消費税及び地方消費税に相当する額を控除した額が、当該特別水利使用者の身替り建設費（当該者が特定用途に係る部分を縮小し

たときは、当該者の当該特定用途に係る部分の縮小がないものと仮定した場合における当該者の身替り建設費）を超えるときにあつては当該超える額（身替り建設費を超える特別水利使用者が二以上あるときは、当該超える額の合計額）、当該身替り建設費を超えないときにあつては零

二　特定用途に係る部分の縮小又は事業からの撤退と併せて治水関係用途に係る部分の縮小があつた場合　次の式により算出した額。ただし、特定用途に係る部分を縮小し又は事業からの撤退をした特別水利使用者が二以上あるときは、当該算出した額に、当該二以上の者のそれぞれが単独で当該特定用途に係る部分を縮小し又は事業からの撤退をしたものと仮定した場合における前号イに掲げる額の合計額に対するその者が単独で当該特定用途に係る部分を縮小し又は事業からの撤退をしたものと仮定した場合における同号イに掲げる額の割合を乗じて得た額とする。

$$(U+Ef+Ew) \times \frac{Uw}{Uf+Uw}$$

この式において、U、Ef、Ew、Uf及びUwは、それぞれ次の数値を表すものとする。

- U　前号イに掲げる額
- Ef　前号ロに掲げる額。この場合において、同号ロ中「当該治水関係用途に係る身替り建設費」とあるのは、「当該治水関係用途に係る部分の縮小がないものと仮定した場合における当該治水関係用途に係る身替り建設費」とする。
- Ew　前号ハに掲げる額
- Uf　治水関係用途に係る部分の縮小のみがあつたものと仮定した場合における前号イに掲げる額
- Uw　特定用途に係る部分の縮小又は事業からの撤退のみがあつたものと仮定した場合における前号イに掲げる額

3　事業が縮小された場合において、特別水利使用者の第一項の規定により算出した額からその額に含まれる国が納める義務がある消費税及び地方消費税に相当する額を控除した額が、当該者の身替り建設費（当該者が特定用途に係る部分を縮小したときは、当該者の当該特定用途に係る部分の縮小がないものと仮定した場合における当該者の身替り建設費）を超えるときは、当該者が負担する工事負担金の額は、前二項の規定にかかわらず、これらの規定により算出した額から、当該超える額を控除した額とする。

4　すべての特別水利使用者が事業からの撤退をした場合において、特別水利使用者（当該撤退前に事業からの撤退をした特別水利使用者を除く。以下この項において同じ。）が負担する工事負担金の額は、第一項の規定にかかわらず、次の各号に掲げる場合の区分に応じて、当該各号に定める額とする。ただし、これらにより算出することが著しく公平を欠くと認められるときは、国土交通大臣が関係行政機関の長と協議して定める方法により算出した額とすることができる。

一　治水関係用途に係る部分のみの河川工事が継続される場合（次号に規定する場合を除く。）　次に掲げる額を合算した額。ただし、事業からの撤退をした特別水利使用者が二以上あるときは、当該合算した額に、当該二以上の者の負担割合の合計に対するその者の負担割合の割合を乗じて得た額とする。

イ　すべての特別水利使用者の事業からの撤退に係る不要支出額

ロ　すべての特別水利使用者の事業からの撤退に係る流況調整河川工事に要する費用の額からイに掲げる額を控除した額と、すべての特別水利使用者の撤退後に当該事業に係る流況調整河川管理施設のうち治水関係用途に係る部分のみの河川工事に要する推定の費用の額とを合算した額が、当該治水関係用途に係る身替り建設費を超えるときにあつては当該超える額、当該身替り建設費を超えないときにあつては零

二　すべての特別水利使用者の事業からの撤退と併せて治水関係用途に係る部分の縮小があつた場合　次の式により算出した額。ただし、事業からの撤退をした特別水利使用者が二以上あるときは、当該算出した額に、当該二以上の者の負担割合の合計に対するその者の負担割合の割合を乗じて得た額とする。

$$(U+Ef) \times \frac{Uw}{Uf+Uw}$$

この式において、U、Ef、Uf及びUwは、それぞれ次の数値を表すものとする。

- U　前号イに掲げる額
- Ef　前号ロに掲げる額。この場合において、同号ロ中「当該治水関係用途に係る身替り建設費」とあるのは、「当該治水関係用途に係る部分の縮小がないものと仮定した場合における当該治水関係用途に係る身替り建設費」とする。
- Uf　治水関係用途に係る部分の縮小のみがあつたものと仮定した場合における前号イに掲げる額
- Uw　事業からの撤退のみがあつたものと仮定した場合における前号イに掲げる額

三　治水関係用途に係る部分の河川工事が継続されない場合　すべての特別水利使用者の事業からの撤退に係る不要支出額（当該不要支出額が、すべての特別水利使用者の事業からの撤退に係る流況調整河川工事に要する費用の額に事業からの撤退をした特別水利使用者の負担割合（事業からの撤退をした特別水利使用者が二以上あるときは、当該二以上の者の負担割合の合計）を乗じて得た額を超える場合にあつては、当該負担割合を乗じて得た額）。ただし、事業からの撤退をした特別水利使用者が二以上あるときは、その額に、当該二以上の者の負担割合の合計に対するその者の負担割合の割合を乗じて得た額とする。

5　第一項の負担割合は、流況調整河川工事の目的である各用途の緊要度の差が特に著しいと認められる場合その他身替り支出法を基準とすることが著しく不適当であると認められる場合においては、国土交通大臣が関係行政機関の長と協議して定める方法を基準として算定することができる。

6　流況調整河川管理施設の管理に要する費用について法第七十条の二第一項の規定により河川管理者が負担させる負担金（次項において「管理負担金」という。）の額は、当該流況調整河川管理施設の管理に要する費用の額（消費税及び地方消費税に相当する額を除く。）に特別水利使用者の負担割合を乗じて得た額並びにその者のために行う当該流況調整河川管理施設の管理につき課されるべき消費税に相当する額及び当該課されるべき消費税の額を課税標準として課されるべき地方消費税に相当する額とする。

7　河川管理者は、前項の規定により管理負担金を算出することが著しく公平を欠くと認められるときは、特別水利使用者の意見を聴いて、別に管理負担金の額を定めることができる。

（身替り支出法）

第三八条の五　前条の身替り支出法は、流況調整河川工事の目的である各用途について、身替り建設費を算出し、その金額の合計額に対するその金額の比率をもつて当該流況調整河川工事に要する費用又は流況調整河川管理施設の管理に要する費用の額をあん分した金額をそれぞれの用途についての負担額とする方法とする。

2　前項の身替り建設費は、流況調整河川工事の目的である各用途について、当該流況調整河川工事に替えて、当該流況調整河川工事により生ずる効用と同等の効用を有する施設又は工作物を設置する場合に要する推定の費用の額とする。

（不要支出額）

第三八条の六　第三十八条の四第一項第一号及び第二項第一号イに規定する事業の縮小に係る不要支出額は、流況調整河川工事に要する費用の額と、当該事業の縮小後の流況調整河川管理施設が有する効用と同等の効用を有する施設の建設に要する推定の費用の額との差額とする。

2　第三十八条の四第四項第一号イ及び第三号に規定するすべての特別水利使用者の事業からの撤退に係る不要支出額は、当該撤退に係る流況調整河川工事に要する費用の額と、当該撤退までに建設した当該流況調整河川管理施設のうち治水関係用途に供することができると認められる部分の建設に要する推定の費用の額との差額とする。

（特別水利使用者負担金の徴収）

第三八条の七　国土交通大臣が負担させる負担金は、毎年度、国土交通大臣が当該年度の事業計画に応じて定める額を、国土交通大臣が当該年度の資金計画に基づいて定める期日に徴収するものとする。

2　事業からの撤退をした特別水利使用者が負担すべき負担金の額として第三十八条の四第二項又は第四項の規定により算出した額が、当該者が事業からの撤退をする前に既に納付した工事負担金の額を超える場合における当該超える額に相当する負担金は、前項の規定にかかわらず、当該事業からの撤退後に国土交通大臣が定めるところにより徴収するものとする。

（工事負担金の還付）

第三八条の八 国又は都道府県は、次の各号に掲げる場合には、当該各号に掲げる場合の区分に応じて、当該各号に定める額を還付するものとする。
一 次号に掲げる場合以外の場合 特別水利使用者が既に納付した工事負担金の全額
二 特別水利使用者の事業からの撤退により流況調整河川工事に関する事業が縮小され、又はすべての特別水利使用者が事業からの撤退をした場合 当該者が既に納付した工事負担金の額から当該者について第三十八条の四第二項又は第四項の規定により算出した額を控除した額（当該者が既に納付した工事負担金の額が同条第二項又は第四項の規定により算出した額を超えない場合にあつては零）

（延滞金）
第三九条 法第七十四条第一項に規定する負担金等の納期限後にその額の一部につき納付があつたときは、その納付の日以後の期間に係る同条第五項の規定による延滞金の計算の基礎となる負担金等の額は、その納付のあつた額を控除した額とする。

第二章の二 工作物の保管の手続等

（工作物を保管した場合の公示事項）
第三九条の二 法第七十五条第五項の政令で定める事項は、次に掲げるものとする。
一 保管した工作物（除却を命じた船舶を含む。以下この章において同じ。）の名称又は種類、形状及び数量
二 保管した工作物の放置されていた場所及び当該工作物を除却した日時
三 当該工作物の保管を始めた日時及び保管の場所
四 前三号に掲げるもののほか、保管した工作物を返還するため必要と認められる事項

（工作物を保管した場合の公示の方法）
第三九条の三 法第七十五条第五項の規定による公示は、次に掲げる方法により行わなければならない。
一 前条各号に掲げる事項を、保管を始めた日から起算して十四日間、当該河川管理者の事務所（関係地方整備局の事務所又は関係都道府県の事務所をいう。以下この章において同じ。）に掲示すること。
二 前号の公示の期間が満了しても、なお当該工作物の所有者、占有者その他工作物について権原を有する者（以下第三十九条の七において「所有者等」という。）の氏名及び住所を知ることができないときは、その公示の要旨を官報、関係都道府県の公報又は新聞紙に掲載すること。
2 河川管理者は、前項に規定する方法による公示を行うとともに、国土交通省令で定める様式による保管工作物一覧簿を当該河川管理者の事務所に備え付け、かつ、これをいつでも関係者に自由に閲覧させなければならない。

（工作物の価額の評価の方法）
第三九条の四 法第七十五条第六項の規定による工作物の価額の評価は、当該工作物の購入又は製作に要する費用、使用年数、損耗の程度その他当該工作物の価額の評価に関する事情を勘案してするものとする。この場合において、河川管理者は、必要があると認めるときは、工作物の価額の評価に関し専門的知識を有する者の意見を聴くことができる。

（保管した工作物を売却する場合の手続）
第三九条の五 法第七十五条第六項の規定による保管した工作物の売却は、競争入札に付して行わなければならない。ただし、競争入札に付しても入札者がない工作物その他競争入札に付することが適当でないと認められる工作物については、随意契約により売却することができる。
第三九条の六 河川管理者は、前条本文の規定による競争入札のうち一般競争入札に付そうとするときは、その入札期日の前日から起算して少なくとも五日前までに、当該工作物の名称又は種類、形状、数量その他国土交通省令で定める事項を当該河川管理者の事務所に掲示し、又はこれに準ずる適当な方法で公示しなければならない。
2 河川管理者は、前条本文の規定による競争入札のうち指名競争入札に付そうとするときは、なるべく三人以上の入札者を指定し、かつ、それらの者に当該工作物の名称又は種類、形状、数量その他国土交通省令で定める事項をあらかじめ通知しなければならない。
3 河川管理者は、前条ただし書の規定による随意契約によろうとするときは、なるべく二人以上の者から見積書を徴さなければならない。

（工作物を返還する場合の手続）
第三九条の七 河川管理者は、保管した工作物（法第七十五条第六項の規定により売却した代金を含む。）を所有者等に返還するときは、返還を受ける者にその氏名及び住所を証するに足りる書類を提示させる等の方法によつてその者が当該工作物の返還を受けるべき所有者等であることを証明させ、かつ、国土交通省令で定める様式による受領書と引換えに返還するものとする。

第三章 道の区域内の河川の特例

（特別指定区間内の一級河川における国土交通大臣の改良工事の施行等）
第四〇条 道の区域内の指定区間内の一級河川のうち、国土交通大臣が道の開発のため特に必要と認めて指定した区間（以下「特別指定区間」という。）内の一級河川について、法第九条第二項の規定により道知事が行うこととされる管理は、第二条第一項各号（第八号を除く。）に掲げるもの及び次に掲げるもの以外のものとする。
一 改良工事を施行すること。
二 改良工事の施行に関し、法第十七条から第十九条まで、第二十一条、第三十七条、第五十六条第一項、第五十八条の五第一項、第六十六条から第六十八条まで、第七十条第一項、第七十条の二及び第七十四条に規定する権限並びに法第二十条、第五十七条及び第五十八条の六に規定する権限（これらの規定に基づく承認又は許可に係る法第七十五条、第七十六条及び第九十条第一項に規定する権限を含む。）を行うこと。
2 国土交通大臣は、特別指定区間を指定しようとするときは、あらかじめ、道知事の意見を聴かなければならない。これを変更し、又は廃止しようとするときも、同様とする。
3 国土交通大臣は、特別指定区間を指定するときは、国土交通省令で定めるところにより、その旨を公示しなければならない。これを変更し、又は廃止するときも、同様とする。

（指定河川における国土交通大臣の改良工事の施行等）
第四一条 国土交通大臣は、道の総合的開発のため特に必要があると認めるときは、法第十条の規定にかかわらず、道の区域内の二級河川のうちその指定した区間内の二級河川（以下「指定河川」という。）の改良工事、維持又は修繕を行なうことができる。
2 前項の場合においては、国土交通大臣は、道知事に代わつて法第十六条から第十六条の三まで、第十七条から第十九条まで、第二十一条、第三十七条、第五十六条第一項、第五十八条の五第一項、第六十六条から第六十八条まで、第七十条第一項、第七十条の二（第三項を除く。）及び第七十四条に規定する権限並びに法第二十条、第五十七条及び第五十八条の六に規定する権限（これらの規定に基づく承認又は許可に係る法第七十五条、第七十六条及び第九十条第一項に規定する権限を含む。）を行う。
3 前条第二項及び第三項の規定は、第一項の規定による指定について準用する。

（河川の管理に要する費用の負担の特例）
第四二条 道の区域内の特別指定区間外の一級河川について国土交通大臣が行う改良工事のうち、大規模改良工事に要する費用については、法第六十条第一項の規定にかかわらず、国が、負担基本額に十分の八・五を乗じて得た額を負担し、その他の工事に要する費用については、同項の規定にかかわらず、国が、負担基本額に十分の八を乗じて得た額を負担する。
2 道の区域内の特別指定区間内の一級河川について国土交通大臣が行う改良工事に要する費用については、法第六十条第一項の規定にかかわらず、国が、負担基本額に十分の八・五を乗じて得た額を負担する。
3 道の区域内の一級河川について国土交通大臣が行う災害復旧事業に要する費用については、法第六十条第一項の規定にかかわらず、国が、負担基本額に十分の七を乗じて得た額を負担する。
4 法第九条第二項の規定により道知事が行うものとされた河川整備基本方針において定められた河川の総合的な保全と利用に関する基本方針に沿つて計画的に実施すべき指定区間内の一級河川の改良工事のうち、堤防の欠壊等の危険な状況に対処するために施行する緊急河川事業に係る工事に要する費用については、法第六十条第二項の規定にかかわらず、国が、負担基本額に十分の八を乗じて得た額を負担し、再度災害を防止するために施行する工事であつて又は大規模改良工事であつて、堤防の欠壊等の危険な状況に対処するために施行する緊急河川事業に係るもの以外のものに要す

る費用については、同項の規定にかかわらず、国が、負担基本額に十分の七を乗じて得た額を負担し、その他の工事に要する費用については、同項の規定にかかわらず、国が、負担基本額に三分の二を乗じて得た額を負担する。

5　前条第一項の規定により国土交通大臣が行う指定河川の管理のうち、改良工事に要する費用については、法第六十二条の規定にかかわらず、国が、負担基本額に十分の八・五を乗じて得た額を負担し、維持又は修繕（災害復旧事業を除く。）に要する費用については、法第五十九条の規定にかかわらず、国の負担とし、災害復旧事業に要する費用については、同条の規定にかかわらず、国が、負担基本額に十分の七を乗じて得た額を負担する。

6　河川整備基本方針において定められた河川の総合的な保全と利用に関する基本方針に沿つて計画的に実施すべき道の区域内の指定河川以外の二級河川の改良工事（法第十六条の三第一項の規定による協議に基づき市町村長が行うものを除く。）のうち、堤防の欠壊等の危険な状況に対処するために施行する緊急河川事業に係る工事に要する費用については、法第六十二条の規定にかかわらず、国が、負担基本額に五分の三を乗じて得た額を負担し、その他の工事に要する費用については、同条の規定にかかわらず、国が、負担基本額に十分の五・五を乗じて得た額を負担する。

（流水占用料等の帰属等の特例）

第四三条　指定区間外及び特別指定区間内の一級河川並びに指定河川に係る流水占用料等は、法第三十二条第一項の規定にかかわらず国土交通大臣が徴収し、同条第三項の規定にかかわらず国の収入とする。

2　国土交通大臣が指定区間外及び特別指定区間内の一級河川について行う法第二十三条、第二十四条及び第二十五条の許可、法第二十三条の二の登録並びに当該許可又は登録に係る法第七十五条の規定による処分については、法第三十二条第四項の規定は、適用しない。

3　道知事は、特別指定区間内の一級河川及び指定河川について法第二十三条、第二十四条若しくは第二十五条の許可又は法第二十三条の二の登録をしたときは、速やかに、当該許可又は登録に係る事項を国土交通大臣に通知しなければならない。当該許可又は登録について法第七十五条の規定による処分をしたときも、同様とする。

（指定河川に係る廃川敷地等の特例）

第四四条　指定河川に係る廃川敷地等については、法第九十三条の規定は、適用しない。

第四章　雑則

（国土交通大臣の認可）

第四五条　法第七十九条第一項の一級河川の管理で政令で定めるものは、次に掲げるものとする。

一　河川整備計画を定め、又は変更すること。

二　次に掲げる施設に係る改良工事

イ　ダム（基礎地盤から堤頂までの高さが十五メートル未満のものを除く。）

ロ　地下に設ける河川管理施設で国土交通省令で定めるもの

三　前号ロに掲げる施設に係る改良工事につき、法第十六条の三第一項の規定による協議に応じること。

四　特定水利使用以外の水利使用で第二十条の二各号に掲げるものに関する法第二十三条の許可、法第二十四条若しくは第二十六条第一項の許可（法第二十三条の二の登録の対象となる流水の占用に係る水利使用に関する許可を除く。）若しくは法第三十四条第一項に規定する許可（法第二十三条の二の登録の対象となる流水の占用に係る水利使用に関する法第二十四条の許可を除く。）に係る同項の承認又はこれらの許可若しくは承認に係る法第七十五条の規定による処分

五　ダム、水門、閘門、橋その他の工作物で治水上又は利水上影響が著しいと認められるものに係る法第二十六条第一項の許可（水利使用に関するものを除く。）及び当該許可に係る法第七十五条の規定による処分

六　河川区域内の土地の現状に著しい影響を及ぼすおそれがあると認められる土地の掘削等に係る法第二十七条第一項の許可

（国土交通大臣への協議）

第四六条　法第七十九条第二項第二号の河川工事で政令で定めるものは、前条第二号に掲げる施設に係る改良工事とする。

第四六条の二　法第七十九条第二項第三号の河川工事で政令で定めるものは、第四十五条第二号ロに掲げる施設に係る改良工事とする。

第四七条　法第七十九条第二項第四号の政令で定める水利使用は、特定水利使用とする。

（河川管理者への届出）

第四八条　法第八十八条の政令で定めるものは、法第二十三条の許可又は法第二十三条の二の登録を受けたものとみなされる者とする。

2　法第八十八条の規定による届出は、一級河川又は二級河川の指定があつた日から一年以内に、国土交通省令で定める様式に従い、次の各号に掲げる事項を記載した書面を河川管理者に提出して行なうものとする。

一　流水の占用に係る河川の名称

二　流水を占用している者の氏名及び住所（法人にあつては、その名称及び住所並びに代表者の氏名）

三　流水の占用の目的

四　占用している流水の量

五　流水の占用の条件

六　取水口又は放水口の位置その他の流水の占用の場所

七　流水の占用のための施設

八　流水の占用に係る事業の概要その他参考となるべき事項

（廃川敷地等の公示）

第四九条　河川区域の変更又は廃止により廃川敷地等が生じたときは、従前当該河川を管理していた者は、国土交通省令で定めるところにより、その旨を公示しなければならない。

（廃川敷地等の管理の期間）

第五〇条　法第九十一条第一項の政令で定める期間は、十月とする。

（廃川敷地等の交換）

第五一条　廃川敷地等と新たに河川区域となる土地との交換は、価額の差額がその高価なものの価額の三分の一未満の場合にのみ行なうことができる。

2　前項の交換をする場合において、その価額が等しくないときは、その差額を金銭で補足しなければならない。

（二級河川に係る廃川敷地等の譲与申請手続）

第五二条　法第九十三条の規定により廃川敷地等の譲与を受けようとする都道府県は、次の各号に掲げる事項を記載した譲与申請書に関係図書を添付して、これを国土交通大臣に提出しなければならない。

一　廃川敷地等が生じた年月日

二　廃川敷地等の位置

三　廃川敷地等の種類及び数量

四　廃川敷地等の譲与を必要とする理由

五　その他参考となるべき事項

（権限の委任）

第五三条　法及びこの政令に規定する河川管理者である国土交通大臣の権限のうち、次に掲げるもの以外のものは、地方整備局長及び北海道開発局長に委任する。ただし、法第九条第二項又は第五項の規定により、指定区間内の一級河川について、都道府県知事又は指定都市の長が行うこととされる管理については、この限りでない。

一　河川整備基本方針を定め、又は変更すること。

二　特定水利使用（国土交通省令で定めるものに限る。）に関する法第二十三条、第二十四条、第二十六条第一項、第二十七条第一項、第三十四条第一項、第三十八条、第三十九条、第四十条第二項、第四十二条第二項、第四十三条第一項及び第六項、第四十四条第一項、第四十七条第一項及び第四項、第五十五条第一項、第五十七条第一項及び第二項、第五十八条の四第一項、第五十八条の六第一項及び第二項、第七十五条並びに第七十六条の規定による権限

三　前号に規定する特定水利使用に関する法第三十二条第四項、第三十五条、第三十六条第一項及び第九十条第一項に規定する権限（次項各号に掲げる権限のみに係るものを除く。）

四　第二条第一項第五号に規定する権限（第二号に規定する特定水利使用に係るものに限る。）

2　前項に規定するもののほか、法に規定する河川管理者である国土交通大臣の権限のうち、同項第二号に規定する特定水利使用に関する次に掲げるものであつて、これらの権限以外の法及びこの政令に規定する河川管理者である国土交通大臣の権限に基づく処分を要する行為を伴わない行為に係るものは、地方整備局長及び北海道開発局長に委任する。

一　法第二十三条の規定による処分で、流水の占用の場所の変更又は許可の期間の更新のみに係るもの（許可の期間の更新に係るものにあつては、当該許可に係る流水の占用を行つていない者に係るものを除く。）を行うこと。

二　法第二十四条の規定による処分で、許可の期間の更新又は次号に掲げる行為のみに係るもの（許可の期間の更新に係るものにあつては、当該許可に係る流水の占用を行つていない者に係るものを除く。）を行うこと。

三　法第二十六条第一項の規定による処分で、流水の占用のための工作物の新築及び貯留量の増加をもたらすダムの改築その他流水の占用のための工作物の改築で国土交通省令で定めるもの以外のもののみに係るものを行うこと。

四　法第四十七条第一項又は第四項の規定による処分で、第二十三条第一号又は第二号に該当するダムに係るもの（国土交通省令で定めるものに限る。）以外のもののみに係るものを行うこと。

五　法第二十七条第一項、第五十五条第一項、第五十七条第一項及び第二項、第五十八条の四第一項並びに第五十八条の六第一項及び第二項の規定による権限

3　法及びこの政令に規定する国土交通大臣の権限のうち、次に掲げるものは、地方整備局長及び北海道開発局長に委任する。ただし、第二号に掲げる権限については、国土交通大臣が自ら行うことを妨げない。

一　法第十六条の四第二項及び第十六条の五第二項の規定による権限

二　法第七十八条第一項に規定する権限

三　法第七十九条第一項に規定する権限

四　法第七十九条第二項に規定する権限（同項第一号に規定する処分に係る権限にあつては国土交通省令で定める河川整備基本方針に係るものを除くものとし、同項第四号に規定する処分に係る権限にあつては第一項第二号に規定する特定水利使用に係るものを除く。）

五　第十条の八第一項及び第四項並びに第十条の九第一項及び第四項の規定による権限

六　第三十二条第三号の規定による権限

（地方公共団体等へ委託することができる河川管理施設）

第五四条　法第九十九条第一項の政令で定める河川管理施設は、関係地方公共団体に委託する場合にあつては水門、排水機等でその維持又は操作の及ぼす影響が当該関係地方公共団体の区域に限られるものとし、同項に規定する者であつて関係地方公共団体以外のものに委託する場合にあつては堤防、床止めその他の操作を伴わないものとする。

（準用河川の指定等）

第五五条　市町村長は、法第百条第一項の規定により河川を指定しようとする場合において、当該河川が他の市町村との境界に係るものであるときは、当該他の市町村長に協議しなければならない。

2　市町村長は、法第百条第一項の規定により河川を指定するときは、国土交通省令で定めるところにより、水系ごとに、その名称及び区間を公示しなければならない。

3　準用河川の指定の変更又は廃止の手続は、前二項の規定による指定の手続に準じて行われなければならない。

4　準用河川について、一級河川又は二級河川の指定があつたときは、当該準用河川についての法第百条第一項の指定は、その効力を失う。

（準用しない規定）

第五六条　法第百条第一項の政令で定める規定は、法第六条第五項、第十条第二項から第四項まで、第十四条第二項、第十六条から第十六条の三まで、第三十二条第四項、第三十五条第一項、第三十六条第二項及び第四項、第五十一条の三、第五十八条の十第二項、第六十二条、第六十五条の二、第六十五条の三第四項、第六十五条の四第三項、第七十条の二、第七十九条第二項、第九十七条第二項及び第三項並びに第九十九条とする。

（読替規定）

第五七条　法第百条第二項の規定による技術的読替えは、次の表のとおりとする。

読み替える規定	読み替えられる字句	読み替える字句
第十一条第一項及び第三項、第六十三条第三項及び第四項、第六十四条第二項、第六十五条、第六十五条の三第三項、第六十五条の四第二項	都府県	市町村
第十一条、第六十三条第三項及び第四項、第六十五条	都府県知事	市町村長
第十六条の四第一項	この項において	この項並びに第六十五条の三第一項及び第二項において
第六十五条の三第一項及び第二項	二級河川の修繕	改良工事等
第六十五条の三第一項	負担金等相当額	負担金相当額
	負担金又は補助金	負担金

（この政令の規定の指定都市の長が一級河川の管理を行う場合への準用）

第五七条の二　第十条の四第一項、第二十二条第四項、第三十七条第一項、第三十八条第三項（法第六十三条第三項に係る部分に限る。）、第三十八条の八、第三十九条の三第一項、第四十条第一項及び第二項、第四十二条第四項並びに第四十三条第三項の規定は、法第九条第五項の規定により指定都市の長が一級河川の管理を行う場合に準用する。この場合において、次の表の上欄に掲げる規定中同表の中欄に掲げる字句は、それぞれ同表の下欄に掲げる字句に読み替えるものとする。

第十条の四第一項	都道府県知事である	指定都市の長である
第二十二条第四項	都道府県知事	指定都市の長
	都道府県の	指定都市の
第三十八条第三項	他の都府県	都道府県
第三十八条の八、第三十九条の三第一項	都道府県	指定都市
第四十条第一項、第四十二条第四項	第九条第二項	第九条第五項
第四十条第一項及び第二項、第四十二条第四項、第四十三条第三項	道知事	指定都市の長

（この政令の規定の指定都市の長が二級河川の管理を行う場合への準用）

第五七条の三　第三条、第七条、第十条の四第一項、第二十二条第四項、第三十八条第三項（法第六十三条第三項に係る部分に限る。）、第三十八条の八、第三十九条の三第一項、第四十一条第一項、第四十三条第三項及び第五十二条の規定は、法第十条第二項の規定により指定都市の長が二級河川の管理を行う場合に準用する。この場合において、次の表の上欄に掲げる規定中同表の中欄に掲げる字句は、それぞれ同表の下欄に掲げる字句に読み替えるものとする。

第三条	一の都府県知事	指定都市の長又は都道府県知事
	他の都府県知事	他の河川管理者
第七条、第三十八条の八、第三十九条の三第一項、第五十二条	都道府県	指定都市
第十条の四第一項	都道府県知事である	指定都市の長である

第二十二条第四項	都道府県知事	指定都市の長
	都道府県の	指定都市の
第三十八条第三項	他の都府県	都道府県
第四十一条第二項、第四十三条第三項	道知事	指定都市の長

（この政令の規定の準用河川への準用）

第五十七条の四 第一章（第一条第二項、第二条から第二条の三まで、第五条第一項（第四号に係る部分に限る。）、第九条の二、第十条から第十条の六まで、第十六条の二、第十六条の三、第十六条の十三及び第十九条から第二十条の三までを除く。）、第三十七条の二、第三十七条の三、第三十八条第二項及び第三項、第三十九条、第二章の二、第四十八条から第五十二条まで、第五十八条、第五十九条（第二号及び第三号に係る部分に限る。）、第六十条（第二号に係る部分に限る。）並びに第六十一条から第六十三条までの規定は、準用河川について準用する。この場合において、次の表の上欄に掲げる規定中同表の中欄に掲げる字句は、それぞれ同表の下欄に掲げる字句に読み替えるものとする。

第三条、第十八条第二項第三号	都府県知事	市町村長
第五条第一項	一級河川については第四号に掲げる事項を、二級河川については第三号	第三号及び第四号
第七条	一級河川に係るものにあつては関係地方整備局の事務所（北海道開発局の事務所を含む。第三十九条の三第一項第一号において同じ。）において、二級河川に係るものにあつては関係都道府県の事務所	関係市町村の事務所
第十条の七第一号	ダム、導水路	導水路
第十条の八第二項及び第三項	第七十条の二（第三項を除く。）、第七十四条	第七十四条
第十条の八第二項	都道府県知事等（法第十六条の四第一項の都道府県知事等をいう。第四項並びに次条第二項及び第四項において同じ。）	市町村長
第十条の八第四項	、第六十六条又は第七十条の二第一項	又は第六十六条
第十条の八第四項、第十条の九第二項及び第四項	都道府県知事等	市町村長
第十六条の九第一項	第十六条の三第一項又は前条第一項	前条第一項
	第十六条の三第一項若しくは前条第一項	同項
	竹木の流送若しくは物件	物件
第十六条の十第一項	一級河川、二級河川	法第百条第一項の指定
	第十六条の三第一項又は第十六条の八第一項	第十六条の八第一項
第十六条の十第二項、第四十八条第二項	一級河川又は二級河川の指定	法第百条第一項の指定
第十六条の十一第一項	第十六条の三第一項及び第十六条の八第一項	第十六条の八第一項
第十八条第二項第三号、第三十八条第三項	都府県	市町村
第二十二条第四項	国土交通大臣にあつては官報に、都道府県知事にあつてはその統轄する都道府県の公報	その統轄する市町村の公報
第三十七条の二、第三十七条の三、第三十八条第二項	都道府県等	市町村
第三十七条の二第一項	に係る負担基本額	の額（法第百条第一項において準用する法第六十七条、第六十八条第二項又は第七十条第一項の規定による負担金があるときは、当該費用の額からこれらの負担金の額を控除した額。以下この項において「準用河川負担基本額」という。）
	当該負担基本額	当該準用河川負担基本額
	負担金又は補助金	負担金
第三十七条の二第二項	二級河川の修繕	改良工事等
	、第六十八条第二項又は第七十条の二第一項	又は第六十八条第二項
第三十八条第三項	第六十五条の三第三項若しくは	第六十五条の三第三項又は
	負担金又は法第六十五条の三第四項若しくは第六十五条の四第三項の規定により都道府県が負担すべき負担金	負担金
第三十九条の三第一項第一号	関係地方整備局の事務所又は関係都道府県の事務所	関係市町村の事務所
第三十九条の三第一項第二号	関係都道府県の公報	関係市町村の公報

第五十二条	都道府県	市町村
	国土交通大臣	都道府県知事
第六十一条第二号	第十六条の三第一項又は第十六条の八第一項	第十六条の八第一項
第六十三条	第五十八条から前条まで	第五十八条、第五十九条第二号若しくは第三号、第六十条第二号、第六十一条第一号若しくは第二号（第十六条の三第一項の許可に関する部分を除く。）又は前条

（事務の区分）

第五七条の五　この政令の規定により地方公共団体が処理することとされている事務のうち次に掲げるものは、地方自治法（昭和二十二年法律第六十七号）第二条第九項第一号に規定する第一号法定受託事務とする。

一　第二条第一項又は第二項の規定により、指定区間内の一級河川に関して都道府県又は指定都市が処理することとされている事務

二　第九条の二第二項、第十条の四第三項、第十五条第一項及び第二項（第十五条の四第二項、第十六条の四第二項、第十六条の五第四項、第十六条の八第二項、第三十四条第二項及び第三十五条の二第二項において準用する場合を含む。）、第十五条の四第一項、第十六条の四第一項、第十六条の五第一項及び第二項、第十六条の六、第十六条の八第一項、第十六条の九第三項、第十六条の十第二項、第十六条の十一第一項、第十六条の十二、第十六条の十三、第二十二条第二項及び第四項、第三十四条第一項、第三十五条の二第一項、第三十八条の三第二項、第三十八条の八、第三十九条の三第二項、第三十九条の四、第三十九条の六、第三十九条の七並びに第四十三条第三項の規定により、二級河川に関して都道府県又は指定都市が処理することとされている事務

第五章　罰則

第五八条　第十六条の四第一項の規定に違反して、河川を損傷した者は、六月以下の懲役又は三十万円以下の罰金に処する。

第五九条　次の各号のいずれかに該当する者は、三月以下の懲役又は二十万円以下の罰金に処する。

一　第十六条の三第一項の規定に違反して、竹木を流送した者

二　第十六条の四第一項の規定に違反して、河川区域内の土地に同項第二号イからハまでに掲げるものを捨て、又は放置した者

三　第十六条の四第一項の規定に違反して、河川管理者が指定した河川区域内の土地の区域に自動車その他の河川管理者が指定したものを入れた者

第六〇条　次の各号の一に該当する者は、三十万円以下の罰金に処する。

一　第十六条の二第二項又は第三項の規定に違反して、舟又はいかだを通航させた者

二　第十六条の八第一項の規定に違反して、同項各号の一に該当する行為をした者

第六一条　次の各号の一に該当する者は、二十万円以下の罰金に処する。

一　第十六条の五第一項又は第二項の規定に違反して、届出をせず、又は虚偽の届出をした者

二　詐欺その他不正な手段により、第十六条の三第一項又は第十六条の八第一項の許可を受けた者

第六二条　第十六条の十第二項の規定に違反して、届出をせず、又は虚偽の届出をした者は、十万円以下の罰金に処する。

第六三条　法人の代表者又は法人若しくは人の代理人、使用人その他の従業者が、その法人又は人の業務に関し、第五十八条から前条までの違反行為をしたときは、行為者を罰するほか、その法人又は人に対して各本条の罰金刑を科する。

附　則〔抄〕

（施行期日）

第一条　この政令は、法の施行の日（昭和四十年四月一日）から施行する。

（勅令及び政令の廃止）

第二条　次の各号に掲げる勅令及び政令は、廃止する。

一　河川法施行規程（明治二十九年勅令第二百三十六号）

二　河川台帳令（明治二十九年勅令第三百三十一号）

三　河川予定地制限令（明治三十年勅令第三百七十七号）

四　河川法準用令（明治三十二年勅令第四百四号）

五　河川附近地制限令（明治三十三年勅令第三百号）

六　廃川敷地処分令（大正十一年勅令第三百三号）

七　廃川敷地特別処分に関する件（大正十二年勅令第三百十号）

八　北海道庁河川監守給与品及貸付品規則（大正十二年勅令第三百三十六号）

九　北海道庁河川監守服制（大正十二年勅令第三百三十八号）

十　河川行政監督令（大正十五年勅令第二百九十号）

十一　北海道指定河川特例（昭和九年勅令第三百八号）

十二　都府県の境界に係る河川の附属物の管理等の特例に関する政令（昭和二十八年政令第三百八号）

十三　河川法第九条に規定する下級行政庁を定める政令（昭和二十八年政令第三百九号）

十四　洪水防ぎよのための処分に因る損害の補償手続に関する政令（昭和二十八年政令第三百十号）

十五　他の都府県又は他の都府県内の公共団体に河川工事等の費用を負担させる場合の手続に関する政令（昭和二十八年政令第三百十一号）

十六　河川法第六条第二項の規定に基く政令（昭和三十二年政令第百八十六号）

十七　河川における土地の掘さく、盛土及び切土の規制に関する政令（昭和三十七年政令第三百四十五号）

（河川区域の経過措置）

第三条　河川法施行法（以下「施行法」という。）第三条の政令で定める日は、道の区域内に存する河川に関しては、昭和五十六年三月三十一日とする。

（平成四年度までにおける一級河川の改良工事に要する費用の特則に係る大規模な工事）

第三条の二　施行法第五条の政令で定める大規模な工事は、次に掲げる施設に関する工事でこれに要する費用の額が百二十億円を超えるものとする。

一　湖沼水位調節施設

二　長さ五百メートル以上の導水路、放水路又は捷水路

三　面積百ヘクタール以上の遊水池

四　長さ百メートル以上の堰又は床止め

五　前各号に掲げる施設に類する施設で建設大臣が指定するもの

（河川管理者の権限の代行）

第四条　施行法第六条第一項の規定により建設大臣が二級河川の管理を行なう場合において、同条第二項の規定により河川管理者に代わつて行なう権限は、法第十二条第一項及び第十六条第一項に規定する権限以外の権限とする。

2　施行法第六条第一項の規定により建設大臣が二級河川の維持修繕を行なう場合において、同条第二項の規定により河川管理者に代わつて行なう権限は、当該維持修繕に係る法第十七条から第十九条まで、第六十六条から第六十八条まで、第七十条第一項及び第七十四条に規定する権限とする。

第五条　施行法第七条第二項の規定により建設大臣が河川管理者に代わつて行なう権限は、当該河川工事に係る前条第二項に規定する権限、法第二十一条、第三十七条及び第五十六条第一項に規定する権限並びに法第二十条及び第五十七条に規定する権限（これらの規定に基づく承認又は許可に係る法第七十五条、第七十六条及び第九十条第一項に規定する権限を含む。）とする。

第六条　施行法第九条第二項の規定により都道府県知事が河川管理者に代わつて行なう権限は、当該災害復旧事業に係る河川工事に係る前条に規定する権限とする。

（廃川敷地等の下付）

第七条　施行法第十八条の規定によりなお効力を有するものとされる河川法（明治二十九年法律第七十一号。以下「旧法」という。）第四十四条ただし書の規定により廃川敷地等の下付を受けようとする者は、第四十九条の規定による公示の日から三月以内に法第九十一条の規定により当該廃川敷地等を管理する者（以下次項において「廃川敷地等管理者」という。）に下

付の申請をしなければならない。

2　廃川敷地等管理者は、前項の申請が同項の期間を経過した後に行なわれた場合においても、やむを得ない理由があると認めたときは、当該申請を受理することができる。

（河川管理者への届出をしなければならない者）

第八条　施行法第二十条第二項の政令で定める者は、附則第二条の規定による廃止前の河川法施行規程第十一条第一項の規定により旧法第十八条の規定による流水の占用の許可を受けたものとみなされる者とする。

2　施行法第二十条第二項において準用する法第八十八条の規定による届出は、法の施行の日から二年以内に、建設省令で定める様式に従い、第四十八条第二項各号に掲げる事項を記載した書面を河川管理者に提出して行なうものとする。

（平成二十二年度の特例）

第九条　法附則第二項の規定により読み替えて適用する法第六十条第一項に規定する政令で定める河川管理施設に係る工事又は河川の管理のための設備の更新は、次に掲げるものとする。

一　堤防若しくは護岸又はこれらに附属する設備で、その機能の低下を放置するときは著しい被害を生ずるおそれがあるものの機能を回復するための工事又は更新であつて、これに要する費用の額が千万円以上のもの

二　ダム、水門、排水機場その他の河川管理施設に附属する設備又は水位、流量若しくは雨雪量の観測設備若しくはこれに関連する通報設備若しくは警報設備で、その機能の低下を放置するときは著しい被害を生ずるおそれがあるものの更新であつて、これに要する費用の額が五百万円以上のもの

三　崩落のおそれのあるダムの地山の保全のための工事であつて、これに要する費用の額が千万円以上のもの

四　ポンプ自動車、照明設備その他の河川の管理のための建設機械で、その機能の低下を放置するときは著しい被害を生ずるおそれがあるものの更新（これらを構成する機器の更新を含む。）

（道の区域内の河川の平成二十二年度の特例）

第一〇条　第四十二条第三項又は第五項の規定の平成二十二年度における適用については、同条第三項中「災害復旧事業」とあるのは「災害復旧事業又は附則第九条各号に掲げる河川管理施設に係る工事若しくは河川の管理のための設備の更新（第五項において「特定事業」という。）」と、同条第五項中「災害復旧事業を」とあるのは「災害復旧事業及び特定事業を」と、「災害復旧事業に」とあるのは「災害復旧事業又は特定事業に」とする。

（法附則第三項又は第四項の規定による貸付金の償還期間等）

第一一条　法附則第五項の政令で定める期間は、五年（二年の据置期間を含む。）とする。

2　前項の期間は、日本電信電話株式会社の株式の売払収入の活用による社会資本の整備の促進に関する特別措置法（昭和六十二年法律第八十六号）第五条第一項の規定により読み替えて準用される補助金等に係る予算の執行の適正化に関する法律（昭和三十年法律第百七十九号）第六条第一項の規定による貸付けの決定（以下「貸付決定」という。）ごとに、当該貸付決定に係る法附則第三項又は第四項の規定による貸付金（以下「国の貸付金」という。）の交付を完了した日（その日が当該貸付決定があつた日の属する年度の末日の前日以後の日である場合には、当該年度の末日の前々日）の翌日から起算する。

3　国の貸付金の償還は、均等年賦償還の方法によるものとする。

4　国は、国の財政状況を勘案し、相当と認めるときは、国の貸付金の全部又は一部について、前三項の規定により定められた償還期限を繰り上げて償還させることができる。

5　法附則第九項の政令で定める場合は、前項の規定により償還期限を繰り上げて償還を行つた場合とする。

附　則（略）（昭和四三・九・一九政令二八〇）

附　則（略）（昭和四五・三・三一政令四〇）

附　則（抄）（昭和四五・八・七政令二三五）

1　この政令は、公布の日から起算して三月を経過した日から施行する。

2　この政令の施行の際現に権原に基づき、第十六条の三第一項又は第十六条の八第一項の規定により許可を要する行為を行なつている者は、従前と同様の条件により、当該行為についてこれらの規定による許可を受けたものとみなす。

3　この政令の施行の際現に第十六条の五第一項の規定により届出を要する行為を行なつている者は、この政令の施行の日から二月以内に、建設省令で定めるところにより、同項各号に掲げる事項を河川管理者に届け出なければならない。同項ただし書の規定は、この場合について準用する。

4　前項の規定に違反して、届出をせず、又は虚偽の届出をした者は、一万円以下の罰金に処する。

附　則（昭和四六・四・一政令一〇五）

1　この政令は、公布の日から施行する。

2　道の区域内の一級河川又は二級河川に係る河川工事のうち次の各号に掲げるものに要する費用は、改正後の第四十二条の規定にかかわらず、国が、その全額を負担する。

一　昭和四十五年度以前の年度の予算に係る次に掲げる河川工事でその工事又はその工事に係る負担金に係る経費の金額が昭和四十六年度以降に繰り越されたもの

イ　特別指定区間外の一級河川について建設大臣が行なう河川工事

ロ　改正後の第四十二条第四項に規定する改良工事のうち、ダムに関する工事及び同条第一項各号に掲げる施設に関する工事でこれに要する費用の額が五億円をこえるもの

ハ　指定河川について建設大臣が行なう河川工事（改良工事を除く。）

二　次に掲げる災害復旧事業

イ　昭和四十五年中に発生した災害に係る災害復旧事業

ロ　昭和四十六年中に発生した災害に係る災害復旧事業で昭和四十六年度に施行されるもの

附　則（略）（昭和四六・六・一七政令一八八）

附　則（略）（昭和四六・八・三〇政令二七九）

附　則（略）（昭和四六・九・二三政令三〇〇）

附　則（昭和四七・五・一政令一四六）

1　この政令は、公布の日から施行する。

2　改正後の第四十二条第二項及び第五項の規定は、昭和四十七年度の予算に係る国の負担金から適用し、昭和四十六年度以前の年度の予算に係る特別指定区間内の一級河川又は指定河川の改良工事で、その工事に係る経費の金額が昭和四十七年度以降に繰り越されたものに要する費用は、改正後の同条第二項及び第五項の規定にかかわらず、国が、その全額を負担する。

附　則（略）（昭和五〇・三・二五政令四四）

附　則（略）（昭和五四・五・八政令一三二）

附　則（略）（昭和五五・三・二八政令二四）

附　則（略）（昭和五七・三・三〇政令五八）

附　則（略）（昭和六〇・三・二〇政令三七）

附　則（略）（昭和六〇・三・二九政令五〇）

附　則（略）（昭和六〇・五・一八政令一三三）

附　則（略）（昭和六〇・八・二政令二四六）

附　則（略）（昭和六一・五・八政令一五四）

附　則（略）（昭和六二・三・三一政令九八）

附　則（略）（昭和六二・九・二九政令三二七）

附　則（平成元・四・一〇政令一〇八）

（施行期日）

1　この政令は、公布の日から施行する。

（経過措置）

2　改正後の（中略）河川法施行令（附則第三条の二及び第十五条第一項の規定を除く。）（中略）の規定は、平成元年度及び平成二年度（平成元年度の特例に係るものにあつては、平成元年度。以下この項において同じ。）の予算に係る国の負担又は補助（昭和六十三年度以前の年度の国庫債務負担行為に基づき平成元年度以降の年度に支出すべきものとされた国の負担又は補助を除く。）、平成元年度及び平成二年度の国庫債務負担行為に基づき平成三年度（平成元年度の特例に係るものにあつては、平成二年度。以下この項において同じ。）以降の年度に支出すべきものとされる国の負担又は補助並びに平成元年度及び平成二年度の歳出予算に係る国の負担又は補助で平成三年度以降の年度に繰り越されるものについて適用し、昭和六十三年度以前の年度の国庫債務負担行為に基づき平成元年度以降の年度に支出すべきものとされた国の負担又は補助及び昭和六十三年度以前の年度の歳出予算に係る国の負担又は補助で平成元年度以降の年度に繰り越されたものについては、なお従前の例による。

附　則（略）（平成元・六・二〇政令一七九）

附　則（平成二・三・三〇政令八〇）

（施行期日）
1 この政令は、平成二年四月一日から施行する。
（経過措置）
2 平成元年度以前の年度の予算に係る一級河川の改良工事のうち、河川法施行令第四十二条第一項各号に掲げる施設に関する工事でこれに要する費用の額が百億円を超え、かつ、百二十億円以下のものについて、その工事又はその工事に係る負担金に係る経費の金額が平成二年度以降に繰り越された場合においては、当該工事に要する費用についての国及び都道府県の負担割合は、改正後の河川法施行令第四十二条第一項及び第四項並びに附則第三条の三の規定にかかわらず、なお従前の例による。
3 平成元年度以前の年度の予算に係る水資源開発公団法第二十六条第一項の交付金に係る経費の金額が平成二年度以降に繰り越された場合においては、当該交付金についての都道府県の負担割合は、改正後の河川法施行令附則第十七条の規定にかかわらず、なお従前の例による。

附 則〔平成三・三・三〇政令九八〕
改正 平成五・三政九四
（施行期日）
1 この政令は、平成三年四月一日から施行する。
（経過措置）
2 改正後〔中略〕の規定は、平成三年度及び平成四年度の予算に係る国の負担又は補助（平成二年度以前の年度の国庫債務負担行為に基づき平成三年度以降の年度に支出すべきものとされた国の負担又は補助を除く。）、平成三年度及び平成四年度の国庫債務負担行為に基づき平成五年度以降の年度に支出すべきものとされる国の負担又は補助並びに平成三年度及び平成四年度の歳出予算に係る国の負担又は補助で平成五年度以降の年度に繰り越されるものについて適用し、平成二年度以前の年度の国庫債務負担行為に基づき平成三年度以降の年度に支出すべきものとされた国の負担又は補助及び平成二年度以前の年度の歳出予算に係る国の負担又は補助で平成三年度以降の年度に繰り越されたものについては、なお従前の例による。

附 則〔略〕〔平成三・一〇・二五政令三三三〕
附 則〔略〕〔平成四・六・二六政令二一八〕
附 則〔抄〕〔平成五・三・三一政令九四〕
（施行期日）
1 この政令は、平成五年四月一日から施行する。
（経過措置）
2 改正後〔中略〕の規定は、平成五年度以降の年度の予算に係る国の負担又は補助（平成四年度以前の年度の国庫債務負担行為に基づき平成五年度以降の年度に支出すべきものとされた国の負担又は補助を除く。）について適用し、平成四年度以前の年度の国庫債務負担行為に基づき平成五年度以降の年度に支出すべきものとされた国の負担又は補助及び平成四年度以前の年度の歳出予算に係る国の負担又は補助で平成五年度以降の年度に繰り越されたものについては、なお従前の例による。

附 則〔略〕〔平成六・四・一三政令一三四〕
附 則〔略〕〔平成六・五・九政令一四〇〕
附 則〔平成六・七・八政令二一八〕
（施行期日）
1 この政令は、公布の日から施行する。ただし、第十五条の四及び別表㈥項の改正規定は、公布の日から起算して三月を経過した日から施行する。
（罰則に関する経過措置）
2 第十五条の四の改正規定の施行前にした行為に対する罰則の適用については、なお従前の例による。

附 則〔略〕〔平成六・九・一九政令三〇三〕
附 則〔略〕〔平成七・九・二七政令三四五〕
附 則〔略〕〔平成九・二・一九政令一七〕
附 則〔抄〕〔平成九・一一・二八政令三四二〕
（施行期日）
第一条 この政令は、河川法の一部を改正する法律（以下「改正法」という。）の施行の日（平成九年十二月一日）から施行する。
（経過措置）
第二条 改正法附則第二条第一項の規定により当該河川について定められた河川整備基本方針とみなされる当該河川について現に定められている工事実施基本計画の部分は、この政令による改正前の河川法施行令（以下「旧施行令」という。）第十条第二項第一号、第二号及び第三号イに係る当該工事実施基本計画の部分とする。
2 改正法附則第二条第二項の規定により当該河川の区間について定められた河川整備計画とみなされる当該河川について現に定められている工事実施基本計画の部分は、旧施行令第十条第二項第三号ロに係る当該工事実施基本計画の部分とする。

附 則〔略〕〔平成九・一二・一〇政令三五三〕
附 則〔略〕〔平成一〇・一〇・三〇政令三五一〕
附 則〔略〕〔平成一一・一一・一〇政令三五二〕
附 則〔略〕〔平成一二・六・七政令三一二〕
附 則〔略〕〔平成一二・一〇・一八政令四五七〕
附 則〔略〕〔平成一三・三・三〇政令九九〕
附 則〔略〕〔平成一四・二・八政令二七〕
附 則〔略〕〔平成一四・三・三一政令一〇二〕
附 則〔略〕〔平成一五・一・三一政令二八〕
附 則〔略〕〔平成一五・一〇・一政令四四九〕
附 則〔略〕〔平成一五・一〇・八政令四五四〕
附 則〔略〕〔平成一六・二・二五政令二七〕
附 則〔平成一六・一〇・二七政令三二八〕
（施行期日）
第一条 この政令は、平成十七年四月一日から施行する。
（経過措置）
第二条 この政令の施行前に改正前のそれぞれの政令の規定により経済産業局長がした許可、認可その他の処分（鉱山保安法及び経済産業省設置法の一部を改正する法律第二条の規定による改正前の経済産業省設置法（平成十一年法律第九十九号。以下「旧経済産業省設置法」という。）第十二条第二項に規定する経済産業省の所掌事務のうち旧経済産業省設置法第四条第一項第五十九号に掲げる事務に関するものに限る。以下「処分等」という。）は、それぞれの経済産業局長の管轄区域を管轄する産業保安監督部長がした処分等とみなし、この政令の施行前に改正前のそれぞれの政令の規定により経済産業局長に対してした申請、届出その他の行為（旧経済産業省設置法第十二条第二項に規定する経済産業省の所掌事務のうち旧経済産業省設置法第四条第一項第五十九号に掲げる事務に関するものに限る。以下「申請等」という。）は、それぞれの経済産業局長の管轄区域を管轄する産業保安監督部長に対してした申請等とみなす。

附 則〔略〕〔平成一七・六・一政令一九五〕
附 則〔抄〕〔平成二二・三・三一政令七八〕
（施行期日）
第一条 この政令は、平成二十二年四月一日から施行する。
（経過措置）
第二条 国の直轄事業に係る都道府県等の維持管理負担金の廃止等のための関係法律の整備に関する法律附則第二条に規定する国庫債務負担行為が次に掲げる契約に係るものである場合における同条の規定の適用については、同条中「負担、平成二十一年度以前の年度の国庫債務負担行為に基づき平成二十二年度以降の年度に支出すべきものとされた国の負担」とあり、同条第一号中「負担及び平成二十一年度以前の年度の国庫債務負担行為に基づき平成二十二年度に支出すべきものとされた国の負担」及び「負担、平成二十二年度の国庫債務負担行為に基づき平成二十三年度以降の年度に支出すべきものとされる国の負担」とあり、同条第二号中「負担及び平成二十一年度以前の年度の国庫債務負担行為に基づき平成二十二年度以降の年度に支出すべきものとされた国の負担」とあり、並びに同条第三号中「負担及び平成二十二年度以前の年度の国庫債務負担行為に基づき平成二十三年度以降の年度に支出すべきものとされた国の負担」とあるのは、「負担」とする。
一 〔略〕
二 一級河川の管理を効率的に行うために当該一級河川の管理に係る事務又は事業で相互に関連するものを一括して委託する契約
第三条 第四条、第六条、第九条、第十二条及び第十三条の規定による改正後の次の各号に掲げる政令の規定は、当該各号に定める国の負担（当該国の負担に係る都道府県又は市町村の負担を含む。以下この条及び次条において同じ。）について適用し、平成二十一年度以前の年度における事務又は事業の実施により平成二十二年度以降の年度に支出される国の負担、平成二十一年度以前の年度の国庫債務負担行為に基づき平成二十二年度以降の年度に支出すべきものとされた国の負担及び平成二十一年度以前の年度の歳出予算に係る国の負担で平成二十二年度以降の年度に繰り越されたものについては、なお従前の例による。

一　次に掲げる政令の規定　平成二十二年度の予算に係る国の負担（平成二十一年度以前の年度における事務又は事業の実施により平成二十二年度に支出される国の負担及び平成二十一年度以前の年度の国庫債務負担行為に基づき平成二十二年度に支出すべきものとされた国の負担を除く。）並びに同年度における事務又は事業の実施により平成二十三年度以降の年度に支出される国の負担、平成二十二年度の国庫債務負担行為に基づき平成二十三年度以降の年度に支出すべきものとされる国の負担及び平成二十二年度の歳出予算に係る国の負担で平成二十三年度以降の年度に繰り越されるもの

イ・ロ　〔略〕

ハ　河川法施行令附則第十条の規定により読み替えて適用する同令第四十二条第三項及び第五項

ニ・ホ　〔略〕

二　〔略〕

三　次に掲げる政令の規定　平成二十三年度以降の年度の予算に係る国の負担（平成二十二年度以前の年度における事務又は事業の実施により平成二十三年度以降の年度に支出される国の負担及び平成二十二年度以前の年度の国庫債務負担行為に基づき平成二十三年度以降の年度に支出すべきものとされた国の負担を除く。）

イ　〔略〕

ロ　河川法施行令第四十二条第三項又は第五項

2　前項に規定する国庫債務負担行為が前条各号に掲げる契約に係るものである場合における同項の規定の適用については、同項中「負担、平成二十一年度以前の年度の国庫債務負担行為に基づき平成二十二年度以降の年度に支出すべきものとされた国の負担」とあり、同項第一号中「負担及び平成二十一年度以前の年度の国庫債務負担行為に基づき平成二十二年度に支出すべきものとされた国の負担」及び「負担、平成二十二年度の国庫債務負担行為に基づき平成二十三年度以降の年度に支出すべきものとされる国の負担」とあり、同条第二号中「負担及び平成二十一年度以前の年度の国庫債務負担行為に基づき平成二十二年度以降の年度に支出すべきものとされた国の負担」とあり、並びに同項第三号中「負担及び平成二十二年度以前の年度の国庫債務負担行為に基づき平成二十三年度以降の年度に支出すべきものとされた国の負担」とあるのは、「負担」とする。

附　則〔抄〕〔平成二二・一二・二二政令二四八〕

（施行期日）

第一条　この政令は、廃棄物の処理及び清掃に関する法律の一部を改正する法律（以下「改正法」という。）の施行の日（平成二十三年四月一日）から施行する。

附　則〔略〕〔平成二三・一・二八政令八〕

附　則〔抄〕〔平成二三・一二・二六政令四二四〕

（施行期日）

第一条　この政令は、平成二十四年四月一日から施行する。

（河川法の一部改正に伴う経過措置）

第六条　第一次一括法第三十六条の規定の施行の日から起算して一年を超えない期間内において、同条の規定による改正後の河川法（昭和三十九年法律第百六十七号）第百条第一項において準用する同法第十三条第二項の規定に基づく条例が制定施行されるまでの間は、第一次一括法第三十六条の規定の施行の際現に存する河川管理施設等（河川管理施設等構造令第七十三条に規定する河川管理施設等をいう。以下この条において同じ。）又は現に工事中の河川管理施設等（既に河川法第二十六条第一項の許可を受け、工事に着手するに至らない許可工作物（同項の許可を受けて設置される工作物をいう。以下この条において同じ。）を含む。）が第一次一括法附則第十八条の規定により当該条例で定める技術的基準とみなされる同令第七十七条の規定により準用する同令第二条から第七十四条まで及び第七十六条の規定による基準に適合しない場合においては、当該河川管理施設等については、これらの規定は、適用しない。ただし、工事の着手（許可工作物にあっては、河川法第二十六条第一項の許可）が第一次一括法第三十六条の規定の施行の後である改築（災害復旧又は応急措置として行われるものを除く。）に係る河川管理施設等については、この限りでない。

附則〔略〕〔平成二五・一・三〇政令一七〕

附則〔略〕〔平成二五・七・五政令二一四〕

附則〔略〕〔平成二五・一二・六政令三三三〕

附則〔略〕〔平成二八・三・二五政令八四〕

附則〔略〕〔平成二八・一二・二政令三六六施行〕

附則〔略〕〔平成二九・六・一四政令一五八〕

附則〔略〕〔平成二九・九・一政令二三二〕

附則〔略〕〔令和元・一二・一三政令一八三〕

附則〔略〕〔令和三・七・一四政令二〇五〕

附則〔略〕〔令和三・一〇・二九政令二九六〕

附則〔略〕〔令和四・三・三一政令一六七〕

附則〔令和六・三・二九政令一〇三〕

この政令は、令和六年四月一日から施行する。

別表（第十六条の五関係）

(一)	鉱山保安法（昭和二十四年法律第七十号）第十三条第一項、第十五条又は第十九条第一項若しくは第二項の規定による届出	同法第十三条第四項、第二十条又は第三十四条から第三十六条までの規定による命令
(二)	採石法（昭和二十五年法律第二百九十一号）第三十三条若しくは第三十三条の五第一項の規定による認可又は同条第二項若しくは第四項若しくは同法第三十三条の十の規定による届出	同法第三十三条の九の規定による命令、同法第三十三条の十二の規定による取消し若しくは命令又は同法第三十三条の十三の規定による命令
(三)	廃棄物の処理及び清掃に関する法律（昭和四十五年法律第百三十七号）第八条第一項、第九条第一項、第十五条第一項若しくは第十五条の二の六第一項の規定による許可又は同法第九条の三第一項若しくは第八項の規定による届出	同法第九条の二第一項、第九条の三第三項（同条第九項において準用する場合を含む。）若しくは第十項又は第十五条の二の七の規定による命令
(四)	水洗炭業に関する法律（昭和三十三年法律第百三十四号）第三条第一項の規定による登録又は同法第九条第一項若しくは第二項若しくは第十条の規定による届出	同法第十一条の規定による取消し、同法第十三条第一項若しくは第二項の規定による命令又は同法第十四条第一項の規定による命令若しくは取消し
(五)	水質汚濁防止法（昭和四十五年法律第百三十八号）第五条、第六条第一項、第七条、第十条又は第十一条第三項（湖沼水質保全特別措置法（昭和五十九年法律第六十一号）第十四条の規定によりこれらの規定が適用される場合を含む。）の規定による届出	水質汚濁防止法第八条、第八条の二又は第十三条第一項若しくは第三項（湖沼水質保全特別措置法第十四条又は第二十三条第六項の規定によりこれらの規定が適用される場合を含む。）の規定による命令
(六)	砂利採取法第十六条若しくは第二十条第一項の規定による認可又は同条第二項若しくは第三項若しくは同法第二十四条の規定による届出	同法第二十二条若しくは第二十三条の規定による命令又は同法第二十六条の規定による取消し若しくは命令
	瀬戸内海環境保全特別措置法（昭和四十八年法律第百十号）第五条	同法第十一条の規定による命令

(七)	第一項若しくは第八条第一項の規定による許可又は同法第七条第二項、第八条第四項、第九条若しくは第十条第三項の規定による届出	
(八)	浄化槽法（昭和五十八年法律第四十三号）第五条第一項の規定による届出	同法第五条第三項又は第十二条第二項の規定による命令
(九)	湖沼水質保全特別措置法第十五条第一項、第十六条第一項、第十七条第一項若しくは第二項又は第十八条第二項の規定による届出	同法第八条若しくは第十条の規定による命令又は同法第二十条第一項若しくは第二項（同法第二十二条において準用する場合を含む。）の規定による勧告若しくは命令
(十)	特定水道利水障害の防止のための水道水源水域の水質の保全に関する特別措置法（平成六年法律第九号）第十一条から第十三条まで又は第十四条第二項の規定による届出	同法第十五条第一項から第三項までの規定による勧告又は同条第四項の規定による命令
(十一)	地方自治法（昭和二十二年法律第六十七号）第十四条第二項の規定に基づく公害防止に関する条例の規定による処分又は届出で(一)項から(十)項までの上欄に掲げる認可等の処分又は届出に類するもの	当該条例の規定による処分で(一)項から(十)項までの下欄に掲げる命令等の処分に類するもの
(十二)	(一)項から(十一)項までの上欄に掲げる認可等の処分又は届出に類する処分又は届出で国土交通省令で定めるもの	(一)項から(十一)項までの下欄に掲げる命令等の処分に類する処分で国土交通省令で定めるもの

○河川法施行規則〔昭和四〇・三・一三　建設省令七〕

改正　昭和四五・七建令一八、九建令二三、一〇建令二五、昭和四七・五建令一七、一一建令三〇、昭和五三・三建令五、昭和五七・九建令一三、昭和五九・六建令一三、昭和六〇・一〇建令一二、昭和六二・一〇建令二二、平成元・三建令三、平成三・一一建令二一、平成五・三建令三、平成六・二建令四、七建令二一、平成七・九建令二二、平成九・一一建令一八、平成一一・四建令一四、平成一二・一建令一〇、一〇建令三五、一一建令四一、平成一三・三国交令七二、平成一四・六国交令六九、平成一五・三国交令二六、国交令三八、九国交令九七、一〇国交令一一二、平成一六・三国交令一五、五国交令六七、平成一七・三国交令一二、五国交令五九、平成一八・四国交令五八、平成一九・三国交令二六、国交令二七、六国交令六七、平成二五・七国交令五九、一二国交令九八、平成二七・一国交令五、平成二九・六国交令三六、令和元・五国交令一、六国交令二〇、令和二・二国交令九、一二国交令九八、令和三・七国交令四八、令和四・三国交令三九、令和五・九国交令八〇、令和六・三国交令二六、国交令四四

（樹林帯）

第一条　河川法（以下「法」という。）第三条第二項の国土交通省令で定める帯状の樹林は、法第六条第一項第三号の堤外の土地にあるもののほか、次の各号の一に該当する土地にあるものとする。

一　堤防に沿つて設置する帯状の樹林にあつては、堤防の裏法尻（のりじり）からおおむね二十メートル以内の土地にあるもの

二　ダム貯水池に沿つて設置する帯状の樹林にあつては、ダムによつて貯留される流水の最高の水位における水面が土地に接する線からおおむね五十メートル以内の土地にあるもの

（国土保全上又は国民経済上特に重要な水系を指定する政令の制定又は改廃の立案の基準）

第一条の二　国土交通大臣は、法第四条第一項の政令の制定又は改廃については、国土保全上又は国民経済上特に重要な水系であつて、次の各号のいずれかに該当するものが当該政令で指定されるようその立案を行うものとする。

一　水系に属する河川の流域面積の合計がおおむね千平方キロメートル以上である場合の当該水系

二　水系に属する河川の流域面積の合計がおおむね五百平方キロメートル以上である場合の当該水系又は勾配が急である等の理由により管理が困難な河川の属する水系であつて、当該水系の想定はん濫区域（洪水、津波、高潮その他の天然現象による河川のはん濫により浸水するおそれのある区域をいう。以下同じ。）の面積がおおむね百平方キロメートル以上又は想定はん濫区域内の人口がおおむね十万人以上であるもの

三　水系の想定はん濫区域内に都道府県庁所在地その他政治上、経済上又は文化上重要な都市の市街地が存する場合の当該水系

四　広域的な用水対策を実施し、又は国家的に重要な事業が行われる地域に対する用水の供給を確保するために必要な水系

五　国際的若しくは全国的に高い価値があると認められている自然環境等の優れた状態を維持するため、又は大都市圏における住民の健全な生活環境を確保するため、その整備若しくは保全を行うことが特に必要と認められる河川環境が相当規模の区域にわたり存する水系

六　二以上の都府県の区域にわたる水系であつて、関係都府県にわたる治水上若しくは利水上又は河川環境の整備若しくは保全上の利害を調整する必要があると認められるもの

七　その流域が存する都道府県以外の都道府県の区域に対する相当量の水又は電力の供給を確保するために必要な水系

八　前各号に掲げるもののほか、洪水等の激甚な災害が発生した水系又は渇水が頻繁に発生し、若しくは河川環境の整備若しくは保全を図る上で重要な問題等が生じている水系であつて、河川管理に高度な技術を要すること、地方公共団体の負担の軽減を図る必要があること等の理由により国土交通大臣が対策を講じる必要があると認められるもの

（一級河川の指定の公示）

第一条の三　法第四条第五項の公示は、次の各号の一以上により区間の起点及び終点を明示して、官報に掲載して行うものとする。

一　市町村、大字、字、小字及び地番

二　一定の地物、施設又は工作物

三　平面図

（二級河川の指定の公示）

第一条の四　法第五条第三項の公示は、前条各号の一以上により区間の起点及び終点を明示して、都道府県の公報に掲載して行なうものとする。

（河川区域の指定等の公示）

第二条　法第六条第四項の公示は、第一条の三各号の一以上により当該河川区域、当該高規格堤防特別区域又は当該樹林帯区域を明示して、国土交通大臣にあつては官報に、都道府県知事にあつてはその統括する都道府県の公報に掲載して行うものとする。

（指定区間の指定の基準）

第二条の二　法第九条第二項の規定による国土交通大臣の指定区間の指定は、次の各号（第一条の二第八号に該当する水系に属する一級河川にあつては、第一号及び第二号を除く。）のいずれにも該当しない区間について行うものとする。

一　河川の形状及び流水の状況並びに流域の地形及び土地利用の状況等か

ら、一体として管理する必要がある区間であつて、次のいずれかに該当するもの

イ　河川のはん濫により当該河川の流域における市街地等に甚大な被害が発生するおそれのある区間

ロ　水系に属する河川の流量、水質等に著しい影響を与えるおそれのある貯留、取水等が行われる区間

ハ　水系における貴重な自然環境、優れた景観等その整備又は保全を行うことが特に必要と認められる河川環境が存する区間

ニ　二以上の都府県の区域にわたる水系に属する河川の区間であつて、関係都府県にわたる治水上、利水上又は河川環境の整備若しくは保全上の利害を調整する必要があると認められるもの

二　前号の区間における河川の管理に必要なダムその他の河川管理施設（当該区間に存するものを除く。）が存する区間及び当該区間と一体として管理を行う必要がある区間

三　洪水等の激甚な災害が発生した水系に属する河川の区間又は渇水が頻繁に発生し、若しくは河川環境の整備若しくは保全を図る上で重要な問題等が生じている水系に属する河川の区間であつて、河川管理に高度の技術を要すること、地方公共団体の負担の軽減を図る必要があること等の理由により国土交通大臣が対策を講じる必要があると認められるもの

四　前各号の区間の二以上と直接に接続する区間又は前各号の区間のいずれかから河口までの間の区間であつて、前各号の区間と一体として管理することが必要と認められるもの

（指定区間の指定等の公示）

第三条　法第九条第四項の公示は、第一条の三各号の一以上により当該指定区間の起点及び終点を明示して、官報に掲載して行うものとする。

（関係都府県知事の協議の内容の公示）

第四条　法第十一条第二項の公示は、次の各号に掲げる事項を関係都府県の公報に掲載して行なうものとする。

一　河川の名称及び区間

二　管理を行なう都府県知事

三　管理の内容

四　管理の期間

（河川現況台帳の調書の様式）

第五条　河川法施行令（以下「令」という。）第五条第一項の国土交通省令で定める様式は、別記様式第一とする。

（水利台帳の調書の様式）

第六条　令第六条第一項の国土交通省令で定める様式は、別記様式第二とする。

2　令第六条第二項の国土交通省令で定める様式は、別記様式第二の二とする。

（河川の台帳の保管）

第七条　河川の台帳は、次の各号に掲げる区分に従い、それぞれ当該各号に掲げる事務所において保管するものとする。

一　一級河川に係る河川現況台帳　国土交通省設置法（平成十一年法律第百号）第三十二条第一項に規定する地方整備局の事務所又は同法第三十四条第一項に規定する開発建設部（第四十一条において「関係事務所等」という。）

二　一級河川に係る水利台帳　地方整備局又は北海道開発局

三　二級河川に係る河川の台帳　都道府県の規則で定める事務所

（河川管理施設等の維持又は修繕に関する技術的基準等）

第七条の二　令第九条の三第一項第三号の国土交通省令で定める河川管理施設等は、次に掲げるものとする。

一　ダム（土砂の流出を防止し、及び調節するため設けるもの並びに基礎地盤から堤頂までの高さが十五メートル未満のものを除く。）

二　堤防（堤内地盤高が計画高水位（津波区間にあつては計画津波水位、高潮区間にあつては計画高潮位、津波区間と高潮区間とが重複する区間にあつては計画津波水位又は計画高潮位のうちいずれか高い水位）より高い区間に設置された盛土によるものを除く。）

三　前号に掲げる堤防が存する区間に設置された可動堰

四　第二号に掲げる堤防が存する区間に設置された水門、樋門その他の流水が河川外に流出することを防止する機能を有する河川管理施設等

2　令第九条の三第二項の国土交通省令で定める河川管理施設等の維持又は修繕に関する技術的基準その他必要な事項は、同条第一項第二号の規定による点検（前項各号に掲げる河川管理施設等に係るものに限る。）を行つた場合に、次に掲げる事項を記録し、これを次に点検を行うまでの期間（当該期間が一年未満の場合にあつては、一年間）保存することとする。

一　点検の年月日

二　点検を実施した者の氏名

三　点検の結果（可動部を有する河川管理施設等に係る点検については、可動部の作動状況の確認の結果を含む。）

（市町村長の施行することができる工事）

第七条の三　令第十条の五第六号の国土交通省令で定める河川工事は、次に掲げるものとする。

一　護岸の設置又は改築

二　高水敷の整備

三　小規模な堰の設置又は改築

四　床止めの設置又は改築

五　水制の設置又は改築

六　流水の浄化施設の設置又は改築

七　河川の管理のための通路の設置又は改築

八　堤防の小段又は側帯（河川管理施設等構造令施行規則（昭和五十一年建設省令第十三号）第十四条第三号に規定する第三種側帯に限る。）の整備

九　その他河道の整備又は流水の水質の保全に関する事業に係る河川工事

2　令第十条の五第六号ただし書の国土交通省令で定める河川工事は、次に掲げるものとする。

一　堤防の側帯（河川管理施設等構造令施行規則第十四条第二号に規定する第二種側帯に限る。）の整備

二　樹林帯の設置

三　流水が河川外に流出した場合において、これによる災害の発生を防止し、又は災害を軽減するための堤防の新築又は改築

（市長の施行することができる工事の施行の場所より上流の流域面積の限度）

第七条の四　令第十条の五第六号ただし書の国土交通省令で定める面積は、おおむね三十平方キロメートルとする。

（市町村長による河川工事等の公示）

第七条の五　法第十六条の三第二項の公示は、次に掲げる事項を市町村の公報に掲載して行うものとする。

一　河川の名称及び区間

二　河川工事又は河川の維持の内容

三　河川工事又は河川の維持の期間（河川工事又は河川の維持を完了したときにあつては、当該完了の日）

（国土交通大臣による特定河川工事の公示）

第七条の六　令第十条の八第一項の公示は、官報に掲載して行うものとする。ただし、緊急の必要がある場合において公示するいとまがないときは、他の適当な方法によることができる。

（国土交通大臣による特定維持の公示）

第七条の七　令第十条の九第一項の公示は、官報に掲載して行うものとする。ただし、緊急の必要がある場合において公示するいとまがないときは、他の適当な方法によることができる。

（他の工作物の管理者による河川管理施設の管理の公示）

第八条　法第十七条第二項の公示は、次の各号に掲げる事項を、国土交通大臣にあつては官報に、都道府県知事にあつてはその統轄する都道府県の公報に掲載して行なうものとする。

一　河川の名称

二　河川管理施設の名称又は種類

三　河川管理施設の位置

四　管理を行なう者の氏名及び住所（法人にあつては、その名称及び住所並びに代表者の氏名）

五　管理の内容

六　管理の期間

2　前項の規定は、令第十条の六第一項の規定により市町村長が河川管理者に代わつて行う法第十七条第二項の公示について準用する。この場合にお

いて、前項中「国土交通大臣にあつては官報に、都道府県知事にあつてはその統轄する都道府県の公報」とあるのは「市町村の公報」と読み替えるものとする。

（裁決申請書の様式等）

第九条　令第十三条の国土交通省令で定める様式は、別記様式第三とする。

2　裁決申請書は、正本一部及び写し一部を提出するものとする。

（損害補償の手続等）

第一〇条　法第二十二条第六項の規定により損害の補償を受けようとする者は、受けようとする損害補償の種類に応じ、それぞれ別記様式第四から第七までによる請求書を河川管理者に提出しなければならない。

2　前項の請求書には、次の各号に掲げる損害補償の種類に応じ、それぞれ当該各号に定める図書その他参考となるべき事項を記載した図書を添付しなければならない。ただし、同一の事故又は疾病について療養補償又は休業補償を二回以上請求する場合においては、第二回以降の請求書には、第一号イ及びロ又は第二号イ、ハ及びニの書面は、添付することを要しない。

一　療養補償

イ　請求者の住民票の謄本

ロ　事故又は疾病の発生が業務に従事したことによるものであることを証するに足りる書面

ハ　療養に要した費用（医師又は歯科医師の証明に係る診療費を除く。）の領収書及び明細書

二　休業補償

イ　前号イ及びロに掲げる書面

ロ　療養のため勤務その他の業務に従事することができなかつた期間及び日数並びにその期間についての給与その他の業務上の収入を得ることができなかつたことを証するに足りる書面

ハ　事故が発生した日又は診断によつて疾病の発生が確定した日前一年間において法第二十二条第二項の規定により業務に従事した者（以下この条において「従事者」という。）が得た収入の平均月額を証するに足りる書面

ニ　従事者の扶養親族に重度心身障害者が含まれるときは、当該重度心身障害者の重度心身障害の部位及び程度並びに労働能力喪失の程度についての医師の診断書又は身体障害者手帳の写し

三　障害補償

イ　第一号イ及びロ並びに前号ハ及びニに掲げる書面

ロ　障害が外部から明らかでないときは、当該障害部位のレントゲンフイルム又は写真

四　遺族補償又は葬祭補償

イ　従事者の戸籍の謄本又は除かれた戸籍の謄本

ロ　従事者の死亡診断書、死体検案書その他の死亡の事実を証するに足りる書面

ハ　従事者の死亡の原因である事故又は疾病の発生が業務に従事したことによるものであることを証するに足りる書面

ニ　請求者が補償を受けるべき権利を有することを証するに足りる書面

ホ　従事者の死亡の原因である事故が発生した日又は診断によつて死亡の原因である疾病の発生が確定した日前一年間において従事者が得た収入の平均月額を証するに足りる書面

ヘ　第二号ニに掲げる書面

3　河川管理者は、第一項の請求書を受理したときは、これを審査し、補償の可否並びに補償する場合における補償金の額及び支給の方法を決定し、これらを請求者に通知しなければならない。

（流水の占用の許可等の申請）

第一一条　水利使用に関する法第二十三条の許可又は法第二十四条、第二十六条第一項若しくは第二十七条第一項の許可（法第二十三条の二の登録の対象となる流水の占用に係る水利使用に関する許可を除く。）の申請は、別記様式第八の(甲)及び(乙の1)による申請書の正本一部及び別表第一に掲げる部数の写しを提出して行うものとする。

2　前項の申請書には、次に掲げる図書を添付しなければならない。

一　次に掲げる事項を記載した図書

イ　水利使用に係る事業の計画の概要

ロ　使用水量の算出の根拠

ハ　河川の流量と申請に係る取水量及び関係河川使用者の取水量との関係を明らかにする計算

ニ　水利使用による影響で次に掲げる事項に関するもの及びその対策の概要

(イ)　治水

(ロ)　関係河川使用者（法第二十八条の規定による許可を受けた者並びに漁業権者及び入漁権者を除く。）の河川の使用

(ハ)　竹木の流送又は舟若しくはいかだの通航

(ニ)　漁業

(ホ)　史跡、名勝及び天然記念物

ホ　法第四十四条第一項のダムを設置するときは、貯水池となるべき土地の現況及び当該ダムによる流水の貯留により損失を受ける者に対する措置の概要

二　工作物の新築、改築又は除却を伴う水利使用の許可の申請にあつては、工事計画に係る次の表に掲げる図書（法第二十六条第一項の許可の申請が含まれていないときは、工事計画の概要を記載した図書）

区分	図書	備考
	別記様式第九による工事計画一覧表	
計算書	計画洪水流量に関する計算書	
	ダムの安定に関する計算書	
	施設又は工作物に関する水理計算書	
	施設又は工作物に関する構造計算書	
	背水に関する計算書	
	貯水池容量計算書	
	占用面積計算書	
付表	降水量表	日降水量、月降水量及び年降水量を記載するものとする。
	最高最低気温表	月の最高気温及び最低気温を記載するものとする。
	水位及び流量表	
	掘削土石処理計画表	
	工程表	
	一般平面図	次の事項を記載した縮尺五万分の一の地形図とする。 イ　集水地域 ロ　ダム、水路、法第四十五条の規定による観測施設その他水利使用に関する主要な施設又は工作物の位置 ハ　水利使用により影響を受ける施設又は工作物のうち、他の水利使用のためのもの、道路、橋その他主要なものの位置

法第四十四条第一項のダムの新築又は改築に関する工事計画	図面		ニ　その他参考となるべき事項
		貯水池実測平面図	次の事項を記載した縮尺五千分の一以上の地形図とする。 イ　湛水区域 ロ　ダム及びこれに附属する施設又は工作物の位置 ハ　土捨場その他ダムに関する工事に附帯して設置する施設又は工作物で主要なものの位置 ニ　測点の番号及び位置 ホ　その他参考となるべき事項
		貯水池実測縦断面図	次の事項を記載した縮尺縦二百分の一以上、横五千分の一以上のものとする。 イ　最低河床 ロ　ダムの位置 ハ　ダムの新築又は改築前における計画洪水位並びに新築又は改築後における計画洪水位、常時満水位及び最低の水位 ニ　推定堆砂面 ホ　測点の番号及び標高 ヘ　測点間の距離及び追加距離 ト　その他参考となるべき事項
		貯水池実測横断面図	次の事項を記載した縮尺五百分の一以上のものとする。 イ　最高の水位から二十メートルの高さまでの地盤面 ロ　前欄ハからホまでに掲げる事項 ハ　その他参考となるべき事項
		地質に関する図面	
		ダムの設計図	ダムの基礎処理に関するものを含む。
		ダムに関する工事を施行するための設備に関する図面	
		ダム以外の施設又は工作物の設計図	
		流況曲線図	
		流量累加曲線図	
		貯水量曲線図	
		貯水面積曲線図	
		占用する土地の丈量図	
	ダムの新築又は改築の場所をその上流側及び下流側から撮影した写真にダムの外形を記載したもの		
	工事費概算書		
	資金計画の概要を記載した書面		
	その他工事計画に関し参考となるべき事項を記載した図書		
	計算書	工作物に関する水理計算書	
		工作物に関する構造計算書	
		計画洪水流量及び背水に関する計算書	ダム又は堰以外の工作物については、作成することを要しない。
		占用面積計算書	
法第四十四条第一項のダム以外の工作物の新築又は改築に関する工事計画	付表	水位及び流量表	
		工程表	
	図面	位置図	縮尺五万分の一の地形図とする。
		実測平面図	
		実測縦断面図	ダム又は堰以外の工作物については、作成することを要しない。
		実測横断面図	
		工作物の設計図	
		占用する土地の丈量図	
	工事費概算書		
	その他工事計画に関し参考となるべき事項を記載した図書		
工作物の除却に関する工事計画	図面	位置図	縮尺五万分の一の地形図とする。
		工作物の構造図	
	工事の実施方法を記載した図書		
	工事費概算書		
	その他工事計画に関し参考となるべき事項を記載した図書		

三　法第三十八条ただし書の同意をした者があるときはその同意書の写し並びに同意をしない者があるときはその者の氏名及び住所（法人にあつては、その名称及び住所並びに代表者の氏名）並びに同意をするに至らない事情を記載した書面

四　河川管理者以外の者がその権原に基づき管理する土地、施設若しくは工作物を使用して水利使用を行う場合又は河川管理者以外の者がその権原に基づき管理する工作物を改築し、若しくは除却して水利使用を行う場合にあつては、その使用又は改築若しくは除却について申請者が権原

を有すること又は権原を取得する見込みが十分であることを示す書面

五　水利使用に係る行為又は事業に関し、他の行政庁の許可、認可その他の処分を受けることを必要とするときは、その処分を受けていることを示す書面又は受ける見込みに関する書面

六　第三十九条ただし書に該当するときは、同条ただし書の理由及び同条本文の規定により同時に行うべき他の許可の申請の経過又は予定を記載した書面

七　その他参考となるべき事項を記載した図書

（流水の占用の登録等の申請）

第一一条の二　水利使用に関する法第二十三条の二の登録又は法第二十四条、第二十六条第一項若しくは第二十七条第一項の許可（法第二十三条の二の登録の対象となる流水の占用に係る水利使用に関する許可に限る。）の申請は、別記様式第八の(甲の2)及び(乙の1の2)による申請書の正本一部及び別表第一の二に掲げる部数の写しを提出して行うものとする。

2　前項の申請書には、次に掲げる図書を添付しなければならない。ただし、法第二十四条、第二十六条第一項及び第二十七条第一項の許可の申請が含まれていないときは、第六号から第八号までに掲げる図書は、添付することを要しない。

一　申請者が法第二十三条の四第一号から第三号までに該当しないことを誓約する書面

二　次に掲げる者の同意書の写し

イ　申請者と当該申請に係る流水の占用に係る発電のために利用する流水の占用について法第二十三条の許可を受けた者とが異なるときは、当該許可を受けた者

ロ　申請者と当該申請に係る流水の占用に係る発電のために利用する令第十四条の二に規定する流水が放流されるダム又は堰を設置した者とが異なるときは、当該ダム又は堰を設置した者

三　次に掲げる事項を記載した図書

イ　水利使用に係る事業の計画の概要

ロ　使用水量の算出の根拠

四　当該申請に係る流水の占用に係る発電のために利用する流水の占用に関する法第二十三条の許可に関する次に掲げる事項を記載した書面

イ　水利使用の目的

ロ　許可水量

ハ　許可期間

ニ　取水口又は注水口の位置

ホ　許可に条件が付されている場合にあつては、当該条件

五　工作物の新築、改築又は除却（以下この条及び第十五条において「新築等」という。）を伴う水利使用に関する法第二十三条の二の登録の申請にあつては、前条第二項第二号の表に掲げる図書（法第二十六条第一項の許可の申請が含まれていないときは、工事計画の概要を記載した図書）

六　河川管理者以外の者がその権原に基づき管理する土地において工作物の新築等を行う場合又は河川管理者以外の者がその権原に基づき管理する工作物について改築若しくは除却を行う場合にあつては、当該新築等を行うことについて申請者が権原を有すること又は権原を取得する見込みが十分であることを示す書面

七　工作物の新築等に係る行為又は事業に関し、他の行政庁の許可、認可その他の処分を受けることを必要とするときは、その処分を受けていることを示す書面又は受ける見込みに関する書面

八　第三十九条ただし書に該当するときは、同条ただし書の理由及び同条本文の規定により同時に行うべき他の許可の申請の経過又は予定を記載した書面

九　その他参考となるべき事項を記載した図書

3　前項第一号の誓約書の様式は、別記様式第八の一の二の様式とする。

（登録の抹消）

第一一条の三　河川管理者は、法第七十五条第一項若しくは第二項の規定により法第二十三条の二の登録を取り消したとき、又は法第二十三条の二の登録がその効力を失つたときは、当該登録を抹消しなければならない。

（流水の占用の登録を拒否する場合）

第一一条の四　法第二十三条の四第五号の国土交通省令で定める場合は、次に掲げる場合とする。

一　令第十四条の二に規定する流水を利用する発電のために河川の流水を占用しようとする場合において、次に掲げる者の同意を得ていない場合

イ　申請者と当該申請に係る流水の占用に係る発電のために利用する流水の占用について法第二十三条の許可を受けた者とが異なるときは、当該許可を受けた者

ロ　申請者と当該申請に係る流水の占用に係る発電のために利用する令第十四条の二に規定する流水が放流されるダム又は堰を設置した者とが異なるときは、当該ダム又は堰を設置した者

二　令第十四条の二に規定する流水を利用する発電のために河川の流水を占用しようとする場合において、河川に新たに減水区間を生じさせる場合

三　申請に係る流水の占用に係る水利使用に関して必要な法第二十四条又は第二十六条第一項の許可を受ける見込みがない場合

四　申請書又はその添付書類のうちに重要な事項について虚偽の記載があり、又は重要な事項の記載が欠けている場合

（登録事項）

第一一条の五　令第十四条の三第六号の国土交通省令で定める事項は、登録の番号とする。

（土地の占用の許可の申請）

第一二条　法第二十四条の許可（水利使用又は法第二十六条第一項の許可を受けることを要する工作物の新築若しくは改築に関するものを除く。）の申請は、別記様式第八の(甲)及び(乙の2)による申請書の正本一部及び別表第二に掲げる部数の写しを提出して行うものとする。

2　前項の申請書には、次の各号に掲げる図書を添付しなければならない。

一　土地の占用に係る事業の計画の概要を記載した図書

二　縮尺五万分の一の位置図

三　実測平面図

四　面積計算書及び丈量図

五　土地の占用に係る行為又は事業に関し、他の行政庁の許可、認可その他の処分を受けることを必要とするときは、その処分を受けていることを示す書面又は受ける見込みに関する書面

六　その他参考となるべき事項を記載した図書

（河川の産出物の採取の許可の申請）

第一三条　土石その他の河川の産出物の採取に関する法第二十五条又は第二十七条第一項の許可（河川管理者以外の者がその権原に基づき管理する土地に係るものを除く。）の申請は、別記様式第八の(甲)及び(乙の3)による申請書の正本一部及び別表第二に掲げる部数の写しを提出して行なうものとする。

2　前項の申請書には、次の各号に掲げる図書を添付しなければならない。

一　河川の産出物の採取に係る事業の計画の概要を記載した図書

二　河川の産出物の採取に係る土地の縮尺五万分の一の位置図

三　河川の産出物の採取に係る土地の実測平面図

四　土石の採取にあつては、当該採取に係る土地の実測縦断面図及び実測横断面図に当該採取に係る計画地盤面を記載したもの

五　河川の産出物の採取が他の事業に及ぼす影響及びその対策の概要を記載した図書

六　河川の産出物の採取に係る行為又は事業に関し、他の行政庁の許可、認可その他の処分を受けることを必要とするときは、その処分を受けていることを示す書面又は受ける見込みに関する書面

七　その他参考となるべき事項を記載した図書

（河川の産出物の指定の公示）

第一四条　令第十五条第二項の指定の公示は、国土交通大臣にあつては官報に、都道府県知事にあつてはその統括する都道府県の公報に掲載して行うものとする。

（工作物の新築等の許可の申請）

第一五条　工作物の新築等に関する法第二十四条又は第二十六条第一項の許可（水利使用に関するもの又は法第二十六条第一項の許可を受けることを要しない工作物の新築若しくは改築に関する法第二十四条の許可を除く。）の申請は、別記様式第八の(甲)及び(乙の4)による申請書の正本一部及び別表第二

に掲げる部数の写しを提出して行うものとする。

2　前項の申請書には、次の各号に掲げる図書を添付しなければならない。

一　新築等に係る事業の計画の概要を記載した図書

二　縮尺五万分の一の位置図

三　工作物の新築又は改築に係る土地の実測平面図

四　工作物の設計図（工作物の除却にあつては、構造図）

五　工事の実施方法を記載した図書

六　占用する土地の面積計算書及び丈量図

七　河川管理者以外の者がその権原に基づき管理する土地において新築等を行う場合又は河川管理者以外の者がその権原に基づき管理する工作物について改築若しくは除却を行う場合にあつては、当該新築等を行うことについて申請者が権原を有すること又は権原を取得する見込みが十分であることを示す書面

八　新築等に係る行為又は事業に関し、他の行政庁の許可、認可その他の処分を受けることを必要とするときは、その処分を受けていることを示す書面又は受ける見込みに関する書面

九　その他参考となるべき事項を記載した図書

（特定樹林帯区域の指定等の公示）

第一五条の二　第二条の規定は、法第二十六条第五項の公示について準用する。

（土地の掘さく等の許可の申請）

第一六条　法第二十七条第一項の許可（水利使用又は河川管理者以外の者がその権原に基づき管理する土地以外の土地における河川の産出物の採取に関するものを除く。）の申請は、別記様式第八の(甲)及び(乙の5)による申請書の正本一部及び別表第二に掲げる部数の写しを提出して行なうものとする。

2　前項の申請書には、次の各号に掲げる図書を添付しなければならない。

一　土地の掘さく等に係る事業の計画の概要を記載した図書

二　縮尺五万分の一の位置図

三　土地の掘さく等に係る土地の実測平面図

四　土地の形状を変更する行為にあつては、当該行為に係る土地の実測縦断面図及び実測横断面図に当該行為に係る計画地盤面を記載したもの

五　土地の掘さく等が他の事業に及ぼす影響及びその対策の概要を記載した図書

六　河川管理者以外の者がその権原に基づき管理する土地において土地の掘さく等を行なう場合にあつては、当該土地の掘さく等を行なうことについて申請者が権原を有すること又は権原を取得する見込みが十分であることを示す書面

七　土地の掘さく等に係る行為又は事業に関し、他の行政庁の許可、認可その他の処分を受けることを必要とするときは、その処分を受けていることを示す書面又は受ける見込みに関する書面

八　その他参考となるべき事項を記載した図書

（土地の掘削等で許可を要しないもの等の公示）

第一七条　第十四条の規定は、令第十五条の四第一項第一号又は第四号の指定の公示について準用する。

2　第二条の規定は、令第十五条の四第一項第三号の指定の公示について準用する。

（土地の掘削等の許可をしてはならない区域の公示）

第一八条　第二条の規定は、法第二十七条第五項の公示について準用する。

（水門の指定等の公示）

第一八条の二　令第十六条の二第一項の水門の指定の公示は、国土交通大臣にあつては官報及び国土交通省のウェブサイトに、都道府県知事にあつてはその統括する都道府県の公報及びウェブサイトに掲載するほか、当該指定に係る水門又はその周辺の見やすい場所に掲示して行うものとする。

2　前項の規定は、令第十六条の二第一項の舟又はいかだの長さ、幅、水面上の高さ又は喫水の最高限度の指定の公示について準用する。

3　令第十六条の二第三項の水域の指定の公示は、第一条の三各号の一以上により当該水域を明示して、国土交通大臣にあつては官報及び国土交通省のウェブサイトに、都道府県知事にあつてはその統括する都道府県の公報及びウェブサイトに掲載するほか、当該指定に係る水域又はその周辺の見やすい場所に掲示して行うものとする。

4　第一項の規定は、令第十六条の二第三項の河川管理者が指定した水域の通航方法の指定の公示について準用する。

5　令第十六条の二第三項の閘門の通航方法の指定の公示は、国土交通大臣にあつては国土交通省の、都道府県知事にあつてはその統括する都道府県のウェブサイトに掲載するほか、当該閘門又はその周辺の見やすい場所に別記様式第八の二の例により掲示して行うものとする。

6　前五項の公示は、当該公示に係る指定の適用の日の十日前までに行なわなければならない。ただし、緊急に当該指定の適用を行なわなければ河川の管理に重大な支障を及ぼすおそれがあると認められるときは、この限りでない。

（竹木の流送の許可の申請）

第一八条の三　竹木の流送に関する令第十六条の三第一項の許可の申請は、別記様式第八の(甲)及び(乙の6)による申請書の正本一部及び別表第二に掲げる部数の写しを提出して行なうものとする。

2　前項の申請書には、次の各号に掲げる図書を添付しなければならない。

一　竹木の流送に係る計画の概要を記載した図書

二　流送区間を明示した縮尺五万分の一の図面

三　竹木の流送が他の事業に及ぼす影響及びその対策の概要を記載した図書

四　その他参考となるべき事項を記載した図書

（都道府県公安委員会の意見の聴取）

第一八条の四　河川管理者（法第九条第二項又は第五項の規定により国土交通大臣の権限に属する事務を行う都道府県知事又は指定都市の長を除く。）は、令第十六条の二第三項の規定により水泳、釣りその他これらに類する他の河川の使用に著しい支障が生じないようにするため必要があると認めて水域を指定しようとするとき、若しくは当該水域に係る通航の方法を指定しようとするとき、又は令第十六条の三第一項の規定により水泳、釣りその他これらに類する他の河川の使用が行われている水域における竹木の流送の許可をしようとするときは、関係都道府県公安委員会の意見を聴かなければならない。

（許可を要しない竹木の流送の公示）

第一八条の五　第十四条の規定は、令第十六条の三第一項の指定の公示について準用する。

（放置等をしてはならない船舶等の指定の公示）

第一八条の六　第十八条の二第一項及び第六項の規定は、令第十六条の四第一項第二号の船舶等の指定の公示について準用する。

（自動車等を入れてはならない土地等の公示）

第一八条の七　第十八条の二第三項及び第六項の規定は、令第十六条の四第一項第三号の土地の区域の指定の公示について、第十八条の二第一項及び第六項の規定は、令第十六条の四第一項第三号の自動車等の指定の公示について準用する。

（汚水の排出の届出）

第一八条の八　令第十六条の五第一項の届出は、別記様式第八の三による届出書の正本一部及び別表第二に掲げる部数の写しを提出して行なうものとする。

2　前項の届出書には、縮尺五万分の一の位置図及び汚水排出経路概要図（汚水処理系統を含む。）を添付しなければならない。

（排出の届出を要する汚水の量の指定の公示）

第一八条の九　第十四条の規定は、令第十六条の五第一項の指定の公示について準用する。

（令別表(一)項から(十)項までに掲げる処分等に類する処分等）

第一八条の一〇　令別表(十一)項上欄に規定する国土交通省令で定める処分又は届出は、次の各号に掲げるものとする。

一　し尿浄化槽に係る建築基準法（昭和二十五年法律第二百一号）第六条第四項又は第十八条第三項（第八十七条第一項においてこれらの規定を準用する場合を含む。）の規定による確認済証の交付

二　病院に係る医療法（昭和二十三年法律第二百五号）第七条第一項の規定による許可又は同法第九条第一項若しくは医療法施行令（昭和二十三年政令第三百二十六号）第四条第一項の規定による届出（医療法施行令第一条の五又は第四条の四の規定により読み替えられた国の開設する病院に係る承認又は通知を含む。）

2　令別表(十一)項下欄に規定する国土交通省令で定める処分は、次の各号に掲げるものとする。

一　し尿浄化槽に係る建築基準法第九条第一項若しくは第十条第三項の規定による命令又は同法第十八条第二十五項の規定による要請

二　病院に係る医療法第二十四条第一項の規定による命令（医療法施行令第一条の五の規定により読み替えられた国の開設する病院に係る申出を含む。）又は同法第二十九条第一項の規定による取消し若しくは命令

（河川の流水等について河川管理上支障を及ぼすおそれのある行為の許可の申請）

第一八条の一一　令第十六条の八第一項の許可の申請は、同項第一号に該当する行為については別記様式第八の(甲)及び(乙の7)、同項第二号に該当する行為については別記様式第八の(甲)及び(乙の8)による申請書の正本一部及び別表第二に掲げる部数の写しを提出して行なうものとする。

2　前項の申請書には、次の各号に掲げる図書を添付しなければならない。

一　物件の洗浄又は堆積等に係る事業の計画の概要を記載した図書

二　縮尺五万分の一の位置図

三　物件を堆積し、又は設置する行為にあつては、当該行為に係る土地の実測平面図

四　河川管理者以外の者がその権原に基づき管理する土地において物件を堆積し、又は設置する場合にあつては、当該物件の堆積又は設置を行なうことについて申請者が権原を有すること又は権原を取得する見込みが十分であることを示す書面

五　物件の洗浄又は堆積等が他の事業に及ぼす影響及びその対策の概要を記載した図書

六　その他参考となるべき事項を記載した図書

（許可を要しない物件の洗浄又は堆積等の公示）

第一八条の一二　第十四条の規定は、令第十六条の八第一項の行為の指定の公示について準用する。

（一級河川等の指定の際現に排出している汚水についての届出）

第一八条の一三　第十八条の七の規定は、令第十六条の十第二項の届出について準用する。

（完成検査の申請）

第一九条　法第三十条第一項の完成検査の申請は、申請書の正本一部及び別表第三に掲げる部数の写しを提出して行なうものとする。

2　前項の申請書には、次の各号に掲げる事項を記載した図書を添付しなければならない。

一　工作物の使用開始の予定年月日

二　工作物の工事に関連する他の工事の実施状況

三　第十一条第二項第一号ニの対策の実施状況

四　法第四十四条第一項のダムについては、第十一条第二項第一号ホの措置の実施状況

五　その他参考となるべき事項

（許可工作物の一部の使用の承認の申請）

第二〇条　法第三十条第二項の承認の申請は、別記様式第十による申請書の正本一部及び別表第三に掲げる部数の写しを提出して行なうものとする。

2　前項の申請書には、次の各号に掲げる図書を添付しなければならない。

一　工作物の設計図で、その使用しようとする部分を赤色に着色したもの

二　次に掲げる事項を記載した図書

イ　工作物の工事の実施状況

ロ　法第三十条第二項の特別の事情

ハ　工作物の一部の使用開始の予定年月日

ニ　その他工作物の一部の使用に関する計画

法第四十四条第一項のダムにあつては、少なくとも、当該一部の使用に係る流水の貯留又は取水に関し、最高の水位、湛水区域の面積、最大水深及び有効水深、総貯留量及び有効貯留量並びに最大取水量（発電の用に供されるダムについては、常時取水量、総落差及び有効落差、最大理論水力及び常時理論水力並びに最大出力、常時出力及び常時尖頭出力を含む。）のほか、責任放流その他の条件があるときは、これを記載すること。

ホ　前条第二項第二号から第四号までに掲げる事項

ヘ　その他参考となるべき事項

（許可に基づく地位の承継の届出）

第二一条　法第三十三条第三項（法第五十五条第二項、第五十七条第三項、第五十八条の四第二項及び第五十八条の六第三項において準用する場合を含む。）又は令第十六条の九第三項の届出は、別記様式第十一による届出書の正本一部及び別表第三に掲げる部数の写しを提出して行うものとする。

2　前項の届出書には、当該届出に係る地位の承継を示す書面その他参考となるべき事項を記載した図書を添付しなければならない。

（権利の譲渡の承認の申請）

第二二条　法第三十四条第一項の承認の申請は、別記様式第十二による申請書の正本一部及び別表第三に掲げる部数の写しを提出して行なうものとする。

2　前項の申請書には、次の各号に掲げる図書を添付しなければならない。

一　譲渡に関する当事者の意思を示す書面

二　譲渡の理由及び譲渡しようとする年月日を記載した書面

三　譲り受けようとする者の事業の計画の概要を記載した図書

四　その他参考となるべき事項を記載した図書

（水防に必要な器具等を保管するための倉庫に類する施設）

第二二条の二　法第三十七条の二の国土交通省令で定める施設は、水防に必要な器具、資材又は設備の置場とする。

（水利使用の許可の申請があつた場合の通知の手続等）

第二三条　法第三十八条の通知は、通知書を関係河川使用者に送付して行なうものとする。ただし、送付すべき者の所在が知れないとき、その他通知書を送付することができないときは、国土交通大臣にあつては官報に、都道府県知事にあつてはその統轄する都道府県の公報にその内容を掲載することによつて送付に代えることができる。

2　法第三十八条の国土交通省令で定める事項は、次のとおりとする。

一　水利使用の場所

二　取水量

三　工作物の新築、改築又は除却を伴う水利使用にあつては、その計画の概要

四　当該関係河川使用者の河川の使用に及ぼす影響及び申請書に記載されているその対策の概要

五　法第三十九条の申出をすることができる旨及びその期間

六　その他参考となるべき事項

（関係河川使用者の意見の申出の手続）

第二四条　法第三十九条の申出は、次の各号に掲げる事項を記載した申出書を提出して行なうものとする。

一　申出人の氏名及び住所（法人にあつては、その名称及び住所並びに代表者の氏名）

二　申出人の当該河川の使用に係る事業の概要

三　損失の事実

四　損失の補償の見積り及びその内容

五　当該水利使用を行なうことについて同意をしない理由

六　法第三十八条の通知を受けた年月日

七　申出の年月日及び次項かつこ内に規定する場合における申出にあつては当該かつこ内の理由

八　その他参考となるべき事項

2　前項の申出は、法第三十八条の通知を受けた日の翌日から起算して三十日以内（天災その他申出をしなかつたことについてやむを得ない理由があるときは、六十日以内）にしなければならない。

3　第一項の申出書を郵便又は民間事業者による信書の送達に関する法律（平成十四年法律第九十九号）第二条第六項に規定する一般信書便事業者若しくは同条第九項に規定する特定信書便事業者による同条第二項に規定する信書便で提出した場合における前項の期間の計算については、送付に要した日数は、算入しない。

（裁定申請書の様式）

第二五条　令第二十二条第一項の国土交通省令で定める様式は、別記様式第十三とする。

（立札による掲示の様式等）

第二六条　令第三十一条の国土交通省令で定める事項は、次のとおりとする。

一　ダムの名称

二　ダムの位置

三　その他流水の状況の変化によつて生ずる危害を防止するために必要な事項

2　令第三十一条の立札による掲示は、別記様式第十四により行うことを例とする。ただし、放流する日時、河川及びその付近の状況等により特別の必要があると認められるときは、その都度、さらに別記様式第十五により行うことを例とする。

3　令第三十一条の規定による公衆の閲覧は、ダムを設置する者のウェブサイトに掲載することにより行うものとする。

4　令第三十一条に規定するサイレン又は警鐘による警告の方法は、次の表に定めるところによるものとする。

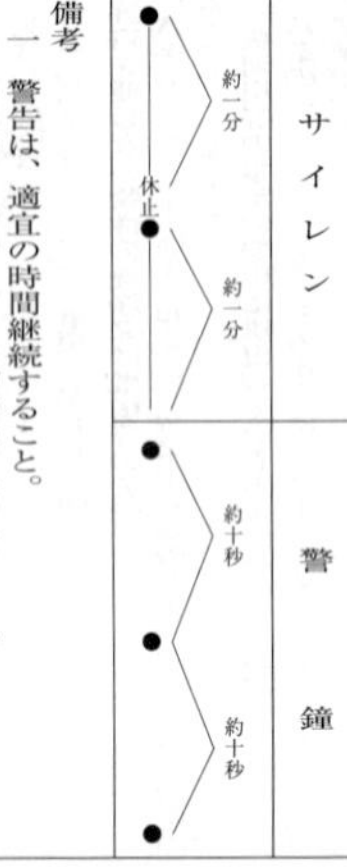

備考
一　警告は、適宜の時間継続すること。
二　必要があればサイレン及び警鐘を併用すること。

（洪水時における記録の作成）

第二十七条　法第四十九条の規定による記録は、次の各号に掲げる事項について作成するものとする。

一　時間雨量及び累計雨量
二　貯水池の上流又はダムの下流に水位計が設置されているときは、当該地点における水位及び流量
三　貯水池の水位、ゲートの開度、放流量及び貯水池への流入量
四　法第四十八条の規定による通知及び一般に周知させるための措置に関する事項
五　その他参考となるべき事項

2　前項第一号及び第二号に掲げる事項については一時間ごとに、同項第三号に掲げる事項については三十分ごと及びゲートを操作するたびごとに記録するものとする。

（管理主任技術者の資格を有する者と同等以上の知識及び経験を有すると認められる者）

第二十七条の二　令第三十二条第三号の規定により同条第一号又は第二号に規定する者と同等以上の知識及び経験を有すると認められる者は、次に掲げる者とする。

一　国土交通大臣の定める要件を満たし、かつ、ダムの管理に必要な知識及び技能を確認するための試験であつて次条から第二十七条の五までの規定により国土交通大臣の登録を受けたもの（以下「登録試験」という。）に合格した者
二　国土交通大臣の定める要件を満たし、かつ、ダムの管理に必要な知識及び技能を修得するための研修であつて第二十七条の十八、第二十七条の十九及び第二十七条の二十一において準用する第二十七条の四の規定により国土交通大臣の登録を受けたもの（以下「登録研修」という。）を修了した者
三　前二号に規定する者のほか、国土交通大臣が令第三十二条第一号又は第二号に規定する者と同等以上の知識及び経験を有すると認めた者

（試験の登録の申請）

第二十七条の三　前条第一号の登録は、登録試験の実施に関する事務（以下「登録試験事務」という。）を行おうとする者の申請により行う。

2　前条第一号の登録を受けようとする者（以下この条及び第二十七条の五第一項第四号において「登録申請者」という。）は、次に掲げる事項を記載した申請書を国土交通大臣に提出しなければならない。

一　登録申請者の氏名又は名称及び住所並びに法人にあつては、その代表者の氏名
二　登録試験事務を行おうとする事務所の名称及び所在地
三　登録を受けようとする試験の名称
四　登録試験事務を開始しようとする年月日
五　試験委員（第二十七条の五第一項第三号に規定する合議制の機関を構成する者をいう。以下同じ。）の氏名及び略歴

3　前項の申請書には、次に掲げる書類を添付しなければならない。

一　個人である場合においては、次に掲げる書類
　イ　住民票の抄本又はこれに代わる書面
　ロ　登録申請者の略歴を記載した書類
二　法人である場合においては、次に掲げる書類
　イ　定款又は寄附行為及び登記事項証明書
　ロ　株主名簿又は社員名簿の写し
　ハ　申請に係る意思の決定を証する書類
　ニ　役員（持分会社（会社法（平成十七年法律第八十六号）第五百七十五条第一項に規定する持分会社をいう。）にあつては、業務を執行する社員をいう。以下同じ。）の氏名及び略歴を記載した書類
三　試験委員が第二十七条の五第一項第三号イからニまでのいずれかに該当する者であることを証する書類
四　登録申請者が次条各号のいずれにも該当しない者であることを誓約する書面
五　その他参考となる事項を記載した書類

（欠格条項）

第二十七条の四　次の各号のいずれかに該当する者が行う試験は、第二十七条の二第一号の登録を受けることができない。

一　法又は法に基づく命令に違反し、罰金以上の刑に処せられ、その執行を終わり、又は執行を受けることがなくなつた日から二年を経過しない者
二　第二十七条の十四の規定により第二十七条の二第一号の登録を取り消され、その取消しの日から二年を経過しない者
三　法人であつて、登録試験事務を行う役員のうちに前二号のいずれかに該当する者があるもの

（登録要件等）

第二十七条の五　国土交通大臣は、第二十七条の三の規定による登録の申請が次に掲げる要件のすべてに適合しているときは、その登録をしなければならない。

一　第二十七条の七第一号の表の上欄に掲げる科目について学科試験及び実技試験が行われるものであること。
二　前号の実技試験については、ダム管理用制御処理設備のシミュレータを用いて行われるものであること。
三　次のいずれかに該当する者五名以上によつて構成される合議制の機関により試験問題の作成及び合否判定が行われるものであること。
　イ　管理主任技術者となつた経験を有する者
　ロ　学校教育法（昭和二十二年法律第二十六号）による大学において土木工学、電気工学若しくは機械工学に属する科目の教授若しくは准教授の職にあり、若しくはこれらの職にあつた者又は土木工学、電気工学若しくは機械工学に属する科目に関する研究により博士の学位を授与された者
　ハ　国の職員又は職員であつた者で、河川、水流及び水面（港湾内の水面を除く。）の整備、利用、保全その他の管理に関する専門的知識を有する者
　ニ　イからハまでに掲げる者と同等以上の能力を有する者
四　法第五十条第一項のダムを設置する者（以下この号及び第二十七条の十九第一項第四号において「ダム設置者」という。）に支配されているものとして次のいずれかに該当するものでないこと。
　イ　登録申請者が株式会社である場合にあつては、ダム設置者がその親法人（会社法第八百七十九条第一項に規定する親法人をいう。第二十七条の十九第一項第四号において同じ。）であること。
　ロ　登録申請者の役員に占めるダム設置者の役員又は職員（過去二年間に当該ダム設置者の役員又は職員であつた者を含む。以下この号及び第二十七条の十九第一項第四号において同じ。）の割合が二分の一を超えていること。
　ハ　登録申請者（法人にあつては、その代表権を有する役員）がダム設置者の役員又は職員であること。

2　第二十七条の二第一号の登録は、登録試験登録簿に次に掲げる事項を記載してするものとする。

一　登録年月日及び登録番号
二　登録試験を行う者（以下「登録試験実施機関」という。）の氏名又は名称及び住所並びに法人にあつては、その代表者の氏名
三　登録試験事務を行う事務所の名称及び所在地

四　登録試験の名称
五　登録試験事務を開始する年月日

（登録の更新）

第二十七条の六　第二十七条の二第一号の登録は、五年ごとにその更新を受けなければ、その期間の経過によつて、その効力を失う。

2　前三条の規定は、前項の登録の更新について準用する。

（登録試験事務の実施に係る義務）

第二十七条の七　登録試験実施機関は、公正に、かつ、第二十七条の五第一項第一号から第三号までに掲げる要件及び次に掲げる基準に適合する方法により登録試験事務を行わなければならない。

一　次の表の上欄に掲げる科目について、それぞれ同表の中欄に掲げる方法により、同表の下欄に掲げる時間を標準として登録試験を行うこと。

科目	方法	時間
ダムに関する法律制度に関する事項	学科試験	二時間
ダム及びその附帯施設並びにダムを操作するため必要な機械、器具等に関する事項	学科試験	
ダム貯水池における水質汚濁、地すべり、堆砂等に対する対策に関する事項	学科試験	
ダムを操作するため必要な気象及び水象に関する情報の収集及び解析並びにダムの操作に関する事項	学科試験	
	実技試験	九時間

二　登録試験を実施する日時、場所その他登録試験の実施に関し必要な事項を公示すること。
三　登録試験に関する不正行為を防止するための措置を講じること。
四　終了した登録試験の問題及び当該登録試験の合格基準を公表すること。
五　登録試験に合格した者に対し、別記様式第十五号の二による合格証明書（以下単に「合格証明書」という。）を交付すること。

（登録事項の変更の届出）

第二十七条の八　登録試験実施機関は、第二十七条の五第二項第二号から第五号までに掲げる事項を変更しようとするときは、変更しようとする日の二週間前までに、その旨を国土交通大臣に届け出なければならない。

（登録試験事務規程）

第二十七条の九　登録試験実施機関は、次に掲げる事項を記載した登録試験事務に関する規程を定め、登録試験事務の開始前に、国土交通大臣に届け出なければならない。これを変更しようとするときも、同様とする。

一　登録試験事務を行う時間及び休日に関する事項
二　登録試験事務を行う事務所及び試験地に関する事項
三　登録試験の受験の申込みに関する事項
四　登録試験の受験手数料の額及び収納の方法に関する事項
五　登録試験の日程、公示方法その他の登録試験の実施の方法に関する事項
六　試験委員の選任及び解任に関する事項
七　登録試験の問題の作成及び登録試験の合否判定の方法に関する事項
八　終了した登録試験の問題及び当該登録試験の合格基準の公表に関する事項
九　登録試験の合格証明書の交付及び再交付に関する事項
十　登録試験事務に関する秘密の保持に関する事項
十一　登録試験事務に関する公正の確保に関する事項
十二　不正受験者の処分に関する事項
十三　第二十七条の十五第三項の帳簿その他の登録試験事務に関する書類の管理に関する事項
十四　その他登録試験事務の実施に関し必要な事項

（登録試験事務の休廃止）

第二十七条の一〇　登録試験実施機関は、登録試験事務の全部又は一部を休止し、又は廃止しようとするときは、あらかじめ、次に掲げる事項を記載した届出書を国土交通大臣に提出しなければならない。

一　休止し、又は廃止しようとする登録試験事務の範囲
二　休止し、又は廃止しようとする年月日及び休止しようとする場合にあつては、その期間
三　休止又は廃止の理由

（財務諸表等の備付け及び閲覧等）

第二十七条の一一　登録試験実施機関は、毎事業年度経過後三月以内に、その事業年度の財産目録、貸借対照表及び損益計算書又は収支計算書並びに事業報告書（その作成に代えて電磁的記録（電子的方式、磁気的方式その他の人の知覚によつては認識することができない方式で作られる記録であつて、電子計算機による情報処理の用に供されるものをいう。以下この条において同じ。）の作成がされている場合における当該電磁的記録を含む。次項において「財務諸表等」という。）を作成し、五年間事務所に備えて置かなければならない。

2　登録試験を受けようとする者その他の利害関係人は、登録試験実施機関の業務時間内は、いつでも、次に掲げる請求をすることができる。ただし、第二号又は第四号の請求をするには、登録試験実施機関の定めた費用を支払わなければならない。

一　財務諸表等が書面をもつて作成されているときは、当該書面の閲覧又は謄写の請求
二　前号の書面の謄本又は抄本の請求
三　財務諸表等が電磁的記録をもつて作成されているときは、当該電磁的記録に記録された事項を紙面又は出力装置の映像面に表示したものの閲覧又は謄写の請求
四　前号の電磁的記録に記録された事項を電磁的方法であつて、次に掲げるもののうち登録試験実施機関が定めるものにより提供することの請求又は当該事項を記載した書面の交付の請求
イ　送信者の使用に係る電子計算機と受信者の使用に係る電子計算機とを電気通信回線で接続した電子情報処理組織を使用する方法であつて、当該電気通信回線を通じて情報が送信され、受信者の使用に係る電子計算機に備えられたファイルに当該情報が記録されるもの
ロ　磁気ディスクその他これに準ずる方法により一定の情報を確実に記録しておくことができる物（以下「磁気ディスク等」という。）をもつて調製するファイルに情報を記録したものを交付する方法

3　前項第四号イ又はロに掲げる方法は、受信者がファイルへの記録を出力することによる書面を作成することができるものでなければならない。

（適合命令）

第二十七条の一二　国土交通大臣は、登録試験実施機関が第二十七条の五第一項の規定に適合しなくなつたと認めるときは、その登録試験実施機関に対し、同項の規定に適合するため必要な措置をとるべきことを命ずることができる。

（改善命令）

第二十七条の一三　国土交通大臣は、登録試験実施機関が第二十七条の七の規定に違反していると認めるときは、その登録試験実施機関に対し、同条の規定による登録試験事務を行うべきこと又は登録試験事務の方法その他の業務の方法の改善に関し必要な措置をとるべきことを命ずることができる。

（登録の取消し等）

第二十七条の一四　国土交通大臣は、登録試験実施機関が次の各号のいずれかに該当するときは、当該登録試験実施機関が行う登録試験の登録を取り消し、又は期間を定めて登録試験事務の全部又は一部の停止を命ずることができる。

一　第二十七条の四第一号又は第三号に該当するに至つたとき。
二　第二十七条の八から第二十七条の十まで、第二十七条の十一第一項又は次条の規定に違反したとき。
三　正当な理由がないのに第二十七条の十一第二項各号の規定による請求を拒んだとき。
四　前二条の規定による命令に違反したとき。
五　第二十七条の十六の規定による報告を求められて、報告をせず、又は虚偽の報告をしたとき。
六　不正の手段により第二十七条の二第一号の登録を受けたとき。

（帳簿の記載等）

第二十七条の一五　登録試験実施機関は、次に掲げる事項を記載した帳簿を備えなければならない。

一　試験年月日
二　試験地

三　受験者の受験番号、氏名、生年月日及び合否の別
四　合格年月日
2　前項各号に掲げる事項が、電子計算機に備えられたファイル又は磁気ディスク等に記録され、必要に応じ登録試験実施機関において電子計算機その他の機器を用いて明確に紙面に表示されるときは、当該記録をもつて前項に規定する帳簿への記載に代えることができる。
3　登録試験実施機関は、第一項に規定する帳簿（前項の規定による記録が行われた同項のファイル又は磁気ディスク等を含む。）を、登録試験事務の全部を廃止するまで保存しなければならない。
4　登録試験実施機関は、次に掲げる書類を備え、登録試験を実施した日から三年間保存しなければならない。
一　登録試験の受験申込書及び添付書類
二　終了した登録試験の問題及び答案用紙

（報告の徴収）
第二七条の一六　国土交通大臣は、登録試験事務の適正な実施を確保するため必要があると認めるときは、登録試験実施機関に対し、登録試験事務の状況に関し必要な報告を求めることができる。

（公示）
第二七条の一七　国土交通大臣は、次に掲げる場合には、その旨を官報に公示しなければならない。
一　第二十七条の二第一号の登録をしたとき。
二　第二十七条の八の規定による届出があつたとき。
三　第二十七条の十の規定による届出があつたとき。
四　第二十七条の十四の規定により第二十七条の二第一号の登録を取り消し、又は登録試験事務の停止を命じたとき。

（研修の登録の申請）
第二七条の一八　第二十七条の二第二号の登録は、登録研修の実施に関する事務（以下「登録研修事務」という。）を行おうとする者の申請により行う。
2　第二十七条の二第二号の登録を受けようとする者（以下この条及び次条において「登録申請者」という。）は、次に掲げる事項を記載した申請書を国土交通大臣に提出しなければならない。
一　登録申請者の氏名又は名称及び住所並びに法人にあつては、その代表者の氏名
二　登録研修事務を行おうとする事務所の名称及び所在地
三　登録を受けようとする研修の名称
四　登録研修事務を開始しようとする年月日
五　講師の氏名、略歴及び担当する科目（第二十七条の二十第一号の表上欄に掲げる科目をいう。）
3　前項の申請書には、次に掲げる書類を添付しなければならない。
一　個人である場合においては、次に掲げる書類
イ　住民票の抄本又はこれに代わる書面
ロ　登録申請者の略歴を記載した書類
二　法人である場合においては、次に掲げる書類
イ　定款又は寄付行為及び登記事項証明書
ロ　株主名簿又は社員名簿の写し
ハ　申請に係る意思の決定を証する書類
ニ　役員の氏名及び略歴を記載した書類
三　講師が第二十七条の五第一項第三号イからニまでのいずれかに該当する者であることを証する書類
四　登録申請者が第二十七条の二十一において準用する第二十七条の四各号のいずれにも該当しない者であることを誓約する書面
五　その他参考となる事項を記載した書類

（登録要件等）
第二七条の一九　国土交通大臣は、前条の規定による登録の申請が次に掲げる要件のすべてに適合しているときは、その登録をしなければならない。
一　次条第一号の表の上欄に掲げる科目について学科研修及び実技研修が行われるものであること。
二　前号の実技研修については、ダム管理用制御処理設備のシミュレータを用いて行われるものであること。
三　第二十七条の五第一項第三号イからニまでのいずれかに該当する者が講師として登録研修事務に従事するものであること。
四　ダム設置者に支配されているものとして次のいずれかに該当するものでないこと。
イ　登録申請者が株式会社である場合にあつては、ダム設置者がその親法人であること。
ロ　登録申請者の役員に占めるダム設置者の役員又は職員の割合が二分の一を超えていること。
ハ　登録申請者（法人にあつては、その代表権を有する役員）がダム設置者の役員又は職員であること。
2　第二十七条の二第二号の登録は、登録研修登録簿に次に掲げる事項を記載してするものとする。
一　登録年月日及び登録番号
二　登録研修を行う者（以下「登録研修実施機関」という。）の氏名又は名称及び住所並びに法人にあつては、その代表者の氏名
三　登録研修事務を行う事務所の名称及び所在地
四　登録研修の名称
五　登録研修事務を開始する年月日

（登録研修事務の実施に係る義務）
第二七条の二〇　登録研修実施機関は、公正に、かつ、前条第一項第一号から第三号までに掲げる要件及び次に掲げる基準に適合する方法により登録研修事務を行わなければならない。
一　次の表の上欄に掲げる科目について、それぞれ同表の中欄に掲げる方法により、同表の下欄に掲げる時間以上登録研修を行うこと。

科目	方法	時間
ダムに関する法律制度に関する事項	学科研修	二時間
ダム及びその附帯施設並びにダムを操作するため必要な機械、器具等に関する事項	学科研修	六時間
ダム貯水池における水質汚濁、地すべり、堆砂等に対する対策に関する事項	学科研修	四時間
ダムを操作するため必要な気象及び水象に関する情報の収集及び解析並びにダムの操作に関する事項	学科研修	八時間
	実技研修	九時間

二　登録研修を実施する日時、場所その他研修の実施に関し必要な事項を公示すること。
三　第一号の表の上欄に掲げる科目に応じ、教本等必要な教材を用いること。
四　不正な受講を防止するための措置を講じること。
五　終了した登録研修の教材及び当該登録研修の修了認定基準を公表すること。
六　登録研修を修了した者に対し、別記様式第十五号の三による修了証明書（以下単に「修了証明書」という。）を交付すること。

（準用）
第二七条の二一　第二十七条の四、第二十七条の六及び第二十七条の八から第二十七条の十七までの規定は、第二十七条の二第二号の登録及びその更新、登録研修、登録研修事務並びに登録研修実施機関について準用する。この場合において、次の表の上欄に掲げる規定中同表の中欄に掲げる字句は、それぞれ同表の下欄に掲げる字句に読み替えるものとする。

読み替える規定	読み替えられる字句	読み替える字句
第二十七条の四	試験	研修
第二十七条の四第二号、第二十七条の十七第四号	第二十七条の十四	第二十七条の二十一において準用する第二十七条の十四
第二十七条の六第二項	前三条	第二十七条の十八、第二十七条の十九及び第二十七条の二十一において準用する第二十七条の四

第二十七条の八	第二十七条の五第二項第二号	第二十七条の十九第二項第二号
第二十七条の九第二号、第二十七条の十五第一項第二号	試験地	研修地
第二十七条の九第三号	受験	受講
第二十七条の九第四号	受験手数料	受講料
第二十七条の九第六号	試験委員	講師
第二十七条の九第七号及び第八号	問題	教材
第二十七条の九第七号	合否判定	修了認定
第二十七条の九第八号	合格基準	修了認定基準
第二十七条の九第九号	合格証明書	修了証明書
第二十七条の九第十二号	不正受験者	不正受講者
第二十七条の九第十三号	第二十七条の十五第三項	第二十七条の二十一において準用する第二十七条の十五第三項
第二十七条の十二	第二十七条の五第一項	第二十七条の十九第一項
第二十七条の十三	第二十七条の七	第二十七条の二十
第二十七条の十四第一号	第二十七条の四第一号	第二十七条の二十一において準用する第二十七条の四第一号
第二十七条の十四第二号、第二十七条の十七第二号	第二十七条の八	第二十七条の二十一において準用する第二十七条の八
第二十七条の十四第三号	第二十七条の十一第二項各号	第二十七条の二十一において準用する第二十七条の十一第二項各号
第二十七条の十四第四号	前二条	第二十七条の二十一において準用する第二十七条の十二又は前条
第二十七条の十四第五号	第二十七条の十六	第二十七条の二十一において準用する第二十七条の十六
第二十七条の十五第一項第一号	試験年月日	研修年月日
第二十七条の十五第一項第三号	受験者の受験番号	受講者の受講番号
	合否の別	修了認定の結果
第二十七条の十五第一項第四号	合格年月日	修了年月日
第二十七条の十五第四項第一号	受験申込書	受講申込書
第二十七条の十五第四項第二号	問題及び答案用紙	教材
第二十七条の十七第三号	第二十七条の十	第二十七条の二十一において準用する第二十七条の十

（管理主任技術者に関する届出事項等）

第二八条　法第五十条第二項の国土交通省令で定める事項は、次の各号に掲げるものとし、同項の届出は、別記様式第十六による届出書を提出して行なうものとする。

一　管理するダムの名称及び位置

二　氏名及び住所

三　学歴及び職歴

四　第二十七条の二第一号に規定する者にあつては、合格証明書

五　第二十七条の二第二号に規定する者にあつては、修了証明書

六　その他参考となるべき事項

（渇水時における水利使用の特例の承認の申請）

第二八条の二　法第五十三条の二第一項の承認の申請は、別記様式第十六の二による申請書を提出して行うものとする。

（河川保全区域の指定等の公示）

第二九条　第二条の規定は、法第五十四条第四項の公示について準用する。

（河川保全区域における行為の許可の申請）

第三〇条　第十五条の規定は工作物の新築又は改築に関する法第五十五条第一項第一号又は第二号の規定による許可の申請について、第十六条の規定は法第五十五条第一項第一号の規定による許可（工作物の新築又は改築に関するものを除く。）の申請について準用する。

（河川保全区域における行為で許可を要しないもの等の公示）

第三一条　第十四条の規定は、令第三十四条第一項の指定の公示について準用する。

（河川予定地の指定等の公示）

第三二条　第二条の規定は、法第五十六条第三項の公示について準用する。

（河川予定地における行為の許可の申請）

第三三条　第十五条の規定は工作物の新築又は改築に関する法第五十七条第一項第一号又は第二号の規定による許可の申請について、第十六条の規定は法第五十七条第一項第一号の規定による許可（工作物の新築又は改築に関するものを除く。）の申請について準用する。

（河川立体区域の指定等の公示）

第三三条の二　法第五十八条の二第二項の公示は、次の各号の一以上により当該河川立体区域を明示して、国土交通大臣にあつては官報に、都道府県知事にあつてはその統轄する都道府県の公報に掲載して行うものとする。

一　市町村、大字、字、小字及び地番並びに標高

二　一定の地物、施設又は工作物

三　平面図、縦断面図及び横断面図

（河川保全立体区域の指定等の公示）

第三三条の三　前条の規定は、法第五十八条の三第四項の公示について準用する。

（河川保全立体区域における行為の許可の申請）

第三三条の四　第十五条の規定は工作物の新築、改築又は除却に関する法第五十八条の四第一項第一号から第三号までの規定による許可の申請について、第十六条の規定は土地の掘削、切土又は盛土その他土地の形状を変更する行為に関する法第五十八条の四第一項第一号又は第三号の規定による許可（工作物の新築、改築又は除却に関するものを除く。）の申請について準用する。

2　法第五十八条の四第一項第三号の規定による許可（工作物の新築、改築若しくは除却又は土地の掘削、切土若しくは盛土その他土地の形状を変更する行為に関するものを除く。）の申請は、別記様式第八の(甲)及び(乙の9)による申請書の正本一部及び別表第二に掲げる部数の写しを提出して行うものとする。

3　前項の申請書には、次に掲げる図書を添付しなければならない。

一　土石等の物件の集積に係る事業の計画の概要を記載した図書

二　縮尺五万分の一の位置図

三　土石等の物件の集積に係る土地の実測平面図

四　土石等の物件の集積に係る土地の面積計算書

五　河川管理者以外の者がその権原に基づき管理する土地において土石等の物件の集積を行う場合にあつては、当該土石等の物件の集積を行うことについて申請者が権原を有すること又は権原を取得する見込みが十分であることを示す書面

六　土石等の物件の集積に係る行為又は事業に関し、他の行政庁の許可、認可その他の処分を受けることを必要とするときは、その処分を受けていることを示す書面又は受ける見込みに関する書面

七　その他参考となるべき事項を記載した図書

（河川保全立体区域における行為で許可を要しないものの公示）

第三三条の五　第十四条の規定は、令第三十五条の二第一項の指定の公示について準用する。

（河川予定立体区域の指定等の公示）

第三三条の六　第三十三条の二の規定は、法第五十八条の五第三項の公示について準用する。

（河川予定立体区域における行為の許可の申請）

第三三条の七　第十五条の規定は工作物の新築又は改築に関する法第五十八条の六第一項第一号又は第二号の規定による許可の申請について、第十六条の規定は法第五十八条の六第一項第一号の規定による許可（工作物の新築又は改築に関するものを除く。）の申請について準用する。

（河川協力団体として指定することができる法人に準ずる団体）

第三三条の八　法第五十八条の八第一項の国土交通省令で定める団体は、法人でない団体であつて、事務所の所在地、構成員の資格、代表者の選任方法、総会の運営、会計に関する事項その他当該団体の組織及び運営に関する事項を内容とする規約その他これに準ずるものを有しているものとする。

（河川協力団体の指定）

第三三条の九　法第五十八条の八第一項の規定による指定は、法第五十八条の九各号に掲げる業務を行う河川の区間を明らかにしてするものとする。

（河川協力団体に対する河川管理者の許可等の特例の対象となる行為）

第三三条の一〇　法第五十八条の十三の国土交通省令で定める行為は、次の各号に掲げる許可又は承認の区分に応じ、当該各号に定める行為（当該河川協力団体がその業務を行う河川の区間において行うものに限る。）とする。

一　法第二十条の規定による承認　河川環境の整備と保全を目的として行う高水敷若しくは低水路の整備、流水の浄化施設の設置その他の河川工事又は竹木の伐採、障害物の処分その他の河川の維持

二　法第二十四条の規定による許可　河川環境の整備と保全に関する情報若しくは資料の収集及び提供、調査研究又は知識の普及及び啓発のために必要な土地の占用

三　法第二十五条後段の規定による許可　令第十五条第一項に規定する河川の産出物の採取

四　法第二十六条第一項の規定による許可　河川環境の整備と保全に関する情報若しくは資料の収集及び提供、調査研究又は知識の普及及び啓発のために必要な工作物の新築若しくは改築

五　法第二十七条第一項の規定による許可　河川環境の整備と保全に関する情報若しくは資料の収集及び提供、調査研究若しくは知識の普及及び啓発のために必要な土地の掘削、盛土若しくは切土その他土地の形状を変更する行為又は樹木の栽植

六　法第三十四条第一項の規定による承認　第二号又は第三号に掲げる許可（それぞれ第二号又は第三号に定める行為に係るものに限る。）に基づく権利の譲渡

2　令第十六条の十二の国土交通省令で定める行為は、河川環境の整備と保全に関する情報若しくは資料の収集及び提供、調査研究又は知識の普及及び啓発のために必要な土石の堆積又は設置（当該河川協力団体がその業務を行う河川の区間において行うものに限る。）とする。

（保管工作物一覧簿の様式）

第三三条の一一　令第三十九条の三第二項の国土交通省令で定める様式は、別記様式第十六の三とする。

（競争入札における掲示事項等）

第三三条の一二　令第三十九条の六第一項及び第二項の国土交通省令で定める事項は、次に掲げるものとする。

一　当該競争入札の執行を担当する職員の職及び氏名

二　当該競争入札の執行の日時及び場所

三　契約条項の概要

四　その他河川管理者が必要と認める事項

（工作物の返還に係る受領書の様式）

第三三条の一三　令第三十九条の七の国土交通省令で定める様式は、別記様式第十六の四とする。

（特別指定区間及び指定河川の指定等の公示）

第三四条　第三条の規定は、令第四十条第三項（令第四十一条第三項において準用する場合を含む。）の公示について準用する。

（証明書の様式）

第三五条　法第七十七条第三項の証明書（国の職員が携帯するものを除く。以下この条において同じ。）の様式は、別記様式第十七とする。

2　法第七十八条第二項の証明書の様式は、別記様式第十八とする。

3　法第八十九条第五項の証明書の様式は、別記様式第十九とする。

（地下に設ける河川管理施設で国土交通大臣の認可等を要するもの）

第三五条の二　令第四十五条第二号ロの国土交通省令で定める地下に設ける河川管理施設は、水圧管路とする。

（許可を受けたものとみなされる者の届出書の様式等）

第三六条　令第四十八条第二項の国土交通省令で定める様式は、別記様式第二十とする。

2　届出書は、正本一部及び別表第四に掲げる部数の写しを提出するものとする。

（廃川敷地等の公示）

第三七条　令第四十九条の公示は、次の各号に掲げる事項を、国土交通大臣にあつては官報に、都道府県知事にあつてはその統轄する都道府県の公報に掲載して行なうものとする。

一　河川の名称

二　廃川敷地等が生じた年月日

三　廃川敷地等の位置

四　廃川敷地等の種類及び数量

五　令附則第七条第一項の申請は、公示の日から三月以内に行なうべき旨の教示

（特定水利使用で国土交通大臣の許可を要するもの）

第三七条の二　令第五十三条第一項第二号の国土交通省令で定める特定水利使用は、次に掲げるものとする。

一　二以上の地方整備局の管轄区域内の水系に属する河川に係るものであつて、一体的に行われるもの

二　一の地方整備局の管轄区域内の水系に属する河川に係るものであつて、当該地方整備局の管轄区域外の地域における水の需要に対応するもの

三　国又は国の行政機関とみなされて法第九十五条の規定が準用される法人が行うもの（法第二十三条の二の登録の対象となる流水の占用に係るものを除く。）

四　水資源開発促進法（昭和三十六年法律第二百十七号）第四条第一項に規定する水資源開発基本計画に基づく事業を実施する者が行うもの

（流水の占用のための工作物の改築で国土交通大臣の許可を要するもの）

第三七条の三　令第五十三条第二項第三号の国土交通省令で定める流水の占用のための工作物の改築は、次の各号に掲げるものとする。

一　ダム又は堰の洪水吐の改築

二　ダム又は堰の改築で当該ダム又は堰の安定に影響を及ぼすもの

三　取水量の増加をもたらす取水口の改築

（操作規程に関する行為で国土交通大臣の承認を要するもの等）

第三七条の四　令第五十三条第二項第四号の国土交通省令で定めるものは、次の各号に掲げるものとする。

一　法第四十七条第一項前段の規定により操作規程を定めること。

二　法第四十七条第一項後段又は第四項の規定により操作規程を変更すること（流水の貯留又は放流の方法に関する事項に係るものに限る。）。

（河川整備基本方針で国土交通大臣の同意を要するもの）

第三七条の五　令第五十三条第三項第四号の国土交通省令で定める河川整備基本方針は、次に掲げる水系に係る河川について定められたものとする。

一　水系に属する河川の流域面積の合計がおおむね百平方キロメートル以上である場合の当該水系

二　水系の想定はん濫区域内の人口がおおむね一万人以上である場合の当該水系

三　ダム、放水路その他の計画高水流量を低減する施設又は流水の正常な機能を維持するため流量を調節する施設に関する工事を実施すべき河川の属する水系

四　激甚な災害が発生した地域において再度災害を防止するために施行する改良工事を実施すべき河川の属する水系

（河川管理施設の維持又は操作等の委託を受けることができる者の要件）

第三七条の六　法第九十九条第一項の国土交通省令で定める要件は、法第五十八条の八第一項の河川協力団体又は河川の管理に資する活動を行つている一般社団法人若しくは一般財団法人であつて、法第九十九条第一項に規定する事項を適正かつ確実に実施するに足りる経理的及び技術的な基礎を有するものであることとする。

（準用河川の指定の公示）

第三八条　令第五十五条第二項の公示は、第一条の三各号の一以上により区間の起点及び終点を明示して行うものとする。

（この省令の規定の指定都市の長が一級河川の管理を行う場合への準用）

第三八条の二　第二条、第三条、第八条第一項、第十四条、第十八条の二第一項、第三項及び第五項、第二十三条第一項、第三十三条の二、第三十七条、別表第一、別表第一の二、別表第二並びに別表第三の規定は、法第九条第五項の規定により指定都市の長が一級河川の管理を行う場合に準用する。この場合において、次の表の上欄に掲げる規定中同表の中欄に掲げる字句は、それぞれ同表の下欄に掲げる字句に読み替えるものとする。

読み替える規定	読み替えられる字句	読み替える字句
第二条、第八条第一項、第十四条、第十八条の二第一項、第三項及び第五項、第二十三条第一項、第三十三条の二、第三十七条	都道府県知事	指定都市の長
	都道府県の	指定都市の
第三条	第九条第四項	第九条第六項において準用する同条第四項
	指定区間	国土交通大臣が指定した区間
別表第一	都道府県の規則	指定都市の規則
別表第一の二、別表第二、別表第三	都道府県	指定都市

（この省令の規定の指定都市の長が二級河川の管理を行う場合への準用）

第三八条の三　第二条、第三条、第四条、第七条第三号、第八条第一項、第十四条、第二十三条第一項、第三十三条の二、第三十七条、別表第一、別表第一の二、別表第二及び別表第三の規定は、法第十条第二項の規定により指定都市の長が二級河川の管理を行う場合に準用する。この場合において、次の表の上欄に掲げる規定中同表の中欄に掲げる字句は、それぞれ同表の下欄に掲げる字句に読み替えるものとする。

読み替える規定	読み替えられる字句	読み替える字句
第二条、第八条第一項、第十四条、第二十三条第一項、第三十三条の二、第三十七条	都道府県知事	指定都市の長
	都道府県の	指定都市の
第三条	第九条第四項	第十条第三項において準用する法第九条第四項
	指定区間	都道府県知事が指定した区間
	官報	都道府県の公報
第四条	関係都府県	関係する指定都市及び都道府県
第四条第二号	都府県知事	指定都市の長又は都道府県知事
第七条第三号、別表第一の二、別表第二、別表第三	都道府県	指定都市
別表第一	都道府県の規則	指定都市の規則

（この省令の規定の準用河川への準用）

第三八条の四　第一条、第二条、第四条から第六条まで、第七条第三号、第七条の二、第七条の六、第七条の七、第八条第一項、第九条から第十八条まで、第十八条の六から第三十三条の十三まで、第三十五条、第三十六条、第三十七条、第三十九条、第四十条及び第四十二条の規定は、準用河川について準用する。この場合において、次の表の上欄に掲げる規定中同表の中欄に掲げる字句は、それぞれ同表の下欄に掲げる字句に読み替えるものとする。

読み替える規定	読み替えられる字句	読み替える字句
第一条、第二条、第八条第一項、第十四条、第二十三条第一項、第三十三条の二、第三十七条	国土交通大臣にあつては官報に、都道府県知事にあつてはその統轄する都道府県の公報	市町村の公報
第四条	関係都府県知事	関係市町村長
	関係都府県	関係市町村
	都府県知事	市町村長
第七条第三号、別表第四	二級河川	準用河川
第七条第三号、別表第一、別表第一の二、別表第二、別表第三	都道府県	市町村
第三十九条、第四十条	令第十六条の三第一項若しくは第十六条の八第一項	令第十六条の八第一項
別表第二、別表第三	指定区間内の一級河川及び二級河川	準用河川

（許可等の同時申請）

第三九条　法第二十三条、第二十四条から第二十七条まで、第五十五条第一項、第五十七条第一項、第五十八条の四第一項若しくは第五十八条の六第一項若しくは令第十六条の三第一項若しくは第十六条の八第一項の規定による許可又は法第二十三条の二の登録を受けて一の行為を行おうとする場合において、当該行為又はこれに関連する他の行為についてこれらの規定による他の許可又は登録を必要とするときは、これらの許可又は登録の申請は、同時に行わなければならない。ただし、やむを得ない理由があるときは、この限りでない。

（許可申請書の添付図書の省略等）

第四〇条　前条の規定により法第二十三条、第二十四条から第二十七条まで、第五十五条第一項、第五十七条第一項、第五十八条の四第一項若しくは第五十八条の六第一項若しくは令第十六条の三第一項若しくは第十六条の八第一項の許可又は法第二十三条の二の登録の申請を同時に行う場合において、第十一条から第十三条まで、第十五条及び第十六条（第三十条、第三十三条、第三十三条の四及び第三十三条の七において準用する場合を含む。）、第十八条の三第二項又は第十八条の十第二項の規定により申請書に添付すべき図書（以下この条において「添付図書」という。）のうち一のものの内容が他のものの内容に含まれるときは、当該一のものは、申請書に添付することを要しない。

2　法第二十三条、第二十四条から第二十七条まで、第五十五条第一項、第五十七条第一項、第五十八条の四第一項若しくは第五十八条の六第一項若しくは令第十六条の三第一項若しくは第十六条の八第一項の許可又は法第二十三条の二の登録を受けた事項の変更の許可又は登録の申請にあつては、添付図書のうちその変更に関する事項を記載したものを添付すれば足りる。

3　前項の変更の許可又は登録の申請にあつては、変更の趣旨及び理由を記載した書面を申請書に添付しなければならない。

4　第一項又は第二項に該当するものを除くほか、法第二十三条、第二十四条から第二十七条まで、第五十五条第一項、第五十七条第一項、第五十八条の四第一項若しくは第五十八条の六第一項若しくは令第十六条の三第一項若しくは第十六条の八第一項の許可又は法第二十三条の二の登録に係る行為が軽易なものであることその他の理由により添付図書の全部を添付する必要がないと認められるときは、当該添付図書の一部を省略することができる。

（許可の申請等の経由）

第四条　法又は令の規定に基づき国土交通大臣又は地方整備局長若しくは北海道開発局長に対してなすべき許可、登録、承認、完成検査若しくは裁定の申請、届出又は意見の申出（沖縄振興特別措置法（平成十四年法律第十四号）第九十九条第三項の規定により沖縄県知事に代わつて権限を行う国土交通大臣に対してなすべきものを含む。）は、関係事務所等又は内閣府設置法（平成十一年法律第八十九号）第四十七条第一項に規定する沖縄総合事務局の事務所の長を経由してしなければならない。

（河川の使用等に関する協議の手続）

第四条の二　法第九十五条又は令第十六条の十一第一項に規定する協議は、許可、登録又は承認の手続の例により行わなければならない。

附　則　〔抄〕

（施行期日）

第一条　この省令は、法の施行の日（昭和四十年四月一日）から施行する。

（内務省令及び建設省令の廃止）

第二条　次の各号に掲げる内務省令及び建設省令は、廃止する。

一　河川法等に依る告示方法（明治三十二年内務省令第十三号）
二　通航料徴収規程（明治三十三年内務省令第二十八号）
三　閘門通航規程（大正四年内務省令第一号）
四　河川台帳ニ関スル細則（大正十年内務省令第二十九号）
五　河川堰堤規則（昭和十年内務省令第三十六号）
六　河川附帯工事の費用負担に関する事務取扱規則（昭和二十六年建設省令第二十一号）
七　河川法第四条第二項の規定に基く共同施設に関する省令（昭和二十九年建設省令第十一号）
八　河川行政監督令第四条の規定に基く省令（昭和三十二年建設省令第十七号）

（許可を受けたものとみなされる者の届出書の様式等）

第三条　令附則第八条第二項の建設省令で定める様式は、別記様式第二十とする。

2　届出書は、正本一部及び別表第四に掲げる部数の写しを提出するものとする。

附　則〔略〕〔昭和四五・九・一〇建設省令二三〕
附　則〔略〕〔昭和五七・九・二九建設省令一三〕
附　則〔略〕〔昭和五九・六・三〇建設省令一三〕
附　則〔略〕〔平成三・一一・一建設省令二一〕
附　則〔略〕〔平成五・三・三〇建設省令三〕
附　則〔略〕〔平成六・二・二三建設省令四〕
附　則〔略〕〔平成六・七・八建設省令二一〕
附　則〔略〕〔平成七・九・二八建設省令二二〕
附　則〔略〕〔平成九・一一・二八建設省令一八〕
附　則〔略〕〔平成一一・四・二六建設省令一四〕
附　則〔略〕〔平成一二・一・三一建設省令一〇〕
附　則〔略〕〔平成一二・一〇・一八建設省令三五〕
附　則〔略〕〔平成一二・一一・二〇建設省令四一〕
附　則〔略〕〔平成一三・三・三〇国土交通省令七二〕
附　則〔略〕〔平成一五・三・二八国土交通省令三八〕
附　則〔平成一五・九・三〇国土交通省令九七〕

（施行期日）

1　この省令は、平成十五年十月二日から施行する。

（経過措置）

2　河川法施行令第五十三条第一項第二号から第四号までに掲げる国土交通大臣の権限（この省令による改正前の河川法施行規則第三十七条の二第五号に掲げるものに関する権限に限る。）であって、この省令の施行前に国土交通大臣に対してされた申請に関するものについては、なお従前の例による。

附　則　〔抄〕〔平成一六・五・二七国土交通省令六七〕

（施行期日）

第一条　この省令は、平成十六年十月一日から施行する。〔以下略〕

（河川法施行規則の一部改正に伴う経過措置）

第五条　第四条の規定による改正後の河川法施行規則（以下この条において「新河川法施行規則」という。）第二十七条の二第一号又は第二号の登録を受けようとする者は、第四条の規定の施行前においても、その申請を行うことができる。新河川法施行規則第二十七条の九（新河川法施行規則第二十七条の二十一において準用する場合を含む。）の規定による登録試験事務規程及び登録研修事務規程の届出についても、同様とする。

2　第四条の規定の施行の際現に同条の規定による改正前の河川法施行規則（以下この条において「旧河川法施行規則」という。）第二十七条の二第一項第一号の指定を受けている試験は、第四条の規定の施行の日から起算して六月を経過する日までの間は、新河川法施行規則第二十七条の二第一号の登録を受けている試験とみなす。

3　第四条の規定の施行の際現に旧河川法施行規則第二十七条の二第一項第二号の指定を受けている研修は、第四条の規定の施行の日から起算して三月を経過する日までの間は、新河川法施行規則第二十七条の二第二号の登録を受けている研修とみなす。

4　第四条の規定の施行前に旧河川法施行規則第二十七条の二第一項第一号の指定を受けた試験に合格した者又は同項第二号の指定を受けた研修を修了した者は、それぞれ新河川法施行規則第二十七条の二第一号の登録を受けた試験に合格した者又は同条第二号の登録を受けた研修を修了した者とみなす。

附　則〔略〕〔平成一七・三・七国土交通省令一二〕
附　則〔略〕〔平成一七・五・二七国土交通省令五九〕
附　則〔略〕〔平成一八・四・二八国土交通省令五八〕
附　則〔略〕〔平成一九・三・三〇国土交通省令二六〕
附　則〔平成一九・三・三〇国土交通省令二七〕

（施行期日）

1　この省令は、平成十九年四月一日から施行する。

（助教授の在職に関する経過措置）

2　この省令の規定による改正後の次に掲げる省令の規定の適用については、この省令の施行前における助教授としての在職は、准教授としての在職とみなす。

一～七　〔略〕
八　河川法施行規則第二十七条の五
九～十四　〔略〕

附　則〔略〕〔平成一九・六・一九国土交通省令六七〕
附　則〔略〕〔平成二五・七・五国土交通省令五九〕
附　則〔略〕〔平成二五・一二・一一国土交通省令九八〕
附　則〔略〕〔平成二七・一・二九国土交通省令五〕
附　則〔略〕〔平成二九・六・一四国土交通省令三六〕
附　則〔略〕〔令和二・二・二八国土交通省令九〕
附　則〔略〕〔令和二・一二・二三国土交通省令九八〕
附　則〔略〕〔令和三・七・一四国土交通省令四八〕
附　則〔略〕〔令和四・三・三一国土交通省令三九〕
附　則〔略〕〔令和五・九・二九国土交通省令八〇施行〕
附　則〔略〕〔令和六・三・二九国土交通省令二六〕
附　則〔令和六・三・二九国土交通省令四四〕

この省令は、特定多目的ダム法施行令等の一部を改正する政令の施行の日（令和六年四月一日）から施行する。

別表第一

区分	部数
一級河川に係る特定水利使用	二部
指定区間外の一級河川に係る特定水利使用以外の水利使用	二に関係行政機関及び関係都道府県の数を加えた部数
その他の水利使用	都道府県の規則で定める部数

別表第一の二

区分	部数
一級河川に係る特定水利使用及び指定区間外の一級河川に係る特定水利使用以外の水利使用	二部
指定区間内の一級河川に係る特定水利使用以外の水利使用及び二級河川に係る水利使用	都道府県の規則で定める部数

別表第二

区分	部数
指定区間外の一級河川	一部
指定区間内の一級河川及び二級河川	都道府県の規則で定める部数

別表第三

区分		部数
水利使用	一級河川に係る特定水利使用	二部
	指定区間外の一級河川に係る特定水利使用以外の水利使用	一部
	その他の水利使用	都道府県の規則で定める部数
その他のもの	指定区間外の一級河川に係るもの	一部
	指定区間内の一級河川及び二級河川に係るもの	都道府県の規則で定める部数

別表第四

区分	部数
一級河川	二部
二級河川	一部

別記様式〔略〕

○河川管理施設等構造令

〔昭和五一・七・二〇 政令一九九〕

改正　平成三・一〇政三三三、平成四・一政五、平成九・一一政三四三、平成一一・六政三一二、平成一三・一二政四二四、平成二五・七政二一四

目次

第一章　総則（第一条・第二条）
第二章　ダム（第三条―第十六条）
第三章　堤防（第十七条―第三十二条）
第四章　床止め（第三十三条―第三十五条の二）
第五章　堰（第三十六条―第四十五条）
第六章　水門及び樋門（第四十六条―第五十三条）
第七章　揚水機場、排水機場及び取水塔（第五十四条―第五十九条）
第八章　橋（第六十条―第六十七条）
第九章　伏せ越し（第六十八条―第七十二条）
第十章　雑則（第七十三条―第七十七条）
附則

第一章　総則

（この政令の趣旨）

第一条　この政令は、河川管理施設又は河川法（以下「法」という。）第二十六条第一項の許可を受けて設置される工作物（以下「許可工作物」という。）のうち、ダム、堤防その他の主要なものの構造について河川管理上必要とされる一般的技術的基準を定めるものとする。

（用語の定義）

第二条　この政令において、次の各号に掲げる用語の意義は、それぞれ当該各号に定めるところによる。

一　常時満水位　ダムの新築又は改築に関する計画において非洪水時にダムによつて貯留することとした流水の最高の水位でダムの非越流部の直上流部におけるものをいう。

二　サーチャージ水位　ダムの新築又は改築に関する計画において洪水時にダムによつて一時的に貯留することとした流水の最高の水位でダムの非越流部の直上流部におけるものをいう。

三　設計洪水位　ダムの新築又は改築に関する計画において、ダムの直上流の地点において二百年につき一回の割合で発生するものと予想される洪水の流量、当該地点において発生した最大の洪水の流量又は当該ダムに係る流域と水象若しくは気象が類似する流域のそれぞれにおいて発生した最大の洪水に係る水象若しくは気象の観測の結果に照らして当該地点に発生するおそれがあると認められる洪水の流量のうちいずれか大きい流量（フィルダムにあつては、当該流量の一・二倍の流量。以下「ダム設計洪水流量」という。）の流水がダムの洪水吐きを流下するものとした場合におけるダムの非越流部の直上流部における最高の水位（貯水池の貯留効果が大きいダムにあつては、当該水位から当該貯留効果を考慮して得られる値を減じた水位）をいう。

四　計画高水流量　河川整備基本方針に従つて、過去の主要な洪水及びこれらによる災害の発生の状況並びに流域及び災害の発生を防止すべき地域の気象、地形、地質、開発の状況等を総合的に考慮して、河川管理者が定めた高水流量をいう。

五　計画横断形　計画高水流量の流水を流下させ、背水、計画津波又は計画高潮位の高潮が河川外に流出することを防止し、高規格堤防設計水位以下の水位の流水の作用に対して耐えるようにし、河川を適正に利用させ、流水の正常な機能を維持し、及び河川環境の整備と保全をするために必要な河川の横断形で、河川整備基本方針に従つて、河川管理者が定めたものをいう。

六　流下断面　流水の流下に有効な河川の横断面をいう。

七　計画高水位　河川整備基本方針に従つて、計画高水流量及び計画横断形に基づいて、又は流水の貯留を考慮して、河川管理者が定めた高水位をいう。

八　計画津波　河川整備基本方針に従つて、過去の主要な津波及びこれらによる災害の発生の状況並びに当該河川が流入する海域の水象等を総合的に考慮して、河川管理者が定めた津波をいう。

九　計画津波水位　河川整備基本方針に従つて、計画津波及び計画横断形に基づいて、河川管理者が定めた津波水位をいう。

十　津波区間　計画津波水位が計画高水位より高い河川の区間をいう。

十一　計画高潮位　河川整備基本方針に従つて、過去の主要な高潮及びこれらによる災害の発生の状況、当該河川及び当該河川が流入する海域の水象及び気象並びに災害の発生を防止すべき地域の開発の状況等を総合的に考慮して、河川管理者が定めた高潮位をいう。

十二　高潮区間　計画高潮位が計画高水位より高い河川の区間をいう。

十三　高規格堤防設計水位　高規格堤防を設置すべきものとして河川整備基本方針に定められた河川の区間（第四十六条第二項において「高規格堤防設置区間」という。）の流域又は当該流域と水象若しくは気象が類似する流域のそれぞれにおいて発生した最大の洪水、津波及び高潮に係る水象又は気象の観測の結果に照らして当該区間の流域に発生するおそれがあると認められる洪水、津波及び高潮が生ずるものとした場合における当該区間の河道内の最高の水位をいう。

第二章　ダム

（適用の範囲）

第三条　この章の規定は、次に掲げるダム以外のダムについて適用する。

一　土砂の流出を防止し、及び調節するため設けるダム

二　基礎地盤から堤頂までの高さが十五メートル未満のダム

（構造の原則）

第四条　ダムの堤体及び基礎地盤（これと堤体との接合部を含む。以下同じ。）は、必要な水密性を有し、及び予想される荷重に対し必要な強度を有するものとするものとする。

2　コンクリートダムの堤体は、予想される荷重によつて滑動し、又は転倒しない構造とするものとする。

3　フィルダムの堤体は、予想される荷重によつて滑り破壊又は浸透破壊が生じない構造とするものとする。

4　ダムの基礎地盤は、予想される荷重によつて滑動し、滑り破壊又は浸透破壊が生じないものとするものとする。

5　フィルダムの堤体には、放流設備その他の水路構造物を設けてはならない。

（堤体の非越流部の高さ）

第五条　ダムの堤体の非越流部の高さは、洪水吐きゲートの有無に応じ、コンクリートダムにあつては次の表の下欄に掲げる値のうち最も大きい値以上、フィルダムにあつては同欄に掲げる値のうち最も大きい値に一メートルを加えた値以上とするものとする。

項	区　分	堤体の非越流部の高さ（単位　メートル）
一	洪水吐きゲートを有するダム	$Hn+hw+he+0.5$（$hw+he<1.5$のときは、$Hn+2$） $Hs+hw+\frac{he}{2}+0.5$（$hw+\frac{he}{2}<1.5$のときは、$Hs+2$） $Hd+hw+0.5$（$hw<0.5$のときは、$Hd+1$）
二	洪水吐きゲートを有しないダム	$Hn+hw+he$（$hw+he<2$のときは、$Hn+2$） $Hs+hw+\frac{he}{2}$（$hw+\frac{he}{2}<2$のときは、$Hs+2$） $Hd+hw$（$hw<1$のときは、$Hd+1$）

備考

この表において、Hn、hw、he、Hs及びHdは、それぞれ次の数値を表すものとする。

Hn　常時満水位（単位　メートル）

hw　風による波浪の貯水池の水面からの高さ（単位　メートル）

he　地震による波浪の貯水池の水面からの高さ（単位　メートル）

Hs　サーチャージ水位（単位　メートル）

Hd　設計洪水位（単位　メートル）

2　洪水吐きゲートを有しないフィルダムで、ダム設計洪水流量の流水が洪水吐きを流下する場合における越流水深が二・五メートル以下であるものに関する前項の規定の適用については、同項の表二の項の下欄中「$hw+he<2$のときは、$Hn+2$」とあるのは「$hw+he<1$のときは、$Hn+1$」と、「$hw+\frac{he}{2}<2$のときは、$Hs+2$」とあるのは「$hw+\frac{he}{2}<1$のときは、$Hs+1$」とする。

（堤体等に作用する荷重の種類）

第六条　ダムの堤体及び基礎地盤に作用する荷重としては、ダムの種類及び貯水池の水位に応じ、次の表に掲げるものを採用するものとする。

貯水池の水位＼ダムの種類		重力式コンクリートダム	アーチ式コンクリートダム	フィルダム
一	ダムの非越流部の直上流部における水位が常時満水位以下又はサーチャージ水位以下である場合	W、P、Pe、I、Pd、U	W、P、Pe、I、Pd、U、T	W、P、I、Pp
二	ダムの非越流部の直上流部における水位が設計洪水位である場合	W、P、Pe、U	W、P、Pe、U、T	W、P、Pp

備考

この表において、W、P、Pe、I、Pd、U、Pp及びTは、それぞれ次の荷重を表すものとする。

W　ダムの堤体の自重

P　貯留水による静水圧の力

Pe　貯水池内に堆積する泥土による力

I　地震時におけるダムの堤体の慣性力

Pd　地震時における貯留水による動水圧の力

U　貯留水による揚圧力

Pp　間げき圧（ダムの堤体の内部及びダムの基礎地盤の浸透水による水圧）の力

T　ダムの堤体の内部の温度の変化によつて生ずる力

（洪水吐き）

第七条　ダムには、洪水吐きを設けるものとする。

2　洪水吐き（減勢工を除く。）は、ダム設計洪水流量以下の流水を安全に流下させることができる構造とするものとする。

3　洪水吐きは、ダムの堤体及び基礎地盤並びに貯水池に支障を及ぼさない構造とするものとする。

（越流型洪水吐きの越流部の幅）

第八条　越流型洪水吐きを有するダムの上流における堤防（計画横断形が定められている場合には、当該計画横断形に係る堤防（以下「計画堤防」という。）を含む。）の高さが当該ダムの設計洪水位以上非越流部の高さ以下である場合においては、第三十八条及び第三十九条の規定は、当該ダムの洪水吐きについて準用する。この場合において、第三十八条第一項中「径間長（隣り合う堰柱の中心線間の距離をいう。以下この章において同じ。）」とあり、並びに同条及び第三十九条中「径間長」とあるのは、「越流部の幅（洪水吐きの越流部が門柱、橋脚等によつて分割されているときは、分割されたそれぞれの越流部の幅をいう。）」と読み替えるものとする。

（減勢工）

第九条　ダムの堤体又は下流の河床、河岸若しくは河川管理施設を保護するため、洪水吐きを流下する流水の水勢を緩和する必要がある場合においては、洪水吐きに適当な減勢工を設けるものとする。

（ゲート等の構造の原則）

第一〇条　ダムのゲート（バルブを含む。以下この章において同じ。）は、確実に開閉し、かつ、必要な水密性及び耐久性を有する構造とするものとする。

2　ダムのゲートの開閉装置は、ゲートの開閉を確実に行うことができる構造とするものとする。

3　ダムのゲートは、予想される荷重に対して安全な構造とするものとする。

4　ゲートを有する洪水吐きには、必要に応じ、予備のゲート又はこれに代わる設備を設けるものとする。

（ゲートに作用する荷重の種類）

第一一条　ダムのゲートに作用する荷重としては、ゲートの自重、貯留水による静水圧の力、貯水池内に堆積する泥土による力、貯留水の氷結時における力、地震時におけるゲートの慣性力、地震時における貯留水による動水圧の力及びゲートの開閉によつて生ずる力を採用するものとする。

（荷重等の計算方法）

第一二条　第六条及び前条に規定する荷重の計算その他ダムの構造計算に関し必要な技術的基準は、国土交通省令で定める。

（計測装置）

第一三条　ダムには、次の表の中欄に掲げる区分に応じ、同表の下欄に掲げる事項を計測するための装置を設けるものとする。

項	ダムの種類		基礎地盤から堤頂までの高さ（単位　メートル）	計測事項
一	重力式コンクリートダム		五十未満	漏水量　揚圧力
			五十以上	漏水量　変形　揚圧力
二	アーチ式コンクリートダム		三十未満	漏水量　変形
			三十以上	漏水量　変形　揚圧力
三	フィルダム	ダムの堤体がおおむね均一の材料によるもの		漏水量　変形　浸潤線
		その他のもの		漏水量　変形

2　基礎地盤から堤頂までの高さが百メートル以上のダム又は特殊な設計によるダムには、前項に規定するもののほか、当該ダムの管理上特に必要と認められる事項を計測するための装置を設けるものとする。

（放流設備）

第一四条　ダムには、河川の流水の正常な機能を維持するために必要な放流設備を設けるものとする。

（地滑り防止工及び漏水防止工）

第一五条　貯水池内若しくは貯水池に近接する土地におけるダムの設置若しくは流水の貯留に起因する地滑りを防止し、又は貯水池からの漏水を防止するため必要がある場合においては、適当な地滑り防止工又は漏水防止工を設けるものとする。

（貯水池に沿つて設置する樹林帯）

第一六条　貯水池に沿つて設置する樹林帯は、国土交通省令で定めるところにより、貯留水の汚濁又は貯水池への土砂の流入の防止について適切に配慮された構造とするものとする。

第三章　堤防

（適用の範囲）

第一七条　この章の規定は、流水が河川外に流出することを防止するために設ける堤防及び霞堤について適用する。

（構造の原則）

第一八条　堤防は、護岸、水制その他これらに類する施設と一体として、計画高水位（高潮区間にあつては、計画高潮位）以下の水位の流水の通常の作用に対して安全な構造とするものとする。

2　高規格堤防にあつては、前項の規定によるほか、高規格堤防特別区域内の土地が通常の利用に供されても、高規格堤防及びその地盤が、護岸、水制その他これらに類する施設と一体として、高規格堤防設計水位以下の水位の流水の作用に対して耐えることができるものとするものとする。

3　高規格堤防は、予想される荷重によつて洗掘破壊、滑り破壊又は浸透破壊が生じない構造とするものとし、かつ、その地盤は、予想される荷重によつて滑り破壊、浸透破壊又は液状化破壊が生じないものとするものとする。

（材質及び構造）

第一九条　堤防は、盛土により築造するものとする。ただし、高規格堤防以外の堤防にあつては、土地利用の状況その他の特別の事情によりやむを得ないと認められる場合においては、その全部若しくは主要な部分がコンクリート、鋼矢板若しくはこれらに準ずるものによる構造のものとし、又はコンクリート構造若しくはこれに準ずる構造の胸壁を有するものとすることができる。

（高さ）

第二〇条　堤防（計画高水流量を定めない湖沼の堤防を除く。）の高さは、計画高水流量に応じ、計画高水位に次の表の下欄に掲げる値を加えた値以上とするものとする。ただし、堤防に隣接する堤内の土地の地盤高（以下「堤内地盤高」という。）が計画高水位より高く、かつ、地形の状況等により治水上の支障がないと認められる区間にあつては、この限りでない。

項	計画高水流量（単位　一秒間につき立方メートル）	計画高水位に加える値（単位　メートル）
一	二〇〇未満	〇・六
二	二〇〇以上五〇〇未満	〇・八
三	五〇〇以上二、〇〇〇未満	一
四	二、〇〇〇以上五、〇〇〇未満	一・二
五	五、〇〇〇以上一〇、〇〇〇未満	一・五
六	一〇、〇〇〇以上	二

2　前項の堤防のうち計画高水流量を定める湖沼又は高潮区間の堤防の高さは、同項の規定によるほか、湖沼の堤防にあつては計画高水位に、高潮区間の堤防にあつては計画高潮位に、それぞれ波浪の影響を考慮して必要と認められる値を加えた値を下回らないものとするものとする。

3　計画高水流量を定めない湖沼の堤防の高さは、計画高水位（高潮区間にあつては、計画高潮位。第五項において同じ。）に波浪の影響を考慮して必要と認められる値を加えた値以上とするものとする。

4　津波区間の堤防の高さは、前三項の規定によるほか、計画津波水位に河口付近の海岸堤防の高さ及び漂流物の影響を考慮して必要と認められる値を加えた値を下回らないものとするものとする。

5　胸壁を有する堤防の胸壁を除いた部分の高さは、計画高水位以上とするものとする。

（天端幅）

第二一条　堤防（計画高水流量を定めない湖沼の堤防を除く。）の天端幅は、堤防の高さと堤内地盤高との差が〇・六メートル未満である区間を除き、計画高水流量に応じ、次の表の下欄に掲げる値以上とするものとする。ただし、堤内地盤高が計画高水位より高く、かつ、地形の状況等により治水上の支障がないと認められる区間にあつては、計画高水流量が一秒間につき五百立方メートル以上である場合においても、三メートル以上とすることができる。

項	計画高水流量（単位　一秒間につき立方メートル）	天端幅（単位　メートル）
一	五〇〇未満	三
二	五〇〇以上二、〇〇〇未満	四
三	二、〇〇〇以上五、〇〇〇未満	五
四	五、〇〇〇以上一〇、〇〇〇未満	六
五	一〇、〇〇〇以上	七

2　計画高水流量を定めない湖沼の堤防の天端幅は、堤防の高さ及び構造並びに背後地の状況を考慮して、三メートル以上の適切な値とするものとする。

（盛土による堤防の法勾配等）

第二二条　盛土による堤防（胸壁の部分及び護岸で保護される部分を除く。次項において同じ。）の法勾配は、堤防の高さと堤内地盤高との差が〇・六メートル未満である区間を除き、五十パーセント以下とするものとする。

2　盛土による堤防の法面（高規格堤防の裏法面を除く。）は、芝等によつて覆うものとする。

（高規格堤防に作用する荷重の種類）

第二十二条の二　高規格堤防及びその地盤に作用する荷重としては、河道内の水位に応じ、次の表に掲げるものを採用するものとする。

項	河道内の水位	荷重
一	計画高水位以下である場合	W、P、I、Pp
二	計画高水位を超え、高規格堤防設計水位以下である場合	W、P、Pp、τ

備考

この表において、W、P、I、Pp及びτは、それぞれ次の荷重を表すものとする。

W　高規格堤防の自重

P　河道内の流水による静水圧の力

I　地震時における高規格堤防及びその地盤の慣性力

Pp　間げき圧（高規格堤防及びその地盤の内部の浸透水による水圧）の力

τ　越流水によるせん断力

（荷重等の計算方法）

第二十二条の三　前条に規定する荷重の計算その他高規格堤防の構造計算に関し必要な技術的基準は、国土交通省令で定める。

（小段）

第二十三条　堤防の安定を図るため必要がある場合においては、その中腹に小段を設けるものとする。

2　堤防の小段の幅は、三メートル以上とするものとする。

（側帯）

第二十四条　堤防の安定を図るため必要がある場合又は非常用の土砂等を備蓄し、若しくは環境を保全するため特に必要がある場合においては、国土交通省令で定めるところにより、堤防の裏側の脚部に側帯を設けるものとする。

（護岸）

第二十五条　流水の作用から堤防を保護するため必要がある場合においては、堤防の表法面又は表小段に護岸を設けるものとする。

（水制）

第二十六条　流水の作用から堤防を保護するため、流水の方向を規制し、又は水勢を緩和する必要がある場合においては、適当な箇所に水制を設けるものとする。

（堤防に沿つて設置する樹林帯）

第二十六条の二　堤防に沿つて設置する樹林帯は、国土交通省令で定めるところにより、洪水時における破堤の防止等について適切に配慮された構造とするものとする。

（管理用通路）

第二十七条　堤防には、国土交通省令で定めるところにより、河川の管理のための通路（以下「管理用通路」という。）を設けるものとする。

（津波又は波浪の影響を著しく受ける堤防に講ずべき措置）

第二十八条　湖沼、津波区間、高潮区間又は二以上の河川の合流する箇所の堤防その他の堤防で津波又は波浪の影響を著しく受けるものには、必要に応じ、次に掲げる措置を講ずるものとする。

一　表法面又は表小段に護岸又は護岸及び波返工を設けること。

二　前面に消波工を設けること。

2　前項の堤防で越波のおそれがあるものには、同項に規定するもののほか、必要に応じ、次に掲げる措置を講ずるものとする。

一　天端、裏法面及び裏小段をコンクリートその他これに類するもので覆うこと。

二　裏法尻に沿つて排水路を設けること。

（背水区間の堤防の高さ及び天端幅の特例）

第二十九条　甲河川と乙河川が合流することにより乙河川に背水が生ずることとなる場合においては、合流箇所より上流の乙河川の堤防の高さは、第二十条第一項から第三項までの規定により定められるその箇所における甲河川の堤防の高さを下回らないものとするものとする。ただし、堤内地盤高が計画高水位より高く、かつ、地形の状況等により治水上の支障がないと認められる区間及び逆流を防止する施設によつて背水が生じないようにすることができる区間にあつては、この限りでない。

2　前項本文の規定により乙河川の堤防の高さが定められる場合においては、その高さと乙河川に背水が生じないとした場合に定めるべき計画高水位に、計画高水流量に応じ、第二十条第一項の表の下欄に掲げる値を加えた高さとが一致する地点から当該合流箇所までの乙河川の区間（湖沼である河川の区間を除く。以下「背水区間」という。）の堤防の天端幅は、第二十一条第一項又は第二項の規定により定められるその箇所における甲河川の堤防の天端幅を下回らないものとするものとする。ただし、堤内地盤高が計画高水位より高く、かつ、地形の状況等により治水上の支障がないと認められる区間にあつては、この限りでない。

（湖沼等の堤防の天端幅の特例）

第三〇条　計画高水流量を定める湖沼、津波区間又は高潮区間の堤防に第二十八条第一項第一号に掲げる措置を講ずる場合においては、当該堤防の天端幅は、第二十一条第一項及び前条第二項の規定にかかわらず、第二十八条の規定により講ずる措置の内容及び当該堤防に接続する堤防（計画横断形が定められている場合には、計画堤防）の天端幅を考慮して、三メートル以上の適切な値とすることができる。

（天端幅の規定の適用除外等）

第三十一条　その全部又は主要な部分がコンクリート、鋼矢板又はこれらに準ずるものによる構造の堤防については、第二十一条、第二十九条第二項及び前条の規定は、適用しない。

2　胸壁を有する堤防に関する第二十一条、第二十九条第二項及び前条の規定の適用については、胸壁を除いた部分の上面における堤防の幅から胸壁の直立部分の幅を減じたものを堤防の天端幅とみなす。

（連続しない工期を定めて段階的に築造される堤防の特例）

第三十二条　堤防の地盤の地質、対岸の状況、上流及び下流における河岸及び堤防の高さその他の特別の事情により、連続しない工期を定めて段階的に堤防を築造する場合においては、それぞれの段階における堤防について、計画堤防の高さと当該段階における堤防の高さとの差に相当する値を計画高水位（高潮区間にあつては、計画高潮位。以下この条において同じ。）から減じた値の水位を計画高水位とみなして、この章（第二十九条及び前条を除く。）の規定を準用する。

第四章　床止め

（構造の原則）

第三十三条　床止めは、計画高水位（高潮区間にあつては、計画高潮位）以下の水位の流水の作用に対して安全な構造とするものとする。

2　床止めは、付近の河岸及び河川管理施設の構造に著しい支障を及ぼさない構造とするものとする。

（護床工及び高水敷保護工）

第三十四条　床止めを設ける場合において、これに接続する河床又は高水敷の洗掘を防止するため必要があるときは、適当な護床工又は高水敷保護工を設けるものとする。

（護岸）

第三十五条　床止めを設ける場合においては、流水の変化に伴う河岸又は堤防の洗掘を防止するため、国土交通省令で定めるところにより、護岸を設けるものとする。

（魚道）

第三十五条の二　床止めを設ける場合において、魚類の遡上等を妨げないようにするため必要があるときは、国土交通省令で定めるところにより、魚道を設けるものとする。

第五章　堰

（構造の原則）

第三十六条　堰は、計画高水位（高潮区間にあつては、計画高潮位）以下の水位の流水の作用に対して安全な構造とするものとする。

2　堰は、計画高水位以下の水位の洪水の流下を妨げず、付近の河岸及び河川管理施設の構造に著しい支障を及ぼさず、並びに堰に接続する河床及び高水敷の洗掘の防止について適切に配慮された構造とするものとする。

（流下断面との関係）

第三十七条　可動堰の可動部（流水を流下させるためのゲート及びこれを支持する堰柱に限る。次条及び第三十九条において同じ。）以外の部分（堰柱を除く。）及び固定堰は、流下断面（計画横断形が定められている場合には、当該計画横断形に係る流下断面を含む。以下この条、第五十八条第一項及び第六十一条第一項において同じ。）内に設けてはならない。ただし、山間狭窄部であることその他河川の状況、地形の状況等により治水上の支障がないと認められるとき、及び河床の状況により流下断面内に設けることがやむを得ないと認められる場合において、治水上の機能の確保のため適切と認められる措置を講ずるときは、この限りでない。

（可動堰の可動部の径間長）

第三十八条　可動堰の可動部の径間長（隣り合う堰柱の中心線間の距離をいう。以下この章において同じ。）は、計画高水流量に応じ、次の表の下欄に掲げる値以上（可動部の全長（両端の堰柱の中心線間の距離をいう。次項において同じ。）が、計画高水流量に応じ、同欄に掲げる値未満である場合には、その全長の値）とするものとする。ただし、山間狭窄部であることその他河川の状況、地形の状況等により治水上の支障がないと認められるときは、この限りでない。

項	計画高水流量（単位　一秒間につき立方メートル）	径間長（単位　メートル）
一	五〇〇未満	一五
二	五〇〇以上　二、〇〇〇未満	二〇
三	二、〇〇〇以上　四、〇〇〇未満	三〇
四	四、〇〇〇以上	四〇

2　前項の表一の項の中欄に該当する場合において、可動堰の可動部の全長が三十メートル未満であるときは、前項の規定にかかわらず、可動部の径間長を十二・五メートル以上とすることができる。

3　第一項の表三の項又は四の項の中欄に該当する場合において、第一項の規定によれば径間長の平均値を五十メートル以上としなければならず可動堰の構造上適当でないと認められるときは、同項の規定にかかわらず、国土交通省令で定めるところにより、可動部の径間長をそれぞれ同表三の項又は四の項の下欄に掲げる値未満のものとすることができる。

4　第一項の表四の項の中欄に該当する場合においては、第一項の規定にかかわらず、流心部以外の部分に係る可動堰の可動部の径間長を三十メートル以上とすることができる。この場合においては、可動部の径間長の平均値は、前項の規定の適用がある場合を除き、四十メートル以上としなければならない。

5　可動堰の可動部が起伏式である場合においては、国土交通省令で定めるところにより、可動部の径間長を前各項の規定によらないものとすることができる。

（可動堰の可動部の径間長の特例）

第三十九条　可動堰の可動部の一部を土砂吐き又は舟通しとしての効用を兼ねるものとする場合においては、前条第一項の規定にかかわらず、当該部分の径間長は、計画高水流量に応じ、次の表の第三欄に掲げる値以上とすることができる。この場合においては、可動部の径間長の平均値は、同条第二項に該当する可動堰の可動部を除き、同表の第四欄に掲げる値以上でなければならない。

項	計画高水流量（単位　一秒間につき立方メートル）	可動部のうち土砂吐き又は舟通しとしての効用を兼ねる部分の径間長（単位　メートル）	可動部の径間長の平均値（単位　メートル）
一	五〇〇未満	一二・五	一五
二	五〇〇以上　二、〇〇〇未満	一二・五	二〇
三	二、〇〇〇以上　四、〇〇〇未満	一五	三〇
四	四、〇〇〇以上	二〇	四〇

2　前項の規定によれば可動堰の可動部のうち土砂吐き又は舟通しとしての効用を兼ねる部分以外の部分の径間長が著しく大となり、当該部分のゲートの構造上適当でなく、かつ、治水上の支障がないと認められる場合においては、国土交通省令で定めるところにより、可動部の径間長を同項後段の規定によらないものとすることができる。

（可動堰の可動部のゲートの構造）

第四〇条　第十条第一項から第三項まで、第十一条及び第十二条の規定は、可動堰の可動部のゲートについて準用する。

2　前項に規定するもののほか、可動堰の可動部のゲートの構造の基準に関し必要な事項は、国土交通省令で定める。

（可動堰の可動部のゲートの高さ）

第四一条　可動堰の可動部の引上げ式ゲートの最大引上げ時における下端の高さは、計画高水流量に応じ、計画高水位に第二十条第一項の表の下欄に掲げる値を加えた値以上で、高潮区間においては計画高潮位を下回らず、その他の区間においては当該地点における河川の両岸の堤防（計画横断形が定められている場合において、計画堤防（津波区間にあつては、津波が生じないとした場合に定めるべき計画横断形に係る堤防。以下この項において同じ。）の高さが現状の堤防の高さより低く、かつ、治水上の支障がないと認められるとき、又は計画堤防の高さが現状の堤防の高さより高いときは、計画堤防）の表法肩を結ぶ線の高さを下回らないものとするものとする。

2　可動堰の可動部の起伏式ゲートの倒伏時における上端の高さは、可動堰の基礎部（床版を含む。）の高さ以下とするものとする。

（可動堰の可動部の引上げ式ゲートの高さの特例）

第四二条　背水区間に設ける可動堰の可動部の引上げ式ゲートの最大引上げ時における下端の高さは、治水上の支障がないと認められるときは、前条第一項の規定にかかわらず、次に掲げる高さのうちいずれか高い方の高さ以上とすることができる。

一　当該河川に背水が生じないとした場合に定めるべき計画高水位に、計画高水流量に応じ、第二十条第一項の表の下欄に掲げる値を加えた高さ

二　計画高水位（高潮区間にあつては、計画高潮位）

2　地盤沈下のおそれがある地域に設ける可動堰の可動部の引上げ式ゲートの最大引上げ時における下端の高さは、前条第一項及び前項の規定によるほか、予測される地盤沈下及び河川の状況を勘案して必要と認められる高さを下回らないものとする。

（可動堰の管理施設等）

第四三条　可動堰には、必要に応じ、管理橋その他の適当な管理施設を設けるものとする。

2　可動堰を設ける場合において、当該可動堰を操作する者の安全を確保するため必要があるときは、自動的に、又は遠隔操作により可動部のゲートの開閉を行うことができるものとするものとする。

（護床工等）

第四四条　第三十四条から第三十五条の二までの規定は、堰を設ける場合について準用する。

（洪水を分流させる堰に関する特例）

第四五条　第三十七条及び第四十一条の規定は、洪水を分流させる堰については、適用しない。

第六章　水門及び樋門

（構造の原則）

第四六条　水門及び樋門は、計画高水位（高潮区間にあつては、計画高潮位）以下の水位の流水の作用に対して安全な構造とするものとする。

２　高規格堤防設置区間及び当該区間に係る背水区間における水門及び樋門にあつては、前項の規定によるほか、高規格堤防設計水位以下の水位の流水の作用に対して耐えることができる構造とするものとする。

３　水門及び樋門は、計画高水位以下の水位の洪水の流下を妨げず、付近の河岸及び河川管理施設の構造に著しい支障を及ぼさず、並びに水門又は樋門に接続する河床及び高水敷の洗掘の防止について適切に配慮された構造とするものとする。

（構造）

第四七条　水門及び樋門（ゲート及び管理施設を除く。）は、鉄筋コンクリート構造又はこれに準ずる構造とするものとする。

２　樋門は、堆積土砂等の排除に支障のない構造とするものとする。

（断面形）

第四八条　河川を横断して設ける水門及び樋門の流水を流下させる部分の断面形は、計画高水流量（舟の通行の用に供する水門にあつては、計画高水流量及び通行すべき舟の規模）を勘案して定めるものとする。

２　前項の規定は、河川及び準用河川以外の水路が河川に合流する箇所において当該水路を横断して設ける水門及び樋門について準用する。

（河川を横断して設ける水門の径間長等）

第四九条　第三十七条から第三十九条まで（第三十八条第五項を除く。）の規定は、河川を横断して設ける水門について準用する。この場合において、第三十七条中「可動堰の可動部（流水を流下させるためのゲート及びこれを支持する堰柱に限る。次条及び第三十九条において同じ。）以外の部分（堰柱を除く。）及び固定堰」とあるのは、「水門のうち流水を流下させるためのゲート及び門柱以外の部分」と、第三十八条及び第三十九条中「可動堰の可動部」とあり、及び「可動部」とあるのは、「水門のうち流水を流下させるためのゲート及びこれを支持する門柱の部分」と、第三十八条第一項中「堰柱」とあるのは、「門柱」と読み替えるものとする。

２　河川を横断して設ける樋門で二門以上のゲートを有するものの内法幅は、五メートル以上とするものとする。ただし、内法幅が内法高の二倍以上となるときは、この限りでない。

（ゲート等の構造）

第五〇条　水門及び樋門のゲートは、確実に開閉し、かつ、必要な水密性を有する構造とするものとする。

２　水門及び樋門のゲートは、鋼構造又はこれに準ずる構造とするものとする。

３　水門及び樋門のゲートの開閉装置は、ゲートの開閉を確実に行うことができる構造とするものとする。

（水門のゲートの高さ等）

第五一条　水門のカーテンウォールの上端の高さ又はカーテンウォールを有しない水門のゲートの閉鎖時における上端の高さは、水門に接続する堤防の高さ（計画横断形が定められている場合において、計画堤防の高さが現状の堤防の高さより低く、かつ、治水上の支障がないと認められるとき、又は計画堤防の高さが現状の堤防の高さより高いときは、計画堤防）の高さを下回らないものとするものとする。ただし、高潮区間において水門の背後地の状況その他の特別の事情により治水上支障がないと認められるときは、水門の構造、波高等を考慮して、計画高潮位以上の適切な高さとすることができる。

２　第四十一条第一項の規定は、河川を横断して設ける水門（流水を分流させる水門を除く。）のカーテンウォール及びゲートの高さについて、第四十二条の規定は、河川を横断して設ける水門のカーテンウォール及びゲートの高さについて準用する。この場合において、これらの規定中「可動堰の可動部の引上げ式ゲートの最大引上げ時における下端の高さ」とあるのは、「水門のカーテンウォールの下端の高さ及び水門の引上げ式ゲートの最大引上げ時における下端の高さ」と読み替えるものとする。

（水門及び樋門の管理施設等）

第五二条　第四十三条の規定は、水門及び樋門について準用する。

２　水門は、国土交通省令で定めるところにより、管理用通路としての効用を兼ねる構造とするものとする。

（護床工等）

第五三条　第三十四条及び第三十五条の規定は、水門又は樋門を設ける場合について準用する。

第七章　揚水機場、排水機場及び取水塔

（揚水機場及び排水機場の構造の原則）

第五四条　揚水機場及び排水機場は、河岸及び河川管理施設の構造に著しい支障を及ぼさない構造とするものとする。

２　揚水機場及び排水機場のポンプ室（ポンプを据え付ける床及びその下部の室に限る。）、吸水槽及び吐出水槽その他の調圧部は、鉄筋コンクリート構造又はこれに準ずる構造とするものとする。

（排水機場の吐出水槽等）

第五五条　樋門を有する排水機場には、吐出水槽その他の調圧部を設けるものとする。ただし、樋門が横断する河岸又は堤防（非常用の土砂等を備蓄し、又は環境を保全するために設けられる側帯を除く。第五十七条第一項、第六十五条第二項、第七十条第一項及び第七十二条において同じ。）の構造に支障を及ぼすおそれがないときは、この限りでない。

２　吐出水槽その他の調圧部の上端の高さは、排水機場の樋門が横断する堤防（計画横断形が定められている場合において、計画堤防の高さが現状の堤防の高さより低く、かつ、治水上の支障がないと認められるとき又は計画堤防の高さが現状の堤防の高さより高いときは、計画堤防）の高さ以上とするものとする。

（流下物排除施設）

第五六条　揚水機場及び排水機場には、土砂、竹木その他の流下物を排除するため、沈砂池、スクリーンその他の適当な流下物排除施設を設けるものとする。ただし、河川管理上の支障がないと認められるときは、この限りでない。

（樋門）

第五七条　揚水機場及び排水機場の樋門と樋門以外の部分とは、構造上分離するものとする。ただし、樋門が横断する河岸又は堤防の構造に支障を及ぼすおそれがないときは、この限りでない。

２　第四十九条第二項の規定は、揚水機場又は排水機場の樋門でポンプによる揚水又は排水のみの用に供されるものについては、適用しない。

（取水塔の構造）

第五八条　取水塔（流下断面内に設けるものに限る。以下この条及び次条において同じ。）は、計画高水位以下の水位の洪水の流下を妨げず、付近の河岸及び河川管理施設の構造に著しい支障を及ぼさず、並びに取水塔に接続する河床及び高水敷の洗掘の防止について適切に配慮された構造とするものとする。

２　取水塔は、鉄筋コンクリート構造又はこれに準ずる構造とするものとする。

３　取水塔の河床下の部分には、直接取水する取水口を設けてはならない。ただし、取水口の規模及び深さ等を考慮して治水上の支障がないと認められるときは、この限りでない。

（護床工等）

第五九条　第三十四条及び第三十五条の規定は、取水塔を設ける場合について準用する。

第八章　橋

（河川区域内に設ける橋台及び橋脚の構造の原則）

第六〇条　河川区域内に設ける橋台及び橋脚は、計画高水位（高潮区間にあつては、計画高潮位）以下の水位の流水の作用に対して安全な構造とするものとする。

２　河川区域内に設ける橋台及び橋脚は、計画高水位以下の水位の洪水の流下を妨げず、付近の河岸及び河川管理施設の構造に著しい支障を及ぼさず、並びに橋台又は橋脚に接続する河床及び高水敷の洗掘の防止について適切に配慮された構造とするものとする。

（橋台）

第六一条　河岸又は川幅が五十メートル以上の河川、背水区間若しくは高潮区間に係る堤防（計画横断形が定められている場合には、計画堤防。以下この条において同じ。）に設ける橋台は、流下断面内に設けてはならない。

ただし、山間狭窄部であることその他河川の状況、地形の状況等により治水上の支障がないと認められるときは、この限りでない。

2　堤防に設ける橋台（前項の橋台に該当するものを除く。）は、堤防の表法肩より表側の部分に設けてはならない。

3　堤防に設ける橋台の表側の面は、堤防の法線に平行して設けるものとする。ただし、堤防の構造に著しい支障を及ぼさないために必要な措置を講ずるときは、この限りでない。

4　堤防に設ける橋台の底面は、堤防の地盤に定着させるものとする。

（橋脚）

第六二条　河道内に設ける橋脚（基礎部（底版を含む。次項において同じ。）その他流水が作用するおそれがない部分を除く。以下この項において同じ。）の水平断面は、できるだけ細長い楕円形その他これに類する形状のものとし、かつ、その長径（これに相当するものを含む。）の方向は、洪水が流下する方向と同一とするものとする。ただし、橋脚の水平断面が極めて小さいとき、橋脚に作用する洪水が流下する方向と直角の方向の荷重が極めて大きい場合であつて橋脚の構造上やむを得ないと認められるとき、又は洪水が流下する方向が一定でない箇所に設けるときは、橋脚の水平断面を円形その他これに類する形状のものとすることができる。

2　河道内に設ける橋脚の基礎部は、低水路（計画横断形が定められている場合には、当該計画横断形に係る低水路を含む。以下この項において同じ。）及び低水路の河岸の法肩から二十メートル以内の高水敷においては低水路の河床の表面から深さ二メートル以上の部分に、その他の高水敷においては高水敷（計画横断形が定められている場合には、当該計画横断形に係る高水敷を含む。以下この項において同じ。）の表面から深さ一メートル以上の部分に設けるものとする。ただし、河床の変動が極めて小さいと認められるとき、又は河川の状況その他の特別の事情によりやむを得ないと認められるときは、それぞれ低水路の河床の表面又は高水敷の表面より下の部分に設けることができる。

（径間長）

第六三条　橋脚を河道内に設ける場合においては、当該箇所において洪水が流下する方向と直角の方向に河川を横断する垂直な平面に投影した場合における隣り合う河道内の橋脚の中心線間の距離（河岸又は堤防（計画横断形が定められている場合には、計画堤防。以下この条において同じ。）に橋台を設ける場合においては橋台の胸壁の表側の面から河道内の直近の橋脚の中心線までの距離を含み、河岸又は堤防に橋台を設けない場合においては当該平面上の流下断面（計画横断形が定められている場合には、計画横断形に係る流下断面）の上部の角から河道内の直近の橋脚の中心線までの距離を含む。以下この条において「径間長」という。）は、山間狭窄部であることその他河川の状況、地形の状況等により治水上の支障がないと認められる場合を除き、次の式によつて得られる値（その値が五十メートルを超える場合においては、五十メートル）以上とするものとする。ただし、径間長を次の式によつて得られる値（以下この項及び第三項において「基準径間長」という。）以上とすればその平均値を基準径間長に五メートルを加えた値を超えるものとしなければならないときは、径間長は、基準径間長から五メートルを減じた値（三十メートル未満となるときは、三十メートル）以上とすることができる。

$$L=20+0.005Q$$

この式において、L及びQは、それぞれ次の数値を表すものとする。

L　径間長（単位　メートル）

Q　計画高水流量（単位　一秒間につき立方メートル）

2　次の各号の一に該当する橋（国土交通省令で定める主要な公共施設に係るものを除く。）の径間長は、河川管理上著しい支障を及ぼすおそれがないと認められるときは、前項の規定にかかわらず、当該各号に掲げる値以上とすることができる。

一　計画高水流量が一秒間につき五百立方メートル未満で川幅が三十メートル未満の河川に設ける橋　十二・五メートル

二　計画高水流量が一秒間につき五百立方メートル未満で川幅が三十メートル以上の河川に設ける橋　十五メートル

三　計画高水流量が一秒間につき五百立方メートル以上二千立方メートル未満の河川に設ける橋　二十メートル

3　基準径間長が二十五メートルを超えることとなる場合においては、第一項の規定にかかわらず、流心部以外の部分に係る橋の径間長を二十五メートル以上とすることができる。この場合においては、橋の径間長の平均値は、これらの規定により定められる径間長以上としなければならない。

4　河道内に橋脚が設けられている橋、堰その他の河川を横断して設けられている施設に近接して設ける橋の径間長については、これらの施設の相互の関係を考慮して治水上必要と認められる範囲内において国土交通省令で特則を定めることができる。

（桁下高等）

第六四条　第四十一条第一項及び第四十二条の規定は、橋の桁下高について準用する。この場合において、これらの規定中「可動堰の可動部の引上げ式ゲートの最大引上げ時における下端の高さ」とあるのは、「橋の桁下高」と読み替えるものとする。

2　橋面（路面その他国土交通省令で定める橋の部分をいう。）の高さは、背水区間又は高潮区間においても、橋が横断する堤防（計画横断形が定められている場合において、計画堤防の高さが現状の堤防の高さより低く、かつ、治水上の支障がないと認められるとき、又は計画堤防の高さが現状の堤防の高さより高いときは、計画堤防）の高さ以上とするものとする。

（護岸等）

第六五条　第三十四条及び第三十五条の規定は、橋を設ける場合について準用する。

2　前項の規定による場合のほか、橋の下の河岸又は堤防を保護するため必要があるときは、河岸又は堤防をコンクリートその他これに類するもので覆うものとする。

（管理用通路の構造の保全）

第六六条　橋（取付部を含む。）は、国土交通省令で定めるところにより、管理用通路の構造に支障を及ぼさない構造とするものとする。

（適用除外）

第六七条　第六十一条第一項から第三項まで、第六十二条、第六十三条及び第六十四条の規定は、湖沼、遊水地その他これらに類するものの区域（国土交通省令で定める要件に該当する区域を除く。）内に設ける橋及び治水上の影響が著しく小さいものとして国土交通省令で定める橋については、適用しない。

2　この章（第六十四条及び前条を除く。）の規定は、ダム、堰又は水門と効用を兼ねる橋及び樋門又は取水塔に附属して設けられる橋については、適用しない。

第九章　伏せ越し

（適用の範囲）

第六八条　この章の規定は、用水施設又は排水施設である伏せ越しについて適用する。

（構造の原則）

第六九条　伏せ越しは、計画高水位（高潮区間にあつては、計画高潮位）以下の水位の流水の作用に対して安全な構造とするものとする。

2　伏せ越しは、計画高水位以下の水位の洪水の流下を妨げず、並びに付近の河岸及び河川管理施設の構造に著しい支障を及ぼさない構造とするものとする。

（構造）

第七〇条　堤防（計画横断形が定められている場合には、計画堤防を含む。以下この項において同じ。）を横断して設ける伏せ越しにあつては、堤防の下に設ける部分とその他の部分とは、構造上分離するものとする。ただし、堤防の地盤の地質、伏せ越しの深さ等を考慮して、堤防の構造に支障を及ぼすおそれがないときは、この限りでない。

2　第四十七条の規定は、伏せ越しの構造について準用する。

（ゲート等）

第七一条　伏せ越しには、流水が河川外に流出することを防止するため、河川区域内の部分の両端又はこれに代わる適当な箇所に、ゲート（バルブを含む。次項において同じ。）を設けるものとする。ただし、地形の状況により必要がないと認められるときは、この限りでない。

2　第十条第二項の規定は前項のゲートの開閉装置について、第四十三条第一項の規定は伏せ越しについて準用する。

（深さ）

第七二条 伏せ越しは、低水路（計画横断形が定められている場合には、当該計画横断形に係る低水路を含む。以下この条において同じ。）及び低水路の河岸の法肩から二十メートル以内の高水敷においては低水路の河床の表面から、その他の高水敷においては高水敷（計画横断形が定められている場合には、当該計画横断形に係る高水敷を含む。以下この条において同じ。）の表面から、堤防（計画横断形が定められている場合には、計画堤防を含む。以下この条において同じ。）の下の部分においては堤防の地盤面から、それぞれ深さ二メートル以上の部分に設けるものとする。ただし、河床の変動が極めて小さいと認められるとき、又は河川の状況その他の特別の事情によりやむを得ないと認められるときは、それぞれ低水路の河床の表面、高水敷の表面又は堤防の地盤面より下の部分に設けることができる。

第十章 雑則

（適用除外）

第七三条 この政令の規定は、次に掲げる河川管理施設又は許可工作物（以下「河川管理施設等」という。）については、適用しない。

一 治水上の機能を早急に向上させる必要がある小区間の河川における応急措置によつて設けられる河川管理施設等

二 臨時に設けられる河川管理施設等

三 工事を施行するために仮に設けられる河川管理施設等

四 特殊な構造の河川管理施設等で、国土交通大臣がその構造が第二章から第九章までの規定によるものと同等以上の効力があると認めるもの

（**計画高水流量等の決定又は変更があつた場合の適用の特例**）

第七四条 河川管理施設等が、これに係る工事の着手（許可工作物にあつては、法第二十六条の許可。以下この条において同じ。）があつた後における計画高水流量、計画横断形、計画高水位、計画津波水位又は計画高潮位（以下この条において「計画高水流量等」という。）の決定又は変更によつてこの政令の規定に適合しないこととなつた場合においては、当該河川管理施設等については、当該計画高水流量等の決定又は変更がなかつたものとみなして当該規定を適用する。ただし、工事の着手が当該計画高水流量等の決定又は変更の後である改築（災害復旧又は応急措置として行われるものを除く。）に係る河川管理施設等については、この限りでない。

（**暫定改良工事実施計画が定められた場合の特例**）

第七五条 河川整備基本方針において定められた河川の総合的な保全と利用に関する基本方針に沿つて計画的に実施すべき改良工事の暫定的な工事の実施計画（以下「暫定改良工事実施計画」という。）が定められた場合においては、当該暫定改良工事実施計画において定められた高水流量、横断形、高水位、津波水位又は高潮位は、国土交通省令で定めるところにより、それぞれ計画高水流量、計画横断形、計画高水位、計画津波水位又は計画高潮位とみなす。

（**小河川の特例**）

第七六条 計画高水流量が一秒間につき百立方メートル未満の小河川に設ける河川管理施設等については、国土交通省令で定めるところにより、この政令の規定によらないものとすることができる。

（**準用河川に設ける河川管理施設等の構造について市町村が参酌すべき基準**）

第七七条 法第百条第一項において準用する法第十三条第二項の政令で定める基準については、第二条から第七十四条まで及び前条の規定を準用する。この場合において、第二条第四号、第八号及び第十一号中「河川整備基本方針に従つて、過去」とあるのは「過去」と、同条第五号中「河川整備基本方針に従つて、河川管理者」とあるのは「河川管理者」と、同条第七号中「河川整備基本方針に従つて、計画高水流量」とあるのは「計画高水流量」と、同条第九号中「河川整備基本方針に従つて、計画津波」とあるのは「計画津波」と、同条第十三号中「河川整備基本方針に定められた」とあるのは「河川管理者が定めた」と、第七十三条第四号中「国土交通大臣」とあるのは「市町村長」と読み替えるものとする。

附 則

（**施行期日**）

1 この政令は、昭和五十一年十月一日から施行する。

（**経過措置**）

2 この政令の施行の際現に存する河川管理施設等又は現に工事中の河川管理施設等（既に法第二十六条の許可を受け、工事に着手するに至らない許可工作物を含む。）がこの政令の規定に適合しない場合においては、当該河川管理施設等については、当該規定は、適用しない。ただし、工事の着手（許可工作物にあつては、法第二十六条の許可）がこの政令の施行の後である改築（災害復旧又は応急措置として行われるものを除く。）に係る河川管理施設等については、この限りでない。

附 則〔略〕〔平成三・一〇・二五政令三三三〕

附 則〔平成四・一・二四政令五〕

（**施行期日**）

1 この政令は、平成四年二月一日から施行する。

（**経過措置**）

2 この政令の施行の際現に存する水門及び樋門（以下「水門等」という。）又は現に工事中の水門等（既に河川法第二十六条第一項の許可を受け、工事に着手するに至らないものを含む。）がこの政令の規定に適合しない場合においては、当該水門等については、当該規定は、適用しない。ただし、工事の着手（同項の許可を受けて設置される水門等にあっては、同項の許可）がこの政令の施行の後である改築（災害復旧又は応急措置として行われるものを除く。）に係る水門等については、この限りでない。

附 則〔平成九・一一・二八政令三四三〕

（**施行期日**）

第一条 この政令は、河川法の一部を改正する法律の施行の日（平成九年十二月一日）から施行する。

（**経過措置**）

第二条 この政令の施行の際現に存する床止め及び堰（以下「床止め等」という。）又は現に工事中の床止め等（既に河川法第二十六条第一項の許可を受け、工事に着手するに至らないものを含む。）が改正後の河川管理施設等構造令第三十五条の二（第四十四条において準用する場合を含む。）の規定に適合しない場合においては、当該床止め等については、当該規定は、適用しない。ただし、工事の着手（同項の許可を受けて設置される床止め等にあっては、同項の許可）がこの政令の施行の後である改築（災害復旧又は応急措置として行われるものを除く。）に係る床止め等については、この限りでない。

附 則〔略〕〔平成一二・六・七政令三一二〕

附 則〔略〕〔平成二三・一二・二六政令四二四〕

附 則〔抄〕〔平成二五・七・五政令二一四〕

（**施行期日**）

第一条 この政令は、水防法及び河川法の一部を改正する法律の施行の日（平成二十五年七月十一日）から施行する。

（**経過措置**）

第二条 この政令の施行の際現に存する堤防又は現に工事中の堤防（既に河川法第二十六条第一項の許可を受け、工事に着手するに至らないものを含む。）については、第二条の規定による改正後の河川管理施設等構造令第二十八条の規定にかかわらず、なお従前の例による。ただし、改築（災害復旧又は応急措置として行われるものを除く。次項において同じ。）に係る堤防であって、その工事の着手（同法第二十六条第一項の許可を受けて改築される堤防にあっては、同項の許可）がこの政令の施行の後であるものについては、この限りでない。

2 この政令の施行の際現に存する可動堰、水門及び樋門（以下この項において「可動堰等」という。）又は現に工事中の可動堰等（既に河川法第二十六条第一項の許可を受け、工事に着手するに至らないものを含む。）が第二条の規定による改正後の河川管理施設等構造令第四十三条第二項（同令第五十二条第一項において準用する場合を含む。）の規定に適合しない場合においては、当該可動堰等については、当該規定は、適用しない。ただし、改築に係る可動堰等であって、その工事の着手（同法第二十六条第一項の許可を受けて改築される可動堰等にあっては、同項の許可）がこの政令の施行の後であるものについては、この限りでない。

○河川管理施設等構造令施行規則

〔昭和五一・一〇・一　建設省令一三〕

改正　昭和五六・一〇建令一七、平成三・七建令一四、平成四・一建令二、平成九・一一建令一九、平成一二・一一建令四一、平成二五・七国交令五九

（ダムの構造計算）

第一条　ダムの堤体及び基礎地盤（これと堤体との接合部を含む。次項及び第八条において同じ。）に関する構造計算は、ダムの非越流部の直上流部における水位が次の各号に掲げる場合及びダムの危険が予想される場合における荷重を採用して行うものとする。

一　常時満水位である場合

二　サーチャージ水位である場合

三　設計洪水位である場合

2　フィルダムの堤体及び基礎地盤に関する構造計算は、前項の規定によるほか、ダムの非越流部の直上流部における水位が常時満水位以下で、かつ、水位を急速に低下させる場合における荷重を採用して行うものとする。

（ダムの構造計算に用いる設計震度）

第二条　ダムの構造計算に用いる設計震度は、ダムの種類及び地域の区分に応じ、次の表に掲げる値以上の値で当該ダムの実情に応じて定める値とする。

	ダムの種類＼地域の区分		強震帯地域	中震帯地域	弱震帯地域
一	重力式コンクリートダム		〇・一二	〇・一二	〇・一〇
二	アーチ式コンクリートダム		〇・二四	〇・二四	〇・二〇
三	フィルダム	ダムの堤体がおおむね均一の材料によるもの	〇・一五	〇・一五	〇・一二
		その他のもの	〇・一五	〇・一二	〇・一〇

2　ダムの非越流部の直上流部における水位がサーチャージ水位である場合は、第四条第二項の場合を除き、ダムの構造計算に用いる設計震度は、前項の規定により定めた値の二分の一の値とすることができる。

3　アーチ式コンクリートダムのゲートを堤体以外の場所に設ける場合における当該ゲートの構造計算に用いる設計震度は、前二項の規定により定めた値の二分の一の値とすることができる。

4　第一項の表に掲げる強震帯地域、中震帯地域及び弱震帯地域は、国土交通大臣が別に定めるものとする。

（ダムの堤体の自重）

第三条　河川管理施設等構造令（以下「令」という。）第六条のダムの堤体の自重は、ダムの堤体の材料の単位体積重量を基礎として計算するものとする。

（貯留水による静水圧の力）

第四条　令第六条の貯留水による静水圧の力は、ダムの堤体と貯留水との接触面に対して垂直に作用するものとし、次の式によつて計算するものとする。

$$P=W_0h_0$$

この式において、P、W_0及びh_0は、それぞれ次の数値を表すものとする。

P　貯留水による静水圧の力（単位　一平方メートルにつき重量トン）

W_0　水の単位体積重量（単位　一立方メートルにつき重量トン）

h_0　次の表の中欄に掲げる区分に応じ、同表の下欄に掲げる水位からダムの堤体と貯留水との接触面上の静水圧の力を求めようとする点までの水深（単位　メートル）

項	貯水池の水位	ダムの非越流部の直上流部における波浪を考慮した水位（単位　メートル）
一	ダムの非越流部の直上流部における水位が常時満水位である場合	常時満水位に風による波浪の貯水池の水面からの高さ及び地震による波浪の貯水池の水面からの高さを加えた水位
二	ダムの非越流部の直上流部における水位がサーチャージ水位である場合	サーチャージ水位に風による波浪の貯水池の水面からの高さ及び地震による波浪の貯水池の水面からの高さの二分の一を加えた水位
三	ダムの非越流部の直上流部における水位が設計洪水位である場合	設計洪水位に風による波浪の貯水池の水面からの高さを加えた水位

2　令第五条第一項及び前項の地震による波浪の貯水池の水面からの高さは、第二条第一項の規定により定めた設計震度の値を用いて計算するものとする。

（貯水池内に堆積する泥土による力）

第五条　令第六条の貯水池内に堆積する泥土による力は、ダムの堤体と貯水池内に堆積する泥土との接触面において鉛直方向及び水平方向に作用するものとし、鉛直方向に作用する力は堆積する泥土の水中における単位体積重量を基礎として計算するものとし、水平方向に作用する力は次の式によつて計算するものとする。

$$Pe=CeW_1d$$

この式において、Pe、Ce、W_1及びdは、それぞれ次の数値を表すものとする。

Pe　泥土による水平力（単位　一平方メートルにつき重量トン）

Ce　適切な工学試験の結果又は類似のダムの構造計算に用いられた値に基づき定める泥圧係数

W_1　堆積する泥土の水中における単位体積重量（単位　一立方メートルにつき重量トン）

d　貯水池内に堆積すると予想される泥土面からダムの堤体と堆積する泥土との接触面上の泥土による水平力を求めようとする点までの深さ（単位　メートル）

（地震時におけるダムの堤体の慣性力）

第六条　令第六条の地震時におけるダムの堤体の慣性力は、ダムの堤体に水平方向に作用するものとし、次の式によつて計算するものとする。

$$I=WKd$$

この式において、I、W及びKdは、それぞれ次の数値を表すものとする。

I　地震時におけるダムの堤体の慣性力（単位　一立方メートルにつき重量トン）

W　ダムの堤体の自重（単位　一立方メートルにつき重量トン）

Kd　第二条第一項又は第二項の規定により定めた設計震度

（地震時における貯留水による動水圧の力）

第七条　令第六条の地震時における貯留水による動水圧の力は、ダムの堤体と貯留水との接触面に対して垂直に作用するものとし、適切な工学試験又は類似のダムの構造計算に用いられた方法に基づき定める場合を除き、次の式によつて計算するものとする。

$$Pd=0.875W_0Kd\sqrt{H_1h_1}$$

この式において、Pd、W_0、Kd、H_1及びh_1は、それぞれ次の数値を表すものとする。

Pd　地震時における貯留水による動水圧の力（単位　一平方メートルにつき重量トン）

W_0　水の単位体積重量（単位　一立方メートルにつき重量トン）

Kd　第二条第一項又は第二項の規定により定めた設計震度

H_1　ダムの非越流部の直上流部における水位から基礎地盤までの水深（単位　メートル）

h_1　ダムの非越流部の直上流部における水位からダムの堤体と貯

留水との接触面上の動水圧を求めようとする点までの水深（単位　メートル）

（貯留水による揚圧力）

第八条　令第六条の貯留水による揚圧力は、ダムの堤体及び基礎地盤における揚圧力を求めようとする断面に対して垂直上向きに作用するものとし、断面の区分に応じ、次の表に掲げる値を基礎として計算するものとする。

断面の区分＼断面上の位置	(一) 上流端	(二) 上流端と下流端との間 (イ) 上流端と排水孔との間	(二) (ロ) 排水孔	(二) (ハ) 排水孔と下流端との間	(三) 下流端
一　排水孔の効果が及ぶ断面	上流側水圧の値	(一)欄の値と(二)の(ロ)欄の値とを直線的に変化させた値	(一)欄の値と(三)欄の値との差の五分の一以上の値に(三)欄の値を加えた値	(二)の(ロ)欄の値と(三)欄の値とを直線的に変化させた値	下流側水圧の値
二　排水孔の効果が及ばない断面又は排水孔の無いダムの断面	上流側水圧と下流側水圧との差の三分の一以上の値に下流側水圧を加えた値	(一)欄の値と(三)欄の値とを直線的に変化させた値			下流側水圧の値

（コンクリートダムの安定性及び強度）

第九条　コンクリートダムは、第一条第一項に規定する場合において、ダムの堤体と基礎地盤との接合部及びその付近における剪断力による滑動に対し、必要な剪断摩擦抵抗力を有するものとする。

2　前項の剪断摩擦抵抗力は、次のイの式によつて計算するものとし、かつ、次のロの式を満たすものでなければならない。

イ　$Rb=fV+\tau_0 l_0$

ロ　$Rb \geqq 4H$

これらの式において、Rb、f、V、τ_0、l_0及びHは、それぞれ次の数値を表すものとする。

Rb　単位幅当たりの剪断摩擦抵抗力（単位　一メートルにつき重量トン）

f　適切な工学試験の結果又は類似のダムの構造計算に用いられた値に基づき定める内部摩擦係数

V　単位幅当たりの剪断面に作用する垂直力（単位　一メートルにつき重量トン）

τ_0　類似のダムに関する資料及び岩盤性状等により明らかな場合を除き、現場試験の結果に基づき定める剪断強度（単位　一平方メートルにつき重量トン）

l_0　剪断抵抗力が生ずる剪断面の長さ（単位　メートル）

H　単位幅当たりの剪断力（単位　一メートルにつき重量トン）

3　コンクリートダムの堤体に生ずる応力は、第一条第一項に規定する場合において、標準許容応力を超えてはならないものとする。ただし、地震時において、ダムの堤体に生ずる圧縮応力については、標準許容応力にその三十パーセント以内の値を加えた値を超えてはならないものとする。

4　前項の標準許容応力は、ダムの堤体の材料として用いられるコンクリートの圧縮強度を基準とし、安全率を四以上として定めるものとする。

5　重力式コンクリートダムの堤体は、第一条第一項に規定する場合において、その上流面に引つ張り応力を生じない構造とするものとする。ただし、局部的な引つ張り応力に対して鉄筋等で補強されているダムの堤体の部分については、この限りでない。

（フィルダムの安定性及び堤体材料）

第一〇条　フィルダムは、第一条第一項及び第二項に規定する場合において、ダムの堤体の材料の性質及び基礎地盤の状況を考慮し、ダムの堤体の内部、ダムの堤体と基礎地盤との接合部及びその付近における滑りに対し、必要な滑り抵抗力を有するものとする。

2　前項の滑り抵抗力は、次のイの式によつて計算するものとし、かつ、次のロの式を満たすものでなければならない。

イ　$Rs=\Sigma\{(N-U)\tan\phi+Cl_1\}$

ロ　$Rs \geqq 1.2\Sigma T$

これらの式において、Rs、N、U、ϕ、C、l_1及びTは、それぞれ次の数値を表すものとする。

Rs　単位幅当たりの滑り抵抗力（単位　一メートルにつき重量トン）

N　円形滑り面上の各分割部分に作用する荷重の単位幅当たりの垂直分力（単位　一メートルにつき重量トン）

U　円形滑り面上の各分割部分に作用する荷重の単位幅当たりの間げき圧（単位　一メートルにつき重量トン）

ϕ　円形滑り面上の各分割部分の材料の内部摩擦角（単位　度）

C　円形滑り面上の各分割部分の材料の粘着力（単位　一平方メートルにつき重量トン）

l_1　円形滑り面上の各分割部分の長さ（単位　メートル）

T　円形滑り面上の各分割部分に作用する荷重の単位幅当たりの接線分力（単位　一メートルにつき重量トン）

3　フィルダムの堤体は、第一条第一項に規定する場合において、浸潤線がダムの堤体の下流側の法面と交わらない構造とするものとする。

4　フィルダムのしゃ水壁は、次の各号に定めるところによるものとする。

一　しゃ水壁の材料は、土質材料その他不透水性のものであること。

二　しゃ水壁の高さは、令第五条の規定による値以上であること。

三　しゃ水壁及びこれと基礎地盤との接合部は、貫孔作用が生じないものであること。

5　基礎地盤から堤頂までの高さが三十メートル以上で、かつ、その堤体がおおむね均一の材料によるフィルダムの構造は、第一項及び第三項の規定によるほか、堤体の材料及び設計等について類似のダムに用いられた適切な工学試験又は計算等に基づき安全の確認されたものとする。

6　フィルダムには、ダムの堤体の点検、修理等のため貯水池の水位を低下させることができる放流設備を設けるものとする。

（ダムのゲートに作用する荷重）

第一一条　令第十一条に規定するダムのゲートに作用する荷重のうち、ゲートの自重、貯留水による静水圧の力、貯水池内に堆積する泥土による力、地震時におけるゲートの慣性力及び地震時における貯留水による動水圧の力については、第三条から第七条までの規定を準用する。この場合において、これらの規定中「ダムの堤体」とあるのは、「ダムのゲート」と読み替えるものとする。

2　ダムのゲートに作用する荷重としては、次の表の中欄に掲げる区分に応じ、同表の下欄に掲げるものを採用するものとする。

項	区分	荷重
一	地震時以外の時	W、P、Pe、Pi、Po
二	地震時	W、P、Pe、Pi、I、Pd

備考
この表において、W、P、Pe、Pi、I、Pd、及びPoは、それぞれ次の荷重を表すものとする。
W　ゲートの自重
P　貯留水による静水圧の力
Pe　貯水池内に堆積する泥土による力
Pi　貯留水の氷結時における力
I　地震時におけるゲートの慣性力
Pd　地震時における貯留水による動水圧の力
Po　ゲートの開閉によつて生ずる力

3　前項の表において採用する荷重によりダムのゲートに生ずる応力は、適切な工学試験の結果に基づき定める許容応力を超えてはならないものとする。

（ダムの越流型洪水吐きのゲート等の構造）
第一二条　越流型洪水吐きの引上げ式ゲートの最大引上げ時におけるゲートの下端及び越流型洪水吐きに附属して設けられる橋、巻上げ機その他の堤頂構造物は、設計洪水位において放流されることとなる流量の流水の越流水面から一・五メートル以上の距離を置くものとする。
2　ダム設計洪水流量の流水が洪水吐きを流下する場合における越流水深が二・五メートル以下であるダムに関する前項の規定の適用については、同項中「一・五メートル」とあるのは、「一・〇メートル」とする。

（ダムの越流型洪水吐きの越流部の幅の特例）
第一二条の二　越流型洪水吐きを有するダムの上流における堤防（計画横断形が定められている場合には、計画堤防を含む。）の高さが当該ダムの設計洪水位以上非越流部の高さ以下である場合においては、第十七条から第十九条までの規定を当該ダムの洪水吐きについて準用する。この場合において、これらの規定中「可動部」とあるのは「越流型洪水吐き」と、「径間長」とあるのは、「越流部の幅（洪水吐きの越流部が門柱、橋脚等によつて分割されているときは、分割されたそれぞれの越流部の幅をいう。）」と、第十七条及び第十九条中「径間長に応じた径間数」とあるのは、「当該越流部の幅に応じた越流部の数」と、第十九条中「可動堰（ぜき）」とあるのは、「ダム」と読み替えるものとする。

（貯水池に沿つて設置する樹林帯の構造）
第一三条　令第十六条の貯水池に沿つて設置する樹林帯の構造は、成木に達したときの樹木の樹冠投影面積を樹林帯を設置する土地の区域の面積で除した値が十分の八以上であるものとする。

（高規格堤防の構造計算）
第一三条の二　高規格堤防及びその地盤に関する構造計算は、河道内の水位が次に掲げる場合及び河道内の水位が高規格堤防設計水位以下で、かつ、水位が急速に低下する場合における荷重を採用して行うものとする。
一　平水位である場合
二　計画高水位である場合
三　高規格堤防設計水位である場合
2　高規格堤防の構造計算は、高規格堤防の表法肩（のり）から令第二十一条第一項及び第二項の規定による天端幅の部分より堤内地側の部分の敷地である土地が、通常の利用に供することができるものであるものとして行うものとする。

（高規格堤防の構造計算に用いる設計震度）
第一三条の三　高規格堤防及びその地盤の滑りに関する構造計算に用いる設計震度は、第二条第四項の強震帯地域、中震帯地域及び弱震帯地域の区分に応じ、それぞれ〇・一五、〇・一二及び〇・一〇とする。
2　高規格堤防の地盤の液状化に関する構造計算に用いる高規格堤防の表面における設計震度は、前項に規定する値に一・二五を乗じて得た値とする。
3　河道内の水位が平水位を超え計画高水位以下である場合は、高規格堤防及びその地盤の構造計算に用いる設計震度は、前二項に規定する値の二分の一の値とすることができる。

（高規格堤防に作用する荷重）
第一三条の四　第三条、第四条第一項及び第六条の規定は、高規格堤防及びその地盤に作用する荷重について準用する。この場合において、第三条及び第四条第一項中「ダムの堤体」とあるのは、「高規格堤防」と、第四条第一項中「貯留水」とあるのは、「河道内の流水」と、「次の表の中欄に掲げる区分に応じ、同表の下欄に掲げる水位」とあるのは、「河道内の流水の水位」と、第六条中「ダムの堤体」とあるのは、「高規格堤防及びその地盤」と、「第二条第一項又は第二項の規定により定めた設計震度」とあるのは、「第十三条の三第一項に規定し、又は同条第三項の規定により定めた設計震度」と読み替えるものとする。
2　令第二十二条の二の越流水によるせん断力は、高規格堤防と越流水との接触面において作用するものとし、次の式によつて計算するものとする。

$$\tau = W_0 hsIe$$

この式において τ、W_0、hs及びIeは、それぞれ次の数値を表すものとする。
τ　越流水によるせん断力（単位　一平方メートルにつき重量トン）
W_0　水の単位体積重量（単位　一立方メートルにつき重量トン）
hs　高規格堤防の表面における越流水の水深（単位　メートル）
Ie　越流水のエネルギー勾配

（高規格堤防の安定性）
第一三条の五　高規格堤防は、第十三条の二第一項に規定する場合において、河道内の流水による洗掘に対し、必要な抵抗力を有するものとし、かつ、河道内の水位が高規格堤防設計水位である場合において、越流水によるせん断力による洗掘に対し、必要なせん断抵抗力を有するものとする。
2　高規格堤防は、第十三条の二第一項に規定する場合において、高規格堤防の内部及び高規格堤防の地盤面の付近における滑りに対し、必要な滑り抵抗力を有するものとする。
3　第十条第二項の規定は、前項の滑り抵抗力について準用する。
4　高規格堤防は、第十三条の二第一項に規定する場合において、浸潤線が高規格堤防の裏側の表面と交わらない構造とするものとし、かつ、高規格堤防の地盤面の付近における浸透に対し、必要な抵抗力を有するものとする。
5　高規格堤防の地盤は、河道内の水位が計画高水位以下である場合において、地震時の液状化に対し、必要な抵抗力を有するものとする。

（堤防の側帯）
第一四条　令第二十四条に規定する側帯は、次の各号に掲げる種類に応じ、それぞれ当該各号に定めるところにより設けるものとする。
一　第一種側帯　旧川の締切箇所、漏水箇所その他堤防の安定を図るため必要な箇所に設けるものとし、その幅は、一級河川の指定区間外においては五メートル以上、一級河川の指定区間内及び二級河川においては三メートル以上とすること。
二　第二種側帯　非常用の土砂等を備蓄するため特に必要な箇所に設けるものとし、その幅は、五メートル以上で、かつ、堤防敷（側帯を除く。）の幅の二分の一以下（二十メートル以上となる場合は、二十メートル）とし、その長さは、おおむね長さ十メートルの堤防の体積（百立方メートル未満となる場合は、百立方メートル）の土砂等を備蓄するために必要な長さとすること。
三　第三種側帯　環境を保全するため特に必要な箇所に設けるものとし、その幅は、五メートル以上で、かつ、堤防敷（側帯を除く。）の幅の二分の一以下（二十メートル以上となる場合は、二十メートル）とすること。

（堤防に沿つて設置する樹林帯の構造）
第一四条の二　令第二十六条の二の堤防に沿つて設置する樹林帯の構造は、堤内の土地にある樹林帯にあつては、成木に達したときの胸高直径が三十センチメートル以上の樹木が十平方メートル当たり一本以上あるものその他洪水時における破堤の防止等の効果がこれと同等以上のものとする。

（堤防の管理用通路）
第一五条　令第二十七条に規定する管理用通路は、次の各号に定めるところにより設けるものとする。ただし、管理用通路に代わるべき適当な通路がある場合、堤防の全部若しくは主要な部分がコンクリート、鋼矢板若しくはこれらに準ずるものによる構造のものである場合又は堤防の高さと堤内地盤高との差が〇・六メートル未満の区間である場合においては、この限りでない。

一　幅員は、三メートル以上で堤防の天端幅以下の適切な値とすること。

二　建築限界は、次の図に示すところによること。

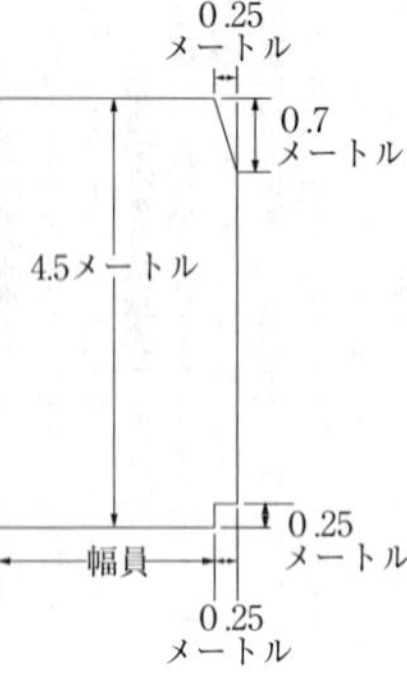

（床止めの設置に伴い必要となる護岸）

第一六条　令第三十五条に規定する護岸は、次の各号に定めるところにより設けるものとする。ただし、地質の状況等により河岸又は堤防の洗掘のおそれがない場合その他治水上の支障がないと認められる場合は、この限りでない。

一　床止めに接する河岸又は堤防の護岸は、上流側は床止めの上流端から十メートルの地点又は護床工の上流端から五メートルの地点のうちいずれか上流側の地点から、下流側は水叩きの下流端から十五メートルの地点又は護床工の下流端から五メートルの地点のうちいずれか下流側の地点までの区間以上の区間に設けること。

二　前号に掲げるもののほか、河岸又は堤防の護岸は、湾曲部であることその他河川の状況等により特に必要と認められる区間に設けること。

三　河岸（低水路の河岸を除く。以下この号において同じ。）又は堤防の護岸の高さは、計画高水位以上とすること。ただし、床止めの設置に伴い流水が著しく変化することとなる区間にあつては、河岸又は堤防の高さとすること。

四　低水路の河岸の護岸の高さは、低水路の河岸の高さとすること。

（床止めの設置に伴い必要となる魚道）

第一六条の二　令第三十五条の二の魚道の構造は、次に定めるところによるものとする。

一　床止めの直上流部及び直下流部における通常予想される水位変動に対して魚類の遡上等に支障のないものとすること。

二　床止めに接続する河床の状況、魚道の流量、魚道において対象とする魚種等を適切に考慮したものとすること。

（可動堰の可動部の径間長の特例）

第一七条　令第三十八条第三項に規定する場合における可動部の径間長は、同条第一項の規定による径間長に応じた径間数に一を加えた値で可動部の全長を除して得られる値以上とすることができる。ただし、可動部の径間長の平均値が三十メートルを超えることとなる場合においては、流心部以外の部分に係る可動部の径間長を三十メートル以上とすることができる。

（可動堰の可動部が起伏式である場合における可動部の径間長の特例）

第一八条　令第三十八条第五項に規定する場合における可動部の径間長は、同条第二項に該当する場合を除き、ゲートの直高が二メートル以下の場合は、ゲートの縦の長さと横の長さとの比の値が十分の一となる値（十五メートル未満となる場合は、十五メートル）以上とすることができる。

（可動堰の可動部のうち土砂吐き等としての効用を兼ねる部分以外の部分の径間長の特例）

第一九条　令第三十九条第二項に規定する場合における可動部の径間長は、可動堰の可動部のうち土砂吐き又は舟通しとしての効用を兼ねる部分以外の部分（以下この条において「兼用部分以外の部分」という。）の径間長が計画高水流量に応じ、同条第一項の表の第四欄に掲げる値を十メートル以上超えることとなる場合又はゲートの縦の長さと横の長さとの比の値が十五分の一以下となる場合においては、当該径間長を同表の第四欄に掲げる値以上とすることができる。ただし、次の各号の一に該当する場合においては、可動部の径間長を当該各号に定める値以上とすることができる。

一　計画高水流量が一秒間につき五百立方メートル未満であり、かつ、兼用部分以外の部分の可動部の全長が三十メートル未満である場合　十二・五メートル

二　計画高水流量が一秒間につき二千立方メートル以上であり、かつ、兼用部分以外の部分の径間長が五十メートル以上である場合　令第三十九条第一項の規定による径間長に応じた径間数に一を加えた値で兼用部分以外の部分の可動部の全長を除して得られる値

（可動堰の可動部のゲートに作用する荷重）

第二〇条　第四条、第六条及び第七条の規定は、可動堰の可動部のゲートに作用する荷重について準用する。この場合において、これらの規定中「ダムの堤体」とあるのは「可動堰の可動部のゲート」と、第四条第二項中「第二条第一項の規定により定めた設計震度」とあり、並びに第六条及び第七条中「第二条第一項又は第二項の規定により定めた設計震度」とあるのは、「第二十条第二項に規定する設計震度」と、第四条第一項中「次の表の中欄に掲げる区分に応じ、同表の下欄に掲げる水位」とあるのは、「計画湛水位に風による波浪の影響等を勘案し必要と認められる高さを加えた水位」と、同条第二項中「令第五条第一項及び前項」とあるのは「前項」と、第七条中「ダム」とあるのは、「可動堰」と、「ダムの非越流部の直上流部における水位」とあるのは、「計画湛水位」と読み替えるものとする。

2　可動堰の可動部のゲートの構造計算に用いる設計震度は、第二条第四項の強震帯地域、中震帯地域及び弱震帯地域の区分に応じ、それぞれ〇・一二、〇・一二及び〇・一〇とする。

3　可動堰の可動部のゲートについては、第一項に規定するもののほか、必要に応じ、洪水時又は高潮時における動水圧その他のゲートに作用する荷重を計算するものとする。

（可動堰の可動部が起伏式である場合におけるゲートの構造）

第二一条　可動堰の可動部が起伏式である場合におけるゲート（潮止めをその設置の目的に含む堰のゲートを除く。）の構造の基準は、前条に規定するもののほか、次に定めるところによるものとする。

一　ゲートの起立時における上端の高さは、計画横断形に係る低水路の河床の高さと計画高水位との中間位以下とすること。ただし、ゲートを洪水時においても土砂、竹木その他の流下物によつて倒伏が妨げられない構造とするとき、又は治水上の機能の確保のため適切と認められる措置を講ずるときは、ゲートの起立時における上端の高さを堤内地盤高又は計画高水位のうちいずれか低い方の高さ以下とすることができる。

二　ゲートの直高は、三メートル以下とすること。ただし、ゲートを洪水時においても土砂、竹木その他の流下物によつて倒伏が妨げられない構造とするときは、この限りでない。

（堰の設置に伴い必要となる護岸等）

第二二条　第十六条及び第十六条の二の規定は、堰の設置に伴い必要となる護岸及び魚道について準用する。この場合において、同条中「床止め」とあるのは、「堰」と読み替えるものとする。

（水門の径間長の特例）

第二三条　第十七条及び第十九条の規定は、河川を横断して設ける水門について準用する。この場合において、第十七条及び第十九条中「可動部」とあり、及び第十九条中「可動堰の可動部」とあるのは、「水門のうち流水を流下させるためのゲート及びこれを支持する門柱の部分」と読み替えるものとする。

（管理用通路としての効用を兼ねる水門の構造）

第二四条　令第五十二条第二項の管理用通路としての効用を兼ねる水門の構造は、次の各号に定めるところによるものとする。ただし、管理用通路に代わるべき適当な通路がある場合は、この限りでない。

一　管理橋の幅員は、水門に接続する管理用通路の幅員を考慮した適切な値とすること。

二　管理橋の設計自動車荷重は、二十トンとすること。ただし、管理橋の幅員が三メートル未満の場合は、この限りでない。

（水門又は樋門の設置に伴い必要となる護岸）

第二五条　河川又は水路を横断して設ける水門又は樋門の設置に伴い必要となる護岸は、次の各号に定めるところにより設けるものとする。ただし、地質の状況等により河岸又は堤防の洗掘のおそれがない場合その他治水上の支障がないと認められる場合は、この限りでない。

一　水門が横断する河川に設ける護岸については、第十六条各号の規定を準用する。この場合において、同条第一号及び第三号中「床止め」とあるのは、「水門」と、同条第一号中「上流側」とあるのは、「当該水門が横断する河川の上流側」と、「下流側」とあるのは、「当該水門が横断する河川の下流側」と読み替えるものとする。

二　水門又は樋門が横断する河岸又は堤防に設ける護岸は、当該水門及び樋門の両端から上流及び下流にそれぞれ十メートルの地点を結ぶ区間以上の区間に設けるものとし、その高さについては、第十六条第三号及び第四号の規定を準用する。この場合において、同条第三号中「床止め」とあるのは、「水門又は樋門」と読み替えるものとする。

（取水塔の設置に伴い必要となる護岸）

第二六条　取水塔の設置に伴い必要となる護岸は、地質の状況等により河岸又は堤防の洗掘のおそれがない場合その他治水上の支障がないと認められる場合を除き、取水塔の上流端及び下流端から上流及び下流にそれぞれ取水塔と河岸又は堤防との距離の二分の一（令第六十三条第一項の規定による基準径間長の二分の一を超えることとなる場合は、基準径間長の二分の一。十メートル未満となる場合は、十メートル）の距離の地点を結ぶ区間以上の区間に設けるものとし、その高さについては、第十六条第三号及び第四号の規定を準用する。この場合において、同条第三号中「床止め」とあるのは、「取水塔」と読み替えるものとする。

第二七条　削除

（主要な公共施設に係る橋）

第二八条　令第六十三条第二項の国土交通省令で定める主要な公共施設に係る橋は、次の各号に掲げるものに係る橋とする。

一　全国新幹線鉄道整備法（昭和四十五年法律第七十一号）第二条に規定する新幹線鉄道

二　道路法（昭和二十七年法律第百八十号）第三条第一号に規定する高速自動車国道

三　前号に規定する道路以外の道路で幅員三十メートル以上のもの

（近接橋の特則）

第二九条　令第六十三条第四項に規定する河道内に橋脚が設けられている橋、堰その他の河川を横断して設けられている施設（以下この項において「既設の橋等」という。）に近接して設ける橋（以下この条において「近接橋」という。）の径間長は、令第六十三条第一項から第三項までに規定するところによるほか、次の各号に掲げる場合に応じ、それぞれ当該各号に定めるところにより近接橋の橋脚を設けることとした場合における径間長の値とするものとする。ただし、既設の橋等の改築又は撤去が五年以内に行われることが予定されている場合は、この限りでない。

一　既設の橋等と近接橋との距離（洪水時の流心線に沿った見通し線（以下この項において「見通し線」という。）上における既設の橋等の橋脚、堰柱等（以下この項において「既設の橋脚等」という。）と近接橋の橋脚との間の距離をいう。次号において同じ。）が令第六十三条第一項の規定による基準径間長未満である場合においては、近接橋の橋脚を既設の橋脚等の見通し線上に設けること。

二　既設の橋等と近接橋との距離が、令第六十三条第一項の規定による基準径間長以上であつて、かつ、川幅（二百メートルを超えることとなる場合は、二百メートル）以内である場合においては、近接橋の橋脚を既設の橋脚等の見通し線上又は既設の橋等の径間の中央の見通し線上に設けること。

2　前項の規定によれば近接橋の径間長が七十メートル以上となる場合においては、同項の規定にかかわらず、径間長を令第六十三条第一項の規定による基準径間長から十メートルを減じた値以上とすることができる。

3　第一項の規定によれば近接橋の流心部の径間長が七十メートル以上となる場合においては、同項の規定にかかわらず、径間長の平均値を令第六十三条第一項の規定による基準径間長から十メートルを減じた値（三十メートル未満となる場合は、三十メートル）以上とすることができる。

（橋面）

第三〇条　令第六十四条第二項の国土交通省令で定める橋の部分は、地覆その他流水又は波浪が橋を通じて河川外に流出することを防止するための措置を講じた部分とする。

（橋の設置に伴い必要となる護岸）

第三一条　橋の設置に伴い必要となる護岸は、次の各号に定めるところにより設けるものとする。ただし、地質の状況等により河岸又は堤防の洗掘のおそれがない場合その他治水上の支障がないと認められる場合は、この限りでない。

一　河道内に橋脚を設けるときは、河岸又は堤防に最も近接する橋脚の上流端及び下流端から上流及び下流にそれぞれ令第六十三条第一項の規定による基準径間長の二分の一の距離の地点を結ぶ区間以上の区間に設けること。

二　河岸又は堤防に橋台を設けるときは、橋台の両端から上流及び下流にそれぞれ十メートルの地点を結ぶ区間以上の区間に設けること。

三　護岸の高さについては、第十六条第三号及び第四号の規定を準用する。この場合において、同条第三号中「床止め」とあるのは、「橋」と読み替えるものとする。

（管理用通路の保全のための橋の構造）

第三二条　令第六十六条の管理用通路の構造に支障を及ぼさない橋（取付部を含む。）の構造は、管理用通路（管理用通路を設けることが計画されている場合は、当該計画されている管理用通路）の構造を考慮して適切な構造の取付通路その他必要な施設を設けた構造とする。ただし、管理用通路に代わるべき適当な通路がある場合は、この限りでない。

（適用除外の対象とならない区域）

第三三条　令第六十七条第一項の国土交通省令で定める要件に該当する区域は、橋の設置地点を含む一連区間における計画高水位の勾配、川幅その他河川の状況等により治水上の支障があると認められる区域とする。

（治水上の影響が著しく小さい橋）

第三四条　令第六十七条第一項の国土交通省令で定める橋は、次の各号に掲げるものとする。

一　高水敷に設ける橋で小規模なもの

二　低水路に設ける橋で可動式とする等の特別の措置を講じたもの

（暫定改良工事実施計画が定められた場合の特例）

第三五条　令第七十五条に規定する暫定改良工事実施計画が定められた場合における令及びこの省令の規定の適用については、次の各号に定めるところによるものとする。

一　堤防及び床止めについては、暫定改良工事実施計画において定められた高水流量、横断形、高水位、津波水位又は高潮位は、それぞれ計画高水流量、計画横断形、計画高水位、計画津波水位又は計画高潮位とみなすものとする。

二　堤防及び床止め以外の河川管理施設等については、令及びこの省令の規定を適用すれば当該河川管理施設等の機能の維持が著しく困難となる場合その他特別の事情により著しく不適当であると認められる場合においては、暫定改良工事実施計画において定められた高水流量、横断形、高水位、津波水位又は高潮位は、それぞれ計画高水流量、計画横断形、計画高水位、計画津波水位又は計画高潮位とみなすものとする。

（小河川の特例）

第三六条　令第七十六条に規定する小河川に設ける河川管理施設等については、河川管理上の支障があると認められる場合を除き、次の各号に定めるところによることができる。

一　堤防の天端幅は、計画高水位が堤内地盤高より高く、かつ、その差が〇・六メートル未満である区間においては、計画高水流量に応じ、次の表の下欄に掲げる値以上とすること。

項	計画高水流量（単位　一秒間につき立方メートル）	天端幅（単位　メートル）
一	五〇未満	二
二	五〇以上一〇〇未満	二・五

二　堤防の高さは、計画高水位が堤内地盤高より高く、かつ、その差が〇・六メートル未満である区間においては、計画高水流量が一秒間につき五十立方メートル未満であり、かつ、堤防の天端幅が二・五メートル以上である場合は、計画高水位に〇・三メートルを加えた値以上とすること。

三　堤防に設ける管理用通路は、川幅が十メートル未満である区間においては、幅員は、二・五メートル以上とし、建築限界は、次の図に示すところによること。

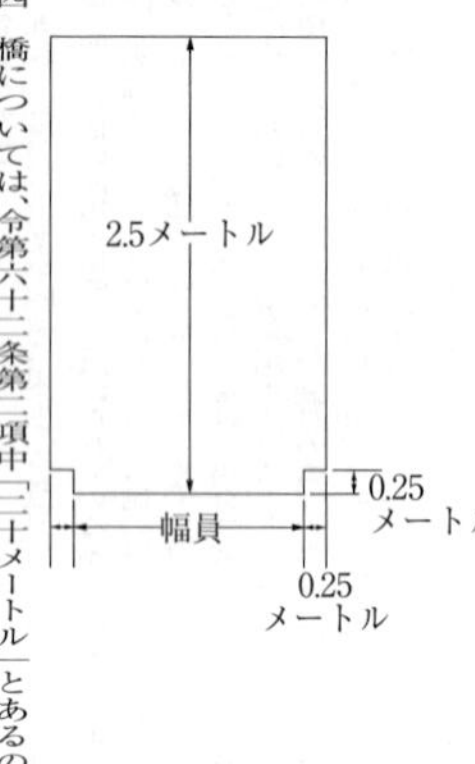

四　橋については、令第六十二条第二項中「二十メートル」とあるのは「十メートル」と、「二メートル」とあるのは、「一メートル」と、「一メートル」とあるのは、「〇・五メートル」と読み替えて同項の規定を適用すること。

五　伏せ越しについては、令第七十二条中「二十メートル」とあるのは「十メートル」と、「二メートル」とあるのは、「一メートル」と読み替えて同条の規定を適用すること。

附　則〔略〕〔昭和五一・一〇・一建設省令一三施行〕

附　則〔昭和五六・一〇・一六建設省令一七〕

1　この省令は、昭和五十七年四月一日から施行する。

2　この省令の施行の際現に存する河川管理施設等又は現に工事中の河川管理施設等（既に河川法（昭和三十九年法律第百六十七号。以下「法」という。）第二十六条の許可を受け、工事に着手するに至らない許可工作物を含む。）が改正後の河川管理施設等構造令施行規則第二条第一項又は第二十条第二項の規定に適合しない場合においては、当該河川管理施設等については、当該規定にかかわらず、なお従前の例による。ただし、工事の着手（許可工作物にあつては、法第二十六条の許可）がこの省令の施行の後である改築（災害復旧又は応急措置として行われるものを除く。）に係る河川管理施設等については、この限りでない。

附　則〔略〕〔平成四・一・三一建設省令二〕

附　則〔略〕〔平成九・一一・二八建設省令一九〕

附　則〔略〕〔平成一二・一一・二〇建設省令四一〕

附　則〔平成二五・七・五国土交通省令五九〕

この省令は、水防法及び河川法の一部を改正する法律の施行の日（平成二十五年七月十一日）から施行する。

○特定多目的ダム法〔昭和三二・三・三一　法律三五〕

改正　昭和三四・四法一四八、昭和三七・九法一六一、昭和三八・六法九九、昭和三九・七法一六八、昭和四五・四法一三、昭和四七・六法五四、昭和四九・三法一九、昭和五四・三法五、昭和六一・一二法九四、平成五・一一法八九、平成一一・五法四三、七法八七、一二法一六〇、平成一二・五法九一、平成一四・七法九八、平成一五・五法六一、平成一七・一〇法一〇二、平成二五・六法三五、平成二八・五法五一、平成二九・六法四五、令和三・五法三七

目次

第一章　総則（第一条―第三条）
第二章　多目的ダムの建設（第四条―第十四条）
第三章　ダム使用権（第十五条―第二十八条）
第四章　多目的ダムの管理（第二十九条―第三十三条）
第五章　雑則（第三十四条―第三十八条）
附則

第一章　総則

（目的）

第一条　この法律は、多目的ダムの建設及び管理に関し河川法（昭和三十九年法律第百六十七号）の特例を定めるとともに、ダム使用権を創設し、もつて多目的ダムの効用をすみやかに、かつ、十分に発揮させることを目的とする。

（定義）

第二条　この法律において「多目的ダム」とは、国土交通大臣が河川法第九条第一項の規定により自ら新築するダムで、これによる流水の貯留を利用して流水が発電、水道又は工業用水道の用（以下「特定用途」という。）に供されるものをいい、余水路、副ダムその他ダムと一体となつてその効用を全うする施設又は工作物（もつぱら特定用途に供されるものを除く。）を含むものとする。

2　この法律において「ダム使用権」とは、多目的ダムによる一定量の流水の貯留を一定の地域において確保する権利をいう。

（特定用途のための流水占用の制限）

第三条　多目的ダムによる流水の貯留を利用して流水を特定用途に供する者は、河川法第二十三条の規定による流水の占用の許可又は同法第二十三条の二の規定による流水の占用の登録によつて生ずる権利（以下「流水占用権」という。）を有するほか、ダム使用権を有する者（以下「ダム使用権者」という。）でなければならない。

第二章　多目的ダムの建設

（基本計画）

第四条　国土交通大臣は、多目的ダムを新築しようとするときは、その建設に関する基本計画（以下「基本計画」という。）を作成しなければならない。

2　基本計画には、新築しようとする多目的ダムに関し、次に掲げる事項を定めなければならない。

一　建設の目的
二　位置及び名称
三　規模及び型式
四　貯留量、取水量及び放流量並びに貯留量の用途別配分に関する事項
五　ダム使用権の設定予定者
六　建設に要する費用及びその負担に関する事項
七　工期
八　その他建設に関する基本的事項

3　次の各号に掲げる要件に該当する多目的ダムに関する基本計画の作成又は変更の際、発電の用以外の特定用途の全部又は一部についてダム使用権の設定予定者を定めることができない特別の事情があり、かつ、当該基本計画の作成後政令で定める期間内にこれを定めることができる見込みが十分であるときは、当該特定用途に係る前項各号に掲げる事項については、その際定めることができる限度において基本計画に定めれば足りる。この場合においては、国土交通大臣は、当該ダム使用権の設定予定者を定めることができることとなつた後、遅滞なく、当該基本計画を変更して、必要な事項を定めなければならない。

一　当該多目的ダムにより、洪水等による災害の発生を防止し若しくは軽減し、又は流水の正常な機能を維持し若しくは増進する緊急の必要があること。

二　発電の用以外の特定用途に係る水の需要が十分にあり、かつ、当該多目的ダムによりその供給を確保する緊急の必要があること。

4　国土交通大臣は、基本計画を作成し、変更し、又は廃止しようとするときは、あらかじめ、関係行政機関の長に協議するとともに、関係都道府県知事及び基本計画に定められるべき、又は定められたダム使用権の設定予定者の意見をきかなければならない。この場合において、関係都道府県知事は、意見を述べようとするときは、当該都道府県の議会の議決を経なければならない。

5　国土交通大臣は、基本計画を作成し、変更し、又は廃止したときは、すみやかに、その旨を公示するとともに、関係行政機関の長、関係都道府県知事及びダム使用権の設定予定者に通知しなければならない。

（ダム使用権の設定予定者の要件）

第五条　ダム使用権の設定予定者は、ダム使用権の設定を申請した者で、第十五条第二項各号に掲げる要件を備える者でなければならない。

（ダム使用権の設定予定者の地位の承継）

第六条　相続人、合併又は分割により設立される法人その他のダム使用権の設定予定者の一般承継人（法人の分割による承継の場合にあつては、申請された流水の用途に係る事業の全部を承継する法人に限る。）は、被承継人が有していたこの法律の規定に基づく地位を承継する。

（建設費の負担）

第七条　ダム使用権の設定予定者は、多目的ダムの建設に要する費用のうち、建設の目的である各用途について、多目的ダムによる流水の貯留を利用して流水を当該用途に供することによつて得られる効用から算定される推定の投資額及び当該用途のみに供される工作物でその効用と同等の効用を有するものの設置に要する推定の費用の額並びに多目的ダムの建設に要する費用の財源の一部に借入金が充てられる場合においては、支払うべき利息の額を勘案して、政令で定めるところにより算出した額の費用を負担しなければならない。

２　多目的ダムの建設に要する費用の範囲、負担金の納付の方法及び期限その他前項の負担金に関し必要な事項は、政令で定める。

第八条　多目的ダムの建設に要する費用について河川法第六十条第一項の規定により都道府県が負担すべき負担金の額は、その建設に要する費用の額から前条第一項の負担金及び政令で定めるその他の負担金の額を控除した額に同法第六十条第一項に定める都道府県の負担割合を乗じた額及び都道府県が収納する政令で定めるその他の負担金の額を合算した額とする。

（受益者負担金）

第九条　多目的ダムの建設によつて著しく利益を受ける者がある場合において、その者が流水を政令で定める用途に供する者であるときは国土交通大臣、その他の者であるときは都道府県知事は、その利益を受ける限度において、多目的ダムの建設に要する費用の一部を負担させることができる。

２　前項の負担金を徴収する場合における負担金の徴収を受ける者の範囲及び徴収の方法については、国土交通大臣が負担させる場合にあつては政令で、都道府県知事が負担させる場合にあつては都道府県の条例で定める。

第一〇条　専用の施設を新設し、又は拡張して、新築される多目的ダムによる流水の貯留を利用して流水をかんがいの用に供する者は、多目的ダムの建設に要する費用につき当該用途について第七条第一項に規定する方法と同一の方法により算出した額のうち十分の一以内で政令で定める割合の額及びその額に対応する建設期間中の利息の額を合算した額の負担金を負担しなければならない。

２　前項の負担金は、都道府県知事が徴収する。

３　前条第二項の規定は、前項の負担金について準用する。

（負担金等の帰属）

第一一条　前二条の規定により都道府県知事が負担させ、又は徴収した負担金及びその負担金の納付義務者から徴収した延滞金は、当該都道府県に帰属する。

（建設費負担金の還付）

第一二条　ダム使用権の設定予定者のダム使用権の設定の申請が却下され、又は取り下げられたときは、その者がすでに納付した第七条第一項の負担金を還付するものとする。ただし、国土交通大臣は、基本計画を廃止する場合を除き、新たにダム使用権の設定予定者が定められるまでその還付を停止することができる。

（ダム使用権設定前の多目的ダムの利用）

第一三条　ダム使用権の設定予定者は、第三条の規定にかかわらず、ダム使用権の設定を受ける前に、国土交通大臣の許可を受けて、多目的ダムによる流水の貯留を利用して流水を特定用途に供することができる。

（建設の完了）

第一四条　国土交通大臣は、多目的ダムの建設を完了したときは、遅滞なく、その旨を公示するものとする。

第三章　ダム使用権

（設定の要件）

第一五条　ダム使用権は、国土交通大臣が、流水を特定用途に供しようとする者の申請によつて設定する。

２　国土交通大臣は、次の各号に掲げる要件に適合すると認めた場合でなければ、ダム使用権を設定してはならない。

一　申請人が多目的ダムによる流水の貯留を利用して流水を当該特定用途に供することが、河川の総合開発の目的に適合すること。

二　申請人が、流水を当該特定用途に供することについて、及び流水を当該特定用途に供することによつて営もうとする事業について必要な行政庁の許可、認可その他の処分を受けていること又は受ける見込が十分であること。

（設定の申請の却下）

第一六条　国土交通大臣は、基本計画を作成したときは、基本計画にダム使用権の設定予定者として定められた者以外の者の設定の申請を却下することができる。

２　国土交通大臣は、次の各号の一に該当すると認めたときは、ダム使用権の設定予定者の設定の申請を却下しなければならない。

一　ダム使用権の設定予定者が、前条第二項の要件を備えなくなつたとき。

二　第七条第一項の負担金を納付しないとき。

三　基本計画を廃止したとき。

（設定）

第一七条　国土交通大臣は、多目的ダムの建設を完了したときは、ただちに、ダム使用権の設定予定者にダム使用権の設定をしなければならない。

第一八条　ダム使用権の設定は、次の各号に掲げる事項を明らかにして行わなければならない。

一　設定の目的

二　ダム使用権により貯留が確保される流水の最高及び最低の水位並びに量

２　前項第二号に掲げる事項は、当該多目的ダムが十分にその効用を果たすために適切なものでなければならない。

（流水の貯留が確保される地域）

第一九条　ダム使用権によつて流水の貯留が確保される地域は、前条第一項第二号に規定する流水の最高水位における水平面が土地に接する線によつて囲まれる地域とする。

（性質）

第二〇条　ダム使用権は、物権とみなし、この法律に別段の定がある場合を除き、不動産に関する規定を準用する。

第二一条　ダム使用権は、相続、法人の合併その他の一般承継、譲渡、滞納処分、強制執行、仮差押え及び仮処分並びに一般の先取特権及び抵当権の目的となるほか、権利の目的となることができない。

（処分の制限）

第二二条　ダム使用権は、国土交通大臣の許可を受けなければ、移転（相続、法人の合併その他の一般承継（法人の分割による承継の場合にあつては、当該ダム使用権の設定の目的に係る事業の全部を承継させるものに限る。）によるものを除く。）の目的とし、分割し、併合し、又はその設定の目的を変更することができない。

第二三条　抵当権の設定が登録されているダム使用権については、その抵当権者の同意がなければ、分割、併合若しくは設定の目的の変更の許可を申請し、又はこれを放棄することができない。

（取消しの処分等）

第二四条　国土交通大臣は、ダム使用権者の有する流水占用権につき、河川法第二十三条の規定による許可又は同法第二十三条の二の規定による登録の全部又は一部を取り消す場合において、何人にも従前どおりの流水の占用を認めることができないときは、ダム使用権につき、これに相当する取消し又は変更の処分をしなければならない。

第二五条　国土交通大臣は、ダム使用権者の有する流水占用権につき、河川法第二十三条の規定による許可又は同法第二十三条の二の規定による登録の全部又は一部を取り消した場合において、他の者に新たに流水の占用を認めるため必要があるときは、ダム使用権者に対し、相当の期間を定めてダム使用権の全部又は一部を他の者に譲渡すべきことを命ずることができる。

２　前項の期間内にダム使用権の譲渡がされないときは、国土交通大臣は、ダム使用権者の有していた流水占用権の全部又は一部と同一の流水占用権につき他の者が河川法第二十三条の規定による許可又は同法第二十三条の二の規定による登録を受ける見込みが十分であるときに限り、ダム使用権の全部又は一部につき取消しの処分をすることができる。

（登録）
第二六条　ダム使用権又はダム使用権を目的とする抵当権の設定、変更、移転、消滅及び処分の制限は、ダム使用権登録簿に登録する。
2　前項の規定による登録は、登記に代るものとする。
3　第一項の規定による登録に関する処分については、行政手続法（平成五年法律第八十八号）第二章及び第三章の規定は、適用しない。
4　ダム使用権登録簿については、行政機関の保有する情報の公開に関する法律（平成十一年法律第四十二号）の規定は、適用しない。
5　ダム使用権登録簿に記録されている保有個人情報（個人情報の保護に関する法律（平成十五年法律第五十七号）第六十条第一項に規定する保有個人情報をいう。）については、同法第五章第四節の規定は、適用しない。
6　前各項に規定するもののほか、登録に関し必要な事項は、政令で定める。

（納付金）
第二七条　ダム使用権の設定を受ける者は、第十七条の規定により設定を受ける場合を除き、多目的ダムによる流水の貯留を利用して流水を当該ダム使用権の設定の目的である用途に供することによつて得られる効用から算定される推定の投資額を勘案して、政令で定めるところにより算出した額の納付金を国に納付しなければならない。

（負担金等の還付）
第二八条　ダム使用権につき、第二十四条又は第二十五条第二項の規定による取消又は変更の処分があつたときは、国は、すでに納付された第七条第一項の負担金又は前条の納付金のうち、同条に規定する方法と同一の方法により算出した金額を還付するものとする。ただし、第十七条の規定によりダム使用権の設定を受けた者に対して還付する額は、第七条第一項の負担金の額から政令で定めるところにより算定した償却額を控除した額をこえないものとする。
2　第二十四条又は第二十五条第二項の規定による取消又は変更の処分により消滅した全部又は一部のダム使用権の上に抵当権の設定が登録されているときは、国は、その抵当権者の承諾を得た場合を除き、前項の還付金を供託しなければならない。
3　抵当権者は、前項の規定により供託された還付金に対して、その権利を行うことができる。

第四章　多目的ダムの管理

第二九条　削除

（操作の基本原則）
第三〇条　多目的ダムの操作は、流水によつて生ずる公利を増進し、及び公害を除却し、又は軽減するとともに、ダム使用権を侵害しないように行わなければならない。

（操作規則）
第三一条　国土交通大臣は、多目的ダムの操作の基本原則に従い、多目的ダムの操作規則を定めなければならない。
2　多目的ダムの操作規則に定める事項については、政令で定める。
3　国土交通大臣は、多目的ダムの操作規則を定め、又は変更しようとするときは、あらかじめ、関係行政機関の長に協議するとともに、関係都道府県知事及びダム使用権の設定予定者又はダム使用権者の意見をきかなければならない。

（放流に関する通知等）
第三二条　国土交通大臣又は多目的ダムを管理する都道府県知事は、多目的ダムによつて貯留された流水を放流することによつて流水の状況に著しい変化を生ずると認める場合において、これによつて生ずる危害を防止するため必要があると認めるときは、政令で定めるところにより、あらかじめ、関係都道府県知事、関係市町村長及び関係警察署長に通知するとともに、一般に周知させるため必要な措置をとらなければならない。
2　前項の規定により都道府県が処理することとされている事務は、地方自治法（昭和二十二年法律第六十七号）第二条第九項第一号に規定する第一号法定受託事務とする。

（管理費用の負担）
第三三条　ダム使用権者（流水占用権を有しない者を除く。）は、政令で定めるところにより、多目的ダムの維持、修繕その他の管理に要する費用の一部を負担しなければならない。

第五章　雑則

第三四条　削除

（特別の納付金）
第三五条　第十三条の規定による許可を受けたダム使用権の設定予定者又はダム使用権者で、三月三十一日現在において多目的ダムによる流水の貯留を利用して流水を特定用途に供している者は、翌年の六月三十日までに、国又は都道府県が当該多目的ダムに関し国有資産等所在市町村交付金法（昭和三十一年法律第八十二号）第二十条の規定により地方公共団体に交付する交付金に相当する額の納付金を、国又は都道府県に納付しなければならない。

（強制徴収）
第三六条　第七条第一項、第九条第一項若しくは第十条第一項の負担金、第三十三条のダム使用権者の負担金又は第二十七条若しくは前条の納付金（以下この条において「負担金等」という。）を納付しない者があるときは、国土交通大臣又は都道府県知事は、督促状によつて納付すべき期限を指定して督促しなければならない。
2　前項の場合においては、国土交通大臣又は都道府県知事は、国土交通省令で定めるところにより、延滞金を徴収することができる。ただし、延滞金は、年十四・五パーセントの割合を乗じて計算した額をこえない範囲内で定めなければならない。
3　第一項の規定による督促を受けた者がその指定する期限までにその納付すべき金額を納付しないときは、国土交通大臣又は都道府県知事は、国税滞納処分の例により前二項に規定する負担金等及び延滞金を徴収することができる。この場合における負担金等及び延滞金の先取特権の順位は、国税及び地方税に次ぐものとする。
4　延滞金は、負担金等に先だつものとする。
5　負担金等及び延滞金を徴収する権利は、これらを行使することができる時から五年間行使しないときは、時効により消滅する。

（権限の委任）
第三七条　この法律に規定する国土交通大臣の権限は、国土交通省令で定めるところにより、その一部を地方整備局長又は北海道開発局長に委任することができる。

（政令への委任）
第三八条　この法律に定めるもののほか、この法律の実施のため必要な事項は、政令で定める。

附　則〔抄〕

（施行期日）
1　この法律は、昭和三十二年四月一日から施行する。

（建設中又は既設のダムに関する経過措置）
2　この法律の施行の際、現に建設大臣と流水を特定用途に供しようとし、又は供している者とが共同して建設し、又は設置しているダム（余水路、副ダムその他ダムと一体となつてその効用を全うする施設又は工作物で、もつぱら特定用途に供されるもの以外のものを含む。以下同じ。）は、その者の持分が国に帰属した時において、多目的ダムとなるものとする。この場合において必要な事項は、政令で定める。
3　この法律の施行の際、現に建設大臣が建設しているダムで政令で定めるものについては、第十条の規定は、適用しない。
8　四月一日から翌年の一月一日までの間に附則第二項の規定により多目的ダムとなつたもので、その年（一月一日に多目的ダムとなつたものについては、その前年。以下同じ。）の三月三十一日に当該ダムによる流水の貯留を利用して流水が発電の用に供されていたものについては、その年の三月三十一日に多目的ダムとなつたものとみなして、第三十五条及び国有資産等所在市町村交付金法の規定を適用する。この場合において、当該ダムが多目的ダムとなる前に当該ダムによる流水の貯留を利用して流水を発電の用に供する者があつたダムについて、課した、若しくは課すべき固定資産税又は交付した、若しくは交付すべき国有資産等所在市町村交付金若しくは国有資産等所在都道府県交付金があるときは、当該ダムが多目的ダムとなつた後の国有資産等所在市町村交付金及び国有資産等所在都道府県交付金並びに第三十五条の納付金の額に関して、政令で、調整のため必要な措置を定めることができる。

附　則〔抄〕〔昭和三四・四・二〇法律一四八〕

（施行期日）

1　この法律は、国税徴収法（昭和三十四年法律第百四十七号）の施行の日（昭和三五・一・一）から施行する。

（公課の先取特権の順位の改正に関する経過措置）

7　第二章の規定による改正後の各法令（徴収金の先取特権の順位に係る部分に限る。）の規定は、この法律の施行後に国税徴収法第二条第十二号に規定する強制換価手続による配当手続が開始される場合について適用し、この法律の施行前に当該配当手続が開始されている場合における当該法令の規定に規定する徴収金の先取特権の順位については、なお従前の例による。

附　則〔抄〕〔昭和三七・九・一五法律一六一〕

1　この法律は、昭和三十七年十月一日から施行する。

2　この法律による改正後の規定は、この附則に特別の定めがある場合を除き、この法律の施行前にされた行政庁の処分、この法律の施行前にされた申請に係る行政庁の不作為その他この法律の施行前に生じた事項についても適用する。ただし、この法律による改正前の規定によつて生じた効力を妨げない。

附　則〔略〕〔昭和三八・六・八法律九九〕

附　則〔略〕〔昭和三九・七・一〇法律一六八〕

附　則〔略〕〔昭和四七・六・六法律五四〕

附　則〔略〕〔昭和四九・三・三〇法律一九〕

附　則〔略〕〔昭和五四・三・三〇法律五〕

附　則〔略〕〔昭和六〇・五・一八法律三七〕

附　則〔抄〕〔昭和六一・一二・四法律九四〕

（施行期日）

第一条　この法律は、昭和六十二年四月一日から施行する。

（特定多目的ダム法の一部改正に伴う経過措置）

第二十一条　前条の規定による改正後の特定多目的ダム法第三十五条の規定は、昭和六十四年度以後の年度における同条に規定する納付金の額の算定について適用する。

2　昭和六十三年度までにおける前条の規定による改正前の特定多目的ダム法第三十五条に規定する納付金の額の算定については、同条の規定の例による。この場合において、同条中「国有資産等所在市町村交付金及び納付金に関する法律」とあるのは、「地方税法及び国有資産等所在市町村交付金及び納付金に関する法律の一部を改正する法律（昭和六十一年法律第九十四号）附則第十三条第二項の規定によりなお効力を有することとされる同法第二条の規定による改正前の国有資産等所在市町村交付金及び納付金に関する法律」とする。

附　則〔抄〕〔平成五・一一・一二法律八九〕

（施行期日）

第一条　この法律は、行政手続法（平成五年法律第八十八号）の施行の日〔平成六・一〇・一〕から施行する。

（諮問等がされた不利益処分に関する経過措置）

第二条　この法律の施行前に法令に基づき審議会その他の合議制の機関に対し行政手続法第十三条に規定する聴聞又は弁明の機会の付与の手続その他の意見陳述のための手続に相当する手続を執るべきことの諮問その他の求めがされた場合においては、当該諮問その他の求めに係る不利益処分の手続に関しては、この法律による改正後の関係法律の規定にかかわらず、なお従前の例による。

（罰則に関する経過措置）

第十三条　この法律の施行前にした行為に対する罰則の適用については、なお従前の例による。

（聴聞に関する規定の整理に伴う経過措置）

第十四条　この法律の施行前に法律の規定により行われた聴聞、聴問若しくは聴聞会（不利益処分に係るものを除く。）又はこれらのための手続は、この法律による改正後の関係法律の相当規定により行われたものとみなす。

（政令への委任）

第十五条　附則第二条から前条までに定めるもののほか、この法律の施行に関して必要な経過措置は、政令で定める。

附　則〔略〕〔平成一一・五・一四法律四三〕

附　則〔抄〕〔平成一一・七・一六法律八七〕

（施行期日）

第一条　この法律は、平成十二年四月一日から施行する。ただし、次の各号に掲げる規定は、当該各号に定める日から施行する。

一　〔前略〕附則〔中略〕第百六十条、第百六十三条、第百六十四条並びに第二百二条の規定　公布の日

二～六　〔略〕

（国等の事務）

第百五十九条　この法律による改正前のそれぞれの法律に規定するもののほか、この法律の施行前において、地方公共団体の機関が法律又はこれに基づく政令により管理し又は執行する国、他の地方公共団体その他公共団体の事務（附則第百六十一条において「国等の事務」という。）は、この法律の施行後は、地方公共団体が法律又はこれに基づく政令により当該地方公共団体の事務として処理するものとする。

（処分、申請等に関する経過措置）

第百六十条　この法律（附則第一条各号に掲げる規定については、当該各規定。以下この条及び附則第百六十三条において同じ。）の施行前に改正前のそれぞれの法律の規定によりされた許可等の処分その他の行為（以下この条において「処分等の行為」という。）又はこの法律の施行の際現に改正前のそれぞれの法律の規定によりされている許可等の申請その他の行為（以下この条において「申請等の行為」という。）で、この法律の施行の日においてこれらの行為に係る行政事務を行うべき者が異なることとなるものは、附則第二条から前条までの規定又は改正後のそれぞれの法律（これに基づく命令を含む。）の経過措置に関する規定に定めるものを除き、この法律の施行の日以後における改正後のそれぞれの法律の適用については、改正後のそれぞれの法律の相当規定によりされた処分等の行為又は申請等の行為とみなす。

2　この法律の施行前に改正前のそれぞれの法律の規定により国又は地方公共団体の機関に対し報告、届出、提出その他の手続をしなければならない事項で、この法律の施行の日前にその手続がされていないものについては、この法律及びこれに基づく政令に別段の定めがあるもののほか、これを、改正後のそれぞれの法律の相当規定により国又は地方公共団体の相当の機関に対して報告、届出、提出その他の手続をしなければならない事項についてその手続がされていないものとみなして、この法律による改正後のそれぞれの法律の規定を適用する。

（不服申立てに関する経過措置）

第百六十一条　施行日前にされた国等の事務に係る処分であって、当該処分をした行政庁（以下この条において「処分庁」という。）に施行日前に行政不服審査法に規定する上級行政庁（以下この条において「上級行政庁」という。）があったものについての同法による不服申立てについては、施行日以後においても、当該処分庁に引き続き上級行政庁があるものとみなして、行政不服審査法の規定を適用する。この場合において、当該処分庁の上級行政庁とみなされる行政庁は、施行日前に当該処分庁の上級行政庁であった行政庁とする。

2　前項の場合において、上級行政庁とみなされる行政庁が地方公共団体の機関であるときは、当該機関が行政不服審査法の規定により処理することとされる事務は、新地方自治法第二条第九項第一号に規定する第一号法定受託事務とする。

（手数料に関する経過措置）

第百六十二条　施行日前においてこの法律による改正前のそれぞれの法律（これに基づく命令を含む。）の規定により納付すべきであった手数料については、この法律及びこれに基づく政令に別段の定めがあるもののほか、なお従前の例による。

（罰則に関する経過措置）

第百六十三条　この法律の施行前にした行為に対する罰則の適用については、なお従前の例による。

（その他の経過措置の政令への委任）

第百六十四条　この附則に規定するもののほか、この法律の施行に伴い必要な経過措置（罰則に関する経過措置を含む。）は、政令で定める。

2　〔略〕

附　則〔略〕〔平成一一・一二・二二法律一六〇〕

附　則〔略〕〔平成一二・五・三一法律九一〕

附　則〔略〕〔平成一四・七・三一法律九八〕

附　則〔抄〕〔平成一五・五・三〇法律六一〕

附　則〔略〕〔平成一七・一〇・二一法律一〇二〕

附　則〔略〕〔平成二五・六・一二法律三五〕

附　則〔略〕〔平成二八・五・二七法律五一〕

附　則〔平成二九・六・二法律四五〕

この法律は、民法改正法の施行の日〔令和二・四・一〕から施行する。ただし、〔中略〕第三百六十二条の規定は、公布の日から施行する。

民法の一部を改正する法律の施行に伴う関係法律の整備等に関する法律〔抄〕〔平成二九・六・二　法律四五〕

（罰則に関する経過措置）

第三六一条　施行日前にした行為及びこの法律の規定によりなお従前の例によることとされる場合における施行日以後にした行為に対する罰則の適用については、なお従前の例による。

（政令への委任）

第三六二条　この法律に定めるもののほか、この法律の施行に伴い必要な経過措置は、政令で定める。

附　則〔抄〕〔令和三・五・一九法律三七〕

（施行期日）

第一条　この法律〔中略〕は、当該各号に定める日から施行する。

一　〔前略〕附則〔中略〕第七十一条から第七十三条までの規定　公布の日

二・三　〔略〕

四　〔前略〕附則〔中略〕第二十一条〔中略〕の規定　公布の日から起算して一年を超えない範囲内において、各規定につき、政令で定める日〔令和三政二九一により、令和四・四・一から施行〕

五～十　〔略〕

（政令への委任）

第七二条　この附則に定めるもののほか、この法律の施行に関し必要な経過措置（罰則に関する経過措置を含む。）は、政令で定める。

○特定多目的ダム法施行令

〔昭和三二・七・一〇　政令一八八〕

改正　昭和三三・一政六、昭和三五・三政七〇、昭和三七・六政二七八、昭和四〇・二政一四、六政二〇六、昭和四一・五政一六三、昭和四二・六政一一二、政一三二、昭和四七・八政三二〇、昭和六一・一二政三九六、平成元・六政一七九、平成七・一〇政三五九、平成九・二政一七、平成一二・六政三一二、平成一四・一二政三八五、平成一六・二政二七、平成一九・三政一二四、八政二三五、平成二〇・二政四〇、平成二一・一二政二八五、平成二五・一二政三三三、平成二六・三政九二、令和六・三政一〇三

（法第四条第三項の政令で定める期間）

第一条　特定多目的ダム法（以下「法」という。）第四条第三項の政令で定める期間は、三年とする。

（法第七条第一項の負担金の額の算出方法）

第一条の二　法第七条第一項の負担金の額は、多目的ダム（法第二条第一項に規定する多目的ダムをいう。以下同じ。）の建設に要する費用の額（消費税及び地方消費税に相当する額を除くほか、多目的ダムの建設工事に関する事業（以下「事業」という。）の縮小に係る不要支出額が含まれるときは、当該額を控除した額。第四項、第六条の二、第八条第二項及び第十条第一項を除き、以下同じ。）に基本計画（法第四条第一項に規定する基本計画をいう。以下同じ。）で定めたダム使用権（法第二条第二項に規定するダム使用権をいう。以下同じ。）の設定予定者の負担割合（分離費用身替り妥当支出法を基準として算定する割合をいう。以下この条及び第七条において同じ。）を乗じて得た額並びに当該ダム使用権の設定につき課されるべき消費税に相当する額及び当該課されるべき消費税の額を課税標準として課されるべき地方消費税に相当する額とする。

2　事業が縮小された場合（特定用途（法第二条第一項に規定する特定用途をいう。以下この条において同じ。）に係る部分の縮小又は事業からの撤退（ダム使用権の設定の申請が取り下げられ、又は法第十六条第二項第一号若しくは第二号に該当するとして却下されることをいう。以下同じ。）があつた場合に限る。）において、特定用途に係る部分を縮小したダム使用権の設定予定者が負担する法第七条第一項の負担金の額は、前項の規定にかかわらず、同項の規定により算出した額に、次の各号に掲げる場合の区分に応じて、当該各号に定める額を加えた額とし、事業からの撤退をしたダム使用権の設定予定者が負担する法第七条第一項の負担金の額は、前項の規定にかかわらず、次の各号に掲げる場合の区分に応じて、当該各号に定める額とする。ただし、これらにより算出することが著しく公平を欠くと認められるときは、国土交通大臣が関係行政機関の長と協議して定める方法により算出した額とすることができる。

一　特定用途に係る部分の縮小又は事業からの撤退のみがあつた場合　次に掲げる額を合算した額。ただし、特定用途に係る部分を縮小し又は事業からの撤退をしたダム使用権の設定予定者が二以上あるときは、当該合算した額に、当該二以上の者のそれぞれが単独で当該特定用途に係る部分を縮小し又は事業からの撤退をしたものと仮定した場合におけるイに掲げる額の合計額に対するその者が単独で当該特定用途に係る部分を縮小し又は事業からの撤退をしたものと仮定した場合におけるイに掲げる額の割合を乗じて得た額とする。

イ　当該事業の縮小に係る不要支出額

ロ　当該事業の縮小後において、多目的ダムの建設に要する費用の額に消費税及び地方消費税に相当する額から国が納める義務がある消費税及び地方消費税に相当する額を控除した額を加えた額に洪水等による災害の発生の防止若しくは軽減又は流水の正常な機能の維持若しくは増進のための用途（以下この条及び第六条の二第二項において「治水関係用途」という。）に係る負担割合を乗じて得た額が、当該治水関係用途に係る投資可能限度額を超えるときにあつては当該超える額、当該投資可能限度額を超えないときにあつては零

ハ　当該事業の縮小後において、流水を特定用途に供するダム使用権の設定予定者の前項の規定により算出した額からその額に含まれる国が納める義務がある消費税及び地方消費税に相当する額を控除した額が、当該ダム使用権の設定予定者の投資可能限度額（当該者が特定用途に係る部分を縮小したときは、当該者の当該特定用途に係る部分の縮小がないものと仮定した場合における当該者の投資可能限度額）を超えるときにあつては当該超える額（投資可能限度額を超えるダム使用権の設定予定者が二以上あるときは、当該超える額の合計額）、当該投資可能限度額を超えないときにあつては零

二　特定用途に係る部分の縮小又は事業からの撤退と併せて治水関係用途に係る部分の縮小があつた場合　次の式により算出した額。ただし、特定用途に係る部分を縮小し又は事業からの撤退をしたダム使用権の設定予定者が二以上あるときは、当該算出した額に、当該二以上の者のそれぞれが単独で当該特定用途に係る部分を縮小し又は事業からの撤退をしたものと仮定した場合における前号イに掲げる額の合計額に対するその者が単独で当該特定用途に係る部分を縮小し又は事業からの撤退をしたものと仮定した場合における同号イに掲げる額の割合を乗じて得た額とする。

$$(U+Ef+Ew) \times \frac{Uw}{Uf+Uw}$$

（この式において、U、Ef、Ew、Uf及びUwは、それぞれ次の数値を表すものとする。
U　前号イに掲げる額
Ef　前号ロに掲げる額。この場合において、同号ロ中「当該治水関係用途に係る投資可能限度額」とあるのは、「当該治水関係用途に係る部分の縮小がないものと仮定した場合における当該治水関係用途に係る投資可能限度額」とする。
Ew　前号ハに掲げる額
Uf　治水関係用途に係る部分の縮小のみがあつたものと仮定した場合における前号イに掲げる額
Uw　特定用途に係る部分の縮小又は事業からの撤退のみがあつたものと仮定した場合における前号イに掲げる額）

3　事業が縮小された場合において、ダム使用権の設定予定者の第一項の規定により算出した額からその額に含まれる国が納める義務がある消費税及び地方消費税に相当する額を控除した額が、当該者の投資可能限度額（当該者が特定用途に係る部分を縮小したときは、当該者の当該特定用途に係る部分の縮小がないものと仮定した場合における当該者の投資可能限度額）を超えるときは、当該者が負担する法第七条第一項の負担金の額は、前二項の規定にかかわらず、これらの規定により算出した額から、当該超える額を控除した額とする。

4　すべてのダム使用権の設定予定者の事業からの撤退により基本計画が廃止された場合において、ダム使用権の設定予定者（当該廃止前に事業からの撤退をしたダム使用権の設定予定者を除く。以下この項において同じ。）が負担する法第七条第一項の負担金の額は、第一項の規定にかかわらず、次の各号に掲げる場合の区分に応じて、当該各号に定める額とする。ただし、これらにより算出することが著しく公平を欠くと認められるときは、国土交通大臣が関係行政機関の長と協議して定める方法により算出した額とすることができる。

一　治水関係用途に係る部分のみの建設が継続される場合（次号に規定する場合を除く。）　次に掲げる額を合算した額。ただし、事業からの撤退をしたダム使用権の設定予定者が二以上あるときは、当該合算した額に、当該二以上の者の負担割合の合計に対するその者の負担割合の割合を乗じて得た額とする。
イ　当該基本計画の廃止に係る不要支出額
ロ　当該基本計画の廃止に係る多目的ダムの建設に要する費用の額からイに掲げる額を控除した額と、当該基本計画の廃止後に当該多目的ダムのうち治水関係用途に係る部分のみの建設に要する推定の費用の額とを合算した額が、当該治水関係用途に係る投資可能限度額を超えるときにあつては当該超える額、当該投資可能限度額を超えないときにあつては零

二　すべてのダム使用権の設定予定者の事業からの撤退と併せて治水関係用途に係る部分の縮小があつた場合　次の式により算出した額。ただし、事業からの撤退をしたダム使用権の設定予定者が二以上あるときは、当該算出した額に、当該二以上の者の負担割合の合計に対するその者の負担割合の割合を乗じて得た額とする。

$$(U+Ef) \times \frac{Uw}{Uf+Uw}$$

（この式において、U、Ef、Uf及びUwは、それぞれ次の数値を表すものとする。
U　前号イに掲げる額
Ef　前号ロに掲げる額。この場合において、同号ロ中「当該治水関係用途に係る投資可能限度額」とあるのは、「当該治水関係用途に係る部分の縮小がないものと仮定した場合における当該治水関係用途に係る投資可能限度額」とする。
Uf　治水関係用途に係る部分の縮小のみがあつたものと仮定した場合における前号イに掲げる額
Uw　事業からの撤退のみがあつたものと仮定した場合における前号イに掲げる額）

三　治水関係用途に係る部分の建設が継続されない場合　基本計画の廃止に係る不要支出額（当該不要支出額が、当該基本計画の廃止に係る多目的ダムの建設に要する費用の額に事業からの撤退をしたダム使用権の設定予定者の負担割合（事業からの撤退をしたダム使用権の設定予定者が二以上あるときは、当該二以上の者の負担割合の合計）を乗じて得た額を超える場合にあつては、当該負担割合を乗じて得た額）。ただし、事業からの撤退をしたダム使用権の設定予定者が二以上あるときは、その額に、当該二以上の者の負担割合の合計に対するその者の負担割合の割合を乗じて得た額とする。

5　第一項の負担割合は、多目的ダムの建設の目的である各用途の緊要度の差が特に著しいと認められる場合その他分離費用身替り妥当支出法を基準とすることが著しく不適当であると認められる場合においては、優先支出法その他国土交通大臣が関係行政機関の長と協議して定める方法を基準として算定することができる。

（分離費用身替り妥当支出法）
第二条　前条第一項及び第五項に規定する分離費用身替り妥当支出法は、多目的ダムの建設の目的である各用途について次に掲げる金額を合計した金額をそれぞれの用途についての負担額とする方法とする。
一　分離費用の額
二　身替り建設費及び妥当投資額のうちいずれか少ない金額から多目的ダムの効用を全うするため必要な水路、建物、機械その他の施設又は工作物（以下「多目的ダムの関連施設」という。）で専ら当該用途に供されるものの設置に要する費用及び分離費用の額を控除した金額（多目的ダムの建設が完了した時から相当の期間を経過した後に多目的ダム及び多目的ダムの関連施設の効用が発生することとされており、かつ、国土交通大臣が関係行政機関の長と協議して定める要件を備える用途にあつては、身替り建設費及び妥当投資額のうちいずれか少ない金額から多目的ダムの関連施設で専ら当該用途に供されるものの設置に要する費用の額を控除して得た金額を国土交通大臣が関係行政機関の長と協議して定める率で除して得た金額から分離費用の額を控除した金額）を算出し、その金額の合計額に対するその金額の比率をもつて、多目的ダムの建設に要する費用の額から分離費用の額の合計額を控除した金額をあん分した金額

2　多目的ダムの関連施設で多目的ダムの建設の目的である二以上の用途に供されるもの（多目的ダムの建設の目的である各用途のすべてに供されるものを除く。）があるときは、前項第二号の規定の適用については、当該各用途につき国土交通大臣が関係行政機関の長と協議して定める方法を基準として当該多目的ダムの関連施設の設置に要する費用をあん分した金額を多目的ダムの関連施設で専ら当該用途に供されるものの設置に要する費用の額とみなす。

（優先支出法）
第三条　第一条の二第五項に規定する優先支出法は、多目的ダムの建設の目的である各用途の優先順位に従つて、順次、当該用途に係る身替り建設費及び妥当投資額のうちいずれか少ない金額から多目的ダムの関連施設で専ら当該用途に供されるものの設置に要する費用の額を控除した金額を算出し、その金額（第二順位以下の用途については、その金額が多目的ダムの建設に要する費用の額から先順位の用途について算出されたその金額の合計額を差し引いた残額を超えるときは、その残額）をそれぞれの用途についての負担額とする方法とする。
2　前項に規定する各用途の優先順位は、国土交通大臣が、関係行政機関の長と協議して、当該用途の緊要度に応じて定める。
3　前条第二項の規定は、第一項の場合に準用する。

（分離費用）
第四条　第二条第一項に規定する分離費用は、多目的ダムの建設の目的である各用途について、多目的ダムの建設に要する費用の額から多目的ダムの建設に替えて当該用途を除く他の用途のすべてに供されるダムでこれらの用途について多目的ダムが有する効用と同等の効用を有するものを設置する場合に要する推定の費用の額を控除した額とする。

（身替り建設費）
第五条　第二条第一項第二号及び第三条第一項に規定する身替り建設費は、多目的ダムの建設の目的である各用途について、多目的ダム及び多目的ダムの関連施設に替えて、多目的ダム及び多目的ダムの関連施設が有する効用と同等の効用を有する施設又は工作物を設置する場合に要する推定の費用の額とする。

（妥当投資額）
第六条　第二条第一項第二号及び第三条第一項に規定する妥当投資額は、多目的ダム及び多目的ダムの建設の目的である各用途について、多目的ダム及び多目的ダム

の関連施設が有する効用を金銭に見積つたものから当該用途のため多目的ダム及び多目的ダムの関連施設の運転及び管理等に要する推定の費用の額を控除した金額を、利子率、耐用年数及び当該用途が発電以外のものである場合において、多目的ダムの関連施設に固定資産税が課せられるときは、その固定資産税率を勘案し、多目的ダムの関連施設について国有資産等所在市町村交付金法（昭和三十一年法律第八十二号）の規定の適用があるときは、同法第三条第一項の率を勘案し、当該用途が発電である場合において、多目的ダムの関連施設に固定資産税が課せられるときは、その固定資産税率と同項の率とを勘案し、多目的ダムの関連施設について同法の規定の適用があるときは、同項の率の十分の五の率を勘案して、それぞれ、国土交通大臣が関係行政機関の長と協議して定める率で除して得た金額とする。ただし、多目的ダム及び多目的ダムの関連施設の設置の完了前にその設置に要する費用に充てる資金について支払わなければならない利息がある場合においては、その金額を国土交通大臣が関係行政機関の長と協議して定める建設利息の率に一を加えた数でさらに除して得た金額とする。

（不要支出額）

第六条の二　第一条の二第一項及び第二項第一号イに規定する事業の縮小に係る不要支出額は、多目的ダムの建設に要する費用の額と、当該事業の縮小後の多目的ダムが有する効用と同等の効用を有する多目的ダムの建設に要する推定の費用の額との差額とする。

2　第一条の二第四項第一号イ及び第三号に規定する基本計画の廃止に係る不要支出額は、当該基本計画の廃止に係る多目的ダムの建設に要する費用の額と、当該基本計画の廃止までに建設した当該多目的ダムのうち治水関係用途に供することができると認められる部分の建設に要する推定の費用の額との差額とする。

（投資可能限度額）

第六条の三　第一条の二第二項から第四項までに規定する投資可能限度額は、多目的ダムの建設の目的である各用途について身替り建設費及び妥当投資額のうちいずれか少ない金額から当該多目的ダムの関連施設で専ら当該用途に供されるものの建設に要する費用の額を控除した金額をいう。

（負担割合の変更）

第七条　基本計画で定められた多目的ダムの建設に要する費用についての負担割合は、多目的ダムの建設が完了するまでに物価の著しい変動その他重大な事情の変更により当該負担割合を変更する必要がある場合には、新たに第一条の二の規定により算定した負担割合に変更することができるものとする。

（費用の範囲等）

第八条　法第七条第一項の負担金の額を算出する場合の多目的ダムの建設に要する費用の範囲は、多目的ダム及び多目的ダムの関連施設で多目的ダムの建設の目的である各用途のすべてに供されるものの設置のため直接必要な本工事費、附帯工事費、用地費、補償費、事務取扱費、実施計画調査費及び災害復旧費並びに附属諸費（基本計画の廃止に伴い追加的に必要となる費用を含む。）とする。

2　次に掲げる額があるときは、当該額を前項の多目的ダムの建設に要する費用の額から控除するものとする。

一　法第九条第一項の規定により国土交通大臣が負担させる同項の負担金に相当する額

二　河川法（昭和三十九年法律第百六十七号）第六十七条又は第六十八条第二項の負担金に相当する額

三　法第四条第四項の基本計画の変更又は廃止の場合であつて当該変更又は廃止前に事業からの撤退をしたダム使用権の設定予定者の法第七条第一項の負担金の額として第一条の二第二項の規定により算出した額

（法第七条第一項の負担金の納付の方法及び期限等）

第九条　法第七条第一項の負担金の納付の方法及び期限は、負担金の区分に応じ、次に定めるところによる。

一　次号に掲げる負担金以外の負担金は、毎年度、国土交通大臣が当該年度の事業計画に応じて定める額を、国土交通大臣が当該年度の資金計画に基づいて定める期限までに納付すること。

二　事業からの撤退をしたダム使用権の設定予定者が負担すべき負担金の額として第一条の二第二項又は第四項の規定により算出した額が、当該者が事業からの撤退をする前に既に納付した法第七条第一項の負担金の額を超える場合における当該超える額に相当する負担金は、当該事業からの撤退後に国土交通大臣が定めるところにより納付すること。

2　国土交通大臣は、多目的ダムの建設を完了したときは、遅滞なく、前項第一号に掲げる負担金について精算しなければならない。

（都道府県の負担額から控除する負担金等）

第一〇条　法第八条の多目的ダムの建設に要する費用の額からその額を控除する政令で定める負担金は、法第九条及び第十条並びに河川法第六十七条及び第六十八条第二項の負担金とする。

2　法第八条の都道府県が収納する政令で定める負担金は、法第九条及び第十条の負担金とする。

（法第九条第一項の政令で定める用途）

第一一条　法第九条第一項の政令で定める用途は、発電とする。

（負担金の徴収を受ける者の範囲）

第一一条の二　法第九条第一項の規定により国土交通大臣が負担金を徴収する場合における同項の負担金（以下この条から第十一条の五までにおいて「負担金」という。）の徴収を受ける者は、当該多目的ダムの基本計画の作成の公示の日又は同日後当該多目的ダムの建設の完了の公示の日までの間において、当該多目的ダムの建設される河川（当該河川の流水の流入により流量の増加する他の河川を含む。）の流水を利用して発電事業を営むことについて、河川法第二十三条の規定による許可又は同法第二十三条の二の規定による登録を受けている者で、当該多目的ダムの建設により当該発電事業に係る発電所の出力及び電力量の増加による利益を受けることが基本計画により明らかであるものであり、かつ、当該利益について次の要件を備えるものとする。

一　第六条に規定する妥当投資額を算出する方法を基準として国土交通大臣が関係行政機関の長と協議して定める方法により当該利益を金銭に見積もつた額（以下「受益額」という。）が、基本計画の作成の際公示された当該多目的ダムの建設に要する費用の額に千分の一を乗じた額を超えるものであること。

二　当該利益に係る発電事業を営むことについて、河川法第二十三条の規定による許可又は同法第二十三条の二の規定による登録を受けていること又は受ける見込みが十分であること。

（負担金の決定）

第一一条の三　国土交通大臣は、負担金を徴収しようとするときは、負担金の額を決定し、負担金の徴収を受ける者に通知するものとする。

（負担金の取消し及び変更）

第一一条の四　国土交通大臣は、次の各号の一に該当するときは、前条の決定を取り消すものとする。

一　基本計画が廃止されたとき。

二　基本計画の変更により、負担金の徴収を受ける者が多目的ダムの建設による利益を受けなくなつたとき。

三　基本計画の変更により、受益額が第十一条の二第一号に該当しなくなつたとき。

四　当該多目的ダムの建設の完了の公示の日までの間において、第十一条の二に規定する許可が取り消されたとき、又は同条第二号に規定する許可を受けることができないことが明らかとなつたとき。

2　国土交通大臣は、基本計画の変更により受益額に変更を生じたとき（前項第三号に該当する場合を除く。）は、前条の決定を変更するものとする。

（負担金の徴収）

第一一条の五　負担金は、第十一条の三に規定する通知があつた日以後当該多目的ダムの建設の完了の公示の日までの間において、毎年度、国土交通大臣が当該年度の事業計画に応じて定める額を、国土交通大臣が当該年度の資金計画に基づいて定める期日に徴収するものとする。

2　第十一条の三に規定する決定の通知のあつた日が当該多目的ダムの建設の完了の公示の日の属する年度以後の年度に属する場合においては、前項の規定にかかわらず、国土交通大臣は、別に徴収の期日及び当該期日に徴収すべき負担金の額を定めることができる。

（法第十条第一項の政令で定める割合）

第一二条　法第十条第一項の政令で定める割合は、十分の一とする。

（法第十条第一項の負担金の徴収）

第一三条　法第十条第一項の負担金は、元利均等年賦支払の方法（当該負担金の徴収を受ける者の申出があるときは、その負担金の全部又は一部につき一時支払の方法）により支払わせるものとする。

2　前項の元利均等年賦支払の支払期間は、多目的ダムの建設が完了し、かつ、土地改良法（昭和二十四年法律第百九十五号）による国営土地改良事業又は都道府県営土地改良事業により専用の施設の新設又は拡張が行われるときは、その工事が完了した年の翌年から起算して十五年を下らない期間とし、利子率は、年六分以内とする。ただし、多目的ダムの建設及び専用の施設の工事が完了する以前において、当該多目的ダムによる流水の貯留を利用して流水をかんがいの用に供することにより受けるべき利益のすべてを受けている者があるときは、当該負担金に係る元利均等年賦支払の支払期間は、その利益のすべてが発生した年以後において都道府県知事が指定する年から起算するものとする。

（法第十二条の還付金の額）

第一四条　法第十二条の規定により還付する既に納付した法第七条第一項の負担金の額は、次の各号に掲げる場合の区分に応じて、当該各号に定める額とする。

一　次号に掲げる場合以外の場合　ダム使用権の設定予定者が既に納付した法第七条第一項の負担金の全額

二　ダム使用権の設定予定者の事業からの撤退により当該事業が縮小され、又は当該事業に係る基本計画が廃止されたときに当該者に還付する場合　当該者が既に納付した法第七条第一項の負担金の額から当該者について第一条の二第二項又は第四項の規定により算出した額を控除した額（当該者が既に納付した法第七条第一項の負担金の額が第一条の二第二項又は第四項の規定により算出した額を超えない場合にあつては零）

（法第二十七条の納付金の額）

第一五条　法第二十七条の納付金の額は、当該ダム使用権の設定の目的である用途に係る妥当投資額から多目的ダムの関連施設でもつぱら当該用途に供されるものの設置に要する費用を控除した額とする。

第一六条　削除

2　第二条第二項及び第六条の規定は、前項の場合に準用する。

（操作規則に定める事項）

第一七条　多目的ダムの操作規則に定める事項は、次の各号に掲げるものとする。

一　洪水期、かんがい期等の別を考慮して定める各期間における最高及び最低の水位並びに貯留及び放流の方法

二　多目的ダム及び多目的ダムを操作するため必要な機械、器具等の点検及び整備、多目的ダムを操作するため必要な気象及び水象の観測並びに放流の際にとるべき措置に関する事項

三　その他多目的ダムの操作に関し必要な事項

（放流に関する通知等）

第一八条　国土交通大臣又は多目的ダムを管理する都道府県知事は、多目的ダムによつて貯留された流水の放流に関し、法第三十二条第一項の規定により関係都道府県知事、関係市町村長及び関係警察署長に通知するときは、流水を放流する日時のほか放流量又は放流により上昇する下流の水位の見込みを示してこれを行い、同項の規定により一般に周知させるときは、国土交通省令で定めるところにより、流水の放流に係る多目的ダムの名称及び位置その他の国土交通省令で定める事項について、立札による掲示を行うとともに、電気通信回線に接続して行う自動公衆送信（公衆によつて直接受信されることを目的として公衆からの求めに応じ自動的に送信を行うことをいい、放送又は有線放送に該当するものを除く。）により公衆の閲覧に供するほか、サイレン、警鐘、拡声機等により警告しなければならない。

（管理費用の負担割合等）

第一九条　法第三十三条の規定によりダム使用権者が負担する負担金の額は、多目的ダムの維持、修繕その他の管理に要する費用の額（消費税及び地方消費税に相当する額を除く。）にダム使用権者管理費用負担割合を乗じて得た額並びに当該ダム使用権者のために行う当該多目的ダムの維持、修繕その他の管理につき課されるべき消費税に相当する額及び当該課されるべき消費税の額を課税標準として課されるべき地方消費税に相当する額とする。

2　前項のダム使用権者管理費用負担割合は、当該ダム使用権者の第一条の二第一項の規定により算出した額から当該ダム使用権の設定につき課されるべき消費税に相当する額及び当該課されるべき消費税の額を課税標準として課されるべき地方消費税に相当する額を控除した額又は当該ダム使用権者の法第二十七条の納付金の額から当該ダム使用権の設定につき課されるべき消費税に相当する額及び当該課されるべき消費税の額を課税標準として課されるべき地方消費税に相当する額を控除した額の当該多目的ダムの建設に要した費用の額（消費税及び地方消費税に相当する額を除くほか、当該ダム使用権者の法第七条第一項の負担金の算出に係る第一条の二第一項に規定する事業の縮小に係る不要支出額又は第八条第二項第三号に掲げる額が含まれるときは、当該額を控除した額）に対する割合とする。

3　多目的ダムを管理する国土交通大臣又は都道府県知事は、前項の規定による負担割合によることが著しく公平を欠くと認められるときは、ダム使用権者の意見を聴き、別にその負担割合を定めることができる。

4　国土交通大臣が多目的ダムの管理を行う場合においては、まず全額国費をもつてこれを行つた後、都道府県及びダム使用権者は、国土交通大臣の定めるところにより、それぞれ河川法第六十条第一項又は法第三十三条の規定による負担金を国庫に納付しなければならない。

（国土交通省令への委任）

第二〇条　ダム使用権の登録に関する事項を除き、法及びこの政令に定めるもののほか、法及びこの政令の実施のため必要な手続その他の細則は、国土交通省令で定める。

附　則〔抄〕

（施行期日）

1　この政令は、公布の日から施行する。

（建設中又は既設のダムに関する経過措置）

2　法附則第二項の規定により多目的ダムとなるダムでその多目的ダムとなる際現に建設中のものについては、同項の建設大臣と共同して当該ダムを建設している者をダム使用権の設定の申請をした者と、当該ダムの建設に要する費用につきすでに定められたその者の負担すべき負担金を法第七条第一項の負担金とみなし、建設大臣は、その者をダム使用権の設定予定者として基本計画を作成しなければならない。

3　前項の多目的ダムの建設によつて著しく利益を受ける電気事業者又は電源開発株式会社の当該ダムの建設に要する費用の負担については、そのダムが多目的ダムとなつた後においても、なお電源開発促進法（昭和二十七年法律第二百八十三号）第六条の二の規定の例によるものとする。

4　法附則第二項の規定により多目的ダムとなるダムでその多目的ダムとなる際すでに設置されているものについては、国土交通大臣は、当該ダムが多目的ダムとなつた後、遅滞なく、その旨を公示するとともに、同項の建設大臣と共同して当該ダムを設置している者にダム使用権の設定をしなければならない。この場合において、その者が当該ダムの建設に要する費用につき負担した負担金は法第七条第一項の負担金と、法第二十七条及び第二十八条第一項ただし書の規定の適用については、当該ダム使用権の設定は法第十七条の規定による設定とみなす。

（法第十条の適用除外のダム）

5　法附則第三項の政令で定めるダムは、美和ダム、二瀬ダム、鹿野川ダム、目屋ダム、湯田ダム、大野ダム及び市房ダムとする。

6　道の区域内の土地において流水をかんがいの用に供する者は、当分の間、法第十条第一項の負担金の徴収を受ける者の範囲から除かれるものとする。

附　則〔昭和三三・一・一三政令六八〕

1　この政令は、公布の日から施行する。

2　この政令の施行の前にすでに特定多目的ダム法第四条第一項に規定する基本計画が作成された多目的ダムの建設に要する費用の負担については、なお従前の例による。

附　則〔抄〕〔昭和三五・三・三一政令七〇〕

1　この政令は、公布の日から施行し、昭和三十五年度の予算から適用する。

3　法附則第四項又は第五項の規定によりこの会計の治水勘定又は特定多目的ダム建設工事勘定に帰属する資産及び負債の範囲、帰属の時期その他帰属に関し必要な事項は、建設大臣が大蔵大臣に協議して定める。

附　則〔略〕〔昭和三七・六・三〇政令二七八〕

附　則〔略〕〔昭和四〇・二・一一政令一四〕

附　則〔略〕〔昭和四〇・六・一五政令二〇六〕

附　則〔昭和四一・五・三一政令一六三〕

1　この政令は、公布の日から施行する。

2　改正後の土地改良法施行令（以下「新令」という。）第五十二条の二第六項の規定による支払期間の始期が昭和四十一年度以前である国営土地改良事業に係る負担金についての新令第五十二条の二第一項第一号イ及び第三項第二号（同条第四項の規定によりこれらの規定の例による場合を含む。）並びに第五十三条第二項（新令第五十三条の四第二項において準用

する場合を含む。）の規定の適用については、これらの規定中「十五年」とあるのは、「十年」とする。

3　前項に規定する負担金についての新令第五十三条の六第二項の規定の適用については、同項中「第五十三条」とあるのは、「土地改良法施行令等の一部を改正する政令（昭和四十一年政令第百六十三号）による改正前の第五十三条」とする。

附　則〔抄〕（昭和四二・六・一政令一一二）

（施行期日）

1　この政令は、公布の日から施行する。

（経過措置）

2　この政令の施行前に建設大臣が実施計画調査に着手した多目的ダムの建設に要する費用の負担については、なお従前の例による。

附　則〔略〕（昭和四七・八・二四政令三二〇）

附　則〔略〕（昭和六一・一二・二七政令三九六）

附　則〔略〕（平成元・六・二〇政令一七九）

附　則〔略〕（平成七・一〇・一八政令三五九）

附　則〔略〕（平成九・二・一九政令一七）

附　則〔略〕（平成一二・六・七政令三一二）

附　則〔略〕（平成一四・一二・一八政令三八五）

附　則〔略〕（平成一六・二・二五政令二七）

附　則〔略〕（平成一九・三・三一政令一一四）

附　則〔略〕（平成一九・八・三政令二三五）

附　則〔略〕（平成二〇・二・二九政令四〇）

附　則〔略〕（平成二一・一二・一一政令二八五）

附　則〔略〕（平成二五・一二・六政令三三三）

附　則〔略〕（平成二六・三・二八政令九二）

附　則（令和六・三・二九政令一〇三）

この政令は、令和六年四月一日から施行する。

○特定多目的ダム法施行規則

（昭和三二・八・三一 建設省令一八）

改正　昭和四〇・三建令七、昭和四二・六建令一三、昭和四五・五建令九、昭和四七・一〇建令二六、平成元・三建令三、平成六・七建令二一、平成一二・一一建令四一、平成一六・二国交令五、平成一九・三国交令二六、国交令三七、令和元・五国交令一、令和六・三国交令四四

（基本計画の公示）

第一条　特定多目的ダム法（以下「法」という。）第四条第五項の規定による多目的ダム（法第二条第一項に規定する多目的ダムをいう。以下同じ。）の建設に関する基本計画（以下この条において「基本計画」という。）の作成の公示は、同条第二項各号に掲げる事項を官報に掲載して行うものとする。

2　基本計画の変更の公示は前項の規定に準じて、基本計画の廃止の公示はその旨を、官報に掲載して行うものとする。

（分離費用の算出方法）

第一条の二　令第四条の規定による多目的ダムの建設の目的である各用途について多目的ダムの建設に替えて当該用途を除く他の用途のすべてに供されるダムでこれらの用途について多目的ダムが有する効用と同等の効用を有するものを設置する場合に要する推定の費用の額は、当該用途を除いた場合に生ずる貯留量の減少等を勘案して算出するものとする。

（身替り建設費の算出方法）

第二条　令第二条第一項第二号及び第三条第一項に規定する身替り建設費については、多目的ダム及び多目的ダムの関連施設（令第二条第一項第二号に規定する多目的ダムの関連施設をいう。以下同じ。）で多目的ダムの建設の目的である各用途のすべてに供されるものが有する機能に相当する機能を有する施設又は工作物を、多目的ダム及び多目的ダムの関連施設で多目的ダムの建設の目的である各用途のすべてに供されるものを設置する場所（国土交通大臣が関係行政機関の長と協議して定める場合にあつては、当該場所以外の場所）において設置するものとして算出するものとする。

2　発電の用途に係る身替り建設費の算出において、当該用途について多目的ダム及び多目的ダムの関連施設が有する効用と同等の効用は、当該多目的ダム及び多目的ダムの関連施設の設置により発生される有効出力及び有効電力量とする。この場合における有効出力及び有効電力量の計算方法については、第四条第二項に定めるところによる。

第三条　身替り建設費の算出に際しては、多目的ダム及び多目的ダムの関連施設の設置の完了前にその設置に要する費用に充てる資金について支払わなければならない社債、地方債又は借入金の利息がある場合においても、当該利息は、身替り建設費に算入しないものとする。

（妥当投資額の算出方法）

第四条　令第六条に規定する多目的ダムの建設の目的である各用途について多目的ダム及び多目的ダムの関連施設が有する効用を金銭に見積つたものは、次の各号に掲げるものとする。

一　洪水調節の用途にあつては、当該多目的ダム及び多目的ダムの関連施設の設置により生ずる次に掲げる効用を時価に換算した金額の合計額

イ　堤防、護岸、水制、河道その他河川に生ずる被害の復旧に要する費用の減少

ロ　道路、橋りよう、鉄道その他の交通施設に生ずる被害の復旧に要する費用の減少

ハ　はん濫による農作物の減産、農地の流失又は埋没、家屋その他の財産の被害の防止又は減少

ニ　河道における土砂の沈積によるしゆんせつ維持費の減少

二　かんがいの用途にあつては、当該多目的ダム及び多目的ダムの関連施設の設置により増産される農作物の金額に標準純益率を乗じた金額、当該用途に係る既存の施設の運転及び維持に要する費用の減少する金額及び営農に要する労力費用の減少する金額の合計額。この場合において、増産される農作物の金額の計算は、米については国の買上価格、米以外のものについては時価を基準として、作物の種類及び反収、作付の増産形態ごとに行うものとする。

三　発電の用途にあつては、キロワット及びキロワット時当りの山元発電単価に当該多目的ダム及び多目的ダムの関連施設の設置により発生される有効出力及び有効電力量をそれぞれ乗じた金額の合計額

四　水道及び工業用水道の用途にあつては、単位水量当りの水の価格に当該多目的ダム及び多目的ダムの関連施設の設置により供給される水量を乗じた額

2　前項第二号に規定する標準純益率、同項第三号に規定する山元発電単価並びに有効出力及び有効電力量の計算方法並びに同項第四号に規定する単位水量当りの水の価格の算出方法については、国土交通大臣が関係行政機関の長と協議して定める。

（ダム使用権設定前の多目的ダムの利用の許可の申請）

第五条　法第十三条の規定による許可を受けようとする者は、次の各号に掲げる事項を記載した申請書を国土交通大臣に提出しなければならない。

一　ダム使用権の設定を受ける前に流水を特定用途（法第二条第一項に規定する特定用途をいう。以下同じ。）に供する理由

二　流水を特定用途に供しようとする時期

（建設の完了の公示）

第六条　法第十四条の規定による多目的ダムの建設の完了の公示は、官報に掲載して行うものとする。

（ダム使用権の設定の申請）

第七条　ダム使用権の設定を受けようとする者は、次の各号に掲げる事項を記載した申請書を国土交通大臣に提出しなければならない。

一　ダム使用権の設定を受けようとする目的

二　多目的ダムの位置及び名称

三　ダム使用権により貯留を確保しようとする流水の最高及び最低の水位並びに量

2　前項の申請書には、次の各号に掲げる書類及び図面を添付しなければならない。

一　流水の占用の計画を示す書類

イ　ダム使用権の設定を受けようとする目的が発電の場合にあつては、発電所の位置及び名称、取水河川名、取水口及び放水口の位置、貯水池の利用方法の基準、占用する水量（最大及び常時の水量をいう。）、落差（占用する水量の最大及び常時の別の総落差及び有効落差をいう。）並びに発電力（最大、常時、常時尖頭、渇水期平均及び渇水期尖頭の発電力をいう。）を記載し、貯水池の水位、貯水池へ流入する流水の量及び占用する水量の一覧表（別記様式第二）及び発生電力量の一覧表（別記様式第二）を添付すること。

ロ　ダム使用権の設定を受けようとする目的が水道の場合にあつては、水道の名称、取水河川名、取水口の位置、給水区域、給水人口、貯水池の利用方法の基準並びに占用する水量及び給水量（最大及び常時の別の一日当たり及び一秒当たりの量をいう。）を記載し、貯水池の水位、貯水池へ流入する流水の量及び占用する水量の一覧表（別記様式第一）を添付すること。

ハ　ダム使用権の設定を受けようとする目的が工業用水道の場合にあつては、工業用水道の名称、取水河川名、取水口の位置、給水区域、給水工場の名称、種類及び敷地面積、貯水池の利用方法の基準並びに占用する水量及び給水量（最大及び常時の別の一日当たり及び一秒当たりの量をいう。）を記載し、貯水池の水位、貯水池へ流入する流水の量及び占用する水量の一覧表（別記様式第一）を添付すること。

二　工程表

三　工事費概算書（別記様式第三又は様式第四）

四　身替り建設費及び妥当投資額の計算書

五　流水を当該特定用途に供することについて、及び流水を当該特定用途に供することによつて営もうとする事業について必要な行政庁（国土交通大臣を除く。）の許可、認可その他の処分を受けていること又は受ける見込みが十分であることを示す書類

六　計画一覧図

縮尺は、五万分の一とし、多目的ダム及び多目的ダムの関連施設の位置を記入すること。

七　主要構造図

多目的ダムの関連施設で主要なものについて作成すること。

八　その他参考となるべき書類及び図面

（立札による掲示の様式等）

第八条　令第十八条の国土交通省令で定める事項は、次のとおりとする。

一　多目的ダムの名称

二　多目的ダムの位置

三　その他流水の状況の変化によつて生ずる危害を防止するために必要な事項

2　令第十八条に規定する立札による掲示は、別記様式第五により行うことを例とする。ただし、放流する日時、河川及びその付近の状況等により特別の必要があると認められるときは、その都度、さらに別記様式第六により行うことを例とする。

3　令第十八条の規定による公衆の閲覧は、国土交通省又は多目的ダムを管理する都道府県知事の統括する都道府県のウェブサイトに掲載することにより行うものとする。

4　令第十八条に規定するサイレン及び警鐘による警告の方法は、次の表に定めるところによるものとする。

サイレン	警鐘
●　約一分　●　休止　●　約一分　●	●　約十秒　●　約十秒　●

備考

一　警告は、適宜の時間継続すること。

二　必要があればサイレン及び警鐘を併用すること。

（延滞金）

第九条　法第三十六条第二項に規定する延滞金は、同条第一項に規定する負担金等の額につき年十・七五パーセントの割合で、納期限の翌日からその負担金等の完納の日又は財産差押えの日の前日までの日数により計算した額とする。

（権限の委任）

第一〇条　法に規定する国土交通大臣の権限のうち、次に掲げるものは、地方整備局長及び北海道開発局長に委任する。

一　法第三十一条第一項の規定により多目的ダムの操作規則を定め、並びに同条第三項の規定により協議し、及び意見をきくこと。

二　法第三十二条第一項の規定により通知し、及び必要な措置をとること。

附　則〔略〕〔昭和三二・八・三一建設省令一八施行〕

附　則〔略〕〔昭和四〇・三・一三建設省令七〕

附　則〔昭和四二・六・一建設省令一三〕

1　この省令は、公布の日から施行する。

2　この省令の施行前に建設大臣が実施計画調査に着手した多目的ダムの建設に要する費用の負担については、なお従前の例による。

附　則〔昭和四五・五・一建設省令九〕

1　この省令は、公布の日から施行する。

2　改正後の特定多目的ダム法施行規則第九条の規定は、この省令の施行の日の前日以後に到来する納期限に係る延滞金の額の計算について適用し、同日前に到来した納期限に係る延滞金の額の計算については、なお従前の例による。

附　則〔略〕〔平成一二・一一・二〇建設省令四一〕

附　則〔略〕〔平成一六・二・二五国土交通省令五施行〕

附　則〔略〕〔平成一九・三・三〇国土交通省令二六〕

附　則〔略〕〔平成一九・三・三一国土交通省令三七〕

附　則〔令和六・三・二九国土交通省令四四〕

この省令は、特定多目的ダム法施行令等の一部を改正する政令の施行の日（令和六年四月一日）から施行する。

別記様式〔略〕

○砂防法

〔明治三〇・三・三〇
法律二九〕

改正　大正一三・七法三、昭和二四・五法一六八、昭和二八・八法二一三、昭和三四・四法一四八、昭和三七・五法一四〇、九法一六一、昭和三八・六法九四、昭和三九・七法一六八、昭和六〇・五法三七、昭和六一・五法四六、昭和六二・三法一一、九法八七、平成元・四法二二、平成三・三法一五、平成五・三法八、平成一一・七法八七、一二法一六〇、平成一四・二法一、平成一六・六法八四、平成一八・六法五三、平成二二・三法二〇

第一章　総則
第二章　土地ノ制限及砂防設備
第三章　砂防ニ関スル費用ノ負担、土地所有者ノ権利義務並収入等
第四章　警察、監督及強制手続
第五章　補則
第六章　附則

第一章　総則

〔砂防設備・砂防工事の定義〕

第一条　此ノ法律ニ於テ砂防設備ト称スルハ国土交通大臣ノ指定シタル土地ニ於テ治水上砂防ノ為施設スルモノヲ謂ヒ砂防工事ト称スルハ砂防設備ノ為ニ施行スル作業ヲ謂フ

〔指定土地〕

第二条　砂防設備ヲ要スル土地又ハ此ノ法律ニ依リ治水上砂防ノ為一定ノ行為ヲ禁止若ハ制限スヘキ土地ハ国土交通大臣之ヲ指定ス

〔指定土地以外に対する本法の準用〕

第三条　此ノ法律ニ規定シタル事項ハ政令ノ定ムル所ニ従ヒ国土交通大臣ノ指定シタル土地ノ範囲外ニ於テ治水上砂防ノ為施設スルモノニ準用スルコトヲ得

〔天然河岸に対する本法の準用〕

第三条ノ二　此ノ法律ニ規定シタル事項ニシテ砂防設備ニ関スルモノハ政令ノ定ムル所ニ従ヒ第二条ニ依リ国土交通大臣ノ指定シタル土地ニ存スル政令ヲ以テ定ムル天然ノ河岸ニシテ災害ニ因リ治水上砂防ノ為復旧ヲ必要トスルモノ（著シキ欠壊又ハ埋没ニ係ルモノニ限ル）ニ準用ス

第二章　土地ノ制限及砂防設備

〔一定行為の禁止・制限〕

第四条　第二条ニ依リ国土交通大臣ノ指定シタル土地ニ於テハ都道府県知事ハ治水上砂防ノ為一定ノ行為ヲ禁止若ハ制限スルコトヲ得

② 前項ノ禁止若ハ制限ニシテ他ノ都道府県ノ利益ヲ保全スル為必要ナルカ又ハ其ノ利害関係一ノ都道府県ニ止マラサルトキハ国土交通大臣ハ前項ノ職権ヲ施行スルコトヲ得

〔都道府県知事の責任〕

第五条　都道府県知事ハ其ノ管内ニ於テ第二条ニ依リ国土交通大臣ノ指定シタル土地ヲ監視シ及其ノ管内ニ於ケル砂防設備ヲ管理シ其ノ工事ヲ施行シ其ノ維持ヲナスノ義務アルモノトス

〔国土交通大臣の直轄管理等〕

第六条　砂防設備ニシテ他ノ都道府県ノ利益ヲ保全スル為必要ナルトキ、其ノ利害関係一ノ都道府県ニ止マラサルトキ、其ノ工事至難ナルトキ又ハ其ノ工費至大ナルトキハ国土交通大臣ハ之ヲ管理シ、其ノ工事ヲ施行シ又ハ其ノ維持ヲ為スコトヲ得

② 前項ノ場合ニ於テハ国土交通大臣ハ其ノ砂防設備ニ因リ特ニ利益ヲ受クル公共団体ノ行政庁ニ対シ其ノ工事ノ施行又ハ其ノ維持ヲナスコトヲ指示スルコトヲ得

③ 本条ノ場合ニ於テハ国土交通大臣ハ此ノ法律ニ依リ都道府県知事ノ有スル職権ヲ直接施行スルコトヲ得

〔公共団体の行政庁の施行〕

第七条　都道府県知事ハ其ノ管内ノ公共団体ノ行政庁ニ対シ砂防工事ノ施行又ハ砂防設備ノ維持ヲナスコトヲ指示スルコトヲ得

〔原因行為者の施行〕

第八条　他ノ工事、作業其ノ他ノ行為ニ因リ砂防工事ヲ施行スルノ必要ヲ生スルトキハ都道府県知事ハ其ノ行為ヲナシタル者ヲシテ其ノ工事ヲ施行シ又ハ其ノ砂防設備ノ維持ヲナサシムルコトヲ得

〔行政庁の請負の禁止〕

第九条　行政庁ハ砂防工事ノ請負ヲナスコトヲ得ス

〔請負の制限〕

第一〇条　砂防工事ノ請負ノ制限ハ命令ヲ以テ之ヲ定ム

〔指定土地に対する地租等の減免〕

第一一条　第二条ニ依リ国土交通大臣ノ指定シタル土地ニ対シテハ勅令ノ定ムル所ニ従ヒ地租其ノ他ノ公課ヲ減免スルコトヲ得

〔砂防台帳の調製及び保管〕

第一一条ノ二　都道府県知事ハ国土交通省令ノ定ムル所ニ依リ砂防ノ台帳ヲ調製シ之ヲ保管スベシ

② 砂防ノ台帳ハ砂防指定地台帳及砂防設備台帳トス

第三章　砂防ニ関スル費用ノ負担、土地所有者ノ権利義務並収入等

〔都道府県の負担〕

第一二条　第二条ニ依リ国土交通大臣ノ指定シタル土地ノ監視及砂防設備ノ管理、維持並砂防工事ニ要スル費用ハ都道府県ノ負担トス

〔国庫の負担〕

第一三条　砂防工事ニ要スル費用ニ付テハ国庫ハ政令ノ定ムル所ニ依リ其ノ二分ノ一ヲ負担ス但シ当該砂防工事ガ災害ニ因ル土砂ノ崩壊等ノ危険ナル状況ニ対処スル為ニ施行スル緊急砂防事業ニ係ルモノナルトキハ三分ノ二当該砂防工事ガ再度災害ヲ防止スル為ニ施行スルモノニシテ又ハ火山地、火山麓若ハ火山現象ニ因リ著シキ被害ヲ受クルノ虞アル地域ニ於テ施行スルモノニシテ災害ニ因ル土砂ノ崩壊等ノ危険ナル状況ニ対処スル為ニ施行スル緊急砂防事業ニ係ルモノ以外ノモノナルトキハ十分ノ五・五ヲ国庫ノ負担割合トス

② 工事費用精算ノ上予算ヨリ減スルコトアルモ既ニ交付シタル金額ハ之ヲ還付セシメサルコトヲ得

③ 災害ニ因リ必要ヲ生シタル砂防工事ニ要スル費用ハ本条ニ依ルノ限ニ在ラス

〔国土交通大臣直轄管理の場合の負担〕

第一四条　第六条ニ依リ国土交通大臣ニ於テ砂防設備ノ管理及維持ヲナシ又ハ砂防工事ヲ施行スル場合ニ於テハ其ノ費用ハ国庫ノ負担トス

② 前項ノ場合ニ於テハ国土交通大臣ハ都道府県ヲシテ砂防工事ニ要スル費用ノ三分ノ一ヲ負担セシム

〔公共団体の負担〕

第一五条　都道府県知事ハ其ノ管内ノ公共団体ニ砂防ニ関スル費用ノ一部ヲ負担セシムルコトヲ得

〔原因行為者の負担〕

第一六条　砂防工事ニシテ他ノ工事、作業其ノ他ノ行為ニ因リ必要ヲ生スルモノナルトキハ其ノ費用ハ工事ノ必要ヲ生スル程度ニ於テ其ノ原因タル工事、作業其ノ他ノ行為ニ関シ費用ヲ負担スル者ヲシテ之ヲ負担セシムルコトヲ得但シ河川法第六十八条ノ場合ハ此ノ限ニ在ラス

〔受益団体の負担〕

第一七条　砂防工事ニシテ他ノ都道府県若ハ他ノ都道府県内ノ公共団体ニ於テ著シク利益ヲ受クルモノナルトキハ其ノ都道府県若ハ其ノ都道府県内ノ公共団体ヲシテ其ノ費用ノ一部ヲ負担セシムルコトヲ得

〔受命者の負担〕

第一八条　此ノ法律若ハ此ノ法律ニ基キテ発スル命令ニ依リ行政庁ノ命シタル事項ヲ遵守スル為ニ要スル費用ハ特別ノ規程ヲ設ケタル場合ヲ除クノ外其ノ命ヲ受ケタル者ノ負担トス

② 国土交通大臣若ハ都道府県知事ニ於テ義務者ノ履行スヘキ義務ヲ自ラ執行シ又ハ第三者ヲシテ執行セシメタルカ為ニ要シタル費用ハ其ノ義務者ヨリ之ヲ追徴スルコトヲ得

〔寄付〕

第一九条　公共団体ハ砂防工事若ハ砂防ニ関スル費用ノ為寄付ヲナスコトヲ得

〔補助〕

第二〇条 公共団体ハ砂防ニ関スル費用ニ付キ私人若ハ其ノ区域内ノ公共団体ニ補助ヲナスコトヲ得

〔不均一賦課〕

第二一条 公共団体ハ砂防ニ関スル費用ニ付キ利害関係ノ厚薄ヲ標準トシテ其ノ区域内ニ於テ不均一ノ賦課ヲナスコトヲ得

〔土地森林の所有者の協力〕

第二二条 砂防工事ノ為必要ナルトキハ都道府県知事ハ管内ノ土地若ハ森林ノ所有者ニ命シ補償金トシテ時価相当ノ金額ヲ下付シテ其ノ所有ニ係ル土石、砂礫、芝草、竹木及運搬具ヲ供給セシムルコトヲ得但シ時価ニ関シテ協議整ハサルトキ又ハ所有者不明ナルトキ若ハ其ノ所在不明ナルトキハ都道府県知事ハ相当ト認ムル金額ヲ供託シテ本条ノ供給ヲナサシムルコトヲ得

〔立入権等〕

第二三条 砂防ノ為必要ナルトキハ行政庁ハ第二条ニ依リ国土交通大臣ノ指定シタル土地又ハ之ニ鄰接スル土地ニ立入リ又ハ其ノ土地ヲ材料置場等ニ供シ又ハ已ムヲ得サルトキハ其ノ土地ニ現在スル障害物ヲ除却スルコトヲ得

② 前項ノ適用ニ依リ損害ヲ受ケタル者ハ使用若ハ除却ノ後三箇月以内ニ補償金ヲ請求スルコトヲ得

〔所有者等の受忍義務〕

第二四条 第二条ニ依リ国土交通大臣ノ指定シタル土地ノ所有者若ハ関係人ハ行政庁若ハ其ノ命ヲ受ケタル私人ニ於テ其ノ土地ニ砂防工事ヲ施行シ又ハ砂防設備ノ維持ヲナスコトヲ拒ムコトヲ得ス

〔違法工事者等の賠償義務〕

第二五条 法律、命令若ハ許可認可ノ条件ニ違背シタル工事、設備若ハ工作物ノ管理ニ因リ損害ヲ受ケシメタル者ハ其ノ損害ヲ賠償スヘシ

〔補償金等の負担〕

第二六条 此ノ法律ニ依リ行政庁ニ於テ下付スヘキ補償金若ハ賠償金ハ其ノ行政庁ノ直接ニ管轄スル公共団体ノ負担トス

〔収入の帰属〕

第二七条 砂防設備ヨリ生スル収入ハ都道府県ニ帰ス但シ都道府県知事ハ其ノ収入ヲ第二条ニ依リ国土交通大臣ノ指定シタル土地若ハ其ノ土地ニ在ル森林ノ所有者又ハ其ノ砂防設備ノ施設者ニ下付スルコトヲ得

〔公用廃止後の設備の下付〕

第二八条 砂防設備ニシテ其ノ公用ヲ廃シタルトキハ都道府県知事ハ之ヲ其ノ砂防設備ノ現在スル土地若ハ森林ノ所有者ニ下付スルコトヲ得

第四章　警察、監督及強制手続

〔許可の取消等〕

第二九条 第四条ニ依リ国土交通大臣若ハ都道府県知事ニ於テ一定ノ事項ニ対シ許可ヲ受ケシメタル場合ニ於テ必要ト認ムルトキハ国土交通大臣若ハ都道府県知事ハ其ノ許可ヲ取消シ若ハ其ノ効力ヲ停止シ若ハ其ノ条件ヲ変更シ又ハ設備ノ変更若ハ原形ノ回復ヲ命シ又ハ許可セラレタル事項ニ因リ生スル害ヲ予防スル為ニ必要ナル設備ヲ命スルコトヲ得

〔事実の更正等〕

第三〇条 法律、命令若ハ許可ノ条件ニ違背シタル者ハ行政庁ノ命スル所ニ従ヒ其ノ違背ニ因リテ生スル事実ヲ更正シ且其ノ違背ニ因リテ生スヘキ損害ヲ予防スル為ニ必要ナル設備ヲナスヘシ

〔監視管理のための職員〕

第三一条 都道府県知事ハ第二条ニ依リ国土交通大臣ノ指定シタル土地監視ノ為並砂防設備管理ノ為其ノ補助機関タル職員ヲ置クヘシ

〔監督官庁〕

第三二条 国土交通大臣ハ砂防ニ関スル行政ニ付キ公共団体ノ行政庁ニ必要ナル指示ヲナスコトヲ得

② 都道府県知事ハ政令ノ定ムル所ニ依リ其ノ管内ノ公共団体ノ行政庁ニ必要ナル指示ヲナスコトヲ得

③ 此ノ法律ニ規定シタル事項ニシテ国土交通大臣若ハ都道府県知事ノ認可ヲ要スルモノハ政令ヲ以テ之ヲ定ム

④ 第十九条及第二十条ニ規定シタル事項並此ノ法律ニ依リ行政庁ニ付与シタル職権ニ関シテハ命令ヲ以テ制限ヲ設クルコトヲ得

〔他府県等に費用負担させる手続〕

第三三条 他ノ都道府県若ハ他ノ都道府県内ノ公共団体若ハ私人ヲシテ費用ヲ負担セシムル為ニ必要ナル手続ハ政令ヲ以テ之ヲ定ム

第三四条及第三五条 削除

〔間接強制〕

第三六条 私人ニ於テ此ノ法律若ハ此ノ法律ニ基キテ発スル命令ニ依ル義務ヲ怠ルトキハ国土交通大臣若ハ都道府県知事ハ一定ノ期限ヲ示シ若シ期限内ニ履行セサルトキ若ハ之ヲ履行スルモ不充分ナルトキハ五百円以内ニ於テ指定シタル過料ニ処スルコトヲ予告シテ其ノ履行ヲ命スルコトヲ得

〔保証金の処分〕

第三七条 此ノ法律若ハ此ノ法律ニ基キテ発スル命令ニ規定シタル事項ニ関シ保証金ヲ納付セシメタル場合ニ於テハ行政庁ニ於テ直ニ之ヲ其ノ納付ノ目的又ハ過料ニ充用スルコトヲ得

② 前項保証金ハ他ノ債権ノ為ニ差押フルコトヲ得ス

〔強制徴収〕

第三八条 此ノ法律若ハ此ノ法律ニ基キテ発スル命令ニ依リ私人ニ於テ負担スヘキ費用及過料ハ此ノ法律ニ於テ特ニ民事訴訟ヲ許シタル場合ヲ除クノ外行政庁ニ於テ国税滞納処分ノ例ニ依リ之ヲ徴収スルコトヲ得

② 前項ノ費用及過料ニ付キ行政庁ハ国税及地方税ニ次キ先取特権ヲ有スルモノトス

〔行政処分による強制〕

第三九条 此ノ法律若ハ此ノ法律ニ基キテ発スル命令ニ依リ行政庁ニ付与シタル職権ハ行政処分ニ依リ之ヲ強制スルコトヲ得

② 行政庁ノ許可若ハ認可ニ附シタル条件ニ関シテモ亦本条及前条ヲ準用ス

〔砂防視察官吏の警察権〕

第四〇条 此ノ法律若ハ此ノ法律ニ基キテ発スル命令ニ規定シタル事項ニ関シテハ砂防視察ノ職務ヲ有スル官吏ヲシテ命令ノ定ムル所ニ従ヒ警察官ノ職権ノ全部若ハ一部ヲ執行セシムルコトヲ得

〔罰則の委任〕

第四一条 此ノ法律ニ規定シタル私人ノ義務ニ関シテハ命令ヲ以テ二百円以内ノ罰金若ハ一年以下ノ禁錮ノ罰則ヲ設クルコトヲ得

第五章　補則

第四二条 削除

〔訴訟〕

第四三条 第二十二条又ハ第二十三条ニ依リ下付スベキ補償金額ニ対シ不服アル者ハ行政庁ニ於テ補償金額ノ通知ヲナシタル日ヨリ六箇月以内ニ訴ヲ以テ其ノ増額ヲ請求スルコトヲ得

② 前項ノ訴ニ於テハ都道府県ヲ以テ被告トス但シ国土交通大臣ノ管理スル砂防設備又ハ其ノ施行スル工事ニ係ルモノニ在リテハ国ヲ以テ被告トス

〔職権の委任〕

第四四条 此ノ法律ニ規定シタル国土交通大臣ノ職権ハ国土交通省令ノ定ムル所ニ依リ其ノ一部ヲ地方整備局長又ハ北海道開発局長ニ委任スルコトヲ得

〔事務の区分〕

第四五条 此ノ法律ノ規定ニ依リ地方公共団体ガ処理スルコトトサレテイル事務ノ内左ニ掲グルモノハ地方自治法（昭和二十二年法律第六十七号）第二条第九項第一号ニ規定スル第一号法定受託事務（次項ニ於テ第一号法定受託事務ト称ス）トス

一 第四条第一項、第五条、第六条第二項、第七条、第八条、第十一条ノ二第一項、第十五条乃至第十七条、第十八条第二項、第二十二条、第二十三条第一項、第二十八条乃至第三十条、第三十二条第二項、第三十六条及第三十八条ノ規定ニ依リ都道府県ガ処理スルコトトサレテイル事務

二 第六条第二項、第七条及第二十三条第一項ノ規定ニ依リ市町村ガ処理スルコトトサレテイル事務

② 他ノ法律及之ニ基ク政令ノ規定ニ依リ都道府県ガ第二条ニ依リ国土交通大臣ノ指定シタル土地ノ管理ニ関シ処理スルコトトサレテイル事務ハ第一号法定受託事務トス

第四六条 削除

第六章　附則

〔施行期日、命令への委任〕

第四七条　此ノ法律ハ明治三十年四月一日ヨリ施行ス

②　此ノ法律ヲ施行スル為ニ必要ナル規程ハ命令ヲ以テ之ヲ定ム

〔**従来の砂防に関する経過規定**〕

第四八条　第二条ニ依リ国土交通大臣ノ指定シタル土地ニ在ル従来ノ砂防ニ関シテハ勅令ヲ以テ特別ノ規程ヲ設クル場合ヲ除クノ外此ノ法律ノ規程ニ依ル

〔**平成二十二年度の特例**〕

第四九条　第十四条第二項ノ規定ノ平成二十二年度ニ於ケル適用ニ付テハ同項中「砂防工事」トアルハ「砂防工事又ハ災害ニ因ル危険ナル状況ニ対処スル為ニ速カニ施行スルコトヲ要スルモノトシテ政令ヲ以テ定ムル砂防設備ニ係ル工事」トス

〔**国の無利子貸付け等**〕

第五〇条　国庫ハ当分ノ間公共団体ニ対シ第十三条第一項ニ依リ国庫ニ於テ其ノ費用ニ付テ負担スル砂防工事ニシテ日本電信電話株式会社の株式の売払収入の活用による社会資本の整備の促進に関する特別措置法（昭和六十二年法律第八十六号以下社会資本整備特別措置法ト称ス）第二条第一項第二号ニ該当スルモノニ要スル費用ニ充用スル資金ニ付テ予算ノ範囲内ニ於テ第十三条第一項ニ依リ国庫ニ於テ負担スル金額ニ相当スル金額ノ貸付ヲナスコトヲ得此ノ場合ニ於テ同項ニ依ル国庫ノ負担ノ割合ニ付テ同項ニ異ナリタル規程ヲ設ケタル法令アルトキハ国庫ニ於テナス貸付ノ金額ハ同項及其ノ法令ニ依リ国庫ニ於テ負担スル金額ニ相当スル金額トス

②　国庫ハ当分ノ間公共団体ニ対シ予算ノ範囲内ニ於テ第二条ニ依リ国土交通大臣ノ指定シタル土地ニ於テナス砂防設備ニ関スル事業（前項ノ砂防工事ヲ除ク）ニシテ社会資本整備特別措置法第二条第一項第二号ニ該当スルモノニ要スル費用ニ充用スル資金ノ一部ヲ貸付スルコトヲ得

③　前二項ノ貸付金ニハ利子ヲ付セズ其ノ償還期間ハ五年（二年以内ノ据置期間ヲ含ム）以内ニ於テ政令ヲ以テ定ムル期間トス

④　前項ニ定ムルモノノ外第一項又ハ第二項ニ依ル貸付金ノ償還方法、償還期限ノ繰上其ノ他償還ニ関シ必要ナル事項ハ政令ヲ以テ之ヲ定ム

⑤　第一項ニ依リ国庫ニ於テ公共団体ニ対シ貸付ヲナシタル場合ニ於テハ第十三条第一項ニ依ル国庫ノ負担若シ第一項後段ノ法令アルトキハ同条第一項及其ノ法令ニ依ル国庫ノ負担ニシテ其ノ貸付ノ対象タル砂防工事ニ係ルモノニ付テハ其ノ貸付金ノ償還時ニ於テ其ノ貸付金ノ償還金ニ相当スル金額ヲ交付スルニ依リテ之ヲナスモノトス

⑥　第二項ニ依リ国庫ニ於テ公共団体ニ対シ貸付ヲナシタル場合ニ於テハ国庫ハ其ノ貸付ノ対象タル事業ニ付テ其ノ貸付金ニ相当スル金額ノ補助ヲナスモノトシ其ノ補助ニ付テハ其ノ貸付金ノ償還時ニ於テ其ノ貸付金ノ償還金ニ相当スル金額ヲ交付スルニ依リテ之ヲナスモノトス

⑦　第一項又ハ第二項ニ依ル貸付ヲ受ケタル公共団体ニ於テ其ノ貸付金ニ付キ第三項及第四項ニ基キテ定マリタル償還期限ヲ繰上ゲ償還ヲナシタル場合ニ於テハ政令ヲ以テ定ムル場合ヲ除クノ外其ノ償還ハ前二項ノ適用ニ付テハ其ノ償還期限ノ到来時ニ於テ之ヲナシタルモノト看做ス

附　則　〔抄〕〔昭和二八・八・一五法律二一三〕

1　この法律は、昭和二十八年九月一日から施行する。

2　この法律施行前従前の法令の規定によりなされた許可、認可その他の処分又は申請、届出その他の手続は、それぞれ改正後の相当規定に基いてなされた処分又は手続とみなす。

3　この法律施行の際従前の法令の規定により置かれている機関又は職員は、それぞれ改正後の相当規定に基いて置かれたものとみなす。

附　則　〔抄〕〔昭和三四・四・二〇法律一四八〕

（**施行期日**）

1　この法律は、国税徴収法（昭和三十四年法律第百四十七号）の施行の日〔昭和三五・一・一〕から施行する。

（**公課の先取特権の順位の改正に関する経過措置**）

7　第二章の規定による改正後の各法令（徴収金の先取特権の順位に係る部分に限る。）の規定は、この法律の施行後に国税徴収法第二条第十二号に規定する強制換価手続による配当手続が開始される場合について適用し、この法律の施行前に当該配当手続が開始されている場合における当該法令の規定に規定する徴収金の先取特権の順位については、なお従前の例による。

附　則　〔抄〕〔昭和三七・五・一六法律一四〇〕

1　この法律は、昭和三十七年十月一日から施行する。

2　この法律による改正後の規定は、この附則に特別の定めがある場合を除き、この法律の施行前に生じた事項にも適用する。ただし、この法律による改正前の規定によつて生じた効力を妨げない。

3　この法律の施行の際現に係属している訴訟については、当該訴訟を提起することができない旨を定めるこの法律による改正後の規定にかかわらず、なお従前の例による。

4　この法律の施行の際現に係属している訴訟の管轄については、当該管轄を専属管轄とする旨のこの法律による改正後の規定にかかわらず、なお従前の例による。

5　この法律の施行の際現にこの法律による改正前の規定による出訴期間が進行している処分又は裁決に関する訴訟の出訴期間については、なお従前の例による。ただし、この法律による改正後の規定による出訴期間がこの法律による改正前の規定による出訴期間より短い場合に限る。

6　この法律の施行前にされた処分又は裁決に関する当事者訴訟で、この法律による改正により出訴期間が定められることとなつたものについての出訴期間は、この法律の施行の日から起算する。

7　この法律の施行の際現に係属している処分又は裁決の取消しの訴えについては、当該法律関係の当事者の一方を被告とする旨のこの法律による改正後の規定にかかわらず、なお従前の例による。ただし、裁判所は、原告の申立てにより、決定をもつて、当該訴訟を当事者訴訟に変更することを許すことができる。

8　前項ただし書の場合には、行政事件訴訟法第十八条後段及び第二十一条第二項から第五項までの規定を準用する。

附　則　〔抄〕〔昭和三七・九・一五法律一六一〕

1　この法律は、昭和三十七年十月一日から施行する。

2　この法律による改正後の規定は、この附則に特別の定めがある場合を除き、この法律の施行前にされた行政庁の処分、この法律の施行前にされた申請に係る行政庁の不作為その他この法律の施行前に生じた事項についても適用する。ただし、この法律による改正前の規定によつて生じた効力を妨げない。

3　この法律の施行前に提起された訴願、審査の請求、異議の申立てその他の不服申立て（以下「訴願等」という。）については、この法律の施行後も、なお従前の例による。この法律の施行前にされた訴願等の裁決、決定その他の処分（以下「裁決等」という。）又はこの法律の施行前に提起された訴願等につきこの法律の施行後にされる裁決等にさらに不服がある場合の訴願等についても、同様とする。

4　前項に規定する訴願等で、この法律の施行後は行政不服審査法による不服申立てをすることができることとなる処分に係るものは、同法以外の法律の適用については、行政不服審査法による不服申立てとみなす。

5　第三項の規定によりこの法律の施行後にされる審査の請求、異議の申立てその他の不服申立ての裁決等については、行政不服審査法による不服申立てをすることができない。

6　この法律の施行前にされた行政庁の処分で、この法律による改正前の規定により訴願等をすることができるものとされ、かつ、その提起期間が定められていなかつたものについて、行政不服審査法による不服申立てをすることができる期間は、この法律の施行の日から起算する。

8　この法律の施行前にした行為に対する罰則の適用については、なお従前の例による。

9　前八項に定めるもののほか、この法律の施行に関して必要な経過措置は、政令で定める。

附　則　〔略〕〔昭和三八・六・一法律九四〕

附　則　〔略〕〔昭和三九・七・一〇法律一六八〕

附　則　〔略〕〔昭和六〇・五・一八法律三七〕

附　則　〔略〕〔昭和六一・五・八法律四六〕

附　則　〔略〕〔昭和六二・三・三一法律一一〕

附　則　〔略〕〔昭和六二・九・四法律八七〕

附　則　〔抄〕〔平成元・四・一〇法律二二〕

（**施行期日等**）

1　この法律は、公布の日から施行する。

2　この法律〔中略〕による改正後の法律の平成元年度及び平成二年度の特例に係る規定並びに平成元年度の特例に係る規定は、平成元年度及び平成二年度（平成元年度の特例に係るものにあつては、平成元年度。以下この項において同じ。）の予算に係る国の負担（当該国の負担に係る都道府県又は市町村の負担を含む。以下この項及び次項において同じ。）又は補助（昭

和六十三年度以前の年度における事務又は事業の実施により平成元年度以降の年度に支出される国の負担及び昭和六十三年度以前の年度の国庫債務負担行為に基づき平成元年度以降の年度に支出すべきものとされた国の負担又は補助を除く。）並びに平成元年度及び平成二年度における事務又は事業の実施により平成三年度（平成元年度の特例に係るものにあっては、平成二年度。以下この項において同じ。）以降の年度に支出される国の負担、平成元年度及び平成二年度の国庫債務負担行為に基づき平成三年度以降の年度に支出すべきものとされる国の負担又は補助並びに平成元年度及び平成二年度の歳出予算に係る国の負担又は補助で平成三年度以降の年度に繰り越されるものについて適用し、昭和六十三年度以前の年度における事務又は事業の実施により平成元年度以降の年度に支出される国の負担、昭和六十三年度以前の年度の国庫債務負担行為に基づき平成元年度以降の年度に支出すべきものとされた国の負担又は補助及び昭和六十三年度以前の年度の歳出予算に係る国の負担又は補助で平成元年度以降の年度に繰り越されたものについては、なお従前の例による。

附　則〔平成三・三・三〇法律一五〕

改正　平成五・三法八

1　この法律は、平成三年四月一日から施行する。

2　この法律〔中略〕による改正後の法律の平成三年度及び平成四年度の特例に係る規定並びに平成三年度の特例に係る規定は、平成三年度及び平成四年度（平成三年度の特例に係るものにあっては平成三年度とする。以下この項において同じ。）の予算に係る国の負担（当該国の負担に係る都道府県又は市町村の負担を含む。以下この項において同じ。）又は補助（平成二年度以前の年度における事務又は事業の実施により平成三年度以降の年度に支出される国の負担及び平成二年度以前の年度の国庫債務負担行為に基づき平成三年度以降の年度に支出すべきものとされた国の負担又は補助を除く。）並びに平成三年度及び平成四年度における事務又は事業の実施により平成五年度（平成三年度の特例に係るものにあっては平成四年度とする。以下この項において同じ。）以降の年度に支出される国の負担、平成三年度及び平成四年度の国庫債務負担行為に基づき平成五年度以降の年度に支出すべきものとされる国の負担又は補助並びに平成三年度及び平成四年度の歳出予算に係る国の負担又は補助で平成五年度以降の年度に繰り越されるものについて適用し、平成二年度以前の年度における事務又は事業の実施により平成三年度以降の年度に支出される国の負担、平成二年度以前の年度の国庫債務負担行為に基づき平成三年度以降の年度に支出すべきものとされた国の負担又は補助及び平成二年度以前の年度の歳出予算に係る国の負担又は補助で平成三年度以降の年度に繰り越されたものについては、なお従前の例による。

国の補助金等の臨時特例等に関する法律〔抄〕〔平成三・三・三〇 法律一五〕

改正　平成五・三法八

第八章　地方公共団体に対する財政金融上の措置

（地方公共団体に対する財政金融上の措置）

第三四条　国は、この法律の規定による改正後の法律の規定により平成三年度及び平成四年度の予算に係る国の負担又は補助の割合の引下げ措置の対象となる地方公共団体に対し、その事務又は事業の執行及び財政運営に支障を生ずることのないよう財政金融上の措置を講ずるものとする。

附　則〔抄〕〔平成五・三・三一法律八〕

（施行期日等）

1　この法律は、平成五年四月一日から施行する。

2　この法律〔中略〕による改正後の法律の規定は、平成五年度以降の年度の予算に係る国の負担（当該国の負担に係る都道府県又は市町村の負担を含む。以下この項において同じ。）又は補助（平成四年度以前の年度における事務又は事業の実施により平成五年度以降の年度に支出される国の負担及び平成四年度以前の年度の国庫債務負担行為に基づき平成五年度以降の年度に支出すべきものとされた国の負担又は補助を除く。）について適用し、平成四年度以前の年度における事務又は事業の実施により平成五年度以降の年度に支出される国の負担、平成四年度以前の年度の国庫債務負担行為に基づき平成五年度以降の年度に支出すべきものとされた国の負担又は補助及び平成四年度以前の年度の歳出予算に係る国の負担又は補助で平成五年度以降の年度に繰り越されたものについては、なお従前の例による。

附　則〔抄〕〔平成一一・七・一六法律八七〕

（施行期日）

第一条　この法律は、平成十二年四月一日から施行する。ただし、次の各号に掲げる規定は、当該各号に定める日から施行する。

一　〔前略〕附則〔中略〕第百六十条、第百六十三条、第百六十四条並びに第二百二条の規定　公布の日

二〜六　〔略〕

（砂防法の一部改正に伴う経過措置）

第一二五条　施行日前に第四百条の規定による改正前の砂防法（以下この条において「旧砂防法」という。）第六条第二項又は第七条の規定によりされた命令は、それぞれ第四百条の規定による改正後の砂防法（以下この条において「新砂防法」という。）第六条第二項又は第七条の規定によりされた指示とみなす。

2　新砂防法第十一条ノ二に規定する砂防ノ台帳に相当するものとして建設省令で定める砂防の台帳であってこの法律の施行の際現に調製し、保管しているものに関する新砂防法の規定の適用については、当該砂防の台帳を同条の規定により調製し、保管する砂防ノ台帳とみなす。

（国等の事務）

第一五九条　この法律による改正前のそれぞれの法律に規定するもののほか、この法律の施行前において、地方公共団体の機関が法律又はこれに基づく政令により管理し又は執行する国、他の地方公共団体その他公共団体の事務（附則第百六十一条において「国等の事務」という。）は、この法律の施行後は、地方公共団体が法律又はこれに基づく政令により当該地方公共団体の事務として処理するものとする。

（処分、申請等に関する経過措置）

第一六〇条　この法律（附則第一条各号に掲げる規定については、当該各規定。以下この条及び附則第百六十三条において同じ。）の施行前に改正前のそれぞれの法律の規定によりされた許可等の処分その他の行為（以下この条において「処分等の行為」という。）又はこの法律の施行の際現に改正前のそれぞれの法律の規定によりされている許可等の申請その他の行為（以下この条において「申請等の行為」という。）で、この法律の施行の日においてこれらの行為に係る行政事務を行うべき者が異なることとなるものは、附則第二条から前条までの規定又は改正後のそれぞれの法律（これに基づく命令を含む。）の経過措置に関する規定に定めるものを除き、この法律の施行の日以後における改正後のそれぞれの法律の適用については、改正後のそれぞれの法律の相当規定によりされた処分等の行為又は申請等の行為とみなす。

2　この法律の施行前に改正前のそれぞれの法律の規定により国又は地方公共団体の機関に対し報告、届出、提出その他の手続をしなければならない事項で、この法律の施行の日前にその手続がされていないものについては、この法律及びこれに基づく政令に別段の定めがあるもののほか、これを、改正後のそれぞれの法律の相当規定により国又は地方公共団体の相当の機関に対して報告、届出、提出その他の手続をしなければならない事項についてその手続がされていないものとみなして、この法律による改正後のそれぞれの法律の規定を適用する。

（不服申立てに関する経過措置）

第一六一条　施行日前にされた国等の事務に係る処分であって、当該処分をした行政庁（以下この条において「処分庁」という。）に施行日前に行政不服審査法に規定する上級行政庁（以下この条において「上級行政庁」という。）があったものについての同法による不服申立てについては、施行日以後においても、当該処分庁に引き続き上級行政庁があるものとみなして、行政不服審査法の規定を適用する。この場合において、当該処分庁の上級行政庁とみなされる行政庁は、施行日前に当該処分庁の上級行政庁であった行政庁とする。

2　前項の場合において、上級行政庁とみなされる行政庁が地方公共団体の機関であるときは、当該機関が行政不服審査法の規定により処理することとされる事務は、新地方自治法第二条第九項第一号に規定する第一号法定受託事務とする。

（手数料に関する経過措置）

第一六二条　施行日前においてこの法律による改正前のそれぞれの法律（これに基づく命令を含む。）の規定により納付すべきであった手数料については、この法律及びこれに基づく政令に別段の定めがあるもののほか、なお従前の例による。

（罰則に関する経過措置）

第一六三条　この法律の施行前にした行為に対する罰則の適用については、なお従前の例による。

（その他の経過措置の政令への委任）

第一六四条　この附則に規定するもののほか、この法律の施行に伴い必要な経過措置（罰則に関する経過措置を含む。）は、政令で定める。

２〔略〕

附　則〔略〕〔平成一一・一二・二二法律一六〇〕

附　則〔略〕〔平成一四・二・八法律一〕

附　則〔略〕〔平成一六・六・九法律八四〕

附　則〔略〕〔平成一八・六・七法律五三〕

附　則〔抄〕〔平成二二・三・三一法律二〇〕

（施行期日）

第一条　この法律は、平成二十二年四月一日から施行する。

（経過措置）

第二条　第一条から第八条まで並びに附則第六条及び第九条の規定による改正後の次の各号に掲げる法律の規定は、当該各号に定める国の負担（当該国の負担に係る都道府県又は市町村の負担を含む。以下この条において同じ。）について適用し、平成二十一年度以前の年度における事務又は事業の実施により平成二十二年度以降の年度に支出される国の負担、平成二十一年度以前の年度の国庫債務負担行為に基づき平成二十二年度以降の年度に支出すべきものとされた国の負担及び平成二十一年度以前の年度の歳出予算に係る国の負担で平成二十二年度以降の年度に繰り越されたものについては、なお従前の例による。

一　次に掲げる法律の規定　平成二十二年度の予算に係る国の負担（平成二十一年度以前の年度における事務又は事業の実施により平成二十二年度に支出される国の負担及び平成二十一年度以前の年度の国庫債務負担行為に基づき平成二十二年度に支出すべきものとされた国の負担を除く。）並びに同年度における事務又は事業の実施により平成二十三年度以降の年度に支出される国の負担、平成二十二年度の国庫債務負担行為に基づき平成二十三年度以降の年度に支出すべきものとされる国の負担及び平成二十二年度の歳出予算に係る国の負担で平成二十三年度以降の年度に繰り越されるもの

イ　砂防法第四十九条の規定により読み替えて適用する同法第十四条第二項

ロ～ヘ〔略〕

二〔略〕

三　次に掲げる法律の規定　平成二十三年度以降の年度の予算に係る国の負担（平成二十二年度以前の年度における事務又は事業の実施により平成二十三年度以降の年度に支出される国の負担及び平成二十二年度以前の年度の国庫債務負担行為に基づき平成二十三年度以降の年度に支出すべきものとされた国の負担を除く。）

イ　砂防法第十四条第二項

ロ～ホ〔略〕

（政令への委任）

第三条　前条に定めるもののほか、この法律の施行に関し必要な経過措置は、政令で定める。

○砂防法施行規程〔明治三〇・一〇・二六 勅令三八二〕

改正　昭和二二・五政一六、一二政三三四、昭和二三・七政一六六、昭和三八・八政三〇九、昭和四〇・二政一四、昭和五〇・七政二二一、昭和六一・九政二九五、平成一一・一一政三五二、平成一二・六政三一二、平成一四・二政二七、一一政三二九、平成二二・三政七八

〔指定土地の告示〕

第一条　国土交通大臣ニ於テ砂防法第二条ニ依リ指定スル土地ハ官報ヲ以テ之ヲ告示スヘシ

〔法を準用する施設物の告示及び準用事項の都道府県の条例への委任〕

第二条　砂防法第三条ニ依リ同法ニ規定シタル事項ヲ準用スヘキ施設物ハ都道府県知事ニ於テ其ノ地方ノ公布式ヲ以テ之ヲ告示スヘシ其ノ準用スヘキ事項ハ都道府県ノ条例ヲ以テ之ヲ定ム但シ同法第十三条及第十四条ニ規定シタル事項ハ之ヲ準用スルコトヲ得ス

〔天然の河岸〕

第二条ノ二　砂防法第三条ノ二ノ政令ヲ以テ定ムル天然ノ河岸ハ河川法（昭和三十九年法律第百六十七号）第三条第一項ノ河川以外ノ河川ニ係ル天然ノ河岸トス

〔復旧を要する天然の河岸に対する準用〕

第二条ノ三　砂防法第二条ニ依リ国土交通大臣ノ指定シタル土地ニ存スル前条ノ天然ノ河岸ニシテ災害ニ因リ治水上砂防ノ為復旧ヲ必要トスルモノ（著シキ欠壊又ハ埋没ニ係ルモノニ限ル）ニハ同法第五条、第六条第一項及第三項、第九条、第十条、第十二条、第十四条、第二十二条、第二十四条、第二十六条、第二十七条並第四十三条ヲ準用ス

〔禁止又は制限行為の都道府県の条例又は国土交通省令への委任〕

第三条　砂防法第四条ニ依リ禁止若ハ制限スヘキ行為ハ同条第一項ノ場合ニ於テハ都道府県ノ条例ヲ以テ第二項ノ場合ニ於テハ国土交通省令ヲ以テ之ヲ定ム

〔直轄管理等の告示〕

第四条　砂防法第六条第一項ニ依リ国土交通大臣ニ於テ砂防設備ヲ管理シ又ハ其ノ維持ヲナス場合ニ於テハ其ノ砂防設備ヲ、其ノ工事ヲ施行スル場合ニ於テハ其ノ砂防設備工事ノ施行区域及起工年度ヲ官報ヲ以テ告示スヘシ

② 前項ノ工事ヲ終了シタルトキハ官報ヲ以テ之ヲ告示スヘシ

③ 砂防法第六条第二項ニ依リ国土交通大臣ニ於テ砂防設備ニ因リ特ニ利益ヲ受クル公共団体ノ行政庁ニ対シ其ノ工事ノ施行若ハ其ノ維持ヲナスコトヲ指示スル場合又ハ同法第三条ノ二ニ於テ準用スル同法第六条第一項ニ依リ国土交通大臣ニ於テ管理、維持若ハ工事ヲ行フ場合ニ於テモ亦前二項ノ例ニ依ル

（国庫負担額）
第五条　砂防法第十三条第一項ニ依リ国庫ニ於テ負担スル金額ハ砂防工事ニ要スル費用ノ額（同法第十六条ニ依ル負担金アルトキハ其ノ額ヲ控除シタル額）ニ同法第十三条第一項ニ規定シタル負担割合ヲ乗ジテ得タル額トス

（土石等の供給をさせる場合の通知）
第六条　砂防法第二十二条（同法第三条ノ二ニ於テ準用スル場合ヲ含ム）ニ依リ都道府県知事ニ於テ土石、砂礫、芝草、竹木及運搬具ノ供給ヲナサシメムトスルトキハ少クトモ五日前ニ其ノ供給セシムヘキ物件ノ種類、数量及補償金額等ヲ其ノ所有者ニ通知スヘシ若シ其ノ所有者不明ナルトキ又ハ其ノ所在不明ナルトキハ物件所在地ノ市町村長ニ通知スヘシ

（土地を材料置場等に供しようとする場合等の通知）
第七条　砂防法第二十三条ニ依リ都道府県知事、市町村長又ハ地方公共団体ノ組合若ハ水害予防組合ノ管理者ニ於テ国土交通大臣ノ指定シタル土地又ハ之ニ隣接スル土地ヲ材料置場等ニ供セムトスルトキハ少クトモ五日前ニ又之ニ現在スル障害物ヲ除却セムトスルトキハ少クトモ十五日前ニ其ノ場所若ハ障害物ヲ其ノ所有者ニ通知スヘシ若シ其ノ所有者不明ナルトキ又ハ其ノ所在不明ナルトキハ其ノ土地ノ市町村長ニ通知スヘシ

（砂防工事施行の通知）
第八条　行政庁若ハ其ノ命ヲ受ケタル私人ニ於テ砂防工事ヲ施行セムトスルトキハ少クトモ七日前ニ之ヲ其ノ土地所有者ニ通知スヘシ若シ其ノ所有者不明ナルトキ又ハ其ノ所在不明ナルトキハ其ノ土地ノ市町村長ニ通知スヘシ

（指示の範囲）
第八条ノ二　砂防法第三十二条第二項ニ依ル都道府県知事ノ指示ハ同法又ハ之ニ基キテ発スル命令ニ依リ市町村長又ハ地方公共団体ノ組合若ハ水害予防組合ノ管理者ニ於テ執行スル砂防行政ニ付テナスモノトス

（国土交通大臣の認可事項）
第八条ノ三　砂防法第十三条第一項ニ依リ国庫ニ於テ其ノ費用ノ一部ヲ負担スル砂防工事ノ計画並其ノ変更（当初計画ノ目的ヲ変更セシムルニ至ラザルモノヲ除ク）、停止及廃止ハ軽易ナル事項トシテ国土交通大臣ノ定ムルモノヲ除キ国土交通大臣ノ認可ヲ受クルコトヲ要ス

（職権の委任）
第八条ノ四　此ノ命令ニ規定シタル国土交通大臣ノ職権ハ国土交通省令ノ定ムル所ニ依リ其ノ一部ヲ地方整備局長又ハ北海道開発局長ニ委任スルコトヲ得

（事務の区分）
第八条ノ五　此ノ命令ニ依リ地方公共団体ガ処理スルコトトサレテイル事務ノ内左ニ掲グルモノハ地方自治法（昭和二十二年法律第六十七号）第二条第九項第一号ニ規定スル第一号法定受託事務トス
一　第二条及第六条乃至第八条ニ依リ都道府県ガ処理スルコトトサレテイル事務
二　第七条及第八条ニ依リ市町村ガ処理スルコトトサレテイル事務

（従前の予算の取扱）
第九条　砂防ニ関スル費用ノ予算ニシテ砂防法第二条ニ依ル土地ノ指定前ニ確定シタルモノハ其ノ指定ノ為其ノ効力ヲ失ハス
②　前項予算ニ依リ執行スヘキ事項ハ従前ノ規程又ハ慣習ニ依リ既ニ定リタル執行者ニ於テ之ヲ行フ

（従前の許可の取扱）
第一〇条　砂防法ニ基キテ発スル命令ニ依リ行政庁ノ許可ヲ受クヘキ事項ハ従来許可ヲ受ケタルモノト雖国土交通大臣又ハ都道府県知事ノ定ムル所ノ期限内ニ於テ更ニ其ノ許可ヲ受クヘシ

（平成二二年度の特例）
第一一条　砂防法第四十九条ノ規定ニ依リ読替テ適用スル同法第十四条第二項ノ政令ヲ以テ定ムル砂防設備ニ係ル工事ハ左ニ掲グルモノトス
一　機能ガ低下シタル砂防設備ニシテ之ヲ放置スルトキハ著シキ被害ヲ生ズル虞アルモノニ係ル其ノ機能ノ回復ノ為ニ施行スル工事ニシテ之ニ要スル費用ノ額ガ千万円以上ノモノ
二　埋塞ノ虞アル砂防設備ニ於テナス堆積シタル土石其ノ他之ニ類スルモノノ排除ニシテ国土交通省令ヲ以テ定ムルモノ

（法第五〇条の規定による貸付金の償還期間等）
第一二条　砂防法第五十条第三項ノ政令ヲ以テ定ムル期間ハ五年（二年ノ据置期間ヲ含ム）トス
②　前項ノ期間ハ日本電信電話株式会社の株式の売払収入の活用による社会資本の整備の促進に関する特別措置法（昭和六十二年法律第八十六号）第五条第一項ニ依リ準用スル補助金等に係る予算の執行の適正化に関する法律（昭和三十年法律第百七十九号）第六条第一項ニ依ル貸付ノ決定毎ニ其ノ貸付ノ決定ニ係ル砂防法第五十条第一項又ハ第二項ニ依ル貸付金ノ交付ヲ完了シタル日（其ノ日ガ其ノ貸付ノ決定アリタル日ノ属スル年度ノ末日ノ前日以後ノ日ナルトキハ其ノ年度ノ末日ノ前前日）ノ翌日ヨリ之ヲ起算ス
③　砂防法第五十条第一項又ハ第二項ニ依ル貸付金ノ償還ハ均等年賦償還ノ方法ニ依リ之ヲナスモノトス
④　国庫ハ其ノ財政状況ヲ勘案シ相当ト認ムルトキハ砂防法第五十条第一項又ハ第二項ニ依ル貸付金ノ全部又ハ一部ニ付キ前三項ニ依リ定マリタル償還期限ヲ繰上ゲ償還ヲナサシムルコトヲ得
⑤　砂防法第五十条第七項ノ政令ヲ以テ定ムル場合ハ前項ニ依リ償還期限ヲ繰上ゲ償還ヲナシタル場合トス

附　則〔略〕〔昭和二三・七・一六政令一六六〕

附　則〔略〕〔昭和三八・八・二二政令三〇九〕

附　則〔略〕〔昭和四〇・二・一一政令一四〕

附　則〔略〕〔昭和六二・九・四政令二九五〕

附　則〔抄〕〔平成一一・一一・一〇政令三五二〕

（施行期日）
第一条　この政令は、平成十二年四月一日から施行する。

（砂防行政監督令の廃止）
第二条　砂防行政監督令（大正十五年勅令第二百九十一号）は、廃止する。

附　則〔略〕〔平成一二・六・七政令三一二〕

附　則〔略〕〔平成一四・二・八政令二七〕

附　則〔略〕〔平成一四・一一・七政令三三九〕

附　則〔抄〕〔平成二二・三・三一政令七八〕

（施行期日）
第一条　この政令は、平成二十二年四月一日から施行する。

○他の都府県又は他の都府県内の公共団体に砂防工事の費用を負担させる場合の手続に関する政令

〔昭和二八・九・三〇
政令三一一〕

改正　平成一一・一二政三五二、平成一二・六政三一二

（費用負担に関する協議）

第一条　都府県知事は、砂防法（以下「法」という。）第十七条の規定により、他の都府県又は他の都府県内の公共団体に砂防工事に要する費用を負担させようとする場合においては、その負担金額及び納付期限について、あらかじめ、当該他の都府県の知事に協議しなければならない。この場合において、当該他の都府県知事は、その都府県内の公共団体に費用を負担させる場合に係る協議に応じようとするときは、当該公共団体の意見を聞かなければならない。

2　前項の規定により都府県内の公共団体に費用を負担させる場合に係る協議を受けた都府県知事は、当該協議がととのつた場合においては、直ちに当該協議に係る負担金額及び納付期限を当該公共団体に通知しなければならない。

3　第一項前段の規定により都府県が処理することとされている事務は、地方自治法（昭和二十二年法律第六十七号）第二条第九項第一号に規定する第一号法定受託事務とする。

（直轄工事の場合の負担金額等の意見の聴取及び通知）

第二条　国土交通大臣は、法第十七条の規定により、他の都府県又は他の都府県内の公共団体に法第六条第一項の規定により施行する砂防工事に要する費用を負担させようとする場合においては、あらかじめ、その負担金額及び納付期限について当該他の都府県知事の意見を聞くとともに、負担金額及び納付期限を決定したときは、これを当該他の都府県知事に通知しなければならない。

2　前項の規定により都府県内の公共団体に費用を負担させる場合に係る意見を求められた都府県知事は、その意見を申し出ようとするときは、当該公共団体の意見を聞くとともに、負担金額及び納付期限について通知を受けたときは、直ちに当該通知を受けた負担金額及び納付期限を当該公共団体に通知しなければならない。

附　則

この政令は、公布の日から施行する。

附　則〔略〕（平成一一・一二・一〇政令三五二）

附　則〔抄〕（平成一二・六・七政令三一二）

（施行期日）

1　この政令は、内閣法の一部を改正する法律（平成十一年法律第八十八号）の施行の日（平成十三年一月六日）から施行する。

○砂防指定地台帳等整備規則

〔昭和三六・四・一二 建設省令七〕

改正 昭和四二・五建令一二、平成一二・一建令一〇、平成一五・五国交令七〇

（砂防指定地台帳）

第一条 砂防法（明治三十年法律第二十九号）第十一条ノ二第二項の砂防指定地台帳は、帳簿及び図面をもつて組成するものとする。

2 前項の帳簿及び図面は、河川別に調製するものとする。

3 第一項の帳簿には、少なくとも次の各号に掲げる事項を記載するものとし、その様式は、別記様式第一及び別記様式第二とする。

一 砂防法第二条の規定により指定された土地（以下「砂防指定地」という。）に指定された年月日

二 砂防指定地の区域

三 砂防指定地の面積

四 砂防指定地の概況

五 砂防指定地と地すべり防止区域又は保安林若しくは保安施設地区との重複関係

4 第一項の図面は、原則として、縮尺五千分の一の地形図に、砂防指定地の区域を赤色ぼかしをもつて表示することにより調製するものとする。

5 砂防指定地台帳の記載事項に変更があつたときは、都道府県知事は、すみやかにこれを訂正しなければならない。

（砂防設備台帳）

第二条 砂防法第十一条ノ二第二項の砂防設備台帳は、帳簿及び図面をもつて組成するものとする。

2 前項の帳簿及び図面は、河川別に調製するものとする。

3 第一項の帳簿には、少なくとも次の各号に掲げる事項を記載するものとし、その様式は、別記様式第三とする。

一 砂防設備に係る砂防指定地が砂防指定地に指定された年月日

二 砂防設備の位置、種類、構造及び数量

4 第一項の図面は、原則として、縮尺五千分の一の地形図に、砂防設備の位置及び種類を別表に掲げる記号又は色別をもつて表示することにより調製するものとする。

5 砂防設備台帳の記載事項に変更があつたときは、都道府県知事は、すみやかにこれを訂正しなければならない。

附 則

1 この省令は、公布の日から施行する。

2 都道府県砂防工事事務取扱規則（昭和二十六年建設省令第四号）は、廃止する。

附 則〔昭和四二・五・一建設省令一二〕

1 この省令は、公布の日から施行する。

2 この省令の施行の際現にこの省令による改正前の砂防指定地台帳等整備規則第一条第一項の規定により保管されている砂防指定地台帳は、この省令による改正後の砂防指定地台帳等整備規則の規定により調製されたものとみなす。

附 則〔略〕〔平成一二・一・三一建設省令一〇〕

附 則〔平成一五・五・二六国土交通省令七〇〕

1 この省令は、公布の日から施行する。

2 この省令の施行の際現に都道府県知事が保管している砂防指定地台帳については、なお従前の例によることができる。

別表〔第二条〕

砂防設備の種類	記号	色
堰(えん)堤工		緑色
床固工		
護岸工、築堤工		
流路工		
水制工		
しゅんせつ工、除石工		
山腹工		

別記様式〔略〕

○砂防法第四十四条及び砂防法施行規程第八条ノ四の規定により地方整備局長又は北海道開発局長に委任する職権を定める省令

〔平成一二・一一・二二 建設省令四三〕

改正 平成二〇・四国交令二七

砂防法（以下「法」という。）及び砂防法施行規程に規定する国土交通大臣の職権のうち、次に掲げるものは、地方整備局長及び北海道開発局長に委任する。ただし、第七号に掲げる職権については、国土交通大臣が自ら行うことを妨げない。

一 法第四条第二項の規定により同条第一項の職権を施行すること。

二 法第六条第二項の規定により指示すること（砂防設備により特に利益を受ける地方公共団体が二以上の地方整備局の管轄区域にわたる場合を除く。）。

三 法第六条第三項の規定により法の規定による都道府県知事の職権のうち法第七条、第八条、第十一条ノ二（砂防設備台帳の調製及び保管に係るものに限る。）、第二十二条及び第二十三条に規定するものを直接施行すること。

四 法第十八条第二項の規定により費用を追徴すること。

五 法第二十九条の規定により許可を取り消し、その効力を停止し、若しくは条件を変更し、又は設備の変更若しくは原形の回復を命じ、若しくは必要な設備を命じること。

六 第一号、第三号及び第四号に掲げる国土交通大臣の職権に係る法第三十条及び第三十六条から第三十九条までに規定する国土交通大臣の職権を行うこと。

七 法第三十二条第一項の規定により指示をすること。

八 砂防法施行規程第六条から第八条までの規定により通知すること。

附 則

この省令は、内閣法の一部を改正する法律（平成十一年法律第八十八号）の施行の日（平成十三年一月六日）から施行する。

附 則〔略〕〔平成二〇・四・一国土交通省令二七施行〕

○砂防法施行規程第十一条第二号に規定する砂防設備に堆積した土石その他これに類するものの排除を定める省令

〔平成二二・四・一 国土交通省令一九〕

砂防法施行規程第十一条第二号に規定する砂防設備に堆積した土石その他これに類するものの排除は、砂防設備に堆積した土石、砂礫、火山灰、流木その他これに類するものの排除（以下「除石」という。）で、平成二十二年度の当該箇所における除石に係る支出額が三億円を超えている箇所において行うものとする。

附 則

この省令は、平成二十二年四月一日から施行する。

○地すべり等防止法

〔昭和三三・三・三一 法律三〇〕

改正 昭和三四・四法一四八、昭和三五・三法三九、法四〇、昭和三七・四法六八、九法一六一、昭和三八・六法九九、昭和三九・七法一六八、昭和四五・四法一三、昭和四七・五法三一、六法五二、昭和五三・七法八七、昭和六〇・五法三七、昭和六一・五法四六、昭和六二・三法一一、九法八七、平成元・四法二二、平成三・三法一五、平成五・三法八、平成一一・七法八七、一二法一六〇、平成一三・六法九二、平成一四・二法一、平成一六・六法九四、平成一七・七法八二、平成一八・六法五三、平成一九・三法二三、平成二三・八法一〇五、平成二四・六法四二、平成二五・一一法七六、平成二六・六法六九、平成二九・六法四五、令和五・五法三四

目次

第一章 総則（第一条―第六条）
第二章 地すべり防止区域に関する管理（第七条―第二十六条）
第三章 地すべり防止区域に関する費用（第二十七条―第四十条）
第四章 ぼた山崩壊防止区域に関する管理等（第四十一条―第四十五条）
第五章 雑則（第四十六条―第五十一条の三）
第六章 罰則（第五十二条―第五十五条）
附則

第一章 総則

（目的）

第一条 この法律は、地すべり及びぼた山の崩壊による被害を除却し、又は軽減するため、地すべり及びぼた山の崩壊を防止し、もつて国土の保全と民生の安定に資することを目的とする。

（定義）

第二条 この法律において「地すべり」とは、土地の一部が地下水等に起因してすべる現象又はこれに伴つて移動する現象をいう。

2 この法律において「ぼた山」とは、石炭又は亜炭に係る捨石が集積されてできた山であつて、この法律の施行の際現に存するものをいい、鉱山保安法及び経済産業省設置法の一部を改正する法律（平成十六年法律第九十四号）第一条の規定による改正前の鉱山保安法（昭和二十四年法律第七十号）第四条又は第二十六条の規定により鉱業権者又は鉱業権者とみなされる者がこの法律の施行の際必要な措置を講ずべきであつたものを除くもの

とする。

３　この法律において「地すべり防止施設」とは、次条の規定により指定される地すべり防止区域内にある排水施設、擁壁、ダムその他の地すべりを防止するための施設をいう。

４　この法律において「地すべり防止工事」とは、地すべり防止施設の新設、改良その他次条の規定により指定される地すべり防止区域内における地すべりを防止するための工事をいう。

（地すべり防止区域の指定）

第三条　主務大臣は、この法律の目的を達成するため必要があると認めるときは、関係都道府県知事の意見をきいて、地すべり区域（地すべりしている区域又は地すべりするおそれのきわめて大きい区域をいう。以下同じ。）及びこれに隣接する地域のうち地すべり区域の地すべりを助長し、若しくは誘発し、又は助長し、若しくは誘発するおそれのきわめて大きいもの（以下これらを「地すべり地域」と総称する。）であつて、公共の利害に密接な関連を有するものを地すべり防止区域として指定することができる。

２　前項の指定は、この法律の目的を達成するため必要な最小限度のものでなければならない。

３　主務大臣は、第一項の指定をするときは、主務省令で定めるところにより、当該地すべり防止区域を告示するとともに、その旨を関係都道府県知事に通知しなければならない。これを廃止するときも、同様とする。

４　地すべり防止区域の指定又は廃止は、前項の告示によつてその効力を生ずる。

（ぼた山崩壊防止区域の指定）

第四条　主務大臣は、この法律の目的を達成するため必要があると認めるときは、関係都道府県知事の意見をきいて、ぼた山の存する区域であつて、公共の利害に密接な関連を有するものをぼた山崩壊防止区域として指定することができる。

２　前条第二項から第四項までの規定は、前項の指定について準用する。この場合において、同条第三項中「当該地すべり防止区域」とあるのは「当該ぼた山崩壊防止区域」と、同条第四項中「地すべり防止区域」とあるのは「ぼた山崩壊防止区域」と読み替えるものとする。

（調査）

第五条　第三条第一項の指定は、必要に応じ、当該地すべり地域に関し、地形、地質、降水、地表水若しくは地下水又は土地の滑動状況に関する現地調査をして行うものとする。

（調査のための立入）

第六条　主務大臣又はその命を受けた職員若しくはその委任を受けた者は、前条の調査のためやむを得ない必要があるときは、他人の占有する土地に立ち入り、又は特別の用途のない他人の土地を材料置場若しくは作業場として一時使用することができる。

２　前項の規定により他人の占有する土地に立ち入ろうとするときは、あらかじめ当該土地の占有者にその旨を通知しなければならない。ただし、あらかじめ通知することが困難であるときは、この限りでない。

３　第一項の規定により宅地又はかき、さく等で囲まれた土地に立ち入ろうとするときは、立入の際あらかじめその旨を当該土地の占有者に告げなければならない。

４　日出前及び日没後においては、占有者の承認があつた場合を除き、前項に規定する土地に立ち入つてはならない。

５　第一項の規定により土地に立ち入ろうとする者は、その身分を示す証明書を携帯し、関係人の請求があつたときは、これを提示しなければならない。

６　第一項の規定により特別の用途のない他人の土地を材料置場又は作業場として一時使用しようとするときは、あらかじめ、当該土地の占有者及び所有者に通知して、その者の意見をきかなければならない。

７　土地の占有者又は所有者は、正当な理由がない限り、第一項の規定による立入又は一時使用を拒み、又は妨げてはならない。

８　国は、第一項の規定による立入又は一時使用により損失を受けた者に対し、通常生ずべき損失を補償しなければならない。

９　前項の規定による損失の補償については、国と損失を受けた者とが協議しなければならない。

10　前項の規定による協議が成立しない場合においては、国は、自己の見積つた金額を損失を受けた者に支払わなければならない。この場合において、当該金額について不服がある者は、政令で定めるところにより、補償金の支払を受けた日から三十日以内に収用委員会に土地収用法（昭和二十六年法律第二百十九号）第九十四条の規定による裁決を申請することができる。

11　第五項の規定による証明書の様式その他証明書に関し必要な事項は、主務省令で定める。

第二章　地すべり防止区域に関する管理

（地すべり防止区域の管理）

第七条　地すべり防止工事の施行その他地すべり防止区域の管理は、当該地すべり防止区域の存する都道府県を統括する都道府県知事が行うものとする。

（標識の設置）

第八条　都道府県知事は、第三条第三項の規定による地すべり防止区域の指定の通知を受けたときは、主務省令で定めるところにより、その地すべり防止区域内にこれを表示する標識を設置しなければならない。

（地すべり防止工事基本計画）

第九条　都道府県知事は、第三条第三項の規定による地すべり防止区域の指定の通知を受けたときは、主務省令で定めるところにより、関係市町村（特別区を含む。以下同じ。）の長の意見をきいて、当該地すべり防止区域に係る地すべり防止工事に関する基本計画を作成し、これを主務大臣に提出するものとする。これを変更するときも、同様とする。

（主務大臣の直轄工事）

第一〇条　主務大臣は、次の各号の一に該当する場合において、当該地すべり防止工事が国土の保全上特に重要なものであると認められるときは、都道府県知事に代つて自ら当該地すべり防止工事を施行することができる。この場合においては、主務大臣は、あらかじめ当該都道府県知事の意見をきかなければならない。

一　地すべり防止工事の規模が著しく大であるとき。

二　地すべり防止工事が高度の技術を必要とするとき。

三　地すべり防止工事が高度の機械力を使用して実施する必要があるとき。

四　地すべり防止工事が都府県の区域の境界に係るとき。

２　主務大臣は、前項の規定により地すべり防止工事を施行する場合においては、政令で定めるところにより、都道府県知事に代つてその権限を行うものとする。

３　主務大臣は、第一項の規定により地すべり防止工事を施行する場合においては、主務省令で定めるところにより、その旨を告示しなければならない。

（主務大臣又は都道府県知事以外の者の施行する工事）

第一一条　主務大臣又は都道府県知事以外の者が地すべり防止工事を施行しようとするときは、あらかじめ当該地すべり防止工事に関する設計及び実施計画について都道府県知事の承認を受けなければならない。

２　国又は地方公共団体は、前項の規定にかかわらず、地すべり防止工事に関する設計及び実施計画について都道府県知事に協議することをもつて足りる。

３　都道府県知事は、第一項の承認に、地すべりを防止するため必要な条件を附することができる。

（築造等の基準）

第一二条　地すべり防止施設の種類、配置、構造及び規模並びに水流の付替、地すべり地塊の除去その他地すべりの防止のための工事は、当該地すべり防止区域における地すべりの原因、機構及び規模に応じて、有効かつ適切なものとしなければならない。

２　地すべり防止施設は、次の各号に定めるところにより築造しなければならない。

一　排水施設は、次に掲げるところにより、地すべりの原因となるべき地表水及び地下水をすみやかに地すべり防止区域から排除することができるものであること。

イ　地表水の排除については、明渠、管渠、暗渠、導水管又は排水トンネルを用いること。

ロ　地下水の排除については、暗渠、ボーリング排水孔、排水トンネル、集水井戸、地下止水壁、明渠、管渠又は導水管を用いること。

二　擁壁、くい及び土留は、地すべり力に対して安全な構造のものであること。

三 ダム、床固、護岸、導流堤及び水制は、特に地すべりの規模及び流水による浸食の防止に適合するものであること。

（兼用工作物の工事の施行）

第一三条 都道府県知事は、その管理する地すべり防止施設が砂防法（明治三十年法律第二十九号）第一条に規定する砂防設備、森林法（昭和二十六年法律第二百四十九号）第四十一条第三項に規定する保安施設事業に係る施設、かんがい排水施設その他の施設又は工作物（以下これらを「他の工作物」と総称する。）の効用を兼ねるときは、当該他の工作物の管理者との協議により、その者に当該地すべり防止施設に関する工事を施行させ、又は当該地すべり防止施設を維持させることができる。

（工事原因者の工事の施行）

第一四条 都道府県知事は、その施行する地すべり防止工事以外の工事（以下「他の工事」という。）又は地すべり防止工事の必要を生じさせた行為（以下「他の行為」という。）により自ら施行する必要を生じた地すべり防止工事を当該他の工事の施行者又は他の行為者に施行させることができる。

2 前項の場合において、他の工事が河川工事（河川法（昭和三十九年法律第百六十七号）が適用され、又は準用される河川の河川工事をいう。以下同じ。）又は道路（道路法（昭和二十七年法律第百八十号）による道路をいう。以下同じ。）に関する工事であるときは、当該地すべり防止工事については、河川法第十九条又は道路法第二十三条第一項の規定を適用する。

（附帯工事の施行）

第一五条 都道府県知事は、地すべり防止工事により必要を生じた他の工事又は地すべり防止工事を施行するため必要を生じた他の工事を当該地すべり防止工事とあわせて施行することができる。

2 前項の場合において、他の工事が河川工事、道路に関する工事又は砂防工事（砂防法による砂防工事をいう。以下同じ。）であるときは、当該他の工事の施行については、河川法第十八条、道路法第二十二条第一項又は砂防法第八条の規定を適用する。

（土地の立入等）

第一六条 都道府県知事又はその命じた職員若しくは委任した者は、地すべり防止区域に関する調査若しくは測量又は地すべり防止工事のためやむを得ない必要があるときは、他人の占有する土地に立ち入り、又は特別の用途のない他人の土地を材料置場若しくは作業場として一時使用することができる。

2 第六条第二項から第十一項までの規定は、前項の規定により他人の占有する土地に立ち入り、又は他人の土地を一時使用する場合について準用する。この場合において、同条第八項から第十項まで中「国」とあるのは、「都道府県知事の統括する都道府県」と読み替えるものとする。

（地すべり防止工事に伴う損失補償）

第一七条 土地収用法第九十三条第一項の規定による場合を除き、都道府県知事が地すべり防止工事を施行したことにより、当該地すべり防止工事を施行した土地に面する土地について、通路、みぞ、かき、さくその他の施設若しくは工作物を新築し、増築し、修繕し、若しくは移転し、又は盛土若しくは切土をするやむを得ない必要があると認められる場合においては、当該都道府県知事の統括する都道府県は、これらの工事をすることを必要とする者（以下この条において「損失を受けた者」という。）の請求により、これに要する費用の全部又は一部を補償しなければならない。この場合において、当該都道府県知事の統括する都道府県又は損失を受けた者は、補償金の全部又は一部に代えて、当該都道府県知事が当該工事を施行することを要求することができる。

2 前項の規定による損失の補償は、当該地すべり防止工事の完了の日から一年を経過した後においては、請求することができない。

3 第一項の規定による損失の補償については、当該都道府県知事の統括する都道府県と損失を受けた者とが協議しなければならない。

4 前項の規定による協議が成立しない場合においては、当該都道府県知事の統括する都道府県又は損失を受けた者は、政令で定めるところにより、収用委員会に土地収用法第九十四条の規定による裁決を申請することができる。

（行為の制限）

第一八条 地すべり防止区域内において、次の各号の一に該当する行為をしようとする者は、都道府県知事の許可を受けなければならない。

一 地下水を誘致し、又は停滞させる行為で地下水を増加させるもの、地下水の排水施設の機能を阻害する行為その他地下水の排除を阻害する行為（政令で定める軽微な行為を除く。）

二 地表水を放流し、又は停滞させる行為その他地表水のしん透を助長する行為（政令で定める軽微な行為を除く。）

三 のり切又は切土で政令で定めるもの

四 ため池、用排水路その他の地すべり防止施設以外の施設又は工作物で政令で定めるもの（以下「他の施設等」という。）の新築又は改良

五 前各号に掲げるもののほか、地すべりの防止を阻害し、又は地すべりを助長し、若しくは誘発する行為で政令で定めるもの

2 都道府県知事は、前項の許可の申請があつた場合において、当該許可の申請に係る行為が地すべりの防止を著しく阻害し、又は地すべりを著しく助長するものであると認めるときは、これを許可してはならない。

3 都道府県知事は、第一項の許可に、地すべりを防止するため必要な条件を附することができる。

（経過措置）

第一九条 第三条の規定による地すべり防止区域の指定の際現に当該地すべり防止区域内において権原に基き他の施設等を設置（工事中の場合を含む。）している者は、従前と同様の条件により、当該他の施設等の設置について前条第一項の許可を受けたものとみなす。第三条の規定による地すべり防止区域の指定の際現に当該地すべり防止区域内において権原に基き前条第一項第一号から第三号まで及び第五号に規定する行為を行つている者についても、同様とする。

（許可の特例）

第二〇条 森林法第三十四条第二項（同法第四十四条において準用する場合を含む。）又は砂防法第四条（同法第三条において準用する場合を含む。）の規定による許可を受けた者は、当該許可に係る行為については、第十八条第一項の許可を受けることを要しない。

2 国又は地方公共団体が第十八条第一項各号に規定する行為をしようとするときは、あらかじめ都道府県知事に協議することをもつて足りる。

（監督処分及び損失補償）

第二一条 都道府県知事は、次の各号の一に該当する者に対して、その許可を取り消し、若しくはその条件を変更し、又はその行為の中止、他の施設等の改築、移転若しくは除却、他の施設等により生ずべき地すべりを防止するために必要な施設をすること若しくは原状回復を命ずることができる。

一 第十八条第一項の規定に違反した者

二 第十八条第一項の許可に附した条件に違反した者

三 偽りその他不正な手段により第十八条第一項の許可を受けた者

2 都道府県知事は、次の各号の一に該当する場合においては、第十八条第一項の許可を受けた者に対し、前項に規定する処分をし、又は同項に規定する必要な措置を命ずることができる。

一 地すべり防止工事のためやむを得ない必要が生じたとき。

二 地すべりの防止上著しい支障が生じたとき。

三 地すべりの防止上の理由以外の理由に基く公益上やむを得ない必要が生じたとき。

3 都道府県知事の統括する都道府県は、前項の規定による処分又は命令により損失を受けた者に対し通常生ずべき損失を補償しなければならない。

4 第六条第九項及び第十項の規定は、前項の補償について準用する。この場合において、同条第九項及び第十項中「国」とあるのは、「都道府県知事の統括する都道府県」と読み替えるものとする。

5 都道府県知事の統括する都道府県は、第三項の規定による補償の原因となつた損失が、第二項第三号の規定による処分又は命令によるものであるときは、当該補償金額を当該理由を生じさせた者に負担させることができる。

（都道府県知事以外の者の管理する地すべり防止施設に関する監督）

第二二条 都道府県知事は、その職務の執行に関し必要があると認めるときは、都道府県知事以外の地すべり防止施設の管理者に対し報告若しくは資料の提出を求め、又はその命じた職員に当該地すべり防止施設に立ち入り、これを検査させることができる。

2 前項の規定により立入検査をする者は、その身分を示す証明書を携帯し、関係人の請求があつたときは、これを提示しなければならない。

3 第一項の立入検査の権限は、犯罪捜査のために認められたものと解してはならない。

4 第二項の証明書の様式その他証明書に関し必要な事項は、主務省令で定

める。

第二三条　都道府県知事は、都道府県知事以外の者の管理する地すべり防止施設が次の各号の一に該当する場合において、当該地すべり防止施設が第十二条の規定に適合しないときは、その管理者に対し改良、補修その他当該地すべり防止施設の管理につき必要な措置を命ずることができる。

一　第十一条第一項の規定に違反して工事が施行されたとき。

二　第十一条第一項の承認に附した条件に違反して工事が施行されたとき。

三　偽りその他不正な手段により第十一条第一項の承認を受けて工事が施行されたとき。

2　都道府県知事は、都道府県知事以外の者の管理する地すべり防止施設が前項各号のいずれにも該当しない場合において、当該地すべり防止施設が第十二条の規定に適合しなくなり、かつ、地すべりの防止上著しい支障があると認められるときは、その管理者に対し前項に規定する措置を命ずることができる。

3　都道府県知事の統括する都道府県は、前項の規定による命令により損失を受けた者に対し通常生ずべき損失を補償しなければならない。

4　第六条第九項及び第十項の規定は、前項の補償について準用する。この場合において、同条第九項及び第十項中「国」とあるのは、「都道府県知事の統括する都道府県」と読み替えるものとする。

5　前三項の規定は、国又は地方公共団体の管理する地すべり防止施設については、適用しない。

（関連事業計画）

第二四条　都道府県知事は、地すべりによる被害を除却し、又は軽減するため必要があると認めるときは、地すべり防止工事基本計画を勘案して、主務省令で定めるところにより、次の各号に掲げる事項を記載した計画（以下「関連事業計画」という。）の概要を作成し、地すべり防止区域の存する市町村の長にこれを提示して、当該市町村における関連事業計画を作成するよう勧告することができる。

一　家屋その他の施設若しくは工作物の移転若しくは除却又は除却される家屋その他の施設若しくは工作物に代る家屋その他の施設若しくは工作物の建設に関すること。

二　農地の整備又は保全に関すること。

三　農道、かんがい排水施設又はため池の整備に関すること。

四　前三号に掲げる事項に直接関連して地すべり防止区域外において特に必要とされるこれらの号に掲げる事項

2　前項の勧告に応じて関連事業計画を作成しようとするときは、市町村長は、主務省令で定めるところにより、あらかじめ当該計画に係る事項について利害関係を有する者又はこれらの者の組織する団体の意見をきかなければならない。これを変更しようとするときも、同様とする。

3　関連事業計画を作成し、又は変更したときは、市町村長は、主務省令で定めるところにより、その内容を公表するよう努めるものとする。

（立退の指示）

第二五条　都道府県知事又はその命じた職員は、地すべりにより著しい危険が切迫していると認められるときは、必要と認める区域内の居住者に対し避難のために立ち退くべきことを指示することができる。この場合においては、都道府県知事又はその命じた職員は、直ちに、当該区域を管轄する警察署長にその旨を通知しなければならない。

（地すべり防止区域台帳）

第二六条　都道府県知事は、地すべり防止区域台帳を調製し、これを保管しなければならない。

2　都道府県知事は、地すべり防止区域台帳の閲覧を求められたときは、正当な理由がなければこれを拒むことができない。

3　地すべり防止区域台帳の記載事項その他その調製及び保管に関し必要な事項は、主務省令で定める。

第三章　地すべり防止区域に関する費用

（地すべり防止区域の管理に要する費用の負担原則）

第二七条　地すべり防止工事の施行及び標識の設置その他地すべり防止区域の管理に要する費用は、この法律及び他の法律に特別の規定がある場合を除き、当該地すべり防止区域を管理する都道府県知事の統括する都道府県の負担とする。

（主務大臣の直轄工事に要する費用の負担）

第二八条　第十条第一項の規定により主務大臣が施行する地すべり防止工事で、渓流（山間部におけるその直下流を含む。以下同じ。）において施行するもの及びこれと一体となつて直接渓流に土砂を排出することを防止するために施行するものに要する費用は、国がその三分の二を、都道府県がその三分の一を負担する。

2　第十条第一項の規定により主務大臣が施行する地すべり防止工事で前項に規定するもの以外のものに要する費用は、国及び都道府県がそれぞれその二分の一を負担する。

3　前二項の場合において、当該地すべり防止工事によつて他の都府県も著しく利益を受けるときは、主務大臣は、政令で定めるところにより、その利益を受ける限度において、当該地すべり防止区域を管理する都府県知事の統括する都府県の負担すべき負担金の一部を著しく利益を受ける他の都府県に分担させることができる。

4　前項の規定により著しく利益を受ける他の都府県に負担金の一部を分担させようとする場合においては、主務大臣は、あらかじめ当該都府県の意見をきかなければならない。

（都道府県知事の施行する地すべり防止工事に要する費用の一部負担）

第二九条　国は、政令で定めるところにより、都道府県知事の施行する地すべり防止工事に要する費用の二分の一を負担する。ただし、渓流において施行する地すべり防止工事及びこれと一体となつて直接渓流に土砂を排出することを防止するために施行する地すべり防止工事については、当該地すべり防止工事が災害による土砂の崩壊等の危険な状況に対処するために施行する緊急地すべり対策事業に係るものであるときは三分の二を、当該地すべり防止工事が再度災害を防止するために施行するものであつて災害による土砂の崩壊等の危険な状況に対処するために施行する緊急地すべり対策事業に係るもの以外のものであるときは十分の五・五を国の負担割合とする。

（受益都府県の分担金）

第三〇条　都府県知事の施行する地すべり防止工事によつて他の都府県も著しく利益を受けるときは、当該都府県知事は、政令で定めるところにより、他の都府県の知事と協議して、他の都府県の利益を受ける限度において、当該都府県知事の統括する都府県の負担すべき負担金の一部を著しく利益を受ける他の都府県に分担させることができる。

（市町村の分担金）

第三一条　前四条の規定により都道府県が負担する費用のうち、その地すべり防止工事又は地すべり防止施設の維持が当該都道府県の区域内の市町村を利するものについては、当該工事又は維持による受益の限度において、当該市町村に対し、その工事又は維持に要する費用の一部を分担させることができる。

2　前項の費用について同項の規定により市町村が分担すべき金額は、当該市町村の意見をきいた上、当該都道府県の議会の議決を経て定めなければならない。

（負担金の納付）

第三二条　主務大臣が地すべり防止工事を施行する場合においては、まず全額国費をもつてこれを施行した後、当該地すべり防止区域を管理する都道府県知事の統括する都道府県又は負担金を分担すべき他の都府県は、政令で定めるところにより、第二十八条第一項又は第二項の規定に基く負担金を国庫に納付しなければならない。

（兼用工作物の費用）

第三三条　都道府県知事の管理する地すべり防止施設が他の工作物の効用を兼ねるときは、当該地すべり防止施設の管理に要する費用の負担については、当該都道府県知事と当該他の工作物の管理者とが協議して定めるものとする。

（原因者負担金）

第三四条　都道府県知事は、他の工事又は他の行為により自ら施行する必要を生じた地すべり防止工事の費用については、その必要を生じた限度において、他の工事又は他の行為につき費用を負担する者にその全部又は一部を負担させるものとする。

2　前項の場合において、他の工事が河川工事又は道路に関する工事であるときは、当該地すべり防止工事の費用については、河川法第六十八条又は道路法第五十九条第一項及び第三項の規定を適用する。

（附帯工事に要する費用）

第三五条　都道府県知事の施行する地すべり防止工事により必要を生じた他の工事又はその施行する地すべり防止工事を施行するため必要を生じた他の工事に要する費用は、第十八条第一項の許可に附した条件に特別の定がある場合及び第二十条第二項の協議による場合を除き、その必要を生じた限度において、当該都道府県知事の統括する都道府県がその全部又は一部を負担するものとする。

２　前項の場合において、他の工事が河川工事、道路に関する工事又は砂防工事であるときは、他の工事に要する費用については、河川法第六十七条、道路法第五十八条第一項又は砂防法第十六条の規定を適用する。

３　都道府県知事は、第一項の地すべり防止工事が他の工事又は他の行為のため必要となつたものである場合においては、同項の他の工事に要する費用の全部又は一部をその必要を生じた限度において、その原因となつた工事又は行為につき費用を負担する者に負担させることができる。

（受益者負担金）

第三六条　都道府県知事は、その施行する地すべり防止工事によつて著しく利益を受ける者がある場合においては、その利益を受ける限度において、当該工事に要する費用の一部を負担させることができる。

２　前項の場合において、負担金の徴収を受ける者の範囲及びその徴収方法については、当該都道府県知事の統括する都道府県の条例で定める。

（負担金の通知及び納入手続等）

第三七条　前二条の規定による負担金の額の通知及び納入手続その他負担金に関し必要な事項は、政令で定める。

（強制徴収）

第三八条　第三十三条、第三十四条第一項、第三十五条第三項及び第三十六条第一項の規定に基く負担金（以下単に「負担金」という。）を納付しない者があるときは、都道府県知事は、督促状によつて納付すべき期限を指定して督促しなければならない。

２　前項の場合においては、都道府県知事は、主務省令で定めるところにより、延滞金を徴収することができる。ただし、延滞金は、年十四・五パーセントの割合を乗じて計算した額をこえない範囲内で定めなければならない。

３　第一項の規定による督促を受けた者がその指定する期限までにその納付すべき金額を納付しないときは、都道府県知事は、国税滞納処分の例により、前二項に規定する負担金及び延滞金を徴収することができる。この場合における負担金及び延滞金の先取特権の順位は、国税及び地方税に次ぐものとする。

４　延滞金は、負担金に先だつものとする。

５　負担金及び延滞金を徴収する権利は、これらを行使することができる時から五年間行使しないときは、時効により消滅する。

（収入の帰属）

第三九条　負担金及び前条第二項の延滞金は、当該都道府県知事の統括する都道府県に帰属する。

（義務履行のために要する費用）

第四〇条　この法律又はこの法律によつてする処分による義務を履行するために必要な費用は、この法律に特別の規定がある場合を除き、当該義務者が負担しなければならない。

第四章　ぼた山崩壊防止区域に関する管理等

（ぼた山崩壊防止区域の管理）

第四一条　ぼた山崩壊防止工事の施行その他ぼた山崩壊防止区域の管理は、当該ぼた山崩壊防止区域の存する都道府県を統括する都道府県知事が行うものとする。

（行為の制限）

第四二条　ぼた山崩壊防止区域内において、次の各号の一に該当する行為をしようとする者は、都道府県知事の許可を受けなければならない。

一　立木竹の伐採（間伐、択伐その他政令で定める軽微な行為を除く。）又は樹根の採取

二　木竹の滑下又は地引による搬出

三　のり切又は切土

四　土石の採取又は集積

五　掘さく又は石炭その他の鉱物の掘採で、ぼた山の崩壊の防止を阻害し、又はぼた山の崩壊を助長し、若しくは誘発する行為

六　前各号に掲げるもののほか、ぼた山の崩壊の防止を阻害し、又はぼた山の崩壊を助長し、若しくは誘発する行為で政令で定めるもの

２　第十八条第二項及び第三項の規定は、前項の許可について準用する。この場合において、同条第二項及び第三項中「地すべり」とあるのは、「ぼた山の崩壊」と読み替えるものとする。

（経過措置）

第四三条　第四条の規定によるぼた山崩壊防止区域の指定の際現に当該ぼた山崩壊防止区域内において権原に基き前条第一項各号に規定する行為を行つている者は、従前と同様の条件により、当該行為について同条第一項の許可を受けたものとみなす。

（ぼた山崩壊防止区域の管理に要する費用の負担原則）

第四四条　ぼた山崩壊防止工事の施行その他ぼた山崩壊防止区域の管理に要する費用は、この法律及び他の法律に特別の規定がある場合を除き、当該ぼた山崩壊防止区域を管理する都道府県知事の統括する都道府県の負担とする。

（準用規定）

第四五条　第八条、第十三条から第十七条まで、第二十条、第二十一条、第二十六条、第二十九条から第三十一条まで及び第三十三条から第四十条までの規定は、ぼた山崩壊防止区域に関する管理及び費用について準用する。この場合において、第八条中「第三条第三項の規定による地すべり防止区域」とあるのは「第四条第二項において準用する第三条第三項の規定によるぼた山崩壊防止区域」と、「その地すべり防止区域内」とあるのは「そのぼた山崩壊防止区域内」と、第十六条第一項中「地すべり防止区域内」とあるのは「地すべり防止区域」とあるのは「ぼた山崩壊防止区域」と、「地すべり防止工事」とあるのは「ぼた山崩壊防止工事」と、第二十条中「森林法第三十四条第二項（同法第四十四条において準用する場合を含む。）」とあるのは「森林法第三十四条第一項若しくは第二項（これらの規定を同法第四十四条において準用する場合を含む。）」と、「第十八条第一項」とあるのは「第四十二条第一項」と、第二十一条第一項及び第二項並びに第三十五条第一項中「第十八条第一項」とあるのは「第四十二条第一項」と読み替えるものとする。

２　前項後段に規定するもののほか、同項の準用に関し必要な技術的読替は、政令で定める。

第五章　雑則

（関連事業計画に基く事業を実施した者に対する補助）

第四六条　国は、都道府県が第二十四条第一項第二号から第四号（同号中同項第一号に該当する事項を除く。）までに掲げる事業を実施した市町村その他政令で定める者に対しその事業に要する費用を補助した場合においては、当該都道府県に対し、予算の範囲内において、政令で定めるところにより、当該事業に要する費用の二分の一以内を補助することができる。

（独立行政法人住宅金融支援機構等の資金の貸付けについての配慮）

第四七条　独立行政法人住宅金融支援機構及び沖縄振興開発金融公庫は、法令及びその事業計画の範囲内において、第二十四条の規定により作成され、又は変更された関連事業計画に基づく住宅部分を有する家屋の移転又は除却が円滑に行われるよう、必要な資金の貸付けについて配慮するものとする。

（漁港管理者又は港湾管理者に対する協議）

第四八条　主務大臣又は都道府県知事は、漁港及び漁場の整備等に関する法律（昭和二十五年法律第百三十七号）第二条の規定による漁港の区域（水域を除く。）内において地すべり防止工事を施行しようとするときは、あらかじめ漁港管理者に協議しなければならない。

２　主務大臣又は都道府県知事は、港湾法（昭和二十五年法律第二百十八号）第三十七条第一項の規定による港湾隣接地域内において地すべり防止工事（同項各号に規定する行為に該当するものを除く。）を施行しようとするときは、あらかじめ港湾管理者に協議しなければならない。

（報告の徴収）

第四九条　主務大臣は、この法律の施行に関し必要があると認めるときは、都道府県知事に対し報告又は資料の提出を求めることができる。

（裁定の申請）

第五〇条　次に掲げる処分に不服がある者は、その不服の理由が鉱業、採石業又は砂利採取業との調整に関するものであるときは、公害等調整委員会に対して裁定の申請をすることができる。この場合には、審査請求をすることができない。

一　第十一条第一項の規定による承認

二　第十四条第一項（第四十五条第一項において準用する場合を含む。）の規定による工事の施行命令

三　第十八条第一項の規定による許可

四　第二十一条第一項若しくは第二項（第四十五条第一項において準用する場合を含む。）の規定による処分又はこれらの規定による必要な措置の命令

五　第二十三条第一項又は第二項の規定による必要な措置の命令

2　行政不服審査法（平成二十六年法律第六十八号）第二十二条の規定は、前項各号の処分につき、処分をした行政庁が誤つて審査請求又は再調査の請求をすることができる旨を教示した場合に準用する。

（主務大臣等）

第五一条　地すべり防止区域又はぼた山崩壊防止区域の指定及び管理についての主務大臣は、次のとおりとする。

一　砂防法第二条の規定により指定された土地（これに準ずべき土地を含む。）の存する地すべり地域又はぼた山に関しては、国土交通大臣

二　森林法第二十五条第一項若しくは第二十五条の二第一項若しくは第二項（同法第二十五条の二第一項後段又は第二項後段において準用する同法第二十五条第二項を除く。）の規定により指定された保安林（これに準ずべき森林を含む。）又は同法第四十一条の規定により指定された保安施設地区（これに準ずべき森林又は原野その他の土地を含む。）の存する地すべり地域又はぼた山に関しては、農林水産大臣

三　前二号に該当しない地すべり地域又はぼた山のうち、

イ　土地改良法（昭和二十四年法律第百九十五号）第二条第二項に規定する土地改良事業が施行されている地域又は同法の規定により土地改良事業計画の決定されている地域（これらの地域に準ずべき地域を含む。）の存する地すべり地域又はぼた山に関しては、農林水産大臣

ロ　イに該当しない地すべり地域又はぼた山に関しては、国土交通大臣

2　地すべり防止区域又はぼた山崩壊防止区域の指定は、関係主務大臣が相互に協議してしなければならない。

3　この法律における主務省令は、主務大臣の発する命令とする。

（権限の委任）

第五一条の二　この法律に規定する主務大臣の権限は、政令で定めるところにより、その一部を地方支分部局の長に委任することができる。

（事務の区分）

第五一条の三　第七条、第八条（第四十五条において準用する場合を含む。）、第九条、第十一条、第十三条（第四十五条において準用する場合を含む。）、第十四条第一項（第四十五条において準用する場合を含む。）、第十五条第一項（第四十五条において準用する場合を含む。）、第十六条第一項（第四十五条において準用する場合を含む。）、第十六条第二項（第四十五条において準用する場合を含む。）において準用する第六条第二項、第三項、第五項及び第六項、第十八条（第四十二条第二項において準用する場合を含む。）、第二十条第二項（第四十五条において準用する場合を含む。）、第二十一条第一項及び第二項（第四十五条においてこれらの規定を準用する場合を含む。）、第二十二条第一項、第二十三条第一項及び第二項、第二十四条第一項、第二十五条、第二十六条第一項（第四十五条において準用する場合を含む。）、第三十条（第四十五条において準用する場合を含む。）、第三十一条（第四十五条において準用する場合を含む。）、第三十三条（第四十五条において準用する場合を含む。）、第三十四条第一項（第四十五条において準用する場合を含む。）、第三十五条第三項（第四十五条において準用する場合を含む。）、第三十六条第一項（第四十五条において準用する場合を含む。）、第三十八条第一項から第三項まで（第四十五条においてこれらの規定を準用する場合を含む。）、第四十一条、第四十二条第一項並びに第四十八条の規定により都道府県が処理することとされている事務は、地方自治法（昭和二十二年法律第六十七号）第二条第九項第一号に規定する第一号法定受託事務（次項において単に「第一号法定受託事務」という。）とする。

2　他の法律及びこれに基づく政令の規定により、地すべり防止工事の施行その他地すべり防止区域の管理及びぼた山崩壊防止工事の施行その他ぼた山崩壊防止区域の管理に関して都道府県が処理することとされている事務は、第一号法定受託事務とする。

第六章　罰則

（罰則）

第五二条　第十八条第一項又は第四十二条第一項の規定に違反した者は、一年以下の懲役又は十万円以下の罰金に処する。

第五三条　次の各号の一に該当する者は、六月以下の懲役又は五万円以下の罰金に処する。

一　第六条第七項（第十六条第二項又は第四十五条第一項において準用する場合を含む。）の規定に違反して土地の立入若しくは一時使用を拒み、又は妨げた者

二　第二十二条第一項の規定による報告若しくは資料の提出をせず、又は虚偽の報告若しくは資料の提出をした者

三　第二十二条第一項の規定による立入検査を拒み、妨げ、又は忌避した者

第五四条　第八条（第四十五条第一項において準用する場合を含む。）の規定により設置した標識を移動し、汚損し、又は破損した者は、一万円以下の罰金に処する。

（両罰規定）

第五五条　法人の代表者又は法人若しくは人の代理人、使用人その他の従業者がその法人又は人の業務に関し、第五十二条又は第五十三条の違反行為をしたときは、行為者を罰するほか、その法人又は人に対しても各本条の罰金刑を科する。

附　則〔抄〕

（施行期日）

第一条　この法律は、昭和三十三年四月一日から施行する。

（経過規定）

第二条　この法律の施行の際現に地すべり防止工事施行中の地域の存する地すべり地域について、第五十一条第一項の規定により主務大臣たるべき者と現に当該工事の管理を所掌する主務大臣とが異なるときは、同項の規定にかかわらず、当該工事の完了するまでは、現に当該工事の管理を所掌する主務大臣を当該地すべり地域についての主務大臣とする。

（費用負担の特例）

第三条　第二十八条の規定の昭和三十三年度における適用については、同条第一項中「三分の二」とあるのは「四分の三」と、「三分の一」とあるのは「四分の一」とし、同条第二項中「国及び都道府県がそれぞれその二分の一を」とあるのは「国がその三分の二を、都道府県がその三分の一を」とする。同年度分の予算に係る負担金の経費の金額で翌年度に繰り越したものについても、同様とする。

2　第二十九条（第四十五条第一項において準用する場合を含む。）の規定の昭和三十三年度における適用については、同条第一項中「三分の二」とあるのは「四分の三」とし、同条第二項中「二分の一」とあるのは「三分の二」とする。同年度分の予算に係る負担金の経費の金額で翌年度に繰り越したものについても、同様とする。

第四条　この法律の施行の際現に国が施行している森林法第四十一条第一項の事業であつて、この法律の施行後引き続き第二十八条第二項に規定する地すべり防止工事として主務大臣が自ら施行するものに要する費用は、同項の規定にかかわらず、国がその三分の二を、都道府県がその三分の一を負担する。

2　前項の規定の昭和三十三年度における適用については、同項中「三分の二」とあるのは「四分の三」と、「三分の一」とあるのは「四分の一」とする。同年度分の予算に係る負担金の経費の金額で翌年度に繰り越したものについても、同様とする。

（昭和六十年度の特例）

第五条　第二十八条第一項及び第二十九条第一項（第四十五条第一項において準用する場合を含む。）の規定の昭和六十年度における適用については、第二十八条第一項中「三分の二」とあるのは「十分の六」と、「三分の一」とあるのは「十分の四」とし、第二十九条第一項中「三分の二」とあるのは「十分の六」とする。ただし、災害による土砂の崩壊等の危険な状況に対処するために施行する緊急地すべり対策事業に係る地すべり防止工事について同項の規定を適用する場合においては、この限りでない。

（昭和六十一年度、平成三年度及び平成四年度の特例）

第六条　第二十八条第一項及び第二十九条第一項（第四十五条第一項において準用する場合を含む。）の規定の昭和六十一年度、平成三年度及び平成四年度における適用については、第二十八条第一項中「三分の二」とあるのは「十分の六」と、「三分の一」とあるのは「十分の四」とし、第二十九条第一項中「三分の二」とあるのは「十分の五・五」とする。ただし、災害による土砂の崩壊等の危険な状況に対処するために施行する緊急地すべり対策事業に係る地すべり防止工事についてこれらの規定を適用する場合においては、この限りでない。

（昭和六十二年度から平成二年度までの特例）

第七条　第二十八条第一項及び第二十九条第一項（第四十五条第一項において準用する場合を含む。）の規定の昭和六十二年度から平成二年度までの各年度における適用については、第二十八条第一項中「三分の二」とあるのは「十分の五・五（再度災害を防止するために施行する地すべり防止工事であつて附則第七条ただし書の緊急地すべり対策事業に係るもの以外のものに要する費用にあつては、その十分の六）」と、「三分の一」とあるのは「十分の四・五（再度災害を防止するために施行する地すべり防止工事であつて同条ただし書の緊急地すべり対策事業に係るもの以外のものに要する費用にあつては、その十分の四）」とし、第二十九条第一項中「三分の二」とあるのは「十分の五・二五（再度災害を防止するために施行する地すべり防止工事であつて附則第七条ただし書の緊急地すべり対策事業に係るもの以外のものに要する費用にあつては、その十分の五・五）」とする。ただし、災害による土砂の崩壊等の危険な状況に対処するために施行する緊急地すべり対策事業に係る地すべり防止工事についてこれらの規定を適用する場合においては、この限りでない。

（国の無利子貸付け等）

第八条　国は、当分の間、都道府県に対し、第二十九条の規定により国がその費用について負担する地すべり防止工事で日本電信電話株式会社の株式の売払収入の活用による社会資本の整備の促進に関する特別措置法（昭和六十二年法律第八十六号）第二条第一項第二号に該当するものに要する費用に充てる資金について、予算の範囲内において、第二十九条の規定（この規定による国の負担の割合について、この規定と異なる定めをした法令の規定がある場合には、当該異なる定めをした法令の規定を含む。以下同じ。）により国が負担する金額に相当する金額を無利子で貸し付けることができる。

2　前項の国の貸付金の償還期間は、五年（二年以内の据置期間を含む。）以内で政令で定める期間とする。

3　前項に定めるもののほか、第一項の規定による貸付金の償還方法、償還期限の繰上げその他償還に関し必要な事項は、政令で定める。

4　国は、第一項の規定により、都道府県に対し貸付けを行つた場合には、当該貸付けの対象である地すべり防止工事に係る第二十九条の規定による国の負担については、当該貸付金の償還時において、当該貸付金の償還金に相当する金額を交付することにより行うものとする。

5　都道府県が、第一項の規定による貸付けを受けた無利子貸付金について、第二項及び第三項の規定に基づき定められる償還期限を繰り上げて償還を行つた場合（政令で定める場合を除く。）における前項の規定の適用については、当該償還は、当該償還期限の到来時に行われたものとみなす。

附　則〔抄〕〔昭和三七・九・一五法律一六一〕

1　この法律は、昭和三十七年十月一日から施行する。

2　この法律による改正後の規定は、この附則に特別の定めがある場合を除き、この法律の施行前にされた行政庁の処分、この法律の施行前にされた申請に係る行政庁の不作為その他この法律の施行前に生じた事項についても適用する。ただし、この法律による改正前の規定によつて生じた効力を妨げない。

3　この法律の施行前に提起された訴願、審査の請求、異議の申立てその他の不服申立て（以下「訴願等」という。）については、この法律の施行後も、なお従前の例による。この法律の施行前にされた訴願等の裁決、決定その他の処分（以下「裁決等」という。）又はこの法律の施行前に提起された訴願等につきこの法律の施行後にされる裁決等にさらに不服がある場合の訴願等についても、同様とする。

4　前項に規定する訴願等で、この法律の施行後は行政不服審査法による不服申立てをすることができることとなる処分に係るものは、同法以外の法律の適用については、行政不服審査法による不服申立てとみなす。

5　第三項の規定によりこの法律の施行後にされる審査の請求、異議の申立てその他の不服申立ての裁決等については、行政不服審査法による不服申立てをすることができない。

6　この法律の施行前にされた行政庁の処分で、この法律による改正前の規定により訴願等をすることができるものとされ、かつ、その提起期間が定められていなかつたものについて、行政不服審査法による不服申立てをすることができる期間は、この法律の施行の日から起算する。

8　この法律の施行前にした行為に対する罰則の適用については、なお従前の例による。

9　前八項に定めるもののほか、この法律の施行に関して必要な経過措置は、政令で定める。

附　則〔略〕〔昭和三八・六・八法律九九〕

附　則〔略〕〔昭和三九・七・一〇法律一六八〕

附　則〔略〕〔昭和四七・五・一三法律三一〕

附　則〔略〕〔昭和四七・六・三法律五二〕

附　則〔略〕〔昭和五三・七・五法律八七〕

附　則〔略〕〔昭和六〇・五・一八法律三七〕

附　則〔略〕〔昭和六一・五・八法律四六〕

附　則〔略〕〔昭和六二・三・三一法律一一〕

附　則〔略〕〔昭和六二・九・四法律八七〕

附　則〔抄〕〔平成元・四・一〇法律二二〕

（施行期日等）

1　この法律は、公布の日から施行する。

2　この法律〔中略〕による改正後の法律の平成元年度及び平成二年度の特例に係る規定並びに平成元年度の特例に係る規定は、平成元年度及び平成二年度（平成元年度の特例に係るものにあつては、平成元年度。以下この項において同じ。）の予算に係る国の負担（当該国の負担に係る都道府県又は市町村の負担を含む。以下この項及び次項において同じ。）又は補助（昭和六十三年度以前の年度における事務又は事業の実施により平成元年度以降の年度に支出される国の負担及び昭和六十三年度以前の年度の国庫債務負担行為に基づき平成元年度以降の年度に支出すべきものとされた国の負担又は補助を除く。）並びに平成元年度及び平成二年度における事務又は事業の実施により平成三年度（平成元年度の特例に係るものにあつては、平成二年度。以下この項において同じ。）以降の年度に支出される国の負担、平成元年度及び平成二年度の国庫債務負担行為に基づき平成三年度以降の年度に支出すべきものとされる国の負担又は補助並びに平成元年度及び平成二年度の歳出予算に係る国の負担又は補助で平成三年度以降の年度に繰り越されるものについて適用し、昭和六十三年度以前の年度における事務又は事業の実施により平成元年度以降の年度に支出される国の負担、昭和六十三年度以前の年度の国庫債務負担行為に基づき平成元年度以降の年度に支出すべきものとされた国の負担又は補助及び昭和六十三年度以前の年度の歳出予算に係る国の負担又は補助で平成元年度以降の年度に繰り越されたものについては、なお従前の例による。

附　則〔平成三・三・三〇法律一五〕

改正　平成五・三法八

1　この法律は、平成三年四月一日から施行する。

2　この法律〔中略〕による改正後の法律の平成三年度及び平成四年度の特例に係る規定並びに平成三年度の特例に係る規定は、平成三年度及び平成四年度（平成三年度の特例に係るものにあつては平成三年度とする。以下この項において同じ。）の予算に係る国の負担（当該国の負担に係る都道府県又は市町村の負担を含む。以下この項において同じ。）又は補助（平成二年度以前の年度における事務又は事業の実施により平成三年度以降の年度に支出される国の負担及び平成二年度以前の年度の国庫債務負担行為に基づき平成三年度以降の年度に支出すべきものとされた国の負担又は補助を除く。）並びに平成三年度及び平成四年度における事務又は事業の実施により平成五年度（平成三年度及び平成四年度の特例に係るものにあつては平成四年度とする。以下この項において同じ。）以降の年度に支出される国の負担、平成三年度及び平成四年度の国庫債務負担行為に基づき平成五年度以降の年度に支出すべきものとされる国の負担又は補助並びに平成三年度及び平成四年度の歳出予算に係る国の負担又は補助で平成五年度以降の年度に繰り越されるものについて適用し、平成二年度以前の年度における事務又は事業の実施により平成三年度以降の年度に支出される国の負担、平成二年度以前の年度の国庫債務負担行為に基づき平成三年度以降の年度に支出べきものとされた国の負担又は補助及び平成二年度以前の年度の歳出予算に係る国の負担又は補助で平成三年度以降の年度に繰り越されたものについては、なお従前の例による。

国の補助金等の臨時特例等に関する法律〔抄〕〔平成三・三・三〇法律一五〕

改正　平成五・三法八

第八章　地方公共団体に対する財政金融上の措置

（地方公共団体に対する財政金融上の措置）

第三四条　国は、この法律の規定による改正後の法律の規定により平成三年度及び平成四年度の予算に係る国の負担又は補助の割合の引下げ措置の対象となる地方公共団体に対し、その事務又は事業の執行及び財政運営に支障を生ずることのないよう財政金融上の措置を講ずるものとする。

附　則〔抄〕〔平成五・三・三一法律八〕

（施行期日等）

1　この法律は、平成五年四月一日から施行する。

2　この法律〔中略〕による改正後の法律の規定は、平成五年度以降の年度の予算に係る国の負担（当該国の負担に係る都道府県又は市町村の負担を含む。以下この項において同じ。）又は補助（平成四年度以前の年度における事務又は事業の実施により平成五年度以降の年度に支出される国の負担及び平成四年度以前の年度の国庫債務負担行為に基づき平成五年度以降の年度に支出すべきものとされた国の負担又は補助を除く。）について適用し、平成四年度以前の年度における事務又は事業の実施により平成五年度以降の年度に支出される国の負担、平成四年度以前の年度の国庫債務負担行為に基づき平成五年度以降の年度に支出すべきものとされた国の負担又は補助及び平成四年度以前の年度の歳出予算に係る国の負担又は補助で平成五年度以降の年度に繰り越されたものについては、なお従前の例による。

附　則〔抄〕〔平成一一・七・一六法律八七〕

（施行期日）

第一条　この法律は、平成十二年四月一日から施行する。ただし、次の各号に掲げる規定は、当該各号に定める日から施行する。

一　〔前略〕附則〔中略〕第百六十条、第百六十三条、第百六十四条並びに第二百二条の規定　公布の日

二～六　〔略〕

（地すべり等防止法の一部改正に伴う経過措置）

第一三三条　この法律の施行の際現に第四百二十三条の規定による改正前の地すべり等防止法（以下この条において「旧地すべり等防止法」という。）第二十四条第三項の規定による承認を受けた関連事業計画は、第四百二十三条の規定による改正後の地すべり等防止法（以下この条において「新地すべり等防止法」という。）第二十四条第三項の規定による協議を行った関連事業計画とみなす。

2　この法律の施行の際現に旧地すべり等防止法第二十四条第三項の規定によりされている承認の申請は、新地すべり等防止法第二十四条第三項の規定によりされた協議の申出とみなす。

（国等の事務）

第一五九条　この法律による改正前のそれぞれの法律に規定するもののほか、この法律の施行前において、地方公共団体の機関が法律又はこれに基づく政令により管理し又は執行する国、他の地方公共団体その他公共団体の事務（附則第百六十一条において「国等の事務」という。）は、この法律の施行後は、地方公共団体が法律又はこれに基づく政令により当該地方公共団体の事務として処理するものとする。

（処分、申請等に関する経過措置）

第一六〇条　この法律（附則第一条各号に掲げる規定については、当該各規定。以下この条及び附則第百六十三条において同じ。）の施行前に改正前のそれぞれの法律の規定によりされた許可等の処分その他の行為（以下この条において「処分等の行為」という。）又はこの法律の施行の際現に改正前のそれぞれの法律の規定によりされている許可等の申請その他の行為（以下この条において「申請等の行為」という。）で、この法律の施行の日においてこれらの行為に係る行政事務を行うべき者が異なることとなるものは、附則第二条から前条までの規定又は改正後のそれぞれの法律（これに基づく命令を含む。）の経過措置に関する規定に定めるものを除き、この法律の施行の日以後における改正後のそれぞれの法律の適用については、改正後のそれぞれの法律の相当規定によりされた処分等の行為又は申請等の行為とみなす。

2　この法律の施行前に改正前のそれぞれの法律の規定により国又は地方公共団体の機関に対し報告、届出、提出その他の手続をしなければならない事項で、この法律の施行の日前にその手続がされていないものについては、この法律及びこれに基づく政令に別段の定めがあるもののほか、これを、改正後のそれぞれの法律の相当規定により国又は地方公共団体の相当の機関に対して報告、届出、提出その他の手続をしなければならない事項についてその手続がされていないものとみなして、この法律による改正後のそれぞれの法律の規定を適用する。

（不服申立てに関する経過措置）

第一六一条　施行日前にされた国等の事務に係る処分であって、当該処分をした行政庁（以下この条において「処分庁」という。）に施行日前に行政不服審査法に規定する上級行政庁（以下この条において「上級行政庁」という。）があったものについての同法による不服申立てについては、施行日以後においても、当該処分庁に引き続き上級行政庁があるものとみなして、行政不服審査法の規定を適用する。この場合において、当該処分庁の上級行政庁とみなされる行政庁は、施行日前に当該処分庁の上級行政庁であった行政庁とする。

2　前項の場合において、上級行政庁とみなされる行政庁が地方公共団体の機関であるときは、当該機関が行政不服審査法の規定により処理することとされる事務は、新地方自治法第二条第九項第一号に規定する第一号法定受託事務とする。

（手数料に関する経過措置）

第一六二条　施行日前においてこの法律による改正前のそれぞれの法律（これに基づく命令を含む。）の規定により納付すべきであった手数料については、この法律及びこれに基づく政令に別段の定めがあるもののほか、なお従前の例による。

（罰則に関する経過措置）

第一六三条　この法律の施行前にした行為に対する罰則の適用については、なお従前の例による。

（その他の経過措置の政令への委任）

第一六四条　この附則に規定するもののほか、この法律の施行に伴い必要な経過措置（罰則に関する経過措置を含む。）は、政令で定める。

2　〔略〕

附　則〔略〕〔平成一一・一二・二二法律一六〇〕

附　則〔略〕〔平成一三・六・二九法律九二〕

附　則〔略〕〔平成一四・二・八法律一〕

附　則〔抄〕〔平成一六・六・九法律九四〕

（施行期日）

第一条　この法律は、平成十七年四月一日から施行する。〔以下略〕

（罰則の適用に関する経過措置）

第二七条　この法律の施行前にした行為に対する罰則の適用については、なお従前の例による。

（政令委任）

第二八条　この附則に定めるもののほか、この法律の施行に伴い必要な経過措置は、政令で定める。

附　則〔略〕〔平成一七・七・六法律八二〕

附　則〔略〕〔平成一八・六・七法律五三〕

附　則〔略〕〔平成一九・三・三一法律二三〕

附　則〔抄〕〔平成二三・八・三〇法律一〇五〕

（施行期日）

第一条　この法律は、公布の日から施行する。〔以下略〕

（罰則に関する経過措置）

第八一条　この法律（附則第一条各号に掲げる規定にあっては、当該規定。以下この条において同じ。）の施行前にした行為及びこの附則の規定によりなお従前の例によることとされる場合におけるこの法律の施行後にした行為に対する罰則の適用については、なお従前の例による。

（政令への委任）

第八二条　この附則に規定するもののほか、この法律の施行に関し必要な経過措置（罰則に関する経過措置を含む。）は、政令で定める。

附　則〔略〕〔平成二四・六・二七法律四二〕

附　則〔略〕〔平成二五・一一・二二法律七六〕

附　則〔略〕〔平成二六・六・一三法律六九〕

附　則〔平成二九・六・二法律四五〕

この法律は、民法改正法の施行の日〔令和二・四・一〕から施行する。ただし〔中略〕第三百六十二条の規定は、公布の日から施行する。

民法の一部を改正する法律の施行に伴う関係法律の整備等に関する法律〔抄〕〔平成二九・六・二法律四五〕

（罰則に関する経過措置）

第三六一条　施行日前にした行為及びこの法律の規定によりなお従前の例によることとされる場合における施行日以後にした行為に対する罰則の適用については、なお従前の例による。

（政令への委任）

第三六二条　この法律に定めるもののほか、この法律の施行に伴い必要な経過措置は、政令で定める。

附　則〔抄〕〔令和五・五・二六法律三四〕

（施行期日）

第一条　この法律は、公布の日から起算して一年を超えない範囲内において政令で定める日〔令和六・四・一〕から施行する。〔以下略〕

○地すべり等防止法施行令

〔昭和三三・五・七政令一一二〕

改正　昭和三九・三政三四、昭和四〇・三政四二、昭和四一・五政一五九、昭和五〇・四政一四四、昭和五二・四政一一七、昭和五七・三政五七、昭和六二・九政二九五、平成五・三政九三、平成一二・六政三一二、平成一四・二政二七、平成二三・一一政三六三、平成三〇・一〇政二九四

（損失補償の裁決申請手続）

第一条　地すべり等防止法（以下「法」という。）第六条第十項（法第十六条第二項、第二十一条第四項、第二十三条第四項又は第四十五条第一項において準用する場合を含む。）又は第十七条第四項の規定により、土地収用法（昭和二十六年法律第二百十九号）第九十四条の規定による裁決を申請しようとする者は、主務省令で定める様式に従い、次の各号に掲げる事項を記載した裁決申請書を収用委員会に提出しなければならない。

一　裁決申請者の氏名及び住所（法人にあつては、その名称、代表者の氏名及び住所）

二　相手方の氏名及び住所（法人にあつては、その名称、代表者の氏名及び住所）

三　損失の事実

四　損失の補償の見積及びその内容

五　協議の経過

（都道府県知事の権限の代行）

第二条　法第十条第二項の規定により主務大臣が都道府県知事に代つて行う権限は、次の各号に掲げるものとする。

一　法第十一条第一項の承認をし、若しくは当該承認に地すべりを防止するため必要な条件を附し、又は同条第二項の協議をすること。

二　法第十三条の規定により地すべり防止施設に関する工事を施行させること。

三　法第十四条第一項の規定により地すべり防止工事を施行させること。

四　法第十五条第一項の規定により他の工事を施行すること。

五　法第十六条第一項の規定により他人の占有する土地に立ち入り、若しくは特別の用途のない他人の土地を材料置場若しくは作業場として一時使用し、又はその職員若しくはその委任した者にこれらの行為をさせること。

六　法第十八条第一項の許可をし、又は当該許可に地すべりを防止するため必要な条件を附すること。

七　法第二十条第二項の協議をすること。

八　法第二十一条第一項又は第二項に規定する処分をし、又は措置を命ずること。ただし、同条第二項第三号に該当する場合においては、同項に規定する処分をし、又は措置を命ずることはできない。

九　法第二十二条第一項の規定により報告若しくは資料の提出を求め、又はその職員に地すべり防止施設に立ち入り、これを検査させること。

十　法第二十三条第一項又は第二項の規定により必要な措置を命ずること。

十一　法第三十三条の協議をすること。

十二　法第三十四条第一項又は第三十六条第一項の規定により地すべり防止工事に要する費用の全部又は一部を負担させること。

十三　法第三十五条第三項の規定により他の工事に要する費用の全部又は一部を負担させること。

2　前項に規定する主務大臣の権限は、法第十条第三項の規定に基き告示された工事の区域につき、同項の規定に基き告示された工事の開始の日から当該工事の完了又は廃止の日までに限り行うことができるものとする。ただし、前項第十一号から第十三号までに規定する権限は、当該工事の完了又は廃止の日の後においても行うことができる。

3　主務大臣は、第一項第一号、第二号、第六号から第八号まで又は第十号から第十三号までに掲げる権限を行つた場合においては、遅滞なく、その旨を都道府県知事に通知しなければならない。

（都道府県の権限の代行）

第三条　前条の規定により主務大臣が都道府県知事の権限を代行する場合においては、国は、当該地すべり防止工事に関し、次の各号に掲げる権限を都道府県に代つて行うものとする。

一　法第十六条第二項において準用する法第六条第八項から第十項までの規定により損失の補償について損失を受けた者と協議し、及び損失を補償すること。

二　法第十七条の規定により損失の補償について損失を受けた者と協議し、及び補償金を支払い、又は補償金に代えて工事を行うことを要求し、並びに協議が成立しない場合において収用委員会に裁決を申請すること。

三　法第二十一条第三項並びに同条第四項において準用する法第六条第九項及び第十項の規定により損失の補償について損失を受けた者と協議し、及び損失を補償すること。

四　法第二十三条第三項並びに同条第四項において準用する法第六条第九項及び第十項の規定により損失の補償について損失を受けた者と協議し、及び損失を補償すること。

五　法第三十五条第一項の規定により他の工事に要する費用の全部又は一部を負担すること。

（地すべり防止区域内における許可を要しない行為）

第四条　法第十八条第一項第一号の政令で定める軽微な行為は、次の各号に

掲げるものとする。
一　地すべり防止区域外から鉄管、コンクリート管、竹管その他のろう水のおそれの少い管渠でその有効断面積が四十五平方センチメートル以下のものをもつて地下水を引く行為
二　地下水をくみ上げる行為（一馬力をこえる動力を用いてくみ上げる行為を除く。）
三　水道管（有効断面積が四十五平方センチメートルをこえる水道管で地すべり防止区域外から地下水を引水するものを除く。）、ガス管その他これらに類する物件の埋設
四　前各号に掲げるもののほか、地すべり防止区域の状況を勘案して都道府県知事が指定する軽微な行為

2　法第十八条第一項第二号の政令で定める軽微な行為は、次の各号に掲げるものとする。
一　水田（地割れその他の土地の状況により地表水の浸透しやすい水田を除く。）に地表水を放流し、又は停滞させる行為
二　かんがいの用に供するため土地（水田及び地割れその他の土地の状況により地表水の著しく浸透する土地を除く。）に地表水を放流する行為
三　日常生活の用に供するため、又は日常生活の用に供した地表水を土地（地割れその他の土地の状況により地表水の著しく浸透する土地を除く。）に放流する行為
四　海、河川その他の公共の水域又は用排水路に地表水を放流する行為
五　ため池、池その他の貯水施設に地表水を放流し、又は貯留する行為
六　前各号に掲げるもののほか、地すべり防止区域の状況を勘案して都道府県知事が指定する軽微な行為

（地すべり防止区域内における制限行為）

第五条　法第十八条第一項第三号の政令で定めるのり切又は切土は、のり切にあつてはのり長三メートル以上のものとし、切土にあつては直高二メートル以上のものとする。

2　法第十八条第一項第四号の政令で定める施設又は工作物は、次の各号に掲げるものとする。
一　断面積が六百平方センチメートルをこえる用排水路又は断面積が六百平方センチメートル以下の用排水路で地割れその他の土地の状況により地表水の浸透しやすいもの
二　容量が六立方メートルをこえるため池、池その他の貯水施設又は容量が六立方メートル以下のため池、池その他の貯水施設で地割れその他の土地の状況により地表水の浸透しやすいもの
三　載荷重が一平方メートルにつき十トン（地形、地質その他の状況により都道府県知事が載荷重を指定した場合には、当該載荷重）以上の施設又は工作物

3　法第十八条第一項第五号の政令で定める行為は、次の各号に掲げるものとする。
一　地表から深さ二メートル以上の掘さく又は地すべり防止施設から五メートル（地すべり防止施設の構造又は地形、地質その他の状況により都道府県知事が距離を指定した場合には、当該距離）以内の地域における地表から深さ五十センチメートル以上の掘さく（地すべり防止施設から一メートルをこえる地域における地表から深さ五十センチメートル未満の掘さくで当該掘さくした土地を直ちに埋め戻すものを除く。）
二　載荷重が一平方メートルにつき十トン（地形、地質その他の状況により都道府県知事が載荷重を指定した場合には、当該載荷重）以上の土石その他の物件の集積

（他の都府県が分担する負担金の額）

第六条　法第二十八条第三項の規定により他の都府県に分担させる負担金の額は、地すべり防止工事によつて当該他の都府県の受ける利益の程度並びに当該地すべり防止区域を管理する都府県知事の統括する都府県及び当該他の都府県の受ける利益の割合を考慮して主務大臣が定めるものとする。

（国庫負担額）

第七条　国が法第二十九条の規定により負担する金額は、地すべり防止工事に要する費用の額（法第三十四条から第三十六条までの規定による負担金（以下「収入金」という。）があるときは、当該費用の額から収入金を控除した額。以下「負担基本額」という。）に法第二十九条に規定する国の負担割合をそれぞれ乗じて得た額とする。

2　前項の規定は、法第四十五条第一項において準用する法第二十九条の規定により国が負担する金額について準用する。この場合において、前項中「地すべり防止工事」とあるのは「ぼた山崩壊防止工事」と、「法第三十四条から第三十六条まで」とあるのは「法第四十五条第一項において準用する法第三十四条から第三十六条まで」と読み替えるものとする。

（受益都府県の分担金に関する協議）

第八条　法第三十条（法第四十五条第一項において準用する場合を含む。）の協議は、他の都府県の分担金の額及びその納付期限について行うものとする。

（都道府県負担額）

第九条　都道府県が法第三十一条の規定により国庫に納付する負担金の額は、負担基本額に法第二十八条第一項又は第二項に規定する都道府県の負担割合を乗じて得た額（収入金があるときは当該額に収入金を加算し、法第二十八条第三項の規定により分担を命ぜられた他の都府県があるときは当該額から当該分担額を控除した額。以下「都道府県負担額」という。）とする。

（負担基本額等の通知）

第一〇条　主務大臣は、地すべり防止工事を施行する場合においては、負担基本額及び都道府県負担額を当該地すべり防止区域を管理する都道府県知事の統括する都道府県に対して（法第二十八条第三項の規定により他の都府県に分担を命じたときは、当該分担額並びに負担基本額及び都道府県負担額を関係都府県に対して）通知しなければならない。負担基本額、都道府県負担額又は都府県分担額を変更したときも、同様とする。

（負担金の徴収手続）

第一一条　法第三十七条（法第四十五条第一項において準用する場合を含む。）に規定する負担金の徴収については、地方自治法施行令（昭和二十二年政令第十六号）第百四十八条に規定する分担金の例による。

（ぼた山崩壊防止区域内における許可を要しない行為）

第一二条　法第四十二条第一項第一号の政令で定める軽微な行為は、除伐又は風倒木竹若しくは枯損木竹の伐採とする。

（ぼた山崩壊防止区域内における制限行為）

第一三条　法第四十二条第一項第六号の政令で定める行為は、次の各号に掲げるものとする。
一　芝草の採取
二　用排水路の新設又は改良

（読替規定）

第一四条　法第四十五条第二項の規定による技術的読替は、次の表のとおりとする。

読み替える規定	読み替えられる字句	読み替える字句
第十三条、第三十一条第一項、第三十三条	地すべり防止施設	ぼた山崩壊防止施設
第十三条、第三十三条	当該地すべり防止施設	当該ぼた山崩壊防止施設
第十四条第一項、第十五条第一項、第十七条見出し及び第一項、第二十一条第二項、第二十九条（見出しを含む。）、第三十条、第三十一条第一項、第三十四条第一項、第三十五条第一項及び第三項、第三十六条第一項	地すべり防止工事	ぼた山崩壊防止工事
第十四条第二項、第十五条第一項、第十七条第一項及び第二項、第三十四条第二項	当該地すべり防止工事	当該ぼた山崩壊防止工事
第二十一条第一項及び第二項	地すべり	ぼた山の崩壊
第二十六条（見出しを含む。）	地すべり防止区域台帳	ぼた山崩壊防止区域台帳

第三十一条第一項	前四条	第四十四条又は第四十五条第一項において準用する第二十九条若しくは第三十条
第三十五条第一項	第二十条第二項	第四十五条第一項において準用する第二十条第二項
第三十七条	前三条	第四十五条第一項において準用する第三十四条から第三十六条まで
第三十八条	第三十三条、第三十四条第一項、第三十五条第三項及び第三十六条第一項	第四十五条第一項において準用する第三十三条、第三十四条第一項、第三十五条第三項及び第三十六条第一項
第三十九条	前条第二項	第四十五条第一項において準用する第三十八条第二項

（法第四十六条の政令で定める者）

第一五条　法第四十六条の政令で定める者は、土地改良区、土地改良区連合及び土地改良法（昭和二十四年法律第百九十五号）第九十五条第一項の認可を受けて土地改良事業を行う者とする。

（都道府県に対する国の補助）

第一六条　国が法第四十六条の規定により補助する金額は、次の表の上欄に掲げる事業の種類ごとに、当該事業に要する費用の額（当該事業を行う者が土地改良法第三十六条第九項の農林水産省令で定める者から当該事業に要する費用の一部を徴収する場合又は同法第九十六条の四第一項において準用する同法第三十六条第一項の農林水産省令で定める者から当該事業に要する費用に充てるため金銭を徴収する場合には、当該費用の額からその徴収する金額を差し引いて得た額）にそれぞれ同表の下欄に掲げる率を乗じて得た額又は都道府県が当該事業につき補助した金額のどちらか低い額とする。

区画整理	三分の一（前条に規定する者の行う事業にあつては、百分の四十）
暗渠排水	三分の一（前条に規定する者の行う事業にあつては、百分の四十）
農道の整備	
農道の整備に係る土地の傾斜度（以下「傾斜度」という。）が十五度未満である場合	百分の四十五
傾斜度が十五度以上である場合	百分の五十
かんがい排水施設及びため池の整備	百分の五十

2　北海道の区域内又は離島振興法（昭和二十八年法律第七十二号）第二条第一項の規定に基づき離島振興対策実施地域として指定された離島の区域内において行う事業についての前項の規定の適用については、同項の表の下欄中「三分の一（前条に規定する者の行う事業にあつては、百分の四十）」とあり、及び「百分の四十五」とあるのは、「百分の五十」とする。

（権限の委任）

第一七条　法に規定する主務大臣の権限のうち、第二条第一項第一号から第十一号までに掲げるもの、同条第三項に規定するもの（同条第一項第十二号及び第十三号に掲げる権限に係るものを除く。）並びに法第四十八条第一項及び第二項に規定するものは、次の表の上欄に掲げる主務大臣の権限ごとに、同表の下欄に掲げる地方支分部局の長に委任する。

主務大臣の権限	地方支分部局の長
法第五十一条第一項第二号の規定により農林水産大臣が主務大臣となる場合における農林水産大臣の権限	森林管理局長
法第五十一条第一項第三号イの規定により農林水産大臣が主務大臣となる場合における農林水産大臣の権限	地方農政局長及び北海道開発局長
国土交通大臣の権限	地方整備局長及び北海道開発局長

2　前項の規定により地方支分部局の長に委任された主務大臣の権限に係る法第四十九条に規定する主務大臣の権限についても、同項と同様とする。ただし、主務大臣が自らその権限を行うことを妨げない。

附　則

（施行期日）

1　この政令は、公布の日から施行する。

（補助率の特例）

2　北海道の区域内又は離島振興法第二条第一項の規定に基づき離島振興対策実施地域として指定された離島の区域内において行う法第二十四条第一項第二号から第四号までに掲げる事業についての第十六条の規定の適用については、平成四年度までの間、同条の表の下欄中「百分の四十」とあり、及び「百分の四十五」とあるのは、「百分の五十」とする。

3　昭和五十七年度から昭和五十九年度までの間において、指定都市（地方自治法（昭和二十二年法律第六十七号）第二百五十二条の十九第一項の指定都市をいう。）が行う法第二十四条第一項第二号から第四号（同号中同項第一号に該当する事項を除く。）までに掲げる事業（以下「指定都市実施関連事業」という。）に要する費用に対する前項の規定により読み替えられた第十六条の規定に基づく国の補助（以下「特定地域に係る補助」という。）であつて、当該指定都市実施関連事業に要する費用に係る通常の国の補助の割合を超えて行われるものについては、当該指定都市実施関連事業に要する費用に対する特定地域に係る補助ごとに、第一号に掲げる金額から第二号に掲げる金額を控除した金額に六分の一を乗じて得た金額を、第一号に掲げる金額から控除した金額とする。

一　当該指定都市実施関連事業に要する費用に対する特定地域に係る補助に係る金額

二　当該指定都市実施関連事業に要する費用に係る通常の国の補助の割合により算定した国の補助に係る金額

（法附則第八条第一項の規定による貸付金の償還期間等）

4　法附則第八条第二項の政令で定める期間は、五年（二年の据置期間を含む。）とする。

5　前項の期間は、日本電信電話株式会社の株式の売払収入の活用による社会資本の整備の促進に関する特別措置法（昭和六十二年法律第八十六号）第五条第一項の規定により読み替えて準用される補助金等に係る予算の執行の適正化に関する法律（昭和三十年法律第百七十九号）第六条第一項の規定による貸付けの決定（以下「貸付決定」という。）ごとに、当該貸付決定に係る法附則第八条第一項の規定による貸付金（以下「国の貸付金」という。）の交付を完了した日（その日が当該貸付決定があつた日の属する年度の末日の前日以後の日である場合には、当該年度の末日の前々日）の翌日から起算する。

6　国の貸付金の償還は、均等年賦償還の方法によるものとする。

7　国は、国の財政状況を勘案し、相当と認めるときは、国の貸付金の全部又は一部について、前三項の規定により定められた償還期限を繰り上げて償還させることができる。

8　法附則第八条第五項の政令で定める場合は、前項の規定により償還期限を繰り上げて償還を行つた場合とする。

附　則〔略〕〔昭和三九・三・二六政令三四〕

附　則〔略〕〔昭和四〇・三・二三政令四二〕

附　則〔略〕〔昭和四一・五・三〇政令一五九〕

附　則〔昭和五〇・四・三〇政令一四四〕

1　この政令は、公布の日から施行する。

2　改正後の地すべり等防止法施行令第十六条の規定は、昭和五十年度分の予算に係る国の補助金から適用するものとし、昭和四十九年度分の予算に係る国の補助金で昭和五十年度以降に繰り越されたものについては、なお従前の例による。

附　則〔昭和五二・四・二六政令一一七〕

1　この政令は、公布の日から施行する。

2　改正後の地すべり等防止法施行令第十六条の規定は、昭和五十二年度分の予算に係る国の補助金から適用するものとし、昭和五十一年度分の予算に係る国の補助金で昭和五十二年度以降に繰り越されたものについては、なお従前の例による。

附　則〔昭和五七・三・三〇政令五七〕

1　この政令は、昭和五十七年四月一日から施行する。

2　改正後の附則第三項の規定は、昭和五十七年度から昭和五十九年度までの間（以下「特例適用期間」という。）における各年度の予算に係る国の補助並びに特例適用期間における各年度の国庫債務負担行為に基づき昭和六十年度以降の年度に支出すべきものとされる国の補助及び昭和五十九年度以前の年度の歳出予算に係る国の補助で昭和六十年度以降の年度に繰り越されるものにより実施される地すべり等防止法第二十四条第一項第二号から第四号（同号中同項第一号に該当する事項を除く。）までに掲げる事業について適用する。

附　則〔抄〕〔平成五・三・三一政令九三〕

1　この政令は、平成五年四月一日から施行する。

2　この政令（中略）による改正後の政令の規定は、平成五年度以降の年度の予算に係る国の負担（当該国の負担に係る都道府県又は市町村の負担を含む。以下この項において同じ。）又は補助（平成四年度以前の年度の国庫債務負担行為に基づき平成五年度以降の年度に支出すべきものとされた国の負担又は補助を除く。）について適用し、平成四年度以前の年度の国庫債務負担行為に基づき平成五年度以降の年度に支出すべきものとされた国の負担又は補助及び平成四年度以前の年度の歳出予算に係る国の負担又は補助で平成五年度以降の年度に繰り越されたものについては、なお従前の例による。

附　則〔略〕〔平成一二・六・七政令三一二〕

附　則〔略〕〔平成一四・二・八政令二七施行〕

附　則〔略〕〔平成二三・一一・二八政令三六三〕

附　則〔抄〕〔平成三〇・一〇・一七政令二九四〕

（施行期日）

1　この政令は、平成三十一年四月一日から施行する。〔以下略〕

○地すべり等防止法施行規則

〔昭和三三・五・二七　農林・建設省令一〕

改正　昭和三五・七農・建令一、昭和四五・五農・建令一、平成一一・三農・建令一、平成一二・二農・建令一、平成一四・四農・国交令三、平成一九・一〇農・国交令二、令和二・一二農・国交令二、令和六・一農・国交令一

（地すべり防止区域又はぼた山崩壊防止区域の指定等の告示）

第一条　地すべり等防止法（昭和三十三年法律第三十号。以下「法」という。）第三条第三項（法第四条第二項において準用する場合を含む。）の規定による地すべり防止区域又はぼた山崩壊防止区域の指定又は廃止の告示は、次の各号の一以上により当該地すべり防止区域又はぼた山崩壊防止区域を明示して、官報に掲載して行うものとする。

一　市町村（特別区を含む。以下同じ。）、大字、字、小字及び地番

二　一定の地物、施設、工作物又はこれらからの距離及び方向

三　平面図

（証明書の様式）

第二条　法第六条第十一項の規定による証明書の様式は、別記様式第一とする。

2　法第十六条第二項において準用する法第六条第十一項の規定による証明書の様式は、別記様式第二（法第十条第二項の規定により主務大臣が都道府県知事に代つて法第十六条第一項の権限を行う場合にあつては、別記様式第三）とする。

3　法第二十二条第四項の規定による証明書の様式は、別記様式第四（法第十条第二項の規定により主務大臣が都道府県知事に代つて法第二十二条第一項の権限を行う場合にあつては、別記様式第五）とする。

4　法第四十五条第一項において準用する法第六条第十一項の規定による証明書の様式は、別記様式第六とする。

（損失の補償の裁決申請書の様式）

第三条　地すべり等防止法施行令（昭和三十三年政令第百十二号）第一条の規定による裁決申請書の様式は、別記様式第七とし、正本一部及び写一部を提出するものとする。

（標識の設置）

第四条　都道府県知事は、法第三条第三項（法第四条第二項において準用する場合を含む。）の規定による通知を受けたときは、遅滞なく、法第八条（法第四十五条第一項において準用する場合を含む。）に規定する標識を別記様式第八の例により設置するものとする。

（市町村長の意見の聴取）

第五条　法第九条の規定による関係市町村の長からの意見の聴取は、当該市町村に存する地すべり防止区域に係る地すべり防止工事基本計画の案を送付してしなければならない。

（地すべり防止工事基本計画に記載すべき事項等）

第六条　法第九条の規定による地すべり防止工事基本計画には、次の各号に掲げる事項を記載しなければならない。

一　地すべり防止工事を施行しようとする区域

二　施行しようとする地すべり防止工事（地すべり防止施設の新設又は改良を除く。）の種類、施行箇所及び規模又は新設し、若しくは改良しようとする地すべり防止施設の種類、配置、構造及び規模

三　施行しようとする地すべり防止工事に要する費用の概算額

四　施行しようとする地すべり防止工事によつて利益を受ける地域及びその状況

2　都道府県知事は、法第九条の規定により地すべり防止工事基本計画を主務大臣に提出しようとするときは、前項に掲げる事項（同項第二号に規定する地すべり防止工事の規模、同号に規定する地すべり防止施設の構造及び規模並びに同項第三号に規定する事項を除く。）を示す平面図を添付しなければならない。

（主務大臣の行う直轄工事の告示）

第七条　法第十条第三項の規定による地すべり防止工事の施行の告示は、次の各号に掲げる事項を官報に掲載して行うものとする。

一　工事の区域

二　工事開始の日

2　主務大臣は、前項の工事の全部又は一部を完了し、又は廃止した場合においては、前項の規定に準じてその旨を告示するものとする。

（関連事業計画の概要に記載すべき事項）

第八条　法第二十四条第一項の規定による関連事業計画の概要には、次の各号に掲げる事項を記載しなければならない。

一　地すべりによつて被害を受けるおそれがあると認められる区域

二　地すべり防止工事基本計画と関連事業計画との関係

三　移転又は除却の必要があると認められる家屋その他の施設又は工作物

四　整備又は保全の必要があると認められる農地並びに当該農地の整備又は保全のため実施することが適当であると認められる事業の概要

五　整備の必要があると認められる農道、かんがい排水施設又はため池並びにこれらの整備のため実施することが適当であると認められる事業の概要

六　関連事業計画に基く事業を実施すべき期間

（利害関係人の意見の聴取）

第九条　法第二十四条第二項の規定による意見の聴取は、関連事業計画の案を当該市町村の事務所において三十日間公衆の縦覧に供してするものとする。

2　前項の場合においては、当該計画に係る事項について利害関係を有する者又はこれらの者の組織する団体が意見があるときは、当該縦覧期間内に意見を申し出るべき旨を明示しなければならない。

3　市町村長は、前項の規定により意見が申し述べられた場合においては、遅滞なく、その内容を審査し、その意見を採択すべきでないと認めるときは、その者に対しその理由を附した文書をもつてその旨を通知しなければならない。

（関連事業計画の公表）

第一〇条　法第二十四条第三項の関連事業計画の内容の公表は、当該計画を作成し、又は変更した日から一週間以内に、当該内容を当該市町村の事務所に掲示するとともに、当該市町村のウェブサイトに掲載して行うものとする。

（地すべり防止区域台帳又はぼた山崩壊防止区域台帳）

第一一条　法第二十六条第一項の地すべり防止区域台帳は、帳簿及び図面をもつて組成するものとする。

2　前項の帳簿及び図面は、地すべり防止区域ごとに調製するものとする。

3　第一項の帳簿には、地すべり防止区域につき、少くとも次の各号に掲げる事項を記載するものとし、その様式は、別記様式第九とする。

一　地すべり防止区域に指定された年月日
二　地すべり防止区域
三　地すべり防止区域の面積
四　地すべり防止区域の概況
五　地すべり防止施設の管理者名（管理者と所有者が異なるときは管理者名及び所有者名）、位置、種類、構造及び数量
六　地すべり防止区域と砂防指定地又は保安林若しくは保安施設地区との重複関係

4　第一項の図面は、平面図とし、地すべり防止区域につき次の各号により調製するものとし、その様式は、別記様式第十とする。

一　長さは、メートルを単位とすること。
二　高さは、すべて東京湾中等潮位を基準とすること。
三　縮尺は、原則として二千分の一とすること。
四　等高線は、原則として五メートルごとにすること。
五　地すべり防止施設の位置及び種類を記号又は色別をもつて表示すること。特に重要な地すべり防止施設については、その構造図を添付し、必要がある場合には縦断図をも添付すること。
六　前号に掲げるもののほか、少なくとも次の事項を記載すること。
イ　地すべり防止区域の境界線
ロ　市町村名、大字名、字名及びその境界線
ハ　地形及び地目（記号をもつて表示すること。）
ニ　水準基標又は恒久標識の位置及び高さ
ホ　地すべり防止施設以外の施設又は工作物のうち主要なもの
ヘ　砂防指定地、保安林、保安施設地区、港湾隣接地域及び漁港区域の境界線
ト　方位
チ　縮尺
リ　調整年月日

5　帳簿及び図面の記載事項に変更があつたときは、都道府県知事は、すみやかにこれを訂正しなければならない。

6　第一項から前項までの規定は、ぼた山崩壊防止区域台帳の記載事項その他その調製について準用する。

（延滞金）

第一二条　法第三十八条第二項（法第四十五条第一項において準用する場合を含む。）に規定する延滞金は、同条第一項（法第四十五条第一項において準用する場合を含む。）に規定する負担金の額につき年十・七五パーセントの割合で、納期限の翌日からその負担金の完納の日又は財産差押えの日の前日までの日数により計算した額とする。

附　則〔略〕〔昭和三三・五・二七農林・建設省令一施行〕

附　則〔昭和四五・五・一農林・建設省令一〕

1　この省令は、公布の日から施行する。

2　改正後の地すべり等防止法施行規則第十二条の規定は、この省令の施行の日の前日以後に到来する納期限に係る延滞金の額の計算について適用し、同日前に到来した納期限に係る延滞金の額の計算については、なお従前の例による。

附　則〔略〕〔平成一二・二・四農林水産・建設省令一〕

附　則〔略〕〔平成一四・四・一農林水産・国土交通省令三〕

附　則〔略〕〔令和二・一二・二三農林水産・国土交通省令二〕

附　則〔令和六・一・二五農林水産・国土交通省令一〕

この省令は、令和六年三月三十一日から施行する。

別記様式〔略〕

○急傾斜地の崩壊による災害の防止に関する法律〔昭和四四・七・一／法律五七〕

改正　昭和四七・五法三一、昭和六二・九法八七、平成五・一一法八九、平成一一・七法八七、一二法一六〇、平成一二・五法五七、平成一三・六法九二、平成一四・二法一、平成一七・七法八二、令和五・五法三四

目次

第一章　総則（第一条—第五条）
第二章　急傾斜地崩壊危険区域に関する管理等（第六条—第二十条）
第三章　急傾斜地崩壊危険区域に関する費用（第二十一条—第二十三条）
第四章　雑則（第二十四条—第二十六条の二）
第五章　罰則（第二十七条—第三十条）
附則

第一章　総則

（目的）

第一条　この法律は、急傾斜地の崩壊による災害から国民の生命を保護するため、急傾斜地の崩壊を防止するために必要な措置を講じ、もつて民生の安定と国土の保全とに資することを目的とする。

（定義）

第二条　この法律において「急傾斜地」とは、傾斜度が三十度以上である土地をいう。

2　この法律において「急傾斜地崩壊防止施設」とは、次条第一項の規定により指定される急傾斜地崩壊危険区域内にある擁壁、排水施設その他の急傾斜地の崩壊を防止するための施設をいう。

3　この法律において「急傾斜地崩壊防止工事」とは、急傾斜地崩壊防止施設の設置又は改造その他次条第一項の規定により指定される急傾斜地崩壊危険区域内における急傾斜地の崩壊を防止するための工事をいう。

（急傾斜地崩壊危険区域の指定）

第三条　都道府県知事は、この法律の目的を達成するために必要があると認めるときは、関係市町村長（特別区の長を含む。以下同じ。）の意見をきいて、崩壊するおそれのある急傾斜地で、その崩壊により相当数の居住者その他の者に危害が生ずるおそれのあるもの及びこれに隣接する土地のうち、当該急傾斜地の崩壊が助長され、又は誘発されるおそれがないようにするため、第七条第一項各号に掲げる行為が行なわれることを制限する必

要がある土地の区域を急傾斜地崩壊危険区域として指定することができる。

2　前項の指定は、この法律の目的を達成するために必要な最小限度のものでなければならない。

3　都道府県知事は、第一項の指定をするときは、国土交通省令で定めるところにより、当該急傾斜地崩壊危険区域を公示するとともに、その旨を関係市町村長に通知しなければならない。これを廃止するときも、同様とする。

4　急傾斜地崩壊危険区域の指定又は廃止は、前項の公示によつてその効力を生ずる。

（調査）

第四条　前条第一項の指定は、必要に応じ、当該指定に係る土地に関し、地形、地質、降水等の状況に関する現地調査をして行なうものとする。

（調査のための立入り）

第五条　都道府県知事又はその命じた者若しくは委任した者は、前条の調査のためにやむを得ない必要があるときは、他人の占有する土地に立ち入り、又は特別の用途のない他人の土地を材料置場若しくは作業場として一時使用することができる。

2　前項の規定により他人の占有する土地に立ち入ろうとする者は、あらかじめ、その旨を当該土地の占有者に通知しなければならない。ただし、あらかじめ通知することが困難であるときは、この限りでない。

3　第一項の規定により宅地又はかき、さく等で囲まれた他人の占有する土地に立ち入ろうとする場合においては、その立ち入ろうとする者は、立入りの際、あらかじめ、その旨を当該土地の占有者に告げなければならない。

4　日出前及び日没後においては、土地の占有者の承諾があつた場合を除き、前項に規定する土地に立ち入つてはならない。

5　第一項の規定により他人の占有する土地に立ち入ろうとする者は、その身分を示す証明書を携帯し、関係人の請求があつたときは、これを提示しなければならない。

6　第一項の規定により特別の用途のない他人の土地を材料置場又は作業場として一時使用しようとする者は、あらかじめ、当該土地の占有者及び所有者に通知して、その意見をきかなければならない。

7　土地の占有者又は所有者は、正当な理由がない限り、第一項の規定による立入り又は一時使用を拒み、又は妨げてはならない。

8　都道府県は、第一項の規定による立入り又は一時使用により損失を受けた者がある場合においては、その者に対して、通常生ずべき損失を補償しなければならない。

9　前項の規定による損失の補償については、都道府県と損失を受けた者とが協議しなければならない。

10　前項の規定による協議が成立しない場合においては、都道府県は、自己の見積つた金額を損失を受けた者に支払わなければならない。この場合において、当該金額について不服のある者は、政令で定めるところにより、補償金の支払を受けた日から三十日以内に、収用委員会に土地収用法（昭和二十六年法律第二百十九号）第九十四条の規定による裁決を申請することができる。

第二章　急傾斜地崩壊危険区域に関する管理等

（標識の設置）

第六条　都道府県は、急傾斜地崩壊危険区域の指定があつたときは、国土交通省令で定めるところにより、当該急傾斜地崩壊危険区域内にこれを表示する標識を設置しなければならない。

（行為の制限）

第七条　急傾斜地崩壊危険区域内においては、次の各号に掲げる行為は、都道府県知事の許可を受けなければ、してはならない。ただし、非常災害のために必要な応急措置として行なう行為、当該急傾斜地崩壊危険区域の指定の際すでに着手している行為及び政令で定めるその他の行為については、この限りでない。

一　水を放流し、又は停滞させる行為その他水のしん透を助長する行為

二　ため池、用水路その他の急傾斜地崩壊防止施設以外の施設又は工作物の設置又は改造

三　のり切、切土、掘さく又は盛土

四　立木竹の伐採

五　木竹の滑下又は地引による搬出

六　土石の採取又は集積

七　前各号に掲げるもののほか、急傾斜地の崩壊を助長し、又は誘発するおそれのある行為で政令で定めるもの

2　都道府県知事は、前項の許可に、急傾斜地の崩壊を防止するために必要な条件を附することができる。

3　急傾斜地崩壊危険区域の指定の際当該急傾斜地崩壊危険区域内においてすでに第一項各号に掲げる行為（非常災害のために必要な応急措置として行なう行為及び同項ただし書に規定する政令で定めるその他の行為を除く。）に着手している者は、その指定の日から起算して十四日以内に、国土交通省令で定めるところにより、その旨を都道府県知事に届け出なければならない。

4　国又は地方公共団体が第一項の許可を受けなければならない行為（以下「制限行為」という。）をしようとするときは、あらかじめ、都道府県知事に協議することをもつて足りる。

（監督処分）

第八条　都道府県知事は、次の各号の一に該当する者に対して、前条第一項の許可を取り消し、若しくは同項の許可に附した条件を変更し、又は制限行為の中止その他制限行為に伴う急傾斜地の崩壊を防止するために必要な措置をとることを命ずることができる。

一　前条第一項の規定に違反した者

二　前条第一項の許可に附した条件に違反した者

三　偽りその他不正な手段により前条第一項の許可を受けた者

2　都道府県知事は、前項の規定により必要な措置をとることを命じようとする場合において、過失がなくてその措置をとることを命ずべき者を確知することができず、かつ、これを放置することが著しく公益に反すると認められるときは、その者の負担において、その措置をみずから行ない、又はその命じた者若しくは委任した者に行なわせることができる。この場合においては、相当の期限を定めて、その措置をとるべき旨及びその期限までにその措置をとらないときは、都道府県知事又はその命じた者若しくは委任した者がその措置を行なうべき旨を、あらかじめ、公告しなければならない。

（土地の保全等）

第九条　急傾斜地崩壊危険区域内の土地の所有者、管理者又は占有者は、その土地の維持管理については、当該急傾斜地崩壊危険区域内における急傾斜地の崩壊が生じないように努めなければならない。

2　急傾斜地崩壊危険区域内における急傾斜地の崩壊により被害を受けるおそれのある者は、当該急傾斜地の崩壊による被害を除却し、又は軽減するために必要な措置を講ずるように努めなければならない。

3　都道府県知事は、急傾斜地崩壊危険区域内における急傾斜地の崩壊による災害を防止するために必要があると認める場合においては、当該急傾斜地崩壊危険区域内の土地の所有者、管理者又は占有者、その土地内において制限行為を行つた者、当該急傾斜地の崩壊により被害を受けるおそれのある者等に対し、急傾斜地崩壊防止工事の施行その他の必要な措置をとることを勧告することができる。

（改善命令）

第一〇条　都道府県知事は、急傾斜地崩壊危険区域内の土地において制限行為（当該急傾斜地崩壊危険区域の指定前に行なわれた行為又はその指定の際すでに着手している行為であつて、その行為が当該指定後に行なわれたとしたならば制限行為に該当する行為となるべきものを含む。以下同じ。）が行なわれ、かつ、当該制限行為に伴う急傾斜地の崩壊を防止するために必要な急傾斜地崩壊防止工事がなされていないか又はきわめて不完全であることのために、これを放置するときは、当該制限行為に伴う急傾斜地の崩壊のおそれが著しいと認められる場合においては、その著しいおそれを除去するために必要であり、かつ、土地の利用状況、当該制限行為が行なわれるに至つた事情等からみて相当であると認められる限度において、当該制限行為の行なわれた土地の所有者、管理者又は占有者に対し、相当の猶予期限をつけて、急傾斜地崩壊防止工事の施行を命ずることができる。

2　前項に規定する場合において、制限行為の行なわれた土地の所有者、管理者又は占有者以外の者の行為によつて同項に規定する急傾斜地の崩壊の著しいおそれが生じたことが明らかであり、その行為をした者に同項の工事の全部又は一部を行なわせることが相当であると認められ、かつ、これを行なわせることについて当該制限行為が行なわれた土地の所有者、管理

者又は占有者に異議がないときは、都道府県知事は、その行為をした者に対して、同項の工事の全部又は一部の施行を命ずることができる。

３　前二項の規定は、第八条第一項各号に掲げる者に対しては、適用しない。

４　第八条第二項の規定は、第一項又は第二項の場合について準用する。

（立入検査）

第十一条　都道府県知事又はその命じた者若しくは委任した者は、第七条第一項、第八条第一項又は前条第一項若しくは第二項の規定による権限を行なうために必要がある場合においては、当該土地に立ち入り、当該土地又は当該土地における急傾斜地崩壊防止工事若しくは制限行為の状況を検査することができる。

２　第五条第五項の規定は、前項の場合について準用する。

３　第一項の規定による立入検査の権限は、犯罪捜査のために認められたものと解してはならない。

（都道府県の施行する急傾斜地崩壊防止工事）

第十二条　都道府県は、急傾斜地崩壊防止工事のうち、制限行為に伴う急傾斜地の崩壊を防止するために必要な工事以外の工事で、当該急傾斜地の所有者、管理者若しくは占有者又は当該急傾斜地の崩壊により被害を受けるおそれのある者が施行することが困難又は不適当と認められるものを施行するものとする。

２　前項の規定は、砂防法（明治三十年法律第二十九号）第二条の規定により指定された土地、森林法（昭和二十六年法律第二百四十九号）第二十五条第一項若しくは第二十五条の二第一項若しくは第二項の規定により指定された保安林（同法第二十五条の二第一項後段又は第二項後段において準用する同法第二十五条第二項の規定により指定された保安林を除く。）若しくは同法第四十一条の規定により指定された保安施設地区又は地すべり等防止法（昭和三十三年法律第三十号）第三条第一項の規定により指定された地すべり防止区域若しくは同法第四条第一項の規定により指定されたぼた山崩壊防止区域については、適用しない。

３　都道府県は、漁港及び漁場の整備等に関する法律（昭和二十五年法律第百三十七号）第二条に規定する漁港の区域（水域を除く。）内、港湾法（昭和二十五年法律第二百十八号）第三十七条第一項に規定する港湾隣接地域内又は海岸法（昭和三十一年法律第百一号）第三条第一項に規定する海岸保全区域内において第一項の規定による急傾斜地崩壊防止工事（以下「都道府県営工事」という。）を施行しようとするときは、あらかじめ、漁港管理者、港湾管理者又は海岸管理者に協議しなければならない。ただし、港湾法第三十七条第一項及び第三項又は海岸法第十条第二項の規定により港湾管理者又は海岸管理者に協議しなければならない場合においては、この限りでない。

（都道府県以外の者の施行する工事）

第十三条　国又は地方公共団体以外の者が急傾斜地崩壊防止工事を施行しようとするときは、国土交通省令で定めるところにより、あらかじめ、その旨を都道府県知事に届け出なければならない。

２　国又は地方公共団体は、急傾斜地崩壊防止工事を施行しようとするときは、あらかじめ、その旨を都道府県知事に通知しなければならない。

（急傾斜地崩壊防止工事の施行の基準）

第十四条　急傾斜地崩壊防止工事は、急傾斜地崩壊危険区域内における急傾斜地の崩壊の原因、機構及び規模に応じて、有効かつ適切なものとしなければならない。

２　急傾斜地崩壊防止工事は、政令で定める技術的基準に従い、施行しなければならない。

（適用の除外）

第十五条　前二条の規定は、急傾斜地崩壊防止工事が砂防法による砂防工事、森林法による保安施設事業に係る工事又は地すべり等防止法による地すべり防止工事若しくはぼた山崩壊防止工事である場合における当該急傾斜地崩壊防止工事については、適用しない。

（附帯工事の施行）

第十六条　都道府県は、都道府県営工事により必要を生じた急傾斜地崩壊防止工事以外の工事（以下「他の工事」という。）又は都道府県営工事を施行するために必要を生じた他の工事を当該都道府県営工事とあわせて施行することができる。

２　前項の場合において、他の工事が河川工事（河川法（昭和三十九年法律第百六十七号）が適用され、又は準用される河川の河川工事をいう。以下同じ。）又は道路（道路法（昭和二十七年法律第百八十号）による道路をいう。以下同じ。）に関する工事であるときは、当該他の工事の施行については、同項の規定は、適用しない。

（土地の立入り等）

第十七条　都道府県知事又はその命じた者若しくは委任した者は、都道府県営工事のためにやむを得ない必要があるときは、他人の占有する土地に立ち入り、又は特別の用途のない他人の土地を材料置場若しくは作業場として一時使用することができる。

２　第五条第二項から第十項までの規定は、前項の場合について準用する。

（急傾斜地崩壊防止工事に伴う損失の補償）

第十八条　土地収用法第九十三条第一項の規定による場合を除き、都道府県営工事を施行したことにより、当該都道府県営工事を施行した土地に面する土地について、通路、みぞ、かき、さくその他の施設若しくは工作物を新築し、増築し、修繕し、若しくは移転し、又は盛土若しくは切土をするやむを得ない必要があると認められる場合においては、都道府県は、これらの工事をすることを必要とする者（以下この条において「損失を受けた者」という。）の請求により、これに要する費用の全部又は一部を補償しなければならない。この場合において、都道府県又は損失を受けた者は、補償金の全部又は一部に代えて、都道府県が当該工事を施行することを要求することができる。

２　前項の規定による損失の補償は、都道府県営工事の完了の日から一年を経過した後においては、請求することができない。

３　第一項の規定による損失の補償については、都道府県と損失を受けた者とが協議しなければならない。

４　前項の規定による協議が成立しない場合においては、都道府県又は損失を受けた者は、政令で定めるところにより、収用委員会に土地収用法第九十四条の規定による裁決を申請することができる。

第十九条　削除

（国土交通大臣の指示）

第二十条　国土交通大臣は、急傾斜地の崩壊による災害が発生し、又は発生するおそれがあると認められる場合において、災害の発生を防止し、又は災害を軽減するため緊急の必要があると認められるときは、都道府県に対し、第三条第一項及び第三項、第七条第一項、第二項及び第四項、第八条第一項、同条第二項（第十条第四項において準用する場合を含む。）、第九条第三項、第十条第一項及び第二項、第十一条第一項並びに第十二条第一項に規定する事務に関し、必要な指示をすることができる。

第三章　急傾斜地崩壊危険区域に関する費用

（都道府県営工事に要する費用の補助）

第二十一条　国は、都道府県に対し、予算の範囲内において、政令で定めるところにより、都道府県営工事に要する費用の二分の一以内を補助することができる。

（附帯工事に要する費用）

第二十二条　都道府県営工事により必要を生じた他の工事又は都道府県営工事を施行するために必要を生じた他の工事に要する費用は、第七条第一項の許可に附した条件に特別の定めがある場合及び同条第四項の協議による場合を除き、その必要を生じた限度において、都道府県がその全部又は一部を負担するものとする。

２　前項の場合において、他の工事が河川工事又は道路に関する工事であるときは、当該他の工事に要する費用については、同項の規定は、適用しない。

（受益者負担金）

第二十三条　都道府県は、都道府県営工事により著しく利益を受ける者がある場合においては、その利益を受ける限度において、その者に、当該都道府県営工事に要する費用の一部を負担させることができる。

２　前項の場合において、負担金の徴収を受ける者の範囲及びその徴収方法については、都道府県の条例で定める。

第四章　雑則

（独立行政法人住宅金融支援機構等の資金の貸付けについての配慮）

第二十四条　独立行政法人住宅金融支援機構及び沖縄振興開発金融公庫は、法令及びその事業計画の範囲内において、第九条第三項又は第十条第一項若しくは第二項の規定による勧告又は命令に基づく急傾斜地崩壊防止工事の施行が円滑に行われるよう、必要な資金の貸付けについて配慮するものとする。

（国有地の無償貸付け等）
第二五条　普通財産である国有地は、都道府県営工事により設置する急傾斜地崩壊防止施設の用に供する場合においては、国有財産法（昭和二十三年法律第七十三号）第二十二条又は第二十八条の規定にかかわらず、当該都道府県に無償で貸し付け、又は譲与することができる。

（報告の徴取）
第二六条　都道府県知事は、急傾斜地崩壊危険区域内の土地の所有者、管理者若しくは占有者又は当該土地において急傾斜地崩壊防止工事若しくは制限行為を行ない、若しくは行なつた者に対し、この法律の施行に関して必要な報告を求めることができる。

（権限の委任）
第二六条の二　この法律に規定する国土交通大臣の権限は、国土交通省令で定めるところにより、その一部を地方整備局長又は北海道開発局長に委任することができる。

第五章　罰則

第二七条　第八条第一項の規定による都道府県知事の命令に違反した者は、一年以下の懲役又は十万円以下の罰金に処する。

第二八条　次の各号の一に該当する者は、六月以下の懲役又は五万円以下の罰金に処する。
一　第五条第七項（第十七条第二項において準用する場合を含む。）の規定に違反した者
二　第七条第一項の規定に違反した者
三　第十条第一項又は第二項の規定による都道府県知事の命令に違反した者
四　第十一条第一項の規定による立入検査を拒み、妨げ、又は忌避した者

第二九条　次の各号の一に該当する者は、一万円以下の罰金に処する。
一　第六条の規定により設置した標識を移動し、汚損し、又は破損した者
二　第七条第三項の規定による届出をせず、又は虚偽の届出をした者
三　第二十六条の規定による報告をせず、又は虚偽の報告をした者

第三〇条　法人の代表者又は法人若しくは人の代理人、使用人その他の従業者が、その法人又は人の業務に関し、前三条の違反行為をしたときは、行為者を罰するほか、その法人又は人に対しても各本条の罰金刑を科する。

附　則

（施行期日）
1　この法律は、公布の日から起算して三月をこえない範囲内において政令で定める日から施行する。
〔昭和四四政二〇五により、昭和四四・八・一から施行〕

（国の無利子貸付け等）
2　国は、当分の間、都道府県に対し、第二十一条の規定により国がその費用について補助することができる都道府県営工事で日本電信電話株式会社の株式の売払収入の活用による社会資本の整備の促進に関する特別措置法（昭和六十二年法律第八十六号）第二条第一項第二号に該当するものに要する費用に充てる資金について、予算の範囲内において、第二十一条の規定（この規定による国の補助の割合について、この規定と異なる定めをした法令の規定がある場合には、当該異なる定めをした法令の規定を含む。以下同じ。）により国が補助することができる金額に相当する金額を無利子で貸し付けることができる。
3　前項の国の貸付金の償還期間は、五年（二年以内の据置期間を含む。）以内で政令で定める期間とする。
4　前項に定めるもののほか、附則第二項の規定による貸付金の償還方法、償還期限の繰上げその他償還に関し必要な事項は、政令で定める。
5　国は、附則第二項の規定により、都道府県に対し貸付けを行つた場合には、当該貸付けの対象である都道府県営工事について、第二十一条の規定による当該貸付金に相当する金額の補助を行うものとし、当該補助については、当該貸付金の償還時において、当該貸付金の償還金に相当する金額を交付することにより行うものとする。
6　都道府県が、附則第二項の規定による貸付けを受けた無利子貸付金について、附則第三項及び第四項の規定に基づき定められる償還期限を繰り上げて償還を行つた場合（政令で定める場合を除く。）における前項の規定の適用については、当該償還は、当該償還期限の到来時に行われたものとみなす。

附　則〔略〕〔昭和四七・五・一三法律三一〕

附　則〔略〕〔昭和六二・九・四法律八七〕

附　則〔抄〕〔平成五・一一・一二法律八九〕

（施行期日）
第一条　この法律は、行政手続法（平成五年法律第八十八号）の施行の日〔平成六・一〇・一〕から施行する。

（諮問等がされた不利益処分に関する経過措置）
第二条　この法律の施行前に法令に基づき審議会その他の合議制の機関に対し行政手続法第十三条に規定する聴聞又は弁明の機会の付与の手続その他の意見陳述のための手続に相当する手続を執るべきことの諮問その他の求めがされた場合においては、当該諮問その他の求めに係る不利益処分の手続に関しては、この法律による改正後の関係法律の規定にかかわらず、なお従前の例による。

（罰則に関する経過措置）
第一三条　この法律の施行前にした行為に対する罰則の適用については、なお従前の例による。

（聴聞に関する規定の整理に伴う経過措置）
第一四条　この法律の施行前に法律の規定により行われた聴聞、聴問若しくは聴聞会（不利益処分に係るものを除く。）又はこれらのための手続は、この法律による改正後の関係法律の相当規定により行われたものとみなす。

（政令への委任）
第一五条　附則第二条から前条までに定めるもののほか、この法律の施行に関して必要な経過措置は、政令で定める。

附　則〔抄〕〔平成一一・七・一六法律八七〕

（施行期日）
第一条　この法律は、平成十二年四月一日から施行する。ただし、次の各号に掲げる規定は、当該各号に定める日から施行する。
一　〔前略〕附則〔中略〕第百六十条、第百六十三条、第百六十四条並びに第二百二条の規定　公布の日
二～六　〔略〕

（国等の事務）
第一五九条　この法律による改正前のそれぞれの法律に規定するもののほか、この法律の施行前において、地方公共団体の機関が法律又はこれに基づく政令により管理し又は執行する国、他の地方公共団体その他公共団体の事務（附則第百六十一条において「国等の事務」という。）は、この法律の施行後は、地方公共団体が法律又はこれに基づく政令により当該地方公共団体の事務として処理するものとする。

（処分、申請等に関する経過措置）
第一六〇条　この法律（附則第一条各号に掲げる規定については、当該各規定。以下この条及び附則第百六十三条において同じ。）の施行前に改正前のそれぞれの法律の規定によりされた許可等の処分その他の行為（以下この条において「処分等の行為」という。）又はこの法律の施行の際現に改正前のそれぞれの法律の規定によりされている許可等の申請その他の行為（以下この条において「申請等の行為」という。）で、この法律の施行の日においてこれらの行為に係る行政事務を行うべき者が異なることとなるものは、附則第二条から前条までの規定又は改正後のそれぞれの法律（これに基づく命令を含む。）の経過措置に関する規定に定めるものを除き、この法律の施行の日以後における改正後のそれぞれの法律の適用については、改正後のそれぞれの法律の相当規定によりされた処分等の行為又は申請等の行為とみなす。
2　この法律の施行前に改正前のそれぞれの法律の規定により国又は地方公共団体の機関に対し報告、届出、提出その他の手続をしなければならない事項で、この法律の施行の日前にその手続がされていないものについては、この法律及びこれに基づく政令に別段の定めがあるもののほか、これを、改正後のそれぞれの法律の相当規定により国又は地方公共団体の相当の機関に対して報告、届出、提出その他の手続をしなければならない事項についてその手続がされていないものとみなして、この法律による改正後のそれぞれの法律の規定を適用する。

（不服申立てに関する経過措置）

第一六一条　施行日前にされた国等の事務に係る処分であって、当該処分をした行政庁（以下この条において「処分庁」という。）に施行日前に行政不服審査法に規定する上級行政庁（以下この条において「上級行政庁」という。）があったものについての同法による不服申立てについては、施行日以後においても、当該処分庁に引き続き上級行政庁があるものとみなして、行政不服審査法の規定を適用する。この場合において、当該処分庁の上級行政庁とみなされる行政庁は、施行日前に当該処分庁の上級行政庁であった行政庁とする。

2　前項の場合において、上級行政庁とみなされる行政庁が地方公共団体の機関であるときは、当該機関が行政不服審査法の規定により処理することとされる事務は、新地方自治法第二条第九項第一号に規定する第一号法定受託事務とする。

（手数料に関する経過措置）

第一六二条　施行日前においてこの法律による改正前のそれぞれの法律（これに基づく命令を含む。）の規定により納付すべきであった手数料については、この法律及びこれに基づく政令に別段の定めがあるもののほか、なお従前の例による。

（罰則に関する経過措置）

第一六三条　この法律の施行前にした行為に対する罰則の適用については、なお従前の例による。

（その他の経過措置の政令への委任）

第一六四条　この附則に規定するもののほか、この法律の施行に伴い必要な経過措置（罰則に関する経過措置を含む。）は、政令で定める。

2　〔略〕

附　則〔略〕〔平成一一・一二・二二法律一六〇〕

附　則〔略〕〔平成一二・五・八法律五七〕

附　則〔略〕〔平成一三・六・二九法律九二〕

附　則〔略〕〔平成一四・二・八法律一〕

附　則〔略〕〔平成一七・七・六法律八二〕

附　則〔抄〕〔令和五・五・二六法律三四〕

（施行期日）

第一条　この法律は、公布の日から起算して一年を超えない範囲内において政令で定める日〔令和六・四・一〕から施行する。〔以下略〕

○急傾斜地の崩壊による災害の防止に関する法律施行令

〔昭和四四・七・三一　政令二〇六〕

改正　昭和四四・八政二二五、昭和四五・六政二〇九、一〇政三〇〇、昭和四六・八政二七九、昭和五三・七政二八二、昭和六二・三政五四、九政二九五、平成三・四政一五四、九政三〇四、平成六・一二政四一一、平成七・一〇政三五九、平成一〇・六政二一一、平成一一・一一政三五二、平成一二・六政三一二、九政四二八、政四三四、平成一四・二政二七、三政六〇、平成一五・六政二九三、平成一六・一〇政三二八、平成一七・六政二〇三、平成二三・七政二二〇、一二政四一四、令和五・一〇政三〇四

（収用委員会の裁決申請手続）

第一条　急傾斜地の崩壊による災害の防止に関する法律（以下「法」という。）第五条第十項（法第十七条第二項において準用する場合を含む。）又は第十八条第四項の規定により土地収用法（昭和二十六年法律第二百十九号）第九十四条の規定による裁決を申請しようとする者は、国土交通省令で定める様式に従い、同条第三項各号（第三号を除く。）に掲げる事項を記載した裁決申請書を収用委員会に提出しなければならない。

（法第七条第一項ただし書の政令で定める行為）

第二条　法第七条第一項ただし書の政令で定める行為は、次に掲げる行為とする。

一　水田（地割れその他の土地の状況により水の浸透しやすい水田を除く。）に水を放流し、又は停滞させる行為

二　かんがいの用に供するため土地（水田及び地割れその他の土地の状況により水の著しく浸透する土地を除く。）に水を放流する行為

三　日常生活の用に供するため、又は日常生活の用に供した水を土地（地割れその他の土地の状況により水の著しく浸透する土地を除く。）に放流する行為

四　用排水路に水を放流する行為

五　ため池その他の貯水施設に水を放流し、又は貯留する行為

六　除伐又は倒木竹若しくは枯損木竹の伐採

七　急傾斜地崩壊危険区域のうち、急傾斜地の下端に隣接する急傾斜地以外の土地の区域における次に掲げる行為

イ　長さが三メートル以下ののり切で、のり面の崩壊を生じさせないもの

ロ　高さが五十センチメートル以下の切土又は深さが五十センチメートル以下の掘削で、急傾斜地の下端から二メートル以上離れた土地で行うもの

ハ　高さが二メートル以下の盛土

ニ　木竹の滑下又は地引による搬出

ホ　地表から五十センチメートル以内の土石の採取で、急傾斜地の下端から二メートル以上離れた土地で行うもの

ヘ　載荷重が一平方メートルにつき二・五トン以下の土石の集積

八　急傾斜地崩壊危険区域のうち、急傾斜地の上端に隣接する急傾斜地以外の土地の区域における次に掲げる行為

イ　前号イに掲げる行為

ロ　高さが五十センチメートル以下の切土又は深さが五十センチメートル以下の掘削で、水の浸透又は停滞を増加させないもの

九　次に掲げる工事の実施に係る行為

イ　軌道法（大正十年法律第七十六号）第五条第一項の規定による認可を受けた者が行う当該認可に係る工事

ロ　全国新幹線鉄道整備法（昭和四十五年法律第七十一号）第九条第一項又は附則第十一項の規定による認可を受けた者が行う当該認可に係る工事

ハ　鉄道事業法（昭和六十一年法律第九十二号）第八条第一項、第九条第一項（同法第十二条第四項において準用する場合を含む。）若しくは第十二条第一項の規定による認可を受けた者（同法第八条第一項、第九条第一項又は第十二条第一項の規定による認可を受けた者が独立行政法人鉄道建設・運輸施設整備支援機構法（平成十四年法律第百八十号。以下この号において「機構法」という。）附則第十一条第四項の規定によりなおその効力を有するものとされる機構法附則第十四条の規定による廃止前の日本鉄道建設公団法(昭和三十九年法律第三号。以下この号において「旧公団法」という。）第二十二条第一項の規定による申出をし、かつ、国土交通大臣が機構法附則第二条第一項の規定による解散前の日本鉄道建設公団に対し機構法附則第十一条第四項の規定によりなおその効力を有するものとされる旧公団法第二十二条第二項の規定による指示をしている場合には、独立行政法人鉄道建設・運輸施設整備支援機構を含む。）が行う当該認可に係る工事又は鉄道事業法第三十二条の規定による許可若しくは同法第三十八条において準用する同法第九条第一項（同法第十二条第四項において準用する場合を含む。）若しくは第十二条第一項の規定による認可を受けた者が行う当該許可若しくは認可に係る同法第三十三条第一項第三号に規定する索道施設に関する工事

十　鉱山保安法（昭和二十四年法律第七十号）第十三条第一項の規定による届出をした者が行う当該届出に係る行為又は同法第三十六条、第三十七条、第三十九条第一項若しくは第四十八条第一項若しくは第二項の規定による産業保安監督部長若しくは鉱務監督官の命令を受けた者が行う当該命令の実施に係る行為

十一　鉱業法（昭和二十五年法律第二百八十九号）第六十三条第一項の規定による届出をし、又は同条第二項（同法第八十七条において準用する場合を含む。）若しくは同法第六十三条の二第一項若しくは第二項の規定による認可を受けた者（同法第六十三条の三の規定により同法第六十三条の二第一項又は第二項の規定により施業案の認可を受けたとみなされた者を含む。）が行う当該届出又は認可に係る施業案の実施に係る行為
十二　国が行う土地改良法（昭和二十四年法律第百九十五号）による土地改良事業に係る工事の実施に係る行為又は国以外の者が行う同法による土地改良事業で農用地の保全を目的とするものに係る工事の実施に係る行為
十三　漁港及び漁場の整備等に関する法律（昭和二十五年法律第百三十七号）による特定漁港漁場整備事業で漁港の区域内の土地の欠壊の防止若しくは漁港の区域内への土砂の流入の防止を目的とするものの施行者が行う当該事業に係る工事の実施に係る行為又は同法第三十九条の二第二項の規定による漁港管理者の土地の欠壊若しくは土砂の流出を防止するために必要な施設の設置その他の措置をとるべき旨の命令を受けた者が行う当該命令の実施に係る行為
十四　国土交通大臣若しくは港湾管理者が行う港湾法（昭和二十五年法律第二百十八号）による港湾工事で港湾区域に隣接する地域の保全を目的とするものの実施に係る行為又は同法第三十七条の規定による許可を受け、若しくは協議をした者が行う当該許可若しくは協議に係る行為
十五　採石法（昭和二十五年法律第二百九十一号）第三十三条の規定による認可を受けた者が行う当該認可に係る行為又は同法第三十三条の十三若しくは第三十三条の十七の規定による命令を受けた者が行う当該命令の実施に係る行為
十六　土砂の流出又は崩壊の防備を目的とする保安林又は保安施設地区において、森林法（昭和二十六年法律第二百四十九号）第三十四条第一項又は第二項（同法第四十四条において準用する場合を含む。）の規定による許可を受けた者が行う当該許可に係る行為
十七　国土交通大臣が行う航空法（昭和二十七年法律第二百三十一号）による飛行場若しくは航空保安施設の設置又はこれらの施設の変更に係る工事の実施に係る行為
十八　電気事業法（昭和三十九年法律第百七十号）第四十七条第一項又は第二項の規定による認可を受けた者が行う当該認可に係る工事の実施に係る行為
十九　砂利採取法（昭和四十三年法律第七十四号）第十六条の規定による認可を受けた者が行う当該認可に係る行為又は同法第二十三条の規定による都道府県知事若しくは河川管理者の命令を受けた者が行う当該命令の実施に係る行為

（急傾斜地崩壊防止工事の技術的基準）

第三条　法第十四条第二項の政令で定める技術的基準は、次のとおりとする。
一　のり切は、地形、地質等の状況及び急傾斜地崩壊防止施設の設計を考慮して行なわなければならない。
二　のり面には、土圧、水圧及び自重によつて損壊、転倒、滑動又は沈下しない構造の土留施設を設けなければならない。ただし、土質試験等に基づき地盤の安定計算をした結果急傾斜地の安全を保つために土留施設の設置が必要でないことが確かめられた部分については、この限りでない。
三　のり面は、石張り、芝張り、モルタルの吹付け等によつて風化その他の侵食に対して保護しなければならない。
四　土留施設には、その裏面の排水をよくするため、水抜穴を設けなければならない。
五　水のしん透又は停滞により急傾斜地の崩壊のおそれがある場合には、必要な排水施設を設置しなければならない。
六　なだれ、落石等により急傾斜地崩壊防止施設が損壊するおそれがある場合には、なだれ防止工、落石防止工等により当該施設を防護しなければならない。

（都道府県営工事に要する費用についての国の補助）

第四条　法第二十一条の規定による国の補助金の額は、都道府県営工事に要する費用の額（法第二十三条第一項の規定による負担金があるときは、当該費用の額から負担金を控除した額）に法第二十一条に定める補助率を乗じた額とする。

附　則〔抄〕

（施行期日）

1　この政令は、法の施行の日（昭和四十四年八月一日）から施行する。

（法附則第二項の規定による貸付金の償還期間等）

2　法附則第三項の政令で定める期間は、五年（二年の据置期間を含む。）とする。
3　前項の期間は、日本電信電話株式会社の株式の売払収入の活用による社会資本の整備の促進に関する特別措置法（昭和六十二年法律第八十六号）第五条第一項の規定により読み替えて準用される補助金等に係る予算の執行の適正化に関する法律（昭和三十年法律第百七十九号）第六条第一項の規定による貸付けの決定（以下「貸付決定」という。）ごとに、当該貸付決定に係る法附則第二項の規定による貸付金（以下「国の貸付金」という。）の交付を完了した日（その日が当該貸付決定があつた日の属する年度の末日の前日以後の日である場合には、当該年度の末日の前々日）の翌日から起算する。
4　国の貸付金の償還は、均等年賦償還の方法によるものとする。
5　国は、国の財政状況を勘案し、相当と認めるときは、国の貸付金の全部又は一部について、前三項の規定により定められた償還期限を繰り上げて償還させることができる。
6　法附則第六項の政令で定める場合は、前項の規定により償還期限を繰り上げて償還を行つた場合とする。

附　則〔略〕〔昭和四六・八・三〇政令二七九〕
附　則〔略〕〔昭和五三・七・五政令二八二〕
附　則〔略〕〔昭和六二・三・二〇政令五四〕
附　則〔略〕〔平成三・九・二五政令三〇四〕
附　則〔略〕〔平成六・一二・二六政令四一一〕
附　則〔略〕〔平成七・一〇・一八政令三五九〕
附　則〔略〕〔平成一〇・六・一二政令二一一〕
附　則〔略〕〔平成一一・一一・一〇政令三五二〕
附　則〔略〕〔平成一二・六・七政令三一二〕
附　則〔略〕〔平成一二・九・一三政令四一八〕
附　則〔略〕〔平成一二・九・二二政令四三四〕
附　則〔略〕〔平成一四・二・八政令二七〕
附　則〔略〕〔平成一四・三・二五政令六〇〕
附　則〔略〕〔平成一五・六・二七政令二九三〕
附　則〔平成一六・一〇・二七政令三二八〕

（施行期日）

第一条　この政令は、平成十七年四月一日から施行する。

（経過措置）

第二条　この政令の施行前に改正前のそれぞれの政令の規定により経済産業局長がした許可、認可その他の処分（鉱山保安法及び経済産業省設置法の一部を改正する法律第二条の規定による改正前の経済産業省設置法（平成十一年法律第九十九号。以下「旧経済産業省設置法」という。）第十二条第二項に規定する経済産業省の所掌事務のうち旧経済産業省設置法第四条第一項第五十九号に掲げる事務に関するものに限る。以下「処分等」という。）は、それぞれの経済産業局長の管轄区域を管轄する産業保安監督部長がした処分等とみなし、この政令の施行前に改正前のそれぞれの政令の規定により経済産業局長に対してした申請、届出その他の行為（旧経済産業省設置法第十二条第二項に規定する経済産業省の所掌事務のうち旧経済産業省設置法第四条第一項第五十九号に掲げる事務に関するものに限る。以下「申請等」という。）は、それぞれの経済産業局長の管轄区域を管轄する産業保安監督部長に対してした申請等とみなす。

附　則〔平成一七・六・一政令二〇三〕
この政令は、施行日（平成十七年十月一日）から施行する。〔以下略〕
附　則〔略〕〔平成二三・七・一五政令二一〇〕
附　則〔略〕〔平成二三・一一・二六政令四一四〕
附　則〔令和五・一〇・一八政令三〇四〕
この政令は、漁港漁場整備法及び水産業協同組合法の一部を改正する法律の施行の日（令和六年四月一日）から施行する。

○急傾斜地の崩壊による災害の防止に関する法律施行規則

〔昭和四四・七・三一 建設省令四八〕

改正　令和二・一二国交令九八

（急傾斜地崩壊危険区域の指定等の公示）

第一条　急傾斜地の崩壊による災害の防止に関する法律（以下「法」という。）第三条第三項の規定による急傾斜地崩壊危険区域の指定又は廃止の公示は、次の各号の一以上により当該急傾斜地崩壊危険区域を明示して、都道府県の公報に掲載して行なうものとする。

一　市町村（特別区を含む。）、大字、字、小字及び地番

二　一定の地物、施設、工作物又はこれらからの距離及び方向

（損失の補償の裁決申請書の様式）

第二条　急傾斜地の崩壊による災害の防止に関する法律施行令第一条の規定による裁決申請書の様式は、別記様式第一とし、正本一部及び写し一部を提出するものとする。

（標識の設置）

第三条　都道府県は、急傾斜地崩壊危険区域の指定があつたときは、遅滞なく、法第六条に規定する標識を別記様式第二の例により設置するものとする。

（急傾斜地崩壊危険区域における行為等の届出の手続）

第四条　法第七条第三項又は第十三条第一項の規定による届出は、都道府県知事の定めるところにより、書面を提出してしなければならない。

附　則

この省令は、法の施行の日（昭和四十四年八月一日）から施行する。

附　則〔略〕〔令和二・一二・二三国土交通省令九八〕

別記様式〔略〕

○土砂災害警戒区域等における土砂災害防止対策の推進に関する法律

〔平成一二・五・八 法律五七〕

改正　平成一七・五法三七、平成二二・一一法五二、平成二五・六法五四、平成二六・六法五四、一一法一〇九、平成二九・五法三一、令和三・五法三〇、法三一

注　［　］の部分は、令和四年六月一七日法律第六九号により改正され、令和七年四月一日から施行

目次

第一章　総則（第一条・第二条）
第二章　土砂災害防止対策基本指針等（第三条―第六条）
第三章　土砂災害警戒区域（第七条―第八条の二）
第四章　土砂災害特別警戒区域（第九条―第二十六条）
第五章　避難に資する情報の提供等（第二十七条―第三十二条）
第六章　雑則（第三十三条―第三十七条）
第七章　罰則（第三十八条―第四十二条）
附則

第一章　総則

（目的）

第一条　この法律は、土砂災害から国民の生命及び身体を保護するため、土砂災害が発生するおそれがある土地の区域を明らかにし、当該区域における警戒避難体制の整備を図るとともに、著しい土砂災害が発生するおそれがある土地の区域において一定の開発行為を制限し、建築物の構造の規制に関する所要の措置を定めるほか、土砂災害の急迫した危険がある場合において避難に資する情報を提供すること等により、土砂災害の防止のための対策の推進を図り、もって公共の福祉の確保に資することを目的とする。

（定義）

第二条　この法律において「土砂災害」とは、急傾斜地の崩壊（傾斜度が三十度以上である土地が崩壊する自然現象をいう。）、土石流（山腹が崩壊して生じた土石等又は渓流の土石等が水と一体となって流下する自然現象をいう。第二十七条第二項及び第二十八条第一項において同じ。）若しくは地滑り（土地の一部が地下水等に起因して滑る自然現象又はこれに伴って移動する自然現象をいう。同項において同じ。）（以下「急傾斜地の崩壊等」と総称する。）又は河道閉塞による湛水（土石等が河道を閉塞したことによって水がたまる自然現象をいう。第七条第一項及び第二十八条第一項において同じ。）を発生原因として国民の生命又は身体に生ずる被害をいう。

第二章　土砂災害防止対策基本指針等

（土砂災害防止対策基本指針）

第三条　国土交通大臣は、土砂災害の防止のための対策の推進に関する基本的な指針（以下「基本指針」という。）を定めなければならない。

2　基本指針においては、次に掲げる事項について定めるものとする。

一　この法律に基づき行われる土砂災害の防止のための対策に関する基本的な事項

二　次条第一項の基礎調査の実施について指針となるべき事項

三　第七条第一項の規定による土砂災害警戒区域の指定及び第九条第一項の規定による土砂災害特別警戒区域の指定について指針となるべき事項

四　第九条第一項の土砂災害特別警戒区域内の建築物の移転その他この法律に基づき行われる土砂災害の防止のための対策に関し指針となるべき事項

五　第二十七条第一項の規定による危険降雨量の設定並びに同項の規定による土砂災害警戒情報の通知及び周知のための必要な措置について指針となるべき事項

六　第二十八条第一項及び第二十九条第一項の緊急調査の実施並びに第三十一条第一項の規定による土砂災害緊急情報の通知及び周知のための必要な措置について指針となるべき事項

3　国土交通大臣は、基本指針を定めようとするときは、あらかじめ、総務大臣及び農林水産大臣に協議するとともに、社会資本整備審議会の意見を聴かなければならない。

4　国土交通大臣は、基本指針を定めたときは、遅滞なく、これを公表しなければならない。

5　前二項の規定は、基本指針の変更について準用する。

（基礎調査）

第四条　都道府県は、基本指針に基づき、おおむね五年ごとに、第七条第一項の規定による土砂災害警戒区域の指定及び第九条第一項の規定による土砂災害特別警戒区域の指定その他この法律に基づき行われる土砂災害の防止のための対策に必要な基礎調査として、急傾斜地の崩壊等のおそれがある土地に関する地形、地質、降水等の状況及び土砂災害の発生のおそれがある土地の利用の状況その他の事項に関する調査（以下「基礎調査」という。）を行うものとする。

2　都道府県は、基礎調査の結果を、国土交通省令で定めるところにより、関係のある市町村（特別区を含む。以下同じ。）の長に通知するとともに、公表しなければならない。

3　国土交通大臣は、この法律を施行するため必要があると認めるときは、都道府県に対し、基礎調査の結果について必要な報告を求めることができ

る。

（基礎調査のための土地の立入り等）

第五条　都道府県知事又はその命じた者若しくは委任した者は、基礎調査のためにやむを得ない必要があるときは、その必要な限度において、他人の占有する土地に立ち入り、又は特別の用途のない他人の土地を作業場として一時使用することができる。

２　前項の規定により他人の占有する土地に立ち入ろうとする者は、あらかじめ、その旨を当該土地の占有者に通知しなければならない。ただし、あらかじめ通知することが困難であるときは、この限りでない。

３　第一項の規定により宅地又は垣、柵等で囲まれた他人の占有する土地に立ち入ろうとする場合においては、その立ち入ろうとする者は、立入りの際、あらかじめ、その旨を当該土地の占有者に告げなければならない。

４　日出前及び日没後においては、土地の占有者の承諾があった場合を除き、前項に規定する土地に立ち入ってはならない。

５　第一項の規定により他人の占有する土地に立ち入ろうとする者は、その身分を示す証明書を携帯し、関係人の請求があったときは、これを提示しなければならない。

６　第一項の規定により特別の用途のない他人の土地を作業場として一時使用しようとする者は、あらかじめ、当該土地の占有者及び所有者に通知して、その意見を聴かなければならない。

７　土地の占有者又は所有者は、正当な理由がない限り、第一項の規定による立入り又は一時使用を拒み、又は妨げてはならない。

８　都道府県は、第一項の規定による立入り又は一時使用により損失を受けた者がある場合においては、その者に対して、通常生ずべき損失を補償しなければならない。

９　前項の規定による損失の補償については、都道府県と損失を受けた者とが協議しなければならない。

10　前項の規定による協議が成立しない場合においては、都道府県は、自己の見積もった金額を損失を受けた者に支払わなければならない。この場合において、当該金額について不服のある者は、政令で定めるところにより、補償金の支払を受けた日から三十日以内に、収用委員会に土地収用法（昭和二十六年法律第二百十九号）第九十四条第二項の規定による裁決を申請することができる。

（基礎調査に関する是正の要求の方式）

第六条　国土交通大臣は、都道府県の基礎調査に関する事務の処理が法令の規定に違反している場合又は科学的知見に基づかずに行われている場合において、当該基礎調査の結果によったのでは次条第一項の規定による土砂災害警戒区域の指定又は第九条第一項の規定による土砂災害特別警戒区域の指定が著しく適正を欠くこととなり、住民等の生命又は身体に危害が生ずるおそれがあることが明らかであるとして地方自治法（昭和二十二年法律第六十七号）第二百四十五条の五第一項の規定による求めを行うときは、当該都道府県が講ずべき措置の内容を示して行うものとする。

第三章　土砂災害警戒区域

（土砂災害警戒区域）

第七条　都道府県知事は、基本指針に基づき、急傾斜地の崩壊等が発生した場合には住民等の生命又は身体に危害が生ずるおそれがあると認められる土地の区域で、当該区域における土砂災害（河道閉塞による湛水を発生原因とするものを除く。以下この章、次章及び第二十七条において同じ。）を防止するために警戒避難体制を特に整備すべき土地の区域として政令で定める基準に該当するものを、土砂災害警戒区域（以下「警戒区域」という。）として指定することができる。

２　前項の規定による指定（以下この条において「指定」という。）は、第二条に規定する土砂災害の発生原因ごとに、指定の区域及びその発生原因となる自然現象の種類を定めてするものとする。

３　都道府県知事は、指定をしようとするときは、あらかじめ、関係のある市町村の長の意見を聴かなければならない。

４　都道府県知事は、指定をするときは、国土交通省令で定めるところにより、その旨並びに指定の区域及び土砂災害の発生原因となる自然現象の種類を公示しなければならない。

５　都道府県知事は、前項の規定による公示をしたときは、速やかに、国土交通省令で定めるところにより、関係のある市町村の長に、同項の規定により公示された事項を記載した図書を送付しなければならない。

６　前三項の規定は、指定の解除について準用する。

（警戒避難体制の整備等）

第八条　市町村防災会議（災害対策基本法（昭和三十六年法律第二百二十三号）第十六条第一項の市町村防災会議をいい、これを設置しない市町村にあっては、当該市町村の長とする。次項において同じ。）は、前条第一項の規定による警戒区域の指定があったときは、市町村地域防災計画（同法第四十二条第一項の市町村地域防災計画をいう。以下同じ。）において、当該警戒区域ごとに、次に掲げる事項について定めるものとする。

一　土砂災害に関する情報の収集及び伝達並びに予報又は警報の発令及び伝達に関する事項

二　避難施設その他の避難場所及び避難路その他の避難経路に関する事項

三　災害対策基本法第四十八条第一項の防災訓練として市町村長が行う土砂災害に係る避難訓練の実施に関する事項

四　警戒区域内に、要配慮者利用施設（社会福祉施設、学校、医療施設その他の主として防災上の配慮を要する者が利用する施設をいう。以下同じ。）であって、急傾斜地の崩壊等が発生するおそれがある場合における当該要配慮者利用施設を利用している者の円滑かつ迅速な避難を確保する必要があると認められるものがある場合にあっては、当該要配慮者利用施設の名称及び所在地

五　救助に関する事項

六　前各号に掲げるもののほか、警戒区域における土砂災害を防止するために必要な警戒避難体制に関する事項

２　市町村防災会議は、前項の規定により市町村地域防災計画において同項第四号に掲げる事項を定めるときは、当該市町村地域防災計画において、急傾斜地の崩壊等が発生するおそれがある場合における要配慮者利用施設を利用している者の円滑かつ迅速な避難を確保するため、同項第一号に掲げる事項として土砂災害に関する情報、予報及び警報の伝達に関する事項を定めるものとする。

３　警戒区域をその区域に含む市町村の長は、市町村地域防災計画に基づき、国土交通省令で定めるところにより、土砂災害に関する情報の伝達方法、急傾斜地の崩壊等が発生するおそれがある場合における避難施設その他の避難場所及び避難路その他の避難経路に関する事項その他警戒区域における円滑な警戒避難を確保する上で必要な事項を住民等に周知させるため、これらの事項を記載した印刷物の配布その他の必要な措置を講じなければならない。

（要配慮者利用施設の利用者の避難の確保のための措置に関する計画の作成等）

第八条の二　前条第一項の規定により市町村地域防災計画にその名称及び所在地を定められた要配慮者利用施設の所有者又は管理者は、国土交通省令で定めるところにより、急傾斜地の崩壊等が発生するおそれがある場合における当該要配慮者利用施設を利用している者の円滑かつ迅速な避難の確保を図るために必要な訓練その他の措置に関する計画を作成しなければならない。

２　前項の要配慮者利用施設の所有者又は管理者は、同項の規定による計画を作成したときは、遅滞なく、これを市町村長に報告しなければならない。これを変更したときも、同様とする。

３　市町村長は、第一項の要配慮者利用施設の所有者又は管理者が同項に規定する計画を作成していない場合において、急傾斜地の崩壊等が発生するおそれがある場合における当該要配慮者利用施設を利用している者の円滑かつ迅速な避難の確保を図るため必要があると認めるときは、当該要配慮者利用施設の所有者又は管理者に対し、必要な指示をすることができる。

４　市町村長は、前項の規定による指示を受けた第一項の要配慮者利用施設の所有者又は管理者が、正当な理由がなく、その指示に従わなかったときは、その旨を公表することができる。

５　第一項の要配慮者利用施設の所有者又は管理者は、同項に規定する計画で定めるところにより、急傾斜地の崩壊等が発生するおそれがある場合における同項の要配慮者利用施設を利用している者の円滑かつ迅速な避難の確保のための訓練を行うとともに、その結果を市町村長に報告しなければならない。

６　市町村長は、第二項又は前項の規定により報告を受けたときは、第一項の要配慮者利用施設の所有者又は管理者に対し、急傾斜地の崩壊等が発生するおそれがある場合における当該要配慮者利用施設を利用している者の

円滑かつ迅速な避難の確保を図るために必要な助言又は勧告をすることができる。

第四章　土砂災害特別警戒区域

（土砂災害特別警戒区域）

第九条　都道府県知事は、基本指針に基づき、警戒区域のうち、急傾斜地の崩壊等が発生した場合には建築物に損壊が生じ住民等の生命又は身体に著しい危害が生ずるおそれがあると認められる土地の区域で、一定の開発行為の制限及び居室（建築基準法（昭和二十五年法律第二百一号）第二条第四号に規定する居室をいう。以下同じ。）を有する建築物の構造の規制をすべき土地の区域として政令で定める基準に該当するものを、土砂災害特別警戒区域（以下「特別警戒区域」という。）として指定することができる。

2　前項の規定による指定（以下この条において「指定」という。）は、第二条に規定する土砂災害の発生原因ごとに、指定の区域並びにその発生原因となる自然現象の種類及び当該自然現象により建築物に作用すると想定される衝撃に関する事項（土砂災害の発生を防止するために行う建築物の構造の規制に必要な事項として政令で定めるものに限る。）を定めてするものとする。

3　都道府県知事は、指定をしようとするときは、あらかじめ、関係のある市町村の長の意見を聴かなければならない。

4　都道府県知事は、指定をするときは、国土交通省令で定めるところにより、その旨並びに指定の区域、土砂災害の発生原因となる自然現象の種類及び第二項の政令で定める事項を公示しなければならない。

5　都道府県知事は、前項の規定による公示をしたときは、速やかに、国土交通省令で定めるところにより、関係のある市町村の長に、同項の規定により公示された事項を記載した図書を送付しなければならない。

6　指定は、第四項の規定による公示によってその効力を生ずる。

7　関係のある市町村の長は、第五項の図書を当該市町村の事務所において、一般の縦覧に供しなければならない。

8　都道府県知事は、土砂災害の防止に関する工事の実施等により、特別警戒区域の全部又は一部について指定の事由がなくなったと認めるときは、当該特別警戒区域の全部又は一部について指定を解除するものとする。

9　第三項から第六項までの規定は、前項の規定による解除について準用する。

（特定開発行為の制限）

第一〇条　特別警戒区域内において、都市計画法（昭和四十三年法律第百号）第四条第十二項に規定する開発行為で当該開発行為をする土地の区域内において建築が予定されている建築物（当該区域が特別警戒区域の内外にわたる場合においては、特別警戒区域外において建築が予定されている建築物を除く。以下「予定建築物」という。）の用途が制限用途であるもの（以下「特定開発行為」という。）をしようとする者は、あらかじめ、都道府県知事の許可を受けなければならない。ただし、非常災害のために必要な応急措置として行う行為その他の政令で定める行為については、この限りでない。

2　前項の制限用途とは、予定建築物の用途で、住宅（自己の居住の用に供するものを除く。）並びに高齢者、障害者、乳幼児その他の特に防災上の配慮を要する者が利用する社会福祉施設、学校及び医療施設（政令で定めるものに限る。）以外の用途でないものをいう。

（申請の手続）

第一一条　前条第一項の許可を受けようとする者は、国土交通省令で定めるところにより、次に掲げる事項を記載した申請書を提出しなければならない。

一　特定開発行為をする土地の区域（第十四条第二項及び第十九条において「開発区域」という。）の位置、区域及び規模

二　予定建築物（前条第一項の制限用途のものに限る。以下「特定予定建築物」という。）の用途及びその敷地の位置

三　特定予定建築物における土砂災害を防止するため自ら施行しようとする工事（次号において「対策工事」という。）の計画

四　対策工事以外の特定開発行為に関する工事の計画

五　その他国土交通省令で定める事項

2　前項の申請書には、国土交通省令で定める図書を添付しなければならない。

（許可の基準）

第一二条　都道府県知事は、第十条第一項の許可の申請があったときは、前条第一項第三号及び第四号に規定する工事（以下「対策工事等」という。）の計画が、特定予定建築物における土砂災害を防止するために必要な措置を政令で定める技術的基準に従い講じたものであり、かつ、その申請の手続がこの法律又はこの法律に基づく命令の規定に違反していないと認めるときは、その許可をしなければならない。

（許可の条件）

第一三条　都道府県知事は、第十条第一項の許可に、対策工事等の施行に伴う災害を防止するために必要な条件を付することができる。

（既着手の場合の届出等）

第一四条　第九条第一項の規定による特別警戒区域の指定の際当該特別警戒区域内において既に特定開発行為（第十条第一項ただし書の政令で定める行為を除く。）に着手している者は、その指定の日から起算して二十一日以内に、国土交通省令で定めるところにより、その旨を都道府県知事に届け出なければならない。

2　都道府県知事は、前項の規定による届出があった場合において、当該届出に係る開発区域（特別警戒区域内のものに限る。）における土砂災害を防止するために必要があると認めるときは、当該届出をした者に対して、予定建築物の用途の変更その他の必要な助言又は勧告をすることができる。

（許可の特例）

第一五条　国又は地方公共団体が行う特定開発行為については、国又は地方公共団体と都道府県知事との協議が成立することをもって第十条第一項の許可を受けたものとみなす。

（許可又は不許可の通知）

第一六条　都道府県知事は、第十条第一項の許可の申請があったときは、遅滞なく、許可又は不許可の処分をしなければならない。

2　前項の処分をするには、文書をもって当該申請をした者に通知しなければならない。

（変更の許可等）

第一七条　第十条第一項の許可（この項の規定による許可を含む。）を受けた者は、第十一条第一項第二号から第四号までに掲げる事項の変更をしようとする場合においては、都道府県知事の許可を受けなければならない。ただし、変更後の予定建築物の用途が第十条第一項の制限用途以外のものであるとき、又は国土交通省令で定める軽微な変更をしようとするときは、この限りでない。

2　前項の許可を受けようとする者は、国土交通省令で定める事項を記載した申請書を都道府県知事に提出しなければならない。

3　第十条第一項の許可を受けた者は、第一項ただし書に該当する変更をしたときは、遅滞なく、その旨を都道府県知事に届け出なければならない。

4　第十二条、第十三条及び前二条の規定は、第一項の許可について準用する。

5　第一項の許可又は第三項の規定による届出の場合における次条から第二十条までの規定の適用については、第一項の許可又は第三項の規定による届出に係る変更後の内容を第十条第一項の許可の内容とみなす。

（工事完了の検査等）

第一八条　第十条第一項の許可を受けた者は、当該許可に係る対策工事等の全てを完了したときは、国土交通省令で定めるところにより、その旨を都道府県知事に届け出なければならない。

2　都道府県知事は、前項の規定による届出があったときは、遅滞なく、当該対策工事等が第十二条の政令で定める技術的基準に適合しているかどうかについて検査し、その検査の結果当該対策工事等が当該政令で定める技術的基準に適合していると認めたときは、国土交通省令で定める様式の検査済証を当該届出をした者に交付しなければならない。

3　都道府県知事は、前項の規定により検査済証を交付したときは、遅滞なく、国土交通省令で定めるところにより、当該対策工事等が完了した旨を公告しなければならない。

（建築制限）

第一九条　第十条第一項の許可を受けた開発区域（特別警戒区域内のものに限る。）内の土地においては、前条第三項の規定による公告があるまでの間は、第十条第一項の制限用途の建築物を建築してはならない。

（特定開発行為の廃止）

第二〇条　第十条第一項の許可を受けた者は、当該許可に係る対策工事等を廃止したときは、遅滞なく、国土交通省令で定めるところにより、その旨を都道府県知事に届け出なければならない。

（監督処分）

第二一条　都道府県知事は、次の各号のいずれかに該当する者に対して、特定予定建築物における土砂災害を防止するために必要な限度において、第十条第一項若しくは第十七条第一項の許可を取り消し、若しくはその許可に付した条件を変更し、又は工事その他の行為の停止を命じ、若しくは相当の期限を定めて必要な措置をとることを命ずることができる。

一　第十条第一項又は第十七条第一項の規定に違反して、特定開発行為をした者

二　第十条第一項又は第十七条第一項の許可に付した条件に違反した者

三　特別警戒区域で行われる又は行われた特定開発行為（当該特別警戒区域の指定の際当該特別警戒区域内において既に着手している行為を除く。）であって、特定予定建築物の土砂災害を防止するために必要な措置を第十二条の政令で定める技術的基準に従って講じていないものに関する工事の注文主若しくは請負人（請負工事の下請人を含む。）又は請負契約によらないで自らその工事をしている者若しくはした者

四　詐欺その他不正な手段により第十条第一項又は第十七条第一項の許可を受けた者

2　前項の規定により必要な措置をとることを命じようとする場合において、過失がなくて当該措置を命ずべき者を確知することができないときは、都道府県知事は、その者の負担において、当該措置を自ら行い、又はその命じた者若しくは委任した者にこれを行わせることができる。この場合においては、相当の期限を定めて、当該措置を行うべき旨及びその期限までに当該措置を行わないときは、都道府県知事又はその命じた者若しくは委任した者が当該措置を行う旨を、あらかじめ、公告しなければならない。

3　都道府県知事は、第一項の規定による命令をした場合においては、標識の設置その他国土交通省令で定める方法により、その旨を公示しなければならない。

4　前項の標識は、第一項の規定による命令に係る土地又は建築物若しくは建築物の敷地内に設置することができる。この場合においては、同項の規定による命令に係る土地又は建築物若しくは建築物の敷地の所有者、管理者又は占有者は、当該標識の設置を拒み、又は妨げてはならない。

（立入検査）

第二二条　都道府県知事又はその命じた者若しくは委任した者は、第十条第一項、第十七条第一項、第十八条第二項、第十九条又は前条第一項の規定による権限を行うため必要がある場合においては、当該土地に立ち入り、当該土地又は当該土地において行われている対策工事等の状況を検査することができる。

2　第五条第五項の規定は、前項の場合について準用する。

3　第一項の規定による立入検査の権限は、犯罪捜査のために認められたものと解してはならない。

（報告の徴収等）

第二三条　都道府県知事は、第十条第一項又は第十七条第一項の許可を受けた者に対し、当該許可に係る土地若しくは当該許可に係る対策工事等の状況について報告若しくは資料の提出を求め、又は当該土地における土砂災害を防止するために必要な助言若しくは勧告をすることができる。

（特別警戒区域内における居室を有する建築物の構造耐力に関する基準）

第二四条　特別警戒区域における土砂災害の発生を防止するため、建築基準法第二十条第一項に基づく政令においては、居室を有する建築物の構造が当該土砂災害の発生原因となる自然現象により建築物に作用すると想定される衝撃に対して安全なものとなるよう建築物の構造耐力に関する基準を定めるものとする。

（特別警戒区域内における居室を有する建築物に対する建築基準法の適用）

第二五条　特別警戒区域（建築基準法第六条第一項第四号に規定する区域を除く。）内における居室を有する建築物（同項第一号から第三号までに掲げるものを除く。）については、同項第四号の規定に基づき都道府県知事が関係市町村の意見を聴いて指定する区域内における建築物とみなして、同法第六条から第七条の五まで、第十八条、第八十九条、第九十一条及び第九十三条の規定（これらの規定に係る罰則を含む。）を適用する。

第二五条　特別警戒区域（建築基準法第六条第一項第三号に規定する区域を除く。）内における居室を有する建築物（同項第一号又は第二号に掲げるものを除く。）については、同項第三号の規定に基づき都道府県知事が関係市町村の意見を聴いて指定する区域内における建築物とみなして、同法第六条から第七条の五まで、第十八条、第八十九条、第九十一条及び第九十三条の規定（これらの規定に係る罰則を含む。）を適用する。

（移転等の勧告）

第二六条　都道府県知事は、急傾斜地の崩壊等が発生した場合には特別警戒区域内に存する居室を有する建築物に損壊が生じ、住民等の生命又は身体に著しい危害が生ずるおそれが大きいと認めるときは、当該建築物の所有者、管理者又は占有者に対し、当該建築物の移転その他土砂災害を防止し、又は軽減するために必要な措置をとることを勧告することができる。

2　都道府県知事は、前項の規定による勧告をした場合において、必要があると認めるときは、その勧告を受けた者に対し、土地の取得についてのあっせんその他の必要な措置を講ずるよう努めなければならない。

第五章　避難に資する情報の提供等

（土砂災害警戒情報の提供）

第二七条　都道府県知事は、基本指針に基づき、当該都道府県の区域を分けて定める区域ごとに、土砂災害の急迫した危険が予想される降雨量（以下この条において「危険降雨量」という。）を設定し、当該区域に係る降雨量が危険降雨量に達したときは、災害対策基本法第六十条第一項の規定による避難のための立退きの指示の判断に資するため、土砂災害の発生を警戒すべき旨の情報（次項において「土砂災害警戒情報」という。）を関係のある市町村の長に通知するとともに、一般に周知させるため必要な措置を講じなければならない。

2　前項の規定による土砂災害警戒情報の通知及び周知のための必要な措置は、その区域に係る降雨量が危険降雨量に達した区域（以下この項において「危険降雨量区域」という。）のほか、その周辺の区域のうち土砂災害が発生するおそれがあると認められるもの（危険降雨量区域において土石流が発生した場合には、当該土石流が到達し、土砂災害が発生するおそれがあると認められる区域を含む。）を明らかにしてするものとする。

（都道府県知事が行う緊急調査）

第二八条　都道府県知事は、土石流、地滑り又は河道閉塞による湛水を発生原因とする重大な土砂災害の急迫した危険が予想されるものとして政令で定める状況があると認めるときは、基本指針に基づき、これらの自然現象を発生原因とする重大な土砂災害が想定される土地の区域及び時期を明らかにするため必要な調査（以下「緊急調査」という。）を行うものとする。ただし、次条第一項の規定により国土交通大臣が緊急調査を行う場合は、この限りでない。

2　都道府県知事は、緊急調査の結果、基本指針に基づき、前項の重大な土砂災害の危険がないと認めるとき、又はその危険が急迫したものでないと認めるときは、当該緊急調査を終了することができる。

（国土交通大臣が行う緊急調査）

第二九条　国土交通大臣は、前条第一項の政令で定める状況があると認める場合であって、当該土砂災害の発生原因である自然現象が緊急調査を行うために特に高度な専門的知識及び技術を要するものとして政令で定めるものであるときは、基本指針に基づき、緊急調査を行うものとする。

2　国土交通大臣は、前項の規定により緊急調査を行おうとするときは、あらかじめ、緊急調査を行おうとする土地の区域を管轄する都道府県知事にその旨を通知しなければならない。次項において準用する前条第二項の規定により緊急調査を終了しようとするときも、同様とする。

3　前条第二項の規定は、国土交通大臣が行う緊急調査について準用する。

（緊急調査のための土地の立入り等）

第三〇条　都道府県知事若しくは国土交通大臣又はこれらの命じた者若しくは委任した者は、緊急調査のためにやむを得ない必要があるときは、これらの必要な限度において、他人の占有する土地に立ち入り、又は特別の用途のない他人の土地を作業場として一時使用することができる。

2　第五条（第一項及び第四項を除く。）の規定は、前項の規定による立入り及び一時使用について準用する。この場合において、同条第八項から第十項までの規定中「都道府県」とあるのは、「都道府県又は国」と読み替えるものとする。

（土砂災害緊急情報の通知及び周知等）

第三一条　都道府県知事又は国土交通大臣は、緊急調査の結果、基本指針に基づき、第二十八条第一項に規定する自然現象の発生により一定の土地の区域において重大な土砂災害の急迫した危険があると認めるとき、又は当該土砂災害が想定される土地の区域若しくは時期が明らかに変化したと認めるときは、災害対策基本法第六十条第一項及び第六項の規定による避難のための立退きの指示の判断に資するため、当該緊急調査により得られた当該土砂災害が想定される土地の区域及び時期に関する情報（次項において「土砂災害緊急情報」という。）を、都道府県知事にあっては関係のある市町村の長に、国土交通大臣にあっては関係のある都道府県及び市町村の長に通知するとともに、一般に周知させるため必要な措置を講じなければならない。

２　都道府県知事又は国土交通大臣は、土砂災害緊急情報のほか、緊急調査により得られた情報を、都道府県知事にあっては関係のある市町村の長に、国土交通大臣にあっては関係のある都道府県及び市町村の長に随時提供するよう努めるものとする。

（避難のための立退きの指示の解除に関する助言）

第三二条　市町村長は、災害対策基本法第六十条第一項の規定による避難のための立退きの指示（土砂災害が発生し、又は発生するおそれがある場合におけるものに限る。）を解除しようとする場合において、必要があると認めるときは、国土交通大臣又は都道府県知事に対し、当該解除に関する事項について、助言を求めることができる。この場合において、助言を求められた国土交通大臣又は都道府県知事は、必要な助言をするものとする。

第六章　雑則

（費用の補助）

第三三条　国は、都道府県に対し、予算の範囲内において、政令で定めるところにより、基礎調査に要する費用の一部を補助することができる。

（資金の確保等）

第三四条　国及び都道府県は、第二十六条第一項の規定による勧告に基づく建築物の移転等が円滑に行われるために必要な資金の確保、融通又はそのあっせんに努めるものとする。

（緊急時の指示）

第三五条　国土交通大臣は、土砂災害が発生し、又は発生するおそれがあると認められる場合において、土砂災害を防止し、又は軽減するため緊急の必要があると認められるときは、都道府県知事に対し、この法律の規定により都道府県知事が行う事務のうち政令で定めるものに関し、必要な指示をすることができる。

（地方公共団体への援助）

第三六条　国土交通大臣は、第三十一条第二項に規定するもののほか、第七条第一項の規定による警戒区域の指定及び第九条第一項の規定による特別警戒区域の指定その他この法律に基づく都道府県及び市町村が行う事務が適正かつ円滑に行われるよう、都道府県及び市町村に対する必要な助言、情報の提供その他の援助を行うよう努めなければならない。

（権限の委任）

第三七条　この法律に規定する国土交通大臣の権限は、国土交通省令で定めるところにより、その一部を地方整備局長又は北海道開発局長に委任することができる。

第七章　罰則

第三八条　次の各号のいずれかに該当する者は、一年以下の懲役又は五十万円以下の罰金に処する。

一　第十条第一項又は第十七条第一項の規定に違反して、特定開発行為をした者

二　第十九条の規定に違反して、第十条第一項の制限用途の建築物を建築した者

三　第二十一条第一項の規定による都道府県知事の命令に違反した者

第三九条　次の各号のいずれかに該当する者は、六月以下の懲役又は三十万円以下の罰金に処する。

一　第五条第七項（第三十条第二項において準用する場合を含む。）の規定に違反して、土地の立入り又は一時使用を拒み、又は妨げた者

二　第二十二条第一項の規定による立入検査を拒み、妨げ、又は忌避した者

第四〇条　第二十三条の規定による報告又は資料の提出を求められて、報告若しくは資料を提出せず、又は虚偽の報告若しくは資料の提出をした者は、二十万円以下の罰金に処する。

第四一条　法人の代表者又は法人若しくは人の代理人、使用人その他の従業者が、その法人又は人の業務又は財産に関し、前三条の違反行為をしたときは、行為者を罰するほか、その法人又は人に対しても各本条の罰金刑を科する。

第四二条　第十四条第一項、第十七条第三項又は第二十条の規定に違反して、届出をせず、又は虚偽の届出をした者は、二十万円以下の過料に処する。

附　則　〔抄〕

（施行期日）

第一条　この法律は、平成十三年四月一日から施行する。

附　則　〔略〕〔平成一七・五・二法律三七〕

附　則　〔略〕〔平成二二・一一・二五法律五二〕

附　則　〔略〕〔平成二五・六・二一法律五四施行〕

附　則　〔略〕〔平成二六・六・四法律五四〕

附　則　〔抄〕〔平成二六・一一・一九法律一〇九〕

（施行期日）

第一条　この法律は、公布の日から起算して二月を超えない範囲内において政令で定める日から施行する。

〔平成二七政五により、平成二七・一・一八から施行〕

（経過措置）

第二条　この法律による改正後の土砂災害警戒区域等における土砂災害防止対策の推進に関する法律（次項において「新法」という。）第四条第二項の規定は、この法律の施行前に行われた基礎調査の結果についても、適用する。

２　新法第八条の規定は、この法律の施行の際現にこの法律による改正前の土砂災害警戒区域等における土砂災害防止対策の推進に関する法律第六条第一項の規定により指定されている警戒区域についても、適用する。この場合において、新法第八条第一項中「前条第一項の規定による警戒区域の指定があったときは」とあるのは「土砂災害警戒区域等における土砂災害防止対策の推進に関する法律の一部を改正する法律（平成二十六年法律第百九号。以下この項において「改正法」という。）の施行後速やかに」と、「同法」とあるのは「災害対策基本法」と、「当該警戒区域」とあるのは「改正法の施行の際現に改正法による改正前の土砂災害警戒区域等における土砂災害防止対策の推進に関する法律第六条第一項の規定により指定されている警戒区域（以下この条において単に「警戒区域」という。）」とする。

（政令への委任）

第三条　前条に定めるもののほか、この法律の施行に関し必要な経過措置は、政令で定める。

附　則　〔抄〕〔平成二九・五・一九法律三一〕

（施行期日）

第一条　この法律は、公布の日から起算して三月を超えない範囲内において政令で定める日から施行する。

〔平成二九政一五七により、平成二九・六・一九から施行〕

（罰則に関する経過措置）

第二条　この法律の施行前にした行為に対する罰則の適用については、なお従前の例による。

（政令への委任）

第三条　前条に定めるもののほか、この法律の施行に関し必要な経過措置は、政令で定める。

（検討）

第四条　政府は、この法律の施行後五年を経過した場合において、第一条から第三条までの規定による改正後の規定の施行の状況について検討を加え、必要があると認めるときは、その結果に基づいて所要の措置を講ずるものとする。

附　則　〔略〕〔令和三・五・一〇法律三〇〕

附　則　〔抄〕〔令和三・五・一〇法律三一〕

（施行期日）

第一条　この法律〔中略〕は、当該各号に定める日から施行する。

一　附則第三条の規定　公布の日

二　〔前略〕第十一条の規定〔中略〕　公布の日から起算して三月を超えな

い範囲内において政令で定める日

〔令和三政二〇四により、令和三・七・一五から施行〕

（政令への委任）

第三条　前条に定めるもののほか、この法律の施行に関し必要な経過措置（罰則に関する経過措置を含む。）は、政令で定める。

（検討）

第四条　政府は、この法律の施行後五年を目途として、この法律による改正後のそれぞれの法律の規定について、その施行の状況等を勘案して検討を加え、必要があると認めるときは、その結果に基づいて所要の措置を講ずるものとする。

附　則〔抄〕〔令和四・六・一七法律六九〕

（施行期日）

第一条　この法律は、公布の日から起算して三年を超えない範囲内において政令で定める日〔令和七・四・一〕から施行する。〔以下略〕

○土砂災害警戒区域等における土砂災害防止対策の推進に関する法律施行令

〔平成一三・三・二八　政令八四〕

改正　平成一八・九政三二〇、平成一九・三政五五、平成二三・一政一〇、平成二四・二政二六、平成二六・九政三一三、平成二七・一政六、平成二九・三政六三、令和六・三政一六一

（収用委員会の裁決の申請手続）

第一条　土砂災害警戒区域等における土砂災害防止対策の推進に関する法律（以下「法」という。）第五条第十項の規定により土地収用法（昭和二十六年法律第二百十九号）第九十四条第二項の規定による裁決を申請しようとする者は、国土交通省令で定める様式に従い、同条第三項各号（第三号を除く。）に掲げる事項を記載した裁決申請書を収用委員会に提出しなければならない。

（土砂災害警戒区域の指定の基準）

第二条　法第七条第一項の政令で定める基準は、次の各号に掲げる土砂災害の発生原因となる自然現象の区分に応じ、当該各号に定める土地の区域であることとする。

一　急傾斜地の崩壊　次に掲げる土地の区域

イ　急傾斜地（傾斜度が三十度以上である土地の区域であって、高さが五メートル以上のものに限る。以下同じ。）

ロ　次に掲げる土地の区域のうちイの急傾斜地の上端と下端の右端の点を通る鉛直面と左端の点を通る鉛直面で挟まれる土地の区域

(1)　イの急傾斜地の上端に隣接する急傾斜地以外の土地の区域であって、当該上端からの水平距離が十メートル以内のもの

(2)　イの急傾斜地の下端に隣接する急傾斜地以外の土地の区域であって、当該下端からの水平距離が当該急傾斜地の高さに相当する距離の二倍（当該距離の二倍が五十メートルを超える場合にあっては、五十メートル）以内のもの（急傾斜地の崩壊が発生した場合において、地形の状況により明らかに土石等が到達しないと認められる土地の区域を除く。）

二　土石流　その流水が山麓における扇状の地形の地域に流入する地点より上流の部分の勾配が急な河川（当該上流の流域面積が五平方キロメートル以下であるものに限る。第七条第四号ハにおいて「渓流」という。）のうち当該地点より下流の部分及び当該下流の部分に隣接する一定の土地の区域であって、国土交通大臣が定める方法により計測した土地の勾配が二度以上のもの（土石流が発生した場合において、地形の状況により明らかに土石流が到達しないと認められる土地の区域を除く。）

三　地滑り　次に掲げる土地の区域

イ　地滑り区域（地滑りしている区域又は地滑りするおそれのある区域をいう。以下同じ。）

ロ　イの地滑り区域に隣接する一定の土地の区域であって、当該地滑り区域及び当該一定の土地の区域を投影した水平面上において、当該一定の土地の区域の投影が、当該地滑り区域の境界線の投影（以下この号において「境界線投影」という。）のうち当該境界線投影と地滑り方向（当該地滑り区域に係る地滑り地塊が滑る場合に当該水平面上において当該地滑り地塊の投影が移動する方向をいう。以下この号及び次条第三号ロにおいて同じ。）に平行な当該水平面上の二本の直線との接点を結ぶ部分で地滑り方向にあるもの（同号ロにおいて「特定境界線投影」という。）を、当該境界線投影に接する地滑り方向と直交する当該水平面上の二本の直線間の距離（当該距離が二百五十メートルを超える場合にあっては、二百五十メートル）だけ当該水平面上において地滑り方向に平行に移動したときにできる軌跡に一致する土地の区域（地滑りが発生した場合において、地形の状況により明らかに地滑り地塊の滑りに伴って生じた土石等が到達しないと認められる土地の区域を除く。）

（土砂災害特別警戒区域の指定の基準）

第三条　法第九条第一項の政令で定める基準は、次の各号に掲げる土砂災害の発生原因となる自然現象の区分に応じ、当該各号に定める土地の区域であることとする。

一　急傾斜地の崩壊　次に掲げる土地の区域

イ　その土地の区域内に建築物が存するとした場合に急傾斜地の崩壊に伴う土石等の移動により当該建築物の地上部分に作用すると想定される力の大きさ（当該急傾斜地の高さ及び傾斜度、当該急傾斜地の下端から当該建築物までの水平距離等に応じて国土交通大臣が定める方法により算出した数値とする。）が、通常の居室を有する建築物（以下この条において「通常の建築物」という。）が土石等の移動に対して住民等の生命又は身体に著しい危害が生ずるおそれのある損壊を生ずることなく耐えることのできる力の大きさ（当該急傾斜地の崩壊に伴う土石等の移動により力が当該通常の建築物の地上部分に作用する場合の土石等の高さに応じて国土交通大臣が定める方法により算出した数値とする。）を上回る土地の区域

ロ　その土地の区域内に建築物が存するとした場合に急傾斜地の崩壊に伴う土石等の堆積により当該建築物の地上部分に作用すると想定される力の大きさ（当該急傾斜地の高さ及び傾斜度、当該急傾斜地の下端から当該建築物までの水平距離等に応じて国土交通大臣が定める方法により算出した数値とする。）が、通常の建築物が土石等の堆積に対

して住民等の生命又は身体に著しい危害が生ずるおそれのある損壊を生ずることなく耐えることのできる力の大きさ（当該急傾斜地の崩壊に伴う土石等の堆積により力が当該通常の建築物の地上部分に作用する場合の土石等の高さに応じて国土交通大臣が定める方法により算出した数値とする。）を上回る土地の区域

二　土石流　その土地の区域内に建築物が存するとした場合に土石流により当該建築物に作用すると想定される力の大きさ（当該土石流により流下する土石等の量、土地の勾配等に応じて国土交通大臣が定める方法により算出した数値とする。）が、通常の建築物が土石流に対して住民等の生命又は身体に著しい危害が生ずるおそれのある損壊を生ずることなく耐えることのできる力の大きさ（当該土石流により力が当該通常の建築物に作用する場合の土石流の高さに応じて国土交通大臣が定める方法により算出した数値とする。）を上回る土地の区域

三　地滑り　次の要件を満たす土地の区域

イ　その土地の区域内に建築物が存するとした場合に地滑り地塊の滑りに伴って生じた土石等の移動により力が当該建築物に作用した時から三十分間が経過した時において当該建築物に作用すると想定される力の大きさ（当該地滑り地塊の規模等に応じて国土交通大臣が定める方法により算出した数値とする。）が、通常の建築物が土石等の移動に対して住民等の生命又は身体に著しい危害が生ずるおそれのある損壊を生ずることなく耐えることのできる力の大きさ（当該地滑り地塊の滑りに伴って生じた土石等の移動により力が当該通常の建築物に作用する場合の土石等の高さに応じて国土交通大臣が定める方法により算出した数値とする。）を上回る土地の区域であること。

ロ　地滑り区域に隣接する一定の土地の区域であって、当該地滑り区域及び一定の土地の区域を投影した水平面上において、当該一定の土地の区域の投影の全てが、特定境界線投影を当該水平面上において地滑り方向に六十メートル平行に移動したときにできる軌跡の範囲内にあるものであること。

（建築物の構造の規制に必要な衝撃に関する事項）

第四条　法第九条第二項の政令で定める衝撃に関する事項は、次の各号に掲げる土砂災害の発生原因となる自然現象の区分に応じ、当該各号に定める事項とする。

一　急傾斜地の崩壊　イに掲げる区域の区分並びに当該区域の区分ごとに定めるロ及びハに掲げる事項

イ　土砂災害特別警戒区域について、急傾斜地の崩壊に伴う土石等の移動又は堆積により建築物の地上部分に作用すると想定される力の大きさを考慮して国土交通大臣が定める方法により、行う区域の区分

ロ　イの定めるところにより区分された区域内に建築物が存するとした場合に急傾斜地の崩壊に伴う土石等の移動により当該建築物の地盤面に接する部分に作用すると想定される力の大きさ（当該急傾斜地の高さ及び傾斜度、当該急傾斜地の下端から当該建築物までの水平距離等に応じて国土交通大臣が定める方法により算出した数値とする。）のうち最大のもの及び当該力が当該建築物に作用する場合の土石等の高さ

ハ　イの定めるところにより区分された区域内に建築物が存するとした場合に急傾斜地の崩壊に伴う土石等の堆積により当該建築物の地盤面に接する部分に作用すると想定される力の大きさ（当該急傾斜地の高さ及び傾斜度、当該急傾斜地の下端から当該建築物までの水平距離等に応じて国土交通大臣が定める方法により算出した数値とする。）のうち最大のもの及び当該力が当該建築物に作用する場合の土石等の高さ

二　土石流　イに掲げる区域の区分及び当該区域の区分ごとに定めるロに掲げる事項

イ　土砂災害特別警戒区域について、土石流により建築物に作用すると想定される力の大きさを考慮して国土交通大臣が定める方法により、行う区域の区分

ロ　イの定めるところにより区分された区域内に建築物が存するとした場合に土石流により当該建築物の地盤面に接する部分に作用すると想定される力の大きさ（当該土石流により流下する土石等の量、土地の勾配等に応じて国土交通大臣が定める方法により算出した数値とする。）のうち最大のもの及び当該力が当該建築物に作用する場合の土石流の高さ

三　地滑り　土砂災害特別警戒区域内に建築物が存するとした場合に地滑り地塊の滑りに伴って生じた土石等の移動により力が当該建築物に作用した時から三十分間が経過した時において当該建築物の地盤面に接する部分に作用すると想定される力の大きさ（当該地滑り地塊の規模等に応じて国土交通大臣が定める方法により算出した数値とする。）及び当該力が当該建築物に作用する場合の土石等の高さ

（特定開発行為の制限の適用除外）

第五条　法第十条第一項ただし書の政令で定める行為は、次に掲げるものとする。

一　非常災害のために必要な応急措置として行う開発行為

二　仮設建築物の建築の用に供する目的で行う開発行為

（制限用途）

第六条　法第十条第二項の政令で定める社会福祉施設、学校及び医療施設は、次に掲げるものとする。

一　老人福祉施設（老人介護支援センターを除く。）、有料老人ホーム、身体障害者社会参加支援施設、障害者支援施設、地域活動支援センター、福祉ホーム、障害福祉サービス事業（生活介護、短期入所、自立訓練、就労移行支援又は就労継続支援を行う事業に限る。）の用に供する施設、保護施設（医療保護施設及び宿所提供施設を除く。）、児童福祉施設（児童自立支援施設を除く。）、障害児通所支援事業（児童発達支援又は放課後等デイサービスを行う事業に限る。）の用に供する施設、こども家庭センター、母子・父子福祉施設その他これらに類する施設

二　特別支援学校及び幼稚園

三　病院、診療所及び助産所

（対策工事等の計画の技術的基準）

第七条　法第十二条の政令で定める技術的基準は、次のとおりとする。

一　対策工事の計画は、対策工事以外の特定開発行為に関する工事の計画と相まって、特定予定建築物における土砂災害を防止するものであるとともに、開発区域及びその周辺の地域における土砂災害の発生のおそれを大きくすることのないものであること。

二　対策工事以外の特定開発行為に関する工事の計画は、対策工事の計画と相まって、開発区域及びその周辺の地域における土砂災害の発生のおそれを大きくすることのないものであること。

三　土砂災害の発生原因が急傾斜地の崩壊である場合にあっては、対策工事の計画は、急傾斜地の崩壊により生ずる土石等を特定予定建築物の敷地に到達させることのないよう、次のイからハまでに掲げる工事又は施設の設置の全部又は一部を当該イからハまでに定める基準に従い行うものであること。

イ　のり切　地形、地質等の状況を考慮して、急傾斜地の崩壊を助長し、又は誘発することのないように施行すること。

ロ　急傾斜地の全部又は一部の崩壊を防止するための施設　次の(1)から(3)までに掲げる施設の種類の区分に応じ、当該(1)から(3)までに定める基準に適合するものであること。

(1)　土留　のり面の崩壊を防止し、土圧、水圧及び自重によって損壊、転倒、滑動又は沈下をせず、かつ、その裏面の排水に必要な水抜穴を有する構造であること。

(2)　のり面を保護するための施設　石張り、芝張り、モルタルの吹付け等によりのり面を風化その他の侵食に対して保護する構造であること。

(3)　排水施設　その浸透又は停滞により急傾斜地の崩壊の原因となる地表水及び地下水を急傾斜地から速やかに排除することができる構造であること。

ハ　急傾斜地の崩壊が発生した場合に生じた土石等を堆積するための施設　土圧、水圧、自重及び土石等の移動又は堆積により当該施設に作用する力によって損壊、転倒、滑動又は沈下をしない構造であること。

四　土砂災害の発生原因が土石流である場合にあっては、対策工事の計画は、土石流を特定予定建築物の敷地に到達させることのないよう、次のイから二までに掲げる施設の設置の全部又は一部を当該イから二までに定める基準に従い行うものであること。

イ　山腹工　山腹の表層の風化その他の侵食を防止すること等により当該山腹の安定性を向上する機能を有する構造であること。

ロ　えん堤　土石流により流下する土石等を堆積することにより渓床を安定する機能を有し、かつ、土圧、水圧、自重及び土石流により当該えん堤に作用する力によって損壊、転倒、滑動又は沈下をしない構造であること。

ハ　床固　渓流の土石等の移動を防止することにより渓床を安定する機能を有し、かつ、土圧、水圧、自重及び土石流により当該床固に作用する力によって損壊、転倒、滑動又は沈下をしない構造であること。

ニ　土石流を開発区域外に導流するための施設　その断面及び勾配が当該施設を設置する地点において流下する土石流を開発区域外に安全に導流することができる構造であること。

五　土砂災害の発生原因が地滑りである場合にあっては、対策工事の計画は、地滑り地塊の滑りに伴って生じた土石等を特定予定建築物の敷地に到達させることのないよう、次のイからへまでに掲げる工事又は施設の設置の全部又は一部を当該イからへまでに定める基準に従い行うものであること。

イ　地滑り地塊の除去　地形、地質等の状況を考慮して、地滑りを助長し、又は誘発することのないように施行し、かつ、地滑り地塊の除去により形成されたのり面を安定するように施行すること。

ロ　水流の付替え　地形、地質、流水等の状況を考慮して、流水が速やかに流下するように施行すること。

ハ　排水施設　地滑りの原因となる地表水及び地下水を地滑り区域から速やかに排除することができる構造であること。

ニ　土留及びくい　地滑り力に対して安全な構造であること。

ホ　ダム、床固、護岸、導流堤及び水制　地滑り地塊を安定させている土地を流水による浸食に対して保護する構造であること。

ヘ　地滑り地塊の滑りに伴って生じた土石等を堆積するための施設　土圧、水圧、自重及び地滑り地塊の滑りに伴って生じた土石等の移動により当該施設に作用する力によって損壊、転倒、滑動又は沈下をしない構造であること。

六　対策工事の計画及び対策工事以外の特定開発行為に関する工事の計画において定める高さが二メートルを超える擁壁については、建築基準法施行令（昭和二十五年政令第三百三十八号）第百四十二条（同令第七章の八の準用に関する部分を除く。）に定めるところによるものであること。

（重大な土砂災害の急迫した危険が予想される状況）

第八条　法第二十八条第一項の政令で定める状況は、次の各号に掲げる土砂災害の発生原因となる自然現象の区分に応じ、当該各号に定める状況とする。

一　土石流　次のイ又はロに掲げる状況

イ　次の(1)及び(2)に該当する状況

(1)　河道閉塞による湛水の発生によってたまる水の量が増加すると予想され、かつ、その増加により越流が開始することが予想される地点（(2)及び第三号において「越流開始地点」という。）において堆積した土石等の高さがおおむね二十メートル以上であること。

(2)　河道閉塞による湛水が発生した河川のうち越流開始地点より下流の部分に隣接する土地の区域（土石流が発生した場合において、地形の状況により明らかに土石流が到達しないと認められる土地の区域を除く。）に存する居室を有する建築物の数がおおむね十以上であること。

ロ　次の(1)及び(2)に該当する状況

(1)　噴火により、降灰、火砕流として流下した火山灰その他これらに類するものが、山間部における河川のうちその勾配が十度以上である部分の最も下流の地点より上流の部分の流域のおおむね五割以上の面積を占める区域の土地において、一センチメートル以上の高さで堆積していると推計されること。

(2)　山間部における河川のうちその勾配が十度以上である部分の最も下流の地点より下流の部分に隣接する土地の区域（土石流が発生した場合において、地形の状況により明らかに土石流が到達しないと認められる土地の区域を除く。）に存する居室を有する建築物の数がおおむね十以上であること。

二　地滑り　地滑りにより、地割れ若しくは建築物の外壁の亀裂が生じ、又はそれらの幅が広がりつつあり、かつ、当該地滑りに係る第二条第三号イ又はロに掲げる区域に存する居室を有する建築物の数がおおむね十以上である状況

三　河道閉塞による湛水　第一号イ(1)に該当し、かつ、河道閉塞による湛水が発生した河川の越流開始地点より上流の部分の流域のうち越流開始地点の標高以下の標高の土地の区域に存する居室を有する建築物の数がおおむね十以上である状況

（緊急調査を行うために特に高度な専門的知識及び技術を要する自然現象）

第九条　法第二十九条第一項の政令で定める自然現象は、土石流及び河道閉塞による湛水とする。

（費用の補助）

第一〇条　法第三十三条の規定による国の都道府県に対する補助金の額は、基礎調査に要する費用の額に三分の一を乗じて得た額とする。

（緊急時の指示）

第一一条　法第三十五条の政令で定める事務は、法第七条第一項及び第三項から第五項まで、第九条第一項及び第三項から第五項まで並びに第二十六条第一項に規定する事務とする。

附　則　〔抄〕

（施行期日）

第一条　この政令は、法の施行の日（平成十三年四月一日）から施行する。

附　則〔略〕〔平成一八・九・二六政令三二〇〕
附　則〔略〕〔平成一九・三・二二政令五五〕
附　則〔略〕〔平成二三・一・二八政令一〇〕
附　則〔略〕〔平成二四・二・三政令二六〕
附　則〔略〕〔平成二六・九・二五政令三一三〕
附　則〔略〕〔平成二七・一・一五政令六〕
附　則〔略〕〔平成二九・三・二九政令六三〕
附　則〔抄〕〔令和六・三・三〇政令一六一〕

（施行期日）

第一条　この政令は、令和六年四月一日から施行する。

○土砂災害警戒区域等における土砂災害防止対策の推進に関する法律施行規則

〔平成一三・三・三〇　国土交通省令七一〕

改正　平成一七・六国交令六二、平成二七・一国交令二、平成二九・六国交令三六、令和二・一二国交令九八

（基礎調査の結果の通知及び公表の方法）

第一条　土砂災害警戒区域等における土砂災害防止対策の推進に関する法律（以下「法」という。）第四条第二項の規定による通知は、基礎調査の終了後、遅滞なく、基礎調査の結果及びその概要を記載した書面を送付して行わなければならない。

2　法第四条第二項の規定による公表は、急傾斜地の崩壊等が発生した場合には住民等の生命又は身体に危害が生ずるおそれがあると認められる土地の区域及び急傾斜地の崩壊等が発生した場合には建築物に損壊が生じ住民等の生命又は身体に著しい危害が生ずるおそれがあると認められる土地の区域を平面図に明示して、都道府県の公報への掲載、インターネットの利用その他の適切な方法により行うものとする。

（損失の補償の裁決申請書の様式）

第二条　土砂災害警戒区域等における土砂災害防止対策の推進に関する法律施行令（以下「令」という。）第一条の規定による裁決申請書の様式は、別記様式第一とし、正本一部及び写し一部を提出するものとする。

（土砂災害警戒区域の指定の公示の方法）

第三条　法第七条第四項（同条第六項において準用する場合を含む。）の規定による土砂災害警戒区域の指定（同条第六項において準用する場合にあっては、指定の解除。以下この条において同じ。）の公示は、当該指定をする旨並びに当該土砂災害警戒区域及び当該土砂災害警戒区域における土砂災害の発生原因となる自然現象の種類を明示して、都道府県の公報に掲載して行うものとする。この場合において、当該土砂災害警戒区域の明示については、次のいずれかによることとする。

一　市町村（特別区を含む。以下同じ。）、大字、字、小字及び地番

二　一定の地物、施設、工作物又はこれらからの距離及び方向

三　平面図

（都道府県知事の行う土砂災害警戒区域の指定の公示に係る図書の送付）

第四条　法第七条第五項（同条第六項において準用する場合を含む。）の規定による送付は、土砂災害警戒区域位置図及び土砂災害警戒区域区域図により行わなければならない。

2　前項の土砂災害警戒区域位置図は、縮尺五万分の一以上とし、土砂災害

警戒区域の位置を表示した地形図でなければならない。

3　第一項の土砂災害警戒区域区域図は、縮尺二千五百分の一以上とし、当該土砂災害警戒区域及び当該土砂災害警戒区域における土砂災害の発生原因となる自然現象の種類を表示したものでなければならない。

（土砂災害に関する情報の伝達方法等を住民に周知させるための必要な措置）

第五条　法第八条第三項の住民に周知させるための必要な措置は、次に掲げるものとする。

一　土砂災害警戒区域及び土砂災害特別警戒区域並びにこれらの区域における土砂災害の発生原因となる自然現象の種類を表示した図面に法第八条第三項に規定する事項を記載したもの（電子的方式、磁気的方式その他人の知覚によっては認識することができない方式で作られる記録を含む。）を、印刷物の配布その他の適切な方法により、各世帯に提供すること。

二　前号の図面に表示した事項及び記載した事項に係る情報を、インターネットの利用その他の適切な方法により、住民がその提供を受けることができる状態に置くこと。

（要配慮者利用施設の利用者の避難の確保のための措置に関する計画に定めるべき事項）

第五条の二　法第八条の二第一項の急傾斜地の崩壊等が発生するおそれがある場合における要配慮者利用施設（法第八条第一項第四号に規定する要配慮者利用施設をいう。以下同じ。）を利用している者の円滑かつ迅速な避難の確保を図るために必要な訓練その他の措置に関する計画においては、次に掲げる事項を定めなければならない。

一　要配慮者利用施設における急傾斜地の崩壊等が発生するおそれがある場合における防災体制に関する事項

二　急傾斜地の崩壊等が発生するおそれがある場合における要配慮者利用施設を利用している者の避難の誘導に関する事項

三　要配慮者利用施設における急傾斜地の崩壊等が発生するおそれがある場合における避難の確保を図るための施設の整備に関する事項

四　要配慮者利用施設における急傾斜地の崩壊等が発生するおそれがある場合を想定した防災教育及び訓練の実施に関する事項

五　前各号に掲げるもののほか、急傾斜地の崩壊等が発生するおそれがある場合における要配慮者利用施設を利用している者の円滑かつ迅速な避難の確保を図るために必要な措置に関する事項

（土砂災害特別警戒区域の指定の公示の方法）

第六条　法第九条第四項（同条第九項において準用する場合を含む。）の規定による土砂災害特別警戒区域の指定（同条第九項において準用する場合にあっては、指定の解除。以下この条において同じ。）の公示は、当該指定をする旨並びに当該土砂災害特別警戒区域、当該土砂災害特別警戒区域における土砂災害の発生原因となる自然現象の種類及び令第四条に規定する衝撃に関する事項を明示して、都道府県の公報に掲載して行うものとする。この場合において、当該土砂災害特別警戒区域の明示については、次のいずれかによることとする。

一　市町村、大字、字、小字及び地番

二　一定の地物、施設、工作物又はこれらからの距離及び方向

三　平面図

（都道府県知事の行う土砂災害特別警戒区域の指定の公示に係る図書の送付）

第七条　法第九条第五項（同条第九項において準用する場合を含む。）の規定による送付は、土砂災害特別警戒区域位置図及び土砂災害特別警戒区域区域図により行わなければならない。

2　前項の土砂災害特別警戒区域位置図は、縮尺五万分の一以上とし、土砂災害特別警戒区域の位置を表示した地形図でなければならない。

3　第一項の土砂災害特別警戒区域区域図は、縮尺二千五百分の一以上とし、当該土砂災害特別警戒区域、当該土砂災害特別警戒区域における土砂災害の発生原因となる自然現象の種類及び令第四条に規定する衝撃に関する事項を表示したものでなければならない。

（特定開発行為の許可の申請）

第八条　法第十条第一項の許可を受けようとする者は、別記様式第二の特定開発行為許可申請書を都道府県知事に提出しなければならない。

2　法第十一条第一項第三号及び第四号の工事の計画は、計画説明書及び計画図により定めなければならない。

3　前項の計画説明書は、対策工事等の計画の方針、急傾斜地の崩壊等のおそれのある土地の現況並びに開発区域（開発区域を工区に分けたときは、開発区域及び工区。以下同じ。）内の土地の現況及び土地利用計画を記載したものでなければならない。

4　第二項の計画図は、次の表の定めるところにより作成したものでなければならない。

図面の種類	明示すべき事項	縮尺
現況地形図	地形、土砂災害特別警戒区域及び開発区域の境界、対策工事等を施行する位置並びに当該対策工事等の種類	二千五百分の一以上
土地利用計画図	開発区域の境界並びに特定予定建築物の用途及び敷地の形状	千分の一以上
造成計画平面図	開発区域の境界、切土又は盛土をする土地の部分及び当該開発区域における対策施設を設置する位置	千分の一以上
造成計画断面図	切土又は盛土をする前後の地盤面	千分の一以上
対策工事等平面図	対策工事等を施行する位置及び当該対策工事等の種類	千分の一以上
対策工事等断面図	対策工事等を施行する前後の地盤面の状況及び対策工事等の種類	千分の一以上
対策施設構造図	対策施設（令第七条第三号から第五号までに規定する施設及び同条第六号に規定する擁壁をいう。以下この条において同じ。）の種類及び構造	二百分の一以上

5　第一項の場合において、対策施設を設置しようとする者は、令第七条第三号から第六号までに規定する技術的基準に適合することを説明する構造計算書を提出しなければならない。

（特定開発行為の許可申請書の記載事項）

第九条　法第十一条第一項第五号の国土交通省令で定める事項は、対策工事等の着手予定年月日及び対策工事等の完了予定年月日とする。

（特定開発行為の許可の申請書の添付図書）

第一〇条　法第十一条第二項の国土交通省令で定める図書は開発区域位置図及び開発区域区域図とする。

2　前項の開発区域位置図は、縮尺五万分の一以上とし、開発区域の位置を表示した地形図でなければならない。

3　第一項の開発区域区域図は、縮尺二千五百分の一以上とし、開発区域の区域並びにその区域を明らかに表示するに必要な範囲内において市町村界、大字、字及び小字の境界、土砂災害特別警戒区域界並びに土地の地番及び形状を表示したものでなければならない。

（既着手の場合の届出の方法）

第一一条　法第十四条第一項の規定による届出は、別記様式第三に掲げる届出書を提出してしなければならない。

（軽微な変更）

第一二条　法第十七条第一項ただし書の国土交通省令で定める軽微な変更は、対策工事等の着手予定年月日及び対策工事等の完了予定年月日の変更とする。

（変更の許可の申請書の記載事項）

第一三条　法第十七条第二項の国土交通省令で定める事項は、次に掲げるものとする。

一　変更に係る事項

二　変更の理由

三　特定開発行為の許可の許可番号

（対策工事等の完了の届出）

第一四条　法第十八条第一項の規定による届出は、別記様式第四の工事完了届出書を提出して行うものとする。

（検査済証の様式）
第一五条　法第十八条第二項に規定する検査済証の様式は、別記様式第五とする。

（対策工事等の完了公告）
第一六条　法第十八条第三項に規定する対策工事等の完了の公告は、開発区域又は工区に含まれる地域の名称並びに特定開発行為の許可を受けた者の住所及び氏名を明示して、都道府県の公報に掲載して行うものとする。

（特定開発行為に関する対策工事等の廃止の届出）
第一七条　法第二十条に規定する特定開発行為に関する対策工事等の廃止の届出は、別記様式第六による特定開発行為に関する対策工事等の廃止の届出書を提出して行うものとする。

（都道府県知事の命令に関する公示の方法）
第一八条　法第二十一条第三項の国土交通省令で定める方法は、都道府県の公報への掲載とする。

（権限の委任）
第一九条　法に規定する国土交通大臣の権限のうち、次に掲げるものは、地方整備局長及び北海道開発局長に委任する。ただし、国土交通大臣が自ら行うことを妨げない。
一　法第四条第三項の規定により必要な報告を求めること。
二　法第二十九条の規定による緊急調査を実施すること。
三　法第三十条の規定により立ち入り、又は一時使用すること。
四　法第三十一条の規定により通知し、及び必要な措置をとること。
五　法第三十二条の規定により必要な助言をすること。

附　則　〔抄〕

（施行期日）
第一条　この省令は、法の施行の日（平成十三年四月一日）から施行する。

附　則　〔略〕〔平成一七・六・一国土交通省令六二〕
附　則　〔略〕〔平成二七・一・一六国土交通省令二〕
附　則　〔略〕〔平成二九・六・一四国土交通省令三六〕
附　則　〔略〕〔令和二・一二・二三国土交通省令九八〕
別記様式　〔略〕

○海岸法〔昭和三一・五・一二　法律一〇一〕

改正　昭和三二・三法三〇、昭和三四・四法一四八、昭和三五・三法一三、法四〇、昭和三七・九法一六一、昭和三八・六法九九、昭和三九・七法一六八、昭和四一・三法一〇、昭和四二・七法七三、昭和四四・七法五七、昭和四五・四法一三、六法一一一、昭和四七・六法五二、昭和五三・七法八七、昭和五九・八法七一、一二法八七、昭和六〇・五法三七、七法九〇、昭和六一・五法四六、一二法九三、昭和六二・九法八七、平成元・四法二二、平成三・三法一五、平成五・三法八、平成一一・五法五四、七法八七、一二法一六〇、平成一二・五法七八、平成一三・六法九二、平成一四・二法一、平成一九・三法二三、平成二一・六法四一、平成二三・三法九、五法三七、平成二五・一一法七六、平成二六・六法六一、法六九、平成二九・六法四五、平成三〇・一二法九五、令和五・五法三四

目次
第一章　総則（第一条―第四条）
第二章　海岸保全区域に関する管理（第五条―第二十四条）
第三章　海岸保全区域に関する費用（第二十五条―第三十七条）
第三章の二　海岸保全区域に関する管理等の特例（第三十七条の二）
第三章の三　一般公共海岸区域に関する管理及び費用（第三十七条の三―第三十七条の八）
第四章　雑則（第三十八条―第四十条の五）
第五章　罰則（第四十一条―第四十三条）
附則

第一章　総則

（目的）
第一条　この法律は、津波、高潮、波浪その他海水又は地盤の変動による被害から海岸を防護するとともに、海岸環境の整備と保全及び公衆の海岸の適正な利用を図り、もつて国土の保全に資することを目的とする。

（定義）
第二条　この法律において「海岸保全施設」とは、第三条の規定により指定される海岸保全区域内にある堤防、突堤、護岸、胸壁、離岸堤、砂浜（海岸管理者が、消波等の海岸を防護する機能を維持するために設けたもので、主務省令で定めるところにより指定したものに限る。）その他海水の侵入又は海水による侵食を防止するための施設（堤防又は胸壁にあつては、津波、高潮等により海水が当該施設を越えて侵入した場合にこれによる被害を軽減するため、当該施設と一体的に設置された根固工又は樹林（樹林にあつては、海岸管理者が設けたもので、主務省令で定めるところにより指定したものに限る。）を含む。）をいう。
2　この法律において、「公共海岸」とは、国又は地方公共団体が所有する公共の用に供されている海岸の土地（他の法令の規定により施設の管理を行う者がその権原に基づき管理する土地として主務省令で定めるものを除き、地方公共団体が所有する公共の用に供されている海岸の土地にあつては、都道府県知事が主務省令で定めるところにより指定し、公示した土地に限る。）及びこれと一体として管理を行う必要があるものとして都道府県知事が指定し、公示した低潮線までの水面をいい、「一般公共海岸区域」とは、公共海岸の区域のうち第三条の規定により指定される海岸保全区域以外の区域をいう。
3　この法律において「海岸管理者」とは、第三条の規定により指定される海岸保全区域及び一般公共海岸区域（以下「海岸保全区域等」という。）について第五条第一項から第四項まで及び第三十七条の二第一項並びに第三十七条の三第一項から第三項までの規定によりその管理を行うべき者をいう。

（海岸保全基本方針）
第二条の二　主務大臣は、政令で定めるところにより、海岸保全区域等に係る海岸の保全に関する基本的な方針（以下「海岸保全基本方針」という。）を定めなければならない。
2　主務大臣は、海岸保全基本方針を定めようとするときは、あらかじめ関係行政機関の長に協議しなければならない。
3　主務大臣は、海岸保全基本方針を定めたときは、遅滞なく、これを公表しなければならない。
4　前二項の規定は、海岸保全基本方針の変更について準用する。

（海岸保全基本計画）
第二条の三　都道府県知事は、海岸保全基本方針に基づき、政令で定めるところにより、海岸保全区域等に係る海岸の保全に関する基本計画（以下「海岸保全基本計画」という。）を定めなければならない。
2　都道府県知事は、海岸保全基本計画を定めようとする場合において必要があると認めるときは、あらかじめ海岸に関し学識経験を有する者の意見を聴かなければならない。
3　都道府県知事は、海岸保全基本計画を定めようとするときは、あらかじめ関係市町村長及び関係海岸管理者の意見を聴かなければならない。
4　都道府県知事は、海岸保全基本計画のうち、海岸保全施設の整備に関する事項で政令で定めるものについては、関係海岸管理者が作成する案に基づいて定めるものとする。
5　関係海岸管理者は、前項の案を作成しようとする場合において必要があ

ると認めるときは、あらかじめ公聴会の開催等関係住民の意見を反映させるために必要な措置を講じなければならない。

6　都道府県知事は、海岸保全基本計画を定めたときは、遅滞なく、これを公表するとともに、主務大臣に提出しなければならない。

7　第二項から前項までの規定は、海岸保全基本計画の変更について準用する。

（**海岸保全区域の指定**）

第三条　都道府県知事は、海水又は地盤の変動による被害から海岸を防護するため海岸保全施設の設置その他第二章に規定する管理を行う必要があると認めるときは、防護すべき海岸に係る一定の区域を海岸保全区域として指定することができる。ただし、河川法（昭和三十九年法律第百六十七号）第三条第一項に規定する河川の河川区域、砂防法（明治三十年法律第二十九号）第二条の規定により指定された土地又は森林法（昭和二十六年法律第二百四十九号）第二十五条第一項若しくは第二十五条の二第一項若しくは第二項の規定による保安林（同法第二十五条の二第一項後段又は第二項後段において準用する同法第二十五条第二項の規定による保安林を除く。以下次項において「保安林」という。）若しくは同法第四十一条の規定による保安施設地区（以下次項において「保安施設地区」という。）については、指定することができない。

2　都道府県知事は、前項ただし書の規定にかかわらず、海岸の防護上特別の必要があると認めるときは、保安林又は保安施設地区の全部又は一部を、農林水産大臣（森林法第二十五条の二の規定により都道府県知事が指定した保安林については、当該保安林を指定した都道府県知事）に協議して、海岸保全区域として指定することができる。

3　前二項の規定による指定は、この法律の目的を達成するため必要な最小限度の区域に限つてするものとし、陸地においては満潮時（指定の日の属する年の春分の日における満潮時をいう。）の水際線から、水面においては干潮時（指定の日の属する年の春分の日における干潮時をいう。）の水際線からそれぞれ五十メートルをこえてしてはならない。ただし、地形、地質、潮位、潮流等の状況により必要やむを得ないと認められるときは、それぞれ五十メートルをこえて指定することができる。

4　都道府県知事は、第一項又は第二項の規定により海岸保全区域を指定するときは、主務省令で定めるところにより、当該海岸保全区域を公示するとともに、その旨を主務大臣に報告しなければならない。これを廃止するときも、同様とする。

5　海岸保全区域の指定又は廃止は、前項の公示によつてその効力を生ずる。

（**指定についての協議**）

第四条　都道府県知事は、港湾法（昭和二十五年法律第二百十八号）第二条第三項に規定する港湾区域（以下「港湾区域」という。）、同法第三十七条第一項に規定する港湾隣接地域（以下「港湾隣接地域」という。）若しくは同法第五十六条第一項の規定により都道府県知事が公告した水域（以下この条及び第四十条において「公告水域」という。）、排他的経済水域及び大陸棚の保全及び利用の促進のための低潮線の保全及び拠点施設の整備等に関する法律（平成二十二年法律第四十一号）第九条第一項の規定により国土交通大臣が公告した水域（以下この条及び第四十条において「特定離島港湾区域」という。）又は漁港及び漁場の整備等に関する法律（昭和二十五年法律第百三十七号）第六条第一項から第四項までの規定により市町村長、都道府県知事若しくは農林水産大臣が指定した漁港の区域（以下「漁港区域」という。）の全部又は一部を海岸保全区域として指定しようとするときは、港湾区域又は港湾隣接地域については港湾管理者に、公告水域については公告水域を管理する都道府県知事に、特定離島港湾区域については国土交通大臣に、漁港区域については漁港管理者に協議しなければならない。

2　港湾管理者が港湾区域について前項の規定による協議に応じようとする場合において、当該港湾が港湾法第二条第二項に規定する国際戦略港湾、国際拠点港湾又は重要港湾であるときは、港湾管理者は、あらかじめ国土交通大臣に協議しなければならない。

第二章　海岸保全区域に関する管理

（**管理**）

第五条　海岸保全区域の管理は、当該海岸保全区域の存する地域を統括する都道府県知事が行うものとする。

2　前項の規定にかかわらず、市町村長が管理することが適当であると認められる海岸保全区域で都道府県知事が指定したものについては、当該海岸保全区域の存する市町村の長がその管理を行うものとする。

3　前二項の規定にかかわらず、海岸保全区域と港湾区域若しくは港湾隣接地域又は漁港区域とが重複して存するときは、その重複する部分については、当該港湾区域若しくは港湾隣接地域の港湾管理者の長又は当該漁港の漁港管理者である地方公共団体の長がその管理を行うものとする。

4　第一項及び第二項の規定にかかわらず、港湾区域若しくは港湾隣接地域又は漁港区域に接する海岸保全区域のうち、港湾管理者の長又は漁港管理者である地方公共団体の長が管理することが適当であると認められ、かつ、都道府県知事と当該港湾管理者の長又は漁港管理者である地方公共団体の長とが協議して定める区域については、当該港湾管理者の長又は漁港管理者である地方公共団体の長がその管理を行うものとする。

5　前四項の規定にかかわらず、海岸管理者を異にする海岸保全区域相互にわたる海岸保全施設で一連の施設として一の海岸管理者が管理することが適当であると認められるものがある場合において、第四十条第二項の規定による関係主務大臣の協議が成立したときは、当該協議に基きその管理を所掌する主務大臣の監督を受ける海岸管理者がその管理を行うものとする。

6　市町村の長は、海岸管理者との協議に基づき、政令で定めるところにより、当該市町村の区域に存する海岸保全区域の管理の一部を行うことができる。

7　都道府県知事は、第二項の規定による指定をしようとするときは、あらかじめ当該市町村長の意見をきかなければならない。

8　都道府県知事は、第二項の規定により指定をするとき、又は第四項の規定により協議して区域を定めるときは、主務省令で定めるところにより、これを公示するとともに、その旨を主務大臣に報告しなければならない。これを変更するときも、同様とする。

9　市町村長は、第六項の規定により協議して海岸保全区域の管理を行うときは、主務省令で定めるところにより、これを公示しなければならない。これを変更するときも、同様とする。

10　第二項に規定する指定並びに第四項及び第六項に規定する協議は、前二項の公示によつてその効力を生ずる。

（**主務大臣の直轄工事**）

第六条　主務大臣は、次の各号の一に該当する場合において、当該海岸保全施設が国土の保全上特に重要なものであると認められるときは、海岸管理者に代つて自ら当該海岸保全施設の新設、改良又は災害復旧に関する工事を施行することができる。この場合においては、主務大臣は、あらかじめ当該海岸管理者の意見をきかなければならない。

一　海岸保全施設の新設、改良又は災害復旧に関する工事の規模が著しく大であるとき。

二　海岸保全施設の新設、改良又は災害復旧に関する工事が高度の技術を必要とするとき。

三　海岸保全施設の新設、改良又は災害復旧に関する工事が高度の機械力を使用して実施する必要があるとき。

四　海岸保全施設の新設、改良又は災害復旧に関する工事が都府県の区域の境界に係るとき。

2　主務大臣は、前項の規定により海岸保全施設の新設、改良又は災害復旧に関する工事を施行する場合においては、政令で定めるところにより、海岸管理者に代つてその権限を行うものとする。

3　主務大臣は、第一項の規定により海岸保全施設の新設、改良又は災害復旧に関する工事を施行する場合においては、主務省令で定めるところにより、その旨を公示しなければならない。

（**海岸保全区域の占用**）

第七条　海岸管理者以外の者が海岸保全区域（公共海岸の土地に限る。）内において、海岸保全施設以外の施設又は工作物（以下次条、第九条及び第十二条において「他の施設等」という。）を設けて当該海岸保全区域を占用しようとするときは、主務省令で定めるところにより、海岸管理者の許可を受けなければならない。

2　海岸管理者は、前項の規定による許可の申請があつた場合において、その申請に係る事項が海岸の防護に著しい支障を及ぼすおそれがあると認めるときは、これを許可してはならない。

（**海岸保全区域における行為の制限**）

第八条　海岸保全区域内において、次に掲げる行為をしようとする者は、主務省令で定めるところにより、海岸管理者の許可を受けなければならない。ただし、政令で定める行為については、この限りでない。
一　土石（砂を含む。以下同じ。）を採取すること。
二　水面又は公共海岸の土地以外の土地において、他の施設等を新設し、又は改築すること。
三　土地の掘削、盛土、切土その他政令で定める行為をすること。
2　前条第二項の規定は、前項の許可について準用する。

第八条の二　何人も、海岸保全区域（第二号から第四号までにあつては、公共海岸に該当し、かつ、海岸の利用、地形その他の状況により、海岸の保全上特に必要があると認めて海岸管理者が指定した区域に限る。）内において、みだりに次に掲げる行為をしてはならない。
一　海岸管理者が管理する海岸保全施設その他の施設又は工作物（以下「海岸保全施設等」という。）を損傷し、又は汚損すること。
二　油その他の通常の管理行為による処理が困難なものとして主務省令で定めるものにより海岸を汚損すること。
三　自動車、船舶その他の物件で海岸管理者が指定したものを入れ、又は放置すること。
四　その他海岸の保全に著しい支障を及ぼすおそれのある行為で政令で定めるものを行うこと。
2　海岸管理者は、前項各号列記以外の部分の規定又は同項第三号の規定による指定をするときは、主務省令で定めるところにより、その旨を公示しなければならない。これを廃止するときも、同様とする。
3　前項の指定又はその廃止は、同項の公示によつてその効力を生ずる。

（経過措置）
第九条　第三条の規定による海岸保全区域の指定の際現に当該海岸保全区域内において権原に基づき他の施設等を設置（工事中の場合を含む。）している者は、従前と同様の条件により、当該他の施設等の設置について第七条第一項の規定による許可を受けたものとみなす。当該指定の際現に当該指定に係る海岸保全区域内において権原に基づき第八条第一項第一号及び第三号に掲げる行為を行つている者についても、同様とする。

（許可の特例）
第一〇条　港湾法第三十七条第一項若しくは第五十六条第一項又は排他的経済水域及び大陸棚の保全及び利用の促進のための低潮線の保全及び拠点施設の整備等に関する法律第九条第一項の規定による許可を受けた者は、当該許可に係る事項については、第七条第一項又は第八条第一項の規定による許可を受けることを要しない。
2　国又は地方公共団体（港湾法に規定する港務局を含む。以下同じ。）が第七条第一項の規定による占用又は第八条第一項の規定による行為をしようとするときは、あらかじめ海岸管理者に協議することをもつて足りる。

（占用料及び土石採取料）
第一一条　海岸管理者は、主務省令で定める基準に従い、第七条第一項又は第八条第一項第一号の規定による許可を受けた者から占用料又は土石採取料を徴収することができる。ただし、公共海岸の土地以外の土地における土石の採取については、土石採取料を徴収することができない。

（監督処分）
第一二条　海岸管理者は、次の各号の一に該当する者に対して、その許可を取り消し、若しくはその条件を変更し、又はその行為の中止、他の施設等の改築、移転若しくは除却（第八条の二第一項第三号に規定する放置された物件の除却を含む。）、他の施設等により生ずべき海岸の保全上の障害を予防するために必要な施設をすること若しくは原状回復を命ずることができる。
一　第七条第一項、第八条第一項又は第八条の二第一項の規定に違反した者
二　第七条第一項又は第八条第一項の規定による許可に付した条件に違反した者
三　偽りその他不正な手段により第七条第一項又は第八条第一項の規定による許可を受けた者
2　海岸管理者は、次の各号の一に該当する場合においては、第七条第一項又は第八条第一項の規定による許可を受けた者に対し、前項に規定する処分をし、又は同項に規定する必要な措置を命ずることができる。
一　海岸保全施設に関する工事のためやむを得ない必要が生じたとき。
二　海岸の保全上著しい支障が生じたとき。
三　海岸の保全上の理由以外の理由に基く公益上やむを得ない必要が生じたとき。
3　海岸管理者は、海岸保全区域内において発生した船舶の沈没又は乗揚げに起因して当該海岸管理者が管理する海岸保全施設等が損傷され、若しくは汚損され、又は損傷され、若しくは汚損されるおそれがあり、当該損傷又は汚損が海岸の保全に支障を及ぼし、又は及ぼすおそれがあると認める場合（当該船舶が第八条の二第一項第三号に規定する放置された物件に該当する場合を除く。）においては、当該沈没し、又は乗り揚げた船舶の船舶所有者に対し、当該船舶の除却その他当該損傷又は汚損の防止のため必要な措置を命ずることができる。
4　前三項の規定により必要な措置をとることを命じようとする場合において、過失がなくて当該措置を命ずべき者を確知することができないときは、海岸管理者は、当該措置を自ら行い、又はその命じた者若しくは委任した者にこれを行わせることができる。この場合においては、相当の期限を定めて、当該措置を行うべき旨及びその期限までに当該措置を行わないときは、海岸管理者又はその命じた者若しくは委任した者が当該措置を行う旨を、あらかじめ公告しなければならない。
5　海岸管理者は、前項の規定により他の施設等（除却を命じた第一項及び第三項の物件を含む。以下この条において同じ。）を除却し、又は除却させたときは、当該他の施設等を保管しなければならない。
6　海岸管理者は、前項の規定により他の施設等を保管したときは、当該他の施設等の所有者、占有者その他当該他の施設等について権原を有する者（以下この条において「所有者等」という。）に対し当該他の施設等を返還するため、政令で定めるところにより、政令で定める事項を公示しなければならない。
7　海岸管理者は、第五項の規定により保管した他の施設等が滅失し、若しくは破損するおそれがあるとき、又は前項の規定による公示の日から起算して三月を経過してもなお当該他の施設等を返還することができない場合において、政令で定めるところにより評価した当該他の施設等の価額に比し、その保管に不相当な費用若しくは手数を要するときは、政令で定めるところにより、当該他の施設等を売却し、その売却した代金を保管することができる。
8　海岸管理者は、前項の規定による他の施設等の売却につき買受人がない場合において、同項に規定する価額が著しく低いときは、当該他の施設等を廃棄することができる。
9　第七項の規定により売却した代金は、売却に要した費用に充てることができる。
10　第四項から第七項までに規定する他の施設等の除却、保管、売却、公示その他の措置に要した費用は、当該他の施設等の返還を受けるべき所有者等その他第四項に規定する当該措置を命ずべき者の負担とする。
11　第六項の規定による公示の日から起算して六月を経過してもなお第五項の規定により保管した他の施設等（第七項の規定により売却した代金を含む。以下この項において同じ。）を返還することができないときは、当該他の施設等の所有権は、主務大臣が保管する他の施設等にあつては国、都道府県知事が保管する他の施設等にあつては当該都道府県知事が統括する都道府県、市町村長が保管する他の施設等にあつては当該市町村長が統括する市町村に帰属する。

（損失補償）
第一二条の二　海岸管理者は、前条第二項の規定による処分又は命令により損失を受けた者に対し通常生ずべき損失を補償しなければならない。
2　前項の規定による損失の補償については、海岸管理者と損失を受けた者とが協議しなければならない。
3　前項の規定による協議が成立しない場合においては、海岸管理者は、自己の見積つた金額を損失を受けた者に支払わなければならない。この場合において、当該金額について不服がある者は、政令で定めるところにより、補償金の支払を受けた日から三十日以内に収用委員会に土地収用法（昭和二十六年法律第二百十九号）第九十四条の規定による裁決を申請することができる。
4　海岸管理者は、第一項の規定による補償の原因となつた損失が前条第二項第三号の規定による処分又は命令によるものであるときは、当該補償金額を当該理由を生じさせた者に負担させることができる。

（緊急時における主務大臣の指示）

第一二条の三　主務大臣は、津波、高潮等の発生のおそれがあり、海岸の防護のため緊急の措置をとる必要があると認めるときは、海岸管理者に対し、第十二条第一項又は第二項の規定による処分又は命令を行うことを指示することができる。

（海岸管理者以外の者の施行する工事）

第一三条　海岸管理者以外の者が海岸保全施設に関する工事を施行しようとするときは、あらかじめ当該海岸保全施設に関する工事の設計及び実施計画について海岸管理者の承認を受けなければならない。ただし、第六条第一項の規定による場合は、この限りでない。

２　第十条第二項に規定する者は、前項本文の規定にかかわらず、海岸保全施設に関する工事の設計及び実施計画について海岸管理者に協議することをもつて足りる。

（技術上の基準）

第一四条　海岸保全施設は、地形、地質、地盤の変動、侵食の状態その他海岸の状況を考慮し、自重、水圧、波力、土圧及び風圧並びに地震、漂流物等による振動及び衝撃に対して安全な構造のものでなければならない。

２　海岸保全施設の形状、構造及び位置は、海岸環境の保全、海岸及びその近傍の土地の利用状況並びに船舶の運航及び船舶による衝撃を考慮して定めなければならない。

３　前二項に定めるもののほか、主要な海岸保全施設の形状、構造及び位置について、海岸の保全上必要とされる技術上の基準は、主務省令で定める。

（操作規則）

第一四条の二　海岸管理者は、その管理する海岸保全施設のうち、操作施設（水門、陸閘その他の操作を伴う施設で主務省令で定めるものをいう。以下同じ。）については、主務省令で定めるところにより、操作規則を定めなければならない。

２　前項の操作規則は、津波、高潮等の発生時における操作施設の操作に従事する者の安全の確保が図られるように配慮されたものでなければならない。

３　海岸管理者は、第一項の操作規則を定めようとするときは、あらかじめ関係市町村長の意見を聴かなければならない。

４　前二項の規定は、第一項の操作規則の変更について準用する。

（操作規程）

第一四条の三　海岸管理者以外の海岸保全施設の管理者（以下「他の管理者」という。）は、その管理する海岸保全施設のうち、操作施設については、主務省令で定めるところにより、当該操作施設の操作の方法、訓練その他の措置に関する事項について操作規程を定め、海岸管理者の承認を受けなければならない。

２　前項の操作規程は、津波、高潮等の発生時における操作施設の操作に従事する者の安全の確保が図られるように配慮されたものでなければならない。

３　海岸管理者は、第一項の操作規程を承認しようとするときは、あらかじめ関係市町村長の意見を聴かなければならない。

４　第十条第二項に規定する者は、第一項の規定にかかわらず、その管理する操作施設について同項の操作規程を定め、海岸管理者に協議することをもつて足りる。

５　前各項の規定は、第一項の操作規程の変更について準用する。

第一四条の四　前条第一項の規定による承認を受けた他の管理者は、その管理する操作施設の操作については、当該承認を受けた操作規程に従つて行わなければならない。

（維持又は修繕）

第一四条の五　海岸管理者は、その管理する海岸保全施設を良好な状態に保つように維持し、修繕し、もつて海岸の防護に支障を及ぼさないように努めなければならない。

２　海岸管理者が管理する海岸保全施設の維持又は修繕に関する技術的基準その他必要な事項は、主務省令で定める。

３　前項の技術的基準は、海岸保全施設の修繕を効率的に行うための点検に関する基準を含むものでなければならない。

（兼用工作物の工事の施行）

第一五条　海岸管理者は、その管理する海岸保全施設が道路、水門、物揚場その他の施設又は工作物（以下これらを「他の工作物」と総称する。）の効用を兼ねるときは、当該他の工作物の管理者との協議によりその者に当該海岸保全施設に関する工事を施行させ、又は当該海岸保全施設を維持させることができる。

（工事原因者の工事の施行等）

第一六条　海岸管理者は、その管理する海岸保全施設等に関する工事以外の工事（以下「他の工事」という。）又は海岸保全施設等に関する工事若しくは海岸保全施設等の維持（海岸保全区域内の公共海岸の維持を含む。以下同じ。）の必要を生じさせた行為（以下「他の行為」という。）により必要を生じたその管理する海岸保全施設等に関する工事又は海岸保全施設等の維持を当該他の工事の施行者又は他の行為の行為者に施行させることができる。

２　前項の場合において、他の工事が河川工事（河川法第三条第一項に規定する河川の河川工事をいう。以下同じ。）、道路（道路法（昭和二十七年法律第百八十号）による道路をいう。以下同じ。）に関する工事、地すべり防止工事（地すべり等防止法（昭和三十三年法律第三十号）による地すべり防止工事をいう。以下同じ。）又は急傾斜地崩壊防止工事（急傾斜地の崩壊による災害の防止に関する法律（昭和四十四年法律第五十七号）による急傾斜地崩壊防止工事をいう。以下同じ。）であるときは、当該海岸保全施設等に関する工事については、河川法第十九条、道路法第二十三条第一項、地すべり等防止法第十五条第一項又は急傾斜地の崩壊による災害の防止に関する法律第十六条第一項の規定を適用する。

（附帯工事の施行）

第一七条　海岸管理者は、その管理する海岸保全施設に関する工事により必要を生じた他の工事又はその管理する海岸保全施設に関する工事を施行するため必要を生じた他の工事をその海岸保全施設に関する工事とあわせて施行することができる。

２　前項の場合において、他の工事が河川工事、道路に関する工事、砂防工事（砂防法による砂防工事をいう。以下同じ。）又は地すべり防止工事であるときは、当該他の工事の施行については、河川法第十八条、道路法第二十二条第一項、砂防法第八条又は地すべり等防止法第十四条第一項の規定を適用する。

（土地等の立入及び一時使用並びに損失補償）

第一八条　海岸管理者又はその命じた者若しくはその委任を受けた者は、海岸保全区域に関する調査若しくは測量又は海岸保全施設に関する工事のためやむを得ない必要があるときは、あらかじめその占有者に通知して、他人の占有する土地若しくは水面に立ち入り、又は特別の用途のない他人の土地を材料置場若しくは作業場として一時使用することができる。ただし、あらかじめ通知することが困難であるときは、通知することを要しない。

２　前項の規定により宅地又はかき、さく等で囲まれた土地若しくは水面に立ち入ろうとするときは、立入の際あらかじめその旨を当該土地又は水面の占有者に告げなければならない。

３　日出前及び日没後においては、占有者の承認があつた場合を除き、前項に規定する土地又は水面に立ち入つてはならない。

４　第一項の規定により土地又は水面に立ち入ろうとする者は、その身分を示す証明書を携帯し、関係人の請求があつたときは、これを提示しなければならない。

５　第一項の規定により特別の用途のない他人の土地を材料置場又は作業場として一時使用しようとするときは、あらかじめ当該土地の占有者及び所有者に通知して、その者の意見をきかなければならない。

６　土地又は水面の占有者又は所有者は、正当な理由がない限り、第一項の規定による立入又は一時使用を拒み、又は妨げてはならない。

７　海岸管理者は、第一項の規定による立入又は一時使用により損失を受けた者に対し通常生ずべき損失を補償しなければならない。

８　第十二条の二第二項及び第三項の規定は、前項の場合について準用する。

９　第四項の規定による証明書の様式その他証明書に関し必要な事項は、主務省令で定める。

（海岸保全施設の新設又は改良に伴う損失補償）

第一九条　土地収用法第九十三条第一項の規定による場合を除き、海岸管理者が海岸保全施設を新設し、又は改良したことにより、当該海岸保全施設に面する土地又は水面について、通路、みぞ、かき、さくその他の施設若しくは工作物を新築し、増築し、修繕し、若しくは移転し、又は盛土若しくは切土をするやむを得ない必要があると認められる場合においては、海岸管理者は、これらの工事をすることを必要とする者（以下この条において「損失を受けた者」という。）の請求により、これに要する費用の全部又は一部を補償しなければならない。この場合において、海岸管理者又は損失を受けた者は、補償金の全部又は一部に代えて、海岸管理者が当該工事を施行することを要求することができる。

２　前項の規定による損失の補償は、海岸保全施設に関する工事の完了の日から一年を経過した後においては、請求することができない。

３　第一項の規定による損失の補償については、海岸管理者と損失を受けた者とが協議しなければならない。

４　前項の規定による協議が成立しない場合においては、海岸管理者又は損失を受けた者は、政令で定めるところにより、収用委員会に土地収用法第九十四条の規定による裁決を申請することができる。

（他の管理者の管理する海岸保全施設に関する監督）

第二〇条　海岸管理者は、その職務の執行に関し必要があると認めるときは、他の管理者に対し報告若しくは資料の提出を求め、又はその命じた者に当該他の管理者の管理する海岸保全施設に立ち入り、これを検査させることができる。

２　前項の規定により立入検査をする者は、その身分を示す証明書を携帯し、関係人の請求があつたときは、これを提示しなければならない。

３　第一項の規定による立入検査の権限は、犯罪捜査のために認められたものと解してはならない。

４　第二項の規定による証明書の様式その他証明書に関し必要な事項は、主務省令で定める。

第二一条　海岸管理者は、他の管理者の管理する海岸保全施設が次の各号のいずれかに該当する場合において、当該海岸保全施設が第十四条の規定に適合しないときは、当該他の管理者に対し改良、補修その他当該海岸保全施設の管理につき必要な措置を命ずることができる。

一　第十三条第一項本文の規定に違反して工事が施行されたとき。

二　第十三条第一項本文の規定による承認に付した条件に違反して工事が施行されたとき。

三　偽りその他不正な手段により第十三条第一項本文の承認を受けて工事が施行されたとき。

２　海岸管理者は、海岸保全施設が前項各号のいずれにも該当しない場合において、当該海岸保全施設が第十四条の規定に適合しなくなり、かつ、海岸の保全上著しい支障があると認められるときは、その管理者に対し前項に規定する措置を命ずることができる。

３　海岸管理者は、前項の規定による命令により損失を受けた者に対し通常生ずべき損失を補償しなければならない。

４　第十二条の二第二項及び第三項の規定は、前項の場合について準用する。

５　前三項の規定は、第十条第二項に規定する者の管理する海岸保全施設については、適用しない。

（他の管理者の管理する操作施設に関する監督）

第二一条の二　海岸管理者は、他の管理者が次の各号のいずれかに該当する場合においては、当該他の管理者に対し、その管理する操作施設の操作規程を定め、又は変更することを勧告することができる。

一　第十四条の三第一項の規定に違反したとき。

二　第十四条の三第一項の規定による承認に付した条件に違反したとき。

三　偽りその他不正な手段により第十四条の三第一項の規定による承認を受けたとき。

２　海岸管理者は、他の管理者が管理する操作施設について、その操作が第十四条の四の規定に違反して行われている場合においては、当該他の管理者に対し、当該操作規程の遵守のため必要な措置をとることを勧告することができる。

３　海岸管理者は、前二項の規定によるほか、海岸の状況の変化その他当該海岸に関する特別の事情により、第十四条の三第一項の規定による承認を受けた操作規程によつては津波、高潮等による被害を防止することが困難であると認められるときは、当該承認を受けた他の管理者に対し、当該操作規程を変更することを勧告することができる。

４　海岸管理者は、前三項の規定による勧告をした場合において、当該勧告を受けた他の管理者が、正当な理由がなく、その勧告に従わなかつたときは、その旨を公表することができる。

第二一条の三　海岸管理者は、他の管理者が、その管理する操作施設について、前条第一項又は第二項の規定による勧告に従わない場合において、これを放置すれば津波、高潮等による著しい被害が生ずるおそれがあると認められるときは、その被害の防止のため必要であり、かつ、当該操作施設の管理の状況その他の状況からみて相当であると認められる限度において、当該他の管理者に対し、相当の猶予期限を付けて、当該操作施設の開口部の閉塞その他当該操作施設を含む海岸保全施設の管理につき必要な措置を命ずることができる。

２　海岸管理者は、他の管理者が、その管理する操作施設について、前条第三項の規定による勧告に従わない場合において、これを放置すれば津波、高潮等による著しい被害が生ずるおそれがあると認められるときは、その被害の防止のため必要であり、かつ、当該操作施設の管理の状況その他の状況からみて相当であると認められる限度において、当該他の管理者に対し前項に規定する措置を命ずることができる。

３　海岸管理者は、前項の規定による命令により損失を受けた者に対し通常生ずべき損失を補償しなければならない。

４　第十二条の二第二項及び第三項の規定は、前項の場合について準用する。

（漁業権の取消等及び損失補償）

第二二条　都道府県知事は、海岸管理者の申請があつた場合において、海岸保全施設に関する工事を行うため特に必要があるときは、海岸保全区域内の水面に設定されている漁業権を取り消し、変更し、又はその行使の停止を命じなければならない。

２　海岸管理者は、前項の規定による漁業権の取消、変更又はその行使の停止によつて生じた損失を当該漁業権者に対し補償しなければならない。

３　漁業法（昭和二十四年法律第二百六十七号）第百七十七条第二項、第三項前段、第四項から第八項まで、第十一項及び第十二項の規定は、前項の規定による損失の補償について準用する。この場合において、同条第三項前段中「農林水産大臣が」とあるのは「都道府県知事が海区漁業調整委員会の意見を聴いて」と、同条第五項、第六項及び第十一項中「国」とあるのは「海岸管理者」と、同条第七項中「第五項」とあるのは「第五項並びに第八十九条第三項から第七項まで」と、同条第八項中「国税滞納処分」とあるのは「地方税の滞納処分」と、同条第十一項中「第一項第一号又は第三号の土地」とあるのは「海岸法（昭和三十一年法律第百一号）第二十二条第一項の規定により取り消された漁業権」と、同項及び同条第十二項中「有する者」とあるのは「有する者（登録先取特権者等に限る。）」と読み替えるものとする。

（災害時における緊急措置）

第二三条　津波、高潮等の発生のおそれがあり、これによる被害を防止する措置をとるため緊急の必要があるときは、海岸管理者は、その現場において、必要な土地を使用し、土石、竹木その他の資材を使用し、若しくは収用し、車両その他の運搬具若しくは器具を使用し、又は工作物その他の障害物を処分することができる。

２　海岸管理者は、前項に規定する措置をとるため緊急の必要があるときは、その付近に居住する者又はその現場にある者を当該業務に従事させることができる。

３　海岸管理者は、第一項の規定による収用、使用又は処分により損失を受けた者に対し通常生ずべき損失を補償しなければならない。

４　第十二条の二第二項及び第三項の規定は、前項の場合について準用する。

５　第二項の規定により業務に従事した者が当該業務に従事したことにより死亡し、負傷し、若しくは病気にかかり、又は当該業務に従事したことによる負傷若しくは病気により死亡し、若しくは障害の状態となつたときは、海岸管理者は、政令で定めるところにより、その者又はその者の遺族若しくは被扶養者がこれらの原因によつて受ける損害を補償しなければならない。

（協議会）

第二三条の二　海岸管理者（第六条第一項の規定により海岸保全施設の新設、改良又は災害復旧に関する工事を施行する主務大臣を含む。）、国の関係行政機関の長及び関係地方公共団体の長は、海岸保全施設とその近接地に存する海水の侵入による被害を軽減する効用を有する施設の一体的な整備その他海岸の保全に関し必要な措置について協議を行うための協議会（以下この条において「協議会」という。）を組織することができる。

２　協議会は、必要があると認めるときは、学識経験を有する者その他の協議会が必要と認める者をその構成員として加えることができる。

３　協議会において協議が調つた事項については、協議会の構成員は、その協議の結果を尊重しなければならない。

４　前三項に定めるもののほか、協議会の運営に関し必要な事項は、協議会が定める。

（海岸協力団体の指定）

第二三条の三　海岸管理者は、次条に規定する業務を適正かつ確実に行うことができると認められる法人その他これに準ずるものとして主務省令で定める団体を、その申請により、海岸協力団体として指定することができる。
2　海岸管理者は、前項の規定による指定をしたときは、当該海岸協力団体の名称、住所及び事務所の所在地を公示しなければならない。
3　海岸協力団体は、その名称、住所又は事務所の所在地を変更しようとするときは、あらかじめ、その旨を海岸管理者に届け出なければならない。
4　海岸管理者は、前項の規定による届出があつたときは、当該届出に係る事項を公示しなければならない。

（海岸協力団体の業務）
第二三条の四　海岸協力団体は、当該海岸協力団体を指定した海岸管理者が管理する海岸保全区域について、次に掲げる業務を行うものとする。
一　海岸管理者に協力して、海岸保全施設等に関する工事又は海岸保全施設等の維持を行うこと。
二　海岸保全区域の管理に関する情報又は資料を収集し、及び提供すること。
三　海岸保全区域の管理に関する調査研究を行うこと。
四　海岸保全区域の管理に関する知識の普及及び啓発を行うこと。
五　前各号に掲げる業務に附帯する業務を行うこと。

（監督等）
第二三条の五　海岸管理者は、前条各号に掲げる業務の適正かつ確実な実施を確保するため必要があると認めるときは、海岸協力団体に対し、その業務に関し報告をさせることができる。
2　海岸管理者は、海岸協力団体が前条各号に掲げる業務を適正かつ確実に実施していないと認めるときは、海岸協力団体に対し、その業務の運営の改善に関し必要な措置を講ずべきことを命ずることができる。
3　海岸管理者は、海岸協力団体が前項の規定による命令に違反したときは、その指定を取り消すことができる。
4　海岸管理者は、前項の規定により指定を取り消したときは、その旨を公示しなければならない。

（情報の提供等）
第二三条の六　主務大臣又は海岸管理者は、海岸協力団体に対し、その業務の実施に関し必要な情報の提供又は指導若しくは助言をするものとする。

（海岸協力団体に対する許可の特例）
第二三条の七　海岸協力団体が第二十三条の四各号に掲げる業務として行う主務省令で定める行為についての第七条第一項及び第八条第一項の規定の適用については、海岸協力団体と海岸管理者との協議が成立することをもつて、これらの規定による許可があつたものとみなす。

（海岸保全区域台帳）
第二四条　海岸管理者は、海岸保全区域台帳を調製し、これを保管しなければならない。
2　海岸管理者は、海岸保全区域台帳の閲覧を求められたときは、正当な理由がなければこれを拒むことができない。
3　海岸保全区域台帳の記載事項その他その調製及び保管に関し必要な事項は、主務省令で定める。

第三章　海岸保全区域に関する費用

（海岸保全区域の管理に要する費用の負担原則）
第二五条　海岸管理者が海岸保全区域を管理するために要する費用は、この法律及び公共土木施設災害復旧事業費国庫負担法（昭和二十六年法律第九十七号）並びに他の法律に特別の規定がある場合を除き、当該海岸管理者の属する地方公共団体の負担とする。ただし、第五条第六項の規定により市町村長が行う海岸保全区域の管理に要する費用は、当該市町村長が統括する市町村の負担とする。

（主務大臣の直轄工事に要する費用）
第二六条　第六条第一項の規定により主務大臣が施行する海岸保全施設の新設、改良又は災害復旧に要する費用は、国がその三分の二を、当該海岸管理者の属する地方公共団体がその三分の一を負担するものとする。
2　前項の場合において、当該海岸保全施設の新設又は改良によつて他の都府県も著しく利益を受けるときは、主務大臣は、政令で定めるところにより、その利益を受ける限度において、当該海岸保全施設を管理する海岸管理者の属する地方公共団体の負担すべき負担金の一部を著しく利益を受ける他の都府県に分担させることができる。
3　前項の規定により主務大臣が著しく利益を受ける他の都府県に負担金の一部を分担させようとする場合においては、主務大臣は、あらかじめ当該都府県の意見をきかなければならない。

（海岸管理者が管理する海岸保全施設の新設又は改良に要する費用の一部負担）
第二七条　海岸管理者が管理する海岸保全施設の新設又は改良に関する工事で政令で定めるものに要する費用は、政令で定めるところにより国がその一部を負担するものとする。
2　海岸管理者は、前項の工事を施行しようとするときは、あらかじめ、主務大臣に協議し、その同意を得なければならない。
3　主務大臣は、前項の同意をする場合には、第一項の規定により国が負担することとなる金額が予算の金額を超えない範囲内でしなければならない。

（市町村の分担金）
第二八条　前三条の規定により海岸管理者の属する地方公共団体が負担する費用のうち、都道府県である地方公共団体が負担し、かつ、その工事又は維持が当該都道府県の区域内の市町村を利するものについては、当該工事又は維持による受益の限度において、当該市町村に対し、その工事又は維持に要する費用の一部を負担させることができる。
2　前項の費用について同項の規定により市町村が負担すべき金額は、当該市町村の意見をきいた上、当該都道府県の議会の議決を経て定めなければならない。

（負担金の納付）
第二九条　主務大臣が海岸保全施設の新設、改良又は災害復旧に関する工事を施行する場合においては、まず全額国費をもつてこれを施行した後、海岸管理者の属する地方公共団体又は負担金を分担すべき他の都府県は、政令で定めるところにより第二十六条第一項又は第二項の規定に基く負担金を国庫に納付しなければならない。

（兼用工作物の費用）
第三〇条　海岸管理者の管理する海岸保全施設が他の工作物の効用を兼ねるときは、当該海岸保全施設の管理に要する費用の負担については、海岸管理者と当該他の工作物の管理者とが協議して定めるものとする。

（原因者負担金）
第三一条　海岸管理者は、他の工事又は他の行為により必要を生じた当該海岸管理者の管理する海岸保全施設等に関する工事又は海岸保全施設等の維持の費用については、その必要を生じた限度において、他の工事又は他の行為につき費用を負担する者にその全部又は一部を負担させるものとする。
2　前項の場合において、他の工事が河川工事、道路に関する工事、地すべり防止工事又は急傾斜地崩壊防止工事であるときは、当該海岸保全施設等に関する工事の費用については、河川法第六十八条、道路法第五十九条第一項及び第三項、地すべり等防止法第三十五条第一項及び第三項又は急傾斜地の崩壊による災害の防止に関する法律第二十二条第一項の規定を適用する。

（附帯工事に要する費用）
第三二条　海岸管理者の管理する海岸保全施設に関する工事により必要を生じた他の工事又は当該海岸保全施設に関する工事を施行するため必要を生じた他の工事に要する費用は、第七条第一項及び第八条第一項の規定による許可に附した条件に特別の定がある場合並びに第十条第二項の規定による協議による場合を除き、その必要を生じた限度において、当該海岸管理者の属する地方公共団体がその全部又は一部を負担するものとする。
2　前項の場合において、他の工事が河川工事、道路に関する工事、砂防工事又は地すべり防止工事であるときは、他の工事に要する費用については、河川法第六十七条、道路法第五十八条第一項、砂防法第十六条又は地すべり等防止法第三十四条第一項の規定を適用する。
3　海岸管理者は、第一項の海岸保全施設に関する工事が他の工事又は他の行為のため必要となつたものである場合においては、同項の他の工事に要する費用の全部又は一部をその必要を生じた限度において、その原因となつた工事又は行為につき費用を負担する者に負担させることができる。

（受益者負担金）
第三三条　海岸管理者は、その管理する海岸保全施設に関する工事によつて著しく利益を受ける者がある場合においては、その利益を受ける限度において、当該工事に要する費用の一部を負担させることができる。

2　前項の場合において、負担金の徴収を受ける者の範囲及びその徴収方法については、海岸管理者の属する地方公共団体の条例で定める。

（負担金の通知及び納入手続等）

第三四条　第十二条及び前三条の規定による負担金の額の通知及び納入手続その他負担金に関し必要な事項は、政令で定める。

（強制徴収）

第三五条　第十一条の規定に基づく占用料及び土石採取料並びに第十二条第十項、第三十一条第一項、第三十二条第三項及び第三十三条第一項の規定に基づく負担金（以下この条及び次条においてこれらを「負担金等」と総称する。）を納付しない者があるときは、海岸管理者は、督促状によつて納付すべき期限を指定して督促しなければならない。

2　前項の場合においては、海岸管理者は、主務省令で定めるところにより延滞金を徴収することができる。ただし、延滞金は、年十四・五パーセントの割合を乗じて計算した額をこえない範囲内で定めなければならない。

3　第一項の規定による督促を受けた者がその指定する期限までにその納付すべき金額を納付しないときは、海岸管理者は、国税滞納処分の例により、前二項に規定する負担金等及び延滞金を徴収することができる。この場合における負担金等及び延滞金の先取特権の順位は、国税及び地方税に次ぐものとする。

4　延滞金は、負担金等に先だつものとする。

5　負担金等及び延滞金を徴収する権利は、これらを行使することができる時から五年間行使しないときは、時効により消滅する。

（収入の帰属）

第三六条　負担金等及び前条第二項の延滞金は、当該海岸管理者の属する地方公共団体に帰属する。ただし、第五条第六項の規定により市町村長が行う海岸保全区域の管理に係るものは当該市町村に、主務大臣が第六条第一項の規定に基づき工事を施行する場合における第十二条第十項の規定に基づく負担金で主務大臣が負担させるものは国に帰属する。

（義務履行のために要する費用）

第三七条　この法律又はこの法律に基づく処分による義務を履行するために必要な費用は、この法律に特別の規定がある場合を除き、当該義務者が負担しなければならない。

第三章の二　海岸保全区域に関する管理等の特例

（主務大臣による管理）

第三七条の二　国土保全上極めて重要であり、かつ、地理的条件及び社会的状況により都道府県知事が管理することが著しく困難又は不適当な海岸で政令で指定したものに係る海岸保全区域の管理は、第五条第一項から第四項までの規定にかかわらず、主務大臣が行うものとする。

2　主務大臣は、前項の政令の制定又は改廃の立案をしようとするときは、あらかじめ関係都道府県知事の意見を聴かなければならない。

3　第一項の規定により指定された海岸に係る第三条の規定による海岸保全区域の指定又は廃止は、主務大臣が行うものとする。

4　第一項の海岸保全区域を管理するために要する費用は、第二十五条の規定にかかわらず、国が負担するものとする。

5　第一項の規定により主務大臣が海岸保全区域の管理を行う場合における第三条第四項、第三十二条第一項、第三十三条第二項及び第三十六条の規定の適用については、第三条第四項中「都道府県知事」とあるのは「主務大臣」と、第三十二条第一項及び第三十六条中「当該海岸管理者の属する地方公共団体」とあるのは「国」と、第三十三条第二項中「海岸管理者の属する地方公共団体の条例」とあるのは「政令」とする。

第三章の三　一般公共海岸区域に関する管理及び費用

（管理）

第三七条の三　一般公共海岸区域の管理は、当該一般公共海岸区域の存する地域を統括する都道府県知事が行うものとする。

2　前項の規定にかかわらず、海岸保全区域、港湾区域又は漁港区域（以下この条及び第四十条において「特定区域」という。）に接する一般公共海岸区域のうち、特定区域を管理する海岸管理者、港湾管理者の長又は漁港管理者である地方公共団体の長（以下この条及び第四十条において「特定区域の管理者」という。）が管理することが適当であると認められ、かつ、都道府県知事と当該特定区域の管理者とが協議して定める区域については、当該特定区域の管理者がその管理を行うものとする。

3　前二項の規定にかかわらず、市町村の長は、都道府県知事（前項の規定により特定区域の管理者が管理する一般公共海岸区域にあつては、都道府県知事及び当該特定区域の管理者）との協議に基づき、当該市町村の区域に存する一般公共海岸区域の管理を行うことができる。

4　都道府県知事又は市町村長は、第二項の規定により協議して区域を定めるとき、又は前項の規定により協議して一般公共海岸区域の管理を行おうとするときは、主務省令で定めるところにより、これを公示しなければならない。これを変更するときも、同様とする。

5　第二項及び第三項に規定する協議は、前項の公示によつてその効力を生ずる。

（一般公共海岸区域の占用）

第三七条の四　海岸管理者以外の者が一般公共海岸区域（水面を除く。）内において、施設又は工作物を設けて当該一般公共海岸区域を占用しようとするときは、主務省令で定めるところにより、海岸管理者の許可を受けなければならない。

（一般公共海岸区域における行為の制限）

第三七条の五　一般公共海岸区域内において、次に掲げる行為をしようとする者は、主務省令で定めるところにより、海岸管理者の許可を受けなければならない。ただし、政令で定める行為については、この限りではない。

一　土石を採取すること。

二　水面において施設又は工作物を新設し、又は改築すること。

三　土地の掘削、盛土、切土その他海岸の保全に支障を及ぼすおそれのある行為で政令で定める行為をすること。

第三七条の六　何人も、一般公共海岸区域（第二号から第四号までにあつては、海岸の利用、地形その他の状況により、海岸の保全上特に必要があると認めて海岸管理者が指定した区域に限る。）内において、みだりに次に掲げる行為をしてはならない。

一　海岸管理者が管理する施設又は工作物を損傷し、又は汚損すること。

二　油その他の通常の管理行為による処理が困難なものとして主務省令で定めるものにより海岸を汚損すること。

三　自動車、船舶その他の物件で海岸管理者が指定したものを入れ、又は放置すること。

四　その他海岸の保全に著しい支障を及ぼすおそれのある行為で政令で定めるものを行うこと。

2　海岸管理者は、前項各号列記以外の部分の規定又は同項第三号の規定による指定をするときは、主務省令で定めるところにより、その旨を公示しなければならない。これを廃止するときも、同様とする。

3　前項の指定又はその廃止は、同項の公示によつてその効力を生ずる。

（経過措置）

第三七条の七　一般公共海岸区域に新たに該当することとなつた際現に当該一般公共海岸区域内において権原に基づき施設又は工作物を設置（工事中の場合を含む。）している者は、従前と同様の条件により、当該施設又は工作物の設置について第三十七条の四又は第三十七条の五の規定による許可を受けたものとみなす。一般公共海岸区域に新たに該当することとなつた際現に当該一般公共海岸区域内において権原に基づき同条第一号及び第三号に掲げる行為を行つている者についても、同様とする。

（準用規定）

第三七条の八　第十条第二項、第十一条、第十二条（第三項を除く。）、第十二条の二、第十六条、第十八条、第二十三条、第二十三条の三から第二十三条の七まで、第二十四条、第二十五条、第二十八条、第三十一条及び第三十四条から第三十七条までの規定は、一般公共海岸区域について準用する。この場合において、第十条第二項、第十一条、第十二条第一項及び第二項並びに第二十三条の七中「第七条第一項」とあるのは「第三十七条の四」と、第十条第二項、第十二条第一項及び第二項並びに第二十三条の七中「第八条第一項」とあるのは「第三十七条の五」と、第十一条中「第八条第一項第一号」とあるのは「第三十七条の五第一号」と、第十二条第一項中「第八条第一項第三号」とあるのは「第三十七条の六第一項第三号」と、「第八条の二第一項」とあるのは「第三十七条の六第一項」と、第二十四条中「海岸保全区域台帳」とあるのは「一般公共海岸区域台帳」と読み替えるものとする。

第四章　雑則

（報告の徴収）

第三八条　主務大臣は、この法律の施行に関し必要があると認めるときは、都道府県知事、市町村長及び海岸管理者に対し報告又は資料の提出を求めることができる。

（許可等の条件）

第三八条の二　海岸管理者は、この法律の規定による許可又は承認には、海岸の保全上必要な条件を付することができる。

2　前項の条件は、許可又は承認を受けた者に対し、不当な義務を課することとなるものであつてはならない。

（審査請求）

第三九条　海岸管理者がこの法律の規定によつてした処分（第四十条の四第一項各号に掲げる事務に係るものに限る。）について不服がある者は、主務大臣に対して審査請求をすることができる。

（裁定の申請）

第三九条の二　次に掲げる処分に不服がある者は、その不服の理由が鉱業、採石業又は砂利採取業との調整に関するものであるときは、公害等調整委員会に対して裁定の申請をすることができる。この場合には、審査請求をすることができない。

一　第七条第一項、第八条第一項、第三十七条の四若しくは第三十七条の五の規定による許可又はこれらの規定による許可を与えないこと。

二　第十二条第一項若しくは第二項（第三十七条の八において準用する場合を含む。）の規定による処分又はこれらの規定による必要な措置の命令

2　行政不服審査法（平成二十六年法律第六十八号）第二十二条の規定は、前項各号の処分につき、処分をした行政庁が誤つて審査請求又は再調査の請求をすることができる旨を教示した場合に準用する。

（主務大臣等）

第四〇条　この法律における主務大臣は、次のとおりとする。

一　港湾区域、港湾隣接地域、公告水域及び特定離島港湾区域に係る海岸保全区域に関する事項については、国土交通大臣

二　漁港区域に係る海岸保全区域に関する事項については、農林水産大臣

三　第三条の規定による海岸保全区域の指定の際現に国、都道府県、土地改良区その他の者が土地改良法（昭和二十四年法律第百九十五号）第二条第二項の規定による土地改良事業として管理している施設で海岸保全施設に該当するものの存する地域に係る海岸保全区域及び同法の規定により決定されている土地改良事業計画に基づき海岸保全施設に該当するものを設置しようとする地域に係る海岸保全区域に関する事項については、農林水産大臣

四　第三条の規定による海岸保全区域の指定の際現に都道府県、市町村その他の者が農地の保全のため必要な事業として管理している施設で海岸保全施設に該当するものの存する地域（前号に規定する地域を除く。）に係る海岸保全区域に関する事項については、農林水産大臣及び国土交通大臣

五　一般公共海岸区域のうち、第三十七条の三第二項の規定により特定区域の管理者が管理するものに関する事項については、前各号の規定により特定区域に関する事項を所掌する大臣

六　前各号に掲げる海岸保全区域等以外の海岸保全区域等に関する事項については、国土交通大臣

2　前項の規定にかかわらず、主務大臣を異にする海岸保全区域相互にわたる海岸保全施設で一連の施設として一の主務大臣がその管理を所掌することが適当であると認められるものについては、関係主務大臣が協議して別にその管理の所掌の方法を定めることができる。

3　前項の協議が成立したときは、関係主務大臣は、政令で定めるところにより、成立した協議の内容を公示するとともに、関係都道府県知事及び関係海岸管理者に通知しなければならない。

4　この法律における主務省令は、主務大臣の発する命令とする。

（権限の委任）

第四〇条の二　この法律に規定する主務大臣の権限は、政令で定めるところにより、その一部を地方支分部局の長に委任することができる。

（国有財産の無償貸付け）

第四〇条の三　国の所有する公共海岸の土地は、国有財産法（昭和二十三年法律第七十三号）第十八条の規定にかかわらず、当該土地の存する海岸保全区域等を管理する海岸管理者の属する地方公共団体に無償で貸し付けられたものとみなす。

（事務の区分）

第四〇条の四　この法律の規定により地方公共団体が処理することとされている事務のうち次に掲げるものは、地方自治法（昭和二十二年法律第六十七号）第二条第九項第一号に規定する第一号法定受託事務（次項において単に「第一号法定受託事務」という。）とする。

一　第二条第一項及び第二項、第二条の三、第三条第一項、第二項及び第四項、第四条第一項、第五条第一項から第五項まで、第七項及び第八項、第十三条、第十四条の五第一項、第十五条、第十六条第一項、第十七条第一項、第十八条第一項、第二項、第四項、第五項及び第七項、同条第八項において準用する第十二条の二第二項及び第三項、第十九条第一項、第三項及び第四項、第二十条第一項及び第二項、第二十一条第一項から第三項まで、同条第四項において準用する第十二条の二第二項及び第三項、第二十一条の三第一項から第三項まで、同条第四項において準用する漁業法第百七十七条第二項、第三項前段、第四項から第八項まで、第十一項及び第十二項、第二十三条の五、第二十三条の六、第二十四条第一項及び第二項、第三十条、第三十一条第一項、第三十二条第三項、第三十三条第一項、第三十五条第一項及び第三項並びに第三十八条の規定により都道府県が処理することとされている事務（第五条第一項から第五項まで、第十四条の五第一項、第十五条、第十六条第一項、第十八条第一項、第二項、第四項、第五項及び第七項、同条第八項において準用する第十二条の二第二項及び第三項、第二十条第一項及び第二項、第二十三条の五、第二十三条の六、第三十条、第三十一条第一項、第三十五条第一項及び第三項並びに第三十八条に規定する事務にあつては、海岸保全施設に関する工事に係るものに限る。）

二　第二条第一項、第二条の三第四項（同条第七項において準用する場合を含む。）、第五条第二項から第五項まで、第十三条、第十四条の五第一項、第十五条、第十六条第一項、第十七条第一項、第十八条第一項、第二項、第四項、第五項及び第七項、同条第八項において準用する第十二条の二第二項及び第三項、第十九条第一項、第三項及び第四項、第二十条第一項及び第二項、第二十一条第一項から第三項まで、同条第四項において準用する第十二条の二第二項及び第三項、第二十一条の三第一項から第三項まで、同条第四項において準用する漁業法第百七十七条第二項、第三項前段、第四項から第八項まで、第十一項及び第十二項、第二十二条第二項、第二十三条の三第一項、第二十三条の五、第二十三条の六、第二十四条第一項及び第二項、第三十条、第三十一条第一項、第三十二条第三項、第三十三条第一項、第三十五条第一項及び第三項並びに第三十八条の規定により市町村が処理することとされている事務（第五条第二項から第五項まで、第十四条の五第一項、第十五条、第十六条第一項、第十八条第一項、第二項、第四項、第五項及び第七項、同条第八項において準用する第十二条の二第二項及び第三項、第二十条第一項及び第二項、第二十三条の五、第二十三条の六、第三十条、第三十一条第一項、第三十五条第一項及び第三項並びに第三十八条に規定する事務にあつては、海岸保全施設に関する工事に係るものに限る。）

2　他の法律及びこれに基づく政令の規定により、前項に規定する事務に関して都道府県又は市町村が処理することとされている事務は、第一号法定受託事務とする。

（経過措置）

第四〇条の五　この法律の規定に基づき政令又は主務省令を制定し、又は改廃する場合においては、それぞれ、政令又は主務省令で、その制定又は改廃に伴い合理的に必要と判断される範囲内において、所要の経過措置（罰則に関する経過措置を含む。）を定めることができる。

第五章　罰則

（罰則）

第四一条　次の各号の一に該当する者は、一年以下の懲役又は五十万円以下

の罰金に処する。

一　第七条第一項の規定に違反して海岸保全区域を占用した者

二　第八条第一項の規定に違反して同項各号の一に該当する行為をした者

三　第八条の二第一項の規定に違反して海岸管理者が管理する海岸保全施設を損傷し、又は汚損した者

第四二条　次の各号の一に該当する者は、六月以下の懲役又は三十万円以下の罰金に処する。

一　第八条の二第一項の規定に違反して同項各号の一に該当する行為をした者（前条第三号に掲げる者を除く。）

二　第十八条第六項（第三十七条の八において準用する場合を含む。）の規定に違反して土地若しくは水面の立入若しくは一時使用を拒み、又は妨げた者

三　第二十条第一項の規定による報告若しくは資料の提出をせず、又は虚偽の報告若しくは資料の提出をした者

四　第二十条第一項の規定による立入検査を拒み、妨げ、又は忌避した者

五　第三十七条の四の規定に違反して一般公共海岸区域を占用した者

六　第三十七条の五の規定に違反して同条各号の一に該当する行為をした者

七　第三十七条の六第一項の規定に違反して同項各号の一に該当する行為をした者

（両罰規定）

第四三条　法人の代表者又は法人若しくは人の代理人、使用人その他の従業者が、その法人又は人の業務に関し、前二条の違反行為をしたときは、行為者を罰するほか、その法人又は人に対して各本条の罰金刑を科する。

附　則〔抄〕

（施行期日）

1　この法律は、公布の日から起算して六月をこえない範囲内において政令で定める日から施行する。

〔昭和三一政三三一により、昭和三一・一一・一〇から施行〕

（経過規定）

2　この法律の施行の際現に工事施行中の海岸保全施設に相当する施設の存する地域につき第三条の規定による指定があつた場合において、当該海岸保全区域についての主務大臣たるべき者と現に当該施設の管理を所掌する主務大臣とが異なるときは、第四十条第一項の規定にかかわらず、当該工事の完了するまでの間に限り、現に当該施設の管理を所掌する主務大臣を当該施設についての主務大臣とする。

3　この法律の施行の際現に工事施行中の海岸保全施設に相当する施設の存する地域につき第三条の規定による指定があつた場合において、当該海岸保全区域についての海岸管理者たるべき者と現に当該施設について工事を施行している地方公共団体の長とが異なるときは、第五条第一項から第四項までの規定にかかわらず、当該工事の完了するまでの間に限り、現に当該施設について工事を施行している地方公共団体の長を当該施設についての海岸管理者とする。

（昭和六十年度から平成四年度までの特例）

4　第二十六条第一項の規定の昭和六十年度から平成四年度までの各年度における適用については、同項ただし書中「三分の二」とあるのは「十分の六」と、「三分の一」とあるのは「十分の四」とする。

（国の無利子貸付け等）

5　国は、当分の間、海岸管理者の属する地方公共団体に対し、第二十七条第一項の規定により国がその費用について負担する海岸保全施設の新設又は改良に関する工事で日本電信電話株式会社の株式の売払収入の活用による社会資本の整備の促進に関する特別措置法（昭和六十二年法律第八十六号。次項において「社会資本整備特別措置法」という。）第二条第一項第二号に該当するものに要する費用に充てる資金について、予算の範囲内において、第二十七条第一項の規定（この規定による国の負担の割合について、この規定と異なる定めをした法令の規定がある場合には、当該異なる定めをした法令の規定を含む。以下同じ。）により国が負担する金額に相当する金額を無利子で貸し付けることができる。

6　国は、当分の間、地方公共団体に対し、前項の規定による場合のほか、海岸保全施設に関する工事及びこれと併せて海岸保全区域内において施行する海岸の環境の整備に関する工事で社会資本整備特別措置法第二条第一項第二号に該当するものに要する費用に充てる資金の一部を、予算の範囲内において、無利子で貸し付けることができる。

7　前二項の国の貸付金の償還期間は、五年（二年以内の据置期間を含む。）以内で政令で定める期間とする。

8　前項に定めるもののほか、附則第五項及び第六項の規定による貸付金の償還方法、償還期限の繰上げその他償還に関し必要な事項は、政令で定める。

9　附則第五項の規定により国が地方公共団体に対し貸付けを行う場合における第二十七条第三項の規定の適用については、同項中「第一項の規定により国が負担することとなる金額」とあるのは、「附則第五項の規定により国が貸し付けることとなる金額」とする。

10　国は、附則第五項の規定により、地方公共団体に対し貸付けを行つた場合には、当該貸付けの対象である工事に係る第二十七条第一項の規定による国の負担については、当該貸付金の償還時において、当該貸付金の償還金に相当する金額を交付することにより行うものとする。

11　国は、附則第六項の規定により、地方公共団体に対し貸付けを行つた場合には、当該貸付けの対象である工事について、当該貸付金に相当する金額の補助を行うものとし、当該補助については、当該貸付金の償還時において、当該貸付金の償還金に相当する金額を交付することにより行うものとする。

12　地方公共団体が、附則第五項及び第六項の規定による貸付けを受けた無利子貸付金について、附則第七項及び第八項の規定に基づき定められる償還期限を繰り上げて償還を行つた場合（政令で定める場合を除く。）における前二項の規定の適用については、当該償還は、当該償還期限の到来時に行われたものとみなす。

附　則〔略〕〔昭和三三・三・三一法律三〇〕

附　則〔抄〕〔昭和三四・四・二〇法律一四八〕

（施行期日）

1　この法律は、国税徴収法（昭和三十四年法律第百四十七号）の施行の日〔昭和三五・一・一〕から施行する。

（公課の先取特権の順位の改正に関する経過措置）

7　第二章の規定による改正後の各法令（徴収金の先取特権の順位に係る部分に限る。）の規定は、この法律の施行後に国税徴収法第二条第十二号に規定する強制換価手続による配当手続が開始される場合について適用し、この法律の施行前に当該配当手続が開始されている場合における当該法令の規定に規定する徴収金の先取特権の順位については、なお従前の例による。

附　則〔略〕〔昭和三五・三・三一法律四〇〕

附　則〔抄〕〔昭和三七・九・一五法律一六一〕

1　この法律は、昭和三十七年十月一日から施行する。

2　この法律による改正後の規定は、この附則に特別の定めがある場合を除き、この法律の施行前にされた行政庁の処分、この法律の施行前にされた申請に係る行政庁の不作為その他この法律の施行前に生じた事項についても適用する。ただし、この法律による改正前の規定によつて生じた効力を妨げない。

3　この法律の施行前に提起された訴願、審査の請求、異議の申立てその他の不服申立て（以下「訴願等」という。）については、この法律の施行後も、なお従前の例による。この法律の施行前にされた訴願等の裁決、決定その他の処分（以下「裁決等」という。）又はこの法律の施行前に提起された訴願等につきこの法律の施行後にされる裁決等にさらに不服がある場合の訴願等についても、同様とする。

4　前項に規定する訴願等で、この法律の施行後は行政不服審査法による不服申立てをすることができることとなる処分に係るものは、同法以外の法律の適用については、行政不服審査法による不服申立てとみなす。

5　第三項の規定によりこの法律の施行後にされる審査の請求、異議の申立てその他の不服申立ての裁決等については、行政不服審査法による不服申立てをすることができない。

6　この法律の施行前にされた行政庁の処分で、この法律による改正前の規定により訴願等をすることができるものとされ、かつ、その提起期間が定められていなかつたものについて、行政不服審査法による不服申立てをすることができる期間は、この法律の施行の日から起算する。

8　この法律の施行前にした行為に対する罰則の適用については、なお従前の例による。

9　前八項に定めるもののほか、この法律の施行に関して必要な経過措置は、政令で定める。

附則〔略〕〔昭和三八・六・八法律九九〕

附則〔略〕〔昭和三九・七・一〇法律一六八〕

附則〔昭和四一・三・二八法律一〇〕

1　この法律は、昭和四十一年四月一日から施行する。

2　昭和四十年度以前の年度の予算に係る負担金に係る経費の金額で昭和四十一年度以降に繰り越されたものに係る海岸保全施設の新設、改良又は災害復旧に要する費用についての国及び海岸管理者の属する地方公共団体の負担の割合については、改正後の海岸法第二十六条第一項ただし書の規定にかかわらず、なお従前の例による。

附則〔略〕〔昭和四二・七・二〇法律七三〕

附則〔略〕〔昭和四四・七・一法律五七〕

附則〔略〕〔昭和四七・六・三法律五二〕

附則〔略〕〔昭和五三・七・五法律八七〕

附則〔略〕〔昭和五九・八・一〇法律七一〕

附則〔抄〕〔昭和五九・一二・二五法律八七〕

（施行期日）

第一条　この法律は、昭和六十年四月一日から施行する。〔以下略〕

（海岸法の一部改正に伴う経過措置）

第一六条　この法律の施行前に第四十条の規定による改正前の海岸法第十条第二項の規定により旧公社が海岸管理者にした協議に基づく占用又は行為は、第四十条の規定による改正後の海岸法第七条第一項又は第八条第一項の規定により会社に対して海岸管理者がした許可に基づく占用又は行為とみなす。

（政令への委任）

第二八条　附則第二条から前条までに定めるもののほか、この法律の施行に関し必要な事項は、政令で定める。

附則〔略〕〔昭和六〇・五・一八法律三七〕

附則〔略〕〔昭和六〇・七・一二法律九〇〕

附則〔略〕〔昭和六一・五・八法律四六〕

附則〔抄〕〔昭和六一・一二・四法律九三〕

（施行期日）

第一条　この法律は、昭和六十二年四月一日から施行する。〔以下略〕

（海岸法の一部改正に伴う経過措置）

第二九条　この法律の施行前に第百二十七条の規定による改正前の海岸法第十条第二項又は第十三条第二項の規定により日本国有鉄道が海岸管理者にした協議に基づく占用若しくは行為又は工事は、政令で定めるところにより、第百二十七条の規定による改正後の海岸法第七条第一項若しくは第八条第一項又は第十三条第一項の規定により承継法人及び清算事業団のうち政令で定める者に対して海岸管理者がした許可又は承認に基づく占用若しくは行為又は工事とみなす。

（政令への委任）

第四二条　附則第二条から前条までに定めるもののほか、この法律の施行に関し必要な事項は、政令で定める。

附則〔略〕〔昭和六二・九・四法律八七〕

附則〔抄〕〔平成元・四・一〇法律二二〕

（施行期日等）

1　この法律は、公布の日から施行する。

2　この法律〔中略〕による改正後の法律の平成元年度及び平成二年度の特例に係る規定並びに平成元年度の特例に係る規定は、平成元年度及び平成二年度（平成元年度の特例に係るものにあっては、平成元年度。以下この項において同じ。）の予算に係る国の負担（当該国の負担に係る都道府県又は市町村の負担を含む。以下この項及び次項において同じ。）又は補助（昭和六十三年度以前の年度における事務又は事業の実施により平成元年度以降の年度に支出される国の負担及び昭和六十三年度以前の年度の国庫債務負担行為に基づき平成元年度以降の年度に支出すべきものとされた国の負担又は補助を除く。）並びに平成元年度及び平成二年度における事務又は事業の実施により平成三年度（平成元年度の特例に係るものにあっては、平成二年度。以下この項において同じ。）以降の年度に支出される国の負担、平成元年度及び平成二年度の国庫債務負担行為に基づき平成三年度以降の年度に支出すべきものとされる国の負担又は補助並びに平成元年度及び平成二年度の歳出予算に係る国の負担又は補助で平成三年度以降の年度に繰り越されるものについて適用し、昭和六十三年度以前の年度における事務又は事業の実施により平成元年度以降の年度に支出される国の負担、昭和六十三年度以前の年度の国庫債務負担行為に基づき平成元年度以降の年度に支出すべきものとされた国の負担又は補助及び昭和六十三年度以前の年度の歳出予算に係る国の負担又は補助で平成元年度以降の年度に繰り越されたものについては、なお従前の例による。

附則〔平成三・三・三〇法律一五〕

改正　平成五・三法八

1　この法律は、平成三年四月一日から施行する。

2　この法律〔中略〕による改正後の法律の平成三年度及び平成四年度の特例に係る規定並びに平成三年度の特例に係る規定は、平成三年度及び平成四年度（平成三年度の特例に係るものにあっては平成三年度とする。以下この項において同じ。）の予算に係る国の負担（当該国の負担に係る都道府県又は市町村の負担を含む。以下この項において同じ。）又は補助（平成二年度以前の年度における事務又は事業の実施により平成三年度以降の年度に支出される国の負担及び平成二年度以前の年度の国庫債務負担行為に基づき平成三年度以降の年度に支出すべきものとされた国の負担又は補助を除く。）並びに平成三年度及び平成四年度における事務又は事業の実施により平成五年度（平成三年度の特例に係るものにあっては平成四年度とする。以下この項において同じ。）以降の年度に支出される国の負担、平成三年度及び平成四年度の国庫債務負担行為に基づき平成五年度以降の年度に支出すべきものとされる国の負担又は補助並びに平成三年度及び平成四年度の歳出予算に係る国の負担又は補助で平成五年度以降の年度に繰り越されるものについて適用し、平成二年度以前の年度における事務又は事業の実施により平成三年度以降の年度に支出される国の負担、平成二年度以前の年度の国庫債務負担行為に基づき平成三年度以降の年度に支出すべきものとされた国の負担又は補助及び平成二年度以前の年度の歳出予算に係る国の負担又は補助で平成三年度以降の年度に繰り越されたものについては、なお従前の例による。

国の補助金等の臨時特例等に関する法律〔抄〕

〔平成三・三・三〇法律一五〕

改正　平成五・三法八

第八章　地方公共団体に対する財政金融上の措置

（地方公共団体に対する財政金融上の措置）

第三四条　国は、この法律の規定による改正後の法律の規定により平成三年度及び平成四年度の予算に係る国の負担又は補助の割合の引下げ措置の対象となる地方公共団体に対し、その事務又は事業の執行及び財政運営に支障を生ずることのないよう財政金融上の措置を講ずるものとする。

附則〔抄〕〔平成五・三・三一法律八〕

（施行期日等）

1　この法律は、平成五年四月一日から施行する。

2　この法律〔中略〕による改正後の法律の規定は、平成五年度以降の年度の予算に係る国の負担（当該国の負担に係る都道府県又は市町村の負担を含む。以下この項において同じ。）又は補助（平成四年度以前の年度における事務又は事業の実施により平成五年度以降の年度に支出される国の負担及び平成四年度以前の年度の国庫債務負担行為に基づき平成五年度以降の年度に支出すべきものとされた国の負担又は補助を除く。）について適用し、平成四年度以前の年度における事務又は事業の実施により平成五年度以降の年度に支出される国の負担、平成四年度以前の年度の国庫債務負担行為に基づき平成五年度以降の年度に支出すべきものとされた国の負担又は補助及び平成四年度以前の年度の歳出予算に係る国の負担又は補助で平成五年度以降の年度に繰り越されたものについては、なお従前の例による。

附則〔抄〕〔平成一一・五・二八法律五四〕

（施行期日）

第一条　この法律は、公布の日から起算して一年を超えない範囲内において政令で定める日から施行する。ただし、第三十七条の二の規定は、公布の日から施行する。

〔平成一二政一二四により、平成一二・四・一から施行〕

（海岸保全基本計画に関する経過措置）

第二条　この法律の施行の日以後この法律による改正後の海岸法（以下「新法」という。）第二条の三の規定に基づき当該海岸保全区域について海岸保全基本計画が定められるまでの間においては、この法律の施行の際現にこの法律による改正前の海岸法第二十三条の規定に基づき当該海岸保全区域について定められている海岸保全施設の整備に関する基本計画を、新法第二条の三の規定に基づき当該海岸保全区域について定められた海岸保全基本計画とみなす。

（一般公共海岸区域に関する経過措置）

第三条　この法律の施行の際現に一般公共海岸区域内において権原に基づき施設又は工作物を設置（工事中の場合を含む。）している者は、従前と同様の条件により、当該施設又は工作物の設置について第三十七条の四又は第三十七条の五の規定による許可を受けたものとみなす。この法律の施行の際現に一般公共海岸区域内において権原に基づき同条第一号及び第三号に掲げる行為を行っている者についても、同様とする。

附　則〔抄〕〔平成一一・七・一六法律八七〕

（施行期日）

第一条　この法律は、平成十二年四月一日から施行する。ただし、次の各号に掲げる規定は、当該各号に定める日から施行する。

一　〔前略〕附則〔中略〕第百六十条、第百六十三条、第百六十四条並びに第二百二条の規定　公布の日

二〜六　〔略〕

（海岸法の一部改正に伴う経過措置）

第一三二条　施行日前に第四百二十条の規定による改正前の海岸法（以下この条において「旧海岸法」という。）第四条第二項の規定による運輸大臣の同意を得た港湾管理者は、第四百二十条の規定による改正後の海岸法（以下この条において「新海岸法」という。）第四条第二項の規定による運輸大臣との協議を行ったものとみなす。

2　この法律の施行の際現に旧海岸法第四条第二項の規定によりされている同意の求めは、新海岸法第四条第二項の規定によりされた協議の申出とみなす。

3　施行日前に旧海岸法第二条第三項に規定する海岸管理者が旧海岸法の規定によってした処分（新海岸法第三十九条に規定する処分を除く。）及び都道府県知事が旧海岸法第二十二条第一項の規定によってした漁業権に関する処分についての審査請求については、なお従前の例による。

（国等の事務）

第一五九条　この法律による改正前のそれぞれの法律に規定するもののほか、この法律の施行前において、地方公共団体の機関が法律又はこれに基づく政令により管理し又は執行する国、他の地方公共団体その他公共団体の事務（附則第百六十一条において「国等の事務」という。）は、この法律の施行後は、地方公共団体が法律又はこれに基づく政令により当該地方公共団体の事務として処理するものとする。

（処分、申請等に関する経過措置）

第一六〇条　この法律（附則第一条各号に掲げる規定については、当該各規定。以下この条及び附則第百六十三条において同じ。）の施行前に改正前のそれぞれの法律の規定によりされた許可等の処分その他の行為（以下この条において「処分等の行為」という。）又はこの法律の施行の際現に改正前のそれぞれの法律の規定によりされている許可等の申請その他の行為（以下この条において「申請等の行為」という。）で、この法律の施行の日においてこれらの行為に係る行政事務を行うべき者が異なることとなるものは、附則第二条から前条までの規定又は改正後のそれぞれの法律（これに基づく命令を含む。）の経過措置に関する規定に定めるものを除き、この法律の施行の日以後における改正後のそれぞれの法律の適用については、改正後のそれぞれの法律の相当規定によりされた処分等の行為又は申請等の行為とみなす。

2　この法律の施行前に改正前のそれぞれの法律の規定により国又は地方公共団体の機関に対し報告、届出、提出その他の手続をしなければならない事項で、この法律の施行の日前にその手続がされていないものについては、この法律及びこれに基づく政令に別段の定めがあるもののほか、これを、改正後のそれぞれの法律の相当規定により国又は地方公共団体の相当の機関に対して報告、届出、提出その他の手続をしなければならない事項についてその手続がされていないものとみなして、この法律による改正後のそれぞれの法律の規定を適用する。

（不服申立てに関する経過措置）

第一六一条　施行日前にされた国等の事務に係る処分であって、当該処分をした行政庁（以下この条において「処分庁」という。）に施行日前に行政不服審査法に規定する上級行政庁（以下この条において「上級行政庁」という。）があったものについての同法による不服申立てについては、施行日以後においても、当該処分庁に引き続き上級行政庁があるものとみなして、行政不服審査法の規定を適用する。この場合において、当該処分庁の上級行政庁とみなされる行政庁は、施行日前に当該処分庁の上級行政庁であった行政庁とする。

2　前項の場合において、上級行政庁とみなされる行政庁が地方公共団体の機関であるときは、当該機関が行政不服審査法の規定により処理することとされる事務は、新地方自治法第二条第九項第一号に規定する第一号法定受託事務とする。

（手数料に関する経過措置）

第一六二条　施行日前においてこの法律による改正前のそれぞれの法律（これに基づく命令を含む。）の規定により納付すべきであった手数料については、この法律及びこれに基づく政令に別段の定めがあるもののほか、なお従前の例による。

（罰則に関する経過措置）

第一六三条　この法律の施行前にした行為に対する罰則の適用については、なお従前の例による。

（その他の経過措置の政令への委任）

第一六四条　この附則に規定するもののほか、この法律の施行に伴い必要な経過措置（罰則に関する経過措置を含む。）は、政令で定める。

2　〔略〕

附　則〔略〕〔平成一一・一二・二二法律一六〇〕

附　則〔抄〕〔平成一二・五・一九法律七八〕

（施行期日）

第一条　この法律は、平成十三年四月一日から施行する。〔以下略〕

（海岸法の一部改正に伴う経過措置）

第一三条　この法律の施行前に前条の規定による改正前の海岸法第四条第一項の規定による農林水産大臣との協議をした都道府県知事は、前条の規定による改正後の海岸法第四条第一項の規定による漁港管理者との協議をしたものとみなす。

附　則〔略〕〔平成一三・六・二九法律九二〕

附　則〔略〕〔平成一四・二・八法律一〕

附　則〔略〕〔平成一九・三・三一法律二三〕

附　則〔略〕〔平成二二・六・二法律四一〕

附　則〔略〕〔平成二三・三・三一法律九〕

附　則〔抄〕〔平成二三・五・二法律三七〕

（施行期日）

第一条　この法律は、公布の日から施行する。〔以下略〕

（海岸法の一部改正に伴う経過措置）

第一六条　この法律の施行の日前に第三十四条の規定による改正前の海岸法第二十七条第二項の規定によりされた承認又はこの法律の施行の際現に同項の規定によりされている承認の申請は、それぞれ第三十四条の規定による改正後の海岸法第二十七条第二項の規定によりされた同意又は協議の申出とみなす。

（罰則に関する経過措置）

第二三条　この法律（附則第一条各号に掲げる規定にあっては、当該規定）の施行前にした行為に対する罰則の適用については、なお従前の例による。

（政令への委任）

第二四条　附則第二条から前条まで及び附則第三十六条に規定するもののほか、この法律の施行に関し必要な経過措置は、政令で定める。

附　則〔略〕〔平成二五・一一・二二法律七六〕

附　則〔略〕〔平成二六・六・一一法律六一〕

附　則〔略〕〔平成二六・六・一三法律六九〕

附　則〔平成二九・六・二法律四五〕

この法律は、民法改正法の施行の日〔令和二・四・一〕から施行する。ただし、〔中略〕第三百六十二条の規定は、公布の日から施行する。

民法の一部を改正する法律の施行に伴う関係法律の整備等に関する法律〔抄〕〔平成二九・六・二法律四五〕

（罰則に関する経過措置）

第三六一条　施行日前にした行為及びこの法律の規定によりなお従前の例によることとされる場合における施行日以後にした行為に対する罰則の適用については、なお従前の例による。

（政令への委任）

第三六二条　この法律に定めるもののほか、この法律の施行に伴い必要な経過措置は、政令で定める。

附　則〔略〕〔平成三〇・一二・一四法律九五〕

附　則〔抄〕〔令和五・五・二六法律三四〕

（施行期日）

第一条　この法律は、公布の日から起算して一年を超えない範囲内において政令で定める日〔令和六・四・一〕から施行する。〔以下略〕

○海岸法施行令〔昭和三一・一一・七 政令三三二〕

改正　昭和三三・一一政三〇八、昭和三五・三政五五、昭和三七・七政二八一、昭和四一・三政六六、昭和四二・六政一二三、昭和四三・四政八四、昭和四四・三政三〇、昭和四五・四政七五、六政一六一、昭和四六・四政一〇六、昭和四七・五政二〇五、一二政四一六、昭和四八・四政九一、昭和四九・三政五六、四政一三一、昭和五〇・四政一一二、昭和五一・五政一一八、昭和五二・四政九三、昭和五三・四政一一三、七政二八二、昭和五五・四政九三、昭和五七・三政五八、昭和五八・三政四六、四政八三、昭和五九・一〇政二九七、昭和六〇・三政二四、五政一三〇、七政二二七、昭和六一・五政一五四、昭和六二・三政九八、九政二九三、昭和六三・四政一一九、平成元・四政一〇五、平成二・六政一四七、平成三・三政九八、平成四・四政一四〇、平成五・三政九三、平成一一・六政一九五、一一政三五二、平成一二・三政一二五、六政三一二、九政四二八、平成一四・二政二七、三政六〇、平成一五・三政七二、平成一六・一〇政三二八、平成二三・一二政四一四、平成二六・三政九二、八政二七一、一二政三八三、令和二・七政二一七、令和五・一〇政三〇四

（海岸保全基本方針に定める事項等）

第一条　海岸法（以下「法」という。）第二条の二第一項の海岸保全基本方針に定める事項は、次のとおりとする。

一　海岸の保全に関する基本的な指針

二　一の海岸保全基本計画を作成すべき海岸の区分

三　海岸保全基本計画の作成に関する基本的な事項

2　海岸保全基本方針は、津波、高潮等による災害の発生の防止、多様な自然環境の保全、人と自然との豊かな触れ合いの確保、海岸利用者の利便の確保等を総合的に考慮して定めるものとする。

3　海岸保全基本方針は、環境基本法（平成五年法律第九十一号）第十五条第一項に規定する環境基本計画と調和するものでなければならない。

（海岸保全基本計画に定める事項）

第一条の二　法第二条の三第一項の海岸保全基本計画に定める事項は、次のとおりとする。

一　海岸の保全に関する次に掲げる事項

イ　海岸の現況及び保全の方向に関する事項

ロ　海岸の防護に関する事項

ハ　海岸環境の整備及び保全に関する事項

ニ　海岸における公衆の適正な利用に関する事項

二　海岸保全施設の整備に関する次に掲げる事項

イ　海岸保全施設の新設又は改良に関する次に掲げる事項

(1)　海岸保全施設を新設又は改良しようとする区域

(2)　海岸保全施設の種類、規模及び配置

(3)　海岸保全施設による受益の地域及びその状況

ロ　海岸保全施設の維持又は修繕に関する次に掲げる事項

(1)　海岸保全施設の存する区域

(2)　海岸保全施設の種類、規模及び配置

(3)　海岸保全施設の維持又は修繕の方法

（関係海岸管理者が案を作成すべき事項）

第一条の三　法第二条の三第四項の規定により関係海岸管理者が案を作成すべき海岸保全施設の整備に関する事項は、前条第二号に掲げる事項とする。

（市町村の長が行うことができる管理）

第一条の四　法第五条第六項の規定により市町村の長が行うことができる管理は、法第四十条の四第一項第一号に規定する事務以外のものとする。

2　法第五条第六項の規定により市町村の長が海岸保全区域の管理の一部を行う場合においては、法中海岸保全区域の管理に関する事務であつて法第四十条の四第一項第一号に規定する事務以外のものに係る海岸管理者に関する規定は、市町村の長に関する規定として市町村の長に適用があるものとする。

（海岸管理者の権限の代行）

第一条の五　法第六条第二項の規定により主務大臣が海岸管理者に代わつて行う権限は、次の各号に掲げるものとする。

一　法第二条第一項の規定により砂浜又は樹林の指定をすること。

二　法第二条の三第四項（同条第七項において準用する場合を含む。）の規定により海岸保全施設の整備に関する案を作成し、及び同条第五項（同条第七項において準用する場合を含む。）の規定により必要な措置を講ずること。

三　法第七条第一項又は第八条第一項の規定による許可を与えること。

四　法第八条の二第一項各号列記以外の部分若しくは同項第三号又は第三条の二第一項第二号の規定により区域若しくは物件又は行為の指定をすること。

五　法第十条第二項の規定により同項に規定する者と協議すること。

六　法第十二条第一項又は第二項に規定する処分をし、又は措置を命ずること。ただし、同条第二項第三号に該当する場合においては、同項に規定する処分をし、又は措置を命ずることはできない。

七　法第十二条第三項の規定により必要な措置を命ずること。

八　法第十二条第四項の規定により必要な措置を自ら行い、又はその命じた者若しくは委任をした者にこれを行わせること。

九　法第十二条第五項の規定により除却に係る海岸保全施設以外の施設又

は工作物（除却を命じた同条第一項及び第三項の物件を含む。次号及び第三条の三から第三条の八までにおいて「他の施設等」という。）を保管し、及び法第十二条第六項の規定により公示すること。

十　法第十二条第七項の規定により他の施設等を売却し、及びその代金を保管し、同条第八項の規定により他の施設等を廃棄し、又は同条第九項の規定により売却した代金を売却に要した費用に充てること。

十一　法第十二条の二第一項から第三項までの規定により損失の補償について損失を受けた者と協議し、及び損失を補償すること。

十二　法第十三条第一項本文の規定により海岸保全施設に関する工事を行うことを承認し、又は同条第二項の規定により法第十条第二項に規定する者と協議すること。

十三　法第十四条の二第一項の規定により操作規則を定め、及び同条第三項（同条第四項において準用する場合を含む。）の規定により関係市町村長の意見を聴くこと。

十四　法第十四条の三第一項（同条第五項において準用する場合を含む。）の規定により操作規程を承認し、及び同条第三項（同条第五項において準用する場合を含む。）の規定により関係市町村長の意見を聴き、又は同条第四項（同条第五項において準用する場合を含む。）の規定により法第十条第二項に規定する者と協議すること。

十五　法第十五条の規定により海岸保全施設に関する工事を施行させること。

十六　法第十六条第一項の規定により海岸管理者が管理する海岸保全施設その他の施設又は工作物（以下この号及び第三条において「海岸保全施設等」という。）に関する工事又は海岸保全施設等の維持（海岸保全区域内の公共海岸の維持を含む。）を施行させること。

十七　法第十七条第一項の規定により他の工事を施行すること。

十八　法第十八条第一項の規定により他人の占有する土地若しくは水面に立ち入り、若しくは特別の用途のない他人の土地を材料置場若しくは作業場として一時使用し、又はその命じた者若しくはその委任を受けた者にこれらの行為をさせること。

十九　法第十八条第七項並びに同条第八項において準用する法第十二条の二第二項及び第三項の規定により損失の補償について損失を受けた者と協議し、及び損失を補償すること。

二十　法第十九条の規定により、損失の補償について損失を受けた者と協議し、及び補償金を支払い、又は補償金に代えて工事を行うことを要求し、並びに協議が成立しない場合において収用委員会に裁決を申請すること。

二十一　法第二十条第一項の規定により報告若しくは資料の提出を求め、又はその命じた者に海岸保全施設に立ち入り、これを検査させること。

二十二　法第二十一条第一項又は第二項の規定により必要な措置を命ずること。

二十三　法第二十一条第三項並びに同条第四項において準用する法第十二条の二第二項及び第三項の規定により損失の補償について損失を受けた者と協議し、及び損失を補償すること。

二十四　法第二十一条の二の規定により勧告し、又は公表すること。

二十五　法第二十一条の三第一項又は第二項の規定により必要な措置を命ずること。

二十六　法第二十一条の三第三項並びに同条第四項において準用する法第十二条の二第二項及び第三項の規定により損失の補償について損失を受けた者と協議し、及び損失を補償すること。

二十七　法第二十二条第一項の規定により漁業権の取消し、変更又はその行使の停止を都道府県知事に求め、並びに同条第二項並びに同条第三項において準用する漁業法（昭和二十四年法律第二百六十七号）第百七十七条第二項、第三項前段、第四項から第八項まで、第十一項及び第十二項の規定により損失を補償すること。

二十八　法第二十三条第一項の規定により必要な土地を使用し、土石、竹木その他の資材を使用し、若しくは収用し、車両その他の運搬具若しくは器具を使用し、若しくは工作物その他の障害物を処分し、又は同条第二項の規定によりその付近に居住する者若しくはその現場にある者を業務に従事させること。

二十九　法第二十三条第三項並びに同条第四項において準用する法第十二条の二第二項及び第三項の規定により損失の補償について損失を受けた者と協議し、及び損失を補償すること。

三十　法第二十三条第五項の規定により損害を補償すること。

三十一　法第二十三条の三の規定により、海岸協力団体の指定をし、及び当該海岸協力団体の名称等を公示し、又は海岸協力団体による届出を受理し、及び当該届出に係る事項を公示すること。

三十二　法第二十三条の五の規定により、報告を求め、必要な措置を講ずべきことを命じ、又は海岸協力団体の指定を取り消し、及びその旨を公示すること。

三十三　法第二十三条の六の規定により情報の提供又は指導若しくは助言をすること。

三十四　法第二十三条の七の規定により海岸協力団体と協議すること。

三十五　法第三十条の規定により他の工作物の効用を兼ねる海岸保全施設の新設又は改良に関する工事に要する費用の負担について当該他の工作物の管理者と協議すること。

三十六　法第三十八条の二の規定により法の規定による許可又は承認に海岸の保全上必要な条件を付すること。

2　前項に規定する主務大臣の権限は、法第六条第三項の規定に基づき公示された工事の区域（前項第二十八号から第三十号までに掲げる権限にあつては、主務大臣が海岸管理者の意見を聴いて定め、主務省令で定めるところにより公示した区域を除く。）につき、同条第三項の規定に基づき公示された工事の開始の日から当該工事の完了又は廃止の日までに限り行うことができるものとする。ただし、前項第九号から第十一号まで、第十九号、第二十号、第二十三号、第二十六号、第二十七号（法第二十二条第二項並びに同条第三項において準用する漁業法第百七十七条第二項、第三項前段、第四項から第八項まで、第十一項及び第十二項の規定により損失を補償する部分に限る。）、第二十九号、第三十号及び第三十五号に掲げる権限は、当該工事の完了又は廃止の日の後においても行うことができる。

3　主務大臣は、第一項第一号、第三号から第八号まで、第十二号、第十四号から第十六号まで、第二十二号、第二十四号、第二十五号、第三十一号、第三十二号、第三十四号又は第三十五号に掲げる権限を行つた場合においては、遅滞なく、その旨を海岸管理者に通知しなければならない。

（海岸保全区域内における制限行為で許可を要しない行為）

第二条　法第八条第一項ただし書の政令で定める行為は、次の各号に掲げるものとする。

一　公有水面埋立法（大正十年法律第五十七号）の規定による埋立ての免許又は承認を受けた者が行う当該免許又は承認に係る行為

二　鉱業権者又は租鉱権者が行う行為で次に掲げるもの

イ　鉱山保安法（昭和二十四年法律第七十号）第十三条第一項の規定により届出をした施設の設置又は変更の工事

ロ　鉱山保安法第三十六条の規定による産業保安監督部長の命令又は同法第四十八条第一項の規定による鉱務監督官の命令の実施に係る行為

ハ　鉱業法（昭和二十五年法律第二百八十九号）第六十三条第一項の規定により届出をし、又は同条第二項（同法第八十七条において準用する場合を含む。）若しくは同法第六十三条の二第一項若しくは第二項の規定により認可を受けた施業案（同法第六十三条の三の規定により同法第六十三条の二第一項又は第二項の認可を受けたものとみなされた施業案を含む。）の実施に係る行為

三　土地改良法（昭和二十四年法律第百九十五号）の規定に基づき、同法の規定による土地改良事業の計画の実施に係る行為

四　漁港及び漁場の整備等に関する法律（昭和二十五年法律第百三十七号）第三十九条第一項本文の規定による許可を受けた者が行う当該許可に係る行為、同法第十七条第一項、第十八条第一項及び第十九条第一項の規定による特定漁港漁場整備事業計画並びに同法第二十六条の規定による漁港管理規程に基づいてする行為並びに同法第四十四条第一項に規定する認定計画（同法第四十二条第二項第二号及び第三号に掲げる事項（水面又は土地の占用に係るものに限る。）、同条第四項第二号に掲げる事項又は同法第五十条第一項各号に掲げる事項が定められたものに限る。）に従つてする行為（同法第六条第一項から第四項までの規定により市町村長、都道府県知事又は農林水産大臣が指定した漁港の区域（以下「漁港区域」という。）内において行うものに限る。）

五　港湾法（昭和二十五年法律第二百十八号）の規定に基づき、港湾管理者のする港湾工事

六　森林法（昭和二十六年法律第二百四十九号）第三十四条第二項（同法第四十四条において準用する場合を含む。）の規定による許可を受けた

者が行う当該許可に係る行為

七　工業用水法（昭和三十一年法律第百四十六号）第三条第一項の規定による許可を受けた者が行う当該許可に係る井戸の新設又は改築

八　載荷重が一平方メートルにつき十トン（海岸保全施設の構造又は地形、地質その他の状況により海岸管理者が載荷重を指定した場合には、当該載荷重）以内の施設又は工作物の公共海岸の土地以外の土地における新設又は改築

九　漁業を営むための施設又は工作物の水面における新設又は改築

十　海岸管理者が海岸の保全に支障があると認めて指定する施設又は工作物以外のものの水面における新設又は改築

十一　地表から深さ一・五メートル（海岸保全施設の構造又は地形、地質その他の状況により海岸管理者が深さを指定した場合には、当該深さ）以内の土地の掘削又は切土（海岸保全施設から五メートル（海岸保全施設の構造又は地形、地質その他の状況により海岸管理者が距離を指定した場合には、当該距離）以内の地域及び水面における土地の掘削又は切土を除く。）

十二　載荷重が一平方メートルにつき十トン（海岸保全施設の構造又は地形、地質その他の状況により海岸管理者が載荷重を指定した場合には、当該載荷重）以内の盛土

（海岸保全区域における制限行為）

第三条　法第八条第一項第三号の政令で定める行為は、木材その他の物件を投棄し、又は係留する等の行為で海岸保全施設等を損壊するおそれがあると認めて海岸管理者が指定するものとする。

２　海岸管理者は、前項の規定による指定をするときは、主務省令で定めるところにより、その旨を公示しなければならない。これを変更し、又は廃止するときも、同様とする。

（海岸の保全に著しい支障を及ぼすおそれのある行為の禁止）

第三条の二　法第八条の二第一項第四号の政令で定める海岸の保全に著しい支障を及ぼすおそれのある行為は、次に掲げるものとする。

一　土石（砂を含む。）を捨てること。

二　土地の表層のはく離、たき火その他の行為であつて、動物若しくは動物の卵又は植物の生息地又は生育地の保護に支障を及ぼすおそれがあるため禁止する必要があると認めて海岸管理者が指定するものを行うこと。

２　前条第二項の規定は、前項第二号の規定による指定について準用する。

（他の施設等を保管した場合の公示事項）

第三条の三　法第十二条第六項の政令で定める事項は、次に掲げるものとする。

一　保管した他の施設等の名称又は種類、形状及び数量

二　保管した他の施設等の放置されていた場所及び当該他の施設等を除却した日時

三　当該他の施設等の保管を始めた日時及び保管の場所

四　前三号に掲げるもののほか、保管した他の施設等を返還するため必要と認められる事項

（他の施設等を保管した場合の公示の方法）

第三条の四　法第十二条第六項の規定による公示は、次に掲げる方法により行わなければならない。

一　前条各号に掲げる事項を、保管を始めた日から起算して十四日間、当該海岸管理者の事務所に掲示すること。

二　前号の公示の期間が満了しても、なお当該他の施設等の所有者、占有者その他の施設等について権原を有する者（第三条の八において「所有者等」という。）の氏名及び住所を知ることができないときは、前条各号に掲げる事項の要旨を公報又は新聞紙に掲載すること。

２　海岸管理者は、前項に規定する方法による公示を行うとともに、主務省令で定める様式による保管した他の施設等一覧簿を当該海岸管理者の事務所に備え付け、かつ、これをいつでも関係者に自由に閲覧させなければならない。

（他の施設等の価額の評価の方法）

第三条の五　法第十二条第七項の規定による他の施設等の価額の評価は、当該他の施設等の購入又は製作に要する費用、使用年数、損耗の程度その他当該他の施設等の価額の評価に関する事情を勘案してするものとする。この場合において、海岸管理者は、必要があると認めるときは、他の施設等の価額の評価に関し専門的知識を有する者の意見を聴くことができる。

（保管した他の施設等を売却する場合の手続等）

第三条の六　法第十二条第七項の規定による保管した他の施設等の売却は、競争入札に付して行わなければならない。ただし、競争入札に付しても入札者がない他の施設等その他競争入札に付することが適当でないと認められる他の施設等については、随意契約により売却することができる。

第三条の七　海岸管理者は、前条本文の規定による競争入札のうち一般競争入札に付そうとするときは、その入札期日の前日から起算して少なくとも五日前までに、当該他の施設等の名称又は種類、形状、数量その他主務省令で定める事項を当該海岸管理者の事務所に掲示し、又はこれに準ずる適当な方法で公示しなければならない。

２　海岸管理者は、前条本文の規定による競争入札のうち指名競争入札に付そうとするときは、なるべく三人以上の入札者を指定し、かつ、それらの者に当該他の施設等の名称又は種類、形状、数量その他主務省令で定める事項をあらかじめ通知しなければならない。

３　海岸管理者は、前条ただし書の規定による随意契約によろうとするときは、なるべく二人以上の者から見積書を徴さなければならない。

（他の施設等を返還する場合の手続）

第三条の八　海岸管理者は、保管した他の施設等（法第十二条第七項の規定により売却した代金を含む。）を所有者等に返還するときは、返還を受ける者にその氏名及び住所を証するに足りる書類を提出させる等の方法によつてその者が当該他の施設等の返還を受けるべき所有者等であることを証明させ、かつ、主務省令で定める様式による受領書と引換えに返還するものとする。

（損失補償の裁決申請手続）

第四条　法第十二条の二第三項（法第十八条第八項、第二十一条第四項、第二十一条の三第四項及び第二十三条第四項において準用する場合を含む。）又は第十九条第四項の規定により、土地収用法（昭和二十六年法律第二百十九号）第九十四条の規定による裁決を申請しようとする者は、主務省令で定める様式に従い、次の各号に掲げる事項を記載した裁決申請書を収用委員会に提出しなければならない。

一　裁決申請者の氏名及び住所（法人にあつては、その名称、代表者の氏名及び住所）

二　相手方の氏名及び住所（法人にあつては、その名称、代表者の氏名及び住所）

三　損失の事実

四　損失の補償の見積及びその内容

五　協議の経過

（災害時における緊急措置に係る損害補償の額等）

第五条　法第二十三条第五項の規定による損害補償は、非常勤消防団員等に係る損害補償の基準を定める政令（昭和三十一年政令第三百三十五号）中水防法（昭和二十四年法律第百九十三号）第二十四条の規定により水防に従事した者に係る損害補償の基準を定める規定の例により行うものとし、この場合における手続その他必要な事項は、主務省令で定める。

第六条　削除

（他の都府県が分担する負担金の額）

第七条　法第二十六条第二項の規定により他の都府県に分担させる負担金の額は、海岸保全施設の新設又は改良によつて当該他の都府県の受ける利益の程度並びに当該海岸保全施設の存する都府県及び当該他の都府県の受ける利益の割合を考慮して主務大臣が定めるものとする。

（国が費用を負担する工事の範囲及び国庫負担率）

第八条　法第二十七条第一項の規定により国が費用を負担する工事及び当該工事に要する費用に対する国の負担率は、次のとおりとする。

一　地盤の変動により必要を生じた海岸保全施設の新設又は改良に関する工事で海岸保全の機能を従前の状態までに復旧するもの　二分の一

二　海水による著しい侵食を防止するための海岸保全施設の新設又は改良に関する工事　二分の一

三　前二号に掲げるものを除き、海岸保全施設の新設又は改良に関する工事で公共土木施設災害復旧事業費国庫負担法（昭和二十六年法律第九十七号）第二条第二項に規定する災害復旧事業（同法第二条第三項において災害復旧事業とみなされるものを含む。）と合併して施行する必要があるもの　二分の一

四　前三号に掲げるものを除き、海岸保全施設の新設又は改良に関する工事で大規模なもののうち次号に掲げるもの以外のもの　二分の一

五　第一号から第三号までに掲げるものを除き、海岸保全施設の新設又は改良に関する工事で大規模なもののうち主として市街地を保護するためのもの　五分の二

六　前各号に掲げるものを除き、海岸保全施設の新設又は改良に関する工事で主務大臣が指定するもの　三分の一

２　前項第一号、第二号、第四号及び第五号に掲げる工事で主務大臣が指定するものに要する費用に対する国の負担率は、同項の規定にかかわらず、三分の二とする。

３　第一項第二号から第五号までに掲げる工事で北海道において施行されるものに要する費用に対する国の負担率は、同項の規定にかかわらず、二十分の十一とする。

４　第一項第二号から第四号まで及び第六号に掲げる工事で離島振興法（昭和二十八年法律第七十二号）第四条第一項の離島振興計画に基づくもの（第二項又は前項に規定する工事を除く。）に要する費用に対する国の負担率は、第一項の規定にかかわらず、同項第二号から第四号までに掲げる工事にあつては二十分の十一、同項第六号に掲げる工事にあつては二分の一とする。

（国庫負担額）

第九条　国が法第二十七条第一項の規定により負担する金額は、海岸保全施設に関する工事に要する費用の額（法第三十一条から第三十三条までの規定による負担金（以下「収入金」という。）があるときは、当該費用の額から収入金を控除した額。以下「負担基本額」という。）に前条に規定する国の負担率をそれぞれ乗じて得た額とする。

（地方公共団体負担額）

第一〇条　地方公共団体が法第二十九条の規定により国庫に納付する負担金の額は、負担基本額に法第二十六条第一項に規定する地方公共団体の負担割合を乗じて得た額（収入金があるときは当該額に収入金を加算し、法第二十六条第二項の規定により分担を命ぜられた他の都府県があるときは当該額から当該分担額を控除した額。以下「地方公共団体負担額」という。）とする。

（負担基本額等の通知）

第一一条　主務大臣は、海岸保全施設に関する工事を施行する場合においては、負担基本額及び地方公共団体負担額を当該海岸保全施設を管理する海岸管理者の属する地方公共団体に対して（法第二十六条第二項の規定により他の都府県に分担を命じたときは、当該分担額並びに負担基本額及び地方公共団体負担額を関係地方公共団体に対して）通知しなければならない。負担基本額、地方公共団体負担額又は都府県分担額を変更したときも、同様とする。

（負担金の徴収手続）

第一二条　法第三十四条に規定する負担金の徴収については、地方自治法施行令（昭和二十二年政令第十六号）第百五十四条に規定する手続の例による。

（一般公共海岸区域内における制限行為で許可を要しない行為）

第一二条の二　第二条（第八号を除く。）の規定は、法第三十七条の五ただし書の政令で定める行為について準用する。この場合において、第二条第十一号中「海岸保全施設の構造又は地形、地質その他の状況により海岸管理者が深さを指定した場合には、当該深さ）以内の土地の掘削又は切土（海岸保全施設から五メートル（海岸保全施設の構造又は地形、地質その他の状況により海岸管理者が距離を指定した場合には、当該距離）以内の地域及び水面における土地の掘削又は切土を除く。）」とあるのは「地形、地質その他の状況により海岸管理者が深さを指定した場合には、当該深さ）以内の土地の掘削又は切土」と、同条第十二号中「海岸保全施設の構造又は地形」とあるのは「地形」と読み替えるものとする。

（一般公共海岸区域における制限行為）

第一二条の三　法第三十七条の五第三号の政令で定める行為は、木材その他の物件を投棄し、又は係留する等の行為で海岸管理者が管理する施設又は工作物を損壊するおそれがあると認めて海岸管理者が指定するものとする。

２　第三条第二項の規定は、前項の規定による指定について準用する。

（海岸の保全に著しい支障を及ぼすおそれのある行為の禁止）

第一二条の四　法第三十七条の六第一項第四号の政令で定める海岸の保全に著しい支障を及ぼすおそれのある行為は、次に掲げるものとする。

一　土石（砂を含む。）を捨てること。

二　土地の表層のはく離、たき火その他の行為であつて、動物若しくは動物の卵又は植物の生息地又は生育地の保護に支障を及ぼすおそれがあるため禁止する必要があると認めて海岸管理者が指定するものを行うこと。

２　第三条第二項の規定は、前項第二号の規定による指定について準用する。

（この政令の規定の一般公共海岸区域への準用）

第一二条の五　第三条の三から第五条まで及び第十二条の規定は、一般公共海岸区域について準用する。

（関係主務大臣の協議の内容の公示）

第一三条　法第四十条第三項の公示は、次に掲げる事項を官報に掲載して行うものとする。

一　海岸保全施設の位置及び種類

二　管理を所掌する主務大臣

三　管理を所掌する期間

四　所掌する管理の内容

（権限の委任）

第一四条　法に規定する主務大臣の権限（農林水産大臣の権限のうち漁港区域に係る海岸保全区域に関する事項に係るものを除く。）のうち、第一条の五に規定するもの、法第二十三条の二第一項に規定するもの及び法第二十七条第二項に規定するもの（主務省令で定める工事に係るものを除く。）は、次の表の上欄に掲げる主務大臣の権限ごとに、同表の下欄に掲げる地方支分部局の長に委任する。これらの主務大臣の権限に係る法第三十八条に規定する権限についても、同様とする。

主務大臣の権限	地方支分部局の長
農林水産大臣の権限	地方農政局長及び北海道開発局長
国土交通大臣の権限	地方整備局長及び北海道開発局長

２　法第三十七条の二第一項の規定による主務大臣の権限のうち、国土交通大臣に属する権限は、地方整備局長及び北海道開発局長に委任する。

附　則

（施行期日）

１　この政令は、法施行の日（昭和三十一年十一月十日）から施行する。

（国庫負担率の特例）

２　第八条第一項の規定にかかわらず、昭和三十四年三月三十一日までに施行される同項第二号から第四号までに掲げる工事に要する費用に対する国の負担率は五分の三、同項第五号に掲げる工事に要する費用に対する国の負担率は二分の一とする。昭和三十三年度分の予算に係る負担金の経費の金額で翌年度に繰り越したものについても、同様とする。

３　この政令施行の際現に施行されている第八条第一項各号に掲げる工事で当該工事に要する費用に対する昭和三十一年度分の予算に係る国の補助金の補助率が同項各号又は前項に規定する国の負担率と異なるものに要する費用に対する国の負担率は、当該工事が完了するまでの間においては、第八条第一項及び前項の規定にかかわらず、当該工事に要する費用に対する昭和三十一年度分の予算に係る国の補助金の補助率によるものとする。ただし、当該工事で昭和三十四年四月一日以降において引き続き施行されるものについては、昭和三十三年度分の予算に係る負担金の経費の金額で翌年度に繰り越したものを除き、昭和三十四年四月一日以降においては昭和三十年度分の予算に係る国の補助金の補助率によるものとする。

４　前項本文の規定の適用を受ける工事を施行する海岸管理者が昭和三十二年度以降において新たに施行する第八条第一項第三号から第六号までに掲げる工事で別に政令で定めるものに要する費用に対する国の負担率については、同項及び附則第二項の規定にかかわらず、当分の間、別に政令で定めるところによる。

５　第八条第一項第一号及び第二項から第四項までの規定の昭和六十年度における適用については、同号及び同条第二項中「三分の二」とあるのは「五分の三」と、同条第三項中「五分の三」とあるのは「二十分の十一」と、同条第四項中「五分の三」とあるのは「二十分の十一」と、「二分の一」とあるのは「二分の一（都道県知事が行うものにあつては、三十六分の十七）」とする。

６　第八条第一項第一号及び第二項から第四項までの規定の昭和六十一年度、平成三年度及び平成四年度における適用については、同号及び同条第

二項中「三分の二」とあり、並びに同条第三項及び第四項中「五分の三」とあるのは、「二十分の十二」とする。

7　第八条第一項第一号及び第二項から第四項までの規定の昭和六十二年度から平成二年度までの各年度における適用については、同号中「三分の二」とあるのは「四十分の二十一（北海道において施行されるもの及び離島振興法（昭和二十八年法律第七十二号）第四条第一項の離島振興計画に基づくものにあつては、二十分の十二）」と、同条第二項中「三分の二」とあるのは「四十分の二十一（離島振興法第四条第一項の離島振興計画に基づくもの（同号に掲げる工事を除く。）にあつては、二十分の十二）」と、同条第三項及び第四項中「五分の三」とあるのは「二十分の十一」とする。

（国の貸付金の償還期間等）

8　法附則第七項の政令で定める期間は、五年（二年の据置期間を含む。）とする。

9　前項の期間は、日本電信電話株式会社の株式の売払収入の活用による社会資本の整備の促進に関する特別措置法（昭和六十二年法律第八十六号）第五条第一項の規定により読み替えて準用される補助金等に係る予算の執行の適正化に関する法律（昭和三十年法律第百七十九号）第六条第一項の規定による貸付けの決定（以下「貸付決定」という。）ごとに、当該貸付決定に係る法附則第五項及び第六項の規定による国の貸付金（以下「国の貸付金」という。）の交付を完了した日（その日が当該貸付決定があつた日の属する年度の末日の前日以後の日である場合には、当該年度の末日の前々日）の翌日から起算する。

10　国の貸付金の償還は、均等年賦償還の方法によるものとする。

11　国は、国の財政状況を勘案し、相当と認めるときは、国の貸付金の全部又は一部について、前三項の規定により定められた償還期限を繰り上げて償還させることができる。

12　法附則第十二項の政令で定める場合は、前項の規定により償還期限を繰り上げて償還を行つた場合とする。

附　則〔略〕〔昭和四一・三・三一政令六六〕

附　則〔略〕〔昭和四四・三・二〇政令三〇〕

附　則〔略〕〔昭和四七・一二・八政令四一六〕

附　則〔略〕〔昭和四九・三・一八政令五六〕

附　則〔略〕〔昭和四九・四・一八政令一三一〕

附　則〔略〕〔昭和五〇・四・八政令一一二〕

附　則〔略〕〔昭和五三・四・五政令一一三〕

附　則〔略〕〔昭和五三・七・五政令二八二〕

附　則〔略〕〔昭和五七・三・三〇政令五八〕

附　則〔略〕〔昭和五八・三・三一政令四六〕

附　則〔抄〕〔昭和六〇・三・五政令二四〕

（施行期日）

第一条　この政令は、昭和六十年四月一日から施行する。

（海岸法施行令の一部改正に伴う経過措置）

第一九条　旧塩専売法第六条の規定による許可を受けた者がこの政令の施行前に着手したたばこ事業法等の施行に伴う関係法律の整備等に関する法律（以下「整備法」という。）第一条の規定による廃止前の製塩施設法（昭和二十七年法律第二百二十八号）第二条第四項に規定する製塩施設の新設、改良又は災害復旧の実施に係る行為で海岸法（昭和三十一年法律第百一号）第三条第一項に規定する海岸保全区域内において行うものは、同法第八条第一項の許可を受けた行為とみなす。

附　則〔昭和六〇・五・一八政令一三〇〕

1　この政令は、公布の日から施行する。

2　〔前略〕第五条の規定による改正後の海岸法施行令の昭和六十年度の特例に係る規定は、同年度の予算に係る国の負担又は補助（昭和五十九年度以前の年度の国庫債務負担行為に基づき昭和六十年度に支出すべきものとされた国の負担又は補助を除く。）、昭和六十年度の国庫債務負担行為に基づき昭和六十一年度以降の年度に支出すべきものとされる国の負担又は補助及び昭和六十年度の歳出予算に係る国の負担又は補助で昭和六十一年度以降の年度に繰り越されるものについて適用し、昭和五十九年度以前の年度の国庫債務負担行為に基づき昭和六十年度に支出すべきものとされた国の負担又は補助及び昭和五十九年度以前の年度の歳出予算に係る国の負担又は補助で昭和六十年度に繰り越されたものについては、なお従前の例による。

附　則〔抄〕〔昭和六一・五・八政令一五四〕

（施行期日）

1　この政令は、公布の日から施行する。

（経過措置）

2　改正後の〔中略〕海岸法施行令〔中略〕の規定は、昭和六十一年度から昭和六十三年度までの各年度（昭和六十一年度及び昭和六十二年度の特例に係るものにあつては、昭和六十一年度及び昭和六十二年度。以下この項において同じ。）の予算に係る国の負担又は補助（昭和六十年度以前の年度の国庫債務負担行為に基づき昭和六十一年度以降の年度に支出すべきものとされた国の負担又は補助を除く。）並びに昭和六十一年度から昭和六十三年度までの各年度の国庫債務負担行為に基づき昭和六十四年度（昭和六十一年度及び昭和六十二年度の特例に係るものにあつては、昭和六十三年度。以下この項において同じ。）以降の年度に支出すべきものとされる国の負担又は補助及び昭和六十一年度から昭和六十三年度までの各年度の歳出予算に係る国の負担又は補助で昭和六十四年度以降の年度に繰り越されるものについて適用し、昭和六十年度以前の年度の国庫債務負担行為に基づき昭和六十一年度以降の年度に支出すべきものとされた国の負担又は補助及び昭和六十年度以前の年度の歳出予算に係る国の負担又は補助で昭和六十一年度以降の年度に繰り越されたものについては、なお従前の例による。

附　則〔抄〕〔昭和六二・三・三一政令九八〕

（施行期日）

1　この政令は、昭和六十二年四月一日から施行する。

（経過措置）

2　改正後〔中略〕の規定は、昭和六十二年度及び昭和六十三年度（昭和六十二年度の特例に係るものにあつては、昭和六十二年度。以下この項において同じ。）の予算に係る国の負担又は補助（昭和六十一年度以前の年度の国庫債務負担行為に基づき昭和六十二年度以降の年度に支出すべきものとされた国の負担又は補助を除く。）、昭和六十四年度（昭和六十二年度及び昭和六十三年度の特例に係るものにあつては、昭和六十三年度。以下この項において同じ。）以降の年度に支出すべきものとされる国の負担又は補助並びに昭和六十二年度及び昭和六十三年度の歳出予算に係る国の負担又は補助で昭和六十四年度以降の年度に繰り越されるものについて適用し、昭和六十一年度以前の年度の国庫債務負担行為に基づき昭和六十二年度以降の年度に支出すべきものとされた国の負担又は補助及び昭和六十一年度以前の年度の歳出予算に係る国の負担又は補助で昭和六十二年度以降の年度に繰り越されたものについては、なお従前の例による。

附　則〔抄〕〔平成元・四・一〇政令一〇五〕

1　この政令は、公布の日から施行する。

2　この政令〔中略〕による改正後の政令の規定は、平成元年度及び平成二年度（平成元年度の特例に係るものにあつては、平成元年度。以下この項において同じ。）の予算に係る国の負担（当該国の負担に係る都道府県の負担を含む。以下この項において同じ。）又は補助（昭和六十三年度以前の年度の国庫債務負担行為に基づき平成元年度以降の年度に支出すべきものとされた国の負担又は補助を除く。）、平成元年度及び平成二年度の国庫債務負担行為に基づき平成三年度（平成元年度の特例に係るものにあつては、平成二年度。以下この項において同じ。）以降の年度に支出すべきものとされる国の負担又は補助並びに平成元年度及び平成二年度の歳出予算に係る国の負担又は補助で平成三年度以降の年度に繰り越されるものについて適用し、昭和六十三年度以前の年度の国庫債務負担行為に基づき平成元年度以降の年度に支出すべきものとされた国の負担又は補助及び昭和六十三年度以前の年度の歳出予算に係る国の負担又は補助で平成元年度以降の年度に繰り越されたものについては、なお従前の例による。

附　則〔平成三・三・三〇政令九八〕

改正　平成五・三政九四

（施行期日）

1　この政令は、平成三年四月一日から施行する。

（経過措置）

2　改正後〔中略〕の規定は、平成三年度及び平成四年度の予算に係る国の負担又は補助（平成二年度以前の年度の国庫債務負担行為に基づき平成三年度以降の年度に支出すべきものとされた国の負担又は補助を除く。）、平成三年度及び平成四年度の国庫債務負担行為に基づき平成五年度以降の年度に支出すべきものとされる国の負担又は補助並びに平成三年度及び平成四年度の歳出予算に係る国の負担又は補助で平成五年度以降の年度に繰り越されるものについて適用し、平成二年度以前の年度の国庫債務負担行為に基づき平成三年度以降の年度に支出すべきものとされた国の負担又は補助及び平成二年度以前の年度の歳出予算に係る国の負担又は補助で平成三年度以降の年度に繰り越されたものについては、なお従前の例による。

附　則〔抄〕〔平成五・三・三一政令九三〕

1　この政令は、平成五年四月一日から施行する。

2　この政令〔中略〕による改正後の政令の規定は、平成五年度以降の年度の予算に係る国の負担（当該国の負担に係る都道府県又は市町村の負担を含む。以下この項において同じ。）又は補助（平成四年度以前の年度の国庫債務負担行為に基づき平成五年度以降の年度に支出すべきものとされた国の負担又は補助を除く。）について適用し、平成四年度以前の年度の国庫債務負担行為に基づき平成五年度以降の年度に支出すべきものとされた国の負担又は補助及び平成四年度以前の年度の歳出予算に係る国の負担又は補助で平成五年度以降の年度に繰り越されたものについては、なお従前の例による。

附　則〔略〕〔平成一一・六・二三政令一九五〕

附　則〔略〕〔平成一一・一一・一〇政令三五二〕

附　則〔略〕〔平成一二・三・二九政令一二五〕

附　則〔略〕〔平成一二・六・七政令三一二〕

附　則〔略〕〔平成一二・九・一三政令四二八〕

附　則〔略〕〔平成一四・二・八政令二七〕

附　則〔略〕〔平成一四・三・二五政令六〇〕

附　則〔略〕〔平成一五・三・二六政令七二〕

附　則〔平成一六・一〇・二七政令三二八〕

（施行期日）

第一条　この政令は、平成十七年四月一日から施行する。

（経過措置）

第二条　この政令の施行前に改正前のそれぞれの政令の規定により経済産業局長がした許可、認可その他の処分（鉱山保安法及び経済産業省設置法の一部を改正する法律第二条の規定による改正前の経済産業省設置法（平成十一年法律第九十九号。以下「旧経済産業省設置法」という。）第十二条第二項に規定する経済産業省の所掌事務のうち旧経済産業省設置法第四条第一項第五十九号に掲げる事務に関するものに限る。以下「処分等」という。）は、それぞれの経済産業局長の管轄区域を管轄する産業保安監督部長がした処分等とみなし、この政令の施行前に改正前のそれぞれの政令の規定により経済産業局長に対してした申請、届出その他の行為（旧経済産業省設置法第十二条第二項に規定する経済産業省の所掌事務のうち旧経済産業省設置法第四条第一項第五十九号に掲げる事務に関するものに限る。以下「申請等」という。）は、それぞれの経済産業局長の管轄区域を管轄する産業保安監督部長に対してした申請等とみなす。

附　則〔略〕〔平成二三・一二・二六政令四一四〕

附　則〔略〕〔平成二六・三・二八政令九二〕

附　則〔略〕〔平成二六・八・六政令二七一〕

附　則〔略〕〔平成二六・一二・三政令三八三〕

附　則〔抄〕〔令和二・七・八政令二一七〕

（施行期日）

第一条　この政令は、改正法施行日（令和二年十二月一日）から施行する。〔以下略〕

（罰則に関する経過措置）

第五条　この政令の施行前にした行為及び附則第二条の規定によりなおその効力を有することとされる場合におけるこの政令の施行後にした行為に対する罰則の適用については、なお従前の例による。

附　則〔令和五・一〇・一八政令三〇四〕

この政令は、漁港漁場整備法及び水産業協同組合法の一部を改正する法律の施行の日（令和六年四月一日）から施行する。

○海岸法施行規則〔昭和三一・一一・一〇 農林・運輸・建設省令一〕

改正　昭和三五・三農・運・建令一、昭和四五・五農・運・建令一、昭和六〇・七農・運・建令一、平成六・三農・運・建令一、平成一一・三農・運・建令一、平成一二・三農・運・建令一、一二農・運・建令二、平成一三・三農・国交令一、平成一四・三農・国交令二、四農・国交令三、平成一六・一二農・国交令二、平成二〇・六農・国交令二、平成二三・三国交令三三、平成二六・八農・国交令二、一二農・国交令三、令和元・六農・国交令二、令和二・一二農・国交令二、令和五・一二農・国交令六

（砂浜の指定）

第一条　海岸法（昭和三十一年法律第百一号。以下「法」という。）第二条第一項の規定により海岸管理者が行う砂浜の指定は、砂浜の敷地である土地の区域を指定して行うものとする。

（樹林の指定）

第一条の二　法第二条第一項の規定により海岸管理者が行う樹林の指定は、当該海岸管理者が堤防又は胸壁（以下この条において「堤防等」という。）の損傷等を軽減するため植栽又は保育する樹林の敷地である土地（当該堤防等の敷地である土地又はこれに接する土地であつて当該堤防等の法尻からおおむね二十メートル以内のものに限る。）の区域を指定して行うものとする。

（公共海岸から除かれる土地）

第一条の三　法第二条第二項の他の法令の規定により施設の管理を行う者がその権原に基づき管理する土地は、次の各号に掲げるものとする。

一　砂防法（明治三十年法律第二十九号）第二条の規定により指定された土地

二　軌道法（大正十年法律第七十六号）第三条に規定する運輸事業の用に供されている土地

三　土地改良法（昭和二十四年法律第百九十五号）第九十四条に規定する土地改良財産たる土地

四　漁港及び漁場の整備等に関する法律（昭和二十五年法律第百三十七号）第六条第一項から第四項までの規定により市町村長、都道府県知事又は農林水産大臣が指定した漁港の区域のうち海岸保全区域に指定されていない土地

五　港湾法（昭和二十五年法律第二百十八号）第二条第五項に規定する港湾施設（同条第六項の規定により港湾施設とみなされたものを含む。）の用に供されている土地及び同法第三十七条第一項に規定する港湾隣接地域のうち海岸保全区域に指定されていない土地

六　森林法（昭和二十六年法律第二百四十九号）第二十五条第一項に規定する保安林又は同法第四十一条に規定する保安施設地区
七　道路法（昭和二十七年法律第百八十号）第十八条第一項の規定により決定された道路の区域の土地
八　空港法（昭和三十一年法律第八十号）第四条第一項各号に掲げる空港及び同法第五条第一項に規定する地方管理空港の用に供されている土地
九　都市公園法（昭和三十一年法律第七十九号）第二条第一項に規定する都市公園の用に供されている土地
十　地すべり等防止法（昭和三十三年法律第三十号）第三条第一項に規定する地すべり防止区域の土地
十一　河川法（昭和三十九年法律第百六十七号）第六条第一項に規定する河川区域の土地
十二　急傾斜地の崩壊による災害の防止に関する法律（昭和四十四年法律第五十七号）第三条第一項に規定する急傾斜地崩壊危険区域の土地
十三　鉄道事業法（昭和六十一年法律第九十二号）第二条第一項に規定する鉄道事業の用に供されている土地

（地方公共団体が所有する海岸の土地に係る公共海岸の指定及び公示等）

第一条の四　法第二条第二項の規定により都道府県知事が行う地方公共団体が所有する公共の用に供されている海岸の土地に係る公共海岸の指定は、当該土地が当該都道府県が所有する土地以外の土地の場合にあつては、当該土地を所有する地方公共団体からの申出により行うものとする。

2　法第二条第二項の規定により指定された公共海岸の土地又は水面の公示は、次の各号の一以上により当該公共海岸の土地又は水面の区域を明示して、公報に掲載して行うものとする。
一　市町村、大字、字、小字及び地番
二　一定の地物、施設、工作物又はこれらからの距離及び方向
三　平面図

3　前項の規定は、法第三条第四項、第五条第八項及び第九項並びに第三十七条の三第四項の規定により行う公示について準用する。

（主務大臣の行う直轄工事等の公示）

第一条の五　海岸法施行令（昭和三十一年政令第三百三十二号。以下「令」という。）第一条の五第二項の規定による主務大臣が海岸管理者の意見を聴いて定めた区域の公示は、官報に掲載して行うものとする。

2　主務大臣は、前項の区域の全部又は一部を変更し、又は廃止した場合においては、前項の規定に準じてその旨を公示するものとする。

（主務大臣の行う直轄工事の公示）

第二条　法第六条第三項の規定による海岸保全施設の新設、改良又は災害復旧に関する工事の施行の公示は、次の各号に掲げる事項を官報に掲載して行うものとする。
一　工事の区域
二　工事の種類
三　工事開始の日

2　主務大臣は、前項の工事の全部又は一部を完了し、又は廃止した場合においては、前項の規定に準じてその旨を公示するものとする。

（海岸保全区域の占用の許可）

第三条　法第七条第一項の規定による許可を受けようとする者は、次の各号に掲げる事項を記載した申請書を海岸管理者に提出しなければならない。
一　海岸保全区域の占用の目的
二　海岸保全区域の占用の期間
三　海岸保全区域の占用の場所
四　施設又は工作物の構造
五　工事実施の方法
六　工事実施の期間

（海岸保全区域における制限行為の許可）

第四条　法第八条第一項第一号に該当する行為をしようとするため同条同項の許可を受けようとする者は、次の各号に掲げる事項を記載した申請書を海岸管理者に提出しなければならない。
一　土石（砂を含む。以下同じ。）の採取の目的
二　土石の採取の期間
三　土石の採取の場所
四　土石の採取の方法
五　土石の採取量

2　法第八条第一項第二号に該当する行為をしようとするため同条同項の許可を受けようとする者は、次の各号に掲げる事項を記載した申請書を海岸管理者に提出しなければならない。
一　施設又は工作物を新設又は改築する目的
二　施設又は工作物を新設又は改築する場所
三　新設又は改築する施設又は工作物の構造
四　工事実施の方法
五　工事実施の期間

3　法第八条第一項第三号に該当する行為をしようとするため同条同項の許可を受けようとする者は、次の各号に掲げる事項を記載した申請書を海岸管理者に提出しなければならない。
一　行為の目的
二　行為の内容
三　行為の期間
四　行為の場所
五　行為の方法

（海岸保全区域における制限行為の指定の公示）

第四条の二　令第三条第二項の規定による指定の公示は、官報、公報又は新聞紙に掲載して行うものとする。

（通常の管理行為による処理が困難なもの）

第四条の三　法第八条の二第一項第二号に規定する通常の管理行為による処理が困難なものは、次に掲げるものとする。
一　油
二　海洋汚染等及び海上災害の防止に関する法律（昭和四十五年法律第百三十六号）第三条第三号の政令で定める海洋環境の保全の見地から有害である物質
三　粗大ごみ、建設廃材その他の廃物

（動物の生息地等の保護に支障を及ぼすおそれがある行為の指定の公示）

第四条の四　令第三条の二第二項の規定により準用される令第三条第二項の規定による指定の公示は、官報、公報又は新聞紙に掲載するほか、当該指定に係る区域又はその周辺の見やすい場所に掲示して行うものとする。この場合においては、漁業を営むために通常行われる行為については当該指定に係る行為に該当しない旨を併せて明示するものとする。

2　前項の公示は、当該公示に係る指定の適用の日の十日前までに行わなければならない。ただし、緊急に当該指定の適用を行わなければ海岸の管理に重大な支障を及ぼすおそれがあると認められるときは、この限りでない。

（海岸の保全上支障のある行為を禁止する区域の指定等の公示）

第四条の五　法第八条の二第二項の規定による区域の指定の公示は、当該区域の指定が同条第一項第二号から第四号までのいずれの規定に関するものであるかを明らかにし、第一条の四第二項各号の一以上により当該区域を明示して、官報、公報又は新聞紙に掲載するほか、当該指定に係る区域又はその周辺の見やすい場所に掲示して行うものとする。

2　法第八条の二第二項の規定による物件の指定の公示は、官報、公報又は新聞紙に掲載するほか、当該指定に係る区域又はその周辺の見やすい場所に掲示して行うものとする。

3　前条第二項の規定は、前二項の規定による公示について準用する。

（占用料及び土石採取料の基準）

第五条　法第十一条に規定する占用料又は土石採取料は、近傍類地の地代又は近傍類地における土石採取料等を考慮して定めるものとする。

（保管した他の施設等一覧簿の様式）

第五条の二　令第三条の四第二項の主務省令で定める様式は、別記様式第一とする。

（競争入札における掲示事項等）

第五条の三　令第三条の七第一項及び第二項の主務省令で定める事項は、次に掲げるものとする。
一　当該競争入札の執行を担当する職員の職及び氏名
二　当該競争入札の執行の日時及び場所
三　契約条項の概要
四　その他海岸管理者が必要と認める事項

（他の施設等の返還に係る受領書の様式）

第五条の四　令第三条の八の主務省令で定める様式は、別記様式第二とする。

（操作施設）

第五条の五　法第十四条の二第一項の主務省令で定める施設は、次に掲げるものとする。

一　水門
二　樋門
三　陸閘
四　閘門
五　前各号に掲げるもののほか、津波、高潮等による海水の侵入を防止するために操作を伴う施設

（操作規則）

第五条の六　法第十四条の二第一項の操作規則には、次の各号に掲げる事項を定めなければならない。
一　操作施設の操作の基準に関する事項
二　操作施設の操作の方法に関する事項
三　操作施設の操作の訓練に関する事項
四　操作施設の操作に従事する者の安全の確保に関する事項
五　操作施設及び操作施設を操作するため必要な機械、器具等の点検その他の維持に関する事項
六　操作施設の操作の際にとるべき措置に関する事項
七　その他操作施設の操作に関し必要な事項

（操作規程）

第五条の七　前条の規定は、法第十四条の三第一項の操作規程について準用する。

（維持又は修繕に関する技術的基準等）

第五条の八　法第十四条の五第二項の主務省令で定める海岸管理者が管理する海岸保全施設の維持又は修繕に関する技術的基準その他必要な事項は、次のとおりとする。
一　海岸保全施設の構造又は維持若しくは修繕の状況、海岸保全施設の周辺の状況、海岸保全施設の存する地域の気象の状況その他の状況（以下この条において「海岸保全施設の構造等」という。）を勘案して、海岸保全施設の維持及び修繕を計画的に実施すること。
二　海岸保全施設の構造等を勘案して、適切な時期に、海岸保全施設の巡視を行い、及び障害物の処分その他の海岸保全施設の機能を維持するために必要な措置を講ずること。
三　海岸保全施設の構造等を勘案して、海岸保全施設の定期及び臨時の点検を行うこと。
四　前号の点検その他の方法により海岸保全施設の損傷、腐食その他の劣化その他の変状があることを把握したときは、当該海岸保全施設の適切な維持又は修繕が図られるよう、必要な措置を講ずること。
五　海岸保全施設の点検又は修繕を行つたときは、当該点検又は修繕に関する記録の作成及び保存を適切に行うこと。

（証明書の様式）

第六条　法第十八条第九項の規定による証明書の様式は、別記様式第三（法第六条第二項の規定により主務大臣が海岸管理者に代わつて法第十八条第一項の権限を行う場合にあつては、別記様式第四）とする。

2　法第二十条第四項の規定による証明書の様式は、別記様式第五（法第六条第二項の規定により主務大臣が海岸管理者に代わつて法第二十条第一項の権限を行う場合にあつては、別記様式第六）とする。

（損失の補償の裁決申請書の様式）

第七条　令第四条の規定による裁決申請書の様式は、別記様式第七とし、正本一部及び写し一部を提出するものとする。

（損害補償の手続等）

第七条の二　法第二十三条第五項の規定により損害の補償（現に受けている補償の額の変更を含む。）を受けようとする者（以下この条において「請求者」という。）は、別記様式第七の二による請求書を海岸管理者に提出しなければならない。

2　前項の請求書には、次の各号に掲げる損害補償の種類に応じ、それぞれ当該各号に掲げる図書その他参考となるべき事項を記載した図書を添付しなければならない。ただし、同一の事故又は疾病について同一の種類の損害補償を二回以上請求する場合においては、第二回以降の請求書には、第一号イ、第二号イ及びロ、第三号イ、第四号イ及びハ又は第五号イ及びロに掲げる書面（第二号イ、第三号イ、第四号イ及び第五号イに掲げる書面にあつては、第一号ロに掲げるものを除く。）は、既に海岸管理者に提出されている当該書面の内容に変更がないときは、添付することを要しない。
一　療養補償
イ　請求者の住民票の写し
ロ　請求額の内訳を記載した書面
ハ　療養の内容及び療養に要した費用を証するに足りる書面
二　休業補償
イ　前号イ及びロに掲げる書面
ロ　非常勤消防団員等に係る損害補償の基準を定める政令（昭和三十一年政令第三百三十五号。以下この条において「基準政令」という。）第二条第三項に規定する補償基礎額の算出基礎を記載した書面及び当該算出基礎を証するに足りる書面
ハ　療養のため勤務その他の業務に従事することができなかつた期間及び日数並びにその期間についての給与その他の業務上の収入を得ることができなかつたことを証するに足りる書面
三　傷病補償年金
イ　第一号イ及びロ並びに前号ロに掲げる書面
ロ　療養を開始した日及び障害の程度が基準政令第五条の二第一項第二号に規定する傷病等級に該当することを証するに足りる書面
四　障害補償
イ　第一号イ及びロ並びに第二号ロに掲げる書面
ロ　障害の程度が障害等級（基準政令第六条第二項に規定する障害等級をいう。ハにおいて同じ。）に該当することを証するに足りる書面
ハ　法第二十三条第二項の規定により業務に従事した者（以下この条において「従事者」という。）であつて、既に障害のある者が業務に従事したことによる負傷又は疾病によつて、同一部位についての障害の程度を加重した場合には、当該加重前の障害の部位及び当該障害の程度が障害等級に該当することを証するに足りる書面
五　介護補償
イ　第一号イ及びロに掲げる書面
ロ　基準政令第六条の二第一項に規定する障害の程度により常時又は随時介護を要する状態にあることを証するに足りる書面
ハ　介護補償を受けようとする期間における介護を受けた日、当該介護を受けた場所及び当該介護の事実を証するに足りる書面
六　遺族補償
イ　第一号ロ及び第二号ロに掲げる書面
ロ　従事者の戸籍の謄本又は除かれた戸籍の謄本
ハ　従事者の死亡診断書、死体検案書その他の死亡の事実を証するに足りる書面
ニ　請求者の従事者との続柄及び当該請求者が遺族補償を受けるべき権利を有することを証するに足りる書面
ホ　請求者以外に遺族補償を受ける権利を有する者があるときは、その人数及びこれらの者が遺族補償を受ける権利を有することを証するに足りる書面
ヘ　遺族補償年金を請求する場合にあつては、基準政令第八条の二第一項に規定する遺族の人数及びこれらの者が当該遺族に該当することを証するに足りる書面
ト　遺族補償一時金を請求する場合にあつては、請求者が基準政令第九条の三第一項各号に掲げる者の区分に該当することを証するに足りる書面
七　葬祭補償
イ　第二号ロ並びに前号ロ及びハに掲げる書面
ロ　請求者が従事者について葬祭を行う者であることを証するに足りる書面

3　損害補償を受ける権利を有する者が死亡した場合において、その者が支給を受けるべき損害補償でその支給を受けなかつたものを請求するときは、第一項の請求書には、次に掲げる図書その他参考となるべき事項を記載した図書を添付しなければならない。
一　前項第一号ロに掲げる書面
二　損害補償を受ける権利を有する者の戸籍の謄本又は除かれた戸籍の謄本
三　損害補償を受ける権利を有する者の死亡診断書、死体検案書その他の死亡の事実を証するに足りる書面
四　請求者が当該損害補償を受けるべき権利を有することを証するに足りる書面

4　海岸管理者は、第一項の請求書を受理したときは、これを審査し、補償の可否並びに補償する場合における補償金の額及び支給の方法を決定し、これらを請求者に通知しなければならない。

5　損害補償を受けている者は、当該損害補償の支給を停止すべき事由が生

じた場合は、当該事由を記載した書面及び当該事由が生じたことを証するに足りる書面を海岸管理者に提出しなければならない。

（海岸協力団体として指定することができる法人に準ずる団体）

第七条の三　法第二十三条の三第一項の主務省令で定める団体は、法人でない団体であつて、事務所の所在地、構成員の資格、代表者の選任方法、総会の運営、会計に関する事項その他当該団体の組織及び運営に関する事項を内容とする規約その他これに準ずるものを有しているものとする。

（海岸協力団体の指定）

第七条の四　法第二十三条の三第一項の規定による指定は、法第二十三条の四各号に掲げる業務を行う海岸の区域を明らかにしてするものとする。

（海岸協力団体に対する許可の特例の対象となる行為）

第七条の五　法第二十三条の七の主務省令で定める行為は、次の各号に掲げる許可の区分に応じ、当該各号に定める行為（当該海岸協力団体がその業務を行う海岸の区域において行うものに限る。）とする。

一　法第七条第一項の規定による許可　清掃その他の海岸保全施設等の維持又は海岸環境の整備と保全及び公衆の海岸の適正な利用に関する情報若しくは資料の収集及び提供、調査研究若しくは知識の普及及び啓発のために必要な同項に規定する他の施設等の設置による海岸保全区域の占用

二　法第八条第一項（第一号を除く。）の規定による許可　清掃その他の海岸保全施設等の維持又は海岸環境の整備と保全及び公衆の海岸の適正な利用に関する情報若しくは資料の収集及び提供、調査研究若しくは知識の普及及び啓発のために必要な水面若しくは公共海岸の土地以外の土地における法第七条第一項に規定する他の施設等の新設若しくは改築又は土地の掘削、盛土、切土その他令第三条第一項に定める行為

（海岸保全区域台帳）

第八条　海岸保全区域台帳は、帳簿及び図面をもつて組成するものとする。

2　帳簿及び図面は、一の海岸保全区域（当該海岸保全区域に海岸管理者を異にする区域がある場合及び主務大臣を異にする区域がある場合においてはそれぞれの区域）ごとに調製するものとする。

3　帳簿には、海岸保全区域につき、少なくとも次の各号に掲げる事項を記載するものとし、その様式は、別記様式第八とする。

一　海岸保全区域に指定された年月日

二　海岸保全区域

三　海岸線の延長並びに海岸保全区域の面積及び公共海岸の土地（法第二条第二項の規定により指定された地方公共団体が所有する土地を除く。）の面積

四　法第二条第二項の規定により指定された地方公共団体が所有する土地の区域及び面積並びに指定の年月日

五　法第二条第二項の規定により指定された水面の区域及び指定の年月日

六　法第五条第六項の規定により市町村の長が管理の一部を行う区域、当該市町村名及び管理開始の年月日

七　海岸保全区域の概況

八　海岸保全施設の管理者名（管理者と所有者が異なるときは管理者名及び所有者名）、位置、種類、構造及び数量

4　図面は、平面図、横断図及び水準面図とし、海岸保全区域につき次の各号により調製するものとする。

一　尺度は、メートルを単位とすること。

二　高さ及び潮位は、すべて東京湾中等潮位又は最低水面を基準とし、いずれを基準としたかを明示するとともに、水準基標又は恒久標識にあつては小数点以下三位まで、その他のものにあつては小数点以下二位まで示すこと。

三　平面図については、

イ　縮尺は、原則として二千分の一とすること。

ロ　陸地に係る部分については、原則として二メートルごとに等高線を、水面に係る部分については、原則として二メートルごとに等深線を記入すること。

ハ　公共海岸の土地（法第二条第二項の規定により指定された地方公共団体が所有する土地を除く。）は、黄色をもつて表示すること。

ニ　法第五条第六項の規定により市町村の長が管理の一部を行う区域は、斜線をもつて表示すること。

ホ　海岸保全施設の位置（砂浜又は樹林にあつては、その敷地である土地の区域）及び種類を記号又は色別をもつて表示すること。特に重要な海岸保全施設については、その構造図（各部分の寸法並びに東京湾中等潮位、最低水面、朔望平均満潮面、朔望平均干潮面及び既往最高潮位を記入すること。）を添附し、必要がある場合には縦断図をも添附すること。

ヘ　イからホまでのほか、少なくとも次の事項を記載すること。

(イ)　海岸保全区域の境界線

(ロ)　市町村名、大字名、字名及びその境界線

(ハ)　地形

(ニ)　水準基標又は恒久標識の位置及び高さ

(ホ)　法第七条第一項に規定する他の施設等のうち主要なもの

(ヘ)　法第二条第二項の規定により指定された地方公共団体が所有する土地及び水面の区域

(ト)　法第八条の二第一項各号列記以外の部分の規定により指定された同項第二号から第四号までの規定に係るそれぞれの区域

(チ)　法第三条第一項に規定する保安林及び保安施設地区並びに法第四条第一項に規定する港湾区域、港湾隣接地域、公告水域及び漁港区域

(リ)　方位

(ヌ)　縮尺

(ル)　調製年月日

四　横断図については、

イ　海岸保全施設、地形その他の状況に応じて調製すること。この場合において、横断測量線を朱色破線をもつて平面図に記入すること。

ロ　横縮尺は、原則として五百分の一とし、縦縮尺は、原則として百分の一とすること。

ハ　イ及びロのほか、少なくとも次の事項を記載すること。

(イ)　東京湾中等潮位又は最低水面

(ロ)　海岸保全区域の指定の日の属する年の春分の日における満潮位及び干潮位、朔望平均満潮面、朔望平均干潮面及び既往最高潮位並びに海岸保全施設の高さ

(ハ)　縮尺

(ニ)　調製年月日

五　水準面図については、

イ　様式は、別記様式第九とすること。

ロ　東京湾中等潮位、最低水面、海岸保全区域の指定の日の属する年の春分の日における満潮位及び干潮位、朔望平均満潮面、朔望平均干潮面及び既往最高潮位並びに調製年月日を記載すること。

5　帳簿及び図面の記載事項に変更があつたときは、海岸管理者は、すみやかにこれを訂正しなければならない。

（延滞金）

第九条　法第三十五条第二項に規定する延滞金は、同条第一項に規定する負担金等の額につき年十・七五パーセントの割合で、納期限の翌日からその負担金等の完納の日又は財産差押えの日の前日までの日数により計算した額とする。

（一般公共海岸区域台帳）

第一〇条　一般公共海岸区域台帳は、帳簿及び図面をもつて組成するものとする。

2　帳簿及び図面は、一の一般公共海岸区域（当該一般公共海岸区域に海岸管理者を異にする区域がある場合及び主務大臣を異にする区域がある場合においてはそれぞれの区域）ごとに調製するものとする。

3　帳簿には、一般公共海岸区域につき、少なくとも次の各号に掲げる事項を記載するものとし、その様式は、別記様式第十とする。

一　一般公共海岸区域

二　海岸線の延長及び一般公共海岸区域の土地（法第二条第二項の規定により指定された地方公共団体が所有する土地を除く。）の面積

三　法第二条第二項の規定により指定された地方公共団体が所有する土地の区域及び面積並びに指定の年月日

四　法第二条第二項の規定により指定された水面の区域及び指定の年月日

五　一般公共海岸区域の概況

4　図面は、平面図及び水準面図とし、一般公共海岸区域につき次の各号により調製するものとする。なお、平面図に代えて、航空写真等を用いることができる。

一　尺度は、メートルを単位とすること。

二　潮位は、すべて東京湾中等潮位又は最低水面を基準とし、いずれを基

準としたかを明示するとともに、水準基標又は恒久標識にあつては小数点以下三位まで、その他のものにあつては小数点以下二位まで示すこと。
三　平面図については、
イ　縮尺は、原則として二千五百分の一とすること。
ロ　一般公共海岸区域の土地（法第二条第二項の規定により指定された地方公共団体が所有する土地を除く。）は、黄色をもつて表示すること。
ハ　イ及びロのほか、少なくとも次の事項を記載すること。
(イ)　一般公共海岸区域の境界線
(ロ)　市町村名、大字名、字名及びその境界線
(ハ)　水準基標又は恒久標識の位置及び高さ
(ニ)　法第三十七条の四に規定する施設又は工作物のうち主要なもの
(ホ)　法第二条第二項の規定により指定された地方公共団体が所有する土地
(ヘ)　法第三十七条の六第一項各号列記以外の部分の規定により指定された同項第二号から第四号までの規定に係るそれぞれの区域
(ト)　方位
(チ)　縮尺
(リ)　調製年月日
四　水準面図については、
イ　様式は、別記様式第十一とすること。
ロ　東京湾中等潮位、最低水面、朔望平均満潮面、朔望平均干潮面及び調製年月日を記載すること。
5　帳簿及び図面の記載事項の変更があつたときは、海岸管理者は、速やかにこれを訂正しなければならない。

（一般公共海岸区域への準用）
第十一条　第三条から第五条の四まで、第六条第一項、第七条から第七条の五まで及び第九条の規定は、一般公共海岸区域について準用する。この場合において、第三条及び第七条の五中「第七条第一項」とあるのは「第三十七条の四」と、第四条第一項中「第八条第一項第一号」とあるのは「第三十七条の五第一号」と、同条中「同条同項」とあるのは「同条」と、同条第二項中「第八条第一項第二号」とあるのは「第三十七条の五第二号」と、同条第三項中「第八条第一項第三号」とあるのは「第三十七条の五第三号」と、第四条の二中「第三条第二項」とあるのは「第十二条の三第二項」と、第四条の三中「第八条の二第一項第二号」とあるのは「第三十七条の六第一項第二号」と、第四条の四第一項中「第三条の二第二項」とあるのは「第十二条の四第二項」と、第四条の五第一項及び第二項中「第八条の二第二項」とあるのは「第三十七条の六第二項」と、第六条第一項中「別記様式第三」とあるのは「別記様式第十二」と、第七条の五第一号中「同項」とあるのは「同条」と、同条第二号中「第八条第一項」とあるのは「第三十七条の五」と読み替えるものとする。

（令第十四条第一項の主務省令で定める工事）
第十二条　令第十四条第一項の主務省令で定める工事は、次に掲げるものとする。
一　法第五条第三項から第五項までの規定により港湾管理者の長が管理する海岸保全施設の新設又は改良に関する工事で港湾法第二条第二項に規定する国際戦略港湾、国際拠点港湾又は重要港湾に係るもの
二　令第八条第一項第三号に規定する工事

附　則
この省令は、法施行の日〔昭和三一・一一・一〇〕から施行する。

附　則〔昭和四五・五・一農林・運輸・建設省令一〕
1　この省令は、公布の日から施行する。
2　改正後の海岸法施行規則第九条の規定は、この省令の施行の日の前日以後に到来する納期限に係る延滞金の額の計算について適用し、同日前に到来した納期限に係る延滞金の額の計算については、なお従前の例による。

附　則〔略〕〔平成一二・三・三一農林水産・運輸・建設省令一〕
附　則〔略〕〔平成一二・一二・二八農林水産・運輸・建設省令二〕
附　則〔略〕〔平成一三・三・二一農林水産・国土交通省令一〕
附　則〔略〕〔平成一四・三・二八農林水産・国土交通省令二〕
附　則〔略〕〔平成一四・四・一農林水産・国土交通省令三〕
附　則〔略〕〔平成一六・一二・二農林水産・国土交通省令二〕
附　則〔略〕〔平成二〇・六・一八農林水産・国土交通省令二施行〕
附　則〔略〕〔平成二三・三・三一国土交通省令三三〕
附　則〔平成二六・八・六農林水産・国土交通省令二〕
（施行期日）
1　この省令は、海岸法の一部を改正する法律の施行の日（平成二十六年八月十日）から施行する。
（経過措置）
2　この省令の施行の際現に存する堤防、胸壁及び津波防波堤（以下「堤防等」という。）又は現に工事中の堤防等がこの省令の規定に適合しない場合においては、当該堤防等については、当該規定は適用しない。

附　則〔略〕〔平成二六・一二・一〇農林水産・国土交通省令三〕
附　則〔略〕〔令和二・一二・二三農林水産・国土交通省令二〕
附　則〔令和五・一二・二八農林水産・国土交通省令六〕
この省令は、漁港漁場整備法及び水産業協同組合法の一部を改正する法律の施行の日（令和六年四月一日）から施行する。

別記様式〔略〕

○水防法〔昭和二四・六・四 法律一九三〕

改正　昭和二七・七法二五八、昭和二九・六法一四〇、法一六三、昭和三〇・七法六一、昭和三一・六法一四一、昭和三二・五法一〇五、昭和三三・三法八、昭和三五・六法一一三、昭和四七・六法九四、昭和五七・七法六六、昭和五九・一二法八七、昭和六〇・六法六九、平成六・六法四九、平成七・四法六九、平成一一・七法八七、一二法一六〇、平成一三・六法四六、平成一七・五法三七、平成一八・六法五〇、平成二二・一二法五二、平成二三・八法一〇五、一二法一二四、平成二五・六法三五、法四四、法五四、平成二六・一一法一〇九、平成二七・五法二二、平成二九・五法三一、令和三・五法三〇、法三一、令和五・五法三七

目次
第一章　総則（第一条・第二条）
第二章　水防組織（第三条―第八条）
第三章　水防活動（第九条―第三十二条の三）
第四章　指定水防管理団体（第三十三条―第三十五条）
第五章　水防協力団体（第三十六条―第四十条）
第六章　費用の負担及び補助（第四十一条―第四十四条）
第七章　雑則（第四十五条―第五十一条）
第八章　罰則（第五十二条―第五十五条）
附則

第一章　総則

（目的）
第一条　この法律は、洪水、雨水出水、津波又は高潮に際し、水災を警戒し、防御し、及びこれによる被害を軽減し、もつて公共の安全を保持することを目的とする。
（定義）
第二条　この法律において「雨水出水」とは、一時的に大量の降雨が生じた場合において下水道その他の排水施設に当該雨水を排除できないこと又は下水道その他の排水施設から河川その他の公共の水域若しくは海域に当該雨水を排除できないことによる出水をいう。
2　この法律において「水防管理団体」とは、次条の規定により水防の責任を有する市町村（特別区を含む。以下同じ。）又は水防に関する事務を共同に処理する市町村の組合（以下「水防事務組合」という。）若しくは水

害予防組合をいう。

3　この法律において「水防管理者」とは、水防管理団体である市町村の長又は水防事務組合の管理者若しくは水害予防組合の管理者をいう。

4　この法律において「消防機関」とは、消防組織法（昭和二十二年法律第二百二十六号）第九条に規定する消防の機関をいう。

5　この法律において「消防機関の長」とは、消防本部を置く市町村にあつては消防長を、消防本部を置かない市町村にあつては消防団の長をいう。

6　この法律において「水防計画」とは、水防上必要な監視、警戒、通信、連絡、輸送及びダム又は水門若しくは閘門の操作、水防のための水防団、消防機関及び水防協力団体（第三十六条第一項の規定により指定された水防協力団体をいう。以下第四章までにおいて同じ。）の活動、一の水防管理団体と他の水防管理団体との間における協力及び応援、水防のための活動に必要な河川管理者（河川法（昭和三十九年法律第百六十七号）第七条（同法第百条第一項において準用する場合を含む。）に規定する河川管理者をいう。第七条第三項において同じ。）及び同法第九条第二項又は第五項の規定により都道府県知事又は地方自治法（昭和二十二年法律第六十七号）第二百五十二条の十九第一項の指定都市の長が河川法第九条第二項に規定する指定区間内の一級河川（同法第四条第一項に規定する一級河川をいう。以下同じ。）の管理の一部を行う場合における当該都道府県知事又は当該指定都市の長並びに下水道管理者（下水道法（昭和三十三年法律第七十九号）第四条第一項に規定する公共下水道管理者、同法第二十五条の二十三第一項に規定する流域下水道管理者及び同法第二十七条第一項に規定する都市下水路管理者をいう。第七条第四項において同じ。）の協力並びに水防に必要な器具、資材及び設備の整備及び運用に関する計画をいう。

7　この法律において「量水標等」とは、量水標、験潮儀その他の水位観測施設をいう。

8　この法律において「水防警報」とは、洪水、津波又は高潮によつて災害が発生するおそれがあるとき、水防を行う必要がある旨を警告して行う発表をいう。

第二章　水防組織

（市町村の水防責任）

第三条　市町村は、その区域における水防を十分に果たすべき責任を有する。ただし、水防事務組合が水防を行う区域及び水害予防組合の区域については、この限りでない。

（水防事務組合の設立）

第三条の二　地形の状況により、市町村が単独で前条の責任を果たすことが著しく困難又は不適当であると認められる場合においては、関係市町村は、洪水、雨水出水、津波又は高潮による被害の共通性を勘案して、共同して水防を行う区域を定め、水防事務組合を設けなければならない。

（水害予防組合の区域を水防を行う区域とする水防事務組合が設けられる場合の特別措置）

第三条の三　水害予防組合法（明治四十一年法律第五十号）第十五条第一項の規定により都道府県知事が水害予防組合を廃止しようとする場合において、当該水害予防組合の区域の全部又は一部について、当該水害予防組合に代るべき水防管理団体として引き続き水防事務組合が設けられるときは、都道府県知事は、同条第三項の規定にかかわらず、当該水害予防組合が、その有する財産及び負債のうち水防の用に供せられ、又は供せられる予定となつている財産及びこれらの財産に係る負債以外の財産及び負債の処分を完了したときは、当該水害予防組合を廃止することができる。

2　前項の規定により廃止される水害予防組合は、その廃止の日において有する水防の用に供せられ、又は供せられる予定となつている財産を、当該水害予防組合の区域の全部を水防を行う区域とする一の水防事務組合が設けられる場合においては、当該水防事務組合に、当該水害予防組合の区域について二以上の水防事務組合が設けられる場合又は当該水害予防組合の区域の一部が市町村の水防を行うべき区域となる場合においては、当該水害予防組合と関係水防事務組合又は市町村との協議に基き、関係水防事務組合又は市町村に無償譲渡し、当該水防事務組合又は市町村は、それぞれ、その譲渡される財産に係る負債を引き受けなければならない。この場合においては、当該水害予防組合は、当該財産の譲渡及び負債の引継のために必要な範囲内において、当該財産の譲渡及び負債の引継を完了するまで、なお存続するものとみなす。

（水防事務組合の議会の議員の選挙）

第三条の四　水防事務組合の議会の議員は、組合規約で定めるところにより、関係市町村の議会において、当該市町村の議会の議員の被選挙権を有する者で水防に関し学識経験があり、かつ、熱意があると認められるもののうちから選挙するものとする。ただし、数市町村にわたる水防上の特別の利害を調整する必要があると認められるときは、組合規約で定めるところにより、当該市町村の議会の議員の被選挙権を有する者で水防に関し学識経験があり、かつ、熱意があると認められるものにつき当該市町村の長が推薦した者のうちから選挙することができる。この場合において、市町村の長が推薦した者のうちから選挙される議員の数は、当該市町村の議会において選挙される議員の数の二分の一をこえてはならない。

2　前項の規定により関係市町村の議会において選挙される議員の数は、水防事務組合の行う事業による受益の割合及び防護すべき施設の延長の割合を勘案して定めるものとする。

（水防事務組合の経費の分賦）

第三条の五　水防事務組合の経費の関係市町村に対する分賦は、前条第二項に規定する割合を勘案して定めるものとする。

（都道府県の水防責任）

第三条の六　都道府県は、その区域における水防管理団体が行う水防が十分に行われるように確保すべき責任を有する。

（指定水防管理団体）

第四条　都道府県知事は、水防上公共の安全に重大な関係のある水防管理団体を指定することができる。

（水防の機関）

第五条　水防管理団体は、水防事務を処理するため、水防団を置くことができる。

2　前条の規定により指定された水防管理団体（以下「指定管理団体」という。）は、その区域内にある消防機関が水防事務を十分に処理することができないと認める場合においては、水防団を置かなければならない。

3　水防団及び消防機関は、水防に関しては水防管理者の所轄の下に行動する。

（水防団）

第六条　水防団は、水防団長及び水防団員をもつて組織する。

2　水防団の設置、区域及び組織並びに水防団長及び水防団員の定員、任免、給与及び服務に関する事項は、市町村又は水防事務組合にあつては条例で、水害予防組合にあつては組合会の議決で定める。

（公務災害補償）

第六条の二　水防団長又は水防団員が公務により死亡し、負傷し、若しくは病気にかかり、又は公務による負傷若しくは病気により死亡し、若しくは障害の状態となつたときは、当該水防団長又は水防団員の属する水防管理団体は、政令で定める基準に従い、市町村又は水防事務組合にあつては条例で、水害予防組合にあつては組合会の議決で定めるところにより、その者又はその者の遺族がこれらの原因によつて受ける損害を補償しなければならない。

2　前項の場合においては、水防管理団体は、当該水防団長若しくは水防団員又はその者の遺族の福祉に関して必要な事業を行うように努めなければならない。

（退職報償金）

第六条の三　水防団長又は水防団員で非常勤のものが退職した場合においては、当該水防団長又は水防団員の属する水防管理団体は、市町村又は水防事務組合にあつては条例で、水害予防組合にあつては組合会の議決で定めるところにより、その者（死亡による退職の場合には、その者の遺族）に退職報償金を支給することができる。

（都道府県の水防計画）

第七条　都道府県知事は、水防事務の調整及びその円滑な実施のため、当該都道府県の水防計画を定め、及び毎年当該都道府県の水防計画に検討を加え、必要があると認めるときは、これを変更しなければならない。

2　都道府県の水防計画は、津波の発生時における水防活動その他の危険を伴う水防活動に従事する者の安全の確保が図られるように配慮されたものでなければならない。

3　都道府県知事は、当該都道府県の水防計画に河川管理者（河川法第九条第二項又は第五項の規定により都道府県知事又は地方自治法第二百五十二条の十九第一項の指定都市の長が河川法第九条第二項に規定する指定区間内の一級河川の管理の一部を行う場合にあつては、当該都道府県知事又は当該指定都市の長。以下同じ。）による河川に関する情報の提供、水防訓練への河川管理者の参加その他の水防管理団体が行う水防のための活動に河川管理者の協力が必要な事項を記載しようとするときは、当該事項について、あらかじめ、河川管理者に協議し、その同意を得なければならない。

4　前項の規定は、都道府県知事が、当該都道府県の水防計画に水防管理団体が行う水防のための活動に下水道管理者の協力が必要な事項を記載しようとする場合について準用する。

5　都道府県知事は、第一項の規定により当該都道府県の水防計画を定め、又は変更しようとするときは、あらかじめ、都道府県水防協議会（次条第一項に規定する都道府県水防協議会をいい、これを設置しない都道府県にあつては、災害対策基本法（昭和三十六年法律第二百二十三号）第十四条第一項に規定する都道府県防災会議とする。）に諮らなければならない。

6　二以上の都府県に関係する水防事務については、関係都府県知事は、あらかじめ協定して当該都府県の水防計画を定め、国土交通大臣及び消防庁長官に報告しなければならない。報告した水防計画の変更についても、同様とする。

7　都道府県知事は、第一項又は前項の規定により当該都道府県の水防計画を定め、又は変更したときは、その要旨を公表するよう努めるものとする。

（都道府県水防協議会）

第八条　都道府県の水防計画その他水防に関し重要な事項を調査審議させるため、都道府県に都道府県水防協議会を置くことができる。

2　都道府県水防協議会は、水防に関し関係機関に対して意見を述べることができる。

3　都道府県水防協議会は、会長及び委員をもつて組織する。

4　会長は、都道府県知事をもつて充てる。委員は、関係行政機関の職員並びに水防に関係のある団体の代表者及び学識経験のある者のうちから都道府県知事が命じ、又は委嘱する。

5　前各項に定めるものの外、都道府県水防協議会に関し必要な事項は、当該都道府県の条例で定める。

第三章　水防活動

（河川等の巡視）

第九条　水防管理者、水防団長又は消防機関の長は、随時区域内の河川、海岸堤防、津波防護施設（津波防災地域づくりに関する法律（平成二十三年法律第百二十三号）第二条第十項に規定する津波防護施設をいう。以下この条において同じ。）等を巡視し、水防上危険であると認められる箇所があるときは、直ちに当該河川、海岸堤防、津波防護施設等の管理者に連絡して必要な措置を求めなければならない。

（国の機関が行う洪水予報等）

第一〇条　気象庁長官は、気象等の状況により洪水、津波又は高潮のおそれがあると認められるときは、その状況を国土交通大臣及び関係都道府県知事に通知するとともに、必要に応じ放送機関、新聞社、通信社その他の報道機関（以下「報道機関」という。）の協力を求めて、これを一般に周知させなければならない。

2　国土交通大臣は、二以上の都府県の区域にわたる河川その他の流域面積が大きい河川で洪水により国民経済上重大な損害を生ずるおそれがあるものとして指定した河川について、気象庁長官と共同して、洪水のおそれがあると認められるときは水位又は流量を、はん濫した後においては水位若しくは流量又ははん濫により浸水する区域及びその水深を示して当該河川の状況を関係都道府県知事に通知するとともに、必要に応じ報道機関の協力を求めて、これを一般に周知させなければならない。

3　都道府県知事は、前二項の規定による通知を受けた場合においては、直ちに都道府県の水防計画で定める水防管理者及び量水標管理者（量水標等の管理者をいう。以下同じ。）に、その受けた通知に係る事項（量水標管理者にあつては、洪水又は高潮に係る事項に限る。）を通知しなければならない。

（都道府県知事が行う洪水予報）

第一一条　都道府県知事は、前条第二項の規定により国土交通大臣が指定した河川以外の流域面積が大きい河川で洪水により相当な損害を生ずるおそれがあるものとして指定した河川について、洪水のおそれがあると認められるときは、気象庁長官と共同して、その状況を水位又は流量を示して直ちに都道府県の水防計画で定める水防管理者及び量水標管理者に通知するとともに、必要に応じ報道機関の協力を求めて、これを一般に周知させなければならない。

2　都道府県知事は、前項の規定による指定をしようとするときは、気象庁長官に協議するものとする。

（情報の提供の求め等）

第一一条の二　都道府県知事は、前条第一項の規定による通知及び周知を行うため必要があると認めるときは、国土交通大臣に対し、当該通知及び周知に係る河川の水位又は流量に関する情報であつて、第十条第二項の規定により国土交通大臣が指定した河川について国土交通大臣が洪水のおそれを予測する過程で取得したものの提供を求めることができる。

2　国土交通大臣は、前項の規定による求めがあつたときは、同項に規定する情報を当該都道府県知事及び気象庁長官に提供するものとする。

3　前項の規定による情報の提供については、気象業務法（昭和二十七年法律第百六十五号）第十七条及び第二十三条の規定は、適用しない。

（水位の通報及び公表）

第一二条　都道府県の水防計画で定める水防管理者又は量水標管理者は、洪水若しくは高潮のおそれがあることを自ら知り、又は第十条第三項若しくは第十一条第一項の規定による通知を受けた場合において、量水標等の示す水位が都道府県知事の定める通報水位を超えるときは、その水位の状況を、都道府県の水防計画で定めるところにより、関係者に通報しなければならない。

2　都道府県の水防計画で定める量水標管理者は、量水標等の示す水位が警戒水位（前項の通報水位を超える水位であつて洪水又は高潮による災害の発生を警戒すべきものとして都道府県知事が定める水位をいう。以下同じ。）を超えるときは、その水位の状況を、都道府県の水防計画で定めるところにより、公表しなければならない。

（国土交通大臣又は都道府県知事が行う洪水に係る水位情報の通知及び周知）

第一三条　国土交通大臣は、第十条第二項の規定により指定した河川以外の河川のうち、河川法第九条第二項に規定する指定区間外の一級河川で洪水により国民経済上重大な損害を生ずるおそれがあるものとして指定した河川について、洪水特別警戒水位（警戒水位を超える水位であつて洪水による災害の発生を特に警戒すべき水位をいう。次項において同じ。）を定め、当該河川の水位がこれに達したときは、その旨を当該河川の水位又は流量を示して関係都道府県知事に通知するとともに、必要に応じ報道機関の協力を求めて、これを一般に周知させなければならない。

2　都道府県知事は、第十条第二項又は第十一条第一項の規定により国土交通大臣又は自らが指定した河川以外の河川のうち、河川法第九条第二項に規定する指定区間内の一級河川又は同法第五条第一項に規定する二級河川で洪水により相当な損害を生ずるおそれがあるものとして指定した河川について、洪水特別警戒水位を定め、当該河川の水位がこれに達したときは、その旨を当該河川の水位又は流量を示して直ちに都道府県の水防計画で定める水防管理者及び量水標管理者に通知するとともに、必要に応じ報道機関の協力を求めて、これを一般に周知させなければならない。

3　都道府県知事は、第一項の規定による通知を受けた場合においては、直ちに都道府県の水防計画で定める水防管理者及び量水標管理者に、その受けた通知に係る事項を通知しなければならない。

（都道府県知事又は市町村長が行う雨水出水に係る水位情報の通知及び周知）

第一三条の二　都道府県知事は、当該都道府県が管理する公共下水道等（下水道法第二条第三号に規定する公共下水道、同条第四号に規定する流域下水道又は同条第五号に規定する都市下水路をいう。以下この条及び第十四条の二において同じ。）の排水施設等（排水施設又はこれを補完するポンプ施設若しくは貯留施設をいう。以下この条において同じ。）で雨水出水により相当な損害を生ずるおそれがあるものとして指定したものについて、雨水出水特別警戒水位（雨水出水による災害の発生を特に警戒すべき水位（公共下水道等の排水施設等の底面から水面までの高さをいう。以下この条において同じ。）をいう。次項において同じ。）を定め、当該排水施設等の水位がこれに達したときは、その旨を当該排水施設等の水位を示して直ちに当該都道府県の水防計画で定める水防管理者及び量水標管理者に通知するとともに、必要に応じ報道機関の協力を求めて、これを一般に周知させなければならない。

2　市町村長は、当該市町村が管理する公共下水道等の排水施設等で雨水出水により相当な損害を生ずるおそれがあるものとして指定したものについて、雨水出水特別警戒水位を定め、当該排水施設等の水位がこれに達したときは、その旨を当該排水施設等の水位を示して直ちに当該市町村の存する都道府県の水防計画で定める水防管理者及び量水標管理者に通知するとともに、必要に応じ報道機関の協力を求めて、これを一般に周知させなければならない。

（都道府県知事が行う高潮に係る水位情報の通知及び周知）

第一三条の三　都道府県知事は、当該都道府県の区域内に存する海岸で高潮により相当な損害を生ずるおそれがあるものとして指定したものについて、高潮特別警戒水位（警戒水位を超える水位であつて高潮による災害の発生を特に警戒すべき水位をいう。）を定め、当該海岸の水位がこれに達したときは、その旨を当該海岸の水位を示して直ちに当該都道府県の水防計画で定める水防管理者及び量水標管理者に通知するとともに、必要に応じ報道機関の協力を求めて、これを一般に周知させなければならない。

（関係市町村長への通知）

第一三条の四　第十条第二項若しくは第十三条第一項の規定により通知をした国土交通大臣又は第十一条第一項、第十三条第二項、第十三条の二第一項若しくは前条の規定により通知をした都道府県知事は、災害対策基本法第六十条第一項の規定による避難のための立退きの指示又は同条第三項の規定による緊急安全確保措置の指示の判断に資するため、関係市町村の長にその通知に係る事項を通知しなければならない。

（洪水浸水想定区域）

第一四条　国土交通大臣は、次に掲げる河川について、洪水時の円滑かつ迅速な避難を確保し、又は浸水を防止することにより、水災による被害の軽減を図るため、国土交通省令で定めるところにより、想定最大規模降雨（想定し得る最大規模の降雨であつて国土交通大臣が定める基準に該当するものをいう。以下同じ。）により当該河川が氾濫した場合に浸水が想定される区域を洪水浸水想定区域として指定するものとする。

一　第十条第二項又は第十三条第一項の規定により指定した河川

二　特定都市河川浸水被害対策法（平成十五年法律第七十七号）第三条第一項の規定により指定した河川

三　前二号に掲げるもののほか、河川法第九条第二項に規定する指定区間外の一級河川のうち洪水による災害の発生を警戒すべきものとして国土交通省令で定める基準に該当するもの

2　都道府県知事は、次に掲げる河川について、洪水時の円滑かつ迅速な避難を確保し、又は浸水を防止することにより、水災による被害の軽減を図るため、国土交通省令で定めるところにより、想定最大規模降雨により当該河川が氾濫した場合に浸水が想定される区域を洪水浸水想定区域として指定するものとする。

一　第十一条第一項又は第十三条第二項の規定により指定した河川

二　特定都市河川浸水被害対策法第三条第四項から第六項までの規定により指定した河川

三　前二号に掲げるもののほか、河川法第九条第二項に規定する指定区間内の一級河川又は同法第五条第一項に規定する二級河川のうち洪水による災害の発生を警戒すべきものとして国土交通省令で定める基準に該当するもの

3　前二項の規定による指定は、指定の区域、浸水した場合に想定される水深その他の国土交通省令で定める事項を明らかにしてするものとする。

4　国土交通大臣又は都道府県知事は、第一項又は第二項の規定による指定をしたときは、国土交通省令で定めるところにより、前項の国土交通省令で定める事項を公表するとともに、関係市町村の長に通知しなければならない。

5　前二項の規定は、第一項又は第二項の規定による指定の変更について準用する。

（雨水出水浸水想定区域）

第一四条の二　都道府県知事は、当該都道府県が管理する次に掲げる排水施設について、雨水出水時の円滑かつ迅速な避難を確保し、又は浸水を防止することにより、水災による被害の軽減を図るため、国土交通省令で定めるところにより、想定最大規模降雨により当該排水施設に雨水を排除できなくなつた場合又は当該排水施設（第一号に掲げる排水施設にあつては、第十三条の二第一項の規定による指定に係るポンプ施設又は貯留施設に接続する排水施設を含む。）から河川その他の公共の水域若しくは海域に雨水を排除できなくなつた場合に浸水が想定される区域を雨水出水浸水想定区域として指定するものとする。

一　第十三条の二第一項の規定による指定に係る排水施設

二　下水道法第二十五条の二に規定する浸水被害対策区域内に存する公共下水道等の排水施設

三　特定都市河川浸水被害対策法第三条第三項の規定により指定され、又は同条第四項、同条第五項において準用する同条第三項若しくは同条第六項の規定により指定した特定都市河川流域内に存する公共下水道等の排水施設

四　前三号に掲げるもののほか、雨水出水による災害の発生を警戒すべきものとして国土交通省令で定める基準に該当する公共下水道等の排水施設

2　市町村長は、当該市町村が管理する次に掲げる排水施設について、雨水出水時の円滑かつ迅速な避難を確保し、又は浸水を防止することにより、水災による被害の軽減を図るため、国土交通省令で定めるところにより、想定最大規模降雨により当該排水施設に雨水を排除できなくなつた場合又は当該排水施設（第一号に掲げる排水施設にあつては、第十三条の二第二項の規定による指定に係るポンプ施設又は貯留施設に接続する排水施設を含む。）から河川その他の公共の水域若しくは海域に雨水を排除できなくなつた場合に浸水が想定される区域を雨水出水浸水想定区域として指定するものとする。

一　第十三条の二第二項の規定による指定に係る排水施設

二　下水道法第二十五条の二に規定する浸水被害対策区域内に存する公共下水道等の排水施設

三　特定都市河川浸水被害対策法第三条第三項（同条第五項において準用する場合を含む。）及び第四項から第六項までの規定により指定された特定都市河川流域内に存する公共下水道等の排水施設

四　前三号に掲げるもののほか、雨水出水による災害の発生を警戒すべきものとして国土交通省令で定める基準に該当する公共下水道等の排水施設

3　前二項の規定による指定は、指定の区域、浸水した場合に想定される水深その他の国土交通省令で定める事項を明らかにしてするものとする。

4　都道府県知事又は市町村長は、第一項又は第二項の規定による指定をしたときは、国土交通省令で定めるところにより、前項の国土交通省令で定める事項を公表するとともに、都道府県知事にあつては、関係市町村の長に通知しなければならない。

5　前二項の規定は、第一項又は第二項の規定による指定の変更について準用する。

（高潮浸水想定区域）

第一四条の三　都道府県知事は、次に掲げる海岸について、高潮時の円滑かつ迅速な避難を確保し、又は浸水を防止することにより、水災による被害の軽減を図るため、国土交通省令で定めるところにより、想定し得る最大規模の高潮であつて国土交通大臣が定める基準に該当するものにより当該海岸について高潮による氾濫が発生した場合に浸水が想定される区域を高潮浸水想定区域として指定するものとする。

一　第十三条の三の規定により指定した海岸

二　前号に掲げるもののほか、当該都道府県の区域内に存する海岸のうち高潮による災害の発生を警戒すべきものとして国土交通省令で定める基準に該当するもの

2　前項の規定による指定は、指定の区域、浸水した場合に想定される水深その他の国土交通省令で定める事項を明らかにしてするものとする。

3　都道府県知事は、第一項の規定による指定をしたときは、国土交通省令で定めるところにより、前項の国土交通省令で定める事項を公表するとともに、関係市町村の長に通知しなければならない。

4　前二項の規定は、第一項の規定による指定の変更について準用する。

（浸水想定区域における円滑かつ迅速な避難の確保及び浸水の防止のための措置）

第一五条　市町村防災会議（災害対策基本法第十六条第一項に規定する市町村防災会議をいい、これを設置しない市町村にあつては、当該市町村の長とする。次項において同じ。）は、第十四条第一項若しくは第二項の規定による洪水浸水想定区域の指定、第十四条の二第一項若しくは第二項の規定による雨水出水浸水想定区域の指定又は前条第一項の規定による高潮浸

水想定区域の指定があつたときは、市町村地域防災計画（同法第四十二条第一項に規定する市町村地域防災計画をいう。以下同じ。）において、少なくとも当該洪水浸水想定区域、雨水出水浸水想定区域又は高潮浸水想定区域ごとに、次に掲げる事項について定めるものとする。ただし、第四号ハに掲げる施設について同号に掲げる事項を定めるのは、当該施設の所有者又は管理者からの申出があつた場合に限る。

一　洪水予報等（第十条第一項若しくは第二項又は第十一条第一項の規定により気象庁長官、国土交通大臣及び気象庁長官又は都道府県知事及び気象庁長官が行う予報、第十三条第一項若しくは第二項、第十三条の二又は第十三条の三の規定により国土交通大臣、都道府県知事又は市町村長が通知し又は周知する情報その他人的災害を生ずるおそれがある洪水、雨水出水又は高潮に関する情報をいう。次項において同じ。）の伝達方法

二　避難施設その他の避難場所及び避難路その他の避難経路に関する事項

三　災害対策基本法第四十八条第一項の防災訓練として市町村長が行う洪水、雨水出水又は高潮に係る避難訓練の実施に関する事項

四　浸水想定区域（洪水浸水想定区域、雨水出水浸水想定区域又は高潮浸水想定区域をいう。第三項において同じ。）内に次に掲げる施設がある場合にあつては、これらの施設の名称及び所在地

イ　地下街等（地下街その他地下に設けられた不特定かつ多数の者が利用する施設（地下に建設が予定されている施設又は地下に建設中の施設であつて、不特定かつ多数の者が利用すると見込まれるものを含む。）をいう。次条において同じ。）でその利用者の洪水時、雨水出水時又は高潮時（以下「洪水時等」という。）の円滑かつ迅速な避難の確保及び洪水時等の浸水の防止を図る必要があると認められるもの

ロ　要配慮者利用施設（社会福祉施設、学校、医療施設その他の主として防災上の配慮を要する者が利用する施設をいう。第十五条の三において同じ。）でその利用者の洪水時等の円滑かつ迅速な避難の確保を図る必要があると認められるもの

ハ　大規模な工場その他の施設（イ又はロに掲げるものを除く。）であつて国土交通省令で定める基準を参酌して市町村の条例で定める用途及び規模に該当するもの（第十五条の四において「大規模工場等」という。）でその洪水時等の浸水の防止を図る必要があると認められるもの

五　その他洪水時等の円滑かつ迅速な避難の確保を図るために必要な事項

2　市町村防災会議は、前項の規定により市町村地域防災計画において同項第四号に掲げる事項を定めるときは、当該市町村地域防災計画において、次の各号に掲げる施設の区分に応じ、当該各号に定める者への洪水予報等の伝達方法を定めるものとする。

一　前項第四号イに掲げる施設（地下に建設が予定されている施設及び地下に建設中の施設を除く。）　当該施設の所有者又は管理者及び次条第九項に規定する自衛水防組織の構成員

二　前項第四号ロに掲げる施設　当該施設の所有者又は管理者（第十五条の三第七項の規定により自衛水防組織が置かれたときは、当該施設の所有者又は管理者及び当該自衛水防組織の構成員）

三　前項第四号ハに掲げる施設　当該施設の所有者又は管理者（第十五条の四第一項の規定により自衛水防組織が置かれたときは、当該施設の所有者又は管理者及び当該自衛水防組織の構成員）

3　浸水想定区域をその区域に含む市町村の長は、国土交通省令で定めるところにより、市町村地域防災計画において定められた第一項各号に掲げる事項を住民、滞在者その他の者（第十五条の十一において「住民等」という。）に周知させるため、これらの事項（次の各号に掲げる区域をその区域に含む市町村にあつては、それぞれ当該各号に定める事項を含む。）を記載した印刷物の配布その他の必要な措置を講じなければならない。

一　土砂災害警戒区域等における土砂災害防止対策の推進に関する法律（平成十二年法律第五十七号）第七条第一項の土砂災害警戒区域　同法第八条第三項に規定する事項

二　津波防災地域づくりに関する法律第五十三条第一項の津波災害警戒区域　同法第五十五条に規定する事項

（地下街等の利用者の避難の確保及び浸水の防止のための措置に関する計画の作成等）

第一五条の二　前条第一項の規定により市町村地域防災計画にその名称及び所在地を定められた地下街等の所有者又は管理者は、単独で又は共同して、国土交通省令で定めるところにより、当該地下街等の利用者の洪水時等の円滑かつ迅速な避難の確保及び洪水時等の浸水の防止を図るために必要な訓練その他の措置に関する計画を作成しなければならない。

2　前項の地下街等の所有者又は管理者は、同項に規定する計画を作成しようとする場合において、当該地下街等と連続する施設であつてその配置その他の状況に照らし当該地下街等の利用者の洪水時等の円滑かつ迅速な避難の確保に著しい支障を及ぼすおそれのあるものがあるときは、あらかじめ、当該施設の所有者又は管理者の意見を聴くよう努めるものとする。

3　第一項の地下街等の所有者又は管理者は、同項に規定する計画を作成したときは、遅滞なく、これを市町村長に報告するとともに、公表しなければならない。

4　前二項の規定は、第一項に規定する計画の変更について準用する。

5　市町村長は、第一項の地下街等の利用者の洪水時等の円滑かつ迅速な避難の確保及び洪水時等の浸水の防止を図るため必要があると認めるときは、前条第一項の規定により市町村地域防災計画にその名称及び所在地を定められた連続する二以上の地下街等の所有者又は管理者に対し、第一項に規定する計画を共同して作成するよう勧告をすることができる。

6　市町村長は、第一項の地下街等の所有者又は管理者が同項に規定する計画を作成していない場合において、当該地下街等の利用者の洪水時等の円滑かつ迅速な避難の確保及び洪水時等の浸水の防止を図るため必要があると認めるときは、当該地下街等の所有者又は管理者に対し、必要な指示をすることができる。

7　市町村長は、前項の規定による指示を受けた第一項の地下街等の所有者又は管理者が、正当な理由がなく、その指示に従わなかつたときは、その旨を公表することができる。

8　第一項の地下街等（地下に建設が予定されている施設及び地下に建設中の施設を除く。以下この条において同じ。）の所有者又は管理者は、同項に規定する計画で定めるところにより、同項の地下街等の利用者の洪水時等の円滑かつ迅速な避難の確保及び洪水時等の浸水の防止のための訓練を行わなければならない。

9　第一項の地下街等の所有者又は管理者は、国土交通省令で定めるところにより、同項の地下街等の利用者の洪水時等の円滑かつ迅速な避難の確保及び洪水時等の浸水の防止を行う自衛水防組織を置かなければならない。

10　第一項の地下街等の所有者又は管理者は、前項の規定により自衛水防組織を置いたときは、遅滞なく、当該自衛水防組織の構成員その他の国土交通省令で定める事項を市町村長に報告しなければならない。当該事項を変更したときも、同様とする。

（要配慮者利用施設の利用者の避難の確保のための措置に関する計画の作成等）

第一五条の三　第十五条第一項の規定により市町村地域防災計画にその名称及び所在地を定められた要配慮者利用施設の所有者又は管理者は、国土交通省令で定めるところにより、当該要配慮者利用施設の利用者の洪水時等の円滑かつ迅速な避難の確保を図るために必要な訓練その他の措置に関する計画を作成しなければならない。

2　前項の要配慮者利用施設の所有者又は管理者は、同項の規定による計画を作成したときは、遅滞なく、これを市町村長に報告しなければならない。これを変更したときも、同様とする。

3　市町村長は、第一項の要配慮者利用施設の所有者又は管理者が同項に規定する計画を作成していない場合において、当該要配慮者利用施設の利用者の洪水時等の円滑かつ迅速な避難の確保を図るため必要があると認めるときは、当該要配慮者利用施設の所有者又は管理者に対し、必要な指示をすることができる。

4　市町村長は、前項の規定による指示を受けた第一項の要配慮者利用施設の所有者又は管理者が、正当な理由がなく、その指示に従わなかつたときは、その旨を公表することができる。

5　第一項の要配慮者利用施設の所有者又は管理者は、同項に規定する計画で定めるところにより、同項の要配慮者利用施設の利用者の洪水時等の円滑かつ迅速な避難の確保のための訓練を行うとともに、その結果を市町村長に報告しなければならない。

6　市町村長は、第二項又は前項の規定により報告を受けたときは、第一項の要配慮者利用施設の所有者又は管理者に対し、当該要配慮者利用施設の利用者の洪水時等の円滑かつ迅速な避難の確保を図るために必要な助言又は勧告をすることができる。

7　第一項の要配慮者利用施設の所有者又は管理者は、国土交通省令で定めるところにより、同項の要配慮者利用施設の利用者の洪水時等の円滑かつ迅速な避難の確保を行う自衛水防組織を置くよう努めなければならない。

8　第一項の要配慮者利用施設の所有者又は管理者は、前項の規定により自衛水防組織を置いたときは、遅滞なく、当該自衛水防組織の構成員その他の国土交通省令で定める事項を市町村長に報告しなければならない。当該事項を変更したときも、同様とする。

（大規模工場等における浸水の防止のための措置に関する計画の作成等）

第一五条の四　第十五条第一項の規定により市町村地域防災計画にその名称及び所在地を定められた大規模工場等の所有者又は管理者は、国土交通省令で定めるところにより、当該大規模工場等の洪水時等の浸水の防止を図るために必要な訓練その他の措置に関する計画を作成するとともに、当該計画で定めるところにより当該大規模工場等の洪水時等の浸水の防止のための訓練を実施するほか、当該大規模工場等の洪水時等の浸水の防止を行う自衛水防組織を置くよう努めなければならない。

2　前項の大規模工場等の所有者又は管理者は、同項の規定による計画を作成し、又は自衛水防組織を置いたときは、遅滞なく、当該計画又は当該自衛水防組織の構成員その他の国土交通省令で定める事項を市町村長に報告しなければならない。当該計画又は当該事項を変更したときも、同様とする。

（市町村防災会議の協議会が設置されている場合の準用）

第一五条の五　第十五条から前条までの規定は、災害対策基本法第十七条第一項の規定により水災による被害の軽減を図るため市町村防災会議の協議会が設置されている場合について準用する。この場合において、第十五条第一項中「市町村防災会議（災害対策基本法第十六条第一項に規定する市町村防災会議をいい、これを設置しない市町村にあつては、当該市町村の長とする」とあるのは「市町村防災会議の協議会（災害対策基本法第十七条第一項に規定する市町村防災会議の協議会をいう」と、「市町村地域防災計画（同法第四十二条第一項に規定する市町村地域防災計画をいう」とあるのは「市町村相互間地域防災計画（同法第四十四条第一項に規定する市町村相互間地域防災計画をいう」と、同条第二項中「市町村防災会議」とあるのは「市町村防災会議の協議会」と、同項、同条第三項、第十五条の二第一項及び第五項、第十五条の三第一項並びに前条第一項中「市町村地域防災計画」とあるのは「市町村相互間地域防災計画」と読み替えるものとする。

（浸水被害軽減地区の指定等）

第一五条の六　水防管理者は、洪水浸水想定区域（当該区域に隣接し、又は近接する区域を含み、河川区域（河川法第六条第一項に規定する河川区域をいう。）を除く。）内で輪中堤防その他の帯状の盛土構造物が存する土地（その状況がこれに類するものとして国土交通省令で定める土地を含む。）の区域であつて浸水の拡大を抑制する効用があると認められるものを浸水被害軽減地区として指定することができる。

2　水防管理者は、前項の規定による指定をしようとするときは、あらかじめ、当該指定をしようとする区域をその区域に含む市町村の長の意見を聴くとともに、当該指定をしようとする区域内の土地の所有者の同意を得なければならない。

3　水防管理者は、第一項の規定による指定をするときは、国土交通省令で定めるところにより、当該浸水被害軽減地区を公示するとともに、その旨を当該浸水被害軽減地区をその区域に含む市町村の長及び当該浸水被害軽減地区内の土地の所有者に通知しなければならない。

4　第一項の規定による指定は、前項の規定による公示によつてその効力を生ずる。

5　前三項の規定は、第一項の規定による指定の解除について準用する。

（標識の設置等）

第一五条の七　水防管理者は、前条第一項の規定により浸水被害軽減地区を指定したときは、国土交通省令で定める基準を参酌して、市町村又は水防事務組合にあつては条例で、水害予防組合にあつては組合会の議決で定めるところにより、浸水被害軽減地区の区域内に、浸水被害軽減地区である旨を表示した標識を設けなければならない。

2　浸水被害軽減地区内の土地の所有者、管理者又は占有者は、正当な理由がない限り、前項の標識の設置を拒み、又は妨げてはならない。

3　何人も、第一項の規定により設けられた標識を水防管理者の承諾を得ないで移転し、若しくは除却し、又は汚損し、若しくは損壊してはならない。

4　水防管理団体は、第一項の規定による行為により損失を受けた者に対して、時価によりその損失を補償しなければならない。

（行為の届出等）

第一五条の八　浸水被害軽減地区内の土地において土地の掘削、盛土又は切土その他土地の形状を変更する行為をしようとする者は、当該行為に着手する日の三十日前までに、国土交通省令で定めるところにより、行為の種類、場所、設計又は施行方法、着手予定日その他国土交通省令で定める事項を水防管理者に届け出なければならない。ただし、通常の管理行為、軽易な行為その他の行為で政令で定めるもの及び非常災害のため必要な応急措置として行う行為については、この限りでない。

2　水防管理者は、前項の規定による届出を受けたときは、国土交通省令で定めるところにより、当該届出の内容を、当該浸水被害軽減地区をその区域に含む市町村の長に通知しなければならない。

3　水防管理者は、第一項の規定による届出があつた場合において、当該浸水被害軽減地区が有する浸水の拡大を抑制する効用を保全するため必要があると認めるときは、当該届出をした者に対して、必要な助言又は勧告をすることができる。

（大規模氾濫減災協議会）

第一五条の九　国土交通大臣は、第十条第二項又は第十三条第一項の規定により指定した河川について、想定最大規模降雨により当該河川が氾濫した場合の水災による被害の軽減に資する取組を総合的かつ一体的に推進するために必要な協議を行うための協議会（以下この条において「大規模氾濫減災協議会」という。）を組織するものとする。

2　大規模氾濫減災協議会は、次に掲げる者をもつて構成する。

一　国土交通大臣

二　当該河川の存する都道府県の知事

三　当該河川の存する市町村の長

四　当該河川の存する区域をその区域に含む水防管理団体の水防管理者

五　当該河川の河川管理者

六　当該河川の存する区域の全部又は一部を管轄する管区気象台長、沖縄気象台長又は地方気象台長

七　第三号の市町村に隣接する市町村の長その他の国土交通大臣が必要と認める者

3　大規模氾濫減災協議会において協議が調つた事項については、大規模氾濫減災協議会の構成員は、その協議の結果を尊重しなければならない。

4　前三項に定めるもののほか、大規模氾濫減災協議会の運営に関し必要な事項は、大規模氾濫減災協議会が定める。

（都道府県大規模氾濫減災協議会）

第一五条の一〇　都道府県知事は、第十一条第一項又は第十三条第二項の規定により指定した河川について、想定最大規模降雨により当該河川が氾濫した場合の水災による被害の軽減に資する取組を総合的かつ一体的に推進するために必要な協議を行うための協議会（以下この条において「都道府県大規模氾濫減災協議会」という。）を組織することができる。

2　都道府県大規模氾濫減災協議会は、次に掲げる者をもつて構成する。

一　当該都道府県知事

二　当該河川の存する市町村の長

三　当該河川の存する区域をその区域に含む水防管理団体の水防管理者

四　当該河川の河川管理者

五　当該河川の存する区域の全部又は一部を管轄する管区気象台長、沖縄気象台長又は地方気象台長

六　第二号の市町村に隣接する市町村の長その他の当該都道府県知事が必要と認める者

3　前条第三項及び第四項の規定は、都道府県大規模氾濫減災協議会について準用する。この場合において、同項中「前三項」とあるのは、「次条第一項及び第二項並びに同条第三項において準用する前項」と読み替えるものとする。

（予想される水災の危険の周知等）

第一五条の一一　市町村長は、当該市町村の区域内に存する河川（第十条第二項、第十一条第一項又は第十三条第一項若しくは第二項の規定により指定された河川を除く。）のうち、洪水時の円滑かつ迅速な避難を確保することが特に必要と認める河川について、過去の降雨により当該河川が氾濫した際に浸水した地点、その水深その他の状況を把握するよう努めるとともに、これを把握したときは、当該河川において予想される水災の危険を

住民等に周知させなければならない。

（河川管理者の援助等）

第一五条の一二　河川管理者は、第十五条の六第一項の規定により浸水被害軽減地区の指定をしようとする水防管理者及び前条の規定により浸水した地点、その水深その他の状況を把握しようとする市町村長に対し、必要な情報提供、助言その他の援助を行うものとする。

2　河川管理者は、前項の規定による援助を行うため必要があると認めるときは、河川法第五十八条の八第一項の規定により指定した河川協力団体に必要な協力を要請することができる。

（水防警報）

第一六条　国土交通大臣は、洪水、津波又は高潮により国民経済上重大な損害を生ずるおそれがあると認めて指定した河川、湖沼又は海岸について、都道府県知事は、国土交通大臣が指定した河川、湖沼又は海岸以外の河川、湖沼又は海岸で洪水、津波又は高潮により相当な損害を生ずるおそれがあると認めて指定したものについて、水防警報をしなければならない。

2　国土交通大臣は、前項の規定により水防警報をしたときは、直ちにその警報事項を関係都道府県知事に通知しなければならない。

3　都道府県知事は、第一項の規定により水防警報をしたとき、又は前項の規定により通知を受けたときは、都道府県の水防計画で定めるところにより、直ちにその警報事項又はその受けた通知に係る事項を関係水防管理者その他水防に関係のある機関に通知しなければならない。

4　国土交通大臣又は都道府県知事は、第一項の規定により河川、湖沼又は海岸を指定したときは、その旨を公示しなければならない。

（水防団及び消防機関の出動）

第一七条　水防管理者は、水防警報が発せられたとき、水位が警戒水位に達したときその他水防上必要があると認めるときは、都道府県の水防計画で定めるところにより、水防団及び消防機関を出動させ、又は出動の準備をさせなければならない。

（優先通行）

第一八条　都道府県知事の定める標識を有する車両が水防のため出動するときは、車両及び歩行者は、これに進路を譲らなければならない。

（緊急通行）

第一九条　水防団長、水防団員及び消防機関に属する者並びに水防管理者から委任を受けた者は、水防上緊急の必要がある場所に赴くときは、一般交通の用に供しない通路又は公共の用に供しない空地及び水面を通行することができる。

2　水防管理団体は、前項の規定により損失を受けた者に対し、時価によりその損失を補償しなければならない。

（水防信号）

第二〇条　都道府県知事は、水防に用いる信号を定めなければならない。

2　何人も、みだりに前項の水防信号又はこれに類似する信号を使用してはならない。

（警戒区域）

第二一条　水防上緊急の必要がある場所においては、水防団長、水防団員又は消防機関に属する者は、警戒区域を設定し、水防関係者以外の者に対して、その区域への立入りを禁止し、若しくは制限し、又はその区域からの退去を命ずることができる。

2　前項の場所においては、水防団長、水防団員若しくは消防機関に属する者がいないとき、又はこれらの者の要求があつたときは、警察官は、同項に規定する者の職権を行うことができる。

（警察官の援助の要求）

第二二条　水防管理者は、水防のため必要があると認めるときは、警察署長に対して、警察官の出動を求めることができる。

（応援）

第二三条　水防のため緊急の必要があるときは、水防管理者、水防団長又は消防機関の長は、他の水防管理者又は市町村長若しくは消防長に対して応援を求めることができる。応援を求められた者は、できる限りその求めに応じなければならない。

2　応援のため派遣された者は、水防については応援を求めた水防管理者の所轄の下に行動するものとする。

3　第一項の規定による応援のために要する費用は、当該応援を求めた水防管理団体が負担するものとする。

4　前項の規定により負担する費用の額及び負担の方法は、当該応援を求めた水防管理団体と当該応援を求められた水防管理団体又は市町村とが協議して定める。

（居住者等の水防義務）

第二四条　水防管理者、水防団長又は消防機関の長は、水防のためやむを得ない必要があるときは、当該水防管理団体の区域内に居住する者、又は水防の現場にある者をして水防に従事させることができる。

（決壊の通報）

第二五条　水防に際し、堤防その他の施設が決壊したときは、水防管理者、水防団長、消防機関の長又は水防協力団体の代表者は、直ちにこれを関係者に通報しなければならない。

（決壊後の処置）

第二六条　堤防その他の施設が決壊したときにおいても、水防管理者、水防団長、消防機関の長及び水防協力団体の代表者は、できる限りはん濫による被害が拡大しないように努めなければならない。

（水防通信）

第二七条　何人も、水防上緊急を要する通信が最も迅速に行われるように協力しなければならない。

2　国土交通大臣、都道府県知事、水防管理者、水防団長、消防機関の長又はこれらの者の命を受けた者は、水防上緊急を要する通信のために、電気通信事業法（昭和五十九年法律第八十六号）第二条第五号に規定する電気通信事業者がその事業の用に供する電気通信設備を優先的に利用し、又は警察通信施設、気象官署通信施設、鉄道通信施設、電気事業通信施設その他の専用通信施設を使用することができる。

（公用負担）

第二八条　水防のため緊急の必要があるときは、水防管理者、水防団長又は消防機関の長は、水防の現場において、必要な土地を一時使用し、土石、竹木その他の資材を使用し、若しくは収用し、車両その他の運搬用機器若しくは排水用機器を使用し、又は工作物その他の障害物を処分することができる。

2　前項に規定する場合において、水防管理者から委任を受けた者は、水防の現場において、必要な土地を一時使用し、土石、竹木その他の資材を使用し、又は車両その他の運搬用機器若しくは排水用機器を使用することができる。

3　水防管理団体は、前二項の規定により損失を受けた者に対し、時価によりその損失を補償しなければならない。

（立退きの指示）

第二九条　洪水、雨水出水、津波又は高潮によつて氾濫による著しい危険が切迫していると認められるときは、都道府県知事、その命を受けた都道府県の職員又は水防管理者は、必要と認める区域の居住者、滞在者その他の者に対し、避難のため立ち退くべきことを指示することができる。水防管理者が指示をする場合においては、当該区域を管轄する警察署長にその旨を通知しなければならない。

（知事の指示）

第三〇条　水防上緊急を要するときは、都道府県知事は、水防管理者、水防団長又は消防機関の長に対して指示をすることができる。

（重要河川における国土交通大臣の指示）

第三一条　二以上の都府県に関係がある河川で、公共の安全を保持するため特に重要なものの水防上緊急を要するときは、国土交通大臣は、都道府県知事、水防管理者、水防団長又は消防機関の長に対して指示をすることができる。

（特定緊急水防活動）

第三二条　国土交通大臣は、洪水、雨水出水、津波又は高潮による著しく激甚な災害が発生した場合において、水防上緊急を要すると認めるときは、次に掲げる水防活動（以下この条及び第四十三条の二において「特定緊急水防活動」という。）を行うことができる。

一　当該災害の発生に伴い浸入した水の排除

二　高度の機械力又は高度の専門的知識及び技術を要する水防活動として政令で定めるもの

2　国土交通大臣は、前項の規定により特定緊急水防活動を行おうとするときは、あらかじめ、当該特定緊急水防活動を行おうとする場所に係る水防管理者にその旨を通知しなければならない。特定緊急水防活動を終了しようとするときも、同様とする。

3　第一項の規定により国土交通大臣が特定緊急水防活動を行う場合における第十九条、第二十一条、第二十二条、第二十五条、第二十六条及び第二十八条の規定の適用については、第十九条第一項中「水防団長、水防団員及び消防機関に属する者並びに水防管理者から委任を受けた者」とあり、第二十一条第一項中「水防団長、水防団員又は消防機関に属する者」とあり、及び同条第二項中「水防団長、水防団員若しくは消防機関に属する者」とあるのは「国土交通省の職員」と、第十九条第二項及び第二十八条第三項中「水防管理団体」とあるのは「国」と、第二十二条中「水防管理者」とあり、第二十五条中「水防管理者、水防団長、消防機関の長又は水防協力団体の代表者」とあり、第二十六条中「水防管理者、水防団長、消防機関の長及び水防協力団体の代表者」とあり、及び第二十八条第一項中「水防管理者、水防団長又は消防機関の長」とあるのは「国土交通大臣」とする。

（水防訓練）

第三二条の二 指定管理団体は、毎年、水防団、消防機関及び水防協力団体の水防訓練を行わなければならない。

2 指定管理団体以外の水防管理団体は、毎年、水防団、消防機関及び水防協力団体の水防訓練を行うよう努めなければならない。

（津波避難訓練への参加）

第三二条の三 津波防災地域づくりに関する法律第五十三条第一項の津波災害警戒区域に係る水防団、消防機関及び水防協力団体は、同法第五十四条第一項第三号に規定する津波避難訓練が行われるときは、これに参加しなければならない。

第四章 指定水防管理団体

（水防計画）

第三三条 指定管理団体の水防管理者は、都道府県の水防計画に応じた水防計画を定め、及び毎年水防計画に検討を加え、必要があると認めるときは、これを変更しなければならない。

2 指定管理団体の水防管理者は、前項の規定により水防計画を定め、又は変更しようとするときは、あらかじめ、水防協議会（次条第一項に規定する水防協議会をいう。以下この項において同じ。）を設置する指定管理団体にあつては当該水防協議会、水防協議会を設置せず、かつ、災害対策基本法第十六条第一項に規定する市町村防災会議を設置する市町村である指定管理団体にあつては当該市町村防災会議に諮らなければならない。

3 指定管理団体の水防管理者は、第一項の規定により水防計画を定め、又は変更したときは、その要旨を公表するよう努めるとともに、遅滞なく、水防計画を都道府県知事に届け出なければならない。

4 第七条第二項から第四項までの規定は、指定管理団体の水防計画について準用する。

（水防協議会）

第三四条 指定管理団体の水防計画その他水防に関し重要な事項を調査審議させるため、指定管理団体に水防協議会を置くことができる。ただし、水防事務組合及び水害予防組合については、これらに水防協議会を置くものとする。

2 指定管理団体の水防協議会は、水防に関し関係機関に対して意見を述べることができる。

3 指定管理団体の水防協議会は、会長及び委員をもつて組織する。

4 会長は、指定管理団体の水防管理者をもつて充てる。委員は、関係行政機関の職員並びに水防に関係のある団体の代表者及び学識経験のある者のうちから指定管理団体の水防管理者が命じ、又は委嘱する。

5 前各項に定めるもののほか、指定管理団体の水防協議会に関し必要な事項は、市町村又は水防事務組合にあつては条例で、水害予防組合にあつては組合会の議決で定める。

第五章 水防協力団体

（水防団員の定員の基準）

第三五条 都道府県は、条例で、指定管理団体の水防団員の定員の基準を定めることができる。

（水防協力団体の指定）

第三六条 水防管理者は、次条に規定する業務を適正かつ確実に行うことができると認められる法人その他これに準ずるものとして国土交通省令で定める団体を、その申請により、水防協力団体として指定することができる。

2 水防管理者は、前項の規定による指定をしたときは、当該水防協力団体の名称、住所及び事務所の所在地を公示しなければならない。

3 水防協力団体は、その名称、住所又は事務所の所在地を変更しようとするときは、あらかじめ、その旨を水防管理者に届け出なければならない。

4 水防管理者は、前項の規定による届出があつたときは、当該届出に係る事項を公示しなければならない。

（水防協力団体の業務）

第三七条 水防協力団体は、次に掲げる業務を行うものとする。

一 水防団又は消防機関が行う水防上必要な監視、警戒その他の水防活動に協力すること。

二 水防に必要な器具、資材又は設備を保管し、及び提供すること。

三 水防に関する情報又は資料を収集し、及び提供すること。

四 水防に関する調査研究を行うこと。

五 水防に関する知識の普及及び啓発を行うこと。

六 前各号に掲げる業務に附帯する業務を行うこと。

（水防団等との連携）

第三八条 水防協力団体は、水防団及び水防を行う消防機関との密接な連携の下に前条第一号に掲げる業務を行わなければならない。

（監督等）

第三九条 水防管理者は、第三十七条各号に掲げる業務の適正かつ確実な実施を確保するため必要があると認めるときは、水防協力団体に対し、その業務に関し報告をさせることができる。

2 水防管理者は、水防協力団体が第三十七条各号に掲げる業務を適正かつ確実に実施していないと認めるときは、水防協力団体に対し、その業務の運営の改善に関し必要な措置を講ずべきことを命ずることができる。

3 水防管理者は、水防協力団体が前項の規定による命令に違反したときは、その指定を取り消すことができる。

4 水防管理者は、前項の規定により指定を取り消したときは、その旨を公示しなければならない。

（情報の提供等）

第四〇条 国、都道府県及び水防管理団体は、水防協力団体に対し、その業務の実施に関し必要な情報の提供又は指導若しくは助言をするものとする。

第六章 費用の負担及び補助

（水防管理団体の費用負担）

第四一条 水防管理団体の水防に要する費用は、当該水防管理団体が負担するものとする。

（利益を受ける市町村の費用負担）

第四二条 水防管理団体の水防によつて当該水防管理団体の区域の関係市町村以外の市町村が著しく利益を受けるときは、前条の規定にかかわらず、当該水防に要する費用の一部は、当該水防により著しく利益を受ける市町村が負担するものとする。

2 前項の規定により負担する費用の額及び負担の方法は、当該水防を行う水防管理団体と当該水防により著しく利益を受ける市町村とが協議して定める。

3 前項の規定による協議が成立しないときは、水防管理団体又は市町村は、その区域の属する都道府県の知事にあつせんを申請することができる。

4 都道府県知事は、前項の規定による申請に基づいてあつせんをしようとする場合において、当事者のうちにその区域が他の都府県に属する水防管理団体又は市町村があるときは、当該他の都府県の知事と協議しなければならない。

（都道府県の費用負担）

第四三条 この法律の規定により都道府県が処理することとされている事務に要する費用は、当該都道府県の負担とする。

（国の費用負担）

第四三条の二 第三十二条第一項の規定により国土交通大臣が行う特定緊急水防活動に要する費用は、国の負担とする。

（費用の補助）

第四四条 都道府県は、第四十一条の規定により水防管理団体が負担する費用について、当該水防管理団体に対して補助することができる。

2 国は、前項の規定により都道府県が水防管理団体に対して補助するときは、当該補助金額のうち、二以上の都府県の区域にわたる河川又は流域面積が大きい河川で洪水による国民経済に与える影響が重大なものの政令で定める水防施設の設置に係る金額の二分の一以内を、予算の範囲内において、当該都道府県に対して補助することができる。

3　前項の規定により国が都道府県に対して補助する金額は、当該水防施設の設置に要する費用の三分の一に相当する額以内とする。

第七章　雑則

（第二十四条の規定により水防に従事した者に対する災害補償）

第四五条　第二十四条の規定により水防に従事した者が水防に従事したことにより死亡し、負傷し、若しくは病気にかかり、又は水防に従事したことによる負傷若しくは病気により死亡し、若しくは障害の状態となつたときは、当該水防管理団体は、政令で定める基準に従い、市町村又は水防事務組合にあつては条例で、水害予防組合にあつては組合会の議決で定めるところにより、その者又はその者の遺族がこれらの原因によつて受ける損害を補償しなければならない。

（表彰）

第四六条　国土交通大臣は、水防管理者の所轄の下に水防に従事した者で当該水防に関し著しい功労があると認められるものに対し、国土交通省令で定めるところにより、表彰を行うことができる。

（報告）

第四七条　国土交通大臣及び消防庁長官は、都道府県又は水防管理団体に対し、水防に関し必要な報告をさせることができる。

2　都道府県知事は、都道府県の区域内における水防管理団体に対し、水防に関し必要な報告をさせることができる。

（勧告及び助言）

第四八条　国土交通大臣は都道府県又は水防管理団体に対し、都道府県知事は都道府県の区域内における水防管理団体に対し、水防に関し必要な勧告又は助言をすることができる。

（資料の提出及び立入り）

第四九条　都道府県知事又は水防管理者は、水防計画を作成するために必要があると認めるときは、関係者に対して資料の提出を命じ、又は当該職員、水防団長、水防団員若しくは消防機関に属する者をして必要な土地に立ち入らせることができる。

2　都道府県の職員、水防団長、水防団員又は消防機関に属する者は、前項の規定により必要な土地に立ち入る場合においては、その身分を示す証票を携帯し、関係人の請求があつたときは、これを提示しなければならない。

（消防事務との調整）

第五〇条　水防管理者は、水防事務と水防事務以外の消防事務とが競合する場合の措置について、あらかじめ市町村長と協議しておかなければならない。

（権限の委任）

第五一条　この法律に規定する国土交通大臣の権限は、国土交通省令で定めるところにより、その一部を地方整備局長又は北海道開発局長に委任することができる。

第八章　罰則

第五二条　みだりに水防管理団体の管理する水防の用に供する器具、資材又は設備を損壊し、又は撤去した者は、三年以下の懲役又は五十万円以下の罰金に処する。

2　前項の者には、情状により懲役及び罰金を併科することができる。

第五三条　刑法（明治四十年法律第四十五号）第百二十一条の規定の適用がある場合を除き、第二十一条の規定による立入りの禁止若しくは制限又は退去の命令に従わなかつた者は、六月以下の懲役又は三十万円以下の罰金に処する。

第五四条　次の各号のいずれかに該当する者は、三十万円以下の罰金に処する。

一　第十五条の七第三項の規定に違反した者

二　第十五条の八第一項の規定に違反して、届出をしないで、又は虚偽の届出をして、同項本文に規定する行為をした者

第五五条　次の各号のいずれかに該当する者は、三十万円以下の罰金又は拘留に処する。

一　みだりに水防管理団体の管理する水防の用に供する器具、資材又は設備を使用し、又はその正当な使用を妨げた者

二　第二十条第二項の規定に違反した者

三　第四十九条第一項の規定による資料を提出せず、若しくは虚偽の資料を提出し、又は同項の規定による立入りを拒み、妨げ、若しくは忌避した者

附　則

1　この法律は、公布の日から起算して六十日を経過した日から施行する。

2　国土交通大臣又は都道府県知事は、水防法及び土砂災害警戒区域等における土砂災害防止対策の推進に関する法律の一部を改正する法律（平成十七年法律第三十七号）附則第二条の規定により、国土交通大臣又は都道府県知事が第十三条第一項又は第二項の規定により指定した河川とみなされた河川については、平成二十二年三月三十一日までに、第十四条第一項の規定による浸水想定区域の指定をしなければならない。

3　国は、平成十七年度から平成二十一年度までの各年度に限り、都道府県に対し、予算の範囲内において、前項の浸水想定区域の指定をするために必要な河川がはん濫した場合に浸水するおそれがある土地の地形及び利用の状況その他の事項に関する調査（次項において「浸水想定区域調査」という。）に要する費用の三分の一以内を補助することができる。

4　国土交通大臣は、平成二十二年三月三十一日までの間、附則第二項の浸水想定区域の指定の適正を確保するために必要があると認めるときは、都道府県に対し、浸水想定区域調査又は土砂災害警戒区域等における土砂災害防止対策の推進に関する法律第四条第一項の規定による調査の結果について、必要な報告を求めることができる。

附　則〔略〕〔昭和二七・七・三一法律二五八〕

附　則〔略〕〔昭和二九・六・八法律一六三〕

附　則〔略〕〔昭和三一・六・一一法律一四一〕

附　則〔略〕〔昭和三二・五・一六法律一〇五〕

附　則〔略〕〔昭和三三・三・一五法律一八〕

附　則〔略〕〔昭和三五・六・三〇法律一一三〕

附　則〔略〕〔昭和五七・七・一六法律六六〕

附　則〔略〕〔昭和五九・一二・二五法律八七〕

附　則〔略〕〔昭和六〇・六・二一法律六九〕

附　則〔略〕〔平成六・六・二九法律四九〕

附　則〔略〕〔平成七・四・二一法律六九〕

附　則〔抄〕〔平成一一・七・一六法律八七〕

（施行期日）

第一条　この法律は、平成十二年四月一日から施行する。ただし、次の各号に掲げる規定は、当該各号に定める日から施行する。

一　〔前略〕附則〔中略〕第百六十条、第百六十三条、第百六十四条並びに第二百二条の規定　公布の日

二～六　〔略〕

（国等の事務）

第一五九条　この法律による改正前のそれぞれの法律に規定するもののほか、この法律の施行前において、地方公共団体の機関が法律又はこれに基づく政令により管理し又は執行する国、他の地方公共団体その他公共団体の事務（附則第百六十一条において「国等の事務」という。）は、この法律の施行後は、地方公共団体が法律又はこれに基づく政令により当該地方公共団体の事務として処理するものとする。

（処分、申請等に関する経過措置）

第一六〇条　この法律（附則第一条各号に掲げる規定については、当該各規定。以下この条及び附則第百六十三条において同じ。）の施行前に改正前のそれぞれの法律の規定によりされた許可等の処分その他の行為（以下この条において「処分等の行為」という。）又はこの法律の施行の際現に改正前のそれぞれの法律の規定によりされている許可等の申請その他の行為（以下この条において「申請等の行為」という。）で、この法律の施行の日においてこれらの行為に係る行政事務を行うべき者が異なることとなるものは、附則第二条から前条までの規定又は改正後のそれぞれの法律（これに基づく命令を含む。）の経過措置に関する規定に定めるものを除き、この法律の施行の日以後における改正後のそれぞれの法律の適用については、改正後のそれぞれの法律の相当規定によりされた処分等の行為又は申請等の行為とみなす。

2　この法律の施行前に改正前のそれぞれの法律の規定により国又は地方公

共団体の機関に対し報告、届出、提出その他の手続をしなければならない事項で、この法律の施行の日前にその手続がされていないものについては、この法律及びこれに基づく政令に別段の定めがあるもののほか、これを、改正後のそれぞれの法律の相当規定により国又は地方公共団体の相当の機関に対して報告、届出、提出その他の手続をしなければならない事項についてその手続がされていないものとみなして、この法律による改正後のそれぞれの法律の規定を適用する。

（不服申立てに関する経過措置）

第一六一条　施行日前にされた国等の事務に係る処分であって、当該処分をした行政庁（以下この条において「処分庁」という。）に施行日前に行政不服審査法に規定する上級行政庁（以下この条において「上級行政庁」という。）があったものについての同法による不服申立てについては、施行日以後においても、当該処分庁に引き続き上級行政庁があるものとみなして、行政不服審査法の規定を適用する。この場合において、当該処分庁の上級行政庁とみなされる行政庁は、施行日前に当該処分庁の上級行政庁であった行政庁とする。

２　前項の場合において、上級行政庁とみなされる行政庁が地方公共団体の機関であるときは、当該機関が行政不服審査法の規定により処理することとされる事務は、新地方自治法第二条第九項第一号に規定する第一号法定受託事務とする。

（手数料に関する経過措置）

第一六二条　施行日前においてこの法律による改正前のそれぞれの法律（これに基づく命令を含む。）の規定により納付すべきであった手数料については、この法律及びこれに基づく政令に別段の定めがあるもののほか、なお従前の例による。

（罰則に関する経過措置）

第一六三条　この法律の施行前にした行為に対する罰則の適用については、なお従前の例による。

（その他の経過措置の政令への委任）

第一六四条　この附則に規定するもののほか、この法律の施行に伴い必要な経過措置（罰則に関する経過措置を含む。）は、政令で定める。

２　〔略〕

附　則　〔略〕〔平成一一・一二・二二法律一六〇〕

附　則　〔略〕〔平成一三・六・一三法律四六〕

附　則　〔抄〕〔平成一七・五・二法律三七〕

（施行期日）

第一条　この法律は、公布の日から起算して三月を超えない範囲内において政令で定める日から施行する。ただし、第一条のうち水防法第六条の二の次に一条を加える改正規定は、公布の日から施行する。

〔平成一七政一九四により、平成一七・七・一から施行〕

（水防法の一部改正に伴う経過措置）

第二条　この法律の施行の際現に第一条の規定による改正前の水防法（以下「旧法」という。）第十条第二項の規定により国土交通大臣が指定している河川以外の河川のうち河川法（昭和三十九年法律第百六十七号）第九条第二項に規定する指定区間外の一級河川（同法第四条第一項に規定する一級河川をいう。以下この条において同じ。）で旧法第十条の六第一項の規定により国土交通大臣が指定しているもの又は旧法第十条の二第一項の規定により都道府県知事が指定している河川以外の河川のうち河川法第九条第二項に規定する指定区間内の一級河川若しくは同法第五条第一項に規定する二級河川で旧法第十条の六第一項の規定により都道府県知事が指定しているもの（専ら高潮による災害について水防を行うべきものとして都道府県知事が指定するものを除く。）については、それぞれ、第一条の規定による改正後の水防法（以下「新法」という。）第十三条第一項の規定により国土交通大臣が指定した河川又は同条第二項の規定により都道府県知事が指定した河川とみなす。

第三条　旧法の規定によってした処分、手続その他の行為であって、新法の規定に相当の規定があるものは、これらの規定によってした処分、手続その他の行為とみなす。

（政令への委任）

第四条　前二条に定めるもののほか、この法律の施行に関して必要な経過措置は、政令で定める。

附　則　〔略〕〔平成一八・六・二法律五〇〕

附　則　〔略〕〔平成二二・一一・二五法律五二〕

附　則　〔略〕〔平成二三・八・三〇法律一〇五〕

附　則　〔略〕〔平成二三・一二・一四法律一二四〕

附　則　〔抄〕〔平成二五・六・一二法律三五〕

（施行期日）

第一条　この法律は、公布の日から起算して一月を超えない範囲内において政令で定める日から施行する。〔以下略〕

〔平成二五政二二二により、平成二五・七・一一から施行〕

（水防法の一部改正に伴う経過措置）

第三条　この法律の施行の際現に第一条の規定による改正前の水防法第三十六条第一項の規定により指定されている水防協力団体は、第一条の規定による改正後の水防法（附則第六条において「新水防法」という。）第三十六条第一項の規定により指定された水防協力団体とみなす。

（罰則の適用に関する経過措置）

第四条　この法律の施行前にした行為に対する罰則の適用については、なお従前の例による。

（政令への委任）

第五条　前三条に定めるもののほか、この法律の施行に関し必要な経過措置は、政令で定める。

（検討）

第六条　政府は、この法律の施行後五年を経過した場合において、新水防法及び新河川法の施行の状況について検討を加え、必要があると認めるときは、その結果に基づいて所要の措置を講ずるものとする。

附　則　〔略〕〔平成二五・六・一四法律四四〕

附　則　〔略〕〔平成二五・六・二一法律五四〕

附　則　〔略〕〔平成二六・一一・一九法律一〇九〕

附　則　〔抄〕〔平成二七・五・二〇法律二二〕

（施行期日）

第一条　この法律は、公布の日から起算して二月を超えない範囲内において政令で定める日から施行する。〔以下略〕

〔平成二七政二七二により、平成二七・七・一九から施行〕

（水防法の一部改正に伴う経過措置）

第二条　第一条の規定による改正後の水防法（以下この条において「新水防法」という。）第十四条第一項の規定により洪水浸水想定区域の指定がされるまでの間は、この法律の施行の際現に第一条の規定による改正前の水防法第十四条第一項の規定により指定されている浸水想定区域は、新水防法第十四条第一項の規定により指定された洪水浸水想定区域とみなす。

２　前項の規定により洪水浸水想定区域とみなされた浸水想定区域に対する新水防法第十五条から第十五条の四までの規定の適用については、新水防法第十五条第一項中「第十四条第一項の規定による洪水浸水想定区域の指定、第十四条の二第一項の規定による雨水出水浸水想定区域の指定又は前条第一項の規定による高潮浸水想定区域の指定があつたときは」とあるのは「水防法等の一部を改正する法律（平成二十七年法律第二十二号。以下この項において「改正法」という。）の施行後速やかに」と、「同法」とあるのは「災害対策基本法」と、「当該洪水浸水想定区域、雨水出水浸水想定区域又は高潮浸水想定区域」とあるのは「改正法の施行の際現に改正法第一条の規定による改正前の水防法第十四条第一項の規定により指定されている浸水想定区域（以下この条において単に「浸水想定区域」という。）」と、同項第一号中「、第十三条の二若しくは第十三条の三の規定」とあるのは「の規定」と、「、都道府県知事若しくは市町村長」とあるのは「若しくは都道府県知事」と、同項第三号中「洪水、雨水出水又は高潮」とあるのは「洪水」と、同項第四号中「浸水想定区域（洪水浸水想定区域、雨水出水浸水想定区域又は高潮浸水想定区域をいう。第三項において同じ。）」とあるのは「浸水想定区域」と、同号イ中「洪水時、雨水出水時又は高潮時（以下「洪水時等」という。）」とあるのは「洪水時」と、「洪水時等の」とあるのは「洪水時の」と、同号ロ及びハ並びに同項第五号並びに新水防法第十五条の二第一項、第二項、第五項、第六項、第八項及び第九項、第十五条の三第一項並びに第十五条の四第一項中「洪水時等」とあるのは「洪水時」とする。

（罰則に関する経過措置）

第五条　この法律の施行前にした行為に対する罰則の適用については、なお従前の例による。

（政令への委任）

第六条　この附則に定めるもののほか、この法律の施行に関し必要な経過措置は、政令で定める。

附　則〔抄〕〔平成二九・五・一九法律三一〕

（施行期日）

第一条　この法律は、公布の日から起算して三月を超えない範囲内において政令で定める日から施行する。

〔平成二九政一五七により、平成二九・六・一九から施行〕

（罰則に関する経過措置）

第二条　この法律の施行前にした行為に対する罰則の適用については、なお従前の例による。

（政令への委任）

第三条　前条に定めるもののほか、この法律の施行に関し必要な経過措置は、政令で定める。

（検討）

第四条　政府は、この法律の施行後五年を経過した場合において、第一条から第三条までの規定による改正後の規定の施行の状況について検討を加え、必要があると認めるときは、その結果に基づいて所要の措置を講ずるものとする。

附　則〔略〕〔令和三・五・一〇法律三〇〕

附　則〔抄〕〔令和三・五・一〇法律三一〕

（施行期日）

第一条　この法律は、公布の日から起算して六月を超えない範囲内において政令で定める日から施行する。ただし、次の各号に掲げる規定は、当該各号に定める日から施行する。

〔令和三政二九五により、令和三・一一・一から施行〕

一　附則第三条の規定　公布の日

二　第二条の規定〔中略〕の規定　公布の日から起算して三月を超えない範囲内において政令で定める日

〔令和三政二〇四により、令和三・七・一五から施行〕

（政令への委任）

第三条　前条に定めるもののほか、この法律の施行に関し必要な経過措置（罰則に関する経過措置を含む。）は、政令で定める。

（検討）

第四条　政府は、この法律の施行後五年を目途として、この法律による改正後のそれぞれの法律の規定について、その施行の状況等を勘案して検討を加え、必要があると認めるときは、その結果に基づいて所要の措置を講ずるものとする。

附　則〔抄〕〔令和五・五・三一法律三七〕

（施行期日）

第一条　この法律は、公布の日から起算して六月を超えない範囲内において政令で定める日〔令和五・一一・三〇〕から施行する。ただし〔中略〕第二条の規定並びに附則第六条の規定は、公布の日から施行する。

（罰則に関する経過措置）

第五条　この法律の施行前にした行為及び附則第三条第二項の規定によりなお従前の例によることとされる場合におけるこの法律の施行後にした行為に対する罰則の適用については、なお従前の例による。

（政令への委任）

第六条　附則第二条から前条までに定めるもののほか、この法律の施行に関し必要な経過措置は、政令で定める。

〇水防法施行令〔平成二三・一二・二六 政令四二八〕

改正　平成二九・六政一五八

（通常の管理行為、軽易な行為その他の行為）

第一条　水防法（以下「法」という。）第十五条の八第一項ただし書の政令で定める行為は、次に掲げるものとする。

一　浸水被害軽減地区内の土地の維持管理のために行う行為

二　仮設の建築物の建築その他の浸水被害軽減地区内の土地を一時的な利用に供する目的で行う行為（当該利用に供された後に当該浸水被害軽減地区が有する浸水の拡大を抑制する効用が当該行為前の状態に回復されることが確実な場合に限る。）

（特定緊急水防活動）

第二条　法第三十二条第一項第二号の政令で定める水防活動は、次に掲げるものとする。

一　氾濫により浸水した区域及びその周辺の状況のビデオカメラその他の撮影機器及び通信機器を用いた監視又は上空からの監視

二　氾濫による浸水の量のビデオカメラその他の撮影機器及び通信機器を用いた観測又は上空からの観測

三　前二号の監視又は観測の結果に基づく氾濫により浸水する区域及び時期又は氾濫による浸水の量の予測

四　人工衛星局の中継により行う無線通信による通信の確保

五　堤防その他の施設が決壊した場所において行う氾濫による被害の拡大を防止するための仮締切の作業その他国土交通省令で定める作業

附　則

この政令は、津波防災地域づくりに関する法律の施行に伴う関係法律の整備等に関する法律（平成二十三年法律第百二十四号）の施行の日（平成二十三年十二月二十七日）から施行する。

附　則〔抄〕〔平成二九・六・一四政令一五八〕

（施行期日）

1　この政令は、水防法等の一部を改正する法律の施行の日（平成二十九年六月十九日）から施行する。

○水防法施行規則〔平成一二・一一・二二 建設省令四四〕

改正 平成一三・六国交令一〇二、平成一七・六国交令六二、平成二三・一二国交令一〇〇、平成二五・七国交令五九、九国交令七六、平成二七・一国交令二、七国交令五四、平成二九・六国交令三六、令和二・一二国交令九八、令和三・七国交令四八、一〇国交令六九

（洪水浸水想定区域の指定）

第一条 水防法（以下「法」という。）第十四条第一項及び第二項に規定する洪水浸水想定区域（以下単に「洪水浸水想定区域」という。）の指定は、同条第一項に規定する想定最大規模降雨（以下単に「想定最大規模降雨」という。）によって堤防その他の施設（以下「堤防等」という。）の決壊又は溢流が想定される地点を相当数選定して行うものとする。ただし、同条第一項第三号又は第二項第三号に掲げる河川については、想定最大規模降雨により溢流が想定される連続する区間を設定することその他の水災による被害の軽減を図るために適切であると認められる方法により洪水浸水想定区域の指定を行うことができる。

2 洪水浸水想定区域の指定に当たっては、堤防等の構造及び管理の状況を勘案するものとする。

3 第一項の規定により選定する地点には、当該地点における堤防等の決壊又は溢流により浸水が想定される区域につき、当該区域が相当規模となるもの又は浸水した場合に想定される水深が相当な深さとなるものが含まれなければならない。

4 第一項の規定により選定された地点における堤防等の決壊又は溢流により浸水が想定される区域が重複するときは、当該区域の全部をあわせた区域を一の区域とするものとする。

5 前項の場合において、重複する区域において想定される水深が第一項の規定により選定された地点により異なるときは、最大のものを想定される水深とする。

6 洪水浸水想定区域の指定は、想定最大規模降雨により、地上部分の浸水は想定されない地下街等（地下街その他地下に設けられた不特定かつ多数の者が利用する施設（地下に建設が予定されている施設又は地下に建設中の施設であって、不特定かつ多数の者が利用すると見込まれるものを含む。）をいう。以下同じ。）であって、当該地下街等と連続する施設から浸水するものの存する区域を含めて行うことができる。

（洪水による災害の発生を警戒すべき河川の基準）

第一条の二 法第十四条第一項第三号及び第二項第三号の国土交通省令で定める基準は、当該河川の周辺地域に住宅、要配慮者利用施設（法第十五条第一項第四号ロに規定する要配慮者利用施設をいう。以下同じ。）その他の洪水時に避難を行うことが想定される者が居住若しくは滞在する建築物又は避難施設、避難路その他の洪水時における避難の用に供する施設が存し、かつ、当該周辺地域の市町村の市町村長が当該周辺地域における洪水の発生のおそれに関する雨量、当該河川の水位その他の情報を入手することができることとする。

（洪水浸水想定区域の指定の際の明示事項）

第二条 法第十四条第三項の国土交通省令で定める事項は、次に掲げる事項（同条第一項第三号又は第二項第三号に掲げる河川について洪水浸水想定区域の指定を行う場合にあっては、第四号に掲げる事項を除く。）とする。

一 指定の区域

二 浸水した場合に想定される水深

三 浸水した場合に想定される浸水の継続時間（長時間にわたり浸水するおそれのある場合に限る。以下「浸水継続時間」という。）

四 河川法施行令（昭和四十年政令第十四号）第十条の二第二号イに規定する基本高水の設定の前提となる降雨（次条第二項において「計画降雨」という。）により当該河川が氾濫した場合に浸水が想定される区域及び浸水した場合に想定される水深

（洪水浸水想定区域等の公表）

第三条 法第十四条第四項の規定による同条第三項の国土交通省令で定める事項の公表は、当該事項を定めた旨について、国土交通大臣にあっては官報により、都道府県知事にあっては当該都道府県の公報又はウェブサイトへの掲載その他の適切な方法により行うとともに、これらを表示した図面を関係地方整備局若しくは北海道開発局又は都道府県知事の指定する場所において閲覧に供することにより行うものとする。

2 前項の図面には、洪水浸水想定区域の指定の前提となる降雨が想定最大規模降雨であること（前条第四号に掲げる事項を表示した図面にあっては、当該図面の前提となる降雨が計画降雨であること）を明示しなければならない。

（雨水出水浸水想定区域の指定）

第四条 法第十四条の二第一項及び第二項に規定する雨水出水浸水想定区域（以下単に「雨水出水浸水想定区域」という。）の指定は、下水道から河川その他の公共の水域又は海域（以下この項において「河川等」という。）に雨水を放流する地点における当該河川等の水位の見込み、下水道の配置及び構造の状況等を勘案して行うものとする。

2 第一条第六項の規定は、雨水出水浸水想定区域の指定について準用する。

（雨水出水による災害の発生を警戒すべき公共下水道等の排水施設の基準）

第四条の二 法第十四条の二第一項第四号及び第二項第四号の国土交通省令で定める基準は、当該排水施設の周辺地域に住宅、要配慮者利用施設その他の雨水出水時に避難を行うことが想定される者が居住若しくは滞在する建築物又は避難施設、避難路その他の雨水出水時における避難の用に供する施設が存し、かつ、当該周辺地域の市町村の市町村長が当該周辺地域における雨水出水の発生のおそれに関する雨量、当該排水施設の水位その他の情報を入手することができることとする。

（雨水出水浸水想定区域の指定の際の明示事項）

第五条 法第十四条の二第三項の国土交通省令で定める事項は、次に掲げる事項とする。

一 指定の区域

二 浸水した場合に想定される水深

三 浸水継続時間

2 法第十四条の二第一項第一号又は第二項第一号に掲げる排水施設に係る雨水出水浸水想定区域の指定は、前項各号に掲げる事項のほか、主要な地点における一定の時間ごとの水深の変化を明らかにしてするものとする。

（雨水出水浸水想定区域等の公表）

第六条 法第十四条の二第四項の規定による同条第三項の国土交通省令で定める事項の公表は、当該事項を定めた旨について、都道府県又は市町村の公報又はウェブサイトへの掲載その他の適切な方法により行うとともに、これらを表示した図面を都道府県知事又は市町村長の指定する場所において閲覧に供することにより行うものとする。

2 前項の図面には、雨水出水浸水想定区域の指定の前提となる降雨が想定最大規模降雨であることを明示しなければならない。

（高潮浸水想定区域の指定）

第七条 法第十四条の三第一項に規定する高潮浸水想定区域（以下単に「高潮浸水想定区域」という。）の指定は、同項に規定する想定し得る最大規模の高潮であって国土交通大臣が定める基準に該当するものによって堤防等の決壊が想定される当該海岸の全ての区間において堤防等が決壊することを想定して行うものとする。

2 高潮浸水想定区域の指定に当たっては、堤防等の構造及び管理の状況を勘案するものとする。

3 前項の場合には、都道府県知事は、堤防等の構造及び管理の状況について、海岸管理者その他の関係のある施設の管理者の意見を聴くものとする。

4 第一条第六項の規定は、高潮浸水想定区域の指定について準用する。この場合において、同項中「想定最大規模降雨」とあるのは、「想定し得る最大規模の高潮であって国土交通大臣が定める基準に該当するもの」と読み替えるものとする。

（高潮による災害の発生を警戒すべき海岸の基準）

第七条の二 法第十四条の三第一項第二号の国土交通省令で定める基準は、当該海岸の周辺地域に住宅、要配慮者利用施設その他の高潮時に避難を行うことが想定される者が居住若しくは滞在する建築物又は避難施設、避難路その他の高潮時における避難の用に供する施設が存し、かつ、当該周辺地域の市町村の市町村長が当該周辺地域における高潮の発生のおそれに関する気象の状況その他の情報を入手することができることとする。

（高潮浸水想定区域の指定の際の明示事項）

第八条 法第十四条の三第二項の国土交通省令で定める事項は、次に掲げる

事項とする。
一　指定の区域
二　浸水した場合に想定される水深
三　浸水継続時間

（高潮浸水想定区域等の公表）
第九条　法第十四条の三第三項の規定による同条第二項の国土交通省令で定める事項の公表は、当該事項を定めた旨について、都道府県の公報又はウェブサイトへの掲載その他の適切な方法により行うとともに、これらを表示した図面を都道府県知事の指定する場所において閲覧に供することにより行うものとする。
2　前項の図面には、高潮浸水想定区域の指定の前提となる高潮が想定し得る最大規模の高潮であって国土交通大臣が定める基準に該当するものであることを明示しなければならない。

（大規模な工場その他の施設の用途及び規模の基準）
第一〇条　法第十五条第一項第四号ハの国土交通省令で定める基準は、工場、作業場又は倉庫で、延べ面積が一万平方メートル以上のものであることとする。

（市町村地域防災計画において定められた事項を住民等に周知させるための必要な措置）
第一一条　法第十五条第三項の住民、滞在者その他の者（以下この条において「住民等」という。）に周知させるための必要な措置は、次に掲げるものとする。
一　第二条第一号及び第二号、第五条第一号及び第二号並びに第八条第一号及び第二号に掲げる事項を表示した図面に市町村地域防災計画において定められた法第十五条第一項各号に掲げる事項（次のイ又はロに掲げる区域をその区域に含む市町村にあっては、それぞれイ又はロに定める事項を含む。）を記載したもの（電子的方式、磁気的方式その他人の知覚によっては認識することができない方式で作られる記録を含む。）を、印刷物の配布その他の適切な方法により、各世帯に提供すること。
イ　土砂災害警戒区域等における土砂災害防止対策の推進に関する法律（平成十二年法律第五十七号）第七条第一項の土砂災害警戒区域　同法第八条第三項に規定する事項
ロ　津波防災地域づくりに関する法律（平成二十三年法律第百二十三号）第五十三条第一項の津波災害警戒区域　同法第五十五条に規定する事項
二　前号の図面に表示した事項及び記載した事項に係る情報を、インターネットの利用その他の適切な方法により、住民等がその提供を受けることができる状態に置くこと。

（地下街等の利用者の避難の確保及び浸水の防止のための措置に関する計画に定めるべき事項）
第一二条　法第十五条の二第一項の地下街等の利用者の洪水時、雨水出水時又は高潮時（以下「洪水時等」という。）の円滑かつ迅速な避難の確保及び洪水時等の浸水の防止を図るために必要な訓練その他の措置に関する計画においては、次に掲げる事項を定めなければならない。
一　地下街等における洪水時等の防災体制に関する事項
二　地下街等の利用者の洪水時等の避難の誘導に関する事項
三　地下街等における洪水時等の浸水の防止のための活動に関する事項
四　地下街等における洪水時等の避難の確保及び洪水時等の浸水の防止を図るための施設の整備に関する事項
五　地下街等における洪水時等を想定した防災教育及び訓練の実施に関する事項
六　自衛水防組織の業務に関する次に掲げる事項
イ　法第二条第三項に規定する水防管理者（以下単に「水防管理者」という。）その他関係者との連絡調整、利用者が避難する際の誘導、浸水の防止のための活動その他の水災による被害の軽減のために必要な業務として自衛水防組織が行う業務に係る活動要領に関する事項
ロ　自衛水防組織の構成員に対する教育及び訓練に関する事項
ハ　その他自衛水防組織の業務に関し必要な事項
七　前各号に掲げるもののほか、地下街等の利用者の洪水時等の円滑かつ迅速な避難の確保及び洪水時等の浸水の防止を図るために必要な措置に関する事項
2　地下街等の所有者又は管理者は、雨水出水に係る前項の計画において同項第二号に掲げる事項を定めるときは、当該地下街等の利用者の全てが安全に避難できることを国土交通大臣が定める方法により確認するものとする。

（統括管理者の設置等）
第一三条　地下街等の自衛水防組織には、統括管理者を置かなければならない。
2　統括管理者は、地下街等の自衛水防組織を統括する。
3　地下街等の自衛水防組織にその業務を分掌する内部組織を編成する場合は、当該内部組織の業務の内容及び活動の範囲を明確に区分し、当該内部組織にその業務の実施に必要な要員を配置するとともに、当該内部組織を統括する者を置くものとする。

（連続する二以上の地下街等の所有者又は管理者による地下街等の自衛水防組織の設置）
第一四条　法第十五条第一項の規定により市町村地域防災計画にその名称及び所在地を定められた連続する二以上の地下街等の所有者又は管理者が共同して法第十五条の二第一項に規定する計画を作成するときは、当該地下街等の所有者又は管理者は、共同して自衛水防組織を置くことができる。

（地下街等の自衛水防組織の設置に係る報告事項）
第一五条　法第十五条の二第十項の国土交通省令で定める事項は、次に掲げるものとする。
一　統括管理者の氏名及び連絡先
二　自衛水防組織の内部組織の編成及び要員の配置
三　法第十五条第一項第一号に規定する洪水予報等の伝達を受ける構成員の氏名及び連絡先

（要配慮者利用施設の利用者の避難の確保のための措置に関する計画に定めるべき事項）
第一六条　法第十五条の三第一項の要配慮者利用施設の利用者の洪水時等の円滑かつ迅速な避難の確保を図るために必要な訓練その他の措置に関する計画においては、次に掲げる事項を定めなければならない。
一　要配慮者利用施設における洪水時等の防災体制に関する事項
二　要配慮者利用施設の利用者の洪水時等の避難の誘導に関する事項
三　要配慮者利用施設における洪水時等の避難の確保を図るための施設の整備に関する事項
四　要配慮者利用施設における洪水時等を想定した防災教育及び訓練の実施に関する事項
五　自衛水防組織を置く場合にあっては、当該自衛水防組織の業務に関する次に掲げる事項
イ　水防管理者その他関係者との連絡調整、利用者が避難する際の誘導その他の水災による被害の軽減のために必要な業務として自衛水防組織が行う業務に係る活動要領に関する事項
ロ　自衛水防組織の構成員に対する教育及び訓練に関する事項
ハ　その他自衛水防組織の業務に関し必要な事項
六　前各号に掲げるもののほか、要配慮者利用施設の利用者の洪水時等の円滑かつ迅速な避難の確保を図るために必要な措置に関する事項

（自衛水防組織に関する規定の要配慮者利用施設についての準用）
第一七条　第十三条及び第十五条の規定は、要配慮者利用施設の自衛水防組織について準用する。この場合において、同条中「第十五条の二第十項」とあるのは、「第十五条の三第八項」と読み替えるものとする。

（大規模工場等における浸水の防止のための措置に関する計画に定めるべき事項）
第一八条　法第十五条の四第一項の大規模工場等（法第十五条第一項第四号ハに規定する大規模工場等をいう。以下同じ。）の洪水時等の浸水の防止を図るために必要な訓練その他の措置に関する計画においては、次に掲げる事項を定めなければならない。
一　大規模工場等における洪水時等の防災体制に関する事項
二　大規模工場等における洪水時等の浸水の防止のための活動に関する事項
三　大規模工場等における洪水時等の浸水の防止を図るための施設の整備に関する事項
四　大規模工場等における洪水時等を想定した防災教育及び訓練の実施に関する事項
五　自衛水防組織を置く場合にあっては、当該自衛水防組織の業務に関する次に掲げる事項
イ　水防管理者その他関係者との連絡調整、浸水の防止のための活動そ

の他の水災による被害の軽減のために必要な業務として自衛水防組織が行う業務に係る活動要領に関する事項

ロ　自衛水防組織の構成員に対する教育及び訓練に関する事項

ハ　その他自衛水防組織の業務に関し必要な事項

六　前各号に掲げるもののほか、大規模工場等の洪水時等の浸水の防止を図るために必要な措置に関する事項

（自衛水防組織に関する規定の大規模工場等についての準用）

第一九条　第十三条及び第十五条の規定は、大規模工場等の自衛水防組織について準用する。この場合において、同条中「第十五条の二第十項」とあるのは、「第十五条の四第二項」と読み替えるものとする。

（その状況が帯状の盛土構造物が存する土地に類する土地）

第一九条の二　法第十五条の六第一項の国土交通省令で定める土地は、河川の氾濫により流路沿いに繰り返し土砂が堆積し、周囲の土地より高くなった帯状の土地（次条第一項第四号及び第十九条の四第一号ロにおいて「自然堤防」という。）とする。

（浸水被害軽減地区の指定の公示）

第一九条の三　法第十五条の六第三項（同条第五項において準用する場合を含む。）の規定による指定（同条第五項において準用する場合にあっては、指定の解除。以下この項において同じ。）の公示は、次に掲げる事項について、市町村、水防事務組合又は水害予防組合の公報又はウェブサイトへの掲載その他の適切な方法により行うものとする。

一　浸水被害軽減地区の指定をする旨

二　当該浸水被害軽減地区の名称及び指定番号

三　当該浸水被害軽減地区の位置

四　当該浸水被害軽減地区内の土地に存する輪中堤防その他の帯状の盛土構造物又は自然堤防の高さ

2　前項第三号の浸水被害軽減地区の位置は、次に掲げるところにより明示するものとする。

一　市町村、大字、字、小字及び地番

二　平面図

（浸水被害軽減地区の標識の設置の基準）

第一九条の四　法第十五条の七第一項の国土交通省令で定める基準は、次に掲げるものとする。

一　次に掲げる事項を明示したものであること。

イ　浸水被害軽減地区の名称及び指定番号

ロ　浸水被害軽減地区内の土地に存する輪中堤防その他の帯状の盛土構造物又は自然堤防の高さ

ハ　浸水被害軽減地区の管理者及びその連絡先

ニ　標識の設置者及びその連絡先

二　浸水被害軽減地区の周辺に居住し、又は事業を営む者の見やすい場所に設けること。

（浸水被害軽減地区内の土地における行為の届出）

第一九条の五　法第十五条の八第一項の規定による届出は、別記様式の届出書を提出して行うものとする。

2　法第十五条の八第一項本文に規定する行為の設計又は施行方法は、計画図により定めなければならない。

3　前項の計画図は、次の表の定めるところにより作成したものでなければならない。

図面の種類	明示すべき事項	縮尺	備考
浸水被害軽減地区の位置図	浸水被害軽減地区の位置	二千五百分の一以上	
浸水被害軽減地区の現況図	浸水被害軽減地区の形状	二千五百分の一以上	平面図、縦断面図及び横断面図により示すこと。
法第十五条の八第一項本文に規定する行為の計画図	当該行為を行う場所	二千五百分の一以上	平面図、縦断面図及び横断面図により示すこと。
	当該行為を行った後の浸水被害軽減地区の形状	二千五百分の一以上	

（浸水被害軽減地区内の土地における行為の届出書の記載事項）

第一九条の六　法第十五条の八第一項の国土交通省令で定める事項は、同項本文に規定する行為の完了予定日並びに当該行為の対象となる浸水被害軽減地区の名称及び指定番号とする。

（浸水被害軽減地区内の土地における行為の届出の内容の通知）

第一九条の七　法第十五条の八第二項の規定による通知は、第十九条の五第一項の届出書の写しを添付してするものとする。

（氾濫による被害の拡大を防止するための作業）

第二〇条　水防法施行令（平成二十三年政令第四百二十八号）第二条第五号の国土交通省令で定める作業は、流水が河川外に流出した場合において、これによる災害の発生を防止し、又は災害を軽減するために器具又は資材を設置し、水流を制御する作業とする。

（水防協力団体として指定することができる法人に準ずる団体）

第二一条　法第三十六条第一項の国土交通省令で定める団体は、法人でない団体であって、事務所の所在地、構成員の資格、代表者の選任方法、総会の運営、会計に関する事項その他当該団体の組織及び運営に関する事項を内容とする規約その他これに準ずるものを有しているものとする。

（権限の委任）

第二二条　法に規定する国土交通大臣の権限のうち、次に掲げるもの以外のものは、地方整備局長及び北海道開発局長に委任する。ただし、法第四十七条第一項及び第四十八条の規定に基づく権限については、国土交通大臣が自ら行うことを妨げない。

一　法第十条第二項の規定により河川を指定すること。

二　法第十三条第一項の規定により河川を指定すること。

三　法第十六条第一項の規定により河川、湖沼又は海岸を指定すること。

四　法第三十一条の規定により指示をすること。

五　法第四十六条の規定により表彰を行うこと。

附則

この省令は、内閣法の一部を改正する法律（平成十一年法律第八十八号）の施行の日（平成十三年一月六日）から施行する。

附則〔略〕（平成一三・六・二六国土交通省令一〇二）

附則〔略〕（平成一七・六・一国土交通省令六二）

附則〔略〕（平成二三・一二・二六国土交通省令一〇〇）

附則〔略〕（平成二五・七・五国土交通省令五九）

附則〔略〕（平成二五・九・一三国土交通省令七六）

附則〔略〕（平成二七・一・一六国土交通省令二）

附則〔略〕（平成二七・七・一七国土交通省令五四）

附則〔略〕（平成二九・六・一四国土交通省令三六）

附則〔略〕（令和二・一二・二三国土交通省令九八）

附則〔略〕（令和三・七・一四国土交通省令四八）

附則〔抄〕（令和三・一〇・二九国土交通省令六九）

（施行期日）

1　この省令は、特定都市河川浸水被害対策法等の一部を改正する法律の施行の日（令和三年十一月一日）から施行する。〔以下略〕

別記様式　〔略〕

○特定都市河川浸水被害対策法

〔平成一五・六・一一 法律七七〕

改正　平成一七・五法三七、平成二三・八法一〇五、平成二六・五法四二、平成二七・五法二二、令和三・五法三一、令和五・六法五八

目次

第一章　総則（第一条―第三条）
第二章　流域水害対策計画等
第一節　流域水害対策計画の策定等（第四条―第七条）
第二節　流域水害対策計画に基づく措置（第八条―第十条）
第三節　雨水貯留浸透施設整備計画の認定等（第十一条―第二十九条）
第三章　特定都市河川流域における規制等
第一節　雨水浸透阻害行為の許可等（第三十条―第四十三条）
第二節　保全調整池（第四十四条―第四十七条）
第三節　管理協定（第四十八条―第五十二条）
第四節　貯留機能保全区域（第五十三条―第五十五条）
第五節　浸水被害防止区域（第五十六条―第七十六条）
第四章　雑則（第七十七条―第八十三条）
第五章　罰則（第八十四条―第八十九条）
附則

第一章　総則

（目的）

第一条　この法律は、都市部を流れる河川の流域において、著しい浸水被害が発生し、又はそのおそれがあり、かつ、河道等の整備による浸水被害の防止が市街化の進展又は当該河川が接続する河川の状況若しくは当該都市部を流れる河川の周辺の地形その他の自然的条件の特殊性により困難な地域について、浸水被害から国民の生命、身体又は財産を保護するため、当該河川及び地域をそれぞれ特定都市河川及び特定都市河川流域として指定し、浸水被害対策の総合的な推進のための流域水害対策計画の策定、河川管理者による雨水貯留浸透施設の整備その他の措置を定めることにより、特定都市河川流域における浸水被害の防止のための対策の推進を図り、もって公共の福祉の確保に資することを目的とする。

（定義）

第二条　この法律において「特定都市河川」とは、都市部を流れる河川（河川法（昭和三十九年法律第百六十七号）第三条第一項に規定する河川をいう。以下同じ。）であって、その流域において著しい浸水被害が発生し、又はそのおそれがあるにもかかわらず、河道又は洪水調節ダムの整備による浸水被害の防止が市街化の進展又は当該河川が接続する河川の状況若しくは当該都市部を流れる河川の周辺の地形その他の自然的条件の特殊性により困難なもののうち、国土交通大臣又は都道府県知事が次条の規定により区間を限って指定するものをいう。

2　この法律において「特定都市河川流域」とは、当該特定都市河川の流域（当該特定都市河川に係る区間が河口を含まない場合にあってはその区間の最も下流の地点から河口までの区間に係る流域を除き、当該特定都市河川の流域内において河川に雨水を放流する下水道（以下「特定都市下水道」という。）がある場合にあってはその排水区域（下水道法（昭和三十三年法律第七十九号）第二条第七号に規定する排水区域をいう。以下同じ。）を含む。）として国土交通大臣又は都道府県知事が次条の規定により指定するものをいう。

3　この法律において「浸水被害」とは、特定都市河川流域において、洪水又は雨水出水（水防法（昭和二十四年法律第百九十三号）第二条第一項に規定する雨水出水をいう。以下同じ。）による浸水（以下「都市浸水」という。）により、国民の生命、身体又は財産に被害を生ずることをいう。

4　この法律において「河川管理者」とは、河川法第七条に規定する河川管理者（同法第九条第二項又は第五項の規定により都道府県知事又は指定都市（地方自治法（昭和二十二年法律第六十七号）第二百五十二条の十九第一項の指定都市をいう。以下同じ。）の長が河川法第九条第二項に規定する指定区間内の一級河川（同法第四条第一項に規定する一級河川をいう。以下同じ。）の管理の一部を行う場合にあっては、当該都道府県知事又は当該指定都市の長）をいう。

5　この法律において「下水道管理者」とは、公共下水道管理者（下水道法第四条第一項に規定する公共下水道管理者をいう。以下同じ。）、同法第二十五条の二十三第一項に規定する流域下水道管理者及び同法第二十七条第一項に規定する都市下水路管理者をいう。

6　この法律において「雨水貯留浸透施設」とは、雨水を一時的に貯留し、又は地下に浸透させる機能を有する施設であって、浸水被害の防止を目的とするものをいう。

7　この法律において「防災調整池」とは、雨水貯留浸透施設のうち、雨水を一時的に貯留する機能を有する施設であって、河川管理者及び下水道管理者以外の者が設置するもの（第三十条の許可を受けて行う第三十一条第一項第三号に規定する対策工事により設置されるものを除く。）をいう。

8　この法律において「保全調整池」とは、防災調整池のうち、第四十四条第一項の規定により指定されるものをいう。

9　この法律において「宅地等」とは、宅地、池沼、水路、ため池、道路その他雨水が浸透しにくい土地として政令で定めるものをいう。

（特定都市河川等の指定）

第三条　国土交通大臣は、一の水系に係る一又は二以上の一級河川につき、区間を限ってこれを特定都市河川として指定することができる。

2　前項の規定により指定する河川の区間は、一級河川の連続する区間でなければならない。この場合において、二以上の一級河川を併せて指定するときは、そのうち一の一級河川の連続する区間が、他の一級河川の連続する区間と直接に又は他の一級河川の連続する区間を通じて間接に接続していなければならない。

3　前二項の規定により国土交通大臣が特定都市河川を指定するときは、併せて、当該特定都市河川に係る特定都市河川流域を指定しなければならない。

4　第一項及び第二項の規定により指定しようとする区間のすべてが河川法第九条第二項に規定する指定区間内にあるときは、第一項及び前項の規定にかかわらず、その特定都市河川及び特定都市河川流域の指定は、都道府県知事が行うものとする。

5　都道府県知事は、一の水系に係る一又は二以上の河川法第五条第一項に規定する二級河川につき、区間を限ってこれを特定都市河川として指定することができる。この場合においては、第二項及び第三項の規定を準用する。

6　前二項の場合において、指定しようとする特定都市河川流域が二以上の都府県にわたるときのこれらの規定の適用については、これらの規定中「都道府県知事」とあるのは、「都道府県知事（当該特定都市河川流域が二以上の都府県にわたる場合にあっては、都府県知事及び当該特定都市河川流域の区域の一部をその区域に含む他の都府県知事）」とする。

7　第三項（第五項において準用する場合に限る。）及び前三項の規定により都道府県知事が特定都市河川及び特定都市河川流域の指定を行おうとするときは、あらかじめ、国土交通大臣に協議し、その同意を得なければならない。

8　国土交通大臣は、第一項及び第三項の規定により特定都市河川及び特定都市河川流域の指定を行おうとするときは、あらかじめ、当該特定都市河川流域の区域の全部又は一部をその区域に含む都道府県及び市町村の長並びに当該特定都市河川流域に係る特定都市下水道の下水道管理者の意見を聴かなければならない。

9　都道府県知事は、第三項（第五項において準用する場合に限る。）及び第四項から第六項までの規定により特定都市河川及び特定都市河川流域の指定を行おうとするときは、あらかじめ、当該特定都市河川流域の区域の全部又は一部をその区域に含む市町村の長及び当該特定都市河川流域に係る特定都市下水道の下水道管理者の意見を聴かなければならない。

10　国土交通大臣又は都道府県知事は、第一項、第三項（第五項において準用する場合を含む。）及び第四項から第六項までの規定により特定都市河川及び特定都市河川流域の指定をするときは、国土交通省令で定めるところにより、これを公示しなければならない。

11　前各項の規定は、特定都市河川又は特定都市河川流域の指定の変更又は

解除について準用する。

第二章　流域水害対策計画等

第一節　流域水害対策計画の策定等

（流域水害対策計画の策定）

第四条　前条の規定により特定都市河川及び特定都市河川流域が指定されたときは、当該特定都市河川の河川管理者、当該特定都市河川流域の区域の全部又は一部をその区域に含む都道府県及び市町村の長並びに当該特定都市河川流域に係る特定都市下水道の下水道管理者（以下「河川管理者等」という。）は、共同して、特定都市河川流域における浸水被害の防止を図るための対策に関する計画（以下「流域水害対策計画」という。）を定めなければならない。

2　流域水害対策計画においては、次に掲げる事項を定めるものとする。

一　計画期間

二　特定都市河川流域における浸水被害対策の基本方針

三　特定都市河川流域において都市浸水の発生を防ぐべき目標となる降雨

四　前号の降雨が生じた場合に都市浸水が想定される区域及び浸水した場合に想定される水深（第五十三条第一項及び第五十六条第一項において「都市浸水想定」という。）

五　特定都市河川の整備に関する事項

六　特定都市河川流域において当該特定都市河川の河川管理者が行う雨水貯留浸透施設の整備に関する事項

七　下水道管理者が行う特定都市下水道の整備に関する事項（汚水のみを排除するためのものを除く。）

八　特定都市河川流域において河川管理者及び下水道管理者以外の者が行う雨水貯留浸透施設の整備その他浸水被害の防止を図るための雨水の一時的な貯留又は地下への浸透に関する事項

九　第十一条第一項に規定する雨水貯留浸透施設整備計画の同項の認定に関する基本的事項

十　下水道管理者が管理する特定都市下水道のポンプ施設（河川に下水を放流するためのものに限る。）の操作に関する事項

十一　第四号の区域における土地の利用に関する事項

十二　第五十三条第一項に規定する貯留機能保全区域又は第五十六条第一項に規定する浸水被害防止区域の指定の方針

十三　浸水被害が発生した場合における被害の拡大を防止するための措置に関する事項

十四　前各号に定めるもののほか、浸水被害の防止を図るために必要な措置に関する事項

3　前項第八号に掲げる事項には、特定都市河川流域の区域の全部又は一部をその区域に含む市町村における緑地に関する施策（当該緑地における雨水貯留浸透施設の整備その他当該緑地が有する雨水を一時的に貯留し又は地下に浸透させる機能を確保し又は向上させるためのものであって、浸水被害の防止を目的とするものに限る。）に関する事項を記載することができる。

4　河川管理者等は、第一項の規定により流域水害対策計画を定めるときは、あらかじめ、国土交通大臣に協議し、その同意を得なければならない。ただし、当該流域水害対策計画に係る特定都市河川の河川管理者が国土交通大臣である場合は、この限りでない。

5　河川管理者等は、流域水害対策計画を定める場合において必要があると認めるときは、あらかじめ、河川及び下水道に関し学識経験を有する者の意見を聴かなければならない。

6　河川管理者等は、前項に規定する場合において必要があると認めるときは、あらかじめ、公聴会の開催等特定都市河川流域内の住民の意見を反映させるために必要な措置を講じなければならない。

7　河川管理者等は、流域水害対策計画のうち第二項第五号及び第六号に掲げる事項については、当該特定都市河川の河川管理者が作成する案に基づいて定めるものとする。

8　河川管理者等は、流域水害対策計画のうち第二項第七号に掲げる事項については、当該特定都市下水道の下水道管理者及び当該下水道管理者の管理する下水道の排水区域の全部又は一部をその区域に含む都道府県の知事が共同して作成する案に基づいて定めるものとする。ただし、当該排水区域の全部が一の市町村の区域内にある場合においては、当該下水道管理者が作成する案に基づいて定めるものとする。

9　河川管理者等は、流域水害対策計画のうち第二項第八号に掲げる事項（特定都市河川流域において地方公共団体が行う雨水貯留浸透施設の整備に係るものに限る。）については、当該地方公共団体が作成する案に基づいて定めるものとする。

10　河川管理者等は、流域水害対策計画を定めたときは、遅滞なく、国土交通省令で定めるところにより、これを公表しなければならない。

11　河川管理者等は、流域水害対策計画を定めたときは、定期的に、流域水害対策計画に基づく措置の実施の状況に関する評価を行い、流域水害対策計画に検討を加え、必要があると認めるときは、これを変更することその他の必要な措置を講ずるように努めなければならない。

12　第四項から第十項までの規定は、流域水害対策計画の変更について準用する。

（流域水害対策計画の実施等）

第五条　河川管理者等は、流域水害対策計画を共同して作成した他の河川管理者等と連携を図りながら、当該流域水害対策計画に定められた浸水被害対策の基本方針に従い、雨水貯留浸透施設の整備、浸水被害対策に係る啓発その他浸水被害対策の実施に必要な措置を講ずるように努めなければならない。

2　特定都市河川流域内において居住し、又は事業を営む者は、当該特定都市河川流域における浸水被害の防止を図るための雨水の一時的な貯留又は地下への浸透に自ら努めるとともに、河川管理者等がこの法律の目的を達成するために行う措置に協力しなければならない。

（流域水害対策協議会）

第六条　第三条第一項及び第三項の規定により特定都市河川及び特定都市河川流域が指定されたときは、河川管理者等は、共同して、流域水害対策計画の作成及び変更に関する協議並びに流域水害対策計画の実施に係る連絡調整を行うため、流域水害対策協議会を組織するものとする。

2　流域水害対策協議会は、次に掲げる者をもって構成する。

一　河川管理者等

二　当該特定都市河川が接続する河川の河川管理者

三　当該特定都市河川流域の区域の全部又は一部をその区域に含む都道府県又は市町村に隣接する地方公共団体の長、学識経験者その他の河川管理者等が必要と認める者

3　流域水害対策協議会において協議が調った事項については、流域水害対策協議会の構成員はその協議の結果を尊重しなければならない。

4　前三項に定めるもののほか、流域水害対策協議会の運営に関し必要な事項は、流域水害対策協議会が定める。

（都道府県流域水害対策協議会）

第七条　第三条第四項から第六項までの規定及び同条第五項において準用する同条第三項の規定により特定都市河川及び特定都市河川流域が指定されたときは、河川管理者等は、共同して、流域水害対策計画の作成及び変更に関する協議並びに流域水害対策計画の実施に係る連絡調整を行うため、都道府県流域水害対策協議会を組織することができる。

2　都道府県流域水害対策協議会は、次に掲げる者をもって構成する。

一　河川管理者等

二　当該特定都市河川が接続する河川の河川管理者

三　当該特定都市河川流域の区域の全部又は一部をその区域に含む都道府県又は市町村に隣接する地方公共団体の長、学識経験者その他の河川管理者等が必要と認める者

3　前条第三項及び第四項の規定は、都道府県流域水害対策協議会について準用する。この場合において、同項中「前三項」とあるのは、「次条第一項及び第二項並びに同条第三項において準用する前項」と読み替えるものとする。

第二節　流域水害対策計画に基づく措置

（河川管理者による雨水貯留浸透施設の整備）

第八条　河川管理者は、流域水害対策計画に基づき、特定都市河川流域に、特定都市河川の洪水による浸水による被害の防止を図ることを目的とする雨水貯留浸透施設を設置し、又は管理することができる。

2　前項の規定により河川管理者が設置し、又は管理する雨水貯留浸透施設については、当該雨水貯留浸透施設を河川法第三条第二項に規定する河川

管理施設と、当該雨水貯留浸透施設の敷地である土地の区域を同法第六条第一項に規定する河川区域と、当該雨水貯留浸透施設に関する工事を同法第八条に規定する河川工事とみなして、同法その他の政令で定める法令の規定を適用する。

3　河川管理者は、国土交通省令で定めるところにより、その管理する雨水貯留浸透施設の区域として政令で定めるものを公示しなければならない。これを変更するときも、同様とする。

（他の地方公共団体の負担金）

第九条　流域水害対策計画に基づく事業であって第四条第二項第七号又は第八号に掲げる事項に関するものを実施する地方公共団体は、当該事業により利益を受ける他の地方公共団体に対し、その利益を受ける限度において、当該事業に要する費用の全部又は一部を負担させることができる。

2　地方公共団体は、前項の規定により当該利益を受ける他の地方公共団体に当該事業に要する費用の全部又は一部を負担させるときは、あらかじめ、当該利益を受ける他の地方公共団体に協議しなければならない。

（排水設備の技術上の基準に関する特例）

第一〇条　公共下水道管理者は、特定都市河川流域において流域水害対策計画に基づき浸水被害の防止を図るためには、下水道法第十条第一項に規定する排水設備（雨水を排除するためのものに限る。）が、同条第三項の政令で定める技術上の基準を満たすのみでは十分でなく、雨水を一時的に貯留し、又は地下に浸透させる機能を備えることが必要であると認められるときは、政令で定める基準に従い、条例で、同項の技術上の基準に代えて排水設備に適用すべき排水及び雨水の一時的な貯留又は地下への浸透に関する技術上の基準を定めることができる。

第三節　雨水貯留浸透施設整備計画の認定等

（雨水貯留浸透施設整備計画の認定）

第一一条　特定都市河川流域において雨水貯留浸透施設の設置及び管理をしようとする者（地方公共団体を除く。）は、国土交通省令で定めるところにより、当該雨水貯留浸透施設の設置及び管理に関する計画（以下「雨水貯留浸透施設整備計画」という。）を作成し、当該雨水貯留浸透施設を設置しようとする都道府県（当該雨水貯留浸透施設を指定都市又は地方自治法第二百五十二条の二十二第一項の中核市（以下「指定都市等」という。）の区域内に設置しようとする場合にあっては、当該指定都市等）の長（以下この節において「都道府県知事等」という。）の認定を申請することができる。

2　雨水貯留浸透施設整備計画には、次に掲げる事項を記載しなければならない。

一　雨水貯留浸透施設の位置

二　雨水貯留浸透施設の規模

三　雨水貯留浸透施設の構造及び設備

四　雨水貯留浸透施設の設置に係る資金計画

五　雨水貯留浸透施設の管理の方法及び期間

六　その他国土交通省令で定める事項

3　雨水貯留浸透施設整備計画には、前項各号に掲げる事項のほか、雨水貯留浸透施設から公共下水道（下水道法第二条第三号に規定する公共下水道をいう。以下同じ。）に雨水を排除するために必要な排水施設その他の公共下水道の施設に関する工事に関する事項を記載することができる。

（認定の基準）

第一二条　都道府県知事等は、前条第一項の認定の申請があった場合において、当該申請に係る雨水貯留浸透施設整備計画が次に掲げる基準に適合すると認めるときは、その認定をすることができる。

一　雨水貯留浸透施設の規模が国土交通省令で定める規模以上であること。

二　雨水貯留浸透施設の構造及び設備が国土交通省令で定める基準に適合するものであること。

三　資金計画が当該雨水貯留浸透施設の設置を確実に遂行するため適切なものであること。

四　雨水貯留浸透施設の管理の方法が国土交通省令で定める基準に適合するものであること。

五　雨水貯留浸透施設の管理の期間が国土交通省令で定める期間以上であること。

2　都道府県知事等は、前条第三項に規定する事項が記載された雨水貯留浸透施設整備計画について同条第一項の認定をするときは、あらかじめ、当該公共下水道に係る公共下水道管理者に協議し、その同意を得るものとする。

（認定の通知）

第一三条　都道府県知事等は、第十一条第一項の認定をしたときは、速やかに、その旨を当該認定を受けた者に通知しなければならない。

2　都道府県知事は、第十一条第一項の認定をしたときは、速やかに、その旨を当該認定を受けた雨水貯留浸透施設整備計画に基づき雨水貯留浸透施設が設置されることとなる市町村の長に通知しなければならない。

3　都道府県知事等は、第十一条第三項に規定する事項が記載された雨水貯留浸透施設整備計画について同条第一項の認定をしたときは、速やかに、その旨を当該公共下水道に係る公共下水道管理者に通知しなければならない。

（雨水貯留浸透施設整備計画の変更）

第一四条　第十一条第一項の認定を受けた者は、当該認定を受けた雨水貯留浸透施設整備計画の変更（国土交通省令で定める軽微な変更を除く。）をしようとするときは、都道府県知事等の認定を受けなければならない。

2　前二条の規定は、前項の場合について準用する。

（認定事業者に対する助言及び指導）

第一五条　都道府県知事等は、第十一条第一項の認定（前条第一項の変更の認定を含む。以下「計画の認定」という。）を受けた者（以下「認定事業者」という。）に対し、当該計画の認定を受けた雨水貯留浸透施設整備計画（変更があったときは、その変更後のもの。以下「認定計画」という。）に係る雨水貯留浸透施設の設置及び管理に関し必要な助言及び指導を行うよう努めるものとする。

（補助）

第一六条　国又は地方公共団体は、認定事業者に対し、予算の範囲内で、政令で定めるところにより、認定計画に係る雨水貯留浸透施設の設置に要する費用の一部を補助することができる。

（下水道法の特例）

第一七条　雨水貯留浸透施設整備計画（第十一条第三項に規定する事項が記載されたものに限る。）に記載された同項に規定する工事については、当該雨水貯留浸透施設整備計画について計画の認定を受けたときに、下水道法第十六条の規定による承認があったものとみなす。

（日本下水道事業団法の特例）

第一八条　日本下水道事業団は、日本下水道事業団法（昭和四十七年法律第四十一号）第二十六条第一項に規定する業務のほか、認定事業者の委託に基づき、認定計画に係る雨水貯留浸透施設の設置、設計及び工事の監督管理の業務を行うことができる。

（管理協定の締結等）

第一九条　地方公共団体は、特定都市河川流域において浸水被害の防止を図るため、特定都市河川流域内に存する認定計画に基づき設置された雨水貯留浸透施設を自ら管理する必要があると認めるときは、施設所有者等（当該雨水貯留浸透施設若しくはその属する施設の所有者、これらの敷地である土地の所有者又は当該土地の使用及び収益を目的とする権利（臨時設備その他一時的に使用する施設のため設定されたことが明らかなものを除く。次において同じ。）を有する者をいう。以下同じ。）との間において、管理協定を締結して、当該雨水貯留浸透施設の管理を行うことができる。

2　地方公共団体は、特定都市河川流域において浸水被害の防止を図るため、認定計画に基づき設置が予定されている雨水貯留浸透施設を自ら管理する必要があると認めるときは、施設所有者等となろうとする者（当該雨水貯留浸透施設若しくはその属する施設の敷地である土地の所有者又は当該土地の使用及び収益を目的とする権利を有する者を含む。以下「予定施設所有者等」という。）との間において、管理協定を締結して、設置後の当該雨水貯留浸透施設の管理を行うことができる。

3　前二項の規定による管理協定については、第一項の雨水貯留浸透施設にあっては施設所有者等の全員の、前項の雨水貯留浸透施設にあっては予定施設所有者等の全員の合意がなければならない。

（管理協定の内容）

第二〇条　前条第一項又は第二項の規定による管理協定（以下この節において「管理協定」という。）には、次に掲げる事項を定めるものとする。

一　管理協定の目的となる雨水貯留浸透施設（次号及び次項第一号におい

て「協定雨水貯留浸透施設」という。）

二　協定雨水貯留浸透施設の管理の方法に関する事項

三　管理協定の有効期間

四　管理協定に違反した場合の措置

2　管理協定の内容は、次の各号に掲げる基準のいずれにも適合するものでなければならない。

一　協定施設（協定雨水貯留浸透施設又はその属する施設をいう。第二十二条及び第二十四条において同じ。）の利用を不当に制限するものでないこと。

二　前項第二号から第四号までに掲げる事項について国土交通省令で定める基準に適合するものであること。

（管理協定の縦覧等）

第二一条　地方公共団体は、管理協定を締結しようとするときは、国土交通省令で定めるところにより、その旨を公告し、当該管理協定を当該公告の日から二週間利害関係人の縦覧に供さなければならない。

2　前項の規定による公告があったときは、利害関係人は、同項の縦覧期間満了の日までに、当該管理協定について、地方公共団体に意見書を提出することができる。

（管理協定の公示等）

第二二条　地方公共団体は、管理協定を締結したときは、国土交通省令で定めるところにより、その旨を公示し、かつ、当該管理協定の写しを当該地方公共団体の事務所において一般の縦覧に供するとともに、協定施設内又はその敷地である土地の区域内の見やすい場所に、協定施設内にあっては協定施設である旨を、当該土地の区域内にあっては協定施設が当該区域内に存する旨を、それぞれ明示しなければならない。

（管理協定の変更）

第二三条　第十九条第三項、第二十条第二項及び前二条の規定は、管理協定において定めた事項の変更について準用する。

（管理協定の効力）

第二四条　第二十二条（前条において準用する場合を含む。）の規定による公示のあった管理協定は、その公示のあった後において当該協定施設の施設所有者等又は予定施設所有者等となった者に対しても、その効力があるものとする。

（報告の徴収）

第二五条　都道府県知事等は、認定事業者に対し、認定計画に係る雨水貯留浸透施設の設置及び管理の状況について報告を求めることができる。

（地位の承継）

第二六条　認定事業者の一般承継人又は認定事業者から認定計画に係る雨水貯留浸透施設の敷地である土地の所有権その他当該雨水貯留浸透施設の設置及び管理に必要な権原を取得した者は、都道府県知事等の承認を受けて、当該認定事業者が有していた計画の認定に基づく地位を承継することができる。

（改善命令）

第二七条　都道府県知事等は、認定事業者が認定計画に従って認定計画に係る雨水貯留浸透施設の設置及び管理を行っていないと認めるときは、当該認定事業者に対し、相当の期限を定めて、その改善に必要な措置をとるべきことを命ずることができる。

（計画の認定の取消し）

第二八条　都道府県知事等は、認定事業者が前条の規定による処分に違反したときは、計画の認定を取り消すことができる。

2　第十三条の規定は、都道府県知事等が前項の規定による取消しをした場合について準用する。

（都市緑地法の特例）

第二九条　流域水害対策計画（第四条第三項に規定する雨水貯留浸透施設の整備に関する事項が定められているものに限る。）に係る市町村が都市緑地法（昭和四十八年法律第七十二号）第四条第一項に規定する基本計画を定めている場合における同法第十四条第九項第三号の規定の適用については、同号中「事項」とあるのは、「事項又は特定都市河川浸水被害対策法（平成十五年法律第七十七号）第四条第一項に規定する流域水害対策計画において定められた当該特別緑地保全地区内の緑地における同条第三項に規定する雨水貯留浸透施設の整備に関する事項」とする。

第三章　特定都市河川流域における規制等

第一節　雨水浸透阻害行為の許可等

（雨水浸透阻害行為の許可）

第三〇条　特定都市河川流域内の宅地等以外の土地において、次に掲げる行為（流域水害対策計画に基づいて行われる行為を除く。以下「雨水浸透阻害行為」という。）であって雨水の浸透を著しく妨げるおそれのあるものとして政令で定める規模以上のものをする者は、あらかじめ、当該雨水浸透阻害行為をする土地の区域に係る都道府県（当該土地の区域が指定都市等の区域内にある場合にあっては、当該指定都市等）の長（以下この節において「都道府県知事等」という。）の許可を受けなければならない。ただし、通常の管理行為、軽易な行為その他の行為で政令で定めるもの及び非常災害のために必要な応急措置として行う行為については、この限りでない。

一　宅地等にするために行う土地の形質の変更

二　土地の舗装（コンクリート等の不浸透性の材料で土地を覆うことをいい、前号に該当するものを除く。）

三　前二号に掲げるもののほか、土地からの流出雨水量（地下に浸透しないで他の土地へ流出する雨水の量をいう。以下同じ。）を増加させるおそれのある行為で政令で定めるもの

（申請の手続）

第三一条　前条の許可を受けようとする者は、国土交通省令で定めるところにより、次に掲げる事項を記載した申請書を都道府県知事等に提出しなければならない。

一　雨水浸透阻害行為をする土地の区域（以下「行為区域」という。）の位置、区域及び規模

二　雨水浸透阻害行為に関する工事の計画

三　雨水貯留浸透施設の設置に関する工事その他の行為区域からの雨水浸透阻害行為による流出雨水量の増加を抑制するため自ら施行しようとする工事（以下「対策工事」という。）の計画

四　その他国土交通省令で定める事項

2　前項の申請書には、国土交通省令で定める図書を添付しなければならない。

（許可の基準）

第三二条　都道府県知事等は、第三十条の許可の申請があったときは、その対策工事の計画が、当該行為区域における雨水浸透阻害行為による流出雨水量の増加を抑制するために必要な措置を政令で定める技術的基準（次条の条例が定められているときは、当該条例で定める技術的基準を含む。第三十八条第二項及び第三項、第三十九条第一項並びに第四十一条第一項第四号において同じ。）に従い講じたものであり、かつ、その申請の手続がこの法律又はこの法律に基づく命令の規定に違反していないと認めるときは、その許可をしなければならない。

（条例による技術的基準の強化）

第三三条　行為区域に係る地方公共団体は、その地方の浸水被害の発生の状況又は自然的条件の特殊性を勘案し、前条の政令で定める技術的基準のみによっては特定都市河川流域における浸水被害の防止を図ることが困難であると認められる場合においては、政令で定める基準に従い、条例で、当該技術的基準を強化することができる。

2　市町村（指定都市等を除く。）は、前項の規定により条例を定めるときは、あらかじめ、都道府県知事と協議し、その同意を得なければならない。

（許可の条件）

第三四条　都道府県知事等は、第三十条の許可に、行為区域における雨水浸透阻害行為による流出雨水量の増加を抑制するために必要な条件を付することができる。この場合において、その条件は、当該許可を受けた者に不当な義務を課するものであってはならない。

（許可の特例）

第三五条　国又は地方公共団体が行う雨水浸透阻害行為については、国又は地方公共団体と当該雨水浸透阻害行為について第三十条の許可を行う都道府県知事等との協議が成立することをもって当該許可を受けたものとみなす。

（許可又は不許可の通知）

第三六条　都道府県知事等は、第三十条の許可の申請があったときは、遅滞なく、許可又は不許可の処分をしなければならない。

2　前項の処分をするには、文書をもって同項の申請をした者に通知しなけ

ればならない。

（変更の許可等）

第三七条　第三十条の許可（この項の規定による許可を含む。以下同じ。）を受けた者は、第三十一条第一項各号に掲げる事項の変更をしようとする場合においては、都道府県知事等の許可を受けなければならない。ただし、国土交通省令で定める軽微な変更をしようとするときは、この限りでない。

2　前項の許可を受けようとする者は、国土交通省令で定める事項を記載した申請書を都道府県知事等に提出しなければならない。

3　第三十条の許可を受けた者は、第一項ただし書に該当する変更をしたときは、遅滞なく、その旨を都道府県知事等に届け出なければならない。

4　第三十二条及び前三条の規定は、第一項の許可について準用する。

5　第一項の許可を受けた場合又は第三項の規定による届出をした場合における次条の規定の適用については、当該許可又は当該届出に係る変更後の内容を第三十条の許可の内容とみなす。

（工事完了の検査等）

第三八条　第三十条の許可を受けた者は、当該許可に係る雨水浸透阻害行為に関する工事を完了し、又は当該工事を廃止したときは、国土交通省令で定めるところにより、その旨を都道府県知事等に届け出なければならない。

2　都道府県知事等は、前項の規定による工事を完了した旨の届出があったときは、遅滞なく、当該工事が第三十二条の政令で定める技術的基準に適合しているかどうかについて検査しなければならない。

3　都道府県知事等は、雨水貯留浸透施設の設置を伴う第一項の工事について、前項の検査の結果当該工事が第三十二条の政令で定める技術的基準に適合すると認めたときは、遅滞なく、国土交通省令で定める基準を参酌して都道府県（当該雨水貯留浸透施設が指定都市等の区域内にある場合にあっては、当該指定都市等。第六項から第八項までにおいて同じ。）の条例で定めるところにより、次に掲げる土地又は建築物等（建築物その他の工作物をいう。以下同じ。）に、当該技術的基準に適合する雨水貯留浸透施設が存する旨を表示した標識を設けなければならない。

一　雨水貯留浸透施設の敷地である土地

二　建築物等に雨水貯留浸透施設が設置されている場合にあっては、当該建築物等又はその敷地である土地

4　前項各号に掲げる土地又は建築物等の所有者、管理者又は占有者は、正当な理由がない限り、同項の標識の設置を拒み、又は妨げてはならない。

5　何人も、第三項の規定により設けられた標識を設置者の承諾を得ないで移転し、若しくは除却し、又は汚損し、若しくは損壊してはならない。

6　都道府県は、第三項の規定による行為により損失を受けた者がある場合においては、その損失を受けた者に対して、通常生ずべき損失を補償しなければならない。

7　前項の規定による損失の補償については、都道府県と損失を受けた者が協議しなければならない。

8　前項の規定による協議が成立しない場合においては、都道府県又は損失を受けた者は、政令で定めるところにより、収用委員会に土地収用法（昭和二十六年法律第二百十九号）第九十四条第二項の規定による裁決を申請することができる。

（雨水貯留浸透施設の機能を阻害するおそれのある行為の許可）

第三九条　前条第二項の検査の結果第三十二条の政令で定める技術的基準に適合すると認められた雨水貯留浸透施設について、次に掲げる行為をする者は、あらかじめ、都道府県知事等の許可を受けなければならない。ただし、通常の管理行為、軽易な行為その他の行為で政令で定めるもの及び非常災害のため必要な応急措置として行う行為については、この限りでない。

一　雨水貯留浸透施設の全部又は一部の埋立て

二　雨水貯留浸透施設（建築物等に設置されているものを除く。）の敷地である土地の区域における建築物等の新築、改築又は増築

三　雨水貯留浸透施設が設置されている建築物等の改築又は除却（雨水貯留浸透施設に係る部分に関するものに限る。）

四　前三号に掲げるもののほか、雨水貯留浸透施設が有する雨水を一時的に貯留し、又は地下に浸透させる機能を阻害するおそれのある行為で政令で定めるもの

2　前項の許可を受けようとする者は、国土交通省令で定めるところにより、行為の種類、場所、設計又は施行方法、着手予定日その他国土交通省令で定める事項を記載した申請書を都道府県知事等に提出しなければならない。

3　都道府県知事等は、第一項の許可の申請があったときは、その申請に係る行為が雨水貯留浸透施設が有する雨水を一時的に貯留し、又は地下に浸透させる機能の保全上支障がなく、かつ、その申請の手続がこの法律又はこの法律に基づく命令の規定に違反していないと認めるときは、その許可をしなければならない。

4　第三十四条から第三十六条までの規定は、第一項の許可について準用する。この場合において、第三十四条及び第三十六条第一項中「第三十条」とあるのは「第三十九条第一項」と、第三十四条中「行為区域における雨水浸透阻害行為による流出雨水量の増加を抑制する」とあるのは「雨水貯留浸透施設が有する雨水を一時的に貯留し、又は地下に浸透させる機能を保全する」と、第三十五条中「行う雨水浸透阻害行為」とあるのは「行う第三十九条第一項各号に掲げる行為」と、「当該雨水浸透阻害行為」とあるのは「当該行為」と、「第三十条」とあるのは「同項」と、第三十六条第二項中「前項」とあるのは「第三十九条第四項において準用する第三十六条第一項」と、「同項」とあるのは「第三十九条第一項の許可」と読み替えるものとする。

5　第三条第十一項の規定による特定都市河川流域の指定の変更又は解除により第一項の雨水貯留浸透施設が特定都市河川流域外に存することとなった場合においては、当該雨水貯留浸透施設については、前条第三項から第八項まで及び前各項の規定は、適用しない。

（雨水の流出の増加の抑制）

第四〇条　特定都市河川流域内の宅地等以外の土地において、雨水浸透阻害行為であって第三十条の政令で定める規模未満のものをしようとする者は、行為区域における当該雨水浸透阻害行為による流出雨水量の増加を抑制するために必要な措置を講ずるよう努めなければならない。

（監督処分）

第四一条　都道府県知事等は、次の各号のいずれかに該当する者に対して、特定都市河川流域における浸水被害の防止を図るために必要な限度において、第三十条の許可若しくは第三十九条第一項の許可を取り消し、若しくはその許可に付した条件を変更し、又は工事その他の行為の停止を命じ、若しくは相当の期限を定めて必要な措置をとることを命ずることができる。

一　第三十条又は第三十七条第一項の規定に違反して、雨水浸透阻害行為をした者

二　第三十九条第一項の規定に違反して、同項各号に掲げる行為をした者

三　第三十条の許可又は第三十九条第一項の許可に付した条件に違反した者

四　特定都市河川流域内における雨水浸透阻害行為（当該特定都市河川流域の指定の際当該特定都市河川流域内において既に着手している行為を除く。）であって、行為区域における流出雨水量の増加を抑制するために必要な措置を第三十二条の政令で定める技術的基準に従って講じていないものに関する工事の注文主若しくは請負人（請負工事の下請人を含む。）又は請負契約によらないで自らその工事をしている者若しくはした者

五　詐欺その他不正な手段により第三十条の許可又は第三十九条第一項の許可を受けた者

2　前項の規定により必要な措置をとることを命じようとする場合において、過失がなくて当該措置を命ずべき者（以下この項において「義務者」という。）を確知することができないときは、都道府県知事等は、当該義務者の負担において、当該措置を自ら行い、又はその命じた者若しくは委任した者（以下この項において「措置実施者」という。）に当該措置を行わせることができる。この場合においては、都道府県知事等は、その定めた期限内に義務者において当該措置を行うべき旨及びその期限までに当該措置を行わないときは都道府県知事等又は措置実施者が当該措置を行う旨を、あらかじめ公告しなければならない。

3　都道府県知事等は、第一項の規定による命令をした場合においては、標識の設置その他国土交通省令で定める方法により、その旨を公示しなければならない。

4　前項の標識は、第一項の規定による命令に係る土地又は建築物等若しくは建築物等の敷地内に設置することができる。この場合においては、同項の規定による命令に係る土地又は建築物等若しくは建築物等の敷地の所有者、管理者又は占有者は、当該標識の設置を拒み、又は妨げてはならない。

（立入検査）

第四二条　都道府県知事等は、第三十条、第三十七条第一項、第三十八条第

二項、第三十九条第一項又は前条第一項の規定による権限を行うために必要な限度において、その職員に、雨水浸透阻害行為に係る土地（対策工事に係る建築物等を含む。）に立ち入り、当該土地、当該雨水浸透阻害行為に関する工事若しくは当該対策工事の状況又は当該対策工事により設置された施設を検査させることができる。

2　前項の規定により立入検査をする職員は、その身分を示す証明書を携帯し、関係者の請求があったときは、これを提示しなければならない。

3　第一項の規定による立入検査の権限は、犯罪捜査のために認められたものと解釈してはならない。

（報告の徴収等）

第四三条　都道府県知事等は、第三十条の許可を受けた者に対し、当該許可に係る土地又は当該許可に係る雨水浸透阻害行為に関する工事の状況について報告若しくは資料の提出を求め、又は当該土地における雨水浸透阻害行為による流出雨水量の増加を抑制するために必要な助言若しくは勧告をすることができる。

2　都道府県知事等は、第三十九条第一項の許可を受けた者に対し、当該許可に係る雨水貯留浸透施設又は当該許可に係る行為の状況について報告若しくは資料の提出を求め、又は当該雨水貯留浸透施設が有する雨水を一時的に貯留し、若しくは地下に浸透させる機能を保全するために必要な助言若しくは勧告をすることができる。

第二節　保全調整池

（保全調整池の指定等）

第四四条　特定都市河川流域内に政令で定める規模以上の防災調整池が存する都道府県（当該防災調整池が指定都市等の区域内にある場合にあっては、当該指定都市等）の長（以下この節において「都道府県知事等」という。）は、当該防災調整池の雨水を一時的に貯留する機能が当該特定都市河川流域における浸水被害の防止を図るために有用であると認めるときは、当該防災調整池を保全調整池として指定することができる。

2　都道府県知事は、前項の規定による指定をするときは、あらかじめ、当該保全調整池が存する市町村の長の意見を聴かなければならない。

3　都道府県知事等は、第一項の規定による指定をするときは、国土交通省令で定めるところにより、当該保全調整池を公示するとともに、その旨を当該保全調整池の所有者に通知しなければならない。この場合において、都道府県知事にあっては、その旨を当該保全調整池が存する市町村の長にも通知しなければならない。

4　第一項の規定による指定は、前項の規定による公示によってその効力を生ずる。

5　前三項の規定は、第一項の規定による指定の解除について準用する。

（標識の設置等）

第四五条　都道府県知事等は、保全調整池を指定したときは、国土交通省令で定める基準を参酌して都道府県（当該保全調整池が指定都市等の区域内にある場合にあっては、当該指定都市等。次項において準用する第三十八条第六項から第八項までにおいて同じ。）の条例で定めるところにより、次に掲げる土地又は建築物等に、保全調整池が存する旨を表示した標識を設けなければならない。

一　保全調整池の敷地である土地

二　建築物等に保全調整池が設置されている場合にあっては、当該建築物等又はその敷地である土地

2　第三十八条第四項から第八項までの規定は、前項の場合について準用する。この場合において、同条第四項中「前項各号」とあるのは「第四十五条第一項各号」と、同条第五項及び第六項中「第三項」とあるのは「第四十五条第一項」と、同条第七項中「前項」とあるのは「第四十五条第二項において準用する第三十八条第六項」と、同条第八項中「前項」とあるのは「第四十五条第二項において準用する第三十八条第七項」と読み替えるものとする。

（行為の届出等）

第四六条　保全調整池について、次に掲げる行為をしようとする者は、当該行為に着手する日の三十日前までに、国土交通省令で定めるところにより、行為の種類、場所、設計又は施行方法、着手予定日その他国土交通省令で定める事項を都道府県知事等に届け出なければならない。ただし、通常の管理行為、軽易な行為その他の行為で政令で定めるもの及び非常災害のため必要な応急措置として行う行為については、この限りでない。

一　保全調整池の全部又は一部の埋立て

二　保全調整池（建築物等に設置されているものを除く。）の敷地である土地の区域における建築物等の新築、改築又は増築

三　保全調整池が設置されている建築物等の改築又は除却（保全調整池に係る部分に関するものに限る。）

四　前三号に掲げるもののほか、保全調整池が有する雨水を一時的に貯留する機能を阻害するおそれのある行為で政令で定めるもの

2　都道府県知事は、前項の規定による届出を受けたときは、国土交通省令で定めるところにより、当該届出の内容を特定都市河川の河川管理者（次項において「関係河川管理者」という。）、当該保全調整池が存する下水道の排水区域に係る下水道管理者（次項において「関係下水道管理者」という。）及び当該保全調整池が存する市町村の長に通知しなければならない。

3　指定都市等の長は、第一項の規定による届出を受けたときは、国土交通省令で定めるところにより、当該届出の内容を当該指定都市等を包括する都道府県の知事、関係河川管理者及び関係下水道管理者に通知しなければならない。

4　都道府県知事等は、第一項の規定による届出があった場合において、当該保全調整池が有する雨水を一時的に貯留する機能の保全のため必要があると認めるときは、当該届出をした者に対して、必要な助言又は勧告をすることができる。

（防災調整池の保全）

第四七条　特定都市河川流域内に存する防災調整池の所有者その他当該防災調整池の管理について権原を有する者は、当該防災調整池が有する雨水を一時的に貯留する機能を維持するように努めなければならない。

第三節　管理協定

（管理協定の締結等）

第四八条　地方公共団体は、保全調整池が有する雨水を一時的に貯留する機能の保全のため必要があると認めるときは、保全調整池所有者等（当該保全調整池の敷地である土地（建築物等に保全調整池が設置されている場合にあっては、当該建築物等のうち当該保全調整池に係る部分のもの）の所有者又は使用及び収益を目的とする権利（臨時設備その他一時的に使用する施設のため設定されたことが明らかなものを除く。）を有する者をいう。次項及び第五十二条において同じ。）との間において、次に掲げる事項を定めた協定（以下この節において「管理協定」という。）を締結して、当該保全調整池の管理を行うことができる。

一　管理協定の目的となる保全調整池（以下「管理協定調整池」という。）

二　管理協定調整池の管理の方法に関する事項

三　管理協定の有効期間

四　管理協定に違反した場合の措置

2　管理協定については、保全調整池所有者等の全員の合意がなければならない。

（管理協定の縦覧等）

第四九条　地方公共団体は、管理協定を締結しようとするときは、国土交通省令で定めるところにより、その旨を公告し、当該管理協定を当該公告の日から二週間利害関係人の縦覧に供さなければならない。

2　前項の規定による公告があったときは、利害関係人は、同項の縦覧期間満了の日までに、当該管理協定について、地方公共団体に意見書を提出することができる。

（管理協定の公告等）

第五〇条　地方公共団体は、管理協定を締結したときは、国土交通省令で定めるところにより、その旨を公告し、かつ、当該管理協定の写しを当該地方公共団体の事務所に備えて公衆の縦覧に供するとともに、次に掲げる土地又は建築物等に、管理協定調整池が存する旨を明示しなければならない。

一　管理協定調整池の敷地である土地

二　建築物等に管理協定調整池が設置されている場合にあっては、当該建築物等又はその敷地である土地

（管理協定の変更）

第五一条　第四十八条第二項及び前二条の規定は、管理協定において定めた事項の変更について準用する。

（管理協定の効力）

第五二条　第五十条（前条において準用する場合を含む。）の規定による公告のあった管理協定は、その公告のあった後において当該管理協定調整池の保全調整池所有者等となった者に対しても、その効力があるものとする。

第四節　貯留機能保全区域

（貯留機能保全区域の指定等）

第五三条　河川に隣接する低地その他の河川の氾濫に伴い浸入した水又は雨水を一時的に貯留する機能を有する土地の区域に係る都道府県（当該土地の区域が指定都市等の区域内にある場合にあっては、当該指定都市等）の長（以下この節において「都道府県知事等」という。）は、流域水害対策計画に定められた第四条第二項第十二号に掲げる貯留機能保全区域の指定の方針に基づき、かつ、当該流域水害対策計画に定められた都市浸水想定を踏まえ、当該土地の区域のうち都市浸水の拡大を抑制する効用があると認められるものを貯留機能保全区域として指定することができる。

2　都道府県知事は、前項の規定による指定をするときは、あらかじめ、当該指定をしようとする区域をその区域に含む市町村の長の意見を聴かなければならない。

3　都道府県知事等は、第一項の規定による指定をするときは、あらかじめ、当該指定をしようとする区域内の土地の所有者の同意を得なければならない。

4　都道府県知事等は、第一項の規定による指定をするときは、国土交通省令で定めるところにより、当該貯留機能保全区域を公示するとともに、その旨を当該貯留機能保全区域内の土地の所有者に通知しなければならない。この場合において、都道府県知事にあっては、その旨を当該貯留機能保全区域をその区域に含む市町村の長にも通知しなければならない。

5　第一項の規定による指定は、前項の規定による公示によってその効力を生ずる。

6　第二項から前項までの規定は、第一項の規定による指定の解除について準用する。この場合において、第三項中「同意を得なければ」とあるのは、「意見を聴かなければ」と読み替えるものとする。

（標識の設置等）

第五四条　都道府県知事等は、前条第一項の規定により貯留機能保全区域を指定したときは、国土交通省令で定める基準を参酌して、都道府県（当該貯留機能保全区域が指定都市等の区域内にある場合にあっては、当該指定都市等。第四項から第六項までにおいて同じ。）の条例で定めるところにより、当該貯留機能保全区域の区域内に、貯留機能保全区域である旨を表示した標識を設けなければならない。

2　貯留機能保全区域内の土地の所有者、管理者又は占有者は、正当な理由がない限り、前項の標識の設置を拒み、又は妨げてはならない。

3　何人も、第一項の規定により設けられた標識を都道府県知事等の承諾を得ないで移転し、若しくは除却し、又は汚損し、若しくは損壊してはならない。

4　都道府県は、第一項の規定による行為により損失を受けた者がある場合においては、その損失を受けた者に対して、通常生ずべき損失を補償しなければならない。

5　前項の規定による損失の補償については、都道府県と損失を受けた者とが協議しなければならない。

6　前項の規定による協議が成立しない場合においては、都道府県又は損失を受けた者は、政令で定めるところにより、収用委員会に土地収用法第九十四条第二項の規定による裁決を申請することができる。

（行為の届出等）

第五五条　貯留機能保全区域内の土地において盛土、塀の設置その他これらに類する行為で当該土地が有する河川の氾濫に伴い浸入した水又は雨水を一時的に貯留する機能を阻害するものとして国土交通省令で定めるものをしようとする者は、当該行為に着手する日の三十日前までに、国土交通省令で定めるところにより、行為の種類、場所、設計又は施行方法、着手予定日その他国土交通省令で定める事項を都道府県知事等に届け出なければならない。ただし、通常の管理行為、軽易な行為その他の行為で政令で定めるもの及び非常災害のため必要な応急措置として行う行為については、この限りでない。

2　都道府県知事は、前項の規定による届出を受けたときは、国土交通省令で定めるところにより、当該届出の内容を、当該貯留機能保全区域をその区域に含む市町村の長に通知しなければならない。

3　都道府県知事等は、第一項の規定による届出があった場合において、当該貯留機能保全区域が有する都市浸水の拡大を抑制する効用を保全するため必要があると認めるときは、当該届出をした者に対して、必要な助言又は勧告をすることができる。

第五節　浸水被害防止区域

（浸水被害防止区域の指定等）

第五六条　都道府県知事は、流域水害対策計画に定められた第四条第二項第十二号に掲げる浸水被害防止区域の指定の方針に基づき、かつ、当該流域水害対策計画に定められた都市浸水想定を踏まえ、特定都市河川流域のうち、洪水又は雨水出水が発生した場合には建築物が損壊し、又は浸水し、住民その他の者の生命又は身体に著しい危害が生ずるおそれがあると認められる土地の区域で、一定の開発行為（都市計画法（昭和四十三年法律第百号）第四条第十二項に規定する開発行為をいう。次条第一項において同じ。）及び一定の建築物（居室（建築基準法（昭和二十五年法律第二百一号）第二条第四号に規定する居室をいう。以下同じ。）を有するものに限る。以下同じ。）の建築（同法第二条第十三号に規定する建築をいう。以下同じ。）又は用途の変更の制限をすべき土地の区域を、浸水被害防止区域として指定することができる。

2　前項の規定による指定は、当該指定の区域及び基準水位（第四条第二項第四号に規定する水深に係る水位であって、次条第一項に規定する特定開発行為及び第六十六条に規定する特定建築行為の制限の基準となるべきものをいう。以下同じ。）その他の国土交通省令で定める事項を明らかにしてするものとする。

3　都道府県知事は、第一項の規定による指定をするときは、あらかじめ、国土交通省令で定めるところにより、その旨を公告し、当該指定の案を、当該指定をしようとする理由を記載した書面を添えて、当該公告から二週間公衆の縦覧に供しなければならない。

4　前項の規定による公告があったときは、住民及び利害関係人は、同項の縦覧期間満了の日までに、縦覧に供された指定の案について、都道府県知事に意見書を提出することができる。

5　都道府県知事は、第一項の規定による指定をするときは、あらかじめ、前項の規定により提出された意見書の写しを添えて、関係市町村長の意見を聴かなければならない。

6　都道府県知事は、第一項の規定による指定をするときは、国土交通省令で定めるところにより、その旨及び当該指定の区域を公示しなければならない。

7　都道府県知事は、前項の規定による公示をしたときは、速やかに、国土交通省令で定めるところにより、関係市町村長に、同項の規定により公示された事項を記載した図書を送付しなければならない。

8　第一項の規定による指定は、第六項の規定による公示によってその効力を生ずる。

9　関係市町村長は、第七項の図書を当該市町村の事務所において、公衆の縦覧に供しなければならない。

10　都道府県知事は、河道又は洪水調節ダムの整備の実施その他の事由により、浸水被害防止区域の全部又は一部について第一項の規定による指定の事由がなくなったと認めるときは、当該浸水被害防止区域の全部又は一部について当該指定を解除するものとする。

11　第二項から第九項までの規定は、第一項の規定による指定の変更又は前項の規定による当該指定の解除について準用する。

（特定開発行為の制限）

第五七条　浸水被害防止区域内において、開発行為のうち政令で定める土地の形質の変更を伴うものであって当該開発行為をする土地の区域内において建築が予定されている建築物（以下「予定建築物」という。）の用途が制限用途であるもの（以下「特定開発行為」という。）をする者は、あらかじめ、当該特定開発行為をする土地の区域に係る都道府県（当該土地の区域が指定都市等の区域内にある場合にあっては、当該指定都市等）の長（第五十九条から第六十五条までにおいて「都道府県知事等」という。）の許可を受けなければならない。

2　前項の制限用途とは、次に掲げる予定建築物の用途をいい、予定建築物の用途が定まっていない場合においては、当該予定建築物の用途は制限用途であるものとみなす。

一　住宅（自己の居住の用に供するものを除く。）

二　高齢者、障害者、乳幼児その他の特に防災上の配慮を要する者が利用する社会福祉施設、学校及び医療施設（政令で定めるものに限る。）

三　前二号に掲げるもののほか、浸水被害防止区域内の区域のうち、洪水又は雨水出水の発生時における利用者の円滑かつ迅速な避難を確保することができないおそれが大きい区域として市町村の条例で定める区域ごとに、当該市町村の条例で定める用途

3　市町村（指定都市等を除く。）は、前項第三号の条例を定めるときは、あらかじめ、都道府県知事と協議し、その同意を得なければならない。

4　第一項の規定は、次に掲げる行為については、適用しない。

一　特定開発行為をする土地の区域（以下「特定開発区域」という。）が浸水被害防止区域の内外にわたる場合における、浸水被害防止区域外においてのみ第一項の制限用途の建築物の建築がされる予定の特定開発行為

二　特定開発区域が第二項第三号の条例で定める区域の内外にわたる場合における、当該区域外においてのみ第一項の制限用途（同号の条例で定める用途に限る。）の建築物の建築がされる予定の特定開発行為

三　非常災害のために必要な応急措置として行う行為その他の政令で定める行為

四　当該浸水被害防止区域の指定の際当該浸水被害防止区域内において既に着手している行為

（申請の手続）

第五八条　前条第一項の許可を受けようとする者は、国土交通省令で定めるところにより、次に掲げる事項を記載した申請書を提出しなければならない。

一　特定開発区域の位置、区域及び規模

二　その用途が前条第一項の制限用途である特定開発区域内の予定建築物の用途（用途が定まっていない場合には、その旨）及びその敷地の位置

三　特定開発行為に関する工事の計画

四　その他国土交通省令で定める事項

2　前項の申請書には、国土交通省令で定める図書を添付しなければならない。

（許可の基準）

第五九条　都道府県知事等は、第五十七条第一項の許可の申請があったときは、特定開発行為に関する工事の計画が、擁壁の設置その他の洪水又は雨水出水が発生した場合における特定開発区域内の土地の安全上必要な措置を国土交通省令で定める技術的基準に従い講ずるものであり、かつ、その申請の手続がこの法律及びこの法律に基づく命令の規定に違反していないと認めるときは、その許可をしなければならない。

（許可の特例）

第六〇条　国又は地方公共団体が行う特定開発行為については、国又は地方公共団体と当該特定開発行為について第五十七条第一項の許可を行う都道府県知事等との協議が成立することをもって当該許可を受けたものとみなす。

（許可又は不許可の通知）

第六一条　都道府県知事等は、第五十七条第一項の許可の申請があったときは、遅滞なく、許可又は不許可の処分をしなければならない。

2　前項の処分をするには、文書をもって当該申請をした者に通知しなければならない。

（変更の許可等）

第六二条　第五十七条第一項の許可（この項の規定による許可を含む。以下同じ。）を受けた者は、第五十八条第一項各号に掲げる事項の変更をしようとする場合においては、都道府県知事等の許可を受けなければならない。ただし、変更後の予定建築物の用途が第五十七条第一項の制限用途以外のものであるとき、変更後の特定開発行為が同条第四項第一号若しくは第二号に掲げる行為に該当することとなるとき又は国土交通省令で定める軽微な変更をしようとするときは、この限りでない。

2　前項の許可を受けようとする者は、国土交通省令で定める事項を記載した申請書を都道府県知事等に提出しなければならない。

3　第五十七条第一項の許可を受けた者は、第一項ただし書に該当する変更をしたときは、遅滞なく、その旨を都道府県知事等に届け出なければならない。

4　前三条の規定は、第一項の許可について準用する。

5　第一項の許可を受けた場合又は第三項の規定による届出をした場合における次条から第六十五条までの規定の適用については、当該許可又は当該届出に係る変更後の内容を第五十七条第一項の許可の内容とみなす。

（工事完了の検査等）

第六三条　第五十七条第一項の許可を受けた者は、当該許可に係る特定開発行為に関する工事の全てを完了したときは、国土交通省令で定めるところにより、その旨を都道府県知事等に届け出なければならない。

2　都道府県知事等は、前項の規定による届出があったときは、遅滞なく、当該工事が第五十九条の国土交通省令で定める技術的基準に適合しているかどうかについて検査し、その検査の結果当該工事が当該技術的基準に適合していると認めたときは、国土交通省令で定める様式の検査済証を当該届出をした者に交付しなければならない。

3　都道府県知事等は、前項の規定により検査済証を交付したときは、遅滞なく、国土交通省令で定めるところにより、当該工事が完了した旨及び当該工事の完了後において当該工事に係る特定開発区域（浸水被害防止区域内のものに限る。）に地盤面の高さが基準水位以上である土地の区域があるときはその区域を公告しなければならない。

（特定開発区域の建築制限）

第六四条　特定開発区域（浸水被害防止区域内のものに限る。）内の土地においては、前条第三項の規定による公告があるまでの間は、第五十七条第一項の制限用途の建築物の建築をしてはならない。

（特定開発行為の廃止）

第六五条　第五十七条第一項の許可を受けた者は、当該許可に係る特定開発行為に関する工事を廃止したときは、遅滞なく、国土交通省令で定めるところにより、その旨を都道府県知事等に届け出なければならない。

（特定建築行為の制限）

第六六条　浸水被害防止区域内において、住宅の用途に供する建築物又は第五十七条第二項第二号若しくは第三号に掲げる用途の建築物の建築（既存の建築物の用途を変更して住宅の用途に供する建築物又は同項第二号若しくは第三号に掲げる用途の建築物とすることを含む。以下「特定建築行為」という。）をする者は、あらかじめ、当該特定建築行為をする土地の区域に係る都道府県（当該土地の区域が指定都市等の区域内にある場合にあっては、当該指定都市等）の長（第六十八条から第七十一条までにおいて「都道府県知事等」という。）の許可を受けなければならない。ただし、次に掲げる行為については、この限りでない。

一　第六十三条第三項の規定により公告されたその地盤面の高さが基準水位以上である土地の区域において行う特定建築行為

二　非常災害のために必要な応急措置として行う行為その他の政令で定める行為

三　当該浸水被害防止区域の指定の際当該浸水被害防止区域内において既に着手している行為

（申請の手続）

第六七条　住宅の用途に供する建築物又は第五十七条第二項第二号に掲げる用途の建築物について前条の許可を受けようとする者は、国土交通省令で定めるところにより、次に掲げる事項を記載した申請書を提出しなければならない。

一　特定建築行為に係る建築物の敷地の位置及び区域

二　特定建築行為に係る建築物の構造方法

三　次条第一項第二号イ又はロに定める居室の床面の高さ

四　その他国土交通省令で定める事項

2　前項の申請書には、国土交通省令で定める図書を添付しなければならない。

3　第五十七条第二項第三号の条例で定める用途の建築物について前条の許可を受けようとする者は、市町村の条例で定めるところにより、次に掲げる事項を記載した申請書を提出しなければならない。

一　特定建築行為に係る建築物の敷地の位置及び区域

二　特定建築行為に係る建築物の構造方法

三　その他市町村の条例で定める事項

4　前項の申請書には、国土交通省令で定める図書及び市町村の条例で定める図書を添付しなければならない。

5　第五十七条第三項の規定は、前二項の条例を定める場合について準用する。

（許可の基準）

第六八条　都道府県知事等は、住宅の用途に供する建築物又は第五十七条第二項第二号に掲げる用途の建築物について第六十六条の許可の申請があったときは、当該建築物が次に掲げる基準に適合するものであり、かつ、その申請の手続がこの法律又はこの法律に基づく命令の規定に違反していないと認めるときは、その許可をしなければならない。

一　洪水又は雨水出水に対して安全な構造のものとして国土交通省令で定める技術的基準に適合するものであること。

二　次のイ又はロに掲げる建築物の区分に応じ、当該イ又はロに定める居室の床面の高さ（居室の構造その他の事由を勘案して都道府県知事等が洪水又は雨水出水に対して安全であると認める場合にあっては、当該居室の床面の高さに都道府県知事等が当該居室について指定する高さを加えた高さ）が基準水位以上であること。

イ　住宅の用途に供する建築物　政令で定める居室

ロ　第五十七条第二項第二号に掲げる用途の建築物　同号の政令で定める用途ごとに政令で定める居室

2　都道府県知事等は、第五十七条第二項第三号の条例で定める用途の建築物について第六十六条の許可の申請があったときは、当該建築物が次に掲げる基準に適合するものであり、かつ、その申請の手続がこの法律若しくはこの法律に基づく命令の規定又は前条第三項若しくは第四項の条例の規定に違反していないと認めるときは、その許可をしなければならない。

一　前項第一号の国土交通省令で定める技術的基準に適合するものであること。

二　居室の床面の高さに関する国土交通省令で定める基準を参酌して市町村の条例で定める基準に適合するものであること。

3　第五十七条第三項の規定は、前項第二号の条例を定める場合について準用する。

4　建築主事又は建築副主事を置かない市の市長は、第六十六条の許可をしようとするときは、都道府県知事に協議しなければならない。

（許可の特例）

第六九条　国又は地方公共団体が行う特定建築行為については、国又は地方公共団体と当該特定建築行為について第六十六条の許可を行う都道府県知事等との協議が成立することをもって当該許可を受けたものとみなす。

（許可証の交付又は不許可の通知）

第七〇条　都道府県知事等は、第六十六条の許可の申請があったときは、遅滞なく、許可又は不許可の処分をしなければならない。

2　都道府県知事等は、当該申請をした者に、前項の許可の処分をしたときは許可証を交付し、同項の不許可の処分をしたときは文書をもって通知しなければならない。

3　前項の許可証の交付を受けた後でなければ、特定建築行為に関する工事（根切り工事その他の政令で定める工事を除く。）は、することができない。

4　第二項の許可証の様式は、国土交通省令で定める。

（変更の許可等）

第七一条　第六十六条の許可（この項の規定による許可を含む。以下同じ。）を受けた者は、次に掲げる場合においては、都道府県知事等の許可を受けなければならない。ただし、変更後の建築物が住宅の用途に供する建築物若しくは第五十七条第二項第二号若しくは第三号に掲げる用途の建築物以外のものとなるとき、又は国土交通省令で定める軽微な変更をしようとするときは、この限りでない。

一　住宅の用途に供する建築物又は第五十七条第二項第二号に掲げる用途の建築物について第六十七条第一項各号に掲げる事項の変更をしようとする場合

二　第五十七条第二項第三号の条例で定める用途の建築物について第六十七条第三項各号に掲げる事項の変更をしようとする場合

2　前項の許可を受けようとする者は、国土交通省令で定める事項（同項第二号に掲げる場合にあっては、市町村の条例で定める事項）を記載した申請書を都道府県知事等に提出しなければならない。

3　第五十七条第三項の規定は、前項の条例を定める場合について準用する。

4　第六十六条の許可を受けた者は、第一項ただし書に該当する変更をしたときは、遅滞なく、その旨を都道府県知事等に届け出なければならない。

5　前三条の規定は、第一項の許可について準用する。

（許可の条件）

第七二条　特定開発行為又は特定建築行為をする土地の区域に係る都道府県（当該土地の区域が指定都市等の区域内にある場合にあっては、当該指定都市等）の長（以下この条から第七十五条までにおいて「都道府県知事等」という。）は、第五十七条第一項の許可又は第六十六条の許可には、特定開発行為に係る土地又は特定建築行為に係る建築物における洪水又は雨水出水による人的災害を防止するために必要な条件を付することができる。

（監督処分）

第七三条　都道府県知事等は、次の各号のいずれかに該当する者に対して、特定開発行為に係る土地又は特定建築行為に係る建築物における洪水又は雨水出水による人的災害を防止するために必要な限度において、第五十七条第一項の許可又は第六十六条の許可を取り消し、若しくはその許可に付した条件を変更し、又は工事その他の行為の停止を命じ、若しくは相当の期限を定めて必要な措置をとることを命ずることができる。

一　第五十七条第一項又は第六十二条第一項の規定に違反して、特定開発行為をした者

二　第六十六条又は第七十一条第一項の規定に違反して、特定建築行為をした者

三　第五十七条第一項の許可又は第六十六条の許可に付した条件に違反した者

四　浸水被害防止区域で行われる又は行われた特定開発行為（当該浸水被害防止区域の指定の際当該浸水被害防止区域内において既に着手している行為を除く。）であって、特定開発区域内の土地の安全上必要な措置を第五十九条の国土交通省令で定める技術的基準に従って講じていないものに関する工事の注文主若しくは請負人（請負工事の下請人を含む。）又は請負契約によらないで自らその工事をしている者若しくはした者

五　浸水被害防止区域で行われる又は行われた特定建築行為（当該浸水被害防止区域の指定の際当該浸水被害防止区域内において既に着手している行為を除く。）であって、第六十八条第一項各号に掲げる基準又は同条第二項各号に掲げる基準に従って行われていないものに関する工事の注文主若しくは請負人（請負工事の下請人を含む。）又は請負契約によらないで自らその工事をしている者若しくはした者

六　偽りその他不正な手段により第五十七条第一項の許可又は第六十六条の許可を受けた者

2　前項の規定により必要な措置をとることを命じようとする場合において、過失がなくて当該措置を命ずべき者（以下この項において「義務者」という。）を確知することができないときは、都道府県知事等は、当該義務者の負担において、当該措置を自ら行い、又はその命じた者若しくは委任した者（以下この項において「措置実施者」という。）に当該措置を行わせることができる。この場合においては、都道府県知事等は、その定めた期限内に義務者において当該措置を行うべき旨及びその期限までに当該措置を行わないときは都道府県知事等又は措置実施者が当該措置を行う旨を、あらかじめ公告しなければならない。

3　都道府県知事等は、第一項の規定による命令をした場合においては、標識の設置その他国土交通省令で定める方法により、その旨を公示しなければならない。

4　前項の標識は、第一項の規定による命令に係る土地又は建築物若しくは建築物の敷地内に設置することができる。この場合においては、同項の規定による命令に係る土地又は建築物若しくは建築物の敷地の所有者、管理者又は占有者は、当該標識の設置を拒み、又は妨げてはならない。

（立入検査）

第七四条　都道府県知事等は、第五十七条第一項、第六十二条第一項、第六十三条第二項、第六十四条、第六十六条、第七十一条第一項又は前条第一項の規定による権限を行うために必要な限度において、その職員に、当該土地若しくは建築物に立ち入り、当該土地若しくは建築物又は当該土地若しくは建築物において行われている特定開発行為若しくは特定建築行為に関する工事の状況を検査させることができる。

2　前項の規定により立入検査をする職員は、その身分を示す証明書を携帯し、関係者の請求があったときは、これを提示しなければならない。

3　第一項の規定による立入検査の権限は、犯罪捜査のために認められたものと解してはならない。

（報告の徴収等）

第七五条　都道府県知事等は、第五十七条第一項の許可を受けた者に対し、当該許可に係る土地若しくは当該許可に係る特定開発行為に関する工事の状況について報告若しくは資料の提出を求め、又は当該土地における洪水

若しくは雨水出水による人的災害を防止するために必要な助言若しくは勧告をすることができる。

2 都道府県知事等は、第六十六条の許可を受けた者に対し、当該許可に係る建築物若しくは当該許可に係る特定建築行為に関する工事の状況について報告若しくは資料の提出を求め、又は当該建築物における洪水若しくは雨水出水による人的災害を防止するために必要な助言若しくは勧告をすることができる。

（移転等の勧告）

第七十六条 都道府県知事は、洪水又は雨水出水が発生した場合に浸水被害防止区域内に存する建築物が損壊し、又は浸水し、住民その他の者の生命又は身体に著しい危害が生ずるおそれが大きいと認めるときは、当該建築物の所有者、管理者又は占有者に対し、当該建築物の移転その他洪水又は雨水出水による人的災害を防止し、又は軽減するために必要な措置をとることを勧告することができる。

2 都道府県知事は、前項の規定による勧告をした場合において、必要があると認めるときは、その勧告を受けた者に対し、土地の取得についてのあっせんその他の必要な措置を講ずるよう努めなければならない。

第四章 雑則

（測量又は調査のための土地の立入り等）

第七十七条 国土交通大臣、都道府県知事若しくは指定都市等の長又はその命じた者若しくは委任した者は、第三条第三項（同条第五項において準用する場合を含む。）若しくは第四項の規定による特定都市河川流域の指定又は第四十四条第一項の規定による保全調整池の指定に関する測量又は調査のためやむを得ない必要があるときは、他人の占有する土地に立ち入り、又は特別の用途のない他人の土地を作業場として一時使用することができる。

2 前項の規定により他人の占有する土地に立ち入る者は、あらかじめ、その旨を当該土地の占有者に通知しなければならない。ただし、あらかじめ通知することが困難であるときは、この限りでない。

3 第一項の規定により宅地又は垣、さく等で囲まれた他人の占有する土地に立ち入る場合においては、その立ち入る者は、立入りの際、あらかじめ、その旨を当該土地の占有者に告げなければならない。

4 日出前及び日没後においては、土地の占有者の承諾があった場合を除き、前項に規定する土地に立ち入ってはならない。

5 第七十四条第二項の規定は、第一項の場合について準用する。

6 第一項の規定により特別の用途のない他人の土地を作業場として一時使用する者は、あらかじめ、当該土地の占有者及び所有者に通知して、その意見を聴かなければならない。

7 土地の占有者又は所有者は、正当な理由がない限り、第一項の規定による立入り又は一時使用を拒み、又は妨げてはならない。

8 国、都道府県又は指定都市等は、第一項の規定による立入り又は一時使用により損失を受けた者がある場合においては、その者に対して、通常生ずべき損失を補償しなければならない。

9 前項の規定による損失の補償については、国、都道府県又は指定都市等と損失を受けた者とが協議しなければならない。

10 前項の規定による協議が成立しない場合においては、国、都道府県又は指定都市等は、自己の見積もった金額を損失を受けた者に支払わなければならない。この場合において、当該金額について不服がある者は、政令で定めるところにより、補償金の支払を受けた日から三十日以内に、収用委員会に土地収用法第九十四条第二項の規定による裁決を申請することができる。

（河川管理者及び下水道管理者の援助等）

第七十八条 河川管理者及び下水道管理者は、第五十三条第一項の規定により貯留機能保全区域の指定をしようとする同項の都道府県知事等及び第五十六条第一項の規定により浸水被害防止区域の指定をしようとする都道府県知事に対し、必要な情報提供、助言その他の援助を行うものとする。

2 河川管理者は、前項の規定による援助を行うため必要があると認めるときは、河川法第五十八条の八第一項の規定により指定した河川協力団体に必要な協力を要請することができる。

（雨水貯留浸透施設の整備に関する費用の補助）

第七十九条 国は、流域水害対策計画に基づく事業であって第四条第二項第八号に掲げる事項（雨水貯留浸透施設の整備に係るものに限る。）に関するものを実施する地方公共団体に対し、予算の範囲内において、政令で定めるところにより、当該事業に要する費用の一部を補助することができる。

（国有地の無償貸付等）

第八〇条 普通財産である国有地は、流域水害対策計画（第四条第二項第八号に掲げる事項として地方公共団体が行う雨水貯留浸透施設の整備に関する事項が記載されたものに限る。）に基づき当該地方公共団体が設置する雨水貯留浸透施設の用に供する場合においては、国有財産法（昭和二十三年法律第七十三号）第二十二条又は第二十八条の規定にかかわらず、当該地方公共団体に無償で貸し付け、又は譲与することができる。

（権限の委任）

第八一条 この法律に規定する国土交通大臣の権限は、国土交通省令で定めるところにより、その全部又は一部を地方整備局長又は北海道開発局長に委任することができる。

（経過措置）

第八二条 この法律の規定に基づき政令又は国土交通省令を制定し、又は改廃する場合においては、それぞれ、政令又は国土交通省令で、その制定又は改廃に伴い合理的に必要と判断される範囲内において、所要の経過措置（罰則に関する経過措置を含む。）を定めることができる。

（事務の区分）

第八三条 この法律の規定により地方公共団体が処理することとされている事務のうち次に掲げるものは、地方自治法第二条第九項第一号に規定する第一号法定受託事務とする。

一 第三条第三項（同条第五項（同条第十一項において準用する場合を含む。）において準用する場合に限る。）、同条第四項から第七項まで、第九項及び第十項（同条第十一項においてこれらの規定を準用する場合を含む。）、第四条第一項、同条第四項から第十項まで（同条第十二項においてこれらの規定を準用する場合を含む。）並びに第七十七条第一項から第三項まで、第五項、第六項及び第八項から第十項まで（同条第一項から第三項まで、第五項、第六項及び第八項から第十項までに規定する事務にあっては、特定都市河川流域の指定に係るものに限る。）の規定により都道府県が処理することとされている事務

二 第四条第一項及び同条第四項から第十項まで（同条第十二項においてこれらの規定を準用する場合を含む。）の規定により市町村が処理することとされている事務

第五章 罰則

第八四条 次の各号のいずれかに該当する場合には、当該違反行為をした者は、一年以下の懲役又は五十万円以下の罰金に処する。

一 第四十一条第一項又は第七十三条第一項の規定による命令に違反したとき。

二 第五十七条第一項又は第六十二条第一項の規定に違反して、特定開発行為をしたとき。

三 第六十四条の規定に違反して、第五十七条第一項の制限用途の建築物の建築をしたとき。

四 第六十六条又は第七十一条第一項の規定に違反して、特定建築行為をしたとき。

第八五条 次の各号のいずれかに該当する場合には、当該違反行為をした者は、六月以下の懲役又は三十万円以下の罰金に処する。

一 第三十条又は第三十七条第一項の規定に違反して、雨水浸透阻害行為をしたとき。

二 第三十九条第一項の規定に違反して、同項各号に掲げる行為をしたとき。

三 第四十二条第一項又は第七十四条第一項の規定による立入検査を拒み、妨げ、又は忌避したとき。

四 第七十七条第七項の規定に違反して、土地の立入り又は一時使用を拒み、又は妨げたとき。

第八六条 次の各号のいずれかに該当する場合には、当該違反行為をした者は、三十万円以下の罰金に処する。

一 第三十八条第一項（工事の完了の届出に係る部分に限る。）の規定に違反して、届出をせず、又は虚偽の届出をしたとき。

二 第三十八条第五項（第四十五条第二項において準用する場合を含む。）

の規定に違反したとき。

三　第四十三条又は第七十五条の規定による報告若しくは資料を提出せず、又は虚偽の報告若しくは資料の提出をしたとき。

四　第四十六条第一項又は第五十五条第一項の規定に違反して、届出をしないで、又は虚偽の届出をして、第四十六条第一項本文又は第五十五条第一項本文に規定する行為をしたとき。

五　第五十四条第三項の規定に違反したとき。

第八七条　第二十五条の規定による報告をせず、又は虚偽の報告をした場合には、当該違反行為をした者は、二十万円以下の罰金に処する。

第八八条　法人の代表者又は法人若しくは人の代理人、使用人その他の従業者が、その法人又は人の業務又は財産に関し、第八十四条から前条までの違反行為をしたときは、行為者を罰するほか、その法人又は人に対しても各本条の罰金刑を科する。

第八九条　第三十七条第三項、第三十八条第一項（工事の廃止の届出に係る部分に限る。）、第六十二条第三項、第六十五条又は第七十一条第四項の規定に違反して、届出をせず、又は虚偽の届出をした者は、二十万円以下の過料に処する。

附　則〔抄〕

（施行期日）

第一条　この法律は、公布の日から起算して一年を超えない範囲内において政令で定める日から施行する。

〔平成一六政一六七により、平成一六・五・一五から施行〕

附　則〔略〕〔平成一七・五・二法律三七〕

附　則〔抄〕〔平成二三・八・三〇法律一〇五〕

（施行期日）

第一条　この法律は、公布の日から施行する。ただし、次の各号に掲げる規定は、当該各号に定める日から施行する。

一　〔略〕

二　〔前略〕第百五十七条〔中略〕の規定並びに附則〔中略〕第六十九条〔中略〕の規定　平成二十四年四月一日

三～六　〔略〕

（特定都市河川浸水被害対策法の一部改正に伴う経過措置）

第六九条　第百五十七条の規定の施行の日から起算して一年を超えない期間内において、同条の規定による改正後の特定都市河川浸水被害対策法第十七条第三項又は第二十四条第一項の規定に基づく条例が制定施行されるまでの間は、同法第十七条第三項又は第二十四条第一項の国土交通省令で定める基準は、それぞれ同法第十七条第三項又は第二十四条第一項の条例で定める基準とみなす。

（罰則に関する経過措置）

第八一条　この法律（附則第一条各号に掲げる規定にあっては、当該規定。以下この条において同じ。）の施行前にした行為及びこの附則の規定によりなお従前の例によることとされる場合におけるこの法律の施行後にした行為に対する罰則の適用については、なお従前の例による。

（政令への委任）

第八二条　この附則に規定するもののほか、この法律の施行に関し必要な経過措置（罰則に関する経過措置を含む。）は、政令で定める。

附　則〔抄〕〔平成二六・五・三〇法律四二〕

（施行期日）

第一条　この法律〔中略〕は、当該各号に定める日〔平成二七・四・一〕から施行する。

（特定都市河川浸水被害対策法の一部改正に伴う経過措置）

第六九条　施行時特例市に対する前条の規定による改正後の特定都市河川浸水被害対策法第九条の規定の適用については、同条中「又は地方自治法」とあるのは「、地方自治法」と、「中核市」とあるのは「中核市又は地方自治法の一部を改正する法律（平成二十六年法律第四十二号）附則第二条に規定する施行時特例市」とする。

附　則〔略〕〔平成二七・五・二〇法律二二〕

附　則〔抄〕〔令和三・五・一〇法律三一〕

（施行期日）

第一条　この法律は、公布の日から起算して六月を超えない範囲内において政令で定める日から施行する。ただし、次の各号に掲げる規定は、当該各号に定める日から施行する。

〔令和三政二九五により、令和三・一一・一から施行〕

一　附則第三条の規定　公布の日

二　〔略〕

（特定都市河川浸水被害対策法の一部改正に伴う経過措置）

第二条　この法律の施行の際現に第一条の規定による改正前の特定都市河川浸水被害対策法（次項において「旧特定都市河川法」という。）第三十二条第一項の規定により指定されている都市洪水想定区域については、当該指定に係る特定都市河川について第三条の規定による改正後の水防法（次項において「新水防法」という。）第十四条第一項（第二号に係る部分に限る。）又は第二項（第二号に係る部分に限る。）の規定により洪水浸水想定区域の指定がされるまでの間は、なお従前の例による。

２　この法律の施行の際現に旧特定都市河川法第三十二条第二項の規定により指定されている都市浸水想定区域については、当該指定に係る特定都市河川流域について新水防法第十四条の二第一項（第三号に係る部分に限る。）又は第二項（第三号に係る部分に限る。）の規定により雨水出水浸水想定区域の指定がされるまでの間は、なお従前の例による。

（政令への委任）

第三条　前条に定めるもののほか、この法律の施行に関し必要な経過措置（罰則に関する経過措置を含む。）は、政令で定める。

（検討）

第四条　政府は、この法律の施行後五年を目途として、この法律による改正後のそれぞれの法律の規定について、その施行の状況等を勘案して検討を加え、必要があると認めるときは、その結果に基づいて所要の措置を講ずるものとする。

附　則〔抄〕〔令和五・六・一六法律五八〕

（施行期日）

第一条　この法律〔中略〕は、当該各号に定める日〔令和六・四・一〕から施行する。

○特定都市河川浸水被害対策法施行令

（平成一六・四・二二 政令一六八）

改正　平成一七・二政二四、平成二〇・七政二二六、平成二一・一〇政二四六、平成二三・七政一六九、平成二三・七政二二五、平成二四・一一政二八四、平成二五・六政一八四、平成二六・一一政三七六、平成二七・一政三〇、平成二八・二政四〇、政四三、平成二九・六政一五六、一〇政二六九、平成三〇・九政二八三、令和元・六政二二、令和三・一〇政二九六、令和四・二政三七、令和六・三政一六一

（雨水が浸透しにくい土地）

第一条　特定都市河川浸水被害対策法（以下「法」という。）第二条第九項の政令で定める土地は、鉄道線路及び飛行場とする。

（河川管理者が整備する雨水貯留浸透施設等について適用する法令の規定）

第二条　雨水貯留浸透施設を河川管理施設とみなして適用する法第八条第二項の政令で定める法令の規定は、次に掲げるものとする。

一　河川法（昭和三十九年法律第百六十七号）の規定

二　農業用ため池の管理及び保全に関する法律（平成三十一年法律第十七号）第二条第一項

三　都市公園法施行令（昭和三十一年政令第二百九十号）第十二条第二項第二号の三及び第十六条第四号の二

四　河川法施行令（昭和四十年政令第十四号）の規定

五　独立行政法人都市再生機構法施行令（平成十六年政令第百六十号）第十条第一号及び第四号

2　雨水貯留浸透施設の敷地である土地の区域を河川区域とみなして適用する法第八条第二項の政令で定める法令の規定は、次に掲げるものとする。

一　自衛隊法（昭和二十九年法律第百六十五号）第百十五条の十七第一項

二　河川法の規定

三　自転車道の整備等に関する法律（昭和四十五年法律第十六号）第六条第二項

四　不動産登記法（平成十六年法律第百二十三号）第四十三条（第四項を除く。）

五　河川法施行令の規定

六　電気通信事業法施行令（昭和六十年政令第七十五号）第六条第四号及び第七条第六号

七　地価税法施行令（平成三年政令第百七十四号）第二条第二項第一号

八　土壌汚染対策法施行令（平成十四年政令第三百三十六号）第九条第十号

3　雨水貯留浸透施設に関する工事を河川工事とみなして適用する法第八条第二項の政令で定める法令の規定は、次に掲げるものとする。

一　道路法（昭和二十七年法律第百八十号）第二十二条第二項、第二十三条第二項、第五十八条第二項及び第五十九条第二項

二　地すべり等防止法（昭和三十三年法律第三十号）第十四条第二項、第十五条第二項、第三十四条第二項及び第三十五条第二項

三　河川法の規定

四　急傾斜地の崩壊による災害の防止に関する法律（昭和四十四年法律第五十七号）第十六条第二項及び第二十二条第二項

五　独立行政法人都市再生機構法（平成十五年法律第百号）第十八条第一項第四号

六　国土調査法施行令（昭和二十七年政令第五十九号）第十二条第四号

七　道路法施行令（昭和二十七年政令第四百七十九号）第一条第一項第一号

八　河川法施行令の規定

九　電気事業法施行令（昭和四十年政令第二百六号）第三十六条第一項第七号

十　民間都市開発の推進に関する特別措置法施行令（昭和六十二年政令第二百七十五号）附則第二条第一項第四号

（河川管理者が管理する雨水貯留浸透施設の区域）

第三条　法第八条第三項の政令で定める雨水貯留浸透施設の区域は、当該雨水貯留浸透施設が、地下に設けられたもの、建物その他の工作物内に設けられたもの又は雨水を貯留する空間を確保するためのもので柱若しくは壁及びこれらによって支えられる人工地盤から成る構造を有するものである場合にあっては当該雨水貯留浸透施設に係る地下又は空間について一定の範囲を定めた立体的区域とし、それ以外の場合にあっては当該雨水貯留浸透施設の敷地である土地の区域とする。

（排水設備の技術上の基準に関する条例の基準）

第四条　法第十条の政令で定める基準は、次のとおりとする。

一　条例の技術上の基準は、下水道法施行令（昭和三十四年政令第百四十七号）第八条各号に掲げる技術上の基準に相当する基準を含むものであること。

二　条例の技術上の基準は、雨水を一時的に貯留し、又は地下に浸透させるために必要な排水設備の設置及び構造の基準を定めるものとして次に掲げる要件に適合するものであること。

イ　排水設備の設置及び構造に関する事項として国土交通省令に定めるものが規定されているものであること。

ロ　流域水害対策計画に基づき浸水被害の防止を図るために必要な最小限度のものであり、かつ、排水設備を設置する者に不当な義務を課することとならないものであること。

八　条例が対象とする区域における浸水被害の防止の必要性、排水設備を設置する土地の形質、排水設備を設置する者の負担その他の事項を勘案して必要があると認める場合にあっては、当該区域を二以上の地区に分割し、又は排水設備を設置する土地の用途その他の事項に区分し、それぞれの地区又は事項に適用する基準を定めるものであること。

（雨水貯留浸透施設の設置に要する費用の補助）

第五条　法第十六条の規定による国の認定事業者に対する補助金の額は、認定計画に係る雨水貯留浸透施設の設置に要する費用に二分の一を乗じて得た額とする。

2　法第十六条の規定による地方公共団体の認定事業者に対する補助金の額は、認定計画に係る雨水貯留浸透施設の設置に要する費用に、前項に規定する国の補助金の額、その地方の浸水被害の発生の状況その他の事情を勘案して地方公共団体の定める割合を乗じて得た額とする。

（許可を要する雨水浸透阻害行為の規模）

第六条　法第三十条本文の政令で定める規模は、当該雨水浸透阻害行為をする土地の面積が千平方メートルであるものとする。ただし、その地方の浸水被害の発生の状況又は自然的、社会的条件の特殊性を勘案し、当該特定都市河川流域における浸水被害の発生の防止を図るため特に必要があると認める場合においては、当該雨水浸透阻害行為をする土地の区域に係る都道府県（当該土地の区域が地方自治法（昭和二十二年法律第六十七号）第二百五十二条の十九第一項の指定都市若しくは同法第二百五十二条の二十二第一項の中核市（以下この条及び第十四条において「指定都市等」という。）又は同法第二百五十二条の十七の二第一項の規定に基づき法第三章第一節（法第四十条を除く。）に規定する都道府県知事の権限に属する事務の全部を処理することとされた市町村（以下この条において「事務処理市町村」という。）の区域内にある場合にあっては、当該指定都市等又は当該事務処理市町村。第九条第二項において同じ。）は、当該規模について、条例で、区域を限り、当該雨水浸透阻害行為をする土地の面積を五百平方メートル以上千平方メートル未満とする範囲内で、別に定めることができる。

（雨水浸透阻害行為の許可を要しない行為）

第七条　法第三十条ただし書の政令で定める行為は、次に掲げるものとする。

一　主として農地又は林地を保全する目的で行う行為

二　既に舗装されている土地において行う行為

三　仮設の建築物等（建築物その他の工作物をいう。第十二条第二号、第十五条第二号及び第十七条第二号において同じ。）の建築その他の土地を一時的な利用に供する目的で行う行為（当該利用に供された後に当該行為前の土地利用に戻されることが確実な場合に限る。）

（土地からの流出雨水量を増加させるおそれのある行為）

第八条　法第三十条第三号の政令で定める行為は、次に掲げるものとする。

一　ゴルフ場、運動場その他これらに類する施設（雨水を排除するための排水施設を伴うものに限る。）を新設し、又は増設する行為

二　ローラーその他これに類する建設機械を用いて土地を締め固める行為（既に締め固められている土地において行われる行為を除く。）

（対策工事の計画についての技術的基準）

第九条　法第三十二条（法第三十七条第四項において準用する場合を含む。）の政令で定める技術的基準は、その対策工事の計画が、当該行為区域で基準降雨（第六条ただし書の規定により条例が定められた場合において、国土交通省令で定めるところにより、当該条例で基準降雨の強度を超えない降雨を定めたとき、又は次条第一号の規定により基準降雨の強度を超える降雨を定めた場合にあっては、当該降雨）の強度の降雨が生じた場合においても、国土交通省令で定めるところにより、流出雨水量の最大値が当該雨水浸透阻害行為によって増加することのないように定められたものであることとする。

2　前項の基準降雨は、特定都市河川流域の区域の全部又は一部をその区域に含む都道府県の長が、国土交通省令で定めるところにより、当該都道府県の区域内の特定都市河川流域において十年につき一回の割合で発生するものと予想される降雨として定め、あらかじめ公示しなければならない。

（技術的基準の強化に関する条例の基準）

第一〇条　法第三十三条第一項の政令で定める基準は、次に掲げるものとする。

一　技術的基準の強化は、法第四条第一項の規定により流域水害対策計画を定めた地方公共団体が、国土交通省令で定めるところにより、当該流域水害対策計画を共同して定めた同項の河川管理者等の意見を聴いて、前条第二項の基準降雨の強度を超える降雨（次号において「強化降雨」という。）を定めることにより行うものであること。

二　強化降雨は、国土交通省令で定めるところにより、流域水害対策計画において定められた都市浸水の発生を防ぐべき目標となる降雨の強度を超えない範囲内で定めるものであり、かつ、当該特定都市河川流域における浸水被害の防止を図るために必要な最小限度のものであること。

（収用委員会の裁決の申請手続）

第一一条　法第三十八条第八項（法第四十五条第二項において準用する場合を含む。）、第五十四条第六項又は第七十七条第十項の規定により土地収用法（昭和二十六年法律第二百十九号）第九十四条第二項の規定による裁決を申請しようとする者は、国土交通省令で定める様式に従い、同条第三項各号（第三号を除く。）に掲げる事項を記載した裁決申請書を収用委員会に提出しなければならない。

（許可を要しない雨水貯留浸透施設に係る行為）

第一二条　法第三十九条第一項ただし書の政令で定める行為は、次に掲げるものとする。

一　雨水貯留浸透施設の維持管理のために行う行為

二　仮設の建築物等の建築その他の雨水貯留浸透施設又はその敷地である土地を一時的な利用に供する目的で行う行為（当該利用に供された後に当該雨水貯留浸透施設の機能が当該行為前の状態に戻されることが確実な場合に限る。）

（雨水貯留浸透施設の機能を阻害するおそれのある行為）

第一三条　法第三十九条第一項第四号の政令で定める行為は、次に掲げるものとする。

一　雨水貯留浸透施設の敷地である土地（雨水貯留浸透施設が建築物等に設置されている場合にあっては、当該建築物等のうち当該施設に係る部分）において物件を移動の容易でない程度に堆積し、又は設置する行為

二　雨水貯留浸透施設を損傷する行為

三　雨水貯留浸透施設の雨水の流入口又は流出口の形状を変更する行為

（保全調整池として指定する防災調整池の規模）

第一四条　法第四十四条第一項の政令で定める規模は、雨水を貯留する容量が百立方メートルのものとする。ただし、その地方の浸水被害の発生の状況又は自然的、社会的条件の特殊性を勘案し、当該特定都市河川流域における浸水被害の発生の防止を図るため特に必要があると認める場合においては、当該防災調整池が存する都道府県（当該防災調整池が指定都市等又は地方自治法第二百五十二条の十七の二第一項の規定に基づき法第三章第二節（法第四十七条を除く。）に規定する都道府県知事の権限に属する事務の全部を処理することとされた市町村（以下この条において「事務処理市町村」という。）の区域内にある場合にあっては、当該指定都市等又は当該事務処理市町村）は、当該規模について、条例で、区域を限り、雨水を貯留する容量を百立方メートル未満で、別に定めることができる。

（届出が必要でない保全調整池に係る行為）

第一五条　法第四十六条第一項ただし書の政令で定める行為は、次に掲げるものとする。

一　保全調整池の維持管理のために行う行為

二　仮設の建築物等の建築その他の保全調整池又はその敷地である土地を一時的な利用に供する目的で行う行為（当該利用に供された後に当該保全調整池の機能が当該行為前の状態に戻されることが確実な場合に限る。）

（保全調整池の機能を阻害するおそれのある行為）

第一六条　法第四十六条第一項第四号の政令で定める行為は、次に掲げるものとする。

一　保全調整池の敷地である土地（保全調整池が建築物等に設置されている場合にあっては、当該建築物等のうち当該保全調整池に係る部分）において物件を移動の容易でない程度に堆積し、又は設置する行為

二　保全調整池を損傷する行為

三　保全調整池の雨水の流入口又は流出口の形状を変更する行為

（届出が必要でない貯留機能保全区域内の行為）

第一七条　法第五十五条第一項ただし書の政令で定める行為は、次に掲げるものとする。

一　貯留機能保全区域内の土地の維持管理のために行う行為

二　仮設の建築物等の建築その他の貯留機能保全区域内の土地を一時的な利用に供する目的で行う行為（当該利用に供された後に当該土地が有する法第五十五条第一項に規定する機能が当該行為前の状態に回復されることが確実な場合に限る。）

（特定開発行為に係る土地の形質の変更）

第一八条　法第五十七条第一項の政令で定める土地の形質の変更は、次に掲げるものとする。

一　切土であって、当該切土をした土地の部分に高さが二メートルを超える崖（地表面が水平面に対し三十度を超える角度をなす土地で硬岩盤（風化の著しいものを除く。）以外のものをいう。以下この条において同じ。）を生ずることとなるもの

二　盛土であって、当該盛土をした土地の部分に高さが一メートルを超える崖を生ずることとなるもの

三　切土及び盛土を同時にする場合における盛土であって、当該盛土をした土地の部分に高さが一メートル以下の崖を生じ、かつ、当該切土及び盛土をした土地の部分に高さが二メートルを超える崖を生ずることとなるもの

2　前項の規定の適用については、小段その他のものによって上下に分離された崖がある場合において、下層の崖面（崖の地表面をいう。以下この項において同じ。）の下端を含み、かつ、水平面に対し三十度の角度をなす面の上方に上層の崖面の下端があるときは、その上下の崖は一体のものとみなす。

（特定開発行為に係る制限用途）

第一九条　法第五十七条第二項第二号の政令で定める社会福祉施設、学校及び医療施設は、次に掲げるものとする。

一　老人福祉施設（老人介護支援センターを除く。）、有料老人ホーム、認知症対応型老人共同生活援助事業の用に供する施設、身体障害者社会参加支援施設、障害者支援施設、地域活動支援センター、福祉ホーム、障害福祉サービス事業（生活介護、短期入所、自立訓練、就労移行支援、就労継続支援又は共同生活援助を行う事業に限る。）の用に供する施設、保護施設（医療保護施設及び宿所提供施設を除く。）、児童福祉施設（母子生活支援施設、児童厚生施設、児童自立支援施設、児童家庭支援センター及び里親支援センターを除く。）、障害児通所支援事業（児童発達支援又は放課後等デイサービスを行う事業に限る。）の用に供する施設、子育て短期支援事業の用に供する施設、一時預かり事業の用に供する施設、妊産婦等生活援助事業の用に供する施設、こども家庭センター（妊婦、産婦又はじょく婦の収容施設があるものに限る。）その他これらに類する施設

二　幼稚園及び特別支援学校

三　病院、診療所（患者の収容施設があるものに限る。）及び助産所（妊婦、産婦又はじょく婦の収容施設があるものに限る。）

（特定開発行為の制限の適用除外）

第二〇条　法第五十七条第四項第三号の政令で定める行為は、次に掲げるも

のとする。

一　非常災害のために必要な応急措置として行う開発行為

二　仮設の建築物の建築の用に供する目的で行う開発行為

（特定建築行為の制限の適用除外）

第二十一条　法第六十六条第二号の政令で定める行為は、次に掲げるものとする。

一　非常災害のために必要な応急措置として行う建築

二　仮設の建築物の建築

三　特定用途（第十九条各号に掲げる用途をいう。以下この号において同じ。）の既存の建築物（法第五十六条第一項の規定による浸水被害防止区域の指定の日以後に建築に着手されたものを除く。）の用途を変更して他の特定用途の建築物とする行為

（居室の床面の高さを基準水位以上の高さにすべき居室）

第二十二条　法第六十八条第一項第二号イ（法第七十一条第五項において準用する場合を含む。）の政令で定める居室は、居間、食事室、寝室その他の居住のための居室（当該居室を有する建築物に当該居室の利用者の避難上有効なものとして法第六十六条に規定する都道府県知事等が認める他の居室がある場合にあっては、当該他の居室）とする。

2　法第六十八条第一項第二号ロ（法第七十一条第五項において準用する場合を含む。）の政令で定める居室は、次の各号に掲げる用途の区分に応じ、当該各号に定める居室（当該用途の建築物に当該居室の利用者の避難上有効なものとして法第六十六条に規定する都道府県知事等が認める他の居室がある場合にあっては、当該他の居室）とする。

一　第十九条第一号に掲げる用途（次号に掲げるものを除く。）　寝室（入所する者の使用するものに限る。）

二　第十九条第一号に掲げる用途（通所のみにより利用されるものに限る。）　当該用途の建築物の居室のうちこれらに通う者に対する日常生活に必要な便宜の供与、訓練、保育その他これらに類する目的のために使用されるもの

三　第十九条第二号に掲げる用途　教室

四　第十九条第三号に掲げる用途　病室その他これに類する居室

（特定建築行為着手の制限の例外となる工事）

第二十三条　法第七十条第三項（法第七十一条第五項において準用する場合を含む。）の政令で定める工事は、根切り工事、山留め工事、ウェル工事、ケーソン工事その他基礎工事とする。

（雨水貯留浸透施設の整備に関する費用の補助）

第二十四条　法第七十九条の規定による国の地方公共団体に対する補助金の額は、同条に規定する雨水貯留浸透施設の整備に要する費用の額に二分の一を乗じて得た額とする。

附　則　〔抄〕

（施行期日）

第一条　この政令は、法の施行の日（平成十六年五月十五日）から施行する。

（経過措置）

第二条　この政令の施行の日から平成十六年六月三十日までの間における第二条の適用については、同条第一項第五号中「独立行政法人都市再生機構法施行令（平成十六年政令第百六十号）第十条第一号及び第四号」とあるのは「都市基盤整備公団法施行令（平成十一年政令第二百五十四号）第十一条第一号及び第四号」と、同条第三項第五号中「独立行政法人都市再生機構法（平成十五年法律第百号）第十八条第一項第四号」とあるのは「都市基盤整備公団法（平成十一年法律第七十六号）第三十七条第一項第四号」とする。

附　則　〔略〕〔平成一七・二・一八政令二四〕

附　則　〔略〕〔平成二〇・七・一六政令二二六〕

附　則　〔略〕〔平成二一・一〇・一五政令二四六〕

附　則　〔略〕〔平成二二・七・一六政令一六九施行〕

附　則　〔略〕〔平成二三・七・二二政令二二五〕

附　則　〔略〕〔平成二四・一一・三〇政令二八四施行〕

附　則　〔略〕〔平成二五・六・一四政令一八四施行〕

附　則　〔略〕〔平成二六・一一・二七政令三七六〕

附　則　〔抄〕〔平成二七・一・三〇政令三〇〕

（施行期日）

第一条　この政令〔中略〕は、平成二十七年四月一日から施行する。

（特定都市河川浸水被害対策法施行令の一部改正に伴う経過措置）

第十四条　施行時特例市に対する第三十二条の規定による改正後の特定都市河川浸水被害対策法施行令第五条の規定の適用については、同条中「第九条本文」とあるのは「第九条本文（地方自治法の一部を改正する法律（平成二十六年法律第四十二号。以下この条において「平成二十六年地方自治法改正法」という。）附則第六十九条の規定により読み替えて適用される場合を含む。）」と、同条ただし書中「若しくは同法」とあるのは「、同法」と、「中核市」とあるのは「中核市若しくは平成二十六年地方自治法改正法附則第二条に規定する施行時特例市」とする。

附　則　〔略〕〔平成二八・二・三政令四〇〕

附　則　〔略〕〔平成二八・二・一七政令四三〕

附　則　〔略〕〔平成二九・六・一四政令一五六〕

附　則　〔略〕〔平成二九・一〇・二五政令二六九〕

附　則　〔略〕〔平成三〇・九・二八政令二八三〕

附　則　〔略〕〔令和元・六・七政令二二〕

附　則　〔略〕〔令和三・一〇・二九政令二九六〕

附　則　〔略〕〔令和四・二・二政令三七〕

附　則　〔抄〕〔令和六・三・三〇政令一六一〕

（施行期日）

第一条　この政令は、令和六年四月一日から施行する。

○特定都市河川浸水被害対策法施行規則〔平成一六・五・一四　国土交通省令六四〕

改正　平成二三・一二国交令九五、平成二四・一一国交令八五、平成二七・一国交令七、平成二九・六国交令三五、令和二・一二国交令九八、令和三・一〇国交令六九

（特定都市河川等の指定の公示）

第一条　特定都市河川浸水被害対策法（以下「法」という。）第三条第十項（同条第十一項において準用する場合を含む。）の規定による特定都市河川の指定（同条第十一項において準用する場合にあっては、指定の変更又は解除）の公示は、次の各号の一以上により当該特定都市河川の区間の起点及び終点を明示して、国土交通大臣にあっては官報により、都道府県知事にあってはその統轄する都道府県の公報又はウェブサイトへの掲載その他の適切な方法により行うものとする。

一　市町村（特別区を含む。第十九条第三項を除き、以下同じ。）、大字、字、小字及び地番

二　一定の地物、施設又は工作物

三　平面図

2　法第三条第十項（同条第十一項において準用する場合を含む。）の規定による特定都市河川流域の指定（同条第十一項において準用する場合にあっては、指定の変更又は解除）の公示は、次の各号の一以上により当該特定都市河川流域を明示して、国土交通大臣にあっては官報により、都道府県知事にあってはその統轄する都道府県の公報又はウェブサイトへの掲載その他の適切な方法により行うものとする。

一　市町村、大字、字、小字及び地番

二　一定の地物、施設若しくは工作物又はこれらからの距離及び方向

三　平面図

（流域水害対策計画の公表）

第二条　法第四条第十項（同条第十二項において準用する場合を含む。）の規定による公表は、流域水害対策計画を定めた旨（同条第十二項において準用する場合にあっては、流域水害対策計画を変更した旨）及び当該流域水害対策計画について、国土交通大臣にあっては官報により、都道府県知事又は市町村の長にあってはその統轄する都道府県又は市町村の公報又はウェブサイトへの掲載その他の適切な方法により行うものとする。

（河川管理施設とみなされる雨水貯留浸透施設に対する省令の適用）

第三条　法第八条第二項の規定に基づき雨水貯留浸透施設を河川管理施設とみなして都市公園法施行令（昭和三十一年政令第二百九十号）第十二条第

二項第二号の三の規定を適用する場合には、当該雨水貯留浸透施設を同号の国土交通省令で定める河川管理施設とみなして、都市公園法施行規則（昭和三十一年建設省令第三十号）第六条の規定を適用する。

（河川管理者が管理する雨水貯留浸透施設の区域の公示）

第四条　法第八条第三項の規定による特定都市河川浸水被害対策法施行令（以下「令」という。）第三条の立体的区域の公示は、次の各号の一以上により当該立体的区域を明示して、国土交通大臣にあっては官報により、都道府県知事又は指定都市（地方自治法（昭和二十二年法律第六十七号）第二百五十二条の十九第一項の指定都市をいう。以下この条及び第十九条第三項において同じ。）の長にあってはその統轄する都道府県又は指定都市の公報又はウェブサイトへの掲載その他の適切な方法により行うものとする。

一　市町村、大字、字、小字及び地番並びに標高

二　一定の地物、施設又は工作物

三　平面図、縦断面図及び横断面図

2　法第八条第三項の規定による令第三条の土地の区域の公示は、第一条第一項各号の一以上により当該土地の区域を明示して、国土交通大臣にあっては官報により、都道府県知事又は指定都市の長にあってはその統轄する都道府県又は指定都市の公報又はウェブサイトへの掲載その他の適切な方法により行うものとする。

（排水設備の設置及び構造に関する事項）

第五条　令第四条第二号イの国土交通省令で定める排水設備の設置及び構造に関する事項は、雨水貯留槽、雨水浸透ます等の性能又は仕様及び数量とする。

（雨水貯留浸透施設整備計画の認定の申請）

第六条　法第十一条第一項の認定の申請は、別記様式第一の申請書を都道府県知事等（同項に規定する都道府県知事等をいう。第八条及び第十一条において同じ。）に提出して行うものとする。

2　前項の申請書には、次に掲げる図書を添付しなければならない。

一　雨水貯留浸透施設の位置図、平面図、縦断面図、横断面図及び構造図

二　雨水貯留浸透施設の設置に要する費用の額を証する書類

三　雨水貯留浸透施設の設置の工事の工程表

3　前項第一号に掲げる位置図は、縮尺二千五百分の一以上とし、雨水貯留浸透施設の位置及び集水区域を表示したものでなければならない。

4　第二項第一号に掲げる構造図は、縮尺五百分の一以上とし、雨水貯留浸透施設の流入口及び放流口の構造を表示したものでなければならない。

（雨水貯留浸透施設整備計画の記載事項）

第七条　法第十一条第二項第六号の国土交通省令で定める事項は、雨水貯留浸透施設の設置の工事の実施時期とする。

（雨水貯留浸透施設の規模）

第八条　法第十二条第一項第一号の国土交通省令で定める規模は、総貯留量から雨水浸透阻害行為（法第三十条に規定する雨水浸透阻害行為をいう。以下同じ。）の対策工事により確保すべき貯留量を除いた貯留量（以下この条において「特定貯留量」という。）が三十立方メートルのものとする。ただし、その地方の浸水被害（法第二条第三項に規定する浸水被害をいう。以下この条及び第十一条において同じ。）の発生の状況又は自然的、社会的条件の特殊性を勘案し、当該特定都市河川流域における浸水被害の発生の防止を図るため特に必要があると認める場合においては、都道府県知事等は、規則で、区域を限り、〇・一立方メートル以上三十立方メートル未満の範囲内で、その規模に係る特定貯留量を別に定めることができる。

（雨水貯留浸透施設の構造及び設備の基準）

第九条　法第十二条第一項第二号の国土交通省令で定める構造及び設備の基準は、次のとおりとする。

一　堅固で耐久力を有する構造であること。

二　雨水を一時的に貯留し、又は地下に浸透させる機能を維持するために必要な排水設備その他の設備を備えたものであること。

（雨水貯留浸透施設の管理の方法の基準）

第一〇条　法第十二条第一項第四号の国土交通省令で定める管理の方法の基準は、次のとおりとする。

一　雨水貯留浸透施設が有する雨水を一時的に貯留し、又は地下に浸透させる機能を維持するための点検が、適切な頻度で、目視その他適切な方法により行われるものであること。

二　前号の点検により雨水貯留浸透施設の損傷、腐食その他の劣化その他の異状があることが明らかとなった場合に、補修その他必要な措置が講じられるものであること。

三　雨水貯留浸透施設の修繕が計画的に行われるものであること。

（雨水貯留浸透施設の管理の期間）

第一一条　法第十二条第一項第五号の国土交通省令で定める期間は、十年とする。ただし、その地方の浸水被害の発生の状況又は自然的、社会的条件の特殊性を勘案し、当該特定都市河川流域における浸水被害の発生の防止を図るため特に必要があると認める場合においては、都道府県知事等は、十年を超え五十年以下の範囲内で、その期間を別に定めることができる。

（軽微な変更）

第一二条　法第十四条第一項の国土交通省令で定める軽微な変更は、雨水貯留浸透施設の設置の工事の実施時期の変更のうち、工事の着手又は完了の予定年月日の同一会計年度内の変更とする。

（管理協定の基準）

第一三条　法第二十条第二項第二号（法第二十三条において準用する場合を含む。）の国土交通省令で定める基準は、次に掲げるものとする。

一　協定雨水貯留浸透施設の管理の方法に関する事項は、協定雨水貯留浸透施設の維持修繕その他協定雨水貯留浸透施設の適切な管理に必要な事項について定めること。

二　管理協定の有効期間は、五年以上五十年以下とすること。

三　管理協定に違反した場合の措置は、違反した者に対して不当に重い負担を課するものでないこと。

（管理協定の縦覧に係る公告）

第一四条　法第二十一条第一項（法第二十三条において準用する場合を含む。）の規定による公告は、次に掲げる事項について、都道府県又は市町村の公報又はウェブサイトへの掲載その他の適切な方法により行うものとする。

一　管理協定の名称

二　協定雨水貯留浸透施設の名称（その属する施設がある場合は、その属する施設の名称及び協定雨水貯留浸透施設の部分）及び認定番号

三　管理協定の有効期間

四　管理協定の縦覧場所

（管理協定の締結等の公示）

第一五条　前条の規定は、法第二十二条（法第二十三条において準用する場合を含む。）の規定による公示について準用する。

（雨水浸透阻害行為の許可の申請）

第一六条　法第三十条の許可を受けようとする者（法第三十五条の協議をしようとする者を含む。）は、別記様式第二の雨水浸透阻害行為許可申請書（法第三十五条の協議をしようとする者にあっては、雨水浸透阻害行為協議書）を都道府県知事等（法第三十条に規定する都道府県知事等をいう。第二十七条第一号ニ及び第二十九条第一項において同じ。）に提出しなければならない。

2　法第三十一条第一項第二号及び第三号の工事の計画は、計画説明書及び計画図により定めなければならない。

3　前項の計画説明書は、同項の工事の計画の方針、行為区域（対策工事に係る雨水貯留浸透施設の集水区域が行為区域の範囲を超えるときは、当該超える区域を含む。以下同じ。）内の土地の現況及び土地利用計画並びに対策工事に係る雨水貯留浸透施設の計画を記載したものでなければならない。

4　第二項の計画図は、次の表の定めるところにより作成したものでなければならない。

図面の種類	明示すべき事項	縮尺	備考
現況地形図	地形、行為区域の境界並びに流出係数の区分ごとの土地利用形態及び当該土地利用形態ごとの面積	二千五百分の一以上	等高線は、二メートルの標高差を示すものであること。
土地利用計画図	行為区域の境界並びに流出係数の区分ごとの土地利用形態及び当該土地利用形態ごとの面積	二千五百分の一以上	

排水施設計画平面図	排水施設の位置、排水系統、吐口の位置及び放流先の名称	二千五百分の一以上	
対策工事の位置図	対策工事の計画位置又は計画区域及び集水区域	二千五百分の一以上	
対策工事の計画図	雨水貯留浸透施設の形状	二千五百分の一以上	平面図、縦断面図及び横断面図により示すこと。
	雨水貯留浸透施設の構造の詳細	五百分の一以上	流入口及び放流口の構造を含むものであること。

（雨水浸透阻害行為の許可申請書の記載事項）

第一七条　法第三十一条第一項第四号の国土交通省令で定める事項は、同項第二号及び第三号の工事の着手予定日及び完了予定日とする。

（雨水浸透阻害行為の許可申請書の添付図書）

第一八条　法第三十一条第二項の国土交通省令で定める図書は、次に掲げるものとする。

一　行為区域位置図
二　行為区域区域図
三　対策工事の計画が令第九条第一項に規定する技術的基準に適合することを証する書類

2　前項第一号に掲げる行為区域位置図は、縮尺五万分の一以上とし、行為区域の位置を表示した地形図でなければならない。

3　第一項第二号に掲げる行為区域区域図は、縮尺二千五百分の一以上とし、行為区域の区域並びにその区域を明らかに表示するに必要な範囲内において都道府県界、市町村界、市町村の区域内の町又は字の境界並びに土地の地番及び形状を表示したものでなければならない。

（条例で定めた降雨の適用等）

第一九条　令第九条第一項の令第六条ただし書の規定により条例が定められた場合に当該条例で定める基準降雨の強度を超えない降雨は、千平方メートル未満の面積の土地において行おうとする雨水浸透阻害行為の対策工事の計画のみに適用するものとする。

2　前項の降雨は、その降雨強度値がいずれの時間帯においても同一時間帯における基準降雨の降雨強度値を超えないものとし、令第六条ただし書の条例において降雨強度値の十分ごとの推移を表により示すものとする。

3　都道府県（指定都市若しくは地方自治法第二百五十二条の二十二第一項の中核市（以下この項及び第三十一条において「指定都市等」という。）又は同法第二百五十二条の十七の二第一項の規定に基づき法第三章第一節（法第四十条を除く。）に規定する都道府県知事の権限に属する事務の全部を処理することとされた市町村（以下この項において「事務処理市町村」という。）の区域内にあっては、当該指定都市等又は当該事務処理市町村。第二十一条第一項において同じ。）は、第一項の降雨を定める場合には、あらかじめ、当該都道府県の区域内における特定都市河川の河川管理者及び当該特定都市河川に係る特定都市河川流域に係る特定都市下水道の下水道管理者の意見を聴かなければならない。

（流出雨水量の算定に関する細目）

第二〇条　令第九条第一項の技術的基準は、その対策工事の計画が、次項第二号の規定による雨水浸透阻害行為が行われた後の流出雨水量の最大値が、同項第一号の規定による雨水浸透阻害行為が行われる前の流出雨水量の最大値を上回らないよう定められたものであることとする。

2　前項の流出雨水量の最大値は、次の各号に掲げる区分に応じて、当該各号に定める値とする。

一　雨水浸透阻害行為が行われる前の流出雨水量の最大値　基準降雨（令第六条ただし書の規定により条例が定められた場合において、当該条例で基準降雨の強度を超えない降雨を定めたとき、又は令第十条第一号の規定により基準降雨の強度を超える降雨を定めた場合にあっては、当該降雨。以下この号において同じ。）が生じた場合における十分ごとの行為区域からの流出雨水量として次に掲げる式により算定したもの（以下この項において「各時間毎流出雨水量」という。）のうち最大の値。ただし、当該行為区域内に当該雨水浸透阻害行為をしようとする者が自ら管理する雨水貯留浸透施設が既に存するときは、各時間毎流出雨水量の雨水が当該雨水貯留浸透施設に流入した場合に当該雨水貯留浸透施設により浸透する雨水の量を当該流入した雨水の量から控除し、当該雨水貯留浸透施設から流出する雨水の量を逐次計算する方法その他合理的な方法により算定したもののうち最大の値とする。

Q＝（1÷360）×F×R×（A÷10000）

この式において、Q、F、R及びAは、それぞれ次の数値を表すものとする。

Q　行為区域からの流出雨水量（単位　一秒につき立方メートル）
F　行為区域の平均流出係数
R　基準降雨における洪水到達時間内平均降雨強度値（単位　一時間につきミリメートル。洪水到達時間は十分とする。）
A　行為区域の面積（単位　平方メートル）

二　雨水浸透阻害行為が行われた後の流出雨水量の最大値　各時間毎流出雨水量の雨水が対策工事に係る雨水貯留浸透施設（当該行為区域内に当該雨水浸透阻害行為をしようとする者が自ら管理する雨水貯留浸透施設が既に存する場合にあっては、当該雨水貯留浸透施設を含む。）に流入した場合に当該対策工事に係る雨水貯留浸透施設により浸透する雨水の量を当該流入した雨水の量から控除し、当該雨水貯留浸透施設から流出する雨水の量を逐次計算する方法その他合理的な方法により算定したもののうち最大の値

3　前項第一号の行為区域の平均流出係数は、流出雨水量の最大値を算定する際に用いる土地利用形態ごとの流出係数として国土交通大臣が定めるものを、当該行為区域の土地利用形態ごとの面積により加重平均して求めるものとする。

（基準降雨の指定に関する細目）

第二一条　都道府県の長は、当該都道府県の区域内において特定都市河川及び特定都市河川流域が指定される場合（指定が変更される場合を含む。）においては、あらかじめ、当該特定都市河川の河川管理者及び当該特定都市河川流域に係る特定都市下水道の下水道管理者の意見を聴いた上で、法第三条第十項（同条第十一項において準用する場合を含む。）の公示の日において、当該特定都市河川流域における基準降雨を定め、当該都道府県の公報又はウェブサイトへの掲載その他の適切な方法により公示しなければならない。この場合において、都道府県の長は、必要があると認めるときは、当該特定都市河川流域における降雨の特性を勘案し、当該特定都市河川流域を二以上の区域に区分して、それぞれの区域ごとに基準降雨を定めることができる。

2　前項の基準降雨は、継続時間を二十四時間とする中央集中型波形の降雨の降雨強度値の十分ごとの推移を表により示すものとする。

（技術的基準の強化に関する細目）

第二二条　令第十条第一号の強化降雨は、その降雨強度値がいずれかの時間帯において同一時間帯における基準降雨の降雨強度値を超える降雨とし、法第三十三条第一項の条例において、降雨強度値の十分ごとの推移を表により示すものとする。

2　地方公共団体は、強化降雨を定める場合において必要があると認めるときは、特定都市河川流域における降雨の特性、対策工事を行う者の負担その他の事項を勘案し、当該特定都市河川流域を二以上の区域に区分し、又は雨水浸透阻害行為の規模を二以上に区分して、それぞれの区域又は規模ごとに強化降雨を定めることができる。

（強化降雨の上限に関する細目）

第二三条　強化降雨は、その降雨強度値がいずれの時間帯においても同一時間帯における流域水害対策計画において定められた都市浸水の発生を防ぐべき目標となる降雨の降雨強度値を超えないものでなければならない。

（軽微な変更）

第二四条　法第三十七条第一項ただし書の国土交通省令で定める軽微な変更は、法第三十一条第一項第二号及び第三号の工事の着手予定日又は完了予定日の変更とする。

（変更の許可の申請書の記載事項）

第二五条　法第三十七条第二項の国土交通省令で定める事項は、次に掲げる

ものとする。
一 変更に係る事項
二 変更の理由
三 雨水浸透阻害行為の許可の許可番号

（工事完了等の届出）

第二六条 法第三十八条第一項の規定による雨水浸透阻害行為に関する工事の完了の届出は、別記様式第三の雨水浸透阻害行為に関する工事完了届出書を提出して行うものとする。

2 法第三十八条第一項の規定による雨水浸透阻害行為に関する工事の廃止の届出は、別記様式第四の雨水浸透阻害行為に関する工事廃止届出書を提出して行うものとする。

（雨水貯留浸透施設の標識の設置の基準）

第二七条 法第三十八条第三項の国土交通省令で定める基準は、次に掲げるものとする。
一 次に掲げる事項を明示したものであること。
イ 雨水貯留浸透施設（以下この条において単に「施設」という。）の名称
ロ 雨水浸透阻害行為に関する工事の検査済証番号
ハ 施設の容量（容量のない施設にあっては規模）及び構造の概要
ニ 施設が有する機能を阻害するおそれのある行為をしようとする者は都道府県知事等の許可を要する旨
ホ 施設の管理者及びその連絡先
ヘ 標識の設置者及びその連絡先
二 施設の周辺に居住し、又は事業を営む者の見やすい場所に設けること。

（損失の補償の裁決申請書の様式）

第二八条 令第十一条の国土交通省令で定める様式は、別記様式第五とし、正本一部及び写し一部を提出するものとする。

（雨水貯留浸透施設の機能を阻害するおそれのある行為の許可の申請）

第二九条 法第三十九条第一項の許可を受けようとする者（同条第四項において準用する法第三十五条の協議をしようとする者を含む。）は、別記様式第六の雨水貯留浸透施設機能阻害行為許可申請書（法第三十九条第四項において準用する法第三十五条の協議をしようとする者にあっては、雨水貯留浸透施設機能阻害行為協議書）を都道府県知事等に提出しなければならない。

2 法第三十九条第一項各号に掲げる行為の設計又は施行方法は、計画図により定めなければならない。

3 前項の計画図は、次の表の定めるところにより作成したものでなければならない。ただし、保全工事（法第三十九条第一項各号に掲げる行為の対象となる雨水貯留浸透施設が有する機能を保全するための工事をいう。以下この項及び次条において同じ。）を行おうとする者以外の者にあっては、保全工事の計画図を作成することを要しない。

図面の種類	明示すべき事項	縮尺	備考
雨水貯留浸透施設の位置図	雨水貯留浸透施設の位置及び集水区域	二千五百分の一以上	
雨水貯留浸透施設の現況図	雨水貯留浸透施設の形状	二千五百分の一以上	平面図、縦断面図及び横断面図により示すこと。
	雨水貯留浸透施設の構造の詳細	五百分の一以上	流入口及び放流口の構造を含むものであること。
雨水貯留浸透施設の機能を阻害するおそれのある行為の計画図	当該行為により設置される施設の形状	二千五百分の一以上	平面図、縦断面図及び横断面図により示すこと。
	当該行為により設置される施設の構造の詳細	五百分の一以上	
保全工事の計画図	保全工事に係る施設の形状	二千五百分の一以上	平面図、縦断面図及び横断面図により示すこと。
	保全工事に係る施設の構造の詳細	五百分の一以上	流入口及び放流口の構造を含むものであること。

（雨水貯留浸透施設の機能を阻害するおそれのある行為の許可申請書の記載事項）

第三〇条 法第三十九条第二項の国土交通省令で定める事項は、同条第一項各号に掲げる行為の完了予定日、当該行為の対象となる雨水貯留浸透施設の名称及び当該雨水貯留浸透施設に係る雨水浸透阻害行為に関する工事の検査済証番号、当該雨水貯留浸透施設が有する機能の保全上支障がないことを明らかにする事項並びに保全工事の設計又は施行方法、着手予定日及び完了予定日（保全工事を行おうとする場合に限る。）とする。

（監督処分に関する公示の方法）

第三一条 法第四十一条第三項の国土交通省令で定める方法は、都道府県又は指定都市等（以下「都道府県等」という。）の公報又はウェブサイトへの掲載その他の適切な方法とする。

（保全調整池の指定の公示）

第三二条 法第四十四条第三項（同条第五項において準用する場合を含む。）の規定による指定（同条第五項において準用する場合にあっては、指定の解除）の公示は、保全調整池を指定した旨（同条第五項において準用する場合にあっては、指定を解除した旨）、当該保全調整池の名称及び指定番号、当該保全調整池の敷地である土地の区域（建築物等に保全調整池が設置されている場合にあっては、当該建築物等の敷地である土地の区域）並びに当該保全調整池の容量を明示して、都道府県等の公報又はウェブサイトへの掲載その他の適切な方法により行うものとする。

2 前項の土地の区域の明示は、第一条第一項各号の一以上により行うものとする。

（保全調整池の標識の設置の基準）

第三三条 法第四十五条第一項の国土交通省令で定める基準は、次に掲げるものとする。
一 次に掲げる事項を明示したものであること。
イ 保全調整池の名称及び指定番号
ロ 保全調整池の容量及び構造の概要
ハ 保全調整池が有する機能を阻害するおそれのある行為をしようとする者は法第四十四条第一項に規定する都道府県知事等に届け出なければならない旨
ニ 保全調整池の管理者及びその連絡先
ホ 標識の設置者及びその連絡先
二 保全調整池の周辺に居住し、又は事業を営む者の見やすい場所に設けること。

（保全調整池の機能を阻害するおそれのある行為の届出）

第三四条 法第四十六条第一項の規定による届出は、別記様式第七の保全調整池機能阻害行為届出書を提出して行うものとする。

2 法第四十六条第一項各号に掲げる行為の設計又は施行方法は、計画図により定めなければならない。

3 前項の計画図は、次の表の定めるところにより作成したものでなければならない。ただし、保全工事（法第四十六条第一項各号に掲げる行為の対象となる保全調整池が有する機能を保全するための工事をいう。以下この項及び次条において同じ。）を行おうとする者以外の者にあっては、保全工事の計画図を作成することを要しない。

図面の種類	明示すべき事項	縮尺	備考
保全調整池の位置図	保全調整池の位置及び集水区域	二千五百分の一以上	
保全調整池の現況図	保全調整池の形状	二千五百分の一以上	平面図、縦断面図及び横断面図により示すこと。
	保全調整池の構造の詳細	五百分の一以上	流入口及び放流口の構造を含むもの

			であること。
保全調整池の機能を阻害するおそれのある行為の計画図	当該行為により設置される施設の形状	二千五百分の一以上	平面図、縦断面図及び横断面図により示すこと。
	当該行為により設置される施設の構造の詳細	五百分の一以上	
保全工事の計画図	保全工事に係る施設の形状	二千五百分の一以上	平面図、縦断面図及び横断面図により示すこと。
	保全工事に係る施設の構造の詳細	五百分の一以上	流入口及び放流口の構造を含むものであること。

（保全調整池の機能を阻害するおそれのある行為の届出書の記載事項）

第三五条　法第四十六条第一項の国土交通省令で定める事項は、同項各号に掲げる行為の完了予定日、当該行為の対象となる保全調整池の名称及び指定番号並びに保全工事の設計又は施行方法、着手予定日及び完了予定日（保全工事を行おうとする場合に限る。）とする。

（届出の内容の通知）

第三六条　法第四十六条第二項及び第三項の規定による通知は、第三十四条第一項の保全調整池機能阻害行為届出書の写しを添付してするものとする。

（管理協定の縦覧に係る公告）

第三七条　法第四十九条第一項（法第五十一条において準用する場合を含む。）の規定による公告は、次に掲げる事項について、公報、掲示その他の方法で行うものとする。

一　管理協定の名称
二　管理協定の目的となる保全調整池の名称及び指定番号
三　管理協定の有効期間
四　管理協定の縦覧場所

（管理協定の締結等の公告）

第三八条　前条の規定は、法第五十条（法第五十一条において準用する場合を含む。）の規定による公告について準用する。

（貯留機能保全区域の指定の公示）

第三九条　法第五十三条第四項（同条第六項において準用する場合を含む。）の規定による指定（同項において準用する場合にあっては、指定の解除。以下この項において同じ。）の公示は、次に掲げる事項について、都道府県等の公報又はウェブサイトへの掲載その他の適切な方法により行うものとする。

一　貯留機能保全区域の指定をする旨
二　当該貯留機能保全区域の名称及び指定番号
三　当該貯留機能保全区域の位置
四　当該貯留機能保全区域の形状

2　前項第三号の貯留機能保全区域の位置は、次に掲げるところにより明示するものとする。

一　市町村、大字、字、小字及び地番
二　位置図（縮尺二千五百分の一以上）

3　第一項第四号の貯留機能保全区域の形状は、縮尺二千五百分の一以上の平面図、縦断面図及び横断面図をもって表示するものとする。

（貯留機能保全区域の標識の設置の基準）

第四〇条　法第五十四条第一項の国土交通省令で定める基準は、次に掲げるものとする。

一　次に掲げる事項を明示したものであること。
　イ　貯留機能保全区域の名称及び指定番号
　ロ　貯留機能保全区域の位置
　ハ　貯留機能保全区域の管理者及びその連絡先
　ニ　標識の設置者及びその連絡先
二　貯留機能保全区域の周辺に居住し、又は事業を営む者の見やすい場所に設けること。

（貯留機能保全区域内の土地における届出を要する行為）

第四一条　法第五十五条第一項の国土交通省令で定める行為は、止水壁その他の地表水の流れを妨げる物件の設置とする。

（貯留機能保全区域内の土地における行為の届出）

第四二条　法第五十五条第一項の規定による届出は、別記様式第八の届出書を提出して行うものとする。

2　法第五十五条第一項本文に規定する行為の設計又は施行方法は、計画図により定めなければならない。

3　前項の計画図は、次の表の定めるところにより作成したものでなければならない。

図面の種類	明示すべき事項	縮尺	備考
貯留機能保全区域の位置図	貯留機能保全区域の位置	二千五百分の一以上	
貯留機能保全区域の現況図	貯留機能保全区域の形状	二千五百分の一以上	平面図、縦断面図及び横断面図により示すこと。
法第五十五条第一項本文に規定する行為の計画図	当該行為を行う場所	二千五百分の一以上	
	当該行為により設置される物件の形状	二千五百分の一以上	平面図、縦断面図及び横断面図により示すこと。
	当該行為により設置される物件の構造の詳細	五百分の一以上	
	当該行為を行った後の貯留機能保全区域の形状	二千五百分の一以上	平面図、縦断面図及び横断面図により示すこと。

（貯留機能保全区域内の土地における行為の届出書の記載事項）

第四三条　法第五十五条第一項の国土交通省令で定める事項は、同項本文に規定する行為の完了予定日並びに当該行為の対象となる貯留機能保全区域の名称及び指定番号とする。

（貯留機能保全区域内の土地における行為の届出の内容の通知）

第四四条　法第五十五条第二項の規定による通知は、第四十二条第一項の届出書の写しを添付してするものとする。

（浸水被害防止区域の指定の際の明示事項）

第四五条　法第五十六条第二項の国土交通省令で定める事項は、次に掲げるものとする。

一　指定の区域
二　基準水位（法第五十六条第二項に規定する基準水位をいう。以下同じ。）
三　流域水害対策計画において定められた都市浸水の発生を防ぐべき目標となる降雨が生じた場合に想定される洪水又は雨水出水（水防法（昭和二十四年法律第百九十三号）第二条第一項に規定する雨水出水をいう。）（第五十五条、第五十六条及び第六十八条において「想定洪水等」という。）による浸水が発生した場合において、第一号の区域内の一定の区域の水深に当該区域における流速の二乗を乗じて得た値が最大となるときの当該水深及び当該流速（第六十六条において「特定水深等」という。）

（浸水被害防止区域の指定をしようとする旨の公告）

第四六条　法第五十六条第三項（同条第十一項において準用する場合を含む。）の規定による浸水被害防止区域の指定（同条第十一項において準用する場合にあっては、指定の変更又は解除。以下この項及び次条第一項において同じ。）をしようとする旨の公告は、次に掲げる事項について、都道府県の公報又はウェブサイトへの掲載その他の適切な方法により行うものとする。

一　浸水被害防止区域の指定をしようとする旨
二　浸水被害防止区域の指定をしようとする土地の区域

2　前項第二号の土地の区域は、次に掲げるところにより明示するものとする。

一　市町村、大字、字、小字及び地番
二　平面図

（浸水被害防止区域の指定の公示）

第四七条　法第五十六条第六項（同条第十一項において準用する場合を含む。）の規定による浸水被害防止区域の指定の公示は、次に掲げる事項について、都道府県の公報又はウェブサイトへの掲載その他の適切な方法により行うものとする。

一　浸水被害防止区域の指定をする旨

二　浸水被害防止区域

2　前項第二号の浸水被害防止区域は、次に掲げるところにより明示するものとする。

一　市町村、大字、字、小字及び地番

二　平面図

（都道府県知事の行う浸水被害防止区域の指定の公示に係る図書の送付）

第四八条　法第五十六条第七項（同条第十一項において準用する場合を含む。）の規定による送付は、浸水被害防止区域位置図及び浸水被害防止区域区域図により行わなければならない。

2　前項の浸水被害防止区域位置図は、縮尺五万分の一以上とし、浸水被害防止区域の位置を表示した地形図でなければならない。

3　第一項の浸水被害防止区域区域図は、縮尺二千五百分の一以上とし、当該浸水被害防止区域を表示したものでなければならない。

（特定開発行為の許可の申請）

第四九条　法第五十七条第一項の許可を受けようとする者は、別記様式第九の特定開発行為許可申請書を同項に規定する都道府県知事等に提出しなければならない。

2　法第五十八条第一項第三号の特定開発行為に関する工事の計画は、計画説明書及び計画図により定めなければならない。

3　前項の計画説明書は、特定開発行為に関する工事の計画の方針、特定開発区域（特定開発区域を工区に分けたときは、特定開発区域及び工区。次項及び第五十一条第二項から第四項までにおいて同じ。）内の土地の現況及び土地利用計画を記載したものでなければならない。

4　第二項の計画図は、次の表の定めるところにより作成したものでなければならない。

図面の種類	明示すべき事項	縮尺	備考
現況地形図	地形並びに浸水被害防止区域、法第五十七条第二項第三号の条例で定める区域及び特定開発区域の境界	二千五百分の一以上	等高線は、二メートルの標高差を示すものであること。
土地利用計画図	特定開発区域の境界並びに予定建築物（法第五十七条第一項の制限用途のものに限る。第五十六条第二項第二号において同じ。）の用途及び敷地の形状	千分の一以上	
造成計画平面図	特定開発区域の境界、切土又は盛土をする土地の部分及び崖（令第十八条第一項第一号に規定する崖をいう。以下同じ。）又は擁壁の位置	千分の一以上	
造成計画断面図	切土又は盛土をする前後の地盤面	千分の一以上	
排水施設計画平面図	排水施設の位置、種類、材料、形状、内法寸法、勾配、水の流れの方向、吐口の位置及び放流先の名称	五百分の一以上	
崖の断面図	崖の高さ、勾配及び土質（土質の種類が二以上であるときは、それぞれの土質及びその地層の厚さ）、切土又は盛土をする前の地盤面、崖面の保護の方法、崖の上端の周辺の地盤の保護の方法（当該崖の上端が基準水位より高い場合を除く。）並びに崖の崖面の下端周辺の地盤の保護の方法（第五十六条第二項各号のいずれかに該当する場合を除く。）	五十分の一以上	一　切土をした土地の部分に生ずる高さが二メートルを超える崖、盛土をした土地の部分に生ずる高さが一メートルを超える崖又は切土及び盛土を同時にした土地の部分に生ずる高さが二メートルを超える崖について作成すること。 二　擁壁で覆われる崖面については、土質に関する事項は、示すことを要しない。
擁壁の断面図	擁壁の寸法及び勾配、擁壁の材料の種類及び寸法、裏込めコンクリートの寸法、透水層の位置及び寸法、擁壁を設置する前後の地盤面、基礎地盤の土質並びに基礎ぐいの位置、材料及び寸法	五十分の一以上	

（特定開発行為の許可の申請書の記載事項）

第五〇条　法第五十八条第一項第四号の国土交通省令で定める事項は、特定開発行為に関する工事の着手予定年月日及び完了予定年月日とする。

（特定開発行為の許可の申請書の添付図書）

第五一条　法第五十八条第二項の国土交通省令で定める図書は、次に掲げるものとする。

一　特定開発区域位置図

二　特定開発区域区域図

三　特定開発行為に関する工事の完了後において当該工事に係る特定開発区域（浸水被害防止区域内のものに限る。）に地盤面の高さが基準水位以上となる土地の区域があるときは、その区域の位置を表示した地形図

四　第五十三条第三項に該当する場合にあっては、土質試験その他の調査又は試験（以下「土質試験等」という。）に基づく安定計算を記載した安定計算書その他の同項に該当することを証する書類

五　第五十六条第二項各号のいずれかに該当する場合にあっては、土質試験等に基づく安定計算を記載した安定計算書その他の同項各号のいずれかに該当することを証する書類

2　前項第一号の特定開発区域位置図は、縮尺五万分の一以上とし、特定開発区域の位置を表示した地形図でなければならない。

3　第一項第二号の特定開発区域区域図は、縮尺二千五百分の一以上とし、特定開発区域の区域並びにその区域を明らかに表示するのに必要な範囲内において都道府県界、市町村界、市町村の区域内の町又は字の境界、浸水被害防止区域界、法第五十七条第二項第三号の条例で定める区域の区域界並びに土地の地番及び形状を表示したものでなければならない。

4　第一項第三号の地形図は、縮尺千分の一以上とし、特定開発区域の区域及び当該区域（浸水被害防止区域内のものに限る。）のうち地盤面の高さが基準水位以上となる土地の区域並びにこれらの区域を明らかに表示するのに必要な範囲内において都道府県界、市町村界、市町村の区域内の町又は字の境界、浸水被害防止区域界、法第五十七条第二項第三号の条例で定める区域の区域界並びに土地の地番及び形状を表示したものでなければならない。

（地盤について講ずる措置に関する技術的基準）

第五二条　法第五十九条（法第六十二条第四項において準用する場合を含む。）

以下同じ。）の国土交通省令で定める技術的基準のうち地盤について講ずる措置に関するものは、次に掲げるものとする。

一　地盤の沈下又は特定開発区域外の地盤の隆起が生じないように、土の置換え、水抜きその他の措置を講ずること。

二　特定開発行為によって生ずる崖の上端に続く地盤面には、特別の事情がない限り、その崖の反対方向に雨水その他の地表水が流れるように勾配を付すること。

三　切土をする場合において、切土をした後の地盤に滑りやすい土質の層があるときは、その地盤に滑りが生じないように、地滑り抑止ぐい又はグラウンドアンカーその他の土留（次号において「地滑り抑止ぐい等」という。）の設置、土の置換えその他の措置を講ずること。

四　盛土をする場合には、盛土に雨水その他の地表水又は地下水（第五十七条において「地表水等」という。）の浸透による緩み、沈下、崩壊又は滑りが生じないように、おおむね三十センチメートル以下の厚さの層に分けて土を盛り、かつ、その層の土を盛るごとに、これをローラーその他これに類する建設機械を用いて締め固めるとともに、必要に応じて地滑り抑止ぐい等の設置その他の措置を講ずること。

五　著しく傾斜している土地において盛土をする場合には、盛土をする前の地盤と盛土とが接する面が滑り面とならないように、段切りその他の措置を講ずること。

（擁壁の設置に関する技術的基準）

第五三条　法第五十九条の国土交通省令で定める技術的基準のうち擁壁の設置に関するものは、特定開発行為によって生ずる崖（切土をした土地の部分に生ずる高さが二メートルを超えるもの、盛土をした土地の部分に生ずる高さが一メートルを超えるもの又は切土及び盛土を同時にした土地の部分に生ずる高さが二メートルを超えるものに限る。第五十六条において同じ。）の崖面を擁壁で覆うこととする。ただし、切土をした土地の部分に生ずることとなる崖又は崖の部分で、次の各号のいずれかに該当するものの崖面については、この限りでない。

一　土質が次の表の上欄に掲げるものに該当し、かつ、土質に応じ勾配が同表の中欄の角度以下のもの

土質	擁壁を要しない勾配の上限	擁壁を要する勾配の下限
軟岩（風化の著しいものを除く。）	六十度	八十度
風化の著しい岩	四十度	五十度
砂利、真砂土、関東ローム、硬質粘土その他これらに類するもの	三十五度	四十五度

二　土質が前号の表の上欄に掲げるものに該当し、かつ、土質に応じ勾配が同表の中欄の角度を超え同表の下欄の角度以下のもので、その上端から下方に垂直距離五メートル以内の部分。この場合において、前号に該当する崖の部分により上下に分離された崖の部分があるときは、同号に該当する崖の部分は存在せず、その上下の崖の部分は連続しているものとみなす。

２　前項の規定の適用については、小段その他のものによって上下に分離された崖がある場合において、下層の崖面の下端を含み、かつ、水平面に対し三十度の角度をなす面の上方に上層の崖面の下端があるときは、その上下の崖は一体のものとみなす。

３　第一項の規定は、土質試験等に基づき地盤の安定計算をした結果崖の安全を保つために擁壁の設置が必要でないことが確かめられた場合又は災害の防止上支障がないと認められる土地において擁壁の設置に代えて他の措置を講ずる場合には、適用しない。

（擁壁の構造等）

第五四条　前条第一項の規定により設置される擁壁については、次に定めるところによらなければならない。

一　擁壁の構造は、構造計算、実験その他の方法によって次のイから二までに該当することが確かめられたものであること。

イ　土圧、水圧及び自重（以下この号において「土圧等」という。）によって擁壁が破壊されないこと。

ロ　土圧等によって擁壁が転倒しないこと。

ハ　土圧等によって擁壁の基礎が滑らないこと。

ニ　土圧等によって擁壁が沈下しないこと。

二　擁壁には、その裏面の排水を良くするため、水抜穴を設け、擁壁の裏面で水抜穴の周辺その他必要な場所には、砂利その他の資材を用いて透水層を設けること。ただし、空積造その他擁壁の裏面の水が有効に排水できる構造のものにあっては、この限りでない。

２　特定開発行為によって生ずる崖の崖面を覆う擁壁で高さが二メートルを超えるものについては、建築基準法施行令（昭和二十五年政令第三百三十八号）第百四十二条（同令第七章の八の準用に関する部分を除く。）の規定を準用する。

（崖面について講ずる措置に関する技術的基準）

第五五条　法第五十九条の国土交通省令で定める技術的基準のうち特定開発行為によって生ずる崖の崖面について講ずる措置に関するものは、当該崖の崖面（擁壁で覆われたものを除く。）が風化、想定洪水等による洗掘その他の侵食に対して保護されるように、芝張りその他の措置を講ずることとする。

（崖の上端の周辺の地盤等について講ずる措置に関する技術的基準）

第五六条　法第五十九条の国土交通省令で定める技術的基準のうち特定開発行為によって生ずる崖の上端の周辺の地盤について講ずる措置に関するものは、当該崖の上端が基準水位より高い場合を除き、当該崖の上端の周辺の地盤が想定洪水等による侵食に対して保護されるように、石張り、芝張り、モルタルの吹付けその他の措置を講ずることとする。

２　法第五十九条の国土交通省令で定める技術的基準のうち特定開発行為によって生ずる崖の崖面の下端の周辺の地盤について講ずる措置に関するものは、次の各号のいずれかに該当する場合を除き、当該崖面の下端の周辺の地盤が想定洪水等による洗掘に対して保護されるように、根固め、根入れその他の措置を講ずることとする。

一　土質試験等に基づき地盤の安定計算をした結果崖の安全を保つために根固め、根入れその他の措置が必要でないことが確かめられた場合

二　想定洪水等による洗掘に起因する地滑りの滑り面の位置に対し、予定建築物の位置が安全であることが確かめられた場合

（排水施設の設置に関する技術的基準）

第五七条　法第五十九条の国土交通省令で定める技術的基準のうち排水施設の設置に関するものは、切土又は盛土をする場合において、地表水等により崖崩れ又は土砂の流出が生ずるおそれがあるときは、その地表水等を排出することができるように、排水施設で次の各号のいずれにも該当するものを設置することとする。

一　堅固で耐久性を有する構造のものであること。

二　陶器、コンクリート、れんがその他の耐水性の材料で造られ、かつ、漏水を最少限度のものとする措置を講ずるものであること。ただし、崖崩れ又は土砂の流出の防止上支障がない場合においては、専ら雨水その他の地表水を排除すべき排水施設は、多孔管その他雨水を地下に浸透させる機能を有するものとすることができる。

三　その管渠の勾配及び断面積が、その排除すべき地表水等を支障なく流下させることができるものであること。

四　専ら雨水その他の地表水を排除すべき排水施設は、その暗渠である構造の部分の次に掲げる箇所に、ます又はマンホールを設けるものであること。

イ　管渠の始まる箇所

ロ　排水の流路の方向又は勾配が著しく変化する箇所（管渠の清掃上支障がない箇所を除く。）

ハ　管渠の内径又は内法幅の百二十倍を超えない範囲内の長さごとの管渠の部分のその清掃上適当な箇所

五　ます又はマンホールに、蓋を設けるものであること。

六　ますの底に、深さが十五センチメートル以上の泥溜めを設けるものであること。

（軽微な変更）

第五八条　法第六十二条第一項ただし書の国土交通省令で定める軽微な変更は、特定開発行為に関する工事の着手予定年月日又は完了予定年月日の変更とする。

（変更の許可の申請書の記載事項）

第五九条　法第六十二条第二項の国土交通省令で定める事項は、次に掲げるものとする。

一　変更に係る事項

二　変更の理由
三　法第五十七条第一項の許可の許可番号

（変更の許可の申請書の添付図書）
第六〇条　法第六十二条第二項の申請書には、法第五十八条第二項に規定する図書のうち特定開発行為の変更に伴いその内容が変更されるものを添付しなければならない。この場合においては、第五十一条第二項から第四項までの規定を準用する。

（特定開発行為に関する工事の完了の届出）
第六一条　法第六十三条第一項の規定による届出は、別記様式第十の工事完了届出書を提出して行うものとする。

（検査済証の様式）
第六二条　法第六十三条第二項の国土交通省令で定める様式は、別記様式第十一とする。

（特定開発行為に関する工事の完了等の公告）
第六三条　法第六十三条第三項の規定による公告は、特定開発区域（特定開発区域を工区に分けたときは、工区。以下この条及び第六十七条第一項において同じ。）に含まれる地域の名称、法第五十七条第一項の許可を受けた者の住所及び氏名並びに特定開発区域（浸水被害防止区域内のものに限る。）のうち地盤面の高さが基準水位以上である土地の区域があるときはその区域を明示して、都道府県等の公報又はウェブサイトへの掲載その他の適切な方法により行うものとする。

（特定開発行為に関する工事の廃止の届出）
第六四条　法第六十五条に規定する特定開発行為に関する工事の廃止の届出は、別記様式第十二の特定開発行為に関する工事の廃止の届出書を提出して行うものとする。

（特定建築行為の許可の申請）
第六五条　法第五十七条第二項第一号又は第二号に掲げる用途の建築物について法第六十六条の許可を受けようとする者は、別記様式第十三の特定建築行為許可申請書の正本及び副本に、それぞれ法第六十七条第二項に規定する図書を添えて、都道府県知事等（法第六十六条に規定する都道府県知事等をいう。以下同じ。）に提出しなければならない。

（特定建築行為の許可の申請書の記載事項）
第六六条　法第六十七条第一項第四号の国土交通省令で定める事項は、特定建築行為に係る建築物の敷地における基準水位及び特定水深等、特定建築行為に係る建築物の階数、延べ面積、建築面積、用途及び居室の種類並びに特定建築行為に関する工事の内容、着手予定年月日及び完了予定年月日とする。

（特定建築行為の許可の申請書の添付図書）
第六七条　法第六十七条第二項及び第四項の国土交通省令で定める図書は、特定建築物位置図、法第六十三条第二項に規定する検査済証の写し（これに準ずる書面を含み、法第五十七条第一項の許可を受けた特定開発区域内の土地において特定建築行為を行う場合に限る。）並びに次の表の(い)項、(ろ)項及び(は)項に掲げる図書（エレベーターを設ける建築物にあっては、これらの図書のほか、同表の(に)項に掲げる図書）とする。

	図書の種類	明示すべき事項
(い)	付近見取図	方位、道路及び目標となる地物
	配置図	縮尺及び方位
		敷地境界線、敷地内における建築物の位置及び申請に係る建築物と他の建築物との別
		擁壁の位置その他安全上適当な措置
		土地の高低、敷地と敷地の接する道の境界部分との高低差及び申請に係る建築物の各部分の高さ
		敷地の接する道路の位置、幅員及び種類
		下水管、下水溝又はためますその他これらに類する施設の位置及び排出経路又は処理経路
	各階平面図	縮尺及び方位
		間取、各室の用途及び床面積
		壁及び筋かいの位置及び種類
		通し柱及び開口部の位置
(ろ)	基礎伏図	縮尺並びに構造耐力上主要な部分（建築基準法施行令第一条第三号に規定する構造耐力上主要な部分をいう。）の材料の種別及び寸法
	各階床伏図	
	小屋伏図	
	構造詳細図	
(は)	構造計算書	次条の国土交通大臣が定める構造方法に係る構造計算
(に)	各階平面図	エレベーターの機械室に設ける換気上有効な開口部又は換気設備の位置
		エレベーターの機械室の出入口の構造
		エレベーターの機械室に通ずる階段の構造
		エレベーター昇降路の壁又は囲いの全部又は一部を有さない部分の構造
	構造詳細図	エレベーターのかごの構造
		エレベーターのかご及び昇降路の壁又は囲い及び出入口の戸の位置及び構造
		非常の場合においてかご内の人を安全にかご外に救出することができる開口部の位置及び構造
		エレベーターの駆動装置及び制御器の位置及び取付方法
		エレベーターの制御器の構造
		エレベーターの安全装置の位置及び構造
		乗用エレベーター及び寝台用エレベーターである場合にあっては、エレベーターの用途及び積載量並びに最大定員を明示した標識の意匠及び当該標識を掲示する位置

2　前項の特定建築物位置図は、縮尺二千五百分の一以上とし、特定建築行為に係る建築物の敷地の位置及び区域を明らかに表示するのに必要な範囲内において都道府県界、市町村界、市町村の区域内の町又は字の境界、浸水被害防止区域界、法第五十七条第二項第三号の条例で定める区域の区域界並びに土地の地番及び形状を表示したものでなければならない。
3　都道府県知事等は、都道府県等の規則で、第一項の表に掲げる図書の一部の添付を要しないこととすることができる。

（特定建築行為に係る建築物の技術的基準）
第六八条　法第六十八条第一項第一号（法第七十一条第五項において準用する場合を含む。）の国土交通省令で定める技術的基準は、想定洪水等の作用に対して安全なものとして国土交通大臣が定める構造方法を用いるものであることとする。

（居室の床面の高さに関する基準）
第六九条　法第六十八条第一項第二号（法第七十一条第五項において準用する場合を含む。）の国土交通省令で定める基準は、居室の床面の全部又は一部の高さ（居室の構造その他の事由を勘案して都道府県知事等が洪水又は雨水出水に対して安全であると認める場合にあっては、当該居室の床面の高さに都道府県知事等が当該居室について指定する高さを加えた高さ）が基準水位以上であることとする。

（許可証の様式）
第七〇条　法第七十条第四項の国土交通省令で定める様式は、別記様式第十四とする。

2　都道府県知事等は、法第五十七条第二項第一号又は第二号に掲げる用途の建築物について法第七十条第一項の許可の処分をしたときは、同条第二項の許可証に、第六十五条の特定建築行為許可申請書の副本及びその添付図書を添えて、申請者に交付するものとする。

3　都道府県知事等は、法第五十七条第二項第一号又は第二号に掲げる用途の建築物について法第七十条第一項の不許可の処分をしたときは、同条第二項の文書に、第六十五条の特定建築行為許可申請書の副本及びその添付図書を添えて、申請者に通知するものとする。

（変更の許可の申請）

第七一条　法第七十一条第一項第一号に掲げる場合において同項の許可を受けようとする者は、同条第二項の申請書の正本及び副本に、それぞれ法第六十七条第二項に規定する図書のうち特定建築行為の変更に伴いその内容が変更されるものを添えて、都道府県知事等に提出しなければならない。この場合においては、第六十七条第二項の規定を準用する。

（軽微な変更）

第七二条　法第七十一条第一項ただし書の国土交通省令で定める軽微な変更は、特定建築行為に関する工事の着手予定年月日又は完了予定年月日の変更とする。

（変更の許可の申請書の記載事項）

第七三条　法第七十一条第二項の国土交通省令で定める事項は、次に掲げるものとする。

一　変更に係る事項

二　変更の理由

三　法第六十六条の許可の許可番号

（変更の許可証の様式等）

第七四条　法第七十一条第五項において準用する法第七十条第四項の国土交通省令で定める様式は、別記様式第十五とする。

2　第七十条第二項及び第三項の規定は、法第五十七条第二項第一号及び第二号に掲げる用途の建築物に係る法第七十一条第五項において準用する法第七十条第一項の許可の処分又は不許可の処分について準用する。

（都道府県知事等の命令に関する公示の方法）

第七五条　法第七十三条第三項の国土交通省令で定める方法は、都道府県等の公報又はウェブサイトへの掲載その他の適切な方法とする。

（権限の委任）

第七六条　法に規定する河川管理者である国土交通大臣の権限は、地方整備局長及び北海道開発局長に委任する。

2　前項に規定するもののほか、法に規定する国土交通大臣の権限のうち、法第三条第一項、第三項、第七項、第八項及び第十項（これらの規定を同条第十一項において準用する場合を含む。）に規定する権限以外のものは、地方整備局長及び北海道開発局長に委任する。

附　則〔抄〕

（施行期日）

第一条　この省令は、法の施行の日（平成十六年五月十五日）から施行する。

附　則〔略〕〔平成二三・一二・二〇国土交通省令九五〕

附　則〔略〕〔平成二四・一一・三〇国土交通省令八五施行〕

附　則〔抄〕〔平成二七・一・三〇国土交通省令七〕

（施行期日）

第一条　この省令は、地方自治法の一部を改正する法律附則第一条第二号に掲げる規定の施行の日（平成二十七年四月一日）から施行する。

（特定都市河川浸水被害対策法施行規則の一部改正に伴う経過措置）

第五条　施行時特例市に対する第四条の規定による改正後の特定都市河川浸水被害対策法施行規則第六条第一項の規定の適用については、同項中「又は地方自治法」とあるのは「、地方自治法」と、「中核市」とあるのは「中核市又は地方自治法の一部を改正する法律（平成二十六年法律第四十二号）附則第二条に規定する施行時特例市」とする。

附　則〔略〕〔平成二九・六・一四国土交通省令三五〕

附　則〔略〕〔令和二・一二・二三国土交通省令九八〕

附　則〔抄〕〔令和三・一〇・二九国土交通省令六九〕

（施行期日）

1　この省令は、特定都市河川浸水被害対策法等の一部を改正する法律の施行の日（令和三年十一月一日）から施行する。〔以下略〕

別記様式〔略〕

○公有水面埋立法

〔大正一〇・四・九
法律五七〕

改正　昭和二四・六法一九六、昭和二九・五法一二〇、昭和三四・四法一四八、昭和三五・三法一四、昭和三七・五法一四〇、昭和三八・七法一三四、昭和三九・七法一四五、昭和四〇・六法一三八、昭和四一・七法一一〇、昭和四四・六法三八、昭和四八・九法八四、昭和五〇・七法六七、昭和五四・三法五、平成二・六法六二、平成一一・七法八七、一二法一六〇、平成一二・五法九一、平成一五・六法一〇一、平成一六・六法八四、平成二六・六法五一

注　令和六年六月一四日法律第五二号の改正は、公布の日から起算して二年六月を超えない範囲内において政令で定める日から施行のため、改正を加えてありません。

〔適用範囲〕

第一条　本法ニ於テ公有水面ト称スルハ河、海、湖、沼其ノ他ノ公共ノ用ニ供スル水流又ハ水面ニシテ国ノ所有ニ属スルモノヲ謂ヒ埋立ト称スルハ公有水面ノ埋立ヲ謂フ

②公有水面ノ干拓ハ本法ノ適用ニ付テハ之ヲ埋立ト看做ス

③本法ハ土地改良法、土地区画整理法、首都圏の近郊整備地帯及び都市開発区域の整備に関する法律、新住宅市街地開発法、近畿圏の近郊整備区域及び都市開発区域の整備及び開発に関する法律、流通業務市街地の整備に関する法律、都市再開発法、新都市基盤整備法、大都市地域における住宅及び住宅地の供給の促進に関する特別措置法又ハ密集市街地における防災街区の整備の促進に関する法律ニ依ル溝渠又ハ溜池ノ変更ノ為必要ナル埋立其ノ他政令ヲ以テ指定スル埋立ニ付之ヲ適用セス

〔免許〕

第二条　埋立ヲ為サムトスル者ハ都道府県知事（地方自治法（昭和二十二年法律第六十七号）第二百五十二条の十九第一項ノ指定都市ノ区域内ニ於テハ当該指定都市ノ長以下同ジ）ノ免許ヲ受クヘシ

②前項ノ免許ヲ受ケムトスル者ハ国土交通省令ノ定ムル所ニ依リ左ノ事項ヲ記載シタル願書ヲ都道府県知事ニ提出スヘシ

一　氏名又ハ名称及住所並法人ニ在リテハ其ノ代表者ノ氏名及住所

二　埋立区域及埋立ニ関スル工事ノ施行区域

三　埋立地ノ用途

四　設計ノ概要

五　埋立ニ関スル工事ノ施行ニ要スル期間

③前項ノ願書ニハ国土交通省令ノ定ムル所ニ依リ左ノ図書ヲ添附スヘシ

一　埋立区域及埋立ニ関スル工事ノ施行区域ヲ表示シタル図面

二　設計ノ概要ヲ表示シタル図書

三　資金計画書

四　埋立地（公用又ハ公共ノ用ニ供スル土地ヲ除ク）ヲ他人ニ譲渡シ又ハ他人ヲシテ使用セシムルコトヲ主タル目的トスル埋立ニ在リテハ其ノ処分方法及予定対価ノ額ヲ記載シタル書面
五　其ノ他国土交通省令ヲ以テ定ムル図書

〔出願事項の縦覧等〕
第三条　都道府県知事ハ埋立ノ免許ノ出願アリタルトキハ遅滞ナク其ノ事件ノ要領ヲ告示スルトトモニ前条第二項各号ニ掲グル事項ヲ記載シタル書面及関係図書ヲ其ノ告示ノ日ヨリ起算シ三週間公衆ノ縦覧ニ供シ且期限ヲ定メテ地元市町村長ノ意見ヲ徴スベシ但シ其ノ出願ガ却下セラルベキモノナルトキハ此ノ限ニ在ラズ
②都道府県知事前項ノ告示ヲ為シタルトキハ遅滞ナク其ノ旨ヲ関係都道府県知事ニ通知スベシ
③第一項ノ告示アリタルトキハ其ノ埋立ニ関シ利害関係ヲ有スル者ハ同項ノ縦覧期間満了ノ日迄都道府県知事ニ意見書ヲ提出スルコトヲ得
④市町村長第一項ノ規定ニ依リ意見ヲ述ベムトスルトキハ議会ノ議決ヲ経ルコトヲ要ス

〔免許の基準〕
第四条　都道府県知事ハ埋立ノ免許ノ出願左ノ各号ニ適合スト認ムル場合ヲ除クノ外埋立ノ免許ヲ為スコトヲ得ズ
一　国土利用上適正且合理的ナルコト
二　其ノ埋立ガ環境保全及災害防止ニ付十分配慮セラレタルモノナルコト
三　埋立地ノ用途ガ土地利用又ハ環境保全ニ関スル国又ハ地方公共団体（港務局ヲ含ム）ノ法律ニ基ク計画ニ違背セザルコト
四　埋立地ノ用途ニ照シ公共施設ノ配置及規模ガ適正ナルコト
五　第二条第三項第四号ノ埋立ニ在リテハ出願人ガ公共団体其ノ他政令ヲ以テ定ムル者ナルコト並埋立地ノ処分方法及予定対価ノ額ガ適正ナルコト
六　出願人ガ其ノ埋立ヲ遂行スルニ足ル資力及信用ヲ有スルコト
②前項第四号及第五号ニ掲グル事項ニ付必要ナル技術的細目ハ国土交通省令ヲ以テ之ヲ定ム
③都道府県知事ハ埋立ニ関スル工事ノ施行区域内ニ於ケル公有水面ニ関シ権利ヲ有スル者アルトキハ第一項ノ規定ニ依ルノ外左ノ各号ノ一ニ該当スル場合ニ非ザレバ埋立ノ免許ヲ為スコトヲ得ス
一　其ノ公有水面ニ関シ権利ヲ有スル者埋立ニ同意シタルトキ
二　其ノ埋立ニ因リテ生スル利益ノ程度カ損害ノ程度ヲ著シク超過スルトキ
三　其ノ埋立カ法令ニ依リ土地ヲ収用又ハ使用スルコトヲ得ル事業ノ為必要ナルトキ

〔水面権利者〕
第五条　前条第三項ニ於テ公有水面ニ関シ権利ヲ有スル者ト称スルハ左ノ各号ノ一ニ該当スル者ヲ謂フ
一　法令ニ依リ公有水面占用ノ許可ヲ受ケタル者
二　漁業権者又ハ入漁権者
三　法令ニ依リ公有水面ヨリ引水ヲ為シ又ハ公有水面ニ排水ヲ為ス許可ヲ受ケタル者
四　慣習ニ依リ公有水面ヨリ引水ヲ為シ又ハ公有水面ニ排水ヲ為ス者

〔水面権利者に対する補償又は損害防止施設〕
第六条　埋立ノ免許ヲ受ケタル者ハ政令ノ定ムル所ニ依リ第四条第三項ノ権利ヲ有スル者ニ対シ其ノ損害ノ補償ヲ為シ又ハ其ノ損害ノ防止ノ施設ヲ為スヘシ
②漁業権者及入漁権者ノ前項ノ規定ニ依ル補償ヲ受クル権利ハ共同シテ之ヲ有スルモノトス
③第一項ノ補償又ハ施設ニ関シ協議調ハサルトキ又ハ協議ヲ為スコト能ハサルトキハ都道府県知事ノ裁定ヲ求ムヘシ

〔補償金額の供託〕
第七条　前条ノ規定ニ依リ漁業権者ニ対シ損害ノ補償ヲ為スヘキ場合ニ於テ其ノ漁業権カ登録シタル先取特権又ハ抵当権ノ目的タルトキハ埋立ノ免許ヲ受ケタル者ハ其ノ補償ノ金額ヲ供託スヘシ但シ先取特権者又ハ抵当権者ノ同意ヲ得タルトキハ此ノ限ニ在ラス
②前項ノ規定ハ埋立ニ関スル工事ノ施行区域内ニ於ケル公有水面ニ付存スル漁業権又ハ入漁権カ訴訟ノ目的タル為訴訟当事者ヨリ請求アリタル場合ニ之ヲ準用ス
③登録シタル先取特権若ハ抵当権ヲ有スル者又ハ訴訟当事者ハ前二項ノ規定ニ依リ供託金ニ対シテモ其ノ権利ヲ行フコトヲ得

〔補償前又は損害防止施設施行前の工事着手の禁止〕
第八条　埋立ノ免許ヲ受ケタル者ハ第六条ノ規定ニ依リ損害ノ補償ヲ為スヘキ場合ニ於テハ其ノ補償ヲ為シ又ハ前条ノ規定ニ依ル供託ヲ為シタル後ニ非サレハ第四条第三項ノ権利ヲ有スル者ニ損害ヲ生スヘキ工事ニ著手スルコトヲ得ス但シ其ノ権利ヲ有スル者ノ同意ヲ得タルトキ又ハ都道府県知事ノ裁定シタル補償ノ金額ヲ供託シタルトキハ此ノ限ニ在ラス
②埋立ノ免許ヲ受ケタル者ハ第六条ノ規定ニ依リ損害防止ノ施設ヲ為スヘキ場合ニ於テハ其ノ施設ヲ為シタル後ニ非サレハ第四条第三項ノ権利ヲ有スル者ニ損害ヲ生スヘキ工事ニ著手スルコトヲ得ス但シ其ノ権利ヲ有スル者ノ同意ヲ得タルトキハ此ノ限ニ在ラス

〔損害の補償をなすべき漁業権を目的とする先取特権又は抵当権の物上代位性〕
第九条　第六条ノ規定ニ依リ損害ノ補償ヲ為スヘキ漁業権ヲ目的トスル先取特権又ハ抵当権ヲ有スル者ハ前条第一項但書ノ規定ニ依ル供託金ニ対シテモ其ノ権利ヲ行フコトヲ得

〔水面の利用施設に対する補償又は代替施設〕
第一〇条　公有水面ノ利用ニ関シテ為シタル施設カ埋立ノ為其ノ効用ヲ妨ケラルルトキハ都道府県知事ハ政令ノ定ムル所ニ依リ埋立ノ免許ヲ受ケタル者ヲシテ其ノ施設ヲ為シタル者ニ対シ之ニ代ルヘキ施設若ハ其ノ効用ヲ保全スル為必要ナル施設ヲ為サシメ又ハ損害ノ全部若ハ一部ヲ補償セシムルコトヲ得

〔免許の告示〕
第一一条　都道府県知事埋立ヲ免許シタルトキハ其ノ免許ノ日及第二条第二項第一号乃至第三号ニ掲グル事項ヲ告示スヘシ

〔免許料〕
第一二条　都道府県知事ハ埋立ニ付免許料ヲ徴収スルコトヲ得
②前項ノ免許料ノ徴収及帰属ニ関シ必要ナル事項ハ政令ヲ以テ之ヲ定ム

〔工事の着手及び竣功の時期の指定〕
第一三条　埋立ノ免許ヲ受ケタル者ハ埋立ニ関スル工事ノ著手及工事ノ竣功ヲ都道府県知事ノ指定スル期間内ニ為スヘシ

〔出願事項の変更〕
第一三条ノ二　都道府県知事正当ノ事由アリト認ムルトキハ免許ヲ為シタル埋立ニ関シ埋立区域ノ縮少、埋立地ノ用途若ハ設計ノ概要ノ変更又ハ前条ノ期間ノ伸長ヲ許可スルコトヲ得
②第三条、第四条第一項及第二項並第十一条ノ規定ハ前項ノ規定ニ依ル埋立地ノ用途ノ変更ノ許可ニ関シ第四条第一項及第二項ノ規定ハ前項ノ規定ニ依ル埋立区域ノ縮少又ハ設計ノ概要ノ変更ノ許可ニ関シ之ヲ準用ス

〔他人の土地に対する立入り又は一時使用〕
第一四条　埋立ノ免許ヲ受ケタル者埋立ニ関スル測量又ハ工事ノ為必要アルトキハ都道府県知事ノ許可ヲ受ケ他人ノ土地ニ立入リ又ハ其ノ土地ヲ一時材料置場トシテ使用スルコトヲ得
②前項ノ規定ニ依ル立入又ハ使用ヲ為サムトスル者ハ其ノ日時及場所ヲ少クトモ五日前ニ其ノ土地ノ市町村長ニ通知スヘシ
③市町村長前項ノ規定ニ依ル通知ヲ受ケタルトキハ其ノ旨土地ノ占用者ニ通知スヘシ通知スルコト能ハサルトキハ告示スヘシ
④前三項ノ規定ハ埋立ノ免許ヲ受ケムトスル者ニ関シ之ヲ準用ス

〔立入り・一時使用の損害の補償〕
第一五条　前条ノ規定ニ依ル立入又ハ使用ニ因リテ生シタル損害ハ其ノ立入又ハ使用ヲ為シタル者之ヲ補償スヘシ

〔埋立権の譲渡〕
第一六条　埋立ノ免許ヲ受ケタル者ハ都道府県知事ノ許可ヲ受クルニ非サレハ埋立ヲ為ス権利ヲ他人ニ譲渡スルコトヲ得ス
②前項ノ規定ニ依リ埋立ヲ為ス権利ヲ譲受ケタル者ハ埋立ニ関スル法令又ハ之ニ基キテ為ス処分ニ因リ譲渡人ニ生シタル権利義務ヲ承継ス但シ第六条第一項、第十条又ハ前条ノ規定ニ依ル義務ハ譲渡人及譲受人連帯シテ之ヲ負フ

〔埋立権の相続〕
第一七条　埋立ノ免許ヲ受ケタル者ノ相続人ハ其ノ被相続人ノ有シタル埋立ヲ為ス権利ヲ承継ス
②前条第二項ノ規定ハ前項ノ場合ニ之ヲ準用ス

〔発起人の権利の会社への承継〕
第一八条　埋立ヲ為ス会社ノ発起人カ会社成立ノ後ニ於テ会社ノ為ス埋立ニ

付免許ヲ受ケタル場合ニ於テ会社成立シタルトキハ埋立ヲ為ス権利其ノ他ノ埋立ニ関スル法令又ハ之ニ基キテ為ス処分若ハ其ノ条件ニ依リ生シタル権利義務ハ会社之ヲ承継ス

〔合併により消滅した会社の権利の合併後の会社への承継〕

第一九条　埋立ノ免許ヲ受ケタル会社合併ニ因リテ消滅シタルトキハ埋立ヲ為ス権利其ノ他埋立ニ関スル法令又ハ之ニ基キテ為ス処分若ハ其ノ条件ニ依リ生シタル権利義務ハ合併後存続スル会社又ハ合併ニ因リテ成立シタル会社之ヲ承継ス

〔分割後の権利の承継〕

第一九条ノ二　埋立ノ免許ヲ受ケタル会社ニ付分割（当該免許ニ係ル事業ヲ承継セシムルモノニ限ル）アリタルトキハ埋立ヲ為ス権利其ノ他ノ埋立ニ関スル法令又ハ之ニ基キテ為ス処分若ハ其ノ条件ニ依リ生ジタル権利義務ハ分割ニ因リテ当該事業ヲ承継シタル会社之ヲ承継ス但シ第六条第一項、第十条又ハ第十五条ノ規定ニ依ル義務ハ分割ヲ為シタル会社及分割ニ因リテ埋立ヲ為ス権利ヲ承継シタル会社連帯シテ之ヲ負フ

〔権利承継の届出〕

第二〇条　第十七条乃至前条ノ規定ニ依リ権利義務ヲ承継シタル者ハ其ノ承継ノ日ヨリ起算シ十四日内ニ都道府県知事ニ届出ツヘシ

〔権利承継者に対する本法の適用〕

第二一条　第十六条乃至第十九条ノ二ノ規定ニ依ル権利義務ノ承継アリタル場合ニ於テハ本法ノ適用ニ付テハ其ノ権利義務ヲ承継シタル者ヲ以テ埋立ノ免許ヲ受ケタル者トス

〔竣功認可等〕

第二二条　埋立ノ免許ヲ受ケタル者ハ埋立ニ関スル工事竣功シタルトキハ遅滞ナク都道府県知事ニ竣功認可ヲ申請スヘシ

②都道府県知事前項ノ竣功認可ヲ為シタルトキハ遅滞ナク其ノ旨ヲ告示シ且地元市町村長ニ第十一条又ハ第十三条ノ二第二項ノ規定ニ依リ告示シタル事項及免許条件ヲ記載シタル書面並関係図書ノ写ヲ送付スベシ

③市町村長ハ前項ノ告示ノ日ヨリ起算シ十年ヲ経過スル日迄同項ノ図書ヲ其ノ市町村ノ事務所ニ備置キ関係人ノ請求アリタルトキハ之ヲ閲覧セシムベシ

〔竣功認可の告示の日前の埋立地使用〕

第二三条　埋立ノ免許ヲ受ケタル者ハ前条第二項ノ告示ノ日前ニ於テ埋立地ヲ使用スルコトヲ得但シ埋立地ニ埋立ニ関スル工事用ニ非サル工作物ヲ設置セムトスルトキハ政令ヲ以テ指定スル場合ヲ除クノ外都道府県知事ノ許可ヲ受クヘシ

②都道府県知事ハ第四十七条第一項ノ国土交通大臣ノ認可ヲ受ケタル埋立ニ関シ前項ノ許可ヲ為サムトスルトキハ予メ国土交通大臣ニ報告スベシ

〔竣功認可の効果〕

第二四条　第二十二条第二項ノ告示アリタルトキハ埋立ノ免許ヲ受ケタル者ハ其ノ告示ノ日ニ於テ埋立地ノ所有権ヲ取得ス但シ公用又ハ公共ノ用ニ供スル為必要ナル埋立地ニシテ埋立ノ免許条件ヲ以テ特別ノ定ヲ為シタルモノハ此ノ限ニ在ラス

②前項但書ノ埋立地ノ帰属ニ付テハ政令ヲ以テ之ヲ定ム

〔公共用国有地の下付〕

第二五条　公共ノ用ニ供スル国有地ニシテ埋立ニ関スル工事ノ施行ニ因リ不用ニ帰シタルモノハ政令ノ定ムル所ニ依リ有償又ハ無償ニテ埋立ノ免許ヲ受ケタル者ニ之ヲ下付スルコトヲ得

〔土地改良法等の適用〕

第二六条　前二条ノ規定ハ土地改良法第五十条、土地区画整理法第百五条（新都市基盤整備法第四十一条及大都市地域における住宅及び住宅地の供給の促進に関する特別措置法第八十三条ニ於テ準用スル場合ヲ含ム）、首都圏の近郊整備地帯及び都市開発区域の整備に関する法律第二十条の三、新住宅市街地開発法第二十九条、近畿圏の近郊整備区域及び都市開発区域の整備及び開発に関する法律第二十九条、流通業務市街地の整備に関する法律第三十二条、都市再開発法第八十七条第一項、新都市基盤整備法第四十条又ハ密集市街地における防災街区の整備の促進に関する法律第二百二十一条第一項ノ規定ノ適用ヲ妨ケス

〔埋立地に関する権利の処分の制限〕

第二七条　第二十二条第二項ノ告示ノ日ヨリ起算シ十年間ハ第二十四条第一項ノ規定ニ依リ埋立地ノ所有権ヲ取得シタル者又ハ其ノ一般承継人当該埋立地ニ付所有権ヲ移転シ又ハ地上権、質権、使用貸借ニ依ル権利若ハ賃貸借其ノ他ノ使用及収益ヲ目的トスル権利ヲ設定セムトスルトキハ当該移転又ハ設定ノ当事者ハ国土交通省令ノ定ムル所ニ依リ都道府県知事ノ許可ヲ受クベシ但シ左ノ各号ノ一ニ該当スルトキハ此ノ限ニ在ラズ

一　権利ヲ取得スル者ガ国又ハ公共団体ナルトキ

二　滞納処分、強制執行、担保権ノ実行トシテノ競売（其ノ例ニ依ル競売ヲ含ム）又ハ企業担保権ノ実行ニ因リ権利ガ移転スルトキ

三　法令ニ依リ収用又ハ使用セラルルトキ

②都道府県知事ハ前項ノ許可ノ申請左ノ各号ニ適合スト認ムルトキハ之ヲ許可スベシ

一　申請手続ガ前項ノ国土交通省令ニ違反セザルコト

二　第二条第三項第四号ノ埋立以外ノ埋立ヲ為シタル者又ハ其ノ一般承継人ニ在リテハ権利ノ移転又ハ設定ニ付已ムコトヲ得ザル事由アルコト

三　権利ヲ移転シ又ハ設定セムトスル者ガ其ノ移転又ハ設定ニ因リ不当ニ受益セザルコト

四　権利ノ移転又ハ設定ノ相手方ノ選考方法ガ適正ナルコト

五　権利ノ移転又ハ設定ノ相手方ガ埋立地ヲ第十一条又ハ第十三条ノ二第二項ノ規定ニ依リ告示シタル用途ニ従ヒ自ラ利用スト認メラルルコト

③都道府県知事ハ第四十七条第一項ノ国土交通大臣ノ認可ヲ受ケタル埋立ニ関シ第一項ノ許可ヲ為サムトスルトキハ予メ国土交通大臣ニ協議スベシ

〔処分の効力と許可の有無〕

第二八条　埋立地ニ関スル権利ノ移転又ハ設定ニシテ前条第一項ノ許可ヲ受クヘキモノハ其ノ許可ヲ受クルニ非サレハ効力ヲ生セス

〔埋立地の用途変更の制限〕

第二九条　第二十四条第一項ノ規定ニ依リ埋立地ノ所有権ヲ取得シタル者又ハ其ノ一般承継人ハ第二十二条第二項ノ告示ノ日ヨリ起算シ十年内ニ埋立地ヲ第十一条又ハ第十三条ノ二第二項ノ規定ニ依リ告示シタル用途ト異ル用途ニ供セムトスルトキハ国土交通省令ノ定ムル所ニ依リ都道府県知事ノ許可ヲ受クベシ但シ公用又ハ公共ノ用ニ供セムトスルトキハ此ノ限ニ在ラズ

②都道府県知事ハ前項ノ許可ノ申請左ノ各号ニ適合スト認ムルトキハ之ヲ許可スベシ

一　申請手続ガ前項ノ国土交通省令ニ違反セザルコト

二　埋立地ヲ第十一条又ハ第十三条ノ二第二項ノ規定ニ依リ告示シタル用途ニ供セザルコトニ付已ムコトヲ得ザル事由アルコト

三　埋立地ノ利用上適正且合理的ナルコト

四　供セムトスル用途ガ土地利用又ハ環境保全ニ関スル国又ハ地方公共団体（港務局ヲ含ム）ノ法律ニ基ク計画ニ違背セザルコト

③都道府県知事ハ第四十七条第一項ノ国土交通大臣ノ認可ヲ受ケタル埋立ニ関シ第一項ノ許可ヲ為サムトスルトキハ予メ国土交通大臣ニ協議スベシ

〔権利取得者の義務〕

第三〇条　都道府県知事ハ埋立地ニ関スル権利ヲ取得シタル者ニ対シ災害防止ニ関シ埋立ノ免許条件ノ範囲内ニ於テ義務ヲ命スルコトヲ得

〔工事施行区域内にある物件の除却〕

第三一条　第八条第一項ノ規定ニ依リ埋立ニ関スル工事ニ着手スルコトヲ得ル場合ニ於テハ都道府県知事ハ其ノ工事ノ施行区域内ニ於ケル公有水面ニ存スル工作物其ノ他ノ物件ノ除却ヲ其ノ所有者ニ命スルコトヲ得

〔竣功認可の告示の日前の違法行為等に対する匡正〕

第三二条　左ニ掲クル場合ニ於テハ第二十二条第二項ノ告示ノ日前ニ限リ都道府県知事ハ埋立ノ免許ヲ受ケタル者ニ対シ本法若ハ本法ニ基キテ発スル命令ニ依リテ其ノ為シタル免許其ノ他ノ処分ヲ取消シ其ノ効力ヲ制限シ若ハ其ノ条件ヲ変更シ、埋立ニ関スル工事ノ施行区域内ニ於ケル公有水面ニ存スル工作物其ノ他ノ物件ヲ改築若ハ除却セシメ、損害ヲ防止スル為必要ナル施設ヲ為サシメ又ハ原状回復ヲ為サシムルコトヲ得

一　埋立ニ関スル法令ノ規定又ハ之ニ基キテ為ス処分ニ違反シタルトキ

二　埋立ニ関スル法令ニ依ル免許其ノ他ノ処分ノ条件ニ違反シタルトキ

三　詐欺ノ手段ヲ以テ埋立ニ関スル法令ニ依ル免許其ノ他ノ処分ヲ受ケタルトキ

四　埋立ニ関スル工事施行ノ方法公害ヲ生スルノ虞アルトキ

五　公有水面ノ状況ノ変更ニ因リ必要ヲ生シタルトキ

六　公害ヲ除却シ又ハ軽減スル為必要ナルトキ

七　前号ノ場合ヲ除クノ外法令ニ依リ土地ヲ収用又ハ使用スルコトヲ得ル事業ノ為必要ナルトキ

②前項第七号ノ場合ニ於テ損害ヲ受ケタル者アルトキハ都道府県知事ハ同号ノ事業ヲ為ス者ヲシテ損害ノ全部又ハ一部ヲ補償セシムルコトヲ得

〔竣功認可の告示後の違法行為に対する匡正〕

第三三条　第二十二条第二項ノ告示アリタル後第二十九条第一項ノ規定、埋立ニ関スル法令ニ依ル免許其ノ他ノ処分ノ条件又ハ第三十条ノ規定ニ依リ命スル義務ニ違反スル者アルトキハ都道府県知事ハ其ノ違反ニ因リテ生シタル事実ヲ更正セシメ又ハ其ノ違反ニ因リテ生スル損害ヲ防止スル為必要ナル施設ヲ為サシムルコトヲ得

② 都道府県知事ハ第四十七条第一項ノ国土交通大臣ノ認可ヲ受ケタル埋立ニ関シ前項ノ規定ニ依ル命令ヲ為サムトスルトキハ予メ国土交通大臣ニ報告スヘシ

〔免許の失効〕

第三四条　左ニ掲クル場合ニ於テハ埋立ノ免許ハ其ノ効力ヲ失フ但シ都道府県知事ハ宥恕スヘキ事由アリト認ムルトキハ効力ヲ失ヒタル日ヨリ起算シ三月内ニ限リ其ノ効力ヲ復活セシムルコトヲ得此ノ場合ニ於テハ埋立ノ免許ハ始ヨリ其ノ効力ヲ失ハサリシモノト看做ス

一　免許条件ニ依リ埋立ニ関スル工事ノ実施設計認可ノ申請ヲ要スル場合ニ於テ申請ニ対シ不認可ノ処分アリタルトキ又ハ免許条件ニ於テ指定スル期間内ニ申請ヲ為ササルトキ

二　第十三条ノ期間内ニ埋立ニ関スル工事ノ著手又ハ工事ノ竣功ヲ為ササルトキ

② 前項但書ノ規定ニ依リ免許ノ効力ヲ復活セシメタル場合ニ於テハ都道府県知事ハ免許条件ヲ変更スルコトヲ得

〔免許失効の場合の原状回復義務等〕

第三五条　埋立ノ免許ノ効力消滅シタル場合ニ於テハ免許ヲ受ケタル者ハ埋立ニ関スル工事ノ施行区域内ニ於ケル公有水面ヲ原状ニ回復スヘシ但シ都道府県知事ハ原状回復ノ必要ナシト認ムルモノ又ハ原状回復ヲ為スコト能ハスト認ムルモノニ付埋立ノ免許ヲ受ケタル者ノ申請アルトキ又ハ催告ヲ為スニ拘ラス其ノ申請ナキトキハ原状回復ノ義務ヲ免除スルコトヲ得

② 前項但書ノ義務ヲ免除シタル場合ニ於テハ都道府県知事ハ埋立ニ関スル工事ノ施行区域内ニ於ケル公有水面ニ存スル土砂其ノ他ノ物件ヲ無償ニテ国ノ所有ニ属セシムルコトヲ得

〔無免許の工事に対する匡正及びその原状回復〕

第三六条　第三十二条第一項及前条ノ規定ハ埋立ノ免許ヲ受ケスシテ埋立工事ヲ為シタル者ニ関シ之ヲ準用ス

〔鑑定費用の負担〕

第三七条　都道府県知事第六条第三項ノ裁定ヲ為シ又ハ第十条若ハ第三十二条第二項ノ規定ニ依ル補償ヲ為サシムル場合ニ於テ鑑定人ノ意見ヲ聞キタルトキハ其ノ鑑定ニ要スル費用ハ第三十二条第二項ノ場合ニ於テハ同項ノ事業ヲ為ス者、其ノ他ノ場合ニ於テハ埋立ノ免許ヲ受ケタル者ノ負担トス

〔免許料・鑑定費用の強制徴収〕

第三八条　第十二条ノ免許料ニシテ国ニ帰属スルモノ及前条ノ鑑定ニ要スル費用ハ都道府県知事国税滞納処分ノ例ニ依リ之ヲ徴収スルコトヲ得但シ先取特権ノ順位ハ国税及地方税ニ次クモノトス

〔罰則〕

第三九条　左ノ各号ノ一ニ該当スル者ハ二年以下ノ懲役又ハ五十万円以下ノ罰金ニ処ス

一　埋立ノ免許ヲ受ケスシテ埋立工事ヲ為シタル者

二　詐欺ノ手段ヲ以テ埋立ニ関スル法令ニ依ル免許其ノ他ノ処分ヲ受ケタル者

三　埋立ニ関スル法令ニ依ル免許其ノ他ノ処分ノ条件ニ違反シ公有水面ノ公共ノ利用ヲ妨害シタル者

第三九条ノ二　左ノ各号ノ一ニ該当スル者ハ一年以下ノ懲役又ハ三十万円以下ノ罰金ニ処ス

一　第二十七条第一項ノ規定ニ違反シタル者

二　第二十九条第一項ノ規定ニ違反シタル者ニ対スル第三十三条第一項ノ規定ニ依ル都道府県知事ノ命令ニ違反シタル者

第四〇条　左ノ各号ノ一ニ該当スル者ハ二十万円以下ノ罰金ニ処ス

一　埋立地ニ於テ埋立ニ関スル法令ニ依ル免許其ノ他ノ処分ノ条件ニ違反シ工事ヲ為シタル者

二　第二条第一項ノ免許ノ願書又ハ第二十七条第一項若ハ第二十九条第一項ノ許可ノ申請書ニ虚偽ノ記載ヲ為シテ提出シタル者

三　第二十三条第一項但書ノ規定ニ違反シ工作物ヲ設置シタル者

四　第三十条ノ規定ニ依リ命スル義務ニ違反シ埋立地ニ於テ工事ヲ為シタル者

第四一条　第二十条ノ規定ニ依ル届出ヲ怠リタル者ハ三万円以下ノ罰金又ハ科料ニ処ス

〔両罰規定〕

第四一条ノ二　法人ノ代表者又ハ法人若ハ人ノ代理人、使用人其ノ他ノ従業員ガ其ノ法人又ハ人ノ業務ニ関シ第三十九条乃至前条ニ規定スル違反行為ヲ為シタルトキハ行為者ヲ罰スルノ外其ノ法人又ハ人ニ対シ各本条ノ罰金刑ヲ科ス

〔国が行う埋立ての特例〕

第四二条　国ニ於テ埋立ヲ為サムトスルトキハ当該官庁都道府県知事ノ承認ヲ受クヘシ

② 埋立ニ関スル工事竣功シタルトキハ当該官庁直ニ都道府県知事ニ之ヲ通知スヘシ

③ 第二条第二項及第三項、第三条乃至第十一条、第十三条ノ二（埋立地ノ用途又ハ設計ノ概要ノ変更ニ係ル部分ニ限ル）乃至第十五条、第三十一条、第三十七条並第四十四条ノ規定ハ第一項ノ埋立ニ関シ之ヲ準用ス但シ第十三条ノ二ノ規定ノ準用ニ依リ都道府県知事ノ許可ヲ受クベキ場合ニ於テハ之ニ代ヘ都道府県知事ノ承認ヲ受ケ第十四条ノ規定ノ準用ニ依リ都道府県知事ノ許可ヲ受クヘキ場合ニ於テハ之ニ代ヘ都道府県知事ニ通知スヘシ

〔国が埋立てた土地を公共団体に帰属させる場合〕

第四三条　都道府県知事ハ公共ノ用ニ供スル為必要アルトキハ政令ノ定ムル所ニ依リ国ニ於テ埋立ヲ為シタル埋立地ノ一部ヲ公共団体ニ帰属セシムルコトヲ得

〔補償に対する訴訟〕

第四四条　第六条第三項ノ規定ニ依ル補償ノ裁定又ハ第十条若ハ第三十二条第二項ノ規定ニ依ル補償ニ関スル処分ニ不服アル者ハ其ノ裁定書ノ送付ヲ受ケタル日又ハ補償ニ関スル処分ヲ知リタル日ヨリ六箇月以内ニ訴ヲ以テ其ノ額ノ増減ヲ請求スルコトヲ得

② 前項ノ訴ニ於テハ補償ノ当事者ノ一方ヲ以テ被告トス

第四五条及第四六条　削除

〔国土交通大臣の認可及び環境大臣の意見徴取〕

第四七条　本法ニ依リ都道府県知事ノ職権ニ属スル事項ハ政令ノ定ムル所ニ依リ国土交通大臣ノ認可ヲ受ケシムルコトヲ得

② 国土交通大臣ハ政令ヲ以テ定ムル埋立ニ関シ前項ノ認可ヲ為サムトスルトキハ環境保全上ノ観点ヨリスル環境大臣ノ意見ヲ求ムベシ

〔職権に属する事項の委任〕

第四八条　本法ニ依リ国土交通大臣ノ職権ニ属スル事項ハ国土交通省令ノ定ムル所ニ依リ其ノ一部ヲ地方整備局長又ハ北海道開発局長ニ委任スルコトヲ得

第四九条　削除

〔埋立てでなくて本法を準用する工事〕

第五〇条　本法ハ政令ノ定ムル所ニ依リ公有水面ノ一部ヲ区劃シ永久的設備ヲ築造スル場合ニ之ヲ準用ス

〔事務の区分〕

第五一条　本法ノ規定ニ依リ地方公共団体ガ処理スルコトトサレタル事務ノ内左ニ掲グルモノハ地方自治法第二条第九項第一号ニ規定スル第一号法定受託事務トス

一　第二条第一項及第二項（第四十二条第三項ニ於テ準用スル場合ヲ含ム）、第三条第一項乃至第三項（第十三条ノ二第二項及第四十二条第三項ニ於テ準用スル場合ヲ含ム）、第十三条、第十三条ノ二第一項（第四十二条第三項ニ於テ準用スル場合ヲ含ム）、第十四条第一項（第四十二条第三項ニ於テ準用スル場合ヲ含ム）、第十六条第一項、第二十条、第二十二条第一項、同条第二項（竣功認可ノ告示ニ係ル部分ニ限ル）、第二十五条、第三十二条第一項（第三十六条ニ於テ準用スル場合ヲ含ム）、第三十二条第二項、第三十四条、第三十五条（第三十六条ニ於テ準用スル場合ヲ含ム）、第四十二条第一項並第四十三条ノ規定ニ依リ都道府県又ハ地方自治法第二百五十二条の十九第一項ノ指定都市ガ処理スルコトトサレタル事務

二　第十四条第三項（第四十二条第三項ニ於テ準用スル場合ヲ含ム）ノ規定ニ依リ市町村ガ処理スルコトトサレタル事務

〔政令への委任〕

第五二条　本法ニ定ムルモノノ外本法ノ施行ニ関シ必要ナル事項ハ政令ヲ以テ之ヲ定ム

附　則

本法施行ノ期日ハ勅令ヲ以テ之ヲ定ム

本法施行前為シタル処分及之ニ附シタル条件ハ本法又ハ本法ニ基キテ発スル命令ニ牴触セサル限リ本法ニ依リ為シタル処分及之ニ附シタル条件ト看做ス但シ地方長官ハ公益上必要アリト認ムルトキハ本法施行ノ日ヨリ起算シ三月内ニ限リ第三十二条ノ規定ニ拘ラス処分ニ附シタル条件ヲ変更シ又ハ処分ニ条件ヲ附スルコトヲ得

地方長官ニ対スル申請其ノ他ノ埋立ニ関スル手続ニシテ本法施行前為シタルモノハ本法ニ依リ之ヲ為シタルモノト看做ス

附　則〔抄〕〔昭和三四・四・二〇法律一四八〕

（施行期日）

1　この法律は、国税徴収法（昭和三十四年法律第百四十七号）の施行の日（昭和三五・一・一）から施行する。

（公課の先取特権の順位の改正に関する経過措置）

7　第二章の規定による改正後の各法令（徴収金の先取特権の順位に係る部分に限る。）の規定は、この法律の施行後に国税徴収法第二条第十二号に規定する強制換価手続による配当手続が開始される場合について適用し、この法律の施行前に当該配当手続が開始されている場合における当該法令の規定に規定する徴収金の先取特権の順位については、なお従前の例による。

附　則〔略〕〔昭和三九・七・三法律一四五〕

附　則〔略〕〔昭和四〇・六・二九法律一三八〕

附　則〔略〕〔昭和四四・六・三法律三八〕

附　則〔抄〕〔昭和四八・九・二〇法律八四〕

（施行期日）

1　この法律は、公布の日から起算して六月をこえない範囲内において政令で定める日から施行する。〔昭和四九政五五により、昭和四九・三・一九から施行〕

（経過措置）

2　この法律による改正前の公有水面埋立法（以下「旧法」という。）第二条の免許に係る埋立て、当該埋立てに係る埋立地に関する処分の制限及びこれに関する登記並びに当該埋立てに係る埋立地に関する権利を取得した者の義務については、なお従前の例による。

3　旧法第二条の免許の出願をした者（同条の免許に関する処分を受けた者を除く。以下「旧法による出願人」という。）が提出した当該出願に係る図書は、この法律による改正後の公有水面埋立法（以下「新法」という。）第二条第二項又は第三項に規定する図書とみなす。

4　都道府県知事は、新法の適用上必要と認められる範囲内において、旧法による出願人に対し、図書の補完を命ずることができる。

5　旧法による出願人の出願に係る埋立てについては、新法第三条第一項中「遅滞ナク」とあるのは「公有水面埋立法の一部を改正する法律（昭和四十八年法律第八十四号）ノ施行後遅滞ナク」と、「前条第二項各号ニ掲グル事項」とあるのは「前条第二項各号ニ掲グル事項」とし、新法第十一条中「第二条第二項第一号乃至第三号ニ掲グル事項」とあるのは「第二条第二項第一号乃至第三号ニ掲グル事項ニ相当スル事項」とする。

6　都道府県知事が旧法第三条の規定により意見を徴した旧法による出願人の出願に係る埋立てについては、新法第三条第一項の規定により地元市町村長の意見を徴することを要しない。

7　附則第二項の規定は旧法第四十二条第一項の承認に係る埋立てについて、附則第三項及び第四項の規定は旧法第四十二条第一項の承認の申請に係る図書について、前二項の規定は旧法第四十二条第一項の承認の申請をした者の行なう埋立てについて準用する。この場合において、附則第四項中「命ずる」とあるのは、「求める」と読み替えるものとする。

8　この法律の施行前にした行為に対する罰則の適用については、なお従前の例による。

附　則〔略〕〔昭和五〇・七・一六法律六七〕

附　則〔略〕〔昭和五四・三・三〇法律五〕

附　則〔略〕〔平成二・六・二九法律六二〕

附　則〔抄〕〔平成一一・七・一六法律八七〕

（施行期日）

第一条　この法律は、平成十二年四月一日から施行する。ただし、次の各号に掲げる規定は、当該各号に定める日から施行する。

一　〔前略〕附則〔中略〕第百六十条、第百六十三条、第百六十四条並びに第二百二条の規定　公布の日

二～六　〔略〕

（国等の事務）

第一五九条　この法律による改正前のそれぞれの法律に規定するもののほか、この法律の施行前において、地方公共団体の機関が法律又はこれに基づく政令により管理し又は執行する国、他の地方公共団体その他公共団体の事務（附則第百六十一条において「国等の事務」という。）は、この法律の施行後は、地方公共団体が法律又はこれに基づく政令により当該地方公共団体の事務として処理するものとする。

（処分、申請等に関する経過措置）

第一六〇条　この法律（附則第一条各号に掲げる規定については、当該各規定。以下この条及び附則第百六十三条において同じ。）の施行前に改正前のそれぞれの法律の規定によりされた許可等の処分その他の行為（以下この条において「処分等の行為」という。）又はこの法律の施行の際現に改正前のそれぞれの法律の規定によりされている許可等の申請その他の行為（以下この条において「申請等の行為」という。）で、この法律の施行の日においてこれらの行為に係る行政事務を行うべき者が異なることとなるものは、附則第二条から前条までの規定又は改正後のそれぞれの法律（これに基づく命令を含む。）の経過措置に関する規定に定めるものを除き、この法律の施行の日以後における改正後のそれぞれの法律の適用については、改正後のそれぞれの法律の相当規定によりされた処分等の行為又は申請等の行為とみなす。

2　この法律の施行前に改正前のそれぞれの法律の規定により国又は地方公共団体の機関に対し報告、届出、提出その他の手続をしなければならない事項で、この法律の施行の日前にその手続がされていないものについては、この法律及びこれに基づく政令に別段の定めがあるもののほか、これを、改正後のそれぞれの法律の相当規定により国又は地方公共団体の相当の機関に対して報告、届出、提出その他の手続をしなければならない事項についてその手続がされていないものとみなして、この法律による改正後のそれぞれの法律の規定を適用する。

（不服申立てに関する経過措置）

第一六一条　施行日前にされた国等の事務に係る処分であって、当該処分をした行政庁（以下この条において「処分庁」という。）に施行日前に行政不服審査法に規定する上級行政庁（以下この条において「上級行政庁」という。）があったものについての同法による不服申立てについては、施行日以後においても、当該処分庁に引き続き上級行政庁があるものとみなして、行政不服審査法の規定を適用する。この場合において、当該処分庁の上級行政庁とみなされる行政庁は、施行日前に当該処分庁の上級行政庁であった行政庁とする。

2　前項の場合において、上級行政庁とみなされる行政庁が地方公共団体の機関であるときは、当該機関が行政不服審査法の規定により処理することとされる事務は、新地方自治法第二条第九項第一号に規定する第一号法定受託事務とする。

（手数料に関する経過措置）

第一六二条　施行日前においてこの法律による改正前のそれぞれの法律（これに基づく命令を含む。）の規定により納付すべきであった手数料については、この法律及びこれに基づく政令に別段の定めがあるもののほか、なお従前の例による。

（罰則に関する経過措置）

第一六三条　この法律の施行前にした行為に対する罰則の適用については、なお従前の例による。

（その他の経過措置の政令への委任）

第一六四条　この附則に規定するもののほか、この法律の施行に伴い必要な経過措置（罰則に関する経過措置を含む。）は、政令で定める。

2　〔略〕

附　則〔略〕〔平成一一・一二・二二法律一六〇〕

附　則〔略〕〔平成一二・五・三一法律九一〕

附　則〔略〕〔平成一五・六・二〇法律一〇一〕

附　則〔略〕〔平成一六・六・九法律八四〕

附　則〔抄〕〔平成二六・六・四法律五一〕

（施行期日）

第一条　この法律は、平成二十七年四月一日から施行する。〔以下略〕

○公有水面埋立法施行令

〔大正一一・四・八
勅令一九四〕

改正　大正一五・九勅三〇八、昭和一六・九勅八五五、昭和二二・一二政三三四、昭和二三・七政一六六、昭和二八・七政一二六、昭和三〇・三政四七、昭和四一・三政九〇、昭和四七・一二政四三一、昭和四九・三政五六、昭和六一・七政二五七、平成一一・一一政三五二、平成一二・六政三一二、平成一三・三政九九、平成一八・四政一八一、平成二六・九政二九一

〔出願名義の変更及び出願の承継〕

第一条　埋立出願人ハ出願名義ノ変更ヲ為スコトヲ得其ノ変更ハ届書ニ新出願人ノ氏名又ハ名称其ノ他国土交通省令ヲ以テ定ムル新出願人ニ関スル事項ヲ記載シ新旧出願人ヨリ連名ニテ都道府県知事（地方自治法（昭和二十二年法律第六十七号）第二百五十二条の十九第一項ノ指定都市（以下「指定都市」ト謂フ）ノ区域内ニ於テハ当該指定都市ノ長以下第十八条及第三十五条ヲ除キ同ジ）ニ之ヲ届出ツルニ非サレハ其ノ効力ヲ生セス

②出願人死亡シタルトキハ其ノ相続人ハ被相続人ノ出願ヲ承継スルコトヲ得其ノ承継ハ相続人ヨリ届書ニ其ノ氏名其ノ他国土交通省令ヲ以テ定ムル相続人ニ関スル事項ヲ記載シ相続開始ノ日ヨリ起算シ三月以内ニ都道府県知事ニ之ヲ届出ツルニ非サレハ其ノ効力ヲ生セス

③数人ノ相続人前項ニ規定スル承継ノ届出ヲ為シタルトキハ之ヲ共同出願人トス

④第二項ノ規定ハ埋立ヲ為ス会社カ其ノ発起人ノ為シタル出願ヲ承継スル場合又ハ会社ノ合併ノ場合ニ於テ合併後存続スル会社若ハ合併ニ因リテ成立シタル会社カ合併ニ因リテ消滅シタル会社ノ出願ヲ承継スル場合ニ之ヲ準用ス但シ相続開始ノ日トアルハ設立又ハ合併ノ登記ノ日トス

⑤第二項及第三項ノ規定ハ会社分割ノ場合ニ於テ出願ニ係ル事業ヲ承継シタル会社ガ会社分割前ノ会社ノ出願ヲ承継スル場合ニ之ヲ準用ス但シ第二項中相続開始ノ日トアルハ会社分割ノ登記ノ日トス

〔埋立区域を制限した免許〕

第二条　都道府県知事ハ埋立区域ヲ制限シテ其ノ出願ヲ免許スルコトヲ得

②第三条ノ場合ニ於テ埋立区域ヲ制限シ二以上ノ埋立ヲ併立セシメ得ルトキ亦前項ニ同シ

〔免許の優先順位〕

第三条　同一区域ニ亙ル埋立ノ出願ニシテ免許シ得ヘキモノ数件アルトキハ公益上及経済上ノ価値最モ大ナルモノヲ免許スヘシ

②前項ノ事情ニ優劣ナキトキハ先ツ沿岸土地所有者ノ出願ニ係ル埋立ニシテ其ノ土地ノ利用ニ著シキ関係アルモノ、次ニ出願受理ノ日先ナルモノヲ免許スヘシ

③前二項ノ規定ハ先願ヲ受理シタル日ヨリ起算シ六月ヲ経過シ又ハ地元市町村長ニ諮問ヲ発シタル後ニ受理シタル出願ニ付テハ之ヲ適用セス

〔関係都道府県知事の周知措置〕

第四条　都道府県知事ハ公有水面埋立法第三条第二項ノ規定又ハ同項ノ規定ノ準用ニ依ル通知ヲ受ケタルトキハ遅滞ナク其ノ旨ヲ関係住民ニ周知セシムルコトニ努ムベシ

第五条　削除

〔免許の条件〕

第六条　都道府県知事ハ埋立ニ関スル法令ニ規定スルモノノ外埋立ノ免許ニ公益上又ハ利害関係人ノ保護ニ関シ必要ト認ムル条件ヲ附スルコトヲ得

〔法第四条第一項第五号の政令で定める者〕

第七条　公有水面埋立法第四条第一項第五号ノ政令ヲ以テ定ムル者ハ左ノ条件ヲ具備スル法人トス

一　土地ノ造成及処分ノ業務ガ主タル目的ノ一タルコト

二　国又ハ公共団体ノ出資ガ資本金、基本金其ノ他之ニ準ズルモノノ二分ノ一ヲ超ユルコト但シ産業ノ振興、生活環境ノ向上又ハ流通機能ノ増進ヲ図ルコトヲ目的トシ且埋立地又ハ之ヲ含ム地域ノ総合的発展ニ著シク寄与スベキ埋立ニシテ其ノ埋立ニ関スル工事ノ竣功後三年内ニ埋立地ノ処分ヲ完了スル見込確実ナルモノヲ為サムトスル場合ニ於テハ三分ノ一ヲ超ユルヲ以テ足ル

〔免許告示後の施設についての損害防止施設又は損害補償の禁止〕

第八条　公有水面埋立法第四条第三項ノ権利ヲ有スル者ハ同法第十一条ノ規定ニ依ル告示アリタル後為シタル公有水面ノ利用ニ関スル施設ニ付テハ埋立ニ因リテ生スル損害ノ防止ノ施設又ハ其ノ損害ノ補償ヲ請求スルコトヲ得ス但シ特別ノ事由アル場合ニ於テ都道府県知事ノ許可ヲ受ケテ為シタル施設ニ付テハ此ノ限ニ在ラス

〔水面権利者に対する損害防止施設の設置又は損害の補償〕

第九条　埋立ノ免許ヲ受ケタル者ハ公有水面埋立法第四条第三項ノ権利ヲ有スル者ノ受クヘキ損害ニシテ防止スルコトヲ得ルモノニ付テハ其ノ損害ノ防止ノ施設ヲ為スヘシ但シ当事者間ニ於テ協議調ヒタルトキ又ハ其ノ施設ノ費用カ損害ノ程度ヲ著シク超過スルモノナルトキハ損害ノ補償ヲ以テ之ニ代フルコトヲ得

②埋立ノ免許ヲ受ケタル者ハ公有水面埋立法第四条第三項ノ権利ヲ有スル者ノ受クヘキ損害ニシテ前項ノ施設ニ依リ防止スルコト能ハサルモノニ付テハ其ノ損害ノ補償ヲ為スヘシ前項ノ施設ヲ為スモ尚損害アル場合ニ於テ其ノ損害ニ付亦同シ

③前二項ノ施設又ハ補償ハ埋立ニ因リ通常生スヘキ損害ニ付テノミ之ヲ為スヘシ

〔施設又は補償に関する協議〕

第一〇条　埋立ノ免許ヲ受ケタル者ハ前条ノ施設又ハ補償ニ関シ公有水面埋立法第四条第三項ノ権利ヲ有スル者ト協議ヲ為スヘシ

②前項ノ協議調ヒタルトキハ当事者ハ連名ニテ協議調ヒタル日ヨリ起算シ十四日以内ニ其ノ顛末ヲ都道府県知事ニ届出ツヘシ

〔都道府県知事に対する裁定の申請〕

第一一条　前条ノ協議調ハサルトキ又ハ協議ヲ為スコト能ハサルトキハ埋立ノ免許ヲ受ケタル者ハ都道府県知事ニ対シ裁定ノ申請ヲ為スヘシ

②裁定ノ申請書ニハ申請ノ目的及事由ヲ記載シ協議調ハサルトキハ其ノ顛末書、協議ヲ為スコト能ハサルトキハ其ノ事由書ヲ添附スヘシ

〔意見書を差出すべき旨の告知等〕

第一二条　都道府県知事ハ前条ノ申請ヲ受理シタルトキハ公有水面埋立法第四条第三項ノ権利ヲ有スル者ニ対シ申請ノ要領及指定スル期間内ニ意見書ヲ差出スヘキ旨ヲ告知スヘシ但シ告知スルコト能ハサル場合ニ於テハ告示ヲ以テ之ニ代フルコトヲ得

②前項ノ期間内ニ意見書ヲ差出ササルトキハ都道府県知事ハ之ヲ俟タスシテ裁定ヲ為スコトヲ得

〔裁定書の謄本の交付〕

第一三条　都道府県知事ハ裁定ヲ為シタルトキハ埋立ノ免許ヲ受ケタル者及公有水面埋立法第四条第三項ノ権利ヲ有スル者ニ裁定書ノ謄本ヲ交付スヘシ但シ裁定書ノ謄本ヲ交付スルコト能ハサルトキハ其ノ要領ノ告示ヲ以テ之ニ代フルコトヲ得

〔水面の利用施設に対する補償又は代替施設〕

第一四条　第八条及第九条第一項第二項ノ規定ハ埋立ノ免許ヲ受ケタル者ヲシテ公有水面埋立法第十条ノ規定ニ依ル施設又ハ補償ヲ為サシムル場合ニ之ヲ準用ス

〔代替施設又は補償に関する国土交通省令〕

第一五条　公有水面埋立法第十条ノ規定ニ依ル施設又ハ補償ヲ求メムトスル者ハ其ノ目的及事由ヲ具シ都道府県知事ニ同条ノ規定ニ依ル処分ノ申請ヲ為スヘシ

②都道府県知事ハ前項ノ申請ヲ受理シタルトキハ埋立ノ免許ヲ受ケタル者ニ対シ申請ノ要領及指定スル期間内ニ意見書ヲ差出スヘキ旨ヲ告知スヘシ

③前項ノ期間内ニ意見書ヲ差出ササルトキハ都道府県知事ハ之ヲ俟タスシテ処分ヲ為スコトヲ得

④都道府県知事ハ申請ヲ理由アリト認メタルトキハ埋立ノ免許ヲ受ケタル者ニ対シ相当ノ期間ヲ指定シテ施設又ハ補償ヲ命シ且申請者ニ其ノ旨ヲ通知スヘシ

⑤都道府県知事ハ第一項ノ申請ナキ場合ト雖必要アリト認ムルトキハ前三項ノ規定ニ準シ施設又ハ補償ヲ命スルコトヲ得

〔免許料の額〕

第一六条　都道府県知事ハ埋立ノ免許ヲ受ケタル者ニ帰属スヘキ埋立地ノ価額ノ百分ノ三ヲ埋立ノ免許料トシテ徴収スヘシ

②埋立地ノ価額ハ埋立ノ免許ノ日ヲ標準トシ比隣ノ土地ノ価格ヲ参酌シテ都道府県知事之ヲ認定ス

〔免許料を徴収できない埋立て・埋立地の利用方法の変更による免許料の

〔徴収〕

第一七条　公共団体ノ為ス埋立、祭祀宗教慈善学術技芸其ノ他ノ公益事業ニシテ営利ヲ目的トセサルモノノ用ニ供スル目的ヲ以テ為ス埋立又ハ土地ノ農業上ノ利用ヲ増進スル目的ヲ以テ為ス埋立ニ付テハ免許料ヲ徴収スルコトヲ得ス

②公共団体ノ為ス埋立ヲ除クノ外公有水面埋立法第二十二条第二項ノ告示ノ日ヨリ起算シ十年以内ニ其ノ埋立地ノ利用方法ヲ変更シタルトキハ前条ノ例ニ依リ免許料ヲ徴収ス但シ埋立地ノ価額ニ付テハ其ノ利用方法変更ノ日ヲ標準トス

③前項ニ規定スル埋立地利用方法ノ変更ヲ為シタル者ハ遅滞ナク都道府県知事ニ之ヲ届出ツヘシ

〔免許料の帰属〕

第一八条　免許料ハ其ノ免許ヲ為シタル都道府県知事又ハ指定都市ノ長ノ統括スル都道府県又ハ指定都市ノ収入トス但シ港湾法（昭和二十五年法律第二百十八号）第五十八条第二項ノ規定ニ依リ港湾管理者カ公有水面埋立法ニ基ク都道府県知事又ハ指定都市ノ長ノ職権ヲ行フ場合ニ於テハ当該港湾管理者ノ収入トシ都道府県知事又ハ指定都市ノ長及港湾管理者カ公有水面埋立法ニ基ク都道府県知事又ハ指定都市ノ長ノ職権ヲ行フ場合ニ於テハ当該都道府県又ハ指定都市及港湾管理者ノ収入トス

〔免許料の納付〕

第一九条　免許料ハ埋立ノ免許ノ日ヨリ起算シ一月以内ニ之ヲ納付スヘシ但シ其ノ半額ニ付テハ都道府県知事ハ竣功期間内ニ於テ其ノ定ムル期限迄ニ之ヲ納付セシムルコトヲ得

②免許料ノ額及前項但書ノ規定ニ依ル納付期限ハ免許条件ヲ以テ之ヲ定ムヘシ

③第十七条第二項ノ規定ニ依リ免許料ヲ徴収スル場合ニ於テハ都道府県知事ハ免許料ノ額及納付期限ヲ定メ之ヲ告知スヘシ

第二〇条　削除

〔立入りの場所及び時間の制限〕

第二一条　公有水面埋立法第十四条ノ規定ニ依ル立入ハ邸内ニ付テハ日出前日没後ハ占有者ノ意ニ反シテ之ヲ為スコトヲ得ス

第二二条　削除

〔立入り又は一時使用についての市町村長の占有者に対する通知又は告示〕

第二三条　公有水面埋立法第十四条第三項ノ規定又ハ同項ノ規定ノ準用ニ依ル通知又ハ告示ハ少クトモ三日前ニ之ヲ為スヘシ

〔埋立権の譲渡の許可及び権利の承継の告示〕

第二四条　都道府県知事ハ公有水面埋立法第十六条ノ許可ヲ為シ又ハ同法第二十条ノ規定ニ依ル届出ヲ受理シタルトキハ国土交通省令ヲ以テ定ムル事項ヲ告示スヘシ

第二五条　削除

〔竣功認可の告示の日前の埋立地に非工事用工作物を設置する許可の不要の場合〕

第二六条　公有水面埋立法第二十三条第一項ノ規定ニ依リ簡易ナル一時的工作物ノ設置ヲ指定ス

〔特別の定めのある公用又は公共用埋立地の帰属〕

第二七条　公有水面埋立法第二十四条第一項但書ノ埋立地ハ国ニ於テ必要ナルモノヲ除クノ外公共団体ニ帰属ス

②前項ノ規定ニ依ル帰属ハ都道府県知事埋立ノ免許条件ヲ以テ之ヲ指定スヘシ

〔公共団体の所有権取得〕

第二八条　公共団体ハ公有水面埋立法第二十二条第二項ノ告示ノ日ニ於テ前条ノ規定ニ依リ之ニ指定セラレタル埋立地ノ所有権ヲ取得ス

〔公共用国有地の下付〕

第二九条　公共ノ用ニ供スル国有地ニシテ埋立ノ免許ヲ受ケタル者カ埋立ニ関スル工事ト其ノ国有地ト同一又ハ同種ノ用途ニ供スル工作物ヲ施設シタルニ因リ不用ニ帰シタルモノハ其ノ工作物ヲ構成スル土地及物件ヲ無償ニテ国ニ帰属セシムル場合ニ限リ無償ニテ埋立ノ免許ヲ受ケタル者ニ之ヲ下附ス

②前項ノ場合ヲ除クノ外公共ノ用ニ供スル国有地ニシテ埋立ニ関スル工事ノ施行ニ因リ不用ニ帰シタルモノハ有償ニテ埋立ノ免許ヲ受ケタル者ニ之ヲ下附スルコトヲ得

③前二項ノ国有地ハ国ノ所有ニ属スル水流又ハ水面ヲ包含ス

〔国が行う埋立ての特例〕

第三〇条　本令ハ国ニ於テ埋立ヲ為ス場合ニ公有水面埋立法第四十二条第三項ノ規定ニ依ル準用ノ範囲内ニ於テ之ヲ準用ス

〔国が埋立てた土地の一部の地方公共団体への帰属〕

第三一条　第二十七条第二項及第二十八条ノ規定ハ国ニ於テ埋立ヲ為シタル埋立地ノ一部ヲ公共ノ用ニ供スル為必要アルトキ公共団体ニ帰属セシムル場合ニ之ヲ準用ス

〔国土交通大臣の認可事項〕

第三二条　左ニ掲グル埋立ノ免許ニ付テハ都道府県知事ハ国土交通大臣ノ認可ヲ受クヘシ

一　国土交通大臣ガ甲号港湾トシテ指定スル港湾ノ埋立ノ免許及乙号港湾トシテ指定スル港湾ノ埋立ニシテ其ノ港湾ノ利用ニ著シク影響ヲ及ボスノ虞アルモノノ免許但シ港湾施設（港湾法第二条第五項第二号、第三号、第四号（道路及橋りように限ル）及第六号ニ掲グルモノニ限ル）ノ建設又ハ改良ヲ目的トスル埋立ニシテ当該港湾施設ニ係ル国ノ補助金又ハ負担金ノ交付ノ決定其ノ他国土交通省令ヲ以テ定ムル国ノ支援ガナサレタルモノニ付テハ此ノ限ニ在ラズ

二　海峡、堀割其ノ他ノ狭水道ニ於ケル埋立ニシテ航路、潮流、水流若ハ水深又ハ艦船ノ航行碇泊ニ影響ヲ及ホスノ虞アルモノノ免許

三　埋立区域ノ面積五十ヘクタールヲ超ユル埋立ノ免許

〔環境大臣に意見を求めるべき埋立て〕

第三二条ノ二　公有水面埋立法第四十七条第二項ノ政令ヲ以テ定ムル埋立ハ埋立区域ノ面積五十ヘクタールヲ超ユル埋立及環境保全上特別ノ配慮ヲ要スル埋立トス

〔公有水面を区画して永久的設備を築造する場合〕

第三三条　公有水面埋立法第五十条ノ規定ニ依リ同法ヲ準用スヘキ場合左ノ如シ

一　水産物養殖場ノ築造

二　乾船渠ノ築造

②本令ハ前項ノ場合ニ之ヲ準用ス

〔免許者数人の場合の義務の連帯負担〕

第三四条　埋立ノ免許ヲ受ケタル者数人ナルトキハ本令ノ定ムル所ニ依リ埋立ノ免許ヲ受ケタル者ノ負担スル義務ハ連帯シテ之ヲ負フモノトス

〔工事施行区域が数都道府県にわたる場合の都道府県知事の職権の共同行使〕

第三五条　埋立ニ関スル工事ノ施行区域カ一都道府県ノ区域又ハ一指定都市ノ区域ヲ超ユル場合ニ於テハ埋立ニ関スル法令中都道府県知事又ハ指定都市ノ長ノ職権ニ属スル事項ハ関係スル都道府県知事又ハ指定都市ノ長共同シテ之ヲ行フ但シ利害ノ関係スル所一都道府県ノ区域（当該区域内ニ指定都市ノ区域アルトキハ当該指定都市ノ区域以外ノ区域ニ限ル）又ハ一指定都市ノ区域ニ止ルトキハ此ノ限ニ在ラス

〔事務の区分〕

第三六条　第一条第一項（第三十条ニ於テ準用スル場合ヲ含ム）及第二項（第一条第四項ニ於テ準用スル場合ヲ含ム）、第二条（第三十条ニ於テ準用スル場合ヲ含ム）、第六条（第三十条ニ於テ準用スル場合ヲ含ム）並第二十七条第二項（第三十一条ニ於テ準用スル場合ヲ含ム）ノ規定ニ依リ都道府県又ハ指定都市ガ処理スルコトトサレタル事務ハ地方自治法第二条第九項第一号ニ規定スル第一号法定受託事務トス

附　則

本令ハ公有水面埋立法施行ノ日〔大正一一・四・一〇〕ヨリ之ヲ施行ス

附　則〔昭和二八・七・二八政令一二六〕

1　この政令は、昭和二十八年八月一日から施行する。

2　この政令の施行前にした公有水面埋立法の規定に基く埋立の免許に係る免許料の帰属については、なお従前の例による。

附　則〔略〕〔昭和三〇・三・三一政令四七〕

附　則〔略〕〔昭和四一・三・三一政令九〇〕

附　則〔略〕〔昭和四七・一二・一八政令四三一〕

附　則〔略〕〔昭和四九・三・一八政令五六〕

附　則〔略〕〔平成一一・一一・一〇政令三五二〕

附　則〔略〕〔平成一二・六・七政令三一二〕

附　則〔略〕〔平成一三・三・三〇政令九九〕

附　則〔抄〕〔平成一八・四・二六政令一八一〕

〔施行期日〕

第一条　この政令は、会社法の施行の日（平成十八年五月一日）から施行す

る。

（公有水面埋立法施行令の一部改正に伴う経過措置）

第二条　会社法の施行に伴う関係法律の整備等に関する法律第三十六条の規定によりなお従前の例によることとされる吸収分割又は同法第百五条の規定によりなお従前の例によることとされる吸収分割若しくは新設分割によって、公有水面埋立法（大正十年法律第五十七号）第二条第一項の免許の出願がされている事業を承継した株式会社の当該免許の出願の承継については、なお従前の例による。

附　則〔抄〕〔平成二六・九・三政令二九一〕

（施行期日）

第一条　この政令は、平成二十七年四月一日から施行する。

○公有水面埋立法施行規則

〔昭和四九・三・一八 運輸・建設省令一〕

改正　平成七・六運・建令四、平成一一・三運・建令三、平成一二・二運・建令四、一二運・建令一三、平成一三・三国交令三七、平成一四・六国交令六九、平成一七・三国交令一一、平成二三・一二国交令九四、平成二六・三国交令四二、平成二七・一国交令六、七国交令五三、平成二九・六国交令三七、令和二・一二国交令九八、令和四・三国交令三九

（埋立免許の出願）

第一条　公有水面埋立法（以下「法」という。）第二条第二項の願書の提出は、別記様式第一によるものとする。

（願書の添付図書）

第二条　法第二条第三項第一号から第四号までの図書は、次に掲げるところにより作成しなければならない。

一　法第二条第三項第一号の図面

イ　一般平面図　縮尺二万五千分の一以上の地形図（縮尺二万五千分の一以上の地形図がない場合にあつては、縮尺五万分の一以上の地形図とする。）に埋立区域及び埋立てに関する工事の施行区域（以下「埋立区域等」という。）を表示すること。

ロ　実測平面図　縮尺は、二千五百分の一以上とし、埋立区域等、埋立区域等にある工作物の位置並びに埋立区域等の周辺の地形及び工作物の位置を表示すること。

ハ　求積平面図　埋立区域等の面積を算出した方法を表示すること。

ニ　海図　埋立区域等が海面である場合において、埋立区域等を表示すること。

ホ　区域分割実測平面図（埋立てに関する工事の施行区域を二以上の区域に分割する場合に限る。）　実測平面図にそれぞれの分割された区域を表示すること。

ヘ　区域分割求積平面図（埋立てに関する工事の施行区域を二以上の区域に分割する場合に限る。）　それぞれの分割された区域の面積を算出した方法を表示すること。

二　法第二条第三項第二号の図書

イ　埋立地横断面図　縮尺は、横二千五百分の一以上、縦百分の一以上とすること。

ロ　埋立地縦断面図　縮尺は、横二千五百分の一以上、縦百分の一以上とすること。

ハ　工作物構造図　縮尺は、百分の一以上とし、護岸、堤防、岸壁その他これらに類する工作物の構造を表示すること。

ニ　設計概要説明書　設計の概要についての説明を記載すること。

三　法第二条第三項第三号の資金計画書　埋立てに関する工事に要する費用の額及びその明細並びに当該費用に充てる資金の調達方法を記載すること。

四　法第二条第三項第四号の書面　別記様式第二により作成すること。

第三条　法第二条第三項第五号の国土交通省令で定める図書は、次に掲げるものとする。

一　個人にあつては、戸籍抄本又は本籍の記載のある住民票の写し

二　法人（公共団体を除く。次号において同じ。）を設立しようとするものにあつては、次に掲げる書類

イ　定款又は寄附行為の謄本

ロ　発起人、社員又は設立者（以下「発起人等」という。）の名簿

ハ　株式の引受け、出資又は財産の寄附の状況又は見込みを記載した書類

三　既存の法人にあつては、次に掲げる書類

イ　定款又は寄附行為の謄本及び登記事項証明書

ロ　最近の事業年度における財産目録、貸借対照表及び損益計算書

四　直前三月以内に撮影した埋立区域等の写真

五　埋立てに用いる土砂等の採取場所及び採取量を記載した図書

六　埋立てに関する工事に要する費用に充てる資金の調達方法を証する書類

七　埋立地の用途及び利用計画の概要を表示した図面

八　環境保全に関し講じる措置を記載した図書

九　公共施設の配置及び規模について説明した図書

十　公有水面埋立法施行令（以下「令」という。）第七条に規定する法人にあつては、同条第二号に適合することを証する書類

十一　法第四条第三項の権利を有する者がある場合にあつては、その者の同意を得たことを証する書類又は同意が得られない旨及びその事由を記載した書類

十二　公有水面の利用に関して設置した施設で埋立てのためにその効用が妨げられるものがある場合にあつては、当該施設の種類及び設置者を記載した書類

（出願名義の変更等の届出）

第四条　令第一条第一項の規定による国土交通省令で定める新出願人に関する事項は、氏名又は名称、職業及び住所並びに法人を設立しようとする発起人等にあつてはその旨並びに法人にあつてはその代表者の氏名及び住所とする。

2　令第一条第一項の規定による届出をしようとする者は、届出書に次に掲げる書類を添付しなければならない。

一　新出願人に関する前条第一号、第二号又は第三号の書類

二　出願の年月日及び埋立区域等を記載した書類
三　出願名義の変更の理由を記載した書類
四　新出願人に関する埋立てに関する工事に要する費用に充てる資金の調達方法を記載した書類及びこれを証する書類

3　令第一条第二項の規定による国土交通省令で定める相続人に関する事項は、氏名、職業及び住所とする。

4　令第一条第四項において準用する同条第二項の規定による国土交通省令で定める事項は、名称及び住所並びにその代表者の氏名及び住所とする。

5　第二項の規定は、令第一条第二項（同条第四項において準用する場合を含む。）の規定による出願の承継の届出について準用する。この場合において、第二項中「新出願人」とあるのは「承継人」と、「出願名義の変更」とあるのは「出願の承継」と読み替えるものとする。

（公共施設の配置及び規模に関する技術的細目）

第五条　法第四条第一項第四号の公共施設のうち、道路、公園、緑地及び広場並びに排水施設の配置及び規模に関する同条第二項（法第十三条ノ二第二項において準用する場合を含む。）の技術的細目は、次に掲げるものとする。
一　道路は、埋立地の規模、用途、区画割及び周辺の状況を勘案して、通行の安全上、環境の保全上、災害の防止上又は事業活動の効率上適切な配置及び規模で設計されていること。
二　公園、緑地及び広場は、埋立地の規模、用途、区画割及び周辺の状況を勘案して、環境の保全上又は災害の防止上適切な配置及び規模で設計されていること。
三　排水路、終末処理施設その他の排水施設は、埋立地の規模、用途、区画割、周辺の状況及び降水量を勘案して、汚水及び雨水を有効に排出できるような配置及び規模で設計されていること。

（埋立地の処分方法等に関する技術的細目）

第六条　法第四条第一項第五号の埋立地の処分方法及び予定対価の額に関する同条第二項（法第十三条ノ二第二項において準用する場合を含む。）の技術的細目は、次に掲げるものとする。
一　埋立地の処分の相手方（国及び公共団体を除く。次号において同じ。）の選考方法が適正であること。
二　埋立地の処分の相手方が埋立地の用途に従い自ら利用すると認められる者であること。
三　埋立地の予定対価の額は、埋立地の処分により出願人が不当に受益しないものであること。

（出願事項の変更等の許可の申請）

第七条　法第十三条ノ二第一項の規定による許可の申請は、別記様式第三の申請書を提出して行うものとする。

2　前項の申請書には、次に掲げる図書を添付しなければならない。
一　埋立区域の縮少にあつては、第二条及び第三条第四号から第九号までの図書
二　埋立地の用途の変更にあつては、第二条第四号並びに第三条第七号から第九号までの図書
三　設計の概要の変更にあつては、第二条第二号から第四号まで及び第三条第五号から第九号までの図書
四　埋立てに関する工事の着手及び竣功の期間の伸長にあつては、第二条第一号ロ、第三号及び第四号並びに第三条第四号及び第六号の図書

（埋立権の譲渡の許可の申請）

第八条　法第十六条第一項の規定による許可の申請は、別記様式第四の申請書を提出して行うものとする。

2　前項の申請書には、次に掲げる書類を添付しなければならない。
一　譲受人に関する第三条第一号、第二号又は第三号の書類
二　譲渡契約書の写し
三　譲渡価額の算定の基礎を記載した書類
四　譲渡の時までの埋立てに関する工事に要した費用の額及び譲渡後の埋立てに関する工事に要する費用の明細書
五　譲渡後の埋立てに関する工事に要する費用に充てる資金の調達方法を証する書類

（埋立権の承継の届出）

第九条　法第二十条の規定による届出は、別記様式第五の届出書を提出して行うものとする。

2　前項の届出書には、次に掲げる書類を添付しなければならない。
一　法第十七条第一項の場合にあつては、相続同意証明書又は相続証明書及び戸籍謄本
二　法第十八条、第十九条又は第十九条の二の場合にあつては、法人の登記事項証明書

（埋立権の譲渡の許可又は承継の届出の告示）

第一〇条　令第二十四条の規定による国土交通省令で定める事項は、次に掲げるものとする。
一　譲渡の許可又は承継の年月日
二　埋立権の譲渡人及び譲受人又は埋立権の承継人及び被承継人の氏名又は名称及び住所並びに法人にあつてはその代表者の氏名及び住所
三　法第十一条の埋立ての免許の告示の年月日及び番号

（竣功認可の申請）

第一一条　法第二十二条第一項の規定による竣功認可の申請は、別記様式第六の申請書を提出して行うものとする。

2　前項の申請書には、次に掲げる図面を添付しなければならない。
一　実測平面図　縮尺は、二千五百分の一以上とし、申請時における埋立区域等を表示すること。
二　求積平面図　申請時における埋立区域等の面積を算出した方法を表示すること。

（竣功認可の告示の日前の埋立地の工作物設置の許可の申請）

第一二条　法第二十三条第一項ただし書の規定による許可の申請は、別記様式第七の申請書を提出して行うものとする。

2　前項の申請書には、次に掲げる図面を添付しなければならない。
一　工作物の設置に係る埋立地の区域を表示した図面
二　工作物の設計図
三　埋立区域の埋立ての現況を表示した図面

（埋立地に関する権利の移転又は設定の許可の申請）

第一三条　法第二十七条第一項の規定による許可の申請は、別記様式第八の申請書を提出して行うものとする。

2　前項の申請書には、次に掲げる図書を添付しなければならない。
一　権利の移転又は設定に係る埋立地の区域を表示した図面
二　権利の移転又は設定の契約書の写し
三　権利の移転又は設定に係る埋立地の用途及び利用計画の概要を表示した図面

（埋立地の用途変更の許可の申請）

第一四条　法第二十九条第一項の規定による許可の申請は、別記様式第九の申請書を提出して行うものとする。

2　前項の申請書には、用途変更に係る埋立地の用途及び利用計画の概要を表示した図面を添付しなければならない。

（工事施行区域が一の都道府県の区域又は一の指定都市の区域を超える場合の願書等の提出）

第一五条　埋立てに関する工事の施行区域が一の都道府県の区域又は一の地方自治法（昭和二十二年法律第六十七号）第二百五十二条の十九第一項の指定都市（以下「指定都市」という。）の区域を超える場合における法及び令の規定による出願、申請又は届出は、当該施行区域に係る同一の願書、申請書又は届出書を関係都道府県知事又は関係指定都市の長にそれぞれ提出してしなければならない。

（国の支援）

第一五条の二　令第三十二条第一号ただし書の規定による国土交通省令で定める国の支援がなされたものは、次に掲げるものとする。
一　港湾法（昭和二十五年法律第二百十八号）附則第三項及び第四項、北海道開発のためにする港湾工事に関する法律（昭和二十六年法律第七十三号）附則第七項、奄美群島振興開発特別措置法（昭和二十九年法律第百八十九号）附則第六項、失効前の沖縄振興開発特別措置法（昭和四十六年法律第百三十一号）附則第九条第一項又は沖縄振興特別措置法（平成十四年法律第十四号）附則第四条第一項の規定による無利子の貸付金の貸付けが決定されたもの
二　港湾整備促進法（昭和二十八年法律第百七十号）第六条の規定による国土交通大臣の資金の融通のあつ旋がなされたもの

（準用規定）

第一六条　第一条から第七条まで（第三条第二号及び第三号を除く。）及び第十五条の規定は、国において行う埋立てについて準用する。この場合において、第七条及び別記様式第三中「許可」とあり、別記様式第一及び別

記様式第三中「免許」とあるのは、「承認」と読み替えるものとする。

2　この省令の規定は、法第五十条の永久的設備の築造について準用する。

（権限の委任）

第一七条　法に規定する国土交通大臣の権限のうち、次に掲げる埋立てに係るもの以外のものは、地方整備局長及び北海道開発局長に委任する。

一　令第三十二条第一号に規定する埋立てのうち、同号に規定する甲号港湾に係るもの

二　令第三十二条第一号に規定する埋立てのうち、同号に規定する乙号港湾に係るものであつて、埋立区域の面積が四十ヘクタール以上のもの

三　埋立区域の面積が五十ヘクタールを超える埋立て

四　二以上の地方整備局の管轄区域にわたる埋立て

附　則

この省令は、公有水面埋立法の一部を改正する法律（昭和四十八年法律第八十四号）の施行の日（昭和四十九年三月十九日）から施行する。

附　則〔略〕〔平成一二・一二・二九運輸・建設省令四〕

附　則〔略〕〔平成一二・一二・四運輸・建設省令一三〕

附　則〔略〕〔平成一三・三・一五国土交通省令三七〕

附　則〔略〕〔平成一七・三・七国土交通省令一二施行〕

附　則〔略〕〔平成二三・一二・一三国土交通省令九四〕

附　則〔略〕〔平成二六・三・三一国土交通省令四二〕

附　則〔略〕〔平成二七・一・三〇国土交通省令六〕

附　則〔略〕〔平成二七・七・一五国土交通省令五三〕

附　則〔略〕〔平成二九・六・一五国土交通省令三七施行〕

附　則〔略〕〔令和二・一二・二三国土交通省令九八〕

附　則〔令和四・三・三一国土交通省令三九〕

この省令は、沖縄振興特別措置法等の一部を改正する法律の施行の日（令和四年四月一日）から施行する。

別記様式〔略〕

○水資源開発促進法

〔昭和三六・一一・一三　法律二一七〕

改正　昭和三八・七法一二九、昭和四〇・六法一三八、昭和四一・七法一〇二、昭和四九・六法九八、昭和五三・五法五五、昭和五八・一二法七八、平成一一・七法一〇二、一二法一六〇、平成一四・一二法一八二、令和五・五法三六

（目的）

第一条　この法律は、産業の開発又は発展及び都市人口の増加に伴い用水を必要とする地域に対する水の供給を確保するため、水源の保全かん養と相まつて、河川の水系における水資源の総合的な開発及び利用の合理化の促進を図り、もつて国民経済の成長と国民生活の向上に寄与することを目的とする。

（基礎調査）

第二条　政府は、次条第一項の規定による水資源開発水系の指定及び第四条第一項の規定による水資源開発基本計画の決定のため必要な基礎調査を行なわなければならない。

2　国土交通大臣は、前項の規定により行政機関の長が行なう基礎調査について必要な調整を行ない、当該行政機関の長に対し、その基礎調査の結果について報告を求めることができる。

（水資源開発水系の指定）

第三条　国土交通大臣は、第一条に規定する地域について広域的な用水対策を緊急に実施する必要があると認めるときは、農林水産大臣、経済産業大臣その他関係行政機関の長に協議し、かつ、関係都道府県知事及び国土審議会の意見を聴いて、当該地域に対する用水の供給を確保するため水資源の総合的な開発及び利用の合理化を促進する必要がある河川の水系を水資源開発水系として指定する。

2　農林水産大臣又は経済産業大臣は、それぞれの所掌事務に関し前項に規定する必要があると認めるときは、国土交通大臣に対し、水資源開発水系の指定を求めることができる。

3　国土交通大臣が水資源開発水系の指定をするには、閣議の決定を経なければならない。

4　国土交通大臣は、水資源開発水系の指定をしたときは、これを公示しなければならない。

（水資源開発基本計画）

第四条　国土交通大臣は、水資源開発水系の指定をしたときは、農林水産大臣、経済産業大臣その他関係行政機関の長に協議し、かつ、関係都道府県知事及び国土審議会の意見を聴いて、当該水資源開発水系における水資源の総合的な開発及び利用の合理化の基本となるべき水資源開発基本計画（以下「基本計画」という。）を決定しなければならない。

2　国土交通大臣が基本計画の決定をするには、閣議の決定を経なければならない。

3　基本計画には、治山治水、電源開発及び当該水資源開発水系に係る後進地域の開発について十分の考慮が払われていなければならない。

4　国土交通大臣は、基本計画を決定したときは、これを公示しなければならない。

5　前四項の規定は、基本計画を変更しようとするときに準用する。

6　農林水産大臣又は経済産業大臣は、それぞれの所掌事務に関し必要があると認めるときは、国土交通大臣に対し、基本計画の変更を求めることができる。

第五条　基本計画には、次の事項を記載しなければならない。

一　水の用途別の需要の見とおし及び供給の目標

二　前号の供給の目標を達成するため必要な施設の建設に関する基本的な事項

三　その他水資源の総合的な開発及び利用の合理化に関する重要事項

（国土審議会の調査審議等）

第六条　国土審議会は、国土交通大臣の諮問に応じ、水資源開発水系及び基本計画に関する重要事項について調査審議する。

2　国土審議会は、前項に規定する重要事項について、国土交通大臣又は関係行政機関の長に対し、意見を申し出ることができる。

3　関係行政機関の長は、第一項に規定する重要事項について、国土審議会の会議に出席して、意見を述べることができる。

第七条から第一〇条まで　削除

第一一条　削除

（基本計画に基づく事業の実施）

第一二条　基本計画に基づく事業は、当該事業に関する法律（これに基づく命令を含む。）の規定に従い、国、地方公共団体、独立行政法人水資源機構その他の者が実施するものとする。

（基本計画の実施に要する経費）

第一三条　政府は、基本計画を実施するために要する経費については、必要な資金の確保その他の措置を講ずることに努めなければならない。

（損失の補償等）

第一四条　基本計画に基づく事業を実施する者は、当該事業により損失を受ける者に対する措置が公平かつ適正であるように努めなければならない。

附　則〔抄〕

（施行期日）

1　この法律は、公布の日から施行する。

附　則〔略〕〔昭和三八・七・一〇法律一二九施行〕

附　則〔略〕〔昭和四〇・六・二九法律一三八〕

附　則〔略〕〔昭和四一・七・一法律一〇二施行〕

附　則　〔略〕〔昭和四九・六・二六法律九八施行〕

附　則　〔抄〕〔昭和五三・五・二三法律五五〕

（施行期日等）

1　この法律は、公布の日から施行する。ただし、次の各号に掲げる規定は、当該各号に定める日から施行する。

一　〔略〕

二　〔前略〕第十四条から第三十二条までの規定　昭和五十四年三月三十一日までの間において政令で定める日

〔昭和五四政三二により、昭和五四・三・三一から施行〕

（経過措置）

3　従前の総理府の国土利用計画審議会並びにその会長、委員及び臨時委員、水資源開発審議会並びにその会長、委員及び専門委員、奄美群島振興開発審議会並びにその会長及び委員並びに小笠原諸島復興審議会並びにその会長及び委員は、それぞれ国土庁の相当の機関及び職員となり、同一性をもつて存続するものとする。

附　則　〔昭和五八・一二・二法律七八〕

1　この法律（第一条を除く。）は、昭和五十九年七月一日から施行する。

2　この法律の施行の日の前日において法律の規定により置かれている機関等で、この法律の施行の日以後は国家行政組織法又はこの法律による改正後の関係法律の規定に基づく政令（以下「関係政令」という。）の規定により置かれることとなるものに関し必要となる経過措置その他この法律の施行に伴う関係政令の制定又は改廃に関し必要となる経過措置は、政令で定めることができる。

附　則　〔抄〕〔平成一一・七・一六法律一〇二〕

（施行期日）

第一条　この法律は、内閣法の一部を改正する法律（平成十一年法律第八十八号）の施行の日〔平成一三・一・六〕から施行する。ただし、次の各号に掲げる規定は、当該各号に定める日から施行する。

一　〔略〕

二　附則〔中略〕第二十八条並びに第三十条の規定　公布の日

（委員等の任期に関する経過措置）

第二八条　この法律の施行の日の前日において次に掲げる従前の審議会その他の機関の会長、委員その他の職員である者（任期の定めのない者を除く。）の任期は、当該会長、委員その他の職員の任期を定めたそれぞれの法律の規定にかかわらず、その日に満了する。

一～五十三　〔略〕

五十四　水資源開発審議会

五十五～五十八　〔略〕

（別に定める経過措置）

第三〇条　第二条から前条までに規定するもののほか、この法律の施行に伴い必要となる経過措置は、別に法律で定める。

附　則　〔略〕〔平成一一・一二・二二法律一六〇〕

附　則　〔略〕〔平成一四・一二・一八法律一八二〕

附　則　〔抄〕〔令和五・五・二六法律三六〕

（施行期日）

第一条　この法律は、令和六年四月一日から施行する。ただし、附則第六条の規定は、公布の日から施行する。

（政令への委任）

第六条　附則第二条から前条までに定めるもののほか、この法律の施行に関し必要な経過措置（罰則に関する経過措置を含む。）は、政令で定める。

○独立行政法人水資源機構法

〔平成一四・一二・一八 法律一八二〕

改正　平成一五・三法二一、平成一六・六法一二四、法一三〇、平成一七・七法八七、平成一九・三法二三、平成二一・五法三七、平成二三・八法一〇五、平成二六・六法六七、法六九、平成二九・五法三一、法三九、平成三〇・六法四〇、法四三、令和五・五法三六

目次

第一章　総則（第一条―第六条）
第二章　役員及び職員（第七条―第十一条）
第三章　業務等
第一節　業務の範囲（第十二条）
第二節　業務の実施方法（第十三条―第二十条）
第三節　業務の実施に要する費用（第二十一条―第三十条の三）
第四節　財務及び会計（第三十一条―第三十五条）
第四章　雑則（第三十六条―第四十五条）
第五章　罰則（第四十六条）
附則

第一章　総則

（目的）

第一条　この法律は、独立行政法人水資源機構の名称、目的、業務の範囲等に関する事項を定めることを目的とする。

（定義）

第二条　この法律において「水資源開発基本計画」とは、水資源開発促進法（昭和三十六年法律第二百十七号）の規定による水資源開発基本計画をいう。

2　この法律において「水資源開発施設」とは、独立行政法人水資源機構（以下「機構」という。）による第十二条第一項第一号の業務の実施により生じる施設及び水資源開発公団による附則第六条の規定による廃止前の水資源開発公団法（昭和三十六年法律第二百十八号。以下「旧水公団法」という。）第十八条第一項第一号の業務の実施により生じた施設で附則第二条第一項の規定により機構が承継したものをいう。

3　この法律において「愛知豊川用水施設」とは、愛知用水公団による水資源開発公団法の一部を改正する法律（昭和四十三年法律第七十三号）附則

第九条の規定による廃止前の愛知用水公団法（昭和三十年法律第百四十一号。以下「旧愛知公団法」という。）第十八条第一項第一号イ及びロの事業の施行により生じた施設で附則第二条第一項の規定により機構が承継したものをいう。

4　この法律において「特定施設」とは、洪水（高潮を含む。）防御の機能又は流水の正常な機能の維持と増進をその目的に含む多目的ダム、河口堰、湖沼水位調節施設その他の水資源の開発又は利用のための施設であって政令で定めるものをいう。

5　この法律において「河川」とは、河川法（昭和三十九年法律第百六十七号）第三条第一項に規定する河川をいう。

6　この法律において「河川管理者」とは、河川法第七条に規定する河川管理者をいう。

7　この法律において「河川管理施設」とは、河川法第三条第二項に規定する河川管理施設をいう。

（名称）

第三条　この法律及び独立行政法人通則法（平成十一年法律第百三号。以下「通則法」という。）の定めるところにより設立される通則法第二条第一項に規定する独立行政法人の名称は、独立行政法人水資源機構とする。

（機構の目的）

第四条　機構は、水資源開発基本計画に基づく水資源の開発又は利用のための施設の改築等及び水資源開発施設等の管理等を行うことにより、産業の発展及び人口の集中に伴い用水を必要とする地域に対する水の安定的な供給の確保を図ることを目的とする。

（中期目標管理法人）

第四条の二　機構は、通則法第二条第二項に規定する中期目標管理法人とする。

（事務所）

第五条　機構は、主たる事務所を埼玉県に置く。

（資本金）

第六条　機構の資本金は、附則第二条第六項の規定により政府から出資があったものとされた金額とする。

2　政府は、必要があると認めるときは、予算で定める金額の範囲内において、機構に追加して出資することができる。

3　機構は、前項の規定による政府の出資があったときは、その出資額により資本金を増加するものとする。

第二章　役員及び職員

（役員）

第七条　機構に、役員として、その長である理事長及び監事二人を置く。

2　機構に、役員として、副理事長一人及び理事五人以内を置くことができる。

（副理事長及び理事の職務及び権限等）

第八条　副理事長は、理事長の定めるところにより、機構を代表し、理事長を補佐して機構の業務を掌理する。

2　理事は、理事長の定めるところにより、理事長（副理事長が置かれているときは、理事長及び副理事長）を補佐して機構の業務を掌理する。

3　通則法第十九条第二項の個別法で定める役員は、副理事長とする。ただし、副理事長が置かれていない場合であって理事が置かれているときは理事、副理事長及び理事が置かれていないときは監事とする。

4　前項ただし書の場合において、通則法第十九条第二項の規定により理事長の職務を代理し又はその職務を行う監事は、その間、監事の職務を行ってはならない。

（副理事長及び理事の任期）

第九条　副理事長の任期は四年とし、理事の任期は二年とする。

（役員の欠格条項の特例）

第一〇条　通則法第二十二条に定めるもののほか、次の各号のいずれかに該当する者は、役員となることができない。

一　物品の製造若しくは販売若しくは工事の請負を業とする者であって機構と取引上密接な利害関係を有するもの又はこれらの者が法人であるときはその役員（いかなる名称によるかを問わず、これと同等以上の職権又は支配力を有する者を含む。）

二　前号に掲げる事業者の団体の役員（いかなる名称によるかを問わず、これと同等以上の職権又は支配力を有する者を含む。）

2　機構の役員の解任に関する通則法第二十三条第一項の規定の適用については、同項中「前条」とあるのは、「前条及び独立行政法人水資源機構法第十条第一項」とする。

（役員及び職員の地位）

第一一条　機構の役員及び職員は、刑法（明治四十年法律第四十五号）その他の罰則の適用については、法令により公務に従事する職員とみなす。

第三章　業務等

第一節　業務の範囲

第一二条　機構は、第四条の目的を達成するため、次の業務を行う。

一　水資源開発基本計画に基づいて、次に掲げる施設（当該施設のうち発電に係る部分を除く。以下この号において同じ。）の新築（イに掲げる施設の新築にあっては、水の供給量を増大させないものに限る。）又は改築を行うこと。

イ　ダム、河口堰、湖沼水位調節施設、多目的用水路、専用用水路その他の水資源の開発又は利用のための施設

ロ　イに掲げる施設と密接な関連を有する施設

二　次に掲げる施設の操作、維持、修繕その他の管理（ハに掲げる施設の管理にあっては、委託に基づくものに限る。）を行うこと。

イ　水資源開発施設

ロ　愛知豊川用水施設

ハ　水資源開発促進法第三条第一項に規定する水資源開発水系（以下この号及び第十九条の二第一項において「水資源開発水系」という。）における水資源の開発又は利用のための施設であって、イ又はロに掲げる施設と一体的な管理を行うことが当該水資源開発水系における水資源の利用の合理化に資すると認められるもの

三　水資源開発施設又は愛知豊川用水施設についての災害復旧工事を行うこと。

四　第十九条の二第一項に規定する特定河川工事を行うこと。

五　前各号の業務に附帯する業務を行うこと。

2　機構は、前項の業務のほか、海外社会資本事業への我が国事業者の参入の促進に関する法律（平成三十年法律第四十号）第五条に規定する業務（第三十七条第二項第六号において「海外調査等業務」という。）を行う。

3　機構は、前二項の業務のほか、前二項の業務の遂行に支障のない範囲内で、委託に基づき、次の業務を行うことができる。

一　水資源の開発又は利用に関する調査、測量、設計、試験、研究及び研修を行うこと。

二　水資源の開発若しくは利用のための施設に関する工事又はこれと密接な関連を有する工事を行うこと。

三　水資源の開発又は利用のための施設の管理を行うこと。

第二節　業務の実施方法

（事業実施計画）

第一三条　機構は、前条第一項第一号の業務を行おうとするときは、政令で定めるところにより、水資源開発基本計画に基づいて事業実施計画を作成し、関係都道府県知事に協議するとともに、主務大臣の認可を受けなければならない。これを変更しようとするときも、同様とする。

2　主務大臣は、前項の認可をしようとするときは、あらかじめ、国の関係行政機関の長に協議しなければならない。

3　機構は、第一項の規定により事業実施計画を作成し、又は変更しようとするときは、政令で定めるところにより、あらかじめ、当該水資源開発施設を利用して流水を水道若しくは工業用水道の用に供しようとする者（当該事業実施計画の変更に際し、事業からの撤退（当該事業実施計画に係る水資源開発施設を利用して流水を水道又は工業用水道の用に供しようとした者が、その後の事情の変化により当該事業実施計画に係る水資源開発施設を利用して流水を水道又は工業用水道の用に供しようとしなくなることをいう。以下同じ。）をする者を含む。）又は当該事業実施計画に係る水資源開発施設を利用して流水をかんがいの用に供しようとする者の組織する土地改良区の意見を聴くとともに、第二十五条第一項の規定による費用の負担について当該費用の負担をする者の同意を得なければならない。

4　土地改良区は、前項の同意をするには、政令で定めるところにより、総

会又は総代会の議決を経、かつ、その組合員のうち同項の流水をかんがいの用に供しようとする者（施設の更新のために行う前条第一項第一号の改築の業務で当該改築に係る施設の有している本来の機能の維持を図ることを目的とし、かつ、当該改築に係る施設を利用して現に流水をかんがいの用に供する者の権利又は利益を侵害するおそれがないことが明らかなものとして政令で定める要件に適合するものにあっては、当該現に流水をかんがいの用に供する者を除く。）の三分の二以上の同意を得なければならない。

5　主務大臣は、かんがい排水に係る前条第一項第一号の業務（特定施設に係るものを除く。）について第一項の規定による事業実施計画の認可をしたときは、政令で定めるところにより、その旨を公示しなければならない。

6　機構は、事業実施計画に基づく事業を廃止しようとするときは、政令で定めるところにより、関係都道府県知事に協議するとともに、主務大臣の認可を受けて、当該事業実施計画を廃止しなければならない。この場合においては、第二項の規定を準用する。

7　機構は、前項の規定により事業実施計画を廃止しようとするときは、政令で定めるところにより、あらかじめ、第三項の規定により意見を聴いた者（当該事業実施計画の廃止前に事業からの撤退をした者を除く。）の意見を聴くとともに、第二十五条第二項の規定による費用の負担について当該費用の負担をする者の同意を得なければならない。

（事業の承継等）

第一四条　国土交通大臣又は農林水産大臣は、それぞれ、国土交通大臣が河川法による河川工事として行っている事業（第十二条第一項第一号の業務に該当するものに限る。）又は国が土地改良事業として行っている事業（同号の業務に該当するものに限る。）のうち、水資源開発基本計画に基づき機構が引き継いで行うべきであると認めるものについては、機構に対し、その実施を求めることができる。

2　農林水産大臣は、都道府県が土地改良事業として行っている事業（第十二条第一項第一号の業務に該当するものに限る。）のうち、当該都道府県から機構において行うべき旨の申出があり、かつ、水資源開発基本計画に基づき機構が引き継いで行うべきであると認めるものについては、機構に対し、その実施を求めることができる。

3　国土交通大臣又は農林水産大臣は、第一項の規定によりその実施を求めた事業（以下この条及び第二十六条において「国の水資源開発事業」という。）又は前項の規定によりその実施を求めた事業（以下この条において「都道府県の水資源開発事業」という。）について、機構がその求めに応じて第十二条第一項第一号の業務を行おうとする場合において前条第一項の規定による事業実施計画の認可をしたときは、政令で定めるところにより、その旨を公示しなければならない。

4　機構は、前項の規定による公示があった日の翌日から、その業務として国の水資源開発事業又は都道府県の水資源開発事業を行うものとする。

5　前項の規定により機構が国の水資源開発事業をその業務として行うこととなった時において当該国の水資源開発事業に関し国が有する権利及び義務（当該国の水資源開発事業に関する特別会計に関する法律（平成十九年法律第二十三号）附則第六十六条第十八号の規定による廃止前の国営土地改良事業特別会計法（昭和三十二年法律第七十一号）に基づく国営土地改良事業特別会計、特別会計に関する法律附則第六十七条第一項第十号の規定により設置する国営土地改良事業特別会計及び同法附則第二百三十一条第二項に規定する食料安定供給特別会計の国営土地改良事業勘定の財政融資資金からの負債を含み、政令で定める権利又は義務を除く。）は、その時において機構が承継する。

6　第四項の規定により機構が国の水資源開発事業をその業務として行う場合において、国土交通大臣が当該国の水資源開発事業と密接な関連を有する工事（以下この項において「関連工事」という。）で発電に係るものを行っているとき、又は国が委託に基づき関連工事を行っているときは、機構が当該国の水資源開発事業をその業務として行うこととなった時において当該関連工事に関し国が有する権利及び義務（政令で定める権利又は義務を除く。）は、その時において機構が承継する。ただし、当該関連工事が委託に基づくものである場合において、国がその委託をしている者の同意を得ることができなかったときは、この限りでない。

7　第四項の規定により機構が都道府県の水資源開発事業をその業務として行うこととなった時において当該都道府県の水資源開発事業に関し当該都道府県が有する権利及び義務の機構への承継については、当該都道府県と機構とが協議して定めるものとする。

8　第四項の規定により機構がその業務として行う国の水資源開発事業が土地改良事業に係るものであるときは、機構は、政令で定めるところにより、第二十五条第一項、第二十六条第一項又は第二十七条の規定による負担金の額のうち、当該国の水資源開発事業を行うにつき国が要した費用の一部に相当する金額を国庫に納付しなければならない。

（土地改良法の準用）

第一五条　機構がかんがい排水に係る第十二条第一項第一号の業務（特定施設に係るものを除く。）を行う場合については、土地改良法（昭和二十四年法律第百九十五号）第百二十二条第二項の規定を準用する。この場合において、同項中「第十条第三項、第四十八条第十一項（第九十五条の二第三項において準用する場合を含む。）、第八十七条第五項（第八十七条の二第十項、第八十七条の三第七項、第八十七条の四第四項（第九十六条の四第一項において準用する場合を含む。）、第八十八条第六項、第十項、第十三項、第十八項及び第十九項（第九十六条の四第一項において準用する場合を含む。）、第九十六条の二第七項並びに第九十六条の三第五項において準用する場合を含む。）、第九十五条第四項、第九十八条第十項又は第九十九条第十二項（第百条の二第二項（第百十一条において準用する場合を含む。）及び第百十一条において準用する場合を含む。）の規定による公告」とあるのは、「独立行政法人水資源機構法第十三条第五項の規定による公示」と読み替えるものとする。

（施設管理規程）

第一六条　機構は、水資源開発施設について第十二条第一項第二号の業務を行おうとする場合においては、施設管理規程を作成し、関係都道府県知事（操作を伴う特定施設で政令で定めるもの（以下「操作特定施設」という。）に係る施設管理規程にあっては、政令で定めるところにより、関係都道府県知事及び関係市町村長）及び当該水資源開発施設の新築又は改築に要する費用について第十三条第三項の規定による同意をした者（事業からの撤退をした者を除く。）に協議するとともに、主務大臣の認可を受けなければならない。これを変更しようとするときも、同様とする。

2　機構は、愛知豊川用水施設について第十二条第一項第二号の業務を行おうとする場合においては、施設管理規程を作成し、関係県知事、愛知豊川用水施設を利用して流水を発電、水道又は工業用水道の用に供しようとする者及び愛知豊川用水施設を利用して流水をかんがいの用に供しようとする者の組織する土地改良区に協議するとともに、主務大臣の認可を受けなければならない。これを変更しようとするときも、同様とする。

3　前二項の施設管理規程には、政令で定める事項（操作特定施設、河川法第四十四条に規定するダム（以下「利水ダム」という。）その他操作を伴う施設に係るものにあっては、政令で定める操作に関する事項を含む。）を定めなければならない。

4　主務大臣は、第一項又は第二項の認可をしようとするときは、あらかじめ、国の関係行政機関の長に協議しなければならない。

5　主務大臣は、第一項又は第二項の認可をしようとする場合において、当該施設管理規程が利水ダムに係るものであるときは、あらかじめ、河川管理者に協議しなければならない。

6　河川管理者は、操作特定施設又は利水ダムに係る施設管理規程の操作に関する事項についての定めによっては、当該操作特定施設若しくは利水ダムに関する工事又は河川の状況の変化その他当該河川に関する特別の事情により、河川管理上支障を生ずると認める場合においては、当該操作に関する事項の変更を要請することができる。

7　河川管理者は、前項の要請をしようとする場合において、当該施設管理規程が利水ダムに係るものであるときは、あらかじめ、主務大臣に協議しなければならない。

8　機構は、河川管理者から第六項の規定による要請があったときは、速やかに、その要請に応じなければならない。

（河川法の特例）

第一七条　特定施設は、河川管理施設とし、機構は、河川法第九条及び第十条の規定にかかわらず、河川管理施設である特定施設の新築若しくは改築を行い、又は当該新築若しくは改築に係る特定施設若しくは水資源開発公団による旧水公団法第十八条第一項第一号の業務の実施により生じた施設で附則第二条第一項の規定により機構が承継した特定施設の管理を行うことができる。

2　機構は、前項の規定により特定施設の新築若しくは改築又は管理を行う場合においては、政令で定めるところにより、河川法に規定する河川管理者の権限を行うことができる。

3　機構は、特定施設の新築又は改築の工事を開始しようとするとき、及び当該工事を完了したときは、政令で定めるところにより、その旨を公示しなければならない。

4　河川法第四十七条の規定は、機構が設置する利水ダムについては、適用しない。

5　河川管理者は、特に必要があると認めるときは、河川管理施設である第十二条第一項第二号ハに掲げる施設の管理を、機構に委託することができる。

（特定施設の操作に関する国土交通大臣の指揮）

第一八条　国土交通大臣は、洪水を防ぐため緊急の必要があると認めるときは、その必要の範囲内において、特定施設の操作に関し、政令で定めるところにより、機構を指揮することができる。

2　機構は、国土交通大臣から前項の規定による指揮があったときは、その指揮に従わなければならない。

（危害防止のための通知等）

第一九条　機構は、水資源開発施設又は愛知豊川用水施設を操作することによって流水の状況に著しい変化を生ずると認める場合において、これによって生ずる危害を防止するため必要があると認めるときは、政令で定めるところにより、あらかじめ、関係都道府県知事、関係市町村長及び関係警察署長に通知するとともに、一般に周知させるため必要な措置をとらなければならない。

（特定河川工事の代行）

第一九条の二　機構は、都道府県知事又は指定都市（地方自治法（昭和二十二年法律第六十七号）第二百五十二条の十九第一項の指定都市をいう。以下同じ。）の長（以下「都道府県知事等」という。）から要請があり、かつ、当該都道府県知事等が統括する都道府県又は指定都市における河川管理施設の改築若しくは修繕に関する工事（以下この項において「特定改築等工事」という。）又は公共土木施設災害復旧事業費国庫負担法（昭和二十六年法律第九十七号）の規定の適用を受ける災害復旧事業に係る工事（以下この項において「特定災害復旧工事」という。）の実施体制その他の地域の実情を勘案して、当該都道府県知事等が管理する河川管理施設に係る政令で定める特定改築等工事又は当該河川管理施設に係る特定災害復旧工事（いずれも水資源開発水系に係るものであって、その実施が当該水資源開発水系における水の安定的な供給の確保に資するものであり、かつ、高度の技術を要するもの又は高度の機械力を使用して実施することが適当であると認められるものに限る。以下「特定河川工事」という。）を当該都道府県知事等に代わって自ら行うことが適当であると認められる場合においては、河川法第九条第二項及び第五項並びに第十条第一項及び第二項の規定にかかわらず、これを行うことができる。

2　機構は、前項の規定により特定河川工事を行う場合には、政令で定めるところにより、都道府県知事等に代わってその権限の一部を行うものとする。

3　機構は、第一項の規定により特定河川工事を行おうとするときは、あらかじめ、政令で定めるところにより、その旨を公示しなければならない。

4　機構は、第一項の規定による特定河川工事の全部又は一部を完了したときは、遅滞なく、政令で定めるところにより、その旨を公示しなければならない。

（機構の意見の聴取）

第一九条の三　都道府県知事等は、前条の規定により機構が特定河川工事を行う河川について河川法第五条第六項の指定の変更又は廃止を行おうとする場合には、あらかじめ、機構の意見を聴かなければならない。

（特定河川工事の廃止等）

第一九条の四　機構は、都道府県知事等の同意を得た場合でなければ、特定河川工事を廃止してはならない。

2　第十九条の二第四項の規定は、機構が特定河川工事を廃止した場合について準用する。

（河川管理施設及びその敷地である土地の権利の帰属）

第一九条の五　第十九条の二第四項の規定により完了の公示のあった特定河川工事に係る河川管理施設及びその敷地である土地について機構が取得した権利は、その公示の日の翌日において国に帰属するものとする。

（環境の保全）

第二〇条　機構は、第十二条に規定する業務の実施に当たっては、環境の保全について配慮しなければならない。

第三節　業務の実施に要する費用

（特定施設に係る国の交付金等）

第二一条　国は、特定施設の新築又は改築に要する費用（特定施設の新築又は改築に関する事業が廃止されたときは、その廃止に伴い追加的に必要となる費用を含む。）のうち、洪水調節に係る費用その他政令で定める費用を機構に交付するものとする。

2　前項の費用の範囲、同項の交付金の額の算出方法その他同項の交付金に関し必要な事項は、政令で定める。

3　都道府県は、第一項の規定により国が機構に交付する金額の一部を負担しなければならない。

4　前項の規定による都道府県の負担の割合その他同項の規定による都道府県の負担金に関し必要な事項は、政令で定める。

第二二条　国は、特定施設の操作、維持、修繕その他の管理に要する費用及び特定施設についての災害復旧工事に要する費用のうち、洪水調節に係る費用その他政令で定める費用を機構に交付するものとする。

2　前項の費用の範囲、同項の交付金の額の算出方法その他同項の交付金に関し必要な事項は、政令で定める。

3　都道府県は、第一項の規定により国が機構に交付する金額の一部を負担しなければならない。

4　前条第四項の規定は、前項の都道府県の負担金について準用する。

5　公共土木施設災害復旧事業費国庫負担法の適用に関しては、同法第四条第一項及び第四条の二の災害復旧事業費の総額には、同法第四条第二項に規定するもののほか、第一項の規定により災害復旧工事に要する費用（政令で定めるものを除く。）として機構に交付される金額を含むものとする。

第二三条　河川法第五条に規定する二級河川における特定施設の新築又は改築に要する費用（特定施設の新築又は改築に関する事業が廃止されたときは、その廃止に伴い追加的に必要となる費用を含む。）及び当該新築又は改築に係る特定施設の管理に要する費用のうち、洪水調節に係る費用その他政令で定める費用の負担については、前二条の規定にかかわらず、別に政令で定める。

（費用の負担）

第二四条　特定施設の新築又は改築に係る第二十一条第一項の規定による国の交付金にかんがいに係るものが含まれている場合において、専用の施設を新設し、又は拡張することにより、当該特定施設を利用して流水をかんがいの用に供する者は、政令で定めるところにより、当該特定施設の新築又は改築に要する費用の一部を負担しなければならない。

2　前項の規定による負担金は、政令で定めるところにより、都道府県知事が徴収して、これを国に納付するものとする。

第二五条　機構は、水資源開発施設を利用して流水を水道若しくは工業用水道の用に供する者（事業からの撤退をした者を含む。）又は水資源開発施設（特定施設でその新築又は改築に係る第二十一条第一項の規定による国の交付金にかんがいに係るものが含まれているもの（以下「かんがい特定施設」という。）を除く。）を利用して流水をかんがいの用に供する者の組織する土地改良区に、政令で定めるところにより、当該水資源開発施設の新築又は改築及び管理並びにこれについての災害復旧工事に要する費用（事業からの撤退をした者にあっては、当該水資源開発施設の新築又は改築に要する費用の一部）を負担させるものとする。

2　機構は、水資源開発施設（これを利用して流水を水道又は工業用水道の用に供しようとするものに限る。）の新築又は改築に関する事業を廃止するときは、当該水資源開発施設を利用して流水を水道又は工業用水道の用に供しようとしていた者に、政令で定めるところにより、事業の廃止までに当該水資源開発施設の新築又は改築に要した費用（事業の廃止に伴い追加的に必要となる費用を含む。）を負担させることができる。

3　機構は、愛知豊川用水施設を利用して流水を発電、水道若しくは工業用水道の用に供する者又は愛知豊川用水施設を利用して流水をかんがいの用に供する者の組織する土地改良区に、政令で定めるところにより、当該施設の管理及びこれについての災害復旧工事に要する費用を負担させるものとする。

第二六条　機構は、かんがい排水に係る第十二条第一項第一号、第二号イ若しくはロ又は第三号の業務（かんがい特定施設に係るものを除く。）の受益地の全部又は一部をその区域に含む都道府県に、政令で定めるところにより、その業務に要する費用（その業務が第十四条第四項の規定により機構がその業務として行う国の水資源開発事業に係るものであるときは、当該国の水資源開発事業を行うにつき国が要した費用を含む。）の一部を負担させることができる。
2　前項の都道府県は、政令で定めるところにより、同項に規定する業務によって利益を受ける市町村に対し、その市町村の受ける利益を限度として、同項の規定による負担金の一部を負担させることができる。
3　第一項の規定による負担金について前項の規定により市町村が負担すべき金額は、当該市町村の意見を聴いた上、当該都道府県の議会の議決を経て定めなければならない。

（受益者負担金）
第二七条　機構は、水資源開発施設の新築又は改築によって著しく利益を受ける者があるときは、政令で定めるところにより、その利益を受ける限度において、当該水資源開発施設の新築又は改築に要する費用の一部を負担させることができる。

（強制徴収）
第二八条　第二十四条第一項、第二十五条又は前条の規定による負担金をその納期限までに納付しない者があるときは、都道府県知事又は機構は、期限を指定して、その納付を督促しなければならない。
2　都道府県知事又は機構は、前項の規定により督促をするときは、納付義務者に対し督促状を発する。この場合において、督促状により指定すべき期限は、督促状を発する日から起算して二十日以上経過した日でなければならない。
3　都道府県知事又は機構は、第一項の規定による督促を受けた納付義務者がその指定の期限までにその負担金及び第五項の規定による延滞金を納付しないときは、都道府県知事にあっては地方税の滞納処分の例により、機構にあっては国土交通大臣の認可を受けて国税の滞納処分の例により、滞納処分をすることができる。
4　前項の規定による徴収金の先取特権の順位は、国税及び地方税に次ぐものとし、その時効については、国税の例による。
5　都道府県知事又は機構は、第一項の規定により督促をしたときは、同項の負担金の額につき年十四・五パーセントの割合で、納期限の翌日からその負担金の完納の日又は財産差押えの日の前日までの日数により計算した延滞金を徴収することができる。ただし、当該都道府県の条例又は国土交通省令で定める場合は、この限りでない。
6　前項の規定により都道府県知事が徴収した延滞金は、当該都道府県に帰属する。

（土地改良区の組合員又は准組合員に対する経費の賦課）
第二九条　第二十五条の規定により土地改良区が費用を負担する場合においては、当該負担金については、これを土地改良区の事業に要する経費とみなして、土地改良法第三十六条第一項から第三項まで及び第五項、第三十八条並びに第三十九条の規定を適用する。

（権利関係の調整）
第三〇条　機構がかんがい排水に係る第十二条第一項第一号、第二号イ若しくはロ又は第三号の業務（かんがい特定施設に係るものを除く。）を行った場合については、土地改良法第五十九条、第六十二条及び第六十五条の規定を準用する。この場合において、同法第五十九条及び第六十二条第一項中「土地改良事業」とあるのは「独立行政法人水資源機構が行うかんがい排水に係る独立行政法人水資源機構法第十二条第一項第一号、第二号イ若しくはロ又は第三号の業務（同法第二十五条第一項に規定するかんがい特定施設に係るものを除く。）」と、同項中「組合員」とあるのは「独立行政法人水資源機構法第二十九条の規定により適用される土地改良法第三十六条第一項の規定により土地改良区が賦課徴収する金銭を負担した組合員」と読み替えるものとする。

（費用の負担又は補助）
第三〇条の二　機構が第十九条の二第一項の規定により特定河川工事を行う場合には、その実施に要する費用の負担及びその費用に関する国の補助については、都道府県知事等が自ら当該特定河川工事を行うものとみなす。
2　前項の規定により国が当該都道府県知事等の統括する都道府県又は指定都市に対し交付すべき負担金又は補助金は、機構に交付するものとする。
3　前項の場合には、政令で定めるところにより、機構は、補助金等に係る予算の執行の適正化に関する法律（昭和三十年法律第百七十九号）の規定の適用については同法第二条第三項に規定する補助事業者等と、公共土木施設災害復旧事業費国庫負担法の規定の適用については地方公共団体とみなす。
4　第一項の都道府県知事等の統括する都道府県又は指定都市は、同項の費用の額から第二項の負担金又は補助金の額を控除した額を機構に支払わなければならない。
5　第一項の費用の範囲、前項の規定による支払の方法その他同項の費用に関し必要な事項は、政令で定める。
第三〇条の三　機構が第十九条の四第一項の規定により特定河川工事を廃止したときは、当該特定河川工事に要した費用の負担については、機構が都道府県知事等と協議して定めるものとする。

第四節　財務及び会計

（積立金の処分）
第三一条　機構は、通則法第二十九条第二項第一号に規定する中期目標の期間（以下この項において「中期目標の期間」という。）の最後の事業年度に係る通則法第四十四条第一項又は第二項の規定による整理を行った後、同条第一項の規定による積立金があるときは、その額に相当する金額のうち国土交通大臣の承認を受けた金額を、当該中期目標の期間の次の中期目標の期間に係る通則法第三十条第一項の認可を受けた中期計画（同項後段の規定による変更の認可を受けたときは、その変更後のもの）の定めるところにより、当該次の中期目標の期間における第十二条に規定する業務の財源に充てることができる。
2　機構は、前項に規定する積立金の額のうち第十二条第一項第二号ハ及び第五号、第二項並びに第三項の業務に係る利益によるものとして国土交通省令で定める額に相当する金額から前項の規定による承認を受けた金額のうち当該業務の財源に充てるべき金額を控除してなお残余があるときは、その残余の額を国庫に納付しなければならない。
3　前二項に定めるもののほか、納付金の納付手続その他積立金の処分に関し必要な事項は、政令で定める。

（長期借入金及び水資源債券）
第三二条　機構は、第十二条第一項第一号、第二号イ若しくはロ又は第三号の業務に必要な費用に充てるため、国土交通大臣の認可を受けて、長期借入金をし、又は水資源債券（以下「債券」という。）を発行することができる。
2　前項の規定による債券の債権者は、機構の財産について他の債権者に先立って自己の債権の弁済を受ける権利を有する。
3　前項の先取特権の順位は、民法（明治二十九年法律第八十九号）の規定による一般の先取特権に次ぐものとする。
4　機構は、国土交通大臣の認可を受けて、債券の発行に関する事務の全部又は一部を銀行又は信託会社に委託することができる。
5　会社法（平成十七年法律第八十六号）第七百五条第一項及び第二項並びに第七百九条の規定は、前項の規定により委託を受けた銀行又は信託会社について準用する。
6　前各項に定めるもののほか、債券に関し必要な事項は、政令で定める。

（債務保証）
第三三条　政府は、法人に対する政府の財政援助の制限に関する法律（昭和二十一年法律第二十四号）第三条の規定にかかわらず、国会の議決を経た金額の範囲内において、機構の長期借入金又は債券に係る債務（国際復興開発銀行等からの外資の受入に関する特別措置に関する法律（昭和二十八年法律第五十一号）第二条の規定に基づき政府が保証契約をすることができる債務を除く。）について保証することができる。

（償還計画）
第三四条　機構は、毎事業年度、長期借入金及び債券の償還計画を立てて、国土交通大臣の認可を受けなければならない。

（補助金）
第三五条　政府は、予算の範囲内において、政令で定めるところにより、機構に対し、第十二条第一項第一号又は第三号の業務に要する経費の一部を補助することができる。

第四章　雑則

（審査請求）

第三六条　この法律に基づく機構の処分又はその不作為に不服がある者は、主務大臣に対して審査請求をすることができる。この場合において、主務大臣は、行政不服審査法（平成二十六年法律第六十八号）第二十五条第二項及び第三項、第四十六条第一項及び第二項、第四十七条並びに第四十九条第三項の規定の適用については、機構の上級行政庁とみなす。

（主務大臣等）

第三七条　機構に係る通則法（第十九条第九項、第三章及び第六十四条第一項を除く。）における主務大臣は、国土交通大臣とする。

2　機構に係るこの法律並びに通則法第十九条第九項、第三章及び第六十四条第一項における主務大臣は、次のとおりとする。

一　役員及び職員並びに財務及び会計その他管理業務に関する事項については、国土交通大臣

二　特定施設（特定施設である多目的ダムの利用に係る多目的用水路で政令で定めるものを含む。）の新築、改築、管理その他の業務に関する事項については、国土交通大臣

三　愛知豊川用水施設の管理その他の業務に関する事項については、農林水産大臣

四　前二号に掲げる施設以外のダム、堰、水路その他の水資源の開発又は利用のための施設（多目的のものを含む。）の新築、改築、管理その他の業務に関する事項（次号及び第六号に掲げるものを除く。）については、政令で定めるところにより、農林水産大臣、経済産業大臣又は国土交通大臣

五　特定河川工事に係る業務に関する事項については、国土交通大臣

六　海外調査等業務に関する事項については、国土交通大臣

3　機構に係る通則法における主務省令は、国土交通省令とする。ただし、通則法第三章における主務省令は、主務大臣が共同で発する命令とする。

（協議）

第三八条　国土交通大臣は、次の場合には、あらかじめ、主務大臣（国土交通大臣を除く。）に協議しなければならない。

一　通則法第四十六条の二第一項、第二項若しくは第三項ただし書又は第四十八条の規定による認可をしようとするとき。

二　第三十一条第一項又は通則法第三十八条第一項若しくは第四十四条第三項の規定による承認をしようとするとき。

三　第三十一条第二項又は通則法第三十七条若しくは第五十条の規定により国土交通省令を定めようとするとき。

第三九条　主務大臣（国土交通大臣を除く。）は、次の場合には、あらかじめ、国土交通大臣に協議しなければならない。

一　第十三条第一項若しくは第六項又は第十六条第一項若しくは第二項の規定による認可をしようとするとき。

二　通則法第三十条第三項又は第三十五条の三の規定による命令をしようとするとき。

第四〇条　国土交通大臣は、次の場合には、あらかじめ、財務大臣に協議しなければならない。

一　第三十一条第一項の規定による承認をしようとするとき。

二　第三十一条第二項の規定により国土交通省令を定めようとするとき。

三　第三十二条第一項若しくは第四項又は第三十四条の規定による認可をしようとするとき。

（国土交通大臣の経由）

第四一条　主務大臣（国土交通大臣を除く。）又は機構は、次の行為については、国土交通大臣を経てしなければならない。

一　機構の通則法第二十八条第一項若しくは第三十条第一項の規定による主務大臣への認可の申請又は主務大臣のこれらの規定による認可の機構への通知

二　主務大臣の通則法第二十九条第一項の規定による機構への指示

三　機構の通則法第三十一条第一項の規定による主務大臣への届出

四　機構の通則法第三十二条第二項の規定による主務大臣への提出

五　主務大臣の通則法第六十七条第一号又は第四号（通則法第三十条第一項に係る部分に限る。）の規定による財務大臣との協議

第四二条　削除

（他の法令の準用）

第四三条　不動産登記法（平成十六年法律第百二十三号）及び政令で定めるその他の法令については、政令で定めるところにより、機構を国の行政機関とみなして、これらの法令を準用する。

（国家公務員宿舎法の適用除外）

第四四条　国家公務員宿舎法（昭和二十四年法律第百十七号）の規定は、機構の役員及び職員には適用しない。

（事務の区分）

第四五条　第二十四条第二項並びに第二十八条第一項から第三項まで及び第五項の規定により都道府県が処理することとされている事務は、地方自治法第二条第九項第一号に規定する第一号法定受託事務とする。

第五章　罰則

第四六条　次の各号のいずれかに該当する場合には、その違反行為をした機構の役員は、二十万円以下の過料に処する。

一　この法律の規定により国土交通大臣又は主務大臣の認可又は承認を受けなければならない場合において、その認可又は承認を受けなかったとき。

二　第十二条に規定する業務以外の業務を行ったとき。

附　則〔抄〕

（施行期日）

第一条　この法律は、公布の日から施行する。ただし、次の各号に掲げる規定は、当該各号に定める日から施行する。

一　附則第六条から第十三条まで及び第十五条から第二十六条までの規定　平成十五年十月一日

二　附則第二十七条の規定　平成十五年十月一日又は独立行政法人等の保有する個人情報の保護に関する法律（平成十四年法律第　　号）の施行の日のいずれか遅い日

（水資源開発公団の解散等）

第二条　水資源開発公団（以下「公団」という。）は、機構の成立の時において解散するものとし、次項の規定により国が承継する資産を除き、その一切の権利及び義務は、その時において機構が承継する。

2　機構の成立の際現に公団が有する権利のうち、機構がその業務を確実に実施するために必要な資産以外の資産は、機構の成立の時において国が承継する。

3　前項の規定により国が承継する資産の範囲その他当該資産の国への承継に関し必要な事項は、政令で定める。

4　公団の平成十五年四月一日に始まる事業年度は、公団の解散の日の前日に終わるものとする。

5　公団の平成十五年四月一日に始まる事業年度に係る決算、財産目録、貸借対照表及び損益計算書並びに利益及び損失の処理については、なお従前の例による。この場合において、公団の決算完結の期限は、解散の日の翌日から起算して四月を経過した日とする。

6　第一項の規定により機構が公団の権利及び義務を承継したときは、その承継の際、機構が承継する資産の価額（旧水公団法第三十八条第一項の規定により積立金として積み立てられている金額があるときは、当該金額に相当する金額を除く。）から負債の金額を差し引いた額は、政府から機構に対し出資されたものとする。

7　前項の資産の価額は、機構の成立の日現在における時価を基準として評価委員が評価した価額とする。

8　前項の評価委員その他評価に関し必要な事項は、政令で定める。

9　第一項の規定により機構が公団の権利及び義務を承継した場合において、その承継の際、旧水公団法第三十八条第一項の規定により積立金として積み立てられている金額があるときは、当該金額に相当する金額を、機構に属する積立金として整理するものとする。

10　第一項の規定により公団が解散した場合における解散の登記については、政令で定める。

（権利及び義務の承継に伴う経過措置）

第三条　前条第一項の規定により機構が承継する旧水公団法第三十九条第一項の長期借入金又は水資源開発債券に係る債務について旧水公団法第四十一条の規定により政府がした保証契約は、その承継後においても、当該長期借入金又は水資源開発債券に係る債務について従前の条件により存続す

るものとする。

2　前項の水資源開発債券は、第三十二条第二項及び第三項の規定の適用については、同条第一項の規定による水資源債券とみなす。

（業務の特例）

第四条　機構は、当分の間、第十二条の業務のほか、旧水公団法第十八条第一項第一号の業務（第十二条の業務に該当するものを除く。）のうち次に掲げる業務及びこれらに附帯する業務を行うことができる。

一　附則第六条の規定の施行前に公団が開始していた業務（実施計画調査中のものにあっては、開発される水資源の利用が確実であるものとして同条の規定の施行前に主務大臣が指定するものに限る。）

二　附則第六条の規定の施行前に水資源開発基本計画に基づき国土交通大臣が河川法による河川工事として開始していた事業又は国が土地改良事業として開始していた事業のうち、国土交通大臣又は農林水産大臣が、水資源開発基本計画に基づき機構が引き継いで行うべきであると認めるものに関する業務

2　前項の規定により機構が同項に規定する業務を行う場合には、第二条第二項、第十四条第一項及び第三項並びに第十五条中「第十二条第一項第一号の」とあるのは「第十二条第一項第一号及び附則第四条第一項に規定する」と、第二条第二項中「及び」とあるのは「並びに」と、第十三条第一項及び第五項中「前条第一項第一号の」とあるのは「前条第一項第一号及び附則第四条第一項に規定する」と、第十四条第一項中「同号の」とあるのは「同号及び附則第四条第一項に規定する」と、第二十条、第三十一条第一項及び第四十六条第二号中「第十二条」とあるのは「第十二条及び附則第四条第一項」と、第二十六条第一項、第三十条、第三十二条第一項及び第三十五条中「又は第三号の」とあるのは「若しくは第三号又は附則第四条第一項に規定する」と、次条第二項中「第十二条第一項第一号に掲げる」とあるのは「第十二条第一項第一号及び前条第一項に規定する」とする。

（国の無利子貸付け等）

第五条　国は、当分の間、機構に対し、第二十一条第一項の規定により国がその費用についてその一部を交付する特定施設の新築又は改築で日本電信電話株式会社の株式の売払収入の活用による社会資本の整備の促進に関する特別措置法（昭和六十二年法律第八十六号。以下「社会資本整備特別措置法」という。）第二条第一項第二号に該当するものに要する費用のうち、洪水調節に係る費用その他第二十一条第一項の政令で定める費用に充てる資金について、予算の範囲内において、同項の規定により国が交付する金額（第二十四条第一項の規定により同項に規定する者が負担する金額があるときは、当該金額を控除した金額）から第二十一条第三項の規定（この規定による都道府県の負担の割合について、この規定と異なる定めをした法令の規定がある場合には、当該異なる定めをした法令の規定を含む。）により都道府県が負担する金額を控除した金額に相当する金額を無利子で貸し付けることができる。

2　国は、当分の間、機構に対し、第三十五条の規定により政府がその経費について補助することができる第十二条第一項第一号に掲げる業務で社会資本整備特別措置法第二条第一項第二号に該当するものに要する費用に充てる資金について、予算の範囲内において、第三十五条の規定により政府が補助することができる金額に相当する金額を無利子で貸し付けることができる。

3　前二項の国の貸付金の償還期間は、五年（二年以内の据置期間を含む。）以内で政令で定める期間とする。

4　前項に定めるもののほか、第一項及び第二項の規定による貸付金の償還方法、償還期限の繰上げその他償還に関し必要な事項は、政令で定める。

5　国は、第一項の規定により機構に対し貸付けを行った場合には、当該貸付けの対象である業務に係る第二十一条第一項の規定により国が行う費用の交付は、当該貸付金に相当する金額に係る部分については、当該貸付金の償還時において、当該貸付金の償還金に相当する金額を交付することにより行うものとする。

6　国は、第二項の規定により機構に対し貸付けを行った場合には、当該貸付けの対象である業務について、第三十五条の規定による当該貸付金に相当する金額の補助を行うものとし、当該補助については、当該貸付金の償還時において、当該貸付金の償還金に相当する金額を交付することにより行うものとする。

7　機構が、第一項又は第二項の規定による貸付けを受けた無利子貸付金について、第三項及び第四項の規定に基づき定められる償還期限を繰り上げて償還を行った場合（政令で定める場合を除く。）における前二項の規定の適用については、当該償還は、当該償還期限の到来時に行われたものとみなす。

（水資源開発公団法の廃止）

第六条　水資源開発公団法は、廃止する。

（水資源開発公団法の廃止に伴う経過措置）

第七条　旧水公団法（第九条を除く。）の規定によりした処分、手続その他の行為は、通則法又はこの法律中の相当する規定によりした処分、手続その他の行為とみなす。

第八条　附則第六条の規定の施行前に国が貸付けを行った旧水公団法附則第九条第一項又は第十条第一項若しくは第二項の規定による貸付金の償還及び償還金に相当する金額の交付については、なお従前の例による。この場合において、同条第七項中「公団」とあるのは、「独立行政法人水資源機構」とする。

第九条　旧愛知公団法第二十一条第十一項（旧愛知公団法第二十二条第三項において準用する場合を含む。）の規定による告示のあった施設管理規程は、附則第六条の規定の施行の時において、第十六条第二項の規定による認可を受けた施設管理規程となったものとみなす。

第一〇条　愛知豊川用水施設を利用して流水を発電、水道又は工業用水道の用に供する者に係る愛知豊川用水施設の管理に要する費用の負担については、愛知用水公団との契約により愛知豊川用水施設の管理に要する費用を負担することとなっている場合においては、第二十五条第三項の規定にかかわらず、当該契約によるものとする。

第一一条　愛知用水公団が旧愛知公団法第十八条第一項第一号イ及びロ、第二号並びに第三号の事業を行った場合における有益費の償還、地代等の増額請求及び農地法（昭和二十七年法律第二百二十九号）の適用については、なお従前の例による。

第一二条　愛知用水公団の役員又は職員として在職した者については、旧愛知公団法第四十八条及び第四十九条の規定は、附則第六条の規定の施行後も、なおその効力を有する。この場合において、旧愛知公団法第四十九条中「公団は」とあるのは、「独立行政法人水資源機構は」とする。

第一三条　附則第六条の規定の施行前にした行為及び附則第二条第五項の規定によりなお従前の例によることとされる事項に係るこの法律の施行後にした行為に対する罰則の適用については、なお従前の例による。

（政令への委任）

第一四条　附則第二条から第五条まで及び第七条から前条までに規定するもののほか、機構の設立に伴い必要な経過措置その他この法律の施行に関し必要な経過措置は、政令で定める。

附　則〔略〕〔平成一五・三・三一法律二一〕

附　則〔略〕〔平成一六・六・一八法律一二四〕

附　則〔略〕〔平成一六・六・二三法律一三〇〕

附　則〔略〕〔平成一七・七・二六法律八七〕

附　則〔略〕〔平成一九・三・三一法律二三〕

附　則〔抄〕〔平成二二・五・二八法律三七〕

（施行期日）

第一条　この法律は、公布の日から起算して六月を超えない範囲内において政令で定める日（以下「施行日」という。）から施行する。

〔平成二二政二二五により、平成二二・一一・二七から施行〕

（罰則の適用に関する経過措置）

第三四条　この法律の施行前にした行為に対する罰則の適用については、なお従前の例による。

（その他の経過措置の政令への委任）

第三五条　この附則に規定するもののほか、この法律の施行に関し必要な経過措置は、政令で定める。

附　則〔略〕〔平成二三・八・三〇法律一〇五〕

附　則〔抄〕〔平成二六・六・一三法律六七〕

（施行期日）

第一条　この法律は、独立行政法人通則法の一部を改正する法律（平成二十六年法律第六十六号。以下「通則法改正法」という。）の施行の日（平成二七・四・一）から施行する。ただし、次の各号に掲げる規定は、当該各号に定める日から施行する。

一　附則〔中略〕第三十条の規定　公布の日

二　〔略〕

（処分等の効力）

第二八条　この法律の施行前にこの法律による改正前のそれぞれの法律（これに基づく命令を含む。）の規定によってした又はすべき処分、手続その他の行為であってこの法律による改正後のそれぞれの法律（これに基づく命令を含む。以下この条において「新法令」という。）に相当の規定があるものは、法律（これに基づく政令を含む。）に別段の定めのあるものを除き、新法令の相当の規定によってした又はすべき処分、手続その他の行為とみなす。

（罰則に関する経過措置）

第二九条　この法律の施行前にした行為及びこの附則の規定によりなおその効力を有することとされる場合におけるこの法律の施行後にした行為に対する罰則の適用については、なお従前の例による。

（その他の経過措置の政令等への委任）

第三〇条　附則第三条から前条までに定めるもののほか、この法律の施行に関し必要な経過措置（罰則に関する経過措置を含む。）は、政令（人事院の所掌する事項については、人事院規則）で定める。

附　則〔抄〕〔平成二六・六・一三法律六九〕

（施行期日）

第一条　この法律は、行政不服審査法（平成二十六年法律第六十八号）の施行の日（平成二八・四・一）から施行する。

（経過措置の原則）

第五条　行政庁の処分その他の行為又は不作為についての不服申立てであってこの法律の施行前にされた行政庁の処分その他の行為又はこの法律の施行前にされた申請に係る行政庁の不作為に係るものについては、この附則に特別の定めがある場合を除き、なお従前の例による。

（訴訟に関する経過措置）

第六条　この法律による改正前の法律の規定により不服申立てに対する行政庁の裁決、決定その他の行為を経た後でなければ訴えを提起できないこととされる事項であって、当該不服申立てを提起しないでこの法律の施行前にこれを提起すべき期間を経過したもの（当該不服申立てが他の不服申立てに対する行政庁の裁決、決定その他の行為を経た後でなければ提起できないとされる場合にあっては、当該他の不服申立てを提起しないでこの法律の施行前にこれを提起すべき期間を経過したものを含む。）の訴えの提起については、なお従前の例による。

２　この法律の規定による改正前の法律の規定（前条の規定によりなお従前の例によることとされる場合を含む。）により異議申立てが提起された処分その他の行為であって、この法律の規定による改正後の法律の規定により審査請求に対する裁決を経た後でなければ取消しの訴えを提起することができないこととされるものの取消しの訴えの提起については、なお従前の例による。

３　不服申立てに対する行政庁の裁決、決定その他の行為の取消しの訴えであって、この法律の施行前に提起されたものについては、なお従前の例による。

（罰則に関する経過措置）

第九条　この法律の施行前にした行為並びに附則第五条及び前二条の規定によりなお従前の例によることとされる場合におけるこの法律の施行後にした行為に対する罰則の適用については、なお従前の例による。

（その他の経過措置の政令への委任）

第一〇条　附則第五条から前条までに定めるもののほか、この法律の施行に関し必要な経過措置（罰則に関する経過措置を含む。）は、政令で定める。

附　則〔抄〕〔平成二九・五・一九法律三一〕

（施行期日）

第一条　この法律は、公布の日から起算して三月を超えない範囲内において政令で定める日から施行する。

〔平成二九政一五七により、平成二九・六・一九から施行〕

（罰則に関する経過措置）

第二条　この法律の施行前にした行為に対する罰則の適用については、なお従前の例による。

（政令への委任）

第三条　前条に定めるもののほか、この法律の施行に関し必要な経過措置は、政令で定める。

附　則〔抄〕〔平成二九・五・二六法律三九〕

（施行期日）

第一条　この法律は、公布の日から起算して六月を超えない範囲内において政令で定める日から施行する。ただし、第一条並びに次条及び附則第六条から第八条までの規定は、公布の日から施行する。

〔平成二九政二四〇により、平成二九・九・二五から施行〕

（罰則に関する経過措置）

第七条　この法律（附則第一条ただし書に規定する規定については、当該規定）の施行前にした行為に対する罰則の適用については、なお従前の例による。

（政令への委任）

第八条　この附則に規定するもののほか、この法律の施行に関し必要な経過措置（罰則に関する経過措置を含む。）は、政令で定める。

附　則〔略〕〔平成三〇・六・一法律四〇〕

附　則〔略〕〔平成三〇・六・八法律四三〕

附　則〔抄〕〔令和五・五・二六法律三六〕

（施行期日）

第一条　この法律は、令和六年四月一日から施行する。ただし、附則第六条の規定は、公布の日から施行する。

（政令への委任）

第六条　附則第二条から前条までに定めるもののほか、この法律の施行に関し必要な経過措置（罰則に関する経過措置を含む。）は、政令で定める。

○下水道法〔昭和三三・四・二四 法律七九〕

改正　昭和三七・九法一六一、昭和四二・六法四〇、昭和四三・六法一〇一、昭和四四・六法三八、昭和四五・一二法一四一、昭和四六・五法八八、昭和四八・一〇法一一一、昭和四九・六法七一、昭和五一・五法二九、昭和五九・四法一九、昭和六二・九法八七、法九七、平成五・一一法八九、法九二、平成八・六法五九、平成一一・七法八七、法一〇五、一二法一六〇、平成一二・五法九一、平成一四・二法一、平成一五・七法一二五、平成一七・四法三三、六法七〇、平成二三・五法三七、八法一〇五、平成二六・六法六九、平成二七・五法二二、令和三・五法三一、令和四・五法四四

目次

第一章　総則（第一条・第二条）
第一章の二　流域別下水道整備総合計画（第二条の二）
第二章　公共下水道
第一節　公共下水道の管理等（第三条―第二十五条）
第二節　浸水被害対策区域における特別の措置（第二十五条の二―第二十五条の二十一）
第二章の二　流域下水道（第二十五条の二十二―第二十五条の三十）
第三章　都市下水路（第二十六条―第三十一条）
第四章　雑則（第三十一条の二―第四十三条）
第五章　罰則（第四十四条―第五十一条）
附則

第一章　総則

（この法律の目的）

第一条　この法律は、流域別下水道整備総合計画の策定に関する事項並びに公共下水道、流域下水道及び都市下水路の設置その他の管理の基準等を定めて、下水道の整備を図り、もつて都市の健全な発達及び公衆衛生の向上に寄与し、あわせて公共用水域の水質の保全に資することを目的とする。

（用語の定義）

第二条　この法律において次の各号に掲げる用語の意義は、それぞれ当該各号に定めるところによる。

一　下水　生活若しくは事業（耕作の事業を除く。）に起因し、若しくは付随する廃水（以下「汚水」という。）又は雨水をいう。

二　下水道　下水を排除するために設けられる排水管、排水渠その他の排

水施設（かんがい排水施設を除く。）、これに接続して下水を処理するために設けられる処理施設（屎尿浄化槽を除く。）又はこれらの施設を補完するために設けられるポンプ施設、貯留施設その他の施設の総体をいう。

三　公共下水道　次のいずれかに該当する下水道をいう。

イ　主として市街地における下水を排除し、又は処理するために地方公共団体が管理する下水道で、終末処理場を有するもの又は流域下水道に接続するものであり、かつ、汚水を排除すべき排水施設の相当部分が暗渠である構造のもの

ロ　主として市街地における雨水のみを排除するために地方公共団体が管理する下水道で、河川その他の公共の水域若しくは海域に当該雨水を放流するもの又は流域下水道に接続するもの

四　流域下水道　次のいずれかに該当する下水道をいう。

イ　専ら地方公共団体が管理する下水道により排除される下水を受けて、これを排除し、及び処理するために地方公共団体が管理する下水道で、二以上の市町村の区域における下水を排除するものであり、かつ、終末処理場を有するもの

ロ　公共下水道（終末処理場を有するもの又は前号ロに該当するものに限る。）により排除される雨水のみを受けて、これを河川その他の公共の水域又は海域に放流するために地方公共団体が管理する下水道で、二以上の市町村の区域における雨水を排除するものであり、かつ、当該雨水の流量を調節するための施設を有するもの

五　都市下水路　主として市街地における下水を排除するために地方公共団体が管理している下水道（公共下水道及び流域下水道を除く。）で、その規模が政令で定める規模以上のものであり、かつ、当該地方公共団体が第二十七条の規定により指定したものをいう。

六　終末処理場　下水を最終的に処理して河川その他の公共の水域又は海域に放流するために下水道の施設として設けられる処理施設及びこれを補完する施設をいう。

七　排水区域　公共下水道により下水を排除することができる地域で、第九条第一項の規定により公示された区域をいう。

八　処理区域　排水区域のうち排除された下水を終末処理場により処理することができる地域で、第九条第二項において準用する同条第一項の規定により公示された区域をいう。

九　浸水被害　排水区域において、一時的に大量の降雨が生じた場合において排水施設に当該雨水を排除できないこと又は排水施設から河川その他の公共の水域若しくは海域に当該雨水を排除できないことによる浸水により、国民の生命、身体又は財産に被害を生ずることをいう。

第一章の二　流域別下水道整備総合計画

第二条の二　都道府県は、環境基本法（平成五年法律第九十一号）第十六条第一項の規定に基づき水質の汚濁に係る環境上の条件について生活環境を保全する上で維持されることが望ましい基準（以下「水質環境基準」という。）が定められた河川その他の公共の水域又は海域で政令で定める要件に該当するものについて、その環境上の条件を当該水質環境基準に達せしめるため、それぞれの公共の水域又は海域ごとに、下水道の整備に関する総合的な基本計画（以下「流域別下水道整備総合計画」という。）を定めなければならない。

2　流域別下水道整備総合計画においては、国土交通省令で定めるところにより、次に掲げる事項を定めなければならない。

一　下水道の整備に関する基本方針

二　下水道により下水を排除し、及び処理すべき区域に関する事項

三　前号の区域に係る下水道の根幹的施設の配置、構造及び能力に関する事項

四　第二号の区域に係る下水道の整備事業の実施の順位に関する事項

五　前項の公共の水域又は海域でその水質を保全するため当該水域又は海域に排出される下水の窒素含有量又は燐含有量を削減する必要があるものとして政令で定める要件に該当するものについて定められる流域別下水道整備総合計画にあつては、第二号の区域に係る下水道の終末処理場から放流される下水の窒素含有量又は燐含有量についての当該終末処理場ごとの削減目標量（以下単に「削減目標量」という。）及び削減方法に関する事項

3　流域別下水道整備総合計画は、次に掲げる事項を勘案して定めなければならない。

一　当該地域における地形、降水量、河川の流量その他の自然的条件

二　当該地域における土地利用の見通し

三　当該公共の水域に係る水の利用の見通し

四　当該地域における汚水の量及び水質の見通し

五　下水の放流先の状況

六　下水道の整備に関する費用効果分析

4　流域別下水道整備総合計画において削減目標量が定められた終末処理場（以下「特定終末処理場」という。）で放流する下水の窒素含有量又は燐含有量に係る水質を政令で定める基準に適合させることができる構造のもの（以下「高度処理終末処理場」という。）を管理する地方公共団体は、当該高度処理終末処理場について定められた削減目標量を超える量の窒素含有量又は燐含有量を削減する場合には、その削減目標量を超えて削減する窒素含有量又は燐含有量のうち一定量のものについては、他の地方公共団体のため、当該他の地方公共団体が管理する特定終末処理場（当該高度処理終末処理場に係る下水道と同じ第二項第二号の区域に係る下水道のものに限る。）について定められた削減目標量の一部に相当するものとして削減するものである旨を、あらかじめ当該他の地方公共団体の同意を得て、国土交通省令で定めるところにより、都道府県に対し、申し出ることができる。

5　前項の規定による申出を受けた都道府県は、第二項第五号に掲げる事項に、当該申出に係る窒素含有量又は燐含有量の削減方法、当該高度処理終末処理場の設置、改築、修繕、維持その他の管理に要する費用の予定額及び当該他の地方公共団体による費用の負担に関する事項を記載することができる。

6　都道府県は、第一項の規定により流域別下水道整備総合計画（次項に規定するものを除く。）を定めようとするときは、あらかじめ、関係市町村の意見を聴かなければならない。

7　都道府県は、第一項の規定により二以上の都府県の区域にわたる水系に係る河川その他の公共の水域又は二以上の都府県の区域における汚水により水質の汚濁が生じる海域の全部又は一部についての流域別下水道整備総合計画を定めようとするときは、あらかじめ、関係都府県及び関係市町村の意見を聴かなければならない。

8　国土交通大臣は、都府県の求めに応じ、前項に規定する流域別下水道整備総合計画の作成に関し必要な助言を行うことができる。

9　国土交通大臣は、前項の助言を行うに際し必要と認めるときは、環境大臣に対し、意見を求めることができる。

10　都道府県は、第一項の規定により第七項に規定する流域別下水道整備総合計画を定めたときは、国土交通省令で定めるところにより、これを国土交通大臣に届け出なければならない。

11　国土交通大臣は、前項の規定による届出を受けたときは、当該届出の内容を環境大臣に通知しなければならない。

12　都道府県は、第一項の水質環境基準が改定された場合、第三項各号に掲げる事項に変更を生じた場合その他の場合において流域別下水道整備総合計画を変更する必要が生じたときは、遅滞なく、当該流域別下水道整備総合計画を変更しなければならない。この場合においては、第二項から前項までの規定を準用する。

第二章　公共下水道

第一節　公共下水道の管理等

（管理）

第三条　公共下水道の設置、改築、修繕、維持その他の管理は、市町村が行うものとする。

2　前項の規定にかかわらず、都道府県は、二以上の市町村が受益し、かつ、関係市町村のみでは設置することが困難であると認められる場合においては、関係市町村と協議して、当該公共下水道の設置、改築、修繕、維持その他の管理を行うことができる。この場合において、関係市町村が協議に応じようとするときは、あらかじめその議会の議決を経なければならない。

（事業計画の策定）

第四条　前条の規定により公共下水道を管理する者（以下「公共下水道管理

者」という。）は、公共下水道を設置しようとするときは、あらかじめ、政令で定めるところにより、事業計画を定めなければならない。

2　公共下水道管理者は、前項の規定により事業計画を定めようとするときは、あらかじめ、政令で定めるところにより、都道府県知事（都道府県が設置する公共下水道の事業計画その他政令で定める事業計画にあつては、国土交通大臣）に協議しなければならない。

3　国土交通大臣は、前項の規定による協議（第二条第三号ロに該当する公共下水道（以下「雨水公共下水道」という。）に係るものを除く。）を受けたときは、政令で定める場合を除き、保健衛生上の観点からする環境大臣の意見を聴かなければならない。

4　第二項の規定にかかわらず、都道府県である公共下水道管理者は、流域別下水道整備総合計画が定められている地域において公共下水道の事業計画を定めようとするときは、同項の規定による協議をすることを要しない。この場合において、当該公共下水道管理者は、事業計画を定めたときは、国土交通省令で定めるところにより、遅滞なく、これを国土交通大臣に届け出なければならない。

5　国土交通大臣は、前項の規定による届出（雨水公共下水道に係るものを除く。）を受けたときは、政令で定める場合を除き、当該届出の内容を環境大臣に通知するものとする。

6　前各項の規定は、公共下水道の事業計画の変更（政令で定める軽微な変更を除く。）について準用する。

（事業計画に定めるべき事項）

第五条　前条第一項の事業計画においては、次に掲げる事項を定めなければならない。

一　排水施設（これを補完する施設を含む。）の配置、構造及び能力並びに点検の方法及び頻度

二　終末処理場を設ける場合には、その配置、構造及び能力

三　終末処理場以外の処理施設（これを補完する施設を含む。）を設ける場合には、その配置、構造及び能力

四　流域下水道と接続する場合には、その接続する位置

五　予定処理区域（雨水公共下水道に係るものにあつては、予定排水区域。第三項及び次条第四号において同じ。）

六　工事の着手及び完成の予定年月日

2　前条第一項の事業計画においては、前項各号に掲げるもののほか、浸水被害の発生を防ぐべき目標となる降雨（以下「計画降雨」という。）を定めることができる。

3　予定処理区域の全部又は一部について水防法（昭和二十四年法律第百九十三号）第十四条の二第一項又は第二項の規定による雨水出水浸水想定区域の指定があつた場合における前項の規定の適用については、同項中「定めることができる」とあるのは、「定めなければならない」とする。

4　第一項又は第二項の事業計画の記載方法その他その記載に関し必要な事項は、国土交通省令で定める。

（事業計画の要件）

第六条　第四条第一項の事業計画は、次に掲げる要件に該当するものでなければならない。

一　公共下水道の配置及び能力が当該地域における降水量、人口その他の下水の量及び水質（水温その他の水の状態を含む。以下同じ。）に影響を及ぼすおそれのある要因、地形及び土地利用の状況並びに下水の放流先の状況を考慮して適切に定められていること。

二　公共下水道の構造が次条の技術上の基準に適合し、かつ、排水施設の点検の方法及び頻度が第七条の三第二項の技術上の基準に適合していること。

三　計画降雨が定められているものにあつては、排水施設及び終末処理場（雨水公共下水道に係るものにあつては、排水施設。次号において同じ。）の配置及び能力が計画降雨に相応していること。

四　予定処理区域が排水施設及び終末処理場の配置及び能力に相応していること。

五　流域下水道に接続する公共下水道（以下「流域関連公共下水道」という。）に係るものにあつては、流域下水道の事業計画に適合していること。

六　当該地域に関し流域別下水道整備総合計画が定められている場合には、これに適合していること。

七　当該地域に関し都市計画法（昭和四十三年法律第百号）第二章の規定により都市計画が定められている場合又は同法第五十九条の規定により都市計画事業の認可若しくは承認がされている場合には、公共下水道の配置及び工事の時期がその都市計画又は都市計画事業に適合していること。

（構造の基準）

第七条　公共下水道の構造は、公衆衛生上重大な危害が生じ、又は公共用水域の水質に重大な影響が及ぶことを防止する観点から政令で定める技術上の基準に適合するものでなければならない。

2　前項に規定するもののほか、公共下水道の構造は、政令で定める基準を参酌して公共下水道管理者である地方公共団体の条例で定める技術上の基準に適合するものでなければならない。

（操作規則）

第七条の二　公共下水道管理者は、その管理する排水施設を補完する施設のうち、河川その他の公共の水域又は海域から当該排水施設への逆流を防止するために設けられる樋門又は樋管（操作を伴うものに限る。次項において「操作施設」という。）については、国土交通省令で定めるところにより、操作規則を定めなければならない。

2　前項の操作規則は、洪水、津波又は高潮の発生時における操作施設の操作に従事する者の安全の確保が図られるように配慮されたものでなければならない。

3　前項の規定は、第一項の操作規則の変更について準用する。

（公共下水道の維持又は修繕）

第七条の三　公共下水道管理者は、公共下水道を良好な状態に保つように維持し、修繕し、もつて公衆衛生上重大な危害が生じ、及び公共用水域の水質に重大な影響が及ぶことのないように努めなければならない。

2　公共下水道の維持又は修繕に関する技術上の基準その他必要な事項は、政令で定める。

3　前項の技術上の基準は、公共下水道の修繕を効率的に行うための点検及び災害の発生時において公共下水道の機能を維持するための応急措置の実施に関する基準を含むものでなければならない。

（放流水の水質の基準）

第八条　公共下水道から河川その他の公共の水域又は海域に放流される水（以下「公共下水道からの放流水」という。）の水質は、政令で定める技術上の基準に適合するものでなければならない。

（供用開始の公示等）

第九条　公共下水道管理者は、公共下水道の供用を開始しようとするときは、あらかじめ、供用を開始すべき年月日、下水を排除すべき区域その他国土交通省令で定める事項を公示し、かつ、これを表示した図面を当該公共下水道管理者である地方公共団体の事務所において一般の縦覧に供しなければならない。公示した事項を変更しようとするときも、同様とする。

2　前項の規定は、公共下水道管理者が終末処理場による下水の処理を開始しようとする場合又は当該公共下水道が接続する流域下水道の終末処理場による下水の処理が開始される場合に準用する。この場合において、同項中「供用を開始すべき年月日」とあるのは「下水の処理を開始すべき年月日」と、「下水を排除すべき区域」とあるのは「下水を処理すべき区域」と、「国土交通省令」とあるのは「国土交通省令・環境省令」と読み替えるものとする。

（排水設備の設置等）

第一〇条　公共下水道の供用が開始された場合においては、当該公共下水道の排水区域内の土地の所有者、使用者又は占有者は、遅滞なく、次の区分に従つて、その土地の下水を公共下水道に流入させるために必要な排水管、排水渠その他の排水施設（以下「排水設備」という。）を設置しなければならない。ただし、特別の事情により公共下水道管理者の許可を受けた場合その他政令で定める場合においては、この限りでない。

一　建築物の敷地である土地にあつては、当該建築物の所有者

二　建築物の敷地でない土地（次号に規定する土地を除く。）にあつては、当該土地の所有者

三　道路（道路法（昭和二十七年法律第百八十号）による道路をいう。）その他の公共施設（建築物を除く。）の敷地である土地にあつては、当該公共施設を管理すべき者

2　前項の規定により設置された排水設備の改築又は修繕は、同項の規定によりこれを設置すべき者が行うものとし、その清掃その他の維持は、当該土地の占有者（前項第三号の土地にあつては、当該公共施設を管理すべき者）が行うものとする。

3　第一項の排水設備の設置又は構造については、建築基準法（昭和二十五年法律第二百一号）その他の法令の規定の適用がある場合においてはそれらの法令の規定によるほか、政令で定める技術上の基準によらなければならない。

（排水に関する受忍義務等）

第一一条　前条第一項の規定により排水設備を設置しなければならない者は、他人の土地又は排水設備を使用しなければ下水を公共下水道に流入させることが困難であるときは、他人の土地に排水設備を設置し、又は他人の設置した排水設備を使用することができる。この場合においては、他人の土地又は排水設備にとつて最も損害の少い場所又は箇所及び方法を選ばなければならない。

2　前項の規定により他人の排水設備を使用する者は、その利益を受ける割合に応じて、その設置、改築、修繕及び維持に要する費用を負担しなければならない。

3　第一項の規定により他人の土地に排水設備を設置することができる者又は前条第二項の規定により当該排水設備の維持をしなければならない者は、当該排水設備の設置、改築若しくは修繕又は維持をするためやむを得ない必要があるときは、他人の土地を使用することができる。この場合においては、あらかじめその旨を当該土地の占有者に告げなければならない。

4　前項の規定により他人の土地を使用した者は、当該使用により他人に損失を与えた場合においては、その者に対し、通常生ずべき損失を補償しなければならない。

（使用の開始等の届出）

第一一条の二　継続して政令で定める量又は水質の下水を排除して公共下水道を使用しようとする者は、国土交通省令で定めるところにより、あらかじめ、当該下水の量又は水質及び使用開始の時期を公共下水道管理者に届け出なければならない。その届出に係る下水の量又は水質を変更しようとするときも、同様とする。

2　継続して下水を排除して公共下水道を使用しようとする水質汚濁防止法（昭和四十五年法律第百三十八号）第二条第二項に規定する特定施設又はダイオキシン類対策特別措置法（平成十一年法律第百五号）第十二条第一項第六号に規定する水質基準対象施設（以下単に「特定施設」という。）の設置者は、前項の規定により届出をする場合を除き、国土交通省令で定めるところにより、あらかじめ、使用開始の時期を公共下水道管理者に届け出なければならない。

（水洗便所への改造義務等）

第一一条の三　処理区域内においてくみ取便所が設けられている建築物を所有する者は、当該処理区域についての第九条第二項において準用する同条第一項の規定により公示された下水の処理を開始すべき日から三年以内に、その便所を水洗便所（汚水管が公共下水道に連結されたものに限る。以下同じ。）に改造しなければならない。

2　建築基準法第三十一条第一項の規定に違反している便所が設けられている建築物の所有者については、前項の規定は、適用しない。

3　公共下水道管理者は、第一項の規定に違反している者に対し、相当の期間を定めて、当該くみ取便所を水洗便所に改造すべきことを命ずることができる。ただし、当該建築物が近く除却され、又は移転される予定のものである場合、水洗便所への改造に必要な資金の調達が困難な事情がある場合等当該くみ取便所を水洗便所に改造していないことについて相当の理由があると認められる場合は、この限りでない。

4　第一項の期限後に同項の違反に係る建築物の所有権を取得した者に対しても、前項と同様とする。

5　市町村は、くみ取便所を水洗便所に改造しようとする者に対し、必要な資金の融通又はそのあつせん、その改造に関し利害関係を有する者との間に紛争が生じた場合における和解の仲介その他の援助に努めるものとする。

6　国は、市町村が前項の資金の融通を行なう場合には、これに必要な資金の融通又はそのあつせんに努めるものとする。

（除害施設の設置等）

第一二条　公共下水道管理者は、著しく公共下水道若しくは流域下水道の施設の機能を妨げ、又は公共下水道若しくは流域下水道の施設を損傷するおそれのある下水を継続して排除して公共下水道を使用する者に対し、政令で定める基準に従い、条例で、下水による障害を除去するために必要な施設（以下「除害施設」という。）を設け、又は必要な措置をしなければならない旨を定めることができる。

2　前項の条例は、公共下水道又は流域下水道の機能及び構造を保全するために必要な最小限度のものであり、かつ、公共下水道を使用する者に不当な義務を課することとならないものでなければならない。

（特定事業場からの下水の排除の制限）

第一二条の二　特定施設（政令で定めるものを除く。第十二条の十二、第十八条の二及び第三十九条の二を除き、以下同じ。）を設置する工場又は事業場（以下「特定事業場」という。）から下水を排除して公共下水道（終末処理場を設置しているもの又は終末処理場を設置している流域下水道に接続しているものに限る。以下この条、次条、第十二条の五、第十二条の九、第十二条の十一第一項及び第三十七条の二において同じ。）を使用する者は、政令で定める場合を除き、その水質が当該公共下水道への排出口において政令で定める基準に適合しない下水を排除してはならない。

2　前項の政令で定める基準は、下水に含まれる物質のうち人の健康に係る被害又は生活環境に係る被害を生ずるおそれがあり、かつ、終末処理場において処理することが困難なものとして政令で定めるものの量について、当該物質の種類ごとに、公共下水道からの放流水又は流域下水道から河川その他の公共の水域若しくは海域に放流される水（以下「流域下水道からの放流水」という。）の水質を第八条（第二十五条の三十において準用する場合を含む。第四項（第十二条の十一第二項において準用する場合を含む。）及び第十三条第一項において同じ。）の技術上の基準に適合させるため必要な限度において定めるものとする。

3　前項の政令で定める物質に係るものを除き、公共下水道管理者は、政令で定める基準に従い、条例で、特定事業場から公共下水道に排除される下水の水質の基準を定めることができる。

4　前項の条例は、公共下水道からの放流水又は流域下水道からの放流水の水質を第八条の技術上の基準に適合させるために必要な最小限度のものであり、かつ、公共下水道を使用する者に不当な義務を課することとならないものでなければならない。

5　第三項の規定により公共下水道管理者が条例で水質の基準を定めた場合においては、特定事業場から下水を排除して公共下水道を使用する者は、政令で定める場合を除き、その水質が当該公共下水道への排出口において当該条例で定める基準に適合しない下水を排除してはならない。

6　第一項及び前項の規定は、一の施設が特定施設となつた際現にその施設を設置している者（設置の工事をしている者を含む。）が当該施設を設置している工場又は事業場から公共下水道に排除する下水については、当該施設が特定施設となつた日から六月間（当該施設が政令で定める施設である場合にあつては、一年間）は、適用しない。ただし、当該施設が特定施設となつた際既に当該工場又は事業場が特定事業場であるとき、及びその者に適用されている地方公共団体の条例の規定で河川その他の公共の水域又は海域に排除される汚水の水質につき第一項及び前項に規定する規制に相当するものがあるとき（当該規定の違反行為に対する処罰規定がないときを除く。）は、この限りでない。

（特定施設の設置等の届出）

第一二条の三　工場又は事業場から継続して下水を排除して公共下水道を使用する者は、当該工場又は事業場に特定施設を設置しようとするときは、国土交通省令で定めるところにより、次の各号に掲げる事項を公共下水道管理者に届け出なければならない。

一　氏名又は名称及び住所並びに法人にあつては、その代表者の氏名

二　工場又は事業場の名称及び所在地

三　特定施設の種類

四　特定施設の構造

五　特定施設の使用の方法

六　特定施設から排出される汚水の処理の方法

七　公共下水道に排除される下水の量及び水質その他の国土交通省令で定める事項

2　一の施設が特定施設となつた際現にその施設を設置している者（設置の工事をしている者を含む。）で当該施設に係る工場又は事業場から継続して下水を排除して公共下水道を使用するものは、当該施設が特定施設となつた日から三十日以内に、国土交通省令で定めるところにより、前項各号に掲げる事項を公共下水道管理者に届け出なければならない。

3　特定施設の設置者は、前二項の規定により届出をしている場合を除き、当該特定施設を設置している工場又は事業場から継続して下水を排除して

公共下水道を使用することとなつたときは、その日から三十日以内に、国土交通省令で定めるところにより、第一項各号に掲げる事項を公共下水道管理者に届け出なければならない。

（特定施設の構造等の変更の届出）
第一二条の四　前条の規定による届出をした者は、その届出に係る同条第一項第四号から第七号までに掲げる事項を変更しようとするときは、国土交通省令で定めるところにより、その旨を公共下水道管理者に届け出なければならない。

（計画変更命令）
第一二条の五　公共下水道管理者は、第十二条の三第一項又は前条の規定による届出があつた場合において、当該特定事業場から公共下水道に排除される下水の水質が公共下水道への排出口において第十二条の二第一項の政令で定める基準又は同条第三項の規定による条例で定める基準に適合しないと認めるときは、その届出を受理した日から六十日以内に限り、その届出をした者に対し、その届出に係る特定施設の構造若しくは使用の方法若しくは特定施設から排出される汚水の処理の方法に関する計画の変更（前条の規定による届出に係る計画の廃止を含む。）又は第十二条の三第一項の規定による届出に係る特定施設の設置に関する計画の廃止を命ずることができる。

（実施の制限）
第一二条の六　第十二条の三第一項又は第十二条の四の規定による届出をした者は、その届出が受理された日から六十日を経過した後でなければ、その届出に係る特定施設を設置し、又は特定施設の構造若しくは使用の方法若しくは特定施設から排出される汚水の処理の方法を変更してはならない。
２　公共下水道管理者は、第十二条の三第一項又は第十二条の四の規定による届出に係る事項の内容が相当であると認めるときは、前項の期間を短縮することができる。

（氏名の変更等の届出）
第一二条の七　第十二条の三の規定による届出をした者は、その届出に係る同条第一項第一号若しくは第二号に掲げる事項に変更があつたとき、又は特定施設の使用を廃止したときは、その日から三十日以内に、その旨を公共下水道管理者に届け出なければならない。

（承継）
第一二条の八　第十二条の三の規定による届出をした者からその届出に係る特定施設を譲り受け、又は借り受けた者は、当該届出をした者の地位を承継する。
２　第十二条の三の規定による届出をした者について相続、合併又は分割（その届出に係る特定施設を承継させるものに限る。）があつたときは、相続人、合併後存続する法人若しくは合併により設立された法人又は分割により当該特定施設を承継した法人は、当該届出をした者の地位を承継する。
３　前二項の規定により第十二条の三の規定による届出をした者の地位を承継した者は、その承継があつた日から三十日以内に、その旨を公共下水道管理者に届け出なければならない。

（事故時の措置）
第一二条の九　特定事業場から下水を排除して公共下水道を使用する者は、人の健康に係る被害又は生活環境に係る被害を生ずるおそれがある物質又は油として政令で定めるものを含む下水が当該特定事業場から排出され、公共下水道に流入する事故が発生したときは、政令で定める場合を除き、直ちに、引き続く当該下水の排出を防止するための応急の措置を講ずるとともに、速やかに、その事故の状況及び講じた措置の概要を公共下水道管理者に届け出なければならない。
２　公共下水道管理者は、特定事業場から下水を排除して公共下水道を使用する者が前項の応急の措置を講じていないと認めるときは、その者に対し、同項の応急の措置を講ずべきことを命ずることができる。

（流域下水道管理者への通知）
第一二条の一〇　流域関連公共下水道の管理者は、第十二条の三、第十二条の四、第十二条の七又は第十二条の八第三項の規定による届出を受理したときは当該届出に係る事項を、第十二条の五の規定による命令をしたときは当該命令の内容を、遅滞なく、当該流域関連公共下水道に係る流域下水道（第二条第四号ロに該当する流域下水道（以下「雨水流域下水道」という。）を除く。次項において同じ。）の管理者に通知しなければならない。
２　流域関連公共下水道の管理者は、前条第一項の規定による届出を受理したときは当該届出に係る事項を、同条第二項の規定による命令をしたときは当該命令の内容を、速やかに、当該流域関連公共下水道に係る流域下水道の管理者に通知しなければならない。

（除害施設の設置等）
第一二条の一一　公共下水道管理者は、継続して次に掲げる下水（第十二条の二第一項又は第五項の規定により公共下水道に排除してはならないこととされるものを除く。）を排除して公共下水道を使用する者に対し、条例で、除害施設を設け、又は必要な措置をしなければならない旨を定めることができる。
一　その水質が第十二条の二第二項の政令で定める物質に関し政令で定める基準に適合しない下水
二　その水質（第十二条の二第二項の政令で定める物質に係るものを除く。）が政令で定める基準に従い条例で定める基準に適合しない下水
２　第十二条の二第四項の規定は、前項の条例について準用する。

（水質の測定義務等）
第一二条の一二　継続して政令で定める水質の下水を排除して公共下水道を使用する者で政令で定めるもの及び継続して下水を排除して公共下水道を使用する特定施設の設置者は、国土交通省令で定めるところにより、当該下水の水質を測定し、その結果を記録しておかなければならない。

（排水設備等の検査）
第一三条　公共下水道管理者は、公共下水道若しくは流域下水道の機能及び構造を保全し、又は公共下水道からの放流水若しくは流域下水道からの放流水の水質を第八条の技術上の基準に適合させるために必要な限度において、その職員をして排水区域内の他人の土地又は建築物に立ち入り、排水設備、特定施設、除害施設その他の物件を検査させることができる。ただし、人の住居に使用する建築物に立ち入る場合においては、あらかじめ、その居住者の承諾を得なければならない。
２　前項の規定により、検査を行う職員は、その身分を示す証明書を携帯し、関係者の請求があつたときは、これを提示しなければならない。
３　第一項の規定による立入検査の権限は、犯罪捜査のために認められたものと解してはならない。

（使用制限）
第一四条　公共下水道管理者は、公共下水道に関する工事を施行する場合、第二十五条の二十七第二項の規定による通知を受けた場合その他やむを得ない理由がある場合には、排水区域の全部又は一部の区域を指定して、当該公共下水道の使用を一時制限することができる。
２　公共下水道管理者は、前項の規定により公共下水道の使用を制限しようとするときは、使用を制限しようとする区域及び期間並びに時間制限をする場合にあつてはその時間をあらかじめ関係者に周知させる措置を講じなければならない。

（兼用工作物の工事）
第一五条　公共下水道管理者は、公共下水道の施設が道路、堤防その他の公共の用に供する施設又は工作物（以下これを「他の工作物」という。）の効用を兼ねるときは、当該他の工作物の管理者との協議により、その者に当該公共下水道の施設に関する工事を施行させ、又は当該公共下水道の施設を維持させることができる。

（災害時維持修繕協定の締結）
第一五条の二　公共下水道管理者は、公衆衛生上重大な危害が生じ、又は公共用水域の水質に重大な影響が及ぶことを防止するため災害の発生時において公共下水道管理者以外の者が公共下水道の施設の特定の維持又は修繕に関する工事を行うことができることをあらかじめ定めておく必要があると認めるときは、その管理する公共下水道について、公共下水道の施設の維持又は修繕に関する工事を適確に行う能力を有すると認められる者（第二号において「災害時維持修繕実施者」という。）との間において、次に掲げる事項を定めた協定（以下「災害時維持修繕協定」という。）を締結することができる。
一　災害時維持修繕協定の目的となる公共下水道の施設（以下「協定下水道施設」という。）
二　災害時維持修繕実施者が公共下水道の施設の損傷の程度その他の公共下水道の状況に応じて行う協定下水道施設の維持又は修繕に関する工事の内容
三　前号の協定下水道施設の維持又は修繕に関する工事に要する費用の負担の方法

四　災害時維持修繕協定の有効期間
五　災害時維持修繕協定に違反した場合の措置
六　その他必要な事項

（公共下水道管理者以外の者の行う工事等）
第一六条　公共下水道管理者以外の者は、前三条の規定による場合のほか、公共下水道管理者の承認を受けて、公共下水道の施設に関する工事又は公共下水道の施設の維持を行うことができる。ただし、公共下水道の施設の維持で政令で定める軽微なものについては、承認を受けることを要しない。

（兼用工作物の費用）
第一七条　公共下水道の施設が他の工作物の効用を兼ねるときは、当該公共下水道の施設の管理に要する費用の負担については、公共下水道管理者と当該他の工作物の管理者とが協議して定めるものとする。

（損傷負担金）
第一八条　公共下水道管理者は、公共下水道の施設を損傷した行為により必要を生じた公共下水道の施設に関する工事に要する費用については、その必要を生じた限度において、その行為をした者にその全部又は一部を負担させることができる。

（汚濁原因者負担金）
第一八条の二　公共下水道管理者は、公害健康被害の補償等に関する法律（昭和四十八年法律第百十一号）第六十二条第一項の規定により特定賦課金を徴収された場合においては、政令で定めるところにより、当該特定賦課金に係る同法第六条に規定する指定疾病に影響を与える水質の汚濁の原因である物質を当該公共下水道に排除した特定施設の設置者（過去の設置者を含む。）に当該特定賦課金の納付に要する費用の全部又は一部を負担させることができる。

（工事負担金）
第一九条　公共下水道管理者は、政令で定めるところにより算出した量以上の下水を排除することができる排水設備が設けられることにより、公共下水道の改築を行うことが必要となつたときは、その必要を生じた限度において、当該工事に要する費用の一部を当該排水設備を設ける者に負担させることができる。

（使用料）
第二〇条　公共下水道管理者は、条例で定めるところにより、公共下水道を使用する者から使用料を徴収することができる。
2　使用料は、次の原則によつて定めなければならない。
一　下水の量及び水質その他使用者の使用の態様に応じて妥当なものであること。
二　能率的な管理の下における適正な原価をこえないものであること。
三　定率又は定額をもつて明確に定められていること。
四　特定の使用者に対し不当な差別的取扱をするものでないこと。
3　公害防止事業費事業者負担法（昭和四十五年法律第百三十三号）の規定に基づき事業者がその設置の費用の一部を負担した公共下水道について当該事業者及びその他の事業者から徴収する使用料は、政令で定める基準に従い、当該事業者が同法の規定に基づいてした費用の負担を勘案して定めなければならない。

（放流水の水質検査等）
第二一条　公共下水道管理者は、政令で定めるところにより、公共下水道からの放流水の水質検査を行い、その結果を記録しておかなければならない。
2　公共下水道管理者は、政令で定めるところを参酌して条例で定めるところにより、終末処理場の維持管理をしなければならない。

（発生汚泥等の処理）
第二一条の二　公共下水道管理者は、汚水ます、終末処理場その他の公共下水道の施設から生じた汚泥等のたい積物その他の政令で定めるもの（次項において「発生汚泥等」という。）については、公共下水道の施設の円滑な維持管理を図るため、政令で定める基準に従い、適切に処理するほか、有毒物質の拡散を防止するため、政令で定める基準に従い、適正に処理しなければならない。
2　公共下水道管理者は、発生汚泥等の処理に当たつては、脱水、焼却等によりその減量に努めるとともに、発生汚泥等が燃料又は肥料として再生利用されるよう努めなければならない。

（設計者等の資格）
第二二条　公共下水道管理者は、公共下水道を設置し、又は改築する場合（政令で定める場合を除く。）においては、その設計（その者の責任において設計図書を作成することをいう。）又はその工事の監督管理（その者の責任において工事を設計図書と照合し、それが設計図書のとおりに実施されているかどうかを確認することをいう。）については、政令で定める資格を有する者以外の者に行わせてはならない。
2　公共下水道管理者は、公共下水道の維持管理のうち政令で定める事項については、政令で定める資格を有する者以外の者に行なわせてはならない。

（公共下水道台帳）
第二三条　公共下水道管理者は、その管理する公共下水道の台帳（以下「公共下水道台帳」という。）を調製し、これを保管しなければならない。
2　公共下水道台帳の記載事項その他その調製及び保管に関し必要な事項は、国土交通省令・環境省令で定める。
3　公共下水道管理者は、公共下水道台帳の閲覧を求められた場合においては、これを拒むことができない。

（水防管理団体が行う水防への協力）
第二三条の二　公共下水道管理者は、水防法第七条第四項（同法第三十三条第四項において準用する場合を含む。）において準用する同法第七条第三項に規定する同意をした同法第二条第六項に規定する水防計画（以下「同意水防計画」という。）に公共下水道管理者の協力が必要な事項が定められたときは、当該同意水防計画に基づき水防管理団体（同条第二項に規定する水防管理団体をいう。）が行う水防に協力するものとする。

（行為の制限等）
第二四条　次に掲げる行為（政令で定める軽微な行為を除く。）をしようとする者は、条例で定めるところにより、公共下水道管理者の許可を受けなければならない。許可を受けた事項の変更（条例で定める軽微な変更を除く。）をしようとするときも、同様とする。
一　公共下水道の排水施設の開渠である構造の部分に固着し、若しくは突出し、又はこれを横断し、若しくは縦断して施設又は工作物その他の物件を設けること（第十条第一項の規定により排水設備を当該部分に固着して設ける場合を除く。）。
二　公共下水道の排水施設の開渠である構造の部分の地下に施設又は工作物その他の物件を設けること。
三　公共下水道の排水施設の暗渠である構造の部分に固着して排水施設を設けること（第十条第一項の規定により排水設備を設ける場合を除く。）。
2　公共下水道管理者は、前項の許可の申請があつた場合において、その申請に係る事項が必要やむを得ないものであり、かつ、政令で定める技術上の基準に適合するものであるときは、これを許可しなければならない。
3　公共下水道管理者は、次に掲げる場合を除き、何人に対しても、公共下水道の排水施設の暗渠である構造の部分には、次に掲げる施設又は工作物その他の物件も設けさせてはならない。
一　排水施設を固着して設けるとき。
二　あらかじめ他の施設又は工作物その他の物件の管理者と協議して共用の暗渠を設けるとき。
三　次に掲げる物件その他公共下水道の管理上著しい支障を及ぼすおそれのないものとして政令で定めるものを固着し、若しくは突出し、又は当該部分を横断し、若しくは縦断して設けるとき。
イ　同意水防計画で定める水防管理者（水防法第二条第三項に規定する水防管理者をいう。）又は量水標管理者（同法第十条第三項に規定する量水標管理者をいう。）が設置する量水標等（同法第二条第七項に規定する量水標等をいう。）
ロ　国、地方公共団体、電気通信事業法（昭和五十九年法律第八十六号）第百二十条第一項に規定する認定電気通信事業者その他政令で定める者が設置する電線
ハ　国、地方公共団体、熱供給事業法（昭和四十七年法律第八十八号）第二条第三項に規定する熱供給事業者その他政令で定める者が設置する下水を熱源とする熱を利用するための熱交換器

（条例で規定する事項）
第二五条　この法律又はこの法律に基く命令で定めるもののほか、公共下水道の設置その他の管理に関し必要な事項は、公共下水道管理者である地方公共団体の条例で定める。

第二節　浸水被害対策区域における特別の措置

（排水設備の技術上の基準に関する特例）

第二五条の二　公共下水道管理者は、浸水被害対策区域（排水区域のうち、都市機能が相当程度集積し、著しい浸水被害が発生するおそれがある区域（第四条第一項の事業計画に計画降雨が定められている場合にあつては、都市機能が相当程度集積し、当該計画降雨を超える規模の降雨が生じた場合には、著しい浸水被害が発生するおそれがある区域）であつて、当該区域における土地利用の状況からみて、公共下水道の整備のみによつては浸水被害（同項の事業計画に計画降雨が定められている場合にあつては、当該計画降雨を超える規模の降雨が生じた場合に想定される浸水被害。以下この節において同じ。）の防止を図ることが困難であると認められるものとして公共下水道管理者である地方公共団体の条例で定める区域をいう。以下同じ。）において浸水被害の防止を図るためには、排水設備（雨水を排除するためのものに限る。）が、第十条第三項の政令で定める技術上の基準を満たすのみでは十分でなく、雨水を一時的に貯留し、又は地下に浸透させる機能を備えることが必要であると認められるときは、政令で定める基準に従い、条例で、同項の技術上の基準に代えて排水設備に適用すべき排水及び雨水の一時的な貯留又は地下への浸透に関する技術上の基準を定めることができる。

（管理協定の締結等）

第二五条の三　公共下水道管理者は、浸水被害対策区域において浸水被害の防止を図るため、浸水被害対策区域内に存する雨水貯留施設（浸水被害の防止を図るために有用なものとして政令で定める規模以上のものに限る。以下同じ。）を自ら管理する必要があると認めるときは、雨水貯留施設所有者等（当該雨水貯留施設若しくはその属する施設の所有者、これらの敷地である土地の所有者又は当該土地の使用及び収益を目的とする権利（臨時設備その他一時使用のため設定されたことが明らかなものを除く。次条第一項において同じ。）を有する者をいう。以下同じ。）との間において、管理協定を締結して当該雨水貯留施設の管理を行うことができる。

2　前項の規定による管理協定については、雨水貯留施設所有者等の全員の合意がなければならない。

第二五条の四　公共下水道管理者は、浸水被害対策区域において浸水被害の防止を図るため、浸水被害対策区域内において建設が予定されており、又は建設中である雨水貯留施設を自ら管理する必要があると認めるときは、雨水貯留施設所有者等となろうとする者（当該雨水貯留施設若しくはその属する施設の敷地である土地の所有者又は当該土地の使用及び収益を目的とする権利を有する者を含む。以下「予定雨水貯留施設所有者等」という。）との間において、管理協定を締結して建設後の当該雨水貯留施設の管理を行うことができる。

2　前項の規定による管理協定については、予定雨水貯留施設所有者等の全員の合意がなければならない。

（管理協定の内容）

第二五条の五　第二十五条の三第一項又は前条第一項の規定による管理協定（以下単に「管理協定」という。）には、次に掲げる事項を定めるものとする。

一　管理協定の目的となる雨水貯留施設（以下「協定雨水貯留施設」という。）
二　協定雨水貯留施設の管理の方法に関する事項
三　管理協定の有効期間
四　管理協定に違反した場合の措置

2　管理協定の内容は、次に掲げる基準のいずれにも適合するものでなければならない。

一　協定施設（協定雨水貯留施設又はその属する施設をいう。以下同じ。）の利用を不当に制限するものでないこと。
二　前項第二号から第四号までに掲げる事項について国土交通省令で定める基準に適合するものであること。

（管理協定の縦覧等）

第二五条の六　公共下水道管理者は、管理協定を締結しようとするときは、国土交通省令で定めるところにより、その旨を公告し、当該管理協定を当該公告の日から二週間利害関係人の縦覧に供さなければならない。

2　前項の規定による公告があつたときは、利害関係人は、同項の縦覧期間満了の日までに、当該管理協定について、公共下水道管理者に意見書を提出することができる。

（管理協定の公示等）

第二五条の七　公共下水道管理者は、管理協定を締結したときは、国土交通省令で定めるところにより、その旨を公示し、かつ、当該管理協定の写しを当該公共下水道管理者である地方公共団体の事務所において一般の縦覧に供するとともに、協定施設又はその敷地である土地の区域内の見やすい場所に、それぞれ協定施設である旨又は協定施設が当該区域内に存する旨を明示しなければならない。

（管理協定の変更）

第二五条の八　第二十五条の三第二項、第二十五条の四第二項、第二十五条の五第二項及び前二条の規定は、管理協定において定めた事項の変更について準用する。この場合において、第二十五条の四第二項中「予定雨水貯留施設所有者等」とあるのは、「予定雨水貯留施設所有者等（雨水貯留施設の建設後にあつては、雨水貯留施設所有者等）」と読み替えるものとする。

（管理協定の効力）

第二五条の九　第二十五条の七（前条において準用する場合を含む。）の規定による公示のあつた管理協定は、その公示のあつた後において当該協定施設の雨水貯留施設所有者等又は予定雨水貯留施設所有者等となつた者に対しても、その効力があるものとする。

（雨水貯留浸透施設整備計画の認定）

第二五条の一〇　浸水被害対策区域（特定都市河川浸水被害対策法（平成十五年法律第七十七号）第二条第二項に規定する特定都市河川流域の区域を除く。）において、雨水貯留浸透施設（雨水を一時的に貯留し、又は地下に浸透させる機能を有する施設であつて、浸水被害の防止を目的とするものをいう。以下同じ。）の設置及び管理をしようとする者は、国土交通省令で定めるところにより、当該雨水貯留浸透施設の設置及び管理に関する計画（以下「雨水貯留浸透施設整備計画」という。）を作成し、公共下水道管理者の認定を申請することができる。

2　雨水貯留浸透施設整備計画には、次に掲げる事項を記載しなければならない。

一　雨水貯留浸透施設の位置
二　雨水貯留浸透施設の規模
三　雨水貯留浸透施設の構造及び設備
四　雨水貯留浸透施設の設置に係る資金計画
五　雨水貯留浸透施設の管理の方法及び期間
六　その他国土交通省令で定める事項

3　雨水貯留浸透施設整備計画には、前項各号に掲げる事項のほか、雨水貯留浸透施設から公共下水道に雨水を排除するために必要な排水施設その他の公共下水道の施設に関する工事に関する事項を記載することができる。

（認定の基準）

第二五条の一一　公共下水道管理者は、前条第一項の認定の申請があつた場合において、当該申請に係る雨水貯留浸透施設整備計画が次に掲げる基準に適合すると認めるときは、その認定をすることができる。

一　雨水貯留浸透施設の規模が国土交通省令で定める規模以上であること。
二　雨水貯留浸透施設の構造及び設備が国土交通省令で定める基準に適合するものであること。
三　資金計画が当該雨水貯留浸透施設の設置を確実に遂行するため適切なものであること。
四　雨水貯留浸透施設の管理の方法が国土交通省令で定める基準に適合するものであること。
五　雨水貯留浸透施設の管理の期間が国土交通省令で定める期間以上であること。

（認定の通知）

第二五条の一二　公共下水道管理者は、第二十五条の十第一項の認定をしたときは、速やかに、その旨を当該認定を受けた者に通知しなければならない。

（雨水貯留浸透施設整備計画の変更）

第二五条の一三　第二十五条の十第一項の認定を受けた者は、当該認定を受けた雨水貯留浸透施設整備計画の変更（国土交通省令で定める軽微な変更を除く。）をしようとするときは、公共下水道管理者の認定を受けなければならない。

2　前二条の規定は、前項の場合について準用する。

（認定事業者に対する助言及び指導）

第二五条の一四　公共下水道管理者は、第二十五条の十第一項の認定（前条第一項の変更の認定を含む。以下「計画の認定」という。）を受けた者（以下「認定事業者」という。）に対し、当該計画の認定を受けた雨水貯留浸透施設整備計画（変更があつたときは、その変更後のもの。以下「認定計画」という。）に係る雨水貯留浸透施設の設置及び管理に関し必要な助言及び指導を行うよう努めるものとする。

（補助）

第二五条の一五　国又は公共下水道管理者である地方公共団体は、認定事業者に対し、予算の範囲内で、政令で定めるところにより、認定計画に係る雨水貯留浸透施設の設置に要する費用の一部を補助することができる。

（公共下水道管理者の承認の特例）

第二五条の一六　雨水貯留浸透施設整備計画（第二十五条の十第三項に規定する事項が記載されたものに限る。）に記載された同項に規定する工事については、当該雨水貯留浸透施設整備計画について計画の認定を受けたときに、第十六条の規定による承認があつたものとみなす。

（日本下水道事業団法の特例）

第二五条の一七　日本下水道事業団は、日本下水道事業団法（昭和四十七年法律第四十一号）第二十六条第一項に規定する業務のほか、認定事業者の委託に基づき、認定計画に係る雨水貯留浸透施設の設置、設計及び工事の監督管理の業務を行うことができる。

（報告の徴収）

第二五条の一八　公共下水道管理者は、認定事業者に対し、認定計画に係る雨水貯留浸透施設の設置及び管理の状況について報告を求めることができる。

（地位の承継）

第二五条の一九　認定事業者の一般承継人又は認定事業者から認定計画に係る雨水貯留浸透施設の敷地である土地の所有権その他当該雨水貯留浸透施設の設置及び管理に必要な権原を取得した者は、公共下水道管理者の承認を受けて、当該認定事業者が有していた計画の認定に基づく地位を承継することができる。

（改善命令）

第二五条の二〇　公共下水道管理者は、認定事業者が認定計画に従つて認定計画に係る雨水貯留浸透施設の設置及び管理を行つていないと認めるときは、当該認定事業者に対し、相当の期限を定めて、その改善に必要な措置をとるべきことを命ずることができる。

（計画の認定の取消し）

第二五条の二一　公共下水道管理者は、認定事業者が前条の規定による処分に違反したときは、計画の認定を取り消すことができる。

2　第二十五条の十二の規定は、公共下水道管理者が前項の規定による取消しをした場合について準用する。

第二章の二　流域下水道

（管理）

第二五条の二二　流域下水道の設置、改築、修繕、維持その他の管理は、都道府県が行うものとする。

2　前項の規定にかかわらず、市町村は、都道府県と協議して、流域下水道の設置、改築、修繕、維持その他の管理を行うことができる。

（事業計画の策定）

第二五条の二三　前条の規定により流域下水道を管理する者（以下「流域下水道管理者」という。）は、流域下水道を設置しようとするときは、あらかじめ、政令で定めるところにより、事業計画を定めなければならない。

2　流域下水道管理者は、前項の規定により事業計画を定めようとするときは、あらかじめ、政令で定めるところにより、国土交通大臣（市町村が設置する流域下水道の事業計画で政令で定めるものにあつては、都道府県知事）に協議しなければならない。

3　都道府県は、第一項の事業計画を定めようとするときは、あらかじめ、関係市町村の意見を聴かなければならない。

4　国土交通大臣は、第二項の規定による協議（雨水流域下水道に係るものを除く。）を受けたときは、政令で定める場合を除き、保健衛生上の観点からする環境大臣の意見を聴かなければならない。

5　第二項の規定にかかわらず、都道府県である流域下水道管理者は、流域別下水道整備総合計画が定められている地域において流域下水道の事業計画を定めようとするときは、同項の規定による協議をすることを要しない。この場合において、当該流域下水道管理者は、事業計画を定めたときは、国土交通省令で定めるところにより、遅滞なく、これを国土交通大臣に届け出なければならない。

6　国土交通大臣は、前項の規定による届出を受けたときは、政令で定める場合を除き、当該届出の内容を環境大臣に通知するものとする。

7　前各項の規定は、流域下水道の事業計画の変更（政令で定める軽微な変更を除く。）について準用する。

（事業計画に定めるべき事項）

第二五条の二四　前条第一項の事業計画においては、次に掲げる事項を定めなければならない。

一　排水施設（これを補完する施設を含む。）の配置、構造及び能力並びに点検の方法及び頻度

二　終末処理場を設ける場合には、その配置、構造及び能力

三　流域関連公共下水道が接続する位置

四　流域関連公共下水道の予定処理区域（雨水流域下水道に係るものにあつては、予定排水区域。第三項及び次条第四号において同じ。）

五　工事の着手及び完成の予定年月日

2　前条第一項の事業計画においては、前項各号に掲げるもののほか、計画降雨を定めることができる。

3　流域関連公共下水道の予定処理区域の全部又は一部について水防法第十四条の二第一項又は第二項の規定による雨水出水浸水想定区域の指定があつた場合における前項の規定の適用については、同項中「定めることができる」とあるのは、「定めなければならない」とする。

4　第一項又は第二項の事業計画の記載方法その他の記載に関し必要な事項は、国土交通省令で定める。

（事業計画の要件）

第二五条の二五　第二十五条の二十三第一項の事業計画は、次に掲げる要件に該当するものでなければならない。

一　流域下水道の配置及び能力が当該地域における降水量、人口その他の下水の量及び水質に影響を及ぼすおそれのある要因、地形及び土地利用の状況並びに下水の放流先の状況を考慮して適切に定められていること。

二　流域下水道の構造が第二十五条の三十において準用する第七条の技術上の基準に適合し、かつ、排水施設の点検の方法及び頻度が第二十五条の三十において準用する第七条の三第二項の技術上の基準に適合していること。

三　計画降雨が定められているものにあつては、排水施設及び終末処理場（雨水流域下水道に係るものにあつては、排水施設。次号において同じ。）の配置及び能力が計画降雨に相応していること。

四　流域関連公共下水道の予定処理区域が排水施設及び終末処理場の配置及び能力に相応していること。

五　当該地域に関し流域別下水道整備総合計画が定められている場合には、これに適合していること。

六　当該地域に関し都市計画法第二章の規定により都市計画が定められている場合又は同法第五十九条の規定により都市計画事業の認可若しくは承認がされている場合には、流域下水道の配置及び工事の時期がその都市計画又は都市計画事業に適合していること。

（供用開始の通知等）

第二五条の二六　流域下水道管理者は、流域下水道の供用を開始しようとするとき、又は終末処理場により下水の処理を開始しようとするときは、あらかじめ、供用又は処理を開始すべき年月日その他国土交通省令で定める事項を当該流域下水道に係る流域関連公共下水道の管理者に通知しなければならない。

（使用制限）

第二五条の二七　流域下水道管理者は、流域下水道に関する工事を施行する場合その他やむを得ない理由がある場合には、流域下水道の全部又は一部を指定してその施設の使用を一時制限することができる。

2　流域下水道管理者は、前項の規定により流域下水道の使用を制限しようとするときは、使用を制限しようとする施設及び期間並びに時間制限をする場合にあつてはその時間をあらかじめ流域関連公共下水道の管理者に通知しなければならない。

（原因調査の要請等）

第二五条の二八　流域下水道管理者は、流域関連公共下水道から流域下水道に流入する下水が、著しく当該流域下水道の施設の機能を妨げ、若しくは

当該流域下水道の施設を損傷するおそれがある場合又は当該流域下水道からの放流水の水質を第二十五条の三十において準用する第八条の技術上の基準に適合させることを著しく困難にするおそれがある場合においては、当該流域関連公共下水道の管理者に対し、期限を定めて、その原因を調査し、調査の結果を報告するように求めることができる。

2　流域下水道管理者は、前項の規定による報告を受けた場合において必要があると認めるときは、当該流域関連公共下水道の管理者に対し、第十二条第一項、第十二条の二第三項又は第十二条の十一第一項の条例の制定その他必要な措置をとるべきことを求めることができる。

（他の施設等の設置の制限）

第二五条の二九　流域下水道管理者は、次に掲げる場合を除き、何人に対しても、流域下水道の施設にいかなる施設又は工作物その他の物件も設けさせてはならない。

一　流域関連公共下水道を接続するとき。

二　あらかじめ他の施設又は工作物その他の物件の管理者と協議して共用の暗渠を設けるとき。

三　第二十四条第三項第三号イからハまでに掲げる物件その他流域下水道の管理上著しい支障を及ぼすおそれのないものとして政令で定めるものを固着し、若しくは突出し、又は流域下水道の施設を横断し、若しくは縦断して設けるとき。

四　前三号に掲げる場合のほか、流域下水道の管理上著しい支障を及ぼすおそれがないときとして政令で定めるとき。

（準用規定）

第二五条の三〇　第七条から第八条まで、第十一条の二、第十二条から第十二条の九まで、第十二条の十一から第十三条まで、第十五条から第十八条の二まで、第二十一条から第二十三条の二まで及び第二十五条の規定は、流域下水道（雨水流域下水道を除く。）について準用する。この場合において、第十三条第一項中「排水区域内の他人の土地又は建築物に立ち入り、排水設備、特定施設、」とあるのは「他人の土地又は建築物に立ち入り、流域下水道（雨水流域下水道を除く。）に接続する排水施設、特定施設又は」と、第十八条の二中「当該公共下水道」とあるのは「当該流域下水道（雨水流域下水道を除く。以下この条において同じ。）又は当該流域下水道に係る流域関連公共下水道」と読み替えるものとする。

2　第七条から第八条まで、第十五条から第十八条まで、第二十一条第一項、第二十二条から第二十三条の二まで及び第二十五条の規定は、雨水流域下水道について準用する。

第三章　都市下水路

（管理）

第二六条　都市下水路の設置、改築、修繕、維持その他の管理は、市町村が行うものとする。

2　前項の規定にかかわらず、都道府県は、二以上の市町村が受益し、かつ、関係市町村のみでは管理することが困難であると認められる場合においては、関係市町村と協議して、当該都市下水路の設置、改築、修繕、維持その他の管理を行うことができる。この場合において、関係市町村が協議に応じようとするときは、あらかじめその議会の議決を経なければならない。

（指定）

第二七条　前条の規定により都市下水路を管理する者（以下「都市下水路管理者」という。）は、下水道を都市下水路として指定するときは、都市下水路となるべき下水道の区域を公示し、かつ、これを表示した図面を当該都市下水路管理者である地方公共団体の事務所において一般の縦覧に供しなければならない。公示した事項を変更するときも、同様とする。

2　都市下水路管理者は、前項の指定をしようとする場合において、当該指定に係る区域の全部又は一部がかんがい排水施設の用を兼ねているときは、あらかじめ当該指定に関係のある土地改良区（土地改良区の存しない地域にあつては、農業協同組合その他の水利関係団体）の意見をきかなければならない。

（管理の基準等）

第二八条　都市下水路管理者は、当該都市下水路の機能を十分に維持するように管理しなければならない。

2　都市下水路の構造及び維持管理に関して必要な技術上の基準は、政令で定める基準を参酌して都市下水路管理者である地方公共団体の条例で定める。

（行為の制限等）

第二九条　次に掲げる行為（政令で定める軽微な行為を除く。）をしようとする者は、条例で定めるところにより、都市下水路管理者の許可を受けなければならない。許可を受けた事項の変更（条例で定める軽微な変更を除く。）をしようとするときも、同様とする。

一　都市下水路に固着し、若しくは突出し、又はこれを横断し、若しくは縦断して施設又は工作物その他の物件を設けること。

二　都市下水路の地下に施設又は工作物その他の物件を設けること。

2　都市下水路管理者は、前項の許可の申請があつた場合において、その申請に係る事項が必要やむを得ないものであり、かつ、政令で定める技術上の基準に適合するものであるときは、これを許可しなければならない。

3　都市下水路の指定の際現に当該都市下水路に関し、権原に基き、第一項各号に規定する施設又は工作物その他の物件を設けている者（工事中の者を含む。）は、従前と同様の条件により、当該施設又は工作物その他の物件の設置について同項の許可を受けたものとみなす。

（都市下水路に接続する特定排水施設の構造）

第三〇条　次に掲げる事業所の当該都市下水路に接続する排水施設の構造は、建築基準法その他の法令の規定の適用がある場合においてはそれらの法令の規定によるほか、政令で定める技術上の基準によらなければならない。

一　工場その他の事業所（一団地の住宅経営、社宅その他これらに類する施設を含む。以下この条において同じ。）で政令で定める量以上の下水を同一都市下水路に排除するもの

二　工場その他の事業所で政令で定める水質の下水を政令で定める量以上に同一都市下水路に排除するもの

2　前項の規定は、都市下水路の指定の際現に当該都市下水路に接続する排水施設については、同項の事業所について政令で定める大規模な増築又は改築をする場合を除き、適用しない。

（準用規定）

第三一条　第七条の二、第十五条から第十八条まで、第二十三条、第二十三条の二及び第二十五条の規定は、都市下水路について準用する。この場合において、第二十三条第二項中「国土交通省令・環境省令」とあるのは、「国土交通省令」と読み替えるものとする。

第四章　雑則

（市町村の負担金）

第三一条の二　第三条第二項又は第二十五条の二十二第一項の規定により公共下水道又は流域下水道を管理する都道府県は、当該公共下水道又は流域下水道により利益を受ける市町村に対し、その利益を受ける限度において、その設置、改築、修繕、維持その他の管理に要する費用の全部又は一部を負担させることができる。

2　前項の費用について同項の規定により市町村が負担すべき金額は、当該市町村の意見をきいたうえ、当該都道府県の議会の議決を経て定めなければならない。

（窒素含有量又は燐含有量の削減に係る負担金）

第三一条の三　第二条の二第五項の規定により流域別下水道整備総合計画に記載された事項に係る高度処理終末処理場を管理する地方公共団体は、当該流域別下水道整備総合計画に記載されたところにより、当該高度処理終末処理場の設置、改築、修繕、維持その他の管理に要する費用の一部を他の地方公共団体に負担させることができる。

（協議会）

第三一条の四　二以上の公共下水道管理者、流域下水道管理者又は都市下水路管理者は、それぞれが管理する下水道相互間の広域的な連携による下水道の管理の効率化に関し必要な協議を行うための協議会（以下「協議会」という。）を組織することができる。

2　協議会は、必要があると認めるときは、次に掲げる者をその構成員として加えることができる。

一　関係地方公共団体

二　下水道の管理の効率化に資する措置を講ずることができる者

三　学識経験を有する者その他の協議会が必要と認める者

3　協議会において協議が調つた事項については、協議会の構成員は、その

協議の結果を尊重しなければならない。

4 前三項に定めるもののほか、協議会の運営に関し必要な事項は、協議会が定める。

（他人の土地の立入又は一時使用）

第三二条 公共下水道管理者、流域下水道管理者若しくは都市下水路管理者又はその命じた者若しくは委任を受けた者は、公共下水道、流域下水道又は都市下水路に関する調査、測量若しくは工事又は公共下水道、流域下水道若しくは都市下水路の維持のためやむを得ない必要があるときは、他人の土地に立ち入り、又は特別の用途のない他人の土地を材料置場若しくは作業場として一時使用することができる。

2 前項の規定により他人の土地に立ち入ろうとするときは、あらかじめ当該土地の占有者にその旨を通知しなければならない。ただし、あらかじめ通知することが困難であるときは、この限りでない。

3 第一項の規定により宅地又はかき、さく等で囲まれた土地に立ち入ろうとするときは、立入の際あらかじめその旨を当該土地の占有者に告げなければならない。

4 日出前又は日没後においては、占有者の承諾があつた場合を除き、前項に規定する土地に立ち入つてはならない。

5 第一項の規定により他人の土地に立ち入ろうとする者は、その身分を示す証明書を携帯し、関係者の請求があつたときは、これを提示しなければならない。

6 第一項の規定により特別の用途のない他人の土地を材料置場又は作業場として一時使用しようとするときは、あらかじめ、当該土地の占有者及び所有者に通知して、その者の意見をきかなければならない。

7 土地の占有者又は所有者は、正当な理由がない限り、第一項の規定による立入又は一時使用を拒み、又は妨げてはならない。

8 公共下水道管理者、流域下水道管理者又は都市下水路管理者は、第一項の規定による立入又は一時使用によつて損失を受けた者に対し、通常生ずべき損失を補償しなければならない。

9 前項の規定による損失の補償については、公共下水道管理者、流域下水道管理者又は都市下水路管理者と損失を受けた者とが協議しなければならない。

10 前項の協議が成立しないときは、公共下水道管理者、流域下水道管理者又は都市下水路管理者は、自己の見積つた金額を損失を受けた者に支払わなければならない。この場合において、当該金額について不服がある者は、政令で定めるところにより、補償金額の支払を受けた日から三十日以内に収用委員会に土地収用法（昭和二十六年法律第二百十九号）第九十四条の規定による裁決を申請することができる。

（許可又は承認の条件）

第三三条 この法律の規定による許可又は承認には、条件を附することができる。

2 前項の条件は、許可又は承認に係る事項の確実な実施を図るため必要な最小限度のものに限り、かつ、許可又は承認を受けた者に不当な義務を課することとならないものでなければならない。

（公共下水道、流域下水道及び都市下水路に関する費用の補助）

第三四条 国は、公共下水道、流域下水道又は都市下水路の設置又は改築を行う地方公共団体に対し、予算の範囲内において、政令で定めるところにより、その設置又は改築に要する費用の一部を補助することができる。

（公共下水道及び流域下水道に関する資金の融通）

第三五条 国は、公共下水道又は流域下水道の設置又は改築を行なう地方公共団体に対し、これに必要な資金の融通に努めるものとする。

（国有地の無償貸付等）

第三六条 普通財産である国有地は、公共下水道、流域下水道又は都市下水路の用に供する場合においては、国有財産法（昭和二十三年法律第七十三号）第二十二条又は第二十八条の規定にかかわらず、当該公共下水道管理者、流域下水道管理者又は都市下水路管理者である地方公共団体に無償で貸し付け、又は譲与することができる。

（国土交通大臣又は環境大臣の指示）

第三七条 国土交通大臣（政令で定める下水道に係るものにあつては、都道府県知事）は、公衆衛生上重大な危害が生じ、又は公共用水域の水質に重大な影響が及ぶことを防止するため緊急の必要があると認めるときは、公共下水道管理者、流域下水道管理者又は都市下水路管理者に対し、公共下水道、流域下水道又は都市下水路の工事又は維持管理に関して必要な指示をすることができる。

2 国土交通大臣は、前項の規定により都道府県知事が指示をするべき下水道については、都道府県知事に対し、必要な指示をするべきことを指示することができる。

3 環境大臣（政令で定める下水道に係るものにあつては、都道府県知事）は、公衆衛生上重大な危害が生じ、又は公共用水域の水質に重大な影響が及ぶことを防止するため緊急の必要があると認めるときは、公共下水道管理者又は流域下水道管理者に対し、終末処理場の維持管理に関して必要な指示をすることができる。

（改善命令等）

第三七条の二 公共下水道管理者又は流域下水道管理者は、特定事業場から下水を排除して公共下水道又は流域下水道（終末処理場を設置しているものに限る。）を使用する者が、その水質が当該公共下水道又は流域下水道への排出口において第十二条の二第一項（第二十五条の三十第一項において準用する場合を含む。）の政令で定める基準又は第十二条の二第三項（第二十五条の三十第一項において準用する場合を含む。）の規定による条例で定める基準に適合しない下水を排除するおそれがあると認めるときは、その者に対し、期限を定めて、特定施設の構造若しくは使用の方法若しくは特定施設から排出される汚水の処理の方法の改善を命じ、又は特定施設の使用若しくは当該公共下水道若しくは流域下水道への下水の排除の停止を命ずることができる。ただし、第十二条の二第六項本文（第二十五条の三十第一項において準用する場合を含む。）の規定の適用を受ける者に対しては、この限りでない。

（公共下水道管理者、流域下水道管理者又は都市下水路管理者の監督処分等）

第三八条 公共下水道管理者、流域下水道管理者又は都市下水路管理者は、次の各号のいずれかに該当する者に対し、この法律の規定によつてした許可若しくは承認を取り消し、若しくはその条件を変更し、又は行為若しくは工事の中止、変更その他の必要な措置を命ずることができる。

一 この法律（第十一条の三第一項及び第十二条の九第一項（第二十五条の三十第一項において準用する場合を含む。）の規定を除く。）又はこの法律に基づく命令若しくは条例の規定に違反している者

二 この法律の規定による許可又は承認に付した条件に違反している者

三 偽りその他不正な手段により、この法律の規定による許可又は承認を受けた者

2 公共下水道管理者、流域下水道管理者又は都市下水路管理者は、次の各号のいずれかに該当する場合においては、この法律の規定による許可又は承認を受けた者に対し、前項に規定する処分をし、又は同項に規定する必要な措置を命ずることができる。

一 公共下水道、流域下水道又は都市下水路に関する工事のためやむを得ない必要が生じた場合

二 公共下水道、流域下水道又は都市下水路の保全上又は一般の利用上著しい支障が生じた場合

三 前二号に掲げる場合のほか、公共下水道、流域下水道又は都市下水路の管理上の理由以外の理由に基づく公益上やむを得ない必要が生じた場合

3 前二項の規定により必要な措置を命じようとする場合において、過失がなくてその措置を命ぜられるべき者を確知することができないときは、公共下水道管理者、流域下水道管理者又は都市下水路管理者は、その措置を自ら行い、又はその命じた者若しくは委任した者に行わせることができる。この場合においては、相当の期限を定めて、その措置を行うべき旨及びその期限までにその措置を行わないときは、公共下水道管理者、流域下水道管理者若しくは都市下水路管理者又はその命じた者若しくは委任した者がその措置を行うべき旨をあらかじめ公示しなければならない。

4 公共下水道管理者、流域下水道管理者又は都市下水路管理者は、第二項の規定による処分又は命令により損失を受けた者に対し、通常生ずべき損失を補償しなければならない。

5 第三十二条第九項及び第十項の規定は、前項の補償について準用する。

6 公共下水道管理者、流域下水道管理者又は都市下水路管理者は、第四項の規定による補償の原因となつた損失が第二項第三号の規定による処分又は命令によるものであるときは、当該補償金額を当該理由を生じさせた者に負担させることができる。

（報告の徴収）

第三九条 国土交通大臣（政令で定める場合にあつては、都道府県知事）は、

この法律を施行するため必要な限度において、公共下水道管理者、流域下水道管理者又は都市下水路管理者から必要な報告を徴することができる。

２　環境大臣（政令で定める場合にあつては、都道府県知事）は、終末処理場の維持管理に関し、この法律を施行するため必要な限度において、公共下水道管理者又は流域下水道管理者から必要な報告を徴することができる。

第三九条の二　公共下水道管理者又は流域下水道管理者は、公共下水道又は流域下水道（雨水流域下水道を除く。以下この条において同じ。）を適正に管理するため必要な限度において、継続して政令で定める水質の下水を排除して公共下水道又は流域下水道を使用する者で政令で定めるもの及び継続して下水を排除して公共下水道又は流域下水道を使用する特定施設の設置者から、その下水を排除する事業場等の状況、除害施設又はその排除する下水の水質に関し必要な報告を徴することができる。

（権限の委任）

第四〇条　この法律に規定する国土交通大臣の権限は、国土交通省令で定めるところにより、その一部を地方整備局長又は北海道開発局長に委任することができる。

２　この法律に規定する環境大臣の権限は、環境省令で定めるところにより、その一部を地方環境事務所長に委任することができる。

（国等の特例）

第四一条　国又は地方公共団体が第二十四条第一項又は第二十九条第一項に規定する行為をしようとするときは、これらの規定にかかわらず、公共下水道管理者又は都市下水路管理者とあらかじめ協議することをもつて足りる。

（特別区に関する読替）

第四二条　特別区の存する区域においては、この法律の規定（第二十五条の二十二第二項、第二十五条の二十三第二項及び第三項並びに第三十一条の二の規定を除く。）中「市町村」とあるのは、「都」と読み替えるものとする。

２　前項の規定にかかわらず、特別区は、都と協議して、主として当該特別区の住民の用に供する下水道の設置、改築、修繕、維持その他の管理を行うものとする。

（経過措置）

第四三条　この法律の規定に基づき命令を制定し、又は改廃する場合においては、その命令で、その制定又は改廃に伴い合理的に必要と判断される範囲内において、所要の経過措置（罰則に関する経過措置を含む。）を定めることができる。

第五章　罰則

第四四条　公共下水道、流域下水道又は都市下水路の施設を損壊し、その他公共下水道、流域下水道又は都市下水路の施設の機能に障害を与えて下水の排除を妨害した者は、五年以下の懲役又は百万円以下の罰金に処する。

２　みだりに公共下水道、流域下水道又は都市下水路の施設を操作し、よつて下水の排除を妨害した者は、二年以下の懲役又は五十万円以下の罰金に処する。

第四五条　第十二条の五（第二十五条の三十第一項において準用する場合を含む。）若しくは第三十七条の二の規定による公共下水道管理者若しくは流域下水道管理者の命令又は第三十八条第一項若しくは第二項の規定による公共下水道管理者、流域下水道管理者若しくは都市下水路管理者の命令に違反した場合には、当該違反行為をした者は、一年以下の懲役又は百万円以下の罰金に処する。

第四六条　次の各号のいずれかに該当する場合には、当該違反行為をした者は、六月以下の懲役又は五十万円以下の罰金に処する。

一　第十二条の二第一項又は第五項（第二十五条の三十第一項においてこれらの規定を準用する場合を含む。）の規定に違反したとき。

二　第十二条の九第二項（第二十五条の三十第一項において準用する場合を含む。）の規定による命令に違反したとき。

２　過失により前項第一号の罪を犯した者は、三月以下の禁錮又は二十万円以下の罰金に処する。

第四七条　第三十二条第七項の規定に違反して土地の立入り又は一時使用を拒み、又は妨げた場合には、当該違反行為をした者は、六月以下の懲役又は五十万円以下の罰金に処する。

第四七条の二　第十二条の三第一項又は第十二条の四（第二十五条の三十第一項においてこれらの規定を準用する場合を含む。）の規定による届出をせず、又は虚偽の届出をした場合には、当該違反行為をした者は、三月以下の懲役又は二十万円以下の罰金に処する。

第四八条　第十一条の三第三項又は第四項の規定による命令に違反した場合には、当該違反行為をした者は、三十万円以下の罰金に処する。

第四九条　次の各号のいずれかに該当する場合には、当該違反行為をした者は、二十万円以下の罰金に処する。

一　第十一条の二又は第十二条の三第二項若しくは第三項（第二十五条の三十第一項においてこれらの規定を準用する場合を含む。）の規定による届出をせず、又は虚偽の届出をしたとき。

二　第十二条の六第一項（第二十五条の三十第一項において準用する場合を含む。）の規定に違反したとき。

三　第十二条の十二（第二十五条の三十第一項において準用する場合を含む。）の規定による記録をせず、又は虚偽の記録をしたとき。

四　第十三条第一項（第二十五条の三十第一項において準用する場合を含む。）の規定による検査を拒み、妨げ、又は忌避したとき。

五　第二十五条の十八又は第三十九条の二の規定による報告をせず、又は虚偽の報告をしたとき。

第五〇条　法人の代表者又は法人若しくは人の代理人、使用人その他の従業者が、その法人又は人の業務に関して第四十五条から前条までの違反行為をしたときは、行為者を罰するほか、その法人又は人に対しても、各本条の罰金刑を科する。

第五一条　第十二条の七又は第十二条の八第三項（第二十五条の三十第一項においてこれらの規定を準用する場合を含む。）の規定による届出をせず、又は虚偽の届出をした者は、十万円以下の過料に処する。

附　則〔抄〕

（施行期日）

第一条　この法律は、公布の日から起算して一年をこえない範囲内において政令で定める日から施行する。

〔昭和三四政一四六により、昭和三四・四・二三から施行〕

（下水道法の廃止）

第二条　下水道法（明治三十三年法律第三十二号。以下「旧法」という。）は、廃止する。

（公共下水道に関する経過措置）

第三条　この法律（以下この条及び次条において「新法」という。）の施行前に市町村が旧法第二条の規定による認可を受けて築造した又は築造中の下水道（以下「既設公共下水道」という。）は、当該市町村が新法第四条の規定による事業計画の認可を受けて設置した又は設置中の公共下水道とみなす。

２　新法第七条の規定は、既設公共下水道については、これを改築する場合を除き、適用しない。

３　新法の施行の際現に供用を開始している既設公共下水道については、旧法第三条の規定に基き当該既設公共下水道により下水を排除すべき地域を新法第二条第六号に規定する排水区域とみなす。

４　新法の施行の際現に処理を開始している終末処理場については、附則第六条の規定による改正前の建築基準法第三十一条第三項の規定により特定行政庁が指定した区域を新法第二条第七号に規定する処理区域とみなす。

５　新法の施行の際現に既設公共下水道に関し、権原に基き、新法第二十四条第一項各号に規定する施設又は工作物その他の物件を設けている者（工事中の者を含む。）は、従前と同様の条件により、当該施設又は工作物その他の物件の設置について同項の許可を受けたものとみなす。

６　新法の施行の際現に既設公共下水道の排水施設の暗渠である構造の部分に関し、権原に基き、施設又は工作物その他の物件を設けている者（工事中の者を含む。）については、新法第二十四条第三項に規定する場合を除き、公共下水道管理者は、同項の規定にかかわらず、その権原に基いてなお当該施設又は工作物その他の物件を設けることができるものとされている期間に限り、従前と同様の条件により、当該施設又は工作物その他の物件を設けさせることができる。

（旧法に基く処分等に関する経過措置）

第四条　新法の施行前に旧法又は旧法に基く命令の規定によつてした処分、手続その他の行為は、新法の適用については、新法中これらの規定に相当する規定がある場合には、新法の規定によつてしたものとみなす。

（国の無利子貸付け等）

第五条 国は、当分の間、地方公共団体に対し、第三十四条の規定により国がその費用について補助することができる公共下水道、流域下水道又は都市下水路の設置又は改築で日本電信電話株式会社の株式の売払収入の活用による社会資本の整備の促進に関する特別措置法（昭和六十二年法律第八十六号）第二条第一項第二号に該当するものに要する費用に充てる資金について、予算の範囲内において、第三十四条の規定（この規定による国の補助の割合について、この規定と異なる定めをした法令の規定がある場合には、当該異なる定めをした法令の規定を含む。以下同じ。）により国が補助することができる金額に相当する金額を無利子で貸し付けることができる。

2 前項の国の貸付金の償還期間は、五年（二年以内の据置期間を含む。）以内で政令で定める期間とする。

3 前項に定めるもののほか、第一項の規定による貸付金の償還方法、償還期限の繰上げその他償還に関し必要な事項は、政令で定める。

4 国は、第一項の規定により、地方公共団体に対し貸付けを行つた場合には、当該貸付けの対象である同項の設置又は改築について、第三十四条の規定による当該貸付金に相当する金額の補助を行うものとし、当該補助については、当該貸付金の償還時において、当該貸付金の償還金に相当する金額を交付することにより行うものとする。

5 地方公共団体が、第一項の規定による貸付けを受けた無利子貸付金について、第二項及び第三項の規定に基づき定められる償還期限を繰り上げて償還を行つた場合（政令で定める場合を除く。）における前項の規定の適用については、当該償還は、当該償還期限の到来時に行われたものとみなす。

附　則　〔抄〕　〔昭和三七・九・一五法律一六一〕

1 この法律は、昭和三十七年十月一日から施行する。

2 この法律による改正後の規定は、この附則に特別の定めがある場合を除き、この法律の施行前にされた行政庁の処分、この法律の施行前にされた申請に係る行政庁の不作為その他この法律の施行前に生じた事項についても適用する。ただし、この法律による改正前の規定によつて生じた効力を妨げない。

3 この法律の施行前に提起された訴願、審査の請求、異議の申立てその他の不服申立て（以下「訴願等」という。）については、この法律の施行後も、なお従前の例による。この法律の施行前にされた訴願等の裁決、決定その他の処分（以下「裁決等」という。）又はこの法律の施行前に提起された訴願等につきこの法律の施行後にされる裁決等にさらに不服がある場合の訴願等についても、同様とする。

4 前項に規定する訴願等で、この法律の施行後は行政不服審査法による不服申立てをすることができることとなる処分に係るものは、同法以外の法律の適用については、行政不服審査法による不服申立てとみなす。

5 第三項の規定によりこの法律の施行後にされる審査の請求、異議の申立てその他の不服申立ての裁決等については、行政不服審査法による不服申立てをすることができない。

6 この法律の施行前にされた行政庁の処分で、この法律による改正前の規定により訴願等をすることができるものとされ、かつ、その提起期間が定められていなかつたものについて、行政不服審査法による不服申立てをすることができる期間は、この法律の施行の日から起算する。

8 この法律の施行前にした行為に対する罰則の適用については、なお従前の例による。

9 前八項に定めるもののほか、この法律の施行に関して必要な経過措置は、政令で定める。

附　則　〔略〕　〔昭和四三・六・一五法律一〇一〕

附　則　〔抄〕　〔昭和四五・一二・二五法律一四一〕

（施行期日）

第一条 この法律は、公布の日から起算して六月をこえない範囲内において政令で定める日から施行する。

〔昭和四六政二〇二により、昭和四六・六・二四から施行〕

（経過措置）

第二条 この法律の施行の際現にこの法律による改正前の下水道法（以下「旧法」という。）第四条第一項の認可を受けて設置した、又は設置中の公共下水道は、その事業計画において終末処理場を設けることとしていないものであつても、この法律の施行の日から起算して三年間は、この法律による改正後の下水道法（以下「新法」という。）の適用については、新法の規定による公共下水道とみなす。

第三条 この法律の施行の際現に新法の規定による流域下水道に該当する下水道を管理する都道府県は、遅滞なく、新法第二十五条の四第一項各号に掲げる事項を定めた事業計画を定め、建設大臣に届け出なければならない。

2 前項の規定により届け出た事業計画が新法第二十五条の五に規定する基準に適合している場合においては、当該届出に係る事業計画は、新法第二十五条の三第一項の認可を受けた事業計画とみなす。

第四条 この法律の施行の際現に処理区域内に存する建築物の所有者に対する新法第十一条の三第一項の規定の適用については、同項中「当該処理区域についての第九条第二項において準用する同条第一項の規定により公示された下水の処理を開始すべき日」とあるのは、「下水道法の一部を改正する法律（昭和四十五年法律第百四十一号）の施行の日」とする。

第五条 この法律の施行前にした行為に対する罰則の適用については、なお従前の例による。

2 附則第二条の規定による公共下水道に係るこの法律の施行後にした行為に対する罰則の適用については、同条に規定する期間の経過後も、なお従前の例による。

附　則　〔略〕　〔昭和四六・五・三一法律八八〕

附　則　〔抄〕　〔昭和四八・一〇・五法律一一二〕

（施行期日）

第一条 この法律は、公布の日から起算して一年をこえない範囲内において政令で定める日から施行する。〔以下略〕

〔昭和四九政二九四により、昭和四九・九・一から施行〕

（下水道法の一部改正に伴う経過措置）

第二二条 この法律の施行の際現に継続して下水を排除して公共下水道又は流域下水道を使用している水質汚濁防止法第二条第二項に規定する特定施設の設置者（前条の規定による改正前の下水道法第十一条の二の規定により届出をした者及び届出をしなければならない者に該当する者を除く。）は、この法律の施行の日から起算して三十日以内に、その旨を公共下水道管理者又は流域下水道管理者に届け出なければならない。

2 前項の規定による届出をしなければならない者については、前条の規定による改正後の下水道法第十二条の二の規定は、この法律の施行の日から起算して三十日間は、適用しない。

3 第一項の規定による届出をせず、又は虚偽の届出をした者は、五万円以下の罰金に処する。

附　則　〔抄〕　〔昭和四九・六・一法律七一〕

（施行期日）

第一条 この法律〔中略〕は、昭和五十年四月一日から施行する。

（下水道法の一部改正に伴う経過措置）

第一五条 前条の規定による改正後の下水道法第四十二条第二項の規定により特別区が処理するものとされる主として当該特別区の住民の用に供する下水道の設置、改築、修繕、維持その他の管理に関する事務は、同項の協議において定める日までの間は、同項の規定にかかわらず、従前の例により都が処理するものとする。

2 附則第五条第一項及び第二項の規定は、前条の規定による改正後の下水道法第四十二条第二項の協議において定める日において同項の事務に専ら従事していると認められる都の職員について準用する。この場合において、附則第五条第一項中「特別区に関する改正規定の施行の日の前日」とあるのは「下水道法（昭和三十三年法律第七十九号）第四十二条第二項の協議において定める日」と、「特別区に関する改正規定の施行の日以後」とあるのは「同日の翌日以後」と読み替えるものとする。

附　則　〔抄〕　〔昭和五一・五・二五法律二九〕

（施行期日）

第一条 この法律〔中略〕は公布の日から起算して一年を超えない範囲内において政令で定める日から施行する。

〔昭和五一政三二九により、昭和五二・五・一から施行〕

（下水道法の一部改正に伴う経過措置）

第二条 第二条の規定の施行の際現に水質汚濁防止法（昭和四十五年法律第百三十八号）第二条第二項に規定する特定施設（第二条の規定による改正後の下水道法（以下「新法」という。）第十二条の二第一項の政令で定めるものを除き、以下単に「特定施設」という。）を設置している者（設置の工事をしている者を含む。）が当該特定施設を設置している工場又は事業場から公共下水道（終末処理場を設置しているもの又は終末処理場を設置している流域下水道に接続しているものに限る。次項において同じ。）又は流域下水道（終末処理場を設置しているものに限る。）に排除する下水については、第二条の規定の施行後六月間（当該特定施設が政令で定める施設である場合にあつては、一年間）は、新法第十二条の二第一項及び第五項（新法第二十五条の十においてこれらの規定を準用する場合を含む。）並びに第三十七条の三の規定は適用せず、その者については、新法第十二条の規定にかかわらず、なお従前の例による。ただし、その者に適用されている他の法律又は地方公共団体の条例の規定で河川その他の公共の水域又は海域に排除される汚水の水質につき新法第十二条の二第一項及び第五項に規定する規制に相当するものがあるとき（当該規定の違反行為に対する処罰規定がないときを除く。）は、この限りでない。

2　第二条の規定の施行の際現に特定施設を設置している者（設置の工事をしている者を含む。）で当該特定施設に係る工場又は事業場から継続して下水を排除して公共下水道を使用するものは、同条の規定の施行の日から三十日以内に、新法第十二条の三第一項各号に掲げる事項を公共下水道管理者に届け出なければならない。

3　前項の規定による届出をした者については、新法第十二条の三第三項の規定は、適用しない。

4　第二項の規定による届出をした者は、新法第十二条の四、第十二条の五（新法第十二条の四の規定による届出に係る部分に限る。）及び第十二条の六（新法第十二条の四の規定による届出に係る部分に限る。）から第十二条の九までの規定（これらの規定に係る罰則の規定を含む。）の適用については、新法第十二条の三の規定による届出をした者とみなす。

5　前三項の規定は、流域下水道について準用する。

6　第二項（前項において準用する場合を含む。）の規定による届出をせず、又は虚偽の届出をした者は、十万円以下の罰金に処する。

7　法人の代表者又は法人若しくは人の代理人、使用人その他の従業者が、その法人又は人の業務に関して前項の違反行為をしたときは、行為者を罰するほか、その法人又は人に対しても、同項の刑を科する。

8　第二条の規定の施行前にした行為及び第一項の規定によりなお従前の例によることとされる事項に係る第二条の規定の施行後にした行為に対する罰則の適用については、なお従前の例による。

附　則〔抄〕〔昭和五九・四・二七法律一九〕

（施行期日）

1　この法律は、公布の日から施行する。

（下水道法の一部改正に伴う経過措置）

5　施行日前に発生した下水道の災害の復旧については、前項の規定による改正後の下水道法第三十四条の規定にかかわらず、なお従前の例による。

附　則〔略〕〔昭和六二・九・四法律八七〕

附　則〔略〕〔昭和六二・九・二六法律九七〕

附　則〔抄〕〔平成五・一一・一二法律八九〕

（施行期日）

第一条　この法律は、行政手続法（平成五年法律第八十八号）の施行の日〔平成六・一〇・一〕から施行する。

（諮問等がされた不利益処分に関する経過措置）

第二条　この法律の施行前に法令に基づき審議会その他の合議制の機関に対し行政手続法第十三条に規定する聴聞又は弁明の機会の付与の手続その他の意見陳述のための手続に相当する手続を執るべきことの諮問その他の求めがされた場合においては、当該諮問その他の求めに係る不利益処分の手続に関しては、この法律による改正後の関係法律の規定にかかわらず、なお従前の例による。

（罰則に関する経過措置）

第十三条　この法律の施行前にした行為に対する罰則の適用については、なお従前の例による。

（聴聞に関する規定の整理に伴う経過措置）

第十四条　この法律の施行前に法律の規定により行われた聴聞、聴問若しくは聴聞会（不利益処分に係るものを除く。）又はこれらのための手続は、この法律による改正後の関係法律の相当規定により行われたものとみなす。

（政令への委任）

第十五条　附則第二条から前条までに定めるもののほか、この法律の施行に関して必要な経過措置は、政令で定める。

附　則〔略〕〔平成五・一一・一九法律九二〕

附　則〔略〕〔平成八・六・五法律五九〕

附　則〔抄〕〔平成一一・七・一六法律八七〕

（施行期日）

第一条　この法律は、平成十二年四月一日から施行する。ただし、次の各号に掲げる規定は、当該各号に定める日から施行する。

一　〔前略〕附則〔中略〕第百六十条、第百六十三条、第百六十四条並びに第二百二条の規定　公布の日

二～六　〔略〕

（下水道法の一部改正に伴う経過措置）

第百三十四条　施行日前に第四百二十四条の規定による改正前の下水道法（以下この条において「旧下水道法」という。）第二条の二第四項の規定によりされた流域別下水道整備総合計画（第四百二十四条の規定による改正後の下水道法（以下この条において「新下水道法」という。）第二条の二第五項に規定する二以上の都府県の区域にわたる水系に係る河川その他の公共の水域又は二以上の都府県の区域における汚水により水質の汚濁が生じる海域の全部又は一部についてのものに限る。以下この条において同じ。）の承認又はこの法律の施行の際現に旧下水道法第二条の二第四項の規定によりされている流域別下水道整備総合計画の承認の申請は、それぞれ新下水道法第二条の二第五項の規定によりされた流域別下水道整備総合計画の同意又は協議の申出とみなす。

2　施行日前に旧下水道法第三十七条の規定によりされた命令は、新下水道法第三十七条第一項の規定によりされた指示とみなす。

（国等の事務）

第百五十九条　この法律による改正前のそれぞれの法律に規定するもののほか、この法律の施行前において、地方公共団体の機関が法律又はこれに基づく政令により管理し又は執行する国、他の地方公共団体その他公共団体の事務（附則第百六十一条において「国等の事務」という。）は、この法律の施行後は、地方公共団体が法律又はこれに基づく政令により当該地方公共団体の事務として処理するものとする。

（処分、申請等に関する経過措置）

第百六十条　この法律（附則第一条各号に掲げる規定については、当該各規定。以下この条及び附則第百六十三条において同じ。）の施行前に改正前のそれぞれの法律の規定によりされた許可等の処分その他の行為（以下この条において「処分等の行為」という。）又はこの法律の施行の際現に改正前のそれぞれの法律の規定によりされている許可等の申請その他の行為（以下この条において「申請等の行為」という。）で、この法律の施行の日においてこれらの行為に係る行政事務を行うべき者が異なることとなるものは、附則第二条から前条までの規定又は改正後のそれぞれの法律（これに基づく命令を含む。）の経過措置に関する規定に定めるものを除き、この法律の施行の日以後における改正後のそれぞれの法律の適用については、改正後のそれぞれの法律の相当規定によりされた処分等の行為又は申請等の行為とみなす。

2　この法律の施行前に改正前のそれぞれの法律の規定により国又は地方公共団体の機関に対し報告、届出、提出その他の手続をしなければならない事項で、この法律の施行の日前にその手続がされていないものについては、この法律及びこれに基づく政令に別段の定めがあるもののほか、これを、改正後のそれぞれの法律の相当規定により国又は地方公共団体の相当の機関に対して報告、届出、提出その他の手続をしなければならない事項についてその手続がされていないものとみなして、この法律による改正後のそれぞれの法律の規定を適用する。

（不服申立てに関する経過措置）

第百六十一条　施行日前にされた国等の事務に係る処分であって、当該処分をした行政庁（以下この条において「処分庁」という。）に施行日前に行政不服審査法に規定する上級行政庁（以下この条において「上級行政庁」という。）があったものについての同法による不服申立てについては、施行日以後においても、当該処分庁に引き続き上級行政庁があるものとみなして、行政不服審査法の規定を適用する。この場合において、当該処分庁の上級行政庁とみなされる行政庁は、施行日前に当該処分庁の上級行政庁であった行政庁とする。

2　前項の場合において、上級行政庁とみなされる行政庁が地方公共団体の機関であるときは、当該機関が行政不服審査法の規定により処理することとされる事務は、新地方自治法第二条第九項第一号に規定する第一号法定

受託事務とする。

（手数料に関する経過措置）

第一六二条　施行日前においてこの法律による改正前のそれぞれの法律（これに基づく命令を含む。）の規定により納付すべきであった手数料については、この法律及びこれに基づく政令に別段の定めがあるもののほか、なお従前の例による。

（罰則に関する経過措置）

第一六三条　この法律の施行前にした行為に対する罰則の適用については、なお従前の例による。

（その他の経過措置の政令への委任）

第一六四条　この附則に規定するもののほか、この法律の施行に伴い必要な経過措置（罰則に関する経過措置を含む。）は、政令で定める。

２　〔略〕

附　則〔略〕〔平成一一・七・一六法律一〇五〕

附　則〔略〕〔平成一一・一二・二二法律一六〇〕

附　則〔略〕〔平成一二・五・三一法律九一〕

附　則〔略〕〔平成一四・二・八法律一〕

附　則〔略〕〔平成一五・七・二四法律一二五〕

附　則〔略〕〔平成一七・四・二七法律三三〕

附　則〔抄〕〔平成一七・六・二二法律七〇〕

（施行期日）

第一条　この法律は、公布の日から起算して六月を超えない範囲内において政令で定める日から施行する。

〔平成一七政三二六により、平成一七・一一・一から施行〕

（流域別下水道整備総合計画に関する経過措置）

第二条　この法律の施行の日以後この法律による改正後の下水道法（以下「新法」という。）第二条の二第一項の規定に基づき新法第二条の二第二項第五号の公共の水域又は海域ごとに流域別下水道整備総合計画が定められるまでの間においては、この法律の施行の際現にこの法律による改正前の下水道法第二条の二第一項の規定に基づき当該公共の水域又は海域について定められている流域別下水道整備総合計画を新法第二条の二第一項の規定に基づき定められた流域別下水道整備総合計画とみなす。

（罰則に関する経過措置）

第三条　この法律の施行前にした行為に対する罰則の適用については、なお従前の例による。

（検討）

第四条　政府は、この法律の施行後五年を目途として、新法第十二条の九の規定の施行の状況を勘案し、必要があると認めるときは、当該規定について検討を加え、その結果に基づいて必要な措置を講ずるものとする。

附　則〔抄〕〔平成二三・五・二法律三七〕

（施行期日）

第一条　この法律〔中略〕は、当該各号に定める日〔平成二四・四・一〕から施行する。

（下水道法の一部改正に伴う経過措置）

第一七条　第三十五条の規定の施行前に同条の規定による改正前の下水道法（以下この条において「旧下水道法」という。）第四条第一項又は第二十五条の三第一項（同条第四項において準用する場合を含む。次項において同じ。）の認可を受けた事業計画は、第三十五条の規定による改正後の下水道法（以下この条において「新下水道法」という。）第四条第二項（同条第六項において準用する場合を含む。次項において同じ。）又は第二十五条の三第二項（同条第七項において準用する場合を含む。次項において同じ。）の規定が適用される事業計画にあってはそれぞれの規定による協議を行ったものと、新下水道法第四条第四項（同条第六項において準用する場合を含む。次項において同じ。）又は第二十五条の三第五項（同条第七項において準用する場合を含む。次項において同じ。）の規定が適用される事業計画にあってはそれぞれの規定による届出をしたものとみなす。

２　第三十五条の規定の施行の際現に旧下水道法第四条第一項又は第二十五条の三第一項の規定によりされている認可の申請は、新下水道法第四条第二項又は第二十五条の三第二項の規定が適用される事業計画に係るものにあってはそれぞれの規定によりされた協議の申出と、新下水道法第四条第四項又は第二十五条の三第五項の規定が適用される事業計画に係るものにあってはそれぞれの規定によりされた届出とみなす。

（罰則に関する経過措置）

第二三条　この法律（附則第一条各号に掲げる規定にあっては、当該規定）の施行前にした行為に対する罰則の適用については、なお従前の例による。

（政令への委任）

第二四条　附則第二条から前条まで及び附則第三十六条に規定するもののほか、この法律の施行に関し必要な経過措置は、政令で定める。

附　則〔抄〕〔平成二三・八・三〇法律一〇五〕

（施行期日）

第一条　この法律は、公布の日から施行する。ただし、次の各号に掲げる規定は、当該各号に定める日から施行する。

一　〔略〕

二　〔前略〕第百七条〔中略〕の規定並びに附則〔中略〕第五十一条から第五十三条まで〔中略〕の規定　平成二十四年四月一日

三～六　〔略〕

（下水道法の一部改正に伴う経過措置）

第五二条　第百七条の規定の施行の日から起算して一年を超えない期間内において、同条の規定による改正後の下水道法第七条第二項、第二十一条第二項又は第二十八条第二項の規定に基づく条例が制定施行されるまでの間は、同法第七条第二項の政令で定める基準は同項の条例で定める技術上の基準と、同法第二十一条第二項の政令で定めるところは同項の条例で定めるところと、同法第二十八条第二項の政令で定める基準は同項の条例で定める技術上の基準とみなす。

（罰則に関する経過措置）

第八一条　この法律（附則第一条各号に掲げる規定にあっては、当該規定。以下この条において同じ。）の施行前にした行為及びこの附則の規定によりなお従前の例によることとされる場合におけるこの法律の施行後にした行為に対する罰則の適用については、なお従前の例による。

（政令への委任）

第八二条　この附則に規定するもののほか、この法律の施行に関し必要な経過措置（罰則に関する経過措置を含む。）は、政令で定める。

附　則〔略〕〔平成二六・六・一三法律六九〕

附　則〔抄〕〔平成二七・五・二〇法律二二〕

（施行期日）

第一条　この法律は、公布の日から起算して二月を超えない範囲内において政令で定める日から施行する。ただし、第三条及び附則第三条の規定は、公布の日から起算して六月を超えない範囲内において政令で定める日から施行する。

〔平成二七政二七二により、平成二七・七・一九から施行。ただし書の規定は、平成二七政三八三により、平成二七・一一・一九から施行〕

（下水道法の一部改正に伴う経過措置）

第三条　第三条の規定の施行の際現に同条の規定による改正前の下水道法（次項において「第三条改正前下水道法」という。）第四条第一項の規定により定められている事業計画については、附則第一条ただし書に規定する規定の施行の日から起算して三年を経過する日（その日までに第三条の規定による改正後の下水道法（次項において「新下水道法」という。）第四条第六項において準用する同条第一項の規定により変更されたときは、その変更された日）までの間は、なお従前の例による。

２　第三条の規定の施行の際現に第三条改正前下水道法第二十五条の十一第一項の規定により定められている事業計画については、附則第一条ただし書に規定する規定の施行の日から起算して三年を経過する日（その日までに新下水道法第二十五条の十一第七項において準用する同条第一項の規定により変更されたときは、その変更された日）までの間は、なお従前の例による。

（罰則に関する経過措置）

第五条　この法律の施行前にした行為に対する罰則の適用については、なお従前の例による。

（政令への委任）

第六条　この附則に定めるもののほか、この法律の施行に関し必要な経過措置は、政令で定める。

附　則〔抄〕〔令和三・五・一〇法律三一〕

（施行期日）

第一条　この法律は、公布の日から起算して六月を超えない範囲内において政令で定める日から施行する。ただし、次の各号に掲げる規定は、当該各号号に定める日から施行する。

〔令和三政二九五により、令和三・一一・一から施行〕

一　附則第三条の規定　公布の日

二　〔前略〕第五条中下水道法第六条第二号の改正規定、同法第七条の二を同法第七条の三とし、同法第七条の次に一条を加える改正規定、同法第二十五条の十三第二号の改正規定（「第七条の二第二項」を「第七条の三第二項」に改める部分に限る。）及び同法第三十一条の改正規定〔中略〕　公布の日から起算して三月を超えない範囲内において政令で定める日

〔令和三政二〇四により、令和三・七・一五から施行〕

（政令への委任）

第三条　前条に定めるもののほか、この法律の施行に関し必要な経過措置（罰則に関する経過措置を含む。）は、政令で定める。

（検討）

第四条　政府は、この法律の施行後五年を目途として、この法律による改正後のそれぞれの法律の規定について、その施行の状況等を勘案して検討を加え、必要があると認めるときは、その結果に基づいて所要の措置を講ずるものとする。

附　則　〔抄〕〔令和四・五・二〇法律四四〕

（施行期日）

第一条　この法律は、公布の日から起算して三月を経過した日から施行する。ただし、次の各号に掲げる規定は、当該各号に定める日から施行する。

一　〔前略〕附則第六条の規定　公布の日

二・三　〔略〕

（下水道法の一部改正に伴う経過措置）

第四条　この法律の施行の際現に第十二条の規定による改正前の下水道法第二条の二第七項（同条第九項において準用する場合を含む。）の規定によりされている国土交通大臣への協議の申出は、第十二条の規定による改正後の下水道法第二条の二第十項（同条第十二項において準用する場合を含む。）の規定によりされた国土交通大臣への届出とみなす。

（罰則に関する経過措置）

第五条　この法律の施行前にした行為に対する罰則の適用については、なお従前の例による。

（政令への委任）

第六条　附則第二条から前条までに規定するもののほか、この法律の施行に関し必要な経過措置は、政令で定める。

○下水道法施行令

〔昭和三四・四・二二　政令一四七〕

改正　昭和三六・一二政四二七、昭和四二・七政二一一、昭和四五・一〇政三〇六、昭和四六・六政一八八、政二〇三、昭和四七・四政八二、六政二二五、昭和四八・一二政九、昭和四九・一政九、四政一五〇、八政二九五、一〇政三五四、昭和五〇・一〇政二九八、昭和五一・一二政三二〇、昭和五二・三政二五、昭和五四・一〇政二七三、昭和五六・四政一一〇、昭和五八・一二政二七〇、昭和五九・四政一一九、昭和六〇・五政一三三、一一政二九五、昭和六一・五政一五四、政一五九、昭和六二・三政五四、政九八、九政二九五、一一政三六八、昭和六三・八政二五六、平成元・四政一〇八、政一一四、平成三・三政九八、六政二〇九、平成四・六政二一八、平成五・三政九四、九政二九五、一二政三八五、政四〇五、平成六・七政二一五、平成七・七政二九〇、平成八・一一政三三六、平成一〇・一〇政三五一、平成一一・一一政三五二、一二政四三五、平成一二・六政三一二、七政三九一、平成一三・六政二一三、平成一四・二政二七、一〇政三二三、平成一五・九政四三五、平成一六・一〇政三二八、平成一七・一〇政三二七、平成一八・一一政三五四、平成二三・三政二二、六政一八一、一〇政三三二、一一政三六三、一二政四二四、平成二四・五政一四七、政一四八、平成二六・一一政三六四、平成二七・七政二七三、一〇政三六〇、一一政三八四、平成二九・九政二三二、令和三・七政二〇五、一〇政二九六、令和四・七政二四八、令和六・一政二

注　［　］の部分は、令和六年一月四日政令第二号により改正され、令和七年四月一日から施行

（都市下水路の最小規模）

第一条　下水道法（以下「法」という。）第二条第五号に規定する政令で定める規模は、次の各号に掲げる区分に応じそれぞれ当該各号に掲げるものとする。

一　主として製造業（物品の加工修理業を含む。以下同じ。）、ガス供給業又は鉱業の用に供する施設から排除される汚水を排除し、又は処理するために設けられるもの	当該下水道の始まる箇所における排水管の内径又は排水渠の内のり幅（壁の上端において計るものとする。以下同じ。）が二百五十ミリメートルで、かつ、当該下水道の終る箇所における管渠（排水管又は排水渠をいう。以下同じ。）の排除することができる下水の量が一日に一万立方メートルのもの
二　その他のもの	当該下水道の始まる箇所における管渠の内径又は内のり幅が五百ミリメートルで、かつ、地形上当該下水道により雨水を排除することができる地域の面積が十ヘクタールのもの

（流域別下水道整備総合計画を定めるべき公共の水域又は海域の要件）

第二条　法第二条の二第一項に規定する政令で定める要件は、同項の水質環境基準が定められた河川その他の公共の水域又は海域の水質の汚濁が二以上の市町村の区域における汚水によるものであり、かつ、当該公共の水域又は海域の環境上の条件を主として下水道の整備によつて当該水質環境基準に達せしめる必要があることとする。

（排出される下水の窒素含有量又は燐含有量を削減する必要がある公共の水域又は海域の要件）

第二条の二　法第二条の二第二項第五号に規定する政令で定める要件は、次のとおりとする。

一　窒素含有量又は燐含有量が、当該公共の水域又は海域について定められたこれらについての法第二条の二第一項の水質環境基準に現に適合しておらず、又は適合しないこととなるおそれが高いと認められること。

二　当該公共の水域又は海域の閉鎖性、水量その他の自然的条件からみて、当該公共の水域又は海域に排出される下水に含まれる窒素又は燐が滞留しやすい状況にあると認められること。

（高度処理終末処理場から放流する下水の窒素含有量又は燐含有量に係る水質の基準）

第二条の三　法第二条の二第四項に規定する政令で定める基準は、第六条第一項又は第三項の規定により、窒素含有量及び燐含有量について放流水の水質の技術上の基準として定められた数値（当該数値の上限が一リットルにつきそれぞれ二十ミリグラム及び三ミリグラムを超える場合並びに当該数値が定められていない場合にあつては、それぞれ二十ミリグラム以下及び三ミリグラム以下）とする。

（事業計画の決定及び変更）

第三条　公共下水道管理者は、法第四条第一項（同条第六項において準用する場合を含む。）の規定により、事業計画を定め、又は事業計画の変更（第五条の二の軽微な変更を除く。）をしようとするときは、あらかじめ、その決定又は変更に係る予定処理区域（雨水公共下水道に係るものにあつては、予定排水区域。次条第一号及び第五条の二第五号において同じ。）又は工事の着手若しくは完成の予定年月日を公示して、これらの事項に関し利害関係人に意見を申し出る機会を与えなければならない。

（公共下水道に係る事業計画の協議の申出）

第四条　公共下水道管理者は、法第四条第二項（同条第六項において準用する場合を含む。）の規定により事業計画の協議を申し出ようとするときは、申出書に事業計画を記載した書類（事業計画の変更の協議を申し出ようとするときは、その変更の内容を明らかにする書類）及び次に掲げる事項（事業計画の変更の協議を申し出ようとするときは、その変更に係るものに限る。）を記載した書類を添付し、これを都道府県知事（都道府県が設置する公共下水道の事業計画その他次条に規定する事業計画にあつては、国土

交通大臣）に提出しなければならない。
一　予定処理区域及びその周辺の地域の地形及び土地利用の状況
二　計画下水量及びその算出の根拠
三　公共下水道からの放流水及び処理施設において処理すべき、又は流域関連公共下水道から流域下水道に流入する下水の予定水質並びにその推定の根拠
四　下水の放流先の状況
五　毎会計年度の工事費（維持管理に要する費用を含む。）の予定額及びその予定財源

（国土交通大臣に協議する事業計画）

第四条の二　法第四条第二項（同条第六項において準用する場合を含む。）に規定する政令で定める事業計画は、地方自治法（昭和二十二年法律第六十七号）第二百五十二条の十九第一項の指定都市（以下「指定都市」という。）が設置する公共下水道の事業計画のうち、次の各号のいずれにも該当しないものとする。
一　法第二条第三号イに該当する公共下水道（以下この号及び第二十四条の三第一項第二号イにおいて「一般公共下水道」という。）の事業計画のうち、次のいずれかに該当するもの
イ　予定処理区域（予定処理区域を拡張する変更に係るものにあつては、変更後の予定処理区域）の面積が百ヘクタール以下の一般公共下水道の事業計画
ロ　流域下水道（雨水流域下水道を除く。）に接続する一般公共下水道の事業計画
ハ　第五条の二第一号（処理施設に係る吐口の配置の変更以外の変更に限る。）、第二号、第四号又は第六号のいずれかに該当する変更のみの変更に係る事業計画
二　雨水公共下水道の事業計画

（環境大臣の意見を聴くこと等を要しない場合）

第五条　法第四条第三項又は第五項（これらの規定を同条第六項において準用する場合を含む。）に規定する政令で定める場合は、次に掲げる場合とする。
一　予定処理区域の面積が百ヘクタール以下の公共下水道に係る協議又は届出（予定処理区域の拡張に係る事業計画の変更の協議又は届出にあつては、変更後の予定処理区域の面積が百ヘクタールを超える場合を除く。）を受けた場合
二　流域下水道（雨水流域下水道を除く。）に接続する公共下水道に係る協議又は届出を受けた場合
三　終末処理場の配置又は下水の処理能力の変更を伴わない事業計画の変更に係る協議又は届出を受けた場合

（協議等を要しない事業計画の軽微な変更）

第五条の二　法第四条第六項に規定する政令で定める事業計画の軽微な変更は、次の各号のいずれかに該当する変更及びこれに関連する変更以外のものとする。
一　公共下水道からの放流水の吐口で国土交通省令で定める主要な管渠、処理施設及び国土交通省令で定めるポンプ施設に係るものの配置の変更
二　国土交通省令で定める主要な管渠（これを補完する貯留施設を含む。）の配置、構造若しくは能力又は点検の方法若しくは頻度の変更。ただし、同一の建築基準法（昭和二十五年法律第二百一号）第四十二条に規定する道路内における位置の変更を除く。
三　処理施設（これを補完する施設を含む。）の新設又は配置若しくは下水の処理能力の変更
四　ポンプ施設の新設又は配置若しくは能力の変更
五　予定処理区域の変更（前三号のいずれかに該当する変更に伴うものに限る。）
六　計画降雨の設定又は変更
七　工事の着手又は完成の予定年月日の同一会計年度外にわたる変更

（公共下水道又は流域下水道の構造の技術上の基準）

第五条の三　法第七条第一項（法第二十五条の三十において準用する場合を含む。）に規定する政令で定める公共下水道又は流域下水道の構造の技術上の基準は、次条から第五条の六までに定めるところによる。

（雨水吐の構造の技術上の基準）

第五条の四　雨水吐（合流式の公共下水道又は流域下水道の排水施設（これを補完する施設を含む。第五条の八及び第五条の九において同じ。）で雨水の影響が大きい時に下水の一部を河川その他の公共の水域又は海域に放流するものをいう。以下同じ。）の構造の技術上の基準は、次のとおりとする。
一　雨水の影響が大きくない時においては当該雨水吐から河川その他の公共の水域又は海域に下水を放流しないように、及び雨水の影響が大きい時においては第六条第二項に規定する放流水の水質の技術上の基準に適合させるため当該雨水吐から河川その他の公共の水域又は海域に放流する下水の量を減ずるように、適切な高さの堰の設置その他の措置が講ぜられていること。
二　雨水吐からのきよう雑物の流出を最少限度のものとするように、スクリーンの設置その他の措置が講ぜられていること。

（処理施設の構造の技術上の基準）

第五条の五　処理施設（これを補完する施設を含み、終末処理場であるものに限る。以下この条において同じ。）の構造の技術上の基準は、次のとおりとする。
一　水処理施設（汚泥以外の下水を処理する処理施設をいう。以下同じ。）は、第六条第一項第一号から第三号までに掲げる放流水の水質の技術上の基準に適合するよう下水を処理する性能を有する構造とすること。
二　前号に定めるもののほか、水処理施設は、次の表に掲げる計画放流水質の区分に応じて、それぞれ同表に掲げる方法（当該方法と同程度以上に下水を処理することができる方法を含む。）により下水を処理する構造とすること。

計画放流水質			方法
生物化学的酸素要求量（単位　一リットルにつき五日間にミリグラム）	窒素含有量（単位　一リットルにつきミリグラム）	燐含有量（単位　一リットルにつきミリグラム）	
一〇以下	一〇以下	〇・五以下	循環式硝化脱窒型膜分離活性汚泥法（凝集剤を添加して処理するものに限る。）又は嫌気無酸素好気法（有機物及び凝集剤を添加して処理するものに限る。）に急速濾過法を併用する方法
		〇・五を超え一以下	循環式硝化脱窒型膜分離活性汚泥法（凝集剤を添加して処理するものに限る。）、嫌気無酸素好気法（有機物及び凝集剤を添加して処理するものに限る。）に急速濾過法を併用する方法又は循環式硝化脱窒法（有機物及び凝集剤を添加して処理するものに限る。）に急速濾過法を併用する方法
		一を超え三以下	循環式硝化脱窒型膜分離活性汚泥法（凝集剤を添加して処理するものに限る。）、嫌気無酸素好気法（有機物を添加して処理するものに限る。）に急速濾過法を併用する方法又は循環式硝化脱窒法（有機物及び凝集剤を添加して処理するものに限る。）に急速濾過法を併用する方法

			循環式硝化脱窒型膜分離活性汚泥法、嫌気無酸素好気法（有機物を添加して処理するものに限る。）に急速濾過法を併用する方法又は循環式硝化脱窒法（有機物を添加して処理するものに限る。）に急速濾過法を併用する方法
	一〇を超え二〇以下	一以下	嫌気無酸素好気法（凝集剤を添加して処理するものに限る。）に急速濾過法を併用する方法又は循環式硝化脱窒法（凝集剤を添加して処理するものに限る。）に急速濾過法を併用する方法
		一を超え三以下	嫌気無酸素好気法に急速濾過法を併用する方法又は循環式硝化脱窒法（凝集剤を添加して処理するものに限る。）に急速濾過法を併用する方法
			嫌気無酸素好気法に急速濾過法を併用する方法又は循環式硝化脱窒法に急速濾過法を併用する方法
		一以下	嫌気無酸素好気法（凝集剤を添加して処理するものに限る。）に急速濾過法を併用する方法又は嫌気好気活性汚泥法（凝集剤を添加して処理するものに限る。）に急速濾過法を併用する方法
		一を超え三以下	嫌気無酸素好気法に急速濾過法を併用する方法又は嫌気好気活性汚泥法に急速濾過法を併用する方法
			標準活性汚泥法に急速濾過法を併用する方法
一〇を超え一五以下	二〇以下	三以下	嫌気無酸素好気法又は循環式硝化脱窒法（凝集剤を添加して処理するものに限る。）
			嫌気無酸素好気法又は循環式硝化脱窒法
		三以下	嫌気無酸素好気法又は嫌気好気活性汚泥法
			標準活性汚泥法

2　前項第二号の「計画放流水質」とは、放流水が適合すべき生物化学的酸素要求量、窒素含有量又は燐含有量に係る水質であつて、下水の放流先の河川その他の公共の水域又は海域の状況等を考慮して、国土交通省令で定めるところにより、公共下水道管理者又は流域下水道管理者が定めるものをいう。

（適用除外）

第五条の六　前二条の規定は、次に掲げる公共下水道又は流域下水道については、適用しない。

一　工事を施行するために仮に設けられる公共下水道又は流域下水道

二　非常災害のために必要な応急措置として設けられる公共下水道又は流域下水道

（公共下水道又は流域下水道の構造の基準）

第五条の七　法第七条第二項（法第二十五条の三十において準用する場合を含む。）に規定する政令で定める公共下水道又は流域下水道の構造の基準は、次条から第五条の十一までに定めるところによる。

（排水施設及び処理施設に共通する構造の基準）

第五条の八　排水施設及び処理施設（これを補完する施設を含む。第五条の十において同じ。）に共通する構造の基準は、次のとおりとする。

一　堅固で耐久力を有する構造とすること。

二　コンクリートその他の耐水性の材料で造り、かつ、漏水及び地下水の浸入を最少限度のものとする措置が講ぜられていること。ただし、雨水を排除すべきものについては、多孔管その他雨水を地下に浸透させる機能を有するものとすることができる。

三　屋外にあるもの（生活環境の保全又は人の健康の保護に支障が生ずるおそれのないものとして国土交通省令で定めるものを除く。）にあつては、覆い又は柵の設置その他下水の飛散を防止し、及び人の立入りを制限する措置が講ぜられていること。

四　下水の貯留等により腐食するおそれのある部分にあつては、ステンレス鋼その他の腐食しにくい材料で造り、又は腐食を防止する措置が講ぜられていること。

五　地震によつて下水の排除及び処理に支障が生じないよう地盤の改良、可撓継手の設置その他の国土交通大臣が定める措置が講ぜられていること。

（排水施設の構造の基準）

第五条の九　排水施設の構造の基準は、前条に定めるもののほか、次のとおりとする。

一　排水管の内径及び排水渠の断面積は、国土交通大臣が定める数値を下回らないものとし、かつ、計画下水量に応じ、排除すべき下水を支障なく流下させることができるものとすること。

二　流下する下水の水勢により損傷するおそれのある部分にあつては、減勢工の設置その他水勢を緩和する措置が講ぜられていること。

三　暗渠その他の地下に設ける構造の部分で流下する下水により気圧が急激に変動する箇所にあつては、排気口の設置その他気圧の急激な変動を緩和する措置が講ぜられていること。

四　暗渠である構造の部分の下水の流路の方向又は勾配が著しく変化する箇所その他管渠の清掃上必要な箇所にあつては、マンホールを設けること。

五　ます又はマンホールには、蓋（汚水を排除すべきます又はマンホールにあつては、密閉することができる蓋）を設けること。

六　雨水流域下水道の雨水の流量を調節するための施設は、当該雨水流域下水道に接続する公共下水道の排水区域における降水量、当該雨水の放流先の河川その他の公共の水域又は海域の水位又は潮位その他の状況に応じ、排除する雨水の流量を適切に調節することができる構造とすること。

（処理施設の構造の基準）

第五条の一〇　第五条の八に定めるもののほか、処理施設（終末処理場であるものに限る。第二号において同じ。）の構造の基準は、次のとおりとする。

一　脱臭施設の設置その他臭気の発散を防止する措置が講ぜられていること。

二　汚泥処理施設（汚泥を処理する処理施設をいう。以下同じ。）は、汚泥の処理に伴う排気、排液又は残さい物により生活環境の保全又は人の健康の保護に支障が生じないよう国土交通大臣が定める措置が講ぜられていること。

（適用除外）

第五条の一一　第五条の六の規定は、前三条の規定の適用について準用する。

（公共下水道又は流域下水道の維持又は修繕に関する技術上の基準等）

第五条の一二　法第七条の三第二項（法第二十五条の三十において準用する場合を含む。）に規定する政令で定める公共下水道又は流域下水道の維持又は修繕に関する技術上の基準その他必要な事項は、次のとおりとする。

一　公共下水道又は流域下水道（以下この条において「公共下水道等」という。）の構造又は維持若しくは修繕の状況、公共下水道等に流入する下水の量又は水質、公共下水道等の存する地域の気象の状況その他の状況（以下この項において「公共下水道等の構造等」という。）を勘案して、適切な時期に、公共下水道等の巡視を行い、及び清掃、しゆんせつその他の公共下水道等の機能を維持するために必要な措置を講ずること。

二　公共下水道等の点検は、公共下水道等の構造等を勘案して、適切な時期に、目視その他適切な方法により行うこと。

三　前号の点検は、下水の貯留その他の原因により腐食するおそれが大きいものとして国土交通省令で定める排水施設にあつては、五年に一回以上の適切な頻度で行うこと。

四　第二号の点検その他の方法により公共下水道等の損傷、腐食その他の劣化その他の異状があることを把握したときは、公共下水道等の効率的な維持及び修繕が図られるよう、必要な措置を講ずること。

五　災害の発生時において、公共下水道等の構造等を勘案して、速やかに、公共下水道等の巡視を行い、損傷その他の異状があることを把握したときは、可搬式排水ポンプ（排水施設から下水があふれ出るおそれがある場合に、当該排水施設から下水を排出するための可搬式のポンプをいう。）又は仮設消毒池（水処理施設において下水を処理することができなくなるおそれがある場合に、当該下水を流入させ、その消毒を行うための仮設の池をいう。）の設置その他の公共下水道等の機能を維持するために必要な応急措置を講ずること。

2　前項に規定するもののほか、公共下水道等の維持又は修繕に関する技術上の基準その他必要な事項は、国土交通省令で定める。

（放流水の水質の技術上の基準）

第六条　法第八条（法第二十五条の三十において準用する場合を含む。次項において同じ。）に規定する政令で定める公共下水道又は流域下水道からの放流水の水質の技術上の基準は、雨水の影響の少ない時において、次の各号に掲げる項目について、それぞれ当該各号に定める数値とする。この場合において、当該数値は、国土交通省令・環境省令で定める方法により検定した場合における数値とする。

一　水素イオン濃度　　水素指数五・八以上八・六以下

二　大腸菌群数　　一立方センチメートルにつき三千個以下

三　浮遊物質量　　一リットルにつき四十ミリグラム以下

四　生物化学的酸素要求量、窒素含有量及び燐含有量　　第五条の五第二項に規定する計画放流水質に適合する数値

2　前項に定めるもののほか、合流式の公共下水道（流域関連公共下水道を除く。）からの放流水又は合流式の流域下水道及びそれに接続しているすべての合流式の流域関連公共下水道からの放流水の水質についての法第八条に規定する政令で定める技術上の基準は、国土交通省令・環境省令で定める降雨による雨水の影響が大きい時において、合流式の公共下水道（流域関連公共下水道を除く。）の各吐口又は合流式の流域下水道及びそれに接続しているすべての合流式の流域関連公共下水道の各吐口からの放流水に含まれる生物化学的酸素要求量で表示した汚濁負荷量の総量を、当該各吐口からの放流水の総量で除した数値が、一リットルにつき五日間に四十ミリグラム以下であることとする。この場合において、これらの総量は、国土交通省令・環境省令で定める方法により測定し、又は推計した場合における総量とする。

第六条　法第八条（法第二十五条の三十において準用する場合を含む。次項において同じ。）に規定する政令で定める公共下水道又は流域下水道からの放流水の水質の技術上の基準は、雨水の影響の少ない時において、次の各号に掲げる項目について、当該各号に定める数値とする。この場合において、当該数値は、国土交通省令・環境省令で定める方法により検定した場合における数値とする。

一　〔略〕

二　大腸菌数　　一ミリリットルにつき八百コロニー形成単位以下

三・四　〔略〕

2　前項に定めるもののほか、合流式の公共下水道（流域関連公共下水道を除く。）からの放流水又は合流式の流域下水道及びそれに接続している全ての合流式の流域関連公共下水道からの放流水の水質についての法第八条に規定する政令で定める技術上の基準は、国土交通省令・環境省令で定める降雨による雨水の影響が大きい時において、合流式の公共下水道（流域関連公共下水道を除く。）の各吐口又は合流式の流域下水道及びそれに接続している全ての合流式の流域関連公共下水道の各吐口からの放流水に含まれる生物化学的酸素要求量で表示した汚濁負荷量の総量を、当該各吐口からの放流水の総量で除した数値が、一リットルにつき五日間に四十ミリグラム以下であることとする。この場合において、これらの総量は、国土交通省令・環境省令で定める方法により測定し、又は推計した場合における総量とする。

3　水質汚濁防止法（昭和四十五年法律第百三十八号）第三条第一項の規定による環境省令により、又は同条第三項の規定による条例その他の条例により、第一項各号に掲げる項目について同項各号に定める基準より厳しい排水基準が定められ、又は同項各号に掲げる項目以外の項目についても排水基準が定められている放流水については、同項の規定にかかわらず、その排水基準を当該項目に係る水質の基準とする。

4　前三項の規定によるもののほか、ダイオキシン類対策特別措置法（平成十一年法律第百五号）第八条第一項の規定による環境省令により、又は同条第三項の規定による条例により、同条第一項の排出基準のうち同法第二条第四項に規定する排出水に係るもの（以下「水質排出基準」という。）が定められている放流水については、その水質排出基準を同条第一項に規定するダイオキシン類（以下単に「ダイオキシン類」という。）の量に係る水質の基準とする。

（排水設備の設置を要しない場合）

第七条　法第十条第一項ただし書に規定する政令で定める場合は、鉱山保安法（昭和二十四年法律第七十号）第八条第一号の規定により坑水及び廃水の処理に伴う鉱害の防止のため必要な措置を講じなければならない場合とする。

（排水設備の設置及び構造の技術上の基準）

第八条　法第十条第三項に規定する政令で定める技術上の基準は、次のとおりとする。

一　排水設備は、公共下水道管理者である地方公共団体の条例で定めるところにより、公共下水道のますその他の排水施設又は他の排水設備に接続させること。

二　排水設備は、堅固で耐久力を有する構造とすること。

三　排水設備は、陶器、コンクリート、れんがその他の耐水性の材料で造り、かつ、漏水を最少限度のものとする措置が講ぜられていること。ただし、雨水を排除すべきものについては、多孔管その他雨水を地下に浸透させる機能を有するものとすることができる。

四　分流式の公共下水道に下水を流入させるために設ける排水設備は、汚水と雨水とを分離して排除する構造とすること。

五　管渠の勾配は、やむを得ない場合を除き、百分の一以上とすること。

六　排水管の内径及び排水渠の断面積は、公共下水道管理者である地方公共団体の条例で定めるところにより、その排除すべき下水を支障なく流下させることができるものとすること。

七　汚水（冷却の用に供した水その他の汚水で雨水と同程度以上に清浄であるものを除く。以下この条において同じ。）を排除すべき排水渠は、暗渠とすること。ただし、製造業又はガス供給業の用に供する建築物内においては、この限りでない。

八　暗渠である構造の部分の次に掲げる箇所には、ます又はマンホールを設けること。

イ　もつぱら雨水を排除すべき管渠の始まる箇所

ロ　下水の流路の方向又は勾配が著しく変化する箇所。ただし、管渠の清掃に支障がないときは、この限りでない。

ハ　管渠の長さがその内径又は内のり幅の百二十倍をこえない範囲内において管渠の清掃上適当な箇所

九　ます又はマンホールには、ふた（汚水を排除すべきます又はマンホールにあつては、密閉することができるふた）を設けること。

十　ますの底には、もつぱら雨水を排除すべきますにあつては深さが十五センチメートル以上のどろためを、その他のますにあつてはその接続する管渠の内径又は内のり幅に応じ相当の幅のインバートを設けること。

十一　汚水を一時的に貯留する排水設備には、臭気の発散により生活環境の保全上支障が生じないようにするための措置が講ぜられていること。

（使用開始等の届出を要する下水の量又は水質）

第八条の二　法第十一条の二第一項（法第二十五条の三十第一項において準用する場合を含む。以下この条において同じ。）に規定する政令で定める量は、当該公共下水道又は当該流域下水道（雨水流域下水道を除く。以下

この条において同じ。）を使用しようとする者が最も多量の汚水を排除する一日における当該汚水の量五十立方メートル以上とし、法第十一条の二第一項に規定する政令で定める水質は、次条第一項第四号に該当する水質又は第九条の十若しくは第九条の十一第一項第三号若しくは第六号若しくは第二項第一号、第二号（ただし書を除く。以下この項において同じ。）若しくは第三号から第五号までに定める基準（法第十二条の十一第一項第二号（法第二十五条の三十第一項において準用する場合を含む。次項、第九条の十一第一項並びに第二十五条第一項及び第二項において同じ。）の規定により当該公共下水道又は当該流域下水道の管理者が条例で第九条の十一第二項第二号に掲げる基準より厳しい水質の基準を定めている場合にあつては、当該厳しい基準）に適合しない水質とする。

２　水質汚濁防止法第三条第一項の規定による環境省令により、又は同条第三項の規定による条例その他の条例により定められた窒素含有量又は燐含有量についての排水基準がその放流水について適用される公共下水道又は流域下水道に下水を排除して当該公共下水道又は当該流域下水道を使用しようとする場合については、法第十一条の二第一項に規定する政令で定める水質は、前項の規定による水質のほか、第九条の十一第二項第六号又は第七号に掲げる項目に関して同項第六号（ただし書を除く。）又は第七号（ただし書を除く。）に定める基準（法第十二条の十一第一項第二号の規定により当該公共下水道又は当該流域下水道の管理者が条例でこれらの基準より厳しい水質の基準を定めている場合にあつては、当該厳しい基準）に適合しない水質とする。

（除害施設の設置等に関する条例の基準）

第九条　法第十二条第一項（法第二十五条の三十第一項において準用する場合を含む。）の規定による条例は、次の各号に掲げる項目に関し、それぞれ当該各号に定める範囲内の水質の下水について定めるものとする。

一　温度　四十五度以上であるもの

二　水素イオン濃度　水素指数五以下又は九以上であるもの

三　ノルマルヘキサン抽出物質含有量

イ　鉱油類含有量　一リットルにつき五ミリグラムを超えるもの

ロ　動植物油脂類含有量　一リットルにつき三十ミリグラムを超えるもの

四　沃素消費量　一リットルにつき二百二十ミリグラム以上であるもの

２　前項各号に掲げる数値は、国土交通省令・環境省令で定める方法により検定した場合における数値とする。

（下水の排除の制限等の規定が適用されない特定施設）

第九条の二　法第十二条の二第一項（法第二十五条の三十第一項において準用する場合を含む。次条、第九条の四第一項及び第九条の九第一号において同じ。）に規定する政令で定める特定施設は、水質汚濁防止法施行令（昭和四十六年政令第百八十八号）別表第一第六十六号の三に掲げる施設（同号ハに掲げる施設のうち温泉法（昭和二十三年法律第百二十五号）第二条第一項に規定する温泉を利用するものを除く。）とする。

（適用除外）

第九条の三　法第十二条の二第一項に規定する政令で定める場合は、次に掲げる場合とする。

一　特定事業場から排除される下水が当該公共下水道からの放流水又は当該流域下水道（雨水流域下水道を除く。以下この条において同じ。）からの放流水に係る公共の水域又は海域に直接排除されたとしても、水質汚濁防止法第三条第一項又はダイオキシン類対策特別措置法第八条第一項の規定による環境省令（水質汚濁防止法第三条第三項又はダイオキシン類対策特別措置法第八条第三項の規定による条例が定められている場合にあつては、当該条例を含む。）により定められた次条第一項各号に掲げる物質に係る排水基準（水質排出基準を含む。以下この号、次条第四項及び第五項並びに第二十条第三号において同じ。）が当該下水について適用されない場合において、当該特定事業場から当該公共下水道又は当該流域下水道にその適用されない排水基準についての物質に係る下水を排除するとき。

二　当該公共下水道又は当該流域下水道の施設として次条第一項に規定する物質の処理施設が設けられている場合において、当該公共下水道管理者又は当該流域下水道管理者が、国土交通省令で定めるところにより、当該処理施設において下水を処理すべき区域として公示した区域内の特定事業場から当該公共下水道又は当該流域下水道に当該物質に係る下水を排除するとき。

三　一の施設が水質汚濁防止法第二条第二項に規定する特定施設（以下「水質汚濁防止法特定施設」という。）となつた際現にその施設を設置している者（設置の工事をしている者を含む。）が当該施設を設置している工場又は事業場から公共下水道又は流域下水道に次条第一項第一号から第三十三号までに掲げる物質に係る下水を排除する場合において、次のいずれにも該当しないとき。

イ　当該施設が水質汚濁防止法特定施設となつた日から六月（第九条の七第一号に掲げる施設である場合にあつては、一年）を経過したとき。

ロ　当該施設が水質汚濁防止法特定施設となつた際既に当該工場又は事業場が水質汚濁防止法特定施設を設置する特定事業場であるとき。

ハ　その者に適用されている地方公共団体の条例の規定で河川その他の公共の水域又は海域に排除される汚水の水質（ダイオキシン類に係るものを除く。）につき法第十二条の二第一項に規定する規制に相当するものがあるとき（当該規定の違反行為に対する処罰規定がないときを除く。）。

四　一の施設がダイオキシン類対策特別措置法第十二条第一項第六号に規定する水質基準対象施設（以下「ダイオキシン類対策法特定施設」という。）となつた際現にその施設を設置している者（設置の工事をしている者を含む。）が当該施設を設置している工場又は事業場から公共下水道又は流域下水道にダイオキシン類に係る下水を排除する場合において、次のいずれにも該当しないとき。

イ　当該施設がダイオキシン類対策法特定施設となつた日から一年を経過したとき。

ロ　当該施設がダイオキシン類対策法特定施設となつた際既に当該工場又は事業場がダイオキシン類対策法特定施設を設置する特定事業場であるとき。

ハ　その者に適用されている地方公共団体の条例の規定で河川その他の公共の水域又は海域に排除される汚水の水質（ダイオキシン類に係るものに限る。）につき法第十二条の二第一項に規定する規制に相当するものがあるとき（当該規定の違反行為に対する処罰規定がないときを除く。）。

（特定事業場からの下水の排除の制限に係る水質の基準）

第九条の四　法第十二条の二第一項に規定する政令で定める基準は、水質汚濁防止法特定施設を設置する特定事業場に係るものにあつては第一号から第三十三号までに掲げる物質について、ダイオキシン類対策法特定施設を設置する特定事業場に係るものにあつては第三十四号に掲げる物質について、当該各号に定める数値とする。

一　カドミウム及びその化合物　一リットルにつきカドミウム〇・〇三ミリグラム以下

二　シアン化合物　一リットルにつきシアン一ミリグラム以下

三　有機燐化合物　一リットルにつき一ミリグラム以下

四　鉛及びその化合物　一リットルにつき鉛〇・一ミリグラム以下

五　六価クロム化合物　一リットルにつき六価クロム〇・二ミリグラム以下

六　砒素及びその化合物　一リットルにつき砒素〇・一ミリグラム以下

七　水銀及びアルキル水銀その他の水銀化合物　一リットルにつき水銀〇・〇〇五ミリグラム以下

八　アルキル水銀化合物　検出されないこと。

九　ポリ塩化ビフェニル　一リットルにつき〇・〇〇三ミリグラム以下

十　トリクロロエチレン　一リットルにつき〇・一ミリグラム以下

十一　テトラクロロエチレン　一リットルにつき〇・一ミリグラム以下

十二　ジクロロメタン　一リットルにつき〇・二ミリグラム以下

十三　四塩化炭素　一リットルにつき〇・〇二ミリグラム以下

十四　一・二―ジクロロエタン　一リットルにつき〇・〇四ミリグラム以下
十五　一・一―ジクロロエチレン　一リットルにつき一ミリグラム以下
十六　シス―一・二―ジクロロエチレン　一リットルにつき〇・四ミリグラム以下
十七　一・一・一―トリクロロエタン　一リットルにつき三ミリグラム以下
十八　一・一・二―トリクロロエタン　一リットルにつき〇・〇六ミリグラム以下
十九　一・三―ジクロロプロペン　一リットルにつき〇・〇二ミリグラム以下
二十　テトラメチルチウラムジスルフィド（別名チウラム）　一リットルにつき〇・〇六ミリグラム以下
二十一　二―クロロ―四・六―ビス（エチルアミノ）―S―トリアジン（別名シマジン）　一リットルにつき〇・〇三ミリグラム以下
二十二　S―四―クロロベンジル＝N・N―ジエチルチオカルバマート（別名チオベンカルブ）　一リットルにつき〇・二ミリグラム以下
二十三　ベンゼン　一リットルにつき〇・一ミリグラム以下
二十四　セレン及びその化合物　一リットルにつきセレン〇・一ミリグラム以下
二十五　ほう素及びその化合物　河川その他の公共の水域を放流先とする公共下水道若しくは流域下水道（雨水流域下水道を除く。以下この条において同じ。）又は当該流域下水道に接続する公共下水道に下水を排除する場合にあつては一リットルにつきほう素十ミリグラム以下、海域を放流先とする公共下水道若しくは流域下水道又は当該流域下水道に接続する公共下水道に下水を排除する場合にあつては一リットルにつきほう素二百三十ミリグラム以下
二十六　ふつ素及びその化合物　河川その他の公共の水域を放流先とする公共下水道若しくは流域下水道又は当該流域下水道に接続する公共下水道に下水を排除する場合にあつては一リットルにつきふつ素八ミリグラム以下、海域を放流先とする公共下水道若しくは流域下水道又は当該流域下水道に接続する公共下水道に下水を排除する場合にあつては一リットルにつきふつ素十五ミリグラム以下
二十七　一・四―ジオキサン　一リットルにつき〇・五ミリグラム以下
二十八　フェノール類　一リットルにつき五ミリグラム以下
二十九　銅及びその化合物　一リットルにつき銅三ミリグラム以下
三十　亜鉛及びその化合物　一リットルにつき亜鉛二ミリグラム以下
三十一　鉄及びその化合物（溶解性）　一リットルにつき鉄十ミリグラム以下
三十二　マンガン及びその化合物（溶解性）　一リットルにつきマンガン十ミリグラム以下
三十三　クロム及びその化合物　一リットルにつきクロム二ミリグラム以下
三十四　ダイオキシン類　一リットルにつき十ピコグラム以下

2　前項各号に定める数値は、国土交通省令・環境省令で定める方法により検定した場合における数値とする。

3　第一項第三十四号に定める数値は、ダイオキシン類の量をその毒性に応じて国土交通省令・環境省令で定めるところにより二・三・七・八―四塩化ジベンゾ―パラ―ジオキシンの量に換算した数値とする。

4　水質汚濁防止法第三条第三項又はダイオキシン類対策特別措置法第八条第三項の規定による条例により、当該公共下水道からの放流水又は当該流域下水道からの放流水について第一項に定める基準より厳しい排水基準が定められている場合においては、同項の規定にかかわらず、その排水基準を当該物質に係る水質の基準とする。

5　特定事業場から排除される下水が当該公共下水道からの放流水又は当該流域下水道からの放流水に係る公共の水域又は海域に直接排除されたとした場合においては、水質汚濁防止法若しくはダイオキシン類対策特別措置法の規定による環境省令により、又は水質汚濁防止法第三条第三項若しくはダイオキシン類対策特別措置法第八条第三項の規定による条例により、当該下水について第一項の基準（前項の規定が適用される場合にあつては、同項の基準）より緩やかな排水基準が適用されるときは、第一項及び前項の規定にかかわらず、その排水基準を当該下水についての当該物質に係る水質の基準とする。

（特定事業場からの下水の排除の制限に係る水質の基準を定める条例の基準）

第九条の五　法第十二条の二第三項（法第二十五条の三十第一項において準用する場合を含む。第九条の九第二号において同じ。）の規定による条例は、次の各号に掲げる項目（第六号又は第七号に掲げる項目にあつては、水質汚濁防止法第三条第一項の規定による環境省令（同条第三項の規定による条例が定められている場合にあつては、当該条例を含む。）により定められた窒素含有量又は燐含有量についての排水基準がその放流水について適用される公共下水道又は流域下水道（雨水流域下水道を除く。以下この条において同じ。）に排除される下水に係るものに限る。）に関して水質の基準を定めるものとし、その水質は、それぞれ当該各号に定めるものより厳しいものであつてはならない。

一　アンモニア性窒素、亜硝酸性窒素及び硝酸性窒素含有量　一リットルにつき三百八十ミリグラム未満。ただし、水質汚濁防止法第三条第三項の規定による条例により、当該公共下水道からの放流水又は当該流域下水道からの放流水について排水基準が定められている場合にあつては、当該排水基準に係る数値に三・八を乗じて得た数値とする。
二　水素イオン濃度　水素指数五を超え九未満
三　生物化学的酸素要求量　一リットルにつき五日間に六百ミリグラム未満
四　浮遊物質量　一リットルにつき六百ミリグラム未満
五　ノルマルヘキサン抽出物質含有量
　イ　鉱油類含有量　一リットルにつき五ミリグラム以下
　ロ　動植物油脂類含有量　一リットルにつき三十ミリグラム以下
六　窒素含有量　一リットルにつき二百四十ミリグラム未満。ただし、水質汚濁防止法第三条第三項の規定による条例により、当該公共下水道からの放流水又は当該流域下水道からの放流水について排水基準が定められている場合にあつては、当該排水基準に係る数値に二を乗じて得た数値とする。
七　燐含有量　一リットルにつき三十二ミリグラム未満。ただし、水質汚濁防止法第三条第三項の規定による条例により、当該公共下水道からの放流水又は当該流域下水道からの放流水について排水基準が定められている場合にあつては、当該排水基準に係る数値に二を乗じて得た数値とする。

2　製造業又はガス供給業の用に供する施設から公共下水道又は流域下水道に排除される下水に係る前項第一号から第四号まで、第六号及び第七号に掲げる項目（同項第六号又は第七号に掲げる項目にあつては、同項に規定する下水に係るものに限る。）に関する水質の基準については、それらの施設から排除される汚水の合計量がその処理施設（流域関連公共下水道にあつては、当該流域関連公共下水道が接続する流域下水道の処理施設。以

下この項及び第九条の十一第二項において同じ。）で処理される汚水の量の四分の一以上であると認められるとき、その処理施設に達するまでに他の汚水により十分に希釈されることができないと認められるとき、その他やむを得ない理由があるときは、前項の基準より厳しいものとすることができる。この場合においては、その水質は、次の各号に掲げる項目に関し、それぞれ当該各号に定めるものより厳しいものであつてはならない。

一　アンモニア性窒素、亜硝酸性窒素及び硝酸性窒素含有量　一リットルにつき百二十五ミリグラム未満。ただし、水質汚濁防止法第三条第三項の規定による条例により、当該公共下水道からの放流水又は当該流域下水道からの放流水について排水基準が定められている場合にあつては、当該排水基準に係る数値に一・二五を乗じて得た数値とする。

二　水素イオン濃度　水素指数五・七を超え八・七未満

三　生物化学的酸素要求量　一リットルにつき五日間に三百ミリグラム未満

四　浮遊物質量　一リットルにつき三百ミリグラム未満

五　窒素含有量　一リットルにつき百五十ミリグラム未満。ただし、水質汚濁防止法第三条第三項の規定による条例により、当該公共下水道からの放流水又は当該流域下水道からの放流水について排水基準が定められている場合にあつては、当該排水基準に係る数値に一・二五を乗じて得た数値とする。

六　燐含有量　一リットルにつき二十ミリグラム未満。ただし、水質汚濁防止法第三条第三項の規定による条例により、当該公共下水道からの放流水又は当該流域下水道からの放流水について排水基準が定められている場合にあつては、当該排水基準に係る数値に一・二五を乗じて得た数値とする。

3　特定事業場から排除される下水に係る第一項に規定する水質の基準は、次の各号に掲げる場合においては、前二項の規定にかかわらず、それぞれ当該各号に規定する緩やかな排水基準より厳しいものであつてはならない。

一　第一項第一号、第六号又は第七号に掲げる項目に係る水質に関し、当該下水が当該公共下水道からの放流水又は当該流域下水道からの放流水に係る公共の水域又は海域に直接排除されたとした場合においては、水質汚濁防止法の規定による環境省令により、又は同法第三条第三項の規定による条例により、当該各号に定める基準（前項の規定が適用される場合にあつては、同項第一号、第五号又は第六号に定める基準）より緩やかな排水基準が適用されるとき。

二　第一項第二号から第五号までに掲げる項目に係る水質に関し、当該下水が河川その他の公共の水域（湖沼を除く。）に直接排除されたとした場合においては、水質汚濁防止法の規定による環境省令により、当該各号に定める基準（前項の規定が適用される場合における同項第二号から第四号までに掲げる項目に係る水質にあつては、当該各号に定める基準）より緩やかな排水基準が適用されるとき。

4　第一項各号及び第二項各号に掲げる数値は、国土交通省令・環境省令で定める方法により検定した場合における数値とする。

（適用除外）

第九条の六　法第十二条の二第五項（法第二十五条の三十第一項において準用する場合を含む。）に規定する政令で定める場合は、次に掲げる場合とする。

一　特定事業場から排除される前条第一項第一号、第六号又は第七号に掲げる項目に係る下水に関しては、当該下水が当該公共下水道からの放流水又は当該流域下水道（雨水流域下水道を除く。以下この条において同じ。）からの放流水に係る公共の水域又は海域に直接排除されたとしても、水質汚濁防止法第三条第一項の規定による環境省令（同条第三項の規定による条例が定められている場合にあつては、当該条例を含む。）により定められた当該項目についての排水基準が適用されない場合において、当該特定事業場から当該公共下水道又は当該流域下水道にその適用されない排水基準についての項目に係る下水を排除するとき。

二　特定事業場から排除される前条第一項第二号から第五号までに掲げる項目に係る下水に関しては、当該下水が河川その他の公共の水域（湖沼を除く。）に直接排除されたとしても、水質汚濁防止法第三条第一項の規定による環境省令により定められた当該項目についての排水基準が適用されない場合において、当該特定事業場から当該公共下水道又は当該流域下水道にその適用されない排水基準についての項目に係る下水を排除するとき。

三　水質汚濁防止法特定施設を設置しない特定事業場から公共下水道又は流域下水道に下水を排除する場合

四　一の施設が水質汚濁防止法特定施設となつた際現にその施設を設置している者（設置の工事をしている者を含む。）が当該施設を設置している工場又は事業場から公共下水道又は流域下水道に下水を排除する場合において、次のいずれにも該当しないとき。

イ　当該施設が水質汚濁防止法特定施設となつた日から六月（次条第一号に掲げる施設である場合にあつては、一年）を経過したとき。

ロ　当該施設が水質汚濁防止法特定施設となつた際既に当該工場又は事業場が水質汚濁防止法特定施設を設置する特定事業場であるとき。

ハ　その者に適用されている地方公共団体の条例の規定で河川その他の公共の水域又は海域に排除される汚水の水質につき法第十二条の二第五項に規定する規制に相当するものがあるとき（当該規定の違反行為に対する処罰規定がないときを除く。）。

（法第十二条の二第六項の政令で定める施設）

第九条の七　法第十二条の二第六項（法第二十五条の三十第一項において準用する場合を含む。）に規定する政令で定める施設は、次に掲げる施設とする。

一　水質汚濁防止法施行令別表第一第六十六号の四から第六十六号の八まで、第六十八号の二及び第七十一号の三に掲げる施設

二　ダイオキシン類対策特別措置法特定施設

（事故時の措置を要する物質又は油）

第九条の八　法第十二条の九第一項（法第二十五条の三十第一項において準用する場合を含む。次条において同じ。）に規定する政令で定める物質又は油は、水質汚濁防止法施行令第二条各号に掲げる物質及びダイオキシン類並びに同令第三条の四各号に掲げる油とする。

（事故時の措置の規定が適用されない場合）

第九条の九　法第十二条の九第一項に規定する政令で定める場合は、次に掲げる場合とする。

一　特定事業場から水質汚濁防止法施行令第二条第一号から第二十五号まで若しくは第二十八号に掲げる物質（同条第十五号に掲げる物質にあつては、シス－一・二－ジクロロエチレンに限る。）又はダイオキシン類を含む下水が排出され、当該公共下水道又は当該流域下水道（雨水流域下水道を除く。以下この条において同じ。）に流入した場合において、当該下水の水質が法第十二条の二第一項に規定する政令で定める基準に適合するとき。

二　特定事業場から水質汚濁防止法施行令第二条第二十六号に掲げる物質又は同令第三条の四各号に掲げる油を含む下水が排出され、当該公共下水道又は当該流域下水道に流入した場合において、当該下水の水質が法第十二条の二第三項の規定に基づく条例で定める基準に適合するとき。

三　当該公共下水道又は当該流域下水道の施設として水質汚濁防止法施行令第二条第一号から第二十五号まで若しくは第二十八号に掲げる物質（同条第十五号に掲げる物質にあつては、シス－一・二－ジクロロエチレンに限る。）又はダイオキシン類の処理施設が設けられている場合において、当該公共下水道管理者又は当該流域下水道管理者が、国土交通省令で定めるところにより、当該処理施設において下水を処理すべき区域として公示した区域内の特定事業場から当該物質に係る下水が排出され、当該公共下水道又は当該流域下水道に流入したとき。

（除害施設の設置等に係る下水の水質の基準）

第九条の一〇　法第十二条の十一第一項第一号（法第二十五条の三十第一項において準用する場合を含む。）に規定する政令で定める基準は、次の各号に掲げる場合の区分に応じ、それぞれ当該各号に定める基準とする。

一　ダイオキシン類対策特別措置　第九条の四第一項各号に規定する基準

法の規定により、公共下水道又は流域下水道（雨水流域下水道を除く。次号において同じ。）からの放流水について水質排出基準が定められている場合　（同条第四項に規定する場合においては、同項に規定する基準）

二　条例の規定により、公共下水道又は流域下水道からの放流水についてダイオキシン類に係る排水基準が定められている場合　第九条の四第一項第一号から第三十三号までに規定する基準（同条第四項に規定する場合においては、同項に規定する基準）及び当該条例に規定する基準

三　前二号に掲げる場合以外の場合　第九条の四第一項第一号から第三十三号までに規定する基準（同条第四項に規定する場合においては、同項に規定する基準）

（除害施設の設置等に関する条例の基準）

第九条の十一　法第十二条の十一第一項第二号の規定による条例は、次の各号に掲げる項目（第四号又は第五号に掲げる項目にあつては、水質汚濁防止法第三条第一項の規定による環境省令により、又は同条第三項の規定による条例その他の条例により定められた窒素含有量又は燐（りん）含有量についての排水基準がその放流水について適用される公共下水道又は流域下水道（雨水流域下水道を除く。以下この項及び次項において同じ。）に排除される下水に係るものに限る。）又は物質に関して水質の基準を定めるものとし、その水質は、それぞれ当該各号に定めるものより厳しいものであつてはならない。

第九条の十一　法第十二条の十一第一項第二号に規定する政令で定める基準は、同号の条例において次の各号に掲げる項目（第四号又は第五号に掲げる項目にあつては、水質汚濁防止法第三条第一項の規定による環境省令により、又は同条第三項の規定による条例その他の条例により定められた窒素含有量又は燐（りん）含有量についての排水基準がその放流水について適用される公共下水道又は流域下水道（雨水流域下水道を除く。以下この項及び次項において同じ。）に排除される下水に係るものに限る。）又は物質に関して水質の基準を定めること及び当該水質の基準が当該各号に定めるものより厳しいものであつてはならないこととする。

一　第九条第一項第一号に掲げる項目　四十五度未満

二　第九条の五第一項第一号から第四号までに掲げる項目　それぞれ当該各号に定める数値

二　第九条の五第一項第一号から第四号までに掲げる項目　それぞれこれらの号に定める数値

三　第九条の五第一項第五号に掲げる項目　同号に定める数値。ただし、水質汚濁防止法第三条第三項の規定による条例により、当該公共下水道からの放流水又は当該流域下水道からの放流水について同号に定める基準より厳しい排水基準が定められている場合にあつては、その数値とする。

四　窒素含有量　一リットルにつき二百四十ミリグラム未満。ただし、水質汚濁防止法第三条第三項の規定による条例その他の条例により、当該公共下水道からの放流水又は当該流域下水道からの放流水について排水基準が定められている場合にあつては、当該排水基準に係る数値に二を乗じて得た数値とする。

五　燐（りん）含有量　一リットルにつき三十二ミリグラム未満。ただし、水質汚濁防止法第三条第三項の規定による条例その他の条例により、当該公共下水道からの放流水又は当該流域下水道からの放流水について排水基準が定められている場合にあつては、当該排水基準に係る数値に二を乗じて得た数値とする。

六　第九条の四第一項各号に掲げる物質以外の物質又は第九条第一項第一号に掲げる項目及び第九条の五第一項各号に掲げる項目以外の項目で、条例により当該公共下水道からの放流水又は当該流域下水道からの放流水に関する排水基準が定められたもの（第九条の五第一項第三号に掲げる項目に類似する項目及び大腸菌群数を除く。）　当該排水基準に係る数値

六　第九条第一項第一号に掲げる項目及び第九条の五第一項各号に掲げる項目以外の項目又は第九条の四第一項各号に掲げる物質以外の物質で、条例により当該公共下水道からの放流水又は当該流域下水道からの放流水に関する排水基準が定められたもの（第九条の五第一項第三号に掲げる項目に類似する項目及び大腸菌数を除く。）　当該排水基準に係る数値

2　製造業又はガス供給業の用に供する施設から公共下水道又は流域下水道に排除される下水に係る前項第一号、第二号、第四号及び第五号に掲げる項目（同項第四号又は第五号に掲げる項目にあつては、同項に規定する下水に係るものに限る。）に関する水質の基準については、それらの施設から排除される汚水の合計量がその処理施設で処理される汚水の量の四分の一以上であると認められるとき、その処理施設に達するまでに他の汚水により十分に希釈されることができないと認められるとき、その他やむを得ない理由があるときは、同項の基準より厳しいものとすることができる。この場合においては、その水質は、次の各号に掲げる項目に関し、それぞれ当該各号に定めるものより厳しいものであつてはならない。

2　製造業又はガス供給業の用に供する施設から公共下水道又は流域下水道に排除される下水に係る前項第一号、第二号、第四号及び第五号に掲げる項目（同項第四号又は第五号に掲げる項目にあつては、同項に規定する下水に係るものに限る。）に関する水質の基準については、それらの施設から排除される汚水の合計量がその処理施設で処理される汚水の量の四分の一以上であると認められるとき、その処理施設に達するまでに他の汚水により十分に希釈されることができないと認められるとき、その他やむを得ない理由があるときは、同項の基準より厳しいものとすることができる。この場合においては、その水質は、次の各号に掲げる項目に関し、当該各号に定めるものより厳しいものであつてはならない。

一　温度　四十度未満

二　アンモニア性窒素、亜硝酸性窒素及び硝酸性窒素含有量　一リットルにつき百二十五ミリグラム未満。ただし、水質汚濁防止法第三条第三項の規定による条例により、当該公共下水道からの放流水又は当該流域下水道からの放流水について排水基準が定められている場合にあつては、当該排水基準に係る数値に一・二五を乗じて得た数値とする。

三　水素イオン濃度　水素指数五・七を超え八・七未満

四　生物化学的酸素要求量　一リットルにつき五日間に三百ミリグラム未満

五　浮遊物質量　一リットルにつき三百ミリグラム未満

六　窒素含有量　一リットルにつき百五十ミリグラム未満。ただし、水質汚濁防止法第三条第三項の規定による条例その他の条例に

より、当該公共下水道からの放流水又は当該流域下水道からの放流水について排水基準が定められている場合にあつては、当該排水基準に係る数値に一・二五を乗じて得た数値とする。

七　燐含有量　一リットルにつき二十ミリグラム未満。ただし、水質汚濁防止法第三条第三項の規定による条例その他の条例により、当該公共下水道からの放流水又は当該流域下水道からの放流水について排水基準が定められている場合にあつては、当該排水基準に係る数値に一・二五を乗じて得た数値とする。

3　第一項第一号、第四号及び第五号並びに前項各号に掲げる数値は、国土交通省令・環境省令で定める方法により検定した場合における数値とする。

（承認を要しない軽微な施設の維持）

第一〇条　法第十六条ただし書（法第二十五条の三十及び第三十一条において準用する場合を含む。）に規定する施設の維持で政令で定める軽微なものは、排水渠の開渠である構造の部分又はますの清掃とする。

（汚濁原因者負担金の額）

第一〇条の二　法第十八条の二（法第二十五条の三十第一項において準用する場合を含む。）の規定により特定施設の設置者（過去の設置者を含む。以下この条において同じ。）に負担させる汚濁原因者負担金の額は、公共下水道管理者又は流域下水道管理者が公害健康被害の補償等に関する法律（昭和四十八年法律第百十一号）の規定により納付した特定賦課金の額に、各特定施設の設置者が当該公共下水道又は当該流域下水道（雨水流域下水道を除く。以下この条において同じ。）若しくは当該流域下水道に係る流域関連公共下水道に排除した当該特定賦課金に係る同法第六条に規定する指定疾病に影響を与える水質の汚濁の原因である物質の量の、全ての特定施設の設置者が当該公共下水道又は当該流域下水道若しくは当該流域下水道に係る流域関連公共下水道に排除した当該物質の量に対する割合を乗じて得た額を超えない範囲内において、当該公共下水道又は当該流域下水道から河川その他の公共の水域又は海域に当該物質が排出されたことについての公共下水道管理者又は流域下水道管理者の責めに帰すべき事由を参酌して定めるものとする。

（工事負担金に係る下水の量の算出方法）

第一一条　法第十九条の規定による下水の量の算出方法は、排水設備から排除される汚水について、公共下水道の管渠（取付管渠を除く。）の当該汚水が流入すべき部分における計画下水量（合流式の公共下水道にあつては、そのうち汚水に係る部分）に五分の一を乗じて計算するものとする。

（事業者から徴収する使用料の基準）

第一一条の二　法第二十条第三項に規定する政令で定める基準は、次のとおりとする。

一　公害防止事業費事業者負担法（昭和四十五年法律第百三十三号）の規定に基づき設置の費用の一部を負担した事業者から徴収する使用料については、その算定の基礎となる法第二十条第二項第二号に規定する原価で設置の費用に係るものは、当該公共下水道の設置の費用の額から公害防止事業費事業者負担法第四条第一項又は第三項の規定による負担総額を控除した額とすること。

二　前号の事業者以外の事業者から徴収する使用料については、その算定の基礎となる法第二十条第二項第二号に規定する原価で設置の費用に係るものは、当該公共下水道の設置の費用の額とすること。

（放流水の水質検査）

第一二条　法第二十一条第一項（法第二十五条の三十において準用する場合を含む。第三項において同じ。）の規定による第六条第一項、第三項及び第四項に規定する技術上の基準に関する放流水の水質についての水質検査は、公共下水道又は流域下水道の各吐口（雨水吐の吐口及び分流式の公共下水道又は流域下水道の雨水を排除すべき吐口を除くものとし、放流水の水質が類似のものであると認められる二以上の吐口については、それらの吐口のうちいずれか一の吐口に限る。）からの放流水について、少なくとも毎月二回（ダイオキシン類についての水質検査にあつては、少なくとも毎年一回）、行うものとする。この場合において、検査に供する放流水は、当該放流水の水質に対する雨水の影響の少ない日において採取しなければならない。

2　公共下水道管理者又は流域下水道管理者は、第九条の四第一項第一号から第三十三号までに掲げる物質のうち、処理区域内における特定施設の設置の状況、過去の水質検査の結果その他の事情を勘案して前項に規定する水質検査の回数及び時期による必要がないことが明らかであると認められるものについては、毎年二回を下らない範囲内において同項に規定する水質検査の回数及び時期と別の回数及び時期を定めることができる。

3　法第二十一条第一項の規定による第六条第二項に規定する技術上の基準に関する放流水の水質についての水質検査は、同項に規定する各吐口（放流水の水質が類似のものであると認められる二以上の吐口については、それらの吐口のうちいずれか一の吐口に限る。）からの放流水について、毎年、同項に規定する時のうち少なくとも一回、行うものとする。

4　前三項のほか、放流水の水質が著しく悪化していると疑われる事情があるときは、必要な水質検査を行うものとする。

5　公共下水道管理者又は流域下水道管理者は、第一項、第二項又は前項の規定にかかわらず、一の項目について水質検査を行うことにより他の項目に係る第六条の技術上の基準に適合することが明らかであると認められる場合においては、当該他の項目について水質検査を行わないことができる。

6　第一項から第四項までの水質検査をしたときは、検査に供した放流水を採取した日時及び場所その他国土交通省令・環境省令で定める事項を明らかにしてその結果を記録し、これを五年間保存しておかなければならない。

（終末処理場の維持管理）

第一三条　法第二十一条第二項（法第二十五条の三十第一項において準用する場合を含む。）の規定による終末処理場の維持管理は、次に定めるところを参酌して条例で定めるところにより行うものとする。

一　活性汚泥を使用する処理方法によるときは、活性汚泥の解体又は膨化を生じないようにエアレーションを調節すること。

二　沈砂池又は沈殿池のどろための砂、汚泥等が満ちたときは、速やかにこれを除去すること。

三　急速濾過法によるときは、濾床が詰まらないように定期的にその洗浄等を行うとともに、濾材が流出しないように水量又は水圧を調節すること。

四　前三号のほか、施設の機能を維持するために必要な措置を講ずること。

五　臭気の発散及び蚊、はえ等の発生の防止に努めるとともに、構内の清潔を保持すること。

六　前号のほか、汚泥処理施設には、汚泥の処理に伴う排気、排液又は残さい物により生活環境の保全又は人の健康の保護に支障が生じないよう国土交通大臣及び環境大臣が定める措置を講ずること。

（発生汚泥等）

第一三条の二　法第二十一条の二第一項（法第二十五条の三十第一項において準用する場合を含む。次条及び第十三条の四において同じ。）に規定する政令で定めるものは、スクリーンかす、砂、土、汚泥その他これらに類するもの（次条において「発生汚泥等」という。）とする。

（発生汚泥等の処理の基準）

第一三条の三　法第二十一条の二第一項に規定する公共下水道又は流域下水道（雨水流域下水道を除く。）の円滑な維持管理を図るための発生汚泥等の処理の基準は、次のとおりとする。

一　発生汚泥等は、速やかに処理すること。

二　発生汚泥等（次条に規定する国土交通大臣及び環境大臣が指定する汚泥を除く。以下この条において同じ。）の運搬に当たつては、次に掲げるところによること。

イ　発生汚泥等が飛散し、及び流出しないようにすること。

ロ　運搬に伴う悪臭、騒音又は振動によつて生活環境の保全上支障が生じないように必要な措置を講ずること。

三　処理施設のスクリーン、沈砂池又は沈殿池から除去した発生汚泥等（以下この号において「下水汚泥等」という。）の埋立処分に当たつては、次に掲げるところによること。

イ　地中にある空間を利用する処分の方法以外の方法によること。

ロ　埋立処分の場所（以下この号において「埋立地」という。）には、周囲に囲いを設けるとともに、下水汚泥等の処分の場所であることを表示すること。

ハ　埋立地からの浸出液によつて公共の水域及び地下水を汚染すること

のないように必要な措置を講ずること。

ニ　沈殿池から除去した汚泥の埋立処分（水面埋立処分を除く。）を行う場合には、当該汚泥を、あらかじめ、熱しやく減量十五パーセント以下に焼却し、又は含水率八十五パーセント以下にすること。

ホ　沈殿池から除去した汚泥の水面埋立処分を行う場合には、当該汚泥を、あらかじめ、熱しやく減量十五パーセント以下に焼却し、又は消化設備を用いて消化し、若しくは有機物の含有量が消化設備を用いて消化したものと同程度以下のものとすること。

ヘ　下水汚泥等（熱しやく減量十五パーセント以下に焼却したもの及び沈砂池から除去した砂を除く。以下へにおいて同じ。）の埋立処分を行う場合には、埋め立てる下水汚泥等の一層の厚さは、おおむね三メートル（沈殿池から除去した汚泥であつて、消化設備を用いて消化したもの及び有機物の含有量が消化設備を用いて消化したものと同程度以下のもの以外のものにあつては、おおむね〇・五メートル）以下とし、かつ、一層ごとに、その表面を土砂でおおむね〇・五メートル覆うこと。ただし、埋立地の面積が一万平方メートル以下又は埋立容量が五万立方メートル以下の埋立処分（トにおいて「小規模埋立処分」という。）を行う場合は、この限りでない。

ト　沈殿池から除去した汚泥（熱しやく減量十五パーセント以下に焼却したもの、消化設備を用いて消化したもの及び有機物の含有量が消化設備を用いて消化したものと同程度以下のものを除く。）の埋立処分を行う場合には、通気装置を設けて、埋立地から発生するガスを排除すること。ただし、小規模埋立処分を行う場合は、この限りでない。

チ　埋立地の外に悪臭が発散しないように必要な措置を講ずること。

リ　埋立地には、ねずみが生息し、及び蚊、はえその他の害虫が発生しないようにすること。

四　ます又は管渠から除去した土砂その他これに類するものの埋立処分に当たつては、前号イ、ロ、ハ、チ及びリの規定の例により行うこと。

第一三条の四　法第二十一条の二第一項に規定する有毒物質の拡散を防止するための汚水ます及び終末処理場から生じた汚泥の処理の基準は、汚泥に含まれる有毒物質（廃棄物の処理及び清掃に関する法律施行令（昭和四十六年政令第三百号）別表第三の三に掲げる物質及びダイオキシン類とする。）の拡散を防止することが必要であるとして国土交通大臣及び環境大臣が指定する汚泥について、同令第六条の五第一項の基準のうち汚泥に係るものの例によるものとする。

（資格を有する者以外の者に公共下水道又は流域下水道の設計又は工事の監督管理を行わせることができる場合）

第一四条　法第二十二条第一項（法第二十五条の三十において準用する場合を含む。）に規定する政令で定める場合は、排水施設、処理施設及びポンプ施設以外の施設を設置し、又は改築する場合とする。

（公共下水道又は流域下水道の設計又は工事の監督管理を行う者の資格）

第一五条　法第二十二条第一項（法第二十五条の三十において準用する場合を含む。）に規定する政令で定める資格は、次に掲げるものとする。

一　学校教育法（昭和二十二年法律第二十六号）による大学（短期大学を除く。以下この条及び第十五条の三において同じ。）の土木工学科、衛生工学科若しくはこれらに相当する課程において下水道工学に関する学科目を修めて卒業した者又は旧大学令（大正七年勅令第三百八十八号）による大学において土木工学科若しくはこれに相当する課程を修めて卒業した者であつて、イからハまでに掲げる場合の区分に応じ、それぞれイからハまでに定めるものであること。

イ　計画設計（事業計画に定めるべき事項に関する基本的な設計をいう。以下この条において同じ。）を行わせる場合　五年以上下水道、上水道、工業用水道、河川、道路その他国土交通大臣が定める施設（以下この条において「下水道等」という。）に関する技術上の実務に従事し、かつ、二年六月以上下水道に関する技術上の実務に従事した経験を有する者

ロ　処理施設又はポンプ施設に係る実施設計（計画設計に基づく具体的な設計をいう。ハにおいて同じ。）又は工事の監督管理（以下この条において「処理施設又はポンプ施設に係る監督管理等」という。）を行わせる場合　二年以上下水道等に関する技術上の実務に従事し、かつ、一年以上下水道に関する技術上の実務に従事した経験を有する者

ハ　排水施設に係る実施設計又は工事の監督管理（以下この条において「排水施設に係る監督管理等」という。）を行わせる場合　一年以上下水道等に関する技術上の実務に従事し、かつ、六月以上下水道に関する技術上の実務に従事した経験を有する者

二　学校教育法による大学の土木工学科、衛生工学科、電気工学科、機械工学科又はこれらに相当する課程において下水道工学に関する学科目以外の学科目を修めて卒業した者であつて、イからハまでに掲げる場合の区分に応じ、それぞれイからハまでに定めるものであること。

イ　計画設計を行わせる場合　六年以上下水道等に関する技術上の実務に従事し、かつ、三年以上下水道に関する技術上の実務に従事した経験を有する者

ロ　処理施設又はポンプ施設に係る監督管理等を行わせる場合　三年以上下水道等に関する技術上の実務に従事し、かつ、一年六月以上下水道に関する技術上の実務に従事した経験を有する者

ハ　排水施設に係る監督管理等を行わせる場合　一年六月以上下水道等に関する技術上の実務に従事し、かつ、一年以上下水道に関する技術上の実務に従事した経験を有する者

三　学校教育法による短期大学（同法による専門職大学の前期課程を含む。第十五条の三第三号において同じ。）若しくは高等専門学校又は旧専門学校令（明治三十六年勅令第六十一号）による専門学校において土木科、電気科、機械科又はこれらに相当する課程を修めて卒業した者（同法による専門職大学の前期課程にあつては、修了した者。同号において同じ。）であつて、イからハまでに掲げる場合の区分に応じ、それぞれイからハまでに定めるものであること。

イ　計画設計を行わせる場合　八年以上下水道等に関する技術上の実務に従事し、かつ、四年以上下水道に関する技術上の実務に従事した経験を有する者

ロ　処理施設又はポンプ施設に係る監督管理等を行わせる場合　五年以上下水道等に関する技術上の実務に従事し、かつ、二年六月以上下水道に関する技術上の実務に従事した経験を有する者

ハ　排水施設に係る監督管理等を行わせる場合　二年六月以上下水道等に関する技術上の実務に従事し、かつ、一年六月以上下水道に関する技術上の実務に従事した経験を有する者

四　学校教育法による高等学校若しくは中等教育学校又は旧中等学校令（昭和十八年勅令第三十六号）による中等学校において土木科、電気科、機械科又はこれらに相当する課程を修めて卒業した者であつて、イからハまでに掲げる場合の区分に応じ、それぞれイからハまでに定めるものであること。

イ　計画設計を行わせる場合　十年以上下水道等に関する技術上の実務に従事し、かつ、五年以上下水道に関する技術上の実務に従事した経験を有する者

ロ　処理施設又はポンプ施設に係る監督管理等を行わせる場合　七年以上下水道等に関する技術上の実務に従事し、かつ、三年六月以上下水道に関する技術上の実務に従事した経験を有する者

ハ　排水施設に係る監督管理等を行わせる場合　三年六月以上下水道等に関する技術上の実務に従事し、かつ、二年以上下水道に関する技術上の実務に従事した経験を有する者

五　日本下水道事業団法施行令（昭和四十七年政令第二百八十六号）第四条第一項の第一種技術検定に合格した者であつて、イからハまでに掲げる場合の区分に応じ、それぞれイからハまでに定めるものであること。

イ　計画設計を行わせる場合　三年以上下水道等に関する技術上の実務に従事し、かつ、六月以上下水道に関する技術上の実務に従事した経験を有する者

ロ　処理施設又はポンプ施設に係る監督管理等を行わせる場合　二年以上下水道等に関する技術上の実務に従事し、かつ、六月以上下水道に関する技術上の実務に従事した経験を有する者

ハ　排水施設に係る監督管理等を行わせる場合　一年以上下水道等に関する技術上の実務に従事した経験を有する者

六　日本下水道事業団法施行令第四条第一項の第二種技術検定に合格した者であつて、前号ロ又はハに掲げる場合の区分に応じ、それぞれ同号ロ又はハに定めるものであること。

七　建設業法（昭和二十四年法律第百号）の規定による土木施工管理に係る一級の第二次検定に合格した者であつて、第二号ロ又はハに掲げる場合の区分に応じ、それぞれ同号ロ又はハに定めるものであること。

八　技術士法（昭和五十八年法律第二十五号）の規定による第二次試験の

うち国土交通大臣が定める技術部門に合格した者（国土交通大臣が定める選択科目を選択した者に限る。）であること。

九　前各号に掲げるもののほか、イ又はロに掲げる場合の区分に応じ、それぞれイ又はロに定める者であること。

イ　処理施設又はポンプ施設に係る監督管理等を行わせる場合　十年以上上下水道等の工事に関する技術上の実務に従事し、かつ、五年以上下水道の工事に関する技術上の実務に従事した経験を有する者

ロ　排水施設に係る監督管理等を行わせる場合　五年以上下水道等の工事に関する技術上の実務に従事し、かつ、二年六月以上下水道の工事に関する技術上の実務に従事した経験を有する者

十　国土交通省令で定めるところにより、前各号に規定する者と同等以上の知識及び技能を有すると認められる者であること。

（公共下水道又は流域下水道の維持管理のうち資格を有する者以外の者に行わせてはならない事項）

第一五条の二　法第二十二条第二項（法第二十五条の三十において準用する場合を含む。）に規定する政令で定める事項は、処理施設又はポンプ施設の維持管理に関する事項とする。

（公共下水道又は流域下水道の維持管理を行う者の資格）

第一五条の三　法第二十二条第二項（法第二十五条の三十において準用する場合を含む。）に規定する政令で定める資格は、次に掲げるものとする。

一　学校教育法による大学の土木工学科、衛生工学科若しくはこれらに相当する課程において下水道工学に関する学科目を修めて卒業した者又は旧大学令による大学において土木工学科若しくはこれに相当する課程を修めて卒業した者であつて、二年以上下水道、上水道、工業用水道、し尿処理施設その他国土交通大臣及び環境大臣が定める施設（以下この条において「下水道等」という。）の維持管理に関する技術上の実務に従事し、かつ、一年以上下水道の維持管理に関する技術上の実務に従事した経験を有するものであること。

二　学校教育法による大学の土木工学科、衛生工学科、電気工学科、機械工学科又はこれらに相当する課程において下水道工学に関する学科目以外の学科目を修めて卒業した者であつて、三年以上下水道等の維持管理に関する技術上の実務に従事し、かつ、一年六月以上下水道の維持管理に関する技術上の実務に従事した経験を有するものであること。

三　学校教育法による短期大学若しくは高等専門学校又は旧専門学校令による専門学校において土木科、電気科、機械科又はこれらに相当する課程を修めて卒業した者であつて、五年以上下水道等の維持管理に関する技術上の実務に従事し、かつ、二年六月以上下水道の維持管理に関する技術上の実務に従事した経験を有するものであること。

四　学校教育法による高等学校若しくは中等教育学校又は旧中等学校令による中等学校において土木科、電気科、機械科又はこれらに相当する課程を修めて卒業した者であつて、七年以上下水道等の維持管理に関する技術上の実務に従事し、かつ、三年六月以上下水道の維持管理に関する技術上の実務に従事した経験を有するものであること。

五　日本下水道事業団法施行令第四条第一項の第三種技術検定に合格した者であつて、二年以上下水道等の維持管理に関する技術上の実務に従事した経験を有するものであること。

六　技術士法の規定による第二次試験のうち国土交通大臣及び環境大臣が定める技術部門に合格した者（国土交通大臣及び環境大臣が定める選択科目を選択した者に限る。）であること。

七　前各号に掲げるもののほか、十年以上下水道等の維持管理に関する技術上の実務に従事し、かつ、五年以上下水道の維持管理に関する技術上の実務に従事した経験を有する者であること。

八　国土交通省令・環境省令で定めるところにより、前各号に規定する者と同等以上の知識及び技能を有すると認められる者であること。

（公共下水道管理者の許可を要しない軽微な行為）

第一六条　法第二十四条第一項に規定する政令で定める軽微な行為は、次の各号に掲げるものを設ける行為で、次条第一号ニ本文及びホ、第二号イ及びホ並びに第三号イ及びニの規定に適合するものとする。

一　内径が二十八ミリメートル以下の水道の給水管又はガスの導管

二　百ボルト以下の電圧で電気を伝送する電線

三　主として歩行者の通行の用に供する橋又は踏板で取りはずしの容易なもの

（公共下水道に設ける施設又は工作物その他の物件に関する技術上の基準）

第一七条　法第二十四条第二項に規定する政令で定める技術上の基準は、次のとおりとする。

一　施設又は工作物その他の物件の位置は、次に掲げるところによること。

イ　分流式の公共下水道に下水を流入させるために設ける排水施設のうち、汚水を排除するものは公共下水道の汚水を排除すべき排水施設に、雨水を排除するものは公共下水道の雨水を排除すべき排水施設に設けること。

ロ　公共下水道に汚水を流入させるために設ける排水施設は、公共下水道のます又はマンホール（合流式の公共下水道の専ら雨水を排除すべきます及びマンホールを除く。）の壁のできるだけ底に近い箇所に設けること。

ハ　公共下水道に専ら雨水を流入させるために設ける排水施設は、公共下水道の排水渠の開渠である構造の部分（以下この条において「開渠部分」という。）、ます又はマンホールの壁（ますのどろための部分の壁を除く。）に設けること。

ニ　公共下水道に下水を流入させるために設ける排水施設（以下この条において「流入施設」という。）以外のものは、公共下水道の開渠部分の壁の上端より上に（当該部分を縦断するときは、その上端から二・五メートル以上の高さに）、又は当該部分の地下に設けること。ただし、水道の給水管又はガスの導管を当該部分の壁のできるだけ上端に近い箇所に設ける場合において、下水の排除に支障を及ぼすおそれが少ないときは、この限りでない。

ホ　公共下水道の開渠部分の壁の上端から二・五メートル未満の高さに設けるものは、当該部分の清掃に支障がない程度に他の物件と離れていること。

二　施設又は工作物その他の物件の構造は、次に掲げるところによること。

イ　堅固で耐久力を有するとともに、公共下水道の施設又は他の施設若しくは工作物その他の物件の構造に支障を及ぼさないものであること。

ロ　分流式の公共下水道に下水を流入させるために設ける排水施設は、汚水と雨水とを分離して排除する構造とすること。

ハ　流入施設及びその他の排水施設の公共下水道の開渠部分に突出し、又はこれを横断し、若しくは縦断する部分は、陶器、コンクリート、れんがその他の耐水性の材料で造り、かつ、漏水を最少限度のものとする措置が講ぜられていること。

ニ　汚水（冷却の用に供した水その他の汚水で雨水と同程度以上に清浄であるものを除く。）を排除する流入施設は、排水区域内においては、暗渠とすること。ただし、鉱業の用に供する建築物内においては、この限りでない。

ホ　流入施設、建築基準法第四十二条に規定する道路、鉄道、軌道及び専ら道路運送車両法（昭和二十六年法律第百八十五号）第二条に規定する自動車又は軽車両の交通の用に供する通路以外のもので、公共下水道の開渠部分の壁の上端から二・五メートル未満の高さで当該部分に突出し、又はこれを横断するものの幅は、一・五メートルを超えないこと。

三　工事の実施方法は、次に掲げるところによること。

イ　公共下水道の管渠を一時閉じふさぐ必要があるときは、下水が外にあふれ出るおそれがない時期及び方法を選ぶこと。

ロ　流入施設は、公共下水道の開渠部分、ます又はマンホールの壁から突出させないで設けるとともに、その設けた箇所からの漏水を防止する措置を講ずること。

ハ　水道の給水管又はガスの導管を公共下水道の開渠部分の壁に設けるときは、その設けた箇所からの漏水を防止する措置を講ずること。

ニ　その他公共下水道の施設又は他の施設若しくは工作物その他の物件の構造又は機能に支障を及ぼすおそれがないこと。

四　流入施設から公共下水道に排除される下水の量は、その公共下水道の計画下水量の下水の排除に支障を及ぼさないものであること。

五　下水以外の物を公共下水道に入れるために設ける施設でないこと。

六　法第十二条第一項又は法第十二条の十一第一項の規定による条例の規定により除害施設を設けなければならないときは、当該施設を設けること。

（公共下水道の暗渠に設けることのできる物件）

第一七条の二　法第二十四条第三項第三号に規定する公共下水道の管理上著しい支障を及ぼすおそれのないものとして政令で定めるものは、次に掲げる工作物であつて、公共下水道管理者が下水の排除に著しい支障を及ぼすおそれのない構造であると認めたものとする。

一　量水標等を支持し、又は保護するための工作物

二　電線を支持し、保護し、又は相互に接続するための工作物

三　下水を熱源とする熱（以下「下水熱」という。）を利用するための熱交換器による下水熱の効率的な利用のために必要な温度計その他の測定器並びに当該熱交換器及び当該測定器を支持し、又は保護するための工作物

（公共下水道の暗渠に電線等を設けることができる者）

第一七条の三　法第二十四条第三項第三号ロに規定する政令で定める者は、放送法（昭和二十五年法律第百三十二号）第百二十九条第一項に規定する登録一般放送事業者（その設置する有線電気通信設備を用いて同法第二条第三号に規定する一般放送の業務を行う者に限る。）とする。

2　法第二十四条第三項第三号ハに規定する政令で定める者は、公共下水道管理者が次に掲げる要件に該当すると認めた者とする。

一　下水熱の利用に関する適正かつ確実な計画を有する者であること。

二　下水熱の利用を行うのに必要な経理的基礎及び技術的能力を有する者であること。

（排水設備の技術上の基準に関する条例の基準）

第一七条の四　法第二十五条の二に規定する政令で定める基準は、次のとおりとする。

一　条例の技術上の基準は、第八条各号に掲げる技術上の基準に相当する基準を含むものであること。

二　条例の技術上の基準は、雨水を一時的に貯留し、又は地下に浸透させるために必要な排水設備の設置及び構造の基準を定めるものとして次に掲げる要件に適合するものであること。

イ　排水設備の設置及び構造に関する事項として国土交通省令に定めるものが規定されているものであること。

ロ　浸水被害の防止を図るために必要な最小限度のものであり、かつ、排水設備を設置する者に不当な義務を課することとならないものであること。

ハ　排水設備を設置する土地の形質、排水設備を設置する者の負担その他の事項を勘案して必要があると認める場合にあつては、浸水被害対策区域を二以上の地区に分割し、又は排水設備を設置する土地の用途その他の事項に区分し、それぞれの地区又は事項に適用する基準を定めるものであること。

（管理協定の対象となる雨水貯留施設の規模）

第一七条の五　法第二十五条の三第一項に規定する政令で定める規模は、雨水を貯留する容量が百立方メートルのものとする。ただし、その地方の浸水被害の発生の状況又は自然的社会的条件の特殊性を勘案し、当該浸水被害対策区域における浸水被害の発生の防止を図るため特に必要があると認める場合においては、公共下水道管理者は、当該規模について、条例で、区域を限り、雨水を貯留する容量を百立方メートル未満で、別に定めることができる。

（雨水貯留浸透施設の設置に要する費用の補助）

第一七条の六　法第二十五条の十五の規定による国の認定事業者に対する補助金の額は、認定計画に係る雨水貯留浸透施設の設置に要する費用に二分の一を乗じて得た額とする。

2　法第二十五条の十五の規定による地方公共団体の認定事業者に対する補助金の額は、認定計画に係る雨水貯留浸透施設の設置に要する費用に、前項に規定する国の補助金の額、その地方の浸水被害の発生の状況その他の事情を勘案して地方公共団体の定める割合を乗じて得た額とする。

（流域下水道に係る事業計画の協議の申出）

第一七条の七　流域下水道管理者は、法第二十五条の二十三第二項（同条第七項において準用する場合を含む。）の規定により事業計画の協議を申し出ようとするときは、申出書に事業計画を記載した書類（事業計画の変更の協議を申し出ようとするときは、その変更の内容を明らかにする書類）及び次に掲げる事項（事業計画の変更の協議を申し出ようとするときは、その変更に係るものに限る。）を記載した書類を添付し、これを国土交通大臣（次条に規定する事業計画にあつては、都道府県知事）に提出しなければならない。

一　流域関連公共下水道の予定処理区域（雨水流域下水道に係るものにあつては、予定排水区域。第十七条の十第七号において同じ。）及びその周辺の地域の地形及び土地利用の状況

二　計画下水量及び流域関連公共下水道から流域下水道に流入する下水の量並びにその算出の根拠

三　流域下水道からの放流水、処理施設において処理すべき下水及び流域関連公共下水道から流域下水道に流入する下水の予定水質並びにその推定の根拠

四　下水の放流先の状況

五　毎会計年度の工事費（維持管理に要する費用を含む。）の予定額及びその予定財源

六　関係市町村の意見の概要

（都道府県知事に協議する事業計画）

第一七条の八　法第二十五条の二十三第二項（同条第七項において準用する場合を含む。）に規定する政令で定める事業計画は、次に掲げるものとする。

一　指定都市以外の市町村が設置する流域下水道の事業計画

二　指定都市が設置する流域下水道の事業計画のうち、第十七条の十第一号から第三号まで、第四号（処理施設に係る吐口の配置の変更以外の変更に限る。）又は第八号のいずれかに該当する変更のみの変更に係る事業計画

（環境大臣の意見を聴くこと等を要しない場合）

第一七条の九　法第二十五条の二十三第七項において準用する同条第四項又は第六項に規定する政令で定める場合は、終末処理場の配置又は下水の処理能力の変更を伴わない事業計画の変更に係る協議又は届出を受けた場合とする。

（協議等を要しない事業計画の軽微な変更）

第一七条の一〇　法第二十五条の二十三第七項に規定する政令で定める事業計画の軽微な変更は、次の各号のいずれかに該当する変更及びこれに関連する変更以外のものとする。

一　管渠（これを補完する貯留施設を含む。）の配置、構造若しくは能力又は点検の方法若しくは頻度の変更。ただし、同一の建築基準法第四十二条に規定する道路内における位置の変更を除く。

二　雨水流域下水道の雨水の流量を調節するための施設の新設又は配置、構造若しくは能力の変更

三　ポンプ施設の新設又は配置若しくは能力の変更

四　流域下水道からの放流水の吐口の配置の変更

五　処理施設（これを補完する施設を含む。）の新設又は配置若しくは下水の処理能力の変更

六　流域関連公共下水道が接続する位置の変更

七　流域関連公共下水道の予定処理区域の変更（第一号から第三号まで又は前二号のいずれかに該当する変更に伴うものに限る。）

八　計画降雨の設定又は変更

九　工事の着手又は完成の予定年月日の同一会計年度外にわたる変更

（流域下水道の施設に設けることのできる物件）

第一七条の一一　法第二十五条の二十九第三号に規定する流域下水道の管理上著しい支障を及ぼすおそれのないものとして政令で定めるものは、第十七条の二各号に掲げる工作物であつて、流域下水道管理者が流域下水道の管理上著しい支障を及ぼすおそれのない構造であると認めたものとする。

（流域下水道の施設に物件を設けることができる場合）

第一七条の一二　法第二十五条の二十九第四号に規定する政令で定めるときは、流域関連公共下水道の予定処理区域外における飛行場その他継続して大量の下水を排除する施設からの下水を流域下水道（雨水流域下水道を除く。）に流入させる場合、終末処理場から放流される水を利用するために当該終末処理場に接続して導水管を設ける場合その他の場合であつて、流域下水道管理者が流域下水道の管理上著しい支障を及ぼすおそれがないと認めた場合とする。

（都市下水路の構造の基準）

第一七条の一三　第五条の八、第五条の九（第六号に係る部分を除く。）及び第五条の十一の規定は、法第二十八条第二項に規定する政令で定める都市下水路の構造の基準について準用する。

（都市下水路の維持管理の基準）

第一八条　法第二十八条第二項に規定する政令で定める都市下水路の維持管理の基準は、次のとおりとする。

一　しゆんせつは、一年に一回以上行うこと。ただし、下水の排除に支障がない部分については、この限りでない。

二　洗浄ゲートその他の洗浄のための施設があるときは、洗浄は、一月に一回以上行うこと。

三　排水施設を補完する施設のうち、河川その他の公共の水域又は海域から当該排水施設への逆流を防止するために設けられる樋門又は樋管があるときは、当該樋門又は樋管の点検は、一年に一回以上行うこと。

（都市下水路管理者の許可を要しない軽微な行為）

第一九条　法第二十九条第一項に規定する政令で定める軽微な行為は、第十六条各号に掲げるものを設ける行為で、次条第二号の規定によりその例によるものとされる第十七条第一号ニ本文及びホ、第二号イ及びホ並びに第三号イ及びニの規定に適合するものとする。

（都市下水路に設ける施設又は工作物その他の物件に関する技術上の基準）

第二〇条　法第二十九条第二項に規定する政令で定める技術上の基準は、次のとおりとする。

一　都市下水路に汚水を流入させるために設ける排水施設は、都市下水路の排水渠の開渠である構造の部分、ます又はマンホールの壁のできるだけ底に近い箇所に設けること。

二　第十七条第一号ハからホまで、第二号イ、ハ及びホ、第三号並びに第四号の規定の例によること。

三　水質汚濁防止法第三条第一項若しくはダイオキシン類対策特別措置法第八条第一項の規定による環境省令により、又は水質汚濁防止法第三条第三項若しくはダイオキシン類対策特別措置法第八条第三項の規定による条例その他の条例により定められた排水基準に適合する下水以外の物を都市下水路に入れるために設ける施設でないこと。

（特定排水施設に係る下水の量及び水質）

第二一条　法第三十条第一項第一号に規定する政令で定める量は、当該事業所が最も多量の汚水を排除する一日における当該汚水の量百立方メートルとする。

2　法第三十条第一項第二号に規定する政令で定める水質は、第九条第一項第四号に該当する水質又は第九条の四第一項各号若しくは第九条の五第一項（第一号ただし書、第六号及び第七号を除く。）若しくは第九条の十一第一項第一号若しくは第六号に規定する基準に適合しない水質とし、法第三十条第一項第二号に規定する政令で定める量は、当該事業所が最も多量の汚水を排除する一日における当該汚水の量五十立方メートルとする。

（特定排水施設の構造の技術上の基準）

第二二条　法第三十条第一項に規定する政令で定める技術上の基準は、次のとおりとする。

一　第八条第二号、第三号及び第八号から第十一号までの規定の例によること。

二　管渠の勾配並びに排水管の内径及び排水渠の断面積は、その排除すべき下水を支障なく流下させることができるものとすること。

三　第九条第一項第四号に該当する水質又は第九条の四第一項各号若しくは第九条の五第一項（第一号ただし書、第六号及び第七号を除く。）若しくは第九条の十一第一項第一号若しくは第六号に規定する基準に適合しない水質の汚水を排除すべき排水渠は、暗渠とすること。ただし、製造業、ガス供給業又は鉱業の用に供する施設の敷地内においては、この限りでない。

（既設特定排水施設に係る事業所の大規模な増築又は改築）

第二三条　法第三十条第二項に規定する政令で定める大規模な増築又は改築は、事業所の建築物の延べ面積（事業所の建築物が二以上あるときは、その延べ面積の合計。以下この条において同じ。）が十分の三以上の増加となる建築物の増築又は改築部分の床面積の合計が事業所の建築物の延べ面積の二分の一以上である建築物の改築とする。

（損失補償の裁決の申請）

第二四条　法第三十二条第十項（法第三十八条第五項において準用する場合を含む。）の規定により、土地収用法（昭和二十六年法律第二百十九号）第九十四条の規定による裁決を申請しようとする者は、国土交通省令で定める様式に従い、次の各号に掲げる事項を記載した裁決申請書を収用委員会に提出しなければならない。

一　裁決申請者の氏名及び住所（法人にあつては、その名称、代表者の氏名及び住所）

二　相手方である公共下水道管理者、流域下水道管理者又は都市下水路管理者

三　損失の事実

四　損失の補償の見積及びその内容

五　協議の経過

（国庫補助）

第二四条の二　法第三十四条の規定による国の地方公共団体に対する補助金の額は、次の各号に掲げる費用の区分に応じ、それぞれ当該各号に定める額とする。

一　公共下水道の設置又は改築に要する費用（第三号に掲げる費用を除く。）　次に掲げる費用の区分に応じ、それぞれに定める額

イ　公共下水道（特定の事業者の事業活動に主として利用される公共下水道（以下この項において「特定公共下水道」という。）を除く。）の主要な管渠及び終末処理場並びにこれらの施設を補完するポンプ施設その他の主要な補完施設の設置又は改築に要する費用（国土交通大臣が定める費用を除く。）　当該費用の額に二分の一（終末処理場の設置又は改築に要する費用で国土交通大臣が定めるものにあつては、十分の五・五）を乗じて得た額

ロ　特定公共下水道の主要な管渠及び終末処理場並びにこれらの施設を補完するポンプ施設その他の主要な補完施設の設置又は改築に要する費用（国土交通大臣が定める費用を除く。）　当該費用の額から公害防止事業費事業者負担法第四条第一項若しくは第三項の規定による負担総額又は国土交通大臣が定める額を控除した額に三分の一を乗じて得た額

二　流域下水道の設置又は改築に要する費用（次号に掲げる費用及び国土交通大臣が定める費用を除く。）　当該費用の額に二分の一（終末処理場の設置又は改築に要する費用で国土交通大臣が定めるものにあつては、三分の二）を乗じて得た額

三　法第二条の二第五項の規定により流域別下水道整備総合計画に記載された事項に係る高度処理終末処理場を管理する地方公共団体が、当該流域別下水道整備総合計画に記載されたところにより、他の地方公共団体が管理する特定終末処理場（当該高度処理終末処理場に係る下水道と同じ同条第二項第二号の区域に係る下水道のものに限る。）について定められた削減目標量の一部に相当するものとして当該高度処理終末処理場について定められた削減目標量を超える量の窒素含有量又は燐含有量を削減するために行う当該高度処理終末処理場の設置又は改築（国土交通大臣が定めるものに限る。）に要する費用（国土交通大臣が定める費用を除く。）　次に掲げる当該他の地方公共団体が管理する下水道の区分に応じ、それぞれに定める額

イ　公共下水道（特定公共下水道を除く。）　当該費用の額に二分の一（国土交通大臣が定める費用にあつては、十分の五・五）を乗じて得た額

ロ　特定公共下水道　当該費用の額から公害防止事業費事業者負担法第四条第一項若しくは第三項の規定による負担総額又は国土交通大臣が定める額を控除した額に三分の一を乗じて得た額

ハ　流域下水道　当該費用の額に二分の一（国土交通大臣が定める費用にあつては、三分の二）を乗じて得た額

四　都市下水路の設置又は改築に要する費用　当該費用の額に十分の四を乗じて得た額

2　前項第一号に規定する主要な管渠の範囲は、公共下水道を合流式と分流式とに区分して、管渠の口径、予定処理区域又は予定排水区域の面積、当該管渠の下水排除面積又は下水排除量等を基準として国土交通大臣が定めるものとする。

（都道府県知事が指示する下水道）

第二四条の三　法第三十七条第一項に規定する政令で定める下水道は、工事に関する指示に係るものにあつては次に掲げるものとし、維持管理に関する指示に係るものにあつては都道府県以外の地方公共団体が管理するものとする。

一　都道府県及び指定都市以外の地方公共団体が管理する公共下水道

二　指定都市が管理する公共下水道のうち、次に掲げるもの

イ　一般公共下水道のうち、予定処理区域の面積が百ヘクタール以下のもの又は流域下水道（雨水流域下水道を除く。）に接続するもの

ロ　雨水公共下水道

三　都道府県及び指定都市以外の地方公共団体が管理する流域下水道

四　都道府県以外の地方公共団体が管理している都市下水路

2　法第三十七条第三項に規定する政令で定める下水道は、都道府県以外の地方公共団体が管理するものとする。

（都道府県知事が報告を徴する場合）

第二四条の四　法第三十七条第一項の指示をするため必要な場合は、都道府県知事が法第三十九条第一項に規定する政令で定める場合は、都道府県知事が法第三十七条第一項に規定する政令で定める場合とする。

2　法第三十九条第二項に規定する政令で定める場合は、都道府県知事が法第三十七条第三項の指示をするため必要な場合とする。

（報告の徴収のできる下水の水質等）

第二五条　法第三十九条の二に規定する政令で定める水質は、第九条第一項第四号に該当する水質又は第九条の十若しくは第九条の十一第一項第三号若しくは第六号若しくは第二項第一号、第二号（ただし書を除く。以下この項において同じ。）若しくは第三号から第五号までに定める基準（法第十二条の十一第一項第二号の規定により当該公共下水道又は当該流域下水道（雨水流域下水道を除く。次項において同じ。）の管理者が条例で第九条の十一第二項第二号に掲げる基準より厳しい水質の基準を定めている場合にあつては、当該厳しい基準）に適合しない水質とする。

2　水質汚濁防止法第三条第一項の規定による環境省令により、又は同条第三項の規定による条例その他の条例により定められた窒素含有量又は燐含有量についての排水基準がその放流水について適用される公共下水道又は流域下水道に下水を排除して当該公共下水道又は当該流域下水道を使用する場合については、法第三十九条の二に規定する政令で定める水質は、前項の規定による水質のほか、第九条の十一第二項第六号又は第七号に掲げる項目に関して同項第六号（ただし書を除く。）又は第七号（ただし書を除く。）に定める基準（法第十二条の十一第一項第二号の規定により当該公共下水道又は当該流域下水道の管理者が条例でこれらの基準より厳しい水質の基準を定めている場合にあつては、当該厳しい基準）に適合しない水質とする。

3　法第三十九条の二に規定する政令で定める者は、特定施設の設置者以外の者とする。

附　則

（施行期日）

1　この政令は、法の施行の日（昭和三十四年四月二十三日）から施行する。

（排水設備に関する経過措置）

2　第八条第七号から第十号までの規定は、この政令の施行の際現に存する排水設備については、これを改築する場合を除き、適用しない。

（平成四年度までの国庫補助の特例）

3　公共下水道（特定公共下水道を除く。）、流域下水道又は都市下水路の設置又は改築に要する費用についての第二十四条の二第一項の規定の平成四年度までの各年度における適用に関しては、同項第一号中「十分の四」とあるのは「十分の六（終末処理場の設置又は改築に要する費用で建設大臣が定めるものにあつては、三分の二）」と、同項第二号中「二分の一」とあるのは「三分の二（終末処理場（小規模な流域下水道に係るものとして建設大臣が指定するものを除く。）の設置又は改築に要する費用のうち建設大臣が定める費用（以下「特定費用」という。）にあつては四分の三、小規模な流域下水道に係るものとして建設大臣が指定する終末処理場の設置又は改築に要する特定費用以外の費用にあつては十分の六）」と、同項第三号中「三分の一」とあるのは「十分の四」とする。

（昭和六十年度の特例）

4　前項の規定の昭和六十年度における適用については、同項中「十分の六」とあるのは「十分の五・五」と、「三分の二」とあるのは「十分の六」と、「四分の三」とあるのは「三分の二」とする。

（昭和六十一年度、平成三年度及び平成四年度の特例）

5　附則第三項の規定の昭和六十一年度、平成三年度及び平成四年度における適用については、同項中「十分の六」とあるのは「二分の一」と、「三分の二」とあるのは「十分の五・五」と、「四分の三」とあるのは「十分の六」とする。

（昭和六十二年度から平成二年度までの特例）

6　附則第三項の規定の昭和六十二年度から平成二年度までの各年度における適用については、同項中「十分の六」とあるのは「二分の一」と、「、三分の二」とあるのは「、十分の五・二五（奄美群島（鹿児島県名瀬市及び大島郡の区域をいう。）の区域内において行う終末処理場の設置又は改築に要する費用に係るものにあつては、十分の五・五）」と、「「三分の二」とあるのは「「十分の五・二五」と、「四分の三」とあるのは「十分の五・七五」とする。

（法附則第五条第一項の規定による貸付金の償還期間等）

7　法附則第五条第二項に規定する政令で定める期間は、五年（二年の据置期間を含む。）とする。

8　前項に規定する期間は、日本電信電話株式会社の株式の売払収入の活用による社会資本の整備の促進に関する特別措置法（昭和六十二年法律第八十六号）第五条第一項の規定により読み替えて準用される補助金等に係る予算の執行の適正化に関する法律（昭和三十年法律第百七十九号）第六条第一項の規定による貸付けの決定（以下「貸付決定」という。）ごとに、当該貸付決定に係る法附則第五条第一項の規定による貸付金（以下「国の貸付金」という。）の交付を完了した日（その日が当該貸付決定があつた日の属する年度の末日の前日以後の日である場合には、当該年度の末日の前々日）の翌日から起算する。

9　国の貸付金の償還は、均等年賦償還の方法によるものとする。

10　国は、国の財政状況を勘案し、相当と認めるときは、国の貸付金の全部又は一部について、前三項の規定により定められた償還期限を繰り上げて償還させることができる。

11　法附則第五条第五項に規定する政令で定める場合は、前項の規定により償還期限を繰り上げて償還を行つた場合とする。

附　則〔略〕〔昭和四六・六・一七政令一八八〕

附　則〔略〕〔昭和四六・六・二三政令二〇三〕

附　則〔略〕〔昭和四七・六・一五政令二二五〕

附　則〔略〕〔昭和四八・二・一政令九〕

附　則〔略〕〔昭和四九・一・一六政令九〕

附　則〔略〕〔昭和四九・四・三〇政令一五〇〕

附　則〔略〕〔昭和四九・八・二〇政令二九五〕

附　則〔略〕〔昭和四九・一〇・二四政令三五四〕

附　則〔昭和五一・一二・二一政令三二〇〕

（施行期日）

1　この政令は、下水道整備緊急措置法及び下水道法の一部を改正する法律（以下「一部改正法」という。）第二条、附則第二条及び附則第三条の規定の施行の日（昭和五十二年五月一日）から施行する。

（一部改正法附則第二条第一項の政令で定める施設）

2　一部改正法附則第二条第一項の政令で定める施設は、水質汚濁防止法施行令（昭和四十六年政令第百八十八号）別表第二に掲げる施設（下水道法第十二条の二第一項の政令で定める施設に該当するものを除く。）とする。

附　則〔略〕〔昭和五二・三・九政令二五〕

附　則〔略〕〔昭和五八・一二・二三政令二七〇〕

附　則〔略〕〔昭和五九・四・二七政令一一九〕

附　則〔略〕〔昭和六〇・五・一八政令一三三〕

附　則〔略〕〔昭和六〇・一一・八政令二九五〕

附　則〔略〕〔昭和六一・五・八政令一五四〕

附　則〔略〕〔昭和六二・三・二〇政令五四〕

附　則〔略〕〔昭和六二・三・三一政令九八〕

附　則〔略〕〔昭和六二・一一・四政令三六八〕

附　則〔略〕〔昭和六三・八・二六政令二五六〕

附　則〔平成元・四・一〇政令一〇八〕

（施行期日）

1　この政令は、公布の日から施行する。

（経過措置）

2　改正後〔中略〕の規定は、平成元年度及び平成二年度（平成元年度の特例に係るものにあっては、平成元年度。以下この項において同じ。）の予算に係る国の負担又は補助（昭和六十三年度以前の年度の国庫債務負担行為に基づき平成元年度以降の年度に支出すべきものとされた国の負担又は補助を除く。）、平成元年度及び平成二年度の国庫債務負担行為に基づき平成三年度（平成元年度の特例に係るものにあっては、平成二年度。以下この項において同じ。）以降の年度に支出すべきものとされる国の負担又は補助並びに平成元年度及び平成二年度の歳出予算に係る国の負担又は補助で平成三年度以降の年度に繰り越されるものについて適用し、昭和六十三年度以前の年度の国庫債務負担行為に基づき平成元年度以降の年度に支出すべきものとされた国の負担又は補助及び昭和六十三年度以前の年度の歳出予算に係る国の負担又は補助で平成元年度以降の年度に繰り越されたものについては、なお従前の例による。

附　則〔略〕〔平成元・四・一二政令一一四〕

附　則〔平成三・三・三〇政令九八〕

改正　平成五・三政九四

（施行期日）

1　この政令は、平成三年四月一日から施行する。

（経過措置）

2　改正後〔中略〕の規定は、平成三年度及び平成四年度の予算に係る国の負担又は補助（平成二年度以前の年度の国庫債務負担行為に基づき平成三年度以降の年度に支出すべきものとされた国の負担又は補助を除く。）、平成三年度及び平成四年度の国庫債務負担行為に基づき平成五年度以降の年度に支出すべきものとされる国の負担又は補助並びに平成三年度及び平成四年度の歳出予算に係る国の負担又は補助で平成五年度以降の年度に繰り越されるものについて適用し、平成二年度以前の年度の国庫債務負担行為に基づき平成三年度以降の年度に支出すべきものとされた国の負担又は補助及び平成二年度以前の年度の歳出予算に係る国の負担又は補助で平成三年度以降の年度に繰り越されたものについては、なお従前の例による。

附　則〔略〕〔平成四・六・二六政令二一八〕

附　則〔抄〕〔平成五・三・三一政令九四〕

（施行期日）

1　この政令は、平成五年四月一日から施行する。

（経過措置）

2　改正後〔中略〕の規定は、平成五年度以降の年度の予算に係る国の負担又は補助（平成四年度以前の年度の国庫債務負担行為に基づき平成五年度以降の年度に支出すべきものとされた国の負担又は補助を除く。）について適用し、平成四年度以前の年度の国庫債務負担行為に基づき平成五年度以降の年度に支出すべきものとされた国の負担又は補助及び平成四年度以前の年度の歳出予算に係る国の負担又は補助で平成五年度以降の年度に繰り越されたものについては、なお従前の例による。

附　則〔略〕〔平成五・九・一六政令二九五〕

附　則〔略〕〔平成五・一二・三政令三八五〕

附　則〔略〕〔平成五・一二・二七政令四〇五〕

附　則〔略〕〔平成七・七・一四政令二九〇〕

附　則〔略〕〔平成八・一一・二七政令三二六〕

附　則〔略〕〔平成一〇・一〇・三〇政令三五一〕

附　則〔略〕〔平成一一・一一・一〇政令三五二〕

附　則〔略〕〔平成一一・一二・二七政令四三五〕

附　則〔略〕〔平成一二・六・七政令三一二〕

附　則〔略〕〔平成一二・七・二四政令三九一〕

附　則〔略〕〔平成一三・六・二二政令三三三〕

附　則〔略〕〔平成一四・二・八政令二七施行〕

附　則〔略〕〔平成一四・一〇・二三政令三一三〕

附　則〔平成一五・九・二五政令四三五〕

（施行期日）

第一条　この政令は、平成十六年四月一日から施行する。

（経過措置）

第二条　この政令の施行の際現に存する公共下水道、流域下水道又は都市下水路であって、改正後の下水道法施行令（以下「新令」という。）第五条の四若しくは第五条の五（第六号に係る部分を除く。）の規定（これらの規定を新令第十七条の九において準用する場合を含む。）又は新令第五条の六の規定に適合しないものについては、これらの規定（その適合しない部分に限る。）は、適用しない。ただし、この政令の施行後に改築（災害復旧として行われるもの及び公共下水道、流域下水道又は都市下水路に関する工事以外の工事により必要を生じたものを除く。）の工事に着手したものについては、この限りでない。

2　この政令の施行の際現に存する合流式の公共下水道又は流域下水道の雨水吐であって、新令第五条の五第六号の規定に適合しないものについては、同号の規定は、この政令の施行の日から起算して十年（合流式の公共下水道（流域関連公共下水道を除く。）であってその処理区域の面積が国土交通省令で定める面積以上であるもの又は合流式の流域下水道及びそれに接続している合流式の流域関連公共下水道であって当該合流式の流域関連公共下水道の処理区域の面積の合計が国土交通省令で定める面積以上であるものの雨水吐にあっては、二十年）を経過した日から適用する。

第三条　この政令の施行の際現に存する公共下水道又は流域下水道（標準散水濾床法により下水を処理するもの、高速散水濾床法、モディファイド・エアレーション法その他これらと同程度に下水を処理することができる方法により下水を処理するもの又は沈殿法により下水を処理するものに限る。）からの放流水の水質の浮遊物質量に係る技術上の基準については、新令第六条第一項第三号の規定にかかわらず、なお従前の例による。ただし、この政令の施行後に当該下水の処理の方法の変更を伴う改築の工事が完了したものについては、この限りでない。

第四条　この政令の施行の際現に存する公共下水道又は流域下水道からの放流水の水質の生物化学的酸素要求量、窒素含有量又は燐含有量に係る技術上の基準については、新令第六条第一項第四号の規定にかかわらず、なお従前の例による。ただし、この政令の施行後に改築（災害復旧として行われるもの、公共下水道又は流域下水道に関する工事以外の工事により必要を生じたもの及び前条に規定する方法により下水を処理する公共下水道又は流域下水道に係るものであって当該下水の処理の方法の変更を伴わないものを除く。）の工事が完了したものについては、この限りでない。

第五条　この政令の施行の際現に存する合流式の公共下水道又は流域下水道については、この政令の施行の日から起算して十年（合流式の公共下水道（流域関連公共下水道を除く。）であってその処理区域の面積が国土交通省令で定める面積以上であるもの又は合流式の流域下水道及びそれに接続している合流式の流域関連公共下水道であって当該合流式の流域関連公共下水道の処理区域の面積の合計が国土交通省令で定める面積以上であるものにあっては、二十年）を経過する日までの間は、新令第六条第二項中「四十ミリグラム」とあるのは、「七十ミリグラム」とする。

第六条　この政令の施行の際現に存する排水設備であって、新令第八条第十一号の規定に適合しないものについては、同号の規定は、適用しない。ただし、この政令の施行後に改築の工事に着手したものについては、この限りでない。

第七条　この政令の施行の際現に存する散水濾床を使用する処理方法による終末処理場の維持管理については、この政令による改正前の下水道法施行令第十三条第二号の規定は、なおその効力を有する。

附　則〔略〕〔平成一六・一〇・二七政令三二八〕

附　則〔抄〕〔平成一七・一〇・二六政令三二七〕

（施行期日）

第一条　この政令は、下水道法の一部を改正する法律の施行の日（平成十七年十一月一日）から施行する。ただし、第五条の四第二号の次に一号を加える改正規定、同条に一号を加える改正規定及び第五条の六の改正規定は、平成十八年四月一日から施行する。

（経過措置）

第二条　前条ただし書に規定する規定の施行の際現に存する公共下水道、流域下水道又は都市下水路であって、改正後の下水道法施行令（以下「新令」という。）第五条の四第三号又は第五号の規定（これらの規定を新令第十七条の九において準用する場合を含む。）に適合しないものについては、これらの規定（その適合しない部分に限る。）は、適用しない。ただし、前条ただし書に規定する規定の施行後に改築（災害復旧として行われるもの及び公共下水道、流域下水道又は都市下水路に関する工事以外の工事により必要を生じたものを除く。）の工事に着手したものの当該工事に係る区域又は区間については、この限りでない。

2　前項の規定により新令第五条の四第三号の規定を適用しないものとされた公共下水道又は流域下水道の終末処理場である処理施設（これを補完する施設を含む。）の構造の技術上の基準については、なお従前の例による。

附　則〔略〕〔平成一八・一一・一〇政令三五四〕

附　則〔略〕〔平成二三・三・一六政令二二〕

附　則〔略〕〔平成二三・六・二四政令一八一〕

附　則〔略〕〔平成二三・一〇・二八政令三三二〕

附　則〔略〕〔平成二三・一一・二八政令三六三〕

附　則〔略〕〔平成二三・一二・二六政令四二四〕

附　則〔略〕〔平成二四・五・二三政令一四七〕

附　則〔略〕〔平成二四・五・二三政令一四八〕

附　則〔略〕〔平成二六・一一・一九政令三六四〕

附　則〔略〕〔平成二七・七・一七政令二七三〕

附　則〔略〕〔平成二七・一〇・七政令三六〇〕

附　則〔略〕〔平成二七・一一・一三政令三八四〕

附則（略）〔平成二九・九・一政令二三二〕

附則（略）〔令和三・七・一四政令二〇五〕

附則（略）〔令和三・一〇・二九政令二九六〕

附則（略）〔令和四・七・一五政令二四八〕

附則〔令和六・二・四政令二二〕

この政令は、令和六年四月一日から施行する。ただし、第六条の改正規定及び第九条の十一の改正規定は、令和七年四月一日から施行する。

○下水道法施行規則〔昭和四二・一二・一九 建設省令三七〕

改正 昭和四六・一〇建令二一、昭和四八・一二建令一八、昭和四九・八建令一二、昭和五〇・一〇建令一六、昭和五二・三建令二、四建令五、昭和六〇・一二建令一五、平成元・三建令三、四建令一〇、平成三・六建令一〇、平成五・一一建令一八、平成六・一建令三、平成一一・三建令四、一二建令四九、平成一二・一建令一〇、一一建令四一、平成一三・六国交令一〇〇、平成一六・三国交令一二、平成一七・一〇国交令一〇三、平成二〇・三国交令九、平成二四・二国交令六、国交令七、五国交令五五、平成二七・七国交令五四、一〇国交令七五、一一国交令七八、令和元・五国交令一、六国交令二〇、令和二・一二国交令九八、令和三・七国交令四八、一〇国交令六九、令和四・八国交令六二、令和六・三国交令二〇

（流域別下水道整備総合計画の記載方法等）

第一条 下水道法（以下「法」という。）第二条の二第一項に規定する流域別下水道整備総合計画は、同条第二項（同条第十二項において準用する場合を含む。）に規定する事項を別記様式第一の計画書により明らかにしたものでなければならない。

（流域別下水道整備総合計画の作成方法）

第一条の二 法第二条の二第二項（同条第十二項において準用する場合を含む。）の規定による流域別下水道整備総合計画の作成は、次に定めるところにより行うものとする。

一　法第二条の二第三項第一号から第五号までに掲げる事項を勘案し、公共用水域の水質の保全に資するための下水道の整備の適切な指針となるよう、同条第二項第一号に掲げる事項を定めること。

二　法第二条の二第三項第一号から第四号までに掲げる事項を勘案し、当該地域において削減されるべき汚濁負荷量を科学的な方法を用いて算出するとともに、そのうち下水道の整備により削減されるべきものに基づき同条第二項第二号に掲げる事項として計画処理人口、計画下水量その他必要な事項を定めること。

三　法第二条の二第三項第一号に掲げる事項及び下水道からの放流水に係る公共の水域又は海域に定められた水質環境基準の確保の状況その他の同項第五号に掲げる事項を勘案し、同条第二項第二号に掲げる事項に対応して同条第二項第三号に掲げる事項を定めること。

四　法第二条の二第三項第六号に掲げる事項を勘案し、下水道の計画的かつ効率的な整備を通じ、水質環境基準が定められた公共の水域又は海域の環境上の条件を当該水質環境基準に最も有効に達せしめるよう、同条第二項第四号に掲げる事項を定めること。

五　法第二条の二第三項第二号の区域に係る下水道の終末処理場から放流される下水の窒素含有量又は燐含有量についての当該終末処理場ごとの削減の状況その他の同条第三項第五号に掲げる事項を勘案し、同条第二項第五号に掲げる事項を定めること。

（他の地方公共団体の削減目標量の一部に相当するものとして削減する旨の申出）

第一条の三 高度処理終末処理場を管理する地方公共団体は、法第二条の二第四項の規定による申出をしようとするときは、次に掲げる事項を記載した申出書を都道府県知事に提出しなければならない。

一　当該他の地方公共団体の名称

二　当該高度処理終末処理場及び当該他の地方公共団体が管理する特定終末処理場の名称

三　当該申出に係る窒素含有量又は燐含有量及びその削減方法

四　当該高度処理終末処理場の設置、改築、修繕、維持その他の管理に要する費用の予定額

五　当該他の地方公共団体による費用の負担に関する事項

2　前項の申出書には、次に掲げる書類を添付しなければならない。

一　当該高度処理終末処理場及び当該他の地方公共団体が管理する特定終末処理場に係る事業計画の写し

二　当該他の地方公共団体が法第二条の二第四項の規定による申出に同意する旨を記載した文書

（流域別下水道整備総合計画の届出）

第二条 都府県は、法第二条の二第十項（同条第十二項において準用する場合を含む。次項において同じ。）の規定により流域別下水道整備総合計画を届け出ようとするときは、届出書に流域別下水道整備総合計画を記載した書類（流域別下水道整備総合計画の変更を届け出ようとするときは、その変更の内容を明らかにする書類）並びに流域別下水道整備総合計画を明らかにするために必要なものとして次に掲げる事項（流域別下水道整備総合計画の変更を届け出ようとするときは、その変更に係るものに限る。）を記載した書類及び予定処理区（流域別下水道整備総合計画において、それぞれの終末処理場により処理される下水を排除することができることとされている地域をいう。）を表示した図面を添付し、これを国土交通大臣に提出しなければならない。

一　当該地域における地形、降水量、河川の流量その他の自然的条件

二　当該地域における土地利用の見通し

三　当該公共の水域に係る水の利用の見通し

四　当該地域における汚水の量及び水質の見通し並びにその推定の根拠

五　計画下水量及びその算出の根拠

六　放流水及び処理施設において処理すべき下水の予定水質並びにその推定の根拠

七　下水の放流先の状況

八　下水道の整備に関する費用効果分析
九　関係都府県及び関係市町村の意見の概要
2　都府県は、法第二条の二第十項の規定により同条第五項に規定する事項が記載された流域別下水道整備総合計画を届け出ようとするときは、前項に定めるもののほか、次に掲げる書類（流域別下水道整備総合計画の変更を届け出ようとするときは、その変更に係るものに限る。）を添付しなければならない。
一　前条第一項の申出書の写し
二　前条第二項各号に掲げる書類の写し

（公共下水道に係る事業計画の届出）

第二条の二　都道府県である公共下水道管理者は、法第四条第四項（同条第六項において準用する場合を含む。）の規定により事業計画を届け出ようとするときは、届出書に事業計画を記載した書類（事業計画の変更を届け出ようとするときは、その変更の内容を明らかにする書類）を添付し、これを国土交通大臣に提出しなければならない。

（主要な管渠等）

第三条　下水道法施行令（以下「令」という。）第五条の二第一号及び第二号に規定する国土交通省令で定める主要な管渠は、下水排除面積が二十ヘクタール（その構造の大部分が開渠のものにあつては、十ヘクタール）以上の管渠とする。
2　令第五条の二第一号に規定する国土交通省令で定めるポンプ施設は、前項に規定する主要な管渠を補完するポンプ施設とする。

（公共下水道に係る事業計画の記載方法等）

第四条　法第五条第一項に規定する事業計画は、流域関連公共下水道以外の公共下水道に係るものにあつては別記様式第二の、流域関連公共下水道に係るものにあつては別記様式第三の事業計画書並びに次の各号に掲げる書類及び図面により明らかにしなければならない。
一　下水道計画一般図
二　法第五条第二項に規定する計画降雨に相当する降雨による浸水被害の発生を防ぐべき区域及び水深を示した図（第十八条第二号において「計画降雨浸水防止区域図」という。）
三　主要な管渠（前条に規定する主要な管渠をいう。）の平面図及び縦断面図
四　処理施設及びポンプ施設の平面図、水位関係図及び構造図
五　下水の放流先の状況を明らかにする図面
六　その他事業計画を明らかにするために必要な書類及び図面

（計画放流水質）

第四条の二　令第五条の五第二項に規定する計画放流水質は、次に定めるところにより、公共下水道管理者又は流域下水道管理者が定めるものとする。
一　放流水の水量及び下水の放流先の河川その他の公共の水域又は海域の水量又は水質を勘案し、放流が許容される生物化学的酸素要求量、窒素含有量又は燐含有量を科学的な方法を用いて算出した数値（次の表の上欄に掲げる項目について算出した数値が、同表の下欄に掲げる数値を超える場合にあつては、同欄に掲げる数値）を計画放流水質として定めること。

項目	数値
生物化学的酸素要求量	一リットルにつき五日間に一五ミリグラム以下
窒素含有量	一リットルにつき二〇ミリグラム以下
燐含有量	一リットルにつき三ミリグラム以下

二　当該地域に関し流域別下水道整備総合計画が定められている場合においては、これと整合性のとれたものであること。

（生活環境の保全又は人の健康の保護に支障が生ずるおそれのない排水施設又は処理施設）

第四条の三　令第五条の八第三号に規定する国土交通省令で定めるものは、次のいずれかに該当する排水施設及び処理施設（これらの施設を補完する施設を含む。）とする。
一　排水管その他の下水が飛散し、及び人が立ち入るおそれのない構造のもの
二　人が立ち入ることが予定される部分を有する場合には、当該部分を流下する下水の上流端における水質が次に掲げる基準に適合するもの
イ　令第六条に規定する基準
ロ　大腸菌が検出されないこと。
ハ　濁度が二度以下であること。
三　前二号に掲げるもののほか、周辺の土地利用の状況、当該施設に係る下水の水質その他の状況からみて、生活環境の保全又は人の健康の保護に支障が生ずるおそれがないと認められるもの
2　前項第二号ロ及びハに規定する基準は、国土交通大臣が定める方法により検定した場合における検出値によるものとする。

（操作規則）

第四条の四　法第七条の二第一項（法第二十五条の三十及び第三十一条において準用する場合を含む。）の操作規則には、次の各号に掲げる事項を定めなければならない。
一　操作施設の操作の基準に関する事項
二　操作施設の操作の方法に関する事項
三　操作施設の操作の訓練に関する事項
四　操作施設の操作に従事する者の安全の確保に関する事項
五　操作施設及び操作施設を操作するため必要な機械、器具等の点検その他の維持に関する事項
六　操作施設を操作するため必要な水象の観測に関する事項
七　操作施設の操作の際にとるべき措置に関する事項
八　その他操作施設の操作に関し必要な事項

（公共下水道又は流域下水道の維持又は修繕に関する技術上の基準等）

第四条の五　令第五条の十二第一項第三号に規定する国土交通省令で定める排水施設は、暗渠である構造の部分を有する排水施設（次に掲げる箇所及びその周辺に限る。）であつて、コンクリートその他腐食しやすい材料で造られているもの（腐食を防止する措置が講ぜられているものを除く。）とする。
一　下水の流路の勾配が著しく変化する箇所又は下水の流路の高低差が著しい箇所
二　伏越室の壁その他多量の硫化水素の発生により腐食のおそれが大きい箇所
2　令第五条の十二第二項に規定する国土交通省令で定める公共下水道又は流域下水道の維持又は修繕に関する技術上の基準その他必要な事項は、次のとおりとする。
一　令第五条の十二第一項第三号の点検は、令第十八条第三号に規定する樋門又は樋管（次号において「樋門等」という。）にあつては、一年に一回以上の適切な頻度で行うこと。
二　令第五条の十二第一項第三号の規定による点検（前項に規定する排水施設又は樋門等に係るものに限る。）を行つた場合には、次に掲げる事項を記録し、これを次に点検を行うまでの期間保存すること。
イ　点検の年月日
ロ　点検を実施した者の氏名
ハ　点検の結果（樋門等に係る点検については、その作動状況の確認の結果を含む。）

（公共下水道の供用開始の公示事項）

第五条　法第九条第一項に規定する国土交通省令で定める事項は、次の各号に掲げるものとする。
一　供用を開始しようとする排水施設の位置
二　供用を開始しようとする排水施設の合流式又は分流式の別

（使用開始等の届出）

第六条　法第十一条の二第一項（法第二十五条の三十第一項において準用する場合を含む。）の規定による届出は、別記様式第四による届出書によつてしなければならない。
2　法第十一条の二第二項（法第二十五条の三十第一項において準用する場合を含む。）の規定による届出は、別記様式第五による届出書によつてしなければならない。

（終末処理場で処理することが困難な物質の処理施設に係る区域等の公示等）

第七条　令第九条の三第二号及び第九条の九第三号の規定による公示は、当該処理施設による下水の処理を開始しようとするときに、次に掲げる事項

について行うものとし、これを表示した図面を当該公共下水道管理者又は当該流域下水道（雨水流域下水道を除く。）の管理者である地方公共団体の事務所において一般の縦覧に供しなければならない。公示した事項を変更しようとするときも、同様とする。

一　当該処理施設による下水の処理を開始すべき年月日
二　当該処理施設により下水を処理すべき区域
三　当該処理施設において処理すべき物質
四　当該処理施設の位置及び名称

（特定施設の設置の届出）

第八条　法第十二条の三第一項第七号（法第二十五条の三十第一項において準用する場合を含む。）に規定する国土交通省令で定める事項は、次に掲げる事項とする。

一　公共下水道又は流域下水道（雨水流域下水道を除く。第三項第四号ヌ及び第五号において同じ。）に排除される下水の量及び水質
二　用水及び排水の系統

2　法第十二条の三第一項（法第二十五条の三十第一項において準用する場合を含む。第十一条において同じ。）の規定による届出は、別記様式第六による届出書によつてしなければならない。

3　前項の届出書の記載については、次に定めるところによるものとする。

一　特定施設の種類については、水質汚濁防止法施行令（昭和四十六年政令第百八十八号）別表第一及びダイオキシン類対策特別措置法施行令（平成十一年政令第四百三十三号）別表第二に掲げる号番号及び施設の名称を記載すること。

二　特定施設の構造については、次に掲げる事項を記載すること。
イ　特定施設の型式、構造、主要寸法及び能力並びに当該特定施設及びこれに関連する主要機械又は主要装置の配置
ロ　特定施設に係る工事の着手及び完成の予定年月日並びに特定施設の使用開始の予定年月日
ハ　その他特定施設の構造について参考となるべき事項

三　特定施設の使用の方法については、次に掲げる事項を記載すること。
イ　特定施設の設置場所
ロ　特定施設を含む操業の系統
ハ　特定施設の使用時間間隔及び一日当たりの使用時間並びにその使用に季節的変動がある場合には、その概要
ニ　特定施設を含む作業工程において使用する原材料（消耗資材を含む。）の種類、使用方法及び一日当たりの使用量
ホ　特定施設の使用時において、当該特定施設から排出される汚水の水質（当該特定事業場から排除される下水に係る水質の基準が定められた事項に限る。以下この条において同じ。）の通常の値及び最大の値並びに当該汚水の通常の量及び最大の量
へ　その他特定施設の使用の方法について参考となるべき事項

四　汚水の処理の方法については、次に掲げる事項を記載すること。
イ　汚水の処理施設の設置場所
ロ　汚水の処理施設に係る工事の着手及び完成の予定年月日並びに使用開始の予定年月日
ハ　汚水の処理施設の種類、型式、構造、主要寸法及び能力並びに汚水の処理の方式
ニ　汚水の処理の系統
ホ　汚水の集水及び汚水の処理施設までの導水の方法
へ　汚水の処理施設の使用時間間隔及び一日当たりの使用時間並びにその使用に季節的変動がある場合には、その概要
ト　汚水の処理施設において中和、凝集、酸化その他の反応の用に供する消耗資材の一日当たりの用途別使用量
チ　汚水の処理施設の使用時における当該汚水の処理施設による処理前及び処理後の汚水の水質の通常の値及び最大の値並びに当該汚水の通常の量及び最大の量
リ　汚水の処理によつて生ずる残さの種類及び一月間の種類別生成量並びにその処理の方法の概要
ヌ　汚水を公共下水道又は流域下水道へ排除する方法（排出口の位置及び数並びに排出先を含む。）
ル　その他汚水の処理の方法について参考となるべき事項

五　公共下水道又は流域下水道に排除される下水の量及び水質については、次に掲げる事項を記載すること。
イ　公共下水道又は流域下水道への排出口における下水の通常の量及び最大の量並びに当該下水の水質の通常の値及び最大の値
ロ　その他公共下水道又は流域下水道に排除される下水の量及び水質について参考となるべき事項

六　用水及び排水の系統については、当該特定事業場における系統について記載し、用途別用水使用量を付記すること。

（特定施設の使用の届出）

第九条　法第十二条の三第二項及び第三項（法第二十五条の三十第一項においてこれらの規定を準用する場合を含む。）の規定による届出は、別記様式第七による届出書によつてしなければならない。

2　前条第三項の規定は、前項の届出書の記載について準用する。

（特定施設の構造等の変更の届出）

第一〇条　法第十二条の四（法第二十五条の三十第一項において準用する場合を含む。次条において同じ。）の規定による届出は、別記様式第八による届出書によつてしなければならない。

2　第八条第三項の規定は、前項の届出書の記載について準用する。

（受理書）

第一一条　公共下水道管理者又は流域下水道（雨水流域下水道を除く。）の管理者は、法第十二条の三第一項又は法第十二条の四の規定による届出を受理したときは、別記様式第九による受理書を当該届出をした者に交付するものとする。

（氏名の変更等の届出）

第一二条　法第十二条の七（法第二十五条の三十第一項において準用する場合を含む。）の規定による届出は、法第十二条の三第一項第一号又は第二号（法第二十五条の三十第一項においてこれらの規定を準用する場合を含む。）に掲げる事項の変更に係る場合にあつては別記様式第十による届出書によつて、特定施設の使用の廃止に係る場合にあつては別記様式第十一による届出書によつてしなければならない。

（承継の届出）

第一三条　法第十二条の八第三項（法第二十五条の三十第一項において準用する場合を含む。）の規定による届出は、別記様式第十二による届出書によつてしなければならない。

（届出書の提出部数）

第一四条　法第十二条の三、第十二条の四、第十二条の七又は第十二条の八第三項の規定による届出は、流域下水道（雨水流域下水道を除く。）に接続する公共下水道の管理者に対して行うときは、届出書の正本にその写し一通を添えてしなければならない。

（水質の測定等）

第一五条　法第十二条の十二（法第二十五条の三十第一項において準用する場合を含む。）の規定による水質の測定及びその結果の記録は、次に定めるところにより行うものとする。

一　水質の測定は、下水の水質の検定方法等に関する省令（昭和三十七年厚生省建設省令第一号）に規定する検定の方法により行うこと。

二　前号の測定は、温度又は水素イオン濃度については排水の期間中一日一回以上、生物化学的酸素要求量については十四日を超えない排水の期間ごとに一回以上、ダイオキシン類については一年を超えない排水の期間ごとに一回以上、その他の測定項目については七日を超えない排水の期間ごとに一回以上行うこと。ただし、公共下水道管理者又は流域下水道（雨水流域下水道を除く。以下この号及び第四号において同じ。）の管理者は、公共下水道又は流域下水道の終末処理場の能力、排水の量又は水質等を勘案してダイオキシン類以外の測定項目の測定の回数につき、別の定めをすることができる。

三　第一号の測定のための試料は、測定しようとする下水の水質が最も悪いと推定される時刻に、水深の中層部から採取しなければならない。

四　第一号の測定は、公共下水道又は流域下水道への排出口ごとに、公共下水道又は流域下水道に流入する直前で、公共下水道又は流域下水道による影響の及ばない地点で行うこと。

五　前各号の測定の結果は、別記様式第十三による水質測定記録表により記録し、その記録を五年間保存すること。

（証明書の様式）

第一六条　法第十三条第二項（法第二十五条の三十第一項において準用する場合を含む。）の証明書の様式は、別記様式第十四とする。

（公共下水道又は流域下水道の設計又は工事の監督管理を行う者の資格）

第一七条　令第十五条第十号に規定する同条第一号から第九号までに規定する者と同等以上の知識及び技能を有すると認められる者は、次に掲げる者とする。

一　学校教育法（昭和二十二年法律第二十六号）による大学（短期大学を除く。次号において同じ。）の大学院に五年以上在学して下水道工学に関する単位を含む所定の単位を修得した者であつて、イ又はロに掲げる場合の区分に応じ、それぞれイ又はロに定めるもの

イ　計画設計を行わせる場合　二年以上下水道、上水道、工業用水道、河川、道路その他国土交通大臣が定める施設（以下この条において「下水道等」という。）に関する技術上の実務に従事し、かつ、一年以上下水道に関する技術上の実務に従事した経験を有する者

ロ　実施設計（計画設計に基づく具体的な設計をいう。）又は工事の監督管理を行わせる場合　六月以上下水道に関する技術上の実務に従事した経験を有する者

二　学校教育法による大学の大学院若しくは専攻科又は旧大学令（大正七年勅令第三百八十八号）による大学の大学院若しくは研究科に一年以上在学して下水道工学に関する課程を専攻した者であつて、イからハまでに掲げる場合の区分に応じ、それぞれイからハまでに定めるもの

イ　計画設計を行わせる場合　四年以上下水道等に関する技術上の実務に従事し、かつ、二年以上下水道に関する技術上の実務に従事した経験を有する者

ロ　処理施設又はポンプ施設に係る監督管理等を行わせる場合　一年以上下水道等に関する技術上の実務に従事し、かつ、六月以上下水道に関する技術上の実務に従事した経験を有する者

ハ　排水施設に係る監督管理等を行わせる場合　六月以上下水道に関する技術上の実務に従事した経験を有する者

三　学校教育法による短期大学の専攻科に一年以上在学して下水道工学に関する課程を専攻した者であつて、イからハまでに掲げる場合の区分に応じ、それぞれイからハまでに定めるもの

イ　計画設計を行わせる場合　七年以上下水道等に関する技術上の実務に従事し、かつ、三年六月以上下水道に関する技術上の実務に従事した経験を有する者

ロ　処理施設又はポンプ施設に係る監督管理等を行わせる場合　四年以上下水道等に関する技術上の実務に従事し、かつ、二年以上下水道に関する技術上の実務に従事した経験を有する者

ハ　排水施設に係る監督管理等を行わせる場合　二年以上下水道等に関する技術上の実務に従事し、かつ、一年以上下水道に関する技術上の実務に従事した経験を有する者

四　学校教育法による専修学校又は各種学校の下水道工学に関する修業年限二年以上の課程で国土交通大臣が指定したものを修めて卒業した者であつて、イからハまでに掲げる場合の区分に応じ、それぞれイからハまでに定めるもの

イ　計画設計を行わせる場合　八年以上下水道等に関する技術上の実務に従事し、かつ、四年以上下水道に関する技術上の実務に従事した経験を有する者

ロ　処理施設又はポンプ施設に係る監督管理等を行わせる場合　五年以上下水道等に関する技術上の実務に従事し、かつ、二年六月以上下水道に関する技術上の実務に従事した経験を有する者

ハ　排水施設に係る監督管理等を行わせる場合　二年六月以上下水道等に関する技術上の実務に従事し、かつ、一年六月以上下水道に関する技術上の実務に従事した経験を有する者

五　外国の学校において、令第十五条第一号から第四号まで及び前各号に規定する学科目、課程又は単位に相当するものを当該各号に規定する程度と同等以上に修めて卒業し、専攻し、又は修得した者であつて、当該各号に規定する場合の区分に応じ当該各号に規定する期間下水道等及び下水道に関する技術上の実務に従事した経験を有するもの

六　前各号に掲げる者のほか、イ又はロに掲げる場合の区分に応じ、それぞれイ又はロに定める者

イ　処理施設又はポンプ施設に係る監督管理等を行わせる場合　五年以上下水道等に関する技術上の実務に従事し、かつ、二年六月以上下水道に関する技術上の実務に従事した経験を有する者であつて、国土交通大臣が指定した講習を修了したもの

ロ　排水施設に係る監督管理等を行わせる場合　二年六月以上下水道等に関する技術上の実務に従事し、かつ、一年六月以上下水道に関する技術上の実務に従事した経験を有する者であつて、国土交通大臣が指定した講習を修了したもの

（排水設備の設置及び構造に関する事項）

第一七条の二　令第十七条の四第二号イに規定する国土交通省令で定める排水設備の設置及び構造に関する事項は、雨水貯留槽、雨水浸透ます等の性能又は仕様及び数量とする。

（管理協定の基準）

第一七条の三　法第二十五条の五第二項第二号（法第二十五条の八において準用する場合を含む。）に規定する国土交通省令で定める基準は、次に掲げるものとする。

一　協定雨水貯留施設の管理の方法に関する事項は、協定雨水貯留施設の維持修繕その他協定雨水貯留施設の適切な管理に必要な事項について定めること。

二　管理協定の有効期間は、五年以上五十年以下とすること。

三　管理協定に違反した場合の措置は、違反した者に対して不当に重い負担を課するものでないこと。

（管理協定の縦覧に係る公告）

第一七条の四　法第二十五条の六第一項（法第二十五条の八において準用する場合を含む。）の規定による公告は、次に掲げる事項について、都道府県又は市町村の公報への掲載、インターネットの利用その他の適切な方法により行うものとする。

一　管理協定の名称

二　協定雨水貯留施設の名称（その属する施設がある場合は、その属する施設の名称及び協定雨水貯留施設の部分）

三　管理協定の有効期間

四　管理協定の縦覧場所

（管理協定の締結等の公示）

第一七条の五　前条の規定は、法第二十五条の七（法第二十五条の八において準用する場合を含む。）の規定による公示について準用する。

（雨水貯留浸透施設整備計画の認定の申請）

第一七条の六　法第二十五条の十第一項の認定の申請は、別記様式第十五の申請書を公共下水道管理者に提出して行うものとする。

2　前項の申請書には、次に掲げる図書を添付しなければならない。

一　雨水貯留浸透施設の位置図、平面図、縦断面図、横断面図及び構造図

二　雨水貯留浸透施設の設置に要する費用の額を証する書類

三　雨水貯留浸透施設の設置の工事の工程表

3　前項第一号に掲げる位置図は、縮尺二千五百分の一以上とし、雨水貯留浸透施設の位置を表示したものでなければならない。

4　第二項第一号に掲げる構造図は、縮尺五百分の一以上とし、雨水貯留浸透施設の流入口及び放流口の構造を表示したものでなければならない。

（雨水貯留浸透施設整備計画の記載事項）

第一七条の七　法第二十五条の十第二項第六号の国土交通省令で定める事項は、雨水貯留浸透施設の設置の工事の実施時期とする。

（雨水貯留浸透施設の規模）

第一七条の八　法第二十五条の十一第一号の国土交通省令で定める規模は、雨水を貯留する容量が三十立方メートルのものとする。ただし、その地方の浸水被害の発生の状況又は自然的社会的条件の特殊性を勘案し、当該浸水被害対策区域における浸水被害の発生の防止を図るため特に必要があると認める場合においては、公共下水道管理者は、当該規模について、規則で、区域を限り、雨水を貯留する容量を〇・一立方メートル以上三十立方メートル未満の範囲内で、別に定めることができる。

（雨水貯留浸透施設の構造及び設備の基準）

第一七条の九　法第二十五条の十一第二号の国土交通省令で定める構造及び設備の基準は、次のとおりとする。

一　雨水を一時的に貯留し、又は地下に浸透させる機能を維持することができる構造であること。

二　雨水を一時的に貯留し、又は地下に浸透させる機能を維持するために必要な設備を備えたものであること。

（雨水貯留浸透施設の管理の方法の基準）

第一七条の一〇　法第二十五条の十一第四号の国土交通省令で定める管理の方法の基準は次のとおりとする。

一　雨水貯留浸透施設が有する雨水を一時的に貯留し、又は地下に浸透させる機能を維持するための点検が、適切な頻度で、目視その他適切な方法により行われるものであること。
二　前号の点検により雨水貯留浸透施設の損傷、腐食その他の劣化その他の異状があることが明らかとなった場合に、補修その他必要な措置が講じられるものであること。
三　雨水貯留浸透施設の修繕が計画的に行われるものであること。

（雨水貯留浸透施設の管理の期間）
第一七条の一一　法第二十五条の十一第五号の国土交通省令で定める期間は、十年とする。ただし、その地方の浸水被害の発生の状況又は自然的社会的条件の特殊性を勘案し、当該浸水被害対策区域における浸水被害の発生の防止を図るため特に必要があると認める場合においては、公共下水道管理者は、十年を超え五十年以下の範囲内で、その期間を別に定めることができる。

（軽微な変更）
第一七条の一二　法第二十五条の十三第一項の国土交通省令で定める軽微な変更は、雨水貯留浸透施設の設置の工事の実施時期の変更のうち、工事の着手又は完了の予定年月日の同一会計年度内の変更とする。

（流域下水道に係る事業計画の届出）
第一七条の一三　都道府県である流域下水道管理者は、法第二十五条の二十三第五項（同条第七項において準用する場合を含む。）の規定により事業計画を届け出ようとするときは、届出書に事業計画を記載した書類（事業計画の変更を届け出ようとするときは、その変更の内容を明らかにする書類）を添付し、これを国土交通大臣に提出しなければならない。

（流域下水道に係る事業計画の記載方法等）
第一八条　法第二十五条の二十四に規定する事業計画は、別記様式第十六の事業計画書並びに次に掲げる書類及び図面により明らかにしなければならない。
一　下水道計画一般図
二　計画降雨浸水防止区域図
三　排水施設（雨水流域下水道の雨水の流量を調節するための施設を除く。）の平面図及び縦断面図
四　雨水流域下水道の雨水の流量を調節するための施設、処理施設及びポンプ施設の平面図、水位関係図及び構造図
五　下水の放流先の状況を明らかにする図面
六　その他事業計画を明らかにするために必要な書類及び図面

（流域下水道の供用又は処理開始の通知事項）
第一九条　法第二十五条の二十六に規定する国土交通省令で定める事項は、次の各号に掲げるものとする。
一　流域関連公共下水道により下水を排除又は処理すべき区域
二　供用又は処理を開始しようとする排水施設の位置
三　供用又は処理を開始しようとする排水施設の合流式又は分流式の別

（都市下水路台帳）
第二〇条　都市下水路台帳は、調書及び図面をもつて組成するものとする。
2　調書には、都市下水路につき、少なくとも次の各号に掲げる事項を記載するものとする。
一　集水区域の面積及び集水区域内の地名
二　管渠及び吐口の位置並びに下水の放流先の名称
三　管渠（取付管渠を除く。以下同じ。）の延長並びにマンホール（雨水吐室及び伏越室を含む。以下同じ。）汚水ます及び雨水ますの数
四　処理施設の位置、敷地の面積、構造及び能力
五　ポンプ施設の位置、敷地の面積、構造及び能力
六　法第二十九条第一項の許可を受け、又は法第四十一条の協議に基づき設けられた施設又は工作物その他の物件（仮設のものを除く。以下同じ。）に関する次に掲げる事項
イ　名称、位置及び構造
ロ　設置者の氏名及び住所
ハ　設置の期間
3　図面は、一般図及び施設平面図とし、都市下水路につき、次の各号により調製するものとする。
一　一般図は、次に掲げる事項を記載した縮尺一万分の一未満五万分の一以上の地形図とすること。
イ　市区町村名及びその境界線
ロ　集水区域の境界線
ハ　管渠及び吐口の位置並びに下水の放流先の名称
ニ　処理施設及びポンプ施設の位置及び名称
ホ　方位、縮尺、凡例及び調製の年月日
二　施設平面図は、次に掲げる事項を記載した縮尺六百分の一の平面図とすること。
イ　前号イ及びホに掲げる事項
ロ　管渠の位置、形状、内のり寸法、勾配、区間距離及び管渠底高並びに下水の流れの方向
ハ　取付管渠の位置、形状、内のり寸法及び延長
ニ　マンホールの位置、種類及び内のり寸法
ホ　汚水ます及び雨水ますの位置及び種類
ヘ　ランプホールの位置
ト　吐口の位置並びに下水の放流先の名称並びにその高水位、低水位及び平均水位
チ　排水施設に接続する道路の側溝、公共溝渠等（ルに掲げる施設又は工作物その他の物件を除く。）の位置、形状、内のり寸法及び名称
リ　処理施設及びポンプ施設の名称及び敷地の境界線
ヌ　処理施設及びポンプ施設の敷地内の主要な施設の位置、形状、寸法、水位及び名称
ル　法第二十九条第一項の許可を受け、又は法第四十一条の協議に基づき設けられた施設又は工作物その他の物件の位置及び名称
ヲ　附近の道路、河川、鉄道等の位置
4　調書及び図面の記載事項に変更があつたときは、すみやかに、これを訂正しなければならない。

（証明書の様式）
第二一条　法第三十二条第五項の証明書の様式は、別記様式第十七とする。

（損失補償の裁決申請書の様式）
第二二条　令第二十四条に規定する国土交通省令で定める様式は、別記様式第十八とする。

（権限の委任）
第二三条　法に規定する国土交通大臣の権限のうち、第一号に掲げるものは地方整備局長に、第二号から第七号までに掲げるものは地方整備局長及び北海道開発局長に委任する。ただし、第六号及び第七号に掲げる権限については、国土交通大臣が自ら行うことを妨げない。
一　法第二条の二第十項（同条第十二項において準用する場合を含む。）の規定により流域別下水道整備総合計画の届出を受理し、及び同条第十一項（同条第十二項において準用する場合を含む。）の規定により環境大臣に通知すること（二以上の地方整備局の管轄区域にわたる水系に係る河川その他の公共の水域又は二以上の地方整備局の管轄区域における汚水により水質の汚濁が生じる海域の全部又は一部についての流域別下水道整備総合計画に係る場合を除く。）。
二　法第四条第二項（同条第六項において準用する場合を含む。）の規定により事業計画について協議し、及び同条第三項（同条第六項において準用する場合を含む。）の規定により環境大臣の意見を聴くこと。
三　法第四条第四項（同条第六項において準用する場合を含む。）の規定による届出を受理し、及び同条第五項（同条第六項において準用する場合を含む。）の規定により環境大臣に通知すること。
四　法第二十五条の二十三第二項（同条第七項において準用する場合を含む。）の規定により事業計画について協議し、及び同条第四項（同条第七項において準用する場合を含む。）の規定により環境大臣の意見を聴くこと。
五　法第二十五条の二十三第五項（同条第七項において準用する場合を含む。）の規定による届出を受理し、及び同条第六項（同条第七項において準用する場合を含む。）の規定により環境大臣に通知すること。
六　法第三十七条第一項又は第二項の規定により指示をすること。
七　法第三十九条第一項の規定により必要な報告を徴すること。

附　則
1　この省令は、公布の日から施行する。

（権限の委任に関する特例）
2　法第二条の二第一項の規定により流域別下水道整備総合計画を定めるこ

ととされている公共の水域又は海域（二以上の地方整備局の管轄区域にわたる水系に係る河川その他の公共の水域又は二以上の地方整備局の管轄区域における汚水により水質の汚濁が生じる海域に限る。）の全部又は一部について流域別下水道整備総合計画が定められていない場合において、当該流域別下水道整備総合計画が定められていない地域における下水道についての第二十三条の規定の適用については、当該流域別下水道整備総合計画が定められるまでの間、同条各号列記以外の部分中「第二号から第七号までに」とあるのは、「第六号及び第七号に」とする。

附　則〔略〕〔昭和四九・八・二〇建設省令一二〕

附　則〔昭和五二・三・二五建設省令二〕

（施行期日）

1　この省令中、第一条及び次項の規定は公布の日から、第二条の規定は下水道整備緊急措置法及び下水道法の一部を改正する法律（昭和五十一年法律第二十九号）第二条、附則第二条及び附則第三条の規定の施行の日（昭和五十二年五月一日）から施行する。

（流域別下水道整備総合計画の経過措置）

2　第一条の規定による改正後の下水道法施行規則第一条及び第一条の二の規定は、第一条の施行の日以後に建設大臣に対して承認の申請がなされる流域別下水道整備総合計画から適用し、同日前に申請がなされた流域別下水道整備総合計画については、なお従前の例による。

附　則〔略〕〔昭和六〇・一一・二五建設省令一五〕

附　則〔略〕〔平成元・四・二〇建設省令一〇〕

附　則〔略〕〔平成五・一一・一一建設省令一八〕

附　則〔略〕〔平成一一・一二・二七建設省令四九〕

附　則〔略〕〔平成一二・一・三一建設省令一〇〕

附　則〔略〕〔平成一二・一一・二〇建設省令四一〕

附　則〔略〕〔平成一三・六・二五国土交通省令一〇〇〕

附　則〔略〕〔平成一六・三・一二国土交通省令一二〕

附　則〔略〕〔平成一七・一〇・二六国土交通省令一〇三〕

附　則〔略〕〔平成二〇・三・二一国土交通省令九〕

附　則〔略〕〔平成二四・二・八国土交通省令六〕

附　則〔略〕〔平成二四・二・八国土交通省令七〕

附　則〔略〕〔平成二四・五・二三国土交通省令五五〕

附　則〔平成二七・七・一七国土交通省令五四〕

（施行期日）

第一条　この省令は、水防法等の一部を改正する法律の施行の日（平成二十七年七月十九日）から施行する。

（下水道法施行規則の一部改正に伴う経過措置）

第二条　第二条の規定による改正後の下水道法施行規則第一条の二の規定は、この省令の施行の日以後に定め、又は変更される流域別下水道整備総合計画から適用し、同日前に定め、又は変更された流域別下水道整備総合計画については、なお従前の例による。

2　この省令の施行の際現にあるこの省令による改正前の別記様式第一により使用されている書類は、この省令による改正後の別記様式第一によるものとみなす。

3　別記様式第一による流域別下水道整備総合計画書の様式については、平成二十八年三月三十一日までの間は、なお従前の例によることができる。

附　則〔略〕〔平成二七・一〇・二一国土交通省令七五〕

附　則〔略〕〔平成二七・一一・一三国土交通省令七八〕

附　則〔略〕〔令和二・一二・二三国土交通省令九八〕

附　則〔略〕〔令和三・七・一四国土交通省令四八〕

附　則〔略〕〔令和三・一〇・二九国土交通省令六九〕

附　則〔略〕〔令和四・八・一九国土交通省令六二〕

附　則〔令和六・三・一三国土交通省令二〇〕

この省令は、下水道法施行令の一部を改正する政令の施行の日（令和六年四月一日）から施行する。

別記様式〔略〕

○日本下水道事業団法〔昭和四七・五・二九 法律四一〕

改正　昭和五〇・六法四一、昭和六一・四法三一、平成五・六法六三、平成一一・七法八七、一二法一六〇、平成一四・一二法一八六、平成一六・一二法一五四、平成一七・七法八七、一〇法一〇二、平成一八・六法五〇、平成二三・八法一〇五、平成二七・五法二二、平成三〇・六法四〇、令和三・五法三一

目次

第一章　総則（第一条―第七条）
第二章　設立（第八条―第十二条）
第三章　管理（第十三条―第二十五条）
第四章　業務
　第一節　業務の範囲等（第二十六条―第二十九条）
　第二節　特定下水道工事（第三十条―第三十六条）
第五章　財務及び会計（第三十七条―第四十八条）
第六章　監督（第四十九条・第五十条）
第七章　補則（第五十一条・第五十二条）
第八章　罰則（第五十三条―第五十五条）
附則

第一章　総則

（目的）

第一条　日本下水道事業団は、地方公共団体等の要請に基づき、下水道の根幹的施設の建設及び維持管理を行い、下水道に関する技術的援助を行うとともに、下水道技術者の養成並びに下水道に関する技術の開発及び実用化を図ること等により、下水道の整備を促進し、もつて生活環境の改善と公共用水域の水質の保全に寄与することを目的とする。

（法人格）

第二条　日本下水道事業団（以下「事業団」という。）は、法人とする。

（数）

第三条　事業団は、一を限り、設立されるものとする。

（資本金）

第四条　事業団の資本金は、その設立に際し、地方公共団体が出資する額の合計額とする。

2　事業団は、必要があるときは、国土交通大臣の認可を受けて、その資本金を増加することができる。

3　地方公共団体は、前項の規定により事業団がその資本金を増加するとき

は、事業団に出資することができる。

4　地方公共団体は、事業団に出資するときは、金銭以外の財産を出資の目的とすることができる。

5　前項の規定により出資の目的とする金銭以外の財産の価額は、出資の日現在における時価を基準として評価委員が評価した価額とする。

6　前項の評価委員その他評価に関し必要な事項は、政令で定める。

（名称）

第五条　事業団は、その名称中に日本下水道事業団という文字を用いなければならない。

2　事業団でない者は、その名称中に日本下水道事業団という文字を用いてはならない。

（登記）

第六条　事業団は、政令で定めるところにより、登記しなければならない。

2　前項の規定により登記しなければならない事項は、登記の後でなければ、これをもつて第三者に対抗することができない。

（一般社団法人及び一般財団法人に関する法律の準用）

第七条　一般社団法人及び一般財団法人に関する法律（平成十八年法律第四十八号）第四条及び第七十八条の規定は、事業団について準用する。

第二章　設立

（発起人）

第八条　事業団を設立するには、都道府県知事の全国的連合組織の推薦する都道府県知事、市長の全国的連合組織の推薦する市長、町村長の全国的連合組織の推薦する町村長及び下水道又は下水道事業について学識経験のある者十五人以上が発起人となり、定款を作成し、国土交通大臣の認可を受けなければならない。

2　設立当初の役員は、定款で定めなければならない。

3　国土交通大臣は、第一項の認可をしたときは、遅滞なく、その旨を告示しなければならない。

4　発起人は、第一項の認可を受けたときは、地方公共団体に対して、事業団に対する出資を募集しなければならない。

第九条　削除

（設立の認可等）

第一〇条　発起人は、第八条第四項の規定による募集が終わつたときは、国土交通大臣に対して、設立の認可を申請しなければならない。

2　発起人は、前項の認可を受けたときは、出資の募集に応じた地方公共団体に対して、出資金の払込み又は出資の目的たる財産の給付を求めなければならない。

（事務の引継ぎ）

第一一条　発起人は、出資金の払込み又は出資の目的たる財産の給付があつた日において、その事務を理事長となるべき者に引き継がなければならない。

（設立の登記）

第一二条　理事長となるべき者は、前条の規定による事務の引継ぎを受けたときは、遅滞なく、政令で定めるところにより、設立の登記をしなければならない。

2　事業団は、設立の登記をすることによつて成立する。

第三章　管理

（定款）

第一三条　事業団は、定款をもつて、次の事項を規定しなければならない。

一　目的
二　名称
三　事務所の所在地
四　資本金、出資及び資産に関する事項
五　役員の定数、任期、選任方法その他役員に関する事項
六　評議員及び評議員会に関する事項
七　業務及びその執行に関する事項
八　財務及び会計に関する事項
九　定款の変更に関する事項
十　公告の方法

2　定款の変更は、国土交通大臣の認可を受けなければ、その効力を生じない。

（役員）

第一四条　事業団に、役員として、理事長、副理事長、理事及び監事を置く。

（役員の職務及び権限）

第一五条　理事長は、事業団を代表し、その業務を総理する。

2　副理事長は、事業団を代表し、定款で定めるところにより、理事長を補佐して事業団の業務を掌理し、理事長に事故があるときはその職務を代理し、理事長が欠員のときはその職務を行う。

3　理事は、定款で定めるところにより、理事長及び副理事長を補佐して事業団の業務を掌理し、理事長及び副理事長に事故があるときはその職務を代理し、理事長及び副理事長が欠員のときはその職務を行う。

4　監事は、事業団の業務を監査する。

5　監事は、監査の結果に基づき、必要があると認めるときは、理事長又は国土交通大臣に意見を提出することができる。

（役員の欠格条項）

第一六条　次の各号のいずれかに該当する者は、役員となることができない。ただし、第一号に該当する者が非常勤の理事となるときは、この限りでない。

一　政府又は地方公共団体の職員（非常勤の者を除く。）
二　物品の製造若しくは販売若しくは工事の請負を業とする者であつて事業団と取引上密接な利害関係を有するもの又はこれらの者が法人であるときはその役員（いかなる名称によるかを問わず、これと同等以上の職権又は支配力を有する者を含む。）
三　前号に掲げる事業者の団体の役員（いかなる名称によるかを問わず、これと同等以上の職権又は支配力を有する者を含む。）

第一七条　事業団は、役員が前条各号のいずれかに該当するに至つたときは、その役員を解任しなければならない。

（役員の選任及び解任）

第一八条　役員の選任及び解任は、国土交通大臣の認可を受けなければ、その効力を生じない。

2　国土交通大臣は、役員が、この法律、この法律に基づく命令若しくは処分、定款若しくは業務方法書に違反する行為をしたとき、又は事業団の業務に関し著しく不適当な行為をしたときは、事業団に対し、期間を指定して、その役員を解任すべきことを命ずることができる。

3　国土交通大臣は、役員が第十六条各号のいずれかに該当するに至つた場合において事業団がその役員を解任しないとき、又は事業団が前項の規定による命令に従わなかつたときは、その役員を解任することができる。

（役員の兼職禁止）

第一九条　役員は、営利を目的とする団体の役員となり、又は自ら営利事業に従事してはならない。ただし、国土交通大臣の承認を受けたときは、この限りでない。

（代表権の制限）

第二〇条　事業団と理事長又は副理事長との利益が相反する事項については、理事長及び副理事長は、代表権を有しない。この場合には、監事が事業団を代表する。

（代理人の選任）

第二一条　理事長は、理事又は事業団の職員のうちから、事業団の業務の一部に関し一切の裁判上又は裁判外の行為をする権限を有する代理人を選任することができる。

（評議員会）

第二二条　事業団に、評議員会を置く。

2　評議員会は、定款で定める数の評議員をもつて組織する。

3　評議員は、事業団に出資した地方公共団体の長、知事の全国的連合組織の推薦する都道府県知事、市長の全国的連合組織の推薦する市長、町村長の全国的連合組織の推薦する町村長及び下水道又は下水道事業について学識経験を有する者のうちから、国土交通大臣の認可を受けて、理事長が任命する。

（評議員会の権限）

第二三条　次の事項は、評議員会の議決を経なければならない。

一　定款の変更
二　役員の選任及び解任
三　業務方法書の作成及び変更

四　予算及び決算
五　事業計画の作成及び変更
六　その他定款で定める事項
2　評議員会は、前項に規定するもののほか、理事長の諮問に応じ、事業団の業務の運営に関する重要事項を調査審議する。

（職員の任命）
第二四条　事業団の職員は、理事長が任命する。

（役員及び職員の公務員たる性質）
第二五条　事業団の役員及び職員は、刑法（明治四十年法律第四十五号）その他の罰則の適用については、法令により公務に従事する職員とみなす。

第四章　業務

第一節　業務の範囲等

（業務の範囲）
第二六条　事業団は、第一条の目的を達成するため、次の業務を行う。
一　地方公共団体の委託に基づき、終末処理場及びこれに直接接続する幹線管渠、終末処理場以外の処理施設並びにポンプ施設（以下「終末処理場等」という。）の建設を行うこと。
二　前号に掲げるもののほか、地方公共団体の委託に基づき、次に掲げる管渠の建設を行うこと。
イ　浸水被害（下水道法（昭和三十三年法律第七十九号）第二条第九号に規定する浸水被害をいう。）が発生した場合において再度災害を防止するためその建設を特に緊急に行うべきもの
ロ　その建設が高度の技術を要するもの又は高度の機械力を使用して行うことが適当であると認められるもの
三　次節の規定により特定下水道工事を行うこと。
四　地方公共団体の委託に基づき、下水道の設置等の設計、下水道の工事の監督管理並びに終末処理場、終末処理場以外の処理施設、ポンプ施設、管渠及び協定雨水貯留施設（下水道法第二十五条の五第一項第一号に規定する協定雨水貯留施設をいう。）の維持管理を行うこと。
五　災害時維持修繕協定（下水道法第十五条の二（同法第二十五条の三十及び第三十一条において準用する場合を含む。以下この号において同じ。）に規定する災害時維持修繕協定をいう。次条第二項において同じ。）に基づき、協定下水道施設（同法第十五条の二第一号に規定する協定下水道施設をいう。）の維持又は修繕に関する工事を行うこと。
六　地方公共団体の委託に基づき、下水道の整備に関する計画の策定及び事業の施行並びに下水道の維持管理に関する技術的援助を行うこと。
七　下水道に関する技術を担当する者の養成及び訓練を行い、並びに政令で定めるところにより、下水道の設置等の設計、下水道の工事の監督管理又は下水道の維持管理を担当する者の技術検定を行うこと。
八　下水道及び除害施設に関する技術を開発し、これを実用化することを促進するために研究、調査及び試験を行い、並びにそれらの成果の普及を行うこと。
九　前各号に掲げる業務に附帯する業務
十　前各号に掲げる業務の遂行に支障のない範囲内で、特別の法律により設立された法人の委託に基づき、終末処理場等の建設を行い、並びに下水道の設置等の設計、下水道の工事の監督管理及び下水道の維持管理に関する技術的援助を行うこと。
十一　前各号に掲げるもののほか、第一条の目的を達成するために必要な業務
2　事業団は、前項に規定する業務のほか、次に掲げる業務を行う。
一　海外社会資本事業への我が国事業者の参入の促進に関する法律（平成三十年法律第四十号）第八条に規定する業務
二　下水道法第二十五条の十七に規定する業務
三　特定都市河川浸水被害対策法（平成十五年法律第七十七号）第十八条に規定する業務
3　事業団は、第一項第一号に掲げる業務を受託する場合においては、特別の事情がない限り、水質環境基準（下水道法第二条の二第一項に規定する水質環境基準をいう。以下この項において同じ。）が定められた公共用水域の水質を当該水質環境基準に適合させるため必要がある終末処理場等を優先させるものとする。
4　事業団は、第一項第十一号に掲げる業務を行おうとするときは、国土交通大臣の認可を受けなければならない。

（下水道法第二十二条等の適用除外）
第二七条　下水道法第二十二条（同法第二十五条の三十において準用する場合を含む。）の規定は、公共下水道管理者（同法第四条第一項に規定する公共下水道管理者をいう。以下同じ。）又は流域下水道管理者（同法第二十五条の二十三第一項に規定する流域下水道管理者をいう。以下同じ。）が事業団に公共下水道又は流域下水道の設置等の設計、工事の監督管理又は維持管理を委託する場合には、適用しない。
2　下水道法第二十二条第二項（同法第二十五条の三十において準用する場合を含む。）の規定は、公共下水道管理者又は流域下水道管理者が事業団と災害時維持修繕協定を締結した場合において、当該災害時維持修繕協定に基づき事業団が公共下水道又は流域下水道の維持管理を行うときは、適用しない。

（業務方法書）
第二八条　事業団は、業務開始の際、業務方法書を作成し、国土交通大臣の認可を受けなければならない。これを変更しようとするときも、同様とする。
2　前項の業務方法書に記載すべき事項は、国土交通省令で定める。

（国及び地方公共団体の配慮）
第二九条　国及び地方公共団体は、事業団の業務の円滑な運営が図られるように、適当と認める人的及び技術的援助をする等必要な配慮を加えるものとする。

第二節　特定下水道工事

（特定下水道工事の代行）
第三〇条　事業団は、公共下水道管理者、流域下水道管理者又は都市下水路管理者（下水道法第二十七条第一項に規定する都市下水路管理者をいう。第三十六条において同じ。）である地方公共団体（以下「下水道管理団体」という。）から要請があり、かつ、当該下水道管理団体における終末処理場等又は第二十六条第一項第二号イ若しくはロに掲げる管渠（次条及び第三十三条において「特定下水道」という。）の建設に関する工事（以下「特定下水道工事」という。）の実施体制その他の地域の実情を勘案して、当該特定下水道工事を当該下水道管理団体に代わつて自ら行うことが適当であると認められる場合には、同法第三条、第二十五条の二十二及び第二十六条の規定にかかわらず、これを行うことができる。
2　事業団は、前項の規定により特定下水道工事を行う場合には、政令で定めるところにより、下水道管理団体に代わつてその権限の一部を行うものとする。
3　下水道管理団体が第一項の要請をしようとするときは、あらかじめ、当該下水道管理団体の議会の議決を経なければならない。
4　事業団は、第一項の規定により特定下水道工事を行おうとするときは、あらかじめ、国土交通省令で定めるところにより、その旨を公告しなければならない。
5　事業団は、第一項の規定による特定下水道工事の全部又は一部を完了したときは、遅滞なく、国土交通省令で定めるところにより、その旨を公告しなければならない。

（事業団の意見の聴取）
第三一条　下水道管理団体は、前条の規定により事業団が特定下水道工事を行う特定下水道について下水道法第四条第六項の公共下水道の事業計画の変更、同法第二十五条の二十三第七項の流域下水道の事業計画の変更又は同法第二十七条第一項の規定による公示事項の変更を行おうとする場合には、あらかじめ、事業団の意見を聴かなければならない。

（特定下水道工事の廃止等）
第三二条　事業団は、下水道管理団体の同意を得た場合でなければ、特定下水道工事を廃止してはならない。
2　第三十条第五項の規定は、事業団が特定下水道工事を廃止した場合について準用する。
3　事業団が特定下水道工事を廃止したときは、当該特定下水道工事に要した費用の負担については、事業団が下水道管理団体と協議して定めるものとする。

（特定下水道及びその用に供する土地の権利の帰属）
第三三条　第三十条第五項の規定による特定下水道工事の完了の公告のあつ

た特定下水道及びその用に供する土地について事業団が取得した権利は、その公告の日の翌日において当該特定下水道を管理する下水道管理団体に帰属するものとする。

（費用の負担又は補助）

第三四条　事業団が第三十条の規定により特定下水道工事を行う場合には、その実施に要する費用の負担及びその費用に関する国の補助については、下水道管理団体が自ら当該特定下水道工事を行うものとみなす。

2　前項の規定により国が当該下水道管理団体に対し交付すべき負担金又は補助金は、事業団に交付するものとする。

3　前項の場合には、事業団は、補助金等に係る予算の執行の適正化に関する法律（昭和三十年法律第百七十九号）の規定の適用については、同法第二条第三項に規定する補助事業者等とみなす。

4　第一項の下水道管理団体は、同項の費用の額から第二項の負担金又は補助金の額を控除した額を事業団に支払わなければならない。

5　第一項の費用の範囲、前項の規定による支払の方法その他同項の費用に関し必要な事項は、政令で定める。

（審査請求）

第三五条　事業団が第三十条第二項の規定により下水道管理団体に代わってする処分又はその不作為に不服がある者は、国土交通大臣に対して審査請求をすることができる。この場合において、国土交通大臣は、行政不服審査法（平成二十六年法律第六十八号）第二十五条第二項及び第三項、第四十六条第一項及び第二項、第四十七条並びに第四十九条第三項の規定の適用については、事業団の上級行政庁とみなす。

（下水道法の適用）

第三六条　第三十条第二項の規定により公共下水道管理者、流域下水道管理者又は都市下水路管理者に代わってその権限を行う事業団は、下水道法第五章の規定の適用については、公共下水道管理者、流域下水道管理者又は都市下水路管理者とみなす。

第五章　財務及び会計

（事業年度）

第三七条　事業団の事業年度は、毎年四月一日に始まり、翌年三月三十一日に終わる。

（予算等の認可）

第三八条　事業団は、毎事業年度、予算及び事業計画を作成し、当該事業年度の開始前に、国土交通大臣の認可を受けなければならない。これを変更しようとするときも、同様とする。

（財務諸表）

第三九条　事業団は、毎事業年度、財産目録、貸借対照表及び損益計算書（以下「財務諸表」という。）を作成し、当該事業年度の終了後三月以内に国土交通大臣に提出しなければならない。

2　事業団は、前項の規定により財務諸表を国土交通大臣に提出するときは、これに、予算の区分に従い作成した当該事業年度の決算報告書並びに財務諸表及び決算報告書に関する監事の意見書を添付しなければならない。

（書類の送付）

第四〇条　事業団は、第三十八条に規定する認可を受け、又は前条第一項の規定による提出をしたときは、当該認可に係る予算及び事業計画に関する書類又は当該提出に係る財務諸表を、事業団に出資した地方公共団体に送付しなければならない。

（利益及び損失の処理）

第四一条　事業団は、毎事業年度、損益計算において利益を生じたときは、前事業年度から繰り越した損失を埋め、なお残余があるときは、その残余の額は、積立金として整理しなければならない。

2　事業団は、毎事業年度、損益計算において損失を生じたときは、前項の規定による積立金を減額して整理し、なお不足があるときは、その不足額は、繰越欠損金として整理しなければならない。

（借入金及び下水道債券）

第四二条　事業団は、国土交通大臣の認可を受けて、長期借入金若しくは短期借入金をし、又は下水道債券を発行することができる。

2　前項の規定による短期借入金は、当該事業年度内に償還しなければならない。ただし、資金の不足のため償還することができないときは、その償還することができない金額に限り、国土交通大臣の認可を受けて、これを借り換えることができる。

3　前項ただし書の規定により借り換えた短期借入金は、一年以内に償還しなければならない。

4　第一項の規定による下水道債券の債権者は、事業団の財産について他の債権者に先立つて自己の債権の弁済を受ける権利を有する。

5　前項の先取特権の順位は、民法（明治二十九年法律第八十九号）の規定による一般の先取特権に次ぐものとする。

6　事業団は、国土交通大臣の認可を受けて、下水道債券の発行に関する事務の全部又は一部を銀行又は信託会社に委託することができる。

7　会社法（平成十七年法律第八十六号）第七百五条第一項及び第二項並びに第七百九条の規定は、前項の規定により委託を受けた銀行又は信託会社について準用する。

8　第一項及び第四項から前項までに定めるもののほか、下水道債券に関し必要な事項は、政令で定める。

（償還計画）

第四三条　事業団は、毎事業年度、長期借入金及び下水道債券の償還計画をたてて、国土交通大臣の認可を受けなければならない。

（補助金）

第四四条　政府及び地方公共団体は、予算の範囲内において、事業団に対し、事業団の業務運営費の一部を補助することができる。

（余裕金の運用）

第四五条　事業団は、次の方法による場合を除くほか、業務上の余裕金を運用してはならない。

一　国債その他国土交通大臣の指定する有価証券の取得

二　銀行その他国土交通大臣の指定する金融機関への預金

三　信託業務を営む金融機関（金融機関の信託業務の兼営等に関する法律（昭和十八年法律第四十三号）第一条第一項の認可を受けた金融機関をいう。）への金銭信託

（財産の処分等の制限）

第四六条　事業団は、国土交通省令で定める重要な財産を譲渡し、交換し、又は担保に供しようとするときは、国土交通大臣の認可を受けなければならない。

（会計検査院の検査）

第四七条　会計検査院は、必要があると認めるときは、事業団につき、国の補助金が交付される事業を受託して行う業務に係る会計を検査することができる。

（国土交通省令への委任）

第四八条　この法律に規定するもののほか、事業団の財務及び会計に関し必要な事項は、国土交通省令で定める。

第六章　監督

（監督）

第四九条　事業団は、国土交通大臣が監督する。

2　国土交通大臣は、この法律を施行するため必要があると認めるときは、事業団に対して、その業務に関し監督上必要な命令をすることができる。

（報告及び検査）

第五〇条　国土交通大臣は、この法律を施行するため必要があると認めるときは、事業団に対してその業務に関し報告をさせ、又はその職員に、事業団の事務所に立ち入り、帳簿、書類その他の物件を検査させることができる。

2　前項の規定により職員が立入検査をする場合においては、その身分を示す証明書を携帯し、関係者に提示しなければならない。

3　第一項の規定による立入検査の権限は、犯罪捜査のために認められたものと解してはならない。

第七章　補則

（解散）

第五一条　事業団の解散については、別に法律で定める。

（他の法令の準用）

第五二条　建築基準法（昭和二十五年法律第二百一号）及び政令で定めるその他の法令については、政令で定めるところにより、事業団を地方公共団

体とみなして、これらの法令を準用する。

第八章　罰則

第五三条　第五十条第一項の規定による報告をせず、若しくは虚偽の報告をし、又は同項の規定による検査を拒み、妨げ、若しくは忌避した場合には、その違反行為をした事業団の役員又は職員は、三十万円以下の罰金に処する。

第五四条　次の各号のいずれかに該当する場合には、その違反行為をした事業団の役員は、二十万円以下の過料に処する。

一　この法律の規定により国土交通大臣の認可又は承認を受けなければならない場合において、その認可又は承認を受けなかつたとき。

二　第六条第一項の規定による政令に違反して登記することを怠つたとき。

三　第二十六条第一項及び第二項に規定する業務以外の業務を行つたとき。

四　第三十九条の規定に違反して、財務諸表を提出せず、若しくはこれに添付すべき書類を添付せず、又はこれらの書類に記載すべき事項を記載せず、若しくは虚偽の記載をして提出したとき。

五　第四十五条の規定に違反して業務上の余裕金を運用したとき。

六　第四十九条第二項の規定による国土交通大臣の命令に違反したとき。

第五五条　第五条第二項の規定に違反した者は、十万円以下の過料に処する。

附　則〔抄〕

（施行期日）

1　この法律は、公布の日から起算して三月をこえない範囲内において政令で定める日から施行する。

〔昭和四七政二八五により、昭和四七・七・二二から施行〕

（業務の特例）

2　事業団は、日本下水道事業団法の一部を改正する法律（平成十四年法律第百八十六号）の施行の際現に事業団が設置している同法による改正前の第二十六条第一項第四号に掲げる業務に係る施設のすべてを地方公共団体に譲渡するまでの間、第二十六条第一項の業務のほか、同号に掲げる業務及びこれに附帯する業務を行うことができる。

3　前項の規定により事業団が同項に規定する業務を行う場合には、政府は、第三十七条に定めるもののほか、同項に規定する業務（附帯する業務を除く。）に要する費用について、予算の範囲内において、事業団に対し、下水道法第三十四条の規定による補助金の額に相当する金額の範囲内で、政令で定めるところにより、補助することができる。

4　附則第二項の規定により事業団が同項に規定する業務を行う場合には、国土交通大臣は、次に掲げるときは、財務大臣に協議しなければならない。

一　第三十条、第三十四条第一項、第三十六条又は第三十九条の認可をしようとするとき。

二　第四十一条の国土交通省令を定めようとするとき。

5　附則第二項の規定により事業団が同項に規定する業務を行う場合には、第四十八条第三号中「第二十六条第一項」とあるのは、「第二十六条第一項又は附則第二項」とする。

附　則〔抄〕〔昭和五〇・六・一九法律四一〕

（施行期日）

第一条　この法律は、公布の日から起算して一月を超え三月を超えない範囲内において政令で定める日（以下「施行日」という。）から施行する。ただし、附則第三条の規定は、公布の日から施行する。

〔昭和五〇政二二七により、昭和五〇・八・一から施行〕

（日本下水道事業団への移行）

第二条　この法律による改正前の下水道事業センター法による下水道事業センターは、施行日にこの法律による改正後の日本下水道事業団法（以下「新法」という。）による日本下水道事業団となり、同一性をもつて存続するものとする。

（定款の変更）

第三条　下水道事業センターは、この法律の公布の日から起算して一月以内に、日本下水道事業団となるために必要な定款の変更をし、建設大臣の認可を受けなければならない。

2　前項の規定による定款の変更は、施行日にその効力を生ずるようにしなければならない。

（経過措置）

第四条　この法律の施行の際現にその名称中に日本下水道事業団という文字を用いている者については、新法第五条第二項の規定は、この法律の施行後六月間は、適用しない。

第五条　この法律の施行前にした行為に対する罰則の適用については、なお従前の例による。

附　則〔抄〕〔昭和六一・四・二五法律三一〕

（施行期日）

1　この法律は、公布の日から施行する。

（経過措置）

2　この法律の施行の際現に日本下水道事業団の理事又は監事である者の任期については、なお従前の例による。

附　則〔略〕〔平成五・六・一四法律六三〕

附　則〔抄〕〔平成一一・七・一六法律八七〕

（施行期日）

第一条　この法律は、平成十二年四月一日から施行する。ただし、次の各号に掲げる規定は、当該各号に定める日から施行する。

一　〔前略〕附則〔中略〕第百六十条、第百六十三条、第百六十四条並びに第二百二条の規定　公布の日

二～六　〔略〕

（日本下水道事業団法の一部改正に伴う経過措置）

第一四三条　施行日前に第四百四十三条の規定による改正前の日本下水道事業団法（以下この条において「旧事業団法」という。）第四条第五項の規定による承認を受けた出資は、第四百四十三条の規定による改正後の日本下水道事業団法（以下この条において「新事業団法」という。）第四条第五項の規定による協議を行った出資とみなす。

2　この法律の施行の際現に旧事業団法第四条第五項の規定によりされている承認の申請は、新事業団法第四条第五項の規定によりされた協議の申出とみなす。

（国等の事務）

第一五九条　この法律による改正前のそれぞれの法律に規定するもののほか、この法律の施行前において、地方公共団体の機関が法律又はこれに基づく政令により管理し又は執行する国、他の地方公共団体その他公共団体の事務（附則第百六十一条において「国等の事務」という。）は、この法律の施行後は、地方公共団体が法律又はこれに基づく政令により当該地方公共団体の事務として処理するものとする。

（処分、申請等に関する経過措置）

第一六〇条　この法律（附則第一条各号に掲げる規定については、当該各規定。以下この条及び附則第百六十三条において同じ。）の施行前に改正前のそれぞれの法律の規定によりされた許可等の処分その他の行為（以下この条において「処分等の行為」という。）又はこの法律の施行の際現に改正前のそれぞれの法律の規定によりされている許可等の申請その他の行為（以下この条において「申請等の行為」という。）で、この法律の施行の日においてこれらの行為に係る行政事務を行うべき者が異なることとなるものは、附則第二条から前条までの規定又は改正後のそれぞれの法律（これに基づく命令を含む。）の経過措置に関する規定に定めるものを除き、この法律の施行の日以後における改正後のそれぞれの法律の適用については、改正後のそれぞれの法律の相当規定によりされた処分等の行為又は申請等の行為とみなす。

2　この法律の施行前に改正前のそれぞれの法律の規定により国又は地方公共団体の機関に対し報告、届出、提出その他の手続をしなければならない事項で、この法律の施行の日前にその手続がされていないものについては、この法律及びこれに基づく政令に別段の定めがあるもののほか、これを、改正後のそれぞれの法律の相当規定により国又は地方公共団体の相当の機関に対して報告、届出、提出その他の手続をしなければならない事項についてその手続がされていないものとみなして、この法律による改正後のそれぞれの法律の規定を適用する。

（不服申立てに関する経過措置）

第一六一条　施行日前にされた国等の事務に係る処分であって、当該処分をした行政庁（以下この条において「処分庁」という。）に施行日前に行政不服審査法に規定する上級行政庁（以下この条において「上級行政庁」という。）があったものについての同法による不服申立てについては、施行日以後においても、当該処分庁に引き続き上級行政庁があるものとみなし

て、行政不服審査法の規定を適用する。この場合において、当該処分庁の上級行政庁とみなされる行政庁は、施行日前に当該処分庁の上級行政庁であった行政庁とする。

2　前項の場合において、上級行政庁とみなされる行政庁が地方公共団体の機関であるときは、当該機関が行政不服審査法の規定により処理することとされる事務は、新地方自治法第二条第九項第一号に規定する第一号法定受託事務とする。

（**手数料に関する経過措置**）

第一六二条　施行日前においてこの法律による改正前のそれぞれの法律（これに基づく命令を含む。）の規定により納付すべきであった手数料については、この法律及びこれに基づく政令に別段の定めがあるもののほか、なお従前の例による。

（**罰則に関する経過措置**）

第一六三条　この法律の施行前にした行為に対する罰則の適用については、なお従前の例による。

（**その他の経過措置の政令への委任**）

第一六四条　この附則に規定するもののほか、この法律の施行に伴い必要な経過措置（罰則に関する経過措置を含む。）は、政令で定める。

2　〔略〕

附　則〔略〕〔平成一一・一二・二二法律一六〇〕

附　則〔抄〕〔平成一四・一二・一八法律一八六〕

（**施行期日**）

第一条　この法律は、平成十五年十月一日から施行する。ただし、次の各号に掲げる規定は、当該各号に定める日から施行する。

一　附則第三条の規定　公布の日

二　〔略〕

（**事業団に対する政府の出資の取扱い**）

第二条　この法律の施行の日（以下「施行日」という。）の前日までにおける政府及び地方公共団体からの出資金により取得された資産に係る除却、取壊し、滅失その他これらに類する事由により生じた損失の金額（保険金、損害賠償金その他これらに類するものにより補てんされる部分の金額を除く。）及び減価償却の額の累計額に二分の一を乗じて得た額については、施行日において、日本下水道事業団（以下「事業団」という。）に対する政府の出資はなかったものとする。

2　政府の出資金（前項の規定により出資がなかったものとされた額を除く。）は、施行日において、払い戻されたものとし、その払い戻されたものとされた金額に相当する金額が、施行日において、政府の一般会計から事業団に対し無利子で貸し付けられたものとする。

3　前項の規定による貸付金の償還期間、償還方法その他償還に関し必要な事項は、政令で定める。

（**事業団の定款の変更**）

第三条　事業団は、施行日までに、その定款を改正後の日本下水道事業団法（以下「新法」という。）第十三条第一項の規定に適合するように変更し、国土交通大臣の認可を受けるものとする。この場合において、その認可の効力は、施行日から生ずるものとする。

（**事業団の役員に関する経過措置**）

第四条　この法律の施行の際現に在職する事業団の理事長、副理事長、理事及び監事は、それぞれ、その選任について、新法第十八条第一項の規定による国土交通大臣の認可を受け、かつ、新法第二十三条第一項の規定による評議員会の議決を経た理事長、副理事長、理事及び監事とみなす。

2　この法律の施行の際現に在職する事業団の役員の任期は、改正前の日本下水道事業団法第十七条第一項の規定により任期が終了すべき日に終了するものとする。

（**罰則に関する経過措置**）

第五条　この法律の施行前にした行為に対する罰則の適用については、なお従前の例による。

（**経過措置の政令への委任**）

第六条　附則第二条から前条までに規定するもののほか、この法律の施行に関し必要な経過措置は、政令で定める。

附　則〔抄〕〔平成一六・一二・三法律一五四〕

（**施行期日**）

第一条　この法律は、公布の日から起算して六月を超えない範囲内において政令で定める日（以下「施行日」という。）から施行する。〔以下略〕

〔平成一六政四二六により、平成一六・一二・三〇から施行〕

（**処分等の効力**）

第一二一条　この法律の施行前のそれぞれの法律（これに基づく命令を含む。以下この条において同じ。）の規定によってした処分、手続その他の行為であって、改正後のそれぞれの法律の規定に相当の規定があるものは、この附則に別段の定めがあるものを除き、改正後のそれぞれの法律の相当の規定によってしたものとみなす。

（**罰則に関する経過措置**）

第一二二条　この法律の施行前にした行為並びにこの附則の規定によりなお従前の例によることとされる場合及びこの附則の規定によりなおその効力を有することとされる場合におけるこの法律の施行後にした行為に対する罰則の適用については、なお従前の例による。

（**その他の経過措置の政令への委任**）

第一二三条　この附則に規定するもののほか、この法律の施行に伴い必要な経過措置は、政令で定める。

（**検討**）

第一二四条　政府は、この法律の施行後三年以内に、この法律の施行の状況について検討を加え、必要があると認めるときは、その結果に基づいて所要の措置を講ずるものとする。

附　則〔略〕〔平成一七・七・二六法律八七〕

附　則〔略〕〔平成一七・一〇・二一法律一〇二〕

附　則〔略〕〔平成一八・六・二法律五〇〕

附　則〔略〕〔平成二三・八・三〇法律一〇五〕

附　則〔抄〕〔平成二七・五・二〇法律二二〕

（**施行期日**）

第一条　この法律は、公布の日から起算して二月を超えない範囲内において政令で定める日から施行する。〔以下略〕

〔平成二七政二七二により、平成二七・七・一九から施行〕

（**日本下水道事業団法の一部改正に伴う経過措置**）

第四条　この法律の施行の日から行政不服審査法（平成二十六年法律第六十八号）の施行の日の前日までの間における第四条の規定による改正後の日本下水道事業団法第三十五条の規定の適用については、同条中「する処分又はその不作為」とあるのは「した処分」と、「審査請求」とあるのは「行政不服審査法（昭和三十七年法律第百六十号）による審査請求」とし、同条後段の規定は、適用しない。

（**罰則に関する経過措置**）

第五条　この法律の施行前にした行為に対する罰則の適用については、なお従前の例による。

（**政令への委任**）

第六条　この附則に定めるもののほか、この法律の施行に関し必要な経過措置は、政令で定める。

附　則〔略〕〔平成三〇・六・一法律四〇〕

附　則〔抄〕〔令和三・五・一〇法律三一〕

（**施行期日**）

第一条　この法律は、公布の日から起算して六月を超えない範囲内において政令で定める日から施行する。〔以下略〕

〔令和三政二九五により、令和三・一一・一から施行〕

○日本下水道事業団法施行令

〔昭和四七・七・二〇
政令二八六〕

改正　昭和四八・三政三八、九政二七八、昭和四九・一政三、昭和五〇・一政二、七政二二八、九政二九三、昭和五五・一〇政二七三、昭和五六・四政一四四、昭和六一・七政二五三、昭和六三・二政二五、一一政三二二、平成元・一一政三〇九、平成二・一一政三三三、政三二五、平成四・七政二六六、平成五・二政一七、五政一七〇、平成七・二政三六、六政二四〇、平成九・一一政三二五、平成一一・一一政三五二、平成一二・六政三一二、一二政五〇〇、平成一三・三政九八、平成一四・一政七、一一政三三一、平成一五・一政九、二政三四、九政四一三、平成一六・四政一六八、一二政三九六、政三九九、平成一七・五政一八二、七政二六二、平成一八・一一政三五〇、一二政三七九、平成二〇・一〇政三三八、平成二三・七政二〇三、八政二八二、平成二七・七政二七三、一一政三九二、平成二八・一一政三六四、平成二九・六政一五六、平成三〇・一一政三〇八、令和元・六政三〇、一一政一五〇、令和二・九政二六八、令和三・一〇政二九六、令和四・一〇政三三五、一二政三九三、令和五・九政二八〇、令和六・三政一〇二

注　[　　]の部分は、令和六年四月一九日政令第一七二号により改正され、令和七年四月一日から施行

（評価委員の任命）

第一条　日本下水道事業団法（以下「法」という。）第四条第五項の評価委員は、必要の都度、国土交通大臣が国土交通省の職員のうちから一人任命し、理事長が次に掲げる者のうちからそれぞれ一人ずつ国土交通大臣の認可を受けて任命する。

一　日本下水道事業団（以下「事業団」という。）の役員

二　事業団に出資した地方公共団体の長が共同推薦した者

三　学識経験のある者

2　理事長は、評価に係る財産の出資者中に初めて事業団に出資する地方公共団体があるときは、前項の規定による評価委員のほか、国土交通大臣の認可を受けて、その地方公共団体の長が推薦した者一人（その地方公共団体が二以上あるときは、それらの地方公共団体の長が共同推薦した者のうちから一人）を評価委員として任命しなければならない。

（評価額の決定）

第二条　評価額は、評価委員の過半数の一致によつて定める。

（評価に関する庶務）

第三条　評価に関する庶務は、国土交通省水管理・国土保全局上下水道企画課において処理する。

（技術検定）

第四条　法第二十六条第一項第七号の技術検定は、次の表の検定区分の欄に掲げる区分に従い、同表の検定技術の欄に掲げる技術を対象として、学科試験により行う。

検定区分	検定技術
第一種技術検定	計画設計（下水道法（昭和三十三年法律第七十九号）第四条第一項の事業計画及び第二十五条の二十三第一項の事業計画に定めるべき事項に関する基本的な設計をいう。以下この項において同じ。）を行うために必要とされる技術
第二種技術検定	実施設計（計画設計に基づく具体的な設計をいう。）及び下水道の設置又は改築の工事の監督管理を行うために必要とされる技術
第三種技術検定	下水道の維持管理を行うために必要とされる技術

2　学科試験の科目及び基準は、第一種技術検定及び第二種技術検定にあつては国土交通大臣が、第三種技術検定にあつては国土交通大臣及び環境大臣が定める。

3　事業団は、技術検定を行おうとするときは、技術検定の実施期日、実施場所その他技術検定の実施に関し必要な事項を、あらかじめ公告しなければならない。

（下水道管理団体の権限の代行）

第五条　事業団が特定下水道工事を行う場合において、法第三十条第二項の規定により事業団が下水道管理団体に代わつて行う権限は、次に掲げるものとする。

一　下水道法第十五条（同法第二十五条の三十及び第三十一条において準用する場合を含む。）の規定により他の工作物の管理者と協議し、及び工事を施行させること。

二　下水道法第十六条（同法第二十五条の三十及び第三十一条において準用する場合を含む。）の規定により工事を行うことを承認すること。

三　下水道法第十七条（同法第二十五条の三十及び第三十一条において準用する場合を含む。）の規定により他の工作物の管理者と協議すること。

四　下水道法第二十四条第一項の規定による許可を与え、及び同条第三項第二号の規定により他の施設又は工作物その他の物件の管理者と協議すること。

五　下水道法第二十五条の二十九第二号の規定により他の施設又は工作物その他の物件の管理者と協議すること。

六　下水道法第三十二条第一項の規定による許可を与えること。

七　下水道法第三十二条第一項の規定により他人の土地に立ち入り、若しくは他人の土地を一時使用し、又はその命じた者若しくは委任を受けた者にこれらの行為をさせること。

八　下水道法第三十二条第八項から第十項までの規定により損失の補償について協議し、及び損失を補償すること。

九　下水道法第三十三条第一項の規定により許可又は承認（この条の規定により事業団が行うものに限る。）に必要な条件を付すること。

十　下水道法第三十八条第一項若しくは第二項（第一号に係る部分に限る。）の規定により処分をし、若しくは必要な措置を命じ、又は同条第三項前段の規定によりその措置を自ら行い、若しくはその命じた者若しくは委任した者に行わせること。

十一　下水道法第三十八条第四項並びに同条第五項において準用する同法第三十二条第九項及び第十項の規定により損失の補償について協議し、及び損失を補償すること。

十二　下水道法第四十一条の規定により国又は地方公共団体と協議すること。

2　前項に規定する事業団の権限は、法第三十条第四項の規定により公告される特定下水道工事の開始の日から同条第五項（法第三十二条第二項において準用する場合を含む。）の規定により公告される工事の完了又は廃止の日までに限り行うことができるものとする。ただし、前項第八号又は第十一号に掲げる権限については、工事の完了又は廃止の日後においても行うことができる。

3　事業団は、第一項第二号、第四号から第六号まで、第九号又は第十二号に掲げる権限を行おうとするときは、あらかじめ、当該下水道管理団体の同意を得なければならない。

4　事業団は、第一項第二号、第四号から第六号まで、第九号、第十号又は第十二号に掲げる権限を行つたときは、遅滞なく、その旨を当該下水道管理団体に通知しなければならない。

（特定下水道工事の実施に要する費用の範囲等）

第六条　法第三十四条第一項の特定下水道工事の実施に要する費用の範囲は、当該特定下水道工事の実施のため必要な本工事費、附帯工事費、測量試験費、用地費、補償費、機械器具費、営繕費、事務費及び借入金の利息とする。

2　法第三十四条第四項の規定による支払は、前金払の方法によつてこれを行うことができる。

（他の法令の準用）

第七条　次の法令の規定については、事業団を地方公共団体（第二号、第四号から第七号まで、第十三号、第十八号及び第二十号に掲げる規定にあつては、都道府県）とみなして、これらの規定を準用する。

一　行政代執行法（昭和二十三年法律第四十三号）の規定

二　建築基準法（昭和二十五年法律第二百一号）第十八条（同法第八十七条第一項、第八十七条の四、第八十八条第一項から第三項まで及び第九十条第三項において準用する場合を含む。）

三　港湾法（昭和二十五年法律第二百十八号）第三十七条第三項並びに第三十八条の二第一項ただし書、第九項及び第十項

四　土地収用法（昭和二十六年法律第二百十九号）第十一条第一項ただし書、第十五条第一項並びに第十七条第一項第一号、第十八条第二項第五号、第二十一条、第八十二条第五項及び第六項、第百二十二条第一項ただし書並びに第百二十五条第一項ただし書（これらの規定を同法第百三十八条第一項において準用する場合を含む。）

五　公共用地の取得に関する特別措置法（昭和三十六年法律第百五十号）第四条第二項第五号及び第五条ただし書（これらの規定を同法第四十五条において準用する場合を含む。）並びに同法第八条（同法第四十五条において準用する場合を含む。）において準用する土地収用法第二十一条

六　宅地造成及び特定盛土等規制法（昭和三十六年法律第百九十一号）第十五条第一項（同法第十六条第三項において準用する場合を含む。）及び第三十四条第一項（同法第三十五条第三項において準用する場合を含む。）

七　都市計画法（昭和四十三年法律第百号）第三十四条の二第一項（同法第三十五条の二第四項において準用する場合を含む。）、第四十二条第二項、第四十三条第三項、第五十二条第三項、第五十八条の二第一項第三号、第五十八条の七第一項、第五十九条第二項及び第四項並びに第六十三条第一項

八　急傾斜地の崩壊による災害の防止に関する法律（昭和四十四年法律第五十七号）第七条第四項及び第十三条

九　都市緑地法（昭和四十八年法律第七十二号）第八条第七項及び第八項、第十四条第八項並びに第三十七条第二項

十　幹線道路の沿道の整備に関する法律（昭和五十五年法律第三十四号）第十条第一項第三号

十一　集落地域整備法（昭和六十二年法律第六十三号）第六条第一項第三号

十二　密集市街地における防災街区の整備の促進に関する法律（平成九年法律第四十九号）第三十三条第一項第三号

十三　大深度地下の公共的使用に関する特別措置法（平成十二年法律第八十七号）第九条において準用する土地収用法第十一条第一項ただし書及び第十五条第一項並びに大深度地下の公共的使用に関する特別措置法第十一条第一項第一号、第十四条第二項第九号、第十八条及び第三十九条ただし書

十四　建設工事に係る資材の再資源化等に関する法律（平成十二年法律第百四号）第十一条

十五　特定都市河川浸水被害対策法（平成十五年法律第七十七号）第三十五条（同法第三十七条第四項及び第三十九条第四項において準用する場合を含む。）

十六　景観法（平成十六年法律第百十号）第十六条第五項及び第六項、第二十二条第四項並びに第六十六条第一項から第三項まで及び第五項

十七　不動産登記法（平成十六年法律第百二十三号）第十六条、第百十五条から第百十七条まで及び第百十八条第二項（同条第三項において準用する場合を含む。）

十八　高齢者、障害者等の移動等の円滑化の促進に関する法律（平成十八年法律第九十一号）第十五条第二項

十九　地域における歴史的風致の維持及び向上に関する法律（平成二十年法律第四十号）第十五条第六項及び第七項並びに第三十三条第一項第三号

二十　建築物のエネルギー消費性能の向上等に関する法律（平成二十七年法律第五十三号）第十三条、第十四条第二項、第十六条第三項、第二十条及び附則第三条第七項から第九項まで

二十　建築物のエネルギー消費性能の向上等に関する法律（平成二十七年法律第五十三号）第十二条及び第十三条第二項

二十一　所有者不明土地の利用の円滑化等に関する特別措置法（平成三十年法律第四十九号）第六条ただし書、第八条第一項並びに第四十三条第三項及び第五項

二十二　都市計画法施行令（昭和四十四年政令第百五十八号）第三十六条の五、第三十六条の九、第三十七条の二及び第三十八条の三

二十三　文化財保護法施行令（昭和五十年政令第二百六十七号）第四条第五項

二十四　大都市地域における住宅及び住宅地の供給の促進に関する特別措置法施行令（昭和五十年政令第三百六号）第三条及び第十一条

二十五　地方拠点都市地域の整備及び産業業務施設の再配置の促進に関する法律施行令（平成四年政令第二百六十六号）第六条

二十六　被災市街地復興特別措置法施行令（平成七年政令第三十六号）第三条

二十七　不動産登記令（平成十六年政令第三百七十九号）第七条第一項第六号（同令別表の七十三の項に係る部分に限る。）、第十六条第四項、第十七条第二項、第十八条第四項及び第十九条第二項

二十八　景観法施行令（平成十六年政令第三百九十八号）第二十二条第二号（同令第二十四条において準用する場合を含む。）

2　前項の規定により次の表の上欄に掲げる法令の規定を準用する場合においては、これらの規定中の字句で同表の中欄に掲げるものは、それぞれ同表の下欄の字句と読み替えるものとする。

行政代執行法第六条第三項	事務費の所属に従い、国庫又は地方公共団体の経済	日本下水道事業団
土地収用法第二十一条第一項（同法第百三十八条第一項において準用する場合を含む。）	行政機関若しくはその地方支分部局の長	日本下水道事業団
土地収用法第二十一条第二項（同法第百三十八条第一項において準用する場合を含む。）	行政機関又はその地方支分部局の長	日本下水道事業団
土地収用法第百二十二条第一項ただし書（同法第百三十八条第一項において準用する場合を含む。）	都道府県知事	日本下水道事業団
公共用地の取得に関する特別措置法第八条（同法第四十五条において準用する場合を含む。）において準用する土地収用法第二十一条第一項	行政機関若しくはその地方支分部局の長	日本下水道事業団
公共用地の取得に関する特別措置法第八条（同法第四十五条において準用する場合を含む。）において準用する土地収用法第二十一条第二項	行政機関又はその地方支分部局の長	日本下水道事業団

第八条　勅令及び政令以外の命令であつて国土交通省令で定めるものについては、国土交通省令で定めるところにより、事業団を地方公共団体とみなして、これらの命令を準用する。

附　則〔抄〕

（施行期日）

1　この政令は、下水道事業センター法の施行の日（昭和四十七年七月二十二日）から施行する。

（都市計画法の準用）

2　法附則第二項の規定により事業団が同項に規定する業務を行う場合には、都市計画法第五十九条第二項及び第六十三条第一項の規定については、事業団を都道府県とみなして、これらの規定を準用する。

（補助金）

3　法附則第三項の規定による補助金の額は、法附則第二項に規定する業務（附帯する業務を除く。）に要する費用（国土交通大臣が定める費用を除く。）の額に当該業務の実施により生ずべき収益の見込額を勘案して国土交通大臣が定める率を乗じて得た額を国土交通大臣が定めるところにより区分した額にそれぞれ下水道法第三十四条の規定による公共下水道又は流域下水

道の設置又は改築に要する費用に係る国の補助の割合と同一の割合を乗じて得た額を合算した額とする。

附　則〔略〕〔昭和四八・三・三一政令三八〕
附　則〔略〕〔昭和四八・九・二九政令二七八〕
附　則〔略〕〔昭和四九・一・一〇政令三〕
附　則〔略〕〔昭和五〇・一・九政令二〕
附　則〔略〕〔昭和五〇・七・二五政令二二八〕
附　則〔略〕〔昭和五〇・九・三〇政令二九三〕
附　則〔略〕〔昭和五五・一〇・二四政令二七三〕
附　則〔略〕〔昭和五六・四・二四政令一四四〕
附　則〔略〕〔昭和六一・七・四政令二五三〕
附　則〔略〕〔昭和六三・二・二三政令二五〕
附　則〔略〕〔昭和六三・一一・一一政令三二二〕
附　則〔略〕〔平成元・一一・二一政令三〇九〕
附　則〔略〕〔平成二・一一・九政令三二三〕
附　則〔略〕〔平成二・一一・九政令三二五〕
附　則〔略〕〔平成四・七・三一政令二六六〕
附　則〔略〕〔平成五・二・一〇政令一七〕
附　則〔略〕〔平成五・五・一二政令一七〇〕
附　則〔略〕〔平成七・二・二六政令三六〕
附　則〔略〕〔平成七・六・一四政令二四〇〕
附　則〔略〕〔平成九・一一・六政令三二五〕
附　則〔略〕〔平成一一・一一・一〇政令三五二〕
附　則〔略〕〔平成一二・六・七政令三一二〕
附　則〔略〕〔平成一二・一二・六政令五〇〇〕
附　則〔略〕〔平成一三・三・三〇政令九八〕
附　則〔略〕〔平成一四・一・二三政令七〕
附　則〔略〕〔平成一四・一一・一三政令三三一〕
附　則〔略〕〔平成一五・一・二二政令九〕
附　則〔略〕〔平成一五・二・五政令三四〕
附　則〔抄〕〔平成一五・九・一八政令四一三〕

（施行期日）

第一条　この政令は、平成十五年十月一日から施行する。

（経過措置）

第二条　この政令の施行前に改正前の日本下水道事業団法施行令第六条第一項第九号において準用する都市計画法（昭和四十三年法律第百号）第五十九条第三項又は第六十三条第一項の規定により日本下水道事業団に対して国土交通大臣がした承認は、改正後の日本下水道事業団法施行令附則第二項において準用する都市計画法第五十九条第二項又は第六十三条第一項の規定により日本下水道事業団に対して国土交通大臣がした認可とみなす。

附　則〔略〕〔平成一六・四・二一政令一六八〕
附　則〔略〕〔平成一六・一二・一五政令三九六〕
附　則〔略〕〔平成一六・一二・一五政令三九九〕
附　則〔略〕〔平成一七・五・二五政令一八二〕
附　則〔略〕〔平成一七・七・二九政令二六二〕
附　則〔略〕〔平成一八・一一・六政令三五〇〕
附　則〔略〕〔平成一八・一二・八政令三七九〕
附　則〔略〕〔平成二〇・一〇・三一政令三三八〕
附　則〔略〕〔平成二三・七・一政令二〇三施行〕
附　則〔略〕〔平成二三・八・三〇政令二八二施行〕
附　則〔略〕〔平成二七・七・一七政令二七三〕
附　則〔略〕〔平成二七・一一・二六政令三九二〕
附　則〔略〕〔平成二八・一一・三〇政令三六四〕
附　則〔略〕〔平成二九・六・一四政令一五六〕
附　則〔略〕〔平成三〇・一一・九政令三〇八〕
附　則〔略〕〔令和元・六・一九政令三〇〕
附　則〔略〕〔令和元・一一・七政令一五〇〕
附　則〔略〕〔令和二・九・四政令二六八〕
附　則〔略〕〔令和三・一〇・二九政令二九六〕
附　則〔略〕〔令和四・一〇・二八政令三三五〕
附　則〔略〕〔令和四・一二・二三政令三九三〕
附　則〔略〕〔令和五・九・一三政令二八〇〕
附　則〔略〕〔令和六・三・二九政令一〇二〕
附　則〔抄〕〔令和六・四・一九政令一七二〕

（施行期日）

1　この政令は、脱炭素社会の実現に資するための建築物のエネルギー消費性能の向上に関する法律等の一部を改正する法律の施行の日（令和七年四月一日）から施行する。

○日本下水道事業団法施行規則

〔昭和四七・一一・一　建設省令二八〕

改正　昭和五〇・八建令一四、昭和六一・五建令六、平成元・三建令五、平成一二・一一建令四一、平成一五・三国交令一九、九国交令九八、平成一六・三国交令二二、平成二七・七国交令五四、平成三〇・八国交令六四、令和三・一〇国交令六九、令和四・一国交令三

（業務方法書の記載事項）

第一条　日本下水道事業団法（以下「法」という。）第二十八条第一項の業務方法書には、次に掲げる事項を記載しなければならない。

一　法第二十六条第一項第一号及び第二号に規定する建設に関する事項
二　法第二十六条第一項第三号に規定する特定下水道工事に関する事項
三　法第二十六条第一項第四号に規定する設計、監督管理及び維持管理に関する事項
四　法第二十六条第一項第五号に規定する維持又は修繕に関する工事に関する事項
五　法第二十六条第一項第六号に規定する技術的援助に関する事項
六　法第二十六条第一項第七号に規定する養成及び訓練並びに技術検定に関する事項
七　法第二十六条第一項第八号に規定する研究、調査及び試験並びに普及に関する事項
八　法第二十六条第一項第十号に規定する建設及び技術的援助に関する事項
九　法第二十六条第二項第一号に規定する海外社会資本事業への我が国事業者の参入の促進に関する法律（平成三十年法律第四十号）第八条に規定する業務に関する事項
十　法第二十六条第二項第二号に規定する下水道法（昭和三十三年法律第七十九号）第二十五条の十七に規定する業務に関する事項
十一　法第二十六条第二項第三号に規定する特定都市河川浸水被害対策法（平成十五年法律第七十七号）第十八条に規定する業務に関する事項
十二　その他業務に関し必要な事項

（特定下水道工事の公告）

第二条　法第三十条第四項の規定による公告は、次に掲げる事項を官報に掲載して行うものとする。

一　特定下水道の種類及び名称
二　工事の区域又は区間

三　工事の種類
四　工事の開始の日
２　前項の規定は、法第三十条第五項の規定による公告について準用する。この場合において、前項第四号中「開始」とあるのは、「完了」と読み替えるものとする。

（経理原則）
第三条　日本下水道事業団（以下「事業団」という。）は、その財政状態及び経営成績を明らかにするため、財産の増減及び異動並びに収益及び費用をその発生の事実に基づいて経理しなければならない。

第四条　削除

（勘定区分）
第五条　事業団の会計においては、貸借対照表勘定及び損益勘定を設け、貸借対照表勘定においては資産、負債及び資本を計算し、損益勘定においては収益及び費用を計算する。
２　資産勘定は、流動資産、固定資産及び繰延資産に区分して計算する。
３　負債勘定は、流動負債、固定負債及び特別法上の引当金等に区分し、特別法上の引当金等は、工事補償引当金、災害時維持修繕準備金及び施設整備拡充準備金の勘定科目を設けて計算する。
４　資本勘定は、資本金、資本剰余金及び利益剰余金に区分して計算する。
５　資産勘定、負債勘定及び資本勘定は、必要に応じ、前三項に規定する勘定科目を細分し、又はこれらの勘定科目以外の勘定科目を設けて計算することができる。

（収益の獲得が予定されない償却資産）
第六条　国土交通大臣は、事業団が業務のため取得しようとしている償却資産についてその減価に対応すべき収益の獲得が予定されないと認められる場合には、その取得までの間に限り、当該償却資産を指定することができる。
２　前項の指定を受けた資産の減価償却については、減価償却費は計上せず、資産の減価額と同額を資本剰余金に対する控除として計上する。

（予算の内容）
第七条　事業団の予算は、予算総則及び収入支出予算とする。

（予算総則）
第八条　予算総則には、収入支出予算に関する総括的規定を設けるほか、次に掲げる事項に関する規定を設けるものとする。
一　第十二条の規定による債務を負担する行為についての事項ごとの限度額及び支出すべき年限並びにその必要の理由
二　第十三条第二項の規定による経費の指定
三　第十四条第一項ただし書の規定による経費の指定
四　長期借入金の借入限度額
五　その他予算の実施に関し必要な事項

（収入支出予算）
第九条　毎事業年度における事業団の全ての収入及び支出は、収入支出予算に計上しなければならない。
２　前項の収入支出予算は、収入にあつてはその性質、支出にあつてはその目的に従つて区分する。

（予算の添付書類）
第一〇条　事業団は、法第三十八条の規定により予算について国土交通大臣の認可を受けようとするときは、次に掲げる書類を添付して提出しなければならない。ただし、予算について変更の認可を受けようとするときは、第一号の書類は、添付することを要しない。
一　前事業年度の予定貸借対照表及び予定損益計算書
二　当該事業年度の予定貸借対照表及び予定損益計算書
三　その他予算の参考となる書類

（予備費）
第一一条　予見することができない事由による支出予算の不足を補うため、事業団の収入支出予算に予備費を設けることができる。
２　事業団は、予備費を使用したときは、その旨を国土交通大臣に通知しなければならない。
３　前項の規定による通知は、使用の理由、金額及び積算の基礎を明らかにした調書をもつてするものとする。

（債務を負担する行為）
第一二条　事業団は、支出予算の金額の範囲内におけるもののほか、法第二十六条第一項及び第二項に規定する業務を行うため必要があるときは、毎事業年度、予算をもつて国土交通大臣の認可を受けた金額の範囲内において、翌年度以降にわたる債務を負担することができる。

（予算の流用等）
第一三条　事業団は、支出予算については、当該予算に定める目的のほかに使用してはならない。ただし、予算の実施上適当かつ必要であるときは、第九条第二項の規定による区分にかかわらず、相互流用することができる。
２　事業団は、予算で指定する経費の金額については、国土交通大臣の承認を受けなければ、流用し、又はこれに予備費を使用することができない。
３　事業団は、前項の規定による承認を受けようとするときは、予算の流用にあつてはその理由及び金額を明らかにした調書を、予備費の使用にあつてはその理由、金額及び積算の基礎を明らかにした調書を国土交通大臣に提出しなければならない。

（予算の繰越し）
第一四条　事業団は、予算の実施上必要があるときは、支出予算の経費の金額のうち、当該事業年度内に支出を終わらなかつたものを翌事業年度に繰り越して使用することができる。ただし、予算で指定する経費の金額については、あらかじめ、国土交通大臣の承認を受けなければならない。
２　事業団は、前項ただし書の規定による承認を受けようとするときは、当該事業年度末までに、事項ごとに、繰越しを必要とする理由及び金額を明らかにした調書を国土交通大臣に提出しなければならない。
３　事業団は、第一項の規定による繰越しをしたときは、支出予算と同一の区分により、次に掲げる事項を記載した調書を作成し、翌事業年度の五月三十一日までに、国土交通大臣に送付しなければならない。
一　繰越しに係る経費の予算現額
二　前号の予算現額のうち支出決定をした額
三　第一号の予算現額のうち翌事業年度に繰越しをした額
四　第一号の予算現額のうち不用となつた額

（決算報告書）
第一五条　法第三十九条第二項の決算報告書は、収入支出決算書及び債務に関する計算書とする。
２　前項の決算報告書には、第八条の規定により予算総則に規定した事項に係る予算の実施の結果を示さなければならない。

（収入支出決算書）
第一六条　前条第一項の収入支出決算書には、収入支出予算と同一の区分により、次に掲げる事項を記載しなければならない。
一　収入
イ　収入予算額
ロ　収入決定済額
ハ　収入予算額と収入決定済額との差額
二　支出
イ　支出予算額
ロ　前事業年度からの繰越額
ハ　予備費使用額
ニ　流用増減額
ホ　支出決定済額
ヘ　翌事業年度への繰越額
ト　不用額

（債務に関する計算書）
第一七条　第十五条第一項の債務に関する計算書には、事業団の債務について、債務の種類ごとに、前事業年度末における債務額及び当該事業年度に負担した債務額に区分して、当該事業年度において、それらについて償還し、又は支出した金額及び残額を記載しなければならない。

（借入金の認可）
第一八条　事業団は、法第四十二条第一項の規定により長期借入金又は短期借入金の借入れの認可を受けようとするときは、借入れの日の二十日前までに、次に掲げる事項を記載した申請書を国土交通大臣に提出しなければならない。
一　借入れを必要とする理由
二　借入金の額
三　借入先
四　借入金の利率
五　借入金の償還の方法及び期限
六　利息の支払の方法

七　その他必要な事項

2　前項の規定は、事業団が法第四十二条第二項ただし書の規定により借換えの認可を受けようとする場合に準用する。

（重要な財産）

第一九条　法第四十六条の国土交通省令で定める重要な財産は、土地及び建物並びに国土交通大臣が指定するその他の財産とする。

（重要な財産の処分等の認可の申請）

第二〇条　事業団は、法第四十六条の認可を受けようとするときは、次に掲げる事項を記載した書類を国土交通大臣に提出しなければならない。

一　譲渡し、交換し、又は担保に供しようとする財産の内容及び価額

二　譲渡し、交換し、又は担保に供しようとする理由

三　相手方の氏名（法人にあつては、その名称）及び住所

四　譲渡し、交換し、又は担保に供しようとする場合の条件

（会計規程）

第二一条　事業団は、その事業の能率的な運営と予算の適正な実施を図るため、その財務及び会計に関し、国土交通大臣の承認を受けて会計規程を定めなければならない。これを変更しようとするときも、同様とする。

（不動産登記規則の準用）

第二二条　不動産登記規則（平成十七年法務省令第十八号）第四十三条第一項第四号（同規則第五十一条第八項、第六十五条第九項、第六十八条第十項及び第七十条第七項において準用する場合を含む。）、第六十三条の二第一項及び第三項、第六十四条第一項第一号及び第四号並びに第百八十二条第四項の規定については、事業団を地方公共団体とみなして、これらの規定を準用する。

附　則

1　この省令は、公布の日から施行する。

2　法附則第二項の規定により事業団が同項に規定する業務を行う場合には、法第二十七条第一項の業務方法書に記載すべき事項は、第一条各号に掲げる事項のほか、法附則第二項に規定する業務に関する事項とする。

3　事業団は、法附則第二項の規定により同項に規定する業務を行う場合には、第三条第一項の規定にかかわらず、次に掲げるところにより経理を区分して整理しなければならない。

一　法第二十六条第一項第一号から第三号までに掲げる業務及びこれらに附帯する業務並びに同項第七号に掲げる業務に係る経理

二　法附則第二項に規定する業務に係る経理

三　その他の経理

4　事業団は、前項の規定により区分して経理する場合において、事業団の運営に必要な経費については、第三条第二項の規定にかかわらず、前項第一号又は第二号の経理に係る勘定から同項第三号の経理に係る勘定に繰り入れて経理することができる。

附　則〔略〕〔昭和五〇・八・一建設省令一四〕

附　則〔略〕〔平成一二・一一・二〇建設省令四一〕

附　則〔平成一五・九・三〇国土交通省令九八〕

（施行期日）

1　この省令は、平成十五年十月一日から施行する。

（経過措置）

2　この省令の施行前に改正前の日本下水道事業団法施行規則第十九条の規定により認可を受けて定められた会計規程は、改正後の日本下水道事業団法施行規則第十八条の規定により承認を受けて定められた会計規程とみなす。

附　則〔平成一六・三・二五国土交通省令二二〕

（施行期日）

1　この省令は、公布の日から施行する。

（償却資産の指定の特例）

2　この省令の施行の日の前日までにおける地方公共団体からの出資金により取得された償却資産及び日本下水道事業団法の一部を改正する法律（平成十四年法律第百八十六号。以下「改正法」という。）の施行の日の前日までにおける政府からの出資金（改正法附則第二条第一項の規定により出資がなかったものとされた額を除く。）により取得された償却資産については、第三条の三第一項の指定を受けたものとみなす。

附　則〔略〕〔平成二七・七・一七国土交通省令五四〕

附　則〔略〕〔平成三〇・八・二四国土交通省令六四〕

附　則〔略〕〔令和三・一〇・二九国土交通省令六九〕

附　則〔令和四・一・一三国土交通省令三〕

この省令は、令和四年四月一日から施行する。

●道路関係細目次●

◉道路法（昭二七法一八〇）……一一〇三
第一章　総則……一一〇三
第二章　一般国道等の意義並びに路線の指定及び認定……一一〇四
第三章　道路の管理……一一〇六
第四章　道路に関する費用、収入及び公用負担……一一三六
第五章　監督……一一四〇
第六章　社会資本整備審議会の調査審議等……一一四三
第七章　雑則……一一四三
第八章　罰則……一一四六
○道路法施行令（昭二七政四七九）……一一五七
第一章　道路管理者等……一一五七
第二章　道路の占用……一一七〇
第二章の二　違法放置等物件の保管の手続等……一一七五
第二章の三　危険物を積載する車両の水底トンネルの通行の禁止又は制限……一一七六
第二章の四　連結位置及び連結料……一一七六
第三章　道路に関する費用の負担及び補助……一一七七
第三章の二　長時間放置された車両の保管の手続等……一一七七
第四章　道の区域内の道路の特例……一一七八
第五章　雑則……一一八〇
○道路法施行規則（昭二七建令二五）……一一九二
○道路構造令（昭四五政三二〇）……一二〇一
○特定車両停留施設の構造及び設備の基準を定める省令（令二国交令九一）……一二一三
○車両制限令（昭三六政二六五）……一二一四
第一章　総則……一二一四
第二章　道路との関係において必要とされる車両についての制限……一二一四
第三章　限度超過車両の通行に係る許可の申請その他の手続に関し必要な事項……一二一六
第四章　雑則……一二一六
○道路の修繕に関する法律（昭二三法二八二）……一二一七
○道路の修繕に関する法律の施行に関する政令（昭二四政六一）……一二一七
○共同溝の整備等に関する特別措置法（昭三八法八一）……一二一九
第一章　総則……一二一九
第二章　共同溝整備道路……一二一九
第三章　共同溝の建設及び管理……一二一九
第四章　共同溝の占用……一二二〇
第五章　共同溝に関する費用……一二二〇
第六章　雑則……一二二一
○電線共同溝の整備等に関する特別措置法（平七法三九）……一二二二
第一章　総則……一二二二
第二章　電線共同溝の建設……一二二二
第三章　電線共同溝の管理……一二二四
第四章　雑則……一二二四
○国土開発幹線自動車道建設法（昭三二法六八）……一二二六
○国土開発幹線自動車道建設法施行令（昭三二政一五一）……一二二九
○高速自動車国道法（昭三二法七九）……一二二九
第一章　総則……一二二九
第二章　管理……一二三〇
第三章　雑則……一二三二
第四章　罰則……一二三二
○高速自動車国道法施行令（昭三二政二〇五）……一二三四
○幹線道路の沿道の整備に関する法律（昭五五法三四）……一二四〇
第一章　総則……一二四〇
第二章　沿道整備道路の指定等……一二四〇
第三章　沿道地区計画……一二四一
第三章の二　沿道整備権利移転等促進計画……一二四二
第四章　沿道整備促進のための助成等……一二四三
第四章の二　沿道整備推進機構……一二四三
第五章　雑則……一二四四
第六章　罰則……一二四四
○道路整備事業に係る国の財政上の特別措置に関する法律（昭三三法三四）……一二四五
○道路整備事業に係る国の財政上の特別措置に関する法律施行令（昭三四政一七）……一二四九
○道路整備事業に係る国の財政上の特別措置に関する法律施行規則（昭六〇建令七）……一二五三
○踏切道改良促進法（昭三六法一九五）……一二五六
○踏切道改良促進法施行令（昭三七政三〇二）……一二六一
○踏切道改良促進法施行規則（平一三国交令八六）……一二六二
○交通安全施設等整備事業の推進に関する法律（昭四一法四五）……一二六五
○道路整備特別措置法（昭三一法七）……一二六九
第一章　総則……一二六九
第二章　会社による高速道路の整備等……一二六九
第三章　地方道路公社及び有料道路管理者による道路の整備等……一二七二
第四章　雑則……一二七六
第五章　罰則……一二八一
○道路整備特別措置法施行令（昭三一政三一九）……一二八五
○道路整備特別措置法施行規則（昭三一建令一八）……一三〇〇
○高速道路株式会社法（平一六法九九）……一三〇三
第一章　総則……一三〇三
第二章　事業等……一三〇三
第三章　雑則……一三〇四
第四章　罰則……一三〇四
○高速道路株式会社法施行令（平一七政二〇一）……一三〇五
○高速道路株式会社法施行規則（平一七国交令六三）……一三〇六
○高速道路事業等会計規則（平一七国交令六五）……一三〇九
第一章　総則……一三〇九
第二章　仕掛道路資産……一三〇九
第三章　固定資産……一三〇九
第四章　貯蔵品等……一三一〇
第五章　重畳的債務引受……一三一〇
第六章　高速道路事業とその他の事業に係る部門別収支の整理……一三一〇
○独立行政法人日本高速道路保有・債務返済機構法（平一六法一〇〇）……一三一一
第一章　総則……一三一一
第二章　役員及び職員……一三一一
第三章　業務……一三一一
第四章　財務及び会計……一三一三
第五章　雑則……一三一三
第六章　罰則……一三一四
○独立行政法人日本高速道路保有・債務返済機構法施行令（平一七政二〇二）……一三一四
○独立行政法人日本高速道路保有・債務返済機構に関する省令（平一七国交令六四）……一三一七
○地方道路公社法（昭四五法八二）……一三二二
第一章　総則……一三二二
第二章　設立……一三二三
第三章　役員及び職員……一三二三

第四章　業務……一三三三
第五章　財務及び会計……一三三四
第六章　解散及び清算……一三三四
第七章　監督……一三三五
第八章　雑則……一三三五
第九章　罰則……一三三五
○地方道路公社法施行令（昭四五政二〇二）……一三三七
○地方道路公社法施行規則（昭四五建令二一）……一三三〇
○無電柱化の推進に関する法律（平二八法一一二）……一三三一
第一章　総則……一三三一
第二章　無電柱化推進計画等……一三三一
第三章　無電柱化の推進に関する施策……一三三二
○自転車活用推進法（平二八法一一三）……一三三三
第一章　総則……一三三三
第二章　自転車の活用の推進に関する基本方針……一三三四
第三章　自転車活用推進計画等……一三三四
第四章　自転車活用推進本部……一三三四
第五章　雑則……一三三四

◉道路法

〔昭和二七・六・一〇 法律一八〇〕

改正　昭和二七・七法二五一、昭和二八・八法二一三、昭和二九・三法五一、昭和三一・六法一四八、昭和三二・四法七九、五法一〇六、六法一七七、昭和三三・三法三六、四法七九、法八四、五法一一四、昭和三四・三法六六、四法一四八、昭和三五・六法一〇五、昭和三七・九法一六一、昭和三八・四法八一、六法九九、昭和三九・二法三、七法一六三、法一六八、法一七〇、昭和四一・七法一〇七、昭和四五・四法一三、五法八一、六法一一一、昭和四六・三法二七、四法四六、昭和五三・四法二七、五法五五、昭和五五・五法三四、昭和五八・一二法七八、昭和五九・五法二三、八法七一、一二法八七、昭和六〇・五法三七、七法九〇、昭和六一・五法四六、一二法九三、昭和六二・三法一一、九法八七、平成元・四法二二、六法五六、一二法八二、法八三、平成三・三法一五、四法四五、五法六〇、平成五・三法八、一一法八九、平成六・六法四二、平成七・三法三九、四法七五、平成八・五法四八、平成一〇・六法八九、平成一一・五法五〇、七法八七、法一〇二、一二法一六〇、平成一二・三法三三、五法七八、六法一〇六、平成一三・六法九二、平成一四・二法一、七法九八、法一〇〇、一二法一八〇、平成一五・六法九二、七法一二五、平成一六・六法一〇一、一二法一四七、平成一九・三法一九、平成二二・三法二〇、平成二三・三法九、五法三七、法五三、八法一〇五、平成二五・六法三〇、平成二六・六法五三、法六九、法七二、平成二七・六法四七、平成二八・三法一九、平成二九・六法四五、平成三〇・三法六、令和二・五法三一、六法四九、令和三・三法九、令和五・五法三四

注　［　］の部分は、令和四年六月一七日法律第六八号により改正され、令和七年六月一日から施行

目次

第一章　総則（第一条―第四条）
第二章　一般国道等の意義並びに路線の指定及び認定（第五条―第十一条）
第三章　道路の管理
第一節　道路管理者（第十二条―第二十八条の二）
第二節　道路の構造（第二十九条―第三十一条の二）
第三節　道路の占用（第三十二条―第四十一条）
第四節　道路の保全等（第四十二条―第四十七条の十六）
第五節　道路の立体的区域（第四十七条の十七―第四十八条）
第六節　自動車専用道路（第四十八条の二―第四十八条の十二）
第七節　自転車専用道路等（第四十八条の十三―第四十八条の十六）
第八節　重要物流道路（第四十八条の十七―第四十八条の十九）
第九節　歩行者利便増進道路（第四十八条の二十―第四十八条の二十九）
第九節の二　防災拠点自動車駐車場（第四十八条の二十九の二―第四十八条の二十九の七）
第十節　特定車両停留施設（第四十八条の三十―第四十八条の三十六）
第十一節　利便施設協定（第四十八条の三十七―第四十八条の三十九）
第十二節　自動車駐車場等運営事業（第四十八条の四十―第四十八条の四十五）
第十三節　指定登録確認機関（第四十八条の四十六―第四十八条の五十九）
第十四節　道路協力団体（第四十八条の六十―第四十八条の六十五）
第四章　道路に関する費用、収入及び公用負担（第四十九条―第七十条）
第五章　監督（第七十一条―第七十八条）
第六章　社会資本整備審議会の調査審議等（第七十九条―第八十四条）
第七章　雑則（第八十五条―第九十八条の二）
第八章　罰則（第九十九条―第百九条）
附則

第一章　総則

（この法律の目的）

第一条　この法律は、道路網の整備を図るため、道路に関して、路線の指定及び認定、管理、構造、保全、費用の負担区分等に関する事項を定め、もつて交通の発達に寄与し、公共の福祉を増進することを目的とする。

（用語の定義）

第二条　この法律において「道路」とは、一般交通の用に供する道で次条各号に掲げるものをいい、トンネル、橋、渡船施設、道路用エレベーター等道路と一体となつてその効用を全うする施設又は工作物及び道路の附属物で当該道路に附属して設けられているものを含むものとする。

2　この法律において「道路の附属物」とは、道路の構造の保全、安全かつ円滑な道路の交通の確保その他道路の管理上必要な施設又は工作物で、次に掲げるものをいう。

一　道路上の柵又は駒止め

二　道路上の並木又は街灯で第十八条第一項に規定する道路管理者の設けるもの

三　道路標識、道路元標又は里程標

四　道路情報管理施設（道路上の道路情報提供装置、車両監視装置、気象観測装置、緊急連絡施設その他これらに類するものをいう。）

五　自動運行補助施設（電子的方法、磁気的方法その他人の知覚によつて認識することができない方法により道路運送車両法（昭和二十六年法律第百八十五号）第四十一条第一項第二十号に掲げる自動運行装置を備えている自動車の自動的な運行を補助するための施設その他これに類するものをいう。以下同じ。）で道路上に又は道路の路面下に第十八条第一項に規定する道路管理者が設けるもの

六　道路に接する道路の維持又は修繕に用いる機械、器具又は材料の常置場

七　自動車駐車場又は自転車駐車場で道路上に、又は道路に接して第十八条第一項に規定する道路管理者が設けるもの

八　特定車両停留施設（旅客の乗降又は貨物の積卸しによる道路における交通の混雑を緩和することを目的として、専ら道

路運送法（昭和二十六年法律第百八十三号）による一般乗合旅客自動車運送事業若しくは一般乗用旅客自動車運送事業又は貨物自動車運送事業法（平成元年法律第八十三号）による一般貨物自動車運送事業の用に供する自動車その他の国土交通省令で定める車両（以下「特定車両」という。）を同時に二両以上停留させる施設で道路に接して第十八条第一項に規定する道路管理者が設けるものをいう。以下同じ。）

九　共同溝の整備等に関する特別措置法（昭和三十八年法律第八十一号）第三条第一項の規定による共同溝整備道路又は電線共同溝の整備等に関する特別措置法（平成七年法律第三十九号）第四条第二項に規定する電線共同溝整備道路に第十八条第一項に規定する道路管理者の設ける共同溝又は電線共同溝

十　前各号に掲げるものを除くほか、政令で定めるもの

3　この法律において「自動車」とは、道路運送車両法第二条第二項に規定する自動車をいう。

4　この法律において「駐車」とは、道路交通法（昭和三十五年法律第百五号）第二条第一項第十八号に規定する駐車をいう。

5　この法律において「車両」とは、道路交通法第二条第一項第八号に規定する車両をいう。

〔改正・昭和三三法七九・昭和三四法六六・昭和三八法八一・昭和四六法四六・平成三法六〇・平成七法三九・平成一九法一九・令和二法三一〕

参照【省令で定める車両―規則一】【政令―令三四の三】【他の法令における道路―特別措置法二①、共同溝整備法二①、電線共同溝整備法二①、交通法二①1、自動車の保管場所の確保等に関する法律二4、建築基準法四二①1、公共土木施設災害復旧事業費国庫負担法施行令一7、道路運送法二⑦、道路運送車両法二⑥、土地収用法三1、公共用地の取得に関する特別措置法二、高速自動車国道法二①、駐車場法二3、交通安全施設等整備事業の推進に関する法律二①、積雪寒冷特別地域における道路交通の確保に関する特別措置法二①、幹線道路の沿道の整備に関する法律二1、自転車道の整備等に関する法律二①、自転車の安全利用の促進及び自転車等の駐車対策の総合的推進に関する法律二4、交通安全対策基本法二1

（道路の種類）

第三条　道路の種類は、左に掲げるものとする。

一　高速自動車国道

二　一般国道

三　都道府県道

四　市町村道

〔追加・昭和三三法七九、改正・昭和三九法一六三〕

参照【高速自動車国道―法三の二、高速自動車国道法四】【一般国道―法五】【都道府県道―法七】【市町村道―法八】【特別区道―自治法二八一②・二八三】

（高速自動車国道）

第三条の二　高速自動車国道については、この法律に定めるもののほか、別に法律で定める。

〔追加・昭和三三法七九〕

参照【法律―高速自動車国道法、国土開発幹線自動車道建設法】

（私権の制限）

第四条　道路を構成する敷地、支壁その他の物件については、私権を行使することができない。但し、所有権を移転し、又は抵当権を設定し、若しくは移転することを妨げない。

〔旧三条繰下・昭和三三法七九〕

参照【予定区域準用―法九一②】【不用物件準用―法九二②】【不適用規定―法九八】

類似規定―河川法二②、都市公園法三二

第二章　一般国道等の意義並びに路線の指定及び認定

〔章名改正・昭和三三法七九・昭和三九法一六三〕

（一般国道の意義及びその路線の指定）

第五条　第三条第二号の一般国道（以下「国道」という。）とは、高速自動車国道と併せて全国的な幹線道路網を構成し、かつ、次の各号のいずれかに該当する道路で、政令でその路線を指定したものをいう。

一　国土を縦断し、横断し、又は循環して、都道府県庁所在地（北海道の支庁所在地を含む。）その他政治上、経済上又は文化上特に重要な都市（以下「重要都市」という。）を連絡する道路

二　重要都市又は人口十万以上の市と高速自動車国道又は前号に規定する国道とを連絡する道路

三　二以上の市を連絡して高速自動車国道又は第一号に規定する国道に達する道路

四　港湾法（昭和二十五年法律第二百十八号）第二条第二項に規定する国際戦略港湾若しくは国際拠点港湾若しくは同法附則第二項に規定する港湾、重要な飛行場又は国際観光上重要な地と高速自動車国道又は第一号に規定する国道とを連絡する道路

五　国土の総合的な開発又は利用上特別の建設又は整備を必要とする都市と高速自動車国道又は第一号に規定する国道とを連絡する道路

2　前項の規定による政令においては、路線名、起点、終点、重要な経過地その他路線について必要な事項を明らかにしなければならない。

〔改正・昭和三三法七九、全改・昭和三九法一六三、改正・平成一二法三三・平成二三法九〕

参照【諮問―法七九①】【政令―一般国道の路線を指定する政令】【旧一級国道、旧二級国道に関する経過規定―昭和三十九年法律第百六十三号附則②】

第六条　削除〔昭和三九法一六三〕

（都道府県道の意義及びその路線の認定）

第七条　第三条第三号の都道府県道とは、地方的な幹線道路網を構成し、かつ、次の各号のいずれかに該当する道路で、都道府県知事が当該都道府県の区域内に存する部分につき、その路線を認定したものをいう。

一　市又は人口五千以上の町（以下これらを「主要地」という。）とこれらと密接な関係にある主要地、港湾法第二条第二項に規定する国際戦略港湾、国際拠点港湾、重要港湾若しくは地方港湾、漁港及び漁場の整備等に関する法律（昭和二十五年法律第百三十七号）第五条に規定する第二種漁港若しくは第三種漁港若しくは飛行場（以下これらを「主要港」という。）、

鉄道若しくは軌道の主要な停車場若しくは停留場（以下これらを「主要停車場」という。）又は主要な観光地とを連絡する道路
二　主要港とこれと密接な関係にある主要停車場又は主要な観光地とを連絡する道路
三　主要停車場とこれと密接な関係にある主要な観光地とを連絡する道路
四　二以上の市町村を経由する幹線で、これらの市町村とその沿線地方に密接な関係がある主要地、主要港又は主要停車場とを連絡する道路
五　主要地、主要港、主要停車場又は主要な観光地とこれらと密接な関係にある高速自動車国道、国道又は前各号のいずれかに該当する都道府県道とを連絡する道路
六　前各号に掲げるもののほか、地方開発のため特に必要な道路

2　都道府県知事が前項の規定により路線を認定しようとする場合においては、あらかじめ当該都道府県の議会の議決を経なければならない。

3　第一項の規定により都道府県知事が認定しようとする路線が地方自治法（昭和二十二年法律第六十七号）第二百五十二条の十九第一項の市（以下「指定市」という。）の区域内に存する場合においては、都道府県知事は、当該指定市の長の意見を聴かなければならない。この場合において、当該指定市の長は、意見を提出しようとするときは、当該指定市の議会の議決を経なければならない。

4　二以上の都道府県の区域にわたる道路については、関係都道府県知事は、協議の上それぞれ議会の議決を経て、当該都道府県の区域内に存する部分について、路線を認定しなければならない。

5　前項の規定による協議が成立しない場合においては、関係都道府県知事は、国土交通大臣に裁定を申請することができる。

6　国土交通大臣は、前項の規定による申請に基づいて裁定をしようとする場合においては、関係都道府県知事の意見を聴かなければならない。この場合において、関係都道府県知事は、意見を提出しようとするときは、当該都道府県の議会の議決を経なければならない。

7　都道府県知事が第一項の規定により路線を認定し、又は国土交通大臣が第五項の規定により路線を認定すべき旨の裁定をするに当たつては、当該認定に係る道路が他の都道府県道とともに構成することとなる地方的な幹線道路網と高速自動車国道及び国道が構成する全国的な幹線道路網とが一体となつてこれらの機能を十分に発揮することができるよう配慮しなければならない。

8　国土交通大臣が第五項の規定により路線を認定すべき旨の裁定をした場合においては、関係都道府県知事は、当該都道府県の区域内に存する部分について、それぞれ路線を認定しなければならない。この場合においては、第四項の規定による当該都道府県の議会の議決を経ることを要しない。

〔改正・昭和三一法一四八・昭和三三法七九・昭和三九法一六三・昭和六一法九三・平成一一法一六〇・平成一二法七八・平成一三法九二・平成二三法九・法三七・令和五法三四〕

参照【公示―法九【廃止又は変更―法一〇【重複―法一一【都の特例―法八九【指定市―自治法二五二の一九①、自治法第二百五十二条の十九第一項の指定都市の指定に関する政令

（市町村道の意義及びその路線の認定）

第八条　第三条第四号の市町村道とは、市町村の区域内に存する道路で、市町村長がその路線を認定したものをいう。

2　市町村長が前項の規定により路線を認定しようとする場合においては、あらかじめ当該市町村の議会の議決を経なければならない。

3　市町村長は、特に必要があると認める場合においては、当該市町村の区域をこえて、市町村道の路線を認定することができる。この場合においては、当該市町村長は、関係市町村長の承諾を得なければならない。

4　前項後段の場合においては、関係市町村長は、当該市町村の議会の議決を経なければ承諾をすることができない。

5　前項の承諾があつた場合においては、地方自治法第二百四十四条の三第一項の規定の適用については、同項に規定する協議が成立したものとみなす。

〔改正・昭和三二法七九・昭和三八法九九・昭和三九法一六三〕

参照【公示―法九【廃止又は変更―法一〇【重複―法一一【特別区道の路線認定―自治法二八一②・二八三

（路線の認定の公示）

第九条　都道府県知事又は市町村長は、第七条又は前条の規定により路線を認定した場合においては、その路線名、起点、終点、重要な経過地その他必要な事項を、国土交通省令で定めるところにより、公示しなければならない。

〔改正・平成一一法一六〇〕

参照【公示手続―規則一の二

（路線の廃止又は変更）

第一〇条　都道府県知事又は市町村長は、都道府県道又は市町村道について、一般交通の用に供する必要がなくなつたと認める場合においては、当該路線の全部又は一部を廃止することができる。路線が重複する場合においても、同様とする。

2　都道府県知事又は市町村長は、路線の全部又は一部を廃止し、これに代わるべき路線を認定しようとする場合においては、これらの手続に代えて、路線を変更することができる。

3　第七条第二項から第八項まで及び前条の規定は前二項の規定による都道府県道の路線の廃止又は変更について、第八条第二項から第五項まで及び前条の規定は前二項の規定による市町村道の路線の廃止又は変更について、それぞれ準用する。

〔改正・平成二三法三七〕

参照【手続―法七～九、規則一の二【適用除外―特別措置法五四③

（路線が重複する場合の措置）

第一一条　国道の路線と都道府県道又は市町村道の路線とが重複する場合においては、その重複する道路の部分については、国道に関する規定を適用する。

2　都道府県道の路線と市町村道の路線とが重複する場合においては、その重複する道路の部分については、都道府県道に関する規定を適用する。

3　他の道路の路線と重複するように路線を指定し、認定し、若しくは変更しようとする者又は他の道路の路線と重複している路線について路線を廃止し、若しくは変更しようとする者は、現に当該道路の路線を認定している者に、あらかじめその旨を通知しなければならない。

〔改正・昭和三九法一六三〕

参照【供用の開始の特例―法一八②但

第三章　道路の管理

第一節　道路管理者

（**国道の新設又は改築**）

第一二条　国道の新設又は改築は、国土交通大臣が行う。ただし、工事の規模が小であるものその他政令で定める特別の事情により都道府県がその工事を施行することが適当であると認められるものについては、その工事に係る路線の部分の存する都道府県が行う。

〔全改・昭和三三法三六、改正・昭和三九法一六三・平成一一法八七・法一六〇〕

参照【政令で定める特別の事情―令一【管理の特例―法一七、令一の五～一の七・二六【道等の特例―法八八【有料道路の特例―特別措置法三①・一〇①・一二①【費用負担―法四九～五五【認可―法七四【附属物の新設又は改築―法八五①・③【道路管理者の権限代行―法二七①【工事の告示―令二【工事の中間検査及び完了認定の申請―令二五【警察署長への協議―交通法八〇、工事又は作業を行なう場合の道路の管理者と警察署長との協議に関する命令【共同溝の特例―共同溝整備法三・五～八・一一【電線共同溝の特例―電線共同溝整備法三・五・八・一八【経過規定―昭和三十九年法律第百六十三号附則③【請願工事―法二四

（**国道の維持、修繕その他の管理**）

第一三条　前条に規定するものを除くほか、国道の維持、修繕、公共土木施設災害復旧事業費国庫負担法（昭和二十六年法律第九十七号）の規定の適用を受ける災害復旧事業（以下「災害復旧」という。）その他の管理は、政令で指定する区間（以下「指定区間」という。）内については国土交通大臣が行い、その他の部分については都道府県がその路線の当該都道府県の区域内に存する部分について行う。

2　国土交通大臣は、政令で定めるところにより、指定区間内の国道の維持、修繕及び災害復旧以外の管理を当該部分の存する都道府県又は指定市が行うこととすることができる。

3　国土交通大臣は、工事が高度の技術を要する場合、高度の機械力を使用して実施することが適当であると認める場合又は都道府県の区域の境界に係る場合においては、都道府県に代わつて自ら指定区間外の国道の災害復旧に関する工事を行うことができる。この場合においては、国土交通大臣は、あらかじめその旨を当該都道府県に通知しなければならない。

4　第一項の規定により都道府県が維持、修繕、災害復旧その他の管理を行う場合において、その行おうとする国道の修繕又は災害復旧に関する工事が都道府県の区域の境界に係るときは、関係都道府県は、あらかじめ修繕又は災害復旧に関する工事の設計及び実施計画について協議しなければならない。

5　第七条第五項及び第六項前段の規定は、前項の規定による協議が成立しない場合について準用する。

6　前項において準用する第七条第五項及び第六項前段の規定により国土交通大臣が裁定をした場合においては、第四項の規定による協議が成立したものとみなす。

〔追加・昭和三三法三六、旧一二条の二を改正し繰下・昭和三九法一六三、改正・平成一一法八七・法一六〇・平成二三法二〇〕

参照【政令で指定する区間―一般国道の指定区間を指定する政令【第一号法定受託事務―法九七【指定区間内国道の管理―令一の二～一の四【工事の告示―令二【管理の特例―法一七、令一の五～一の七・二六【道等の特例―法八八【修繕の特例―道路の修繕に関する法律二【有料道路の特例―特別措置法四・五①・一四・一五①【境界地の道路―法一九【兼用工作物―法二〇【請願工事―法二四【費用負担―法四九～五五【警察署長への協議―交通法八〇、工事又は作業を行なう場合の道路の管理者と警察署長との協議に関する命令【共同溝の特例―共同溝整備法一一【電線共同溝の特例―電線共同溝整備法一八【罰則の適用―法一〇九【道路管理者の権限代行―法二七①

第一四条　削除〔昭和三九法一六三〕

（**都道府県道の管理**）

第一五条　都道府県道の管理は、その路線の存する都道府県が行う。

参照【管理の特例―法一七、令一の五～一の七・二六【道等の特例―法八八、令三四の二【有料道路の特例―特別措置法三①・四・五①・一〇①・一二①・一四・一五①【境界地の道路―法一九【兼用工作物―法二〇【請願工事―法二四【費用の負担―法四九・五一・五四～五六【附属物の新設又は改築―法八五②・③【警察署長への協議―交通法八〇、工事又は作業を行なう場合の道路の管理者と警察署長との協議に関する命令【共同溝の特例―共同溝整備法三・五～八・一一【電線共同溝の特例―電線共同溝整備法三・五・八・一八【沖縄の特例―沖縄振興特別措置法九八

（**市町村道の管理**）

第一六条　市町村道の管理は、その路線の存する市町村が行う。

2　第八条第三項の規定により市町村長が当該市町村の区域をこえて市町村道の路線を認定した場合においては、その道路の管理は、当該路線を認定した市町村長の統轄する市町村が行う。但し、当該路線が他の市町村の市町村道の路線と重複する場合においては、その重複する部分の道路の管理の方法については、関係市町村長がそれぞれ議会の議決を経て協議しなければならない。

3　第七条第五項及び第六項の規定は、前項但書の規定による協議が成立しない場合について準用する。この場合において、これらの規定中「関係都道府県知事」とあるのは「関係市町村長」と、「国土交通大臣」とあるのは「都道府県知事」と、同条第六項中「当該都道府県の議会」とあるのは「当該市町村の議会」と読み替えるものとする。

4　前項において準用する第七条第五項及び第六項の規定により都道府県知事が裁定をした場合においては、第二項但書の規定の適用については、関係市町村長の協議が成立したものとみなす。

5　第二項但書の規定による関係市町村長の協議が成立した場合（前項の規定により関係市町村長の協議が成立したものとみなされる場合を含む。）においては、関係市町村長は、成立した協議の内容を公示しなければならない。

〔改正・平成一一法一六〇〕

参照【道等の特例―法八八、令三四の二【有料道路の特例―特別措置法三①・四・五①・一〇①・一二①・一四・一五①【境界地の道路―法一九【兼用工作物―法二〇【請願工事―法二四【費用の負担―法四九・五一・五四～五六【附属物の新設又は改築―法八五②・③【警察署長への協議―交通法八〇、工事又は作業を行なう場合の道路の管理者と警察署長との協議に関する命令【共同溝の特例―共

同溝整備法三・五〜八・一一【電線共同溝の特例―電線共同溝整備法三・五・八・一八【過疎道路の特例―過疎地域の持続的発展の支援に関する特別措置法一六【山村道路の特例―山村振興法一一【特別豪雪道路の特例―豪雪地帯対策特別措置法一四【半島道路の特例―半島振興法一一【沖縄の特例―沖縄振興特別措置法九八

（管理の特例）

第一七条　指定市の区域内に存する国道の管理で第十二条ただし書及び第十三条第一項の規定により都道府県が行うこととされているもの並びに指定市の区域内に存する都道府県道の管理は、第十二条ただし書、第十三条第一項及び第十五条の規定にかかわらず、当該指定市が行う。

2　指定市以外の市は、第十二条ただし書、第十三条第一項及び第十五条の規定にかかわらず、都道府県に協議し、その同意を得て、当該市の区域内に存する国道の管理で第十二条ただし書及び第十三条第一項の規定により当該都道府県が行うこととされているもの並びに当該市の区域内に存する都道府県道の管理を行うことができる。

3　町村は、第十五条の規定にかかわらず、都道府県に協議し、その同意を得て、当該町村の区域内に存する都道府県道の管理を行うことができる。

4　指定市以外の市町村は、地域住民の日常生活の安全性若しくは利便性の向上又は快適な生活環境の確保を図るため、当該市町村の区域内に存する国道若しくは都道府県道の新設、改築、維持若しくは修繕又は国道若しくは都道府県道に附属する道路の附属物の新設若しくは改築のうち、歩道の新設、改築、維持又は修繕その他の政令で定めるものであつて第十二条ただし書、第十三条第一項、第十五条並びに第八十五条第一項及び第二項の規定により都道府県が行うこととされているもの（前三項の規定により指定市、指定市以外の市又は町村が行うこととされているものを除く。第二十七条第二項において「歩道の新設等」という。）を都道府県に代わつて行うことが適当であると認められる場合においては、第十二条ただし書、第十三条第一項、第十五条並びに第八十五条第一項及び第二項の規定にかかわらず、都道府県に協議し、その同意を得て、これを行うことができる。

5　指定市以外の市町村は、前三項の規定により国道又は都道府県道の新設、改築、維持又は修繕を行おうとするとき、及び当該国道又は都道府県道の新設、改築、維持又は修繕の全部又は一部を完了したときは、国土交通省令で定めるところにより、その旨を公示しなければならない。

6　国土交通大臣は、都道府県又は市町村から要請があり、かつ、当該都道府県又は市町村における道路の改築又は修繕に関する工事の実施体制その他の地域の実情を勘案して、当該都道府県又は市町村が管理する都道府県道又は市町村道（地域における安全かつ円滑な交通の確保のために適切な管理の必要性が特に高いと認められるものに限る。）を構成する施設又は工作物のうち政令で定めるものの改築又は修繕に関する工事（高度の技術を要するもの又は高度の機械力を使用して実施することが適当であると認められるものに限る。）を当該都道府県又は市町村に代わつて自ら行うことが適当であると認められる場合においては、前二条及び第一項から第三項までの規定にかかわらず、その事務の遂行に支障のない範囲内で、これを行うことができる。

7　国土交通大臣は、災害が発生した場合において、都道府県又は市町村から要請があり、かつ、当該都道府県又は市町村における道路の維持又は災害復旧に関する工事の実施体制その他の地域の実情を勘案して、当該都道府県又は市町村が管理する次の各号に掲げる道路について当該各号に定める管理（高度の技術を要するもの又は高度の機械力を使用して実施することが適当であると認められるものに限る。）を当該都道府県又は市町村に代わつて自ら行うことが適当であると認められるときは、第十三条第一項、前二条及び第一項から第三項までの規定にかかわらず、その事務の遂行に支障のない範囲内で、これを行うことができる。

一　指定区間外の国道、都道府県道又は市町村道　維持（道路の啓開のために行うものに限る。）

二　都道府県道又は市町村道　災害復旧に関する工事

8　都道府県は、災害が発生した場合において、指定市以外の市町村から要請があり、かつ、当該市町村における道路の維持又は災害復旧に関する工事の実施体制その他の地域の実情を勘案して、当該市町村が管理する指定区間外の国道、都道府県道又は市町村道（当該都道府県が管理する道路と交通上密接な関連を有するものに限る。）について維持（道路の啓開のために行うものに限る。）又は災害復旧に関する工事を当該市町村に代わつて自ら行うことが適当であると認められるときは、前条並びに第二項及び第三項の規定にかかわらず、その事務の遂行に支障のない範囲内で、これを行うことができる。

9　第一項から第四項まで及び前三項の場合におけるこの法律の規定の適用についての必要な技術的読替えは、政令で定める。

〔改正・昭和三三法三六・昭和三九法一六三・平成一一法八七・平成一九法一九・平成二三法一〇五・平成二五法三〇・令和二法三一・令和三法九〕

参照【指定市―法七③、自治法二五二の一九、自治法第二百五十二条の十九第一項の指定都市の指定に関する政令【第一号法定受託事務―法九七【道等の特例―法八八【有料道路の特例―特別措置法三①・四・五①・一〇①・一二①・一四・一五①【境界地の道路―法一九【兼用工作物―法二〇【請願工事―法二四【政令―令一の五〜一の七【省令―規則一の五【技術的読替―令一の七【費用の負担―法四九・五一・五四〜五六、令二六【共同溝の特例―共同溝整備法三・五〜八・一一【電線共同溝の特例―電線共同溝整備法三・五・八・一八

（道路の区域の決定及び供用の開始等）

第一八条　第十二条、第十三条第一項若しくは第三項、第十五条、第十六条又は前条第一項から第三項までの規定によつて道路を管理する者（指定区間内の国道にあつては国土交通大臣、指定区間外の国道にあつては都道府県。以下「道路管理者」という。）は、路線が指定され、又は路線の認定若しくは変更が公示された場合においては、遅滞なく、道路の区域を決定して、国土交通省令で定めるところにより、これを公示し、かつ、これを表示した図面を関係地方整備局若しくは北海道開発局又は関係都道府県若しくは市町村の事務所（以下「道路管理者の事務所」という。）において一般の縦覧に供しなければならない。道路の区域を変更した場合においても、同様とする。

2　道路管理者は、道路の供用を開始し、又は廃止しようとする場合においては、国土交通省令で定めるところにより、その旨を公示し、かつ、これを表示した図面を道路管理者の事務所において一般の縦覧に供しなければならない。ただし、既存の道路について、その路線と重複して路線が指定され、認定され、又は変更された場合においては、その重複する道路の部分については、既に供用の開始があつたものとみなし、供用開始の公

示をすることを要しない。

〔改正・昭和二八法二二三・昭和三三法三六・昭和三九法一六三・平成元法五六・平成一一法八七・法一六〇・平成一九法一九・平成二三法一〇五〕

参照 【路線の重複―法一一】【第一号法定受託事務―法九七】【道路の立体的区域―法四七の一七】【道路の予定区域―法九一】【高速自動車国道の区域の決定及び供用の開始―高速自動車国道法七】【権限代行―法二七、令四～六、特別措置法八①・一七①】【道等の特例―法八八】【権限の委任―法九七の二、令四一】【公示手続―規則二・三】【有料道路の供用の開始―特別措置法二八・二九】【自動車専用道路の指定の要件―法四八の二①・②】【自転車専用道路等の指定の要件―法四八の一三①～③】

（境界地の道路の管理）

第一九条 地方公共団体の区域の境界に係る道路については、関係道路管理者（国土交通大臣である道路管理者を除く。以下本条及び第五十四条中同じ。）は、第十三条第一項及び第三項並びに第十五条から第十七条までの規定にかかわらず、協議して別にその管理の方法を定めることができる。

2 前項の規定による協議が成立しない場合においては、関係道路管理者は、当該道路が都道府県の区域の境界に係るとき、又は関係道路管理者のいずれかが都道府県であるときは国土交通大臣に、その他のときは都道府県知事に裁定を申請することができる。

3 第七条第六項の規定は、前項の場合について準用する。この場合において、第七条第六項中「国土交通大臣」とあるのは「国土交通大臣又は都道府県知事」と、「関係都道府県知事」とあるのは「関係道路管理者」と、「当該都道府県の議会の議決を経なければならない。」とあるのは「指定区間外の国道にあつては道路管理者である都道府県の議会に諮問し、その他の道路にあつては道路管理者である地方公共団体の議会の議決を経なければならない。」と読み替えるものとする。

4 第二項及び前項において準用する第七条第六項の規定により国土交通大臣又は都道府県知事が裁定をした場合においては、第一項の規定の適用については、関係道路管理者の協議が成立したものとみなす。

5 第一項の規定による協議が成立した場合（前項の規定により関係道路管理者の協議が成立したものとみなされる場合を含む。）においては、関係道路管理者は、成立した協議の内容を公示しなければならない。

〔改正・昭和三三法三六・昭和三九法一六三・平成一一法八七・法一六〇〕

参照 【有料道路の特例―特別措置法三①・四・一〇・一二・一四】【権限代行―法二七⑤、令五】【費用の負担―法五四】【第一号法定受託事務―法九七】【請願工事―法二四】

（共用管理施設の管理）

第一九条の二 道路交通騒音により生ずる障害の防止又は軽減、道路の排水その他の道路の管理のための施設又は工作物で、当該道路と隣接し、又は近接する他の道路から発生する道路交通騒音により生ずる障害の防止又は軽減、当該他の道路の排水その他の当該他の道路の管理に資するもの（第五十四条の二第一項において「共用管理施設」という。）の管理については、当該道路の道路管理者及び当該他の道路の道路管理者（以下この条及び第五十四条の二において「共用管理施設関係道路管理者」という。）は、第十三条第一項及び第三項並びに第十五条から第十七条までの規定にかかわらず、協議して別にその管理の方法を定めることができる。

2 前項の規定による協議が成立しない場合においては、共用管理施設関係道路管理者は、そのいずれかが国土交通大臣である場合を除き、共用管理施設関係道路管理者のいずれかが都道府県であるときは国土交通大臣に、その他のときは都道府県知事に裁定を申請することができる。

3 第七条第六項の規定は、前項の場合について準用する。この場合において、第七条第六項中「国土交通大臣」とあるのは「国土交通大臣又は都道府県知事」と、「関係都道府県知事」とあるのは「共用管理施設関係道路管理者」と、「当該都道府県の議会の議決を経なければならない。」とあるのは「指定区間外の国道にあつては道路管理者である都道府県の議会に諮問し、その他の道路にあつては道路管理者である地方公共団体の議会の議決を経なければならない。」と読み替えるものとする。

4 第二項及び前項において準用する第七条第六項の規定により国土交通大臣又は都道府県知事が裁定をした場合においては、第一項の規定の適用については、共用管理施設関係道路管理者の協議が成立したものとみなす。

5 第一項の規定による協議が成立した場合（前項の規定により成立したものとみなされる場合を含む。）においては、共用管理施設関係道路管理者は、成立した協議の内容を公示しなければならない。

〔追加・平成八法四八、改正・平成一一法八七・法一六〇〕

参照 【権限代行―法二七①⑤、令四・五、特別措置法九①・一七①】【権限の委任―法九七の二、令四一】【費用の負担―法五四の二】【高速自動車国道―高速自動車国道法七の二】【第一号法定受託事務―法九七】【請願工事―法二四】

（兼用工作物の管理）

第二〇条 道路と堤防、護岸、ダム、鉄道又は軌道用の橋、踏切道（道路と独立行政法人鉄道建設・運輸施設整備支援機構、独立行政法人日本高速道路保有・債務返済機構若しくは鉄道事業者（第三十一条及び第三十一条の二において「鉄道事業者等」という。）の鉄道又は軌道法（大正十年法律第七十六号）による新設軌道との交差部分をいう。）、駅前広場その他公共の用に供する工作物又は施設（以下これらを「他の工作物」と総称する。）とが相互に効用を兼ねる場合においては、当該道路の道路管理者及び他の工作物の管理者は、当該道路及び他の工作物の管理については、第十三条第一項及び第三項並びに第十五条から第十七条までの規定にかかわらず、協議して別にその管理の方法を定めることができる。ただし、道路については、道路に関する工事（道路の新設、改築又は修繕に関する工事をいう。以下同じ。）及び維持以外の管理を行わせることができない。

2 前項の規定により協議する場合において、国土交通大臣である道路管理者と他の工作物の管理者との協議が成立しないときは、国土交通大臣は、当該他の工作物に関する主務大臣とあらためて協議することができる。

3 第一項の規定により協議する場合において、国土交通大臣以外の道路管理者と他の工作物の管理者との協議が成立しないときは、当該道路の道路管理者又は他の工作物の管理者は、そのいずれかが国又は都道府県であるときは国土交通大臣及び当該他の工作物に関する主務大臣に、その他のときは都道府県知事（他の工作物に関する主務大臣の事務を分掌する地方支分部局の長があるときは、都道府県知事及び当該支分部局の長。以下この条並びに第五十五条第三項及び第四項において同じ。）に裁定を申請することができる。

4　国土交通大臣及び他の工作物に関する主務大臣又は都道府県知事は、前項の規定による申請に基づいて裁定をしようとする場合においては、当該道路の道路管理者又は他の工作物の管理者の意見を聴かなければならない。この場合において、当該道路の道路管理者は、意見を提出しようとするときは、指定区間外の国道にあつては道路管理者である都道府県の議会に諮問し、その他の道路にあつては道路管理者である地方公共団体の議会の議決を経なければならない。

5　第二項の規定による国土交通大臣と当該他の工作物に関する主務大臣との協議が成立した場合又は前二項の規定により国土交通大臣及び当該他の工作物に関する主務大臣若しくは都道府県知事が裁定をした場合においては、第一項の規定の適用については、道路管理者と他の工作物の管理者との協議が成立したものとみなす。

6　第一項の規定による協議が成立した場合（前項の規定により道路管理者と他の工作物の管理者との協議が成立したものとみなされる場合を含む。）においては、当該道路の道路管理者は、成立した協議の内容を公示しなければならない。

〔改正・昭和三三法三六・昭和三九法三・法一六三・法一六八・昭和四五法八一・昭和六一法九三・平成一一法八七・法一六〇・平成一四法一八〇・平成一六法一〇一・令和三法九〕

参照【工事施行命令―法二一【権限代行―法二七①⑤、令四・五、特別措置法八①・九・一七【権限の委任―法九七の二、令四一【鉄道との交差―法三一【費用の負担―法五五【私権の制限の不適用―法九八【踏切道の改良促進―踏切道改良促進法【不服の申立ての特例―法九六③【高速自動車国道―高速自動車国道法八【第一号法定受託事務―法九七【請願工事―法二四

類似規定―河川法一七

（他の工作物の管理者に対する工事施行命令等）

第二一条　道路と他の工作物とが相互に効用を兼ねる場合において、他の工作物の管理者に当該道路の道路に関する工事を施行させ、又は維持をさせることが適当であると認められるときは、前条及び第三十一条の規定によつて協議をした場合を除く外、道路管理者は、他の工作物の管理者に当該道路に関する工事を施行させ、又は当該道路の維持をさせることができる。

〔改正・昭和三九法一六八〕

参照【兼用工作物の管理―法二〇【権限代行―法二七、令四～五、特別措置法八①・一七【費用の負担―法六〇【第一号法定受託事務―法九七【権限の委任―法九七の二、令四一【請願工事―法二四

（工事原因者に対する工事施行命令等）

第二二条　道路管理者は、道路に関する工事以外の工事（以下「他の工事」という。）により必要を生じた道路に関する工事又は道路を損傷し、若しくは汚損した行為若しくは道路の補強、拡幅その他道路の構造の現状を変更する必要を生じさせた行為（以下「他の行為」という。）により必要を生じた道路に関する工事又は道路の維持を当該工事の執行者又は行為者に施行させることができる。

2　前項の場合において、他の工事が河川法（昭和三十九年法律第百六十七号）が適用され、又は準用される河川の河川工事（以下「河川工事」という。）であるときは、当該道路に関する工事については、同法第十九条の規定は、適用しない。

〔改正・昭和三九法一六八・昭和四六法四六〕

参照【道路に関する工事―法二〇①【権限代行―法二七、令四～五、特別措置法八①・一七【費用の負担―法五八【第一号法定受託事務―法九七【権限の委任―法九七の二、令四一【請願工事―法二四

（維持修繕協定の締結）

第二二条の二　道路管理者は、道路の構造を保全し、又は交通の危険を防止するため災害の発生時において道路管理者以外の者が道路の特定の維持又は修繕に関する工事を行うことができることをあらかじめ定めておく必要があると認めるときは、その管理する道路について、道路の維持又は修繕に関する工事を適確に行う能力を有すると認められる者（第二号において「維持修繕実施者」という。）との間において、次に掲げる事項を定めた協定（以下この条において「維持修繕協定」という。）を締結することができる。

一　維持修繕協定の目的となる道路の区域（次号において「協定道路区域」という。）
二　維持修繕実施者が道路の損傷の程度その他の道路の状況に応じて協定道路区域において行う道路の維持又は修繕に関する工事の内容
三　前号の道路の維持又は修繕に関する工事に要する費用の負担の方法
四　維持修繕協定の有効期間
五　維持修繕協定に違反した場合の措置
六　その他必要な事項

〔追加・平成二五法三〇〕

参照【権限代行―法二七②⑤、令四の二・五、特別措置法九・一七②

（附帯工事の施行）

第二三条　道路管理者は、道路に関する工事に因り必要を生じた他の工事又は道路に関する工事を施行するために必要を生じた他の工事を道路に関する工事とあわせて施行することができる。

2　前項の場合において、他の工事が河川工事又は砂防工事であるときは、当該他の工事の施行については、同項の規定は、適用しない。

〔改正・昭和三九法一六八〕

参照【道路に関する工事―法二〇①【権限代行―法二七、令四～五、特別措置法九・一七【費用の負担―法五九【第一号法定受託事務―法九七―法九七の二、令四一【請願工事―法二四

（道路管理者以外の者の行う工事）

第二四条　道路管理者以外の者は、第十二条、第十三条第三項、第十七条第四項若しくは第六項から第八項まで、第十九条から第二十二条の二まで、第四十八条の十九第一項又は第四十八条の二十二第一項の規定による場合のほか、道路に関する工事の設計及び実施計画について道路管理者の承認を受けて道路に関する工事又は道路の維持を行うことができる。ただし、道路の維持で政令で定める軽易なものについては、道路管理者の承認を受けることを要しない。

〔改正・昭和三三法三六・昭和三九法一六三・平成一九法一九・平成二三法一〇五・平成二五法三〇・平成三〇法六・令和二法三一・令和三法九〕

参照【道路に関する工事―法二〇①【権限代行―法二七、令四～五、特別措置法八①・一七【費用の負担―法五七【監督処分―法七一【第一号法定受託事務―法九七【権限の委任―法九七の二、令四一【政令―令三【軌道の特例―軌道法六・一二

参考規定―都市計画法五九、土地区画整理法三

（自動車駐車場又は自転車駐車場の駐車料金及び割増金）

第二四条の二　道路管理者（指定区間内の国道にあつては、国。第三項（第四十八条の三十五第三項において準用する場合を含む。）、第三十九条第一項、第四十四条第五項及び第七項、第四十四条の三第八項、第四十八条の七第一項、第四十八条の三十五第一項、第四十九条、第五十八条第一項、第五十九条第三項、第六十一条第一項、第六十四条第一項、第六十九条第一項、第七十条第一項、第七十二条第一項及び第三項、第七十三条第一項から第三項まで、第八十五条第三項並びに第九十一条第三項において同じ。）は、道路管理者である地方公共団体の条例（指定区間内の国道にあつては、政令）で定めるところにより、道路の附属物である自動車駐車場又は自転車駐車場に自動車（道路運送車両法第二条第三項に規定する原動機付自転車を含む。以下この条において同じ。）又は自転車を駐車させる者から、駐車料金を徴収することができる。ただし、道路交通法第三十九条第一項に規定する緊急自動車その他政令で定める自動車又は自転車を駐車させる場合においては、この限りでない。

2　前項の駐車料金の額は、次の原則によつて定めなければならない。

一　自動車又は自転車を駐車させる特定の者に対し不当な差別的取扱いをするものでないこと。

二　自動車又は自転車を駐車させる者の負担能力にかんがみ、その利用を困難にするおそれのないものであること。

三　付近の自動車駐車場又は自転車駐車場で道路の区域外に設置されており、かつ、一般公衆の用に供するものの駐車料金に比して著しく均衡を失しないものであること。

3　道路管理者は、第一項の駐車料金を不法に免れた者から、その免れた額のほか、その免れた額の二倍に相当する額を割増金として徴収することができる。

〔追加・平成三法六〇、改正・平成一一法八七・平成一九法一九・平成三〇法六・令和二法三一・令和三法九〕

参照【自動車駐車場―法二②7【収入の帰属―法六四①【料金等の強制徴収―法七三【一項の政令―令三の二【政令で定める自動車―令三の三【権限の委任―法九七の二、令四一【適用除外―特別措置法五四③【権限代行―法二七②⑤、令四の二・五

（自動車駐車場又は自転車駐車場の駐車料金等の表示）

第二四条の三　道路管理者は、前条第一項の規定により駐車料金を徴収する自動車駐車場又は自転車駐車場について、条例（国道にあつては、国土交通省令）で定めるところにより、駐車料金、駐車することができる時間その他自動車駐車場又は自転車駐車場の利用に関し必要な事項を表示するため、標識を設けなければならない。

〔追加・平成三法六〇、改正・平成一一法一六〇・平成一九法一九・平成二三法一〇五〕

参照【自動車駐車場―法二②7【標識―規則三の二【第一号法定受託事務―法九七【権限の委任―法九七の二、令四一

（有料の橋又は渡船施設）

第二五条　都道府県又は市町村である道路管理者は、都道府県道又は市町村道について、橋又は渡船施設の新設又は改築に要する費用の全部又は一部を償還するために、一定の期間を限り、当該橋の通行者又は当該渡船施設の利用者から、その通行者又は利用者が受ける利益を超えない範囲内において、条例で定めるところにより、料金を徴収することができる。

2　前項に規定する橋又は渡船施設は、左の各号に該当するものでなければならない。

一　その通行又は利用の範囲が地域的に限定されたものであること。

二　その通行者又は利用者がその通行又は利用に因り著しく利益を受けるものであること。

三　その新設又は改築に要する費用の全額を地方債以外の財源をもつて支弁することが著しく困難なものであること。

3　道路管理者は、第一項の条例を制定したときは、遅滞なく、次に掲げる事項を記載した書類及び設計図その他必要な図面を添えて、その旨を国土交通大臣に届け出なければならない。

一　工事方法

二　工事予算

三　工事の着手及び完成の予定年月日

四　収支予算の明細

五　料金

六　料金徴収期間

七　元利償還年次計画

4　道路管理者は、前項の規定による届出に係る事項について変更があつたときは、遅滞なく、変更に係る事項を記載した書類及び必要な図面を添えて、その旨を国土交通大臣に届け出なければならない。

〔改正・平成一一法八七・法一六〇・平成二三法一〇五〕

参照【管理者の義務―法二六【収入の帰属―法六四①【料金の強制徴収―法七三【権限の委任―法九七の二、令四一

参考規定―特別措置法三・四・一〇・一二・一四・一五・一八

（有料の橋又は渡船施設の工事の検査）

第二六条　前条第一項の規定により料金を徴収しようとする道路管理者は、工事の途中において、国土交通省令で定めるところにより、都道府県である道路管理者にあつては国土交通大臣の、市町村である道路管理者にあつては都道府県知事の検査を受けなければならない。工事が完了した場合においても、同様とする。

2　国土交通大臣又は都道府県知事は、前項の規定による検査の結果当該橋又は渡船施設の構造が前条第三項の規定による届出に係る同項第一号の工事方法（同条第四項の規定による工事方法の変更（同条第三項第五号又は第六号に掲げる事項の変更を伴うものに限る。）に係る届出があつたときは、その変更後のもの）に適合しないと認める場合においては、届出をした道路管理者に対して、工事方法の変更その他必要な措置をとるべき旨の要求（都道府県知事にあつては、勧告）をすることができる。

3　道路管理者は、国土交通大臣から前項の規定による要求を受けたときは、工事方法の変更その他必要な措置をとらなければならない。

4　都道府県知事は、第一項の規定に基づき検査をしたときはその結果を、第二項の規定に基づき必要な措置をとるべき旨の勧告をしたときはその内容及びこれに従つて道路管理者がとつた措置を国土交通大臣に報告しなければならない。

5　前条第一項の規定により料金を徴収しようとする道路管理者は、第一項後段の規定による検査に合格した後でなければ、当該橋又は渡船施設の供用を開始してはならない。

〔改正・平成一一法八七・法一六〇・平成二三法一〇五〕

参照【省令―規則四】【権限の委任―法九七の二、令四一】

（道路管理者の権限の代行）

第二七条　国土交通大臣は、第十二条本文の規定により指定区間外の国道の新設若しくは改築を行う場合又は第十三条第三項の規定により指定区間外の国道の災害復旧に関する工事を行う場合においては、政令で定めるところにより、当該指定区間外の国道の道路管理者に代わつてその権限を行うものとする。

2　指定市以外の市町村は、第十七条第四項の規定により歩道の新設等を行う場合においては、政令で定めるところにより、当該道路の道路管理者に代わつてその権限を行うものとする。

3　国土交通大臣は、第十七条第六項の規定により都道府県道若しくは市町村道を構成する施設若しくは工作物の改築若しくは修繕に関する工事を行う場合又は同条第七項の規定により指定区間外の国道、都道府県道若しくは市町村道の維持若しくは都道府県道若しくは市町村道の災害復旧に関する工事を行う場合においては、政令で定めるところにより、当該道路の道路管理者に代わつてその権限を行うものとする。

4　都道府県は、第十七条第八項の規定により指定区間外の国道、都道府県道又は市町村道の維持又は災害復旧に関する工事を行う場合においては、政令で定めるところにより、当該道路の道路管理者に代わつてその権限を行うものとする。

5　第十九条の規定による協議に基づき一の道路管理者がその地方公共団体の区域外にわたつて道路を管理する場合又は第二十条の規定による協議に基づき他の工作物の管理者が道路を管理する場合においては、これらの者は、政令で定めるところにより、当該道路の道路管理者に代わつてその権限を行うものとする。

〔改正・昭和三三法三六、全改・昭和三九法一六三、改正・平成一一法一六〇・平成一九法一九・平成二三法一〇五・平成二五法三〇・令和二法三一・令和三法九〕

参照【一項の政令―令四・六①⑤】【二項の政令―令四の二・六②⑥】【三項の政令―令四の三・四の四・六①⑤】【四項の政令―令四の五・六③⑦】【五項の政令―令五・六⑧】【罰則の適用―法一〇九】【権限の委任―法九七の二、令四一】【道等の特例―法八八②】【修繕に関する権限代行―道路の修繕に関する法律二②】【高速自動車国道との兼用工作物の管理者の権限代行―高速自動車国道法九】【機構等の特例―特別措置法八・九・一七、独立行政法人都市再生機構法一八】

（道路台帳）

第二八条　道路管理者は、その管理する道路の台帳（以下本条において「道路台帳」という。）を調製し、これを保管しなければならない。

2　道路台帳の記載事項その他その調製及び保管に関し必要な事項は、国土交通省令で定める。

3　道路管理者は、道路台帳の閲覧を求められた場合においては、これを拒むことができない。

〔改正・平成一一法一六〇〕

参照【第一号法定受託事務―法九七】【権限の委任―法九七の二、令四一】【省令―規則四の二】【他の法令による引用―地方交付税法一二③、地方揮発油譲与税法施行規則二、自動車重量譲与税法施行規則二・三②】

類似規定―河川法一二、都市公園法一七、海岸法二四、地すべり等防止法二六

（協議会）

第二八条の二　交通上密接な関連を有する道路（以下この項において「密接関連道路」という。）の管理を行う二以上の道路管理者は、踏切道密接関連道路（踏切道改良促進法（昭和三十六年法律第百九十五号）第三条第一項に規定する踏切道密接関連道路をいう。）その他の密接関連道路の管理を効果的に行うために必要な協議を行うための協議会（以下この条において「協議会」という。）を組織することができる。

2　協議会は、必要があると認めるときは、次に掲げる者をその構成員として加えることができる。

一　関係地方公共団体

二　道路の構造の保全又は安全かつ円滑な交通の確保に資する措置を講ずることができる者

三　その他協議会が必要と認める者

3　協議会において協議が調つた事項については、協議会の構成員は、その協議の結果を尊重しなければならない。

4　前三項に定めるもののほか、協議会の運営に関し必要な事項は、協議会が定める。

〔追加・平成二五法三〇、改正・令和三法九〕

参照【権限代行―法二七②⑤、令四の二・五】【意見聴取―特別措置法三〇①・三一①】

第二節　道路の構造

（道路の構造の原則）

第二九条　道路の構造は、当該道路の存する地域の地形、地質、気象その他の状況及び当該道路の交通状況を考慮し、通常の衝撃に対して安全なものであるとともに、安全かつ円滑な交通を確保することができるものでなければならない。

〔改正・昭和三九法一六三〕

参照【構造の瑕疵―国家賠償法二】

（道路の構造の基準）

第三〇条　高速自動車国道及び国道の構造の技術的基準は、次に掲げる事項について政令で定める。

一　通行する自動車の種類に関する事項

二　幅員

三　建築限界

四　線形

五　視距

六　勾配

七　路面

八　排水施設

九　交差又は接続

十　待避所

十一　横断歩道橋、さくその他安全な交通を確保するための施設

十二　橋その他政令で定める主要な工作物の自動車の荷重に対し必要な強度

十三　前各号に掲げるもののほか、高速自動車国道及び国道の構造について必要な事項

2　都道府県道及び市町村道の構造の技術的基準（前項第一号、第三号及び第十二号に掲げる事項に係るものに限る。）は、政令で定める。

3　前項に規定するもののほか、都道府県道及び市町村道の構造の技術的基準は、政令で定める基準を参酌して、当該道路の道路管理者である地方公共団体の条例で定める。

〔改正・昭和三三法三六・昭和三九法一六三・平成二三法三七・法一〇五〕

参照【構造の原則—法二九【道路の種類—法三【政令—道路構造令【交差—法三一・四八の三・四八の一四、道路運送法五一、高速自動車国道法一〇【諮問—法七九【指示等—法七五

参考規定—法四五

（道路と鉄道との交差）

第三十一条　道路と鉄道事業者等の鉄道とが相互に交差する場合（当該道路が国道であり、かつ、国土交通大臣が自らその新設又は改築を行う場合を除く。）においては、当該道路の道路管理者及び当該鉄道事業者等は、当該交差の方式、その構造、工事の施行方法及び費用負担について、あらかじめ協議し、これを成立させなければならない。ただし、当該道路の交通量又は当該鉄道の運転回数が少ない場合、地形上やむを得ない場合その他政令で定める場合を除くほか、当該交差の方式は、立体交差としなければならない。

2　前項の規定により協議する場合において、国土交通大臣以外の道路管理者と鉄道事業者等との協議が成立しないときは、当該道路の道路管理者又は当該鉄道事業者等は、国土交通大臣に裁定を申請することができる。

3　国土交通大臣は、前項の規定による申請に基づいて裁定をしようとする場合においては、当該道路の道路管理者又は当該鉄道事業者等の意見を聴かなければならない。この場合において、当該道路の道路管理者は、意見を提出しようとするときは、指定区間外の国道にあつては当該道路管理者である都道府県の議会に諮問し、その他の道路にあつては当該道路管理者である地方公共団体の議会の議決を経なければならない。

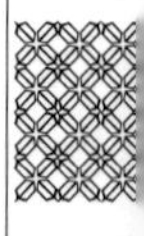
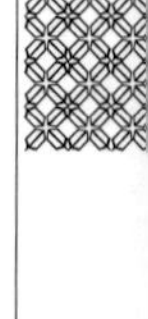

4　第二項の規定により国土交通大臣が裁定をした場合においては、第一項の規定の適用については、当該道路の道路管理者と当該鉄道事業者等との協議が成立したものとみなす。

5　国道と鉄道事業者等の鉄道とが相互に交差する場合において、国土交通大臣が自ら当該国道の新設又は改築を行うときは、国土交通大臣は、あらかじめ、当該鉄道事業者等の意見を聴いて、当該交差の方式、その構造、工事の施行方法及び費用負担を決定するものとする。ただし、国土交通大臣の決定前に、国土交通大臣と当該鉄道事業者等との間にこれらの事項について協議が成立したときは、この限りでない。

6　前項に規定する場合において、当該国道の交通量又は当該鉄道の運転回数が少ない場合、地形上やむを得ない場合その他政令で定める場合を除いた交差の方式は、立体交差としなければならない。

7　国土交通大臣は、第五項本文の規定による決定をするときは、鉄道の整備及び安全の確保並びに鉄道事業の発達、改善及び調整に特に配慮しなければならない。

〔改正・昭和三三法三六・昭和三九法一六三・昭和四五法八一・昭和六一法九三・平成三法四五・平成一一法八七・法一六〇・平成一四法一八〇・平成一六法一〇一・令和三法九〕

参照【権限の委任—法九七の二、令四一【第一号法定受託事務—法九七【権限代行—特別措置法九・一七【政令—令三五【報告—法七六4【高速自動車国道と鉄道との交差—高速自動車国道法一〇・一二【自動車専用道路と鉄道との交差—法四八の三【立体交差化の促進—踏切道改良促進法

参考規定—道路運送法五一

（道路と鉄道との交差部分の管理の方法）

第三十一条の二　指定区間外の国道、都道府県道又は市町村道と鉄道事業者等の鉄道とが相互に交差している場合においては、当該道路の道路管理者及び当該鉄道事業者等は、次の各号に掲げる交差の方式の区分に応じ、当該各号に定める管理の方法について協議し、これを成立させるよう努めなければならない。ただし、第二号に規定する交差部分について踏切道改良促進法第十三条第一項の規定による指定があつたときは、この限りでない。

一　立体交差　当該立体交差に係る道路及び鉄道施設の維持、修繕（当該修繕を効率的に行うための点検を含む。）その他の管理の方法であつて安全かつ円滑な交通の確保に必要なものとして国土交通省令で定める基準に適合するもの

二　立体交差以外の交差　災害が発生した場合における当該交差部分の管理の方法であつて安全かつ円滑な交通の確保に必要なものとして国土交通省令で定める基準に適合するもの

2　道路管理者又は鉄道事業者等の一方が前項の規定による協議を求めたときは、当該協議を求められた者は、正当な理由がある場合を除き、これに応じなければならない。

3　国土交通大臣は、道路管理者又は鉄道事業者等の一方が第一項の協議を求めたにもかかわらず他の一方が当該協議に応じず、又は当該協議が調わなかつた場合で、当該協議を求めた者から申立てがあつたときは、前項に規定する正当な理由がある場合に該当すると認める場合を除き、当該協議を求められた者に対し、その協議の開始又は再開を命ずることができる。

4　指定区間内の国道と鉄道事業者等の鉄道とが相互に交差している場合においては、国土交通大臣は、当該鉄道事業者等の意見を聴いて、第一項各号に掲げる交差の方式の区分に応じ、当該各号に定める管理の方法を決定するものとする。ただし、国土交通大臣による当該管理の方法の決定前に国土交通大臣と当該鉄道事業者等との間に当該管理の方法について協議が成立したとき、又は同項第二号に規定する交差部分について踏切道改良促進法第十三条第一項の規定による指定があつたときは、この限りでない。

5　国土交通大臣は、前項本文の規定による決定をするときは、鉄道の整備及び安全の確保並びに鉄道事業の発達、改善及び調整に特に配慮しなければならない。

〔追加・令和三法九〕

参照【省令で定める基準—規則四の二の二

第三節　道路の占用

（道路の占用の許可）

第三二条　道路に次の各号のいずれかに掲げる工作物、物件又は施設を設け、継続して道路を使用しようとする場合においては、道路管理者の許可を受けなければならない。

一　電柱、電線、変圧塔、郵便差出箱、公衆電話所、広告塔その他これらに類する工作物

二　水管、下水道管、ガス管その他これらに類する物件

三　鉄道、軌道、自動運行補助施設その他これらに類する施設

四　歩廊、雪よけその他これらに類する施設

五　地下街、地下室、通路、浄化槽その他これらに類する施設

六　露店、商品置場その他これらに類する施設

七　前各号に掲げるもののほか、道路の構造又は交通に支障を及ぼすおそれのある工作物、物件又は施設で政令で定めるもの

2　前項の許可を受けようとする者は、左の各号に掲げる事項を記載した申請書を道路管理者に提出しなければならない。

一　道路の占用（道路に前項各号の一に掲げる工作物、物件又は施設を設け、継続して道路を使用することをいう。以下同じ。）の目的

二　道路の占用の期間

三　道路の占用の場所

四　工作物、物件又は施設の構造

五　工事実施の方法

六　工事の時期

七　道路の復旧方法

3　第一項の規定による許可を受けた者（以下「道路占用者」という。）は、前項各号に掲げる事項を変更しようとする場合においては、その変更が道路の構造又は交通に支障を及ぼす虞のないと認められる軽易なもので政令で定めるものである場合を除く外、あらかじめ道路管理者の許可を受けなければならない。

4　第一項又は前項の規定による許可に係る行為が道路交通法第七十七条第一項の規定の適用を受けるものである場合においては、第二項の規定による申請書の提出は、当該地域を管轄する警察署長を経由して行なうことができる。この場合において、当該警察署長は、すみやかに当該申請書を道路管理者に送付しなければならない。

5　道路管理者は、第一項又は第三項の規定による許可を与えようとする場合において、当該許可に係る行為が道路交通法第七十七条第一項の規定の適用を受けるものであるときは、あらかじめ当該地域を管轄する警察署長に協議しなければならない。

〔改正・昭和三五法一〇五・昭和四六法四六・平成一二法一〇六・令和二法三一〕

参照【権限代行―法二七、令四～六、特別措置法八①・一七【警察署長の道路の使用許可―交通法七七～八〇【国等の占用の特例―法三五【水道、電気、ガス事業等のための占用の特例―法三六【鉄道線路、軌道の特例―鉄道事業法六一①、軌道法二・四・六【石油パイプラインの特例―石油パイプライン事業法三五【監督処分―法七一【予定区域準用―法九一②【不服の申立ての特例―法九六⑤【第一号法定受託事務―法九七【権限の委任―法九七の二、令四一【罰則―法一〇二1・一〇三1【一項の政令―令七【占用の期間―令九【占用の場所―令一〇～一一の一一【占用物件の構造―令一二【工事実施の方法―令一三【工事の時期―令一四【道路の復旧方法―令一五【三項の政令―令八【共同溝の特例―共同溝整備法【電線共同溝の特例―電線共同溝整備法【申請書の様式―規則四の三【適用除外―共同溝整備法二八、電線共同溝整備法二九

参考規定―道路運送法七三・七四、鉱業法六四・六四の二、建築基準法四四、屋外広告物法三～六、駐車場法一七

（道路の占用の許可基準）

第三三条　道路管理者は、道路の占用が前条第一項各号のいずれかに該当するものであつて道路の敷地外に余地がないためにやむを得ないものであり、かつ、同条第二項第二号から第七号までに掲げる事項について政令で定める基準に適合する場合に限り、同条第一項又は第三項の許可を与えることができる。

2　次に掲げる工作物、物件又は施設で前項の規定に基づく政令で定める基準に適合するもののための道路の占用については、同項の規定にかかわらず、前条第一項又は第三項の許可を与えることができる。

一　前条第一項第五号から第七号までに掲げる工作物、物件又は施設のうち、高架の道路の路面下に設けられる工作物又は施設で、当該高架の道路の路面下の区域をその合理的な利用の観点から継続して使用するにふさわしいと認められるもの

二　前条第一項第五号から第七号までに掲げる工作物、物件又は施設のうち、高速自動車国道又は第四十八条の四に規定する自動車専用道路の連結路附属地（これらの道路のうち、これらの道路と当該道路以外の交通の用に供する通路その他の施設とを連結する部分で国土交通省令で定める交通の用に供するものに附属する道路の区域内の土地をいう。以下この号において同じ。）に設けられるこれらの道路の通行者の利便の増進に資する施設で、当該連結路附属地をその合理的な利用の観点から継続して使用するにふさわしいと認められるもの

三　前条第一項第一号又は第四号から第七号までに掲げる工作物、物件又は施設のうち、歩行者の利便の増進に資するものとして政令で定めるもの（以下「歩行者利便増進施設等」という。）で、第四十八条の二十第一項に規定する歩行者利便増進道路（第四十八条の二十一の技術的基準に適合するものに限る。第四十八条の二十三第一項、第三項及び第五項、第四十八条の二十四第一項並びに第四十八条の二十七第二項第二号において同じ。）の区域のうち、道路管理者が歩行者利便増進施設等の適正かつ計画的な設置を誘導するために指定した区域（以下「利便増進誘導区域」という。）内に設けられるもの（道路の機能又は道路交通環境の維持及び向上を図るための清掃その他の措置であつて当該歩行者利便増進施設等の設置に伴い必要となるものが併せて講じられるものに限る。）

四　前条第一項第一号、第五号又は第七号に掲げる工作物、物件又は施設のうち、第四十八条の二十九の二第一項に規定する防災拠点自動車駐車場内に設けられる工作物又は施設で、災害応急対策（災害対策基本法（昭和三十六年法律第二百二十三号）第五十条第一項に規定する災害応急対策をいう。第四十八条の二十九の二第一項及び第四十八条の二十九の五第一項において同じ。）に資するものとして政令で定めるもの

五　前条第一項第一号、第四号又は第七号に掲げる工作物、物件又は施設のうち、並木、街灯その他道路（高速自動車国道及び第四十八条の四に規定する自動車専用道路を除く。以下この号において同じ。）の管理上当該道路の区域内に設けることが必要なものとして政令で定める工作物又は施設で、道路交通環境の向上を図る活動を行うことを目的とする特定非営利活動促進法（平成十年法律第七号）第二条第二項に規定する特定非営利活動法人その他の営利を目的としない法人又はこれに準ずるものとして国土交通省令で定める者が設ける

もの

六　前条第一項第三号に掲げる自動運行補助施設で、自動車の自動運転に係る技術の活用による地域における持続可能な公共交通網の形成又は物資の流通の確保、自動車技術の発達その他安全かつ円滑な道路の交通の確保を図る活動を行うことを目的とする法人又はこれに準ずるものとして国土交通省令で定める者が設けるもの

3　道路管理者は、利便増進誘導区域を指定しようとするときは、あらかじめ、当該利便増進誘導区域を管轄する警察署長に協議しなければならない。

4　道路管理者は、利便増進誘導区域を指定しようとするときは、あらかじめ、その旨を公示しなければならない。

5　前二項の規定は、利便増進誘導区域の指定の変更又は解除について準用する。

6　第二項の規定による許可（同項第三号に係るものに限る。）に係る前条第二項及び第八十七条第一項の規定の適用については、前条第二項中「申請書を」とあるのは「申請書に、次条第二項第三号の措置を記載した書面を添付して、」と、第八十七条第一項中「円滑な交通を確保する」とあるのは「円滑な交通を確保し、又は道路の機能若しくは道路交通環境の維持及び向上を図る」とする。

〔改正・平成一〇法八九・平成一一法一六〇・平成一九法一九・平成二六法五三・令和二法三一・令和三法九〕

参照【特例―法三六②、駐車場法一七①、石油パイプライン事業法三五②【占用の禁止又は制限―法三七【予定区域準用―法九一②【政令―令九～一七【省令―規則四の四の八～四の四の一〇【適用除外―共同溝整備法二八、電線共同溝整備法二九

参考規定―建築基準法四四①

（工事の調整のための条件）

第三四条　道路管理者は、第三十二条第一項又は第三項の規定による許可を与えようとする場合において、道路を不経済に損傷し、又は道路の交通に著しい支障を及ぼさないために必要があると認めるときは、当該申請に係る道路の占用に関する工事と他の申請に係る道路の占用に関する工事若しくは他の道路占用者の道路の占用又は道路に関する工事とを相互に調整するために当該許可に対して必要な条件を附することができる。この場合において、道路管理者は、あらかじめ当該申請に係る道路の占用に関する工事を行おうとする者又は他の道路占用者の意見を聞かなければならない。

参照【権限代行―法二七、令四～五、特別措置法八①・一七【一般条件―法八七【監督処分―法七一【予定区域準用―法九一②【第一号法定受託事務―法九七【権限の委任―法九七の二、令四一【適用除外―共同溝整備法二八、電線共同溝整備法二九

（国の行う道路の占用の特例）

第三五条　国の行う事業のための道路の占用については、第三十二条第一項及び第三項の規定にかかわらず、国が道路管理者に協議し、その同意を得れば足りる。この場合において、同条第二項各号に掲げる事項及び第三十九条に規定する占用料に関する事項については、政令でその基準を定めることができる。

〔改正・昭和二七法二五一・昭和五九法七一・法八七・昭和六一法九三・平成一一法八七・平成一四法九八〕

参照【権限代行―法二七、令四～六、特別措置法八①・一七【占用の禁止又は制限―法三七【占用料―法三九、令一九【予定区域準用―法九一②【第一号法定受託事務―法九七【権限の委任―法九七の二、令四一【共同溝の特例―共同溝整備法四【電線共同溝の特例―電線共同溝整備法九・二一【適用除外―共同溝整備法二八、電線共同溝整備法二九【政令―未制定

（水道、電気、ガス事業等のための道路の占用の特例）

第三六条　水道法（昭和三十二年法律第百七十七号）、工業用水道事業法（昭和三十三年法律第八十四号）、下水道法（昭和三十三年法律第七十九号）、鉄道事業法（昭和六十一年法律第九十二号）若しくは全国新幹線鉄道整備法（昭和四十五年法律第七十一号）、ガス事業法（昭和二十九年法律第五十一号）、電気事業法（昭和三十九年法律第百七十号）又は電気通信事業法（昭和五十九年法律第八十六号）の規定に基づき、水管（水道事業、水道用水供給事業又は工業用水道事業の用に供するものに限る。）、下水道管、公衆の用に供する鉄道、ガス管（ガス事業法第二条第十一項に規定するガス事業（同条第二項に規定するガス小売事業を除く。）の用に供するものに限る。）又は電柱、電線若しくは公衆電話所（これらのうち、電気事業法に基づくものにあつては同法第二条第一項第十七号に規定する電気事業者（同項第三号に規定する小売電気事業者及び同項第十五号の四に規定する特定卸供給事業者を除く。）がその事業の用に供するものに、電気通信事業法に基づくものにあつては同法第百二十条第一項に規定する認定電気通信事業者が同項に規定する認定電気通信事業の用に供するものに限る。）を道路に設けようとする者は、第三十二条第一項又は第三項の規定による許可を受けようとする場合においては、これらの工事を実施しようとする日の一月前までに、あらかじめ当該工事の計画書を道路管理者に提出しておかなければならない。ただし、災害による復旧工事その他緊急を要する工事又は政令で定める軽易な工事を行う必要が生じた場合においては、この限りでない。

2　道路管理者は、前項の計画書に基づく工事（前項ただし書の規定による工事を含む。）のための道路の占用の許可の申請があつた場合において、当該申請に係る道路の占用が第三十三条第一項の規定に基づく政令で定める基準に適合するときは、第三十二条第一項又は第三項の規定による許可を与えなければならない。

〔改正・昭和二九法五一・昭和三三法一七七・昭和三三法七九・法八四・昭和三九法一七〇・昭和五九法八七・昭和六一法九三・平成六法四二・平成七法七五・平成一〇法八九・平成一一法五〇・平成一五法九二・法一二五・平成二六法七二・平成二七法四七・令和二法四九〕

参照【権限代行―法二七、令四～五【占用の禁止又は制限―法三七【占用料―法三九【政令で定める軽易な工事―令一八【予定区域準用―法九一②【第一号法定受託事務―法九七【権限の委任―法九七の二、令四一【共同溝の特例―共同溝整備法四・一四【電線共同溝の特例―電線共同溝整備法九・一〇【適用除外―共同溝整備法二八、電線共同溝整備法二九【第三十三条の規定に基く政令―令九～一六

（道路の占用の禁止又は制限区域等）

第三七条　道路管理者は、次に掲げる場合においては、第三十三条、第三十五条及び前条第二項の規定にかかわらず、区域を指定して道路（第二号に掲げる場合にあつては、歩道の部分に限る。）の占用を禁止し、又は制限することができる。

一　交通が著しくふくそうする道路又は幅員が著しく狭い道路について車両の能率的な運行を図るために特に必要があると

認める場合

二　幅員が著しく狭い歩道の部分について歩行者の安全かつ円滑な通行を図るために特に必要があると認める場合

三　災害が発生した場合における被害の拡大を防止するために特に必要があると認める場合

2　道路管理者は、前項の規定により道路の占用を禁止し、又は制限する区域を指定しようとする場合においては、あらかじめ当該地域を管轄する警察署長に、当該道路の占用を禁止し、又は制限しようとする理由及び区域について協議しなければならない。当該道路の占用の禁止又は制限の区域の指定を解除しようとする場合においても、同様とする。

3　道路管理者は、前二項の規定に基いて道路の占用を禁止し、又は制限する区域を指定しようとする場合においては、あらかじめその旨を公示しなければならない。

〔改正・平成二五法三〇・平成三〇法六〕

参照　【権限の委任―法九七の二、令四一】【権限代行―法二七⑤、令五】【意見聴取―特別措置法三〇・三一】【監督処分―法七一】【予定区域準用―法九一②】【第一号法定受託事務―法九七】【適用除外―共同溝整備法二八、電線共同溝整備法二九】【罰則―法一〇二2】

（道路管理者の道路の占用に関する工事の施行）

第三八条　道路管理者は、道路の構造を保全するために必要があると認める場合又は道路占用者の委託があつた場合においては、道路の占用に関する工事で道路の構造に関係のあるものを自ら行うことができる。

2　前項の場合において、道路の構造を保全するために必要があると認めて道路管理者が自ら工事を行おうとするときは、当該道路管理者は、道路占用者に対して、あらかじめ自ら当該工事を行うべき旨及び当該工事を行うべき時期を通知しなければならない。

参照　【権限代行―法二七、令四～五、特別措置法九・一七】【費用の負担―法六二】【予定区域準用―法九一②】【第一号法定受託事務―法九七】【権限の委任―法九七の二・令四一】【適用除外―共同溝整備法二八、電線共同溝整備法二九】【占用軌道―軌道法八】

（占用料の徴収）

第三九条　道路管理者は、道路の占用につき占用料を徴収することができる。ただし、道路の占用が国の行う事業及び地方公共団体の行う事業で地方財政法（昭和二十三年法律第百九号）第六条に規定する公営企業以外のものに係る場合においては、この限りでない。

2　前項の規定による占用料の額及び徴収方法は、道路管理者である地方公共団体の条例（指定区間内の国道にあつては、政令）で定める。但し、条例で定める場合においては、第三十五条に規定する事業及び全国にわたる事業で政令で定めるものに係るものについては、政令で定める基準の範囲をこえてはならない。

〔改正・昭和三三法三六・昭和三四法六・昭和三九法一六三・平成一一法八七・平成二五法三〇〕

参照　【道路の占用―法三二・三五・三六】【指定区間内の一般国道―令一九・一九の二】【収入の帰属―法六四①、令一九の三、特別措置法四二③】【報告―法七六①5】【予定区域準用―法九一②】【権限代行―法二七②、令四の二】【権限の委任―法九七の二、令四一】【有料道路の特例―特別措置法三三】【適用除外―共同溝整備法二八】【二項ただし書の政令―未制定】

（入札対象施設等の入札占用指針）

第三九条の二　道路管理者は、第三十二条第一項又は第三項の規定による許可の申請を行うことができる者を占用料の額についての入札により決定することが、道路占用者の公平な選定を図るとともに、道路管理者の収入の増加を図る上で有効であると認められる工作物、物件又は施設（以下「入札対象施設等」という。）について、道路の占用及び入札の実施に関する指針（以下「入札占用指針」という。）を定めることができる。

2　入札占用指針には、次に掲げる事項を定めなければならない。

一　入札占用指針の対象とする入札対象施設等の種類

二　当該入札対象施設等のための道路の占用の場所

三　当該入札対象施設等のための道路の占用の開始の時期

四　道路の機能又は道路交通環境の維持を図るための清掃その他の措置であつて当該入札対象施設等の設置に伴い必要となるもの

五　第三十九条の五第一項の規定による認定の有効期間

六　占用料の額の最低額

七　前各号に掲げるもののほか、入札の実施に関する事項その他必要な事項

3　前項第二号の場所は、第三十二条第一項又は第三項の規定による許可の申請を行うことができる者を入札により決定することが道路の管理上適切でない場所として国土交通省令で定める場所については定めないものとする。

4　第二項第五号の有効期間は、二十年を超えないものとする。

5　第二項第六号の占用料の額の最低額は、道路管理者である地方公共団体の条例（指定区間内の国道にあつては、政令）で定める額を下回つてはならないものとする。

6　道路管理者（市町村である道路管理者を除く。）は、入札占用指針を定め、又はこれを変更しようとする場合においては、あらかじめ、当該入札占用指針に定めようとする第二項第二号の場所の存する市町村を統括する市町村長の意見を聴かなければならない。

7　道路管理者は、入札占用指針を定め、又はこれを変更したときは、遅滞なく、これを公示しなければならない。

〔追加・平成二六法五三〕

参照　【権限代行―法二七、令四～六、特別措置法八・一七】【有料道路の特例―特別措置法三三】【三項の省令―規則四の五の二】【五項の政令―令一九の三の二】

（入札占用計画の提出）

第三九条の三　入札対象施設等を設置するため道路を占用しようとする者は、入札対象施設等のための道路の占用に関する計画（以下「入札占用計画」という。）を作成し、その入札占用計画が適当である旨の認定を受けるための入札（以下「占用入札」という。）に参加するため、これを道路管理者に提出することができる。

2　入札占用計画には、次に掲げる事項を記載しなければならない。

一　第三十二条第二項各号に掲げる事項

二　道路の機能又は道路交通環境の維持を図るための清掃その他の措置であつて当該入札対象施設等の設置に伴い講ずるもの

三　その他国土交通省令で定める事項

3　入札占用計画の提出は、道路管理者が公示する一月を下らな

い期間内に行わなければならない。

〔追加・平成二六法五三〕

参照【二項の省令―規則四の五の三】

（占用入札）

第三九条の四 道路管理者は、入札占用計画を提出した者のうち、次の各号のいずれにも該当すると認めるものに対しては占用入札に参加することができる旨を、次の各号のいずれかに該当しないと認めるものに対してはその旨を、それぞれ通知しなければならない。

一 当該入札占用計画が入札占用指針に照らし適切なものであること。

二 当該入札対象施設等のための道路の占用が第三十二条第二項第二号から第七号までに掲げる事項について第三十三条第一項の政令で定める基準に適合するものであること。

三 当該入札対象施設等のための道路の占用が道路の交通に著しい支障を及ぼすおそれが明らかなものでないこと。

四 その者が不正又は不誠実な行為をするおそれが明らかな者でないこと。

2 道路管理者は、前項の規定により占用入札に参加することができる旨を通知しようとする場合において、当該通知の相手方が提出した入札占用計画に従つて入札対象施設等を設置する行為が道路交通法第七十七条第一項の規定の適用を受けるものであるときは、あらかじめ当該入札占用計画に記載された道路の占用の場所を管轄する警察署長に協議しなければならない。

3 道路管理者は、第一項の規定により占用入札に参加することができる旨の通知を受けた者を参加者として、入札占用指針の定めるところにより、占用入札を実施しなければならない。

4 道路管理者は、前項の規定により実施した占用入札において最も高い占用料の額（入札占用指針に定められた占用料の額の最低額以上の額に限る。以下この項において同じ。）をもつて申し出た参加者を落札者として決定するものとする。ただし、効率的な道路の管理の観点から占用料の額その他の条件が当該道路管理者にとつて最も有利な入札占用計画の提出をした参加者を落札者として決定することが適切であると認められる場合においては、政令で定めるところにより、最も高い占用料の額をもつて申し出た参加者以外の者を落札者として決定することができる。

5 道路管理者は、前項の規定により落札者を決定したときは、その者にその旨を通知しなければならない。

〔追加・平成二六法五三〕

参照【権限代行―法二七、令四〜五、特別措置法八①・一七【四項ただし書の政令―令一九の三の三】

（入札占用計画の認定）

第三九条の五 道路管理者は、前条第五項の規定により通知した落札者が提出した入札占用計画について、道路の場所を指定して、当該入札占用計画が適当である旨の認定をするものとする。

2 道路管理者は、前項の規定による認定をしたときは、当該認定をした日及び認定の有効期間並びに同項の規定により指定した道路の場所を公示しなければならない。

〔追加・平成二六法五三〕

参照【権限代行―法二七、令四〜六、特別措置法八・一七【罰則―法九九・一〇〇】

（入札占用計画の変更等）

第三九条の六 前条第一項の規定による認定を受けた者（次条において「認定計画提出者」という。）は、当該認定を受けた入札占用計画を変更しようとする場合においては、道路管理者の認定を受けなければならない。

2 道路管理者は、前項の規定による変更の認定をしようとする場合において、変更後の入札占用計画に従つて入札対象施設等を設置する行為が道路交通法第七十七条第一項の規定の適用を受けるものであるときは、あらかじめ当該入札占用計画に記載された道路の占用の場所を管轄する警察署長に協議しなければならない。

3 道路管理者は、第一項の規定による変更の認定の申請があつた場合において、その申請に係る変更後の入札占用計画が第三十九条の四第一項第一号から第三号までのいずれにも該当すると認めるときは、第一項の規定による認定をするものとする。

4 前条第二項の規定は、第一項の規定による変更の認定をした場合について準用する。

〔追加・平成二六法五三〕

参照【権限代行―法二七、令四〜六、特別措置法八・一七】

（占用入札を行つた場合における道路の占用の許可）

第三九条の七 認定計画提出者は、第三十九条の五第一項の規定による認定を受けた入札占用計画（前条第一項の規定による変更の認定があつたときは、その変更後のもの。次項において「認定入札占用計画」という。）に従つて入札対象施設等を設置しなければならない。

2 道路管理者は、認定計画提出者から認定入札占用計画に基づき第三十二条第一項又は第三項の規定による許可の申請があつた場合においては、これらの規定による許可を与えなければならない。

3 前項の規定による許可に係る第三十二条第二項及び第八十七条第一項の規定の適用については、第三十二条第二項中「申請書を」とあるのは「申請書に、第三十九条の三第二項第二号の措置を記載した書面を添付して、」と、第八十七条第一項中「円滑な交通を確保する」とあるのは「円滑な交通を確保し、又は道路の機能若しくは道路交通環境の維持を図る」とする。

4 道路管理者が第二項の規定により第三十二条第一項又は第三項の規定による許可を与えた場合においては、当該許可に係る占用料の額は、第三十九条第二項の規定にかかわらず、占用入札において認定計画提出者が申し出た額（当該申し出た額が同項の条例（指定区間内の国道にあつては、同項の政令）で定める額を下回る場合にあつては、当該条例又は当該政令で定める額）とする。この場合において、同条第一項ただし書の規定は、適用しない。

5 第三十九条の五第一項の規定による認定がされた場合においては、認定計画提出者以外の者は、同項の道路の場所については、第三十二条第一項又は第三項の規定による許可の申請をすることができない。

〔追加・平成二六法五三〕

参照【有料道路の特例―特別措置法三三】

（占用物件の管理）

第三九条の八　道路占用者は、国土交通省令で定める基準に従い、道路の占用をしている工作物、物件又は施設（以下これらを「占用物件」という。）の維持管理をしなければならない。

〔追加・平成三〇法六〕

参照【国土交通省令―規則四の五の五】

（占用物件の維持管理に関する措置）

第三九条の九　道路管理者は、道路占用者が前条の国土交通省令で定める基準に従つて占用物件の維持管理をしていないと認めるときは、当該道路占用者に対し、その是正のため必要な措置を講ずべきことを命ずることができる。

〔追加・平成三〇法六〕

参照【権限代行―法二七、令四～六、特別措置法八・一七】【罰則―法一〇三2】

（原状回復）

第四〇条　道路占用者は、道路の占用の期間が満了した場合又は道路の占用を廃止した場合においては、占用物件を除却し、道路を原状に回復しなければならない。ただし、原状に回復することが不適当な場合においては、この限りでない。

2　道路管理者は、道路占用者に対して、前項の規定による原状の回復又は原状に回復することが不適当な場合の措置について必要な指示をすることができる。

〔改正・平成三〇法六〕

参照【権限代行―法二七、令四～五、特別措置法八①・一七】【適用除外―共同溝整備法二八、電線共同溝整備法二九】【費用の負担―法六五】【監督処分―法七一】【予定区域準用―法九一②】【第一号法定受託事務―法九七】【権限の委任―法九七の二、令四一】

（添加物件に関する適用）

第四一条　道路管理者以外の者が占用物件に関し新たに道路の構造又は交通に支障を及ぼす虞のある物件を添加しようとする行為は、本節の規定の適用については、新たな道路の占用とみなす。

参照【占用の変更―法三二③、令八】【監督処分―法七一】【予定区域準用―法九一②】【適用除外―共同溝整備法二八、電線共同溝整備法二九】

第四節　道路の保全等

〔改正・昭和四六法四六〕

（道路の維持又は修繕）

第四二条　道路管理者は、道路を常時良好な状態に保つように維持し、修繕し、もつて一般交通に支障を及ぼさないように努めなければならない。

2　道路の維持又は修繕に関する技術的基準その他必要な事項は、政令で定める。

3　前項の技術的基準は、道路の修繕を効率的に行うための点検に関する基準を含むものでなければならない。

〔改正・平成二五法三〇〕

参照【指示等―法七五】【管理の瑕疵―国家賠償法二】【二項の政令―令三五の二】

（道路に関する禁止行為）

第四三条　何人も道路に関し、左に掲げる行為をしてはならない。

一　みだりに道路を損傷し、又は汚損すること。

二　みだりに道路に土石、竹木等の物件をたい積し、その他道路の構造又は交通に支障を及ぼす虞のある行為をすること。

参照【監督処分―法七一】【予定区域準用―法九一②】【罰則―法一〇二3】

参考規定―刑法一二四・一二八、交通法七六、自動車の保管場所の確保等に関する法律一一、鉱業法六四

（車両の積載物の落下の予防等の措置）

第四三条の二　道路管理者は、道路を通行している車両の積載物が落下するおそれがある場合において、当該積載物の落下により道路が損傷され、又は当該積載物により道路が汚損される等道路の構造又は交通に支障を及ぼすおそれがあるときは、当該車両を運転している者に対し、当該車両の通行の中止、積載方法の是正その他通行の方法について、道路の構造又は交通に支障が及ぶのを防止するため必要な措置をすることを命ずることができる。

〔追加・昭和四六法四六〕

参照【権限代行―法二七①③④⑤、令四・四の三～五、特別措置法八①・一七】【道路監理員―法七一⑤】【第一号法定受託事務―法九七】【権限の委任―法九七の二、令四一】【罰則―法一〇五】

参考規定―交通法六一・八一の二

（沿道区域における土地等の管理者の損害予防義務）

第四四条　道路管理者は、道路の沿道の土地、竹木又は工作物が道路の構造に及ぼすべき損害を予防し、又は道路の交通に及ぼすべき危険を防止するため、道路に接続する区域を、条例（指定区間内の国道にあつては、政令）で定める基準に従い、沿道区域として指定することができる。ただし、道路の各一側について幅二十メートルを超える区域を沿道区域として指定することはできない。

2　前項の規定による指定においては、当該指定に係る沿道区域及び次項の規定による措置の対象となる土地、竹木又は工作物を定めるものとし、道路管理者は、当該指定をしたときは、遅滞なくこれらの事項を公示するものとする。

3　沿道区域の区域内にある土地、竹木又は工作物（前項の規定により公示されたものに限る。以下この項及び次項において同じ。）の管理者は、その土地、竹木又は工作物が道路の構造に損害を及ぼし、又は交通に危険を及ぼすおそれがあると認められる場合においては、その損害又は危険を防止するための施設の設置その他その損害又は危険を防止するため必要な措置を講じなければならない。

4　道路管理者は、前項に規定する損害又は危険を防止するため特に必要があると認める場合においては、当該土地、竹木又は工作物の管理者に対して、同項に規定する施設の設置その他その損害又は危険を防止するため必要な措置を講ずべきことを命ずることができる。

5　道路管理者は、前項の規定による命令により損失を受けた者に対して、通常生ずべき損失を補償しなければならない。

6　前項の規定による損失の補償については、道路管理者と損失

を受けた者とが協議しなければならない。

7　前項の規定による協議が成立しない場合においては、道路管理者は、自己の見積もつた金額を損失を受けた者に支払わなければならない。この場合において、当該金額について不服がある者は、政令で定めるところにより、補償金額の支払を受けた日から一月以内に収用委員会に土地収用法（昭和二十六年法律第二百十九号）第九十四条の規定による裁決を申請することができる。

〔改正・昭和三三法三六・昭和三九法一六三・平成三〇法六・令和三法九〕

参照【一項の政令—令三五の三】【七項の政令—令三五の四】【監督処分—法七一】【予定区域準用—法九一②】【第一号法定受託事務—法九七】【権限の委任—法九七の二、令四一】【罰則—法一〇六1】【意見聴取—特別措置法三〇①・三一】【特別沿道区域—高速自動車国道法一三～一六】【読替適用—特別措置法四四③・四六③】

参考規定—交通法八二・八三

（届出対象区域内における工作物の設置の届出等）

第四四条の二　道路管理者は、沿道区域（前条第二項の規定により同条第三項の規定による措置の対象となるものとして工作物が公示されたものに限る。）の全部又は一部の区域を、届出対象区域として指定することができる。

2　道路管理者は、前項の規定による届出対象区域の指定をしようとする場合においては、条例（指定区間内の国道にあつては、国土交通省令。以下この条において同じ。）で定めるところにより、あらかじめ、その旨及びその区域を公示しなければならない。

3　届出対象区域の区域内において、工作物（前条第二項の規定により公示されたものに限る。）の設置に関する行為をしようとする者は、当該行為に着手する日の三十日前までに、条例で定めるところにより、行為の種類、場所、設計又は施行方法、着手予定日その他の条例で定める事項を道路管理者に届け出なければならない。

4　次に掲げる行為については、前項の規定は、適用しない。

一　軽易な行為その他の行為で条例で定めるもの

二　非常災害のため必要な応急措置として行う行為

三　国又は地方公共団体が行う行為

5　第三項の規定による届出をした者は、その届出に係る事項のうち条例で定める事項を変更しようとするときは、当該事項の変更に係る行為に着手する日の三十日前までに、条例で定めるところにより、その旨を道路管理者に届け出なければならない。

6　道路管理者は、第三項又は前項の規定による届出があつた場合において、その届出に係る行為が災害が発生した場合において道路の構造に損害を及ぼすおそれ又は交通に危険を及ぼすおそれがあると認めるときは、その届出をした者に対し、その届出に係る行為に関し場所又は設計の変更その他の必要な措置を講ずべきことを勧告することができる。

〔追加・令和三法九〕

参照【省令—規則四の五の八～四の五の一二】【権限代行—特別措置法八①、一七】【罰則—法一〇六2】【意見聴取—特別措置法三〇①、三一①】

（違法放置等物件に対する措置）

第四四条の三　道路管理者は、第四十三条第二号の規定に違反して、道路を通行している車両から落下して道路に放置された当該車両の積載物、道路に設置された看板その他の道路に放置され、又は設置された物件（以下この条において「違法放置等物件」という。）が、道路の構造に損害を及ぼし、若しくは交通に危険を及ぼし、又はそれらのおそれがあると認められる場合であつて、次の各号のいずれかに該当するときは、当該違法放置等物件を自ら除去し、又はその命じた者若しくは委任した者に除去させることができる。

一　当該違法放置等物件の占有者、所有者その他当該違法放置等物件について権原を有する者（以下この条において「違法放置等物件の占有者等」という。）に対し第七十一条第一項の規定により必要な措置をとることを命じた場合において、当該措置をとることを命ぜられた者が当該措置をとらないとき。

二　当該違法放置等物件の占有者等が現場にいないために、第七十一条第一項の規定により必要な措置をとることを命ずることができないとき。

2　道路管理者は、前項の規定により違法放置等物件を除去し、又は除去させたときは、当該違法放置等物件を保管しなければならない。

3　道路管理者は、前項の規定により違法放置等物件を保管したときは、当該違法放置等物件の占有者等に対し当該違法放置等物件を返還するため、政令で定めるところにより、政令で定める事項を公示しなければならない。

4　道路管理者は、第二項の規定により保管した違法放置等物件が滅失し、若しくは破損するおそれがあるとき、又は前項の規定による公示の日から起算して三月を経過してもなお当該違法放置等物件を返還することができない場合において、政令で定めるところにより評価した当該違法放置等物件の価額に比し、その保管に不相当な費用若しくは手数を要するときは、政令で定めるところにより、当該違法放置等物件を売却し、その売却した代金を保管することができる。

5　道路管理者は、前項の規定による違法放置等物件の売却につき買受人がない場合において、同項に規定する価額が著しく低いときは、当該違法放置等物件を廃棄することができる。

6　第四項の規定により売却した代金は、売却に要した費用に充てることができる。

7　第一項から第四項までに規定する違法放置等物件の除去、保管、売却、公示等に要した費用は、当該違法放置等物件の返還を受けるべき違法放置等物件の占有者等の負担とする。

8　第三項の規定による公示の日から起算して六月を経過してもなお第二項の規定により保管した違法放置等物件（第四項の規定により売却した代金を含む。以下この項において同じ。）を返還することができないときは、当該違法放置等物件の所有権は、当該違法放置等物件を保管する道路管理者に帰属する。

〔追加・平成三法六〇、改正・平成一一法八七・平成一八法一九、旧四四条の二を繰下・令和三法九〕

参照【車両—法二⑤】【納入の手続等—法六三】【収入の帰属—法六四】①【公示事項—令一九の五】【公示方法—令一九の六、規則四の六】【評価の方法—令一九の七】【売却手続—令一九の八、一九の九、規則四の七】【返還の手続—令一九の一〇、規則四の八】【権限の委任—法九七の二、令四一】【予定区域準用—法九一②】【第一号法定受託事務—法九七】【権限代行—法二七、令四～五、特別措置法八①・九・一七】【有料道路の特例—特別措置法三五】

（道路標識等の設置）

第四五条　道路管理者は、道路の構造を保全し、又は交通の安全と円滑を図るため、必要な場所に道路標識又は区画線を設けなければならない。

２　前項の道路標識及び区画線の種類、様式及び設置場所その他道路標識及び区画線に関し必要な事項は、内閣府令・国土交通省令で定める。

３　都道府県道又は市町村道に設ける道路標識のうち内閣府令・国土交通省令で定めるものの寸法は、前項の規定にかかわらず、同項の内閣府令・国土交通省令の定めるところを参酌して、当該都道府県道又は市町村道の道路管理者である地方公共団体の条例で定める。

〔改正・昭和三三法一〇六・昭和四六法四六・平成一一法一六〇・平成二三法三七〕

参照【権限代行―法二七、令四～五、特別措置法八①・九・一七【通行の禁止又は制限の場合における道路標識―法四七の一五①、高速自動車国道法一七②【道路の附属物―法二②【設置義務―法四七の一五・四八の一一②・四八の一五④・四八の二九の四・四八の三四、駐車場法八【設置の費用―法八五③【道路標識・道路標示―交通法二①15・16【内閣府令・国土交通省令―道路標識、区画線及び道路標示に関する命令【第一号法定受託事務―法九七【権限の委任―法九七の二、令四一【罰則―法一〇一、高速自動車国道法二六【設置管理の瑕疵―国家賠償法二【公安委員会との調整―法九五の二

（自動運行補助施設の性能の基準等）

第四五条の二　道路の附属物である自動運行補助施設の性能の基準その他自動運行補助施設に関し必要な事項は、国土交通省令で定める。

２　道路管理者は、道路の附属物である自動運行補助施設を設置した場合においては、当該自動運行補助施設の性能、当該自動運行補助施設を設置した道路の場所その他必要な事項を、国土交通省令で定めるところにより、公示しなければならない。公示した事項を変更した場合においても、同様とする。

〔追加・令和二法三一〕

参照【省令―規則四の八の二・四の八の三

（通行の禁止又は制限）

第四六条　道路管理者は、左の各号の一に掲げる場合においては、道路の構造を保全し、又は交通の危険を防止するため、区間を定めて、道路の通行を禁止し、又は制限することができる。

一　道路の破損、欠壊その他の事由に因り交通が危険であると認められる場合

二　道路に関する工事のためやむを得ないと認められる場合

２　道路監理員（第七十一条第四項の規定により道路管理者が命じた道路監理員をいう。）は、前項第一号に掲げる場合において、道路の構造を保全し、又は交通の危険を防止するため緊急の必要があると認めるときは、必要な限度において、一時、道路の通行を禁止し、又は制限することができる。

３　道路管理者は、水底トンネル（水底トンネルに類するトンネルで国土交通省令で定めるものを含む。以下同じ。）の構造を保全し、又は水底トンネルにおける交通の危険を防止するため、政令で定めるところにより、爆発性又は易燃性を有する物件その他の危険物を積載する車両の通行を禁止し、又は制限することができる。

〔改正・昭和三三法三六・昭和四六法四六・平成五法八九・平成一一法一六〇〕

参照【権限代行―法二七、令四～五、特別措置法八①・一七【道路標識―法四七の一五【監督処分―法七一【第一号法定受託事務―法九七【権限の委任―法九七の二、令四一【罰則―法一〇三3・4【危険物に関する制限―令一九の一二～一九の一五、規則四の一〇、消防法、火薬類取締法、毒物及び劇物取締法、高圧ガス保安法【公安委員会との調整―法九五の二【不服申立ての制限―法九六①【国土交通省令―規則四の九

参考規定―交通法六②・八

第四七条　道路の構造を保全し、又は交通の危険を防止するため、道路との関係において必要とされる車両（人が乗車し、又は貨物が積載されている場合にあつてはその状態におけるものをいい、他の車両を牽引している場合にあつては当該牽引されている車両を含む。第四十七条の五第三号及び第四十七条の六第一項第一号を除き、以下この節及び第八章において同じ。）の幅、重量、高さ、長さ及び最小回転半径の最高限度は、政令で定める。

２　車両でその幅、重量、高さ、長さ又は最小回転半径が前項の政令で定める最高限度をこえるものは、道路を通行させてはならない。

３　道路管理者は、道路の構造を保全し、又は交通の危険を防止するため必要があると認めるときは、トンネル、橋、高架の道路その他これらに類する構造の道路について、車両でその重量又は高さが構造計算その他の計算又は試験によつて安全であると認められる限度をこえるものの通行を禁止し、又は制限することができる。

４　前三項に規定するもののほか、道路の構造を保全し、又は交通の危険を防止するため、道路との関係において必要とされる車両についての制限に関する基準は、政令で定める。

〔全改・昭和四六法四六、改正・令和二法三一〕

参照【車両―法二⑤【政令―車両制限令三～一二【権限代行―法二七①③④⑤、令四・四の三～五、特別措置法八①・一七【道路標識―法四七の一五②【監督処分―法七一【第一号法定受託事務―法九七【権限の委任―法九七の二、令四一【罰則―法一〇三5・6・一〇四1・一〇五【公安委員会の意見の聴取―法九五の二①【措置命令―法四七の一四①

参考規定―交通法五五～六三、道路運送車両法四〇～四六

（限度超過車両の通行の許可等）

第四七条の二　道路管理者は、車両の構造又は車両に積載する貨物が特殊であるためやむを得ないと認めるときは、前条第二項の規定又は同条第三項の規定による禁止若しくは制限にかかわらず、当該車両を通行させようとする者の申請に基づいて、通行経路、通行時間等について、道路の構造を保全し、又は交通の危険を防止するため必要な条件を付して、同条第一項の政令で定める最高限度又は同条第三項に規定する限度を超える車両（以下「限度超過車両」という。）の通行を許可することができる。

２　前項の申請が道路管理者を異にする二以上の道路に係るものであるとき（国土交通省令で定める場合を除く。）は、同項の許可に関する権限は、政令で定めるところにより、一の道路の道路管理者が行うものとする。この場合において、当該一の道路の道路管理者が同項の許可をしようとするときは、他の道路の道路管理者に協議し、その同意を得なければならない。

３　前項の規定により二以上の道路について一の道路の道路管理

者が行う第一項の許可を受けようとする者は、手数料を道路管理者（当該許可に関する権限を行う者が国土交通大臣である場合にあつては、国）に納めなければならない。

4 前項の手数料の額は、実費を勘案して、当該許可に関する権限を行う者が国土交通大臣である場合にあつては政令で、その他の者である場合にあつては当該道路管理者である地方公共団体の条例で定める。

5 道路管理者は、第一項の許可をしたときは、許可証を交付しなければならない。

6 前項の規定により許可証の交付を受けた者は、当該許可に係る通行中、当該許可証を当該車両に備え付けていなければならない。

7 第一項の許可の申請の方法、第五項の許可証の様式その他第一項の許可の手続について必要な事項は、国土交通省令で定める。

〔追加・昭和四六法四六、改正・昭和五三法二七・昭和五九法二三・平成一一法八七・法一六〇・平成二五法三〇・平成三〇法六・令和二法三一〕

参照 【権限代行―法二七①③④⑤、令四・四の三〜五、特別措置法八①・一七【一般条件―法八七【第一号法定受託事務―法九七【権限の委任―法九七の二、令四一【違反者に対する措置命令―法四七の一四①【罰則―法一〇三5・6・一〇四1・2【政令―車両制限令一五・一六【国土交通省令―車両の通行の許可の手続等を定める省令八・九【収入の帰属―法六四②【有料道路の特例―特別措置法三六、同法施行令一四【本条以外の特殊な車両の特例―車両制限令一二

（限度超過車両の通行を誘導すべき道路の指定等）

第四七条の三 国土交通大臣は、道路の構造及び交通の状況、沿道の土地利用の状況その他の事情を勘案して、道路の構造の保全と安全かつ円滑な交通の確保を図るため、限度超過車両の通行（第四十七条の十第三項の回答の内容に従つた通行を除く。以下この項において同じ。）を特定の経路に誘導することが特に必要であると認められる場合においては、当該経路を構成する道路管理者を異にする二以上の道路（高速自動車国道又は指定区間内の国道を含む場合に限る。第六項及び第七項において同じ。）について、区間を定めて、限度超過車両の通行を誘導すべき道路として指定することができる。

2 国土交通大臣は、前項の規定による指定をしようとするときは、あらかじめ、当該指定に係る道路の道路管理者（国土交通大臣である道路管理者を除く。）に協議し、その同意を得なければならない。これを変更し、又は廃止しようとするときも、同様とする。

3 国土交通大臣は、第一項の規定による指定をしたときは、その旨を公示しなければならない。これを変更し、又は廃止したときも、同様とする。

4 第二項の同意をした道路管理者は、直ちに、当該道路に係る前条第一項の許可（国土交通省令で定める車両の幅、重量、高さ、長さ及び最小回転半径に関する基準に適合する車両に係るものに限る。以下この条において同じ。）の基準及び当該許可に係る審査のために必要な当該道路の構造に関する情報として国土交通省令で定めるもの（次項及び第六項において「許可基準等」という。）を国土交通大臣に提供しなければならない。

5 前項の道路管理者は、当該道路に係る許可基準等に変更があつたときは、直ちに、これを国土交通大臣に提供しなければならない。

6 前条第二項の規定にかかわらず、同条第一項の申請が第一項の規定により指定された道路管理者を異にする二以上の道路に係るもので政令で定めるものであるときは、同条第一項の許可に関する権限は、国土交通大臣が行うものとする。この場合において、国土交通大臣は、指定区間外の国道、都道府県道又は市町村道に係る審査については、前二項の規定によりこれらの道路の道路管理者から提供された許可基準等に照らして、これを行わなければならない。

7 前項の規定により道路管理者を異にする二以上の道路について国土交通大臣が行う前条第一項の許可を受けようとする者は、手数料を国に納めなければならない。

8 前項の手数料の額は、実費を勘案して、政令で定める。

9 国土交通大臣は、第一項の規定により指定された道路の道路管理者（国土交通大臣である道路管理者を除く。）から第六項の規定により行つた当該道路に係る前条第一項の許可に関する情報の提供を求められた場合には、その求めに応じなければならない。

〔追加・平成二五法三〇、改正・令和二法三一〕

参照 【権限代行―特別措置法八①・一七【技術的読替―特別措置法五四【収入の帰属―法六四②【四項の国土交通省令―車両の通行の許可の手続等を定める省令一〇・一一【六項の政令―車両制限令一七【八項の政令―車両制限令一八

（限度超過車両の登録）

第四七条の四 限度超過車両を通行させようとする者は、当該限度超過車両について、国土交通大臣の登録を受けることができる。

2 前項の登録は、五年ごとにその更新を受けなければ、その期間の経過によつて、その効力を失う。

3 前項の更新の申請があつた場合において、同項の期間（以下この条において「登録の有効期間」という。）の満了の日までにその申請に対する処分がされないときは、従前の登録は、登録の有効期間の満了後もその処分がされるまでの間は、なおその効力を有する。

4 前項の場合において、登録の更新がされたときは、その登録の有効期間は、従前の登録の有効期間の満了の日の翌日から起算するものとする。

5 第一項の登録（第二項の登録の更新を含む。以下「登録」という。）を受けようとする者は、第四十八条の五十九第一項に規定する場合を除き、実費を勘案して政令で定める額の手数料を国に納めなければならない。

〔追加・令和二法三一〕

参照 【政令―車両制限令一九

（登録の申請）

第四七条の五 登録を受けようとする者は、国土交通省令で定めるところにより、次に掲げる事項を記載した申請書を国土交通大臣に提出しなければならない。

一 道路運送車両法による自動車登録番号

二 限度超過車両を通行させようとする者の氏名又は名称及び住所並びに法人にあつては、その代表者の氏名

三 車両（人が乗車しておらず、かつ、貨物が積載されていない状態におけるものをいい、他の車両を牽引する場合にあつては当該牽引される車両を含む。次条第一項第一号において

同じ。）の幅、重量、高さ、長さ及び最小回転半径
四　限度超過車両の通行経路に係る記録の保存の方法
五　限度超過車両が貨物を積載する車両（以下「貨物積載車両」という。）である場合にあつては、積載する貨物の重量に係る記録の保存の方法その他国土交通省令で定める事項

〔追加・令和二法三一〕

参照 【申請―車両の通行の許可の手続等を定める省令一二

（登録の基準等）
第四七条の六　国土交通大臣は、登録の申請に係る限度超過車両が次の各号のいずれにも該当すると認めるときは、その登録をしなければならない。
一　車両の構造が国土交通省令で定める車両の幅、重量、高さ、長さ及び最小回転半径に関する基準に適合するものであること。
二　限度超過車両の通行経路に係る記録の保存の方法が国土交通省令で定める基準に適合するものであること。
三　限度超過車両が貨物積載車両である場合にあつては、その積載する貨物の重量に係る記録の保存の方法が国土交通省令で定める基準に適合するものであること。
2　国土交通大臣は、登録をしたときは、遅滞なく、その旨を当該登録を受けた者に通知しなければならない。

〔追加・令和二法三一〕

参照 【国土交通省令―車両の通行の許可の手続等を定める省令一三～一五

（変更の届出等）
第四七条の七　登録を受けた者は、第四十七条の五各号に掲げる事項（次項及び第四十七条の十三第一項第一号において「登録事項」という。）に変更があつたときは、第四十七条の十第一項の規定による求めをする時までに、その旨を国土交通大臣に届け出なければならない。
2　国土交通大臣は、前項の規定による届出を受理したときは、当該届出に係る登録事項が前条第一項各号の基準に適合しないと認める場合を除き、変更の登録をしなければならない。

〔追加・令和二法三一〕

参照 【届出―車両の通行の許可の手続等を定める省令一二【罰則―法一〇六3

（廃止の届出）
第四七条の八　登録を受けた者は、登録を受けた限度超過車両（以下「登録車両」という。）の使用を廃止したときは、その日から三十日以内に、その旨を国土交通大臣に届け出なければならない。
2　前項の規定による届出があつたときは、当該届出に係る登録は、その効力を失う。

〔追加・令和二法三一〕

参照 【届出―車両の通行の許可の手続等を定める省令一二【罰則―法一〇六3

（登録の取消し）
第四七条の九　国土交通大臣は、登録を受けた者が次の各号のいずれかに該当するときは、その登録を取り消すことができる。
一　不正な手段により登録を受けたとき。
二　第四十七条の六第一項各号のいずれかに該当しなくなつたと認められるとき。
三　第四十七条の七第一項の規定による届出をせず、又は虚偽の届出をしたとき。

〔追加・令和二法三一〕

参照 【登録の取消し―車両の通行の許可の手続等を定める省令一三

（登録車両の通行に関する確認等）
第四七条の一〇　登録車両を通行させようとする者は、国土交通省令で定めるところにより、国土交通大臣に対し、当該登録車両を道路の構造の保全及び交通の危険の防止上支障がないように通行させることができる経路（以下「通行可能経路」という。）の有無について、その確認を求めることができる。
2　前項の規定による求めは、国土交通省令で定めるところにより、次に掲げる事項を明らかにしてしなければならない。
一　道路運送車両法による自動車登録番号
二　出発地及び目的地
三　登録車両が貨物積載車両である場合にあつては、その積載する貨物の幅、重量、高さ及び長さ
3　第一項の規定による求めを受けた国土交通大臣は、国土交通省令で定めるところにより、直ちに、当該求めに係る通行可能経路の有無を判定し、その結果について回答をするものとする。この場合において、通行可能経路があるときは、併せて、その内容及び当該通行可能経路の通行に係る通行時間その他の通行方法について回答をするものとする。
4　前項の規定による判定は、判定基準（登録車両の通行が、当該登録車両に係る第四十七条の五第三号及び第二項第三号に掲げる事項並びに第一項の規定による求めに係る出発地から目的地までの経路を構成することとなる道路の構造に関する情報に照らして、当該道路の構造の保全及び交通の危険の防止上支障がないものであるかどうかを判定するための基準として、国土交通省令で定めるところにより道路管理者が定めるものをいう。以下同じ。）に基づき、これを行うものとする。
5　第一項の規定による求めをしようとする者は、第四十八条の五十九第一項に規定する場合を除き、実費を勘案して政令で定める額の手数料を国に納めなければならない。
6　国土交通大臣は、第三項の回答をしたときは、国土交通省令で定めるところにより、当該回答の内容を記載した書面を交付しなければならない。
7　前項の規定により書面の交付を受けた者は、当該回答に係る通行可能経路の通行中、当該書面を当該登録車両に備え付けていなければならない。
8　登録車両を第三項の回答の内容に従つて通行させるときは、第四十七条第二項及び第三項の規定は、当該登録車両について適用しない。

〔追加・令和二法三一〕

参照 【政令―車両制限令二〇【確認の求め―車両の通行の許可の手続等を定める省令一二【省令―車両の通行の許可の手続等を定める省令一六・一七【権限代行―特別措置法八①・一七【技術的読替―特別措置法五四【罰則―法一〇四3

（判定基準等の提供等）

第四七条の一一　国土交通大臣は、前条第三項に規定する判定をするため、あらかじめ、道路管理者（国土交通大臣である道路管理者を除く。以下この条及び次条第三項において同じ。）に協議し、その同意を得て、当該道路管理者の判定基準及び当該判定に係る道路の構造に関する情報として国土交通省令で定めるもの（以下「判定基準等」という。）の提供を受けることができる。

2　前項の同意をした道路管理者は、直ちに、その判定基準等を国土交通大臣に提供しなければならない。

3　前項の道路管理者は、同項の規定により提供した判定基準等に変更があつたときは、直ちに、これを国土交通大臣に提供しなければならない。

4　国土交通大臣は、前二項の規定によりその判定基準等を提供した道路の道路管理者から当該道路に係る前条第三項の回答に関する情報の提供を求められた場合には、その求めに応じなければならない。

〔追加・令和二法三一〕

参照【省令―車両の通行の許可の手続等を定める省令一八【権限代行―特別措置法八①・一七【技術的読替―特別措置法五四

（登録車両の通行の記録及び報告）

第四七条の一二　登録車両を第四十七条の十第三項の回答の内容に従つて通行させる者は、当該登録車両ごとに、第四十七条の六第一項第二号及び第三号に規定する国土交通省令で定める基準に従つて、当該登録車両の通行経路及び当該登録車両に積載する貨物の重量を記録するとともに、当該通行に係る通行時間その他国土交通省令で定める事項を記録し、これらを保存しなければならない。

2　国土交通大臣は、第四十七条の四からこの条までの規定を施行するため必要な限度において、国土交通省令で定めるところにより、前項に規定する者に対し、同項の記録その他必要な事項についての報告を求めることができる。

3　国土交通大臣は、前項の規定による報告を受けたときは、登録車両が通行した経路を構成する道路の道路管理者に対し、国土交通省令で定める事項を通知しなければならない。

〔追加・令和二法三一〕

参照【省令―車両の通行の許可の手続等を定める省令一九・二〇【罰則―法一〇四4・5

（データベースの整備等）

第四七条の一三　国土交通大臣は、第四十七条の十第三項の回答を迅速かつ適確に実施するため、次に掲げる情報を記録し、及び保存するデータベース（これらの情報の集合物であつて、特定の登録車両に係る通行可能経路の内容及び当該通行可能経路の通行に係る通行時間その他の通行方法を電子計算機を用いて容易に検索ができるように体系的に構成したものをいう。次項及び第四十八条の五十第一項第五号において同じ。）を整備することができる。

一　登録事項

二　判定基準等

三　第四十七条の十第三項の回答の実績その他国土交通省令で定める事項に関する情報

2　国土交通大臣は、前項のデータベースを整備した場合にあつては、当該データベースに記録された情報（判定基準その他国土交通省令で定めるものに限る。）をインターネットの利用その他の方法により公表するものとする。

〔追加・令和二法三一〕

参照【省令―車両の通行の許可の手続等を定める省令二一・二二

（車両の通行に関する措置）

第四七条の一四　道路管理者は、第四十七条第二項の規定に違反し、若しくは同条第一項の政令で定める最高限度を超える車両の通行に関し第四十七条の二第一項の規定により付した条件に違反し、若しくは第四十七条の十第三項の回答の内容に従わないで車両を通行させている者又は道路において第四十七条第四項の規定による政令で定める基準を超える車両を通行させている者に対し、当該車両の通行の中止、総重量の軽減、徐行その他通行の方法について、道路の構造の保全又は交通の危険防止のための必要な措置をすることを命ずることができる。

2　道路管理者は、路線を定めて道路を自動車運送事業のために使用しようとする者又は反覆して同一の道路に車両を通行させようとする者に対して、当該車両が第四十七条第四項の規定による政令で定める基準に適合しない場合においては、当該基準に適合するように、道路に関して必要な措置を講ずべきことを命ずることができる。

〔追加・昭和四六法四六、旧四七条の三を改正し繰下・平成二五法三〇、旧四七条の四を改正し繰下・令和二法三一〕

参照【権限代行―法二七①③④⑤、令四・四の三～五、特別措置法八①・一七【第一号法定受託事務―法九七【権限の委任―法九七の二、令四一【監督処分―法七一【罰則―法一〇三6・一〇四6・一〇五【自動車運送事業―道路運送法二②

（通行の禁止又は制限の場合における道路標識）

第四七条の一五　道路管理者は、第四十六条第一項若しくは第三項又は第四十七条第三項の規定により道路の通行を禁止し、又は制限しようとする場合においては、禁止又は制限の対象、区間、期間及び理由を明瞭に記載した道路標識を設けなければならない。この場合において、道路管理者は、必要があると認めるときは、適当な回り道を道路標識をもつて明示し、一般の交通に支障のないようにしなければならない。

2　道路管理者は、第四十七条第四項の規定による政令で定める基準を特に明示する必要があると認められる場所には、道路標識を設けなければならない。

〔改正・昭和四六法四六、旧四八条を繰上・平成元法五六、旧四七条の四を改正し繰下・平成二五法三〇、旧四七条の五を繰下・令和二法三一〕

参照【権限代行―法二七、令四～五、特別措置法八①・九・一七【道路標識の設置―法四五、道路標識、区画線及び道路標示に関する命令【設置の費用―法八五③【第一号法定受託事務―法九七【権限の委任―法九七の二、令四一

参考規定―交通法四・七・八

（市町村による歩行安全改築の要請）

第四七条の一六　市町村は、当該市町村の区域内に存する道路（高速自動車国道、第四十八条の四に規定する自動車専用道路、第四十八条の十四第二項に規定する自転車専用道路及び当該市町

村が道路管理者である道路を除く。以下この項において同じ。）の道路管理者に対し、国土交通省令で定めるところにより、道路の附属物である自転車駐車場の道路上における設置その他の歩行者の通行の安全の確保に資するものとして政令で定める道路の改築（以下「歩行安全改築」という。）を行うことを要請することができる。この場合においては、当該要請に係る歩行安全改築の工事計画書の素案を添えなければならない。

2　前項の規定による要請（以下この条において「実施要請」という。）に係る歩行安全改築の工事計画書の素案の内容は、第三十条第一項に規定する道路の構造の技術的基準その他の法令の規定に基づく道路に関する基準に適合するものでなければならない。

3　道路管理者は、実施要請が行われたときは、遅滞なく、当該実施要請を踏まえた歩行安全改築（当該実施要請に係る歩行安全改築の工事計画書の素案の内容の全部又は一部を実現することとなる歩行安全改築をいう。）を行うこととするかどうかを判断し、当該歩行安全改築を行うこととするときは、その工事計画書の案を作成しなければならない。

4　道路管理者は、当該実施要請を踏まえた歩行安全改築（当該実施要請に係る歩行安全改築の工事計画書の素案の内容の一部を実現することとなる歩行安全改築をいう。）を行うこととする場合において、第九十五条の二第一項の規定により都道府県公安委員会の意見を聴こうとするときは、当該歩行安全改築の工事計画書の案に併せて、当該実施要請に係る歩行安全改築の工事計画書の素案を送付しなければならない。

5　道路管理者は、当該実施要請を踏まえた歩行安全改築を行わないこととするときは、遅滞なく、その旨及びその理由を、当該実施要請をした市町村に通知しなければならない。

6　道路管理者は、前項の通知をしようとするときは、あらかじめ、実施要請をした市町村を包括する都道府県の都道府県公安委員会に当該実施要請に係る歩行安全改築の工事計画書の素案を送付してその意見を聴かなければならない。

〔追加・平成一九法一九、旧四七条の五を繰下・平成二五法三〇、旧四七条の六を繰下・令和二法三一〕

参照【政令―令三五の五【省令―規則四の一〇の二【権限の委任―法九七の二、令四一

第五節　道路の立体的区域

〔追加・平成元法五六、旧四節の二を繰下・令和二法三一〕

（道路の立体的区域の決定等）

第四七条の一七　道路管理者は、道路の存する地域の状況を勘案し、適正かつ合理的な土地利用の促進を図るため必要があると認めるときは、第十八条第一項の規定により決定し又は変更する道路の区域を空間又は地下について上下の範囲を定めたもの（以下「立体的区域」という。）とすることができる。

2　道路管理者は、道路管理者以外の者が道路の区域を立体的区域とした道路を構成する敷地（国有財産法（昭和二十三年法律第七十三号）第三条第二項又は地方自治法第二百三十八条第四項に規定する行政財産であるものに限る。）の上の空間又は地下（当該道路の区域内の空間又は地下を除く。）に交通確保施設（歩行者の一般交通の用に供する通路その他の安全かつ円滑な道路の交通の確保に資するものとして国土交通省令で定める施設をいう。以下この項において同じ。）を所有し、又は所有しようとする場合において、その者が、当該交通確保施設の整備又は維持管理を適切に行うのに必要な技術的能力を有することその他の国土交通省令で定める要件に適合すると認めるときは、国有財産法第十八条第一項又は地方自治法第二百三十八条の四第一項の規定にかかわらず、その者のために当該敷地に当該交通確保施設の所有を目的とする民法（明治二十九年法律第八十九号）第二百六十九条の二第一項の地上権を設定することができる。

3　国有財産法第二十四条及び第二十五条並びに地方自治法第二百三十八条の五第四項から第六項までの規定は、前項の規定による地上権の設定について準用する。

〔追加・平成元法五六、旧四七条の五を繰下・平成一九法一九、旧四七条の六を繰下・平成二五法三〇、改正・平成二六法五三・平成二八法一九、旧四七条の七を繰下・令和二法三一〕

参照【第一号法定受託事務―法九七【公示手続―規則二、高速自動車国道法施行令三、同法施行規則四【都道府県公安委員会との協議―法九五の二【二項の省令―規則四の一〇の三・四の一〇の四

参考規定―都市計画法一二の一一・一三⑦、都市再開発法一一八の二五、河川法五八の二、建築基準法四三・四四

（道路一体建物に関する協定）

第四七条の一八　道路管理者は、道路の区域を立体的区域とした道路と当該道路の区域外に新築される建物とが一体的な構造となることについて、当該建物を新築してその所有者になろうとする者との協議が成立したときは、次に掲げる事項を定めた協定（以下この節において「協定」という。）を締結して、当該道路の新設、改築、維持、修繕、災害復旧その他の管理を行うことができる。この場合において、道路の管理上必要があると認めるときは、協定に従つて、当該建物の管理を行うことができる。

一　協定の目的となる建物（以下「道路一体建物」という。）
二　道路一体建物の新築及びこれに要する費用の負担
三　次に掲げる事項及びこれらに要する費用の負担
イ　道路一体建物に関する道路の管理上必要な行為の制限
ロ　道路の管理上必要な道路一体建物への立入り
ハ　道路に関する工事又は道路一体建物に関する工事が行われる場合の調整
ニ　道路又は道路一体建物に損害が生じた場合の措置
ホ　道路の附属物である自動車駐車場若しくは自転車駐車場又は特定車両停留施設（以下「自動車駐車場等」という。）と道路一体建物とが一体的な構造となる場合であつて、当該自動車駐車場等と連絡する通路その他の当該道路一体建物の部分を当該自動車駐車場等の多数の利用者が利用すると見込まれるときは、当該部分の整備及び管理に係る措置
四　協定の有効期間
五　協定に違反した場合の措置
六　協定の掲示方法
七　その他道路一体建物の管理に関し必要な事項

2　道路管理者は、協定を締結したときは、国土交通省令で定めるところにより、遅滞なく、その旨を公示し、かつ、当該協定の写しを道路管理者の事務所に備えて一般の閲覧に供するとともに、協定において定めるところにより、道路一体建物又はその敷地内の見やすい場所に、道路管理者の事務所においてこれを閲覧に供している旨を掲示しなければならない。

〔追加・平成元法五六、改正・平成一一法一六〇、旧四七条の六を改

正し繰下・平成一九法一九、旧四七条の七を繰下・平成二五法三〇、旧四七条の八を改正し繰下・令和二法三一〕

参照【二項の省令―規則四の一一】【権限代行―法二七、令四～六、特別措置法八①・九・一七】【権限の委任―法九七の二、令四一】【道路台帳―規則四の二③・④】【第一号法定受託事務―法九七】

（協定の効力）

第四七条の一九　前条第二項の規定による公示のあつた協定は、その公示のあつた後において道路一体建物の所有者となつた者に対しても、その効力があるものとする。

〔追加・平成元法五六、旧四七条の七を改正し繰下・平成一九法一九、旧四七条の八を繰下・平成二五法三〇、旧四七条の九を繰下・令和二法三一〕

参考規定―宅地建物取引業法三五①2、同法施行令三①25

（道路一体建物に関する私権の行使の制限等）

第四七条の二〇　道路一体建物の所有者以外の者であつてその道路一体建物の敷地に関する所有権又は地上権その他の使用若しくは収益を目的とする権利を有する者（次項において「敷地所有者等」という。）は、その道路一体建物の所有者に対する当該権利の行使が協定の目的たる道路を支持する道路一体建物としての効用を失わせることとなる場合においては、当該権利の行使をすることができない。

2　前項の場合において、道路一体建物の所有者がその道路一体建物を所有するためのその敷地に関する地上権その他の使用又は収益を目的とする権利を有しないときは、その道路一体建物の収去を請求する権利を有する敷地所有者等は、その道路一体建物の所有者に対し、その道路一体建物を時価で売り渡すべきことを請求することができる。

〔追加・平成元法五六、旧四七条の八を繰下・平成一九法一九、旧四七条の九を繰下・平成二五法三〇、旧四七条の一〇を繰下・令和二法三一〕

参照【私権の制限―法四】【類似の規定―建物の区分所有等に関する法律一〇】

（道路保全立体区域）

第四七条の二一　道路管理者は、道路の区域を立体的区域とした道路について、当該道路の構造を保全し、又は交通の危険を防止するため必要があると認めるときは、当該道路の上下の空間又は地下について、上下の範囲を定めて、道路保全立体区域の指定をすることができる。

2　道路保全立体区域の指定は、当該道路の構造を保全し、又は交通の危険を防止するため必要な最小限度の上下の範囲に限つてするものとする。

3　道路管理者は、道路保全立体区域の指定をしようとする場合においては、国土交通省令で定めるところにより、あらかじめ、その旨を公示しなければならない。その指定を変更し、又は解除しようとする場合においても、同様とする。

〔追加・平成元法五六、改正・平成一一法一六〇、旧四七条の九を繰下・平成一九法一九、旧四七条の一〇を繰下・平成二五法三〇、旧四七条の一一を繰下・令和二法三一〕

参照【三項の省令―規則四の一二】【沿道区域―法四四】【意見聴取―特別措置法三〇・三一】【第一号法定受託事務―法九七】【予定区域準用―法九一②】【権限の委任―法九七の二、令四一】

参考規定―河川法五八の三

（道路保全立体区域内の制限）

第四八条　道路保全立体区域内にある土地、竹木又は建築物その他の工作物の所有者又は占有者は、その土地、竹木又は建築物その他の工作物が道路の構造に損害を及ぼし、又は交通に危険を及ぼすおそれがあると認められる場合においては、その損害又は危険を防止するための施設の設置その他その損害又は危険を防止するため必要な措置を講じなければならない。

2　道路管理者は、前項に規定する損害又は危険を防止するため特に必要があると認める場合においては、同項に規定する所有者又は占有者に対して、同項に規定する施設の設置その他その損害又は危険を防止するため必要な措置を講ずべきことを命ずることができる。

3　第一項に規定する所有者又は占有者は、同項に規定するもののほか、高架の道路の橋脚の周囲又は地盤面下の道路の上下における土石の採取その他の道路保全立体区域における行為であつて、道路の構造に損害を及ぼし、又は交通に危険を及ぼすおそれがあると認められるものを行つてはならない。

4　道路管理者は、前項の規定に違反している者に対し、行為の中止、物件の改築、移転又は除却その他道路の構造を保全し、又は交通の危険を防止するための必要な措置をすることを命ずることができる。

〔追加・平成元法五六、改正・令和三法九〕

参照【権限代行―法二七⑤、令五、特別措置法八①・一七】【権限の委任―法九七の二、令四一】【監督処分―法七一】【道路監理員―法七一⑤】【予定区域準用―法九一②】【第一号法定受託事務―法九七】【罰則―法一〇五・一〇六1】

参考規定―河川法五八の四

第六節　自動車専用道路

〔追加・昭和三四法六六、旧五節を繰下・令和二法三一〕

（自動車専用道路の指定）

第四八条の二　道路管理者は、交通が著しくふくそうして道路における車両の能率的な運行に支障のある市街地及びその周辺の地域において、交通の円滑を図るために必要があると認めるときは、まだ供用の開始（他の道路と交差する部分について第十八条第二項ただし書の規定によりあつたものとみなされる供用の開始及び自動車のみの一般交通の用に供する供用の開始を除く。次項において同じ。）がない道路（高速自動車国道を除く。）について、自動車のみの一般交通の用に供する道路を指定することができる。この場合において、当該道路に二以上の道路管理者（当該道路と交差する道路の道路管理者を除く。）があるときは、それらの道路管理者が共同して当該指定をするものとする。

2　道路管理者は、交通が著しくふくそうし、又はふくそうすることが見込まれることにより、車両の能率的な運行に支障があり、若しくは道路交通騒音により生ずる障害があり、又はそれらのおそれがある道路（高速自動車国道及び前項の規定により指定された道路を除く。以下この項において同じ。）の区間内において、交通の円滑又は道路交通騒音により生ずる障害の防止を図るために必要があると認めるときは、当該道路（まだ供用の開始がないものに限る。）又は道路の部分について、区域を定めて、自動車のみの一般交通の用に供する道路又は道路の部分を指定することができる。ただし、通常他に道路の通行の方法があつて、自動車以外の方法による通行に支障のない場合に限る。

3　道路管理者は、第一項又は前項の規定による指定をしようとする場合においては、一般自動車道（道路運送法第二条第八項に規定する一般自動車道をいう。次条において同じ。）との調整について特に考慮を払わなければならない。

4　道路管理者は、第一項又は第二項の規定による指定をしようとする場合においては、国土交通省令で定めるところにより、あらかじめ、その旨を公示しなければならない。その指定を解除しようとする場合においても、同様とする。

〔追加・昭和三四法六六、改正・昭和三九法一六三・昭和五五法三四・平成元法八二・法八三・平成一一法八七・法一六〇・令和二法三一〕

参照【権限代行―法二七④、令五】【供用の開始―法一八②】【自動車―法二③】【省令―規則四の一三】【第一号法定受託事務―法九七】【意見聴取―特別措置法三〇①・三一①】【公安委員会との協議―法九五の二②】【路線の重複―法一一】

参考規定―道路運送法四七～七七

（道路等との交差の方式）

第四八条の三　道路管理者は、前条第一項又は第二項の規定による指定をした、又はしようとする道路又は道路の部分を道路、軌道、一般自動車道又は交通の用に供する通路その他の施設（以下この条、次条及び第四十八条の十四中「道路等」という。）と交差させようとする場合においては、当該交差の方式は、立体交差としなければならない。ただし、当該道路等の交通量が少ない場合、地形上やむを得ない場合その他道路管理者である地方公共団体の条例（国道にあつては、政令）で定める場合においては、この限りでない。

〔追加・昭和三四法六六、改正・昭和四六法四六・平成一六法一〇一・平成二三法一〇五〕

参照【政令―令三五】【高速自動車国道との交差―高速自動車国道法一〇】【軌道―軌道法】【鉄道との交差―法三一①】【一般自動車道―法四八の二③】

参考規定―道路運送法五一

（自動車専用道路との連結の制限）

第四八条の四　次に掲げる施設以外の施設は、第四十八条の二第一項又は第二項の規定による指定を受けた道路又は道路の部分（以下「自動車専用道路」という。）と連結させてはならない。

一　道路等（軌道を除く。次条第一項及び第四十八条の十四第二項において同じ。）

二　当該自動車専用道路の通行者の利便に供するための休憩所、給油所その他の施設又は利用者のうち相当数の者が当該自動車専用道路を通行すると見込まれる商業施設、レクリエーション施設その他の施設

三　前号の施設と当該自動車専用道路とを連絡する通路その他の施設であつて、専ら同号の施設の利用者の通行の用に供することを目的として設けられるもの（第一号に掲げる施設を除く。）

四　前三号に掲げるもののほか、当該自動車専用道路の道路管理者である地方公共団体の条例（国道にあつては、政令）で定める施設

〔追加・昭和三四法六六、改正・昭和四六法四六、全改・平成一六法一〇一、改正・平成二三法一〇五〕

参照【道路等―法四八の三】

（連結許可等）

第四八条の五　前条各号に掲げる施設の管理者は、当該施設を自動車専用道路と連結させようとする場合においては、当該管理者が道路管理者であるときは当該自動車専用道路の道路管理者と協議し、その他の者であるときは国土交通省令で定めるところにより当該自動車専用道路の道路管理者の許可（以下「連結許可」という。）を受けなければならない。自動車専用道路以外の道路等を自動車専用道路と立体交差以外の方式で交差させようとする場合においても、同様とする。

2　自動車専用道路の道路管理者（次項及び第四十八条の七から第四十八条の十までにおいて単に「道路管理者」という。）は、前項前段の場合にあつては当該協議に係る施設又は当該連結許可の申請に係る施設が次の各号に掲げる区分に応じ当該各号に定める基準に適合するときに限り、同項後段の場合にあつては当該交差が第四十八条の三ただし書に規定する場合に該当するときに限り、同項の協議に応じ、又は連結許可をすることができる。

一　前条第一号に掲げる施設　当該連結が当該自動車専用道路の効用を妨げないものであること。

二　前条第二号から第四号までに掲げる施設　政令で定める連結位置に関する基準及び国土交通省令で定める施設の構造に関する技術的基準に適合するものであること。

3　連結許可を受けた前条第二号から第四号までに掲げる施設の管理者は、当該施設の構造について変更（国土交通省令で定める軽微な変更を除く。）を行おうとする場合には、あらかじめ、国土交通省令で定めるところにより、道路管理者の許可を受けなければならない。

4　第二項の規定は、前項の許可について準用する。

〔追加・平成一六法一〇一、改正・平成二三法一〇五〕

参照【自動車専用道路―法四八の四】【一項の省令―規則四の一三の二】【権限代行―特別措置法八①・一七】【意見聴取―特別措置法三〇・三一】【不服の申立ての特例―法九六⑤】【二項の政令―令一九の一六】【二項の省令―規則四の一三の三】【三項の省令で定める軽微な変更―規則四の一三の四】【三項の省令の許可手続―規則四の一三の五】【第一号法定受託事務―法九七】

参考規定―道路運送法七三、高速自動車国道法一一の二

（連結許可等に係る施設の管理）

第四八条の六　連結許可及び前条第三項の許可（以下「連結許可等」という。）を受けた第四十八条の四第二号から第四号までに掲げる施設の管理者は、国土交通省令で定める基準に従い、当該施設の維持管理をしなければならない。

〔追加・平成一六法一〇一、改正・平成二三法一〇五〕

参照【連結許可―法四八の五①】【国土交通省令―規則四の一三の六】

（連結料の徴収）

第四八条の七　道路管理者は、第四十八条の四第二号から第四号までに掲げる施設の自動車専用道路との連結につき、連結料を徴収することができる。

2　前項の規定による連結料の額の基準及び徴収方法は、道路管理者である地方公共団体の条例（指定区間内の国道にあつては、政令）で定める。

〔追加・平成一六法一〇一、改正・平成二三法一〇五〕

参照【自動車専用道路―法四八の四】【政令―令一九の一七、規則四の一三の七、令一九の一八】【収入の帰属―法六四①、特別措置法四二③】【報告―法七六①5】【有料道路の特例―特別措置法三四】

（連結許可等に基づく地位の承継）

第四八条の八　相続人、合併又は分割により設立される法人その他の連結許可等を受けた者の一般承継人（分割による承継の場合にあつては、連結許可等に係る自動車専用道路と連結する施設を承継する法人に限る。）は、被承継人が有していた当該連結許可等に基づく地位を承継する。

2　前項の規定により連結許可等に基づく地位を承継した者は、その承継の日の翌日から起算して三十日以内に、道路管理者にその旨を届け出なければならない。

〔追加・平成一六法一〇一〕

参照【相続人―民法五編二章】【連結許可等―法四八の六】【罰則―一〇八】【第一号法定受託事務―法九七】

第四八条の九　道路管理者の承認を受けて連結許可等に係る自動車専用道路と連結する施設を譲り受けた者は、譲渡人が有していたその連結許可等に基づく地位を承継する。

〔追加・平成一六法一〇一〕

参照【連結許可等―法四八の六】【自動車専用道路―法四八の四】【権限代行―特別措置法八①・一七】

（連結許可等の条件）

第四八条の一〇　道路管理者は、連結許可等又は前条の承認には、自動車専用道路の管理のため必要な範囲内で条件を付することができる。

〔追加・平成一六法一〇一〕

参照【連結許可等―法四八の六】【自動車専用道路―法四八の四】【権限代行―特別措置法八①・一七】【第一号法定受託事務―法九七】

（出入の制限等）

第四八条の一一　何人もみだりに自動車専用道路に立ち入り、又は自動車専用道路を自動車による以外の方法により通行してはならない。

2　道路管理者は、自動車専用道路の入口その他必要な場所に通行の禁止又は制限の対象を明らかにした道路標識を設けなければならない。

〔追加・昭和三四法六六、旧四八条の五を繰下・平成一六法一〇一〕

参照【権限代行―法二七⑤、令五、特別措置法九・一七】【道路標識―法四五、道路標識、区画線及び道路標示に関する命令】【第一号法定受託事務―法九七】【権限の委任―法九七の二、令四一】【高速自動車国道―高速自動車国道法一七】【類似の規定―法四八の一五】

（違反行為に対する措置）

第四八条の一二　道路管理者は、前条第一項の規定に違反している者に対し、行為の中止その他交通の危険防止のための必要な措置をすることを命ずることができる。

〔追加・昭和三四法六六、旧四八条の六を繰下・平成一六法一〇一〕

参照【権限代行―法二七⑤、令五、特別措置法八①・一七】【道路監理員―法七一⑤】【第一号法定受託事務―法九七】【権限の委任―法九七の二、令四一】【罰則―法一〇五】【高速自動車国道―高速自動車国道法一八】【類似の規定―四八の一六】

第七節　自転車専用道路等

〔追加・昭和四六法四六、旧六節を繰下・令和二法三一〕

（自転車専用道路等の指定）

第四八条の一三　道路管理者は、交通の安全と円滑を図るために必要があると認めるときは、まだ供用の開始がない道路又は道路の部分（当該道路の他の部分と構造的に分離されているものに限る。以下本条中同じ。）について、区間を定めて、もつぱら自転車の一般交通の用に供する道路又は道路の部分を指定することができる。

2　道路管理者は、交通の安全と円滑を図るために必要があると認めるときは、まだ供用の開始がない道路又は道路の部分について、区間を定めて、もつぱら自転車及び歩行者の一般交通の用に供する道路又は道路の部分を指定することができる。

3　道路管理者は、交通の安全と円滑を図るために必要があると認めるときは、まだ供用の開始がない道路又は道路の部分について、区間を定めて、もつぱら歩行者の一般交通の用に供する道路又は道路の部分を指定することができる。

4　道路管理者（市町村である道路管理者を除く。）は、前三項の規定による指定をしようとする場合においては、あらかじめ、当該道路又は道路の部分の存する市町村を統括する市町村長に協議しなければならない。その指定を解除しようとする場合においても、同様とする。

5　道路管理者は、第一項から第三項までの規定による指定をしようとする場合においては、国土交通省令で定めるところにより、あらかじめ、その旨を公示しなければならない。その指定を解除しようとする場合においても、同様とする。

〔追加・昭和四六法四六、改正・平成一一法一六〇、旧四八条の七を繰下・平成一六法一〇一〕

参照【権限代行―法二七⑤、令五】【第一号法定受託事務―法九七】【供用の開始―法一八②】【省令―規則四の一四】【自転車道の整備―自転車道の整備等に関する法律】【構造―道路構造令三九・四〇】【路線の重複―法一一】

参考規定―交通法二①3の3

（道路等との交差等）

第四八条の一四　道路管理者は、前条第一項から第三項までの規定による指定をした、又はしようとする道路又は道路の部分を道路等と交差させようとする場合においては、当該道路又は道路の部分の安全な交通が確保されるよう措置しなければならない。

2　道路等の管理者は、道路等を前条第一項の規定による指定を受けた道路若しくは道路の部分（以下「自転車専用道路」という。）、同条第二項の規定による指定を受けた道路若しくは道路の部分（以下「自転車歩行者専用道路」という。）又は同条第三項の規定による指定を受けた道路若しくは道路の部分（以下「歩行者専用道路」という。）（以下これらを「自転車専用道路等」と総称する。）と交差させようとする場合においては、当該自転車専用道路等の安全な交通が確保されるよう措置しなければならない。

〔追加・昭和四六法四六、旧四八条の八を繰下・平成一六法一〇二〕

参照【道路等―法四八の三・四八の四【第一号法定受託事務―法九七

（通行の制限等）

第四八条の一五　何人もみだりに自転車専用道路を自転車（自転車以外の軽車両（道路交通法第二条第一項第十一号に規定する軽車両をいう。）その他の車両で国土交通省令で定めるものを含む。以下同じ。）による以外の方法により通行してはならない。

2　何人もみだりに自転車歩行者専用道路を自転車以外の車両により通行してはならない。

3　何人もみだりに歩行者専用道路を車両により通行してはならない。

4　道路管理者は、自転車専用道路等の入口その他必要な場所に通行の禁止又は制限の対象を明らかにした道路標識を設けなければならない。

〔追加・昭和四六法四六、改正・平成一一法一六〇、旧四八条の九を繰下・平成一六法一〇二〕

参照【省令―規則四の一五【権限代行―法二七⑤、令五【道路標識―法四五、道路標識、区画線及び道路標示に関する命令【第一号法定受託事務―法九七【権限の委任―法九七の二、令四一【類似の規定―法四八の一一、交通法一七・一七の二

（違反行為に対する措置）

第四八条の一六　道路管理者は、前条第一項から第三項までの規定に違反している者に対し、通行の中止その他交通の危険防止のための必要な措置をすることを命ずることができる。

〔追加・昭和四六法四六、旧四八条の一〇を繰下・平成一六法一〇二〕

参照【権限代行―法二七④、令五【道路監理員―法七一⑤【第一号法定受託事務―法九七【権限の委任―法九七の二、令四一【罰則―法一〇五【類似の規定―法四八の一二

第八節　重要物流道路

〔追加・平成三〇法六、旧六節の二を繰下・令和二法三一〕

（重要物流道路の指定）

第四八条の一七　国土交通大臣は、道路の構造、貨物積載車両の運行及び沿道の土地利用の状況並びにこれらの将来の見通しその他の事情を勘案して、全国的な貨物輸送網の形成を図るため、貨物積載車両の能率的な運行の確保を図ることが特に重要と認められる道路について、区間を定めて、重要物流道路として指定することができる。

2　国土交通大臣は、前項の規定による指定をしようとするときは、あらかじめ、当該指定に係る道路の道路管理者（国土交通大臣である道路管理者を除く。）に協議し、その同意を得なければならない。これを変更し、又は廃止しようとするときも、同様とする。

3　国土交通大臣は、第一項の規定による指定をしたときは、その旨を公示しなければならない。これを変更し、又は廃止したときも、同様とする。

〔追加・平成三〇法六、改正・令和二法三一〕

参照【意見聴取―特別措置法三〇・三一

（重要物流道路の構造の基準）

第四八条の一八　重要物流道路に係る第三十条第一項及び第二項に規定する道路の構造の技術的基準は、これにより重要物流道路における貨物積載車両の能率的な運行が確保されるように定められなければならない。

〔追加・平成三〇法六〕

参照【構造―道路構造令四・一二

（災害が発生した場合における重要物流道路等の管理の特例）

第四八条の一九　国土交通大臣は、災害が発生した場合において、都道府県又は市町村から要請があり、かつ、当該都道府県又は市町村における道路の維持の実施体制その他の地域の実情を勘案して、当該都道府県道又は市町村道で次の各号のいずれかに該当するものの維持（道路の啓開のために行うものに限る。）を当該都道府県又は市町村に代わつて自ら行うことが適当であると認められるときは、第十三条第一項、第十五条、第十六条並びに第十七条第一項から第三項まで及び第七項の規定にかかわらず、その事務の遂行に支障のない範囲内で、これを行うことができる。

一　重要物流道路

二　重要物流道路と交通上密接な関連を有する道路であつて、当該災害により当該重要物流道路の交通に著しい支障が生じた場合における貨物積載車両の運行の確保を図るために当該重要物流道路に代わつて必要となるものとして国土交通大臣が当該道路の道路管理者の同意を得てあらかじめ指定したもの

2　国土交通大臣は、前項の規定により指定区間外の国道、都道府県道又は市町村道の維持を行う場合においては、政令で定めるところにより、当該道路の道路管理者に代わつてその権限を行うものとする。

3　第一項の場合におけるこの法律の規定の適用についての必要な技術的読替えは、政令で定める。

〔追加・平成三〇法六、改正・令和二法三一〕

参照【請願工事―法二四【有料道路の特例―特別措置法三①・四・五①・一〇①・一二①・一四・一五①【費用の負担―法五〇・五一【二項の政令―令五の二【三項の政令―令一の七⑦【罰則の適用―法一〇九

第九節　歩行者利便増進道路

〔追加・令和二法三一〕

（歩行者利便増進道路の指定）

第四八条の二〇　道路管理者は、道路の構造、車両及び歩行者の通行並びに沿道の土地利用の状況並びにこれらの将来の見通しその他の事情を勘案して、歩行者の安全かつ円滑な通行及び利便の増進を図り、快適な生活環境の確保及び地域の活力の創造に資するため、その管理する道路（高速自動車国道及び自動車

専用道路を除く。以下この条において同じ。）のうち、歩行者の滞留の用に供する部分を確保し、及び歩行者利便増進施設等の適正かつ計画的な設置を誘導することが特に必要と認められるものについて、区間を定めて、歩行者利便増進道路として指定することができる。

２　道路管理者（市町村である道路管理者を除く。）は、前項の規定による指定をしようとするときは、あらかじめ、当該道路の存する市町村を統括する市町村長に協議しなければならない。これを変更し、又は廃止しようとするときも、同様とする。

３　指定市以外の市町村は、第一項の規定による指定をしようとするときは、当該市町村の区域内に存する都道府県が管理する道路であつて、当該指定をしようとする道路と歩行者の安全かつ円滑な通行及び利便の増進を図る上で密接な関連を有するものについて、区間を定めて、歩行者利便増進道路として併せて指定することができる。

４　指定市以外の市町村は、前項の規定による指定をしようとするときは、あらかじめ、当該指定に係る道路を管理する都道府県に協議し、その同意を得なければならない。これを変更し、又は廃止しようとするときも、同様とする。

５　道路管理者は、第一項又は第三項の規定による指定をしたときは、その旨を公示しなければならない。これを変更し、又は廃止したときも、同様とする。

〔追加・令和二法三一〕

（歩行者利便増進道路の構造の基準）

第四八条の二一　歩行者利便増進道路に係る第三十条第一項及び第三項に規定する道路の構造の技術的基準は、これにより歩行者利便増進道路における歩行者の安全かつ円滑な通行及び利便の増進が図られるように定められなければならない。

〔追加・令和二法三一〕

（歩行者利便増進道路の管理の特例）

第四八条の二二　第四十八条の二十第三項の規定により都道府県が管理する道路を歩行者利便増進道路として指定した指定市以外の市町村は、当該歩行者利便増進道路の改築、維持若しくは修繕又は当該歩行者利便増進道路に附属する道路の附属物の新設若しくは改築のうち、歩行者の滞留の用に供する部分を確保するための歩道の拡幅その他の歩行者の利便の増進に資するものとして政令で定めるもの（第十七条第一項から第四項までの規定により指定市、指定市以外の市又は町村が行うこととされているものを除く。以下この条において「歩行者利便増進改築等」という。）を都道府県に代わつて行うことが適当であると認められる場合においては、第十二条ただし書、第十三条第一項、第十五条並びに第八十五条第一項及び第二項の規定にかかわらず、都道府県に協議し、その同意を得て、これを行うことができる。

２　指定市以外の市町村は、前項の規定により歩行者利便増進改築等を行おうとするとき、及び当該歩行者利便増進改築等の全部又は一部を完了したときは、国土交通省令で定めるところにより、その旨を公示しなければならない。

３　指定市以外の市町村は、第一項の規定により歩行者利便増進改築等を行う場合においては、政令で定めるところにより、当該道路の道路管理者に代わつてその権限を行うものとする。

４　第一項の場合におけるこの法律の規定の適用についての必要な技術的読替えは、政令で定める。

〔追加・令和二法三一〕

参照　【一項の政令―令三五の六】【二項の省令―規則四の一六】【三項の政令―令五の三】【四項の政令―令一の七⑧】【罰則の適用―法一〇九】

（公募対象歩行者利便増進施設等の公募占用指針）

第四八条の二三　道路管理者は、利便増進誘導区域において第三十二条第一項又は第三項の規定による許可の申請を行うことができる者を公募により決定することが、道路占用者の公平な選定を図るとともに、歩行者利便増進道路の歩行者の利便の増進を図る上で特に有効であると認められる歩行者利便増進施設等（以下「公募対象歩行者利便増進施設等」という。）について、道路の占用及び公募の実施に関する指針（以下「公募占用指針」という。）を定めることができる。

２　公募占用指針には、次に掲げる事項を定めなければならない。

一　公募対象歩行者利便増進施設等の種類

二　当該公募対象歩行者利便増進施設等のための道路の占用の場所

三　当該公募対象歩行者利便増進施設等のための道路の占用の開始の時期

四　道路の機能又は道路交通環境の維持及び向上を図るための清掃その他の措置であつて当該公募対象歩行者利便増進施設等の設置に伴い必要となるもの

五　第四十八条の二十六第一項の規定による認定の有効期間

六　占用予定者（公募対象歩行者利便増進施設等に係る第三十二条第一項又は第三項の規定による許可の申請を行うことができる者をいう。以下同じ。）を選定するための評価の基準

七　前各号に掲げるもののほか、公募の実施に関する事項その他必要な事項

３　前項第二号の場所は、第三十二条第一項又は第三項の規定による許可の申請を行うことができる者を公募により決定することが歩行者利便増進道路の管理上適切でない場所として国土交通省令で定める場所については定めないものとする。

４　第二項第五号の有効期間は、二十年を超えないものとする。

５　道路管理者は、公募占用指針を定め、又はこれを変更しようとする場合においては、あらかじめ、当該公募占用指針に係る歩行者利便増進道路の存する市町村を統括する市町村長（当該歩行者利便増進道路の道路管理者が市町村である場合の当該市町村を統括する市町村長を除く。）及び学識経験者の意見を聴かなければならない。

６　道路管理者は、公募占用指針を定め、又はこれを変更したときは、遅滞なく、これを公示しなければならない。

〔追加・令和二法三一〕

参照　【三項の省令―規則四の一六

（歩行者利便増進計画の提出）

第四八条の二四　歩行者利便増進道路に公募対象歩行者利便増進施設等を設置するため道路を占用しようとする者は、公募対象歩行者利便増進施設等のための道路の占用に関する計画（以下「歩行者利便増進計画」という。）を作成し、第四十八条の二十六第一項の規定によるその歩行者利便増進計画が適当である旨の認定を受けるための選定の手続に参加するため、これを道路管理者に提出することができる。

２　歩行者利便増進計画には、次に掲げる事項を記載しなければならない。

一　第三十二条第二項各号に掲げる事項

二　道路の機能又は道路交通環境の維持及び向上を図るための清掃その他の措置であつて公募対象歩行者利便増進施設等の設置に伴い講ずるもの
三　その他国土交通省令で定める事項
3　歩行者利便増進計画の提出は、道路管理者が公示する一月を下らない期間内に行わなければならない。
〔追加・令和二法三一〕

参照【省令―規則四の一六

（占用予定者の選定）
第四八条の二五　道路管理者は、前条第一項の規定により公募対象歩行者利便増進施設等を設置するため道路を占用しようとする者から歩行者利便増進計画が提出されたときは、当該歩行者利便増進計画が次に掲げる基準に適合しているかどうかを審査しなければならない。
一　当該歩行者利便増進計画が公募占用指針に照らし適切なものであること。
二　当該歩行者利便増進施設等のための道路の占用が第三十二条第二項第二号から第七号までに掲げる事項について第三十三条第一項の政令で定める基準に適合するものであること。
三　当該歩行者利便増進施設等のための道路の占用が道路の交通に著しい支障を及ぼすおそれが明らかなものでないこと。
四　当該歩行者利便増進計画を提出した者が不正又は不誠実な行為をするおそれが明らかな者でないこと。
2　道路管理者は、前項の規定により審査した結果、歩行者利便増進計画が同項各号に掲げる基準に適合していると認められるときは、第四十八条の二十三第二項第六号の評価の基準に従つて、その適合していると認められた全ての歩行者利便増進計画について評価を行うものとする。
3　道路管理者は、前項の評価を行おうとする場合において、当該評価に係る歩行者利便増進計画に従つて公募対象歩行者利便増進施設等を設置する行為が道路交通法第七十七条第一項の規定の適用を受けるものであるときは、あらかじめ当該歩行者利便増進計画に記載された道路の占用の場所を管轄する警察署長に協議しなければならない。
4　道路管理者は、第二項の評価に従い、道路の機能を損なうことなく当該道路の歩行者の利便の増進を図る上で最も適切であると認められる歩行者利便増進計画を提出した者を占用予定者として選定するものとする。
5　道路管理者は、前項の規定により占用予定者を選定しようとするときは、国土交通省令で定めるところにより、あらかじめ、学識経験者の意見を聴かなければならない。
6　道路管理者は、第四項の規定により占用予定者を選定したときは、その者にその旨を通知しなければならない。
〔追加・令和二法三一〕

参照【省令―規則四の一六

（歩行者利便増進計画の認定）
第四八条の二六　道路管理者は、前条第六項の規定により通知した占用予定者が提出した歩行者利便増進計画について、道路の場所を指定して、当該歩行者利便増進計画が適当である旨の認定をするものとする。
2　道路管理者は、前項の認定をしたときは、当該認定をした日及び認定の有効期間並びに同項の規定により指定した道路の場所を公示しなければならない。
〔追加・令和二法三一〕

参照【罰則―法九九

（歩行者利便増進計画の変更等）
第四八条の二七　前条第一項の認定を受けた者（以下「認定計画提出者」という。）は、当該認定を受けた歩行者利便増進計画を変更しようとする場合においては、道路管理者の認定を受けなければならない。
2　道路管理者は、前項の変更の認定の申請があつたときは、次に掲げる基準に適合すると認める場合に限り、その認定をするものとする。
一　変更後の歩行者利便増進計画が第四十八条の二十五第一項第一号から第三号までに掲げる基準を満たしていること。
二　当該歩行者利便増進計画の変更をすることについて、歩行者利便増進道路の歩行者の利便の一層の増進に寄与するものであると見込まれること又はやむを得ない事情があること。
3　前条第二項の規定は、第一項の変更の認定をした場合について準用する。
〔追加・令和二法三一〕

（公募を行つた場合における道路の占用の許可）
第四八条の二八　認定計画提出者は、第四十八条の二十六第一項の認定（前条第一項の変更の認定を含む。第四項及び次条において「計画の認定」という。）を受けた歩行者利便増進計画（変更があつたときは、その変更後のもの。次項及び次条第二号において「認定歩行者利便増進計画」という。）に従つて公募対象歩行者利便増進施設等を設置しなければならない。
2　道路管理者は、認定計画提出者から認定歩行者利便増進計画に基づき第三十二条第一項又は第三項の規定による許可の申請があつた場合においては、これらの規定による許可を与えなければならない。
3　前項の規定による許可に係る第三十二条第二項及び第八十七条第一項の規定の適用については、第三十二条第二項中「申請書を」とあるのは「申請書に、第四十八条の二十四第二項第二号の措置を記載した書面を添付して、」と、第八十七条第一項中「円滑な交通を確保する」とあるのは「円滑な交通を確保し、又は道路の機能若しくは道路交通環境の維持及び向上を図る」とする。
4　計画の認定がされた場合においては、認定計画提出者以外の者は、第四十八条の二十六第一項の道路の場所については、第三十二条第一項又は第三項の規定による許可の申請をすることができない。
〔追加・令和二法三一〕

（地位の承継）
第四八条の二九　次に掲げる者は、道路管理者の承認を受けて、認定計画提出者が有していた計画の認定に基づく地位を承継することができる。
一　認定計画提出者の一般承継人
二　認定計画提出者から、認定歩行者利便増進計画に基づき設置又は管理が行われる公募対象歩行者利便増進施設等の所有権その他当該公募対象歩行者利便増進施設等の設置又は管理に必要な権原を取得した者
〔追加・令和二法三一〕

第九節の二　防災拠点自動車駐車場

〔追加・令和三法九〕

（防災拠点自動車駐車場の指定）

第四八条の二九の二　国土交通大臣は、道路の附属物である自動車駐車場のうち、その規模、その接する道路の構造及び交通の状況並びにその近傍における災害応急対策に係る施設の立地その他の事情を勘案して、災害が発生した場合における円滑な避難又は緊急輸送の確保を図るため、重要物流道路の維持（道路の啓開のために行うものに限る。）その他の広域災害応急対策（二の都道府県の区域を越えて行われる緊急輸送の確保その他の災害応急対策であつて国土交通省令で定めるものをいう。次条及び第四十八条の二十九の五第一項において同じ。）の拠点としての機能の確保を図ることが特に必要と認められるものについて、防災拠点自動車駐車場として指定することができる。

2　国土交通大臣は、前項の規定による指定をしようとするときは、あらかじめ、当該指定に係る自動車駐車場の道路管理者（国土交通大臣である道路管理者を除く。）に協議し、その同意を得なければならない。これを変更し、又は廃止しようとするときも、同様とする。

3　国土交通大臣は、第一項の規定による指定をしたときは、その旨を公示しなければならない。これを変更し、又は廃止したときも、同様とする。

〔追加・令和三法九〕

参照　【省令―規則四の一六の二】【意見聴取―特別措置法三〇①、三一①】

（防災拠点自動車駐車場の利用の禁止又は制限）

第四八条の二九の三　道路管理者は、災害が発生した場合における被害の拡大を防ぎ、又は災害の速やかな復旧を図るため、防災拠点自動車駐車場の広域災害応急対策の拠点としての機能を緊急に確保することが特に必要であると認めるときは、当該防災拠点自動車駐車場について、広域災害応急対策の拠点としての利用以外の利用を禁止し、又はその利用を制限することができる。

〔追加・令和三法九〕

参照　【権限代行―特別措置法八①、一七】【罰則―法一〇三7】

（防災拠点自動車駐車場の利用の制限等の表示）

第四八条の二九の四　道路管理者は、前条の規定により防災拠点自動車駐車場の利用を禁止し、又は制限しようとする場合においては、当該防災拠点自動車駐車場の入口その他必要な場所に、禁止又は制限の対象を明らかにした道路標識を設けなければならない。

〔追加・令和三法九〕

参照　【権限代行―特別措置法八①、一七】

（災害応急対策施設管理協定の締結等）

第四八条の二九の五　道路管理者は、その管理する防災拠点自動車駐車場について、災害時における広域災害応急対策の拠点としての機能の確保を図るため必要があると認めるときは、あらかじめ、道路外災害応急対策施設所有者等（当該防災拠点自動車駐車場に隣接する土地の区域に存する駐車場、備蓄倉庫、発電施設、通信設備その他災害応急対策に必要なものとして政令で定める工作物又は施設（以下この項において「道路外災害応急対策施設」という。）の所有者又は当該道路外災害応急対策施設の敷地である土地（建築物その他の工作物に道路外災害応急対策施設が設けられている場合にあつては、当該建築物その他の工作物のうち当該道路外災害応急対策施設に係る部分のもの）の所有者若しくは使用及び収益を目的とする権利（臨時設備その他一時的に使用する施設のため設定されたことが明らかなものを除く。）を有する者をいう。次項及び第四十八条の二十九の七において同じ。）との間において、次に掲げる事項を定めた協定（以下この条から第四十八条の二十九の七までにおいて「災害応急対策施設管理協定」という。）を締結して、当該道路外災害応急対策施設の管理を行うことができる。

一　災害応急対策施設管理協定の目的となる道路外災害応急対策施設（以下この項、次条第三項及び第四十八条の二十九の七において「協定災害応急対策施設」という。）
二　協定災害応急対策施設の管理の方法
三　災害応急対策施設管理協定の有効期間
四　災害応急対策施設管理協定に違反した場合の措置
五　次条第三項の規定による災害応急対策施設管理協定の掲示の方法
六　その他協定災害応急対策施設の管理に関し必要な事項

2　災害応急対策施設管理協定については、道路外災害応急対策施設所有者等の全員の合意がなければならない。

〔追加・令和三法九〕

参照　【政令―令三五の七】

（災害応急対策施設管理協定の縦覧等）

第四八条の二九の六　道路管理者は、災害応急対策施設管理協定を締結しようとするときは、国土交通省令で定めるところにより、その旨を公告し、当該災害応急対策施設管理協定を当該公告の日から二週間利害関係人の縦覧に供さなければならない。

2　前項の規定による公告があつたときは、利害関係人は、同項の縦覧期間満了の日までに、当該災害応急対策施設管理協定について、道路管理者に意見書を提出することができる。

3　道路管理者は、災害応急対策施設管理協定を締結したときは、国土交通省令で定めるところにより、遅滞なく、その旨を公示し、かつ、当該災害応急対策施設管理協定の写しを道路管理者の事務所に備えて一般の閲覧に供するとともに、協定災害応急対策施設又はその敷地内の見やすい場所に、道路管理者の事務所においてこれを閲覧に供している旨を掲示しなければならない。

4　前条第二項及び前三項の規定は、災害応急対策施設管理協定において定めた事項の変更について準用する。

〔追加・令和三法九〕

参照　【省令―規則四の一六の三】

（災害応急対策施設管理協定の効力）

第四八条の二九の七　前条第三項（同条第四項において準用する場合を含む。）の規定による公示のあつた災害応急対策施設管理協定は、その公示のあつた後において協定災害応急対策施設の道路外災害応急対策施設所有者等となつた者に対しても、その効力があるものとする。
〔追加・令和三法九〕

第十節　特定車両停留施設

〔追加・令和二法三一〕

（車両の種類の指定）

第四八条の三〇　道路管理者は、まだ供用の開始がない特定車両停留施設について、国土交通省令で定めるところにより、特定車両のうち、当該特定車両停留施設を利用することができる車両の種類を指定するものとする。

2　道路管理者は、前項の規定による指定をしようとするときは、国土交通省令で定めるところにより、あらかじめ、その旨を公示しなければならない。
〔追加・令和二法三一〕

参照【省令―規則四の一七・四の一八

（特定車両停留施設の構造等）

第四八条の三一　特定車両停留施設の構造及び設備の技術的基準は、特定車両停留施設を利用することができる特定車両の種類ごとに、国土交通省令で定める。
〔追加・令和二法三一〕

参照【省令―特定車両停留施設の構造及び設備の基準を定める省令

（車両の停留の許可）

第四八条の三二　特定車両停留施設に車両を停留させようとする場合においては、道路管理者の許可を受けなければならない。ただし、道路交通法第三十九条第一項に規定する緊急自動車その他政令で定める車両については、この限りでない。

2　前項の許可を受けようとする者は、停留させる車両に係る事項、当該車両を停留させる日時その他特定車両停留施設を利用する特定車両の種類ごとに国土交通省令で定める事項を記載した申請書を道路管理者に提出しなければならない。

3　第一項の許可を受けた者は、当該許可の申請に係る前項に規定する事項を変更しようとする場合においては、あらかじめ道路管理者の許可を受けなければならない。
〔追加・令和二法三一〕

参照【一項の政令―令三五の八】【二項の省令―規則四の一九】【罰則―一〇三8

（特定車両の停留の許可基準）

第四八条の三三　道路管理者は、前条第一項又は第三項の許可をしようとするときは、次の基準によつて、これをしなければならない。

一　当該許可の申請に係る車両が特定車両のうち第四十八条の三十第一項の規定により指定した種類のものであること。

二　当該許可の申請に係る前条第二項に規定する事項が特定車両停留施設の構造の保全及び適正かつ合理的な利用の確保、安全かつ円滑な道路の交通の確保その他の観点から政令で定める基準に適合するものであること。
〔追加・令和二法三一〕

参照【政令―令三五の九

（利用の制限等の表示）

第四八条の三四　道路管理者は、特定車両停留施設の入口その他必要な場所に利用の禁止又は制限の対象を明らかにした道路標識を設けなければならない。
〔追加・令和二法三一〕

（特定車両停留施設の停留料金及び割増金）

第四八条の三五　道路管理者である地方公共団体の条例（指定区間内の国道にあつては、政令）で定めるところにより、特定車両停留施設に特定車両を停留させる者から、停留料金を徴収することができる。ただし、道路交通法第三十九条第一項に規定する緊急自動車その他政令で定める車両を停留させる場合においては、この限りでない。

2　前項の停留料金の額は、次の原則によつて定めなければならない。

一　特定車両を停留させる特定の者に対し不当な差別的取扱いをするものでないこと。

二　特定車両を停留させる者の負担能力に鑑み、その利用を困難にするおそれのないものであること。

三　特定車両停留施設を利用することができる特定車両と同一の種類の車両を同時に二両以上停留させる付近の施設で道路の区域外に設置されており、かつ、一般公衆の用に供するものの停留料金に比して著しく均衡を失しないものであること。

3　第二十四条の二第三項の規定は、第一項の停留料金を不法に免れた者について準用する。
〔追加・令和二法三一〕

参照【一項ただし書の政令―令三五の一〇

（特定車両停留施設の停留料金等の公示）

第四八条の三六　道路管理者は、前条第一項の規定により停留料金を徴収する特定車両停留施設について、条例（国道にあつては、国土交通省令）で定めるところにより、停留料金、停留することができる時間その他特定車両停留施設の利用に関し必要な事項を公示しなければならない。
〔追加・令和二法三一〕

参照【省令―規則四の二〇

第十一節　利便施設協定

〔追加・平成一九法一九、旧七節を繰下・令和二法三一〕

（利便施設協定の締結等）

第四八条の三七　道路管理者は、その管理する道路に並木、街灯その他道路の通行者又は利用者の利便の確保に資するものとして政令で定める工作物又は施設を設けることが当該道路の構造又は周辺の土地利用の状況により困難である場合において、当該道路の通行者又は利用者の利便の確保のため必要があると認めるときは、当該道路の区域外にあるそれらの工作物又は施設（以下この項において「道路外利便施設」という。）について、道路外利便施設所有者等（当該道路外利便施設の所有者又は当該道路外利便施設の敷地である土地（建築物その他の工作物に道路外利便施設が設けられている場合にあつては、当該建築物その他の工作物のうち当該道路外利便施設に係る部分のもの）

の所有者若しくは使用及び収益を目的とする権利（臨時設備その他一時的に使用する施設のため設定されたことが明らかなものを除く。）を有する者をいう。次項及び第四十八条の三十九において同じ。）との間において、次に掲げる事項を定めた協定（以下この節において「利便施設協定」という。）を締結して、当該道路外利便施設の管理を行うことができる。

一　利便施設協定の目的となる道路外利便施設（以下「協定利便施設」という。）
二　協定利便施設の管理の方法
三　利便施設協定の有効期間
四　利便施設協定に違反した場合の措置
五　利便施設協定の掲示方法
六　その他協定利便施設の管理に関し必要な事項

2　利便施設協定については、道路外利便施設所有者等の全員の合意がなければならない。

〔追加・平成一九法一九、旧四八条の一七を改正し繰下・平成三〇法六、旧四八条の二〇を改正し繰下・令和二法三一、改正・令和三法九〕

参照【政令―令三五の一一】【第一号法定受託事務―法九七】【権限代行―法二七、令四～六】【権限の委任―法九七の二、令四一】

（利便施設協定の縦覧等）

第四八条の三八　道路管理者は、利便施設協定を締結しようとするときは、国土交通省令で定めるところにより、その旨を公告し、当該利便施設協定を当該公告の日から二週間利害関係人の縦覧に供さなければならない。

2　前項の規定による公告があつたときは、利害関係人は、同項の縦覧期間満了の日までに、当該利便施設協定について、道路管理者に意見書を提出することができる。

3　道路管理者は、利便施設協定を締結したときは、国土交通省令で定めるところにより、遅滞なく、その旨を公示し、かつ、当該利便施設協定の写しを道路管理者の事務所に備えて一般の閲覧に供するとともに、利便施設協定において定めるところにより、協定利便施設又はその敷地内の見やすい場所に、道路管理者の事務所においてこれを閲覧に供している旨を掲示しなければならない。

4　前条第二項及び前三項の規定は、利便施設協定において定めた事項の変更について準用する。

〔追加・平成一九法一九、旧四八条の一八を繰下・平成三〇法六、旧四八条の二一を繰下・令和二法三一〕

参照【省令―規則四の二二】【第一号法定受託事務―法九七】【権限の委任―法九七の二、令四一】

（利便施設協定の効力）

第四八条の三九　前条第三項（同条第四項において準用する場合を含む。）の規定による公示のあつた利便施設協定は、その公示のあつた後において協定利便施設の道路外利便施設所有者等となつた者に対しても、その効力があるものとする。

〔追加・平成一九法一九、旧四八条の一九を繰下・平成三〇法六、旧四八条の二二を繰下・令和二法三一〕

第十二節　自動車駐車場等運営事業

〔追加・令和二法三一〕

（自動車駐車場等運営事業に関する料金の徴収の特例）

第四八条の四〇　道路管理者は、民間資金等の活用による公共施設等の整備等の促進に関する法律（平成十一年法律第百十七号。以下「民間資金法」という。）第十九条第一項の規定により自動車駐車場等運営権（自動車駐車場等運営事業（自動車駐車場等の運営等（民間資金法第二条第六項に規定する運営等をいう。以下この項において同じ。）であつて、当該自動車駐車場等の利用に係る料金（以下「利用料金」という。）を当該運営等を行う者が自らの収入として収受するもの及びこれに附帯する事業をいう。以下同じ。）に係る公共施設等運営権（民間資金法第二条第七項に規定する公共施設等運営権をいう。以下同じ。）を設定する場合には、第二十四条の二第一項及び第四十八条の三十五第一項の規定にかかわらず、当該自動車駐車場等運営権を有する者（以下「自動車駐車場等運営権者」という。）に当該自動車駐車場等運営事業に係る利用料金を自らの収入として収受させるものとする。

2　第二十四条の二第二項及び第三項の規定は道路の附属物である自動車駐車場又は自転車駐車場に係る前項の利用料金について、第四十八条の三十五第二項及び第三項の規定は特定車両停留施設に係る前項の利用料金について、それぞれ準用する。この場合において、第二十四条の二第三項（第四十八条の三十五第三項において準用する場合を含む。）中「道路管理者」とあるのは、「第四十八条の四十第一項に規定する自動車駐車場等運営権者」と読み替えるものとする。

〔追加・令和二法三一〕

（民間資金法の特例）

第四八条の四一　道路管理者が民間資金法第五条第一項の規定により自動車駐車場等運営事業（特定車両停留施設に係るものに限る。）に係る実施方針を定める場合における民間資金法第十七条の規定の適用については、同条第二号中「内容」とあるのは、「内容（災害時における緊急輸送の確保その他交通の機能の維持に関し必要な措置を含む。）」とする。

2　道路管理者が民間資金法第二十二条第一項の規定により自動車駐車場等運営事業に係る公共施設等運営権実施契約を締結する場合における同項の規定の適用については、同項第一号中「方法」とあるのは「方法（災害時における緊急輸送の確保その他交通の機能の維持に関し必要な措置を含む。）」と、同項第三号中「公共施設等の利用に係る約款を定める場合には、その決定手続及び公表方法」とあるのは「供用約款の決定手続及び公表方法並びに利用料金の公表方法」とする。

〔追加・令和二法三一〕

（利用料金の変更命令及び公示）

第四八条の四二　自動車駐車場等運営権を設定した道路管理者（以下「特定道路管理者」という。）は、自動車駐車場等運営権者から民間資金法第二十三条第二項の規定により届け出られた利用料金が第四十八条の四十第二項において準用する第二十四条の二第二項又は第四十八条の三十五第二項の規定に違反すると認めるときは、自動車駐車場等運営権者に対し、期限を定めて、その利用料金を変更すべきことを命ずることができる。

2　特定道路管理者は、自動車駐車場等運営権者から民間資金法第二十三条第二項の規定による届出を受けたときは、前項に規定する場合を除き、当該届出の内容を条例（国道にあつては、国土交通省令）で定める方法により公示しなければならない。

〔追加・令和二法三一〕

参照　【省令―規則四の二三】

（国土交通大臣への通知）

第四八条の四三　指定区間外の国道の道路管理者は、次に掲げる場合には、遅滞なく、その旨を国土交通大臣に通知するものとする。

一　民間資金法第八条第一項の規定により自動車駐車場等運営事業を実施する民間事業者を選定したとき。

二　自動車駐車場等運営事業に係る民間資金法第二十六条第二項の許可をしたとき。

三　民間資金法第二十九条第一項の規定により自動車駐車場等運営権を取り消し、又はその行使の停止を命じたとき。

四　公共施設等運営権の存続期間の満了に伴い、又は民間資金法第二十九条第四項の規定により自動車駐車場等運営権が消滅したとき。

〔追加・令和二法三一〕

（自動車駐車場等運営権を設定した場合における読替え）

第四八条の四四　特定道路管理者が民間資金法第十九条第一項の規定により自動車駐車場等運営権を設定した場合における第二十四条の三及び第四十八条の三十六の規定の適用については、これらの規定中「事項」とあるのは「事項（同項に規定する利用料金に関する事項を除く。）」と、第二十四条の三中「前条第一項の規定により駐車料金を徴収する」とあり、及び第四十八条の三十六中「前条第一項の規定により停留料金を徴収する」とあるのは「第四十八条の四十第一項の規定により利用料金を収受させる」と、第二十四条の三の見出し中「駐車料金等」とあるのは「駐車することができる時間等」と、同条中「駐車料金、駐車する」とあるのは「駐車する」と、第四十八条の三十六の見出し中「停留料金等」とあるのは「停留することができる時間等」と、同条中「停留料金、停留する」とあるのは「停留する」とする。

〔追加・令和二法三一〕

（自動車駐車場等運営権者に対する道路管理者の承認等の特例）

第四八条の四五　自動車駐車場等運営権者がその運営する自動車駐車場等について行う国土交通省令で定める行為についての第二十四条本文並びに第三十二条第一項及び第三項の規定の適用については、自動車駐車場等運営権者と特定道路管理者との協議が成立することをもつて、これらの規定による承認又は許可があつたものとみなす。

〔追加・令和二法三一〕

参照　【省令―四の二四】

第十三節　指定登録確認機関

〔追加・令和二法三一〕

（指定）

第四八条の四六　国土交通大臣は、道路の交通の適切な管理に資することを目的とする一般社団法人又は一般財団法人であつて、第四十八条の四十九に規定する業務（以下「道路交通管理業務」という。）に関し次に掲げる基準に適合すると認められるものを、その申請により、指定登録確認機関として指定することができる。

一　職員、道路交通管理業務の実施の方法その他の事項についての道路交通管理業務の実施に関する計画が、道路交通管理業務の適確な実施のために適切なものであること。

二　前号の道路交通管理業務の実施に関する計画を適確に実施するに足りる経理的及び技術的な基礎を有するものであること。

三　道路交通管理業務以外の業務を行つている場合には、その業務を行うことによつて道路交通管理業務の公正な実施に支障を及ぼすおそれがないものであること。

四　前三号に定めるもののほか、道路交通管理業務を公正かつ適確に行うことができるものであること。

2　前項の規定による指定は、道路交通管理業務の範囲を定めて行うものとする。

〔追加・令和二法三一〕

参照　【指定の申請―車両の通行の許可の手続等を定める省令二三】

（欠格条項）

第四八条の四七　国土交通大臣は、前条第一項の申請をした者が次の各号のいずれかに該当するときは、指定登録確認機関の指定をしてはならない。

一　この法律の規定により罰金の刑に処せられ、その執行を終わり、又は執行を受けることがなくなつた日から起算して二年を経過しない者であること。

二　第四十八条の五十七第一項又は第二項の規定により指定登録確認機関の指定を取り消され、その取消しの日から起算して二年を経過しない者であること。

三　その役員のうちに、禁錮以上の刑に処せられ、又はこの法律の規定により罰金の刑に処せられ、その執行を終わり、又はその執行を受けることがなくなつた日から起算して二年を経過しない者があること。

三　その役員のうちに、拘禁刑以上の刑に処せられ、又はこの法律の規定により罰金の刑に処せられ、その執行を終わり、又はその執行を受けることがなくなつた日から起算して二年を経過しない者があること。

〔追加・令和二法三一〕

（指定の公示等）

第四八条の四八　国土交通大臣は、第四十八条の四十六第一項の規定による指定（以下この節において「指定」という。）をしたときは、指定登録確認機関の名称及び住所、指定登録確認機関が行う道路交通管理業務の範囲、道路交通管理業務を行う事務所の所在地並びに道路交通管理業務の開始の日を公示しなければならない。

2　指定登録確認機関は、その名称若しくは住所、指定登録確認機関が行う道路交通管理業務の範囲又は道路交通管理業務を行う事務所の所在地を変更しようとするときは、変更しようとする日の二週間前までに、その旨を国土交通大臣に届け出なければならない。

3　国土交通大臣は、前項の規定による届出があつたときは、その旨を公示しなければならない。

〔追加・令和二法三一〕

参照　【二項の届け出―車両の通行の許可の手続等を定める省令二四】

（指定登録確認機関の業務）

第四八条の四九　指定登録確認機関は、次に掲げる業務を行うものとする。

一　次条第一項に規定する事務（以下「登録等事務」という。）を行うこと。

二　道路管理者の委託を受けて、第四十七条の二第一項の許可に係る審査の事務を行うこと。

三　前二号に掲げるもののほか、道路の交通の適切な管理に資する業務を行うこと。

〔追加・令和二法三一〕

（指定登録確認機関による登録等事務の実施）

第四八条の五〇　国土交通大臣は、指定をしたときは、次に掲げる事務の全部又は一部を行わせることができる。

一　登録の実施に関する事務（第四十七条の九の規定による登録の取消しに関する事務を除く。）

二　第四十七条の十第三項の回答の実施に関する事務

三　第四十七条の十一第二項及び第三項の規定による判定基準等の提供の受理並びに同条第四項の規定による情報の提供に関する事務

四　第四十七条の十二第二項の規定による報告の受理及び同条第三項の規定による通知に関する事務

五　第四十七条の十三第一項の規定による同項各号に掲げる事項のデータベースへの記録及び同条第二項の規定による公表に関する事務

2　国土交通大臣は、指定をしたときは、指定登録確認機関が行う前項第一号及び第二号の事務を行わないものとし、この場合における当該登録等事務の引継ぎその他の必要な事項は、国土交通省令で定める。

3　指定登録確認機関が登録等事務を行う場合における第四十七条の四から第四十七条の八まで及び第四十七条の十の規定の適用については、これらの規定中「国土交通大臣」とあるのは、「指定登録確認機関」とする。

〔追加・令和二法三一〕

参照　【省令―車両の通行の許可の手続等を定める省令二五】

（秘密保持義務等）

第四八条の五一　指定登録確認機関の役員及び職員並びにこれらの者であつた者は、登録等事務に関して知り得た秘密を漏らし、又は自己の利益のために使用してはならない。

2　指定登録確認機関の役員及び職員で登録等事務に従事する者は、刑法（明治四十年法律第四十五号）その他の罰則の適用については、法令により公務に従事する職員とみなす。

〔追加・令和二法三一〕

参照　【罰則―法一〇二4】

（登録等事務規程）

第四八条の五二　指定登録確認機関は、国土交通省令で定めるところにより、登録等事務に関する規程（以下「登録等事務規程」という。）を定め、国土交通大臣の認可を受けなければならない。これを変更しようとするときも、同様とする。

2　登録等事務規程で定めるべき事項は、国土交通省令で定める。

3　国土交通大臣は、第一項の認可をした登録等事務規程が登録等事務の公正かつ適確な実施上不適当となつたと認めるときは、その登録等事務規程を変更すべきことを命ずることができる。

〔追加・令和二法三一〕

参照　【省令―車両の通行の許可の手続等を定める省令二六・二七】

（帳簿の備付け等）

第四八条の五三　指定登録確認機関は、国土交通省令で定めるところにより、登録等事務に関する事項で国土交通省令で定めるものを記載した帳簿を備え付け、これを保存しなければならない。

2　前項に定めるもののほか、指定登録確認機関は、国土交通省令で定めるところにより、登録等事務に関する書類で国土交通省令で定めるものを保存しなければならない。

〔追加・令和二法三一〕

参照　【省令―車両の通行の許可の手続等を定める省令二八・二九】【罰則―法一〇六4・5】

（監督命令）

第四八条の五四　国土交通大臣は、道路交通管理業務の公正かつ適確な実施を確保するため必要があると認めるときは、指定登録確認機関に対し、道路交通管理業務に関し監督上必要な命令をすることができる。

〔追加・令和二法三一〕

（報告、検査等）

第四八条の五五　国土交通大臣は、道路交通管理業務の公正かつ適確な実施を確保するため必要があると認めるときは、指定登録確認機関に対し道路交通管理業務に関し必要な報告を求め、又はその職員に、指定登録確認機関の事務所に立ち入り、道路交通管理業務の状況若しくは帳簿、書類その他の物件を検査させ、若しくは関係者に質問させることができる。

2　前項の規定により立入検査をする職員は、その身分を示す証明書を携帯し、関係者にこれを提示しなければならない。

3　第一項の規定による立入検査の権限は、犯罪捜査のために認められたものと解釈してはならない。

〔追加・令和二法三一〕

参照　【証明書の様式―国土交通省の所管する法律の規定に基づく立入検査等の際に携帯する職員の身分を示す証明書の様式に関する省令一24】【罰則―法一〇六6】

（登録等事務の休廃止）

第四八条の五六　指定登録確認機関は、国土交通大臣の許可を受けなければ、登録等事務の全部若しくは一部を休止し、又は廃止してはならない。

2　国土交通大臣は、前項の許可をしたときは、その旨を公示しなければならない。

〔追加・令和二法三一〕

参照　【許可―車両の通行の許可の手続等を定める省令三一】【罰則―法一〇六7】

（指定の取消し等）

第四八条の五七　国土交通大臣は、指定登録確認機関が第四十八条の四十七第一号又は第三号に該当するに至つたときは、指定を取り消さなければならない。

2　国土交通大臣は、指定登録確認機関が次の各号のいずれかに該当するときは、指定を取り消し、又は期間を定めて登録等事務の全部若しくは一部の停止を命ずることができる。

一　第四十八条の五十第三項の規定により読み替えて適用する第四十八条の六、第四十七条の七第二項又は第四十七条の十第三項、第四項若しくは第六項の規定に違反したとき。

二　第四十八条の五十一第一項、第四十八条の五十三又は前条第一項の規定に違反したとき。

三　第四十八条の五十二第一項の認可を受けた登録等事務規程によらないで業務を行つたとき。

四　第四十八条の五十二第三項又は第四十八条の五十四の規定による命令に違反したとき。

五　第四十八条の四十六第一項各号に掲げる基準に適合していないと認めるとき。

六　登録等事務に関し著しく不適当な行為をしたとき。

七　不正な手段により指定を受けたとき。

3　国土交通大臣は、前二項の規定により指定を取り消し、又は前項の規定により登録等事務の全部若しくは一部の停止を命じたときは、その旨を公示しなければならない。

〔追加・令和二法三一〕

参照【罰則―法一〇二5

（国土交通大臣による登録等事務の実施）

第四八条の五八　国土交通大臣は、第四十八条の五十六第一項の規定により指定登録確認機関が登録等事務の全部若しくは一部を休止したとき、前条第二項の規定により指定登録確認機関に対し登録等事務の全部若しくは一部の停止を命じたとき、又は指定登録確認機関が天災その他の事由により登録等事務の全部若しくは一部を実施することが困難となつた場合において必要があると認めるときは、第四十八条の五十第二項の規定にかかわらず、登録等事務の全部又は一部を自ら行うものとする。

2　国土交通大臣は、前項の規定により登録等事務を行うこととし、又は同項の規定により行つている登録等事務を行わないこととするときは、その旨を公示しなければならない。

3　国土交通大臣が、第一項の規定により登録等事務を行うこととし、第四十八条の五十六第一項の規定により登録等事務の廃止を許可し、若しくは前条第一項若しくは第二項の規定により指定を取り消し、又は第一項の規定により行つている登録等事務を行わないこととする場合における登録等事務の引継ぎその他の必要な事項は、国土交通省令で定める。

〔追加・令和二法三一〕

参照【省令―車両の通行の許可の手続等を定める省令二五・三二

（手数料）

第四八条の五九　指定登録確認機関が登録等事務を行う場合には、次に掲げる者は、実費を勘案して政令で定める額の手数料を当該指定登録確認機関に納付しなければならない。

一　登録を受けようとする者

二　第四十七条の十第一項の規定による求めをしようとする者

2　前項の規定により指定登録確認機関に納付された手数料は、当該指定登録確認機関の収入とする。

〔追加・令和二法三一〕

参照【政令―車両制限令二一

第十四節　道路協力団体

〔追加・平成二八法一九、旧八節を繰下・旧一三節を繰下・令和二法三一〕

（道路協力団体の指定）

第四八条の六〇　道路管理者は、次条に規定する業務を適正かつ確実に行うことができると認められる法人その他これに準ずるものとして国土交通省令で定める団体を、その申請により、道路協力団体として指定することができる。

2　道路管理者は、前項の規定による指定をしたときは、当該道路協力団体の名称、住所及び事務所の所在地を公示しなければならない。

3　道路協力団体は、その名称、住所又は事務所の所在地を変更しようとするときは、あらかじめ、その旨を道路管理者に届け出なければならない。

4　道路管理者は、前項の規定による届出があつたときは、当該届出に係る事項を公示しなければならない。

〔追加・平成二八法一九、旧四八条の二〇を繰下・平成三〇法六、旧四八条の二三を繰下・旧四八条の四六を繰下・令和二法三一〕

参照【省令―規則四の二五【指定―規則四の二六【権限代行―法二七②、令四の二・六②【意見聴取―特別措置法三〇・三一

（道路協力団体の業務）

第四八条の六一　道路協力団体は、当該道路協力団体を指定した道路管理者が管理する道路について、次に掲げる業務を行うものとする。

一　道路管理者に協力して、道路に関する工事又は道路の維持を行うこと。

二　前号に掲げるもののほか、安全かつ円滑な道路の交通の確保又は道路の通行者若しくは利用者の利便の増進に資する工作物、物件又は施設であつて国土交通省令で定めるものの設置又は管理を行うこと。

三　道路の管理に関する情報又は資料を収集し、及び提供すること。

四　道路の管理に関する調査研究を行うこと。

五　道路の管理に関する知識の普及及び啓発を行うこと。

六　前各号に掲げる業務に附帯する業務を行うこと。

〔追加・平成二八法一九、旧四八条の二一を繰下・平成三〇法六、旧四八条の二四を繰下・旧四八条の四七を繰下・令和二法三一〕

参照【省令―規則四の二七【権限代行―法二七⑤、令五

（監督等）

第四八条の六二　道路管理者は、前条各号に掲げる業務の適正かつ確実な実施を確保するため必要があると認めるときは、道路協力団体に対し、その業務に関し報告をさせることができる。

2　道路管理者は、道路協力団体が前条各号に掲げる業務を適正かつ確実に実施していないと認めるときは、道路協力団体に対し、その業務の運営の改善に関し必要な措置を講ずべきことを命ずることができる。

3　道路管理者は、道路協力団体が前項の規定による命令に違反したときは、その指定を取り消すことができる。

4　道路管理者は、前項の規定により指定を取り消したときは、その旨を公示しなければならない。

〔追加・平成二八法一九、旧四八条の二二を繰下・平成三〇法六、旧四八条の二五を繰下・旧四八条の四八を繰下・令和二法三一〕

参照【権限代行―法二七②、令四の二・六②【意見聴取―特別措置法三〇・三一

（情報の提供等）

第四八条の六三　国土交通大臣又は道路管理者は、道路協力団体に対し、その業務の実施に関し必要な情報の提供又は指導若しくは助言をするものとする。

〔追加・平成二八法一九、旧四八条の二三を繰下・平成三〇法六、旧四八条の二六を繰下・旧四八条の四九を繰下・令和二法三一〕

参照【権限代行―法二七②、令四の二【意見聴取―特別措置法三〇・三一

（道路協力団体に対する道路管理者の承認等の特例）

第四八条の六四　道路協力団体が第四十八条の六十一各号に掲げる業務として行う国土交通省令で定める行為についての第二十四条本文並びに第三十二条第一項及び第三項の規定の適用については、道路協力団体と道路管理者との協議が成立することをもつて、これらの規定による承認又は許可があつたものとみなす。

〔追加・平成二八法一九、旧四八条の二四を改正し繰下・平成三〇法六、旧四八条の二七を改正し繰下・旧四八条の五〇を改正し繰下・令和二法三一〕

参照【権限代行―法二七、令四～六、特別措置法八①、一七【省令―規則四の二八

（踏切道の改良への協力）

第四八条の六五　道路協力団体は、踏切道改良促進法第四条第八項及び第九項（これらの規定を同法第五条第二項又は第六条第三項（同条第六項において準用する場合を含む。）において準用する場合を含む。）の規定により同法第四条第一項に規定する地方踏切道改良計画又は同法第六条第一項に規定する国踏切道改良計画に道路協力団体の協力が必要な事項が記載されたときは、当該地方踏切道改良計画又は国踏切道改良計画に基づき鉄道事業者及び道路管理者が実施する踏切道（同法第二条に規定する踏切道をいう。）の改良に協力するものとする。

〔追加・平成二八法一九、旧四八条の二五を繰下・平成三〇法六、旧四八条の二八を繰下・令和二法三一、改正・令和三法九、旧四八条の五一を繰下・令和二法三一〕

第四章　道路に関する費用、収入及び公用負担

（道路の管理に関する費用負担の原則）

第四九条　道路の管理に関する費用は、この法律及び公共土木施設災害復旧事業費国庫負担法並びに他の法律に特別の規定がある場合を除くほか、当該道路の道路管理者の負担とする。

〔改正・昭和三三法三六・昭和三九法一六三・昭和四六法四六・平成三法六〇・平成一一法八七〕

参照【この法律の特別規定―法五〇～五二・五四～六二・六五・八五③・八八①、令三一・三三・三四の二の三【開発道路にかかる負担金の納付―法八八③、令三四の二・三四の二の二【他の法律の特別規定―都市計画法八三、軌道法八、道路の修繕に関する法律、公共土木施設災害復旧事業費国庫負担法三～五、企業合理化促進法八、離島振興法七①、奄美群島振興開発特別措置法六①、高速自動車国道法二〇、特別措置法三七、積雪寒冷特別地域における道路交通の確保に関する特別措置法六、道路整備事業に係る国の財政上の特別措置に関する法律二、後進地域の開発に関する公共事業に係る国の負担割合の特例に関する法律、共同溝整備法二二、電線共同溝整備法二二、地方道路公社法二九・三〇、交通安全施設等整備事業の推進に関する法律六、沖縄振興特別措置法九四・九八

参考規定―地財法九～一〇の三・一一、地方交付税法一二

（国道の管理に関する費用負担の特例等）

第五〇条　国道の新設又は改築に要する費用は、国土交通大臣が当該新設又は改築を行う場合においては国がその三分の二を、都道府県がその三分の一を負担し、都道府県が当該新設又は改築を行う場合においては国及び当該都道府県がそれぞれその二分の一を負担するものとする。

2　指定区間内の国道の災害復旧に要する費用は、国がその十分の五・五を、都道府県がその十分の四・五を負担する。

3　第十三条第二項の規定による指定区間内の国道の維持、修繕及び災害復旧以外の管理に要する費用は、当該都道府県又は指定市の負担とする。

4　第十三条第三項の規定による指定区間外の国道の災害復旧に関する工事に要する費用は、当該都道府県の負担とする。

5　第十七条第七項又は第四十八条の十九第一項の規定による指定区間外の国道の維持に要する費用は、当該指定区間外の国道の道路管理者である都道府県の負担とする。

6　第一項の場合において、国道の新設又は改築によつて他の都道府県も著しく利益を受けるときは、国土交通大臣は、政令で定める基準により、その利益を受ける限度において、当該国道の所在する都道府県の負担すべき負担金の一部を著しく利益を受ける他の都道府県に分担させることができる。

7　前項の規定により国土交通大臣が著しく利益を受ける他の都道府県に国道の所在する都道府県の負担すべき負担金の一部を分担させようとする場合においては、国土交通大臣は、関係都道府県の意見を聴かなければならない。

〔改正・昭和三三法三六・昭和三九法一六三・平成五法八・平成一一法八七・法一六〇・平成二三法二〇・平成三〇法六・令和二法三一〕

参照【一般国道の管理―法一二・一三【市町村の分担―法五二【補助―法五六【道等の特例―法八八、令三一【負担金の納付又は支出―法五三①・②【六項の政令―令二〇【他の法律による特例―道路の修繕に関する法律二、公共土木施設災害復旧事業費国庫負担法三～五、特別措置法三七、積雪寒冷特別地域における道路交通の確保に関する特別措置法六、道路整備事業に係る国の財政上の特別措置に関する法律二、共同溝整備法二二、電線共同溝整備法二二、交通安全施設等整備事業の推進に関する法律六①・②、沖縄振興特別措置法九四【指定市の管理の特例―法一七、令一の七・二六

（国土交通大臣が行う都道府県道又は市町村道に係る工事等に関する費用負担）

第五一条　第十七条第六項の規定により国土交通大臣が行う都道府県道又は市町村道を構成する施設又は工作物の改築に関する工事に要する費用は、国が補助金相当額（都道府県又は市町村が自ら当該工事を行うこととした場合に第五十六条の規定により国が当該都道府県又は市町村に補助することができる金額に相当する額をいう。以下この項において同じ。）を、当該都道府県又は市町村が当該工事に要する費用の額から補助金相当額

を控除した額を負担する。

2　第十七条第六項の規定により国土交通大臣が行う都道府県道又は市町村道を構成する施設又は工作物の修繕に関する工事に要する費用は、当該都道府県又は市町村の負担とする。

3　第十七条第七項又は第四十八条の十九第一項の規定により国土交通大臣が行う都道府県道又は市町村道の維持又は災害復旧に関する工事に要する費用は、当該都道府県又は市町村の負担とする。

〔改正・平成二五法三〇・平成三〇法六・令和二法三一〕

（市町村の分担金）

第五二条　前三条の規定により都道府県の負担する費用のうち、その工事又は維持で当該都道府県の区域内の市町村を利するものについては、当該工事又は維持による受益の限度において、当該市町村に対し、その工事又は維持に要する費用の一部を負担させることができる。

2　前項の費用について同項の規定により市町村が負担すべき金額は、当該市町村の意見を聞いた上、当該都道府県の議会の議決を経て定めなければならない。

〔改正・昭和三九法一六三・平成二五法三〇〕

参照【負担金の納付―法五三③【市町村に分担させてはならない経費―地財法二七の二、同法施行令五一

（負担金の納付又は支出）

第五三条　国土交通大臣が国道の新設若しくは改築を行う場合、指定区間内の国道の災害復旧を行う場合、指定区間外の国道の維持若しくは災害復旧に関する工事を行う場合、都道府県道若しくは市町村道の維持若しくは災害復旧に関する工事を行う場合又は都道府県道若しくは市町村道を構成する施設若しくは工作物の改築若しくは修繕に関する工事を行う場合においては、まず全額国費をもつてこれを行つた後、都道府県又は市町村は、政令で定めるところにより、第五十条第一項、第二項若しくは第四項から第六項まで又は第五十一条の規定に基づく負担金を国庫に納付しなければならない。

2　都道府県が国道の新設又は改築を行う場合においては、国は第五十条第一項の規定に基づく負担金を、同条第六項の規定により分担を命ぜられた他の都道府県は当該規定による分担金を、政令で定めるところにより、当該都道府県に対して支出しなければならない。

3　前条第一項の規定による市町村の分担金は、政令で定めるところにより、都道府県に納付しなければならない。

〔改正・昭和三三法三六・昭和三九法一六三・平成一一法八七・法一六〇・平成二二法二〇・平成二五法三〇・平成三〇法六〕

参照【国道の新設又は改築―法一二【指定市又は指定市以外の市の管理の特例―法一七、令一の七・二六【政令で定める都道府県等負担額等―令二一～二三・二五～二七【三項の政令―未制定
参考規定―地財法一七～一九・二〇の二・二五・二九

（境界地の道路の管理に関する費用）

第五四条　第四十九条から第五十一条までの規定により地方公共団体の負担すべき道路の管理に関する費用で地方公共団体の区域の境界に係る道路に関するものについては、関係道路管理者は、協議してその分担すべき金額及び分担の方法を定めることができる。

2　第十九条第二項の規定は、前項の規定による協議が成立しない場合について準用する。

3　第七条第六項の規定は、前項において準用する第十九条第二項の規定による国土交通大臣又は都道府県知事の裁定について準用する。この場合において、第七条第六項中「国土交通大臣」とあるのは「国土交通大臣又は都道府県知事」と、「関係都道府県知事」とあるのは「関係道路管理者」と、「当該都道府県の議会」とあるのは「道路管理者である地方公共団体の議会」と読み替えるものとする。

4　第二項において準用する第十九条第二項の規定により国土交通大臣又は都道府県知事が裁定をした場合においては、第一項の規定の適用については、関係道路管理者の協議が成立したものとみなす。

〔改正・昭和三九法一六三・平成一一法八七・法一六〇・平成二五法三〇〕

参照【境界地の道路の管理―法一九

（共用管理施設の管理に要する費用）

第五四条の二　第四十九条から第五十一条までの規定により国又は地方公共団体の負担すべき道路の管理に関する費用で共用管理施設に関するものについては、共用管理施設関係道路管理者は、協議してその分担すべき金額及びその分担の方法を定めることができる。

2　第十九条の二第二項の規定は、前項の規定による協議が成立しない場合について準用する。

3　第七条第六項の規定は、前項において準用する第十九条の二第二項の規定による国土交通大臣又は都道府県知事の裁定について準用する。この場合において、第七条第六項中「国土交通大臣」とあるのは「国土交通大臣又は都道府県知事」と、「関係都道府県知事」とあるのは「共用管理施設関係道路管理者」と、「当該都道府県の議会」とあるのは「道路管理者である地方公共団体の議会」と読み替えるものとする。

4　第二項において準用する第十九条の二第二項の規定により国土交通大臣又は都道府県知事が裁定をした場合においては、第一項の規定の適用については、共用管理施設関係道路管理者の協議が成立したものとみなす。

〔追加・平成八法四八、改正・平成一一法八七・法一六〇・平成二五法三〇〕

参照【権限代行―法二七①、令四【権限の委任―法九七の二、令四一【会社等の場合―特別措置法三八・五四①【共用管理施設の管理―法一九の二【高速自動車国道―高速自動車国道法二〇の二

（兼用工作物の費用）

第五五条　第四十九条から第五十一条までの規定により国又は地方公共団体の負担すべき道路の管理に関する費用で、当該道路が他の工作物と効用を兼ねるものに関するものについては、国土交通大臣又は当該道路の道路管理者は、他の工作物の管理者と協議してその分担すべき金額及び分担の方法を定めることができる。

2　第二十条第二項及び第三項の規定は、前項の規定による協議が成立しない場合について準用する。

3　第七条第六項の規定は、前項において準用する第二十条第三項の規定による国土交通大臣及び当該他の工作物に関する主務大臣又は都道府県知事の裁定について準用する。この場合にお

いて、第七条第六項中「国土交通大臣」とあるのは「国土交通大臣及び当該他の工作物に関する主務大臣又は都道府県知事」と、「関係都道府県知事の意見」とあるのは「当該道路の道路管理者又は他の工作物の管理者の意見」と、「関係都道府県知事は、」とあるのは「当該道路の道路管理者は、」と、「当該都道府県の議会」とあるのは「道路管理者である地方公共団体の議会」と読み替えるものとする。

4　第二項において準用する第二十条第二項の規定により国土交通大臣と当該他の工作物に関する主務大臣との協議が成立した場合又は第三項において準用する同条第三項の規定により国土交通大臣及び当該他の工作物に関する主務大臣若しくは都道府県知事が裁定をした場合においては、第一項の規定の適用については、国土交通大臣又は当該道路の道路管理者と他の工作物の管理者との協議が成立したものとみなす。

〔改正・昭和三三法三六・昭和三九法一六三・法一六八・平成一一法八七・法一六〇・平成二五法三〇〕

参照【兼用工作物の管理―法二〇】【権限の委任―法九七の二、令四一】【工事施行命令の場合の費用の負担―法六〇】【有料道路―特別措置法三九】【高速自動車国道―高速自動車国道法二一】【河川管理施設―河川法三②】

類似規定―河川法六六

（道路に関する費用の補助）

第五六条　国は、国土交通大臣の指定する主要な都道府県道若しくは市道を整備するために必要がある場合、第七十七条の規定による道路に関する調査を行うために必要がある場合又は資源の開発、産業の振興、観光その他国の施策上特に道路を整備する必要があると認められる場合においては、予算の範囲内において、政令で定めるところにより、当該道路の新設又は改築に要する費用についてはその二分の一以内を、道路に関する調査に要する費用についてはその三分の一以内を、指定区間外の国道の修繕に要する費用についてはその二分の一以内を道路管理者に対して、補助することができる。

〔改正・昭和三三法三六・昭和三九法一六三・平成五法八・平成一一法一六〇〕

参照【道等の特例―法八八、令三二・三四の二の三】【補助額等―令二八・三〇、地財法一六・一八・一九・二〇の二～二五】【他の法律による特例―道路の修繕に関する法律一、離島振興法七②・③、奄美群島振興開発特別措置法六①、積雪寒冷特別地域における道路交通の確保に関する特別措置法六、道路整備事業に係る国の財政上の特別措置に関する法律二、共同溝整備法二二②、電線共同溝整備法二二②、成田国際空港周辺整備のための国の財政上の特別措置に関する法律三①・②、沖縄振興特別措置法九四・九八、交通安全施設等整備事業の推進に関する法律六】

（道路管理者以外の者の行う工事等に要する費用）

第五七条　第二十四条の規定により道路管理者以外の者の行う道路に関する工事又は道路の維持に要する費用は、同条の規定により道路管理者の承認を受けた者又は道路の維持を行う者が負担しなければならない。

参照【道路に関する工事―法二〇①】

（原因者負担金）

第五八条　道路管理者は、他の工事又は他の行為により必要を生じた道路に関する工事又は道路の維持の費用については、その必要を生じた限度において、他の工事又は他の行為につき費用を負担する者にその全部又は一部を負担させるものとする。

2　前項の場合において、他の工事が河川工事であるときは、道路に関する工事の費用については、河川法第六十八条の規定は、適用しない。

〔改正・昭和三九法一六八・昭和四六法四六〕

参照【道路に関する工事―法二〇①】【工事原因者に対する工事施行命令―法二二】【他の工事―法二二】【他の行為―法二二】【国道新設等負担（補助）基本額の算定―法五三・五六、令二一・二二・二八】【納入手続等―法六三】【収入の帰属―法六四①】【強制徴収―法七三】【権限の委任―法九七の二、令四一】【国の行う事業等に対する負担金の徴収―法八六、特別措置法四一】

（附帯工事に要する費用）

第五九条　道路に関する工事に因り必要を生じた他の工事又は道路に関する工事を施行するために必要を生じた他の工事に要する費用は、第三十二条第一項及び第三項の規定による許可に附した条件に特別の定がある場合並びに第三十五条の規定による協議による場合を除く外、その必要を生じた限度において、この法律の規定に基いて道路に関する工事について費用を負担すべき者がその全部又は一部を負担しなければならない。

2　前項の場合において、他の工事が河川工事であるときは、他の工事に要する費用については、同項の規定は、適用しない。

3　道路管理者は、第一項の道路に関する工事が他の工事又は他の行為のために必要となつたものである場合においては、同項の他の工事に要する費用の全部又は一部を、その必要を生じた限度において、その原因となつた工事又は行為につき費用を負担する者に負担させることができる。

〔改正・昭和三九法一六八〕

参照【道路に関する工事―法二〇①】【附帯工事の施行―法二三】【負担（補助）基本額の算定―法五三・五六、令二一・二二・二八】【納入手続等―法六三】【収入の帰属―法六四①】【強制徴収―法七三】【権限の委任―法九七の二、令四一】【河川工事―法二二②】【国の行う事業等に対する負担金の徴収―法八六、特別措置法四一】

（他の工作物の管理者の行う道路に関する工事に要する費用）

第六〇条　第二十一条の規定によつて道路管理者が他の工作物の管理者に施行させた道路に関する工事に要する費用は、この法律の規定に基いて当該道路に関する工事について費用を負担すべき者が負担しなければならない。但し、当該他の工作物の管理者が当該道路に関する工事に因り利益を受けた場合においては、当該他の工作物の管理者に対し、その受けた利益の限度において、当該工事に要する費用の一部を負担させることができる。

〔改正・昭和三九法一六八〕

参照【他の工作物の管理―法二一】【負担（補助）基本額の算定―法五三・五六、令二一・二二・二八】【納入手続等―法六三】【収入の帰属―法六四①】【強制徴収―法七三】【権限の委任―法九七の二、令四一】【国の行う事業等に対する負担金の徴収―法八六、特別措置法四一】

（受益者負担金）

第六一条　道路管理者は、道路に関する工事に因つて著しく利益を受ける者がある場合においては、その利益を受ける限度において、当該工事に要する費用の一部を負担させることができる。

2　前項の場合において、負担金の徴収を受ける者の範囲及びその徴収方法については、道路管理者である地方公共団体の条例（指定区間内の国道にあつては、政令）で定める。

〔改正・昭和三三法三六・昭和三八法九九・昭和三九法一六三〕

参照【道路に関する工事—法二〇①】【負担（補助）基本額の算定—法五三・五六、令二二・二三・二八】【納入手続等—法六三】【収入の帰属—法六四①】【国の行う事業等に対する負担金の徴収—法八六、特別措置法四一】【強制徴収—法七三】【報告—法七六5】【権限の委任—法九七の二、令四一】【共同溝の特例—共同溝整備法二〇・二一】【電線共同溝の特例—電線共同法一九】【他の法律による特例—積雪寒冷特別地域における道路交通の確保に関する特別措置法七】【政令—未制定】

（道路の占用に関する工事の費用）

第六二条　道路の占用に関する工事に要する費用は、第五十九条の規定の適用がある場合を除き、道路の占用につき道路管理者の許可を受けた者が負担しなければならない。第三十八条第一項の規定により道路管理者が自ら道路の占用に関する工事を行う場合も、同様とする。

参照【道路の占用—法三二〜四一】【納入手続等—法六三】【収入の帰属—法六四①】【強制徴収—法七三】【国の行う事業等に対する負担金の徴収—法八六、特別措置法四一】【権限の委任—法九七の二、令四一】

（負担金の通知及び納入手続等）

第六三条　第四十四条の三第七項及び第五十八条から前条までの規定による負担金の額の通知及び納入手続その他負担金に関し必要な事項は、政令で定める。

〔改正・平成三法六〇・令和三法九〕

参照【政令—未制定】

（収入の帰属）

第六四条　第二十四条の二第一項の規定に基づく駐車料金及び同条第三項（第四十八条の三十五第三項において準用する場合を含む。）の規定に基づく割増金、第二十五条の規定に基づく料金、第四十八条の七第一項の規定に基づく連結料、第四十四条の三第七項、第五十八条から第六十一条まで及び第六十二条後段の規定に基づく負担金、第四十八条の三十五第一項の規定に基づく停留料金並びに自動車駐車場等運営権の設定の対価は、道路管理者の収入とし、第三十九条の規定に基づく占用料は、政令で定める区分に従い、道路管理者又は第十三条第二項の規定により指定区間内の国道の維持、修繕及び災害復旧以外の管理を行う都道府県若しくは指定市の収入とする。

2　第四十七条の二第三項の規定に基づく手数料は、同項の道路管理者の収入とし、第四十七条の三第七項、第四十七条の四第五項及び第四十七条の十第五項の規定に基づく手数料は、国の収入とする。

〔改正・昭和三三法三六・昭和三九法一六三・昭和四六法四六・平成三法六〇・平成一一法八七・平成一六法一〇一・平成二五法三〇・令和二法三一・令和三法九〕

参照【政令で定める区分—令一九の三】【有料道路の特例—特別措置法二】【共同溝の特例—共同溝整備法二三】【電線共同溝の特例—電線共同溝整備法二三】

（義務履行のために要する費用）

第六五条　この法律、この法律に基く命令若しくは条例又はこれらによつてする処分による義務を履行するために必要な費用は、この法律に特別の規定がある場合を除く外、当該義務者が負担しなければならない。

参照【特別の規定—法六〇・六九①・七二①】【有料道路—特別措置法四三】

（他人の土地の立入又は一時使用）

第六六条　道路管理者又はその命じた者若しくはその委任を受けた者は、道路に関する調査、測量若しくは工事又は道路の維持のためやむを得ない必要がある場合においては、他人の土地に立ち入り、又は特別の用途のない他人の土地を材料置場若しくは作業場として一時使用することができる。

2　前項の規定により他人の土地に立ち入ろうとする場合においては、あらかじめ当該土地の占有者にその旨を通知しなければならない。但し、あらかじめ通知することが困難である場合においては、この限りでない。

3　前項の規定により宅地又はかき、さく等で囲まれた土地に立ち入ろうとする場合においては、立入の際あらかじめその旨を当該土地の占有者に告げなければならない。

4　日出前及び日没後においては、占有者の承諾があつた場合を除き、前項に規定する土地に立ち入つてはならない。

5　第一項の規定により他人の土地に立ち入ろうとする者は、その身分を示す証票を携帯し、関係人の請求があつた場合においては、これを呈示しなければならない。

6　第一項の規定により特別の用途のない他人の土地を材料置場又は作業場として一時使用しようとする場合においては、あらかじめ当該土地の占有者及び所有者に通知して、その者の意見を聞かなければならない。

7　第五項の規定による証票の様式その他必要な事項は、国土交通省令で定める。

〔改正・平成一一法一六〇〕

参照【権限代行—法二七、令四〜五】【受忍義務—法六七】【証票の様式—規則五①、国土交通省の所管する法律の規定に基づく立入検査等の際に携帯する職員の身分を示す証明書の様式に関する省令一24・二11】【損失の補償—法六九】【第一号法定受託事務—法九七】【権限の委任—法九七の二、令四一】【読替適用—特別措置法四四③】

参考規定—土地収用法一一〜一五

（立入又は一時使用の受忍）

第六七条　土地の占有者又は所有者は、正当な事由がない限り、前条第一項の規定による立入又は一時使用を拒み、又は妨げてはならない。

参照【監督処分—法七一】【罰則—法一〇三9】【読替適用—特別措置法四四③】

参考規定—土地収用法一三

（長時間放置された車両の移動等）

第六七条の二　道路管理者又はその命じた者若しくはその委任を受けた者は、道路の改築、修繕若しくは災害復旧に関する工事又は除雪その他の道路の維持の施行のため緊急やむを得ない必要がある場合においては、道路に長時間放置された車両について、現場に当該車両の運転をする者その他当該車両の管理について責任がある者がいないときに限り、当該車両が放置されている場所からの距離が五十メートルを超えない道路上の場所に当該車両を移動することができる。この場合において、当該車両が放置されている場所からの距離が五十メートルを超えない範囲の地域内の道路上に当該車両を移動する場所がないときは、自動車駐車場、空地、この項前段に規定する場所以外の道路上の場所その他の場所に当該車両を移動することができる。

2　道路管理者は、前項の規定により車両を移動し、又はその命じた者若しくはその委任を受けた者に車両を移動させようとするときは、あらかじめ、当該地域を管轄する警察署長の意見を聴かなければならない。

3　道路管理者は、第一項後段の規定により車両を移動したときは、当該車両を保管しなければならない。この場合において、道路管理者は、車両の保管の場所の形状、管理の態様等に応じ、当該車両に係る盗難等の事故の発生を防止するため、道路管理者が当該車両を保管している旨の表示、車輪止め装置の取付けその他の必要な措置を講じなければならない。

4　道路管理者は、前項の規定により車両を保管したときは、当該車両の所有者又は使用者（以下この条において「所有者等」という。）に対し、保管を始めた日時及び保管の場所を告知し、その他当該車両を所有者等に返還するため必要な措置を講じなければならない。この場合において、当該車両の所有者等の氏名及び住所を知ることができないときは、政令で定めるところにより、政令で定める事項を公示しなければならない。

5　道路管理者は、車両が放置されていた場所における道路の改築、修繕若しくは災害復旧に関する工事が完了し、又は除雪その他の道路の維持の施行が終了した場合その他第三項の規定による保管を継続する必要がなくなつた場合においては、遅滞なく、同項の規定により保管した車両を当該車両が放置されていた場所又はその周辺の場所に移動しなければならない。

〔追加・平成三法六〇〕

参照　【公示事項―令三〇の二】【公示方法―令三〇の三、規則五の二】【返還手続―令三〇の四、規則五の三】【権限の委任―法九七の二、令四一】【第一号法定受託事務―法九七】【権限代行―法二七、令四～五、特別措置法八①・九・一七

（非常災害時における土地の一時使用等）

第六八条　道路管理者は、道路に関する非常災害のためやむを得ない必要がある場合においては、災害の現場において、必要な土地を一時使用し、又は土石、竹木その他の物件を使用し、収用し、若しくは処分することができる。

2　道路管理者は、非常災害に因り道路の構造又は交通に対する危険を防止するためやむを得ないと認められる場合においては、災害の現場に在る者又はその附近に居住する者を防ぎよに従事させることができる。

参照　【権限代行―法二七、令四～五】【損失の補償―法六九】【不服申立ての制限―法九六①】【第一号法定受託事務―法九七】【権限の委任―法九七の二、令四一】【罰則―法一〇二6

参考規定―土地収用法一二二・一二三、災害対策基本法六四

（損失の補償）

第六九条　道路管理者は、第六十六条又は前条の規定による処分に因り損失を受けた者に対して、通常生ずべき損失を補償しなければならない。

2　第四十四条第六項及び第七項の規定は、前項の規定による損失の補償について準用する。

〔改正・平成三〇法六〕

参照　【権限代行―法二七、令四～五】【補償額―憲法二九③】【様式―規則五の二】【権限の委任―法九七の二、令四一】【電線共同溝の特例―電線共同溝整備法一七】【準用―令三五の四

（道路の新設又は改築に伴う損失の補償）

第七〇条　土地収用法第九十三条第一項の規定による場合の外、道路を新設し、又は改築したことに因り、当該道路に面する土地について、通路、みぞ、かき、さくその他の工作物を新築し、増築し、修繕し、若しくは移転し、又は切土若しくは盛土をするやむを得ない必要があると認められる場合においては、道路管理者は、これらの工事をすることを必要とする者（以下「損失を受けた者」という。）の請求により、これに要する費用の全部又は一部を補償しなければならない。この場合において、道路管理者又は損失を受けた者は、補償金の全部又は一部に代えて、道路管理者が当該工事を行うことを要求することができる。

2　前項の規定による損失の補償は、道路に関する工事の完了の日から一年を経過した後においては、請求することができない。

3　第一項の規定による損失の補償については、道路管理者と損失を受けた者とが協議しなければならない。

4　前項の規定による協議が成立しない場合においては、道路管理者又は損失を受けた者は、政令で定めるところにより、収用委員会に土地収用法第九十四条の規定による裁決を申請することができる。

参照　【権限代行―法二七、令四～五】【権限の委任―法九七の二、令四一】【政令―令三五の四

参考規定―土地収用法九三、海岸法一九、河川法二一

第五章　監督

（道路管理者等の監督処分）

第七一条　道路管理者は、次の各号のいずれかに該当する者に対して、この法律若しくはこの法律に基づく命令の規定によつて与えた許可、承認若しくは認定（以下この条及び第七十二条の二第一項において「許可等」という。）を取り消し、その効力を停止し、若しくはその条件を変更し、又は行為若しくは工事の中止、道路（連結許可等に係る自動車専用道路と連結する施設を含む。以下この項において同じ。）に存する工作物その他の物件の改築、移転、除却若しくは当該工作物その他の物件により生ずべき損害を予防するために必要な施設をすること若しくは道路を原状に回復することを命ずることができる。

一　この法律若しくはこの法律に基づく命令の規定又はこれらの規定に基づく処分に違反している者

二　この法律又はこの法律に基づく命令の規定による許可又は承認に付した条件に違反している者

三　偽りその他不正な手段によりこの法律又はこの法律に基づ

く命令の規定による許可等を受けた者

2　道路管理者は、次の各号のいずれかに該当する場合においては、この法律又はこの法律に基づく命令の規定による許可等を受けた者に対し、前項に規定する処分をし、又は措置を命ずることができる。

一　道路に関する工事のためやむを得ない必要が生じた場合

二　道路の構造又は交通に著しい支障が生じた場合

三　前二号に掲げる場合のほか、道路の管理上の事由以外の事由に基づく公益上やむを得ない必要が生じた場合

3　第四十四条第四項又は前二項の規定により必要な措置をとることを命じようとする場合において、過失がなくて当該措置を命ずべき者を確知することができないときは、道路管理者は、その者の負担において、当該措置を自ら行い、又はその命じた者若しくは委任した者にこれを行わせることができる。この場合においては、相当の期限を定めて、当該措置を行うべき旨及びその期限までに当該措置を行わないときは、道路管理者又はその命じた者若しくは委任した者が当該措置を行う旨を、あらかじめ公告しなければならない。

4　道路管理者（第九十七条の二の規定により権限の委任を受けた北海道開発局長を含む。以下この項及び次項において同じ。）は、その職員のうちから道路監理員を命じ、第二十四条、第三十二条第一項若しくは第三項、第三十七条、第四十条、第四十三条、第四十四条第三項若しくは第四項、第四十六条第一項若しくは第三項、第四十七条第三項、第四十七条の十四第二項若しくは第四十八条第一項若しくは第二項の規定又はこれらの規定に基づく処分に違反している者（第一項又は第二項の規定による道路管理者の処分に違反している者を含む。）に対して第一項の規定によるその違反行為若しくは工事の中止を命じ、又は道路に存する工作物その他の物件の改築、移転、除却若しくは当該工作物その他の物件により生ずべき損害を予防するために必要な施設をすること若しくは道路を原状に回復することを命ずる権限を行わせることができる。

5　道路管理者は、前項の規定により命じた道路監理員に第四十三条の二、第四十七条の十四第一項、第四十八条第四項、第四十八条の十二又は第四十八条の十六の規定による権限を行わせることができる。

6　道路監理員は、前二項の規定による権限を行使する場合においては、その身分を示す証票を携帯し、関係人の請求があつたときは、これを呈示しなければならない。

7　前項の規定による証票の様式その他必要な事項は、国土交通省令で定める。

〔改正・昭和三三法三六・昭和三四法六六・昭和三九法一六三・昭和四六法四六・平成元法五六・平成五法八九・平成一一法一六〇・平成一六法一〇一・平成二五法三〇・平成二六法五三・平成三〇法六・令和二法三一〕

参照【共同溝の特例―共同溝整備法一九【電線共同溝の特例―電線共同溝整備法一六・一七・二〇・二六【権限代行―法二七、令四～六、特別措置法八①・一七【損失の補償―法七二【予定区域準用―法九一②【連結許可等への準用―高速自動車国道法一一の八①【第一号法定受託事務―法九七【権限の委任―法九七の二、令四一【罰則―法一〇三6・一〇四7・8・一〇五【道路監理員の証票―規則五②【意見聴取―令一の三、特別措置法三〇①・三一①【代執行―行政代執行法【高速自動車国道―高速自動車国道法一九【事務の委任、臨時代理等―自治法一五三【国土交通省令―規則五【技術的読替―特別措置法五四

参考規定―交通法八一～八三

類似規定―都市計画法八一

（監督処分に伴う損失の補償等）

第七十二条　道路管理者は、第二十四条又は第三十二条第一項若しくは第三項の規定による承認又は許可を受けた者が前条第二項第二号又は第三号の規定による処分によつて通常受けるべき損失を補償しなければならない。

2　第四十四条第六項及び第七項の規定は、前項の規定による損失の補償について準用する。

3　道路管理者は、第一項の規定による補償の原因となつた損失が前条第二項第三号の規定による処分に因るものである場合においては、当該補償金額を当該事由を生じさせた者に負担させることができる。

〔改正・平成三〇法六〕

参照【予定区域準用―法九一②【不服の申立て―法九六【権限の委任―法九七の二、令四一【強制徴収―法七三【準用―令三五の四

（報告及び立入検査）

第七十二条の二　道路管理者は、この法律（次項に規定する規定を除く。）の施行に必要な限度において、国土交通省令で定めるところにより、この法律若しくはこの法律に基づく命令の規定による許可等を受けた者に対し、道路管理上必要な報告をさせ、又はその職員に、当該許可等に係る行為若しくは工事に係る場所若しくは当該許可等を受けた者の事務所その他の事業場に立ち入り、当該許可等に係る行為若しくは工事の状況若しくは工作物、帳簿、書類その他の物件を検査させることができる。

2　道路管理者は、第四十七条第二項若しくは第三項並びに第七十一条第一項（第四十七条第二項の規定に係る場合に限る。）の規定の施行に必要な限度において、国土交通省令で定めるところにより、限度超過車両を所有し、若しくは通行させる者に対し、道路管理上必要な報告をさせ、又はその職員に、限度超過車両の所在する場所若しくは限度超過車両を所有し、若しくは通行させる者の事務所その他の事業場に立ち入り、限度超過車両の通行経路、通行時間その他の通行の方法の記録その他の物件を検査させることができる。

3　前二項の規定により立入検査をする職員は、その身分を示す証明書を携帯し、関係人の請求があつたときは、これを提示しなければならない。

4　第一項及び第二項の規定による立入検査の権限は、犯罪捜査のために認められたものと解釈してはならない。

〔追加・平成二五法三〇、改正・平成三〇法六〕

参照【権限代行―特別措置法八①・一七【罰則―法一〇六8【証明書の様式―規則六、国土交通省の所管する法律の規定に基づく立入検査等の際に携帯する職員の身分を示す証明書の様式に関する省令一24・二11、車両の通行の許可の手続等を定める省令三四【予定区域準用―法九一②

（負担金等の強制徴収）

第七十三条　この法律、この法律に基づく命令若しくは条例又はこれらによつてした処分により納付すべき負担金、占用料、駐車料金、割増金、料金、連結料又は停留料金（以下これらを「負担金等」という。）を納付しない者がある場合においては、道路管理者は、督促状によつて納付すべき期限を指定して督促しなければならない。

2　前項の場合においては、道路管理者は、条例（指定区間内の国道にあつては、政令）で定めるところにより、手数料及び延滞金を徴収することができる。ただし、手数料の額は督促状の送付に要する費用を勘案して定め、延滞金は年十四・五パーセントの割合を乗じて計算した額を超えない範囲内で定めなければならない。

3　第一項の規定による督促を受けた者がその指定する期限までにその納付すべき金額を納付しない場合においては、道路管理者は、国税滞納処分の例により、前二項に規定する負担金等並びに手数料及び延滞金を徴収することができる。この場合における負担金等並びに手数料及び延滞金の先取特権の順位は、国税及び地方税に次ぐものとする。

4　手数料及び延滞金は、負担金等に先だつものとする。

5　負担金等並びに手数料及び延滞金を徴収する権利は、これらを行使することができる時から五年間行使しない場合においては、時効により消滅する。

〔改正・昭和三三法三六・昭和三四法一四八・昭和三九法一六三・昭和四五法一三・昭和五九法二三・平成三法六〇・平成一一法八七・平成一四法一〇〇・平成一六法一〇一・平成二九法四五・令和二法三一〕

【参照】【負担金等―法二四の二・二五・三九・四四の三⑦・四八の七①・五五・五八～六二・六五・七二③【共同溝への準用―共同溝整備法二五【電線共同溝への準用―電線共同溝整備法二五【有料道路への準用―特別措置法四五【予定区域準用―法九一②【連結料の徴収への準用―高速自動車国道法一一の八②【権限の委任―法九七の二、令四一【政令―令三六

参考規定―国税徴収法

（国土交通大臣の認可）

第七四条　指定区間外の国道の道路管理者は、当該国道を新設し、又は改築しようとする場合においては、国土交通省令で定めるところにより、国土交通大臣の認可を受けなければならない。ただし、国土交通省令で定める軽易なものについては、この限りでない。

〔改正・昭和三三法三六・昭和三九法一六三、全改・平成一一法八七、改正・平成一一法一六〇・平成二三法三七〕

【参照】【一般国道の新設又は改築―法一三【指定区間―法一三①【認可申請手続―規則七・八【認可を要しない軽易な事項―規則八【適用除外―特別措置法五四③【都の特例―法八九

（法令違反等に関する指示等）

第七五条　国土交通大臣は、指定区間外の国道に関し、次に掲げる場合においては、当該指定区間外の国道の道路管理者に対して、その処分の取消し、変更その他必要な処分又はその工事の中止、変更、施行若しくは道路の維持のため必要な措置をすること（以下この条において「必要な処分等」という。）を指示することができる。

一　道路の構造を保全し、又は交通の危険を防止するため特に必要があると認められる場合

二　道路管理者のした処分又は工事がこの法律若しくはこの法律に基づく命令又はこれらに基づいて国土交通大臣がした処分に違反すると認められる場合

2　国土交通大臣は都道府県道及び指定市の市道に関し、都道府県知事は指定市の市道以外の市町村道に関し、次の各号に掲げる場合においては、それぞれ当該道路の道路管理者に対して、当該各号に定める措置をすることができる。

一　道路の構造を保全し、又は交通の危険を防止するため緊急の必要があると認められる場合　必要な処分等の指示

二　道路管理者のした処分又は工事がこの法律、この法律に基づく命令又はこれらに基づいて国土交通大臣若しくは都道府県知事がした処分に違反すると認められる場合　必要な処分等の要求（都道府県知事がするときは、勧告）

3　国土交通大臣は、指定市の市道以外の市町村道に関し、次の各号に掲げる場合においては、当該道路の道路管理者に対して、当該各号に定める措置をすることができる。

一　前項第一号に掲げる場合であつて特に必要があると認められる場合　必要な処分等の指示

二　前項第二号に掲げる場合であつて特に必要があると認められる場合　必要な処分等の要求

4　道路管理者は、国土交通大臣から前二項の規定による要求を受けたときは、必要な処分等を行わなければならない。

5　第一項から第三項までの規定による国土交通大臣又は都道府県知事の指示又は要求若しくは勧告により道路管理者が自己の処分を取り消し、又は変更したことにより、損失を受けた者がある場合においては、道路管理者は、損失を受けた者に対し通常生ずべき損失を補償しなければならない。

6　第四十四条第六項及び第七項の規定は、前項の規定による損失の補償について準用する。

〔改正・昭和三三法三六・昭和三九法一六三・平成一一法八七・法一六〇・平成三〇法六〕

【参照】【予定区域準用―法九一②【第一号法定受託事務―法九七【有料道路―特別措置法四六【準用―令三五の四

参考規定―自治法二四五、国家行政組織法一五

（報告の提出）

第七六条　道路管理者は、国土交通省令で定めるところにより、次に掲げる事項を都道府県である場合にあつては国土交通大臣に、市町村である場合にあつては都道府県知事に報告しなければならない。

一　道路整備計画

二　道路に関する工事の施行実績

三　道路の附属物である自動運行補助施設の設置状況

四　第三十一条第一項の規定による協議の内容

五　第三十九条第二項、第四十八条の七第二項又は第六十一条第二項の規定により定めた条例

2　都道府県知事は、市町村である道路管理者から前項第三号に掲げる事項の報告を受けたときは、その内容を国土交通大臣に報告しなければならない。

〔改正・昭和三四法六六・昭和六〇法九〇・平成一一法八七・法一六〇・平成一六法一〇一・令和二法三一〕

【参照】【第一号法定受託事務―法九七【省令―規則九【権限の委任―法九七の二、令四一【道路に関する工事―法二〇①

（道路に関する調査）

第七七条　国土交通大臣は、道路の交通量、道路の構造、道路の維持又は修繕の実施状況その他道路又は道路の管理の状況に関し必要な調査をその職員に行わせ、又は当該道路の存する地方公共団体の長若しくはその命じた職員が行うことが

できる。

2　地方公共団体の長は、前項の規定による調査の結果を国土交通大臣に報告しなければならない。

3　第一項の規定により道路の交通量を調査するため特に必要があると認める場合においては、当該調査を行おうとする者は、道路を通行する車両を一時停止させ、当該車両の長さ、幅、高さ、総重量その他調査に必要な事項について質問することができる。この場合においては、当該調査を行おうとする者は、その身分を示す証票を携帯し、関係人の請求があつたときは、これを呈示しなければならない。

4　前項に規定する権限は、犯罪捜査のために認められたものと解釈してはならない。

5　前各項に規定するもののほか、第三項後段の規定による証票の様式その他道路の調査に関して必要な事項は、国土交通省令で定める。

〔改正・平成一一法八七・法一六〇・平成二五法三〇〕

参照【補助―法五六【証票の様式―規則五③、国土交通省の所管する法律の規定に基づく立入検査等の際に携帯する職員の身分を示す証明書の様式に関する省令一24・二11【高速自動車国道―高速自動車国道法二三【会社等―特別措置法五五

参考規定―交通法一一一

（道路の行政又は技術に対する勧告等）

第七八条　国土交通大臣は都道府県又は市町村に対し、都道府県知事は市町村に対し、道路を保全し、その他道路の整備を促進するため、道路の行政又は技術に関して必要な勧告、助言又は援助をすることができる。

〔改正・平成一一法一六〇〕

参照【有料道路―特別措置法四八

参考規定―自治法二四五

第六章　社会資本整備審議会の調査審議等

〔改正・平成一一法一〇二〕

（社会資本整備審議会の調査審議等）

第七九条　社会資本整備審議会は、国土交通大臣の諮問に応じ、国土開発幹線自動車道建設会議の権限に属せしめられた事項を除き、道路整備計画、国道の路線の指定又は道路の構造及び工法その他道路に関する制度を調査審議する。

2　社会資本整備審議会は、前項に規定する事項について、関係行政機関に建議することができる。

〔改正・昭和三二法七九・昭和三九法一六三・昭和四一法一〇七・昭和五八法七八・平成一一法一〇二〕

参照【国土開発幹線自動車道建設会議―国土開発幹線自動車道建設法一一、高速自動車国道法三②・四③・五④

第八〇条から第八四条まで　削除〔平成一一法一〇二〕

第七章　雑則

（道路の附属物の新設又は改築）

第八五条　国道に附属する道路の附属物の新設又は改築は、国土交通大臣が自ら行う国道の新設又は改築に伴う場合を除き、当該国道の道路管理者が行う。

2　都道府県道又は市町村道に附属する道路の附属物の新設又は改築は、当該都道府県道又は市町村道の道路管理者が行う。

3　道路の附属物の新設又は改築に要する費用は、道路の附属物の新設又は改築が国道の新設又は改築に伴うものである場合においては、当該国道の新設又は改築に要する費用を負担する者がその負担の割合に応じて負担し、その他の場合においては、道路管理者が負担する。

〔改正・昭和三三法三六・昭和三九法一六三・平成一一法八七・法一六〇〕

参照【道路の附属物―法二②【一般国道の新設又は改築―法一二【都道府県道―法一五【市町村道―法一六【費用の負担―法四九・五〇【道等の特例―法八八【第一号法定受託事務―法九七【適用除外―特別措置法五四③、共同溝整備法二③、電線共同溝整備法二二④、交通安全施設等整備事業の推進に関する法律六⑤【補助―法五六

（国の行う事業等に対する負担金の徴収）

第八六条　第三十五条に規定する事業に対する第五十八条から第六十一条まで及び第六十二条後段の規定による負担金並びに道路の占用に伴う道路に関する工事の費用の負担金の額の決定並びにその徴収方法については、これらの基準を政令で定めることができる。

2　道路管理者は、第三十五条に規定する事業について第五十八条の規定により負担金を徴収しようとする場合又は第六十一条第二項の規定による条例を制定し、若しくは改正しようとする場合においては、前項に規定する政令で定める基準の範囲内においてしなければならない。

参照【有料道路―特別措置法四一【政令―未制定【道路に関する工事―法二〇①

（許可等の条件）

第八七条　国土交通大臣及び道路管理者は、この法律の規定によつてする許可、認可又は承認には、第三十四条又は第四十七条の二第一項の規定による場合のほか、道路の構造を保全し、交通の危険を防止し、その他円滑な交通を確保するために必要な条件を附することができる。

2　前項の規定による条件は、当該許可、認可又は承認を受けた者に不当な義務を課することとならないものでなければならない。

〔改正・昭和四六法四六・平成一一法一六〇〕

参照【許可―法三二①・③・四八の五①・九一①【認可―法七四【承認―法二四【入札―法三九の二〜三九の七【権限代行―法二七、令四〜五、特別措置法八①・一七【条件違反―法七一【第一号法定受託事務―法九七【権限の委任―法九七の二、令四一【予定区域準用―法九一②

（道等の特例）

第八八条　国は、道の区域内の道路については、政令で定めるところにより、道路に関する費用の全額を負担し、若しくはこの法律に規定する負担割合若しくは補助率以上の負担若しくは補助を行い、又はこの法律に規定する以外の負担若しくは補助を行うことができる。地勢、気象等の自然的条件がきわめて悪く、且つ、資源の開発が充分に行われていない地域内の道路で政令で定めるものについても、同様とする。

2　国土交通大臣は、前項の規定により国が道の区域内の道路について、新設又は改築に要する費用にあつてはその四分の三以上で、維持、修繕その他の管理に要する費用にあつてはその二分の一以上で政令で定める割合以上の負担を行なう場合において、国の利害に特に関係があるときは、政令で定めるところにより、道路管理者の権限の全部又は一部を行なうことができる。

3　前項の規定により国土交通大臣が道路管理者の権限の全部又は一部を行なう場合においては、道又は当該市町村道の存する市町村は、政令で定めるところにより、第四十九条の規定に基づく負担金を国庫に納付しなければならない。

〔改正・昭和四六法二七・平成一一法一六〇〕

参照【道路の管理及び費用負担の原則―法一二～一七・四九・五〇】【道の特例―令三一～三四の二の三】【一項後段の政令―未制定】【道の区域内の占用料―開発道路に関する占用料等徴収規則】

（都の特例）

第八九条　都の特別区の存する区域内においては、都知事は、第七条第一項各号に掲げる基準によらないで、議会の議決を経て、都道の路線を認定し、変更し、又は廃止することができる。

2　都知事は、前項の規定により都道の路線を認定し、変更し、又は廃止しようとする場合においては、あらかじめ当該路線の存する特別区の長の意見を聞かなければならない。

〔改正・平成一一法八七・法一六〇・平成二三法三七〕

参考規定―特別区道―自治法二八一②・二八三

（道路の敷地等の帰属）

第九〇条　国道の新設又は改築のために取得した道路を構成する敷地又は支壁その他の物件（以下これらを「敷地等」という。）は国に、都道府県道又は市町村道の新設又は改築のために取得した敷地等はそれぞれ当該新設又は改築をした都道府県又は市町村に帰属する。

2　普通財産である国有財産は、都道府県道又は市町村道の用に供する場合においては、国有財産法第二十二条又は第二十八条の規定にかかわらず、当該道路の道路管理者である地方公共団体に無償で貸し付け、又は譲与することができる。

〔改正・昭和三九法一六三・平成一八法一九〕

参照【道路を構成する物件―法二】【有料道路―特別措置法五一】【普通財産である国有財産―国有財産法三③】

（道路予定区域）

第九一条　第十八条第一項の規定により道路の区域が決定された後道路の供用が開始されるまでの間は、何人も、道路管理者（国土交通大臣が自ら道路の新設又は改築を行う場合における国土交通大臣を含む。以下この条及び第九十六条第五項後段において同じ。）が当該区域についての土地に関する権原を取得する前においても、道路管理者の許可を受けなければ、当該区域内において土地の形質を変更し、工作物を新築し、改築し、増築し、若しくは大修繕し、又は物件を付加増置してはならない。

2　道路の区域が決定された後道路の供用が開始されるまでの間においても、道路管理者が当該区域についての土地に関する権原を取得した後においては、当該区域又は当該区域内に設置された道路の附属物となるべきもの（以下「道路予定区域」という。）については、第四条、第三章第三節、第四十三条、第四十四条から第四十四条の三まで、第四十七条の二十一、第四十八条、第四十八条の四十五（第三十二条第一項又は第三項の規定の適用に係る部分に限る。）、第七十一条、第七十二条、第七十二条の二（第二項を除く。）、第七十三条、第七十五条、第八十七条及び次条から第九十五条までの規定を準用する。

3　第一項の規定による制限により損失を受ける者がある場合においては、道路管理者は、その者に対して通常受けるべき損失を補償しなければならない。

4　第四十四条第六項及び第七項の規定は、前項の規定による損失の補償について準用する。

〔改正・昭和三三法七九・昭和三七法一六一・平成元法五六・平成三法六〇・平成一一法一六〇・平成一九法一九・平成二五法三〇・平成三〇法六・令和二法三一・令和三法九〕

参照【区域の決定―法一八①】【供用の開始―法一八②】【権限代行―法二七、令四～六、特別措置法八①・一七】【監督処分―法七一】【第一号法定受託事務―法九七】【権限の委任―法九七の二、令四一】【罰則―法一〇二1～3・一〇三1・2・10・法一〇四7・8・法一〇六1】【意見聴取―特別措置法三〇・三一】【不服申立ての特例―法九六⑤】

参考規定―宅地建物取引業法三五①2、同法施行令三①25

（不用物件の管理又は交換）

第九二条　道路の供用の廃止又は道路の区域の変更があつた場合においては、当該道路を構成していた不用となつた敷地、支壁その他の物件（以下「不用物件」という。）は、従前当該道路を管理していた者が一年をこえない範囲内において政令で定める期間、管理しなければならない。

2　第四条の規定は、前項の期間が満了するまでは、不用物件について準用する。

3　第一項の不用物件は、土地収用法第百六条の規定の適用については、同項に規定する期間内においては、不用物件とならないものとみなす。

4　道路管理者は、路線の変更又は区域の変更に因り、新たに道路を構成する敷地その他の物件を取得する必要がある場合において、これらの物件及び不用物件の所有者並びに当該物件について抵当権、賃借権、永小作権その他所有権以外の権利を有する者の同意があるときは、第一項の期間内においても、不用物件とこれらの物件とを交換することができる。

〔改正・昭和三三法三六〕

参照【権限の代行―法二七、令四～五】【権限の委任―法九七の二、令四一】【道路の供用の廃止―法一八②】【道路の区域の変更―法一八①】【第一号法定受託事務―法九七】【道路を構成する物件―法二】【政令―令三七】【予定区域準用―法九一②】【不用物件に関する費用等―法九五】【路線の変更―法一〇】

（不用物件の使用）

第九三条　不用物件を他の道路の新設又は区域の変更のために使用する必要がある場合であつて、且つ、当該不用物件が当該道路の区域内にある場合において、当該道路の道路管理者がその旨を前条第一項の期間内に当該不用物件の管理者に申し出たときは、当該不用物件の管理者は、これを当該道路管理者に引き渡さなければならない。

参照【区域の変更―法一八①】【権限の代行―法二七、令四～五】【権

限の委任―法九七の二、令四一【予定区域準用―法九一②】【第一号法定受託事務―法九七

（不用物件の返還又は譲与）
第九四条　第九十二条第四項及び前条の規定に該当する場合を除き、不用物件がその管理者以外の者の所有に属する場合においては、当該不用物件の管理者は、第九十二条第一項の期間満了後、直ちにこれを所有者に返還しなければならない。

2　前項の場合において当該不用物件が国有財産であるときは、国土交通大臣は、当該国有財産の管理者である主務大臣と協議の上、国有財産として存置する必要があるものを除き、国有財産法第二十八条の規定にかかわらず、当該不用物件のあつた道路の管理の費用を負担した地方公共団体にこれを譲与することができる。

3　第一項の場合において、不用物件の管理者が当該不用物件の所有者を確知することができないときは、当該不用物件を供託することができる。ただし、当該管理者に過失があるときは、この限りでない。

4　民法第四百九十五条第二項並びに非訟事件手続法（平成二十三年法律第五十一号）第九十四条及び第九十八条の規定は、前項の規定による供託について準用する。

5　第二項の規定により、譲与を受けることができる地方公共団体が二以上ある場合においては、そのいずれかが都道府県であるときは国土交通大臣が、その他のときは都道府県知事が譲与の割合を決定するものとする。

6　第二項の場合において、土地収用法第百六条又は民法第五百七十九条の規定による買受け又は買戻しの相手方は、譲与を受けた地方公共団体とする。

〔改正・平成一一法一六〇・平成一六法一四七・平成二三法五三・平成二八法一九・平成二九法四五〕

参照　【予定区域準用―法九一②】【国有財産―国有財産法二】【第一号法定受託事務―法九七

（不用物件に関する費用等）
第九五条　第九十二条第一項の期間内における不用物件の管理若しくは同条第四項の規定による不用物件の交換又は前条の規定による不用物件の返還に要する費用は不用物件の管理者の負担とし、不用物件の管理に伴う収益は不用物件の管理者の収入とする。

参照　【不用物件―法九二①】【予定区域準用―法九一②】

（都道府県公安委員会との調整）
第九五条の二　道路管理者は、第四十五条第一項の規定により道路（高速自動車国道及び自動車専用道路を除く。以下この項において同じ。）に区画線（道路交通法第二条第二項の規定により同条第一項第十六号の道路標示とみなされるものに限る。以下この条において同じ。）を設け、第四十六条第一項若しくは第三項若しくは第四十七条第三項の規定により道路の通行を禁止し、若しくは制限し、第四十八条の二十第一項若しくは第三項の規定による歩行者利便増進道路の指定をし、第四十八条の二十九の三の規定により防災拠点自動車駐車場の利用を禁止し、若しくは制限し、又は横断歩道橋を設け、道路の交差部分及びその付近の道路の部分の改築で政令で定めるもの若しくは歩行安全改築を行い、道路の附属物である自動車駐車場を設け、若しくは道路に接して特定車両停留施設を設けようとするときは、当該地域を管轄する都道府県公安委員会の意見を聴かなければならない。ただし、第四十六条第一項の規定により道路の通行を禁止し、若しくは制限し、又は第四十八条の二十九の三の規定により防災拠点自動車駐車場の利用を禁止し、若しくは制限しようとする場合において、緊急を要するためやむを得ないと認められるときは、この限りでないものとし、この場合には、事後において、速やかに当該禁止又は制限の内容及び理由を通知しなければならない。

2　道路管理者は、道路の区域を立体的区域として決定し、若しくは変更し、第四十八条の二第一項若しくは第二項の規定による自動車専用道路の指定をし、第四十五条第一項の規定により自動車専用道路に区画線を設け、第四十六条第一項若しくは第三項の規定により自動車専用道路の通行を禁止し、若しくは制限し、又は自動車専用道路が他の道路に連絡する位置を定めようとするときは、当該地域を管轄する都道府県公安委員会に協議しなければならない。前項ただし書の規定は、道路管理者が第四十六条第一項の規定により自動車専用道路の通行を禁止し、又は制限しようとする場合について準用する。

〔追加・昭和四六法四六、改正・平成元法五六・平成三法六〇・平成一九法一九・令和二法三一・令和三法九〕

参照　【政令―令三八】【権限代行―法二七、令四～五、特別措置法八①・九・一七】【第一号法定受託事務―法九七】【権限の委任―法九七の二・令四一】【高速自動車国道―高速自動車国道法二四の二】【公安委員会からの意見聴取等―交通法一一〇の二③・④】

（不服申立て）
第九六条　第四十六条第二項又は第六十八条第一項若しくは第二項の規定による処分その他公権力の行使に当たる行為（以下この条において「処分」という。）については、審査請求をすることができない。

2　前項に規定する処分を除くほか、都道府県又は市町村である道路管理者がこの法律に基づいてした処分に不服がある者は、当該都道府県の知事又は当該市町村の長に対して審査請求をし、その裁決に不服がある者は、都道府県である道路管理者がした処分については国土交通大臣に対して、市町村である道路管理者がした処分については都道府県知事に対して再審査請求をすることができる。

3　第一項に規定する処分を除くほか、第二十条の規定による協議に基づき都道府県、市町村その他の公共団体である他の工作物の管理者が道路管理者に代わつてした処分に不服がある者は、当該公共団体の長に対して審査請求をし、その裁決に不服がある者は、都道府県である他の工作物の管理者がした処分については国土交通大臣及び当該他の工作物に関する主務大臣に対して、その他の者がした処分については都道府県知事に対して再審査請求をすることができる。

4　第一項に規定する処分を除くほか、第二十条の規定による協議に基づき他の工作物の管理者である主務大臣又はその地方支分部局の長が道路管理者に代わつてした処分に不服がある者は、国土交通大臣及び当該他の工作物に関する主務大臣に対して審査請求をすることができる。

5　道路管理者が第三十二条第一項若しくは第三項（第九十一条第二項において準用する場合を含む。）又は第四十八条の五第一項若しくは第三項の規定による許可の申請書を受理した日か

ら三月を経過してもなおその申請に対する何らの処分をしないときは、許可を申請した者は、道路管理者がその許可を拒否したものとみなして、審査請求をすることができる。道路管理者が第九十一条第一項の規定による許可の申請書を受理した日から三十日を経過してもなおその申請に対する何らの処分をしないときも、同様とする。

〔改正・昭和三二法七九・昭和三三法三六・昭和三四法六六、全改・昭和三七法一六一、改正・昭和四六法四六・平成一一法八七・法一六〇・平成一六法一〇一・平成二六法六九〕

参照 【高速自動車国道に関するもの―高速自動車国道法二四【有料道路―特別措置法五三【共同溝に関するもの―共同溝整備法二六【電線共同溝に関するもの―電線共同溝整備法二七【道路管理者―法九一①

参考規定―行政不服審査法、国の利害に関係のある訴訟についての法務大臣の権限等に関する法律、行政事件訴訟法

（事務の区分）

第九七条 この法律の規定により地方公共団体が処理することとされている事務のうち次に掲げるものは、地方自治法第二条第九項第一号に規定する第一号法定受託事務（次項において「第一号法定受託事務」という。）とする。

一 この法律の規定により都道府県、指定市又は第十七条第二項の規定により都道府県の同意を得た市（次項において「都道府県等」という。）が、指定区間外の国道の道路管理者として処理することとされている事務（第二十四条の二第一項及び第三項（第四十八条の三十五第三項において準用する場合を含む。）、第三十九条第一項（第九十一条第二項において準用する場合を含む。）、第四十四条第五項から第七項まで（これらの規定を第九十一条第二項において準用する場合を含む。）、第四十七条の二第三項、第四十八条の三十五第一項、第四十九条、第五十四条第一項、同条第二項において準用する第十九条第二項、第五十四条第三項において準用する第七条第六項、第五十四条の二第一項、同条第二項において準用する第十九条の二第二項、第五十四条の二第三項において準用する第七条第六項、第五十五条第一項、同条第二項において準用する第二十条第三項、第五十五条第三項において準用する第七条第六項、第五十八条第一項、第五十九条第一項及び第三項、第六十条、第六十一条第一項、第六十九条第一項、同条第二項において準用する第四十四条第六項及び第七項、第七十条第一項、第三項及び第四項、第七十一条第四項（道路監理員の任命に係る部分に限り、第九十一条第二項において準用する場合を含む。）、第七十二条第一項（第九十一条第二項において準用する第四十四条第六項及び第七項並びに第七十二条第三項（これらの規定を第九十一条第二項において準用する場合を含む。）、第七十三条第一項から第三項まで（これらの規定を第九十一条第二項において準用する場合を含む。）、第七十五条第五項並びに同条第六項において準用する第四十四条第六項及び第七項（これらの規定を第九十一条第二項において準用する場合を含む。）、第八十五条第三項、第九十一条第三項並びに同条第四項において準用する第四十四条第六項及び第七項の規定により処理することとされているものを除く。）及び指定区間外の国道を構成していた不用物件の管理者として処理することとされている事務（第九十五条（第九十一条第二項において準用する場合を含む。）の規定により処理することとされているものを除く。）

二 第十三条第二項の規定により都道府県又は指定市が処理することとされる事務（政令で定めるものを除く。）

三 第十七条第四項、第四十八条の二十第三項及び第四十八条の二十二第一項の規定により国道に関して指定市以外の市町村が処理することとされている事務（政令で定めるものを除く。）

四 第十七条第八項の規定により国道に関して都道府県が処理することとされている事務

五 第九十四条第五項（第九十一条第二項において準用する場合を含む。）の規定により都道府県が処理することとされている事務

2 他の法律及びこれに基づく政令の規定により、都道府県等が指定区間外の国道の道路管理者又は道路管理者となるべき者として処理することとされている事務（費用の負担及び徴収に関するものを除く。）は、第一号法定受託事務とする。

〔改正・昭和三三法三六・昭和三四法六六・昭和三九法一六八・昭和四六法四六・平成元法五六・平成三法六〇・平成五法八九、全改・平成一一法八七、改正・平成一九法一九・平成二三法一〇五・平成三〇法六・令和二法三一・令和三法九〕

参照 【政令で定める事務―令一の二・四の二・三九・四〇

（権限の委任）

第九七条の二 この法律及びこの法律に基づく政令に規定する国土交通大臣の権限は、政令で定めるところにより、その一部を地方整備局長又は北海道開発局長に委任することができる。ただし、第三十一条第二項の規定による裁定、同条第五項本文及び第三十一条の二第四項本文の規定による決定並びに同条第三項の規定による命令については、この限りでない。

〔追加・昭和三四法六六、改正・昭和四五法一一一・昭和四六法四六・平成一一法一六〇・令和三法九〕

参照 【政令―令四一【共同溝の特例―共同溝整備法二七【電線共同溝の特例―電線共同溝整備法二八【交通安全施設等整備事業の特例―交通安全施設等整備事業の推進に関する法律八、同法施行令五

（不適用規定）

第九八条 第四条の規定は、他の工作物について道路の路線が指定され、又は認定された場合においては、当該他の工作物については、適用しない。

〔改正・昭和三二法七九〕

参照 【他の工作物―法二〇①

（経過措置）

第九八条の二 この法律の規定に基づき命令を制定し、又は改廃する場合においては、その命令で、その制定又は改廃に伴い合理的に必要と判断される範囲内において、所要の経過措置（罰則に関する経過措置を含む。）を定めることができる。

〔追加・平成元法五六〕

第八章　罰則

第九九条 国又は地方公共団体の職員が、第三十九条の五第一項

若しくは第四十八条の二十六第一項の規定による認定に関し、その職務に反し、当該認定を受けようとする者に談合を唆すこと、当該認定を受けようとする者に当該認定に係る占用入札若しくは公募（以下「占用入札等」という。）に関する秘密を教示すること又はその他の方法により、当該占用入札等の公正を害すべき行為を行つたときは、五年以下の懲役又は二百五十万円以下の罰金に処する。

第九九条　国又は地方公共団体の職員が、第三十九条の五第一項若しくは第四十八条の二十六第一項の規定による認定に関し、その職務に反し、当該認定を受けようとする者に談合を唆すこと、当該認定を受けようとする者に当該認定に係る占用入札若しくは公募（以下「占用入札等」という。）に関する秘密を教示すること又はその他の方法により、当該占用入札等の公正を害すべき行為を行つたときは、五年以下の拘禁刑又は二百五十万円以下の罰金に処する。

〔追加・平成二六法五三、改正・令和二法三一〕

第一〇〇条　偽計又は威力を用いて、占用入札等の公正を害すべき行為をしたときは、その違反行為をした者は、三年以下の懲役若しくは二百五十万円以下の罰金に処し、又はこれを併科する。

第一〇〇条　偽計又は威力を用いて、占用入札等の公正を害すべき行為をしたときは、その違反行為をした者は、三年以下の拘禁刑若しくは二百五十万円以下の罰金に処し、又はこれを併科する。

2　占用入札等につき、公正な価額を害し又は不正な利益を得る目的で、談合したときも、前項と同様とする。

〔追加・平成二六法五三、改正・令和二法三一・令和三法九〕

第一〇一条　みだりに道路（高速自動車国道を除く。以下この条において同じ。）を損壊し、若しくは道路の附属物を移転し、若しくは損壊して道路の効用を害し、又は道路における交通に危険を生じさせたときは、その違反行為をした者は、三年以下の懲役又は百万円以下の罰金に処する。

第一〇一条　みだりに道路（高速自動車国道を除く。以下この条において同じ。）を損壊し、若しくは道路の附属物を移転し、若しくは損壊して道路の効用を害し、又は道路における交通に危険を生じさせたときは、その違反行為をした者は、三年以下の拘禁刑又は百万円以下の罰金に処する。

〔改正・昭和三三法七九・平成元法五六・平成一六法一〇一、旧九九条を繰下・平成二六法五三、改正・令和三法九〕

参照【高速自動車国道―高速自動車国道法二六～三二】

参考規定―刑法一二四、交通法一一五

第一〇二条　次の各号のいずれかに該当するときは、その違反行為をした者は、一年以下の懲役又は五十万円以下の罰金に処する。

第一〇二条　次の各号のいずれかに該当するときは、その違反行為をした者は、一年以下の拘禁刑又は五十万円以下の罰金に処する。

一　第三十二条第一項又は第九十一条第二項において準用する第三十二条第一項の規定に違反して道路又は道路予定区域を占用したとき。

二　第三十七条第一項又は第九十一条第二項において準用する第三十七条第一項の規定による禁止又は制限に違反して道路又は道路予定区域を占用したとき。

三　第四十三条（第九十一条第二項において準用する場合を含む。）の規定に違反したとき。

四　第四十八条の五十一第一項の規定に違反して、その職務に関し知り得た秘密を漏らし、又は自己の利益のために使用した者

五　第四十八条の五十七第二項の規定による登録等事務の停止の命令に違反した者

六　正当の事由がなくて第六十八条第一項の規定による土地の一時使用又は土石、竹木その他の物件の使用、収用若しくは処分を拒み、又は妨げたとき。

〔改正・平成元法五六・平成一六法一〇一、旧一〇〇条を繰下・平成二六法五三、改正・令和二法三一・令和三法九〕

第一〇三条　次の各号のいずれかに該当するときは、その違反行為をした者は、六月以下の懲役又は三十万円以下の罰金に処する。

第一〇三条　次の各号のいずれかに該当するときは、その違反行為をした者は、六月以下の拘禁刑又は三十万円以下の罰金に処する。

一　第三十二条第三項（第九十一条第二項において準用する場合を含む。）の規定に違反して道路又は道路予定区域を占用したとき。

二　第三十九条の九（第九十一条第二項において準用する場合を含む。）の規定による道路管理者の命令に違反したとき。

三　第四十六条第一項又は第三項の規定による禁止又は制限に違反して道路を通行したとき。

四　第四十六条第三項の規定による禁止又は制限に違反して水底トンネルを通行したとき。

五　第四十七条第三項の規定による禁止若しくは制限に違反し、又は同項の規定により通行が禁止され、若しくは制限されている道路の通行に関し第四十七条の二第一項の規定により道路管理者が付した条件に違反して道路を通行したとき。

六　第四十七条第二項の規定に違反し、又は同条第一項の政令で定める最高限度を超える車両の通行に関し第四十七条の二第一項の規定により道路管理者が付した条件に違反して車両を通行させている者に対する第四十七条の十四第一項の規定による道路管理者の命令（第七十一条第五項の規定による道路監理員の命令を含む。）に違反したとき。

七　第四十八条の二十九の三の規定による禁止又は制限に違反して防災拠点自動車駐車場を利用したとき。

八　第四十八条の三十二第一項又は第三項の規定に違反して特定車両停留施設に車両を停留させたとき。

九　第六十七条の規定に違反して土地の立入り又は一時使用を拒み、又は妨げたとき。

十　第九十一条第一項の規定に違反したとき。

〔改正・昭和三三法三六・昭和四六法四六・平成元法五六・平成五法八九・平成一六法一〇一・平成二三法三〇、旧一〇一条を繰下・平成二六法五三、改正・平成三〇法六・令和二法三一・令和三法九〕

第一〇四条　次の各号のいずれかに該当するときは、その違反行為をした者は、百万円以下の罰金に処する。

一　第四十七条第二項の規定に違反し、又は同条第一項の政令

で定める最高限度を超える車両の通行に関し第四十七条の二第一項の規定により道路管理者が付した条件に違反して車両を通行させたとき。

二　第四十七条の二第六項の規定に違反して許可証を備え付けなかつたとき。

三　第四十七条の十第七項の規定に違反して書面を備え付けなかつた者

四　第四十七条の十二第一項の規定に違反して、記録を作成せず、若しくは虚偽の記録を作成し、又は記録を保存しなかつた者

五　第四十七条の十二第二項の規定による報告をせず、又は虚偽の報告をした者

六　第四十七条の十四第二項の規定による道路管理者の命令に違反したとき。

七　第七十一条第一項又は第二項（第九十一条第二項において これらの規定を準用する場合を含む。）の規定による道路管理者の命令に違反したとき。

八　第七十一条第四項（第九十一条第二項において準用する場合を含む。）の規定による道路監理員の命令に違反したとき。

〔全改・昭和四六法四六、改正・平成元法五六・平成五法八九・平成一六法一〇一・平成二五法三〇、旧一〇二条を繰下・平成二六法五三、改正・令和二法三一・令和三法九〕

第一〇五条　第四十三条の二、第四十八条第四項、第四十八条の十二若しくは第四十八条の十六の規定による道路管理者の命令又は第四十七条第四項の規定による政令で定める基準を超える車両を通行させている者に対する第四十七条の十四第一項の規定による道路管理者の命令に違反したときは、その違反行為をした者は、五十万円以下の罰金に処する。第七十一条第五項の規定による道路監理員の命令に違反したときについても、同様とする。

〔改正・昭和三四法六六・昭和四六法四六・平成元法五六・平成五法八九・平成一六法一〇一・平成二五法三〇、旧一〇三条を繰下・平成二六法五三、改正・令和二法三一・令和三法九〕

第一〇六条　次の各号のいずれかに該当するときは、その違反行為をした者は、三十万円以下の罰金に処する。

一　第四十四条第四項又は第四十八条第二項（第九十一条第二項において これらの規定を準用する場合を含む。）の規定による道路管理者の命令に違反したとき。

二　第四十四条の二第三項又は第五項の規定に違反して、届出をせず、又は虚偽の届出をして、同条第三項又は第五項に規定する行為をしたとき。

三　第四十七条の七第一項又は第四十七条の八第一項の規定による届出をせず、又は虚偽の届出をしたとき。

四　第四十八条の五十三第一項の規定に違反して、帳簿を備え付けず、帳簿に記載せず、若しくは帳簿に虚偽の記載をし、又は帳簿を保存しなかつたとき。

五　第四十八条の五十三第二項の規定に違反したとき。

六　第四十八条の五十五第一項の規定による報告をせず、若しくは虚偽の報告をし、又は同項の規定による検査を拒み、妨げ、若しくは忌避し、若しくは同項の規定による質問に対して答弁をせず、若しくは虚偽の答弁をしたとき。

七　第四十八条の五十六第一項の規定による許可を受けないで登録等事務の全部を廃止したとき。

八　第七十二条の二第一項又は第二項の規定に違反して、報告をせず、若しくは虚偽の報告をし、又はこれらの規定による検査を拒み、若しくは妨げたとき。

〔改正・平成元法五六・平成一六法一〇一、全改・平成二五法三〇、旧一〇四条を繰下・平成二六法五三、改正・平成三〇法六・令和二法三一・令和三法九〕

第一〇七条　法人の代表者又は法人若しくは人の代理人、使用人その他の従業者が、その法人又は人の業務に関し、第百条から前条まで（第百二条第四号を除く。）の違反行為をしたときは、行為者を罰するほか、その法人又は人に対して各本条の罰金刑を科する。

〔改正・平成一六法一〇一、旧一〇五条を改正し繰下・平成二六法五三、改正・令和二法三一〕

第一〇八条　第四十八条の八第二項の規定に違反して、届出をせず、又は虚偽の届出をした者は、十万円以下の過料に処する。

〔追加・平成一六法一〇一、旧一〇六条を改正し繰下・平成二六法五三〕

第一〇九条　第十三条第二項、第二十七条、第四十八条の十九第二項又は第四十八条の二十二第三項の規定により道路管理者に代わつてその権限を行う者は、本章の規定の適用については、道路管理者とみなす。

〔改正・昭和三三法三六・昭和三九法一六三、旧一〇六条を繰下・平成一六法一〇一、旧一〇七条を改正し繰下・平成二六法五三、改正・平成三〇法六・令和三法九〕

参照　【機構等—特別措置法五四④】

附　則

1　この法律の施行期日は、公布の日から起算して六月をこえない期間内において政令で定める。但し、第五条から第十条まで、第七十四条第一号及び第六章の規定は、公布の日から施行する。

〔昭和二七政四七八により、昭和二七・一二・五から施行〕

2　第五十条第二項及び第五十三条第一項の規定の平成二十二年度における適用については、第五十条第二項中「災害復旧」とあるのは「災害復旧又は安全かつ円滑な道路の交通に支障を生ずることを防止するために速やかに行う必要があるものとして政令で定める道路を構成する施設若しくは工作物に係る工事（当該工事を施行するために必要な点検を含む。第五十三条第一項において「特定事業」という。）」と、第五十三条第一項中「災害復旧」とあるのは「災害復旧若しくは特定事業」とする。

3　国は、当分の間、都道府県に対し、第五十条第一項の規定により国がその費用について負担する都道府県が行う国道の新設又は改築で日本電信電話株式会社の株式の売払収入の活用による社会資本の整備の促進に関する特別措置法（昭和六十二年法律第八十六号。以下「社会資本整備特別措置法」という。）第二条第一項第二号に該当するものに要する費用に充てる資金について、予算の範囲内において、第五十条第一項の規定（この規定による国の負担の割合について、この規定と異なる定めをした法令の規定がある場合には、当該異なる定めをした法令の規定を含む。以下同じ。）により国が負担する金額に相当する金額を無利子で貸し付けることができる。

4　国は、当分の間、道路管理者である地方公共団体に対し、第五十六条又は第八十八条第一項の規定により国がその費用について補助し、又は負担することができる道路の新設若しくは改築又は指定区間外の国道の修繕で社会資本整備特別措置法第二条第一項第二号に該当するものに要する費用に充てる資金について、予算の範囲内において、第五十六条又は第八十八条第一項の規定（これらの規定による国の補助又は負担の割合につい

て、これらの規定と異なる定めをした法令の規定がある場合には、当該異なる定めをした法令の規定を含む。以下同じ。）により国が補助し、又は負担することができる金額に相当する金額を無利子で貸し付けることができる。

5　前二項の国の貸付金の償還期間は、五年（二年以内の据置期間を含む。）以内で政令で定める期間とする。

6　前項に定めるもののほか、附則第三項及び第四項の規定による貸付金の償還方法、償還期限の繰上げその他償還に関し必要な事項は、政令で定める。

7　国は、附則第三項の規定により、都道府県に対し貸付けを行つた場合には、当該貸付けの対象である国道の新設又は改築に係る第五十条第一項の規定による国の負担については、当該貸付金の償還時において、当該貸付金の償還金に相当する金額を交付することにより行うものとする。

8　国は、附則第四項の規定により、地方公共団体に対し貸付けを行つた場合には、当該貸付けの対象である道路の新設若しくは改築又は指定区間外の国道の修繕について、第五十六条又は第八十八条第一項の規定による当該貸付金に相当する金額の補助又は負担を行うものとし、当該補助又は負担については、当該貸付金の償還時において、当該貸付金の償還金に相当する金額を交付することにより行うものとする。

9　都道府県又は地方公共団体が、附則第三項又は第四項の規定による貸付けを受けた無利子貸付金について、附則第五項及び第六項の規定に基づき定められる償還期限を繰り上げて償還を行つた場合（政令で定める場合を除く。）における前二項の規定の適用については、当該償還は、当該償還期限の到来時に行われたものとみなす。

〔改正・昭和六〇法三七・昭和六一法四六・昭和六二法一一・法八七・平成元法二二・平成三法一五・平成五法八・平成一一法八七・平成一四法一・平成二二法二〇〕

附　則〔略〕〔昭和二七・七・三一法律二五一〕

附　則〔略〕〔昭和二八・八・一五法律二一三〕

附　則〔略〕〔昭和二九・三・三一法律五一〕

附　則〔略〕〔昭和三一・六・一二法律一四八〕

附　則〔略〕〔昭和三二・四・二五法律七九〕

附　則〔略〕〔昭和三二・五・一六法律一〇六〕

附　則〔略〕〔昭和三二・六・一五法律一七七〕

附　則〔抄〕〔昭和三三・三・三一法律三六〕

（施行期日）

第一条　この法律は、昭和三十三年四月一日から施行する。

（費用の負担の特例）

第二条　昭和三十三年度における指定区間内の一級国道について建設大臣の行う維持その他の管理（修繕を除く。）に要する費用については、第五十条第二項本文中「国及び都道府県がそれぞれその二分の一を」とあるのは、「国がその三分の一を、都道府県がその三分の二を」とする。

附　則〔略〕〔昭和三三・四・二四法律七九〕

附　則〔略〕〔昭和三三・四・二五法律八四〕

附　則〔略〕〔昭和三三・五・一法律一一四〕

附　則〔略〕〔昭和三四・三・三〇法律六六〕

附　則〔略〕〔昭和三四・四・二〇法律一四八〕

附　則〔昭和三七・九・一五法律一六一〕

1　この法律は、昭和三十七年十月一日から施行する。

2　この法律による改正後の規定は、この附則に特別の定めがある場合を除き、この法律の施行前にされた行政庁の処分、この法律の施行前にされた申請に係る行政庁の不作為その他この法律の施行前に生じた事項についても適用する。ただし、この法律による改正前の規定によつて生じた効力を妨げない。

3　この法律の施行前に提起された訴願、審査の請求、異議の申立てその他の不服申立て（以下「訴願等」という。）については、この法律の施行後も、なお従前の例による。この法律の施行前にされた訴願等の裁決、決定その他の処分（以下「裁決等」という。）又はこの法律の施行前に提起された訴願等につきこの法律の施行後にされる裁決等にさらに不服がある場合の訴願等についても、同様とする。

4　前項に規定する訴願等で、この法律の施行後は行政不服審査法による不服申立てをすることができることとなる処分に係るものは、同法以外の法律の適用については、行政不服審査法による不服申立てとみなす。

5　第三項の規定によりこの法律の施行後にされる審査の請求、異議の申立てその他の不服申立ての裁決等については、行政不服審査法による不服申立てをすることができない。

6　この法律の施行前にされた行政庁の処分で、この法律による改正前の規定により訴願等をすることができるものとされ、かつ、その提起期間が定められていなかつたものについて、行政不服審査法による不服申立てをすることができる期間は、この法律の施行の日から起算する。

7　この法律による改正後の公職選挙法の規定のうち、選挙人名簿に係る不服申立てに関する規定は、この法律の施行の日（以下「施行日」という。）以後に調製される選挙人名簿に係る不服申立てについて、選挙に係る不服申立てに関する規定は、施行日以後にその期日が公示され又は告示される選挙に係る不服申立てについて適用し、施行日前に調製された選挙人名簿又は施行日前にその期日が公示され若しくは告示された選挙に係る不服申立てについては、なお従前の例による。

8　この法律の施行前にした行為に対する罰則の適用については、なお従前の例による。

9　前八項に定めるもののほか、この法律の施行に関して必要な経過措置は、政令で定める。

10　この法律及び行政事件訴訟法の施行に伴う関係法律の整理等に関する法律（昭和三十七年法律第百四十号）に同一の法律についての改正規定がある場合においては、当該法律は、この法律によつてまず改正され、次いで行政事件訴訟法の施行に伴う関係法律の整理等に関する法律によつて改正されるものとする。

附　則〔略〕〔昭和三八・四・一法律八一〕

附　則〔略〕〔昭和三八・六・八法律九九〕

附　則〔略〕〔昭和三九・二・二九法律三〕

附　則〔抄〕〔昭和三九・七・九法律一六三〕

改正　平成一一・七法八七、一二法一六〇、平成一九・三法一九、平成二三・八法一〇五、平成二五・六法三〇、令和二・五法三一

（施行期日）

1　この法律は、昭和四十年四月一日から施行する。ただし、道路法第二十九条、第三十条第一項、第七十一条第四項及び第五項並びに第八十条第一項の改正規定は、公布の日から施行する。

（経過規定）

2　この法律の施行の際現に存するこの法律による改正前の道路法（以下「改正前の法」という。）の規定による一級国道又は二級国道は、この法律による改正後の道路法（以下「改正後の法」という。）の規定による一般国道となる。

3　国土交通大臣は、改正後の法第十二条の規定にかかわらず、

当分の間、一般国道（この法律の施行の際改正前の法の規定による一級国道であつたものを除く。）の新設又は改築でその行うべきものを、当該新設又は改築に係る一般国道の部分の存する都道府県又は指定市が行うこととすることができる。この場合においては、道路法第十七条第八項の規定を準用する。

4　前項の規定により都道府県又は指定市が処理することとされる事務は、地方自治法（昭和二十二年法律第六十七号）第二条第九項第一号に規定する第一号法定受託事務とする。

附　則〔略〕〔昭和三九・七・一〇法律一六八〕

附　則〔略〕〔昭和三九・七・一一法律一七〇〕

附　則〔略〕〔昭和四一・七・一法律一〇七〕

附　則〔抄〕〔昭和四五・四・一法律一三〕

（施行期日）

第一条　この法律は、公布の日から施行する。

（農地法等の一部改正に伴う経過措置）

第三条　第五条、第八条、第二十一条及び第二十二条の規定による改正後の次に掲げる法律の規定は、施行日以後に発せられる督促状によりその計算の基礎となる滞納額の納付期限が指定されるこれらの規定に規定する延滞金の額の計算について適用し、施行日前に発せられた当該督促状に係る延滞金の額の計算については、なお従前の例による。ただし、施行日において現に改正後の第二号、第五号又は第六号に掲げる規定に規定する割合をこえる割合が定款又は条例により定められている場合には、施行日から一年間は、そのこえる割合により当該計算を行なうことを妨げない。

一～四　〔略〕

五　道路法第七十三条第二項

六・七　〔略〕

附　則〔略〕〔昭和四五・五・二〇法律八一〕

附　則〔略〕〔昭和四五・六・一法律一一一〕

附　則〔略〕〔昭和四六・三・三一法律二七〕

附　則〔抄〕〔昭和四六・四・一五法律四六〕

（施行期日等）

1　この法律は、公布の日から起算して八月をこえない範囲内において政令で定める日から施行する。ただし、この法律による改正後の道路法（以下「新道路法」という。）第四十七条第二項、第四十七条の二第二項から第四項まで及び第百二条第一号の規定は、公布の日から起算して一年をこえない範囲内において政令で定める日から適用する。

〔昭和四六政二五一により、昭和四六・一二・一から施行。ただし書の規定は、昭和四七・四・一から適用〕

2　前項ただし書の政令で定める日までの間は、新道路法第四十七条の二第一項中「前条第二項の規定」とあるのは「前条第一項の政令で定める最高限度」と、同法第四十七条の三第一項中「第四十七条第二項の規定に違反し、若しくは同条第一項」とあるのは「第四十七条第一項の政令で定める最高限度をこえる車両を通行させている者、同項」と、同法第百三条第一項中「第四十七条第四項の規定による政令で定める基準をこえる車両を通行させている者に対する第四十七条の三第一項」とあるのは「第四十七条の三第一項」とする。

（経過規定）

3　この法律による改正前の道路法（以下「旧道路法」という。）第四十六条第一項の規定によりした処分で高さの限度に係るもの及び同条第二項の規定によりしたものは、新道路法第四十七条第三項の規定によりしたものとみなす。

4　旧道路法第四十七条第一項の規定に基づく政令の規定によりした処分で、新道路法第四十七条の二第一項の規定による処分に相当するものは、同項の規定によりしたものとみなす。

5　旧道路法第四十七条第二項又は第三項の規定によりした処分は、新道路法第四十七条の三第一項又は第二項の規定によりしたものとみなす。

6　この法律の施行前にした行為に対する罰則の適用については、なお従前の例による。

附　則〔略〕〔昭和五三・四・二四法律二七〕

附　則〔略〕〔昭和五三・五・二三法律五五〕

附　則〔略〕〔昭和五五・五・一法律三四〕

附　則〔昭和五八・一二・二法律七八〕

1　この法律〔中略〕は、昭和五十九年七月一日から施行する。

2　この法律の施行の日の前日において法律の規定により置かれている機関等で、この法律の施行の日以後は国家行政組織法又はこの法律による改正後の関係法律の規定に基づく政令（以下「関係政令」という。）の規定により置かれることとなるものに関し必要となる経過措置その他この法律の施行に伴う関係政令の制定又は改廃に関し必要となる経過措置は、政令で定めることができる。

附　則〔略〕〔昭和五九・五・一法律二三〕

附　則〔抄〕〔昭和五九・八・一〇法律七一〕

（施行期日）

第一条　この法律は、昭和六十年四月一日から施行する。〔以下略〕

（道路法の一部改正に伴う経過措置）

第二四条　この法律の施行前に第五十五条の規定による改正前の道路法第三十五条の規定により旧公社が道路管理者とした協議に基づく占用は、第五十五条の規定による改正後の道路法第三十二条第一項及び第三項の規定により会社に対して道路管理者がした許可に基づく占用とみなす。

（罰則の適用に関する経過措置）

第二六条　この法律の施行前にした行為及びこの法律の規定によりなお従前の例によることとされる事項に係るこの法律の施行後にした行為に対する罰則の適用については、なお従前の例による。

（政令への委任）

第二七条　附則第二条から前条までに定めるもののほか、この法律の施行に関し必要な経過措置は、政令で定める。

附　則〔抄〕〔昭和五九・一二・二五法律八七〕

（施行期日）

第一条　この法律は、昭和六十年四月一日から施行する。〔以下略〕

（道路法の一部改正に伴う経過措置）

第二四条　この法律の施行前に第六十七条の規定による改正前の道路法第三十五条の規定により旧公社が道路管理者とした協議に基づく占用は、第六十七条の規定による改正後の道路法第三十二条第一項及び第三項の規定により会社に対して道路管理者がした許可に基づく占用とみなす。

（政令への委任）

第二八条　附則第二条から前条までに定めるもののほか、この法律の施行に関し必要な事項は、政令で定める。

附　則〔略〕〔昭和六〇・五・一八法律三七〕

附　則〔略〕〔昭和六〇・七・一二法律九〇〕

附　則〔略〕〔昭和六一・五・八法律四六〕

附　則〔抄〕〔昭和六一・一二・四法律九三〕

（施行期日）

第一条　この法律は、昭和六十二年四月一日から施行する。〔以

下略）

（道路法の一部改正に伴う経過措置）

第三九条　この法律の施行前に第百五十八条の規定による改正前の道路法第三十五条の規定により日本国有鉄道が道路管理者とした協議に基づく占用は、政令で定めるところにより、第百五十八条の規定による改正後の道路法第三十二条第一項及び第三項の規定により承継法人及び清算事業団のうち政令で定める者に対して道路管理者がした許可に基づく占用とみなす。

（政令への委任）

第四二条　附則第二条から前条までに定めるもののほか、この法律の施行に関し必要な事項は、政令で定める。

附　則〔略〕〔昭和六二・三・三一法律一一〕

附　則〔略〕〔昭和六二・九・四法律八七〕

附　則〔抄〕〔平成元・四・一〇法律二二〕

（施行期日等）

1　この法律は、公布の日から施行する。

2　この法律〔中略〕による改正後の法律の平成元年度及び平成二年度の特例に係る規定並びに平成元年度の特例に係る規定は、平成元年度及び平成二年度（平成元年度の特例に係るものにあっては、平成元年度。以下この項において同じ。）の予算に係る国の負担（当該国の負担に係る都道府県又は市町村の負担を含む。以下この項及び次項において同じ。）又は補助（昭和六十三年度以前の年度における事務又は事業の実施により平成元年度以降の年度に支出される国の負担及び昭和六十三年度以前の年度の国庫債務負担行為に基づき平成元年度以降の年度に支出すべきものとされた国の負担又は補助を除く。）並びに平成元年度及び平成二年度における事務又は事業の実施により平成三年度（平成元年度の特例に係るものにあっては、平成二年度。以下この項において同じ。）以降の年度に支出される国の負担、平成元年度及び平成二年度の国庫債務負担行為に基づき平成三年度以降の年度に支出すべきものとされる国の負担又は補助並びに平成元年度及び平成二年度の歳出予算に係る国の負担又は補助で平成三年度以降の年度に繰り越されるものについて適用し、昭和六十三年度以前の年度における事務又は事業の実施により平成元年度以降の年度に支出される国の負担、昭和六十三年度以前の年度の国庫債務負担行為に基づき平成元年度以降の年度に支出すべきものとされた国の負担又は補助及び昭和六十三年度以前の年度の歳出予算に係る国の負担又は補助で平成元年度以降の年度に繰り越されたものについては、なお従前の例による。

附　則〔略〕〔平成元・六・二八法律五六〕

附　則〔略〕〔平成元・一二・一九法律八二〕

附　則〔略〕〔平成元・一二・一九法律八三〕

附　則〔平成三・三・三〇法律一五〕

改正　平成五・三法八

1　この法律は、平成三年四月一日から施行する。

2　この法律〔中略〕による改正後の法律の平成三年度及び平成四年度の特例に係る規定並びに平成三年度の特例に係る規定は、平成三年度及び平成四年度（平成三年度の特例に係るものにあっては平成三年度とする。以下この項において同じ。）の予算に係る国の負担（当該国の負担に係る都道府県又は市町村の負担を含む。以下この項において同じ。）又は補助（平成二年度以前の年度における事務又は事業の実施により平成三年度以降の年度に支出される国の負担及び平成二年度以前の年度の国庫債務負担行為に基づき平成三年度以降の年度に支出すべきものとされた国の負担又は補助を除く。）並びに平成三年度及び平成四年度における事務又は事業の実施により平成五年度（平成三年度の特例に係るものにあっては平成四年度とする。以下この項において同じ。）以降の年度に支出される国の負担、平成三年度及び平成四年度の国庫債務負担行為に基づき平成五年度以降の年度に支出すべきものとされる国の負担又は補助並びに平成三年度及び平成四年度の歳出予算に係る国の負担又は補助で平成五年度以降の年度に繰り越されるものについて適用し、平成二年度以前の年度における事務又は事業の実施により平成三年度以降の年度に支出される国の負担、平成二年度以前の年度の国庫債務負担行為に基づき平成三年度以降の年度に支出すべきものとされた国の負担又は補助及び平成二年度以前の年度の歳出予算に係る国の負担又は補助で平成三年度以降の年度に繰り越されたものについては、なお従前の例による。

国の補助金等の臨時特例等に関する法律〔抄〕〔平成三・三・三〇法律一五〕

改正　平成五・三法八

第八章　地方公共団体に対する財政金融上の措置

（地方公共団体に対する財政金融上の措置）

第三四条　国は、この法律の規定による改正後の法律の規定により平成三年度及び平成四年度の予算に係る国の負担又は補助の割合の引下げ措置の対象となる地方公共団体に対し、その事務又は事業の執行及び財政運営に支障を生ずることのないよう財政金融上の措置を講ずるものとする。

附　則〔略〕〔平成三・四・二六法律四五〕

附　則〔略〕〔平成三・五・二法律六〇〕

附　則〔抄〕〔平成五・三・三一法律八〕

（施行期日等）

1　この法律は、平成五年四月一日から施行する。

2　この法律〔中略〕による改正後の法律の規定は、平成五年度以降の年度の予算に係る国の負担（当該国の負担に係る都道府県又は市町村の負担を含む。以下この項において同じ。）又は補助（平成四年度以前の年度における事務又は事業の実施により平成五年度以降の年度に支出される国の負担及び平成四年度以前の年度の国庫債務負担行為に基づき平成五年度以降の年度に支出すべきものとされた国の負担又は補助を除く。）について適用し、平成四年度以前の年度における事務又は事業の実施により平成五年度以降の年度に支出される国の負担、平成四年度以前の年度の国庫債務負担行為に基づき平成五年度以降の年度に支出すべきものとされた国の負担又は補助及び平成四年度以前の年度の歳出予算に係る国の負担又は補助で平成五年度以降の年度に繰り越されたものについては、なお従前の例による。

附　則〔抄〕〔平成五・一一・一二法律八九〕

（施行期日）

第一条　この法律は、行政手続法（平成五年法律第八十八号）の施行の日〔平成六・一〇・一〕から施行する。

（諮問等がされた不利益処分に関する経過措置）

第二条　この法律の施行前に法令に基づき審議会その他の合議制の機関に対し行政手続法第十三条に規定する聴聞又は弁明の機会の付与の手続その他の意見陳述のための手続に相当する手続を執るべきことの諮問その他の求めがされた場合においては、当該諮問その他の求めに係る不利益処分の手続に関しては、この法律による改正後の関係法律の規定にかかわらず、なお従前の例による。

（罰則に関する経過措置）

第一三条　この法律の施行前にした行為に対する罰則の適用については、なお従前の例による。

（聴聞に関する規定の整理に伴う経過措置）

第一四条　この法律の施行前に法律の規定により行われた聴聞、聴問若しくは聴聞会（不利益処分に係るものを除く。）又はこれらのための手続は、この法律による改正後の関係法律の相当規定により行われたものとみなす。

（政令への委任）

第一五条　附則第二条から前条までに定めるもののほか、この法律の施行に関して必要な経過措置は、政令で定める。

附　則（略）（平成六・六・二四法律四二）

附　則（略）（平成七・三・二三法律三九）

附　則（略）（平成七・四・二一法律七五）

附　則〔抄〕（平成八・五・二四法律四八）

（施行期日）

1　この法律は、公布の日から起算して六月を超えない範囲内において政令で定める日から施行する。

（平成八政三〇七により、平成八・一一・一〇から施行）

（経過措置）

2　この法律の施行の際現にこの法律による改正前の幹線道路の沿道の整備に関する法律（以下「旧法」という。）の規定により定められている沿道整備計画に関する都市計画は、この法律による改正後の幹線道路の沿道の整備に関する法律（以下「新法」という。）の規定により定められた沿道地区計画でその区域の全部について沿道地区整備計画が定められているものに関する都市計画とみなす。

3　旧法の規定により沿道整備計画に関する都市計画に関してした手続、処分その他の行為は、新法の規定により沿道地区計画に関する都市計画に関してした手続、処分その他の行為とみなす。

4　この法律の施行の際現に旧法の規定により定められている沿道整備計画の区域は、新法の規定により定められた沿道地区計画の区域で沿道地区整備計画が定められている区域とみなす。

5　旧法第十三条第一項に規定する区域内において同項の制限が定められた際、当該制限が定められた区域内に現に存する人の居住の用に供する建築物又はその部分は、新法第十三条第一項に規定する特定住宅に該当するものとみなす。

6　この法律の施行前にした行為に対する罰則の適用については、なお従前の例による。

附　則（略）（平成一〇・六・三法律八九）

附　則（略）（平成一一・五・二一法律五〇）

附　則〔抄〕（平成一一・七・一六法律八七）

（施行期日）

第一条　この法律は、平成十二年四月一日から施行する。ただし、次の各号に掲げる規定は、当該各号に定める日から施行する。

一　〔前略〕附則〔中略〕第百六十条、第百六十三条、第百六十四条並びに第二百二条の規定　公布の日

二～六　〔略〕

（道路法の一部改正に伴う経過措置）

第一二九条　施行日前に第四百十五条の規定による改正前の道路法（以下この条において「旧道路法」という。）第二十五条第五項の規定による許可を受けて変更（同条第三項第五号又は第六号に掲げる事項の変更を併せてしたものを除く。）をした工事方法若しくは元利償還年次計画又は旧道路法第七十四条第一号の規定による認可を受けて認定若しくは変更をした路線は、それぞれ第四百十五条の規定による改正後の道路法（以下この条において「新道路法」という。）第二十五条第五項の規定による協議を行って変更をした工事方法若しくは元利償還年次計画又は新道路法第七十四条第一項の規定による協議を行って認定若しくは変更をした路線とみなす。

2　この法律の施行の際現に旧道路法第二十五条第五項の規定によりされている許可の申請（同条第三項第一号若しくは第七号に掲げる事項を変更しようとする場合（同項第五号又は第六号に掲げる事項を併せて変更しようとする場合を除く。）に限る。）又は旧道路法第七十四条第一号の規定によりされている認可の申請は、それぞれ新道路法第二十五条第五項又は第七十四条第一項の規定によりされた協議の申出とみなす。

3　施行日前に旧道路法第二十六条第二項の規定により建設大臣又は都道府県知事がした命令は、それぞれ新道路法第二十六条第二項の規定により建設大臣がした要求又は都道府県知事がした勧告とみなす。

4　施行日前に旧道路法第七十五条第一項第一号（旧道路法第九十一条第二項において準用する場合を含む。以下この項において同じ。）の規定により建設大臣が国道に関してした処分、旧道路法第七十五条第一項第二号（旧道路法第九十一条第二項において準用する場合を含む。以下この項において同じ。）の規定により建設大臣が国道に関してした処分、旧道路法第七十五条第一項第一号の規定により建設大臣が都道府県道若しくは指定市の市道に関してした処分、同項第二号の規定により建設大臣が都道府県道若しくは指定市の市道に関してした処分、同項第一号の規定により都道府県知事が指定市の市道以外の市町村道に関してした処分又は同項第二号の規定により都道府県知事が指定市の市道以外の市町村道に関してした処分は、それぞれ新道路法第七十五条第一項第二号（新道路法第九十一条第二項において準用する場合を含む。）の規定により建設大臣がした指示、新道路法第七十五条第一項第一号（新道路法第九十一条第二項において準用する場合を含む。）の規定により建設大臣がした指示、新道路法第七十五条第二項第二号（新道路法第九十一条第二項において準用する場合を含む。以下この項において同じ。）の規定により建設大臣がした要求、新道路法第七十五条第二項第一号（新道路法第九十一条第二項において準用する場合を含む。以下この項において同じ。）の規定により建設大臣がした指示、新道路法第七十五条第二項第二号の規定により都道府県知事がした勧告又は同項第一号の規定により都道府県知事がした指示とみなす。

（国等の事務）

第一五九条　この法律による改正前のそれぞれの法律に規定するもののほか、この法律の施行前において、地方公共団体の機関が法律又はこれに基づく政令により管理し又は執行する国、他の地方公共団体その他公共団体の事務（附則第百六十一条において「国等の事務」という。）は、この法律の施行後は、地方公共団体が法律又はこれに基づく政令により当該地方公共団体の事務として処理するものとする。

（処分、申請等に関する経過措置）

第一六〇条　この法律（附則第一条各号に掲げる規定については、当該各規定。以下この条及び附則第百六十三条において同じ。）の施行前に改正前のそれぞれの法律の規定によりされた許可等の処分その他の行為（以下この条において「処分等の行為」という。）又はこの法律の施行の際現に改正前のそれぞれの法律の規定によりされている許可等の申請その他の行為（以下この条において「申請等の行為」という。）で、この法律の施行の日においてこれらの行為に係る行政事務を行うべき者が異なる

こととなるものは、附則第二条から前条までの規定又は改正後のそれぞれの法律（これに基づく命令を含む。）の経過措置に関する規定に定めるものを除き、この法律の施行の日以後における改正後のそれぞれの法律の適用については、改正後のそれぞれの法律の相当規定によりされた処分等の行為又は申請等の行為とみなす。

2　この法律の施行前に改正前のそれぞれの法律の規定により国又は地方公共団体の機関に対し報告、届出、提出その他の手続をしなければならない事項で、この法律の施行の日前にその手続がされていないものについては、この法律及びこれに基づく政令に別段の定めがあるもののほか、これを、改正後のそれぞれの法律の相当規定により国又は地方公共団体の相当の機関に対して報告、届出、提出その他の手続をしなければならない事項についてその手続がされていないものとみなして、この法律による改正後のそれぞれの法律の規定を適用する。

（不服申立てに関する経過措置）

第一六一条　施行日前にされた国等の事務に係る処分であって、当該処分をした行政庁（以下この条において「処分庁」という。）に施行日前に行政不服審査法に規定する上級行政庁（以下この条において「上級行政庁」という。）があったものについての同法による不服申立てについては、施行日以後においても、当該処分庁に引き続き上級行政庁があるものとみなして、行政不服審査法の規定を適用する。この場合において、当該処分庁の上級行政庁とみなされる行政庁は、施行日前に当該処分庁の上級行政庁であった行政庁とする。

2　前項の場合において、上級行政庁とみなされる行政庁が地方公共団体の機関であるときは、当該機関が行政不服審査法の規定により処理することとされる事務は、新地方自治法第二条第九項第一号に規定する第一号法定受託事務とする。

（手数料に関する経過措置）

第一六二条　施行日前においてこの法律による改正前のそれぞれの法律（これに基づく命令を含む。）の規定により納付すべきであった手数料については、この法律及びこれに基づく政令に別段の定めがあるもののほか、なお従前の例による。

（罰則に関する経過措置）

第一六三条　この法律の施行前にした行為に対する罰則の適用については、なお従前の例による。

（その他の経過措置の政令への委任）

第一六四条　この附則に規定するもののほか、この法律の施行に伴い必要な経過措置（罰則に関する経過措置を含む。）は、政令で定める。

2　〔略〕

附　則〔抄〕〔平成一一・七・一六法律一〇二〕

（施行期日）

第一条　この法律は、内閣法の一部を改正する法律（平成十一年法律第八十八号）の施行の日〔平成一三・一・六〕から施行する。ただし、次の各号に掲げる規定は、当該各号に定める日から施行する。

一　〔略〕

二　附則〔中略〕第二十八条並びに第三十条の規定　公布の日

（委員等の任期に関する経過措置）

第二八条　この法律の施行の日の前日において次に掲げる従前の審議会その他の機関の会長、委員その他の職員である者（任期の定めのない者を除く。）の任期は、当該会長、委員その他の職員の任期を定めたそれぞれの法律の規定にかかわらず、その日に満了する。

一～五十　〔略〕

五十一　道路審議会

五十二～五十八　〔略〕

（別に定める経過措置）

第三〇条　第二条から前条までに規定するもののほか、この法律の施行に伴い必要となる経過措置は、別に法律で定める。

附　則〔略〕〔平成一一・一二・二二法律一六〇〕

附　則〔略〕〔平成一二・三・三一法律三三〕

附　則〔略〕〔平成一二・五・一九法律七八〕

附　則〔略〕〔平成一二・六・二法律一〇六〕

附　則〔略〕〔平成一三・六・二九法律九二〕

附　則〔略〕〔平成一四・二・八法律一〕

附　則〔略〕〔平成一四・七・三一法律九八〕

附　則〔略〕〔平成一四・七・三一法律一〇〇〕

附　則〔略〕〔平成一四・一二・一八法律一八〇〕

附　則〔略〕〔平成一五・六・一八法律九二〕

附　則〔略〕〔平成一五・七・二四法律一二五〕

附　則〔略〕〔平成一六・六・九法律一〇一〕

この法律は、日本道路公団等民営化関係法施行法（平成十六年法律第百二号）の施行の日〔平成一七・一〇・一〕から施行する。

〔経過措置等については、日本道路公団等民営化関係法施行法（平成一六法一〇二）を参照〕

附　則〔略〕〔平成一六・一二・一法律一四七〕

附　則〔抄〕〔平成一九・三・三一法律一九〕

（施行期日）

第一条　この法律は、公布の日から起算して六月を超えない範囲内において政令で定める日から施行する。ただし、〔中略〕附則第五条の規定は、平成一九年四月一日から施行する。

〔平成一九政三〇三により、平成一九・九・二八から施行〕

（罰則に関する経過措置）

第四条　この法律の施行前にした行為に対する罰則の適用については、なお従前の例による。

（政令への委任）

第五条　前三条に定めるもののほか、この法律の施行に関して必要な経過措置（罰則に関する経過措置を含む。）は、政令で定める。

（検討）

第六条　政府は、この法律の施行後五年を経過した場合において、第二条から第四条までの規定による改正後の規定の施行の状況について検討を加え、必要があると認めるときは、その結果に基づいて必要な措置を講ずるものとする。

附　則〔抄〕〔平成二二・三・三一法律二〇〕

（施行期日）

第一条　この法律は、平成二十二年四月一日から施行する。

（経過措置）

第二条　第一条から第八条まで並びに附則第六条及び第九条の規定による改正後の次の各号に掲げる法律の規定は、当該各号に定める国の負担（当該国の負担に係る都道府県又は市町村の負担を含む。以下この条において同じ。）について適用し、平成二十一年度以前の年度における事務又は事業の実施により平成二十二年度以降の年度に支出される国の負担、平成二十一年度以前の年度の国庫債務負担行為に基づき平成二十二年度以降の年度に支出すべきものとされた国の負担及び平成二十一年度以前の年度の歳出予算に係る国の負担で平成二十二年度以降の年度に繰り越されたものについては、なお従前の例による。

一　次に掲げる法律の規定　平成二十二年度の予算に係る国の負担（平成二十一年度以前の年度における事務又は事業の実施により平成二十二年度に支出される国の負担及び平成二十一年度以前の年度の国庫債務負担行為に基づき平成二十二年度に支出すべきものとされた国の負担を除く。）並びに同年度における事務又は事業の実施により平成二十三年度以降の年度に支出される国の負担、平成二十二年度の国庫債務負担行為に基づき平成二十三年度以降の年度に支出すべきものとされる国の負担及び平成二十二年度の歳出予算に係る国の負担で平成二十三年度以降の年度に繰り越されるもの

イ　〔略〕

ロ　道路法附則第二項の規定により読み替えて適用する同法第五十条第二項

ハ〜ヘ　〔略〕

二　〔略〕

三　次に掲げる法律の規定　平成二十三年度以降の年度の予算に係る国の負担（平成二十二年度以前の年度における事務又は事業の実施により平成二十三年度以降の年度に支出される国の負担及び平成二十二年度以前の年度の国庫債務負担行為に基づき平成二十三年度以降の年度に支出すべきものとされた国の負担を除く。）

イ　〔略〕

ロ　道路法第五十条第二項

ハ〜ホ　〔略〕

（政令への委任）

第三条　前条に定めるもののほか、この法律の施行に関し必要な経過措置は、政令で定める。

附　則〔略〕〔平成二三・三・三一法律九〕

附　則〔抄〕〔平成二三・五・二法律三七〕

（施行期日）

第一条　この法律は、公布の日から施行する。ただし、次の各号に掲げる規定は、当該各号に定める日から施行する。

一　〔前略〕第三十三条（次号に掲げる改正規定を除く。）〔中略〕の規定　公布の日から起算して三月を経過した日

二　〔前略〕第三十三条（道路法第三十条及び第四十五条の改正規定に限る。）〔中略〕附則〔中略〕第十五条の規定　平成二十四年四月一日

三・四　〔略〕

（道路法の一部改正に伴う経過措置）

第十五条　第三十三条の規定（道路法第三十条及び第四十五条の改正規定に限る。以下この条において同じ。）の施行の日から起算して一年を超えない期間内において、第三十三条の規定による改正後の道路法（以下この条において「新道路法」という。）第三十条第四項の規定に基づく条例が制定施行されるまでの間は、同項の政令で定める基準は、当該条例で定める技術的基準とみなす。

2　第三十三条の規定の施行の日から起算して一年を超えない期間内において、新道路法第四十五条第三項の規定に基づく条例が制定施行されるまでの間は、同項の規定は、適用しない。

（罰則に関する経過措置）

第二十三条　この法律（附則第一条各号に掲げる規定にあっては、当該規定）の施行前にした行為に対する罰則の適用については、なお従前の例による。

（政令への委任）

第二十四条　附則第二条から前条まで及び附則第三十六条に規定するもののほか、この法律の施行に関し必要な経過措置は、政令で定める。

附　則〔略〕〔平成二三・五・二五法律五三〕

附　則〔抄〕〔平成二三・八・三〇法律一〇五〕

（施行期日）

第一条　この法律は、公布の日から施行する。ただし、次の各号に掲げる規定は、当該各号に定める日から施行する。

一　〔前略〕第九十九条（道路法第十七条、第十八条、第二十四条、第二十七条、第四十八条の四から第四十八条の七まで及び第九十七条の改正規定に限る。）〔中略〕の規定　公布の日から起算して三月を経過した日

二　〔前略〕第九十九条（道路法第二十四条の三及び第四十八条の三の改正規定に限る。）〔中略〕の規定並びに附則第十三条、第十五条から第二十四条まで、第二十五条第一項、第二十六条、第二十七条第一項から第三項まで、第三十条から第三十二条まで、第三十八条、第四十四条、第四十六条第一項及び第四項〔中略〕の規定　平成二十四年四月一日

三〜六　〔略〕

（道路法の一部改正に伴う経過措置）

第四十六条　第九十九条の規定（道路法第二十四条の三及び第四十八条の三の改正規定に限る。以下この項及び第四項において同じ。）の施行の日から起算して一年を超えない期間内において、第九十九条の規定による改正後の道路法（第四項において「新道路法」という。）第二十四条の三の規定に基づく条例が制定施行されるまでの間は、自動車駐車場又は自転車駐車場（国道の附属物であるものを除く。）の駐車料金等の表示については、同条の規定にかかわらず、なお従前の例による。

2　この法律の施行の際現に第九十九条の規定（道路法第二十五条、第二十六条及び第三十条の改正規定に限る。以下この項及び次項において同じ。）による改正前の道路法（以下この項及び次項において「旧道路法」という。）第二十五条第一項の許可を受けて道路管理者が料金の徴収を行っている橋又は渡船施設については、当該道路管理者が、第九十九条の規定の施行の時において、当該許可に係る申請書に記載された事項（旧道路法第二十五条第五項の許可若しくは同項の規定による協議又は同条第六項の規定による届出があったときは、その変更後のもの）を記載した書類及び設計図その他必要な図面を添えて第九十九条の規定による改正後の道路法（次項において「新道路法」という。）第二十五条第三項の規定による届出をしたものとみなす。

3　第九十九条の規定の施行の際現にされている旧道路法第二十五条第一項の許可の申請又は同条第五項の許可の申請若しくは同項の規定による協議の申出は、それぞれ新道路法第二十五条第三項又は第四項の規定によりした届出とみなす。

4　第九十九条の規定の施行の日から起算して一年を超えない期間内において、新道路法第四十八条の三の規定に基づく条例が制定施行されるまでの間は、道路等との交差の方式については、同条の規定にかかわらず、なお従前の例による。

（罰則に関する経過措置）

第八十一条　この法律（附則第一条各号に掲げる規定にあっては、当該規定。以下この条において同じ。）の施行前にした行為及びこの附則の規定によりなお従前の例によることとされる場合におけるこの法律の施行後にした行為に対する罰則の適用については、なお従前の例による。

（政令への委任）

第八十二条　この附則に規定するもののほか、この法律の施行に関し必要な経過措置（罰則に関する経過措置を含む。）は、政令で定める。

で定める。

附　則〔略〕〔平成二五・六・五法律三〇〕

附　則〔略〕〔平成二六・六・四法律五三〕

附　則〔略〕〔平成二六・六・一三法律六九〕

附　則〔略〕〔平成二六・六・一八法律七二〕

附　則〔抄〕〔平成二七・六・二四法律四七〕

（施行期日）

第一条　この法律〔中略〕は、当該各号に定める日から施行する。

一～四〔略〕

五〔前略〕附則〔中略〕第七十九条から第八十二条まで〔中略〕の規定　公布の日から起算して二年六月を超えない範囲内において政令で定める日

〔平成二八政三二九により、平成二九・四・一から施行〕

六～八〔略〕

（**道路法の一部改正に伴う経過措置**）

第八〇条　第五号施行日前に一般ガス事業者（第五号旧ガス事業法第二条第二項に規定する一般ガス事業者をいう。）又は簡易ガス事業者（第五号旧ガス事業法第二条第四項に規定する簡易ガス事業者をいう。）がした前条の規定による改正前の道路法（以下この項において「旧道路法」という。）第三十六条第一項の計画書に基づく工事のための旧道路法第三十二条第一項又は第三項の規定による許可の申請であって、第五条の規定の施行の際、許可又は不許可の処分がされていないものについての許可又は不許可の処分については、なお従前の例による。

2　前条の規定による改正後の道路法（以下この条において「新道路法」という。）第三十六条第一項の規定の適用については、旧一般ガスみなしガス小売事業者が附則第二十二条第一項の義務を負う間、新道路法第三十六条第一項中「ガス小売事業を除く。）」とあるのは、「ガス小売事業を除く。）又は電気事業法等の一部を改正する等の法律（平成二十七年法律第四十七号）附則第二十二条第一項に規定する指定旧供給区域等小売供給を行う事業」とする。

3　新道路法第三十六条第一項の規定の適用については、旧簡易ガスみなしガス小売事業者が附則第二十八条第一項の義務を負う間、新道路法第三十六条第一項中「ガス小売事業を除く。）」とあるのは、「ガス小売事業を除く。）又は電気事業法等の一部を改正する等の法律（平成二十七年法律第四十七号）附則第二十八条第一項に規定する指定旧供給地点小売供給を行う事業」とする。

附　則〔抄〕〔平成二八・三・三一法律一九〕

（施行期日）

第一条　この法律は、平成二十八年四月一日から施行する。ただし、第二条中道路法第四十四条の二の改正規定、同法第四十七条の七に二項を加える改正規定並びに同法第九十条第二項及び第九十四条第四項の改正規定〔中略〕は、公布の日から起算して六月を超えない範囲内において政令で定める日から施行する。

〔平成二八政三二一により、平成二八・九・三〇から施行〕

（**政令への委任**）

第三条　前条に定めるもののほか、この法律の施行に関し必要な経過措置は、政令で定める。

（**検討**）

第四条　政府は、この法律の施行後五年を経過した場合において、第二条の規定による改正後の道路法及び第三条の規定による改正後の道路整備特別措置法の施行の状況について検討を加え、必要があると認めるときは、その結果に基づいて必要な措置を講ずるものとする。

附　則〔平成二九・六・二法律四五〕

この法律は、民法改正法の施行の日〔令和二・四・一〕から施行する。ただし〔中略〕第三百六十二条の規定は、公布の日から施行する。

民法の一部を改正する法律の施行に伴う関係法律の整備等に関する法律〔抄〕〔平成二九・六・二法律四五〕

（**道路法の一部改正に伴う経過措置**）

第三一九条　施行日前に前条の規定による改正前の道路法（以下この条において「旧道路法」という。）第九十四条第一項（旧道路法第九十一条第二項において準用する場合を含む。）の規定により不用物件の返還義務が生じた場合におけるその不用物件の供託については、なお従前の例による。

（**罰則に関する経過措置**）

第三六一条　施行日前にした行為及びこの法律の規定によりなお従前の例によることとされる場合における施行日以後にした行為に対する罰則の適用については、なお従前の例による。

（**政令への委任**）

第三六二条　この法律に定めるもののほか、この法律の施行に伴い必要な経過措置は、政令で定める。

附　則〔抄〕〔平成三〇・三・三一法律六〕

（**施行期日**）

第一条　この法律は、公布の日から起算して六月を超えない範囲内において政令で定める日から施行する。〔以下略〕

〔平成三〇政二七九により、平成三〇・九・三〇から施行〕

（**政令への委任**）

第二条　この法律の施行に関し必要な経過措置は、政令で定める。

（**検討**）

第三条　政府は、この法律の施行後五年を経過した場合において、第一条の規定による改正後の道路法及び第二条の規定による改正後の道路整備特別措置法の施行の状況について検討を加え、必要があると認めるときは、その結果に基づいて必要な措置を講ずるものとする。

附　則〔抄〕〔令和二・五・二七法律三一〕

（**施行期日**）

第一条　この法律は、公布の日から起算して六月を超えない範囲内において政令で定める日から施行する。ただし、次の各号に掲げる規定は、当該各号に定める日から施行する。

〔令和二政三三八により、令和二・一一・二五から施行〕

一　第一条中道路法第十七条の改正規定、同法第二十七条第三項の改正規定、同法第四十八条の十九の改正規定並びに同法第五十条第五項及び第五十一条第三項の改正規定〔中略〕　公布の日

二　第二条〔中略〕の規定　公布の日から起算して二年を超えない範囲内において政令で定める日

〔令和三政一九七により、令和四・四・一から施行〕

（**準備行為**）

第二条　第二条の規定による改正後の道路法（以下この条において「新道路法」という。）第四十八条の四十六第一項の規定による指定及びこれに関し必要な手続その他の行為は、前条第二号に掲げる規定の施行の日前においても、新道路法第四十八条の四十六、第四十八条の四十七及び第四十八条の四十八第一項の規定の例により行うことができる。

（**政令への委任**）

第三条　前条に規定するもののほか、この法律の施行に関し必要な経過措置は、政令で定める。

（検討）

第四条　政府は、この法律の施行後五年を経過した場合において、第一条から第四条までの規定による改正後の規定の施行の状況について検討を加え、必要があると認めるときは、その結果に基づいて必要な措置を講ずるものとする。

附　則〔略〕〔令和二・六・一二法律四九〕

附　則〔抄〕〔令和三・三・三一法律九〕

（施行期日）

第一条　この法律は、令和三年四月一日から施行する。ただし、次の各号に掲げる規定は、当該各号に定める日から施行する。

一　第二条（道路法第十七条の改正規定、同法第二十四条の改正規定（「、第六項若しくは第七項」を「若しくは第六項から第八項まで」に改める部分に限る。）、同法第二十七条の改正規定及び同法第九十七条第一項の改正規定に限る。）の規定〔中略〕公布の日から起算して三月を超えない範囲内において政令で定める日

〔令和三政一七三により、令和三・六・二〇から施行〕

二　第二条（道路法の目次の改正規定（「第三十一条」を「第三十一条の二」に改める部分に限る。）、同法第十七条の改正規定、同法第二十条の改正規定、同法第二十四条の改正規定、同法第二十七条の改正規定、同法第二十八条の二第一項の改正規定、同法第三十一条の改正規定、同法第三章第二節中同条の次に一条を加える改正規定、同法第四十八条の五十一の改正規定、同法第九十七条第一項の改正規定、同法第九十七条の二ただし書の改正規定及び同法第百九条の改正規定を除く。）〔中略〕附則第十二条（道路法等の一部を改正する法律（令和二年法律第三十一号）附則第八条の改正規定を除く。）の規定　公布の日から起算して六月を超えない範囲内において政令で定める日

〔令和三政二六〇により、令和三・九・二五から施行〕

三　〔略〕

（道路法の一部改正に伴う経過措置）

第三条　附則第一条第二号に掲げる規定の施行の日（次条において「第二号施行日」という。）前に第二条の規定による改正前の道路法第四十四条第一項の規定により指定された沿道区域における土地等の管理者の損害予防義務については、なお従前の例による。

（政令への委任）

第五条　前三条に定めるもののほか、この法律の施行に関し必要な経過措置（罰則に関する経過措置を含む。）は、政令で定める。

（検討）

第六条　政府は、この法律の施行後五年を目途として、この法律による改正後のそれぞれの法律の規定について、その施行の状況等を勘案して検討を加え、必要があると認めるときは、その結果に基づいて所要の措置を講ずるものとする。

附　則〔抄〕〔令和四・六・一七法律六八〕

（施行期日）

1　この法律は、刑法等一部改正法（令和四年法律第六十七号）施行日（令和七・六・一）から施行する。ただし、次の各号に掲げる規定は、当該各号に定める日から施行する。

一　第五百九条の規定　公布の日

二　〔略〕

刑法等の一部を改正する法律の施行に伴う関係法律の整理等に関する法律〔抄〕

〔令和四・六・一七法律六八〕

（罰則の適用等に関する経過措置）

第四四一条　刑法等の一部を改正する法律（令和四年法律第六十七号。以下「刑法等一部改正法」という。）及びこの法律（以下「刑法等一部改正法等」という。）の施行前にした行為の処罰については、次章に別段の定めがあるもののほか、なお従前の例による。

2　刑法等一部改正法等の施行後にした行為に対して、他の法律の規定によりなお従前の例によることとされ、なお効力を有することとされ又は改正前若しくは廃止前の法律の規定の例によることとされる罰則を適用する場合において、当該罰則に定める刑（刑法施行法第十九条第一項の規定又は第八十二条の規定による改正後の沖縄の復帰に伴う特別措置に関する法律第二十五条第四項の規定の適用後のものを含む。）に刑法等一部改正法第二条の規定による改正前の刑法（明治四十年法律第四十五号。以下この項において「旧刑法」という。）第十二条に規定する懲役（以下「懲役」という。）、旧刑法第十三条に規定する禁錮（以下「禁錮」という。）又は旧刑法第十六条に規定する拘留（以下「旧拘留」という。）が含まれるときは、当該刑のうち無期の懲役又は禁錮はそれぞれ無期拘禁刑と、有期の懲役又は禁錮はそれぞれその刑と長期及び短期（刑法施行法第二十条の規定の適用後のものを含む。）を同じくする有期拘禁刑と、旧拘留は長期及び短期（刑法施行法第二十条の規定の適用後のものを含む。）を同じくする拘留とする。

（裁判の効力とその執行に関する経過措置）

第四四二条　懲役、禁錮及び旧拘留の確定裁判の効力並びにその執行については、次章に別段の定めがあるもののほか、なお従前の例による。

（人の資格に関する経過措置）

第四四三条　懲役、禁錮又は旧拘留に処せられた者に係る人の資格に関する法令の規定の適用については、無期の懲役又は禁錮に処せられた者はそれぞれ無期拘禁刑に処せられた者と、有期の懲役又は禁錮に処せられた者はそれぞれ刑期を同じくする有期拘禁刑に処せられた者と、旧拘留に処せられた者は拘留に処せられた者とみなす。

2　拘禁刑又は拘留に処せられた者に係る他の法律の規定によりなお従前の例によることとされ、なお効力を有することとされ又は改正前若しくは廃止前の法律の規定の例によることとされる人の資格に関する法令の規定の適用については、無期拘禁刑に処せられた者は無期禁錮に処せられた者と、有期拘禁刑に処せられた者は刑期を同じくする有期禁錮に処せられた者と、拘留に処せられた者は刑期を同じくする旧拘留に処せられた者とみなす。

（経過措置の政令への委任）

第五〇九条　この編に定めるもののほか、刑法等一部改正法等の施行に伴い必要な経過措置は、政令で定める。

附　則〔略〕〔令和五・五・二六法律三四〕

○道路法施行令

〔昭和二七・一二・四　政令四七九〕

改正　昭和三二・五政一〇〇、一二政三三六、昭和三三・六政一六三、一〇政二九一、一一政三一八、一一政三三五、昭和三四・四政一四七、五政一九二、六政二二五、七政二六三、一二政三七〇、昭和三五・三政四六、一〇政二七二、昭和三六・六政二一一、八政二九四、昭和三七・四政一七二、八政三三六、九政三九一、昭和三八・三政一〇八、一〇政三四三、昭和三九・五政一六〇、昭和四〇・二政一四、三政五七、昭和四一・四政一〇二、昭和四二・七政一七八、一〇政三三五、昭和四四・六政一五八、八政二三二、昭和四五・四政四八、政七九、六政一六一、政二〇二、政二〇九、一〇政三二〇、一二政三三三、昭和四六・二政二〇、三政九〇、七政二五二、昭和四七・三政三七、五政一四五、昭和四八・二政一二、六政一六一、昭和四九・四政一五一、昭和五一・三政六一、昭和五二・九政二五九、昭和五三・四政一二〇、昭和五五・四政八〇、昭和五六・三政六三、昭和五七・三政五八、九政二五六、昭和五八・三政六五、九政一九六、昭和五九・五政一三九、昭和六〇・三政四〇、五政一二三、七政二二九、昭和六一・三政六四、五政一五四、昭和六二・三政五四、政九八、九政二九五、政三〇四、昭和六三・三政七九、平成元・三政七二、四政一〇八、一一政三〇九、平成二・五政一一六、平成三・三政七八、政九八、九政三〇四、一〇政三一七、平成五・三政九四、一一政三七五、平成六・九政三〇三、一二政四一一、平成七・六政二五六、一〇政三五九、政三六三、平成八・三政八八、一〇政三〇八、平成九・二政二〇、三政七四、一二政三四九、平成一〇・三政三七、政一一八、八政二八九、平成一一・一一政三五二、一二政四三一、平成一二・六政三一二、平成一三・四政一七〇、平成一四・二政二七、五政一九一、一二政三八五、政三八六、平成一五・三政一六三、六政二九三、一二政四七六、政五二三、平成一六・二政二三、三政五九、平成一七・四政一二五、六政二〇三、平成一八・一一政三五七、平成一九・八政二三五、九政三〇四、平成二〇・一政五、五政一七六、平成二一・四政一三〇、平成二二・三政七八、一二政二三六、平成二三・五政一一九、一〇政三二一、一一政三六三、一二政四二四、平成二四・一二政二九四、平成二五・八政二四三、一一政三二三、平成二六・三政八八、五政一八七、平成二七・一政二一、一一政三九二、平成二八・二政四三、三政一八二、九政三一二、平成二九・一政二、三政四〇、平成三〇・三政一二八、九政二八〇、平成三一・三政四一、令和元・九政一一二、令和二・三政八六、五政一七五、一一政三二九、令和三・三政一三二、六政一七四、九政二六一、一二政三三五、令和四・二政三七、一二政三七八、令和五・一一政三三四

目次

第一章　道路管理者等（第一条―第六条）
第二章　道路の占用（第七条―第十九条の四）
第二章の二　違法放置等物件の保管の手続等（第十九条の五―第十九条の十一）
第二章の三　危険物を積載する車両の水底トンネルの通行の禁止又は制限（第十九条の十二―第十九条の十五）
第二章の四　連結位置及び連結料（第十九条の十六―第十九条の十八）
第三章　道路に関する費用の負担及び補助
　第一節　道路の新設等に要する費用の負担（第二十条―第二十七条）
　第二節　道路に関する費用の補助（第二十八条―第三十条）
第三章の二　長時間放置された車両の保管の手続等（第三十条の二―第三十条の五）
第四章　道の区域内の道路の特例（第三十一条―第三十四条の二の三）
第五章　雑則（第三十四条の三―第四十一条）
附則

第一章　道路管理者等

（都道府県等が行う国道の新設又は改築）

第一条　道路法（以下「法」という。）第十二条ただし書の政令で定める特別の事情は、次に掲げるものとする。

一　都道府県知事又は都道府県の施行する河川工事その他の建設工事の施行と密接な関連を有すること。

二　道路の区域を変更し、当該変更に係る部分を一般国道（以下「国道」という。）以外の道路とする計画のある箇所であること。

三　道路法の一部を改正する法律（昭和三十九年法律第百六十三号）による改正前の法（次号において「改正前の法」という。）第十三条第一項の規定により都道府県知事が施行した工事と一体として施行する必要があること。

四　改正前の法第十三条第一項の規定により都道府県知事が工事を施行するため調査、測量、設計その他の工事の準備を行つたこと。

五　法第五条第一項の規定による指定があつた日（次号において「指定日」という。）前に法第十五条の規定により都道府県が工事を施行するため調査、測量、設計その他の工事の準備を行つたこと。

六　指定日前に法第十五条の規定により都道府県が施行した工事と一体として施行する必要があること。

2　前項の規定は、法第十七条第一項又は第二項の規定により指定市又は指定市以外の市が国道の新設又は改築を行う場合について準用する。この場合において、前項各号中「都道府県知事」とあるのはそれぞれ「指定市の長」又は「指定市以外の市の長」と、「都道府県」とあるのはそれぞれ「指定市」又は「指定市以外の市」と読み替えるものとする。

3　第一項（第三号及び第四号を除く。）の規定は、法第十七条第四項の規定により指定市以外の市町村が国道の新設又は改築を行う場合について準用する。この場合において、第一項第一号中「都道府県知事又は都道府県」とあるのは「指定市以外の市町村の長又は指定市以外の市町村」と、同項第五号及び第六号中「都道府県」とあるのは「指定市以外の市町村」と読み替えるものとする。

（都道府県又は指定市による指定区間内の国道の管理）

第一条の二　法第十三条第二項の規定により都道府県又は指定市が行うこととすることができる指定区間内の国道の管理は、次に掲げる管理（第一号から第五号まで及び第七号から第二十一号までに掲げる管理については、国土交通大臣が新設、改築、修繕又は災害復旧に関する工事を行つている区間に係るものを除く。）とする。

一　法第三十二条第一項又は第三項の規定による許可を与えること。

二　法第三十三条第二項第三号の規定により利便増進誘導区域を指定すること。

三　法第三十四条の規定により工事の調整のための条件を付すること。

四　法第三十五条の規定により国と協議し、同意すること。

五　法第三十六条第一項の規定により提出する工事の計画書を受理すること。

六　法第三十九条第一項（法第九十一条第二項において準用する場合を含む。）の規定により占用料を徴収すること。

七　法第三十九条の二第一項の規定により入札占用指針を定め、及び同条第六項の規定により意見を聴くこと。

八　法第三十九条の四第一項又は第五項の規定により通知し、同条第三項の規定により占用入札を実施し、及び同条第四項の規定により落札者を決定すること。

九　法第三十九条の五第一項の規定により道路の場所を指定し、及び入札占用計画が適当である旨の認定をすること。

十　法第三十九条の六第一項の規定により変更の認定をすること。

十一　法第三十九条の九の規定により必要な措置を講ずべきことを命ずること。

十二　法第四十条第二項の規定により必要な指示をすること。

十三　法第四十八条の二十三第一項の規定により公募占用指針を定め、及び同条第五項の規定により意見を聴くこと。

十四　法第四十八条の二十五第一項及び第二項の規定により歩行者利便増進計画について審査し、及び評価を行い、同条第四項の規定により占用

予定者を選定し、同条第五項の規定により意見を聴き、並びに同条第六項の規定により通知すること。

十五　法第四十八条の二十六第一項の規定により道路の場所を指定し、及び歩行者利便増進計画が適当である旨の認定をすること。

十六　法第四十八条の二十七第一項の規定により変更の認定をすること。

十七　法第四十八条の二十九の規定により地位の承継の承認をすること。

十八　法第四十八条の四十五の規定により自動車駐車場等運営権者と協議（当該協議が成立することをもつて、法第三十二条第一項又は第三項の規定による許可があつたものとみなされるものに限る。）をすること。

十九　法第四十八条の六十四の規定により道路協力団体と協議（当該協議が成立することをもつて、法第三十二条第一項又は第三項の規定による許可があつたものとみなされるものに限る。）をすること。

二十　道路の占用に係る事項について法第七十一条第一項に規定する処分をし、又は措置を命ずること。

二十一　道路の占用に係る事項について法第七十二条の二第一項の規定により必要な報告をさせ、又はその職員に立入検査をさせること。

二十二　法第七十三条（法第九十一条第二項において準用する場合を含む。）の規定により法第三十九条（同項において準用する場合を含む。）の規定に基づく占用料の納付を督促し、並びに当該占用料並びに当該占用料に係る手数料及び延滞金を徴収すること。

２　都道府県又は指定市は、前項第一号から第四号まで、第七号（法第三十九条の二第一項の規定による入札占用指針の策定に係る部分に限る。）、第十二号、第十三号（法第四十八条の二十三第一項の規定による公募占用指針の策定に係る部分に限る。）及び第十八号から第二十号までに掲げる権限（道路の構造又は交通に及ぼす支障が少ないと認められる道路の占用で国土交通省令で定めるものに係るものを除く。）を行つたときは、遅滞なく、その旨を国土交通大臣に報告しなければならない。

（国土交通大臣が権限を行う場合の意見の聴取等）

第一条の三　国土交通大臣は、都道府県又は指定市が前条第一項に規定する管理を行つている道路の区間（国土交通大臣が新設、改築、修繕又は災害復旧に関する工事を行つている区間を除く。）について次に掲げる権限を行おうとするときは、あらかじめ、関係都道府県又は指定市の意見を聴かなければならない。

一　法第三十七条第一項の規定により道路の占用を禁止し、又は制限すること。

二　法第三十二条第一項若しくは第三項（これらの規定を法第九十一条第二項において準用する場合を含む。）の規定による許可又は法第三十九条の五第一項若しくは第三十九条の六第一項（これらの規定を法第九十一条第二項において準用する場合を含む。）、第四十八条の二十六第一項若しくは第四十八条の二十七第一項の規定による認定を受けた者に対し、法第七十一条第二項に規定する処分をし、又は措置を命ずること。

２　国土交通大臣は、都道府県又は指定市が前条第一項に規定する管理を行つている道路の区間（国土交通大臣が新設、改築、修繕又は災害復旧に関する工事を行つている区間に限る。）について次に掲げる権限を行つたときは、遅滞なく、その旨を関係都道府県又は指定市に通知しなければならない。

一　法第三十二条第一項又は第三項（これらの規定を法第九十一条第二項において準用する場合を含む。）の規定による許可を与えること。

二　法第三十五条（法第九十一条第二項において準用する場合を含む。）の規定により国と協議し、同意すること。

三　法第四十八条の四十五（法第九十一条第二項において準用する場合を含む。）の規定により自動車駐車場等運営権者と協議（当該協議が成立することをもつて、法第三十二条第一項又は第三項の規定による許可があつたものとみなされるものに限る。）をすること。

四　法第四十八条の六十四の規定により道路協力団体と協議（当該協議が成立することをもつて、法第三十二条第一項又は第三項の規定による許可があつたものとみなされるものに限る。）をすること。

五　法第七十一条第二項（法第九十一条第二項において準用する場合を含む。）の規定により、法第三十二条第一項若しくは第三項（これらの規定を法第九十一条第二項において準用する場合を含む。）の規定による許可若しくは法第三十九条の五第一項若しくは第三十九条の六第一項（これらの規定を法第九十一条第二項において準用する場合を含む。）、第四十八条の二十六第一項若しくは第四十八条の二十七第一項の規定による認定を取り消し、又はその許可若しくは認定の効力を停止すること。

（都道府県又は指定市による指定区間内の国道の管理の告示）

第一条の四　国土交通大臣は、法第十三条第二項の規定により指定区間内の国道の管理を都道府県又は指定市が行うこととする場合においては、あらかじめ、管理の区間、管理の内容、管理の始期及び管理者を告示しなければならない。

２　国土交通大臣は、前項の規定により告示した事項を変更する場合においては、あらかじめ、その旨を告示しなければならない。

（指定市以外の市町村が行うことができる国道又は都道府県道の新設等）

第一条の五　法第十七条第四項の政令で定める国道若しくは都道府県道の新設、改築、維持若しくは修繕又は国道若しくは都道府県道に附属する道路の附属物の新設若しくは改築は、次に掲げるものとする。

一　歩道、自転車道、自転車歩行者道、植樹帯、路肩、横断歩道橋、自転車専用道路、自転車歩行者専用道路又は歩行者専用道路の新設、改築、維持又は修繕

二　道路の附属物である柵、並木、街灯、自転車駐車場、電線共同溝又はベンチ若しくはその上屋の新設又は改築

（国土交通大臣が改築又は修繕に関する工事を行うことができる施設又は工作物）

第一条の六　法第十七条第六項の政令で定める施設又は工作物は、トンネル、橋その他国土交通大臣が定める施設又は工作物とする。

（管理の特例の場合の読替規定）

第一条の七　法第十七条第一項又は第二項の場合における同条第九項の規定による法の規定の適用についての技術的読替えは、次の表のとおりとする。

項	読み替える規定	読み替えられる字句	読み替える字句（法第十七条第一項の場合）	読み替える字句（法第十七条第二項の場合）
一	第十三条第三項、第十八条第一項、第五十条第一項、第四項及び第五項	都道府県	指定市	指定市以外の市
二	第十三条第四項	第一項	第十七条第一項	第十七条第二項
		関係都道府県	関係する指定市、都道府県又は指定市以外の市（第十七条第二項の規定により管理を行う市をいう。第九十四条第五項において同じ。）	関係する指定市以外の市、都道府県又は指定市
三	第十三条第四項、第五十三条	都道府県が	指定市が	指定市以外の市が
四	第十三条第四項、第十九条第二項	都道府県の	指定市の	指定市以外の市の
五	第十七条第六項及び第七項、第二十五条第一項、第四十八条の十九第一項、第五十一条、第五十三条第一項、第九十条第一項、第九十六条第二項	都道府県又は	指定市又は	指定市以外の市又は

項	読み替える規定	読み替えられる字句	読み替える字句（指定市）	読み替える字句（指定市以外の市）
六	第十九条第二項、第十九条の二第二項、第二十条第三項、第二十六条第一項、第七十六条第一項、第九十六条第二項及び第三項	都道府県である	指定市である	指定市以外の市である
七	第十九条第三項、第十九条の二第三項、第二十条第四項、第三十一条第三項	都道府県の議会に	指定市の議会に	指定市以外の市の議会に
八	第二十六条第一項、第七十六条、第九十六条第二項	市町村	市（指定市を除く。）町村	市（指定市以外の市を除く。）町村
九	第五十条第六項及び第七項、第五十三条第二項	他の都道府県	都道府県	都道府県
十	第五十条第六項	当該国道の所在する都道府県	当該国道の所在する指定市	指定市以外の市で当該国道の所在するもの
十一	第五十条第七項	国道の所在する都道府県	国道の所在する指定市	指定市以外の市で国道の所在するもの
		関係都道府県	指定市及び関係都道府県	指定市以外の市及び関係都道府県
十二	第五十三条第二項	当該都道府県	当該指定市	当該指定市以外の市
十三	第九十四条第五項	都道府県である	指定市、都道府県、指定市以外の市又は町村（第十七条第三項の規定により管理を行う町村をいう。）である	指定市以外の市、都道府県、指定市又は町村（第十七条第三項の規定により管理を行う町村をいう。）である
十四	第九十六条第二項	都道府県の知事	指定市の長	指定市以外の市の長

2　法第十七条第三項の場合における同条第九項の規定による法の規定の適用についての技術的読替えは、次の表のとおりとする。

項	読み替える規定	読み替えられる字句	読み替える字句
一	第十七条第六項及び第七項、第二十五条第一項、第四十八条の十九第一項、第五十一条、第九十条第一項、第九十六条第二項	都道府県又は	町村又は
二	第十九条第二項	都道府県の	町村の
三	第十九条第二項、第十九条の二第二項、第二十条第三項、第二十六条第一項、第七十六条第一項、第九十六条第二項及び第三項	都道府県である	町村である
四	第二十六条第一項、第七十六条、第九十六条第二項	市町村	市町村（町村を除く。）
五	第五十三条第一項	都道府県又は	都道府県又は町村若しくは
六	第九十四条第五項	都道府県である	町村、都道府県、指定市又は指定市以外の市（第十七条第二項の規定により管理を行う市をいう。）である
七	第九十六条第二項	都道府県の知事	町村の長

3　法第十七条第四項の場合における同条第九項の規定による法の規定の適用についての技術的読替えは、次の表のとおりとする。

項	読み替える規定	読み替えられる字句	読み替える字句
一	第二条第二項第二号、第七号及び第九号	道路管理者	道路管理者又は指定市以外の市町村
二	第十三条第四項	第一項の規定により都道府県が維持、修繕、災害復旧その他の管理	第十七条第四項の規定により指定市以外の市町村が国道の修繕
		修繕又は災害復旧	修繕
		都道府県の	指定市以外の市町村の
		関係都道府県	当該指定市以外の市町村及び関係する都道府県、指定市又は指定市以外の市（第十七条第二項の規定により管理を行う市をいう。）
三	第十八条第一項	第十六条又は	第十六条若しくは
		道路管理者」という	道路管理者」という。）又は指定市以外の市町村（以下「道路管理者等」と総称する
		決定して	決定し、道路管理者は
	第二十一条、第二十二条第一項、第二十二条の二、第二十三条第一項、第二十四条、第二十四条の二第一項及び第三項、第二十四条の三、第	道路管理者	道路管理者等

四	二十八条の二第一項、第三十二条、第三十三条第一項、第二項第三号及び第三項、第三十四条から第三十六条まで、第三十八条、第三十九条第一項、第三十九条の二第一項、第三十九条の三第一項、第三十九条の四、第三十九条の五第一項、第三十九条の六第一項から第三項まで、第三十九条の七第二項及び第四項、第三十九条の九、第四十条第二項、第四十一条、第四十二条第一項、第四十四条の三第一項から第五項まで及び第八項、第四十五条第一項、第四十六条第一項及び第二項、第四十七条の十七第一項、第四十七条の十八第一項、第四十八条の二第一項、第四十八条の二十四第一項、第四十八条の二十五、第四十八条の二十六第一項、第四十八条の二十七第一項及び第二項、第四十八条の二十八第二項、第四十八条の二十九、第四十八条の三十七第一項、第四十八条の六十第一項及び第三項、第四十八条の六十一、第四十八条の六十二第一項から第三項まで、第四十八条の六十三から第四十八条の六十五まで、第五十六条、第五十七条、第五十八条第一項、第五十九条第三項、第六十条、第六十一条第一項、第六十二条、第六十六条第一項、第六十七条の二、第六十八条、第六十九条第一項、第七十条第一項、第三項及び第四項、第七十一条第一項から第五項まで、第七十二条第一項及び第三項、第七十二条の二第一項、第七十三条第二項及び第三項、第八十六条第二項、第八十七条第一項、第九十一条第一項から第三項まで、第九十二条第四項、第九十三条、第九十五条の二第一項及び第二項前段、第九十六条第五項		
五	第二十四条の二第一項	道路の	道路管理者にあっては道路の
		駐車料金	指定市以外の市町村にあっては道路の附属物である自転車駐車場に自転車を駐車させる者から、駐車料金
六	第三十三条第四項、第三十九条の二第七項、第三十九条の五第二項、第四十五条の二第二項、第四十七条の十八第二項、第四十八条の二十三第六項、第四十八条の二十六第二項、第四十八条の三十八第一項及び第三項	道路管理者は、	道路管理者は、道路管理者等が
七	第三十九条第二項、第三十九条の二第五項	道路管理者	当該占用料を徴収する道路管理者等
八	第四十七条の十五第一項	道路管理者は、第四十六条第一項	第四十六条第一項
		場合においては	道路管理者等は
		、道路管理者	、道路管理者等
九	第四十八条の十四第一項	道路管理者は、	道路管理者等は、道路管理者が
十	第四十八条の二十三第五項	道路管理者は	道路管理者等は
		市町村長を	市町村長又は当該歩行者利便増進道路の存する指定市以外の市町村の長を
十一	第四十八条の四十五	特定道路管理者	特定道路管理者又は指定市以外の市町村
十二	第四十九条	道路の管理に関する	第十七条第四項に規定する歩道の新設等に要する
		当該道路の道路管理者	指定市以外の市町村
十三	第五十条第一項	都道府県が当該	指定市以外の市町村が当該

		当該都道府県	当該指定市以外の市町村
十四	第五十条第六項及び第七項、第五十三条第二項	他の都道府県	都道府県
十五	第五十条第六項	当該国道の所在する都道府県	指定市以外の市町村で当該国道の所在するもの
十六	第五十条第七項	国道の所在する都道府県	指定市以外の市町村で国道の所在するもの
		関係都道府県	当該指定市以外の市町村及び関係都道府県
十七	第五十三条第二項	都道府県が	指定市以外の市町村が
		都道府県に	指定市以外の市町村に
十八	第六十一条第二項	道路管理者	当該負担金を徴収する道路管理者等
十九	第六十四条第一項	停留料金並びに	停留料金、
		は、道路管理者の収入とし、第三十九条の規定に基づく占用料は、政令で定める区分に従い、道路管理者又は第十三条第二項の規定により指定区間内の国道の維持、修繕及び災害復旧以外の管理を行う都道府県若しくは指定市	並びに第三十九条の規定に基づく占用料で、第十七条第五項の規定に基づき公示される国道又は都道府県道の新設、改築、維持又は修繕の開始の日から国道又は都道府県道の新設、改築、維持又は修繕の完了の日までに指定市以外の市町村が徴収すべきものは、当該指定市以外の市町村
二十	第七十三条第一項	道路管理者	負担金等を徴収すべき道路管理者等
二十一	第七十四条	道路管理者は、当該国道を新設し、又は改築しようとする場合において	新設又は改築をしようとする指定市以外の市町村
二十二	第七十五条第一項	当該指定区間外の国道の道路管理者	指定市以外の市町村
二十三	第七十五条第一項第二号、第二項第二号、第四項及び第五項、第七十六条第一項、第八十五条第三項	道路管理者	指定市以外の市町村
二十四	第七十五条第二項	都道府県道及び指定市の市道に関し、都道府県知事は指定市の市道以外の市町村道に関し、次の各号に掲げる場合においては、それぞれ当該道路の道路管理者	、都道府県道に関し、次の各号に掲げる場合においては、指定市以外の市町村
二十五	第七十五条第二項第二号	要求（都道府県知事がするときは、勧告）	要求
二十六	第七十五条第五項	国土交通大臣又は都道府県知事	国土交通大臣
		要求若しくは勧告	要求
二十七	第七十六条第一項	次に掲げる事項を都道府県である場合にあっては国土交通大臣に、市町村である場合にあっては都道府県知事	第一号、第二号及び第五号に掲げる事項（同号に掲げる事項にあっては、第三十九条第二項の規定により定めた条例に限る。）を国土交通大臣
二十八	第九十六条第二項	又は市町村である道路管理者	若しくは市町村である道路管理者又は指定市以外の市町村
		又は当該市町村の長	若しくは当該市町村の長又は当該指定市以外の市町村の長
		都道府県である道路管理者	都道府県である道路管理者又は指定市以外の市町村

4　法第十七条第六項の場合における同条第九項の規定による法の規定の適用についての技術的読替えは、次の表のとおりとする。

項	読み替える規定	読み替えられる字句	読み替える字句
一	第二条第二項第二号、第五号及び第七号から第九号まで	道路管理者	道路管理者又は国土交通大臣
二	第十八条第一項	第十六条又は	第十六条若しくは
		道路管理者」という	道路管理者」という。）又は国土交通大臣（以下「道路管理者等」と総称する
		決定して	決定し、道路管理者は
	第二十一条、第二十二条第一項、第二十三条第一項、第二十四条、第三十二条、第三十三条第一項及び第二項第三号、第三十四条から第三十六条まで、第三十八条、第三十九条の三第一項、第三十九条の四第一項及び第三項から第五項まで、第三十九条の五第一項、第三十九条の六	道路管理者	道路管理者等

三	第一項及び第三項、第三十九条の七第二項及び第四項、第三十九条の九、第四十条第二項、第四十一条、第四十三条の二、第四十四条の三第一項から第五項まで及び第八項、第四十五条第一項、第四十六条第一項及び第二項、第四十七条第三項、第四十七条の二第一項及び第五項、第四十七条の十四、第四十七条の十五第二項、第四十七条の十七第一項、第四十七条の十八第一項、第四十八条の二十三第一項、第四十八条の二十四第一項、第四十八条の二十五第一項、第二項及び第四項から第六項まで、第四十八条の二十六第一項、第四十八条の二十七第一項及び第二項、第四十八条の二十八第二項、第四十八条の二十九、第四十八条の二十九の三、第四十八条の二十九の四、第四十八条の二十九の五第一項、第四十八条の三十二、第四十八条の三十三、第四十八条の三十七第一項、第四十八条の四十九第二号、第四十八条の六十四、第五十七条、第六十六条第一項、第六十七条の二、第六十八条、第六十九条第一項、第七十条第一項、第三項及び第四項、第七十一条第一項から第五項まで、第七十二条第一項及び第三項、第七十二条の二第一項及び第二項、第九十二条第四項、第九十五条の二、第九十六条第五項前段		
四	第三十三条第三項及び第四項、第三十九条の二第七項、第三十九条の五第二項、第四十五条の二第二項、第四十七条の十八第二項、第四十八条の二十三第六項、第四十八条の二十六第二項、第四十八条の二十九の六第一項及び第三項、第四十八条の三十八第一項及び第三項	道路管理者は、	道路管理者は、道路管理者等が
五	第三十九条の二第一項、第四十八条の二十三第五項	道路管理者は	道路管理者等は
六	第三十九条の二第六項	道路管理者（	道路管理者等（
七	第四十七条の二第二項	道路管理者を異にする二以上の道路に係るものであるとき（国土交通省令で定める場合を除く。）は、同項	第十七条第六項の規定により国土交通大臣が改築又は修繕に関する工事を行う道路及び当該道路以外の道路に係るものであるときは、前項
八	第四十七条の二第二項及び第三項	の道路管理者	の道路管理者又は国土交通大臣
九	第四十七条の十五第一項	道路管理者は、第四十六条第一項	第四十六条第一項
		場合においては	道路管理者等は
		、道路管理者	、道路管理者等
十	第四十八条の十四第一項	道路管理者は、	道路管理者等は、道路管理者が
十一	第四十八条の四十五	特定道路管理者	特定道路管理者又は国土交通大臣
十二	第五十四条の二第一項	共用管理施設関係道路管理者	共用管理施設関係道路管理者又は国土交通大臣及び他の道路の道路管理者

5　法第十七条第七項の場合における同条第九項の規定による法の規定の適用についての技術的読替えについては、前項（同項の表三の項（第七十条第一項、第三項及び第四項に係る部分に限る。）及び七の項に係る部分を除く。）の規定を準用するほか、次の表のとおりとする。

項	読み替える規定	読み替えられる字句	読み替える字句
一	第十九条の二第一項	共用管理施設関係道路管理者」という。）	共用管理施設関係道路管理者」という。）又は国土交通大臣及び当該他の道路の道路管理者
二	第二十条第一項及び第二項	道路管理者	道路管理者又は国土交通大臣
三	第二十条第五項	道路管理者	道路管理者等
四	第二十条第六項	道路管理者と	道路管理者等と
	第四十七条の二第二項	道路管理者を異にする二以上の道路に係	第十七条第七項の規定により国土交通大

項	読み替える規定	読み替えられる字句	読み替える字句
五		るものであるとき（国土交通省令で定める場合を除く。）は、同項	臣が維持又は災害復旧に関する工事を行う道路及び当該道路以外の道路に係るものであるときは、前項

6　法第十七条第八項の場合における同条第九項の規定による法の規定の適用についての技術的読替えは、次の表のとおりとする。

項	読み替える規定	読み替えられる字句	読み替える字句
一	第二条第二項第二号、第五号及び第七号から第九号まで、第二十条第一項、第四十七条の十二第三項	道路管理者	道路管理者又は都道府県
二	第十八条第一項	第十六条又は	第十六条若しくは
		道路管理者」という	道路管理者」という。）又は都道府県（以下「道路管理者等」と総称する
		決定して	決定し、道路管理者は
三	第十九条の二第一項	道路管理者及び	道路管理者又は都道府県及び
四	第十九条の二第一項、第二項及び第四項、第五十四条の二第一項及び第四項	共用管理施設関係道路管理者	共用管理施設関係道路管理者等
五	第十九条の二第三項、第五十四条の二第三項	」とあるのは「共用管理施設関係道路管理者	の」とあるのは「共用管理施設関係道路管理者等の」と、「関係都道府県知事は」とあるのは「共用管理施設関係道路管理者等である道路管理者は
六	第十九条の二第五項	共用管理施設関係道路管理者の	共用管理施設関係道路管理者等の
		共用管理施設関係道路管理者は	共用管理施設関係道路管理者等である道路管理者は
七	第二十条第三項	道路管理者と	道路管理者又は都道府県と
八	第二十条第三項及び第四項、第五十五条第三項	道路管理者又は	道路管理者若しくは都道府県又は
九	第二十条第五項、第二十一条、第二十二条第一項、第二十三条第一項、第二十四条、第三十二条、第三十三条第一項及び第二項第三号、第三十四条から第三十六条まで、第三十八条、第三十九条の三第一項、第三十九条の四第一項及び第三項から第五項まで、第三十九条の五第一項、第三十九条の六第一項及び第三項、第三十九条の七第二項及び第四項、第三十九条の九、第四十条第二項、第四十一条、第四十三条の二、第四十四条の三第一項から第五項まで及び第八項、第四十五条第一項、第四十六条第一項及び第二項、第四十七条第三項、第四十七条の二第一項及び第五項、第四十七条の十四、第四十七条の十五第二項、第四十七条の十七第一項、第四十七条の十八第一項、第四十八条の二十三第一項、第四十八条の二十四第一項、第四十八条の二十五第一項、第二項及び第四項から第六項まで、第四十八条の二十六第一項、第四十八条の二十七第一項及び第二項、第四十八条の二十八第二項、第四十八条の二十九、第四十八条の二十九の三、第四十八条の二十九の四、第四十八条の二十九の五第一項、第四十八条の三十二、第四十八条の三十三、第四十八条の三十七第一項、第四十八条の四十九第二号、第四十八条の六十四、第五十七条、第六十六条第一項、第六十七条の二、第六十八条、第六十九条第一項、第七十一条第一項から第五項まで、第七十二条第一項及び第三項、第七十二条の二第一項及び第二項、第八十七条第一項、第九十二条第四項、第九十三条、第九十五条の二、第九十六条第五項前段	道路管理者	道路管理者等

十	第二十条第六項	道路管理者と	道路管理者等と
十一	第三十三条第三項及び第四項、第三十九条の二第七項、第三十九条の五第二項、第四十五条の二第二項、第四十七条の十八第二項、第四十八条の二十三第六項、第四十八条の二十六第二項、第四十八条の二十九の六第一項及び第三項、第四十八条の三十八第一項及び第三項	道路管理者は、	道路管理者は、道路管理者等が
十二	第三十九条の二第一項、第四十八条の二十三第五項	道路管理者は	道路管理者等は
十三	第三十九条の二第六項	道路管理者（	道路管理者等（
十四	第四十七条の二第二項	道路管理者を異にする二以上の道路に係るものであるとき（国土交通省令で定める場合を除く。）は、同項	第十七条第八項の規定により都道府県が維持又は災害復旧に関する工事を行う道路及び当該道路以外の道路に係るものであるときは、前項
十五	第四十七条の二第二項及び第三項	の道路管理者	の道路管理者又は都道府県
十六	第四十七条の二第三項	国）	国）又は都道府県
十七	第四十七条の十五第一項	道路管理者は、第四十六条第一項	第四十六条第一項
		場合においては	道路管理者等は
		、道路管理者	、道路管理者等
十八	第四十八条の十四第一項	道路管理者は、	道路管理者等は、道路管理者が
十九	第四十八条の四十五	特定道路管理者	特定道路管理者又は都道府県
二十	第五十五条第一項及び第四項	道路管理者	道路管理者若しくは都道府県
二十一	第七十五条第一項	当該指定区間外の国道の道路管理者	都道府県
二十二	第七十五条第一項第二号、第二項第二号、第四項及び第五項、第七十六条第一項	道路管理者	都道府県
二十三	第七十五条第二項	都道府県道及び指定市の市道に関し、都道府県知事は指定市の市道以外の市町村道に関し、次の各号に掲げる場合においては、それぞれ当該道路の道路管理者	、都道府県道に関し、次の各号に掲げる場合においては、都道府県
二十四	第七十五条第三項第二号	国土交通大臣若しくは都道府県知事	国土交通大臣
		要求（都道府県知事がするときは、勧告）	要求
二十五	第七十五条第三項	当該道路の道路管理者	都道府県
二十六	第七十五条第五項	国土交通大臣又は都道府県知事	国土交通大臣
		要求若しくは勧告	要求
二十七	第七十六条第一項	次に掲げる事項を都道府県である場合にあつては国土交通大臣に、市町村である場合にあつては都道府県知事	第一号から第三号までに掲げる事項を国土交通大臣
二十八	第九十六条第二項	都道府県又は	都道府県である道路管理者若しくは都道府県又は
		都道府県である道路管理者	都道府県である道路管理者又は都道府県

7　法第四十八条の十九第一項の場合における同条第三項の規定による法の規定の適用についての技術的読替えについては、第四項（同項の表三の項（第二十一条、第二十三条第一項、第三十三条第二項第三号、第三十九条の三第一項、第三十九条の四第一項及び第三項から第五項まで、第三十九条の五第一項、第三十九条の六第一項及び第三項、第三十九条の七第二項及び第四項、第四十七条の十七第一項、第四十七条の十八第一項、第四十八条の二十三第一項、第四十八条の二十四第一項、第四十八条の二十五第一項、第二項及び第四項から第六項まで、第四十八条の二十六第一項、第四十八条の二十七第一項及び第二項、第四十八条の二十八第二項、第四十八条の二十九、第七十条第一項、第三項及び第四項、第九十二条第四項並びに第九十三条に係る部分を除く。）、四の項（第四十八条の二十九の六第一項及び第三項並びに第四十八条の三十八第一項及び第三項に係る部分に限る。）、八の項、九の項及び十一の項に係る部分に限る。）の規定を準用するほか、次の表のとおりとする。

項	読み替える規定	読み替えられる字句	読み替える字句
一	第二十一条	道路管理者	道路管理者又は国土交通大臣（以下「道路管理者等」と総称する。）
二	第四十七条の二第二項	道路管理者を異にする二以上の道路に係るものであるとき（国土交通省令で定める場合を除く。）は、同項	第四十八条の十九第一項の規定により国土交通大臣が維持を行う道路及び当該道路以外の道路に係るものであるときは、前項

8　法第四十八条の二十二第一項の場合における同条第四項の規定による法の規定の適用についての技術的読替えについては、第三項（同項の表二の項、五の項、十二の項、十九の項及び二十一の項に係る部分を除く。）の規定を準用するほか、次の表のとおりとする。

項	読み替える規定	読み替えられる字句	読み替える字句
一	第十三条第四項	第一項の規定により都道府県が維持、修繕、災害復旧その他の管理	第四十八条の二十二第一項の規定により指定市以外の市町村が国道の修繕
		修繕又は災害復旧	修繕
		都道府県の	指定市以外の市町村の
		関係都道府県	当該指定市以外の市町村及び関係する都道府県、指定市又は指定市以外の市（第十七条第二項の規定により管理を行う市をいう。）
二	第四十三条の二、第四十七条第三項、第四十七条の二第一項及び第五項、第四十七条の十四、第四十七条の十五第二項、第四十八条の二十九の三、第四十八条の二十九の四、第四十八条の二十九の五第一項、第四十八条の四十九第二号、第七十二条の二第二項	道路管理者	道路管理者等
三	第四十七条の二第二項	道路管理者を異にする二以上の道路に係るものであるとき（国土交通省令で定める場合を除く。）は、同項	第四十八条の二十二第一項の規定により指定市以外の市町村が歩行者利便増進改築等を行う道路及び当該道路以外の道路に係るものであるときは、前項
四	第四十七条の二第二項及び第三項、第四十七条の十二第三項	の道路管理者	の道路管理者又は指定市以外の市町村
五	第四十八条の二十九の六第一項及び第三項	道路管理者は、	道路管理者は、道路管理者等が
六	第四十九条	道路の管理に関する	第四十八条の二十二第一項に規定する歩行者利便増進改築等に要する
		当該道路の道路管理者	指定市以外の市町村
七	第五十条第一項及び第六項、第五十三条第二項	国道の新設又は改築	歩行者利便増進道路である国道の改築
八	第五十条第一項	新設又は改築を	改築を
九	第六十四条第一項	停留料金並びに	停留料金、
		は、道路管理者の収入とし、第三十九条の規定に基づく占用料は、政令で定める区分に従い、道路管理者又は第十三条第二項の規定により指定区間内の国道の維持、修繕及び災害復旧以外の管理を行う都道府県若しくは指定市	並びに第三十九条の規定に基づく占用料で、第四十八条の二十二第二項の規定に基づき公示される同条第一項に規定する歩行者利便増進改築等の開始の日から当該歩行者利便増進改築等の完了の日までに指定市以外の市町村が徴収すべきものは、当該指定市以外の市町村
十	第七十四条	道路管理者は、当該国道を新設し、又は改築しようとする場合において	改築をしようとする指定市以外の市町村

（国土交通大臣の行う工事等の告示）

第二条　国土交通大臣は、次に掲げる工事等（工事又は維持をいう。以下この条において同じ。）を行おうとする場合においては、あらかじめ、当該道路の路線名、工事等の区間、工事の種類及び工事等の開始の日を告示しなければならない。

一　法第十二条本文の規定による国道（指定区間外の国道に限る。）の新設又は改築に関する工事

二　法第十三条第二項の規定により指定区間内の国道の管理を都道府県又は指定市が行つている区間に係る法第十二条本文の規定による新設若しくは改築又は法第十三条第一項の規定による修繕若しくは災害復旧に関する工事

三　法第十三条第三項の規定による指定区間外の国道の災害復旧に関する工事

四　法第十七条第六項の規定による都道府県道又は市町村道を構成する施設又は工作物の改築又は修繕に関する工事

五　法第十七条第七項の規定による指定区間外の国道、都道府県道又は市町村道の維持又は災害復旧に関する工事

六　法第四十八条の十九第一項の規定による指定区間外の国道、都道府県道又は市町村道の維持

2　国土交通大臣は、前項各号に掲げる工事等の全部又は一部を完了し、又は廃止しようとする場合においては、あらかじめ、同項の規定に準じてその旨を告示しなければならない。

（都道府県の行う維持等の公示）

第二条の二　都道府県は、法第十七条第八項の規定による指定区間外の国道、都道府県道又は市町村道の維持等（維持又は災害復旧に関する工事をいう。以下この条並びに第四条の五第一項及び第三項において同じ。）を行おうとする場合においては、あらかじめ、当該道路の路線名、維持等の区間及び維持等の開始の日を公示しなければならない。

2　都道府県は、前項に規定する維持等の全部又は一部を完了し、又は廃止しようとする場合においては、あらかじめ、同項の規定に準じてその旨を公示しなければならない。

（道路管理者以外の者の行う軽易な道路の維持）

第三条　法第二十四条但書に規定する道路の維持で政令で定める軽易なものは、道路の損傷を防止するために必要な砂利又は土砂の局部的補充その他道路の構造に影響を与えない道路の維持とする。

（指定区間内の国道に附属する有料の自動車駐車場又は自転車駐車場の名称等の告示）

第三条の二　国土交通大臣は、法第二十四条の二第一項の規定により指定区間内の国道に附属する自動車駐車場又は自転車駐車場に自動車（道路運送車両法（昭和二十六年法律第百八十五号）第二条第三項に規定する原動機付自転車（以下単に「原動機付自転車」という。）を含む。次条及び第四十一条第二項第十七号において同じ。）又は自転車を駐車させる者から駐

車料金を徴収しようとする場合においては、あらかじめ、当該自動車駐車場又は自転車駐車場の名称及び位置、駐車料金の額、駐車することができる時間並びに駐車料金の徴収開始の日を告示しなければならない。

2　国土交通大臣は、前項の規定により告示した事項を変更する場合においては、あらかじめ、その旨を告示しなければならない。

（駐車料金を徴収することができない自動車又は自転車）

第三条の三　法第二十四条の二第一項ただし書の政令で定める自動車又は自転車は、道路の改築、修繕又は災害復旧に関する工事、道路の維持その他特別の理由に基づき当該自動車駐車場又は自転車駐車場に駐車することがやむを得ないと認められる自動車又は自転車で、国土交通大臣が定めるものとする。

（道路管理者の権限の代行）

第四条　法第二十七条第一項の規定により国土交通大臣が道路管理者に代わつて行う権限は、次に掲げるものとする。

一　法第十八条第一項の規定により道路の区域を決定し、又は変更すること。

二　法第十九条の二第一項又は第二十条第一項の規定により災害復旧に関する工事の施行について協議すること。

三　法第二十一条又は第二十二条第一項の規定により道路に関する工事を施行させること。

四　法第二十三条第一項の規定により他の工事を施行すること。

五　法第二十四条本文の規定により道路に関する工事を行うことを承認し、及び法第八十七条第一項の規定により当該承認に必要な条件を付すること。

六　法第三十二条第一項又は第三項（これらの規定を法第九十一条第二項において準用する場合を含む。）の規定による許可を与え、及び法第八十七条第一項（法第九十一条第二項において準用する場合を含む。）の規定により当該許可に必要な条件を付すること。

七　法第三十三条第二項第三号（法第九十一条第二項において準用する場合を含む。）の規定により利便増進誘導区域を指定すること。

八　法第三十四条（法第九十一条第二項において準用する場合を含む。）の規定により工事の調整のための条件を付すること。

九　法第三十五条（法第九十一条第二項において準用する場合を含む。）の規定により国と協議し、同意すること。

十　法第三十六条第一項（法第九十一条第二項において準用する場合を含む。）の規定により提出する工事の計画書を受理すること。

十一　法第三十八条第一項（法第九十一条第二項において準用する場合を含む。）の規定により道路の占用に関する工事を施行すること。

十二　法第三十九条の二第一項（法第九十一条第二項において準用する場合を含む。）の規定により入札占用指針を定め、及び法第三十九条の二第六項（法第九十一条第二項において準用する場合を含む。）の規定により意見を聴くこと。

十三　法第三十九条の四第一項又は第五項（これらの規定を法第九十一条第二項において準用する場合を含む。）の規定により通知し、法第三十九条の四第三項（法第九十一条第二項において準用する場合を含む。）の規定により占用入札を実施し、及び法第三十九条の四第四項（法第九十一条第二項において準用する場合を含む。）の規定により落札者を決定すること。

十四　法第三十九条の五第一項（法第九十一条第二項において準用する場合を含む。）の規定により道路の場所を指定し、及び入札占用計画が適当である旨の認定をすること。

十五　法第三十九条の六第一項（法第九十一条第二項において準用する場合を含む。）の規定により変更の認定をすること。

十六　法第三十九条の九（法第九十一条第二項において準用する場合を含む。）の規定により必要な措置を講ずべきことを命ずること。

十七　法第四十条第二項（法第九十一条第二項において準用する場合を含む。）の規定により必要な指示をすること。

十八　法第四十三条の二の規定により必要な措置をすることを命ずること。

十九　法第四十四条の三第一項（法第九十一条第二項において準用する場合を含む。）の規定により違法放置等物件を自ら除去し、又はその命じた者若しくは委任した者に除去させ、法第四十四条の三第二項（法第九十一条第二項において準用する場合を含む。）の規定により違法放置等物件を保管し、法第四十四条の三第三項（法第九十一条第二項において準用する場合を含む。）の規定により公示し、法第四十四条の三第四項（法第九十一条第二項において準用する場合を含む。）の規定により違法放置等物件を売却し、及び代金を保管し、並びに法第四十四条の三第五項（法第九十一条第二項において準用する場合を含む。）の規定により違法放置等物件を廃棄すること。

二十　法第四十五条第一項又は第四十七条の十五の規定により道路標識又は区画線を設けること。

二十一　法第四十六条第一項又は第四十七条第三項の規定により道路の通行を禁止し、又は制限すること。

二十二　法第四十七条の二第一項及び第二項前段の規定により許可をし、同項後段の規定により協議し、同意し、並びに同条第五項の規定により許可証を交付すること。

二十三　法第四十七条の十四第一項の規定により必要な措置をすることを命じ、及び同条第二項の規定により必要な措置を講ずべきことを命ずること。

二十四　法第四十七条の十八第一項の規定により協議し、協定を締結し、及び道路一体建物を管理すること。

二十五　法第四十八条の二十三第一項の規定により公募占用指針を定め、及び同条第五項の規定により意見を聴くこと。

二十六　法第四十八条の二十五第一項及び第二項の規定により歩行者利便増進計画について審査し、及び評価を行い、同条第四項の規定により占用予定者を選定し、同条第五項の規定により意見を聴き、並びに同条第六項の規定により通知すること。

二十七　法第四十八条の二十六第一項の規定により道路の場所を指定し、及び歩行者利便増進計画が適当である旨の認定をすること。

二十八　法第四十八条の二十七第一項の規定により変更の認定をすること。

二十九　法第四十八条の二十九の規定により地位の承継の承認をすること。

三十　法第四十八条の二十九の三の規定により防災拠点自動車駐車場の利用を禁止し、又は制限すること。

三十一　法第四十八条の二十九の四の規定により道路標識を設けること。

三十二　法第四十八条の二十九の五第一項の規定により協定を締結し、及び道路外災害応急対策施設を管理すること。

三十三　法第四十八条の三十二第一項又は第三項の規定による許可をし、及び法第八十七条第一項の規定により当該許可に必要な条件を付すること。

三十四　法第四十八条の三十七第一項の規定により協定を締結し、及び道路外利便施設を管理すること。

三十五　法第四十八条の四十五（法第九十一条第二項において準用する場合を含む。）の規定により自動車駐車場等運営権者と協議（当該協議が成立することをもつて、法第二十四条本文の規定による承認（道路に関する工事の施行に係るものに限る。）又は法第三十二条第一項若しくは第三項の規定による許可があつたものとみなされるものに限る。）をすること。

三十六　法第四十八条の六十四の規定により道路協力団体と協議（当該協議が成立することをもつて、法第二十四条本文の規定による承認（道路に関する工事の施行に係るものに限る。）又は法第三十二条第一項若しくは第三項の規定による許可があつたものとみなされるものに限る。）をすること。

三十七　法第五十四条の二第一項の規定により共用管理施設の費用の分担の方法等について協議すること。

三十八　法第六十六条第一項の規定により他人の土地に立ち入り、若しくは特別の用途のない他人の土地を材料置場若しくは作業場として一時使用し、又はその命じた者若しくはその委任を受けた者にこれらの行為をさせること。

三十九　法第六十七条の二第一項の規定により車両を移動し、又はその命じた者若しくはその委任を受けた者に車両を移動させ、同条第二項の規定により意見を聴き、同条第三項の規定により車両を保管し、及び必要な措置を講じ、同条第四項の規定により告知し、必要な措置を講じ、及び公示し、並びに同条第五項の規定により車両を移動すること。

四十　法第六十八条第一項の規定により災害の現場において、必要な土地を一時使用し、又は土石、竹木その他の物件を使用し、収用し、若しくは処分し、及び同条第二項の規定により災害の現場に在る者又はその付近に居住する者を防御に従事させること。

四十一　法第六十九条の規定により損失の補償について損失を受けた者と協議し、及び損失を補償すること。

四十二　法第七十条の規定により損失の補償について損失を受けた者と協議し、及び補償金を支払い、又は補償金に代えて工事を行うことを要求し、並びに協議が成立しない場合において収用委員会に裁決を申請すること。

四十三　法第七十一条第一項若しくは第二項（これらの規定を法第九十一条第二項において準用する場合を含む。）に規定する処分をし、若しくは措置を命じ、又は法第七十一条第三項前段（法第九十一条第二項において準用する場合を含む。以下この号において同じ。）の規定により必要な措置を自ら行い、若しくはその命じた者若しくは委任した者に行わせること。ただし、法第七十一条第二項第二号又は第三号（これらの規定を法第九十一条第二項において準用する場合を含む。）に該当する場合においては、法第七十一条第二項（法第九十一条第二項において準用する場合を含む。）に規定する処分をし、若しくは措置を命じ、又は法第七十一条第三項前段の規定により必要な措置を自ら行い、若しくはその命じた者若しくは委任した者に行わせることはできない。

四十四　法第七十二条の二第一項又は第二項の規定により必要な報告をさせ、又はその職員に立入検査をさせること。

四十五　法第九十二条第四項（法第九十一条第二項において準用する場合を含む。）の規定により不用物件と新たに道路を構成する物件とを交換すること。

四十六　法第九十三条（法第九十一条第二項において準用する場合を含む。）の規定により不用物件の使用の申出をし、及びその引渡しを受けること。

四十七　法第九十五条の二第一項の規定により意見を聴き、又は通知し、及び同条第二項の規定により協議し、又は通知すること。ただし、法第四十六条第三項、第四十八条の二第一項若しくは第二項又は第四十八条の二十第一項若しくは第三項の規定に係るものを除く。

四十八　車両制限令（昭和三十六年政令第二百六十五号）第七条第二項の規定により車両の総重量、軸重又は輪荷重の限度を定め、及び同令第十条第三項の規定により通行方法を定めること。

四十九　車両制限令第十一条第一項の規定により他の道路を指定すること。

五十　車両制限令第十二条の規定により認定すること。

２　前項に規定する国土交通大臣の権限は、第二条第一項（第一号又は第三号に係る部分に限る。）の規定により告示された工事の開始の日から同条第二項の規定により告示された当該工事の完了又は廃止の日までの間に限り行うことができるものとする。ただし、前項第四十一号及び第四十二号に掲げる権限については、当該完了又は廃止の日後においても行うことができる。

第四条の二　法第二十七条第二項の規定により指定市以外の市町村が道路管理者に代わつて行う権限（第三項において「指定市以外の市町村が代行する権限」という。）は、次に掲げるもののうち、指定市以外の市町村が道路管理者と協議して定めるものとする。

一　前条第一項第一号、第三号から第十一号まで、第十二号（法第三十九条の二第一項（法第九十一条第二項において準用する場合を含む。）の規定による入札占用指針の策定に係る部分に限る。）、第十三号から第十七号まで、第十九号、第二十四号から第二十九号まで、第三十四号、第三十六号、第三十八号から第四十二号まで、第四十五号及び第四十六号に掲げる権限

二　法第二十一条又は第二十二条第一項の規定により道路の維持を行わせること。

三　法第二十二条の二の規定により協定を締結すること。

四　法第二十四条本文の規定により道路の維持を行うことを承認し、及び法第八十七条第一項の規定により当該承認に必要な条件を付すること。

五　法第二十四条の二第一項の規定に基づく自転車駐車場の駐車料金、同条第三項の規定に基づく割増金（自転車駐車場の駐車料金に係るものに限る。）、法第三十九条（法第九十一条第二項において準用する場合を含む。）の規定に基づく占用料並びに法第四十四条の三第七項（法第九十一条第二項において準用する場合を含む。）及び第五十八条から第六十二条までの規定に基づく負担金（第十七号において「駐車料金等」という。）を徴収すること。

六　法第二十八条の二第一項の規定により協議会を組織すること。

七　法第三十二条第五項、第三十三条第三項（同条第五項において準用する場合を含む。）、第三十九条の四第二項及び第三十九条の六第二項（これらの規定を法第九十一条第二項において準用する場合を含む。）並びに第四十八条の二十五第三項の規定により協議すること。

八　法第四十五条第一項又は第四十七条の十五第一項（法第四十六条第一項の規定により道路の通行を禁止し、又は制限しようとする場合に係る部分に限る。）の規定により道路標識又は区画線を設けること。

九　法第四十六条第一項の規定により道路の通行を禁止し、又は制限すること。

十　法第四十八条の四十五（法第九十一条第二項において準用する場合を含む。）の規定により自転車駐車場に係る自動車駐車場等運営権者と協議をすること。

十一　法第四十八条の六十第一項の規定により道路協力団体を指定し、及び同条第三項の規定による届出を受理すること。

十二　法第四十八条の六十二第一項の規定により報告をさせ、同条第二項の規定により必要な措置を講ずべきことを命じ、及び同条第三項の規定により指定を取り消すこと。

十三　法第四十八条の六十三の規定により情報の提供又は指導若しくは助言をすること。

十四　法第四十八条の六十四の規定により道路協力団体と協議（当該協議が成立することをもつて、法第二十四条本文の規定による承認（道路の維持の実施に係るものに限る。）があつたものとみなされるものに限る。）をすること。

十五　法第七十一条第一項若しくは第二項（これらの規定を法第九十一条第二項において準用する場合を含む。）に規定する処分をし、若しくは措置を命じ、又は法第七十一条第三項前段（法第九十一条第二項において準用する場合を含む。）の規定により必要な措置を自ら行い、若しくはその命じた者若しくは委任した者に行わせること。ただし、法第二十四条の規定、法第三十二条第一項及び第三項、第三十四条、第三十五条、第三十六条第一項、第三十九条の五第一項、第三十九条の六第一項、第三十九条の九並びに第四十条第二項（これらの規定を法第九十一条第二項において準用する場合を含む。）の規定並びに法第四十八条の二十六第一項、第四十八条の二十七第一項及び第四十八条の二十九の規定に係るものに限る。

十六　法第七十二条の二第一項の規定により必要な報告をさせ、又はその職員に立入検査をさせること。

十七　法第七十三条（法第九十一条第二項において準用する場合を含む。）の規定により駐車料金等の納付を督促し、並びに駐車料金等並びに駐車料金等に係る手数料及び延滞金を徴収すること。

十八　法第九十一条第一項の規定により許可をすること。

十九　法第九十五条の二第一項（法第四十六条第三項又は第四十七条第三項の規定により道路の通行を禁止し、又は制限しようとするとき、法第四十八条の二十第一項又は第三項の規定による歩行者利便増進道路の指定をしようとするとき、法第四十八条の二十九の三の規定により防災拠点自動車駐車場の利用を禁止し、又は制限しようとするとき及び自動車駐車場又は特定車両停留施設を設けようとするときに係る部分を除く。）の規定により意見を聴き、又は通知し、及び法第九十五条の二第二項本文（道路の区域を立体的区域として決定し、又は変更しようとするときに係る部分に限る。）の規定により協議すること。

二十　電線共同溝の整備等に関する特別措置法（平成七年法律第三十九号。以下「電線共同溝整備法」という。）第四条第四項（電線共同溝整備法第八条第三項において読み替えて準用する場合を含む。）の規定により申請を却下すること。

二十一　電線共同溝整備法第五条第二項（電線共同溝整備法第八条第三項において読み替えて準用する場合を含む。）の規定により意見を聴き、及び電線共同溝整備計画又は電線共同溝増設計画を定めること。

二十二　電線共同溝整備法第六条第二項（電線共同溝整備法第八条第三項において読み替えて準用する場合を含む。）若しくは第十四条第二項又は電線共同溝の整備等に関する特別措置法施行令（平成七年政令第二百

五十六号）第七条第二項第一号の規定による届出を受理すること。

二十三　電線共同溝整備法第十条、第十一条第一項又は第十二条第一項の規定による許可をすること。

二十四　電線共同溝整備法第十五条第一項の規定による承認をすること。

二十五　電線共同溝整備法第十六条第二項の規定により必要な措置を講ずべきことを命ずること。

二十六　電線共同溝整備法第十八条の規定により意見を聴き、及び電線共同溝管理規程を定めること。

二十七　電線共同溝整備法第二十条第二項の規定により必要な指示をすること。

二十八　電線共同溝整備法第二十一条の規定による協議をすること。

二十九　電線共同溝整備法第二十六条の規定による処分をすること。

2　指定市以外の市町村は、前項の規定による協議が成立したときは、遅滞なく、その内容を公示しなければならない。

3　指定市以外の市町村が代行する権限は、法第十七条第五項の規定に基づき公示された国道又は都道府県道の新設、改築、維持又は修繕の開始の日から同項の規定に基づき公示された当該国道又は都道府県道の新設、改築、維持又は修繕の完了の日までの間に限り行うことができるものとする。ただし、前条第一項第四十一号及び第四十二号に掲げる権限については、当該完了の日後においても行うことができる。

第四条の三　法第十七条第六項の規定により国土交通大臣が改築又は修繕に関する工事を行う場合において、法第二十七条第三項の規定により国土交通大臣が道路管理者に代わつて行う権限（第三項において「国土交通大臣が代行する権限」という。）は、第四条第一項第一号及び第三号から第五十号までに掲げるもののうち、国土交通大臣が道路管理者と協議して定めるものとする。

2　国土交通大臣は、前項の規定による協議が成立したときは、遅滞なく、その内容を告示しなければならない。

3　国土交通大臣が代行する権限は、第二条第一項（第四号に係る部分に限る。）の規定により告示された工事の開始の日から同条第二項の規定により告示された当該工事の完了又は廃止の日までの間に限り行うことができるものとする。ただし、第四条第一項第四十一号及び第四十二号に掲げる権限については、当該完了又は廃止の日後においても行うことができる。

第四条の四　法第十七条第七項の規定により国土交通大臣が維持又は災害復旧に関する工事を行う場合において、法第二十七条第三項の規定により国土交通大臣が道路管理者に代わつて行う権限（第三項において「国土交通大臣が代行する権限」という。）は、次に掲げるもののうち、国土交通大臣が道路管理者と協議して定めるものとする。

一　第四条第一項第一号から第四十一号まで、第四十三号から第四十六号まで及び第四十八号から第五十号までに掲げる権限

二　第四条の二第一項第二号、第四号及び第十四号に掲げる権限

三　法第四十八条の四十五の規定により自動車駐車場等運営権者と協議（当該協議が成立することをもつて、法第二十四条本文の規定による承認（道路の維持の実施に係るものに限る。）があつたものとみなされるものに限る。）をすること。

四　法第九十五条の二第一項（法第四十六条第三項の規定により道路の通行を禁止し、又は制限しようとするとき、法第四十八条の二十第一項又は第三項の規定による歩行者利便増進道路の指定をしようとするとき並びに法第九十五条の二第一項の政令で定める道路の交差部分及びその付近の道路の部分の改築又は歩行安全改築を行おうとするときに係る部分を除く。）の規定により意見を聴き、又は通知し、及び同条第二項（法第四十八条の二第一項又は第二項の規定による自動車専用道路の指定をしようとするとき及び法第四十六条第三項の規定により自動車専用道路の通行を禁止し、又は制限しようとするときに係る部分を除く。）の規定により協議し、又は通知すること。

2　国土交通大臣は、前項の規定による協議が成立したときは、遅滞なく、その内容を告示しなければならない。

3　国土交通大臣が代行する権限は、第二条第一項（第五号に係る部分に限る。）の規定により告示された維持又は工事の開始の日から同条第二項の規定により告示された当該維持又は工事の完了又は廃止の日までの間に限り行うことができるものとする。ただし、第四条第一項第四十一号に掲げる権限については、当該完了又は廃止の日後においても行うことができる。

第四条の五　法第十七条第八項の規定により都道府県が維持等を行う場合において、法第二十七条第四項の規定により都道府県が道路管理者に代わつて行う権限（第三項において「都道府県が代行する権限」という。）は、前条第一項各号に掲げるもののうち、都道府県が道路管理者と協議して定めるものとする。

2　都道府県は、前項の規定による協議が成立したときは、遅滞なく、その内容を公示しなければならない。

3　都道府県が代行する権限は、第二条の二第一項の規定により公示された維持等の開始の日から同条第二項の規定により公示された当該維持等の完了又は廃止の日までの間に限り行うことができるものとする。ただし、第四条第一項第四十一号に掲げる権限については、当該完了又は廃止の日後においても行うことができる。

第五条　一の道路管理者がその地方公共団体の区域外にわたつて道路を管理する場合又は他の工作物の管理者が道路を管理する場合において、これらの者が法第二十七条第五項の規定により当該道路の道路管理者に代わつて行う権限は、道路管理者の権限のうち、次に掲げるもの以外のものでこれらの者が道路管理者と協議して定めるものとする。

一　法第十八条第一項の規定により道路の区域を公示すること。

二　法第二十八条第一項の規定により道路台帳を調製し、及びこれを保管すること。

三　法第四十四条第一項及び第二項（これらの規定を法第九十一条第二項において準用する場合を含む。）の規定により沿道区域を指定し、及びこれを公示すること。

四　法第四十四条の二第一項及び第二項（これらの規定を法第九十一条第二項において準用する場合を含む。）の規定により届出対象区域を指定し、及びこれを公示すること。

五　法第四十七条の十八第二項、第四十八条の二十九の六第三項又は第四十八条の三十八第三項の規定により協定を締結した旨を公示し、当該協定の写しを一般の閲覧に供し、及びこれを閲覧に供している旨を掲示すること。

六　法第四十七条の二十一（法第九十一条第二項において準用する場合を含む。）の規定により道路保全立体区域を指定し、及びこれを公示すること。

七　法第五十二条第一項の規定により市町村に対し、工事又は維持に要する費用の一部を負担させること。

第五条の二　法第四十八条の十九第二項の規定により国土交通大臣が道路管理者に代わつて行う権限（第三項において「国土交通大臣が代行する権限」という。）は、次に掲げるもののうち、国土交通大臣が道路管理者と協議して定めるものとする。

一　第四条第一項第六号、第八号から第十一号まで、第十六号から第二十三号まで、第三十号から第三十五号まで、第三十八号から第四十一号まで、第四十三号、第四十四号及び第四十八号から第五十号までに掲げる権限

二　第四条の二第一項第二号、第四号及び第十四号に掲げる権限

三　法第九十五条の二第一項（法第四十五条第一項の規定により道路に区画線を設けようとするとき、法第四十六条第一項又は第四十七条第三項の規定により道路の通行を禁止し、又は制限しようとするとき及び法第四十八条の二十九の三の規定により防災拠点自動車駐車場の利用を禁止し、又は制限しようとするときに係る部分に限る。）の規定により意見を聴き、又は通知し、及び法第九十五条の二第二項（法第四十五条第一項の規定により自動車専用道路に区画線を設けようとするとき及び法第四十六条第一項の規定により自動車専用道路の通行を禁止し、又は制限しようとするときに係る部分に限る。）の規定により協議し、又は通知すること。

2　国土交通大臣は、前項の規定による協議が成立したときは、遅滞なく、その内容を告示しなければならない。

3　国土交通大臣が代行する権限は、第二条第一項（第六号に係る部分に限る。）の規定により告示された維持の開始の日から同条第二項の規定により告示された当該維持の完了又は廃止の日までの間に限り行うことができるものとする。ただし、第四条第一項第四十一号に掲げる権限については、当該完了又は廃止の日後においても行うことができる。

第五条の三　法第四十八条の二十二第三項の規定により指定市以外の市町村が道路管理者に代わつて行う権限（第三項において「指定市以外の市町村が代行する権限」という。）は、次に掲げるもののうち、指定市以外の市

町村が道路管理者と協議して定めるものとする。

一　第四条第一項第一号、第三号から第十一号まで、第十二号（法第三十九条の二第一項（法第九十一条第二項において準用する場合を含む。）の規定による入札占用指針の策定に係る部分に限る。）、第十三号から第三十二号まで、第三十四号、第三十六号、第三十八号から第四十二号まで、第四十四号から第四十六号まで及び第四十八号から第五十号までに掲げる権限

二　第四条の二第一項第二号から第四号まで、第六号、第七号、第十号から第十五号まで、第十八号及び第二十号から第二十九号までに掲げる権限

三　法第二十四条の二第一項の規定に基づく駐車料金、同条第三項の規定に基づく割増金、法第三十九条（法第九十一条第二項において準用する場合を含む。）の規定に基づく占用料並びに法第四十四条の三第七項（法第九十一条第二項において準用する場合を含む。）及び第五十八条から第六十二条までの規定に基づく負担金（第五号において「駐車料金等」という。）を徴収すること。

四　法第四十八条の四十五（法第九十一条第二項において準用する場合を含む。）の規定により自動車駐車場に係る自動車駐車場等運営権者と協議をすること。

五　法第七十三条（法第九十一条第二項において準用する場合を含む。）の規定により駐車料金等の納付を督促し、並びに駐車料金等並びに駐車料金等に係る手数料及び延滞金を徴収すること。

六　法第九十五条の二第一項（法第四十六条第三項の規定により道路の通行を禁止し、又は制限しようとするとき、法第四十八条の二十第一項又は第三項の規定による歩行者利便増進道路の指定をしようとするとき及び横断歩道橋又は特定車両停留施設を設けようとするときに係る部分を除く。）の規定により意見を聴き、又は通知し、及び法第九十五条の二第二項本文（道路の区域を立体的区域として決定し、又は変更しようとするときに係る部分に限る。）の規定により協議すること。

2　指定市以外の市町村は、前項の規定による協議が成立したときは、遅滞なく、その内容を公示しなければならない。

3　指定市以外の市町村が代行する権限は、法第四十八条の二十二第二項の規定に基づき公示された歩行者利便増進改築等の開始の日から同項の規定に基づき公示された当該歩行者利便増進改築等の完了の日までの間に限り行うことができるものとする。ただし、第四条第一項第四十一号及び第四十二号に掲げる権限については、当該完了の日後においても行うことができる。

（国土交通大臣等が道路管理者の権限を代行する場合における意見の聴取等）

第六条　国土交通大臣は、次の各号に掲げる規定により道路管理者に代わつて当該各号に定める協定を締結しようとするときは、あらかじめ、道路管理者の意見を聴かなければならない。

一　法第二十七条第一項又は第三項　法第四十七条の十八第一項、第四十八条の二十九の五第一項又は第四十八条の三十七第一項の規定による協定

二　法第四十八条の十九第二項　法第四十八条の二十九の五第一項又は第四十八条の三十七第一項の規定による協定

2　指定市以外の市町村は、法第二十七条第二項の規定により道路管理者に代わつて次に掲げる権限を行おうとするときは、あらかじめ、道路管理者の意見を聴かなければならない。

一　法第二十二条の二、第四十七条の十八第一項又は第四十八条の三十七第一項の規定により協定を締結すること。

二　法第二十八条の二第一項の規定により協議会を組織すること。

三　法第四十八条の六十第一項の規定により指定し、又は法第四十八条の六十二第三項の規定により指定を取り消すこと。

3　都道府県は、法第二十七条第四項の規定により道路管理者に代わつて第一項第一号に定める協定を締結しようとするときは、あらかじめ、道路管理者の意見を聴かなければならない。

4　指定市以外の市町村は、法第四十八条の二十二第三項の規定により道路管理者に代わつて次に掲げる権限を行おうとするときは、あらかじめ、道路管理者の意見を聴かなければならない。

一　第二項各号に掲げる権限

二　法第四十八条の二十九の五第一項の規定により協定を締結すること。

5　国土交通大臣は、法第二十七条第一項又は第三項の規定により道路管理者に代わつて次に掲げる権限を行つた場合においては、遅滞なく、その旨を道路管理者に通知しなければならない。

一　第四条第一項第一号又は第七号に掲げる権限

二　法第三十二条第一項又は第三項（これらの規定を法第九十一条第二項において準用する場合を含む。）の規定による許可を与えること。

三　法第三十五条（法第九十一条第二項において準用する場合を含む。）の規定により同意すること。

四　法第三十九条の二第一項（法第九十一条第二項において準用する場合を含む。）の規定により入札占用指針を定めること。

五　法第四十七条の十八第一項、第四十八条の二十九の五第一項又は第四十八条の三十七第一項の規定により協定を締結すること。

六　法第四十八条の二十三第一項の規定により公募占用指針を定めること。

七　法第四十八条の四十五（法第九十一条第二項において準用する場合を含む。）の規定により自動車駐車場等運営権者と協議（当該協議が成立することをもつて、法第三十二条第一項又は第三項の規定による許可があつたものとみなされるものに限る。）をすること。

八　法第四十八条の六十四の規定により道路協力団体と協議（当該協議が成立することをもつて、法第三十二条第一項又は第三項の規定による許可があつたものとみなされるものに限る。）をすること。

九　法第七十一条第一項又は第二項（これらの規定を法第九十一条第二項において準用する場合を含む。）の規定により法第三十二条第一項若しくは第三項（これらの規定を法第九十一条第二項において準用する場合を含む。）の規定による許可、法第三十九条の五第一項若しくは第三十九条の六第一項（これらの規定を法第九十一条第二項において準用する場合を含む。）、第四十八条の二十六第一項若しくは第四十八条の二十七第一項の規定による認定若しくは法第四十八条の二十九の規定による承認を取り消し、その効力を停止し、若しくはその条件を変更し、又は当該許可に係る物件の改築、移転若しくは除却を命ずること。

6　指定市以外の市町村は、法第二十七条第二項の規定により道路管理者に代わつて次に掲げる権限を行つた場合においては、遅滞なく、その旨を道路管理者に通知しなければならない。

一　第四条第一項第一号、第七号、第八号及び第十七号、第四条の二第一項第三号、第六号、第八号、第九号、第十一号（法第四十八条の六十第一項の規定による指定に係る部分に限る。）、第十二号（法第四十八条の六十二第三項の規定による指定の取消しに係る部分に限る。）、第二十号、第二十二号から第二十五号まで及び第二十九号並びに前項第二号から第九号までに掲げる権限

二　電線共同溝整備法第五条第二項（電線共同溝整備法第八条第三項において読み替えて準用する場合を含む。）の規定により電線共同溝整備計画又は電線共同溝増設計画を定めること。

三　電線共同溝整備法第十八条の規定により電線共同溝管理規程を定めること。

四　電線共同溝整備法第二十一条の規定による協議を成立させること。

7　都道府県は、法第二十七条第四項の規定により道路管理者に代わつて第五項各号に掲げる権限を行つた場合においては、遅滞なく、その旨を道路管理者に通知しなければならない。

8　一の道路管理者がその地方公共団体の区域外にわたつて道路を管理する場合又は他の工作物の管理者が道路を管理する場合において、これらの者は、法第二十七条第五項の規定により道路管理者に代わつて第四条の二第一項第三号若しくは第六号に掲げる権限又は第五項各号に掲げる権限を行つたときは、遅滞なく、その旨を道路管理者に通知しなければならない。

9　国土交通大臣は、法第四十八条の十九第二項の規定により道路管理者に代わつて次に掲げる権限を行つた場合においては、遅滞なく、その旨を道路管理者に通知しなければならない。

一　第五項第二号、第三号及び第七号に掲げる権限

二　法第四十八条の二十九の五第一項又は第四十八条の三十七第一項の規定により協定を締結すること。

三　法第七十一条第一項又は第二項（これらの規定を法第九十一条第二項において準用する場合を含む。）の規定により法第三十二条第一項若しくは第三項（これらの規定を法第九十一条第二項において準用する場合を含む。）の規定による許可を取り消し、その効力を停止し、若しくは

その条件を変更し、又は当該許可に係る物件の改築、移転若しくは除却を命ずること。

10　指定市以外の市町村は、法第四十八条の二十二第三項の規定により道路管理者に代わつて第四条第一項第一号、第七号、第八号、第十七号、第二十号、第二十一号、第三十号及び第三十一号、第四条の二第一項第三号、第六号、第十一号（法第四十八条の六十第一項の規定による指定に係る部分に限る。）、第十二号（法第四十八条の六十二第三項の規定による指定の取消しに係る部分に限る。）、第二十号、第二十二号から第二十五号まで及び第二十九号並びにこの条第五項第二号から第九号まで及び第六項第二号から第四号までに掲げる権限を行つた場合においては、遅滞なく、その旨を道路管理者に通知しなければならない。

11　指定市以外の市町村が法第十七条第四項の規定により道路の附属物である電線共同溝の新設又は改築を行う場合において、道路管理者が当該電線共同溝について電線共同溝整備法第七条第一項（電線共同溝整備法第八条第三項において読み替えて準用する場合を含む。）、第十三条第一項又は第十九条の規定による負担金を徴収したときは、当該道路管理者は、当該負担金に相当する額を当該負担金の徴収後直ちに当該市町村に支払わなければならない。

第二章　道路の占用

（道路の構造又は交通に支障を及ぼすおそれのある工作物等）

第七条　法第三十二条第一項第七号の政令で定める工作物、物件又は施設は、次に掲げるものとする。

一　看板、標識、旗ざお、パーキング・メーター、幕及びアーチ

二　太陽光発電設備及び風力発電設備

三　洪水、高潮又は津波からの一時的な避難場所としての機能を有する堅固な施設

四　工事用板囲、足場、詰所その他の工事用施設

五　土石、竹木、瓦その他の工事用材料

六　防火地域（都市計画法（昭和四十三年法律第百号）第八条第一項第五号の防火地域をいう。以下同じ。）内に存する建築物（以下「既存建築物」という。）を除去して、当該防火地域内にこれに代わる建築物として耐火建築物（建築基準法（昭和二十五年法律第二百一号）第二条第九号の二に規定する耐火建築物をいう。以下同じ。）を建築する場合（既存建築物が防火地域と防火地域でない地域にわたつて存する場合において、当該既存建築物を除去して、当該既存建築物の敷地（その近接地を含む。）又は当該防火地域内に、これに代わる建築物として耐火建築物を建築するときを含む。）において、当該耐火建築物の工事期間中当該既存建築物に替えて必要となる仮設店舗その他の仮設建築物

七　都市再開発法（昭和四十四年法律第三十八号）による市街地再開発事業に関する都市計画において定められた施行区域内の建築物に居住する者で同法第二条第六号に規定する施設建築物に入居することとなるものを一時収容するため必要な施設又は密集市街地における防災街区の整備の促進に関する法律（平成九年法律第四十九号）による防災街区整備事業に関する都市計画において定められた施行区域内の建築物（当該防災街区整備事業の施行に伴い移転し、又は除却するものに限る。）に居住する者で当該防災街区整備事業の施行後に当該施行区域内に居住することとなるものを一時収容するため必要な施設

八　高速自動車国道及び自動車専用道路以外の道路又は法第三十三条第二項第二号に規定する高速自動車国道若しくは自動車専用道路の連結路附属地（以下「特定連結路附属地」という。）に設ける食事施設、購買施設その他これらに類する施設（第十三号に掲げる施設を除く。）でこれらの道路の通行者又は利用者の利便の増進に資するもの

九　トンネルの上又は高架の道路の路面下に設ける事務所、店舗、倉庫、住宅、自動車駐車場、自転車駐車場、広場、公園、運動場その他これらに類する施設

十　次に掲げる道路の上空に設ける事務所、店舗、倉庫、住宅その他これらに類する施設及び自動車駐車場

イ　都市計画法第八条第一項第三号の高度地区（建築物の高さの最低限度が定められているものに限る。）及び高度利用地区並びに同項第四号の二の都市再生特別地区内の高速自動車国道又は自動車専用道路

ロ　都市再生特別措置法（平成十四年法律第二十二号）第三十六条の三第一項に規定する特定都市道路（イに掲げる道路を除く。）

十一　建築基準法第八十五条第一項に規定する区域内に存する道路（車両又は歩行者の通行の用に供する部分及び路肩の部分を除く。）の区域内の土地に設ける同項第一号に該当する応急仮設建築物で、被災者の居住の用に供するため必要なもの

十二　道路の区域内の地面に設ける自転車（側車付きのものを除く。以下同じ。）、原動機付自転車（側車付きのものを除く。）又は道路運送車両法第三条に規定する小型自動車若しくは軽自動車で二輪のもの（いずれも側車付きのものを除く。以下「二輪自動車」という。）を駐車させるため必要な車輪止め装置その他の器具（第九号に掲げる施設に設けるものを除く。）

十三　高速自動車国道又は自動車専用道路に設ける休憩所、給油所その他の自動車に燃料又は動力源としての電気を供給するための施設及び自動車修理所

十四　防災拠点自動車駐車場に設ける備蓄倉庫、非常用電気等供給施設（都市再生特別措置法第十九条の十五第一項に規定する非常用電気等供給施設をいう。）その他これらに類する施設で、災害応急対策（災害対策基本法（昭和三十六年法律第二百二十三号）第五十条第一項に規定する災害応急対策をいう。第十六条の三第二号イ並びに第三十五条の七第二号及び第四号において同じ。）の的確かつ円滑な実施のため必要であると認められるもの

（道路の占用の軽易な変更）

第八条　法第三十二条第二項各号に掲げる事項の変更で道路の構造又は交通に支障を及ぼす虞のないと認められる軽易なもので政令で定めるものは、左の各号に掲げるものとする。

一　占用物件の構造の変更であつて重量の著しい増加を伴わないもの。

二　道路の構造又は交通に支障を及ぼす虞のない物件の占用物件に対する添加であつて、当該道路占用者が当該占用の目的に附随して行うもの。

（占用の期間に関する基準）

第九条　法第三十二条第二項第二号に掲げる事項についての法第三十三条第一項の政令で定める基準は、占用の期間又は占用の期間が終了した場合においてこれを更新しようとする場合の期間が、次の各号に掲げる工作物、物件又は施設の区分に応じ、当該各号に定める期間であることとする。

一　次に掲げる工作物、物件又は施設　十年以内

イ　水道法（昭和三十二年法律第百七十七号）による水管（同法第三条第二項に規定する水道事業又は同条第四項に規定する水道用水供給事業の用に供するものに限る。）

ロ　工業用水道事業法（昭和三十三年法律第八十四号）による水管（同法第二条第四項に規定する工業用水道事業の用に供するものに限る。）

ハ　下水道法（昭和三十三年法律第七十九号）による下水道管

ニ　鉄道事業法（昭和六十一年法律第九十二号）又は全国新幹線鉄道整備法（昭和四十五年法律第七十一号）による鉄道で公衆の用に供するもの

ホ　ガス事業法（昭和二十九年法律第五十一号）によるガス管（同法第二条第十一項に規定するガス事業（同条第二項に規定するガス小売事業を除く。）の用に供するものに限る。）

ヘ　電気事業法（昭和三十九年法律第百七十号）による電柱又は電線（同法第二条第一項第十七号に規定する電気事業者（同項第三号に規定する小売電気事業者及び同項第十五号の四に規定する特定卸供給事業者を除く。）がその事業の用に供するものに限る。）

ト　電気通信事業法（昭和五十九年法律第八十六号）による電柱、電線又は公衆電話所（同法第百二十条第一項に規定する認定電気通信事業者が同項に規定する認定電気通信事業の用に供するものに限る。）

チ　石油パイプライン事業法（昭和四十七年法律第百五号）による石油管（同法第二条第三項に規定する石油パイプライン事業の用に供するものに限る。）

二　その他の法第三十二条第一項各号に掲げる工作物、物件又は施設　五年以内

（一般工作物等の占用の場所に関する基準）

第一〇条　法第三十二条第二項第三号に掲げる事項についての同条第一項各号に掲げる工作物、物件又は施設（電柱、電線、公衆電話所、水管、下水道管、ガス管、石油管、自動運行補助施設、第七条第二号に掲げる工作物、同条第三号に掲げる施設、同条第六号に掲げる仮設建築物、同条第七号に掲げる施設、同条第八号に掲げる施設、同条第十一号に掲げる応急仮設建

築物及び同条第二号に掲げる器具を除く。以下この条において「一般工作物等」という。）に関する法第三十三条第一項の政令で定める基準は、次のとおりとする。

一　一般工作物等（鉄道の軌道敷を除く。以下この号において同じ。）を地上（トンネルの上又は高架の道路の路面下の道路がない区域の地上を除く。次条第一項第二号、第十一条の二第一項第一号、第十一条の三第一項第一号、第十一条の六第一項、第十一条の七第一項、第十一条の八第一項及び第十一条の九第一項において同じ。）に設ける場合においては、次のいずれにも適合する場所（特定連結路附属地の地上に設ける場合にあつては、ロ及びハのいずれにも適合する場所）であること。

イ　一般工作物等の道路の区域内の地面に接する部分は、次のいずれかに該当する位置にあること。

(1)　法面

(2)　側溝上の部分

(3)　路端に近接する部分

(4)　歩道（自転車歩行者道を含む。第十一条の七第一項第二号及び第十一条の十第一項第二号を除き、以下この章において同じ。）内の車道（自転車道を含む。第十一条の六第一項第三号及び第五号、第十一条の七第一項第一号、第十一条の十第一項第一号並びに第十一条の十一第一項第一号を除き、以下この章において同じ。）に近接する部分（第十六条の二第一号から第三号まで及び第六号に掲げる工作物、物件又は施設に該当する一般工作物等を利便増進誘導区域内に設ける場合にあつては、歩道上の部分）

(5)　一般工作物等の種類又は道路の構造からみて道路の構造又は交通に著しい支障を及ぼすおそれのない場合にあつては、分離帯、ロータリーその他これらに類する道路の部分

ロ　一般工作物等の道路の上空に設けられる部分（法敷、側溝、路端に近接する部分、歩道内の車道に近接する部分又は分離帯、ロータリーその他これらに類する道路の部分の上空にある部分を除く。）がある場合においては、その最下部と路面との距離が四・五メートル（歩道上にあつては、二・五メートル）以上であること。

ハ　一般工作物等の種類又は道路の構造からみて道路の構造又は交通に著しい支障を及ぼすおそれのない場合を除き、道路の交差し、接続し、又は屈曲する部分以外の道路の部分であること。

二　一般工作物等を地下に設ける場合においては、次のいずれにも適合する場所であること。

イ　一般工作物等の種類又は道路の構造からみて、路面をしばしば掘削し、又は他の占用物件と錯そうするおそれのない場所であること。

ロ　保安上又は工事実施上の支障のない限り、他の占用物件に接近していること。

ハ　道路の構造又は地上にある占用物件に支障のない限り、当該一般工作物等の頂部が地面に接近していること。

三　一般工作物等をトンネルの上に設ける場合においては、トンネルの構造の保全又はトンネルの換気若しくは採光に支障のない場所であること。

四　一般工作物等を高架の道路の路面下に設ける場合においては、高架の道路の構造の保全に支障のない場所であること。

五　一般工作物等を特定連結路附属地に設ける場合においては、連結路及び連結路により連結される道路の見通しに支障を及ぼさない場所であること。

（電柱又は公衆電話所の占用の場所に関する基準）

第十一条　法第三十二条第二項第三号に掲げる事項についての電柱又は公衆電話所に関する法第三十三条第一項の政令で定める基準は、次のとおりとする。

一　道路の敷地外に当該場所に代わる適当な場所がなく、公益上やむを得ないと認められる場所であること。

二　電柱（鉄道の電柱を除く。）を地上に設ける場合においては次のいずれにも適合する場所であり、鉄道の電柱又は公衆電話所を地上に設ける場合においてはイに適合する場所であること。

イ　電柱又は公衆電話所の道路の区域内の地面に接する部分は、次のいずれかに該当する位置にあること。

(1)　法面（法面のない道路にあつては、路端に近接する部分）

(2)　歩道内の車道に近接する部分

ロ　同一の線路に係る電柱を道路（道路の交差し、接続し、又は屈曲する部分を除く。以下この号において同じ。）に設ける場合においては、道路の同じ側であること。

ハ　電柱を歩道を有しない道路に設ける場合において、その反対側に占用物件があるときは、当該占用物件との水平距離が八メートル以上であること。

2　前項に定めるもののほか、同項の基準については、電柱にあつては前条（第二号から第五号までに係る部分に限る。）の規定を、公衆電話所にあつては同条（第一号ハ及び第二号から第五号までに係る部分に限る。）の規定を、それぞれ準用する。

（電線の占用の場所に関する基準）

第十一条の二　法第三十二条第二項第三号に掲げる事項についての電線に関する法第三十三条第一項の政令で定める基準は、次のとおりとする。

一　電線を地上に設ける場合においては、次のいずれにも適合する場所であること。

イ　電線の最下部と路面との距離が五メートル（既設の電線に附属して設ける場合その他技術上やむを得ず、かつ、道路の構造又は交通に支障を及ぼすおそれの少ない場合にあつては四・五メートル、歩道上にあつては二・五メートル）以上であること。

ロ　電線を既設の電線に附属して設ける場合においては、保安上の支障がなく、かつ、技術上やむを得ないとき又は公益上やむを得ない事情があると認められるときを除き、当該既設の電線に、これと錯そうするおそれがなく、かつ、保安上の支障のない程度に接近していること。

二　電線を地下（トンネルの上又は高架の道路の路面下の道路がない区域の地下を除く。次条第一項第二号及び第十一条の四第一項において同じ。）に設ける場合においては、次のいずれにも適合する場所であること。

イ　道路を横断して設ける場合及び車道（歩道を有しない道路にあつては、路面の幅員の三分の二に相当する路面の中央部。以下この号及び第十一条の八第一項第二号において同じ。）以外の部分に当該場所に代わる適当な場所がなく、かつ、公益上やむを得ない事情があると認められるときに電線の本線を車道の部分に設ける場合を除き、車道以外の部分であること。

ロ　電線の頂部と路面との距離が、保安上又は道路に関する工事の実施上の支障のない場合を除き、車道にあつては〇・八メートル、歩道（歩道を有しない道路にあつては、路面の幅員の三分の二に相当する路面の中央部以外の部分。次条第一項第二号イ並びに第十一条の八第一項第二号及び第三号において同じ。）にあつては〇・六メートルを超えていること。

三　電線を橋又は高架の道路に取り付ける場合においては、桁の両側又は床版の下であること。

2　前項に定めるもののほか、同項の基準については、第十条（第二号から第五号までに係る部分に限る。）及び前条第一項（第一号に係る部分に限る。）の規定を準用する。

（水管又はガス管の占用の場所に関する基準）

第十一条の三　法第三十二条第二項第三号に掲げる事項についての水管又はガス管に関する法第三十三条第一項の政令で定める基準は、次のとおりとする。

一　水管又はガス管を地上に設ける場合においては、道路の交差し、接続し、又は屈曲する部分以外の道路の部分であること。

二　水管又はガス管を地下に設ける場合においては、次のいずれにも適合する場所であること。

イ　道路を横断して設ける場合及び歩道以外の部分に当該場所に代わる適当な場所がなく、かつ、公益上やむを得ない事情があると認められるときに水管又はガス管の本線を歩道以外の部分に設ける場合を除き、歩道の部分であること。

ロ　水管又はガス管の本線の頂部と路面との距離が一・二メートル（工事実施上やむを得ない場合にあつては、〇・六メートル）を超えていること。

2　前項に定めるもののほか、同項の基準については、第十条（第一号ロ及び第二号から第五号までに係る部分に限る。）、第十一条第一項（第一号に係る部分に限る。）及び前条第一項（第三号に係る部分に限る。）の規定を準用する。

（下水道管の占用の場所に関する基準）

第一一条の四　法第三十二条第二項第三号に掲げる事項についての下水道管に関する法第三十三条第一項の政令で定める基準は、下水道管の本線を地下に設ける場合において、その頂部と路面との距離が三メートル（工事実施上やむを得ない場合にあつては、一メートル）を超えていることとする。

2　前項に定めるもののほか、同項の基準については、第十条（第一号ロ及び第二号から第五号までに係る部分に限る。）、第十一条第一項（第一号に係る部分に限る。）、第十一条の二第一項（第三号に係る部分に限る。）及び前条第一項（第一号及び第二号イに係る部分に限る。）の規定を準用する。

（石油管の占用の場所に関する基準）

第一一条の五　法第三十二条第二項第三号に掲げる事項についての石油管に関する法第三十三条第一項の政令で定める基準は、次のとおりとする。

一　トンネルの上の道路がない区域に設ける場合及び地形の状況その他特別の理由によりやむを得ないと認められる場合を除き、地下であること。

二　石油管を地下に設ける場合においては、次のいずれにも適合する場所であること。

イ　道路を横断して設ける場合及びトンネルの上又は高架の道路の路面下の道路がない区域に設ける場合を除き、原則として車両の荷重の影響の少ない場所であり、かつ、石油管の導管と道路の境界線との水平距離が保安上必要な距離以上であること。

ロ　道路の路面下に設ける場合においては、高架の道路の路面下の道路がない区域に設ける場合を除き、次に定めるところによる深さの場所であること。

(1)　市街地においては、防護構造物により石油管の導管を防護する場合にあつては当該防護構造物の頂部と路面との距離が一・五メートルを、その他の場合にあつては石油管の導管の頂部と路面との距離が一・八メートルを超えていること。

(2)　市街地以外の地域においては、石油管の導管の頂部（防護構造物によりその導管を防護する場合にあつては、当該防護構造物の頂部）と路面との距離が一・五メートルを超えていること。

ハ　道路の路面下以外の場所に設ける場合においては、トンネルの上の道路がない区域に設ける場合を除き、当該石油管の導管の頂部と地面との距離が一・二メートル（防護工又は防護構造物によりその導管を防護する場合においては、市街地にあつては〇・九メートル、市街地以外の地域にあつては〇・六メートル）を超えていること。

ニ　高架の道路の路面下に設ける場合においては、道路を横断して設ける場合を除き、当該石油管の導管と道路の境界線との水平距離が保安上必要な距離以上であること。

三　石油管を地上に設ける場合においては、次のいずれにも適合する場所であること。

イ　トンネルの中でないこと。

ロ　高架の道路の路面下の道路のない区域にあつては、当該高架の道路の桁の両側又は床版の下であり、かつ、当該石油管を取り付けることができる場所であること。

ハ　石油管の最下部と路面との距離が五メートル以上であること。

2　前項に定めるもののほか、同項の基準については、第十条（第二号から第五号までに係る部分に限る。）、第十一条の二第一項（第三号に係る部分に限る。）及び第十一条の三第一項（第一号に係る部分に限る。）の規定を準用する。この場合において、第十条第二号中「適合する場所」とあるのは、「適合する場所（高架の道路の路面下の地下に設ける場合にあつては、イ及びロに適合する場所）」と読み替えるものとする。

（自動運行補助施設の占用の場所に関する基準）

第一一条の六　法第三十二条第二項第三号に掲げる事項についての自動運行補助施設に関する法第三十三条第一項の政令で定める基準は、自動運行補助施設を地上に設ける場合においては、自動運行補助施設の道路の区域内の地面に接する部分が、次の各号のいずれかに該当する位置にあることとする。

一　法面

二　側溝上の部分

三　路端に近接する部分（路肩の部分及び車道上の部分を除く。）

四　歩道内の車道に近接する部分

五　道路の構造からみて道路の構造又は交通に著しい支障を及ぼすおそれのない場合にあつては、路肩の部分若しくは車道上の部分又は分離帯、ロータリーその他これらに類する道路の部分

2　前項に定めるもののほか、同項の基準については、第十条（第一号ロ及びハ、第二号イ及びハ並びに第三号から第五号までに係る部分に限る。）の規定を準用する。

（太陽光発電設備等の占用の場所に関する基準）

第一一条の七　法第三十二条第二項第三号に掲げる事項についての第七条第二号に掲げる工作物、同条第三号に掲げる施設又は同条第八号に掲げる施設（以下この条において「太陽光発電設備等」という。）に関する法第三十三条第一項の政令で定める基準は、太陽光発電設備等を地上に設ける場合においては、次のいずれにも適合する場所であることとする。

一　太陽光発電設備等の道路の区域内の地面に接する部分は、車道（第十六条の二第四号に掲げる施設に該当する施設を利便増進誘導区域内に設ける場合にあつては、車道及び自転車道）以外の道路の部分にあること。

二　自転車道、自転車歩行者道又は歩道上（第十六条の二第四号に掲げる施設に該当する施設を利便増進誘導区域内に設ける場合にあつては、自転車歩行者道又は歩道上）に設ける場合においては、道路の構造からみて道路の構造又は交通に著しい支障のない場合を除き、当該太陽光発電設備等を設けたときに自転車又は歩行者が通行することができる部分の一方の側の幅員が、国道にあつては道路構造令（昭和四十五年政令第三百二十号）第十条第三項本文、第十条の二第二項又は第十一条第三項に規定する幅員、都道府県道又は市町村道にあつてはこれらの規定に規定する幅員を参酌して法第三十条第三項の条例で定める幅員であること。

2　前項に定めるもののほか、同項の基準については、第十条（第一号ロ及びハ並びに第二号から第五号までに係る部分に限る。）の規定を準用する。

（特定仮設店舗等の占用の場所に関する基準）

第一一条の八　法第三十二条第二項第三号に掲げる事項についての第七条第六号に掲げる仮設建築物又は同条第七号に掲げる施設（以下「特定仮設店舗等」という。）に関する法第三十三条第一項の政令で定める基準は、特定仮設店舗等を地上に設ける場合において、次のいずれにも適合する場所であることとする。

一　道路の一方の側に設ける場合にあつては十二メートル以上、道路の両側に設ける場合にあつては二十四メートル以上の幅員の道路であること。

二　法面、側溝上の部分又は歩道上の部分（道路の構造又は道路の周辺の状況上やむを得ないと認められる場合において、当該道路の交通に著しい支障を及ぼさないときにあつては、これらの部分及び車道内の歩道に近接する部分）であること。

三　歩道上の部分に設ける場合においては、特定仮設店舗等を設けたときに歩行者がその一方の側を通行することができる場所であること。

四　特定仮設店舗等を設けることによつて通行することができなくなる路面の部分の幅員が道路の一方の側につき四メートル以下であること。

2　前項に定めるもののほか、同項の基準については、第十条（第一号ハ及び第二号から第五号までに係る部分に限る。）の規定を準用する。

（応急仮設住宅の占用の場所に関する基準）

第一一条の九　法第三十二条第二項第三号に掲げる事項についての第七条第十一号に掲げる応急仮設建築物（以下「応急仮設住宅」という。）に関する法第三十三条第一項の政令で定める基準は、応急仮設住宅を地上に設ける場合においては、次の各号のいずれかに該当する位置にあることとする。

一　法面

二　側溝上の部分

三　路端に近接する部分（車両又は歩行者の通行の用に供する部分及び路肩の部分を除く。）

2　前項に定めるもののほか、同項の基準については、第十条（第一号ロ及びハ並びに第二号から第五号までに係る部分に限る。）の規定を準用する。

（自転車駐車器具の占用の場所に関する基準）

第一一条の一〇　法第三十二条第二項第三号に掲げる事項についての第七条第十二号に規定する自転車を駐車させるため必要な車輪止め装置その他の器具（以下この条において「自転車駐車器具」という。）に関する法第三十三条第一項の政令で定める基準は、次のいずれにも適合する場所であることとする。

一　車道以外の道路の部分（分離帯、ロータリーその他これらに類する道路の部分を除く。次条第一項第一号において同じ。）であること。

二　法面若しくは側溝上の部分又は自転車道、自転車歩行者道若しくは歩道上に設ける場合においては、道路の構造からみて道路の構造又は交通

に著しい支障のない場合を除き、当該自転車駐車器具を自転車の駐車用に供したときに自転車又は歩行者が通行することができる部分の一方の側の幅員が、国道にあつては道路構造令第十条第三項本文、第十条の二第二項又は第十一条第三項に規定する幅員、都道府県道又は市町村道にあつてはこれらの規定に規定する幅員を参酌して法第三十条第三項の条例で定める幅員であること。

２　前項に定めるもののほか、同項の基準については、第十条（第一号及び第五号に係る部分に限る。）の規定を準用する。この場合において、同条第一号中「地上（」とあるのは「地面（」と、「地上を」とあるのは「地面を」と、「次のいずれにも適合する場所（特定連結路附属地の地上に設ける場合にあつては、ロ及びハのいずれにも適合する場所）」とあるのは「ロ及びハのいずれにも適合する場所」と読み替えるものとする。

（原動機付自転車等駐車器具の占用の場所に関する基準）

第十一条の十一　法第三十二条第二項第三号に掲げる事項についての第七条第十二号に規定する原動機付自転車又は二輪自動車を駐車させるため必要な車輪止め装置その他の器具（以下この条において「原動機付自転車等駐車器具」という。）に関する法第三十三条第一項の政令で定める基準は、次のいずれにも適合する場所であることとする。

一　車道以外の道路の部分内の車道に近接する部分であること。

二　道路の構造からみて道路の構造又は交通に著しい支障のない場合を除き、当該原動機付自転車等駐車器具を原動機付自転車（側車付きのものを除く。）又は二輪自動車の駐車の用に供したときに自転車又は歩行者が通行することができる部分の幅員が、国道にあつては道路構造令第十条第三項本文、第十条の二第二項又は第十一条第三項に規定する幅員、都道府県道又は市町村道にあつてはこれらの規定に規定する幅員を参酌して法第三十条第三項の条例で定める幅員であること。

２　前項に定めるもののほか、同項の基準については、第十条（第一号及び第五号に係る部分に限る。）の規定を準用する。この場合において、同条第一号中「地上（」とあるのは「地面（」と、「地上を」とあるのは「地面を」と、「次のいずれにも適合する場所（特定連結路附属地の地上に設ける場合にあつては、ロ及びハのいずれにも適合する場所）」とあるのは「ロ及びハのいずれにも適合する場所」と読み替えるものとする。

（構造に関する基準）

第十二条　法第三十二条第二項第四号に掲げる事項についての法第三十三条第一項の政令で定める基準は、次のとおりとする。

一　地上に設ける場合においては、次のいずれにも適合する構造であること。

イ　倒壊、落下、剝離、汚損、火災、荷重、漏水その他の事由により道路の構造又は交通に支障を及ぼすことがないと認められるものであること。

ロ　電柱の脚釘は、路面から一・八メートル以上の高さに、道路の方向と平行して設けるものであること。

ハ　特定仮設店舗等又は第七条第八号に掲げる施設（特定連結路附属地に設けるものを除く。）にあつては、必要最小限度の規模であり、かつ、道路の交通に及ぼす支障をできる限り少なくするものであること。

二　地下に設ける場合においては、次のいずれにも適合する構造であること。

イ　堅固で耐久性を有するとともに、道路及び地下にある他の占用物件の構造に支障を及ぼさないものであること。

ロ　車道に設ける場合においては、道路の強度に影響を与えないものであること。

ハ　電線、水管、下水道管、ガス管又は石油管については、各戸に引き込むために地下に設けるものその他国土交通省令で定めるものを除き、国土交通省令で定めるところにより、当該占用物件の名称、管理者、埋設した年その他の保安上必要な事項を明示するものであること。

三　橋又は高架の道路に取り付ける場合においては、当該橋又は高架の道路の強度に影響を与えない構造であること。

四　特定連結路附属地に設ける場合においては、次のいずれにも適合する構造であること。

イ　連結路及び連結路により連結される道路の見通しに支障を及ぼさないものであること。

ロ　当該工作物、物件又は施設の規模及び用途その他の状況に応じ、当該工作物、物件又は施設と連絡する道路の安全かつ円滑な交通に支障を及ぼさないように、必要な規模の駐車場及び適切な構造の通路その他の施設を設けるものであること。

（工事実施の方法に関する基準）

第十三条　法第三十二条第二項第五号に掲げる事項についての法第三十三条第一項の政令で定める基準は、次のとおりとする。

一　占用物件の保持に支障を及ぼさないために必要な措置を講ずること。

二　道路を掘削する場合においては、溝掘、つぼ掘又は推進工法その他これに準ずる方法によるものとし、えぐり掘の方法によらないこと。

三　路面の排水を妨げない措置を講ずること。

四　原則として、道路の一方の側は、常に通行することができることとすること。

五　工事現場においては、さく又は覆いの設置、夜間における赤色灯又は黄色灯の点灯その他道路の交通の危険防止のために必要な措置を講ずること。

六　前各号に定めるところによるほか、電線、水管、下水道管、ガス管若しくは石油管（以下この号において「電線等」という。）が地下に設けられていると認められる場所又はその付近を掘削する工事にあつては、保安上の支障のない場合を除き、次のいずれにも適合するものであること。

イ　試掘その他の方法により当該電線等を確認した後に実施すること。

ロ　当該電線等の管理者との協議に基づき、当該電線等の移設又は防護、工事の見回り又は立会いその他の保安上必要な措置を講ずること。

ハ　ガス管又は石油管の付近において、火気を使用しないこと。

（工事の時期に関する基準）

第十四条　法第三十二条第二項第六号に掲げる事項についての法第三十三条第一項の政令で定める基準は、次のとおりとする。

一　他の占用に関する工事又は道路に関する工事の時期を勘案して適当な時期であること。

二　道路の交通に著しく支障を及ぼさない時期であること。特に道路を横断して掘削する工事その他道路の交通を遮断する工事については、交通量の最も少ない時間であること。

（道路の復旧の方法に関する基準）

第十五条　法第三十二条第二項第七号に掲げる事項についての法第三十三条第一項の政令で定める基準は、次のとおりとする。

一　占用のために掘削した土砂を埋め戻す場合においては、層ごとに行うとともに、確実に締め固めること。

二　占用のために掘削した土砂をそのまま埋め戻すことが不適当である場合においては、土砂の補充又は入換えを行つた後に埋め戻すこと。

三　砂利道の表面仕上げを行う場合においては、路面を砂利及び衣土をもつて掘削前の路面形に締め固めること。

（技術的細目）

第十六条　第十条から前条までに規定する基準を適用するについて必要な技術的細目は、国土交通省令で定める。ただし、第十一条の五に規定する石油管（第九条第一号チに掲げる石油管に限る。以下この条において同じ。）の占用の場所に関する基準又は第十二条に規定する石油管の構造に関する基準を適用するについて必要な技術的細目は、石油パイプライン事業法第十五条第三項第二号の規定に基づく主務省令の規定（石油管の設置の場所又は構造に係るものに限る。）の例による。

（歩行者利便増進施設等）

第十六条の二　法第三十三条第二項第三号の政令で定める工作物、物件又は施設は、次に掲げるものとする。

一　広告塔又は看板で良好な景観の形成又は風致の維持に寄与するもの

二　ベンチ、街灯その他これらに類する工作物で歩行者の利便の増進に資するもの

三　標識、旗ざお、幕又はアーチで歩行者の利便の増進に資するもの

四　食事施設、購買施設その他これらに類する施設で歩行者の利便の増進に資するもの

五　第十一条の十第一項に規定する自転車駐車器具で自転車を賃貸する事業の用に供するもの

六　次に掲げるもので、集会、展示会その他これらに類する催しのため設けられ、かつ、歩行者の利便の増進に資するもの

イ　広告塔その他これに類する工作物

ロ　露店、商品置場その他これらに類する施設

ハ　看板、旗ざお、幕及びアーチ

（災害応急対策に資する工作物又は施設）

第一六条の三　法第三十三条第二項第四号の政令で定める工作物又は施設は、次に掲げるものとする。

一　広告塔、通信設備、街灯その他これらに類する工作物又は看板であつて、災害時において住民その他の者（次号及び第三十五条の七において「住民等」という。）に対する災害情報の伝達の用に供することができるもの

二　次に掲げるもので、災害時において住民等に対する物資又は電力の供給の用に供することができるもの

イ　ベンチその他これに類する工作物であつて、物資の保管その他災害応急対策の実施に資する機能を併せ有するもの

ロ　貯水槽その他これに類する施設

ハ　第七条第二号又は第八号に掲げる工作物又は施設

三　第七条第十四号に掲げる施設

（道路の管理上当該道路の区域内に設けることが必要な工作物又は施設）

第一七条　法第三十三条第二項第五号の政令で定める工作物又は施設は、次に掲げるものとする。

一　歩行者の休憩の用に供するベンチ又はその上屋

二　花壇その他道路の緑化のための施設

三　高架の道路の路面下に設ける自転車駐車場であつて、自転車の安全利用の促進及び自転車等の駐車対策の総合的推進に関する法律（昭和五十五年法律第八十七号）第七条第一項に規定する総合計画にその整備に関する事業の概要が定められたもの

（工事の計画書の提出を要しない軽易な工事）

第一八条　法第三十六条第一項ただし書の政令で定める軽易な工事は、各戸に引き込むために地下に埋設する水管、下水道管、ガス管又は電線で、道路を占用する部分の延長が二十メートルを超えないものの設置又は改修に関する工事とする。

（指定区間内の国道に係る占用料の額）

第一九条　指定区間内の国道に係る占用料の額は、別表占用料の欄に定める金額（第七条第八号に掲げる施設のうち特定連結路附属地に設けるもの及び同条第十三号に掲げる施設にあつては、同表占用料の欄に定める額及び道路の交通量等から見込まれる当該施設において行われる営業により通常得られる売上収入額に応じて国土交通省令で定めるところにより算定した額を勘案して占用面積一平方メートルにつき一年当たりの妥当な占用の対価として算定した額。以下この項及び次項において同じ。）に、法第三十二条第一項若しくは第三項の規定により許可をし、法第三十五条の規定により同意をし、又は法第四十八条の四十五若しくは第四十八条の六十四の規定により協議が成立した占用の期間（電線共同溝に係る占用料にあつては、電線共同溝整備法第十条、第十一条第一項若しくは第十二条第一項の規定により許可をし、又は電線共同溝整備法第二十一条の規定により協議が成立した占用することができる期間（当該許可又は当該協議に係る電線共同溝への電線の敷設工事を開始した日が当該許可をし、又は当該協議が成立した日と異なる場合には、当該敷設工事を開始した日から当該占用することができる期間の末日までの期間）。以下この項、次項、次条第一項及び別表の備考第九号において同じ。）に相当する期間を同表占用料の単位の欄に定める期間で除して得た数を乗じて得た額（その額が百円に満たない場合にあつては、百円）とする。ただし、当該占用の期間が翌年度以降にわたる場合においては、同表占用料の欄に定める金額に、各年度における占用の期間に相当する期間を同表占用料の単位の欄に定める期間で除して得た数を乗じて得た額（その額が百円に満たない場合にあつては、百円）の合計額とする。

2　前項の規定にかかわらず、指定区間内の国道に係る道路の占用のうち占用の期間が一月未満のものについての占用料の額は、別表占用料の欄に定める金額に、当該占用の期間に相当する期間を同表占用料の単位の欄に定める期間で除して得た数を乗じて得た額に、当該道路を占用させることにつき課されるべき消費税に相当する額及び当該課されるべき消費税の額を課税標準として課されるべき地方消費税に相当する額の合計額を加えた額（その額が百円に満たない場合にあつては、百円）とする。ただし、当該占用の期間が翌年度にわたる場合においては、同表占用料の欄に定める金額に、各年度における占用の期間に相当する期間を同表占用料の単位の欄に定める期間で除して得た数を乗じて得た額に、当該各年度において当該道路を占用させることにつき課されるべき消費税に相当する額及び当該課されるべき消費税の額を課税標準として課されるべき地方消費税に相当する額の合計額を加えた額（その額が百円に満たない場合にあつては、百円）の合計額とする。

3　国土交通大臣は、指定区間内の国道に係る占用料で次に掲げる占用物件に係るものについて、特に必要があると認めるときは、前二項の規定にかかわらず、前二項に規定する額の範囲内において別に占用料の額を定め、又は占用料を徴収しないことができる。

一　応急仮設住宅

二　地方財政法（昭和二十三年法律第百九号）第六条に規定する公営企業に係るもの

三　独立行政法人鉄道建設・運輸施設整備支援機構が建設し、又は災害復旧工事を行う鉄道施設及び独立行政法人日本高速道路保有・債務返済機構が管理を行う鉄道施設並びに鉄道事業法による鉄道事業者又は索道事業者がその鉄道事業又は索道事業で一般の需要に応ずるものの用に供する施設

四　公職選挙法（昭和二十五年法律第百号）による選挙運動のために使用する立札、看板その他の物件

五　街灯、公共の用に供する通路及び駐車場法（昭和三十二年法律第百六号）第十七条第一項に規定する都市計画において定められた路外駐車場

六　前各号に掲げるもののほか、前二項に規定する額の占用料を徴収することが著しく不適当であると認められる占用物件で、国土交通大臣が定めるもの

4　指定区間内の国道に係る占用料で指定区間の指定の日の前日までに道路管理者である都道府県又は指定市が徴収すべきものの額は、前三項の規定にかかわらず、当該指定区間の指定の際現に当該指定区間の存する都道府県又は指定市が法第三十九条第二項の規定に基づく条例で定めている占用料の額とする。

（指定区間内の国道に係る占用料の徴収方法）

第一九条の二　指定区間内の国道に係る占用料は、法第三十二条第一項若しくは第三項の規定により許可をし、法第三十五条の規定により同意をし、又は法第四十八条の四十五若しくは第四十八条の六十四の規定により協議が成立した占用の期間に係る分を、当該占用の許可をし、同意をし、又は協議が成立した日（電線共同溝に係る占用料にあつては、電線共同溝整備法第十条、第十一条第一項若しくは第十二条第一項の規定により許可をし、又は電線共同溝整備法第二十一条の規定により協議が成立した日（当該許可又は当該協議に係る電線共同溝への電線の敷設工事を開始した日が当該許可をし、又は当該協議が成立した日と異なる場合には、当該敷設工事を開始した日））から一月以内に納入告知書（法第十三条第二項の規定により都道府県又は指定市が占用料を徴収する事務を行つている場合にあつては、納入通知書）により一括して徴収するものとする。ただし、当該占用の期間が翌年度以降にわたる場合においては、翌年度以降の占用料は、毎年度、当該年度分を四月三十日までに徴収するものとする。

2　前項の占用料で既に納めたものは、返還しない。ただし、国土交通大臣が法第七十一条第二項の規定により道路の占用の許可を取り消した場合において、既に納めた占用料の額が当該占用の許可の日から当該占用の許可の取消しの日までの期間につき算出した占用料の額を超えるときは、その超える額の占用料は、返還する。

3　指定区間内の国道に係る占用料で指定区間の指定の日の前日までに道路管理者である都道府県又は指定市が徴収すべきものは、前二項の規定にかかわらず、当該指定区間の指定の際現に当該指定区間の存する都道府県又は指定市が法第三十九条第二項の規定に基づく条例で定めている占用料の徴収方法により徴収するものとする。

（占用料の収入の帰属）

第一九条の三　法第三十九条の規定に基づく占用料は、指定区間内の国道に係るものにあつては国、指定区間外の国道に係るものにあつては道路管理者である都道府県又は指定市、指定市以外の市、都道府県道又は市町村道に係るものにあつては道路管理者である都道府県又は市町村の収入とする。

2　法第十三条第二項の規定により都道府県又は指定市が指定区間内の国道の管理を行つている場合においては、当該管理を行つている指定区間内の国道に係る占用料は、前項の規定にかかわらず、当該都道府県又は指定市の収入とする。

3　前項の規定により都道府県又は指定市の収入となるべき指定区間内の国道に係る占用料で法第十三条第二項の規定により都道府県又は指定市が指定区間内の国道の管理を行うこととされる日の前日までに国が徴収すべきものは、前項の規定にかかわらず、国の収入とする。

4　第一項の規定により国の収入となるべき指定区間内の国道に係る占用料で法第十三条第二項の規定により国土交通大臣が都道府県又は指定市が行つていた指定区間内の国道の管理を解除する日の前日までに当該都道府県又は指定市が徴収すべきものは、第一項の規定にかかわらず、当該都道府県又は指定市の収入とする。

5　第一項の規定により国の収入となるべき指定区間内の国道に係る占用料で当該指定区間の指定の日の前日までに道路管理者である都道府県又は指定市が徴収すべきものは、同項の規定にかかわらず、当該都道府県又は指定市の収入とする。

6　第一項の規定により道路管理者である都道府県又は指定市の収入となるべき国道に係る占用料で、当該国道に係る指定区間の指定の廃止の日の前日までに国が徴収すべきものは、同項の規定にかかわらず、国の収入とする。

（指定区間内の国道に係る占用料の額の最低額）

第一九条の三の二　法第三十九条の二第五項の政令で定める額については、第十九条第一項本文及び第三項の規定を準用する。この場合において、同条第一項本文中「法第三十二条第一項若しくは第三項の規定により許可をし、法第三十五条の規定により同意をし、又は法第四十八条の四十五若しくは第四十八条の六十四の規定により協議が成立した占用の期間（電線共同溝に係る占用料にあつては、電線共同溝整備法第十条、第十一条第一項若しくは第十二条第一項の規定により許可をし、又は電線共同溝整備法第二十一条の規定により協議が成立した占用することができる期間（当該許可又は当該協議に係る電線共同溝への電線の敷設工事を開始した日が当該許可をし、又は当該協議が成立した日と異なる場合には、当該敷設工事を開始した日から当該占用することができる期間の末日までの期間）。以下この項、次項、次条第一項及び別表の備考第九号において同じ。）に相当する期間」とあるのは「入札対象施設等の種類その他の事項を勘案して国土交通大臣が定める期間」と、同条第三項中「前二項の規定にかかわらず、前二項」とあるのは「第十九条の三の二において準用する第一項の規定にかかわらず、同項」と、「占用料の額を定め、又は占用料を徴収しない」とあるのは「占用料の額の最低額の下限の額を定める」と、同項第六号中「前二項」とあるのは「第十九条の三の二において準用する第一項」と、「の占用料を徴収する」とあるのは「を占用料の額の最低額の下限の額とする」と読み替えるものとする。

（総合評価占用入札の手続）

第一九条の三の三　道路管理者は、法第三十九条の四第四項ただし書の規定により落札者を決定する占用入札（以下この項において「総合評価占用入札」という。）を行おうとするときは、あらかじめ、当該総合評価占用入札に係る申出のうち占用料の額その他の条件が当該道路管理者にとつて最も有利なものを決定するための基準（以下この条において「総合評価落札者決定基準」という。）を、法第三十九条の二第二項第七号の入札の実施に関する事項として入札占用指針において定めなければならない。

2　道路管理者は、総合評価落札者決定基準を定めようとするときは、国土交通省令で定めるところにより、あらかじめ、学識経験を有する者（次項において「学識経験者」という。）の意見を聴かなければならない。

3　道路管理者は、前項の規定による意見の聴取において、あわせて、当該総合評価落札者決定基準に基づいて落札者を決定しようとするときに改めて意見を聴く必要があるかどうかについて意見を聴くものとし、改めて意見を聴く必要があるとの意見が述べられた場合には、当該落札者を決定しようとするときに、あらかじめ、学識経験者の意見を聴かなければならない。

（総合評価占用入札に関する規定の指定市以外の市町村が道路管理者の権限を代行する場合についての準用）

第一九条の三の四　前条の規定は、法第二十七条第二項の規定により指定市以外の市町村が第四条第一項第十二号（法第三十九条の四第四項の規定による落札者の決定に係る部分に限る。）に掲げる権限を道路管理者に代わつて行う場合について準用する。

（道路の占用に関する規定の道路予定区域についての準用）

第一九条の四　第七条から前条までの規定は、道路予定区域に法第三十二条第一項各号に掲げる工作物、物件又は施設を設け、継続して道路予定区域を使用する場合について準用する。

第二章の二　違法放置等物件の保管の手続等

（違法放置等物件を保管した場合の公示事項）

第一九条の五　法第四十四条の三第三項の政令で定める事項は、次に掲げるものとする。

一　保管した違法放置等物件の名称又は種類、形状及び数量

二　保管した違法放置等物件が放置され、又は設置されていた場所及びその違法放置等物件を除去した日時

三　その違法放置等物件の保管を始めた日時及び保管の場所

四　前三号に掲げるもののほか、保管した違法放置等物件を返還するため必要と認められる事項

（違法放置等物件を保管した場合の公示の方法）

第一九条の六　法第四十四条の三第三項の規定による公示は、次に掲げる方法により行わなければならない。

一　前条各号に掲げる事項を、保管を始めた日から起算して十四日間、当該道路管理者の事務所に掲示すること。

二　前号の公示に係る違法放置等物件のうち特に貴重と認められるものについては、同号の公示の期間が満了しても、なおその違法放置等物件の占有者等の氏名及び住所を知ることができないときは、その公示の要旨を官報に掲載すること。

2　道路管理者は、前項に規定する方法による公示を行うとともに、国土交通省令で定める様式による保管違法放置等物件一覧簿を当該道路管理者の事務所に備え付け、かつ、これをいつでも関係者に自由に閲覧させなければならない。

（違法放置等物件の価額の評価の方法）

第一九条の七　法第四十四条の三第四項の規定による違法放置等物件の価額の評価は、取引の実例価格、当該違法放置等物件の使用年数、損耗の程度その他当該違法放置等物件の価額の評価に関する事情を勘案してするものとする。この場合において、道路管理者は、必要があると認めるときは、違法放置等物件の価額の評価に関し専門的知識を有する者の意見を聴くことができる。

（保管した違法放置等物件を売却する場合の手続）

第一九条の八　法第四十四条の三第四項の規定による保管した違法放置等物件の売却は、競争入札に付して行わなければならない。ただし、次の各号のいずれかに該当するものについては、随意契約により売却することができる。

一　速やかに売却しなければ価値が著しく減少するおそれのある違法放置等物件

二　競争入札に付しても入札者がない違法放置等物件

三　前二号に掲げるもののほか、競争入札に付することが適当でないと認められる違法放置等物件

第一九条の九　道路管理者は、前条本文の規定による競争入札のうち一般競争入札に付そうとするときは、その入札期日の前日から起算して少なくとも五日前までに、その違法放置等物件の名称又は種類、形状、数量その他国土交通省令で定める事項を当該道路管理者の事務所に掲示し、又はこれに準ずる適当な方法で公示しなければならない。

2　道路管理者は、前条本文の規定による競争入札のうち指名競争入札に付そうとするときは、なるべく三人以上の入札者を指定し、かつ、それらの者に違法放置等物件の名称又は種類、形状、数量その他国土交通省令で定める事項をあらかじめ通知しなければならない。

3　道路管理者は、前条ただし書の規定による随意契約によろうとするときは、なるべく二人以上の者から見積書を徴さなければならない。

（違法放置等物件を返還する場合の手続）

第一九条の一〇　道路管理者は、保管した違法放置等物件を当該違法放置等物件の占有者等に返還するときは、返還を受ける者にその氏名及び住所を証するに足りる書類を提示させる等の方法によつてその者がその違法放置等物件の返還を受けるべき違法放置等物件の占有者等であることを証明させ、かつ、国土交通省令で定める様式による受領書と引換えに返還するものとする。

（違法放置等物件に関する規定の指定市以外の市町村が道路管理者の権限

を代行する場合等についての準用）

第一九条の一一　第十九条の五から前条までの規定は、法第二十七条第二項又は第四十八条の二十二第三項の規定により指定市以外の市町村が第四条第一項第十九号に掲げる権限を道路管理者に代わつて行う場合について準用する。

２　第十九条の五から前条まで及び前項の規定は、道路予定区域に係る違法放置等物件について準用する。

第二章の三　危険物を積載する車両の水底トンネルの通行の禁止又は制限

（車両の通行の禁止）

第一九条の一二　道路管理者は、次に掲げる危険物を積載する車両の水底トンネルの通行を禁止することができる。

一　火薬類取締法（昭和二十五年法律第百四十九号）第二条に規定する火薬類（以下この条及び次条において「火薬類」という。）のうち次に掲げるもの

イ　雷こう、アジ化鉛その他の起爆薬

ロ　ニトログリセリン、ニトログリコール及び爆発の用途に供せられるその他の硝酸エステル（国土交通省令で定めるものを除く。）

ハ　煙火（玩具煙火を除く。）

二　火薬類以外の物品で、アセチレン銅、ジアゾメタンその他これらと同程度以上の爆発性を有するもの

三　毒物及び劇物取締法（昭和二十五年法律第三百三号）第二条第一項に規定する毒物（以下この条及び次条において「毒物」という。）又は同法第二条第二項に規定する劇物（次条において「劇物」という。）のうち次に掲げるもの

イ　シアン化水素

ロ　塩化シアノゲン

ハ　四アルキル鉛

ニ　ホスゲン

ホ　クロルピクリン

四　毒物以外の物品で、チオホスゲンその他これと同程度以上の毒性を有するもの

五　消防法（昭和二十三年法律第百八十六号）第二条第七項に規定する危険物以外の物品で、塩化アセチレン、ジシランその他水又は空気と作用してこれらと同程度以上の発火性を有するもの

（車両の通行の制限）

第一九条の一三　道路管理者は、次に掲げる危険物を積載する車両のうち水底トンネルを通行することができる車両を、道路管理者の定める種類に属し、かつ、積載する危険物の容器、容器への収納方法及び包装（次条において「容器包装」という。）、積載数量並びに積載方法が道路管理者の定める要件を満たしているものに限ることができる。

一　火薬類

二　高圧ガス保安法（昭和二十六年法律第二百四号）第二条に規定する高圧ガス

三　毒物又は劇物

四　毒物及び劇物以外の物品で、クロルアセトフェノン、モノクロルアセトンその他これらと同程度以上の毒性を有するもの

五　消防法第二条第七項に規定する危険物（同法別表に掲げる第四類の危険物にあつては、危険物の規制に関する政令（昭和三十四年政令第三百六号）第一条の六に規定する引火点を測定する試験において、一気圧において、引火点が七十度未満の温度で測定されるものに限る。）

六　四塩化けい素、オキシ塩化りんその他これらと同程度以上の腐食性を有するもの

七　マッチ

八　前条第二号及び第五号に掲げるもの

２　道路管理者は、前項各号に掲げる危険物を積載する車両が水底トンネルを通行することができる時間を限ることができる。

第一九条の一四　道路管理者は、前条の規定に基き車両の種類、危険物の容器包装、積載数量若しくは積載方法に関する要件又は通行することができる時間を定める場合においては、それぞれ次の各号に掲げる事項を考慮しなければならない。

一　車両の種類については、危険物を運搬しても、構造上運行中の動揺、衝撃、排気等により危険物の作用を誘発する虞のないものであること。

二　容器包装については、積載する危険物が容器若しくは被包の内部で作用し、又はその外部に出る虞のないものであること。

三　積載数量については、積載する危険物の全部が作用しても、水底トンネルの構造又は交通に危険を及ぼす虞の少いものであること。

四　積載方法については、積載する危険物の摩擦、動揺、衝突、転倒又は転落の虞のないこと及び積載する危険物の作用を誘発し易い他の物件と混載しないこと。

五　通行できる時間については、交通の状況により他の車両との衝突事故の発生の虞の大きい時間でないこと。

（車両の通行の禁止又は制限に関する公示）

第一九条の一五　道路管理者は、第十九条の十二又は第十九条の十三の規定により車両の通行を禁止し、又は制限しようとするときは、国土交通省令で定めるところにより、あらかじめ、その旨を公示しなければならない。

第二章の四　連結位置及び連結料

（連結位置に関する基準）

第一九条の一六　法第四十八条の五第二項第二号（同条第四項において準用する場合を含む。）の政令で定める連結位置に関する基準は、当該自動車専用道路の構造及び交通の状況その他当該自動車専用道路及び周辺の状況を勘案して、当該自動車専用道路の安全かつ円滑な交通に著しい支障を及ぼすおそれのない位置であることとする。

（指定区間内の国道に係る連結料の額の基準）

第一九条の一七　指定区間内の国道に係る法第四十八条の七第一項の規定による連結料の額の基準は、次のとおりとする。

一　次に掲げる額の合計額の範囲内であること。

イ　当該自動車専用道路と連結する法第四十八条の四第二号に掲げる施設（以下この条において「連結利便施設等」という。）の用に供する土地又は当該自動車専用道路と連結する同条第三号に掲げる施設（以下この条において「連結通路等」という。）及び当該連結通路等によつて自動車専用道路と連絡する同条第二号に掲げる施設（以下この条において「連絡施設」という。）の用に供する土地と当該連結利便施設等又は連結通路等が自動車専用道路に連結しないものとした場合のこれらの土地との国土交通省令で定めるところにより算定した地代の差額に相当する額

ロ　当該連結利便施設等又は連結通路等と連結することにより追加的に必要を生じた当該自動車専用道路の管理に要する費用の額（以下「追加管理費用額」という。）

二　追加管理費用額を下回らないこと。

三　連結利便施設等又は連絡施設の規模、用途その他の状況に応じて公正妥当なものであること。

（指定区間内の国道に係る連結料の徴収方法）

第一九条の一八　指定区間内の国道に係る法第四十八条の七第一項の規定による連結料は、毎年度、当該年度分を六月三十日（追加管理費用額に相当する分にあつては、翌年の六月三十日）までに一括して徴収するものとする。ただし、次の各号に掲げる連結料は、当該各号に定める日から三月以内に一括して徴収するものとする。

一　連結許可の日の属する年度分の連結料（追加管理費用額に相当する分を除く。）　当該連結許可の日

二　法第四十八条の十の規定により連結許可に翌年度以降にわたらない期限が付された場合における追加管理費用額に相当する分又は同条の規定により連結許可に翌年度以降にわたる期限が付された場合における最終年度の追加管理費用額に相当する分の連結料　当該期限が到来した日の翌日

２　前項の連結料は、納入告知書により徴収するものとする。

３　第一項の連結料で既に徴収したものは、返還しない。ただし、道路管理者が法第七十一条第二項の規定により連結許可を取り消した場合において、既に徴収した連結料の額が当該連結許可の日から当該連結許可の取消しの日までの期間につき算出した連結料の額を超えるときは、その超える額の連結料は、返還する。

第三章　道路に関する費用の負担及び補助

第一節　道路の新設等に要する費用の負担

（他の都道府県に分担させる負担金に関する基準）

第二〇条　国土交通大臣は、法第五十条第六項の規定により他の都道府県に負担金の一部を分担させる場合においては、国道の新設又は改築によつて当該他の都道府県の受ける利益の程度並びに当該国道の所在する都道府県及び当該他の都道府県の受ける利益の割合を考慮して国土交通大臣が定める額を分担させるものとする。

（都道府県等負担額）

第二一条　国土交通大臣が国道の新設若しくは改築又は指定区間内の国道の災害復旧（以下この項及び第二十三条第一項において「国道の新設等」という。）を行う場合における都道府県が法第五十三条第一項の規定により国庫に納付する負担金の額は、国道の新設等に要する費用の額（法第五十八条から第六十一条まで及び第六十二条後段又は地方道路公社法（昭和四十五年法律第八十二号）第二十九条の規定による負担金（以下この章において「収入金」という。）があるときは、当該費用の額から当該収入金の額を控除した額。以下この節において「国道新設等負担基本額」という。）に、法第五十条第一項又は第二項に定める都道府県の負担割合をそれぞれ乗じて得た額（収入金（指定区間内の国道に係る収入金を除く。以下この項において同じ。）があるときは当該額に当該収入金の額を加算し、同条第六項の規定により分担を命ぜられた他の都道府県があるときは、当該額から分担額を控除した額。以下この節において「国道新設等都道府県負担額」という。）とする。

2　国土交通大臣が指定区間外の国道の維持又は災害復旧に関する工事を行う場合における都道府県が法第五十三条第一項の規定により国庫に納付する負担金の額は、当該維持又は工事に要する費用の額に相当する額（第二十三条第三項及び第六項において「指定区間外国道維持等都道府県負担額」という。）とする。

3　国土交通大臣が都道府県道又は市町村道の維持又は災害復旧に関する工事を行う場合における都道府県又は市町村が法第五十三条第一項の規定により国庫に納付する負担金の額は、当該維持又は工事に要する費用の額に相当する額（第二十三条第四項及び第七項において「都道府県道等維持等都道府県等負担額」という。）とする。

4　国土交通大臣が都道府県道又は市町村道を構成する施設又は工作物の改築に関する工事を行う場合における都道府県又は市町村が法第五十三条第一項の規定により国庫に納付する負担金の額は、当該工事に要する費用の額（収入金があるときは、当該費用の額から当該収入金の額を控除した額。第二十三条第五項及び第七項において「施設等改築負担基本額」という。）に法第五十六条に定める補助率を乗じて得た額に相当する額を控除した額（第二十三条第五項及び第七項において「施設等改築都道府県等負担額」という。）とする。

5　国土交通大臣が都道府県道又は市町村道を構成する施設又は工作物の修繕に関する工事を行う場合における都道府県又は市町村が法第五十三条第一項の規定により国庫に納付する負担金の額は、当該工事に要する費用の額に相当する額（第二十三条第六項及び第七項において「施設等修繕都道府県等負担額」という。）とする。

（国道新設等国庫負担額）

第二二条　国が法第五十三条第二項の規定により都道府県に対して支出する負担金の額は、国道新設等負担基本額に、法第五十条第一項に定める国の負担割合を乗じて得た額（以下この節において「国道新設等国庫負担額」という。）とする。

（国道新設等負担基本額等の通知）

第二三条　国土交通大臣は、国道の新設等を行う場合においては、当該国道の所在する都道府県に対して、国道新設等負担基本額及び国道新設等都道府県負担額を通知しなければならない。

2　国土交通大臣は、国道の新設又は改築を行う場合において、法第五十条第六項の規定により他の都道府県に分担を命じたときは、分担額並びに国道新設等負担基本額及び国道新設等都道府県負担額を関係都道府県に通知しなければならない。

3　国土交通大臣は、指定区間外の国道の維持又は災害復旧に関する工事を行う場合においては、当該指定区間外の国道を管理する都道府県に対して、指定区間外国道維持等都道府県負担額を通知しなければならない。

4　国土交通大臣は、都道府県道又は市町村道の維持又は災害復旧に関する工事を行う場合においては、当該都道府県道又は市町村道を管理する都道府県又は市町村に対して、都道府県道等維持等都道府県等負担額を通知しなければならない。

5　国土交通大臣は、都道府県道又は市町村道を構成する施設又は工作物の改築に関する工事を行う場合においては、当該都道府県道又は市町村道を管理する都道府県又は市町村に対して、施設等改築負担基本額及び施設等改築都道府県等負担額を通知しなければならない。

6　国土交通大臣は、都道府県道又は市町村道を構成する施設又は工作物の修繕に関する工事を行う場合においては、当該都道府県道又は市町村道を管理する都道府県又は市町村に対して、施設等修繕都道府県等負担額を通知しなければならない。

7　国土交通大臣は、前各項の規定により通知した国道新設等負担基本額、国道新設等都道府県負担額、分担額、指定区間外国道維持等都道府県負担額、都道府県道等維持等都道府県等負担額、施設等改築負担基本額、施設等改築都道府県等負担額又は施設等修繕都道府県等負担額を変更したときは、これらの規定に準じて通知しなければならない。

8　第一項、第二項及び前項の規定は、都道府県が国道の新設又は改築を行う場合について準用する。この場合において、これらの規定中「国道新設等都道府県負担額」とあるのは「国道新設等国庫負担額」と、同項中「、分担額、指定区間外国道維持等都道府県負担額、都道府県道等維持等都道府県等負担額、施設等改築負担基本額、施設等改築都道府県等負担額又は施設等修繕都道府県等負担額」とあるのは「又は分担額」と読み替えるものとする。

第二四条　削除

（中間検査及び完了認定の申請）

第二五条　国土交通大臣は、都道府県の行う国道の新設又は改築に関する工事について、中間検査を行うことができる。

2　都道府県は、国道の新設又は改築に関する工事を完了した場合においては、遅滞なく、国土交通大臣に完了の認定の申請をしなければならない。

（国道新設等都道府県負担額等に関する規定の指定市が国道の管理を行う場合等についての準用）

第二六条　第二十条、第二十一条第一項及び第二項、第二十二条並びに第二十三条第一項から第三項まで、第七項及び第八項の規定は、法第十七条第一項の規定により指定市が国道の管理を行う場合又は同条第二項の規定により指定市以外の市が国道の管理を行う場合の費用の負担について準用する。この場合において、第二十条、第二十一条第一項及び第二十三条第一項中「他の都道府県」とあるのは「都道府県」と、第二十条及び第二十三条第一項中「当該国道の所在する都道府県」とあるのはそれぞれ「当該国道の所在する指定市」又は「指定市以外の市で当該国道の所在するもの」と、第二十一条第一項及び第二項中「都道府県が法」とあるのはそれぞれ「指定市が法」又は「指定市以外の市が法」と、同条第一項中「都道府県の」とあるのはそれぞれ「指定市の」又は「指定市以外の市の」と、同項並びに第二十三条第一項、第二項、第七項及び第八項中「国道新設等都道府県負担額」とあるのはそれぞれ「国道新設等指定市負担額」又は「国道新設等指定市以外の市負担額」と、第二十一条第二項及び第二十三条第三項中「指定区間外国道維持等都道府県負担額」とあるのはそれぞれ「指定区間外国道維持等指定市負担額」又は「指定区間外国道維持等指定市以外の市負担額」と、第二十二条及び第二十三条第三項中「都道府県に」とあるのはそれぞれ「指定市に」又は「指定市以外の市に」と、同条第二項中「関係都道府県」とあるのはそれぞれ「関係指定市及び都道府県」又は「関係指定市以外の市及び都道府県」と、同条第七項及び第八項中「、指定区間外国道維持等都道府県負担額、都道府県道等維持等都道府県等負担額、施設等改築負担基本額、施設等改築都道府県等負担額又は施設等修繕都道府県等負担額」とあるのはそれぞれ「又は指定区間外国道維持等指定市負担額」又は「又は指定区間外国道維持等指定市以外の市負担額」と、同項中「都道府県が」とあるのはそれぞれ「指定市が」又は「指定市以外の市が」と読み替えるものとする。

2　第二十一条第三項から第五項まで及び第二十三条第四項から第七項までの規定は、法第十七条第一項の規定により指定市が都道府県道の管理を行う場合又は同条第二項の規定により指定市以外の市が都道府県道の管理を行う場合の費用の負担について準用する。この場合において、第二十一条第三項から第五項まで及び第二十三条第四項から第六項までの規定中「都道府県又は」とあるのはそれぞれ「指定市又は」又は「指定市以外の市又は」と、第二十一条第三項及び第二十三条第四項中「都道府県道等維持等都道府県等負担額」とあるのはそれぞれ「都道府県道等維持等指定市等負担額」又は「都道府県道等維持等指定市以外の市等負担額」と、第二十一条第四項並びに第二十三条第五項及び第七項中「施設等改築都道府県等負担額」とあるのはそれぞれ「施設等改築指定市等負担額」又は「施設等改築指定市以外の市等負担額」と、第二十一条第五項並びに第二十三条第六項及び第七項中「施設等修繕都道府県等負担額」とあるのはそれぞれ「施設等修繕指定市等負担額」又は「施設等修繕指定市以外の市等負担額」と、同項中「国道新設等負担基本額、国道新設等都道府県負担額、分担額、指定区間外国道維持等都道府県負担額、都道府県道等維持等都道府県等負担額」とあるのはそれぞれ「都道府県道等維持等指定市等負担額」又は「都道府県道等維持等指定市以外の市等負担額」と読み替えるものとする。

3 第二十条及び第二十二条の規定は、法第十七条第四項の規定により指定市以外の市町村が国道の新設又は改築を行う場合の費用の負担について準用する。この場合において、第二十条中「他の都道府県」とあるのは「都道府県」と、「当該国道の所在する都道府県」とあるのは「指定市以外の市町村で当該国道の所在するもの」と、第二十二条中「都道府県」とあるのは「指定市以外の市町村」と読み替えるものとする。

4 第二十条及び第二十二条の規定は、法第四十八条の二十二第一項の規定により指定市以外の市町村が歩行者利便増進道路である国道の改築を行う場合の費用の負担について準用する。この場合において、第二十条中「他の都道府県」とあるのは「都道府県」と、「新設又は改築」とあるのは「改築」と、「当該国道の所在する都道府県」とあるのは「指定市以外の市町村で当該国道の所在するもの」と、第二十二条中「都道府県」とあるのは「指定市以外の市町村」と読み替えるものとする。

5 前条の規定は、法第十七条第一項、第二項又は第四項の規定により指定市、指定市以外の市又は指定市以外の市町村の行う国道の新設又は改築に関する工事について準用する。この場合において、前条中「都道府県」とあるのは、それぞれ「指定市」、「指定市以外の市」又は「指定市以外の市町村」と読み替えるものとする。

6 前条の規定は、法第四十八条の二十二第一項の規定により指定市以外の市町村の行う歩行者利便増進道路である国道の改築に関する工事について準用する。この場合において、前条中「都道府県」とあるのは「指定市以外の市町村」と、「新設又は改築」とあるのは「改築」と読み替えるものとする。

（都道府県の分担金の支出）

第二十七条 都道府県が法第五十三条第二項の規定により支出する分担金は、その分担金を財源とする費用の支出時期に遅れないように支出しなければならない。

第二節 道路に関する費用の補助

（道路に関する費用の補助額）

第二十八条 法第五十六条の規定による道路管理者に対する道路の新設、改築若しくは修繕に要する費用又は道路の調査に要する費用に関する補助金の額は、当該費用の額（道路の新設、改築又は修繕の場合において収入金があるときは、当該費用の額から当該収入金の額を控除した額）に、同条に定める補助率をそれぞれ乗じて得た額とする。

2 前項の規定は、法第十七条第四項の規定による歩道の新設等又は法第四十八条の二十二第一項の規定による歩行者利便増進改築等を行う指定市以外の市町村に対する国道若しくは都道府県道の新設、改築若しくは修繕若しくは歩行者利便増進道路の改築若しくは修繕に要する費用又は当該歩道の新設等若しくは歩行者利便増進改築等に係る国道若しくは都道府県道若しくは歩行者利便増進道路の調査に要する費用に関する補助金の額について準用する。

第二十九条 削除

（中間検査及び完了認定の申請）

第三十条 第二十五条の規定は、法第五十六条の規定による補助を受ける工事又は調査の中間検査又は完了認定の申請について準用する。この場合において、第二十五条第二項中「都道府県」とあるのは、「道路管理者又は法第十七条第四項の規定による国道若しくは都道府県道の新設、改築若しくは修繕に関する工事若しくは法第四十八条の二十二第一項の規定による歩行者利便増進道路の改築若しくは修繕に関する工事を行う指定市以外の市町村」と読み替えるものとする。

第三章の二 長時間放置された車両の保管の手続等

（長時間放置された車両を保管した場合の公示事項）

第三十条の二 法第六十七条の二第四項の政令で定める事項は、次に掲げるものとする。

一 保管した車両の車名、型式、塗色及び番号標に表示されている番号

二 保管した車両が放置されていた場所及びその車両を移動した日時

三 その車両の保管を始めた日時及び保管の場所

四 前三号に掲げるもののほか、保管した車両を返還するため必要と認められる事項

（長時間放置された車両を保管した場合の公示の方法）

第三十条の三 法第六十七条の二第四項の規定による公示は、次に掲げる方法により行わなければならない。

一 前条各号に掲げる事項を、法第六十七条の二第三項の規定による保管を継続している間、当該道路管理者の事務所に掲示すること。

二 前号の公示を始めた日から起算して十四日を経過して法第六十七条の二第三項の規定による保管を継続している場合において、なおその車両の所有者等の氏名及び住所を知ることができないときは、その公示の要旨を官報に掲載すること。

2 道路管理者は、前項に規定する方法による公示を行うとともに、国土交通省令で定める様式による保管車両一覧簿を当該道路管理者の事務所に備え付け、かつ、これをいつでも関係者に自由に閲覧させなければならない。

（長時間放置された車両を返還する場合の手続）

第三十条の四 道路管理者は、保管した車両を所有者等に返還するときは、返還を受ける者にその氏名及び住所を証するに足りる書類を提示させる等の方法によってその者がその車両の返還を受けるべき所有者等であることを証明させ、かつ、国土交通省令で定める様式による受領書と引換えに返還するものとする。

（長時間放置された車両に関する規定の指定市以外の市町村が道路管理者の権限を代行する場合についての準用）

第三十条の五 前三条の規定は、法第二十七条第二項又は第四十八条の二十二第三項の規定により指定市以外の市町村が第四条第一項第三十九号に掲げる権限を道路管理者に代わって行う場合について準用する。

第四章 道の区域内の道路の特例

（国道の新設等に要する費用の負担）

第三十一条 道の区域内の国道の新設、改築又は災害復旧に要する費用（共同溝及び電線共同溝の新設、改築又は災害復旧に要する費用並びに交通安全施設等整備事業の推進に関する法律（昭和四十一年法律第四十五号）第二条第三項に規定する交通安全施設等整備事業（同項第一号に掲げる事業を除く。以下「交通安全施設等整備事業」という。）のうち同項第二号ロに掲げる事業に要する費用を除く。）についての国の負担割合は、法第五十条第一項及び第二項の規定にかかわらず、次の表に掲げる費用の区分に応じ、同表の負担割合の欄に掲げる割合とする。

	費用の区分	負担割合
（一）	新設又は改築に要する費用（（二）に掲げる費用を除く。）	十分の八
（二）	積雪寒冷特別地域における道路交通の確保に関する特別措置法（昭和三十一年法律第七十二号）第四条第一項に規定する道路交通確保五箇年計画に基づいて実施される防雪又は凍雪害の防止（流雪溝の整備を含む。）に係る事業（改築に該当するものに限る。次条第一項の表（二）の項において「防雪事業等」という。）に要する費用	十分の八・五

(三)	災害復旧に要する費用	十分の七

（道道及び道の区域内の市町村道の管理に関する費用の負担）

第三十二条　道道及び道の区域内の市町村道で、国土交通大臣が開発のため特に必要と認めて指定したもの（以下「開発道路」という。）の管理に関する費用（共同溝及び電線共同溝の管理に関する費用を除く。）については、法第四十九条の規定にかかわらず、当分の間、新設、改築又は災害復旧に要する費用にあつては、次の表に掲げる費用の区分に応じ、同表に掲げる負担割合により国がその一部を負担し、新設、改築及び災害復旧以外の管理に要する費用にあつては、国の負担とする。

	費用の区分	負担割合
(一)	新設又は改築に要する費用（(二)及び(三)に掲げる費用を除く。）	十分の八
(二)	防雪事業等に要する費用	十分の八・五
(三)	交通安全施設等整備事業のうち交通安全施設等整備事業の推進に関する法律第二条第三項第二号ロに掲げる事業に要する費用	三分の二
(四)	災害復旧に要する費用	十分の七

2　国土交通大臣は、前項に規定する指定を行おうとするときは、あらかじめ、道知事の意見を聴かなければならない。

3　第一項に規定する指定は、当該道路の路線名及び区間を告示することによつて行う。

（道路管理者の権限の代行）

第三十三条　道道又は道の区域内の市町村道（第三十四条の二の三において「道道等」という。）に係る法第八十八条第二項の政令で定める割合は、前条第一項の表に掲げる費用の区分に応じ、同項の規定により国が負担する割合とする。

第三十四条　国土交通大臣は、開発道路の新設及び改築並びに開発道路に係る法第二十四条の二第一項の規定に基づく駐車料金、同条第三項（法第四十八条の三十五第三項において準用する場合を含む。）の規定に基づく割増金、法第三十九条の規定に基づく占用料（電線共同溝に係るものを除く。）、法第四十四条の三第七項及び第五十八条から第六十二条まで並びに地方道路公社法第二十九条の規定に基づく負担金並びに法第四十八条の三十五第一項の規定に基づく停留料金を徴収する権限を行う。

2　国土交通大臣は、開発道路の新設又は改築を行う場合においては、当該開発道路に係る第四条第一項各号に掲げる権限を行う。

3　国土交通大臣は、開発道路の維持を行うことができる。この場合においては、国土交通大臣は、当該開発道路に係る第四条第一項各号に掲げる権限その他の管理（第一項に掲げる権限並びに修繕及び災害復旧を除く。）を行う。

4　国土交通大臣は、開発道路の修繕又は災害復旧を行うことができる。この場合においては、国土交通大臣は、当該開発道路に係る第四条第一項各号に掲げる権限を行う。

5　第二条の規定は、第一項、第三項又は前項の規定により国土交通大臣が開発道路に関する工事又は維持を行い、完了し、又は廃止しようとする場合について準用する。

6　道路管理者は、開発道路の維持、修繕又は災害復旧を行う場合においては、その実施計画について、国土交通大臣に協議しなければならない。

（道等の負担額）

第三十四条の二　法第八十八条第三項の規定により道又は市町村が国庫に納付する負担金の額は、第三十二条第一項の表に掲げる費用の区分に応じ、国土交通大臣が行う道道又は市町村道の新設、改築又は災害復旧に要する費用の額（法第五十八条から第六十一条まで及び第六十二条後段又は地方道路公社法第二十九条の規定による負担金（以下この条において「収入金」という。）があるときは、当該費用の額から当該収入金の額を控除した額。次条において「負担基本額」という。）に、道又は市町村の負担割合（一から第三十二条第一項の規定により国が負担する割合を減じた割合とする。）を乗じて得た額（次条において「道等の負担額」という。）とする。

（負担基本額等の通知）

第三十四条の二の二　国土交通大臣は、法第八十八条第二項の規定に基づき道又は市町村道について道路管理者の権限の全部又は一部を行なう場合においては、道又は当該市町村道の存する市町村に対して、負担基本額及び道等の負担額を通知しなければならない。負担基本額又は道等の負担額を変更した場合も、同様とする。

（道道等の改築に関する費用の補助）

第三十四条の二の三　平成三十年度以降十箇年間における道道等の改築で次の各号のいずれかに該当するものに要する費用についての国の補助の割合は、法第五十六条の規定にかかわらず、十分の七以内とする。

一　中心都市等連絡道路（地域社会の中心となる都市（以下この号において「中心都市」という。）と、その周辺の地域の市町村（以下この号において「周辺市町村」という。）又は当該中心都市と密接な関係にある中心都市若しくは高速自動車国道、空港その他の交通施設とを連絡する道路をいう。）、中心都市等循環道路（中心都市及び周辺市町村の区域を循環する道路をいう。）その他の道路であつて、自動車専用道路、他の道路との交差の方式を立体交差とする道路その他の中心都市及び周辺市町村における安全かつ円滑な交通の確保に特に資する道路として国土交通大臣が指定する道道等の改築で、次に掲げるもの以外のもの

イ　当該改築に係る道道等に法第三十条第三項の政令で定める基準を適用した場合に当該基準に適合しないこととなる改築又は当該場合に道路構造令第三十八条第一項の規定により同項に規定する規定による基準によらないことができることとなる改築で、これらに要する費用の額が国土交通大臣が定めた額を超えないもの

ロ　道路の交通に支障を及ぼしている構造上の原因の一部を除去するために行う突角の切取り、路床の改良、排水施設の整備又は待避所の設置

ハ　当該改築に係る道道等に法第三十条第三項の政令で定める基準を適用した場合に、車道の舗装につき道路構造令第二十三条第二項に規定する基準によることを要しないこととなる場合における当該道路の舗装

ニ　交通安全施設等整備事業として行われるもの

二　前号に規定する道道等以外の道道等の改築で次のイからニまでに掲げる基準のいずれにも適合するもの

イ　当該改築に係る道道等が次の(1)又は(2)のいずれかに該当するものであること。

(1)　法第五十六条の規定による国土交通大臣の指定を受けた道道又は道の区域内の市道

(2)　(1)に掲げるもののほか、資源の開発、産業の振興その他国の施策上特に整備を行う必要があると認められる道道等

ロ　地域住民の日常生活の安全性若しくは利便性の向上を図るために必要であり、又は快適な生活環境の確保若しくは地域の活力の創造に資すると認められるものであること。

ハ　公共施設その他の公益的施設の整備、管理若しくは運営に関連して、又は地域の自然的若しくは社会的な特性に即して行われるものであること。

ニ　その他国土交通省令で定める要件を満たすものであること。

三　第一号に規定する道道等以外の道道等の改築で次のいずれかに該当するもの（前号に該当するものを除く。）

イ　踏切道改良促進法（昭和三十六年法律第百九十五号）第十一条第一項（同条第三項の規定により読み替えて適用する場合を含む。）又は第二項の規定による踏切道の改良のために必要な道路の高架移設（鉄道（新設軌道を含む。）と交差している道路を高架式構造とすることにより当該交差の方式を立体交差とすることをいう。）、車道又は歩道の拡幅その他の国土交通省令で定める改築

ロ　通学路（交通安全施設等整備事業の推進に関する法律施行令（昭和四十一年政令第百三号）第四条に規定する通学路をいう。第三項において同じ。）その他の特に交通の安全を確保する必要がある区間に該当する道道等における交通事故の防止を図るために必要な歩道の拡幅、自動車を減速させて歩行者又は自転車の安全な通行を確保するために行う路面の凸部の設置、柵の設置その他の国土交通省令で定める改築

ハ　無電柱化（無電柱化の推進に関する法律（平成二十八年法律第百十二号）第一条に規定する無電柱化をいう。）の推進のために必要な電

線共同溝の建設その他の国土交通省令で定める改築

四　第一号に規定する道道等以外の道道等を構成する橋、トンネルその他の施設又は工作物で、損傷、腐食その他の劣化により当該道道等の構造に支障を及ぼすおそれが大きいものとして国土交通省令で定めるものの改築（前二号に該当するものを除く。）

2　平成三十年度以降十箇年間における道道等の改築で、前項各号に掲げるもの及び同項第一号イからニまでに掲げるもの以外のものに要する費用についての国の補助の割合は、法第五十六条の規定にかかわらず、十分の五・五以内とする。

3　国は、道路管理者が道道等について実施する交通安全施設等整備事業のうち交通安全施設等整備事業の推進に関する法律第二条第三項第二号イに掲げる事業及び交通安全施設等整備事業の推進に関する法律施行令第二条の三に規定する事業に要する費用については、法第五十六条及び第八十五条第三項の規定にかかわらず、予算の範囲内において、その二分の一（道路管理者が通学路に該当する市町村道について実施する同号イに掲げる事業に要する費用については、その十分の五・五）をその費用を負担する地方公共団体に対して補助する。

第五章　雑則

（道路の附属物）

第三四条の三　法第二条第二項第十号の政令で定める道路の附属物は、次に掲げるものとする。

一　道路の防雪又は防砂のための施設

二　ベンチ又はその上屋で道路管理者又は法第十七条第四項の規定による歩道の新設等若しくは法第四十八条の二十二第一項の規定による歩行者利便増進改築等を行う指定市以外の市町村が設けるもの

三　車両の運転者の視線を誘導するための施設

四　他の車両又は歩行者を確認するための鏡

五　地点標

六　道路の交通又は利用に係る料金の徴収施設

（立体交差とすることを要しない場合）

第三五条　法第三十一条第一項ただし書及び第六項に規定する政令で定める立体交差とすることを要しない場合は次の各号に掲げるものとし、法第四十八条の三ただし書に規定する政令で定める立体交差とすることを要しない場合は第一号及び第三号に掲げるものとする。

一　当該交差が一時的である場合

二　臨港線又は市場線である鉄道が港又は市場に近接して道路と交差する場合及び鉄道が停車場に近接した場所で道路と交差する場合で、立体交差とすることによつて道路又は鉄道の効用が著しく阻害される場合

三　立体交差とすることによつて増加する工事の費用が、これによつて生ずる利益を著しくこえる場合

（道路の維持又は修繕に関する技術的基準等）

第三五条の二　法第四十二条第二項の政令で定める道路の維持又は修繕に関する技術的基準その他必要な事項は、次のとおりとする。

一　道路の構造、交通状況又は維持若しくは修繕の状況、道路の存する地域の地形、地質又は気象の状況その他の状況（次号において「道路構造等」という。）を勘案して、適切な時期に、道路の巡視を行い、及び清掃、除草、除雪その他の道路の機能を維持するために必要な措置を講ずること。

二　道路の点検は、トンネル、橋その他の道路を構成する施設若しくは工作物又は道路の附属物について、道路構造等を勘案して、適切な時期に、目視その他適切な方法により行うこと。

三　前号の点検その他の方法により道路の損傷、腐食その他の劣化その他の異状があることを把握したときは、道路の効率的な維持及び修繕が図られるよう、必要な措置を講ずること。

2　前項に規定するもののほか、道路の維持又は修繕に関する技術的基準その他必要な事項は、国土交通省令で定める。

（指定区間内の国道に係る沿道区域の指定の基準）

第三五条の三　法第四十四条第一項（法第九十一条第二項において準用する場合を含む。）の政令で定める基準は、次のとおりとする。

一　指定区間内の国道に係る沿道区域の指定は、道路の沿道における地形、地質その他の状況を勘案して、落石、土砂の崩壊、竹木の倒伏、工作物の倒壊その他の道路の沿道の土地、竹木又は工作物が道路の構造に損害を及ぼし、又は交通に危険を及ぼす事象が発生するおそれがある土地の区域について行うこと。

二　前号の規定による沿道区域の指定は、道路の沿道の土地、竹木又は工作物が道路の構造に及ぼすべき損害を予防し、又は道路の交通に及ぼすべき危険を防止するため必要な最小限度のものであること。

（損失補償の裁決申請手続）

第三五条の四　法第四十四条第七項（法第六十九条第二項、第七十二条第二項、第七十五条第六項並びに第九十一条第二項及び第四項において準用する場合を含む。）又は第七十条第四項の規定により土地収用法（昭和二十六年法律第二百十九号）第九十四条第二項の規定による裁決を申請しようとする者は、国土交通省令で定める様式に従い、次に掲げる事項を記載した裁決申請書を収用委員会に提出しなければならない。

一　裁決申請者の氏名及び住所

二　相手方の氏名及び住所

三　損失の事実

四　損失の補償の見積り及びその内訳

五　協議の経過

（歩行者の通行の安全の確保に資する道路の改築）

第三五条の五　法第四十七条の十六第一項の政令で定める道路の改築は、次に掲げるものとする。

一　道路の附属物である自転車駐車場の道路上における設置

二　突角の切取り又は歩道の拡幅（いずれも道路の交差部分及びその付近の道路の部分におけるものに限る。）

三　横断歩道橋の設置

（歩行者利便増進改築等）

第三五条の六　法第四十八条の二十二第一項の政令で定める歩行者利便増進道路の改築、維持若しくは修繕又は歩行者利便増進道路に附属する道路の附属物の新設若しくは改築は、次に掲げるものとする。

一　歩道、自転車道、自転車歩行者道、自転車歩行者専用道路又は歩行者専用道路の改築、維持又は修繕（いずれも歩行者の滞留の用に供する部分に係るものに限る。）

二　道路の附属物である柵、駒止め、並木、街灯、自動車駐車場若しくは自転車駐車場、電線共同溝又はベンチ若しくはその上屋の新設又は改築

三　第一号に掲げる改築、維持又は修繕と併せて行う車道又は路肩の幅員の縮小その他の改築及び当該改築に係る車道又は路肩の維持又は修繕

（道路外災害応急対策施設）

第三五条の七　法第四十八条の二十九の五第一項の政令で定める工作物又は施設は、次に掲げるものとする。

一　広告塔、看板、街灯その他これらに類する工作物であつて、災害時において住民等に対する災害情報の伝達の用に供することができるもの

二　ベンチその他これに類する工作物であつて、物資の保管その他災害応急対策の実施に資する機能を併せ有するもの

三　食事施設、購買施設その他これらに類する施設であつて、災害時において住民等の支援に係る物資（次号において「支援物資」という。）の供給の用に供することができるもの

四　事務所、店舗、広場、公園その他これらに類する施設であつて、災害時において住民等若しくは災害応急対策に従事する者の利用又は支援物資の保管の用に供することができるもの

（道路管理者の許可を要しない車両）

第三五条の八　法第四十八条の三十二第一項ただし書の政令で定める車両は、道路の改築、修繕又は災害復旧に関する工事、道路の維持その他特別の理由に基づき当該特定車両停留施設に停留することがやむを得ないと認められる車両で、国土交通大臣が定めるものとする。

（特定車両の停留の許可基準）

第三五条の九　法第四十八条の三十三第二号の政令で定める基準は、次のとおりとする。

一　当該申請に係る車両の幅、重量、高さ又は長さその他の当該車両に係る事項が、当該特定車両停留施設の構造の保全に支障を及ぼすことがないと認められるものであること。

二　当該申請に係る車両を停留させる日及び時間帯、当該車両の特定車両停留施設の周辺における通行経路その他の当該車両の停留の方法に関する事項が、当該日及び時間帯において当該特定車両停留施設に停留する

他の車両の種類及び数、当該特定車両停留施設の周辺における道路の構造及び交通の状況その他の事情に照らして、当該特定車両停留施設の適正かつ合理的な利用に支障を及ぼすことがないと認められるものであること。

三　当該申請に係る車両を停留させることが、特定車両停留施設の周辺における安全かつ円滑な道路の交通を確保するため必要であると認められるものであること。

（停留料金を徴収することができない車両）

第三五条の一〇　法第四十八条の三十五第一項ただし書の政令で定める車両は、第三十五条の八に規定する車両とする。

（道路の通行者又は利用者の利便の確保に資する工作物又は施設）

第三五条の一一　法第四十八条の三十七第一項の政令で定める工作物又は施設は、次に掲げるものとする。

一　道路に沿つて設けられた通路で、専ら歩行者又は自転車の一般交通の用に供するもの（当該通路に設けられた工作物又は施設のうち、アーケード、雪よけその他これらに類するものとして国土交通省令で定めるものを含む。）

二　道路の通行者又は利用者の一般交通に関し案内を表示する標識

三　自動車駐車場又は自転車駐車場（いずれも道路に接して設けられたものに限る。）

四　道路の歩行者の休憩の用に供するベンチ又はその上屋

五　花壇その他道路の緑化のための施設

六　道路に接して設けられた公衆便所

（手数料及び延滞金）

第三六条　法第七十三条第二項（法第九十一条第二項において準用する場合を含む。以下この条において同じ。）の規定により国が徴収する手数料の額は、督促状一通につき郵便法（昭和二十二年法律第百六十五号）第二十一条第一項に規定する通常葉書の料金の額を超えない範囲内において国土交通大臣が定める額とする。

2　法第七十三条第二項の規定により国が徴収することができる延滞金は、当該督促に係る負担金等の額が千円以上である場合に徴収するものとし、その額は、納付すべき期限の翌日から負担金等の納付の日までの日数に応じ負担金等の額に年十・七五パーセントの割合を乗じて計算した額とする。この場合において、負担金等の額の一部につき納付があつたときは、その納付の日以後の期間に係る延滞金の計算の基礎となる負担金等の額は、その納付のあつた負担金等の額を控除した額による。

3　前項の延滞金は、その額が百円未満であるときは、徴収しないものとする。

4　指定区間内の国道に係る占用料で指定区間の指定の日の前日までに道路管理者である都道府県若しくは指定市又は法第二十七条第二項の規定により第四条第一項第四号に掲げる権限を道路管理者に代わつて行う指定市以外の市町村が徴収すべきものに係る手数料及び延滞金については、前三項の規定にかかわらず、当該指定区間の指定の際現に当該指定区間の存する都道府県若しくは指定市又は当該権限を道路管理者に代わつて行う指定市以外の市町村が法第七十三条第二項の規定に基づく条例で定めている手数料及び延滞金の例による。

（不用物件の管理期間）

第三七条　法第九十二条第一項（法第九十一条第二項において準用する場合を含む。）の政令で定める期間は、国道又は都道府県道を構成していた不用物件については四月とし、市町村道を構成していた不用物件については二月とする。ただし、橋、渡船施設、道路用エレベーター等道路と一体となつてその効用を全うする施設又は工作物（トンネルを除く。）及び道路の附属物であつた不用物件については、一月までその期間を短縮することができる。

（都道府県公安委員会の意見を聴かなければならない改築）

第三八条　法第九十五条の二第一項の政令で定める道路の交差部分及びその付近の道路の部分の改築は、車道又は歩道の幅員の変更（歩道にあつては、その拡幅を除く。）及び交通島、中央帯又は植樹帯の設置とする。

（法定受託事務から除かれる事務）

第三九条　法第九十七条第一項第二号の政令で定める事務は、第一条の二第一項第六号及び第二十二号に掲げるものとする。

2　法第九十七条第一項第三号の政令で定める事務は、第四条の二第一項第五号及び第十七号並びに第五条の三第一項第三号及び第五号に掲げるものとする。

（事務の区分）

第四〇条　この政令の規定により地方公共団体が処理することとされている事務のうち次に掲げるものは、地方自治法（昭和二十二年法律第六十七号）第二条第九項第一号に規定する第一号法定受託事務とする。

一　都道府県、指定市又は法第十七条第二項の規定により都道府県の同意を得た市が指定区間外の国道の道路管理者として処理することとされている事務（第二十三条第八項（第二十六条第一項において読み替えて準用する場合を含む。）において読み替えて準用する第二十三条第一項及び第二項（これらの規定を第二十六条第一項において読み替えて準用する場合を含む。）の規定並びに第三十五条の四の規定により処理することとされているものを除く。）

二　指定市以外の市町村が法第十七条第四項の規定による歩道の新設等又は法第四十八条の二十二第一項の規定による歩行者利便増進改築等を行う者として国道に関し処理することとされている事務（第三十五条の四の規定により処理することとされているものを除く。）

三　都道府県が法第十七条第八項の規定による維持又は災害復旧に関する工事を行う者として国道に関し処理することとされている事務（第三十五条の四の規定により処理することとされているものを除く。）

（権限の委任）

第四一条　法及び法に基づく政令に規定する道路管理者である国土交通大臣の権限は、地方整備局長及び北海道開発局長に委任する。ただし、法第十三条第二項の規定により都道府県又は指定市が指定区間内の国道の管理を行うこととする場合にあつては、この限りでない。

2　前項に規定するもののほか、法及び法に基づく政令に規定する国土交通大臣の権限のうち、次に掲げるもの以外のものは、地方整備局長及び北海道開発局長に委任する。ただし、法第三十一条第二項の規定による裁定、同条第五項本文及び法第三十一条の二第四項本文の規定による決定、同条第三項の規定による命令並びに法第九十四条第二項の規定による譲与については、この限りでない。

一　法第二十条第三項（法第五十五条第二項において準用する場合を含む。）の規定により裁定をし、並びに法第二十条第四項前段の規定及び法第五十五条第三項において準用する法第七条第六項前段の規定により当該道路の道路管理者又は他の工作物の管理者の意見を聴くこと。

二　法第四十七条の三第一項の規定により限度超過車両の通行を誘導すべき道路を指定し、同条第二項の規定により当該指定に係る道路の道路管理者に協議し、その同意を得、及び同条第三項の規定により当該指定をした旨を公示すること。

三　法第四十八条の十七第一項の規定により重要物流道路を指定し、同条第二項の規定により当該指定に係る道路の道路管理者に協議し、その同意を得、及び同条第三項の規定により当該指定をした旨を公示すること。

四　法第四十八条の十九第一項第二号の規定により重要物流道路と交通上密接な関連を有する道路を指定すること。

五　法第四十八条の二十九の二第一項の規定により防災拠点自動車駐車場を指定し、同条第二項の規定により当該指定に係る自動車駐車場の道路管理者に協議し、その同意を得、及び同条第三項の規定により当該指定をした旨を公示すること。

六　法第四十八条の四十六第一項の規定により指定登録確認機関を指定すること。

七　法第四十八条の四十八第一項又は第三項の規定により公示し、及び同条第二項の規定による届出を受理すること。

八　法第四十八条の五十二第一項の規定により認可をし、及び同条第三項の規定により登録等事務規程を変更すべきことを命ずること。

九　法第四十八条の五十四の規定により道路交通管理業務に関し監督上必要な命令をすること。

十　法第四十八条の五十五第一項の規定により必要な報告を求め、又はその職員に、指定登録確認機関の事務所に立ち入り、道路交通管理業務の状況若しくは帳簿、書類その他の物件を検査させ、若しくは関係者に質問させること。

十一　法第四十八条の五十六第一項の規定により許可をし、及び同条第二項の規定により公示すること。

十二　法第四十八条の五十七第一項又は第二項の規定により指定を取り消し、同項の規定により登録等事務の停止を命じ、及び同条第三項の規定により公示すること。
十三　法第四十八条の五十八第二項の規定により公示すること。
十四　法第五十条第六項の規定により負担金の一部を分担させ、及び同条第七項の規定により意見を聴くこと。
十五　法第五十六条の規定により主要な都道府県道又は市道を指定すること。
十六　法第九十六条第二項若しくは第三項の規定による再審査請求又は同条第四項の規定による審査請求に対して裁決をすること。
十七　第三条の三の規定により駐車料金を徴収することができない自動車又は自転車を定めること。
十八　第十九条第三項第六号（第十九条の三の二において準用する場合を含む。）の規定により別に占用料の額を定め、又は占用料を徴収しないこと（占用料の額の最低額の下限の額を定めることを含む。）ができる占用物件を定めること。
十九　第二十三条第一項から第七項まで（これらの規定を第二十六条第一項及び第二項において読み替えて準用する場合を含む。）の規定により国道新設等負担基本額、国道新設等都道府県負担額（国道新設等指定市負担額及び国道新設等指定市以外の市負担額を含む。）、分担額、指定区間外国道維持等都道府県負担額（指定区間外国道維持等指定市負担額及び指定区間外国道維持等指定市以外の市負担額を含む。）、都道府県道等維持等都道府県等負担額（都道府県道等維持等指定市等負担額及び都道府県道等維持等指定市以外の市等負担額を含む。）、施設等改築負担基本額、施設等改築都道府県等負担額（施設等改築指定市等負担額及び施設等改築指定市以外の市等負担額を含む。）及び施設等修繕都道府県等負担額（施設等修繕指定市等負担額及び施設等修繕指定市以外の市等負担額を含む。）を通知すること。
二十　第三十二条第一項の規定により開発道路を指定し、及び同条第二項の規定により意見を聴取すること。
二十一　第三十四条第六項の規定により実施計画について協議すること。
二十二　第三十四条の二の二の規定により負担基本額及び道等の負担額を通知すること。
二十三　第三十四条の二の三第一項第一号の規定により道路を指定し、及び同号イの規定により費用の額の上限を定めること。
二十四　第三十五条の八の規定により道路管理者の許可を要しない車両を定めること。
二十五　第三十六条第一項の規定により手数料の額を定めること。
二十六　車両制限令第二十条ただし書の規定により手数料の額を定めること。
3　前項の規定により地方整備局長及び北海道開発局長に委任する国土交通大臣の権限のうち、次に掲げるものについては、国土交通大臣が自ら行うことを妨げない。
一　法第七十五条第一項から第三項まで（これらの規定を法第九十一条第二項において準用する場合を含む。）の規定により指示し、又は措置すること。
二　法第七十七条第一項の規定により道路に関する調査を行わせ、又は地方公共団体の長若しくはその命じた職員が行うこととし、及び同条第二項の規定による報告を徴収すること。
三　法第七十八条の規定により必要な勧告、助言又は援助をすること。

附　則

1　この政令の規定中、第四条第一項第六号から第十一号までの規定は昭和二十八年四月一日から、その他の規定は法施行の日（昭和二十七年十二月五日）から施行する。
2　左に掲げる勅令は、廃止する。
一　道路法施行期日の件（大正八年勅令第四百五十九号）
二　道路法施行令（大正八年勅令第四百六十号）
三　道路法第十七条但書の規定に依る同法の規定の準用等の件（大正八年勅令第四百六十一号）
四　道路法第七条の規定に依る同法の規定の準用等の件（大正八年勅令第四百七十一号）
五　道路管理者特別規程（大正八年勅令第四百七十二号）
六　北海道道路令（大正八年勅令第四百七十三号）
七　道路法第六十二条の規定に依る不用物件の管理及処分に関する件（大正八年勅令第四百七十四号）
八　大正十一年法律第三号改正法律施行の件（大正十一年勅令第三百八十三号）
九　道路法第二十条第二項の規定に依る主務大臣の権限に関する件（大正十一年勅令第三百八十五号）
十　道路法第三十三条第三項の規定に依る道路に関する費用負担の件（大正十一年勅令第三百八十六号）
十一　道路法戦時特例（昭和十八年勅令第九百四十四号）
3　従前の道路法（大正八年法律第五十八号）の規定による占用の許可又は承認を受けた占用物件でこの政令施行の際現に存するものについては、当該占用の許可又は承認の期間中は、この政令に規定する許可の基準は、適用しない。但し、水道条例、下水道法若しくは地方鉄道法の規定に基いて設ける水管、下水道管若しくは公衆の用に供する地方鉄道又はガス管、電柱若しくは電線で、占用の期間の定のないもの又はこの政令施行の日から起算して十年以上の占用の期間の定のあるものについては占用の期間をこの政令施行の日から起算して十年とし、その他の占用物件で占用の期間の定のないもの又はこの政令施行の日から起算して三年以上の占用の期間の定のあるものについては、占用の期間をこの政令の施行の日から起算して三年とする。
4　法附則第二項の規定により読み替えて適用する法第五十条第二項の政令で定める道路を構成する施設又は工作物に係る工事は、次に掲げるものとする。
一　道路を構成する施設又は工作物で災害により道路の交通に支障を及ぼしているものに係る当該施設又は工作物の復旧のための工事（災害復旧に該当するものを除く。）
二　防雪のための施設その他の防護施設、橋その他の道路を構成する施設又は工作物で、災害が発生した場合においては道路の構造又は交通に支障を及ぼすおそれが大きいものに係る災害の防止又は軽減を図るための工事
三　前二号に掲げるもののほか、橋、トンネル、舗装その他の道路を構成する施設又は工作物で、損傷、腐食その他の劣化により道路の構造又は交通に支障を及ぼしており、又は及ぼすおそれが大きいものに係る当該施設又は工作物の機能を回復するための工事
5　第二十一条、第二十三条第一項、第三十一条及び第三十二条第一項の規定の平成二十二年度における適用については、第二十一条中「災害復旧」とあるのは「災害復旧若しくは特定事業（附則第四項各号に掲げる工事（当該工事を施行するために必要な点検を含む。）をいう。以下同じ。）」と、第二十三条第一項中「災害復旧」とあるのは「災害復旧若しくは特定事業」と、第三十一条中「又は災害復旧に要する費用㈠」とあるのは「、災害復旧又は特定事業に要する費用㈠」と、同条の表㈡の項中「改築」とあるのは「改築又は特定事業」と、同表㈢の項中「災害復旧に要する費用」とあるのは「災害復旧又は特定事業に要する費用㈡に掲げる費用を除く。）」と、第三十二条第一項の表㈡の項中「防雪事業等」とあるのは「防雪事業等（改築に該当するものに限る。）」とする。
6　法附則第五項に規定する政令で定める期間は、五年（二年の据置期間を含む。）とする。
7　前項に規定する期間は、日本電信電話株式会社の株式の売払収入の活用による社会資本の整備の促進に関する特別措置法（昭和六十二年法律第八十六号）第五条第一項の規定により読み替えて準用される補助金等に係る予算の執行の適正化に関する法律（昭和三十年法律第百七十九号）第六条第一項の規定による貸付けの決定（以下「貸付決定」という。）ごとに、当該貸付決定に係る法附則第三項及び第四項の規定による貸付金（以下「国の貸付金」という。）の交付を完了した日（その日が当該貸付決定があつた日の属する年度の末日の前日以後の日である場合には、当該年度の末日の前々日）の翌日から起算する。
8　国の貸付金の償還は、均等年賦償還の方法によるものとする。
9　国は、国の財政状況を勘案し、相当と認めるときは、国の貸付金の全部又は一部について、前三項の規定により定められた償還期限を繰り上げて償還させることができる。
10　法附則第九項に規定する政令で定める場合は、前項の規定により償還期限を繰り上げて償還を行つた場合とする。

附　則〔昭和三二・五・一五政令一〇〇〕

1　この政令は、公布の日から施行する。
2　改正後の道路法施行令第十条第一項の規定は、この政令の施行の際現に

存する占用物件（工事中のものを含む。）については、当該占用物件の占用の許可の期間中は、適用しない。

附　則〔略〕〔昭和三七・九・二九政令三九一〕

附　則〔略〕〔昭和三八・三・三一政令一〇八〕

附　則〔略〕〔昭和三九・五・二〇政令一六〇〕

附　則〔略〕〔昭和四〇・二・一一政令一四〕

附　則〔抄〕〔昭和四〇・三・二九政令五七〕

（施行期日）

1　この政令は、昭和四十年四月一日から施行する。

（経過措置）

2　この政令の施行の際、現に存する道路の占用物件（工事中のものを含む。）に係る占用の場所については、この政令による改正後の道路法施行令第十一条及び第十二条の規定にかかわらず、なお従前の例によることができる。

附　則〔抄〕〔昭和四二・一〇・二六政令三三五〕

（施行期日）

1　この政令は、公布の日から施行する。

（経過規定）

2　指定区間内の国道又は日本道路公団の管理する高速自動車国道若しくは日本道路公団の管理する一般国道等、首都高速道路公団の管理する首都高速道路若しくは阪神高速道路公団の管理する阪神高速道路に係る占用料でこの政令の施行の日の前日までに徴収すべきものの額及び徴収方法並びに当該占用料に係る手数料及び延滞金については、なお従前の例による。

附　則〔略〕〔昭和四四・六・一三政令一五八〕

附　則〔昭和四五・四・二〇政令七九〕

1　この政令は、公布の日から施行する。

2　この政令による改正後の〔中略〕道路法施行令第三十一条の規定は、昭和四十五年度分の予算に係る国の負担金から適用し、昭和四十四年度以前の年度の予算に係る一般国道の改築でその工事に係る負担金に係る経費の金額が昭和四十五年度以降に繰り越されたものに要する費用についての国及び都道府県の負担割合は、なお従前の例による。

附　則〔略〕〔昭和四五・一〇・二九政令三一〇〕

附　則〔抄〕〔昭和四五・一二・二政令三三三〕

（施行期日）

1　この政令は、建築基準法の一部を改正する法律（昭和四十五年法律第百九号。以下「改正法」という。）の施行の日（昭和四十六年一月一日）から施行する。

15　この政令の施行の際現に改正前の都市計画法第二章の規定による都市計画において定められている用途地域、住居専用地区若しくは工業専用地区又は空地地区若しくは容積地区に関しては、この政令の施行の日から起算して三年を経過する日までの間は、この政令による改正前の次の各号に掲げる政令の規定は、なおその効力を有する。

一　道路法施行令

二～七〔略〕

附　則〔昭和四六・一一・二六政令二〇〕

1　この政令は、昭和四十六年四月一日から施行する。

2　改正後の道路法施行令第十四条第二項第三号に規定する占用物件で、この政令の施行の際現に地下に埋設されているものに関しては、同号の規定は、当該占用物件がその管理者の行なう占用に関する工事により露出することとなつた場合に当該露出することとなつた部分について適用する。

3　札幌市の区域内の指定区間内の国道に係る占用料で、この政令の施行前の占用の期間に係るものの額については、なお従前の例による。

附　則〔抄〕〔昭和四六・三・三一政令九〇〕

（施行期日）

1　この政令は、昭和四十六年四月一日から施行する。

（経過措置）

2　道の区域内の一般国道又は改正後の道路法施行令第三十四条第一項に規定する開発道路（以下本項において「開発道路」という。）に係る管理のうち次の各号に掲げるものに要する費用は、改正後の同令第三十一条又は第三十二条第一項の規定にかかわらず、国の負担とする。

一　昭和四十五年度以前の年度の予算に係る一般国道又は開発道路の管理（次に掲げるものを除く。）で、その管理又はその管理に係る負担金に係る経費の金額が昭和四十六年度以降に繰り越されたもの

イ　舗装（改正後の道路法施行令第三十四条の二の三第三号に該当するものを除く。）がされている一般国道で車道の幅員が五・五メートル以上のもの又はこれに代わるべきものとして設ける一般国道について行なう改築

ロ　開発道路の新設又は改築（積雪寒冷特別地域における道路交通の確保に関する特別措置法（昭和三十一年法律第七十二号）第四条第一項に規定する道路交通確保五箇年計画に基づいて実施される防雪若しくは凍雪害の防止（流雪溝の整備を含む。）に係る事業又は交通安全施設等整備事業に関する緊急措置法第二条第三項に規定する交通安全施設等整備事業として行なわれるものを除く。）

二　次に掲げる災害復旧事業

イ　昭和四十五年中に発生した災害に係る災害復旧事業

ロ　昭和四十六年中に発生した災害に係る災害復旧事業で昭和四十六年度に施行されるもの

附　則〔略〕〔昭和四六・七・二二政令二五二〕

附　則〔略〕〔昭和四七・三・二七政令三七〕

附　則〔昭和四七・五・一政令一四五〕

1　この政令は、公布の日から施行する。

2　改正後の第三十一条及び第三十二条の規定は、昭和四十七年度の予算に係る国の負担金から適用し、昭和四十六年度以前の年度の予算に係る道の区域内の一般国道又は開発道路の新設又は改築でその工事又はその工事に係る負担金に係る経費の金額が昭和四十七年度以降に繰り越されたものに要する費用についての国及び地方公共団体の負担割合は、なお従前の例による。

附　則〔昭和四八・二・五政令一二〕

1　この政令は、昭和四十八年二月二十日から施行する。

2　この政令の施行の際現に存する石油管に係る占用の場所及び構造については、この政令による改正後の第十二条の二、第十二条の四及び第十四条の二の規定にかかわらず、なお従前の例による。

3　この政令の施行の際現に地下に埋設されている石油管に関しては、この政令による改正後の第十四条第二項第三号の規定は、当該石油管がその管理者の行なう占用に関する工事により露出することとなつた場合に当該露出することとなつた部分について適用する。

4　第九条に規定する石油管に係る占用料で、この政令の施行前の占用の期間に係るものの額については、なお従前の例による。

附　則〔略〕〔昭和四九・四・三〇政令一五二〕

附　則〔略〕〔昭和五一・三・三一政令六一〕

附　則〔昭和五二・九・二政令二五九〕

1　この政令は、昭和五十二年十月一日から施行する。

2　指定区間内の国道又は日本道路公団の管理する高速自動車国道若しくは道路整備特別措置法（昭和三十一年法律第七号）第十七条第一項に規定する公団等の管理する一般国道等に係る占用料で、この政令の施行の日前にした許可又は協議に係る占用の期間（当該占用の期間が昭和五十三年度以降にわたる場合においては、当該占用の期間のうち、昭和五十三年三月三十一日までの期間に限る。）に係るものの額については、なお従前の例による。

附　則〔昭和五三・四・五政令一二〇〕

1　この政令は、公布の日から施行する。

2　第一条の規定による改正後の道路法施行令第三十二条及び第三十四条の二の規定は、昭和五十三年度の予算に係る国及び地方公共団体の負担金から適用し、昭和五十二年度以前の年度の予算に係る開発道路の改築でその工事又はその工事に係る負担金に係る経費の金額が昭和五十三年度以降に繰り越されたものに要する費用についての国及び地方公共団体の負担額は、なお従前の例による。

附　則〔昭和五五・四・五政令八〇〕

1　この政令は、公布の日から施行する。

2　改正後の第三十一条及び第三十二条第一項の規定は、昭和五十五年度の予算に係る国の負担金から適用し、昭和五十四年度の予算に係る道の区域内の一般国道又は開発道路の維持、修繕その他の管理でその管理又はその管理に係る負担金に係る経費の金額が昭和五十五年度以降に繰り越されたものに要する費用についての国及び地方公共団体の負担割合は、なお従前の例による。

附　則〔昭和五六・三・三一政令六二〕

（施行期日）

1　この政令は、昭和五十六年四月一日から施行する。

（経過措置）

2　昭和五十五年度の予算に係る道の区域内の一般国道又は開発道路の管理について、その管理又はその管理に係る負担金に係る経費の金額が昭和五十六年度以降に繰り越された場合においては、当該管理に要する費用についての国及び地方公共団体の負担割合は、改正後の道路法施行令の規定にかかわらず、なお従前の例による。

附　則〔昭和五七・三・三〇政令五八〕

1　この政令は、昭和五十七年四月一日から施行する。

2　改正後の〔中略〕道路法施行令附則第四項及び第五項の規定は、昭和五十七年度から昭和五十九年度までの間（以下この項において「特例適用期間」という。）における各年度の予算に係る国の負担又は補助（昭和五十六年度以前の年度の国庫債務負担行為に基づき昭和五十七年度以降の年度に支出すべきものとされた国の負担又は補助を除く。）並びに特例適用期間における各年度の国庫債務負担行為に基づき昭和六十年度以降の年度に支出すべきものとされる国の負担又は補助及び昭和五十九年度以前の年度の歳出予算に係る国の負担又は補助で昭和六十年度以降の年度に繰り越されるものにより実施される管理について適用し、昭和五十六年度以前の年度の国庫債務負担行為に基づき昭和五十七年度以降の年度に支出すべきものとされた国の負担又は補助及び昭和五十六年度以前の年度の歳出予算に係る国の負担又は補助で昭和五十七年度以降の年度に繰り越されたものにより実施される管理については、なお従前の例による。

附　則〔略〕〔昭和五七・九・二五政令二五六〕

附　則〔昭和五八・三・三一政令六五〕

1　この政令は、昭和五十八年四月一日から施行する。

2　第一条の規定による改正後の道路法施行令附則第四項の規定は、昭和五十八年度及び昭和五十九年度の予算に係る国の負担又は補助（昭和五十七年度以前の年度の国庫債務負担行為に基づき昭和五十八年度以降の年度に支出すべきものとされた国の負担又は補助を除く。）並びに昭和五十八年度及び昭和五十九年度の国庫債務負担行為に基づき昭和六十年度以降の年度に支出すべきものとされる国の負担又は補助並びに昭和五十八年度及び昭和五十九年度の歳出予算に係る国の負担又は補助で昭和六十年度以降の年度に繰り越されるものにより実施される管理について適用し、昭和五十七年度以前の年度の国庫債務負担行為に基づき昭和五十八年度以降の年度に支出すべきものとされた国の負担又は補助及び昭和五十七年度以前の年度の歳出予算に係る国の負担又は補助で昭和五十八年度以降の年度に繰り越されたものにより実施される管理については、なお従前の例による。

附　則〔昭和五八・九・一三政令一九六〕

1　この政令は、昭和五十八年十月一日から施行する。

2　指定区間内の国道又は日本道路公団の管理する高速自動車国道若しくは道路整備特別措置法（昭和三十一年法律第七号）第十七条第一項に規定する公団等の管理する一般国道等に係る占用料で、この政令の施行の日前にした許可又は協議に係る占用の期間（当該占用の期間が昭和五十九年度以降にわたる場合においては、当該占用の期間のうち、昭和五十九年三月三十一日までの期間に限る。）に係るものの額については、なお従前の例による。

附　則〔昭和五九・五・一五政令一三九〕

1　この政令は、各種手数料等の額の改定及び規定の合理化に関する法律の施行の日（昭和五十九年五月二十一日）から施行する。

2　この政令の施行前にした都道府県知事に対するあつ旋の申請、建設大臣又は都道府県知事に対する事業の認定の申請、収用委員会に対する裁決の申請及び協議の確認の申請並びに建設大臣に対する特定公共事業の認定の申請に係る手数料の額については、なお従前の例による。

附　則〔昭和六〇・三・二三政令四〇〕

（施行期日）

1　この政令は、昭和六十年四月一日から施行する。

（経過措置）

2　この政令の施行の際現に存する占用物件（工事中のものを含む。）に係る基準については、改正後の道路法施行令の規定にかかわらず、なお従前の例による。

附　則〔略〕〔昭和六〇・五・一八政令一三三〕

附　則〔略〕〔昭和六〇・七・一二政令二二九〕

附　則〔略〕〔昭和六一・三・三一政令六四〕

附　則〔抄〕〔昭和六一・五・八政令一五四〕

（施行期日）

1　この政令は、公布の日から施行する。

（経過措置）

2　改正後の道路法施行令〔中略〕の規定は、昭和六十一年度から昭和六十三年度までの各年度（昭和六十一年度及び昭和六十二年度の特例に係るものにあつては、昭和六十一年度及び昭和六十二年度。以下この項において同じ。）の予算に係る国の負担又は補助（昭和六十年度以前の年度の国庫債務負担行為に基づき昭和六十一年度以降の年度に支出すべきものとされた国の負担又は補助を除く。）並びに昭和六十一年度から昭和六十三年度までの各年度の国庫債務負担行為に基づき昭和六十四年度（昭和六十一年度及び昭和六十二年度の特例に係るものにあつては、昭和六十三年度。以下この項において同じ。）以降の年度に支出すべきものとされる国の負担又は補助及び昭和六十一年度から昭和六十三年度までの各年度の歳出予算に係る国の負担又は補助で昭和六十四年度以降の年度に繰り越されるものについて適用し、昭和六十年度以前の年度の国庫債務負担行為に基づき昭和六十一年度以降の年度に支出すべきものとされた国の負担又は補助及び昭和六十年度以前の年度の歳出予算に係る国の負担又は補助で昭和六十一年度以降の年度に繰り越されたものについては、なお従前の例による。

附　則〔略〕〔昭和六二・三・二〇政令五四〕

附　則〔抄〕〔昭和六二・三・三一政令九八〕

（施行期日）

1　この政令は、昭和六十二年四月一日から施行する。

（経過措置）

2　改正後〔中略〕の規定は、昭和六十二年度及び昭和六十三年度（昭和六十二年度の特例に係るものにあつては、昭和六十二年度。以下この項において同じ。）の予算に係る国の負担又は補助（昭和六十一年度以前の年度の国庫債務負担行為に基づき昭和六十二年度以降の年度に支出すべきものとされた国の負担又は補助を除く。）、昭和六十二年度及び昭和六十三年度の国庫債務負担行為に基づき昭和六十四年度（昭和六十二年度の特例に係るものにあつては、昭和六十三年度。以下この項において同じ。）以降の年度に支出すべきものとされる国の負担又は補助並びに昭和六十二年度及び昭和六十三年度の歳出予算に係る国の負担又は補助で昭和六十四年度以降の年度に繰り越されるものについて適用し、昭和六十一年度以前の年度の国庫債務負担行為に基づき昭和六十二年度以降の年度に支出すべきものとされた国の負担又は補助及び昭和六十一年度以前の年度の歳出予算に係る国の負担又は補助で昭和六十二年度以降の年度に繰り越されたものについては、なお従前の例による。

附　則〔昭和六二・九・一一政令三〇四〕

（施行期日）

1　この政令は、昭和六十二年十月一日から施行する。

（経過措置）

2　指定区間内の国道又は日本道路公団の管理する高速自動車国道若しくは道路整備特別措置法（昭和三十一年法律第七号）第十七条第一項に規定する公団等の管理する一般国道等に係る占用料で、この政令の施行の日前にした許可又は協議に係る占用の期間（当該占用の期間が昭和六十三年度以降にわたる場合においては、当該占用の期間のうち、昭和六十三年三月三十一日までの期間に限る。）に係るものの額については、なお従前の例による。

附　則〔抄〕〔昭和六三・三・三一政令七九〕

（施行期日）

1　この政令は、昭和六十三年四月一日から施行する。

（経過措置）

2　この政令による改正後の道路法施行令附則第十項〔中略〕の規定は、昭和六十三年度の予算に係る国の負担又は補助（昭和六十二年度以前の年度の国庫債務負担行為に基づき昭和六十三年度以降の年度に支出すべきものとされた国の負担又は補助を除く。）、昭和六十三年度の国庫債務負担行為に基づき昭和六十四年度以降の年度に支出すべきものとされる国の負担又は補助及び昭和六十三年度の歳出予算に係る国の負担又は補助で昭和六十四年度以降の年度に繰り越されるものについて適用し、昭和六十二年度以前の年度の国庫債務負担行為に基づき昭和六十三年度以降の年度に支出すべきものとされた国の負担又は補助及び昭和六十二年度以前の年度の歳出予算に係る国の負担又は補助で昭和六十三年度以降の年度に繰り越されたものについては、なお従前の例による。

附　則〔略〕〔平成元・三・二八政令七二〕

附　則〔平成元・四・一〇政令一〇八〕

（**施行期日**）

1　この政令は、公布の日から施行する。

（**経過措置**）

2　改正後〔中略〕の規定は、平成元年度及び平成二年度（平成元年度の特例に係るものにあっては、平成元年度。以下この項において同じ。）の予算に係る国の負担又は補助（昭和六十三年度以前の年度の国庫債務負担行為に基づき平成元年度以降の年度に支出すべきものとされた国の負担又は補助を除く。）、平成元年度及び平成二年度の国庫債務負担行為に基づき平成三年度（平成元年度の特例に係るものにあっては、平成二年度。以下この項において同じ。）以降の年度に支出すべきものとされる国の負担又は補助並びに平成元年度及び平成二年度の歳出予算に係る国の負担又は補助で平成三年度以降の年度に繰り越されるものについて適用し、昭和六十三年度以前の年度の国庫債務負担行為に基づき平成元年度以降の年度に支出すべきものとされた国の負担又は補助及び昭和六十三年度以前の年度の歳出予算に係る国の負担又は補助で平成元年度以降の年度に繰り越されたものについては、なお従前の例による。

附　則〔略〕〔平成元・一一・二一政令三〇九〕

附　則〔略〕〔平成二・五・一六政令一一六〕

附　則〔略〕〔平成三・三・二九政令七八〕

附　則〔平成三・三・三〇政令九八〕

改正　平成五・三政九四

（**施行期日**）

1　この政令は、平成三年四月一日から施行する。

（**経過措置**）

2　改正後〔中略〕の規定は、平成三年度及び平成四年度の予算に係る国の負担又は補助（平成二年度以前の年度の国庫債務負担行為に基づき平成三年度以降の年度に支出すべきものとされた国の負担又は補助を除く。）、平成三年度及び平成四年度の国庫債務負担行為に基づき平成五年度以降の年度に支出すべきものとされる国の負担又は補助並びに平成三年度及び平成四年度の歳出予算に係る国の負担又は補助で平成五年度以降の年度に繰り越されるものについて適用し、平成二年度以前の年度の国庫債務負担行為に基づき平成三年度以降の年度に支出すべきものとされた国の負担又は補助及び平成二年度以前の年度の歳出予算に係る国の負担又は補助で平成三年度以降の年度に繰り越されたものについては、なお従前の例による。

附　則〔略〕〔平成三・九・二五政三〇四〕

附　則〔略〕〔平成三・一〇・四政三一七〕

附　則〔抄〕〔平成五・三・三一政令九四〕

（**施行期日**）

1　この政令は、平成五年四月一日から施行する。

（**経過措置**）

2　改正後〔中略〕の規定は、平成五年度以降の年度の予算に係る国の負担又は補助（平成四年度以前の年度の国庫債務負担行為に基づき平成五年度以降の年度に支出すべきものとされた国の負担又は補助を除く。）について適用し、平成四年度以前の年度の国庫債務負担行為に基づき平成五年度以降の年度に支出すべきものとされた国の負担又は補助及び平成四年度以前の年度の歳出予算に係る国の負担又は補助で平成五年度以降の年度に繰り越されたものについては、なお従前の例による。

附　則〔抄〕〔平成五・一一・一二五政令三七五〕

（**施行期日**）

1　この政令は、公布の日から施行する。

（**罰則に関する経過措置**）

3　この政令の施行前にした行為に対する罰則の適用については、なお従前の例による。

附　則〔略〕〔平成六・九・一九政令三〇三〕

附　則〔略〕〔平成六・一二・二六政令四一一〕

附　則〔略〕〔平成七・六・二一政令二五六〕

附　則〔略〕〔平成七・一〇・一八政令三五九〕

附　則〔略〕〔平成七・一〇・二五政令三六三〕

附　則〔略〕〔平成八・三・三一政令八八〕

附　則〔略〕〔平成八・一〇・二五政令三〇八〕

附　則〔略〕〔平成九・二・一九政令二〇〕

附　則〔略〕〔平成九・三・二六政令七四〕

附　則〔略〕〔平成九・一二・五政令三四九〕

附　則〔略〕〔平成一〇・三・六政令三七〕

附　則〔略〕〔平成一〇・三・三一政令一一八〕

附　則〔平成一〇・八・二六政令二八九〕

（**施行期日**）

1　この政令は、高速自動車国道法等の一部を改正する法律（以下「改正法」という。）の施行の日（平成十年九月二日）から施行する。

（**経過措置**）

2　この政令の施行の際、改正法第二条の規定による改正後の道路法第三十三条第二項に規定する高速自動車国道又は自動車専用道路の連結路附属地に現に存する占用物件の占用の基準については、この政令による改正後の道路法施行令第十四条の二の規定にかかわらず、なお従前の例による。

附　則〔抄〕〔平成一一・一一・一〇政令三五二〕

（**施行期日**）

第一条　この政令は、平成十二年四月一日から施行する。

（**道路法施行令の一部改正に伴う経過措置**）

第四条　施行日前に第十条の規定による改正前の道路法施行令（以下この条において「旧道路法施行令」という。）第三十四条第六項の規定による承認を受けた実施計画は、第十条の規定による改正後の道路法施行令（以下この条において「新道路法施行令」という。）第三十四条第六項の規定による協議を行った実施計画とみなす。

2　この政令の施行の際現に旧道路法施行令第三十四条第六項の規定によりされている承認の申請は、新道路法施行令第三十四条第六項の規定によりされた協議の申出とみなす。

附　則〔略〕〔平成一一・一二・二七政令四三一〕

附　則〔略〕〔平成一二・六・七政令三一二〕

附　則〔略〕〔平成一三・四・二五政令一七〇〕

附　則〔略〕〔平成一四・二・八政令二七〕

附　則〔略〕〔平成一四・五・三一政令一九一〕

附　則〔略〕〔平成一四・一二・一八政令三八五〕

附　則〔略〕〔平成一四・一二・一八政令三八六〕

附　則〔略〕〔平成一五・三・三一政令一六三〕

附　則〔略〕〔平成一五・六・二七政令二九三〕

附　則〔略〕〔平成一五・一二・三政令四七六〕

附　則〔平成一五・一二・一七政令五一三〕

（**施行期日**）

第一条　この政令は、密集市街地における防災街区の整備の促進に関する法律等の一部を改正する法律の施行の日（平成十五年十二月十九日）から施行する。

（**罰則に関する経過措置**）

第二条　この政令の施行前にした行為に対する罰則の適用については、なお従前の例による。

附　則〔略〕〔平成一六・二・一六政令二三〕

附　則〔略〕〔平成一六・三・二四政令五九〕

附　則〔略〕〔平成一七・四・一政令一二五施行〕

附　則〔略〕〔平成一七・六・一政令二〇三〕

附　則〔略〕〔平成一八・一一・一五政令三五七〕

附　則〔略〕〔平成一九・八・三政令二三五〕

附　則〔略〕〔平成一九・九・二五政令三〇四〕

附　則〔略〕〔平成二〇・一・一八政令五〕

附　則〔略〕〔平成二〇・五・一三政令一七六施行〕

附　則〔抄〕〔平成二一・四・三〇政令一三〇〕

（**施行期日**）

第一条　この政令は、公布の日から施行する。

（**国の負担又は補助に関する経過措置**）

第二条　第一条、第五条、第六条、第八条、第九条、第十二条及び第十四条から第十六条までの規定による改正後の次に掲げる政令の規定は、平成二十一年度以降の年度の予算に係る国の負担又は補助（平成二十年度以前の年度の国庫債務負担行為に基づき平成二十一年度以降の年度に支出すべきものとされた国の負担又は補助を除く。）について適用し、平成二十年度以前の年度の予算に係る国の負担又は補助で平成二十一年以降の年度に繰り越されたもの及び平成二十年度以前の年度の国庫債務負担行為に基づき平成二十一年度以降の年度に支出すべきものとされた国の負担又は補助については、なお従前の例による。

一〜三　〔略〕

四　道路法施行令第三十四条の二の三

五〜九　〔略〕

（不用物件の管理に関する経過措置）

第三条　この政令の施行の際現に道路法（昭和二十七年法律第百八十号）第九十二条第一項（同法第九十一条第二項（高速自動車国道法施行令（昭和三十二年政令第二百五号）第十二条の規定により読み替えて適用する場合を含む。）において準用する場合を含む。）の規定による管理が行われている不用物件の管理期間については、なお従前の例による。

附　則〔抄〕〔平成二二・三・三一政令七八〕

（施行期日）

第一条　この政令は、平成二十二年四月一日から施行する。

（経過措置）

第二条　国の直轄事業に係る都道府県等の維持管理負担金の廃止等のための関係法律の整備に関する法律附則第二条に規定する国庫債務負担行為が次に掲げる契約に係るものである場合における同条の規定の適用については、同条中「負担、平成二十一年度以前の年度の国庫債務負担行為に基づき平成二十二年度以降の年度に支出すべきものとされた国の負担」とあり、同条第一号中「負担及び平成二十一年度以前の年度の国庫債務負担行為に基づき平成二十二年度に支出すべきものとされた国の負担」及び「負担、平成二十二年度の国庫債務負担行為に基づき平成二十三年度以降の年度に支出すべきものとされる国の負担」とあり、同条第二号中「負担及び平成二十一年度以前の年度の国庫債務負担行為に基づき平成二十二年度以降の年度に支出すべきものとされた国の負担」とあり、並びに同条第三号中「負担及び平成二十二年度以前の年度の国庫債務負担行為に基づき平成二十三年度以降の年度に支出すべきものとされた国の負担」とあるのは、「負担」とする。

一　一般国道の新設、改築及び災害復旧以外の管理を効率的に行うために当該一般国道の管理に係る事務又は事業で相互に関連するものを一括して委託する契約

二　一級河川の管理を効率的に行うために当該一級河川の管理に係る事務又は事業で相互に関連するものを一括して委託する契約

第三条　第四条、第六条、第九条、第十二条及び第十三条の規定による改正後の次の各号に掲げる政令の規定は、当該各号に定める国の負担（当該国の負担に係る都道府県又は市町村の負担を含む。以下この条及び次条において同じ。）について適用し、平成二十一年度以前の年度における事務又は事業の実施により平成二十二年度以降の年度に支出される国の負担、平成二十一年度以前の年度の国庫債務負担行為に基づき平成二十二年度以降の年度に支出すべきものとされた国の負担及び平成二十一年度以前の年度の歳出予算に係る国の負担で平成二十二年度以降の年度に繰り越されたものについては、なお従前の例による。

一　次に掲げる政令の規定　平成二十二年度の予算に係る国の負担（平成二十一年度以前の年度における事務又は事業の実施により平成二十二年度に支出される国の負担及び平成二十一年度以前の年度の国庫債務負担行為に基づき平成二十二年度に支出すべきものとされた国の負担を除く。）並びに同年度における事務又は事業の実施により平成二十三年度以降の年度に支出される国の負担、平成二十二年度の国庫債務負担行為に基づき平成二十三年度以降の年度に支出すべきものとされる国の負担及び平成二十二年度の歳出予算に係る国の負担で平成二十三年度以降の年度に繰り越されるもの

イ　道路法施行令附則第五項の規定により読み替えて適用する同令第三十一条

ロ〜ホ　〔略〕

二　次に掲げる政令の規定　平成二十二年度以降の年度の予算に係る国の負担（平成二十一年度以前の年度における事務又は事業の実施により平成二十二年度以降の年度に支出される国の負担及び平成二十一年度以前の年度の国庫債務負担行為に基づき平成二十二年度以降の年度に支出すべきものとされた国の負担を除く。）

イ　道路法施行令第三十二条第一項

ロ〜ニ　〔略〕

三　次に掲げる政令の規定　平成二十三年度以降の年度の予算に係る国の負担（平成二十二年度以前の年度における事務又は事業の実施により平成二十三年度以降の年度に支出される国の負担及び平成二十二年度以前の年度の国庫債務負担行為に基づき平成二十三年度以降の年度に支出すべきものとされた国の負担を除く。）

イ　道路法施行令第三十一条

ロ　〔略〕

2　前項に規定する国庫債務負担行為が前条各号に掲げる契約に係るものである場合における同項の規定の適用については、同項中「負担、平成二十一年度以前の年度の国庫債務負担行為に基づき平成二十二年度以降の年度に支出すべきものとされた国の負担」とあり、同項第一号中「負担及び平成二十一年度以前の年度の国庫債務負担行為に基づき平成二十二年度に支出すべきものとされた国の負担」及び「負担、平成二十二年度の国庫債務負担行為に基づき平成二十三年度以降の年度に支出すべきものとされる国の負担」とあり、同条第二号中「負担及び平成二十一年度以前の年度の国庫債務負担行為に基づき平成二十二年度以降の年度に支出すべきものとされた国の負担」とあり、並びに同項第三号中「負担及び平成二十二年度以前の年度の国庫債務負担行為に基づき平成二十三年度以降の年度に支出すべきものとされた国の負担」とあるのは、「負担」とする。

附　則〔略〕〔平成二二・一一・三政令二三六〕

附　則〔略〕〔平成二三・五・二政令一一九〕

附　則〔略〕〔平成二三・一〇・一九政令三二一〕

附　則〔略〕〔平成二三・一一・二八政令三六三〕

附　則〔略〕〔平成二三・一二・二六政令四二四〕

附　則〔略〕〔平成二四・一二・一二政令二九四〕

附　則〔略〕〔平成二五・八・二六政令二四三〕

附　則〔略〕〔平成二五・一一・二〇政令三一三〕

附　則〔略〕〔平成二六・三・二八政令八八〕

附　則〔略〕〔平成二六・五・二八政令一八七〕

附　則〔略〕〔平成二七・一・二三政令二一〕

附　則〔略〕〔平成二七・一一・二六政令三九二〕

附　則〔略〕〔平成二八・二・一七政令四三〕

附　則〔略〕〔平成二八・三・三一政令一八二〕

附　則〔略〕〔平成二八・九・二八政令三一二〕

附　則〔略〕〔平成二九・一・一八政令二〕

附　則〔抄〕〔平成二九・三・二三政令四〇〕

（施行期日）

第一条　この政令は、第五号施行日（平成二十九年四月一日）から施行する。

〔以下略〕

（道路法施行令の一部改正に伴う経過措置）

第二条　この政令の施行前に一般ガス事業者（改正法第五条の規定による改正前のガス事業法（以下この項において「旧ガス事業法」という。）第二条第二項に規定する一般ガス事業者をいう。）又は簡易ガス事業者（旧ガス事業法第二条第四項に規定する簡易ガス事業者をいう。）がした道路法（昭和二十七年法律第百八十号）第三十二条第一項又は第三項の規定による許可の申請であって、この政令の施行の際、許可又は不許可の処分がされていないものに係る占用の期間に関する基準については、第六条の規定による改正後の道路法施行令（以下この条において「新道路法施行令」という。）第九条第一号ホの規定にかかわらず、なお従前の例による。

2　新道路法施行令第九条第一号ホの規定の適用については、改正法附則第二十二条第一項に規定する旧一般ガスみなしガス小売事業者（附則第五条第一項及び附則第六条第一項において単に「旧一般ガスみなしガス小売事業者」という。）が改正法附則第二十二条第一項の義務を負う間、同号ホ中「ガス小売事業を除く。）」とあるのは、「ガス小売事業を除く。）又は電気事業法等の一部を改正する等の法律（平成二十七年法律第四十七号）附則第二十二条第一項に規定する指定旧供給区域等小売供給を行う事業」とする。

3　新道路法施行令第九条第一号ホの規定の適用については、改正法附則第二十八条第一項に規定する旧簡易ガスみなしガス小売事業者（附則第五条第二項及び附則第六条第二項において単に「旧簡易ガスみなしガス小売事業者」という。）が改正法附則第二十八条第一項の義務を負う間、同号ホ中「ガス小売事業を除く。）」とあるのは、「ガス小売事業を除く。）又は電気事業法等の一部を改正する等の法律（平成二十七年法律第四十七号）附

則第二十八条第一項に規定する指定旧供給地点小売供給を行う事業」とする。

附　則〔抄〕〔平成三〇・三・三一政令一二八〕

（施行期日）

1　この政令は、平成三十年四月一日から施行する。

（経過措置）

2　第一条から第三条までの規定による改正後の次に掲げる政令の規定は、平成三十年度以降の年度の予算に係る国の負担又は補助（平成二十九年度以前の年度の国庫債務負担行為に基づき平成三十年度以降の年度に支出すべきものとされた国の負担又は補助を除く。）について適用し、平成二十九年度以前の年度の予算に係る国の負担又は補助で平成三十年度以降の年度に繰り越されたもの及び平成二十九年度以前の年度の国庫債務負担行為に基づき平成三十年度以降の年度に支出すべきものとされた国の負担又は補助については、なお従前の例による。

一・二　〔略〕

三　道路法施行令第三十四条の二の三第一項及び第二項

附　則〔略〕〔平成三〇・九・二八政令二八〇〕

附　則〔略〕〔平成三一・三・二〇政令四一施行〕

附　則〔略〕〔令和元・九・二七政令一一二〕

附　則〔令和二・三・三一政令八六〕

（施行期日）

1　この政令は、令和二年四月一日から施行する。

（経過措置）

2　この政令による改正後の規定は、令和二年度以降の年度の予算に係る国の負担又は補助（令和元年度以前の年度の国庫債務負担行為に基づき令和二年度以降の年度に支出すべきものとされた国の負担又は補助を除く。）について適用し、令和元年度以前の年度の予算に係る国の負担又は補助で令和二年度以降の年度に繰り越されたもの及び令和元年度以前の年度の国庫債務負担行為に基づき令和二年度以降の年度に支出すべきものとされた国の負担又は補助については、なお従前の例による。

附　則〔略〕〔令和二・五・二七政令一七五施行〕

附　則〔略〕〔令和二・一一・二〇政令三二九〕

附　則〔令和三・三・三一政令一三二〕

（施行期日）

1　この政令は、令和三年四月一日から施行する。

（経過措置）

2　第二条の規定による改正後の道路法施行令第三十四条の二の三第一項第三号の規定〔中略〕は、令和三年度以降の年度の予算に係る国の負担又は補助（令和二年度以前の年度の国庫債務負担行為に基づき令和三年度以降の年度に支出すべきものとされた国の負担又は補助を除く。）について適用し、令和二年度以前の年度の予算に係る国の負担又は補助で令和三年度以降の年度に繰り越されたもの及び令和二年度以前の年度の国庫債務負担行為に基づき令和三年度以降の年度に支出すべきものとされた国の負担又は補助については、なお従前の例による。

附　則〔略〕〔令和三・六・一八政令一七四〕

附　則〔略〕〔令和三・九・二四政令二六一〕

附　則〔略〕〔令和三・一二・八政令三三五〕

附　則〔略〕〔令和四・二・二政令三七〕

附　則〔略〕〔令和四・一二・一四政令三七八〕

附　則〔令和五・一一・一〇政令三二四〕

この政令は、令和六年四月一日から施行する。

別表（第十九条関係）

占用物件		単位	占用料 所在地 第一級地	第二級地	第三級地	第四級地	第五級地
法第三十二条第一項第一号に掲げる工作物	第一種電柱	一本につき一年	一、九〇〇	八〇〇	五七〇	四八〇	四三〇
	第二種電柱		二、九〇〇	一、二〇〇	八七〇	七三〇	六七〇
	第三種電柱		三、九〇〇	一、七〇〇	一、二〇〇	九九〇	九〇〇
	第一種電話柱		一、七〇〇	七一〇	五一〇	四三〇	三九〇
	第二種電話柱		二、七〇〇	一、一〇〇	八一〇	六八〇	六二〇
	第三種電話柱		三、七〇〇	一、六〇〇	一、一〇〇	九四〇	八五〇
	その他の柱類		一七〇	七一	五一	四三	三九
	共架電線その他上空に設ける線類	長さ一メートルにつき一年	一七	七	五	四	四
	地下に設ける電線その他の線類		一〇	四	三	三	二
	路上に設ける変圧器	一個につき一年	一、六〇〇	七〇〇	四九〇	四二〇	三八〇
	地下に設ける変圧器	占用面積一平方メートルにつき一年	一、〇〇〇	四三〇	三〇〇	二六〇	二三〇
	変圧塔その他これに類するもの及び公衆電話所	一個につき一年	三、四〇〇	一、四〇〇	一、〇〇〇	八五〇	七八〇
	郵便差出箱及び信書便差出箱		一、四〇〇	六〇〇	四三〇	三六〇	三三〇
	広告塔	表示面積一平方メートルにつき一年	三〇、〇〇〇	四、八〇〇	一、八〇〇	八七〇	五九〇
	その他のもの	占用面積一平方メートルにつき一年	三、四〇〇	一、四〇〇	一、〇〇〇	八五〇	七八〇
法第三十二条第一項第二号に掲げる物件	外径が〇・〇七メートル未満のもの	長さ一メートルにつき一年	七一	三〇	二一	一八	一六
	外径が〇・〇七メートル以上〇・一メートル未満のもの		一〇〇	四三	三〇	二六	二三
	外径が〇・一メートル以上〇・一五メートル未満のもの		一五〇	六四	四五	三八	三五
	外径が〇・一五メートル以上〇・二メートル未満のもの		二〇〇	八六	六一	五一	四七
	外径が〇・二メートル以上〇・三メートル未満のもの		三〇〇	一三〇	九一	七七	七〇
	外径が〇・三メートル以上〇・四メートル未満のもの		四〇〇	一七〇	一二〇	一〇〇	九三
	外径が〇・四メートル以上〇・七メートル未満のもの		七一〇	三〇〇	二一〇	一八〇	一六〇
	外径が〇・七メートル以上一メートル未満のもの		一、〇〇〇	四三〇	三〇〇	二六〇	二三〇
	外径が一メートル以上のもの		二、〇〇〇	八六〇	六一〇	五一〇	四七〇

法第三十二条第一項第三号に掲げる施設						法第三十二条第一項第四号に掲げる施設
自動運行補助施設					その他のもの	
法第二条第二項第五号に規定する自動運行装置による検知の対象として設置する導線その他の線類		道路の構造又は交通の状況を表示する標示柱その他の柱類	その他のもの			
地下に設けるもの	その他のもの		上空に設けるもの	地下に設けるもの		
長さ一メートルにつき一年		一本につき一年	占用面積一平方メートルにつき一年			
一〇	三四	二、七〇〇	一、七〇〇	一、〇〇〇	三、四〇〇	三、四〇〇
四	一四	一、一〇〇	七一〇	四三〇	一、四〇〇	一、四〇〇
三	一〇	八一〇	五一〇	三〇〇	一、〇〇〇	一、〇〇〇
三	九	六八〇	四三〇	二六〇	八五〇	八五〇
二	八	六二〇	三九〇	二三〇	七八〇	七八〇

法第三十二条第一項第五号に掲げる施設						法第三十二条第一項第六号に掲げる施設					
地下街及び地下室			上空に設ける通路	地下に設ける通路	その他のもの	祭礼、縁日その他の催しに際し、一時的に設けるもの	その他のもの	看板（アーチであるものを除く。）		標識	祭礼、縁日その他の催しに際し、
階数が一のもの	階数が二のもの	階数が三以上のもの						一時的に設けるもの	その他のもの		
占用面積一平方メートルにつき一年						占用面積一平方メートルにつき一日	占用面積一平方メートルにつき一月	表示面積一平方メートルにつき一月	表示面積一平方メートルにつき一年	一本につき一年	一本につき一日
Aに〇・〇〇四を乗じて得た額	Aに〇・〇〇六を乗じて得た額	Aに〇・〇〇七を乗じて得た額	一五、〇〇〇	九、〇〇〇	三、四〇〇	三〇〇	三、〇〇〇	三、〇〇〇	三〇、〇〇〇	二、七〇〇	三〇〇
			二、四〇〇	一、五〇〇	一、四〇〇	四八	四八〇	四八〇	四、八〇〇	一、一〇〇	四八
			九〇〇	五四〇	一、〇〇〇	一八	一八〇	一八〇	一、八〇〇	八一〇	一八
			四三〇	二六〇	八五〇	九	八七	八七	八七〇	六八〇	九
			二九〇	一八〇	七八〇	六	五九	五九	五九〇	六二〇	六

第七条第一号に掲げる物件	旗ざお	一時的に設けるもの						
		その他のもの	一本につき一月	三、〇〇〇	四八〇	一八〇	八七	五九
	幕（第七条第四号に掲げる工事用施設であるものを除く。）	祭礼、縁日その他の催しに際し、一時的に設けるもの	その面積一平方メートルにつき一日	三〇〇	四八	一八	九	六
		その他のもの	その面積一平方メートルにつき一月	三、〇〇〇	四八〇	一八〇	八七	五九
	アーチ	車道を横断するもの	一基につき一月	三〇、〇〇〇	四、八〇〇	一、八〇〇	八七〇	五九〇
		そのものの		一五、〇〇〇	二、四〇〇	九〇〇	四三〇	二九〇
第七条第二号に掲げる工作物			占用面積一平方メートルにつき一年	三、四〇〇	一、四〇〇	一、〇〇〇	八五〇	七八〇
第七条第三号に掲げる施設			占用面積一平方メートルにつき一年	Aに〇・〇三一を乗じて得た額				
第七条第四号に掲げる工事用施設及び同条第五号に掲げる工事用材料			占用面積一平方メートルにつき一月	三、〇〇〇	四八〇	一八〇	八七	五九
第七条第六号に掲げる仮設建築物及び同条第七号に掲げる施設				三四〇	一四〇	一〇〇	八五	七八
	トンネルの上又は高架の道路の路面下（当該路面下の地下を除く。）に設けるもの			Aに〇・〇〇八を乗じて得た額	Aに〇・〇〇九を乗じて得た額	Aに〇・〇一二を乗じて得た額	Aに〇・〇一四を乗じて得た額	Aに〇・〇一七を乗じて得た額
第七条第八号に掲げる施設	上空に設けるもの		占用面積一平方メートルにつき一年	Aに〇・〇一七を乗じて得た額				
	地下（トンネルの上又は高架の道路の路面下を除く。）に設けるもの	階数が一のもの		Aに〇・〇〇四を乗じて得た額				
		階数が二のもの		Aに〇・〇〇六を乗じて得た額				
		階数が三以上のもの		Aに〇・〇〇七を乗じて得た額				
	その他のもの			Aに〇・〇二五を乗じて得た額				
第七条第九号に掲げる施設	建築物			Aに〇・〇一を乗じて得た額	Aに〇・〇一二を乗じて得た額	Aに〇・〇一五を乗じて得た額	Aに〇・〇一九を乗じて得た額	Aに〇・〇二二を乗じて得た額
	その他のもの			Aに〇・〇〇七を乗じて得た額	Aに〇・〇〇九を乗じて得た額	Aに〇・〇一一を乗じて得た額	Aに〇・〇一四を乗じて得た額	Aに〇・〇一五を乗じて得た額
第七条第十号に掲げる施設及び自動車駐車場	建築物			Aに〇・〇二二を乗じて得た額				
	その他のもの			Aに〇・〇〇七を乗じて得た額	Aに〇・〇〇九を乗じて得た額	Aに〇・〇一一を乗じて得た額	Aに〇・〇一四を乗じて得た額	Aに〇・〇一五を乗じて得た額
第七条第十一号に掲げる応急仮設建築物	トンネルの上又は高架の道路の路面下に設けるもの			Aに〇・〇一を乗じて得た額	Aに〇・〇一二を乗じて得た額	Aに〇・〇一五を乗じて得た額	Aに〇・〇一九を乗じて得た額	Aに〇・〇二二を乗じて得た額
	上空に設けるもの			Aに〇・〇二二を乗じて得た額				
	その他のもの			Aに〇・〇三一を乗じて得た額				
第七条第十二号に掲げる器具				Aに〇・〇二五を乗じて得た額				
	トンネルの上又は高速自動車国							

	道若しくは自動車専用道路（高架のものに限る。）の路面下に設けるもの		Aに〇・〇一を乗じて得た額	Aに〇・〇一二を乗じて得た額	Aに〇・〇一五を乗じて得た額	Aに〇・〇一九を乗じて得た額	Aに〇・〇二二を乗じて得た額
第七条第十三号に掲げる施設	上空に設けるもの		Aに〇・〇二二を乗じて得た額				
	その他のもの		Aに〇・〇三一を乗じて得た額				
第七条第十四号に掲げる施設			Aに〇・〇三一を乗じて得た額				

備考

一 金額の単位は、円とする。

二 所在地とは、占用物件の所在地をいい、その区分は、次のとおりとし、各年度の初日後に占用物件の所在地の区分に変更があつた場合は、同日におけるその区分によるものとする。

イ 第一級地 その区域内の土地の平均価格（当該区域内の土地の価格（地方税法（昭和二十五年法律第二百二十六号）第三百八十一条第一項又は第二項の規定により土地課税台帳又は土地補充課税台帳に登録されている価格をいう。）の合計を当該区域内の土地の地積（これらの規定により土地課税台帳又は土地補充課税台帳に登録されている地積をいう。）の合計で除したものをいう。以下同じ。）が都の特別区及び人口五十万人以上の市の区域内の土地の平均価格以上であるものとして国土交通大臣が定める市町村（都の特別区を含む。以下同じ。）の区域をいう。

ロ 第二級地 その区域内の土地の平均価格が都の特別区及び人口五十万人以上の市の区域内の土地の平均価格未満であり、かつ、人口五十万人未満二十万人以上の市の区域内の土地の平均価格以上であるものとして国土交通大臣が定める市町村の区域をいう。

ハ 第三級地 その区域内の土地の平均価格が人口五十万人未満二十万人以上の市の区域内の土地の平均価格未満であり、かつ、人口二十万人未満の市の区域内の土地の平均価格以上であるものとして国土交通大臣が定める市町村の区域をいう。

ニ 第四級地 その区域内の土地の平均価格が人口二十万人未満の市の区域内の土地の平均価格未満であり、かつ、町及び村の区域内の土地の平均価格以上であるものとして国土交通大臣が定める市町村の区域をいう。

ホ 第五級地 その区域内の土地の平均価格が町及び村の区域内の土地の平均価格未満であるものとして国土交通大臣が定める市町村の区域をいう。

三 第一種電柱とは、電柱（当該電柱に設置される変圧器を含む。以下同じ。）のうち三条以下の電線（当該電柱を設置する者が設置するものに限る。以下この号において同じ。）を支持するものを、第二種電柱とは、電柱のうち四条又は五条の電線を支持するものを、第三種電柱とは、電柱のうち六条以上の電線を支持するものをいうものとする。

四 第一種電話柱とは、電話柱（電話その他の通信又は放送の用に供する電線を支持する柱をいい、電柱であるものを除く。以下同じ。）のうち三条以下の電線（当該電話柱を設置する者が設置するものに限る。以下この号において同じ。）を支持するものを、第二種電話柱とは、電話柱のうち四条又は五条の電線を支持するものを、第三種電話柱とは、電話柱のうち六条以上の電線を支持するものをいうものとする。

五 共架電線とは、電柱又は電話柱を設置する者以外の者が当該電柱又は電話柱に設置する電線をいうものとする。

六 表示面積とは、広告塔又は看板の表示部分の面積をいうものとする。

七 Aは、近傍類似の土地（第七条第八号に掲げる施設のうち特定連結路附属地に設けるもの及び同条第十三号に掲げる施設について近傍に類似の土地が存しない場合には、立地条件、収益性等土地価格形成上の諸要素が類似した土地）の時価を表すものとする。

八 表示面積、占用面積若しくは占用物件の面積若しくは長さが〇・〇一平方メートル若しくは〇・〇一メートル未満であるとき、又はこれらの面積若しくは長さに〇・〇一平方メートル若しくは〇・〇一メートル未満の端数があるときは、その全面積若しくは全長又はその端数の面積若しくは長さを切り捨てて計算するものとする。

九 占用料の額が年額で定められている占用物件に係る占用の期間が一年未満であるとき、又はその期間に一年未満の端数があるときは月割をもつて計算し、なお、一月未満の端数があるときは一月として計算し、占用料の額が月額で定められている占用物件に係る占用の期間が一月未満であるとき、又はその期間に一月未満の端数があるときは一月として計算するものとする。

○道路法施行規則

〔昭和二七・八・一二 建設省令二五〕

改正 昭和二七・一二建令四〇、昭和三二・七建令一一、昭和三四・三建令一、四建令七、九建令二四、昭和四〇・三建令一三、昭和四二・一〇建令三〇、昭和四六・三建令六、一一建令二四、昭和四七・三建令七、五建令一七、昭和四八・二建令二、昭和五〇・七建令一三、昭和六〇・七建令八、昭和六一・八建令八、平成元・一一建令一七、平成二・三建令三、平成三・一〇建令一八、平成六・二建令四、九建令二五、平成七・六建令一七、平成一〇・三建令二、九建令三四、平成一一・一建令一、平成一二・二建令一三、四建令二三、一一建令四一、平成一三・三国交令六三、平成一五・三国交令二〇、国交令二六、平成一六・三国交令一四、平成一七・六国交令六六、平成一八・一二国交令一二三、平成一九・九国交令八四、平成二一・四国交令三三、平成二三・三国交令三三、八国交令六〇、一一国交令八八、一二国交令九四、平成二五・九国交令七四、平成二六・三国交令三九、五国交令五二、平成二七・一国交令四、平成二八・三国交令三九、九国交令六八、一〇国交令七六、平成三〇・三国交令三七、九国交令七四、平成三一・四国交令三二、令和元・五国交令一、令和二・三国交令一九、一一国交令九〇、一二国交令九八、令和三・三国交令三一、七国交令四七、九国交令五八、令和四・八国交令六三、令和五・三国交令一一、令和六・三国交令二六

（特定車両の種類）

第一条 道路法（昭和二十七年法律第百八十号。以下「法」という。）第二条第二項第八号に規定する国土交通省令で定める車両は、次に掲げる車両とする。

一 道路運送法（昭和二十六年法律第百八十三号）による一般乗合旅客自動車運送事業の用に供する自動車

二 道路運送法による一般貸切旅客自動車運送事業の用に供する自動車

三 道路運送法による一般乗用旅客自動車運送事業の用に供する自動車

四 貨物自動車運送事業法（平成元年法律第八十三号）による一般貨物自動車運送事業の用に供する自動車

（路線の認定等の公示）

第一条の二 法第九条の規定による路線の認定又は法第十条第三項において準用する法第九条の規定による路線の廃止若しくは変更の公示は、それぞれ別記様式第一、第二又は第三により、行うものとする。

2 都道府県知事又は市町村長は、前項の公示をする場合においては、都道府県道については縮尺五万分の一、市町村道については縮尺一万分の一程度の図面に当該路線を明示し、都道府県又は市町村の事務所において一般の縦覧に供しなければならない。ただし、市街地その他特に必要があると認められる部分については、別に拡大図を備えなければならない。

（一般国道の指定区間を指定する政令の制定又は改廃の立案の基準）

第一条の三 国土交通大臣は、法第十三条第一項の政令の制定又は改廃については、北海道の区域内に存する一般国道の区間及び次の各号のいずれかに該当する一般国道の区間が当該政令で指定されるようその立案を行うものとする。

一 高速自動車国道と一体となつて全国的な自動車交通網を構成する自動車専用道路である一般国道の区間

二 国土を縦断し、横断し、又は循環して、都道府県庁所在地その他政治上、経済上又は文化上特に重要な都市を効率的かつ効果的に連絡する一般国道の区間

三 港湾法（昭和二十五年法律第二百十八号）第二条第二項に規定する国際戦略港湾若しくは国際拠点港湾若しくは同法附則第二項に規定する港湾又は重要な飛行場と高速自動車国道又は前二号のいずれかに規定する一般国道の区間とを効率的かつ効果的に連絡する一般国道の区間

2 国土交通大臣は、前項の政令の制定又は改廃の立案をしようとするときは、あらかじめ、関係都道府県（当該立案に係る一般国道の区間が法第七条第三項に規定する指定市の区域内に存するときは、当該指定市）の意見を聴くものとする。

（国土交通大臣への報告を要しない道路の占用）

第一条の四 道路法施行令（昭和二十七年政令第四百七十九号。以下「令」という。）第一条の二第二項に規定する国土交通省令で定める道路の占用は、左の各号に掲げる工作物、物件又は施設に係るものとする。

一 露店、商品置場その他これらに類する施設

二 看板、標識、旗ざお、パーキング・メーター、幕及びアーチ

三 土石、竹木、瓦その他の工事用材料

（国道の新設等の公示）

第一条の五 指定市以外の市町村は、法第十七条第二項から第四項までの規定により国道又は都道府県道の新設、改築、維持又は修繕（以下この条において「国道の新設等」という。）を行おうとするとき、及び当該国道の新設等の全部又は一部を完了したときは、道路の種類、路線名、国道の新設等の区間、国道の新設等の種類及び国道の新設等の開始の日（当該国道の新設等の全部又は一部を完了したときにあつては、国道の新設等の完了の日）を公示するものとする。

（道路の区域の決定等の公示）

第二条 法第十八条第一項の規定による道路の区域の決定又は変更の公示は、次に掲げる事項について行うものとし、同項の規定による図面は、縮尺千分の一以上のものを用いるものとする。

一 道路の種類

二 路線名

三 次のイ、ロ又はハに掲げる場合の区分に応じそれぞれイ、ロ又はハに定める事項

イ 区域の決定の場合（ロに掲げる場合を除く。） 敷地の幅員及びその延長

ロ 法第四十七条の十七第一項の規定により立体的区域とする区域の決定の場合 イに掲げる事項並びに当該立体的区域とする区間及びその延長

ハ 区域の変更の場合 変更の区間並びに当該区間に係る変更前の敷地の幅員及びその延長並びに変更後の敷地の幅員及びその延長

四 区域を表示した図面を縦覧する場所及び期間

（道路の供用の開始等の公示）

第三条 法第十八条第二項の規定による道路の供用の開始又は廃止の公示は、左に掲げる事項について行うものとし、同項の規定による図面は、一般国道（以下「国道」という。）及び都道府県道については縮尺五万分の一、市町村道については縮尺一万分の一程度のものを用いるものとする。

一 路線名

二 供用開始又は廃止の区間

三 供用開始又は廃止の期日

四 供用開始又は廃止の区間を表示した図面を縦覧する場所及び期間

（国道に附属する有料の自動車駐車場又は自転車駐車場の利用に関する標識）

第三条の二 法第二十四条の三の規定により国道に附属する自動車駐車場又は自転車駐車場に設ける標識は、次に掲げる事項を明示したものでなければならない。

一 駐車料金の額

二 駐車することができる時間

三 駐車料金の徴収方法

四 割増金の徴収に関する注意事項

五 その他自動車駐車場又は自転車駐車場の利用に関し必要と認められる事項

2 前項の標識は、自動車駐車場又は自転車駐車場を利用しようとする者の見やすい場所に設けなければならない。

（検査）

第四条 法第二十六条第一項の規定による検査は、当該橋又は渡船施設の構造及び施工方法について受けなければならない。

2 道路管理者は、工事が完了した場合においては、遅滞なく法第二十六条第一項後段の規定による検査を申請しなければならない。

（道路台帳）

第四条の二 道路台帳は、調書及び図面をもつて組成するものとする。

2 調書及び図面は、路線ごとに調製するものとする。

3 調書には、道路につき、少くとも次に掲げる事項を記載するものとし、

その様式は、別記様式第四とする。
一 道路の種類
二 路線名
三 路線の指定又は認定の年月日
四 路線の起点及び終点
五 路線の主要な経過地
六 供用開始の区間及び年月日
七 路線（その管理に係る部分に限る。）の延長及びその内訳
八 道路の敷地の面積及びその内訳
九 最小車道幅員、最小曲線半径及び最急縦断勾配
十 鉄道又は新設軌道との交差の数、方式及び構造
十一 有料の道路の区間、延長及びその内訳（自動車駐車場にあつては位置、規模及び構造）並びに料金徴収期間
十二 道路と効用を兼ねる主要な他の工作物の概要
十三 軌道その他主要な占用物件の概要
十四 道路一体建物の概要
十五 協定利便施設の概要

4 図面は、道路につき、少くとも次に掲げる事項を、付近の地形及び方位を表示した縮尺千分の一以上の平面図（法第四十七条の十七第一項の規定により道路の区域を立体的区域とする場合は、平面図、縦断図及び横断定規図）に記載して調製するものとする。
一 道路の区域の境界線
二 市町村、大字及び字の名称及び境界線
三 車道の幅員が〇・五メートル以上変化する箇所ごとにおける当該箇所の車道の幅員
四 曲線半径（三十メートル以上のものを除く。）
五 縦断勾配（八パーセント未満のものを除く。）
六 路面の種類
七 トンネル、橋及び渡船施設並びにこれらの名称
八 自動車交通不能区間（幅員、曲線半径、勾配その他の道路の状況により最大積載量四トンの貨物自動車が通行することができない区間をいう。）
九 道路元標その他主要な道路の附属物
十 道路の敷地の国有、地方公共団体有又は民有の別及び民有地の地番
十一 道路と効用を兼ねる主要な他の工作物
十二 交差し、若しくは接続する道路又は重複する道路並びにこれらの主要なものの種類及び路線名
十三 交差する鉄道又は新設軌道及びこれらの名称
十四 軌道その他主要な占用物件
十五 道路一体建物
十六 協定利便施設
十七 調製の年月日

5 調書及び図面は、その記載事項に変更があつたときは、すみやかに、これを訂正しなければならない。

6 道路台帳は、次の各号に掲げる区分に応じ、当該各号に掲げる場所において保管するものとする。ただし、道の区域内の道路に係る道路台帳のうち、国道に係るもの及び令第三十二条第一項に規定する開発道路で国土交通大臣が維持を行うものに係るものは、北海道開発局の事務所において保管するものとする。
一 高速自動車国道に係る道路台帳　国土交通省の事務所
二 国道に係る道路台帳　指定区間内の国道に係るものは関係地方整備局の事務所、指定区間外の国道に係るものは関係都道府県（法第十七条第一項の規定により指定市の長が国道の管理を行なう場合又は同条第二項の規定により指定市以外の市の長が国道の管理を行なう場合にあつては、当該指定市又は指定市以外の市）の事務所
三 都道府県道に係る道路台帳　関係都道府県（法第十七条第一項の規定により指定市の長が都道府県道を管理する場合、同条第二項の規定により指定市以外の市が都道府県道を管理する場合又は同条第三項の規定により町村が都道府県道を管理する場合にあつては、当該指定市、指定市以外の市又は町村）の事務所
四 市町村道に係る道路台帳　関係市町村の事務所

（道路と鉄道との交差部分の管理の方法の基準）

第四条の二の二　法第三十一条の二第一項第一号の国土交通省令で定める基準は、立体交差に係る道路及び鉄道施設について計画的な維持、修繕（当該修繕を効率的に行うための点検を含む。）その他の管理が図られるよう、次に掲げる事項の全てを定めていることとする。
一 道路及び鉄道施設の損傷、腐食その他の劣化その他の異状を把握するための点検の実施時期その他の点検に関する事項
二 点検の結果に応じて想定される修繕の方法その他の修繕に関する事項

2 法第三十一条の二第一項第二号の国土交通省令で定める基準は、災害が発生した場合における立体交差以外の交差部分の適確な管理が図られるよう、次に掲げる事項の全てを定めていることとする。
一 災害時における鉄道事業者と道路管理者との間の連絡体制及びこれらの者と関係機関との間の連絡体制の整備に関する事項
二 踏切道における継続的な通行の遮断の発生及び踏切遮断時間（踏切道の通行が遮断されている時間をいう。）の見込みに関する情報提供その他の災害時において鉄道事業者及び道路管理者がとるべき措置に関する事項

（道路の占用の許可申請書等の様式）

第四条の三　法第三十二条第二項の申請書及び法第三十五条の規定により協議し、同意を得ようとする場合の協議書の様式は、別記様式第五とする。

2 前項の規定にかかわらず、占用の期間が満了した場合において、これを更新しようとするときは、道路管理者が別に定める様式によることができる。

（電線等の名称等の明示）

第四条の三の二　令第十二条第二号ハの国土交通省令で定める電線若しくは水管、下水道管若しくはガス管又は石油管は、次の各号のいずれかに該当するものとする。
一 管路に収容されない電線又は外径が〇・〇八メートルに満たない管路に収容される電線
二 多段積みの管路に収容される電線で、最上段の管路以外の管路に収容されるもの
三 並列多段積みの管路の最上段の管路に収容される電線のうち、両側に電線を収容する管路があり、かつ、そのいずれかから〇・〇八メートルに満たない距離にある管路に収容されるもの（該当する電線を収容する二本の管路が隣接することとなる場合にあつては、当該隣接する管路のうちのいずれかに収容される電線）
四 外径が〇・〇八メートルに満たない水管、下水道管又はガス管（一キログラム毎平方センチメートル以上の圧力のガスを通ずるものを除く。）
五 洞道又はコンクリート造の堅固なトラフに収容されるもの
六 コンクリート造の堅固な構造を有するものであつて、外形上当該占用物件の名称及び管理者が明らかであると認められるもの
七 市街地を形成している地域又は市街地を形成する見込みの多い地域以外の地域内の道路において、他の占用物件が埋設されていない場所に埋設されるもの

2 令第十二条第二号ハの規定により占用物件について明示すべき事項は、次の各号に掲げるものとする。
一 名称
二 管理者
三 埋設した年
四 電気事業法（昭和三十九年法律第百七十号）の規定に基づいて設ける電線にあつては、電圧
五 ガス事業法（昭和二十九年法律第五十一号）の規定に基づいて設けるガス管にあつてはガスの圧力、その他のガス管にあつてはガスの圧力及び種類
六 石油管にあつては、石油の圧力及び種類

3 令第十二条第二号ハの規定による明示は、次の各号に掲げるところによらなければならない。
一 おおむね二メートル以下の間隔で行うこと。
二 当該占用物件又はこれに附属して設けられる物件に、ビニールその他の耐久性を有するテープを巻き付ける等の方法により行うこと。
三 退色その他により明示に係る事項の識別が困難になるおそれがないように行うこと。
四 当該占用物件を損傷するおそれがないように行うこと。

（道路の交差する場所等における電柱の占用）

第四条の四　電柱は、当該場所以外に当該場所に代わる適当な場所がなく、

かつ、当該道路の交通に著しい支障を及ぼさないと認められる場合には、道路の交差し、接続し、又は屈曲する場所の地上に設けることができる。

（電線の占用の場所）

第四条の四の二　道路の新設、改築又は修繕に関する事業、都市計画法（昭和四十三年法律第百号）第四条第七項に規定する市街地開発事業その他これらに類する事業が実施されている区域において電線を地上に設ける場合における令第十一条の二第二項において準用する令第十一条第一項第一号に規定する公益上やむを得ないと認められる場所は、当該事業の実施と併せて当該電線を道路の地下に埋設することが当該道路の構造その他の事情に照らし技術上困難であると認められる場所に限るものとする。

2　令第十一条の二第一項第二号ロに規定する電線は、次の各号に掲げるもの以外のものとする。

一　災害による復旧工事その他緊急を要する工事に伴い一時的に設けられる電線

二　路床が岩盤等であつて令第十一条の二第一項第二号ロに規定する距離とすることが著しく困難な場所に設けられる電線

三　電線の立ち上がり部分

四　各戸に引き込むために埋設される電線

五　道路若しくは電線を収容する占用物件の構造又は他の占用物件の占用の位置の関係から、令第十一条の二第一項第二号ロに規定する距離とすることが著しく困難又は不適当な場所に設けられる電線

3　前項各号に規定する電線の頂部と路面との距離は、舗装の構造、交通量、自動車の重量、路床の状態、気象状況等を勘案して道路管理上必要な距離とする。

4　令第十一条の二第一項第二号ロに規定する場合は、マンホール、ハンドホール又は道路管理者の設ける電線共同収容溝（二以上の道路占用者の電線を収容するため道路管理者が道路の地下に設ける施設で法第二条第二項第九号に規定する共同溝及び電線共同溝以外のものをいう。）に収容される電線を当該電線の保全のために適切な措置を講じて埋設する場合とする。

（地下に設ける通路の占用の場所及び構造）

第四条の四の三　通路でその全部又は出入口以外の部分が地下（トンネルの上又は高架の道路の路面下の道路がない区域の地下を除く。）に設けられるもの（以下この条において「地下通路」という。）の占用の場所は、次の各号に掲げるところによるものとする。

一　地下通路の出入口を地上に設ける場合においては、法面又は歩道若しくは自転車歩行者道（以下この号において「歩道等」という。）内の車道（自転車道を含む。）に近接する部分に設けることとし、かつ、歩道等に設ける場合にあつては、当該歩道等の一方の側を歩行者又は自転車が通行することができるようにすること。この場合において、公益上やむを得ない事情があると認められるときを除き、当該歩道等の歩行者又は自転車が通行することができる路面の部分の幅員は、歩道にあつては三メートル、自転車歩行者道にあつては三・五メートルを超えていること。

二　電線、水管、下水道管、ガス管その他これらに類するもの（各戸に引き込むためのもの及びこれが取り付けられるものに限る。）が埋設されている道路又は埋設する計画のある道路に設ける場合は、これらの上部に設けないこと。

三　地下通路の頂部と路面との距離は、三・五メートル（公益上やむを得ない事情があると認められる場合にあつては、一・五メートル）を超えていること。

2　地下通路の構造は、次の各号に掲げるところによるものとする。

一　地下通路の自重、土圧、水圧、浮力等の荷重によつて生ずる応力に対して安全なものであること。

二　部材各部の応力度は、許容応力度を超えるものでないこと。

三　構造耐力上主要な部分は、鉄骨造、鉄筋コンクリート造又は鉄骨鉄筋コンクリート造とし、その他の部分は、不燃材料、準不燃材料又は難燃材料で造ること。

四　排水溝その他の適当な排水施設を設けること。

（道路を掘削する場合における工事実施の方法）

第四条の四の四　占用に関する工事で、道路を掘削するものの実施方法は、次の各号に掲げるところによるものとする。

一　舗装道の舗装の部分の切断は、のみ又は切断機を用いて、原則として直線に、かつ、路面に垂直に行うこと。

二　掘削部分に近接する道路の部分には、占用のために掘削した土砂をたい積しないで余地を設けるものとし、当該土砂が道路の交通に支障を及ぼすおそれのある場合においては、これを他の場所に搬出すること。

三　わき水又はたまり水により土砂の流失又は地盤の緩みを生ずるおそれのある箇所を掘削する場合においては、当該箇所に土砂の流失又は地盤の緩みを防止するために必要な措置を講ずること。

四　わき水又はたまり水の排出に当たつては、道路の排水に支障を及ぼすことのないように措置して道路の排水施設に排出する場合を除き、路面その他の道路の部分に排出しないように措置すること。

五　掘削面積は、工事の施行上やむを得ない場合において、覆工を施す等道路の交通に著しい支障を及ぼすことのないように措置して行う場合を除き、当日中に復旧可能な範囲とすること。

六　道路を横断して掘削する場合においては、原則として、道路の交通に著しい支障を及ぼさないと認められる道路の部分について掘削を行い、当該掘削を行つた道路の部分に道路の交通に支障を及ぼさないための措置を講じた後、その他の道路の部分を掘削すること。

七　沿道の建築物に接近して道路を掘削する場合においては、人の出入りを妨げない措置を講ずること。

（掘削により露出することとなるガス管の防護）

第四条の四の五　令第十三条第六号ロの保安上必要な措置のうち、ガス事業法の規定に基づいて設けられているガス管でその管理者以外の者の掘削により露出することとなるものの防護については、ガス工作物の技術上の基準を定める省令（平成十二年通商産業省令第百十一号）第五十四条第一号、第二号、第三号ハ及び第四号イの例による。

（占用のために掘削した土砂の埋戻しの方法）

第四条の四の六　占用のために掘削した土砂の埋戻しの方法は、次の各号に掲げるところによるものとする。

一　各層（層の厚さは、原則として〇・三メートル（路床部にあつては〇・二メートル）以下とする。）ごとにランマーその他の締固め機械又は器具で確実に締め固めて行うこと。

二　くい、矢板等は、下部を埋め戻して徐々に引き抜くこと。ただし、道路の構造又は他の工作物、物件若しくは施設の保全のためやむを得ない事情があると認められる場合には、くい、矢板等を残置することができる。

（埋戻し又は表面仕上げを行う道路の部分）

第四条の四の七　占用のために掘削した道路を復旧する場合において、埋戻し又は表面仕上げは、掘削部分及び掘削部分に接続する道路の部分のうち、舗装道にあつては掘削部分の外側の舗装の絶縁線（掘削部分の端から舗装の絶縁線までの距離が次の式によつて計算したnの値以下である場合又はnの値に一・二メートル（道路中心線の方向に垂直な舗装の絶縁線が膨張目地である場合にあつては、一・八メートル）を加えた値以上である場合にあつては、掘削部分の端からの距離がnの値の直線）で囲まれた部分、舗装道以外の道路にあつては掘削部分の端からの距離が掘削部分の幅に〇・一を乗じて得た値に相当する直線で囲まれた部分について行うものとする。

n＝k・t

（この式においてk及びtは、それぞれ次の値を表すものとする。

k　セメント・コンクリート舗装の道路にあつては、一・四、アスファルト系舗装の道路にあつては、一・〇

t　掘削部分の路盤の厚さ）

2　道路の構造、交通の状況、土質等の関係から前項に規定する部分についての表面仕上げによつては掘削前の構造耐力を保持することが困難であると認められる場合においては、表面仕上げは当該部分に加えて掘削前の構造耐力を保持するため必要な部分について行うものとする。

（高速自動車国道又は自動車専用道路の連結路）

第四条の四の八　法第三十三条第二項第二号の国土交通省令で定める交通の用に供する部分は、車道及び路肩とする。

（営利を目的としない法人に準ずる者）

第四条の四の九　法第三十三条第二項第五号の国土交通省令で定める者は、次のとおりとする。

一　営利を目的としない法人格を有しない社団であつて、代表者の定めがあり、かつ、道路の清掃を行うことを目的とするもの

二　前号に掲げるもののほか、道路交通環境の向上を図る観点から必要と認められる活動を実施する社団であつて、道路管理者が指定したもの

（地域における持続可能な公共交通網の形成又は物資の流通の確保等を図る活動を行うことを目的とする法人に準ずる者）

第四条の四の一〇　法第三十三条第二項第六号の国土交通省令で定める者は、自動車の自動運転に係る技術の活用による地域における持続可能な公共交通網の形成又は物資の流通の確保、自動車技術の発達その他安全かつ円滑な道路の交通の確保を図る観点から必要と認められる活動を実施する社団であつて、道路管理者が指定したものとする。

（休憩所等の売上収入額に応じて算定する額）

第四条の五　令第十九条第一項の国土交通省令で定めるところにより算定する額は、次の各号に掲げる場合の区分に応じて当該各号に掲げる割合を占用面積一平方メートルにつき一年当たりの同項に規定する売上収入額に乗じて得た額とする。

一　近傍類似の土地（近傍に類似の土地が存しない場合には、立地条件、収益性等土地価格形成上の諸要素が類似した土地。以下この条において同じ。）が賃貸されている場合　当該近傍類似の土地の一年当たりの賃貸料から当該賃貸料に含まれている修繕費、管理事務費、公租公課その他必要な経費を控除して得た額の当該近傍類似の土地に存する施設において行われる営業により得られる一年当たりの売上収入額に対する割合

二　近傍類似の土地に存する施設が賃貸されている場合（前号に掲げる場合を除く。）　当該施設の一年当たりの賃貸料から当該賃貸料に含まれている償却額、修繕費、管理事務費、損害保険料、空室等による損失を補填するための引当金、公租公課その他必要な経費を控除して得た額（次項において「純賃料」という。）のうち土地に係る部分として負担させることが適当な額の当該施設において行われる営業により得られる一年当たりの売上収入額に対する割合

2　前項第二号の土地に係る部分として負担させることが適当な額は、当該近傍類似の土地の時価及び当該施設の建設に要する費用の合算額に占める当該近傍類似の土地の時価の割合を純賃料に乗じて得た額を基礎として算出するものとする。

（占用入札を実施することが道路の管理上適切でない場所）

第四条の五の二　法第三十九条の二第三項の国土交通省令で定める場所は、次に掲げるものとする。

一　法第三十九条の五第一項の規定による認定の有効期間内において、道路の新設、改築又は修繕に関する工事が予定されている場所

二　法第三十九条の五第一項の規定による認定の有効期間内において、国又は地方公共団体による使用が予定されている場所

三　その他国土交通大臣が定める場所

（入札占用計画の記載事項）

第四条の五の三　法第三十九条の三第二項第三号の国土交通省令で定める事項は、次に掲げるものとする。

一　入札対象施設等を設置するため道路を占用しようとする者が法人又は団体である場合においては、その役員の氏名、生年月日、性別その他必要な事項

二　入札対象施設等を設置するため道路を占用しようとする者が個人である場合においては、その者の氏名、生年月日、性別その他必要な事項

三　入札対象施設等を設置する予定期間

四　法第三十九条の四第四項ただし書の規定により落札者を決定する占用入札を行う場合においては、占用料の額

五　その他道路管理者が必要と認める事項

第四条の五の四　道路管理者は、令第十九条の三の三第二項及び第三項の規定により学識経験者の意見を聴くときは、二人以上の学識経験者の意見を聴かなければならない。

（占用物件の維持管理に関する基準）

第四条の五の五　法第三十九条の八の国土交通省令で定める基準は、道路占用者が、道路の構造若しくは交通に支障を及ぼし、又は及ぼすこととなるおそれがないように、適切な時期に、占用物件の巡視、点検、修繕その他の当該占用物件の適切な維持管理を行うこととする。

（道路の維持又は修繕に関する技術的基準等）

第四条の五の六　令第三十五条の二第二項の国土交通省令で定める道路の維持又は修繕に関する技術的基準その他必要な事項は、次のとおりとする。

一　トンネル、橋その他道路を構成する施設若しくは工作物又は道路の附属物のうち、損傷、腐食その他の劣化その他の異状が生じた場合に道路の構造又は交通に大きな支障を及ぼすおそれがあるもの（以下この条において「トンネル等」という。）の点検は、トンネル等の点検を適正に行うために必要な知識及び技能を有する者が行うこととし、近接目視により、五年に一回の頻度で行うことを基本とすること。

二　前号の点検を行つたときは、当該トンネル等について健全性の診断を行い、その結果を国土交通大臣が定めるところにより分類すること。

三　第一号の点検及び前号の診断の結果並びにトンネル等について令第三十五条の二第一項第三号の措置を講じたときは、その内容を記録し、当該トンネル等が利用されている期間中は、これを保存すること。

四　橋、高架の道路その他これらに類する構造の道路と独立行政法人鉄道建設・運輸施設整備支援機構、独立行政法人日本高速道路保有・債務返済機構若しくは鉄道事業者の鉄道又は軌道経営者の新設軌道とが立体交差する場合における当該鉄道又は当該新設軌道の上の道路の部分の計画的な維持及び修繕が図られるよう、あらかじめ独立行政法人鉄道建設・運輸施設整備支援機構、独立行政法人日本高速道路保有・債務返済機構、当該鉄道事業者又は当該軌道経営者との協議により、当該道路の部分の維持又は修繕の方法を定めておくこと。

（損失の補償の裁決申請書の様式）

第四条の五の七　令第三十五条の四の規定による裁決申請書の様式は、別記様式第五の二とし、正本一部及び写一部を提出するものとする。

（届出対象区域の指定の公示）

第四条の五の八　法第四十四条の二第二項の規定による届出対象区域の指定の公示は、次の各号に掲げる事項について行うものとする。

一　届出対象区域及び沿道区域の存する土地の所在地

二　届出対象区域に接続する道路の路線名

三　工作物（法第四十四条第二項の規定により公示されたものに限る。第四条の五の十第二項及び第四条の五の十一において同じ。）

四　届出対象区域、沿道区域及び道路の区域を表示した平面図を縦覧する場所及び期間

2　道路管理者は、前項の公示をする場合においては縮尺千分の一以上の平面図に届出対象区域、沿道区域及び道路の区域を明示し、関係地方整備局又は北海道開発局の事務所において一般の縦覧に供しなければならない。

（届出対象区域内における行為の届出）

第四条の五の九　法第四十四条の二第三項の国土交通省令で定める事項は、行為の種類、場所、設計又は施行方法、着手予定日及び完了予定日とする。

第四条の五の一〇　法第四十四条の二第三項又は同条第五項の規定による届出は、別記様式第五の三による届出書を提出して行うものとする。

2　前項の届出書には、届出対象区域内における工作物の位置を表示する平面図（工作物から届出対象区域に接続する道路の路端までの最短距離を明記すること。）及び設計図を添付しなければならない。

（届出対象区域内における届出を要しない行為）

第四条の五の一一　法第四十四条の二第四項第一号の国土交通省令で定める行為は、次に掲げる行為とする。

一　工作物の撤去、点検、修繕又は改良のために必要な臨時の工作物を設置する行為

二　工作物の倒壊を防止するための行為

（変更の届出）

第四条の五の一二　法第四十四条の二第五項の国土交通省令で定める事項は、次に掲げるものとする。

一　場所

二　設計又は施行方法のうち、その変更により法第四十四条の二第三項の届出に係る行為が同条第四項各号に掲げる行為に該当することとなるもの以外のもの

（保管違法放置等物件一覧簿の様式）

第四条の六　令第十九条の六第二項（令第十九条の十一において準用する場合を含む。）の規定による保管違法放置等物件一覧簿の様式は、別記様式第五の四とする。

（競争入札における掲示事項等）

第四条の七　令第十九条の九第一項及び第二項（令第十九条の十一において準用する場合を含む。）に規定する国土交通省令で定める

事項は、次に掲げるものとする。
一　当該競争入札の執行を担当する職員の職及び氏名
二　当該競争入札の執行の日時及び場所
三　契約条項の概要
四　その他道路管理者が必要と認める事項

（違法放置等物件の返還に係る受領書の様式）

第四条の八　令第十九条の十（令第十九条の十一において準用する場合を含む。）の規定による受領書の様式は、別記様式第五の五とする。

（自動運行補助施設の性能の基準等）

第四条の八の二　法第四十五条の二第一項の国土交通省令で定める道路の附属物である自動運行補助施設の性能の基準は、自動運行補助施設が次の各号のいずれかに該当することとする。
一　自動運行補助施設が設置された道路を通行する自動運行装置（道路運送車両法（昭和二十六年法律第百八十五号）第四十一条第一項第二十号に規定する自動運行装置をいう。）を備えている自動車その他の自動運転に係る技術により運行する自動車（以下この項において「自動運行車」という。）の位置を補正するため、当該自動運行車の運行時の状態を検知するためのセンサーに検知されるよう、磁界、電波その他これらに類するものを発するものであつて、国土交通大臣が定める基準に適合するものであること。
二　自動運行補助施設が設置された道路又は当該道路と交差し、若しくは接続する道路を通行する自動運行車の位置を補正するため、当該自動運行車の運行時の状態を検知するためのセンサーに検知されるよう、当該自動運行補助施設の位置を示す情報を表示し、又は発信するものであつて、国土交通大臣が定める基準に適合するものであること。
三　自動運行補助施設が設置された道路又は当該道路と交差し、若しくは接続する道路において自動運行車の安全な通行を確保するため、当該自動運行車の周囲の状況を検知するためのセンサーを補完するものとして、当該センサーに検知されるよう、これらの道路の構造、他の車両若しくは歩行者の通行の状況、障害物の有無その他の当該道路の状況に関する情報を表示し、又は発信するものであつて、国土交通大臣が定める基準に適合するものであること。

2　自動運行補助施設は、道路の構造又は交通に支障を及ぼさないと認められるものでなければならない。

（自動運行補助施設の設置の公示）

第四条の八の三　法第四十五条の二第二項の規定による自動運行補助施設の設置の公示は、次に掲げる事項について行うものとする。
一　前条第一項各号に掲げる性能に関する事項
二　自動運行補助施設が設置された道路の場所に関する事項
三　その他自動運行補助施設の利用に関し必要と認められる事項

（水底トンネルに類するトンネル）

第四条の九　法第四十六条第三項に規定する国土交通省令で定める水底トンネルに類するトンネルは、水際にあるトンネルで当該トンネルの路面の高さが水面の高さ以下のもの又は長さ五千メートル以上のトンネルとする。

（車両の通行の禁止又は制限に関する公示）

第四条の一〇　令第十九条の十五の規定による車両の通行の禁止又は制限に関する公示は、次の各号に掲げる事項を官報に掲載して行うものとする。
一　危険物を積載する車両の通行を禁止し、又は制限する水底トンネルの名称及び箇所
二　危険物を積載する車両の通行を禁止するときは、当該危険物の表示
三　危険物を積載する車両の通行を制限するときは、次に掲げる事項
イ　当該危険物の表示
ロ　当該危険物を積載することができる車両の種類
ハ　当該危険物の容器包装、積載数量及び積載方法に関する要件
ニ　当該危険物を積載する車両の通行することができる時間を定めるときは、その時間

（歩行安全改築の要請に係る様式）

第四条の一〇の二　法第四十七条の十六第一項の規定による要請をしようとする市町村は、次に掲げる事項を記載した要請書を道路管理者に提出しなければならない。
一　歩行安全改築に係る道路の種類、路線名及び区間
二　歩行安全改築の内容
三　第一号の区間において歩行安全改築の要請をする理由

（交通確保施設）

第四条の一〇の三　法第四十七条の十七第二項の国土交通省令で定める施設は、次に掲げるものとする。
一　一般交通の用に供する通路及びこれと同等の機能を有する建築物その他の施設
二　自動車駐車場及び自転車駐車場

（法第四十七条の十七第三項の国土交通省令で定める要件）

第四条の一〇の四　法第四十七条の十七第三項の国土交通省令で定める要件は、交通確保施設の整備又は維持管理を適切に行うのに必要な経理的基礎及び技術的能力を有することとする。

（道路一体建物に関する協定の公示）

第四条の一一　法第四十七条の十八第二項の規定による同条第一項の協定の公示は、次に掲げる事項について行うものとする。
一　道路一体建物の所在地
二　道路一体建物の所有者になろうとする者の氏名又は名称
三　協定の写しの閲覧の場所

（道路保全立体区域の指定等の公示）

第四条の一二　法第四十七条の二十一第三項の規定による道路保全立体区域の指定又は当該指定の変更の公示は、次に掲げる事項を縮尺千分の一以上の平面図、縦断図及び横断定規図に明示して行うものとする。
一　道路保全立体区域の存する土地の所在地
二　道路保全立体区域の境界線

2　法第四十七条の二十一第三項の規定による道路保全立体区域の指定の解除の公示は、前項第一号に掲げる事項について行うものとする。

（自動車専用道路の指定等の公示）

第四条の一三　法第四十八条の二第四項の規定による同条第一項の指定又は当該指定の解除の公示は、次の各号に掲げる事項について行うものとする。
一　指定し、又は解除する道路の路線名
二　指定し、又は解除する期日

2　法第四十八条の二第四項の規定による同条第二項の指定又は当該指定の解除の公示は、次の各号に掲げる事項について行うものとする。
一　路線名
二　指定し、又は解除する道路の部分
三　指定し、又は解除する期日
四　指定し、又は解除する道路の部分を表示した図面を縦覧する場所及び期間

3　道路管理者は、前項の公示をする場合においては縮尺千分の一以上の図面に当該道路の部分を明示し、関係地方整備局若しくは北海道開発局又は関係都道府県若しくは市町村の事務所において一般の縦覧に供しなければならない。

（自動車専用道路と道路等の連結の許可手続）

第四条の一三の二　法第四十八条の五第一項の連結許可を受けようとする者は、次に掲げる事項（法第四十八条の四第一号に掲げる施設の連結許可にあつては第一号から第五号までに掲げる事項、同条第二号に掲げる施設（以下「利便施設等」という。）の連結許可にあつては第一号から第八号まで及び第十一号に掲げる事項）を記載した申請書に位置図並びに連結のために必要な工事の区間及び工事の設計の概要を記載した平面図、縦断図及び横断定規図（法第四十八条の四第一号に掲げる施設にあつては、平面図）を添付して道路管理者に提出しなければならない。
一　自動車専用道路の路線名
二　連結位置及び連結予定施設
三　連結を必要とする理由（法第四十八条の四第三号に掲げる施設（以下「通路等」という。）の連結許可にあつては、当該通路等により自動車専用道路と連絡する施設が、利便施設等に該当する理由を含む。）
四　連結のために必要な工事に要する費用の概算額
五　工事の施行期間
六　連結する期間
七　利便施設等の設計の概要
八　利便施設等の事業計画及び資金計画
九　通路等の交通量の見込み
十　通路等の維持管理の計画
十一　その他必要な事項

（利便施設等又は通路等の構造に関する技術的基準）

第四条の一三の三　法第四十八条の五第二項第二号（同条第四項において準用する場合を含む。）の国土交通省令で定める施設の構造に関する技術的基準は、次のとおりとする。

一　利便施設等にあつては、次に掲げるものであること。

イ　関係法令の規定を遵守するものであること。

ロ　自動車専用道路及び通路等の安全かつ円滑な交通に著しい支障を及ぼすおそれのないものであること。

ハ　当該利便施設等の利用者の安全かつ円滑な通行を確保するものであること。

二　通路等にあつては、次に掲げるものであること。

イ　幅員、線形、勾配その他の構造が、自動車専用道路の構造及び交通の状況その他当該自動車専用道路及び周辺の状況を勘案して、当該通路等の連結によつて自動車専用道路の安全かつ円滑な交通に著しい支障を及ぼすおそれのないものであること。

ロ　利便施設等の規模、用途その他の状況に応じて自動車専用道路の安全かつ円滑な交通に著しい支障を及ぼすことがないように、必要な規模及び適切な構造の駐車場を当該通路等に設けること。

（軽微な変更）

第四条の一三の四　法第四十八条の五第三項の国土交通省令で定める軽微な変更は、幅員、線形若しくは勾配又は駐車場の規模若しくは構造の変更を伴わない通路等の構造についての変更とする。

（構造についての変更の許可手続）

第四条の一三の五　法第四十八条の五第三項の許可を受けようとする者は、次に掲げる事項を記載した申請書に利便施設等又は通路等の構造についての変更に伴う工事の区間及び工事の設計の概要を記載した平面図、縦断図又は横断定規図を添付して道路管理者に提出しなければならない。

一　変更しようとする事項

二　変更を必要とする理由

三　工事の施行期間

（利便施設等又は通路等の維持管理に関する基準）

第四条の一三の六　法第四十八条の六の国土交通省令で定める基準は、当該利便施設等又は通路等を管理する者が、自動車専用道路の安全かつ円滑な交通に支障を及ぼすことがないように、定期に当該利便施設等又は通路等の巡回及び保守点検を行い、並びに通行の支障となる損傷の修繕又は物件の除却を行うことその他の当該利便施設等又は通路等の適切な維持管理を行うこととする。

（地代の差額に相当する額の算定方法）

第四条の一三の七　令第十九条の十七第一号イの地代の差額に相当する額は、近傍類似の土地（近傍に類似の土地が存しない場合には、立地条件、収益性その他の土地価格形成上の諸要素が類似した土地。以下この条において同じ。）の時価に期待利回りを乗じて得た額、近傍類似の土地の純地代から算定される推定の純地代に相当する額及び利便施設等において通常得られる売上収入額に第四条の五第一項各号に掲げる場合の区分に応じて当該各号に定める割合を乗じて得た額を勘案して算出する、自動車専用道路と連結する利便施設等（以下この条において「連結利便施設等」という。）の用に供する土地又は自動車専用道路と連結する通路等（以下この条において「連結通路等」という。）及び当該連結通路等によつて自動車専用道路と連結する利便施設等（以下この条において「連絡施設」という。）の用に供する土地と当該連結利便施設等又は当該連結通路等が自動車専用道路に連結しないものとした場合の当該土地との純地代の額の差額に相当する額（当該連結利便施設等又は当該連結通路等及び当該連絡施設の用に供する土地に係る公租公課に相当する額が当該連結利便施設等又は当該連結通路等が自動車専用道路に連結しないものとした場合の公租公課に相当する額を上回る場合にあつては、その差額を控除した額）とする。

（自動車専用道路等の指定等の公示）

第四条の一四　法第四十八条の十三第五項の規定による同条第一項から第三項までの指定又は当該指定の解除の公示は、道路に係るものにあつては第四条の十三第一項各号、道路の部分に係るものにあつては同条第二項各号に掲げる事項について行うものとする。

2　第四条の十三第三項の規定は、道路管理者が道路の部分について前項の公示を行う場合に準用する。

（自転車専用道路等を通行することができる車両）

第四条の一五　法第四十八条の十五第一項の国土交通省令で定める車両は、自転車以外の軽車両（道路交通法（昭和三十五年法律第百五号）第二条第一項第十一号に規定する軽車両をいう。）、特定小型原動機付自転車（同法第十七条第三項に規定する特定小型原動機付自転車をいう。）及び道路運送車両法施行規則（昭和二十六年運輸省令第七十四号）第二条の小型特殊自動車である農耕作業用自動車とする。

（準用）

第四条の一六　第一条の五の規定は法第四十八条の二十二第一項の規定による歩行者利便増進改築等について、第四条の五の二から第四条の五の四までの規定は法第四十八条の二十三第一項に規定する公募対象歩行者利便増進施設等のための道路の占用について、それぞれ準用する。この場合において、第一条の五中「第十七条第二項から第四項まで」とあるのは「第四十八条の二十二第一項」と、第四条の五の二の見出し中「占用入札」とあるのは「公募占用」と、同条中「第三十九条の二第三項」とあるのは「第四十八条の二十三第三項」と、同条第一号及び第二号中「第三十九条の五第一項」とあるのは「第四十八条の二十六第一項」と、第四条の五の三の見出し中「入札占用計画」とあるのは「歩行者利便増進計画」と、同条中「第三十九条の三第二項第三号」とあるのは「第四十八条の二十四第二項第三号」と、同条第一号から第三号まで中「入札対象施設等」とあるのは「公募対象歩行者利便増進施設等」と、同条第四号中「法第三十九条の四第四項ただし書の規定により落札者を決定する占用入札を行う場合においては、占用料の額」とあるのは「占用料の額」と、第四条の五の四中「令第十九条の三の三第二項及び第三項」とあるのは「法第四十八条の二十三第五項及び第四十八条の二十五第五項」と読み替えるものとする。

（災害応急対策）

第四条の一六の二　法第四十八条の二十九の二第一項の国土交通省令で定める災害応急対策は、次に掲げるものとする。

一　緊急輸送の確保

二　消防、水防その他の応急措置

三　被災者の救難、救助その他保護

四　施設及び設備の応急の復旧

五　前各号に掲げるもののほか、災害の拡大の防止を図るため実施すべき応急の対策

（災害応急対策施設管理協定の公告等）

第四条の一六の三　法第四十八条の二十九の六第一項の公告及び同条第三項の公示（同条第四項において準用する場合を含む。）は、次に掲げる事項について行うものとする。

一　災害応急対策施設管理協定の名称

二　協定災害応急対策施設の名称及びその所在地

三　災害応急対策施設管理協定の有効期間

四　災害応急対策施設管理協定の縦覧又は災害応急対策施設管理協定の写しの閲覧の場所

（車両の種類の指定）

第四条の一七　法第四十八条の三十第一項の規定による車両の種類の指定は、特定車両停留施設ごとに、第一条各号に掲げるもののうちから行うものとする。

（車両の種類の指定の公示）

第四条の一八　法第四十八条の三十第二項の規定による車両の種類の指定の公示は、次に掲げる事項について行うものとする。

一　当該指定に係る特定車両停留施設の名称

二　当該指定をしようとする日

（車両の停留の許可手続）

第四条の一九　法第四十八条の三十二第一項又は第三項の規定による許可を受けようとする者は、別記様式第五の六による申請書を道路管理者に提出しなければならない。

2　前項の申請書には、次に掲げる書類を添付しなければならない。ただし、道路管理者は、変更の申請であるためその添付の必要がないと認めるときは、その必要がないと認める書類の添付を省略させることができる。

一　次の各号に掲げる車両の種類の区分に応じ当該各号に定める書類

イ　第一条第一号に掲げる自動車　一般乗合旅客自動車運送事業に係る道路運送法第四条第一項の許可を受けていることを証する書面及び同法第五条第一項第三号の事業計画（同号に規定する路線定期運行を行う一般乗合旅客自動車運送事業の用に供する自動車にあつては、同号の事業計画及び同法第十五条の三第一項の運行計画）を記載した書類

ロ　第一条第二号に掲げる自動車　一般貸切旅客自動車運送事業に係る道路運送法第四条第一項の許可を受けていることを証する書面及び同法第五条第一項第三号の事業計画を記載した書類

ハ　第一条第三号に掲げる自動車　一般乗用旅客自動車運送事業に係る道路運送法第四条第一項の許可を受けていることを証する書面及び同法第五条第一項第三号の事業計画を記載した書類

ニ　第一条第四号に掲げる自動車　一般貨物自動車運送事業に係る貨物自動車運送事業法第三条の許可を受けていることを証する書面及び同法第四条第一項第二号の事業計画を記載した書類

二　申請に係る車両に係る道路運送車両法による自動車検査証の写し及び同法による自動車登録番号又は車両番号を示す書面

三　その他道路管理者が許可を行うにつき必要と認める書類

（特定車両停留施設の利用に関し必要な事項）

第四条の二〇　法第四十八条の三十六の規定により公示する事項は、次に掲げる事項とする。

一　特定車両停留施設の名称及び位置

二　停留料金の額

三　停留することができる時間

四　停留料金の徴収開始の日

五　停留料金の徴収方法

六　割増金の徴収に関する注意事項

七　その他特定車両停留施設の利用に関し必要と認められる事項

（道路の通行者又は利用者の利便の確保に資する工作物又は施設）

第四条の二一　令第三十五条の十一第一号の国土交通省令で定める工作物又は施設は、通路に設けられた雨よけとする。

（利便施設協定の公告等）

第四条の二二　法第四十八条の三十八第一項の公告及び同条第三項の公示（同条第四項において準用する場合を含む。）は、次に掲げる事項について行うものとする。

一　利便施設協定の名称

二　協定利便施設の名称及びその所在地

三　利便施設協定の有効期間

四　利便施設協定の縦覧又は利便施設協定の写しの閲覧の場所

（特定道路管理者による自動車駐車場等運営権者の定めた利用料金の公示の方法）

第四条の二三　法第四十八条の四十二第二項の国土交通省令で定める方法は、官報への掲載、インターネットの利用その他の適切な方法とする。

（自動車駐車場等運営権者に対する道路管理者の承認等の特例の対象となる行為）

第四条の二四　自動車駐車場又は自転車駐車場に係る法第四十八条の四十五の国土交通省令で定める行為は、次の各号に掲げる承認又は許可の区分に応じ、当該各号に定める行為とする。

一　法第二十四条本文の規定による承認　駐車の用に供する部分の拡幅その他の道路に関する工事又は除草、除雪その他の道路の維持（いずれも自動車駐車場若しくは自転車駐車場の機能の維持及び向上又はこれらの利用者の利便の増進に資するものに限る。）

二　法第三十二条第一項又は第三項の規定による許可　自動車駐車場若しくは自転車駐車場の利用者の一般交通に関し案内を表示する標識又は食事施設若しくは購買施設その他の自動車駐車場又は自転車駐車場の利用者の利便の増進に資する工作物、物件又は施設に係る道路の占用

2　特定車両停留施設に係る法第四十八条の四十五の国土交通省令で定める行為は、次の各号に掲げる承認又は許可の区分に応じ、当該各号に定める行為とする。

一　法第二十四条本文の規定による承認　停留場所、乗降場、待合所若しくは荷扱場の増設その他の道路に関する工事又は除草、除雪その他の道路の維持（いずれも特定車両停留施設の機能の維持及び向上又は当該施設の利用者の利便の増進に資するものに限る。）

二　法第三十二条第一項又は第三項の規定による許可　特定車両停留施設の利用者の一般交通に関し案内を表示する標識又は食事施設若しくは購買施設その他の特定車両停留施設の利用者の利便の増進に資する工作物、物件又は施設に係る道路の占用

（道路協力団体として指定することができる法人に準ずる団体）

第四条の二五　法第四十八条の六十第一項の国土交通省令で定める団体は、法人でない団体であって、事務所の所在地、構成員の資格、代表者の選任方法、総会の運営、会計に関する事項その他当該団体の組織及び運営に関する事項を内容とする規約その他これに準ずるものを有しているものとする。

（道路協力団体の指定）

第四条の二六　法第四十八条の六十第一項の規定による指定は、法第四十八条の六十一各号に掲げる業務のうち道路協力団体が行うもの及び当該業務を行う道路の区間を明らかにしてするものとする。

（道路協力団体が業務として設置又は管理を行う工作物等）

第四条の二七　法第四十八条の六十一第二号の国土交通省令で定める工作物、物件又は施設は、次に掲げるものとする。

一　看板、標識、旗ざお、幕、アーチその他これらに類する物件又は歩廊、雪よけその他これらに類する施設で安全かつ円滑な道路の交通の確保に資するもの

二　令第七条第九号の自動車駐車場及び自転車駐車場で道路の通行者又は利用者の利便の増進に資するもの

三　令第七条第十二号の車輪止め装置その他の器具で道路の通行者又は利用者の利便の増進に資するもの（前号に掲げる施設に設けるものを除く。）

四　広告塔又は看板で良好な景観の形成又は風致の維持に寄与するもの

五　標識又はベンチ若しくはその上屋、街灯その他これらに類する工作物で道路の通行者又は利用者の利便の増進に資するもの

六　食事施設、購買施設その他これらに類する施設で道路の通行者又は利用者の利便の増進に資するもの

七　次に掲げるもので、集会、展示会その他これらに類する催し（道路に関するものに限る。）のため設けられ、かつ、道路の通行者又は利用者の利便の増進に資するもの

イ　広告塔、ベンチ、街灯その他これらに類する工作物

ロ　露店、商品置場その他これらに類する施設

ハ　看板、標識、旗ざお、幕及びアーチ

（道路協力団体に対する道路管理者の承認等の特例の対象となる行為）

第四条の二八　法第四十八条の六十四の国土交通省令で定める行為は、次の各号に掲げる承認又は許可の区分に応じ、当該各号に定める行為（当該道路協力団体がその業務を行う道路の区間において行うものに限る。）とする。

一　法第二十四条本文の規定による承認　花壇その他道路の緑化のための施設の設置、道路の交通に支障を及ぼしている構造上の原因の一部を除去するために行う突角の切取りその他の道路に関する工事又は除草、除雪その他の道路の維持

二　法第三十二条第一項又は第三項の規定による許可　工事用施設、工事用材料その他これらに類する工作物、物件若しくは施設で道路に関する工事若しくは道路の維持のためのもの、前条各号に掲げる工作物、物件若しくは施設又は看板、標識その他これらに類する物件で道路の管理に関する情報若しくは資料の収集及び提供、調査研究若しくは知識の普及及び啓発のためのものに係る道路の占用（前条第二号から第七号までに掲げる工作物、物件又は施設に係る道路の占用にあつては、法第四十八条の六十一第一号に掲げる業務を行う道路協力団体が行うものに限る。）

（証票の様式）

第五条　法第六十六条第七項の規定による証票（国の職員が携帯するものを除く。第三項において同じ。）の様式は、別記様式第六とする。

2　法第七十一条第七項（法第九十一条第二項において準用する場合を含む。）の規定による証票の様式は、別記様式第七とする。

3　法第七十七条第五項の規定による証票の様式は、別記様式第七の二とする。

（保管車両一覧簿の様式）

第五条の二　令第三十条の三第二項の規定による保管車両一覧簿の様式は、別記様式第七の三とする。

（車両の返還に係る受領書の様式）

第五条の三　令第三十条の四の規定による受領書の様式は、別記様式第七の四とする。

（立入検査の証明書）

第六条　法第七十二条の二第三項の証明書（国の職員が携帯するものを除く。）は、別記様式第八によるものとする。

（指定区間外の国道の新設又は改築の認可）

第七条　指定区間外の国道の道路管理者は、法第七十四条の規定により国道の新設又は改築について認可を受けようとする場合においては、別記様式第九の申請書を地方整備局長又は北海道開発局長に提出しなければならない。

2　前項の申請書には、次に掲げる書類を添付しなければならない。

一　工事計画書

二　工事費及び財源調書

三　平面図、縦断図、横断定規図その他必要な図面

（認可を要しない軽易な事項）

第八条　法第七十四条ただし書の規定により認可を要しない軽易な事項は、道路の附属物の新設又は改築のみに関する工事とする。

2　指定区間外の国道の道路管理者は、前項の工事を行つた場合においては、その旨を地方整備局長又は北海道開発局長に報告しなければならない。

（報告の提出）

第九条　法第七十六条第一項の規定による報告は、同項第一号に掲げる事項については社会経済情勢の変化等に伴い道路整備計画を作成し、又は変更した都度、同項第二号に掲げる事項については工事を施行した後、同項第三号に掲げる事項については自動運行補助施設を設置し、又は設置状況を変更した都度、同項第四号に掲げる事項については協議が成立した都度、同項第五号に掲げる事項については条例を制定した都度、速やかに行うものとする。

2　道路管理者は、法第七十六条第一項第一号に掲げる道路整備計画についての報告を行うときは、別記様式第十により、都道府県にあつては縮尺五万分の一程度の、市町村にあつては都道府県が市町村ごとに定める縮尺（五万分の一以上のものに限る。）の図面に少なくとも次に掲げる事項を記載したものを添付して行うものとする。

一　市町村、大字及び字の名称並びに境界線

二　車道の幅員

三　主要なトンネル、橋及び渡船施設並びにこれらの名称

四　道路と効用を兼ねる主要な他の工作物

五　交差し、若しくは接続する道路又は重複する道路のうち主要なもの並びにこれらの種類及び路線名

六　交差する鉄道又は新設軌道及びこれらの名称

七　作成の年月日

（道道又は道の区域内の市町村道の改築の要件）

第一〇条　令第三十四条の二の三第一項第二号ニの国土交通省令で定める要件は、次のとおりとする。

一　一定の地域において一体として行われるものであること。

二　重点的、効果的かつ効率的に行われるものであること。

（令第三十四条の二の三第一項第三号イの国土交通省令で定める改築）

第一一条　令第三十四条の二の三第一項第三号イの国土交通省令で定める改築は、踏切道改良促進法（昭和三十六年法律第百九十五号）第四条第一項に規定する地方踏切道改良計画に従つて行われる道路の高架移設、車道又は歩道の拡幅その他の改築とする。

（令第三十四条の二の三第一項第三号ロの国土交通省令で定める改築）

第一二条　令第三十四条の二の三第一項第三号ロの国土交通省令で定める改築は、次に掲げるものとする。

一　歩道、自転車道又は自転車歩行者道の設置又は拡幅その他の道路の幅員の変更

二　自動車を減速させて歩行者又は自転車の安全な通行を確保するために行う路面の凸部の設置

三　舗装の着色（歩行者と車両とを分離して通行させるための道路の着色をいう。）

四　交差点又はその付近における突角の切取り

五　柵、街灯、道路標識、道路情報管理施設、自動車駐車場その他の道路の附属物の設置

六　その他道路の構造、車両及び歩行者の通行並びに沿道の土地利用の状況その他の事情を勘案して、当該道路における交通事故の防止を図るため特に重点的に行う必要があると認められる改築

（令第三十四条の二の三第一項第三号ハの国土交通省令で定める改築）

第一三条　令第三十四条の二の三第一項第三号ハの国土交通省令で定める改築は、無電柱化の推進に関する法律（平成二十八年法律第百十二号）第八条第一項又は第二項に規定する都道府県無電柱化推進計画又は市町村無電柱化推進計画に基づいて行われるものとする。

（令第三十四条の二の三第一項第四号の国土交通省令で定める施設又は工作物）

第一四条　令第三十四条の二の三第一項第四号の国土交通省令で定める施設又は工作物は、損傷、腐食その他の劣化により道路の構造に支障を及ぼすおそれが特に大きいと認められる橋、トンネル、法面、横断歩道橋、防護施設、道路を横断して設ける道路標識その他これらに類するものとする。

（権限の委任）

第一五条　第四条の四の九第二号に規定する道路管理者である国土交通大臣の権限は、地方整備局長及び北海道開発局長に委任する。

附　則〔抄〕

1　この省令は、法施行の日から施行する。但し、第一条、第六条及び第八条の規定は、公布の日から施行する。

2　左の省令は、廃止する。

一　道路法第五十二条但書ノ規定ニ依リ監督官庁ノ認可ヲ受クルコトヲ要セサル件（大正九年内務省令第六号）

二　賃取橋梁及渡船場設置ニ関スル件（大正九年内務省令第二十三号）

附　則〔略〕〔昭和四〇・三・三一建設省令一三〕

附　則〔略〕〔昭和四二・一〇・二六建設省令三〇〕

附　則〔略〕〔昭和四六・三・二九建設省令六〕

附　則〔略〕〔昭和四六・一一・二五建設省令二四〕

附　則〔略〕〔昭和四七・三・二八建設省令七〕

附　則〔昭和四八・二・一五建設省令二〕

1　この省令は、昭和四十八年二月二十日から施行する。

2　令第九条に規定する石油管に係る占用料で、この省令の施行前の占用の期間に係るものの額については、なお従前の例による。

附　則〔昭和六一・八・五建設省令八〕

（施行期日）

1　この省令は、公布の日から施行する。

（経過措置）

2　この省令の施行の際現に存する占用物件（工事中のものを含む。）に係る基準については、改正後の道路法施行規則の規定にかかわらず、なお従前の例による。

附　則〔略〕〔平成元・一一・二一建設省令一七〕

附　則〔略〕〔平成二・三・一七建設省令三〕

附　則〔略〕〔平成三・一〇・二一建設省令一八〕

附　則〔抄〕〔平成六・二・二三建設省令四〕

（施行期日）

1　この省令は、公布の日から施行する。

（経過措置）

3　この省令による改正前の道路法施行規則別記様式第五による書面は、平成七年三月三十一日までの間は、これを使用することができる。

附　則〔略〕〔平成六・九・一九建設省令二五〕

附　則〔略〕〔平成七・六・二一建設省令一七〕

附　則〔略〕〔平成一〇・三・六建設省令二〕

附　則〔略〕〔平成一二・二・二九建設省令一三〕

附　則〔略〕〔平成一二・四・一九建設省令二三〕

附　則〔略〕〔平成一二・一一・二〇建設省令四一〕

附　則〔略〕〔平成一三・三・二九国土交通省令六三〕

附　則〔略〕〔平成一五・三・一三国土交通省令二〇〕

附　則〔略〕〔平成一六・三・一五国土交通省令一四施行〕

附　則〔略〕〔平成一七・六・一国土交通省令六六〕

附　則〔略〕〔平成一八・一二・二八国土交通省令一二三〕

附　則〔略〕〔平成一九・九・二八国土交通省令八四施行〕

附　則〔略〕〔平成二一・四・三〇国土交通省令三二施行〕

附　則〔略〕〔平成二三・三・三一国土交通省令三三〕

附　則〔略〕〔平成二三・八・二国土交通省令六〇〕

附　則〔略〕〔平成二三・一一・三〇国土交通省令八八〕

附　則〔略〕〔平成二三・一二・一三国土交通省令九四〕

附　則〔略〕〔平成二五・九・二国土交通省令七四〕

附　則〔略〕〔平成二六・三・三一国土交通省令三九〕

附　則〔略〕〔平成二六・五・二八国土交通省令五二〕

附　則〔略〕〔平成二七・一・二三国土交通省令四〕

附　則〔略〕〔平成二八・三・三一国土交通省令三九〕

附　則〔略〕〔平成二八・九・二八国土交通省令六八〕

附　則〔略〕〔平成二八・一〇・二八国土交通省令七六〕

附　則〔平成三〇・三・三一国土交通省令三七〕

（施行期日）

1　この省令は、平成三十年四月一日から施行する。

（経過措置）

2　この省令による改正後の規定は、平成三十年度以降の年度の予算に係る国の負担又は補助（平成二十九年度以前の年度の国庫債務負担行為に基づき平成三十年度以降の年度に支出すべきものとされた国の負担又は補助を除く。）について適用し、平成二十九年度以前の年度の予算に係る国の負担又は補助で平成三十年度以降の年度に繰り越されたもの及び平成二十九年度以前の年度の国庫債務負担行為に基づき平成三十年度以降の年度に支出すべきものとされた国の負担又は補助については、なお従前の例による。

附　則〔略〕〔平成三〇・九・二八国土交通省令七四〕

附　則〔平成三一・四・一国土交通省令三二〕

（施行期日）

1　この省令は、公布の日から施行する。

（経過措置）

2　この省令の施行の際現に存する電線（工事中のものを含む。）に係る道路の占用の場所については、この省令による改正後の道路法施行規則第四条の四の二第一項の規定にかかわらず、なお従前の例による。

附　則〔令和二・三・三〇国土交通省令一九〕

（施行期日）

1　この省令は、道路法施行令及び道路整備事業に係る国の財政上の特別措置に関する法律施行令の一部を改正する政令の施行の日（令和二年四月一日）から施行する。

（経過措置）

2　この省令による改正後の規定は、令和二年度以降の年度の予算に係る国の負担又は補助（令和元年度以前の年度の国庫債務負担行為に基づき令和二年度以降の年度に支出すべきものとされた国の負担又は補助を除く。）について適用し、令和元年度以前の年度の予算に係る国の負担又は補助で令和二年度以降の年度に繰り越されたもの及び令和元年度以前の年度の国庫債務負担行為に基づき令和二年度以降の年度に支出すべきものとされた国の負担又は補助については、なお従前の例による。

附　則〔略〕〔令和二・一一・二〇国土交通省令九〇〕

附　則〔略〕〔令和二・一二・二三国土交通省令九八〕

附　則〔令和三・三・三一国土交通省令二一〕

（施行期日）

1　この省令は、令和三年四月一日から施行する。

（経過措置）

2　第二条の規定による改正後の道路法施行規則第十一条から第十三条まで〔中略〕の規定は、令和三年度以降の年度の予算に係る国の負担又は補助（令和二年度以前の年度の国庫債務負担行為に基づき令和三年度以降の年度に支出すべきものとされた国の負担又は補助を除く。）について適用し、令和二年度以前の年度の予算に係る国の負担又は補助で令和三年度以降の年度に繰り越されたもの及び令和二年度以前の年度の国庫債務負担行為に基づき令和三年度以降の年度に支出すべきものとされた国の負担又は補助については、なお従前の例による。

附　則〔略〕〔令和三・七・九国土交通省令四七〕

附　則〔略〕〔令和三・九・二四国土交通省令五八〕

附　則〔略〕〔令和四・八・二二国土交通省令六三施行〕

附　則〔略〕〔令和五・三・一七国土交通省令一一〕

附　則〔抄〕〔令和六・三・二九国土交通省令二六〕

（施行期日）

第一条　この省令は、令和六年四月一日から施行する。〔以下略〕

様式〔略〕

○道路構造令〔昭和四五・一〇・二九 政令三二〇〕

改正 昭和四六・三政九〇、七政二五二、昭和五一・三政六一、昭和五七・九政二五六、昭和六一・三政六四、平成五・一一政三七五、平成一二・六政三一二、平成一三・四政一七〇、平成一五・七政三二一、平成二三・一二政四二四、平成三〇・九政二八〇、平成三一・四政一五七、令和二・一一政三二九

（この政令の趣旨）

第一条 この政令は、道路を新設し、又は改築する場合における高速自動車国道及び一般国道の構造の一般的技術的基準（都道府県道及び市町村道の構造の一般的技術的基準にあつては、道路法（以下「法」という。）第三十条第一項第一号、第三号及び第十二号に掲げる事項に係るものに限る。）並びに道路管理者である地方公共団体の条例で都道府県道及び市町村道の構造の技術的基準（同項第一号、第三号及び第十二号に掲げる事項に係るものを除く。）を定めるに当たつて参酌すべき一般的技術的基準を定めるものとする。

（用語の定義）

第二条 この政令において、次の各号に掲げる用語の意義は、それぞれ当該各号に定めるところによる。

一 歩道 専ら歩行者の通行の用に供するために、縁石線又は柵その他これに類する工作物により区画して設けられる道路の部分をいう。

二 自転車道 専ら自転車の通行の用に供するために、縁石線又は柵その他これに類する工作物により区画して設けられる道路の部分をいう。

三 自転車歩行者道 専ら自転車及び歩行者の通行の用に供するために、縁石線又は柵その他これに類する工作物により区画して設けられる道路の部分をいう。

四 車道 専ら車両の通行の用に供することを目的とする道路の部分（自転車道を除く。）をいう。

五 車線 一縦列の自動車を安全かつ円滑に通行させるために設けられる帯状の車道の部分（副道を除く。）をいう。

六 付加追越車線 専ら自動車の追越しの用に供するために、車線（登坂車線、屈折車線及び変速車線を除く。）に付加して設けられる車線をいう。

七 登坂車線 上り勾配の道路において速度の著しく低下する車両を他の車両から分離して通行させることを目的とする車線をいう。

八 屈折車線 自動車を右折させ、又は左折させることを目的とする車線をいう。

九 変速車線 自動車を加速させ、又は減速させることを目的とする車線をいう。

十 中央帯 車線を往復の方向別に分離し、及び側方余裕を確保するために設けられる帯状の道路の部分をいう。

十一 副道 盛土、切土等の構造上の理由により車両の沿道への出入りが妨げられる区間がある場合に当該出入りを確保するため、当該区間に並行して設けられる帯状の車道の部分をいう。

十二 路肩 道路の主要構造部を保護し、又は車道の効用を保つために、車道、歩道、自転車道又は自転車歩行者道に接続して設けられる帯状の道路の部分をいう。

十三 側帯 車両の運転者の視線を誘導し、及び側方余裕を確保する機能を分担させるために、車道に接続して設けられる帯状の中央帯又は路肩の部分をいう。

十四 停車帯 主として車両の停車の用に供するために設けられる帯状の車道の部分をいう。

十五 自転車通行帯 自転車を安全かつ円滑に通行させるために設けられる帯状の車道の部分をいう。

十六 軌道敷 専ら路面電車（道路交通法（昭和三十五年法律第百五号）第二条第一項第十三号に規定する路面電車をいう。以下同じ。）の通行の用に供することを目的とする道路の部分をいう。

十七 交通島 車両の安全かつ円滑な通行を確保し、又は横断する歩行者若しくは乗合自動車若しくは路面電車に乗降する者の安全を図るために、交差点、車道の分岐点、乗合自動車の停留所、路面電車の停留場等に設けられる島状の施設をいう。

十八 植樹帯 専ら良好な道路交通環境の整備又は沿道における良好な生活環境の確保を図ることを目的として、樹木を植栽するために縁石線又は柵その他これに類する工作物により区画して設けられる帯状の道路の部分をいう。

十九 路上施設 道路の附属物（共同溝及び電線共同溝を除く。）で歩道、自転車道、自転車歩行者道、中央帯、路肩、自転車専用道路、自転車歩行者専用道路又は歩行者専用道路に設けられるものをいう。

二十 都市部 市街地を形成している地域又は市街地を形成する見込みの多い地域をいう。

二十一 地方部 都市部以外の地域をいう。

二十二 計画交通量 道路の設計の基礎とするために、当該道路の存する地域の発展の動向、将来の自動車交通の状況等を勘案して、国土交通省令で定めるところにより、当該道路の新設又は改築に関する計画を策定する者で国土交通省令で定めるものが定める自動車の日交通量をいう。

二十三 設計速度 道路の設計の基礎とする自動車の速度をいう。

二十四 視距 車線（車線を有しない道路にあつては、車道（自転車通行帯を除く。）。以下この号において同じ。）の中心線上一・二メートルの高さから当該車線の中心線上にある高さ十センチメートルの物の頂点を見通すことができる距離を当該車線の中心線に沿つて測つた長さをいう。

（道路の区分）

第三条 道路は、次の表に定めるところにより、第一種から第四種までに区分するものとする。

道路の存する地域／高速自動車国道及び自動車専用道路又はその他の道路の別	地方部	都市部
高速自動車国道及び自動車専用道路	第一種	第二種
その他の道路	第三種	第四種

2 第一種の道路は、第一号の表に定めるところにより第一級から第四級までに、第二種の道路は、第二号の表に定めるところにより第一級又は第二級に、第三種の道路は、第三号の表に定めるところにより第一級から第五級までに、第四種の道路は、第四号の表に定めるところにより第一級から第四級までに、それぞれ区分するものとする。ただし、地形の状況その他の特別の理由によりやむを得ない場合においては、該当する級が第一種第四級、第二種第二級、第三種第五級又は第四種第四級である場合を除き、該当する級の一級下の級に区分することができる。

一 第一種の道路

<table>
<tr><th colspan="2">道路の種類 ＼ 道路の存する地域の地形 ＼ 計画交通量（単位一日につき台）</th><th>三〇、〇〇〇以上</th><th>二〇、〇〇〇以上三〇、〇〇〇未満</th><th>一〇、〇〇〇以上二〇、〇〇〇未満</th><th>一〇、〇〇〇未満</th></tr>
<tr><td rowspan="2">高速自動車国道</td><td>平地部</td><td>第一級</td><td colspan="2">第二級</td><td>第三級</td></tr>
<tr><td>山地部</td><td>第二級</td><td colspan="2">第三級</td><td>第四級</td></tr>
<tr><td rowspan="2">高速自動車国道以外の道路</td><td>平地部</td><td colspan="2">第二級</td><td colspan="2">第三級</td></tr>
<tr><td>山地部</td><td colspan="2">第三級</td><td colspan="2">第四級</td></tr>
</table>

二　第二種の道路

<table>
<tr><th>道路の種類 ＼ 道路の存する地区</th><th>大都市の都心部以外の地区</th><th>大都市の都心部</th></tr>
<tr><td>高速自動車国道</td><td colspan="2">第一級</td></tr>
<tr><td>高速自動車国道以外の道路</td><td>第一級</td><td>第二級</td></tr>
</table>

三　第三種の道路

<table>
<tr><th colspan="2">道路の種類 ＼ 道路の存する地域の地形 ＼ 計画交通量（単位一日につき台）</th><th>二〇、〇〇〇以上</th><th>四、〇〇〇以上二〇、〇〇〇未満</th><th>一、五〇〇以上四、〇〇〇未満</th><th>五〇〇以上一、五〇〇未満</th><th>五〇〇未満</th></tr>
<tr><td rowspan="2">一般国道</td><td>平地部</td><td>第一級</td><td>第二級</td><td colspan="3">第三級</td></tr>
<tr><td>山地部</td><td>第二級</td><td>第三級</td><td colspan="3">第四級</td></tr>
<tr><td rowspan="2">都道府県道</td><td>平地部</td><td colspan="2">第二級</td><td colspan="3">第三級</td></tr>
<tr><td>山地部</td><td colspan="2">第三級</td><td colspan="3">第四級</td></tr>
<tr><td rowspan="2">市町村道</td><td>平地部</td><td colspan="2">第二級</td><td>第三級</td><td>第四級</td><td>第五級</td></tr>
<tr><td>山地部</td><td colspan="2">第三級</td><td colspan="2">第四級</td><td>第五級</td></tr>
</table>

四　第四種の道路

<table>
<tr><th>道路の種類 ＼ 計画交通量（単位一日につき台）</th><th>一〇、〇〇〇以上</th><th>四、〇〇〇以上一〇、〇〇〇未満</th><th>五〇〇以上四、〇〇〇未満</th><th>五〇〇未満</th></tr>
<tr><td>一般国道</td><td colspan="2">第一級</td><td colspan="2">第二級</td></tr>
<tr><td>都道府県道</td><td>第一級</td><td>第二級</td><td colspan="2">第三級</td></tr>
<tr><td>市町村道</td><td>第一級</td><td>第二級</td><td>第三級</td><td>第四級</td></tr>
</table>

3　前二項の規定による区分は、当該道路の交通の状況を考慮して行なうものとする。

4　第一種、第二種、第三種第一級から第四級まで又は第四種第一級から第三級までの道路（第三種第一級から第四級まで又は第四種第一級から第三級までの道路にあつては、高架の道路その他の自動車の沿道への出入りができない構造のものに限る。）は、地形の状況、市街化の状況その他の特別の理由によりやむを得ない場合において、当該道路の近くに小型自動車等（小型自動車その他これに類する小型の自動車をいう。以下同じ。）以外の自動車が迂回することができる道路があるときは、小型自動車等（第三種第一級から第四級まで又は第四種第一級から第三級までの道路にあつては、小型自動車等及び歩行者又は自転車）のみの通行の用に供する道路とすることができる。

5　第一種、第二種、第三種第一級から第四級まで又は第四種第一級から第三級までの道路について、地形の状況、市街化の状況その他の特別の理由によりやむを得ない場合においては、小型自動車等のみの通行の用に供する車線を他の車線と分離して設けることができる。この場合において、第三種第一級から第四級まで又は第四種第一級から第三級までの道路については、小型自動車等のみの通行の用に供する車線を設けようとするときは、当該車線に係る道路の部分を高架の道路その他の自動車の沿道への出入りができない構造とするものとする。

6　道路は、小型道路（第四項に規定する小型自動車等（第三種第一級から第四級まで又は第四種第一級から第三級までの道路にあつては、小型自動車等及び歩行者又は自転車）のみの通行の用に供する道路及び前項に規定する小型自動車等のみの通行の用に供する車線に係る道路の部分をいう。以下同じ。）と普通道路（小型道路以外の道路及び道路の部分をいう。以下同じ。）とに区分するものとする。

第三条の二　**（高速自動車国道及び一般国道の構造の一般的技術的基準）**　高速自動車国道又は一般国道を新設し、又は改築する場合におけるこれらの道路の構造の一般的技術的基準は、次条から第四十一条までに定めるところによる。

（設計車両）

第四条　道路の設計に当たつては、第一種、第二種、第三種第一級若しくは第四種第一級の普通道路又は重要物流道路（法第四十八条の十七第一項の規定により指定された重要物流道路をいう。以下同じ。）である普通道路にあつては小型自動車及びセミトレーラ連結車（自動車と前車軸を有しない被牽引車との結合体であつて、被牽引車の一部が自動車に載せられ、かつ、被牽引車及びその積載物の重量の相当の部分が自動車によつて支えられるものをいう。以下同じ。）が、その他の普通道路にあつては小型自動車及び普通自動車が、小型道路にあつては小型自動車等が安全かつ円滑に通行することができるようにするものとする。

2　道路の設計の基礎とする自動車（以下「設計車両」という。）の種類ごとの諸元は、それぞれ次の表に掲げる値とする。

設計車両＼諸元（単位 メートル）	長さ	幅	高さ	前端オーバハング	軸距	後端オーバハング	最小回転半径
小型自動車	四・七	一・七	二	〇・八	二・七	一・二	六
小型自動車等	六	二	二・八	一	三・七	一・三	七
普通自動車	一二	二・五	三・八	一・五	六・五	四	一二
セミトレーラ連結車	一六・五	二・五	三・八（重要物流道路である普通道路にあつては、四・一）	一・三	前軸距 四 後軸距 九	二・二	一二

この表において、次の各号に掲げる用語の意義は、それぞれ当該各号に定めるところによる。
一 前端オーバハング 車体の前面から前輪の車軸の中心までの距離をいう。
二 軸距 前輪の車軸の中心から後輪の車軸の中心までの距離をいう。
三 後端オーバハング 後輪の車軸の中心から車体の後面までの距離をいう。

（車線等）
第五条 車道（副道、停車帯、自転車通行帯その他国土交通省令で定める部分を除く。）は、車線により構成されるものとする。ただし、第三種第五級の道路にあつては、この限りでない。

2 道路の区分及び地方部に存する道路にあつては地形の状況に応じ、計画交通量が次の表の設計基準交通量（自動車の最大許容交通量をいう。以下同じ。）の欄に掲げる値以下である道路の車線（付加追越車線、登坂車線、屈折車線及び変速車線を除く。次項において同じ。）の数は、二とする。

区分		地形	設計基準交通量（単位 一日につき台）
第一種	第二級	平地部	一四、〇〇〇
	第三級	平地部	一四、〇〇〇
		山地部	一〇、〇〇〇
	第四級	平地部	一三、〇〇〇
		山地部	九、〇〇〇
第三種	第二級	平地部	九、〇〇〇
	第三級	平地部	八、〇〇〇
		山地部	六、〇〇〇
	第四級	平地部	八、〇〇〇
		山地部	六、〇〇〇
第四種	第一級		一二、〇〇〇
	第二級		一〇、〇〇〇
	第三級		九、〇〇〇

交差点の多い第四種の道路については、この表の設計基準交通量に〇・八を乗じた値を設計基準交通量とする。

3 前項に規定する道路以外の道路（第二種の道路で対向車線を設けないもの及び第三種第五級の道路を除く。）の車線の数は四以上（交通の状況により必要がある場合を除き、二の倍数）、第二種の道路で対向車線を設けないものの車線の数は二以上とし、当該道路の区分及び地方部に存する道路にあつては地形の状況に応じ、次の表に掲げる一車線当たりの設計基準交通量に対する当該道路の計画交通量の割合によつて定めるものとする。

区分		地形	一車線当たりの設計基準交通量（単位 一日につき台）
第一種	第一級	平地部	一二、〇〇〇
	第二級	平地部	一二、〇〇〇
		山地部	九、〇〇〇
	第三級	平地部	一一、〇〇〇
		山地部	八、〇〇〇
	第四級	平地部	一一、〇〇〇
		山地部	八、〇〇〇
第二種	第一級		一八、〇〇〇
	第二級		一七、〇〇〇
第三種	第一級	平地部	一一、〇〇〇
	第二級	平地部	九、〇〇〇
		山地部	七、〇〇〇
	第三級	平地部	八、〇〇〇
		山地部	六、〇〇〇
	第四級	山地部	五、〇〇〇
第四種	第一級		一二、〇〇〇
	第二級		一〇、〇〇〇
	第三級		一〇、〇〇〇

交差点の多い第四種の道路については、この表の一車線当たりの設計基準交通量に〇・六を乗じた値を一車線当たりの設計基準交通量とする。

4 車線（登坂車線、屈折車線及び変速車線を除く。以下この項において同じ。）の幅員は、道路の区分に応じ、次の表の車線の幅員の欄に掲げる値とするものとする。ただし、第一種第一級若しくは第二級、第三種第二級又は第四種第一級の普通道路にあつては、交通の状況により必要がある場合においては、同欄に掲げる値に〇・二五メートルを加えた値、第一種第二級若しくは第三級の小型道路又は第二種第一級の道路にあつては、地形の状況その他の特別の理由によりやむを得ない場合においては、同欄に掲げる値から〇・二五メートルを減じた値とすることができる。

区分			車線の幅員（単位　メートル）
第一種	第一級		三・五
	第二級		
	第三級	普通道路	三・五
		小型道路	三・二五
	第四級	普通道路	三・二五
		小型道路	三
第二種	第一級	普通道路	三・五
		小型道路	三・二五
	第二級	普通道路	三・二五
		小型道路	三
第三種	第一級	普通道路	三・五
		小型道路	三
	第二級	普通道路	三・二五
		小型道路	二・七五
	第三級	普通道路	三
		小型道路	二・七五
	第四級		二・七五
第四種	第一級	普通道路	三・二五
		小型道路	二・七五
	第二級及び第三級	普通道路	三
		小型道路	二・七五

5　第三種第五級の普通道路の車道（自転車通行帯を除く。）の幅員は、四メートルとするものとする。ただし、当該普通道路の計画交通量が極めて少なく、かつ、地形の状況その他の特別の理由によりやむを得ない場合又は第三十一条の二の規定により車道に狭窄部を設ける場合においては、三メートルとすることができる。

（**車線の分離等**）

第六条　第一種、第二種又は第三種第一級の道路（対向車線を設けない道路を除く。以下この条において同じ。）の車線は、往復の方向別に分離するものとする。車線の数が四以上であるその他の道路について、安全かつ円滑な交通を確保するため必要がある場合においても、同様とする。

2　前項前段の規定にかかわらず、車線の数（登坂車線、屈折車線及び変速車線の数を除く。以下この条において同じ。）が三以下である第一種の道路にあつては、地形の状況その他の特別の理由によりやむを得ない場合においては、その車線を往復の方向別に分離しないことができる。

3　車線を往復の方向別に分離するため必要があるときは、中央帯を設けるものとする。

4　中央帯の幅員は、当該道路の区分に応じ、次の表の中央帯の幅員の欄の上欄に掲げる値以上とするものとする。ただし、長さ百メートル以上のトンネル、長さ五十メートル以上の橋若しくは高架の道路又は地形の状況その他の特別の理由によりやむを得ない箇所については、同表の中央帯の幅員の欄の下欄に掲げる値まで縮小することができる。

区分		中央帯の幅員（単位　メートル）	
第一種	第一級	四・五	二
	第二級		
	第三級	三	一・五
	第四級		
第二種	第一級	二・二五	一・五
	第二級	一・七五	一・二五
第三種	第一級	一・七五	一
	第二級		
	第三級		
	第四級		
第四種	第一級	一	
	第二級		
	第三級		

5　中央帯には、側帯を設けるものとする。

6　前項の側帯の幅員は、道路の区分に応じ、次の表の中央帯に設ける側帯の幅員の欄の上欄に掲げる値とするものとする。ただし、第四項ただし書の規定により中央帯の幅員を縮小する道路又は箇所については、同表の中央帯に設ける側帯の幅員の欄の下欄に掲げる値まで縮小することができる。

区分		中央帯に設ける側帯の幅員（単位　メートル）	
第一種	第一級	〇・七五	〇・二五
	第二級		
	第三級	〇・五	
	第四級		
第二種		〇・五	〇・二五
第三種	第一級	〇・二五	
	第二級		
	第三級		
	第四級		
第四種	第一級	〇・二五	
	第二級		
	第三級		

7　中央帯のうち側帯以外の部分（以下「分離帯」という。）には、さくその他これに類する工作物を設け、又は側帯に接続して縁石線を設けるものとする。

8　分離帯に路上施設を設ける場合においては、当該中央帯の幅員は、第十二条の建築限界を勘案して定めるものとする。

9　同方向の車線の数が一である第一種の道路の当該車線の属する車道には、必要に応じ、付加追越車線を設けるものとする。

（副道）

第七条　車線（登坂車線、屈折車線及び変速車線を除く。）の数が四以上である第三種又は第四種の道路には、必要に応じ、副道を設けるものとする。

2　副道（自転車通行帯を除く。）の幅員は、四メートルを標準とするものとする。

（路肩）

第八条　道路には、車道に接続して、路肩を設けるものとする。ただし、中央帯又は停車帯を設ける場合においては、この限りでない。

2　車道の左側に設ける路肩の幅員は、道路の区分に応じ、次の表の車道の左側に設ける路肩の幅員の欄の上欄に掲げる値以上とするものとする。ただし、付加追越車線、登坂車線若しくは変速車線を設ける箇所、長さ五十メートル以上の橋若しくは高架の道路又は地形の状況その他の特別の理由によりやむを得ない箇所については、同表の車道の左側に設ける路肩の幅員の欄の下欄に掲げる値まで縮小することができる。

区分			車道の左側に設ける路肩の幅員（単位　メートル）	
第一種	第一級及び第二級	普通道路	二・五	一・七五
		小型道路	一・二五	
	第三級及び第四級	普通道路	一・七五	一・二五
		小型道路	一	
第二種		普通道路	一・二五	
		小型道路	一	
第三種	第一級	普通道路	一・二五	〇・七五
		小型道路	〇・七五	
	第二級から第四級まで	普通道路	〇・七五	〇・五
		小型道路	〇・五	
	第五級		〇・五	
第四種			〇・五	

3　前項の規定にかかわらず、車線を往復の方向別に分離する第一種の道路であつて同方向の車線の数が一であるものの当該車線の属する車道の左側に設ける路肩の幅員は、道路の区分に応じ、次の表の車道の左側に設ける路肩の幅員の欄の上欄に掲げる値以上とするものとする。ただし、普通道路のうち、長さ百メートル以上のトンネル、長さ五十メートル以上の橋若しくは高架の道路又は地形の状況その他の特別の理由によりやむを得ない箇所であつて、大型の自動車の交通量が少ないものについては、同表の車道の左側に設ける路肩の幅員の欄の下欄に掲げる値まで縮小することができる。

区分		車道の左側に設ける路肩の幅員（単位　メートル）	
第二級及び第三級	普通道路	二・五	一・七五
	小型道路	一・二五	
第四級	普通道路	二・五	二
	小型道路	一・二五	

4　車道の右側に設ける路肩の幅員は、道路の区分に応じ、次の表の車道の右側に設ける路肩の幅員の欄に掲げる値以上とするものとする。

区分			車道の右側に設ける路肩の幅員（単位　メートル）
第一種	第一級及び第二級	普通道路	一・二五
		小型道路	〇・七五
	第三級及び第四級	普通道路	〇・七五
		小型道路	〇・五
第二種		普通道路	〇・七五
		小型道路	〇・五
第三種			〇・五
第四種			〇・五

5　普通道路のトンネルの車道に接続する路肩（第三項本文に規定する路肩を除く。）又は小型道路のトンネルの車道の左側に設ける路肩（同項本文に規定する路肩を除く。）の幅員は、第一種第一級又は第二級の道路にあつては一メートルまで、第一種第三級又は第四級の道路にあつては〇・七五メートルまで、第三種（第五級を除く。）の普通道路又は第三種第一級の小型道路にあつては〇・五メートルまで縮小することができる。

6　副道に接続する路肩については、第二項の表第三種の項車道の左側に設ける路肩の幅員の欄の上欄中「一・二五」とあり、及び「〇・七五」とあるのは、「〇・五」とし、第二項ただし書の規定は適用しない。

7　歩道、自転車道又は自転車歩行者道を設ける道路にあつては、道路の主要構造部を保護し、又は車道の効用を保つために支障がない場合においては、車道に接続する路肩を設けず、又はその幅員を縮小することができる。

8　第一種又は第二種の道路の車道に接続する路肩には、側帯を設けるものとする。

9　前項の側帯の幅員は、道路の区分に応じ、普通道路にあつては次の表の路肩に設ける側帯の幅員の欄の上欄に掲げる値と、小型道路にあつては〇・二五メートルとする。ただし、普通道路のトンネルの車道に接続する路肩に設ける側帯の幅員は、同表の路肩に設ける側帯の幅員の欄の下欄に掲げる値とすることができる。

区分		路肩に設ける側帯の幅員（単位　メートル）	
第一種	第一級	〇・七五	〇・五
	第二級	〇・七五	〇・五
	第三級	〇・五	〇・二五
	第四級	〇・五	〇・二五
第二種	第一級	〇・五	
	第二級	〇・五	

10　道路の主要構造部を保護するため必要がある場合においては、歩道、自転車道又は自転車歩行者道に接続して、路端寄りに路肩を設けるものとする。

11　車道に接続する路肩に路上施設を設ける場合においては、当該路肩の幅員については、第二項の表の車道の左側に設ける路肩の幅員の欄又は第四項の表の車道の右側に設ける路肩の幅員の欄に掲げる値に当該路上施設を設けるのに必要な値を加えてこれらの規定を適用するものとする。

（停車帯）

第九条　第四種の道路には、自動車の停車により車両の安全かつ円滑な通行が妨げられないようにするため必要がある場合においては、車道の左端寄りに停車帯を設けるものとする。

2　停車帯の幅員は、二・五メートルとするものとする。ただし、自動車の交通量のうち大型の自動車の交通量の占める割合が低いと認められる場合においては、一・五メートルまで縮小することができる。

（自転車通行帯）

第九条の二　自動車及び自転車の交通量が多い第三種又は第四種の道路（自転車道を設ける道路を除く。）には、車道の左端寄り（停車帯を設ける道路にあつては、停車帯の右側。次項において同じ。）に自転車通行帯を設けるものとする。ただし、地形の状況その他の特別の理由によりやむを得ない場合においては、この限りでない。

2　自転車の交通量が多い第三種若しくは第四種の道路又は自動車及び歩行者の交通量が多い第三種若しくは第四種の道路（自転車道を設ける道路及び前項に規定する道路を除く。）には、安全かつ円滑な交通を確保するため自転車の通行を分離する必要がある場合においては、車道の左端寄りに自転車通行帯を設けるものとする。ただし、地形の状況その他の特別の理由によりやむを得ない場合においては、この限りでない。

3　自転車通行帯の幅員は、一・五メートル以上とするものとする。ただし、地形の状況その他の特別の理由によりやむを得ない場合においては、一メートルまで縮小することができる。

4　自転車通行帯の幅員は、当該道路の自転車の交通の状況を考慮して定めるものとする。

（軌道敷）

第九条の三　軌道敷の幅員は、軌道の単線又は複線の別に応じ、次の表の下欄に掲げる値以上とするものとする。

単線又は複線の別	軌道敷の幅員（単位　メートル）
単線	三
複線	六

（自転車道）

第一〇条　自動車及び自転車の交通量が多い第三種（第四級及び第五級を除く。次項において同じ。）又は第四種（第三級を除く。同項において同じ。）の道路で設計速度が一時間につき六十キロメートル以上であるものには、自転車道を道路の各側に設けるものとする。ただし、地形の状況その他の特別の理由によりやむを得ない場合においては、この限りでない。

2　自転車の交通量が多い第三種若しくは第四種の道路又は自動車及び歩行者の交通量が多い第三種若しくは第四種の道路で設計速度が一時間につき六十キロメートル以上であるもの（前項に規定する道路を除く。）には、安全かつ円滑な交通を確保するため自転車の通行を分離する必要がある場合においては、自転車道を道路の各側に設けるものとする。ただし、地形の状況その他の特別の理由によりやむを得ない場合においては、この限りでない。

3　自転車道の幅員は、二メートル以上とするものとする。ただし、地形の状況その他の特別の理由によりやむを得ない場合においては、一・五メートルまで縮小することができる。

4　自転車道に路上施設を設ける場合においては、当該自転車道の幅員は、第十二条の建築限界を勘案して定めるものとする。

5　自転車道の幅員は、当該道路の自転車の交通の状況を考慮して定めるものとする。

（自転車歩行者道）

第一〇条の二　自動車の交通量が多い第三種又は第四種の道路（自転車道又は自転車通行帯を設ける道路を除く。）には、自転車歩行者道を道路の各側に設けるものとする。ただし、地形の状況その他の特別の理由によりやむを得ない場合においては、この限りでない。

2　自転車歩行者道の幅員は、歩行者の交通量が多い道路にあつては四メートル以上、その他の道路にあつては三メートル以上とするものとする。

3　横断歩道橋若しくは地下横断歩道（以下「横断歩道橋等」という。）又は路上施設を設ける自転車歩行者道の幅員については、前項に規定する幅員の値に横断歩道橋等を設ける場合にあつては三メートル、ベンチの上屋を設ける場合にあつては二メートル、並木を設ける場合にあつては一・五メートル、ベンチを設ける場合にあつては一メートル、その他の場合にあつては〇・五メートルを加えて同項の規定を適用するものとする。ただし、第三種第五級の道路にあつては、地形の状況その他の特別の理由によりやむを得ない場合においては、この限りでない。

4　自転車歩行者道の幅員は、当該道路の自転車及び歩行者の交通の状況を考慮して定めるものとする。

（歩道）

第一一条　第四種の道路（自転車歩行者道を設ける道路を除く。）、歩行者の交通量が多い第三種（第五級を除く。）の道路（自転車歩行者道を設ける道路を除く。）又は自転車道若しくは自転車通行帯を設ける第三種の道路には、その各側に歩道を設けるものとする。ただし、地形の状況その他の特別の理由によりやむを得ない場合においては、この限りでない。

2　第三種の道路（自転車歩行者道を設ける道路及び前項に規定する道路を除く。）には、安全かつ円滑な交通を確保するため必要がある場合においては、歩道を設けるものとする。ただし、地形の状況その他の特別の理由によりやむを得ない場合においては、この限りでない。

3　歩道の幅員は、歩行者の交通量が多い道路にあつては三・五メートル以上、その他の道路にあつては二メートル以上とするものとする。

4　横断歩道橋等又は路上施設を設ける歩道の幅員については、前項に規定する幅員の値に横断歩道橋等を設ける場合にあつては三メートル、ベンチの上屋を設ける場合にあつては二メートル、並木を設ける場合にあつては一・五メートル、ベンチを設ける場合にあつては一メートル、その他の場合にあつては〇・五メートルを加えて同項の規定を適用するものとする。ただし、第三種第五級の道路にあつては、地形の状況その他の特別の理由によりやむを得ない場合においては、この限りでない。

5　歩道の幅員は、当該道路の歩行者の交通の状況を考慮して定めるものとする。

（歩行者の滞留の用に供する部分）

第一一条の二　歩道、自転車歩行者道、自転車歩行者専用道路又は歩行者専用道路には、横断歩道、乗合自動車停車所等に係る歩行者の滞留により歩行者又は自転車の安全かつ円滑な通行が妨げられないようにするため必要がある場合においては、主として歩行者の滞留の用に供する部分を設けるものとする。

（積雪地域に存する道路の中央帯等の幅員）

第一一条の三　積雪地域に存する道路の中央帯、路肩、自転車歩行者道及び歩道の幅員は、除雪を勘案して定めるものとする。

（植樹帯）

第一一条の四　第四種第一級及び第二級の道路には、植樹帯を設けるものとし、その他の道路には、必要に応じ、植樹帯を設けるものとする。ただし、地形の状況その他の特別の理由によりやむを得ない場合においては、この限りでない。

2　植樹帯の幅員は、一・五メートルを標準とするものとする。

3　次に掲げる道路の区間に設ける植樹帯の幅員は、当該道路の構造及び交通の状況、沿道の土地利用の状況並びに良好な道路交通環境の整備又は沿道における良好な生活環境の確保のため講じられる他の措置を総合的に勘案して特に必要があると認められる場合には、前項の規定にかかわらず、その事情に応じ、同項の規定により定められるべき値を超える適切な値とするものとする。

一　都心部又は景勝地を通過する幹線道路の区間

二　相当数の住居が集合し、又は集合することが確実と見込まれる地域を通過する幹線道路の区間

4　植樹帯の植栽に当たつては、地域の特性等を考慮して、樹種の選定、樹木の配置等を適切に行うものとする。

（建築限界）

第一二条　建築限界は、車道にあつては第一図、歩道及び自転車道又は自転車歩行者道（以下「自転車道等」という。）にあつては第二図に示すところによるものとする。

第一図

㈠	車道に接続して路肩を設ける道路の車道（㈢に示す部分を除く。） 歩道又は自転車道等を有しないトンネル又は長さ五十メートル以上の橋若しくは高架の道路以外の道路の車道	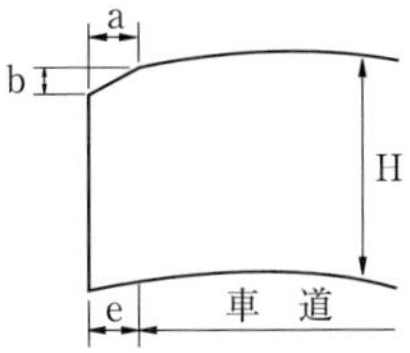 a b H e 車　道
	歩道又は自転車道等を有しないトンネル又は長さ五十メートル以上の橋若しくは高架の道路の車道	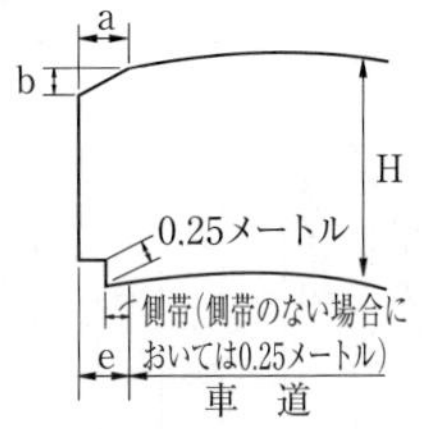 a b H 0.25メートル 側帯（側帯のない場合においては0.25メートル） e 車　道
㈡	車道に接続して路肩を設けない道路の車道（㈢に示す部分を除く。）	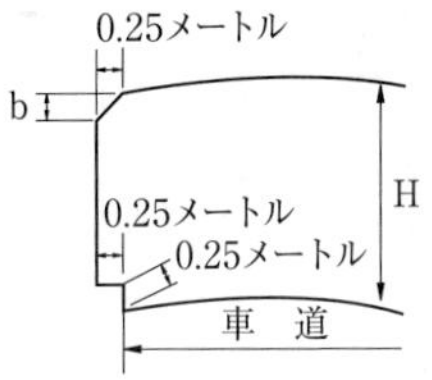 0.25メートル b H 0.25メートル 0.25メートル 車　道
㈢	車道のうち分離帯又は交通島に係る部分	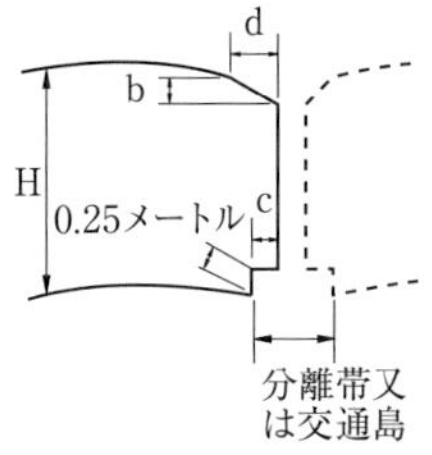 d b H 0.25メートル c 分離帯又は交通島

この図において、H、a、b、c、d及びeは、それぞれ次の値を表すものとする。

H　重要物流道路である普通道路にあつては四・八メートル、その他の普通道路にあつては四・五メートル、小型道路にあつては三メートル。ただし、第三種第五級の普通道路（重要物流道路である普通道路を除く。）にあつては、地形の状況その他の特別の理由によりやむを得ない場合においては、四メートル（大型の自動車の交通量が極めて少なく、かつ、当該道路の近くに大型の自動車が迂回することができる道路があるときは、三メートル）まで縮小することができる。

a　普通道路にあつては車道に接続する路肩の幅員（路上施設を設ける路肩にあつては路肩の幅員から路上施設を設けるのに必要な値を減じた値とし、当該値が一メートルを超える場合においては一メートルとする。）、小型道路にあつては〇・五メートル

b　重要物流道路である普通道路にあつてはH（四・一メートル未満の場合においては、四・一メートルとする。）から四・一メートルを減じた値、その他の普通道路にあつてはH（三・八メートル未満の場合においては、三・八メートルとする。）から三・八メートルを減じた値、小型道路にあつては〇・二メートル

c及びd　分離帯に係るものにあつては、道路の区分に応じ、それぞれ次の表のcの欄及びdの欄に掲げる値、交通島に係るものにあつては、cは〇・二五メートル、dは〇・五メートル

区分			c（単位　メートル）	d（単位　メートル）
第一種	第一級	普通道路	〇・五	一
		小型道路		〇・五
	第二級	普通道路	〇・二五	一
		小型道路		〇・五
	第三級及び第四級	普通道路	〇・二五	〇・七五
		小型道路		〇・五
第二種		普通道路	〇・二五	〇・七五
		小型道路		〇・五
第三種			〇・二五	〇・五
第四種			〇・二五	〇・五

e　車道に接続する路肩の幅員（路上施設を設ける路肩にあつては、路肩の幅員から路上施設を設けるのに必要な値を減じた値）

第二図

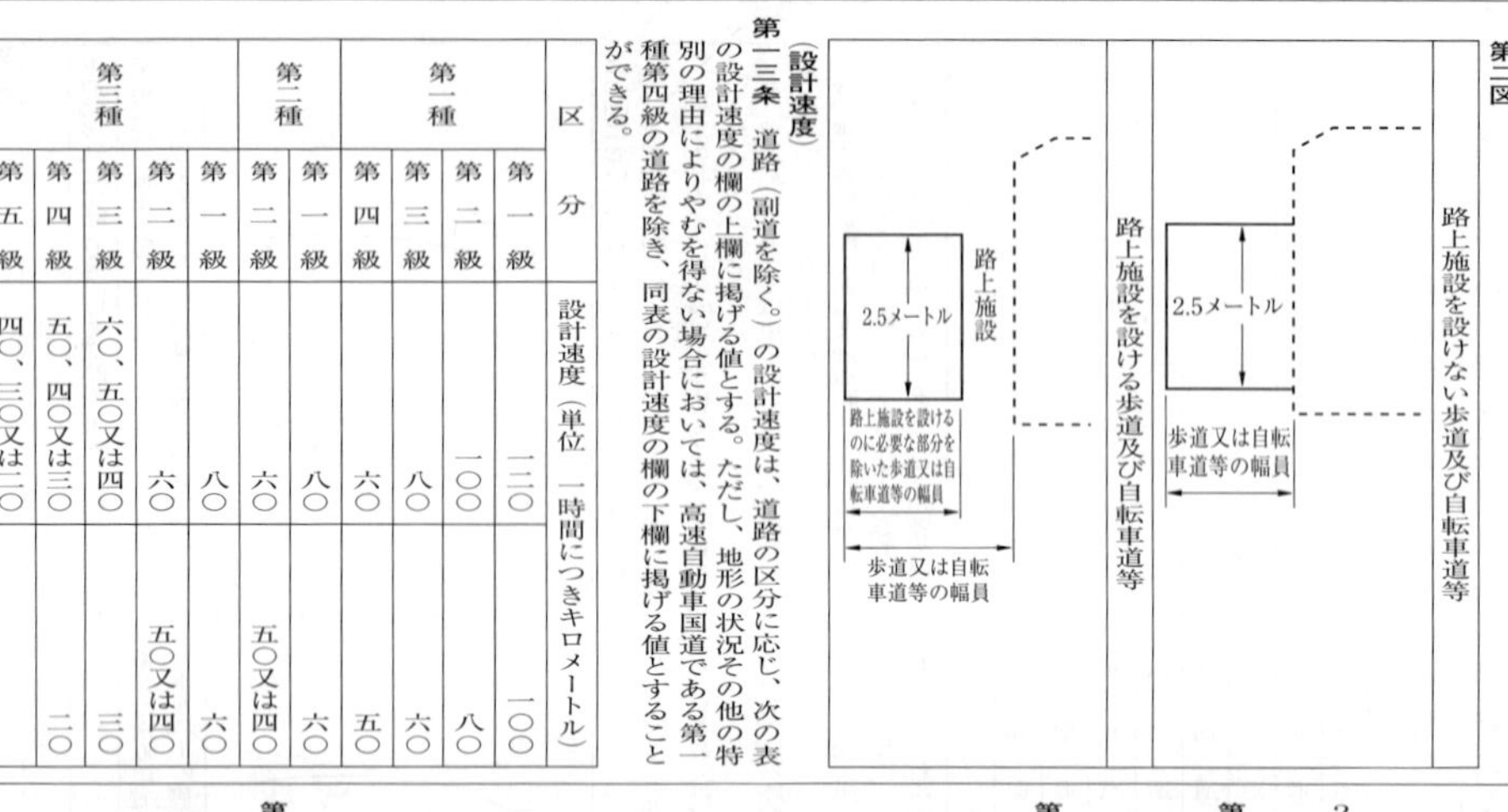

（設計速度）

第一三条 道路（副道を除く。）の設計速度は、道路の区分に応じ、次の表の設計速度の欄の上欄に掲げる値とする。ただし、地形の状況その他の特別の理由によりやむを得ない場合においては、高速自動車国道である第一種第四級の道路を除き、同表の設計速度の欄の下欄に掲げる値とすることができる。

区分		設計速度（単位 一時間につきキロメートル）	
第一種	第一級	一二〇	一〇〇
	第二級	一〇〇	八〇
	第三級	八〇	六〇
	第四級	六〇	五〇
第二種	第一級	八〇	六〇
	第二級	六〇	五〇又は四〇
第三種	第一級	八〇	六〇
	第二級	六〇	五〇又は四〇
	第三級	六〇、五〇又は四〇	三〇
	第四級	五〇、四〇又は三〇	二〇
	第五級	四〇、三〇又は二〇	
第四種	第一級	六〇	五〇又は四〇
	第二級	六〇、五〇又は四〇	三〇
	第三級	五〇、四〇又は三〇	二〇

2 副道の設計速度は、一時間につき、四十キロメートル、三十キロメートル又は二十キロメートルとする。

（車道の屈曲部）

第一四条 車道の屈曲部は、曲線形とするものとする。ただし、緩和区間（車両の走行を円滑ならしめるために車道の屈曲部に設けられる一定の区間をいう。以下同じ。）又は第三十一条の二の規定により設けられる屈曲部については、この限りでない。

（曲線半径）

第一五条 車道の屈曲部のうち緩和区間を除いた部分（以下「車道の曲線部」という。）の中心線の曲線半径（以下「曲線半径」という。）は、当該道路の設計速度に応じ、次の表の曲線半径の欄の上欄に掲げる値以上とするものとする。ただし、地形の状況その他の特別の理由によりやむを得ない箇所については、同表の曲線半径の欄の下欄に掲げる値まで縮小することができる。

設計速度（単位 一時間につきキロメートル）	曲線半径（単位 メートル）	
一二〇	七一〇	五七〇
一〇〇	四六〇	三八〇
八〇	二八〇	二三〇
六〇	一五〇	一二〇
五〇	一〇〇	八〇
四〇	六〇	五〇
三〇	三〇	
二〇	一五	

（曲線部の片勾配）

第一六条 車道、中央帯（分離帯を除く。）及び車道に接続する路肩の曲線部には、曲線半径がきわめて大きい場合を除き、当該道路の区分及び当該道路の存する地域の積雪寒冷の度に応じ、かつ、当該道路の設計速度、曲線半径、地形の状況等を勘案し、次の表の最大片勾配の欄に掲げる値（第三種の道路で自転車道等を設けないものにあつては、六パーセント）以下で適切な値の片勾配を附するものとする。ただし、第四種の道路にあつては、地形の状況その他の特別の理由によりやむを得ない場合においては、片勾配を附さないことができる。

区分	道路の存する地域		最大片勾配（単位 パーセント）
第一種、第二種及び第三種	積雪寒冷地域	積雪寒冷の度がはなはだしい地域	六
		その他の地域	八
	その他の地域		一〇
第四種			六

（曲線部の車線等の拡幅）

第一七条 車道の曲線部においては、設計車両及び当該曲線部の曲線半径に応じ、車線（車線を有しない道路にあつては、車道）を適切に拡幅するものとする。ただし、第二種及び第四種の道路にあつては、地形の状況その他の特別の理由によりやむを得ない場合においては、この限りでない。

（緩和区間）

第一八条 車道の屈曲部には、緩和区間を設けるものとする。ただし、第四種の道路の車道の屈曲部にあつては、地形の状況その他の特別の理由によりやむを得ない場合においては、この限りでない。

2 車道の曲線部において片勾配を附し、又は拡幅をする場合においては、緩和区間においてすりつけをするものとする。

3 緩和区間の長さは、当該道路の設計速度に応じ、次の表の下欄に掲げる値（前項の規定によるすりつけに必要な長さが同欄に掲げる値をこえる場合においては、当該すりつけに必要な長さ）以上とするものとする。

設計速度（単位 一時間につきキロメートル）	緩和区間の長さ（単位 メートル）
一二〇	一〇〇
一〇〇	八五
八〇	七〇
六〇	五〇
五〇	四〇
四〇	三五
三〇	二五
二〇	二〇

（視距等）

第一九条 視距は、当該道路の設計速度に応じ、次の表の下欄に掲げる値以上とするものとする。

設計速度（単位 一時間につきキロメートル）	視距（単位 メートル）
一二〇	二一〇

一〇〇	一六〇
八〇	一一〇
六〇	七五
五〇	五五
四〇	四〇
三〇	三〇
二〇	二〇

2　車線の数が二である道路（対向車線を設けない道路を除く。）においては、必要に応じ、自動車が追越しを行なうのに十分な見とおしの確保された区間を設けるものとする。

（縦断勾配）

第二〇条　車道の縦断勾配は、道路の区分及び道路の設計速度に応じ、次の表の縦断勾配の欄の上欄に掲げる値以下とするものとする。ただし、地形の状況その他の特別の理由によりやむを得ない場合においては、同表の縦断勾配の欄の下欄に掲げる値以下とすることができる。

区分		設計速度（単位　一時間につきキロメートル）	縦断勾配（単位　パーセント）	
第一種、第二種及び第三種	普通道路	一二〇	二	五
		一〇〇	三	六
		八〇	四	七
		六〇	五	八
		五〇	六	九
		四〇	七	一〇
		三〇	八	一一
		二〇	九	一二
	小型道路	一二〇	四	五
		一〇〇		六
		八〇	七	
		六〇	八	
		五〇	九	
		四〇	一〇	
		三〇	一一	
		二〇	一二	
第四種	普通道路	六〇	五	七
		五〇	六	八
		四〇	七	九
		三〇	八	一〇
		二〇	九	一一
	小型道路	六〇	八	
		五〇	九	
		四〇	一〇	
		三〇	一一	
		二〇	一二	

（登坂車線）

第二一条　普通道路の縦断勾配が五パーセント（高速自動車国道及び高速自動車国道以外の普通道路で設計速度が一時間につき百キロメートル以上であるものにあつては、三パーセント）を超える車道には、必要に応じ、登坂車線を設けるものとする。

2　登坂車線の幅員は、三メートルとするものとする。

（縦断曲線）

第二二条　車道の縦断勾配が変移する箇所には、縦断曲線を設けるものとする。

2　縦断曲線の半径は、当該道路の設計速度及び当該縦断曲線の曲線形に応じ、次の表の縦断曲線の半径の欄に掲げる値以上とするものとする。ただし、設計速度が一時間につき六十キロメートルである第四種第一級の道路にあつては、地形の状況その他の特別の理由によりやむを得ない場合においては、凸形縦断曲線の半径を千メートルまで縮小することができる。

設計速度（単位　一時間につきキロメートル）	縦断曲線の曲線形	縦断曲線の半径（単位　メートル）
一二〇	凸形曲線	一一、〇〇〇
	凹形曲線	四、〇〇〇
一〇〇	凸形曲線	六、五〇〇
	凹形曲線	三、〇〇〇
八〇	凸形曲線	三、〇〇〇
	凹形曲線	二、〇〇〇
六〇	凸形曲線	一、四〇〇
	凹形曲線	一、〇〇〇
五〇	凸形曲線	八〇〇
	凹形曲線	七〇〇
四〇	凸形曲線	四五〇
	凹形曲線	四五〇
三〇	凸形曲線	二五〇
	凹形曲線	二五〇
二〇	凸形曲線	一〇〇
	凹形曲線	一〇〇

3　縦断曲線の長さは、当該道路の設計速度に応じ、次の表の下欄に掲げる値以上とするものとする。

設計速度（単位　一時間につきキロメートル）	縦断曲線の長さ（単位　メートル）
一二〇	一〇〇
一〇〇	八五
八〇	七〇
六〇	五〇
五〇	四〇
四〇	三五
三〇	二五
二〇	二〇

（舗装）

第二三条　車道、中央帯（分離帯を除く。）、車道に接続する路肩、自転車道等及び歩道は、舗装するものとする。ただし、交通量がきわめて少ない等特別の理由がある場合においては、この限りでない。

2　車道及び側帯の舗装は、その設計に用いる自動車の輪荷重の基準を四十九キロニュートンとし、計画交通量、自動車の重量、路床の状態、気象状況等を勘案して、自動車の安全かつ円滑な交通を確保することができるものとして国土交通省令で定める基準に適合する構造とするものとする。ただし、自動車の交通量が少ない場合その他の特別の理由がある場合においてはては、この限りでない。

3　第四種の道路（トンネルを除く。）の舗装は、当該道路の存する地域、沿道の土地利用及び自動車の交通の状況を勘案して必要がある場合においては、雨水を道路の路面下に円滑に浸透させ、かつ、道路交通騒音の発生を減少させることができる構造とするものとする。ただし、道路の構造、気象状況その他の特別の理由によりやむを得ない場合においては、この限りでない。

（横断勾配）

第二四条　車道、中央帯（分離帯を除く。）及び車道に接続する路肩には、片勾配を付する場合を除き、路面の種類に応じ、次の表の下欄に掲げる値を標準として横断勾配を付するものとする。

路面の種類	横断勾配（単位　パーセント）
前条第二項に規定する基準に適合する舗装道	一・五以上二以下
その他	三以上五以下

2　歩道又は自転車道等には、二パーセントを標準として横断勾配を附するものとする。

3　前条第三項本文に規定する構造の舗装道にあつては、気象状況等を勘案して路面の排水に支障がない場合においては、横断勾配を付さず、又は縮小することができる。

（合成勾配）

第二五条　合成勾配（縦断勾配と片勾配又は横断勾配とを合成した勾配をいう。以下同じ。）は、当該道路の設計速度に応じ、次の表の下欄に掲げる値以下とするものとする。ただし、設計速度が一時間につき三十キロメートル又は二十キロメートルの道路にあつては、地形の状況その他の特別の理由によりやむを得ない場合においては、十二・五パーセント以下とすることができる。

設計速度（単位　一時間につきキロメートル）	合成勾配（単位　パーセント）
一二〇	一〇
一〇〇	
八〇	一〇・五
六〇	
五〇	一一・五
四〇	
三〇	
二〇	

2　積雪寒冷の度がはなはだしい地域に存する道路にあつては、合成勾配は、八パーセント以下とするものとする。

（排水施設）

第二六条　道路には、排水のため必要がある場合においては、側溝、街渠、集水ますその他の適当な排水施設を設けるものとする。

（平面交差又は接続）

第二七条　道路は、駅前広場等特別の箇所を除き、同一箇所において同一平面で五以上交会させてはならない。

2　道路が同一平面で交差し、又は接続する場合においては、必要に応じ、屈折車線、変速車線若しくは交通島を設け、又は隅角部を切り取り、かつ、適当な見とおしができる構造とするものとする。

3　屈折車線又は変速車線を設ける場合においては、当該部分の車線（屈折車線及び変速車線を除く。）の幅員は、第四種第一級の普通道路にあつては三メートルまで、第四種第二級又は第三級の普通道路にあつては二・七五メートルまで、第四種の小型道路にあつては二・五メートルまで縮小することができる。

4　屈折車線及び変速車線の幅員は、普通道路にあつては三メートル、小型道路にあつては二・五メートルを標準とするものとする。

5　屈折車線又は変速車線を設ける場合においては、当該道路の設計速度に応じ、適切にすりつけをするものとする。

（立体交差）

第二八条　車線（登坂車線、屈折車線及び変速車線を除く。）の数が四以上である普通道路が相互に交差する場合においては、当該交差の方式は、立体交差とするものとする。ただし、交通の状況により不適当なとき又は地形の状況その他の特別の理由によりやむを得ないときは、この限りでない。

2　車線（屈折車線及び変速車線を除く。）の数が四以上である小型道路が相互に交差する場合及び普通道路と小型道路が交差する場合においては、当該交差の方式は、立体交差とするものとする。

3　道路を立体交差とする場合においては、必要に応じ、交差する道路を相互に連結する道路（以下「連結路」という。）を設けるものとする。

4　連結路については、第五条から第八条まで、第十二条、第十三条、第十五条、第十六条、第十八条から第二十条まで、第二十二条及び第二十五条の規定は、適用しない。

（鉄道等との平面交差）

第二九条　道路が鉄道又は軌道法（大正十年法律第七十六号）による新設軌道（以下「鉄道等」という。）と同一平面で交差する場合においては、その交差する道路は次に定める構造とするものとする。

一　交差角は、四十五度以上とすること。

二　踏切道の両側からそれぞれ三十メートルまでの区間は、踏切道を含めて直線とし、その区間の車道の縦断勾配は、二・五パーセント以下とすること。ただし、自動車の交通量がきわめて少ない箇所又は地形の状況その他の特別の理由によりやむを得ない箇所については、この限りでない。

三　見とおし区間の長さ（線路の最縁端軌道の中心線と車道の中心線との交点から、軌道の外方車道の中心線上五メートルの地点における一・二メートルの高さにおいて見とおすことができる軌道の中心線上当該交点からの長さをいう。）は、踏切道における鉄道等の車両の最高速度に応じ、次の表の下欄に掲げる値以上とすること。ただし、踏切遮断機その他の保安設備が設置される箇所又は自動車の交通量及び鉄道等の運転回数がきわめて少ない箇所については、この限りでない。

踏切道における鉄道等の車両の最高速度（単位　一時間につきキロメートル）	見とおし区間の長さ（単位　メートル）
五〇未満	一一〇
五〇以上七〇未満	一六〇
七〇以上八〇未満	二〇〇
八〇以上九〇未満	二三〇
九〇以上一〇〇未満	二六〇
一〇〇以上一一〇未満	三〇〇
一一〇以上	三五〇

（待避所）

第三〇条　第三種第五級の道路には、次に定めるところにより、待避所を設けるものとする。ただし、交通に及ぼす支障が少ない道路については、この限りでない。

一　待避所相互間の距離は、三百メートル以内とすること。

二　待避所相互間の道路の大部分が待避所から見通すことができること。

三　待避所の長さは、二十メートル以上とし、その区間の車道（自転車通行帯を除く。）の幅員は、五メートル以上とすること。

（交通安全施設）

第三一条　交通事故の防止を図るため必要がある場合においては、横断歩道橋等、自動運行補助施設、柵、照明施設、視線誘導標、緊急連絡施設その他これらに類する施設で国土交通省令で定めるものを設けるものとする。

（凸部、狭窄部等）

第三十一条の二　主として近隣に居住する者の利用に供する第三種第五級の道路には、自動車を減速させて歩行者又は自転車の安全な通行を確保する必要がある場合においては、車道及びこれに接続する路肩の路面に凸部を設置し、又は車道に狭窄部若しくは屈曲部を設けるものとする。

（乗合自動車の停留所等に設ける交通島）

第三十一条の三　自転車道、自転車歩行者道又は歩道に接続しない乗合自動車の停留所又は路面電車の停留場には、必要に応じ、交通島を設けるものとする。

（自動車駐車場等）

第三十二条　安全かつ円滑な交通を確保し、又は公衆の利便に資するため必要がある場合においては、自動車駐車場、自転車駐車場、乗合自動車停車所、非常駐車帯その他これらに類する施設で国土交通省令で定めるものを設けるものとする。

（防雪施設その他の防護施設）

第三十三条　なだれ、飛雪又は積雪により交通に支障を及ぼすおそれがある箇所には、雪覆工、流雪溝、融雪施設その他これらに類する施設で国土交通省令で定めるものを設けるものとする。

2　前項に規定する場合を除くほか、落石、崩壊、波浪等により交通に支障を及ぼし、又は道路の構造に損傷を与えるおそれがある箇所には、さく、擁壁その他の適当な防護施設を設けるものとする。

（トンネル）

第三十四条　トンネルには、安全かつ円滑な交通を確保するため必要がある場合においては、当該道路の計画交通量及びトンネルの長さに応じ、適当な換気施設を設けるものとする。

2　トンネルには、安全かつ円滑な交通を確保するため必要がある場合においては、当該道路の設計速度等を勘案して、適当な照明施設を設けるものとする。

3　トンネルにおける車両の火災その他の事故により交通に危険を及ぼすおそれがある場合においては、必要に応じ、通報施設、警報施設、消火施設その他の非常用施設を設けるものとする。

（橋、高架の道路等）

第三十五条　橋、高架の道路その他これらに類する構造の道路は、鋼構造、コンクリート構造又はこれらに準ずる構造とするものとする。

2　橋、高架の道路その他これらに類する構造の普通道路は、その設計に用いる設計自動車荷重を二百四十五キロニュートンとし、当該橋、高架の道路その他これらに類する構造の普通道路における大型の自動車の交通の状況を勘案して、安全な交通を確保することができる構造とするものとする。

3　橋、高架の道路その他これらに類する構造の小型道路は、その設計に用いる設計自動車荷重を三十キロニュートンとし、当該橋、高架の道路その他これらに類する構造の小型道路における小型自動車等の交通の状況を勘案して、安全な交通を確保することができる構造とするものとする。

4　前三項に規定するもののほか、橋、高架の道路その他これらに類する構造の道路の構造の基準に関し必要な事項は、国土交通省令で定める。

（附帯工事等の特例）

第三十六条　道路に関する工事により必要を生じた他の道路に関する工事を施行し、又は道路に関する工事以外の工事により必要を生じた道路に関する工事を施行する場合において、第四条から前条までの規定（第八条、第十三条、第十四条、第二十四条、第二十六条、第三十一条及び第三十三条を除く。）による基準をそのまま適用することが適当でないと認められるときは、これらの規定による基準によらないことができる。

（区分が変更される道路の特例）

第三十七条　一般国道の区域を変更し、当該変更に係る部分を都道府県道又は市町村道とする計画がある場合において、当該部分を当該他の道路とすることにより第三条第二項の規定による区分が変更されることとなるときは、同条第四項及び第五項、第四条、第五条、第六条第一項、第四項及び第六項、第八条第二項から第六項まで、第九項及び第十一項、第九条第一項、第十条第一項及び第二項、第十条の二第三項、第十一条第一項、第二項及び第四項、第十一条の四第一項、第十二条、第十三条第一項、第十六条、第十七条、第十八条第一項、第二十条、第二十二条第二項、第二十三条第三項、第二十七条第三項、第三十条並びに第三十一条の二の規定の適用については、当該変更後の区分を当該部分の区分とみなす。この場合において、第五条第一項ただし書及び第五項、第十条の二第三項ただし書、第十一条第四項ただし書並びに第十二条中「第三種第五級」とあるのは「第三種第五級又は第四種第四級」と、第五条第三項中「及び第三種第五級」とあるのは「並びに第三種第五級及び第四種第四級」と、第九条第一項及び第十一条第一項中「第四種」とあるのは「第四種（第四級を除く。）」と、第十条第一項中「第三級」とあるのは「第三級及び第四級」と、第十一条第一項中「第三種の」とあるのは「第三種若しくは第四種第四級の」と、同条第二項中「第三種」とあるのは「第三種又は第四種第四級」と、第十三条第一項中「上欄に掲げる値」とあるのは「上欄に掲げる値（当該道路が第四種第四級の道路である場合にあつては、一時間につき四十キロメートル、三十キロメートル又は二十キロメートル）」と、第三十一条の二中「主として」とあるのは「第四種第四級の道路又は主として」と読み替えるものとする。

（小区間改築の場合の特例）

第三十八条　道路の交通に著しい支障がある小区間について応急措置として改築を行う場合（次項に規定する改築を行う場合を除く。）において、これに隣接する他の区間の道路の構造が、第五条、第六条第四項から第六項まで、第七条、第九条、第九条の二、第九条の三、第十条第三項、第十条の二第二項及び第三項、第十一条第三項及び第四項、第十一条の四第二項及び第三項、第十五条から第二十二条まで、第二十三条第三項並びに第二十五条の規定による基準に適合していないためこれらの規定による基準をそのまま適用することが適当でないと認められるときは、これらの規定による基準によらないことができる。

2　道路の交通の安全の保持に著しい支障がある小区間について応急措置として改築を行う場合において、当該道路の状況等からみて第五条、第六条第四項から第六項まで、第七条、第八条第二項、第九条、第九条の二第三項、第九条の三、第十条第三項、第十条の二第二項及び第三項、第十一条第三項及び第四項、第十一条の四第二項及び第三項、第十九条第一項、第二十一条第二項、第二十三条第三項、次条第一項及び第二項並びに第四十条第一項の規定による基準をそのまま適用することが適当でないと認められるときは、これらの規定による基準によらないことができる。

（自転車専用道路及び自転車歩行者専用道路）

第三十九条　自転車専用道路の幅員は三メートル以上とし、自転車歩行者専用道路の幅員は四メートル以上とするものとする。ただし、自転車専用道路にあつては、地形の状況その他の特別の理由によりやむを得ない場合においては、二・五メートルまで縮小することができる。

2　自転車専用道路又は自転車歩行者専用道路には、その各側に、当該道路の部分として、幅員〇・五メートル以上の側方余裕を確保するための部分を設けるものとする。

3　自転車専用道路又は自転車歩行者専用道路に路上施設を設ける場合においては、当該自転車専用道路又は自転車歩行者専用道路の幅員は、次項の建築限界を勘案して定めるものとする。

4　自転車専用道路及び自転車歩行者専用道路の建築限界は、次の図に示すところによるものとする。

5　自転車専用道路及び自転車歩行者専用道路の線形、勾配その他の構造は、自転車及び歩行者が安全かつ円滑に通行することができるものでなければならない。

6　自転車専用道路及び自転車歩行者専用道路については、第三条から第三十七条まで及び前条第一項の規定（自転車歩行者専用道路にあつては、第十一条の二を除く。）は、適用しない。

（歩行者専用道路）

第四〇条　歩行者専用道路の幅員は、当該道路の存する地域及び歩行者の交通の状況を勘案して、二メートル以上とするものとする。

2　歩行者専用道路に路上施設を設ける場合においては、当該歩行者専用道路の幅員は、次項の建築限界を勘案して定めるものとする。

3　歩行者専用道路の建築限界は、次の図に示すところによるものとする。

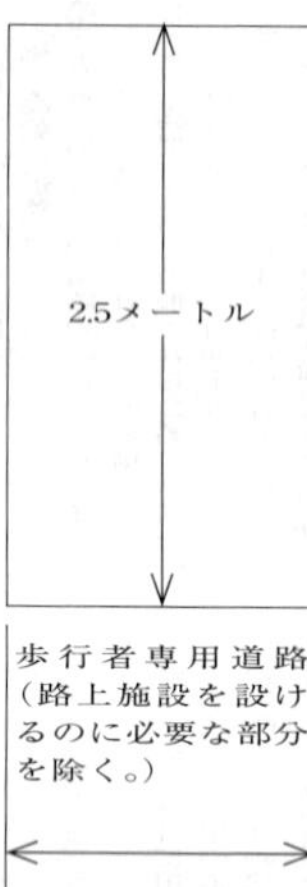

4　歩行者専用道路の線形、勾配その他の構造は、歩行者が安全かつ円滑に通行することができるものでなければならない。

5　歩行者専用道路については、第三条から第十一条まで、第十一条の三から第三十七条まで及び第三十八条第一項の規定は、適用しない。

（歩行者利便増進道路）

第四一条　歩行者利便増進道路に設けられる歩道若しくは自転車歩行者道又は歩行者利便増進道路である自転車歩行者専用道路若しくは歩行者専用道路には、歩行者の滞留の用に供する部分を設けるものとする。

2　前項に規定する部分には、歩行者利便増進施設等の適正かつ計画的な設置を誘導する必要があるときは、歩行者利便増進施設等を設置する場所を確保するものとする。この場合において、必要があると認めるときは、当該場所に街灯、ベンチその他の歩行者の利便の増進に資する工作物、物件又は施設を設けるものとする。

3　歩行者利便増進道路（高齢者、障害者等の移動等の円滑化の促進に関する法律（平成十八年法律第九十一号）第十条第一項に規定する新設特定道路を除く。）は、同項に規定する道路移動等円滑化基準に適合する構造とするものとする。

（都道府県道及び市町村道の構造の一般的技術的基準等）

第四二条　都道府県道又は市町村道を新設し、又は改築する場合におけるこれらの道路の構造の一般的技術的基準については、第四条、第十二条、第三十五条第二項、第三項及び第四項（法第三十条第一項第十二号に掲げる事項に係る部分に限る。）、第三十九条第四項並びに第四十条第三項の規定を準用する。この場合において、第十二条中「第三種第五級」とあるのは、「第三種第五級又は第四種第四級」と読み替えるものとする。

2　法第三十条第三項の政令で定める基準については、第五条から第十一条の四まで、第十三条から第三十四条まで、第三十五条第一項及び第四項（法第三十条第一項第十二号に掲げる事項に係る部分を除く。）、第三十六条から第三十八条まで、第三十九条第一項から第三項まで、第五項及び第六項、第四十条第一項、第二項、第四項及び第五項並びに前条の規定を準用する。この場合において、第五条第一項ただし書及び第五項、第十条の二第三項ただし書並びに第十一条第四項ただし書中「第三種第五級」とあるのは「第三種第五級又は第四種第四級」と、第五条第三項中「及び第三種第五級」とあるのは「並びに第三種第五級及び第四種第四級」と、第九条第一項及び第十一条第一項中「第四種」とあるのは「第四種（第四級を除く。）」と、第十一条第一項中「第三級」とあるのは「第三級及び第四級」と、第十一条第一項中「第三種の」とあるのは「第三種若しくは第四種第四級の」と、同条第二項中「第三種」とあるのは「第三種又は第四種第四級」と、第十三条第一項中「上欄に掲げる値」とあるのは「上欄に掲げる値（当該道路が第四種第四級の道路である場合にあつては、一時間につき四十キロメートル、三十キロメートル又は二十キロメートル）」と、第三十一条の二中「主として」とあるのは「第四種第四級の道路又は主として」と、第三十七条中「一般国道」とあるのは「都道府県道」と、「都道府県道又は市町村道」とあり、及び「他の道路」とあるのは「市町村道」と、「当該部分」とあるのは「当該都道府県道」と読み替えるものとする。

附　則〔抄〕

（施行期日）

1　この政令は、昭和四十六年四月一日から施行する。

（道路構造令の廃止）

2　道路構造令（昭和三十三年政令第二百四十四号）は、廃止する。

（経過規定）

3　この政令の施行の際現に新設又は改築の工事中の道路については、この政令の規定に適合しない部分がある場合においては、当該部分に対しては、当該規定は、適用しない。この場合において、旧道路構造令中当該規定に相当する規定があるときは、当該部分に関しては、なお従前の例による。

附　則〔略〕〔昭和四六・三・三一政令九〇〕

附　則〔略〕〔昭和四六・七・二〇政令二五二〕

附　則〔略〕〔昭和五一・三・三一政令六一〕

附　則〔抄〕〔昭和五七・九・二五政令二五六〕

（施行期日）

1　この政令は、昭和五十七年十月一日から施行する。

（経過措置）

2　この政令の施行の際現に新設又は改築の工事中の道路については、改正後の規定に適合しない部分がある場合においては、当該部分に対しては、当該規定は、適用しない。この場合において、当該規定に相当する改正前の規定があるときは、当該部分に関しては、なお従前の例による。

附　則〔略〕〔昭和六一・三・三一政令六四〕

附　則〔抄〕〔平成五・一一・二五政令三七五〕

（施行期日）

1　この政令は、公布の日から施行する。

（道路構造令の一部改正に伴う経過措置）

2　この政令の施行の際現に新設又は改築の工事中の道路については、第一条の規定による改正後の道路構造令の規定に適合しない部分がある場合においては、当該部分に対しては、当該規定は、適用しない。この場合において、当該規定に相当する同条の規定による改正前の道路構造令の規定があるときは、当該部分に関しては、なお従前の例による。

（罰則に関する経過措置）

3　この政令の施行前にした行為に対する罰則の適用については、なお従前の例による。

附　則〔略〕〔平成一二・六・七政令三一二〕

附　則〔抄〕〔平成一三・四・二五政令一七〇〕

（施行期日）

第一条　この政令は、平成十三年七月一日から施行する。

（経過措置）

第二条　この政令の施行の際現に新設又は改築の工事中の道路については、改正後の規定に適合しない部分がある場合においては、当該部分に対しては、当該規定は適用しない。この場合において、当該規定に相当する改正前の規定があるときは、当該部分に関しては、なお従前の例による。

附　則〔略〕〔平成一五・七・二四政令三二一施行〕

附　則〔略〕〔平成二三・一二・二六政令四二四〕

附　則〔抄〕〔平成三〇・九・二八政令二八〇〕

（施行期日）

第一条　この政令は、道路法等の一部を改正する法律の施行の日（平成三十年九月三十日）から施行する。

（経過措置）

第二条　この政令の施行の際現に新設又は改築の工事中の道路については、第六条の規定による改正後の道路構造令第四条及び第十二条の規定にかかわらず、なお従前の例による。

附　則〔平成三一・四・一九政令一五七〕

（施行期日）

1　この政令は、平成三十一年四月二十五日から施行する。

（経過措置）

2　この政令の施行の際現に新設又は改築の工事中の第三種又は第四種の一般国道については、この政令による改正後の道路構造令第九条の二並びに第十条第一項及び第二項の規定にかかわらず、なお従前の例による。

附　則〔抄〕〔令和二・一一・二〇政令三二九〕

（施行期日）

第一条　この政令は、道路法等の一部を改正する法律の施行の日（令和二年十一月二十五日）から施行する。

○特定車両停留施設の構造及び設備の基準を定める省令

〔令和二・一一・二〇　国土交通省令九一〕

改正　令和二・一一国交令九一

（この省令の趣旨）

第一条　この省令は、特定車両停留施設を新設し、又は改築する場合における特定車両停留施設の構造及び設備の一般的技術的基準を定めるものとする。

（構造耐力）

第二条　誘導車路、操車場所、停留場所その他の特定車両の通行、停留又は駐車の用に供する場所（以下「特定車両用場所」という。）は、特定車両の荷重その他の荷重並びに地震その他の震動及び衝撃に対して安全な構造でなければならない。

２　特定車両用場所の設計に用いる設計自動車荷重は、道路法施行規則（昭和二十七年建設省令第二十五号）第一条第三号に掲げる自動車のみの停留の用に供する特定車両停留施設にあっては三十キロニュートン、同条第四号に掲げる自動車の停留の用に供する特定車両停留施設にあっては二百四十五キロニュートン、その他の特定車両停留施設にあっては百九十六キロニュートンとする。

（特定車両の出口及び入口）

第三条　特定車両の出口及び入口は、その設置の際に道路交通法（昭和三十五年法律第百五号）第四十四条第一項各号のいずれかに該当する場所、橋、幅員が六・五メートル（道路法施行規則第一条第三号に掲げる自動車のみに係る出口及び入口にあっては、六メートル）未満である道路又は縦断勾配が十パーセント（同号に掲げる自動車のみに係る出口及び入口にあっては、十二パーセント）を超えるものである道路に接して設けてはならない。

２　停留場所の数が十一以上の特定車両停留施設の特定車両の出口又は入口で幅員が二十メートル以上の道路に接するものは、その設置の際にその道路の曲がり角又は幅員が二十メートル以上の他の道路との交差点から三十メートル以上離れている場所に設けなければならない。

３　前二項の規定は、道路管理者が特定車両停留施設の存する地域を管轄する都道府県公安委員会と協議して当該出口又は入口の設置が当該道路における道路交通の円滑と安全を阻害しないと認める場合については、適用しない。

４　特定車両の出口又は入口において、特定車両の回転を容易にするため必要があるときは、すみ切りをしなければならない。

５　道路に接する特定車両の出口の付近の構造は、特定車両がその前端を当該出口に接した場合に、その前端から車両中心線上一・二メートル離れた位置の地上一・七メートル（道路法施行規則第一条第三号に掲げる自動車にあっては、一・二メートル）の高さの点において、道路の中心線に直角に向かって左右にそれぞれ八十度の範囲内でその道路を通行するものの存在を確認できるようにしなければならない。ただし、信号機、反射鏡その他の適当な保安設備を設けるときは、この限りでない。

（諸設備の配置）

第四条　誘導車路、操車場所、停留場所、乗降場、待合所、荷扱場その他の設備の配置は、特定車両の円滑な運行又は旅客、荷主その他の利用者の利便を著しく阻害するものであってはならない。

（誘導車路及び操車場所）

第五条　特定車両停留施設には、特定車両が後退運転によらないで出口及び入口を通行できるように誘導車路又は操車場所を設けなければならない。

２　誘導車路の幅員は、六・五メートル（道路法施行規則第一条第三号に掲げる自動車のみに係る誘導車路にあっては、五・五メートル）以上としなければならない。ただし、一方通行の誘導車路にあっては、三・五メートルまで縮少することができる。

３　上方にはりその他の障害物がある誘導車路の路面上の有効高は、四・一メートル（道路法施行規則第一条第三号に掲げる自動車のみに係る誘導車路にあっては、三メートル）以上でなければならない。

４　誘導車路の屈曲部は、特定車両（長さが十二メートル、幅が二・五メートル、軸距が六・五メートル、前端から前車軸までの水平距離が二メートル、最小回転半径が十二メートルである特定車両とする。）が円滑に回転できる構造としなければならない。ただし、道路法施行規則第一条第三号に掲げる自動車のみに係る誘導車路の屈曲部にあっては、特定車両（長さが六メートル、幅が二メートル、軸距が三・七メートル、前端から前車軸までの水平距離が一メートル、最小回転半径が七メートルである特定車両とする。）が円滑に回転できる構造としなければならない。

５　誘導車路の傾斜部の勾配は、十パーセント（道路法施行規則第一条第三号に掲げる自動車のみに係る誘導車路の傾斜部にあっては、十二パーセント）を超えてはならない。ただし、地形の状況その他の特別の理由によりやむを得ない場合においては、十二パーセント以下とすることができる。

６　操車場所の形状及び広さは、特定車両停留施設の規模及び構造に適応したものでなければならない。

７　第三項及び第五項の規定は、操車場所について準用する。

（停留場所）

第六条　停留場所は、長さは十二メートル以上、幅は三メートル以上（道路法施行規則第一条第三号に掲げる自動車のみに係る停留場所にあっては、長さは六メートル以上、幅は二・五メートル以上）とし、区画線その他適当な方法でその位置を明示しなければならない。

２　停留場所の面には、一・五パーセント以上の勾配があってはならない。

３　前条第三項の規定は、停留場所について準用する。

（旅客用場所）

第七条　道路法施行規則第一条第一号から第三号までに掲げる自動車の停留の用に供する特定車両停留施設の乗降場、旅客通路その他の旅客の用に供する場所（以下「旅客用場所」という。）は、特定車両用場所と共用するものであってはならない。ただし、旅客通路を特定車両用場所と共用する場合であって、警報設備の設置その他の適当な措置を講ずることにより旅客の安全及び特定車両の円滑な運行を阻害しないときは、この限りでない。

２　道路法施行規則第一条第一号から第三号までに掲げる自動車の停留の用に供する特定車両停留施設の旅客用場所（乗降場を除く。）、特定車両用場所及び特定車両用場所と共用する旅客通路は、それぞれ、柵、区画線その他適当な方法により明確に区分しなければならない。

（乗降場）

第八条　乗降場の幅は、八十センチメートル以上でなければならない。

２　乗降場は、その乗降場に接する特定車両用場所の面上十センチメートル以上二十センチメートル以下の高さを有するもの又はさくその他の遮断設備により特定車両用場所と明確に区分されたものでなければならない。

（排水設備）

第九条　特定車両停留施設には、建築物（建築基準法（昭和二十五年法律第二百一号）第二条第一号に規定する建築物をいう。次条において同じ。）である部分を除き、側溝その他の排水設備を設けなければならない。

（避難設備）

第一〇条　道路法施行規則第一条第一号から第三号までに掲げる自動車の停留の用に供する特定車両停留施設の建築物である部分において、直接地上へ通ずる旅客の出入口のある階以外の階に乗降場、待合所その他旅客の集合する設備を設けるときは、建築基準法施行令（昭和二十五年政令第三百三十八号）第百二十三条第一項若しくは第二項に規定する避難階段又はこれと同等以上の避難設備を設けなければならない。

（換気設備）

第一一条　通常の状態において空気中の一酸化炭素の占める割合が〇・〇一パーセントを超えるおそれがある場所には、その割合を〇・〇一パーセント以下に保つことができる換気設備を設けなければならない。

（交通結節機能の高度化のための構造）

第一二条　道路管理者は、旅客の乗降の用に供する特定車両停留施設であって、公共交通機関の旅客施設（以下単に「旅客施設」という。）の敷地に隣接し、若しくは近接する土地に設けられ、又は旅客施設である道路一体建物（道路法（昭和二十七年法律第百八十号）第四十七条の八第一項第一号に規定する道路一体建物をいう。）と一体的な構造となるものについて、交通結節機能の高度化（特定車両停留施設及び旅客施設における相当数の人の移動について、複数の交通手段の間を結節する機能を高度化することをいう。）を図るため、当該特定車両停留施設と旅客施設との間を往来して公共交通機関相互の乗継ぎを行う旅客の利便の増進に資するように旅客用場所を配置することその他の適当な方法により当該旅客の乗継ぎを円滑に行うことができる構造とするように努めなければならない。

（災害時における対応のための構造及び設備）

第一三条　道路管理者は、前条に規定する特定車両停留施設について、災害が発生した場合において当該特定車両停留施設及びその周辺の旅客を一時的に滞在させることができる構造とし、及び当該旅客の移動のための交通手段に関する情報、当該特定車両停留施設の周辺に存する指定避難所（災害対策基本法（昭和三十六年法律第二百二十三号）第四十九条の七第一項に規定する指定避難所をいう。）の場所に係る情報その他の情報を提供するための設備を設けるように努めなければならない。

（権限の委任）

第一四条　第三条第三項に規定する道路管理者である国土交通大臣の権限は、地方整備局長及び北海道開発局長に委任する。

附　則

（施行期日）

第一条　この省令は、道路法等の一部を改正する法律（令和二年法律第三十一号）の施行の日（令和二年十一月二十五日）から施行する。ただし、次条の規定は、道路交通法の一部を改正する法律（令和二年法律第四十二号）の施行の日（令和二年十二月一日）から施行する。

（特定車両停留施設の構造及び設備の基準を定める省令の一部改正）

第二条　特定車両停留施設の構造及び設備の基準を定める省令（令和二年国土交通省令第九十一号）の一部を次のように改正する。

次の表により、改正前欄に掲げる規定の傍線を付した部分をこれに対応する改正後欄に掲げる規定の傍線を付した部分のように改める。

〔次の表略〕

○車両制限令〔昭和三六・七・一七 政令二六五〕

改正　昭和三九・七政二六六、昭和四五・一〇政三二〇、昭和四六・七政二五二、昭和四七・一〇政三七八、昭和五三・四政一四五、昭和五九・五政一三九、平成五・一一政三七五、平成一一・一一政三五二、平成一二・六政三一二、平成一三・四政一七〇、平成一六・二政一三、平成二三・一二政四二四、平成二六・五政一八七、平成三一・三政四一、令和三・七政一九八

目次

第一章　総則（第一条・第二条）
第二章　道路との関係において必要とされる車両についての制限（第三条―第十四条）
第三章　限度超過車両の通行に係る許可の申請その他の手続に関し必要な事項（第十五条―第二十一条）
第四章　雑則（第二十二条・第二十三条）
附則

第一章　総則

（趣旨）

第一条　道路の構造を保全し、又は交通の危険を防止するために道路との関係において必要とされる車両についての制限及び限度超過車両の通行に係る許可の申請その他の手続に関し必要な事項については、道路法（以下「法」という。）に定めるもののほか、この政令の定めるところによる。

（定義）

第二条　この政令において、次の各号に掲げる用語の意義は、それぞれ当該各号に定めるところによる。

一　車両　法第二条第五項に規定する車両（人が乗車し、又は貨物が積載されている場合にあつてはその状態におけるものをいい、他の車両をけん引している場合にあつては当該けん引されている車両を含む。）をいう。

二　自動車　道路運送車両法（昭和二十六年法律第百八十五号）第二条第二項に規定する自動車（二輪のものを除く。）及び無軌条電車をいう。

三　歩道　専ら歩行者の通行の用に供されている道路の部分をいう。

四　自転車道　専ら自転車の通行の用に供されている道路の部分をいう。

五　自転車歩行者道　専ら自転車及び歩行者の通行の用に供されている道路の部分をいう。

六　車道　専ら車両及び無軌条電車以外の軌道車の通行の用に供されている道路の部分（自転車道を除く。）又は歩道、自転車道若しくは自転車歩行者道のいずれをも有しない道路（自動車のみの一般交通の用に供されている道路を除く。）の一般通行の用に供されている部分をいう。

七　路肩　道路の主要構造部を保護し、又は車道の効用を保つために、車道、歩道、自転車道又は自転車歩行者道に接続して設けられている帯状の道路の部分をいう。

第二章　道路との関係において必要とされる車両についての制限

（車両の幅等の最高限度）

第三条　法第四十七条第一項の車両の幅、重量、高さ、長さ及び最小回転半径の最高限度は、次のとおりとする。

一　幅　二・五メートル

二　重量　次に掲げる値

イ　総重量　高速自動車国道又は道路管理者が道路の構造の保全及び交通の危険の防止上支障がないと認めて指定した道路を通行する車両にあつては二十五トン以下で車両の長さ及び軸距に応じて当該車両の通行により道路に生ずる応力を勘案して国土交通省令で定める値、その他の道路を通行する車両にあつては二十トン

ロ　軸重　十トン

ハ　隣り合う車軸に係る軸重の合計　隣り合う車軸に係る軸距が一・八メートル未満である場合にあつては十八トン（隣り合う車軸に係る軸距が一・三メートル以上であり、かつ、当該隣り合う車軸に係る軸重がいずれも九・五トン以下である場合にあつては、十九トン）、一・八メートル以上である場合にあつては二十トン

ニ　輪荷重　五トン

三　高さ　道路管理者が道路の構造の保全及び交通の危険の防止上支障がないと認めて指定した道路を通行する車両にあつては四・一メートル、その他の道路を通行する車両にあつては三・八メートル

四　長さ　十二メートル

五　最小回転半径　車両の最外側のわだちについて十二メートル

2　バン型のセミトレーラ連結車（自動車と前車軸を有しない被けん引車との結合体であつて、被けん引車の一部が自動車に載せられ、かつ、被けん引車及びその積載物の重量の相当の部分が自動車によつて支えられるものをいう。以下同じ。）、タンク型のセミトレーラ連結車、幌枠型のセミトレーラ連結車及びコンテナ又は自動車の運搬用のセミトレーラ連結車並びにフルトレーラ連結車（自動車と一の被けん引車との結合体であつて、被けん引車及びその積載物の重量が自動車によつて支えられないものをいう。以下同じ。）で自動車及び被けん引車がバン型の車両、タンク型の車両、幌枠型の車両又はコンテナ若しくは自動車の運搬用の車両であるものの総重

量の最高限度は、前項の規定にかかわらず、高速自動車国道を通行するものにあつては三十六トン以下、その他の道路を通行するものにあつては二十七トン以下で、車両の軸距に応じて当該車両の通行により道路に生ずる応力を勘案して国土交通省令で定める値とする。

3　高速自動車国道を通行するセミトレーラ連結車又はフルトレーラ連結車で、その積載する貨物が被けん引車の車体の前方又は後方にはみ出していないものの長さの最高限度は、第一項の規定にかかわらず、セミトレーラ連結車にあつては十六・五メートル、フルトレーラ連結車にあつては十八メートルとする。

4　道路管理者が道路の強度、線形その他の道路の構造を勘案して国際海上コンテナの運搬用のセミトレーラ連結車の通行による道路の構造の保全及び交通の危険の防止上の支障がないと認めて指定した道路を通行する国際海上コンテナの運搬用のセミトレーラ連結車の重量及び長さの最高限度は、第一項及び第二項の規定にかかわらず、次のとおりとする。

一　重量　次に掲げる値

イ　総重量　四十四トン以下で車両の車軸の数及び軸距に応じて当該車両の通行により道路に生ずる応力を勘案して国土交通省令で定める値

ロ　軸重　十一・五トン以下で車両の総重量、車軸の数及び軸距に応じて当該車両の通行により道路に生ずる応力を勘案して国土交通省令で定める値

ハ　輪荷重　五・七五トン以下で車両の総重量、車軸の数及び軸距に応じて当該車両の通行により道路に生ずる応力を勘案して国土交通省令で定める値

二　長さ　十六・五メートル

（車両についての制限の基準）

第四条　法第四十七条第四項の車両についての制限に関する基準は、次条から第十二条までに定めるとおりとする。

（幅の制限）

第五条　市街地を形成している区域（以下「市街地区域」という。）内の道路で、道路管理者が自動車の交通量がきわめて少ないと認めて指定したもの又は一方通行とされているものを通行する車両の幅は、当該道路の車道の幅員（歩道又は自転車歩行者道のいずれをも有しない道路で、その路肩の幅員が明らかでないもの又はその路肩の幅員の合計が一メートル未満（トンネル、橋又は高架の道路にあつては、〇・五メートル未満）のものにあつては、当該道路の路面の幅員から一メートル（トンネル、橋又は高架の道路にあつては、〇・五メートル）を減じたものとする。以下同じ。）から〇・五メートルを減じたものをこえないものでなければならない。

2　市街地区域内の道路で前項に規定するもの以外のものを通行する車両の幅は、当該道路の車道の幅員から〇・五メートルを減じたものの二分の一をこえないものでなければならない。

3　市街地区域内の駅前、繁華街等にある歩行者の多い道路で道路管理者が指定したものの歩道又は自転車歩行者道のいずれをも有しない区間を道路管理者が指定した時間内に通行する車両についての前二項の規定の適用については、第一項中「〇・五メートルを減じたもの」とあるのは「一メートルを減じたもの」と、第二項中「〇・五メートル」とあるのは「一・五メートル」とする。

第六条　市街地区域外の道路（道路管理者が自動車の交通量がきわめて少ないと認めて指定したものを除く。以下次項において同じ。）で、一方通行とされていないもの又はその道路におおむね三百メートル以内の区間ごとに待避所があるもの（道路管理者が自動車の交通量が多いため当該待避所のみでは車両のすれ違いに支障があると認めて指定したものを除く。）を通行する車両の幅は、当該道路の車道の幅員から〇・五メートルを減じたものをこえないものでなければならない。

2　市街地区域外の道路で前項に規定するもの以外のものを通行する車両の幅は、当該道路の車道の幅員の二分の一をこえないものでなければならない。

（総重量、軸重及び輪荷重の制限）

第七条　道路構造令（昭和四十五年政令第三百二十号）第二十三条第二項の基準（強度に係るものに限る。）を参酌して法第三十条第三項の条例で定める基準に適合している舗装がされていない都道府県道又は市町村道で、これに代わるべき他の道路があるものについて、道路管理者が路面の破損を防止するため必要と認められる車両の総重量、軸重又は輪荷重の限度を定めたときは、当該道路を通行する車両の総重量、軸重又は輪荷重は、当該限度を超えないものでなければならない。ただし、当該道路を通行しなければ目的地に到達することができない車両については、この限りでない。

2　融雪、冠水等のため支持力が著しく低下している道路について、道路管理者が路盤又は路床の破損を防止するため必要と認められる車両の総重量、軸重又は輪荷重の限度を定めたときは、当該道路を通行する車両の総重量、軸重又は輪荷重は、当該限度をこえないものでなければならない。

3　前項の規定により道路管理者が車両の総重量、軸重又は輪荷重の限度を定めようとするときは、国土交通省令で定める構造計算又は試験の方法に基づいてしなければならない。

（カタピラを有する自動車の制限）

第八条　舗装道を通行する自動車は、次の各号の一に該当する場合を除き、カタピラを有しないものでなければならない。

一　その自動車のカタピラの構造が路面を損傷するおそれのないものである場合

二　その自動車が当該道路の除雪のために使用される場合

三　その自動車のカタピラが路面を損傷しないように当該道路について必要な措置がとられている場合

（路肩通行の制限）

第九条　歩道、自転車道又は自転車歩行者道のいずれをも有しない道路を通行する自動車は、その車輪が路肩（路肩が明らかでない道路にあつては、路端から車道寄りの〇・五メートル（トンネル、橋又は高架の道路にあつては、〇・二五メートル）の幅の道路の部分）にはみ出してはならない。

（通行方法の制限）

第一〇条　第三条第一項第三号の規定による指定を受けた道路について、高さが三・八メートルを超え四・一メートル以下の車両に関し、道路管理者が当該道路の構造を保全し、又は交通の危険を防止するため必要と認められる路肩の通行の禁止その他の通行方法を定めたときは、当該道路を通行する当該車両は、当該通行方法によらなければならない。

2　第三条第四項の規定による指定を受けた道路について、国際海上コンテナの運搬用のセミトレーラ連結車に関し、道路管理者が当該道路の構造を保全し、又は交通の危険を防止するため必要と認められる徐行その他の通行方法を定めたときは、当該道路を通行する国際海上コンテナの運搬用のセミトレーラ連結車は、当該通行方法によらなければならない。

3　第七条第二項の規定により車両の総重量、軸重又は輪荷重の限度が定められている道路について、道路管理者が当該道路の構造を保全し、又は交通の危険を防止するため必要と認められる徐行その他の通行方法を定めたときは、当該道路を通行する車両は、当該通行方法によらなければならない。

（幅の制限の特例）

第一一条　道路が次の各号の一に該当し、車両の通行に支障のある場合において、道路管理者が交通の円滑を図るためやむを得ない必要があると認めて他の道路を指定したときは、当該他の道路を通行する車両については、第五条及び第六条の規定は、適用しない。

一　道路が破損し、又は欠壊している場合

二　道路に関する工事が行なわれている場合

三　車両の通行が著しく停滞している場合

2　道路管理者は、前項に規定する指定をしようとするときは、あらかじめ都道府県公安委員会（道警察本部の所在地を包括する方面を除く方面にあつては、方面公安委員会）の意見をきかなければならない。

（特殊な車両の特例）

第一二条　幅、総重量、軸重又は輪荷重が第三条に規定する最高限度をこえず、かつ、第五条から第七条までに規定する基準に適合しない車両で、当該車両を通行させようとする者の申請により、道路管理者がその基準に適合しないことが車両の構造又は車両に積載する貨物が特殊であるためやむを得ないと認定したものは、当該認定に係る事項については、第五条から第七条までに規定する基準に適合するものとみなす。ただし、道路管理者が運転経路又は運転時間の指定等道路の構造の保全又は交通の安全を図るため必要な条件を附したときは、当該条件に従つて通行する場合に限る。

（無軌条電車の特例）

第一三条　道路を通行する無軌条電車の高さについては、第三条の規定にかかわらず、軌道法（大正十年法律第七十六号）第三十一条第一項において準用する同法第十四条の規定に基づく命令の定めるところによる。

（緊急自動車等の特例）

第一四条　道路交通法（昭和三十五年法律第百五号）第三十九条第一項に規定する緊急自動車及び災害救助、水防活動等の緊急の用務又はその他の公共の利害に重大な関係がある公の用務のために通行する国土交通省令で定める車両並びに日本国とアメリカ合衆国との間の相互協力及び安全保障条約に基づき日本国内にあるアメリカ合衆国の軍隊の任務の遂行に必要な用務のために通行する当該軍隊の車両で、道路の構造の保全のための必要な措置を講じて通行するものについては、この政令の規定は、適用しない。

２　前項に規定するもののほか、公益上緊要な用務のために通行する国土交通省令で定める車両で、道路の構造の保全のための必要な措置を講じて通行するものについては、第五条から第七条まで、第九条及び第十条第三項の規定は、適用しない。

第三章　限度超過車両の通行に係る許可の申請その他の手続に関し必要な事項

（道路管理者を異にする二以上の道路の通行の許可）

第一五条　道路管理者を異にする二以上の道路についての法第四十七条の二第一項の許可に関する権限は、当該二以上の道路の全部又は一部が市町村道（指定市の市道及び道路法施行令（昭和二十七年政令第四百七十九号）第三十四条第一項又は第三項の規定により国土交通大臣が新設若しくは改築又は維持を行なう道路を除く。以下この条において同じ。）以外の道路であるときは当該市町村道以外の道路の道路管理者（当該市町村道以外の道路の道路管理者が二以上あるときは、最初に申請を受けた道路管理者）が、当該二以上の道路が市町村道のみであるときは国土交通省令で定める道路管理者が行なうものとする。

（国土交通大臣が許可に関する権限を行う場合の手数料）

第一六条　法第四十七条の二第二項の規定により国土交通大臣が同条第一項の許可に関する権限を行う場合における同条第三項の手数料の額は、当該受けようとする許可に係る一通行経路ごとに二百円とする。

（国土交通大臣が許可に関する権限を行う申請）

第一七条　法第四十七条の三第六項の政令で定める申請は、国土交通大臣に対してされた申請とする。

（限度超過車両の通行を誘導すべき道路に係る許可の手数料）

第一八条　法第四十七条の三第七項の手数料の額は、当該受けようとする許可に係る一通行経路ごとに百六十円とする。

（限度超過車両の登録の手数料）

第一九条　法第四十七条の四第五項の手数料の額は、同条第一項の登録又は同条第二項の登録の更新に係る申請一件につき五千円とする。

（登録車両の通行に関する確認の手数料）

第二〇条　法第四十七条の十第五項の手数料の額は、同条第一項の規定による求め一件につき六百円とする。ただし、当該求めに係る同条第二項第二号に掲げる出発地及び目的地が一の都道府県の区域内にある場合には、当該求め一件につき四百円を超えない範囲内において同条第四項の規定により判定基準が定められている当該都道府県の区域内の道路の延長及び構造を勘案して当該都道府県ごとに国土交通大臣が定める額とする。

（指定登録確認機関が登録等事務を行う場合の手数料）

第二一条　法第四十八条の五十九第一項第一号に掲げる者が同項の規定により指定登録確認機関に納付しなければならない手数料の額は、第十九条に規定する額とする。

２　法第四十八条の五十九第一項第二号に掲げる者が同項の規定により指定登録確認機関に納付しなければならない手数料の額は、前条に規定する額とする。

第四章　雑則

（事務の区分）

第二二条　この政令の規定により都道府県、指定市又は法第十七条第二項の規定により都道府県の同意を得た市が指定区間外の国道の道路管理者として処理することとされている事務は、地方自治法（昭和二十二年法律第六十七号）第二条第九項第一号に規定する第一号法定受託事務とする。

（国土交通省令への委任）

第二三条　この政令で定めるもののほか、この政令を実施するために必要な事項は、国土交通省令で定める。

附　則

１　この政令は、昭和三十七年二月一日から施行する。ただし、第七条、第九条から第十一条まで及び第十四条から第十六条まで並びに附則第二項から第四項までの規定は、昭和三十六年九月一日から施行する。

２　道路法の施行の際に道路運送法（昭和二十六年法律第百八十三号）第四条第一項の規定による免許を受けて路線を定めて道路を自動車運送事業のために使用していた者の車両で、この政令の規定による基準に適合しないものについては、道路法の施行後この政令の公布前に当該事業につき道路運送法第十八条第一項の規定による事業計画の変更（自動車の大きさ又は重量の増加を伴う事業計画の変更に限る。以下次項において同じ。）の認可を受けて車両を通行させている場合を除き、この政令の規定は、適用しない。

３　この政令の公布の際現に道路運送法第四条第一項の規定による免許を受けて路線を定めて道路を自動車運送事業のために使用している者の車両で、この政令の規定による基準に適合しないもの（前項の規定の適用を受けるものを除く。）については、当該事業につき道路運送法第十八条第一項の規定による事業計画の変更の認可を受けて車両を通行させる場合を除き、昭和三十九年七月三十一日までの間（道路運送法第三条第二項第一号に掲げる一般乗合旅客自動車運送事業の用に供するものにあつては、昭和四十一年七月三十一日までの間）は、この政令の規定（第七条第二項及び第三項、第十条並びに第十一条の規定を除く。）は、適用しない。

４　この政令の公布の際現に設けられている車両の常置場を利用する車両で、その出入路との関係においてこの政令の規定による基準に適合しないものについては、道路管理者の許可を受けてその出入路を通行する場合に限り、昭和三十八年一月三十一日までの間は、この政令の規定は、適用しない。

附　則〔略〕〔昭和四五・一〇・二九政令三二〇〕

附　則〔抄〕〔昭和四六・七・二二政令二五二〕

（施行期日等）

１　この政令は、道路法等の一部を改正する法律（昭和四十六年法律第四十六号）の施行の日（昭和四十六年十二月一日）から施行する。ただし、第二条の規定による改正後の車両制限令（以下「新車両制限令」という。）第三条第二項及び第三項、第十五条並びに第十六条〔中略〕の規定は、同法附則第一項ただし書に規定する同法による改正後の道路法の規定の適用の日（昭和四十七年四月一日）から適用する。

２　前項ただし書に規定する日までの間は、新車両制限令第三条第一項第三号中「三・八メートル」とあるのは「三・五メートル」とする。

附　則〔略〕〔昭和五三・四・二五政令一四五〕

附　則〔昭和五九・五・一五政令一三九〕

１　この政令は、各種手数料等の額の改定及び規定の合理化に関する法律の施行の日（昭和五十九年五月二十一日）から施行する。

２　この政令の施行前にした都道府県知事に対するあつ旋の申請、建設大臣又は都道府県知事に対する事業の認定の申請、収用委員会に対する裁決の申請及び協議の確認の申請並びに建設大臣に対する特定公共事業の認定の申請に係る手数料の額については、なお従前の例による。

附　則〔抄〕〔平成五・一一・二五政令三七五〕

（施行期日）

１　この政令は、公布の日から施行する。

（罰則に関する経過措置）

３　この政令の施行前にした行為に対する罰則の適用については、なお従前の例による。

附　則〔略〕〔平成一一・一一・一〇政令三五二〕

附　則〔略〕〔平成一二・六・七政令三一二〕

附　則〔略〕〔平成一三・四・二五政令一七〇〕

附　則〔略〕〔平成一六・二・一六政令二三〕

附　則〔略〕〔平成一六・一二・八政令三八七〕

附　則〔略〕〔平成二三・一二・二六政令四二四〕

附　則〔略〕〔平成二六・五・二八政令一八七〕

附　則〔略〕〔平成三一・三・二〇政令四一施行〕

附　則〔令和三・七・九政令一九八〕

この政令は、道路法等の一部を改正する法律（令和二年法律第三十一号）附則第一条第二号に掲げる規定の施行の日（令和四年四月一日）から施行する。

○道路の修繕に関する法律

〔昭和二三・一二・二九
法律二八二〕

改正　昭和二七・六法一八一、昭和三三・三法三六、昭和三九・七法一六三、平成一一・一二法一六〇、平成一四・二法一、平成一六・六法一〇二、平成二二・三法二〇、平成二六・六法五三

第一条　国は、当分の間、地方公共団体に対し、道路（道路法（昭和二十七年法律第百八十号）に規定する道路をいい、一般国道を除く。以下同じ。）の修繕に要する費用の一部を補助することができる。

２　前項の補助に関し、必要な事項は、政令で定める。

第二条　国土交通大臣は、当分の間、必要があると認めるときは、道路法第十三条第一項の規定にかかわらず、同項に規定する指定区間外の一般国道の修繕をすることができる。

２　前項の場合においては、道路管理者の権限は、政令の定めるところにより、道路管理者に代わつて国土交通大臣が行う。この場合において、道路法第百九条の規定の適用については、同条中「第二十七条」とあるのは、「道路の修繕に関する法律（昭和二十三年法律第二百八十二号）第二条第二項前段」と読み替えるものとする。

３　第一項の修繕に要する費用は、国の負担とする。

第三条　国は、当分の間、地方公共団体に対し、第一条第一項の規定により国がその費用について補助することができる道路の修繕で日本電信電話株式会社の株式の売払収入の活用による社会資本の整備の促進に関する特別措置法（昭和六十二年法律第八十六号）第二条第一項第二号に該当するものに要する費用に充てる資金について、予算の範囲内において、第一条の規定（この規定による国の補助の割合について、この規定と異なる定めをした法令の規定がある場合には、当該異なる定めをした法令の規定を含む。以下同じ。）により国が補助することができる金額に相当する金額を無利子で貸し付けることができる。

２　前項の国の貸付金の償還期間は、五年（二年以内の据置期間を含む。）以内で政令で定める期間とする。

３　前項に定めるもののほか、第一項の規定による貸付金の償還方法、償還期限の繰上げその他償還に関し必要な事項は、政令で定める。

４　国は、第一項の規定により地方公共団体に対し貸付けを行つた場合には、当該貸付けの対象である道路の修繕について、第一条の規定による当該貸付金に相当する金額の補助を行うものとし、当該補助については、当該貸付金の償還時において、当該貸付金の償還金に相当する金額を交付することにより行うものとする。

５　地方公共団体が、第一項の規定による貸付けを受けた無利子貸付金について、第二項及び第三項の規定に基づき定められる償還期限を繰り上げて償還を行つた場合（政令で定める場合を除く。）における前項の規定の適用については、当該償還は、当該償還期限の到来時に行われたものとみなす。

附　則〔略〕〔昭和二三・一二・二九法律二八二施行〕

附　則〔略〕〔昭和三三・三・三一法律三六〕

附　則〔略〕〔昭和三九・七・九法律一六三〕

附　則〔略〕〔平成一一・一二・二二法律一六〇〕

附　則〔略〕〔平成一四・二・八法律一〕

附　則〔略〕〔平成一六・六・九法律一〇二〕

附　則〔抄〕〔平成二二・三・三一法律二〇〕

（施行期日）

第一条　この法律は、平成二十二年四月一日から施行する。

（経過措置）

第二条　第一条から第八条まで並びに附則第六条及び第九条の規定による改正後の次の各号に掲げる法律の規定は、当該各号に定める国の負担（当該国の負担に係る都道府県又は市町村の負担を含む。以下この条において同じ。）について適用し、平成二十一年度以前の年度における事務又は事業の実施により平成二十二年度以降の年度に支出される国の負担、平成二十一年度以前の年度の国庫債務負担行為に基づき平成二十二年度以降の年度に支出すべきものとされた国の負担及び平成二十一年度以前の年度の歳出予算に係る国の負担で平成二十二年度以降の年度に繰り越されたものについては、なお従前の例による。

一　〔略〕

二　次に掲げる法律の規定　平成二十二年度以降の年度の予算に係る国の負担（平成二十一年度以前の年度における事務又は事業の実施により平成二十二年度以降の年度に支出される国の負担及び平成二十一年度以前の年度の国庫債務負担行為に基づき平成二十二年度以降の年度に支出すべきものとされた国の負担を除く。）

イ　道路の修繕に関する法律第二条第三項

ロ～ニ　〔略〕

三　〔略〕

（政令への委任）

第三条　前条に定めるもののほか、この法律の施行に関し必要な経過措置は、政令で定める。

附　則〔抄〕〔平成二六・六・四法律五三〕

（施行期日）

第一条　この法律〔中略〕は、公布の日から起算して一年を超えない範囲内において政令で定める日〔平成二七・四・一〕から施行する。

○道路の修繕に関する法律の施行に関する政令

〔昭和二四・三・三一
政令六一〕

改正　昭和二七・一二政四七九、昭和三三・六政一六三、昭和四〇・三政五七、平成五・三政九四、平成一二・六政三一二、平成一四・二政二七、平成一九・九政三〇四、平成二一・四政一三〇、平成二二・三政七八、平成二五・八政二四三、平成二六・五政一八七、平成二七・一政二一、平成二八・三政一八二、平成三〇・三政一二八、九政二八〇、令和二・一一政三三九、令和三・六政一七四、九政二六一

（補助額）

第一条　都道府県道等（都道府県道又は市町村道をいう。以下同じ。）の修繕で次の各号のいずれかに該当するものに係る道路の修繕に関する法律（以下「法」という。）第一条第一項の規定による国の補助金の額は、当該都道府県道等の修繕に要する費用の額（道路法（昭和二十七年法律第百八十号）第五十八条から第六十一条まで及び第六十二条後段の規定による負担金（以下この条において「収入金」という。）があるときは、当該費用の額から当該収入金の額を控除した額）に二分の一以上十分の七（当該都道府県道等の修繕が沖縄県の区域内で行われる場合にあつては十分の八、離島振興法（昭和二十八年法律第七十二号）第四条第一項の離島振興計画に基づいて行われる場合にあつては十分の七・五）以下の範囲内で当該都道府県道等の修繕を行う地方公共団体の財政力に応じて国土交通省令で定めるところにより算定した割合を乗じて得た額とする。

一　道路整備事業に係る国の財政上の特別措置に関する法律施行令（昭和三十四年政令第十七号）第二条第二項第一号又は道路法施行令（昭和二十七年政令第四百七十九号）第三十四条の二の三第一項第一号の規定による国土交通大臣の指定を受けた都道府県道等の修繕

二　前号に規定する都道府県道等以外の都道府県道等のうち次に掲げるものの修繕で道路整備事業に係る国の財政上の特別措置に関する法律施行令第一条第二項各号に掲げる基準のいずれにも適合するもの

イ　道路法第五十六条の規定による国土交通大臣の指定を受けた都道府県道又は市道

ロ　イに掲げるもののほか、資源の開発、産業の振興その他国の施策上特に整備を行う必要があると認められる都道府県道等

三　第一号に規定する都道府県道等以外の都道府県道等を構成する橋、トンネルその他の施設又は工作物で、損傷、腐食その他の劣化により当該都道府県道等の構造に支障を及ぼすおそれが大きいものとして国土交通

省令で定めるものの修繕（前号に該当するものを除く。）

2　次に掲げる都道府県道等の修繕で国土交通大臣が予算の範囲内においてその工事の計画及び設計を承認したもののうち、前項各号に掲げるもの以外のものに要する費用に係る法第一条第一項の規定による国の補助金の額は、当該都道府県道等の修繕に要する費用の額（収入金があるときは、当該費用の額から当該収入金の額を控除した額）に二分の一を乗じて得た額とする。

一　農業、林業、鉱業又は工業のための資源の有効かつ適切な開発及び利用のために必要と認められる都道府県道等

二　市街地内の都道府県道等で自動車による定期的な貨客の運送が行われているもの

三　主要な交通中心地を相互に連絡する都道府県道等

四　前二号に掲げる都道府県道等に対する取付道路である都道府県道等

（工事完了の認定）

第二条　道路管理者は、法第一条第一項の規定による補助に係る工事を完了したときは、遅滞なく、国土交通大臣に完了の認定を申請しなければならない。

（工事の開始及び完了の告示）

第三条　国土交通大臣は、法第二条第一項の規定により道路法第十三条第一項に規定する指定区間（以下「指定区間」という。）外の一般国道の修繕をしようとするときは、あらかじめその路線名、区間及び工事開始の期日を告示しなければならない。工事の全部若しくは一部を廃止し、又は工事を完了するに至つたときにおいて、その路線名、区間及び工事の廃止又は工事完了の期日についても同様とする。

（国土交通大臣の権限）

第四条　道路法施行令第四条第一項（第一号、第四十二号、第四十五号及び第四十六号に係る部分を除く。）及び第二項並びに第六条第一項（第一号に係る部分に限る。）及び第五項（第一号（同令第四条第一項第一号に掲げる権限に係る部分に限る。）に係る部分を除く。）の規定は、国土交通大臣が法第二条第一項の規定により指定区間外の一般国道の修繕をする場合について準用する。この場合において、同令第四条第二項中「第二条第一項（第一号又は第三号に係る部分に限る。）」とあるのは「道路の修繕に関する法律の施行に関する政令第三条」と、「同条第二項」とあるのは「同条」と読み替えるものとする。

（国の貸付金の償還期間等）

第五条　法第三条第二項に規定する政令で定める期間は、五年（二年の据置期間を含む。）とする。

2　前項に規定する期間は、日本電信電話株式会社の株式の売払収入の活用による社会資本の整備の促進に関する特別措置法（昭和六十二年法律第八十六号）第五条第一項の規定により読み替えて準用される補助金等に係る予算の執行の適正化に関する法律（昭和三十年法律第百七十九号）第六条第一項の規定による貸付けの決定（以下「貸付決定」という。）ごとに、当該貸付決定に係る法第三条第一項の規定による国の貸付金（以下「国の貸付金」という。）の交付を完了した日（その日が当該貸付決定があつた日の属する年度の末日の前日以後の日である場合には、当該年度の末日の前々日）の翌日から起算する。

3　国の貸付金の償還は、均等年賦償還の方法によるものとする。

4　国は、国の財政状況を勘案し、相当と認めるときは、国の貸付金の全部又は一部について、前三項の規定により定められた償還期限を繰り上げて償還させることができる。

5　法第三条第五項に規定する政令で定める場合は、前項の規定により償還期限を繰り上げて償還を行つた場合とする。

（権限の委任）

第六条　第一条第二項、第二条及び第三条に規定する国土交通大臣の権限は、地方整備局長及び北海道開発局長に委任する。

附　則

この政令は、公布の日から施行し、道路の修繕に関する法律施行の日（昭和二十三年十二月二十九日）から適用する。

附　則〔略〕〔昭和四〇・三・二九政令五七〕

附　則〔抄〕〔平成五・三・三一政令九四〕

（施行期日）

1　この政令は、平成五年四月一日から施行する。

（経過措置）

2　改正後〔中略〕の規定は、平成五年度以降の年度の予算に係る国の負担又は補助（平成四年度以前の年度の国庫債務負担行為に基づき平成五年度以降の年度に支出すべきものとされた国の負担又は補助を除く。）について適用し、平成四年度以前の年度の国庫債務負担行為に基づき平成五年度以降の年度に支出すべきものとされた国の負担又は補助及び平成四年度以前の年度の歳出予算に係る国の負担又は補助で平成五年度以降の年度に繰り越されたものについては、なお従前の例による。

附　則〔略〕〔平成一二・六・七政令三一二〕

附　則〔略〕〔平成一四・二・八政令二七〕

附　則〔略〕〔平成一九・九・二五政令三〇四〕

附　則〔抄〕〔平成二一・四・三〇政令一三〇〕

（施行期日）

第一条　この政令は、公布の日から施行する。

（国の負担又は補助に関する経過措置）

第二条　第一条、第五条、第六条、第八条、第九条、第十二条及び第十四条から第十六条までの規定による改正後の次に掲げる政令の規定は、平成二十一年度以降の年度の予算に係る国の負担又は補助（平成二十年度以前の年度の国庫債務負担行為に基づき平成二十一年度以降の年度に支出すべきものとされた国の負担又は補助を除く。）について適用し、平成二十年度以前の年度の予算に係る国の負担又は補助で平成二十一年以降の年度に繰り越されたもの及び平成二十年度以前の年度の国庫債務負担行為に基づき平成二十一年度以降の年度に支出すべきものとされた国の負担又は補助については、なお従前の例による。

一・二　〔略〕

三　道路の修繕に関する法律の施行に関する政令第一条

四～九　〔略〕

附　則〔略〕〔平成二二・三・三一政令七八〕

附　則〔略〕〔平成二五・八・二六政令二四三〕

附　則〔略〕〔平成二六・五・二八政令一八七〕

附　則〔略〕〔平成二七・一・二三政令二一〕

附　則〔略〕〔平成二八・三・三一政令一八二〕

附　則〔抄〕〔平成三〇・三・三一政令一二八〕

（施行期日）

1　この政令は、平成三十年四月一日から施行する。

（経過措置）

2　第一条から第三条までの規定による改正後の次に掲げる政令の規定は、平成三十年度以降の年度の予算に係る国の負担又は補助（平成二十九年度以前の年度の国庫債務負担行為に基づき平成三十年度以降の年度に支出すべきものとされた国の負担又は補助を除く。）について適用し、平成二十九年度以前の年度の予算に係る国の負担又は補助で平成三十年度以降の年度に繰り越されたもの及び平成二十九年度以前の年度の国庫債務負担行為に基づき平成三十年度以降の年度に支出すべきものとされた国の負担又は補助については、なお従前の例による。

一　〔略〕

二　道路の修繕に関する法律の施行に関する政令第一条第一項

三　〔略〕

附　則〔略〕〔平成三〇・九・二八政令二八〇〕

附　則〔略〕〔令和二・一一・二〇政令三二九〕

附　則〔略〕〔令和三・六・一八政令一七四〕

附　則〔抄〕〔令和三・九・二四政令二六一〕

（施行期日）

第一条　この政令は、踏切道改良促進法等の一部を改正する法律附則第一条第二号に掲げる規定の施行の日（令和三年九月二十五日）から施行する。

○共同溝の整備等に関する特別措置法

〔昭和三八・四・一 法律八一〕

改正 昭和三九・七法一六三、法一七〇、昭和四五・一二法一四一、昭和五九・一二法八七、昭和六二・九法八七、平成六・六法四二、平成一一・五法五〇、七法八七、一二法一六〇、平成一二・五法九一、平成一四・二法一、平成一五・七法一二五、平成二二・三法二〇、平成二三・八法一〇五、平成二六・六法六九、法七二、平成二七・六法四七、令和二・六法四九

目次

第一章 総則（第一条・第二条）
第二章 共同溝整備道路（第三条・第四条）
第三章 共同溝の建設及び管理（第五条―第十一条）
第四章 共同溝の占用（第十二条―第十九条）
第五章 共同溝に関する費用（第二十条―第二十四条）
第六章 雑則（第二十五条―第二十八条）
附則

第一章 総則

（この法律の目的）

第一条 この法律は、共同溝の建設及び管理に関する特別の措置等を定め、特定の道路について、路面の掘さくを伴う地下の占用の制限と相まつて共同溝の整備を行なうことにより、道路の構造の保全と円滑な道路交通の確保を図ることを目的とする。

（定義）

第二条 この法律において「道路」とは、道路法（昭和二十七年法律第百八十号）による道路をいう。

2 この法律において「道路管理者」とは、道路法第十八条第一項に規定する道路管理者をいう。

3 この法律において「公益事業者」とは、次に掲げる者をいう。

一 電気通信事業法（昭和五十九年法律第八十六号）による認定電気通信事業者

二 電気事業法（昭和三十九年法律第百七十号）による一般送配電事業者、送電事業者、配電事業者、特定送配電事業者又は発電事業者

三 ガス事業法（昭和二十九年法律第五十一号）による一般ガス導管事業者、特定ガス導管事業者又はガス製造事業者

四 水道法（昭和三十二年法律第百七十七号）による水道事業者又は水道用水供給事業者

五 工業用水道事業法（昭和三十三年法律第八十四号）による工業用水道事業者

六 下水道法（昭和三十三年法律第七十九号）による公共下水道管理者、流域下水道管理者又は都市下水路管理者

4 この法律において「公益物件」とは、公益事業者が当該事業の目的を達成するため設ける電線（前項第一号の認定電気通信事業者が設けるものにあつては、電気通信事業法第百二十条第一項に規定する認定電気通信事業の用に供するものに限る。）、ガス管、水管又は下水道管をいう。

5 この法律において「共同溝」とは、二以上の公益事業者の公益物件を収容するため道路管理者が道路の地下に設ける施設をいう。

第二章 共同溝整備道路

（共同溝整備道路の指定）

第三条 国土交通大臣は、交通が著しくふくそうしている道路又は著しくふくそうすることが予想される道路で、路面の掘さくを伴う道路の占用に関する工事がひんぱんに行なわれることにより道路の構造の保全上及び道路交通上著しい支障を生ずるおそれがあると認められるものを、共同溝を整備すべき道路（以下「共同溝整備道路」という。）として指定することができる。

2 国土交通大臣は、前項の規定による指定をしようとするときは、あらかじめ、当該道路の道路管理者（道路法第十三条第二項の規定により都道府県又は同法第七条第三項に規定する指定市（以下「指定市」という。）が同法第十三条第一項に規定する指定区間（以下「指定区間」という。）内の一般国道の管理を行うこととされている場合においては、当該都道府県又は指定市。以下次項において同じ。）の意見を聴かなければならない。これを変更し、又は廃止しようとするときも、同様とする。

3 道路管理者は、前項の規定により意見を述べようとするときは、あらかじめ、都道府県公安委員会の意見をきかなければならない。

4 国土交通大臣は、第一項の規定による指定をしたときは、その旨を公示しなければならない。これを変更し、又は廃止したときも、同様とする。

5 第二項及び第三項（都道府県公安委員会の意見を聴く事務に係る部分に限る。）の規定により指定区間内の一般国道の管理を行う都道府県及び指定市が処理することとされている事務は、地方自治法（昭和二十二年法律第六十七号）第二条第九項第一号に規定する第一号法定受託事務とする。

（共同溝整備道路における許可等の制限）

第四条 道路管理者は、前条第一項の規定による共同溝整備道路の指定があつた場合においては、当該道路の車道の部分の地下の占用に関し、道路法第三十二条第一項若しくは第三項の規定による許可をし、又は同法第三十五条の規定による協議に応じてはならない。ただし、次に掲げる場合は、この限りでない。

一 次条第二項の規定による申出をした者の責めに帰することのできない理由により共同溝が建設されない場合において、その者が同条第三項に規定する敷設計画書に係る公益物件を設置し、及び当該公益物件の維持、修繕又は災害の復旧を行う場合

二 公益物件を収容するための施設又はこれと同等以上の公益性を有する施設で、路面の掘返しによる道路の構造の保全上及び道路交通上の支障を生ずるおそれが少ないと認めて国土交通大臣が指定するものを設置し、及び当該施設の維持、修繕又は災害の復旧を行う場合

三 共同溝整備道路の指定の日前になされた道路法第三十二条第一項若しくは第三項又は同法第三十五条の規定による許可又は協議に基づき設置された又は設置される工作物、物件又は施設の維持、修繕又は災害の復旧を行う場合

四 共同溝の建設が完了する以前において、当該共同溝に敷設すべき公益物件を、緊急の必要に基づき当該共同溝が建設される道路の部分以外の部分に仮に設置し、及び当該公益物件の維持、修繕又は災害の復旧を行う場合

第三章 共同溝の建設及び管理

（共同溝の建設）

第五条 第三条第一項の規定による共同溝整備道路の指定があつたときは、道路管理者（道路法第十二条の規定により一般国道の新設又は改築を国土交通大臣が行なう場合においては、国土交通大臣。以下この条、次条から第八条まで、第十二条、第十四条、第十五条及び第二十三条において同じ。）は、当該道路に共同溝を建設することについて、関係公益事業者の意見を求めなければならない。

2 前項の規定により意見を求められた公益事業者は、道路管理者の定める期限までに、共同溝の建設を希望する旨の申出をすることができる。

3 前項の規定による申出は、当該共同溝に敷設すべき公益物件の敷設計画書その他国土交通省令で定める書面を添えてしなければならない。

4 道路管理者は、第二項の規定による申出が相当であると認めるときは、共同溝の建設を行なうものとする。この場合においては、道路管理者は、共同溝の建設を行なうべき旨を公示しなければならない。

（共同溝整備計画）

第六条 道路管理者は、共同溝を建設しようとするときは、共同溝整備計画を作成しなければならない。

2 共同溝整備計画には、建設しようとする共同溝に関し、おおむね次に掲げる事項を定めるものとする。

一 位置及び名称

二　構造
三　共同溝の占用予定者
四　共同溝の占用予定者ごとの当該共同溝の占用部分及び公益物件の敷設計画の概要
五　共同溝の建設に要する費用及びその負担に関する事項
六　工事着手予定時期及び工事完了予定時期

第七条　道路管理者は、共同溝整備計画を作成する場合においては、建設しようとする共同溝の占用予定者に、第五条第四項の規定による公示のあつた日の翌日から起算して三十日を経過した日以後において、当該共同溝整備計画に定めようとする事項を通知し、相当な期限を定めて意見書の提出を求めなければならない。

2　道路管理者は、前項の意見書の提出があり、かつ、その意見書に係る意見を採用すべきであると認める場合においてはその必要の範囲内において同項の規定による通知に係る事項を修正して修正後の事項を、その他の場合においては同項の規定による通知に係る事項を修正しない旨を、同項の規定による通知をした者に通知するものとする。

3　道路管理者は、前項の規定による通知をした後において第十三条の規定による申請の取下げがあつたことにより共同溝整備計画に定めようとする事項の変更を必要とする場合においては、更に前二項の手続を行うものとする。

4　道路管理者は、共同溝の建設工事に着手した後において共同溝整備計画を変更しようとする場合においては、共同溝整備計画に定められた共同溝の占用予定者の意見をきかなければならない。

（建設の廃止）

第八条　道路管理者は、次条に規定する共同溝の占用予定者の要件を備える公益事業者が二以上ない場合又は第十三条の規定による申請の取下げがあつたことにより共同溝を建設することができなくなつた場合においては、共同溝の建設を廃止し、その旨を公示するとともに、関係公益事業者に通知するものとする。

（占用予定者）

第九条　共同溝の占用予定者は、第十二条第一項の規定による許可の申請をした者で、その者の敷設計画書に係る公益物件を共同溝に収容することが当該共同溝の規模及び構造上相当であると認められるものでなければならない。

（占用予定者の地位の承継）

第一〇条　相続人、合併又は分割により設立される法人その他の共同溝の占用予定者の一般承継人（分割による承継の場合にあつては、占用予定者の事業の全部を承継する法人に限る。）は、占用予定者の地位を承継する。

2　占用予定者の事業について譲渡があつたときは、当該事業を譲り受けた者は、占用予定者の地位を承継する。

（共同溝管理規程）

第一一条　道路管理者は、共同溝を管理しようとする場合においては、国土交通省令で定めるところにより、共同溝管理規程を定めなければならない。

2　道路管理者は、前項の規定により共同溝管理規程を定めようとするときは、あらかじめ、第十四条第一項の許可を受けた公益事業者の意見をきかなければならない。

第四章　共同溝の占用

（占用の申請）

第一二条　第五条第二項の規定による申出をした公益事業者は、同条第四項の規定による公示があつた日以後その翌日から起算して三十日以内に、公益物件の敷設計画書その他国土交通省令で定める書面を添えて、道路管理者に共同溝の占用の許可を申請することができる。

2　道路管理者は、前項の規定による申請をした者が第九条の要件に該当しないと認めるときは、すみやかに、その申請を却下し、その旨を理由を付した書面を添えて、その者に通知しなければならない。

（占用の申請の取下げ）

第一三条　第七条第二項の規定による通知を受けた者はその通知があつた日、同条第三項の規定の適用により更に同条第二項の規定による通知を受けた者はその通知があつた日以後二週間以内に限り、前条第一項の規定による申請を取り下げることができる。

（占用の許可）

第一四条　道路管理者は、共同溝の建設を完了したときは、直ちに、共同溝の占用予定者に当該共同溝の占用の許可をするものとする。

2　前項の許可は、次に掲げる事項を明らかにしてしなければならない。
一　占用することができる共同溝の部分
二　共同溝に敷設することができる公益物件の種類

第一五条　削除

（許可に基づく地位の承継）

第一六条　相続人、合併又は分割により設立される法人その他の第十四条第一項の許可を受けた公益事業者の一般承継人（分割による承継の場合にあつては、当該公益事業者の事業の全部を承継する法人に限る。）は、被承継人が有していた同項の許可に基づく地位を承継する。

（許可に基づく権利義務の譲渡）

第一七条　第十四条第一項の許可に基づく権利及び義務は、道路管理者の認可を受けなければ、譲渡することができない。

（公益物件の構造等の基準）

第一八条　第十四条第一項の許可を受けた公益事業者が当該許可に基づき公益物件の敷設をしようとするときは、あらかじめ、道路管理者に届け出なければならない。

2　前項の場合における当該公益物件の構造及び敷設の方法の基準は、政令で定める。

（監督処分）

第一九条　道路管理者は、第十四条第一項の許可を受けた公益事業者が当該許可に基づき公益物件を敷設する場合において、その公益物件の構造又は敷設の方法が前条第二項に規定する政令で定める基準に適合しないときは、当該敷設に関する工事の中止又は当該公益物件の改築、移転若しくは除却を命ずることができる。

第五章　共同溝に関する費用

（建設費の負担）

第二〇条　共同溝の占用予定者は、共同溝の建設に要する費用のうち、共同溝の建設によつて受ける効用から算定される推定の投資額等を勘案して、政令で定めるところにより算出した額の費用を負担しなければならない。

2　共同溝の建設に要する費用の範囲、負担金の納付の方法及び期限その他前項の負担金に関し必要な事項は、政令で定める。

（管理費用の負担）

第二一条　第十四条第一項の許可に基づき共同溝を占用する者は、当該共同溝の改築、維持、修繕、公共土木施設災害復旧事業費国庫負担法（昭和二十六年法律第九十七号）の規定の適用を受ける災害復旧事業（次条第一項及び第二十三条において「災害復旧」という。）その他の管理に要する費用のうち、政令で定める費用を政令で定めるところにより負担しなければならない。

（国の負担又は補助）

第二二条　共同溝の建設又は改築若しくは災害復旧で次の各号のいずれかに掲げるものに要する費用（第二十条第一項又は前条の規定により当該共同溝の占用予定者又は当該共同溝を占用する者が負担すべき費用を除く。）は国及び当該各号に定める地方公共団体がそれぞれその二分の一を負担し、指定区間内の一般国道に附属する共同溝の改築及び災害復旧以外の管理に要する費用（同条の規定により当該共同溝を占用する者が負担すべき費用を除く。）は国の負担とする。
一　指定区間内の一般国道に附属する共同溝の建設又は改築若しくは災害復旧　都道府県又は指定市
二　指定区間外の一般国道に附属する共同溝の建設又は改築で国土交通大臣が当該一般国道の新設又は改築に伴つて行うもの　当該一般国道の道路管理者である地方公共団体

2　国は、前項の場合を除くほか、共同溝の建設又は改築に要する費用（第二十条第一項又は前条の規定により当該共同溝の占用予定者又は当該共同溝を占用する者が負担すべき費用を除く。）の二分の一以内を、予算の範囲内において、政令で定めるところにより、その費用を負担する地方公共団体に対して、補助することができる。

3　共同溝の建設又は改築に要する費用については、道路法第八十五条第三項の規定は、適用しない。

（収入の帰属）

第二三条　第二十条第一項又は第二十一条の規定に基づく負担金は、当該共同溝の建設又は改築、維持、修繕、災害復旧その他の管理を行う道路管理者（当該道路管理者が国土交通大臣であるときは、国）の収入とする。

（義務履行のために要する費用）

第二四条　この法律又はこの法律によつてする処分による義務を履行するために必要な費用は、当該義務者が負担しなければならない。

第六章　雑則

（負担金の強制徴収）

第二五条　道路法第七十三条の規定は、第二十条第一項又は第二十一条の規定に基づく負担金の徴収について準用する。

（不服申立て）

第二六条　都道府県又は市町村である道路管理者がこの法律に基づいてした処分に不服がある者は、当該都道府県の知事又は当該市町村の長に対して審査請求をし、その裁決に不服がある者は、都道府県又は指定市若しくは特定の市町村（道路法第十七条第二項又は第三項の規定により管理を行う市又は町村をいう。以下この条において同じ。）である道路管理者がした処分については国土交通大臣に対して、市町村（指定市及び特定の市町村を除く。）である道路管理者がした処分については都道府県知事に対して再審査請求をすることができる。

（権限の委任）

第二七条　この法律に規定する国土交通大臣の権限は、政令で定めるところにより、地方整備局長又は北海道開発局長に委任することができる。

（道路法の適用除外）

第二八条　この法律の規定に基づく共同溝の占用に関しては、道路法第三章第三節の規定は、適用しない。

附　則

（施行期日）

1　この法律は、公布の日から施行する。

（国の無利子貸付け等）

2　国は、当分の間、地方公共団体に対し、第二十二条第二項の規定により国がその費用について補助することができる共同溝の建設又は改築で日本電信電話株式会社の株式の売払収入の活用による社会資本の整備の促進に関する特別措置法（昭和六十二年法律第八十六号）第二条第一項第二号に該当するものに要する費用に充てる資金について、予算の範囲内において、第二十二条第二項の規定（この規定による国の補助の割合について、この規定と異なる定めをした法令の規定がある場合には、当該異なる定めをした法令の規定を含む。以下同じ。）により国が補助することができる金額に相当する金額を無利子で貸し付けることができる。

3　前項の国の貸付金の償還期間は、五年（二年以内の据置期間を含む。）以内で政令で定める期間とする。

4　前項に定めるもののほか、附則第二項の規定による貸付金の償還方法、償還期限の繰上げその他償還に関し必要な事項は、政令で定める。

5　国は、附則第二項の規定により、地方公共団体に対し貸付けを行つた場合には、当該貸付けの対象である共同溝の建設又は改築について、第二十二条第二項の規定による当該貸付金に相当する金額の補助を行うものとし、当該補助については、当該貸付金の償還時において、当該貸付金の償還金に相当する金額を交付することにより行うものとする。

6　地方公共団体が、附則第二項の規定による貸付けを受けた無利子貸付金について、附則第三項及び第四項の規定に基づき定められる償還期限を繰り上げて償還を行つた場合（政令で定める場合を除く。）における前項の規定の適用については、当該償還は、当該償還期限の到来時に行われたものとみなす。

附　則（略）〔昭和三九・七・九法律一六三〕

附　則（略）〔昭和三九・七・一一法律一七〇〕

附　則（略）〔昭和四五・一二・二五法律一四一〕

附　則（抄）〔昭和五九・一二・二五法律八七〕

（施行期日）

第一条　この法律は、昭和六十年四月一日から施行する。〔以下略〕

（共同溝の整備等に関する特別措置法の一部改正に伴う経過措置）

第二六条　この法律の施行前に第七十一条の規定による改正前の共同溝の整備等に関する特別措置法第十五条の規定により旧公社が道路管理者にした協議に基づく占用は、第七十一条の規定による改正後の共同溝の整備等に関する特別措置法第十二条第一項の規定により会社に対して道路管理者がした許可に基づく占用とみなす。

（政令への委任）

第二八条　附則第二条から前条までに定めるもののほか、この法律の施行に関し必要な事項は、政令で定める。

附　則（略）〔昭和六二・九・四法律八七〕

附　則（略）〔平成六・六・二四法律四二〕

附　則（略）〔平成一一・五・二一法律五〇〕

附　則（抄）〔平成一一・七・一六法律八七〕

（施行期日）

第一条　この法律は、平成十二年四月一日から施行する。ただし、次の各号に掲げる規定は、当該各号に定める日から施行する。

一　〔前略〕附則〔中略〕第百六十条、第百六十三条、第百六十四条並びに第二百二条の規定　公布の日

二～六　〔略〕

（国等の事務）

第一五九条　この法律による改正前のそれぞれの法律に規定するもののほか、この法律の施行前において、地方公共団体の機関が法律又はこれに基づく政令により管理し又は執行する国、他の地方公共団体その他公共団体の事務（附則第百六十一条において「国等の事務」という。）は、この法律の施行後は、地方公共団体が法律又はこれに基づく政令により当該地方公共団体の事務として処理するものとする。

（処分、申請等に関する経過措置）

第一六〇条　この法律（附則第一条各号に掲げる規定については、当該各規定。以下この条及び附則第百六十三条において同じ。）の施行前に改正前のそれぞれの法律の規定によりされた許可等の処分その他の行為（以下この条において「処分等の行為」という。）又はこの法律の施行の際現に改正前のそれぞれの法律の規定によりされている許可等の申請その他の行為（以下この条において「申請等の行為」という。）で、この法律の施行の日においてこれらの行為に係る行政事務を行うべき者が異なることとなるものは、附則第二条から前条までの規定又は改正後のそれぞれの法律（これに基づく命令を含む。）の経過措置に関する規定に定めるものを除き、この法律の施行の日以後における改正後のそれぞれの法律の適用については、改正後のそれぞれの法律の相当規定によりされた処分等の行為又は申請等の行為とみなす。

2　この法律の施行前に改正前のそれぞれの法律の規定により国又は地方公共団体の機関に対し報告、届出、提出その他の手続をしなければならない事項で、この法律の施行の日前にその手続がされていないものについては、この法律及びこれに基づく政令に別段の定めがあるもののほか、これを、改正後のそれぞれの法律の相当規定により国又は地方公共団体の相当の機関に対して報告、届出、提出その他の手続をしなければならない事項についてその手続がされていないものとみなして、この法律による改正後のそれぞれの法律の規定を適用する。

（不服申立てに関する経過措置）

第一六一条　施行日前にされた国等の事務に係る処分であって、当該処分をした行政庁（以下この条において「処分庁」という。）に施行日前に行政不服審査法に規定する上級行政庁（以下この条において「上級行政庁」という。）があったものについての同法による不服申立てについては、施行日以後においても、当該処分庁に引き続き上級行政庁があるものとみなして、行政不服審査法の規定を適用する。この場合において、当該処分庁の上級行政庁とみなされる行政庁は、施行日前に当該処分庁の上級行政庁であった行政庁とする。

2　前項の場合において、上級行政庁とみなされる行政庁が地方公共団体の機関であるときは、当該機関が行政不服審査法の規定により処理することとされる事務は、新地方自治法第二条第九項第一号に規定する第一号法定受託事務とする。

（手数料に関する経過措置）

第一六二条　施行日前においてこの法律による改正前のそれぞれの法律（これに基づく命令を含む。）の規定により納付すべきであった手数料については、この法律及びこれに基づく政令に別段の定めがあるもののほか、なお従前の例による。

（その他の経過措置の政令への委任）

第一六四条 この附則に規定するもののほか、この法律の施行に伴い必要な経過措置〔中略〕は、政令で定める。

2 〔略〕

附　則〔略〕〔平成一一・一二・二二法律一六〇〕

附　則〔略〕〔平成一二・五・三一法律九一〕

附　則〔略〕〔平成一四・二・八法律一〕

附　則〔略〕〔平成一五・七・二四法律一二五〕

附　則〔抄〕〔平成二二・三・三一法律二〇〕

（施行期日）

第一条 この法律は、平成二十二年四月一日から施行する。

（経過措置）

第二条 第一条から第八条まで並びに附則第六条及び第九条の規定による改正後の次の各号に掲げる法律の規定は、当該各号に定める国の負担（当該国の負担に係る都道府県又は市町村の負担を含む。以下この条において同じ。）について適用し、平成二十一年度以前の年度における事務又は事業の実施により平成二十二年度以降の年度に支出される国の負担、平成二十一年度以前の年度の国庫債務負担行為に基づき平成二十二年度以降の年度に支出すべきものとされた国の負担及び平成二十一年度以前の年度の歳出予算に係る国の負担で平成二十二年度以降の年度に繰り越されたものについては、なお従前の例による。

一 〔略〕

二 次に掲げる法律の規定　平成二十二年度以降の年度の予算に係る国の負担（平成二十一年度以前の年度における事務又は事業の実施により平成二十二年度以降の年度に支出される国の負担及び平成二十一年度以前の年度の国庫債務負担行為に基づき平成二十二年度以降の年度に支出すべきものとされた国の負担を除く。）

イ 〔略〕

ロ 共同溝の整備等に関する特別措置法第二十二条第一項

ハ・ニ 〔略〕

三 〔略〕

（政令への委任）

第三条 前条に定めるもののほか、この法律の施行に関し必要な経過措置は、政令で定める。

附　則〔略〕〔平成二三・八・三〇法律一〇五〕

附　則〔略〕〔平成二六・六・一三法律六九〕

附　則〔略〕〔平成二六・六・一八法律七二〕

附　則〔抄〕〔平成二七・六・二四法律四七〕

（施行期日）

第一条 この法律〔中略〕は、当該各号に定める日から施行する。

一〜四 〔略〕

五 〔前略〕附則〔中略〕第七十九条から第八十二条まで〔中略〕の規定　公布の日から起算して二年六月を超えない範囲内において政令で定める日

〔平成二八政二二九により、平成二九・四・一から施行〕

六〜八 〔略〕

（共同溝の整備等に関する特別措置法の一部改正に伴う経過措置）

第八十二条 前条の規定による改正後の共同溝の整備等に関する特別措置法（次項において「新共同溝法」という。）第二条第三項第三号の規定の適用については、旧一般ガスみなしガス小売事業者が附則第二十二条第一項の義務を負う間、同号中「又はガス製造事業者」とあるのは、「若しくはガス製造事業者又は電気事業法等の一部を改正する等の法律（平成二十七年法律第四十七号）による指定旧供給区域等小売供給を行う事業者」とする。

2 新共同溝法第二条第三項第三号の規定の適用については、旧簡易ガスみなしガス小売事業者が附則第二十八条第一項の義務を負う間、同号中「又はガス製造事業者」とあるのは、「若しくはガス製造事業者又は電気事業法等の一部を改正する等の法律（平成二十七年法律第四十七号）による指定旧供給地点小売供給を行う事業者」とする。

附　則〔抄〕〔令和二・六・一二法律四九〕

（施行期日）

第一条 この法律は、令和四年四月一日から施行する。〔以下略〕

○電線共同溝の整備等に関する特別措置法

〔平成七・三・二三　法律三九〕

改正 平成七・四法七五、平成一一・五法五〇、七法八七、一二法一六〇、平成一二・五法九一、平成一四・二法一、平成一五・七法一二五、平成二二・三法二〇、平成二三・八法一〇五、平成二六・六法六九、法七二、平成三〇・三法六、令和二・六法四九

目次

第一章　総則（第一条・第二条）
第二章　電線共同溝の建設（第三条―第九条）
第三章　電線共同溝の管理（第十条―第二十一条）
第四章　雑則（第二十二条―第三十条）
附則

第一章　総則

（目的）

第一条 この法律は、電線共同溝の建設及び管理に関する特別の措置等を定め、特定の道路について、電線共同溝の整備等を行うことにより、当該道路の構造の保全を図りつつ、安全かつ円滑な交通の確保と景観の整備を図ることを目的とする。

（定義）

第二条 この法律において「道路」とは、道路法（昭和二十七年法律第百八十号）による道路をいう。

2 この法律において「道路管理者」とは、道路法第十八条第一項に規定する道路管理者をいう。

3 この法律において「電線共同溝」とは、電線の設置及び管理を行う二以上の者の電線を収容するため道路管理者が道路の地下に設ける施設をいう。

第二章　電線共同溝の建設

（電線共同溝を整備すべき道路の指定）

第三条 道路管理者は、道路の構造及び交通の状況、沿道の土地利用の状況等を勘案して、その安全かつ円滑な交通の確保と景観の整備を図るため、

電線をその地下に埋設し、その地上における電線及びこれを支持する電柱の撤去又は設置の制限をすることが特に必要であると認められる道路又は道路の部分について、区間を定めて、電線共同溝を整備すべき道路として指定することができる。

2　道路管理者は、前項の規定による指定をしようとするときは、あらかじめ、都道府県公安委員会、市町村（当該指定に係る道路の道路管理者が市町村である場合の当該市町村及び次項の規定による要請をした市町村を除く。）、当該道路の沿道がその供給区域又は供給地点に該当する電気事業法（昭和三十九年法律第百七十号）第二条第一項第九号に規定する一般送配電事業者、同項第十一号の三に規定する配電事業者又は同項第十三号に規定する特定送配電事業者及び当該道路の沿道がその業務区域に該当する電気通信事業法（昭和五十九年法律第八十六号）第百二十条第一項に規定する認定電気通信事業者（政令で定める者を除く。）の意見を聴かなければならない。これを変更し、又は廃止しようとするときも、同様とする。

3　市町村は、当該市町村の区域内に存する道路の道路管理者に対し、第一項の規定による指定を行うよう要請することができる。

4　道路管理者は、第一項の規定による指定をしたときは、その旨を公示しなければならない。これを変更し、又は廃止したときも、同様とする。

（電線共同溝の建設完了後の占用の許可の申請）

第四条　前条第一項の規定による指定があったときは、電線共同溝の建設完了後における当該電線共同溝の占用を希望する者は、国土交通省令で定めるところにより、道路管理者に当該電線共同溝の建設完了後の占用の許可を申請することができる。

2　道路管理者は、前条第一項の規定による指定をしたときは、当該指定に係る道路又は道路の部分（以下「電線共同溝整備道路」という。）について、当該指定の日前になされた道路法第三十二条第一項若しくは第三項又は同法第三十五条の規定による許可又は協議に基づき当該道路の地上に設置された電線又は電柱（いまだ設置に至らないものを含む。）の設置及び管理を行う者に対し、前項の規定による申請を勧告することができる。

3　国が電線共同溝の建設完了後における当該電線共同溝の占用を希望する場合においては、国が道路管理者に協議することをもって、第一項の規定による申請をしたものとみなす。

4　道路管理者は、第一項の規定による申請が次の各号のいずれかに該当するときは、その申請を却下しなければならない。

一　当該申請の内容が、当該電線共同溝整備道路の構造等に照らし採用することのできる電線共同溝の規模及び構造上相当でないと認められるものであること。

二　当該申請が、当該電線共同溝の建設及び管理に支障を及ぼすおそれがあると認められるものであること。

（電線共同溝の建設）

第五条　道路管理者は、電線共同溝整備道路について、この章に定めるところにより、電線共同溝を建設するものとする。

2　道路管理者は、前条第一項の規定による申請をした者（同条第四項の規定により却下された者を除く。以下「電線共同溝の占用予定者」という。）の意見を聴いて、電線共同溝整備計画を定めることができる。

3　道路管理者は、前項の規定により電線共同溝整備計画を定める場合において、電線による道路の占用の動向を勘案してその構造の保全その他道路の管理上必要と認められるときは、当該計画において電線共同溝の占用予定者以外の者の占用のための電線共同溝の部分を定めることができる。

4　道路管理者は、第二項の規定により電線共同溝整備計画を定めた場合においては、当該電線共同溝整備計画に基づき電線共同溝の建設を行わなければならない。

5　道路管理者がこの法律の規定に基づき電線共同溝として建設する施設については、共同溝の整備等に関する特別措置法（昭和三十八年法律第八十一号）の規定は、適用しない。

（電線共同溝の占用予定者の地位の承継）

第六条　相続人、合併又は分割により設立される法人その他の電線共同溝の占用予定者の一般承継人（分割による承継の場合にあっては、第四条第一項の規定による申請に係る権利及び義務の全部を承継する法人に限る。）は、電線共同溝の占用予定者の地位を承継する。

2　前項の規定により電線共同溝の占用予定者の地位を承継した者は、その承継の日の翌日から起算して三十日以内に、道路管理者にその旨を届け出なければならない。

（電線共同溝の占用予定者の建設負担金）

第七条　電線共同溝の占用予定者は、電線共同溝の建設に要する費用のうち、電線共同溝の建設によって支出を免れることとなる推定の投資額等を勘案して政令で定めるところにより算出した額の費用を負担しなければならない。

2　電線共同溝の建設に要する費用の範囲、負担金の納付の方法及び期限その他前項の負担金に関し必要な事項は、政令で定める。

（電線共同溝の増設）

第八条　道路管理者は、第五条に規定するところにより電線共同溝が建設された電線共同溝整備道路について、既設の電線共同溝の収容能力に不足を生じたと認めるときは、この条に定めるところにより、電線共同溝を増設することができる。

2　道路管理者は、前項の規定により電線共同溝を増設しようとするときは、その旨を公示しなければならない。

3　第四条、第五条第二項から第五項まで、第六条及び前条の規定は、第一項の規定による電線共同溝の増設について準用する。この場合において、第四条第一項及び第二項中「前条第一項の規定による指定」とあるのは「第八条第二項の規定による電線共同溝の増設の公示」と、同条第一項及び第三項中「建設完了後」とあるのは「増設完了後」と、同条第二項中「当該指定」とあるのは「当該公示」と、同条第四項第二号、第五条第四項及び前条中「建設」とあるのは「増設」と、第五条第二項中「前条第一項」とあるのは「第八条第三項において準用する前条第一項」と、「同条第四項」とあるのは「第八条第三項において準用する前条第四項」と、同項及び同条第三項、第六条並びに前条第一項中「電線共同溝の占用予定者」とあるのは「増設に係る電線共同溝の占用予定者」と、第五条第二項から第四項までの規定中「電線共同溝整備計画」とあるのは「電線共同溝増設計画」と、同条第五項中「建設する」とあるのは「増設する」と読み替えるものとする。

（電線共同溝整備道路における道路占用の許可等の制限）

第九条　道路管理者は、第三条第一項の規定による指定をした場合においては、当該指定に係る電線共同溝整備道路の地上における電線及びこれを支持する電柱による占用に関し、道路法第三十二条第一項若しくは第三項の規定による許可をし、又は同法第三十五条の規定による協議を成立させてはならない。ただし、次に掲げる場合は、この限りでない。

一　第三条第一項の規定による指定の日前になされた道路法第三十二条第一項若しくは第三項又は同法第三十五条の規定による許可又は協議に基づき設置された電線又は電柱の維持、修繕又は災害の復旧を行う場合

二　電線共同溝の建設若しくは増設が完了する以前において又はその改築、維持、修繕若しくは公共土木施設災害復旧事業費国庫負担法（昭和二十六年法律第九十七号）の規定の適用を受ける災害復旧事業（以下「災害復旧」という。）のために必要な期間中において、緊急の必要に基づき、当該電線共同溝の占用予定者若しくは増設に係る電線共同溝の占用予定者又はこの法律の規定に基づき当該電線共同溝を占用する者が、その建設若しくは増設の完了後又はその改築、維持、修繕若しくは災害復旧の終了後当該電線共同溝に敷設すべき電線又はこれを支持する電柱を仮に設置し、及び当該電線又は電柱の維持、修繕又は災害の復旧を行う場合

三　電気事業法又は電気通信事業法の規定に基づき、電線（電気事業法に基づくものにあっては同法第二条第一項第八号に規定する一般送配電事業、同項第十号に規定する送電事業、同項第十一号の二に規定する配電事業、同項第十二号に規定する特定送配電事業又は同項第十四号に規定する発電事業の用に供するものに、電気通信事業法に基づくものにあっては同法第百二十条第一項に規定する認定電気通信事業の用に供するものに限る。）を設置しようとする者が、当該電線を当該道路の地下に埋設することが当該道路の構造等に照らし困難であることその他当該道路の地上において当該電線又はこれを支持する電柱による占用を行うことについてやむを得ない事情があると認められる場合において、当該電線又は電柱を設置し、及び当該電線又は電柱の維持、修繕又は災害の復旧を行う場合

四　前三号に掲げるもののほか、当該道路の地上において電線又はこれを支持する電柱による占用を行うことについて公益上やむを得ない事情があり、かつ、当該道路について安全かつ円滑な交通の確保と景観の整備を図る上で支障を生ずるおそれが少ないと認められる場合において、当該電線又は電柱を設置し、及び当該電線又は電柱の維持、修繕又は災害

の復旧を行う場合

第三章　電線共同溝の管理

（占用予定者に対する電線共同溝の占用の許可）

第一〇条　道路管理者は、電線共同溝の建設又は増設を完了したときは、直ちに、次に掲げる事項を明らかにして、電線共同溝の占用予定者又は増設に係る電線共同溝の占用予定者に当該電線共同溝の占用の許可をするものとする。

一　占用することができる電線共同溝の部分

二　電線共同溝に敷設することができる電線の種類及び数量

三　電線共同溝を占用することができる期間

（占用予定者であった者以外の者による電線共同溝の占用の許可）

第一一条　前条の規定による許可を受けた者以外の者であっても、電線共同溝の収容能力に余裕があるときは、国土交通省令で定めるところにより、道路管理者の許可を受けて、電線共同溝を占用することができる。

2　道路管理者は、前項に規定する者による電線共同溝の占用が次の各号のいずれかに該当することとなると認める場合においては、同項の許可をしてはならない。

一　この法律の規定に基づき当該電線共同溝を占用している者の権利を侵害すること。

二　当該電線共同溝の規模及び構造上相当でないこと。

三　当該電線共同溝の管理に支障を及ぼすこと。

3　第一項の許可は、前条各号に掲げる事項を明らかにしてしなければならない。

（電線共同溝の占用に係る変更の許可）

第一二条　道路管理者は、第十条又は前条第一項の規定による許可（この項の規定による変更の許可を含む。）を受けた者から申請があった場合においては、第十条各号に掲げる事項の変更の許可をすることができる。

2　前条第二項及び第三項の規定は、前項の場合について準用する。この場合において、同条第三項中「前条各号に掲げる事項」とあるのは、「変更後の前条各号に掲げる事項」と読み替えるものとする。

（占用予定者であった者以外の者等の占用負担金）

第一三条　第十一条第一項又は前条第一項の規定による許可を受けた者は、当該許可に係る電線共同溝の建設又は増設に要した費用（第七条第一項（第八条第三項において準用する場合を含む。）の規定により電線共同溝の占用予定者又は増設に係る電線共同溝の占用予定者が負担した費用を除く。）のうち、当該電線共同溝の占用によって支出を免れることとなる推定の投資額等を勘案して政令で定めるところにより算出した額の占用負担金を負担しなければならない。

2　負担金の納付の方法及び期限その他前項の負担金に関し必要な事項は、政令で定める。

（許可に基づく地位の承継）

第一四条　相続人、合併又は分割により設立される法人その他第十条、第十一条第一項又は第十二条第一項の規定による許可を受けた者の一般承継人（分割による承継の場合にあっては、これらの規定による許可に基づく権利及び義務の全部を承継する法人に限る。）は、被承継人が有していたこれらの許可に基づく地位を承継する。

2　前項の規定により許可に基づく地位を承継した者は、その承継の日の翌日から起算して三十日以内に、道路管理者にその旨を届け出なければならない。

第一五条　第十条、第十一条第一項又は第十二条第一項の規定による許可に基づく権利の全部又は一部は、道路管理者の承認を受けなければ、譲渡することができない。

2　前項に規定する許可に基づく権利の全部又は一部を譲り受けた者は、譲渡人が有していたその許可に基づく地位を承継する。

（電線の構造等の基準の遵守）

第一六条　この法律の規定に基づき電線共同溝を占用する者は、当該電線共同溝に電線を敷設する場合においては、政令で定める電線の構造及び敷設の方法の基準に従わなければならない。

2　道路管理者は、電線共同溝を占用する者が敷設する電線が前項に規定する基準に適合しない場合は、当該占用する者に対し、当該敷設に関する工事の中止又は当該電線の改造、移転若しくは除却その他必要な措置を講ずべきことを命ずることができる。

（公益上やむを得ない必要が生じた場合における措置）

第一七条　道路管理者は、前条第二項に規定する場合のほか、電線共同溝の存する道路について当該電線共同溝の管理上の事由以外の事由に基づく工事を行う必要が生じた場合その他公益上やむを得ない必要が生じた場合においては、この法律の規定に基づき電線共同溝を占用する者に対し、同項に規定する措置を講ずべきことを命ずることができる。

2　道路管理者は、電線共同溝を占用する者が前項の規定により必要な措置を講ずべきことを命ぜられたことによって損失を受けたときは、その者に対し、当該処分によって通常受けるべき損失を補償しなければならない。

3　道路法第四十四条第六項及び第七項の規定は、前項の場合について準用する。

4　道路管理者は、第二項の規定による補償金額を第一項に規定する必要を生じさせた者に負担させることができる。

（電線共同溝管理規程）

第一八条　道路管理者は、電線共同溝を適正かつ円滑に管理するため、この法律の規定に基づき当該電線共同溝を占用する者の意見を聴いて、国土交通省令で定めるところにより、電線共同溝管理規程を定めるものとする。

（管理負担金）

第一九条　この法律の規定に基づき電線共同溝を占用する者は、当該電線共同溝の改築、維持、修繕、災害復旧その他の管理に要する費用のうち、政令で定める費用を政令で定めるところにより負担しなければならない。

（原状回復）

第二〇条　この法律の規定に基づき電線共同溝を占用する者は、電線共同溝を占用することができる期間が満了した場合、電線共同溝の占用を廃止した場合又は第二十六条の規定による許可若しくは承認の取消しの処分があった場合においては、電線を除却し、占用している電線共同溝の部分を原状に回復しなければならない。

2　道路管理者は、前項に規定する者に対して、同項の規定による原状の回復について必要な指示をすることができる。

第四章　雑則

（国の行う電線共同溝の占用の許可等の特例）

第二一条　国の行う電線共同溝の占用又は占用に係る権利の譲渡については、国と道路管理者との協議が成立することをもって、第十条、第十一条第一項若しくは第十二条第一項の規定による許可又は第十五条第一項の規定による承認を受けたものとみなす。

（国の負担又は補助）

第二二条　道路法第十三条第一項に規定する指定区間（以下「指定区間」という。）内の一般国道に附属する電線共同溝の建設（第八条の規定による増設を含む。以下この条及び次条において同じ。）又は改築若しくは災害復旧に要する費用（第七条第一項（第八条第三項において準用する場合を含む。）、第十三条第一項又は第十九条の規定により電線共同溝の占用予定者若しくは増設に係る電線共同溝の占用予定者又は電線共同溝を占用する者が負担すべき費用（以下この条において「建設負担金等」という。）を除く。）は、政令で定めるところにより、国及び都道府県又は同法第七条第三項に規定する指定市（以下「指定市」という。）がそれぞれ二分の一を負担し、当該電線共同溝の改築及び災害復旧以外の管理に要する費用（第十九条の規定により電線共同溝を占用する者が負担すべき費用を除く。）は国の負担とする。ただし、道の区域内の指定区間内の一般国道に附属する電線共同溝の建設又は改築若しくは災害復旧に係る国の負担割合については、政令で、二分の一を超える特別の負担割合を定めることができる。

2　国は、前項の場合を除き、第五条第二項の電線共同溝整備計画に係る電線共同溝の建設又は改築に要する費用（建設負担金等を除く。）の二分の一以内を、政令で定めるところにより、予算の範囲内において、その費用を負担する地方公共団体に対して補助することができる。

3　前二項の規定にかかわらず、電線共同溝の建設又は改築が道路（道路の附属物を除く。以下この項において同じ。）の新設又は改築に伴うものであり、かつ、次の各号のいずれかに該当する場合においては、前二項の規定による負担又は補助は、当該各号に定める負担又は補助とする。

一　当該道路が国道である場合　当該国道の新設又は改築に要する費用を負担する者によるその負担の割合（道の区域内の指定区間内の一般国道

に係る国の負担割合については、第一項ただし書の政令で定める割合を下回るときは、当該政令で定める割合）に応じた負担

二　当該道路の新設又は改築（第五条第二項の電線共同溝整備計画に係る電線共同溝の建設又は改築を伴うものに限る。）が道路法その他の法律の規定による国の補助の対象となる都道府県道又は市町村道である場合　当該都道府県道又は市町村道の新設又は改築に要する費用に関し補助することのできる割合以内での補助

4　前三項の規定による負担又は補助に係る電線共同溝の建設又は改築に要する費用については、道路法第八十五条第三項の規定は、適用しない。

（収入の帰属）

第二三条　第七条第一項（第八条第三項において準用する場合を含む。）、第十三条第一項又は第十九条の規定に基づく負担金は、当該電線共同溝の建設又は改築、維持、修繕その他の管理を行う道路管理者（当該道路管理者が国土交通大臣であるときは、国）の収入とする。

（義務履行のために要する費用）

第二四条　この法律又はこの法律によってする処分による義務を履行するために必要な費用は、この法律に特別の定めがある場合を除き、当該義務者が負担しなければならない。

（負担金の強制徴収）

第二五条　道路法第七十三条の規定は、第七条第一項（第八条第三項において準用する場合を含む。）、第十三条第一項又は第十九条の規定に基づく負担金の徴収について準用する。

（行政処分）

第二六条　道路管理者は、次の各号のいずれかに該当する者に対して、第十条、第十一条第一項若しくは第十二条第一項の規定による許可若しくは第十五条第一項の規定による承認を取り消し、その内容を変更し、その効力を停止し、又は電線共同溝の占用予定者若しくは増設に係る電線共同溝の占用予定者の地位を取り消すことができる。

一　詐欺その他不正な手段により第十条、第十一条第一項若しくは第十二条第一項の規定による許可若しくは第十五条第一項の規定による承認を受け、又は電線共同溝の占用予定者若しくは増設に係る電線共同溝の占用予定者の地位を得た者

二　第十条又は第十一条第三項（第十二条第二項において準用する場合を含む。）の規定による許可の内容に違反して電線共同溝を占用した者

三　第七条第一項（第八条第三項において準用する場合を含む。）、第十三条第一項又は第十九条の規定により納付すべき負担金を納付しない者

四　第十六条第二項又は第十七条第一項の規定による処分に違反している者

（不服申立て）

第二七条　都道府県又は市町村である道路管理者がこの法律に基づいてした処分に不服がある者は、当該都道府県の知事又は当該市町村の長に対して審査請求をし、その裁決に不服がある者は、都道府県又は指定市若しくは特定の市町村（道路法第十七条第二項又は第三項の規定により管理を行う市又は町村をいう。以下この条において同じ。）である道路管理者がした処分については国土交通大臣に対して、市町村（指定市及び特定の市町村を除く。）である道路管理者がした処分については都道府県知事に対して再審査請求をすることができる。

（権限の委任）

第二八条　この法律に規定する道路管理者である国土交通大臣の権限は、政令で定めるところにより、地方整備局長又は北海道開発局長に委任することができる。

（道路法の適用除外）

第二九条　この法律に基づく電線共同溝の占用に関しては、道路法第三章第三節（第三十九条を除く。）の規定は、適用しない。

（罰則）

第三〇条　第六条第二項（第八条第三項において準用する場合を含む。）又は第十四条第二項の規定に違反して、届出をせず、又は虚偽の届出をした者は、十万円以下の過料に処する。

附　則〔抄〕

（施行期日）

第一条　この法律は、公布の日から起算して三月を超えない範囲内において政令で定める日から施行する。

〔平成七政二五五により、平成七・六・二二から施行〕

（国の無利子貸付け等）

第二条　国は、当分の間、地方公共団体に対し、第二十二条第二項又は第三項第二号の規定により国がその費用について補助することができる電線共同溝の建設又は改築で日本電信電話株式会社の株式の売払収入の活用による社会資本の整備の促進に関する特別措置法（昭和六十二年法律第八十六号。以下「社会資本整備特別措置法」という。）第二条第一項第二号に該当するものに要する費用に充てる資金について、予算の範囲内において、第二十二条第二項又は第三項第二号の規定（これらの規定による国の補助の割合について、これらの規定と異なる定めをした法令の規定がある場合には、当該異なる定めをした法令の規定を含む。以下同じ。）により国が補助することができる金額に相当する金額を無利子で貸し付けることができる。

2　国は、当分の間、地方公共団体に対し、第二十二条第三項第一号の規定により国がその費用について負担する地方公共団体が行う電線共同溝の建設又は改築で社会資本整備特別措置法第二条第一項第二号に該当するものに要する費用に充てる資金について、予算の範囲内において、第二十二条第三項第一号の規定（この規定による国の負担の割合について、この規定と異なる定めをした法令の規定がある場合には、当該異なる定めをした法令の規定を含む。以下同じ。）により国が負担する金額に相当する金額を無利子で貸し付けることができる。

3　前二項の国の貸付金の償還期間は、五年（二年以内の据置期間を含む。）以内で政令で定める期間とする。

4　前項に定めるもののほか、第一項及び第二項の規定による貸付金の償還方法、償還期限の繰上げその他償還に関し必要な事項は、政令で定める。

5　国は、第一項の規定により地方公共団体に対し貸付けを行った場合には、当該貸付けの対象である電線共同溝の建設又は改築について、第二十二条第二項又は第三項第二号の規定による当該貸付金に相当する金額の補助を行うものとし、当該補助については、当該貸付金の償還時において、当該貸付金の償還金に相当する金額を交付することにより行うものとする。

6　国は、第二項の規定により地方公共団体に対し貸付けを行った場合には、当該貸付けの対象である電線共同溝の建設又は改築に係る第二十二条第三項第一号の規定による国の負担については、当該貸付金の償還時において、当該貸付金の償還金に相当する金額を交付することにより行うものとする。

7　地方公共団体が、第一項又は第二項の規定による貸付けを受けた無利子貸付金について、第三項及び第四項の規定に基づき定められる償還期限を繰り上げて償還を行った場合（政令で定める場合を除く。）における前二項の規定の適用については、当該償還は、当該償還期限の到来時に行われたものとみなす。

附　則〔略〕〔平成七・四・二一法律七五〕

附　則〔略〕〔平成一一・五・二一法律五〇〕

附　則〔略〕〔平成一一・七・一六法律八七〕

附　則〔略〕〔平成一一・一二・二二法律一六〇〕

附　則〔略〕〔平成一二・五・三一法律九一〕

附　則〔略〕〔平成一四・二・八法律一〕

附　則〔略〕〔平成一五・七・二四法律一二五〕

附　則〔抄〕〔平成二二・三・三一法律二〇〕

（施行期日）

第一条　この法律は、平成二十二年四月一日から施行する。

（経過措置）

第二条　第一条から第八条まで並びに附則第六条及び第九条の規定による改正後の次の各号に掲げる法律の規定は、当該各号に定める国の負担（当該国の負担に係る都道府県又は市町村の負担を含む。以下この条において同じ。）について適用し、平成二十一年度以前の年度における事務又は事業の実施により平成二十二年度以降の年度に支出される国の負担、平成二十一年度以前の年度の国庫債務負担行為に基づき平成二十二年度以降の年度に支出すべきものとされた国の負担及び平成二十一年度以前の年度の歳出予算に係る国の負担で平成二十二年度以降の年度に繰り越されたものについては、なお従前の例による。

一　〔略〕

二　次に掲げる法律の規定　平成二十二年度以降の年度の予算に係る国の負担（平成二十一年度以前の年度における事務又は事業の実施により平成二十二年度以降の年度に支出される国の負担及び平成二十一年度以前

の年度の国庫債務負担行為に基づき平成二十二年度以降の年度に支出すべきものとされた国の負担を除く。）

イ・ロ〔略〕
ハ　電線共同溝の整備等に関する特別措置法第二十二条第一項
二〔略〕
三〔略〕
（政令への委任）
第三条　前条に定めるもののほか、この法律の施行に関し必要な経過措置は、政令で定める。

附　則〔抄〕〔平成二三・八・三〇法律一〇五〕

（施行期日）

第一条　この法律は、公布の日から施行する。ただし、次の各号に掲げる規定は、当該各号に定める日から施行する。

一〔前略〕第百四十七条（電線共同溝の整備等に関する特別措置法第二十七条の改正規定に限る。）〔中略〕の規定　公布の日から起算して三月を経過した日
二〜六〔略〕

（罰則に関する経過措置）

第八一条　この法律（附則第一条各号に掲げる規定にあっては、当該規定。以下この条において同じ。）の施行前にした行為及びこの附則の規定によりなお従前の例によることとされる場合におけるこの法律の施行後にした行為に対する罰則の適用については、なお従前の例による。

（政令への委任）

第八二条　この附則に規定するもののほか、この法律の施行に関し必要な経過措置（罰則に関する経過措置を含む。）は、政令で定める。

附　則〔略〕〔平成二六・六・一三法律六九〕

附　則〔略〕〔平成二六・六・一八法律七二〕

附　則〔略〕〔平成三〇・三・三一法律六〕

附　則〔抄〕〔令和二・六・一二法律四九〕

（施行期日）
第一条　この法律は、令和四年四月一日から施行する。〔以下略〕

○国土開発幹線自動車道建設法

〔昭和三二・四・一六
法律六八〕

改正　昭和三五・六法一一三、昭和三六・一一法二二六、昭和三九・六法一〇四、昭和四一・七法一〇七、昭和四九・六法九八、昭和五三・七法八七、昭和六二・九法八三、平成元・一二法八二、法八三、平成一一・七法八七、法一〇二、一二法一六〇

（目的）
第一条　この法律は、国土の普遍的開発をはかり、画期的な産業の立地振興及び国民生活領域の拡大を期するとともに、産業発展の不可欠の基盤たる全国的な高速自動車交通網を新たに形成させるため、国土を縦貫し、又は横断する高速幹線自動車道を開設し、及びこれと関連して新都市及び新農村の建設等を促進することを目的とする。
（定義）
第二条　この法律で「自動車道」とは、自動車（道路運送車両法（昭和二十六年法律第百八十五号）第二条第二項に規定する自動車をいう。）のみの一般交通の用に供することを目的として設けられた道をいう。
（国土開発幹線自動車道の予定路線）
第三条　第一条の目的を達成するため高速幹線自動車道として国において建設すべき自動車道（以下「国土開発幹線自動車道」という。）の予定路線は、別表のとおりとする。
第四条　削除
（建設線の基本計画）
第五条　国土交通大臣は、高速自動車交通の需要の充足、国土の普遍的開発の地域的な重点指向その他国土開発幹線自動車道の効率的な建設をはかるため必要な事項を考慮し、国土開発幹線自動車道の予定路線のうち建設を開始すべき路線（以下「建設線」という。）の建設に関する基本計画（以下「基本計画」という。）を立案し、国土開発幹線自動車道建設会議の議を経て、これを決定しなければならない。
2　国土交通大臣は、前項の規定により建設線の基本計画を決定したときは、遅滞なく、これを国の関係行政機関の長に送付するとともに、政令で定めるところにより、公表しなければならない。
3　前項の規定により公表された事項に関し利害関係を有する者は、同項の公表の日から三十日以内に、政令で定めるところにより、国の行政機関の長にその意見を申し出ることができる。
4　前項の規定による意見の申出があつたときは、国の行政機関の長は、これをしんしやくして、必要な措置を採らなければならない。
（建設線の基本計画と関連する事項の調整）
第六条　国土交通大臣は、第一条の目的を達成するため、建設線の基本計画に照らして必要があると認めるときは、国土開発幹線自動車道の沿線における新都市又は新農村の整備又は建設に関し、国の行政機関の長の処分について必要な調整をすることができる。
第七条　削除
（資金の融通のあつせん）
第八条　政府は、建設線の基本計画に照らして必要があると認めるときは、国土開発幹線自動車道に接続する一般自動車道（道路運送法（昭和二十六年法律第百八十三号）第二条第八項に規定する一般自動車道をいう。）について当該事業の免許を受けた者に対し、当該路線の建設に必要な資金の融通をあつせんすることができる。
（損失補償と相まつ生活再建又は環境整備のための措置）
第九条　国土開発幹線自動車道の建設に必要な土地等を供したため生活の基礎を失う者がある場合においては、政府は、その者に対し、政令で定めるところにより、その受ける補償と相まつて行なうことを必要と認める生活再建又は環境整備のための措置について、その実施に努めなければならない。
（基礎調査）
第一〇条　政府は、国土開発幹線自動車道の予定路線について、すみやかに建設線の基本計画の立案のため必要な基礎調査を行なわなければならない。
（会議の設置）
第一一条　この法律及び高速自動車国道法（昭和三十二年法律第七十九号）によりその権限に属させられた事項を処理するため、国土交通省に国土開発幹線自動車道建設会議（以下「会議」という。）を置く。
第一二条　削除
（組織）
第一三条　会議は、委員二十人以内をもつて組織する。
2　委員は、次に掲げる者をもつて充てる。
一　衆議院議員のうちから衆議院の指名した者　六人
二　参議院議員のうちから参議院の指名した者　四人
三　学識経験がある者のうちから国土交通大臣が任命する者　十人以内
3　会議に、会長を置き、委員の互選により選任する。
4　第二項第三号に掲げる委員の任期は、三年とする。ただし、再任されることができる。

5　委員は、非常勤とする。

（関係都道府県知事の意見の聴取）

第一四条　会議は、その所掌事務を処理するため必要があるときは、関係都道府県知事の出席を求め、その意見を聴くことができる。

（資料の提出）

第一五条　国の関係行政機関の長は、会議の求めに応じて、資料の提出、意見の陳述又は説明をしなければならない。

（政令への委任）

第一六条　この法律に定めるもののほか、会議の組織及び運営その他この法律を実施するため必要な事項は、政令で定める。

附　則〔略〕〔昭和三二・四・一六法律六八施行〕

附　則〔抄〕〔昭和四一・七・一法律一〇七〕

（施行期日）

1　この法律は、公布の日から起算して一月をこえない範囲内において政令で定める日から施行する。

〔昭和四一政二七二により、昭和四一・七・三一から施行〕

（関係法律の廃止）

2　次に掲げる法律は、廃止する。

一　東海道幹線自動車国道建設法（昭和三十五年法律第百二十九号）

二　関越自動車道建設法（昭和三十八年法律第百五十八号）

三　東海北陸自動車道建設法（昭和三十九年法律第百三十一号）

四　九州横断自動車道建設法（昭和四十年法律第九十二号）

五　中国横断自動車道建設法（昭和四十年法律第百三十二号）

（経過措置）

3　この法律の施行の際現にこの法律による改正前の国土開発縦貫自動車道建設法第十三条第三項第九号から第十一号までの規定により国土開発縦貫自動車道建設審議会の委員である者は、この法律による改正後の国土開発幹線自動車道建設法第十三条第三項第九号から第十一号までの規定による国土開発幹線自動車道建設審議会の委員となるものとみなし、同項第十一号に掲げる者の任期は、同条第四項の規定にかかわらず、同項の任期からその者が国土開発縦貫自動車道建設審議会の委員として在任した期間を控除した期間とする。

（東海道幹線自動車国道建設法の廃止及び高速自動車国道法の一部改正に伴う経過措置）

9　附則第二項の規定による廃止前の東海道幹線自動車国道建設法第三条第一項の規定により指定された路線については、前項の規定による改正後の高速自動車国道法第四条第三項の規定にかかわらず、国土開発幹線自動車道建設審議会の議を経ないで、同条第一項第一号の規定に基づく政令で、従前の路線をそのまま同号の路線として指定することができる。

10　附則第二項の規定による廃止前の東海道幹線自動車国道建設法第五条第一項の規定により定められた整備計画は、附則第八項の規定による改正後の高速自動車国道法第五条第一項の規定により定められた整備計画とみなす。

附　則〔略〕〔昭和四九・六・二六法律九八〕

附　則〔略〕〔昭和五三・七・五法律八七〕

附　則〔略〕〔平成元・一二・一九法律八二〕

附　則〔略〕〔平成元・一二・一九法律八三〕

附　則〔略〕〔平成一一・七・一六法律八七〕

附　則〔抄〕〔平成一一・七・一六法律一〇二〕

（施行期日）

第一条　この法律は、内閣法の一部を改正する法律（平成十一年法律第八十八号）の施行の日〔平成一三・一・六〕から施行する。ただし、次の各号に掲げる規定は、当該各号に定める日から施行する。

一　〔略〕

二　附則〔中略〕第二十三条、第二十八条並びに第三十条の規定　公布の日

（国土開発幹線自動車道建設法の一部改正に伴う経過措置）

第二三条　第百五十四条の規定による改正後の国土開発幹線自動車道建設法第十三条第二項第一号及び第二号の規定による国土開発幹線自動車道建設会議の委員の指名は、この法律の施行前においても行うことができる。

（委員等の任期に関する経過措置）

第二八条　この法律の施行の日の前日において次に掲げる従前の審議会その他の機関の会長、委員その他の職員である者（任期の定めのない者を除く。）の任期は、当該会長、委員その他の職員の任期を定めたそれぞれの法律の規定にかかわらず、その日に満了する。

一～五十一　〔略〕

五十二　国土開発幹線自動車道建設審議会

五十三～五十八　〔略〕

（別に定める経過措置）

第三〇条　第二条から前条までに規定するもののほか、この法律の施行に伴い必要となる経過措置は、別に法律で定める。

附　則〔略〕〔平成一一・一二・二二法律一六〇〕

別表（第三条関係）

路線名		起点	終点	主たる経過地
北海道縦貫自動車道		函館市	稚内市	室蘭市付近　札幌市　岩見沢市　旭川市付近
北海道横断自動車道	根室線	北海道寿都郡黒松内町	根室市	北海道虻田郡倶知安町付近　小樽市　札幌市　夕張市付近　帯広市付近　北海道足寄郡足寄町付近 釧路市
	網走線		網走市	北見市
東北縦貫自動車道	弘前線	東京都	青森市	浦和市　館林市　宇都宮市　福島市　仙台市　盛岡市 鹿角市　弘前市
	八戸線			八戸市
東北横断自動車道	釜石秋田線	釜石市	秋田市	花巻市付近　北上市　横手市付近
	酒田線	仙台市	酒田市	山形市付近　鶴岡市付近
日本海沿岸東北自動車道		新潟市	青森市	村上市付近　鶴岡市付近　酒田市付近　秋田市付近　能代市付近　大館市付近
東北中央自動車道		相馬市	横手市	福島市付近　米沢市付近　山形市付近　新庄市付近
関越自動車道	新潟線	東京都	新潟市	川越市　本庄市 前橋市
	上越線		上越市	高崎市付近　長野市付近
常磐自動車道		東京都	仙台市	柏市　土浦市　水戸市　いわき市　相馬市付近
東関東自動車道	館山線	東京都	館山市	習志野市 千葉市付近　木更津市
	水戸線		水戸市	茨城県鹿島郡鹿島町
北関東自動車道		高崎市	那珂湊市	前橋市付近　宇都宮市付近　水戸市付近
いわき新潟線		いわき市	新潟市	会津若松市付近

中央自動車道	富士吉田線	東京都	富士吉田市	神奈川県津久井郡相模湖町　大月市
中央自動車道	西宮線	東京都	西宮市	神奈川県津久井郡相模湖町　大月市　甲府市　諏訪市　飯田市　中津川市　小牧市　大垣市　大津市　京都市　吹田市
中央自動車道	長野線	東京都	長野市	神奈川県津久井郡相模湖町　大月市　甲府市　諏訪市　松本市付近
第一東海自動車道		東京都	小牧市	横浜市　静岡市　浜松市　豊橋市　名古屋市
東海北陸自動車道		一宮市	砺波市	関市　岐阜県大野郡荘川村付近
第二東海自動車道		東京都	名古屋市	厚木市付近　静岡市付近
中部横断自動車道		清水市	佐久市	山梨県中巨摩郡甲西町付近
北陸自動車道		新潟市	滋賀県坂田郡米原町	上越市　富山市　金沢市　福井市　敦賀市
近畿自動車道	伊勢線	名古屋市	伊勢市	四日市市　津市
近畿自動車道	名古屋大阪線	名古屋市	吹田市	四日市市　天理市　大阪市
近畿自動車道	名古屋神戸線	名古屋市	神戸市	四日市市付近　大津市付近　京都市付近　高槻市付近
近畿自動車道	紀勢線	松原市	三重県多気郡勢和村	和歌山市　田辺市付近　新宮市付近　尾鷲市付近
近畿自動車道	敦賀線	吹田市	敦賀市	三田市付近　福知山市　舞鶴市　小浜市付近
中国縦貫自動車道		吹田市	下関市	兵庫県加東郡滝野町　津山市　三次市　島根県鹿足郡六日市町　山口市
山陽自動車道		吹田市	下関市	神戸市付近　姫路市付近　岡山市付近　広島市　岩国市付近　山口市　宇部市付近
中国横断自動車道	姫路鳥取線	姫路市	鳥取市	兵庫県佐用郡佐用町付近
中国横断自動車道	岡山米子線	岡山市	境港市	岡山県真庭郡落合町付近　米子市付近
中国横断自動車道	尾道松江線	尾道市	松江市	三次市付近
中国横断自動車道	広島浜田線	広島市	浜田市	広島県山県郡千代田町付近
山陰自動車道		鳥取市	美祢市	米子市付近　松江市付近　浜田市付近　長門市付近
四国縦貫自動車道		徳島市	大洲市	徳島県三好郡池田町付近　松山市付近
四国横断自動車道		阿南市	大洲市	徳島市　高松市　川之江市付近　高知市付近　須崎市　中村市付近　宇和島市付近
九州縦貫自動車道	鹿児島線	北九州市	鹿児島市	福岡市　鳥栖市　熊本市　えびの市
九州縦貫自動車道	宮崎線	北九州市	宮崎市	福岡市　鳥栖市　熊本市　えびの市
九州横断自動車道	長崎大分線	長崎市	大分市	佐賀市　鳥栖市　甘木市　日田市付近
九州横断自動車道	延岡線	熊本県上益城郡御船町	延岡市	宮崎県西臼杵郡高千穂町付近
東九州自動車道		北九州市	鹿児島市	行橋市付近　大分市付近　延岡市付近　宮崎市付近　日南市付近　鹿屋市付近

○国土開発幹線自動車道建設法施行令

〔昭和三二・六・二〇 政令一五一〕

改正 昭和三三・九政二六〇、昭和四一・七政二七一、平成一一・一一政三七二、平成一二・六政三一二、平成一七・六政二〇三

（公表事項）

第一条 国土開発幹線自動車道建設法（以下「法」という。）第五条第二項の規定による建設線の基本計画の公表は、次に掲げる事項について行わなければならない。

一 建設線の区間

二 建設線の主たる経過地

三 標準車線数

四 設計速度

五 道路等との主たる連結地

六 建設主体

（公表事項の変更）

第二条 国土交通大臣は、前条の規定により公表した事項に変更があつた場合においては、遅滞なく、その変更があつた事項を公表しなければならない。

（公表の方法）

第三条 前二条の規定による公表は、官報に掲載して行うものとする。

（意見の申出の手続）

第四条 法第五条第三項の規定により意見の申出をしようとする者は、都道府県知事を経由して、意見の要旨及び理由を記載した書面を、その申し出ようとする意見に係る事項を所管する国の行政機関の長に提出しなければならない。

（生活再建又は環境整備のための措置）

第五条 国土開発幹線自動車道の建設に必要な土地等を供したため生活の基礎を失う者は、その受ける補償と相まつて行なわれることを必要とする生活再建又は環境整備のための措置で次の各号に掲げるものの実施を政府に申し出ることができる。

一 職業の紹介、指導又は訓練に関すること。

二 宅地、開発して農地とすることが適当な土地その他の土地の取得に関すること。ただし、補償として替地を求めたにかかわらず、これを取得することができなかつた場合に限る。

三 住宅、店舗その他の建築物の取得に関すること。

四 他に適当な土地がなかつたため環境が著しく不良な土地に住居を移した場合における環境の整備に関すること。

2 前項の規定により政府に申し出ようとする者は、その供した土地等の存する地域を管轄する都道府県知事を経由して、国土交通大臣に次の事項を記載した書面を提出しなければならない。

一 氏名及び住所

二 供した土地等の表示

三 補償の方法、補償の額及びその内訳並びに補償が完了しているときは、補償完了の年月日

四 土地等を供したため生活の基礎を失う理由

五 実施を要望する措置の内容

六 前項第二号又は第四号に掲げる措置を要望するときは、同項第二号ただし書又は第四号に規定する場合に該当する事情

3 第一項の規定による申出は、補償完了の日から起算して六月を経過する日前にしなければならない。ただし、当該期限が経過した後においても、国土交通大臣がその遅滞について容認すべき理由があると認めたときは、この限りでない。

第六条 国土交通大臣は、前条第二項の書面を受理した場合において、申出に係る事項がその所管の範囲に属しないときは、その書面を、意見を附して、当該事項を所管する国の行政機関の長に送付しなければならない。

2 国土交通大臣及び前項の規定により書面の送付を受けた国の行政機関の長は、前条の規定によりその所管する事項に係る措置の実施を申し出た者に対して、申出に係る措置がその生活再建又は環境整備のためその受ける補償と相まつて実施される必要があると認めるときは、法令及び予算の範囲内において、事情の許す限り、その実施に努めなければならない。

（事務の区分）

第七条 第四条及び第五条第二項の規定により都道府県が処理することとされている事務は、地方自治法（昭和二十二年法律第六十七号）第二条第九項第一号に規定する第一号法定受託事務とする。

附 則（略）〔昭和三二・六・二〇政令一五一施行〕

附 則（略）〔昭和四一・七・三〇政令二七一〕

附 則（略）〔平成一一・一一・一七政令三七二〕

附 則（略）〔平成一二・六・七政令三一二〕

附 則〔平成一七・六・一政令二〇三〕

この政令は、施行日（平成十七年十月一日）から施行する。〔以下略〕

○高速自動車国道法

〔昭和三二・四・二五 法律七九〕

改正 昭和三三・三法三六、昭和三四・三法六六、昭和三五・七法一二九、昭和三七・九法一六一、昭和三八・七法一五八、昭和三九・二法三、七法一三一、法一六三、法一六八、昭和四〇・五法九二、六法一三二、昭和四一・七法一〇七、昭和四五・五法八一、昭和四六・四法四六、昭和六一・一二法九三、平成元・六法五六、一二法八二、法八三、平成三・四法四五、五法六〇、平成五・一一法八九、平成八・五法四八、平成一〇・六法八九、平成一一・七法八七、一二法一六〇、平成一二・五法九一、平成一四・一二法一八〇、平成一五・五法三六、平成一六・六法一〇一、平成二二・三法二〇、平成二三・八法一〇五、平成二六・六法五三、法六九、平成三〇・三法六、令和二・五法三一、令和三・三法九

目次

第一章 総則（第一条―第五条）
第二章 管理（第六条―第二十二条）
第三章 雑則（第二十三条―第二十五条の二）
第四章 罰則（第二十六条―第三十三条）
附則

第一章 総則

（この法律の目的）

第一条 この法律は、高速自動車国道に関して、道路法（昭和二十七年法律第百八十号）に定めるもののほか、路線の指定、整備計画、管理、構造、保全等に関する事項を定め、もつて高速自動車国道の整備を図り、自動車交通の発達に寄与することを目的とする。

（用語の定義）

第二条 この法律において「道路」とは、道路法第二条第一項に規定する道路をいう。

2 この法律において「一般自動車道」とは、道路運送法（昭和二十六年法律第百八十三号）第二条第八項に規定する一般自動車道をいう。

3 この法律において「国土開発幹線自動車道」とは、国土開発幹線自動車道建設法（昭和三十二年法律第六十八号）第三条に規定する国土開発幹線自動車道をいう。

4 この法律において「自動車」とは、道路運送車両法（昭和二十六年法律第百八十五号）第二条第二項に規定する自動車をいう。

（予定路線）

第三条　国土交通大臣は、政令で定めるところにより、内閣の議を経て、高速自動車国道として建設すべき道路の予定路線（国土開発幹線自動車道の予定路線を除く。以下本条において同じ。）を定める。この場合においては、一般自動車道との調整について特に考慮されなければならない。

2　国土交通大臣は、前項の予定路線について内閣の議を経ようとするときは、あらかじめ国土開発幹線自動車道建設会議（以下「会議」という。）の議を経なければならない。

3　国土交通大臣は、第一項の規定により高速自動車国道の予定路線を定めたときは、遅滞なく、政令で定める事項を告示しなければならない。

（高速自動車国道の意義及び路線の指定）

第四条　高速自動車国道とは、自動車の高速交通の用に供する道路で、全国的な自動車交通網の枢要部分を構成し、かつ、政治・経済・文化上特に重要な地域を連絡するものその他国の利害に特に重大な関係を有するもので、次の各号に掲げるものをいう。

一　国土開発幹線自動車道の予定路線のうちから政令でその路線を指定したもの

二　前条第三項の規定により告示された予定路線のうちから政令でその路線を指定したもの

2　前項の規定による政令においては、路線名、起点、終点、重要な経過地その他路線について必要な事項を明らかにしなければならない。

3　国土交通大臣は、第一項の規定による政令の制定又は改廃の立案をしようとするときは、あらかじめ会議の議を経なければならない。

（整備計画）

第五条　国土交通大臣は、前条第一項の規定により高速自動車国道の路線が指定された場合においては、政令で定めるところにより、当該高速自動車国道の新設に関する整備計画を定めなければならない。これを変更しようとするときも、同様とする。

2　前項の整備計画のうち、国土開発幹線自動車道に係るものについては、国土開発幹線自動車道建設法第五条第一項の規定により決定された基本計画に基き定められなければならない。

3　国土交通大臣は、高速自動車国道の改築をしようとする場合においては、政令で定めるところにより、当該高速自動車国道の改築に関する整備計画を定めなければならない。これを変更しようとするときも、同様とする。

4　国土交通大臣は、第一項又は前項の規定により整備計画を定め、又は変更しようとするときは、政令で定める事項について会議の議を経なければならない。

5　国土交通大臣は、第一項又は第三項の規定により整備計画を定め、又は変更しようとするときは、あらかじめ、関係都道府県（地方自治法（昭和二十二年法律第六十七号）第二百五十二条の十九第一項の指定都市の区域内における整備計画にあつては、当該指定都市）の意見を聴かなければならない。

第二章　管理

（管理）

第六条　高速自動車国道の新設、改築、維持、修繕、公共土木施設災害復旧事業費国庫負担法（昭和二十六年法律第九十七号）の規定の適用を受ける災害復旧事業（以下「災害復旧」という。）その他の管理は、国土交通大臣が行う。

（区域の決定及び供用の開始等）

第七条　国土交通大臣は、第五条第一項の規定により整備計画が決定された場合においては、遅滞なく、高速自動車国道の区域を決定して、政令で定めるところにより、これを公示し、かつ、これを表示した図面を一般の縦覧に供しなければならない。高速自動車国道の区域を変更した場合も、同様とする。

2　国土交通大臣は、高速自動車国道の供用を開始し、又は廃止しようとする場合においては、政令で定めるところにより、その旨を公示し、かつ、これを表示した図面を一般の縦覧に供しなければならない。

（共用高速自動車国道管理施設の管理）

第七条の二　道路交通騒音により生ずる障害の防止又は軽減、道路の排水その他の高速自動車国道の管理のための施設又は工作物で、当該高速自動車国道と隣接し、又は近接する他の道路から発生する道路交通騒音により生ずる障害の防止又は軽減、当該他の道路の排水その他の当該他の道路の管理に資するもの（以下「共用高速自動車国道管理施設」という。）の管理については、国土交通大臣及び当該他の道路の道路管理者（道路法第十八条第一項に規定する道路管理者をいう。以下同じ。）は、第六条の規定にかかわらず、協議して別にその管理の方法を定めることができる。

2　前項の規定による協議が成立した場合においては、国土交通大臣及び当該他の道路の道路管理者は、成立した協議の内容を公示しなければならない。

（兼用工作物の管理）

第八条　高速自動車国道と他の工作物（道路法第二十条第一項に規定する他の工作物をいい、以下「他の工作物」という。）とが相互に効用を兼ねる場合においては、国土交通大臣及び当該他の工作物の管理者は、当該高速自動車国道及び他の工作物の管理については、第六条の規定にかかわらず、協議して別にその維持、修繕、災害復旧その他の管理の方法を定めることができる。ただし、他の工作物の管理者が私人である場合においては、当該高速自動車国道については、修繕に関する工事及び維持以外の管理を行わせることができない。

2　前項の規定による協議が成立しない場合においては、国土交通大臣は、当該他の工作物に関する主務大臣とあらためて協議することができる。

3　前項の規定により国土交通大臣と当該他の工作物に関する主務大臣との協議が成立した場合においては、第一項の規定の適用については、国土交通大臣と当該他の工作物の管理者との協議が成立したものとみなす。

4　第一項の規定による協議が成立した場合（前項の規定により国土交通大臣と当該他の工作物の管理者との協議が成立したものとみなされる場合を含む。）においては、国土交通大臣は、成立した協議の内容を公示しなければならない。

（国土交通大臣の権限の代行）

第九条　前条の規定による協議に基き他の工作物の管理者が高速自動車国道を管理する場合においては、当該他の工作物の管理者は、政令で定めるところにより、国土交通大臣に代つてその権限を行うものとする。

（高速自動車国道と道路、鉄道、軌道等との交差の方式）

第一〇条　高速自動車国道と道路、鉄道、軌道、一般自動車道又は交通の用に供する通路その他の施設とが相互に交差する場合においては、当該交差の方式は、立体交差としなければならない。

（高速自動車国道との連結の制限）

第一一条　次に掲げる施設以外の施設は、高速自動車国道と連結させてはならない。

一　道路、一般自動車道又は政令で定める一般交通の用に供する通路その他の施設

二　当該高速自動車国道の通行者の利便に供するための休憩所、給油所その他の施設又は利用者のうち相当数の者が当該高速自動車国道を通行すると見込まれる商業施設、レクリエーション施設その他の施設

三　前号の施設と当該高速自動車国道とを連絡する通路その他の施設であつて、専ら同号の施設の利用者の通行の用に供することを目的として設けられるもの（第一号に掲げる施設を除く。）

四　前三号に掲げるもののほか、政令で定める施設

（連結許可等）

第一一条の二　前条各号に掲げる施設（高速自動車国道を除く。）を管理する者は、当該施設を高速自動車国道と連結させようとする場合においては、あらかじめ、国土交通省令で定めるところにより、国土交通大臣の許可（以下「連結許可」という。）を受けなければならない。

2　国土交通大臣は、連結許可の申請があつた場合において、当該申請に係る施設が次の各号に掲げる区分に応じ当該各号に定める基準に適合すると認めるときに限り、連結許可をすることができる。

一　前条第一号に掲げる施設　第五条第一項又は第三項の規定により定められた整備計画に適合するものであること。

二　前条第二号から第四号までに掲げる施設であつて、これを管理する者以外の者の管理する他の通路その他の施設に連結するもの　第五条第一項又は第三項の規定により定められた整備計画及び国土交通省令で定める施設の構造に関する技術的基準に適合するものであること。

三　前条第二号から第四号までに掲げる施設であつて、前号に掲げるもの以外のもの　政令で定める連結位置に関する基準及び同号の国土交通省令で定める技術的基準に適合するものであること。

3　道路運送法第七十四条第二項の規定は、連結許可については、適用しない。

4　連結許可を受けた前条第二号から第四号までに掲げる施設であつて第二項第三号に該当するものを管理する者は、当該施設を同項第一号又は第二号の施設としようとする場合（政令で定める場合を除く。）には、連結許可を受けなければならない。

5　連結許可を受けた前条第二号から第四号までに掲げる施設を管理する者は、当該施設の構造について変更（国土交通省令で定める軽微な変更を除く。）を行おうとする場合には、あらかじめ、国土交通省令で定めるところにより、国土交通大臣の許可を受けなければならない。

6　第二項の規定は、前項の許可について準用する。

7　第五項の許可を受けた施設は、連結許可を受けた前条第二号から第四号までに掲げる施設とみなして、第四項及び第五項の規定を適用する。

（連結許可等に係る施設の管理）

第十一条の三　連結許可及び前条第五項の許可（以下「連結許可等」という。）を受けて高速自動車国道と連結する第十一条第二号から第四号までに掲げる施設を管理する者は、国土交通省令で定める基準に従い、当該施設の維持管理をしなければならない。

（連結料の徴収）

第十一条の四　国は、第十一条第二号から第四号までに掲げる施設の高速自動車国道との連結につき、連結料を徴収することができる。

2　前項の規定による連結料の額の基準及び徴収方法は、政令で定める。

3　第一項の規定に基づく連結料は、国の収入とする。

（連結許可等に基づく地位の承継）

第十一条の五　相続人、合併又は分割により設立される法人その他の連結許可等を受けた者の一般承継人（分割による承継の場合にあつては、連結許可等に係る高速自動車国道と連結する施設を承継する法人に限る。）は、被承継人が有していた当該連結許可等に基づく地位を承継する。

2　前項の規定により連結許可等に基づく地位を承継した者は、その承継の日の翌日から起算して三十日以内に、国土交通大臣にその旨を届け出なければならない。

第十一条の六　国土交通大臣の承認を受けて連結許可等に係る高速自動車国道と連結する施設を譲り受けた者は、譲渡人が有していたその連結許可等に基づく地位を承継する。

（連結許可等の条件等）

第十一条の七　国土交通大臣は、連結許可等又は前条の承認には、高速自動車国道の管理のため必要な範囲内で条件を付することができる。

（連結許可等に対する監督処分等）

第十一条の八　道路法第七十一条第一項から第三項までの規定は、連結許可等及び連結許可等に係る高速自動車国道と連結する施設について準用する。この場合において、同条第一項から第三項までの規定中「道路管理者」とあるのは「国土交通大臣」と、同条第一項及び第二項中「この法律」とあるのは「高速自動車国道法」と、同条第一項中「連結許可等に係る自動車専用道路と連結する施設」とあるのは「高速自動車国道法第十一条の二第一項又は第五項の許可に係る高速自動車国道と連結する施設」と読み替えるものとする。

2　道路法第七十三条の規定は、第十一条の四第一項の規定に基づく連結料の徴収について準用する。この場合において、同法第七十三条第一項から第三項までの規定中「道路管理者」とあるのは「国」と、同条第二項中「条例（指定区間内の国道にあつては、政令）」とあるのは「政令」と読み替えるものとする。

（高速自動車国道と鉄道との交差）

第十二条　高速自動車国道と独立行政法人日本高速道路保有・債務返済機構、独立行政法人鉄道建設・運輸施設整備支援機構又は鉄道事業者（以下この条において「鉄道事業者等」という。）の鉄道とが相互に交差する場合においては、国土交通大臣は、あらかじめ、当該鉄道事業者等の意見を聴いて、当該交差の構造、工事の施行方法及び費用負担を決定するものとする。ただし、国土交通大臣の決定前に、国土交通大臣と当該鉄道事業者等との間にこれらの事項について協議が成立したときは、この限りでない。

2　高速自動車国道と鉄道事業者等の鉄道とが相互に交差している場合においては、国土交通大臣は、当該鉄道事業者等の意見を聴いて、当該交差部分の管理の方法であつて安全かつ円滑な交通の確保に必要なものとして国土交通省令で定める基準に適合するものを決定するものとする。ただし、国土交通大臣の決定前に、国土交通大臣と当該鉄道事業者等との間に当該管理の方法について協議が成立したときは、この限りでない。

3　国土交通大臣は、第一項本文又は前項本文の規定による決定をするときは、鉄道の整備及び安全の確保並びに鉄道事業の発達、改善及び調整に特に配慮しなければならない。

（特別沿道区域の指定）

第十三条　国土交通大臣は、高速自動車国道に接続する区域について、当該高速自動車国道を通行する自動車の高速交通に及ぼすべき危険を防止するため、当該道路の構造及びその存する地域の状況を勘案して、政令で定める基準に従い、特別沿道区域の指定をすることができる。ただし、高速自動車国道の各一側について幅二十メートルをこえる区域を特別沿道区域として指定することはできない。

2　前項の規定により特別沿道区域の指定をした場合においては、国土交通大臣は、遅滞なく、政令で定めるところにより、その区域を公示し、かつ、これを表示した図面を一般の縦覧に供しなければならない。

（特別沿道区域内の制限）

第十四条　前条第二項の規定により公示された特別沿道区域内においては、高速自動車国道を通行する自動車の高速交通を著しく妨げるおそれのある建築物その他の工作物又は物件で政令で定めるもの（以下「建築物等」という。）を建築し、又は設けてはならない。

2　国土交通大臣は、前項の規定に違反して、建築し、又は設けた建築物等の所有者その他の権原を有する者に対し、当該建築物等の改築、移転、除却その他必要な措置をすることを命ずることができる。

3　国土交通大臣は、前条第二項の公示の際特別沿道区域内に現に存する建築物等の所有者その他の権原を有する者に対し、政令で定めるところにより、通常生ずべき損失を補償して、当該建築物等の改築、移転、除却その他必要な措置をすることを命ずることができる。

4　前項の建築物等又はこれが存する土地の所有者は、同項の建築物等の改築、移転、除却その他の措置によつて、当該建築物等又は土地を従来利用していた目的に供することが著しく困難となるときは、政令で定めるところにより、国土交通大臣に対し当該建築物等又は土地の買取を請求することができる。

5　第三項の規定により補償すべき損失の額並びに前項の規定による買取及びその価額等の条件は、国土交通大臣と当該建築物等又は土地の所有者その他の権原を有する者とが協議して定める。

6　前項の規定による協議が成立しない場合においては、国土交通大臣又は当該建築物等若しくは土地の所有者その他の権原を有する者は、政令で定めるところにより、収用委員会に土地収用法（昭和二十六年法律第二百十九号）第九十四条の規定による裁決を申請することができる。

第十五条　国土交通大臣は、前条第一項の規定による特別沿道区域内における用益の制限により通常生ずべき損失を当該土地の所有者その他の権原を有する者に対し、政令で定めるところにより、補償しなければならない。

2　前項の土地の所有者は、前条第一項の規定による特別沿道区域内における用益の制限によつて当該土地を従来利用していた目的に供することが著しく困難となるときは、同条第四項の規定による場合を除き、政令で定めるところにより、国土交通大臣に対しその土地の買取を請求することができる。

3　前条第五項及び第六項の規定は、前二項の場合について準用する。

（準用規定）

第十六条　前三条の規定は、高速自動車国道の区域が決定された後当該道路の供用が開始されるまでの間において、国土交通大臣が当該道路の区域についての土地に関する権原を取得した後においては、当該区域について準用する。

（出入の制限等）

第十七条　何人もみだりに高速自動車国道に立ち入り、又は高速自動車国道を自動車による以外の方法により通行してはならない。

2　国土交通大臣は、高速自動車国道の入口その他必要な場所に通行の禁止又は制限の対象を明らかにした道路標識を設けなければならない。

（違反行為に対する措置）

第十八条　国土交通大臣は、前条第一項の規定に違反している者に対し、行為の中止その他交通の危険防止のための必要な措置をすることを命ずることができる。

（道路監理員の監督処分）

第一九条　国土交通大臣は、道路法第七十一条第四項の規定により国土交通大臣が命じた道路監理員に、第十四条第一項（第十六条において準用する場合を含む。）若しくは第十七条第一項の規定又は第十四条第二項若しくは第三項（第十六条において準用する場合を含む。）又は前条の規定に基づく処分に違反している者に対して、その違反行為の中止を命じ、又は建築物等の改築、移転、除却その他の必要な措置をすることを命ずる権限を行わせることができる。

2　道路法第七十一条第六項及び第七項の規定は、前項の規定により権限を行使する道路監理員に準用する。

（費用の負担）

第二〇条　高速自動車国道の管理に要する費用は、この法律及び他の法律に特別の規定がある場合を除くほか、新設、改築又は災害復旧に係るものにあつては国がその四分の三以上で政令で定める割合を、都道府県（地方自治法第二百五十二条の十九第一項の指定都市の区域内における高速自動車国道にあつては、当該指定都市。以下この章において同じ。）がその余の割合を負担し、新設、改築及び災害復旧以外の管理に係るものにあつては国の負担とする。

2　前項の規定により都道府県が負担すべき高速自動車国道の新設、改築又は災害復旧に要する費用は、政令で定めるところにより、国庫に納付しなければならない。

（共用高速自動車国道管理施設の管理に要する費用）

第二〇条の二　前条第一項の規定により国及び都道府県の負担すべき高速自動車国道の管理に要する費用で共用高速自動車国道管理施設に関するものについては、国土交通大臣及び他の道路の道路管理者は、協議してその分担すべき金額及びその分担の方法を定めることができる。

（兼用工作物の費用）

第二一条　第二十条第一項の規定により国及び都道府県の負担すべき高速自動車国道の管理に要する費用で当該道路が他の工作物と効用を兼ねるものに関するものについては、国土交通大臣は、他の工作物の管理者と協議してその分担すべき金額及び分担の方法を定めることができる。

2　前項の規定による協議が成立しない場合においては、国土交通大臣は、当該他の工作物に関する主務大臣とあらためて協議することができる。

3　第八条第三項の規定は、前項の規定による協議が成立した場合について準用する。

（義務履行のために要する費用）

第二二条　この法律によつてする処分による義務を履行するために必要な費用は、当該義務者が負担しなければならない。

第三章　雑則

（国土交通大臣が行う道路に関する調査）

第二三条　国土交通大臣は、道路法第七十七条の規定により道路に関する調査をその職員に行わせるほか、第三条から第五条までに規定する権限を行うため特に必要があると認めるときは、その職員をして道路を通行する車両を一時停止させ、当該車両の発地及び着地、積載物品の種類及び数量その他道路の交通量調査に必要な事項について質問させることができる。

2　前項の規定により調査を命ぜられた職員は、国土交通省令で定める様式による身分を示す証票を携帯し、関係人の請求があつたときは、これを提示しなければならない。

3　第一項に規定する権限は、犯罪捜査のために認められたものと解釈してはならない。

（不服申立て）

第二四条　第八条の規定による協議に基づき都道府県、市町村その他の公共団体である他の工作物の管理者が国土交通大臣に代わつてした処分その他公権力の行使に当たる行為（以下この条において「処分」という。）に不服がある者は、当該処分をした他の工作物の管理者である公共団体の長に対して審査請求をし、その裁決に不服がある者は、国土交通大臣及び当該他の工作物に関する主務大臣に対して再審査請求をすることができる。

2　第八条の規定による協議に基づき他の工作物の管理者である主務大臣又はその地方支分部局の長が国土交通大臣に代わつてした処分に不服がある者は、国土交通大臣及び当該他の工作物に関する主務大臣に対して審査請求をすることができる。

（道路法の準用）

第二四条の二　道路法第九十五条の二第二項の規定は、国土交通大臣が、高速自動車国道について、同法第四十五条第一項の規定により区画線（道路交通法（昭和三十五年法律第百五号）第二条第一項第十六号の道路標示とみなされるものに限る。）を設け、又は道路法第四十六条第一項若しくは第三項の規定により道路の通行を禁止し、若しくは制限しようとする場合について準用する。この場合において、同法第九十五条の二第二項中「道路管理者」とあるのは「国土交通大臣」と、「自動車専用道路」とあるのは「高速自動車国道」と読み替えるものとする。

（道路法の適用）

第二五条　高速自動車国道の新設、改築、維持、修繕、災害復旧その他の管理については、この法律に定めるもののほか、道路法及び同法に基づく政令の規定の適用があるものとする。この場合において、同法第二条第二項第二号、第五号、第七号又は第八号中「第十八条第一項に規定する道路管理者」とあるのは「国土交通大臣」と、同法第二十四条の二第一項、第三十九条第二項、第三十九条の二第五項、第四十八条の三十五第一項又は第六十一条第二項中「道路管理者である地方公共団体の条例（指定区間内の国道にあつては、政令）」とあるのは「政令」と、同法第二十四条の三中「条例（国道にあつては、国土交通省令）」とあるのは「国土交通省令」と、同法第四十四条第一項又は第七十三条第二項中「条例（指定区間内の国道にあつては、政令）」とあるのは「政令」と、同法第四十四条の二第二項中「条例（指定区間内の国道にあつては、国土交通省令。以下この条において同じ。）」とあるのは「国土交通省令」と、同条第三項から第五項までの規定中「条例」とあるのは「国土交通省令」と、同法第四十七条の二第四項中「当該許可に関する権限を行う者が国土交通大臣である場合にあつては政令で、その他の者である場合にあつては当該道路管理者である地方公共団体の条例で」とあるのは「政令で」と、同法第九条中「第十三条第二項、第二十七条、第四十八条の十九第二項又は第四十八条の二十二第三項の規定により道路管理者に代わつて」とあるのは「高速自動車国道法第九条の規定により国土交通大臣に代わつて」と、「道路管理者とみなす」とあるのは「国土交通大臣とみなす」とする。

2　前項に定めるもののほか、道路法及び同法に基づく政令の規定の適用についての必要な技術的読替は、政令で定める。

（権限の委任）

第二五条の二　前章及びこの章に規定する国土交通大臣の権限は、国土交通省令で定めるところにより、その一部を地方整備局長又は北海道開発局長に委任することができる。ただし、第十二条第一項本文及び第二項本文の規定による決定については、この限りでない。

第四章　罰則

第二六条　高速自動車国道を損壊し、若しくは高速自動車国道の附属物を移転し、若しくは損壊して高速自動車国道の効用を害し、又は高速自動車国道における交通に危険を生じさせた者は、五年以下の懲役又は二百万円以下の罰金に処する。

2　前項の未遂罪は、罰する。

第二七条　前条第一項の罪を犯しよつて自動車を転覆させ、又は破壊した者は、十年以下の懲役に処する。

2　前項の罪を犯しよつて人を傷つけた者は、一年以上の有期懲役に処し、死亡させた者は、無期又は三年以上の懲役に処する。

第二八条　過失により第二十六条第一項の罪を犯した者は、五十万円以下の罰金に処する。高速自動車国道の管理に従事する者が犯したときは、一年以下の禁錮又は百万円以下の罰金に処する。

第二八条の二　第十一条の八第一項において準用する道路法第七十一条第一項又は第二項の規定による国土交通大臣の命令に違反した者は、百万円以下の罰金に処する。

第二九条　第十四条第二項又は第三項（第十六条において準用する場合を含む。）の規定による国土交通大臣の命令に違反した者は、百万円以下の罰金に処する。第十九条第一項の規定により道路監理員がした第十四条第二項又は第三項（第十六条において準用する場合を含む。）の命令に違反した者についても、同様とする。

第三〇条　第十八条の規定による国土交通大臣の命令に違反した者は、五十万円以下の罰金に処する。第十九条第一項の規定により道路監理員がした第十八条の命令に違反した者についても、同様とする。

第三十一条　第十四条第一項（第十六条において準用する場合を含む。）の規定に違反して建築物等を建築し、又は設けた者は、三十万円以下の罰金に処する。

第三十二条　法人の代表者又は法人若しくは人の代理人、使用人その他の従業者が、その法人又は人の業務に関し、第二十八条の二から前条までの違反行為をしたときは、行為者を罰するほか、その法人又は人に対して各本条の罰金刑を科する。

第三十二条の二　第十一条の五第二項の規定に違反して、届出をせず、又は虚偽の届出をした者は、十万円以下の過料に処する。

第三十三条　第九条の規定により国土交通大臣に代つてその権限を行う者は、この法律による罰則の適用については、国土交通大臣とみなす。

附　則

（施行期日）

1　この法律は、公布の日から施行する。

（平成二十二年度の特例）

2　第二十条の規定の平成二十二年度における適用については、同条第一項中「又は災害復旧」とあるのは「、災害復旧又は安全かつ円滑な道路の交通に支障を生ずることを防止するために速やかに行う必要があるものとして政令で定める高速自動車国道を構成する施設若しくは工作物に係る工事（当該工事を施行するために必要な点検を含む。以下この条において「特定事業」という。）」と、「及び災害復旧」とあるのは「、災害復旧及び特定事業」と、同条第二項中「又は災害復旧」とあるのは「、災害復旧又は特定事業」とする。

附　則〔抄〕〔昭和三七・九・一五法律一六一〕

1　この法律は、昭和三十七年十月一日から施行する。

2　この法律による改正後の規定は、この附則に特別の定めがある場合を除き、この法律の施行前にされた行政庁の処分、この法律の施行前にされた申請に係る行政庁の不作為その他この法律の施行前に生じた事項についても適用する。ただし、この法律による改正前の規定によつて生じた効力を妨げない。

3　この法律の施行前に提起された訴願、審査の請求、異議の申立てその他の不服申立て（以下「訴願等」という。）については、この法律の施行後も、なお従前の例による。この法律の施行前にされた訴願等の裁決、決定その他の処分（以下「裁決等」という。）又はこの法律の施行前に提起された訴願等につきこの法律の施行後にされる裁決等にさらに不服がある場合の訴願等についても、同様とする。

4　前項に規定する訴願等で、この法律の施行後は行政不服審査法による不服申立てをすることができることとなる処分に係るものは、同法以外の法律の適用については、行政不服審査法による不服申立てとみなす。

5　第三項の規定によりこの法律の施行後にされる審査の請求、異議の申立てその他の不服申立ての裁決等については、行政不服審査法による不服申立てをすることができない。

6　この法律の施行前にされた行政庁の処分で、この法律による改正前の規定により訴願等をすることができるものとされ、かつ、その提起期間が定められていなかつたものについて、行政不服審査法による不服申立てをすることができる期間は、この法律の施行の日から起算する。

8　この法律の施行前にした行為に対する罰則の適用については、なお従前の例による。

9　前八項に定めるもののほか、この法律の施行に関して必要な経過措置は、政令で定める。

10　この法律及び行政事件訴訟法の施行に伴う関係法律の整理等に関する法律（昭和三十七年法律第百四十号）に同一の法律についての改正規定がある場合においては、当該法律は、この法律によつてまず改正され、次いで行政事件訴訟法の施行に伴う関係法律の整理等に関する法律によつて改正されるものとする。

附　則〔略〕〔昭和三九・七・九法律一六三〕

附　則〔略〕〔昭和三九・七・一〇法律一六八〕

附　則〔抄〕〔昭和四一・七・一法律一〇七〕

（施行期日）

1　この法律は、公布の日から起算して一月をこえない範囲内において政令で定める日から施行する。

〔昭和四一政二七二により、昭和四一・七・二一から施行〕

（東海道幹線自動車国道建設法の廃止及び高速自動車国道法の一部改正に伴う経過措置）

9　附則第二項の規定による廃止前の東海道幹線自動車国道建設法第三条第一項の規定により指定された路線については、前項の規定による改正後の高速自動車国道法第四条第三項の規定にかかわらず、国土開発幹線自動車道建設審議会の議を経ないで、同条第一項第一号の規定に基づく政令で、従前の路線をそのまま同号の路線として指定することができる。

10　附則第二項の規定による廃止前の東海道幹線自動車国道建設法第五条第一項の規定により定められた整備計画は、附則第八項の規定による改正後の高速自動車国道法第五条第一項の規定により定められた整備計画とみなす。

附　則〔略〕〔昭和四六・四・一五法律四六〕

附　則〔略〕〔昭和六一・一二・四法律九三〕

附　則〔略〕〔平成元・六・二八法律五六〕

附　則〔略〕〔平成元・一二・一九法律八二〕

附　則〔略〕〔平成元・一二・一九法律八三〕

附　則〔略〕〔平成三・四・二六法律四五〕

附　則〔略〕〔平成三・五・二法律六〇〕

附　則〔略〕〔平成五・一一・一二法律八九〕

附　則〔抄〕〔平成八・五・二四法律四八〕

（施行期日）

1　この法律は、公布の日から起算して六月を超えない範囲内において政令で定める日から施行する。

〔平成八政三〇七により、平成八・一一・一〇から施行〕

（経過措置）

2　この法律の施行の際現にこの法律による改正前の幹線道路の沿道の整備に関する法律（以下「旧法」という。）の規定により定められている沿道整備計画に関する都市計画は、この法律による改正後の幹線道路の沿道の整備に関する法律（以下「新法」という。）の規定により定められた沿道地区計画でその区域の全部について沿道地区整備計画が定められているものに関する都市計画とみなす。

3　旧法の規定により沿道整備計画に関する都市計画に関してした手続、処分その他の行為は、新法の規定により沿道地区計画に関する都市計画に関してした手続、処分その他の行為とみなす。

4　この法律の施行の際現に旧法の規定により定められている沿道整備計画の区域は、新法の規定により定められた沿道地区計画の区域で沿道地区整備計画が定められている区域とみなす。

5　旧法第十三条第一項に規定する区域内において同項の制限が定められた際、当該制限が定められた区域内に現に存する人の居住の用に供する建築物又はその部分は、新法第十三条第一項に規定する特定住宅に該当するものとみなす。

6　この法律の施行前にした行為に対する罰則の適用については、なお従前の例による。

附　則〔抄〕〔平成一〇・六・三法律八九〕

（施行期日）

1　この法律は、公布の日から起算して三月を超えない範囲内において政令で定める日から施行する。

〔平成一〇政二八八により、平成一〇・九・一から施行〕

（高速自動車国道法の一部改正に伴う経過措置）

2　この法律の施行前に第一条の規定による改正前の高速自動車国道法第十一条第二項の規定によりした許可は、第一条の規定による改正後の高速自動車国道法第十一条の二第一項の規定によりした許可とみなす。

4　この法律の施行前にした行為に対する罰則の適用については、なお従前の例による。

附　則〔略〕〔平成一一・七・一六法律八七〕

附　則〔略〕〔平成一一・一二・二二法律一六〇〕

附　則〔略〕〔平成一二・五・三一法律九一〕

附　則〔略〕〔平成一四・一二・一八法律一八〇〕

附　則〔略〕〔平成一五・五・一法律三六〕

附　則〔略〕〔平成一六・六・九法律一〇一〕

附　則〔抄〕〔平成二二・三・三一法律二〇〕

（施行期日）

第一条　この法律は、平成二十二年四月一日から施行する。

（経過措置）

第二条 第一条から第八条まで〔中略〕の規定による改正後の次の各号に掲げる法律の規定は、当該各号に定める国の負担（当該国の負担に係る都道府県又は市町村の負担を含む。以下この条において同じ。）について適用し、平成二十一年度以前の年度における事務又は事業の実施により平成二十二年度以降の年度に支出される国の負担、平成二十一年度以前の年度の国庫債務負担行為に基づき平成二十二年度以降の年度に支出すべきものとされた国の負担及び平成二十一年度以前の年度の歳出予算に係る国の負担で平成二十二年度以降の年度に繰り越されたものについては、なお従前の例による。

一 次に掲げる法律の規定 平成二十二年度の予算に係る国の負担（平成二十一年度以前の年度における事務又は事業の実施により平成二十二年度に支出される国の負担及び平成二十一年度以前の年度の国庫債務負担行為に基づき平成二十二年度に支出すべきものとされた国の負担を除く。）並びに同年度における事務又は事業の実施により平成二十三年度以降の年度に支出される国の負担、平成二十二年度の国庫債務負担行為に基づき平成二十三年度以降の年度に支出すべきものとされる国の負担及び平成二十二年度の歳出予算に係る国の負担で平成二十三年度以降の年度に繰り越されるもの

イ～ハ〔略〕

ニ 高速自動車国道法附則第二項の規定により読み替えて適用する同法第二十条第一項

ホ・ヘ〔略〕

二〔略〕

三 次に掲げる法律の規定 平成二十三年度以降の年度の予算に係る国の負担（平成二十二年度以前の年度における事務又は事業の実施により平成二十三年度以降の年度に支出される国の負担及び平成二十二年度以前の年度の国庫債務負担行為に基づき平成二十三年度以降の年度に支出すべきものとされた国の負担を除く。）

イ・ロ〔略〕

ハ 高速自動車国道法第二十条第一項

ニ・ホ〔略〕

（政令への委任）

第三条 前条に定めるもののほか、この法律の施行に関し必要な経過措置は、政令で定める。

附則〔略〕〔平成二三・八・三〇法律一〇五〕

附則〔略〕〔平成二六・六・四法律五三〕

附則〔略〕〔平成二六・六・一三法律六九〕

附則〔略〕〔平成三〇・三・三一法律六〕

附則〔略〕〔令和二・五・二七法律三一〕

附則〔抄〕〔令和三・三・三一法律九〕

（施行期日）

第一条 この法律は、令和三年四月一日から施行する。ただし、次の各号に掲げる規定は、当該各号に定める日から施行する。

一〔略〕

二〔前略〕第四条（高速自動車国道法第二十五条第一項の改正規定（「又は第四十八条の十九第二項」を「、第四十八条の十九第二項又は第四十八条の二十二第三項」に改める部分を除く。）に限る。）の規定〔中略〕公布の日から起算して六月を超えない範囲内において政令で定める日

〔令和三政二六〇により、令和三・九・二五から施行〕

三〔略〕

（政令への委任）

第五条 前三条に定めるもののほか、この法律の施行に関し必要な経過措置（罰則に関する経過措置を含む。）は、政令で定める。

（検討）

第六条 政府は、この法律の施行後五年を目途として、この法律による改正後のそれぞれの法律の規定について、その施行の状況等を勘案して検討を加え、必要があると認めるときは、その結果に基づいて所要の措置を講ずるものとする。

○高速自動車国道法施行令

〔昭和三二・七・二六 政令二〇五〕

改正 昭和三七・九政三九一、昭和四〇・二政一四、三政五七、昭和四四・一政四、昭和四六・七政二五二、昭和五三・四政一四五、昭和五九・五政一三九、平成元・一一政三〇九、平成三・一〇政三一七、平成六・九政三〇三、平成八・一〇政三〇八、平成一〇・八政二八九、平成一一・一一政三五二、平成一二・六政三一二、平成一四・一二政三八六、平成一五・五政二二一、平成一六・一二政三八七、平成一七・六政二〇三、平成一八・一一政三五七、政三五八、平成一九・四政一四二、八政二三五、九政三〇四、平成二一・四政一三〇、平成二二・三政七八、平成二三・一一政三六三、平成二五・八政二四三、平成二六・五政一八七、平成二七・一政一一、一一政三八五、平成二八・三政一八二、九政三一二、平成三〇・九政二八〇、平成三一・三政四一、令和二・一一政三三九、令和三・三政一三二、六政一七四、九政二六一、一二政三二五

（予定路線）

第一条 高速自動車国道法（以下「法」という。）第三条第一項の規定により予定路線を定める場合においては、その路線名、起点、終点及び主たる経過地を明らかにしてしなければならない。

2 法第三条第三項の政令で定める事項は、予定路線の路線名、起点、終点及び主たる経過地とする。

（整備計画）

第二条 法第五条第一項の整備計画には、次に掲げる事項を定めなければならない。

一 経過する市町村名（経過地を明らかにするため特に必要があるときは、当該市町村内の経過地の名称とすること。）

二 車線数（区間により異なるときは、区間ごとに明らかにすること。）

三 設計速度（区間により異なるときは、区間ごとに明らかにすること。）

四 連結位置及び連結予定施設

五 工事に要する費用の概算額

六 その他必要な事項

2 法第五条第三項の整備計画には、前項に掲げる事項で当該改築に係るものを定めなければならない。

3 第一項又は前項の整備計画は、必要があるときは、新設又は改築する高

速自動車国道の区間を分けて定めることができる。

4　法第五条第四項の政令で定める事項は、第一項第一号から第五号までに掲げる事項（同項第四号に掲げる事項にあつては、国土開発幹線自動車道建設法（昭和三十二年法律第六十八号）第五条第一項に規定する建設線の国土開発幹線自動車道建設法施行令（昭和三十二年政令第五十一号）第一条第五号の連結地に係るものに限る。）とする。ただし、法第五条第一項又は第三項の規定により整備計画を変更しようとする場合においては、次に掲げるものを除く。

一　第一項第二号に掲げる事項のうち、全国的な高速自動車交通網の形成に及ぼす影響が軽微なものとして国土交通省令で定めるもの

二　第一項第五号に掲げる事項のうち、減額に係るもの及び天災による工期の延長その他の国土交通省令で定めるやむを得ない事由による増額（国土交通省令で定める範囲内のものに限る。）に係るもの

（区域の決定の公示等）

第三条　法第七条第一項の規定による高速自動車国道の区域の決定又は変更の公示は、次に掲げる事項を官報に掲載して行うものとする。

一　路線名

二　次のイ、ロ又はハに掲げる場合の区分に応じそれぞれイ、ロ又はハに定める事項

イ　区域の決定の場合（ロに掲げる場合を除く。）　高速自動車国道の存する市町村ごとの敷地の幅員（当該市町村内の敷地の幅員が異なるときは、その最大幅員及び最小幅員）及びその延長

ロ　法第二十五条第一項の規定により適用があるものとされた道路法（昭和二十七年法律第百八十号）第四十七条の十七第一項の規定により立体的区域とする区域の決定の場合　イに掲げる事項並びに当該立体的区域とする区間及びその延長

ハ　区域の変更の場合　変更の区間並びに当該区間に係る変更前の敷地の幅員（当該区間内の敷地の幅員が異なるときは、その最大幅員及び最小幅員。以下この号において同じ。）及びその延長並びに変更後の敷地の幅員及びその延長

三　区域を表示した図面を縦覧する場所及び期間

2　法第七条第一項の規定による図面の縦覧は、縮尺千分の一の図面（法第二十五条第一項の規定により適用があるものとされた道路法第四十七条の十七第一項の規定により立体的区域とした区間については、千分の一以上で国土交通省令で定める縮尺の図面）に当該区域を明示して、関係地方整備局若しくは北海道開発局又は関係地方公共団体の事務所において、前項の公示の日から起算して三十日間行うものとする。

（供用の開始の公示等）

第四条　法第七条第二項の規定による高速自動車国道の供用の開始又は廃止の公示は、次に掲げる事項を官報に掲載して行うものとする。

一　路線名

二　供用の開始又は廃止の区間

三　供用の開始又は廃止の期日

四　供用の開始又は廃止の区間を表示した図面を縦覧する場所及び期間

2　法第七条第二項の規定による図面の縦覧は、縮尺五万分の一の図面に供用の開始又は廃止の区間を明示して、関係地方整備局若しくは北海道開発局又は関係地方公共団体の事務所において、前項の公示の日から起算して三十日間行うものとする。

（一般交通の用に供する通路その他の施設）

第五条　法第十一条第一号の政令で定める一般交通の用に供する通路その他の施設は、次に掲げる施設とする。

一　道路（高速自動車国道を除く。）と当該高速自動車国道とを連絡する公共用通路であつて、その公共用通路に代わるべき適当な道路がないもの

二　飛行場内の公共用通路

（連結位置に関する基準）

第六条　法第十一条の二第二項第三号（同条第六項において準用する場合を含む。）の政令で定める連結位置に関する基準は、次のとおりとする。

一　高速自動車国道の本線車道（以下この号において単に「本線車道」という。）に直接出入りすることができる施設にあつては、当該施設の本線車道に接続する部分（変速車線を含む。以下この号において同じ。）が他の法第十一条各号に掲げる施設（整備計画に定められた連結予定施設を含む。）その他本線車道に直接出入りすることができる国土交通省令で定める施設の本線車道に接続する部分から本線車道に沿つて二キロメートル以上離れていること。

二　前号に掲げるもののほか、当該高速自動車国道の構造及び交通の状況その他当該高速自動車国道及び周辺の状況を勘案して、高速自動車国道の安全かつ円滑な交通に著しい支障を及ぼすおそれのない位置であること。

（法第十一条の二第四項の政令で定める場合）

第七条　法第十一条の二第四項の政令で定める場合は、連結許可を受けた施設の一部の譲渡等によつて当該施設の一部を他の者が管理することとなる場合（他の者が管理することとなる当該施設の一部が当該施設の他の部分以外の施設に連結しない場合に限る。）とする。

（連結料の額の基準）

第八条　法第十一条の四第一項の連結料の額の基準は、次のとおりとする。

一　次に掲げる額の合計額の範囲内であること。

イ　当該高速自動車国道と連結する法第十一条第二号に掲げる施設（以下この条において「連結利便施設等」という。）の用に供する土地又は当該高速自動車国道と連結する同条第三号に掲げる施設（以下この条において「連結通路等」という。）及び当該連結通路等によつて高速自動車国道と連絡する同条第二号に掲げる施設（以下この条において「連絡施設」という。）の用に供する土地と当該連結利便施設等又は連結通路等が高速自動車国道に連結しないものとした場合のこれらの土地との国土交通省令で定めるところにより算定した地代の差額に相当する額

ロ　当該連結利便施設等又は連結通路等と連結することにより追加的に必要を生じた当該高速自動車国道の管理に要する費用の額（以下「追加管理費用額」という。）

二　追加管理費用額を下回らないこと。

三　連結利便施設等又は連結施設の規模、用途その他の状況に応じて公正妥当なものであること。

（連結料の徴収方法）

第九条　法第十一条の四第一項の連結料は、毎年度、当該年度分を六月三十日（追加管理費用額に相当する分にあつては、翌年の六月三十日）までに一括して徴収するものとする。ただし、次の各号に掲げる連結料は、当該各号に定める日から三月以内に一括して徴収するものとする。

一　連結許可の日の属する年度分の連結料（追加管理費用額に相当する分を除く。）　当該連結許可の日

二　法第十一条の七の規定により連結許可に翌年度以降にわたらない期限が付された場合における追加管理費用額に相当する分又は同条の規定により連結許可に翌年度以降にわたる期限が付された場合における最終年度の追加管理費用額に相当する分の連結料　当該期限が到来した日の翌日

2　前項の連結料は、納入告知書により徴収するものとする。

3　第一項の連結料で既に徴収したものは、返還しない。ただし、国土交通大臣が法第十一条の八第一項において準用する道路法第七十一条第二項の規定により連結許可を取り消した場合において、既に徴収した連結料の額が当該連結許可の日から当該連結許可の取消しの日までの期間につき算出した連結料の額を超えるときは、その超える額の連結料は、返還する。

（手数料及び延滞金の額）

第一〇条　法第十一条の八第二項において準用する道路法第七十三条第二項の規定により国が徴収する手数料の額は、督促状一通につき郵便法（昭和二十二年法律第百六十五号）第二十一条第一項に規定する通常葉書の料金の額を超えない範囲内において国土交通大臣が定める額とする。

2　法第十一条の八第二項において準用する道路法第七十三条第二項の規定により国が徴収することができる延滞金は、当該督促に係る連結料の額が千円以上である場合に徴収するものとし、その額は、納付すべき期限の翌日から連結料の納付の日までの日数に応じ連結料の額に年十・七五パーセントの割合を乗じて計算した額とする。この場合において、連結料の額の一部につき納付があつたときは、その納付の日以後の期間に係る延滞金の計算の基礎となる連結料の額は、その納付のあつた連結料の額を控除した額による。

3　前項の延滞金は、その額が百円未満であるときは、徴収しないものとする。

4　法第二十五条第一項の規定により適用があるものとされた道路法第四十

七条の二第二項の規定により国土交通大臣が同条第一項の許可に関する権限を行う場合における同条第三項の手数料の額は、当該受けようとする許可に係る一通行経路ごとに二百円とする。

（費用の負担割合等）

第一一条　法第二十条第一項の政令で定める割合は、四分の三（道の区域内にあつては、十分の八・五）とする。

2　都道府県（地方自治法（昭和二十二年法律第六十七号）第二百五十二条の十九第一項の指定都市の区域内における高速自動車国道にあつては、当該指定都市。以下この条において同じ。）が法第二十条第二項の規定により国庫に納付する負担金の額は、高速自動車国道の新設、改築又は災害復旧に要する費用の額（次条の規定により読み替えて適用される道路法第五十八条から第六十二条までの規定による負担金（以下この項において「収入金」という。）があるときは、当該費用の額から収入金を控除した額。次項において「負担基本額」という。）に、法第二十条第一項に規定する都道府県の負担割合を乗じて計算した額（次項において「都道府県負担額」という。）とする。

3　国土交通大臣は、法第二十条第一項の規定により高速自動車国道の新設、改築又は災害復旧に要する費用を負担することとなる都道府県に対して、負担基本額及び都道府県負担額を通知しなければならない。これらを変更したときも、同様とする。

（道路法の規定の適用についての技術的読替え）

第一二条　法第二十五条第一項の規定により道路法の規定を適用する場合における同条第二項の規定による同法の規定の技術的読替えは、次の表のとおりとする。

項	読み替える道路法の規定	読み替えられる字句	読み替える字句
一	第十九条の二第一項	当該他の道路の道路管理者	国土交通大臣
二	第二十一条	前条及び第三十一条	高速自動車国道法（昭和三十二年法律第七十九号）第八条及び第十二条
三	第二十一条、第二十二条第一項、第二十二条の二、第二十三条第一項、第二十四条、第二十八条第一項及び第三項、第三十二条、第三十三条第一項、第三十四条から第三十七条まで、第三十八条第一項、第三十九条の二第七項、第三十九条の三第一項及び第三項、第三十九条の四第一項から第三項まで及び第五項、第三十九条の五、第三十九条の六第一項から第三項まで、第三十九条の七第二項及び第四項、第三十九条の九、第四十条第二項、第四十一条、第四十二条第一項、第四十三条の二、第四十四条第一項、第二項、第四項及び第六項、第四十四条の二第一項から第三項まで、第五項及び第六項、第四十四条の三第一項から第五項まで、第四十五条第一項、第四十五条の二第二項、第四十六条、第四十七条第三項、第四十七条の二第一項及び第五項、第四十七条の十第四項、第四十七条の十四、第四十七条の十五、第四十七条の十七第一項及び第二項、第四十七条の十八第一項、第四十七条の二十一第一項及び第三項、第四十八条第二項及び第四項、第四十八条の二十九の三、第四十八条の二十九の四、第四十八条の二十九の五第一項、第四十八条の二十九の六第一項及び第二項、第四十八条の三十、第四十八条の三十二から第四十八条の三十四まで、第四十八条の三十六、第四十八条の三十七第一項、第四十八条の三十八第一項及び第二項、第四十八条の四十第一項、第四十八条の四十一、第四十八条の四十九第二号、第四十八条の六十から第四十八条の六十二まで、第四十八条の六十四、第五十七条、第六十条、第六十二条、第六十六条第一項、第六十七条の二、第六十八条、第七十条第三項及び第四項、第七十一条第一項から第五項まで、第七十二条の二第一項及び第二項、第九十一条第二項、第九十二条第四項、第九十六条第五項、第百三条第二号、第五号及び第六号、第百四条第一号、第六号及び第七号、第百五条、第百六条第一号	道路管理者	国土交通大臣

四	第二十四条	第十二条、第十三条第三項、第十七条第四項若しくは第六項から第八項まで、第十九条から第二十二条の二まで、第四十八条の十九第一項又は第四十八条の二十二第一項	第二十一条から第二十二条の二まで又は高速自動車国道法第七条の二若しくは第八条
五	第二十四条の二第一項	道路管理者（指定区間内の国道にあつては、国。第三項（第四十八条の三十五第三項において準用する場合を含む。）、第三十九条第一項、第四十四条第五項及び第七項、第四十四条の三第八項、第四十八条の七第一項、第四十八条の三十五第一項、第四十九条、第五十八条第一項、第五十九条第三項、第六十一条第一項、第六十四条第一項、第六十九条第一項、第七十条第一項、第七十二条第一項及び第三項、第七十三条第一項から第三項まで、第八十五条第三項並びに第九十一条第三項において同じ。）	国
六	第二十四条の二第三項、第三十九条第一項、第四十四条第五項及び第七項、第四十四条の三第八項、第五十八条第一項、第五十九条第三項、第六十一条第一項、第六十九条第一項、第七十二条第一項及び第三項、第七十三条第一項から第三項まで、第九十一条第三項	道路管理者	国
七	第二十八条の二第一項	道路（以下	高速自動車国道及び高速自動車国道以外の道路（以下
		二以上の道路管理者は、踏切道改良促進法（昭和三十六年法律第百九十五号）第三条第一項に規定する踏切道密接関連道路をいう。）その他の	国土交通大臣及び道路管理者は、
八	第三十八条第二項、第七十条第一項	道路管理者が	国土交通大臣が
九	第三十八条第二項、第三十九条の四第四項、第九十三条	当該道路管理者	国土交通大臣
十	第三十九条の二第一項、第三十九条の四第四項、第四十七条の十八第二項、第四十八条の二十九の六第三項、第四十八条の三十八第三項	道路管理者は	国土交通大臣は
十一	第三十九条の二第一項、第六十四条第一項	道路管理者の	国の
十二	第三十九条の二第六項	道路管理者（市町村である道路管理者を除く。）	国土交通大臣
十三	第三十九条の七第四項	同項の条例（指定区間内の国道にあつては、同項の政令）	同項の政令
		当該条例又は当該政令	当該政令
十四	第四十七条の二第二項	道路管理者を異にする二以上の道路に係るものであるとき（国土交通省令で定める場合を除く。）	高速自動車国道及び高速自動車国道以外の道路に係るものであるとき
		一の道路の道路管理者が行う	国土交通大臣又は一の道路の道路管理者が行う
		当該一の道路の道路管理者	国土交通大臣又は当該一の道路の道路管理者
		他の道路の道路管理者	他の道路の道路管理者又は国土交通大臣
十五	第四十七条の二第三項	一の道路の道路管理者	国土交通大臣
		道路管理者（当該許可に関する権限を行う者が国土交通大臣である場合にあつては、国）	国
十六	第四十七条の十七第一項、第九十一条第一項	第十八条第一項	高速自動車国道法第七条第一項
十七	第四十七条の十八第二項、第四十八条の二十九の六第三項、第四十八条の三十八第三項	道路管理者の	関係地方整備局又は北海道開発局の

十八	第四十八条の三十五第一項	道路管理者は	国は
十九	第四十八条の四十二第一項	道路管理者（以下「特定道路管理者」という。）	国土交通大臣
二十	第四十八条の四十二第二項、第四十八条の四十四、第四十八条の四十五	特定道路管理者	国土交通大臣
二十一	第四十八条の六十三	国土交通大臣又は道路管理者	国土交通大臣
二十二	第六十条	この法律	この法律及び高速自動車国道法
二十三	第六十四条第一項	割増金、第二十五条の規定に基づく料金	割増金
		道路管理者又は第十三条第二項の規定により指定区間内の国道の維持、修繕及び災害復旧以外の管理を行う都道府県若しくは指定市	国
二十四	第六十四条第二項	同項の道路管理者	国
二十五	第七十条第一項	道路管理者は	国は
		道路管理者又は	国又は
二十六	第七十一条第五項	、第四十八条第四項、第四十八条の十二又は第四十八条の十六	又は第四十八条第四項
二十七	第八十七条第一項	国土交通大臣及び道路管理者	国土交通大臣
二十八	第九十一条第一項	道路管理者（国土交通大臣が自ら道路の新設又は改築を行う場合における国土交通大臣を含む。以下この条及び第九十六条第五項後段において同じ。）	国土交通大臣
		道路管理者の	国土交通大臣の
二十九	第九十三条	当該道路の道路管理者	国土交通大臣
三十	第九十六条第五項	第三十二条第一項若しくは	第三十二条第一項又は
		又は第四十八条の五第一項若しくは第三項の規定	の規定
三十一	第百五条	、第四十八条第四項、第四十八条の十二若しくは第四十八条の十六	若しくは第四十八条第四項

（道路法施行令の規定の適用についての技術的読替え）

第一三条　法第二十五条第一項の規定により道路法施行令（昭和二十七年政令第四百七十九号）の規定を適用する場合における同条第二項の規定による同令の規定の技術的読替えは、次の表のとおりとする。

読み替える道路法施行令の規定	読み替えられる字句	読み替える字句
第三条の二第一項、第十九条第一項から第三項まで、第十九条の二第一項、第三十五条の三第一号	指定区間内の国道	高速自動車国道
第十九条の二第一項	納入告知書（法第十三条第二項の規定により都道府県又は指定市が占用料を徴収する事務を行つている場合にあつては、納入通知書）	納入告知書
第十九条の三第一項	指定区間内の国道に係るものにあつては国、指定区間外の国道に係るものにあつては道路管理者である都道府県又は指定市若しくは指定市以外の市、都道府県道又は市町村道に係るものにあつては道路管理者である都道府県又は市町村	国
第十九条の三の二	同条第一項本文中	これらの規定中「指定区間内の国道」とあるのは「高速自動車国道」と、同条第一項本文中
第十九条の三の三第一項、第十九条の六第二項、第十九条の九第一項、第三十条の三第二項	道路管理者は	国土交通大臣は
第十九条の三の三第一項	当該道路管理者	国土交通大臣
第十九条の三の三第二項及び第三項、第十九条の七、第十九条の九第二項及び第三項、第十九条の十、第十九条の十二から第十九条の十五まで、第三十条の四	道路管理者	国土交通大臣
第十九条の六第一項第一号及び第二項、第十九条の九第一項、第三十条の三第一項第一号及び第二項	当該道路管理者	関係地方整備局又は北海道開発局
第三十四条の三第二号	道路管理者又は法第十七条第四項の規定による歩道の新設等若しくは法第四十八条の二十	国土交通大臣

	二第一項の規定による歩行者利便増進改築等を行う指定市以外の市町村	
第三十七条	国道又は都道府県道を構成していた不用物件については四月とし、市町村道を構成していた不用物件については二月	四月

（車両制限令の規定の適用についての技術的読替え）

第一四条　法第二十五条第一項の規定による車両制限令（昭和三十六年政令第二百六十五号）の規定の適用については、同令第三条第一項第三号及び第四項、第七条第二項及び第三項並びに第十条から第十二条までの規定中「道路管理者」とあるのは、「国土交通大臣」とする。

附　則

（施行期日）

1　この政令は、公布の日から施行する。

（平成二十二年度の特例）

2　法附則第二項の規定により読み替えて適用する法第二十条第一項の政令で定める高速自動車国道を構成する施設又は工作物に係る工事は、次に掲げるものとする。

一　高速自動車国道を構成する施設又は工作物で災害により高速自動車国道の交通に支障を及ぼしているものに係る当該施設又は工作物の復旧のための工事（災害復旧に該当するものを除く。）

二　防雪のための施設その他の防護施設、橋その他の高速自動車国道を構成する施設又は工作物で、災害が発生した場合においては高速自動車国道の構造又は交通に支障を及ぼすおそれが大きいものに係る災害の防止又は軽減を図るための工事

三　前二号に掲げるもののほか、橋、トンネル、舗装その他の高速自動車国道を構成する施設又は工作物で、損傷、腐食その他の劣化により高速自動車国道の構造又は交通に支障を及ぼしており、又は及ぼすおそれが大きいものに係る当該施設又は工作物の機能を回復するための工事

3　第十一条第二項及び第三項の規定の平成二十二年度における適用については、同条第二項中「又は災害復旧」とあるのは「、災害復旧又は特定事業（附則第二項各号に掲げる工事（当該工事を施行するために必要な点検を含む。）をいう。次項において同じ。）」と、同条第三項中「又は災害復旧」とあるのは「、災害復旧又は特定事業」とする。

附　則〔略〕〔昭和三七・九・二九政令三九一〕

附　則〔略〕〔昭和四〇・二・一一政令一四〕

附　則〔略〕〔昭和四〇・三・二九政令五七〕

附　則〔略〕〔昭和四六・七・二二政令二五二〕

附　則〔略〕〔昭和五三・四・二五政令一四五〕

附　則〔昭和五九・五・一五政令一三九〕

1　この政令は、各種手数料等の額の改定及び規定の合理化に関する法律の施行の日（昭和五十九年五月二十一日）から施行する。

2　この政令の施行前にした都道府県知事に対するあつ旋の申請、建設大臣又は都道府県知事に対する事業の認定の申請、収用委員会に対する裁決の申請及び協議の確認の申請並びに建設大臣に対する特定公共事業の認定の申請に係る手数料の額については、なお従前の例による。

附　則〔略〕〔平成元・一二・二一政令三〇九〕

附　則〔略〕〔平成三・一〇・四政令三一七〕

附　則〔略〕〔平成六・九・一九政令三〇三〕

附　則〔略〕〔平成八・一〇・二五政令三〇八〕

附　則〔略〕〔平成一〇・八・二六政令二八九〕

附　則〔略〕〔平成一一・一一・一〇政令三五二〕

附　則〔略〕〔平成一二・六・七政令三一二〕

附　則〔略〕〔平成一四・一二・一八政令三八六〕

附　則〔略〕〔平成一五・五・一政二一二〕

附　則〔略〕〔平成一六・一二・八政令三八七〕

附　則〔略〕〔平成一七・六・一政令二〇三〕

附　則〔略〕〔平成一八・一一・一五政令三五七〕

附　則〔略〕〔平成一八・一一・一五政令三五八施行〕

附　則〔略〕〔平成一九・四・一政令一四二施行〕

附　則〔略〕〔平成一九・八・三政令二三五〕

附　則〔略〕〔平成一九・九・二五政令三〇四〕

附　則〔略〕〔平成二一・四・三〇政令一三〇施行〕

附　則〔略〕〔平成二二・三・三一政令七八〕

附　則〔略〕〔平成二三・一一・二八政令三六三〕

附　則〔略〕〔平成二五・八・二六政令二四三〕

附　則〔略〕〔平成二六・五・二八政令一八七〕

附　則〔略〕〔平成二七・一・二三政令二一〕

附　則〔略〕〔平成二七・一一・一八政令三八五施行〕

附　則〔略〕〔平成二八・三・三一政令一八二〕

附　則〔略〕〔平成二八・九・二八政令三一二〕

附　則〔略〕〔平成三〇・九・二八政令二八〇〕

附　則〔略〕〔平成三一・三・二〇政令四一施行〕

附　則〔略〕〔令和二・一一・二〇政令三二九〕

附　則〔略〕〔令和三・三・三一政令一三二〕

附　則〔略〕〔令和三・六・一八政令一七四〕

附　則〔略〕〔令和三・九・二四政令二六一〕

附　則〔令和三・一二・八政令三二五〕

この政令は、道路法等の一部を改正する法律附則第一条第二号に掲げる規定の施行の日（令和四年四月一日）から施行する。

○幹線道路の沿道の整備に関する法律

〔昭和五五・五・二
法律三四〕

改正　平成八・五法四八、平成一一・七法八七、一二法一六〇、平成一二・五法七三、平成一四・七法八五、平成一六・六法一〇二、法一〇九、法一一一、法一二四、平成一八・五法四六、六法五〇、平成二三・八法一〇五、平成二五・六法四四、平成二六・五法四二、平成二九・五法二六

目次

第一章　総則（第一条―第四条）
第二章　沿道整備道路の指定等（第五条―第八条）
第三章　沿道地区計画（第九条―第十条）
第三章の二　沿道整備権利移転等促進計画（第十条の二―第十条の八）
第四章　沿道整備促進のための助成等（第十一条―第十三条）
第四章の二　沿道整備推進機構（第十三条の二―第十三条の六）
第五章　雑則（第十四条―第十六条）
第六章　罰則（第十七条・第十八条）
附則

第一章　総則

（目的）

第一条　この法律は、道路交通騒音の著しい幹線道路の沿道について、沿道整備道路の指定、沿道地区計画の決定等に関し必要な事項を定めるとともに、沿道の整備を促進するための措置を講ずることにより、道路交通騒音により生ずる障害を防止し、あわせて適正かつ合理的な土地利用を図り、もつて円滑な道路交通の確保と良好な市街地の形成に資することを目的とする。

（定義）

第二条　この法律において次の各号に掲げる用語の意義は、それぞれ当該各号に定めるところによる。

一　道路　道路法（昭和二十七年法律第百八十号）による道路をいう。

二　沿道整備道路　第五条第一項の規定により指定された道路をいう。

三　道路管理者　高速自動車国道にあつては国土交通大臣（道路整備特別措置法（昭和三十一年法律第七号）第二十三条第一項第一号に規定する会社管理高速道路（以下この号において「会社管理高速道路」という。）にあつては、同法第二条第四項に規定する会社（以下この号において「会社」という。））、高速自動車国道以外の道路にあつては道路法第十八条第一項に規定する道路管理者（同法第十二条本文の規定により国土交通大臣が新設又は改築を行う同法第十三条第一項に規定する指定区間外の一般国道にあつては国土交通大臣、会社管理高速道路にあつては会社、道路整備特別措置法第三十一条第一項に規定する公社管理道路にあつては地方道路公社）をいう。

（道路管理者の責務）

第三条　道路管理者は、幹線道路の整備に当たつては、沿道における良好な生活環境の確保が図られるよう道路交通騒音により生ずる障害の防止等に努めなければならない。

（国及び地方公共団体の責務）

第四条　国及び地方公共団体は、幹線道路における円滑な交通及びその沿道における良好な生活環境が確保されるべきものであることにかんがみ、道路交通騒音により生ずる障害の防止と沿道の適正かつ合理的な土地利用が促進されるよう必要な施策の推進に努めるものとする。

第二章　沿道整備道路の指定等

（沿道整備道路の指定）

第五条　都道府県知事は、幹線道路網を構成する道路（高速自動車国道以外の道路にあつては、都市計画において定められたものに限る。第四項において同じ。）のうち次に掲げる条件に該当する道路について、道路交通騒音により生ずる障害の防止と沿道の適正かつ合理的な土地利用の促進を図るため必要があると認めるときは、区間を定めて、国土交通大臣に協議し、その同意を得て、沿道整備道路として指定することができる。

一　自動車交通量が特に大きいものとして政令で定める基準を超え、又は超えることが確実と見込まれるものであること。

二　道路交通騒音が沿道における生活環境に著しい影響を及ぼすおそれがあるものとして政令で定める基準を超え、又は超えることが確実と見込まれるものであること。

三　当該道路に隣接する地域における土地利用の現況及び推移からみて、当該地域に相当数の住居等が集合し、又は集合することが確実と見込まれるものであること。

2　前項の規定による指定は、当該道路及びこれと密接な関連を有する道路の整備の見通し等を考慮した上でなお必要があると認められる場合に限り、行うものとする。

3　都道府県知事は、第一項の規定による指定をするときは、あらかじめ、当該指定に係る道路及びこれと密接な関連を有する道路の道路管理者、関係市町村並びに都道府県公安委員会に協議しなければならない。

4　幹線道路網を構成する道路のうち第一項各号に掲げる条件に該当する道路の道路管理者又は関係市町村は、都道府県知事に対し、当該道路を沿道整備道路として指定するよう要請することができる。

5　都道府県知事は、第一項の規定による指定をしたときは、国土交通省令で定めるところにより、その路線名及び区間を公告しなければならない。

6　前各項の規定は、沿道整備道路の指定の変更又は解除について準用する。

（沿道整備道路の指定の特例）

第六条　前条第一項又は第四項の規定は、二以上の道路が相互に接し、又は重複する場合においては、これらの道路を一の道路とみなして適用する。

（道路交通騒音の減少等のための措置）

第七条　第五条第一項の規定により沿道整備道路が指定された場合には、当該沿道整備道路の道路管理者及び都道府県公安委員会は、当該沿道整備道路の構造、交通の状況等を勘案して当該沿道整備道路における道路交通騒音を減少させるために必要と認められる措置を講ずるものとする。

2　沿道整備道路の道路管理者は、前項に規定するもののほか、沿道の整備と併せて、道路交通騒音により生ずる障害の防止を促進するため必要な措置を講ずるものとする。

第七条の二　前条第一項の場合において、当該沿道整備道路の道路管理者及び都道府県公安委員会は、協議により、当該沿道整備道路における道路交通騒音の減少に関する計画（以下この条において「道路交通騒音減少計画」という。）を定めることができる。

2　道路交通騒音減少計画においては、おおむね次に掲げる事項を定めるものとする。

一　沿道整備道路における道路交通騒音を減少させるための措置の実施に関する方針

二　次に掲げる事項のうち、沿道整備道路においてその構造、交通の状況等を勘案して必要と認められるもの

イ　遮音壁、植樹帯等の設置その他の沿道における道路交通騒音を減少させるための措置に関する事項

ロ　道路の舗装の構造の改善、交差点又はその付近における道路の改築、交通の規制その他の道路交通騒音の発生を減少させるための措置に関する事項

3　沿道整備道路の道路管理者及び都道府県公安委員会は、道路交通騒音減少計画を定めたときは、遅滞なく、これを公表するよう努めるとともに、都道府県知事に通知しなければならない。

4　前二項の規定は、道路交通騒音減少計画の変更について準用する。

5　道路交通騒音減少計画に定められた措置に関する事項に従つて行う行為については、道路法第九十五条の二（高速自動車国道法（昭和三十二年法律第七十九号）第二十四条の二において準用する場合を含む。）並びに道路交通法（昭和三十五年法律第百五号）第百十条の二第三項及び第四項の規定は、適用しない。

（沿道整備協議会）

第八条　第五条第一項の規定により沿道整備道路が指定された場合には、道路交通騒音により生ずる障害の防止と沿道の適正かつ合理的な土地利用の促進を図るため、当該沿道整備道路及びその沿道の整備に関し必要となるべき措置について協議するため、都道府県知事、都道府県公安委員会、関係市町村及び当該沿道整備道路の道路管理者（以下この項において「都道府県知事等」という。）は、沿道整備協議会（以下この条において「協議会」という。）を組織することができる。この場合において、都道府県知事等は、必要と認めるときは、協議して、協議会に国の地方行政機関を加えることができる。

2　前項前段の協議を行うための会議において協議が調つた事項については、協議会の構成員は、その協議の結果を尊重しなければならない。

3　協議会の庶務は、都道府県知事が統轄する都道府県において処理する。

4　前三項に定めるもののほか、協議会の運営に関し必要な事項は、協議会が定める。

第三章　沿道地区計画

（沿道地区計画）

第九条　都市計画法（昭和四十三年法律第百号）第五条の規定により指定された都市計画区域（同法第七条第一項の規定による市街化区域以外の地域にあつては、政令で定める地域に限る。）内において、沿道整備道路に接続する土地の区域で、道路交通騒音により生ずる障害の防止と適正かつ合理的な土地利用の促進を図るため、一体的かつ総合的に市街地を整備することが適切であると認められるものについては、都市計画に沿道地区計画を定めることができる。

2　沿道地区計画については、都市計画法第十二条の四第二項に定める事項のほか、都市計画に、第一号に掲げる事項を定めるものとするとともに、第二号に掲げる事項を定めるよう努めるものとする。

一　緑地その他の緩衝空地及び主として当該区域内の居住者等の利用に供される道路その他政令で定める施設（都市計画施設（都市計画法第四条第六項に規定する都市計画施設をいう。以下同じ。）を除く。以下「沿道地区施設」という。）並びに建築物その他の工作物（以下「建築物等」という。）の整備並びに土地の利用その他の沿道の整備に関する計画（以下「沿道地区整備計画」という。）

二　沿道の整備に関する方針

3　次に掲げる条件に該当する土地の区域における沿道地区計画については、土地の合理的かつ健全な高度利用と都市機能の増進とを図るため、一体的かつ総合的な市街地の再開発又は開発整備を実施すべき区域（以下「沿道再開発等促進区」という。）を都市計画に定めることができる。

一　現に土地の利用状況が著しく変化しつつあり、又は著しく変化することが確実であると見込まれる区域であること。

二　土地の合理的かつ健全な高度利用を図る上で必要となる適正な配置及び規模の公共施設（都市計画法第四条第十四項に規定する公共施設をいう。以下同じ。）がない区域であること。

三　当該区域内の土地の高度利用を図ることが、当該都市の機能の増進に貢献すること。

四　用途地域（都市計画法第八条第一項第一号に規定する用途地域をいう。以下同じ。）が定められている区域であること。

4　沿道再開発等促進区を定める沿道地区計画においては、第二項各号に掲げるもののほか、都市計画に、第一号に掲げる事項を定めるものとするとともに、第二号に掲げる事項を定めるよう努めるものとする。

一　道路、公園その他の政令で定める施設（都市計画施設及び沿道地区施設を除く。）の配置及び規模

二　土地利用に関する基本方針

5　沿道再開発等促進区を都市計画に定める際、当該沿道再開発等促進区について、当面建築物又はその敷地の整備と併せて整備されるべき公共施設の整備に関する事業が行われる見込みがないときその他前項第一号に規定する施設の配置及び規模を定めることができない特別の事情があるときは、当該沿道再開発等促進区について同号に規定する施設の配置及び規模を定めることを要しない。

6　沿道地区整備計画においては、次に掲げる事項を定めることができる。

一　沿道地区施設の配置及び規模

二　建築物の沿道整備道路に係る間口率（建築物の沿道整備道路に面する部分の長さの敷地の沿道整備道路に接する部分の長さに対する割合をいう。以下同じ。）の最低限度、建築物の構造に関する防音上又は遮音上必要な制限、建築物等の高さの最高限度又は最低限度、壁面の位置の制限、壁面後退区域（壁面の位置の制限として定められた限度の線と敷地境界線との間の土地の区域をいう。以下同じ。）における工作物の設置の制限、建築物の容積率（延べ面積の敷地面積に対する割合をいう。以下同じ。）の最高限度又は最低限度、建築物の建ぺい率（建築面積の敷地面積に対する割合をいう。以下同じ。）の最高限度、建築物等の用途の制限、建築物の敷地面積又は建築面積の最低限度、建築物等の形態又は色彩その他の意匠の制限、建築物の緑化率（都市緑地法（昭和四十八年法律第七十二号）第三十四条第二項に規定する緑化率をいう。）の最低限度その他建築物等に関する事項で政令で定めるもの

三　現に存する樹林地、草地等で良好な居住環境を確保するため必要なものの保全に関する事項

四　前三号に掲げるもののほか、土地の利用に関する事項その他の沿道の整備に関する事項で政令で定めるもの

7　沿道地区計画を都市計画に定めるに当たつては、次に掲げるところに従わなければならない。

一　当該区域及びその周辺の地域の土地利用の状況及びその見通しを勘案し、これらの地域について道路交通騒音により生ずる障害を防止し、又は軽減するため、必要に応じ、遮音上有効な機能を有する建築物等又は緑地その他の緩衝空地が沿道整備道路等に面して整備されるとともに、当該道路に面する建築物その他道路交通騒音が著しい土地の区域内に存する建築物について、道路交通騒音により生ずる障害を防止し、又は軽減するため、防音上有効な構造となるように定めること。

二　当該区域が、前号に掲げるところに従つて都市計画に定められるべき事項の内容を考慮し、当該区域及びその周辺において定められている他の都市計画と併せて効果的な配置及び規模の公共施設を備えた健全な都市環境のものとなるように定めること。

三　建築物等が、都市計画上幹線道路の沿道としての当該区域の特性にふさわしい用途、容積、高さ、配列等を備えた適正かつ合理的な土地の利用形態となるように定めること。

四　沿道再開発等促進区は、建築物及びその敷地の整備並びに公共施設の整備を一体として行うべき土地の区域としてふさわしいものとなるように定めること。

8　沿道地区計画を都市計画に定める際、当該沿道地区計画の区域の全部又は一部について沿道地区整備計画を定めることができない特別の事情があるときは、当該区域の全部又は一部について沿道地区整備計画を定めることを要しない。この場合において、沿道地区計画の区域の一部について沿道地区整備計画を定めるときは、当該沿道地区計画については、沿道地区整備計画の区域をも都市計画に定めなければならない。

（建築物の容積率の最高限度を区域の特性に応じたものと公共施設の整備状況に応じたものとに区分して定める沿道地区整備計画）

第九条の二　沿道地区整備計画においては、適正な配置及び規模の公共施設がない土地の区域において適正かつ合理的な土地利用の促進を図るため特に必要であると認められるときは、前条第六項第二号の建築物の容積率の最高限度について次の各号に掲げるものごとに数値を区分し、第一号に掲げるものの数値を第二号に掲げるものの数値を超えるものとして定めるものとする。

一　当該沿道地区整備計画の区域の特性（沿道再開発等促進区にあつては、土地利用に関する基本方針に従つて土地利用が変化した後の区域の特性）に応じたもの

二　当該沿道地区整備計画の区域内の公共施設の整備の状況に応じたもの

（区域を区分して建築物の容積を適正に配分する沿道地区整備計画）

第九条の三　沿道地区整備計画（沿道再開発等促進区におけるものを除く。以下この条において同じ。）においては、用途地域内の適正な配置及び規模の公共施設を備えた土地の区域において建築物の容積を適正に配分することが当該沿道地区整備計画の区域の特性に応じた合理的な土地利用の促進を図るため特に必要であると認められるときは、当該沿道地区整備計画の区域を区分して第九条第六項第二号の建築物の容積率の最高限度を定めるものとする。この場合において、当該沿道地区整備計画の区域を区分して定められた建築物の容積率の最高限度の数値にそれぞれの数値の定められた区域の面積を乗じたものの合計は、当該沿道地区整備計画の区域内の

都市計画法第八条第三項第二号イの規定により用途地域において定められた建築物の容積率の数値に当該数値の定められた区域の面積を乗じたものの合計を超えてはならない。

（高度利用と都市機能の更新とを図る沿道地区整備計画）

第九条の四　沿道地区整備計画（沿道再開発等促進区におけるものを除く。）においては、用途地域（都市計画法第八条第一項第一号に規定する第一種低層住居専用地域、第二種低層住居専用地域及び田園住居地域を除く。）内の適正な配置及び規模の公共施設を備えた土地の区域において、その合理的かつ健全な高度利用と都市機能の更新とを図るため特に必要であると認められるときは、建築物の容積率の最高限度及び最低限度（建築物の沿道整備道路に係る間口率の最低限度及び建築物の高さの最低限度が定められている場合にあつては、建築物の容積率の最低限度を除く。）、建築物の建蔽率の最高限度、建築物の建築面積の最低限度並びに壁面の位置の制限（壁面の位置の制限にあつては、敷地内に道路（都市計画において定められた計画道路及び沿道地区施設である道路その他政令で定める施設を含む。以下この条において同じ。）に接して有効な空間を確保して市街地の環境の向上を図るため必要な場合における当該道路に面する壁面の位置を制限するもの（これを含む壁面の位置の制限を含む。）に限る。）を定めるものとする。

（住居と住居以外の用途とを適正に配分する沿道地区整備計画）

第九条の五　沿道地区整備計画においては、住居と住居以外の用途とを適正に配分することが当該沿道地区整備計画の区域の特性（沿道再開発等促進区にあつては、土地利用に関する基本方針に従つて土地利用が変化した後の区域の特性）に応じた合理的な土地利用の促進を図るため特に必要であると認められるときは、第九条第六項第二号の建築物の容積率の最高限度について次の各号に掲げるものごとに数値を区分し、第一号に掲げるものの数値を第二号に掲げるものの数値以上のものとして定めるものとする。

一　その全部又は一部を住宅の用途に供する建築物に係るもの

二　その他の建築物に係るもの

（区域の特性に応じた高さ、配列及び形態を備えた建築物の整備を誘導する沿道地区整備計画）

第九条の六　沿道地区整備計画においては、当該沿道地区整備計画の区域の特性（沿道再開発等促進区にあつては、土地利用に関する基本方針に従つて土地利用が変化した後の区域の特性）に応じた高さ、配列及び形態を備えた建築物を整備することが合理的な土地利用の促進を図るため特に必要であると認められるときは、壁面の位置の制限（道路（都市計画において定められた計画道路及び第九条第四項第一号に規定する施設又は沿道地区施設である道路その他政令で定める施設を含む。）に面する壁面の位置を制限するものを含むものに限る。）、壁面後退区域における工作物の設置の制限（当該壁面後退区域において連続的に有効な空地を確保するため必要なものを含むものに限る。）及び建築物の高さの最高限度を定めるものとする。

（行為の届出等）

第一〇条　沿道地区計画の区域（第九条第四項第一号に規定する施設の配置及び規模が定められている沿道再開発等促進区又は沿道地区整備計画が定められている区域に限る。）内において、土地の区画形質の変更、建築物等の新築、改築又は増築その他政令で定める行為を行おうとする者は、当該行為に着手する日の三十日前までに、国土交通省令で定めるところにより、行為の種類、場所、設計又は施行方法、着手予定日その他の国土交通省令で定める事項を市町村長に届け出なければならない。ただし、次に掲げる行為については、この限りでない。

一　通常の管理行為、軽易な行為その他の行為で政令で定めるもの

二　非常災害のため必要な応急措置として行う行為

三　国又は地方公共団体が行う行為

四　都市計画事業の施行として行う行為又はこれに準ずる行為として政令で定める行為

五　都市計画法第二十九条第一項の許可を要する行為その他政令で定める行為

六　第十条の四の規定による公告があつた沿道整備権利移転等促進計画の定めるところによつて設定され、又は移転された次条第一項の権利に係る土地において当該沿道整備権利移転等促進計画に定められた土地の区画形質の変更、建築物等の新築、改築又は増築その他同条第二項第六号の国土交通省令で定める行為に関する事項に従つて行う行為

2　前項の規定による届出をした者は、その届出に係る事項のうち国土交通省令で定める事項を変更しようとするときは、当該事項の変更に係る行為に着手する日の三十日前までに、国土交通省令で定めるところにより、その旨を市町村長に届け出なければならない。

3　市町村長は、第一項又は前項の規定による届出があつた場合において、その届出に係る行為が沿道地区計画に適合しないと認めるときは、その届出をした者に対し、その届出に係る行為に関し、設計の変更その他の必要な措置を執ることを勧告することができる。この場合において、道路交通騒音により生ずる障害の防止又は軽減を図るため必要があると認めるときは、沿道地区計画に定められた事項その他の事項に関し、適切な措置を執ることについて指導又は助言をするものとする。

第三章の二　沿道整備権利移転等促進計画

（沿道整備権利移転等促進計画の作成等）

第一〇条の二　市町村は、道路交通騒音により生ずる障害の防止と適正かつ合理的な土地利用の促進を図るため、沿道地区計画の区域内の土地（国又は地方公共団体が所有する土地で公共施設の用に供されているもの、農地その他の政令で定める土地を除く。次条において同じ。）を対象として、所有権の移転又は地上権若しくは賃借権（臨時設備その他一時使用のためのものであることが明らかなものを除く。次項第五号、次条及び第十条の五において同じ。）の設定若しくは移転（以下この章において「権利の移転等」という。）を促進する事業を行おうとするときは、沿道整備権利移転等促進計画を定めることができる。

2　沿道整備権利移転等促進計画においては、第一号から第六号までに掲げる事項を定めるものとするとともに、第七号に掲げる事項を定めることができる。

一　権利の移転等を受ける者の氏名又は名称及び住所

二　前号に規定する者が権利の移転等を受ける土地の所在、地番、地目及び面積

三　第一号に規定する者に前号に規定する土地について権利の移転等を行う者の氏名又は名称及び住所

四　第一号に規定する者が移転を受ける所有権の移転の後における土地の利用目的並びに当該所有権の移転の時期並びに移転の対価及びその支払の方法

五　第一号に規定する者が設定又は移転を受ける地上権又は賃借権の種類、内容（土地の利用目的を含む。）、始期又は移転の時期、存続期間又は残存期間並びに地代又は借賃及びその支払の方法

六　権利の移転等が行われた後に第二号に規定する土地において行われることとなる土地の区画形質の変更、建築物等の新築、改築又は増築その他国土交通省令で定める行為の種類、場所、設計又は施行方法、着手予定日その他の国土交通省令で定める事項

七　その他権利の移転等に係る法律関係に関する事項として国土交通省令で定める事項

3　沿道整備権利移転等促進計画は、次に掲げる要件に該当するものでなければならない。

一　沿道整備権利移転等促進計画の内容が沿道地区計画に適合するものであること。

二　沿道整備権利移転等促進計画において、道路交通騒音により生ずる障害の防止と適正かつ合理的な土地利用の促進を図るための権利の移転等で次に掲げるもののいずれかが定められていること。

イ　遮音上有効な機能を有する建築物等の新築その他沿道における適正かつ合理的な土地利用を図るための行為で国土交通省令で定めるものを伴う権利の移転等（ロに該当するものを除く。）

ロ　沿道地区施設の整備を図るため行う権利の移転等又はこれと併せて行う当該権利の移転等を円滑に推進するために必要な権利の移転等

三　前項第二号に規定する土地ごとに、同項第一号に規定する者並びに当該土地について所有権、地上権、質権、賃借権、使用貸借による権利又はその他の使用及び収益を目的とする権利を有する者のすべての同意が得られていること。

四　前項第二号に規定する土地に存する建物その他の土地に定着する物件ごとに、当該物件について所有権、質権、賃借権、使用貸借による権利又はその他の使用及び収益を目的とする権利を有する者並びに当該物件

について先取特権若しくは抵当権の登記、仮登記、買戻しの特約その他権利の消滅に関する事項の定めの登記又は処分の制限の登記に係る権利を有する者のすべての同意が得られていること。

五　前項第一号に規定する者が、権利の移転等が行われた後において、同項第二号に規定する土地を同項第四号又は第五号に規定する土地の利用目的に即して適正かつ確実に利用することができると認められること。

4　市町村（地方自治法（昭和二十二年法律第六十七号）第二百五十二条の十九第一項の指定都市又は同法第二百五十二条の二十二第一項の中核市（第十条の七において「指定都市等」という。）を除く。）は、第一項の規定により沿道整備権利移転等促進計画を定めようとする場合において、第二項第二号に規定する土地の全部又は一部が市街化調整区域（都市計画法第七条第一項の規定による市街化調整区域をいう。第十条の七第二項において同じ。）内にあり、かつ、権利の移転等が行われた後において、同法第二十九条第一項又は同法第四十三条第一項の規定による許可を要する行為（次項において「特定行為」という。）が行われることとなるときは、当該沿道整備権利移転等促進計画について、国土交通省令で定めるところにより、あらかじめ都道府県知事に協議し、その同意を得なければならない。

5　都道府県知事は、前項の協議があつた場合において、沿道整備権利移転等促進計画に定められた特定行為が第二項第二号に規定する土地の区域の周辺における市街化を促進するおそれがないと認められ、かつ、都市計画法第七条第一項の規定による市街化区域内において行うことが困難又は著しく不適当と認められるときは、前項の同意をするものとする。

（沿道整備権利移転等促進計画の作成の要請）

第一〇条の三　沿道地区計画の区域内の土地について所有権、地上権又は賃借権を有する者及び当該土地について権利の移転等を受けようとする者は、その全員の合意により、前条第二項各号に掲げる事項を内容とする協定を締結した場合において、同条第三項第三号及び第四号に規定する者のすべての同意を得たときは、国土交通省令で定めるところにより、その協定の目的となつている土地につき、沿道整備権利移転等促進計画を定めるべきことを市町村に対し要請することができる。

（沿道整備権利移転等促進計画の公告）

第一〇条の四　市町村は、沿道整備権利移転等促進計画を定めたときは、国土交通省令で定めるところにより、遅滞なく、その旨を公告しなければならない。

（公告の効果）

第一〇条の五　前条の規定による公告があつたときは、その公告があつた沿道整備権利移転等促進計画の定めるところによつて所有権が移転し、又は地上権若しくは賃借権が設定され、若しくは移転する。

（登記の特例）

第一〇条の六　第十条の四の規定による公告があつた沿道整備権利移転等促進計画に係る土地の登記については、政令で、不動産登記法（平成十六年法律第百二十三号）の特例を定めることができる。

（開発許可の特例）

第一〇条の七　第十条の四の規定による公告があつた沿道整備権利移転等促進計画（指定都市等以外の市町村が定めたものにあつては、第十条の二第四項の同意を得たものに限る。次項において同じ。）に定められた事項に従つて行われる都市計画法第四条第十二項に規定する開発行為（同法第三十四条各号に掲げるものを除く。）は、同法第三十四条の規定の適用については、同条第十四号に掲げる開発行為とみなす。

2　都道府県知事又は指定都市等の長は、市街化調整区域のうち都市計画法第二十九条第一項の規定による許可を受けた同法第四条第十三項に規定する開発区域以外の区域内において、第十条の四の規定による公告があつた沿道整備権利移転等促進計画に定められた事項に従つて行われる建築行為等（建築物の新築、改築若しくは用途の変更又は同法第四条第十一項に規定する第一種特定工作物の新設をいう。以下この項において同じ。）について、同法第四十三条第一項の規定による許可の申請があつた場合において、当該申請に係る建築行為等が同条第二項の政令で定める許可の基準のうち同法第三十三条に規定する開発許可の基準の例に準じて定められた基準に適合するときは、その許可をしなければならない。

（勧告）

第一〇条の八　市町村は、権利の移転等を受けた者が沿道整備権利移転等促進計画に定められた土地の利用目的に従つて土地を利用していないと認めるときは、当該権利の移転等を受けた者に対し、相当の期限を定めて、当該沿道整備権利移転等促進計画に定められた事項の適正かつ確実な実施を図るために必要な措置を講ずべきことを勧告することができる。

第四章　沿道整備促進のための助成等

（土地の買入れに関する資金の貸付け）

第一一条　国は、市町村が沿道地区計画の区域内の土地のうち道路交通騒音により生ずる障害の防止又は軽減と当該区域の計画的な整備を図るために有効に利用できる土地で政令で定めるものを買い入れる場合には、当該市町村に対し、その土地の取得に要する費用に充てる資金の額の三分の二以内の金額を無利子で貸し付けることができる。

2　前項の規定による貸付金の償還期間及び償還方法については、政令で定める。

3　市町村は、第一項の規定による貸付けに係る土地をこの法律の目的に従つて適切に管理しなければならない。

（緩衝建築物の建築等に要する費用の負担）

第一二条　沿道地区計画の区域内において、遮音上有効な機能を有する建築物として国土交通省令で定めるもので沿道地区計画に適合するものを建築する者は、沿道整備道路の道路管理者に対し、道路交通騒音により生ずる障害の防止又は軽減について遮音上当該建築物の建築により得られる効用の限度内において、政令で定めるところにより、当該建築物の建築及びその敷地の整備に要する費用の一部を負担することを求めることができる。

2　前項の規定による費用の負担を求めようとする者は、あらかじめ、道路管理者に当該建築物を建築する旨の申出をし、当該費用の額及びその負担の方法について道路管理者と協議しなければならない。

（防音構造化の促進等）

第一三条　道路管理者は、沿道地区整備計画の区域内において建築基準法（昭和二十五年法律第二百一号）第六十八条の二第一項の規定に基づく条例により建築物の構造に関する防音上の制限が定められた際、当該制限が定められた区域内に現に存する人の居住の用に供する建築物又はその部分（以下この条において「特定住宅」という。）について、その所有者又は当該特定住宅に関する所有権以外の権利を有する者が防音上有効な構造とするために行う工事に関し、必要な助成その他その促進のための措置を講ずるものとする。

2　道路管理者は、特定住宅の所有者が、当該特定住宅を、前項の制限が定められた区域外に移転し、又は除却する場合には、当該特定住宅の所有者及び当該特定住宅に関する所有権以外の権利を有する者に対し、政令で定めるところにより、予算の範囲内において、当該移転又は除却に関し、必要な助成措置を講ずることができる。

3　国は、前二項の措置に関し、その費用を負担する地方公共団体に対し、予算の範囲内において、必要な財政上の措置を執ることができる。

第四章の二　沿道整備推進機構

（沿道整備推進機構の指定）

第一三条の二　市町村長は、一般社団法人又は一般財団法人であつて、次条に規定する業務を適正かつ確実に行うことができると認められるものを、その申請により、沿道整備推進機構（以下「機構」という。）として指定することができる。

2　市町村長は、前項の規定による指定をしたときは、当該機構の名称、住所及び事務所の所在地を公示しなければならない。

3　機構は、その名称、住所又は事務所の所在地を変更しようとするときは、あらかじめ、その旨を市町村長に届け出なければならない。

4　市町村長は、前項の届出があつたときは、当該届出に係る事項を公示しなければならない。

（機構の業務）

第一三条の三　機構は、次に掲げる業務を行うものとする。

一　幹線道路の沿道の整備に関する事業を行う者に対し、情報の提供、相談その他の援助を行うこと。

二　沿道地区計画の区域内において、第十二条第一項に規定する建築物を建築すること又は当該建築物の建築に関する事業に参加すること。

三　第十一条第一項に規定する土地の取得、管理及び譲渡を行うこと。

四　幹線道路の沿道の整備の推進に関する調査研究を行うこと。
五　前各号に掲げるもののほか、幹線道路の沿道の整備を推進するために必要な業務を行うこと。

（資金の貸付け等）
第一三条の四　国は、市町村が機構に対し第十一条第一項に規定する土地の取得に要する費用に充てる資金を無利子で貸し付ける事業を行うときは、当該市町村に対し、当該事業に必要な資金の額の三分の二以内の金額を無利子で貸し付けることができる。
2　前項の規定による国の貸付金の償還期間及び償還方法については、政令で定める。
3　機構は、買い入れた土地で第一項の規定による国の貸付けに係るものをこの法律の目的に従つて適切に管理し、又は譲渡しなければならない。

（監督等）
第一三条の五　市町村長は、第十三条の三各号に掲げる業務の適正かつ確実な実施を確保するため必要があると認めるときは、機構に対し、その業務に関し報告をさせることができる。
2　市町村長は、機構が第十三条の三各号に掲げる業務を適正かつ確実に実施していないと認めるときは、機構に対し、その業務の運営の改善に関し必要な措置をとるべきことを命ずることができる。
3　市町村長は、機構が前項の規定による命令に違反したときは、第十三条の二第一項の指定を取り消すことができる。
4　市町村長は、前項の規定により指定を取り消したときは、その旨を公示しなければならない。
5　第三項の規定により第十三条の二第一項の指定を取り消した場合における第十一条第一項に規定する土地の取得に係る業務に関する所要の経過措置は、合理的に必要と判断される範囲内において、政令で定めることができる。

（情報の提供等）
第一三条の六　国及び地方公共団体は、機構に対し、その業務の実施に関し必要な情報の提供又は指導及び助言を行うものとする。
2　沿道整備道路の道路管理者は、機構に対し、その業務の円滑な実施が図られるように、必要な協力を行うものとする。

第五章　雑則

（権限の委任）
第一四条　この法律に規定する国土交通大臣の権限は、政令で定めるところにより、地方整備局長又は北海道開発局長に委任することができる。

（政令への委任）
第一五条　この法律に定めるもののほか、この法律の実施のため必要な事項は、政令で定める。

（経過措置）
第一六条　この法律の規定に基づき政令又は国土交通省令を制定し、又は改廃する場合においては、それぞれ、政令又は国土交通省令で、その制定又は改廃に伴い合理的に必要と判断される範囲内において、所要の経過措置（罰則に関する経過措置を含む。）を定めることができる。

第六章　罰則

第一七条　第十条第一項又は第二項の規定に違反して、届出をせず、又は虚偽の届出をした者は、二十万円以下の罰金に処する。
第一八条　法人の代表者又は法人若しくは人の代理人、使用人その他の従業者が、その法人又は人の業務又は財産に関して前条の違反行為をしたときは、行為者を罰するほか、その法人又は人に対して各本条の罰金刑を科する。

附　則〔抄〕

（施行期日）
第一条　この法律は、公布の日から起算して六月を超えない範囲内において政令で定める日から施行する。
〔昭和五五政二七二により、昭和五五・一〇・二五から施行〕

附　則〔抄〕〔平成八・五・二四法律四八〕

（施行期日）
1　この法律は、公布の日から起算して六月を超えない範囲内において政令で定める日から施行する。
〔平成八政三〇七により、平成八・一一・一〇から施行〕

（経過措置）
2　この法律の施行の際現にこの法律による改正前の幹線道路の沿道の整備に関する法律（以下「旧法」という。）の規定により定められている沿道整備計画に関する都市計画は、この法律による改正後の幹線道路の沿道の整備に関する法律（以下「新法」という。）の規定により定められた沿道地区計画でその区域の全部について沿道地区整備計画が定められているものに関する都市計画とみなす。
3　旧法の規定により沿道整備計画に関する都市計画に関してした手続、処分その他の行為は、新法の規定により沿道地区計画に関する都市計画に関してした手続、処分その他の行為とみなす。
4　この法律の施行の際現に旧法の規定により定められている沿道整備計画の区域は、新法の規定により定められた沿道地区計画の区域で沿道地区整備計画が定められている区域とみなす。
5　旧法第十三条第一項に規定する区域内において同項の制限が定められた際、当該制限が定められた区域内に現に存する人の居住の用に供する建築物又はその部分は、新法第十三条第一項に規定する特定住宅に該当するものとみなす。
6　この法律の施行前にした行為に対する罰則の適用については、なお従前の例による。

附　則〔抄〕〔平成一一・七・一六法律八七〕

（施行期日）
第一条　この法律は、平成十二年四月一日から施行する。ただし、次の各号に掲げる規定は、当該各号に定める日から施行する。
一　〔前略〕附則〔中略〕第百六十条、第百六十三条、第百六十四条並びに第二百二条の規定　公布の日
二～六　〔略〕

（幹線道路の沿道の整備に関する法律の一部改正に伴う経過措置）
第一四六条　施行日前に第四百四十八条の規定による改正前の幹線道路の沿道の整備に関する法律第五条第一項又は第十条の二第四項の規定によりされた承認又はこの法律の施行の際現にこれらの規定によりされている承認の申請は、それぞれ第四百四十八条の規定による改正後の幹線道路の沿道の整備に関する法律第五条第一項又は第十条の二第四項の規定によりされた同意又は協議の申出とみなす。

（国等の事務）
第一五九条　この法律による改正前のそれぞれの法律に規定するもののほか、この法律の施行前において、地方公共団体の機関が法律又はこれに基づく政令により管理し又は執行する国、他の地方公共団体その他公共団体の事務（附則第百六十一条において「国等の事務」という。）は、この法律の施行後は、地方公共団体が法律又はこれに基づく政令により当該地方公共団体の事務として処理するものとする。

（処分、申請等に関する経過措置）
第一六〇条　この法律（附則第一条各号に掲げる規定については、当該各規定。以下この条及び附則第百六十三条において同じ。）の施行前に改正前のそれぞれの法律の規定によりされた許可等の処分その他の行為（以下この条において「処分等の行為」という。）又はこの法律の施行の際現に改正前のそれぞれの法律の規定によりされている許可等の申請その他の行為（以下この条において「申請等の行為」という。）で、この法律の施行の日においてこれらの行為に係る行政事務を行うべき者が異なることとなるものは、附則第二条から前条までの規定又は改正後のそれぞれの法律（これに基づく命令を含む。）の経過措置に関する規定に定めるものを除き、この法律の施行の日以後における改正後のそれぞれの法律の適用については、改正後のそれぞれの法律の相当規定によりされた処分等の行為又は申請等の行為とみなす。
2　この法律の施行前に改正前のそれぞれの法律の規定により国又は地方公共団体の機関に対し報告、届出、提出その他の手続をしなければならない事項で、この法律の施行の日前にその手続がされていないものについては、この法律及びこれに基づく政令に別段の定めがあるもののほか、これを、改正後のそれぞれの法律の相当規定により国又は地方公共団体の相当の機関に対して報告、届出、提出その他の手続をしなければならない事項についてその手続がされていないものとみなして、この法律による改正後のそれぞれの法律の規定を適用する。

（不服申立てに関する経過措置）

第一六一条　施行日前にされた国等の事務に係る処分であって、当該処分をした行政庁（以下この条において「処分庁」という。）に施行日前に行政不服審査法に規定する上級行政庁（以下この条において「上級行政庁」という。）があったものについての同法による不服申立てについては、施行日以後においても、当該処分庁に引き続き上級行政庁があるものとみなして、行政不服審査法の規定を適用する。この場合において、当該処分庁の上級行政庁とみなされる行政庁は、施行日前に当該処分庁の上級行政庁であった行政庁とする。

２　前項の場合において、上級行政庁とみなされる行政庁が地方公共団体の機関であるときは、当該機関が行政不服審査法の規定により処理することとされる事務は、新地方自治法第二条第九項第一号に規定する第一号法定受託事務とする。

（手数料に関する経過措置）

第一六二条　施行日前においてこの法律による改正前のそれぞれの法律（これに基づく命令を含む。）の規定により納付すべきであった手数料については、この法律及びこれに基づく政令に別段の定めがあるもののほか、なお従前の例による。

（罰則に関する経過措置）

第一六三条　この法律の施行前にした行為に対する罰則の適用については、なお従前の例による。

（その他の経過措置の政令への委任）

第一六四条　この附則に規定するもののほか、この法律の施行に伴い必要な経過措置（罰則に関する経過措置を含む。）は、政令で定める。

２　（略）

附　則〔略〕〔平成一一・一二・二二法律一六〇〕

附　則〔略〕〔平成一二・五・一九法律七三〕

附　則〔抄〕〔平成一四・七・一二法律八五〕

（施行期日）

第一条　この法律は、公布の日から起算して六月を超えない範囲内において政令で定める日から施行する。〔以下略〕

〔平成一四政三三〇により、平成一五・一・一から施行〕

（罰則に関する経過措置）

第五条　この法律の施行前にした行為に対する罰則の適用については、なお従前の例による。

附　則〔略〕〔平成一六・六・九法律一〇二〕

附　則〔略〕〔平成一六・六・一八法律一〇九〕

附　則〔抄〕〔平成一六・六・一八法律一一一〕

（施行期日）

第一条　この法律〔中略〕は、景観法附則ただし書に規定する日〔平成一七・六・一〕から施行する。

（罰則に関する経過措置）

第五条　この法律の施行前にした行為に対する罰則の適用については、なお従前の例による。

（政令への委任）

第六条　附則第二条から前条までに定めるもののほか、この法律の施行に関して必要な経過措置は、政令で定める。

附　則〔略〕〔平成一六・六・一八法律一二四〕

附　則〔略〕〔平成一八・五・三一法律四六〕

附　則〔略〕〔平成一八・六・二法律五〇〕

附　則〔抄〕〔平成二三・八・三〇法律一〇五〕

（施行期日）

第一条　この法律は、公布の日から施行する。〔以下略〕

（罰則に関する経過措置）

第八一条　この法律（附則第一条各号に掲げる規定にあっては、当該規定。以下この条において同じ。）の施行前にした行為及びこの附則の規定によりなお従前の例によることとされる場合におけるこの法律の施行後にした行為に対する罰則の適用については、なお従前の例による。

（政令への委任）

第八二条　この附則に規定するもののほか、この法律の施行に関し必要な経過措置（罰則に関する経過措置を含む。）は、政令で定める。

附　則〔略〕〔平成二五・六・一四法律四四施行〕

附　則〔略〕〔平成二六・五・三〇法律四二〕

附　則〔抄〕〔平成二九・五・一二法律二六〕

（施行期日）

第一条　この法律〔中略〕は、当該各号に定める日から施行する。

一　附則第二十五条の規定　公布の日

二　〔前略〕附則第三条第二項、第六条、第七条、第十条、第十三条〔中略〕の規定　公布の日から起算して一年を超えない範囲内において政令で定める日

〔平成二九政一五五により、平成三〇・四・一から施行〕

（政令への委任）

第二五条　この附則に定めるもののほか、この法律の施行に関し必要な経過措置は、政令で定める。

○道路整備事業に係る国の財政上の特別措置に関する法律〔昭和三三・三・三一法律三四〕

改正　昭和三三・三法三六、昭和三四・四法九五、昭和三六・三法五二、昭和三九・三法三四、七法一六三、昭和四〇・一二法一五六、昭和四二・七法五二、昭和四五・五法六三、昭和四八・六法三六、昭和四九・六法九八、昭和五三・三法一六、昭和五八・三法二一、昭和六〇・四法二五、五法三七、昭和六一・二法二一、五法四六、昭和六三・三法八、平成元・四法二二、平成三・三法一五、平成五・三法一六、平成一〇・三法三三、平成一一・一二法一六〇、平成一五・三法二一、平成二〇・五法三一、平成二一・四法二八、平成二三・五法四二、八法一〇五、平成二五・六法三〇、平成二六・六法五三、法六七、平成三〇・三法六、令和二・五法三一、令和五・六法四三

（目的）

第一条　この法律は、道路（道路法（昭和二十七年法律第百八十号）による道路をいう。以下同じ。）の交通の安全の確保とその円滑化を図るとともに、生活環境の改善に資するため、道路の改築に関する国の負担又は補助の割合の特例その他道路整備事業（道路の新設、改築、維持及び修繕に関する事業（道路の新設又は改築（電線共同溝の整備等に関する特別措置法（平成七年法律第三十九号）第二条第三項に規定する電線共同溝（第四条第一項において単に「電線共同溝」という。）に係るものに限る。）に密接に関連する事業を含む。）並びに道路の占用に関する工事（道路法第三十二条第一項第三号に掲げる自動運行補助施設（第五条第一項において単に「自動運行補助施設」という。）に係るものに限る。）に関する事業をいう。）に係る国の財政上の特別措置を定め、もつて国民経済の健全な発展と国民生活の向上に寄与することを目的とする。

（国の負担又は補助の割合の特例）

第二条　平成三十年度以降十箇年間における地方公共団体に対する道路の舗装その他の改築又は修繕に関する国の負担又は補助の割合については、道路法（第八十八条を除く。）及び土地区画整理法（昭和二十九年法律第百十九号）の規定にかかわらず、十分の七（土地区画整理事業に係るものにあつては、十分の五・五）の範囲内で、政令で特別の定めをすることができる。

（国土交通大臣が行う都道府県道又は市町村道に係る工事に関する費用負担の特例）

第三条　道路法第十七条第六項の規定により国土交通大臣が行う都道府県道

又は市町村道を構成する施設又は工作物の改築又は修繕に関する工事（都道府県又は市町村が自ら当該工事を行うこととした場合に前条の規定その他の同法以外の法律の規定（以下この条において「他法律の規定」という。）により国が当該工事に要する費用について補助することができる工事に限る。）に要する費用は、道路法第五十一条第一項及び第二項の規定にかかわらず、国が補助金相当額（都道府県又は市町村が自ら当該工事を行うこととした場合に他法律の規定により国が当該都道府県又は市町村に補助することができる金額に相当する額をいう。以下この条において同じ。）を、当該都道府県又は市町村が当該工事に要する費用の額から補助金相当額を控除した額を負担する。

（電線共同溝への電線の敷設工事に係る資金の貸付け）

第四条　国は、都道府県又は市町村が道路法第三十七条第一項の規定により指定された道路の区域又は同法第四十八条の二十第一項若しくは第三項の規定により指定された歩行者利便増進道路の区域において建設される電線共同溝に係る電線共同溝の占用予定者（電線共同溝の整備等に関する特別措置法第五条第二項に規定する電線共同溝の占用予定者をいう。）に対し電線共同溝への電線の敷設工事（これに附帯する工事を含む。）に要する費用に充てる資金を無利子で貸し付ける場合において、その貸付けの条件が次項の政令で定める基準に適合しているときは、当該貸付けに必要な資金の一部を無利子で当該都道府県又は市町村に貸し付けることができる。

2　前項に規定する国の貸付金及び同項の規定による国の貸付けに係る都道府県又は市町村の貸付金に関する償還方法その他必要な貸付けの条件の基準については、政令で定める。

（自動運行補助施設の設置工事に係る資金の貸付け）

第五条　国は、都道府県又は市町村が道路法第三十二条第一項又は第三項の規定による許可を受けて自動運行補助施設を設置しようとする者に対し自動運行補助施設の設置工事に要する費用に充てる資金を無利子で貸し付ける場合において、その貸付けの条件が次項の政令で定める基準に適合しているときは、当該貸付けに必要な資金の一部を無利子で当該都道府県又は市町村に貸し付けることができる。

2　前項に規定する国の貸付金及び同項の規定による国の貸付けに係る都道府県又は市町村の貸付金に関する償還方法その他必要な貸付けの条件の基準については、政令で定める。

（特定連絡道路に関する工事に係る資金の貸付け）

第六条　国は、都道府県又は市町村が特定連絡道路工事施行者（道路法第二十四条の規定により特定連絡道路の道路管理者の承認を受けて当該特定連絡道路に関する工事を行おうとする者であつて国土交通大臣が政令で定める要件に適合すると認めるものをいう。）に対し当該工事に要する費用に充てる資金を無利子で貸し付ける場合において、その貸付けの条件が第三項の政令で定める基準に適合しているときは、当該貸付けに必要な資金の一部を無利子で当該都道府県又は市町村に貸し付けることができる。

2　前項の「特定連絡道路」とは、道路法第四十八条の十七第一項の規定により指定された重要物流道路（高速自動車国道又は自動車専用道路であるものに限る。）と商業施設、レクリエーション施設その他の施設でその利用者のうち相当数の者が当該重要物流道路を通行するものとを連絡する道路（他の道路と平面で交差するものを除く。）であつて、当該重要物流道路と他の連絡道路（当該重要物流道路と当該施設とを連絡する道路をいう。）が連結する部分における交通の混雑を緩和するために整備されるものをいう。

3　第一項の規定による国の貸付金及び当該貸付金に係る同項の規定による都道府県又は市町村の貸付金に関する償還方法その他必要な貸付けの条件の基準については、政令で定める。

（高速道路利便増進事業のための一般会計における独立行政法人日本高速道路保有・債務返済機構の債務の承継等）

第七条　政府は、独立行政法人日本高速道路保有・債務返済機構（以下「機構」という。）の債務の負担の軽減により、高速道路利便増進事業のために必要となる高速道路貸付料（独立行政法人日本高速道路保有・債務返済機構法（平成十六年法律第百号。以下「機構法」という。）第十三条第一項第六号に規定する貸付料をいう。以下この条において同じ。）の額の減額を機構が行うこととした場合における機構法第十二条第一項第二号及び第三号の業務の確実かつ円滑な実施のために必要なその財政基盤の確保を図るため、平成二十一年三月三十一日までの間で国土交通大臣が財務大臣と協議して定める日（以下「承継日」という。）において、承継日における次に掲げる機構の債務（以下「機構債務」という。）で第四項の同意（第八項の変更の同意を含む。）を得た次項の計画（以下「同意計画」という。）に定められたものを、一般会計において承継する。

一　長期借入金に係る債務及び当該債務に係る利息（承継日以前に発生している利息のうち、承継日以後に支払われることとされているものに限る。）に係る債務

二　日本高速道路保有・債務返済機構債券及び日本道路公団等民営化関係法施行法（平成十六年法律第百二号）第十六条第二項に規定する道路債券等（以下「機構債券等」という。）に係る債務（承継日前に支払期が到来した利息に係るものを除く。）

2　機構及び高速道路株式会社法（平成十六年法律第九十九号）第一条に規定する会社（以下この条において単に「会社」という。）は、共同して、当該会社が道路整備特別措置法（昭和三十一年法律第七号）の規定に基づき管理を行っている高速道路（高速道路株式会社法第二条第二項に規定する高速道路をいう。以下この条において同じ。）（当該高速道路について二以上の会社が管理を行う場合にあつては、それぞれその会社が管理を行う高速道路の各部分。以下この項及び第四項において同じ。）に係る高速道路利便増進事業に関し、次に掲げる事項を定めた計画を作成し、国土交通大臣に協議し、その同意を求めるものとする。

一　当該高速道路について特に必要と認められる高速道路利便増進事業に関する事項

二　前号の高速道路利便増進事業のために必要となる機構による高速道路貸付料の額の減額に関する事項

三　前項の規定により一般会計に承継された機構債務に関する事項及び東日本大震災に対処するために必要な財源の確保を図るための特別措置に関する法律（平成二十三年法律第四十二号）第五条第一項に規定する高速道路機構の特別国庫納付金額（第四項において単に「特別国庫納付金額」という。）に関する事項

四　計画期間

五　その他国土交通省令で定める事項

3　機構及び会社は、前項の計画を作成しようとするときは、あらかじめ、国民の意見を反映させるために必要な措置を講じなければならない。

4　国土交通大臣は、第二項の計画が次に掲げる基準に適合すると認める場合に限り、これに同意をすることができる。

一　当該計画の実施が当該高速道路の通行者及び利用者の利便の増進並びに機構法第十三条第一項第九号に規定する徴収期間を通じた高速道路料金（同号に規定する料金をいう。第十項第二号において同じ。）の額の合計額を減少させることによる当該高速道路の通行者及び利用者の負担の軽減を図る上で適切かつ効果的であると認められること。

二　当該計画の実施が当該高速道路を含む道路の交通の安全の確保とその円滑化を図る上で適切かつ効果的であると認められること。

三　当該計画の実施による第二項第二号に規定する高速道路貸付料の額の減額の額が、第一項の措置による機構債務の負担の軽減額から特別国庫納付金額の納付による機構の負担の増加額を減じた額に見合う額となるものであると認められること。

四　当該計画の実施のため必要となる機構法第十三条第一項に規定する協定の変更の案について機構及び当該会社が合意していることその他確実かつ円滑に実施されると見込まれるものであること。

5　国土交通大臣は、前項の同意をしようとするときは、あらかじめ、財務大臣に協議しなければならない。

6　機構及び会社は、第二項の計画について第四項の同意を得たときは、遅滞なく、これを公表しなければならない。

7　機構は、第二項の計画を作成するために必要があると認めるときは、第一項第二号に掲げる債務に係る機構債券等のうち社債、株式等の振替に関する法律（平成十三年法律第七十五号。以下「社債等振替法」という。）の規定の適用があるものを取り扱うことについて社債等振替法第十三条第一項の同意を与えた振替機関（社債等振替法第二条第二項に規定する振替機関をいう。以下同じ。）及び当該振替機関の下位機関（社債等振替法第二条第九項に規定する下位機関をいう。以下同じ。）に対し、資料又は情報の提供その他必要な協力を求めることができる。

8　機構及び会社は、第四項の同意を得た第二項の計画の変更をしようとするときは、国土交通大臣に協議し、その同意を得なければならない。この場合においては、第三項から前項までの規定を準用する。

9　国土交通大臣は、承継日を定めたときは、これを公示しなければならない。これを変更したときも、同様とする。

10　第一項及び第二項の「高速道路利便増進事業」とは、次に掲げる事業又は事務であつて、会社が行うものをいう。

一　高速道路のうち当該高速道路と道路（高速道路を除く。）とを連結する部分で国土交通省令で定めるものの整備に関する事業（これに附帯する高速道路の車線の増設に関する事業その他の事業を含む。）であつて、高速道路の通行者及び利用者の利便の増進のため必要と認められるもの

二　高速道路の区間を限つた特別な高速道路料金の額の設定（機構法第十三条第一項第九号に規定する徴収期間を通じた高速道路料金の額の合計額を減少させることにより高速道路の通行者及び利用者の負担の軽減を図るものに限る。）であつて、当該高速道路を含む道路の自動車交通の円滑化のため必要と認められるもの

（政府が承継した機構債券等に係る国債に関する法律の適用等）

第八条　前条第一項の規定により政府が承継した同項第二号に掲げる債務に係る機構債券等については、国債に関する法律（明治三十九年法律第三十四号。第六条及び第八条を除く。）、社債等振替法、特別会計に関する法律（平成十九年法律第二十三号）その他の法令中国債に関する規定を適用し、次の各号に掲げる機構債券等の区分に応じ、それぞれ当該各号に定める法律の規定は、適用しない。

一　日本高速道路保有・債務返済機構債券　機構法第二十二条（第三項及び第四項を除く。）

二　日本道路公団等民営化関係法施行法第十六条第二項に規定する道路債券等　同条第一項

2　機構は、前条第四項の同意（同条第八項の変更の同意を含む。）を得たときは、直ちに、当該同意計画に定められた同条第二項第三号に規定する機構債務に係る機構債券等のうち社債等振替法の規定の適用があるもの（以下この条において「振替機構債券等」という。）を取り扱うことについて社債等振替法第十三条第一項の同意を与えた振替機関（以下この条において「同意振替機関」という。）に対し、振替機構債券等の種類及び当該種類ごとの金額その他振替機構債券等に関し国土交通省令で定める事項（次項において「振替機構債券等の種類等」という。）を通知するとともに、社債等振替法第二条第五項に規定する振替機関等（以下この条において単に「振替機関等」という。）が振替機構債券等の振替を行うための口座を開設した者（以下この条において「特定加入者」という。）の氏名又は名称その他前条第一項の規定による振替機構債券等に係る機構債務の承継のために必要なものとして国土交通省令で定める事項（以下この条において「特定加入者の氏名等」という。）について報告を求めなければならない。

3　前項の通知を受けた同意振替機関は、直ちに、その直近下位機関（社債等振替法第二条第八項に規定する直近下位機関をいう。以下この条において同じ。）に対し、振替機構債券等の種類等を通知するとともに、特定加入者の氏名等について報告を求めなければならない。

4　前項の規定は、同項（この項において準用する場合を含む。）の通知があつた場合における当該通知を受けた口座管理機関（社債等振替法第二条第四項に規定する口座管理機関をいう。以下この条において同じ。）について準用する。

5　第二項又は第三項（前項において準用する場合を含む。）の規定による報告を求められた同意振替機関、直近下位機関及び口座管理機関は、速やかに、当該報告をしなければならない。その報告をした特定加入者の氏名等に変更があつたときも、同様とする。

6　機構は、前項の規定による報告を受けたときは、速やかに、特定加入者に対し、承継日の二十日前までに機構に対し振替機関等により当該特定加入者のために開設された振替機構債券等の承継日以後における振替を行うための口座（当該口座の必要がないときは、その旨）を通知すべき旨を通知しなければならない。

7　振替機構債券等については、承継日の一月前の日から承継日までの間、社債等振替法第百二十条において準用する社債等振替法第七十条第一項又は第七十一条第一項の振替又は抹消の申請（相続、遺贈、合併その他これらに準ずる事由による振替又は抹消の申請を除く。）その他社債等振替法又は社債等振替法に基づく政令の規定による申請であつて政令で定めるものをすることができない。

8　機構は、承継日の二十日前までに、次に掲げる事項を財務大臣及び国土交通大臣に通知するものとする。

一　振替機構債券等の名称

二　特定加入者の氏名又は名称

三　特定加入者ごとの振替機構債券等（当該特定加入者が質権者である場合におけるその質権の目的である振替機構債券等を除く。）の金額

四　特定加入者が質権者であるときは、その旨及び質権の目的である振替機構債券等の金額

五　特定加入者が信託の受託者であるときは、その旨並びに第三号及び前号の金額のうち信託財産であるものの金額

六　特定加入者から通知を受けた第六項の口座（当該通知がないときは、特定加入者から同項の口座の必要がない旨の通知を受けた場合を除き、機構が次項に規定する振替機関又は当該振替機関の下位機関から特定加入者のために開設を受けた振替機構債券等の承継日以後における振替を行うための口座）

七　その他前条第一項の規定による振替機構債券等に係る機構債務の承継のために必要な事項

9　財務大臣は、前項の通知を受けたときは、承継日の二週間前までに、国が社債等振替法第十三条第一項の同意を与えた振替機関に対し、次に掲げる事項を通知しなければならない。

一　前項第二号から第六号までに掲げる事項

二　振替機構債券等の承継日以後における名称及び記号

三　その他振替機構債券等の承継日以後における振替のために必要な事項

10　前項の通知を受けた振替機関は、承継日までに、当該通知に係る振替機構債券等について、次に掲げる措置を執らなければならない。

一　当該振替機関が第八項第六号の口座を開設したものである場合には、次に掲げる措置

イ　当該口座の第八項第三号に掲げる事項を記載し、又は記録する欄における当該口座の特定加入者に係る同号の金額の増額の記載又は記録

ロ　当該口座の第八項第四号に掲げる事項を記載し、又は記録する欄における当該口座の特定加入者に係る同号の金額の増額の記載又は記録

ハ　当該口座の第八項第五号の信託財産であるものの金額の増額の記載又は記録

ニ　当該口座の特定加入者に対する第八項第六号に掲げる口座に関する事項及びイからハまでの記載又は記録に関する事項の通知

二　当該振替機関が第八項第六号の口座を開設したものでない場合には、次に掲げる措置

イ　その直近下位機関であつて特定加入者の上位機関（社債等振替法第二条第七項に規定する上位機関をいう。）であるものの口座（当該口座管理機関又はその下位機関の特定加入者が振替機構債券等についての権利を有するものを記載し、又は記録する口座に限る。）における特定加入者に係る第八項第三号の金額及び同項第四号の金額の合計額の増額の記載又は記録

ロ　イの直近下位機関に対する前項第一号及び第二号に掲げる事項の通知

11　前項の規定は、同項第二号ロ（この項において準用する場合を含む。）の通知があつた場合における当該通知を受けた口座管理機関について準用する。

12　承継日以後における社債等振替法の国債に関する規定の適用については、振替機構債券等は社債等振替法第九十一条第三項第二号ニに掲げる振替国債と、第十項（前項において準用する場合を含む。）の規定による記載又は記録は当該振替国債についての社債等振替法第九十二条第二項（同条第三項において準用する場合を含む。）の規定による記載又は記録とみなす。

13　振替機関等は、承継日に、当該振替機関等が備える振替口座簿（社債等振替法第十二条第三項又は第四十五条第二項に規定する振替口座簿をいう。）中の振替機構債券等についての記載又は記録がされている口座において、当該振替機構債券等についての記載又は記録（第十項（第十一項において準用する場合を含む。）の規定による記載又は記録を除く。）の全部を抹消するものとする。

14　前各項に定めるもののほか、前条第一項の規定による債務の承継に関し必要な事項は、政令で定める。

附　則

1　この法律は、昭和三十三年四月一日から施行する。

2　道路整備費の財源等に関する臨時措置法（昭和二十八年法律第七十三号。

以下「旧法」という。）は、廃止する。

3　同意計画に定められた第四条第二項第三号に規定する機構債務に係る機構債券等のうち、承継日において現に証券決済制度等の改革による証券市場の整備のための関係法律の整備等に関する法律（平成十四年法律第六十五号）附則第三条の規定によりなおその効力を有することとされる同法第三条の規定による廃止前の社債等登録法（昭和十七年法律第十一号）の規定による登録を受けているものについては、承継日に、当該登録を行つている登録機関は、当該登録の抹消を行うとともに、当該登録を受けている事項を日本銀行に通知するものとする。

4　日本銀行は、前項の通知を受けたときは、当該通知を受けた事項の登録を行うものとする。

5　前項の規定による登録は、国債に関する法律の規定による登録とみなす。

6　附則第三項に規定する機構債券等については、承継日以後二週間、国債の登録（相続、遺贈、合併その他これらに準ずる事由による移転の登録を除く。）を請求することができない。国債の登録の除却についても、同様とする。

附　則〔略〕〔昭和三三・三・三一法律三六〕

附　則〔略〕〔昭和三六・三・三一法律五二〕

附　則〔略〕〔昭和三九・三・三一法律三四〕

附　則〔略〕〔昭和三九・七・九法律一六三〕

附　則〔略〕〔昭和四〇・一二・二九法律一五六〕

附　則〔抄〕〔昭和五三・三・三一法律一六〕

（施行期日）

1　この法律は、昭和五十三年四月一日から施行する。〔以下略〕

（昭和五十三年度における道路整備費の財源の特例）

2　昭和五十三年度における第一条の規定による改正後の道路整備緊急措置法第三条の規定の適用については、同条第一項中「次の各号に掲げる額の合算額」とあるのは、「第一号に掲げる額」とする。

附　則〔略〕〔昭和五八・三・三一法律二一〕

附　則〔略〕〔昭和六〇・四・二三法律二五〕

附　則〔略〕〔昭和六〇・五・一八法律三七〕

附　則〔略〕〔昭和六一・二・一九法律二〕

附　則〔略〕〔昭和六一・五・八法律四六〕

附　則〔抄〕〔昭和六三・三・三一法律八〕

（施行期日）

1　この法律は、昭和六十三年四月一日から施行する。〔以下略〕

（昭和六十三年度及び昭和六十四年度における地方道路整備臨時交付金の総額の特例）

2　昭和六十三年度及び昭和六十四年度における第一条の規定による改正後の道路整備緊急措置法第五条第二項の規定の適用については、同項中「予算額（当該年度の前々年度の揮発油税の収入額の予算額が同年度の揮発油税の収入額の決算額に不足するときは、当該不足額を加算し、当該予算額が当該決算額を超えるときは、当該超える額を控除した額）」とあるのは、「予算額」とする。

附　則〔抄〕〔平成元・四・一〇法律二二〕

（施行期日等）

1　この法律は、公布の日から施行する。

2　この法律〔中略〕による改正後の法律の平成元年度及び平成二年度の特例に係る規定並びに平成元年度の特例に係る規定は、平成元年度及び平成二年度（平成元年度の特例に係るものにあつては、平成元年度。以下この項において同じ。）の予算に係る国の負担（当該国の負担に係る都道府県又は市町村の負担を含む。以下この項及び次項において同じ。）又は補助（昭和六十三年度以前の年度における事務又は事業の実施により平成元年度以降の年度に支出される国の負担及び昭和六十三年度以前の年度の国庫債務負担行為に基づき平成元年度以降の年度に支出すべきものとされた国の負担又は補助を除く。）並びに平成元年度及び平成二年度における事務又は事業の実施により平成三年度（平成元年度の特例に係るものにあつては、平成二年度。以下この項において同じ。）以降の年度に支出される国の負担、平成元年度及び平成二年度の国庫債務負担行為に基づき平成三年度以降の年度に支出すべきものとされる国の負担又は補助並びに平成元年度及び平成二年度の歳出予算に係る国の負担又は補助で平成三年度以降の年度に繰り越されるものについて適用し、昭和六十三年度以前の年度における事務又は事業の実施により平成元年度以降の年度に支出される国の負担、昭和六十三年度以前の年度の国庫債務負担行為に基づき平成元年度以降の年度に支出すべきものとされた国の負担又は補助及び昭和六十三年度以前の年度の歳出予算に係る国の負担又は補助で平成元年度以降の年度に繰り越されたものについては、なお従前の例による。

附　則〔平成三・三・三〇法律一五〕

改正　平成五・三法八

1　この法律は、平成三年四月一日から施行する。

2　この法律〔中略〕による改正後の法律の平成三年度及び平成四年度の特例に係る規定並びに平成三年度の特例に係る規定は、平成三年度及び平成四年度（平成三年度の特例に係るものにあつては平成三年度とする。以下この項において同じ。）の予算に係る国の負担（当該国の負担に係る都道府県又は市町村の負担を含む。以下この項において同じ。）又は補助（平成二年度以前の年度における事務又は事業の実施により平成三年度以降の年度に支出される国の負担及び平成二年度以前の年度の国庫債務負担行為に基づき平成三年度以降の年度に支出すべきものとされた国の負担又は補助を除く。）並びに平成三年度及び平成四年度における事務又は事業の実施により平成五年度（平成三年度の特例に係るものにあつては平成四年度とする。以下この項において同じ。）以降の年度に支出される国の負担、平成三年度及び平成四年度の国庫債務負担行為に基づき平成五年度以降の年度に支出すべきものとされる国の負担又は補助並びに平成三年度及び平成四年度の歳出予算に係る国の負担又は補助で平成五年度以降の年度に繰り越されるものについて適用し、平成二年度以前の年度における事務又は事業の実施により平成三年度以降の年度に支出される国の負担、平成二年度以前の年度の国庫債務負担行為に基づき平成三年度以降の年度に支出すべきものとされた国の負担又は補助及び平成二年度以前の年度の歳出予算に係る国の負担又は補助で平成三年度以降の年度に繰り越されたものについては、なお従前の例による。

国の補助金等の臨時特例等に関する法律〔抄〕〔平成三・三・三〇法律一五〕

改正　平成五・三法八

（地方公共団体に対する財政金融上の措置）

第三四条　国は、この法律の規定による改正後の法律の規定により平成三年度及び平成四年度の予算に係る国の負担又は補助の割合の引下げ措置の対象となる地方公共団体に対し、その事務又は事業の執行及び財政運営に支障を生ずることのないよう財政金融上の措置を講ずるものとする。

附　則〔略〕〔平成五・三・三一法律八〕

附　則〔抄〕〔平成五・三・三一法律一六〕

（施行期日）

1　この法律は、平成五年四月一日から施行する。〔以下略〕

（経過措置）

2　この法律による改正後〔中略〕の規定は、平成五年度以降の年度の予算に係る国の負担又は補助（平成四年度以前の年度の国庫債務負担行為に基づき平成五年度以降の年度に支出すべきものとされた国の負担又は補助を除く。）について適用し、平成四年度以前の年度の国庫債務負担行為に基づき平成五年度以降の年度に支出すべきものとされた国の負担又は補助及び平成四年度以前の年度の歳出予算に係る国の負担又は補助で平成五年度以降の年度に繰り越されたものについては、なお従前の例による。

附　則〔抄〕〔平成一〇・三・三一法律三三〕

（施行期日）

1　この法律は、平成十年四月一日から施行する。〔以下略〕

（平成十年度における道路整備費の財源等の特例）

2　平成十年度における第一条の規定による改正後の道路整備緊急措置法第三条第一項及び第五条第二項の規定の適用については、同法第三条第一項中「次に掲げる額の合算額」とあるのは「第一号に掲げる額」と、同法第五条第二項中「予算額（当該年度の前々年度の揮発油税の収入額の予算額が同年度の揮発油税の収入額の決算額に不足するときは、当該不足額を加算し、当該予算額が当該決算額を超えるときは、当該超える額を控除した額）」とあるのは「予算額」とする。

附　則〔略〕〔平成一一・一二・二二法律一六〇〕

附　則〔抄〕〔平成一五・三・三一法律二一〕

（施行期日）

第一条　この法律は、平成十五年四月一日から施行する。

（政令への委任）

第四条　前二条に規定するもののほか、この法律の施行に伴い必要な経過措置は、政令で定める。

附　則〔平成二〇・五・一三法律三一〕

（施行期日）

第一条　この法律は、平成二十年四月一日から施行する。

（調整規定）

第二条　株式等の取引に係る決済の合理化を図るための社債等の振替に関する法律等の一部を改正する法律（平成十六年法律第八十八号）の施行の日がこの法律の施行の日後となる場合には、株式等の取引に係る決済の合理化を図るための社債等の振替に関する法律等の一部を改正する法律の施行の日の前日までの間におけるこの法律による改正後の道路整備事業に係る国の財政上の特別措置に関する法律第七条第七項の規定の適用については、同項中「社債、株式等の振替に関する法律」とあるのは、「社債等の振替に関する法律」とする。

（政令への委任）

第三条　前条に定めるもののほか、この法律の施行に関し必要な経過措置は、政令で定める。

附　則〔抄〕〔平成二一・四・三〇法律二八〕

（施行期日等）

第一条　この法律は、公布の日から施行し、平成二十一年四月一日から適用する。

（検討）

第二条　政府は、真に必要な道路の整備の推進を図る観点から、費用効果分析の結果の適切な活用等により、地域の実情をより反映した効率的かつ効果的で透明性が確保された道路整備事業の実施の在り方について検討を加え、必要があると認めるときは、その結果に基づいて必要な措置を講ずるものとする。

（道路整備事業に係る国の財政上の特別措置に関する法律の一部改正に伴う経過措置）

第三条　平成二十年度以前の年度の歳出予算に係る地方道路整備臨時交付金で平成二十一年度以降の年度に繰り越されたものの交付については、なお従前の例による。

２　第一条の規定による改正前の道路整備事業に係る国の財政上の特別措置に関する法律第六条第二項の規定により決定された資金の貸付け及びその償還については、なお従前の例による。

（政令への委任）

第六条　前三条に定めるもののほか、この法律の施行に関し必要な経過措置は、政令で定める。

附　則〔略〕〔平成二三・五・二法律四二施行〕

附　則〔略〕〔平成二三・八・三〇法律一〇五〕

附　則〔抄〕〔平成二五・六・五法律三〇〕

（施行期日）

第一条　この法律は、公布の日から起算して三月を超えない範囲内において政令で定める日から施行する。〔以下略〕

〔平成二五政二四二により、平成二五・九・二から施行〕

（道路整備事業に係る国の財政上の特別措置に関する法律の一部改正に伴う経過措置）

第二条　第四条の規定の施行前に国が貸付けを行った同条の規定による改正前の道路整備事業に係る国の財政上の特別措置に関する法律第三条第一項又は第二項の規定による国の貸付金の償還については、なお従前の例による。ただし、附則第六条の規定による改正後の特別会計に関する法律（平成十九年法律第二十三号）附則第五十条の二の規定の適用については、この限りでない。

（政令への委任）

第三条　前条に定めるもののほか、この法律の施行に関し必要な経過措置は、政令で定める。

附　則〔略〕〔平成二六・六・四法律五三〕

附　則〔略〕〔平成二六・六・一三法律六七〕

附　則〔抄〕〔平成三〇・三・三一法律六〕

（施行期日）

第一条　この法律は、公布の日から起算して六月を超えない範囲内において政令で定める日から施行する。ただし、第三条中道路整備事業に係る国の財政上の特別措置に関する法律第二条の改正規定は、平成三十年四月一日から施行する。

〔平成三〇政二七九により、平成三〇・九・三〇から施行〕

（政令への委任）

第二条　この法律の施行に関し必要な経過措置は、政令で定める。

（検討）

第三条　政府は、この法律の施行後五年を経過した場合において、第一条の規定による改正後の道路法及び第二条の規定による改正後の道路整備特別措置法の施行の状況について検討を加え、必要があると認めるときは、その結果に基づいて必要な措置を講ずるものとする。

附　則〔抄〕〔令和二・五・二七法律三一〕

（施行期日）

第一条　この法律は、公布の日から起算して六月を超えない範囲内において政令で定める日から施行する。〔以下略〕

〔令和二政三三八により、令和二・一一・二五から施行〕

（政令への委任）

第三条　前条に規定するもののほか、この法律の施行に関し必要な経過措置は、政令で定める。

附　則〔抄〕〔令和五・六・七法律四三〕

（施行期日）

第一条　この法律は、公布の日から起算して三月を超えない範囲内において政令で定める日〔令和五・九・六〕から施行する。〔以下略〕

○道路整備事業に係る国の財政上の特別措置に関する法律施行令

〔昭和三四・二・一六　政令一七〕

改正　昭和三四・六政二二五、昭和三五・七政一九八、昭和三六・四政九六、八政二九四、昭和三九・五政一六〇、昭和四〇・三政五七、昭和四一・四政一〇二、昭和四四・八政二三二、昭和四五・四政七九、一〇政三二〇、昭和五〇・一〇政三〇六、昭和六〇・五政一三三、昭和六一・五政一五四、昭和六二・三政九八、昭和六三・三政七九、四政一三〇、平成元・四政一〇八、平成二・一一政三二五、平成三・三政九八、平成五・三政九四、平成一二・六政三一二、平成一三・四政一七〇、平成一五・三政七二、政一六三、一二政五二三、平成一六・四政一三八、平成一七・四政一二六、平成一八・三政一二二、八政二七六、平成二〇・五政一七六、七政二一九、平成二一・四政一三〇、平成二三・一二政四〇四、平成二五・八政二四三、平成三〇・三政一一八、九政二八〇、令和二・三政八六、一一政三三九、一二政三四三、令和三・三政一三二

（一般国道の改築等に関する国の負担等の割合の特例）

第一条　高速自動車国道と一体となつて全国的な自動車交通網を構成する自動車専用道路として国土交通大臣が指定する一般国道（道の区域内のものを除く。以下同じ。）の改築で国土交通大臣が行うもののうち、次に掲げるもの以外のものに要する費用について道路整備事業に係る国の財政上の特別措置に関する法律（昭和三十三年法律第三十四号。以下「法」という。）第二条の政令で定める国の負担の割合は、十分の七とする。

一　道路構造令（昭和四十五年政令第三百二十号）第三十八条第一項の規定により同項に規定する規定による基準によらないことができる改築で、これに要する費用の額が国土交通大臣が定めた額を超えないもの

二　道路の交通に支障を及ぼしている構造上の原因の一部を除去するために行う突角の切取り、路床の改良、排水施設の整備又は待避所の設置

三　道路の区域を変更し、当該変更に係る部分を一般国道以外の道路とする計画がある箇所の改築

四　車道の舗装につき道路構造令第二十三条第二項に規定する基準によることを要しない場合における当該道路の舗装

五　交通安全施設等整備事業の推進に関する法律（昭和四十一年法律第四

十五号）第二条第三項（第一号を除く。）に規定する交通安全施設等整備事業として行われるもの

2　一般国道の改築（国土交通大臣が行うものを除く。以下同じ。）で次の各号に掲げる基準のいずれにも適合するもののうち、土地区画整理事業（土地区画整理法（昭和二十九年法律第百十九号）による土地区画整理事業をいう。以下同じ。）に係るもの以外のものに要する費用について法第二条の政令で定める国の負担の割合は、十分の五・五以上十分の七以下の範囲内で当該一般国道の改築を行う地方公共団体の財政力に応じて国土交通省令で定めるところにより算定した割合とする。

一　地域住民の日常生活の安全性若しくは利便性の向上を図るために必要であり、又は快適な生活環境の確保若しくは地域の活力の創造に資すると認められるものであること。

二　公共施設その他の公益的施設の整備、管理若しくは運営に関連して、又は地域の自然的若しくは社会的な特性に即して行われるものであること。

三　その他国土交通省令で定める要件を満たすものであること。

3　一般国道の改築（その財政力が国土交通省令で定める基準に満たない地方公共団体が行うものに限る。）で次の各号のいずれかに該当するもののうち、第一項各号に掲げるもの、前項に規定するもの及び土地区画整理事業に係るもの以外のものに要する費用について法第二条の政令で定める国の負担の割合は、十分の五・五とする。

一　第一項の規定による国土交通大臣の指定を受けた一般国道の改築

二　中心都市等連絡道路（地域社会の中心となる都市（以下この号及び次条第二項第一号において「中心都市」という。）と、その周辺の地域の市町村（以下この号及び同項第一号において「周辺市町村」という。）又は当該中心都市と密接な関係にある中心都市若しくは高速自動車国道、空港その他の交通施設とを連絡する道路をいう。同号において同じ。）、中心都市等循環道路（中心都市及び周辺市町村の区域を循環する道路をいう。同号において同じ。）その他の道路であつて、自動車専用道路、他の道路との交差の方式を立体交差とする道路その他の中心都市及び周辺市町村における安全かつ円滑な交通の確保に特に資する道路として国土交通大臣が指定する一般国道の改築

三　前二号に規定する一般国道以外の一般国道の改築で次のいずれかに該当するもの

イ　踏切道改良促進法（昭和三十六年法律第百九十五号）第十一条第一項（同条第三項の規定により読み替えて適用する場合を含む。次条第二項第三号イにおいて同じ。）又は第二項の規定による踏切道の改良のために必要な道路の高架移設（鉄道（新設軌道を含む。）と交差している道路を高架式構造とすることにより当該交差の方式を立体交差とすることをいう。同号イにおいて同じ。）、車道又は歩道の拡幅その他の国土交通省令で定める改築

ロ　通学路（交通安全施設等整備事業の推進に関する法律施行令（昭和四十一年政令第百三号）第四条に規定する通学路をいう。次条第二項第三号ロにおいて同じ。）その他の特に交通の安全を確保する必要がある区間に該当する一般国道における交通事故の防止を図るために必要な歩道の拡幅、自動車を減速させて歩行者又は自転車の安全な通行を確保するために行う路面の凸部の設置、柵の設置その他の国土交通省令で定める改築

ハ　無電柱化（無電柱化の推進に関する法律（平成二十八年法律第百十二号）第一条に規定する無電柱化をいう。次条第二項第三号ハにおいて同じ。）の推進のために必要な電線共同溝の建設その他の国土交通省令で定める改築

四　第一号及び第二号に規定する一般国道以外の一般国道を構成する橋、トンネルその他の施設又は工作物で、損傷、腐食その他の劣化により当該一般国道の構造に支障を及ぼすおそれが大きいものとして国土交通省令で定めるものの改築（前号に該当するものを除く。）

4　一般国道の改築で離島振興法（昭和二十八年法律第七十二号）第四条第一項の離島振興計画に基づいて行われるもののうち、第一項各号に掲げるもの、第二項に規定するもの及び土地区画整理事業に係るもの以外のものに要する費用について法第二条の政令で定める国の負担の割合は、前項の規定にかかわらず、三分の二とする。

5　一般国道の修繕（国土交通大臣が行うものを除く。）で次の各号のいずれかに該当するものに要する費用について法第二条の政令で定める国の補助の割合は、十分の七以内とする。

一　第一項又は第三項第二号の規定による国土交通大臣の指定を受けた一般国道の修繕

二　前号に規定する一般国道以外の一般国道の修繕で第二項各号に掲げる基準のいずれにも適合するもの

三　第一号に規定する一般国道以外の一般国道を構成する橋、トンネルその他の施設又は工作物で、損傷、腐食その他の劣化により当該一般国道の構造に支障を及ぼすおそれが大きいものとして国土交通省令で定めるものの修繕（前号に該当するものを除く。）

（都府県道等の改築に関する国の補助の割合の特例）

第二条　次に掲げる都府県道等（都府県道又は市町村道（道の区域内のものを除く。）をいう。以下同じ。）の改築で前条第二項各号に掲げる基準のいずれにも適合するもののうち、土地区画整理事業に係るもの以外のものに要する費用について法第二条の政令で定める国の補助の割合は、十分の七以内とする。

一　道路法（昭和二十七年法律第百八十号）第五十六条の規定による国土交通大臣の指定を受けた都府県道又は市道

二　前号に掲げるもののほか、資源の開発、産業の振興その他国の施策上特に整備を行う必要があると認められる都府県道等

2　都府県道等の改築で次の各号のいずれかに該当するもののうち、前項に規定するもの、土地区画整理事業に係るもの、少額改築、特例舗装並びに前条第一項第二号及び第五号に掲げるもの以外のものに要する費用について法第二条の政令で定める国の補助の割合は、都府県道にあつては十分の五・五以内、市町村道にあつては十分の七以内とする。

一　中心都市等連絡道路、中心都市等循環道路その他の道路であつて、自動車専用道路、他の道路との交差の方式を立体交差とする道路その他の中心都市及び周辺市町村における安全かつ円滑な交通の確保に特に資する道路として国土交通大臣が指定する都府県道等の改築

二　半島振興法（昭和六十年法律第六十三号）第十条の規定による国土交通大臣の指定を受けた都府県道等の改築

三　前二号に規定する都府県道等以外の都府県道等の改築で次のいずれかに該当するもの

イ　踏切道改良促進法第十一条第一項又は第二項の規定による踏切道の改良のために必要な道路の高架移設、車道又は歩道の拡幅その他の国土交通省令で定める改築

ロ　通学路その他の特に交通の安全を確保する必要がある区間に該当する都府県道等における交通事故の防止を図るために必要な歩道の拡幅、自動車を減速させて歩行者又は自転車の安全な通行を確保するために行う路面の凸部の設置、柵の設置その他の国土交通省令で定める改築

ハ　無電柱化の推進のために必要な電線共同溝の建設その他の国土交通省令で定める改築

四　第一号及び第二号に規定する都府県道等以外の都府県道等を構成する橋、トンネルその他の施設又は工作物で、損傷、腐食その他の劣化により当該都府県道等の構造に支障を及ぼすおそれが大きいものとして国土交通省令で定めるものの改築（前号に該当するものを除く。）

3　都府県道の改築で離島振興法第四条第一項の離島振興計画に基づいて行われるもの（前項第三号又は第四号に該当するものに限る。）のうち、第一項に規定するもの、土地区画整理事業に係るもの、少額改築、特例舗装並びに前条第一項第二号及び第五号に掲げるもの以外のものに要する費用について法第二条の政令で定める国の補助の割合は、前項の規定にかかわらず、十分の六以内とする。

4　前二項の「少額改築」とは、当該改築に係る都府県道等に道路法第三十条第三項の政令で定める基準を適用した場合に当該基準に適合しないこととなる改築又は当該場合に道路構造令第三十八条第一項の規定により同項に規定する規定による基準によらないことができることとなる改築で、これらに要する費用の額が国土交通大臣が定めた額を超えないものをいう。

5　第二項及び第三項の「特例舗装」とは、当該改築に係る都府県道等に道路法第三十条第三項の政令で定める基準を適用した場合に、車道の舗装につき道路構造令第二十三条第二項に規定する基準によることを要しないこととなる場合における当該道路の舗装をいう。

（土地区画整理事業に係る道路の改築に関する国の負担等の割合の特例）

第三条　一般国道の改築で次の各号のいずれかに該当するもののうち、土地

区画整理事業に係るものに要する費用について法第二条の政令で定める国の負担の割合は、十分の五・五とする。

一　第一条第一項の規定による国土交通大臣の指定を受けた一般国道の改築

二　前号に規定する一般国道以外の一般国道の改築で第一条第二項各号に掲げる基準のいずれにも適合するもの

2　都府県道等の改築で次の各号のいずれかに該当するもののうち、土地区画整理事業に係るものに要する費用について法第二条の政令で定める国の補助の割合は、十分の五・五以内とする。

一　前条第二項第一号又は半島振興法第十条の規定による国土交通大臣の指定を受けた都府県道等の改築

二　前号に規定する都府県道等以外の都府県道等のうち前条第一項各号に掲げるものの改築で第一条第二項各号に掲げる基準のいずれにも適合するもの

（電線共同溝への電線の敷設工事に係る資金の貸付けの条件の基準）

第四条　法第四条第一項に規定する国の貸付金に関する貸付けの条件の基準は、貸付金の償還期間が二十年（五年以内の据置期間を含む。）以内であり、かつ、その償還が均等半年賦償還の方法によるものであることとする。

2　法第四条第一項の規定による国の貸付けに係る都道府県又は市町村の貸付金に関する貸付けの条件の基準は、次のとおりとする。

一　貸付金の償還期間が二十年（五年以内の据置期間を含む。）以内であり、かつ、その償還が均等半年賦償還の方法によるものであること。

二　貸付けを受ける電線共同溝の占用予定者は、国又は都道府県若しくは市町村が、貸付けに係る債権の保全その他貸付けの条件の適正な実施を図るため必要があると認めて、当該占用予定者の業務及び資産の状況に関し報告を求め、又はその職員に、当該占用予定者の事務所その他の事業所に立ち入り、帳簿、書類その他の必要な物件を調査させ、若しくは関係者に質問させる場合において、報告をし、立入調査を受忍し、又は質問に応じなければならないこと。

（自動運行補助施設の設置工事に係る資金の貸付けの条件の基準）

第五条　法第五条第一項に規定する国の貸付金に関する貸付けの条件の基準は、貸付金の償還期間が二十年（五年以内の据置期間を含む。）以内であり、かつ、その償還が均等半年賦償還の方法によるものであることとする。

2　法第五条第一項の規定による国の貸付けに係る都道府県又は市町村の貸付金に関する貸付けの条件の基準は、次のとおりとする。

一　貸付金の償還期間が二十年（五年以内の据置期間を含む。）以内であり、かつ、その償還が均等半年賦償還の方法によるものであること。

二　貸付けを受ける自動運行補助施設設置者（法第五条第一項に規定する自動運行補助施設を設置しようとする者をいう。以下この号において同じ。）は、国又は都道府県若しくは市町村が、貸付けに係る債権の保全その他貸付けの条件の適正な実施を図るため必要があると認めて、当該自動運行補助施設設置者の業務及び資産の状況に関し報告を求め、又はその職員に、当該自動運行補助施設設置者の事務所その他の事業所に立ち入り、帳簿、書類その他の必要な物件を調査させ、若しくは関係者に質問させる場合において、報告をし、立入調査を受忍し、又は質問に応じなければならないこと。

（特定連絡道路工事施行者の要件）

第六条　法第六条第一項の政令で定める要件は、次のとおりとする。

一　特定連絡道路に関する工事に関し、道路の構造及び交通の状況その他当該特定連絡道路及び周辺の状況に照らして適切な工事実施計画を有する者であること。

二　前号の工事実施計画を実施するため適切な資金計画及び収支計画を有する者であること。

三　特定連絡道路に関する工事を適確に行う能力を有する者であること。

（特定連絡道路に関する工事に係る資金の貸付けの条件の基準）

第七条　法第六条第一項の規定による国の貸付金に関する貸付けの条件の基準は、貸付金の償還期間が二十年（五年以内の据置期間を含む。）以内であり、かつ、その償還が均等半年賦償還の方法によるものであることとする。

2　法第六条第一項の規定による国の貸付金に係る同項の規定による都道府県又は市町村の貸付金に関する貸付けの条件の基準は、次のとおりとする。

一　貸付金の償還期間が二十年（五年以内の据置期間を含む。）以内であり、かつ、その償還が均等半年賦償還の方法によるものであること。

二　貸付けを受ける特定連絡道路工事施行者は、国又は都道府県若しくは市町村が、貸付けに係る債権の保全その他貸付けの条件の適正な実施を図るため必要があると認めて、当該特定連絡道路工事施行者の業務及び資産の状況に関し報告を求め、又はその職員に、当該特定連絡道路工事施行者の事務所その他の事業所に立ち入り、帳簿、書類その他の必要な物件を調査させ、若しくは関係者に質問させる場合において、報告をし、立入調査を受忍し、又は質問に応じなければならないこと。

（振替機構債券等についての申請の制限の対象となる社債、株式等の振替に関する法律等の規定による申請）

第八条　法第八条第七項の政令で定める申請は、次に掲げるもの（相続、遺贈、合併その他これらに準ずる事由によるものを除く。）とする。

一　社債、株式等の振替に関する法律（平成十三年法律第七十五号）附則第三十一条第二項において準用する同法附則第十四条第一項の規定による記載又は記録の申請

二　社債、株式等の振替に関する法律施行令（平成十四年政令第三百六十二号）第二十三条において準用する同令第八条第一項又は第九条第一項の規定による記載又は記録の申請

三　社債、株式等の振替に関する法律施行令第二十三条において準用する同令第十一条第一項の規定による記載又は記録の抹消の申請

附　則

1　この政令は、公布の日から施行し、昭和三十三年四月一日から適用する。

2　次に掲げる政令は、廃止する。

道路整備費の財源等に関する臨時措置法第二条第一項に規定する都道府県道等を定める政令（昭和二十九年政令第七十三号）

道路の整備に要する費用についての国の負担金の割合等の臨時特例に関する政令（昭和三十年政令第三百一号）

3　昭和三十三年度における道及び道の区域内の市町村道の改築に要する費用についての国の補助金の率については、なお従前の例による。

4　第二条、第三条第一項及び第四条の規定の昭和六十年度における適用については、第二条中「四分の三」とあるのは「三分の二」と、「三分の二」とあるのは「十分の六」と、第三条第一項及び第四条中「三分の二」とあるのは「十分の六」とする。

5　第二条、第三条第一項及び第四条の規定の昭和六十一年度、平成三年度及び平成四年度における適用については、第二条中「四分の三」とあるのは「十分の六（建設大臣が行うものにあつては、三分の二）」と、「三分の二」とあるのは「十分の五・五（建設大臣が行うものにあつては、十分の六）」と、第三条第一項中「三分の二」とあるのは「十分の五・五（平成三年度及び平成四年度においては、半島振興法第十条に規定する道路の改築に係るものにあつては、十分の五・七五）」と、第四条中「割合は三分の二」とあるのは「割合は十分の五・五（建設大臣が行うものにあつては、十分の六）」と、「率は三分の二」とあるのは「率は十分の五・五（平成三年度及び平成四年度においては、半島振興法第十条に規定する道路の改築に係るものにあつては、十分の五・七五）」とする。

6　第二条、第三条第一項及び第四条の規定の昭和六十二年度から平成二年度までの各年度における適用については、第二条中「四分の三」とあるのは「十分の五・七五（建設大臣が行うものにあつては、十分の六）」と、「三分の二」とあるのは「十分の五・二五（建設大臣が行うものにあつては、十分の五・五）」と、第三条第一項中「三分の二」とあるのは「十分の五・二五（半島振興法第十条に規定する道路の改築に係るものにあつては、十分の五・五）」と、第四条中「割合は三分の二」とあるのは「割合は十分の五・二五（建設大臣が行うものにあつては、十分の五・五）」と、「率は三分の二」とあるのは「率は十分の五・二五（半島振興法第十条に規定する道路の改築に係るものにあつては、十分の五・五）」とする。

附　則〔略〕〔昭和三九・五・二〇政令一六〇〕

附　則〔略〕〔昭和四〇・三・二九政令五七〕

附　則〔略〕〔昭和四五・四・二〇政令七九〕

1　この政令は、公布の日から施行する。

2　この政令による改正後の道路整備緊急措置法施行令第二条（中略）の規定は、昭和四十五年度分の予算に係る国の負担金から適用し、昭和四十四年度以前の年度の予算に係る一般国道の改築でその工事又はその工事に係る負担金に係る経費の金額が昭和四十五年度以降に繰り越されたものに要する費用についての国及び都道府県の負担割合は、なお従前の例による。

附　則〔略〕〔昭和四五・一〇・二九政令三一〇〕

附　則〔略〕〔昭和五〇・一〇・二四政令三〇六〕

附　則〔略〕〔昭和六〇・五・一八政令一三三〕

附　則〔略〕〔昭和六一・五・八政令一五四〕

附　則〔略〕〔昭和六二・三・三一政令九八〕

附　則〔略〕〔昭和六三・三・三一政令七九〕

附　則〔略〕〔昭和六三・四・二六政令一三〇〕

附　則〔平成元・四・一〇政令一〇八〕

（施行期日）

1　この政令は、公布の日から施行する。

（経過措置）

2　改正後〔中略〕の規定は、平成元年度及び平成二年度（平成元年度の特例に係るものにあっては、平成元年度。以下この項において同じ。）の予算に係る国の負担又は補助（昭和六十三年度以前の年度の国庫債務負担行為に基づき平成元年度以降の年度に支出すべきものとされた国の負担又は補助を除く。）、平成元年度及び平成二年度の国庫債務負担行為に基づき平成三年度（平成元年度の特例に係るものにあっては、平成二年度。以下この項において同じ。）以降の年度に支出すべきものとされる国の負担又は補助並びに平成元年度及び平成二年度の歳出予算に係る国の負担又は補助で平成三年度以降の年度に繰り越されるものについて適用し、昭和六十三年度以前の年度の国庫債務負担行為に基づき平成元年度以降の年度に支出すべきものとされた国の負担又は補助及び昭和六十三年度以前の年度の歳出予算に係る国の負担又は補助で平成元年度以降の年度に繰り越されたものについては、なお従前の例による。

附　則〔略〕〔平成二・一一・九政令三二五〕

附　則〔平成三・三・三〇政令九八〕

改正　平成五・三政九四

（施行期日）

1　この政令は、平成三年四月一日から施行する。

（経過措置）

2　改正後〔中略〕の規定は、平成三年度及び平成四年度の予算に係る国の負担又は補助（平成二年度以前の年度の国庫債務負担行為に基づき平成三年度以降の年度に支出すべきものとされた国の負担又は補助を除く。）、平成三年度及び平成四年度の国庫債務負担行為に基づき平成五年度以降の年度に支出すべきものとされる国の負担又は補助並びに平成三年度及び平成四年度の歳出予算に係る国の負担又は補助で平成五年度以降の年度に繰り越されるものについて適用し、平成二年度以前の年度の国庫債務負担行為に基づき平成三年度以降の年度に支出すべきものとされた国の負担又は補助及び平成二年度以前の年度の歳出予算に係る国の負担又は補助で平成三年度以降の年度に繰り越されたものについては、なお従前の例による。

附　則〔抄〕〔平成五・三・三一政令九四〕

（施行期日）

1　この政令は、平成五年四月一日から施行する。

（経過措置）

2　改正後〔中略〕の規定は、平成五年度以降の年度の予算に係る国の負担又は補助（平成四年度以前の年度の国庫債務負担行為に基づき平成五年度以降の年度に支出すべきものとされた国の負担又は補助を除く。）について適用し、平成四年度以前の年度の国庫債務負担行為に基づき平成五年度以降の年度に支出すべきものとされた国の負担又は補助及び平成四年度以前の年度の歳出予算に係る国の負担又は補助で平成五年度以降の年度に繰り越されたものについては、なお従前の例による。

附　則〔略〕〔平成一二・六・七政令三一一〕

附　則〔略〕〔平成一三・四・二五政令一七〇〕

附　則〔略〕〔平成一五・三・二六政令七二〕

附　則〔略〕〔平成一五・三・三一政令一六三〕

附　則〔平成一五・一二・一七政令五二三〕

（施行期日）

第一条　この政令は、密集市街地における防災街区の整備の促進に関する法律等の一部を改正する法律の施行の日（平成十五年十二月十九日）から施行する。

（罰則に関する経過措置）

第二条　この政令の施行前にした行為に対する罰則の適用については、なお従前の例による。

附　則〔略〕〔平成一七・四・一政令一二六施行〕

附　則〔略〕〔平成一八・三・三一政令一二二〕

附　則〔略〕〔平成一八・八・一八政令二七六〕

附　則〔略〕〔平成二〇・五・一三政令一七六施行〕

附　則〔略〕〔平成二〇・七・四政令二一九〕

附　則〔抄〕〔平成二一・四・三〇政令一三〇〕

（施行期日）

第一条　この政令は、公布の日から施行する。

（国の負担又は補助に関する経過措置）

第二条　第一条の規定による改正後の次に掲げる政令の規定は、平成二十一年度以降の年度の予算に係る国の負担又は補助（平成二十年度以前の年度の国庫債務負担行為に基づき平成二十一年度以降の年度に支出すべきものとされた国の負担又は補助を除く。）について適用し、平成二十年度以前の年度の予算に係る国の負担又は補助で平成二十一年以降の年度に繰り越されたもの及び平成二十年度以前の年度の国庫債務負担行為に基づき平成二十一年度以降の年度に支出すべきものとされた国の負担又は補助については、なお従前の例による。

一　道路整備事業に係る国の財政上の特別措置に関する法律施行令第一条第二項から第四項まで、第二条及び第三条

二～九〔略〕

附　則〔略〕〔平成二三・一二・二六政令四二四〕

附　則〔略〕〔平成二五・八・二六政令二四三〕

附　則〔抄〕〔平成三〇・三・三一政令一二八〕

（施行期日）

1　この政令は、平成三十年四月一日から施行する。

（経過措置）

2　第一条から第三条までの規定による改正後の次に掲げる政令の規定は、平成三十年度以降の年度の予算に係る国の負担又は補助（平成二十九年度以前の年度の国庫債務負担行為に基づき平成三十年度以降の年度に支出すべきものとされた国の負担又は補助を除く。）について適用し、平成二十九年度以前の年度の予算に係る国の負担又は補助で平成三十年度以降の年度に繰り越されたもの及び平成二十九年度以前の年度の国庫債務負担行為に基づき平成三十年度以降の年度に支出すべきものとされた国の負担又は補助については、なお従前の例による。

一　道路整備事業に係る国の財政上の特別措置に関する法律施行令第一条第三項及び第五項並びに第二条第二項

二・三〔略〕

附　則〔略〕〔平成三〇・九・二八政令二八〇〕

附　則〔令和二・三・三〇政令八六〕

（施行期日）

1　この政令は、令和二年四月一日から施行する。

（経過措置）

2　この政令による改正後の規定は、令和二年度以降の年度の予算に係る国の負担又は補助（令和元年度以前の年度の国庫債務負担行為に基づき令和二年度以降の年度に支出すべきものとされた国の負担又は補助を除く。）について適用し、令和元年度以前の年度の予算に係る国の負担又は補助で令和二年度以降の年度に繰り越されたもの及び令和元年度以前の年度の国庫債務負担行為に基づき令和二年度以降の年度に支出すべきものとされた国の負担又は補助については、なお従前の例による。

附　則〔略〕〔令和二・一一・二〇政令三二九〕

附　則〔抄〕〔令和二・一二・九政令三四三〕

（施行期日）

第一条　この政令は、公布の日から施行する。

（経過措置）

第二条　この政令による改正後の道路整備事業に係る国の財政上の特別措置に関する法律施行令第二条第三項の規定は、令和二年度以降の年度の予算に係る国の補助について適用し、令和元年度以前の年度の予算に係る国の補助で令和二年度以降の年度に繰り越されたものについては、なお従前の例による。

附　則〔抄〕〔令和三・三・三一政令一三二〕

（施行期日）

1　この政令は、令和三年四月一日から施行する。

（経過措置）

2　〔前略〕第五条の規定による改正後の道路整備事業に係る国の財政上の

特別措置に関する法律施行令第一条第三項第三号及び第二条第二項第三号の規定は、令和三年度以降の年度の予算に係る国の負担又は補助（令和二年度以前の年度の国庫債務負担行為に基づき令和三年度以降の年度に支出すべきものとされた国の負担又は補助を除く。）について適用し、令和二年度以前の年度の予算に係る国の負担又は補助で令和三年度以降の年度に繰り越されたもの及び令和二年度以前の年度の国庫債務負担行為に基づき令和三年度以降の年度に支出すべきものとされた国の負担又は補助については、なお従前の例による。

○道路整備事業に係る国の財政上の特別措置に関する法律施行規則

（昭和六〇・六・一七 建設省令七）

改正　昭和六三・三建令三、平成一二・一一建令四一、平成一五・三国交令四一、平成二〇・五国交令三五、平成二一・四国交令三二、平成二五・九国交令七四、平成二九・三国交令一八、平成三〇・三国交令三七、九国交令七四、令和二・三国交令一九、一一国交令九〇、令和三・三国交令三一

（令第一条第二項の国土交通省令で定めるところにより算定した割合）

第一条　道路整備事業に係る国の財政上の特別措置に関する法律施行令（昭和三十四年政令第十七号。以下「令」という。）第一条第二項の国土交通省令で定めるところにより算定した割合は、次の表の上欄に掲げる事業の区分に応じ、それぞれ同表の下欄に定める割合とする。

	事業の区分	国の負担の割合
(一)	令第一条第二項に規定する一般国道の改築（(二)から(五)まで及び次項に規定するものを除く。）	十分の五・五
(二)	令第一条第二項に規定する一般国道の改築で同条第一項各号のいずれかに該当するもの（(四)及び(五)並びに次項の表(二)及び(四)に規定するものを除く。）	十分の五・五に調整指数を乗じて得た割合（調整指数が一以下である場合にあっては十分の五・五）
(三)	令第一条第二項に規定する一般国道の改築で離島振興法（昭和二十八年法律第七十二号）第二条第一項の規定により指定された離島振興対策実施地域（以下単に「離島振興対策実施地域」という。）内において行われるもの（(四)並びに次項の表(三)及び(四)に規定するものを除く。）	十分の六
(四)	令第一条第二項に規定する一般国道の改築で離島振興対策実施地域内において行われるもののうち同条第一項各号のいずれかに該当するもの（次項の表(四)に規定するものを除く。）	十分の六に調整指数を乗じて得た割合（調整指数が一以下である場合にあっては十分の六、調整指数が一・一七以上である場合にあっては十分の七）
(五)	令第一条第二項に規定する一般国道の改築で奄美群島振興開発特別措置法（昭和二十九年法律第百八十九号）第一条に規定する奄美群島の区域（以下単に「奄美群島区域」という。）内において行われるもののうち令第一条第一項各号のいずれかに該当するもの	十分の七

2　令第一条第二項に規定する一般国道の改築で特別会計に関する法律（平成十九年法律第二十三号）第二条第一項第十八号に規定する東日本大震災復興特別会計において経理される同法第二百二十二条第二項に規定する復興事業（以下単に「復興事業」という。）に該当するものに要する費用について令第一条第二項の国土交通省令で定めるところにより算定した割合は、次の表の上欄に掲げる事業の区分ごとに、それぞれ、同表の中欄に掲げる調整指数に応じ、同表の下欄に定める割合とする。

	事業の区分	調整指数	国の負担の割合
(一)	令第一条第二項に規定する一般国道の改築（(二)から(四)まで及び前項の表(五)に規定するものを除く。）	一以下である場合	十分の五・五
		一・〇一以上一・〇九以下である場合	十分の六を当該調整指数で除して得た割合
		一・一〇以上一・一八以下である場合	十分の六・五を当該調整指数で除して得た割合
		一・一九以上一・二五以下である場合	十分の七を当該調整指数で除して得た割合
(二)	令第一条第二項に規定する一般国道の改築で同条第一項各号のいずれかに該当するもの	一以下である場合	十分の五・五
		一・〇一以上一・〇九以下である場合	十分の六

（㈣及び前項の表㈤に規定するものを除く。）	一・一〇以上一・一八以下である場合	十分の六・五
	一・一九以上一・二五以下である場合	十分の七
㈢ 令第一条第二項に規定する一般国道の改築で離島振興対策実施地域内において行われるもの（㈣に規定するものを除く。）	一以下である場合	十分の六
	一・〇一以上一・〇九以下である場合	十分の六・五を当該調整指数で除して得た割合
	一・一〇以上一・一八以下である場合	十分の七を当該調整指数で除して得た割合
	一・一九以上一・二五以下である場合	十分の七・五を当該調整指数で除して得た割合
㈣ 令第一条第二項に規定する一般国道の改築で離島振興対策実施地域内において行われるもののうち同条第一項各号のいずれかに該当するもの	一以下である場合	十分の六
	一・〇一以上一・〇九以下である場合	十分の六・五
	一・一〇以上一・二五以下である場合	十分の七

3　前二項の規定において「調整指数」とは、次の各号に掲げる場合の区分に応じ、当該各号に定める式により算定した数値（小数点以下二位未満は、切り上げるものとする。）をいう。

一　当該一般国道の改築を行う地方公共団体が都府県である場合

$$1+0.25\times\frac{0.46-\text{当該一般国道の改築を行う都府県の財政力指数}}{0.46-\text{財政力指数が最小である都道府県の当該財政力指数}}$$

二　当該一般国道の改築を行う地方公共団体が市町村である場合

$$1+0.25\times\frac{0.46-\text{当該一般国道の改築を行う市町村の財政力指数}}{0.46-\text{財政力指数が最小である市町村の当該財政力指数}}$$

4　前項各号の式において「財政力指数」とは、後進地域の開発に関する公共事業に係る国の負担割合の特例に関する法律（昭和三十六年法律第百十二号）第二条第一項に規定する財政力指数をいう。

（令第一条第三項第三号の国土交通省令で定める要件）

第二条　令第一条第三項第三号の国土交通省令で定める要件は、次のとおりとする。

一　一定の地域において一体として行われるものであること。

二　重点的、効果的かつ効率的に行われるものであること。

三　離島振興対策実施地域若しくは奄美群島区域内において行われるもの又は復興事業に該当するもの以外のものにあっては、次の要件を満たすものであること。

イ　一般国道の改築にあっては、道路の構造、交通の状況等を勘案して地域における道路の交通の安全の確保とその円滑化を図るとともに、生活環境の改善に資するため特に必要と認められるものであること。

ロ　地方交付税法（昭和二十五年法律第二百十一号）第十条第一項の規定による普通交付税の交付を受けていない都府県等（都府県又は地方自治法（昭和二十二年法律第六十七号）第二百五十二条の十九第一項の市をいう。次条において同じ。）により行われるもの以外のものであること。

（令第一条第三項第三号イ及び第二条第二項第三号イの国土交通省令で定める基準）

第三条　令第一条第三項の国土交通省令で定める基準は、都府県等にあっては、地方交付税法第十条第一項の規定による普通交付税の交付を受けていないこととする。

（令第一条第三項第三号イ及び第二条第二項第三号イの国土交通省令で定める改築）

第三条の二　令第一条第三項第三号イ及び第二条第二項第三号イの国土交通省令で定める改築は、踏切道改良促進法（昭和三十六年法律第百九十五号）第四条第一項に規定する地方踏切道改良計画に従って行われる道路の高架移設、車道又は歩道の拡幅その他の改築とする。

（令第一条第三項第三号ロ及び第二条第二項第三号ロの国土交通省令で定める改築）

第三条の三　令第一条第三項第三号ロ及び第二条第二項第三号ロの国土交通省令で定める改築は、次に掲げるものとする。

一　歩道、自転車道又は自転車歩行者道の設置又は拡幅その他の道路の幅員の変更

二　自動車を減速させて歩行者又は自転車の安全な通行を確保するために行う路面の凸部の設置

三　舗装の着色（歩行者と車両（道路交通法（昭和三十五年法律第百五号）第二条第一項第八号に規定する車両をいう。）とを分離して通行させるための道路の着色をいう。）

四　交差点又はその付近における突角の切取り

五　柵、街灯、道路標識、道路情報管理施設、自動車駐車場その他の道路の附属物の設置

六　その他道路の構造、車両及び歩行者の通行並びに沿道の土地利用の状況その他の事情を勘案して、当該道路における交通事故の防止を図るため特に重点的に行う必要があると認められる改築

（令第一条第三項第三号ハ及び第二条第二項第三号ハの国土交通省令で定める改築）

第三条の四　令第一条第三項第三号ハ及び第二条第二項第三号ハの国土交通省令で定める改築は、無電柱化の推進に関する法律（平成二十八年法律第百十二号）第八条第一項又は第二項の都道府県無電柱化推進計画又は市町村無電柱化推進計画に基づいて行われるものとする。

（令第一条第三項第四号及び第五項第三号並びに第二条第二項第四号の国土交通省令で定める施設又は工作物）

第四条　令第一条第三項第四号及び第五項第三号並びに第二条第二項第四号の国土交通省令で定める施設又は工作物は、損傷、腐食その他の劣化により道路の構造に支障を及ぼすおそれが特に大きいと認められる橋、トンネル、法面、横断歩道橋、防護施設、道路を横断して設ける道路標識その他これらに類するものとする。

（電線共同溝への電線の敷設工事に係る貸付申請の手続）

第五条　都府県又は市町村は、道路整備事業に係る国の財政上の特別措置に関する法律（昭和三十三年法律第三十四号。以下「法」という。）第四条第一項の規定による国の貸付けを受けようとするときは、次に掲げる事項を記載した申請書を国土交通大臣に提出するものとする。

一　道路法（昭和二十七年法律第百八十号）第三十七条第一項の規定により指定された道路の区域又は同法第四十八条の二十第一項若しくは第三項の規定により指定された歩行者利便増進道路の区域において建設される電線共同溝への電線の敷設工事（これに附帯する工事を含む。次号及び第三号において単に「敷設工事」という。）に係る都道府県又は市町村の当該年度における貸付けの金額及びその時期

二　都府県又は市町村の貸付けを受ける電線共同溝の占用予定者の当該年度における敷設工事に関する工事実施計画の明細

三　都府県又は市町村の貸付けを受ける電線共同溝の占用予定者の当該年度における敷設工事に関する資金計画の明細

四　都府県又は市町村の貸付金に関する貸付けの条件

（自動運行補助施設の設置工事に係る貸付申請の手続）

第六条　都府県又は市町村は、法第五条第一項の規定による国の貸付けを受けようとするときは、次に掲げる事項を記載した申請書を国土交通大臣に提出するものとする。

一　道路法第三十二条第一項又は第三項の規定による許可を受けて行われる自動運行補助施設の設置工事（次号及び第三号において単に「設置工事」という。）に係る都道府県又は市町村の当該年度における貸付けの金額及びその時期

二　都府県又は市町村の貸付けを受ける自動運行補助施設設置者（令第五条第二項第二号に規定する自動運行補助施設設置者をいう。次号において同じ。）の当該年度における設置工事に関する工事実施計画の明細

三　都府県又は市町村の貸付けを受ける自動運行補助施設設置者の当該年度における設置工事に関する資金計画の明細

四　都府県又は市町村の貸付金に関する貸付けの条件

（特定連絡道路工事施行者になろうとする者の申請の手続）

第七条　特定連絡道路工事施行者になろうとする者は、次に掲げる事項を記載した申請書を国土交通大臣に提出するものとする。これを変更する場合も、同様とする。

一　次に掲げる事項を記載した特定連絡道路に関する工事に関する工事実施計画

イ　特定連絡道路に関する工事の設計の概要

ロ　特定連絡道路に関する工事に要する費用の総額及びその内訳

ハ　特定連絡道路に関する工事の工程表

二　次に掲げる事項を記載した特定連絡道路に関する工事に関する資金計画

イ　資金の調達方法

ロ　資金の使途

三　特定連絡道路に関する工事に関する収支計画

四　特定連絡道路に関する工事を適確に行うに足りる能力があることを説明した書類

2　前項の申請書には、次に掲げる書類を添付するものとする。

一　既存の法人にあっては、次に掲げる書類

イ　定款又は寄附行為及び登記事項証明書

ロ　役員又は社員の履歴書

ハ　株式会社にあっては、発行済株式の総数の五パーセント以上の株式を所有する株主の名簿

ニ　最近の事業年度の財産目録、貸借対照表及び損益計算書

ホ　組織を明らかにする書類

ヘ　法第六条第一項の承認を受けたことを証する書類

二　法人を設立しようとする者にあっては、次に掲げる書類

イ　定款又は寄附行為の謄本

ロ　発起人、社員又は設立者の履歴書

ハ　株式の引受け、出資又は財産の寄附の状況又は見込みを記載した書類

ニ　組織を明らかにする書類

ホ　法第六条第一項の承認を受けたことを証する書類

三　その他参考となるべき事項を記載した書類

（特定連絡道路工事施行者の決定の通知）

第八条　国土交通大臣は、前条第一項の規定による申請をした者が令第六条の要件に適合すると認めるときは、当該申請をした者並びに関係都道府県及び市町村に対し、その旨を通知するものとする。

（特定連絡道路に関する工事に係る貸付申請の手続）

第九条　都道府県又は市町村は、法第六条第一項の規定による国の貸付けを受けようとするときは、次に掲げる事項を記載した申請書を国土交通大臣に提出するものとする。

一　特定連絡道路に関する工事に係る都道府県又は市町村の当該年度における貸付けの金額及びその時期

二　都道府県又は市町村の貸付けを受ける特定連絡道路工事施行者の当該年度における特定連絡道路に関する工事に関する工事実施計画の明細

三　都道府県又は市町村の貸付けを受ける特定連絡道路工事施行者の当該年度における特定連絡道路に関する工事に関する資金計画の明細

四　都道府県又は市町村の貸付金に関する貸付けの条件

（高速道路利便増進事業に関する計画に定める事項）

第一〇条　法第七条第二項第五号の国土交通省令で定める事項は、次に掲げるものとする。

一　法第七条第二項第一号の高速道路利便増進事業の実施体制に関する事項

二　計画の実施のため必要となる独立行政法人日本高速道路保有・債務返済機構法（平成十六年法律第百号）第十三条第一項に規定する協定の変更に関する事項

（法第七条第十項第一号の国土交通省令で定める部分）

第一一条　法第七条第十項第一号の国土交通省令で定める部分は、専らＥＴＣ通行車（道路整備特別措置法施行規則（昭和三十一年建設省令第十八号）第十三条第二項第三号イに規定するＥＴＣ通行車をいう。）の通行の用に供することを目的とする高速道路（高速道路株式会社法（平成十六年法律第九十九号）第二条第二項に規定する高速道路をいう。）の部分とする。

（法第八条第二項の振替機構債券等に関し国土交通省令で定める事項等）

第一二条　法第八条第二項の振替機構債券等に関し国土交通省令で定める事項は、次に掲げるものとする。

一　法第八条第二項の振替機構債券等に係る債務を法第七条第一項に規定する承継日において一般会計において承継する旨

二　法第八条第二項の振替機構債券等について同条第七項の規定により申請をすることができない期間並びに同項の規定により制限される同項及び令第八条に規定する申請の内容

2　法第八条第二項の振替機構債券等に係る機構債務の承継のために必要なものとして国土交通省令で定める事項は、同条第八項第三号から第五号までに掲げる事項とする。

附　則〔略〕〔昭和六〇・六・一七建設省令七施行〕

附　則〔略〕〔昭和六三・三・三一建設省令三〕

附　則〔略〕〔平成一二・一一・二〇建設省令四一〕

附　則〔略〕〔平成一五・三・三一国土交通省令四一〕

附　則〔略〕〔平成二〇・五・一三国土交通省令三五施行〕

附　則〔略〕〔平成二一・四・三〇国土交通省令三二施行〕

附　則〔略〕〔平成二五・九・二国土交通省令七四〕

附　則〔平成二九・三・三一国土交通省令一八〕

（施行期日）

第一条　この省令は、平成二十九年四月一日から施行する。

（経過措置）

第二条　この省令による改正後の規定は、平成二十九年度以降の年度の予算に係る国の負担又は補助（平成二十八年度以前の年度の国庫債務負担行為に基づき平成二十九年度以降の年度に支出すべきものとされた国の負担又は補助を除く。）について適用し、平成二十八年度以前の年度の予算に係る国の負担又は補助で平成二十九年度以降の年度に繰り越されたもの及び平成二十八年度以前の年度の国庫債務負担行為に基づき平成二十九年度以降の年度に支出すべきものとされた国の負担又は補助については、なお従前の例による。

附　則〔平成三〇・三・三一国土交通省令三七〕

（施行期日）

1　この省令は、平成三十年四月一日から施行する。

（経過措置）

2　この省令による改正後の規定は、平成三十年度以降の年度の予算に係る国の負担又は補助（平成二十九年度以前の年度の国庫債務負担行為に基づき平成三十年度以降の年度に支出すべきものとされた国の負担又は補助を除く。）について適用し、平成二十九年度以前の年度の予算に係る国の負担又は補助で平成三十年度以降の年度に繰り越されたもの及び平成二十九年度以前の年度の国庫債務負担行為に基づき平成三十年度以降の年度に支出すべきものとされた国の負担又は補助については、なお従前の例による。

附　則〔略〕〔平成三〇・九・二八国土交通省令七四〕

附　則〔令和二・三・三〇国土交通省令一九〕

（施行期日）

1　この省令は、道路法施行令及び道路整備事業に係る国の財政上の特別措置に関する法律施行令の一部を改正する政令の施行の日（令和二年四月一日）から施行する。

（経過措置）

2　この省令による改正後の規定は、令和二年度以降の年度の予算に係る国の負担又は補助（令和元年度以前の年度の国庫債務負担行為に基づき令和二年度以降の年度に支出すべきものとされた国の負担又は補助を除く。）について適用し、令和元年度以前の年度の予算に係る国の負担又は補助で令和二年度以降の年度に繰り越されたもの及び令和元年度以前の年度の国庫債務負担行為に基づき令和二年度以降の年度に支出すべきものとされた国の負担又は補助については、なお従前の例による。

附　則〔略〕〔令和二・一一・二〇国土交通省令九〇〕

附　則〔令和三・三・三一国土交通省令三一〕

（施行期日）

1　この省令は、令和三年四月一日から施行する。

（経過措置）

2　（前略）第三条の規定による改正後の道路整備事業に係る国の財政上の特別措置に関する法律施行規則第三条の二から第三条の四までの規定は、令和三年度以降の年度の予算に係る国の負担又は補助（令和二年度以前の年度の国庫債務負担行為に基づき令和三年度以降の年度に支出すべきもの

とされた国の負担又は補助を除く。）について適用し、令和二年度以前の年度の予算に係る国の負担又は補助で令和三年度以降の年度に繰り越されたもの及び令和二年度以前の年度の国庫債務負担行為に基づき令和三年度以降の年度に支出すべきものとされた国の負担又は補助については、なお従前の例による。

○踏切道改良促進法（昭和三六・一一・七 法律一九五）

改正　昭和四一・三法三〇、昭和四六・三法一四、昭和五一・三法一三、昭和五六・三法七、昭和六一・三法一二、一二法九三、平成三・三法二一、四法四六、平成八・三法二六、平成九・六法八三、平成一一・七法八七、一二法一六〇、平成一三・三法五、平成一四・一二法一八〇、平成一八・三法一九、平成二三・三法六、平成二八・三法一九、平成三〇・三法六、令和二・五法三一、令和三・三法九

（目的）

第一条　この法律は、踏切道の改良を促進することにより、交通事故の防止及び交通の円滑化に寄与することを目的とする。

（定義）

第二条　この法律で「踏切道」とは、鉄道（新設軌道を含む。以下同じ。）と道路（道路法（昭和二十七年法律第百八十号）による道路をいう。以下同じ。）とが交差している場合における踏切道をいう。

（改良すべき踏切道の指定）

第三条　国土交通大臣は、踏切道における交通量、踏切事故の発生状況その他の事情を考慮して国土交通省令で定める基準に該当する踏切道のうち、踏切道改良基準（安全かつ円滑な交通の確保のために必要な踏切道の改良（当該踏切道と交通上密接な関連を有する道路（以下「踏切道密接関連道路」という。）の改良を含む。以下同じ。）の方法に関する国土交通省令で定める基準をいう。以下同じ。）に適合する改良の方法により改良することが必要と認められるものを指定するものとする。

2　前項の規定による指定については、道路又は鉄道に関する国の計画の達成に資するよう行うとともに、踏切道の改良を優先的に実施する必要性、踏切道の周辺の地域の地形及び土地利用の状況その他の事情を勘案して行うものとする。

3　都道府県知事は、当該都道府県の区域内に存する踏切道であつて第一項の国土交通省令で定める基準に該当するもののうち、踏切道改良基準に適合する改良の方法により改良することが必要と認められる踏切道について、同項の規定による指定をすべき旨を国土交通大臣に申し出ることができる。

4　都道府県知事は、前項の規定により第一項の規定による指定をすべき旨の申出をするときは、あらかじめ、当該指定に係る鉄道事業者（軌道経営者を含む。以下同じ。）及び道路管理者（道路の管理者をいう。以下同じ。）（第十六条第一項の地方踏切道改良協議会が組織されている場合にあつては、当該地方踏切道改良協議会。第六項において同じ。）並びに関係市町村長の意見を聴かなければならない。

5　市町村長は、当該市町村の区域内に存する踏切道であつて第一項の国土交通省令で定める基準に該当するもののうち、踏切道における移動等円滑化（高齢者、障害者等の移動等の円滑化の促進に関する法律（平成十八年法律第九十一号）第二条第二号に規定する移動等円滑化をいう。）の促進の必要性その他の地域の事情を考慮して、踏切道改良基準に適合する改良の方法により改良することが必要と認められる踏切道について、同項の規定による指定をすべき旨を、都道府県知事を経由して、国土交通大臣に申し出ることができる。

6　市町村長は、前項の規定により第一項の規定による指定をすべき旨の申出をするときは、あらかじめ、当該指定に係る鉄道事業者及び道路管理者の意見を聴かなければならない。

7　国土交通大臣は、第一項の規定による指定をしたときは、国土交通省令で定めるところにより、当該指定に係る鉄道事業者及び道路管理者並びに第三項又は第五項の規定による申出があつた場合においては都道府県知事に対し、その旨を通知するとともに、告示しなければならない。

8　都道府県知事は、前項の通知を受けたときは、第四項の関係市町村長（第五項の規定による申出があつた場合においては、当該関係市町村長及び当該申出をした市町村長）に対し、その旨を通知しなければならない。

（地方踏切道改良計画）

第四条　鉄道事業者及び道路管理者は、前条第一項の規定による指定（鉄道と国土交通大臣が道路管理者である道路とが交差している場合における踏切道に係るものを除く。）があつたときは、国土交通大臣が指定する期日までに、国土交通省令で定めるところにより、協議により同項の規定による指定に係る踏切道の改良に関する計画（以下「地方踏切道改良計画」という。）を作成して、国土交通大臣に提出しなければならない。ただし、保安設備の整備、歩行者と車両とを分離して通行させるための踏切道の着色その他の比較的短期間に完了する踏切道の改良の方法として国土交通省令で定めるものにより改良する場合にあつては、この限りでない。

2　地方踏切道改良計画には、次に掲げる事項を記載するものとする。

一　踏切道の名称

二　踏切道の改良の方法

三　踏切道の改良に要する期間

四　踏切道の改良と一体となつてその効果を十分に発揮させるための事業があるときは、その内容

五　前各号に掲げるもののほか、国土交通省令で定める事項

3　前項第二号の改良の方法は、踏切道改良基準に適合するものでなければならない。

4　第二項第二号に掲げる事項には、当該踏切道に係る他の道路管理者が管理する踏切道密接関連道路の改良の方法に関する事項を記載することができる。

5　鉄道事業者及び道路管理者は、前項の規定により地方踏切道改良計画に他の道路管理者が管理する踏切道密接関連道路の改良の方法に関する事項を記載するときは、当該事項について、あらかじめ、当該他の道路管理者の同意を得なければならない。ただし、地方踏切道改良計画を作成する前に、道路法第二十八条の二第一項に規定する協議会において、当該事項の記載について協議が成立したときは、この限りでない。

6　第二項第四号に掲げる事項には、踏切道に接続する道路の構造の改良を行うことにより歩行者又は自転車利用者の滞留の用に供する部分を確保することが当該道路の構造又は周辺の土地利用の状況により困難である場合において、当該踏切道における安全かつ円滑な交通の確保を図るために必要であると認められるときは、道路外滞留施設（踏切道に接続する道路に沿つて設けられた通路その他の当該道路の区域外にある施設であつて歩行者又は自転車利用者の滞留の用に供することができるものとして国土交通省令で定めるものをいう。次項及び第八条第一項において同じ。）の整備又は管理に関する事項を記載することができる。

7　鉄道事業者及び道路管理者は、前項の規定により地方踏切道改良計画に道路外滞留施設の整備又は管理に関する事項を記載するときは、当該事項について、あらかじめ、道路外滞留施設所有者等（当該道路外滞留施設の所有者、その敷地である土地の所有者又は当該土地の使用及び収益を目的とする権利（臨時設備その他一時的に使用する施設のため設定されたことが明らかなものを除く。）を有する者をいう。第八条及び第十条において同じ。）の同意を得なければならない。

8　第二項第四号に掲げる事項には、道路協力団体（道路法第四十八条の六十第一項の規定により指定された道路協力団体をいう。以下この項及び次項並びに第十六条第三項において同じ。）による歩行者と車両とを分離して通行させるための踏切道の着色、踏切事故の発生の防止について通行者の注意を喚起するための看板の設置その他の鉄道事業者及び道路管理者が実施する踏切道の改良に道路協力団体の協力が必要な事項を記載することができる。

9　鉄道事業者及び道路管理者は、前項の規定により地方踏切道改良計画に道路協力団体の協力が必要な事項を記載するときは、当該事項について、あらかじめ、当該道路協力団体の同意を得なければならない。

10　鉄道事業者及び道路管理者は、立体交差化による踏切道の改良を行おうとする場合であつて、第一項本文の規定により同項の国土交通大臣が指定する期日までに地方踏切道改良計画を作成することができない特別の事情があるときは、第十六条第一項の地方踏切道改良協議会における協議を経て、当該期日までに、国土交通大臣に対し、その旨、当該特別の事情及び地方踏切道改良計画を提出する期日（以下この条において「計画提出期日」という。）を届け出ることができる。

11　国土交通大臣は、前項の規定による届出があつた場合において、その届出に係る計画提出期日が著しく不適当であると認めるときは、当該計画提出期日の変更を指示することができる。この場合において、当該指示に係る鉄道事業者及び道路管理者は、変更後の計画提出期日を届け出なければならない。

12　鉄道事業者及び道路管理者は、第十項の規定による届出をしたときは、第一項の規定にかかわらず、当該届出に係る計画提出期日（前項の規定による変更の指示があつた場合には、同項の規定による変更後の計画提出期日）までに、国土交通省令で定めるところにより、協議により地方踏切道改良計画を作成して、国土交通大臣に提出することとすることができる。

13　鉄道事業者及び道路管理者は、第一項又は前項の規定により地方踏切道改良計画を作成しようとする場合において、第十六条第一項の地方踏切道改良協議会が組織されているときは、当該地方踏切道改良協議会の意見を聴かなければならない。

14　第一項又は第十二項の協議が成立せず、又は協議をすることができないときは、当該鉄道事業者又は道路管理者は、国土交通大臣に裁定を申請することができる。

15　国土交通大臣は、前項の規定による申請に基づいて裁定をしようとする場合においては、当該鉄道事業者及び道路管理者（第十六条第一項の地方踏切道改良協議会が組織されているときは、当該鉄道事業者及び道路管理者並びに当該地方踏切道改良協議会）の意見を聴かなければならない。この場合において、当該道路管理者は、意見を提出しようとするときは、道路法第十三条第一項の指定区間外の国道にあつては道路管理者である地方公共団体の議会に諮問し、その他の道路にあつては道路管理者である地方公共団体の議会の議決を経なければならない。

16　第十四項の規定により国土交通大臣が裁定をした場合においては、第一項又は第十二項の規定の適用については、当該鉄道事業者と道路管理者との協議が成立したものとみなす。

17　第一項又は第十二項の規定による国土交通大臣への地方踏切道改良計画の提出（鉄道事業者及び都道府県又は道路法第七条第三項に規定する指定市である道路管理者が行うものを除く。）は、政令で定めるところにより、都道府県知事を経由して行わなければならない。

18　国土交通大臣は、第一項又は第十二項の規定により提出された地方踏切道改良計画が著しく不適当であると認めるときは、その変更を指示することができる。

（地方踏切道改良計画の変更）

第五条　前条第一項又は第十二項の規定により地方踏切道改良計画を提出した鉄道事業者及び道路管理者は、当該地方踏切道改良計画について、協議により同条第二項各号に掲げる事項の変更をしたときは、その変更後の地方踏切道改良計画を、国土交通省令で定めるところにより、国土交通大臣に提出しなければならない。

2　前条第三項から第九項まで及び第十三項から第十八項までの規定は、前項の規定による地方踏切道改良計画の変更について準用する。この場合において、同条第十三項中「第一項又は前項」とあり、並びに同条第十四項及び第十六項から第十八項までの規定中「第一項又は第十二項」とあるのは、「次条第一項」と読み替えるものとする。

（国踏切道改良計画）

第六条　国土交通大臣は、第三条第一項の規定による指定（鉄道と国土交通大臣が道路管理者である道路とが交差している場合における踏切道に係るものに限る。）をしたときは、当該指定に係る踏切道の改良に関する計画（以下「国踏切道改良計画」という。）を作成するものとする。

2　国踏切道改良計画には、次に掲げる事項を記載するものとする。

一　踏切道の名称

二　踏切道の改良の方法

三　踏切道の改良に要する期間

四　踏切道の改良と一体となつてその効果を十分に発揮させるための事業があるときは、その内容

五　前各号に掲げるもののほか、国土交通省令で定める事項

3　第四条第三項から第九項までの規定は、国踏切道改良計画について準用する。この場合において、同条第三項中「前項第二号」とあり、及び同条第四項中「第二項第二号」とあるのは「第六条第二項第二号」と、同条第五項、第七項及び第九項中「鉄道事業者及び道路管理者」とあるのは「国土交通大臣」と、同条第六項及び第八項中「第二項第四号」とあるのは「第六条第二項第四号」と読み替えるものとする。

4　国土交通大臣は、第一項の規定により国踏切道改良計画を作成する場合においては、あらかじめ、当該踏切道に係る鉄道事業者の意見を聴かなければならない。ただし、国土交通大臣が同項の規定により国踏切道改良計画を作成する前に、当該鉄道事業者と国土交通大臣との間に国踏切道改良計画の作成について協議が成立したときは、この限りでない。

5　国土交通大臣は、第一項の規定により国踏切道改良計画を作成するときは、鉄道の整備及び安全の確保並びに鉄道事業の発達、改善及び調整に特に配慮しなければならない。

6　第二項から前項までの規定は、国踏切道改良計画の変更について準用する。

（踏切道密接関連道路の改良の特例）

第七条　第三条第一項の規定による指定に係る道路管理者は、道路法第十二条ただし書、第十三条第一項、第十五条、第十六条及び第十七条第一項から第三項までの規定にかかわらず、第四条第四項（第五条第二項又は前条第三項（同条第六項において準用する場合を含む。）において準用する場合を含む。）の規定により地方踏切道改良計画又は国踏切道改良計画に記載された他の道路管理者（国土交通大臣である道路管理者を除く。）が管理する踏切道密接関連道路の改良（以下この条、第十一条第三項及び第十八条第一項において「特定道路改良」という。）を行うことができる。

2　前項の道路管理者は、同項の規定により特定道路改良を行おうとするとき、及び当該特定道路改良の全部又は一部を完了したときは、国土交通省令で定めるところにより、その旨を公示しなければならない。

3　第一項の道路管理者は、同項の規定により特定道路改良を行う場合にお

いては、政令で定めるところにより、当該特定道路改良に係る踏切道密接関連道路の道路管理者に代わつてその権限を行うものとする。

4　前項の規定により特定道路改良に係る踏切道密接関連道路の道路管理者に代わつてその権限を行う第一項の道路管理者は、道路法第八章の規定の適用については、当該踏切道密接関連道路の道路管理者とみなす。

（滞留施設協定の締結等）

第八条　第三条第一項の規定による指定に係る鉄道事業者及び道路管理者は、第四条第六項（第五条第三項又は第六条第三項（同条第六項において準用する場合を含む。）において準用する場合を含む。）の規定により地方踏切道改良計画又は国踏切道改良計画に記載された道路外滞留施設の整備又は管理を行うため、道路外滞留施設所有者等との間において、次に掲げる事項を定めた協定（以下この条から第十条までにおいて「滞留施設協定」という。）を締結して、当該道路外滞留施設の整備又は管理を行うことができる。

一　滞留施設協定の目的となる道路外滞留施設（以下この項、次条第三項及び第十条において「協定滞留施設」という。）

二　協定滞留施設の整備又は管理の方法

三　滞留施設協定の有効期間

四　滞留施設協定に違反した場合の措置

五　次条第三項の規定による滞留施設協定の掲示の方法

六　その他協定滞留施設の整備又は管理に関し必要な事項

2　滞留施設協定については、道路外滞留施設所有者等の全員の合意がなければならない。

（滞留施設協定の縦覧等）

第九条　前条第一項の鉄道事業者及び道路管理者は、滞留施設協定を締結しようとするときは、国土交通省令で定めるところにより、その旨を公告し、当該滞留施設協定を当該公告の日から二週間利害関係人の縦覧に供さなければならない。

2　前項の規定による公告があつたときは、利害関係人は、同項の縦覧期間満了の日までに、当該滞留施設協定について、当該鉄道事業者及び道路管理者に意見書を提出することができる。

3　鉄道事業者及び道路管理者は、滞留施設協定を締結したときは、国土交通省令で定めるところにより、遅滞なく、その旨を公示し、かつ、当該滞留施設協定の写しを当該鉄道事業者及び道路管理者の事務所に備えて一般の閲覧に供するとともに、滞留施設協定において定めるところにより、協定滞留施設又はその敷地内の見やすい場所に、当該鉄道事業者及び道路管理者の事務所においてこれを閲覧に供している旨を掲示しなければならない。

4　前条第二項及び前三項の規定は、滞留施設協定において定めた事項の変更について準用する。

（滞留施設協定の効力）

第一〇条　前条第三項（同条第四項において準用する場合を含む。）の規定による公示のあつた滞留施設協定は、その公示のあつた後において協定滞留施設の道路外滞留施設所有者等となつた者に対しても、その効力があるものとする。

（改良の実施）

第一一条　第三条第一項の規定による指定に係る鉄道事業者及び道路管理者は、地方踏切道改良計画又は国踏切道改良計画に従い、当該踏切道の改良を実施しなければならない。

2　前項の規定にかかわらず、第四条第一項ただし書に規定する場合においては、前項の鉄道事業者及び道路管理者は、踏切道改良基準に適合する改良の方法により当該踏切道の改良を実施しなければならない。

3　第四条第四項及び第五項（これらの規定を第五条第三項又は第六条第三項（同条第六項において準用する場合を含む。）において準用する場合を含む。）の規定により特定道路改良に関する事項が記載された地方踏切道改良計画又は国踏切道改良計画に係る第一項の規定の適用については、同項中「道路管理者」とあるのは、「道路管理者並びに特定道路改良に係る他の道路管理者」とする。

（評価）

第一二条　第三条第一項の規定による指定に係る鉄道事業者及び道路管理者は、前条第一項又は第二項の規定による踏切道の改良を完了したときは、国土交通省令で定めるところにより、当該踏切道の改良の完了後の踏切道における交通量、踏切事故の発生状況その他の安全かつ円滑な交通の確保に関する状況について、自ら評価をしなければならない。

2　前項の鉄道事業者及び道路管理者（国土交通大臣である道路管理者を除く。）は、同項の評価を実施したときは、国土交通省令で定めるところにより、当該評価の結果を国土交通大臣に届け出なければならない。

（災害時の管理の方法を定めるべき踏切道の指定）

第一三条　国土交通大臣は、災害が発生した場合における円滑な避難又は緊急輸送の確保を図る必要性、踏切道を通過する列車の運行の状況、踏切道の周辺における鉄道と道路との交差の状況その他の事情を考慮して国土交通省令で定める基準に該当する踏切道のうち、踏切道災害時管理基準（災害時において鉄道事業者及び道路管理者がとるべき措置の具体的内容及び手順を定めた対処要領の作成、当該措置に関する訓練の実施その他の災害が発生した場合における踏切道の適確な管理のために必要な事項に関する国土交通省令で定める基準をいう。次項、次条第二項及び第十五条第二項において同じ。）に適合する管理の方法を定めることが必要と認められるものを指定するものとする。

2　都道府県知事は、当該都道府県の区域内に存する踏切道であつて前項の国土交通省令で定める基準に該当するもののうち、踏切道災害時管理基準に適合する管理の方法を定めることが必要と認められる踏切道について、同項の規定による指定をすべき旨を国土交通大臣に申し出ることができる。

3　第三条第四項、第七項及び第八項の規定は、第一項の規定による指定について準用する。この場合において、同条第四項中「前項」とあり、及び同条第七項中「第三項又は第五項」とあるのは「第十三条第二項」と、同条第八項中「関係市町村長（第五項の規定による申出があつた場合においては、当該関係市町村長及び当該申出をした市町村長）」とあるのは「関係市町村長」と読み替えるものとする。

（地方踏切道災害時管理方法）

第一四条　鉄道事業者及び道路管理者は、前条第一項の規定による指定（鉄道と国土交通大臣が道路管理者である道路とが交差している場合における踏切道に係るものを除く。）があつたときは、国土交通大臣が指定する期限までに、国土交通省令で定めるところにより、協議により同項の規定による指定に係る踏切道の管理の方法（以下この条及び第十七条第四項において「地方踏切道災害時管理方法」という。）を定め、国土交通大臣に提出しなければならない。

2　地方踏切道災害時管理方法は、踏切道災害時管理基準に適合するものでなければならない。

3　第一項の協議が成立せず、又は協議をすることができないときは、当該鉄道事業者又は道路管理者は、国土交通大臣に裁定を申請することができる。

4　第四条第十五項の規定は、前項の場合について準用する。

5　第三項の規定により国土交通大臣が裁定をした場合においては、第一項の規定の適用については、当該鉄道事業者と道路管理者との協議が成立したものとみなす。

6　鉄道事業者及び道路管理者は、第一項の規定により地方踏切道災害時管理方法を定めようとする場合において、第十六条第一項の地方踏切道改良協議会が組織されているときは、当該地方踏切道改良協議会の意見を聴かなければならない。

7　第一項の規定による国土交通大臣への地方踏切道災害時管理方法の提出（鉄道事業者及び都道府県又は道路法第七条第三項に規定する指定市である道路管理者が行うものを除く。）は、政令で定めるところにより、都道府県知事を経由して行わなければならない。

8　国土交通大臣は、第一項の規定により提出された地方踏切道災害時管理方法が著しく不適当であると認めるときは、その変更を指示することができる。

9　第一項の規定により地方踏切道災害時管理方法を国土交通大臣に提出した鉄道事業者及び道路管理者は、当該地方踏切道災害時管理方法について、協議によりその内容の変更をしたときは、国土交通省令で定めるところにより、その変更後の地方踏切道災害時管理方法を、国土交通大臣に提出しなければならない。

10　第二項から第八項までの規定は、前項の規定による地方踏切道災害時管理方法の変更について準用する。

（国踏切道災害時管理方法）

第一五条　国土交通大臣は、第十三条第一項の規定による指定（鉄道と国土交通大臣が道路管理者である道路とが交差している場合における踏切道に係るものに限る。）をしたときは、当該指定に係る踏切道の管理の方法（以下この条において「国踏切道災害時管理方法」という。）を決定するものとする。

2　国踏切道災害時管理方法は、踏切道災害時管理基準に適合するものでなければならない。

3　国土交通大臣は、第一項の規定により国踏切道災害時管理方法を決定する場合においては、あらかじめ、当該踏切道に係る鉄道事業者の意見を聴かなければならない。ただし、国土交通大臣が同項の規定により国踏切道災害時管理方法を決定する前に、当該鉄道事業者と国土交通大臣との間に国踏切道災害時管理方法について協議が成立したときは、この限りでない。

4　国土交通大臣は、第一項の規定により国踏切道災害時管理方法を決定するときは、鉄道の整備及び安全の確保並びに鉄道事業の発達、改善及び調整に特に配慮しなければならない。

5　前三項の規定は、国踏切道災害時管理方法の変更について準用する。

（地方踏切道改良協議会）

第一六条　鉄道事業者及び道路管理者（国土交通大臣である道路管理者を除く。以下この条において同じ。）は、地方踏切道改良計画の作成及び実施、災害が発生した場合における踏切道の適確な管理その他の踏切道の改良の促進に関し必要な事項について協議を行うため、地方踏切道改良協議会（以下この条において「協議会」という。）を組織することができる。

2　協議会は、次に掲げる者をもつて構成する。

一　当該鉄道事業者及び道路管理者

二　踏切道の所在地をその区域に含む都道府県の知事

三　踏切道の所在地を管轄する地方整備局長又は北海道開発局長

四　踏切道の所在地を管轄する地方運輸局長

3　第一項の規定により協議会を組織する鉄道事業者及び道路管理者は、必要があると認めるときは、前項各号に掲げる者のほか、協議会に、次に掲げる者を構成員として加えることができる。

一　関係市町村長

二　踏切道密接関連道路の道路管理者

三　道路協力団体

四　その他当該鉄道事業者及び道路管理者が必要と認める者

4　第三条第三項若しくは第五項又は第十三条第二項の規定による申出をしようとする都道府県知事又は市町村長は、当該申出に係る踏切道について第一項の規定による協議会が組織されていない場合にあつては、当該踏切道に係る鉄道事業者及び道路管理者に対して、同項の規定による協議会を組織するよう要請することができる。

5　協議会において協議が調つた事項については、協議会の構成員は、その協議の結果を尊重しなければならない。

6　前各項に定めるもののほか、協議会の運営に関し必要な事項は、協議会が定める。

（勧告等）

第一七条　国土交通大臣は、第十一条第一項（同条第三項の規定により読み替えて適用する場合を含む。）の鉄道事業者及び道路管理者（国土交通大臣である道路管理者を除く。以下この項及び次項において同じ。）が正当な理由がなく地方踏切道改良計画又は国踏切道改良計画に従つて踏切道の改良を実施していないと認めるときは、当該鉄道事業者及び道路管理者に対して、当該地方踏切道改良計画又は当該国踏切道改良計画に従つて当該踏切道の改良を実施すべきことを勧告することができる。

2　国土交通大臣は、第十一条第二項に規定する場合において、同条第一項の鉄道事業者及び道路管理者が正当な理由がなく踏切道改良基準に適合する改良の方法により当該踏切道の改良を実施していないと認めるときは、当該鉄道事業者及び道路管理者に対して、期限を定めて、踏切道改良基準に適合する改良の方法により当該踏切道の改良を実施すべきことを勧告することができる。

3　国土交通大臣は、第十二条第二項の規定による届出を受けた場合において、第十一条第一項又は第二項の規定による踏切道の改良の完了後においてもなお第三条第一項の国土交通省令で定める基準に該当することとなる踏切道について、安全かつ円滑な交通の確保を図ることが特に必要であると認めるときは、第十二条第二項の鉄道事業者及び道路管理者に対して、期限を定めて、当該鉄道事業者及び道路管理者が第十一条第一項の規定により踏切道の改良を実施した場合にあつては地方踏切道改良計画を変更すべきことを、当該鉄道事業者及び道路管理者が同条第二項の規定により踏切道の改良を実施した場合にあつては地方踏切道改良計画の作成その他の必要な措置を講ずべきことを勧告することができる。

4　国土交通大臣は、第十四条第一項の鉄道事業者及び道路管理者が正当な理由がなく同項の規定により地方踏切道災害時管理方法を定めていないと認めるときは、当該鉄道事業者及び道路管理者に対して、当該踏切道に係る地方踏切道災害時管理方法を定めるべきことを勧告することができる。

5　前各項の規定による勧告を受けた鉄道事業者及び道路管理者が正当な理由がなくその勧告に係る措置を実施していないときの措置は、鉄道事業法（昭和六十一年法律第九十二号）第二十三条第一項（第三号に係る部分に限る。）（軌道法（大正十年法律第七十六号）第二十六条において準用する場合を含む。）の規定又は道路法第七十五条第一項から第三項までの規定の定めるところによる。

（費用の負担）

第一八条　第三条第一項又は第十三条第一項の規定により指定された踏切道（以下この条及び次条第一項において「指定踏切道」という。）の改良又は災害が発生した場合における指定踏切道の管理の実施に要する費用（次項の費用を除く。）は、鉄道事業者及び道路管理者（特定道路改良に係る他の道路管理者を含む。）が協議して負担するものとする。

2　指定踏切道の改良又は災害が発生した場合における指定踏切道の適確な管理のために行う保安設備の整備に要する費用は、鉄道事業者が負担するものとする。

（補助）

第一九条　国は、指定踏切道の改良又は災害が発生した場合における指定踏切道の適確な管理のために保安設備を整備する鉄道事業者（政令で定める者に限る。）に対し、予算の範囲内で、政令で定めるところにより、その整備に要する費用の一部を補助することができる。

2　都道府県又は市町村は、前項に規定する鉄道事業者に対し、当該都道府県又は市町村の予算の範囲内で、政令で定めるところにより、同項の費用の一部を補助することができる。

3　国は、独立行政法人鉄道建設・運輸施設整備支援機構法（平成十四年法律第百八十号）の定めるところにより、第一項の規定による補助金の交付を独立行政法人鉄道建設・運輸施設整備支援機構を通じて行うことができる。

（資金の貸付け）

第二〇条　国は、都道府県又は市町村が立体交差化工事施行者（鉄道事業者及び道路管理者の同意を得て地方踏切道改良計画又は国踏切道改良計画に係る立体交差化による踏切道の改良の工事（政令で定めるものに限る。）を行おうとする者であつて国土交通大臣が政令で定める要件に適合すると認めるものをいう。）に対し当該工事に要する費用に充てる資金を無利子で貸し付ける場合において、その貸付けの条件が次項の政令で定める基準に適合しているときは、当該貸付けに必要な資金の一部を無利子で当該都道府県又は市町村に貸し付けることができる。

2　前項の国の貸付金及び同項の国の貸付けに係る都道府県又は市町村の貸付金に関する償還方法その他必要な貸付けの条件の基準については、政令で定める。

（資金の確保に関する措置）

第二一条　国土交通大臣は、この法律の規定による踏切道の改良及び災害が発生した場合における踏切道の適確な管理について、鉄道事業者が必要とする資金の確保に関する措置を講ずるように努めるものとする。

（報告の徴収）

第二二条　国土交通大臣は、この法律の施行に必要な限度において、国土交通省令で定めるところにより、鉄道事業者又は道路管理者（国土交通大臣である道路管理者を除く。）に対し、踏切道の改良の実施の状況、災害が発生した場合における踏切道の管理の実施体制その他必要な事項について報告を求めることができる。

（事務の区分）

第二三条　第三条第五項、第四条第十七項（第五条第二項において準用する場合を含む。）及び第十四条第七項（同条第十項において準用する場合を含む。）の規定により都道府県が処理することとされている事務は、地方自治法（昭和二十二年法律第六十七号）第二条第九項第一号に規定する第一号法定受託事務とする。

附　則〔略〕〔昭和三六・一一・七法律一九五施行〕

附　則〔略〕〔昭和四一・三・三一法律三〇〕

附　則〔略〕〔昭和四六・三・三〇法律一四〕

附　則〔略〕〔昭和五一・三・三一法律一三〕

附　則〔略〕〔昭和五六・三・三一法律七〕

附　則〔略〕〔昭和六一・三・三一法律一二〕

附　則〔略〕〔昭和六一・一二・四法律九三〕

附　則〔平成三・三・三〇法律二一〕

（施行期日）

1　この法律は、平成三年四月一日から施行する。

（経過措置）

2　この法律の施行前にした改正前の第三条第一項又は第二項の規定による踏切道の指定は、改正後の同条第一項又は第二項の規定に基づいてしたものとみなす。

附　則〔略〕〔平成三・四・二六法律四六〕

附　則〔平成八・三・三一法律二六〕

（施行期日）

1　この法律は、平成八年四月一日から施行する。

（経過措置）

2　この法律の施行前にした改正前の第三条第一項又は第二項の規定による踏切道の指定は、改正後の同条第一項又は第二項の規定に基づいてしたものとみなす。

附　則〔略〕〔平成九・六・一三法律八三〕

附　則〔抄〕〔平成一一・七・一六法律八七〕

（施行期日）

第一条　この法律は、平成十二年四月一日から施行する。ただし、次の各号に掲げる規定は、当該各号に定める日から施行する。

一〔前略〕附則〔中略〕第百六十条、第百六十三条、第百六十四条並びに第二百二条の規定　公布の日

二～六〔略〕

（国等の事務）

第一五九条　この法律による改正前のそれぞれの法律に規定するもののほか、この法律の施行前において、地方公共団体の機関が法律又はこれに基づく政令により管理し又は執行する国、他の地方公共団体その他公共団体の事務（附則第百六十一条において「国等の事務」という。）は、この法律の施行後は、地方公共団体が法律又はこれに基づく政令により当該地方公共団体の事務として処理するものとする。

（処分、申請等に関する経過措置）

第一六〇条　この法律（附則第一条各号に掲げる規定については、当該各規定。以下この条及び附則第百六十三条において同じ。）の施行前に改正前のそれぞれの法律の規定によりされた許可等の処分その他の行為（以下この条において「処分等の行為」という。）又はこの法律の施行の際現に改正前のそれぞれの法律の規定によりされている許可等の申請その他の行為（以下この条において「申請等の行為」という。）で、この法律の施行の日においてこれらの行為に係る行政事務を行うべき者が異なることとなるものは、附則第二条から前条までの規定又は改正後のそれぞれの法律（これに基づく命令を含む。）の経過措置に関する規定に定めるものを除き、この法律の施行の日以後における改正後のそれぞれの法律の適用については、改正後のそれぞれの法律の相当規定によりされた処分等の行為又は申請等の行為とみなす。

2　この法律の施行前に改正前のそれぞれの法律の規定により国又は地方公共団体の機関に対し報告、届出、提出その他の手続をしなければならない事項で、この法律の施行の日前にその手続がされていないものについては、この法律及びこれに基づく政令に別段の定めがあるもののほか、これを、改正後のそれぞれの法律の相当規定により国又は地方公共団体の相当の機関に対して報告、届出、提出その他の手続をしなければならない事項についてその手続がされていないものとみなして、この法律による改正後のそれぞれの法律の規定を適用する。

（不服申立てに関する経過措置）

第一六一条　施行日前にされた国等の事務に係る処分であって、当該処分をした行政庁（以下この条において「処分庁」という。）に施行日前に行政不服審査法に規定する上級行政庁（以下この条において「上級行政庁」という。）があったものについての同法による不服申立てについては、施行日以後においても、当該処分庁に引き続き上級行政庁があるものとみなして、行政不服審査法の規定を適用する。この場合において、当該処分庁の上級行政庁とみなされる行政庁は、施行日前に当該処分庁の上級行政庁であった行政庁とする。

2　前項の場合において、上級行政庁とみなされる行政庁が地方公共団体の機関であるときは、当該機関が行政不服審査法の規定により処理することとされる事務は、新地方自治法第二条第九項第一号に規定する第一号法定受託事務とする。

（手数料に関する経過措置）

第一六二条　施行日前においてこの法律による改正前のそれぞれの法律（これに基づく命令を含む。）の規定により納付すべきであった手数料については、この法律及びこれに基づく政令に別段の定めがあるもののほか、なお従前の例による。

（その他の経過措置の政令への委任）

第一六四条　この附則に規定するもののほか、この法律の施行に伴い必要な経過措置〔中略〕は、政令で定める。

2〔略〕

附　則〔略〕〔平成一一・一二・二二法律一六〇〕

附　則〔抄〕〔平成一三・三・三〇法律五〕

（施行期日）

（経過措置）

第一条　この法律は、平成十三年四月一日から施行する。

第二条　この法律の施行前にしたこの法律による改正前の踏切道改良促進法第三条第一項又は第二項の規定による踏切道の指定は、この法律による改正後の踏切道改良促進法第三条第一項の規定に基づいてしたものとみなす。

附　則〔略〕〔平成一四・一二・一八法律一八〇〕

附　則〔抄〕〔平成一八・三・三一法律一九〕

（施行期日）

第一条　この法律〔中略〕は、当該各号に定める日〔平成一八・四・一〕から施行する。

（踏切道改良促進法の一部改正に伴う経過措置）

第三条　第四条の規定の施行前にした同条の規定による改正前の踏切道改良促進法第三条第一項の規定による踏切道の指定は、第四条の規定による改正後の同項の規定に基づいてしたものとみなす。

附　則〔抄〕〔平成二三・三・三一法律六〕

（施行期日）

第一条　この法律は、平成二十三年四月一日から施行する。

（経過措置）

第二条　この法律の施行前にしたこの法律による改正前の踏切道改良促進法（以下「旧法」という。）第三条第一項の規定による踏切道の指定は、この法律による改正後の踏切道改良促進法（以下「新法」という。）第三条第一項の規定に基づいてしたものとみなす。

2　この法律の施行前に旧法第四条第一項の規定により提出された立体交差化計画等（立体交差化計画、構造改良計画又は歩行者等立体横断施設整備計画をいう。以下この条において同じ。）、旧法第四条第五項の規定により作成された立体交差化計画等又は同条第八項の規定により提出された保安設備整備計画は、それぞれ新法第四条第一項の規定により提出された立体交差化計画等、同条第六項の規定により作成された立体交差化計画等又は同条第十二項の規定により提出された保安設備整備計画とみなす。

3　この法律の施行の際現にされている旧法第四条第二項の規定による裁定の申請（立体交差化計画等の変更に係るものに限る。）は、新法第四条第十一項において準用する同条第三項の規定による裁定の申請とみなす。

附　則〔抄〕〔平成二八・三・三一法律一九〕

（施行期日）

第一条　この法律は、平成二十八年四月一日から施行する。〔以下略〕

（踏切道改良促進法の一部改正に伴う経過措置）

第二条　この法律の施行前に、第一条の規定による改正前の踏切道改良促進法第四条第一項（同条第十一項において準用する場合を含む。）の規定により提出された立体交差化計画等、同条第六項の規定により作成された立体交差化計画等（当該立体交差化計画等の変更があったときは、その変更後のもの）及び同条第十二項の規定により提出された保安設備整備計画については、なお従前の例による。

（政令への委任）

第三条　前条に定めるもののほか、この法律の施行に関し必要な経過措置は、政令で定める。

附　則〔略〕〔平成三〇・三・三一法律六〕

附　則〔略〕〔令和二・五・二七法律三二〕

附　則〔抄〕〔令和三・三・三一法律九〕

（施行期日）

第一条　この法律は、令和三年四月一日から施行する。〔以下略〕

（踏切道改良促進法の一部改正に伴う経過措置）

第二条　この法律の施行の日（附則第四条において「施行日」という。）前に第一条の規定による改正前の踏切道改良促進法第三条第一項の規定による指定があった踏切道の改良については、なお従前の例による。

（政令への委任）

第五条　前三条に定めるもののほか、この法律の施行に関し必要な経過措置（罰則に関する経過措置を含む。）は、政令で定める。

（検討）

第六条　政府は、この法律の施行後五年を目途として、この法律による改正後のそれぞれの法律の規定について、その施行の状況等を勘案して検討を加え、必要があると認めるときは、その結果に基づいて所要の措置を講ずるものとする。

○踏切道改良促進法施行令

〔昭和三七・七・一八　政令三〇二〕

改正　昭和四〇・三政五七、昭和四四・七政一九八、昭和四七・五政一七二、昭和六一・三政五四、平成一二・六政三一二、平成一三・三政四三、政一三四、平成一八・三政一五二、平成二三・三政八五、平成二八・三政一八二、令和三・三政一三二、九政二六一

（密接関連道路管理者の権限の代行）

第一条　踏切道改良促進法（以下「法」という。）第七条第三項の規定により同条第一項の道路管理者（以下この条において「踏切道道路管理者」という。）が特定道路改良に係る踏切道密接関連道路の道路管理者（以下この項及び第三項において「密接関連道路管理者」という。）に代わって行う権限（第四項において「踏切道道路管理者が代行する権限」という。）は、道路法施行令（昭和二十七年政令第四百七十九号）第四条第一項第四号、第二十号、第二十一号（道路法（昭和二十七年法律第百八十号）第四十六条第一項（第二号に係る部分に限る。）の規定による通行の禁止又は制限に係る部分に限る。第三項において同じ。）、第三十八号、第三十九号、第四十一号、第四十二号及び第四十七号（道路法第九十五条の二第一項の規定による意見の聴取又は通知に係る部分に限る。）に掲げるもののうち、踏切道道路管理者が密接関連道路管理者と協議して定めるものとする。

2　踏切道道路管理者は、前項の規定による協議が成立したときは、遅滞なく、その内容を公示しなければならない。

3　踏切道道路管理者は、法第七条第三項及び第一項の規定により密接関連道路管理者に代わつて道路法施行令第四条第一項第二十号又は第二十一号に掲げる権限を行つた場合には、遅滞なく、その旨を密接関連道路管理者に通知しなければならない。

4　踏切道道路管理者が代行する権限は、法第七条第二項の規定に基づき公示された特定道路改良の開始の日から同項の規定に基づき公示された当該特定道路改良の完了の日までの間に限り行うことができるものとする。ただし、道路法施行令第四条第一項第四十一号及び第四十二号に掲げる権限については、当該完了の日後においても行うことができる。

（補助の対象とする鉄道事業者）

第二条　法第十九条第一項の政令で定める者は、次に掲げるものとする。

一　地方公共団体以外の鉄道事業者にあっては、次に掲げる要件に該当するもの

イ　指定踏切道の改良又は災害が発生した場合における指定踏切道の適確な管理のために行う保安設備の整備（以下この条から第四条までにおいて「保安設備の整備」という。）に関する工事が完了した年（保安設備の整備に関する工事が完了した日が一月一日から三月末日までである場合には、前年）の四月一日の属する事業年度の前事業年度末から遡り一年間（以下この条において「前事業年度」という。）における鉄道事業（軌道業を含む。以下この条において同じ。）の損益計算において欠損若しくは営業損失を生じているもの又は当該損益計算において生じた営業利益の金額が前事業年度末における鉄道事業の事業用固定資産の価額の七分に相当する金額を超えないものであること。

ロ　前事業年度における鉄道事業者が経営する全ての事業を通じた損益計算において欠損若しくは営業損失を生じているもの又は当該損益計算において生じた営業利益の金額が前事業年度末における全ての事業の事業用固定資産の価額の一割に相当する金額を超えないものであること。

二　地方公共団体である鉄道事業者にあっては、前事業年度における鉄道事業の損益計算において欠損を生じているもの

（補助を行う都道府県又は市町村）

第三条　法第十九条第二項の規定による補助は、保安設備の整備を実施した指定踏切道が、一般国道又は都道府県道に係る場合は当該指定踏切道の存する都道府県（当該指定踏切道が地方自治法（昭和二十二年法律第六十七号）第二百五十二条の十九第一項に規定する指定都市の区域内に存する場合は、当該指定都市）が、市町村道に係る場合は当該指定踏切道の存する市町村が行うものとする。

（補助の限度）

第四条　法第十九条第一項又は第二項の規定による補助は、保安設備の整備の実施のため直接必要な本工事費、附帯工事費、用地費、補償費、機械器具費及び工事雑費の合計額に、同条第一項の規定によるものにあっては二分の一を、同条第二項の規定によるものにあっては三分の一をそれぞれ乗じて得た額に相当する金額を限度として行うものとする。

（貸付けの対象となる工事）

第五条　法第二十条第一項の政令で定める踏切道の改良の工事は、連続立体交差化工事（鉄道の線路の地下移設又は高架移設をすることにより、一連の踏切道を改良する工事をいう。）のうち円滑な交通に著しい支障がある踏切道として国土交通省令で定めるものを改良する工事を含む工事（次条において「特定連続立体交差化工事」という。）とする。

（立体交差化工事施行者の要件）

第六条　法第二十条第一項の政令で定める要件は、次のとおりとする。

一　特定連続立体交差化工事に関し、地方踏切道改良計画又は国踏切道改良計画に照らして適切な工事実施計画を有する者であること。

二　前号の工事実施計画を実施するため適切な資金計画及び収支計画を有する者であること。

三　特定連続立体交差化工事を適確に行う能力を有する者であること。

（国及び都道府県又は市町村の貸付けの条件の基準）

第七条　法第二十条第一項の国の貸付金に関する貸付けの条件の基準は、貸付金の償還期間が二十年（五年以内の据置期間を含む。）以内であり、かつ、その償還が均等半年賦償還の方法によるものであることとする。

2　法第二十条第一項の国の貸付けに係る都道府県又は市町村の貸付金に関する貸付けの条件の基準は、次のとおりとする。

一　貸付金の償還期間が二十年（五年以内の据置期間を含む。）以内であり、かつ、その償還が均等半年賦償還の方法によるものであること。

二　貸付けを受ける立体交差化工事施行者は、国又は都道府県若しくは市町村が、貸付けに係る債権の保全その他貸付けの条件の適正な実施を図るため必要があると認めて、当該立体交差化工事施行者の業務及び資産の状況に関し報告を求め、又はその職員に、当該立体交差化工事施行者の事務所その他の事業場に立ち入り、帳簿、書類その他の必要な物件を調査させ、若しくは関係者に質問させる場合において、報告をし、立入調査を受忍し、又は質問に応じなければならないこと。

（省令への委任）

第八条　この政令に規定するもののほか、補助及び資金の貸付けの申請の手続その他法第十九条第一項の規定による補助及び法第二十条第一項の規定による資金の貸付けに関し必要な事項は、国土交通省令で定める。

附　則

1　この政令は、公布の日から施行する。

2　旅客会社（旅客鉄道株式会社及び日本貨物鉄道株式会社に関する法律（昭和六十一年法律第八十八号）第一条第一項に規定する旅客会社をいう。）又は日本貨物鉄道株式会社が保安設備整備計画に係る改良の工事を昭和六十二年四月一日から同年十二月三十一日までの間に完了する場合における当該保安設備整備計画の実施に要する費用については、当該旅客会社又は日本貨物鉄道株式会社を第一条第一号に掲げる要件に該当する鉄道事業者とみなす。

附　則（略）〔昭和四〇・三・二九政令五七〕

附　則（略）〔昭和四四・七・一七政令一九八施行〕

附　則（略）〔昭和四七・五・八政令一七二施行〕

附　則（略）〔昭和六二・三・二〇政令五四〕

附　則（略）〔平成一二・六・七政令三一二〕

附　則（略）〔平成一三・三・七政令四三施行〕

附　則（略）〔平成一三・三・三〇政令一三四〕

附　則（略）〔平成一八・三・三一政令一五二〕

附　則（略）〔平成二三・三・三一政令八五〕

附　則（略）〔平成二八・三・三一政令一八二〕

附　則（略）〔令和三・三・三一政令一三三〕

附　則（抄）〔令和三・九・一四政令二六一〕

（施行期日）

第一条　この政令は、踏切道改良促進法等の一部を改正する法律附則第一条第二号に掲げる規定の施行の日（令和三年九月二十五日）から施行する。

○踏切道改良促進法施行規則

〔平成一三・四・二〇　国土交通省令八六〕

改正　平成一八・三国交令五〇、平成二三・三国交令三二、平成二八・三国交令三九、令和二・一二国交令九八、令和三・三国交令三一

（定義）

第一条　この省令で「保安設備」とは、踏切遮断機、踏切警報時間制御装置、二段型遮断装置、大型遮断装置、オーバーハング型警報装置、踏切支障報知装置及び踏切監視用カメラをいう。

2　この省令で「一日当たりの踏切自動車交通遮断量」とは、当該踏切道における自動車（二輪のものを除く。以下同じ。）の一日当たりの交通量に一日当たりの踏切遮断時間（踏切道の通行が遮断されている時間をいう。以下同じ。）を乗じた値をいう。

3　この省令で「一日当たりの踏切歩行者等交通遮断量」とは、当該踏切道における歩行者及び自転車の一日当たりの交通量に一日当たりの踏切遮断時間を乗じた値をいう。

（改良すべき踏切道の指定に係る基準）

第二条　踏切道改良促進法（以下「法」という。）第三条第一項の踏切道における交通量、踏切事故の発生状況その他の事情を考慮して国土交通省令で定める基準は、次のいずれかに該当する踏切道であることとする。

一　一日当たりの踏切自動車交通遮断量が五万以上のもの

二　一日当たりの踏切自動車交通遮断量と一日当たりの踏切歩行者等交通遮断量の和が五万以上で、かつ、一日当たりの踏切歩行者等交通遮断量が二万以上のもの

三　一時間の踏切遮断時間が四十分以上のもの

四　踏切道における歩道（道路の一般通行の用に供することを目的とする部分のうち、車道（道路構造令（昭和四十五年政令第三百二十号）第二条第四号に規定する車道をいう。以下この条において同じ。）以外の部分をいう。以下この号において同じ。）の幅員が踏切道に接続する道路の歩道の幅員未満のもので次のいずれにも該当するもの

イ　踏切道に接続する道路の車道の幅員が五・五メートル以上のもの

ロ　踏切道における歩道の幅員と踏切道に接続する道路の歩道の幅員との差が一メートル以上のもの

ハ　踏切道における自動車の一日当たりの交通量が千以上（踏切道が通学路である場合には、五百以上）のもの

ニ　踏切道における歩行者及び自転車の一日当たりの交通量が百以上

（踏切道が通学路である場合には、四十以上）のもの

五　踏切道における歩道の幅員が踏切道に接続する道路の歩道の幅員未満のもので次のいずれにも該当するもの

イ　踏切道の幅員が五・五メートル未満のもの

ロ　踏切道の幅員と踏切道に接続する道路の幅員との差が二メートル以上のもの

ハ　前号ハ及びニに該当するもの

六　踏切遮断機が設置されていないもの

七　踏切支障報知装置が設置されていないもの（自動車が通行できるものであって、道路交通法（昭和三十五年法律第百五号）第四条第一項の規定により自動車の通行が禁止されているもの（禁止される予定のものを含む。）以外のものに限る。）

八　直近五年間において二回以上の事故が発生したもの

九　通学路であるものであって幼児、児童、生徒又は学生の通行の安全を特に確保する必要があるもの

十　付近に老人福祉施設、障害者支援施設その他これらに類する施設があるものであって高齢者、障害者等（高齢者、障害者等の移動等の円滑化の促進に関する法律（平成十八年法律第九十一号）第二条第一号に規定する高齢者、障害者等をいう。）の通行の安全を特に確保する必要があるもの

十一　鉄道と特定道路（高齢者、障害者等の移動の円滑化の促進に関する法律第二条第十号に規定する特定道路をいう。）とが交差している場合におけるものであって移動等円滑化（同条第二号に規定する移動等円滑化をいう。次条第一項第三号において同じ。）の促進の必要性が特に高いと認められるもの

十二　前各号に掲げるもののほか、踏切道における交通量、事故の発生状況、踏切道の構造、地域の実情その他の事情を考慮して、踏切道の改良による事故の防止又は交通の円滑化の必要性が特に高いと認められるもの

（踏切道改良基準）

第三条　法第三条第一項に規定する踏切道改良基準は、次の各号に掲げる特定指定要因基準（当該踏切道の指定に際して該当するとされた前条各号に掲げる基準をいう。以下この項及び第十二条第一項において同じ。）の区分に応じ、それぞれ当該各号に掲げるものとする。

一　前条第一号から第七号までに掲げる基準　道路の新設、改築、維持及び修繕に関する事業又は鉄道施設の整備に係る事業のうち立体交差化、構造の改良（踏切道に接続する鉄道又は道路の構造の改良を含む。）、平滑化、舗装の着色（歩行者と車両（道路交通法第二条第一項第八号に規定する車両をいう。次項において同じ。）とを分離して通行させるための踏切道の着色をいう。第六条第二号において同じ。）、歩行者等立体横断施設（横断歩道橋、地下横断歩道その他の歩行者又は自転車が安全かつ円滑に鉄道を横断するための立体的な通路をいう。）の整備、保安設備の整備、踏切道密接関連道路の改良、駅の出入口の新設その他の改良の方法（以下この条及び第六条第三号において「特定改良方法」という。）であって、当該特定改良方法による踏切道の改良及び当該改良と一体となってその効果を十分に発揮させるための事業がある場合においては当該事業を実施することにより、当該踏切道が特定指定要因基準に該当しなくなると認められるものであること。

二　前条第八号から第十号までに掲げる基準　特定改良方法であって、当該特定改良方法による踏切道の改良及び当該改良と一体となってその効果を十分に発揮させるための事業がある場合においては当該事業を実施することにより、事故の防止に著しく効果があると認められるものであること。

三　前条第十一号に掲げる基準　特定改良方法であって、当該特定改良方法による踏切道の改良及び当該改良と一体となってその効果を十分に発揮させるための事業がある場合においては当該事業を実施することにより、移動等円滑化及び事故の防止に著しく効果があると認められるものであること。

四　前条第十二号に掲げる基準　特定改良方法であって、当該特定改良方法による踏切道の改良及び当該改良と一体となってその効果を十分に発揮させるための事業がある場合においては当該事業を実施することにより、事故の防止又は交通の円滑化に著しく効果があると認められるものであること。

2　地形の状況その他の特別の事情により前項に定める基準に適合する改良の方法により踏切道を改良することが著しく困難であると国土交通大臣が認める場合における法第三条第一項に規定する踏切道改良基準は、前項の規定にかかわらず、特定改良方法であって、当該特定改良方法による踏切道の改良及び当該改良と一体となってその効果を十分に発揮させるための事業がある場合においては当該事業を実施することにより、当該踏切道における歩行者又は車両の交通量の減少に資するものその他の事故の防止又は交通の円滑化に相当程度寄与することが認められるものとして国土交通大臣が認めるものであることとする。

（通知の方法）

第四条　法第三条第七項の規定による通知は、当該踏切道が第二条各号に掲げる基準のいずれに該当するかを明らかにしてするものとする。

（地方踏切道改良計画の添付書類）

第五条　法第四条第一項又は第十二項の規定により提出する地方踏切道改良計画には、踏切道付近の略図及び工事の概要を説明するために必要な図面を添付しなければならない。

2　前項の規定は、法第五条第一項の規定により提出する地方踏切道改良計画について準用する。ただし、既に国土交通大臣に提出されている添付書類の内容に変更がないときは、その添付を省略することができる。

（地方踏切道改良計画の提出を要しない踏切道の改良の方法）

第六条　法第四条第一項ただし書の国土交通省令で定める踏切道の改良の方法は、次に掲げるものとする。

一　保安設備の整備

二　舗装の着色

三　前二号に掲げるもののほか、特定改良方法であって、法第三条第一項の規定による指定の日からおおむね五年以内に当該踏切道の改良を完了するもの

（地方踏切道改良計画の記載事項）

第七条　法第四条第二項第五号の国土交通省令で定める事項は、次に掲げる事項とする。

一　改良を実施する踏切道の位置並びに当該踏切道に係る鉄道の線区名及び道路の路線名

二　工事の概要

三　工事に要する費用の総額及びその内訳

四　工事着手予定時期及び工事完了予定時期

五　踏切道の近傍に立地する他の踏切道に関する事項がある場合には、その事項

六　前各号に掲げるもののほか、踏切道の改良に重大な関係を有する事項がある場合には、その事項

（道路外滞留施設）

第八条　法第四条第六項の国土交通省令で定める施設は、踏切道に接続する道路に沿って設けられた通路又は広場とする。

（国踏切道改良計画の記載事項）

第九条　法第六条第二項第五号の国土交通省令で定める事項は、第七条各号に掲げる事項とする。

（特定道路改良の公示）

第一〇条　法第七条第二項の公示は、次に掲げる事項について行うものとする。

一　特定道路改良に係る道路の種類及び路線名

二　特定道路改良の区間及び開始の日（特定道路改良の全部又は一部を完了したときにあっては、完了の日）

（滞留施設協定の公告等）

第一一条　法第九条第一項の公告及び同条第三項の公示（同条第四項において準用する場合を含む。）は、次に掲げる事項について行うものとする。

一　滞留施設協定の名称

二　協定滞留施設の名称及びその所在地

三　滞留施設協定の有効期間

四　滞留施設協定の縦覧又は滞留施設協定の写しの閲覧の場所

（評価）

第一二条　法第十二条第一項の評価は、正当な理由がある場合を除き、踏切道の改良の完了後、遅滞なく行わなければならない。この場合において、当該評価は、当該踏切道の改良の完了後の踏切道における交通量、踏切事故の発生状況その他の安全かつ円滑な交通の確保に関する状況の調査及び

分析を行うとともに、当該踏切道の改良の完了後の踏切道が特定指定要因基準に該当するかどうかを明らかにすることにより行うものとする。

2　法第十二条第二項の規定による届出は、同条第一項の評価を実施した後、遅滞なく、次に掲げる事項を記載した届出書を提出してしなければならない。

一　踏切道の名称

二　改良を実施した踏切道の位置並びに当該踏切道に係る鉄道の線区名及び道路の路線名

三　実施した踏切道の改良の方法（当該踏切道の改良と一体となってその効果を十分に発揮させるための事業を実施した場合にあっては、実施した踏切道の改良の方法及び当該事業の内容）

四　踏切道の改良を実施した期間

五　踏切道における安全かつ円滑な交通の確保に関する状況の評価の結果

六　前各号に掲げるもののほか、踏切道における安全かつ円滑な交通の確保に関する状況に重大な関係を有する事項がある場合には、その事項

（災害時の管理の方法を定めるべき踏切道の指定に係る基準）

第一三条　法第十三条第一項の災害が発生した場合における円滑な避難又は緊急輸送の確保を図る必要性、踏切道を通過する列車の運行の状況、踏切道の周辺における鉄道と道路との交差の状況その他の事情を考慮して国土交通省令で定める基準は、次のいずれかに該当する踏切道であることとする。

一　鉄道と次のいずれかに該当する道路が交差している場合における踏切道（当該踏切道を通過する列車の一時間の運行回数が十回以上のものに限る。）であって、市街地（最近の国勢調査の結果による人口集中地区をいう。）に存し、かつ、当該踏切道において災害時に継続的な通行の遮断が発生し、当該踏切道を迂回する場合における所要時間が、当該踏切道を通行する場合に比して十分以上増加すると見込まれるもの

イ　道路法（昭和二十七年法律第百八十号）第四十八条の十九第一項各号に該当する道路

ロ　災害対策基本法（昭和三十六年法律第二百二十三号）第二条第十号に規定する地域防災計画において緊急輸送を確保するために必要な道路として定められている道路

二　前号に掲げるもののほか、地域の実情その他の事情を考慮して、踏切道の適確な管理により災害が発生した場合における円滑な避難又は緊急輸送の確保を図る必要性が特に高いと認められるもの

（踏切道災害時管理基準）

第一四条　法第十三条第一項に規定する踏切道災害時管理基準は、次に掲げる要件の全てを満たすものであることとする。

一　災害時における鉄道事業者と道路管理者との間の連絡体制及びこれらの者と関係機関との間の連絡体制を整備していること。

二　災害時において鉄道事業者及び道路管理者がとるべき次に掲げる措置の具体的内容及び手順を定めた対処要領を作成していること。

イ　災害発生後速やかに踏切道の点検を開始すること。

ロ　踏切道における継続的な通行の遮断の発生及び踏切遮断時間の見込みについて情報を提供すること。

ハ　踏切道における継続的な通行の遮断を解消すること。

ニ　踏切道及び踏切道に接続する道路の維持（道路の啓開のために行うものに限る。）を行うこと。

三　鉄道事業者及び道路管理者が災害時における踏切道の適確な管理のためにとるべき措置に関する訓練を定期的に実施することとしていること。

（地方踏切道災害時管理方法の添付書類）

第一五条　法第十四条第一項の規定により提出する地方踏切道災害時管理方法には、踏切道付近の略図を添付しなければならない。

2　前項の規定は、法第十四条第九項の規定により提出する地方踏切道災害時管理方法について準用する。ただし、既に国土交通大臣に提出されている添付書類の内容に変更がないときは、その添付を省略することができる。

（補助の申請）

第一六条　法第十九条第一項の規定による補助を受けようとする鉄道事業者は、指定踏切道の改良又は災害が発生した場合における指定踏切道の適確な管理のために行う保安設備の整備（以下この条及び次条において「保安設備の整備」という。）に関する工事が完了した日（保安設備の整備に関する工事が完了した日において当該完了した日の属する年（保安設備の整備に関する工事が完了した日が一月一日から三月末日までである場合にあっては、その前年）の四月一日の属する事業年度の前事業年度（以下この条において「前事業年度」という。）の決算が終了していない場合は、当該決算の終了の日。以下この条において「申請期間の開始の日」という。）から翌年（申請期間の開始の日が一月一日から三月十日までである場合には、その年）の三月十日までに、保安設備整備費補助金交付申請書（第一号様式）に次の書類を添付し、地方運輸局長を経由して国土交通大臣に提出しなければならない。

一　保安設備整備費決算表（第二号様式）

二　前事業年度末からさかのぼり一年間に係る鉄道事業会計規則（昭和六十二年運輸省令第七号）第五条の規定により作成した損益計算書

三　前事業年度末における鉄道事業会計規則第五条の規定により作成した貸借対照表

（保安設備整備工事完了届）

第一七条　法第十九条第一項の規定により補助を受けようとする鉄道事業者は、保安設備の整備に関する工事が完了したときは、遅滞なく、保安設備整備工事完了届（第三号様式）を地方運輸局長を経由して国土交通大臣に提出しなければならない。

（補助金の交付が独立行政法人鉄道建設・運輸施設整備支援機構を通じて行われる場合の特例）

第一八条　法第十九条第三項の規定により、同項に規定する補助金の交付が独立行政法人鉄道建設・運輸施設整備支援機構を通じて行われる場合には、前二条中「地方運輸局長を経由して」とあるのは「独立行政法人鉄道建設・運輸施設整備支援機構を通じて」と、第一号様式及び第三号様式中「国土交通大臣」とあるのは「独立行政法人鉄道建設・運輸施設整備支援機構理事長」とする。

（事業用固定資産の価額）

第一九条　踏切道改良促進法施行令（昭和三十七年政令第三百二号。以下「令」という。）第二条の事業用固定資産の価額は、第八条第三号の貸借対照表に記載された貸借対照表価額とする。

（各事業に関連する営業外収益等の配賦）

第二〇条　鉄道事業者が鉄道事業（軌道業を含む。以下同じ。）以外の事業を経営する場合においては、各事業に関連する営業外収益、営業外費用及び事業用固定資産の価額は、次に掲げる割合により鉄道事業に配賦するものとする。

一　営業外収益にあっては、各事業の営業収益の百分率

二　営業外費用にあっては、次に掲げる割合

イ　支払利子にあっては、各事業に専属する事業用固定資産につき第十六条第三号の貸借対照表に記載された貸借対照表価額の百分率

ロ　支払利子以外の営業外費用にあっては、各事業の営業費の百分率

三　事業用固定資産の価額にあっては、各事業に専属する事業用固定資産につき第十六条第三号の貸借対照表に記載された貸借対照表価額の百分率

（立体交差化工事施行者になろうとする者の申請の手続）

第二一条　立体交差化工事施行者になろうとする者は、次に掲げる事項を記載した申請書を国土交通大臣に提出するものとする。これを変更する場合も、同様とする。

一　次に掲げる事項を記載した特定連続立体交差化工事（令第五条に規定する特定連続立体交差化工事をいう。以下同じ。）に関する工事実施計画

イ　特定連続立体交差化工事の設計の概要

ロ　特定連続立体交差化工事に要する費用の総額及びその内訳

ハ　特定連続立体交差化工事の工程表

二　次に掲げる事項を記載した特定連続立体交差化工事に関する資金計画

イ　資金の調達方法

ロ　資金の使途

三　特定連続立体交差化工事に関する収支計画

四　特定連続立体交差化工事を適確に行うに足りる能力があることを説明した書類

2　前項の申請書には、次に掲げる書類を添付するものとする。

一　既存の法人にあっては、次に掲げる書類

イ　定款又は寄附行為及び登記事項証明書

ロ　役員又は社員の履歴書

ハ　株式会社にあつては、発行済株式の総数の五パーセント以上の株式を所有する株主の名簿
ニ　最近の事業年度の財産目録、貸借対照表及び損益計算書
ホ　組織を明らかにする書類
ヘ　法第二十条第一項の同意を得たことを証する書類
二　法人を設立しようとする者にあつては、次に掲げる書類
イ　定款又は寄附行為の謄本
ロ　発起人、社員又は設立者の履歴書
ハ　株式の引受け、出資又は財産の寄附の状況又は見込みを記載した書類
ニ　組織を明らかにする書類
ホ　法第二十条第一項の同意を得たことを証する書類
三　その他参考となるべき事項を記載した書類

（立体交差化工事施行者の決定の通知）
第二二条　国土交通大臣は、前条第一項の申請をした者が令第六条の要件に適合すると認めるときは、当該申請をした者並びに関係都道府県及び市町村に対し、その旨を通知するものとする。

（貸付申請の手続）
第二三条　前条の通知を受けた都道府県又は市町村は、法第二十条第一項の国の貸付けを受けようとするときは、次に掲げる事項を記載した申請書を国土交通大臣に提出するものとする。
一　都道府県又は市町村の当該年度における特定連続立体交差化工事に係る貸付けの金額及びその時期
二　都道府県又は市町村の貸付けを受ける立体交差化工事施行者の当該年度における特定連続立体交差化工事に関する工事実施計画の明細
三　都道府県又は市町村の貸付けを受ける立体交差化工事施行者の当該年度における特定連続立体交差化工事に関する資金計画の明細
四　都道府県又は市町村の貸付金に関する貸付けの条件

（令第五条の国土交通省令で定める踏切道）
第二四条　令第五条の国土交通省令で定める踏切道は、第二条第一号から第三号までのいずれかに該当する踏切道とする。

（報告の徴収）
第二五条　鉄道事業者又は道路管理者（国土交通大臣である道路管理者を除く。以下この項において同じ。）は、法第二十二条の規定により国土交通大臣から踏切道の改良の実施の状況、災害が発生した場合における踏切道の管理の実施体制その他必要な事項について報告を求められたときは、報告書を、鉄道事業者にあつては地方運輸局長を経由して国土交通大臣に、道路管理者にあつては国土交通大臣に、それぞれ提出しなければならない。
２　国土交通大臣は、前項の報告を求めるときは、報告書の様式、報告書の提出期限その他必要な事項を明示するものとする。

附　則　〔抄〕

（施行期日）
第一条　この省令は、公布の日から施行する。

（踏切道の保安設備の整備に関する省令及び踏切道の立体交差化及び構造の改良に関する省令の廃止）
第二条　次の省令は、廃止する。
一　踏切道の保安設備の整備に関する省令（昭和三十六年運輸省令第六十四号）
二　踏切道の立体交差化及び構造の改良に関する省令（昭和三十七年運輸省・建設省令第一号）

附　則　〔平成一八・三・三一国土交通省令五〇〕

（施行期日）
第一条　この省令は、運輸の安全性の向上のための鉄道事業法等の一部を改正する法律附則第一条第一号に掲げる規定の施行の日（平成十八年四月一日）から施行する。

（踏切道の保安設備の整備の補助に関する省令の廃止）
第二条　踏切道の保安設備の整備の補助に関する省令（昭和三十七年運輸省令第四十号）は、廃止する。

附　則　〔略〕〔平成二三・三・三一国土交通省令三二〕
附　則　〔略〕〔平成二八・三・三一国土交通省令三九〕
附　則　〔略〕〔令和二・一二・二三国土交通省令九八〕
附　則　〔抄〕〔令和三・三・三一国土交通省令二一〕

（施行期日）
１　この省令は、令和三年四月一日から施行する。

様式　〔略〕

○交通安全施設等整備事業の推進に関する法律 〔昭和四一・四・一 法律四五〕

改正　昭和四四・三法九、昭和四五・四法一六、昭和四六・三法二七、昭和五一・三法一三、昭和五六・三法七、昭和六〇・五法三七、昭和六一・三法一一、五法四六、昭和六二・三法一一、九法八七、平成元・四法二二、平成三・三法四、法一五、平成五・三法八、平成八・三法二五、平成九・一二法一〇九、平成一一・七法八七、一二法一六〇、平成一四・二法一、平成一五・三法二一、平成二二・三法二〇、平成二三・八法一〇五

（この法律の目的）
第一条　この法律は、交通事故が多発している道路その他特に交通の安全を確保する必要がある道路について、総合的な計画の下に交通安全施設等整備事業を実施することにより、これらの道路における交通環境の改善を行い、もつて交通事故の防止を図り、あわせて交通の円滑化に資することを目的とする。

（定義）
第二条　この法律において「道路」とは、道路法（昭和二十七年法律第百八十号）による道路をいう。
２　この法律において「道路管理者」とは、道路法第十八条第一項に規定する道路管理者（同法第八十八条第二項の規定により国土交通大臣が維持を行う道路にあつては、国土交通大臣）をいう。
３　この法律において「交通安全施設等整備事業」とは、前条の目的を達成するため、この法律で定めるところに従つて行われる次に掲げる事業をいう。ただし、第二号に掲げる事業にあつては道路の改築（同号イに規定する道路の改築を除く。）に伴つて行われるものを除く。
一　都道府県公安委員会（道路交通法（昭和三十五年法律第百五号）第百十四条の規定により権限の委任を受けた方面公安委員会を含む。以下同じ。）が行う次に掲げる事業
イ　信号機、道路標識又は道路標示の設置に関する事業
ロ　交通管制センター（信号機、道路標識及び道路標示の操作その他道路における交通の規制を広域にわたつて総合的に行うため必要な施設で政令で定めるものをいう。）の設置に関する事業
二　道路管理者が行う次に掲げる事業
イ　横断歩道橋（地下横断歩道を含む。）の設置に関する事業又は特に交通の安全を確保する必要がある小区間について応急措置として行う

歩道若しくは自転車道の設置その他の道路の改築で政令で定めるものに関する事業

ロ　道路標識、さく、街灯その他政令で定める道路の附属物で安全な交通を確保するためのもの又は区画線の設置に関する事業

（特定交通安全施設等整備事業を実施すべき道路の指定）

第三条　国家公安委員会及び国土交通大臣は、道路における交通事故の発生状況、交通量その他の事情を考慮して内閣府令・国土交通省令で定める基準に従い、特に交通の安全を確保する必要があると認められる道路を、交通安全施設等整備事業でこれに要する費用の全部又は一部を国が負担し、又は補助するもの（以下「特定交通安全施設等整備事業」という。）を実施すべき道路として指定するものとする。

2　国家公安委員会及び国土交通大臣は、前項の規定による指定をしようとするときは、あらかじめ、関係都道府県公安委員会及び当該道路の道路管理者の意見をきかなければならない。

3　国家公安委員会及び国土交通大臣は、第一項の規定による指定をしたときは、内閣府令・国土交通省令で定めるところにより、その旨を公示しなければならない。

（特定交通安全施設等整備事業の実施）

第四条　都道府県公安委員会及び道路管理者は、前条第一項の規定により指定された道路について、社会資本整備重点計画法（平成十五年法律第二十号）第二条第一項に規定する社会資本整備重点計画（以下「重点計画」という。）に即して、特定交通安全施設等整備事業を実施しなければならない。

（特定交通安全施設等整備事業の実施計画）

第五条　前条の場合において、都道府県公安委員会及び道路管理者は、内閣府令・国土交通省令で定めるところにより、協議により重点計画の計画期間における特定交通安全施設等整備事業の実施計画（以下「実施計画」という。）を作成し、それぞれ国家公安委員会又は国土交通大臣に提出することができる。

2　実施計画は、交通事故の態様、交通及び道路の状況等を考慮して、効果的に交通事故を防止することができるように定めるものとする。

3　前二項の規定は、実施計画の変更について準用する。

（費用の負担又は補助の特例）

第六条　道路管理者が道路法第十三条第一項に規定する指定区間（以下「指定区間」という。）内の一般国道について実施する特定交通安全施設等整備事業のうち、第二条第三項第二号ロに掲げる事業に要する費用については、政令で定めるところにより、国及び都道府県又は同法第七条第三項に規定する指定市が、それぞれその二分の一を負担するものとする。ただし、道の区域内の指定区間内の一般国道に係る国の負担割合については、政令で、二分の一をこえる特別の割合を定めることができる。

2　道路管理者が指定区間外の一般国道について実施する特定交通安全施設等整備事業のうち、第二条第三項第二号ロに掲げる事業で政令で定めるもの（前条第一項の規定により提出された実施計画に係るものに限る。）に要する費用については、政令で定めるところにより、国及び当該道路の道路管理者である地方公共団体が、それぞれその二分の一を負担するものとする。

3　国は、道路管理者が都道府県道及び市町村道について実施する特定交通安全施設等整備事業のうち、第二条第三項第二号イ及び同号ロに掲げる事業で政令で定めるもの（前条第一項の規定により提出された実施計画に係るものに限る。）に要する費用については、予算の範囲内において、政令で定めるところにより、その二分の一（道路管理者が政令で定める通学路に該当する市町村道について実施する同号イに掲げる事業に要する費用については、その十分の五・五）をその費用を負担する地方公共団体に対して補助する。

4　前二項の規定は、当該各項に規定する事業に要する費用を、道路法第八十八条第一項の規定により国が負担し、又は補助する道路については、適用しない。

5　第一項から第三項までに規定する費用については、道路法第五十条第二項、第五十六条及び第八十五条第三項の規定は、適用しない。

（国の財政上の措置）

第七条　国は、都道府県公安委員会又は道路管理者が実施する特定交通安全施設等整備事業以外の交通安全施設等整備事業に要する費用について、必要な財政上の措置を講ずるように努めなければならない。

（権限の委任）

第八条　第五条第一項（同条第三項において準用する場合を含む。）に規定する道路管理者である国土交通大臣の権限は、政令で定めるところにより、地方整備局長又は北海道開発局長に委任することができる。

附　則

（施行期日）

1　この法律は、公布の日から施行する。

（昭和六十年度の特例）

2　第十条第三項の規定の昭和六十年度における適用については、同項中「三分の二」とあるのは、「十分の六」とする。

（昭和六十一年度から平成四年度までの特例）

3　第十条第三項の規定の昭和六十一年度から平成四年度までの各年度における適用については、同項中「三分の二」とあるのは、「十分の五・五」とする。

4　道路管理者が指定区間内の一般国道について実施する交通安全施設等整備事業のうち、第二条第三項第二号イに掲げる事業についての道路法附則第三項の規定の適用については、同項中「十分の五・五」とあるのは「十分の六」と、「十分の四・五」とあるのは「十分の四」とする。

（国の無利子貸付け等）

5　国は、当分の間、道路管理者に対し、第六条第二項又は第三項の規定により国がその費用について負担し、又は補助する事業で日本電信電話株式会社の株式の売払収入の活用による社会資本の整備の促進に関する特別措置法（昭和六十二年法律第八十六号）第二条第一項第二号に該当するものに要する費用に充てる資金について、予算の範囲内において、第六条第二項又は第三項の規定（これらの規定による国の負担又は補助の割合について、これらの規定と異なる定めをした法令の規定がある場合には、当該異なる定めをした法令の規定を含む。以下同じ。）により国が負担し、又は補助する金額に相当する金額を無利子で貸し付けることができる。

6　前項の国の貸付金の償還期間は、五年（二年以内の据置期間を含む。）以内で政令で定める期間とする。

7　前項に定めるもののほか、附則第五項の規定による貸付金の償還方法、償還期限の繰上げその他償還に関し必要な事項は、政令で定める。

8　国は、附則第五項の規定により、道路管理者に対し貸付けを行った場合には、当該貸付けの対象である事業に係る第六条第二項又は第三項の規定による国の負担又は補助については、当該貸付金の償還時において、当該貸付金の償還金に相当する金額を交付することにより行うものとする。

9　道路管理者が、附則第五項の規定による貸付けを受けた無利子貸付金について、附則第六項及び第七項の規定に基づき定められる償還期限を繰り上げて償還を行った場合（政令で定める場合を除く。）における前項の規定の適用については、当該償還は、当該償還期限の到来時に行われたものとみなす。

附　則〔抄〕〔昭和四四・三・三一法律九〕

（施行期日）

1　この法律は、昭和四十四年四月一日から施行する。

（経過措置）

2　昭和四十三年度以前の年度の予算に係る国の負担金又は補助金で昭和四十四年度以降に繰り越されたものに係る交通安全施設等整備事業の実施並びに当該事業に要する費用についての国及び地方公共団体の負担並びに国の補助については、なお従前の例による。

3　昭和四十三年度以前の年度の予算に係る国の補助金で昭和四十四年度以降に繰り越されたものに係る踏切道の構造改良に関する事業の実施及び当該事業に要する費用についての国の補助については、第二条の規定にかかわらず、なお従前の例による。

4　踏切道の構造改良に関する事業でこの法律の施行の日前に第二条の規定による廃止前の通学路に係る交通安全施設等の整備及び踏切道の構造改良等に関する緊急措置法（以下「旧法」という。）第二十二条第一項の協議が成立したものの実施及び当該事業に要する費用の負担については、なお従前の例による。

5　旧法の規定による乙種指定踏切道に係る保安設備の整備に関する事業で昭和四十四年三月三十一日までに工事が完了したものに要する費用についての国及び地方公共団体の補助については、なお従前の例による。

附　則〔略〕〔昭和四五・四・三法律一六〕

附　則〔略〕〔昭和四六・三・三一法律二七〕

附　則〔略〕〔昭和五一・三・三一法律一三〕

附　則〔略〕〔昭和五六・三・三一法律七〕

附　則〔略〕〔昭和六〇・五・一八法律三七〕

附　則〔略〕〔昭和六一・三・三一法律一一〕

附　則〔昭和六一・五・八法律四六〕

1　この法律は、公布の日から施行する。

2　この法律（第十一条、第十二条及び第三十四条の規定を除く。）による改正後の法律の昭和六十一年度から昭和六十三年度までの各年度の特例に係る規定並びに昭和六十一年度及び昭和六十二年度の特例に係る規定は、昭和六十一年度から昭和六十三年度までの各年度（昭和六十一年度及び昭和六十二年度の特例に係るものにあつては、昭和六十一年度及び昭和六十二年度。以下この項において同じ。）の予算に係る国の負担（当該国の負担に係る都道府県又は市町村の負担を含む。以下この項において同じ。）又は補助（昭和六十年度以前の年度における事務又は事業の実施により昭和六十一年度以降の年度に支出される国の負担又は補助及び昭和六十年度以前の年度の国庫債務負担行為に基づき昭和六十一年度以降の年度に支出すべきものとされた国の負担又は補助を除く。）並びに昭和六十一年度から昭和六十三年度までの各年度における事務又は事業の実施により昭和六十四年度（昭和六十一年度及び昭和六十二年度の特例に係るものにあつては、昭和六十三年度。以下この項において同じ。）以降の年度に支出される国の負担又は補助、昭和六十一年度から昭和六十三年度までの各年度の国庫債務負担行為に基づき昭和六十四年度以降の年度に支出すべきものとされる国の負担又は補助及び昭和六十一年度から昭和六十三年度までの各年度の歳出予算に係る国の負担又は補助で昭和六十四年度以降の年度に繰り越されるものについて適用し、昭和六十年度以前の年度における事務又は事業の実施により昭和六十一年度以降の年度に支出される国の負担又は補助、昭和六十年度以前の年度の国庫債務負担行為に基づき昭和六十一年度以降の年度に支出すべきものとされた国の負担又は補助及び昭和六十年度以前の年度の歳出予算に係る国の負担又は補助で昭和六十一年度以降の年度に繰り越されたものについては、なお従前の例による。

附　則〔略〕〔昭和六二・三・三一法律一一〕

附　則〔略〕〔昭和六二・九・四法律八七〕

附　則〔抄〕〔平成元・四・一〇法律二二〕

（施行期日等）

1　この法律は、公布の日から施行する。

2　この法律〔中略〕による改正後の法律の平成元年度及び平成二年度の特例に係る規定並びに平成元年度の特例に係る規定は、平成元年度及び平成二年度（平成元年度の特例に係るものにあっては、平成元年度。以下この項において同じ。）の予算に係る国の負担（当該国の負担に係る都道府県又は市町村の負担を含む。以下この項及び次項において同じ。）又は補助（昭和六十三年度以前の年度における事務又は事業の実施により平成元年度以降の年度に支出される国の負担及び昭和六十三年度以前の年度の国庫債務負担行為に基づき平成元年度以降の年度に支出すべきものとされた国の負担又は補助を除く。）並びに平成元年度及び平成二年度（平成元年度の特例に係るものにあっては、平成元年度。以下この項において同じ。）における事務又は事業の実施により平成三年度（平成元年度の特例に係るものにあっては、平成二年度。以下この項において同じ。）以降の年度に支出される国の負担、平成元年度及び平成二年度の国庫債務負担行為に基づき平成三年度以降の年度に支出すべきものとされる国の負担又は補助並びに平成元年度及び平成二年度の歳出予算に係る国の負担又は補助で平成三年度以降の年度に繰り越されるものについて適用し、昭和六十三年度以前の年度における事務又は事業の実施により平成元年度以降の年度に支出される国の負担、昭和六十三年度以前の年度の国庫債務負担行為に基づき平成元年度以降の年度に支出すべきものとされた国の負担又は補助及び昭和六十三年度以前の年度の歳出予算に係る国の負担又は補助で平成元年度以降の年度に繰り越されたものについては、なお従前の例による。

附　則〔平成三・三・一五法律四〕

1　この法律は、平成三年四月一日から施行する。

2　平成二年度以前の年度の予算に係る国の負担金、補助金又は貸付金で平成三年度以降に繰り越されたものに係る交通安全施設等整備事業の実施並びに当該事業に要する費用についての国及び地方公共団体の負担並びに国の補助及び貸付けについては、なお従前の例による。

改正　平成五・三法八

附　則〔平成三・三・三〇法律一五〕

1　この法律は、平成三年四月一日から施行する。

2　この法律（第十一条及び第十九条の規定を除く。）による改正後の法律の平成三年度及び平成四年度の特例に係る規定並びに平成三年度の特例に係る規定は、平成三年度及び平成四年度（平成三年度の特例に係るものにあっては平成三年度とする。以下この項において同じ。）の予算に係る国の負担（当該国の負担に係る都道府県又は市町村の負担を含む。以下この項において同じ。）又は補助（平成二年度以前の年度における事務又は事業の実施により平成三年度以降の年度に支出される国の負担及び平成二年度以前の年度の国庫債務負担行為に基づき平成三年度以降の年度に支出すべきものとされた国の負担又は補助を除く。）並びに平成三年度及び平成四年度における事務又は事業の実施により平成五年度（平成三年度の特例に係るものにあっては平成四年度とする。以下この項において同じ。）以降の年度に支出される国の負担、平成三年度及び平成四年度の国庫債務負担行為に基づき平成五年度以降の年度に支出すべきものとされる国の負担又は補助並びに平成三年度及び平成四年度の歳出予算に係る国の負担又は補助で平成五年度以降の年度に繰り越されるものについて適用し、平成二年度以前の年度における事務又は事業の実施により平成三年度以降の年度に支出される国の負担、平成二年度以前の年度の国庫債務負担行為に基づき平成三年度以降の年度に支出すべきものとされた国の負担又は補助及び平成二年度以前の年度の歳出予算に係る国の負担又は補助で平成三年度以降の年度に繰り越されたものについては、なお従前の例による。

国の補助金等の臨時特例等に関する法律〔抄〕

〔平成三・三・三〇法律一五〕

改正　平成五・三法八

第八章　地方公共団体に対する財政金融上の措置

（地方公共団体に対する財政金融上の措置）

第三四条　国は、この法律の規定による改正後の法律の規定により平成三年度及び平成四年度の予算に係る国の負担又は補助の割合の引下げ措置の対象となる地方公共団体に対し、その事務又は事業の執行及び財政運営に支障を生ずることのないよう財政金融上の措置を講ずるものとする。

附　則〔抄〕〔平成五・三・三一法律八〕

（施行期日等）

1　この法律は、平成五年四月一日から施行する。

2　この法律〔中略〕による改正後の法律の規定は、平成五年度以降の年度の予算に係る国の負担（当該国の負担に係る都道府県又は市町村の負担を含む。以下この項において同じ。）又は補助（平成四年度以前の年度における事務又は事業の実施により平成五年度以降の年度に支出される国の負担及び平成四年度以前の年度の国庫債務負担行為に基づき平成五年度以降の年度に支出すべきものとされた国の負担又は補助を除く。）について適用し、平成四年度以前の年度における事務又は事業の実施により平成五年度以降の年度に支出される国の負担、平成四年度以前の年度の国庫債務負担行為に基づき平成五年度以降の年度に支出すべきものとされた国の負担又は補助及び平成四年度以前の年度の歳出予算に係る国の負担又は補助で平成五年度以降の年度に繰り越されたものについては、なお従前の例による。

附　則〔平成八・三・三一法律二五〕

1　この法律は、平成八年四月一日から施行する。

2　平成七年度以前の年度の予算に係る国の負担金、補助金又は貸付金で平成八年度以降に繰り越されたものに係る交通安全施設等整備事業の実施並びに当該事業に要する費用についての国及び地方公共団体の負担並びに国の補助及び貸付けについては、なお従前の例による。

附　則〔抄〕〔平成九・一二・五法律一〇九〕

（施行期日）

第一条　この法律は、公布の日から施行する。

（交通安全施設等整備事業に関する緊急措置法の一部改正に伴う経過措置）

第一三条　前条の規定による改正後の交通安全施設等整備事業に関する緊急措置法（以下この条において「新交通安全施設整備法」という。）第四条の総合交通安全施設等整備事業七箇年計画（以下この条において「新総合計画」という。）が作成されるまでの間は、この法律の施行の際現に存する前条の規定による改正前の交通安全施設等整備事業に関する緊急措置法（以下この条において「旧交通安全施設整備法」という。）第四条の総合交通安全施設等整備事業五箇年計画（以下この条において「旧総合計画」という。）を新総合計画とみなして、新交通安全施設整備法第九条第二項及び第十一条の規定を適用する。この場合において、旧総合計画に定められている五箇年間に実施すべき交通安全施設等整備事業に関する事項は、新総合計画において七箇年間に実施すべき交通安全施設等整備事業に関する事項として定められたものとみなす。

2　新交通安全施設整備法第七条第一項の特定交通安全施設等整備事業七箇年計画（以下この条において「新特定計画」という。）が定められるまでの間は、この法律の施行の際現に存する旧交通安全施設整備法第七条第一項の特定交通安全施設等整備事業五箇年計画（以下この条において「旧特定計画」という。）を新特定計画と、旧交通安全施設整備法第八条第一項の実施計画を新交通安全施設整備法第八条第一項の実施計画とみなして、新交通安全施設整備法第七条第五項、第八条から第十条まで及び第十二条の規定を適用する。この場合において、旧特定計画に定められている五箇年間に行うべき特定交通安全施設等整備事業の実施の目標及び特定交通安全施設等整備事業の量は、それぞれ新特定計画において七箇年間に行うべき特定交通安全施設等整備事業の実施の目標及び特定交通安全施設等整備事業の量として定められたものとみなす。

3　前項の規定により新交通安全施設整備法第七条第五項の規定を適用する場合においては、旧総合計画を新総合計画と、この法律の施行の際現に存する旧交通安全施設整備法第六条第一項の道路の指定を新交通安全施設整備法第六条第一項の道路の指定とみなす。この場合において、旧総合計画に定められている五箇年間に実施すべき交通安全施設等整備事業に関する事項は、新総合計画において七箇年間に実施すべき交通安全施設等整備事業に関する事項として定められたものとみなす。

4　旧総合計画に係る交通安全施設等整備事業又は旧特定計画に係る特定交通安全施設等整備事業で既に実施したものについては、それぞれ新総合計画に係る交通安全施設等整備事業又は新特定計画に係る特定交通安全施設等整備事業で既に実施したものとみなす。

附　則〔抄〕〔平成一一・七・一六法律八七〕

（**施行期日**）

第一条　この法律は、平成十二年四月一日から施行する。ただし、次の各号に掲げる規定は、当該各号に定める日から施行する。

一　〔前略〕附則〔中略〕第百六十条、第百六十三条、第百六十四条並びに第二百二条の規定　公布の日

二～六　〔略〕

（**国等の事務**）

第一五九条　この法律による改正前のそれぞれの法律に規定するもののほか、この法律の施行前において、地方公共団体の機関が法律又はこれに基づく政令により管理し又は執行する国、他の地方公共団体その他公共団体の事務（附則第百六十一条において「国等の事務」という。）は、この法律の施行後は、地方公共団体が法律又はこれに基づく政令により当該地方公共団体の事務として処理するものとする。

（**処分、申請等に関する経過措置**）

第一六〇条　この法律（附則第一条各号に掲げる規定については、当該各規定。以下この条及び附則第百六十三条において同じ。）の施行前に改正前のそれぞれの法律の規定によりされた許可等の処分その他の行為（以下この条において「処分等の行為」という。）又はこの法律の施行の際現に改正前のそれぞれの法律の規定によりされている許可等の申請その他の行為（以下この条において「申請等の行為」という。）で、この法律の施行の日においてこれらの行為に係る行政事務を行うべき者が異なることとなるものは、附則第二条から前条までの規定又は改正後のそれぞれの法律（これに基づく命令を含む。）の経過措置に関する規定に定めるものを除き、この法律の施行の日以後における改正後のそれぞれの法律の適用については、改正後のそれぞれの法律の相当規定によりされた処分等の行為又は申請等の行為とみなす。

2　この法律の施行前に改正前のそれぞれの法律の規定により国又は地方公共団体の機関に対し報告、届出、提出その他の手続をしなければならない事項で、この法律の施行の日前にその手続がされていないものについては、この法律及びこれに基づく政令に別段の定めがあるもののほか、これを、改正後のそれぞれの法律の相当規定により国又は地方公共団体の相当の機関に対して報告、届出、提出その他の手続をしなければならない事項についてその手続がされていないものとみなして、この法律による改正後のそれぞれの法律の規定を適用する。

（**不服申立てに関する経過措置**）

第一六一条　施行日前にされた国等の事務に係る処分であって、当該処分をした行政庁（以下この条において「処分庁」という。）に施行日前に行政不服審査法に規定する上級行政庁（以下この条において「上級行政庁」という。）があったものについての同法による不服申立てについては、施行日以後においても、当該処分庁に引き続き上級行政庁があるものとみなして、行政不服審査法の規定を適用する。この場合において、当該処分庁の上級行政庁とみなされる行政庁は、施行日前に当該処分庁の上級行政庁であった行政庁とする。

2　前項の場合において、上級行政庁とみなされる行政庁が地方公共団体の機関であるときは、当該機関が行政不服審査法の規定により処理することとされる事務は、新地方自治法第二条第九項第一号に規定する第一号法定受託事務とする。

（**手数料に関する経過措置**）

第一六二条　施行日前においてこの法律による改正前のそれぞれの法律（これに基づく命令を含む。）の規定により納付すべきであった手数料については、この法律及びこれに基づく政令に別段の定めがあるもののほか、なお従前の例による。

（**その他の経過措置の政令への委任**）

第一六四条　この附則に規定するもののほか、この法律の施行に伴い必要な経過措置〔中略〕は、政令で定める。

2　〔略〕

附　則〔略〕〔平成一一・一二・二二法律一六〇〕

附　則〔略〕〔平成一四・二・八法律一〕

附　則〔抄〕〔平成一五・三・三一法律二一〕

（**施行期日**）

第一条　この法律は、平成十五年四月一日から施行する。

（**交通安全施設等整備事業に関する緊急措置法の一部改正に伴う経過措置**）

第三条　平成十四年度以前の年度の予算に係る国の負担金、補助金又は貸付金で平成十五年度以降に繰り越されたものに係る交通安全施設等整備事業の実施並びに当該事業に要する費用についての国及び地方公共団体の負担並びに国の補助及び貸付けについては、なお従前の例による。

（**政令への委任**）

第四条　前二条に規定するもののほか、この法律の施行に伴い必要な経過措置は、政令で定める。

附　則〔略〕〔平成二二・三・三一法律二〇〕

附　則〔抄〕〔平成二三・八・三〇法律一〇五〕

（**施行期日**）

第一条　この法律は、公布の日から施行する。ただし、次の各号に掲げる規定は、当該各号に定める日から施行する。

一　〔前略〕第百十四条〔中略〕の規定　公布の日から起算して三月を経過した日

二～六　〔略〕

（**罰則に関する経過措置**）

第八一条　この法律（附則第一条各号に掲げる規定にあっては、当該規定。以下この条において同じ。）の施行前にした行為及びこの附則の規定によりなお従前の例によることとされる場合におけるこの法律の施行後にした行為に対する罰則の適用については、なお従前の例による。

（**政令への委任**）

第八二条　この附則に規定するもののほか、この法律の施行に関し必要な経過措置（罰則に関する経過措置を含む。）は、政令で定める。

〇道路整備特別措置法〔昭和三一・三・一四 法律七〕

改正　昭和三二・四法八〇、昭和三三・三法三六、昭和三四・三法六六、四法一三三、法一四八、昭和三五・六法一〇五、七法一二九、昭和三七・三法四三、五法一〇二、九法一六一、昭和三八・六法九九、昭和三九・七法一六三、法一六八、昭和四一・七法一〇七、昭和四三・三法一〇、昭和四五・五法四五、法八一、法八二、六法一一一、昭和四六・四法四六、六法九八、昭和四七・七法一一一、昭和六二・九法八七、平成元・六法五六、平成三・五法六〇、平成五・一一法八九、平成八・五法四八、平成一〇・六法八九、平成一一・七法八七、一二法一六〇、平成一四・一二法一八〇、平成一六・六法一〇一、平成一九・三法一九、平成二三・八法一〇五、平成二五・六法三〇、平成二六・六法五三、法六九、平成二八・三法一九、平成二九・六法四五、平成三〇・三法六、令和二・五法三一、令和三・三法九、令和五・六法四三、法六三

目次

第一章　総則（第一条・第二条）
第二章　会社による高速道路の整備等（第三条―第九条）
第三章　地方道路公社及び有料道路管理者による道路の整備等（第十条―第二十条）
第四章　雑則（第二十一条―第五十六条）
第五章　罰則（第五十七条―第六十条）
附則

第一章　総則

（目的）

第一条　この法律は、その通行又は利用について料金を徴収することができる道路の新設、改築、維持、修繕その他の管理を行う場合の特別の措置を定め、もつて道路の整備を促進し、交通の利便を増進することを目的とする。

（定義）

第二条　この法律において「道路」とは、道路法（昭和二十七年法律第百八十号）第二条第一項に規定する道路をいう。

2　この法律において「高速道路」とは、高速道路株式会社法（平成十六年法律第九十九号）第二条第二項に規定する高速道路をいう。

3　この法律において「道路管理者」とは、高速自動車国道にあつては国土交通大臣、その他の道路にあつては道路法第十八条第一項に規定する道路管理者をいう。

4　この法律において「会社」とは、東日本高速道路株式会社、首都高速道路株式会社、中日本高速道路株式会社、西日本高速道路株式会社、阪神高速道路株式会社又は本州四国連絡高速道路株式会社をいう。

5　この法律において「料金」とは、会社、地方道路公社又は道路管理者が道路の通行又は利用について徴収する料金をいう。

6　この法律において「会社等」とは、会社又は地方道路公社をいう。

7　この法律において「機構等」とは、独立行政法人日本高速道路保有・債務返済機構（以下「機構」という。）又は地方道路公社をいう。

第二章　会社による高速道路の整備等

（高速道路の新設又は改築）

第三条　会社は、機構と独立行政法人日本高速道路保有・債務返済機構法（平成十六年法律第百号。以下「機構法」という。）第十三条第一項に規定する協定（以下単に「協定」という。）を締結したときは、高速自動車国道法（昭和三十二年法律第七十九号）第六条の規定、道路法第十二条、第十五条、第十六条第一項若しくは第二項本文、第十七条第一項から第三項まで若しくは第八十八条第二項の規定又は同法第十六条第二項ただし書若しくは第十九条第一項の規定に基づき成立した協議（同法第十六条第四項又は第十九条第四項の規定により成立したものとみなされる協議を含む。）による管理の方法の定めにかかわらず、当該協定に基づき国土交通大臣の許可を受けて、高速道路を新設し、又は改築して、料金を徴収することができる。

2　会社は、前項の許可を受けようとするときは、協定その他国土交通省令で定める書類を添付して、当該協定の対象となる高速道路（当該高速道路について二以上の会社が協定を締結した場合には、当該協定に対応する高速道路の各部分）ごとに、次に掲げる事項を記載した申請書を国土交通大臣に提出しなければならない。

一　高速道路の路線名
二　新設又は改築に係る工事の内容
三　収支予算の明細
四　料金の額及びその徴収期間

3　会社は、第一項の許可を受けようとするときは、あらかじめ、申請に係る高速道路が、道路法第十三条第一項に規定する指定区間（以下「指定区間」という。）外の一般国道である場合にあつては当該高速道路の道路管理者と協議し、都道府県道又は道路法第七条第三項に規定する指定市（以下「指定市」という。）の市道である場合にあつては当該高速道路の道路管理者の同意を得なければならない。

4　前項の規定により道路管理者が協議に応じ、又は同意をしようとするときは、道路管理者である地方公共団体の議会の議決を経なければならない。

5　国土交通大臣は、第二項の申請が次の各号に掲げる要件のいずれにも適合すると認める場合に限り、第一項の許可をすることができる。

一　申請書に記載された事項が、協定の内容に適合すること。
二　申請に係る高速道路について、機構が機構法第十四条第一項の業務実施計画の認可を受けていること。
三　申請に係る高速道路が高速自動車国道である場合にあつては、高速自動車国道法第五条第一項又は第三項に規定する整備計画に適合するものであること。
四　料金の額及びその徴収期間が、第二十三条に定める基準に適合するものであること。

6　会社は、第一項の許可を受けた後、第二項第一号、第二号（国土交通省令で定める事項に係るものを除く。）又は第四号に掲げる事項を変更しようとするときは、国土交通大臣の許可を受けなければならない。

7　第三項及び第四項の規定は、前項の場合について準用する。ただし、指定区間外の一般国道、都道府県道又は指定市の市道である部分とこれら以外の部分とで構成されている高速道路にあつては、指定区間外の一般国道、都道府県道又は指定市の市道である部分について第二項第一号、第二号（前項の国土交通省令で定める事項に係るものを除く。）又は第四号に掲げる事項を変更しようとする場合に限る。

8　第五項の規定は、第六項の場合について準用する。

9　会社は、第一項の許可を受けた後、第二項第二号（第六項の国土交通省令で定める事項に係るものに限る。）又は第三号に掲げる事項を変更しようとするときは、国土交通大臣に届け出なければならない。

10　国土交通大臣は、第一項若しくは第六項の許可をしたとき、又は前項の規定による届出があつたときは、その旨を当該高速道路の道路管理者（国土交通大臣である道路管理者を除く。）に通知しなければならない。

（会社の行う高速道路の維持、修繕等）

第四条　会社は、前条第一項の許可（同条第六項の許可を含む。以下同じ。）を受けて新設し、又は改築した高速道路については、高速自動車国道法第六条の規定、道路法第十三条第一項若しくは第三項、第十五条、第十六条第一項若しくは第二項本文、第十七条第一項から第三項まで、第六項若しくは第七項、第四十八条の十九第一項若しくは第八十八条第二項の規定、同法第十六条第二項ただし書若しくは第十九条第一項の規定に基づき成立した協議（同法第十六条第四項又は第十九条第四項の規定により成立したものとみなされる協議を含む。）による管理の方法の定め又は道路の修繕に関する法律（昭和二十三年法律第二百八十二号）第二条第一項の規定にかかわらず、第二十二条第二項の規定により公告する工事完了の日の翌日から第二十五条第一項の規定により公告する料金の徴収期間の満了の日まで、当該高速道路の維持、修繕及び道路法第十三条第一項に規定する災害復旧（以下単に「災害復旧」という。）を行うものとする。

（供用の拒絶等）

第五条　会社は、前条の規定により維持、修繕及び災害復旧を行う高速道路について、次に掲げる車両（道路法第二条第五項に規定する車両をいう。以下同じ。）の通行の禁止又は制限のため、機構（第一号に掲げる車両に

あつては、同号の道路監理員を含む。）の要請に基づき必要な措置を講じなければならない。

一　第八条第一項第二十七号の規定により高速道路の道路管理者に代わつてその権限を行う機構（第五十四条第一項の規定により読み替えて適用する道路法第七十一条第四項の規定により機構が命じた道路監理員を含む。）が、同法第四十六条の規定に基づき当該高速道路について通行を禁止し、又は制限した場合において、当該禁止又は制限の対象となる車両

二　道路法第四十七条第一項に規定する車両（人が乗車し、又は貨物が積載されている場合にあつてはその状態におけるものをいい、他の車両を牽引している場合にあつては当該牽引されている車両を含む。以下この条において同じ。）の幅、重量、高さ、長さ又は最小回転半径の最高限度で同項の政令で定めるものを超える車両（同法第四十七条の二第一項の許可を受けた車両を除く。）

三　第八条第一項第二十七号の規定により高速道路の道路管理者に代わつてその権限を行う機構が道路法第四十七条第三項の規定に基づき当該高速道路において安全であると認められる限度を超える車両の通行を禁止し、又は制限した場合において、当該禁止又は制限の対象となる車両（同法第四十七条の二第一項の許可を受けた車両を除く。）

四　道路法第四十七条第四項の政令で定める基準に適合しないことにより当該高速道路の通行を制限される車両

2　会社は、前項に規定するもののほか、道路法第四十六条第一項各号のいずれかに該当する場合において、高速道路の構造を保全し、又は交通の危険を防止するため必要があると認めるときは、必要な限度において、当該高速道路の供用を拒絶することができる。

3　会社は、前二項に規定するもののほか、次に掲げる場合を除き、高速道路の供用を拒絶してはならない。

一　当該供用の申込みが次条第一項の認可を受けた供用約款によらないものであるとき。

二　当該供用に関し通行者又は利用者から特別の負担を求められたとき。

三　当該供用により他の車両の通行に著しく支障を及ぼすおそれがあるとき。

四　当該供用が法令の規定又は公の秩序若しくは善良の風俗に反するものであるとき。

（供用約款）

第六条　会社は、第三条第一項の許可に基づき料金を徴収しようとするときは、あらかじめ、国土交通省令で定めるところにより、供用約款を定め、国土交通大臣の認可を受けなければならない。これを変更しようとするときも、同様とする。

2　国土交通大臣は、前項の認可の申請が次の各号に掲げる要件のいずれにも適合すると認める場合に限り、同項の認可をすることができる。

一　料金の徴収及び会社の責任に関する事項が明確に定められているものであること。

二　高速道路を通行し、又は利用する特定の者に対し不当な差別的取扱いをするものでないこと。

（供用約款の掲示等）

第七条　会社は、前条第一項の認可を受けた供用約款について、営業所、事務所その他の事業場において公衆に見やすいように掲示するとともに、国土交通省令で定めるところにより、電気通信回線に接続して行う自動公衆送信（公衆によつて直接受信されることを目的として公衆からの求めに応じ自動的に送信を行うことをいい、放送又は有線放送に該当するものを除く。第二十四条第四項において同じ。）により公衆の閲覧に供しなければならない。

（機構による道路管理者の権限の代行）

第八条　機構は、会社が第三条第一項の許可を受けて高速道路を新設し、若しくは改築する場合又は第四条の規定により高速道路の維持、修繕及び災害復旧を行う場合においては、当該高速道路の道路管理者に代わつて、その権限のうち次に掲げるものを行うものとする。

一　高速自動車国道法第七条第一項の規定により道路の区域を決定し、又は変更すること。

二　高速自動車国道法第八条第一項の規定により管理の方法（同項に規定する他の工作物の管理者が当該会社以外の者であるときは、維持、修繕及び災害復旧以外の管理の方法に限る。）について協議すること。

三　高速自動車国道法第十一条の二第一項の規定により同条第二項第三号に掲げる施設について高速自動車国道との連結を許可し、同条第五項の規定により当該施設の構造の変更を許可し、及び同法第十一条の七の規定によりこれらの許可に必要な条件を付すること。

四　高速自動車国道法第十一条の六の規定により施設の譲渡を承認し、及び同法第十一条の七の規定により当該承認に必要な条件を付すること。

五　高速自動車国道法第十四条第二項又は第三項（同法第十六条においてこれらの規定を準用する場合を含む。）の規定により必要な措置をすることを命ずること。

六　高速自動車国道法第十七条第二項の規定により設けるべき道路標識を定めること。

七　高速自動車国道法第十八条の規定により必要な措置をすることを命ずること。

八　高速自動車国道法第二十四条の二において準用する道路法第九十五条の二第二項の規定により協議し、又は通知すること。

九　道路法第十八条第一項の規定により道路の区域を決定し、又は変更すること。

十　道路法第二十条第一項の規定により管理の方法（同項に規定する他の工作物の管理者が当該会社以外の者であるときは、新設、改築、維持、修繕及び災害復旧以外の管理の方法に限る。）について協議すること。

十一　道路法第二十一条の規定により道路に関する工事を施行させ、及び道路の維持をさせること。

十二　道路法第二十二条第一項の規定により道路に関する工事又は道路の維持を施行させること。

十三　道路法第二十四条本文の規定により道路に関する工事又は道路の維持を行うことを承認し、及び同法第八十七条第一項の規定により当該承認に必要な条件を付すること。

十四　道路法第三十二条第一項又は第三項（同法第九十一条第二項においてこれらの規定を準用する場合を含む。）の規定により許可し、及び同法第三十二条第五項（同法第九十一条第二項において準用する場合を含む。）の規定により協議し、並びに同法第三十四条及び第八十七条第一項（同法第九十一条第二項においてこれらの規定を準用する場合を含む。）の規定により当該許可に必要な条件を付すること。

十五　道路法第三十五条（同法第九十一条第二項において準用する場合を含む。）の規定により協議すること。

十六　道路法第三十九条の二第一項（同法第九十一条第二項において準用する場合を含む。）の規定により入札占用指針を定め、及び同法第三十九条の二第六項（同法第九十一条第二項において準用する場合を含む。）の規定により意見を聴くこと。

十七　道路法第三十九条の四第一項又は第五項（同法第九十一条第二項においてこれらの規定を準用する場合を含む。）の規定により通知し、同法第三十九条の四第二項（同法第九十一条第二項において準用する場合を含む。）の規定により協議し、同法第三十九条の四第三項（同法第九十一条第二項において準用する場合を含む。）の規定により占用入札を実施し、及び同法第三十九条の四第四項（同法第九十一条第二項において準用する場合を含む。）の規定により落札者を決定すること。

十八　道路法第三十九条の五第一項（同法第九十一条第二項において準用する場合を含む。）の規定により道路の場所を指定し、及び入札占用計画が適当である旨の認定をすること。

十九　道路法第三十九条の六第一項（同法第九十一条第二項において準用する場合を含む。）の規定により変更の認定をし、及び同法第三十九条の六第二項（同法第九十一条第二項において準用する場合を含む。）の規定により協議すること。

二十　道路法第三十九条の九（同法第九十一条第二項において準用する場合を含む。）の規定により必要な措置を講ずべきことを命ずること。

二十一　道路法第四十条第二項（同法第九十一条第二項において準用する場合を含む。）の規定により必要な指示をすること。

二十二　道路法第四十三条の二の規定により必要な措置をすることを命ずること。

二十三　道路法第四十四条第四項（同法第九十一条第二項において準用する場合を含む。）の規定により必要な措置を講ずべきことを命ずること。

二十三の二　道路法第四十四条の二第六項（同法第九十一条第二項において準用する場合を含む。）の規定により必要な措置を講ずべきことを勧

告すること。

二十四　道路法第四十四条の三第一項（同法第九十一条第二項において準用する場合を含む。）の規定により違法放置等物件を自ら除去し、又はその命じた者若しくは委任した者に除去させ、同法第四十四条の三第二項（同法第九十一条第二項において準用する場合を含む。）の規定により違法放置等物件を保管し、同法第四十四条の三第三項（同法第九十一条第二項において準用する場合を含む。）の規定により公示し、同法第四十四条の三第四項（同法第九十一条第二項において準用する場合を含む。）の規定により違法放置等物件を売却し、及び代金を保管し、並びに同法第四十四条の三第五項（同法第九十一条第二項において準用する場合を含む。）の規定により違法放置等物件を廃棄すること。

二十五　道路法第四十五条第一項、第四十七条の十五、第四十八条の十一第二項及び第四十八条の二十九の四の規定により設けるべき道路標識又は区画線を定めること。

二十六　道路法第四十五条の二第二項の規定により公示すること。

二十七　道路法第四十六条第一項及び第三項並びに第四十七条第三項の規定により道路の通行を禁止し、又は制限すること。

二十八　道路法第四十七条の二第一項及び第二項前段の規定により許可をし、同項後段の規定により協議し、並びに同条第五項の規定により許可証を交付すること。

二十九　道路法第四十七条の三第二項又は第四十七条の十一第一項の規定により協議し、同法第四十七条の三第四項若しくは第五項又は第四十七条の十一第二項若しくは第三項の規定により許可基準等又は判定基準等を提供し、及び同法第四十七条の三第九項又は第四十七条の十一第四項の規定により情報の提供を求めること。

三十　道路法第四十七条の十第四項の規定により判定基準を定めること。

三十一　道路法第四十七条の十四及び第四十八条の十二の規定により必要な措置をすることを命ずること。

三十二　道路法第四十七条の十八第一項の規定により協議し、及び締結すること。

三十三　道路法第四十八条第二項（同法第九十一条第二項において準用する場合を含む。）の規定により必要な措置を講ずべきことを命じ、及び同法第四十八条第四項（同法第九十一条第二項において準用する場合を含む。）の規定により必要な措置をすることを命ずること。

三十四　道路法第四十八条の五第一項の規定により同法第四十八条の四第二号から第四号までに掲げる施設について自動車専用道路（同条に規定する自動車専用道路をいう。以下同じ。）との連結を許可し、同法第四十八条の五第三項の規定により当該施設の構造の変更を許可し、及び同法第四十八条の十の規定によりこれらの許可に必要な条件を付すること。

三十五　道路法第四十八条の九の規定により施設の譲渡を承認し、及び同法第四十八条の十の規定により当該承認に必要な条件を付すること。

三十五の二　道路法第四十八条の二十九の三の規定により防災拠点自動車駐車場の利用を禁止し、又は制限すること。

三十六　道路法第四十八条の三十二第一項又は第三項の規定により許可し、及び同法第八十七条第一項の規定により当該許可に必要な条件を付すること。

三十七　道路法第四十八条の六十四の規定により協議すること。

三十八　道路法第六十七条の二第一項の規定により車両を移動し、又はその命じた者若しくはその委任を受けた者に車両を移動させ、同条第二項の規定により意見を聴き、同条第三項の規定により車両を保管し、及び必要な措置を講じ、同条第四項の規定により告知し、必要な措置を講じ、及び公示し、並びに同条第五項の規定により車両を移動すること。

三十九　道路法第七十一条第一項又は第二項（高速自動車国道法第十一条の八第一項及び道路法第九十一条第二項において準用する場合を含む。）の規定により処分をし、又は措置を命じ、及び道路法第七十一条第三項前段（高速自動車国道法第十一条の八第一項及び道路法第九十一条第二項において準用する場合を含む。）の規定により必要な措置を自ら行い、又はその命じた者若しくは委任した者に行わせること。ただし、道路法第三十七条第一項（同法第九十一条第二項において準用する場合を含む。）の規定に係るものを除く。

四十　道路法第七十二条の二第一項又は第二項の規定により必要な報告をさせ、又はその職員に立入検査をさせること。

四十一　道路法第九十一条第一項の規定により許可をすること。

四十二　道路法第九十五条の二第一項の規定により意見を聴き、又は通知し、及び同条第二項の規定により協議し、又は通知すること。ただし、同法第四十八条の二第一項若しくは第二項の規定に係るもの又は同法第九十五条の二第一項に規定する横断歩道橋の設置、道路の交差部分及びその付近の道路の部分の改築、歩行安全改築若しくは道路の附属物である自動車駐車場若しくは特定車両停留施設の設置に係るものを除く。

2　機構は、前項の規定により高速自動車国道の道路管理者に代わつてその権限を行おうとする場合において、その権限が同項第一号、第三号、第十四号から第十六号まで、第二十九号、第三十七号又は第四十号に掲げるもの（同項第十四号、第十五号又は第三十七号に掲げる権限にあつては道路の構造又は交通に及ぼす支障が大きいと認められる道路の占用で政令で定めるものに係るものに限り、同項第十六号に掲げる権限にあつては道路法第三十九条の二第一項（同法第九十一条第二項において準用する場合を含む。）の規定により入札占用指針（当該道路の占用に関するものに限る。）を定めることに限り、前項第二十九号に掲げる権限にあつては同法第四十七条の三第二項又は第四十七条の十一第一項の規定により協議することに限る。）であるときは、あらかじめ、当該道路管理者の承認を受け、かつ、これらの権限を行つたときは、遅滞なく、その旨を当該道路管理者に報告しなければならない。

3　機構は、第一項の規定により高速道路（高速自動車国道を除く。以下この項において同じ。）の道路管理者に代わつてその権限を行おうとする場合において、その権限が第一項第九号に掲げるもの又は一般国道に係る同項第十四号から第十六号まで、第二十九号、第三十四号若しくは第三十七号に掲げるもの（同項第十六号に掲げる権限にあつては道路法第三十九条の二第一項（同法第九十一条第二項において準用する場合を含む。）の規定により入札占用指針を定めることに限り、第一項第二十九号に掲げる権限にあつては同法第四十七条の三第二項又は第四十七条の十一第一項の規定により協議することに限る。以下この項において同じ。）であるときは当該高速道路の道路管理者の意見を聴き、その権限が第一項第四十号に掲げるもの又は都道府県道若しくは指定市の市道に係る同項第十四号から第十六号まで、第二十九号、第三十四号若しくは第三十七号に掲げるものであるときは当該高速道路の道路管理者の同意を得、かつ、これらの権限を行つた場合においては、遅滞なく、その旨を当該高速道路の道路管理者に通知しなければならない。ただし、同項第十四号から第十六号まで又は第三十七号に掲げる権限にあつては、道路の構造又は交通に及ぼす支障が大きいと認められる道路の占用で政令で定めるものに係る場合に限る。

4　機構は、第一項の規定により高速道路の道路管理者に代わつてその権限を行おうとする場合において、その権限が同項第一号、第三号、第五号、第六号、第九号、第十一号から第二十一号まで、第二十三号から第二十五号まで、第二十七号から第三十号まで、第三十二号から第三十四号まで又は第三十五号の二から第四十一号までに掲げるものであるときは、あらかじめ、会社の意見を聴き、同項第一号から第七号まで又は第九号から第四十一号までに掲げる権限（同項第二号に掲げる権限にあつては高速自動車国道法第八条第一項に規定する他の工作物の管理者が、第一項第十号に掲げる権限にあつては道路法第二十条第一項に規定する他の工作物の管理者が、それぞれ当該会社以外の者であるときに限る。）を行つた場合においては、遅滞なく、その旨を会社に通知しなければならない。

5　第一項第三号、第四号、第十三号、第十四号、第十八号、第十九号、第二十八号、第三十四号、第三十五号、第三十六号及び第四十一号の規定により高速道路の道路管理者に代わつて機構が行う許可、承認又は認定についての、機構に提出すべき申請書その他の書類は、会社を経由しなければならない。この場合における道路法第三十二条第四項の規定の適用については、同項中「道路管理者」とあるのは、「道路整備特別措置法第二条第四項に規定する会社（以下「会社」という。）」とする。

6　前二項の規定は、第一項第三号、第四号、第十三号、第十四号、第十八号、第十九号、第三十四号又は第三十五号の規定により高速道路の道路管理者に代わつて機構が行う許可、承認又は認定であつて当該会社に対するものについては、適用しない。

7　機構は、第一項の規定により高速道路の道路管理者に代わつてその権限を行う場合において、その権限が同項第十四号又は第十六号から第十九号までに掲げるものであるときは、当該権限に係る事務の円滑かつ効率的な実施を確保するため、道路の占用の許可に係る申請書の記載事項の確認、占用入札のための調査その他の国土交通省令で定める事務を会社に委託しなければならない。

8　機構は、前項の規定により事務を委託する場合においては、国土交通大臣の認可を受けなければならない。

9　次条第一項第十号又は第十三号の規定により高速道路の道路管理者に代わつてこれらの権限を会社が行つた場合においては、機構は、それぞれ第一項第二十四号又は第三十八号に掲げる権限を行わないものとする。

10　第一項の規定により機構が高速道路の道路管理者に代わつて行う権限は、第二十二条第一項の規定により公告する工事開始の日から第二十五条第一項の規定により公告する料金の徴収期間の満了の日までに限り行うことができるものとする。

（会社による道路管理者の権限の代行）

第九条　会社は、第三条第一項の許可を受けて高速道路を新設し、若しくは改築する場合又は第四条の規定により高速道路の維持、修繕及び災害復旧を行う場合においては、当該高速道路の道路管理者に代わつて、その権限のうち次に掲げるものを行うものとする。

一　高速自動車国道法第七条の二第一項の規定により管理の方法について協議すること。

二　高速自動車国道法第八条第一項の規定により維持、修繕又は災害復旧の方法について協議すること。ただし、同項に規定する他の工作物の管理者が当該会社である場合を除く。

三　前条第一項第六号の規定により機構が定めた道路標識を、高速自動車国道法第十七条第二項の規定により設けること。

四　道路法第十九条の二第一項の規定により管理の方法について協議すること。

五　道路法第二十条第一項の規定により新設、改築、維持、修繕又は災害復旧の方法について協議すること。ただし、同項に規定する他の工作物の管理者が当該会社である場合を除く。

六　道路法第二十二条の二の規定により維持修繕協定を締結すること。

七　道路法第二十三条第一項の規定により他の工事を施行すること。

八　道路法第三十一条第一項の規定により協議し、これを成立させること。

九　道路法第三十八条第一項（同法第九十一条第二項において準用する場合を含む。）の規定により道路の占用に関する工事を自ら施行すること。

十　道路法第四十四条の三第一項（同法第九十一条第二項において準用する場合を含む。）の規定により違法放置等物件を自ら除去し、又はその命じた者若しくは委任した者に除去させ、同法第四十四条の三第二項（同法第九十一条第二項において準用する場合を含む。）の規定により違法放置等物件を保管し、同法第四十四条の三第三項（同法第九十一条第二項において準用する場合を含む。）の規定により公示し、同法第四十四条の三第四項（同法第九十一条第二項において準用する場合を含む。）の規定により違法放置等物件を売却し、及び代金を保管し、並びに同法第四十四条の三第五項（同法第九十一条第二項において準用する場合を含む。）の規定により違法放置等物件を廃棄すること。

十一　前条第一項第二十五号の規定により機構が定めた道路標識又は区画線を、道路法第四十五条第一項、第四十七条の十五、第四十八条の十一第二項及び第四十八条の二十九の四の規定により設けること。

十二　道路法第四十七条の十八第一項後段の規定により道路一体建物を管理すること。

十三　道路法第六十七条の二第一項の規定により車両を移動し、又はその命じた者若しくはその委任を受けた者に車両を移動させ、同条第二項の規定により意見を聴き、同条第三項の規定により車両を保管し、及び必要な措置を講じ、同条第四項の規定により告知し、必要な措置を講じ、及び公示し、並びに同条第五項の規定により車両を移動すること。

十四　道路法第九十五条の二第一項の規定により意見を聴き、又は通知すること。ただし、同項に規定する横断歩道橋の設置、道路の交差部分及びその付近の道路の部分の改築、歩行安全改築又は道路の附属物である自動車駐車場若しくは特定車両停留施設の設置に係るものに限る。

2　前項第一号の規定により高速自動車国道の道路管理者に代わつてその権限を会社が行う場合において、高速自動車国道法第七条の二第一項の規定による協議が成立しないときは、会社又は同項に規定する他の道路の道路管理者（当該他の道路が他の会社が管理する第二十三条第一項第一号に規定する会社管理高速道路であるときは当該他の会社、第三十一条第一項に規定する公社管理道路であるときは地方道路公社。次項及び第四項において同じ。）は、当該他の道路の道路管理者が国土交通大臣である場合を除き、国土交通大臣に裁定を申請することができる。

3　国土交通大臣は、前項の規定による申請に基づいて裁定をしようとする場合においては、会社及び他の道路の道路管理者の意見を聴かなければならない。この場合において、当該他の道路の道路管理者（地方公共団体であるものに限る。）は、意見を提出しようとするときは、指定区間外の一般国道の道路管理者にあつては道路管理者である地方公共団体の議会に諮問し、その他の道路の道路管理者にあつては道路管理者である地方公共団体の議会の議決を経なければならない。

4　第二項の規定による申請に基づいて国土交通大臣が裁定をした場合においては、高速自動車国道法第七条の二第一項の規定の適用については、会社と他の道路の道路管理者との協議が成立したものとみなす。

5　高速自動車国道と独立行政法人鉄道建設・運輸施設整備支援機構、機構又は鉄道事業者（以下「鉄道事業者等」という。）の鉄道とが相互に交差する場合において、会社が第三条第一項の許可を受けて当該高速自動車国道の新設又は改築を行うときは、会社及び当該鉄道事業者等は、高速自動車国道法第十二条第一項の規定にかかわらず、当該交差の構造、工事の施行方法及び費用負担について、あらかじめ協議し、これを成立させなければならない。

6　会社が第四条の規定により維持、修繕及び災害復旧を行う高速道路と鉄道事業者等の鉄道とが相互に交差している場合においては、会社及び当該鉄道事業者等は、道路法第三十一条の二第四項又は高速自動車国道法第十二条第二項の規定にかかわらず、道路法第三十一条の二第一項各号に掲げる交差の方式の区分に応じ、当該各号に定める管理の方法について協議し、これを成立させなければならない。ただし、同項第二号に規定する交差部分について踏切道改良促進法（昭和三十六年法律第百九十五号）第十三条第一項の規定による指定があつたときは、この限りでない。

7　前二項の規定による協議が成立しないときは、会社又は当該鉄道事業者等は、国土交通大臣に裁定を申請することができる。

8　国土交通大臣は、前項の規定による申請に基づいて裁定をしようとする場合においては、会社又は当該鉄道事業者等の意見を聴かなければならない。

9　第七項の規定による申請に基づいて国土交通大臣が裁定をした場合においては、第五項又は第六項の規定の適用については、会社と当該鉄道事業者等との協議が成立したものとみなす。

10　会社は、第一項第十号の規定により高速道路の道路管理者に代わつて道路法第四十四条の三第一項（同法第九十一条第二項において準用する場合を含む。）の規定により違法放置等物件を自ら除去し、若しくは除去させ、同法第四十四条の三第四項（同法第九十一条第二項において準用する場合を含む。）の規定により違法放置等物件を売却し、若しくは同法第四十四条の三第五項（同法第九十一条第二項において準用する場合を含む。）の規定により違法放置等物件を廃棄しようとする場合又は第一項第十三号の規定により高速道路の道路管理者に代わつて同法第六十七条の二第一項の規定により車両を移動し、若しくは移動させようとする場合においては、あらかじめ、機構の許可を受けなければならない。

11　会社は、第一項の規定により高速道路の道路管理者に代わつて同項第三号、第七号、第九号から第十一号まで又は第十三号に掲げる権限を行つた場合においては、遅滞なく、その旨を機構に通知しなければならない。

12　第一項の規定により会社が高速道路の道路管理者に代わつて行う権限は、第二十二条第一項の規定により公告する工事開始の日から第二十五条第一項の規定により公告する料金の徴収期間の満了の日までに限り行うことができるものとする。

第三章　地方道路公社及び有料道路管理者による道路の整備等

（地方道路公社の行う一般国道等の新設又は改築）

第一〇条　地方道路公社は、一般国道（その新設又は改築が当該一般国道の存する地域の利害に特に関係があると認められるものに限る。）、都道府県道又は市町村道（これらの道路のうち、第十二条第一項に規定する道路網を構成している道路を除き、高速道路以外の道路にあつては当該道路の通行者又は利用者がその通行又は利用により著しく利益を受けるものに限る。）について、道路法第十二条、第十五条、第十六条第一項若しくは第八十八条第二項の規定又は同法第十六条第二項ただし書若しくは第十九条第一項の規定に基づき成立した協議（同法第十六条第四項又は第十九条第四項の規定により成立したものとみなされる協議を含む。）による管理の方法の定めにかかわらず、国土交通大臣の許可を受けて、当該道路を新設し、又は改築して、料金を徴収することができる。

2　地方道路公社は、前項の許可を受けようとするときは、設計図その他国土交通省令で定める書面を添付して、次に掲げる事項を記載した申請書を国土交通大臣に提出しなければならない。

一　路線名及び工事の区間
二　工事方法及び工事予算
三　工事の着手及び完成の予定年月日
四　収支予算の明細
五　料金
六　料金の徴収期間

3　国土交通大臣は、前項の申請が次の各号に掲げる要件のいずれにも適合すると認める場合に限り、第一項の許可をすることができる。

一　申請に係る道路が、第一項に規定する要件に適合するものであること。
二　料金の額及びその徴収期間が、第二十三条に定める基準に適合するものであること。

4　地方道路公社は、第一項の許可を受けた後、第二項第一号、第二号、第五号又は第六号に掲げる事項を変更しようとするときは、国土交通大臣の許可を受けなければならない。

5　地方道路公社は、第一項の許可を受けた後、第二項第三号又は第四号に掲げる事項を変更しようとするときは、国土交通大臣に届け出なければならない。

6　国土交通大臣は、第一項若しくは第四項の許可をしたとき、又は前項の規定による届出があつたときは、その旨を当該道路の道路管理者（国土交通大臣である道路管理者を除く。）に通知しなければならない。

7　国土交通大臣は、市町村道（指定市の市道を除く。）について第一項の許可をしたときは、当該許可に係る道路の路線名及び工事の区間並びに工事方法を当該道路の路線の存する区域を管轄する都道府県知事に通知しなければならない。第四項の規定により道路の路線名及び工事の区間又は工事方法の変更を許可したときも、同様とする。

（地方道路公社の行う料金の徴収の特例）

第十一条　地方道路公社は、前条第一項の許可（同条第四項の許可を含む。以下同じ。）を受けた二以上の道路につき、次に掲げる要件に適合する場合には、国土交通大臣の許可を受けて、これらの道路を一の道路として料金を徴収することができる。

一　当該二以上の道路が、通行者又は利用者が相当程度共通であり、又は相互に代替関係にあることにより、交通上密接な関連を有すると認められること。
二　当該二以上の道路についての料金の徴収を一体として行うことが適当であると認められる特別の事情があること。

2　地方道路公社は、前項の許可を受けようとするときは、国土交通省令で定める書面を添付して、次に掲げる事項を記載した申請書を国土交通大臣に提出しなければならない。

一　収支予算の明細
二　料金
三　料金の徴収期間

3　国土交通大臣は、前項の申請が次の各号に掲げる要件のいずれにも適合すると認める場合に限り、第一項の許可をすることができる。

一　申請に係る道路が、第一項に規定する要件に適合するものであること。
二　料金の額及びその徴収期間が、第二十三条に定める基準に適合するものであること。

4　地方道路公社が第一項の許可を受けたときは、当該許可に係る二以上の道路のそれぞれについて、当該許可に係る第二項第二号又は第三号に掲げる事項について前条第四項の許可を受けたものと、第一項の許可に係る第二項第一号に掲げる事項について同条第五項の規定による届出があつたものとみなす。この場合においては、同条第六項の規定は、適用しない。

5　地方道路公社は、第一項の許可を受けた後、第二項第二号又は第三号に掲げる事項を変更しようとするときは、国土交通大臣の許可を受けなければならない。

6　地方道路公社が前項の許可を受けたときは、当該許可に係る二以上の道路のそれぞれについて、当該許可に係る第二項第二号又は第三号に掲げる事項について前条第四項の許可を受けたものとみなす。この場合においては、同条第六項の規定は、適用しない。

7　地方道路公社は、第一項の許可を受けた後、第二項第一号に掲げる事項を変更しようとするときは、国土交通大臣に届け出なければならない。

8　地方道路公社が前項の規定による届出をしたときは、当該届出に係る二以上の道路のそれぞれについて、当該届出に係る第二項第一号に掲げる事項について前条第五項の規定による届出があつたものとみなす。この場合においては同条第六項の規定は、適用しない。

9　国土交通大臣は、第一項若しくは第五項の許可をしたとき、又は第七項の規定による届出があつたときはその旨を当該道路の道路管理者（国土交通大臣である道路管理者を除く。）に通知しなければならない。

（地方道路公社の行う指定都市高速道路の新設又は改築）

第十二条　地方道路公社は、次に掲げる要件に適合する道路のみで一の道路網が構成されている場合においては、道路法第十二条、第十五条、第十六条第一項若しくは第二項本文若しくは第十七条第一項から第三項まで若しくは第八十八条第二項の規定又は同法第十六条第二項ただし書若しくは第十九条第一項の規定に基づき成立した協議（同法第十六条第四項又は第十九条第四項の規定により成立したものとみなされる協議を含む。）による管理の方法の定めにかかわらず、国土交通大臣の許可を受けて、当該道路網を構成している道路（以下「指定都市高速道路」という。）を新設し、又は改築して、料金を徴収することができる。

一　政令で指定する人口五十万以上の市の区域及びその周辺の地域に存すること。
二　自動車専用道路で都市計画において定められたものであること。

2　地方道路公社は、前項の許可を受けようとするときは、設計図その他国土交通省令で定める書面を添付して、次に掲げる事項を記載した申請書を国土交通大臣に提出しなければならない。

一　整備計画
二　工事実施計画

3　前項の整備計画には、一の道路網に係るすべての指定都市高速道路について、路線名、車線数その他の政令で定める事項を定めなければならない。

4　第二項の工事実施計画には、一の道路網に係るすべての指定都市高速道路について、同項の整備計画に従い、次に掲げる事項を定めなければならない。

一　路線名及び工事の区間
二　工事方法及び工事予算
三　工事の着手及び完成の予定年月日

5　国土交通大臣は、第二項の申請に係る道路が第一項に規定する要件に適合するものであると認める場合に限り、同項の許可をすることができる。

6　地方道路公社は、第一項の許可を受けた後、第二項の整備計画又は第四項第一号若しくは第二号に掲げる事項を変更しようとするときは、国土交通大臣の許可を受けなければならない。

7　地方道路公社は、第一項の許可を受けた後、第四項第三号に掲げる事項を変更しようとするときは、国土交通大臣に届け出なければならない。

8　国土交通大臣は、第一項若しくは第六項の許可をしたとき、又は前項の規定による届出があつたときは、その旨を当該道路の道路管理者（国土交通大臣である道路管理者を除く。）に通知しなければならない。

（指定都市高速道路に係る料金及び料金の徴収期間の認可）

第十三条　地方道路公社は、前条第一項の許可（同条第六項の許可を含む。以下同じ。）を受けて新設し、又は改築した指定都市高速道路について料金を徴収しようとするときは、あらかじめ、国土交通大臣の認可を受けなければならない。これを変更しようとするときも、同様とする。

2　地方道路公社は、前項の認可を受けようとするときは、国土交通省令で定める書類を添付して、次に掲げる事項を記載した申請書を国土交通大臣に提出しなければならない。

一　収支予算の明細
二　料金
三　料金の徴収期間

3　国土交通大臣は、前項の申請に係る料金の額及びその徴収期間が第二十三条に定める基準に適合するものであると認める場合に限り、第一項の認可をすることができる。

（地方道路公社の行う道路の維持、修繕等）

第一四条　地方道路公社は、第十条第一項の許可又は第十二条第一項の許可を受けて新設し、又は改築した道路については、道路法第十三条第一項若しくは第三項、第十五条、第十六条第一項若しくは第二項本文、第十七条第一項から第三項まで、第六項若しくは第七項、第四十八条の十九第一項若しくは第八十八条第二項の規定、同法第十六条第二項ただし書若しくは第十九条第一項の規定に基づき成立した協議（同法第十六条第四項又は第十九条第四項の規定により成立したものとみなされる協議を含む。）による管理の方法の定め又は道路の修繕に関する法律第二条第一項の規定にかかわらず、第二十二条第二項の規定により公告する工事完了の日の翌日から第二十五条第一項の規定により公告する料金の徴収期間の満了の日まで、当該道路の維持、修繕及び災害復旧を行うものとする。

（地方道路公社の行う一般国道等の維持、修繕等の特例）

第一五条　地方道路公社は、第十条第一項の許可を受けて新設し、又は改築した道路の維持又は修繕に関する工事に特に多額の費用を要し、かつ、当該道路の道路管理者が当該道路の維持又は修繕に関する工事を行うことが著しく困難又は不適当であると認められるときに限り、国土交通大臣の許可を受けて、前条に規定する期間の経過後においても、当該道路の維持、修繕及び災害復旧を行つて、料金を徴収することができる。

2　地方道路公社は、前項の許可を受けようとするときは、第二十五条第一項の規定により公告する料金の徴収期間の満了の日の六月前までに、次に掲げる事項を記載した申請書を国土交通大臣に提出しなければならない。

一　路線名並びに維持及び修繕を行う区間
二　維持及び修繕に関する工事の方法
三　収支予算の明細
四　料金
五　料金の徴収期間

3　国土交通大臣は、前項の申請が次の各号に掲げる要件のいずれにも適合すると認める場合に限り、第一項の許可をすることができる。

一　申請に係る道路の維持及び修繕に関する工事が、第一項に規定する要件に適合するものであること。
二　料金の額及びその徴収期間が、第二十三条に定める基準に適合するものであること。

4　地方道路公社は、第一項の許可を受けた後、第二項第一号、第二号、第四号又は第五号に掲げる事項を変更しようとするときは、国土交通大臣の許可を受けなければならない。

5　地方道路公社は、第一項の許可を受けた後、第二項第三号に掲げる事項を変更しようとするときは、国土交通大臣に届け出なければならない。

6　国土交通大臣は、第一項若しくは第四項の許可をしたとき、又は前項の規定による届出があつたときは、その旨を当該道路の道路管理者（国土交通大臣である道路管理者を除く。）に通知しなければならない。

（道路管理者の同意等）

第一六条　地方道路公社は、第十条第一項の許可、第十一条第一項の許可（同条第五項の許可を含む。以下同じ。）、第十二条第一項の許可、第十三条第一項の認可又は前条第一項の許可（同条第四項の許可を含む。以下同じ。）を受けようとするときは、あらかじめ、当該許可又は認可に係る道路の道路管理者（国土交通大臣である道路管理者を除く。）の同意を得なければならない。

2　道路管理者は、前項の同意をしようとするとき（第十二条第二項第二号の工事実施計画又は第十三条第二項第二号の料金若しくは同項第三号の料金の徴収期間について同意をしようとするときを除く。）は、あらかじめ、道路管理者である地方公共団体の議会の議決を経なければならない。

（地方道路公社による道路管理者の権限の代行）

第一七条　地方道路公社は、第十条第一項の許可若しくは第十二条第一項の許可を受けて道路を新設し、若しくは改築する場合、第十四条の規定により道路の維持、修繕及び災害復旧を行う場合又は第十五条第一項の許可を受けて道路の維持、修繕及び災害復旧を行う場合においては、当該道路の道路管理者に代わつて、その権限のうち次に掲げるものを行うものとする。

一　道路法第十八条第一項の規定により道路の区域を決定し、又は変更すること。
二　道路法第十九条の二第一項又は第二十条第一項の規定により管理の方法について協議すること。
三　道路法第二十一条の規定により道路に関する工事を施行させ、及び道路の維持をさせること。
四　道路法第二十二条第一項の規定により道路に関する工事又は道路の維持を施行させること。
五　道路法第二十二条の二の規定により維持修繕協定を締結すること。
六　道路法第二十三条第一項の規定により他の工事を施行すること。
七　道路法第二十四条本文の規定により道路に関する工事又は道路の維持を行うことを承認し、及び同法第八十七条第一項の規定により当該承認に必要な条件を付すること。
八　道路法第三十一条第一項の規定により協議し、これを成立させること。
九　道路法第三十二条第一項又は第三項（同法第九十一条第二項においてこれらの規定を準用する場合を含む。）の規定により許可し、及び同法第三十二条第五項（同法第九十一条第二項において準用する場合を含む。）の規定により協議し、並びに同法第三十四条及び第八十七条第一項（同法第九十一条第二項においてこれらの規定を準用する場合を含む。）の規定により当該許可に必要な条件を付すること。
十　道路法第三十五条（同法第九十一条第二項において準用する場合を含む。）の規定により協議すること。
十一　道路法第三十八条第一項（同法第九十一条第二項において準用する場合を含む。）の規定により道路の占用に関する工事を自ら施行すること。
十二　道路法第三十九条の二第一項（同法第九十一条第二項において準用する場合を含む。）の規定により入札占用指針を定め、及び同法第三十九条の二第六項（同法第九十一条第二項において準用する場合を含む。）の規定により意見を聴くこと。
十三　道路法第三十九条の四第一項又は第五項（同法第九十一条第二項においてこれらの規定を準用する場合を含む。）の規定により通知し、同法第三十九条の四第二項（同法第九十一条第二項において準用する場合を含む。）の規定により協議し、同法第三十九条の四第三項（同法第九十一条第二項において準用する場合を含む。）の規定により占用入札を実施し、及び同法第三十九条の四第四項（同法第九十一条第二項において準用する場合を含む。）の規定により落札者を決定すること。
十四　道路法第三十九条の五第一項（同法第九十一条第二項において準用する場合を含む。）の規定により道路の場所を指定し、及び入札占用計画が適当である旨の認定をすること。
十五　道路法第三十九条の六第一項（同法第九十一条第二項において準用する場合を含む。）の規定により変更の認定をし、及び同法第三十九条の六第二項（同法第九十一条第二項において準用する場合を含む。）の規定により協議すること。
十六　道路法第三十九条の九（同法第九十一条第二項において準用する場合を含む。）の規定により必要な措置を講ずべきことを命ずること。
十七　道路法第四十条第二項（同法第九十一条第二項において準用する場合を含む。）の規定により必要な指示をすること。
十八　道路法第四十三条の二の規定により必要な措置をすることを命ずること。
十九　道路法第四十四条第四項（同法第九十一条第二項において準用する場合を含む。）の規定により必要な措置を講ずべきことを命ずること。
十九の二　道路法第四十四条の二第六項（同法第九十一条第二項において準用する場合を含む。）の規定により必要な措置を講ずべきことを勧告すること。
二十　道路法第四十四条の三第一項（同法第九十一条第二項において準用する場合を含む。）の規定により違法放置等物件を自ら除去し、又はその命じた者若しくは委任した者に除去させ、同法第四十四条の三第二項（同法第九十一条第二項において準用する場合を含む。）の規定により違法放置等物件を保管し、同法第四十四条の三第三項（同法第九十一条第二項において準用する場合を含む。）の規定により公示し、同法第四十四条の三第四項（同法第九十一条第二項において準用する場合を含む。）の規定により違法放置等物件を売却し、及び代金を保管し、並びに同法第四十四条の三第五項（同法第九十一条第二項において準用する場合を含む。）の規定により違法放置等物件を廃棄すること。
二十一　道路法第四十五条第一項、第四十七条の十五、第四十八条の十一第二項及び第四十八条の二十九の四の規定により道路標識又は区画線を設けること。
二十二　道路法第四十五条の二第一項の規定により公示すること。
二十三　道路法第四十六条第一項及び第三項並びに第四十七条第三項の規

定により道路の通行を禁止し、又は制限すること。

二十四　道路法第四十七条の二第一項及び第二項前段の規定により許可をし、同項後段の規定により協議し、並びに同条第五項の規定により許可証を交付すること。

二十五　道路法第四十七条の三第二項又は第四十七条の十一第一項の規定により協議し、同法第四十七条の三第四項若しくは第五項又は第四十七条の十一第二項若しくは第三項の規定により許可基準等又は判定基準等を提供し、及び同法第四十七条の三第九項又は第四十七条の十一第四項の規定により情報の提供を求めること。

二十六　道路法第四十七条の十第四項の規定により判定基準を定めること。

二十七　道路法第四十七条の十四及び第四十八条の十二の規定により必要な措置をすることを命ずること。

二十八　道路法第四十七条の十八第一項の規定により協議し、締結し、及び道路一体建物を管理すること。

二十九　道路法第四十八条第二項（同法第九十一条第二項において準用する場合を含む。）の規定により必要な措置を講ずべきことを命じ、及び同法第四十八条第四項（同法第九十一条第二項において準用する場合を含む。）の規定により必要な措置をすることを命ずること。

三十　道路法第四十八条の五第一項の規定により同法第四十八条の四第二号から第四号までに掲げる施設について自動車専用道路との連結を許可し、同法第四十八条の五第三項の規定により当該施設の構造の変更を許可し、及び同法第四十八条の十の規定によりこれらの許可に必要な条件を付すること。

三十一　道路法第四十八条の九の規定により施設の譲渡を承認し、及び同法第四十八条の十の規定により当該承認に必要な条件を付すること。

三十一の二　道路法第四十八条の二十九の三の規定により防災拠点自動車駐車場の利用を禁止し、又は制限すること。

三十二　道路法第四十八条の三十二第一項又は第三項の規定により許可し、及び同法第八十七条第一項の規定により当該許可に必要な条件を付すること。

三十三　道路法第四十八条の六十四の規定により協議すること。

三十四　道路法第六十七条の二第一項の規定により車両を移動し、又はその命じた者若しくはその委任を受けた者に車両を移動させ、同条第二項の規定により意見を聴き、同条第三項の規定により車両を保管し、及び必要な措置を講じ、同条第四項の規定により告知し、必要な措置を講じ、及び公示し、並びに同条第五項の規定により車両を移動すること。

三十五　道路法第七十一条第一項又は第二項（同法第九十一条第二項において準用する場合を含む。）の規定により処分をし、又は措置を命じ、及び同法第七十一条第三項前段（同法第九十一条第二項において準用する場合を含む。）の規定により必要な措置を自ら行い、又はその命じた者若しくは委任した者に行わせること。ただし、同法第三十七条第一項（同法第九十一条第二項において準用する場合を含む。）の規定に係るものを除く。

三十六　道路法第七十二条の二第一項又は第二項の規定により必要な報告をさせ、又はその職員に立入検査をさせること。

三十七　道路法第九十一条第一項の規定により許可をすること。

三十八　道路法第九十五条の二第一項の規定により意見を聴き、又は通知し、及び同条第二項の規定により協議し、又は通知すること。ただし、同法第四十八条の二第一項又は第二項の規定に係るものを除く。

三十九　高速自動車国道法第七条の二第一項の規定により管理の方法について協議すること。

2　地方道路公社が第十四条の規定により維持、修繕及び災害復旧を行い、又は第十五条第一項の許可を受けて維持、修繕及び災害復旧を行う道路と鉄道事業者等の鉄道とが相互に交差している場合においては、地方道路公社及び当該鉄道事業者等は、道路法第三十一条の二第四項の規定にかかわらず、同条第一項各号に掲げる交差の方式の区分に応じ、当該各号に定める管理の方法について協議し、これを成立させなければならない。ただし、同項第二号に規定する交差部分について踏切道改良促進法第十三条第一項の規定による指定があつたときは、この限りでない。

3　前項の規定による協議が成立しないときは、地方道路公社又は当該鉄道事業者等は、国土交通大臣に裁定を申請することができる。

4　国土交通大臣は、前項の規定による申請に基づいて裁定をしようとする場合においては、地方道路公社又は当該鉄道事業者等の意見を聴かなければならない。

5　第三項の規定による申請に基づいて国土交通大臣が裁定をした場合においては、第二項の規定の適用については、地方道路公社と当該鉄道事業者等との協議が成立したものとみなす。

6　地方道路公社は、第一項の規定により当該道路の道路管理者に代わつてその権限を行おうとする場合において、その権限が同項第一号に掲げるものであるときは当該道路の道路管理者の意見を聴き、その権限が同項第九号、第十号、第十二号、第二十五号、第三十号、第三十三号又は第三十六号に掲げるもの（同項第十二号に掲げる権限にあつては道路法第三十九条の二第一項（同法第九十一条第二項において準用する場合を含む。）の規定により入札占用指針を定めることに限り、第一項第二十五号に掲げる権限にあつては同法第四十七条の三第二項又は第四十七条の十一第一項の規定により協議することに限る。）であるときは当該道路の道路管理者の同意を得、かつ、これらの権限を行つた場合においては、遅滞なく、その旨を当該道路の道路管理者に通知しなければならない。ただし、第一項第九号、第十号、第十二号又は第三十三号に掲げる権限にあつては、道路の構造又は交通に及ぼす支障が大きいと認められる道路の占用で政令で定めるものに係る場合に限る。

7　第一項の規定により地方道路公社が当該道路の道路管理者に代わつて行う権限は、第二十二条第一項の規定により公告する工事開始の日から第二十五条第一項の規定により公告する料金の徴収期間の満了の日までに限り行うことができるものとする。

（有料道路管理者の行う道路の新設又は改築）

第一八条　道路管理者（都道府県道又は市町村道の道路管理者に限る。以下この条において同じ。）は、道路の新設又は改築に要する費用の全部又は一部が償還を要するものであり、かつ、高速道路以外の道路にあつては当該道路の通行者又は利用者がその通行又は利用により著しく利益を受けるものである場合に限り、条例で定めるところにより、当該道路を新設し、又は改築して、料金を徴収することができる。

2　道路管理者は、前項の条例を制定したときは、遅滞なく、次に掲げる事項を記載した書類及び設計図その他国土交通省令で定める書面を添えて、その旨を国土交通大臣に届け出なければならない。

一　路線名及び工事の区間
二　工事方法及び工事予算
三　工事の着手及び完成の予定年月日
四　収支予算の明細
五　料金
六　料金の徴収期間

3　道路管理者は、前項の規定による届出に係る事項について変更があつたときは、遅滞なく、変更に係る事項を記載した書類及び必要な書面を添えて、その旨を国土交通大臣に届け出なければならない。

4　国土交通大臣は、市町村（指定市を除く。）である有料道路管理者（第一項の規定により道路を新設し、又は改築して、料金を徴収する道路管理者をいう。以下同じ。）から第二項の規定による届出を受けたときは、当該届出に係る道路の路線名及び工事の区間並びに工事方法を当該道路の存する区域を管轄する都道府県知事に通知しなければならない。前項の規定による道路の路線名、工事の区間又は工事方法の変更に係る届出を受けたときも、同様とする。

（有料道路管理者の行う料金の徴収の特例）

第一九条　有料道路管理者は、前条第二項又は第三項の規定による届出をした二以上の道路につき、次に掲げる要件に適合する場合には、条例で定めるところにより、これらの道路を一の道路として料金を徴収することができる。

一　当該二以上の道路が、通行者又は利用者が相当程度共通であり、又は相互に代替関係にあることにより、交通上密接な関連を有すると認められること。
二　当該二以上の道路についての料金の徴収を一体として行うことが適当であると認められる特別の事情があること。

2　有料道路管理者は、前項の条例を制定したときは、遅滞なく、次に掲げる事項を記載した書類及び国土交通省令で定める書面を添えて、その旨を国土交通大臣に届け出なければならない。

一　収支予算の明細

二　料金
三　料金の徴収期間

3　道路管理者は、前項の規定による届出に係る事項について変更があつたときは、遅滞なく、変更に係る事項を記載した書類及び必要な書面を添えて、その旨を国土交通大臣に届け出なければならない。

4　有料道路管理者が前二項の規定による届出をしたときは、当該届出に係る二以上の道路のそれぞれについて、当該届出に係る第二項各号に掲げる事項について前条第三項の規定による届出があつたものとみなす。

（資金の貸付け）

第二〇条　国は、第十条第一項の許可又は第十二条第一項の許可を受けた地方道路公社に対し当該許可に係る道路の新設又は改築に要する費用に充てる資金の一部及び当該許可に係る道路の災害復旧に要する費用に充てる資金の全部又は一部を、有料道路管理者である地方公共団体に対し第十八条第二項の規定による届出（同条第三項の規定による届出であつて同条第二項第一号、第五号又は第六号に掲げる事項の変更に係るものを含む。次条第四項並びに第二十七条第一項及び第四項において同じ。）に係る道路の新設又は改築に要する費用に充てる資金の一部を、無利子で、貸し付けることができる。

2　前項の規定による貸付金の償還方法は、政令で定める。

第四章　雑則

（工事の廃止）

第二一条　会社等は、第三条第一項の許可又は第十条第一項の許可若しくは第十二条第一項の許可を受けた後、当該許可に係る道路の新設又は改築に関する工事を廃止しようとするときは、国土交通大臣の許可を受けなければならない。

2　会社等は、前項の許可を受けようとするときは、次に掲げる事項を記載した申請書を国土交通大臣に提出しなければならない。この場合において、会社にあつては、当該廃止に係る高速道路を対象とする協定を添付しなければならない。

一　廃止しようとする路線名及び工事の区間
二　廃止の予定年月日
三　廃止の理由

3　国土交通大臣は、会社からの前項前段の申請にあつては、次の各号に掲げる要件のいずれにも適合すると認める場合に限り、第一項の許可をすることができる。

一　申請書に記載された事項が、協定の内容に適合すること。
二　申請に係る高速道路の新設又は改築に関する工事の廃止について、機構が機構法第十四条第一項の業務実施計画の認可を受けていること。

4　有料道路管理者は、第十八条第二項の規定による届出をした後、当該届出に係る道路の新設又は改築に関する工事を廃止したときは、遅滞なく、その旨を国土交通大臣に届け出なければならない。

5　国土交通大臣は、第一項の許可をしたときは、遅滞なく、その旨を当該道路の道路管理者（国土交通大臣である道路管理者を除く。）に通知しなければならない。

（会社等の行う道路に関する工事の公告）

第二二条　会社等は、第三条第一項の許可を受けた高速道路の新設若しくは改築に関する工事又は第十条第一項の許可若しくは第十二条第一項の許可を受けた道路の新設若しくは改築に関する工事を行おうとするときは、あらかじめ、当該道路の路線名及び工事の区間、工事の種類並びに工事開始の日を国土交通省令で定める方法で公告しなければならない。

2　会社等は、前項に規定する工事の全部若しくは一部を完了し、又は工事を廃止しようとするとき（第四十九条第一項又は第五十条第一項の規定による協議に基づき、会社が高速道路の新設又は改築に関する工事を廃止しようとするときを含む。）は、あらかじめ、前項の規定に準じてその旨を公告しなければならない。

（料金の額等の基準）

第二三条　料金の額は、次に掲げる基準に適合するものでなければならない。

一　会社が第三条第一項の許可を受けて新設し、若しくは改築し、又は第四条の規定により維持、修繕及び災害復旧を行う高速道路（以下「会社管理高速道路」という。）にあつては、協定の対象となる高速道路（当該高速道路について二以上の会社が協定を締結した場合には、当該協定に対応する高速道路の各部分）ごとに、当該高速道路に係る道路資産（機構法第二条第二項に規定する道路資産をいう。以下同じ。）の貸付料及び会社が行う当該高速道路の維持、修繕その他の管理に要する費用で政令で定めるものを、料金の徴収期間内に償うものであること。
二　第十五条第一項の許可に係る道路にあつては、当該道路の維持、修繕その他の管理に要する費用で政令で定めるものを、料金の徴収期間内に償うものであること。
三　前二号の道路以外の道路にあつては、当該道路の新設、改築、維持、修繕その他の管理に要する費用で政令で定めるものを、料金の徴収期間内に償うものであること。
四　会社管理高速道路（機構法第十三条第二項に規定する全国路線網に属する高速道路及び同条第三項に規定する地域路線網に属する高速道路に限る。）又は指定都市高速道路にあつては、公正妥当なものであること。
五　前号の高速道路以外の道路にあつては、当該道路の通行又は利用により通常受ける利益の限度を超えないものであること。

2　前項に規定するもののほか、料金の額の基準は、政令で定める。

3　会社管理高速道路に係る料金の徴収期間の満了の日は、当該会社管理高速道路に係る道路資産の貸付期間の満了の日と同一でなければならない。この場合において、当該満了の日は、令和九十七年九月三十日以前でなければならない。

4　前項に規定するもののほか、料金の徴収期間の基準は、政令で定める。

（料金徴収の対象等）

第二四条　料金は、高速自動車国道又は自動車専用道路にあつては当該道路を通行する道路法第二条第三項に規定する自動車（以下「自動車」という。）の運転者又は使用者（当該運転者を除く。）（以下「運転者等」という。）から、その他の道路にあつては当該道路を通行し、又は利用する車両の運転者等から徴収する。ただし、道路交通法（昭和三十五年法律第百五号）第三十九条第一項に規定する緊急自動車その他政令で定める車両（第三項において「緊急自動車等」という。）の運転者等については、この限りでない。

2　前項本文に規定するその他の道路にあつては、同項本文の規定にかかわらず、トンネル及び橋並びに渡船施設、道路用エレベーターその他政令で定める施設を通行し、又は利用する人（同項本文に規定する車両の運転者等であるものを除く。）からも料金を徴収することができる。

3　会社等又は有料道路管理者は、この法律の規定により料金を徴収することができる道路について、料金の徴収を確実に行うため、国土交通省令で定めるところにより、国土交通大臣の認可を受けて、料金の徴収施設及びその付近における車両の一時停止その他の車両の通行方法を定めることができる。この場合において、当該道路を通行する自動車その他の車両（緊急自動車等を除く。第五十九条において同じ。）の運転者は、当該通行方法に従つて、当該車両を通行させなければならない。

4　会社等又は有料道路管理者は、前項の認可を受けたときは、国土交通省令で定めるところにより、遅滞なく、当該認可を受けた通行方法について、電気通信回線に接続して行う自動公衆送信により公衆の閲覧に供するとともに、営業所、事務所その他の事業場において公衆に見やすいように掲示しなければならない。

5　会社等又は有料道路管理者は、次の表の上欄に掲げる自動車の運転者等から徴収できなかつた料金の請求のため当該運転者等を特定する必要があると認めるときは、同表の中欄に掲げる者に対し、それぞれ同表の下欄に掲げる事項のうち当該運転者等を特定するために必要なものとして国土交通省令で定めるものに係る情報の提供を求めることができる。

道路運送車両法（昭和二十六年法律第百八十五号）第五十九条第一項に規定する検査対象軽自動車	国土交通大臣（同法第七十四条の四の規定により同法第七十二条第一項の規定を読み替えて適用する場合にあつては、軽自動車検査協会）	同法第七十二条第一項（同法第七十四条の四の規定により読み替えて適用する場合を含む。）に規定する軽自動車検査ファイルに記録されている事項
道路運送車両法第三条に規定する小型自動車で二輪のもの	国土交通大臣	同法第七十二条第一項に規定する二輪自動車検査ファイルに記録されている事項

道路運送車両法第五十八条第一項に規定する検査対象外軽自動車	同法第九十七条の三第一項に規定する地方運輸局長	同法第九十七条の三第一項の規定による届出に係る事項

（料金の額及び徴収期間の公告又は公示）

第二五条　会社等は、料金を徴収しようとするときは、あらかじめ、その額及び徴収期間を国土交通省令で定める方法で公告しなければならない。当該料金の額又は徴収期間を変更しようとするときも、同様とする。

２　有料道路管理者は、料金を徴収しようとするときは、あらかじめ、その額及び徴収期間を有料道路管理者である都道府県又は市町村の長の定める方法で公示しなければならない。当該料金の額又は徴収期間を変更しようとするときも、同様とする。

（割増金）

第二六条　会社等は、料金を不法に免れた者から、その免れた額のほか、その免れた額の二倍に相当する額を割増金として徴収することができる。

（道路の工事の検査）

第二七条　会社等又は有料道路管理者は、第三条第一項、第十条第一項若しくは第十二条第一項の規定による許可を受けた道路又は第十八条第二項の規定による届出に係る道路の新設又は改築に関する工事が完了した場合には、国土交通省令で定めるところにより、国土交通大臣（地方道路公社の行う工事のうち指定市の市道以外の市町村道（指定都市高速道路を除く。）に係るもの又は市町村（指定市を除く。）である有料道路管理者の行う工事にあつては、都道府県知事）の検査を受けなければならない。

２　前項に規定する工事の検査は、国土交通省令で定めるところにより、同項に規定する工事の途中においても、行うことができる。

３　国土交通大臣又は都道府県知事は、前二項の規定による検査の結果当該道路の構造が第三条第一項の許可、第十条第一項の許可又は第十二条第一項の許可を受けた工事方法に適合しないと認めるときは、それぞれ会社等に対し、当該道路の構造が当該許可を受けた工事方法に適合することとなるように工事方法の変更その他必要な措置をとるべきことを命ずることができる。

４　国土交通大臣又は都道府県知事は、第一項又は第二項の規定による検査の結果当該道路の構造が第十八条第二項の規定による届出に係る同項第二号の工事方法に適合しないと認めるときは、当該道路の有料道路管理者に対して、当該道路の構造が当該届出に係る工事方法に適合することとなるように工事方法の変更その他必要な措置をとるべき旨の要求（都道府県知事にあつては、勧告）をすることができる。

５　有料道路管理者は、国土交通大臣から前項の規定による要求を受けたときは、工事方法の変更その他必要な措置をとらなければならない。

６　都道府県知事は、第一項又は第二項の規定に基づき検査をしたときはその結果を、第三項又は第四項の規定に基づき必要な措置をとるべきことを命じ、又はその旨の勧告をしたときはその内容及びこれらに従つて地方道路公社又は有料道路管理者がとつた措置を国土交通大臣に報告しなければならない。

（高速自動車国道等の供用の開始）

第二八条　国土交通大臣は、高速自動車国道又は指定区間内の一般国道について前条第一項の規定による検査をし、これを合格としたときは、遅滞なく、当該高速自動車国道又は指定区間内の一般国道の供用を開始しなければならない。

（指定区間外の一般国道等の供用の開始）

第二九条　会社等は、第二十七条第一項の規定による検査（高速自動車国道又は指定区間内の一般国道に係るものを除く。）に合格したときは、その旨を当該道路の道路管理者に通知しなければならない。

２　前項の通知を受けた道路管理者は、遅滞なく、当該道路の供用を開始しなければならない。

３　有料道路管理者は、第二十七条第一項の規定による検査に合格した後でなければ、当該道路の供用を開始してはならない。

（会社管理高速道路の道路管理者が権限を行う場合の意見の聴取等）

第三〇条　道路管理者は、会社管理高速道路について、次に掲げる権限を行おうとするときは、あらかじめ、機構及び会社の意見を聴かなければならない。

一　高速自動車国道法第十一条の二第一項の規定により同法第十一条各号に掲げる施設（同法第十一条の二第二項第三号に掲げるものを除く。）の高速自動車国道との連結を許可すること。

二　高速自動車国道法第十三条第一項（同法第十六条において準用する場合を含む。）の規定により特別沿道区域を指定すること。

三　道路法第二十八条の二第一項の規定により協議会を組織すること。

四　道路法第三十七条第一項（同法第九十一条第二項において準用する場合を含む。）の規定により道路の占用を禁止し、又は制限すること。

五　道路法第四十四条第一項（同法第九十一条第二項において準用する場合を含む。）の規定により道路に接続する区域を沿道区域として指定すること。

五の二　道路法第四十四条の二第一項（同法第九十一条第二項において準用する場合を含む。）の規定により沿道区域の全部又は一部の区域を届出対象区域として指定すること。

六　道路法第四十七条の二十一第一項（同法第九十一条第二項において準用する場合を含む。）の規定により道路保全立体区域の指定をすること。

七　道路法第四十八条の二第一項又は第二項の規定による指定をすること。

八　道路法第四十八条の五第一項の規定により同法第四十八条の四第一号に掲げる施設について協議し、又は連結を許可すること。

九　道路法第四十八条の十七第二項の規定により協議すること。

九の二　道路法第四十八条の二十九の二第二項の規定により協議すること。

十　道路法第四十八条の三十第一項の規定による指定をすること。

十一　道路法第四十八条の六十第一項の規定により道路協力団体を指定すること。

十二　道路法第四十八条の六十二第一項の規定により報告をさせ、同条第二項の規定により必要な措置を講ずべきことを命じ、及び同条第三項の規定により指定を取り消すこと。

十三　道路法第四十八条の六十三の規定により情報の提供又は指導若しくは助言をすること。

十四　道路法第七十一条第一項又は第二項（同法第九十一条第二項において準用する場合を含む。）の規定により同法第三十七条第一項（同法第九十一条第二項において準用する場合を含む。）の規定に係る禁止等について処分をし、又は措置を命ずること。

２　道路管理者は、会社管理高速道路について、前項各号に掲げる権限を行つたときは、遅滞なく、その旨を機構及び会社に通知しなければならない。

（公社管理道路の道路管理者が権限を行う場合の意見の聴取等）

第三一条　道路管理者は、地方道路公社が第十条第一項の許可を受けて新設し、若しくは改築し、第十四条の規定により維持、修繕及び災害復旧を行い、若しくは第十五条第一項の許可を受けて維持、修繕及び災害復旧を行う道路又は第十二条第一項の許可を受けて新設し、若しくは改築し、若しくは第十四条の規定により維持、修繕及び災害復旧を行う指定都市高速道路（以下「公社管理道路」と総称する。）について、次に掲げる権限を行おうとするときは、あらかじめ、当該地方道路公社の意見を聴かなければならない。

一　道路法第二十八条の二第一項の規定により協議会を組織すること。

二　道路法第三十七条第一項（同法第九十一条第二項において準用する場合を含む。）の規定により道路の占用を禁止し、又は制限すること。

三　道路法第四十四条第一項（同法第九十一条第二項において準用する場合を含む。）の規定により道路に接続する区域を沿道区域として指定すること。

三の二　道路法第四十四条の二第一項（同法第九十一条第二項において準用する場合を含む。）の規定により沿道区域の全部又は一部の区域を届出対象区域として指定すること。

四　道路法第四十七条の二十一第一項（同法第九十一条第二項において準用する場合を含む。）の規定により道路保全立体区域の指定をすること。

五　道路法第四十八条の二第一項又は第二項の規定による指定をすること。

六　道路法第四十八条の五第一項の規定により同法第四十八条の四第一号に掲げる施設について協議し、又は連結を許可すること。

七　道路法第四十八条の十七第二項の規定により協議すること。

七の二　道路法第四十八条の二十九の二第二項の規定により協議すること。

八　道路法第四十八条の三十第一項の規定による指定をすること。

九　道路法第四十八条の六十第一項の規定により道路協力団体を指定すること。

十　道路法第四十八条の六十二第一項の規定により報告をさせ、同条第二項の規定により必要な措置を講ずべきことを命じ、及び同条第三項の規定により指定を取り消すこと。

十一　道路法第四十八条の六十三の規定により情報の提供又は指導若しくは助言をすること。

十二　道路法第七十一条第一項又は第二項（同法第九十一条第二項においてこれらの規定を準用する場合を含む。）の規定により同法第三十七条第一項（同法第九十一条第二項において準用する場合を含む。）の規定に係る禁止等について処分をし、又は措置を命ずること。

2　道路管理者は、公社管理道路について、前項各号に掲げる権限を行つたときは、遅滞なく、その旨を当該地方道路公社に通知しなければならない。

（道路管理者等に対する処分等の請求）

第三二条　会社又は機構は、会社管理高速道路の管理に関し必要があると認めるときは、会社にあつては当該会社管理高速道路の道路管理者又は機構に対して、機構にあつては当該会社管理高速道路の道路管理者に対して、必要な処分等をすることを求めることができる。

2　地方道路公社は、公社管理道路の管理に関し必要があると認めるときは、当該公社管理道路の道路管理者に対して、必要な処分等をすることを求めることができる。

（占用料の徴収についての道路法の規定の適用）

第三三条　会社管理高速道路及び公社管理道路に関する道路法第三十九条、第三十九条の二第五項及び第三十九条の七第四項の規定の適用については、同法第三十九条第一項中「道路管理者」とあるのは「道路整備特別措置法第二条第七項に規定する機構等（以下「機構等」という。）」と、同条第二項中「道路管理者である地方公共団体の条例（指定区間内の国道にあつては、政令）」とあるのは「政令」と、同法第三十九条の二第五項中「道路管理者である地方公共団体の条例（指定区間内の国道にあつては、政令）」とあるのは「政令」と、同法第三十九条の七第四項中「道路管理者」とあるのは「機構等」と、「同項の条例（指定区間内の国道にあつては、同項の政令）」とあるのは「同項の政令」と、「当該条例又は当該政令」とあるのは「当該政令」とする。

（連結料の徴収についての道路法等の規定の適用）

第三四条　会社管理高速道路及び公社管理道路に関する道路法第四十八条の七の規定の適用については、同条第一項中「道路管理者」とあるのは「機構等」と、同条第二項中「道路管理者である地方公共団体の条例（指定区間内の国道にあつては、政令）」とあるのは「政令」とする。

2　会社管理高速道路に関する高速自動車国道法第十一条の四第一項の規定の適用については、同項中「国」とあるのは、「独立行政法人日本高速道路保有・債務返済機構」とする。

（違法放置等物件の保管についての道路法の規定の適用）

第三五条　第八条第一項第二十四号、第九条第一項第十号又は第十七条第一項第二十号の規定により道路法第四十四条の三第二項に規定する道路管理者の権限を代わつて行う機構等又は会社が同条第一項に規定する違法放置等物件（同条第四項の規定により売却した代金を含む。）を保管する場合における同条第八項の規定の適用については、同項中「道路管理者」とあるのは、「機構等又は会社」とする。

（手数料の納付についての道路法の規定の適用）

第三六条　第八条第一項第二十八号又は第十七条第一項第二十四号の規定により道路法第四十七条の二第一項の許可に関する道路管理者の権限を機構等が代わつて行う場合における同条第三項及び第四項の規定の適用については、同条第三項中「道路管理者（当該許可に関する権限を行う者が国土交通大臣である場合にあつては、国）」とあるのは「機構等」と、同条第四項中「当該許可に関する権限を行う者が国土交通大臣である場合にあつては政令で、その他の者である場合にあつては当該道路管理者である地方公共団体の条例」とあるのは「政令」とする。

（会社等又は機構の行う道路の管理等に関する費用）

第三七条　会社管理高速道路又は公社管理道路の管理に関する費用は、この法律及び機構法又は地方道路公社法（昭和四十五年法律第八十二号）に特別の規定がある場合を除くほか、当該会社等の負担とする。

2　会社管理高速道路に関する高速自動車国道法第十三条第一項（同法第十六条において準用する場合を含む。）の規定による特別沿道区域の指定に伴う補償に要する費用は、会社の負担とする。

3　この法律の規定により機構が行う会社管理高速道路の管理に関する費用は、機構の負担とする。

（共用管理施設等の管理に要する費用）

第三八条　前条第一項又は第二項の規定により会社等の負担すべき道路の管理に関する費用で、道路法第十九条の二第一項に規定する共用管理施設又は高速自動車国道法第七条の二第一項に規定する共用高速自動車国道管理施設に関するものについては、会社等及び道路法第十九条の二第一項又は高速自動車国道法第七条の二第一項に規定する他の道路の道路管理者（当該他の道路が国土交通大臣の管理する高速自動車国道である場合にあつては国土交通大臣、会社管理高速道路である場合にあつては会社、公社管理道路である場合にあつては地方道路公社。以下この条において「他の道路の道路管理者」という。）は、協議してその分担すべき金額及び分担の方法を定めることができる。

2　前項の規定による協議が成立しない場合においては、会社等又は他の道路の道路管理者は、当該他の道路の道路管理者が国土交通大臣である場合を除き、国土交通大臣に裁定を申請することができる。

3　第九条第三項の規定は、前項の場合について準用する。この場合において、同条第三項中「会社」とあるのは「会社等」と、「指定区間外の一般国道の道路管理者にあつては道路管理者である地方公共団体の議会に諮問し、その他の道路管理者にあつては道路管理者」とあるのは「道路管理者」と読み替えるものとする。

4　第二項の規定による申請に基づいて国土交通大臣が裁定をした場合においては、第一項の規定の適用については、会社等と他の道路の道路管理者との協議が成立したものとみなす。

（兼用工作物の費用）

第三九条　第三十七条の規定により会社等又は機構の負担すべき道路の管理に関する費用で、当該道路が他の工作物（道路法第二十条第一項に規定する他の工作物をいう。以下この条において同じ。）と効用を兼ねるものに関するものについては、それぞれ当該会社等（会社管理高速道路に係る他の工作物の管理者が当該会社であるときは、機構。以下この条において同じ。）又は機構は、他の工作物の管理者と協議してその分担すべき金額及び分担の方法を定めることができる。

2　前項の規定による協議が成立しない場合においては、会社等若しくは機構又は当該他の工作物の管理者は、国土交通大臣及び当該他の工作物に関する主務大臣に裁定を申請することができる。

3　国土交通大臣及び当該他の工作物に関する主務大臣は、前項の規定による申請に基づいて裁定をしようとする場合においては、会社等又は機構及び当該他の工作物の管理者の意見を聴かなければならない。

4　第二項の規定による申請に基づいて国土交通大臣及び当該他の工作物に関する主務大臣が裁定をした場合においては、第一項の規定の適用については、会社等又は機構と当該他の工作物の管理者との協議が成立したものとみなす。

（道路に関する費用についての道路法の規定の適用）

第四〇条　会社管理高速道路に関する道路法第五十七条から第六十三条までの規定の適用については、同法第五十七条中「道路管理者以外の者」とあるのは「道路管理者及び当該会社以外の者」と、「同条の規定により道路管理者の承認を受けた者」とあるのは「道路整備特別措置法第八条第一項第十三号の規定により第二十四条本文の規定による道路管理者の権限を代わつて行う独立行政法人日本高速道路保有・債務返済機構（以下「機構」という。）の承認を受けた者」と、同法第五十八条第一項及び第五十九条第三項中「道路管理者」とあるのは「会社」と、同法第五十八条第一項及び第六十条ただし書中「を負担させる」とあるのは「について負担を求める」と、同法第五十九条第三項中「全部又は一部を」とあるのは「全部又は一部について」と、「負担させる」とあるのは「負担を求める」と、同法第六十条本文中「第二十一条の規定によつて道路管理者」とあるのは「道路整備特別措置法第八条第一項第十一号の規定により第二十一条の規定による道路管理者の権限を代わつて行う機構」と、「この法律」とあるのは「この法律及び道路整備特別措置法」と、同条ただし書中「当該他の工作物の管理者に」とあるのは「会社は、当該他の工作物の管理者に」と、同法第六十一条第一項中「道路管理者」とあるのは「機構」と、同条第二項中「道路管理者である地方公共団体の条例（指定区間内の国道にあつては、政令）」

とあるのは「政令」と、同法第六十二条後段中「第三十八条第一項の規定により道路管理者」とあるのは「道路整備特別措置法第九条第一項第九号の規定により第三十八条第一項の規定による道路管理者の権限を代わつて行う会社」とする。

2　公社管理道路に関する道路法第五十七条から第六十三条までの規定の適用については、同法第五十七条中「道路管理者以外の者」とあるのは「道路管理者及び地方道路公社以外の者」と、「同条の規定により道路管理者の承認を受けた者」とあるのは「道路整備特別措置法第十七条第一項第七号の規定により第二十四条本文の規定による道路管理者の権限を代わつて行う地方道路公社の承認を受けた者」と、同法第五十八条第一項及び第五十九条第三項中「道路管理者」とあるのは「地方道路公社」と、同法第六十条本文中「第二十一条の規定によつて道路管理者」とあるのは「道路整備特別措置法第十七条第一項第三号の規定により第二十一条の規定による道路管理者の権限を代わつて行う地方道路公社」と、「この法律」とあるのは「この法律及び道路整備特別措置法」と、同法第六十一条第一項中「道路管理者」とあるのは「地方道路公社」と、同条第二項中「道路管理者である地方公共団体の条例（指定区間内の国道にあつては、政令）」とあるのは「政令」と、同法第六十二条後段中「第三十八条第一項の規定により道路管理者」とあるのは「道路整備特別措置法第十七条第一項第十一号の規定により第三十八条第一項の規定による道路管理者の権限を代わつて行う地方道路公社」とする。

（国の行う事業等に対する負担金の徴収）

第四一条　道路法第三十五条に規定する事業に対する前条の規定により読み替えて適用する同法第五十八条第一項、第五十九条第三項、第六十条ただし書、第六十一条及び第六十二条後段の規定による負担金の額の決定並びにその徴収方法については、これらの基準を政令で定めることができる。

（収入の帰属）

第四二条　第三条第一項、第十条第一項、第十一条第一項、第十二条第一項及び第十五条第一項の規定に基づく料金並びに第二十六条の規定に基づく割増金は、それぞれ当該料金又は割増金を徴収した会社等の収入とする。

2　第十八条第一項又は第十九条第一項の規定に基づく料金は、有料道路管理者の収入とする。

3　第一項に規定するもののほか、第三十三条の規定により読み替えて適用する道路法第三十九条の規定に基づく占用料、第三十四条の規定により読み替えて適用する同法第四十八条の七第一項若しくは高速自動車国道法第十一条の四第一項の規定に基づく連結料、第三十六条の規定により読み替えて適用する道路法第四十七条の二第三項の規定に基づく手数料、第八条第一項第二十四号若しくは第十七条第一項第二十号の規定により同法第四十四条の三第一項から第四項までの規定による道路管理者の権限を機構等が代わつて行つた場合における同条第七項の規定に基づく負担金、第四十条の規定により読み替えて適用する同法第六十一条第一項の規定に基づく負担金又は第四十条第二項の規定により読み替えて適用する同法第五十八条第一項、第五十九条第三項、第六十条ただし書若しくは第六十二条後段の規定に基づく負担金は、それぞれ当該占用料若しくは連結料を徴収し、当該手数料の納付を受け、又は当該負担金を負担させた機構等の収入とする。

4　第一項に規定するもののほか、第九条第一項第十号の規定により道路法第四十四条の三第一項から第四項までの規定による道路管理者の権限を会社が代わつて行つた場合における同条第七項の規定に基づく負担金並びに第四十条第一項の規定により読み替えて適用する同法第五十八条第一項、第五十九条第三項、第六十条ただし書及び第六十二条後段の規定に基づく負担金は、それぞれ当該負担金の負担を求めた会社の収入とする。

（義務履行のために要する費用）

第四三条　この法律又はこの法律に基づく命令によつて機構等がする処分による義務を履行するために必要な費用は、当該義務者が負担しなければならない。

（他人の土地の立入り、一時使用等）

第四四条　会社は、高速道路に関する調査、測量若しくは工事又は高速道路の維持のためやむを得ない必要がある場合においては、他人の土地に立ち入り、又は特別の用途のない他人の土地を材料置場若しくは作業場として一時使用することができる。

2　会社は、前項の規定により他人の土地に立ち入り、又は一時使用しようとするときは、あらかじめ、国土交通大臣の許可を受けなければならない。ただし、天災、事変その他の非常事態が発生した場合において、十五日以内の期間一時使用をするときは、この限りでない。

3　道路法第四十四条第五項から第七項まで、第六十六条第二項から第七項まで及び第六十七条の規定は、第一項の場合について準用する。この場合において、同法第四十四条第五項から第七項までの規定中「道路管理者」とあるのは「会社」と、同条第五項中「前項の規定による命令」とあるのは「道路整備特別措置法第四十四条第一項の規定による立入り又は一時使用」と、同法第六十六条第二項中「前項」とあり、同条第五項及び第六項中「第一項」とあり、並びに同法第六十七条中「前条第一項」とあるのは「道路整備特別措置法第四十四条第一項」と読み替えるものとする。

（負担金等の強制徴収）

第四五条　道路法第七十三条の規定は、第十条第一項、第十一条第一項、第十二条第一項及び第十五条第一項の規定に基づく料金並びに当該料金に係る第二十六条の規定に基づく割増金について準用する。この場合において、同法第七十三条第一項から第三項までの規定中「道路管理者」とあるのは「地方道路公社」と、同条第二項中「条例（指定区間内の国道にあつては、政令）」とあるのは「政令」と読み替えるものとする。

2　第四十二条第三項の規定により機構等の収入となる占用料、連結料及び負担金に関する道路法第七十三条の規定の適用については、同条第一項から第三項までの規定中「道路管理者」とあるのは「機構等」と、同条第二項中「条例（指定区間内の国道にあつては、政令）」とあるのは「政令」とする。

3　会社は、第四十二条第四項の規定により会社の収入となる負担金（以下この条において単に「負担金」という。）を納付しない者がある場合においては、督促状を発して督促し、その者が督促状において指定した期限までに納付しないときは、機構に対し、その徴収を申請することができる。

4　道路法第七十三条の規定は、前項の規定による申請に基づき機構が負担金を徴収する場合について準用する。この場合において、同条第一項から第三項までの規定中「道路管理者」とあるのは「機構」と、同条第二項中「条例（指定区間内の国道にあつては、政令）」とあるのは「政令」と読み替えるものとする。

5　前項において準用する道路法第七十三条第二項に規定する手数料は、機構の収入とする。

6　第三項の規定による申請に基づき機構が負担金を徴収した場合には、会社は、機構の徴収した金額（前項の手数料に相当する金額を除く。）の百分の四に相当する金額を機構に納付しなければならない。

（法令違反等に関する監督）

第四六条　次の各号のいずれかに該当する場合においては、国土交通大臣は、会社管理高速道路に関し機構又は当該会社に対して、公社管理道路（指定市の市道以外の市町村道（指定都市高速道路を除く。以下この項、第四十八条第一項及び第五十三条第二項において同じ。）を除く。）に関し当該地方道路公社に対して、都道府県知事は、公社管理道路（指定市の市道以外の市町村道に限る。）に関し当該地方道路公社に対して、その処分の取消し、変更その他必要な処分を命じ、又はその工事の中止、変更、施行若しくは道路の維持のため必要な措置をとることを命ずることができる。

一　機構等又は会社のした処分又は工事が道路法、高速自動車国道法若しくはこの法律若しくはこれらに基づく命令又はこれらに基づいて国土交通大臣若しくは都道府県知事がした処分に違反すると認められる場合

二　道路の構造を保全し、又は交通の危険を防止するため特に必要があると認められる場合

2　前項の規定による国土交通大臣又は都道府県知事の処分により機構等が自己の処分を取り消し、又は変更したことにより、損失を受けた者がある場合においては、当該機構等は、損失を受けた者に対し通常生ずべき損失を補償しなければならない。

3　道路法第四十四条第六項及び第七項の規定は、前項の規定による損失の補償について準用する。この場合において、同条第六項及び第七項中「道路管理者」とあるのは、「機構等」と読み替えるものとする。

（会社管理高速道路又は指定都市高速道路に係る料金に関する監督）

第四七条　国土交通大臣は、会社管理高速道路又は指定都市高速道路に関し、料金の適正な徴収を確保するために特に必要があると認められる場合においては、会社等に対して必要な措置をとることを命ずることができる。

（道路の管理に関する勧告等）

第四八条　国土交通大臣は、次項に規定するもののほか、会社等又は機構に

対して会社管理高速道路又は公社管理道路の管理に関し、都道府県知事は地方道路公社に対して公社管理道路（指定市の市道以外の市町村道に限る。）の管理に関し必要な勧告、助言又は援助をすることができる。

2　国土交通大臣は、会社等に対して、会社管理高速道路又は指定都市高速道路の料金に関し必要な勧告、助言又は援助をすることができる。

（会社管理高速道路の道路管理者への引継ぎ）

第四九条　道路管理者（都道府県道又は指定市の市道の道路管理者に限る。以下この条において同じ。）は、第三条第一項の許可を受けて会社が新設し、若しくは改築し、又は料金を徴収している高速道路（機構法第十三条第二項に規定する全国路線網に属する高速道路及び同条第三項に規定する地域路線網に属する高速道路を除き、都道府県道又は指定市の市道であるものに限る。以下この条において同じ。）につき、会社及び機構と協議し、かつ、国土交通大臣の許可を受けて、第十八条第一項の規定により、会社が新設し、又は改築している高速道路にあつては当該高速道路の新設又は改築及び料金の徴収を、その他の高速道路にあつては料金の徴収を自ら行うことができる。ただし、当該高速道路の新設又は改築に要する費用（当該道路管理者が、当該協議に基づき、会社が当該高速道路の新設又は改築に要した費用を支弁するのに要する費用を含む。）の全部又は一部が償還を要する場合以外の場合については、この限りでない。

2　前項の規定により道路管理者が協議しようとするときは、あらかじめ、道路管理者である地方公共団体の議会の議決を経なければならない。

3　第一項の許可の申請は、当該引継ぎに係る高速道路を対象とする協定を添付して行わなければならない。

4　国土交通大臣は、第一項の許可の申請が次の各号に掲げる要件のいずれにも適合すると認める場合に限り、同項の許可をすることができる。

一　申請書に記載された事項が、協定の内容に適合すること。

二　申請に係る高速道路の引継ぎについて、機構が機構法第十四条第一項の業務実施計画の認可を受けていること。

5　第一項の許可があつた場合には、当該高速道路に係る会社に対する第三条第一項の許可及び会社がした同条第九項の規定による届出に係る同条第二項各号に掲げる事項に係る第十八条第二項の規定による届出があつたものとみなし、会社が第二十四条第三項の規定により認可を受けて定めた通行方法は、当該道路管理者が同項の規定により認可を受けて定めた通行方法とみなし、会社がした第二十五条第一項の規定による公告は、当該道路管理者がした同条第二項の規定による公示とみなす。この場合において、当該高速道路に係る会社に対する第三条第一項の許可は、その効力を失うものとする。

（会社管理高速道路及び有料道路管理者の管理する道路の地方道路公社への引継ぎ）

第五〇条　地方道路公社は、会社が第三条第一項の許可を受けて新設し、若しくは改築し、又は料金を徴収している高速道路（機構法第十三条第二項に規定する全国路線網に属する高速道路及び同条第三項に規定する地域路線網に属する高速道路を除き、一般国道（その新設又は改築が当該一般国道の存する地域の利害に特に関係があると認められるものに限る。）、都道府県道又は指定市の市道であるものに限る。以下この条において同じ。）について、会社及び機構と協議し、かつ、国土交通大臣の許可を受けて、会社が新設し、又は改築している高速道路にあつては当該高速道路の新設又は改築及び料金の徴収を、その他の高速道路にあつては料金の徴収を自ら行うことができる。

2　地方道路公社は、前項の規定により会社及び機構と協議しようとするときは、あらかじめ、当該高速道路の道路管理者（国土交通大臣である道路管理者を除く。）の同意を得なければならない。

3　第一項の許可の申請は、当該引継ぎに係る高速道路を対象とする協定を添付して行わなければならない。

4　国土交通大臣は、第一項の許可の申請が次の各号に掲げる要件のいずれにも適合すると認める場合に限り、同項の許可をすることができる。

一　申請書に記載された事項が、協定の内容に適合すること。

二　申請に係る高速道路の引継ぎについて、機構が機構法第十四条第一項の業務実施計画の認可を受けていること。

5　地方道路公社は、有料道路管理者が第十八条第一項又は第十九条第一項の規定により新設し、若しくは改築し、又は料金を徴収している道路について、当該有料道路管理者の同意を得、かつ、国土交通大臣の許可を受けて、当該有料道路管理者が新設し、又は改築している道路にあつては当該道路の新設又は改築及び料金の徴収を、その他の道路にあつては料金の徴収を自ら行うことができる。

6　道路管理者は、第二項又は前項の同意をしようとするときは、あらかじめ、道路管理者である地方公共団体の議会の議決を経なければならない。

7　第一項又は第五項の許可があつた場合には、当該道路に係る会社に対する第三条第一項の許可と同一内容の当該地方道路公社に対する第十条第一項の許可又は有料道路管理者がした第十八条第二項の規定による届出（同条第三項の規定による届出を含む。）に係る同条第二項各号に掲げる事項若しくは第十九条第二項の規定による届出（同条第三項の規定による届出を含む。）に係る同条第二項各号に掲げる事項に係る第十条第一項又は第十一条第一項の許可があつたものとみなし、会社又は有料道路管理者が第二十四条第三項の規定により認可を受けて定めた通行方法は、当該地方道路公社が同項の規定により認可を受けて定めた通行方法とみなし、会社がした第二十五条第一項の規定による公告又は有料道路管理者がした同条第二項の規定による公示は、当該地方道路公社がした同条第一項の規定による公告とみなす。この場合において、当該道路に係る会社に対する第三条第一項の許可は、その効力を失うものとする。

（道路資産等の帰属）

第五一条　会社が高速道路の新設又は改築のために取得した道路資産は、次項の規定により機構に帰属する日前においては、当該会社に帰属する。

2　第二十二条第二項の規定により公告する工事完了の日の翌日以後においては、前項の道路資産（当該工事完了の公告が工事の一部の完了である場合にあつては、当該完了した工事の部分に係る道路資産）は、機構に帰属する。

3　前項の規定にかかわらず、会社及び機構が国土交通大臣の認可を受けて次に掲げる事項を記載した道路資産帰属計画を定めたときは、当該道路資産帰属計画に係る道路資産は、同項の規定により機構に帰属する日前においても、当該道路資産帰属計画に従い、機構に帰属する。

一　機構に帰属する道路資産の内容

二　道路資産が機構に帰属する予定年月日

4　会社の行う高速道路の修繕又は災害復旧によつて増加した道路資産は、当該修繕又は災害復旧に関する工事完了の日の翌日に機構に帰属する。

5　会社が新設し、又は改築する高速道路に係る料金の徴収施設その他機構法第二条第二項の政令で定める物件は、当該会社に帰属する。

6　地方道路公社が道路の新設又は改築のために取得した道路を構成する敷地又は支壁その他の物件は、当該地方道路公社に帰属する。

7　第一項の規定により会社に帰属した道路資産、第二項から第四項までの規定により機構に帰属した道路資産及び第五項の規定により会社に帰属した物件は、第四十九条第一項の許可があつたときは当該許可に係る引継ぎの日において道路管理者に、前条第一項の許可があつたときは当該許可に係る引継ぎの日において地方道路公社に帰属する。

8　普通財産である国有財産は、会社等又は機構が道路の用に供する場合においては、国有財産法（昭和二十三年法律第七十三号）第二十二条の規定にかかわらず、当該会社等又は機構に無償で貸し付けることができる。

（道路資産等の道路管理者への帰属）

第五二条　前条第二項から第四項までの規定により機構に帰属した道路資産並びに同条第六項及び第七項の規定により地方道路公社に帰属した道路を構成する敷地又は支壁その他の物件（料金の徴収施設その他政令で定める物件を除く。）は、第二十五条第一項の規定により公告する料金の徴収期間の満了の日の翌日において、道路管理者（道路管理者が国土交通大臣であるときは、国）に帰属する。

（審査請求）

第五三条　この法律に基づく機構の処分その他公権力の行使に当たる行為又はその不作為に不服がある者は、国土交通大臣に対して、審査請求をすることができる。この場合において、国土交通大臣は、行政不服審査法（平成二十六年法律第六十八号）第二十五条第二項及び第三項、第四十六条第一項及び第二項、第四十七条並びに第四十九条第三項の規定の適用については、機構の上級行政庁とみなす。

2　この法律に基づく地方道路公社の処分その他公権力の行使に当たる行為（指定市の市道以外の市町村道に関するこの法律に基づく地方道路公社の処分その他公権力の行使に当たる行為を除く。）に不服がある者は国土交通大臣に対して、指定市の市道以外の市町村道に関するこの法律に基づく地方道路公社の処分その他公権力の行使に当たる行為に不服がある者は都道府県知事に対して審査請求をすることができる。

（道路法及び高速自動車国道法の適用等）

第五四条　この法律による道路の新設、改築、維持、修繕、災害復旧その他の管理については、この法律に定めるもののほか、道路法（第五十条から第五十三条までを除く。）及び高速自動車国道法（第二十条を除く。）並びにこれらの法律に基づく政令の規定の適用があるものとする。この場合において、道路法第四十七条の三第二項中「道路の道路管理者（国土交通大臣である道路管理者を除く。）」とあるのは「道路（高速自動車国道又は指定区間内の国道に限る。）が道路整備特別措置法第二十三条第一項第一号に規定する会社管理高速道路（以下「会社管理高速道路」という。）である場合にあつては機構に、同法第三十一条第一項に規定する公社管理道路（以下「公社管理道路」という。）である場合にあつては地方道路公社」と、同条第四項及び第五項並びに同法第四十七条の十一第二項及び第三項中「道路管理者」とあり、同法第四十七条の三第六項中「これらの道路の道路管理者」とあり、同条第九項中「第一項の規定により指定された道路の道路管理者（国土交通大臣である道路管理者を除く。）」とあり、同法第四十七条の十一第一項中「当該道路管理者」とあり、並びに同条第四項中「道路の道路管理者」とあるのは「機構等」と、同法第四十七条の三第六項中「指定区間外の国道、都道府県道又は市町村道」とあり、並びに同条第九項及び同法第四十七条の十一第四項中「当該道路」とあるのは「会社管理高速道路又は公社管理道路」と、同法第四十七条の十第四項中「道路管理者」とあるのは「道路管理者（当該道路（高速自動車国道又は指定区間内の国道に限る。）が会社管理高速道路である場合にあつては機構、公社管理道路である場合にあつては地方道路公社）」と、同法第四十七条の十一第一項中「道路管理者（国土交通大臣である道路管理者を除く。以下この条及び次条第三項において同じ。）」とあるのは「道路（高速自動車国道又は指定区間内の国道に限る。）が会社管理高速道路である場合にあつては機構に、公社管理道路である場合にあつては地方道路公社」と、同法第七十一条第四項中「道路管理者（第九十七条の二の規定により権限の委任を受けた北海道開発局長を含む。以下この項及び次項において同じ。）は、その職員のうちから道路監理員を命じ」とあるのは「機構等又は有料道路管理者（道路整備特別措置法第十八条第四項に規定する有料道路管理者をいう。以下同じ。）は、その職員のうちから道路監理員を命じ」と、「第一項又は第二項の規定による道路管理者の処分」とあるのは「道路整備特別措置法第八条第一項第三十八号又は第十七条第一項第三十四号の規定により道路管理者に代わつて行う第一項若しくは第二項の規定による機構等の処分又は第一項若しくは第二項の規定による有料道路管理者の処分」とするほか、必要な技術的読替えは、政令で定める。

２　機構は、前項の規定により読み替えて適用する道路法第四十七条の三第二項又は第四十七条の十一第一項の規定により協議をしようとする場合においては、あらかじめ、会社の意見を聴き、かつ、その協議を行つたときは、遅滞なく、その旨を会社に通知しなければならない。

３　道路法第十条、第二十四条の二、第四十八条の三十五、第七十四条及び第八十五条の規定は、会社管理高速道路又は公社管理道路については、適用しない。

４　この法律の規定により道路管理者に代わつてその権限を行う機構等は、道路法第八章（第百九条を除く。）の規定の適用については道路管理者とみなし、高速自動車国道法第四章（第三十三条を除く。）の規定の適用については国土交通大臣とみなす。

第五五条　会社管理高速道路又は公社管理道路に関する道路法第七十七条の規定の適用については、同条第一項中「その職員」とあるのは「その職員若しくは道路整備特別措置法第二条第六項に規定する会社等（次項において「会社等」という。）若しくはこれらの命じた職員」と、同条第二項中「地方公共団体の長」とあるのは「地方公共団体の長又は会社等」とする。

（民法の特例）

第五五条の二　道路の通行又は利用に係る取引に関して民法（明治二十九年法律第八十九号）第五百四十八条の二第一項の規定を適用する場合においては、同項第二号中「表示していた」とあるのは、「表示し、又は公表していた」とする。

（権限の委任）

第五六条　この法律に規定する国土交通大臣の権限は、国土交通省令で定めるところにより、その一部を地方整備局長又は北海道開発局長に委任することができる。ただし、第九条第七項及び第十七条第三項の規定による申請に基づく裁定については、この限りでない。

第五章　罰則

第五七条　機構又は地方道路公社が第八条第一項第十八号又は第十七条第一項第十四号の規定により道路管理者に代わつてその権限を行おうとする場合において、当該機構又は地方道路公社の役員又は職員が、道路法第三十九条の五第一項の認定に関し、その職務に反し、当該認定を受けようとする者に談合を唆すこと、当該認定を受けようとする者に当該認定に係る同法第三十九条の三第一項に規定する占用入札に関する秘密を教示すること又はその他の方法により、当該占用入札の公正を害すべき行為を行つたときは、五年以下の懲役又は二百五十万円以下の罰金に処する。

第五八条　第四十四条第三項において準用する道路法第六十七条の規定に違反して土地の立入り又は一時使用を拒み、又は妨げた者は、六月以下の懲役又は三十万円以下の罰金に処する。

第五九条　第二十四条第三項後段の規定に違反して自動車その他の車両を通行させた運転者は、三十万円以下の罰金に処する。

第六〇条　法人の代表者又は法人若しくは人の代理人、使用人その他の従業者が、その法人又は人の業務に関して、第五十八条の違反行為をしたときは、行為者を罰するほか、その法人又は人に対して同条の罰金刑を科する。

附　則

（施行期日）

第一条　この法律は、公布の日から起算して三月をこえない範囲内において政令で定める日から施行する。

〔昭和三一政九四により、昭和三一・四・一六から施行〕

（旧法の廃止）

第二条　道路整備特別措置法（昭和二十七年法律第百六十九号。以下「旧法」という。）は、廃止する。

（経過規定）

第三条　この法律（以下「新法」という。）の施行の際現に旧法第三条第一項の規定により建設大臣が新設し、又は改築している道路については、公団が当該道路の新設又は改築を行うものとする。この場合において、旧法第三条第一項の規定に基き建設大臣が決定した当該道路の路線名及び工事の区間、工事方法並びに工事予算は、公団が新法第三条第一項の許可を受けた事項とみなして同法の規定を適用する。

２　公団は、公団の成立の日から一年以内に、前項の規定により公団が新設し、又は改築する道路に係る工事の完成の予定年月日、収支予算の明細、料金及びその徴収期間について建設大臣の許可を受けなければならない。この場合において、建設大臣のした許可は、新法第三条第一項の許可とみなして同法の規定を適用する。

第四条　新法の施行の際現に旧法第三条第一項の規定により建設大臣が新設し、又は改築して料金を徴収している道路については、公団が当該道路の維持、修繕その他の管理を行うものとする。この場合において、建設大臣が旧法第三条第一項の規定に基き決定し、かつ、同条第五項の規定により告示した料金の額及び徴収期間は、それぞれ公団が新法第三条第一項の許可を受け、かつ、同法第十四条第一項の規定により公告した料金の額及び徴収期間とみなして同法の規定を適用する。

第五条　新法の施行の際現に旧法第六条第一項の規定により道路管理者が新設し、若しくは改築し、又は料金を徴収している道路については、旧法第六条、第八条から第十条まで及び第十三条の規定は、なおその効力を有する。この場合において、これらの規定の適用については、同法第八条第三項若しくは第四項又は第九条中「建設大臣」とあるのは、「日本道路公団」とする。

２　公団は、前項に規定する道路の道路管理者と協議して、新設し、又は改築している道路にあつては当該道路の新設又は改築、料金を徴収している道路にあつては当該道路の維持、修繕その他の管理を自ら行うことができる。

３　前項の規定による協議が成立して公団が行う当該道路の新設又は改築は、新法第三条第一項の許可を受けて公団が行う新設又は改築とみなし、前項の規定による協議が成立して公団が行う当該道路の維持、修繕その他の管理は、同法第四条の規定によつて公団が行う維持、修繕その他の管理とみなし、当該道路の道路管理者が旧法第六条第八項の規定により告示した料金の額及び徴収期間は、公団が新法第十四条第一項の規定により公告した料金の額及び徴収期間とみなして同法の規定を適用する。

4　第二項の規定により道路管理者が協議に応じようとするときは、道路管理者である地方公共団体（都道府県知事である道路管理者にあつては、その統轄する都道府県）の議会の議決を経なければならない。

5　第二項の規定により協議が成立した場合においては、公団は、当該協議について建設省令で定める手続に従い、建設大臣に報告しなければならない。

第六条　旧法又は旧法に基く命令によつてした処分、手続その他の行為は、附則第三条から前条までに規定するものを除くほか、新法中これに相当する規定がある場合には、それぞれ新法の規定によつてしたものとみなす。

（資金の貸付けの特例）

第七条　国は、当分の間、会社に対し、当該会社が第三条第一項の許可を受けて行う高速道路の新設又は改築のうち、日本電信電話株式会社の株式の売払収入の活用による社会資本の整備の促進に関する特別措置法（昭和六十二年法律第八十六号。以下「社会資本整備特別措置法」という。）第二条第一項第一号に該当するものであつて政令で定めるものに要する費用に充てる資金の一部を無利子で貸し付けることができる。

2　前項の規定による貸付金の償還期間は、二十年（五年以内の据置期間を含む。）以内とする。

3　前項に定めるもののほか、第一項の規定による貸付金の償還方法は、政令で定める。

（第二十条第一項の貸付金の償還方法の特例）

第八条　第二十条第一項の規定による貸付金のうち、社会資本整備特別措置法第二条第一項第一号に該当する道路の新設又は改築（政令で定めるものに限る。）であつて、同項の規定により、国が、当分の間、それに要する費用に充てる資金を無利子で貸し付けることができることとされているものに係る貸付金の償還期間は、二十年（五年以内の据置期間を含む。）以内とする。

附　則〔略〕〔昭和三三・三・三一法律三六〕

附　則〔抄〕〔昭和三四・四・二〇法律一四八〕

（施行期日）

1　この法律は、国税徴収法（昭和三十四年法律第百四十七号）の施行の日（昭和三五・一・一）から施行する。

（公課の先取特権の順位の改正に関する経過措置）

7　第二章の規定による改正後の各法令（徴収金の先取特権の順位に係る部分に限る。）の規定は、この法律の施行後に国税徴収法第二条第十二号に規定する強制換価手続による配当手続が開始される場合について適用し、この法律の施行前に当該配当手続が開始されている場合における当該法令の規定に規定する徴収金の先取特権の順位については、なお従前の例による。

附　則〔略〕〔昭和三五・六・二五法律一〇五〕

附　則〔昭和三七・五・一法律一〇二〕

（施行期日）

1　この法律は、公布の日から施行する。

（占用料の徴収及び帰属の特例）

2　道路法第三十九条の規定に基づく占用料でこの法律の施行の際現に道路管理者の許可を受けている占用に係るもの（昭和三十八年三月三十一日までの占用に係るものに限る。）の徴収及び帰属に関しては、改正後の道路整備特別措置法第十八条の二、第二十三条及び第二十五条の規定にかかわらず、なお従前の例による。

附　則〔抄〕〔昭和三七・九・一五法律一六一〕

1　この法律は、昭和三十七年十月一日から施行する。

2　この法律による改正後の規定は、この附則に特別の定めがある場合を除き、この法律の施行前にされた行政庁の処分、この法律の施行前にされた申請に係る行政庁の不作為その他この法律の施行前に生じた事項についても適用する。ただし、この法律による改正前の規定によつて生じた効力を妨げない。

3　この法律の施行前に提起された訴願、審査の請求、異議の申立てその他の不服申立て（以下「訴願等」という。）については、この法律の施行後も、なお従前の例による。この法律の施行前にされた訴願等の裁決、決定その他の処分（以下「裁決等」という。）又はこの法律の施行前に提起された訴願等につきこの法律の施行後にされる裁決等にさらに不服がある場合の訴願等についても、同様とする。

4　前項に規定する訴願等で、この法律の施行後は行政不服審査法による不服申立てをすることができることとなる処分に係るものは、同法以外の法律の適用については、行政不服審査法による不服申立てとみなす。

5　第三項の規定によりこの法律の施行後にされる審査の請求、異議の申立てその他の不服申立ての裁決等については、行政不服審査法による不服申立てをすることができない。

6　この法律の施行前にされた行政庁の処分で、この法律による改正前の規定により訴願等をすることができるものとされ、かつ、その提起期間が定められていなかつたものについて、行政不服審査法による不服申立てをすることができる期間は、この法律の施行の日から起算する。

8　この法律の施行前にした行為に対する罰則の適用については、なお従前の例による。

9　前八項に定めるもののほか、この法律の施行に関して必要な経過措置は、政令で定める。

10　この法律及び行政事件訴訟法の施行に伴う関係法律の整理等に関する法律（昭和三十七年法律第百四十号）に同一の法律についての改正規定がある場合においては、当該法律は、この法律によつてまず改正され、次いで行政事件訴訟法の施行に伴う関係法律の整理等に関する法律によつて改正されるものとする。

附　則〔略〕〔昭和三八・六・八法律九九〕

附　則〔略〕〔昭和三九・七・九法律一六三〕

附　則〔略〕〔昭和三九・七・一〇法律一六八〕

附　則〔略〕〔昭和四一・七・一法律一〇七〕

附　則〔略〕〔昭和四三・三・三〇法律一〇〕

附　則〔略〕〔昭和四六・四・一五法律四六〕

附　則〔略〕〔昭和四六・六・二法律九八〕

附　則〔略〕〔昭和六二・九・四法律八七〕

附　則〔略〕〔平成元・六・二八法律五六〕

附　則〔略〕〔平成三・五・二法律六〇〕

附　則〔抄〕〔平成五・一一・一二法律八九〕

（施行期日）

第一条　この法律は、行政手続法（平成五年法律第八十八号）の施行の日〔平成六・一〇・一〕から施行する。

（諮問等がされた不利益処分に関する経過措置）

第二条　この法律の施行前に法令に基づき審議会その他の合議制の機関に対し行政手続法第十三条に規定する聴聞又は弁明の機会の付与の手続その他の意見陳述のための手続に相当する手続を執るべきことの諮問その他の求めがされた場合においては、当該諮問その他の求めに係る不利益処分の手続に関しては、この法律による改正後の関係法律の規定にかかわらず、なお従前の例による。

（聴聞に関する規定の整理に伴う経過措置）

第一四条　この法律の施行前に法律の規定により行われた聴聞、聴問若しくは聴聞会（不利益処分に係るものを除く。）又はこれらのための手続は、この法律による改正後の関係法律の相当規定により行われたものとみなす。

（政令への委任）

第一五条　附則第二条から前条までに定めるもののほか、この法律の施行に関して必要な経過措置は、政令で定める。

附　則〔抄〕〔平成八・五・二四法律四八〕

（施行期日）

1　この法律は、公布の日から起算して六月を超えない範囲内において政令で定める日から施行する。

〔平成八政三〇七により、平成八・一一・一〇から施行〕

（経過措置）

2　この法律の施行の際現にこの法律による改正前の幹線道路の沿道の整備に関する法律（以下「旧法」という。）の規定により定められている沿道整備計画に関する都市計画は、この法律による改正後の幹線道路の沿道の整備に関する法律（以下「新法」という。）の規定により定められた沿道地区計画でその区域の全部について沿道地区整備計画が定められているものに関する都市計画とみなす。

3　旧法の規定により沿道整備計画に関する都市計画に関してした手続、処分その他の行為は、新法の規定により沿道地区計画に関する都市計画に関してした手続、処分その他の行為とみなす。

4　この法律の施行の際現に旧法の規定により定められている沿道整備計画

の区域は、新法の規定により定められた沿道地区計画の区域で沿道地区整備計画が定められている区域とみなす。

5　旧法第十三条第一項に規定する区域内において同項の制限が定められた際、当該制限が定められた区域内に現に存する人の居住の用に供する建築物又はその部分は、新法第十三条第一項に規定する特定住宅に該当するものとみなす。

6　この法律の施行前にした行為に対する罰則の適用については、なお従前の例による。

附　則〔略〕〔平成一〇・六・三法律八九〕

附　則〔抄〕〔平成一一・七・一六法律八七〕

（施行期日）

第一条　この法律は、平成十二年四月一日から施行する。ただし、次の各号に掲げる規定は、当該各号に定める日から施行する。

一　〔前略〕附則〔中略〕第百六十条、第百六十三条、第百六十四条並びに第二百二条の規定　公布の日

二～六　〔略〕

（道路整備特別措置法の一部改正に伴う経過措置）

第一三一条　施行日前に第四百十九条の規定による改正前の道路整備特別措置法（以下この条において「旧特別措置法」という。）第八条第四項の規定による許可を受けて変更（旧特別措置法第三条第二項第一号、第六号又は第七号に掲げる事項の変更を併せてしたものを除く。）をした工事方法又は工事予算は、第四百十九条の規定による改正後の道路整備特別措置法（以下この条において「新特別措置法」という。）第八条第四項の規定による協議を行って変更をした工事方法又は工事予算とみなす。

2　この法律の施行の際現に旧特別措置法第八条第四項の規定によりされている許可の申請（旧特別措置法第三条第二項第二号又は第三号に掲げる事項を変更しようとするとき（同項第一号、第六号又は第七号に掲げる事項を併せて変更しようとするときを除く。）に限る。）は、新特別措置法第八条第四項の規定によりされた協議の申出とみなす。

3　施行日前に旧特別措置法第九条第一項後段の規定によりされた許可又はこの法律の施行の際現に同項後段の規定によりされている許可の申請は、それぞれ新特別措置法第九条第二項の規定によりされた同意又は協議の申出とみなす。

4　施行日前に旧特別措置法第十五条第三項の規定により建設大臣又は都道府県知事が道路管理者に対してした命令は、それぞれ新特別措置法第十五条第四項の規定により建設大臣又は都道府県知事がした要求又は勧告とみなす。

（国等の事務）

第一五九条　この法律による改正前のそれぞれの法律に規定するもののほか、この法律の施行前において、地方公共団体の機関が法律又はこれに基づく政令により管理し又は執行する国、他の地方公共団体その他公共団体の事務（附則第百六十一条において「国等の事務」という。）は、この法律の施行後は、地方公共団体が法律又はこれに基づく政令により当該地方公共団体の事務として処理するものとする。

（処分、申請等に関する経過措置）

第一六〇条　この法律（附則第一条各号に掲げる規定については、当該各規定。以下この条及び附則第百六十三条において同じ。）の施行前に改正前のそれぞれの法律の規定によりされた許可等の処分その他の行為（以下この条において「処分等の行為」という。）又はこの法律の施行の際現に改正前のそれぞれの法律の規定によりされている許可等の申請その他の行為（以下この条において「申請等の行為」という。）で、この法律の施行の日においてこれらの行為に係る行政事務を行うべき者が異なることとなるものは、附則第二条から前条までの規定又は改正後のそれぞれの法律（これに基づく命令を含む。）の経過措置に関する規定に定めるものを除き、この法律の施行の日以後における改正後のそれぞれの法律の適用については、改正後のそれぞれの法律の相当規定によりされた処分等の行為又は申請等の行為とみなす。

2　この法律の施行前に改正前のそれぞれの法律の規定により国又は地方公共団体の機関に対し報告、届出、提出その他の手続をしなければならない事項で、この法律の施行の日前にその手続がされていないものについては、この法律及びこれに基づく政令に別段の定めがあるもののほか、これを、改正後のそれぞれの法律の相当規定により国又は地方公共団体の相当の機関に対して報告、届出、提出その他の手続をしなければならない事項についてその手続がされていないものとみなして、この法律による改正後のそれぞれの法律の規定を適用する。

（不服申立てに関する経過措置）

第一六一条　施行日前にされた国等の事務に係る処分であって、当該処分をした行政庁（以下この条において「処分庁」という。）に施行日前に行政不服審査法に規定する上級行政庁（以下この条において「上級行政庁」という。）があったものについての同法による不服申立てについては、施行日以後においても、当該処分庁に引き続き上級行政庁があるものとみなして、行政不服審査法の規定を適用する。この場合において、当該処分庁の上級行政庁とみなされる行政庁は、施行日前に当該処分庁の上級行政庁であった行政庁とする。

2　前項の場合において、上級行政庁とみなされる行政庁が地方公共団体の機関であるときは、当該機関が行政不服審査法の規定により処理することとされる事務は、新地方自治法第二条第九項第一号に規定する第一号法定受託事務とする。

（手数料に関する経過措置）

第一六二条　施行日前においてこの法律による改正前のそれぞれの法律（これに基づく命令を含む。）の規定により納付すべきであった手数料については、この法律及びこれに基づく政令に別段の定めがあるもののほか、なお従前の例による。

（その他の経過措置の政令への委任）

第一六四条　この附則に規定するもののほか、この法律の施行に伴い必要な経過措置〔中略〕は、政令で定める。

2　〔略〕

附　則〔略〕〔平成一一・一二・二二法律一六〇〕

附　則〔略〕〔平成一四・一二・一八法律一八〇〕

附　則〔略〕〔平成一六・六・九法律一〇二〕

附　則〔略〕〔平成一九・三・三一法律一九〕

附　則〔抄〕〔平成二三・八・三〇法律一〇五〕

（施行期日）

第一条　この法律は、公布の日から施行する。ただし、次の各号に掲げる規定は、当該各号に定める日から施行する。

一　〔前略〕第百二条（道路整備特別措置法第三条、第四条、第八条、第十条、第十二条、第十四条及び第十七条の改正規定に限る。）〔中略〕の規定　公布の日から起算して三月を経過した日

二　〔前略〕第百二条（道路整備特別措置法第十八条から第二十一条まで、第二十七条、第四十九条及び第五十条の改正規定に限る。）〔中略〕の規定並びに附則〔中略〕第四十七条から第四十九条まで〔中略〕の規定　平成二十四年四月一日

三～六　〔略〕

（道路整備特別措置法の一部改正に伴う経過措置）

第四八条　第百二条の規定（道路整備特別措置法第十八条から第二十一条まで、第二十七条、第四十九条及び第五十条の改正規定に限る。以下この条において同じ。）の施行の日から起算して一年を超えない期間内において、第百二条の規定による改正後の道路整備特別措置法（以下この条において「新道路整備特別措置法」という。）第十八条第一項の規定に基づく条例が制定施行されるまでの間は、第百二条の規定の施行の際現に第百二条の規定による改正前の道路整備特別措置法（以下この条において「旧道路整備特別措置法」という。）第十八条第一項の許可（同条第四項の許可を含む。）を受けて料金を徴収している道路については、新道路整備特別措置法第十八条、第二十条第一項、第二十一条第四項、第二十七条第一項及び第四項、第四十九条第一項及び第五項並びに第五十条第五項及び第七項の規定にかかわらず、なお従前の例による。

2　第百二条の規定の施行の日から起算して一年を超えない期間内において、新道路整備特別措置法第十九条第一項の規定に基づく条例が制定施行されるまでの間は、第百二条の規定の施行の際現に旧道路整備特別措置法第十九条第一項の許可（同条第四項の許可を含む。）を受けて料金を徴収している道路については、新道路整備特別措置法第十九条並びに第五十条第五項及び第七項の規定にかかわらず、なお従前の例による。

（罰則に関する経過措置）

第八一条　この法律（附則第一条各号に掲げる規定にあっては、当該規定。以下この条において同じ。）の施行前にした行為及びこの附則の規定によ

りなお従前の例によることとされる場合におけるこの法律の施行後にした行為に対する罰則の適用については、なお従前の例による。

（政令への委任）

第八二条　この附則に規定するもののほか、この法律の施行に関し必要な経過措置（罰則に関する経過措置を含む。）は、政令で定める。

附　則〔略〕〔平成二五・六・五法律三〇〕

附　則〔略〕〔平成二六・六・四法律五三〕

附　則〔略〕〔平成二六・六・一三法律六九〕

附　則〔抄〕〔平成二八・三・三一法律一九〕

（施行期日）

第一条　この法律は、平成二十八年四月一日から施行する。ただし、〔中略〕第三条中道路整備特別措置法第八条第一項第二十三号、第九条第一項第十号及び第九項、第十七条第一項第十九号並びに第三十五条（見出しを含む。）の改正規定は、公布の日から起算して六月を超えない範囲内において政令で定める日から施行する。

〔平成二八政三二一により、平成二八・九・三〇から施行〕

（政令への委任）

第三条　前条に定めるもののほか、この法律の施行に関し必要な経過措置は、政令で定める。

（検討）

第四条　政府は、この法律の施行後五年を経過した場合において、第二条の規定による改正後の道路法及び第三条の規定による改正後の道路整備特別措置法の施行の状況について検討を加え、必要があると認めるときは、その結果に基づいて必要な措置を講ずるものとする。

附　則〔平成二九・六・二法律四五〕

この法律は、民法改正法の施行の日〔令和二・四・一〕から施行する。ただし、〔中略〕第三百六十二条の規定は、公布の日から施行する。

民法の一部を改正する法律の施行に伴う関係法律の整備等に関する法律〔抄〕〔平成二九・六・二法律四五〕

（罰則に関する経過措置）

第三六一条　施行日前にした行為及びこの法律の規定によりなお従前の例によることとされる場合における施行日以後にした行為に対する罰則の適用については、なお従前の例による。

（政令への委任）

第三六二条　この法律に定めるもののほか、この法律の施行に伴い必要な経過措置は、政令で定める。

附　則〔抄〕〔平成三〇・三・三一法律六〕

（施行期日）

第一条　この法律は、公布の日から起算して六月を超えない範囲内において政令で定める日から施行する。〔以下略〕

〔平成三〇政二七九により、平成三〇・九・三〇から施行〕

（政令への委任）

第二条　この法律の施行に関し必要な経過措置は、政令で定める。

（検討）

第三条　政府は、この法律の施行後五年を経過した場合において、第一条の規定による改正後の道路法及び第二条の規定による改正後の道路整備特別措置法の施行の状況について検討を加え、必要があると認めるときは、その結果に基づいて必要な措置を講ずるものとする。

附　則〔抄〕〔令和二・五・二七法律三一〕

（施行期日）

第一条　この法律は、公布の日から起算して六月を超えない範囲内において政令で定める日から施行する。ただし、次の各号に掲げる規定は、当該各号に定める日から施行する。

一　〔前略〕第三条中道路整備特別措置法第四条の改正規定及び同法第十四条の改正規定　公布の日

〔令和二政三二八により、令和二・一一・二五から施行〕

二　〔前略〕第四条〔中略〕の規定　公布の日から起算して二年を超えない範囲内において政令で定める日

〔令和三政一九七により、令和四・四・一から施行〕

（政令への委任）

第三条　前条に規定するもののほか、この法律の施行に関し必要な経過措置は、政令で定める。

（検討）

第四条　政府は、この法律の施行後五年を経過した場合において、第一条から第四条までの規定による改正後の規定の施行の状況について検討を加え、必要があると認めるときは、その結果に基づいて必要な措置を講ずるものとする。

附　則〔抄〕〔令和三・三・三一法律九〕

（施行期日）

第一条　この法律は、令和三年四月一日から施行する。ただし、次の各号に掲げる規定は、当該各号に定める日から施行する。

一　〔略〕

二　〔前略〕第三条（道路整備特別措置法第九条の改正規定（同条第一項第十号及び第十一号の改正規定を除く。）、同法第十七条の改正規定（同条第一項の改正規定を除く。）及び同法第五十六条ただし書の改正規定を除く。）及び〔中略〕附則第十二条（道路法等の一部を改正する法律（令和二年法律第三十一号）附則第八条の改正規定を除く。）の規定　公布の日から起算して六月を超えない範囲内において政令で定める日

〔令和三政二六〇により、令和三・九・二五から施行〕

三　〔略〕

（道路整備特別措置法の一部改正に伴う経過措置）

第四条　施行日から第二号施行日の前日までの間における第三条の規定による改正後の道路整備特別措置法第九条第十項の規定の適用については、同項中「第四十四条の三第一項」とあるのは「第四十四条の二第一項」と、「第四十四条の三第四項」とあるのは「第四十四条の二第四項」と、「第四十四条の三第五項」とあるのは「第四十四条の二第五項」とする。

（政令への委任）

第五条　前三条に定めるもののほか、この法律の施行に関し必要な経過措置（罰則に関する経過措置を含む。）は、政令で定める。

（検討）

第六条　政府は、この法律の施行後五年を目途として、この法律による改正後のそれぞれの法律の規定について、その施行の状況等を勘案して検討を加え、必要があると認めるときは、その結果に基づいて所要の措置を講ずるものとする。

附　則〔抄〕〔令和五・六・七法律四三〕

（施行期日）

第一条　この法律は、公布の日から起算して三月を超えない範囲内において政令で定める日から施行する。ただし、第一条（道路整備特別措置法第二十三条第三項の改正規定、同法第二十四条の改正規定及び同法第五十九条の改正規定を除く。）の規定並びに附則第五条〔中略〕の規定は、公布の日から施行する。

〔令和五政二六九により、令和五・九・六から施行〕

（道路整備特別措置法の一部改正に伴う経過措置）

第二条　第一条の規定による改正後の道路整備特別措置法（以下この条において「新道路整備特別措置法」という。）第二十四条第五項の規定は、同項に規定する自動車がこの法律の施行の日（次条及び附則第四条において「施行日」という。）以後に新道路整備特別措置法第二十四条第三項に規定する道路の通行を開始する場合について適用する。

（罰則に関する経過措置）

第四条　施行日前にした行為に対する罰則の適用については、なお従前の例による。

（政令への委任）

第五条　前三条に定めるもののほか、この法律の施行に関し必要な経過措置（罰則に関する経過措置を含む。）は、政令で定める。

（検討）

第六条　政府は、この法律の施行後五年を目途として、この法律による改正後の規定の施行の状況について検討を加え、必要があると認めるときは、その結果に基づいて必要な措置を講ずるものとする。

附　則〔抄〕〔令和五・六・一六法律六三〕

（施行期日）

第一条　この法律は、公布の日から起算して一年を超えない範囲内において

政令で定める日から施行する。ただし、次の各号に掲げる規定は、当該各号に定める日から施行する。

〔令和五政二八四により、令和六・四・一から施行〕

一　〔前略〕附則第七条〔中略〕の規定　公布の日

二　〔略〕

（罰則に関する経過措置）

第六条　この法律の施行前にした行為に対する罰則の適用については、なお従前の例による。

（政令への委任）

第七条　この附則に定めるもののほか、この法律の施行に関し必要な経過措置（罰則に関する経過措置を含む。）は、政令で定める。

○道路整備特別措置法施行令

（昭和三一・一〇・二五 政令三一九）

改正　昭和三二・七政二〇六、昭和三四・一二政三七一、昭和三五・一二政三〇二、昭和三七・八政三四〇、一二政四四五、昭和三八・九政三二六、昭和四〇・三政五七、五政一四四、昭和四二・一〇政三三五、昭和四三・六政一五九、昭和四五・四政四八、六政一六三、政二〇二、昭和四六・七政二五二、一一政三四八、昭和四七・九政三四一、昭和四九・六政一九二、昭和五三・四政一四五、昭和五四・一政一二、昭和五九・五政一三九、昭和六二・九政二九五、昭和六三・四政一二二、平成元・三政七二、五政一五七、一一政三〇九、平成三・一〇政三一七、平成五・一一政三七五、平成六・九政三〇三、平成八・一〇政三〇八、平成一〇・八政二八九、平成一一・一一政三五二、平成一二・六政三一二、平成一四・一二政三八六、平成一六・二政二三、一二政三八七、平成一七・六政二〇三、平成一八・一一政三五七、平成一九・八政二三五、九政三〇四、平成二〇・一政五、平成二三・一〇政三二一、一一政三六三、平成二四・一二政二九四、平成二五・八政二四三、平成二六・五政一八七、平成二七・一政二一、一一政三九二、平成二八・三政一八二、九政三一二、平成三〇・九政二八〇、平成三一・三政四一、令和二・一一政三三九、令和三・三政一三一、九政二六一、一二政三二五、令和五・六政二〇〇、九政二七〇

（道路の構造又は交通に及ぼす支障が大きいと認められる道路の占用）

第一条　道路整備特別措置法（以下「法」という。）第八条第二項及び第三項ただし書並びに第十七条第六項ただし書の道路の構造又は交通に及ぼす支障が大きいと認められる道路の占用で政令で定めるものは、次に掲げる物件、施設又は工作物に係る道路の占用とする。

一　道路法（昭和二十七年法律第百八十号）第三十二条第一項第二号に掲げる物件で国土交通省令で定めるもの

二　道路法第三十二条第一項第五号に掲げる施設

三　道路法施行令（昭和二十七年政令第四百七十九号）第七条第二号に掲げる工作物、同条第三号に掲げる施設、同条第八号に掲げる施設のうち同号に規定する特定連結路附属地に設けるもの並びに同条第九号、第十号、第十三号及び第十四号に掲げる施設

（指定都市高速道路に係る人口五十万以上の市）

第二条　法第十二条第一項第一号の政令で指定する人口五十万以上の市は、名古屋市、北九州市、札幌市、福岡市及び広島市とする。

（整備計画に定める事項）

第三条　法第十二条第三項の政令で定める事項は、次に掲げるものとする。

一　路線名及び新設し、又は改築する区間

二　車線数（区間により異なるときは、区間ごとに明らかにすること。）

三　設計速度（区間により異なるときは、区間ごとに明らかにすること。）

四　連結位置及び連結予定施設

五　新設又は改築に要する費用の概算額

六　その他必要な基本的事項

（貸付金の償還方法）

第四条　法第二十条第一項の規定による貸付金（次項において「貸付金」という。）の償還期間は、二十年（五年以内の据置期間を含む。）以内とし、その償還は、国土交通大臣の定める年賦償還の方法によるものとする。

2　国は、法第二十条第一項の規定により資金の貸付けを受けた地方道路公社又は有料道路管理者である地方公共団体が、当該貸付けに係る道路が災害を受けたことにより、償還金の支払をすることが著しく困難となつた場合においては、貸付金の償還期限を延長することができる。この場合においては、当該償還期限の延長については、国の債権の管理等に関する法律（昭和三十一年法律第百十四号）第二十六条第一項の規定は、適用されないものとする。

（料金により償う会社管理高速道路の管理に要する費用の範囲）

第五条　法第二十三条第一項第一号の政令で定める費用は、次に掲げる費用とする。

一　維持に要する費用及び当該維持に係る事務取扱費

二　修繕（独立行政法人日本高速道路保有・債務返済機構（以下「機構」という。）が法第二条第四項に規定する会社（以下単に「会社」という。）からその費用に係る債務を引き受けるものを除く。）に要する費用及び当該修繕に係る事務取扱費

三　災害復旧（機構が会社からその費用に係る債務を引き受けるものを除く。）に要する費用及び当該災害復旧に係る事務取扱費

四　法第五条第一項の規定による措置又は同条第二項の規定による供用の拒絶に要する費用及び当該措置又は供用の拒絶に係る事務取扱費

五　法第八条第五項の規定による書類の経由に関する事務取扱費

六　法第八条第七項の規定による委託に基づき行う事務に係る事務取扱費

七　法第九条第一項の規定による権限の行使に要する費用及び当該権限の行使に係る事務取扱費
八　法第五十四条又は第五十五条の規定により読み替えて適用する道路法及び高速自動車国道法（昭和三十二年法律第七十九号）の規定に基づき会社が行う管理及び調査に要する費用並びに当該管理及び調査に係る事務取扱費
九　料金、割増金及び負担金（法第三十五条又は第四十条第一項の規定により読み替えて適用する道路法の規定により会社が負担を求めるものに限る。）の徴収に要する費用並びに当該徴収に係る事務取扱費
十　前各号に掲げる費用の財源に充てるための社債又は借入金の利息の支払に要する費用

（料金により償う地方道路公社の行う一般国道等の維持、修繕等に要する費用の範囲）

第六条　法第二十三条第一項第二号の政令で定める費用は、次に掲げる費用とする。
一　維持及び修繕に要する費用並びに当該維持及び修繕に係る事務取扱費
二　災害復旧に要する費用及び当該災害復旧に係る事務取扱費
三　法第十七条第一項の規定による権限の行使に要する費用及び当該権限の行使に係る事務取扱費
四　法第五十四条又は第五十五条の規定により読み替えて適用する道路法の規定に基づき地方道路公社が行う管理及び調査に要する費用並びに当該管理及び調査に係る事務取扱費
五　料金、割増金、占用料、連結料、負担金、手数料及び延滞金の徴収に要する費用並びに当該徴収に係る事務取扱費
六　前各号に掲げる費用の財源に充てるための債券又は借入金の利息の支払に要する費用

（料金により償うその他の道路の管理に要する費用の範囲）

第七条　法第十一条第一項又は第十二条第一項の許可に係る道路に係る法第二十三条第一項第三号の政令で定める費用は、次に掲げる費用とする。
一　新設又は改築に要する費用及び当該新設又は改築に係る事務取扱費
二　維持及び修繕に要する費用並びに当該維持及び修繕に係る事務取扱費
三　災害復旧に要する費用及び当該災害復旧に係る事務取扱費
四　法第十七条第一項の規定による権限の行使に要する費用及び当該権限の行使に係る事務取扱費
五　法第五十四条又は第五十五条の規定により読み替えて適用する道路法の規定に基づき地方道路公社が行う管理及び調査に要する費用並びに当該管理及び調査に係る事務取扱費
六　料金、割増金、占用料、連結料、負担金、手数料及び延滞金の徴収に要する費用並びに当該徴収に係る事務取扱費
七　国土交通省令で定める損失補てん引当金に充てるために要する費用
八　法第五十条第一項の許可に係る高速道路又は同条第五項の許可に係る道路にあつては、地方道路公社が、同条第一項の協議又は同条第五項の同意を得る際の協議に基づき、当該高速道路又は道路の新設、改築、維持、修繕その他の管理のために会社又は有料道路管理者が要した費用を支弁するのに要する費用
九　前各号に掲げる費用の財源に充てるための債券又は借入金の利息の支払に要する費用

2　法第十二条第一項の許可に係る道路に係る法第二十三条第一項第三号の政令で定める費用は、次に掲げる費用とする。
一　前項第一号から第七号までに掲げる費用
二　地方道路公社法（昭和四十五年法律第八十二号）第二十九条の規定により地方道路公社が負担する費用
三　前二号に掲げる費用の財源に充てるための債券又は借入金の利息の支払に要する費用

3　法第十八条第二項又は第十九条第二項の規定による届出に係る道路に係る法第二十三条第一項第三号の政令で定める費用は、次に掲げる費用の財源に充てるための地方債又は一時借入金の元本の償還及び利息の支払に要する費用とする。
一　新設又は改築に要する費用
二　当該道路の通行者又は利用者がその通行又は利用により受ける利益に照らし必要と認められる場合にあつては、維持及び修繕に要する費用並びに料金の徴収に要する費用及び当該徴収に係る事務取扱費
三　法第四十九条第一項の許可に係る高速道路にあつては、同項の道路管理者が同項の協議に基づき、当該高速道路の新設又は改築のために会社が要した費用を支弁するのに要する費用

（全国路線網に属する会社管理高速道路等に係る料金の額の基準）

第八条　会社管理高速道路（独立行政法人日本高速道路保有・債務返済機構法（平成十六年法律第百号。以下「機構法」という。）第十三条第二項に規定する全国路線網に属する高速道路（以下「全国路線網高速道路」という。）及び同条第三項に規定する地域路線網に属する高速道路（以下「地域路線網高速道路」という。）に限る。以下この条において同じ。）又は法第十二条第一項の許可に係る道路に係る法第二十三条第二項の政令で定める料金の額の基準は、次のとおりとする。
一　会社管理高速道路について法第三条第一項又は第六項の料金の額を定めようとするときには、機構法第十三条第一項に規定する協定（以下単に「協定」という。）の対象となる高速道路（当該高速道路について二以上の会社が協定を締結した場合には、当該協定に対応する高速道路の各部分。次条第一号において同じ。）ごとに、料金の徴収期間において徴収することとなる料金の額の合計額（以下「料金徴収総額」という。）が、当該徴収期間において支払うこととなる法第二十三条第一項第一号の貸付料の額の合計額及び当該徴収期間において必要となる当該高速道路に係る第五条各号に掲げる費用の額の合計額の合算額から当該徴収期間において徴収することとなる当該高速道路に係る割増金及び負担金の額その他得ることとなる当該高速道路に係る高速道路株式会社法（平成十六年法律第九十九号）第五条第一項第一号及び第二号の事業（これらの事業に係る同項第六号の事業を含む。）に係る料金以外の収入の額の合計額に相当する額を控除した額に見合う額とすること。
二　法第十三条第一項の料金の額を定めようとするときには、自動車交通上密接な関連を有する指定都市高速道路で国土交通大臣が定めるもの（以下「密接関連指定都市高速道路」という。）ごとに、料金徴収総額が、料金の徴収期間において必要となる当該密接関連指定都市高速道路に係る前条第二項各号に掲げる費用の額の合計額から当該徴収期間において徴収することとなる当該密接関連指定都市高速道路に係る割増金、占用料、連結料、負担金、手数料及び延滞金の額、当該密接関連指定都市高速道路の新設、改築、維持、修繕、災害復旧その他の管理に要する経費の一部として国又は地方公共団体から受けることとなる補助に係る額その他得ることとなる当該密接関連指定都市高速道路に係る地方道路公社法第二十一条第一項の業務に係る料金以外の収入の額の合計額に相当する額を控除した額に見合う額とすること。
三　前二号の料金の額を定めた後、当該料金の徴収期間を通じて、次のイからニまで（法第十二条第一項の許可に係る道路にあつては、イ、ハ及びニ。以下この号において同じ。）に掲げる額が、当該料金の額を定めようとするときにその算定の基礎とした当該イからニまでに定める額と著しく異ならないものであること。
イ　既に徴収した料金の額及び徴収することとなる料金の額の合計額　料金徴収総額
ロ　既に支払つた法第二十三条第一項第一号の貸付料の額及び支払うこととなる当該貸付料の額の合計額　第一号の貸付料の額の合計額
ハ　既に必要となつた第五条各号又は前条第二項各号に掲げる費用の額及び必要となる当該費用の額の合計額　第一号又は前号の費用の額のそれぞれの合計額
ニ　既に得た第一号又は前号の収入の額及び得ることとなる当該収入の額の合計額　第一号又は前号の収入の額のそれぞれの合計額
四　当該道路の効率的な利用の確保を図るために適切なものであること。
五　法第二十四条第二項の規定により人から徴収する料金の額は、少なくとも十二歳以上の者及び十二歳未満の者ごとに定めるものであること。

（その他の道路に係る料金の額の基準）

第九条　前条に規定する会社管理高速道路及び道路以外の道路に係る法第二十三条第二項の政令で定める料金の額の基準は、次のとおりとする。
一　会社管理高速道路（全国路線網高速道路及び地域路線網高速道路を除く。）について法第三条第一項又は第六項の料金の額を定めようとするときには、協定の対象となる高速道路ごとに、料金徴収総額が、料金の徴収期間において支払うこととなる法第二十三条第一項第一号の貸付料の額の合計額及び当該徴収期間において必要となる当該高速道路に係る第五条各号に掲げる費用の額の合計額の合算額から当該徴収期間において徴収することとなる当該高速道路に係る割増金及び負担金の額その他

得ることとなる当該高速道路に係る高速道路株式会社法第五条第一項第一号及び第二号の事業（これらの事業に係る同項第六号の事業を含む。）に係る料金以外の収入の額の合計額に相当する額を控除した額に見合う額とすること。

二　法第十条第一項若しくは第四項又は第十一条第一項若しくは第五項の料金の額を定めようとするときには、当該道路の料金徴収総額が、料金の徴収期間において必要となる当該道路に係る第七条第一項各号に掲げる費用の額の合計額から当該徴収期間において徴収することとなる当該道路に係る割増金、占用料、連結料、負担金、手数料及び延滞金の額、当該道路の新設、改築、維持、修繕、災害復旧その他の管理に要する経費の一部として国又は地方公共団体から受けることとなる補助に係る額その他得ることとなる当該道路に係る地方道路公社法第二十一条第一項の業務に係る料金以外の収入の額の合計額に相当する額を控除した額に見合う額とすること。

三　法第十五条第一項又は第四項の料金の額を定めようとするときには、当該道路の料金徴収総額が、料金の徴収期間において必要となる当該道路に係る第六条各号に掲げる費用の額の合計額から当該徴収期間において徴収することとなる当該道路に係る割増金、占用料、連結料、負担金、手数料及び延滞金の額、当該道路の維持、修繕その他の管理に要する経費の一部として国又は地方公共団体から受けることとなる補助に係る額その他得ることとなる当該道路に係る地方道路公社法第二十一条第一項の業務に係る料金以外の収入の額の合計額に相当する額を控除した額に見合う額とすること。

四　法第十八条第一項又は第十九条第一項の料金の額を定めようとするときには、当該道路の料金徴収総額が、料金の徴収期間において必要となる当該道路に係る第七条第三項の費用の額の合計額に見合う額とすること。

五　前各号の料金の額を定めた後、当該料金の徴収期間を通じて、次のイからニまで（法第十条第一項、第十一条第一項又は第十五条第一項の許可に係る道路にあつては、イ、ハ及びニ、法第十八条第二項又は第十九条第二項の規定による届出に係る道路にあつてはイ及びハ。以下この号において同じ。）に掲げる額が、当該料金の額を定めようとするときにその算定の基礎とした当該イからニまでに定める額と著しく異ならないものであること。

イ　既に徴収した料金の額及び徴収することとなる料金の額の合計額　料金徴収総額

ロ　既に支払つた法第二十三条第一項第一号の貸付料の額及び支払うこととなる当該貸付料の額の合計額　第一号の貸付料の額の合計額

ハ　既に必要となつた第五条各号、第六条各号若しくは第七条第一項各号に掲げる費用又は同条第三項に規定する費用の額及び必要となる当該費用の額の合計額　前各号の費用の額のそれぞれの合計額

ニ　既に得た第一号から第三号までの収入の額及び得ることとなる当該収入の額の合計額　第一号から第三号までの収入の額のそれぞれの合計額

六　法第二十四条第一項本文の規定により高速自動車国道及び自動車専用道路以外の道路を通行し、又は利用する車両（道路法第二条第五項に規定する車両をいう。以下同じ。）の運転者等から徴収する料金の額は、道路の通行若しくは利用の距離若しくは時間の短縮、路面の改良、屈曲若しくは勾配の減少その他の道路の構造の改良又は通行若しくは利用の方法の変更に伴い、燃料費、油脂費、タイヤ及びチューブ費、修繕費、償却費並びに乗務員の人件費その他の車両の運転費、輸送費、旅行費、荷役費、積卸費、包装費その他の道路の通行又は利用に要する費用について、少なくとも次に掲げる車両の種類ごとに算定する通常節約することができる経費の額を超えないものであること。

イ　道路運送車両法（昭和二十六年法律第百八十五号）第三条に規定する普通自動車のうち、乗員定員十人以下のもの

ロ　道路運送車両法第三条に規定する普通自動車のうち、乗員定員十一人以上のもの

ハ　道路運送車両法第三条に規定する小型自動車

ニ　道路運送車両法第三条に規定する軽自動車

ホ　道路運送車両法第三条に規定する大型特殊自動車

ヘ　道路運送車両法第三条に規定する小型特殊自動車

ト　道路運送車両法第二条第三項に規定する原動機付自転車

チ　道路運送車両法第二条第四項に規定する軽車両

リ　イからチまでに掲げる車両以外の車両

七　法第二十四条第二項の規定により人から徴収する料金の額は、少なくとも十二歳以上の者及び十二歳未満の者ごとに定めるものであること。

（料金の徴収期間の基準）

第一〇条　法第二十三条第四項の政令で定める料金の徴収期間の基準は、次のとおりとする。

一　道路の構造及び工法その他当該道路の状況に照らして適切なものであること。

二　法第十五条第一項の許可に係る道路にあつては、当該道路の料金の徴収期間の満了の日が同項の許可の日から起算して四十五年を超えないものであること。

（料金を徴収しない車両）

第一一条　法第二十四条第一項ただし書に規定する政令で定める車両は、当該道路の通行又は利用が災害救助、水防活動その他特別の理由に基づくものであるため運転者等から料金を徴収することが著しく不適当であると認められる車両で、国土交通大臣が定めるものとする。

（占用料の額及び徴収方法等）

第一二条　法第三十三条の規定により会社管理高速道路（高速自動車国道を除く。次項において同じ。）又は公社管理道路について読み替えて適用する道路法第三十九条第一項の規定による占用料の額及び徴収方法に関する道路法施行令第十九条第一項から第三項まで並びに第十九条の二第一項及び第二項の規定の適用については、同令第十九条第一項中「指定区間内の国道」とあるのは「道路整備特別措置法（昭和三十一年法律第七号）第二十三条第一項第一号に規定する会社管理高速道路又は同法第三十一条第一項に規定する公社管理道路（以下「会社管理高速道路等」という。）」と、同条第二項及び第三項並びに同令第十九条の二第一項中「指定区間内の国道」とあるのは「会社管理高速道路等」と、同令第十九条第三項中「国土交通大臣は」とあるのは「道路整備特別措置法第二条第七項に規定する機構等は」と、同令第十九条の二第一項中「納入告知書（法第十三条第二項の規定により都道府県又は指定市が占用料を徴収する事務を行つている場合にあつては、納入通知書）」とあるのは「、納付すべき金額、期限及び場所を記載した書面」と、同条第二項ただし書中「国土交通大臣」とあるのは「道路整備特別措置法第二条第七項に規定する機構等」とする。

2　法第三十三条の規定により会社管理高速道路又は公社管理道路について読み替えて適用する道路法施行令第十九条の二第五項の規定による占用料の額の最低額に関する道路法施行令第十九条の三の二の規定の適用については、同条中「同条第一項本文中」とあるのは「同条第一項本文中「指定区間内の国道」とあるのは「道路整備特別措置法（昭和三十一年法律第七号）第二十三条第一項第一号に規定する会社管理高速道路又は同法第三十一条第一項に規定する公社管理道路（以下「会社管理高速道路等」という。）」と、「国土交通大臣」とあるのは「道路整備特別措置法第二条第七項に規定する機構等」と、「同条第三項中」とあるのは「同条第三項中「国土交通大臣は」とあるのは「道路整備特別措置法第二条第七項に規定する機構等は」と、「指定区間内の国道」とあるのは「会社管理高速道路等」と、」とする。

（連結料の徴収方法）

第一三条　法第三十四条第一項の規定により会社管理高速道路（高速自動車国道を除く。）又は公社管理道路について読み替えて適用する道路法第四十八条の七第一項の規定による連結料の徴収方法に関する道路法施行令第十九条の十八の規定の適用については、同条第一項中「指定区間内の国道」とあるのは「道路整備特別措置法（昭和三十一年法律第七号）第二十三条第一項第一号に規定する会社管理高速道路又は同法第三十一条第一項に規定する公社管理道路」と、同条第二項中「納入告知書」とあるのは「納付すべき金額、期限及び場所を記載した書面」と、同条第三項ただし書中「道路管理者」とあるのは「道路整備特別措置法第二条第七項に規定する機構等」とする。

（手数料及び延滞金）

第一四条　法第八条第一項第二十八号又は第十七条第一項第二十四号の規定により道路法第四十七条の二第一項の許可に関する道路管理者の権限を機構等が代わつて行う場合における法第三十六条の規定により読み替えて適用する道路法第四十七条の二第三項の手数料の額は、当該受けようとする許可に係る一通行経路ごとに二百円とする。

2　法第四十五条第一項及び第四項において読み替えて準用する道路法第七

十三条第二項並びに法第四十五条第二項の規定により読み替えて適用する道路法第七十三条第二項の規定により機構等が徴収する手数料の額は、督促状一通につき郵便法（昭和二十二年法律第百六十五号）第二十一条第一項に規定する通常葉書の料金の額を超えない範囲内において国土交通大臣が定める額とする。

3　法第四十五条第一項及び第四項において読み替えて準用する道路法第七十三条第二項並びに法第四十五条第二項の規定により読み替えて適用する道路法第七十三条第二項の規定により機構等が徴収することができる延滞金は、当該督促に係る負担金等の額が千円以上である場合に徴収するものとし、その額は、納付すべき期限の翌日から負担金等の納付の日までの日数に応じ負担金等の額に年十・七五パーセントの割合を乗じて計算した額とする。この場合において、負担金等の額の一部につき納付があつたときは、その納付の日以後の期間に係る延滞金の計算の基礎となる負担金等の額は、その納付のあつた負担金等の額を控除した額による。

4　前項の延滞金は、その額が百円未満であるときは、徴収しないものとする。

（**道路法の規定の適用についての技術的読替え**）

第一五条　法の規定により機構及び会社又は地方道路公社が行う道路（高速自動車国道を除く。）の管理についての法第五十四条第一項の規定による道路法の規定の適用については、地方道路公社が行う道路（高速自動車国道を除く。）の管理について適用する場合において同法第三十二条第四項中「道路管理者」とあるのは、「地方道路公社」とするほか、次の表の第二欄に掲げる同法の規定中同表の第三欄に掲げる字句は、同表の第四欄に掲げる場合の区分に応じ、それぞれ同欄に掲げる字句とする。

項	読み替える規定	読み替えられる字句	次に掲げる場合の区分に応じて読み替える字句	
			機構及び会社が行う道路（高速自動車国道を除く。）の管理について適用する場合	地方道路公社が行う道路（高速自動車国道を除く。）の管理について適用する場合
一	第二条第二項第二号	第十八条第一項に規定する道路管理者	道路整備特別措置法（昭和三十一年法律第七号）第二条第四項に規定する会社（以下「会社」という。）	地方道路公社
二	第二条第二項第五号、第七号及び第八号	第十八条第一項に規定する道路管理者	会社	地方道路公社
三	第十八条第一項	第十二条、第十三条第一項若しくは第三項、第十五条、第十六条又は前条第一項から第三項までの規定によつて道路を管理する者（指定区間内の国道にあつては国土交通大臣、指定区間外の国道にあつては都道府県。以下「道路管理者」という。）	独立行政法人日本高速道路保有・債務返済機構	地方道路公社
		決定して	決定し、第十二条、第十三条第一項若しくは第三項、第十五条、第十六条又は前条第一項から第三項までの規定によつて道路を管理する者（指定区間内の国道にあつては国土交通大臣、指定区間外の国道にあつては都道府県。以下「道路管理者」という。）は	決定し、第十二条、第十三条第一項若しくは第三項、第十五条、第十六条又は前条第一項から第三項までの規定によつて道路を管理する者（指定区間内の国道にあつては国土交通大臣、指定区間外の国道にあつては都道府県。以下「道路管理者」という。）は
四	第十九条の二第一項、第三十一条第一項、第二項及び第四項、第九十三条	当該道路の道路管理者	会社	地方道路公社
五	第十九条の二第一項	道路管理者（	道路管理者（当該他の道路が他の会社が管理する道路整備特別措置法第二十三条第一項第一号に規定する会社管理高速道路であるときは当該他の会社、同法第三十一条第一項に規定する公社管理道路であるときは地方道路公社。	道路管理者（当該他の道路が道路整備特別措置法第二十三条第一項第一号に規定する会社管理高速道路であるときは会社、他の地方道路公社が管理する同法第三十一条第一項に規定する公社管理道路であるときは当該他の地方道路公社。
六	第十九条の二第二項	そのいずれかが国土交通大臣である場合を除き、共用管理施設関係道路管理者のいずれかが都道府県であるときは国土交通大臣に、その他のときは都道府県知事	当該他の道路の道路管理者が国土交通大臣である場合を除き、国土交通大臣	当該他の道路の道路管理者が国土交通大臣である場合を除き、国土交通大臣
七	第十九条の二第三項	国土交通大臣」とあるのは「国土交通大臣又は都道府県知事」と、「関係都道府県知事」とあるの	関係都道府県知事の」とあるのは「共用管理施設関係道路管理者の」と、「関係都道府県知事は」	関係都道府県知事の」とあるのは「共用管理施設関係道路管理者の」と、「関係都道府県知事は」

		は「共用管理施設関係道路管理者	とあるのは「当該他の道路の道路管理者（地方公共団体であるものに限る。）は	とあるのは「当該他の道路の道路管理者（地方公共団体であるものに限る。）は
八	第十九条の二第五項	共用管理施設関係道路管理者は	当該道路の道路管理者及び当該他の道路の道路管理者は	当該道路の道路管理者及び当該他の道路の道路管理者は
九	第二十条第一項	当該道路の道路管理者	独立行政法人日本高速道路保有・債務返済機構（以下「機構」という。）又は会社（他の工作物の管理者が当該会社であるときは、機構。以下この条において同じ。）	地方道路公社
十	第二十条第三項	国土交通大臣以外の道路管理者	機構又は会社	地方道路公社
		当該道路の道路管理者	機構若しくは会社	地方道路公社
		そのいずれかが国又は都道府県であるときは国土交通大臣及び当該他の工作物に関する主務大臣に、その他のときは都道府県知事（他の工作物に関する主務大臣の事務を分掌する地方支分部局の長があるときは、都道府県知事及び当該支分部局の長。以下この条並びに第五十五条第三項及び第四項において同じ。）	国土交通大臣及び当該他の工作物に関する主務大臣	国土交通大臣及び当該他の工作物に関する主務大臣
	第二十条第四項	主務大臣又は都道府県知事	主務大臣	主務大臣
		当該道路の道路管理者又は	機構若しくは会社又は	地方道路公社又は

十一		ならない。この場合において、当該道路の道路管理者は、意見を提出しようとするときは、指定区間外の国道にあつては道路管理者である都道府県の議会に諮問し、その他の道路にあつては道路管理者である地方公共団体の議会の議決を経なければならない	ならない	ならない
十二	第二十条第五項	第二項の規定による国土交通大臣と当該他の工作物に関する主務大臣との協議が成立した場合又は前二項	前二項	前二項
		若しくは都道府県知事が裁定	が裁定	が裁定
十三	第二十条第五項、第四十四条の三第一項から第五項まで、第六十七条の二第二項から第五項まで、第九十五条の二	道路管理者	機構又は会社	地方道路公社
十四	第二十条第六項	道路管理者と	機構又は会社と	地方道路公社と
十五	第二十一条	協議	機構又は会社が協議	地方道路公社が協議
	第二十一条、第二十二条第一項、第三十二条第一項から第三項まで及び第五項、第三十三条第一項、第三十四条から第三十六条まで、第三十九条の二第一項、第三十九条の三第一項、第三十九条の四第一項から第三項まで及び第五項、第三十九条の五第一項、第三十九	道路管理者	機構	地方道路公社

十六	条の六第一項から第三項まで、第三十九条の七第二項、第三十九条の九、第四十条第二項、第四十三条の二、第四十四条第四項から第七項まで、第四十四条の二第三項、第五項及び第六項、第四十六条、第四十七条第三項、第四十七条の二第一項及び第五項、第四十七条の十四、第四十七条の十七第一項、第四十八条第二項及び第四項、第四十八条の五第三項、第四十八条の八第二項、第四十八条の九、第四十八条の十、第四十八条の十二、第四十八条の二十九の三、第四十八条の三十二、第四十八条の三十三、第四十八条の四十九第二号、第四十八条の六十四、第六十六条第一項、第六十八条、第六十九条第一項、第七十一条第一項から第三項まで及び第五項、第七十二条第一項及び第三項、第七十二条の二第一項及び第二項、第八十七条第一項、第九十一条第三項、第九十六条第五項			
十七	第二十二条の二	道路管理者は	会社は	地方道路公社は
十八	第二十二条の二、第二十四条	道路管理者以外	道路管理者、機構及び会社以外	道路管理者及び地方道路公社以外
十九	第二十三条第一項、第三十八条、第四十二条第一項、第七十条第一項、第三項及び第四項、第九十一条第二項、第九十二条第四項	道路管理者	会社	地方道路公社
二十	第二十四条、第九十一条第一項	道路管理者の	機構の	地方道路公社の
二十一	第三十一条第二項	国土交通大臣以外の道路管理者	会社	地方道路公社
二十二	第三十一条第三項	当該道路の道路管理者又は	会社又は	地方道路公社又は
		ならない。この場合において、当該道路の道路管理者は、意見を提出しようとするときは、指定区間外の国道にあつては当該道路管理者である都道府県の議会に諮問し、その他の道路にあつては当該道路管理者である地方公共団体の議会の議決を経なければならない	ならない	ならない
二十三	第三十九条の二第六項	道路管理者（市町村である道路管理者を除く。）	機構	地方道路公社
二十四	第三十九条の二第七項、第三十九条の五第二項、第四十七条の十八第二項	道路管理者は、	道路管理者は、機構が	道路管理者は、地方道路公社が
二十五	第三十九条の四第四項	道路管理者は	機構は	地方道路公社は
		当該道路管理者	機構	当該地方道路公社
二十六	第四十一条	道路管理者	道路管理者、機構及び会社	道路管理者及び地方道路公社
二十七	第四十五条第一項、第四十七条の十五、第四十七条の十八第一項、第四十八条の十一第二項、第四	道路管理者	機構及び会社	地方道路公社

	十八条の二十九の四			
二十八	第四十五条の二第二項	道路管理者は、	機構は、会社が	地方道路公社は、
二十九	第四十七条の二第二項	道路管理者	道路管理者又は道路整備特別措置法第八条第一項第二十八号若しくは第十七条第一項第二十四号の規定により道路管理者に代わつてこれらの権限を行う者	道路管理者又は道路整備特別措置法第八条第一項第二十八号若しくは第十七条第一項第二十四号の規定により道路管理者に代わつてこれらの権限を行う者
		同項	前項	前項
三十	第四十七条の二第三項	道路管理者が	道路管理者又は道路整備特別措置法第八条第一項第二十八号若しくは第十七条第一項第二十四号の規定により道路管理者に代わつてこれらの権限を行う者が	道路管理者又は道路整備特別措置法第八条第一項第二十八号若しくは第十七条第一項第二十四号の規定により道路管理者に代わつてこれらの権限を行う者が
三十一	第四十七条の十二第三項	道路管理者	道路管理者又は機構	道路管理者又は地方道路公社
三十二	第四十八条の五第一項	当該自動車専用道路の道路管理者の	機構の	地方道路公社の
三十三	第四十八条の五第二項	自動車専用道路の道路管理者（次項及び第四十八条の七から第四十八条の十までにおいて単に「道路管理者」という。）は、前項前段の場合にあつては当該協議に係る施設又は当該連結許可の申請に係る施設が次の各号に掲げる区分に応じ当該各号	機構は、当該連結許可の申請に係る施設が第二号	地方道路公社は、当該連結許可の申請に係る施設が第二号
		同項後段の場合にあつては当該交差が第四十八条の三ただし書に規定する場合に該当するときに限り、同項の協議に応じ、又は連結許可	連結許可	連結許可
三十四	第六十七条の二第一項	道路管理者	機構若しくは会社	地方道路公社
三十五	第七十一条第四項	基づく処分	基づく処分で道路整備特別措置法第八条第一項第十三号、第十四号、第二十一号、第二十三号、第二十七号、第三十一号若しくは第三十三号若しくは第十七条第一項第七号、第九号、第十七号、第十九号、第二十三号、第二十七号若しくは第二十九号の規定により道路管理者に代わつて機構若しくは地方道路公社が行うもの若しくは有料道路管理者が行うもの	基づく処分で道路整備特別措置法第八条第一項第十三号、第十四号、第二十一号、第二十三号、第二十七号、第三十一号若しくは第三十三号若しくは第十七条第一項第七号、第九号、第十七号、第十九号、第二十三号、第二十七号若しくは第二十九号の規定により道路管理者に代わつて機構若しくは地方道路公社が行うもの若しくは有料道路管理者が行うもの
三十六	第九十一条第一項	道路管理者（国土交通大臣が自ら道路の新設又は改築を行う場合における国土交通大臣を含む。以下この条及び第九十六条第五項後段において同じ。）	会社	地方道路公社
三十七	第九十三条	当該道路管理者	当該会社	当該地方道路公社
三十八	第九十五条の二第二項	第四十八条の二第一項若しくは第二項の規定による自動車専用道路の指定をし、第四十五条第一項	第四十五条第一項	第四十五条第一項
		設け、	設け、又は	設け、又は
		制限し、又は自動車専用道路が他の道路に連絡する位置を定めようとする	制限しようとする	制限しようとする

２　法の規定により有料道路管理者が行う道路（都道府県道及び市町村道に限る。）の管理についての法第五十四条第一項の規定による道路法の規定の適用については、次の表の第二欄に掲げる同法の規定中同表の第三欄に掲げる字句は、それぞれ同表の第四欄に掲げる字句とする。

項	読み替える規定	読み替えられる字句	読み替える字句
一	第二条第二項第二号	第十八条第一項に規定する道路管理者	道路整備特別措置法（昭和三十一年法律第七号）第十八条第四項に規定する有料道路管理者（以下「有料道路管理者」という。）
二	第二条第二項第五号及び第七号から第九号まで	第十八条第一項に規定する道路管理者	有料道路管理者
三	第十八条第二項、第二十条第五項、第二十一条、第二十二条第一項、第二十二条の二、第二十三条第一項、第二十四条、第二十四条の二第三項、第二十四条の三、第二十八条第一項及び第三項、第三十一条の二第二項及び第三項、第三十二条、第三十三条第一項、第二項第三号、第三項及び第四項、第三十四条から第三十九条まで、第三十九条の二第一項及び第五項から第七項まで、第三十九条の三第一項及び第三項、第三十九条の四、第三十九条の五、第三十九条の六第一項から第三項まで、第三十九条の七第二項及び第四項、第三十九条の九、第四十条第二項、第四十一条、第四十二条第一項、第四十三条の二、第四十四条第一項、第二項及び第四項から第七項まで、第四十四条の二第一項から第三項まで、第五項及び第六項、第四十四条の三第一項から第五項まで及び第八項、第四十五条第一項、第四十五条の二第二項、第四十六条、第四十七条第三項、第四十七条の二第一項及び第五項、第四十七条の十四、第四十七条の十五、第四十七条の十七第二項、第四十七条の十八、第四十七条の二十一第一項及び第三項、第四十八条第二項及び第四項、第四十八条の二、第四十八条の三、第四十八条の五第三項、第四十八条の七、第四十八条の八第二項、第四十八条の九、第四十八条の十、第四十八条の十一第二項、第四十八条の十二、第四十八条の二十第一項、第二項及び第五項、第四十八条の二十三第一項、第五項及び第六項、第四十八条の二十四第一項及び第三項、第四十八条の二十五、第四十八条の二十六、第四十八条の二十七第一項及び第二項、第四十八条の二十八第二項、第四十八条の二十九、第四十八条の二十九の三、第四十八条の二十九の四、第四十八条の二十九の五第一項、第四十八条の二十九の六第一項から第三項まで、第四十八条の三十、第四十八条の三十二から第四十八条の三十四まで、第四十八条の三十五第一項、第四十八条の三十七第一項、第四十八条の三十八第一項から第三項まで、第四十八条の四十第一項、第四十八条の四十一、第四十八条の四十九第二号、第四十八条の六十から第四十八条の六十四まで、第五十七条、第五十八条第一項、第五十九条第三項、第六十条から第六十二条まで、第六十六条第一項、第六十七条の二、第六十八条、第六十九条第一項、第七十条第一項、第三項及び第四項、第七十一条第一項から第三項まで及び第五項、第七	道路管理者	有料道路管理者

	十二条第一項及び第三項、第七十二条の二第一項及び第二項、第七十三条第一項から第三項まで、第七十五条第四項及び第五項、第七十六条、第八十六条第二項、第八十七条第一項、第九十条第二項、第九十一条第二項及び第三項、第九十二条第四項、第九十五条の二、第九十六条第三項から第五項まで、第百三条第二号、第五号及び第六号、第百四条第一号、第六号及び第七号、第百五条、第百六条第一号		
四	第十九条の二第一項、第二十条第一項、第三項、第四項及び第六項、第三十一条第一項から第四項まで、第三十一条の二第一項、第四十九条、第五十五条第三項、第七十五条第二項及び第三項、第九十三条	当該道路の道路管理者	有料道路管理者
五	第二十条第三項、第三十一条第二項	国土交通大臣以外の道路管理者	有料道路管理者
六	第二十条第四項	指定区間外の国道にあつては道路管理者である都道府県の議会に諮問し、その他の道路にあつては道路管理者	有料道路管理者
七	第二十条第五項	第二項の規定による国土交通大臣と当該他の工作物に関する主務大臣との協議が成立した場合又は前二項	前二項
八	第二十条第六項	道路管理者と	有料道路管理者と
九	第二十四条の二第一項	道路管理者（指定区間内の国道にあつては、国。第三項（第四十八条の三十五第三項において準用する場合を含む。）、第三十九条第一項、第四十四条第五項及び第七項、第四十四条の三第八項、第四十八条の七第一項、第四十八条の三十五第一項、第四十九条、第五十八条第一項、第五十九条第三項、第六十一条第一項、第六十四条第一項、第六十九条第一項、第七十条第一項、第七十二条第一項及び第三項、第七十三条第一項から第三項まで、第八十五条第三項並びに第九十一条第三項において同じ。）は、道路管理者である地方公共団体の条例（指定区間内の国道にあつては、政令）	有料道路管理者は、有料道路管理者である地方公共団体の条例
十	第三十一条第三項	指定区間外の国道にあつては当該道路管理者である都道府県の議会に諮問し、その他の道路にあつては当該道路管理者	当該有料道路管理者
十一	第三十一条の二第一項	指定区間外の国道、都道府県道又は市町村道	道路整備特別措置法第十八条第二項の規定による届出に係る道路
十二	第三十九条第二項、第三十九条の二第五項、第四十四条第一項、第四十八条の七第二項、第四十八条の三十五第一項、第六十一条第二項、第七十三条第二項	条例（指定区間内の国道にあつては、政令）	条例
十三	第三十九条第二項	但し、条例で定める場合においては	この場合において
十四	第三十九条の七第四項	同項の条例（指定区間内の国道にあつては、同項の政令）	同項の条例
		当該条例又は当該政令	当該条例
十五	第四十四条の二第二項	条例（指定区間内の国道にあつては、国土交通省令。以下この条において同じ。）	条例
十六	第四十八条の五第一項	当該自動車専用道路の道路管理者	有料道路管理者
十七	第四十八条の五第二項	自動車専用道路の道路管理者（次項及び第四十八条の七から第四十八条の十までにおいて単に「道路管理者」という。）	有料道路管理者
十八	第四十八条の十七第二項、第四十八条の	道路管理者（国土交通大臣である道路管	有料道路管理者

	二十九の二第二項	理者を除く。）	
十九	第四十八条の四十二第一項	道路管理者（以下「特定道路管理者	有料道路管理者（以下「特定有料道路管理者
二十	第四十八条の四十二第二項、第四十八条の四十四、第四十八条の四十五	特定道路管理者	特定有料道路管理者
二十一	第五十四条の二第一項、第五十五条第一項	第四十九条から第五十一条までの規定により国又は	第四十九条の規定により有料道路管理者である
二十二	第五十五条第一項及び第四項	国土交通大臣又は当該道路の道路管理者	有料道路管理者
二十三	第五十五条第二項	第二十条第二項及び第三項	第二十条第三項
二十四	第五十五条第三項	道路管理者である	有料道路管理者である
二十五	第六十四条第一項	第二十五条の規定に基づく料金	第三十九条の規定に基づく占用料
		道路管理者の収入とし、第三十九条の規定に基づく占用料は、政令で定める区分に従い、道路管理者又は第十三条第二項の規定により指定区間内の国道の維持、修繕及び災害復旧以外の管理を行う都道府県若しくは指定市	有料道路管理者
二十六	第七十一条第四項	基づく処分	基づく処分で道路整備特別措置法第八条第一項第十三号、第十四号、第二十一号、第二十三号、第二十七号、第三十一号若しくは第三十三号若しくは第十七条第一項第七号、第九号、第十七号、第十九号、第二十三号、第二十七号若しくは第二十九号の規定により道路管理者に代わって機構若しくは地方道路公社が行うもの若しくは有料道路管理者が行うもの
二十七	第七十五条第二項第二号、第九十一条第一項	道路管理者の	有料道路管理者の
二十八	第八十五条第二項	都道府県道又は市町村道に	道路整備特別措置法第十八条第二項の規定による届出に係る道路に
		都道府県道又は市町村道の道路管理者	道路の有料道路管理者
二十九	第八十五条第三項	道路の附属物の新設又は改築に	道路整備特別措置法第十八条第二項の規定による届出に係る道路の附属物の新設又は改築に
		道路の附属物の新設又は改築が国道の新設又は改築に伴うものである場合においては、当該国道の新設又は改築に要する費用を負担する者がその負担の割合に応じて負担し、その他の場合においては、道路管理者	有料道路管理者
三十	第九十一条第一項	道路管理者（国土交通大臣が自ら道路の新設又は改築を行う場合における国土交通大臣を含む。以下この条及び第九十六条第五項後段において同じ。）	有料道路管理者
三十一	第九十三条	当該道路管理者	当該有料道路管理者
三十二	第九十六条第二項	都道府県又は市町村である道路管理者	有料道路管理者
		当該都道府県の知事又は当該市町村の長	当該有料道路管理者である都道府県又は市町村の長
		道路管理者がした	有料道路管理者がした

（高速自動車国道法の規定による道路法の規定の適用についての技術的読替え）

第一六条 法の規定により機構及び会社が行う高速自動車国道の管理について法第五十四条第一項の規定により適用する高速自動車国道法第二十五条の規定による道路法の規定の適用については、同法第二十一条中「協議」とあるのは「独立行政法人日本高速道路保有・債務返済機構（以下「機構」という。）又は会社が協議」と、同法第三十九条の二第七項中「入札占用指針」とあるのは「機構が入札占用指針」と、同法第三十九条の五第二項中「道路管理者は、」とあるのは「道路管理者は、機構が」と、同法第四十五条の二第二項中「道路管理者は、」とあるのは「機構は、会社が」と、同法第四十七条の十二第三項中「道路管理者」とあるのは「道路管理者又は機構」と、同法第四十七条の十八第二項中「協定を」とあるのは「機構が協定を」と、同法第七十一条第四項中「基づく処分」とあるのは「基づく処分で道路整備特別措置法第八条第一項第十三号、第十四号、第二十一号、第二十三号、第二十七号、第三十一号若しくは第三十三号若しくは第十七条第一項第七号、第九号、第十七号、第十九号、第二十三号、第二十七号若しくは第二十九号の規定により道路管理者に代わって機構若しくは地方道路公社が行うもの若しくは有料道路管理者が行うもの」とするほか、次の表の第二欄に掲げる同法の規定中同表の第三欄に掲げる字句を高速自動車国道法第二十五条の規定により読み替えた同表の第四欄に掲げる字句は、それぞれ同表の第五欄に掲げる字句とする。

項	読み替える道路法の規定	読み替えられる字句	高速自動車国道法第二十五条の規定により読み替えた字句	読み替える字句
一	第二条第二項第二号	第十八条第一項に規定する道路管理者	国土交通大臣	道路整備特別措置法（昭和三十一年法律第七号）第二条第四項に規定する会社（以下「会社」という。）
二	第二条第二項第五号、第七号及び第八号	第十八条第一項に規定する道路管理者	国土交通大臣	会社
三	第十九条の二第一項	当該他の道路の道路管理者	国土交通大臣	会社
四	第二十一条、第二十二条第一項、第三十二条第一項から第三項まで及び第五項、第三十三条第一項、第三十四条から第三十六条まで、第三十九条の三第一項、第三十九条の四第一項から第三項まで及び第五項、第三十九条の五第一項、第三十九条の六第一項から第三項まで、第三十九条の七第二項、第三十九条の九、第四十条第二項、第四十三条の二、第四十四条第四項及び第六項、第四十四条の二第三項、第五項及び第六項、第四十六条、第四十七条第三項、第四十七条の二第一項及び第五項、第四十七条の十四、第四十七条の十七第一項、第四十八条第二項及び第四項、第四十八条の二十九の三、第四十八条の三十二、第四十八条の三十三、第四十八条の四十九第二号、第四十八条の六十四、第六十六条第一項、第六十八条、第七十一条第一項から第三項まで及び第五項、第七十二条の二第一項及び第二項、第九十六条第五項	道路管理者	国土交通大臣	機構
五	第二十二条の二	道路管理者は	国土交通大臣は	会社は
六	第二十二条の二、第二十四条	道路管理者以外	国土交通大臣以外	国土交通大臣、機構及び会社以外
七	第二十三条第一項、第三十八条第一項、第四十二条第一項、第七十条第三項及び第四項、第九十一条第二項、第九十二条第四項	道路管理者	国土交通大臣	会社
八	第二十四条、第九十一条第一項	道路管理者の	国土交通大臣の	機構の
九	第三十八条第二項、第七十条第一項	道路管理者が	国土交通大臣が	会社が
十	第三十八条第二項、第九十三条	当該道路管理者	国土交通大臣	当該会社
十一	第三十九条の二第一項、第三十九条の四第四項	道路管理者は	国土交通大臣は	機構は
十二	第三十九条の二第一項	道路管理者の	国の	機構の
十三	第三十九条の二第六項	道路管理者（市町村である道路管理者を除く。）	国土交通大臣	機構
十四	第三十九条の四第四項	当該道路管理者	国土交通大臣	機構
十五	第四十一条	道路管理者	国土交通大臣	国土交通大臣、機構及び会社

十六	第四十四条第五項及び第七項、第六十九条第一項、第七十二条第一項及び第三項、第九十一条第三項	道路管理者	国	機構
十七	第四十四条の三第一項から第五項まで、第六十七条の二第二項から第五項まで	道路管理者	国土交通大臣	機構又は会社
十八	第四十五条第一項、第四十七条の十五、第四十七条の十八第一項、第四十八条の二十九の四	道路管理者	国土交通大臣	機構及び会社
十九	第四十七条の二第二項	一の道路の道路管理者が行う	国土交通大臣又は一の道路の道路管理者が行う	機構又は一の道路の道路管理者が行う
		当該一の道路の道路管理者	国土交通大臣又は当該一の道路の道路管理者	機構又は当該一の道路の道路管理者
		他の道路の道路管理者	他の道路の道路管理者又は国土交通大臣	他の道路の道路管理者又は機構
二十	第四十七条の二第三項	一の道路の道路管理者	国土交通大臣	一の道路の道路管理者又は道路整備特別措置法第八条第一項第二十八号若しくは第十七条第一項第二十四号の規定により道路管理者に代わつてこれらの権限を行う者
二十一	第六十七条の二第一項	道路管理者	国土交通大臣	機構若しくは会社
二十二	第七十条第一項	道路管理者は	国は	会社は
		道路管理者又は	国又は	会社又は
二十三	第八十七条第一項	国土交通大臣及び道路管理者	国土交通大臣	国土交通大臣及び機構
二十四	第九十一条第一項	道路管理者（国土交通大臣が自ら道路の新設又は改築を行う場合における国土交通大臣を含む。以下この条及び第九十六条第五項後段において同じ。）	国土交通大臣	会社
二十五	第九十三条	当該道路の道路管理者	国土交通大臣	会社

（高速自動車国道法の規定の適用についての技術的読替え）

第一七条　法の規定により機構及び会社が行う高速自動車国道の管理についての法第五十四条第一項の規定による高速自動車国道法の規定の適用については、次の表の上欄に掲げる同法の規定中同表の中欄に掲げる字句は、それぞれ同表の下欄に掲げる字句とする。

読み替える規定	読み替えられる字句	読み替える字句
第七条第一項、第十一条の二第一項、第二項及び第五項、第十一条の五第二項、第十一条の六、第十一条の七、第十一条の八第一項、第十四条第二項及び第三項、第十八条、第十九条第一項	国土交通大臣	独立行政法人日本高速道路保有・債務返済機構
第七条第一項	決定して	決定し、国土交通大臣は
第七条の二第一項	国土交通大臣	道路整備特別措置法（昭和三十一年法律第七号）第二条第四項に規定する会社（以下「会社」という。）
	以下同じ。）	以下同じ。）（当該他の道路が国土交通大臣が管理する高速自動車国道であるときは国土交通大臣、他の会社が管理する道路整備特別措置法第二十三条第一項第一号に規定する会社管理高速道路であるときは会社、同法第三十一条第一項に規定する公社管理道路であるときは地方道路公社
第八条第一項	国土交通大臣	独立行政法人日本高速道路保有・債務返済機構又は会社（他の工作物の管理者が当該会社であるときは、独立行

		政法人日本高速道路保有・債務返済機構。以下この条において同じ。）
第八条第二項	場合においては	場合において、独立行政法人日本高速道路保有・債務返済機構又は会社から当該他の工作物の主務大臣と協議することを求められたときは
	あらためて協議する	協議する
第八条第三項	、国土交通大臣	、独立行政法人日本高速道路保有・債務返済機構又は会社
第八条第四項	国土交通大臣と	独立行政法人日本高速道路保有・債務返済機構又は会社と
第十一条の二第一項	前条各号に掲げる施設（高速自動車国道を除く。）	次項第三号に掲げる施設
第十一条の二第二項	次の各号に掲げる区分に応じ当該各号	第三号
第十一条の二第五項	前条第二号から第四号まで	第二項第三号
第十六条	国土交通大臣	会社
第十七条第二項	国土交通大臣	独立行政法人日本高速道路保有・債務返済機構及び会社
第二十四条の二	、国土交通大臣	、独立行政法人日本高速道路保有・債務返済機構及び会社
	「国土交通大臣	「独立行政法人日本高速道路保有・債務返済機構又は道路整備特別措置法（昭和三十一年法律第七号）第二条第四項に規定する会社

（道路法施行令の規定の適用についての技術的読替え）

第一八条　法の規定により機構及び会社又は地方道路公社が行う道路（高速自動車国道を除く。）の管理についての法第五十四条第一項の規定による道路法施行令の規定の適用については、次の表の上欄に掲げる同令の規定中同表の中欄に掲げる字句は、同表の下欄に掲げる場合の区分に応じ、それぞれ同欄に掲げる字句とする。

読み替える規定	読み替えられる字句	次に掲げる場合の区分に応じて読み替える字句	
		機構及び会社が行う道路（高速自動車国道を除く。）の管理について適用する場合	地方道路公社が行う道路（高速自動車国道を除く。）の管理について適用する場合
第十九条の三の三第一項	道路管理者は	独立行政法人日本高速道路保有・債務返済機構（以下「機構」という。）は	地方道路公社は
	当該道路管理者	機構	当該地方道路公社
第十九条の三の三第二項及び第三項、第十九条の十二から第十九条の十四まで	道路管理者	機構	地方道路公社
第十九条の六第一項第一号	道路管理者	機構又は会社（道路整備特別措置法（昭和三十一年法律第七号）第二条第四項に規定する会社をいう。以下同じ。）	地方道路公社
第十九条の六第二項、第十九条の七、第十九条の九、第十九条の十、第三十条の三第一項第一号及び第二項、第三十条の四	道路管理者	機構又は会社	地方道路公社
第三十四条の三第二号	道路管理者又は法第十七条第四項の規定による歩道の新設等若しくは法第四十八条の二十二第一項の規定による歩行者利便増進改築等を行う指定市以外の市町村	会社	地方道路公社

2　法の規定により有料道路管理者が行う道路（都道府県道及び市町村道に限る。）の管理についての法第五十四条第一項の規定による道路法施行令の規定の適用については、次の表の上欄に掲げる同令の規定中同表の中欄に掲げる字句は、それぞれ同表の下欄に掲げる字句とする。

読み替える規定	読み替えられる字句	読み替える字句
第十九条の三第一項	指定区間内の国道に係るものにあつては国、指定区間外の国道に係るものにあつては道路管理者である都道府県又は指定市若しくは指定市以外の市、都道府県道又は市町村道に係るものにあつては道路管理者である都道府県又は市町村	道路整備特別措置法（昭和三十一年法律第七号）第十八条第四項に規定する有料道路管理者（以下単に「有料道路管理者」という。）
第十九条の三の三、第	道路管理者	有料道路管理者

十九条の六第一項第一号及び第二項、第十九条の七、第十九条の九、第十九条の十、第十九条の十二から第十九条の十五まで、第三十条の三第一項第一号及び第二項、第三十条の四		
第三十四条の三第二号	道路管理者又は法第十七条第四項の規定による歩道の新設等若しくは法第四十八条の二十二第一項の規定による歩行者利便増進改築等を行う指定市以外の市町村	有料道路管理者

3　法の規定により機構及び会社が行う高速自動車国道の管理について法第五十四条第一項の規定により適用する高速自動車国道法第二十五条の規定による道路法施行令の規定の適用については、同令第十九条第三項中「国土交通大臣は」とあるのは「独立行政法人日本高速道路保有・債務返済機構は」と、同令第十九条の二第二項ただし書中「国土交通大臣」とあるのは「独立行政法人日本高速道路保有・債務返済機構（以下「機構」という。）」とするほか、次の表の第一欄に掲げる同令の規定中同表の第二欄に掲げる字句を高速自動車国道法施行令（昭和三十二年政令第二百五号）第十三条の規定により読み替えた同表の第三欄に掲げる字句は、それぞれ同表の第四欄に掲げる字句とする。

第一欄	第二欄	第三欄	第四欄
第十九条の二第一項	納入告知書（法第十三条第二項の規定により都道府県又は指定市が占用料を徴収する事務を行つている場合にあつては、納入通知書）	納入告知書	納付すべき金額、期限及び場所を記載した書面
第十九条の三第一項	指定区間内の国道に係るものにあつては国、指定区間外の国道に係るものにあつては道路管理者である都道府県又は指定市若しくは指定市以外の市、都道府県道又は市町村道に係るものにあつては道路管理者である都道府県又は市町村	国	機構
第十九条の三の三第一項	道路管理者は	国土交通大臣は	機構は
	当該道路管理者	国土交通大臣	機構
第十九条の三の三第二項及び第三項、第十九条の十二から第十九条の十四まで	道路管理者	国土交通大臣	機構
第十九条の六第一項第一号	当該道路管理者	関係地方整備局又は北海道開発局	当該機構又は会社（道路整備特別措置法（昭和三十一年法律第七号）第二条第四項に規定する会社をいう。以下同じ。）
第十九条の六第二項、第十九条の九第一項、第三十条の三第二項	道路管理者は	国土交通大臣は	機構又は会社は
第十九条の六第二項、第十九条の九第一項、第三十条の三第一項第一号及び第二項	当該道路管理者	関係地方整備局又は北海道開発局	当該機構又は会社
第十九条の七、第十九条の九第二項及び第三項、第十九条の十、第三十条の四	道路管理者	国土交通大臣	機構又は会社
第三十四条の三第二号	道路管理者又は法第十七条第四項の規定による歩道の新設等若しくは法第四十八条の二十二第一項の規定による歩行者利便増進改築等を行う指定市以外の市町村	国土交通大臣	会社

（車両制限令の規定の適用についての技術的読替え）

第一九条　法の規定により機構及び会社若しくは地方道路公社が行う道路（高速自動車国道を除く。）の管理又は有料道路管理者が行う道路（都道府県道及び市町村道に限る。）の管理についての法第五十四条第一項の規定による車両制限令（昭和三十六年政令第二百六十五号）の規定の適用については、同令第三条第一項第二号イ中「道路管理者」とあるのは「道路整備特別措置法（昭和三十一年法律第七号）第二条第七項に規定する機構等（以下単に「機構等」という。）若しくは同法第十八条第四項に規定する有料道路管理者（以下単に「有料道路管理者」という。）」と、同項第三号、同条第四項並びに同令第五条第三項、第六条第一項、第七条及び第十条から第十二条までの規定中「道路管理者」とあるのは「機構等又は有料道路管理者」と、同令第五条第一項中「道路管理者」とあるのは「機構等若しくは有料道路管理者」とする。

2　法の規定により機構及び会社が行う高速自動車国道の管理について法第五十四条第一項の規定により適用する高速自動車国道法第二十五条の規定による車両制限令の規定の適用については、高速自動車国道法施行令第十四条の規定により読み替えられた車両制限令第三条第一項第三号及び第四項、第七条第二項及び第三項並びに第十条から第十二条までの規定中「国土交通大臣」とあるのは、「独立行政法人日本高速道路保有・債務返済機構」とする。

（高速自動車国道法施行令の規定の適用についての技術的読替え）

第二〇条　法の規定により機構及び会社が行う高速自動車国道の管理について法第五十四条第一項の規定による高速自動車国道法施行令の規定の適用については、同令第九条第二項中「納入告知書」とあるのは「納付すべき金額、期限及び場所を記載した書面」と、同条第三項ただし書中「国土交通大臣」とあるのは「独立行政法人日本高速道路保有・債務返済機構（以下「機構」という。）」と、同令第十条第一項及び第二項中「国が」とあるのは「機構が」と、同条第四項中「国土交通大臣」とあるのは「機構」とする。

附　則

1　この政令は、公布の日から施行する。

2　道路整備特別措置法施行令（昭和二十八年政令第三百六号。以下「旧令」という。）は、廃止する。

3　この政令の施行の際現に法附則第二条の規定による廃止前の道路整備特別措置法（昭和二十七年法律第百六十九号）第六条第一項の規定により道路管理者が新設し、若しくは改築し、又は料金を徴収している道路については、旧令第一条、第二条第二項及び第四条の規定は、なおその効力を有する。この場合において、同令第四条の規定の適用については、同条第二項から第四項まで中「建設大臣」とあるのは、「日本道路公団」とする。

4　国は、昭和四十六年四月一日から昭和四十八年十二月三十一日までの間にされた法第七条の十二第一項又は第八条第一項の許可に係る道路について法第八条の三第一項の規定により資金の貸付けを受けた地方道路公社又は道路管理者である地方公共団体が、経済事情の著しい変動により、償還金の支払をすることが著しく困難となつている場合においては、昭和五十五年三月三十一日までの間に限り、当該貸付金の償還期限を五年を超えない範囲内において延長することができる。この場合においては、第一条の四第二項後段の規定を準用する。

5　法附則第七条第一項の政令で定める道路の新設又は改築は、次に掲げるものとする。

一　都市計画において定められた自動車駐車場の新設又は改築のうち、当該新設又は改築と密接な関連を有する道路、公園、広場その他の公共の用に供する施設の整備を伴うもので都市機能の維持及び増進に寄与すると認められるもの

二　自動車駐車場の新設又は改築で運動施設、教養施設又は休養施設の総合的な整備に関する事業その他の一定の区域の整備及び開発の事業の一環として一体的かつ緊急に実施されるもの（これらの事業を実施する者が当該新設又は改築に要する費用を法令の規定に基づき負担するものであつて、当該費用を長期間に分割して支払うものに限る。）

三　他の道路と連結するための道路の新設又は改築で都市開発事業、工業団地造成事業その他の一定の区域の整備及び開発の事業の一環として一体的かつ緊急に実施されるもの（これらの事業を実施する者が当該新設又は改築に要する費用を法令の規定に基づき負担するものであつて、当該費用を長期間に分割して支払うものに限る。）

四　前号に規定する事業が実施される区域と高速自動車国道その他の主要な道路とを連結する道路の新設又は改築でこれらの事業の一環として一体的かつ緊急に実施されるもののうち国土交通大臣が定める基準に該当するもの（これらの事業を実施する者が当該新設又は改築に要する費用の一部を法令の規定に基づき負担するものであつて、当該費用の一部を長期間に分割して支払うものに限る。）

五　首都高速道路又は阪神高速道路（機構法第十二条第一項第四号に規定する首都高速道路又は阪神高速道路をいう。以下この号において同じ。）の新設又は改築のうち当該新設又は改築と密接な関連を有する道路（国土交通大臣が定める基準に該当するものに限る。）の整備を伴うもので他の首都高速道路又は阪神高速道路の円滑な交通を確保するため緊急に実施する必要があると認められるもの

6　法附則第七条第一項の規定による貸付金の償還は、均等年賦償還の方法によるものとする。

7　法附則第八条の政令で定める道路の新設又は改築は、次に掲げるものとする。

一　道路の新設又は改築のうち当該新設又は改築と密接な関連を有する道路（国土交通大臣が定める基準に該当するものに限る。）の整備を伴うもので当該新設又は改築に係る道路の存する地域における円滑な道路交通を確保するため緊急に実施する必要があると認められるもの

二　附則第五項第一号から第四号までに掲げるもの

附　則〔昭和三七・八・二八政令三四〇〕

（施行期日）

1　この政令は、公布の日から施行する。

（占用料の徴収方法に関する経過措置）

2　占用料で、この政令の施行の日前にした許可又は協議に係る占用に係るものの徴収に関する改正後の道路整備特別措置法施行令第六条の三第一項の規定の適用については、同項中「当該占用の許可をし、又は当該占用の協議が成立した日から一月以内」とあるのは、「この政令の施行の日から一月以内」とする。

附　則〔略〕〔昭和三八・九・一三政令三二六〕

附　則〔略〕〔昭和四〇・三・二九政令五七〕

附　則〔抄〕〔昭和四二・一〇・二六政令三三五〕

（施行期日）

1　この政令は、公布の日から施行する。

（経過規定）

2　指定区間内の国道又は日本道路公団の管理する高速自動車国道若しくは日本道路公団の管理する一般国道等、首都高速道路公団の管理する首都高速道路若しくは阪神高速道路公団の管理する阪神高速道路に係る占有料でこの政令の施行の日の前日までに徴収すべきものの額及び徴収方法並びに当該占用料に係る手数料及び延滞金については、なお従前の例による。

附　則〔抄〕〔昭和四五・四・一政令四八〕

（施行期日）

第一条　この政令は、公布の日から施行する。

（道路整備特別措置法施行令の一部改正に伴う経過措置）

第八条　道路整備特別措置法施行令第七条第二項に規定する延滞金で施行日前に発せられた督促状によりその計算の基礎となる滞納額の納付期限が指定されたものの額の計算については、なお従前の例による。

附　則〔略〕〔昭和四六・七・一二政令二五二〕

附　則〔略〕〔昭和四六・一一・二四政令三四八〕

附　則〔略〕〔昭和四七・九・二六政令三四一〕

附　則〔昭和四九・六・一政令一九二〕

1　この政令は、公布の日から施行する。

2　昭和四十八年度以前の年度の予算に係る道路整備特別措置法第八条の三第一項の規定による貸付金（昭和四十九年度以降に繰り越されたものを含む。）については、なお従前の例による。

附　則〔略〕〔昭和五三・四・二五政令一四五〕

附　則〔昭和五九・五・一五政令一三九〕

1　この政令は、各種手数料等の額の改定及び規定の合理化に関する法律の施行の日（昭和五十九年五月二十一日）から施行する。

2　この政令の施行前にした都道府県知事に対するあつ旋の申請、建設大臣又は都道府県知事に対する事業の認定の申請、収用委員会に対する裁決の申請及び協議の確認の申請並びに建設大臣に対する特定公共事業の認定の申請に係る手数料の額については、なお従前の例による。

附　則〔略〕〔平成元・三・二八政令七二〕

附　則〔略〕〔平成元・一一・二一政令三〇九〕

附　則〔略〕〔平成三・一〇・四政令三一七〕

附　則〔略〕〔平成五・一一・二五政令三七五〕

附　則〔略〕〔平成六・九・一九政令三〇三〕

附　則〔略〕〔平成八・一〇・二五政令三〇八〕

附　則〔略〕〔平成一〇・八・二六政令二八九〕

附　則〔略〕〔平成一一・一一・一〇政令三五二〕

附　則〔略〕〔平成一二・六・七政令三一二〕

附　則〔略〕〔平成一四・一二・一八政令三八六〕

附　則〔略〕〔平成一六・二・一六政令二三〕

附　則〔略〕〔平成一六・一二・八政令三八七〕

附　則〔略〕〔平成一七・六・一政令二〇三〕

附　則〔略〕〔平成一八・一一・一五政令三五七〕

附　則〔略〕〔平成一九・八・三政令二三五〕

附　則〔略〕〔平成一九・九・二五政令三〇四〕

附　則〔略〕〔平成二〇・一・一八政令五〕

附　則〔略〕〔平成二三・一〇・一九政令三二一〕

附　則〔略〕〔平成二三・一一・二八政令三六三〕

附　則〔略〕〔平成二四・一二・一二政令二九四〕

附　則〔略〕〔平成二五・八・二六政令二四三〕

附　則〔略〕〔平成二六・五・二八政令一八七〕

附　則〔略〕〔平成二七・一・二三政令二一〕

附則（略）〔平成二七・一一・二六政令三九二〕

附則（略）〔平成二八・三・三一政令一八二〕

附則（略）〔平成二八・九・二八政令三一二〕

附則（略）〔平成三〇・九・二八政令二八〇〕

附則（略）〔平成三一・三・二〇政令四一施行〕

附則（略）〔令和二・一一・二〇政令三二九〕

附則（略）〔令和三・三・三一政令一三二〕

附則（略）〔令和三・九・二四政令二六一〕

附則（略）〔令和三・一二・八政令三三五〕

附則（略）〔令和五・六・七政令二〇〇施行〕

附則〔令和五・九・一政令二七〇〕

この政令は、道路整備特別措置法及び独立行政法人日本高速道路保有・債務返済機構法の一部を改正する法律の施行の日（令和五年九月六日）から施行する。

○道路整備特別措置法施行規則

〔昭和三一・五・一六　建設省令一八〕

改正　昭和三二・一〇建令二〇、昭和三四・九建令二八、昭和三五・一建令二、昭和三七・一〇建令二八、一二建令三七、昭和四五・六建令一二、八建令二一、昭和四七・七建令一九、昭和五四・二建令一、平成一二・一一建令四一、平成一七・六国交令六六、平成二四・二国交令四、平成二七・一国交令四、令和五・六国交令四六、九国交令六五、令和六・一国交令二

（許可申請書の添付書類）

第一条　道路整備特別措置法（以下「法」という。）第三条第二項の国土交通省令で定める書類は、次に掲げるものとする。

一　工事計画書

二　平面図、縦断図、横断定規図その他必要な書類

三　料金の額及びその徴収期間算出の基礎を記載した書類

四　推定交通量及びその算出の基礎を記載した書類

2　会社（法第二条第四項に規定する会社をいう。以下同じ。）は、法第三条第二項の申請書を国土交通大臣に提出しようとするときは、前項各号に掲げる書類のほか、法第三条第三項の規定により道路管理者と協議し、又は道路管理者の同意を得たことを証する書類を添付しなければならない。

（変更の許可を要しない事項）

第二条　法第三条第六項の国土交通省令で定める事項は、工事予算並びに工事の着手及び完成の予定年月日とする。

（供用約款）

第三条　会社は、法第六条第一項の認可を受けようとするときは、次に掲げる事項を記載した申請書を国土交通大臣に提出しなければならない。

一　供用約款（変更の認可の申請の場合は、新旧の対照を明示すること。）

二　実施予定期日

三　変更の認可の申請の場合は、変更を必要とする理由

第四条　前条の供用約款には、少なくとも次に掲げる事項を記載しなければならない。

一　料金の徴収に関する事項

二　会社の責任に関する事項

三　高速道路を通行し、又は利用する者の責任に関する事項

四　法第五条第二項の規定による供用の拒絶に関する事項

（公衆の閲覧の方法）

第四条の二　法第七条の規定による公衆の閲覧は、会社のウェブサイトへの掲載により行うものとする。

第四条の三　法第八条第七項の国土交通省令で定める事務は、次に掲げるものとする。ただし、独立行政法人日本高速道路保有・債務返済機構（以下「機構」という。）が占用入札を実施する場合であつて、会社及びその子会社（会社法（平成十七年法律第八十六号）第二条第三号に規定する子会社をいう。）が占用入札に参加しようとする者となることが見込まれるときは、この限りでない。

一　道路の占用の許可に係る申請書の記載事項の確認

二　占用入札のための調査

三　前二号に掲げるもののほか、法第八条第一項第十四号又は第十六号から第十九号までの規定により機構が高速道路の道路管理者に代わつて行う権限に係る事務（当該権限を行使する事務を除く。）

（許可申請書等の添付書面）

第五条　法第十条第二項及び第十八条第二項の国土交通省令で定める書面は、次に掲げるものとする。

一　工事計画書

二　料金の額及びその徴収期間算出の基礎を記載した書面

三　推定交通量及びその算出の基礎を記載した書面

2　地方道路公社は、法第十条第二項の申請書を国土交通大臣に提出しようとするときは、前項各号に掲げる書面のほか、法第十六条第一項の規定により道路管理者の同意を得たことを証する書面を添付しなければならない。

第六条　法第十一条第二項の国土交通省令で定める書面は、同条第一項各号に掲げる要件に適合することを示す書面のほか、前条第一項第二号及び第三号に掲げる書面とする。

2　前条第二項の規定は、地方道路公社が法第十一条第二項の申請書を国土交通大臣に提出しようとする場合について準用する。

第七条　法第十九条第二項の国土交通省令で定める書面は、同条第一項各号に掲げる要件に適合することを示す書面のほか、第五条第一項第二号及び第三号に掲げる書面とする。

第八条　法第十二条第二項の国土交通省令で定める書面は、次に掲げるものとする。

一　法第十二条第一項各号に掲げる要件に適合することを示す書面

二　工事実施計画明細書

三　法第十六条第一項の同意を得たことを証する書面

（料金及び料金の徴収期間の認可申請書の添付書類）

第九条　法第十三条第二項の国土交通省令で定める書類は、次に掲げるものとする。

一　料金の額及びその徴収期間算出の基礎を記載した書類

二　推定交通量及びその算出の基礎を記載した書類

三　法第十六条第一項の同意を得たことを証する書類

（道路整備特別措置法施行令第一条第一号に掲げる物件）

第一〇条　道路整備特別措置法施行令（昭和三十一年政令第三百十九号。以下「令」という。）第一条第一号の道路法（昭和二十七年法律第百八十号）第三十二条第一項第二号に掲げる物件で国土交通省令で定めるものは、次に掲げるものとする。

一　橋に取り付けられる物件で一メートル当たりの重量が五十キログラム以上のもの

二　ガス管でガス事業法施行規則（昭和四十五年通商産業省令第九十七号）第一条第二項第一号の高圧のガスを通ずるもの

三　内径百ミリメートル以上の物件で次に掲げるもの

イ　道路を縦断して設けられる長さ五百メートル以上のもの

ロ　長さ百メートル以上の橋に取り付けられるもの又は長さ百メートル以上のトンネル内に設けられるもの

ハ　爆発性又は易燃性を有する物件を通ずるもの

（道路事業損失補てん引当金）

第一一条　令第七条第一項第七号の国土交通省令で定める損失補てん引当金は、地方道路公社法施行規則（昭和四十五年建設省令第二十一号）第八条第三項の道路事業損失補てん引当金とし、その額の基準は、国土交通大臣（指定都市高速道路以外の道路に係るものにあつては、地方整備局長又は北海道開発局長）の承認を受けて地方道路公社が定める。

（工事の公告の方法）

第一二条　法第二十二条第一項の国土交通省令で定める方法は、会社等（法第二条第六項に規定する会社等をいう。以下同じ。）の定款に規定する方法とする。

（車両の通行方法）

第一三条　会社等又は有料道路管理者は、法第二十四条第三項の認可を受けようとするときは、当該認可を受けようとする通行方法を記載した申請書を国土交通大臣に提出しなければならない。

2　国土交通大臣は、前項の申請書に記載された通行方法が次の各号に掲げる料金の徴収施設の区分に応じ、それぞれ当該各号に定めるものである場合に限り、法第二十四条第三項の認可をするものとする。

一　一般専用有人施設（料金を徴収する事務に従事する者（以下この項において「係員」という。）が料金の収受又は通行券（法第二十四条第三項に規定する運転者が通行させる自動車その他の車両（以下この項において「通行車両」という。）の通行区間を確認するため当該通行車両に対して交付される紙片をいう。以下この項において同じ。）の交付若しくは確認を行う施設であつて、第四号から第六号までに該当しないものをいう。以下この号において同じ。）　次のイからハまでに掲げる一般専用有人施設の区分に応じて、それぞれ当該イからハまでに定める通行方法

イ　料金の収受を行う施設　通行車両は、確実に係員が料金の収受を行うことができる程度に当該係員が当該収受を行う場所に近接した場所（停止すべき場所について当該係員の指示又は標識その他の方法による表示がある場合には、当該指示又は表示に係る場所）で停止しなければならず、かつ、料金の収受後に当該係員が発進を承諾するまでの間は発進してはならないこと。

ロ　通行券の交付を行う施設　通行車両は、確実に係員が通行券の交付を行うことができる程度に当該係員が当該交付を行う場所に近接した場所（停止すべき場所について当該係員の指示又は標識その他の方法による表示がある場合には、当該指示又は表示に係る場所）で停止しなければならず、かつ、通行券の交付後に当該係員が発進を承諾するまでの間は発進してはならないこと。

ハ　通行券の確認を行う施設　通行車両は、確実に係員が通行券の確認を行うことができる程度に当該係員が当該確認を行う場所に近接した場所（停止すべき場所について当該係員の指示又は標識その他の方法による表示がある場合には、当該指示又は表示に係る場所）で停止しなければならず、かつ、通行券の確認後に当該係員が発進を承諾するまでの間は発進してはならないこと。

二　一般専用機械式施設（料金収受機等（無線の交信を伴うＥＴＣシステム（有料道路自動料金収受システムを使用する料金徴収事務の取扱いに関する省令（平成十一年建設省令第三十八号）第一条に規定するＥＴＣシステムをいう。以下この項において同じ。）を使用せずに料金の収受を行い、又は通行券の交付若しくは確認を行う機械であつて、これと連動して開閉棒（料金の収受又は通行券の交付若しくは確認を完了するまでの間通行車両の通行を遮断するために設けられる開閉式の棒をいう。）、表示板（停止すべき旨又は発進することができる旨を意味する字句又は信号を表示する設備をいう。）その他の通行車両に対して停止すべき旨又は発進することができる旨を表示するための設備（以下この項において「開閉棒等」という。）が動作するものをいう。以下この項において同じ。）による料金の収受又は通行券の交付若しくは確認を行う施設であつて、第四号から第六号までに該当しないものをいう。以下この号において同じ。）　次のイからハまでに掲げる一般専用機械式施設の区分に応じて、それぞれ当該イからハまでに定める通行方法

イ　料金の収受を行う施設　通行車両は、確実に料金収受機等が料金の収受を行うことができる程度に当該料金収受機等に近接した場所で停止しなければならず、かつ、開閉棒等の開閉又は表示に従つて通行しなければならないこと。

ロ　通行券の交付を行う施設　通行車両は、確実に料金収受機等が通行券の交付を行うことができる程度に当該料金収受機等に近接した場所で停止しなければならず、かつ、開閉棒等の開閉又は表示に従つて通行しなければならないこと。

ハ　通行券の確認を行う施設　通行車両は、確実に料金収受機等が通行券の確認を行うことができる程度に当該料金収受機等に近接した場所で停止しなければならず、かつ、開閉棒等の開閉又は表示に従つて通行しなければならないこと。

三　ＥＴＣ専用施設（無線の交信を伴うＥＴＣシステムを使用して料金の徴収のために必要な通行車両の通行に関する情報の記録を行う施設であつて、次号から第六号までに該当しないものをいう。以下この号において同じ。）　次のイ又はロに掲げるＥＴＣ専用施設の区分に応じて、それぞれ当該イ又はロに定める通行方法

イ　標識その他の方法によつて徐行し又は停止すべき旨が表示されている施設　有料道路自動料金収受システムを使用する料金徴収事務の取扱いに関する省令第四条第一項第一号に規定する車載器及び識別カードが搭載され、かつ、無線の交信によりＥＴＣシステムに料金の徴収のために必要なその通行に関する情報を適正に記録することができる状態にある通行車両（以下この項において「ＥＴＣ通行車」という。）以外の通行車両にあつては当該施設を通過してはならず、ＥＴＣ通行車にあつては当該標識その他の方法による表示に従つて通行しなければならないこと。

ロ　イ以外の施設　ＥＴＣ通行車以外の通行車両は、当該施設を通過してはならないこと。

四　ＥＴＣ・一般共通有人施設（係員が料金の収受又は通行券の交付若しくは確認を行うことができ、かつ、無線の交信を伴うＥＴＣシステムを使用して料金の徴収のために必要な通行車両の通行に関する情報の記録を行うことができる施設であつて、第六号に該当しないものをいう。）　次のイ又はロに掲げる通行車両の区分に応じて、それぞれ当該イ又はロに定める通行方法

イ　ＥＴＣ通行車　係員による徐行し又は停止すべき旨の指示がある場合には当該指示に従つて、標識その他の方法による徐行し又は停止すべき旨の表示がある場合には当該表示に従つて、通行しなければならないこと。

ロ　ＥＴＣ通行車以外の通行車両　第一号イからハまでに掲げる施設の区分に応じて、それぞれ同号イからハまでに定める通行方法によること。

五　ＥＴＣ・一般共通機械式施設（料金収受機等による料金の収受又は通行券の交付若しくは確認を行うことができ、かつ、無線の交信を伴うＥＴＣシステムを使用して料金の徴収のために必要な通行車両の通行に関する情報の記録を行うことができる施設であつて、次号に該当しないものをいう。）　次のイ又はロに掲げる通行車両の区分に応じて、それぞれ当該イ又はロに定める通行方法

イ　ＥＴＣ通行車　標識その他の方法による徐行し又は停止すべき旨の表示に従つて、通行しなければならないこと。

ロ　ＥＴＣ通行車以外の通行車両　第二号イからハまでに掲げる施設の区分に応じて、それぞれ同号イからハまでに定める通行方法によること。

六　閉鎖施設（標識その他の方法によつて通過することができない旨が表

示されている施設をいう。）通行車両は、通過してはならないこと。

3　法第二十四条第四項の規定による公衆の閲覧は、会社等にあつては会社等の、有料道路管理者にあつては有料道路管理者のウェブサイトへの掲載により行うものとする。

（運転者等から徴収できなかつた料金の請求に必要な情報）

第一四条　法第二十四条第五項の国土交通省令で定めるものは、次の各号に掲げる自動車の区分に応じ、それぞれ当該各号に定める事項とする。

一　検査対象軽自動車及び小型自動車で二輪のもの　道路運送車両法（昭和二十六年法律第百八十五号）による自動車検査証に記載された使用者の氏名又は名称及び住所その他運転者等を特定するために必要な事項

二　検査対象外軽自動車　道路運送車両法施行規則（昭和二十六年運輸省令第七十四号）第六十三条の二第一項に規定する使用の届出書に記載された使用者の氏名又は名称及び住所その他運転者等を特定するために必要な事項

（料金の額及び徴収期間の公告の方法）

第一五条　法第二十五条第一項の国土交通省令で定める方法は、会社等の定款に定める方法とする。

（検査）

第一六条　法第二十七条第一項に規定する工事の検査は、当該道路の構造及び施工方法について受けなければならない。

2　会社等又は有料道路管理者は、工事が完了した場合においては、遅滞なく、法第二十七条第一項に規定する工事の検査を申請しなければならない。

3　法第二十七条第二項の規定による検査は、次に掲げる工事の施工方法及び当該道路の構造について行うことができる。

一　法第三条第一項の許可を受けた高速道路の新設若しくは改築に関する工事又は法第十二条第一項の許可を受けた指定都市高速道路の新設若しくは改築に関する工事

二　法第十条第一項の許可を受けた道路の新設若しくは改築に関する工事又は法第十八条第二項の規定による届出に係る道路の新設若しくは改築に関する工事のうち、その施工に高度の技術を要するものその他都道府県若しくは指定市である道路管理者の行う工事又は地方道路公社の行う工事のうち一般国道、都道府県道若しくは指定市の市道（指定都市高速道路を除く。）に係るものにあつては地方整備局長又は北海道開発局長が、その他の道路に係るものにあつては都道府県知事が特に必要があると認めるもの

（証票の様式）

第一七条　法第四十四条第三項において準用する道路法第六十六条第七項の規定による証票の様式は、別記様式とする。

（権限の委任）

第一八条　法に規定する国土交通大臣の権限のうち次に掲げるものは、地方整備局長及び北海道開発局長に委任する。

一　法第十条第一項又は第四項の規定により許可し、同条第五項の規定による届出を受理し、及び同条第六項又は第七項の規定により通知すること。

二　法第十一条第一項又は第五項の規定により許可し、同条第七項の規定による届出を受理し、及び同条第九項の規定により通知すること。

三　法第十五条第一項又は第四項の規定により許可し、同条第五項の規定による届出を受理し、及び同条第六項の規定により通知すること。

四　法第十八条第二項又は第三項の規定による届出を受理し、及び同条第四項の規定により通知すること。

五　法第十九条第二項又は第三項の規定による届出を受理すること。

六　法第二十条第一項の規定により資金の貸付けを行うこと（指定都市高速道路に係るものを除く。）。

七　法第二十一条第一項の規定により許可し、及び同条第五項の規定により通知すること（地方道路公社が行う一般国道、都道府県道又は市町村道（指定都市高速道路を除く。）の新設又は改築に係るものに限る。）。

八　法第二十一条第四項の規定による届出を受理すること。

九　法第二十四条第三項の規定により認可すること（地方道路公社（指定都市高速道路を管理する場合を除く。）又は有料道路管理者が定める通行方法に係るものに限る。）。

十　法第二十七条第一項又は第二項の規定により検査し、及び同条第三項の規定により必要な措置をとるべきことを命じ、又は同条第四項の規定により必要な措置をとるべき旨の要求をすること（都道府県若しくは指定市である道路管理者の行う工事又は地方道路公社の行う工事のうち一般国道、都道府県道若しくは指定市の市道（指定都市高速道路を除く。）に係るものに限る。）。

十一　法第二十七条第六項の規定による報告を徴収すること。

十二　法第三十八条第一項の規定により他の道路の道路管理者（高速自動車国道の道路管理者である場合を除く。）として協議して分担すべき金額及び分担の方法を定めること。

十三　法第三十八条第二項の規定により裁定をし、同条第三項において準用する法第九条第三項の規定により意見を聴くこと（会社等が地方道路公社（指定都市高速道路を管理する場合を除く。以下この号において同じ。）である場合及び他の道路の道路管理者が地方公共団体又は地方道路公社である場合に限る。）。

十四　法第四十六条第一項の規定により必要な処分を命じ、又は必要な措置をとることを命ずること（地方道路公社の管理する一般国道、都道府県道又は市町村道（指定都市高速道路を除く。）に係るものに限る。）。

十五　法第四十八条第一項の規定により必要な勧告、助言又は援助をすること（地方道路公社の管理する一般国道、都道府県道又は市町村道（指定都市高速道路を除く。）に係るものに限る。）。

十六　法第五十条第五項の規定により許可すること。

附　則〔略〕〔昭和三一・五・一六建設省令一八施行〕

附　則〔略〕〔昭和四五・八・一四建設省令二一〕

附　則〔略〕〔平成一二・一一・二〇建設省令四一〕

附　則〔略〕〔平成一七・六・一国土交通省令六六〕

附　則〔略〕〔平成二四・二・二国土交通省令四〕

附　則〔略〕〔平成二七・一・二三国土交通省令四〕

附　則〔略〕〔令和五・六・七国土交通省令四六施行〕

附　則〔略〕〔令和五・九・一国土交通省令六五〕

附　則〔抄〕〔令和六・一・一九国土交通省令二〕

（施行期日）

1　この省令は、デジタル社会の形成を図るための規制改革を推進するためのデジタル社会形成基本法等の一部を改正する法律の施行の日（令和六年四月一日）から施行する。

別記様式〔略〕

○高速道路株式会社法〔平成一六・六・九 法律九九〕

改正　平成一六・六法八八、平成一七・七法八七、法八九、平成二六・六法九一、令和元・一二法七一

目次

第一章　総則（第一条―第四条）
第二章　事業等（第五条―第十四条）
第三章　雑則（第十五条―第十七条）
第四章　罰則（第十八条―第二十三条）
附則

第一章　総則

（会社の目的）

第一条　東日本高速道路株式会社、首都高速道路株式会社、中日本高速道路株式会社、西日本高速道路株式会社、阪神高速道路株式会社及び本州四国連絡高速道路株式会社（以下「会社」と総称する。）は、高速道路の新設、改築、維持、修繕その他の管理を効率的に行うこと等により、道路交通の円滑化を図り、もって国民経済の健全な発展と国民生活の向上に寄与することを目的とする株式会社とする。

（定義）

第二条　この法律において「道路」とは、道路法（昭和二十七年法律第百八十号）第二条第一項に規定する道路をいう。

2　この法律において「高速道路」とは、次に掲げる道路をいう。

一　高速自動車国道法（昭和三十二年法律第七十九号）第四条第一項に規定する高速自動車国道

二　道路法第四十八条の四に規定する自動車専用道路（同法第四十八条の二第二項の規定により道路の部分に指定を受けたものにあっては、当該指定を受けた道路の部分以外の道路の部分のうち国土交通省令で定めるものを含む。）並びにこれと同等の規格及び機能を有する道路（一般国道、都道府県道又は同法第七条第三項に規定する指定市の市道であるものに限る。以下「自動車専用道路等」と総称する。）

（株式）

第三条　政府（首都高速道路株式会社、阪神高速道路株式会社及び本州四国連絡高速道路株式会社（第四項において「首都高速道路株式会社等」という。）にあっては、政府及び地方公共団体）は、常時、会社の総株主の議決権の三分の一以上に当たる株式を保有していなければならない。

2　会社は、会社法（平成十七年法律第八十六号）第百九十九条第一項に規定するその発行する株式（第二十二条第一号において「新株」という。）若しくは同法第二百三十八条第一項に規定する募集新株予約権（同号において「募集新株予約権」という。）を引き受ける者の募集をし、又は株式交換若しくは株式交付に際して株式若しくは新株予約権を発行しようとするときは、国土交通大臣の認可を受けなければならない。

3　会社は、新株予約権の行使により株式を発行したときは、遅滞なく、その旨を国土交通大臣に届け出なければならない。

4　政府及び地方公共団体は、その保有する首都高速道路株式会社等の株式を処分しようとするときは、あらかじめ、政府にあっては他に当該会社の株式を保有する地方公共団体に、地方公共団体にあっては政府及び他に当該会社の株式を保有する地方公共団体に協議しなければならない。

（商号の使用制限）

第四条　会社でない者は、その商号中に、東日本高速道路株式会社、首都高速道路株式会社、中日本高速道路株式会社、西日本高速道路株式会社、阪神高速道路株式会社又は本州四国連絡高速道路株式会社という文字を使用してはならない。

第二章　事業等

（事業の範囲）

第五条　会社は、その目的を達成するため、次の事業を営むものとする。

一　道路整備特別措置法（昭和三十一年法律第七号）に基づき行う高速道路の新設又は改築

二　独立行政法人日本高速道路保有・債務返済機構（以下「機構」という。）から借り受けた道路資産（独立行政法人日本高速道路保有・債務返済機構法（平成十六年法律第百号。以下「機構法」という。）第二条第二項に規定する道路資産をいう。）に係る高速道路について道路整備特別措置法に基づき行う維持、修繕、災害復旧その他の管理（新設及び改築を除く。）

三　高速道路の通行者又は利用者の利便に供するための休憩所、給油所その他の施設の建設及び管理

四　前三号の事業に支障のない範囲内で、国、地方公共団体その他政令で定める者の委託に基づき行う道路の新設、改築、維持、修繕、災害復旧その他の管理並びに道路に関する調査、測量、設計、試験及び研究

五　本州四国連絡高速道路株式会社にあっては、前各号に掲げるもののほか、次に掲げる事業

イ　機構の委託に基づき行う本州と四国を連絡する鉄道施設の管理

ロ　第一号から第三号まで及びイの事業に支障のない範囲内で、国、地方公共団体その他政令で定める者の委託に基づき行う長大橋の建設並びに長大橋に関する調査、測量、設計、試験及び研究

六　前各号の事業に附帯する事業

2　会社が前項第一号から第三号までの事業を営む高速道路は、次の各号に掲げる会社の区分に応じて当該各号に定めるものとする。

一　東日本高速道路株式会社　北海道、青森県、岩手県、宮城県、秋田県、山形県、福島県、茨城県、栃木県、群馬県、埼玉県、千葉県、東京都、神奈川県、新潟県、富山県及び長野県の区域内の高速道路（次号に定める高速道路を除き、東京都、神奈川県、富山県及び長野県の区域内の高速道路にあっては国土交通大臣が指定するものに限る。）

二　首都高速道路株式会社　東京都の区の存する区域及びその周辺の地域内の自動車専用道路等のうち、国土交通大臣が指定するもの

三　中日本高速道路株式会社　東京都、神奈川県、富山県、石川県、福井県、山梨県、長野県、岐阜県、静岡県、愛知県、三重県及び滋賀県の区域内の高速道路（前二号に定める高速道路を除き、福井県及び滋賀県の区域内の高速道路にあっては国土交通大臣が指定するものに限る。）

四　西日本高速道路株式会社　福井県、滋賀県、京都府、大阪府、兵庫県、奈良県、和歌山県、鳥取県、島根県、岡山県、広島県、山口県、徳島県、香川県、愛媛県、高知県、福岡県、佐賀県、長崎県、熊本県、大分県、宮崎県、鹿児島県及び沖縄県の区域内の高速道路（前号、次号及び第六号に定める高速道路を除く。）

五　阪神高速道路株式会社　大阪市の区域、神戸市の区域、京都市の区域（大阪市及び神戸市の区域と自然的、経済的及び社会的に密接な関係がある区域に限る。）並びにそれらの区域の間及び周辺の地域内の自動車専用道路等のうち、国土交通大臣が指定するもの

六　本州四国連絡高速道路株式会社　本州と四国を連絡する自動車専用道路等

3　前項第二号の指定は、首都圏整備法（昭和三十一年法律第八十三号）第二条第二項に規定する首都圏整備計画に即して行わなければならない。

4　会社は、第二項の規定にかかわらず、国土交通大臣の認可を受けて、同項の規定によりその事業を営むこととされた高速道路以外の高速道路においても、第一項第一号から第三号までの事業を営むことができる。

5　会社は、第一項の事業を営むほか、同項第一号から第三号までの事業（本州四国連絡高速道路株式会社にあっては、同項第一号から第三号まで及び第五号イの事業）に支障のない範囲内で、同項の事業以外の事業を営むことができる。この場合において、会社は、あらかじめ、国土交通省令で定める事項を国土交通大臣に届け出なければならない。

（協定）

第六条　会社は、前条第一項第一号又は第二号の事業を営もうとするときは、あらかじめ、国土交通省令で定めるところにより、機構と、機構法第十三条第一項に規定する協定（次項において単に「協定」という。）を締結しなければならない。

2　会社は、おおむね五年ごとに、前項に規定する事業の実施状況を勘案し、協定について検討を加え、これを変更する必要があると認めるときは、機構に対し、その変更を申し出ることができる。大規模な災害の発生その他

社会経済情勢の重大な変化があり、これに対応して協定を変更する必要があると認めるときも、同様とする。

（調査への協力）

第七条　会社は、国又は地方公共団体が、会社が管理する高速道路において、道路交通の円滑化を図るための施策の策定に必要な交通量に関する調査その他の調査を実施するときは、これに協力しなければならない。

（一般担保）

第八条　会社の社債権者は、当該会社の財産について他の債権者に先立って自己の債権の弁済を受ける権利を有する。

２　前項の先取特権の順位は、民法（明治二十九年法律第八十九号）の規定による一般の先取特権に次ぐものとする。

（代表取締役等の選定等の決議）

第九条　会社の代表取締役又は代表執行役の選定及び解職並びに監査等委員である取締役若しくは監査役の選任及び解任又は監査委員の選定及び解職の決議は、国土交通大臣の認可を受けなければ、その効力を生じない。

（事業計画）

第一〇条　会社は、毎事業年度の開始前に、国土交通省令で定めるところにより、その事業年度の事業計画を定め、国土交通大臣の認可を受けなければならない。これを変更しようとするときも、同様とする。

（社債及び借入金）

第一一条　会社は、会社法第六百七十六条に規定する募集社債（社債、株式等の振替に関する法律（平成十三年法律第七十五号）第六十六条第一号に規定する短期社債を除く。第二十二条第六号において「募集社債」という。）を引き受ける者の募集をし、株式交換若しくは株式交付に際して社債（社債、株式等の振替に関する法律第六十六条第一号に規定する短期社債を除く。第二十二条第六号において同じ。）を発行し、又は弁済期限が一年を超える資金を借り入れようとするときは、国土交通大臣の認可を受けなければならない。

２　前項の規定は、会社が、社債券を失った者に交付するために政令で定めるところにより社債券を発行し、当該社債券の発行により新たに債務を負担することとなる場合には、適用しない。

（重要な財産の譲渡等）

第一二条　会社は、国土交通省令で定める重要な財産を譲渡し、又は担保に供しようとするときは、国土交通大臣の認可を受けなければならない。

（定款の変更等）

第一三条　会社の定款の変更、剰余金の配当その他の剰余金の処分、合併、分割及び解散の決議は、国土交通大臣の認可を受けなければ、その効力を生じない。

（会計の整理等）

第一四条　会社は、国土交通省令で定めるところにより、その事業年度並びに勘定科目の分類及び貸借対照表、損益計算書その他の財務計算に関する諸表の様式を定め、その会計を整理しなければならない。

２　会社は、その会計の整理に当たっては、国土交通省令で定めるところにより、第五条第一項第一号及び第二号の事業並びにこれに附帯する事業とその他の事業とを区分しなければならない。

３　会社は、毎事業年度終了後三月以内に、第一項に規定する財務計算に関する諸表を国土交通大臣に提出しなければならない。

第三章　雑則

（監督）

第一五条　会社は、国土交通大臣がこの法律の定めるところに従い監督する。

２　国土交通大臣は、この法律を施行するため特に必要があると認めるときは、会社に対し、その業務に関し監督上必要な命令をすることができる。

（報告及び検査）

第一六条　国土交通大臣は、この法律を施行するため特に必要があると認めるときは、会社からその業務に関し報告をさせ、又はその職員に、会社の営業所、事務所その他の事業場に立ち入り、帳簿、書類その他の物件を検査させることができる。

２　前項の規定により立入検査をする職員は、その身分を示す証明書を携帯し、関係人にこれを提示しなければならない。

３　第一項の規定による立入検査の権限は、犯罪捜査のために認められたものと解してはならない。

（財務大臣との協議）

第一七条　国土交通大臣は、第三条第二項、第十条、第十一条第一項、第十二条又は第十三条（会社の定款の変更の決議に係るものについては、会社が発行することができる株式の総数を変更するものに限る。）の認可をしようとするときは、財務大臣に協議しなければならない。

第四章　罰則

第一八条　会社の取締役、執行役、会計参与（会計参与が法人であるときは、その職務を行うべき社員）、監査役又は職員が、その職務に関して、賄賂を収受し、又はその要求若しくは約束をしたときは、三年以下の懲役に処する。これによって不正の行為をし、又は相当の行為をしなかったときは、五年以下の懲役に処する。

２　前項の場合において、犯人が収受した賄賂は、没収する。その全部又は一部を没収することができないときは、その価額を追徴する。

第一九条　前条第一項の賄賂を供与し、又はその申込み若しくは約束をした者は、三年以下の懲役又は百万円以下の罰金に処する。

２　前項の罪を犯した者が自首したときは、その刑を減軽し、又は免除することができる。

第二〇条　第十八条第一項の罪は、刑法（明治四十年法律第四十五号）第四条の例に従う。

２　前条第一項の罪は、刑法第二条の例に従う。

第二一条　第十六条第一項の規定による報告をせず、若しくは虚偽の報告をし、又は同項の規定による検査を拒み、妨げ、若しくは忌避した場合には、その違反行為をした会社の取締役、執行役、会計参与（会計参与が法人であるときは、その職務を行うべき社員）、監査役又は職員は、三十万円以下の罰金に処する。

第二二条　次の各号のいずれかに該当する場合には、その違反行為をした会社の取締役、執行役、会計参与若しくはその職務を行うべき社員又は監査役は、百万円以下の過料に処する。

一　第三条第二項の規定に違反して、新株若しくは募集新株予約権を引き受ける者の募集をし、又は株式交換若しくは株式交付に際して株式若しくは新株予約権を発行したとき。

二　第三条第三項の規定に違反して、株式を発行した旨の届出を行わなかったとき。

三　第五条第四項の規定に違反して、事業を営んだとき。

四　第五条第五項後段の規定に違反して、同項の届出を行わず、又は虚偽の届出を行ったとき。

五　第十条の規定に違反して、事業計画の認可を受けなかったとき。

六　第十一条第一項の規定に違反して、募集社債を引き受ける者の募集をし、株式交換若しくは株式交付に際して社債を発行し、又は資金を借り入れたとき。

七　第十二条の規定に違反して、財産を譲渡し、又は担保に供したとき。

八　第十四条第一項又は第二項の規定に違反して、会計を整理したとき。

九　第十四条第三項の規定による書類の提出をせず、又は虚偽の書類を提出したとき。

十　第十五条第二項の規定による命令に違反したとき。

第二三条　第四条の規定に違反した者は、十万円以下の過料に処する。

附　則

（施行期日）

第一条　この法律は、日本道路公団等民営化関係法施行法（平成十六年法律第百二号）の施行の日〔平成一七・一〇・一〕から施行する。ただし、第五条第二項及び第三項の規定は、公布の日から施行する。

（会社の合併）

第二条　政府は、本州四国連絡高速道路株式会社について、同社が事業を営む高速道路に係る機構の債務が相当程度減少し、かつ、同社の経営の安定性の確保が確実になった時において、同社と西日本高速道路株式会社との合併に必要な措置を講ずるものとする。

（債務保証）

第三条　政府は、当分の間、法人に対する政府の財政援助の制限に関する法律（昭和二十一年法律第二十四号）第三条の規定にかかわらず、国会の議決を経た金額の範囲内において、第五条第一項第一号及び第二号の事業に要する経費に充てるため、会社の債務（国際復興開発銀行等からの外資の受入に関する特別措置に関する法律（昭和二十八年法律第五十一号）第二条（政令で定める会社の債務にあっては、同条第一項）の規定に基づき政府が保証契約をすることができる債務を除く。）について、保証契約をすることができる。

２　前項の規定によるほか、政府は、政令で定める会社が同項の保証契約に係る社債券又はその利札を失った者に交付するために政令で定めるところにより発行する社債券又は利札に係る債務（外貨で支払われるものに限る。）について、保証契約をすることができる。

附　則〔略〕〔平成一六・六・九法律八八〕

附　則〔平成一七・七・二六法律八七〕

この法律は、会社法の施行の日〔平成一八・五・一〕から施行する。〔以下略〕

会社法の施行に伴う関係法律の整備等に関する法律〔抄〕〔平成一七・七・二六 法律八七〕

（罰則に関する経過措置）

第五二七条　施行日前にした行為及びこの法律の規定によりなお従前の例によることとされる場合における施行日以後にした行為に対する罰則の適用については、なお従前の例による。

（政令への委任）

第五二八条　この法律に定めるもののほか、この法律の規定による法律の廃止又は改正に伴い必要な経過措置は、政令で定める。

附　則〔略〕〔平成一七・七・二九法律八九〕

附　則〔略〕〔平成二六・六・二七法律九一〕

附　則〔令和元・一二・一一法律七一〕

この法律は、会社法改正法の施行の日〔令和三・三・一〕から施行する。ただし、次の各号に掲げる規定は、当該各号に定める日から施行する。

一　〔前略〕第百二十四条及び第百二十五条の規定　公布の日

二・三　〔略〕

会社法の一部を改正する法律の施行に伴う関係法律の整備等に関する法律〔抄〕〔令和元・一二・一一 法律七一〕

（罰則に関する経過措置）

第一二四条　この法律（附則各号に掲げる規定にあっては、当該規定。以下この条において同じ。）の施行前にした行為及びこの法律の規定によりなお従前の例によることとされる場合におけるこの法律の施行後にした行為に対する罰則の適用については、なお従前の例による。

（政令への委任）

第一二五条　この法律に定めるもののほか、この法律の施行に関し必要な経過措置は、政令で定める。

○高速道路株式会社法施行令

〔平成一七・六・一 政令二〇一〕

改正　平成一八・四政一八一

（高速道路株式会社に道路の管理等の委託をすることができる者）

第一条　高速道路株式会社法（以下「法」という。）第五条第一項第四号の政令で定める者は、地方道路公社とする。

（本州四国連絡高速道路株式会社に長大橋の建設等の委託をすることができる者）

第二条　法第五条第一項第五号ロの政令で定める者は、地方道路公社とする。

（代わり社債券の発行）

第三条　会社（法第一条に規定する会社をいう。以下この条において同じ。）は、社債券を失った者に交付するために法第十一条第二項の代わり社債券を発行する場合には、会社が適当と認める者に当該失われた社債券の番号を確認させ、かつ、当該社債券を失ったことの証拠を提出させなければならない。この場合において、必要があるときは、会社は、当該失われた社債券について償還をし、若しくは消却のための買入れをし、又は当該失われた社債券に附属する利札について利子の支払をしたときは会社及びその保証人が適当と認める者がその償還金額若しくは買入価額又は利子の支払金額に相当する金額を会社（会社の保証人が当該償還若しくは買入れ又は利子の支払をしたときは、当該保証人）に対し補てんすることとなることが確実と認められる保証状を徴するものとする。

附　則

（施行期日）

１　この政令は、日本道路公団等民営化関係法施行法（平成十六年法律第百二号）の施行の日（平成十七年十月一日）から施行する。

（外貨債務について政府が保証契約をすることができる会社）

２　法附則第三条の政令で定める会社は、東日本高速道路株式会社、中日本高速道路株式会社及び西日本高速道路株式会社とする。

（代わり社債券等の発行）

３　第三条の規定は、前項に規定する会社が、社債券又はその利札を失った者に交付するために法附則第三条第二項の代わり社債券又は代わり利札を発行する場合について準用する。この場合において、第三条中「社債券の番号」とあるのは「社債券又は利札の番号」と、「当該社債券を失った者」とあるのは「当該社債券又は利札を失った者」と、「附属する利札」とあるのは「附属する利札若しくは当該失われた利札」と、「保証人」とあるのは「保証人である政府」と読み替えるものとする。

附　則〔抄〕〔平成一八・四・二六政令一八一〕

（施行期日）

第一条　この政令は、会社法の施行の日（平成十八年五月一日）から施行する。

○高速道路株式会社法施行規則

〔平成一七・六・一〕
〔国土交通省令六三〕

改正　平成一八・五国交令六三、平成二七・四国交令三八、令和三・三国交令七、令和六・三国交令二六

（自動車専用道路の指定を受けた道路の部分以外の道路の部分で高速道路である道路の部分）

第一条　高速道路株式会社法（以下「法」という。）第二条第二項第二号の国土交通省令で定める道路の部分は、道路の構造その他の理由により道路法（昭和二十七年法律第百八十号）第四十八条の二第二項の規定による指定を受けた道路の部分と一体的な管理を行うことが必要と認められる歩道、自転車道その他の道路の部分とする。

（新株を引き受ける者の募集の認可の申請）

第二条　会社（法第一条に規定する会社をいう。以下同じ。）は、法第三条第二項の規定により会社法（平成十七年法律第八十六号）第百九十九条第一項に規定するその発行する株式（以下「新株」という。）を引き受ける者の募集の認可を受けようとするときは、次に掲げる事項を記載した申請書に新株を引き受ける者の募集に関する株主総会若しくは取締役会の議事録又は執行役の決定があったことを証する書類の写しを添えて、国土交通大臣に提出しなければならない。

一　募集株式（会社法第百九十九条第一項に規定する募集株式をいう。以下同じ。）の種類及び数

二　募集株式の払込金額（募集株式一株と引換えに払い込む金銭又は給付する金銭以外の財産の額をいう。以下同じ。）又はその算定方法

三　金銭以外の財産を出資の目的とするときは、その旨並びに当該財産の内容及び価額

四　募集株式と引換えにする金銭の払込み又は前号の財産の給付の期日又はその期間

五　増加する資本金及び資本準備金に関する事項

六　会社法第二百二条第一項の規定により株主に募集株式の割当てを受ける権利を与えようとするときは、その旨及び当該募集株式の引受けの申込みの期日

七　第二号の払込金額が募集株式を引き受ける者に特に有利な金額である場合には、当該払込金額でその者の募集をすることを必要とする理由

八　新株を引き受ける者の募集の方法

九　金銭の払込みをすべきときは、払込みの取扱いの場所

十　新株を引き受ける者の募集により取得する金額の使途

十一　新株を引き受ける者の募集の理由

（募集新株予約権を引き受ける者の募集の認可の申請）

第三条　会社は、法第三条第二項の規定により募集新株予約権（会社法第二百三十八条第一項に規定する募集新株予約権をいう。以下同じ。）を引き受ける者の募集の認可を受けようとするときは、次に掲げる事項を記載した申請書に募集新株予約権を引き受ける者の募集に関する株主総会若しくは取締役会の議事録又は執行役の決定があったことを証する書類の写しを添えて、国土交通大臣に提出しなければならない。

一　募集新株予約権の内容及び数

二　募集新株予約権と引換えに金銭の払込みを要しないこととする場合には、その旨

三　前号に規定する場合以外の場合には、募集新株予約権の払込金額（募集新株予約権一個と引換えに払い込む金銭の額をいう。以下同じ。）又はその算定方法

四　募集新株予約権を割り当てる日

五　募集新株予約権と引換えにする金銭の払込みの期日を定めるときは、その期日

六　募集新株予約権が新株予約権付社債（会社法第二条第二十二号に規定する新株予約権付社債をいう。以下同じ。）に付されたものである場合には、次に掲げる事項

イ　新株予約権付社債の総額及び各新株予約権付社債の金額

ロ　新株予約権付社債の利率、償還の方法及び期限その他の発行条件

七　前号に規定する場合において、会社法第百十八条第一項、第七百七十七条第一項、第七百八十七条第一項又は第八百八条第一項の規定による請求の方法につき別段の定めをするときは、その定め

八　会社法第二百四十一条第一項の規定により株主に新株予約権の割当てを受ける権利を与えようとするときは、その旨及び当該募集新株予約権の引受けの申込みの期日

九　第二号に規定する場合において、金銭の払込みを要しないこととすることが募集新株予約権を引き受ける者に特に有利な条件であるときは、当該条件でその者の募集をすることを必要とする理由

十　第三号に規定する場合において、同号の払込金額が募集新株予約権を引き受ける者に特に有利な金額であるときは、当該払込金額でその者の募集をすることを必要とする理由

十一　募集新株予約権を引き受ける者の募集の方法

十二　新株予約権の行使に際して金銭の払込みをすべきときは、払込みの取扱いの場所

十三　募集新株予約権を引き受ける者の募集により取得する金額の使途

十四　募集新株予約権を引き受ける者の募集の理由

（株式交換又は株式交付に際しての株式の発行の認可の申請）

第四条　会社は、法第三条第二項の規定により株式交換に際しての株式の発行の認可を受けようとするときは、次に掲げる事項を記載した申請書に株式交換に際しての株式の発行に関する株主総会若しくは取締役会の議事録又は執行役の決定があったことを証する書類の写しを添えて、国土交通大臣に提出しなければならない。

一　株式交換をする株式会社（以下「株式交換完全子会社」という。）の商号及び住所

二　株式交換に際して発行しようとする株式の種類及び種類ごとの数又はその数の算定方法並びに会社の資本金及び準備金の額に関する事項

三　株式交換完全子会社の株主（会社を除く。以下同じ。）に対する株式の割当てに関する事項

四　株式交換がその効力を生ずる日

五　株式交換に際して株式を発行しようとする理由

2　会社は、法第三条第二項の規定により株式交付に際しての株式の発行の認可を受けようとするときは、次に掲げる事項を記載した申請書に株式交付に際しての株式の発行に関する株主総会若しくは取締役会の議事録又は執行役の決定があったことを証する書類の写しを添えて、国土交通大臣に提出しなければならない。

一　会社が株式交付に際して譲り受ける株式を発行する株式会社（以下「株式交付子会社」という。）の商号及び住所

二　株式交付に際して発行しようとする株式の種類及び種類ごとの数又はその数の算定方法並びに会社の資本金及び準備金の額に関する事項

三　株式交付子会社の株式の譲渡人に対する株式の割当てに関する事項

四　株式交付に際して株式交付子会社の株式と併せて株式交付子会社の新株予約権（新株予約権付社債に付されたものを除く。）又は新株予約権付社債（以下「新株予約権等」と総称する。）を譲り受けるときは、当該新株予約権等の内容（当該新株予約権等の対価の全部又は一部として株式を交付する場合に限る。次号において同じ。）

五　前号に規定する場合には、株式交付子会社の新株予約権等の譲渡人に対する同号の会社の株式の割当てに関する事項

六　株式交付がその効力を生ずる日

七　株式交付に際して株式を発行しようとする理由

（株式交換又は株式交付に際しての新株予約権の発行の認可の申請）

第五条　会社は、法第三条第二項の規定により株式交換に際しての新株予約権の発行の認可を受けようとするときは、次に掲げる事項を記載した申請書に株式交換に際しての新株予約権の発行に関する株主総会若しくは取締役会の議事録又は執行役の決定があったことを証する書類の写しを添えて、国土交通大臣に提出しなければならない。

一　株式交換完全子会社の商号及び住所

二　株式交換に際して発行しようとする新株予約権の内容及び数又はその算定方法

三　株式交換に際して発行しようとする新株予約権が新株予約権付社債に付されたものである場合には、当該新株予約権付社債の種類及び種類ごとの各新株予約権付社債の金額の合計額又はその算定方法

四　株式交換完全子会社の株主に対する新株予約権の割当てに関する事項
五　会社が株式交換に際して株式交換完全子会社の新株予約権の新株予約権者に対して当該新株予約権に代わる会社の新株予約権を交付するときは、当該新株予約権についての次に掲げる事項
イ　会社の新株予約権の交付を受ける株式交換完全子会社の新株予約権の新株予約権者の有する新株予約権（以下「株式交換契約新株予約権」という。）の内容
ロ　株式交換契約新株予約権が新株予約権付社債に付された新株予約権であるときは、会社が当該新株予約権付社債についての社債に係る債務を承継する旨並びにその承継に係る社債の種類及び種類ごとの各社債の金額の合計額又はその算定方法
六　前号に規定する場合には、株式交換契約新株予約権の新株予約権者に対する同号の会社の新株予約権の割当てに関する事項
七　株式交換がその効力を生ずる日
八　株式交換に際して新株予約権を発行しようとする理由
2　会社は、法第三条第二項の規定により株式交付に際しての新株予約権の発行の認可を受けようとするときは、次に掲げる事項を記載した申請書に株式交付に際しての新株予約権の発行に関する株主総会若しくは取締役会の議事録又は執行役の決定があったことを証する書類の写しを添えて、国土交通大臣に提出しなければならない。
一　株式交付子会社の商号及び住所
二　株式交付に際して発行しようとする新株予約権の内容及び数又はその算定方法
三　株式交付に際して発行しようとする新株予約権が新株予約権付社債に付されたものである場合には、当該新株予約権付社債の種類及び種類ごとの各新株予約権付社債の金額の合計額又はその算定方法
四　株式交付子会社の株式の譲渡人に対する新株予約権の割当てに関する事項
五　株式交付に際して株式交付子会社の株式と併せて株式交付子会社の新株予約権等を譲り受けるときは、当該新株予約権等の内容（当該新株予約権等の対価の全部又は一部として新株予約権を交付する場合に限る。次号において同じ。）
六　前号に規定する場合には、株式交付子会社の新株予約権等の譲渡人に対する同号の会社の新株予約権の割当てに関する事項
七　株式交付がその効力を生ずる日
八　株式交付に際して新株予約権を発行しようとする理由

（新株予約権の行使により株式を発行した旨の届出）

第六条　会社は、法第三条第三項の規定により株式を発行した旨を届け出ようとするときは、次に掲げる事項を記載した届出書を国土交通大臣に提出しなければならない。
一　新株予約権につき、法第三条第二項の認可を受けた日
二　新株予約権の行使により発行した株式の種類及び数
三　新株予約権の行使に際して払込みをされた金額
四　新株予約権の行使により株式を発行した日

（事業を営むこととされた高速道路以外の高速道路に係る事業の認可の申請）

第七条　会社は、法第五条第四項の認可を受けようとするときは、当該認可に係る事業を営もうとする高速道路に係る協定（法第六条第一項に規定する協定をいう。以下同じ。）を締結する前に、次に掲げる事項を記載した申請書を国土交通大臣に提出しなければならない。
一　高速道路の路線名及び事業を営もうとする区間
二　営もうとする事業の内容
三　事業を営もうとする理由

（高速道路の管理等の事業以外の事業の届出）

第八条　会社は、法第五条第五項の規定による届出をしようとするときは、次に掲げる事項を記載した届出書を国土交通大臣に提出しなければならない。
一　営もうとする事業の内容
二　営もうとする事業の開始の時期
三　事業を営もうとする理由

（協定）

第九条　会社は、独立行政法人日本高速道路保有・債務返済機構（以下「機構」という。）と協定を締結しようとするときは、機構と共同して独立行政法人日本高速道路保有・債務返済機構に関する省令（平成十七年国土交通省令第六十四号）第二十条第一項各号に掲げる書類を作成しなければならない。
2　会社は、機構と協定を締結したときは、遅滞なく、協定を公表しなければならない。

（代表取締役等の選定等の決議の認可の申請）

第一〇条　会社は、法第九条の規定により代表取締役若しくは代表執行役の選定又は監査等委員である取締役若しくは監査役の選任若しくは監査委員の選定の決議の認可を受けようとするときは、次に掲げる事項を記載した申請書に選定又は選任に関する取締役会又は株主総会の議事録の写し及び選定しようとする代表取締役若しくは代表執行役又は選任しようとする監査等委員である取締役若しくは監査役若しくは選定しようとする監査委員の履歴書を添えて、国土交通大臣に提出しなければならない。
一　選定しようとする代表取締役若しくは代表執行役又は選任しようとする監査等委員である取締役若しくは監査役若しくは選定しようとする監査委員の氏名及び住所
二　前号に掲げる者が会社と利害関係を有するときは、その明細
三　選定又は選任の理由
2　会社は、法第九条の規定により代表取締役若しくは代表執行役の解職又は監査等委員である取締役若しくは監査役の解任若しくは監査委員の解職の決議の認可を受けようとするときは、解職しようとする代表取締役若しくは代表執行役又は解任しようとする監査等委員である取締役若しくは監査役若しくは解職しようとする監査委員の氏名及びその者を解職し、又は解任しようとする理由を記載した申請書に解職又は解任に関する取締役会又は株主総会の議事録の写しを添えて、国土交通大臣に提出しなければならない。

（事業計画の認可等の申請）

第一一条　会社は、法第十条前段の規定により事業計画の認可を受けようとするときは、当該事業計画を記載した申請書に資金計画書及び収支予算書を添えて、国土交通大臣に提出しなければならない。
2　前項の事業計画は、法第五条第一項、第四項及び第五項の事業について、その実施の方法、事業量及び所要資金の額を明らかにしたものでなければならない。この場合において、同条第一項の事業については同項各号の事業ごとに、同条第四項の事業については同条第一項第一号から第三号までの事業ごとにそれぞれ区分したものでなければならない。
3　会社は、法第十条後段の規定により事業計画の変更の認可を受けようとするときは、変更しようとする事項及び変更の理由を記載した申請書を国土交通大臣に提出しなければならない。この場合において、当該変更が第一項の規定により当該事業計画の認可を申請するときに添付した資金計画書又は収支予算書の変更を伴うときは、当該変更後の当該書類を添えなければならない。

（募集社債を引き受ける者の募集の認可の申請）

第一二条　会社は、法第十一条第一項の規定により募集社債（同項に規定する募集社債をいう。以下同じ。）を引き受ける者の募集の認可を受けようとするときは、次に掲げる事項を記載した申請書に募集社債を引き受ける者の募集に関する株主総会若しくは取締役会の議事録又は執行役の決定があったことを証する書類の写しを添えて、国土交通大臣に提出しなければならない。
一　募集社債の総額及び各募集社債の金額
二　募集社債の利率、償還の方法及び期限その他の発行条件
三　募集社債を引き受ける者の募集の方法
四　募集社債を引き受ける者の募集により取得する金額の使途
五　募集社債を引き受ける者の募集の理由

（株式交換又は株式交付に際しての社債の発行の認可の申請）

第一三条　会社は、法第十一条第一項の規定により株式交換に際しての社債の発行の認可を受けようとするときは、次に掲げる事項を記載した申請書に株式交換に際しての社債の発行に関する株主総会若しくは取締役会の議事録又は執行役の決定があったことを証する書類の写しを添えて、国土交通大臣に提出しなければならない。
一　株式交換完全子会社の商号及び住所
二　株式交換に際して発行しようとする社債の種類及び種類ごとの各社債の金額の合計額又はその算定方法
三　株式交換完全子会社の株主に対する社債の割当てに関する事項

四　株式交換がその効力を生ずる日
五　株式交換に際して社債を発行しようとする理由
２　会社は、法第十一条第一項の規定により株式交付に際しての社債の発行の認可を受けようとするときは、次に掲げる事項を記載した申請書に株式交付に際しての社債の発行に関する株主総会若しくは取締役会の議事録又は執行役の決定があったことを証する書類の写しを添えて、国土交通大臣に提出しなければならない。
一　株式交付子会社の商号及び住所
二　株式交付に際して発行しようとする社債の種類及び種類ごとの各社債の金額の合計額又はその算定方法
三　株式交付子会社の株式の譲渡人に対する社債の割当てに関する事項
四　株式交付に際して株式交付子会社の株式と併せて株式交付子会社の新株予約権等を譲り受けるときは、当該新株予約権等の内容（当該新株予約権等の対価の全部又は一部として社債を交付する場合に限る。次号において同じ。）
五　前号に規定する場合には、株式交付子会社の新株予約権等の譲渡人に対する同号の会社の社債の割当てに関する事項
六　株式交付がその効力を生ずる日
七　株式交付に際して社債を発行しようとする理由

（資金借入れの認可の申請）

第一四条　会社は、法第十一条第一項の規定により資金の借入れの認可を受けようとするときは、次に掲げる事項を記載した申請書を国土交通大臣に提出しなければならない。
一　借入金の額
二　借入先
三　借入金の利率、償還の方法及び期限その他の借入条件
四　借入金の使途
五　借入れの理由

（重要な財産）

第一五条　法第十二条の国土交通省令で定める重要な財産は、法第五条第一項及び第四項の事業の用に供する土地、建物及び構築物（同条第一項第一号の高速道路の新設又は改築、同項第二号の高速道路の維持、修繕、災害復旧その他の管理（新設及び改築を除く。）及び同項第五号イの鉄道施設の管理に伴い譲渡し、又は交換するものを除く。）であって、その帳簿価額が三億円以上のものとする。

（重要な財産の譲渡等の認可の申請）

第一六条　会社は、法第十二条の規定により重要な財産の譲渡の認可を受けようとするときは、次に掲げる事項を記載した申請書を国土交通大臣に提出しなければならない。
一　譲渡しようとする財産の内容
二　譲渡の相手方の氏名又は名称及び住所
三　所有権以外の権利の目的となっているときは、その権利の種類
四　対価の額
五　対価の受領の時期及び方法その他の譲渡の条件
六　譲渡の理由
２　会社は、法第十二条の規定により重要な財産を担保に供することの認可を受けようとするときは、次に掲げる事項を記載した申請書を国土交通大臣に提出しなければならない。
一　担保に供しようとする財産の内容
二　権利を取得する者の氏名又は名称及び住所
三　財産を第三者のために担保に供しようとするときは、その者の氏名又は名称及び住所
四　権利の種類
五　担保される債権の額
六　担保に供する理由

（定款変更の決議の認可の申請）

第一七条　会社は、法第十三条の規定により定款の変更の決議の認可を受けようとするときは、変更しようとする事項及び変更の理由を記載した申請書に定款の変更に関する株主総会の議事録の写しを添えて、国土交通大臣に提出しなければならない。

（剰余金の配当その他の剰余金の処分の決議の認可の申請）

第一八条　会社は、法第十三条の規定により剰余金の配当その他の剰余金の処分の決議の認可を受けようとするときは、剰余金の総額及び剰余金の配当その他の剰余金の処分の内訳を記載した申請書に剰余金の配当その他の剰余金の処分に関する株主総会又は取締役会の議事録の写しを添えて、国土交通大臣に提出しなければならない。

（合併、分割又は解散の決議の認可の申請）

第一九条　会社は、法第十三条の規定により合併、分割又は解散の決議の認可を受けようとするときは、次に掲げる事項（解散の決議の認可を受けようとする場合にあっては、第一号、第四号及び第五号に掲げる事項に限る。）を記載した申請書を国土交通大臣に提出しなければならない。
一　合併の場合にあっては合併後存続する法人又は合併により設立する法人の名称及び住所、分割の場合にあっては会社がその事業に関して有する権利義務の全部又は一部を承継させる法人の名称及び住所、解散の場合にあっては清算人の氏名及び住所
二　合併又は分割の方法及び条件
三　合併又は分割に反対した株主があるときは、その者の氏名又は名称及び住所並びにその者の所有する株式の種類及び数
四　合併、分割又は解散の時期
五　合併、分割又は解散の理由
２　前項の申請書には、次に掲げる書類（解散の決議の認可を受けようとする場合にあっては、第一号に掲げる書類に限る。）を添えなければならない。
一　合併、分割又は解散に関する株主総会の議事録の写し
二　合併契約又は吸収分割契約若しくは新設分割計画において定めた事項を記載した書類
三　合併又は分割の主要な条件の決定に関する説明書
四　合併契約の締結の時又は吸収分割契約の締結の時若しくは新設分割計画の作成の時における会社の資産、負債その他の財産の状況の説明書
五　合併後存続する法人若しくは合併により設立する法人又は分割により会社がその事業に関して有する権利義務の全部又は一部を承継させる法人の定款

（業務に関する規程の届出）

第二〇条　会社は、会計及び財務に関する規程を制定し、又は改廃したときは、遅滞なく、国土交通大臣に届け出なければならない。

附　則

この省令は、日本道路公団等民営化関係法施行法（平成十六年法律第百二号）の施行の日（平成十七年十月一日）から施行する。

附　則〔略〕〔平成一八・五・一国土交通省令六三〕

附　則〔略〕〔平成二七・四・二八国土交通省令三八〕

附　則〔略〕〔令和三・三・一国土交通省令七〕

附　則〔抄〕〔令和六・三・二九国土交通省令一六〕

（施行期日）

第一条　この省令は、令和六年四月一日から施行する。〔以下略〕

○高速道路事業等会計規則

（平成一七・六・一　国土交通省令六五）

改正　平成一八・五国交令六三、九国交令九一、平成一九・三国交令三四、平成二一・四国交令三〇、平成二七・一国交令四、四国交令三八、令和元・五国交令六

目次

第一章　総則（第一条―第六条）
第二章　仕掛道路資産（第七条―第十条）
第三章　固定資産（第十一条―第十七条）
第四章　貯蔵品等（第十八条―第二十二条）
第五章　重畳的債務引受（第二十三条）
第六章　高速道路事業とその他の事業に係る部門別収支の整理（第二十四条）
附則

第一章　総則

（趣旨）

第一条　高速道路株式会社法（以下「法」という。）第十四条第一項及び第二項の規定による会計の整理については、この省令の定めるところによる。

（定義）

第二条　この省令において「会社」とは、法第一条に規定する会社をいう。

2　この省令において「機構」とは、独立行政法人日本高速道路保有・債務返済機構をいう。

3　この省令において「高速道路事業」とは、法第五条第一項第一号及び第二号の事業並びにこれに附帯する事業をいう。

（遵守義務）

第三条　会社は、この省令の定めるところにより、その会計を整理しなければならない。ただし、特別の理由がある場合には、国土交通大臣の承認を受けて、この省令の定めるところと異なる整理をすることができる。

（事業年度）

第四条　会社の事業年度は、一年とし、その始期は、四月一日とする。

（会計原則）

第五条　会社は、次に掲げる原則によってその会計を整理しなければならない。

一　財政状態及び経営成績について真実な内容を表示すること。

二　すべての取引について、正規の簿記の原則に従って、正確な会計帳簿を作成すること。

三　資本取引と損益取引とを明確に区別すること。

四　会計の整理について同一の方法を毎期継続して適用し、みだりにこれを変更しないこと。

五　その他一般に公正妥当であると認められる会計の原則に従うこと。

（勘定科目及び財務諸表）

第六条　会社は、次章以下に定めるもののほか、別表第一によって勘定科目を分類し、かつ、別表第二によって貸借対照表、損益計算書その他の財務計算に関する諸表を作成しなければならない。

第二章　仕掛道路資産

（仕掛道路資産）

第七条　仕掛道路資産は、独立性のある区間ごとに区分して整理するものとする。ただし、区分の困難なものについては、この限りでない。

（仕掛道路資産の振替え）

第八条　仕掛道路資産の取得原価は、仕掛道路資産勘定をもって整理し、道路整備特別措置法（昭和三十一年法律第七号）第五十一条第二項から第四項までの規定により当該道路資産が機構に帰属した後遅滞なく精算して道路資産完成原価勘定に振り替えなければならない。

（仕掛道路資産の取得原価）

第九条　仕掛道路資産の取得原価は、次の各号に掲げる区分に応じ、それぞれ当該各号に定める価額に、第二十四条第三項の規定により道路の建設に要した費用に区分された費用の額及び除却工事費用その他道路資産の取得に伴い発生した費用で独立行政法人日本高速道路保有・債務返済機構法（平成十六年法律第百号）第十五条第一項の規定により機構が引き受けることとなる債務に係る費用の額を加えた価額とする。

一　建設した道路資産　建設価額に用地取得に係る費用その他の附帯費用を加算した価額

二　購入した道路資産　購入代価に購入に直接要した附帯費用を加算した価額

三　贈与を受けた道路資産　市場価格、復成価格等を基準にした適正な評価額

（建設に充当した借入資金の利息）

第一〇条　仕掛道路資産の建設に充当した借入資金の利息で当該資産の工事完了の日までに生じたものは、その金額を当該資産の建設価額に算入しなければならない。

第三章　固定資産

（高速道路事業固定資産）

第一一条　高速道路事業固定資産は、独立性のある区間ごとに区分して整理するものとする。ただし、区分の困難なものについては、この限りでない。

（高速道路事業建設仮勘定）

第一二条　高速道路事業固定資産の建設に要した費用は、建設仮勘定をもって整理し、次の各号に掲げる区分に応じ、それぞれ当該各号に定める時期に遅滞なく精算して高速道路事業固定資産勘定に振り替えなければならない。ただし、その時期に精算することができないときは、概算額をもって振り替えることができる。この場合には、精算が完了したときに補正しなければならない。

一　建設工事完了前に使用を開始した高速道路事業固定資産（使用を開始した部分に限る。）　その使用を開始したとき

二　その他の高速道路事業固定資産　建設工事が完了したとき

2　建設が短期間であり、かつ、建設に関する会計整理が簡単な場合には、前項の規定にかかわらず、当該高速道路事業固定資産の建設に要した費用を直接高速道路事業固定資産勘定に整理することができる。

（高速道路事業固定資産の評価）

第一三条　高速道路事業固定資産の貸借対照表価額は、当該高速道路事業固定資産の取得原価から減価償却累計額を控除した価額とする。ただし、災害その他の理由により高速道路事業固定資産の価額が著しく低減したとき又は減損損失を認識すべきときは、適正な価額にするものとする。

（高速道路事業固定資産の取得原価）

第一四条　高速道路事業固定資産の取得原価は、次の各号に掲げる区分に応じ、それぞれ当該各号に定める価額とする。

一　建設した高速道路事業固定資産　建設価額

二　購入した高速道路事業固定資産　購入代価に購入に直接要した附帯費用を加算した価額

三　贈与を受けた高速道路事業固定資産　市場価格、復成価格等を基準にした適正な評価額

（高速道路事業固定資産の減価償却）

第一五条　高速道路事業固定資産の減価償却は、定額法により行わなければならない。

2　高速道路事業固定資産の減価償却に関する整理は、有形固定資産については間接法により、無形固定資産については直接法により行わなければならない。

（高速道路事業固定資産の除却等）

第一六条　高速道路事業固定資産（無形固定資産を除く。以下この条及び第二十条第三号において同じ。）を除却し又は廃棄した場合には、その資産の取得原価及び減価償却累計額をそれぞれの該当勘定から除去しなければならない。

2　前項の場合において、除却し又は廃棄した高速道路事業固定資産の帳簿価額（その資産の取得原価から減価償却累計額を控除した価額をいう。以下同じ。）から原材料勘定、貯蔵品勘定その他の勘定に振り替えた額を控

除した額及び除却又は廃棄に要した費用は、固定資産除却費勘定に整理しなければならない。

3　前項の規定による貯蔵品勘定その他の勘定への振替額は、当該除却し又は廃棄した高速道路事業固定資産の帳簿価額と時価とのうちいずれか低い価額とする。

（各事業に共用される固定資産）

第一七条　高速道路事業とその他の事業とに共用される固定資産は、適正な基準により高速道路事業固定資産勘定に区分整理しなければならない。

2　前項の規定にかかわらず、高速道路事業固定資産勘定に区分整理することが不適当であると認められる固定資産は、各事業共用固定資産勘定に整理することができる。

3　第十一条から前条までの規定は、前項の規定により各事業共用固定資産勘定に整理される固定資産について準用する。

第四章　貯蔵品等

（貯蔵品等）

第一八条　高速道路事業の用に供するために取得した物品（仕掛道路資産勘定又は高速道路事業固定資産勘定に整理されるものを除く。）は、原材料勘定又は貯蔵品勘定に整理しなければならない。ただし、取得後直ちに使用されるものについては、この限りでない。

（貯蔵品等の評価）

第一九条　原材料勘定又は貯蔵品勘定に整理される物品（以下「貯蔵品等」という。）の貸借対照表価額は、当該物品の取得原価とする。ただし、損傷、陳腐化その他の理由により貯蔵品等の価額が低減したときは、適正な価額によるものとする。

（貯蔵品等の取得原価）

第二〇条　貯蔵品等の取得原価は、次の各号に掲げる区分に応じ、それぞれ当該各号に定める価額とする。

一　購入した貯蔵品等　購入代価に購入に直接要した附帯費用を加算した価額

二　製作した貯蔵品等　製作価額

三　高速道路事業固定資産の除却又は廃棄により除却資産から振り替えられた貯蔵品等　第十六条第三項に規定する振替額

（貯蔵品等の受払い）

第二一条　貯蔵品等の受払いは、継続記録法によって整理しなければならない。

2　貯蔵品等の払出価額は、先入先出法、移動平均法、総平均法又は個別法によって算出した払出単価によって算定しなければならない。

（予定受払単価法）

第二二条　前条第二項の規定にかかわらず、受払いの頻度が高く、かつ、種類、品質及び規格を同じくする貯蔵品等については、事業年度ごとにあらかじめ適正に設定した受払単価をもって整理することができる。

第五章　重畳的債務引受

第二三条　独立行政法人日本高速道路保有・債務返済機構法第十五条第一項の規定により機構が会社から債務を引き受けた場合において、当該債務について、会社が連帯して引き続き弁済の責めに任ずることとされたときは、会社は、当該債務の額を貸借対照表から除外した上で、その旨及び当該債務の額を注記しなければならない。

第六章　高速道路事業とその他の事業に係る部門別収支の整理

第二四条　法第十四条第二項の規定により、事業ごとに区分して会計を整理しようとする会社は、当該会社が行う高速道路事業及びその他の事業に係る収益及び費用について、別表第三に掲げる方法により整理しなければならない。

2　前項の場合において、会社の実情に応じた方法により、事業ごとに区分して会計を整理することが適当である場合であって、会社が当該方法を、あらかじめ別記様式により、国土交通大臣に届け出たときは、当該方法によることができる。この場合において、国土交通大臣は、当該方法を公表しなければならない。

3　高速道路事業において発生した費用（道路資産賃借料勘定及び道路資産完成原価勘定に整理される費用を除く。）は、別表第三に掲げる方法に準じた方法により、道路の建設に要した費用と道路の維持管理に要した費用とに区分し、道路の維持管理に要した費用は、管理費用と受託業務費用とに区分しなければならない。

附　則

（施行期日）

1　この省令は、日本道路公団等民営化関係法施行法（平成十六年法律第百二号）の施行の日（平成十七年十月一日）から施行する。

（最初の営業年度）

2　会社の最初の営業年度は、第四条の規定にかかわらず、その成立の日に始まり、平成十八年三月三十一日に終わるものとする。

（会社の事業の特例）

3　日本道路公団等民営化関係法施行法第二十条第一項の規定により同項に規定する管理有料高速道路承継会社が同項の事業を営む場合には、第二条第三項中「第五条第一項第一号及び第二号」とあるのは「第五条第一項第一号及び第二号並びに日本道路公団等民営化関係法施行法第二十条第一項」とする。

附　則〔平成一八・五・一国土交通省令六三〕

（施行期日）

1　この省令は、公布の日から施行する。

（経過措置）

2　この省令の施行前に到来した最終の決算期に係る財務計算に関する諸表の作成については、この省令による改正後の高速道路事業等会計規則別表第二第6号様式にかかわらず、なお従前の例による。

3　この省令の施行前にこの省令による改正前のそれぞれの省令の規定によってした処分、手続その他の行為であって、この省令による改正後のそれぞれの省令の規定に相当の規定があるものは、これらの規定によってした処分、手続その他の行為とみなす。

附　則〔平成一八・九・二七国土交通省令九一〕

1　この省令は、公布の日から施行する。

2　この省令による改正後の東京湾横断道路事業会計規則及び高速道路事業等会計規則の規定は、平成十八年五月一日以後に決算期の到来した事業年度に係る書類について適用する。

附　則〔略〕〔平成二七・一・二三国土交通省令四〕

附　則〔略〕〔平成二七・四・二八国土交通省令三八〕

附　則〔令和元・五・二二国土交通省令六〕

1　この省令は、公布の日から施行する。

2　この省令による改正後の〔中略〕高速道路事業等会計規則の規定は、平成三十年四月一日以後に開始する事業年度に係る会計の整理について適用し、同日前に開始する事業年度に係るものについては、なお従前の例による。

3　前項の規定にかかわらず、〔中略〕高速道路事業等会計規則第5号様式の改正規定中収益認識に関する注記に係る部分は、令和三年四月一日以後に開始する事業年度に係る会計の整理について適用し、同日前に開始する事業年度に係るものについては、なお従前の例による。ただし、平成三十年四月一日以後に開始する事業年度に係るものについては、改正後のこれらの規定を適用することができる。

別表・別記様式〔略〕

○独立行政法人日本高速道路保有・債務返済機構法〔平成一六・六・九 法律一〇〇〕

改正　平成一七・七法八七、一〇法一〇二、平成一八・六法六六、平成二六・六法五三、法六七、一一法一一四、令和五・六法四三

目次

第一章　総則（第一条―第六条）
第二章　役員及び職員（第七条―第十一条）
第三章　業務（第十二条―第十八条）
第四章　財務及び会計（第十九条―第二十五条）
第五章　雑則（第二十六条―第三十一条）
第六章　罰則（第三十二条）
附則

第一章　総則

（目的）

第一条　この法律は、独立行政法人日本高速道路保有・債務返済機構の名称、目的、業務の範囲等に関する事項を定めることを目的とする。

（定義）

第二条　この法律において「高速道路」とは、高速道路株式会社法（平成十六年法律第九十九号。以下「道路会社法」という。）第二条第二項に規定する高速道路をいう。

２　この法律において「道路資産」とは、道路（道路法（昭和二十七年法律第百八十号）第二条第一項に規定する道路をいう。）を構成する敷地又は支壁その他の物件（料金の徴収施設その他政令で定めるものを除く。）をいう。

３　この法律において「承継債務」とは、日本道路公団等民営化関係法施行法（平成十六年法律第百二号。以下「施行法」という。）第十五条第一項の規定により独立行政法人日本高速道路保有・債務返済機構が日本道路公団、首都高速道路公団、阪神高速道路公団及び本州四国連絡橋公団から承継した債務をいう。

（名称）

第三条　この法律及び独立行政法人通則法（平成十一年法律第百三号。以下「通則法」という。）の定めるところにより設立される通則法第二条第一項に規定する独立行政法人の名称は、独立行政法人日本高速道路保有・債務返済機構とする。

（機構の目的）

第四条　独立行政法人日本高速道路保有・債務返済機構（以下「機構」という。）は、高速道路に係る道路資産の保有並びに東日本高速道路株式会社、首都高速道路株式会社、中日本高速道路株式会社、西日本高速道路株式会社、阪神高速道路株式会社及び本州四国連絡高速道路株式会社（以下「会社」と総称する。）に対する貸付け、承継債務その他の高速道路の新設、改築等に係る債務の早期の確実な返済等の業務を行うことにより、高速道路に係る国民負担の軽減を図るとともに、会社による高速道路に関する事業の円滑な実施を支援することを目的とする。

（中期目標管理法人）

第四条の二　機構は、通則法第二条第二項に規定する中期目標管理法人とする。

（事務所）

第五条　機構は、主たる事務所を神奈川県に置く。

（資本金）

第六条　機構の資本金は、施行法第十五条第十一項の規定により政府及び地方公共団体から出資があったものとされた金額の合計額とする。

２　機構は、必要があるときは、国土交通大臣の認可を受けて、その資本金を増加することができる。

３　政府及び政令で定める地方公共団体は、前項の規定により機構がその資本金を増加するときは、予算で定める金額の範囲内において、機構に出資することができる。

第二章　役員及び職員

（役員）

第七条　機構に、役員として、その長である理事長及び監事二人を置く。

２　機構に、役員として、理事三人以内を置くことができる。

（理事の職務及び権限等）

第八条　理事は、理事長の定めるところにより、理事長を補佐して機構の業務を掌理する。

２　通則法第十九条第二項の個別法で定める役員は、理事とする。ただし、理事が置かれていないときは、監事とする。

３　前項ただし書の場合において、通則法第十九条第二項の規定により理事長の職務を代理し又はその職務を行う監事は、その間、監事の職務を行ってはならない。

（理事の任期）

第九条　理事の任期は、二年とする。

（役員の欠格条項の特例）

第一〇条　通則法第二十二条に定めるもののほか、次の各号のいずれかに該当する者は、役員となることができない。

一　会社の役員（いかなる名称によるかを問わず、これと同等以上の職権又は支配力を有する者を含む。）

二　物品の製造若しくは販売若しくは工事の請負を業とする者であって機構と取引上密接な利害関係を有するもの又はこれらの者が法人であるときはその役員（いかなる名称によるかを問わず、これと同等以上の職権又は支配力を有する者を含む。）

三　第十二条第二項第二号の鉄道事業者又はその者が法人であるときはその役員（いかなる名称によるかを問わず、これと同等以上の職権又は支配力を有する者を含む。）

四　前二号に掲げる事業者の団体の役員（いかなる名称によるかを問わず、これと同等以上の職権又は支配力を有する者を含む。）

２　機構の役員の解任に関する通則法第二十三条第一項の規定の適用については、同項中「前条」とあるのは、「前条及び独立行政法人日本高速道路保有・債務返済機構法第十条第一項」とする。

（役員及び職員の地位）

第一一条　機構の役員及び職員は、刑法（明治四十年法律第四十五号）その他の罰則の適用については、法令により公務に従事する職員とみなす。

第三章　業務

（業務の範囲）

第一二条　機構は、第四条の目的を達成するため、次の業務を行う。

一　高速道路に係る道路資産を保有し、これを会社に貸し付けること。

二　承継債務の返済（返済のための借入れに係る債務の返済を含む。以下同じ。）を行うこと。

三　次条第一項に規定する協定に基づき会社が高速道路の新設、改築、修繕又は災害復旧に要する費用に充てるために負担した債務を引き受け、当該債務の返済（返済のための借入れに係る債務の返済を含む。以下同じ。）を行うこと。

四　首都高速道路（道路会社法第五条第二項第二号に定める高速道路をいう。以下同じ。）の新設若しくは改築に要する費用に充てる資金の一部に充てるべきものとして政府若しくは政令で定める地方公共団体から受けた出資金又は阪神高速道路（同項第五号に定める高速道路をいう。以下同じ。）の新設若しくは改築に要する費用に充てる資金の一部に充てるべきものとして政府若しくは政令で定める地方公共団体から受けた出資金を財源として、それぞれ、首都高速道路株式会社又は阪神高速道路株式会社に対し、首都高速道路又は阪神高速道路の新設又は改築に要する費用の一部を無利子で貸し付けること。

五　国から交付された補助金を財源として、会社に対し、高速道路の災害復旧に要する費用に充てる資金の一部を無利子で貸し付けること。

六　国から交付された補助金を財源として、会社に対し、高速道路のうち当該高速道路と道路（高速道路を除く。）とを連結する部分で国土交通

省令で定めるものの整備に要する費用に充てる資金の一部を無利子で貸し付けること。

七　国から交付された補助金を財源として、会社に対し、自動車駐車場（高速道路に附属する道路の附属物（道路法第二条第二項に規定する道路の附属物をいう。）であるものに限る。）の整備（高速道路の通行者又は利用者の利便の確保に資するものとして国土交通省令で定める施設の整備と一体的に行うものに限る。）に要する費用に充てる資金の一部を無利子で貸し付けること。

八　首都高速道路の新設、改築、修繕若しくは災害復旧に要する費用に充てる資金の一部に充てるべきものとして政令で定める地方公共団体から交付された補助金又は阪神高速道路の新設、改築、修繕若しくは災害復旧に要する費用に充てる資金の一部に充てるべきものとして政令で定める地方公共団体から交付された補助金を財源として、それぞれ、首都高速道路株式会社又は阪神高速道路株式会社に対し、首都高速道路又は阪神高速道路の新設、改築、修繕又は災害復旧に要する費用に充てる資金の一部を無利子で貸し付けること。

九　会社の経営努力による高速道路の新設、改築、維持、修繕その他の管理に要する費用の縮減を助長するため、必要な助成を行うこと。

十　会社が高速道路の新設、改築、維持、修繕その他の管理を行う場合において、道路整備特別措置法（昭和三十一年法律第七号）及び災害対策基本法（昭和三十六年法律第二百二十三号）に基づき当該高速道路についてその道路管理者（道路整備特別措置法第二条第三項に規定する道路管理者をいう。以下同じ。）の権限の代行その他の業務を行うこと。

十一　本州四国連絡橋の建設に伴う一般旅客定期航路事業等に関する特別措置法（昭和五十六年法律第七十二号）に規定する業務を行うこと。

十二　前各号の業務に附帯する業務を行うこと。

2　機構は、前項の業務のほか、次の業務を行う。

一　本州と四国を連絡する鉄道施設の管理を行うこと。

二　前号の鉄道施設を有償で鉄道事業者に利用させること。

三　前二号の業務に附帯する業務を行うこと。

（協定）

第一三条　機構は、前条第一項の業務を行おうとするときは、国土交通省令で定めるところにより、会社と、全国路線網、地域路線網又は一の路線に属する高速道路（当該高速道路について二以上の会社が新設、改築、維持、修繕その他の管理を行う場合にあっては、それぞれの会社が新設、改築、維持、修繕その他の管理を行う高速道路の各部分。以下この項において同じ。）ごとに、次に掲げる事項をその内容に含む協定（以下「協定」という。）を締結しなければならない。

一　協定の対象となる高速道路の路線名

二　会社が行う管理のうち、新設、改築又は修繕に係る工事（特定更新等工事（橋、トンネルその他の高速道路を構成する施設又は工作物で、損傷、腐食その他の劣化により高速道路の構造に支障を及ぼすおそれが大きいものとして国土交通省令で定めるものに係る当該施設若しくは工作物の更新に係る工事又はこれと同等の効果を有すると認められる工事をいう。以下同じ。）を除き、修繕に係る工事にあっては、機構が会社からその費用に係る債務を引き受けるものに限る。）の内容

三　先行特定更新等工事（特定更新等工事のうち、令和四十七年九月三十日においても当該高速道路の構造が通常有すべき安全性を有していることとなることを確保するために必要と認められるものをいう。以下同じ。）の内容

四　後行特定更新等工事（特定更新等工事のうち、当該高速道路に係る道路資産の貸付期間の満了の日においてもその構造が通常有すべき安全性を有していることとなることを確保するために必要と認められるものをいう。以下同じ。）の内容

五　前三号に規定する工事に要する費用に係る債務であって、機構が会社から引き受けることとなるものの限度額

六　災害復旧に要するものと見込まれる費用に係る債務であって、機構が会社から引き受けることとなるものの限度額

七　機構が会社に対して行う前条第一項第四号、第六号、第七号及び第八号（災害復旧に係る部分を除く。）の無利子貸付けの貸付計画

八　機構が会社に貸し付ける道路資産の内容並びにその貸付料の額及び貸付期間

九　会社が当該高速道路を供用することにより徴収する料金の額及びその徴収期間

十　その他国土交通省令で定める事項

2　前項に規定する全国路線網に属する高速道路とは、高速自動車国道（高速自動車国道と交通上密接な関連を有する高速自動車国道以外の高速道路であって、前条第一項の業務を高速自動車国道と一体として行う必要があるものとして国土交通大臣の認可を受けて機構が指定したものを含む。）をいう。

3　第一項に規定する地域路線網に属する高速道路とは、交通上密接な関連を有する二以上の高速道路（前項に規定するものを除く。）であって、前条第一項の業務を一体として行う必要があるものとして国土交通大臣の認可を受けて機構が指定したものをいう。

4　第一項第八号の貸付期間の満了の日は、同項第九号の徴収期間の満了の日と同一でなければならない。

5　第一項第八号の貸付期間は、当該協定を締結する日（次項の規定により当該協定の変更をするときは、当該変更をする日）から起算して五十年以内でなければならない。

6　機構は、おおむね五年ごとに、前条第一項の業務の実施状況を勘案し、協定について検討を加え、これを変更する必要があると認めるときは、会社に対し、その変更を申し出ることができる。大規模な災害の発生その他社会経済情勢の重大な変化があり、これに対応して協定を変更する必要があると認めるときも、同様とする。

（業務実施計画）

第一四条　機構は、会社と協定を締結したとき（前条第一項に規定する全国路線網、地域路線網又は一の路線に属する高速道路について二以上の会社と協定を締結する場合にあっては、その全ての会社と協定を締結したとき）は、遅滞なく、当該協定の対象となる高速道路ごとに、次に掲げる事項を記載した業務実施計画を作成し、国土交通大臣の認可を受けなければならない。当該協定を変更したときも、同様とする。

一　業務実施計画の対象となる高速道路の路線名

二　会社が行う管理のうち、新設、改築又は修繕に係る工事（特定更新等工事を除き、修繕に係る工事にあっては、機構が会社からその費用に係る債務を引き受けるものに限る。）の内容

三　先行特定更新等工事の内容

四　後行特定更新等工事の内容

五　前三号に規定する工事に要する費用に係る債務であって、機構が会社から引き受けることとなるものの限度額

六　災害復旧に要するものと見込まれる費用に係る債務であって、機構が会社から引き受けることとなるものの限度額

七　機構が会社に対して行う第十二条第一項第四号、第六号、第七号及び第八号（災害復旧に係る部分を除く。）の無利子貸付けの貸付計画

八　機構が会社に貸し付ける道路資産の内容並びにその貸付料の額及び貸付期間

九　機構の収支予算の明細

十　その他国土交通省令で定める事項

2　二以上の会社と協定を締結した高速道路に関する業務実施計画にあっては、前項第二号から第八号までに掲げる事項は、それぞれの会社ごとに定めるものとする。

3　機構は、第一項の認可を受けようとするときは、協定その他国土交通省令で定める書類を添付しなければならない。

4　国土交通大臣は、第一項の規定による認可の申請が次の各号に掲げる要件のいずれにも適合する場合でなければ、同項の認可をしてはならない。

一　業務実施計画が、協定の内容に適合するものであること。

二　先行特定更新等工事により、令和四十七年九月三十日においても当該高速道路の構造が通常有すべき安全性を有していることとなると見込まれるものであること。

三　後行特定更新等工事により、当該高速道路に係る道路資産の貸付期間の満了の日においてもその構造が通常有すべき安全性を有していることとなると見込まれるものであること。

四　貸付料の額が、第十七条に定める基準に適合するものであること。

五　収支予算が、当該高速道路について、承継債務の返済及び第十二条第一項第三号の債務の返済（以下「承継債務等の返済」という。）の確実かつ円滑な実施が図られるものであること。

5　第一項の認可は、当該業務実施計画の対象となる高速道路について会社

が道路整備特別措置法第三条第一項又は第六項の許可を受けた日（当該高速道路について二以上の会社が新設、改築、維持、修繕その他の管理を行う場合にあっては、その全ての会社が当該許可を受けた日）から、その効力を生ずる。

（道路資産に係る債務の引受け等）

第一五条　機構は、高速道路に係る道路資産が道路整備特別措置法第五十一条第二項から第四項までの規定により機構に帰属する時において、前条第一項の認可を受けた業務実施計画（同項後段の規定による変更の認可を受けたときは、その変更後のもの。以下「認可業務実施計画」という。）に定められた機構が会社から引き受ける新設、改築、修繕又は災害復旧に要する費用に係る債務の限度額の範囲内で、会社が当該高速道路の新設、改築、修繕又は災害復旧に要する費用に充てるために負担した債務を引き受けなければならない。

2　前項の規定により機構が会社から当該会社の社債に係る債務を引き受けた場合にあっては、当該社債の社債権者（以下「引受社債権者」という。）は、機構の財産について他の債権者（第二十二条第一項及び第二項の規定による日本高速道路保有・債務返済機構債券の債権者を除く。）に先立って自己の債権の弁済を受ける権利を有する。

3　前項の先取特権の順位は、民法（明治二十九年法律第八十九号）の規定による一般の先取特権に次ぐものとし、かつ、第二十二条第三項の規定による先取特権と同順位とする。

（道路資産の貸付け等）

第一六条　機構は、認可業務実施計画に従い、会社に対し、その保有する道路資産を貸し付けるとともに、会社から、当該道路資産に係る貸付料を徴収しなければならない。

（道路資産の貸付料の額の基準）

第一七条　会社に対する道路資産の貸付けに係る貸付料の額は、認可業務実施計画の対象となる高速道路ごとに、機構が収受する当該高速道路に係る占用料その他の収入で政令で定めるものと併せて、当該高速道路に係る機構の第十二条第一項の業務に要する費用その他の政令で定める費用を、その貸付期間内に償うものでなければならない。

2　前項に規定するもののほか、同項の貸付料の額の基準は、政令で定める。

（鉄道施設の利用料の額の基準）

第一八条　鉄道事業者に鉄道施設を利用させる場合における利用料の額の基準に関し必要な事項は、政令で定める。

第四章　財務及び会計

（区分経理）

第一九条　機構は、第十二条第一項の業務又は同条第二項の業務ごとに経理を区分し、それぞれ勘定を設けて整理しなければならない。

（基金）

第二〇条　機構は、本州四国連絡橋の建設に伴う一般旅客定期航路事業等に関する特別措置法第十五条第一項に規定する退職金支払確保契約に関する業務及びこれに附帯する業務に関する基金を設け、同項に規定する特定事業主が当該退職金支払確保契約に基づき機構に掛金として納付した金額をもってこれに充てるものとする。

2　機構は、次の方法による場合を除くほか、前項の基金を運用してはならない。

一　国債、地方債その他国土交通大臣の指定する有価証券の取得

二　銀行その他国土交通大臣の指定する金融機関への預金

三　その他国土交通省令で定める方法

3　第一項の基金は、国土交通省令で定めるところにより、毎事業年度の損益計算上利益又は損失を生じたときは、その利益又は損失の額により増加又は減少するものとする。

（利益及び損失の処理の特例等）

第二一条　機構の第十二条第一項の業務に係る勘定（以下「高速道路勘定」という。）については、通則法第四十四条第一項ただし書及び第三項の規定は、適用しない。

2　機構は、高速道路勘定において、通則法第二十九条第二項第一号に規定する中期目標の期間（以下この項及び次項において「中期目標の期間」という。）の最後の事業年度に係る通則法第四十四条第一項本文又は第二項の規定による整理を行った後、同条第一項の規定による積立金があるときは、その額に相当する金額を当該中期目標の期間の次の中期目標の期間における積立金として整理しなければならない。

3　機構は、高速道路勘定以外の勘定において、中期目標の期間の最後の事業年度に係る通則法第四十四条第一項又は第二項の規定による整理を行った後、同条第一項の規定による積立金があるときは、その額に相当する金額のうち国土交通大臣の承認を受けた金額を、当該中期目標の期間の次の中期目標の期間に係る通則法第三十条第一項の認可を受けた中期計画（同項後段の規定による変更の認可を受けたときは、その変更後のもの）の定めるところにより、当該次の中期目標の期間における第十二条第二項に規定する業務の財源に充てることができる。

4　機構は、前項に規定する積立金の額に相当する金額から同項の規定による承認を受けた金額を控除してなお残余があるときは、その残余の額を国庫に納付しなければならない。

5　前二項に定めるもののほか、納付金の納付の手続その他積立金の処分に関し必要な事項は、政令で定める。

（長期借入金及び日本高速道路保有・債務返済機構債券）

第二二条　機構は、第十二条第一項第二号及び第三号に規定する業務に必要な費用に充てるため、国土交通大臣の認可を受けて、長期借入金をし、又は日本高速道路保有・債務返済機構債券（以下この章において「債券」という。）を発行することができる。

2　前項に定めるもののほか、機構は、債券を失った者に交付するため必要があるときは、政令で定めるところにより、債券を発行することができる。

3　前二項の規定による債券の債権者は、機構の財産について他の債権者（引受社債権者を除く。）に先立って自己の債権の弁済を受ける権利を有する。

4　前項の先取特権の順位は、民法の規定による一般の先取特権に次ぐものとし、かつ、第十五条第二項の規定による先取特権と同順位とする。

5　機構は、国土交通大臣の認可を受けて、債券の発行に関する事務の全部又は一部を本邦又は外国の銀行、信託会社又は金融商品取引業者（金融商品取引法（昭和二十三年法律第二十五号）第二条第八項に規定する金融商品取引業をいう。次項において同じ。）を行う者に委託することができる。

6　会社法（平成十七年法律第八十六号）第七百五条第一項及び第二項並びに第七百九条の規定は、前項の規定により委託を受けた銀行、信託会社又は金融商品取引業を行う者について準用する。

7　前各項に定めるもののほか、債券に関し必要な事項は、政令で定める。

（債務保証）

第二三条　政府は、法人に対する政府の財政援助の制限に関する法律（昭和二十一年法律第二十四号）第三条の規定にかかわらず、国会の議決を経た金額の範囲内において、機構の長期借入金又は債券に係る債務（国際復興開発銀行等からの外資の受入に関する特別措置に関する法律（昭和二十八年法律第五十一号）第二条の規定に基づき政府が保証契約をすることができる債務を除く。）について保証することができる。

（返済計画）

第二四条　機構は、毎事業年度、長期借入金及び債券の返済計画を立てて、国土交通大臣の認可を受けなければならない。

（補助金）

第二五条　政府は、予算の範囲内において、機構に対して、第十二条第一項第五号から第七号までの業務に要する経費を補助することができる。

2　第十二条第一項第八号の地方公共団体は、予算の範囲内において、機構に対して、同号の業務に要する経費を補助することができる。

第五章　雑則

（特に必要がある場合の国土交通大臣の要求）

第二六条　国土交通大臣は、道路整備特別措置法又は災害対策基本法に基づき行う道路管理者の権限の適正な行使を確保するため特に必要があると認めるときは、機構に対し、第十二条第一項第十号の業務及びこれに附帯する業務に関し必要な措置をとることを求めることができる。

2　機構は、国土交通大臣から前項の規定による求めがあったときは、正当な理由がない限り、その求めに応じなければならない。

（財務大臣との協議等）

第二七条　国土交通大臣は、次の場合には、財務大臣に協議しなければならない。

一　第六条第二項、第十四条第一項（第五号、第六号及び第九号に係る部

分に限る。）、第二十二条第一項若しくは第五項又は第二十四条の認可をしようとする場合

二　第二十一条第三項の承認をしようとする場合

2　国土交通大臣は、通則法第三十条第一項の規定による認可をしようとするときは、同条第二項各号に掲げる事項のうち首都高速道路、阪神高速道路又は本州四国連絡高速道路（道路会社法第五条第二項第六号に定める高速道路をいう。）に係る部分について、それぞれ政令で定める地方公共団体の長の意見を聴くものとする。

（主務大臣等）

第二八条　機構に係る通則法における主務大臣及び主務省令は、それぞれ国土交通大臣及び国土交通省令とする。

（他の法令の準用）

第二九条　行政代執行法（昭和二十三年法律第四十三号）及び政令で定めるその他の法令については、政令で定めるところにより、機構を国の行政機関とみなして、これらの法令を準用する。

（国家公務員宿舎法の適用除外）

第三〇条　国家公務員宿舎法（昭和二十四年法律第百十七号）の規定は、機構の役員及び職員には適用しない。

（機構の解散）

第三一条　機構は、別に法律で定めるところにより、令和九十七年九月三十日までに解散する。

2　機構は、高速道路勘定において、前項の規定による解散の日までに承継債務等の返済を完了させ、同日において少なくとも資本金に相当する額を残余財産としなければならない。

3　機構は、解散した場合において、高速道路勘定に係る残余財産を、高速道路勘定に係る各出資者に対し、その出資額に応じて分配するものとする。

4　機構は、解散した場合において、高速道路勘定以外の勘定について、その債務を返済してなお残余財産があるときは、当該残余財産を、当該勘定に係る各出資者に対し、その出資額に応じて分配するものとする。

第六章　罰則

第三二条　次の各号のいずれかに該当する場合には、その違反行為をした機構の役員は、二十万円以下の過料に処する。

一　この法律の規定により国土交通大臣の認可又は承認を受けなければならない場合において、その認可又は承認を受けなかったとき。

二　第十二条に規定する業務以外の業務を行ったとき。

三　第二十条第二項の規定に違反して基金を運用したとき。

附　則

（施行期日）

第一条　この法律は、施行法の施行の日〔平成一七・一〇・一〕から施行する。ただし、第二十八条の規定は、公布の日から施行する。

（事務所に関する経過措置）

第二条　機構は、政令で定める日までの間、第五条の規定にかかわらず、主たる事務所を東京都に置く。

附　則〔略〕〔平成一七・七・二六法律八七〕

附　則〔略〕〔平成一七・一〇・二一法律一〇二〕

附　則〔略〕〔平成一八・六・一四法律六六〕

附　則〔略〕〔平成二六・六・四法律五三〕

附　則〔略〕〔平成二六・六・一三法律六七〕

附　則〔略〕〔平成二六・一一・二一法律一一四施行〕

附　則〔抄〕〔令和五・六・七法律四三〕

（施行期日）

第一条　この法律は、公布の日から起算して三月を超えない範囲内において政令で定める日から施行する。ただし、第一条（道路整備特別措置法第二十三条第三項の改正規定、同法第二十四条の改正規定及び同法第五十九条の改正規定を除く。）の規定並びに附則第五条（中略）の規定は、公布の日から施行する。

〔令和五政二六九により、令和五・九・六から施行〕

（独立行政法人日本高速道路保有・債務返済機構法の一部改正に伴う経過措置）

第三条　施行日前に第二条の規定による改正前の独立行政法人日本高速道路保有・債務返済機構法第十三条第一項又は第五項の規定により締結され又は変更された協定については、第二条の規定による改正後の独立行政法人日本高速道路保有・債務返済機構法（以下この条において「新機構法」という。）第十三条第六項の規定にかかわらず、独立行政法人日本高速道路保有・債務返済機構は、施行日から起算して一年を経過する日までに、新機構法第十三条第一項第四号に掲げる事項をその内容に含み、かつ、同条第五項の規定に適合するものとなるようその変更をするものとする。

（罰則に関する経過措置）

第四条　施行日前にした行為に対する罰則の適用については、なお従前の例による。

（政令への委任）

第五条　前三条に定めるもののほか、この法律の施行に関し必要な経過措置（罰則に関する経過措置を含む。）は、政令で定める。

（検討）

第六条　政府は、この法律の施行後五年を目途として、この法律による改正後の規定の施行の状況について検討を加え、必要があると認めるときは、その結果に基づいて必要な措置を講ずるものとする。

○独立行政法人日本高速道路保有・債務返済機構法施行令

〔平成一七・六・一 政令二〇二〕

改正　平成一八・三政六三、平成一九・八政二三三、一二政三六九、平成二〇・七政二一九、平成二五・七政二二九、平成二六・六政二二一、一二政三八七、平成二七・一政二一、平成二九・三政三〇、七政一八八、平成三〇・九政二八〇、令和二・九政二六八、一二政三六三、令和三・九政二六一、令和五・九政二七〇

（機構に出資することができる地方公共団体）

第一条　独立行政法人日本高速道路保有・債務返済機構法（以下「法」という。）第六条第三項の政令で定める地方公共団体は、次の各号に掲げる出資金の区分に応じ、当該各号に定める地方公共団体とする。

一　首都高速道路に係る業務に要する費用に充てる資金の一部に充てるべきものとして出資する出資金　埼玉県、千葉県、東京都、神奈川県、横浜市、川崎市及びさいたま市

二　阪神高速道路に係る業務に要する費用に充てる資金の一部に充てるべきものとして出資する出資金　京都府、大阪府、兵庫県、京都市、大阪市、神戸市及び堺市

三　本州四国連絡高速道路に係る業務に要する費用に充てる資金の一部に充てるべきものとして出資する出資金　大阪府、兵庫県、岡山県、広島県、徳島県、香川県、愛媛県、高知県、大阪市及び神戸市

（無利子貸付けの財源となる出資金又は補助金の出資又は交付に係る地方公共団体）

第二条　法第十二条第一項第四号の政令で定める地方公共団体及び同項第八号の政令で定める地方公共団体は、次の各号に掲げる出資金及び補助金の区分に応じ、当該各号に定める地方公共団体とする。

一　首都高速道路の新設又は改築に要する費用に充てる資金の一部に充てるべきものとして受ける出資金及び首都高速道路の新設、改築、修繕又は災害復旧に要する費用に充てる資金の一部に充てるべきものとして交付される補助金　前条第一号に定める地方公共団体

二　阪神高速道路の新設又は改築に要する費用に充てる資金の一部に充てるべきものとして受ける出資金及び阪神高速道路の新設、改築、修繕又は災害復旧に要する費用に充てる資金の一部に充てるべきものとして交付される補助金　前条第二号に定める地方公共団体

（貸付料と併せて機構の業務に要する費用等を償う収入の範囲）

第三条　法第十七条第一項の政令で定める収入は、次に掲げる収入とする。

一　道路整備特別措置法（昭和三十一年法律第七号）第八条第一項第二十四号の規定により道路法（昭和二十七年法律第百八十号）第四十四条の三第一項から第四項までの規定による道路管理者の権限を機構が代わって行った場合における同条第七項の規定に基づく負担金

二　道路整備特別措置法第三十三条の規定により読み替えて適用する道路法第三十九条第一項の規定に基づく占用料

三　道路整備特別措置法第三十四条の規定により読み替えて適用する道路法第四十八条の七第一項又は高速自動車国道法（昭和三十二年法律第七十九号）第十一条の四第一項の規定に基づく連結料

四　道路整備特別措置法第三十六条の規定により読み替えて適用する道路法第四十七条の二第三項の規定に基づく手数料

五　道路整備特別措置法第四十条第一項の規定により読み替えて適用する道路法第六十一条第一項の規定に基づく負担金

六　道路整備特別措置法第四十五条第二項の規定により読み替えて適用する道路法第七十三条第二項の規定に基づく手数料及び延滞金

七　道路整備特別措置法第四十五条第四項の規定により読み替えて準用する道路法第七十三条第二項の規定に基づく納付金

八　道路整備特別措置法第四十五条第六項の規定に基づく手数料

九　高速道路勘定に属する資産の処分による収入その他の国土交通省令で定める収入

（貸付料等により償う機構の業務に要する費用等の範囲）

第四条　法第十七条第一項の政令で定める費用は、次に掲げる費用とする。

一　法第十二条第一項の業務に要する費用

二　法第三十一条第二項の規定により高速道路勘定において資本金に相当する額を残余財産とするための積立金の積立てに要する費用

（貸付料の額の基準）

第五条　法第十七条第二項の政令で定める同条第一項の貸付料の額の基準は、法第十四条第一項の認可を受けた業務実施計画の対象となる高速道路ごとに、当該高速道路に係る道路資産の貸付期間における貸付料の額の合計額が、当該貸付期間における当該高速道路に係る第三条各号に掲げる収入の額の合計額と併せて、当該貸付期間における当該高速道路に係る前条各号に掲げる費用の額の合計額に見合う額となるものであることとする。

（鉄道施設の利用料の額の基準）

第六条　法第十八条に規定する利用料の額は、毎事業年度の当該鉄道施設に係る租税及び管理費（当該鉄道施設に係るものとして配賦した租税及び管理費を含む。）の合算額に相当する額として国土交通大臣の定めるところにより算定した額とする。

（日本高速道路保有・債務返済機構債券の形式）

第七条　日本高速道路保有・債務返済機構債券（次項に規定するものを除く。）は、無記名式で利札付きのものとする。

２　国外日本高速道路保有・債務返済機構債券（本邦以外の地域において発行する日本高速道路保有・債務返済機構債券をいう。以下同じ。）は、無記名式で利札付きのもの並びに記名式で利札付きのもの及び無利札のものとする。

（日本高速道路保有・債務返済機構債券の発行の方法）

第八条　日本高速道路保有・債務返済機構債券の発行は、募集の方法による。

（日本高速道路保有・債務返済機構債券申込証）

第九条　日本高速道路保有・債務返済機構債券の募集に応じようとする者は、日本高速道路保有・債務返済機構債券申込証に、その引き受けようとする日本高速道路保有・債務返済機構債券の数並びにその氏名又は名称及び住所を記載しなければならない。

２　社債、株式等の振替に関する法律（平成十三年法律第七十五号。以下「社債等振替法」という。）の規定の適用がある日本高速道路保有・債務返済機構債券（次条第二項において「振替日本高速道路保有・債務返済機構債券」という。）の募集に応じようとする者は、前項の記載事項のほか、自己のために開設された当該日本高速道路保有・債務返済機構債券の振替を行うための口座（同条第二項において「振替口座」という。）を日本高速道路保有・債務返済機構債券申込証に記載しなければならない。

３　日本高速道路保有・債務返済機構債券申込証は、機構が作成し、これに次の事項を記載しなければならない。

一　日本高速道路保有・債務返済機構債券の名称

二　日本高速道路保有・債務返済機構債券の総額

三　各日本高速道路保有・債務返済機構債券の金額

四　日本高速道路保有・債務返済機構債券の利率

五　日本高速道路保有・債務返済機構債券の償還の方法及び期限

六　利息支払の方法及び期限

七　日本高速道路保有・債務返済機構債券の発行の価額

八　社債等振替法の規定の適用があるときは、その旨

九　社債等振替法の規定の適用がないときは、無記名式である旨又は記名式で利札付きである旨若しくは無利札である旨

十　募集又は管理の委託を受けた会社があるときは、その商号

（日本高速道路保有・債務返済機構債券の引受け）

第一〇条　前条の規定は、政府若しくは地方公共団体が日本高速道路保有・債務返済機構債券を引き受ける場合又は日本高速道路保有・債務返済機構債券の募集の委託を受けた会社が自ら日本高速道路保有・債務返済機構債券を引き受ける場合においては、その引き受ける部分については、適用しない。

２　前項の場合において、振替日本高速道路保有・債務返済機構債券を引き受ける政府若しくは地方公共団体又は振替日本高速道路保有・債務返済機構債券の募集の委託を受けた会社は、その引受けの際に、振替口座を機構に示さなければならない。

（日本高速道路保有・債務返済機構債券の成立の特則）

第一一条　日本高速道路保有・債務返済機構債券の応募総額が日本高速道路保有・債務返済機構債券の総額に達しないときでも日本高速道路保有・債務返済機構債券を成立させる旨を日本高速道路保有・債務返済機構債券申込証に記載したときは、その応募総額をもって日本高速道路保有・債務返済機構債券の総額とする。

（日本高速道路保有・債務返済機構債券の払込み）

第一二条　日本高速道路保有・債務返済機構債券の募集が完了したときは、機構は、遅滞なく、各日本高速道路保有・債務返済機構債券につきその全額の払込みをさせなければならない。

（債券の発行）

第一三条　機構は、前条の払込みがあったときは、遅滞なく、債券を発行しなければならない。ただし、日本高速道路保有・債務返済機構債券につき社債等振替法の規定の適用があるときは、この限りでない。

２　各債券には、第九条第三項第一号から第六号まで、第九号及び第十号に掲げる事項並びに番号を記載し、機構の理事長がこれに記名押印しなければならない。

（日本高速道路保有・債務返済機構債券原簿）

第一四条　機構は、主たる事務所に日本高速道路保有・債務返済機構債券原簿を備えて置かなければならない。

２　日本高速道路保有・債務返済機構債券原簿には、次の事項を記載しなければならない。

一　日本高速道路保有・債務返済機構債券の発行の年月日

二　日本高速道路保有・債務返済機構債券の数（社債等振替法の規定の適用がないときは、日本高速道路保有・債務返済機構債券の数及び番号）

三　第九条第三項第一号から第六号まで、第八号及び第十号に掲げる事項

四　元利金の支払に関する事項

（利札が欠けている場合）

第一五条　日本高速道路保有・債務返済機構債券を償還する場合において、欠けている利札があるときは、これに相当する金額を償還額から控除する。ただし、既に支払期が到来した利札については、この限りでない。

２　前項本文の利札の所持人がこれと引換えに控除金額の支払を請求したときは、機構は、これに応じなければならない。

（国外日本高速道路保有・債務返済機構債券の特例）

第一六条　国外日本高速道路保有・債務返済機構債券の発行、国外日本高速道路保有・債務返済機構債券に関する帳簿並びに欠けている利札のある国外日本高速道路保有・債務返済機構債券の償還及び当該利札の所持人に対する支払については、第八条から前条までの規定にかかわらず、当該国外日本高速道路保有・債務返済機構債券の準拠法又は発行市場の慣習によることができる。

（日本高速道路保有・債務返済機構債券の発行の認可）

第一七条　機構は、法第二十二条第一項の規定により日本高速道路保有・債務返済機構債券（国外日本高速道路保有・債務返済機構債券を除く。以下この条において同じ。）の発行の認可を受けようとするときは、日本高速道路保有・債務返済機構債券の募集の日の二十日前までに次に掲げる事項

を記載した申請書を国土交通大臣に提出しなければならない。

一　日本高速道路保有・債務返済機構債券の発行を必要とする理由

二　第九条第三項第一号から第八号までに掲げる事項

三　日本高速道路保有・債務返済機構債券の募集の方法

四　日本高速道路保有・債務返済機構債券の発行に要する費用の概算額

五　第二号に掲げるもののほか、債券に記載しようとする事項

2　前項の申請書には、次に掲げる書類を添付しなければならない。

一　作成しようとする日本高速道路保有・債務返済機構債券申込証

二　日本高速道路保有・債務返済機構債券の発行により調達する資金の使途を記載した書面

三　日本高速道路保有・債務返済機構債券の引受けの見込みを記載した書面

第一八条　機構は、法第二十二条第一項の規定により国外日本高速道路保有・債務返済機構債券の発行の認可を受けようとするときは、国土交通大臣の定めるところにより、次に掲げる事項を記載した申請書を国土交通大臣に提出しなければならない。

一　国外日本高速道路保有・債務返済機構債券の発行を必要とする理由

二　第九条第三項第一号から第七号までに掲げる事項

三　国外日本高速道路保有・債務返済機構債券の形式

四　国外日本高速道路保有・債務返済機構債券の発行の方法

五　国外日本高速道路保有・債務返済機構債券の発行に要する費用の概算額

六　第二号に掲げるもののほか、債券に記載しようとする事項

2　前項の申請書には、国外日本高速道路保有・債務返済機構債券の発行により調達する資金の使途を記載した書面その他国土交通省令で定める書類を添付しなければならない。

（国外日本高速道路保有・債務返済機構債券の滅失等の場合の代わり債券の発行）

第一九条　法第二十二条第二項の規定による日本高速道路保有・債務返済機構債券の発行は、国外日本高速道路保有・債務返済機構債券に限り行うものとする。

2　前項の規定による国外日本高速道路保有・債務返済機構債券の発行は、国外日本高速道路保有・債務返済機構債券を盗取され、滅失し、又は紛失した者からその再交付の請求があった場合において、当該盗取、滅失又は紛失に係る国外日本高速道路保有・債務返済機構債券につき、機構が適当と認める者によるその番号の確認があり、かつ、その盗取され、滅失し、又は紛失した証拠の提出があったときに限り、することができる。この場合において、必要があるときは、機構は、当該盗取、滅失若しくは紛失に係る国外日本高速道路保有・債務返済機構債券に対し償還をし、若しくは消却のための買入れをし、又は当該国外日本高速道路保有・債務返済機構債券に附属する利札に対し利子の支払をしたときは機構及び保証人である政府が適当と認める者がその償還金額若しくは買入価額又は利子の支払金額に相当する金額を機構に対し補てんすることとなることが確実と認められる保証状を徴するものとする。

（国外日本高速道路保有・債務返済機構債券に係る政府の保証に関する事務の取扱い）

第二〇条　国際復興開発銀行等からの外資の受入に関する特別措置に関する法律（昭和二十八年法律第五十一号）第二条第二項若しくは第三項又は法第二十三条の規定により政府が国外日本高速道路保有・債務返済機構債券に係る債務の保証を行う場合における保証に関する認証その他の事務は、財務大臣が指定する本邦又は外国の銀行、信託会社又は金融商品取引業（金融商品取引法（昭和二十三年法律第二十五号）第二条第八項に規定する金融商品取引業をいう。）を行う者を財務大臣の代理人として取り扱わせることができる。

（国土交通大臣が意見を聴取する地方公共団体）

第二一条　法第二十七条第二項の政令で定める地方公共団体は、次の各号に掲げる部分の区分に応じ、当該各号に定める地方公共団体とする。

一　首都高速道路に係る部分　第一条第一号に定める地方公共団体

二　阪神高速道路に係る部分　第一条第二号に定める地方公共団体

三　本州四国連絡高速道路に係る部分　第一条第三号に定める地方公共団体

（他の法令の準用）

第二二条　次の法令の規定については、機構を国の行政機関とみなして、これらの規定を準用する。

一　行政代執行法（昭和二十三年法律第四十三号）の規定

二　港湾法（昭和二十五年法律第二百十八号）第三十七条第三項（同法第四十三条の八第四項及び第五十五条の三の五第四項において準用する場合を含む。）

三　土地収用法（昭和二十六年法律第二百十九号）第十八条第二項第五号（同法第百三十八条第一項において準用する場合を含む。）及び第二十一条（同法第百三十八条第一項及び公共用地の取得に関する特別措置法（昭和三十六年法律第百五十号）第八条（同法第四十五条において準用する場合を含む。）において準用する場合を含む。）

四　都市公園法（昭和三十一年法律第七十九号）第九条（同法第三十三条第四項において準用する場合を含む。）

五　公共用地の取得に関する特別措置法第四条第二項第五号（同法第四十五条において準用する場合を含む。）

六　都市計画法（昭和四十三年法律第百号）第五十八条の七第一項

七　急傾斜地の崩壊による災害の防止に関する法律（昭和四十四年法律第五十七号）第七条第四項及び第十三条

八　大深度地下の公共的使用に関する特別措置法（平成十二年法律第八十七号）第十四条第二項第九号及び第十八条

九　不動産登記法（平成十六年法律第百二十三号）第十六条及び第百十五条から第百十七条まで

十　不動産登記令（平成十六年政令第三百七十九号）第七条第一項第六号（同令別表の七十三の項に係る部分に限る。）及び第二項、第十六条第四項、第十七条第二項、第十八条第四項並びに第十九条第二項

2　前項の規定により次の表の上欄に掲げる法令の規定を準用する場合においては、これらの規定中の字句で同表の中欄に掲げるものは、それぞれ同表の下欄の字句と読み替えるものとする。

行政代執行法第六条第三項	事務費の所属に従い、国庫又は地方公共団体の経済	独立行政法人日本高速道路保有・債務返済機構
土地収用法第二十一条第一項（同法第百三十八条第一項及び公共用地の取得に関する特別措置法第八条（同法第四十五条において準用する場合を含む。）において準用する場合を含む。）	行政機関若しくはその地方支分部局の長	独立行政法人日本高速道路保有・債務返済機構
土地収用法第二十一条第二項（同法第百三十八条第一項及び公共用地の取得に関する特別措置法第八条（同法第四十五条において準用する場合を含む。）において準用する場合を含む。）	行政機関又はその地方支分部局の長	独立行政法人日本高速道路保有・債務返済機構
不動産登記令第七条第二項	命令又は規則により指定された官庁又は公署の職員	独立行政法人日本高速道路保有・債務返済機構の理事長が指定し、その旨を官報により公告した独立行政法人日本高速道路保有・債務返済機構の役員又は職員

第二三条　勅令及び政令以外の命令であって国土交通省令で定めるものについては、国土交通省令で定めるところにより、機構を国の行政機関とみなして、これらの命令を準用する。

附　則

（施行期日）

1　この政令は、日本道路公団等民営化関係法施行法（平成十六年法律第百

二号）の施行の日（平成十七年十月一日）から施行する。

（主たる事務所を東京都に置く期限）

2　法附則第二条の政令で定める日は、平成二十七年三月三十日とする。

（貸付料等により償う機構の業務に要する費用等の範囲に関する特例）

3　第四条の規定の適用については、当分の間、同条第二号中「相当する額」とあるのは、「相当する額（日本道路公団等民営化関係法施行法第十五条第十一項に規定する承継出資額で同条第一項の規定により解散した旧本州四国連絡橋公団に係るもの並びに法第六条第三項の規定により政府及び第一条第三号に定める地方公共団体が日本道路公団等の民営化に伴う道路関係法律の整備等に関する法律（平成十六年法律第百一号）第一条の規定による改正前の道路整備特別措置法第七条の七に規定する本州四国連絡道路に係る業務に要する費用に充てる資金の一部に充てるべきものとして出資する出資金に相当する額を除く。）」とする。

附則（略）〔平成一八・三・二七政令六三〕

附則（略）〔平成一九・八・三政令二三三〕

附則（略）〔平成一九・一二・一四政令三六九〕

附則（略）〔平成二〇・七・四政令二一九〕

附則（略）〔平成二五・七・三一政令二二九〕

附則（略）〔平成二六・六・二五政令二二一〕

附則（略）〔平成二六・一二・一二政令三八七施行〕

附則（略）〔平成二七・一・二三政令二一〕

附則（略）〔平成二九・三・一〇政令三〇施行〕

附則（略）〔平成二九・七・七政令一八八〕

附則（略）〔平成三〇・九・二八政令二八〇〕

附則（略）〔令和二・九・四政令二六八〕

附則（略）〔令和二・一二・二三政令三六三〕

附則（略）〔令和三・九・二四政令二六一〕

附則〔令和五・九・一政令二七〇〕

この政令は、道路整備特別措置法及び独立行政法人日本高速道路保有・債務返済機構法の一部を改正する法律の施行の日（令和五年九月六日）から施行する。

○独立行政法人日本高速道路保有・債務返済機構に関する省令

〔平成一七・六・一　国土交通省令六四〕

改正　平成一八・三国交令一九、平成一九・九国交令八五、平成二一・三国交令二九、四国交令三二、平成二二・一一国交令五五、平成二五・九国交令七四、平成二六・二国交令一五、三国交令一八、六国交令五六、平成二七・三国交令一九、平成二九・一国交令三、平成三〇・九国交令七四、平成三一・三国交令二九、令和元・六国交令一六、令和二・一一国交令九〇、令和四・三国交令一七、令和五・九国交令六五

（通則法第八条第三項の主務省令で定める重要な財産）

第一条　独立行政法人日本高速道路保有・債務返済機構（以下「機構」という。）に係る独立行政法人通則法（以下「通則法」という。）第八条第三項の主務省令で定める重要な財産は、その保有する財産であって、その通則法第四十六条の二第一項若しくは第二項又は第四十六条の三第一項の認可に係る申請の日（各項ただし書の場合にあっては、当該財産の処分に関する計画を定めた通則法第三十条第一項の中期計画の認可に係る申請の日）における帳簿価額（現金及び預金にあっては、申請の日におけるその額）が五十万円以上のもの（その性質上通則法第四十六条の二又は第四十六条の三の規定により処分することが不適当なものを除く。）その他国土交通大臣が定める財産とする。

（監査報告の作成）

第二条　機構に係る通則法第十九条第四項の規定により主務省令で定める事項については、この条の定めるところによる。

2　監事は、その職務を適切に遂行するため、次に掲げる者との意思疎通を図り、情報の収集及び監査の環境の整備に努めなければならない。この場合において、役員（監事を除く。以下同じ。）は、監事の職務の執行のための必要な体制の整備に留意しなければならない。

一　機構の役員及び職員

二　その他監事が適切に職務を遂行するに当たり意思疎通を図るべき者

3　前項の規定は、監事が公正不偏の態度及び独立の立場を保持することができなくなるおそれのある関係の創設及び維持を認めるものと解してはならない。

4　監事は、その職務の遂行に当たり、必要に応じ、機構の他の監事との意思疎通及び情報の交換を図るよう努めなければならない。

5　監査報告には、次に掲げる事項を記載しなければならない。

一　監事の監査の方法及びその内容

二　機構の業務が、法令等に従って適正に実施されているかどうか及び中期目標の着実な達成に向け効果的かつ効率的に実施されているかどうかについての意見

三　機構の役員の職務の執行が法令等に適合することを確保するための体制その他機構の業務の適正を確保するための体制の整備及び運用についての意見

四　機構の役員の職務の遂行に関し、不正の行為又は法令等に違反する重大な事実があったときは、その事実

五　監査のため必要な調査ができなかったときは、その旨及びその理由

六　監査報告を作成した日

（監事の調査の対象となる書類）

第三条　機構に係る通則法第十九条第六項第二号に規定する主務省令で定める書類は、独立行政法人日本高速道路保有・債務返済機構法（以下「法」という。）及び独立行政法人日本高速道路保有・債務返済機構法施行令（以下「令」という。）の規定に基づき国土交通大臣に提出する書類とする。

（業務方法書の記載事項）

第四条　機構に係る通則法第二十八条第二項の主務省令で定める事項は、次のとおりとする。

一　法第十二条第一項第一号に規定する高速道路に係る道路資産の保有及び貸付けに関する事項

二　法第十二条第一項第二号に規定する承継債務の返済に関する事項

三　法第十二条第一項第三号に規定する債務の引受け及び返済に関する事項

四　法第十二条第一項第四号に規定する無利子貸付けに関する事項

五　法第十二条第一項第五号に規定する無利子貸付けに関する事項

六　法第十二条第一項第六号に規定する無利子貸付けに関する事項

七　法第十二条第一項第七号に規定する無利子貸付けに関する事項

八　法第十二条第一項第八号に規定する無利子貸付けに関する事項

九　法第十二条第一項第九号に規定する助成に関する事項

十　法第十二条第一項第十号に規定する道路管理者の権限の代行その他の業務に関する事項

十一　法第十二条第一項第十一号に規定する本州四国連絡橋の建設に伴う一般旅客定期航路事業等に関する特別措置法（昭和五十六年法律第七十二号）に規定する業務に関する事項

十二　法第十二条第一項第十二号に規定する附帯する業務に関する事項

十三　法第十二条第二項第一号に規定する本州と四国を連絡する鉄道施設の管理に関する事項

十四　法第十二条第二項第二号に規定する鉄道施設を有償で鉄道事業者に利用させることに関する事項

十五　法第十二条第二項第三号に規定する附帯する業務に関する事項
十六　業務委託の基準
十七　競争入札その他契約に関する基本的事項
十八　その他機構の業務の執行に関して必要な事項

（中期計画の認可申請等）

第五条　機構は、通則法第三十条第一項前段の規定により中期計画の認可を受けようとするときは、当該中期計画を記載した申請書を、当該中期計画の最初の事業年度開始の日の三十日前までに（機構の成立後最初の中期計画については、機構の成立後遅滞なく）、国土交通大臣に提出しなければならない。

２　機構は、通則法第三十条第一項後段の規定により中期計画の変更の認可を受けようとするときは、変更しようとする事項及びその理由を記載した申請書を国土交通大臣に提出しなければならない。

（中期計画の記載事項）

第六条　機構に係る通則法第三十条第二項第八号の主務省令で定める業務運営に関する事項は、次に掲げるものとする。ただし、機構の成立後最初の中期計画に係る当該事項については、第一号、第二号及び第四号に掲げるものとする。

一　施設及び設備に関する計画
二　人事に関する計画
三　法第二十一条第三項に規定する積立金の使途
四　その他当該中期目標を達成するために必要な事項

（年度計画の記載事項等）

第七条　機構に係る通則法第三十一条第一項に規定する年度計画には、中期計画に定めた事項に関し、当該事業年度において実施すべき事項を記載しなければならない。

２　機構は、通則法第三十一条第一項後段の規定により年度計画の変更をしたときは、変更した事項及びその理由を記載した届出書を国土交通大臣に提出しなければならない。

（業務実績等報告書）

第七条の二　機構に係る通則法第三十二条第二項の報告書には、当該報告書が次の表の上欄に掲げる報告書のいずれに該当するかに応じ、同表の下欄に掲げる事項を記載しなければならない。その際、機構は、当該報告書が同条第一項の評価の根拠となる情報を提供するために作成されるものであることに留意しつつ、機構の事務及び事業の性質、内容等に応じて区分して同欄に掲げる事項を記載するものとする。

事業年度における業務の実績及び当該実績について自ら評価を行った結果を明らかにした報告書	一　当該事業年度における業務の実績（当該業務の実績が通則法第二十九条第二項第二号に掲げる事項に係るものである場合にあっては次のイからニまでに掲げる事項を明らかにしたものに、同項第三号から第五号までに掲げる事項に係るものである場合にあっては次のイからハまでに掲げる事項を明らかにしたものに限る。） イ　中期計画及び年度計画の実施状況 ロ　当該事業年度における業務運営の状況 ハ　当該業務の実績に係る指標及び当該事業年度の属する中期目標の期間における当該事業年度以前の毎年度の当該指標の数値（当該業務の実績に係る指標が設定されている場合に限る。） ニ　当該事業年度の属する中期目標の期間における当該事業年度以前の毎年度の当該業務の実績に係る財務情報及び人員に関する情報 二　次のイからハまでに掲げる事項を明らかにした前号に掲げる業務の実績についての評価の結果（当該業務の実績が通則法第二十九条第二項第二号から第五号までに掲げる事項に係るものである場合に限る。） イ　中期目標に定めた項目ごとの評定及び当該評定を付した理由 ロ　業務運営上の課題が検出された場合には、当該課題及び当該課題に対する改善方策 ハ　過去の報告書に記載された改善方策のうちその実施が完了した旨の記載がないものがある場合には、その実施状況
中期目標の期間の終了時に見込まれる中期目標の期間における業務の実績及び当該実績について自ら評価を行った結果を明らかにした報告書	一　中期目標の期間の終了時に見込まれる中期目標の期間における業務の実績（当該業務の実績が通則法第二十九条第二項第二号に掲げる事項に係るものである場合にあっては次のイからニまでに掲げる事項を明らかにしたものに、同項第三号から第五号までに掲げる事項に係るものである場合にあっては次のイからハまでに掲げる事項を明らかにしたものに限る。） イ　中期目標及び中期計画の実施状況 ロ　当該期間における業務運営の状況 ハ　当該業務の実績に係る指標及び当該期間における毎年度の当該指標の数値（当該業務の実績に係る指標が設定されている場合に限る。） ニ　当該期間における毎年度の当該業務の実績に係る財務情報及び人員に関する情報 二　次のイからハまでに掲げる事項を明らかにした前号に掲げる業務の実績についての評価の結果（当該業務の実績が通則法第二十九条第二項第二号から第五号までに掲げる事項に係るものである場合に限る。） イ　中期目標に定めた項目ごとの評定及び当該評定を付した理由 ロ　業務運営上の課題が検出された場合には、当該課題及び当該課題に対する改善方策 ハ　過去の報告書に記載された改善方策のうちその実施が完了した旨の記載がないものがある場合には、その実施状況
中期目標の期間における業務の実績及び当該実績について自ら評価を行った結果を明らかにした報告書	一　中期目標の期間における業務の実績（当該業務の実績が通則法第二十九条第二項第二号に掲げる事項に係るものである場合にあっては次のイからニまでに掲げる事項を明らかにしたものに、同項第三号から第五号までに掲げる事項に係るものである場合にあっては次のイからハまでに掲げる事項を明らかにしたものに限る。） イ　中期目標及び中期計画の実施状況 ロ　当該期間における業務運営の状況 ハ　当該業務の実績に係る指標及び当該期間における毎年度の当該指標の数値（当該業務の実績に係る指標が設定されている場合に限る。） ニ　当該期間における毎年度の当該業務の実績に係る財務情報及び人員に関する情報 二　次のイからハまでに掲げる事項を明らかにした前号に掲げる業務の実績についての評価の結果（当該業務の実績が通則法第二十九条第二項第二号から第五号までに掲げる事項に係るものである場合に限る。） イ　中期目標に定めた項目ごとの評定及び当該評定を付した理由 ロ　業務運営上の課題が検出された場合には、当該課題及び当該課題に対する改善方策 ハ　過去の報告書に記載された改善方策のうちその実施が完了した旨の記載がないものがある場合には、その実施状況

２　機構は、前項に規定する報告書を国土交通大臣に提出したときは、速やかに、当該報告書をインターネットの利用その他の適切な方法により公表するものとする。

（会計の原則）

第八条　機構の会計については、この省令の定めるところによるものとし、この省令に定めのないものについては、一般に公正妥当と認められる企業会計の基準に従うものとする。

２　金融庁組織令（平成十年政令第三百九十二号）第二十四条第一項に規定する企業会計審議会により公表された企業会計の基準は、前項に規定する一般に公正妥当と認められる企業会計の基準に該当するものとする。

３　平成十一年四月二十七日の中央省庁等改革推進本部決定に基づき行われ

た独立行政法人の会計に関する研究の成果として公表された基準（以下「独立行政法人会計基準」という。）は、この省令に準ずるものとして、第一項に規定する一般に公正妥当と認められる企業会計の基準に優先して適用されるものとする。

（共通経費の経理）

第八条の二　機構は、法第十九条の規定により区分して経理する場合において、経理すべき事項が当該区分に係る勘定以外の勘定によって経理すべき事項と共通の事項であるため、当該勘定に係る部分を区分して経理することが困難なときは、当該事項については、国土交通大臣の承認を受けて定める基準に従って、各勘定に配分することにより経理するものとする。

（道路資産の取得原価）

第九条　道路整備特別措置法（昭和三十一年法律第七号）第五十一条第二項から第四項までの規定により機構に帰属した道路資産の取得原価は、会社（法第四条に規定する会社をいう。以下同じ。）から取得した当該道路資産の価額から高速道路事業等会計規則（平成十七年国土交通省令第六十五号）第九条の道路の建設に要した費用のうち一般管理費の科目に属するものの額及び同条の除却工事費用その他道路資産の取得に伴い発生した費用で機構が引き受けることとなる債務に係る費用の額並びに同規則第十条の借入資金の利息（償却資産（道路の新設及び改築に係るものに限る。）に係るもの（高速自動車国道に係るものを除く。）を除く。）の金額を減じた価額とする。

（法令に基づく引当金）

第一〇条　機構の法第十二条第一項の業務に係る勘定においては、道路整備事業に係る国の財政上の特別措置に関する法律（昭和三十三年法律第三十四号）第七条第十項に規定する高速道路利便増進事業のために必要となる貸付料の額の減額に係る会計処理のため、国土交通大臣の定めるところにより、貸借対照表の負債の部に高速道路利便増進事業引当金の勘定科目を設けて計算するものとする。

2　機構の法第十二条第二項の業務に係る勘定においては、同項第一号の鉄道施設に係る会計処理のため、国土交通大臣の定めるところにより、貸借対照表の負債の部に鉄道施設管理引当金の勘定科目を設けて計算するものとする。

（道路資産の減価償却額の注記）

第一一条　機構の保有する道路資産については、当該道路資産に係る道路の供用を開始した時からの当該道路資産に係る減価償却に要した費用の累積額を附属明細書に注記し、又は記載するものとする。

（収益の獲得が予定されない償却資産）

第一一条の二　国土交通大臣は、機構が業務のため取得しようとしている償却資産についてその減価に対応すべき収益の獲得が予定されないと認められる場合には、その取得までの間に限り、当該償却資産を指定することができる。

2　前項の指定を受けた資産の減価償却については、減価償却費は計上せず、資産の減価額と同額を資本剰余金に対する控除として計上するものとする。

（対応する収益の獲得が予定されない資産除去債務に係る除去費用等）

第一一条の三　国土交通大臣は、機構が業務のため保有し又は取得しようとしている有形固定資産に係る資産除去債務に対応する除去費用に係る費用配分額及び時の経過による資産除去債務の調整額（以下この条において「除去費用等」という。）についてその除去費用等に対応すべき収益の獲得が予定されていないと認められる場合には、当該除去費用等を指定することができる。

（譲渡差額を損益計算上の損益に計上しない譲渡取引）

第一一条の四　国土交通大臣は、機構が通則法第四十六条の二第二項又は第四十六条の三第三項の規定に基づいて行う不要財産の譲渡取引についてその譲渡差額を損益計算上の損益に計上しないことが必要と認められる場合には、当該譲渡取引を指定することができる。

（財務諸表）

第一二条　機構に係る通則法第三十八条第一項の主務省令で定める書類は、独立行政法人会計基準に定める行政コスト計算書、純資産変動計算書及びキャッシュ・フロー計算書とする。

（事業報告書の作成）

第一二条の二　機構に係る通則法第三十八条第二項の規定により主務省令で定める事項については、この条の定めるところによる。

2　事業報告書には、次に掲げる事項を記載しなければならない。

一　機構の目的及び業務内容
二　国の政策における機構の位置付け及び役割
三　中期目標の概要
四　機構の長の理念並びに運営上の方針及び戦略
五　中期計画及び年度計画の概要
六　持続的に適正なサービスを提供するための源泉
七　業務運営上の課題及びリスクの状況並びにその対応策
八　業績の適正な評価に資する情報
九　業務の成果及び当該業務に要した資源
十　予算及び決算の概要
十一　財務諸表の要約
十二　財政状態及び運営状況の機構の長による説明
十三　内部統制の運用状況
十四　機構に関する基礎的な情報

（財務諸表の閲覧期間）

第一三条　機構に係る通則法第三十八条第三項の主務省令で定める期間は、五年とする。

（会計監査報告の作成）

第一三条の二　通則法第三十九条第一項後段の規定により主務省令で定める事項については、この条の定めるところによる。

2　会計監査人は、その職務を適切に遂行するため、次に掲げる者との意思疎通を図り、情報の収集及び監査の環境の整備に努めなければならない。ただし、会計監査人が公正不偏の態度及び独立の立場を保持することができなくなるおそれのある関係の創設及び維持を認めるものと解してはならない。

一　機構の役員及び職員
二　その他会計監査人が適切に職務を遂行するに当たり意思疎通を図るべき者

3　会計監査人は、通則法第三十八条第一項に規定する財務諸表並びに同条第二項に規定する事業報告書及び決算報告書を受領したときは、次に掲げる事項を内容とする会計監査報告を作成しなければならない。

一　会計監査人の監査の方法及びその内容
二　財務諸表（利益の処分又は損失の処理に関する書類を除く。以下この号及び次項において同じ。）が機構の財政状態、運営状況、キャッシュ・フローの状況等を全ての重要な点において適正に表示しているかどうかについての意見があるときは、次のイからハまでに掲げる意見の区分に応じ、当該イからハまでに定める事項

イ　無限定適正意見　監査の対象となった財務諸表が独立行政法人会計基準その他の一般に公正妥当と認められる会計の慣行に準拠して、機構の財政状態、運営状況、キャッシュ・フローの状況等を全ての重要な点において適正に表示していると認められる旨

ロ　除外事項を付した限定付適正意見　監査の対象となった財務諸表が除外事項を除き独立行政法人会計基準その他の一般に公正妥当と認められる会計の慣行に準拠して、機構の財政状態、運営状況、キャッシュ・フローの状況等を全ての重要な点において適正に表示していると認められる旨及び除外事項

ハ　不適正意見　監査の対象となった財務諸表が不適正である旨及びその理由

三　前号の意見がないときは、その旨及びその理由
四　第二号の意見がある場合は、事業報告書（会計に関する部分を除く。）の内容と通則法第三十九条第一項に規定する財務諸表、事業報告書（会計に関する部分に限る。）及び決算報告書の内容又は会計監査人が監査の過程で得た知識との間の重要な相違等について、報告すべき事項の有無及び報告すべき事項があるときはその内容
五　追記情報
六　前各号に掲げるもののほか、利益の処分又は損失の処理に関する書類、事業報告書（会計に関する部分に限る。）及び決算報告書に関して必要な報告
七　会計監査報告を作成した日

4　前項第五号に規定する「追記情報」とは、次に掲げる事項その他の事項のうち、会計監査人の判断に関して説明を付す必要がある事項又は財務諸表の内容のうち強調する必要がある事項とする。

一　会計方針の変更
二　重要な偶発事象
三　重要な後発事象

（短期借入金の認可の申請）

第一四条　機構は、通則法第四十五条第一項ただし書の規定により短期借入金の借入れの認可を受けようとするとき、又は同条第二項ただし書の規定により短期借入金の借換えの認可を受けようとするときは、次に掲げる事項を記載した申請書を国土交通大臣に提出しなければならない。
一　借入れを必要とする理由
二　借入金の額
三　借入先
四　借入金の利率
五　借入金の償還の方法及び期限
六　利息の支払の方法及び期限
七　その他必要な事項

（長期借入金の認可の申請）

第一五条　機構は、法第二十二条第一項の規定により長期借入金の借入れの認可を受けようとするときは、前条各号に掲げる事項を記載した申請書を国土交通大臣に提出しなければならない。

（返済計画の認可の申請）

第一六条　機構は、法第二十四条の規定により返済計画の認可を受けようとするときは、通則法第三十一条第一項前段の規定により年度計画を届け出た後、遅滞なく、次に掲げる事項を記載した返済計画を国土交通大臣に提出しなければならない。ただし、返済計画の変更の認可を受けようとするときは、その都度提出しなければならない。
一　長期借入金の総額及び当該事業年度における借入見込額並びにその借入先
二　日本高速道路保有・債務返済機構債券の総額並びに当該事業年度における発行見込額及び発行の方法
三　長期借入金及び日本高速道路保有・債務返済機構債券の償還の方法及び期限
四　その他必要な事項

（不要財産に係る民間等出資の払戻しの認可の申請）

第一六条の二　機構は、通則法第四十六条の三第一項の規定により、民間等出資に係る不要財産について、当該民間等出資に係る不要財産に係る出資者（以下単に「出資者」という。）に対し当該民間等出資に係る不要財産に係る出資額として国土交通大臣が定める額の持分の全部又は一部の払戻しの請求をすることができる旨を催告することについて、同項本文の規定により認可を受けようとするときは、次に掲げる事項を記載した申請書を国土交通大臣に提出しなければならない。
一　催告に係る不要財産の内容
二　不要財産であると認められる理由
三　当該不要財産の取得の日及び申請の日における不要財産の帳簿価額（現金及び預金にあっては、取得の日及び申請の日におけるその額）
四　当該不要財産の取得に係る出資の内容（出資者が複数ある場合にあっては、出資者ごとの当該不要財産の取得の日における帳簿価額に占める出資額の割合）
五　催告の内容
六　不要財産により払戻しをする場合には、不要財産の評価額
七　通則法第四十六条の三第三項の規定により主務大臣が定める基準に従い算定した金額により払戻しをする場合には、不要財産の譲渡によって得られる収入の見込額並びに譲渡に要する費用の費目、費目ごとの見込額及びその合計額
八　前号の場合における譲渡の方法
九　第七号の場合における譲渡の予定時期
十　その他必要な事項

2　国土交通大臣は、前項の申請に係る払戻しの方法が通則法第四十六条の三第三項の規定により主務大臣が定める基準に従い算定した金額による払戻しである場合において、同条第一項の認可をしたときは、次に掲げる事項を機構に通知するものとする。
一　通則法第四十六条の三第一項の規定により当該不要財産に係る出資額として国土交通大臣が定める額の持分
二　通則法第四十六条の三第三項の規定により主務大臣が定める基準に従い算定した金額により払戻しをする場合における当該払戻しの見込額

（中期計画に定めた不要財産の払戻しの催告に係る通知）

第一六条の三　機構は、通則法第四十四条第三項の中期計画において通則法第三十条第二項第五号の計画を定めた場合において、通則法第四十六条の三第一項の規定により、民間等出資に係る不要財産について出資者に対し当該民間等出資に係る不要財産に係る出資額として国土交通大臣が定める額の持分の全部又は一部の払戻しの請求をすることができる旨を催告しようとするときは、前条第一項各号に掲げる事項を国土交通大臣に通知しなければならない。

2　国土交通大臣は、前項の通知を受けたときは、遅滞なく、財務大臣にその旨を通知するものとする。

（催告の方法）

第一六条の四　機構は、通則法第四十六条の三第一項の規定により催告しようとするときは、次に掲げる事項を記載した書面を交付し、又は当該事項を電磁的方法（電子的方法、磁気的方法その他人の知覚によっては認識することができない方法をいう。）により提供しなければならない。
一　催告に係る不要財産の内容
二　通則法第四十六条の三第一項の規定に基づき当該民間等出資に係る不要財産に係る出資額として国土交通大臣が定める額の持分の全部又は一部の払戻しの請求をすることができる旨
三　通則法第四十六条の三第一項に規定する払戻しについて、次に掲げる方法のうちいずれの方法によるかの別
イ　不要財産により払戻しをすること
ロ　通則法第四十六条の三第三項の規定により主務大臣が定める基準に従い算定した金額により払戻しをすること
四　払戻しを行う予定時期
五　第三号ロの方法による払戻しの場合における払戻しの見込額

2　前項の規定により催告するに際し、当該不要財産の評価額が当該不要財産の帳簿価額を超えることその他の事情があるため、払戻しの方法が同項第三号イの方法により難い場合には、その旨を当該催告の相手方に対し、通知するものとする。

（民間等出資に係る不要財産の譲渡の報告等）

第一六条の五　機構は、通則法第四十六条の三第三項の規定により民間等出資に係る不要財産の譲渡を行ったときは、遅滞なく、次に掲げる事項を記載した報告書を国土交通大臣に提出するものとする。
一　当該不要財産の内容
二　譲渡によって得られた収入の額
三　譲渡に要した費用の費目、費目ごとの金額及びその合計額
四　譲渡した時期
五　通則法第四十六条の三第二項の規定により払戻しを請求された持分の額

2　前項の報告書には、同項各号に掲げる事項を証する書類を添付するものとする。

3　国土交通大臣は、第一項の報告書の提出を受けたときは、通則法第四十六条の三第三項の規定により主務大臣が定める基準に従い算定した金額（当該算定した金額が第一項第五号の持分の額に満たない場合にあっては、当該算定した金額及び通則法第四十六条の三第三項の規定により当該持分のうち国土交通大臣が定める額の持分）を機構に通知するものとする。

4　機構は、前項の通知があったときは、遅滞なく、同項の規定により通知された金額により、第一項第五号の持分（当該通知された金額が当該持分の額に満たない場合にあっては、前項の規定により通知された額の持分）を、当該請求をした出資者に払い戻すものとする。

（資本金の減少の報告）

第一六条の六　機構は、通則法第四十六条の三第四項の規定により資本金を減少したときは、遅滞なく、その旨を国土交通大臣に報告するものとする。

（金銭信託による余裕金の運用）

第一七条　機構は、通則法第四十七条第三号に規定する金銭信託による余裕金の運用については、当該金銭信託につき元本の補てんの契約が締結される場合に限り、これを行うことができる。

（通則法第四十八条の主務省令で定める重要な財産）

第一八条　機構に係る通則法第四十八条の主務省令で定める重要な財産は、高速道路株式会社法（平成十六年法律第九十九号）第五条第一項第一号の高速道路の新設若しくは改築、同項第二号の高速道路の維持、修繕、災害

復旧その他の管理（新設及び改築を除く。）又は法第十二条第二項第一号の鉄道施設の管理に伴い譲渡し、又は交換する不動産以外の財産であって、その帳簿価額が三千万円以上のものとする。

（重要な財産の処分等の認可の申請）

第一九条　機構は、通則法第四十八条の規定により重要な財産を譲渡し、又は担保に供すること（以下「処分等」という。）について認可を受けようとするときは、次に掲げる事項を記載した申請書を国土交通大臣に提出しなければならない。

一　処分等に係る財産の内容及び評価額
二　処分等の条件
三　処分等の方法
四　機構の業務運営上支障がない旨及びその理由

（内部組織）

第一九条の二　機構に係る通則法第五十条の六第一号に規定する離職前五年間に在職していた当該中期目標管理法人の内部組織として主務省令で定めるものは、現に存する理事長の直近下位の内部組織として国土交通大臣が定めるもの（次項において「現内部組織」という。）であって再就職者（離職後二年を経過した者を除く。同項において同じ。）が離職前五年間に在職していたものとする。

2　直近七年間に存し、又は存していた理事長の直近下位の内部組織（独立行政法人通則法の一部を改正する法律（平成二十六年法律第六十六号）の施行の日以後のものに限る。）として国土交通大臣が定めるものであって再就職者が離職前五年間に在職していたものが行っていた業務を現内部組織（当該内部組織が現内部組織である場合にあっては他の現内部組織）が行っている場合における前項の規定の適用については、当該再就職者が離職前五年間に当該現内部組織に在職していたものとみなす。

（管理又は監督の地位）

第一九条の三　機構に係る通則法第五十条の六第二号に規定する管理又は監督の地位として主務省令で定めるものは、職員の退職管理に関する政令（平成二十年政令第三百八十九号）第二十七条第六号に規定する職員が就いている官職に相当するものとして国土交通大臣が定めるものとする。

（法第十二条第一項第六号の国土交通省令で定める部分）

第一九条の四　法第十二条第一項第六号の国土交通省令で定める部分は、専らＥＴＣ通行車（道路整備特別措置法施行規則（昭和三十一年建設省令第十八号）第十三条第二項第三号イに規定するＥＴＣ通行車をいう。）の通行の用に供することを目的とする高速道路（高速道路株式会社法第二条第二項に規定する高速道路をいう。）の部分とする。

（法第十二条第一項第七号の国土交通省令で定める施設）

第一九条の五　法第十二条第一項第七号の国土交通省令で定める施設は、次に掲げるものとする。

一　休憩所
二　自動車に燃料電池又は内燃機関の燃料として圧縮水素を充塡するための施設
三　電気自動車（専ら電気を動力源とする自動車をいう。）に電気を供給するための施設

（協定）

第二〇条　機構は、会社と協定（法第十三条第一項に規定する協定をいう。以下同じ。）を締結しようとするときは、会社と共同して次に掲げる書類を作成しなければならない。

一　工事計画書
二　平面図、縦断図、横断定規図その他必要な図面
三　会社及び機構の収支予算の明細
四　貸付料の額及び貸付期間算出の基礎を記載した書類
五　料金の額及びその徴収期間算出の基礎を記載した書類
六　推定交通量及びその算出の基礎を記載した書類

2　機構は、会社と協定を締結したときは、遅滞なく、協定を公表しなければならない。

（特定更新等工事の対象となる施設又は工作物）

第二〇条の二　法第十三条第一項第二号の国土交通省令で定める施設又は工作物は、橋、トンネル、高架の道路、土工及び防護施設とする。

（協定に定める事項）

第二一条　法第十三条第一項第十号の国土交通省令で定める事項は、次に掲げるものとする。

一　会社による高速道路の管理の適正な水準の確保に関し必要な事項
二　会社の経営努力による高速道路の新設、改築、維持、修繕その他の管理に要する費用の縮減を助長するための機構の助成に関し必要な事項
三　協定の変更その他必要な事項

（業務実施計画に定める事項）

第二二条　法第十四条第一項第十号の国土交通省令で定める事項は、次に掲げるものとする。

一　会社による高速道路の管理の適正な水準の確保に関し必要な事項
二　会社の経営努力による高速道路の新設、改築、維持、修繕その他の管理に要する費用の縮減を助長するための機構の助成に関し必要な事項その他必要な事項

（業務実施計画に係る認可の申請の添付書類）

第二三条　法第十四条第三項の国土交通省令で定める書類は、次に掲げるものとする。

一　貸付料及び貸付期間算出の基礎を記載した書類
二　推定交通量及びその算出の基礎を記載した書類

（貸付料と併せて機構の業務に要する費用等を償う収入）

第二四条　令第三条第九号の国土交通省令で定める収入は、次に掲げる収入とする。

一　高速道路勘定に属する資産の処分による収入
二　法第十三条第一項第九号に規定する徴収期間を通じた同号に規定する料金の額の合計額を減少させることによる当該高速道路の通行者及び利用者の負担の軽減を図るために国が機構に交付する補助金
三　道路整備特別措置法施行令（昭和三十一年政令第三百十九号）附則第五項第二号から第四号までに掲げる事業に要する費用を負担するため当該事業を実施する者により支払われる負担金に係る収入

（基金の運用方法）

第二五条　法第二十条第二項第三号の国土交通省令で定める方法は、信託業務を営む金融機関（金融機関の信託業務の兼営等に関する法律（昭和十八年法律第四十三号）第一条第一項の認可を受けた金融機関をいう。）への金銭信託で元本補てんの契約のあるものとする。

（基金の増減）

第二六条　法第二十条第一項の基金は、毎事業年度、本州四国連絡橋の建設に伴う一般旅客定期航路事業等に関する特別措置法第十五条第一項に規定する退職金支払確保契約に基づいて行う離職見込者の退職のときの特定事業主に対する給付として当該事業年度に支払った金額を減じ、同項に規定する特定事業主が当該退職金支払確保契約に基づき機構に掛金として当該事業年度に納付した金額及び当該事業年度における運用収入の金額の全部又は一部を加えることにより、損益計算を行い、その損益計算上生じた利益又は損失の額により、増加し、又は減少するものとする。

（積立金の処分に係る承認の申請の添付書類）

第二七条　独立行政法人の組織、運営及び管理に係る共通的な事項に関する政令第二十一条第二項の国土交通省令で定める書類は、次に掲げるものとする。

一　当該期間最後の事業年度の事業年度末の貸借対照表
二　当該期間最後の事業年度の損益計算書
三　当該期間最後の事業年度の事業年度末の利益の処分に関する書類
四　承認を受けようとする金額の計算の基礎を明らかにした書類

（不動産登記規則の準用）

第二八条　不動産登記規則（平成十七年法務省令第十八号）第四十三条第一項第四号（同規則第五十一条第八項、第六十五条第九項、第六十八条第十項及び第七十条第七項において準用する場合を含む。）、第六十三条の二第一項及び第三項、第六十四条第一項第一号及び第四号並びに第百八十二条第二項の規定については、機構を国の行政機関とみなして、これらの規定を準用する。

附　則

（施行期日）

第一条　この省令は、日本道路公団等民営化関係法施行法（平成十六年法律第百二号）の施行の日（平成十七年十月一日）から施行する。

（不動産登記規則の準用に関する経過措置）

第二条　不動産登記規則附則第十五条第四項第一号及び第三号の規定については、機構を国の行政機関とみなして、これらの規定を準用する。

附　則〔略〕〔平成一八・三・三〇国土交通省令一九施行〕

附　則〔平成一九・九・二八国土交通省令八五〕

改正　平成二三・七国交令八五

（施行期日）

第一条　この省令は、公布の日から施行し、この省令による改正後の独立行政法人日本高速道路保有・債務返済機構に関する省令第十一条の二及び次条の規定は、平成十七年十月一日から適用する。

（償却資産の指定の特例）

第二条　機構の成立の際、日本道路公団等民営化関係法施行法（平成十六年法律第百二号）第十五条第一項の規定により機構が本州四国連絡橋公団から承継した償却資産のうち、日本国有鉄道清算事業団の債務等の処理に関する法律（平成十年法律第百三十六号。以下「債務等処理法」という。）附則第七条の規定による廃止前の日本国有鉄道清算事業団法（昭和六十一年法律第九十号）附則第十一条第一項に規定する鉄道施設に係る資産（同項の規定により債務等処理法附則第二条の規定による解散前の日本国有鉄道清算事業団が負担した債務に係る資産のうち機構が承継したものを除く。）については、第十一条の二第一項の指定を受けたものとみなす。

附　則（略）〔平成二一・三・三一国土交通省令二九施行〕

附　則（略）〔平成二一・四・三〇国土交通省令三二施行〕

附　則（略）〔平成二二・一・二六国土交通省令五五〕

附　則（略）〔平成二三・七・二九国土交通省令五五〕

附　則（略）〔平成二五・九・二国土交通省令七四〕

附　則（略）〔平成二六・二・二八国土交通省令一五施行〕

附　則（略）〔平成二六・三・七国土交通省令一八施行〕

附　則（略）〔平成二六・六・二五国土交通省令五六〕

附　則（抄）〔平成二七・三・三一国土交通省令一九〕

（施行期日）

第一条　この省令は、独立行政法人通則法の一部を改正する法律（以下「改正法」という。）の施行の日（平成二十七年四月一日）から施行する。

（中期目標管理法人となる独立行政法人の業務実績等報告書に係る経過措置）

第二条　改正法附則第八条第一項の規定により改正前の独立行政法人通則法第二十九条第一項の中期目標が改正法による改正後の独立行政法人通則法第二十九条第一項の中期目標とみなされる場合におけるこの省令による改正後の次に掲げる省令の規定の適用については、これらの規定中「当該事業年度における業務の実績（当該項目が通則法」とあるのは「当該事業年度における業務の実績（当該項目が独立行政法人通則法の一部を改正する法律（平成二十六年法律第六十六号）による改正前の通則法（以下「旧通則法」という。）」と、「第二十九条第二項第二号に」とあるのは「第二十九条第二項第三号に」と、「同項第三号から第五号まで」とあるのは「同項第二号、第四号及び第五号」と、「結果（当該項目が通則法」とあるのは「結果（当該項目が旧通則法」と、「期間における業務の実績（当該項目が通則法」とあるのは「期間における業務の実績（当該項目が旧通則法」とする。

一～十　〔略〕

十一　独立行政法人日本高速道路保有・債務返済機構に関する省令第七条の二第一項

（事業報告書の作成に係る経過措置）

第四条　この省令による改正後の次に掲げる省令の規定は、改正法の施行の日以後に開始する事業年度に係る事業報告書から適用する。

一～十六　〔略〕

十七　独立行政法人日本高速道路保有・債務返済機構に関する省令第十二条の二第三項

附　則（略）〔平成二九・一一・二三国土交通省令三三施行〕

附　則（略）〔平成三〇・九・二八国土交通省令七四〕

附　則〔平成三一・三・二九国土交通省令二九〕

（施行期日）

第一条　この省令は、公布の日から施行する。

（財務諸表及び事業報告書の作成に係る経過措置）

第二条　この省令による改正後の規定の平成三十一年四月一日前に開始する事業年度における適用については、なお従前の例による。

一～十二　〔略〕

十三　第十三条の規定による独立行政法人日本高速道路保有・債務返済機構に関する省令第十二条及び第十二条の二

附　則（略）〔令和元・六・二七国土交通省令一六施行〕

附　則（略）〔令和二・一一・二〇国土交通省令九〇〕

附　則（略）〔令和四・三・二九国土交通省令一七施行〕

附　則〔令和五・九・一国土交通省令六五〕

この省令は、道路整備特別措置法及び独立行政法人日本高速道路保有・債務返済機構法の一部を改正する法律の施行の日（令和五年九月六日）から施行する。

○地方道路公社法

〔昭和四五・五・二〇
法律八二〕

改正　平成元・六法五六、一二法八二、法八三、平成一一・七法八七、一二法一六〇、平成一四・六法六五、平成一六・六法一〇一、法一二四、平成一七・七法八七、一〇法一〇二、平成一八・六法五〇、平成二三・五法五三、八法一〇五、平成二五・六法四四

目次

第一章　総則（第一条―第七条）
第二章　設立（第八条―第十条）
第三章　役員及び職員（第十一条―第二十条）
第四章　業務（第二十一条・第二十二条）
第五章　財務及び会計（第二十三条―第三十三条）
第六章　解散及び清算（第三十四条―第三十七条）
第七章　監督（第三十八条・第三十九条）
第八章　雑則（第四十条―第四十二条）
第九章　罰則（第四十三条―第四十五条）
附則

第一章　総則

（目的）

第一条　地方道路公社は、その通行又は利用について料金を徴収することができる道路の新設、改築、維持、修繕その他の管理を総合的かつ効率的に行なうこと等により、地方的な幹線道路の整備を促進して交通の円滑化を図り、もつて地方における住民の福祉の増進と産業経済の発展に寄与することを目的とする。

（法人格）

第二条　地方道路公社は、法人とする。

（名称）

第三条　地方道路公社は、その名称中に道路公社という文字を用いなければならない。

2　地方道路公社でない者は、その名称中に道路公社という文字を用いてはならない。

（出資）

第四条　地方公共団体でなければ、地方道路公社（以下「道路公社」という。）に出資することができない。

２　設立団体（道路公社を設立する地方公共団体をいう。以下同じ。）は、道路公社の基本財産の額の二分の一以上に相当する資金その他の財産を出資しなければならない。

（定款）

第五条　道路公社は、定款をもつて、次の事項を規定しなければならない。

一　目的

二　名称

三　設立団体たる地方公共団体

四　事務所の所在地

五　役員の定数、任期その他役員に関する事項

六　業務の範囲

七　道路（道路法（昭和二十七年法律第百八十号）第三条の一般国道、都道府県道及び市町村道をいう。以下同じ。）の整備に関する基本計画

八　基本財産の額その他資産及び会計に関する事項

九　公告の方法

２　定款の変更は、国土交通大臣（地方自治法（昭和二十二年法律第六十七号）第二百五十二条の十九第一項の市（以下「指定市」という。）以外の第八条の市が設立した道路公社にあつては都道府県知事とし、以下「国土交通大臣等」という。）の認可を受けなければ、その効力を生じない。

３　設立団体たる地方公共団体の変更又は道路の整備に関する基本計画の変更に係る定款の変更についての前項の認可の申請は、設立団体（新たに設立団体となる地方公共団体を含む。以下この項、次項及び第六項において同じ。）が道路公社と協議して定めるところに基づき、道路公社と設立団体が共同して行なうものとする。

４　道路公社及び設立団体は、道路の整備に関する基本計画を変更しようとするときは、あらかじめ、当該変更に係る道路の道路管理者（道路法第十八条第一項に規定する道路管理者をいう。以下同じ。）の同意を得なければならない。

５　道路公社は、第二項の認可の申請をしようとするときは、第三項に規定する場合を除き、あらかじめ、設立団体の同意を得なければならない。

６　設立団体は、第三項の規定により第二項の認可の申請をしようとするとき、又は前項の同意をしようとする場合において当該定款の変更が業務の範囲の変更若しくは基本財産の額の増加に係るものであるときは、あらかじめ、議会の議決を経なければならない。

（登記）

第六条　道路公社は、政令で定めるところにより、登記しなければならない。

２　前項の規定により登記しなければならない事項は、登記の後でなければ、これをもつて第三者に対抗することができない。

（一般社団法人及び一般財団法人に関する法律の準用）

第七条　一般社団法人及び一般財団法人に関する法律（平成十八年法律第四十八号）第四条及び第七十八条の規定は、道路公社について準用する。

第二章　設立

（設立）

第八条　道路公社は、都道府県又は政令で指定する人口五十万以上の市でなければ、設立することができない。

第九条　道路公社を設立するには、議会の議決を経、かつ、定款及び業務方法書を作成して、国土交通大臣等の認可を受けなければならない。

２　設立団体は、前項の規定により定款を作成しようとするときは、あらかじめ、当該定款において定めるべき道路の整備に関する基本計画について、当該基本計画に係る道路の道路管理者の同意を得なければならない。

３　国土交通大臣は、第一項の認可をしようとするときは、あらかじめ、総務大臣に協議しなければならない。

（成立）

第一〇条　道路公社は、その主たる事務所の所在地において設立の登記をすることによつて成立する。

第三章　役員及び職員

（役員）

第一一条　道路公社に、役員として、理事長、副理事長、理事及び監事を置く。ただし、道路公社は、定款で副理事長を置かないことができる。

（役員の職務及び権限）

第一二条　理事長は、道路公社を代表し、その業務を総理する。

２　副理事長は、道路公社を代表し、定款で定めるところにより、理事長を補佐して道路公社の業務を掌理し、理事長に事故があるときはその職務を代理し、理事長が欠員のときはその職務を行なう。

３　理事は、定款で定めるところにより、理事長及び副理事長を補佐して道路公社の業務を掌理し、理事長及び副理事長に事故があるときはその職務を代理し、理事長及び副理事長が欠員のときはその職務を行なう。

４　監事は、道路公社の業務を監査する。

５　監事は、監査の結果に基づき、必要があると認めるときは、政令で定めるところにより、理事長、国土交通大臣、都道府県知事又は市長に意見を提出することができる。

（役員の任命）

第一三条　理事長及び監事は、設立団体の長が任命する。

２　副理事長及び理事は、理事長が設立団体の長の認可を受けて任命する。

（役員の任期）

第一四条　役員の任期は、四年をこえることができない。

２　役員は、再任されることができる。

（役員の欠格条項）

第一五条　次の各号の一に該当する者は、役員となることができない。

一　物品の製造若しくは販売若しくは工事の請負を業とする者であつて道路公社と取引上密接な利害関係を有するもの又はこれらの者が法人であるときはその役員（いかなる名称によるかを問わず、これと同等以上の職権又は支配力を有する者を含む。）

二　前号の事業者の団体の役員（いかなる名称によるかを問わず、これと同等以上の職権又は支配力を有する者を含む。）

（役員の解任）

第一六条　設立団体の長又は理事長は、それぞれその任命に係る役員が前条各号の一に該当するに至つたときは、その役員を解任しなければならない。

２　設立団体の長又は理事長は、それぞれその任命に係る役員が次の各号の一に該当するとき、その他役員たるに適しないと認めるときは、その役員を解任することができる。

一　心身の故障のため職務の執行に堪えないと認められるとき。

二　職務上の義務違反があるとき。

（代表権の制限）

第一七条　道路公社と理事長又は副理事長との利益が相反する事項については、これらの者は、代表権を有しない。この場合においては、監事が道路公社を代表する。

（代理人の選任）

第一八条　理事長及び副理事長は、理事又は道路公社の職員のうちから、道路公社の主たる事務所又は従たる事務所の業務に関し一切の裁判上又は裁判外の行為をする権限を有する代理人を選任することができる。

（職員の任命）

第一九条　道路公社の職員は、理事長が任命する。

（役員及び職員の公務員たる性質）

第二〇条　役員及び職員は、刑法（明治四十年法律第四十五号）その他の罰則の適用については、法令により公務に従事する職員とみなす。

第四章　業務

（業務）

第二一条　道路公社は、第一条の目的を達成するため、設立団体である地方公共団体の区域及びその周辺の地域において、その通行又は利用について料金を徴収することができる道路の新設、改築、維持、修繕、道路法第十三条第一項に規定する災害復旧（以下「災害復旧」という。）その他の管理及びこれに附帯する業務を行なう。

２　道路公社は、第一条の目的を達成するため、前項の業務のほか、次の業務の全部又は一部を行うことができる。

一　国、地方公共団体、東日本高速道路株式会社、首都高速道路株式会社、中日本高速道路株式会社、西日本高速道路株式会社、阪神高速道路株式会社、本州四国連絡高速道路株式会社若しくは他の道路公社（以下「国

等」という。）の委託に基づき前項の道路の管理と密接な関連のある道路（道路法第三条の高速自動車国道を含む。）の管理を行い、又は委託に基づき土地区画整理法（昭和二十九年法律第百十九号）に基づく土地区画整理事業若しくは都市再開発法（昭和四十四年法律第三十八号）に基づく市街地再開発事業のうち政令で定めるものを行うこと。
二　前項に規定する地域において、その利用について料金を徴収することができる自動車駐車場の建設及び管理を行うこと。
三　前項の道路の円滑な交通を確保するために必要な休憩所その他政令で定める施設の建設及び管理を行うこと。
四　前三号に掲げる業務に附帯する業務を行うこと。
五　前項の業務及び前各号の業務の遂行に支障のない範囲内で、国等の委託に基づき、道路（道路法第三条の高速自動車国道を含む。）に関する調査、測量、設計、試験及び研究を行うこと。

3　道路公社は、前二項の業務のほか、設立団体の長の認可を受けて次の業務を行うことができる。
一　第一項の道路の新設又は改築と一体として建設することが適当であると認められる事務所、店舗、倉庫その他政令で定める施設（以下「事務所等」という。）を建設し、及び管理すること。
二　委託に基づき、第一項の道路の新設又は改築と一体として建設することが適当であると認められる事務所等を建設し、及び管理すること。
三　第一項に規定する地域において、道路運送法（昭和二十六年法律第百八十三号）第二条第八項に規定する一般自動車道の建設及び管理を行うこと。
四　前号の一般自動車道の円滑な交通を確保するために必要な休憩所その他政令で定める施設の建設及び管理を行うこと。
五　前各号に掲げる業務に附帯する業務を行うこと。

4　道路公社は、第二項第三号並びに前項第一号及び第四号の業務を行なう場合においては、国土交通省令で定める基準に従つてしなければならない。

（業務方法書）

第二二条　道路公社の業務方法書に記載しなければならない事項は、国土交通省令で定める。

2　道路公社は、業務方法書を変更しようとするときは、あらかじめ、国土交通大臣等の認可を受けなければならない。

3　道路公社は、前項の認可を受けようとするときは、あらかじめ、設立団体の同意を得なければならない。

第五章　財務及び会計

（事業年度）

第二三条　道路公社の事業年度は、毎年四月一日に始まり、翌年三月三十一日に終わる。ただし、設立後最初の事業年度は、設立の日に始まり、その後最初の三月三十一日に終わる。

（予算等の承認）

第二四条　道路公社は、毎事業年度、予算、事業計画及び資金計画を作成し、当該事業年度の開始前に、設立団体の長の承認を受けなければならない。これを変更しようとするときも、同様とする。

（決算）

第二五条　道路公社は、毎事業年度の決算を翌年度の五月三十一日までに完結しなければならない。

（財務諸表及び決算報告書）

第二六条　道路公社は、毎事業年度、財産目録、貸借対照表及び損益計算書（以下「財務諸表」という。）を作成し、決算完結後二月以内に設立団体の長に提出しなければならない。

2　道路公社は、前項の規定により財務諸表を提出するときは、これに、国土交通省令で定める事項を記載した当該事業年度の決算報告書を添附し、並びに財務諸表及び決算報告書に関する監事の意見をつけなければならない。

（利益及び損失の処理）

第二七条　道路公社は、毎事業年度の損益計算上利益を生じたときは、前事業年度から繰り越した損失をうめ、なお残余があるときは、その残余の額は、準備金として整理しなければならない。

2　道路公社は、毎事業年度の損益計算上損失を生じたときは、前項の規定による準備金を減額して整理し、なお不足があるときは、その不足額は、繰越欠損金として整理しなければならない。

（債券）

第二七条の二　道路公社は、債券を発行することができる。

（債務保証）

第二八条　設立団体は、法人に対する政府の財政援助の制限に関する法律（昭和二十一年法律第二十四号）第三条の規定にかかわらず、道路公社の債務について保証契約をすることができる。

（他の道路の新設又は改築に要する費用の負担）

第二九条　道路公社は、第二十一条第一項の道路の新設又は改築に伴い必要を生じた他の道路（同項の道路が一の道路の一部であるときは、当該一の道路の他の部分を含む。）の新設又は改築に要する費用については、政令で定めるところにより、その一部を負担しなければならない。

（補助金）

第三〇条　国は、予算の範囲内において、道路公社に対して、政令で定めるところにより、第二十一条第一項の道路の災害復旧について、当該道路の建設費等の償還の状況等を勘案して、これに要する経費の一部を補助することができる。

2　地方公共団体は、予算の範囲内において、道路公社に対して、第二十一条第一項の道路の災害復旧に要する経費の一部を補助することができる。

（余裕金の運用）

第三一条　道路公社は、次の方法によるほか、業務上の余裕金を運用してはならない。
一　国債、地方債その他国土交通大臣の指定する有価証券の取得
二　銀行その他国土交通大臣の指定する金融機関への預金
三　その他国土交通省令で定める方法

（給与及び退職手当の支給の基準）

第三二条　道路公社は、その役員及び職員に対する給与及び退職手当の支給の基準を定め、又は変更しようとするときは、設立団体の長の承認を受けなければならない。

（国土交通省令への委任）

第三三条　この法律に規定するもののほか、道路公社の財務及び会計に関し必要な事項は、国土交通省令で定める。

第六章　解散及び清算

（解散）

第三四条　道路公社は、第二十一条第一項の業務の完了により解散する。

2　道路公社は、前項の規定により解散する場合において、借入金があるときは、解散について当該借入金に係る債権者の同意を得なければならない。

3　道路公社は、第一項の規定により解散しようとするときは、国土交通省令で定めるところにより、国土交通大臣等の認可を受けなければならない。この場合において、道路公社は、その認可により解散する。

4　道路公社は、前項の認可を受けようとするときは、あらかじめ、設立団体の同意を得なければならない。

5　設立団体は、前項の同意をしようとするときは、あらかじめ、議会の議決を経なければならない。

6　都道府県知事は、第二十一条第三項第三号の業務を行つている道路公社の解散について第三項の認可をしようとするときは、解散に伴う当該業務に関する措置について、あらかじめ、国土交通大臣と協議しなければならない。

（清算中の道路公社の能力）

第三四条の二　解散した道路公社は、清算の目的の範囲内において、その清算の結了に至るまではなお存続するものとみなす。

（清算人）

第三五条　道路公社が解散したときは、理事長、副理事長及び理事がその清算人となる。

2　理事長、副理事長又は理事であつた清算人には、それぞれ第十二条第一項、第二項又は第三項の規定を準用する。

（裁判所による清算人の選任）

第三五条の二　前条第一項の規定により清算人となる者がないとき、又は清算人が欠けたため損害を生ずるおそれがあるときは、裁判所は、利害関係人若しくは検察官の請求により又は職権で、清算人を選任することができる。

（清算人の解任）

第三五条の三　重要な事由があるときは、裁判所は、利害関係人若しくは検察官の請求により又は職権で、清算人を解任することができる。

（清算人の届出）

第三五条の四　清算中に就職した清算人は、その氏名及び住所を国土交通大臣に届け出なければならない。

（清算人の職務及び権限）

第三五条の五　清算人の職務は、次のとおりとする。

一　現務の結了

二　債権の取立て及び債務の弁済

三　残余財産の引渡し

2　清算人は、前項各号に掲げる職務を行うために必要な一切の行為をすることができる。

（債権の申出の催告等）

第三五条の六　清算人は、その就職の日から二月以内に、少なくとも三回の公告をもって、債権者に対し、一定の期間内にその債権の申出をすべき旨の催告をしなければならない。この場合において、その期間は、二月を下ることができない。

2　前項の公告には、債権者がその期間内に申出をしないときは清算から除斥されるべき旨を付記しなければならない。ただし、清算人は、知れている債権者を除斥することができない。

3　清算人は、知れている債権者には、各別にその申出の催告をしなければならない。

4　第一項の公告は、官報に掲載してする。

（期間経過後の債権の申出）

第三五条の七　前条第一項の期間の経過後に申出をした債権者は、道路公社の債務が完済された後まだ権利の帰属すべき者に引き渡されていない財産に対してのみ、請求をすることができる。

（清算事務）

第三六条　清算人は、道路公社の債務を弁済してなお残余財産があるときは、これを道路公社に出資した地方公共団体に、出資の額に応じて分配しなければならない。

（裁判所による監督）

第三六条の二　道路公社の解散及び清算は、裁判所の監督に属する。

2　裁判所は、職権で、いつでも前項の監督に必要な検査をすることができる。

3　道路公社の解散及び清算を監督する裁判所は、国土交通大臣に対し、意見を求め、又は調査を嘱託することができる。

4　国土交通大臣は、前項に規定する裁判所に対し、意見を述べることができる。

（清算結了の届出）

第三六条の三　清算が結了したときは、清算人は、その旨を国土交通大臣に届け出なければならない。

（解散及び清算の監督等に関する事件の管轄）

第三六条の四　道路公社の解散及び清算の監督並びに清算人に関する事件は、道路公社の主たる事務所の所在地を管轄する地方裁判所の管轄に属する。

（不服申立ての制限）

第三六条の五　清算人の選任の裁判に対しては、不服を申し立てることができない。

（裁判所の選任する清算人の報酬）

第三六条の六　裁判所は、第三十五条の二の規定により清算人を選任した場合には、道路公社が当該清算人に対して支払う報酬の額を定めることができる。この場合においては、裁判所は、当該清算人及び監事の陳述を聴かなければならない。

（検査役の選任）

第三七条　裁判所は、道路公社の解散及び清算の監督に必要な調査をさせるため、検査役を選任することができる。

2　前二条の規定は、前項の規定により裁判所が検査役を選任した場合について準用する。この場合において、前条中「清算人及び監事」とあるのは、「道路公社及び検査役」と読み替えるものとする。

第七章　監督

（報告及び検査）

第三八条　国土交通大臣又は設立団体の長は、この法律を施行するため必要があると認めるときは、政令で定めるところにより、道路公社に対してその業務及び資産の状況に関し報告をさせ、又はその職員に、道路公社の事務所その他の事業所に立ち入り、業務の状況若しくは帳簿、書類その他の必要な物件を検査させることができる。

2　前項の規定により職員が立入検査をする場合においては、その身分を示す証明書を携帯し、関係人にこれを提示しなければならない。

3　第一項の規定による立入検査の権限は、犯罪捜査のために認められたものと解してはならない。

（監督命令）

第三九条　国土交通大臣又は設立団体の長は、道路公社の業務の健全な運営を確保するため必要があると認めるときは、政令で定めるところにより、道路公社に対してその業務に関し監督上必要な命令をすることができる。

第八章　雑則

（都道府県知事等の経由）

第四〇条　道路公社がこの法律又はこの法律に基づく命令で定めるところにより国土交通大臣に提出する申請書その他の書類は、市が設立した道路公社にあっては市長を、その他の道路公社にあっては都道府県知事を経由しなければならない。

2　都道府県知事又は市長は、前項の書類を受け取ったときは、遅滞なく、これを国土交通大臣に提出しなければならない。この場合において、都道府県知事又は市長は、当該書類の内容について意見があるときは、その意見を付さなければならない。

3　第一項の規定により都道府県又は市が処理することとされている事務は、地方自治法第二条第九項第一号に規定する第一号法定受託事務とする。

（設立団体が二以上である道路公社の特例）

第四一条　二以上の都道府県又は二以上の都道府県及びそれらの区域内の第八条の市が共同して設立した道路公社にあっては、第二十一条第三項中「設立団体の長」とあるのは、「国土交通大臣」とする。

2　前項に規定するもののほか、設立団体が二以上である道路公社に対するこの法律の規定の適用についての必要な技術的読替えは、政令で定める。

（権限の委任）

第四一条の二　この法律に規定する国土交通大臣の権限は、国土交通省令で定めるところにより、その一部を地方整備局長又は北海道開発局長に委任することができる。

（他の法令の準用）

第四二条　不動産登記法（平成十六年法律第百二十三号）及び政令で定めるその他の法令については、政令で定めるところにより、道路公社を地方公共団体とみなして、これらの法令を準用する。

第九章　罰則

第四三条　第三十八条第一項の規定による報告をせず、若しくは虚偽の報告をし、又は同項の規定による検査を拒み、妨げ、若しくは忌避した場合には、その違反行為をした道路公社の役員、清算人又は職員は、三十万円以下の罰金に処する。

2　道路公社の役員、清算人又は職員がその道路公社の業務に関して前項の違反行為をしたときは、行為者を罰するほか、その道路公社に対して同項の刑を科する。

第四四条　次の各号のいずれかに該当する場合には、その違反行為をした道路公社の役員又は清算人は、二十万円以下の過料に処する。

一　この法律の規定により国土交通大臣若しくは都道府県知事又は設立団体の長の認可又は承認を受けなければならない場合において、その認可又は承認を受けなかつたとき。

二　第六条第一項の規定に違反して、登記することを怠つたとき。

三　第二十一条第一項から第三項までに規定する業務以外の業務を行なつたとき。

四　第二十六条の規定に違反して、財務諸表又は決算報告書を提出することを怠り、又はそれらの書類に記載すべき事項を記載せず、若しくは不実の記載をしてこれを提出したとき。

五　第二十七条、第三十一条又は第三十六条の規定に違反したとき。

六　第三十五条の六第一項の規定に違反して、公告することを怠り、又は虚偽の公告をしたとき。

七　第三十五条の六第一項に規定する期間内に債権者に弁済したとき。

八　第三十九条の規定による命令に違反したとき。

第四五条　第三条第二項の規定に違反した者は、十万円以下の過料に処する。

附　則　〔抄〕

（施行期日）

第一条　この法律は、公布の日から施行する。

（公益法人の道路公社への組織変更）

第二条　民法第三十四条の規定により設立され、都道府県又は第八条の市が基本財産たる財産の全部又は一部を拠出している法人で、第二十一条第三項第三号に該当する業務を行なうことを目的とするもの（以下「公益法人」という。）は、この法律の施行後二年内に限り、その組織を変更して道路公社となることができる。ただし、当該公益法人が社団法人であるときは、総社員の同意がある場合に限る。

2　前項の規定により公益法人がその組織を変更して道路公社となるには、設立団体となるべき地方公共団体の議会の議決を経、その公益法人の定款又は寄附行為で定めるところにより、組織変更のために必要な定款又は寄附行為の変更をし、建設大臣の認可を受けなければならない。

3　建設大臣は、前項の認可をしようとするときは、あらかじめ、運輸大臣及び自治大臣と協議しなければならない。

4　第一項の規定による組織変更は、政令で定めるところにより、道路公社の主たる事務所の所在地において登記することによつて効力を生ずる。

5　第一項の規定により公益法人が道路公社に組織変更した際現に当該公益法人が行なつている第二十一条第三項第三号に該当する業務については、第二項の認可をもつて第二十一条第三項の認可とみなす。

6　公益法人が第一項の規定により事業年度の中途において道路公社に組織変更した場合における法人税法（昭和四十年法律第三十四号）の規定及び地方税法（昭和二十五年法律第二百二十六号）中法人の事業税に関する規定の適用については、当該事業年度開始の日から組織変更の日までの期間及び組織変更の日の翌日から当該事業年度の末日までの期間をそれぞれ一事業年度とみなす。

7　公益法人が第一項の規定により道路公社に組織変更した場合において、当該組織変更に伴い、当該公益法人を債務者とする担保権についてする債務者の表示の変更の登記又は登録については、政令で定めるところにより、登録免許税を課さない。

8　第二十一条第三項第三号に該当しない業務を行なうことをも目的とする公益法人が第一項の規定により道路公社に組織変更した場合において、当該業務に係る不動産に関する権利で政令で定めるものについて、地方公共団体が設立した法人で第二十一条第三項第三号に該当しない業務を行なうものが受ける権利の移転の登記及び政令で定める債務を地方公共団体又は当該法人が引き受けたことによる担保権の変更の登記については、政令で定めるところにより、登録免許税を課さない。

（名称使用の制限に関する経過措置）

第三条　この法律の施行の際現にその名称中に道路公社という文字を使用している者については、第三条第二項の規定は、この法律の施行後二年間は、適用しない。

附　則　〔略〕〔平成元・六・二八法律五六〕

附　則　〔略〕〔平成元・一二・一九法律八二〕

附　則　〔略〕〔平成元・一二・一九法律八三〕

附　則　〔抄〕〔平成一一・七・一六法律八七〕

（施行期日）

第一条　この法律は、平成十二年四月一日から施行する。ただし、次の各号に掲げる規定は、当該各号に定める日から施行する。

一　〔前略〕附則〔中略〕第百六十条、第百六十三条、第百六十四条並びに第二百二条の規定　公布の日

二～六　〔略〕

（地方道路公社法の一部改正に伴う経過措置）

第一四二条　施行日前に第四百四十条の規定による改正前の地方道路公社法（以下この条において「旧公社法」という。）第四条第三項の規定による承認を受けた出資は、第四百四十条の規定による改正後の地方道路公社法（以下この条において「新公社法」という。）第四条第三項の規定による協議を行った出資とみなす。

2　この法律の施行の際現に旧公社法第四条第三項の規定によりされている承認の申請は、新公社法第四条第三項の規定によりされた協議の申出とみなす。

（国等の事務）

第一五九条　この法律による改正前のそれぞれの法律に規定するもののほか、この法律の施行前において、地方公共団体の機関が法律又はこれに基づく政令により管理し又は執行する国、他の地方公共団体その他公共団体の事務（附則第百六十一条において「国等の事務」という。）は、この法律の施行後は、地方公共団体が法律又はこれに基づく政令により当該地方公共団体の事務として処理するものとする。

（処分、申請等に関する経過措置）

第一六〇条　この法律（附則第一条各号に掲げる規定については、当該各規定。以下この条及び附則第百六十三条において同じ。）の施行前に改正前のそれぞれの法律の規定によりされた許可等の処分その他の行為（以下この条において「処分等の行為」という。）又はこの法律の施行の際現に改正前のそれぞれの法律の規定によりされている許可等の申請その他の行為（以下この条において「申請等の行為」という。）で、この法律の施行の日においてこれらの行為に係る行政事務を行うべき者が異なることとなるものは、附則第二条から前条までの規定又は改正後のそれぞれの法律（これに基づく命令を含む。）の経過措置に関する規定に定めるものを除き、この法律の施行の日以後における改正後のそれぞれの法律の適用については、改正後のそれぞれの法律の相当規定によりされた処分等の行為又は申請等の行為とみなす。

2　この法律の施行前に改正前のそれぞれの法律の規定により国又は地方公共団体の機関に対し報告、届出、提出その他の手続をしなければならない事項で、この法律の施行の日前にその手続がされていないものについては、この法律及びこれに基づく政令に別段の定めがあるもののほか、これを、改正後のそれぞれの法律の相当規定により国又は地方公共団体の相当の機関に対して報告、届出、提出その他の手続をしなければならない事項についてその手続がされていないものとみなして、この法律による改正後のそれぞれの法律の規定を適用する。

（不服申立てに関する経過措置）

第一六一条　施行日前にされた国等の事務に係る処分であって、当該処分をした行政庁（以下この条において「処分庁」という。）に施行日前に行政不服審査法に規定する上級行政庁（以下この条において「上級行政庁」という。）があったものについての同法による不服申立てについては、施行日以後においても、当該処分庁に引き続き上級行政庁があるものとみなして、行政不服審査法の規定を適用する。この場合において、当該処分庁の上級行政庁とみなされる行政庁は、施行日前に当該処分庁の上級行政庁であった行政庁とする。

2　前項の場合において、上級行政庁とみなされる行政庁が地方公共団体の機関であるときは、当該機関が行政不服審査法の規定により処理することとされる事務は、新地方自治法第二条第九項第一号に規定する第一号法定受託事務とする。

（手数料に関する経過措置）

第一六二条　施行日前においてこの法律による改正前のそれぞれの法律（これに基づく命令を含む。）の規定により納付すべきであった手数料については、この法律及びこれに基づく政令に別段の定めがあるもののほか、なお従前の例による。

（罰則に関する経過措置）

第一六三条　この法律の施行前にした行為に対する罰則の適用については、なお従前の例による。

（その他の経過措置の政令への委任）

第一六四条　この附則に規定するもののほか、この法律の施行に伴い必要な経過措置（罰則に関する経過措置を含む。）は、政令で定める。

2　〔略〕

附　則　〔略〕〔平成一一・一二・二二法律一六〇〕

附　則　〔略〕〔平成一四・六・一二法律六五〕

附　則　〔平成一六・六・九法律一〇二〕

この法律は、日本道路公団等民営化関係法施行法（平成十六年法律第百二号）の施行の日〔平成一七・一〇・一〕から施行する。

〔経過措置等については、日本道路公団等民営化関係法施行法（平成一六法一〇二）を参照〕

附　則〔略〕〔平成一六・六・一八法律一二四〕

附　則〔平成一七・七・二六法律八七〕

この法律は、会社法の施行の日〔平成一八・五・一〕から施行する。〔以下略〕

会社法の施行に伴う関係法律の整備等に関する法律〔抄〕〔平成一七・七・二六 法律八七〕

（地方道路公社法の一部改正に伴う経過措置）

第四九四条　施行日前に前条の規定による改正前の地方道路公社法第三十四条第一項の規定により地方道路公社が解散した場合における地方道路公社の清算については、なお従前の例による。ただし、清算に関する登記の登記事項については、前条の規定による改正後の地方道路公社法の定めるところによる。

（罰則に関する経過措置）

第五二七条　施行日前にした行為及びこの法律の規定によりなお従前の例によることとされる場合における施行日以後にした行為に対する罰則の適用については、なお従前の例による。

（政令への委任）

第五二八条　この法律に定めるもののほか、この法律の規定による法律の廃止又は改正に伴い必要な経過措置は、政令で定める。

附　則〔略〕〔平成一七・一〇・二一法律一〇二〕

附　則〔略〕〔平成一八・六・二法律五〇〕

附　則〔略〕〔平成二三・五・二五法律五三〕

附　則〔抄〕〔平成二三・八・三〇法律一〇五〕

（施行期日）

第一条　この法律は、公布の日から施行する。〔以下略〕

（罰則に関する経過措置）

第八一条　この法律（附則第一条各号に掲げる規定にあっては、当該規定。以下この条において同じ。）の施行前にした行為及びこの附則の規定によりなお従前の例によることとされる場合におけるこの法律の施行後にした行為に対する罰則の適用については、なお従前の例による。

（政令への委任）

第八二条　この附則に規定するもののほか、この法律の施行に関し必要な経過措置（罰則に関する経過措置を含む。）は、政令で定める。

附　則〔略〕〔平成二五・六・一四法律四四施行〕

○地方道路公社法施行令

〔昭和四五・六・二九 政令二〇二〕

改正　昭和四八・一政五、三政三八、九政二七八、昭和四九・一政三、六政二〇三、七政二六五、一〇政三五七、昭和五〇・一政二、九政二九三、一〇政三〇六、昭和六一・四政一一六、平成元・一一政三〇九、平成二・一一政三二三、政三二五、平成四・七政二六六、平成五・二政一七、平成六・九政三〇三、平成七・二政三六、六政二四〇、平成一一・一一政三五二、平成一二・六政三一二、一二政五〇〇、平成一三・三政八四、平成一四・一政七、平成一五・一政九、二政三四、平成一六・四政一六八、一二政三九六、政三九九、平成一七・二政二四、五政一八二、六政二〇三、七政二六二、一二政三七二、平成一八・六政二二三、一二政三七九、平成二〇・一〇政三三八、平成二二・二政一三、平成二三・五政一一九、平成二四・六政一五八、平成二五・七政二二九、平成二七・一政六、一一政三九二、平成二八・一一政三六四、平成二九・六政一五六、七政一八八、一〇政二六六、平成三〇・一政一九、一一政三〇八、令和元・六政三〇、一一政一五〇、令和二・九政二六八、令和三・六政一七九、一〇政二九六、令和四・七政二四九、一〇政三三五、令和五・九政二八〇

注　［　］の部分は、令和六年四月一九日政令第一七二号により改正され、令和七年四月一日から施行

（地方道路公社を設立することができる市）

第一条　地方道路公社法（以下「法」という。）第八条の政令で指定する人口五十万以上の市は、大阪市、名古屋市、横浜市、京都市、神戸市、北九州市、川崎市、札幌市、福岡市、広島市、堺市、尼崎市及び仙台市とする。

（報告）

第二条　監事は、法第十二条第五項の規定により国土交通大臣に意見を提出したときは、遅滞なく、その内容を関係設立団体の長（設立団体である地方公共団体を統括する都道府県知事若しくは市長又は都道府県知事及び市長をいう。以下同じ。）に報告しなければならない。

（法第二十一条第三項第一号の政令で定める土地区画整理事業）

第三条　法第二十一条第三項第一号の土地区画整理事業のうち政令で定めるものは、同条第一項の道路の用に供する土地の造成を主たる目的とする土地区画整理事業とする。

（法第二十一条第三項第三号及び第三項第四号の政令で定める施設）

第四条　法第二十一条第三項第三号及び第三項第四号の政令で定める施設は、次の各号に掲げるものとする。

一　給油所

二　自動車修理所

（法第二十一条第三項第一号の政令で定める施設）

第五条　法第二十一条第三項第一号の政令で定める施設は、次の各号に掲げるものとする。

一　事務所、店舗又は倉庫に類する施設

二　住宅で事務所、店舗、倉庫又は前号の施設の用途を兼ねるもの

三　自動車駐車場及びこれに類する施設

（他の道路の新設又は改築に要する費用の負担）

第六条　地方道路公社は、地方道路公社が行う法第二十一条第一項の道路の新設又は改築に伴い必要を生じた他の道路（同項の道路が一の道路の一部であるときは、当該一の道路の他の部分を含む。）の新設又は改築に要する費用については、指定都市高速道路（道路整備特別措置法（昭和三十一年法律第七号）第十二条第一項の指定都市高速道路をいう。）を当該他の道路の区域内において、高架で、又は地下に新設し、又は改築する場合（交差させて新設し、又は改築する場合を除く。）にあつては、その費用の三分の一を負担し、その他の場合にあつては、法第二十一条第一項の道路の新設又は改築により必要を生じた限度において、その費用を負担しなければならない。

（補助金の額）

第七条　法第三十条第一項の規定による道路の災害復旧に要する経費に関する補助金の額は、当該道路ごとに、附録の式によつて算出した額とする。

（監督）

第八条　法第三十八条第一項又は第三十九条の規定による権限は、設立団体の長が行うものとする。ただし、国土交通大臣は、特に必要があると認めるときは、これらの権限を行うことができる。

（読替え規定）

第九条　法第四十一条第二項の規定による技術的読替えは、次の表のとおりとする。

読み替える規定	読み替えられる字句	読み替える字句
第五条第二項	国土交通大臣（地方自治法（昭和二十二年法律第六十七号）第二百五十二条の十九第一項の市（以下「指定市」という。）以外の第八条の市が設立した道路公社にあつては都道府	

	県知事とし、以下「国土交通大臣等」という。）	国土交通大臣
第九条第一項、第二十二条第二項並びに第三十四条第三項及び第六項	国土交通大臣等	
第二十一条第三項	設立団体の長	設立団体である都道府県又は設立団体である市の区域の存する都道府県を統括する都道府県知事
第二十四条、第二十六条第一項並びに第三十八条第一項及び第三十九条	設立団体の長	関係設立団体の長
第四十条第一項	市が設立した道路公社にあつては市長を、その他の道路公社にあつては都道府県知事	

（他の法令の準用）

第一〇条 次の法令の規定については、地方道路公社を、市のみが設立したものにあつては当該市（第十九号及び第二十二号にあつては、建築主事を置く市）と、その他のものにあつては都道府県とみなして、これらの規定を準用する。

一 行政代執行法（昭和二十三年法律第四十三号）の規定

二 建築基準法（昭和二十五年法律第二百一号）第十八条（同法第八十七条第一項、第八十七条の四、第八十八条第一項から第三項まで又は第九十条第三項において準用する場合を含む。）

三 港湾法（昭和二十五年法律第二百十八号）第三十七条第三項（同法第四十三条の八第四項及び第五十五条の三の五第四項において準用する場合を含む。）並びに第三十八条の二第一項、第九項及び第十項

四 土地収用法（昭和二十六年法律第二百十九号）第十一条第一項ただし書、第十五条第一項、第十七条第一項第一号（同法第百三十八条第一項において準用する場合を含む。）、第十八条第二項第五号（同法第百三十八条第一項において準用する場合を含む。）、第二十一条（同法第百三十八条第一項において準用する場合を含む。）、第八十二条第五項及び第六項（同法第百三十八条第一項において準用する場合を含む。）、第百二十二条第一項ただし書（同法第百三十八条第一項において準用する場合を含む。）並びに第百二十五条第一項ただし書（同法第百三十八条第一項において準用する場合を含む。）

四の二 森林法（昭和二十六年法律第二百四十九号）第十条の二第一項第一号

五 自然公園法（昭和三十二年法律第百六十一号）第十条第二項及び第三項並びに第十六条第一項から第三項まで

六 公共用地の取得に関する特別措置法（昭和三十六年法律第百五十号）第四条第二項第五号（同法第四十五条において準用する場合を含む。）及び第五条ただし書（同法第四十五条において準用する場合を含む。）並びに同法第八条（同法第四十五条において準用する場合を含む。）において準用する土地収用法第二十一条

七 都市計画法（昭和四十三年法律第百号）第五十二条第三項、第五十八条の七第一項、第五十九条第一項、第二項及び第四項、第六十三条第一項並びに第八十条第一項

八 急傾斜地の崩壊による災害の防止に関する法律（昭和四十四年法律第五十七号）第七条第四項及び第十三条

九 自然環境保全法（昭和四十七年法律第八十五号）第二十一条（同法第三十条において準用する場合を含む。）、第二十五条第十項第三号、第二十六条第三項第五号、第二十七条第九項第三号、第二十八条第六項第四号及び第五十条

十 海上交通安全法（昭和四十七年法律第百十五号）第四十条第七項並びに第四十一条第四項及び第五項

十一 都市緑地法（昭和四十八年法律第七十二号）第八条第七項及び第八項、第十四条第八項並びに第三十七条第二項

十二 絶滅のおそれのある野生動植物の種の保存に関する法律（平成四年法律第七十五号）第十二条第一項第八号及び第五十四条

十三 土砂災害警戒区域等における土砂災害防止対策の推進に関する法律（平成十二年法律第五十七号）第十五条

十四 大深度地下の公共的使用に関する特別措置法（平成十二年法律第八十七号）第九条において準用する土地収用法第十一条第一項ただし書及び第十五条第一項並びに大深度地下の公共的使用に関する特別措置法第十一条第一項第一号、第十四条第二項第九号、第十八条及び第三十九条ただし書

十五 建設工事に係る資材の再資源化等に関する法律（平成十二年法律第百四号）第十一条

十六 特定都市河川浸水被害対策法（平成十五年法律第七十七号）第三十五条（同法第三十七条第四項及び第三十九条第四項において準用する場合を含む。）、第六十条（同法第六十二条第四項において準用する場合を含む。）及び第六十九条（同法第七十一条第五項において準用する場合を含む。）

十七 景観法（平成十六年法律第百十号）第十六条第五項及び第六項、第二十二条第四項並びに第六十六条第一項から第三項まで及び第五項

十八 不動産登記法（平成十六年法律第百二十三号）第十六条及び第百十五条から第百十七条まで（これらの規定を船舶登記令（平成十七年政令第十一号）第三十五条第一項及び第二項において準用する場合を含む。）並びに第百十八条第二項（同条第三項において準用する場合を含む。）

十九 高齢者、障害者等の移動等の円滑化の促進に関する法律（平成十八年法律第九十一号）第十五条第二項

二十 地域における歴史的風致の維持及び向上に関する法律（平成二十年法律第四十号）第十五条第六項及び第七項

二十一 津波防災地域づくりに関する法律（平成二十三年法律第百二十三号）第七十六条第一項（同法第七十八条第四項において準用する場合を含む。）及び第八十五条（同法第八十七条第五項において準用する場合を含む。）

二十二 建築物のエネルギー消費性能の向上等に関する法律（平成二十七年法律第五十三号）第十三条、第十四条第二項、第十六条第三項、第二十条及び附則第三条第七項から第九項まで

二十二 建築物のエネルギー消費性能の向上等に関する法律（平成二十七年法律第五十三号）第十二条及び第十三条第二項

二十三 所有者不明土地の利用の円滑化等に関する特別措置法（平成三十年法律第四十九号）第六条ただし書、第八条第一項並びに第四十三条第三項及び第五項

二十四 登記手数料令（昭和二十四年政令第百四十号）第十八条

二十五 都市計画法施行令（昭和四十四年政令第百五十八号）第三十六条の五、第三十六条の九、第三十七条の二及び第三十八条の三

二十六 文化財保護法施行令（昭和五十年政令第二百六十七号）第四条第五項及び第六項第一号

二十七 大都市地域における住宅及び住宅地の供給の促進に関する特別措置法施行令（昭和五十年政令第三百六号）第三条及び第十一条

二十八 地方拠点都市地域の整備及び産業業務施設の再配置の促進に関する法律施行令（平成四年政令第二百六十六号）第六条

二十九 被災市街地復興特別措置法施行令（平成七年政令第三十六号）第三条

三十 不動産登記令（平成十六年政令第三百七十九号）第七条第一項第六号（同令別表の七十三の項に係る部分に限る。）並びに第十六条第四項、第十七条第二項、第十八条第四項及び第十九条第二項（これらの規定を船舶登記令第三十五条第一項及び第二項において準用する場合を含む。）

三十一 景観法施行令（平成十六年政令第三百九十八号）第二十二条第二号（同令第二十四条において準用する場合を含む。）

三十二 船舶登記令第十三条第一項第五号（同令別表一の三十二の項に係る部分に限る。）及び第二十七条第一項第四号（同令別表二の二十二の項に係る部分に限る。）

2　前項の規定により次の表の上欄に掲げる法令の規定を準用する場合においては、これらの規定中の字句で同表の中欄に掲げるものは、それぞれ同表の下欄の字句と読み替えるものとする。

行政代執行法第六条第三項	事務費の所属に従い、国庫又は地方公共団体の経済	地方道路公社
土地収用法第二十一条第一項（第百三十八条第一項において準用する場合を含む。）	行政機関若しくはその地方支分部局の長	地方道路公社
土地収用法第二十一条第二項（第百三十八条第一項において準用する場合を含む。）	行政機関又はその地方支分部局の長	地方道路公社
土地収用法第百二十二条第一項ただし書（第百三十八条第一項において準用する場合を含む。）	都道府県知事	地方道路公社
公共用地の取得に関する特別措置法第八条（第四十五条において準用する場合を含む。）において準用する土地収用法第二十一条第一項	行政機関若しくはその地方支分部局の長	地方道路公社
公共用地の取得に関する特別措置法第八条（第四十五条において準用する場合を含む。）において準用する土地収用法第二十一条第二項	行政機関又はその地方支分部局の長	地方道路公社
登記手数料令第十八条	国又は地方公共団体の職員	地方道路公社の役員又は職員

第十一条　勅令及び政令以外の命令であつて国土交通省令で定めるものについては、国土交通省令で定めるところにより、地方道路公社を地方公共団体とみなして、これらの命令を準用する。

附　則〔抄〕

（施行期日）

第一条　この政令は、公布の日から施行する。

（経過措置）

第二条　この政令の施行の後不動産登記法の一部を改正する等の法律（昭和三十五年法律第十四号。以下「改正法律」という。）附則第二条第二項の期日までの間は、第十条第一項第二号に規定する不動産登記法第六十一条は、改正法律による改正前の不動産登記法第六十二条をいうものとする。

（組織変更の登記）

第三条　法附則第二条第一項の規定により同項の公益法人がその組織を変更して地方道路公社となるときは、同条第二項の認可のあつた日から主たる事務所の所在地においては二週間以内に、従たる事務所の所在地においては三週間以内に、公益法人については解散の登記、地方道路公社については組合等登記令（昭和三十九年政令第二十九号）第三条に定める登記をしなければならない。

2　前項の規定により地方道路公社についてする登記の申請書には、定款及び代表権を有する者の資格を証する書面を添附しなければならない。

3　商業登記法（昭和三十八年法律第百二十五号）第十九条、第五十五条第一項、第七十一条及び第七十三条の規定は、第一項の登記について準用する。

（組織変更の際の登録免許税の非課税）

第四条　法附則第二条第七項の規定の適用を受けようとする者は、当該組織変更の日から起算して一年以内に、当該登記又は登録の申請書に組織変更があつたことを証する書面を添附して、その登記の申請をしなければならない。

2　法附則第二条第八項の不動産に関する権利で政令で定めるものは、法第二十一条第三項第三号に該当しない業務に係る不動産に関する権利で、当該法人が譲り受けることが適当であると建設大臣が認めたものとする。

3　法附則第二条第八項の政令で定める債務は、同項の公益法人が組織変更に伴い地方公共団体に譲渡した権利の取得に関して負担した債務又は前項の権利の取得に関して負担した債務で、当該地方公共団体又は当該法人が引き受けることが適当であると建設大臣が認めたものとする。

4　法附則第二条第八項の規定の適用を受けようとする者は、当該組織変更の日から起算して一年以内に、当該登記の申請書に組織変更があつたこと及び前二項の規定による建設大臣の認定があつたことを証する書面を添附して、その登記の申請をしなければならない。

附　則〔略〕〔昭和四八・一・二六政令五〕
附　則〔略〕〔昭和四八・三・三一政令三八〕
附　則〔略〕〔昭和四八・九・二九政令二七八〕
附　則〔略〕〔昭和四九・一・一〇政令三〕
附　則〔略〕〔昭和四九・六・一〇政令二〇三〕
附　則〔略〕〔昭和四九・七・一三政令二六五〕
附　則〔略〕〔昭和四九・一〇・二八政令三五七〕
附　則〔略〕〔昭和五〇・一・九政令二〕
附　則〔略〕〔昭和五〇・九・三〇政令二九三〕
附　則〔略〕〔昭和五〇・一〇・二四政令三〇六〕
附　則〔略〕〔平成元・一一・二一政令三〇九〕
附　則〔略〕〔平成二・一一・九政令三二三〕
附　則〔略〕〔平成二・一一・九政令三二五〕
附　則〔略〕〔平成四・七・三一政令二六六〕
附　則〔略〕〔平成五・二・一〇政令一七〕
附　則〔略〕〔平成六・九・一九政令三〇三〕
附　則〔略〕〔平成七・二・二六政令三六〕
附　則〔略〕〔平成七・六・一四政令二四〇〕
附　則〔略〕〔平成一一・一一・一〇政令三五二〕
附　則〔略〕〔平成一二・六・七政令三一二〕
附　則〔略〕〔平成一二・一二・六政令五〇〇〕
附　則〔略〕〔平成一三・三・二八政令八四〕
附　則〔略〕〔平成一四・一・二三政令七〕
附　則〔略〕〔平成一五・一・二二政令九〕
附　則〔略〕〔平成一五・二・五政令三四〕
附　則〔略〕〔平成一六・四・二一政令一六八〕
附　則〔抄〕〔平成一六・一二・一五政令三九六〕

（施行期日）

第一条　この政令は、都市緑地保全法等の一部を改正する法律（以下「改正法」という。）の施行の日（平成十六年十二月十七日。以下「施行日」という。）から施行する。

（処分、手続等の効力に関する経過措置）

第四条　改正法附則第二条から第五条まで及び前二条に規定するもののほか、施行日前に改正法による改正前のそれぞれの法律又はこの政令による改正前のそれぞれの政令の規定によってした処分、手続その他の行為であって、改正法による改正後のそれぞれの法律又はこの政令による改正後のそれぞれの政令に相当の規定があるものは、これらの規定によってした処分、手続その他の行為とみなす。

附　則〔略〕〔平成一六・一二・一五政令三九九〕
附　則〔略〕〔平成一七・二・一八政令二四〕
附　則〔略〕〔平成一七・五・二五政令一八二〕
附　則〔略〕〔平成一七・六・一政令二〇三〕
附　則〔略〕〔平成一七・七・二九政令二六二〕
附　則〔略〕〔平成一七・一二・二一政令三七二〕
附　則〔略〕〔平成一八・六・八政令二一三〕
附　則〔略〕〔平成一八・一二・八政令三七九〕

附則〔略〕〔平成二〇・一〇・三一政令三三八〕
附則〔略〕〔平成二二・二・一五政令一三〕
附則〔略〕〔平成二三・五・二政一一九施行〕
附則〔略〕〔平成二四・六・一政令一五八〕
附則〔略〕〔平成二五・七・三一政令二二九〕
附則〔略〕〔平成二七・一・一五政令六〕
附則〔略〕〔平成二七・一一・二六政令三九二〕
附則〔略〕〔平成二八・一一・三〇政令三六四〕
附則〔略〕〔平成二九・六・一四政令一五六〕
附則〔略〕〔平成二九・七・七政令一八八〕
附則〔略〕〔平成二九・一〇・二五政令二六六〕
附則〔略〕〔平成三〇・一・三一政令一九〕
附則〔略〕〔平成三〇・一一・九政令三〇八〕
附則〔略〕〔令和元・六・一九政令三〇〕
附則〔略〕〔令和元・一一・七政令一五〇〕
附則〔略〕〔令和二・九・四政令二六八〕
附則〔略〕〔令和三・六・二三政令一七九〕
附則〔略〕〔令和三・一〇・二九政令二九六〕
附則〔略〕〔令和四・七・二一政令二四九〕
附則〔略〕〔令和四・一〇・二八政令三三五〕
附則〔略〕〔令和五・九・一三政令二八〇〕
附則〔抄〕〔令和六・四・一九政令一七二〕

（施行期日）

1　この政令は、脱炭素社会の実現に資するための建築物のエネルギー消費性能の向上に関する法律等の一部を改正する法律の施行の日（令和七年四月一日）から施行する。

付録（第七条関係）

$G=(C-(Re1-Re2)r)R$

Gは、補助金の額

Cは、その年の一月一日から十二月三十一日までに発生した災害によつて必要を生じた当該道路の災害復旧に要する経費

Re1は、当該災害が発生した年度の前年度までにおける当該道路の料金徴収総額（当該道路に係る割増金、占用料、連結料、負担金、手数料若しくは延滞金を徴収したとき、当該道路の管理に要する経費の一部として国若しくは地方公共団体から補助を受けたとき、又はその他当該道路に係る法第二十一条第一項の業務に係る料金以外の収入を得たときは、当該徴収に係る割増金、占用料、連結料、負担金、手数料若しくは延滞金の額、当該補助に係る額又は当該収入額に相当する額を加算した額）から、指定都市高速道路にあつては当該期間における道路整備特別措置法施行令（昭和三十一年政令第三百十九号）第七条第一項第二号から第七号までに掲げる費用及び当該費用に係る同条第二項第三号に掲げる費用の合算額を、その他の道路にあつては当該期間における同条第一項第二号から第八号までに掲げる費用（同号の費用にあつては、当該道路の新設又は改築のために会社（高速道路株式会社法（平成十六年法律第九十九号）第一条に規定する会社をいう。以下同じ。）又は有料道路管理者（道路整備特別措置法第十八条第四項に規定する有料道路管理者をいう。以下同じ。）が要した費用を支弁するのに要する費用を除く。）及び当該費用に係る同令第七条第一項第九号に掲げる費用の合算額を控除した額

Re2は、指定都市高速道路にあつては道路整備特別措置法施行令第七条第一項第一号に掲げる費用及び同条第二項第二号に掲げる費用並びにこれらの費用に係る同項第三号に掲げる費用のうち、その他の道路にあつては同条第一項第一号に掲げる費用及び同項第八号に掲げる費用（当該道路の新設又は改築のために会社又は有料道路管理者が要した費用を支弁するのに要する費用に限る。）並びにこれらの費用に係る同項第九号に掲げる費用のうち、当該災害が発生した年度の前年度までに償還すべき額として国土交通省令で定める額。ただし、Re1より大であるときは、Re1とする。

rは、料金の徴収期間を、料金の徴収を開始した日から災害が発生した年度の前年度までの期間で除した数値

Rは、当該地方道路公社を設立団体である地方公共団体と、Re1とRe2の差額にrを乗じた額をCから減じた額（以下「補助基本額」という。）を当該道路に係る災害復旧事業の事業費とみなして、公共土木施設災害復旧事業費国庫負担法（昭和二十六年法律第九十七号）を適用した場合における同法第四条の規定による国の負担率に相当する率（設立団体が二以上であるときは、それぞれの地方公共団体ごとに、補助基本額に当該地方公共団体が当該地方道路公社に出費した額をそれらの額の合算額で除した率（以下「出資率」という。）を乗じた額をそれぞれ当該道路に係る災害復旧事業の事業費とみなして、公共土木施設災害復旧事業費国庫負担法を適用した場合における同法第四条の規定による国の負担率に相当する率を、出資率により、加重平均した率）以内の率

○地方道路公社法施行規則

〔昭和四五・八・一四　建設省令二二〕

改正　昭和五八・七建令一二、昭和六三・七建令一五、平成元・三建令五、平成一二・一建令一〇、一二建令四一、平成一七・三国交令一二、六国交令六六、令和五・六国交令四六

（附帯施設の設置基準）

第一条　地方道路公社法（以下「法」という。）第二十一条第二項第三号及び第三項第四号の施設（以下「附帯施設」という。）は、次の各号に定める基準に適合するものでなければならない。

一　附帯施設の数、規模及び配置は、当該道路又は当該一般自動車道の延長、交通量等に応じて適正かつ合理的なものであること。

二　附帯施設の設置される場所は、当該道路又は当該一般自動車道に隣接する区域内で、かつ、当該道路又は当該一般自動車道の交通に支障を及ぼすおそれのない場所であること。

三　附帯施設の構造は、当該道路又は当該一般自動車道の構造の保全又は交通に支障を及ぼすおそれのないものであること。

（附帯施設に係る営業）

第二条　附帯施設に係る営業は、次項に規定する要件を備える者がない場合及び地方道路公社がみずから当該営業を行なうことを必要とする特別の事情がある場合を除き、地方道路公社以外の者に行なわせるものとする。

2　前項の規定により附帯施設に係る営業を行なう者は、当該営業を当該附帯施設の設置の目的に適合して行なうことができる十分な資力及び信用を有する者でなければならない。

（事務所等の賃貸）

第三条　法第二十一条第三項第一号に規定する事務所等（以下「事務所等」という。）は、地方道路公社がその業務のため使用する場合を除き、当該事務所等を適正に使用することができ、かつ、次条の規定による賃貸料を支払う能力を有する者に賃貸するものとする。

（営業料及び賃貸料）

第四条　地方道路公社は、附帯施設に係る営業を行なう者又は事務所等の賃借人から、それぞれ営業料又は賃貸料を徴収するものとする。

2　営業料又は賃貸料の額は、当該附帯施設又は事務所等の建設費及び管理費並びに類似の施設の賃貸料を基準とし、かつ、営業料にあつては、当該営業による売上収入額を考慮したものでなければならない。

（附帯施設に係る営業を行なう者又は事務所等の賃借人の選定方法）

第五条　地方道路公社は、附帯施設に係る営業を行なう者又は事務所等の賃借人を選定しようとするときは、事業運営上特に随意契約の方法による必要がある場合を除き、一般競争入札又は指名競争入札の方法によらなければならない。

（**業務方法書の記載事項**）
第六条　法第二十二条第一項の業務方法書には、次に掲げる事項を記載しなければならない。
一　法第二十一条第一項に規定する道路の新設、改築、維持、修繕、災害復旧その他の管理に関する事項
二　前号の道路の料金に関する事項
三　法第二十一条第二項第二号に規定する自動車駐車場の建設及び管理に関する事項
四　前号の自動車駐車場の料金に関する事項
五　業務の委託又は受託に関する事項
六　その他業務に関し必要な事項

（**経理原則**）
第七条　地方道路公社は、その財政状態及び経営成績を明らかにするため、財産の増減及び異動並びに収益及び費用をその発生の事実に基づいて経理しなければならない。

（**勘定区分**）
第八条　地方道路公社の会計においては、貸借対照表勘定及び損益勘定を設け、貸借対照表勘定においては資産、負債及び資本を計算し、損益勘定においては収益及び費用を計算する。
２　資産勘定は、流動資産、固定資産及び繰延資産に区分して計算する。
３　負債勘定は、流動負債、固定負債及び特別法上の引当金等に区分し、特別法上の引当金等は、道路事業損失補てん引当金及び償還準備金の勘定科目を設けて計算する。
４　資本勘定は、基本金及び剰余金に区分して計算する。
５　資産勘定、負債勘定及び資本勘定は、必要に応じ、前三項に規定する勘定科目を細分し、又はこれらの勘定科目以外の勘定科目を設けて計算することができる。

（**予算の内容**）
第九条　地方道路公社の予算は、予算総則及び収入支出予算とする。

（**予算総則**）
第一〇条　予算総則には、収入支出予算に関する総括的規定を設けるほか、次に掲げる事項に関する規定を設けるものとする。
一　翌事業年度以降にわたる債務を負担する行為についての事項ごとの限度額及び支出すべき年限並びにその必要の理由
二　第十三条第二項の規定による経費の指定
三　第十四条ただし書の規定による経費の指定
四　長期借入金の借入及び債券の発行の限度額
五　その他予算の実施に関し必要な事項

（**収入支出予算**）
第一一条　毎事業年度における地方道路公社のすべての収入及び支出は、収入支出予算に計上しなければならない。
２　前項の収入支出予算は、収入にあつてはその性質、支出にあつてはその目的に従つて区分する。

（**予備費**）
第一二条　予見することができない事由による支出予算の不足を補うため、地方道路公社の収入支出予算に予備費を設けることができる。

（**予算の流用等**）
第一三条　地方道路公社は、支出予算については、当該予算に定める目的のほかに使用してはならない。ただし、予算の実施上適当かつ必要であるときは、第十一条第二項の規定による区分にかかわらず、彼此流用することができる。
２　地方道路公社は、予算で指定する経費の金額については、設立団体の長（設立団体が二以上である地方道路公社にあつては、関係設立団体の長。以下同じ。）の承認を受けなければ、流用し、又はこれに予備費を使用することができない。

（**予算の繰越**）
第一四条　地方道路公社は、予算の実施上必要があるときは、支出予算の経費の金額のうち、当該事業年度内に支出を終わらなかつたものを翌事業年度に繰り越して使用することができる。ただし、予算で指定する経費の金額については、あらかじめ、設立団体の長の承認を受けなければならない。

（**決算報告書**）
第一五条　法第二十六条第二項の決算報告書は、収入支出決算書及び債務に関する計算書とする。
２　前項の決算報告書には、第十条の規定により予算総則に規定した事項に係る予算の実施の結果を示さなければならない。

（**収入支出決算書**）
第一六条　前条第一項の収入支出決算書には、収入支出予算と同一の区分により、次に掲げる事項を記載しなければならない。
一　収入
イ　収入予算額
ロ　収入決定済額
ハ　収入予算額と収入決定済額との差額
二　支出
イ　支出予算額
ロ　前事業年度からの繰越額
ハ　予備費使用額
ニ　流用増減額
ホ　支出決定済額
ヘ　翌事業年度への繰越額
ト　不用額

（**債務に関する計算書**）
第一七条　第十五条第一項の債務に関する計算書には、地方道路公社の債務について、債務の種類ごとに、前事業年度末における債務額及び当該事業年度に負担した債務額に区分して、当該事業年度において、それらについて償還し又は支出した金額及び残額を記載しなければならない。

（**地方道路公社法施行令附録に規定する国土交通省令で定める額**）
第一八条　地方道路公社法施行令附録に規定する国土交通省令で定める額は、指定都市高速道路にあつては道路整備特別措置法（昭和三十一年法律第七号）第十三条第一項の認可に際して当該災害が発生した年度の前年度までに償還すべき額とされた額、その他の道路に係るものにあつては同法第十条第一項若しくは第四項又は第十一条第一項若しくは第五項の許可に際して当該災害が発生した年度の前年度までに償還すべき額とされた額とする。

（**余裕金の運用方法**）
第一九条　法第三十一条第三号の国土交通省令で定める方法は、信託業務を営む金融機関（金融機関の信託業務の兼営等に関する法律（昭和十八年法律第四十三号）第一条第一項の認可を受けた金融機関をいう。）への金銭信託で元本補てんの契約のあるものとする。

（**解散**）
第二〇条　法第三十四条第三項の認可の申請をしようとする地方道路公社は、認可申請書に次に掲げる書面を添附しなければならない。
一　法第二十一条第一項の業務の完了を明らかにする書面
二　認可を申請しようとする地方道路公社が法第三十四条第二項の同意を得なければならない場合においては、その同意を得たことを証する書面
三　法第三十四条第四項の設立団体の同意を得たことを証する書面

（**不動産登記規則の準用**）
第二一条　不動産登記規則（平成十七年法務省令第十八号）第四十三条第一項第四号（同規則第五十一条第八項、第六十五条第九項、第六十八条第十項及び第七十条第七項において準用する場合を含む。）、第六十三条第三項、第六十四条第一項第一号及び第四号並びに第百八十二条第二項（これらの規定を船舶登記規則（平成十七年法務省令第二十七号）第四十九条において準用する場合を含む。）の規定については、地方道路公社を地方公共団体とみなして、これらの規定を準用する。

（**権限の委任**）
第二二条　法に規定する国土交通大臣の権限は、地方整備局長及び北海道開発局長に委任する。

附　則〔略〕〔昭和四五・八・一四建設省令二一施行〕
附　則〔略〕〔平成一二・一・三一建設省令一〇〕
附　則〔略〕〔平成一二・一一・二〇建設省令四一〕
附　則〔抄〕〔平成一七・三・七国土交通省令一二〕

（**施行期日**）
第一条　この省令は、公布の日から施行する。

（地方道路公社法施行規則の一部改正に伴う経過措置）

第六条 不動産登記規則附則第十五条第四項第一号及び第三号並びに船舶登記規則附則第三条第八項第一号及び第三号の規定については、地方道路公社を地方公共団体とみなして、これらの規定を準用する。

附 則〔略〕〔平成一七・六・一国土交通省令六六〕

附 則〔略〕〔令和五・六・七国土交通省令四六施行〕

○無電柱化の推進に関する法律

〔平成二八・一二・一六
法律一一二〕

改正 令和二・六法四九

目次

第一章 総則（第一条―第六条）
第二章 無電柱化推進計画等（第七条・第八条）
第三章 無電柱化の推進に関する施策（第九条―第十五条）
附則

第一章 総則

（目的）

第一条 この法律は、災害の防止、安全かつ円滑な交通の確保、良好な景観の形成等を図るため、無電柱化（電線を地下に埋設することその他の方法により、電柱（鉄道及び軌道の電柱を除く。以下同じ。）又は電線（電柱によって支持されるものに限る。第十三条を除き、以下同じ。）の道路上における設置を抑制し、及び道路上の電柱又は電線を撤去することをいう。以下同じ。）の推進に関し、基本理念を定め、国及び地方公共団体の責務等を明らかにし、並びに無電柱化の推進に関する計画の策定その他の必要な事項を定めることにより、無電柱化の推進に関する施策を総合的、計画的かつ迅速に推進し、もって公共の福祉の確保並びに国民生活の向上及び国民経済の健全な発展に資することを目的とする。

（基本理念）

第二条 無電柱化の推進は、無電柱化の重要性に関する国民の理解と関心を深めつつ、行われるものとする。

2 無電柱化の推進は、国、地方公共団体及び第五条に規定する関係事業者の適切な役割分担の下に行われなければならない。

3 無電柱化の推進は、地域住民の意向を踏まえつつ、地域住民が誇りと愛着を持つことのできる地域社会の形成に資するよう行われなければならない。

（国の責務）

第三条 国は、前条の基本理念にのっとり、無電柱化の推進に関する施策を総合的、計画的かつ迅速に策定し、及び実施する責務を有する。

（地方公共団体の責務）

第四条 地方公共団体は、第二条の基本理念にのっとり、無電柱化の推進に関し、国との適切な役割分担を踏まえて、その地方公共団体の地域の状況に応じた施策を総合的、計画的かつ迅速に策定し、及び実施する責務を有する。

（関係事業者の責務）

第五条 道路上の電柱又は電線の設置及び管理を行う事業者（以下「関係事業者」という。）は、第二条の基本理念にのっとり、電柱又は電線の道路上における設置の抑制及び道路上の電柱又は電線の撤去を行い、並びに国及び地方公共団体と連携して無電柱化の推進に資する技術の開発を行う責務を有する。

（国民の努力）

第六条 国民は、無電柱化の重要性に関する理解と関心を深めるとともに、国又は地方公共団体が実施する無電柱化の推進に関する施策に協力するよう努めなければならない。

第二章 無電柱化推進計画等

（無電柱化推進計画）

第七条 国土交通大臣は、無電柱化の推進に関する施策の総合的、計画的かつ迅速な推進を図るため、無電柱化の推進に関する計画（以下「無電柱化推進計画」という。）を定めなければならない。

2 無電柱化推進計画は、次に掲げる事項について定めるものとする。

一 無電柱化の推進に関する基本的な方針

二 無電柱化推進計画の期間

三 無電柱化の推進に関する目標

四 無電柱化の推進に関し総合的かつ計画的に講ずべき施策

五 前各号に掲げるもののほか、無電柱化の推進に関する施策を総合的、計画的かつ迅速に推進するために必要な事項

3 国土交通大臣は、情勢の推移により必要が生じたときは、無電柱化推進計画を変更するものとする。

4 国土交通大臣は、無電柱化推進計画を定め、又は変更しようとするときは、総務大臣、経済産業大臣その他の関係行政機関の長に協議するとともに、電気事業法（昭和三十九年法律第百七十号）第二条第一項第九号に規定する一般送配電事業者、同項第十一号の三に規定する配電事業者及び同項第十三号に規定する特定送配電事業者（次条第三項において「関係電気事業者」という。）並びに電気通信事業法（昭和五十九年法律第八十六号）第百二十条第一項に規定する認定電気通信事業者（次条第三項において「関係電気通信事業者」という。）（道路上の電柱又は電線を設置し及び管理して同法第百二十条第一項に規定する認定電気通信事業に係る電気通信役務を提供するものに限る。）の意見を聴かなければならない。

5 国土交通大臣は、無電柱化推進計画を定め、又は変更したときは、遅滞なく、これを公表しなければならない。

（都道府県無電柱化推進計画等）

第八条　都道府県は、無電柱化推進計画を基本として、その都道府県の区域における無電柱化の推進に関する施策についての計画（以下この条において「都道府県無電柱化推進計画」という。）を定めるよう努めなければならない。

２　市町村（特別区を含む。以下この条において同じ。）は、無電柱化推進計画（都道府県無電柱化推進計画が定められているときは、無電柱化推進計画及び都道府県無電柱化推進計画）を基本として、その市町村の区域における無電柱化の推進に関する施策についての計画（以下この条において「市町村無電柱化推進計画」という。）を定めるよう努めなければならない。

３　都道府県又は市町村は、都道府県無電柱化推進計画又は市町村無電柱化推進計画を定め、又は変更しようとするときは、関係電気事業者（その供給区域又は供給地点が当該都道府県又は市町村の区域内にあるものに限る。）及び関係電気通信事業者（当該都道府県又は市町村の区域内において道路上の電柱又は電線を設置し及び管理して電気通信事業法第百二十条第一項に規定する認定電気通信事業に係る電気通信役務を提供するものに限る。）の意見を聴くものとする。

４　都道府県又は市町村は、都道府県無電柱化推進計画又は市町村無電柱化推進計画を定め、又は変更したときは、遅滞なく、これを公表するよう努めるものとする。

第三章　無電柱化の推進に関する施策

（国民の理解及び関心の増進）

第九条　国及び地方公共団体は、無電柱化の重要性に関する国民の理解と関心を深めるよう、無電柱化に関する広報活動及び啓発活動の充実その他の必要な施策を講ずるものとする。

（無電柱化の日）

第一〇条　国民の間に広く無電柱化の重要性についての理解と関心を深めるようにするため、無電柱化の日を設ける。

２　無電柱化の日は、十一月十日とする。

３　国及び地方公共団体は、無電柱化の日には、その趣旨にふさわしい行事が実施されるよう努めるものとする。

（無電柱化が特に必要であると認められる道路の占用の禁止等）

第一一条　国及び地方公共団体は、災害の防止、安全かつ円滑な交通の確保、良好な景観の形成等を図るために無電柱化が特に必要であると認められる道路について、道路法（昭和二十七年法律第百八十号）第三十七条第一項の規定による道路の占用の禁止又は制限その他無電柱化の推進のために必要な措置を講ずるものとする。

（電柱又は電線の設置の抑制及び撤去）

第一二条　関係事業者は、社会資本整備重点計画法（平成十五年法律第二十号）第二条第二項第一号に掲げる事業（道路の維持に関するものを除く。）、都市計画法（昭和四十三年法律第百号）第四条第七項に規定する市街地開発事業その他これらに類する事業が実施される場合には、これらの事業の状況を踏まえつつ、電柱又は電線を道路上において新たに設置しないようにするとともに、当該場合において、現に設置し及び管理する道路上の電柱又は電線の撤去を当該事業の実施と併せて行うことができるときは、当該電柱又は電線を撤去するものとする。

（調査研究、技術開発等の推進等）

第一三条　国、地方公共団体及び関係事業者は、電線を地下に埋設する簡便な方法その他の無電柱化の迅速な推進及び費用の縮減を図るための方策等に関する調査研究、技術開発等の推進及びその成果の普及に必要な措置を講ずるものとする。

（関係者相互の連携及び協力）

第一四条　国、地方公共団体、関係事業者その他の関係者は、無電柱化に関する工事（道路上の電柱又は電線以外の物件等に係る工事と一体的に行われるものを含む。）の効率的な施工等のため、相互に連携を図りながら協力しなければならない。

（法制上の措置等）

第一五条　政府は、無電柱化の推進に関する施策を実施するため必要な法制上、財政上又は税制上の措置その他の措置を講じなければならない。

附　則

（施行期日）

１　この法律は、公布の日から施行する。

（無電柱化の費用の負担の在り方等）

２　無電柱化の費用は、無電柱化に係る事業の特性を踏まえた国、地方公共団体及び関係事業者の適切な役割分担の下、これらの者がその役割分担に応じて負担するものとするとともに、政府は、第十三条に定めるもののほか、無電柱化を円滑かつ迅速に推進する観点から、無電柱化の費用の縮減を図るための方策その他の国、地方公共団体及び関係事業者の負担を軽減するための方策について検討を加え、その結果に基づいて必要な措置を講ずるものとする。

附　則〔抄〕〔令和二・六・一二法律四九〕

（施行期日）

第一条　この法律は、令和四年四月一日から施行する。〔以下略〕

○自転車活用推進法　〔平成二八・一二・一六　法律一一三〕

目次

第一章　総則（第一条―第七条）
第二章　自転車の活用の推進に関する基本方針（第八条）
第三章　自転車活用推進計画等（第九条―第十一条）
第四章　自転車活用推進本部（第十二条・第十三条）
第五章　雑則（第十四条・第十五条）
附則

第一章　総則

（目的）

第一条　この法律は、極めて身近な交通手段である自転車の活用による環境への負荷の低減、災害時における交通の機能の維持、国民の健康の増進等を図ることが重要な課題であることに鑑み、自転車の活用の推進に関し、基本理念を定め、国の責務等を明らかにし、及び自転車の活用の推進に関する施策の基本となる事項を定めるとともに、自転車活用推進本部を設置することにより、自転車の活用を総合的かつ計画的に推進することを目的とする。

（基本理念）

第二条　自転車の活用の推進は、自転車による交通が、二酸化炭素、粒子状物質等の環境に深刻な影響を及ぼすおそれのある物質を排出しないものであること、騒音及び振動を発生しないものであること、災害時において機動的であること等の特性を有し、公共の利益の増進に資するものであるという基本的認識の下に行われなければならない。

２　自転車の活用の推進は、自転車の利用を増進し、交通における自動車への依存の程度を低減することが、国民の健康の増進及び交通の混雑の緩和による経済的社会的効果を及ぼす等公共の利益の増進に資するものであるという基本的認識の下に行われなければならない。

３　自転車の活用の推進は、交通体系における自転車による交通の役割を拡大することを旨として、行われなければならない。

４　自転車の活用の推進は、交通の安全の確保を図りつつ、行われなければならない。

（国の責務）

第三条　国は、前条に定める基本理念（以下「基本理念」という。）にのっとり、自転車の活用の推進に関する施策を総合的かつ計画的に策定し、及び実施する責務を有する。

2　国は、情報の提供その他の活動を通じて、基本理念に関する国民の理解を深め、かつ、その協力を得るよう努めなければならない。

（地方公共団体の責務）

第四条　地方公共団体は、基本理念にのっとり、自転車の活用の推進に関し、国との適切な役割分担を踏まえて、その地方公共団体の区域の実情に応じた施策を策定し、及び実施する責務を有する。

2　地方公共団体は、情報の提供その他の活動を通じて、基本理念に関する住民の理解を深め、かつ、その協力を得るよう努めなければならない。

（事業者の責務）

第五条　公共交通に関する事業その他の事業を行う者は、自転車と公共交通機関との連携の促進等に努めるとともに、国又は地方公共団体が実施する自転車の活用の推進に関する施策に協力するよう努めるものとする。

（国民の責務）

第六条　国民は、基本理念についての理解を深め、国又は地方公共団体が実施する自転車の活用の推進に関する施策に協力するよう努めるものとする。

（関係者の連携及び協力）

第七条　国、地方公共団体、公共交通に関する事業その他の事業を行う者、住民その他の関係者は、基本理念の実現に向けて、相互に連携を図りながら協力するよう努めるものとする。

第二章　自転車の活用の推進に関する基本方針

第八条　自転車の活用の推進に関して、重点的に検討され、及び実施されるべき施策は、次に掲げるとおりとする。

一　良好な自転車交通網を形成するため必要な自転車専用道路（道路法（昭和二十七年法律第百八十号）第四十八条の十四第二項に規定する自転車専用道路をいう。）、自転車専用車両通行帯等の整備

二　路外駐車場（駐車場法（昭和三十二年法律第百六号）第二条第二号に規定する路外駐車場をいう。）の整備及び時間制限駐車区間（道路交通法（昭和三十五年法律第百五号）第四十九条第一項に規定する時間制限駐車区間をいう。）の指定の見直し

三　自転車を賃貸する事業の利用者の利便の増進に資する施設の整備

四　自転車競技のための施設の整備

五　高い安全性を備えた良質な自転車の供給体制の整備

六　自転車の安全な利用に寄与する人材の育成及び資質の向上

七　情報通信技術等の活用による自転車の管理の適正化

八　自転車の利用者に対する交通安全に係る教育及び啓発

九　自転車の活用による国民の健康の保持増進

十　学校教育等における自転車の活用による青少年の体力の向上

十一　自転車と公共交通機関との連携の促進

十二　災害時における自転車の有効活用に資する体制の整備

十三　自転車を活用した国際交流の促進

十四　自転車を活用した取組であって、国内外からの観光旅客の来訪の促進、観光地の魅力の増進その他の地域の活性化に資するものに対する支援

十五　前各号に掲げるもののほか、自転車の活用の推進に関し特に必要と認められる施策

第三章　自転車活用推進計画等

（自転車活用推進計画）

第九条　政府は、自転車の活用の推進に関する施策の総合的かつ計画的な推進を図るため、前条に定める自転車の活用の推進に関する基本方針に即し、自転車の活用の推進に関する目標及び自転車の活用の推進に関し講ずべき必要な法制上又は財政上の措置その他の措置を定めた計画（以下「自転車活用推進計画」という。）を定めなければならない。

2　国土交通大臣は、自転車活用推進計画の案につき閣議の決定を求めなければならない。

3　政府は、自転車活用推進計画を定めたときは、遅滞なく、これを国会に報告するとともに、公表しなければならない。

4　前二項の規定は、自転車活用推進計画の変更について準用する。

（都道府県自転車活用推進計画）

第一〇条　都道府県は、自転車活用推進計画を勘案して、当該都道府県の区域の実情に応じた自転車の活用の推進に関する施策を定めた計画（次項及び次条第一項において「都道府県自転車活用推進計画」という。）を定めるよう努めなければならない。

2　都道府県は、都道府県自転車活用推進計画を定め、又は変更したときは、遅滞なく、これを公表するよう努めるものとする。

（市町村自転車活用推進計画）

第一一条　市町村（特別区を含む。次項において同じ。）は、自転車活用推進計画（都道府県自転車活用推進計画が定められているときは、自転車活用推進計画及び都道府県自転車活用推進計画）を勘案して、当該市町村の区域の実情に応じた自転車の活用の推進に関する施策を定めた計画（次項において「市町村自転車活用推進計画」という。）を定めるよう努めなければならない。

2　市町村は、市町村自転車活用推進計画を定め、又は変更したときは、遅滞なく、これを公表するよう努めるものとする。

第四章　自転車活用推進本部

（設置及び所掌事務）

第一二条　国土交通省に、特別の機関として、自転車活用推進本部（次項及び次条において「本部」という。）を置く。

2　本部は、次に掲げる事務をつかさどる。

一　自転車活用推進計画の案の作成及び実施の推進に関すること。

二　自転車の活用の推進について必要な関係行政機関相互の調整に関すること。

三　前二号に掲げるもののほか、自転車の活用の推進に関する重要事項に関する審議及び自転車の活用の推進に関する施策の実施の推進に関すること。

（組織等）

第一三条　本部は、自転車活用推進本部長及び自転車活用推進本部員をもって組織する。

2　本部の長は、自転車活用推進本部長とし、国土交通大臣をもって充てる。

3　自転車活用推進本部員は、次に掲げる者をもって充てる。

一　総務大臣

二　文部科学大臣

三　厚生労働大臣

四　経済産業大臣

五　環境大臣

六　内閣官房長官

七　国家公安委員会委員長

八　前各号に掲げる者のほか、国土交通大臣以外の国務大臣のうちから、国土交通大臣の申出により、内閣総理大臣が指定する者

4　前三項に定めるもののほか、本部の組織及び運営に関し必要な事項は、政令で定める。

第五章　雑則

（自転車の日及び自転車月間）

第一四条　国民の間に広く自転車の活用の推進についての関心と理解を深めるため、自転車の日及び自転車月間を設ける。

2　自転車の日は五月五日とし、自転車月間は同月一日から同月三十一日までとする。

3　国は、自転車の日においてその趣旨にふさわしい事業を実施するよう努めるものとし、国及び地方公共団体は、自転車月間においてその趣旨にふさわしい行事が実施されるよう奨励しなければならない。

（表彰）

第一五条　国土交通大臣は、自転車の活用の推進に関し特に顕著な功績があると認められる者に対し、表彰を行うことができる。

附　則〔抄〕

（施行期日）

第一条　この法律は、公布の日から起算して六月を超えない範囲内において政令で定める日から施行する。

〔平成二九政一四一により、平成二九・五・一から施行〕

（法制上の措置）
第二条　政府は、自転車の活用の推進を担う行政組織の在り方について検討を加え、その結果に基づいて必要な法制上の措置を講ずるものとする。

（検討）
第三条　政府は、自転車の運転に関し道路交通法に違反する行為への対応の在り方について検討を加え、その結果に基づいて必要な措置を講ずるものとする。

２　政府は、自転車の運行によって人の生命又は身体が害された場合における損害賠償を保障する制度について検討を加え、その結果に基づいて必要な措置を講ずるものとする。

●住宅建築関係細目次●

○住生活基本法（平一八法六一）……一四〇五
第一章　総則……一四〇五
第二章　基本的施策……一四〇五
第三章　住生活基本計画……一四〇五
第四章　雑則……一四〇六
○住生活基本法施行令（平一八政二一三）……一四〇七
○住生活基本法施行規則（平一八国交令七〇）……一四〇七
○住宅確保要配慮者に対する賃貸住宅の供給の促進に関する法律（平一九法一一二）……一四〇七
第一章　総則……一四〇七
第二章　基本方針……一四〇八
第三章　都道府県賃貸住宅供給促進計画及び市町村賃貸住宅供給促進計画……一四〇八
第四章　住宅確保要配慮者円滑入居賃貸住宅事業……一四一〇
第五章　住宅確保要配慮者居住支援法人……一四一五
第六章　住宅確保要配慮者居住支援協議会……一四一六
第七章　住宅確保要配慮者に対する賃貸住宅の供給の促進に関する施策……一四一六
第八章　雑則……一四一七
第九章　罰則……一四一七
○公営住宅法（昭二六法一九三）……一四二一
第一章　総則……一四二一
第二章　公営住宅の整備……一四二二
第三章　公営住宅の管理……一四二三
第四章　公営住宅建替事業……一四二六
第五章　補則……一四二七
○公営住宅法施行令（昭二六政二四〇）……一四三二
○公営住宅法施行規則（昭二六建令一九）……一四三九
○公営住宅等整備基準（平一〇建令八）……一四四二
第一章　総則……一四四二
第二章　敷地の基準……一四四二
第三章　公営住宅等の基準……一四四三
○高齢者の居住の安定確保に関する法律（平一三法二六）……一四四四
第一章　総則……一四四四
第二章　基本方針及び都道府県高齢者居住安定確保計画等……一四四四
第三章　サービス付き高齢者向け住宅事業……一四四五
第四章　地方公共団体等による高齢者向けの優良な賃貸住宅の供給の促進等……一四四九
第五章　終身建物賃貸借……一四五一
第六章　住宅の加齢対応改良に対する支援措置……一四五四
第七章　雑則……一四五四
第八章　罰則……一四五四
○高齢者の居住の安定確保に関する法律施行令（平一三政二五〇）……一四五七
○高齢者の居住の安定確保に関する法律施行規則（平一三国交令一一五）……一四五九
第一章　総則……一四五九
第二章　都道府県高齢者居住安定確保計画等……一四五九
第三章　地方公共団体等による高齢者向けの優良な賃貸住宅の供給の促進等……一四五九
第四章　終身建物賃貸借……一四六一
第五章　雑則……一四六二
○国土交通省・厚生労働省関係高齢者の居住の安定確保に関する法律施行規則（平二三厚労・国交令二）……一四六三
○特定優良賃貸住宅の供給の促進に関する法律（平五法五二）……一四六八
○特定優良賃貸住宅の供給の促進に関する法律施行令（平五政二五五）……一四七〇
○住宅地区改良法（昭三五法八四）……一四七一
第一章　総則……一四七一
第二章　住宅地区改良事業……一四七二
第三章　雑則……一四七四
第四章　罰則……一四七五
○住宅地区改良法施行令（昭三五政一二八）……一四七七
○地域における多様な需要に応じた公的賃貸住宅等の整備等に関する特別措置法（平一七法七九）……一四七九
第一章　総則……一四七九
第二章　基本方針及び地域住宅協議会……一四八〇
第三章　地域住宅計画に基づく特別の措置……一四八〇
第四章　雑則……一四八一
○地域における多様な需要に応じた公的賃貸住宅等の整備等に関する特別措置法施行令（平一七政二五七）……一四八二
○マンションの管理の適正化の推進に関する法律（平一二法一四九）……一四八四
第一章　総則……一四八四
第二章　基本方針及びマンション管理適正化推進計画等……一四八五
第三章　管理計画の認定等……一四八六
第四章　マンション管理士……一四八六
第五章　マンション管理業……一四九〇
第六章　マンション管理適正化推進センター……一四九四
第七章　マンション管理業者の団体……一四九四
第八章　雑則……一四九五
第九章　罰則……一四九五
○マンションの管理の適正化の推進に関する法律施行令（平一三政二三八）……一四九九
○マンションの管理の適正化の推進に関する法律施行規則（平一三国交令一一〇）……一五〇〇
第一章　マンション管理適正化推進計画……一五〇〇
第一章の二　管理計画の認定等……一五〇〇
第一章の三　マンション管理士……一五〇二
第二章　マンション管理業……一五〇六
第三章　マンション管理適正化推進センター……一五一四
第四章　マンション管理業者の団体……一五一四
第五章　雑則……一五一四
○マンションの建替え等の円滑化に関する法律（平一四法七八）……一五一七
第一章　総則……一五一七
第二章　マンション建替事業……一五一八
第三章　除却する必要のあるマンションに係る特別の措置……一五二九
第四章　マンション敷地売却事業……一五三二
第五章　敷地分割事業……一五三六
第六章　雑則……一五四〇
第七章　罰則……一五四一
○マンションの建替え等の円滑化に関する法律施行令（平一四政三六七）……一五四四
第一章　マンション建替事業……一五四四
第二章　除却する必要のあるマンションに係る容積率の特例に係る敷地面積の規模……一五四六
第三章　マンション敷地売却事業……一五四六
第四章　敷地分割事業……一五四七
第五章　雑則……一五四七
○マンションの建替え等の円滑化に関する法律施行規則（平一四国交令一一六）……一五四八
第一章　マンション建替事業……一五四八
第二章　除却する必要のあるマンションに係る特別の措置……一五五三
第三章　マンション敷地売却事業……一五五四

第四章　敷地分割事業……一五五六
第五章　雑則……一五五七
○マンションの建替え等の円滑化に関する法律による不動産登記に関する政令（平一四政三七九）……一五五九
○建物の区分所有等に関する法律（昭三七法六九）……一五六一
第一章　建物の区分所有……一五六一
第二章　団地……一五六七
第三章　罰則……一五六九
○独立行政法人住宅金融支援機構法（平一七法八二）……一五七一
第一章　総則……一五七一
第二章　役員及び職員……一五七一
第三章　業務……一五七一
第四章　財務及び会計……一五七三
第五章　雑則……一五七四
第六章　罰則……一五七四
○独立行政法人住宅金融支援機構法施行令（平一九政三〇）……一五七七
第一章　総則……一五七七
第二章　業務……一五七八
第三章　利益の処理及び納付金……一五七九
第四章　住宅金融支援機構債券……一五七九
第五章　雑則……一五八一
○独立行政法人住宅金融支援機構に関する省令（平一九財・国交令一）……一五八三
○住宅融資保険法（昭三〇法六三）……一五九〇
○住宅融資保険法施行令（昭三〇政一三二）……一五九二
○独立行政法人都市再生機構法（平一五法一〇〇）……一五九三
第一章　総則……一五九三
第二章　役員及び職員……一五九三
第三章　業務……一五九三
第四章　財務及び会計……一五九七
第五章　雑則……一五九八
第六章　罰則……一五九八
○独立行政法人都市再生機構法施行令（平一六政一六〇）……一六〇二
第一章　評価委員……一六〇二
第二章　業務の範囲……一六〇二
第三章　業務の実施方法……一六〇三
第四章　特定公共施設工事……一六〇三
第五章　賃貸住宅の建替え……一六〇五
第六章　利益の処理及び納付金……一六〇五
第七章　都市再生債券……一六〇六
第八章　雑則……一六〇六
○独立行政法人都市再生機構に関する省令（平一六国交令七〇）……一六一〇
第一章　重要な財産……一六一〇
第二章　監査報告等……一六一〇
第三章　業務方法書の記載事項……一六一〇
第四章　中期計画……一六一一
第五章　年度計画の記載事項等……一六一一
第六章　業務実績等報告書……一六一一
第七章　財務及び会計……一六一二
第八章　再就職者による法令等違反行為の依頼等……一六一四
第九章　整備敷地等の譲渡又は賃貸……一六一四
第十章　特定公共施設工事……一六一五
第十一章　近傍同種の住宅の家賃……一六一五
第十二章　不動産登記規則の準用……一六一五
○地方住宅供給公社法（昭四〇法一二四）……一六一八
第一章　総則……一六一八
第二章　設立……一六一八
第三章　役員及び職員……一六一八
第四章　業務……一六一九
第五章　財務及び会計……一六一九
第六章　解散及び清算……一六二〇
第七章　監督……一六二一
第八章　雑則……一六二一
第九章　罰則……一六二一
○地方住宅供給公社法施行令（昭四〇政一九八）……一六二三
○住宅の品質確保の促進等に関する法律（平一一法八一）……一六二六
第一章　総則……一六二六
第二章　日本住宅性能表示基準……一六二六
第三章　住宅性能評価……一六二七
第四章　住宅型式性能認定等……一六三〇
第五章　特別評価方法認定……一六三三
第六章　住宅に係る紛争の処理体制……一六三四
第七章　瑕疵担保責任……一六三七
第八章　雑則……一六三七
第九章　罰則……一六三七
○住宅の品質確保の促進等に関する法律施行令（平一二政六四）……一六四〇
○住宅の品質確保の促進等に関する法律施行規則（平一二建令二〇）……一六四一
第一章　住宅性能評価……一六四一
第二章　住宅型式性能認定等……一六四七
第三章　特別評価方法認定……一六五一
第四章　住宅に係る紛争の処理体制……一六五四
第五章　権限の委任……一六五六
○特定住宅瑕疵担保責任の履行の確保等に関する法律（平一九法六六）……一六五七
第一章　総則……一六五七
第二章　住宅建設瑕疵担保保証金……一六五八
第三章　住宅販売瑕疵担保保証金……一六五九
第四章　住宅瑕疵担保責任保険法人……一六六〇
第五章　住宅瑕疵担保責任保険契約に係る新築住宅等に関する紛争の処理……一六六一
第六章　雑則……一六六二
第七章　罰則……一六六二
○特定住宅瑕疵担保責任の履行の確保等に関する法律施行令（平一九政三九五）……一六六四
○特定住宅瑕疵担保責任の履行の確保等に関する法律施行規則（平二〇国交令一〇）……一六六六
第一章　総則……一六六六
第二章　住宅建設瑕疵担保保証金……一六六六
第三章　住宅販売瑕疵担保保証金……一六六九
第四章　住宅瑕疵担保責任保険法人……一六七一
第五章　住宅瑕疵担保責任保険契約に係る新築住宅に関する紛争の処理……一六七三
第六章　雑則……一六七四
○住宅建設瑕疵担保保証金及び住宅販売瑕疵担保保証金に関する規則（平二一法・国交令一）……一六七五
第一章　住宅建設瑕疵担保保証金……一六七五
第二章　住宅販売瑕疵担保保証金……一六七七
○長期優良住宅の普及の促進に関する法律（平二〇法八七）……一六七九
第一章　総則……一六七九
第二章　基本方針……一六七九
第三章　長期優良住宅建築等計画等の認定等……一六七九
第四章　認定長期優良住宅建築等計画等に基づく措置……一六八一
第五章　雑則……一六八二
第六章　罰則……一六八二
○長期優良住宅の普及の促進に関する法律施行令（平二一政二四）……一六八三
○長期優良住宅の普及の促進に関する法律施行規則（平二一国交令三）……一六八四

◉**建築基準法**（昭二五法二〇一）……一六八七
第一章　総則……一六八七
第二章　建築物の敷地、構造及び建築設備……一七〇七
第三章　都市計画区域等における建築物の敷地、構造、建築設備及び用途……一七一二
第三章の二　型式適合認定等……一七三四
第四章　建築協定……一七三七
第四章の二　指定建築基準適合判定資格者検定機関等……一七三九
第四章の三　建築基準適合判定資格者等の登録……一七五三
第五章　建築審査会……一七五五
第六章　雑則……一七五五
第七章　罰則……一七六八
○建築基準法施行令（昭二五政三三八）……一七九五
第一章　総則……一七九六
第二章　一般構造……一七九九
第三章　構造強度……一八〇五
第四章　耐火構造、準耐火構造、防火構造、防火区画等……一八二一
第五章　避難施設等……一八二九
第五章の二　特殊建築物等の内装……一八三四
第五章の三　避難上の安全の検証……一八三五
第五章の四　建築設備等……一八三七
第六章　建築物の用途……一八四二
第七章　建築物の各部分の高さ等……一八四六
第七章の二　防火地域又は準防火地域内の建築物……一八五一
第七章の二の二　特定防災街区整備地区内の建築物……一八五二
第七章の三　地区計画等の区域……一八五二
第七章の四　都市計画区域及び準都市計画区域以外の区域内の建築物の敷地及び構造……一八五四
第七章の五　型式適合認定等……一八五四
第七章の六　指定確認検査機関等……一八五五
第七章の七　建築基準適合判定資格者等の登録手数料……一八五六
第七章の八　工事現場の危害の防止……一八五六
第七章の九　簡易な構造の建築物に対する制限の緩和……一八五六
第七章の十　一の敷地とみなすこと等による制限の緩和……一八五七
第八章　既存の建築物に対する制限の緩和等……一八五七
第九章　工作物……一八六二
第十章　雑則……一八六六
○建築基準法施行規則（昭二五建令四〇）……一八七五

○建築基準法に基づく指定建築基準適合判定資格者検定機関等に関する省令（平一一建令一三）……一九九七
第一章　総則……一九九七
第二章　指定建築基準適合判定資格者検定機関……一九九七
第二章の二　指定構造計算適合判定資格者検定機関……一九九八
第三章　指定確認検査機関……一九九八
第三章の二　指定構造計算適合性判定機関……二〇〇四
第四章　指定認定機関……二〇〇七
第五章　承認認定機関……二〇〇九
第六章　指定性能評価機関……二〇〇九
第七章　承認性能評価機関……二〇一三
第八章　雑則……二〇一三
○建築士法（昭二五法二〇二）……二〇一六
第一章　総則……二〇一六
第二章　免許等……二〇一七
第三章　試験……二〇二二
第四章　業務……二〇二三
第四章の二　設計受託契約等……二〇二四
第五章　建築士会及び建築士会連合会……二〇二四
第六章　建築士事務所……二〇二四
第七章　建築士事務所協会及び建築士事務所協会連合会……二〇二七
第八章　建築士審査会……二〇二八
第九章　雑則……二〇二八
第十章　罰則……二〇二八
○建築士法施行令（昭二五政二〇一）……二〇三五
○建築士法施行規則（昭二五建令三八）……二〇三七
第一章　総則……二〇三七
第一章の二　免許……二〇三七
第二章　試験……二〇三九
第二章の二　構造計算によって建築物の安全性を確かめた旨の証明書等……二〇四〇
第二章の三　建築設備士……二〇四一
第二章の四　定期講習……二〇四三
第二章の五　設計受託契約等……二〇四四
第三章　建築士事務所……二〇四四
第四章　雑則……二〇四七
○建築物の耐震改修の促進に関する法律（平七法一二三）……二〇四九
第一章　総則……二〇四九
第二章　基本方針及び都道府県耐震改修促進計画等……二〇五〇

第三章　建築物の所有者が講ずべき措置……二〇五一
第四章　建築物の耐震改修の計画の認定……二〇五二
第五章　建築物の地震に対する安全性に係る認定等……二〇五三
第六章　区分所有建築物の耐震改修の必要性に係る認定等……二〇五三
第七章　建築物の耐震改修に係る特例……二〇五三
第八章　耐震改修支援センター……二〇五四
第九章　罰則……二〇五五
○建築物の耐震改修の促進に関する法律施行令（平七政四二九）……二〇五六
○建築物の耐震改修の促進に関する法律施行規則（平七建令二八）……二〇五九
○官公庁施設の建設等に関する法律（昭二六法一八一）……二〇六六
○官公庁施設の建設等に関する法律第十二条第一項の規定によりその敷地及び構造に係る劣化の状況の点検を要する建築物を定める政令（平一七政一九三）……二〇六八
○官公庁施設の建設等に関する法律施行規則（平一二建令三八）……二〇六八
○建築物のエネルギー消費性能の向上等に関する法律（平二七法五三）……二〇六九
第一章　総則……二〇六九
第二章　基本方針等……二〇六九
第三章　建築主が講ずべき措置等……二〇七〇
第三章の二　販売事業者等による建築物の販売等に係る措置……二〇七三
第四章　建築物エネルギー消費性能向上計画の認定等……二〇七四
第五章　建築物のエネルギー消費性能に係る認定等……二〇七五
第六章　登録建築物エネルギー消費性能判定機関等……二〇七五
第六章の二　建築物再生可能エネルギー利用促進区域における措置……二〇七八
第七章　雑則……二〇七八
第八章　罰則……二〇七八
○建築物のエネルギー消費性能の向上等に関する法律施行令（平二八政八）……二〇九二
○建築物のエネルギー消費性能の向上等に関する法律施行規則（平二八国交令五）……二〇九四

第一章　建築主が講ずべき措置等……二〇九五
第二章　建築物エネルギー消費性能向上計画の認定等……二一〇一
第三章　建築物のエネルギー消費性能に係る認定等……二一〇四
第四章　登録建築物エネルギー消費性能判定機関等……二一〇四
第四章の二　建築物再生可能エネルギー利用促進区域における措置……二一〇九
第五章　雑則……二一一〇
○建築物エネルギー消費性能基準等を定める省令（平二八経産・国交令一）……二一二五
第一章　建築物エネルギー消費性能基準……二一二五
第二章　特定一戸建て住宅建築主等の新築する分譲型一戸建て規格住宅等のエネルギー消費性能の一層の向上のために必要な住宅の構造及び設備に関する基準……二一二八
第二章の二　特定一戸建て住宅建設工事業者等の新たに建設する請負型一戸建て規格住宅等のエネルギー消費性能の一層の向上のために必要な住宅の構造及び設備に関する基準……二一二九
第三章　建築物エネルギー消費性能誘導基準……二一三〇
○浄化槽法（昭五八法四三）……二一三六
第一章　総則……二一三六
第二章　浄化槽の設置……二一三六
第三章　浄化槽の保守点検及び浄化槽の清掃等……二一三七
第三章の二　浄化槽処理促進区域……二一三八
第四章　浄化槽の型式の認定……二一三九
第五章　浄化槽工事業に係る登録……二一三九
第六章　浄化槽清掃業の許可……二一四一
第七章　浄化槽設備士……二一四一
第八章　浄化槽管理士……二一四四
第九章　条例による浄化槽の保守点検を業とする者の登録制度……二一四四
第十章　雑則……二一四四
第十一章　罰則……二一四五
○借地借家法（平三法九〇）……二一四九
第一章　総則……二一四九
第二章　借地……二一四九
第三章　借家……二一五一
第四章　借地条件の変更等の裁判手続……二一五三
○借地借家法施行令（令四政一八七）……二一五五
○借地借家法施行規則（令四法令二九）……二一五六
○空家等対策の推進に関する特別措置法（平二六法一二七）……二一五六
第一章　総則……二一五六
第二章　空家等の調査……二一五八
第三章　空家等の適切な管理に係る措置……二一五八
第四章　空家等の活用に係る措置……二一五八
第五章　特定空家等に対する措置……二一五九
第六章　空家等管理活用支援法人……二一六〇
第七章　雑則……二一六〇
第八章　罰則……二一六〇
○空家等対策の推進に関する特別措置法施行規則（平二七総・国交令一）……二一六一
○空家等対策の推進に関する特別措置法第七条第六項に規定する敷地特例適用要件に関する基準を定める省令（令五国交令九四）……二一六一

○住生活基本法

〔平成一八・六・八　法律六一〕

改正　平成一七・七法八二、平成二三・八法一〇五

目次

第一章　総則（第一条―第十条）
第二章　基本的施策（第十一条―第十四条）
第三章　住生活基本計画（第十五条―第二十条）
第四章　雑則（第二十一条・第二十二条）
附則

第一章　総則

（目的）

第一条　この法律は、住生活の安定の確保及び向上の促進に関する施策について、基本理念を定め、並びに国及び地方公共団体並びに住宅関連事業者の責務を明らかにするとともに、基本理念の実現を図るための基本的施策、住生活基本計画その他の基本となる事項を定めることにより、住生活の安定の確保及び向上の促進に関する施策を総合的かつ計画的に推進し、もって国民生活の安定向上と社会福祉の増進を図るとともに、国民経済の健全な発展に寄与することを目的とする。

（定義）

第二条　この法律において「住生活基本計画」とは、第十五条第一項に規定する全国計画及び第十七条第一項に規定する都道府県計画をいう。

2　この法律において「公営住宅等」とは、次に掲げる住宅をいう。

一　公営住宅法（昭和二十六年法律第百九十三号）第二条第二号に規定する公営住宅（以下単に「公営住宅」という。）

二　住宅地区改良法（昭和三十五年法律第八十四号）第二条第六項に規定する改良住宅

三　独立行政法人住宅金融支援機構が貸し付ける資金によって建設、購入又は改良が行われる住宅

四　独立行政法人都市再生機構がその業務として賃貸又は譲渡を行う住宅

五　前各号に掲げるもののほか、国、政府関係機関若しくは地方公共団体が建設を行う住宅又は国若しくは地方公共団体が補助、貸付けその他の助成を行うことによりその建設の推進を図る住宅

（現在及び将来における国民の住生活の基盤となる良質な住宅の供給等）

第三条　住生活の安定の確保及び向上の促進に関する施策の推進は、我が国における近年の急速な少子高齢化の進展、生活様式の多様化その他の社会経済情勢の変化に的確に対応しつつ、住宅の需要及び供給に関する長期見通しに即し、かつ、居住者の負担能力を考慮して、現在及び将来における国民の住生活の基盤となる良質な住宅の供給、建設、改良又は管理（以下「供給等」という。）が図られることを旨として、行われなければならない。

（良好な居住環境の形成）

第四条　住生活の安定の確保及び向上の促進に関する施策の推進は、地域の自然、歴史、文化その他の特性に応じて、環境との調和に配慮しつつ、住民が誇りと愛着をもつことのできる良好な居住環境の形成が図られることを旨として、行われなければならない。

（居住のために住宅を購入する者等の利益の擁護及び増進）

第五条　住生活の安定の確保及び向上の促進に関する施策の推進は、民間事業者の能力の活用及び既存の住宅の有効利用を図りつつ、居住のために住宅を購入する者及び住宅の供給等に係るサービスの提供を受ける者の利益の擁護及び増進が図られることを旨として、行われなければならない。

（居住の安定の確保）

第六条　住生活の安定の確保及び向上の促進に関する施策の推進は、住宅が国民の健康で文化的な生活にとって不可欠な基盤であることにかんがみ、低額所得者、被災者、高齢者、子どもを育成する家庭その他住宅の確保に特に配慮を要する者の居住の安定の確保が図られることを旨として、行われなければならない。

（国及び地方公共団体の責務）

第七条　国及び地方公共団体は、第三条から前条までに定める基本理念（以下「基本理念」という。）にのっとり、住生活の安定の確保及び向上の促進に関する施策を策定し、及び実施する責務を有する。

2　国は、基本理念にのっとり、住宅の品質又は性能の維持及び向上に資する技術に関する研究開発を促進するとともに、住宅の建設における木材の使用に関する伝統的な技術の継承及び向上を図るため、これらの技術に関する情報の収集及び提供その他必要な措置を講ずるものとする。

3　国及び地方公共団体は、教育活動、広報活動その他の活動を通じて、住生活の安定の確保及び向上の促進に関し、国民の理解を深め、かつ、その協力を得るよう努めなければならない。

（住宅関連事業者の責務）

第八条　住宅の供給等を業として行う者（以下「住宅関連事業者」という。）は、基本理念にのっとり、その事業活動を行うに当たって、自らが住宅の安全性その他の品質又は性能の確保について最も重要な責任を有していることを自覚し、住宅の設計、建設、販売及び管理の各段階において住宅の安全性その他の品質又は性能を確保するために必要な措置を適切に講ずる責務を有する。

2　前項に定めるもののほか、住宅関連事業者は、基本理念にのっとり、その事業活動を行うに当たっては、その事業活動に係る住宅に関する正確かつ適切な情報の提供に努めなければならない。

（関係者相互の連携及び協力）

第九条　国、地方公共団体、公営住宅等の供給等を行う者、住宅関連事業者、居住者、地域において保健医療サービス又は福祉サービスを提供する者その他の関係者は、基本理念にのっとり、現在及び将来の国民の住生活の安定の確保及び向上の促進のため、相互に連携を図りながら協力するよう努めなければならない。

（法制上の措置等）

第一〇条　政府は、住生活の安定の確保及び向上の促進に関する施策を実施するために必要な法制上、財政上又は金融上の措置その他の措置を講じなければならない。

第二章　基本的施策

（住宅の品質又は性能の維持及び向上並びに住宅の管理の合理化又は適正化）

第一一条　国及び地方公共団体は、国民の住生活を取り巻く環境の変化に対応した良質な住宅の供給等が図られるよう、住宅の地震に対する安全性の向上を目的とした改築の促進、住宅に係るエネルギーの使用の合理化の促進、住宅の管理に関する知識の普及及び情報の提供その他住宅の安全性、耐久性、快適性、エネルギーの使用の効率性その他の品質又は性能の維持及び向上並びに住宅の管理の合理化又は適正化のために必要な施策を講ずるものとする。

（地域における居住環境の維持及び向上）

第一二条　国及び地方公共団体は、良好な居住環境の形成が図られるよう、住民の共同の福祉又は利便のために必要な施設の整備、住宅市街地における良好な景観の形成の促進その他地域における居住環境の維持及び向上のために必要な施策を講ずるものとする。

（住宅の供給等に係る適正な取引の確保及び住宅の流通の円滑化のための環境の整備）

第一三条　国及び地方公共団体は、居住のために住宅を購入する者及び住宅の供給等に係るサービスの提供を受ける者の利益の擁護及び増進が図られるよう、住宅関連事業者による住宅に関する正確かつ適切な情報の提供の促進、住宅の性能の表示に関する制度の普及その他住宅の供給等に係る適正な取引の確保及び住宅の流通の円滑化のための環境の整備のために必要な施策を講ずるものとする。

（居住の安定の確保のために必要な住宅の供給の促進等）

第一四条　国及び地方公共団体は、国民の居住の安定の確保が図られるよう、公営住宅及び災害を受けた地域の復興のために必要な住宅の供給等、高齢者向けの賃貸住宅及び子どもを育成する家庭向けの賃貸住宅の供給の促進その他必要な施策を講ずるものとする。

第三章　住生活基本計画

（全国計画）

第一五条　政府は、基本理念にのっとり、前章に定める基本的施策その他の住生活の安定の確保及び向上の促進に関する施策の総合的かつ計画的な推進を図るため、国民の住生活の安定の確保及び向上の促進に関する基本的な計画（以下「全国計画」という。）を定めなければならない。

2　全国計画は、次に掲げる事項について定めるものとする。

一　計画期間

二　住生活の安定の確保及び向上の促進に関する施策についての基本的な方針

三　国民の住生活の安定の確保及び向上の促進に関する目標

四　前号の目標を達成するために必要と認められる住生活の安定の確保及び向上の促進に関する施策であって基本的なものに関する事項

五　東京都、大阪府その他の住宅に対する需要が著しく多い都道府県として政令で定める都道府県における住宅の供給等及び住宅地の供給の促進に関する事項

六　前各号に掲げるもののほか、住生活の安定の確保及び向上の促進に関する施策を総合的かつ計画的に推進するために必要な事項

3　国土交通大臣は、全国計画の案を作成し、閣議の決定を求めなければならない。

4　国土交通大臣は、前項の規定により全国計画の案を作成しようとするときは、あらかじめ、インターネットの利用その他の国土交通省令で定める方法により、国民の意見を反映させるために必要な措置を講ずるとともに、関係行政機関の長に協議し、社会資本整備審議会及び都道府県の意見を聴かなければならない。

5　国土交通大臣は、全国計画について第三項の閣議の決定があったときは、遅滞なく、これを公表するとともに、都道府県に通知しなければならない。

6　前三項の規定は、全国計画の変更について準用する。

（全国計画に係る政策の評価）

第一六条　国土交通大臣は、行政機関が行う政策の評価に関する法律（平成十三年法律第八十六号）第六条第一項の基本計画を定めるときは、同条第二項第六号の政策として、全国計画を定めなければならない。

2　国土交通大臣は、前条第五項（同条第六項において準用する場合を含む。）の規定による公表の日から二年を経過した日以後、行政機関が行う政策の評価に関する法律第七条第一項の実施計画を初めて定めるときは、同条第二項第一号の政策として、全国計画を定めなければならない。

（都道府県計画）

第一七条　都道府県は、全国計画に即して、当該都道府県の区域内における住民の住生活の安定の確保及び向上の促進に関する基本的な計画（以下「都道府県計画」という。）を定めるものとする。

2　都道府県計画は、次に掲げる事項について定めるものとする。

一　計画期間

二　当該都道府県の区域内における住生活の安定の確保及び向上の促進に関する施策についての基本的な方針

三　当該都道府県の区域内における住民の住生活の安定の確保及び向上の促進に関する目標

四　前号の目標を達成するために必要と認められる当該都道府県の区域内における住生活の安定の確保及び向上の促進に関する施策に関する事項

五　計画期間における当該都道府県の区域内の公営住宅の供給の目標量

六　第十五条第二項第五号の政令で定める都道府県にあっては、計画期間内において住宅の供給等及び住宅地の供給を重点的に図るべき地域に関する事項

七　前各号に掲げるもののほか、当該都道府県の区域内における住生活の安定の確保及び向上の促進に関する施策を総合的かつ計画的に推進するために必要な事項

3　都道府県は、都道府県計画を定めようとするときは、あらかじめ、インターネットの利用その他の国土交通省令で定める方法により、住民の意見を反映させるために必要な措置を講ずるよう努めるとともに、当該都道府県の区域内の市町村に協議しなければならない。この場合において、地域における多様な需要に応じた公的賃貸住宅等の整備等に関する特別措置法（平成十七年法律第七十九号）第五条第一項の規定により地域住宅協議会を組織している都道府県にあっては、当該地域住宅協議会の意見を聴かなければならない。

4　都道府県は、都道府県計画を定めようとするときは、あらかじめ、第二項第五号に係る部分について、国土交通大臣に協議し、その同意を得なければならない。

5　国土交通大臣は、前項の同意をしようとするときは、厚生労働大臣に協議しなければならない。

6　都道府県計画は、国土形成計画法（昭和二十五年法律第二百五号）第二条第一項に規定する国土形成計画及び社会資本整備重点計画法（平成十五年法律第二十号）第二条第一項に規定する社会資本整備重点計画との調和が保たれたものでなければならない。

7　都道府県は、都道府県計画を定めたときは、遅滞なく、これを公表するよう努めるとともに、国土交通大臣に報告しなければならない。

8　第三項から前項までの規定は、都道府県計画の変更について準用する。

（住生活基本計画の実施）

第一八条　国及び地方公共団体は、住生活基本計画に即した公営住宅等の供給等に関する事業の実施のために必要な措置を講ずるとともに、住生活基本計画に定められた目標を達成するために必要なその他の措置を講ずるよう努めなければならない。

2　国は、都道府県計画の実施並びに住宅関連事業者、まちづくりの推進を図る活動を行うことを目的として設立された特定非営利活動促進法（平成十年法律第七号）第二条第二項に規定する特定非営利活動法人、地方自治法（昭和二十二年法律第六十七号）第二百六十条の二第一項に規定する地縁による団体その他の者（以下この項において「住宅関連事業者等」という。）が住生活基本計画に即して行う住生活の安定の確保及び向上の促進に関する活動を支援するため、情報の提供、住宅関連事業者等が住宅の供給等について講ずべき措置の適切かつ有効な実施を図るための指針の策定その他必要な措置を講ずるよう努めなければならない。

3　独立行政法人住宅金融支援機構、独立行政法人都市再生機構、地方住宅供給公社及び土地開発公社は、住宅の供給等又は住宅地の供給に関する事業を実施するに当たっては、住生活基本計画に定められた目標の達成に資するよう努めなければならない。

（関係行政機関の協力）

第一九条　関係行政機関は、全国計画に即した住生活の安定の確保及び向上の促進に関する施策の実施に関連して必要となる公共施設及び公益的施設の整備その他の施策の実施に関し、相互に協力しなければならない。

（資料の提出等）

第二〇条　国土交通大臣は、全国計画の策定又は実施のために必要があると認めるときは、関係行政機関の長に対し、必要な資料の提出を求め、又は当該行政機関の所管に係る公営住宅等の供給等に関し意見を述べることができる。

第四章　雑則

（住生活の安定の確保及び向上の促進に関する施策の実施状況の公表）

第二一条　国土交通大臣は、関係行政機関の長に対し、住生活の安定の確保及び向上の促進に関する施策の実施状況について報告を求めることができる。

2　国土交通大臣は、毎年度、前項の報告を取りまとめ、その概要を公表するものとする。

（権限の委任）

第二二条　この法律に規定する国土交通大臣及び厚生労働大臣の権限は、国土交通大臣の権限にあっては国土交通省令で定めるところにより地方整備局長又は北海道開発局長にその一部を、厚生労働大臣の権限にあっては厚生労働省令で定めるところにより地方厚生局長にその全部又は一部を、それぞれ委任することができる。

附　則〔抄〕

（施行期日）

第一条　この法律は、公布の日から施行する。

（住宅建設計画法の廃止）

第二条　住宅建設計画法（昭和四十一年法律第百号）は、廃止する。

附　則〔略〕〔平成一七・七・六法律八二〕

附　則〔抄〕〔平成二三・八・三〇法律一〇五〕

（施行期日）

第一条　この法律は、公布の日から施行する。〔以下略〕

（政令への委任）

第八二条　この附則に規定するもののほか、この法律の施行に関し必要な経過措置（罰則に関する経過措置を含む。）は、政令で定める。

○住生活基本法施行令

〔平成一八・六・八 政令二一三〕

住生活基本法第十五条第二項第五号の政令で定める都道府県は、茨城県、埼玉県、千葉県、東京都、神奈川県、愛知県、三重県、京都府、大阪府、兵庫県及び奈良県とする。

附　則〔抄〕

（施行期日）

第一条　この政令は、公布の日から施行する。

（住宅建設計画法第五条第一項の地方を定める政令の廃止）

第二条　住宅建設計画法第五条第一項の地方を定める政令（昭和四十一年政令第二百三十一号）は、廃止する。

○住生活基本法施行規則

〔平成一八・六・八 国土交通省令七〇〕

（全国計画に国民の意見を反映させるために必要な措置）

第一条　住生活基本法（以下「法」という。）第十五条第四項（同条第六項において準用する場合を含む。）の国土交通省令で定める方法は、同条第一項に規定する全国計画の素案及び当該素案に対する意見の提出方法、提出期限、提出先その他意見の提出に必要な事項を、インターネットの利用、印刷物の配布その他適切な手段により一般に周知する方法とする。

（都道府県計画に住民の意見を反映させるために必要な措置）

第二条　法第十七条第三項（同条第八項において準用する場合を含む。）の国土交通省令で定める方法は、同条第一項に規定する都道府県計画（以下単に「都道府県計画」という。）の案及び当該案に対する住民の意見の提出方法、提出期限、提出先その他住民の意見の提出に必要な事項を、インターネットの利用、印刷物の配布その他適切な手段により住民に周知する方法とする。

附　則〔抄〕

（施行期日）

第一条　この省令は、公布の日から施行する。

（住宅建設計画法施行規則の廃止）

第二条　住宅建設計画法施行規則（昭和四十一年建設省令第二十二号）は、廃止する。

○住宅確保要配慮者に対する賃貸住宅の供給の促進に関する法律

〔平成一九・七・六 法律一一二〕

改正　平成二三・四法三二、平成二九・四法二四、令和元・六法三七、令和三・五法三〇

注　［　］の部分は、令和六年六月五日法律第四三号により改正され、公布の日から起算して一年六月を超えない範囲内において政令で定める日から施行

目次

第一章　総則（第一条―第三条）
第二章　基本方針（第四条）
第三章　都道府県賃貸住宅供給促進計画及び市町村賃貸住宅供給促進計画（第五条―第七条）
第四章　住宅確保要配慮者円滑入居賃貸住宅事業
第一節　登録（第八条―第十五条）
第二節　業務（第十六条・第十七条）
第三節　登録住宅に係る特例（第十八条―第二十一条）
第四節　監督（第二十二条―第二十四条）
第五節　指定登録機関（第二十五条―第三十七条）
第六節　雑則（第三十八条・第三十九条）
第五章　住宅確保要配慮者居住支援法人（第四十条―第五十条）
第六章　住宅確保要配慮者居住支援協議会（第五十一条・第五十二条）
第七章　住宅確保要配慮者に対する賃貸住宅の供給の促進に関する施策（第五十三条―第五十七条）
第八章　雑則（第五十八条―第六十条）
第九章　罰則（第六十一条―第六十四条）
附則
第五章　居住安定援助賃貸住宅事業
第一節　居住安定援助計画の認定（第四十条―第四十五条）
第二節　業務（第四十六条―第五十一条）
第三節　認定住宅に係る特例（第五十二条・第五十三条）
第四節　監督（第五十四条―第五十六条）
第五節　雑則（第五十七条・第五十八条）
第六章　住宅確保要配慮者居住支援法人（第五十九条―第七十一条）
第七章　認定家賃債務保証業者（第七十二条―第八十条）
第八章　住宅確保要配慮者居住支援協議会（第八十一条・第八十二条）
第九章　住宅確保要配慮者に対する賃貸住宅の供給の促進に関する施策（第八十三条―第八十七条）
第十章　雑則（第八十八条―第九十一条）
第十一章　罰則（第九十二条―第九十五条）
附則

第一章　総則

（目的）

第一条　この法律は、住生活基本法（平成十八年法律第六十一号）の基本理念にのっとり、住宅確保要配慮者に対する賃貸住宅の供給の促進に関し、国土交通大臣による基本方針の策定、都道府県及び市町村による賃貸住宅供給促進計画の作成、住宅確保要配慮者の円滑な入居を促進するための賃貸住宅の登録制度等について定めることにより、住宅確保要配慮者に対する賃貸住宅の供給の促進に関する施策を総合的かつ効果的に推進し、もって国民生活の安定向上と社会福祉の増進に寄与することを目的とする。

第一条　この法律は、住生活基本法（平成十八年法律第六十一号）の基本理念にのっとり、住宅確保要配慮者に対する賃貸住宅の供給の促進に関し、国土交通大臣及び厚生労働大臣による基本方針の策定、都道府県及び市町村による賃貸住宅供給促進計画の作成、住宅確保要配慮者の円滑な入居を促進するための賃貸住宅の登録制度等について定めることにより、住宅確保要配慮者に対する賃貸住宅の供給の促進に関する施策を総合的かつ効果的に推進し、もって国民生活の安定向上と社会福祉の増進に寄与することを目的とする。

（定義）

第二条　この法律において「住宅確保要配慮者」とは、次の各号のいずれかに該当する者をいう。

一　その収入が国土交通省令で定める金額を超えない者

二　災害（発生した日から起算して三年を経過していないものに限る。以下この号において同じ。）により滅失若しくは損傷した住宅に当該災害が発生した日において居住していた者又は災害に際し災害救助法（昭和二十二年法律第百十八号）が適用された同法第二条第一項に規定する災害発生市町村の区域に当該災害が発生した日において住所を有していた者

三　高齢者

四　障害者基本法（昭和四十五年法律第八十四号）第二条第一号に規定する障害者

五　子ども（十八歳に達する日以後の最初の三月三十一日までの間にある者をいう。）を養育している者

六　前各号に掲げるもののほか、住宅の確保に特に配慮を要するものとして国土交通省令で定める者

2　この法律において「公的賃貸住宅」とは、次の各号のいずれかに該当する賃貸住宅をいう。

一　公営住宅法（昭和二十六年法律第百九十三号）第二条第二号に規定する公営住宅その他地方公共団体が整備する賃貸住宅

二　独立行政法人都市再生機構又は地方住宅供給公社（以下「公社」という。）が整備する賃貸住宅

三　特定優良賃貸住宅の供給の促進に関する法律（平成五年法律第五十二号。以下「特定優良賃貸住宅法」という。）第六条に規定する特定優良賃貸住宅（同法第十三条第一項に規定する認定管理期間が経過したものを除く。以下単に「特定優良賃貸住宅」という。）

四　前三号に掲げるもののほか、地方公共団体が住宅確保要配慮者の居住の安定の確保を図ることを目的としてその整備に要する費用の一部を負担して整備の推進を図る賃貸住宅（当該負担を行うに当たり付した条件に基づきその入居者を公募することとされているものに限る。）

3　この法律において「民間賃貸住宅」とは、公的賃貸住宅以外の賃貸住宅をいう。

第二章　基本方針

（国及び地方公共団体の責務）

第三条　国及び地方公共団体は、住宅確保要配慮者に対する賃貸住宅の供給の促進を図るため、必要な施策を講ずるよう努めなければならない。

第四条　国土交通大臣は、住宅確保要配慮者に対する賃貸住宅の供給の促進に関する基本的な方針（以下「基本方針」という。）を定めなければならない。

第四条　国土交通大臣及び厚生労働大臣は、住宅確保要配慮者に対する賃貸住宅の供給の促進に関する基本的な方針（以下「基本方針」という。）を定めなければならない。

2　基本方針においては、次に掲げる事項を定めるものとする。

一　住宅確保要配慮者に対する賃貸住宅の供給の促進に関する基本的な方向

二　住宅確保要配慮者に対する賃貸住宅の供給の目標の設定に関する事項

三　住宅確保要配慮者に対する公的賃貸住宅の供給の促進に関する基本的な事項

四　住宅確保要配慮者の民間賃貸住宅への円滑な入居の促進に関する基本的な事項

五　住宅確保要配慮者が入居する賃貸住宅の管理の適正化に関する基本的な事項

六　次条第一項に規定する都道府県賃貸住宅供給促進計画及び第六条第一項に規定する市町村賃貸住宅供給促進計画の作成に関する基本的な事項

七　前各号に掲げるもののほか、住宅確保要配慮者に対する賃貸住宅の供給の促進に関する重要事項

六　賃貸住宅に入居する住宅確保要配慮者に対する日常生活を営むために必要な援助その他の福祉サービスの提供体制の確保に関する基本的な事項

七　次条第一項に規定する都道府県賃貸住宅供給促進計画及び第六条第一項に規定する市町村賃貸住宅供給促進計画の作成に関する基本的な事項

八　前各号に掲げるもののほか、住宅確保要配慮者に対する賃貸住宅の供給の促進に関する重要事項

3　基本方針は、住生活基本法第十五条第一項に規定する全国計画との調和が保たれたものでなければならない。

4　国土交通大臣は、基本方針を定めようとするときは、関係行政機関の長に協議しなければならない。

5　国土交通大臣は、基本方針を定めたときは、遅滞なく、これを公表しなければならない。

3　基本方針は、住生活基本法第十五条第一項に規定する全国計画並びに介護保険法（平成九年法律第百二十三号）第百十六条第一項に規定する基本指針及び障害者の日常生活及び社会生活を総合的に支援するための法律（平成十七年法律第百二十三号。以下「障害者総合支援法」という。）第八十七条第一項に規定する基本指針との調和が保たれたものでなければならない。

4　国土交通大臣及び厚生労働大臣は、基本方針を定めようとするときは、関係行政機関の長に協議しなければならない。

5　国土交通大臣及び厚生労働大臣は、基本方針を定めたときは、遅滞なく、これを公表しなければならない。

6　前三項の規定は、基本方針の変更について準用する。

第三章　都道府県賃貸住宅供給促進計画及び市町村賃貸住宅供給促進計画

（都道府県賃貸住宅供給促進計画）

第五条　都道府県は、基本方針に基づき、当該都道府県の区域内における住宅確保要配慮者に対する賃貸住宅の供給の促進に関する計画（以下「都道府県賃貸住宅供給促進計画」という。）を作成することができる。

2　都道府県賃貸住宅供給促進計画においては、次に掲げる事項を記載するものとする。

一　当該都道府県の区域内における住宅確保要配慮者に対する賃貸住宅の供給の目標

二　次に掲げる事項であって、前号の目標を達成するために必要なもの

イ　住宅確保要配慮者に対する公的賃貸住宅の供給の促進に関する事項

ロ　住宅確保要配慮者の民間賃貸住宅への円滑な入居の促進に関する事項

ハ　住宅確保要配慮者が入居する賃貸住宅の管理の適正化に関する事項

ニ　賃貸住宅に入居する住宅確保要配慮者に対する日常生活を営むために必要な援助その他の福祉サービスの提供体制の確保に関する事項

三　計画期間

3　都道府県賃貸住宅供給促進計画においては、前項各号に掲げる事項のほか、当該都道府県の区域内における住宅確保要配慮者に対する賃貸住宅の供給の促進に関し必要な事項を記載するよう努めるものとする。

4　都道府県は、当該都道府県の区域内において公社による第九条第一項第七号に規定する住宅確保要配慮者専用賃貸住宅の整備及び賃貸その他の管理に関する事業の実施が必要と認められる場合には、第二項第二号に掲げる事項に、当該事業の実施に関する事項を記載することができる。

5　都道府県は、都道府県賃貸住宅供給促進計画に公社による前項に規定する事業の実施に関する事項を記載しようとするときは、当該事項について、あらかじめ、当該公社の同意を得なければならない。

4　都道府県は、当該都道府県の区域内において公社による第九条第一項第七号に規定する住宅確保要配慮者専用賃貸住宅又は第四十三条第二項に規定する認定住宅の整備及び賃貸その他の管理に関する事業の実施が必要と認められる場合には、第二項第二号に掲げる事項に、当該事業の実施に関する事項を記載することができる。

5　都道府県は、都道府県賃貸住宅供給促進計画に公社による前項に規定する事業の実施に関する事項を記載しようとするときは、当該事項について、あらかじめ、当該公社の同意を得なければならない。

6　都道府県は、当該都道府県の区域内において、特定優良賃貸住宅法第三条第四号に規定する資格を有する入居者をその全部又は一部について確保することができない特定優良賃貸住宅を活用し、住宅確保要配慮者（同号に規定する資格を有する者を除く。以下この項及び第七条第一項において同じ。）に対する住宅を供給することが必要と認められる場合には、第二項第二号に掲げる事項に、特定優良賃貸住宅の住宅確保要配慮者に対する賃貸に関する事項を記載することができる。

7　都道府県は、都道府県賃貸住宅供給促進計画に特定優良賃貸住宅の住宅確保要配慮者に対する賃貸に関する事項を記載しようとするときは、当該事項について、あらかじめ、当該都道府県の区域内の市（特別区を含む。以下同じ。）の長の同意を得なければならない。

8　都道府県は、都道府県賃貸住宅供給促進計画を作成しようとするときは、あらかじめ、インターネットの利用その他の国土交通省令で定める方法により、住民の意見を反映させるために必要な措置を講ずるよう努めるとともに、当該都道府県の区域内の市町村に協議しなければならない。この場

合において、第五十一条第一項の規定により住宅確保要配慮者居住支援協議会を組織し、又は地域における多様な需要に応じた公的賃貸住宅等の整備等に関する特別措置法（平成十七年法律第七十九号。第五十二条において「地域住宅特別措置法」という。）第五条第一項の規定により地域住宅協議会を組織している都道府県にあっては、当該住宅確保要配慮者居住支援協議会又は地域住宅協議会の意見を聴かなければならない。

9　都道府県は、都道府県賃貸住宅供給促進計画を作成したときは、遅滞なく、これを公表するよう努めるとともに、国土交通大臣及び当該都道府県の区域内の市町村にその写しを送付しなければならない。

10　第四項から前項までの規定は、都道府県賃貸住宅供給促進計画の変更について準用する。

7　都道府県は、都道府県賃貸住宅供給促進計画に特定優良賃貸住宅の住宅確保要配慮者に対する賃貸に関する事項を記載するときは、当該事項について、あらかじめ、当該都道府県の区域内の市（特別区を含む。以下同じ。）の長の同意を得なければならない。

8　都道府県賃貸住宅供給促進計画は、社会福祉法（昭和二十六年法律第四十五号）第百八条第一項に規定する都道府県地域福祉支援計画、老人福祉法（昭和三十八年法律第百三十三号）第二十条の九第一項に規定する都道府県老人福祉計画、介護保険法第百十八条第一項に規定する都道府県介護保険事業支援計画、障害者総合支援法第八十九条第一項に規定する都道府県障害福祉計画その他の法律の規定による計画であって住宅確保要配慮者に対する日常生活を営むために必要な援助その他の福祉サービスに関する事項を定めるものと調和が保たれたものでなければならない。

9　都道府県は、都道府県賃貸住宅供給促進計画を作成するときは、あらかじめ、インターネットの利用その他の国土交通省令・厚生労働省令で定める方法により、住民の意見を反映させるために必要な措置を講ずるよう努めるとともに、当該都道府県の区域内の市町村に協議しなければならない。この場合において、第八十一条第一項の規定により住宅確保要配慮者居住支援協議会を組織し、又は地域における多様な需要に応じた公的賃貸住宅等の整備等に関する特別措置法（平成十七年法律第七十九号。第八十二条において「地域住宅特別措置法」という。）第五条第一項の規定により地域住宅協議会を組織している都道府県にあっては、当該住宅確保要配慮者居住支援協議会又は地域住宅協議会の意見を聴かなければならない。

10　都道府県は、都道府県賃貸住宅供給促進計画を作成したときは、遅滞なく、これを公表するよう努めるとともに、国土交通大臣及び厚生労働大臣並びに当該都道府県の区域内の市町村にその写しを送付しなければならない。

11　第四項から前項までの規定は、都道府県賃貸住宅供給促進計画の変更について準用する。

（市町村賃貸住宅供給促進計画）

第六条　市町村は、基本方針（都道府県賃貸住宅供給促進計画が作成されている場合にあっては、都道府県賃貸住宅供給促進計画）に基づき、当該市町村の区域内における住宅確保要配慮者に対する賃貸住宅の供給の促進に関する計画（以下「市町村賃貸住宅供給促進計画」という。）を作成することができる。

2　市町村賃貸住宅供給促進計画においては、次に掲げる事項を記載するものとする。

一　当該市町村の区域内における住宅確保要配慮者に対する賃貸住宅の供給の目標

二　次に掲げる事項であって、前号の目標を達成するために必要なもの

イ　住宅確保要配慮者に対する公的賃貸住宅の供給の促進に関する事項

ロ　住宅確保要配慮者の民間賃貸住宅への円滑な入居の促進に関する事項

ハ　住宅確保要配慮者が入居する賃貸住宅の管理の適正化に関する事項

三　計画期間

3　前条第三項から第十項までの規定は、市町村賃貸住宅供給促進計画について準用する。この場合において、同条第三項中「前項各号」とあるのは「次条第二項各号」と、「当該都道府県」とあるのは「当該市町村（特別区を含む。以下この条において同じ。）」と、同条第四項及び第六項中「都道府県」とあるのは「市町村」と、「第二項第二号」とあるのは「次条第二項第二号」と、同条第五項、第八項及び第九項中「都道府県は」とあるのは「市町村は」と、同条第七項中「都道府県は」とあるのは「町村は」と、「当該都道府県の区域内の市（特別区を含む。以下同じ。）の長」とあるのは「都道府県知事」と、同条第八項及び第九項中「当該都道府県の区域内の市町村」とあるのは「都道府県」と、同条第八項中「都道府県に」とあるのは「市町村に」と読み替えるものとする。

ニ　賃貸住宅に入居する住宅確保要配慮者に対する日常生活を営むために必要な援助その他の福祉サービスの提供体制の確保に関する事項

三　計画期間

3　市町村賃貸住宅供給促進計画は、社会福祉法第百七条第一項に規定する市町村地域福祉計画、老人福祉法第二十条の八第一項に規定する市町村老人福祉計画、介護保険法第百十七条第一項に規定する市町村介護保険事業計画、障害者総合支援法第八十八条第一項に規定する市町村障害福祉計画その他の法律の規定による計画であって住宅確保要配慮者に対する日常生活を営むために必要な援助その他の福祉サービスに関する事項を定めるものと調和が保たれたものでなければならない。

4　前条第三項から第七項まで及び第九項から第十一項までの規定は、市町村賃貸住宅供給促進計画について準用する。この場合において、同条第三項中「前項各号」とあるのは「次条第二項各号」と、「当該都道府県」とあるのは「当該市町村（特別区を含む。以下この条において同じ。）」と、「第二項第二号」とあるのは「次条第二項第二号」と、同条第五項、第九項及び第十項中「都道府県は」とあるのは「市町村は」と、同条第七項中「都道府県は」とあるのは「町村は」と、「当該都道府県の区域内の市（特別区を含む。以下同じ。）の長」とあるのは「都道府県知事」と、同条第九項及び第十項中「当該都道府県の区域内の市町村」とあるのは「都道府県」と、同条第九項中「都道府県に」とあるのは「市町村に」と、同条第十一項中「第四項から前項まで」とあるのは「第四項から第七項まで、第九項及び前項並びに次条第三項」と読み替えるものとする。

（特定優良賃貸住宅の入居者の資格に係る認定の基準の特例）

第七条　特定優良賃貸住宅法第五条第一項に規定する認定事業者（第三項において単に「認定事業者」という。）は、次に掲げる区域内において、特定優良賃貸住宅の全部又は一部について特定優良賃貸住宅法第三条第四号に規定する資格を有する入居者を国土交通省令で定める期間以上確保することができないときは、特定優良賃貸住宅法の規定にかかわらず、都道府県知事（市の区域内にあっては、当該市の長。第三項において同じ。）の承認を受けて、その全部又は一部を住宅確保要配慮者に賃貸することができる。

第七条　特定優良賃貸住宅法第五条第一項に規定する認定事業者（第三項において「認定事業者」という。）は、次に掲げる区域内において、特定優良賃貸住宅の全部又は一部について特定優良賃貸住宅法第三条第四号に規定する資格を有する入居者を国土交通省令で定める期間以上確保することができないときは、特定優良賃貸住宅法の規定にかかわらず、都道府県知事（市の区域内にあっては、当該市の長。第三項において同じ。）の承認を受けて、その全部又は一部を住宅確保要配慮者に賃貸することができる。

一　第五条第六項の規定により都道府県賃貸住宅供給促進計画に特定優良賃貸住宅の住宅確保要配慮者に対する賃貸に関する事項を記載した都道府県の区域

二　前条第三項において準用する第五条第六項の規定により市町村賃貸住宅供給促進計画に特定優良賃貸住宅の住宅確保要配慮者に対する賃貸に関する事項を記載した市町村の区域

二　前条第四項において準用する第五条第六項の規定により市町村賃貸住宅供給促進計画に特定優良賃貸住宅の住宅確保要配慮者に対する賃貸に関する事項を記載した市町村の区域

2　前項の規定により特定優良賃貸住宅の全部又は一部を賃貸する場合においては、当該賃貸借を、借地借家法（平成三年法律第九十号）第三十八条第一項の規定による建物の賃貸借（国土交通省令で定める期間を上回らな

い期間を定めたものに限る。）としなければならない。

3　認定事業者が第一項の規定による都道府県知事の承認を受けた場合における特定優良賃貸住宅法第十一条第一項の規定の適用については、同項中「処分」とあるのは、「処分又は住宅確保要配慮者に対する賃貸住宅の供給の促進に関する法律（平成十九年法律第百十二号）第七条第二項の規定」とする。

第四章　住宅確保要配慮者円滑入居賃貸住宅事業

第一節　登録

（住宅確保要配慮者円滑入居賃貸住宅事業の登録）

第八条　住宅確保要配慮者の入居を受け入れることとしている賃貸住宅を賃貸する事業（以下「住宅確保要配慮者円滑入居賃貸住宅事業」という。）を行う者は、住宅確保要配慮者円滑入居賃貸住宅事業に係る賃貸住宅（以下「住宅確保要配慮者円滑入居賃貸住宅」という。）を構成する建築物ごとに、都道府県知事の登録を受けることができる。

（登録の申請）

第九条　前条の登録を受けようとする者は、国土交通省令で定めるところにより、次に掲げる事項を記載した申請書を都道府県知事に提出しなければならない。

一　氏名又は名称及び住所並びに法人にあっては、その代表者の氏名

二　住宅確保要配慮者円滑入居賃貸住宅の位置

三　住宅確保要配慮者円滑入居賃貸住宅の戸数

四　住宅確保要配慮者円滑入居賃貸住宅の規模

五　住宅確保要配慮者円滑入居賃貸住宅の構造及び設備

六　入居を受け入れることとする住宅確保要配慮者の範囲を定める場合にあっては、その範囲

七　入居者の資格を、自ら居住するため賃貸住宅を必要とする住宅確保要配慮者又は当該住宅確保要配慮者と同居するその配偶者等（配偶者その他の親族（婚姻の届出をしていないが事実上婚姻関係と同様の事情にある者及び当該事情にある者の親族を含む。）で国土交通省令で定める者をいう。）に限る賃貸住宅（第十八条第一項において「住宅確保要配慮者専用賃貸住宅」という。）にあっては、その旨

七　入居者の資格を、自ら居住するため賃貸住宅を必要とする住宅確保要配慮者又は当該住宅確保要配慮者と同居するその配偶者等（配偶者その他の親族（婚姻の届出をしていないが事実上婚姻関係と同様の事情にある者及び当該事情にある者の親族を含む。第四十条第二項第七号において同じ。）で国土交通省令で定める者をいう。）に限る賃貸住宅（第十八条第一項において「住宅確保要配慮者専用賃貸住宅」という。）にあっては、その旨

八　住宅確保要配慮者円滑入居賃貸住宅の家賃その他賃貸の条件に関する事項

九　その他国土交通省令で定める事項

2　前項の申請書には、第十一条第一項各号のいずれにも該当しないことを誓約する書面その他の国土交通省令で定める書類を添付しなければならない。

（登録の基準等）

第一〇条　都道府県知事は、第八条の登録の申請が次に掲げる基準に適合していると認めるときは、次条第一項の規定により登録を拒否する場合を除き、その登録をしなければならない。

一　住宅確保要配慮者円滑入居賃貸住宅の各戸の床面積が、国土交通省令で定める規模以上であること。

二　住宅確保要配慮者円滑入居賃貸住宅の構造及び設備が、住宅確保要配慮者の入居に支障を及ぼすおそれがないものとして国土交通省令で定める基準に適合するものであること。

三　前条第一項第六号に掲げる範囲が定められている場合にあっては、その範囲が、住宅確保要配慮者の入居を不当に制限しないものとして国土交通省令で定める基準に適合するものであること。

四　住宅確保要配慮者円滑入居賃貸住宅の家賃その他賃貸の条件が、国土交通省令で定める基準に従い適正に定められるものであること。

五　その他基本方針（住宅確保要配慮者円滑入居賃貸住宅が市町村賃貸住宅供給促進計画が作成されている市町村の区域内にある場合にあっては基本方針及び市町村賃貸住宅供給促進計画、住宅確保要配慮者円滑入居賃貸住宅が都道府県賃貸住宅供給促進計画が作成されている都道府県の区域（当該市町村の区域を除く。）内にある場合にあっては基本方針及び都道府県賃貸住宅供給促進計画）に照らして適切なものであること。

2　第八条の登録は、住宅確保要配慮者円滑入居賃貸住宅登録簿（以下「登録簿」という。）に次に掲げる事項を記載してするものとする。

一　前条第一項各号に掲げる事項

二　登録年月日及び登録番号

3　都道府県知事は、第八条の登録をしたときは、遅滞なく、その旨を当該登録を受けた者に通知しなければならない。

4　都道府県知事は、第八条の登録の申請が第一項の基準に適合しないと認めるときは、遅滞なく、その理由を示して、その旨を申請者に通知しなければならない。

5　都道府県知事は、第八条の登録をしたときは、遅滞なく、その旨を、当該登録を受けた住宅確保要配慮者円滑入居賃貸住宅事業（以下「登録事業」という。）に係る住宅確保要配慮者円滑入居賃貸住宅（以下「登録住宅」という。）の存する市町村の長に通知しなければならない。

（登録の拒否）

第一一条　都道府県知事は、第八条の登録を受けようとする者が次の各号のいずれかに該当するとき、又は第九条第一項の申請書若しくはその添付書類のうちに重要な事項について虚偽の記載があり、若しくは重要な事実の記載が欠けているときは、その登録を拒否しなければならない。

一　破産手続開始の決定を受けて復権を得ない者

二　禁錮以上の刑に処せられ、又はこの法律の規定により罰金の刑に処せられ、その執行を終わり、又は執行を受けることがなくなった日から起算して二年を経過しない者

三　第二十四条第一項又は第二項の規定により登録を取り消され、その取消しの日から起算して二年を経過しない者

四　暴力団員による不当な行為の防止等に関する法律（平成三年法律第七十七号）第二条第六号に規定する暴力団員又は同号に規定する暴力団員でなくなった日から五年を経過しない者（第八号において「暴力団員等」という。）

四　暴力団員による不当な行為の防止等に関する法律（平成三年法律第七十七号）第二条第六号に規定する暴力団員又は同号に規定する暴力団員でなくなった日から五年を経過しない者（以下「暴力団員等」という。）

五　心身の故障により住宅確保要配慮者円滑入居賃貸住宅事業を適正に行うことができない者として国土交通省令で定めるもの

六　営業に関し成年者と同一の行為能力を有しない未成年者でその法定代理人（法定代理人が法人である場合においては、その役員を含む。）が前各号のいずれかに該当するもの

六　営業に関し成年者と同一の行為能力を有しない未成年者でその法定代理人（法定代理人が法人である場合においては、その役員を含む。第四十二条第六号及び第七十三条第六号において同じ。）が前各号のいずれかに該当するもの

七　法人であって、その役員のうちに第一号から第五号までのいずれかに該当する者があるもの

八　暴力団員等がその事業活動を支配する者

2　都道府県知事は、前項の規定により登録の拒否をしたときは、遅滞なく、その旨を当該登録の申請をした者に通知しなければならない。

（登録事項等の変更）

第一二条　登録事業を行う者（以下「登録事業者」という。）は、第九条第一項各号に掲げる事項（以下「登録事項」という。）に変更があったとき、又は同条第二項に規定する添付書類の記載事項に変更があったときは、その日から三十日以内に、その旨を都道府県知事に届け出なければならない。

2　前項の規定による届出をする場合には、国土交通省令で定める書類を添付しなければならない。

3　都道府県知事は、第一項の規定による届出（登録事項の変更に係るものに限る。）を受けたときは、当該届出に係る登録事項が第十条第一項各号に掲げる基準に適合しないと認める場合又は第二十四条第一項若しくは第二項の規定により登録を取り消す場合を除き、当該変更があった登録事項

を登録簿に記載して、変更の登録をしなければならない。

4　都道府県知事は、前項の規定により変更の登録をしたときは、遅滞なく、その旨を、当該登録に係る登録住宅の存する市町村の長に通知しなければならない。

（登録簿の閲覧）

第一三条　都道府県知事は、登録簿を一般の閲覧に供しなければならない。

（廃止の届出）

第一四条　登録事業者は、登録事業を廃止したときは、その日から三十日以内に、その旨を都道府県知事に届け出なければならない。

2　前項の規定による届出があったときは、第八条の登録は、その効力を失う。

（登録の抹消）

第一五条　都道府県知事は、次の各号のいずれかに該当するときは、第八条の登録を抹消しなければならない。

一　前条第二項の規定により登録が効力を失ったとき。

二　第二十四条第一項又は第二項の規定により登録が取り消されたとき。

2　都道府県知事は、前項の規定により登録を抹消したときは、遅滞なく、その旨を、当該登録に係る登録住宅の存する市町村の長に通知しなければならない。

第二節　業務

（登録事項の公示）

第一六条　登録事業者は、国土交通省令で定めるところにより、登録事項を公示しなければならない。

（入居の拒否の制限）

第一七条　登録事業者は、登録住宅に入居を希望する住宅確保要配慮者（当該登録住宅について第九条第一項第六号に掲げる範囲を定めた場合にあっては、その範囲に属する者。以下この条及び第二十条第二項において同じ。）に対し、住宅確保要配慮者であることを理由として、入居を拒んではならない。

第三節　登録住宅に係る特例

（委託により公社の行う住宅確保要配慮者専用賃貸住宅の整備等の業務）

第一八条　公社は、地方住宅供給公社法（昭和四十年法律第百二十四号）第二十一条に規定する業務のほか、次に掲げる区域内において、委託により、住宅確保要配慮者専用賃貸住宅（登録住宅であるものに限る。）の整備及び賃貸その他の管理の業務を行うことができる。

一　第五条第四項の規定により都道府県賃貸住宅供給促進計画に公社による同項に規定する事業の実施に関する事項を記載した都道府県の区域

二　第六条第三項において準用する第五条第四項の規定により市町村賃貸住宅供給促進計画に公社による同項に規定する事業の実施に関する事項を記載した市町村の区域

一　第五条第四項の規定により都道府県賃貸住宅供給促進計画に公社による同項に規定する住宅確保要配慮者専用賃貸住宅の整備及び賃貸その他の管理に関する事業の実施に関する事項を記載した都道府県の区域

二　第六条第四項において準用する第五条第四項の規定により市町村賃貸住宅供給促進計画に公社による前号に規定する事業の実施に関する事項を記載した市町村の区域

2　前項の規定により公社が同項に規定する業務を行う場合には、地方住宅供給公社法第四十九条第三号中「第二十一条に規定する業務」とあるのは、「第二十一条に規定する業務及び住宅確保要配慮者に対する賃貸住宅の供給の促進に関する法律（平成十九年法律第百十二号）第十八条第一項に規定する業務」とする。

（機構の行う登録住宅の改良資金の融資）

第一九条　独立行政法人住宅金融支援機構（次条において「機構」という。）は、独立行政法人住宅金融支援機構法（平成十七年法律第八十二号。次条第一項において「機構法」という。）第十三条第一項に規定する業務のほか、登録住宅の改良（登録住宅とすることを主たる目的とする人の居住の用その他その本来の用途に供したことのある建築物の改良を含む。）に必要な資金を貸し付けることができる。

第一九条　独立行政法人住宅金融支援機構（次条及び第八十条において「機構」という。）は、独立行政法人住宅金融支援機構法（平成十七年法律第八十二号。次条第一項及び第八十条第一項において「機構法」という。）第十三条第一項に規定する業務のほか、登録住宅の改良（登録住宅とすることを主たる目的とする人の居住の用その他その本来の用途に供したことのある建築物の改良を含む。）に必要な資金を貸し付けることができる。

（機構の行う家賃債務保証保険契約に係る保険）

第二〇条　機構は、機構法第十三条第一項に規定する業務のほか、家賃債務保証保険契約に係る保険を行うことができる。

2　前項の「家賃債務保証保険契約」とは、機構が事業年度ごとに家賃債務保証業者（賃貸住宅の賃借人の委託を受けて当該賃借人の家賃の支払に係る債務（以下「家賃債務」という。）を保証することを業として行う者であって、家賃債務の保証を適正かつ確実に実施することができると認められるものとして国土交通省令で定める要件に該当する者をいう。以下この条において同じ。）と締結する契約であって、家賃債務保証業者が登録住宅に入居する住宅確保要配慮者（以下「登録住宅入居者」という。）の家賃債務（利息に係るものを除く。以下この条において同じ。）の保証をしたことを機構に通知することにより、当該家賃債務保証業者が登録住宅入居者の家賃債務につき保証をした金額の総額が一定の金額に達するまで、その保証につき、機構と当該家賃債務保証業者との間に保険関係が成立する旨を定めるものをいう。

3　前項に規定する家賃債務保証保険契約（第十項において単に「家賃債務保証保険契約」という。）に係る保険関係においては、家賃債務保証業者が登録住宅入居者の家賃債務につき保証をした金額を保険価額とし、家賃債務保証業者が登録住宅入居者に代わってする家賃債務の全部又は一部の弁済を保険事故とし、保険価額に百分の七十を超えない範囲内において国土交通省令で定める割合を乗じて得た金額を保険金額とする。

（機構の行う登録住宅入居者家賃債務保証保険契約に係る保険）

第二〇条　機構は、機構法第十三条第一項に規定する業務のほか、登録住宅入居者家賃債務保証保険契約に係る保険を行うことができる。

2　前項の「登録住宅入居者家賃債務保証保険契約」とは、機構が事業年度ごとに家賃債務保証業者（賃貸住宅の賃借人の委託を受けて当該賃借人の家賃の支払に係る債務（以下この条、第六十二条第一号及び第七章において「家賃債務」という。）を保証することを業として行う者であって、家賃債務の保証を適正かつ確実に実施することができると認められるものとして国土交通省令で定める要件に該当する者をいう。以下この条及び同章において同じ。）と締結する契約であって、家賃債務保証業者が登録住宅に入居する住宅確保要配慮者（以下この章及び同号において「登録住宅入居者」という。）の家賃債務（利息に係るものを除く。以下この条において同じ。）の保証をしたことを機構に通知することにより、当該家賃債務保証業者が登録住宅入居者の家賃債務につき保証をした金額の総額が一定の金額に達するまで、その保証につき、機構と当該家賃債務保証業者との間に保険関係が成立する旨を定めるものをいう。

3　前項に規定する登録住宅入居者家賃債務保証保険契約（第十項において「登録住宅入居者家賃債務保証保険契約」という。）に係る保険関係においては、家賃債務保証業者が登録住宅入居者の家賃債務につき保証をした金額を保険価額とし、家賃債務保証業者が登録住宅入居者に代わってする家賃債務の全部又は一部の弁済を保険事故とし、保険価額に百分の七十を超えない範囲内において国土交通省令で定める割合を乗じて得た金額を保険金額とする。

4　機構が前項の保険関係に基づいて支払うべき保険金の額は、家賃債務保証業者が登録住宅入居者に代わって弁済をした家賃債務の額から当該家賃債務保証業者が保険金の支払の請求をする時までに当該登録住宅入居者に対する求償権（弁済をした日以後の利息及び避けることができなかった費用その他の損害の賠償に係る部分を除く。）を行使して取得した額を控除した残額に、同項の国土交通省令で定める割合を乗じて得た額とする。

5　前項の求償権を行使して取得した額は、家賃債務保証業者が登録住宅入居者の家賃債務のほか利息又は費用についても弁済をしたときは、当該求償権を行使して取得した総額に、その弁済をした家賃債務の額の総弁済額に対する割合を乗じて得た額とする。

6　家賃債務保証業者は、保険事故の発生の日から一年を超えない範囲内において国土交通省令で定める期間を経過した後は、保険金の支払の請求をすることができない。

7　家賃債務保証業者は、第三項の保険関係が成立した保証に基づき登録住宅入居者に代わって弁済をした場合には、その求償に努めなければならない。

8　保険金の支払を受けた家賃債務保証業者は、その支払の請求をした後登録住宅入居者に対する求償権（家賃債務保証業者が登録住宅入居者に代わって家賃債務の弁済をした日以後保険金の支払を受けた日までの利息及び避けることができなかった費用その他の損害の賠償に係る部分を除く。）を行使して取得した額に、当該支払を受けた保険金の額の当該保険金に係る第四項に規定する残額に対する割合を乗じて得た額を機構に納付しなければならない。

9　前項の求償権を行使して取得した額については、第五項の規定を準用する。

10　機構は、家賃債務保証業者が家賃債務保証保険契約の条項に違反したときは、第三項の保険関係に基づく保険金の全部若しくは一部を支払わず、若しくは保険金の全部若しくは一部を返還させ、又は将来にわたって当該保険契約を解除することができる。

10　機構は、家賃債務保証業者が登録住宅入居者家賃債務保証保険契約の条項に違反したときは、第三項の保険関係に基づく保険金の全部若しくは一部を支払わず、若しくは保険金の全部若しくは一部を返還させ、又は将来にわたって当該保険契約を解除することができる。

（保護の実施機関による被保護入居者の状況の把握等）

第二一条　登録事業者（第五十一条第一項の住宅確保要配慮者居住支援協議会の構成員であることその他の国土交通省令・厚生労働省令で定める要件に該当する者に限る。）は、被保護入居者（被保護者（生活保護法（昭和二十五年法律第百四十四号）第六条第一項に規定する被保護者をいう。）である登録住宅入居者をいい、登録住宅入居者となろうとする者を含む。以下この条において同じ。）が家賃の請求に応じないことその他の被保護入居者の居住の安定の確保を図る上で支障となるものとして国土交通省令・厚生労働省令で定める事情があるときは、国土交通省令・厚生労働省令で定めるところにより、その旨を保護の実施機関（同法第十九条第四項に規定する保護の実施機関をいう。次項において同じ。）に通知することができる。

第二一条　登録事業者（第八十一条第一項の住宅確保要配慮者居住支援協議会の構成員であることその他の国土交通省令・厚生労働省令で定める要件に該当する者に限る。）は、被保護入居者（被保護者（生活保護法（昭和二十五年法律第百四十四号）第六条第一項に規定する被保護者をいう。第五十三条第一項において同じ。）であって、登録住宅入居者である者又は登録住宅入居者となろうとする者をいう。以下この条において同じ。）が家賃の請求に応じないことその他の被保護入居者の居住の安定の確保を図る上で支障となるものとして国土交通省令・厚生労働省令で定める事情があるときは、国土交通省令・厚生労働省令で定めるところにより、その旨を保護の実施機関（同法第十九条第四項に規定する保護の実施機関をいう。次項及び第五十三条において同じ。）に通知することができる。

2　保護の実施機関は、前項の規定による通知を受けたときは、当該通知に係る被保護入居者に対し生活保護法第三十七条の二の規定による措置その他の同法による保護の目的を達するために必要な措置を講ずる必要があるかどうかを判断するため、速やかに、当該被保護入居者の状況の把握その他当該通知に係る事実について確認するための措置を講ずるものとする。

第四節　監督

（報告の徴収）

第二二条　都道府県知事は、登録事業者に対し、登録住宅の管理の状況について報告を求めることができる。

（指示）

第二三条　都道府県知事は、登録された登録事項が事実と異なるときは、その登録事業者に対し、当該事項の訂正を申請すべきことを指示することができる。

2　都道府県知事は、登録事業が第十条第一項各号に掲げる基準に適合しないと認めるときは、その登録事業者に対し、その登録事業を当該基準に適合させるために必要な措置をとるべきことを指示することができる。

3　都道府県知事は、登録事業者が第十六条又は第十七条の規定に違反したときは、当該登録事業者に対し、その是正のために必要な措置をとるべきことを指示することができる。

（登録の取消し）

第二四条　都道府県知事は、登録事業者が次の各号のいずれかに該当するときは、第八条の登録を取り消さなければならない。

一　第十一条第一項各号（第三号を除く。）のいずれかに該当するに至ったとき。

二　不正な手段により第八条の登録を受けたとき。

2　都道府県知事は、登録事業者が次の各号のいずれかに該当するときは、第八条の登録を取り消すことができる。

一　第十二条第一項の規定に違反したとき。

二　前条の規定による指示に違反したとき。

3　都道府県知事は、前二項の規定により登録を取り消したときは、遅滞なく、その旨を当該登録事業者であった者に通知しなければならない。

第五節　指定登録機関

（指定登録機関の指定等）

第二五条　都道府県知事は、その指定する者（以下「指定登録機関」という。）に、住宅確保要配慮者円滑入居賃貸住宅事業の登録及び登録簿の閲覧の実施に関する事務（前節の規定による事務を除く。以下「登録事務」という。）の全部又は一部を行わせることができる。

2　指定登録機関の指定（以下この節において単に「指定」という。）は、登録事務を行おうとする者の申請により行う。

3　都道府県知事は、指定をしたときは、指定登録機関が行う登録事務を行わないものとし、この場合における登録事務の引継ぎその他の必要な事項は、国土交通省令で定める。

4　指定登録機関が登録事務を行う場合における第八条から第十五条までの規定の適用については、これらの規定中「都道府県知事」とあるのは、「第二十五条第二項の指定を受けた者」とする。

（欠格条項）

第二六条　次の各号のいずれかに該当する者は、指定を受けることができない。

一　未成年者

二　破産手続開始の決定を受けて復権を得ない者

三　禁錮以上の刑に処せられ、又はこの法律の規定により罰金の刑に処せられ、その執行を終わり、又は執行を受けることがなくなった日から起算して二年を経過しない者

四　第三十五条第一項又は第二項の規定により指定を取り消され、その取消しの日から起算して二年を経過しない者

五　心身の故障により登録事務を適正に行うことができない者として国土交通省令で定めるもの

六　法人であって、その役員のうちに前各号のいずれかに該当する者があるもの

（指定の基準）

第二七条　都道府県知事は、当該都道府県の区域において他に指定を受けた者がなく、かつ、指定の申請が次に掲げる基準に適合していると認めるときでなければ、指定をしてはならない。

一　職員、登録事務の実施の方法その他の事項についての登録事務の実施に関する計画が、登録事務の適確な実施のために適切なものであること。

二　前号の登録事務の実施に関する計画を適確に実施するに足りる経理的及び技術的な基礎を有するものであること。

三　登録事務以外の業務を行っている場合には、その業務を行うことによって登録事務の公正な実施に支障を及ぼすおそれがないものであること。

四　前三号に定めるもののほか、登録事務を公正かつ適確に行うことができるものであること。

（指定の公示等）

第二八条　都道府県知事は、指定をしたときは、指定登録機関の名称及び住所、指定登録機関が行う登録事務の範囲、登録事務を行う事務所の所在地

並びに登録事務の開始の日を公示しなければならない。

２　指定登録機関は、その名称若しくは住所又は登録事務を行う事務所の所在地を変更しようとするときは、変更しようとする日の二週間前までに、その旨を都道府県知事に届け出なければならない。

３　都道府県知事は、前項の規定による届出があったときは、その旨を公示しなければならない。

（秘密保持義務等）

第二九条　指定登録機関（その者が法人である場合にあっては、その役員。次項において同じ。）及びその職員並びにこれらの者であった者は、登録事務に関して知り得た秘密を漏らし、又は自己の利益のために使用してはならない。

２　指定登録機関及びその職員で登録事務に従事する者は、刑法（明治四十年法律第四十五号）その他の罰則の適用については、法令により公務に従事する職員とみなす。

（登録事務規程）

第三〇条　指定登録機関は、登録事務に関する規程（以下「登録事務規程」という。）を定め、都道府県知事の認可を受けなければならない。これを変更しようとするときも、同様とする。

２　登録事務規程で定めるべき事項は、国土交通省令で定める。

３　都道府県知事は、第一項の認可をした登録事務規程が登録事務の公正かつ適確な実施上不適当となったと認めるときは、その登録事務規程を変更すべきことを命ずることができる。

（帳簿の備付け等）

第三一条　指定登録機関は、国土交通省令で定めるところにより、登録事務に関する事項で国土交通省令で定めるものを記載した帳簿を備え付け、これを保存しなければならない。

２　前項に定めるもののほか、指定登録機関は、国土交通省令で定めるところにより、登録事務に関する書類で国土交通省令で定めるものを保存しなければならない。

（監督命令）

第三二条　都道府県知事は、登録事務の公正かつ適確な実施を確保するため必要があると認めるときは、指定登録機関に対し、登録事務に関し監督上必要な命令をすることができる。

（報告、検査等）

第三三条　都道府県知事は、登録事務の公正かつ適確な実施を確保するため必要があると認めるときは、指定登録機関に対し登録事務に関し必要な報告を求め、又はその職員に、指定登録機関の事務所に立ち入り、登録事務の状況若しくは帳簿、書類その他の物件を検査させ、若しくは関係者に質問させることができる。

２　前項の規定により立入検査をする職員は、その身分を示す証明書を携帯し、関係者に提示しなければならない。

３　第一項の規定による立入検査の権限は、犯罪捜査のために認められたものと解釈してはならない。

（登録事務の休廃止）

第三四条　指定登録機関は、都道府県知事の許可を受けなければ、登録事務の全部若しくは一部を休止し、又は廃止してはならない。

２　都道府県知事は、前項の許可をしたときは、その旨を公示しなければならない。

（指定の取消し等）

第三五条　都道府県知事は、指定登録機関が第二十六条各号（第四号を除く。）のいずれかに該当するに至ったときは、その指定を取り消さなければならない。

２　都道府県知事は、指定登録機関が次の各号のいずれかに該当するときは、その指定を取り消し、又は期間を定めて登録事務の全部若しくは一部の停止を命ずることができる。

一　第二十五条第四項の規定により読み替えて適用する第十条、第十一条、第十二条第三項若しくは第四項、第十三条又は第十五条の規定に違反したとき。

二　第二十八条第二項、第三十一条又は前条第一項の規定に違反したとき。

三　第三十条第一項の認可を受けた登録事務規程によらないで登録事務を行ったとき。

四　第三十条第三項又は第三十二条の規定による命令に違反したとき。

五　第二十七条各号に掲げる基準に適合していないと認めるとき。

六　登録事務に関し著しく不適当な行為をしたとき、又は法人にあってはその役員が登録事務に関し著しく不適当な行為をしたとき。

七　不正な手段により指定を受けたとき。

３　都道府県知事は、前二項の規定により指定を取り消し、又は前項の規定により登録事務の全部若しくは一部の停止を命じたときは、その旨を公示しなければならない。

（都道府県知事による登録事務の実施）

第三六条　都道府県知事は、指定登録機関が第三十四条第一項の規定により登録事務の全部若しくは一部を休止したとき、前条第二項の規定により指定登録機関に対し登録事務の全部若しくは一部の停止を命じたとき、又は指定登録機関が天災その他の事由により登録事務の全部若しくは一部を実施することが困難となった場合において必要があると認めるときは、第二十五条第三項の規定にかかわらず、登録事務の全部又は一部を自ら行うものとする。

２　都道府県知事は、前項の規定により登録事務を行うこととし、又は同項の規定により行っている登録事務を行わないこととするときは、その旨を公示しなければならない。

３　都道府県知事が、第一項の規定により登録事務を行うこととし、第三十四条第一項の規定により登録事務の廃止を許可し、若しくは前条第一項若しくは第二項の規定により指定を取り消し、又は第一項の規定により行っている登録事務を行わないこととする場合における登録事務の引継ぎその他の必要な事項は、国土交通省令で定める。

（登録手数料）

第三七条　都道府県は、地方自治法（昭和二十二年法律第六十七号）第二百二十七条の規定に基づき登録に係る手数料を徴収する場合においては、第二十五条の規定により指定登録機関が行う登録を受けようとする者に、条例で定めるところにより、当該手数料を当該指定登録機関に納めさせることができる。

２　前項の規定により指定登録機関に納められた手数料は、当該指定登録機関の収入とする。

第六節　雑則

（資金の確保等）

第三八条　国及び地方公共団体は、登録住宅の整備のために必要な資金の確保又はその融通のあっせんに努めなければならない。

（賃貸住宅への円滑な入居のための援助）

第三九条　都道府県知事は、登録事業者が破産手続開始の決定を受けたときその他登録住宅入居者（登録住宅入居者であった者を含む。）の居住の安定を図るため必要があると認めるときは、当該登録住宅入居者に対し、他の適当な賃貸住宅に円滑に入居するために必要な助言その他の援助を行うよう努めなければならない。

第五章　居住安定援助賃貸住宅事業

第一節　居住安定援助計画の認定

（居住安定援助計画の認定）

第四〇条　賃貸住宅に日常生活を営むのに援助を必要とする住宅確保要配慮者を入居させ、訪問その他の方法によりその心身及び生活の状況を把握し、その状況に応じた利用可能な福祉サービスに関する情報の提供及び助言その他住宅確保要配慮者の生活の安定を図るために必要な援助を行う事業（以下「居住安定援助賃貸住宅事業」という。）を実施する者（以下この条において「居住安定援助賃貸住宅事業者」という。）は、国土交通省令・厚生労働省令で定めるところにより、当該居住安定援助賃貸住宅事業に関する計画（以下「居住安定援助計画」という。）を作成し、次の各号に掲げる当該賃貸住宅の存する区域の区分に応じ、当該各号に定める者（以下「都道府県知事等」という。）に対し、当該居住安定援助計画が居住安定援助賃貸住宅事業を適切かつ確実に実施するために適当なものである旨の認定を申請することができる。

一　市の区域　当該市の長

二　社会福祉法に規定する福祉に関する事務所を設ける町村の区域　当該町村の長

三　その他の区域　当該区域を管轄する都道府県知事

2　居住安定援助計画には、次に掲げる事項を記載しなければならない。
一　氏名又は名称及び住所並びに法人にあっては、その代表者の氏名
二　居住安定援助賃貸住宅事業に係る賃貸住宅（以下「居住安定援助賃貸住宅」という。）の位置
三　居住安定援助賃貸住宅の戸数
四　居住安定援助賃貸住宅の規模
五　居住安定援助賃貸住宅の構造及び設備
六　入居を受け入れることとする住宅確保要配慮者の範囲を定める場合にあっては、その範囲
七　入居者の資格を日常生活を営むのに援助を必要とする住宅確保要配慮者又は当該住宅確保要配慮者と同居するその配偶者等（配偶者その他の親族で国土交通省令・厚生労働省令で定める者をいう。）に限る居住安定援助賃貸住宅（第五十条において「専用賃貸住宅」という。）の戸数（次条第四号において「専用戸数」という。）
八　居住安定援助賃貸住宅の家賃その他賃貸の条件に関する事項
九　日常生活を営むのに援助を必要とする住宅確保要配慮者である入居者に提供する居住安定援助（訪問その他の方法により住宅確保要配慮者の心身及び生活の状況を把握し、その状況に応じた利用可能な福祉サービスに関する情報の提供及び助言その他住宅確保要配慮者の生活の安定を図るために必要な援助を行うことをいう。以下同じ。）の内容
十　居住安定援助の提供の対価その他居住安定援助の提供の条件に関する事項
十一　その他国土交通省令・厚生労働省令で定める事項
3　居住安定援助計画には、第四十二条各号のいずれにも該当しないことを誓約する書面その他の国土交通省令・厚生労働省令で定める書類を添付しなければならない。
4　居住安定援助を行う者（第四十八条において「援助実施者」という。）と住宅確保要配慮者を入居させる賃貸人とが異なる場合であっても、これらの者が共同して第一項の認定の申請を行うときは、この章の規定（これらの規定に係る罰則を含む。）の適用については、これらの者を一の居住安定援助賃貸住宅事業者とみなす。
5　居住安定援助賃貸住宅事業者は、都道府県知事又は第八十九条に規定する指定都市等の長に対する第一項の認定の申請を当該賃貸住宅に係る第九条第一項の登録の申請と併せて行う場合には、第二項の規定にかかわらず、同項第二号から第六号まで及び第八号に掲げる事項の記載を省略することができる。

（認定の基準）
第四十一条　都道府県知事等は、前条第一項の認定の申請があった場合において、当該申請に係る居住安定援助計画が次に掲げる基準に適合していると認めるときは、その認定をするものとする。
一　居住安定援助賃貸住宅の各戸の床面積が、国土交通省令・厚生労働省令で定める規模以上であること。
二　居住安定援助賃貸住宅の構造及び設備が、住宅確保要配慮者の入居に支障を及ぼすおそれがないものとして国土交通省令・厚生労働省令で定める基準に適合するものであること。
三　前条第二項第六号に掲げる範囲が定められている場合にあっては、その範囲が、住宅確保要配慮者の入居を不当に制限しないものとして国土交通省令・厚生労働省令で定める基準に適合するものであること。
四　専用戸数が、国土交通省令・厚生労働省令で定める数以上であること。
五　居住安定援助賃貸住宅の家賃その他賃貸の条件が、国土交通省令・厚生労働省令で定める基準に従い適正に定められているものであること。
六　入居者に提供する居住安定援助の内容が、住宅確保要配慮者の生活の安定を図るために必要なものとして国土交通省令・厚生労働省令で定める基準に適合するものであること。
七　居住安定援助の提供の対価その他居住安定援助の提供の条件が、国土交通省令・厚生労働省令で定める基準に従い適正に定められているものであること。
八　その他基本方針（居住安定援助賃貸住宅が市町村賃貸住宅供給促進計画が作成されている市町村の区域内にある場合にあっては基本方針及び市町村賃貸住宅供給促進計画、居住安定援助賃貸住宅が都道府県賃貸住宅供給促進計画が作成されている都道府県の区域（当該市町村の区域を除く。）内にある場合にあっては基本方針及び都道府県賃貸住宅供給促進計画）に照らして適切なものであること。

（欠格条項）
第四十二条　次の各号のいずれかに該当する者は、第四十条第一項の認定を受けることができない。
一　破産手続開始の決定を受けて復権を得ない者
二　拘禁刑以上の刑に処せられ、又はこの法律の規定により罰金の刑に処せられ、その執行を終わり、又は執行を受けることがなくなった日から起算して二年を経過しない者
三　第五十六条第一項又は第二項の規定により認定を取り消され、その取消しの日から起算して二年を経過しない者
四　暴力団員等
五　心身の故障により居住安定援助賃貸住宅事業を適正に行うことができない者として国土交通省令・厚生労働省令で定めるもの
六　営業に関し成年者と同一の行為能力を有しない未成年者でその法定代理人が前各号のいずれかに該当するもの
七　法人であって、その役員又は国土交通省令・厚生労働省令で定める使用人のうちに第一号から第五号までのいずれかに該当する者があるもの
八　個人であって、その国土交通省令・厚生労働省令で定める使用人のうちに第一号から第五号までのいずれかに該当する者があるもの
九　暴力団員等がその事業活動を支配する者

（認定の通知）
第四十三条　都道府県知事等は、第四十条第一項の認定をしたときは、遅滞なく、その旨を当該認定を受けた者に通知しなければならない。
2　都道府県知事は、第四十条第一項の認定をしたときは、遅滞なく、その旨を、当該認定を受けた居住安定援助計画に記載された第四十一条第一号及び第二号に掲げる基準に適合する居住安定援助賃貸住宅（以下「認定住宅」という。）の存する町村の長に通知しなければならない。

（居住安定援助計画の変更等）
第四十四条　第四十条第一項の認定を受けた者は、当該認定を受けた居住安定援助計画の変更（国土交通省令・厚生労働省令で定める軽微な変更を除く。）をするときは、国土交通省令・厚生労働省令で定めるところにより、都道府県知事等の認定を受けなければならない。
2　前三条の規定は、前項の変更の認定について準用する。
3　第四十条第一項の認定（第一項の変更の認定を含む。以下「計画の認定」という。）を受けた者（以下「認定事業者」という。）は、計画の認定に係る居住安定援助賃貸住宅事業を廃止するときは、国土交通省令・厚生労働省令で定めるところにより、あらかじめ、その旨を都道府県知事等に届け出なければならない。

（地位の承継）
第四十五条　認定事業者の一般承継人又は認定事業者から認定住宅の敷地の所有権その他当該認定住宅の整備及び管理に必要な権原を取得した者は、国土交通省令・厚生労働省令で定めるところにより、都道府県知事等の承認を受けて、当該認定事業者が有していた計画の認定に基づく地位を承継することができる。

第二節　業務

（契約締結前の書面の交付及び説明）
第四十六条　認定事業者は、認定住宅に入居する住宅確保要配慮者（以下「認定住宅入居者」という。）に対し居住安定援助を行う場合には、当該住宅確保要配慮者に対し、入居契約を締結するまでに、居住安定援助の内容及びその提供の対価その他国土交通省令・厚生労働省令で定める事項について、これらの事項を記載した書面を交付して説明しなければならない。
2　認定事業者は、前項の規定による書面の交付に代えて、国土交通省令・厚生労働省令で定めるところにより、認定住宅に入居しようとする住宅確保要配慮者の承諾を得て、当該書面に記載すべき事項を電磁的方法（電子情報処理組織を使用する方法その他の情報通信の技術を利用する方法であって国土交通省令・厚生労働省令で定めるものをいう。）により提供することができる。この場合において、当該認定事業者は、当該書面

を交付したものとみなす。

（**認定事業者の事業実施義務**）

第四七条　認定事業者は、計画の認定を受けた居住安定援助計画（変更があったときは、その変更後のもの。第四十九条及び第五十条第一項において「認定計画」という。）に従い、居住安定援助賃貸住宅事業を行わなければならない。

（**帳簿の備付け等**）

第四八条　認定事業者（第四十条第四項に規定する場合にあっては、認定事業者である援助実施者）は、国土交通省令・厚生労働省令で定めるところにより、居住安定援助に関する事項で国土交通省令・厚生労働省令で定めるものを記載した帳簿を備え付け、これを保存しなければならない。

（**都道府県知事等への定期報告**）

第四九条　認定事業者は、認定計画に基づく居住安定援助賃貸住宅事業の実施の状況その他国土交通省令・厚生労働省令で定める事項について、国土交通省令・厚生労働省令で定めるところにより、定期的に、都道府県知事等に報告しなければならない。

（**専用賃貸住宅の目的外使用**）

第五〇条　認定事業者は、認定計画に記載された専用賃貸住宅の一部について入居者を国土交通省令・厚生労働省令で定める期間以上確保することができないときは、国土交通省令・厚生労働省令で定めるところにより、都道府県知事等の承認を受けて、その一部を第四十条第二項第七号に規定する者以外の者に賃貸することができる。

2　都道府県知事は、前項の承認をしたときは、遅滞なく、その旨を当該承認に係る認定住宅の存する町村の長に通知しなければならない。

3　第一項の規定により専用賃貸住宅の一部を賃貸する場合においては、当該賃貸借を、借地借家法第三十八条第一項の規定による建物の賃貸借（国土交通省令・厚生労働省令で定める期間を上回らない期間を定めたものに限る。）としなければならない。

（**その他遵守事項**）

第五一条　この節に規定するもののほか、認定住宅入居者の居住の安定を確保するために認定事業者の遵守すべき事項は、国土交通省令・厚生労働省令で定める。

第三節　認定住宅に係る特例

（**登録住宅に関する規定の準用**）

第五二条　第十八条及び第十九条の規定は、認定住宅について準用する。この場合において、第十八条第二項中「第十八条第一項」とあるのは、「第五十二条において準用する第十八条第一項」と読み替えるものとする。

（**生活保護法の特例**）

第五三条　認定事業者（第八十一条第一項の住宅確保要配慮者居住支援協議会の構成員であることその他の国土交通省令・厚生労働省令で定める要件に該当する者に限る。以下この項において同じ。）は、被保護認定住宅入居者（被保護者であって、認定住宅入居者である者又は認定住宅入居者となろうとする者をいう。以下この条において同じ。）の居住の安定の確保を図るために必要があると認めるときは、国土交通省令・厚生労働省令で定めるところにより、保護の実施機関が当該被保護認定住宅入居者に対して交付する生活保護法第三十一条第三項に規定する保護金品（住宅を賃借して居住することに伴い通常必要とされる費用として厚生労働省令で定めるものの額に相当する金銭に限る。）又は同法第三十三条第四項に規定する保護金品のうち、当該被保護認定住宅入居者が当該認定事業者（第四十条第四項に規定する場合にあっては、当該認定事業者である賃貸人。以下この条において「認定賃貸人」という。）に支払うべき費用（次項において「家賃等」という。）の額に相当する金銭について、当該被保護認定住宅入居者に代わり、当該認定賃貸人に支払うことを希望する旨を保護の実施機関に通知することができる。

2　保護の実施機関は、前項の規定による通知を受けたときは、家賃等の口座振替納付（預金又は貯金の払出しとその払い出した金銭による家賃等の納付をその預金口座又は貯金口座のある金融機関に委託して行うことをいう。）が行われている場合その他厚生労働省令で定める場合を除き、当該通知に係る家賃等の額に相当する金銭について、当該通知に係る被保護認定住宅入居者に代わり、当該通知に係る認定賃貸人に支払うものとする。この場合において、当該支払があったときは、生活保護法第三十一条第三項又は第三十三条第四項の規定により当該被保護認定住宅入居者に対し当該保護金品の交付があったものとみなす。

第四節　監督

（**報告徴収及び立入検査**）

第五四条　都道府県知事等は、この章の規定の施行に必要な限度において、認定事業者又は認定事業者から認定住宅の管理を委託された者（以下この項において「管理受託者」という。）に対しその業務に関し必要な報告を求め、又はその職員に、認定事業者若しくは管理受託者の事務所若しくは営業所若しくは認定住宅に立ち入り、その業務の状況若しくは帳簿、書類その他の物件を検査させ、若しくは関係者に質問させることができる。

2　前項の規定による立入検査において、現に居住の用に供している認定住宅の居住部分に立ち入るときは、あらかじめ、当該居住部分に係る入居者の承諾を得なければならない。

3　第三十三条第二項及び第三項の規定は、第一項の規定による立入検査について準用する。

（**改善命令**）

第五五条　都道府県知事等は、認定事業者が第四十六条から第四十八条までの規定に違反し、又は第五十一条の国土交通省令・厚生労働省令で定める事項を遵守していないと認めるときは、当該認定事業者に対し、その改善に必要な措置を命ずることができる。

（**計画の認定の取消し**）

第五六条　都道府県知事等は、認定事業者が次の各号のいずれかに該当するときは、計画の認定を取り消さなければならない。

一　第四十二条各号（第三号を除く。）のいずれかに該当するに至ったとき。

二　不正な手段により計画の認定を受けたとき。

2　都道府県知事等は、認定事業者が次の各号のいずれかに該当するときは、計画の認定を取り消すことができる。

一　第四十九条又は第五十条第三項の規定に違反したとき。

二　第五十条第一項の承認を受けずに、第四十条第二項第七号に規定する者以外の者に賃貸したとき。

三　前条の規定による命令に違反したとき。

3　都道府県知事等は、前二項の規定により計画の認定を取り消したときは、遅滞なく、その旨を当該認定事業者であった者に通知しなければならない。

4　都道府県知事は、第一項又は第二項の規定により計画の認定を取り消したときは、遅滞なく、その旨を、当該取消しに係る居住安定援助計画に記載されていた居住安定援助賃貸住宅の存する町村の長に通知しなければならない。

第五節　雑則

（**資金の確保等**）

第五七条　国及び地方公共団体は、認定住宅の整備のために必要な資金の確保又はその融通のあっせんに努めなければならない。

（**賃貸住宅への円滑な入居のための援助**）

第五八条　都道府県知事等は、認定事業者が破産手続開始の決定を受けたときその他認定住宅入居者（認定住宅入居者であった者を含む。）の居住の安定を図るため必要があると認めるときは、当該認定住宅入居者に対し、他の適当な賃貸住宅に円滑に入居するために必要な助言その他の援助を行うよう努めなければならない。

第五章　住宅確保要配慮者居住支援法人

（**住宅確保要配慮者居住支援法人**）

第四〇条　都道府県知事は、特定非営利活動促進法（平成十年法律第七号）第二条第二項に規定する特定非営利活動法人、一般社団法人若しくは一般財団法人その他の営利を目的としない法人又は住宅確保要配慮者の居住の支援を行うことを目的とする会社であって、第四十二条に規定する業務（以下「支援業務」という。）に関し次に掲げる基準に適合すると認められるものを、その申請により、住宅確保要配慮者居住支援法人（以下「支援法人」という。）として指定することができる。

一　職員、支援業務の実施の方法その他の事項についての支援業務の実施に関する計画が、支援業務の適確な実施のために適切なものであること。
二　前号の支援業務の実施に関する計画を適確に実施するに足りる経理的及び技術的な基礎を有するものであること。
三　役員又は職員の構成が、支援業務の公正な実施に支障を及ぼすおそれがないものであること。
四　支援業務以外の業務を行っている場合には、その業務を行うことによって支援業務の公正な実施に支障を及ぼすおそれがないものであること。
五　前各号に定めるもののほか、支援業務を公正かつ適確に行うことができるものであること。

（指定の公示等）
第四一条　都道府県知事は、前条の規定による指定（以下単に「指定」という。）をしたときは、支援法人の名称及び住所並びに支援業務を行う事務所の所在地を公示しなければならない。
2　支援法人は、その名称若しくは住所又は支援業務を行う事務所の所在地を変更しようとするときは、変更しようとする日の二週間前までに、その旨を都道府県知事に届け出なければならない。
3　都道府県知事は、前項の規定による届出があったときは、その旨を公示しなければならない。

（業務）
第四二条　支援法人は、当該都道府県の区域内において、次に掲げる業務を行うものとする。
一　登録事業者からの要請に基づき、登録住宅入居者の家賃債務の保証をすること。
二　住宅確保要配慮者の賃貸住宅への円滑な入居の促進に関する情報の提供、相談その他の援助を行うこと。
三　賃貸住宅に入居する住宅確保要配慮者の生活の安定及び向上に関する情報の提供、相談その他の援助を行うこと。
四　前三号に掲げる業務に附帯する業務を行うこと。

（業務の委託）
第四三条　支援法人は、都道府県知事の認可を受けて、前条第一号に掲げる業務（以下「債務保証業務」という。）のうち債務の保証の決定以外の業務の全部又は一部を金融機関その他の者に委託することができる。
2　金融機関は、他の法律の規定にかかわらず、前項の規定による委託を受け、当該業務を行うことができる。

（債務保証業務規程）
第四四条　支援法人は、債務保証業務に関する規程（以下「債務保証業務規程」という。）を定め、都道府県知事の認可を受けなければならない。これを変更しようとするときも、同様とする。
2　債務保証業務規程で定めるべき事項は、国土交通省令で定める。
3　都道府県知事は、第一項の認可をした債務保証業務規程が債務保証業務の公正かつ適確な実施上不適当となったと認めるときは、その債務保証業務規程を変更すべきことを命ずることができる。

（事業計画等）
第四五条　支援法人は、毎事業年度、国土交通省令で定めるところにより、支援業務に係る事業計画及び収支予算を作成し、当該事業年度の開始前に（指定を受けた日の属する事業年度にあっては、その指定を受けた後遅滞なく）、都道府県知事の認可を受けなければならない。これを変更しようとするときも、同様とする。
2　支援法人は、毎事業年度、国土交通省令で定めるところにより、支援業務に係る事業報告書及び収支決算書を作成し、当該事業年度経過後三月以内に、都道府県知事に提出しなければならない。

（区分経理）
第四六条　支援法人は、国土交通省令で定めるところにより、債務保証業務及びこれに附帯する業務に係る経理とその他の業務に係る経理とを区分して整理しなければならない。

（帳簿の備付け等）
第四七条　支援法人は、国土交通省令で定めるところにより、支援業務に関する事項で国土交通省令で定めるものを記載した帳簿を備え付け、これを保存しなければならない。
2　前項に定めるもののほか、支援法人は、国土交通省令で定めるところにより、支援業務に関する書類で国土交通省令で定めるものを保存しなければならない。

（監督命令）
第四八条　都道府県知事は、支援業務の公正かつ適確な実施を確保するため必要があると認めるときは、支援法人に対し、支援業務に関し監督上必要な命令をすることができる。

（報告、検査等）
第四九条　都道府県知事は、支援業務の公正かつ適確な実施を確保するため必要があると認めるときは、支援法人に対し支援業務若しくは資産の状況に関し必要な報告を求め、又はその職員に、支援法人の事務所に立ち入り、支援業務の状況若しくは帳簿、書類その他の物件を検査させ、若しくは関係者に質問させることができる。
2　第三十三条第二項及び第三項の規定は、前項の規定による立入検査について準用する。

（指定の取消し等）
第五〇条　都道府県知事は、支援法人が次の各号のいずれかに該当するときは、その指定を取り消すことができる。
一　第四十一条第二項又は第四十五条から第四十七条までの規定に違反したとき。
二　第四十四条第一項の認可を受けた債務保証業務規程によらないで債務保証業務を行ったとき。
三　第四十四条第三項又は第四十八条の規定による命令に違反したとき。
四　第四十条各号に掲げる基準に適合していないと認めるとき。
五　支援法人又はその役員が、支援業務に関し著しく不適当な行為をしたとき。
六　不正な手段により指定を受けたとき。
2　都道府県知事は、前項の規定により指定を取り消したときは、その旨を公示しなければならない。

第六章　住宅確保要配慮者居住支援協議会

（住宅確保要配慮者居住支援協議会）
第五一条　地方公共団体、支援法人、宅地建物取引業者（宅地建物取引業法（昭和二十七年法律第百七十六号）第二条第三号に規定する宅地建物取引業者をいう。）、賃貸住宅を管理する事業を行う者その他の住宅確保要配慮者の民間賃貸住宅への円滑な入居の促進に資する活動を行う者は、住宅確保要配慮者又は民間賃貸住宅の賃貸人に対する情報の提供その他の住宅確保要配慮者の民間賃貸住宅への円滑な入居の促進に関し必要な措置について協議するため、住宅確保要配慮者居住支援協議会（以下「支援協議会」という。）を組織することができる。
2　前項の協議を行うための会議において協議が調った事項については、支援協議会の構成員は、その協議の結果を尊重しなければならない。
3　前二項に定めるもののほか、支援協議会の運営に関し必要な事項は、支援協議会が定める。

（支援協議会及び地域住宅協議会の連携）
第五二条　前条第一項の規定により支援協議会が組織された地方公共団体の区域について地域住宅特別措置法第五条第一項の規定により地域住宅協議会が組織されている場合には、当該支援協議会及び地域住宅協議会は、住宅確保要配慮者の賃貸住宅への円滑な入居を促進するため、相互に連携を図るよう努めなければならない。

第七章　住宅確保要配慮者に対する賃貸住宅の供給の促進に関する施策

（公的賃貸住宅の供給の促進）
第五三条　国及び地方公共団体は、所得の状況、心身の状況、世帯構成その他の住宅確保要配慮者の住宅の確保について配慮を必要とする事情を勘案し、既存の公的賃貸住宅の有効活用を図りつつ、公的賃貸住宅の適切な供給の促進に関し必要な施策を講ずるよう努めなければならない。
2　公的賃貸住宅の管理者は、公的賃貸住宅の入居者の選考に当たり、住宅確保要配慮者の居住の安定に配慮するよう努めなければならない。

（民間賃貸住宅への円滑な入居の促進）
第五四条　国及び地方公共団体は、住宅確保要配慮者が民間賃貸住宅を円滑に賃借することができるようにするため、住宅確保要配慮者及び民間賃貸住宅の賃貸人に対する支援その他の住宅確保要配慮者の民間賃貸住宅への円滑な入居の促進に関し必要な施策を講ずるよう努めなければならない。

2　民間賃貸住宅を賃貸する事業を行う者は、国及び地方公共団体が講ずる住宅確保要配慮者の民間賃貸住宅への円滑な入居の促進のための施策に協力するよう努めなければならない。

（情報の提供等）

第五五条　国及び地方公共団体は、住宅確保要配慮者が賃貸住宅に関しその事情に応じた適切な情報を効果的かつ効率的に入手することができるようにするため、賃貸住宅に関する情報の提供及び相談の実施に関し必要な施策を講ずるよう努めなければならない。

（住宅確保要配慮者の生活の安定及び向上に関する施策等との連携）

第五六条　国及び地方公共団体は、住宅確保要配慮者に対する賃貸住宅の供給の促進に関する施策を推進するに当たっては、住宅確保要配慮者の自立の支援に関する施策、住宅確保要配慮者の福祉に関する施策その他の住宅確保要配慮者の生活の安定及び向上に関する施策並びに良好な居住環境の形成に関する施策との連携を図るよう努めなければならない。

（地方公共団体への支援）

第五七条　国は、地方公共団体が講ずる住宅確保要配慮者に対する賃貸住宅の供給の促進に関する施策を支援するため、情報の提供その他の必要な措置を講ずるよう努めなければならない。

第八章　雑則

（大都市等の特例）

第五八条　第四章の規定により都道府県又は都道府県知事の権限に属するものとされている事務は、地方自治法第二百五十二条の十九第一項の指定都市（以下この条において単に「指定都市」という。）及び同法第二百五十二条の二十二第一項の中核市（以下この条において単に「中核市」という。）においては、指定都市若しくは中核市（以下この条において「指定都市等」という。）又は指定都市等の長が行うものとする。この場合においては、同章中都道府県又は都道府県知事に関する規定は、指定都市等又は指定都市等の長に関する規定として指定都市等又は指定都市等の長に適用があるものとする。

（国土交通省令への委任）

第五九条　この法律に定めるもののほか、この法律の実施のため必要な事項は、国土交通省令で定める。

（経過措置）

第六〇条　この法律に基づき命令を制定し、又は改廃する場合においては、その命令で、その制定又は改廃に伴い合理的に必要と判断される範囲内において、所要の経過措置（罰則に関する経過措置を含む。）を定めることができる。

第九章　罰則

第六一条　次の各号のいずれかに該当する者は、一年以下の懲役又は五十万円以下の罰金に処する。

一　第二十九条第一項の規定に違反して、その職務に関し知り得た秘密を漏らし、又は自己の利益のために使用した者

二　第三十五条第二項の規定による登録事務の停止の命令に違反した者

第六二条　次の各号のいずれかに該当する者は、三十万円以下の罰金に処する。

一　不正の手段によって第八条の登録を受けた者

二　第十二条第一項又は第十四条第一項の規定による届出をせず、又は虚偽の届出をした者

三　第三十一条第一項又は第四十七条第一項の規定に違反して、帳簿を備え付けず、帳簿に記載せず、若しくは帳簿に虚偽の記載をし、又は帳簿を保存しなかった者

四　第三十一条第二項又は第四十七条第二項の規定に違反した者

五　第三十三条第一項又は第四十九条第一項の規定による報告をせず、又は虚偽の報告をした者

六　第三十三条第一項又は第四十九条第一項の規定による検査を拒み、妨げ、又は忌避した者

七　第三十三条第一項又は第四十九条第一項の規定による質問に対して答弁せず、又は虚偽の答弁をした者

八　第三十四条第一項の規定による許可を受けないで登録事務の全部を廃止した者

第六三条　第二十二条の規定による報告をせず、又は虚偽の報告をした者は、二十万円以下の罰金に処する。

第六四条　法人の代表者又は法人若しくは人の代理人、使用人その他の従業者がその法人又は人の業務に関して前三条の違反行為をした場合においては、その行為者を罰するほか、その法人又は人に対しても各本条の罰金刑を科する。

第六章　住宅確保要配慮者居住支援法人

（住宅確保要配慮者居住支援法人）

第五九条　都道府県知事は、特定非営利活動促進法（平成十年法律第七号）第二条第二項に規定する特定非営利活動法人、一般社団法人若しくは一般財団法人その他の営利を目的としない法人又は住宅確保要配慮者の居住の支援を行うことを目的とする会社であって、第六十二条に規定する業務（以下「支援業務」という。）に関し次に掲げる基準に適合すると認められるものを、その申請により、住宅確保要配慮者居住支援法人（以下「支援法人」という。）として指定することができる。

一　次条第二項第一号に規定する支援業務の実施に関する計画が、支援業務の適確な実施のために適切なものであること。

二　前号の計画を適確に実施するに足りる経理的及び技術的な基礎を有するものであること。

三　前号に掲げるもののほか、第六十二条第一号又は第五号に掲げる業務を行う場合にあっては、当該業務を適正かつ確実に行うに足りる知識及び能力並びに当該業務を確実に遂行するために必要と認められる財産的な基礎であって国土交通省令で定めるものを有するものであること。

四　役員又は職員の構成が、支援業務の公正な実施に支障を及ぼすおそれがないものであること。

五　支援業務以外の業務を行っている場合には、その業務を行うことによって支援業務の公正な実施に支障を及ぼすおそれがないものであること。

六　前各号に定めるもののほか、支援業務を公正かつ適確に行うことができるものであること。

2　次の各号のいずれかに該当する者は、前項の規定による指定（以下この章において「指定」という。）を受けることができない。

一　この法律の規定に違反し、刑に処せられ、その執行を終わり、又は執行を受けることがなくなった日から起算して二年を経過しない者

二　第七十条第一項又は第二項の規定により指定を取り消され、その取消しの日から起算して二年を経過しない者

三　その役員のうちに、第一号に該当する者がある者

（指定の申請）

第六〇条　指定を受けようとする者は、次に掲げる事項を記載した指定申請書を都道府県知事に提出しなければならない。

一　支援業務の種別（第六十二条各号に掲げる業務の別をいう。）

二　名称又は商号

三　主たる事務所又は営業所その他支援業務を行う事務所又は営業所の名称及び所在地

四　役員の氏名

五　支援業務以外の業務を行うときは、その業務の内容

六　その他国土交通省令・厚生労働省令で定める事項

2　前項の指定申請書には、次に掲げる書類を添付しなければならない。

一　職員、支援業務の実施の方法その他国土交通省令・厚生労働省令で定める事項を記載した支援業務の実施に関する計画

二　財産目録、貸借対照表その他の支援業務を行うために必要な経理的及び財産的な基礎を有することを明らかにする書類であって国土交通省令・厚生労働省令で定めるもの

三　その他国土交通省令・厚生労働省令で定める書類

3　都道府県知事は、指定をしたときは、その旨及び第一項第一号から第三号までに掲げる事項を公示しなければならない。

（変更の認可及び届出）

第六一条　支援法人は、前条第一項第一号の種別を変更して新たに次条第一号又は第五号に掲げる業務を行う場合には、あらかじめ、国土交通省令・厚生労働省令で定めるところにより、都道府県知事の認可を受けなければならない。

2　前項に定めるもののほか、支援法人は、前条第一項各号に掲げる事項を変更するときは、変更する日の二週間前までに、その旨を都道府県知事に届け出なければならない。ただし、国土交通省令・厚生労働省令で定める軽微な変更については、この限りでない。
3　都道府県知事は、第一項の変更の認可をしたとき又は前項の規定による届出があったときは、その旨及び当該変更の認可に係る事項又は当該届出に係る前条第一項第一号から第三号までに掲げる事項を公示しなければならない。

（業務）
第六二条　支援法人は、当該都道府県の区域内において、次に掲げる業務を行うものとする。
一　登録事業者からの要請に基づき、登録住宅入居者の家賃債務の保証をすること。
二　住宅確保要配慮者に対し、賃貸住宅への円滑な入居の促進に関する情報の提供、相談その他の援助を行うこと。
三　賃貸住宅に入居する住宅確保要配慮者に対し、その生活の安定及び向上に関する情報の提供、相談その他の援助を行うこと。
四　賃貸住宅の賃貸人に対し、住宅確保要配慮者に対する賃貸住宅の供給の促進を図るために必要な情報の提供を行うこと。
五　賃借人である住宅確保要配慮者からの委託に基づき、当該住宅確保要配慮者が死亡した場合における当該住宅確保要配慮者が締結した賃貸借契約の解除並びに当該住宅確保要配慮者が居住していた住宅及びその敷地内に存する動産の保管、処分その他の処理を行うこと。
六　前各号に掲げる業務に附帯する業務を行うこと。

（業務の委託）
第六三条　支援法人は、都道府県知事の認可を受けて、前条第一号に掲げる業務（以下「債務保証業務」という。）のうち債務の保証の決定以外の業務の全部又は一部を金融機関その他の者に委託することができる。
2　金融機関は、他の法律の規定にかかわらず、前項の規定による委託を受け、当該業務を行うことができる。

（債務保証業務規程及び残置物処理等業務規程）
第六四条　支援法人は、次の各号に掲げる業務を行う場合には、当該各号に定める規程を定め、都道府県知事の認可を受けなければならない。
一　債務保証業務　債務保証業務に関する規程（以下この条及び第七十条第二項第二号において「債務保証業務規程」という。）
二　第六十二条第五号に掲げる業務（以下「残置物処理等業務」という。）　残置物処理等業務に関する規程（以下この条及び第七十条第二項第二号において「残置物処理等業務規程」という。）
2　債務保証業務規程及び残置物処理等業務規程で定めるべき事項は、国土交通省令で定める。
3　支援法人は、債務保証業務規程又は残置物処理等業務規程を変更するときは、都道府県知事の認可を受けなければならない。
4　都道府県知事は、第一項又は前項の認可をした債務保証業務規程又は残置物処理等業務規程が債務保証業務又は残置物処理等業務の公正かつ適確な実施上不適当となったと認めるときは、その債務保証業務規程又は残置物処理等業務規程を変更すべきことを命ずることができる。

（事業計画等）
第六五条　支援法人は、毎事業年度、国土交通省令・厚生労働省令で定めるところにより、支援業務に係る事業計画及び収支予算を作成し、当該事業年度の開始前に（指定を受けた日の属する事業年度にあっては、その指定を受けた後遅滞なく）、都道府県知事の認可を受けなければならない。これを変更しようとするときも、同様とする。
2　支援法人は、毎事業年度、国土交通省令・厚生労働省令で定めるところにより、支援業務に係る事業報告書及び収支決算書を作成し、当該事業年度経過後三月以内に、都道府県知事に提出しなければならない。

（区分経理）
第六六条　支援法人は、国土交通省令・厚生労働省令で定めるところにより、次に掲げる業務ごとに経理を区分して整理しなければならない。
一　債務保証業務及びこれに附帯する業務
二　残置物処理等業務及びこれに附帯する業務
三　前二号に掲げる業務以外の業務

（帳簿の備付け等）
第六七条　支援法人は、国土交通省令・厚生労働省令で定めるところにより、支援業務に関する事項で国土交通省令・厚生労働省令で定めるものを記載した帳簿を備え付け、これを保存しなければならない。
2　前項に定めるもののほか、支援法人は、国土交通省令・厚生労働省令で定めるところにより、支援業務に関する書類で国土交通省令・厚生労働省令で定めるものを保存しなければならない。

（監督命令）
第六八条　都道府県知事は、支援業務の公正かつ適確な実施を確保するため必要があると認めるときは、支援法人に対し、支援業務に関し監督上必要な命令をすることができる。

（報告徴収及び立入検査）
第六九条　都道府県知事は、支援業務の公正かつ適確な実施を確保するため必要があると認めるときは、支援法人に対し支援業務若しくは資産の状況に関し必要な報告を求め、又はその職員に、支援法人の事務所若しくは営業所に立ち入り、支援業務の状況若しくは帳簿、書類その他の物件を検査させ、若しくは関係者に質問させることができる。
2　第三十三条第二項及び第三項の規定は、前項の規定による立入検査について準用する。

（指定の取消し等）
第七〇条　都道府県知事は、支援法人が次の各号のいずれかに該当するときは、その指定を取り消さなければならない。
一　第五十九条第二項第一号又は第三号のいずれかに該当するに至ったとき。
二　不正な手段により指定を受けたとき。
2　都道府県知事は、支援法人が次の各号のいずれかに該当するときは、その指定を取り消すことができる。
一　第六十一条第一項若しくは第二項又は第六十五条から第六十七条までの規定に違反したとき。
二　第六十四条第一項又は第三項の認可を受けた債務保証業務規程又は残置物処理等業務規程によらないで債務保証業務又は残置物処理等業務を行ったとき。
三　第六十四条第四項又は第六十八条の規定による命令に違反したとき。
四　第五十九条第一項各号に掲げる基準に適合していないと認めるとき。
五　支援法人又はその役員が、支援業務に関し著しく不適当な行為をしたとき。
3　都道府県知事は、前二項の規定により指定を取り消したときは、その旨を公示しなければならない。

（支援法人による都道府県賃貸住宅供給促進計画の作成等の提案）
第七一条　支援法人は、その業務を行うために必要があると認めるときは、都道府県に対し、国土交通省令・厚生労働省令で定めるところにより、都道府県賃貸住宅供給促進計画の作成又は変更をすることを提案することができる。この場合においては、基本方針に即して、当該提案に係る都道府県賃貸住宅供給促進計画の素案を作成して、これを提示しなければならない。
2　前項の規定による提案を受けた都道府県は、当該提案に基づき都道府県賃貸住宅供給促進計画の作成又は変更をするか否かについて、遅滞なく、当該提案をした支援法人に通知するものとする。この場合において、都道府県賃貸住宅供給促進計画の作成又は変更をしないこととするときは、その理由を明らかにしなければならない。
3　前二項の規定は、市町村に対する市町村賃貸住宅供給促進計画の作成又は変更の提案について準用する。この場合において、第一項中「基本方針」とあるのは、「基本方針（都道府県賃貸住宅供給促進計画が作成されている場合にあっては、都道府県賃貸住宅供給促進計画）」と読み替えるものとする。

第七章　認定家賃債務保証業者

（認定家賃債務保証業者の認定）
第七二条　家賃債務保証業者は、国土交通省令で定めるところにより、その行う住宅確保要配慮者の家賃債務の保証に関する業務（以下「家賃債務保証業務」という。）が次の各号に掲げる基準のいずれにも適合していることにつき、国土交通大臣の認定を受けることができる。
一　認定住宅の賃貸借契約を締結しようとする住宅確保要配慮者から家

賃債務の保証に係る申込みがあった場合には、正当な理由なくこれを拒まないものであること。

二　前号に掲げるもののほか、家賃債務保証業務において、家賃債務の保証に係る申込みをした住宅確保要配慮者に対し、その保証に係る契約の締結の条件として、当該住宅確保要配慮者の親族その他国土交通省令で定める関係者の連絡先に関する情報の提供を求めないものであること。

三　前二号に掲げるもののほか、家賃債務保証業務の実施方法が住宅確保要配慮者の民間賃貸住宅への円滑な入居に資するものとして国土交通省令で定める基準に適合するものであること。

2　前項の認定（以下この章において「認定」という。）を受けようとする家賃債務保証業者は、国土交通省令で定めるところにより、次に掲げる事項を記載した申請書を国土交通大臣に提出しなければならない。

一　氏名又は名称及び住所並びに法人にあっては、その代表者の氏名

二　主たる事務所又は営業所その他家賃債務保証業務を行う事務所又は営業所の名称及び所在地

三　その他国土交通省令で定める事項

3　前項の申請書には、第一項各号に掲げる基準に適合することを証する書類その他国土交通省令で定める書類を添付しなければならない。

4　国土交通大臣は、認定の申請に係る家賃債務保証業者が第一項各号に掲げる基準のいずれにも適合していると認めるときは、当該認定をするものとする。

5　国土交通大臣は、認定をしたときは、遅滞なく、その旨を、申請者に通知するとともに、公示しなければならない。

（欠格条項）

第七三条　次の各号のいずれかに該当する者は、認定を受けることができない。

一　破産手続開始の決定を受けて復権を得ない者

二　拘禁刑以上の刑に処せられ、又はこの法律の規定により罰金の刑に処せられ、その執行を終わり、又は執行を受けることがなくなった日から起算して二年を経過しない者

三　第七十九条第一項又は第二項の規定により認定を取り消され、その取消しの日から起算して二年を経過しない者

四　暴力団員等

五　心身の故障により家賃債務保証業務を適正に行うことができない者として国土交通省令で定めるもの

六　営業に関し成年者と同一の行為能力を有しない未成年者でその法定代理人が前各号のいずれかに該当するもの

七　法人であって、その役員又は国土交通省令で定める使用人のうちに第一号から第五号までのいずれかに該当する者があるもの

八　個人であって、その国土交通省令で定める使用人のうちに第一号から第五号までのいずれかに該当する者があるもの

九　暴力団員等がその事業活動を支配する者

（変更の届出）

第七四条　認定を受けた家賃債務保証業者（以下「認定保証業者」という。）は、第七十二条第二項各号に掲げる事項に変更があったときは、国土交通省令で定めるところにより、遅滞なく、その旨を国土交通大臣に届け出なければならない。

2　国土交通大臣は、前項の規定による届出があったときは、その旨及び国土交通省令で定める事項を公示しなければならない。

（廃止の届出）

第七五条　認定保証業者は、認定に係る家賃債務保証業務を廃止するときは、国土交通省令で定めるところにより、あらかじめ、その旨を国土交通大臣に届け出なければならない。

2　国土交通大臣は、前項の規定による届出があったときは、その旨を公示しなければならない。

（帳簿の備付け等）

第七六条　認定保証業者は、国土交通省令で定めるところにより、家賃債務保証業務に関する事項で国土交通省令で定めるものを記載した帳簿を備え付け、これを保存しなければならない。

2　前項に定めるもののほか、認定保証業者は、国土交通省令で定めるところにより、家賃債務保証業務に関する書類で国土交通省令で定めるものを保存しなければならない。

（適合命令）

第七七条　国土交通大臣は、認定保証業者が第七十二条第一項各号に掲げる基準のいずれかに適合しなくなったと認めるときは、当該認定保証業者に対し、これらの基準に適合するために必要な措置をとるべきことを命ずることができる。

（報告徴収及び立入検査）

第七八条　国土交通大臣は、この章の規定の施行に必要な限度において、認定保証業者に対し家賃債務保証業務に関し必要な報告を求め、又はその職員に、認定保証業者の事務所若しくは営業所に立ち入り、家賃債務保証業務の状況若しくは帳簿、書類その他の物件を検査させ、若しくは関係者に質問させることができる。

2　第三十三条第二項及び第三項の規定は、前項の規定による立入検査について準用する。

（認定の取消し）

第七九条　国土交通大臣は、認定保証業者が次の各号のいずれかに該当するときは、その認定を取り消さなければならない。

一　第七十三条各号（第三号を除く。）のいずれかに該当するに至ったとき。

二　不正な手段により認定を受けたとき。

2　国土交通大臣は、認定保証業者が次の各号のいずれかに該当するときは、その認定を取り消すことができる。

一　第七十四条第一項又は第七十六条の規定に違反したとき。

二　第七十七条の規定による命令に違反したとき。

3　国土交通大臣は、前二項の規定により認定を取り消したときは、遅滞なく、その旨を、当該認定保証業者であった者に通知するとともに、公示しなければならない。

（機構の行う住宅確保要配慮者家賃債務保証保険契約に係る保険）

第八〇条　機構は、機構法第十三条第一項に規定する業務のほか、住宅確保要配慮者家賃債務保証保険契約に係る保険を行うことができる。

2　前項の「住宅確保要配慮者家賃債務保証保険契約」とは、機構が事業年度ごとに認定保証業者と締結する契約であって、認定保証業者が住宅確保要配慮者の家賃債務（利息に係るものを除く。以下この項及び次項において同じ。）の保証をしたことを機構に通知することにより、当該認定保証業者が住宅確保要配慮者の家賃債務につき保証をした金額の総額が一定の金額に達するまで、その保証につき、機構と当該認定保証業者との間に保険関係が成立する旨を定めるものをいう。

3　前項に規定する住宅確保要配慮者家賃債務保証保険契約に係る保険関係においては、認定保証業者が住宅確保要配慮者の家賃債務につき保証をした金額を保険価額とし、認定保証業者が住宅確保要配慮者に代わってする家賃債務の全部又は一部の弁済を保険事故とし、保険価額に百分の九十を超えない範囲内において国土交通省令で定める割合を乗じて得た金額を保険金額とする。

4　第二十条第四項から第十項までの規定は、前三項の規定による住宅確保要配慮者家賃債務保証保険契約に係る保険について準用する。

第八章　住宅確保要配慮者居住支援協議会

（住宅確保要配慮者居住支援協議会）

第八一条　地方公共団体は、単独で又は共同して、支援法人、宅地建物取引業者（宅地建物取引業法（昭和二十七年法律第百七十六号）第二条第三号に規定する宅地建物取引業者をいう。）、賃貸住宅を管理する事業を行う者その他の住宅確保要配慮者の民間賃貸住宅への円滑な入居の促進に資する活動を行う者及び社会福祉協議会（社会福祉法第十章第三節に規定する社会福祉協議会をいう。）その他の住宅確保要配慮者の福祉に関する活動を行う者により構成される住宅確保要配慮者居住支援協議会（以下この条及び次条において「支援協議会」という。）を置くように努めなければならない。

2　支援協議会は、住宅確保要配慮者又は民間賃貸住宅の賃貸人に対する情報の提供、民間賃貸住宅への入居及び日常生活を営むために必要な福祉サービスの利用に関する住宅確保要配慮者からの相談に応じて適切に対応するための体制の整備、住宅確保要配慮者に対する賃貸住宅の供給に関する施策と住宅確保要配慮者の生活の安定及び向上に関する施策との連携の推進その他の住宅確保要配慮者の民間賃貸住宅への円滑な入居の促進に関し必要な措置について協議を行うものとする。

3 前項の協議を行うための会議において協議が調った事項については、支援協議会の構成員は、その協議の結果を尊重しなければならない。

4 前三項に定めるもののほか、支援協議会の運営に関し必要な事項は、支援協議会が定める。

（支援協議会及び地域住宅協議会等の連携）

第八二条 前条第一項の規定により支援協議会が置かれた地方公共団体の区域について地域住宅特別措置法第五条第一項に規定する地域住宅協議会又は社会福祉法第百六条の六第一項に規定する支援会議、介護保険法第百十五条の四十八第一項に規定する会議、障害者総合支援法第八十九条の三第一項に規定する協議会、生活困窮者自立支援法（平成二十五年法律第百五号）第九条第一項に規定する支援会議その他の住宅確保要配慮者が日常生活を営むために必要な支援体制に関する検討を行う会議（以下この条において「地域住宅協議会等」という。）が置かれている場合には、当該支援協議会及び地域住宅協議会等は、住宅確保要配慮者の賃貸住宅への円滑な入居を促進するため、住宅確保要配慮者の賃貸住宅への入居に関する課題についての情報の共有その他相互の連携に努めなければならない。

第九章 住宅確保要配慮者に対する賃貸住宅の供給の促進に関する施策

（公的賃貸住宅の供給の促進）

第八三条 国及び地方公共団体は、所得の状況、心身の状況、世帯構成その他の住宅確保要配慮者の住宅の確保について配慮を必要とする事情を勘案し、既存の公的賃貸住宅の有効活用を図りつつ、公的賃貸住宅の適切な供給の促進に関し必要な施策を講ずるよう努めなければならない。

2 公的賃貸住宅の管理者は、公的賃貸住宅の入居者の選考に当たり、住宅確保要配慮者の居住の安定に配慮するよう努めなければならない。

（民間賃貸住宅への円滑な入居の促進）

第八四条 国及び地方公共団体は、住宅確保要配慮者が民間賃貸住宅を円滑に賃借することができるようにするため、住宅確保要配慮者及び民間賃貸住宅の賃貸人に対する支援その他の住宅確保要配慮者の民間賃貸住宅への円滑な入居の促進に関し必要な施策を講ずるよう努めなければならない。

2 民間賃貸住宅を賃貸する事業を行う者は、国及び地方公共団体が講ずる住宅確保要配慮者の民間賃貸住宅への円滑な入居の促進のための施策に協力するよう努めなければならない。

（情報の提供等）

第八五条 国及び地方公共団体は、住宅確保要配慮者が賃貸住宅に関しその事情に応じた適切な情報を効果的かつ効率的に入手することができるようにするため、賃貸住宅に関する情報の提供及び相談の実施に関し必要な施策を講ずるよう努めなければならない。

（住宅確保要配慮者の生活の安定及び向上に関する施策等との連携）

第八六条 国及び地方公共団体は、住宅確保要配慮者に対する賃貸住宅の供給の促進に関する施策を推進するに当たっては、住宅確保要配慮者の自立の支援に関する施策、住宅確保要配慮者の生活の安定及び向上に関する施策その他の住宅確保要配慮者の福祉に関する施策並びに良好な居住環境の形成に関する施策との連携を図るよう努めなければならない。

（地方公共団体への支援）

第八七条 国は、地方公共団体が講ずる住宅確保要配慮者に対する賃貸住宅の供給の促進に関する施策を支援するため、情報の提供その他の必要な措置を講ずるよう努めなければならない。

第十章 雑則

（国土交通大臣の権限の委任）

第八八条 この法律に規定する国土交通大臣の権限は、国土交通省令で定めるところにより、その一部を地方整備局長又は北海道開発局長に委任することができる。

（大都市等の特例）

第八九条 第四章の規定により都道府県又は都道府県知事の権限に属するものとされている事務は、地方自治法第二百五十二条の十九第一項の指定都市（以下この条において「指定都市」という。）及び同法第二百五十二条の二十二第一項の中核市（以下この条において「中核市」という。）においては、指定都市若しくは中核市（以下この条において「指定都市等」という。）又は指定都市等の長が行うものとする。この場合においては、同章中都道府県又は都道府県知事に関する規定は、指定都市等又は指定都市等の長に関する規定として指定都市等又は指定都市等の長に適用があるものとする。

（省令への委任）

第九〇条 この法律に定めるもののほか、この法律の実施のための手続その他この法律の施行に関し必要な事項は、国土交通省令・厚生労働省令又は国土交通省令で定める。

（経過措置）

第九一条 この法律に基づき命令を制定し、又は改廃する場合においては、その命令で、その制定又は改廃に伴い合理的に必要と判断される範囲内において、所要の経過措置（罰則に関する経過措置を含む。）を定めることができる。

第十一章 罰則

第九二条 第二十九条第一項の規定に違反して、その職務に関し知り得た秘密を漏らし、又は自己の利益のために使用した者は、一年以下の拘禁刑又は五十万円以下の罰金に処する。

2 第三十五条第二項の規定による登録事務の停止の命令に違反したときは、その違反行為をした者は、一年以下の拘禁刑又は五十万円以下の罰金に処する。

第九三条 次の各号のいずれかに該当する場合には、その違反行為をした者は、三十万円以下の罰金に処する。

一 不正の手段によって第八条の登録、計画の認定又は第七十二条第一項の認定を受けたとき。

二 第十二条第一項、第十四条第一項、第四十四条第三項、第七十四条第一項又は第七十五条第一項の規定による届出をせず、又は虚偽の届出をしたとき。

三 第三十一条第一項、第四十八条、第六十七条第一項又は第七十六条第一項の規定に違反して、帳簿を備え付けず、帳簿に記載せず、若しくは帳簿に虚偽の記載をし、又は帳簿を保存しなかったとき。

四 第三十一条第二項、第六十七条第二項又は第七十六条第二項の規定に違反したとき。

五 第三十三条第一項、第五十四条第一項、第六十九条第一項若しくは第七十八条第一項の規定による報告をせず、若しくは虚偽の報告をし、又はこれらの規定による検査を拒み、妨げ、若しくは忌避し、若しくはこれらの規定による質問に対して答弁せず、若しくは虚偽の答弁をしたとき。

六 第三十四条第一項の規定による許可を受けないで登録事務の全部を廃止したとき。

第九四条 第二十二条の規定による報告をせず、又は虚偽の報告をしたときは、その違反行為をした者は、二十万円以下の罰金に処する。

第九五条 法人の代表者又は法人若しくは人の代理人、使用人その他の従業者が、その法人又は人の業務に関して第九十二条第二項又は前二条の違反行為をした場合においては、その行為者を罰するほか、その法人又は人に対しても各本条の罰金刑を科する。

附 則

この法律は、公布の日から施行する。

附 則〔略〕（平成一三・四・二八法律三二）

附 則〔略〕（平成二九・四・二六法律二四）

附 則〔抄〕（令和元・六・一四法律三七）

（施行期日）

第一条 この法律は、公布の日から起算して三月を経過した日から施行する。ただし、次の各号に掲げる規定は、当該各号に定める日から施行する。

一 〔前略〕次条並びに附則第三条〔中略〕の規定 公布の日

二 〔前略〕第百六十一条から第百六十三条まで〔中略〕の規定 公布の日から起算して六月を経過した日

三・四 〔略〕

（行政庁の行為等に関する経過措置）

第二条 この法律（前条各号に掲げる規定にあっては、当該規定。以下この条及び次条において同じ。）の施行の日前に、この法律による改正前の法律又はこれに基づく命令の規定（欠格条項その他の権利の制限に係る措置を定めるものに限る。）に基づき行われた行政庁の処分その他の行為及び当該規定により生じた失職の効力については、なお従前の例による。

（**罰則に関する経過措置**）

第三条　この法律の施行前にした行為に対する罰則の適用については、なお従前の例による。

（**検討**）

第七条　政府は、会社法（平成十七年法律第八十六号）及び一般社団法人及び一般財団法人に関する法律（平成十八年法律第四十八号）における法人の役員の資格を成年被後見人又は被保佐人であることを理由に制限する旨の規定について、この法律の公布後一年以内を目途として検討を加え、その結果に基づき、当該規定の削除その他の必要な法制上の措置を講ずるものとする。

附　則〔抄〕〔令和三・五・一〇法律三〇〕

（**施行期日**）

第一条　この法律は、公布の日から起算して一月を超えない範囲内において政令で定める日〔令和三・五・二〇〕から施行する。〔以下略〕

附　則〔抄〕〔令和六・六・五法律四三〕

（**施行期日**）

第一条　この法律は、公布の日から起算して一年六月を超えない範囲内において政令で定める日から施行する。ただし、次の各号に掲げる規定は、当該各号に定める日から施行する。

一　附則第七条の規定　公布の日

二　〔略〕

三　次条から附則第四条までの規定　公布の日から起算して一年三月を超えない範囲内において政令で定める日

（**基本方針に関する準備行為**）

第二条　国土交通大臣及び厚生労働大臣は、この法律の施行の日（以下「施行日」という。）前においても、第一条の規定による改正後の住宅確保要配慮者に対する賃貸住宅の供給の促進に関する法律（次条及び附則第四条において「新住宅確保要配慮者法」という。）第四条第四項の規定の例により、同条第一項に規定する基本方針の案について関係行政機関の長に協議することができる。

（**残置物処理等業務の認可等に関する準備行為**）

第三条　附則第一条第三号に掲げる規定の施行の際現に第一条の規定による改正前の住宅確保要配慮者に対する賃貸住宅の供給の促進に関する法律第四十条の規定により指定された支援法人であるものは、施行日前においても、新住宅確保要配慮者法第六十一条第一項の規定の例により、新住宅確保要配慮者法第六十二条第五号に掲げる業務の実施に係る認可の申請を行うことができる。

2　都道府県知事は、前項の規定により認可の申請があった場合には、施行日前においても、新住宅確保要配慮者法第六十一条第一項及び第三項の規定の例により、その認可及び公示をすることができる。この場合において、当該認可及び公示は、施行日以後は、それぞれ同条第一項の認可及び同条第三項の規定による公示とみなす。

3　前項の規定により認可を受けた支援法人は、施行日前においても、新住宅確保要配慮者法第六十四条第一項（第二号に係る部分に限る。次項において同じ。）の規定の例により、同号に規定する残置物処理等業務規程の認可の申請を行うことができる。

4　都道府県知事は、前項の規定により認可の申請があった場合には、施行日前においても、新住宅確保要配慮者法第六十四条第一項の規定の例により、その認可をすることができる。この場合において、当該認可は、施行日以後は、同項の認可とみなす。

（**認定家賃債務保証業者の認定に関する準備行為**）

第四条　新住宅確保要配慮者法第七十二条第一項の認定を受けようとする者は、施行日前においても、同項から同条第三項までの規定の例により、その認定の申請を行うことができる。

（**政令への委任**）

第七条　附則第二条から前条までに定めるもののほか、この法律の施行に関し必要な経過措置（罰則に関する経過措置を含む。）は、政令で定める。

（**検討**）

第八条　政府は、この法律の施行後五年を目途として、この法律による改正後のそれぞれの法律の規定について、その施行の状況等を勘案して検討を加え、必要があると認めるときは、その結果に基づいて所要の措置を講ずるものとする。

○公営住宅法〔昭和二六・六・四 法律一九三〕

改正　昭和二七・八法二九七、昭和三四・五法一五九、昭和三五・四法六〇、昭和四一・六法一〇〇、昭和四三・六法九九、昭和四四・六法四一、昭和五五・四法二七、昭和五八・一二法七八、昭和六〇・五法三七、昭和六二・九法八七、昭和六三・一二法一〇八、平成三・五法七三、平成八・五法五五、平成一一・六法七六、七法八七、一二法一六〇、平成一二・三法一五、六法一一一、平成一四・二法一、平成一五・六法一〇〇、平成一六・三法一〇、平成一七・六法七八、法七九、平成一八・六法六一、平成一九・五法五二、平成二三・五法三七、八法一〇五、一二法一二二、平成二四・三法一三、平成二五・五法一二、平成二七・五法二〇、平成二九・四法二五、六法四五、令和二・六法四六、令和三・三法一九、令和四・三法七

目次

第一章　総則（第一条―第四条）
第二章　公営住宅の整備（第五条―第十四条）
第三章　公営住宅の管理（第十五条―第三十四条）
第四章　公営住宅建替事業（第三十五条―第四十三条）
第五章　補則（第四十四条―第五十四条）
附則

第一章　総則

（**この法律の目的**）

第一条　この法律は、国及び地方公共団体が協力して、健康で文化的な生活を営むに足りる住宅を整備し、これを住宅に困窮する低額所得者に対して低廉な家賃で賃貸し、又は転貸することにより、国民生活の安定と社会福祉の増進に寄与することを目的とする。

（**用語の定義**）

第二条　この法律において、次の各号に掲げる用語の意義は、それぞれ当該各号に定めるところによる。

一　地方公共団体　市町村及び都道府県をいう。

二　公営住宅　地方公共団体が、建設、買取り又は借上げを行い、低額所得者に賃貸し、又は転貸するための住宅及びその附帯施設で、この法律の規定による国の補助に係るものをいう。

三　公営住宅の建設　公営住宅を建設することをいい、公営住宅を建設す

るために必要な土地の所有権、地上権若しくは土地の賃借権を取得し、又はその土地を宅地に造成すること（以下「公営住宅を建設するための土地の取得等」という。）を含むものとする。

四　公営住宅の買取り　公営住宅として低額所得者に賃貸するために必要な住宅及びその附帯施設を買い取ることをいい、その住宅及び附帯施設を買い取るために必要な土地の所有権、地上権又は土地の賃借権を取得すること（以下「公営住宅を買い取るための土地の取得」という。）を含むものとする。

五　公営住宅の建設等　公営住宅の建設又は公営住宅の買取りをいう。

六　公営住宅の借上げ　公営住宅として低額所得者に転貸するために必要な住宅及びその附帯施設を賃借することをいう。

七　公営住宅の整備　公営住宅の建設等又は公営住宅の借上げをいう。

八　公営住宅の供給　公営住宅の整備及び管理をすることをいう。

九　共同施設　児童遊園、共同浴場、集会所その他公営住宅の入居者の共同の福祉のために必要な施設で国土交通省令で定めるものをいう。

十　共同施設の建設　共同施設を建設することをいい、共同施設を建設するために必要な土地の所有権、地上権若しくは土地の賃借権を取得し、又はその土地を宅地に造成すること（以下「共同施設を建設するための土地の取得等」という。）を含むものとする。

十一　共同施設の買取り　共同施設として公営住宅の入居者の共同の福祉のために必要な施設を買い取ることをいい、その施設を買い取るために必要な土地の所有権、地上権又は土地の賃借権を取得すること（以下「共同施設を買い取るための土地の取得」という。）を含むものとする。

十二　共同施設の建設等　共同施設の建設又は共同施設の買取りをいう。

十三　共同施設の借上げ　共同施設として公営住宅の入居者の共同の福祉のために必要な施設を賃借することをいう。

十四　共同施設の整備　共同施設の建設等又は共同施設の借上げをいう。

十五　公営住宅建替事業　現に存する公営住宅（第七条第一項又は第八条第一項若しくは第三項の規定による国の補助を受けて建設又は買取りをしたものに限る。）を除却し、又は現に存する公営住宅及び共同施設（第七条第一項若しくは第二項又は第八条第一項若しくは第三項の規定による国の補助を受けて建設又は買取りをしたものに限る。）を除却するとともに、これらの存していた土地（以下この号において「公営住宅等の存していた土地」という。）の全部若しくは一部の区域に、新たに公営住宅を建設し、若しくは新たに公営住宅及び共同施設を建設する事業（新たに建設する公営住宅又は新たに建設する公営住宅及び共同施設と一体の公営住宅又は共同施設を当該区域内の土地に隣接する土地に新たに整備する事業を含む。）又は公営住宅等の存していた土地に近接する土地に、新たに当該除却する公営住宅に代わるべき公営住宅を建設し、若しくは新たに当該除却する公営住宅及び共同施設に代わるべき公営住宅及び共同施設を建設する事業（複数の公営住宅の機能を集約するために行うものに限る。）でこの法律で定めるところに従つて行われるものをいい、これに附帯する事業を含むものとする。

十六　事業主体　公営住宅の供給を行う地方公共団体をいう。

（公営住宅の供給）

第三条　地方公共団体は、常にその区域内の住宅事情に留意し、低額所得者の住宅不足を緩和するため必要があると認めるときは、公営住宅の供給を行わなければならない。

（国及び都道府県の援助）

第四条　国は、必要があると認めるときは、地方公共団体に対して、公営住宅の供給に関し、財政上、金融上及び技術上の援助を与えなければならない。

2　都道府県は、必要があると認めるときは、市町村に対して、公営住宅の供給に関し、財政上及び技術上の援助を与えなければならない。

第二章　公営住宅の整備

（整備基準）

第五条　公営住宅の整備は、国土交通省令で定める基準を参酌して事業主体が条例で定める整備基準に従い、行わなければならない。

2　事業主体は、公営住宅の整備をするときは、国土交通省令で定める基準を参酌して事業主体が条例で定める整備基準に従い、これに併せて共同施設の整備をするように努めなければならない。

3　事業主体は、公営住宅及び共同施設を耐火性能を有する構造のものとするように努めなければならない。

第六条　削除

（公営住宅の建設等又は共同施設の建設等に係る国の補助）

第七条　国は、事業主体が住生活基本法（平成十八年法律第六十一号）第十七条第一項に規定する都道府県計画（以下単に「都道府県計画」という。）に基づいて公営住宅の建設等をする場合においては、予算の範囲内において、当該公営住宅の建設等に要する費用（当該公営住宅の建設をするために必要な他の公営住宅又は共同施設の除却に要する費用を含み、公営住宅を建設するための土地の取得等に要する費用及び公営住宅を買い取るための土地の取得に要する費用を除く。以下この条及び次条において同じ。）の二分の一を補助するものとする。

2　国は、事業主体が都道府県計画に基づいて共同施設の建設等（国土交通省令で定める共同施設に係るものに限る。以下この条において同じ。）をする場合においては、予算の範囲内において、当該共同施設の建設等に要する費用（当該共同施設の建設をするために必要な他の共同施設又は公営住宅の除却に要する費用を含み、共同施設を建設するための土地の取得等に要する費用及び共同施設を買い取るための土地の取得に要する費用を除く。以下この条において同じ。）の二分の一を補助することができる。

3　前二項の規定による国の補助金額の算定については、公営住宅の建設等に要する費用又は共同施設の建設等に要する費用が標準建設・買取費を超えるときは、標準建設・買取費を公営住宅の建設等に要する費用又は共同施設の建設等に要する費用とみなす。

4　前項に規定する標準建設・買取費は、公営住宅の建設等に要する費用又は共同施設の建設等に要する費用として通常必要な費用を基準として、国土交通大臣が定める。

5　地方公共団体が都道府県計画に基づいて公営住宅の建設等又は共同施設の建設等をする場合において、次に掲げる交付金を当該公営住宅の建設等又は当該共同施設の建設等に要する費用に充てるときは、当該交付金を第一項又は第二項の規定による国の補助とみなして、この法律の規定を適用する。

一　都市再生特別措置法（平成十四年法律第二十二号）第四十七条第二項の交付金

二　地域における多様な需要に応じた公的賃貸住宅等の整備等に関する特別措置法（平成十七年法律第七十九号）第七条第二項の交付金

三　広域的地域活性化のための基盤整備に関する法律（平成十九年法律第五十二号）第十九条第二項の交付金

四　沖縄振興特別措置法（平成十四年法律第十四号）第九十六条第二項の交付金

（災害の場合の公営住宅の建設等に係る国の補助の特例等）

第八条　国は、次の各号の一に該当する場合において、事業主体が災害により滅失した住宅に居住していた低額所得者に賃貸するため公営住宅の建設等をするときは、当該公営住宅の建設等に要する費用の三分の二を補助するものとする。ただし、当該災害により滅失した住宅の戸数の三割に相当する戸数（第十条第一項又は第十七条第二項若しくは第三項の規定による国の補助に係る公営住宅（この項本文の規定による国の補助に係るものを除く。）で当該災害により滅失した住宅に居住していた低額所得者に賃貸又は転貸をするものがある場合にあつては、これらの戸数を控除した戸数）を超える分については、この限りでない。

一　地震、暴風雨、洪水、高潮その他の異常な天然現象により住宅が滅失した場合で、その滅失した戸数が被災地全域で五百戸以上又は一市町村の区域内で二百戸以上若しくはその区域内の住宅戸数の一割以上であるとき。

二　火災により住宅が滅失した場合で、その滅失した戸数が被災地全域で二百戸以上又は一市町村の区域内の住宅戸数の一割以上であるとき。

2　前条第三項及び第四項の規定は、前項の規定による国の補助金額の算定について準用する。

3　国は、災害（火災にあつては、地震による火災に限る。）により公営住宅又は共同施設が滅失し、又は著しく損傷した場合において、事業主体が公営住宅の建設、共同施設の建設又は公営住宅若しくは共同施設の補修をするときは、予算の範囲内において、当該公営住宅の建設に要する費用（当該公営住宅の建設をするために必要な他の公営住宅又は共同施設の除却に要する費用を含み、公営住宅を建設するための土地の取得等に要する費用を除く。以下この条において同じ。）、当該共同施設の建設に要する費用（当該共同施設の建設をするために必要な他の共同施設又は公営住宅の除却に要する費用を含み、共同施設を建設するための土地の取得等に要する費用を除く。以下この条において同じ。）若しくはこれらの補修（以下「災害に基づく補修」という。）に要する費用又は公営住宅等を建設するための宅地の復旧（公営住宅又は共同施設を建設するために必要な土地を宅地として復旧するための土地の造成をいう。以下同じ。）に要する費用の二分の一を補助することができる。

4　前項の規定による国の補助金額の算定については、公営住宅の建設に要する費用若しくは共同施設の建設に要する費用、災害に基づく補修に要する費用又は公営住宅等を建設するための宅地の復旧に要する費用が、それぞれ、標準建設費、標準補修費又は標準宅地復旧費を超えるときは、標準建設費を公営住宅の建設に要する費用若しくは共同施設の建設に要する費用と、標準補修費を災害に基づく補修に要する費用と、標準宅地復旧費を公営住宅等を建設するための宅地の復旧に要する費用とみなす。

5　前項に規定する標準建設費、標準補修費又は標準宅地復旧費は、それぞれ、公営住宅の建設に要する費用若しくは共同施設の建設に要する費用、災害に基づく補修に要する費用又は公営住宅等を建設するための宅地の復旧に要する費用として通常必要な費用を基準として、国土交通大臣が定める。

6　地方公共団体が、福島復興再生特別措置法（平成二十四年法律第二十五号）第二十七条に規定する特定帰還者（第十七条第三項及び第四項において単に「特定帰還者」という。）の帰還のための環境を整備し、又は同法第三十九条に規定する居住制限者（第十七条第三項及び第四項において単に「居住制限者」という。）の生活の拠点を形成するために公営住宅の建設等をする場合において、同法第三十四条第三項に規定する帰還・移住等環境整備交付金（第十七条第三項及び第四項において単に「帰還・移住等環境整備交付金」という。）又は同法第四十六条第三項に規定する生活拠点形成交付金（第十七条第三項及び第四項において単に「生活拠点形成交付金」という。）を当該公営住宅の建設等に要する費用に充てるときは、当該帰還・移住等環境整備交付金又は当該生活拠点形成交付金を第一項の規定による国の補助とみなして、この法律の規定を適用する。

（借上げに係る公営住宅等の建設又は改良に係る補助）

第九条　事業主体は、公営住宅の借上げをする場合において、公営住宅として低額所得者に転貸するために必要となる住宅又はその附帯施設の建設又は改良を行う者に対し、その費用の一部を補助することができる。

2　事業主体は、共同施設の借上げをする場合において、共同施設として公営住宅の入居者の共同の福祉のために必要となる施設の建設又は改良を行う者に対し、その費用の一部を補助することができる。

3　国は、事業主体が都道府県計画に基づいて公営住宅の借上げをする場合において第一項の規定により補助金を交付するときは、予算の範囲内において、当該住宅又はその附帯施設の建設又は改良に要する費用のうち住宅の共用部分として国土交通省令で定めるものに係る費用（以下この条及び次条において「住宅共用部分工事費」という。）に対して当該事業主体が補助する額（その額が住宅共用部分工事費の三分の二に相当する額を超える場合においては、当該三分の二に相当する額）に二分の一を乗じて得た額を補助するものとする。

4　国は、事業主体が都道府県計画に基づいて共同施設の借上げをする場合において第二項の規定により補助金を交付するときは、予算の範囲内において、当該施設の建設又は改良に要する費用のうち国土交通省令で定める施設に係る費用（以下この条において「施設工事費」という。）に対して当該事業主体が補助する額（その額が施設工事費の三分の二に相当する額を超える場合においては、当該三分の二に相当する額）に二分の一を乗じて得た額を補助することができる。

5　前二項の規定による国の補助金額の算定については、住宅共用部分工事費又は施設工事費が、それぞれ、標準住宅共用部分工事費又は標準施設工事費を超えるときは、標準住宅共用部分工事費を住宅共用部分工事費と、標準施設工事費を施設工事費とみなす。

6　前項に規定する標準住宅共用部分工事費又は標準施設工事費は、それぞれ、住宅若しくはその附帯施設の建設若しくは改良に要する費用又は施設の建設若しくは改良に要する費用として通常必要な費用を基準として、国土交通大臣が定める。

（災害の場合の借上げに係る公営住宅の建設又は改良に係る国の補助の特例）

第一〇条　国は、第八条第一項各号の一に該当する場合において、事業主体が災害により滅失した住宅に居住していた低額所得者に転貸するため公営住宅の借上げを行い、当該借上げに係る住宅又はその附帯施設の建設又は改良を行う者に対し前条第一項の規定により補助金を交付するときは、同条第三項の規定にかかわらず、住宅共用部分工事費に対して当該事業主体が補助する額（その額が住宅共用部分工事費の五分の四に相当する額を超える場合においては、当該五分の四に相当する額）に二分の一を乗じて得た額を補助するものとする。ただし、当該災害により滅失した住宅の戸数の三割に相当する戸数（第八条第一項又は第十七条第二項若しくは第三項の規定による国の補助に係る公営住宅（この項本文の規定による国の補助に係るものを除く。）で当該災害により滅失した住宅に居住していた低額所得者に賃貸又は転貸をするものがある場合にあつては、これらの戸数を控除した戸数）を超える分については、この限りでない。

2　前条第五項及び第六項の規定は、前項の規定による国の補助金額の算定について準用する。

（国の補助の申請及び交付の手続）

第一一条　事業主体は、第七条から前条までの規定により国の補助（第七条第五項又は第八条第六項の規定により第七条第一項若しくは第二項又は第八条第一項の規定による国の補助とみなされるものを除く。）を受けようとするときは、国土交通省令で定めるところにより、事業計画書及び工事設計要領書を添えて、国の補助金の交付申請書を国土交通大臣に提出しなければならない。

2　国土交通大臣は、前項の規定による提出書類を審査し、適当と認めるときは、国の補助金の交付を決定し、これを当該事業主体に通知しなければならない。

（都道府県の補助）

第一二条　都道府県は、公営住宅の整備、共同施設の整備又は災害に基づく補修をする事業主体が市町村であるときは、当該事業主体に対して補助金を交付することができる。

（地方債についての配慮）

第一三条　国は、事業主体が公営住宅を建設するための土地の取得等若しくは共同施設を建設するための土地の取得等又は公営住宅を買い取るための土地の取得若しくは共同施設を買い取るための土地の取得に要する費用に充てるために起こす地方債については、法令の範囲内において、資金事情の許す限り、適切な配慮をするものとする。

（農地所有者等賃貸住宅建設融資利子補給臨時措置法の特例）

第一四条　農地所有者等賃貸住宅建設融資利子補給臨時措置法（昭和四十六年法律第三十二号）第二条第一項各号の一に該当する者が、公営住宅として低額所得者に転貸するために必要となる住宅又はその附帯施設を建設し、当該住宅又はその附帯施設を事業主体に賃貸する場合においては、当該住宅又はその附帯施設が同条第二項に規定する特定賃貸住宅に該当しないものであつても、その規模、構造及び設備が同項の国土交通省令で定める基準に適合し、かつ、同項第一号に掲げる条件に該当する一団地の住宅の全部又は一部をなすと認められるときは、これを同項に規定する特定賃貸住宅とみなして、同法の規定を適用する。

第三章　公営住宅の管理

（管理義務）

第一五条　事業主体は、常に公営住宅及び共同施設の状況に留意し、その管理を適正かつ合理的に行うように努めなければならない。

（家賃の決定）

第一六条　公営住宅の毎月の家賃は、毎年度、入居者からの収入の申告に基づき、当該入居者の収入及び当該公営住宅の立地条件、規模、建設時からの経過年数その他の事項に応じ、かつ、近傍同種の住宅の家賃（次項の規定により定められたものをいう。以下同じ。）以下で、政令で定めるところにより、事業主体が定める。ただし、入居者からの収入の申告がない場合において、第三十四条の規定による報告の請求を行つたにもかかわらず、公営住宅の入居者がその請求に応じないときは、当該公営住宅の家賃は、近傍同種の住宅の家賃とする。

2　前項の近傍同種の住宅の家賃は、近傍同種の住宅（その敷地を含む。）の時価、修繕費、管理事務費等を勘案して政令で定めるところにより、毎年度、事業主体が定める。

3 第一項に規定する入居者からの収入の申告の方法については、国土交通省令で定める。

4 事業主体は、公営住宅の入居者（介護保険法（平成九年法律第百二十三号）第五条の二第一項に規定する認知症である者、知的障害者福祉法（昭和三十五年法律第三十七号）にいう知的障害者その他の国土交通省令で定める者に該当する者に限る。第二十八条第四項において同じ。）が第一項に規定する収入の申告をすること及び第三十四条の規定による報告の請求に応じることが困難な事情にあると認めるときは、同項の規定にかかわらず、当該入居者の公営住宅の毎月の家賃を、毎年度、政令で定めるところにより、同条の規定による書類の閲覧の請求その他の国土交通省令で定める方法により把握した当該入居者の収入及び当該公営住宅の立地条件、規模、建設時からの経過年数その他の事項に応じ、かつ、近傍同種の住宅の家賃以下で定めることができる。

5 事業主体は、第一項又は前項の規定にかかわらず、病気にかかつていることその他特別の事情がある場合において必要があると認めるときは、家賃を減免することができる。

6 前各項に規定する家賃に関する事項は、条例で定めなければならない。

（公営住宅の家賃に係る国の補助）

第一七条 国は、第七条第一項若しくは第八条第三項の規定による国の補助を受けて建設若しくは買取りをした公営住宅又は都道府県計画に基づいて借上げをした公営住宅について、事業主体が前条第一項本文の規定に基づき家賃を定める場合においては、政令で定めるところにより、当該公営住宅の管理の開始の日から起算して五年以上二十年以内で政令で定める期間、毎年度、予算の範囲内において、当該公営住宅の近傍同種の住宅の家賃の額から入居者負担基準額を控除した額に二分の一を乗じて得た額を補助するものとする。

2 国は、第八条第一項の規定による国の補助に係る公営住宅又は同項各号の一に該当する場合において事業主体が災害により滅失した住宅に居住していた低額所得者に転貸するため借上げをした公営住宅について、事業主体が前条第一項本文の規定に基づき家賃を定める場合においては、政令で定めるところにより、当該公営住宅の管理の開始の日から起算して五年以上二十年以内で政令で定める期間、毎年度、予算の範囲内において、当該公営住宅の近傍同種の住宅の家賃の額から入居者負担基準額を控除した額に三分の二を乗じて得た額を補助するものとする。ただし、第八条第一項各号の一に該当する場合において事業主体が災害により滅失した住宅に居住していた低額所得者に転貸するため借上げをした公営住宅（第十条第一項の規定による国の補助に係るものを除く。）にあつては、当該公営住宅の戸数が当該災害により滅失した住宅の戸数の三割に相当する戸数（第八条第一項又は第十条第一項の規定による国の補助に係る公営住宅がある場合にあつては、これらの戸数を控除した戸数）を超える分については、この限りでない。

3 激甚災害に対処するための特別の財政援助等に関する法律（昭和三十七年法律第百五十号）第二十二条第一項の規定の適用を受け、若しくは特定帰還者に賃貸するため帰還・移住等環境整備交付金を充て、若しくは居住制限者に賃貸するため生活拠点形成交付金を充てて建設若しくは買取りをした公営住宅又は同項に規定する政令で定める地域にあつた住宅であつて激甚災害により滅失したものにその災害の当時居住していた低額所得者に転貸するため借上げをした公営住宅について、事業主体が前条第一項本文の規定に基づき家賃を定める場合においては、前項の規定にかかわらず、政令で定めるところにより、当該公営住宅の管理の開始の日から起算して五年以上二十年以内で政令で定める期間、毎年度、予算の範囲内において、当該公営住宅の近傍同種の住宅の家賃の額から入居者負担基準額を控除した額に三分の二（最初の五年間は、四分の三）を乗じて得た額を補助するものとする。ただし、同法第二十二条第一項に規定する政令で定める地域にあつた住宅であつて激甚災害により滅失したものにその災害の当時居住していた低額所得者に転貸するため借上げをした公営住宅にあつては、当該公営住宅の戸数が当該災害により滅失した住宅の戸数の五割に相当する戸数（同項の規定の適用を受けて建設又は買取りをする公営住宅がある場合にあつては、その戸数を控除した戸数）を超える分については、この限りでない。

4 地方公共団体が、東日本大震災（平成二十三年三月十一日に発生した東北地方太平洋沖地震及びこれに伴う原子力発電所の事故による災害をいう。）により滅失した住宅に同日において居住していた低額所得者又は特定帰還者若しくは居住制限者である低額所得者に転貸するため借上げをした公営住宅について、前条第一項本文の規定に基づき家賃を定める場合において、当該公営住宅の近傍同種の住宅の家賃の額から入居者負担基準額を控除した額の全部又は一部に相当する額の帰還・移住等環境整備交付金又は生活拠点形成交付金が交付されたときは、当該帰還・移住等環境整備交付金又は生活拠点形成交付金を第二項の規定による国の補助とみなして、この法律の規定を適用する。

5 前各項に規定する入居者負担基準額は、入居者の収入、公営住宅の立地条件その他の事項を勘案して国土交通大臣が定める方法により、毎年度、事業主体が定める。

（敷金）

第一八条 事業主体は、公営住宅の入居者から三月分の家賃に相当する金額の範囲内において敷金を徴収することができる。

2 事業主体は、病気にかかつていることその他特別の事情がある場合において必要があると認めるときは、敷金を減免することができる。

3 事業主体は、第一項の規定により徴収した敷金の運用に係る利益金がある場合においては、当該利益金を共同施設の整備に要する費用に充てる等公営住宅の入居者の共同の利便のために使用するように努めなければならない。

（家賃等の徴収猶予）

第一九条 事業主体は、病気にかかつていることその他特別の事情がある場合において必要があると認めるときは、条例で定めるところにより、家賃又は敷金の徴収を猶予することができる。

（家賃等以外の金品徴収等の禁止）

第二〇条 事業主体は、公営住宅の使用に関し、その入居者から家賃及び敷金を除くほか、権利金その他の金品を徴収し、又はその入居者に不当な義務を課することができない。

（修繕の義務）

第二一条 事業主体は、公営住宅の家屋の壁、基礎、土台、柱、床、はり、屋根及び階段並びに給水施設、排水施設、電気施設その他の国土交通省令で定める附帯施設について修繕する必要が生じたときは、遅滞なく修繕しなければならない。ただし、入居者の責めに帰すべき事由によつて修繕する必要が生じたときは、この限りでない。

（入居者の募集方法）

第二二条 事業主体は、災害、不良住宅の撤去、公営住宅の借上げに係る契約の終了、公営住宅建替事業による公営住宅の除却その他政令で定める特別の事由がある場合において特定の者を公営住宅に入居させる場合を除くほか、公営住宅の入居者を公募しなければならない。

2 前項の規定による入居者の公募は、新聞、掲示等区域内の住民が周知できるような方法で行わなければならない。

（入居者資格）

第二三条 公営住宅の入居者は、少なくとも次に掲げる条件を具備する者でなければならない。

一 その者の収入がイ又はロに掲げる場合に応じ、それぞれイ又はロに定める金額を超えないこと。

イ 入居者の心身の状況又は世帯構成、区域内の住宅事情その他の事情を勘案し、特に居住の安定を図る必要がある場合として条例で定める場合 入居の際の収入の上限として政令で定める金額以下で事業主体が条例で定める金額

ロ イに掲げる場合以外の場合 低額所得者の居住の安定を図るため必要なものとして政令で定める金額を参酌して、イの政令で定める金額以下で事業主体が条例で定める金額

二 現に住宅に困窮していることが明らかであること。

（入居者資格の特例）

第二四条 公営住宅の借上げに係る契約の終了又は第四十四条第三項の規定による公営住宅の用途の廃止により当該公営住宅の明渡しをしようとする入居者が、当該明渡しに伴い他の公営住宅に入居の申込みをした場合においては、その者は、前条各号に掲げる条件を具備する者とみなす。

2 第八条第一項若しくは第三項若しくは激甚災害に対処するための特別の財政援助等に関する法律第二十二条第一項の規定による国の補助に係る公営住宅又は第八条第一項各号のいずれかに該当する場合において事業主体が災害により滅失した住宅に居住していた低額所得者に転貸するため借り

上げる公営住宅の入居者は、前条各号に掲げる条件を具備するほか、当該災害発生の日から三年間は、当該災害により住宅を失つた者でなければならない。

（入居者の選考等）

第二五条　事業主体の長は、入居の申込みをした者の数が入居させるべき公営住宅の戸数を超える場合においては、住宅に困窮する実情を調査して、政令で定める選考基準に従い、条例で定めるところにより、公正な方法で選考して、当該公営住宅の入居者を決定しなければならない。

2　事業主体の長は、借上げに係る公営住宅の入居者を決定したときは、当該入居者に対し、当該公営住宅の借上げの期間の満了時に当該公営住宅を明け渡さなければならない旨を通知しなければならない。

第二六条　削除

（入居者の保管義務等）

第二七条　公営住宅の入居者は、当該公営住宅又は共同施設について必要な注意を払い、これらを正常な状態において維持しなければならない。

2　公営住宅の入居者は、当該公営住宅を他の者に貸し、又はその入居の権利を他の者に譲渡してはならない。

3　公営住宅の入居者は、当該公営住宅の用途を変更してはならない。ただし、事業主体の承認を得たときは、他の用途に併用することができる。

4　公営住宅の入居者は、当該公営住宅を模様替し、又は増築してはならない。ただし、事業主体の承認を得たときは、この限りでない。

5　公営住宅の入居者は、当該公営住宅の入居の際に同居した親族（婚姻の届出をしないが事実上婚姻関係と同様の事情にある者その他婚姻の予約者を含む。）以外の者を同居させようとするときは、国土交通省令で定めるところにより、事業主体の承認を得なければならない。

6　公営住宅の入居者が死亡し、又は退去した場合において、その死亡時又は退去時に当該入居者と同居していた者は、国土交通省令で定めるところにより、事業主体の承認を受けて、引き続き、当該公営住宅に居住することができる。

（収入超過者に対する措置等）

第二八条　公営住宅の入居者は、当該公営住宅に引き続き三年以上入居している場合において政令で定める基準を超える収入のあるときは、当該公営住宅を明け渡すように努めなければならない。

2　公営住宅の入居者が前項の規定に該当する場合において当該公営住宅に引き続き入居しているときは、当該公営住宅の毎月の家賃は、第十六条第一項の規定にかかわらず、毎年度、入居者からの収入の申告に基づき、当該入居者の収入を勘案し、かつ、近傍同種の住宅の家賃以下で、政令で定めるところにより、事業主体が定める。

3　第十六条第三項、第五項及び第六項並びに第十九条の規定は、前項に規定する公営住宅の家賃について準用する。

4　事業主体は、公営住宅の入居者が第二項の規定に該当する場合において同項に規定する収入の申告をすること及び第三十四条の規定による報告の請求に応じることが困難な事情にあると認めるときは、第十六条第四項の規定及び第二項の規定にかかわらず、当該入居者の公営住宅の毎月の家賃を、毎年度、政令で定めるところにより、同条第四項の国土交通省令で定める方法により把握した当該入居者の収入を勘案し、かつ、近傍同種の住宅の家賃以下で定めることができる。

5　第十六条第五項及び第六項並びに第十九条の規定は、前項に規定する公営住宅の家賃について準用する。

第二九条　事業主体は、公営住宅の入居者が当該公営住宅に引き続き五年以上入居している場合において最近二年間引き続き政令で定める基準を超える高額の収入のあるときは、その者に対し、期限を定めて、当該公営住宅の明渡しを請求することができる。

2　事業主体は、区域内の住宅事情その他の事情を勘案し、低額所得者の居住の安定を図るため特に必要があると認めるときは、前項の規定にかかわらず、政令で定める基準に従い、条例で、公営住宅の明渡しの請求に係る収入の基準を別に定めることができる。

3　第一項の政令で定める基準及び前項の条例で定める基準は、前条第一項の政令で定める基準を相当程度超えるものでなければならない。

4　第一項の期限は、同項の規定による請求をする日の翌日から起算して六月を経過した日以後の日でなければならない。

5　第一項の規定による請求を受けた者は、同項の期限が到来したときは、速やかに、当該公営住宅を明け渡さなければならない。

6　公営住宅の入居者が第一項の規定に該当する場合において当該公営住宅に引き続き入居しているときは、当該公営住宅の毎月の家賃は、第十六条第一項及び第四項並びに前条第二項及び第四項の規定にかかわらず、近傍同種の住宅の家賃とする。

7　事業主体は、第一項の規定による請求を受けた者が同項の期限が到来しても公営住宅を明け渡さない場合には、同項の期限が到来した日の翌日から当該公営住宅の明渡しを行う日までの期間について、毎月、近傍同種の住宅の家賃の額の二倍に相当する額以下の金銭を徴収することができる。

8　事業主体は、第一項の規定による請求を受けた者が病気にかかつていることその他条例で定める特別の事情がある場合において、その者から申出があつたときは、同項の期限を延長することができる。

9　第十六条第五項及び第六項並びに第十九条の規定は、第六項に規定する家賃又は第七項に規定する金銭について準用する。

第三〇条　事業主体は、公営住宅の入居者が当該公営住宅に引き続き三年以上入居しており、かつ、第二十八条第一項の政令で定める基準を超える収入のある場合において、必要があると認めるときは、その者が他の適当な住宅に入居することができるようにあつせんする等その者の入居している公営住宅の明渡しを容易にするように努めなければならない。この場合において、当該公営住宅の入居者が公営住宅以外の公的資金による住宅への入居を希望したときは、その入居を容易にするように特別の配慮をしなければならない。

2　前項の場合において、公共賃貸住宅（地方公共団体、独立行政法人都市再生機構又は地方住宅供給公社が整備する賃貸住宅をいう。第三十六条において同じ。）の管理者は、事業主体が行う措置に協力しなければならない。

第三一条　事業主体が第二十四条第一項の規定による申込みをした者を他の公営住宅に入居させた場合における前三条の規定の適用については、その者が公営住宅の借上げに係る契約の終了又は第四十四条第三項の規定による公営住宅の用途の廃止により明渡しをすべき公営住宅に入居していた期間は、その者が明渡し後に入居した当該他の公営住宅に入居している期間に通算する。

2　事業主体が、第四十条第一項の規定により同項の規定による申出をした者を公営住宅建替事業により新たに整備された公営住宅に入居させた場合における前三条の規定の適用については、その者が当該公営住宅建替事業により除却すべき公営住宅に入居していた期間は、その者が当該新たに整備された公営住宅に入居している期間に通算する。

（公営住宅の明渡し）

第三二条　事業主体は、次の各号のいずれかに該当する場合においては、入居者に対して、公営住宅の明渡しを請求することができる。

一　入居者が不正の行為によつて入居したとき。

二　入居者が家賃を三月以上滞納したとき。

三　入居者が公営住宅又は共同施設を故意に毀損したとき。

四　入居者が第二十七条第一項から第五項までの規定に違反したとき。

五　入居者が第四十八条の規定に基づく条例に違反したとき。

六　公営住宅の借上げの期間が満了するとき。

2　公営住宅の入居者は、前項の請求を受けたときは、速やかに当該公営住宅を明け渡さなければならない。

3　事業主体は、第一項第一号の規定に該当することにより同項の請求を行つたときは、当該請求を受けた者に対して、入居した日から請求の日までの期間については、近傍同種の住宅の家賃の額とそれまでに支払を受けた家賃の額との差額に法定利率による支払期後の利息を付した額の金銭を、請求の日の翌日から当該公営住宅の明渡しを行う日までの期間については、毎月、近傍同種の住宅の家賃の額の二倍に相当する額以下の金銭を徴収することができる。

4　前項の規定は、第一項第二号から第五号までの規定に該当することにより事業主体が当該入居者に損害賠償の請求をすることを妨げるものではない。

5　事業主体が第一項第六号の規定に該当することにより同項の請求を行う場合には、当該請求を行う日の六月前までに、当該入居者にその旨の通知をしなければならない。

6　事業主体は、公営住宅の借上げに係る契約が終了する場合には、当該公営住宅の賃貸人に代わつて、入居者に借地借家法（平成三年法律第九十号）第三十四条第一項の通知をすることができる。

（公営住宅監理員）

第三三条　事業主体は、公営住宅及び共同施設の管理に関する事務をつかさどり、公営住宅及びその環境を良好な状態に維持するよう入居者に必要な指導を与えるために公営住宅監理員を置くことができる。
2　公営住宅監理員は、事業主体の長がその職員のうちから命ずる。

（収入状況の報告の請求等）
第三四条　事業主体の長は、第十六条第一項若しくは第四項若しくは第二十八条第二項若しくは第四項の規定による家賃の決定、第十六条第五項（第二十八条第三項若しくは第五項又は第二十九条第九項において準用する場合を含む。）の規定による家賃若しくは金銭の減免、第十八条第二項の規定による敷金の減免、第十九条（第二十八条第三項若しくは第五項又は第二十九条第九項において準用する場合を含む。）の規定による家賃、敷金若しくは金銭の徴収の猶予、第二十九条第一項の規定による明渡しの請求、第三十条第一項の規定によるあつせん等又は第四十条の規定による公営住宅への入居の措置に関し必要があると認めるときは、公営住宅の入居者の収入の状況について、当該入居者若しくはその雇主、その取引先その他の関係人に報告を求め、又は官公署に必要な書類を閲覧させ、若しくはその内容を記録させることを求めることができる。

第四章　公営住宅建替事業

（公営住宅建替事業の施行）
第三五条　地方公共団体は、公営住宅の整備を促進し、又は公営住宅の居住環境を整備するため必要があるときは、公営住宅建替事業を施行するように努めなければならない。

（公営住宅建替事業の施行の要件）
第三六条　公営住宅建替事業は、次に掲げる要件に該当する場合に施行することができる。
一　公営住宅建替事業により除却すべき公営住宅が市街地の区域又は市街化が予想される区域内の政令で定める規模以上の一団の土地に集団的に存していること。
二　公営住宅建替事業により除却すべき公営住宅の大部分が第四十四条第一項の耐用年限の二分の一を経過していること又はその大部分につき公営住宅としての機能が災害その他の理由により相当程度低下していること。
三　公営住宅建替事業により新たに整備すべき公営住宅の戸数が当該事業により除却すべき公営住宅の戸数以上であること。ただし、当該土地の区域において道路、公園その他の都市施設に関する都市計画が定められている場合、当該土地の区域において新たに社会福祉法（昭和二十六年法律第四十五号）第六十二条第一項に規定する社会福祉施設又は公共賃貸住宅を整備する場合その他特別の事情がある場合には、当該除却すべき公営住宅のうち次条第一項の承認の申請をする日において入居者の存する公営住宅の戸数を超えれば足りる。
四　公営住宅建替事業により新たに整備すべき公営住宅が耐火性能を有する構造の公営住宅であること。

（建替計画）
第三七条　事業主体は、公営住宅建替事業を施行しようとするときは、あらかじめ、公営住宅建替事業に関する計画（以下「建替計画」という。）を作成し、当該公営住宅建替事業により除却すべき公営住宅又は共同施設の用途の廃止について国土交通大臣の承認を得なければならない。
2　建替計画においては、次に掲げる事項を定めなければならない。
一　公営住宅建替事業により除却すべき公営住宅及び当該事業により新たに整備すべき公営住宅の戸数
二　公営住宅建替事業により除却すべき公営住宅のうち前項の承認の申請をする日において入居者の存する公営住宅の戸数
三　公営住宅建替事業により公営住宅又は公営住宅及び共同施設の存していた土地に近接する土地に新たに公営住宅又は公営住宅及び共同施設を建設する場合にあつては、当該建設をする土地の区域
3　前項各号に掲げるもののほか、建替計画においては、次に掲げる事項を定めるよう努めるものとする。
一　公営住宅建替事業を施行する土地の面積
二　公営住宅建替事業により新たに整備すべき公営住宅の構造
4　建替計画は、次に掲げる事項について適切な考慮が払われたものでなければならない。
一　土地が適正かつ合理的な利用形態となること。
二　公営住宅建替事業により公営住宅又は公営住宅及び共同施設の存していた土地に近接する土地に新たに公営住宅又は公営住宅及び共同施設を建設する場合にあつては、当該公営住宅又は公営住宅及び共同施設が入居者の生活環境に著しい変化を及ぼさない地域内において確保されること。
5　第一項の規定により、市町村が国土交通大臣の承認を求めるときは、都道府県知事を経由してしなければならない。
6　事業主体は、第一項の規定による国土交通大臣の承認を得たときは、国土交通省令で定めるところにより、当該用途廃止に係る公営住宅建替事業により除却すべき公営住宅の入居者（その承認があつた日における入居者に限る。）に対して、その旨を通知しなければならない。
7　前各項の規定は、建替計画の変更（国土交通省令で定める軽微な変更を除く。）について準用する。この場合において、当該変更に係る前項の規定による通知は、当該変更により新たに除却すべき公営住宅となつたものの入居者及び除却すべき公営住宅でなくなつたものの入居者にすれば足りる。

（公営住宅の明渡しの請求）
第三八条　事業主体は、公営住宅建替事業の施行に伴い、現に存する公営住宅を除却するため必要があると認めるときは、前条第六項（同条第七項において準用する場合を含む。）の規定による通知をした後、当該公営住宅の入居者に対し、期限を定めて、その明渡しを請求することができる。
2　前項の期限は、同項の規定による請求をする日の翌日から起算して三月を経過した日以後の日でなければならない。
3　第一項の規定による請求を受けた者は、同項の期限が到来したときは、速やかに、当該公営住宅を明け渡さなければならない。

（仮住居の提供）
第三九条　事業主体は、前条第一項の規定による請求に係る公営住宅の入居者に対して、必要な仮住居を提供しなければならない。

（新たに整備される公営住宅への入居）
第四〇条　事業主体は、公営住宅建替事業により除却すべき公営住宅の除却前の最終の入居者（当該事業に係る公営住宅の用途廃止について第三十七条第一項（同条第七項において準用する場合を含む。）の規定による国土交通大臣の承認があつた日における入居者で、当該事業の施行に伴い当該公営住宅の明渡しをするものに限る。以下同じ。）で、三十日を下らない範囲内で当該入居者ごとに事業主体の定める期間内に当該事業により新たに整備される公営住宅への入居を希望する旨を申し出たものを、当該公営住宅に入居させなければならない。この場合においては、その者については、第二十三条及び第二十四条第二項の規定は、適用しない。
2　事業主体は、前項の期間を定めたときは、当該入居者に対して、これを通知しなければならない。
3　事業主体は、第一項の規定による申出をした者に対して、相当の猶予期間を置いてその者が公営住宅に入居することができる期間を定め、その期間内に当該公営住宅に入居すべき旨を通知しなければならない。
4　事業主体は、正当な理由がないのに前項の規定による通知に係る入居することができる期間内に当該公営住宅に入居しなかつた者については、第一項の規定にかかわらず、当該公営住宅に入居させないことができる。

（説明会の開催等）
第四一条　事業主体は、公営住宅建替事業の施行に関し、説明会を開催する等の措置を講ずることにより、当該事業により除却すべき公営住宅の入居者の協力が得られるように努めなければならない。

（移転料の支払）
第四二条　事業主体は、公営住宅建替事業により除却すべき公営住宅の除却前の最終の入居者が、当該事業の施行に伴い住居を移転した場合においては、その者に対して、国土交通省令で定めるところにより、通常必要な移転料を支払わなければならない。

（公営住宅建替事業に係る家賃の特例）
第四三条　事業主体は、第四十条第一項の規定により公営住宅の入居者を新たに整備された公営住宅に入居させる場合において、新たに入居する公営住宅の家賃が従前の公営住宅の最終の家賃を超えることとなり、当該入居者の居住の安定を図るため必要があると認めるときは、第十六条第一項若しくは第四項、第二十八条第二項若しくは第四項又は第二十九条第六項の規定にかかわらず、政令で定めるところにより、当該入居者の家賃を減額

するものとする。

2　第十六条第六項の規定は、前項の規定による家賃の減額について準用する。

第五章　補則

（公営住宅又は共同施設の処分）

第四四条　事業主体は、政令で定めるところにより、公営住宅又は共同施設がその耐用年限の四分の一を経過した場合において特別の事由のあるときは、国土交通大臣の承認を得て、当該公営住宅又は共同施設（これらの敷地を含む。）を入居者、入居者の組織する団体又は営利を目的としない法人に譲渡することができる。

2　前項の規定による譲渡の対価は、政令で定めるところにより、公営住宅の整備若しくは共同施設の整備又はこれらの修繕若しくは改良に要する費用に充てなければならない。

3　事業主体は、公営住宅若しくは共同施設が災害その他の特別の事由によりこれを引き続いて管理することが不適当であると認める場合において国土交通大臣の承認を得たとき、公営住宅若しくは共同施設がその耐用年限を勘案して国土交通大臣の定める期間を経過した場合又は第三十七条第一項（同条第七項において準用する場合を含む。）の規定による国土交通大臣の承認を得た場合においては、公営住宅又は共同施設の用途を廃止することができる。

4　事業主体は、前項の規定による公営住宅の用途の廃止による公営住宅の除却に伴い当該公営住宅の入居者を他の公営住宅に入居させる場合において、新たに入居する公営住宅の家賃が従前の公営住宅の最終の家賃を超えることとなり、当該入居者の居住の安定を図るため必要があると認めるときは、第十六条第一項若しくは第四項、第二十八条第二項若しくは第四項又は第二十九条第六項の規定にかかわらず、政令で定めるところにより、当該入居者の家賃を減額するものとする。

5　第十六条第六項の規定は、前項の規定による家賃の減額について準用する。

6　第一項又は第三項の規定により、市町村が国土交通大臣の承認を求めるときは、都道府県知事を経由してしなければならない。

（社会福祉法人等による公営住宅の使用等）

第四五条　事業主体は、公営住宅を社会福祉法第二条第一項に規定する社会福祉事業その他の社会福祉を目的とする事業のうち厚生労働省令・国土交通省令で定める事業を運営する同法第二十二条に規定する社会福祉法人その他厚生労働省令・国土交通省令で定める者（以下この項において「社会福祉法人等」という。）に住宅として使用させることが必要であると認める場合において国土交通大臣の承認を得たときは、公営住宅の適正かつ合理的な管理に著しい支障のない範囲内で、当該公営住宅を社会福祉法人等に使用させることができる。

2　事業主体は、特定優良賃貸住宅の供給の促進に関する法律（平成五年法律第五十二号）第六条に規定する特定優良賃貸住宅その他の同法第三条第四号イ又はロに掲げる者の居住の用に供する賃貸住宅の不足その他の特別の事由により公営住宅を同号イ又はロに掲げる者に使用させることが必要であると認める場合において国土交通大臣の承認を得たときは、公営住宅の適正かつ合理的な管理に著しい支障のない範囲内で、当該公営住宅をこれらの者に使用させることができる。この場合において、事業主体は、当該公営住宅を同法第十八条第二項の国土交通省令で定める基準に従つて管理しなければならない。

3　前二項の規定により、市町村が国土交通大臣の承認を求めるときは、都道府県知事を経由してしなければならない。

4　第一項又は第二項の規定による公営住宅の使用に関する事項は、条例で定めなければならない。

（事業主体の変更）

第四六条　事業主体は、その管理に係る公営住宅又は共同施設を引き続いて管理することが不適当と認められる事情がある場合においては、国土交通大臣の承認を得て、これを公営住宅又は共同施設として他の地方公共団体に譲渡することができる。

2　前項の規定により、市町村が国土交通大臣の承認を求めるときは、都道府県知事を経由してしなければならない。

（管理の特例）

第四七条　次の各号に掲げる地方公共団体又は地方住宅供給公社は、当該各号に定める公営住宅又は共同施設について、一団の住宅施設として適切かつ効率的な管理を図るため当該地方公共団体又は地方住宅供給公社が管理する住宅その他の施設と一体として管理する場合その他当該公営住宅又は共同施設を管理することが適当と認められる場合においては、当該公営住宅又は共同施設を管理する事業主体の同意を得て、その事業主体に代わつて当該公営住宅又は共同施設の第三章の規定による管理（家賃の決定並びに家賃、敷金その他の金銭の請求、徴収及び減免に関することを除く。以下この条において同じ。）を行うことができる。

一　都道府県　当該都道府県の区域内において他の地方公共団体が管理する公営住宅又は共同施設

二　市町村　当該市町村の区域内において他の地方公共団体が管理する公営住宅又は共同施設

三　都道府県が設立した地方住宅供給公社　当該都道府県の区域内において都道府県又は市町村が管理する公営住宅又は共同施設

四　市町村が設立した地方住宅供給公社　当該市町村の区域内において市町村又は都道府県が管理する公営住宅又は共同施設

2　前項の地方公共団体又は地方住宅供給公社は、同項の規定により公営住宅又は共同施設の管理を行おうとするときは、あらかじめ、国土交通省令で定めるところにより、その旨を公告しなければならない。

3　第一項の地方公共団体又は地方住宅供給公社は、同項の規定により公営住宅又は共同施設の管理を行う場合においては、当該公営住宅又は共同施設の事業主体に代わつてその権限のうち次に掲げるものを行うものとする。

一　第二十二条第一項の規定により特定の者を公営住宅に入居させ、又は入居者を公募すること。

二　第二十五条第一項の規定により実情を調査し若しくは入居者を決定し、又は同条第二項の規定により入居者に通知すること。

三　第二十七条第三項から第六項までの規定による入居者又は同居者に対する承認をすること。

四　第二十九条第一項の規定により入居者に対し明渡しを請求し、又は同条第八項の規定により期限を延長すること。

五　第三十条第一項の規定によるあつせん等をすること。

六　第三十二条第一項の規定により入居者に対し明渡しを請求し、又は同条第五項若しくは第六項の規定により入居者に通知すること。

七　第三十三条第一項の規定により公営住宅監理員を置き、又は同条第二項の規定により公営住宅監理員を命ずること。

八　第三十四条の規定により第二十九条第一項の規定による明渡しの請求又は第三十条第一項の規定によるあつせん等に関し入居者の収入の状況について報告を求め、又は書類を閲覧させ、若しくはその内容を記録させることを求めること。

4　第一項の地方公共団体又は地方住宅供給公社は、前項第一号（特定の者の入居に係る部分に限る。）、第二号（入居者の決定に係る部分に限る。）、第四号又は第六号（明渡しの請求に係る部分に限る。）に掲げる権限を行つた場合には、遅滞なく、その旨を事業主体に通知しなければならない。

5　第一項の規定により地方公共団体又は地方住宅供給公社が行う公営住宅又は共同施設の管理に要する費用の負担については、事業主体と当該地方公共団体又は地方住宅供給公社とが協議して定めるものとする。

6　第一項の規定により地方公共団体又は地方住宅供給公社が公営住宅又は共同施設の管理を行う場合における第三章の規定の適用については、第十五条中「事業主体」とあるのは「事業主体及び地方公共団体又は地方住宅供給公社」と、第二十五条第一項中「事業主体の長」とあるのは「地方公共団体の長又は地方住宅供給公社の理事長」とするほか、必要な技術的読替えは、政令で定める。

（管理に関する条例の制定）

第四八条　事業主体は、この法律で定めるもののほか、公営住宅及び共同施設の管理について必要な事項を条例で定めなければならない。

（国土交通大臣及び都道府県知事の指導監督）

第四九条　国土交通大臣及び都道府県知事は、公営住宅の整備、共同施設の整備並びにこれらの管理及び災害に基づく補修に関し、事業主体に対して報告させ、又は当該職員を指定して、関係の物件若しくは書類を実地検査させることができる。

2　前項の実地検査において、現に居住の用に供している公営住宅に立ち入るときは、あらかじめ、当該公営住宅の入居者の承諾を得なければならない。

3　第一項の規定により実地検査に当たる職員は、その身分を示す証票を携帯し、関係人の請求があつたときは、これを提示しなければならない。

4　第一項の場合において、都道府県知事は、報告の徴収又は実地検査の結果を国土交通大臣に報告しなければならない。

（補助金の返還等）

第五〇条　国土交通大臣は、事業主体が公営住宅の整備、共同施設の整備又はこれらの管理若しくは災害に基づく補修について、この法律又はこの法律に基づく命令に違反する事実があつたときは、当該事業主体に対して、国の補助金の全部若しくは一部を交付せず、その交付を停止し、又は交付した国の補助金の全部若しくは一部の返還を命ずることができる。

（協議）

第五一条　国土交通大臣は、公営住宅（第八条、第十条並びに第十七条第二項及び第三項の規定によるものを除く。）について、次に掲げる事項に関する処分をする場合においては、あらかじめ、厚生労働大臣と協議しなければならない。

一　第十一条第二項の規定による国の補助金の交付の決定

二　第四十四条第一項の規定による譲渡の承認又は同条第三項の規定による用途廃止の承認

三　第四十六条第一項の規定による譲渡の承認

（権限の委任）

第五二条　この法律に規定する国土交通大臣の権限は、国土交通省令で定めるところにより、その一部を地方整備局長又は北海道開発局長に委任することができる。

（政令への委任）

第五三条　この法律に定めるもののほか、この法律の実施のため必要な事項は、政令で定める。

（事務の区分）

第五四条　第三十七条第五項（同条第七項において準用する場合を含む。）、第四十四条第六項、第四十五条第三項及び第四十六条第二項の規定により都道府県が処理することとされている事務は、地方自治法（昭和二十二年法律第六十七号）第二条第九項第一号に規定する第一号法定受託事務とする。

附　則

1　この法律は、昭和二十六年七月一日から施行する。

2　この法律施行の時において、現に地方公共団体がその住民に賃貸するため管理している住宅でその建設について国の補助を受けたもの及び地方公共団体がその住民に賃貸するため昭和二十六年度において国の補助を受けて建設して管理する住宅は、公営住宅とみなして、この法律の規定（第七条を除く。）を適用する。

3　前項の規定に基づく第十六条の規定の適用については、この法律施行の時において地方公共団体がその住民に賃貸するため管理している住宅について既に決定している家賃は、同条第一項の規定により事業主体が定めたものとみなす。

4　海外からの引揚者に対する応急援護のため設置した住宅及びこの法律施行の後同様の目的のため設置する住宅については、当分の間、この法律の規定を適用しない。

5　国は、当分の間、事業主体に対し、第七条第一項の規定により国がその費用について補助する公営住宅の建設で日本電信電話株式会社の株式の売払収入の活用による社会資本の整備の促進に関する特別措置法（昭和六十二年法律第八十六号。以下「社会資本整備特別措置法」という。）第二条第一項第二号に該当するものに要する費用に充てる資金について、予算の範囲内において、第七条第一項、第三項及び第四項の規定（これらの規定による国の補助の割合について、これらの規定と異なる定めをした法令の規定がある場合には、当該異なる定めをした法令の規定を含む。以下同じ。）により国が補助する金額に相当する金額を無利子で貸し付けることができる。

6　国は、当分の間、事業主体に対し、第七条第二項の規定により国がその費用について補助することができる共同施設の建設で社会資本整備特別措置法第二条第一項第二号に該当するものに要する費用に充てる資金について、予算の範囲内において、第七条第二項から第四項までの規定（これらの規定による国の補助の割合について、これらの規定と異なる定めをした法令の規定がある場合には、当該異なる定めをした法令の規定を含む。以下同じ。）により国が補助することができる金額に相当する金額を無利子で貸し付けることができる。

7　国は、当分の間、事業主体に対し、公営住宅の建設等（第七条第一項の規定により国がその費用を補助するものを除く。附則第十二項において同じ。）、共同施設の建設等（第七条第二項の規定により国がその費用を補助することができるものを除く。附則第十二項において同じ。）又は公営住宅若しくは共同施設の改良で社会資本整備特別措置法第二条第一項第二号に該当するものに要する費用に充てる資金の一部を、予算の範囲内において、無利子で貸し付けることができる。

8　前三項の国の貸付金の償還期間は、五年（二年以内の据置期間を含む。）以内で政令で定める期間とする。

9　前項に定めるもののほか、附則第五項から第七項までの規定による貸付金の償還方法、償還期限の繰上げその他償還に関し必要な事項は、政令で定める。

10　国は、附則第五項の規定により、事業主体に対し貸付けを行つた場合には、当該貸付けの対象である公営住宅の建設に係る第七条第一項、第三項及び第四項の規定による国の補助については、当該貸付金の償還時において、当該貸付金の償還金に相当する金額を交付することにより行うものとする。

11　国は、附則第六項の規定により、事業主体に対し貸付けを行つた場合には、当該貸付けの対象である共同施設の建設について、第七条第二項から第四項までの規定による当該貸付金に相当する金額の補助を行うものとし、当該補助については、当該貸付金の償還時において、当該貸付金の償還金に相当する金額を交付することにより行うものとする。

12　国は、附則第七項の規定により、事業主体に対し貸付けを行つた場合には、当該貸付けの対象である公営住宅の建設等、共同施設の建設等又は公営住宅若しくは共同施設の改良について、当該貸付金に相当する金額の補助を行うものとし、当該補助については、当該貸付金の償還時において、当該貸付金の償還金に相当する金額を交付することにより行うものとする。

13　事業主体が、附則第五項から第七項までの規定による貸付けを受けた無利子貸付金について、附則第八項及び第九項の規定に基づき定められる償還期限を繰り上げて償還を行つた場合（政令で定める場合を除く。）における前三項の規定の適用については、当該償還は、当該償還期限の到来時に行われたものとみなす。

14　附則第五項又は第六項の規定による貸付けを受けて建設される公営住宅又は共同施設に係る第二条第二号、第十一条及び第五十一条第一号の規定の適用については、第二条第二号中「補助」とあるのは「補助又は附則第五項の規定による無利子の貸付け」と、第十一条の見出し中「補助」とあるのは「無利子の貸付け」と、「交付」とあるのは「貸付け」と、同条第一項中「第七条から前条までの規定により国の補助」とあるのは「附則第五項又は第六項の規定により国の無利子の貸付け」と、「補助金の交付申請書」とあるのは「無利子貸付金の貸付申請書」と、同条第二項中「補助金の交付」とあるのは「無利子貸付金の貸付け」と、「第十一条第二項」とあるのは「附則第十四項の規定により読み替えて適用される第十一条第二項」と、第五十一条第一号中「補助金の交付」とあるのは「無利子貸付金の貸付け」とする。

15　当分の間、過疎地域の持続的発展の支援に関する特別措置法（令和三年法律第十九号）第二条第一項に規定する過疎地域その他の政令で定める地域内の公営住宅に係る第四十四条第一項の規定の適用については、同項中「その耐用年限の四分の一を経過した場合において特別の事由のあるときは」とあるのは、「その耐用年限の四分の一を経過した場合においては」とする。

附　則〔昭和三四・五・一法律一五九〕

（施行期日）

1　この法律は、公布の日から起算して一月を経過した日から施行する。

（経過規定）

2　この法律による改正後の公営住宅法第十九条の規定は、この法律の施行前に事業主体が公営住宅法第十七条各号の条件以外の入居者の具備すべき条件を定め、又は変更した場合については、適用しない。

3　この法律による改正後の公営住宅法第二十一条の二の規定の適用については、この法律の施行の際現に公営住宅に入居している者は、賃借期間の定がないとき及びこの法律の施行の際における賃借期間の残存期間が三年以内であるときは、この法律の施行の日に、当該残存期間が三年をこえるときは、この法律の施行の日から起算して当該残存期間から三年を控除した期間に相当する期間を経過した日に、当該公営住宅に入居したものとみなす。

附　則〔略〕〔昭和三五・四・二七法律六〇〕

附　則〔抄〕〔昭和四一・六・三〇法律一〇〇〕

（施行期日）

1　この法律は、公布の日から施行する。

3　昭和四十一年度における公営住宅の建設については、改正前の公営住宅法第六条第四項に規定する各都道府県の区域ごとの公営住宅建設三箇年計画は、当該都道府県に係る第六条第一項に規定する都道府県住宅建設五箇年計画が作成されるまでの間は、なおその効力を有するものとし、改正後の公営住宅法の適用については、当該都道府県に係る第六条第一項に規定する都道府県住宅建設五箇年計画とみなす。

附　則〔抄〕〔昭和四四・六・一〇法律四一〕

（施行期日）

1　この法律は、公布の日から施行する。

（経過措置）

2　この法律による改正後の公営住宅法（以下「新法」という。）第七条及び第八条の規定は、昭和四十四年度分の予算に係る国の補助金（昭和四十三年度分の国庫債務負担行為に基づき昭和四十四年度以後に支出すべきものとされた国の補助金を除く。）から適用し、昭和四十三年度分の国庫債務負担行為に基づき昭和四十四年度以後に支出すべきものとされた国の補助金及び昭和四十三年度以前の年度分の予算に係る国の補助金で昭和四十四年度以後に繰り越されたものについては、なお従前の例による。

3　新法第十二条の二の規定は、事業主体が、国から新法第七条第一項又は第八条第一項若しくは第三項の規定による補助を受けて建設した公営住宅について適用する。

4　この法律の施行の際現に事業主体がこの法律による改正前の公営住宅法（以下「旧法」という。）第十三条第一項の規定により建設大臣にしている公営住宅の家賃の変更（変更後の家賃が旧法第十二条第一項に規定する限度をこえるものに限る。）又は家賃の定めについての承認の申請は、新法第十三条第二項の規定によつてしたものとみなす。

5　新法第二十一条の三第一項の規定による請求は、この法律の施行の際現に公営住宅に入居している者については、賃借期間の定めがないとき及びこの法律の施行の際における賃借期間の残存期間が二年以内であるときはこの法律の施行の日から起算して二年を経過した日、当該残存期間が二年をこえるときは当該残存期間を経過した日以後でなければすることができない。

6　新法第二十一条の三第一項の規定により政令で基準を定めるに当たつては、この法律の施行の際現に公営住宅に入居している者について相当と認められる配慮をしなければならない。

7　事業主体は、この法律の施行の際現に公営住宅に入居している者で、新法第二十一条の三第一項の規定による請求を受けたものの公営住宅以外の公的資金による住宅への入居等についての希望を尊重するように努めなければならない。

附　則〔略〕〔昭和五五・四・一五法律二七〕

附　則〔昭和五八・一二・二法律七八〕

1　この法律（中略）は、昭和五十九年七月一日から施行する。

2　この法律の施行の日の前日において法律の規定により置かれている機関等で、この法律の施行の日以後は国家行政組織法又はこの法律による改正後の関係法律の規定に基づく政令（以下「関係政令」という。）の規定により置かれることとなるものに関し必要となる経過措置その他この法律の施行に伴う関係政令の制定又は改廃に関し必要となる経過措置は、政令で定めることができる。

附　則〔抄〕〔昭和六〇・五・一八法律三七〕

（施行期日等）

1　この法律は、公布の日から施行する。

2　この法律による改正後の法律の規定（昭和六十年度の特例に係る規定を除く。）は、同年度以降の年度の予算に係る国の負担（当該国の負担に係る都道府県又は市町村の負担を含む。以下この項及び次項において同じ。）若しくは補助（昭和五十九年度以前の年度における事務又は事業の実施により昭和六十年度以降の年度に支出される国の負担又は補助及び昭和五十九年度以前の年度の国庫債務負担行為に基づき昭和六十年度以降の年度に支出すべきものとされた国の負担又は補助を除く。）又は交付金の交付について適用し、昭和五十九年度以前の年度における事務又は事業の実施により昭和六十年度以降の年度に支出される国の負担又は補助、昭和五十九年度以前の年度の国庫債務負担行為に基づき昭和六十年度以降の年度に支出すべきものとされた国の負担又は補助及び昭和五十九年度以前の年度の歳出予算に係る国の負担又は補助で昭和六十年度以降の年度に繰り越されたものについては、なお従前の例による。

附　則〔略〕〔昭和六二・九・四法律八七〕

附　則〔略〕〔昭和六三・一二・三〇法律一〇八〕

附　則〔略〕〔平成三・五・一五法律七三〕

附　則〔抄〕〔平成八・五・三一法律五五〕

改正　平成一一・一二法一六〇、平成一七・六法七八

（施行期日）

1　この法律は、公布の日から起算して三月を超えない範囲内で政令で定める日から施行する。ただし、附則第五項の規定は、平成十年四月一日から施行する。

〔平成八政二四七により、平成八・八・三〇から施行〕

（経過措置）

2　この法律による改正後の公営住宅法（以下「新法」という。）第七条から第十条までの規定は、平成八年度以降の年度の予算に係る国の補助（平成七年度以前の年度の国庫債務負担行為に基づき平成八年度以降の年度に支出すべきものとされたものを除く。）について適用し、平成七年度以前の年度の国庫債務負担行為に基づき平成八年度以降の年度に支出すべきものとされた国の補助及び平成七年度以前の年度の歳出予算に係る国の補助で平成八年度以降の年度に繰り越されたものについては、なお従前の例による。

3　この法律による改正前の公営住宅法（以下「旧法」という。）の規定に基づいて供給された公営住宅又は共同施設については、平成十年三月三十一日までの間は、新法第十六条、第十八条から第二十条まで、第二十三条、第二十四条、第二十六条から第三十二条まで、第三十四条から第四十三条まで、第四十四条第四項及び第五項並びに第五十二条第二号及び第三号の規定は適用せず、旧法第十二条、第十二条の三から第十四条まで、第十七条、第二十条から第二十二条まで、第二十三条の二から第二十三条の十まで及び第三十条（第一号、第五号及び第六号を除く。）の規定は、なおその効力を有する。

4　前項の公営住宅については、新法第十七条の規定は適用せず、旧法第十二条の二の規定は、なおその効力を有する。この場合において、同条第一項中「毎年度」とあるのは「平成十七年度までの間、毎年度」と、同条第三項中「建設大臣」とあるのは「国土交通大臣」とする。

5　附則第一項の政令で定める日において現に地方公共団体が低額所得者に賃貸し又は転貸するため買い取り、借り上げ、又は管理している住宅又はその入居者の共同の福祉のために必要な施設で国の補助に係るもののうち、当該住宅の入居者が旧法第十七条に定める条件を具備しなければならない住宅又はその入居者の共同の福祉のために必要な施設については、新法の規定に基づいて供給された公営住宅又は共同施設とみなして新法の規定（第七条から第十条まで及び第十七条の規定を除く。）を適用する。〔平成一〇・四・一施行〕

6　新法第十六条第一項、第二十八条第二項又は第二十九条第五項の規定による家賃の決定に関し必要な手続その他の行為は、附則第三項の公営住宅又は共同施設については同項の規定にかかわらず平成十年三月三十一日以前においても、前項に規定する住宅又は施設については附則第一項ただし書の規定にかかわらず前項の規定の施行の日前においても、それぞれ新法の例によりすることができる。

7　平成十年四月一日において現に附則第三項の公営住宅に入居している者の平成十年度から平成十二年度までの各年度の家賃の額は、その者に係る新法第十六条第一項本文又は第四項の規定による家賃の額が旧法第十二条又は第十三条の規定による家賃の額を超える場合にあっては新法第十六条第一項本文又は第四項の規定による家賃の額から旧法第十二条又は第十三条の規定による家賃の額を控除して得た額に次の表の上欄に掲げる年度の区分に応じ同表の下欄に定める負担調整率を乗じて得た額に、旧法第十二条又は第十三条の規定による家賃の額を加えて得た額とし、その者に係る

新法第二十八条第二項若しくは第三項又は第二十九条第五項若しくは第八項の規定による家賃の額が旧法第十二条又は第十三条の規定による家賃の額に旧法第二十一条の二第二項又は第三項の規定による割増賃料を加えて得た額を超える場合にあっては新法第二十八条第二項若しくは第三項又は第二十九条第五項若しくは第八項の規定による家賃の額から旧法第十二条又は第十三条の規定による家賃の額及び旧法第二十一条の二第二項又は第三項の規定による割増賃料の額を控除して得た額に同表の上欄に掲げる年度の区分に応じ同表の下欄に定める負担調整率を乗じて得た額に、旧法第十二条又は第十三条の規定による家賃の額及び旧法第二十一条の二第二項又は第三項の規定による割増賃料の額を加えて得た額とする。

年度の区分	負担調整率
平成十年度	〇・二五
平成十一年度	〇・五
平成十二年度	〇・七五

8　平成十年四月一日において現に附則第五項の規定により新法の規定に基づいて供給された公営住宅とみなされる住宅に入居している者の平成十年度から平成十二年度までの家賃の額は、その者に係る新法の規定による家賃の額が同日前の最終の家賃の額を超える場合には、新法の規定による家賃の額から当該最終の家賃の額を控除して得た額に前項の表の上欄に掲げる年度の区分に応じ同表の下欄に定める負担調整率を乗じて得た額に、当該最終の家賃の額を加えて得た額とする。

9　平成十年四月一日において、附則第三項の公営住宅又は附則第五項の規定により新法の規定に基づいて供給された公営住宅とみなされる住宅に地方公共団体の承認を得て同居し、又は居住している者は、それぞれ新法第二十七条第五項又は第六項の事業主体の同居又は居住の承認を受けたものとみなす。

10　平成十年四月一日前に旧法の規定によってした請求、手続その他の行為は、新法の相当規定によってしたものとみなす。

附　則〔略〕〔平成一一・六・一六法律七六〕

附　則〔抄〕〔平成一一・七・一六法律八七〕

（施行期日）

第一条　この法律は、平成十二年四月一日から施行する。ただし、次の各号に掲げる規定は、当該各号に定める日から施行する。

一　〔前略〕附則〔中略〕第百六十条、第百六十三条、第百六十四条並びに第二百二条の規定　公布の日

二～六　〔略〕

（公営住宅法の一部改正に伴う経過措置）

第一二七条　施行日前に第四百十二条の規定による改正前の公営住宅法（以下この条において「旧公営住宅法」という。）第三十七条第一項の規定により建替計画の承認を得た公営住宅又は共同施設は、第四百十二条の規定による改正後の公営住宅法（以下この条において「新公営住宅法」という。）第三十七条第一項の規定により用途廃止の承認を得た公営住宅又は共同施設とみなす。

2　施行日前に旧公営住宅法第三十七条第一項の規定によりされている建替計画の承認の申請は、新公営住宅法第三十七条第一項の規定によりされた用途廃止の承認の申請とみなす。

（国等の事務）

第一五九条　この法律による改正前のそれぞれの法律に規定するもののほか、この法律の施行前において、地方公共団体の機関が法律又はこれに基づく政令により管理し又は執行する国、他の地方公共団体その他公共団体の事務（附則第百六十一条において「国等の事務」という。）は、この法律の施行後は、地方公共団体が法律又はこれに基づく政令により当該地方公共団体の事務として処理するものとする。

（処分、申請等に関する経過措置）

第一六〇条　この法律（附則第一条各号に掲げる規定については、当該各規定。以下この条及び附則第百六十三条において同じ。）の施行前に改正前のそれぞれの法律の規定によりされた許可等の処分その他の行為（以下この条において「処分等の行為」という。）又はこの法律の施行の際現に改正前のそれぞれの法律の規定によりされている許可等の申請その他の行為（以下この条において「申請等の行為」という。）で、この法律の施行の日においてこれらの行為に係る行政事務を行うべき者が異なることとなるものは、附則第二条から前条までの規定又は改正後のそれぞれの法律（これに基づく命令を含む。）の経過措置に関する規定に定めるものを除き、この法律の施行の日以後における改正後のそれぞれの法律の適用については、改正後のそれぞれの法律の相当規定によりされた処分等の行為又は申請等の行為とみなす。

2　この法律の施行前に改正前のそれぞれの法律の規定により国又は地方公共団体の機関に対し報告、届出、提出その他の手続をしなければならない事項で、この法律の施行の日前にその手続がされていないものについては、この法律及びこれに基づく政令に別段の定めがあるもののほか、これを、改正後のそれぞれの法律の相当規定により国又は地方公共団体の相当の機関に対して報告、届出、提出その他の手続をしなければならない事項についてその手続がされていないものとみなして、この法律による改正後のそれぞれの法律の規定を適用する。

（不服申立てに関する経過措置）

第一六一条　施行日前にされた国等の事務に係る処分であって、当該処分をした行政庁（以下この条において「処分庁」という。）に施行日前に行政不服審査法に規定する上級行政庁（以下この条において「上級行政庁」という。）があったものについての同法による不服申立てについては、施行日以後においても、当該処分庁に引き続き上級行政庁があるものとみなして、行政不服審査法の規定を適用する。この場合において、当該処分庁の上級行政庁とみなされる行政庁は、施行日前に当該処分庁の上級行政庁であった行政庁とする。

2　前項の場合において、上級行政庁とみなされる行政庁が地方公共団体の機関であるときは、当該機関が行政不服審査法の規定により処理することとされる事務は、新地方自治法第二条第九項第一号に規定する第一号法定受託事務とする。

（手数料に関する経過措置）

第一六二条　施行日前においてこの法律による改正前のそれぞれの法律（これに基づく命令を含む。）の規定により納付すべきであった手数料については、この法律及びこれに基づく政令に別段の定めがあるもののほか、なお従前の例による。

（その他の経過措置の政令への委任）

第一六四条　この附則に規定するもののほか、この法律の施行に伴い必要な経過措置（罰則に関する経過措置を含む。）は、政令で定める。

2　〔略〕

附　則〔略〕〔平成一一・一二・二二法律一六〇〕

附　則〔略〕〔平成一二・三・三一法律一五〕

附　則〔略〕〔平成一二・六・七法律一一一〕

附　則〔略〕〔平成一四・二・八法律一〕

附　則〔略〕〔平成一五・六・二〇法律一〇〇〕

附　則〔略〕〔平成一六・三・三一法律一〇〕

附　則〔略〕〔平成一七・六・二九法律七八〕

附　則〔略〕〔平成一七・六・二九法律七九〕

附　則〔抄〕〔平成一八・六・八法律六一〕

（施行期日）

第一条　この法律は、公布の日から施行する。

（公営住宅法の一部改正等に伴う経過措置）

第四条　附則第二条の規定による廃止前の住宅建設計画法第六条第一項の規定により作成された平成十三年度を初年度とする都道府県住宅建設五箇年計画（次項において「旧計画」という。）に基づく平成十七年度における公営住宅法第二条第七号に規定する公営住宅の整備及び同条第十四号に規定する共同施設の整備（次項及び次条において「公営住宅の整備等」という。）については、なお従前の例による。

2　旧計画に基づく公営住宅の整備等であって、平成十七年度以前の年度の国庫債務負担行為に基づき平成十八年度以降の年度に支出すべきものとされた国の補助及び平成十七年度以前の年度の歳出予算に係る国の補助で平成十八年度以降の年度に繰り越されたものに係るものは、第十七条第一項の規定により定められた都道府県計画に基づく公営住宅の整備等とみなして、前条の規定による改正後の公営住宅法の規定を適用する。

第五条　第十七条第一項の規定により都道府県計画が定められるまでの間に、平成十八年度の予算に係る公営住宅の整備等で緊急に実施する必要があるものとして、都道府県が関係市町村に協議するとともに、国土交通大

臣に協議し、その同意を得て決定したものについては、同項の規定により定められた都道府県計画に基づく公営住宅の整備等とみなして、附則第三条の規定による改正後の公営住宅法の規定を適用する。この場合において、国土交通大臣は、同意をしようとするときは、厚生労働大臣に協議しなければならない。

（政令への委任）

第一七条　この附則に規定するもののほか、この法律の施行に伴い必要な経過措置は、政令で定める。

附　則〔略〕〔平成一九・五・一八法律五二〕

附　則〔抄〕〔平成二三・五・二法律三七〕

（施行期日）

第一条　この法律は、公布の日から施行する。ただし、次の各号に掲げる規定は、当該各号に定める日から施行する。

一　〔略〕

二　〔前略〕第三十二条〔中略〕附則〔中略〕第十四条〔中略〕の規定　平成二十四年四月一日

三・四　〔略〕

（公営住宅法の一部改正に伴う経過措置）

第一四条　第三十二条の規定の施行の日から起算して一年を超えない期間内において、同条の規定による改正後の公営住宅法（以下この条において「新公営住宅法」という。）第五条第一項又は第二項の規定に基づく条例が制定施行されるまでの間は、同条第一項又は第二項の国土交通省令で定める基準は、同条第一項又は第二項の条例で定める整備基準とみなす。

2　第三十二条の規定の施行の際現に工事中の公営住宅又は共同施設については、新公営住宅法第五条第一項又は第二項の規定にかかわらず、なお従前の例による。

3　第三十二条の規定の施行の日から起算して一年を超えない期間内において、新公営住宅法第二十三条第一号ロの規定に基づく条例が制定施行されるまでの間は、公営住宅の入居者の資格については、同条の規定にかかわらず、なお従前の例による。この場合において、第三十二条の規定による改正前の公営住宅法第二十三条中「次の各号（老人、身体障害者その他特に居住の安定を図る必要がある者として政令で定める者（次条第二項において「老人等」という。）にあつては、第二号及び第三号）」とあるのは、「第二号及び第三号」とする。

（罰則に関する経過措置）

第二三条　この法律（附則第一条各号に掲げる規定にあつては、当該規定）の施行前にした行為に対する罰則の適用については、なお従前の例による。

（政令への委任）

第二四条　附則第二条から前条まで及び附則第三十六条に規定するもののほか、この法律の施行に関し必要な経過措置は、政令で定める。

附　則〔略〕〔平成二三・八・三〇法律一〇五〕

附　則〔略〕〔平成二三・一二・一四法律一二二〕

附　則〔略〕〔平成二四・三・三一法律一三〕

附　則〔略〕〔平成二五・五・一〇法律一二施行〕

附　則〔略〕〔平成二七・五・七法律二〇施行〕

附　則〔抄〕〔平成二九・四・二六法律二五〕

（施行期日）

第一条　この法律〔中略〕は、当該各号に定める日から施行する。

一　〔前略〕附則第六条から第八条まで〔中略〕の規定　公布の日

二　〔前略〕第九条の規定並びに附則第四条、第五条〔中略〕の規定　公布の日から起算して三月を経過した日

三　〔略〕

（公営住宅法の一部改正に伴う経過措置）

第五条　附則第一条第二号に掲げる規定の施行の日から地域包括ケアシステムの強化のための介護保険法等の一部を改正する法律（平成二十九年法律第五十二号）の施行の日の前日までの間における第九条の規定による改正後の公営住宅法第十六条第四項の規定の適用については、同項中「第五条の二第一項」とあるのは、「第五条の二」とする。

（処分、申請等に関する経過措置）

第七条　この法律（附則第一条各号に掲げる規定については、当該各規定。以下この条において同じ。）の施行の日前にこの法律による改正前のそれぞれの法律の規定によりされた認定等の処分その他の行為（以下この項において「処分等の行為」という。）又はこの法律の施行の際現にこの法律による改正前のそれぞれの法律の規定によりされている認定等の申請その他の行為（以下この項において「申請等の行為」という。）で、この法律の施行の日においてこれらの行為に係る行政事務を行うべき者が異なることとなるものは、附則第二条から前条までの規定又は次条の規定に基づく政令に定めるものを除き、この法律の施行の日以後におけるこの法律による改正後のそれぞれの法律の適用については、この法律による改正後のそれぞれの法律の相当規定によりされた処分等の行為又は申請等の行為とみなす。

2　この法律の施行の日前にこの法律による改正前のそれぞれの法律の規定により国又は地方公共団体の機関に対し、報告、届出、提出その他の手続をしなければならない事項で、この法律の施行の日前にその手続がされていないものについては、附則第二条から前条までの規定又は次条の規定に基づく政令に定めるもののほか、これを、この法律による改正後のそれぞれの法律の相当規定により国又は地方公共団体の相当の機関に対して報告、届出、提出その他の手続をしなければならない事項についてその手続がされていないものとみなして、この法律による改正後のそれぞれの法律の規定を適用する。

（政令への委任）

第八条　附則第二条から前条までに規定するもののほか、この法律の施行に関し必要な経過措置は、政令で定める。

附　則〔平成二九・六・二法律四五〕

この法律は、民法改正法の施行の日（令和二・四・一）から施行する。ただし、〔中略〕第三百六十二条の規定は、公布の日から施行する。

民法の一部を改正する法律の施行に伴う関係法律の整備等に関する法律〔抄〕〔平成二九・六・二法律四五〕

（公営住宅法の一部改正に伴う経過措置）

第三二二条　施行日前に到来した支払期に係る前条の規定による改正前の公営住宅法第三十二条第三項に規定する利息については、なお従前の例による。

（罰則に関する経過措置）

第三六一条　施行日前にした行為及びこの法律の規定によりなお従前の例によることとされる場合における施行日以後にした行為に対する罰則の適用については、なお従前の例による。

（政令への委任）

第三六二条　この法律に定めるもののほか、この法律の施行に伴い必要な経過措置は、政令で定める。

附　則〔抄〕〔令和二・六・一二法律四六〕

（施行期日）

第一条　この法律は、令和三年四月一日から施行する。〔以下略〕

（公営住宅法の一部改正に伴う経過措置）

第二三条　施行日前に公営住宅の建設又は買取りに要する費用に充てられた復興交付金又は帰還環境整備交付金については、公営住宅法第八条第一項の規定による国の補助とみなして、同法の規定を適用する。

2　施行日前に東日本大震災に係る激甚災害に対処するための特別の財政援助等に関する法律（昭和三十七年法律第百五十号）第二十二条第一項に規定する政令で定める地域にあった住宅であって東日本大震災により滅失したものに平成二十三年三月十一日において居住していた者に賃貸するため復興交付金を充て、又は特定帰還者に賃貸するため帰還環境整備交付金を充てて建設又は買取りをした公営住宅の家賃に係る国の補助の特例については、なお従前の例による。

3　この法律の施行後に事業主体が公営住宅法第十六条第一項本文の規定に基づき復興交付金交付借上げ公営住宅の家賃を定める場合において、附則第八条の規定による補助がされたとき、又は当該復興交付金交付借上げ公営住宅の近傍同種の住宅の家賃の額から入居者負担基準額を控除した額の全部若しくは一部に相当する額の同法第七条第五項第一号から第三号までに掲げる交付金が交付されたときは、当該補助又は交付金を同法第十七条第二項の規定による国の補助とみなして、同法の規定を適用する。

附　則〔略〕〔令和三・三・三一法律一九〕

附　則〔抄〕〔令和四・三・三一法律七〕

（施行期日）

第一条　この法律は、令和四年四月一日から施行する。〔以下略〕

○公営住宅法施行令

〔昭和二六・六・三〇 政令二四〇〕

改正 昭和二七・一〇政四三一、昭和二九・六政一三三、昭和三〇・三政四七、一一政三〇九、昭和三四・五政二〇二、一二政三五八、昭和三五・六政一七七、昭和三六・六政二一一、八政二八五、一一政三六一、昭和三七・五政二一四、昭和三八・四政一四五、昭和三九・一〇政三三八、昭和四〇・三政九九、昭和四二・五政一〇五、昭和四三・四政九五、一〇政三〇七、昭和四四・六政一五二、政一五八、八政二三二、昭和四六・一政五、昭和四七・一二政四一五、昭和四八・八政二四一、一一政三四六、昭和四九・一二政三九九、昭和五〇・一〇政三〇六、昭和五二・一政六、昭和五四・一一政二八三、昭和五五・四政一〇〇、七政二〇二、昭和五七・六政一五八、昭和五九・六政二〇九、昭和六〇・五政一三三、昭和六一・四政一二八、昭和六二・九政二九五、平成元・一政二、平成二・一一政三三五、平成三・一政三、六政二〇一、平成五・六政二〇九、平成七・一二政一六、平成八・八政二四八、平成一一・一一政三五二、平成一二・三政一七五、六政三一二、七政三八一、平成一三・一二政四三六、平成一四・二政二七、三政一〇二、平成一五・一二政五二三、平成一六・三政八六、一二政四二一、平成一七・六政二二九、一〇政三三三、一二政三五七、平成一九・一二政三九一、平成二〇・三政一一七、平成二二・一二政二四〇、平成二三・八政二五二、一二政四二四、平成二六・三政一三四、平成二七・一〇政三六四、平成二九・七政二〇〇、一二政三一九、令和二・一二政三五九、令和三・三政一三七、令和五・九政二八〇

（用語の定義）

第一条 この政令において、次の各号に掲げる用語の意義は、それぞれ当該各号に定めるところによる。

一 耐火構造の住宅 イ又はロのいずれかに該当する住宅をいう。

イ その特定主要構造部（建築基準法（昭和二十五年法律第二百一号）第二条第九号の二イに規定するものをいう。ロにおいて同じ。）が耐火構造（同条第七号に規定するものをいう。次号ロにおいて同じ。）であるもの

ロ その特定主要構造部が建築基準法第二条第九号の二イ(2)に該当するもので国土交通大臣の定める基準に該当する耐久性を有するもの

二 準耐火構造の住宅 耐火構造の住宅以外の住宅で、イ又はロのいずれかに該当するものをいう。

イ 主要構造部（建築基準法第二条第五号に規定するものをいう。ロにおいて同じ。）を準耐火構造（同条第七号の二に規定するものをいう。）としたもので国土交通大臣の定める基準に該当する耐久性を有するもの

ロ イに掲げる住宅以外の住宅で、外壁を耐火構造とし、屋根を不燃材料（建築基準法第二条第九号に規定するものをいう。以下この号において同じ。）でふいたもの又は主要構造部に不燃材料その他の不燃性の建築材料を用いたもの

三 収入 入居者及び同居者の過去一年間における所得税法（昭和四十年法律第三十三号）第二編第二章第一節から第三節までの例に準じて算出した所得金額（給与所得者が就職後一年を経過しない場合等その額をその者の継続的収入とすることが著しく不適当である場合においては、事業主体が国土交通大臣の定めるところにより認定した額とし、以下「所得金額」という。）の合計から次に掲げる額を控除した額を十二で除した額をいう。

イ 入居者又は同居者に所得税法第二十八条第一項に規定する給与所得又は同法第三十五条第三項に規定する公的年金等に係る雑所得（以下このイにおいて「給与所得等」という。）を有する者がある場合には、その給与所得等を有する者一人につき十万円（その者の給与所得等の金額の合計額が十万円未満である場合には、当該合計額）

ロ 同居者又は所得税法第二条第一項第三十三号に規定する同一生計配偶者（以下この号において「同一生計配偶者」という。）若しくは同項第三十四号に規定する扶養親族（以下この号において「扶養親族」という。）で入居者及び同居者以外のもの一人につき三十八万円

ハ 同一生計配偶者が七十歳以上の者である場合又は扶養親族が所得税法第二条第一項第三十四号の四に規定する老人扶養親族である場合には、その同一生計配偶者又は老人扶養親族一人につき十万円

ニ 扶養親族が十六歳以上二十三歳未満の者である場合には、その扶養親族一人につき二十五万円

ホ 入居者又はロに規定する者に所得税法第二条第一項第二十八号に規定する障害者がある場合には、その障害者一人につき二十七万円（その者が同項第二十九号に規定する特別障害者である場合には、四十万円）

ヘ 入居者又は同居者に所得税法第二条第一項第三十号に規定する寡婦がある場合には、その寡婦一人につき二十七万円（その者の所得金額からイの規定により控除する金額を控除した残額が二十七万円未満である場合には、当該残額）

ト 入居者又は同居者に所得税法第二条第一項第三十一号に規定するひとり親がある場合には、そのひとり親一人につき三十五万円（その者の所得金額からイの規定により控除する金額を控除した残額が三十五万円未満である場合には、当該残額）

（家賃の算定方法）

第二条 公営住宅法（以下「法」という。）第十六条第一項本文及び第四項の規定による公営住宅の毎月の家賃は、家賃算定基礎額に次に掲げる数値を乗じた額（当該額が近傍同種の住宅の家賃の額を超える場合にあつては、近傍同種の住宅の家賃の額）とする。

一 公営住宅の存する市町村の立地条件の偏差を表すものとして地価公示法（昭和四十四年法律第四十九号）第八条に規定する公示価格その他の土地の価格を勘案して〇・七以上一・六以下で国土交通大臣が市町村ごとに定める数値

二 当該公営住宅（その公営住宅が共同住宅である場合にあつては、当該公営住宅の共用部分以外の部分に限る。）の床面積の合計を六十五平方メートルで除した数値

三 公営住宅の構造ごとに建設時からの経過年数に応じて一以下で国土交通大臣が定める数値のうち、当該公営住宅に係るもの

四 事業主体が公営住宅の存する区域及びその周辺の地域の状況、公営住宅の設備その他の当該公営住宅の有する利便性の要素となる事項を勘案してイに掲げる数値以上ロに掲げる数値以下で定める数値

イ 〇・五

ロ 次に掲げる数値のうち、いずれか小さい数値

(1) 一・三

(2) 一・六を第一号に掲げる数値で除した数値

2 前項の家賃算定基礎額は、次の表の上欄に掲げる入居者の収入の区分に応じ、それぞれ同表の下欄に定める額とする。

入居者の収入	額
十万四千円以下の場合	三万四千四百円
十万四千円を超え十二万三千円以下の場合	三万九千七百円
十二万三千円を超え十三万九千円以下の場合	四万五千四百円
十三万九千円を超え十五万八千円以下の場合	五万千二百円
十五万八千円を超え十八万六千円以下の場合	五万八千五百円
十八万六千円を超え二十一万四千円以下の場合	六万七千五百円
二十一万四千円を超え二十五万九千円以下の場合	七万九千円
二十五万九千円を超える場合	九万千百円

（近傍同種の住宅の家賃の算定方法）

第三条 法第十六条第二項の規定による近傍同種の住宅の家賃は、近傍同種の住宅（その敷地を含む。）の複成価格（当該住宅の推定再建築費の額か

ら経過年数に応じた減価額を除いた額として国土交通省令で定める方法で算出した価格及びその敷地の時価をいう。第十三条第一項において同じ。）に国土交通大臣が定める一年当たりの利回りを乗じた額、償却額、修繕費、管理事務費、損害保険料、貸倒れ及び空家による損失を埋めるための国土交通省令で定める方法で算出した引当金並びに公課の合計を十二で除した額とする。

２　前項の償却額は、近傍同種の住宅の建設に要した費用の額から国土交通省令で定める方法で算出した残存価額を控除した額を次の表の上欄各項に定める住宅の区分に応じてそれぞれ下欄各項に定める期間で除した額とする。

住宅	期間
耐火構造の住宅	七十年
準耐火構造の住宅	四十五年
木造の住宅（耐火構造の住宅及び準耐火構造の住宅を除く。以下この条及び第十三条第一項において同じ。）	三十年

３　第一項の修繕費及び管理事務費は、次の表の上欄各項に定める住宅について国土交通省令で定める方法で算出した推定再建築費の額に、修繕費にあつては中欄各項に定める率を、管理事務費にあつては下欄各項に定める率をそれぞれ乗じた年額とする。

住宅	修繕費の率	管理事務費の率
耐火構造の住宅	百分の一・二	百分の〇・一五
準耐火構造の住宅	百分の一・五	百分の〇・二
木造の住宅	百分の二・二	百分の〇・三

４　第一項の損害保険料は、地方自治法（昭和二十二年法律第六十七号）第二百六十三条の二の規定により、事業主体である地方公共団体の利益を代表する全国的な公益的法人が行う火災による損害に対する相互救済事業の事業費の負担率により算出した額の範囲内で定める年額とする。

（公営住宅の家賃に係る国の補助）

第四条　法第十七条第一項、第二項又は第三項の規定による国の補助金の額は、当該年度において事業主体が公営住宅を管理する期間に応じて算定するものとする。

２　法第十七条第一項、第二項又は第三項に規定する政令で定める期間は、二十年（事業主体が当該公営住宅の建設等に必要な土地の所有権、地上権又は土地の賃借権を新たに取得せずに建設又は買取りをした公営住宅にあつては、十年）と、事業主体が借上げをした公営住宅にあつては当該公営住宅の借上げの期間とする。

（法第二十二条第一項に規定する特別の事由）

第五条　法第二十二条第一項に規定する政令で定める特別の事由は、次に掲げるものとする。

一　都市計画法（昭和四十三年法律第百号）第五十九条の規定に基づく都市計画事業、土地区画整理法（昭和二十九年法律第百十九号）第三条第四項若しくは第五項の規定に基づく土地区画整理事業、大都市地域における住宅及び住宅地の供給の促進に関する特別措置法（昭和五十年法律第六十七号）に基づく住宅街区整備事業、密集市街地における防災街区の整備の促進に関する法律（平成九年法律第四十九号）に基づく防災街区整備事業又は都市再開発法（昭和四十四年法律第三十八号）に基づく市街地再開発事業の施行に伴う住宅の除却

二　土地収用法（昭和二十六年法律第二百十九号）第二十条（第百三十八条第一項において準用する場合を含む。）の規定による事業の認定を受けている事業又は公共用地の取得に関する特別措置法（昭和三十六年法律第百五十号）第二条に規定する特定公共事業の執行に伴う住宅の除却

三　現に公営住宅に入居している者（以下この号において「既存入居者」という。）の同居者の人数に増減があつたこと、既存入居者又は同居者が加齢、病気等によつて日常生活に身体の機能上の制限を受ける者となつたことその他既存入居者又は同居者の世帯構成及び心身の状況からみて事業主体が入居者を募集しようとしている公営住宅に当該既存入居者が入居することが適切であること。

四　公営住宅の入居者が相互に入れ替わることが双方の利益となること。

（入居者資格）

第六条　法第二十三条第一号イに規定する政令で定める金額は、二十五万九千円とする。

２　法第二十三条第一号ロに規定する政令で定める金額は、十五万八千円とする。

（入居者の選考基準）

第七条　法第二十五条第一項の規定による入居者の選考は、条例で定めるところにより、当該入居者が住宅に困窮する実情に応じ適切な規模、設備又は間取りの公営住宅に入居することができるよう配慮し、次の各号の一に該当する者のうちから行うものとする。

一　住宅以外の建物若しくは場所に居住し、又は保安上危険若しくは衛生上有害な状態にある住宅に居住している者

二　他の世帯と同居して著しく生活上の不便を受けている者又は住宅がないため親族と同居することができない者

三　住宅の規模、設備又は間取りと世帯構成との関係から衛生上又は風教上不適当な居住状態にある者

四　正当な事由による立退きの要求を受け、適当な立退き先がないため困窮している者（自己の責めに帰すべき事由に基づく場合を除く。）

五　住宅がないために勤務場所から著しく遠隔の地に居住を余儀なくされている者又は収入に比して著しく過大な家賃の支払を余儀なくされている者

六　前各号に該当する者のほか現に住宅に困窮していることが明らかな者

（法第二十八条に規定する収入の基準及び収入超過者の家賃の算定方法）

第八条　法第二十八条第一項に規定する政令で定める基準は、次の各号に掲げる場合の区分に応じ、それぞれ当該各号に定める金額とする。

一　法第二十三条第一号イに掲げる場合　同号イに定める金額

二　法第二十三条第一号ロに掲げる場合　同号ロに定める金額

２　法第二十八条第二項の規定による公営住宅の次の表の上欄に掲げる年度の毎月の家賃は、近傍同種の住宅の家賃の額から法第十六条第一項本文の規定による家賃の額を控除した額に同欄に掲げる年度の区分及び同表の下欄に掲げる入居者の収入の区分に応じ、それぞれ同欄に定める率を乗じた額に、同項本文の規定による家賃の額を加えた額とする。

年度	入居者の収入			
	十八万六千円以下の場合	十八万六千円を超え二十一万四千円以下の場合	二十一万四千円を超え二十五万九千円以下の場合	二十五万九千円を超える場合
初年度（法第二十八条第二項の規定により当該公営住宅の家賃が定められることとなつた年度をいう。以下この表において同じ。）	五分の一	四分の一	二分の一	一
初年度の翌年度	五分の二	四分の二	一	一
初年度の翌々年度	五分の三	四分の三	一	一
初年度から起算して三年度を経過した年度	五分の四	一	一	一
初年度から起算して四年度以上を経過した年度	一	一	一	一

３　前項の規定は、法第二十八条第四項の規定による公営住宅の毎月の家賃

について準用する。この場合において、前項中「第十六条第一項本文」とあるのは「第十六条第四項」と、「同項本文」とあるのは「同項」と読み替えるものとする。

（法第二十九条第一項に規定する収入の基準）

第九条　法第二十九条第一項に規定する政令で定める基準は、三十一万三千円とする。

2　入居者に配偶者（婚姻の届出をしないが事実上婚姻関係と同様の事情にある者その他婚姻の予約者を含む。）以外の同居者がある場合における前項の規定の適用に関しては、入居者の所得金額に合算する当該同居者の所得金額は、百二十四万八千円を超える場合におけるその超える部分の金額に限るものとする。

（条例で公営住宅の明渡しの請求に係る収入の基準を定める場合の基準）

第一〇条　法第二十九条第二項に規定する政令で定める基準は、二十五万九千円以上三十一万三千円未満の一定の金額を超えることとする。

（法第三十六条第一号に規定する規模）

第一一条　法第三十六条第一号に規定する政令で定める規模は、〇・一ヘクタールとする。

（法第四十三条第一項及び第四十四条第四項に規定する家賃の特例）

第一二条　事業主体は、法第四十三条第一項又は第四十四条第四項の規定により、新たに入居する公営住宅の家賃の額から従前の公営住宅の最終の家賃の額を控除した額に次の表の上欄各項に定める入居期間の区分に応じてそれぞれ下欄各項に定める率を乗じた額を減額するものとする。

入居期間	率
一年以下の場合	六分の五
一年を超え二年以下の場合	六分の四
二年を超え三年以下の場合	六分の三
三年を超え四年以下の場合	六分の二
四年を超え五年以下の場合	六分の一

（公営住宅等の処分）

第一三条　事業主体は、次の表の上欄各項に定める住宅に応じてそれぞれ下欄各項に定める耐用年限の四分の一を経過した公営住宅を引き続き管理することが災害その他の事由により不適当となり、かつ、その敷地を公営住宅の敷地として保有する必要がない場合において、当該住宅の維持保全上適当であると認められるときは、法第四十四条第一項の規定により、当該住宅（その敷地を含む。）を、その複成価格を基準として事業主体が定める価額で入居者、入居者の組織する団体又は営利を目的としない法人に譲渡することができる。この場合において、災害による損傷その他特別の事由によりその価額が著しく適正を欠くと認めるときは、事業主体は、国土交通大臣の承認を得て、別に譲渡の価額を定めることができる。

住宅	耐用年限
耐火構造の住宅	七十年
準耐火構造の住宅	四十五年
木造の住宅	三十年

2　前項の規定は、事業主体が共同施設を譲渡する場合について準用する。この場合において、同項中「公営住宅」又は「住宅」とあるのは、「共同施設」と読み替えるものとする。

第一四条　事業主体は、法第四十四条第一項の規定により公営住宅又は共同施設を譲渡したときは、その譲渡の対価を積み立て、これを公営住宅の整備若しくは共同施設の整備又はこれらの修繕若しくは改良に要する費用に充てなければならない。ただし、譲渡した公営住宅の整備若しくは共同施設の整備又はこれらの改良に要する費用に充てるため起こした地方債について償還すべきものがあるときは、その償還に充てることを妨げない。

（管理の特例に係る法第三章の規定の適用に関する技術的読替え等）

第一五条　法第四十七条第六項の規定による法第三章の規定の適用についての技術的読替えは、次の表のとおりとする。

読み替える法第三章の規定	読み替えられる字句	読み替える字句
第二十条、第二十一条	事業主体	事業主体及び地方公共団体又は地方住宅供給公社
第二十二条第一項、第二十七条第三項から第六項まで、第二十九条第一項及び第八項、第三十条、第三十二条第一項、第五項及び第六項、第三十三条第一項	事業主体	地方公共団体又は地方住宅供給公社
第二十五条第二項、第三十三条第二項、第三十四条	事業主体の長	地方公共団体の長又は地方住宅供給公社の理事長
第三十一条第一項	事業主体	事業主体又は地方公共団体若しくは地方住宅供給公社
第三十二条第三項	同項	地方公共団体又は地方住宅供給公社が同項
第三十四条	第十六条第一項若しくは第十八条第二項若しくは第四項の規定による家賃の決定、第十六条第五項（第二十八条第三項若しくは第五項又は第二十九条第九項において準用する場合を含む。）の規定による家賃若しくは金銭の減免、第十八条第二項の規定による敷金の減免、第十九条（第二十八条第三項若しくは第五項又は第二十九条第九項において準用する場合を含む。）の規定による家賃、敷金若しくは金銭の徴収の猶予、第二十九条第一項の規定による明渡しの請求、第三十条第一項の規定によるあっせん等又は第四十条の規定による公営住宅への入居の措置	第二十九条第一項の規定による明渡しの請求又は第三十条第一項の規定によるあっせん等

（家賃等の端数計算）

第一六条　第二条第一項若しくは第八条第二項の規定により公営住宅の家賃を算定する場合又は第三条第一項の規定により近傍同種の住宅の家賃を算定する場合において、その額に百円未満の端数があるとき、又はその全額が百円未満であるときは、その端数金額又はその全額を切り捨てる。

2　第十二条の規定により家賃を減額する場合において、その減額の額に百円未満の端数があるとき、又はその全額が百円未満であるときは、その端数金額又はその全額を百円に切り上げる。

（権限の委任）

第一七条　この政令に規定する国土交通大臣の権限は、国土交通省令で定めるところにより、その一部を地方整備局長又は北海道開発局長に委任することができる。

附　則

1　この政令は、昭和二十六年七月一日から施行する。

2　法附則第八項に規定する政令で定める期間は、五年（二年の据置期間を含む。）とする。

3　前項に規定する期間は、日本電信電話株式会社の株式の売払収入の活用による社会資本の整備の促進に関する特別措置法（昭和六十二年法律第八十六号）第五条第一項の規定により読み替えて準用される補助金等に係る予算の執行の適正化に関する法律（昭和三十年法律第百七十九号）第六条第一項の規定による貸付けの決定（以下「貸付決定」という。）ごとに、当該貸付決定に係る法附則第五項から第七項までの規定による貸付金の交付を完了した日（その日が当該貸付決定があつた日の属する年度の末日の前日以後の日である場合には、当該年度の末日の前々日）の翌日から起算する。

4　法附則第五項から第七項までの規定による貸付金の償還は、均等年賦償還の方法によるものとする。

5　国は、国の財政状況を勘案し、相当と認めるときは、法附則第五項から第七項までの規定による貸付金の全部又は一部について、前三項の規定により定められた償還期限を繰り上げて償還させることができる。

6　法附則第十三項に規定する政令で定める場合は、前項の規定により償還期限を繰り上げて償還を行つた場合とする。

7　法附則第十五項に規定する政令で定める地域は、次に掲げる地域（第四号及び第五号に掲げる地域にあつては、地方自治法第二百五十二条の十九第一項の指定都市の区域を除く。）とする。

一　過疎地域の持続的発展の支援に関する特別措置法（令和三年法律第十九号）第二条第一項に規定する過疎地域

二　離島振興法（昭和二十八年法律第七十二号）第二条第一項の規定により指定された離島振興対策実施地域

三　奄美群島振興開発特別措置法（昭和二十九年法律第百八十九号）第一条に規定する奄美群島

四　豪雪地帯対策特別措置法（昭和三十七年法律第七十三号）第二条第一項の規定により指定された豪雪地帯の全部又は一部を含む市町村の区域

五　山村振興法（昭和四十年法律第六十四号）第七条第一項の規定により指定された振興山村の区域の全部又は一部を含む市町村の区域

六　小笠原諸島振興開発特別措置法（昭和四十四年法律第七十九号）第四条第一項に規定する小笠原諸島

七　半島振興法（昭和六十年法律第六十三号）第二条第一項の規定により指定された半島振興対策実施地域の全部又は一部を含む市町村の区域

八　沖縄振興特別措置法（平成十四年法律第十四号）第三条第三号に規定する離島

附　則〔昭和三〇・一一・一七政令三〇九〕

1　この政令は、公布の日から施行する。

2　この政令の施行の際現に事業主体が管理している改正前の公営住宅法施行令第一条第四号に規定する特殊耐火構造の住宅の家賃の限度の算定方法及び処分については、なお従前の例による。ただし、修繕費の乗率は、百分の一・二とする。

附　則〔昭和三四・五・三〇政令二〇二〕

1　この政令は、公営住宅法の一部を改正する法律（昭和三十四年法律第百五十九号）の施行の日（昭和三十四年六月一日）から施行する。ただし、入居者の収入の計算については、昭和三十四年九月三十日までは、なお従前の例による。

2　この政令の施行の日から起算して三年間は、不良住宅となつた公営住宅の入居者でこの政令の施行の際現にその住宅に入居している者がその住宅の撤去に伴い他の公営住宅に入居の申込をした場合においては、当該申込をした日における収入が三万二千円をこえる場合においても、改正後の第五条第一号の規定の適用については、同号に定める基準の収入があるものとみなす。

附　則〔昭和三七・五・二二政令二一四〕

（施行期日）

1　この政令は、昭和三十七年六月一日から施行する。

（経過措置）

2　この政令の施行前に公営住宅法第十六条第一項の規定による公募が開始された場合においては、この政令による改正後の公営住宅法施行令第一条第三号及び第五条並びに附則第六項、第八項及び第九項の規定にかかわらず、なお従前の例による。同法第十六条第一項に規定する事由がある場合において、この政令の施行前に入居の申込みがされたときも同様とする。

附　則〔抄〕〔昭和四〇・三・三一政令九九〕

（施行期日）

第一条　この政令は、昭和四十年四月一日から施行する。

（その他の政令の一部改正に伴う経過規定の原則）

第六条　第二章の規定による改正後の政令の規定は、別段の定めがあるものを除き、昭和四十年分以後の所得税及びこれらの政令の規定に規定する法人の施行日以後に終了する事業年度分の法人税について適用し、昭和三十九年分以前の所得税又は当該法人の同日前に終了した事業年度分の法人税については、なお従前の例による。

附　則〔略〕〔昭和四二・五・三一政令一〇五〕

附　則〔略〕〔昭和四三・一〇・一五政令三〇七〕

附　則〔抄〕〔昭和四四・六・一〇政令一五二〕

改正　昭和四八・一一政令三四六、昭和四九・一一政令三九九、昭和五二・一政令六、昭和五七・六政令一五八

（施行期日）

1　この政令は、公布の日から施行する。

（経過措置）

2　公営住宅法の一部を改正する法律（昭和四十四年法律第四十一号）による改正前の公営住宅法第七条第一項又は第八条第一項若しくは第二項の規定により国の補助を受けて建設した公営住宅、同法第七条第四項の規定による国の補助に係る土地に公営住宅法の一部を改正する法律による改正後の公営住宅法第七条第一項又は第八条第一項若しくは第三項の規定により国の補助を受けて建設する公営住宅及び同法附則第三項の規定により第一種公営住宅又は第二種公営住宅とみなされる住宅に係る同法第十二条第一項又は第十三条第三項に規定する月割額のうち地代に相当する額の算出については、なお従前の例による。

附　則〔略〕〔昭和四四・六・一三政令一五八〕

附　則〔昭和四六・二・一政令五〕

（施行期日）

1　この政令は、昭和四十六年四月一日から施行する。

（経過措置）

2　この政令の施行前に公営住宅の入居者の公募が開始され、かつ、この政令の施行後に入居者の決定がされることとなる場合における当該公営住宅の入居の申込みをした者に係る公営住宅法第二条第三号及び第十七条第二号に規定する収入の基準については、この政令による改正後の公営住宅法施行令第一条第三号及び第五条の規定にかかわらず、なお従前の例による。同法第十六条第一項に規定する事由がある場合においてこの政令の施行前に公営住宅の入居の申込みがされ、かつ、この政令の施行後に入居者の決定がされることとなるときにおける当該公営住宅の入居の申込みをした者に係る同法第二条第三号及び第十七条第二号に規定する収入の基準についても、同様とする。

附　則〔昭和四七・一二・八政令四一五〕

1　この政令は、昭和四十八年一月一日から施行する。ただし、公営住宅法施行令第一条第三号、第六条の二第一項及び同条第二項の表、第六条の三第二項並びに附則第五項の改正規定は、同年四月一日から施行する。

2　昭和四十七年十二月三十一日以前に公営住宅の入居者の公募が開始され、かつ、昭和四十八年一月一日以後に入居者の決定がされることとなる場合における当該公募に応じて入居の申込みをした者に係る公営住宅法第二条第三号及び第十七条第二号に規定する収入の基準については、この政令による改正後の公営住宅法施行令の規定にかかわらず、なお従前の例による。同法第十六条第一項に規定する事由がある場合において昭和四十七年十二月三十一日以前に公営住宅の入居の申込みがされ、かつ、昭和四十八年一月一日以後に入居者の決定がされることとなるときにおける当該公営住宅の入居の申込みをした者に係る同法第二条第三号及び第十七条第二号に規定する収入の基準についても、同様とする。

3　昭和四十八年一月一日から同年三月三十一日までの間において公営住宅の入居者の公募が開始され、かつ、同年四月一日以後に入居者の決定がされることとなる場合における当該公募に応じて入居の申込みをした者に係

る公営住宅法第二条第三号及び第十七条第二号に規定する収入の基準については、この政令による改正後の公営住宅法施行令第一条第三号の規定にかかわらず、同年三月三十一日以前に入居者の決定がされることとなる場合における当該公募に応じて入居の申込みをした者に係る収入の基準の例による。

4　公営住宅法第十六条第一項に規定する事由がある場合において、昭和四十八年一月一日から同年三月三十一日までの間において公営住宅の入居の申込みがされ、かつ、同年四月一日以後に入居者の決定がされることとなるときにおける当該公営住宅の入居の申込みをした者に係る同法第二条第三号及び第十七条第二号に規定する収入の基準については、この政令による改正後の公営住宅法施行令第一条第三号の規定にかかわらず、同年三月三十一日以前に入居者の決定がされることとなる場合における当該公営住宅の入居の申込みをした者に係る収入の基準の例による。

附　則〔略〕〔昭和四八・一一・二四政令三四六〕

附　則〔昭和四九・一二・二七政令三九九〕

1　この政令は、昭和五十年一月一日から施行する。ただし、第一条中公営住宅法施行令第一条第三号、第六条の二、第六条の三及び附則第五項の改正規定並びに第二条の規定は、同年四月一日から施行する。

2　昭和四十九年十二月三十一日以前に公営住宅の入居者の公募が開始され、かつ、昭和五十年一月一日以後に入居者の決定がされることとなる場合における当該公募に応じて入居の申込みをした者に係る公営住宅法第二条第三号及び第十七条第二号に規定する収入の基準については、第一条の規定による改正後の公営住宅法施行令の規定にかかわらず、なお従前の例による。同法第十六条第一項に規定する事由がある場合において昭和四十九年十二月三十一日以前に公営住宅の入居の申込みがされ、かつ、昭和五十年一月一日以後に入居者の決定がされることとなるときにおける当該公営住宅の入居の申込みをした者に係る同法第二条第三号及び第十七条第二号に規定する収入の基準についても、同様とする。

3　昭和五十年一月一日から同年三月三十一日までの間において公営住宅の入居者の公募が開始され、かつ、同年四月一日以後に入居者の決定がされることとなる場合における当該公募に応じて入居の申込みをした者に係る公営住宅法第二条第三号及び第十七条第二号に規定する収入の基準については、第一条の規定による改正後の公営住宅法施行令第一条第三号の規定にかかわらず、同年三月三十一日以前に入居者の決定がされることとなる場合における当該公募に応じて入居の申込みをした者に係る収入の基準の例による。

4　公営住宅法第十六条第一項に規定する事由がある場合において、昭和五十年一月一日から同年三月三十一日までの間において公営住宅の入居の申込みがされ、かつ、同年四月一日以後に入居者の決定がされることとなるときにおける当該公営住宅の入居の申込みをした者に係る同法第二条第三号及び第十七条第二号に規定する収入の基準については、第一条の規定による改正後の公営住宅法施行令第一条第三号の規定にかかわらず、同年三月三十一日以前に入居者の決定がされることとなる場合における当該公営住宅の入居の申込みをした者に係る収入の基準の例による。

附　則〔略〕〔昭和五〇・一〇・二四政令三〇六〕

附　則〔昭和五二・一・二八政令六〕

1　この政令は、公布の日から施行する。ただし、第一条中公営住宅法施行令第一条第三号、第六条の二、第六条の三及び附則第五項の改正規定並びに第二条〔中略〕の規定は、昭和五十二年四月一日から施行する。

2　この政令の施行の日前に公営住宅の入居者の公募が開始され、かつ、同日以後に入居者の決定がされることとなる場合における当該公募に応じて入居の申込みをした者に係る公営住宅法第二条第三号及び第十七条第二号に規定する収入の基準については、第一条の規定による改正後の公営住宅法施行令の規定にかかわらず、なお従前の例による。同法第十六条第一項に規定する事由がある場合において、この政令の施行の日前に公営住宅の入居の申込みがされ、かつ、同日以後に入居者の決定がされることとなるときにおける当該公営住宅の入居の申込みをした者に係る同法第二条第三号及び第十七条第二号に規定する収入の基準についても、同様とする。

3　この政令の施行の日から昭和五十二年三月三十一日までの間において公営住宅の入居者の公募が開始され、かつ、同年四月一日以後に入居者の決定がされることとなる場合における当該公募に応じて入居の申込みをした者に係る公営住宅法第二条第三号及び第十七条第二号に規定する収入の基準については、第一条の規定による改正後の公営住宅法施行令第一条第三号の規定にかかわらず、同年三月三十一日以前に入居者の決定がされることとなる場合における当該公募に応じて入居の申込みをした者に係る収入の基準の例による。

4　公営住宅法第十六条第一項に規定する事由がある場合において、この政令の施行の日から昭和五十二年三月三十一日までの間において公営住宅の入居の申込みがされ、かつ、同年四月一日以後に入居者の決定がされることとなるときにおける当該公営住宅の入居の申込みをした者に係る同法第二条第三号及び第十七条第二号に規定する収入の基準については、第一条の規定による改正後の公営住宅法施行令第一条第三号の規定にかかわらず、同年三月三十一日以前に入居者の決定がされることとなる場合における当該公営住宅の入居の申込みをした者に係る収入の基準の例による。

附　則〔昭和五四・一二・二四政令二八三〕

1　この政令は、公布の日から施行する。ただし、第六条の二、第六条の三第二項及び附則第五項の改正規定は、昭和五十五年四月一日から施行する。

2　この政令の施行の日前に公営住宅の入居者の公募が開始され、かつ、同日以後に入居者の決定がされることとなる場合における当該公募に応じて入居の申込みをした者に係る公営住宅法第二条第三号及び第十七条第二号に規定する収入の基準については、この政令による改正後の公営住宅法施行令の規定にかかわらず、なお従前の例による。同法第十六条第一項に規定する事由がある場合において、この政令の施行の日前に公営住宅の入居の申込みがされ、かつ、同日以後に入居者の決定がされることとなるときにおける当該公営住宅の入居の申込みをした者に係る同法第二条第三号及び第十七条第二号に規定する収入の基準についても、同様とする。

3　公営住宅法第二十一条の二から第二十一条の四までの規定の適用に関する公営住宅の入居者の収入の計算については、昭和五十五年三月三十一日までの間は、この政令による改正後の公営住宅法施行令第一条第三号の規定にかかわらず、なお従前の例による。

附　則〔略〕〔昭和五五・四・一五政令一〇〇〕

附　則〔略〕〔昭和五五・七・三〇政令二〇二〕

附　則〔昭和五七・六・一政令一五八〕

1　この政令は、昭和五十七年八月一日から施行する。ただし、第一条中公営住宅法施行令第二条及び第六条の四の改正規定〔中略〕は、公布の日から施行する。

2　この政令の施行の日前に公営住宅の入居者の公募が開始され、かつ、同日以後に入居者の決定がされることとなる場合における当該公募に応じて入居の申込みをした者に係る公営住宅法第二条第三号及び第十七条第二号に規定する収入の基準については、この政令による改正後の公営住宅法施行令の規定にかかわらず、なお従前の例による。同法第十六条第一項に規定する事由がある場合においてこの政令の施行の日前に公営住宅の入居の申込みがされ、かつ、同日以後に入居者の決定がされることとなるときにおける当該公営住宅の入居の申込みをした者に係る同法第二条第三号及び第十七条第二号に規定する収入の基準についても、同様とする。

附　則〔略〕〔昭和五九・六・二一政令二〇九〕

附　則〔略〕〔昭和六〇・五・一八政令一三三〕

附　則〔昭和六一・四・二二政令一一八〕

1　この政令は、昭和六十一年七月一日から施行する。

2　この政令の施行の日前に公営住宅の入居者の公募が開始され、かつ、同日以後に入居者の決定がされることとなる場合における当該公募に応じて入居の申込みをした者に係る公営住宅法第二条第三号及び第十七条第二号に規定する収入の基準については、この政令による改正後の公営住宅法施行令の規定にかかわらず、なお従前の例による。同法第十六条第一項に規定する事由がある場合においてこの政令の施行の日前に公営住宅の入居の申込みがされ、かつ、同日以後に入居者の決定がされることとなるときにおける当該公営住宅の入居の申込みをした者に係る同法第二条第三号及び第十七条第二号に規定する収入の基準についても、同様とする。

附　則〔略〕〔平成元・一・一九政令二〕

附　則〔略〕〔平成二・一一・九政令三二五〕

附　則〔平成三・一・二二政令三〕

1　この政令は、平成三年四月一日から施行する。

2　この政令の施行の日前に公営住宅の入居者の公募が開始され、かつ、同日以後に入居者の決定がされることとなる場合における当該公募に応じて入居の申込みをした者に係る公営住宅法第二条第三号及び第十七条第二号に規定する収入の基準については、この政令による改正後の公営住宅法施行令の規定にかかわらず、なお従前の例による。同法第十六条第一項に規定する事由がある場合において同日前に公営住宅の入居の申込みがされ、かつ、同日以後に入居者の決定がされることとなるときにおける当該公営住宅の入居の申込みをした者に係る同法第二条第三号及び第十七条第二号に規定する収入の基準についても、同様とする。

附則〔略〕〔平成三・六・七政令二〇一〕

附則〔平成五・六・二三政令二〇九〕

（施行期日）

1　この政令は、都市計画法及び建築基準法の一部を改正する法律（平成四年法律第八十二号）の施行の日（平成五年六月二十五日）から施行する。

（経過措置）

2　改正後の第四条第一号及び第三号、第四条の三、第六条の五並びに第七条第一項（同条第二項において準用する場合を含む。）の規定は、平成五年度以降の年度の予算に係る国の補助（平成四年度以前の年度における事業の実施により平成五年度以降の年度に支出されるもの及び平成四年度以前の年度の国庫債務負担行為に基づき平成五年度以降の年度に支出すべきものとされたものを除く。）を受けて建設される公営住宅及び共同施設について適用し、平成四年度以前の年度における事業の実施により平成五年度以降の年度に支出される国の補助、平成四年度以前の年度の国庫債務負担行為に基づき平成五年度以降の年度に支出すべきものとされた国の補助又は平成四年度以前の年度の歳出予算に係る国の補助で平成五年度以降の年度に繰り越されたものを受けて建設される公営住宅及び共同施設については、なお従前の例による。

附則〔略〕〔平成七・二・一七政令二六〕

附則〔抄〕〔平成八・八・二三政令二四八〕

改正　平成一一・六政三二一、平成一六・四政一三九

（施行期日）

1　この政令は、公営住宅法の一部を改正する法律の施行の日（平成八年八月三十日）から施行する。

（経過措置）

2　公営住宅法の一部を改正する法律による改正前の公営住宅法の規定に基づいて供給された公営住宅又は共同施設については、平成十年三月三十一日までの間は、この政令による改正前の公営住宅法施行令（次項及び附則第四項において「旧令」という。）第一条第三号、第四条、第四条の四、第四条の五、第四条の七、第五条、第六条の二から第六条の五まで並びに附則第三項及び第四項の規定は、なおその効力を有する。

3　前項の公営住宅については、旧令第四条の二及び第四条の三の規定は、なおその効力を有する。この場合において、旧令第四条の二中「国の補助金額」とあるのは「国の補助は、その管理の開始の日から三十年を経過しない公営住宅について行うものとし、その金額」と、「建設大臣」とあるのは「国土交通大臣」とする。

4　附則第二項の公営住宅については、平成十年三月三十一日までの間は、この政令による改正後の公営住宅法施行令第五条の規定は適用せず、旧令第四条の六第五号中「他の公営住宅の入居者が世帯構成に異動があったことにより当該公営住宅に」とあるのは「現に公営住宅に入居している者（以下この号において「既存入居者」という。）の同居者の人数に増減があったこと又は既存入居者若しくは同居者が加齢、病気等によって日常生活に身体の機能上の制限を受ける者となったことにより、事業主体が入居者を募集しようとしている公営住宅に当該既存入居者が」として、同条の規定の例による。

附則〔略〕〔平成一一・一一・一〇政令三五二〕

附則〔略〕〔平成一二・三・三一政令一七五〕

附則〔略〕〔平成一二・六・七政令三一二〕

附則〔抄〕〔平成一二・七・一四政令三八一〕

（施行期日）

第一条　この政令は、公布の日から施行する。ただし、第一条第三号及び第六条の改正規定〔中略〕は、平成十二年十月一日から施行する。

（経過措置）

第二条　平成十二年十月一日において現に公営住宅に入居している者の家賃の算定の基礎となる収入の計算については、平成十三年三月三十一日までの間は、この政令による改正後の公営住宅法施行令（次項において「新令」という。）第一条第三号の規定にかかわらず、なお従前の例による。

2　平成十二年九月三十日以前に公営住宅の入居者の公募が開始され、かつ、同年十月一日以後に入居者の決定がされることとなる場合における当該公募に応じて入居の申込みをした者に係る公営住宅法第二十三条第二号に規定する収入の基準については、新令第一条第三号の規定にかかわらず、なお従前の例による。同法第二十二条第一項に規定する事由がある場合において同年九月三十日以前に公営住宅の入居の申込みがされ、かつ、同年十月一日以後に入居者の決定がされることとなるときにおける当該公営住宅の入居の申込みをした者に係る同法第二十三条第二号に規定する収入の基準についても、同様とする。

附則〔略〕〔平成一四・二・八政令二七〕

附則〔略〕〔平成一四・三・三一政令一〇二〕

附則〔平成一五・一二・一七政令五二三〕

（施行期日）

第一条　この政令は、密集市街地における防災街区の整備の促進に関する法律等の一部を改正する法律の施行の日（平成十五年十二月十九日）から施行する。

（罰則に関する経過措置）

第二条　この政令の施行前にした行為に対する罰則の適用については、なお従前の例による。

附則〔平成一六・一二・二七政令四二一〕

（施行期日）

1　この政令は、平成十七年一月一日から施行する。

（経過措置）

2　この政令の施行の際公営住宅に現に入居している者又は同居している者に老年者（所得税法等の一部を改正する法律（平成十六年法律第十四号）第二条の規定による改正前の所得税法（昭和四十年法律第三十三号）第二条第一項第三十号に規定する老年者をいう。以下同じ。）がある場合における当該入居者の公営住宅法第十六条第一項に規定する家賃の算定の基礎となる収入の計算及び同法第二十八条から第三十条までの規定の適用に関する収入の計算については、平成十九年三月三十一日までの間は、この政令による改正後の公営住宅法施行令（以下「新令」という。）第一条第三号イからホまでに掲げる額を控除するほか、次の表の上欄に掲げる期間の区分に応じ、その老年者一人につき同表の下欄に定める額（その老年者の所得金額が同表の下欄に定める額未満である場合には、当該所得金額）を控除して行うものとする。

この政令の施行の日から平成十七年三月三十一日まで	五十万円
平成十七年四月一日から平成十八年三月三十一日まで	三十万円
平成十八年四月一日から平成十九年三月三十一日まで	十五万円

3　この政令の施行の日前に公営住宅の入居者の公募が開始され、かつ、同日以後に入居者の決定がされることとなる場合における当該公募に応じて入居の申込みをした者に係る公営住宅法第二十三条第二号に規定する収入の条件及び新令第七条第五号に規定する収入の計算については、新令第一条第三号の規定にかかわらず、なお従前の例による。同法第二十二条第一項に規定する事由がある場合において同日前に公営住宅の入居の申込みがされ、かつ、同日以後に入居者の決定がされることとなるときにおける当該公営住宅の入居の申込みをした者に係る同法第二十三条第一号に規定する収入の条件及び新令第七条第五号に規定する収入の計算についても、同様とする。

附則〔抄〕〔平成一七・六・二九政令二二九〕

（施行期日）

1　この政令は、公布の日から施行する。

（交付金に関する経過措置）

2　公的資金による住宅及び宅地の供給体制の整備のための公営住宅法等の一部を改正する法律第一条の規定による改正前の公営住宅法（昭和二十六年法律第百九十三号。次項において「旧公営住宅法」という。）第四十九条の規定による交付金で平成十六年度以前の年度の歳出予算に係るもののうち、平成十七年度以降の年度に繰り越されたものの交付については、なお従前の例による。

附則〔略〕〔平成一七・一〇・二一政令三二二〕

附則〔平成一七・一二・二政令三五七〕

（施行期日）

第一条　この政令は、平成十八年二月一日から施行する。ただし、第六条第一項第一号の改正規定、同条第四項第二号の改正規定及び第八条第二項の改正規定は、同年四月一日から施行する。

（経過措置）

第二条　前条ただし書に規定する規定の施行の日（次条において「一部施行日」という。）前に五十歳以上である者の公営住宅の入居者資格については、この政令による改正後の公営住宅法施行令（以下「新令」という。）第六条第一項第一号の規定にかかわらず、なお従前の例による。

第三条　公営住宅の入居者が一部施行日前に五十歳以上である者であり、かつ、同居者のいずれもが十八歳未満の者又は一部施行日前に五十歳以上の者である場合における公営住宅法第二十三条第二号に規定する収入の条件及び同法第二十八条第一項に規定する収入の基準については、新令第六条第四項第二号及び第八条第一項の規定にかかわらず、なお従前の例による。

第四条　新令第八条第二項の規定は、平成十九年度以降の年度の毎月の家賃について適用する。

第五条　附則第一条ただし書に規定する規定の施行の際公営住宅に現に入居している者でこの政令による改正前の公営住宅法施行令第八条第二項に規定する家賃が定められているものに係る新令第八条第二項の規定の適用については、同項の表中「法第二十八条第二項の規定により当該公営住宅の家賃が定められることとなつた年度」とあるのは、「平成十九年度」とする。

附　則〔抄〕〔平成一九・一二・二七政令三九一〕

（施行期日）

第一条　この政令は、平成二十一年四月一日から施行する。ただし、第二条の改正規定及び次条の規定は、平成二十年四月一日から施行する。

（経過措置）

第二条　この政令による改正後の公営住宅法施行令（以下「新令」という。）第二条の規定は、平成二十一年度以降の年度の公営住宅の毎月の家賃（公営住宅法第十六条第一項本文の規定による公営住宅の毎月の家賃をいう。以下この条及び次条において同じ。）の算定について適用し、平成二十年度の公営住宅の毎月の家賃の算定については、なお従前の例による。

第三条　この政令の施行の際現に公営住宅に入居している者で新令第二条の規定による公営住宅の毎月の家賃の額（以下この条において「新家賃額」という。）がこの政令の施行の日前の最終の公営住宅の毎月の家賃の額（以下この条において「旧家賃額」という。）を超えるものの次の表の上欄に掲げる年度の公営住宅の毎月の家賃は、新令第二条の規定にかかわらず、新家賃額から旧家賃額を控除して得た額に同欄に掲げる年度の区分に応じ、それぞれ同表の下欄に定める率を乗じて得た額に、旧家賃額を加えて得た額とする。

平成二十一年度	〇・二
平成二十二年度	〇・四
平成二十三年度	〇・六
平成二十四年度	〇・八

第四条　この政令の施行の日前に公営住宅の入居者の公募が開始され、かつ、同日以後に入居者の決定がされることとなる場合における当該公募に応じて入居の申込みをした者に係る公営住宅法第二十三条第二号に規定する収入の条件については、新令第六条第五項の規定にかかわらず、なお従前の例による。同法第二十二条第一項に規定する事由がある場合において同日前に公営住宅の入居の申込みがされ、かつ、同日以後に入居者の決定がされることとなるときにおける当該公営住宅の入居の申込みをした者に係る同法第二十三条第二号に規定する収入の条件についても、同様とする。

第五条　次に掲げる者に係る公営住宅法第二十八条第一項に規定する収入の基準及び同条第二項に規定する公営住宅の毎月の家賃の算定方法並びに同法第二十九条第一項に規定する収入の基準については、平成二十六年三月三十一日までの間は、新令第八条及び第九条の規定にかかわらず、なお従前の例による。

一　この政令の施行の際現に公営住宅に入居している者

二　この政令の施行の日前に公営住宅法第二十四条第一項の規定による申込み又は同法第四十条第一項の規定による申出がされ、かつ、同日以後に入居者の決定がされることとなる場合における当該申込み又は申出をした者

附　則〔略〕〔平成二〇・三・三一政令一一七〕

附　則〔平成二二・一二・一五政令二四〇〕

（施行期日）

1　この政令は、平成二十三年一月一日から施行する。

（経過措置）

2　この政令の施行の際現に公営住宅に入居している者の家賃の算定の基礎となる収入の計算については、平成二十三年三月三十一日までの間は、この政令による改正後の公営住宅法施行令（次項において「新令」という。）第一条第三号の規定にかかわらず、なお従前の例による。

3　この政令の施行の日前に公営住宅の入居者の公募が開始され、かつ、同日以後に入居者の決定がされることとなる場合における当該公募に応じて入居の申込みをした者に係る公営住宅法第二十三条第二号に規定する収入の条件及び新令第七条第五号に規定する収入の計算については、新令第一条第三号の規定にかかわらず、なお従前の例による。同法第二十二条第一項に規定する事由がある場合において同日前に公営住宅の入居の申込みがされ、かつ、同日以後に入居者の決定がされることとなるときにおける当該公営住宅の入居の申込みをした者に係る同法第二十三条第二号に規定する収入の条件及び新令第七条第五号に規定する収入の計算についても、同様とする。

附　則〔略〕〔平成二三・八・五政令二五二施行〕

附　則〔抄〕〔平成二三・一二・二六政令四二四〕

（施行期日）

第一条　この政令は、平成二十四年四月一日から施行する。

（公営住宅法の一部改正に伴う経過措置）

第二条　地域の自主性及び自立性を高めるための改革の推進を図るための関係法律の整備に関する法律（以下「第一次一括法」という。）第三十二条の規定の施行の日（平成二四・四・一）から起算して一年を超えない期間内において、住宅地区改良法（昭和三十五年法律第八十四号）第二十九条第一項において準用する第一次一括法第三十二条の規定による改正後の公営住宅法（昭和二十六年法律第百九十三号。以下「新公営住宅法」という。）第二十三条第一号ロの規定に基づく条例が制定施行されるまでの間は、改良住宅（住宅地区改良法第二条第六項に規定する改良住宅をいう。附則第五条において同じ。）の入居者の資格については、住宅地区改良法第二十九条第一項において準用する新公営住宅法第二十三条の規定にかかわらず、なお従前の例による。この場合において、住宅地区改良法第二十九条第一項において準用する第一次一括法第三十二条の規定による改正前の公営住宅法第二十三条中「次の各号（老人、身体障害者その他の特に居住の安定を図る必要がある者として政令で定める者（次条第二項において「老人等」という。）にあつては、第二号及び第三号）」とあるのは、「第二号及び第三号」とする。

第三条　第一次一括法第三十二条の規定の施行の日から起算して一年を超えない期間内において、新公営住宅法第二十三条第一号ロの規定に基づく条例が制定施行されるまでの間における密集市街地における防災街区の整備の促進に関する法律（平成九年法律第四十九号）第二十条第一項第一号の規定の適用については、同号中「公営住宅法第二十三条各号」とあるのは、「地域の自主性及び自立性を高めるための改革の推進を図るための関係法律の整備に関する法律（平成二十三年法律第三十七号）附則第十四条第三項の規定によりなお従前の例によることとされる場合における同法第三十二条の規定による改正前の公営住宅法第二十三条第二号及び第三号」とする。

第四条　第一次一括法第三十二条の規定の施行の日から起算して一年を超えない期間内において、新公営住宅法第二十三条第一号ロの規定に基づく条例が制定施行されるまでの間におけるマンションの建替えの円滑化等に関する法律（平成十四年法律第七十八号）第百十八条第一項第一号の規定の適用については、同号中「公営住宅法第二十三条各号」とあるのは、「地域の自主性及び自立性を高めるための改革の推進を図るための関係法律の整備に関する法律（平成二十三年法律第三十七号）附則第十四条第三項の規定によりなお従前の例によることとされる場合における同法第三十二条の規定による改正前の公営住宅法第二十三条第二号及び第三号」とする。

第五条　第一次一括法第三十二条の規定の施行の日前に公営住宅（公営住宅法第二条第二号に規定する公営住宅をいう。以下この条において同じ。）又は改良住宅の入居者の公募が開始され、かつ、同日以後に入居者の決定

がされることとなる場合における当該公募に応じて入居の申込みをした者に係る公営住宅又は改良住宅の入居者の資格については、新公営住宅法第二十三条（住宅地区改良法第二十九条第一項において準用する場合を含む。）及び第一次一括法附則第十四条第三項並びに附則第二条の規定にかかわらず、なお従前の例による。新公営住宅法第二十二条第一項（住宅地区改良法第二十九条第一項において準用する場合を含む。）に規定する事由がある場合において同日前に公営住宅又は改良住宅の入居の申込みがされ、かつ、同日以後に入居者の決定がされることとなるときにおける当該公営住宅又は改良住宅の入居の申込みをした者に係る公営住宅又は改良住宅の入居者の資格についても、同様とする。

附　則〔略〕〔平成二六・三・三一政令一三四〕

附　則〔平成二七・一〇・一六政令三六四〕

（施行期日）

1　この政令は、平成二十八年十月一日から施行する。

（経過措置）

2　この政令の施行の際現に公営住宅に入居している者の家賃の算定の基礎となる収入の計算については、平成二十九年三月三十一日までの間は、この政令による改正後の公営住宅法施行令（次項において「新令」という。）第一条第三号の規定にかかわらず、なお従前の例による。

3　この政令の施行の日前に公営住宅の入居者の公募が開始され、かつ、同日以後に入居者の決定がされることとなる場合における当該公募に応じて入居の申込みをした者に係る公営住宅法第二十三条第一号に規定する収入の条件及び新令第七条第五号に規定する収入の計算については、新令第一条第三号の規定にかかわらず、なお従前の例による。同法第二十二条第一項に規定する事由がある場合において同日前に公営住宅の入居の申込みがされ、かつ、同日以後に入居者の決定がされることとなるときにおける当該公営住宅の入居の申込みをした者に係る同法第二十三条第一号に規定する収入の条件及び新令第七条第五号に規定する収入の計算についても、同様とする。

附　則〔略〕〔平成二九・七・二一政令二〇〇〕

附　則〔略〕〔平成二九・一二・二二政令三一九〕

附　則〔令和二・一二・二三政令三五九〕

（施行期日）

1　この政令は、令和三年一月一日から施行する。

（経過措置）

2　この政令による改正後の公営住宅法施行令（次項において「新令」という。）第一条第三号の規定は、令和三年七月一日以後に行われる公営住宅法第十六条第一項若しくは第四項、第二十八条第一項、第二項若しくは第四項又は第二十九条第一項の規定に規定する収入の計算（以下この項において「収入の計算」という。）について適用し、同日前に行われる収入の計算については、なお従前の例による。

3　前項に定めるもののほか、新令第一条第三号の規定は、令和三年七月一日以後に開始される公営住宅の入居者の公募に応じて入居の申込みをした者及び公営住宅法第二十二条第一項に規定する事由がある場合において同日以後に公営住宅の入居の申込みをした者に係る同法第二十三条第一号又は公営住宅法施行令第七条第五号に規定する収入の計算（以下この項において「収入の計算」という。）について適用し、同日前に開始される公営住宅の入居者の公募に応じて入居の申込みをした者及び同法第二十二条第一項に規定する事由がある場合において同日前に公営住宅の入居の申込みをした者に係る収入の計算については、なお従前の例による。

附　則〔略〕〔令和三・三・三一政令一三七〕

附　則〔抄〕〔令和五・九・一三政令二八〇〕

（施行期日）

1　この政令は、脱炭素社会の実現に資するための建築物のエネルギー消費性能の向上に関する法律等の一部を改正する法律附則第一条第四号に掲げる規定の施行の日（令和六年四月一日）から施行する。

○公営住宅法施行規則〔昭和二六・七・二一 建設省令一九〕

改正　昭和二七・一一建令三六、昭和二九・五建令一五、昭和三二・六建令九、昭和三四・六建令一六、昭和三五・三建令五、昭和三六・四建令九、昭和四一・七建令二二、昭和四四・六建令四四、昭和五〇・四建令一〇、昭和五五・五建令六、七建令九、昭和五九・六建令一三、昭和六〇・一二建令一四、昭和六二・九建令一六、平成元・三建令三、平成五・六建令一一、平成八・八建令一二、平成九・四建令五、平成一〇・四建令八、平成一二・一建令一〇、七建令二九、九建令三三、一一建令四一、平成一六・一二国交令一一〇、平成一七・六国交令七三、一二国交令一一一、平成二三・一一国交令九一、一二国交令一〇三、平成二七・一二国交令八八、平成二九・七国交令四七、令和元・五国交令一、令和二・一二国交令一〇四、令和三・八国交令五三、令和五・三国交令九、令和六・三国交令二六、五国交令六一

（共同施設の種類）

第一条　公営住宅法（以下「法」という。）第二条第九号に規定する国土交通省令で定める共同施設は、次に掲げる施設とする。

一　管理事務所
二　広場及び緑地
三　通路
四　立体的遊歩道及び人工地盤施設
五　高齢者生活相談所
六　駐車場

（法第七条第二項の国土交通省令で定める共同施設）

第二条　法第七条第二項に規定する国土交通省令で定める共同施設は、児童遊園、集会所及び前条第一号から第五号までに掲げる施設とする。

（法第九条第三項に規定する住宅の共用部分）

第三条　法第九条第三項に規定する国土交通省令で定める住宅の共用部分は、次に掲げる部分とする。

一　廊下及び階段
二　エレベーター及びエレベーターホール
三　特殊基礎
四　機械室
五　避難設備
六　消火設備及び警報設備並びに監視装置
七　避雷設備及び電波障害防除設備

（法第九条第四項の国土交通省令で定める施設）

第四条 法第九条第四項に規定する国土交通省令で定める施設は、児童遊園、集会所及び第一条第一号から第五号までに掲げる施設とする。

（補助金交付申請書、事業計画書及び工事設計要領書）

第五条 法第十一条第一項に規定する国の補助金の交付申請書（以下「補助金交付申請書」という。）は、次に掲げる事業別に別記第一号様式により作成するものとする。

一 法第七条第一項の規定により国の補助を受ける公営住宅の建設等
二 法第七条第二項の規定により国の補助を受ける共同施設の建設等
三 法第八条第一項の規定により国の補助を受ける公営住宅の建設等
四 法第八条第三項の規定により国の補助を受ける公営住宅の建設又は補修
五 法第八条第三項の規定により国の補助を受ける共同施設の建設又は補修
六 法第九条第三項の規定により国の補助を受ける住宅の共用部分の建設又は改良
七 法第九条第四項の規定により国の補助を受ける施設の建設又は改良
八 法第十条第一項の規定により国の補助を受ける住宅の共用部分の建設又は改良

2 法第十一条第一項の規定により補助金交付申請書に添える事業計画書は、別記第二号様式により作成するものとする。

3 法第十一条第一項の規定により補助金交付申請書に添える工事設計要領書は、別記第三号様式によるものとする。

（国の補助の申請の手続）

第六条 補助金交付申請書は、法第七条又は第九条の規定に基づく国の補助に係るものにあつては当該年度の六月三十日までに、法第八条又は第十条の規定に基づく国の補助に係るものにあつては当該災害発生後一月以内に提出するものとする。ただし、特別の事由がある場合においては、この限りでない。

（収入申告の方法）

第七条 法第十六条第一項に規定する入居者からの収入の申告は、次に掲げる事項を記載した書面を提出して行わなければならない。

一 当該入居者に係る収入
二 当該入居者又は同居者が法第二十三条第一号イに規定する条例で定める場合に該当する場合には、その旨

2 入居者は、当該入居者及び同居者の公営住宅法施行令（以下「令」という。）第一条第三号に規定する所得金額を証する書類のほか、次の各号のいずれかに該当する場合にあつては、それぞれ当該各号に規定する書類を、前項の規定により提出する書面に添付し、又は当該書面の提出の際に提示しなければならない。ただし、事業主体が行政手続における特定の個人を識別するための番号の利用等に関する法律（平成二十五年法律第二十七号）第九条第二項の規定に基づく条例の規定によりこれらの書類（前項の規定により提出する書面を除く。）と同一の内容を含む特定個人情報（同法第二条第八項に規定する特定個人情報をいう。）を利用することができるとき、又は同法第二十二条第一項の規定により当該書類と同一の内容を含む利用特定個人情報の提供を受けることができるときは、当該内容が記載された書類は、前項の規定により提出する書面に添付し、又は当該書面の提出の際に提示することを要しない。

一 令第一条第三号イからトまでに規定する額を控除する場合 当該控除の対象者に該当する旨を証する書類
二 前項第二号に該当する場合 当該入居者又は同居者が法第二十三条第一号イに規定する条例で定める場合に該当する旨を証する書類

（法第十六条第四項の国土交通省令で定める者）

第八条 法第十六条第四項の国土交通省令で定める者は、次に掲げるものとする。

一 介護保険法（平成九年法律第百二十三号）第五条の二第一項に規定する認知症である者
二 知的障害者福祉法（昭和三十五年法律第三十七号）にいう知的障害者
三 精神保健及び精神障害者福祉に関する法律（昭和二十五年法律第百二十三号）第五条第一項に規定する精神障害者（前号に掲げる者を除く。）
四 前三号に掲げる者に準ずる者

（法第十六条第四項の国土交通省令で定める方法）

第九条 法第十六条第四項の国土交通省令で定める方法は、入居者の雇主、取引先その他の関係人に報告を求める方法又は官公署に必要な書類を閲覧させ、若しくはその内容を記録させることを求める方法とする。

（修繕の義務のある附帯施設）

第一〇条 法第二十一条に規定する国土交通省令で定める附帯施設は、事業主体が管理する給水施設、排水施設（汚物処理槽を含む。）、電気施設、ガス施設、消火施設、共同塵かい処理施設及び道とする。ただし、給水栓、点滅器その他附帯施設の構造上重要でない部分を除く。

（法第二十七条第五項の規定による承認）

第一一条 事業主体は、次の各号のいずれかに該当する場合においては、法第二十七条第五項の規定による承認をしてはならない。

一 当該承認による同居の後における当該入居者に係る収入が令第六条第一項に規定する金額を超える場合
二 当該入居者が法第三十二条第一項第一号から第五号までのいずれかに該当する場合

2 事業主体は、入居者が病気にかかつていることその他特別の事情により当該入居者が入居の際に同居した親族以外の者を同居させることが必要であると認めるときは、前項の規定にかかわらず、法第二十七条第五項の規定による承認をすることができる。

（法第二十七条第六項の規定による承認）

第一二条 事業主体は、次の各号のいずれかに該当する場合においては、法第二十七条第六項の規定による承認をしてはならない。

一 当該承認を受けようとする者が入居者と同居していた期間が一年に満たない場合（当該承認を受けようとする者が当該入居者の入居時から引き続き同居している親族（婚姻の届出をしないが事実上婚姻関係と同様の事情にある者その他婚姻の予約者を含む。）である場合を除く。）
二 当該承認を受けようとする者に係る当該承認の後における収入が令第九条第一項に規定する金額（法第二十九条第二項の規定により事業主体が条例で公営住宅の明渡しの請求に係る収入の基準を別に定める場合にあつては、当該条例で定める金額）を超える場合
三 当該入居者が法第三十二条第一項第一号から第五号までのいずれかに該当する者であつた場合

2 前条第二項の規定は、前項に規定する承認について準用する。

第一三条 削除

（法第三十七条第六項の規定による通知）

第一四条 法第三十七条第六項の規定による通知は、次に掲げる事項について、書面で行うものとする。

一 建替計画
二 公営住宅建替事業により除却すべき公営住宅又は共同施設の用途の廃止に係る国土交通大臣の承認の年月日

（法第三十七条第七項に規定する軽微な建替計画の変更）

第一五条 法第三十七条第七項に規定する国土交通省令で定める軽微な変更は、次に掲げるものとする。

一 公営住宅建替事業により新たに整備すべき公営住宅の戸数の変更で、最近の承認に係る戸数の十分の一未満を増減するもの（当該変更により当該公営住宅の戸数が当該事業により除却すべき公営住宅の戸数未満となるものを除く。）
二 公営住宅建替事業を施行する土地の面積の変更
三 公営住宅建替事業により新たに整備すべき公営住宅の構造の変更

（移転料の支払）

第一六条 事業主体は、入居者が公営住宅建替事業の施行に伴い住居を移転した場合において当該事業主体にその旨を申し出たときは、遅滞なく、その者に法第四十二条の規定による移転料を支払うものとする。

2 事業主体は、前項の規定にかかわらず、入居者が住居を移転する以前においても、その者の申出により、法第四十二条の規定による移転料の全部又は一部を仮払することができる。

（管理の特例に係る公告の方法）

第一七条 法第四十七条第二項の規定による公告は、次に掲げる事項について、公報その他所定の手段により行うものとする。

一 事業主体に代わつて公営住宅又は共同施設の管理を行う地方公共団体又は地方住宅供給公社の名称
二 前号の地方公共団体又は地方住宅供給公社が事業主体に代わつて管理を行う公営住宅又は共同施設の名称
三 第一号の地方公共団体又は地方住宅供給公社が事業主体に代わつて行

う公営住宅又は共同施設の管理の内容

四　第一号の地方公共団体又は地方住宅供給公社が事業主体に代わつて公営住宅又は共同施設の管理を行う期間

（管理の特例に係る技術的読替え）

第一八条　法第四十七条第一項の規定により地方公共団体又は地方住宅供給公社が公営住宅又は共同施設の管理を行う場合においては、第十条、第十一条及び第十二条第一項中「事業主体」とあるのは、「地方公共団体又は地方住宅供給公社」とする。

（身分証明書の様式）

第一九条　法第四十九条第三項に規定する証票（国の職員が携帯するものを除く。）は、別記第四号様式によるものとする。

（複成価格の算出方法）

第二〇条　令第三条第一項に規定する複成価格の算出方法は、次の算式によるものとする。

複成価格＝推定再建築費－（年平均減価額×経過年数）

この式において、「推定再建築費」及び「年平均減価額」は、それぞれ次に定める額とする。

推定再建築費　第二十三条に規定する方法で算出した額

年平均減価額　推定再建築費の額に、耐火構造又は準耐火構造の建築物にあつては〇・八を、木造の建築物（耐火構造の建築物及び準耐火構造の建築物を除く。）にあつては〇・九を乗じた額を耐用年数で除した額

（引当金の算出方法）

第二一条　令第三条第一項に規定する貸倒れ及び空家による損失を埋めるための引当金は、同項に規定する近傍同種の住宅の複成価格に一年当たりの利回りを乗じた額、償却額、修繕費、管理事務費、損害保険料及び公課の合計に百分の二を乗じた額とする。

（残存価額の算出方法）

第二二条　令第三条第二項に規定する残存価額は、当該近傍同種の住宅の建設に要する費用の額に、当該近傍同種の住宅が耐火構造又は準耐火構造の建築物である場合にあつては〇・二を、木造の建築物（耐火構造の建築物及び準耐火構造の建築物を除く。）である場合にあつては〇・一を乗じた額とする。

（推定再建築費の算出方法）

第二三条　令第三条第三項に規定する推定再建築費は、当該近傍同種の住宅の建設に要する費用の額に、国土交通大臣が毎年建築物価の変動を考慮して地域別に定める率を乗じた額とする。

（権限の委任）

第二四条　法及び法に基づく政令に規定する国土交通大臣の権限のうち、次に掲げるものは、地方整備局長及び北海道開発局長に委任する。ただし、第一号、第二号及び第六号から第八号までに掲げる権限（第二号に掲げる権限にあつては、公営住宅建替事業により公営住宅又は公営住宅及び共同施設の存していた土地に近接する土地に新たに公営住宅又は公営住宅及び共同施設を建設する場合に係るものに限り、第七号及び第八号に掲げる権限にあつては、法第十一条第二項の規定により国土交通大臣が自ら国の補助金の交付の決定を行う又は行つた事業に係るものに限る。）については、国土交通大臣が自ら行うことを妨げない。

一　法第十一条第一項の規定による提出書類を受理し、並びに同条第二項の規定により当該提出書類を審査し、国の補助金の交付を決定し、及びこれを通知すること。

二　法第三十七条第一項の規定による用途廃止の承認をすること。

三　法第四十四条第一項の規定による譲渡の承認をし、及び同条第三項の規定による用途廃止の承認をすること。

四　法第四十五条第一項及び第二項の規定による使用の承認をすること。

五　法第四十六条第一項の規定による譲渡の承認をすること。

六　法第四十九条第一項の規定により事業主体に対して報告させ、又は実地検査させること。

七　法第五十条の規定により国の補助金の全部若しくは一部を交付せず、交付を停止し、又は交付した国の補助金の全部若しくは一部の返還を命ずること。

八　法第五十一条第一号の規定により厚生労働大臣と協議すること。

九　法第五十一条第二号及び第三号の規定により厚生労働大臣と協議すること。

十　令第十三条第一項後段の規定による承認をすること。

附　則

１　この省令は、公布の日から施行する。

２　法附則第五項又は第六項の規定による貸付けを受けて建設される公営住宅又は共同施設に係る第五条、第六条、第七条及び別記第一号様式の規定の適用については、次の表の上欄に掲げる規定中の字句で同表の中欄に掲げるものは、それぞれ同表の下欄に掲げる字句とする。

第五条（見出しを含む。）	補助金交付申請書	無利子貸付金貸付申請書
	法第十一条第一項	法附則第十四項の規定により読み替えて適用される法第十一条第一項
	補助金の交付申請書	無利子貸付金の貸付申請書
	法第七条第一項の規定により国の補助	法附則第五項の規定により国の無利子の貸付け
	法第七条第二項の規定により国の補助	法附則第六項の規定により国の無利子の貸付け
	法第十一条第一項	法附則第十四項の規定により読み替えて適用される第十一条第一項
第六条見出し	補助	無利子貸付け
第六条	補助金交付申請書	無利子貸付金貸付申請書
	法第七条又は第九条の規定に基づく国の補助	法附則第五項及び第六項の規定に基づく国の無利子の貸付け
別記第一号様式	補助金交付申請書	無利子貸付金貸付申請書
	補助金の交付	無利子貸付金の貸付け
	公営住宅法第十一条第一項	公営住宅法附則第十四項の規定により読み替えて適用される同法第十一条第一項
	交付申請額	貸付申請額
別記第一号様式別紙	交付申請額	貸付申請額
	補助率	補助率に相当する率
	補助金申請額	貸付金申請額

附　則〔略〕〔昭和三二・六・二一建設省令九〕

附　則〔昭和三四・六・二〇建設省令一六〕

１　この省令は、公布の日から施行する。

２　この省令の施行の日から昭和三十四年十月三十一日までに譲渡する公営住宅又は共同施設に係る複成価格の算出方法については、なお従前の例による。

附　則〔略〕〔昭和五五・七・三〇建設省令九〕

附　則〔略〕〔昭和五九・六・三〇建設省令一三〕

附　則〔平成五・六・二五建設省令一一〕

（施行期日）

１　この省令は、公布の日から施行する。

（経過措置）

２　この省令の施行の際現に都市計画法及び建築基準法の一部を改正する法律（平成四年法律第八十二号。以下「改正法」という。）第一条の規定による改正前の都市計画法（昭和四十三年法律第百号）の規定により定められている都市計画区域に係る用途地域に関しては、この省令の施行の日か

ら起算して三年を経過する日（その日前に改正法第一条の規定による改正後の都市計画法第二章の規定により、当該都市計画区域について、用途地域に関する都市計画が決定されたときは、当該都市計画の決定に係る都市計画法第二十条第一項（同法第二十二条第一項において読み替える場合を含む。）の規定による告示があった日）までの間は、この省令による改正後の公営住宅法施行規則の規定中用途地域に係る部分は適用せず、この省令による改正前の公営住宅法施行規則の規定中用途地域に係る部分は、なおその効力を有する。

附　則〔平成八・八・三〇建設省令二二〕

（施行期日）

1　この省令は、公布の日から施行する。

（経過措置）

2　公営住宅法の一部を改正する法律による改正前の公営住宅法の規定に基づいて供給された公営住宅又は共同施設については、平成十年三月三十一日までの間は、この省令による改正後の公営住宅法施行規則第八条、第十条から第十六条まで及び第十八条から第二十四条までの規定は適用せず、この省令による改正前の公営住宅法施行規則第四条の三から第四条の七まで及び第六条から第七条までの規定は、なおその効力を有する。

附　則〔略〕〔平成一二・一・三一建設省令一〇〕

附　則〔略〕〔平成一二・九・二九建設省令三三〕

附　則〔抄〕〔平成一二・一一・二〇建設省令四一〕

（施行期日）

1　この省令は、内閣法の一部を改正する法律（平成十一年法律第八十八号）の施行の日（平成十三年一月六日）から施行する。

中央省庁等改革のための関係建設省令の整備に関する省令〔抄〕〔平成一二・一一・二〇　建設省令四一〕

（権限の委任に関する経過措置）

第九〇条　この省令の規定による改正後のそれぞれの省令の権限の委任に関する規定のうち、次に掲げる規定は、この省令の施行の際現に法令の規定により建設大臣に対して承認、認定その他の処分又は協議の申請がされているものについては、適用しない。

一　〔略〕

二　公営住宅法施行規則第二十五条第二号から第五号まで、第九号及び第十号

三～五　〔略〕

附　則〔抄〕〔平成一六・一二・二七国土交通省令一一〇〕

（施行期日）

第一条　この省令は、平成十七年一月一日から施行する。

（公営住宅法施行規則の一部改正に伴う経過措置）

第二条　公営住宅法施行令の一部を改正する政令（平成十六年政令第四百二十一号）附則第二項の規定により同項に規定する額を控除して行うものとされる収入の計算に係る公営住宅法第十六条第一項に規定する入居者からの収入の申告は、第一条の規定による改正後の公営住宅法施行規則第八条第二項第一号に規定する書類のほか、老年者（公営住宅法施行令の一部を改正する政令附則第二項に規定する老年者をいう。以下同じ。）に該当する旨を証する書類を、同条第一項の規定により提出する書面に添付し、又は当該書面の提出の際に提示して行わなければならない。

附　則〔略〕〔平成一七・六・二九国土交通省令七三施行〕

附　則〔略〕〔平成一七・一二・二国土交通省令一一二〕

附　則〔略〕〔平成二三・一一・三〇国土交通省令九一〕

附　則〔略〕〔平成二三・一二・二六国土交通省令一〇三〕

附　則〔略〕〔平成二七・一二・二八国土交通省令八八〕

附　則〔平成二九・七・二六国土交通省令四七〕

（施行期日）

1　この省令は、地域の自主性及び自立性を高めるための改革の推進を図るための関係法律の整備に関する法律附則第一条第二号に掲げる規定の施行の日（平成二十九年七月二十六日）から施行する。

（経過措置）

2　この省令の施行の日から地域包括ケアシステムの強化のための介護保険法等の一部を改正する法律（平成二十九年法律第五十二号）の施行の日の前日までの間における第一条の規定による改正後の公営住宅法施行規則第八条第一号の規定の適用については、同号中「第五条の二第一項」とあるのは、「第五条の二」とする。

附　則〔略〕〔令和二・一二・二八国土交通省令一〇四〕

附　則〔略〕〔令和三・八・三一国土交通省令五三〕

附　則〔略〕〔令和五・三・一四国土交通省令九〕

附　則〔略〕〔令和六・三・二九国土交通省令二六〕

附　則〔令和六・五・二四国土交通省令六一〕

この省令は、行政手続における特定の個人を識別するための番号の利用等に関する法律等の一部を改正する法律の施行の日（令和六年五月二十七日）から施行する。

別記様式　〔略〕

○公営住宅等整備基準

〔平成一〇・四・二二　建設省令八〕

改正　平成一二・一一建令四一、平成一四・五国交令六一、平成一七・七国交令八一、平成二一・三国交令一四、平成二三・一二国交令一〇三

目次

第一章　総則（第一条―第四条）
第二章　敷地の基準（第五条・第六条）
第三章　公営住宅等の基準
　第一節　公営住宅の基準（第七条―第十二条）
　第二節　共同施設の基準（第十三条―第十六条）
附則

第一章　総則

（趣旨）

第一条　この省令は、公営住宅及び共同施設（以下「公営住宅等」という。）の整備に関する基準を事業主体が条例で定めるに当たつて参酌すべき基準を定めるものとする。

（健全な地域社会の形成）

第二条　公営住宅等は、その周辺の地域を含めた健全な地域社会の形成に資するように考慮して整備しなければならない。

（良好な居住環境の確保）

第三条　公営住宅等は、安全、衛生、美観等を考慮し、かつ、入居者等にとつて便利で快適なものとなるように整備しなければならない。

（費用の縮減への配慮）

第四条　公営住宅等の建設に当たつては、設計の標準化、合理的な工法の採用、規格化された資材の使用及び適切な耐久性の確保に努めることにより、建設及び維持管理に要する費用の縮減に配慮しなければならない。

第二章　敷地の基準

（位置の選定）

第五条　公営住宅等の敷地（以下「敷地」という。）の位置は、災害の発生のおそれが多い土地及び公害等により居住環境が著しく阻害されるおそれがある土地をできる限り避け、かつ、通勤、通学、日用品の購買その他入居者の日常生活の利便を考慮して選定されたものでなければならない。

（敷地の安全等）

第六条　敷地が地盤の軟弱な土地、がけ崩れ又は出水のおそれがある土地その他これらに類する土地であるときは、当該敷地に地盤の改良、擁壁の設置等安全上必要な措置が講じられていなければならない。

２　敷地には、雨水及び汚水を有効に排出し、又は処理するために必要な施設が設けられていなければならない。

第三章　公営住宅等の基準

第一節　公営住宅の基準

（**住棟等の基準**）

第七条　住棟その他の建築物は、敷地内及びその周辺の地域の良好な居住環境を確保するために必要な日照、通風、採光、開放性及びプライバシーの確保、災害の防止、騒音等による居住環境の阻害の防止等を考慮した配置でなければならない。

（**住宅の基準**）

第八条　住宅には、防火、避難及び防犯のための適切な措置が講じられていなければならない。

２　住宅には、外壁、窓等を通しての熱の損失の防止その他の住宅に係るエネルギーの使用の合理化を適切に図るための措置が講じられていなければならない。

３　住宅の床及び外壁の開口部には、当該部分の遮音性能の確保を適切に図るための措置が講じられていなければならない。

４　住宅の構造耐力上主要な部分（建築基準法施行令（昭和二十五年政令第三百三十八号）第一条第三号に規定する構造耐力上主要な部分をいう。以下同じ。）及びこれと一体的に整備される部分には、当該部分の劣化の軽減を適切に図るための措置が講じられていなければならない。

５　住宅の給水、排水及びガスの設備に係る配管には、構造耐力上主要な部分に影響を及ぼすことなく点検及び補修を行うことができるための措置が講じられていなければならない。

（**住戸の基準**）

第九条　公営住宅の一戸の床面積の合計（共同住宅においては、共用部分の床面積を除く。）は、二十五平方メートル以上とする。ただし、共用部分に共同して利用するため適切な台所及び浴室を設ける場合は、この限りでない。

２　公営住宅の各住戸には、台所、水洗便所、洗面設備及び浴室並びにテレビジョン受信の設備及び電話配線が設けられていなければならない。ただし、共用部分に共同して利用するため適切な台所又は浴室を設けることにより、各住戸部分に設ける場合と同等以上の居住環境が確保される場合にあっては、各住戸部分に台所又は浴室を設けることを要しない。

３　公営住宅の各住戸には、居室内における化学物質の発散による衛生上の支障の防止を図るための措置が講じられていなければならない。

（**住戸内の各部**）

第一〇条　住戸内の各部には、移動の利便性及び安全性の確保を適切に図るための措置その他の高齢者等が日常生活を支障なく営むことができるための措置が講じられていなければならない。

（**共用部分**）

第一一条　公営住宅の通行の用に供する共用部分には、高齢者等の移動の利便性及び安全性の確保を適切に図るための措置が講じられていなければならない。

（**附帯施設**）

第一二条　敷地内には、必要な自転車置場、物置、ごみ置場等の附帯施設が設けられていなければならない。

２　前項の附帯施設は、入居者の衛生、利便等及び良好な居住環境の確保に支障が生じないように考慮されたものでなければならない。

第二節　共同施設の基準

（**児童遊園**）

第一三条　児童遊園の位置及び規模は、敷地内の住戸数、敷地の規模及び形状、住棟の配置等に応じて、入居者の利便及び児童等の安全を確保した適切なものでなければならない。

（**集会所**）

第一四条　集会所の位置及び規模は、敷地内の住戸数、敷地の規模及び形状、住棟及び児童遊園の配置等に応じて、入居者の利便を確保した適切なものでなければならない。

（**広場及び緑地**）

第一五条　広場及び緑地の位置及び規模は、良好な居住環境の維持増進に資するように考慮されたものでなければならない。

（**通路**）

第一六条　敷地内の通路は、敷地の規模及び形状、住棟等の配置並びに周辺の状況に応じて、日常生活の利便、通行の安全、災害の防止、環境の保全等に支障がないような規模及び構造で合理的に配置されたものでなければならない。

２　通路における階段は、高齢者等の通行の安全に配慮し、必要な補助手すり又は傾斜路が設けられていなければならない。

附　則〔抄〕

（**施行期日**）

第一条　この省令は、公布の日から施行する。

（**経過措置**）

第二条　平成九年度分以前の予算に係る補助金（平成九年度分の予算に係る補助金の経費の金額で翌年度に繰り越したものを含む。）の交付を受けて整備する公営住宅等については、なお従前の例による。

附　則〔略〕〔平成一二・一一・二〇建設省令四一〕

附　則〔平成一四・五・二国土交通省令六一〕

１　この省令は、公布の日から施行する。

２　平成十三年度分以前の予算に係る補助金（平成十三年度分の予算に係る補助金の経費の金額で翌年度に繰り越したものを含む。）の交付を受けて整備する公営住宅については、なお従前の例による。

附　則〔平成一七・七・二九国土交通省令八一〕

（**施行期日**）

１　この省令は、平成十七年八月一日から施行する。

（**経過措置**）

２　平成十六年度分以前の予算に係る補助金（平成十六年度分予算に係る補助金の経費の金額で翌年度に繰り越したものを含む。）の交付を受けて整備する公営住宅については、なお従前の例による。

附　則〔平成二一・三・三〇国土交通省令一四〕

１　この省令は、平成二十一年四月一日から施行する。

２　平成二十年度分以前の予算に係る補助金（平成二十年度分予算に係る補助金の経費の金額で翌年度に繰り越したものを含む。）の交付を受けて整備する公営住宅については、なお従前の例による。

附　則〔平成二三・一一・二六国土交通省令一〇三〕

この省令は、地域の自主性及び自立性を高めるための改革の推進を図るための関係法律の整備に関する法律附則第一条第二号に掲げる規定の施行の日（平成二十四年四月一日）から施行する。

○高齢者の居住の安定確保に関する法律〔平成一三・四・六 法律二六〕

改正 平成一四・二法一、平成一五・六法七五、法一〇〇、平成一六・三法一〇、一二法一四七、平成一七・六法七八、七法八二、平成一八・六法五〇、法六一、平成二一・五法三八、平成二三・四法三二、六法六一、平成二八・五法四七、平成二九・四法二五、令和元・六法三七、令和三・五法三七、令和六・六法四三

注 ［　］の部分は、令和六年六月五日法律第四三号により改正され、公布の日から起算して一年六月を超えない範囲内において政令で定める日から施行

目次

第一章　総則（第一条・第二条）
第二章　基本方針及び都道府県高齢者居住安定確保計画等（第三条―第四条の二）
第三章　サービス付き高齢者向け住宅事業
　第一節　登録（第五条―第十四条）
　第二節　業務（第十五条―第二十条）
　第三節　登録住宅に係る特例（第二十一条―第二十三条）
　第四節　監督（第二十四条―第二十七条）
　第五節　指定登録機関（第二十八条―第四十条）
　第六節　雑則（第四十一条―第四十三条）
第四章　地方公共団体等による高齢者向けの優良な賃貸住宅の供給の促進等（第四十四条―第五十一条）
第五章　終身建物賃貸借（第五十二条―第七十二条）
第六章　住宅の加齢対応改良に対する支援措置（第七十三条）
第七章　雑則（第七十四条―第七十八条）
第八章　罰則（第七十九条―第八十二条）
第五章　終身建物賃貸借（第五十二条―第七十三条）
第六章　住宅の加齢対応改良に対する支援措置（第七十四条）
第七章　雑則（第七十五条―第七十九条）
第八章　罰則（第八十条―第八十三条）
附則

第一章　総則

（目的）

第一条　この法律は、高齢者が日常生活を営むために必要な福祉サービスの提供を受けることができる良好な居住環境を備えた高齢者向けの賃貸住宅等の登録制度を設けるとともに、良好な居住環境を備えた高齢者向けの賃貸住宅の供給を促進するための措置を講じ、併せて高齢者に適した良好な居住環境が確保され高齢者が安定的に居住することができる賃貸住宅について終身建物賃貸借制度を設ける等の措置を講ずることにより、高齢者の居住の安定の確保を図り、もってその福祉の増進に寄与することを目的とする。

（国及び地方公共団体の責務）

第二条　国及び地方公共団体は、高齢者の居住の安定の確保を図るため、必要な施策を講ずるよう努めなければならない。

第二章　基本方針及び都道府県高齢者居住安定確保計画等

（基本方針）

第三条　国土交通大臣及び厚生労働大臣は、高齢者の居住の安定の確保に関する基本的な方針（以下「基本方針」という。）を定めなければならない。

2　基本方針においては、次に掲げる事項を定めるものとする。

一　高齢者に対する賃貸住宅及び老人ホームの供給の目標の設定に関する事項

二　高齢者に対する賃貸住宅及び老人ホームの供給の促進に関する基本的な事項

三　高齢者が入居する賃貸住宅の管理の適正化に関する基本的な事項

四　高齢者に適した良好な居住環境を有する住宅の整備の促進に関する基本的な事項

五　高齢者がその居宅において日常生活を営むために必要な保健医療サービス及び福祉サービスを提供する体制（以下「高齢者居宅生活支援体制」という。）の確保に関する基本的な事項

六　次条第一項に規定する都道府県高齢者居住安定確保計画及び第四条の二第一項に規定する市町村高齢者居住安定確保計画の策定に関する基本的な事項

七　前各号に掲げるもののほか、高齢者の居住の安定の確保に関する重要事項

3　基本方針は、高齢者のための住宅及び老人ホーム並びに高齢者のための保健医療サービス及び福祉サービスの需要及び供給の現況及び将来の見通しを勘案して定めるとともに、住生活基本法（平成十八年法律第六十一号）第十五条第一項に規定する全国計画との調和が保たれたものでなければならない。

4　国土交通大臣及び厚生労働大臣は、基本方針を定めようとするときは、総務大臣に協議しなければならない。

5　国土交通大臣及び厚生労働大臣は、基本方針を定めたときは、遅滞なく、これを公表しなければならない。

6　前三項の規定は、基本方針の変更について準用する。

（都道府県高齢者居住安定確保計画）

第四条　都道府県は、基本方針に基づき、当該都道府県の区域内における高齢者の居住の安定の確保に関する計画（以下「都道府県高齢者居住安定確保計画」という。）を定めることができる。

2　都道府県高齢者居住安定確保計画においては、次に掲げる事項を定めるものとする。

一　当該都道府県の区域内における高齢者に対する賃貸住宅及び老人ホームの供給の目標

二　次に掲げる事項であって、前号の目標を達成するために必要なもの

イ　高齢者に対する賃貸住宅及び老人ホームの供給の促進に関する事項

ロ　高齢者が入居する賃貸住宅の管理の適正化に関する事項

ハ　高齢者に適した良好な居住環境を有する住宅の整備の促進に関する事項

ニ　老人福祉法（昭和三十八年法律第百三十三号）第五条の二第三項に規定する老人デイサービス事業その他の高齢者がその居宅において日常生活を営むために必要な保健医療サービス又は福祉サービスを提供するものとして政令で定める事業（以下「高齢者居宅生活支援事業」という。）の用に供する施設の整備の促進に関する事項

ニ　老人福祉法（昭和三十八年法律第百三十三号）第五条の二第三項に規定する老人デイサービス事業その他の高齢者がその居宅において日常生活を営むために必要な保健医療サービス又は福祉サービスを提供するものとして政令で定める事業（次条第二項第二号ニ及び第六条第一項第十四号において「高齢者居宅生活支援事業」という。）の用に供する施設の整備の促進に関する事項

ホ　ニに掲げるもののほか、高齢者居宅生活支援体制の確保に関する事項

三　計画期間

3　都道府県高齢者居住安定確保計画においては、前項各号に掲げる事項のほか、当該都道府県の区域内における高齢者の居住の安定の確保に関し必要な事項を定めるよう努めるものとする。

4　都道府県は、当該都道府県の区域内において地方住宅供給公社（以下「公社」という。）による住宅の改良（改良後の住宅が加齢対応構造等（加齢に伴って生ずる高齢者の身体の機能の低下の状況に対応した構造及び設備をいう。以下同じ。）であって国土交通省令で定める基準に適合するものを有するものとすることを主たる目的とするものに限る。第七十三条にお

いて「住宅の加齢対応改良」という。）に関する事業の実施が必要と認められる場合には、第二項第二号に掲げる事項に、当該事業の実施に関する事項を定めることができる。

5　都道府県は、都道府県高齢者居住安定確保計画に公社による前項に規定する事業の実施に関する事項を定めようとするときは、当該事項について、あらかじめ、当該公社の同意を得なければならない。

6　都道府県は、都道府県高齢者居住安定確保計画を定めようとするときは、あらかじめ、インターネットの利用その他の国土交通省令・厚生労働省令で定める方法により、住民の意見を反映させるために必要な措置を講ずるよう努めるとともに、当該都道府県の区域内の市町村（特別区を含む。以下同じ。）に協議しなければならない。この場合において、地域における多様な需要に応じた公的賃貸住宅等の整備等に関する特別措置法（平成十七年法律第七十九号）第五条第一項の規定により地域住宅協議会を組織している都道府県にあっては、当該地域住宅協議会の意見を聴かなければならない。

4　都道府県は、当該都道府県の区域内において地方住宅供給公社（以下「公社」という。）による住宅の改良（改良後の住宅が加齢対応構造等（加齢に伴って生ずる高齢者の身体の機能の低下の状況に対応した構造及び設備をいう。以下同じ。）であって国土交通省令で定める基準に適合するものを有するものとすることを主たる目的とするものに限る。第七十四条第一項において「住宅の加齢対応改良」という。）に関する事業の実施が必要と認められる場合には、第二項第二号に掲げる事項に、当該事業の実施に関する事項を定めることができる。

5　都道府県は、都道府県高齢者居住安定確保計画に公社による前項に規定する事業の実施に関する事項を定めるときは、当該事項について、あらかじめ、当該公社の同意を得なければならない。

6　都道府県は、都道府県高齢者居住安定確保計画を定めるときは、あらかじめ、インターネットの利用その他の国土交通省令・厚生労働省令で定める方法により、住民の意見を反映させるために必要な措置を講ずるよう努めるとともに、当該都道府県の区域内の市町村（特別区を含む。以下同じ。）に協議しなければならない。この場合において、地域における多様な需要に応じた公的賃貸住宅等の整備等に関する特別措置法（平成十七年法律第七十九号）第五条第一項の規定により地域住宅協議会を組織している都道府県にあっては、当該地域住宅協議会の意見を聴かなければならない。

7　都道府県は、都道府県高齢者居住安定確保計画を定めたときは、遅滞なく、これを公表するよう努めるとともに、国土交通大臣及び厚生労働大臣並びに当該都道府県の区域内の市町村にその写しを送付しなければならない。

8　第四項から前項までの規定は、都道府県高齢者居住安定確保計画の変更について準用する。

（市町村高齢者居住安定確保計画）

第四条の二　市町村は、基本方針（都道府県高齢者居住安定確保計画が定められている場合にあっては、都道府県高齢者居住安定確保計画）に基づき、当該市町村の区域内における高齢者の居住の安定の確保に関する計画（以下「市町村高齢者居住安定確保計画」という。）を定めることができる。

2　市町村高齢者居住安定確保計画においては、次に掲げる事項を定めるものとする。

一　当該市町村の区域内における高齢者に対する賃貸住宅及び老人ホームの供給の目標

二　次に掲げる事項であって、前号の目標を達成するために必要なもの

イ　高齢者に対する賃貸住宅及び老人ホームの供給の促進に関する事項

ロ　高齢者が入居する賃貸住宅の管理の適正化に関する事項

ハ　高齢者に適した良好な居住環境を有する住宅の整備の促進に関する事項

ニ　高齢者居宅生活支援事業の用に供する施設の整備の促進に関する事項

ホ　ニに掲げるもののほか、高齢者居宅生活支援体制の確保に関する事項

三　計画期間

3　前条第三項から第八項までの規定は、市町村高齢者居住安定確保計画について準用する。この場合において、同条第三項中「前項各号」とあるのは「次条第二項各号」と、「当該都道府県」とあるのは「当該市町村（特別区を含む。以下この条において同じ。）」と、同条第四項中「都道府県」とあるのは「市町村」と、「第二項第二号」とあるのは「次条第二項第二号」と、同条第五項から第七項までの規定中「都道府県は」とあるのは「市町村は」と、同条第六項中「当該都道府県の区域内の市町村（特別区を含む。以下同じ。）」とあり、及び同条第七項中「当該都道府県の区域内の市町村」とあるのは「都道府県」と、同条第六項中「都道府県に」とあるのは「市町村に」と読み替えるものとする。

第三章　サービス付き高齢者向け住宅事業

第一節　登録

（サービス付き高齢者向け住宅事業の登録）

第五条　高齢者向けの賃貸住宅又は老人福祉法第二十九条第一項に規定する有料老人ホーム（以下単に「有料老人ホーム」という。）であって居住の用に供する専用部分を有するものに高齢者（国土交通省令・厚生労働省令で定める年齢その他の要件に該当する者をいう。以下この章において同じ。）を入居させ、状況把握サービス（入居者の心身の状況を把握し、その状況に応じた一時的な便宜を供与するサービスをいう。以下同じ。）、生活相談サービス（入居者が日常生活を支障なく営むことができるようにするために入居者からの相談に応じ必要な助言を行うサービスをいう。以下同じ。）その他の高齢者が日常生活を営むために必要な福祉サービスを提供する事業（以下「サービス付き高齢者向け住宅事業」という。）を行う者は、サービス付き高齢者向け住宅事業に係る賃貸住宅又は有料老人ホーム（以下「サービス付き高齢者向け住宅」という。）を構成する建築物ごとに、都道府県知事の登録を受けることができる。

2　前項の登録は、五年ごとにその更新を受けなければ、その期間の経過によって、その効力を失う。

3　前項の更新の申請があった場合において、同項の期間（以下この条において「登録の有効期間」という。）の満了の日までにその申請に対する処分がされないときは、従前の登録は、登録の有効期間の満了後もその処分がされるまでの間は、なおその効力を有する。

4　前項の場合において、登録の更新がされたときは、その登録の有効期間は、従前の登録の有効期間の満了の日の翌日から起算するものとする。

（登録の申請）

第六条　前条第一項の登録（同条第二項の登録の更新を含む。以下同じ。）を受けようとする者は、国土交通省令・厚生労働省令で定めるところにより、次に掲げる事項を記載した申請書を都道府県知事に提出しなければならない。

一　商号、名称又は氏名及び住所

二　事務所の名称及び所在地

三　法人である場合においては、その役員の氏名

四　未成年者である場合においては、その法定代理人の氏名及び住所（法定代理人が法人である場合においては、その商号又は名称及び住所並びにその役員の氏名）

五　サービス付き高齢者向け住宅の位置

六　サービス付き高齢者向け住宅の戸数

七　サービス付き高齢者向け住宅の規模

八　サービス付き高齢者向け住宅の構造及び設備

九　サービス付き高齢者向け住宅の入居者（以下この章において単に「入居者」という。）の資格に関する事項

十　入居者に提供する高齢者生活支援サービス（状況把握サービス、生活相談サービスその他の高齢者が日常生活を営むために必要な福祉サービスであって国土交通省令・厚生労働省令で定めるものをいう。以下同じ。）の内容

十一　サービス付き高齢者向け住宅事業を行う者が入居者から受領する金銭に関する事項

十二　終身又は入居者と締結するサービス付き高齢者向け住宅への入居に係る契約（以下「入居契約」という。）の期間にわたって受領すべき家賃等（家賃又は高齢者生活支援サービスの提供の対価をいう。以下同じ。）の全部又は一部を前払金として一括して受領する場合にあっては、当該前払金の概算額及び当該前払金についてサービス付き高齢者向け住宅事業を行う者が返還債務を負うこととなる場合に備えて講ずる保全措置に

関する事項
十三　居住の用に供する前のサービス付き高齢者向け住宅にあっては、入居開始時期
十四　入居者に対する保健医療サービス又は福祉サービスの提供について高齢者居宅生活支援事業を行う者と連携及び協力をする場合にあっては、当該連携及び協力に関する事項
十五　その他国土交通省令・厚生労働省令で定める事項
2　前項の申請書には、入居契約に係る約款その他の国土交通省令・厚生労働省令で定める書類を添付しなければならない。

（登録の基準等）
第七条　都道府県知事は、第五条第一項の登録の申請が次に掲げる基準に適合していると認めるときは、次条第一項の規定により登録を拒否する場合を除き、その登録をしなければならない。
一　サービス付き高齢者向け住宅の各居住部分（賃貸住宅にあっては住戸をいい、有料老人ホームにあっては入居者ごとの専用部分をいう。以下同じ。）の床面積が、国土交通省令・厚生労働省令で定める規模以上であること。
二　サービス付き高齢者向け住宅の構造及び設備（加齢対応構造等であるものを除く。）が、高齢者の入居に支障を及ぼすおそれがないものとして国土交通省令・厚生労働省令で定める基準に適合するものであること。
三　サービス付き高齢者向け住宅の加齢対応構造等が、第五十四条第一号ロに規定する基準又はこれに準ずるものとして国土交通省令・厚生労働省令で定める基準に適合するものであること。

> 三　サービス付き高齢者向け住宅の加齢対応構造等が、第五十七条第一項第二号に規定する基準又はこれに準ずるものとして国土交通省令・厚生労働省令で定める基準に適合するものであること。

四　入居者の資格を、自ら居住するため賃貸住宅又は有料老人ホームを必要とする高齢者又は当該高齢者と同居するその配偶者（婚姻の届出をしていないが事実上夫婦と同様の関係にあるものを含む。以下同じ。）とするものであること。
五　入居者に国土交通省令・厚生労働省令で定める基準に適合する状況把握サービス及び生活相談サービスを提供するものであること。
六　入居契約が次に掲げる基準に適合する契約であること。
イ　書面（その作成に代えて電磁的記録（電子的方式、磁気的方式その他人の知覚によっては認識することができない方式で作られる記録であって、電子計算機による情報処理の用に供されるものをいう。第五十二条第二項及び第五十四条第二号において同じ。）を作成する場合における当該電磁的記録を含む。）による契約であること。

> イ　書面（その作成に代えて電磁的記録（電子的方式、磁気的方式その他の人の知覚によっては認識することができない方式で作られる記録であって、電子計算機による情報処理の用に供されるものをいう。第五十二条第二項及び第五十四条第一号において同じ。）を作成する場合における当該電磁的記録を含む。）による契約であること。

ロ　居住部分が明示された契約であること。
ハ　サービス付き高齢者向け住宅事業を行う者が、敷金並びに家賃等及び前条第一項第十二号の前払金（以下「家賃等の前払金」という。）を除くほか、権利金その他の金銭を受領しない契約であること。

> ハ　サービス付き高齢者向け住宅事業を行う者が、敷金並びに家賃等及び前条第一項第十二号の前払金（以下この項において「家賃等の前払金」という。）を除くほか、権利金その他の金銭を受領しない契約であること。

ニ　家賃等の前払金を受領する場合にあっては、当該家賃等の前払金の算定の基礎及び当該家賃等の前払金についてサービス付き高齢者向け住宅事業を行う者が返還債務を負うこととなる場合における当該返還債務の金額の算定方法が明示された契約であること。
ホ　入居者の入居後、国土交通省令・厚生労働省令で定める一定の期間が経過する日までの間に契約が解除され、又は入居者の死亡により終了した場合において、サービス付き高齢者向け住宅事業を行う者が、国土交通省令・厚生労働省令で定める方法により算定される額を除き、家賃等の前払金を返還することとなる契約であること。
ヘ　サービス付き高齢者向け住宅事業を行う者が、入居者の病院への入院その他の国土交通省令・厚生労働省令で定める理由により居住部分を変更し、又はその契約を解約することができないものであること。
七　サービス付き高齢者向け住宅の整備をしてサービス付き高齢者向け住宅事業を行う場合にあっては、当該整備に関する工事の完了前に敷金又は家賃等の前払金を受領しないものであること。
八　家賃等の前払金についてサービス付き高齢者向け住宅事業を行う者が返還債務を負うこととなる場合に備えて、国土交通省令・厚生労働省令で定めるところにより必要な保全措置が講じられるものであること。
九　その他基本方針（サービス付き高齢者向け住宅が市町村高齢者居住安定確保計画が定められている市町村の区域内にある場合にあっては基本方針及び市町村高齢者居住安定確保計画、サービス付き高齢者向け住宅が都道府県高齢者居住安定確保計画が定められている都道府県の区域（当該市町村の区域を除く。）内にある場合にあっては基本方針及び都道府県高齢者居住安定確保計画）に照らして適切なものであること。
2　第五条第一項の登録は、サービス付き高齢者向け住宅登録簿（以下「登録簿」という。）に次に掲げる事項を記載してするものとする。
一　前条第一項各号に掲げる事項
二　登録年月日及び登録番号
3　都道府県知事は、第一項の登録をしたときは、遅滞なく、その旨を当該登録を受けた者に通知しなければならない。
4　都道府県知事は、第五条第一項の登録の申請が第一項の基準に適合しないと認めるときは、遅滞なく、その理由を示して、その旨を申請者に通知しなければならない。
5　都道府県知事は、第五条第一項の登録をしたときは、遅滞なく、その旨を、当該登録を受けたサービス付き高齢者向け住宅事業（以下「登録事業」という。）に係るサービス付き高齢者向け住宅（以下「登録住宅」という。）の存する市町村の長に通知しなければならない。

（登録の拒否）
第八条　都道府県知事は、第五条第一項の登録を受けようとする者が次の各号のいずれかに該当するとき、又は第六条第一項の申請書若しくはその添付書類のうちに重要な事項について虚偽の記載があり、若しくは重要な事実の記載が欠けているときは、その登録を拒否しなければならない。
一　破産手続開始の決定を受けて復権を得ない者
二　禁錮以上の刑に処せられ、又はこの法律の規定により刑に処せられ、その執行を終わり、又は執行を受けることがなくなった日から起算して一年を経過しない者
三　第二十六条第二項の規定により登録を取り消され、その取消しの日から起算して一年を経過しない者
四　暴力団員による不当な行為の防止等に関する法律（平成三年法律第七十七号）第二条第六号に規定する暴力団員又は同号に規定する暴力団員でなくなった日から五年を経過しない者（第九号において「暴力団員等」という。）
五　心身の故障によりサービス付き高齢者向け住宅事業を適正に行うことができない者として国土交通省令・厚生労働省令で定めるもの
六　営業に関し成年者と同一の行為能力を有しない未成年者でその法定代理人（法定代理人が法人である場合においては、その役員を含む。）が前各号のいずれかに該当するもの
七　法人であって、その役員又は政令で定める使用人のうちに第一号から第五号までのいずれかに該当する者があるもの
八　個人であって、その政令で定める使用人のうちに第一号から第五号までのいずれかに該当する者があるもの
九　暴力団員等がその事業活動を支配する者
2　都道府県知事は、前項の規定により登録の拒否をしたときは、遅滞なく、その旨を当該登録の申請をした者に通知しなければならない。

（登録事項等の変更）
第九条　登録事業を行う者（以下「登録事業者」という。）は、第六条第一項各号に掲げる事項（以下「登録事項」という。）に変更があったとき、又は同条第二項に規定する添付書類の記載事項に変更があったときは、その日から三十日以内に、その旨を都道府県知事に届け出なければならない。
2　前項の規定による届出をする場合には、国土交通省令・厚生労働省令で定める書類を添付しなければならない。

3　都道府県知事は、第一項の規定による届出（登録事項の変更に係るものに限る。）を受けたときは、第二十六条第一項又は第二項の規定により登録を取り消す場合を除き、当該変更があった登録事項を登録簿に記載して、変更の登録をしなければならない。

4　都道府県知事は、前項の規定により変更の登録をしたときは、遅滞なく、その旨を当該登録に係る登録住宅の存する市町村の長に通知しなければならない。

（登録簿の閲覧）

第一〇条　都道府県知事は、登録簿を一般の閲覧に供しなければならない。

（地位の承継）

第一一条　登録事業者がその登録事業を譲渡したときは、譲受人は、登録事業者の地位を承継する。

2　登録事業者について相続、合併又は分割（登録事業を承継させるものに限る。）があったときは、相続人、合併後存続する法人若しくは合併により設立された法人又は分割によりその事業を承継した法人は、登録事業者の地位を承継する。

3　前二項の規定により登録事業者の地位を承継した者は、その承継の日から三十日以内に、その旨を都道府県知事に届け出なければならない。

4　第九条第二項から第四項までの規定は、前項の規定による届出について準用する。この場合において、同条第三項中「第二十六条第一項又は第二項」とあるのは、「第二十六条第一項」と読み替えるものとする。

（廃業等の届出）

第一二条　登録事業者は、次の各号のいずれかに該当するときは、その日の三十日前までに、その旨を都道府県知事に届け出なければならない。

一　登録事業を廃止しようとするとき。

二　登録事業者である法人が合併及び破産手続開始の決定以外の理由により解散しようとするとき。

2　登録事業者が破産手続開始の決定を受けたときは、破産管財人は、その日から三十日以内に、その旨を都道府県知事に届け出なければならない。

3　登録事業者が次の各号に掲げる場合のいずれかに該当するに至ったときは、第五条第一項の登録は、その効力を失う。

一　登録事業を廃止した場合

二　破産手続開始の決定を受けた場合

三　登録事業者である法人が合併及び破産手続開始の決定以外の理由により解散した場合

（登録の抹消）

第一三条　都道府県知事は、次の各号のいずれかに該当するときは、登録事業の登録を抹消しなければならない。

一　登録事業者から登録の抹消の申請があったとき。

二　第五条第二項又は前条第三項の規定により登録が効力を失ったとき。

三　第二十六条第一項若しくは第二項又は第二十七条第一項の規定により登録が取り消されたとき。

2　都道府県知事は、前項の規定により登録を抹消したときは、遅滞なく、その旨を、当該登録に係る登録住宅の存する市町村の長に通知しなければならない。

第二節　業務

（名称の使用制限）

第一四条　何人も、登録住宅以外の賃貸住宅又は有料老人ホームについて、登録サービス付き高齢者向け住宅又はこれに類似する名称を用いてはならない。

（誇大広告の禁止）

第一五条　登録事業者は、その登録事業の業務に関して広告をするときは、入居者に提供する高齢者生活支援サービスの内容その他の国土交通省令・厚生労働省令で定める事項について、著しく事実に相違する表示をし、又は実際のものよりも著しく優良であり、若しくは有利であると人を誤認させるような表示をしてはならない。

（登録事項の公示）

第一六条　登録事業者は、国土交通省令・厚生労働省令で定めるところにより、登録事項を公示しなければならない。

（契約締結前の書面の交付及び説明）

第一七条　登録事業者は、登録住宅に入居しようとする者に対し、入居契約を締結するまでに、登録事項その他国土交通省令・厚生労働省令で定める事項について、これらの事項を記載した書面を交付して説明しなければならない。

2　登録事業者は、前項の規定による書面の交付に代えて、政令で定めるところにより、登録住宅に入居しようとする者の承諾を得て、当該書面に記載すべき事項を電磁的方法（電子情報処理組織を使用する方法その他の情報通信の技術を利用する方法であって国土交通省令・厚生労働省令で定めるものをいう。）により提供することができる。この場合において、当該登録事業者は、当該書面を交付したものとみなす。

（高齢者生活支援サービスの提供）

第一八条　登録事業者は、入居契約に従って高齢者生活支援サービスを提供しなければならない。

（帳簿の備付け等）

第一九条　登録事業者は、国土交通省令・厚生労働省令で定めるところにより、登録住宅の管理に関する事項で国土交通省令・厚生労働省令で定めるものを記載した帳簿を備え付け、これを保存しなければならない。

（登録住宅の目的外使用）

第一九条の二　登録事業者は、登録住宅の全部又は一部について入居者を国土交通省令・厚生労働省令で定める期間以上確保することができないときは、国土交通省令・厚生労働省令で定めるところにより、都道府県知事の承認を受けて、その全部又は一部を第七条第一項第四号に規定する者以外の住宅確保要配慮者（住宅確保要配慮者に対する賃貸住宅の供給の促進に関する法律（平成十九年法律第百十二号）第二条第一項に規定する住宅確保要配慮者をいう。以下この項において同じ。）に賃貸し、又は同法第四十四条第三項に規定する認定事業者（第三項及び第四十三条第二項において「認定事業者」という。）若しくは住宅確保要配慮者の居住の安定の確保を図るための援助を適確に実施することができる者として国土交通省令・厚生労働省令で定める者（第三項において「適格事業者」という。）において第七条第一項第四号に規定する者以外の住宅確保要配慮者に転貸させることができる。

2　都道府県知事は、前項の承認をしたときは、遅滞なく、その旨を当該承認に係る登録住宅の存する市町村の長に通知しなければならない。

3　第一項の規定により登録住宅の全部又は一部を賃貸し、又は認定事業者若しくは適格事業者において転貸させる場合においては、当該賃貸借又は転貸借を、借地借家法（平成三年法律第九十号）第三十八条第一項の規定による建物の賃貸借（国土交通省令・厚生労働省令で定める期間を上回らない期間を定めたものに限る。）としなければならない。

（その他遵守事項）

第二〇条　この法律に規定するもののほか、登録住宅に入居する高齢者の居住の安定を確保するために登録事業者の遵守すべき事項は、国土交通省令・厚生労働省令で定める。

第三節　登録住宅に係る特例

（公営住宅の使用）

第二一条　公営住宅（公営住宅法（昭和二十六年法律第百九十三号）第二条第二号に規定する公営住宅をいう。以下同じ。）の事業主体（同条第十六号に規定する事業主体をいう。以下同じ。）は、公営住宅を登録事業者に登録住宅として使用させることが必要であると認める場合において国土交通大臣の承認を得たときは、公営住宅の適正かつ合理的な管理に著しい支障のない範囲内で、当該公営住宅を登録事業者に使用させることができる。

2　公営住宅法第四十五条第三項及び第四項の規定は、前項の規定による承認及び公営住宅の使用について準用する。

（住宅融資保険法等の特例）

第二二条　登録住宅への入居に係る終身又は入居契約の期間にわたって支払うべき家賃の全部又は一部を前払金として一括して支払うための資金の貸付け（次項第一号において「登録住宅前払金貸付け」という。）については、これを住宅融資保険法（昭和三十年法律第六十三号）第四条の保険関係が成立する貸付けとみなして、同法の規定を適用する。

2　独立行政法人住宅金融支援機構は、独立行政法人住宅金融支援機構法（平成十七年法律第八十二号。第二号において「機構法」という。）第十三条第一項に規定する業務のほか、次の業務を行うことができる。
一 登録住宅前払金貸付けに係る国土交通省令・財務省令で定める金融機関の貸付債権の譲受けを行うこと。
二 前号に規定する貸付債権で、その貸付債権について機構法第十三条第一項第二号イからハまでに掲げる行為を予定した貸付けに係るもののうち、前項の規定によりみなして適用する住宅融資保険法第三条に規定する保険関係が成立した貸付けに係るもの（その信託の受益権を含む。）を担保とする債券その他これに準ずるものとして国土交通省令・財務省令で定める有価証券に係る債務の保証を行うこと。

（老人福祉法の特例）
第二三条 第五条第一項の登録を受けている有料老人ホームの設置者（当該有料老人ホームを設置しようとする者を含む。）については、老人福祉法第二十九条第一項から第三項までの規定は、適用しない。

第四節 監督

（報告、検査等）
第二四条 都道府県知事は、この章の規定の施行に必要な限度において、登録事業者又は登録事業者から登録住宅の管理若しくは高齢者生活支援サービスの提供を委託された者（以下この項において「管理等受託者」という。）に対し、その業務に関し必要な報告を求め、又はその職員に、登録事業者若しくは管理等受託者の事務所若しくは登録住宅に立ち入り、その業務の状況若しくは帳簿、書類その他の物件を検査させ、若しくは関係者に質問させることができる。
2 前項の規定による立入検査において、現に居住の用に供している登録住宅の居住部分に立ち入るときは、あらかじめ、当該居住部分に係る入居者の承諾を得なければならない。
3 第一項の規定により立入検査をする職員は、その身分を示す証明書を携帯し、関係者に提示しなければならない。
4 第一項の規定による権限は、犯罪捜査のために認められたものと解釈してはならない。

（指示）
第二五条 都道府県知事は、登録された登録事項が事実と異なるときは、その登録事業者に対し、当該事項の訂正を申請すべきことを指示することができる。
2 都道府県知事は、登録事業が第七条第一項各号に掲げる基準に適合しないと認めるときは、その登録事業者に対し、その登録事業を当該基準に適合させるために必要な措置をとるべきことを指示することができる。
3 都道府県知事は、登録事業者が第十五条から第十九条までの規定に違反し、又は第二十条の国土交通省令・厚生労働省令で定める事項を遵守していないと認めるときは、当該登録事業者に対し、その是正のために必要な措置をとるべきことを指示することができる。

（登録の取消し）
第二六条 都道府県知事は、登録事業者が次の各号のいずれかに該当するときは、その登録事業の登録を取り消さなければならない。
一 第八条第一項第二号、第四号、第五号又は第九号のいずれかに該当するに至ったとき。
二 登録事業者が次のイからハまでに掲げる場合に該当するときは、それぞれ当該イからハまでに定める者が、第八条第一項第一号、第二号、第四号又は第五号のいずれかに該当するに至ったとき。
イ 営業に関し成年者と同一の行為能力を有しない未成年者である場合 法定代理人（法人である場合においては、その役員を含む。）
ロ 法人である場合 役員又は第八条第一項第七号の政令で定める使用人
ハ 個人である場合 第八条第一項第八号の政令で定める使用人
三 不正な手段により第五条第一項の登録を受けたとき。
2 都道府県知事は、登録事業者が次の各号のいずれかに該当するときは、その登録事業の登録を取り消すことができる。
一 第九条第一項又は第十一条第三項の規定に違反したとき。
二 前条の規定による指示に違反したとき。

一 第九条第一項、第十一条第三項又は第十九条の二第三項の規定に違反したとき。
二 第十九条の二第一項の承認を受けずに、同項に規定する住宅確保要配慮者に賃貸し、又は同項に規定する認定事業者若しくは適格事業者において当該住宅確保要配慮者に転貸させたとき。
三 登録住宅を第七条第一項第四号に規定する者以外の者（前号に規定する住宅確保要配慮者を除く。）に賃貸したとき。
四 前条の規定による指示に違反したとき。

3 都道府県知事は、前二項の規定により登録を取り消したときは、遅滞なく、その旨を当該登録事業者であった者に通知しなければならない。

（所在不明者等の登録の取消し）
第二七条 都道府県知事は、登録事業者の事務所の所在地又は当該登録事業者の所在（法人である場合においては、その役員の所在）を確知できない場合において、国土交通省令・厚生労働省令で定めるところにより、その事実を公告し、その公告の日から三十日を経過しても当該登録事業者から申出がないときは、その登録事業の登録を取り消すことができる。
2 前項の規定による処分については、行政手続法（平成五年法律第八十八号）第三章の規定は、適用しない。

第五節 指定登録機関

（指定登録機関の指定等）
第二八条 都道府県知事は、その指定する者（以下「指定登録機関」という。）に、サービス付き高齢者向け住宅事業の登録及び登録簿の閲覧の実施に関する事務（前節の規定による事務を除く。以下「登録事務」という。）の全部又は一部を行わせることができる。
2 指定登録機関の指定（以下この節において単に「指定」という。）は、登録事務を行おうとする者の申請により行う。
3 都道府県知事は、指定をしたときは、指定登録機関が行う登録事務を行わないものとし、この場合における登録事務の引継ぎその他の必要な事項は、国土交通省令・厚生労働省令で定める。
4 指定登録機関が登録事務を行う場合における第五条から第十三条までの規定の適用については、これらの規定中「都道府県知事」とあるのは、「指定登録機関」とする。

（欠格条項）
第二九条 次の各号のいずれかに該当する者は、指定を受けることができない。
一 未成年者
二 破産手続開始の決定を受けて復権を得ない者
三 禁錮以上の刑に処せられ、又はこの法律の規定により刑に処せられ、その執行を終わり、又は執行を受けることがなくなった日から起算して二年を経過しない者
四 第三十八条第一項又は第二項の規定により指定を取り消され、その取消しの日から起算して二年を経過しない者
五 心身の故障により登録事務を適正に行うことができない者として国土交通省令・厚生労働省令で定めるもの
六 法人であって、その役員のうちに前各号のいずれかに該当する者があるもの

（指定の基準）
第三〇条 都道府県知事は、当該都道府県の区域において他に指定登録機関の指定を受けた者がなく、かつ、指定の申請が次に掲げる基準に適合していると認めるときでなければ、指定をしてはならない。
一 職員、登録事務の実施の方法その他の事項についての登録事務の実施に関する計画が、登録事務の適確な実施のために適切なものであること。
二 前号の登録事務の実施に関する計画を適確に実施するに足りる経理的及び技術的な基礎を有するものであること。
三 登録事務以外の業務を行っている場合には、その業務を行うことによって登録事務の公正な実施に支障を及ぼすおそれがないものであること。
四 前三号に定めるもののほか、登録事務を公正かつ適確に行うことができるものであること。

（指定の公示等）
第三一条 都道府県知事は、指定をしたときは、指定登録機関の名称及び住所、指定登録機関が行う登録事務の範囲、登録事務を行う事務所の所在地並びに登録事務の開始の日を公示しなければならない。

2　指定登録機関は、その名称若しくは住所又は登録事務を行う事務所の所在地を変更しようとするときは、変更しようとする日の二週間前までに、その旨を都道府県知事に届け出なければならない。

3　都道府県知事は、前項の規定による届出があったときは、その旨を公示しなければならない。

（秘密保持義務等）

第三二条　指定登録機関（その者が法人である場合にあっては、その役員。次項において同じ。）及びその職員並びにこれらの者であった者は、登録事務に関して知り得た秘密を漏らし、又は自己の利益のために使用してはならない。

2　指定登録機関及びその職員で登録事務に従事する者は、刑法（明治四十年法律第四十五号）その他の罰則の適用については、法令により公務に従事する職員とみなす。

（登録事務規程）

第三三条　指定登録機関は、登録事務に関する規程（以下「登録事務規程」という。）を定め、都道府県知事の認可を受けなければならない。これを変更しようとするときも、同様とする。

2　登録事務規程で定めるべき事項は、国土交通省令・厚生労働省令で定める。

3　都道府県知事は、第一項の認可をした登録事務規程が登録事務の公正かつ適確な実施上不適当となったと認めるときは、その登録事務規程を変更すべきことを命ずることができる。

（帳簿の備付け等）

第三四条　指定登録機関は、国土交通省令・厚生労働省令で定めるところにより、登録事務に関する事項で国土交通省令・厚生労働省令で定めるものを記載した帳簿を備え付け、これを保存しなければならない。

2　前項に定めるもののほか、指定登録機関は、国土交通省令・厚生労働省令で定めるところにより、登録事務に関する書類で国土交通省令・厚生労働省令で定めるものを保存しなければならない。

（監督命令）

第三五条　都道府県知事は、登録事務の公正かつ適確な実施を確保するため必要があると認めるときは、指定登録機関に対し、登録事務に関し監督上必要な命令をすることができる。

（報告、検査等）

第三六条　都道府県知事は、登録事務の公正かつ適確な実施を確保するため必要があると認めるときは、指定登録機関に対し登録事務に関し必要な報告を求め、又はその職員に、指定登録機関の事務所に立ち入り、登録事務の状況若しくは帳簿、書類その他の物件を検査させ、若しくは関係者に質問させることができる。

2　前項の規定により立入検査をする職員は、その身分を示す証明書を携帯し、関係者に提示しなければならない。

3　第一項の規定による権限は、犯罪捜査のために認められたものと解釈してはならない。

（登録事務の休廃止）

第三七条　指定登録機関は、都道府県知事の許可を受けなければ、登録事務の全部若しくは一部を休止し、又は廃止してはならない。

2　都道府県知事は、前項の許可をしたときは、その旨を公示しなければならない。

（指定の取消し等）

第三八条　都道府県知事は、指定登録機関が第二十九条各号（第四号を除く。）のいずれかに該当するに至ったときは、その指定を取り消さなければならない。

2　都道府県知事は、指定登録機関が次の各号のいずれかに該当するときは、その指定を取り消し、又は期間を定めて登録事務の全部若しくは一部の停止を命ずることができる。

一　第二十八条第四項の規定により読み替えて適用する第七条、第八条、第九条第三項及び第四項（第十一条第四項においてこれらの規定を準用する場合を含む。）、第十条又は第十三条の規定に違反したとき。

二　第三十一条第二項、第三十四条又は前条第一項の規定に違反したとき。

三　第三十三条第一項の認可を受けた登録事務規程によらないで登録事務を行ったとき。

四　第三十三条第三項又は第三十五条の規定による命令に違反したとき。

五　第三十条各号に掲げる基準に適合していないと認めるとき。

六　登録事務に関し著しく不適当な行為をしたとき、又は法人にあってはその役員が登録事務に関し著しく不適当な行為をしたとき。

七　不正な手段により指定を受けたとき。

3　都道府県知事は、前二項の規定により指定を取り消し、又は前項の規定により登録事務の全部若しくは一部の停止を命じたときは、その旨を公示しなければならない。

（都道府県知事による登録事務の実施）

第三九条　都道府県知事は、指定登録機関が第三十七条第一項の規定により登録事務の全部若しくは一部を休止したとき、前条第二項の規定により指定登録機関に対し登録事務の全部若しくは一部の停止を命じたとき、又は指定登録機関が天災その他の事由により登録事務の全部若しくは一部を実施することが困難となった場合において必要があると認めるときは、第二十八条第三項の規定にかかわらず、登録事務の全部又は一部を自ら行うものとする。

2　都道府県知事は、前項の規定により登録事務を行うこととし、又は同項の規定により行っている登録事務を行わないこととするときは、その旨を公示しなければならない。

3　都道府県知事が、第一項の規定により登録事務を行うこととし、第三十七条第一項の規定により登録事務の廃止を許可し、若しくは前条第一項若しくは第二項の規定により指定を取り消し、又は第一項の規定により行っている登録事務を行わないこととする場合における登録事務の引継ぎその他の必要な事項は、国土交通省令・厚生労働省令で定める。

（登録手数料）

第四〇条　都道府県は、地方自治法（昭和二十二年法律第六十七号）第二百二十七条の規定に基づき登録に係る手数料を徴収する場合においては、第二十八条の規定により指定登録機関が行う登録を受けようとする者に、条例で定めるところにより、当該手数料を当該指定登録機関に納めさせることができる。

2　前項の規定により指定登録機関に納められた手数料は、当該指定登録機関の収入とする。

第六節　雑則

（独立行政法人住宅金融支援機構等の資金の貸付けについての配慮）

第四一条　独立行政法人住宅金融支援機構及び沖縄振興開発金融公庫は、法令及びその事業計画の範囲内において、登録住宅の整備が円滑に行われるよう、必要な資金の貸付けについて配慮するものとする。

（資金の確保等）

第四二条　国及び地方公共団体は、登録住宅の整備のために必要な資金の確保又はその融通のあっせんに努めるものとする。

（賃貸住宅等への円滑な入居のための援助）

第四三条　都道府県知事は、登録事業者が破産手続開始の決定を受けたときその他入居者（入居者であった者を含む。）の居住の安定を図るため必要があると認めるときは、当該入居者に対し、他の適当な賃貸住宅又は有料老人ホームに円滑に入居するために必要な助言その他の援助を行うように努めるものとする。

2　都道府県知事は、前項の規定による助言その他の援助を行うために必要があると認めるときは、他の登録事業者又は認定事業者に必要な協力を要請することができる。

第四章　地方公共団体等による高齢者向けの優良な賃貸住宅の供給の促進等

（地方公共団体による高齢者向けの優良な賃貸住宅の供給）

第四四条　地方公共団体は、その区域内において良好な居住環境を備えた高齢者向けの賃貸住宅（第四十六条において「高齢者向けの優良な賃貸住宅」という。）が不足している場合においては、基本方針に従って、その整備及び管理に努めなければならない。

（地方公共団体に対する費用の補助）

第四五条　国は、地方公共団体が次に掲げる基準に適合する賃貸住宅の整備及び管理を行う場合においては、予算の範囲内において、政令で定めるところにより、当該賃貸住宅の整備に要する費用の一部を補助することができる。

一　賃貸住宅の規模及び設備（加齢対応構造等であるものを除く。）が、国土交通省令で定める基準に適合するものであること。

二　賃貸住宅の加齢対応構造等が、第五十四条第一号ロに規定する基準又はこれに準ずるものとして国土交通省令で定める基準に適合するものであること。

二　賃貸住宅の加齢対応構造等が、第五十七条第一項第二号に規定する基準又はこれに準ずるものとして国土交通省令で定める基準に適合するものであること。

三　賃貸住宅の入居者の資格を、自ら居住するため住宅を必要とする高齢者（国土交通省令で定める年齢その他の要件に該当する者に限る。以下この号において同じ。）又は当該高齢者と同居するその配偶者とするものであること。

四　賃貸住宅の入居者の家賃の額が、近傍同種の住宅の家賃の額と均衡を失しないよう定められるものであること。

五　賃貸住宅の入居者の募集及び選定の方法並びに賃貸の条件が、国土交通省令で定める基準に従い適正に定められるものであること。

六　前三号に掲げるもののほか、賃貸住宅の管理の方法が国土交通省令で定める基準に適合するものであること。

七　その他基本方針に照らして適切なものであること。

2　国は、地方公共団体が入居者の居住の安定を図るため前項の賃貸住宅の家賃を減額する場合においては、予算の範囲内において、政令で定めるところにより、その減額に要する費用の一部を補助することができる。

（機構又は公社に対する供給の要請）

第四六条　地方公共団体は、自ら高齢者向けの優良な賃貸住宅の整備及び管理を行うことが困難であり、又は自ら高齢者向けの優良な賃貸住宅の整備及び管理を行うのみではその不足を補うことができないと認めるときは、独立行政法人都市再生機構（以下「機構」という。）又は公社に対し、国土交通省令で定めるところにより、高齢者向けの優良な賃貸住宅の整備及び管理を行うよう要請することができる。

（要請に基づき供給する機構に対する費用の負担及び補助）

第四七条　機構は、前条の規定による要請に基づいて第四十五条第一項各号に掲げる基準に適合する賃貸住宅の整備及び管理を行うときは、当該要請をした地方公共団体に対し、その利益を受ける限度において、政令で定めるところにより、当該賃貸住宅の整備に要する費用の一部又は入居者の居住の安定を図るため当該賃貸住宅の家賃を減額する場合における当該減額に要する費用の一部を負担することを求めることができる。

2　前項の場合において、地方公共団体が負担する費用の額及び負担の方法は、機構と地方公共団体とが協議して定める。

3　前項の規定による協議が成立しないときは、当事者の申請に基づき、国土交通大臣が裁定する。この場合において、国土交通大臣は、当事者の意見を聴くとともに、総務大臣と協議しなければならない。

4　国は、機構が前条の規定による要請に基づいて第四十五条第一項各号に掲げる基準に適合する賃貸住宅の整備及び管理を行う場合においては、予算の範囲内において、政令で定めるところにより、当該賃貸住宅の整備に要する費用の一部又は入居者の居住の安定を図るため当該賃貸住宅の家賃を減額する場合における当該減額に要する費用の一部を補助することができる。

（要請に基づき供給する公社に対する費用の補助）

第四八条　地方公共団体は、公社が第四十六条の規定による要請に基づいて第四十五条第一項各号に掲げる基準に適合する賃貸住宅の整備及び管理を行う場合においては、当該賃貸住宅の整備に要する費用の一部又は入居者の居住の安定を図るため当該賃貸住宅の家賃を減額する場合における当該減額に要する費用の一部を補助することができる。

2　国は、地方公共団体が前項の規定により補助金を交付する場合には、予算の範囲内において、政令で定めるところにより、その費用の一部を補助することができる。

（機構に対する費用の補助）

第四九条　国は、第四十七条第四項の規定による場合のほか、機構が次に掲げる基準に適合する賃貸住宅の整備及び管理を行う場合においては、予算の範囲内において、政令で定めるところにより、当該賃貸住宅の整備に要する費用の一部を補助することができる。

一　賃貸住宅の戸数が、国土交通省令で定める戸数以上であること。

二　賃貸住宅の規模並びに構造及び設備（加齢対応構造等であるものを除く。）が、国土交通省令で定める基準に適合するものであること。

三　賃貸住宅の加齢対応構造等が、第五十四条第一号ロに規定する基準又はこれに準ずるものとして国土交通省令で定める基準に適合するものであること。

三　賃貸住宅の加齢対応構造等が、第五十七条第一項第二号に規定する基準又はこれに準ずるものとして国土交通省令で定める基準に適合するものであること。

四　賃貸住宅の入居者の資格を、自ら居住するため住宅を必要とする高齢者（国土交通省令で定める年齢その他の要件に該当する者に限る。以下この号において同じ。）又は当該高齢者と同居するその配偶者とするものであること。

五　前号に掲げるもの及び独立行政法人都市再生機構法（平成十五年法律第百号）第二十五条に定めるもののほか、賃貸住宅の管理の方法が国土交通省令で定める基準に適合するものであること。

六　その他基本方針に照らして適切なものであること。

2　国は、第四十七条第四項の規定による場合のほか、機構が入居者の居住の安定を図るため前項の賃貸住宅の家賃を減額する場合においては、予算の範囲内において、政令で定めるところにより、その減額に要する費用の一部を補助することができる。

（補助等に係る高齢者向けの優良な賃貸住宅についての周知措置）

第五〇条　地方公共団体、機構又は公社は、第四十五条、第四十七条第四項、第四十八条第一項若しくは前条又は第四十七条第一項の規定による費用の補助又は負担を受けて整備し、又は家賃を減額する賃貸住宅について、国土交通省令で定めるところにより、入居者の募集に先立ち、第五条第一項の登録の申請その他の方法により当該賃貸住宅が加齢対応構造等を有するものである旨及び当該加齢対応構造等の内容その他必要な事項を周知させる措置を講じなければならない。

（公営住宅の使用）

第五一条　公営住宅の事業主体は、高齢者向けの賃貸住宅の不足その他の特別の事由により公営住宅を公営住宅法第二十三条に規定する条件を具備しない高齢者に使用させることが必要であると認める場合において国土交通大臣の承認を得たときは、公営住宅の適正かつ合理的な管理に著しい支障のない範囲内で、当該公営住宅を当該高齢者に使用させることができる。この場合において、事業主体は、当該公営住宅を次に掲げる基準に従って管理しなければならない。

一　入居者の資格を、自ら居住するため住宅を必要とする高齢者（国土交通省令で定める年齢その他の要件に該当する者に限る。）とするものであること。

二　入居者の家賃の額が、近傍同種の住宅の家賃の額と均衡を失しないよう定められるものであること。

三　前二号に掲げるもの並びに公営住宅法第十六条第五項及び第六項、第十八条から第二十二条まで、第二十五条第二項、第二十七条並びに第三十二条に定めるもののほか、入居者の選定方法その他の当該公営住宅の管理の方法が国土交通省令で定める基準に適合するものであること。

2　公営住宅法第四十五条第三項及び第四項の規定は、前項の規定による承認及び公営住宅の使用について準用する。

3　前二項の規定により公営住宅を使用させる場合における公営住宅法第十六条第五項及び第六項、第三十四条並びに第五十条の規定の適用については、同法第十六条第五項中「前項」とあるのは「前項及び高齢者の居住の安定確保に関する法律（平成十三年法律第二十六号。以下「高齢者居住法」という。）第五十一条第一項」と、同条第六項中「前各項」とあるのは「前各項（前項にあっては、高齢者居住法第五十一条第三項の規定により読み替えて適用される場合を含む。）」と、同法第三十四条中「第十六条第五項（第二十八条第三項若しくは第五項又は第二十九条第九項において準用する場合を含む。）」とあるのは「第十六条第五項（第二十八条第三項若しくは第五項又は第二十九条第九項において準用する場合又は高齢者居住法第五十一条第三項の規定により読み替えて適用される場合を含む。）」と、同法第五十条中「この法律又はこの」とあるのは「この法律若しくは高齢者居住法又はこれらの」とする。

第五章　終身建物賃貸借

（事業の認可及び借地借家法の特例）

第五十二条　自ら居住するため住宅を必要とする高齢者（六十歳以上の者であって、賃借人となる者以外に同居する者がないもの又は同居する者が配偶者若しくは六十歳以上の親族（配偶者を除く。以下この章において同じ。）であるものに限る。以下この章において同じ。）又は当該高齢者と同居するその配偶者を賃借人とし、当該賃借人の終身にわたって住宅を賃貸する事業を行おうとする者（以下「終身賃貸事業者」という。）は、当該事業について都道府県知事（機構又は都道府県が終身賃貸事業者である場合にあっては、国土交通大臣。以下この章において同じ。）の認可を受けた場合においては、公正証書による等書面によって契約をするときに限り、借地借家法（平成三年法律第九十号）第三十条の規定にかかわらず、当該事業に係る建物の賃貸借（一戸の賃貸住宅の賃借人が二人以上であるときは、それぞれの賃借人に係る建物の賃貸借）について、賃借人が死亡した時に終了する旨を定めることができる。

第五十二条　自ら居住するため住宅を必要とする高齢者（六十歳以上の者であって、賃借人となる者以外に同居する者がないもの又は同居する者が配偶者若しくは六十歳以上の親族（配偶者を除く。以下この章において同じ。）であるものに限る。以下この章において同じ。）又は当該高齢者と同居するその配偶者を賃借人とし、当該賃借人の終身にわたって住宅を賃貸する事業（以下「終身賃貸事業」という。）を行おうとする者（以下「終身賃貸事業者」という。）は、当該終身賃貸事業について都道府県知事（機構又は都道府県が終身賃貸事業者である場合にあっては、国土交通大臣。以下この章において同じ。）の認可を受けた場合においては、公正証書による等書面によって契約をするときに限り、借地借家法第三十条の規定にかかわらず、当該終身賃貸事業に係る建物の賃貸借（一戸の賃貸住宅の賃借人が二人以上であるときは、それぞれの賃借人に係る建物の賃貸借）について、賃借人が死亡した時に終了する旨を定めることができる。

2　前項の規定による建物の賃貸借の契約がその内容を記録した電磁的記録によってされたときは、当該契約は、書面によってされたものとみなして、同項の規定を適用する。

（事業認可申請書）

第五十三条　終身賃貸事業者は、前条第一項の認可を受けようとするときは、国土交通省令で定めるところにより、次に掲げる事項を記載した事業認可申請書を作成し、これを都道府県知事に提出しなければならない。

一　終身賃貸事業者の氏名又は名称及び住所
二　賃貸住宅の位置
三　賃貸住宅の戸数
四　賃貸住宅の規模並びに構造及び設備
五　賃貸住宅の賃借人の資格に関する事項
六　賃貸住宅の賃貸の条件に関する事項
七　前二号に掲げるもののほか、賃貸住宅の管理の方法
八　その他国土交通省令で定める事項

一　終身賃貸事業者の氏名又は名称及び住所
二　賃貸住宅の賃借人の資格に関する事項
三　賃貸住宅の賃貸の条件に関する事項
四　前二号に掲げるもののほか、賃貸住宅の管理の方法
五　その他国土交通省令で定める事項

2　終身賃貸事業者は、前条第一項の認可の申請を当該賃貸住宅に係る第五条第一項の登録の申請と併せて行う場合には、前項の規定にかかわらず、同項第二号から第四号までに掲げる事項の記載を省略することができる。

2　前項の申請書には、第五十七条第一項各号に掲げる基準に適合する賃貸住宅において終身賃貸事業を行うことを誓約する書面を添付しなければならない。

（認可の基準）

第五十四条　都道府県知事は、第五十二条第一項の認可の申請があった場合において、当該申請に係る事業が次に掲げる基準に適合すると認めるときは、同項の認可をすることができる。

一　賃貸住宅が、次に掲げる基準に適合するものであること。
　イ　賃貸住宅の規模及び設備（加齢対応構造等であるものを除く。）が、国土交通省令で定める基準に適合するものであること。
　ロ　賃貸住宅の加齢対応構造等が、段差のない床、浴室等の手すり、介助用の車椅子で移動できる幅の廊下その他の加齢に伴って生ずる高齢者の身体の機能の低下を補い高齢者が日常生活を支障なく営むために必要な構造及び設備の基準として国土交通省令で定める基準に適合するものであること。

一号は削られます。

二　賃貸住宅において、公正証書による等書面（その作成に代えて電磁的記録を作成する場合における当該電磁的記録を含む。第五十七条において同じ。）によって契約をする建物の賃貸借（一戸の賃貸住宅の賃借人が二人以上であるときは、それぞれの賃借人に係る建物の賃貸借）であって賃借人の死亡に至るまで存続し、かつ、賃借人が死亡した時に終了するもの（以下「終身建物賃貸借」という。）をするものであること。ただし、賃借人を仮に入居させるために、終身建物賃貸借に先立ち、定期建物賃貸借（借地借家法第三十八条第一項の規定による建物賃貸借をいい、一年以内の期間を定めたものに限る。次号において同じ。）をする場合は、この限りでない。

一　賃貸住宅において、公正証書による等書面（その作成に代えて電磁的記録を作成する場合における当該電磁的記録を含む。第五号及び第五十八条において同じ。）によって契約をする建物の賃貸借（一戸の賃貸住宅の賃借人が二人以上であるときは、それぞれの賃借人に係る建物の賃貸借）であって賃借人の死亡に至るまで存続し、かつ、賃借人が死亡した時に終了するもの（以下「終身建物賃貸借」という。）をするものであること。ただし、賃借人を仮に入居させるために、終身建物賃貸借に先立ち、定期建物賃貸借（借地借家法第三十八条第一項の規定による建物賃貸借をいい、一年以内の期間を定めたものに限る。次号において同じ。）をする場合は、この限りでない。

三　賃貸住宅の賃借人となろうとする者（一戸の賃貸住宅の賃借人となろうとする者が二人以上であるときは、当該賃借人となろうとする者の全て）から仮に入居する旨の申出があった場合においては、終身建物賃貸借に先立ち、その者を仮に入居させるため定期建物賃貸借をするものであること。

四　賃貸住宅の賃貸の条件が、権利金その他の借家権の設定の対価を受領しないものであることその他国土交通省令で定める基準に従い適正に定められるものであること。

五　賃貸住宅の整備をして事業を行う場合にあっては、当該整備に関する工事の完了前に、敷金を受領せず、かつ、終身にわたって受領すべき家賃の全部又は一部を前払金として一括して受領しないものであること。

六　前号の前払金を受領する場合にあっては、当該前払金の算定の基礎が書面で明示されるものであり、かつ、当該前払金について終身賃貸事業者が返還債務を負うこととなる場合に備えて国土交通省令で定めるところにより必要な保全措置が講じられるものであること。

三号から六号は、二号から五号に繰り上げられます。

七　第二号から前号までに掲げるもののほか、賃貸住宅の管理の方法が国土交通省令で定める基準に適合するものであること。

八　その他基本方針（当該事業が市町村高齢者居住安定確保計画が定められている市町村の区域内のものである場合にあっては基本方針及び市町村高齢者居住安定確保計画、当該事業が都道府県高齢者居住安定確保計画が定められている都道府県の区域（当該市町村の区域を除く。）内のものである場合にあっては基本方針及び都道府県高齢者居住安定確保計画。第六十五条において同じ。）に照らして適切なものであること。

六　前各号に掲げるもののほか、賃貸住宅の管理の方法が国土交通省令で定める基準に適合するものであること。

七　その他基本方針（当該事業が市町村高齢者居住安定確保計画が定められている市町村の区域内のものである場合にあっては基本方針及び市町村高齢者居住安定確保計画、当該事業が都道府県高齢者居住安定

確保計画が定められている都道府県の区域（当該市町村の区域を除く。）内のものである場合にあっては基本方針及び都道府県高齢者居住安定確保計画。第六十六条において同じ。）に照らして適切なものであること。

（事業の認可の通知）

第五五条　都道府県知事は、第五十二条第一項の認可をしたときは、速やかに、その旨を当該認可を受けた終身賃貸事業者に通知しなければならない。

（事業の変更）

第五六条　第五十二条第一項の認可を受けた終身賃貸事業者は、当該認可を受けた事業の変更（国土交通省令で定める軽微な変更を除く。）をしようとするときは、あらかじめ、都道府県知事の認可を受けなければならない。

第五六条　第五十二条第一項の認可を受けた終身賃貸事業者は、当該認可を受けた終身賃貸事業の変更（次条第二項各号に掲げる事項に係るもの及び国土交通省令で定める軽微な変更を除く。）をするときは、あらかじめ、都道府県知事の認可を受けなければならない。

2　前二条の規定は、前項の変更の認可について準用する。

（賃貸住宅の基準等）

第五七条　第五十二条第一項の認可（前条第一項の変更の認可を含む。以下「事業認可」という。）を受けた終身賃貸事業者（以下「認可事業者」という。）が終身賃貸事業の用に供する賃貸住宅は、次に掲げる基準に適合するものでなければならない。

一　賃貸住宅の規模及び設備（加齢対応構造等であるものを除く。）が、国土交通省令で定める基準に適合するものであること。

二　賃貸住宅の加齢対応構造等が、段差のない床、浴室等の手すり、介助用の車椅子で移動できる幅の廊下その他の加齢に伴って生ずる高齢者の身体の機能の低下を補い高齢者が日常生活を支障なく営むために必要な構造及び設備の基準として国土交通省令で定める基準に適合するものであること。

2　認可事業者は、その行う終身賃貸事業において終身建物賃貸借をするときは、あらかじめ、国土交通省令で定めるところにより、当該終身建物賃貸借に係る賃貸住宅について次に掲げる事項（当該賃貸住宅が登録住宅である場合にあっては、第一号及び第二号に掲げる事項。次項において同じ。）を都道府県知事に届け出なければならない。

一　賃貸住宅の位置

二　賃貸住宅の戸数

三　賃貸住宅の規模並びに構造及び設備

3　認可事業者は、前項各号に掲げる事項を変更するときは、国土交通省令で定めるところにより、あらかじめ、その旨を都道府県知事に届け出なければならない。

（期間付死亡時終了建物賃貸借）

第五七条　第五十二条第一項の認可（前条第一項の変更の認可を含む。以下「事業の認可」という。）を受けた終身賃貸事業者（以下「認可事業者」という。）は、当該事業の認可に係る賃貸住宅（以下「認可住宅」という。）において、第五十四条第二号及び第三号の規定にかかわらず、賃借人となろうとする者（一戸の認可住宅の賃借人となろうとする者が二人以上であるときは、当該賃借人となろうとする者の全て）から特に申出があった場合においては、公正証書による等書面によって契約をする建物の賃貸借（一戸の認可住宅の賃借人が二人以上であるときは、それぞれの賃借人に係る建物の賃貸借）であって借地借家法第三十八条第一項の規定により契約の更新がないこととする旨が定められた期間の定めがあり、かつ、賃借人が死亡した時に終了するもの（以下「期間付死亡時終了建物賃貸借」という。）をすることができる。

第五八条　認可事業者は、前条第二項又は第三項の規定による届出に係る賃貸住宅（以下「認可住宅」という。）において、第五十四条第一号及び第二号の規定にかかわらず、賃借人となろうとする者（一戸の認可住宅の賃借人となろうとする者が二人以上であるときは、当該賃借人となろうとする者の全て）から特に申出があった場合においては、公正証書による等書面によって契約をする建物の賃貸借（一戸の認可住宅の賃借人が二人以上であるときは、それぞれの賃借人に係る建物の賃貸借）であって借地借家法第三十八条第一項の規定により契約の更新がないこととする旨が定められた期間の定めがあり、かつ、賃借人が死亡した時に終了するもの（第六十二条第一項及び第六十三条において「期間付死亡時終了建物賃貸借」という。）をすることができる。

（認可事業者による終身建物賃貸借の解約の申入れ）

第五八条　終身建物賃貸借においては、認可事業者は、次の各号のいずれかに該当する場合に限り、都道府県知事の承認を受けて、当該賃貸借の解約の申入れをすることができる。

一　認可住宅の老朽、損傷、一部の滅失その他の事由により、家賃の価額その他の事情に照らし、当該認可住宅を、第五十四条第一号に掲げる基準等を勘案して適切な規模、構造及び設備を有する賃貸住宅として維持し、又は当該賃貸住宅に回復するのに過分の費用を要するに至ったとき。

第五九条　終身建物賃貸借においては、認可事業者は、次の各号のいずれかに該当する場合に限り、都道府県知事の承認を受けて、当該終身建物賃貸借の解約の申入れをすることができる。

一　認可住宅の老朽、損傷、一部の滅失その他の事由により、家賃の価額その他の事情に照らし、当該認可住宅を、第五十七条第一項各号に掲げる基準等を勘案して適切な規模、構造及び設備を有する賃貸住宅として維持し、又は当該賃貸住宅に回復するのに過分の費用を要するに至ったとき。

二　賃借人（一戸の認可住宅に賃借人が二人以上いるときは、当該賃借人の全て）が認可住宅に長期間にわたって居住せず、かつ、当面居住する見込みがないことにより、当該認可住宅を適正に管理することが困難となったとき。

2　借地借家法第二十八条の規定は、前項の解約の申入れについては、適用しない。

（賃借人による終身建物賃貸借の解約の申入れ等）

第五九条　終身建物賃貸借においては、賃借人は、次の各号のいずれかに該当する場合には、当該賃貸借の解約の申入れをすることができる。この場合において、当該賃貸借は、第一号から第三号までに掲げる場合にあっては解約の申入れの日から一月を経過すること、第四号に掲げる場合にあっては当該解約の期日が到来することによって終了する。

第六〇条　終身建物賃貸借においては、賃借人は、次の各号のいずれかに該当する場合には、当該終身建物賃貸借の解約の申入れをすることができる。この場合において、当該終身建物賃貸借は、第一号から第三号までに掲げる場合にあっては解約の申入れの日から一月を経過すること、第四号に掲げる場合にあっては当該解約の期日が到来することによって終了する。

一　療養、老人ホームへの入所その他のやむを得ない事情により、賃借人が認可住宅に居住することが困難となったとき。

二　親族と同居するため、賃借人が認可住宅に居住する必要がなくなったとき。

三　認可事業者が、第六十八条の規定による命令に違反したとき。

三　認可事業者が、第六十九条の規定による命令に違反したとき。

四　当該解約の期日が、当該申入れの日から六月以上経過する日に設定されているとき。

（強行規定）

第六〇条　前二条の規定に反する特約で賃借人に不利なものは、無効とする。

六〇条は、六一条に繰り下げられます。

（賃借人死亡後の同居者の一時居住）

第六一条　終身建物賃貸借の賃借人の死亡（一戸の認可住宅に賃借人が二人以上いるときは、当該賃借人の全ての死亡。以下この条及び次条において同じ。）があった場合又は期間付死亡時終了建物賃貸借において定められた期間が満了する前に当該期間付死亡時終了建物賃貸借の賃借人の死亡があった場合においては、当該賃借人の死亡があった時から同居者（当該賃借人と同居していた者（当該建物の賃貸借の賃借人である者を除く。）をいう。以下この条において同じ。）がそれを知った日から一月を経過する日までの間（次条第一項に規定する同居配偶者等であって同項又は同条第二項に規定する期間内に同条第一項本文又は第二項に規定する申出を行ったものにあっては、当該賃借人の死亡があった時から同条第一項又は第二項の規定による契約をするまでの間）に限り、当該同居者は、引き続き認可住宅に居住することができる。ただし、当該期間内に、当該同居者が死亡し若しくは認可事業者に反対の意思を表示し、又は従前の期間付死亡時終了建物賃貸借において定められた期間が満了したときは、この限りでない。

第六二条　終身建物賃貸借の賃借人の死亡（一戸の認可住宅に賃借人が二人以上いるときは、当該賃借人の全ての死亡。以下この項及び次条において同じ。）があった場合又は期間付死亡時終了建物賃貸借において定められた期間が満了する前に当該期間付死亡時終了建物賃貸借の賃借人の死亡があった場合においては、当該賃借人の死亡があった時から同居者（当該賃借人と同居していた者（当該建物の賃貸借の賃借人である者を除く。）をいう。以下この条において同じ。）がそれを知った日から一月を経過する日までの間（次条第一項に規定する同居配偶者等であって同項又は同条第二項に規定する期間内に同条第一項本文又は第二項に規定する申出を行ったものにあっては、当該賃借人の死亡があった時から同条第一項又は第二項の規定による契約をするまでの間）に限り、当該同居者は、引き続き認可住宅に居住することができる。ただし、当該期間内に、当該同居者が死亡し若しくは認可事業者に反対の意思を表示し、又は従前の期間付死亡時終了建物賃貸借において定められた期間が満了したときは、この限りでない。

2　前項の規定により引き続き認可住宅に居住する同居者は、認可事業者に対し、従前の建物の賃貸借と同一の家賃を支払わなければならない。

（同居配偶者等の継続居住の保護）

第六二条　終身建物賃貸借の賃借人の死亡があった場合において、当該認可住宅に当該賃借人（一戸の認可住宅に賃借人が二人以上いたときは、当該賃借人のいずれか）と同居していたその配偶者又は六十歳以上の親族（当該建物の賃貸借の賃借人である者を除く。以下この条において「同居配偶者等」という。）が、当該賃借人の死亡があったことを知った日から一月を経過する日までの間に認可事業者に対し認可住宅に引き続き居住する旨の申出を行ったときは、認可事業者は、当該同居配偶者等と終身建物賃貸借の契約をしなければならない。ただし、当該申出に併せて第五十七条の規定による申出があったときは、当該同居配偶者等と期間付死亡時終了建物賃貸借の契約をしなければならない。

第六三条　終身建物賃貸借の賃借人の死亡があった場合において、当該認可住宅に当該賃借人（一戸の認可住宅に賃借人が二人以上いたときは、当該賃借人のいずれか）と同居していたその配偶者又は六十歳以上の親族（当該建物の賃貸借の賃借人である者を除く。以下この条において「同居配偶者等」という。）が、当該賃借人の死亡があったことを知った日から一月を経過する日までの間に認可事業者に対し認可住宅に引き続き居住する旨の申出を行ったときは、認可事業者は、当該同居配偶者等と終身建物賃貸借の契約をしなければならない。ただし、当該申出に併せて第五十八条の規定による申出があったときは、当該同居配偶者等と期間付死亡時終了建物賃貸借の契約をしなければならない。

2　期間付死亡時終了建物賃貸借において定められた期間が満了する前に当該期間付死亡時終了建物賃貸借の賃借人の死亡があった場合において、同居配偶者等が、当該賃借人の死亡があったことを知った日から一月を経過する日までの間に認可事業者に対し認可住宅に引き続き居住する旨の申出を行ったときは、認可事業者は、当該同居配偶者等と当該期間が満了する時まで存続する期間付死亡時終了建物賃貸借の契約をしなければならない。

3　前二項に定めるもののほか、前二項の規定により契約する建物の賃貸借の条件については、従前の建物の賃貸借と同一のもの（前払家賃の額については、その算定の基礎が従前の前払家賃と同一であるもの）とする。

（借賃改定特約がある場合の借地借家法の特例）

第六三条　借地借家法第三十二条の規定は、終身建物賃貸借において、借賃の改定に係る特約がある場合には、適用しない。

（譲渡又は転貸の禁止）

第六四条　認可住宅の賃借人は、その借家権を譲渡し、又は転貸してはならない。

（助言及び指導）

第六五条　都道府県知事は、認可事業者に対し、基本方針を勘案し、認可住宅の管理に関し必要な助言及び指導を行うよう努めるものとする。

（報告の徴収）

第六六条　都道府県知事は、認可事業者に対し、認可住宅の管理の状況について報告を求めることができる。

六三条から六六条は、六四条から六七条に繰り下げられます。

（地位の承継）

第六七条　認可事業者の一般承継人は、当該認可事業者が有していた事業の認可に基づく地位を承継する。

2　前項の規定により事業の認可に基づく地位を承継した者は、遅滞なく、都道府県知事にその旨を届け出なければならない。

3　認可事業者から認可住宅の敷地の所有権その他当該認可住宅の整備及び管理に必要な権原を取得した者は、都道府県知事の承認を受けて、当該認可事業者が有していた事業の認可に基づく地位を承継することができる。

（改善命令）

第六八条　都道府県知事は、認可事業者が第五十四条各号に掲げる基準に適合して認可住宅の管理を行っていないと認めるときは、当該認可事業者に対し、相当の期限を定めて、その改善に必要な措置をとるべきことを命ずることができる。

（事業の認可の取消し）

第六九条　都道府県知事は、認可事業者が次の各号のいずれかに該当するときは、事業の認可を取り消すことができる。

一　第六十七条第二項の規定に違反したとき。

二　前条の規定による命令に違反したとき。

三　不正な手段により事業の認可を受けたとき。

2　第五十五条の規定は、前項の規定による事業の認可の取消しについて準用する。

（事業の廃止）

第七〇条　認可事業者は、当該事業の認可を受けた事業を廃止しようとするときは、都道府県知事にその旨を届け出なければならない。

2　事業の認可は、前項の規定による届出があった日から将来に向かってその効力を失う。

（事業の認可の取消し等後の建物賃貸借契約の効力）

第七一条　前二条の規定による事業の認可の取消し若しくは事業の廃止又は第六十七条第三項の規定による承認を受けないでした認可住宅の管理に必要な権原の移転は、当該取消し若しくは廃止又は権原の移転前にされた建物賃貸借契約の効力に影響を及ぼさない。ただし、借地借家法第三章の規定により賃借人に不利なものとして無効とされる特約については、この限りでない。

（賃貸住宅への円滑な入居のための援助）

第七二条　都道府県知事は、認可事業者が破産手続開始の決定を受けたときその他終身建物賃貸借の賃借人（賃借人であった者を含む。）の居住の安定を図るため必要があると認めるときは、当該賃借人に対し、他の適当な賃貸住宅に円滑に入居するために必要な助言その他の援助を行うように努めるものとする。

第六八条　認可事業者の一般承継人は、当該認可事業者が有していた事業認可に基づく地位を承継する。

2　前項の規定により事業認可に基づく地位を承継した者は、遅滞なく、都道府県知事にその旨を届け出なければならない。

3　認可事業者から認可住宅の敷地の所有権その他当該認可住宅の整備及び管理に必要な権原を取得した者は、都道府県知事の承認を受けて、当該認可事業者が有していた事業認可に基づく地位を承継することができる。

（改善命令）

第六九条　都道府県知事は、認可事業者が第五十四条各号及び第五十七条第一項各号に掲げる基準に適合して認可住宅の管理を行っていないと認めるときは、当該認可事業者に対し、相当の期限を定めて、その改善に必要な措置をとるべきことを命ずることができる。

（事業認可の取消し）

第七〇条　都道府県知事は、認可事業者が次の各号のいずれかに該当するときは、事業認可を取り消すことができる。

一　第五十七条第二項若しくは第三項又は第六十八条第二項の規定に違反したとき。

二　前条の規定による命令に違反したとき。

三　不正な手段により事業認可を受けたとき。

2　第五十五条の規定は、前項の規定による事業認可の取消しについて準用する。

（事業の廃止）

第七一条　認可事業者は、当該事業認可を受けた終身賃貸事業を廃止しようとするときは、都道府県知事にその旨を届け出なければならない。

2　事業認可は、前項の規定による届出があった日から将来に向かってその効力を失う。

（事業認可の取消し等後の建物賃貸借契約の効力）

第七二条　前二条の規定による事業認可の取消し若しくは終身賃貸事業の廃止又は第六十八条第三項の規定による承認を受けないでした認可住宅の管理に必要な権原の移転は、当該取消し若しくは廃止又は権原の移転前にされた建物賃貸借契約の効力に影響を及ぼさない。ただし、借地借家法第三章の規定により賃借人に不利なものとして無効とされる特約については、この限りでない。

（賃貸住宅への円滑な入居のための援助）

第七三条　都道府県知事は、認可事業者が破産手続開始の決定を受けたときその他終身建物賃貸借の賃借人（賃借人であった者を含む。）の居住の安定を図るため必要があると認めるときは、当該賃借人に対し、他の適当な賃貸住宅に円滑に入居するために必要な助言その他の援助を行うように努めるものとする。

第六章　住宅の加齢対応改良に対する支援措置

第七三条　公社は、地方住宅供給公社法（昭和四十年法律第百二十四号）第二十一条に規定する業務のほか、次に掲げる区域内において、委託により、住宅の加齢対応改良の業務を行うことができる。

一　第四条第四項の規定により都道府県高齢者居住安定確保計画に公社による同項に規定する事業の実施に関する事項を定めた都道府県の区域

二　第四条の二第三項において準用する第四条第四項の規定により市町村高齢者居住安定確保計画に公社による同項に規定する事業の実施に関する事項を定めた市町村の区域

2　前項の規定により公社が同項に規定する業務を行う場合には、地方住宅供給公社法第四十九条第三号中「第二十一条に規定する業務」とあるのは、「第二十一条に規定する業務及び高齢者の居住の安定確保に関する法律（平成十三年法律第二十六号）第七十三条第一項に規定する業務」とする。

第七四条　公社は、地方住宅供給公社法（昭和四十年法律第百二十四号）第二十一条に規定する業務のほか、次に掲げる区域内において、委託により、住宅の加齢対応改良の業務を行うことができる。

一・二〔略〕

2　前項の規定により公社が同項に規定する業務を行う場合には、地方住宅供給公社法第四十九条第三号中「第二十一条に規定する業務」とあるのは、「第二十一条に規定する業務及び高齢者の居住の安定確保に関する法律（平成十三年法律第二十六号）第七十四条第一項に規定する業務」とする。

第七章　雑則

（情報の提供等）

第七四条　国及び地方公共団体は、高齢者の心身の状況、世帯構成等を勘案して、高齢者のための住宅の整備を促進するよう努めるとともに、高齢者が適当な住宅に円滑に入居することができるようにするために必要な情報の提供その他の必要な措置を講ずるよう努めるものとする。

（協議）

第七五条　国土交通大臣及び厚生労働大臣は、第七条第一項第六号ホ及びヘ並びに第八号、第十五条から第十七条まで並びに第二十条の国土交通省令・厚生労働省令を定めようとするときは、あらかじめ、内閣総理大臣に協議しなければならない。これを変更しようとするときも、同様とする。

2　国土交通大臣は、第五十四条第六号の国土交通省令を定めようとするときは、あらかじめ、内閣総理大臣に協議しなければならない。これを変更しようとするときも、同様とする。

（国土交通大臣の権限の委任）

第七六条　この法律に規定する国土交通大臣の権限は、国土交通省令で定めるところにより、その一部を地方整備局長又は北海道開発局長に委任することができる。

（大都市等の特例）

第七七条　この法律中都道府県知事の権限に属する事務（第四条並びに第二十一条第二項及び第五十一条第二項において準用する公営住宅法第四十五条第三項に規定する事務並びに地方自治法第二百五十二条の十九第一項の指定都市（以下「指定都市」という。）又は同法第二百五十二条の二十二第一項の中核市（以下「中核市」という。）が終身賃貸事業者である場合の第五章に規定する事務を除く。）は、指定都市及び中核市においては、当該指定都市又は中核市（以下「指定都市等」という。）の長が行うものとする。この場合においては、この法律中都道府県知事に関する規定は、指定都市等の長に関する規定として指定都市等の長に適用があるものとする。

（事務の区分）

第七八条　第二十一条第二項及び第五十一条第二項において準用する公営住宅法第四十五条第三項の規定により都道府県が処理することとされている事務は、地方自治法第二条第九項第一号に規定する第一号法定受託事務とする。

（情報の提供等）

第七五条　国及び地方公共団体は、高齢者の心身の状況、世帯構成等を勘案して、高齢者のための住宅の整備を促進するよう努めるとともに、高齢者が適当な住宅に円滑に入居することができるようにするために必要な情報の提供その他の必要な措置を講ずるよう努めるものとする。

（協議）

第七六条　国土交通大臣及び厚生労働大臣は、第七条第一項第六号ホ及びヘ並びに第八号、第十五条から第十七条まで並びに第二十条の国土交通省令・厚生労働省令を定めるときは、あらかじめ、内閣総理大臣に協議しなければならない。これを変更するときも、同様とする。

2　国土交通大臣は、第五十四条第五号の国土交通省令を定めるときは、あらかじめ、内閣総理大臣に協議しなければならない。これを変更するときも、同様とする。

（国土交通大臣の権限の委任）

第七七条　この法律に規定する国土交通大臣の権限は、国土交通省令で定めるところにより、その一部を地方整備局長又は北海道開発局長に委任することができる。

（大都市等の特例）

第七八条　この法律中都道府県知事の権限に属する事務（第四条並びに第二十一条第二項及び第五十一条第二項において準用する公営住宅法第四十五条第三項に規定する事務並びに地方自治法第二百五十二条の十九第一項の指定都市（以下この条において「指定都市」という。）又は同法第二百五十二条の二十二第一項の中核市（以下この条において「中核市」という。）が終身賃貸事業者である場合の第五章に規定する事務を除く。）は、指定都市及び中核市においては、当該指定都市又は中核市（以下この条において「指定都市等」という。）の長が行うものとする。この場合においては、この法律中都道府県知事に関する規定は、指定都市等の長に関する規定として指定都市等の長に適用があるものとする。

（事務の区分）

第七九条　第二十一条第二項及び第五十一条第二項において準用する公営住宅法第四十五条第三項の規定により都道府県が処理することとされている事務は、地方自治法第二条第九項第一号に規定する第一号法定受託事務とする。

第八章　罰則

第七九条　次の各号のいずれかに該当する者は、一年以下の懲役又は五十万円以下の罰金に処する。

一　第三十二条第一項の規定に違反して、その職務に関し知り得た秘密を漏らし、又は自己の利益のために使用した者

二　第三十八条第二項の規定による登録事務の停止の命令に違反した者

七九条は削られます。

第八〇条　次の各号のいずれかに該当する者は、三十万円以下の罰金に処する。

一　不正の手段によって第五条第一項の登録を受けた者

二　第九条第一項、第十一条第三項又は第十二条第一項若しくは第二項の規定による届出をせず、又は虚偽の届出をした者

三　第十四条又は第三十四条第二項の規定に違反した者

四　第二十四条第一項又は第三十六条第一項の規定による報告をせず、又は虚偽の報告をした者

五　第二十四条第一項又は第三十六条第一項の規定による検査を拒み、妨げ、又は忌避した者

六　第二十四条第一項又は第三十六条第一項の規定による質問に対して答弁せず、又は虚偽の答弁をした者

七　第三十四条第一項の規定に違反して、帳簿を備え付けず、帳簿に記載せず、若しくは帳簿に虚偽の記載をし、又は帳簿を保存しなかった者

八　第三十七条第一項の規定による許可を受けないで登録事務の全部を廃止した者

第八一条　第六十六条の規定による報告をせず、又は虚偽の報告をした者は、二十万円以下の罰金に処する。

第八二条　法人の代表者又は法人若しくは人の代理人、使用人その他の従業者がその法人又は人の業務に関して前三条の違反行為をした場合においては、その行為者を罰するほか、その法人又は人に対しても各本条の罰金刑を科する。

第八〇条　第三十二条第一項の規定に違反して、その職務に関し知り得た秘密を漏らし、又は自己の利益のために使用した者は、一年以下の拘禁刑又は五十万円以下の罰金に処する。

2　第三十八条第二項の規定による登録事務の停止の命令に違反したときは、その違反行為をした者は、一年以下の拘禁刑又は五十万円以下の罰金に処する。

第八一条　次の各号のいずれかに該当する場合には、その違反行為をした者は、三十万円以下の罰金に処する。

一　不正の手段によって第五条第一項の登録を受けたとき。

二　第九条第一項、第十一条第三項又は第十二条第一項若しくは第二項の規定による届出をせず、又は虚偽の届出をしたとき。

三　第十四条又は第三十四条第二項の規定に違反したとき。

四　第二十四条第一項若しくは第三十六条第一項の規定による報告をせず、若しくは虚偽の報告をし、又はこれらの規定による検査を拒み、妨げ、若しくは忌避し、若しくはこれらの規定による質問に対して答弁せず、若しくは虚偽の答弁をしたとき。

五　第三十四条第一項の規定に違反して、帳簿を備え付けず、帳簿に記載せず、若しくは帳簿に虚偽の記載をし、又は帳簿を保存しなかったとき。

六　第三十七条第一項の規定による許可を受けないで登録事務の全部を廃止したとき。

第八二条　第六十七条の規定による報告をせず、又は虚偽の報告をしたときは、その違反行為をした者は、二十万円以下の罰金に処する。

第八三条　法人の代表者又は法人若しくは人の代理人、使用人その他の従業者がその法人又は人の業務に関して第八十条第二項又は前二条の違反行為をした場合においては、その行為者を罰するほか、その法人又は人に対しても各本条の罰金刑を科する。

附　則〔抄〕

（施行期日）

第一条　この法律は、公布の日から起算して四月を超えない範囲内において政令で定める日から施行する。ただし、第二章、第三十五条第一項、第四十条第一項第一号（第三十五条第一項に係る部分に限る。）、第六章、第七章、第九十一条並びに第九十三条第一号、第二号、第三号（第二十五条第一項及び第八十七条第一項に係る部分に限る。）及び第四号から第六号までの規定（次条において「第二章等の規定」という。）は、公布の日から起算して六月を超えない範囲内において政令で定める日から施行する。

〔平成一三政一四九により、平成一三・八・五から施行。ただし書の規定は、平成一三政三〇二により、平成一三・一〇・一から施行〕

（経過措置）

第二条　第二章等の規定の施行前に入居者の募集を行った高齢者向け優良賃貸住宅についての第三十五条第一項の規定の適用については、同項中「入居者の募集に先立ち」とあるのは、「第二章の規定の施行後遅滞なく」とする。

2　この法律の施行の日から第二章等の規定の施行の日までの間における第三十五条第二項の規定の適用については、同項中「入居者の募集に先立ち」とあるのは、「第二章の規定の施行後遅滞なく」とする。

（国の無利子貸付け等）

第三条　国は、当分の間、地方公共団体に対し、第四十一条第二項の規定により国がその費用について補助することができる高齢者向け優良賃貸住宅の整備で日本電信電話株式会社の株式の売払収入の活用による社会資本の整備の促進に関する特別措置法（昭和六十二年法律第八十六号。以下「社会資本整備特別措置法」という。）第二条第一項第二号に該当するものにつき、認定事業者に対し当該地方公共団体が補助する費用に充てる資金について、予算の範囲内において、第四十一条第二項の規定により国が補助することができる金額に相当する金額を無利子で貸し付けることができる。

2　国は、当分の間、地方公共団体に対し、登録住宅の改良で社会資本整備特別措置法第二条第一項第二号に該当するものにつき、当該改良を行う登録住宅の賃貸人に対し当該地方公共団体が補助する費用に充てる資金の一部を、予算の範囲内において、無利子で貸し付けることができる。

3　前二項の国の貸付金の償還期間は、五年（二年以内の据置期間を含む。）以内で政令で定める期間とする。

4　前項に定めるもののほか、第一項及び第二項の規定による貸付金の償還方法、償還期限の繰上げその他償還に関し必要な事項は、政令で定める。

5　国は、第一項の規定により地方公共団体に対し貸付けを行った場合には、当該貸付けの対象である事業について、第四十一条第二項の規定による当該貸付金に相当する金額の補助を行うものとし、当該補助については、当該貸付金の償還時において、当該貸付金の償還金に相当する金額を交付することにより行うものとする。

6　国は、第二項の規定により地方公共団体に対し貸付けを行った場合には、当該貸付けの対象である事業について、当該貸付金に相当する金額の補助を行うものとし、当該補助については、当該貸付金の償還時において、当該貸付金の償還金に相当する金額を交付することにより行うものとする。

7　地方公共団体が、第一項又は第二項の規定による貸付けを受けた無利子貸付金について、第三項及び第四項の規定に基づき定められる償還期限を繰り上げて償還を行った場合（政令で定める場合を除く。）における前二項の規定の適用については、当該償還は、当該償還期限の到来時に行われたものとみなす。

附　則〔略〕〔平成一四・二・八法律一〕

附　則〔略〕〔平成一五・六・一一法律七五〕

附　則〔略〕〔平成一五・六・二〇法律一〇〇〕

附　則〔略〕〔平成一六・三・三一法律一〇〕

附　則〔略〕〔平成一六・一二・一法律一四七〕

附　則〔略〕〔平成一七・六・二九法律七八〕

附　則〔略〕〔平成一七・七・六法律八二〕

附　則〔略〕〔平成一八・六・二法律五〇〕

附　則〔略〕〔平成一八・六・八法律六一〕

附　則〔抄〕〔平成二一・五・二〇法律三八〕

（施行期日）

第一条　この法律は、公布の日から起算して三月を超えない範囲内において政令で定める日から施行する。ただし、次の各号に掲げる規定は、当該各号に定める日から施行する。

〔平成二一政一九八により、平成二一・八・一九から施行〕

一　第四条から第八条まで、第十条、第十二条（見出しを含む。）及び第十三条（見出しを含む。）の改正規定並びに本則に一条を加える改正規

定並びに附則第四条の規定　公布の日から起算して一年を超えない範囲内において政令で定める日

〔平成二一政一九八により、平成二二・五・一九から施行〕

二　次条の規定　公布の日から起算して六月を超えない範囲内において政令で定める日

〔平成二一政一九八により、平成二一・一一・一九から施行〕

（準備行為）

第二条　この法律による改正後の高齢者の居住の安定確保に関する法律（以下「新法」という。）第六条第一項（新法第十七条第四項の規定により読み替えて適用する場合を含む。）の登録を受けようとする者は、前条第一号に掲げる規定の施行前においても、新法第四条及び第五条（これらの規定を新法第十七条第四項の規定により読み替えて適用する場合を含む。）の規定の例により、その申請を行うことができる。

（経過措置）

第三条　新法第三条第一項の規定により基本方針が定められるまでの間は、この法律の施行の際現にこの法律による改正前の高齢者の居住の安定確保に関する法律（以下「旧法」という。）第三条第一項の規定により定められている基本方針は、新法第三条第一項の規定により定められた基本方針とみなす。

第四条　附則第一条第一号に掲げる規定の施行の際現に行われている旧法第四条（旧法第十七条第四項の規定により読み替えて適用される場合を含む。）の登録は、同号に掲げる規定の施行の日に、その効力を失う。

2　前項の規定によりその効力を失った登録を行っている者は、当該登録を消除しなければならない。

3　前項の規定により登録が消除された賃貸住宅にその消除前から入居していた高齢者でその後も引き続き当該賃貸住宅に入居しているものの家賃に係る債務保証については、当該賃貸住宅は、新法第十条に規定する登録住宅とみなす。

第五条　この法律の施行前にされた旧法第三十条第一項又は旧法第五十七条第一項の規定による認定又は認可の申請であって、この法律の施行の際、認定又は認可をするかどうかの処分がされていないものについての認定又は認可の処分については、なお従前の例による。

（罰則に関する経過措置）

第六条　この法律の施行前にした行為に対する罰則の適用については、なお従前の例による。

（政令への委任）

第七条　附則第二条から前条までに定めるもののほか、この法律の施行に伴い必要な経過措置（罰則に関する経過措置を含む。）は、政令で定める。

附　則　〔抄〕〔平成二三・四・二八法律三二〕

（施行期日）

第一条　この法律は、公布の日から起算して六月を超えない範囲内において政令で定める日から施行する。

〔平成二三政二三六により、平成二三・一〇・二〇から施行〕

（高齢者の居住の安定確保に関する法律の一部改正に伴う経過措置）

第二条　第一条の規定による改正前の高齢者の居住の安定確保に関する法律（以下「旧高齢者居住安定確保法」という。）第十七条第一項の登録事務に従事する同項の指定登録機関（その者が法人である場合にあっては、その役員）又はその職員であった者に係る当該登録事務に関して知り得た秘密を漏らし、又は自己の利益のために使用してはならない義務については、この法律の施行後も、なお従前の例による。

第三条　この法律の施行前にされた旧高齢者居住安定確保法第五十六条又は第六十条第一項の認可の申請であって、この法律の施行の際、認可をするかどうかの処分がされていないものについての認可の処分については、なお従前の例による。

第四条　この法律の施行前に旧高齢者居住安定確保法第五十六条又は第六十条第一項の規定によりされた認可は、それぞれ第一条の規定による改正後の高齢者の居住の安定確保に関する法律（以下「新高齢者居住安定確保法」という。）第五十二条又は第五十六条第一項の規定によりされた認可とみなす。

第五条　この法律の施行の際現に旧高齢者居住安定確保法第八十条（同条第一号及び第二号に係る部分に限る。）の規定により旧高齢者居住安定確保法第七十八条の高齢者居住支援センターが行っている債務保証業務については、当該業務に係る保証契約の期間が満了するまでの間は、なお従前の例による。

（罰則に関する経過措置）

第七条　この法律の施行前にした行為並びに附則第二条及び第五条の規定によりなお従前の例によることとされる事項に係るこの法律の施行後にした行為に対する罰則の適用については、なお従前の例による。

（政令への委任）

第八条　附則第二条から前条までに定めるもののほか、この法律の施行に伴い必要な経過措置（罰則に関する経過措置を含む。）は、政令で定める。

附　則　〔略〕〔平成二三・六・三法律六一〕

附　則　〔抄〕〔平成二八・五・二〇法律四七〕

（施行期日）

第一条　この法律〔中略〕は、当該各号に定める日から施行する。

一　〔前略〕附則第四条第一項及び第二項、第六条から第十条まで〔中略〕の規定　公布の日

二　第六条、第八条及び第十四条の規定〔中略〕　公布の日から起算して三月を経過した日

三　〔略〕

（処分、申請等に関する経過措置）

第七条　この法律（附則第一条各号に掲げる規定については、当該各規定。以下この条及び次条において同じ。）の施行の日前にこの法律による改正前のそれぞれの法律の規定によりされた承認等の処分その他の行為（以下この項において「処分等の行為」という。）又はこの法律の施行の際現にこの法律による改正前のそれぞれの法律の規定によりされている承認等の申請その他の行為（以下この項において「申請等の行為」という。）で、この法律の施行の日においてこれらの行為に係る行政事務を行うべき者が異なることとなるものは、この附則又は附則第九条の規定に基づく政令に定めるものを除き、この法律の施行の日以後におけるこの法律による改正後のそれぞれの法律の適用については、この法律による改正後のそれぞれの法律の相当規定によりされた処分等の行為又は申請等の行為とみなす。

2　この法律の施行の日前にこの法律による改正前のそれぞれの法律の規定により国又は地方公共団体の機関に対し、届出その他の手続をしなければならない事項で、この法律の施行の日前にその手続がされていないものについては、この附則又は附則第九条の規定に基づく政令に定めるもののほか、これを、この法律による改正後のそれぞれの法律の相当規定により国又は地方公共団体の相当の機関に対して届出その他の手続をしなければならない事項についてその手続がされていないものとみなして、この法律による改正後のそれぞれの法律の規定を適用する。

（罰則に関する経過措置）

第八条　この法律の施行前にした行為及びこの附則の規定によりなお従前の例によることとされる場合におけるこの法律の施行後にした行為に対する罰則の適用については、なお従前の例による。

（政令への委任）

第九条　この附則に定めるもののほか、この法律の施行に関し必要な経過措置（罰則に関する経過措置を含む。）は、政令で定める。

附　則　〔略〕〔平成二九・四・二六法律二五〕

附　則　〔抄〕〔令和元・六・一四法律三七〕

（施行期日）

第一条　この法律は、公布の日から起算して三月を経過した日から施行する。ただし、次の各号に掲げる規定は、当該各号に定める日から施行する。

一　〔前略〕次条並びに附則第三条〔中略〕の規定　公布の日

二　〔前略〕第百六十一条〔中略〕の規定　公布の日から起算して六月を経過した日

三・四　〔略〕

（行政庁の行為等に関する経過措置）

第二条　この法律（前条各号に掲げる規定にあっては、当該規定。以下この条及び次条において同じ。）の施行の日前に、この法律による改正前の法律又はこれに基づく命令の規定（欠格条項その他の権利の制限に係る措置を定めるものに限る。）に基づき行われた行政庁の処分その他の行為及び当該規定により生じた失職の効力については、なお従前の例による。

（罰則に関する経過措置）

第三条　この法律の施行前にした行為に対する罰則の適用については、なお従前の例による。

（検討）

第七条　政府は、会社法（平成十七年法律第八十六号）及び一般社団法人及び一般財団法人に関する法律（平成十八年法律第四十八号）における法人の役員の資格を成年被後見人又は被保佐人であることを理由に制限する旨の規定について、この法律の公布後一年以内を目途として検討を加え、その結果に基づき、当該規定の削除その他の必要な法制上の措置を講ずるものとする。

附　則〔抄〕〔令和三・五・一九法律三七〕

（施行期日）

第一条　この法律（中略）は、当該各号に定める日から施行する。

一　〔前略〕附則〔中略〕第七十一条から第七十三条までの規定　公布の日

二・三　〔略〕

四　〔前略〕第四十四条〔中略〕、附則〔中略〕第六条〔中略〕の規定　公布の日から起算して一年を超えない範囲内において、各規定につき、政令で定める日

〔令和四政一八〇により、令和四・五・一八から施行〕

五～十　〔略〕

（第四十四条の規定の施行に伴う経過措置）

第六条　第四十四条の規定による改正後の高齢者の居住の安定確保に関する法律（以下この条において「新高齢者居住法」という。）第五十二条第二項の規定は、第四十四条の規定の施行の日以後にされる新高齢者居住法第五十二条第一項の規定による建物の賃貸借の契約について適用する。

２　新高齢者居住法第五十四条及び第五十七条の規定は、第四十四条の規定の施行の日以後にされる建物の賃貸借について適用し、同日前にされた建物の賃貸借については、なお従前の例による。

（罰則に関する経過措置）

第七十一条　この法律（附則第一条各号に掲げる規定にあっては、当該規定。以下この条において同じ。）の施行前にした行為及びこの附則の規定によりなお従前の例によることとされる場合におけるこの法律の施行後にした行為に対する罰則の適用については、なお従前の例による。

（政令への委任）

第七十二条　この附則に定めるもののほか、この法律の施行に関し必要な経過措置（罰則に関する経過措置を含む。）は、政令で定める。

（検討）

第七十三条　政府は、行政機関等に係る申請、届出、処分の通知その他の手続において、個人の氏名を平仮名又は片仮名で表記したものを利用して当該個人を識別できるようにするため、個人の氏名を平仮名又は片仮名で表記したものを戸籍の記載事項とすることを含め、この法律の公布後一年以内を目途としてその具体的な方策について検討を加え、その結果に基づいて必要な措置を講ずるものとする。

附　則〔抄〕〔令和六・六・五法律四三〕

（施行期日）

第一条　この法律は、公布の日から起算して一年六月を超えない範囲内において政令で定める日から施行する。ただし、次の各号に掲げる規定は、当該各号に定める日から施行する。

一　附則第七条の規定　公布の日

二　第二条中高齢者の居住の安定確保に関する法律第二十二条の改正規定〔中略〕　公布の日から起算して三月を超えない範囲内において政令で定める日

三　〔略〕

（高齢者の居住の安定確保に関する法律の一部改正に伴う経過措置）

第五条　施行日前にされた第二条の規定による改正前の高齢者の居住の安定確保に関する法律（次項において「旧高齢者居住安定確保法」という。）第五十二条第一項の認可の申請であって、この法律の施行の際、まだその認可をするかどうかの処分がされていないものについての認可の処分については、なお従前の例による。

２　この法律の施行の際現に旧高齢者居住安定確保法第五十二条第一項の認可を受けている又は施行日以後に前項の規定によりなお従前の例によることとされる同条第一項の認可を受ける終身賃貸事業者については、第二条の規定による改正後の高齢者の居住の安定確保に関する法律第五十二条第一項の認可を受け、かつ、同法第五十七条第二項の規定による届出をした終身賃貸事業者とみなして、同法の規定を適用する。

（政令への委任）

第七条　附則第二条から前条までに定めるもののほか、この法律の施行に関し必要な経過措置（罰則に関する経過措置を含む。）は、政令で定める。

（検討）

第八条　政府は、この法律の施行後五年を目途として、この法律による改正後のそれぞれの法律の規定について、その施行の状況等を勘案して検討を加え、必要があると認めるときは、その結果に基づいて所要の措置を講ずるものとする。

○高齢者の居住の安定確保に関する法律施行令〔平成一三・七・二三政令二五〇〕

改正　平成一四・二政二七、平成一六・四政一六〇、平成一九・二政三一、平成二一・八政一九九、平成二三・七政二三七、一二政三七六、平成二七・三政一三八、平成二八・二政四五、令和四・四政一八一

（高齢者居宅生活支援事業に該当することとなる事業）

第一条　高齢者の居住の安定確保に関する法律（以下「法」という。）第四条第二項第二号ニに規定する政令で定める事業は、次に掲げる事業（高齢者以外の者又は介護保険法（平成九年法律第百二十三号）第八条第二項に規定する居室において介護若しくは支援を受ける高齢者のみに係るものを除く。）とする。

一　老人福祉法（昭和三十八年法律第百三十三号）第五条の二第一項に規定する老人居宅生活支援事業

二　介護保険法第八条第一項に規定する居宅サービス事業、同条第十四項に規定する地域密着型サービス事業（同条第二十二項に規定する地域密着型介護老人福祉施設入所者生活介護を行う事業を除く。）若しくは同条第二十四項に規定する居宅介護支援事業又は同法第八条の二第一項に規定する介護予防サービス事業若しくは同条第十六項に規定する介護予防支援事業

三　健康保険法（大正十一年法律第七十号）第八十八条第一項に規定する訪問看護事業

四　医療法（昭和二十三年法律第二百五号）第一条の五第一項に規定する病院又は同条第二項に規定する診療所において医療を提供する事業

五　前各号に掲げる事業に準ずるものとして国土交通省令・厚生労働省令で定めるもの

（登録の拒否に係る使用人）

第二条　法第八条第一項第七号及び第八号に規定する政令で定める使用人は、サービス付き高齢者向け住宅事業に関し事務所の代表者である使用人とする。

（法第十七条第二項の規定による承諾に関する手続等）

第三条　法第十七条第二項の規定による承諾は、登録事業者が、国土交通省令・厚生労働省令で定めるところにより、あらかじめ、当該承諾に係る登録住宅に入居しようとする者に対し同項の規定による電磁的方法による提供に用いる電磁的方法の種類及び内容を示した上で、当該登録住宅に入居しようとする者から書面又は電子情報処理組織を使用する方法その他の情

報通信の技術を利用する方法であって国土交通省令・厚生労働省令で定めるもの（次項において「書面等」という。）によって得るものとする。

2　登録事業者は、前項の承諾を得た場合であっても、当該承諾に係る登録住宅に入居しようとする者から書面等により法第十七条第二項の規定による電磁的方法による提供を受けない旨の申出があったときは、当該電磁的方法による提供をしてはならない。ただし、当該申出の後に当該登録住宅に入居しようとする者から再び前項の承諾を得た場合は、この限りでない。

（地方公共団体が行う賃貸住宅の整備に要する費用に係る国の補助）

第四条　法第四十五条第一項の規定による国の地方公共団体に対する補助金の額は、地方公共団体が行う同項各号に掲げる基準に適合する賃貸住宅の建設に要する費用（土地の取得及び造成に要する費用を除く。第六条第一号、第七条第一号、第八条第一号及び第九条第一号において同じ。）の額に三分の一を乗じて得た額とする。

（地方公共団体が行う賃貸住宅の家賃の減額に要する費用に係る国の補助）

第五条　法第四十五条第二項の規定による国の地方公共団体に対する補助金の額は、その所得が国土交通省令で定める基準以下の入居者に係る家賃の減額に要する費用の額（減額前の家賃の額から入居者の所得、住宅の規模その他の事項を勘案して国土交通大臣が定めるところにより算定した額を控除した額を限度とする。）に二分の一を乗じて得た額とする。

（独立行政法人都市再生機構が要請に基づき行う賃貸住宅の整備等に要する費用に係る地方公共団体の負担）

第六条　法第四十七条第一項の規定により独立行政法人都市再生機構（以下「機構」という。）が地方公共団体に求めることができる負担金の額は、次に掲げる額を超えてはならない。

一　機構が行う法第四十五条第一項各号に掲げる基準に適合する賃貸住宅の建設については、その建設に要する費用の額に六分の一を乗じて得た額

二　機構が行う法第四十五条第一項各号に掲げる基準に適合する賃貸住宅の整備であって既存の住宅その他の建物の改良（用途の変更を伴うものを含む。以下同じ。）によるものについては、その整備に要する費用（既存の住宅その他の建物の取得並びに土地の取得及び造成に要する費用を除く。次条第二号、第八条第二号及び第九条第二号において同じ。）のうち加齢対応構造等である構造及び設備並びに共同住宅の共用部分及び入居者の共同の福祉のため必要な施設であって国土交通省令で定めるもの（以下「共同住宅の共用部分等」という。）に係る費用の額に二分の一を乗じて得た額

三　前条に規定する入居者に係る家賃の減額については、その減額に要する費用の額（減額前の家賃の額から同条に規定する国土交通大臣が定めるところにより算定した額を控除した額を限度とする。）に二分の一を乗じて得た額

（機構が要請に基づき行う賃貸住宅の整備等に要する費用に係る国の補助）

第七条　法第四十七条第四項の規定による国の機構に対する補助金の額は、次に掲げる額とする。

一　機構が行う法第四十五条第一項各号に掲げる基準に適合する賃貸住宅の建設については、その建設に要する費用の額に六分の一を乗じて得た額

二　機構が行う法第四十五条第一項各号に掲げる基準に適合する賃貸住宅の整備であって既存の住宅その他の建物の改良によるものについては、その整備に要する費用のうち加齢対応構造等である構造及び設備並びに共同住宅の共用部分等に係る費用の額に二分の一を乗じて得た額

三　第五条に規定する入居者に係る家賃の減額については、その減額に要する費用の額（減額前の家賃の額から同条に規定する国土交通大臣が定めるところにより算定した額を控除した額を限度とする。）に二分の一を乗じて得た額

（地方住宅供給公社が要請に基づき行う賃貸住宅の整備等に要する費用に係る国の補助）

第八条　法第四十八条第二項の規定による国の地方公共団体に対する補助金の額は、次に掲げる額とする。

一　地方住宅供給公社が行う法第四十五条第一項各号に掲げる基準に適合する賃貸住宅の建設については、その建設に要する費用に対して地方公共団体が補助する額（その額が建設に要する費用の三分の一に相当する額を超える場合においては、当該三分の一に相当する額）に二分の一を乗じて得た額

二　地方住宅供給公社が行う法第四十五条第一項各号に掲げる基準に適合する賃貸住宅の整備であって既存の住宅その他の建物の改良によるものについては、その整備に要する費用のうち加齢対応構造等である構造及び設備並びに共同住宅の共用部分等に係る費用に対して地方公共団体が補助する額（その額が整備に要する費用のうち加齢対応構造等である構造及び設備並びに共同住宅の共用部分等に係る費用の三分の二に相当する額を超える場合においては、当該三分の二に相当する額）に二分の一を乗じて得た額

三　第五条に規定する入居者に係る家賃の減額については、その減額に要する費用に対して地方公共団体が補助する額（減額前の家賃の額から同条に規定する国土交通大臣が定めるところにより算定した額を控除した額を限度とする。）に二分の一を乗じて得た額

（機構が行う賃貸住宅の整備に要する費用に係る国の補助）

第九条　法第四十九条第一項の規定による国の機構に対する補助金の額は、次に掲げる額とする。

一　機構が行う法第四十九条第一項各号に掲げる基準に適合する賃貸住宅の建設については、その建設に要する費用の額に六分の一を乗じて得た額

二　機構が行う法第四十九条第一項各号に掲げる基準に適合する賃貸住宅の整備であって既存の住宅その他の建物の改良によるものについては、その整備に要する費用のうち加齢対応構造等である構造及び設備並びに共同住宅の共用部分等に係る費用の額に二分の一を乗じて得た額

（機構が行う賃貸住宅の家賃の減額に要する費用に係る国の補助）

第一〇条　法第四十九条第二項の規定による国の機構に対する補助金の額は、第五条に規定する入居者に係る家賃の減額に要する費用の額（減額前の家賃の額から同条に規定する国土交通大臣が定めるところにより算定した額を控除した額を限度とする。）に二分の一を乗じて得た額とする。

附　則

（施行期日）

1　この政令は、法の施行の日（平成十三年八月五日）から施行する。

（国の貸付金の償還期間等）

2　法附則第三条第三項に規定する政令で定める期間は、五年（二年の据置期間を含む。）とする。

3　前項に規定する期間は、日本電信電話株式会社の株式の売払収入の活用による社会資本の整備の促進に関する特別措置法（昭和六十二年法律第八十六号）第五条第一項の規定により読み替えて準用される補助金等に係る予算の執行の適正化に関する法律（昭和三十年法律第百七十九号）第六条第一項の規定による貸付けの決定（以下「貸付決定」という。）ごとに、当該貸付決定に係る法附則第三条第一項又は第二項の規定による国の貸付金（以下「国の貸付金」という。）の交付を完了した日（その日が当該貸付決定があった日の属する年度の末日の前日以後の日である場合には、当該年度の末日の前々日）の翌日から起算する。

4　国の貸付金の償還は、均等年賦償還の方法によるものとする。

5　国は、国の財政状況を勘案し、相当と認めるときは、国の貸付金の全部又は一部について、前三項の規定により定められた償還期限を繰り上げて償還させることができる。

6　法附則第三条第七項に規定する政令で定める場合は、前項の規定により償還期限を繰り上げて償還を行った場合とする。

附　則〔略〕〔平成一四・二・八政令二七〕

附　則〔略〕〔平成一六・四・九政令一六〇〕

附　則〔略〕〔平成一九・二・二三政令三一〕

附　則〔略〕〔平成二一・八・七政令一九九〕

附　則〔略〕〔平成二三・七・二九政令二三七〕

附　則〔略〕〔平成二三・一一・二政令三七六〕

附　則〔略〕〔平成二七・三・三一政令一三八〕

附　則〔略〕〔平成二八・二・一九政令四五〕

附　則〔令和四・四・二七政令一八一〕

この政令は、デジタル社会の形成を図るための関係法律の整備に関する法律（令和三年法律第三十七号）第十七条及び第四十四条の規定の施行の日（令和四年五月十八日）から施行する。

○高齢者の居住の安定確保に関する法律施行規則

（平成一三・八・三　国土交通省令一一五）

改正　平成一三・九国交令一二七、一二国交令一四七、平成一四・四国交令五二、一二国交令一一九、平成一五・三国交令二六、平成一六・六国交令七〇、一二国交令一一〇、平成一七・三国交令一二、一〇国交令一〇一、平成一九・三国交令二〇、国交令三一、平成二〇・一一国交令九三、平成二一・四国交令三四、八国交令五〇、平成二二・三国交令一〇、一一国交令五五、一二国交令六一、平成二三・八国交令六四、平成二七・一二国交令八二、平成二八・八国交令五九、平成二九・一二国交令七一、平成三〇・九国交令六八、令和二・一二国交令九八、国交令一〇四、令和三・八国交令五三、令和四・四国交令四三

目次

第一章　総則（第一条）
第二章　都道府県高齢者居住安定確保計画等（第二条）
第三章　地方公共団体等による高齢者向けの優良な賃貸住宅の供給の促進等（第三条―第三十条）
第四章　終身建物賃貸借（第三十一条―第四十条）
第五章　雑則（第四十一条・第四十二条）
附則

第一章　総則

（定義）

第一条　この省令において、次の各号に掲げる用語の意義は、それぞれ当該各号に定めるところによる。

一　耐火構造の住宅　建築基準法（昭和二十五年法律第二百一号）第二条第九号の二イに掲げる基準に適合する住宅をいう。

二　準耐火構造の住宅　耐火構造の住宅以外の住宅で、建築基準法第二条第九号の三イ若しくはロのいずれかに該当するもの又はこれに準ずる耐火性能を有する構造の住宅として次に掲げる要件に該当するものをいう。

イ　外壁及び軒裏が、建築基準法第二条第八号に規定する防火構造であること。

ロ　屋根が、建築基準法施行令（昭和二十五年政令第三百三十八号）第百三十六条の二の二第一号及び第二号に掲げる技術的基準に適合するものであること。

ハ　天井及び壁の室内に面する部分が、通常の火災時の加熱に十五分間以上耐える性能を有するものであること。

ニ　イからハまでに掲げるもののほか、住宅の各部分が、防火上支障のない構造であること。

三　所得　入居者及び同居する者の過去一年間における所得税法（昭和四十年法律第三十三号）第二編第二章第一節から第三節までの例に準じて算出した所得金額（給与所得者が就職後一年を経過しない場合等その額をその者の継続的収入とすることが著しく不適当である場合においては、地方公共団体の長が認定した額（独立行政法人都市再生機構（以下「機構」という。）が整備及び管理を行う高齢者の居住の安定確保に関する法律（以下「法」という。）第四十九条第一項各号に規定する基準に適合する賃貸住宅に係る入居者及び同居する者の所得金額については、機構が認定した額とする。）。以下この号において「所得金額」という。）の合計から次に掲げる額を控除した額を十二で除した額をいう。

イ　入居者又は同居者に所得税法第二十八条第一項に規定する給与所得又は同法第三十五条第三項に規定する公的年金等に係る雑所得（以下このイにおいて「給与所得等」という。）を有する者がある場合には、その給与所得等を有する者一人につき十万円（その者の給与所得等の金額の合計額が十万円未満である場合には、当該合計額）

ロ　同居する者又は所得税法第二条第一項第三十三号に規定する同一生計配偶者（以下この号において「同一生計配偶者」という。）若しくは同項第三十四号に規定する扶養親族（以下この号において「扶養親族」という。）で入居者及び同居する者以外のもの一人につき三十八万円

ハ　同一生計配偶者が七十歳以上の者である場合又は扶養親族に所得税法第二条第一項第三十四号の四に規定する老人扶養親族がある場合には、その同一生計配偶者又は老人扶養親族一人につき十万円

ニ　扶養親族が十六歳以上二十三歳未満の者である場合には、その扶養親族一人につき二十五万円

ホ　入居者又はロに規定する者に所得税法第二条第一項第二十八号に規定する障害者がある場合には、その障害者一人につき二十七万円（その者が同項第二十九号に規定する特別障害者である場合には、四十万円）

ヘ　入居者又は同居者に所得税法第二条第一項第三十号に規定する寡婦がある場合には、その寡婦一人につき二十七万円（その者の所得金額からイの規定により控除する金額を控除した残額が二十七万円未満である場合には、当該残額）

ト　入居者又は同居者に所得税法第二条第一項第三十一号に規定するひとり親がある場合には、そのひとり親一人につき三十五万円（その者の所得金額からイの規定により控除する金額を控除した残額が三十五万円未満である場合には、当該残額）

第二章　都道府県高齢者居住安定確保計画等

（法第四条第四項の国土交通省令で定める基準）

第二条　法第四条第四項（法第四条の二第三項において準用する場合を含む。）の国土交通省令で定める基準は、次の各号のいずれかに該当することとする。

一　住戸内の床は、原則として段差のない構造のものであること。

二　住戸内の主たる廊下の幅は七十八センチメートル（柱の存する部分にあっては、七十五センチメートル）以上とし、住戸内の主たる居室の出入口の幅は七十五センチメートル以上であること。

三　住戸内の浴室及び階段には、手すりを設けること。

2　建築材料又は構造方法により、前項の規定により難い部分のある加齢対応構造等である構造及び設備であって、同項の基準に該当する加齢対応構造等である構造及び設備と同等以上の性能を有すると認められるものについては、国土交通大臣は、同項の基準に該当するものとすることができる。

第三章　地方公共団体等による高齢者向けの優良な賃貸住宅の供給の促進等

（規模及び設備の基準）

第三条　法第四十五条第一項第一号の国土交通省令で定める規模及び設備の基準は、次のとおりとする。

一　各戸が床面積（共同住宅にあっては、共用部分の床面積を除く。第十七条第一号及び第三十三条第一号において同じ。）二十五平方メートル（居間、食堂、台所その他の住宅の部分が高齢者が共同して利用するため十分な面積を有する場合（以下「共同利用の場合」という。）にあっては、十八平方メートル）以上であること。ただし、賃貸住宅の所在する市町村が市町村高齢者居住安定確保計画で別に定める場合にあってはその規模、賃貸住宅の所在する都道府県が都道府県高齢者居住安定確保計画で別に定める場合（賃貸住宅の所在する市町村が市町村高齢者居住安定確保計画を定めている場合を除く。）にあってはその規模とすることができる。

二　原則として、各戸が台所、水洗便所、収納設備、洗面設備及び浴室（以下「台所等」という。）を備えたものであること。ただし、共用部分に共同して利用するため適切な台所、収納設備又は浴室を備えることにより、各戸に備える場合と同等以上の居住環境が確保される場合（以下「同等以上の居住環境が確保される場合」という。）にあっては、各戸が台所、収納設備又は浴室を備えたものであることを要しないものとすることができる。

（加齢対応構造等である構造及び設備の基準に準ずる基準）

第四条　法第四十五条第一項第二号の国土交通省令で定める基準は、既存の住宅その他の建物の改良（用途の変更を伴うものを含む。以下この条、第十八条及び第三十二条第二項第一号において同じ。）（地域における多様な需要に応じた公的賃貸住宅等の整備等に関する特別措置法（平成十七年法律第七十九号）第二条第一項に規定する公的賃貸住宅等を改良する場合にあっては、同法第六条第一項に規定する地域住宅計画に基づき実施されるものに限る。第十八条において同じ。）により賃貸住宅の整備が行われる場合において、建築材料又は構造方法により、第三十四条第一項の基準をそのまま適用することが適当でないと認められる加齢対応構造等である構造及び設備について適用されるものであって、次に掲げるものとする。

一　床は、原則として段差のない構造のものであること。

二　住戸内の階段の各部の寸法は、次の各式に適合するものであること。

$T \geqq 19.5$

$\frac{R}{T} \leqq \frac{22}{21}$

$55 \leqq T + 2R \leqq 65$

（T及びRは、それぞれ次の数値を表すものとする。以下同じ。
T　踏面の寸法（単位　センチメートル）
R　けあげの寸法（単位　センチメートル））

三　主たる共用の階段の各部の寸法は、次の各式に適合するものであること。

$T \geqq 24$

$55 \leqq T + 2R \leqq 65$

四　便所、浴室及び住戸内の階段には、手すりを設けること。

五　その他国土交通大臣の定める基準に適合すること。

（法第四十五条第一項第三号の国土交通省令で定める年齢その他の要件）

第五条　法第四十五条第一項第三号の国土交通省令で定める年齢その他の要件は、次の各号のすべてに該当することとする。

一　六十歳以上の者であること。

二　次に掲げる要件のいずれかに該当する者であること。

イ　同居する者がない者（身体上又は精神上著しい障害があるために常時の介護を必要とし、かつ、居宅においてこれを受けることができず、又は受けることが困難であると認められる者を除く。以下同じ。）であること。

ロ　同居する者が配偶者（婚姻の届出をしていないが、事実上夫婦と同様の関係にあるものを含む。以下同じ。）、六十歳以上の親族（配偶者を除く。以下同じ。）又は地方公共団体が整備及び管理を行う高齢者向けの優良な賃貸住宅にあっては当該地方公共団体の長、法第四十六条の規定による地方公共団体の要請に基づいて機構又は地方住宅供給公社（以下「公社」という。）が整備及び管理を行う高齢者向けの優良な賃貸住宅にあっては当該要請をした地方公共団体の長が入居者が病気にかかっていることその他特別の事情により当該入居者と同居させることが必要であると認める者であること。

（入居者の募集及び選定の方法並びに賃貸の条件に関する基準）

第六条　法第四十五条第一項第五号の国土交通省令で定める基準は、次条から第十一条までに定めるとおりとする。

（入居者の募集方法）

第七条　地方公共団体又は法第四十六条の規定による地方公共団体の要請に基づいて高齢者向けの優良な賃貸住宅の整備及び管理を行う機構若しくは公社（以下「地方公共団体等」という。）は、原則として賃貸住宅の入居者を公募しなければならない。

2　前項の規定による公募は、入居の申込みの期間の初日から起算して少なくとも一週間前に、新聞掲載、掲示等の方法により広告して行わなければならない。

3　前二項の規定による公募は、棟ごとに又は団地ごとに、少なくとも次に掲げる事項を示して行わなければならない。

一　賃貸する住宅が法第四十五条第一項各号に掲げる基準に適合する賃貸住宅であること。

二　賃貸住宅の所在地、戸数、規模及び構造

三　入居者の資格

四　家賃その他の賃貸の条件

五　入居の申込みの期間及び場所

六　申込みに必要な書面の種類

七　入居者の選定の方法

4　前項第五号の申込みの期間は、少なくとも一週間としなければならない。

（入居者の選定）

第八条　入居の申込みを受理した戸数が賃貸住宅の戸数を超える場合においては、地方公共団体等は、抽選その他公正な方法により入居者を選定しなければならない。

（入居者の選定の特例）

第九条　地方公共団体等は、特に居住の安定を図る必要がある者については、一回の募集ごとに賃貸しようとする住宅のうち地方公共団体が整備及び管理を行う高齢者向けの優良な賃貸住宅にあっては当該地方公共団体の長、法第四十六条の規定による地方公共団体の要請に基づいて機構又は公社が整備及び管理を行う高齢者向けの優良な賃貸住宅にあっては当該要請をした地方公共団体の長が定める戸数の住宅について、前二条に定めるところにより入居者を選定することができる。

（賃貸借契約の解除）

第一〇条　地方公共団体等は、入居者が不正の行為によって賃貸住宅に入居したときは、当該賃貸住宅に係る賃貸借契約の解除をすることを賃貸の条件としなければならない。

（賃貸条件の制限）

第一一条　地方公共団体等は、毎月その月分の家賃を受領すること、終身にわたって受領すべき家賃の全部又は一部を前払金として一括して受領すること（法第五十二条第一項の認可を受けた場合に限る。）及び家賃の三月分を超えない額の敷金を受領することを除くほか、賃借人から権利金、謝金等の金品を受領し、その他賃借人の不当な負担となることを賃貸の条件としてはならない。

（法第四十五条第一項第六号の国土交通省令で定める管理の方法の基準）

第一二条　法第四十五条第一項第六号の国土交通省令で定める管理の方法の基準は、賃貸住宅の修繕が計画的に行われるものであることとする。

（令第五条の国土交通省令で定める所得の基準）

第一三条　高齢者の居住の安定確保に関する法律施行令（以下「令」という。）第五条の国土交通省令で定める所得の基準は、十五万八千円（都道府県知事が必要と認める場合にあっては、十五万八千円を超え二十一万四千円以下の範囲内で当該都道府県知事が定める額）とする。

（地方公共団体の機構又は公社に対する要請）

第一四条　法第四十六条の規定による要請は、次に掲げる事項を記載した要請書を提出して行うものとする。

一　整備及び管理を行うことを要請する高齢者向けの優良な賃貸住宅の戸数

二　その他高齢者向けの優良な賃貸住宅の整備及び管理に関し必要な事項

（令第六条第二号の国土交通省令で定めるもの）

第一五条　令第六条第二号の共同住宅の共用部分及び入居者の共同の福祉のため必要な施設であって国土交通省令で定めるものは、次に掲げるものとする。

一　廊下及び階段

二　エレベーター及びエレベーターホール

三　特殊基礎

四　立体的遊歩道及び人工地盤施設

五　通路

六　駐車場

七　児童遊園、広場及び緑地

八　機械室及び管理事務所

九　高齢者居宅生活支援事業の用に供する施設

十　避難設備

十一　消火設備及び警報設備並びに監視装置

十二　避雷設備及び電波障害防除設備

（法第四十九条第一項第一号の国土交通省令で定める戸数）

第一六条　法第四十九条第一項第一号の国土交通省令で定める戸数は、五戸とする。

（規模並びに構造及び設備の基準）

第一七条　法第四十九条第一項第二号の国土交通省令で定める規模並びに構造及び設備の基準は、次のとおりとする。

一　各戸が床面積二十五平方メートル（共同利用の場合にあっては、十八平方メートル）以上であること。ただし、賃貸住宅の所在する市町村が市町村高齢者居住安定確保計画で別に定める場合にあってはその規模、賃貸住宅の所在する都道府県が都道府県高齢者居住安定確保計画で別に定める場合（賃貸住宅の所在する市町村が市町村高齢者居住安定確保計画を定めている場合を除く。）にあってはその規模とすることができる。
二　耐火構造の住宅又は準耐火構造の住宅（防火上及び避難上支障がないと機構が認めるものを含む。）であること。
三　原則として、各戸が台所等を備えたものであること。ただし、同等以上の居住環境が確保される場合にあっては、各戸が台所、収納設備又は浴室を備えたものであることを要しないものとすることができる。

（加齢対応構造等である構造及び設備の基準に準ずる基準）
第一八条　法第四十九条第一項第三号の国土交通省令で定める基準は、既存の住宅その他の建物の改良により賃貸住宅の整備が行われる場合において、建築材料又は構造方法により、第三十四条第一項の基準をそのまま適用することが適当でないと認められる加齢対応構造等である構造及び設備について適用されるものであって、第四条各号に掲げるものとする。

（法第四十九条第一項第四号の国土交通省令で定める年齢その他の要件）
第一九条　法第四十九条第一項第四号の国土交通省令で定める年齢その他の要件は、次の各号のすべてに該当することとする。
一　六十歳以上の者であること。
二　次に掲げる要件のいずれかに該当する者であること。
イ　同居する者がない者であること。
ロ　同居する者が配偶者、六十歳以上の親族又は入居者が病気にかかっていることその他特別の事情により当該入居者と同居させることが必要であると機構が認める者であること。

（法第四十九条第一項第五号の国土交通省令で定める管理の方法の基準）
第二〇条　法第四十九条第一項第五号に定める基準は、次条から第二十五条までに定めるとおりとする。

（入居者の選定の特例）
第二一条　機構は、特に居住の安定を図る必要がある者については、一回の募集ごとに賃貸しようとする住宅のうち機構が定める戸数の住宅について、次条及び第二十三条に定めるところにより入居者を選定することができる。

（入居者の募集方法）
第二二条　機構は、前条の規定により入居者を選定するときは、原則として入居者を公募しなければならない。
2　独立行政法人都市再生機構に関する省令（平成十六年国土交通省令第七十号）第二十五条第一項の規定は、前項の公募について準用する。

（入居者の決定）
第二三条　機構は、前条の規定により入居者を公募した場合において、賃借りの申込みをした者の申込戸数が賃貸すべき賃貸住宅の戸数を超えるときは、抽選その他公正な方法により選考して、当該入居者を決定しなければならない。

（賃貸借契約の解除）
第二四条　機構は、入居者が不正の行為によって賃貸住宅に入居したときは、当該賃貸住宅に係る賃貸借契約の解除をすることを賃貸の条件としなければならない。

（賃貸住宅の修繕）
第二五条　機構は、賃貸住宅の修繕を計画的に行わなければならない。

（補助等に係る高齢者向けの優良な賃貸住宅についての周知措置）
第二六条　法第五十条の賃貸住宅が加齢対応構造等である構造及び設備を有するものである旨及び当該加齢対応構造等である構造及び設備の内容その他必要な事項（以下この条において「必要事項」という。）を周知させる措置は、次の各号に掲げる措置のうちいずれかの措置とする。
一　法第五条第一項の登録の申請により必要事項を周知させること。
二　前号の登録の申請に準ずる方法により、入居者の決定まで、不特定多数の者を対象として必要事項を周知すること。

（法第五十一条第一項第一号の国土交通省令で定める年齢その他の要件）
第二七条　法第五十一条第一項第一号の国土交通省令で定める年齢その他の要件は、次の各号のすべてに該当することとする。
一　六十歳以上の者であること。
二　次に掲げる要件のいずれかに該当する者であること。
イ　同居する者がない者であること。
ロ　同居する者が配偶者、六十歳以上の親族又は入居者が病気にかかっていることその他特別の事情により当該入居者と同居させることが必要であると公営住宅の事業主体（公営住宅法（昭和二十六年法律第百九十三号）第二条第十六号に規定する事業主体をいう。以下「事業主体」という。）が認める者であること。

（入居者の選定方法その他の公営住宅の管理の方法）
第二八条　法第五十一条第一項第三号の国土交通省令で定める基準は、次条及び第三十条に定めるとおりとする。

（入居者の選定）
第二九条　入居の申込みをした者の数が使用させようとする公営住宅の戸数を超える場合においては、事業主体は、抽選その他公正な方法により入居者を選定しなければならない。

（入居者の選定の特例）
第三〇条　事業主体は、特に居住の安定を図る必要がある者については、一回の募集ごとに使用させようとする公営住宅のうち事業主体が定める戸数の住宅について、公営住宅法第二十二条及び前条に定めるところにより入居者を選定することができる。

第四章　終身建物賃貸借

（事業認可申請書の記載事項）
第三一条　法第五十三条第一項第八号の国土交通省令で定める事項は、次のとおりとする。
一　賃貸住宅の整備をして事業を行う場合の当該整備の実施時期
二　事業が基本方針（当該事業が市町村高齢者居住安定確保計画が定められている市町村の区域内のものである場合にあっては基本方針及び市町村高齢者居住安定確保計画、当該事業が都道府県高齢者居住安定確保計画が定められている都道府県の区域（当該市町村の区域を除く。）内のものである場合にあっては基本方針及び都道府県高齢者居住安定確保計画）に照らして適切なものである旨

（事業認可申請書）
第三二条　法第五十三条第一項の事業認可申請書の様式は、別記様式とする。
2　事業認可申請書には、次に掲げる図書を添付しなければならない。
一　認可を申請しようとする者が当該認可に係る賃貸住宅の整備（既存の住宅その他の建物の改良によるものを除く。）をしようとする場合にあっては、縮尺、方位、間取り、各室の用途及び設備の概要を表示した各階平面図
二　前号に掲げる場合以外の場合にあっては、賃貸住宅の規模及び設備の概要を表示した間取図
三　賃貸住宅の整備をして事業を行う場合にあっては、当該整備に関する工事の完了前に、敷金を受領せず、かつ、終身にわたって受領すべき家賃の全部又は一部を前払金として一括して受領しないことを誓約する書面
四　その他都道府県知事が必要と認める書類
3　都道府県知事は、認可の申請者に係る本人確認情報（住民基本台帳法（昭和四十二年法律第八十一号）第三十条の六第一項に規定する本人確認情報をいう。）のうち住民票コード（同法第七条第十三号に規定する住民票コードをいう。）以外のものについて、同法第三十条の十第一項（同項第一号に係る部分に限る。）、第三十条の十一第一項（同項第一号に係る部分に限る。）及び第三十条の十二第一項（同項第一号に係る部分に限る。）の規定によるその提供を受けることができないとき、又は同法第三十条の十五第一項（同項第一号に係る部分に限る。）の規定によるその利用ができないときは、その者に対し、住民票の抄本又はこれに代わる書面を提出させることができる。

（規模及び設備の基準）
第三三条　法第五十四条第一号イの国土交通省令で定める規模及び設備の基準は、次のとおりとする。
一　各戸が床面積二十五平方メートル（同等以上の居住環境が確保される場合にあっては、十八平方メートル）以上であること。ただし、居間、食堂、台所その他の居住の用に供する部分を賃借人が共同して利用する場合にあっては、国土交通大臣が定める基準によることができる。
二　次のいずれかに該当すること。

イ　原則として、各戸が台所等を備えたものであること。ただし、同等以上の居住環境が確保される場合にあっては、各戸が台所、収納設備又は浴室を備えたものであることを要しないものとすることができる。

ロ　居間、食堂、台所その他の居住の用に供する部分を賃借人が共同して利用する場合にあっては、国土交通大臣が定める基準を満たすものであること。

（加齢対応構造等である構造及び設備の基準）

第三四条　法第五十四条第一号ロの国土交通省令で定める基準は、次に掲げるものとする。

一　床は、原則として段差のない構造のものであること。

二　主たる廊下の幅は、七十八センチメートル（柱の存する部分にあっては、七十五センチメートル）以上であること。

三　主たる居室の出入口の幅は七十五センチメートル以上とし、浴室の出入口の幅は六十センチメートル以上であること。

四　浴室の短辺は百三十センチメートル（一戸建ての住宅以外の住宅の用途に供する建築物内の住宅の浴室にあっては、百二十センチメートル）以上とし、その面積は二平方メートル（一戸建ての住宅以外の住宅の用途に供する建築物内の住宅の浴室にあっては、一・八平方メートル）以上であること。

五　住戸内の階段の各部の寸法は、次の各式に適合するものであること。

$T \geqq 19.5$

$\frac{R}{T} \leqq \frac{22}{21}$

$55 \leqq T + 2R \leqq 65$

六　主たる共用の階段の各部の寸法は、次の各式に適合するものであること。

$T \geqq 24$

$55 \leqq T + 2R \leqq 65$

七　便所、浴室及び住戸内の階段には、手すりを設けること。

八　階数が三以上である共同住宅の用途に供する建築物には、原則として当該建築物の出入口のある階に停止するエレベーターを設置すること。

九　その他国土交通大臣の定める基準に適合すること。

2　都道府県知事（機構又は都道府県が終身賃貸事業者である場合にあっては、国土交通大臣）が既存の住宅に係る法第五十二条第一項に規定する事業の認可をする場合における法第五十四条第一号ロの国土交通省令で定める基準は、前項の規定にかかわらず、次に掲げるものとする。

一　便所、浴室及び住戸内の階段には、手すりを設けること。

二　その他国土交通大臣の定める基準に適合すること。

（法第五十四条第四号の国土交通省令で定める基準）

第三五条　法第五十四条第四号の国土交通省令で定める基準は、入居者が不正の行為によって賃貸住宅に入居したときは、当該賃貸住宅に係る賃貸借契約の解除をすることを賃貸の条件とすることとする。

（必要な保全措置）

第三六条　法第五十四条第六号の必要な保全措置は、同条第五号の前払金に係る債務の銀行による保証その他の国土交通大臣が定める措置とする。

（法第五十四条第七号の国土交通省令で定める管理の方法の基準）

第三七条　法第五十四条第七号の国土交通省令で定める管理の方法の基準は、次のとおりとする。

一　賃貸住宅の修繕が計画的に行われるものであること。

二　賃貸住宅の賃貸借契約書並びに家賃及び敷金の収納状況を明らかにする書類その他の賃貸住宅に関する事業の収支状況を明らかにするために必要な書類が備え付けられるものであること。

2　前項第二号に掲げる書類が、電子計算機に備えられたファイル又は磁気ディスクに記録され、必要に応じ認可事業者において電子計算機その他の機器を用いて明確に紙面に表示されるときは、当該記録をもって同号の書類に代えることができる。

（都道府県高齢者居住安定確保計画で定める事項）

第三八条　都道府県は、国土交通大臣が定める基準に従い、市町村高齢者居住安定確保計画が定められている市町村の区域以外の区域について、都道府県高齢者居住安定確保計画で、第三十三条及び第三十四条の規定による基準を強化し、又は緩和することができる。

（市町村高齢者居住安定確保計画で定める事項）

第三九条　市町村は、国土交通大臣が定める基準に従い、市町村高齢者居住安定確保計画で、第三十三条及び第三十四条の規定による基準を強化し、又は緩和することができる。

（法第五十六条第一項の国土交通省令で定める軽微な変更）

第四〇条　法第五十六条第一項の国土交通省令で定める軽微な変更は、賃貸住宅の整備の実施時期の変更のうち、整備の着手又は完了の予定年月日の六月以内の変更とする。

第五章　雑則

（権限の委任）

第四一条　法及びこの省令に規定する国土交通大臣の権限のうち、次に掲げるものは、地方整備局長及び北海道開発局長に委任する。

一　法第五十一条第一項に規定する承認をすること。

二　都道府県が終身賃貸事業者である場合における法第五十二条第一項、法第五十三条第一項、法第五十四条から法第五十六条まで、法第五十八条第一項、法第六十五条、法第六十六条、法第六十七条第二項及び第三項、法第六十八条、法第六十九条並びに法第七十条第一項の規定による権限

（大都市等の特例）

第四二条　この省令中都道府県知事の権限に属する事務（地方自治法（昭和二十二年法律第六十七号）第二百五十二条の十九第一項の指定都市（以下「指定都市」という。）又は同法第二百五十二条の二十二第一項の中核市（以下「中核市」という。）が終身賃貸事業者である場合の第四章に規定する事務を除く。）は、指定都市及び中核市においては、当該指定都市又は中核市（以下この条において「指定都市等」という。）の長が行うものとする。この場合においては、この省令中都道府県知事に関する規定は、指定都市等の長に関する規定として指定都市等の長に適用があるものとする。

附　則〔抄〕

（施行期日）

1　この省令は、法の施行の日（平成十三年八月五日）から施行する。

附　則〔略〕〔平成一三・九・一四国土交通省令一二七〕

附　則〔略〕〔平成一三・一二・一八国土交通省令一四七〕

附　則〔略〕〔平成一四・四・一国土交通省令五二施行〕

附　則〔略〕〔平成一四・一二・二七国土交通省令一一九〕

附　則〔略〕〔平成一五・三・二〇国土交通省令二六施行〕

附　則〔略〕〔平成一六・六・一八国土交通省令七〇〕

附　則〔抄〕〔平成一六・一二・二七国土交通省令一一〇〕

（施行期日）

第一条　この省令は、平成十七年一月一日から施行する。

（高齢者の居住の安定確保に関する法律施行規則の一部改正に伴う経過措置）

第四条　この省令の施行の際現に高齢者の居住の安定確保に関する法律（平成十三年法律第二十六号）第四十八条に規定する高齢者向けの優良な賃貸住宅に入居している者で入居者又は現にその者と同居している者に老年者がある場合における当該現に同条に規定する高齢者向けの優良な賃貸住宅に入居している者の高齢者の居住の安定確保に関する法律施行令第二条に規定する所得の計算については、平成十九年三月三十一日までの間は、第四条の規定による改正後の高齢者の居住の安定確保に関する法律施行規則第一条第三号イからホまでに掲げる額を控除して行うほか、前条第一項の表の上欄に掲げる期間の区分に応じ、その老年者一人につき同表の下欄に定める額を控除して行うものとする。

附　則〔略〕〔平成一七・三・七国土交通省令一二施行〕

附　則〔平成一七・一〇・六国土交通省令一〇一〕

（施行期日）

1　この省令は、公布の日から施行する。ただし、第三条に一号を加える改正規定及び第五条第二号ロの改正規定は、平成十七年十二月一日から施行する。

（経過措置）

2　平成十六年度分以前の予算に係る補助金（平成十六年度分予算に係る補助金の経費の金額で翌年度に繰り越したものを含む。）の交付を受けて整備する高齢者の居住の安定確保に関する法律第三十四条に規定する高齢者向け優良賃貸住宅又は同法第四十九条第一項、第五十一条第一項、第五十

二条第一項若しくは第五十三条第一項の賃貸住宅については、この省令の施行後も、なお従前の例による。

附　則〔略〕〔平成一九・三・二八国土交通省令二〇〕

附　則〔略〕〔平成一九・三・三〇国土交通省令三一〕

附　則〔略〕〔平成二〇・一一・七国土交通省令九三〕

附　則〔略〕〔平成二一・四・三〇国土交通省令三四施行〕

附　則〔略〕〔平成二一・八・一八国土交通省令五〇〕

附　則〔略〕〔平成二二・三・三一国土交通省令一〇〕

附　則〔略〕〔平成二二・一一・二六国土交通省令五五〕

附　則〔抄〕〔平成二二・一二・二七国土交通省令六一〕

（施行期日）

第一条　この省令は、平成二十三年一月一日から施行する。

（高齢者の居住の安定確保に関する法律施行規則の一部改正に伴う経過措置）

第三条　この省令の施行の際現に高齢者の居住の安定確保に関する法律（平成十三年法律第二十六号）第四十八条に規定する高齢者向けの優良な賃貸住宅に入居している者の高齢者の居住の安定確保に関する法律施行令第三条に規定する所得の計算については、平成二十三年三月三十一日までの間は、第三条の規定による改正後の高齢者の居住の安定確保に関する法律施行規則第一条第三号の規定にかかわらず、なお従前の例による。

附　則〔略〕〔平成二三・八・一二国土交通省令六四〕

附　則〔抄〕〔平成二七・一二・九国土交通省令八二〕

改正　平成三〇・一国交令一

（施行期日）

第一条　この省令は、公布の日から施行する。ただし、第三条、第八条、第十七条、第二十四条及び第二十五条の規定は、行政手続における特定の個人を識別するための番号の利用等に関する法律（平成二十五年法律第二十七号。以下「番号利用法」という。）附則第一条第四号に掲げる規定の施行の日（平成二十八年一月一日）から施行する。

（高齢者の居住の安定確保に関する法律施行規則の一部改正に伴う経過措置）

第一五条　当分の間、第二十四条及び第二十五条の規定による改正後の高齢者の居住の安定確保に関する法律施行規則第三十二条第三項の規定の適用については、「のうち住民票コード（同法第七条第十三号に規定する住民票コードをいう。）以外のものについて」とあるのは「について」とする。

附　則〔略〕〔平成二八・八・一九国土交通省令五九〕

附　則〔略〕〔平成二九・一二・二二国土交通省令七一〕

附　則〔略〕〔平成三〇・一・四国土交通省令一〕

附　則〔平成三〇・九・一〇国土交通省令六八〕

（施行期日）

1　この省令は、公布の日から施行する。

（経過措置）

2　この省令の施行前にされた高齢者の居住の安定確保に関する法律第五十二条の認可の申請であって、この省令の施行の際、都道府県知事による認可をするかどうかの処分がなされていないものについての処分については、なお従前の例による。

附　則〔略〕〔令和二・一二・二三国土交通省令九八〕

附　則〔略〕〔令和二・一二・二八国土交通省令一〇四〕

附　則〔略〕〔令和三・八・三一国土交通省令五三〕

附　則〔抄〕〔令和四・四・二七国土交通省令四三〕

（施行期日）

1　この省令は、デジタル社会の形成を図るための関係法律の整備に関する法律附則第一条第四号に掲げる規定（同法第十七条及び第四十四条の規定に限る。）の施行の日（令和四年五月十八日）から施行する。

別記様式〔略〕

○国土交通省・厚生労働省関係高齢者の居住の安定確保に関する法律施行規則

〔平成二三・八・一二　厚生労働・国土交通省令二〕

改正　平成二四・三厚労・国交令一、厚労・国交令三、平成二七・三厚労・国交令一、平成二八・三厚労・国交令一、四厚労・国交令二、八厚労・国交令三、平成三〇・三厚労・国交令二、六厚労・国交令三、令和元・一一厚労・国交令四、令和二・一二厚労・国交令二、令和四・四厚労・国交令一、七厚労・国交令二、令和五・一二厚労・国交令一

（高齢者居宅生活支援事業に該当することとなる事業）

第一条　高齢者の居住の安定確保に関する法律施行令（以下「令」という。）第一条第五号の国土交通省令・厚生労働省令で定める事業は、次に掲げるものとする。

一　食事の提供に関する事業

二　調理、洗濯、掃除等の家事に関する事業

三　高齢者の居住の安定確保に関する法律（以下「法」という。）第五条第一項の状況把握サービス（以下単に「状況把握サービス」という。）を提供する事業

四　心身の健康の維持及び増進に関する事業

五　法第五条第一項の生活相談サービス（以下単に「生活相談サービス」という。）を提供する事業

六　社会との交流の促進に関する事業

七　日常生活上必要なサービスの手配に関する事業

（住民の意見を反映させるために必要な措置）

第二条　法第四条第六項（法第四条の二第三項において準用する場合を含む。）の国土交通省令・厚生労働省令で定める方法は、都道府県高齢者居住安定確保計画（法第四条の二第三項において準用する場合にあっては、市町村高齢者居住安定確保計画）の案及び当該案に対する住民の意見の提出方法、提出期限、提出先その他住民の意見の提出に必要な事項を、インターネットの利用、印刷物の配布その他適切な手段により住民に周知する方法とする。

（年齢その他の要件）

第三条　法第五条第一項の国土交通省令・厚生労働省令で定める年齢その他の要件は、六十歳以上の者又は介護保険法（平成九年法律第百二十三号）

第十九条第一項に規定する要介護認定（以下単に「要介護認定」という。）若しくは同条第二項に規定する要支援認定（以下単に「要支援認定」という。）を受けている六十歳未満の者（地域再生法（平成十七年法律第二十四号）第十七条の七第一項に規定する認定市町村が、同法第十七条の二十四第一項に規定する生涯活躍のまち形成事業計画において、国土交通大臣及び厚生労働大臣が定める基準に従い、当該計画に記載された同法第五条第四項第十号に規定する生涯活躍のまち形成地域の区域内のサービス付き高齢者向け住宅の入居者について要件を別に定めた場合においては、当該要件に該当する者を含む。）であって、次に掲げる要件のいずれかに該当する者であることとする。

一　同居する者がない者であること。

二　同居する者が配偶者（婚姻の届出をしていないが事実上夫婦と同様の関係にあるものを含む。以下この号において同じ。）、六十歳以上の親族（配偶者を除く。以下この号において同じ。）、要介護認定若しくは要支援認定を受けている六十歳未満の親族又は入居者が病気にかかっていることその他特別の事情により当該入居者と同居させることが必要であると都道府県知事が認める者であること。

（サービス付き高齢者向け住宅事業の登録申請書）

第四条　法第六条第一項の申請書の様式は、別記様式第一号とする。

（高齢者生活支援サービス）

第五条　法第六条第一項第十号の国土交通省令・厚生労働省令で定める高齢者が日常生活を営むために必要な福祉サービスは、次に掲げるものとする。

一　状況把握サービス

二　生活相談サービス

三　入浴、排せつ、食事等の介護に関するサービス

四　食事の提供に関するサービス

五　調理、洗濯、掃除等の家事に関するサービス

六　心身の健康の維持及び増進に関するサービス

（登録申請書の記載事項）

第六条　法第六条第一項第十五号の国土交通省令・厚生労働省令で定める事項は、次に掲げるものとする。

一　サービス付き高齢者向け住宅の名称

二　竣工の年月

三　法第六条第一項第十二号の入居契約（以下単に「入居契約」という。）の形態

四　サービス付き高齢者向け住宅若しくは高齢者生活支援サービスの提供の用に供するための施設又はこれらの存する土地（以下「サービス付き高齢者向け住宅等」という。）に関する権利の種別及び内容

五　サービス付き高齢者向け住宅の管理又は高齢者生活支援サービスの提供を委託により他の事業者に行わせる場合にあっては、当該事業者の商号、名称又は氏名、住所及び委託契約に係る事項

六　法第七条第一項第六号及び第七号に掲げる基準に適合することを誓約する旨

七　サービス付き高齢者向け住宅の維持及び修繕に関する計画

八　サービス付き高齢者向け住宅事業に係る法第五十二条第一項の認可の有無

九　法第五条第二項の登録の更新を申請する場合にあっては、当該登録の更新の申請の日前一年間におけるサービス付き高齢者向け住宅の入居者の数及び退去者の数

十　サービス付き高齢者向け住宅の敷地又は当該敷地に隣接する土地に存する高齢者居宅生活支援事業の用に供するための施設（以下「高齢者居宅生活支援施設」という。）の名称、位置及び種類

十一　登録を受けようとする者が、介護保険法第八条第十一項に規定する特定施設入居者生活介護の事業を行う事業所に係る同法第四十一条第一項の指定、同法第八条第二十一項に規定する地域密着型特定施設入居者生活介護の事業を行う事業所に係る同法第四十二条の二第一項の指定又は同法第八条の二第九項に規定する介護予防特定施設入居者生活介護の事業を行う事業所に係る同法第五十三条第一項の指定を受けている場合にあっては、その旨

十二　サービス付き高齢者向け住宅において保健医療サービスを提供する場合にあっては、当該サービスを提供する体制に関する事項

十三　サービス付き高齢者向け住宅の運営方針

十四　登録の申請が基本方針（サービス付き高齢者向け住宅が市町村高齢者居住安定確保計画が定められている市町村の区域内のものである場合にあっては基本方針及び市町村高齢者居住安定確保計画、サービス付き高齢者向け住宅が都道府県高齢者居住安定確保計画が定められている都道府県の区域（当該市町村の区域を除く。）内のものである場合にあっては基本方針及び都道府県高齢者居住安定確保計画）に照らして適切なものである旨

十五　登録を受けようとする者（法人である場合においては当該法人、その役員及び使用人（令第二条に規定する使用人をいう。以下この号において同じ。）、個人である場合においてはその者及び使用人をいう。次号において同じ。）が法第八条第一項各号に掲げる欠格要件に該当しない者であることを誓約する旨

十六　登録を受けようとする者が営業に関し成年者と同一の行為能力を有しない未成年者である場合においては、その法定代理人（法定代理人が法人である場合においては、その役員を含む。）が法第八条第一項第一号から第五号までに掲げる欠格要件に該当しない者であることを誓約する旨

（登録申請書に添付する書類）

第七条　法第六条第二項の国土交通省令・厚生労働省令で定める書類（以下「添付書類」という。）は、次に掲げるものとする。ただし、第一号から第五号までに掲げる書類については、既に都道府県知事に提出されている当該書類の内容に変更がないときは、申請書にその旨を記載して当該書類の添付を省略することができる。

一　縮尺、方位、サービス付き高齢者向け住宅の間取り、各室の用途及び設備の概要を表示した各階平面図

二　サービス付き高齢者向け住宅の加齢対応構造等を表示した書類

三　入居契約に係る約款

四　サービス付き高齢者向け住宅の管理又は高齢者生活支援サービスの提供を委託により他の事業者に行わせる場合にあっては、委託契約に係る書類

五　法第七条第一項第八号に掲げる基準に適合することを証する書類

六　その他都道府県知事が必要と認める書類

2　前項ただし書の規定は、法第二十八条第一項の規定により指定登録機関が登録事務を行う場合について準用する。この場合において、前項ただし書中「都道府県知事」とあるのは、「指定登録機関」と読み替えるものとする。

（規模の基準）

第八条　法第七条第一項第一号の国土交通省令・厚生労働省令で定める規模は、各居住部分が床面積二十五平方メートル（居間、食堂、台所その他の居住の用に供する部分が高齢者が共同して利用するため十分な面積を有する場合にあっては、十八平方メートル）とする。

（構造及び設備の基準）

第九条　法第七条第一項第二号の国土交通省令・厚生労働省令で定める基準は、原則として、各居住部分が台所、水洗便所、収納設備、洗面設備及び浴室を備えたものであることとする。ただし、共用部分に共同して利用するため適切な台所、収納設備又は浴室を備えることにより、各居住部分に備える場合と同等以上の居住環境が確保される場合にあっては、各居住部分が台所、収納設備又は浴室を備えたものであることを要しない。

（加齢対応構造等の基準）

第一〇条　法第七条第一項第三号の国土交通省令・厚生労働省令で定める基準は、既存の建物の改良（用途の変更を伴うものを含む。）により整備されるサービス付き高齢者向け住宅に係る法第五条第一項の登録が行われる場合において、建築材料又は構造方法により、法第五十四条第一号ロに規定する基準をそのまま適用することが適当でないと認められる加齢対応構造等である構造及び設備について適用されるものであって、次に掲げるものとする。

一　床は、原則として段差のない構造のものであること。

二　居住部分内の階段の各部の寸法は、次の各式に適合するものであること。

$T \geqq 19.5$

$\frac{R}{T} \leqq \frac{22}{21}$

55≦T＋2R≦65

（T及びRは、それぞれ次の数値を表すものとする。以下同じ。
T　踏面の寸法（単位　センチメートル）
R　けあげの寸法（単位　センチメートル））

三　主たる共用の階段の各部の寸法は、次の各式に適合するものであること。

T≧24

55≦T＋2R≦65

四　便所、浴室及び居住部分内の階段には、手すりを設けること。

五　その他国土交通大臣及び厚生労働大臣の定める基準に適合すること。

（状況把握サービス及び生活相談サービスの基準）

第十一条　法第七条第一項第五号の国土交通省令・厚生労働省令で定める基準は、次に掲げるものとする。

一　次のイ及びロに掲げる者のいずれかが、原則として、夜間を除き、サービス付き高齢者向け住宅の敷地又は当該敷地に隣接し、若しくは近接する土地に存する建物に常駐し、状況把握サービス及び生活相談サービスを提供すること。

イ　医療法人、社会福祉法人、介護保険法第四十一条第一項に規定する指定居宅サービス事業者、同法第四十二条の二第一項に規定する指定地域密着型サービス事業者、同法第四十六条第一項に規定する指定居宅介護支援事業者、同法第五十三条第一項に規定する指定介護予防サービス事業者、同法第五十四条の二第一項に規定する指定地域密着型介護予防サービス事業者又は同法第五十八条第一項に規定する指定介護予防支援事業者が、登録を受けようとする者である場合又は登録を受けようとする者から委託を受けて状況把握サービス若しくは生活相談サービスを提供する場合（医療法人にあっては、医療法（昭和二十三年法律第二百五号）第四十二条の二第一項に規定する社会医療法人が提供する場合に限る。）にあっては、当該サービスに従事する者

ロ　イに規定する場合以外の場合にあっては、医師、看護師、准看護師、介護福祉士、社会福祉士、介護保険法第七条第五項に規定する介護支援専門員又は介護保険法施行規則（平成十一年厚生省令第三十六号）第二十二条の二十三第一項の介護職員初任者研修課程を修了した介護保険法施行令（平成十年政令第四百十二号）第三条第一項第一号の養成研修修了者（介護保険法施行規則の一部を改正する省令（平成二十四年厚生労働省令第二十五号）附則第二条の規定により介護職員初任者研修課程を修了した者とみなされる者を含む。）

二　前号の状況把握サービスを、各居住部分への訪問その他の適切な方法により、毎日一回以上、提供すること。

三　第一号の規定により同号イ及びロに掲げる者のいずれかがサービス付き高齢者向け住宅の敷地に近接する土地に存する建物に常駐する場合において、入居者から居住部分への訪問を希望する旨の申出があったときは、前号に規定する方法を当該居住部分への訪問とすること。

四　少なくとも第一号イ及びロに掲げる者のいずれかがサービス付き高齢者向け住宅の敷地又は当該敷地に隣接し、若しくは近接する土地に存する建物に常駐していない時間においては、各居住部分に、入居者の心身の状況に関し必要に応じて通報する装置を設置して状況把握サービスを提供すること。

五　入居者の健康状態、要介護状態等（介護保険法第二条第一項に規定する要介護状態等をいう。）その他の事情を勘案し、第一号イ及びロに掲げる者のいずれかが、サービス付き高齢者向け住宅の敷地又は当該敷地に隣接し、若しくは近接する土地に存する建物に常駐しないこととしても当該入居者の処遇に支障がない場合（同号イ及びロに掲げる者のいずれかが、サービス付き高齢者向け住宅の敷地又は当該敷地に隣接し、若しくは近接する土地に存する建物に常駐しないことについて、あらかじめ、当該入居者の承諾を得た場合に限る。）にあっては、同号から前号までの規定にかかわらず、次のいずれかに該当すること。

イ　第一号から前号までの基準に該当すること。

ロ　第一号イ及びロに掲げる者のいずれかが、次に掲げるところにより、状況把握サービス及び生活相談サービスを提供すること。

(1)　状況把握サービスを、第二号の規定に従い、提供すること。ただし、入居者から居住部分への訪問を希望する旨の申出があったときは、同号に規定する方法を当該居住部分への訪問とすること。

(2)　各居住部分に、入居者の心身の状況に関し必要に応じて通報する装置を設置して状況把握サービスを提供すること。

(3)　夜間を除き、生活相談サービスを、電話その他の適切な方法により提供すること。

（家賃等の前払金の返還方法）

第十二条　法第七条第一項第六号ホの国土交通省令・厚生労働省令で定める一定の期間は、次に掲げるものとする。

一　入居者の入居後、三月が経過するまでの間に契約が解除され、又は入居者の死亡により終了した場合にあっては、三月

二　入居者の入居後、法第七条第一項第六号ニの家賃等の前払金の算定の基礎として想定した入居者が入居する期間が経過するまでの間に契約が解除され、又は入居者の死亡により終了した場合（前号の場合を除く。）にあっては、当該期間

2　法第七条第一項第六号ホの国土交通省令・厚生労働省令で定める方法は、次に掲げるものとする。

一　前項第一号に掲げる場合にあっては、法第六条第一項第十二号の家賃等（以下単に「家賃等」という。）の月額を三十で除した額に、入居の日から起算して契約が解除され、又は入居者の死亡により終了した日までの日数を乗じる方法

二　前項第二号に掲げる場合にあっては、契約が解除され、又は入居者の死亡により終了した日以降の期間につき日割計算により算出した家賃等の金額を、家賃等の前払金の額から控除する方法

（法第七条第一項第六号ヘの国土交通省令・厚生労働省令で定める理由）

第十三条　法第七条第一項第六号ヘの国土交通省令・厚生労働省令で定める理由は、次に掲げるものとする。ただし、当該理由が生じた後に、入居者及び登録事業者が居住部分の変更又は入居契約の解約について合意した場合は、この限りでない。

一　入居者の病院への入院

二　入居者の心身の状況の変化

（必要な保全措置）

第十四条　法第七条第一項第八号の必要な保全措置は、家賃等の前払金に係る債務の銀行による保証その他の国土交通大臣及び厚生労働大臣が定める措置とする。

（都道府県高齢者居住安定確保計画で定める事項）

第十五条　都道府県は、国土交通大臣及び厚生労働大臣が定める基準に従い、市町村高齢者居住安定確保計画が定められている市町村の区域以外の区域について、都道府県高齢者居住安定確保計画で、第八条から第十一条までの規定による基準を強化し、又は緩和することができる。

2　都道府県は、国土交通大臣及び厚生労働大臣が定める基準に従い、市町村高齢者居住安定確保計画が定められている市町村の区域以外の区域について、都道府県高齢者居住安定確保計画で、第十二条第一項第一号の規定による期間を延長することができる。

（市町村高齢者居住安定確保計画で定める事項）

第十五条の二　市町村は、国土交通大臣及び厚生労働大臣が定める基準に従い、市町村高齢者居住安定確保計画で、第八条から第十一条までの規定による基準を強化し、又は緩和することができる。

2　市町村は、国土交通大臣及び厚生労働大臣が定める基準に従い、市町村高齢者居住安定確保計画で、第十二条第一項第一号の規定による期間を延長することができる。

（心身の故障によりサービス付き高齢者向け住宅事業を適正に行うことができない者）

第十五条の三　法第八条第一項第五号の国土交通省令・厚生労働省令で定める者は、精神の機能の障害によりサービス付き高齢者向け住宅事業を適正に行うに当たって必要な認知、判断及び意思疎通を適切に行うことができない者とする。

（登録事項等の変更の届出）

第十六条　法第九条第一項の規定による変更の届出は、別記様式第二号による登録事項等変更届出書により行うものとする。

2　法第九条第二項の国土交通省令・厚生労働省令で定める書類は、添付書類のうちその記載事項が変更されたものとする。

（地位の承継）

第十七条　前条の規定は、登録事業者の地位を承継した者が法第十一条第三項の規定による届出をする場合に準用する。この場合において、前条第一

項中「法第九条第一項」とあるのは「法第十一条第三項」と、前条第二項中「法第九条第二項」とあるのは「法第十一条第四項において準用する法第九条第二項」と読み替えるものとする。

（誇大広告の禁止）

第一八条　法第十五条の国土交通省令・厚生労働省令で定める事項は、高齢者生活支援サービスの内容その他の登録事項及び添付書類の記載事項とする。

（登録事項の公示方法）

第一九条　法第十六条の規定による公示は、インターネットの利用又は公衆の見やすい場所に掲示することにより行うものとする。

（契約締結前の書面の交付及び説明）

第二〇条　法第十七条第一項の国土交通省令・厚生労働省令で定める事項は、次に掲げるものとする。

一　入居契約が賃貸借契約でない場合にあっては、その旨

二　入居契約の内容に関する事項

三　登録事業者が第六条第十一号に該当する場合にあっては、介護保険法第百十五条の三十五第一項に規定する介護サービス情報

四　家賃等の前払金の返還債務が消滅するまでの期間

五　前号の期間中において、契約が解除され、又は入居者の死亡により終了した場合における家賃等の前払金の返還額の推移

（契約締結前の書面の交付に係る情報通信の技術を利用する方法）

第二〇条の二　法第十七条第二項の国土交通省令・厚生労働省令で定める方法は、次に掲げるものとする。

一　電子情報処理組織を使用する方法のうち次に掲げるもの

イ　登録事業者の使用に係る電子計算機と登録住宅に入居しようとする者の使用に係る電子計算機とを接続する電気通信回線を通じて書面に記載すべき事項（以下この条において「記載事項」という。）を送信し、受信者ファイル（専ら登録住宅に入居しようとする者の用に供される受信者ファイルをいう。以下この条において同じ。）に記録する方法

ロ　登録事業者の使用に係る電子計算機に備えられたファイルに記録された記載事項を電気通信回線を通じて登録住宅に入居しようとする者の閲覧に供し、登録住宅に入居しようとする者の使用に係る電子計算機に備えられた当該登録住宅に入居しようとする者の受信者ファイルに当該記載事項を記録する方法

ハ　登録事業者の使用に係る電子計算機に備えられた受信者ファイルに記録された記載事項を電気通信回線を通じて登録住宅に入居しようとする者の閲覧に供する方法

二　電磁的記録媒体（電子的方式、磁気的方式その他人の知覚によっては認識することができない方式で作られる記録であって、電子計算機による情報処理の用に供されるものに係る記録媒体をいう。以下同じ。）をもって調製するファイルに記載事項を記録したものを交付する方法

２　前項各号に掲げる方法は、次に掲げる基準に適合するものでなければならない。

一　登録住宅に入居しようとする者が受信者ファイルへの記録を出力することにより書面を作成できるものであること。

二　前項第一号ロに掲げる方法にあっては、記載事項を登録事業者の使用に係る電子計算機に備えられたファイルに記録する旨又は記録した旨を登録住宅に入居しようとする者に対し通知するものであること。ただし、登録住宅に入居しようとする者が当該記載事項を閲覧していたことを確認したときはこの限りではない。

三　前項第一号ハに掲げる方法にあっては、記載事項を登録事業者の使用に係る電子計算機に備えられた受信者ファイルに記録する旨又は記録した旨を登録住宅に入居しようとする者に対し通知するものであること。ただし、登録住宅に入居しようとする者が当該記載事項を閲覧していたことを確認したときはこの限りでない。

（契約締結前の書面の交付に係る電磁的方法の種類及び内容）

第二〇条の三　令第三条第一項の規定により示すべき電磁的方法の種類及び内容は、次に掲げる事項とする。

一　前条第一項各号に掲げる方法のうち登録事業者が使用するもの

二　ファイルへの記録の方式

（契約締結前の書面の交付に係る情報通信の技術を利用した承諾の取得）

第二〇条の四　令第三条第一項の国土交通省令・厚生労働省令で定める方法は、次に掲げるものとする。

一　電子情報処理組織を使用する方法のうちイ又はロに掲げるもの

イ　登録住宅に入居しようとする者の使用に係る電子計算機から電気通信回線を通じて登録事業者の使用に係る電子計算機に令第三条第一項の承諾又は同条第二項の申出（以下この項において「承諾等」という。）をする旨を送信し、当該電子計算機に備えられたファイルに記録する方法

ロ　登録事業者の使用に係る電子計算機に備えられたファイルに記録された前条に規定する電磁的方法の種類及び内容を電気通信回線を通じて登録住宅に入居しようとする者の閲覧に供し、当該電子計算機に備えられたファイルに承諾等をする旨を記録する方法

二　電磁的記録媒体をもって調製するファイルに承諾等をする旨を記録したものを交付する方法

２　前項各号に掲げる方法は、登録事業者がファイルへの記録を出力することにより書面を作成することができるものでなければならない。

（帳簿）

第二一条　法第十九条の国土交通省令・厚生労働省令で定める事項は、次に掲げるものとする。

一　登録住宅の修繕及び改修の実施状況

二　入居者からの金銭の受領の記録

三　入居者に提供した高齢者生活支援サービスの内容

四　緊急やむを得ず入居者に身体的拘束を行った場合にあっては、その態様及び時間、その際の入居者の心身の状況並びに緊急やむを得ない理由

五　入居者に提供した高齢者生活支援サービスに係る入居者及びその家族からの苦情の内容

六　高齢者生活支援サービスの提供により入居者に事故が発生した場合にあっては、その状況及び事故に際して採った処置の内容

七　サービス付き高齢者向け住宅の管理又は高齢者生活支援サービスの提供を委託により他の事業者に行わせる場合にあっては、当該事業者の商号、名称又は氏名及び住所並びに委託に係る契約事項及び業務の実施状況

２　前項各号に掲げる事項が、電子計算機に備えられたファイル又は電磁的記録媒体に記録され、必要に応じ登録事業者において電子計算機その他の機器を用いて明確に紙面に表示されるときは、当該記録をもって法第十九条の帳簿（次項において単に「帳簿」という。）への記載に代えることができる。

３　登録事業者は、帳簿（前項の規定による記録が行われた同項のファイル又は電磁的記録媒体を含む。）を各事業年度の末日をもって閉鎖するものとし、閉鎖後二年間保存しなければならない。

（登録事業者の遵守すべき事項）

第二二条　法第二十条の登録事業者の遵守すべき事項は、次に掲げるものとする。

一　登録事業の業務に関して広告をする場合にあっては、国土交通大臣及び厚生労働大臣が定める表示についての方法を遵守すること。

二　登録事項に変更があったとき、又は添付書類の記載事項に変更があったときは、入居者に対し、その変更の内容を記載した書面を交付して説明すること。ただし、軽微な変更については、この限りでない。

２　登録事業者は、前項第二号の規定による書面の交付に代えて、第四項で定めるところにより、入居者の承諾を得て、当該書面に記載すべき事項（以下この条において「記載事項」という。）を電子情報処理組織を使用する方法その他の情報通信の技術を利用する方法であって次に掲げるもの（以下この条において「電磁的方法」という。）により提供することができる。この場合において、当該登録事業者は、当該書面を交付したものとみなす。

一　電子情報処理組織を使用する方法のうち次に掲げるもの

イ　登録事業者の使用に係る電子計算機と入居者の使用に係る電子計算機とを接続する電気通信回線を通じて記載事項を送信し、入居者の使用に係る電子計算機に備えられた受信者ファイル（専ら入居者の用に供されるファイルをいう。以下この条において同じ。）に記録する方法

ロ　登録事業者の使用に係る電子計算機に備えられたファイルに記録された記載事項を電気通信回線を通じて入居者の閲覧に供し、入居者の使用に係る電子計算機に備えられた当該入居者の受信者ファイルに当該記載事項を記録する方法

ハ　登録事業者の使用に係る電子計算機に備えられた受信者ファイルに記録された記載事項を電気通信回線を通じて入居者の閲覧に供する方法

二　電磁的記録媒体をもって調製するファイルに記載事項を記録したものを交付する方法

3　前項各号に掲げる方法は、次に掲げる基準に適合するものでなければならない。

一　入居者が受信者ファイルへの記録を出力することにより書面を作成できるものであること。

二　前項第一号ロに掲げる方法にあっては、記載事項を登録事業者の使用に係る電子計算機に備えられたファイルに記録する旨又は記録した旨を入居者に対し通知するものであること。ただし、入居者が当該記載事項を閲覧していたことを確認したときはこの限りではない。

三　前項第一号ハに掲げる方法にあっては、記載事項を登録事業者の使用に係る電子計算機に備えられた受信者ファイルに記録する旨又は記録した旨を入居者に対し通知するものであること。ただし、入居者が当該記載事項を閲覧していたことを確認したときはこの限りでない。

4　登録事業者は、第二項の規定により記載事項を提供しようとするときは、あらかじめ、当該入居者に対し、その用いる電磁的方法の種類及び内容を示し、書面又は電子情報処理組織を使用する方法その他の情報通信の技術を利用する方法であって次に掲げるものによる承諾を得なければならない。

一　電子情報処理組織を使用する方法のうちイ又はロに掲げるもの

イ　入居者の使用に係る電子計算機から電気通信回線を通じて登録事業者の使用に係る電子計算機に承諾をする旨を送信し、当該電子計算機に備えられたファイルに記録する方法

ロ　登録事業者の使用に係る電子計算機に備えられたファイルに記録された第六項に規定する電磁的方法の種類及び内容を電気通信回線を通じて入居者の閲覧に供し、当該電子計算機に備えられたファイルに承諾をする旨を記録する方法

二　電磁的記録媒体をもって調製するファイルに承諾をする旨を記録したものを交付する方法

5　前項各号に掲げる方法は、登録事業者がファイルへの記録を出力することにより書面を作成することができるものでなければならない。

6　第四項の規定により示すべき電磁的方法の種類及び内容は、次に掲げる事項とする。

一　第二項各号に掲げる方法のうち登録事業者が使用するもの

二　ファイルへの記録の方式

7　登録事業者は、第四項の承諾を得た場合であっても、入居者から書面又は電子情報処理組織を使用する方法その他の情報通信の技術を利用する方法であって次に掲げるものにより電磁的方法による提供を受けない旨の申出があったときは、当該電磁的方法による提供をしてはならない。ただし、当該申出の後に当該入居者から再び同項の承諾を得た場合は、この限りでない。

一　電子情報処理組織を使用する方法のうちイ又はロに掲げるもの

イ　入居者の使用に係る電子計算機から電気通信回線を通じて登録事業者の使用に係る電子計算機に申出をする旨を送信し、当該電子計算機に備えられたファイルに記録する方法

ロ　登録事業者の使用に係る電子計算機に備えられたファイルに記録された前項に規定する電磁的方法の種類及び内容を電気通信回線を通じて入居者の閲覧に供し、当該電子計算機に備えられたファイルに申出をする旨を記録する方法

二　電磁的記録媒体をもって調製するファイルに申出をする旨を記録したものを交付する方法

8　第五項の規定は、前項各号に掲げる方法について準用する。

（公告の方法）

第二三条　法第二十七条第一項の規定による公告は、都道府県（地方自治法（昭和二十二年法律第六十七号）第二百五十二条の十九第一項の指定都市及び同法第二百五十二条の二十二第一項の中核市においては、それぞれ指定都市又は中核市（以下「指定都市等」という。））の公報によるものとする。

（都道府県知事による登録事務の引継ぎ）

第二四条　都道府県知事は、法第二十八条第三項に規定する場合及び法第三十九条第一項の規定により行っている登録事務を行わないこととする場合にあっては、次に掲げる事項を行わなければならない。

一　登録事務を指定登録機関に引き継ぐこと。

二　登録簿及び登録事務に関する書類を指定登録機関に引き継ぐこと。

三　その他都道府県知事が必要と認める事項

（心身の故障により登録事務を適正に行うことができない者）

第二四条の二　法第二十九条第五号の国土交通省令・厚生労働省令で定める者は、精神の機能の障害により登録事務を適正に行うに当たって必要な認知、判断及び意思疎通を適切に行うことができない者とする。

（登録事務規程の記載事項）

第二五条　法第三十三条第二項の国土交通省令・厚生労働省令で定める事項は、次に掲げるものとする。

一　登録事務を行う時間及び休日に関する事項

二　登録事務を行う事務所に関する事項

三　手数料の収納の方法に関する事項

四　登録事務の実施の方法に関する事項

五　登録の結果の通知に関する事項

六　登録簿並びに登録事務に関する帳簿及び書類の管理に関する事項

七　その他登録事務の実施に関し必要な事項

（帳簿）

第二六条　法第三十四条第一項の登録事務に関する事項で国土交通省令・厚生労働省令で定めるものは、次に掲げるものとする。

一　登録の申請をした者の商号、名称又は氏名及び住所

二　登録の申請に係るサービス付き高齢者向け住宅の位置

三　登録の申請を受けた年月日

四　登録又は拒否の別

五　拒否の場合には、その理由

六　登録を行った年月日

七　登録番号

八　登録の内容

九　その他登録事務に関し必要な事項

2　前項各号に掲げる事項が、電子計算機に備えられたファイル又は電磁的記録媒体に記録され、必要に応じ指定登録機関において電子計算機その他の機器を用いて明確に紙面に表示されるときは、当該記録をもって法第三十四条第一項の帳簿（次項において単に「帳簿」という。）への記載に代えることができる。

3　指定登録機関は、帳簿（前項の規定による記録が行われた同項のファイル又は電磁的記録媒体を含む。）を、登録事務の全部を廃止するまで保存しなければならない。

（書類の保存）

第二七条　法第三十四条第二項の登録事務に関する書類で国土交通省令・厚生労働省令で定めるものは、次に掲げるものとする。

一　登録の申請に係る書類

二　法第十三条第一項第一号の規定による登録の抹消の申請に係る書類

三　その他都道府県知事が必要と認める書類

2　前項各号に掲げる書類が、電子計算機に備えられたファイル又は電磁的記録媒体に記録され、必要に応じ指定登録機関において電子計算機その他の機器を用いて明確に紙面に表示されるときは、当該記録をもって同項の書類に代えることができる。

3　指定登録機関は、第一項の書類（前項の規定による記録が行われた同項のファイル又は電磁的記録媒体を含む。）を、登録事務の全部を廃止するまで保存しなければならない。

（指定登録機関による登録事務の引継ぎ）

第二八条　指定登録機関は、法第三十九条第三項に規定する場合（都道府県知事が、同条第一項の規定により行っている登録事務を行わないこととする場合を除く。）にあっては、次に掲げる事項を行わなければならない。

一　登録事務を都道府県知事に引き継ぐこと。

二　登録簿並びに登録事務に関する帳簿及び書類を都道府県知事に引き継ぐこと。

三　その他都道府県知事が必要と認める事項

（大都市等の特例）

第二九条　この省令中都道府県知事の権限に属する事務は、指定都市等においては、当該指定都市等の長が行うものとする。この場合においては、この省令中都道府県知事に関する規定は、指定都市等の長に関する規定とし

て指定都市等の長に適用があるものとする。

附　則

1　この省令は、高齢者の居住の安定確保に関する法律等の一部を改正する法律の施行の日（平成二十三年十月二十日）から施行する。

2　高齢者の居住の安定確保に関する法律施行令第一条第五号に規定する事業等を定める省令（平成二十一年厚生労働省・国土交通省令第二号）は、廃止する。

附　則〔略〕〔平成二四・三・二三厚生労働・国土交通省令一〕

附　則〔略〕〔平成二四・三・三〇厚生労働・国土交通省令三〕

附　則〔平成二七・三・二七厚生労働・国土交通省令一〕

（施行期日）

1　この省令は、平成二十七年四月一日から施行する。

（経過措置）

2　この省令の施行の際現に高齢者の居住の安定確保に関する法律第五条第一項の登録を受けている者又は同法第六条第一項の登録の申請をしている者の当該登録又は当該申請に係る同法第七条第一項第五号に規定する基準については、第二条の規定による改正後の国土交通省・厚生労働省関係高齢者の居住の安定確保に関する法律施行規則第十一条の規定にかかわらず、なお従前の例による。

3　この省令の施行の際現に提出されている登録申請書の添付書類及び登録申請書の様式は、なお従前の例による。

附　則〔略〕〔平成二八・三・三一厚生労働・国土交通省令一〕

附　則〔略〕〔平成二八・四・二〇厚生労働・国土交通省令二施行〕

附　則〔略〕〔平成二八・八・一九厚生労働・国土交通省令三〕

附　則〔略〕〔平成三〇・三・三〇厚生労働・国土交通省令二〕

附　則〔略〕〔平成三〇・六・一厚生労働・国土交通省令三施行〕

附　則〔令和元・一一・一厚生労働・国土交通省令四〕

（施行期日）

1　この省令は、成年被後見人等の権利の制限に係る措置の適正化等を図るための関係法律の整備に関する法律附則第一条第二号に掲げる規定の施行の日（令和元年十二月十四日）から施行する。

（経過措置）

2　この省令の施行の日前にされた高齢者の居住の安定確保に関する法律第五条第一項の登録の申請であって、この省令の施行の際、登録をするかどうかの処分がされていないものについてのこれらの処分については、なお従前の例による。

附　則〔略〕〔令和二・一二・二三厚生労働・国土交通省令二〕

附　則〔略〕〔令和四・四・二七厚生労働・国土交通省令一〕

附　則〔令和四・七・二〇厚生労働・国土交通省令二〕

（施行期日）

1　この省令は、令和四年九月一日から施行する。

（経過措置）

2　この省令の施行の日前にされた高齢者の居住の安定確保に関する法律第五条第一項の登録（同条第二項の登録の更新を含む。以下この項において同じ。）の申請であって、この省令の施行の際、登録をするかどうかの処分がされていないものについてのこれらの処分については、なお従前の例による。

3　この省令の施行の際現に提出されている登録申請書の様式は、なお従前の例による。

附　則〔略〕〔令和五・一二・二六厚生労働・国土交通省令一施行〕

別記様式〔略〕

○特定優良賃貸住宅の供給の促進に関する法律〔平成五・五・二一法律五二〕

改正　平成六・六法四九、平成一一・一二法一六〇、平成一四・二法一、平成一七・七法八二、平成二三・八法一〇五

（目的）

第一条　この法律は、中堅所得者等の居住の用に供する居住環境が良好な賃貸住宅の供給を促進するための措置を講ずることにより、優良な賃貸住宅の供給の拡大を図り、もって国民生活の安定と福祉の増進に寄与することを目的とする。

（供給計画の認定）

第二条　賃貸住宅の建設及び管理をしようとする者（地方公共団体を除く。）は、国土交通省令で定めるところにより、当該賃貸住宅の建設及び管理に関する計画（以下「供給計画」という。）を作成し、都道府県知事（市の区域内にあっては、当該市の長。以下「都道府県知事等」という。）の認定を申請することができる。

2　供給計画には、次に掲げる事項を記載しなければならない。

一　賃貸住宅の位置
二　賃貸住宅の戸数
三　賃貸住宅の規模、構造及び設備
四　賃貸住宅の建設の事業に関する資金計画
五　賃貸住宅の入居者の資格に関する事項
六　賃貸住宅の家賃その他賃貸の条件に関する事項
七　賃貸住宅の管理の方法及び期間
八　その他国土交通省令で定める事項

（認定の基準）

第三条　都道府県知事等は、前条第一項の認定（以下「計画の認定」という。）の申請があった場合において、当該申請に係る供給計画が次に掲げる基準に適合すると認めるときは、計画の認定をすることができる。

一　賃貸住宅の戸数が国土交通省令で定める戸数以上であること。
二　賃貸住宅の規模、構造及び設備が当該賃貸住宅の入居者の世帯構成等を勘案して国土交通省令で定める基準に適合するものであること。
三　賃貸住宅の建設の事業に関する資金計画が当該事業を確実に遂行するため適切なものであること。
四　賃貸住宅の入居者の資格を、次のイ又はロのいずれかに該当する者であることとしているものであること。

イ　所得が中位にある者でその所得が国土交通省令で定める基準に該当するものであって、自ら居住するため住宅を必要とするもののうち、現に同居し、又は同居しようとする親族（婚姻の届出をしないが事実上婚姻関係と同様の事情にある者その他婚姻の予約者を含む。）があるもの

ロ　イに掲げる者のほか、居住の安定を図る必要がある者として国土交通省令で定めるもの

五　賃貸住宅の家賃の額が近傍同種の住宅の家賃の額と均衡を失しないよう定められるものであること。

六　賃貸住宅の入居者の選定方法その他の賃貸の条件が国土交通省令で定める基準に従い適正に定められるものであること。

七　賃貸住宅の管理の方法が国土交通省令で定める基準に適合するものであること。

八　賃貸住宅の管理の期間が住宅事情の実態を勘案して国土交通省令で定める期間以上であること。

（計画の認定の通知）

第四条　都道府県知事は、計画の認定をしたときは、速やかに、その旨を関係市町村長（特別区の長を含む。）に通知しなければならない。

（供給計画の変更）

第五条　計画の認定を受けた者（以下「認定事業者」という。）は、当該計画の認定を受けた供給計画（以下「認定計画」という。）の変更（国土交通省令で定める軽微な変更を除く。）をしようとするときは、都道府県知事等の認定を受けなければならない。

２　前二条の規定は、前項の場合について準用する。

（特定優良賃貸住宅の管理）

第六条　国土交通大臣は、認定計画（前条第一項の規定による変更の認定があったときは、その変更後のもの。以下同じ。）に基づき建設される賃貸住宅（以下「特定優良賃貸住宅」という。）の管理が適正に行われるよう、認定事業者が特定優良賃貸住宅の管理を行うに当たって配慮すべき事項を定め、これを公表するものとする。

第七条　地方公共団体は、認定事業者に対し、特定優良賃貸住宅の管理に関し必要な助言及び指導を行うよう努めるものとする。

（報告の徴収）

第八条　都道府県知事等は、認定事業者に対し、特定優良賃貸住宅の建設又は管理の状況について報告を求めることができる。

（地位の承継）

第九条　認定事業者の一般承継人又は認定事業者から特定優良賃貸住宅の敷地の所有権その他当該特定優良賃貸住宅の建設及び管理に必要な権原を取得した者は、都道府県知事等の承認を受けて、当該認定事業者が有していた計画の認定に基づく地位を承継することができる。

（改善命令）

第一〇条　都道府県知事等は、認定事業者が認定計画に従って特定優良賃貸住宅の建設又は管理を行っていないと認めるときは、当該認定事業者に対し、相当の期限を定めて、その改善に必要な措置をとるべきことを命ずることができる。

（計画の認定の取消し）

第一一条　都道府県知事等は、認定事業者が前条の規定による処分に違反したときは、計画の認定を取り消すことができる。

２　第四条の規定は、都道府県知事が前項の規定による取消しをした場合について準用する。

（建設に要する費用の補助）

第一二条　地方公共団体は、認定事業者に対して、特定優良賃貸住宅の建設に要する費用の一部を補助することができる。

２　国は、地方公共団体が前項の規定により補助金を交付する場合には、予算の範囲内において、政令で定めるところにより、その費用の一部を補助することができる。

（建設に要する費用の補助を受けた特定優良賃貸住宅の家賃）

第一三条　認定事業者は、前条第一項の規定による補助に係る特定優良賃貸住宅の認定管理期間（認定計画に定められた管理の期間をいう。以下同じ。）における家賃について、当該特定優良賃貸住宅の建設に必要な費用、利息、修繕費、管理事務費、損害保険料、地代に相当する額、公課その他必要な費用を参酌して国土交通省令で定める額を超えて、契約し、又は受領してはならない。

２　前項の特定優良賃貸住宅の建設に必要な費用は、建築物価その他経済事情の著しい変動があった場合として国土交通省令で定める基準に該当する場合には、当該変動後において当該特定優良賃貸住宅の建設に通常要すると認められる費用とする。

（農地所有者等賃貸住宅建設融資利子補給臨時措置法の特例）

第一四条　認定事業者が農地所有者等賃貸住宅建設融資利子補給臨時措置法（昭和四十六年法律第三十二号）第二条第一項の政令で定める都市計画区域に係る市街化区域（都市計画法（昭和四十三年法律第百号）第七条第一項の規定による市街化区域をいう。）の区域内にある農地（採草放牧地を含む。）を転用し、その土地に特定優良賃貸住宅を建設する場合においては、当該特定優良賃貸住宅が農地所有者等賃貸住宅建設融資利子補給臨時措置法第二条第二項に規定する特定賃貸住宅に該当しないものであっても、その規模、構造及び設備が同項の国土交通省令で定める基準に適合し、かつ、同項第一号に掲げる条件に該当する一団地の住宅の全部又は一部をなすと認められるときは、これを同項に規定する特定賃貸住宅とみなして、同法の規定を適用する。

（家賃の減額に要する費用の補助）

第一五条　地方公共団体は、認定事業者が、認定管理期間において、入居者の居住の安定を図るため特定優良賃貸住宅の家賃を減額する場合においては、当該認定事業者に対し、その減額に要する費用の一部を補助することができる。

２　国は、地方公共団体が前項の規定により補助金を交付する場合には、予算の範囲内において、政令で定めるところにより、その費用の一部を補助することができる。

（独立行政法人住宅金融支援機構等の資金の貸付けについての配慮）

第一六条　独立行政法人住宅金融支援機構及び沖縄振興開発金融公庫は、法令及びその事業計画の範囲内において、特定優良賃貸住宅の建設が円滑に行われるよう、必要な資金の貸付けについて配慮するものとする。

（資金の確保等）

第一七条　国及び地方公共団体は、特定優良賃貸住宅の建設のために必要な資金の確保又はその融通のあっせんに努めるものとする。

（地方公共団体による賃貸住宅の建設）

第一八条　地方公共団体は、その区域内において特定優良賃貸住宅その他の第三条第四号イ又はロに掲げる者の居住の用に供する居住環境が良好な賃貸住宅が不足している場合においては、その建設に努めなければならない。

２　国は、地方公共団体が、第三条の基準に準じて国土交通省令で定める基準に従い賃貸住宅の建設及び管理を行う場合においては、予算の範囲内において、政令で定めるところにより、当該建設に要する費用の一部を補助することができる。

３　国は、地方公共団体が、前項の国土交通省令で定める基準に従い建設及び管理をされる賃貸住宅の入居者の居住の安定を図るため当該賃貸住宅の家賃を減額する場合においては、予算の範囲内において、政令で定めるところにより、その減額に要する費用の一部を補助することができる。

（罰則）

第一九条　第十二条第一項の規定による補助を受けた認定事業者が、当該補助に係る特定優良賃貸住宅についての第十条の規定による都道府県知事等の処分に違反したときは、三十万円以下の罰金に処する。

第二〇条　第十三条第一項の規定に違反した者は、三十万円以下の罰金に処する。

第二一条　第八条の規定による報告をせず、又は虚偽の報告をした者は、二十万円以下の罰金に処する。

第二二条　法人の代表者又は法人若しくは人の代理人、使用人その他の従業者がその法人又は人の業務に関し、前三条の違反行為をしたときは、行為者を罰するほか、その法人又は人に対しても各本条の刑を科する。

附　則

（施行期日）

１　この法律は、公布の日から起算して三月を超えない範囲内において政令で定める日から施行する。

〔平成五政二五四により、平成五・七・三〇から施行〕

（国の無利子貸付け等）

２　国は、当分の間、地方公共団体に対し、第十八条第二項の規定により国がその費用について補助することができる賃貸住宅の建設で日本電信電話株式会社の株式の売払収入の活用による社会資本の整備の促進に関する特

別措置法（昭和六十二年法律第八十六号）第二条第一項第二号に該当するものに要する費用に充てる資金について、予算の範囲内において、第十八条第二項の規定により国が補助することができる金額に相当する金額を無利子で貸し付けることができる。

3　前項の国の貸付金の償還期間は、五年（二年以内の据置期間を含む。）以内で政令で定める期間とする。

4　前項に定めるもののほか、附則第二項の規定による貸付金の償還方法、償還期限の繰上げその他償還に関し必要な事項は、政令で定める。

5　国は、附則第二項の規定により地方公共団体に対し貸付けを行った場合には、当該貸付けの対象である賃貸住宅の建設について、第十八条第二項の規定による当該貸付金に相当する金額の補助を行うものとし、当該補助については、当該貸付金の償還時において、当該貸付金の償還金に相当する金額を交付することにより行うものとする。

6　地方公共団体が、附則第二項の規定による貸付けを受けた無利子貸付金について、附則第三項及び第四項の規定に基づき定められる償還期限を繰り上げて償還を行った場合（政令で定める場合を除く。）における前項の規定の適用については、当該償還は、当該償還期限の到来時に行われたものとみなす。

附　則〔略〕〔平成六・六・二九法律四九〕

附　則〔略〕〔平成一一・一二・二二法律一六〇〕

附　則〔略〕〔平成一四・二・八法律一〕

附　則〔略〕〔平成一七・七・六法律八二〕

附　則〔抄〕〔平成二三・八・三〇法律一〇五〕

（施行期日）

第一条　この法律は、公布の日から施行する。ただし、次の各号に掲げる規定は、当該各号に定める日から施行する。

一　〔略〕

二　〔前略〕第百四十五条〔中略〕の規定並びに附則〔中略〕第六十一条から第六十九条まで〔中略〕の規定　平成二十四年四月一日

三〜六　〔略〕

（特定優良賃貸住宅の供給の促進に関する法律の一部改正に伴う経過措置）

第六五条　第百四十五条の規定の施行の際現に効力を有する同条の規定による改正前の特定優良賃貸住宅の供給の促進に関する法律（以下この条において「旧特定優良賃貸住宅法」という。）第三条、第五条若しくは第八条から第十条までの規定により都道府県知事が行った認定その他の行為又は現に旧特定優良賃貸住宅法第二条第一項、第五条第一項若しくは第九条の規定により都道府県知事に対して行っている認定若しくは承認の申請で、第百四十五条の規定による改正後の特定優良賃貸住宅の供給の促進に関する法律第二条第一項、第三条、第五条又は第八条から第十条までの規定により市長が行うこととなる事務に係るものは、それぞれこれらの規定により当該市長が行った認定その他の行為又は当該市長に対して行った認定若しくは承認の申請とみなす。

（罰則に関する経過措置）

第八一条　この法律（附則第一条各号に掲げる規定にあっては、当該規定。以下この条において同じ。）の施行前にした行為及びこの附則の規定によりなお従前の例によることとされる場合におけるこの法律の施行後にした行為に対する罰則の適用については、なお従前の例による。

（政令への委任）

第八二条　この附則に規定するもののほか、この法律の施行に関し必要な経過措置（罰則に関する経過措置を含む。）は、政令で定める。

○特定優良賃貸住宅の供給の促進に関する法律施行令〔平成五・七・二三 政令二五五〕

改正　平成七・三政七六、平成一二・六政三一二、平成一四・二政二七

（特定優良賃貸住宅の建設に要する費用に係る国の補助）

第一条　特定優良賃貸住宅の供給の促進に関する法律（以下「法」という。）第十二条第二項の規定による国の地方公共団体に対する補助金の額は、次に掲げる額とする。

一　地方住宅供給公社その他の国土交通省令で定める者が行う特定優良賃貸住宅の建設については、その建設に要する費用（土地の取得及び造成に要する費用を除く。以下この条及び第三条において同じ。）に対して地方公共団体が補助する額（その額が建設に要する費用の三分の一に相当する額を超える場合においては、当該三分の一に相当する額）に二分の一を乗じて得た額

二　前号の国土交通省令で定める者以外の者が行う特定優良賃貸住宅の建設については、その建設に要する費用のうち共同住宅の共用部分及び入居者の共同の福祉のため必要な施設であって国土交通省令で定めるもの（以下この号において「共同住宅の共用部分等」という。）に係る費用に対して地方公共団体が補助する額（その額が共同住宅の共用部分等に係る費用の三分の二に相当する額を超える場合においては、当該三分の二に相当する額）に二分の一を乗じて得た額

（特定優良賃貸住宅の家賃の減額に要する費用に係る国の補助）

第二条　法第十五条第二項の規定による国の地方公共団体に対する補助金の額は、次に掲げる額とする。

一　所得が比較的少ない入居者でその所得が国土交通省令で定める基準以下のものに係る家賃の減額については、その減額に要する費用に対して地方公共団体が補助する額（減額前の家賃の額から入居者の所得、住宅の規模等を勘案して国土交通大臣が定めるところにより算定した額を控除した額を限度とする。）に二分の一を乗じて得た額

二　前号に規定する入居者以外の入居者でその所得が国土交通省令で定める基準以下のものに係る家賃の減額については、その減額に要する費用に対して地方公共団体が補助する額（減額前の家賃の額から入居者の所得、住宅の規模等を勘案して国土交通大臣が定めるところにより算定した額を控除した額を限度とする。）に三分の一を乗じて得た額

（地方公共団体が行う賃貸住宅の建設に要する費用の補助）

第三条　法第十八条第二項の規定による国の地方公共団体に対する補助金の

額は、地方公共団体が行う賃貸住宅の建設に要する費用の額に三分の一を乗じて得た額とする。

（**地方公共団体が行う賃貸住宅の家賃の減額に要する費用の補助**）

第四条　法第十八条第三項の規定による国の地方公共団体に対する補助金の額は、次に掲げる額とする。

一　第二条第一号に規定する入居者に係る家賃の減額については、その減額に要する費用の額（減額前の家賃の額から同号の規定により国土交通大臣が定めるところにより算定した額を控除した額を限度とする。）に二分の一を乗じて得た額

二　第二条第二号に規定する入居者に係る家賃の減額については、その減額に要する費用の額（減額前の家賃の額から同号の規定により国土交通大臣が定めるところにより算定した額を控除した額を限度とする。）に三分の一を乗じて得た額

附　則

（**施行期日**）

1　この政令は、特定優良賃貸住宅の供給の促進に関する法律の施行の日（平成五年七月三十日）から施行する。

（**阪神・淡路大震災に係る国の補助の特例**）

2　阪神・淡路大震災により相当数の住宅が滅失した市町村で滅失した住宅の戸数その他の住宅の被害の程度について被災市街地復興特別措置法（平成七年法律第十四号）第二十一条の建設省令で定める基準に適合するものの区域内において阪神・淡路大震災により滅失した住宅に居住していた者又は当該市町村の区域内において実施される都市計画法（昭和四十三年法律第百号）第四条第十五項に規定する都市計画事業その他被災市街地復興特別措置法第二十一条の建設省令で定める市街地の整備改善及び住宅の供給に関する事業の実施に伴い移転が必要となった者に賃貸するため行われる特定優良賃貸住宅の建設に要する費用についての第一条第二号の規定の適用については、同号中「三分の二」とあるのは、「五分の四」とする。

（**国の貸付金の償還期間等**）

3　法附則第三項に規定する政令で定める期間は、五年（二年の据置期間を含む。）とする。

4　前項に規定する期間は、日本電信電話株式会社の株式の売払収入の活用による社会資本の整備の促進に関する特別措置法（昭和六十二年法律第八十六号）第五条第一項の規定により読み替えて準用される補助金等に係る予算の執行の適正化に関する法律（昭和三十年法律第百七十九号）第六条第一項の規定による貸付けの決定（以下「貸付決定」という。）ごとに、当該貸付決定に係る法附則第二項の規定による国の貸付金（以下「国の貸付金」という。）の交付を完了した日（その日が当該貸付決定があった日の属する年度の末日の前日以後の日である場合には、当該年度の末日の前々日）の翌日から起算する。

5　国の貸付金の償還は、均等年賦償還の方法によるものとする。

6　国は、国の財政状況を勘案し、相当と認めるときは、国の貸付金の全部又は一部について、前三項の規定により定められた償還期限を繰り上げて償還させることができる。

7　法附則第六項に規定する政令で定める場合は、前項の規定により償還期限を繰り上げて償還を行った場合とする。

附　則〔平成七・三・二三政令七六〕

（**施行期日**）

1　この政令は、公布の日から施行する。

（**経過措置**）

2　改正後の附則第二項の規定は、この政令の施行の日以後に建設の工事に着手する特定優良賃貸住宅から適用し、同日前に建設の工事に着手した特定優良賃貸住宅については、なお従前の例による。

附　則〔略〕〔平成一二・六・七政令三一二〕

附　則〔抄〕〔平成一四・二・八政令二七〕

（**施行期日**）

第一条　この政令は、公布の日から施行する。

○住宅地区改良法〔昭和三五・五・一七 法律八四〕

改正　昭和三七・九法一六一、昭和四二・七法七五、昭和四三・六法一〇一、昭和四四・六法四一、昭和四九・六法七一、昭和五〇・一二法九〇、昭和五六・五法四八、昭和六二・九法八七、平成四・六法八二、平成五・一一法八九、平成六・六法四九、平成八・五法五五、平成一一・六法七六、七法八七、一二法一六〇、平成一四・二法一、平成一五・六法一〇〇、平成一七・六法七八、平成二三・八法一〇五、平成二六・六法六九、令和五・六法六三

目次

第一章　総則（第一条―第四条）
第二章　住宅地区改良事業
第一節　事業計画（第五条―第八条）
第二節　改良地区の整備、改良住宅の建設等（第九条―第十九条）
第三節　測量及び調査（第二十条―第二十四条）
第四節　費用の負担及び補助（第二十五条―第二十九条）
第五節　補則（第三十条―第三十二条）
第三章　雑則（第三十三条―第三十六条の三）
第四章　罰則（第三十七条―第三十九条）
附則

第一章　総則

（**目的**）

第一条　この法律は、不良住宅が密集する地区の改良事業に関し、事業計画、改良地区の整備、改良住宅の建設その他必要な事項について規定することにより、当該地区の環境の整備改善を図り、健康で文化的な生活を営むに足りる住宅の集団的建設を促進し、もつて公共の福祉に寄与することを目的とする。

（**定義**）

第二条　この法律において「住宅地区改良事業」とは、この法律で定めるところに従つて行なわれる改良地区の整備及び改良住宅の建設に関する事業並びにこれに附帯する事業をいう。

2　この法律において「施行者」とは、住宅地区改良事業を施行する者をいう。

3　この法律において「改良地区」とは、第四条の規定により指定された土地の区域をいう。

4　この法律において「不良住宅」とは、主として居住の用に供される建築物又は建築物の部分でその構造又は設備が著しく不良であるため居住の用に供することが著しく不適当なものをいう。

5　不良住宅の判定の基準に関し必要な事項は、政令で定める。

6　この法律において「改良住宅」とは、第十七条の規定により施行者が建設する住宅及びその附帯施設をいう。

7　この法律において「地区施設」とは、児童遊園、共同浴場、集会所、共同作業場その他改良地区内に建設される住宅の居住者の共同の福祉又は利便のため必要な施設で政令で定めるものをいう。

8　この法律において「公共施設」とは、道路、公園、広場その他公共の用に供する施設で政令で定めるものをいう。

（施行者）

第三条　住宅地区改良事業は、市町村が施行する。

2　都道府県は、市町村が住宅地区改良事業を施行することが困難な場合その他特別の事情がある場合においては、住宅地区改良事業を施行することができる。

（改良地区）

第四条　国土交通大臣は、不良住宅が密集して、保安、衛生等に関し危険又は有害な状況にある一団地で政令で定める基準に該当するものを改良地区として指定することができる。

2　前項の規定による指定は、住宅地区改良事業を施行しようとする者の申出に基づいてしなければならない。この場合において、市町村がその申出をしようとするときは、都道府県知事を経由してしなければならない。

3　前項の規定による申出は、都市計画法（昭和四十三年法律第百号）第五条の規定により指定された都市計画区域内の土地については、都道府県がするものにあつては都道府県都市計画審議会、市町村がするものにあつては市町村都市計画審議会の議を経てしなければならない。ただし、申出をする市町村に市町村都市計画審議会が置かれていない場合にあつては、都道府県知事が、市町村の申出を進達する際にこれを都道府県都市計画審議会の議に付するものとする。

4　第一項の規定による指定は、国土交通省令で定めるところにより、官報に告示することによつて行なう。

5　第一項の規定により指定があつたときは、第二項の申出をした者は、国土交通省令で定めるところにより、その旨を改良地区内の適当な場所に掲示するとともに、当該指定の内容を電気通信回線に接続して行う自動公衆送信（公衆によつて直接受信されることを目的として公衆からの求めに応じ自動的に送信を行うことをいい、放送又は有線放送に該当するものを除く。第八条第二項において同じ。）により公衆の閲覧に供しなければならない。

第二章　住宅地区改良事業

第一節　事業計画

（事業計画の決定）

第五条　施行者は、国土交通省令で定めるところにより国土交通大臣に協議の上、事業計画を定めなければならない。この場合において、市町村がその協議をしようとするときは、都道府県知事を通じてしなければならない。

2　前項の規定は、施行者が事業計画を変更しようとする場合（政令で定める軽微な変更をしようとする場合を除く。）に準用する。

（事業計画）

第六条　事業計画においては、改良地区内の土地の利用に関する基本計画及び住宅地区改良事業の実施計画を定めなければならない。

2　改良地区内の土地の利用に関する基本計画においては、次の各号に掲げる事項を定めなければならない。

一　住宅並びに公共施設、地区施設及びその他の施設の用に供すべき土地の規模及び配置
二　公共施設、地区施設及びその他の施設の種類
三　その他国土交通省令で定める事項

3　住宅地区改良事業の実施計画においては、次の各号に掲げる事項を定めなければならない。

一　住宅地区改良事業を施行する土地の区域
二　改良住宅の建設戸数
三　工事の設計
四　資金計画
五　その他国土交通省令で定める事項

4　事業計画は、環境の整備改善を図り、災害を防止し、衛生を向上し、その他改良地区を健全な住宅地区に形成するように定めなければならない。

5　事業計画は、公共施設その他の施設に関する都市計画が定められている場合においては、その都市計画に適合して定めなければならない。

6　公共施設その他の施設に関する都市計画が定められているため改良地区内に住宅を建設することができないことその他特別の事情により第四項の規定を適用し難い場合においては、改良地区内の土地の利用に関する基本計画は、定めることを要しない。

7　改良地区内の土地の利用に関する基本計画において住宅の用に供すべきものと定められた土地に建設される住宅は、改良住宅、公営住宅法（昭和二十六年法律第百九十三号）の規定による公営住宅又は一団地の住宅施設に関する都市計画事業により建設される住宅とする。

8　この法律に規定するもののほか、事業計画の設定の技術的基準その他事業計画に関し必要な事項は、国土交通省令で定める。

（事業計画に関する協議）

第七条　施行者は、事業計画を定め、又は変更しようとするときは、あらかじめ、事業計画又はその変更に関係のある次に掲げる者に協議しなければならない。

一　公共施設の管理者又は管理者となるべき者
二　地区施設の設置について許可、認可その他の処分をする権限を有する行政機関
三　改良地区内において住宅経営をしようとする地方公共団体及び一団地の住宅施設に関する都市計画事業を行う者

（事業計画又はその変更の告示）

第八条　施行者は、事業計画を定めたときは、国土交通省令で定めるところにより、その旨を告示しなければならない。

2　前項の告示をしたときは、施行者は、国土交通省令で定めるところにより、その旨を改良地区内の適当な場所に掲示するとともに、当該事業計画の内容を電気通信回線に接続して行う自動公衆送信により公衆の閲覧に供しなければならない。

3　前二項の規定は、事業計画を変更した場合（政令で定める軽微な変更をした場合を除く。）について準用する。

第二節　改良地区の整備、改良住宅の建設等

（建築行為等の制限）

第九条　前条第一項の告示があつた日後、改良地区内において、住宅地区改良事業の施行の障害となるおそれがある土地の形質の変更若しくは建築物その他の工作物の新築、改築若しくは増築を行い、又は政令で定める移動の容易でない物件の設置若しくは堆積を行おうとする者は、都道府県知事（市が施行する住宅地区改良事業の区域内にあつては、当該市の長。以下「都道府県知事等」という。）の許可を受けなければならない。

2　都道府県知事等は、前項に規定する許可の申請があつた場合において、その許可を与えようとするときは、あらかじめ、施行者の意見を聴かなければならない。

3　都道府県知事等は、第一項に規定する許可をする場合において、住宅地区改良事業の施行のため必要があると認めるときは、許可に期限その他必要な条件を付することができる。この場合において、これらの条件は、当該許可を受けた者に不当な義務を課するものであつてはならない。

4　都道府県知事等は、第一項の規定に違反し、又は前項の規定により付した条件に違反した者がある場合においては、これらの者又はこれらの者から当該土地、建築物その他の工作物又は物件についての権利を承継した者に対して、相当の期限を定めて、住宅地区改良事業の施行に対する障害を排除するため必要な限度において、当該土地の原状回復又は当該建築物その他の工作物若しくは物件の移転若しくは除却を命ずることができる。

5　前項の規定により土地の原状回復又は建築物その他の工作物若しくは物件の移転若しくは除却を命じようとする場合において、過失がなくてその原状回復又は移転若しくは除却を命ずべき者を確知することができないと

きは、都道府県知事等は、それらの者の負担において、その措置を自ら行い、又はその命じた者若しくは委任した者にこれを行わせることができる。この場合においては、相当の期限を定めて、これを原状回復し、又は移転し、若しくは除却すべき旨及びその期限までに原状回復し、又は移転し、若しくは除却しないときは、都道府県知事等又はその命じた者若しくは委任した者が、原状回復し、又は移転し、若しくは除却する旨を、政令で定めるところにより、公告しなければならない。

6　前項の規定により土地を原状回復し、又は建築物その他の工作物若しくは物件を移転し、若しくは除却しようとする者は、その身分を示す証明書を携帯し、関係人の請求があつた場合においては、これを提示しなければならない。

（不良住宅の除却）

第一〇条　施行者は、改良地区内の不良住宅を除却しなければならない。

（不良住宅の収用等）

第一一条　施行者は、改良地区内の不良住宅を除却するため必要がある場合においては、当該不良住宅又はこれに関する所有権以外の権利を収用することができる。

2　施行者は、改良地区内の不良住宅を除却するため必要がある場合においては、改良地区内の不良住宅の占有者で当該不良住宅に関し施行者に対抗することができる権利を有しないものに対して、相当の期限を定めて、これを明け渡すべきことを命ずることができる。

（土地の整備）

第一二条　施行者は、改良地区内の土地の利用に関する基本計画に従つて、改良地区内の土地について区画形質の変更、整地その他健全な住宅地区を形成するため必要な整備を行なわなければならない。

（土地の整備のための土地の収用等）

第一三条　施行者は、前条の規定による土地の整備のため必要がある場合においては、改良地区内の土地又はその土地にある土地収用法（昭和二十六年法律第二百十九号）第五条第一項各号に掲げる権利を収用することができる。

2　施行者は、前条の規定による土地の整備のため必要がある場合においては、改良地区内の不良住宅以外の建築物、工作物その他の物件の所有者で当該物件の存する土地に関し施行者に対抗することができる権利を有しないものに対して、相当の期限を定めて、当該物件の移転を命じ、当該物件の占有者で当該物件に関し所有者に対抗することができる権利を有しないものに対して、相当の期限を定めて、当該物件を所有者に引き渡すべきことを命ずることができる。

（一時収容施設の設置）

第一四条　施行者は、第十八条の規定により改良住宅に入居させるべき者を一時収容するため必要がある場合においては、これに必要な施設を設置しなければならない。

（一時収容施設等の設置のための土地等の使用）

第一五条　施行者は、前条の施設その他改良地区内における住宅地区改良事業の施行のため欠くことのできない材料置場等の施設を設置するため必要な土地又はこれに関する所有権以外の権利を使用することができる。

（土地収用法の適用）

第一六条　第十一条第一項若しくは第十三条第一項の規定による収用又は前条の規定による使用に関しては、この法律に特別の規定がある場合のほか、土地収用法の規定を適用する。

2　前項に規定する収用又は使用については、土地収用法第二十八条の三（同法第百三十八条第一項において準用する場合を含む。）及び第百四十二条の規定は適用せず、同法第八十九条第三項中「第二十八条の三第一項」とあるのは、「住宅地区改良法第九条第一項」とする。

3　前項の規定は、改良地区外の土地又はこれに関する所有権以外の権利を使用する場合には、適用しない。

（改良住宅の建設）

第一七条　施行者は、改良地区の指定の日において、改良地区内に居住する者で、住宅地区改良事業の施行に伴いその居住する住宅を失うことにより、住宅に困窮すると認められるものの世帯の数に相当する戸数の住宅を建設しなければならない。

2　施行者は、前項の規定により建設しなければならない住宅の戸数が、次条の規定により改良住宅に入居させるべき者の世帯の数に比較して過不足を生ずることが明らかとなつた場合においては、これを増減することができる。

3　第一項の規定により建設する住宅は、第六条第六項に規定する場合その他特別の事情がある場合を除き、改良地区内に建設しなければならない。

4　第一項の規定により建設する住宅は、原則として、建築基準法（昭和二十五年法律第二百一号）に規定する耐火建築物又は準耐火建築物としなければならない。

（改良住宅に入居させるべき者）

第一八条　施行者は、次の各号に掲げる者で、改良住宅への入居を希望し、かつ、住宅に困窮すると認められるものを改良住宅に入居させなければならない。

一　次に掲げる者で住宅地区改良事業の施行に伴い住宅を失つたもの

イ　改良地区の指定の日から引き続き改良地区内に居住していた者。ただし、改良地区の指定の日後に別世帯を構成するに至つた者を除く。

ロ　イただし書に該当する者及び改良地区の指定の日後に改良地区内に居住するに至つた者。ただし、政令で定めるところにより、施行者が承認した者に限る。

ハ　改良地区の指定の日後にイ又はロに該当する者と同一の世帯に属するに至つた者

二　前号イ、ロ又はハに該当する者で改良地区の指定の日後に改良地区内において災害により住宅を失つたもの

三　前二号に掲げる者と同一の世帯に属する者

（整備完了後の土地の引渡し）

第一九条　施行者は、遅滞なく、事業計画で定めるところに従つて、第七条第一号若しくは第三号に掲げる者又は地区施設その他の施設を設置すべき者にその土地を引き渡さなければならない。

第三節　測量及び調査

（測量及び調査のための土地の立入り等）

第二〇条　都道府県知事又は市町村長は、住宅地区改良事業の施行の準備又は施行のため他人の占有する土地に立ち入つて測量又は調査を行なう必要がある場合においては、その必要の限度において、他人の占有する土地に、自ら立ち入り、又はその命じた者若しくは委任した者に立ち入らせることができる。

2　前項の規定により他人の占有する土地に立ち入ろうとする者は、立ち入ろうとする日の三日前までにその旨を土地の占有者に通知しなければならない。

3　第一項の規定により、建築物が所在し、又はかき、さく等で囲まれた他人の占有する土地に立ち入ろうとする場合においては、その立ち入ろうとする者は、立入りの際、あらかじめ、その旨をその土地の占有者に告げなければならない。

4　日出前及び日没後においては、土地の占有者の承諾があつた場合を除き、前項に規定する土地に立ち入つてはならない。

5　土地の占有者は、正当な理由がない限り、第一項の規定による立入りを拒み、又は妨げてはならない。

（障害物の伐除及び土地の試掘等）

第二一条　前条第一項の規定により他人の占有する土地に立ち入つて測量又は調査を行う者は、その測量又は調査を行うに当たり、やむを得ない必要があつて、障害となる植物若しくは垣、柵等（以下「障害物」という。）を伐除しようとする場合又は当該土地に試掘若しくはボーリング若しくはこれらに伴う障害物の伐除（以下「試掘等」という。）を行おうとする場合において、当該障害物又は当該土地の所有者及び占有者の同意を得ることができないときは、当該障害物の所在地を管轄する市町村長の許可を受けて当該障害物を伐除し、又は当該土地の所在地を管轄する都道府県知事等の許可を受けて当該土地に試掘等を行うことができる。この場合において、市町村長が許可を与えようとするときは障害物の所有者及び占有者に、都道府県知事等が許可を与えようとするときは土地又は障害物の所有者及び占有者に、あらかじめ、意見を述べる機会を与えなければならない。

2　前項の規定により障害物を伐除しようとする者又は土地に試掘等を行なおうとする者は、伐除しようとする日又は試掘等を行なおうとする日の三日前までに、当該障害物又は当該土地若しくは障害物の所有者及び占有者に通知しなければならない。

3　第一項の規定により障害物を伐除しようとする場合（土地の試掘又はボーリングに伴う障害物の伐除をしようとする場合を除く。）において、当該障害物の所有者及び占有者がその場所にいないためその同意を得ることが困難であり、かつ、その現状を著しく損傷しないときは、都道府県知事若しくは市町村長又はその命じた者若しくは委任した者は、前二項の規定にかかわらず、当該障害物の所在地を管轄する市町村長の許可を受けて、ただちに、当該障害物を伐除することができる。この場合においては、当該障害物を伐除した後、遅滞なく、その旨をその所有者及び占有者に通知しなければならない。

（証明書等の携帯）

第二二条　第二十条第一項の規定により他人の占有する土地に立ち入ろうとする者は、その身分を示す証明書を携帯しなければならない。

2　前条の規定により障害物を伐除しようとする者又は土地に試掘等を行おうとする者は、その身分を示す証明書及び市町村長又は都道府県知事等の許可証を携帯しなければならない。

3　前二項に規定する証明書又は許可証は、関係人の請求があつた場合においては、これを提示しなければならない。

（土地の立入り等に伴う損失の補償）

第二三条　都道府県又は市町村は、第二十条第一項又は第二十一条第一項若しくは第三項の規定による行為により他人に損失を与えた場合においては、その損失を受けた者に対して、通常生ずべき損失を補償しなければならない。

2　前項の規定による損失の補償については、損失を与えた者と損失を受けた者が協議しなければならない。

3　前項の規定による協議が成立しない場合においては、損失を与えた者又は損失を受けた者は、政令で定めるところにより、収用委員会に土地収用法第九十四条第二項の規定による裁決を申請することができる。

（測量のための標識の設置）

第二四条　都道府県又は市町村は、住宅地区改良事業の施行の準備又は施行に必要な測量を行なうため必要がある場合においては、国土交通省令で定める標識を設けることができる。

2　何人も、前項の規定により設けられた標識を設置者の承諾を得ないで移転し、若しくは除却し、又は汚損し、若しくは損壊してはならない。

第四節　費用の負担及び補助

（費用の負担）

第二五条　住宅地区改良事業に要する費用は、この法律に特別の規定がある場合のほか、施行者の負担とする。

（受益者負担金）

第二六条　施行者は、不良住宅の除却により著しく利益を受ける者がある場合においては、条例で定めるところにより、それらの者にその利益を受ける限度において、除却に要した費用の全部又は一部を負担させることができる。

（国の補助）

第二七条　国は、施行者に対して、不良住宅の除却（除却のための取得を含む。）に要する費用について、予算の範囲内において、政令で定めるところにより、その二分の一以内を補助することができる。

2　国は、施行者に対して、改良住宅の建設（建設のため必要な土地の取得及びその土地を宅地に造成することを含む。）に要する費用について、予算の範囲内において、政令で定めるところにより、その三分の二以内を補助することができる。

3　前二項の規定による国の補助金額の算定については、第一項に規定する不良住宅の除却又は前項に規定する改良住宅の建設に要する費用が国土交通大臣の定める標準除却費又は標準建設費をこえる場合においては、それぞれ標準除却費又は標準建設費をその費用とみなす。

（都道府県の補助）

第二八条　都道府県は、住宅地区改良事業を施行する市町村に対して、補助金を交付することができる。

（国の補助に係る改良住宅の管理及び処分）

第二九条　第二十七条第二項の規定により国の補助を受けて建設された改良住宅の管理及び処分については、第三項に定めるもののほか、改良住宅を公営住宅法に規定する公営住宅とみなして、同法第十五条、第十八条から第二十四条まで、第二十五条第一項、第二十七条第一項から第四項まで、第三十二条第一項及び第三項、第三十三条、第三十四条、第四十四条、第四十六条並びに第四十八条の規定を準用する。ただし、同法第二十二条から第二十四条まで及び第二十五条第一項の規定は、第十八条の規定により改良住宅に入居させるべき者が入居せず、又は居住しなくなつた場合に限る。

2　前項の規定による公営住宅法の規定の準用について必要な技術的読替えは、政令で定める。

3　第一項の改良住宅の家賃及び敷金の決定及び変更並びに収入超過者に対する措置については、公営住宅法の一部を改正する法律（平成八年法律第五十五号）の規定による改正前の公営住宅法（以下この項において「旧公営住宅法」という。）第二条第四号の第二種公営住宅に係る旧公営住宅法第十二条、第十三条（建設大臣の承認に係る部分を除く。）、第二十一条の二及び第二十一条の四前段の規定による家賃及び敷金の決定及び変更並びに収入超過者に対する措置の例による。この場合において、旧公営住宅法第十三条第三項中「建設大臣」とあるのは「国土交通大臣」と、「政令で定める審議会」とあるのは「社会資本整備審議会」とする。

第五節　補則

（関係図書の備付け）

第三〇条　施行者は、国土交通省令で定めるところにより、事業計画に関する図書をその事務所に備え付けておかなければならない。

2　利害関係人から前項の図書の閲覧の請求があつた場合においては、施行者は、正当な理由がないのに、これを拒んではならない。

（書類の送付にかわる公告）

第三一条　施行者は、住宅地区改良事業の施行に関し書類を送付する場合において、送付を受けるべき者がその書類の受領を拒んだとき、又は過失がなくてその者の住所、居所その他書類を送付すべき場所を確知することができないときは、政令で定めるところにより、その書類の内容を公告することをもつて書類の送付にかえることができる。

2　前項の公告があつた場合においては、その公告があつた日から起算して十日を経過した日に、当該書類が送付を受けるべき者に到達したものとみなす。

第三章　雑則

（技術的援助の請求）

第三二条　市町村は国土交通大臣又は都道府県知事に対して、都道府県は国土交通大臣に対して、住宅地区改良事業の施行の準備又は施行のため、それぞれ住宅地区改良事業に関し専門的知識を有する職員の技術的援助を求めることができる。

（是正の要求）

第三三条　国土交通大臣は、都道府県知事若しくは市町村長又は施行者に対して、これらの者が行う処分又は工事が、この法律、この法律に基づく命令又はこれらに基づく国土交通大臣の処分に違反していると認められる場合においては、住宅地区改良事業の適正な施行を確保するため必要な限度において、その処分の取消し、変更若しくは停止又はその工事の中止若しくは変更その他必要な措置を講ずべきことを求めることができる。

2　都道府県知事若しくは市町村長又は施行者は、前項の規定による要求を受けたときは、当該処分の取消し、変更若しくは停止又は当該工事の中止若しくは変更その他必要な措置を講じなければならない。

（報告、勧告等）

第三四条　国土交通大臣は都道府県又は市町村に対して、都道府県知事は市町村に対して、住宅地区改良事業の施行又は改良住宅の管理及び処分に関し、この法律の施行のため必要な限度において、報告若しくは資料の提出を求め、又は住宅地区改良事業の施行の促進を図り、若しくは改良住宅の管理及び処分を適正に行なわせるため必要な勧告、助言若しくは援助をすることができる。

（再審査請求）

第三五条　第十一条第二項又は第十三条第二項に規定する処分についての審査請求の裁決に不服がある者は、国土交通大臣に対して再審査請求をすることができる。

（協議）

第三六条　国土交通大臣は、次の各号に掲げる事項に関する処分をしようとするときは、あらかじめ、厚生労働大臣と協議しなければならない。

一　第四条の規定による改良地区の指定

二　第二十九条第一項において準用する公営住宅法第四十四条第一項の規定による譲渡の承認又は同条第三項の規定による用途廃止の承認

三　第二十九条第一項において準用する公営住宅法第四十六条第一項の規定による譲渡の承認

（権限の委任）

第三六条の二　この法律に規定する国土交通大臣の権限は、国土交通省令で定めるところにより、その一部を地方整備局長又は北海道開発局長に委任することができる。

（事務の区分）

第三六条の三　第四条第二項及び第五条並びに第二十九条第一項において準用する公営住宅法第四十四条第六項及び第四十六条第二項の規定により都道府県が処理することとされている事務は、地方自治法（昭和二十二年法律第六十七号）第二条第九項第一号に規定する第一号法定受託事務とする。

第四章　罰則

第三七条　次の各号のいずれかに該当する者は、六月以下の懲役又は三万円以下の罰金に処する。

一　第九条第四項の規定による命令に違反して、土地の原状回復をせず、又は建築物その他の工作物若しくは物件を移転し、若しくは除却しなかつた者

二　第二十条第一項の規定による土地の立入りを拒み、又は妨げた者

三　第二十一条第一項に規定する場合において、市町村長の許可を受けないで障害物を伐除した者又は都道府県知事等の許可を受けないで土地に試掘等を行つた者

第三八条　次の各号の一に該当する者は、三万円以下の罰金に処する。

一　第十一条第二項の規定による命令に違反して、不良住宅を明け渡さなかつた者

二　第十三条第二項の規定による命令に違反して、建築物、工作物その他の物件を移転せず、又は所有者に引き渡さなかつた者

三　第二十四条第二項の規定に違反して、同条第一項の規定による標識を移転し、除却し、汚損し、又は損壊した者

第三九条　法人の代表者又は法人若しくは人の代理人、使用人その他の従業者がその法人又は人の業務又は財産に関し、前二条の違反行為をしたときは、行為者を罰するほか、その法人又は人に対して各本条の罰金刑を科する。

附　則〔抄〕

（施行期日）

1　この法律は、公布の日から施行する。

（不良住宅地区改良法の廃止）

2　不良住宅地区改良法（昭和二年法律第十四号）は、廃止する。

（住宅地区改良法の一部改正に伴う経過措置）

7　公営住宅法の一部を改正する法律（昭和四十四年法律第四十一号）附則第四項の規定は、同法の施行の際現に都道府県又は市町村が同法附則第十項の規定による改正前の住宅地区改良法（以下「旧住宅地区改良法」という。）第二十九条第一項において準用する公営住宅法の一部を改正する法律による改正前の公営住宅法（以下「旧公営住宅法」という。）第十三条第一項の規定により建設大臣にしている改良住宅の家賃の変更（変更後の家賃が旧住宅地区改良法第二十九条第一項において準用する旧公営住宅法第十二条第一項に規定する限度をこえるものに限る。）又は家賃の定めについての承認の申請について準用する。

（国の無利子貸付け等）

8　国は、当分の間、施行者に対し、第二十七条第一項又は第二項の規定により国がその費用について補助することができる同条第一項に規定する不良住宅の除却又は同条第二項に規定する改良住宅の建設で日本電信電話株式会社の株式の売払収入の活用による社会資本の整備の促進に関する特別措置法（昭和六十二年法律第八十六号。以下「社会資本整備特別措置法」という。）第二条第一項第二号に該当するものに要する費用に充てる資金について、予算の範囲内において、第二十七条の規定（この規定による国の補助の割合について、この規定と異なる定めをした法令の規定がある場合には、当該異なる定めをした法令の規定を含む。以下同じ。）により国が補助することができる金額に相当する金額を無利子で貸し付けることができる。

9　国は、当分の間、施行者に対し、改良住宅の改良で社会資本整備特別措置法第二条第一項第二号に該当するものに要する費用に充てる資金の一部を、予算の範囲内において、無利子で貸し付けることができる。

10　前二項の国の貸付金の償還期間は、五年（二年以内の据置期間を含む。）以内で政令で定める期間とする。

11　前項に定めるもののほか、附則第八項及び第九項の規定による貸付金の償還方法、償還期限の繰上げその他償還に関し必要な事項は、政令で定める。

12　国は、附則第八項の規定により、施行者に対し貸付けを行つた場合には、当該貸付けの対象である不良住宅の除却又は改良住宅の建設について、第二十七条の規定による当該貸付金に相当する金額の補助を行うものとし、当該補助については、当該貸付金の償還時において、当該貸付金の償還金に相当する金額を交付することにより行うものとする。

13　国は、附則第九項の規定により、施行者に対し貸付けを行つた場合には、当該貸付けの対象である改良住宅の改良について、当該貸付金に相当する金額の補助を行うものとし、当該補助については、当該貸付金の償還時において、当該貸付金の償還金に相当する金額を交付することにより行うものとする。

14　施行者が、附則第八項及び第九項の規定による貸付けを受けた無利子貸付金について、附則第十項及び第十一項の規定に基づき定められる償還期限を繰り上げて償還を行つた場合（政令で定める場合を除く。）における前二項の規定の適用については、当該償還は、当該償還期限の到来時に行われたものとみなす。

15　附則第八項の規定による貸付けを受けて建設される改良住宅に係る第二十九条の規定の適用については、同条の見出し中「補助」とあるのは「補助又は無利子の貸付け」と、同条第一項中「第二十七条第二項」とあるのは「第二十七条第二項又は附則第八項」と、「補助」とあるのは「補助又は無利子の貸付け」とする。

附　則〔抄〕〔昭和三七・九・一五法律一六一〕

1　この法律は、昭和三十七年十月一日から施行する。

2　この法律による改正後の規定は、この附則に特別の定めがある場合を除き、この法律の施行前にされた行政庁の処分、この法律の施行前にされた申請に係る行政庁の不作為その他この法律の施行前に生じた事項についても適用する。ただし、この法律による改正前の規定によつて生じた効力を妨げない。

3　この法律の施行前に提起された訴願、審査の請求、異議の申立てその他の不服申立て（以下「訴願等」という。）については、この法律の施行後も、なお従前の例による。この法律の施行前にされた訴願等の裁決、決定その他の処分（以下「裁決等」という。）又はこの法律の施行前に提起された訴願等につきこの法律の施行後にされる裁決等にさらに不服がある場合の訴願等についても、同様とする。

4　前項に規定する訴願等で、この法律の施行後は行政不服審査法による不服申立てをすることができることとなる処分に係るものは、同法以外の法律の適用については、行政不服審査法による不服申立てとみなす。

5　第三項の規定によりこの法律の施行後にされる審査の請求、異議の申立てその他の不服申立ての裁決等については、行政不服審査法による不服申立てをすることができない。

6　この法律の施行前にされた行政庁の処分で、この法律による改正前の規定により訴願等をすることができるものとされ、かつ、その提起期間が定められていなかつたものについて、行政不服審査法による不服申立てをすることができる期間は、この法律の施行の日から起算する。

8　この法律の施行前にした行為に対する罰則の適用については、なお従前の例による。

9　前八項に定めるもののほか、この法律の施行に関して必要な経過措置は、政令で定める。

附　則〔略〕〔昭和四二・七・二一法律七五〕

附　則〔略〕〔昭和四三・六・一五法律一〇一〕

附　則〔略〕〔昭和四九・六・一法律七一〕

附　則〔昭和五〇・一二・二六法律九〇〕

（施行期日）

1　この法律は、公布の日から施行する。〔以下略〕

（経過措置）

2　この法律の施行前に、地方自治法第二百五十二条の十九第一項の指定都市（以下「指定都市」という。）において、住宅地区改良法第九条、第二十一条又は第二十二条の規定により都道府県知事がした許可その他の処分又は公告その他の行為は、第十条の規定による改正後の同法第三十六条の二の規定により指定都市の長がした許可その他の処分又は公告その他の行為とみなす。

3　この法律（中略）の施行前にした行為に対する罰則の適用については、なお従前の例による。

附　則〔略〕〔昭和五六・五・二二法律四八〕

附　則〔略〕〔昭和六二・九・四法律八七〕

附　則〔略〕〔平成四・六・二六法律八二〕

附　則〔抄〕〔平成五・一一・一二法律八九〕

（施行期日）

第一条　この法律は、行政手続法（平成五年法律第八十八号）の施行の日〔平成六・一〇・一〕から施行する。

（諮問等がされた不利益処分に関する経過措置）

第二条　この法律の施行前に法令に基づき審議会その他の合議制の機関に対し行政手続法第十三条に規定する聴聞又は弁明の機会の付与の手続その他の意見陳述のための手続に相当する手続を執るべきことの諮問その他の求めがされた場合においては、当該諮問その他の求めに係る不利益処分の手続に関しては、この法律による改正後の関係法律の規定にかかわらず、なお従前の例による。

（罰則に関する経過措置）

第十三条　この法律の施行前にした行為に対する罰則の適用については、なお従前の例による。

（聴聞に関する規定の整理に伴う経過措置）

第十四条　この法律の施行前に法律の規定により行われた聴聞、聴問若しくは聴聞会（不利益処分に係るものを除く。）又はこれらのための手続は、この法律による改正後の関係法律の相当規定により行われたものとみなす。

（政令への委任）

第十五条　附則第二条から前条までに定めるもののほか、この法律の施行に関して必要な経過措置は、政令で定める。

附　則〔略〕〔平成六・六・二九法律四九〕

附　則〔抄〕〔平成八・五・三一法律五五〕

（施行期日）

1　この法律は、公布の日から起算して三月を超えない範囲内で政令で定める日から施行する。〔以下略〕

〔平成八政二四七により、平成八・八・三〇から施行〕

（住宅地区改良法の一部改正に伴う経過措置）

13　この法律の施行の際現にこの法律による改正前の住宅地区改良法の規定によってした請求、手続その他の行為は、この法律による改正後の住宅地区改良法の相当規定によってしたものとみなす。

附　則〔略〕〔平成一一・六・一六法律七六〕

附　則〔抄〕〔平成一一・七・一六法律八七〕

（施行期日）

第一条　この法律は、平成十二年四月一日から施行する。ただし、次の各号に掲げる規定は、当該各号に定める日から施行する。

一　〔前略〕附則〔中略〕第百六十条、第百六十三条、第百六十四条並びに第二百二条の規定　公布の日

二～六　〔略〕

（住宅地区改良法の一部改正に伴う経過措置）

第百三十五条　施行日前に第四百二十五条の規定による改正前の住宅地区改良法（以下この条において「旧住宅地区改良法」という。）第四条第二項の規定により市町村がした改良地区の指定の申出は、第四百二十五条の規定による改正後の住宅地区改良法（以下この条において「新住宅地区改良法」という。）第四条第三項の規定の適用については、市町村都市計画審議会が置かれていない市町村がした申出とみなす。

2　施行日前に旧住宅地区改良法第五条第一項（同条第二項において準用する場合を含む。次項において同じ。）の規定による認可を受けた事業計画は、新住宅地区改良法第五条第一項（同条第二項において準用する場合を含む。次項において同じ。）の規定による協議を行った事業計画とみなす。

3　この法律の施行の際現に旧住宅地区改良法第五条第一項の規定によりされている認可の申請は、新住宅地区改良法第五条第一項の規定によりされた協議の申出とみなす。

4　施行日前に旧住宅地区改良法第三十三条の規定によりされた命令は、新住宅地区改良法第三十三条第一項の規定によりされた要求とみなす。

（国等の事務）

第百五十九条　この法律による改正前のそれぞれの法律に規定するもののほか、この法律の施行前において、地方公共団体の機関が法律又はこれに基づく政令により管理し又は執行する国、他の地方公共団体その他公共団体の事務（附則第百六十一条において「国等の事務」という。）は、この法律の施行後は、地方公共団体が法律又はこれに基づく政令により当該地方公共団体の事務として処理するものとする。

（処分、申請等に関する経過措置）

第百六十条　この法律（附則第一条各号に掲げる規定については、当該各規定。以下この条及び附則第百六十三条において同じ。）の施行前に改正前のそれぞれの法律の規定によりされた許可等の処分その他の行為（以下この条において「処分等の行為」という。）又はこの法律の施行の際現に改正前のそれぞれの法律の規定によりされている許可等の申請その他の行為（以下この条において「申請等の行為」という。）で、この法律の施行の日においてこれらの行為に係る行政事務を行うべき者が異なることとなるものは、附則第二条から前条までの規定又は改正後のそれぞれの法律（これに基づく命令を含む。）の経過措置に関する規定に定めるものを除き、この法律の施行の日以後における改正後のそれぞれの法律の適用については、改正後のそれぞれの法律の相当規定によりされた処分等の行為又は申請等の行為とみなす。

2　この法律の施行前に改正前のそれぞれの法律の規定により国又は地方公共団体の機関に対し報告、届出、提出その他の手続をしなければならない事項で、この法律の施行の日前にその手続がされていないものについては、この法律及びこれに基づく政令に別段の定めがあるもののほか、これを、改正後のそれぞれの法律の相当規定により国又は地方公共団体の相当の機関に対して報告、届出、提出その他の手続をしなければならない事項についてその手続がされていないものとみなして、この法律による改正後のそれぞれの法律の規定を適用する。

（不服申立てに関する経過措置）

第百六十一条　施行日前にされた国等の事務に係る処分であって、当該処分をした行政庁（以下この条において「処分庁」という。）に施行日前に行政不服審査法に規定する上級行政庁（以下この条において「上級行政庁」という。）があったものについての同法による不服申立てについては、施行日以後においても、当該処分庁に引き続き上級行政庁があるものとみなして、行政不服審査法の規定を適用する。この場合において、当該処分庁の上級行政庁とみなされる行政庁は、施行日前に当該処分庁の上級行政庁であった行政庁とする。

2　前項の場合において、上級行政庁とみなされる行政庁が地方公共団体の機関であるときは、当該機関が行政不服審査法の規定により処理することとされる事務は、新地方自治法第二条第九項第一号に規定する第一号法定受託事務とする。

（手数料に関する経過措置）

第百六十二条　施行日前においてこの法律による改正前のそれぞれの法律（これに基づく命令を含む。）の規定により納付すべきであった手数料については、この法律及びこれに基づく政令に別段の定めがあるもののほか、なお従前の例による。

（罰則に関する経過措置）

第百六十三条　この法律の施行前にした行為に対する罰則の適用については、なお従前の例による。

（その他の経過措置の政令への委任）

第百六十四条　この附則に規定するもののほか、この法律の施行に伴い必要な経過措置（罰則に関する経過措置を含む。）は、政令で定める。

2　〔略〕

附　則〔略〕〔平成一一・一二・二二法律一六〇〕

附　則〔略〕〔平成一四・二・八法律一〕

附　則〔略〕〔平成一五・六・二〇法律一〇〇〕

附　則〔略〕〔平成一七・六・二九法律七八〕

附　則〔抄〕〔平成二三・八・三〇法律一〇五〕

（施行期日）

第一条　この法律は、公布の日から施行する。ただし、次の各号に掲げる規定は、当該各号に定める日から施行する。

一　〔略〕

二　〔前略〕第百八条〔中略〕の規定並びに附則〔中略〕第五十一条から第五十三条まで〔中略〕の規定　平成二十四年四月一日

三～六　〔略〕

（住宅地区改良法の一部改正に伴う経過措置）

第五三条　第百八条の規定の施行の際現に効力を有する同条の規定による改正前の住宅地区改良法（以下この条において「旧住宅地区改良法」という。）第九条第一項から第五項まで若しくは第二十一条第一項の規定により都道府県知事が行った許可その他の行為又は現に旧住宅地区改良法第九条第一項若しくは第二十一条第一項の規定により都道府県知事に対して行っている許可の申請で、第百八条の規定による改正後の住宅地区改良法（以下この条において「新住宅地区改良法」という。）第九条第一項から第五項まで又は第二十一条第一項の規定により市長が行うこととなる事務に係るものは、それぞれこれらの規定により当該市長が行った許可その他の行為又は当該市長に対して行った許可の申請とみなす。

2　第百八条の規定の施行の際現に効力を有する旧住宅地区改良法第二十二条第二項の都道府県知事の許可証で新住宅地区改良法第二十一条第一項の規定により市長が行うこととなる許可に係るものは、当該市長に係る新住宅地区改良法第二十二条第二項の許可証とみなす。

（罰則に関する経過措置）

第八一条　この法律（附則第一条各号に掲げる規定にあっては、当該規定。以下この条において同じ。）の施行前にした行為及びこの附則の規定によりなお従前の例によることとされる場合におけるこの法律の施行後にした行為に対する罰則の適用については、なお従前の例による。

（政令への委任）

第八二条　この附則に規定するもののほか、この法律の施行に関し必要な経過措置（罰則に関する経過措置を含む。）は、政令で定める。

附　則〔略〕〔平成二六・六・一三法律六九〕

附　則〔抄〕〔令和五・六・一六法律六三〕

（施行期日）

第一条　この法律は、公布の日から起算して一年を超えない範囲内において政令で定める日から施行する。ただし、次の各号に掲げる規定は、当該各号に定める日から施行する。

〔令和五政二八四により、令和六・四・一から施行〕

一　〔前略〕附則第七条〔中略〕の規定　公布の日

二　〔略〕

（罰則に関する経過措置）

第六条　この法律の施行前にした行為に対する罰則の適用については、なお従前の例による。

（政令への委任）

第七条　この附則に定めるもののほか、この法律の施行に関し必要な経過措置（罰則に関する経過措置を含む。）は、政令で定める。

○住宅地区改良法施行令

〔昭和三五・五・一七　政令一二八〕

改正　昭和四八・八政二四一、昭和五五・四政一〇〇、昭和五七・六政一五八、昭和六〇・三政五一、昭和六二・九政二九五、平成六・九政三〇三、平成八・八政二四八、平成一一・一一政三五二、平成一二・六政三一二、七政三八一、平成一四・二政二七、平成一九・一一政三九一、平成二三・一二政四二四、平成二六・一二政四一二、平成二九・七政二〇〇

（不良住宅の判定の基準）

第一条　住宅地区改良法（以下「法」という。）第二条第五項の規定による不良住宅の判定は、住宅の構造又は設備のうち次の各号に掲げるものについて測定する不良度による。

一　構造にあつては、基礎、土台、壁、柱、床、はり、屋根、廊下、階段、天井及び開口部

二　設備にあつては、電気設備、給水設備及び排水設備並びに台所及び便所

2　前項の規定による不良度の測定方法及び不良住宅であると判定するため必要な不良度の程度については、国土交通省令で定める。

（地区施設）

第二条　法第二条第七項に規定する政令で定める施設は、保育所、幼保連携型認定こども園、授産所、隣保館及び管理事務所とする。

（公共施設）

第三条　法第二条第八項に規定する政令で定める施設は、緑地、鉄道、軌道、水道、下水道及び河川とする。

（改良地区の指定の基準）

第四条　法第四条第一項に規定する政令で定める基準は、次の各号に掲げるものとする。

一　一団地の面積が〇・一五ヘクタール以上であること。

二　一団地内の不良住宅の戸数が五十戸以上であること。

三　一団地内の住宅の戸数に対する不良住宅の戸数の割合が八割以上であること。

四　一団地（公共施設の用に供している部分を除く。）の面積に対する一団地内の住宅の戸数の割合が一ヘクタール当り八十戸以上であること。

（国土交通大臣との協議等を要しない事業計画の変更）

第五条　法第五条第二項及び第八条第三項に規定する政令で定める軽微な変

更は、次の各号に掲げるものとする。

一　改良地区内の土地の利用に関する基本計画の変更のうち次に掲げるもの

イ　公共施設（道路を除く。）、地区施設又はその他の施設の用に供すべき土地の規模の変更で、最近において国土交通大臣に協議して決定又は変更をした事業計画における当該土地の規模の十分の一未満を増減するもの

ロ　公共施設及び地区施設以外の施設で国土交通省令で定めるものの用に供すべき土地の規模又は配置の変更

二　住宅地区改良事業の実施計画の変更のうち次に掲げるもの

イ　改良住宅の附帯施設（汚物又はごみの処理施設を除く。）又は集会所若しくは管理事務所の配置の変更

ロ　事業執行年度割の変更

三　その他国土交通大臣の指定するもの

（設置又は堆積の制限を受ける物件）

第六条　法第九条第一項に規定する政令で定める移動の容易でない物件は、その重量が五トンをこえる物件（容易に分割され、分割された各部分の重量がそれぞれ五トン以下となるものを除く。）とする。

（建築物の移転等の代行の公告）

第七条　法第九条第五項の規定による公告は、公報その他所定の手段により行うほか、当該公報その他所定の手段による公告を行つた日から十日間、改良地区内の適当な場所に掲示して行わなければならない。

（改良住宅への入居者の承認）

第八条　法第十八条第一号ロの規定による承認は、住宅地区改良事業の実施計画で定められた改良住宅の建設戸数がその承認の当時同条の規定により改良住宅に入居させるべき者と認められる者の世帯の数をこえる場合において、そのこえる戸数に相当する世帯の数の範囲内ですることができる。

2　法第十八条第一号ロの規定による承認は、別世帯を構成するに至つたこと又は改良地区内に居住するに至つたことが、もつぱら改良住宅への入居のみを目的とすると認められる場合においては、してはならない。

（収用委員会の裁決申請手続）

第九条　法第二十三条第三項の規定により土地収用法（昭和二十六年法律第二百十九号）第九十四条第二項の規定による裁決を申請しようとする者は、国土交通省令で定める様式に従い、同条第三項各号（第三号を除く。）に掲げる事項を記載した裁決申請書を収用委員会に提出しなければならない。

（不良住宅除却費の補助）

第一〇条　法第二十七条第一項の規定による国の補助は、不良住宅の除却（除却のための取得を含む。以下この条において同じ。）に要する費用の額（その額が同条第三項の規定により国土交通大臣が定める標準除却費の額をこえるときは、標準除却費の額）から法第二十六条の規定による負担金の額（当該費用の額が標準除却費の額をこえるときは、当該負担金の額に当該負担金に係る不良住宅の除却に要する費用の額に対する標準除却費の額の割合を乗じて得た額）を控除した額について行なうものとする。

（改良住宅建設費の補助）

第一一条　法第二十七条第二項の規定による国の補助は、一戸の床面積の合計（共同住宅においては、共用部分の床面積を除く。）が十九平方メートル以上八十平方メートル以下の改良住宅の建設（建設のため必要な土地の取得及びその土地を宅地に造成することを含む。）に要する費用の額（その額が同条第三項の規定により国土交通大臣が定める標準建設費の額を超えるときは、標準建設費の額）について行うものとする。

2　入居させるべき者が六人以上であり、かつ、それらの者に六十歳以上の者又は心身障害者があることその他特別の事情により特に規模の大きいことを必要とする改良住宅で国土交通大臣が定めるものに関する前項の規定の適用については、同項中「が十九平方メートル以上八十平方メートル以下」とあるのは、「の最高限度が八十五平方メートルを超えない範囲内において国土交通大臣が定める規模」とする。

（公営住宅法に基づく政令の準用）

第一二条　法第二十九条第一項の規定により公営住宅法の規定が準用される場合においては、それらの規定に基づく政令の規定を準用するものとする。この場合において、公営住宅法施行令（昭和二十六年政令第二百四十号）第六条第一項中「二十五万九千円」とあるのは「十五万八千円」と、同条第二項中「十五万八千円」とあるのは「十一万四千円」と読み替えるものとする。

（公営住宅法の読替え）

第一三条　法第二十九条第一項の規定により公営住宅法第三十三条及び第三十四条の規定を準用する場合においては、同法第三十三条中「公営住宅監理員」とあるのは「改良住宅監理員」と、同法第三十四条中「第十六条第一項若しくは第四項若しくは第二十八条第二項若しくは第四項の規定による家賃の決定、第十六条第五項（第二十八条第三項若しくは第五項又は第二十九条第九項において準用する場合を含む。）の規定による家賃若しくは金銭の減免、第十八条第二項の規定による敷金の減免、第十九条（第二十八条第三項若しくは第五項又は第二十九条第九項において準用する場合を含む。）の規定による家賃、敷金若しくは金銭の徴収の猶予、第二十九条第一項の規定による明渡しの請求、第三十条第一項の規定によるあつせん等又は第四十条の規定による公営住宅への入居の措置」とあるのは「第十八条第二項の規定による敷金の減免、第十九条の規定による家賃若しくは敷金の徴収の猶予、公営住宅法の一部を改正する法律（平成八年法律第五十五号）による改正前の公営住宅法（以下この条において「旧公営住宅法」という。）第十二条第二項の規定による家賃の減免、旧公営住宅法第二十一条の二第二項の規定若しくは同条第三項において準用する旧公営住宅法第十二条第二項若しくは第十三条の二の規定による割増賃料の徴収、減免若しくは徴収の猶予又は旧公営住宅法第二十一条の四前段の規定によるあつせん等」と読み替えるものとする。

（家賃の決定等）

第一三条の二　法第二十九条第三項の規定によりその例によることとされる公営住宅法の一部を改正する法律（平成八年法律第五十五号）による改正前の公営住宅法（以下この条において「旧公営住宅法」という。）第二条第四号の第二種公営住宅に係る旧公営住宅法第十二条、第十三条及び第二十一条の二の規定による家賃及び敷金の決定及び変更並びに収入超過者に対する措置については、公営住宅法施行令の一部を改正する政令（平成八年政令第二百四十八号）による改正前の公営住宅法施行令（以下この条において「旧公営住宅法施行令」という。）第四条、第四条の四及び第六条の二の規定の例による。この場合において、旧公営住宅法施行令第四条第一号の表中「（準耐火構造の住宅）」とあるのは「（耐火構造の住宅及び準耐火構造の住宅）」と、「国土交通大臣」と、旧公営住宅法施行令第四条の四中「建設大臣」とあるのは「国土交通大臣」と、旧公営住宅法施行令第六条の二第一項中「十一万五千円」とあるのは「地域の自主性及び自立性を高めるための改革の推進を図るための関係法律の整備に関する法律（平成二十三年法律第三十七号）第三十二条の規定による改正後の法第二十三条第一号イに掲げる場合にあつては十五万八千円以下で施行者が条例で定める金額、同号ロに掲げる場合にあつては十一万四千円を参酌して十五万八千円以下で施行者が条例で定める金額」と、同条第二項の表第二種公営住宅の項中「十一万五千円」とあるのは「地域の自主性及び自立性を高めるための改革の推進を図るための関係法律の整備に関する法律第三十二条の規定による改正後の法第二十三条第一号イに掲げる場合にあつては十五万八千円以下で施行者が条例で定める金額、同号ロに掲げる場合にあつては十一万四千円を参酌して十五万八千円以下で施行者が条例で定める金額」と、「十九万八千円」とあるのは「十五万八千円」と、「二十四万五千円」とあるのは「十九万千円」とする。

2　前項の規定によりその例によることとされる旧公営住宅法施行令第四条第一号及び第三号に規定する耐火構造の住宅及び準耐火構造の住宅並びに旧公営住宅法施行令第六条の二に規定する収入については、それぞれ公営住宅法施行令第一条各号に定めるところによる。

（書類の送付にかわる公告）

第一四条　法第三十一条第一項の規定による公告については、第七条の規定を準用する。

2　前項の場合において、書類の送付を受けるべき者の住所又は最後の住所が施行者である都道府県又は市町村の区域外にあるときは、当該住所又は最後の住所の属する市町村（特別区を含む。以下この項において同じ。）の長は、施行者の求めにより、前項において準用する第七条の規定による掲示がされている旨の公告をしなければならない。この場合においては、当該掲示は、前項において準用する第七条の規定にかかわらず、当該市町村の長が行なう公告があつた日から起算して十日を経過した日までしなければならない。

3　法第三十一条第二項に規定する公告があつた日は、第一項において準用

する第七条の規定により行なう掲示の期間の満了日とする。

附　則

（施行期日）

1　この政令は、公布の日から施行する。

（経過措置）

2　地方公共団体が、法の施行の際、事業着手当時に法第四条第一項に規定する一団地に該当していたと認められる一団地について、当該一団地内の不良住宅を除却するとともに当該一団地内の居住者を入居させるため公営住宅法に規定する第二種公営住宅を建設する事業を施行していた場合において、当該事業の未完了の部分を法の規定による住宅地区改良事業として施行しようとするときは、第四条第一号中「〇・一五ヘクタール」とあるのは「〇・〇五ヘクタール」とし、同条第二号中「五十戸」とあるのは「十五戸」とする。

（不良住宅地区改良法施行令の廃止）

3　不良住宅地区改良法施行令（昭和二年勅令第二百二十八号）は、廃止する。

（法附則第八項及び第九項の規定による貸付金の償還期間等）

4　法附則第十項に規定する政令で定める期間は、五年（二年の据置期間を含む。）とする。

5　前項に規定する期間は、日本電信電話株式会社の株式の売払収入の活用による社会資本の整備の促進に関する特別措置法（昭和六十二年法律第八十六号）第五条第一項の規定により読み替えて準用される補助金等に係る予算の執行の適正化に関する法律（昭和三十年法律第百七十九号）第六条第一項の規定による貸付けの決定（以下「貸付決定」という。）ごとに、当該貸付決定に係る法附則第八項及び第九項の規定による貸付金（以下「国の貸付金」という。）の交付を完了した日（その日が当該貸付決定があつた日の属する年度の末日の前日以後の日である場合には、当該年度の末日の前々日）の翌日から起算する。

6　国の貸付金の償還は、均等年賦償還の方法によるものとする。

7　国は、国の財政状況を勘案し、相当と認めるときは、国の貸付金の全部又は一部について、前三項の規定により定められた償還期限を繰り上げて償還させることができる。

8　法附則第十四項に規定する政令で定める場合は、前項の規定により償還期限を繰り上げて償還を行つた場合とする。

9　法附則第八項の規定による貸付けを受けて建設される改良住宅に係る第十二条の規定の適用については、同条中「法第二十九条第一項」とあるのは「法附則第十五項の規定により読み替えて適用される法第二十九条第一項」とする。

附　則〔略〕〔昭和五七・六・一政令一五八〕

附　則〔略〕〔平成六・九・一九政令三〇三〕

附　則〔略〕〔平成八・八・二三政令二四八〕

附　則〔略〕〔平成一一・一一・一〇政令三五二〕

附　則〔略〕〔平成一二・六・七政令三一二〕

附　則〔略〕〔平成一二・七・一四政令三八一〕

附　則〔略〕〔平成一四・二・八政令二七〕

附　則〔抄〕〔平成一九・一二・二七政令三九一〕

（施行期日）

第一条　この政令は、平成二十一年四月一日から施行する。〔以下略〕

（住宅地区改良法施行令の一部改正に伴う経過措置）

第七条　この政令の施行の際現に住宅地区改良法（昭和三十五年法律第八十四号）第二十九条第一項（同法附則第十五項、都市再生特別措置法（平成十四年法律第二十二号）第四十八条及び地域における多様な需要に応じた公的賃貸住宅等の整備等に関する特別措置法（平成十七年法律第七十九号）第八条の規定により読み替えて適用される場合を含む。）の改良住宅に入居している者に係る住宅地区改良法第二十九条第三項の規定によりその例によることとされる公営住宅法の一部を改正する法律（平成八年法律第五十五号）の規定による改正前の公営住宅法第二十一条の二第一項に規定する収入の基準及び同条第二項に規定する割増賃料の限度額については、平成二十六年三月三十一日までの間は、この政令による改正後の住宅地区改良法施行令第十三条の二第一項の規定にかかわらず、なお従前の例による。

附　則〔略〕〔平成二三・一一・二六政令四二四〕

附　則〔略〕〔平成二六・一一・二四政令四一二〕

附　則〔抄〕〔平成二九・七・二一政令二〇〇〕

（施行期日）

第一条　この政令は、地域の自主性及び自立性を高めるための改革の推進を図るための関係法律の整備に関する法律附則第一条第二号に掲げる規定の施行の日〔平成二九・七・二六〕から施行する。

〇地域における多様な需要に応じた公的賃貸住宅等の整備等に関する特別措置法

〔平成一七・六・二九
法律七九〕

改正　平成一七・一一法一二三、平成一八・六法五〇、平成二二・一二法七一、平成二三・四法三二、八法一〇五、平成二四・六法五一、平成二八・六法六五

注　[　]の部分は、令和四年一二月一六日法律第一〇四号により改正され、公布の日から起算して三年を超えない範囲内において政令で定める日から施行

目次

第一章　総則（第一条―第三条）
第二章　基本方針及び地域住宅協議会（第四条・第五条）
第三章　地域住宅計画に基づく特別の措置
　第一節　地域住宅計画の作成等（第六条）
　第二節　交付金（第七条―第十条）
　第三節　公的賃貸住宅等の整備等に関する特例（第十一条―第十三条）
第四章　雑則（第十四条・第十五条）
附則

第一章　総則

（目的）

第一条　この法律は、社会経済情勢の変化に伴い国民の住宅に対する需要が地域において多様なものとなっていることにかんがみ、地域における多様な需要に応じた公的賃貸住宅等の整備等を、地方公共団体の自主性を尊重しつつ推進するため、国土交通大臣が策定する基本方針について定めるとともに、地域住宅計画に基づく公的賃貸住宅等の整備に関する事業その他の事業又は事務に充てるための交付金の交付等の特別の措置を講じ、もって国民生活の安定と豊かで住みよい地域社会の実現に寄与することを目的とする。

（定義）

第二条　この法律において「公的賃貸住宅等」とは、次の各号のいずれかに該当する住宅をいう。

一　地方公共団体が整備する住宅（地方公共団体がその整備に要する費用の一部を負担して整備の推進を図る住宅を含む。）

二　独立行政法人都市再生機構（以下「機構」という。）又は地方住宅供給公社（以下「公社」という。）が整備する賃貸住宅
三　特定優良賃貸住宅の供給の促進に関する法律（平成五年法律第五十二号。以下「特定優良賃貸住宅法」という。）第六条に規定する特定優良賃貸住宅（以下「特定優良賃貸住宅」という。）
四　高齢者の居住の安定確保に関する法律（平成十三年法律第二十六号。以下「高齢者居住安定確保法」という。）第五条第一項の登録（同条第二項の登録の更新を含む。）に係る同条第一項に規定するサービス付き高齢者向け住宅（以下「登録サービス付き高齢者向け住宅」という。）
2　この法律において「公共公益施設」とは、公的賃貸住宅等の整備に関する事業の施行に関連して必要となる施設であって、次の各号のいずれかに該当するものをいう。
一　道路、公園、広場その他政令で定める公共の用に供する施設
二　公的賃貸住宅等の居住者の福祉又は利便のため必要な施設
3　この法律において「公的賃貸住宅等の整備等」とは、公的賃貸住宅等又は公共公益施設の整備及び管理をいう。

（国及び地方公共団体の努力義務）
第三条　国及び地方公共団体は、地域における住宅に対する多様な需要に応じた適切な規模、構造及び設備を有する良質な住宅の供給並びに市街地の整備改善を通じた良好な居住環境の形成を図るため、民間事業者の能力の活用及び居住者の福祉又は利便の増進に関する施策との連携を図りつつ、公的賃貸住宅等の整備に関する事業の実施、既存の公的賃貸住宅等の有効活用その他の必要な措置を講ずるよう努めなければならない。

第二章　基本方針及び地域住宅協議会

（基本方針）
第四条　国土交通大臣は、地域における住宅に対する多様な需要に応じた公的賃貸住宅等の整備等に関する基本的な方針（以下「基本方針」という。）を定めなければならない。
2　基本方針においては、次に掲げる事項を定めるものとする。
一　地域における住宅に対する多様な需要に応じた公的賃貸住宅等の整備等の基本的方向
二　公的賃貸住宅等及び公共公益施設の整備に関する基本的事項
三　公的賃貸住宅等の有効活用、賃貸の条件その他の管理に関する基本的事項
四　公的賃貸住宅等の居住者の福祉又は利便の増進に関する施策との連携に関する基本的事項
五　第六条第一項に規定する地域住宅計画の作成に関する基本的事項
六　前各号に掲げるもののほか、地域における住宅に対する多様な需要に応じた公的賃貸住宅等の整備等に関する重要事項
3　国土交通大臣は、基本方針を定めようとするときは、関係行政機関の長に協議しなければならない。
4　国土交通大臣は、基本方針を定めたときは、遅滞なく、これを公表しなければならない。
5　前二項の規定は、基本方針の変更について準用する。

（地域住宅協議会）
第五条　都道府県、市町村、機構及び公社（以下「都道府県等」という。）は、地域における住宅に対する多様な需要に応じた公的賃貸住宅等の整備等に関し必要となるべき措置について協議するため、地域住宅協議会（以下「協議会」という。）を組織することができる。この場合において、都道府県等は、必要と認めるときは、協議会に、当該都道府県等以外の公的賃貸住宅等の整備等を行う者を加えることができる。
2　前項の協議を行うための会議において協議が調った事項については、協議会の構成員は、その協議の結果を尊重しなければならない。
3　前二項に定めるもののほか、協議会の運営に関し必要な事項は、協議会が定める。

第三章　地域住宅計画に基づく特別の措置

第一節　地域住宅計画の作成等

第六条　地方公共団体は、その区域について、基本方針に基づき、地域における住宅に対する多様な需要に応じた公的賃貸住宅等の整備等に関する計画（以下「地域住宅計画」という。）を作成することができる。
2　地域住宅計画には、第一号から第三号までに掲げる事項を記載するものとするとともに、第四号に掲げる事項を記載するよう努めるものとする。
一　地域における住宅に対する多様な需要に対応するために必要な次に掲げる事業に関する事項
イ　公的賃貸住宅等の整備に関する事業
ロ　公共公益施設の整備に関する事業
ハ　その他国土交通省令で定める事業
二　前号の事業と一体となってその効果を増大させるために必要な事業又は事務に関する事項
三　計画期間
四　地域における住宅に対する多様な需要に応じた公的賃貸住宅等の整備等に関する方針
3　前項第一号及び第二号に掲げる事項には、当該地域住宅計画を作成する地方公共団体が実施する事業又は事務（以下「事業等」という。）に係るものを記載するほか、必要に応じ、機構、公社又は地域における良好な居住環境の形成を図る活動を行うことを目的とする特定非営利活動促進法（平成十年法律第七号）第二条第二項に規定する特定非営利活動法人、一般社団法人、一般財団法人若しくはこれらに準ずる者として国土交通省令で定めるもの（以下「機構等」という。）が実施する事業等（当該地方公共団体が当該事業等に要する費用の一部を負担してその推進を図るものに限る。）に係るものを記載することができる。
4　地方公共団体は、地域住宅計画に機構等が実施する事業等に係る事項を記載しようとするときは、当該事項について、あらかじめ、当該機構等の同意を得なければならない。
5　地方自治法（昭和二十二年法律第六十七号）第二百五十二条の十九第一項に規定する指定都市及び同法第二百五十二条の二十二第一項に規定する中核市以外の市町村（特定優良賃貸住宅に係る場合にあっては、町村）は、第二項第一号イに掲げる事業に関する事項に、特定優良賃貸住宅又は登録サービス付き高齢者向け住宅の整備に関する事業に関する事項を記載しようとするときは、当該事項について、あらかじめ、都道府県知事に協議し、その同意を得なければならない。
6　地方公共団体は、公営住宅法（昭和二十六年法律第百九十三号）第二条第十五号に規定する公営住宅建替事業（以下「公営住宅建替事業」という。）の施行に併せて当該公営住宅建替事業が施行される土地の区域において新たに公共公益施設（障害者の日常生活及び社会生活を総合的に支援するための法律（平成十七年法律第百二十三号）第五条第十七項に規定する共同生活援助を行う事業の用に供する施設その他の政令で定める施設に限る。）又は公営住宅法第三十条第二項に規定する公共賃貸住宅以外の特定優良賃貸住宅若しくは登録サービス付き高齢者向け住宅を整備することが地域における住宅に対する需要に応じた公的賃貸住宅等の供給及び良好な居住環境の形成のため必要と認められる場合には、第二項第一号イに掲げる事業に関する事項に、当該公営住宅建替事業に関する事項を記載することができる。

6　地方公共団体は、公営住宅法（昭和二十六年法律第百九十三号）第二条第十五号に規定する公営住宅建替事業（以下「公営住宅建替事業」という。）の施行に併せて当該公営住宅建替事業が施行される土地の区域において新たに公共公益施設（障害者の日常生活及び社会生活を総合的に支援するための法律（平成十七年法律第百二十三号）第五条第十八項に規定する共同生活援助を行う事業の用に供する施設その他の政令で定める施設に限る。）又は公営住宅法第三十条第二項に規定する公共賃貸住宅以外の特定優良賃貸住宅若しくは登録サービス付き高齢者向け住宅を整備することが地域における住宅に対する需要に応じた公的賃貸住宅等の供給及び良好な居住環境の形成のため必要と認められる場合には、第二項第一号イに掲げる事業に関する事項に、当該公営住宅建替事業に関する事項を記載することができる。

7　地方公共団体は、特定優良賃貸住宅法第三条第四号に規定する資格を有する入居者をその全部又は一部について確保することができない特定優良賃貸住宅を活用し、第二項第一号の事業の実施に伴い住宅の明渡しの請求を受けた者その他当該地域住宅計画を作成する地方公共団体の区域内において住宅の確保に特に配慮を要する者（特定優良賃貸住宅法第三条第四号に規定する資格を有する者を除く。以下「配慮入居者」という。）に対す

る住宅を供給することが必要と認められる場合には、同項第二号に掲げる事項に、配慮入居者及び特定優良賃貸住宅の当該配慮入居者に対する賃貸に関する事項を記載することができる。

8　地方公共団体は、地域住宅計画を作成したときは、遅滞なく、これを公表するよう努めるとともに、都道府県にあっては関係市町村に、市町村にあっては都道府県に、当該地域住宅計画の写しを送付しなければならない。

9　第三項から前項までの規定は、地域住宅計画の変更について準用する。

第二節　交付金

（交付金の交付等）

第七条　地方公共団体は、次項の交付金を充てて地域住宅計画に基づく事業等の実施（機構等が実施する事業等に要する費用の一部の負担を含む。同項において同じ。）をしようとするときは、当該地域住宅計画を国土交通大臣に提出しなければならない。

2　国は、地方公共団体に対し、前項の規定により提出された地域住宅計画に基づく事業等の実施に要する経費に充てるため、公的賃貸住宅等の整備の状況その他の事項を基礎として国土交通省令で定めるところにより、予算の範囲内で、交付金を交付することができる。

3　前項の交付金を充てて行う事業に要する費用については、公営住宅法その他の法令の規定に基づく国の補助又は負担は、当該規定にかかわらず、行わないものとする。

4　前三項に定めるもののほか、第二項の交付金の交付に関し必要な事項は、国土交通省令で定める。

（交付金に係る改良住宅の管理及び処分）

第八条　前条第二項の交付金を充てて建設された住宅地区改良法（昭和三十五年法律第八十四号）第二条第六項に規定する改良住宅についての同法第二十九条の規定の適用については、同条第一項中「第二十七条第二項の規定により国の補助を受けて」とあるのは「地域における多様な需要に応じた公的賃貸住宅等の整備等に関する特別措置法（平成十七年法律第七十九号）第七条第二項の交付金を充てて」と、同条第三項中「第十三条第三項」とあるのは「第十二条第一項中「の補助」とあるのは「の補助（地域における多様な需要に応じた公的賃貸住宅等の整備等に関する特別措置法（平成十七年法律第七十九号）第七条第二項の交付金（以下この項において「地域住宅交付金」という。）を含む。）」と、「から補助」とあるのは「から補助（地域住宅交付金を含む。）」と、旧公営住宅法第十三条第三項」とする。

（交付金に係る都心共同住宅供給事業により建設された住宅の家賃又は価額等）

第九条　大都市地域における住宅及び住宅地の供給の促進に関する特別措置法（昭和五十年法律第六十七号）第百一条の五第一項に規定する認定事業者である地方公共団体が第七条第二項の交付金を充てて実施する都心共同住宅供給事業（同法第二条第五号に規定する都心共同住宅供給事業をいう。）により建設される住宅についての同法第百一条の十一及び第百十三条の二の規定の適用については、同法第百一条の十一第一項及び第三項中「前条第一項又は第二項の規定による補助」とあるのは「地域における多様な需要に応じた公的賃貸住宅等の整備等に関する特別措置法（平成十七年法律第七十九号）第七条第二項の交付金」と、同法第百十三条の二第一号中「第百一条の十第一項又は第二項の規定による補助」とあるのは「地域における多様な需要に応じた公的賃貸住宅等の整備等に関する特別措置法第七条第二項の交付金の交付」と、「当該補助」とあるのは「当該交付金」とする。

（交付金に係る高齢者向けの優良な賃貸住宅についての周知措置）

第一〇条　地方公共団体が第七条第二項の交付金を充てて整備する高齢者居住安定確保法第四十五条第一項の賃貸住宅についての高齢者居住安定確保法第五十条の規定の適用については、同条中「第四十五条、第四十七条第四項、第四十八条第一項若しくは前条又は第四十七条第一項の規定による費用の補助又は負担を受けて整備し、又は家賃を減額する」とあるのは、「地域における多様な需要に応じた公的賃貸住宅等の整備等に関する特別措置法（平成十七年法律第七十九号）第七条第二項の交付金を充てて整備し、又は第四十五条第二項の規定による補助を受けて家賃を減額する」とする。

第三節　公的賃貸住宅等の整備等に関する特例

（特定優良賃貸住宅法の規定による事務の町村長による実施）

第一一条　都道府県知事は、特定優良賃貸住宅法の規定又は第十三条の規定にかかわらず、これらの規定によりその権限に属する事務であって、町村が作成した地域住宅計画に第六条第三項の規定により記載された特定優良賃貸住宅の整備に関する事業に係るものについては、政令で定めるところにより、当該町村の長が行うこととすることができる。

（公営住宅建替事業の施行の要件に関する特例）

第一二条　第六条第六項の規定により地域住宅計画に記載された公営住宅建替事業に係る公営住宅法第三十六条第三号の規定の適用については、同号ただし書中「社会福祉施設又は公共賃貸住宅」とあるのは、「社会福祉施設若しくは公共賃貸住宅又は地域における多様な需要に応じた公的賃貸住宅等の整備等に関する特別措置法（平成十七年法律第七十九号）第六条第一項に規定する地域住宅計画に同条第六項の規定により記載された同項に規定する公共公益施設、特定優良賃貸住宅若しくは登録サービス付き高齢者向け住宅」とする。

（特定優良賃貸住宅の入居者の資格に係る認定の基準の特例）

第一三条　第六条第七項の規定により地域住宅計画に配慮入居者及び特定優良賃貸住宅の当該配慮入居者に対する賃貸に関する事項を記載した地方公共団体の区域内において、特定優良賃貸住宅法第五条第一項に規定する認定事業者（第三項において「認定事業者」という。）は、特定優良賃貸住宅の全部又は一部について特定優良賃貸住宅法第三条第四号に規定する資格を有する入居者を国土交通省令で定める期間以上確保することができないときは、特定優良賃貸住宅法の規定にかかわらず、都道府県知事（市の区域内にあっては、当該市の長。以下同じ。）の承認を受けて、その全部又は一部を当該地域住宅計画に記載された配慮入居者に賃貸することができる。

2　前項の規定により特定優良賃貸住宅の全部又は一部を賃貸する場合においては、当該賃貸借を、借地借家法（平成三年法律第九十号）第三十八条第一項の規定による建物の賃貸借（国土交通省令で定める期間を上回らない期間を定めたものに限る。）としなければならない。

3　認定事業者が第一項の規定による都道府県知事の承認を受けた場合における特定優良賃貸住宅法第十一条第一項の規定の適用については、同項中「処分」とあるのは、「処分又は地域における多様な需要に応じた公的賃貸住宅等の整備等に関する特別措置法（平成十七年法律第七十九号）第十三条第二項の規定」とする。

第四章　雑則

（国土交通省令への委任）

第一四条　この法律に定めるもののほか、この法律の実施のため必要な事項は、国土交通省令で定める。

（経過措置）

第一五条　この法律の規定に基づき命令を制定し、又は改廃する場合においては、その命令で、その制定又は改廃に伴い合理的に必要と判断される範囲内において、所要の経過措置を定めることができる。

附　則〔抄〕

（施行期日）

1　この法律は、公布の日から起算して三月を超えない範囲内において政令で定める日から施行する。

〔平成一七政二五六により、平成一七・八・一から施行〕

附　則〔抄〕〔平成一七・一一・七法律一二三〕

（施行期日）

第一条　この法律は、平成十八年四月一日から施行する。ただし、次の各号に掲げる規定は、当該各号に定める日から施行する。

一　附則〔中略〕第百二十二条の規定　公布の日

二・三〔略〕

（地域における多様な需要に応じた公的賃貸住宅等の整備等に関する特別措置法の一部改正に伴う経過措置）

第一二〇条　施行日前に前条の規定による改正前の地域における多様な需要に応じた公的賃貸住宅等の整備等に関する特別措置法第六条第六項の規定により地域住宅計画に記載された公営住宅建替事業であって当該公営住宅建替事業が施行される土地の区域において新たに附則第五十一条の規定による改正前の知的障害者福祉法第四条第十項に規定する知的障害者地域生

活援助事業の用に供する施設を整備するものについては、施行日において前条の規定による改正後の地域における多様な需要に応じた公的賃貸住宅等の整備等に関する特別措置法第六条第六項の規定により地域住宅計画に記載された公営住宅建替事業であって当該公営住宅建替事業が施行される土地の区域において新たに共同生活援助を行う事業の用に供する施設を整備するものとみなす。

（その他の経過措置の政令への委任）

第一二二条　この附則に規定するもののほか、この法律の施行に伴い必要な経過措置は、政令で定める。

附　則〔略〕〔平成一八・六・二法律五〇〕

附　則〔略〕〔平成二二・一二・一〇法律七一〕

附　則〔抄〕〔平成二三・四・二八法律三二〕

（施行期日）

第一条　この法律は、公布の日から起算して六月を超えない範囲内において政令で定める日から施行する。

〔平成二三政三三六により、平成二三・一〇・二〇から施行〕

（地域における多様な需要に応じた公的賃貸住宅等の整備等に関する特別措置法の一部改正に伴う経過措置）

第六条　この法律の施行の際現に施行されている公営住宅建替事業（当該公営住宅建替事業の施行に併せて当該公営住宅建替事業が施行される土地の区域において新たに旧高齢者居住安定確保法第三十四条の高齢者向け優良賃貸住宅が整備されるものに限る。）であって、第二条の規定による改正前の地域における多様な需要に応じた公的賃貸住宅等の整備等に関する特別措置法第六条第六項（同条第九項において準用する場合を含む。）の規定により地域住宅計画に記載されているものに係る施行の要件に関する特例については、なお従前の例による。

附　則〔抄〕〔平成二三・八・三〇法律一〇五〕

（施行期日）

第一条　この法律は、公布の日から施行する。ただし、次の各号に掲げる規定は、当該各号に定める日から施行する。

一　〔前略〕第百六十条（地域における多様な需要に応じた公的賃貸住宅等の整備等に関する特別措置法第六条第二項及び第三項の改正規定、同条第五項の改正規定（「第二項第二号イ」を「第二項第一号イ」に改める部分に限る。）並びに同条第六項及び第七項の改正規定に限る。）〔中略〕の規定　公布の日から起算して三月を経過した日

二　〔前略〕第百六十条（地域における多様な需要に応じた公的賃貸住宅等の整備等に関する特別措置法第六条第五項の改正規定（「第二項第二号イ」を「第二項第一号イ」に改める部分を除く。）並びに同法第十一条及び第十三条の改正規定に限る。）〔中略〕の規定並びに附則〔中略〕第七十一条〔中略〕の規定　平成二十四年四月一日

三〜六　〔略〕

（地域における多様な需要に応じた公的賃貸住宅等の整備等に関する特別措置法の一部改正に伴う経過措置）

第七一条　第百六十条の規定（地域における多様な需要に応じた公的賃貸住宅等の整備等に関する特別措置法第六条第五項の改正規定（「第二項第二号イ」を「第二項第一号イ」に改める部分を除く。）並びに同法第十一条及び第十三条の改正規定に限る。以下この条において同じ。）の施行の際現に効力を有する第百六十条の規定による改正前の地域における多様な需要に応じた公的賃貸住宅等の整備等に関する特別措置法第十三条第一項の規定により都道府県知事が行った承認又は現に同項の規定により都道府県知事に対して行っている承認の申請で、第百六十条の規定による改正後の地域における多様な需要に応じた公的賃貸住宅等の整備等に関する特別措置法第十三条第一項の規定により市長が行うこととなる事務に係るものは、同項の規定により当該市長が行った承認又は当該市長に対して行った承認の申請とみなす。

（政令への委任）

第八一条　この附則に規定するもののほか、この法律の施行に関し必要な経過措置（罰則に関する経過措置を含む。）は、政令で定める。

附　則〔略〕〔平成二四・六・二七法律五一〕

附　則〔略〕〔平成二八・六・三法律六五〕

附　則〔抄〕〔令和四・一一・一六法律一〇四〕

（施行期日）

第一条　この法律〔中略〕は、当該各号に定める日〔公布の日から起算して三年を超えない範囲内において政令で定める日〕から施行する。

〇地域における多様な需要に応じた公的賃貸住宅等の整備等に関する特別措置法施行令

〔平成一七・七・二七　政令二五七〕

改正　平成一八・一政一〇、三政一五四、九政三二〇、平成二一・一政一〇、三政三六、一〇政二四九、平成二三・七政二三七、九政二九六、一一政三六三、一二政三七六、平成二四・二政二六、平成二五・一政五、一一政三一九、平成二六・九政三一三、一一政三五七、一二政四一二、平成二七・三政一三八、平成二八・二政四五、平成二九・三政六三、平成三〇・三政五四、政五五、令和六・三政一六一

（公共の用に供する施設）

第一条　地域における多様な需要に応じた公的賃貸住宅等の整備等に関する特別措置法（以下「法」という。）第二条第二項第一号の政令で定める公共の用に供する施設は、下水道、緑地及び河川並びに防水又は防砂の施設とする。

（公営住宅建替事業の施行の要件に関する特例に係る公共公益施設）

第二条　法第六条第六項の政令で定める施設は、次に掲げるものとする。

一　児童福祉法（昭和二十二年法律第百六十四号）第六条の二の二第一項に規定する障害児通所支援事業（同条第四項に規定する居宅訪問型児童発達支援又は同条第五項に規定する保育所等訪問支援のみを行う事業を除く。）、同条第六項に規定する障害児相談支援事業、同法第六条の三第二項に規定する放課後児童健全育成事業、同条第三項に規定する子育て短期支援事業、同条第六項に規定する地域子育て支援拠点事業、同条第七項に規定する一時預かり事業、同条第九項に規定する家庭的保育事業、同条第十項に規定する小規模保育事業、同条第十五項に規定する親子再統合支援事業、同条第十六項に規定する社会的養護自立支援拠点事業、同条第十八項に規定する妊産婦等生活援助事業、同条第二十項に規定する児童育成支援拠点事業若しくは同条第二十一項に規定する親子関係形成支援事業の用に供する施設、同法第十条の二第二項に規定するこども家庭センター、同法第十条の三第一項に規定する地域子育て相談機関の所在する施設、同法第三十九条第一項に規定する保育所、同法第四十条に規定する児童厚生施設、同法第四十四条の二第一項に規定する児童家庭支援センター又は同法第四十四条の三第一項に規定する里親支援センター

二　身体障害者福祉法（昭和二十四年法律第二百八十三号）第四条の二第一項に規定する身体障害者生活訓練等事業の用に供する施設又は同法第三十一条に規定する身体障害者福祉センター

三　社会福祉法（昭和二十六年法律第四十五号）第二条第三項第十一号に規定する隣保事業の用に供する施設

四　老人福祉法（昭和三十八年法律第百三十三号）第五条の二第三項に規定する老人デイサービス事業、同条第四項に規定する老人短期入所事業、同条第五項に規定する小規模多機能型居宅介護事業若しくは同条第六項に規定する認知症対応型老人共同生活援助事業の用に供する施設、同法第二十条の七に規定する老人福祉センター若しくは同法第二十条の七の二に規定する老人介護支援センター又は介護保険法（平成九年法律第百二十三号）第八条第二十八項に規定する介護老人保健施設若しくは同条第二十九項に規定する介護医療院、同法第百十五条の四十五第一項第一号ニ若しくは第二号、第二項第一号から第三号まで若しくは第三項各号に掲げる事業（同条第一項第一号ニに掲げる事業にあっては、同法第五十三条第一項に規定する居宅要支援被保険者に係るものを除く。）の用に供する施設若しくは同法第百十五条の四十六第一項に規定する地域包括支援センター

五　母子及び父子並びに寡婦福祉法（昭和三十九年法律第百二十九号）第三十九条第二項に規定する母子・父子福祉センター又は同条第三項に規定する母子・父子休養ホーム

六　障害者の日常生活及び社会生活を総合的に支援するための法律（平成十七年法律第百二十三号）第五条第一項に規定する障害福祉サービス事業（生活介護、短期入所、自立訓練、就労移行支援、就労継続支援（主として公的賃貸住宅等の居住者に便宜を供与するものとして国土交通省令で定めるものに限る。）、自立生活援助又は共同生活援助を行う事業に限る。）若しくは同条第十八項に規定する一般相談支援事業若しくは特定相談支援事業の用に供する施設、同条第二十七項に規定する地域活動支援センター又は同条第二十八項に規定する福祉ホーム

七　学校教育法（昭和二十二年法律第二十六号）第一条に規定する幼稚園、社会教育法（昭和二十四年法律第二百七号）第二十条に規定する公民館又は図書館法（昭和二十五年法律第百十八号）第二条第一項に規定する図書館

八　就学前の子どもに関する教育、保育等の総合的な提供の推進に関する法律（平成十八年法律第七十七号）第二条第七項に規定する幼保連携型認定こども園

九　医療法（昭和二十三年法律第二百五号）第一条の五第一項に規定する病院、同条第二項に規定する診療所又は同法第二条第一項に規定する助産所

（町村の長が特定優良賃貸住宅関係事務を行うこととする場合における手続等）

第三条　都道府県知事は、法第十一条の規定により、特定優良賃貸住宅の供給の促進に関する法律（平成五年法律第五十二号）の規定又は法第十三条の規定によりその権限に属する事務であって、町村が作成した地域住宅計画に記載された特定優良賃貸住宅の整備に関する事業に係るもの（以下「特定優良賃貸住宅関係事務」という。）を当該町村の長が行うこととする場合には、当該町村の長が行うこととする特定優良賃貸住宅関係事務の内容を明らかにして、当該町村の長が当該特定優良賃貸住宅関係事務を行うこととすることについて、あらかじめ当該町村の長の同意を求めなければならない。

2　町村の長は、前項の規定により都道府県知事から同意を求められたときは、その内容について同意をするかどうかを決定し、その旨を都道府県知事に通知するものとする。

3　都道府県知事は、法第十一条の規定により特定優良賃貸住宅関係事務を町村の長が行うこととした場合においては、直ちに、その内容を公示しなければならない。

4　法第十一条の規定により特定優良賃貸住宅関係事務を町村の長が行ったときは、当該町村の長は、都道府県知事に対し、その旨及びその内容を報告するものとする。

5　法第十一条の規定により特定優良賃貸住宅関係事務を町村の長が行うこととした場合においては、特定優良賃貸住宅の供給の促進に関する法律の規定又は法第十三条の規定中当該特定優良賃貸住宅関係事務に係る都道府県知事に関する規定は、町村の長に関する規定として町村の長に適用があるものとする。

附　則〔抄〕

（施行期日）

1　この政令は、法の施行の日（平成十七年八月一日）から施行する。

附　則〔略〕〔平成一八・一・二五政令一〇〕

附　則〔略〕〔平成一八・三・三一政令一五四〕

附　則〔平成一八・九・二六政令三二〇〕

この政令は、障害者自立支援法の一部の施行の日（平成十八年十月一日）から施行する。

障害者自立支援法の一部の施行に伴う関係政令の整備に関する政令〔抄〕

〔平成一八・九・二六政令三二〇〕

（地域における多様な需要に応じた公的賃貸住宅等の整備等に関する特別措置法施行令の一部改正に伴う経過措置）

第五〇条　施行日前に地域における多様な需要に応じた公的賃貸住宅等の整備等に関する特別措置法（平成十七年法律第七十九号）第六条第六項の規定により地域住宅計画に記載された公営住宅建替事業であって、当該公営住宅建替事業が施行される土地の区域において新たに前条の規定による改正前の地域における多様な需要に応じた公的賃貸住宅等の整備等に関する特別措置法施行令第二条第一号に掲げる知的障害者相談支援事業の用に供する施設、同条第二号に掲げる障害児相談支援事業の用に供する施設、同条第三号に掲げる身体障害者相談支援事業の用に供する施設、同条第四号に掲げる精神障害者生活訓練施設、精神障害者授産施設、精神障害者福祉ホーム若しくは精神障害者地域生活支援センター又は同条第八号に掲げる障害者デイサービスを行う事業の用に供する施設を整備するものについては、施行日において当該地域住宅計画に記載された公営住宅建替事業であって、当該公営住宅建替事業が施行される土地の区域において新たに前条の規定による改正後の同令第二条第六号に掲げる施設を整備するものとみなす。

附　則〔略〕〔平成二一・一・二八政令一〇〕

附　則〔略〕〔平成二一・三・一三政令三六〕

附　則〔略〕〔平成二一・一〇・二一政令二四九〕

附　則〔略〕〔平成二三・七・二九政令二三七〕

附　則〔略〕〔平成二三・九・二二政令二九六〕

附　則〔略〕〔平成二三・一一・二八政令三六三〕

附　則〔略〕〔平成二三・一二・二一政令三七六〕

附　則〔抄〕〔平成二四・二・三政令二六〕

（施行期日）

第一条　この政令は、平成二十四年四月一日から施行する。〔以下略〕

（地域における多様な需要に応じた公的賃貸住宅等の整備等に関する特別措置法施行令の一部改正に伴う経過措置）

第五条　施行日前に地域における多様な需要に応じた公的賃貸住宅等の整備等に関する特別措置法（平成十七年法律第七十九号）第六条第六項の規定により地域住宅計画に記載された公営住宅建替事業であって、当該公営住宅建替事業が施行される土地の区域において新たに第二十九条の規定による改正前の地域における多様な需要に応じた公的賃貸住宅等の整備等に関する特別措置法施行令第二条第六号に掲げる障害福祉サービス事業（児童デイサービスを行う事業に限る。）又は相談支援事業の用に供する施設を整備するものについては、施行日において当該地域住宅計画に記載された公営住宅建替事業であって、当該公営住宅建替事業が施行される土地の区域において新たに第二十九条の規定による改正後の同令第二条第一号又は第六号に掲げる施設を整備するものとみなす。

附　則〔略〕〔平成二五・一・一八政令五〕

附　則〔平成二五・一一・二七政令三一九〕

（施行期日）

1　この政令は、平成二十六年四月一日から施行する。

（地域における多様な需要に応じた公的賃貸住宅等の整備等に関する特別措置法施行令の一部改正に伴う経過措置）

2　この政令の施行の日前に地域における多様な需要に応じた公的賃貸住宅等の整備等に関する特別措置法（平成十七年法律第七十九号）第六条第六項の規定により地域住宅計画に記載された公営住宅建替事業であって、当該公営住宅建替事業が施行される土地の区域において新たに第十七条の規

定による改正前の地域における多様な需要に応じた公的賃貸住宅等の整備等に関する特別措置法施行令第二条第六号に掲げる障害福祉サービス事業（共同生活介護を行う事業に限る。）の用に供する施設を整備するものについては、同日において当該地域住宅計画に記載された公営住宅建替事業であって、当該公営住宅建替事業が施行される土地の区域において新たに第十七条の規定による改正後の同令第二条第六号に掲げる施設を整備するものとみなす。

附　則〔略〕〔平成二六・九・二五政令三二三〕

附　則〔略〕〔平成二六・一一・一二政令三五七〕

附　則〔略〕〔平成二六・一二・二四政令四一二〕

附　則〔略〕〔平成二七・三・三一政令一三八〕

附　則〔略〕〔平成二八・二・一九政令四五〕

附　則〔抄〕〔平成二九・三・二九政令六三〕

（**施行期日**）

第一条　この政令は、平成二十九年四月一日から施行する。

（**経過措置**）

第四条　この政令の施行の日前に地域における多様な需要に応じた公的賃貸住宅等の整備等に関する特別措置法（平成十七年法律第七十九号）第六条第六項の規定により同条第一項に規定する地域住宅計画に記載された公営住宅建替事業であって、当該公営住宅建替事業が施行される土地の区域において新たに第六条第五号の規定による改正前の地域における多様な需要に応じた公的賃貸住宅等の整備等に関する特別措置法施行令第二条第五号に掲げる母子健康センターを整備するものについては、同日において当該地域住宅計画に記載された公営住宅建替事業であって、当該公営住宅建替事業が施行される土地の区域において新たに第六条第五号の規定による改正後の地域における多様な需要に応じた公的賃貸住宅等の整備等に関する特別措置法施行令第二条第五号に掲げる母子健康包括支援センターを整備するものとみなす。

附　則〔略〕〔平成三〇・三・二二政令五四〕

附　則〔略〕〔平成三〇・三・二二政令五五〕

附　則〔抄〕〔令和六・三・三〇政令一六一〕

（**施行期日**）

第一条　この政令は、令和六年四月一日から施行する。

（**地域における多様な需要に応じた公的賃貸住宅等の整備等に関する特別措置法施行令の一部改正に伴う経過措置**）

第四条　施行日前に地域における多様な需要に応じた公的賃貸住宅等の整備等に関する特別措置法（平成十七年法律第七十九号。以下この条において「地域住宅特別措置法」という。）第六条第六項の規定により同条第一項に規定する地域住宅計画に記載された同条第六項に規定する公共公益施設であって、施行日以後に新たに第十一条の規定による改正前の地域における多様な需要に応じた公的賃貸住宅等の整備等に関する特別措置法施行令第二条第五号に規定する母子健康包括支援センターとして整備するものは、地域住宅特別措置法第十二条の規定により読み替えて適用する公営住宅法（昭和二十六年法律第百九十三号）第三十六条第三号及び第十一条の規定による改正後の地域における多様な需要に応じた公的賃貸住宅等の整備等に関する特別措置法施行令第二条（第一号に係る部分に限る。）の規定の適用については、同条第一号に規定するこども家庭センターとみなす。

〇マンションの管理の適正化の推進に関する法律

〔平成一二・一二・八　法律一四九〕

改正　平成一四・五法四五、平成一五・六法九六、平成一六・六法七六、一二法一四七、法一五四、平成一七・七法八三、法八七、平成一八・六法五〇、平成二三・六法六一、平成二六・六法六九、令和元・六法三七、令和二・六法六二、令和三・五法三七、法四八

目次

第一章　総則（第一条・第二条）
第二章　基本方針及びマンション管理適正化推進計画等（第三条―第五条の二）
第三章　管理計画の認定等（第五条の三―第五条の十二）
第四章　マンション管理士
　第一節　資格（第六条）
　第二節　試験（第七条―第二十九条）
　第三節　登録（第三十条―第三十九条）
　第四節　義務等（第四十条―第四十三条の二）
第五章　マンション管理業
　第一節　登録（第四十四条―第五十五条）
　第二節　管理業務主任者（第五十六条―第六十九条）
　第三節　業務（第七十条―第八十条）
　第四節　監督（第八十一条―第八十六条）
　第五節　雑則（第八十七条―第九十条）
第六章　マンション管理適正化推進センター（第九十一条―第九十四条）
第七章　マンション管理業者の団体（第九十五条―第百二条）
第八章　雑則（第百三条―第百五条）
第九章　罰則（第百六条―第百十三条）
附則

第一章　総則

（**目的**）

第一条　この法律は、土地利用の高度化の進展その他国民の住生活を取り巻く環境の変化に伴い、多数の区分所有者が居住するマンションの重要性が増大していることに鑑み、基本方針の策定、マンション管理適正化推進計画の作成及びマンションの管理計画の認定並びにマンション管理士の資格

及びマンション管理業者の登録制度等について定めることにより、マンションの管理の適正化の推進を図るとともに、マンションにおける良好な居住環境の確保を図り、もって国民生活の安定向上と国民経済の健全な発展に寄与することを目的とする。

（定義）

第二条　この法律において、次の各号に掲げる用語の意義は、それぞれ当該各号の定めるところによる。

一　マンション　次に掲げるものをいう。

イ　二以上の区分所有者（建物の区分所有等に関する法律（昭和三十七年法律第六十九号。以下「区分所有法」という。）第二条第二項に規定する区分所有者をいう。以下同じ。）が存する建物で人の居住の用に供する専有部分（区分所有法第二条第三項に規定する専有部分をいう。以下同じ。）のあるもの並びにその敷地及び附属施設

ロ　一団地内の土地又は附属施設（これらに関する権利を含む。）が当該団地内にあるイに掲げる建物を含む数棟の建物の所有者（専有部分のある建物にあつては、区分所有者）の共有に属する場合における当該土地及び附属施設

二　マンションの区分所有者等　前号イに掲げる建物の区分所有者並びに同号ロに掲げる土地及び附属施設の同号ロの所有者をいう。

三　管理組合　マンションの管理を行う区分所有法第三条若しくは第六十五条に規定する団体又は区分所有法第四十七条第一項（区分所有法第六十六条において準用する場合を含む。）に規定する法人をいう。

四　管理者等　区分所有法第二十五条第一項（区分所有法第六十六条において準用する場合を含む。）の規定により選任された管理者又は区分所有法第四十九条第一項（区分所有法第六十六条において準用する場合を含む。）の規定により置かれた理事をいう。

五　マンション管理士　第三十条第一項の登録を受け、マンション管理士の名称を用いて、専門的知識をもつて、管理組合の運営その他マンションの管理に関し、管理組合の管理者等又はマンションの区分所有者等の相談に応じ、助言、指導その他の援助を行うことを業務（他の法律においてその業務を行うことが制限されているものを除く。）とする者をいう。

六　管理事務　マンションの管理に関する事務であつて、基幹事務（管理組合の会計の収入及び支出の調定及び出納並びにマンション（専有部分を除く。）の維持又は修繕に関する企画又は実施の調整をいう。以下同じ。）を含むものをいう。

七　マンション管理業　管理組合から委託を受けて管理事務を行う行為で業として行うもの（マンションの区分所有者等が当該マンションについて行うものを除く。）をいう。

八　マンション管理業者　第四十四条の登録を受けてマンション管理業を営む者をいう。

九　管理業務主任者　第六十条第一項に規定する管理業務主任者証の交付を受けた者をいう。

第二章　基本方針及びマンション管理適正化推進計画等

（基本方針）

第三条　国土交通大臣は、マンションの管理の適正化の推進を図るための基本的な方針（以下「基本方針」という。）を定めなければならない。

２　基本方針においては、次に掲げる事項を定めるものとする。

一　マンションの管理の適正化の推進に関する基本的な事項

二　マンションの管理の適正化に関する目標の設定に関する事項

三　管理組合によるマンションの管理の適正化に関する基本的な指針（以下「マンション管理適正化指針」という。）に関する事項

四　マンションがその建設後相当の期間が経過した場合その他の場合において当該マンションの建替えその他の措置が必要なときにおけるマンションの建替えその他の措置に向けたマンションの区分所有者等の合意形成の促進に関する事項

五　マンションの管理の適正化に関する啓発及び知識の普及に関する基本的な事項

六　次条第一項に規定するマンション管理適正化推進計画の策定に関する基本的な事項その他マンションの管理の適正化の推進に関する重要事項

３　基本方針は、住生活基本法（平成十八年法律第六十一号）第十五条第一項に規定する全国計画との調和が保たれたものでなければならない。

４　国土交通大臣は、基本方針を定め、又はこれを変更したときは、遅滞なく、これを公表しなければならない。

（マンション管理適正化推進計画）

第三条の二　都道府県（市の区域内にあつては当該市、町村であつて第百四条の二第一項の規定により同項に規定するマンション管理適正化推進行政事務を処理する町村の区域内にあつては当該町村。以下「都道府県等」という。）は、基本方針に基づき、当該都道府県等の区域内におけるマンションの管理の適正化の推進を図るための計画（以下「マンション管理適正化推進計画」という。）を作成することができる。

２　マンション管理適正化推進計画においては、次に掲げる事項を定めるものとする。

一　当該都道府県等の区域内におけるマンションの管理の適正化に関する目標

二　当該都道府県等の区域内におけるマンションの管理の状況を把握するために当該都道府県等が講ずる措置に関する事項

三　当該都道府県等の区域内におけるマンションの管理の適正化の推進を図るための施策に関する事項

四　当該都道府県等の区域内における管理組合によるマンションの管理の適正化に関する指針（以下「都道府県等マンション管理適正化指針」という。）に関する事項

五　マンションの管理の適正化に関する啓発及び知識の普及に関する事項

六　計画期間

七　その他当該都道府県等の区域内におけるマンションの管理の適正化の推進に関し必要な事項

３　都道府県等は、当該都道府県等の区域内において地方住宅供給公社（以下「公社」という。）によるマンション（当該マンションに係る第二条第一号イに掲げる建物の建設後国土交通省令で定める期間を経過したものに限る。次条第一項において同じ。）の修繕その他の管理に関する事業の実施が必要と認められる場合には、前項第三号に掲げる事項に、当該事業の実施に関する事項を定めることができる。

４　都道府県等は、マンション管理適正化推進計画に公社による前項に規定する事業の実施に関する事項を定めようとするときは、当該事項について、あらかじめ、当該公社の同意を得なければならない。

５　都道府県等は、マンション管理適正化推進計画を作成し、又はこれを変更したときは、遅滞なく、これを公表するとともに、都道府県にあつては関係町村に通知しなければならない。

６　都道府県等は、マンション管理適正化推進計画の作成及び変更並びにマンション管理適正化推進計画に基づく措置の実施に関して特に必要があると認めるときは、関係地方公共団体、管理組合、マンション管理業者その他の関係者に対し、調査を実施するため必要な協力を求めることができる。

（委託により公社の行うマンションの修繕その他の管理の業務）

第三条の三　前条第三項の規定によりマンション管理適正化推進計画に公社による同項に規定する事業の実施に関する事項が定められた場合には、公社は、当該都道府県等の区域内において地方住宅供給公社法（昭和四十年法律第百二十四号）第二十一条に規定する業務のほか、委託により、マンションの修繕その他の管理の業務を行うことができる。

２　前項の規定により公社が同項に規定する業務を行う場合には、地方住宅供給公社法第四十九条第三号中「第二十一条」とあるのは、「第二十一条に規定する業務及びマンションの管理の適正化の推進に関する法律（平成十二年法律第百四十九号）第三条の三第一項」とする。

（国及び地方公共団体の責務）

第四条　国及び地方公共団体は、マンションの管理の適正化の推進を図るため、必要な施策を講ずるよう努めなければならない。

２　国及び地方公共団体は、マンションの管理の適正化に資するため、管理組合又はマンションの区分所有者等の求めに応じ、必要な情報及び資料の提供その他の措置を講ずるよう努めなければならない。

（管理組合等の努力）

第五条　管理組合は、マンション管理適正化指針（管理組合がマンション管理適正化推進計画が作成されている都道府県等の区域内にある場合にあつては、マンション管理適正化指針及び都道府県等マンション管理適正化指針。次条において同じ。）の定めるところに留意して、マンションを適正

に管理するよう自ら努めるとともに、国及び地方公共団体が講ずるマンションの管理の適正化の推進に関する施策に協力するよう努めなければならない。

2　マンションの区分所有者等は、マンションの管理に関し、管理組合の一員としての役割を適切に果たすよう努めなければならない。

（助言、指導等）

第五条の二　都道府県等は、マンション管理適正化指針に即し、管理組合の管理者等（管理者等が置かれていないときは、当該管理組合を構成するマンションの区分所有者等。次項において同じ。）に対し、マンションの管理の適正化を図るために必要な助言及び指導をすることができる。

2　都道府県知事（市又は第百四条の二第一項の規定により同項に規定するマンション管理適正化推進行政事務を処理する町村の区域内にあっては、それぞれの長。以下「都道府県知事等」という。）は、管理組合の運営がマンション管理適正化指針に照らして著しく不適切であることを把握したときは、当該管理組合の管理者等に対し、マンション管理適正化指針に即したマンションの管理を行うよう勧告することができる。

第三章　管理計画の認定等

（管理計画の認定）

第五条の三　管理組合の管理者等は、国土交通省令で定めるところにより、当該管理組合によるマンションの管理に関する計画（以下「管理計画」という。）を作成し、マンション管理適正化推進計画を作成した都道府県等の長（以下「計画作成都道府県知事等」という。）の認定を申請することができる。

2　管理計画には、次に掲げる事項を記載しなければならない。

一　当該マンションの修繕その他の管理の方法

二　当該マンションの修繕その他の管理に係る資金計画

三　当該マンションの管理組合の運営の状況

四　その他国土交通省令で定める事項

（認定基準）

第五条の四　計画作成都道府県知事等は、前条第一項の認定の申請があった場合において、当該申請に係る管理計画が次に掲げる基準に適合すると認めるときは、その認定をすることができる。

一　マンションの修繕その他の管理の方法が国土交通省令で定める基準に適合するものであること。

二　資金計画がマンションの修繕その他の管理を確実に遂行するため適切なものであること。

三　管理組合の運営の状況が国土交通省令で定める基準に適合するものであること。

四　その他マンション管理適正化指針及び都道府県等マンション管理適正化指針に照らして適切なものであること。

（認定の通知）

第五条の五　計画作成都道府県知事等は、前条の認定をしたときは、速やかに、国土交通省令で定めるところにより、その旨を当該認定を受けた者（以下「認定管理者等」という。）に通知しなければならない。

（認定の更新）

第五条の六　第五条の四の認定は、五年ごとにその更新を受けなければ、その期間の経過によって、その効力を失う。

2　前三条の規定は、前項の認定の更新について準用する。

3　第一項の認定の更新の申請があった場合において、同項の期間（以下この項及び次項において「認定の有効期間」という。）の満了の日までにその申請に対する処分がされないときは、従前の認定は、認定の有効期間の満了後もその処分がされるまでの間は、なおその効力を有する。

4　前項の場合において、認定の更新がされたときは、その認定の有効期間は、従前の認定の有効期間の満了の日の翌日から起算するものとする。

（認定を受けた管理計画の変更）

第五条の七　認定管理者等は、第五条の四の認定を受けた管理計画の変更（国土交通省令で定める軽微な変更を除く。）をしようとするときは、国土交通省令で定めるところにより、計画作成都道府県知事等の認定を受けなければならない。

2　第五条の四及び第五条の五の規定は、前項の認定について準用する。

（報告の徴収）

第五条の八　計画作成都道府県知事等は、認定管理者等（第五条の四の認定を受けた管理計画（前条第一項の変更の認定があったときは、その変更後のもの。以下「認定管理計画」という。）に係るマンション（以下「管理計画認定マンション」という。）に係る管理組合に管理者等が置かれなくなったときは、当該管理組合を構成するマンションの区分所有者等。次条及び第五条の十において同じ。）に対し、管理計画認定マンションの管理の状況について報告を求めることができる。

（改善命令）

第五条の九　計画作成都道府県知事等は、認定管理者等が認定管理計画に従って管理計画認定マンションの管理を行っていないと認めるときは、当該認定管理者等に対し、相当の期限を定めて、その改善に必要な措置を命ずることができる。

（管理計画の認定の取消し）

第五条の一〇　計画作成都道府県知事等は、次に掲げる場合には、第五条の四の認定（第五条の七第一項の変更の認定を含む。以下同じ。）を取り消すことができる。

一　認定管理者等が前条の規定による命令に違反したとき。

二　認定管理者等から認定管理計画に基づく管理計画認定マンションの管理を取りやめる旨の申出があったとき。

三　認定管理者等が不正の手段により第五条の四の認定又は第五条の六第一項の認定の更新を受けたとき。

2　計画作成都道府県知事等は、前項の規定により第五条の四の認定を取り消したときは、速やかに、その旨を当該認定管理者等であった者に通知しなければならない。

（委託により公社の行う管理計画認定マンションの修繕に関する企画又は実施の調整に関する業務）

第五条の一一　公社は、地方住宅供給公社法第二十一条に規定する業務のほか、委託により、管理計画認定マンションの修繕に関する企画又は実施の調整に関する業務を行うことができる。

2　前項の規定により公社が同項に規定する業務を行う場合には、地方住宅供給公社法第四十九条第三号中「第二十一条」とあるのは、「第二十一条に規定する業務及びマンションの管理の適正化の推進に関する法律（平成十二年法律第百四十九号）第五条の十一第一項」とする。

（指定認定事務支援法人）

第五条の一二　マンション管理適正化推進計画を作成した都道府県等（第四項において「計画作成都道府県等」という。）は、第五条の四の認定及び第五条の六第一項の認定の更新に関する次に掲げる事務の一部を、法人であって国土交通省令で定める要件に該当し、当該事務を適正に実施することができると認められるものとして計画作成都道府県知事等が指定するもの（以下「指定認定事務支援法人」という。）に委託することができる。

一　マンションの修繕その他の管理の方法、マンションの修繕その他の管理に係る資金計画及び管理組合の運営の状況について調査すること。

二　その他国土交通省令で定める事務

2　指定認定事務支援法人の役員若しくは職員又はこれらの職にあった者は、正当な理由なしに、前項の規定により委託された事務に関して知り得た秘密を漏らしてはならない。

3　指定認定事務支援法人の役員又は職員で、第一項の規定により委託された事務に従事するものは、刑法（明治四十年法律第四十五号）その他の罰則の適用については、法令により公務に従事する職員とみなす。

4　計画作成都道府県等は、第一項の規定により事務を委託したときは、国土交通省令で定めるところにより、その旨を公示しなければならない。

5　前各項に定めるもののほか、指定認定事務支援法人に関し必要な事項は、政令で定める。

第四章　マンション管理士

第一節　資格

第六条　マンション管理士試験（以下この章において「試験」という。）に合格した者は、マンション管理士となる資格を有する。

第二節　試験

（試験）

第七条　試験は、マンション管理士として必要な知識について行う。
2　国土交通省令で定める資格を有する者に対しては、国土交通省令で定めるところにより、試験の一部を免除することができる。

（試験の実施）
第八条　試験は、毎年一回以上、国土交通大臣が行う。

（試験の無効等）
第九条　国土交通大臣は、試験に関して不正の行為があった場合には、その不正行為に関係のある者に対しては、その受験を停止させ、又はその試験を無効とすることができる。
2　国土交通大臣は、前項の規定による処分を受けた者に対し、期間を定めて試験を受けることができないものとすることができる。

（受験手数料）
第一〇条　試験を受けようとする者は、実費を勘案して政令で定める額の受験手数料を国に納付しなければならない。
2　前項の受験手数料は、これを納付した者が試験を受けない場合においても、返還しない。

（指定試験機関の指定）
第一一条　国土交通大臣は、国土交通省令で定めるところにより、その指定する者（以下この節において「指定試験機関」という。）に、試験の実施に関する事務（以下この節において「試験事務」という。）を行わせることができる。
2　指定試験機関の指定は、国土交通省令で定めるところにより、試験事務を行おうとする者の申請により行う。
3　国土交通大臣は、他に指定を受けた者がなく、かつ、前項の申請が次の要件を満たしていると認めるときでなければ、指定試験機関の指定をしてはならない。
一　職員、設備、試験事務の実施の方法その他の事項についての試験事務の実施に関する計画が、試験事務の適正かつ確実な実施のために適切なものであること。
二　前号の試験事務の実施に関する計画の適正かつ確実な実施に必要な経理的及び技術的な基礎を有するものであること。
4　国土交通大臣は、第二項の申請をした者が次の各号のいずれかに該当するときは、指定試験機関の指定をしてはならない。
一　一般社団法人又は一般財団法人以外の者であること。
二　その行う試験事務以外の業務により試験事務を公正に実施することができないおそれがあること。
三　この法律の規定により刑に処せられ、その執行を終わり、又は執行を受けることがなくなった日から二年を経過しない者であること。
四　第二十四条の規定により指定を取り消され、その取消しの日から二年を経過しない者であること。
五　その役員のうちに、次のいずれかに該当する者があること。
イ　第三号に該当する者
ロ　第十三条第二項の規定による命令により解任され、その解任の日から二年を経過しない者

（変更の届出）
第一二条　指定試験機関は、その名称又は主たる事務所の所在地を変更しようとするときは、変更しようとする日の二週間前までに、その旨を国土交通大臣に届け出なければならない。

（指定試験機関の役員の選任及び解任）
第一三条　試験事務に従事する指定試験機関の役員の選任及び解任は、国土交通大臣の認可を受けなければ、その効力を生じない。
2　国土交通大臣は、指定試験機関の役員が、この法律（この法律に基づく命令又は処分を含む。）若しくは第十五条第一項に規定する試験事務規程に違反する行為をしたとき、又は試験事務に関し著しく不適当な行為をしたときは、指定試験機関に対し、当該役員の解任を命ずることができる。

（事業計画の認可等）
第一四条　指定試験機関は、毎事業年度、事業計画及び収支予算を作成し、当該事業年度の開始前に（指定を受けた日の属する事業年度にあっては、その指定を受けた後遅滞なく）、国土交通大臣の認可を受けなければならない。これを変更しようとするときも、同様とする。
2　指定試験機関は、毎事業年度の経過後三月以内に、その事業年度の事業報告書及び収支決算書を作成し、国土交通大臣に提出しなければならない。

（試験事務規程）
第一五条　指定試験機関は、試験事務の開始前に、試験事務の実施に関する規程（以下この節において「試験事務規程」という。）を定め、国土交通大臣の認可を受けなければならない。これを変更しようとするときも、同様とする。
2　試験事務規程で定めるべき事項は、国土交通省令で定める。
3　国土交通大臣は、第一項の認可をした試験事務規程が試験事務の適正かつ確実な実施上不適当となったと認めるときは、指定試験機関に対し、これを変更すべきことを命ずることができる。

（試験委員）
第一六条　指定試験機関は、試験事務を行う場合において、マンション管理士として必要な知識を有するかどうかの判定に関する事務については、マンション管理士試験委員（以下この節において「試験委員」という。）に行わせなければならない。
2　指定試験機関は、試験委員を選任しようとするときは、国土交通省令で定める要件を備える者のうちから選任しなければならない。
3　指定試験機関は、試験委員を選任したときは、国土交通省令で定めるところにより、国土交通大臣にその旨を届け出なければならない。試験委員に変更があったときも、同様とする。
4　第十三条第二項の規定は、試験委員の解任について準用する。

（規定の適用等）
第一七条　指定試験機関が試験事務を行う場合における第九条第一項及び第十条第一項の規定の適用については、第九条第一項中「国土交通大臣」とあり、及び第十条第一項中「国」とあるのは、「指定試験機関」とする。
2　前項の規定により読み替えて適用する第十条第一項の規定により指定試験機関に納付された受験手数料は、指定試験機関の収入とする。

（秘密保持義務等）
第一八条　指定試験機関の役員若しくは職員（試験委員を含む。次項において同じ。）又はこれらの職にあった者は、試験事務に関して知り得た秘密を漏らしてはならない。
2　試験事務に従事する指定試験機関の役員又は職員は、刑法その他の罰則の適用については、法令により公務に従事する職員とみなす。

（帳簿の備付け等）
第一九条　指定試験機関は、国土交通省令で定めるところにより、試験事務に関する事項で国土交通省令で定めるものを記載した帳簿を備え、これを保存しなければならない。

（監督命令）
第二〇条　国土交通大臣は、試験事務の適正な実施を確保するため必要があると認めるときは、指定試験機関に対し、試験事務に関し監督上必要な命令をすることができる。

（報告）
第二一条　国土交通大臣は、試験事務の適正な実施を確保するため必要があると認めるときは、その必要な限度で、指定試験機関に対し、報告をさせることができる。

（立入検査）
第二二条　国土交通大臣は、試験事務の適正な実施を確保するため必要があると認めるときは、その必要な限度で、その職員に、指定試験機関の事務所に立ち入り、指定試験機関の帳簿、書類その他必要な物件を検査させ、又は関係者に質問させることができる。
2　前項の規定により立入検査を行う職員は、その身分を示す証明書を携帯し、かつ、関係者の請求があるときは、これを提示しなければならない。
3　第一項に規定する権限は、犯罪捜査のために認められたものと解釈してはならない。

（試験事務の休廃止）
第二三条　指定試験機関は、国土交通大臣の許可を受けなければ、試験事務の全部又は一部を休止し、又は廃止してはならない。
2　国土交通大臣は、指定試験機関の試験事務の全部又は一部の休止又は廃止により試験事務の適正かつ確実な実施が損なわれるおそれがないと認めるときでなければ、前項の規定による許可をしてはならない。

（指定の取消し等）
第二四条　国土交通大臣は、指定試験機関が第十一条第四項各号（第四号を除く。）のいずれかに該当するに至ったときは、その指定を取り消さなければならない。
2　国土交通大臣は、指定試験機関が次の各号のいずれかに該当するに至っ

たときは、その指定を取り消し、又は期間を定めて試験事務の全部若しくは一部の停止を命ずることができる。

一　第十一条第三項各号の要件を満たさなくなったと認められるとき。

二　第十三条第二項（第十六条第四項において準用する場合を含む。）、第十五条第三項又は第二十条の規定による命令に違反したとき。

三　第十四条、第十六条第一項から第三項まで、第十九条又は前条第一項の規定に違反したとき。

四　第十五条第一項の認可を受けた試験事務規程によらないで試験事務を行ったとき。

五　次条第一項の条件に違反したとき。

六　試験事務に関し著しく不適当な行為をしたとき、又はその試験事務に従事する試験委員若しくは役員が試験事務に関し著しく不適当な行為をしたとき。

七　偽りその他不正の手段により第十一条第一項の規定による指定を受けたとき。

（指定等の条件）

第二五条　第十一条第一項、第十三条第一項、第十四条第一項、第十五条第一項又は第二十三条第一項の規定による指定、認可又は許可には、条件を付し、及びこれを変更することができる。

2　前項の条件は、当該指定、認可又は許可に係る事項の確実な実施を図るため必要な最小限度のものに限り、かつ、当該指定、認可又は許可を受ける者に不当な義務を課することとなるものであってはならない。

（指定試験機関がした処分等に係る審査請求）

第二六条　指定試験機関が行う試験事務に係る処分又はその不作為について不服がある者は、国土交通大臣に対し、審査請求をすることができる。この場合において、国土交通大臣は、行政不服審査法（平成二十六年法律第六十八号）第二十五条第二項及び第三項、第四十六条第一項及び第二項、第四十七条並びに第四十九条第三項の規定の適用については、指定試験機関の上級行政庁とみなす。

（国土交通大臣による試験事務の実施等）

第二七条　国土交通大臣は、指定試験機関の指定をしたときは、試験事務を行わないものとする。

2　国土交通大臣は、指定試験機関が第二十三条第一項の規定による許可を受けて試験事務の全部若しくは一部を休止したとき、第二十四条第二項の規定により指定試験機関に対し試験事務の全部若しくは一部の停止を命じたとき、又は指定試験機関が天災その他の事由により試験事務の全部若しくは一部を実施することが困難となった場合において必要があると認めるときは、試験事務の全部又は一部を自ら行うものとする。

（公示）

第二八条　国土交通大臣は、次に掲げる場合には、その旨を官報に公示しなければならない。

一　第十一条第一項の規定による指定をしたとき。

二　第十二条の規定による届出があったとき。

三　第二十三条第一項の規定による許可をしたとき。

四　第二十四条の規定により指定を取り消し、又は試験事務の全部若しくは一部の停止を命じたとき。

五　前条第二項の規定により試験事務の全部若しくは一部を自ら行うこととするとき、又は自ら行っていた試験事務の全部若しくは一部を行わないこととするとき。

（国土交通省令への委任）

第二九条　この節に定めるもののほか、試験、指定試験機関その他この節の規定の施行に関し必要な事項は、国土交通省令で定める。

第三節　登録

（登録）

第三〇条　マンション管理士となる資格を有する者は、国土交通大臣の登録を受けることができる。ただし、次の各号のいずれかに該当する者については、この限りでない。

一　禁錮以上の刑に処せられ、その執行を終わり、又は執行を受けることがなくなった日から二年を経過しない者

二　この法律の規定により罰金の刑に処せられ、その執行を終わり、又は執行を受けることがなくなった日から二年を経過しない者

三　第三十三条第一項第二号又は第二項の規定により登録を取り消され、その取消しの日から二年を経過しない者

四　第六十五条第一項第二号から第四号まで又は同条第二項第二号若しくは第三号のいずれかに該当することにより第五十九条第一項の登録を取り消され、その取消しの日から二年を経過しない者

五　第八十三条第二号又は第三号に該当することによりマンション管理業者の登録を取り消され、その取消しの日から二年を経過しない者（当該登録を取り消された者が法人である場合においては、当該取消しの日前三十日以内にその法人の役員（業務を執行する社員、取締役、執行役又はこれらに準ずる者をいう。次章において同じ。）であった者で当該取消しの日から二年を経過しないもの）

六　心身の故障によりマンション管理士の業務を適正に行うことができない者として国土交通省令で定めるもの

2　前項の登録は、国土交通大臣が、マンション管理士登録簿に、氏名、生年月日その他国土交通省令で定める事項を登載してするものとする。

（マンション管理士登録証）

第三一条　国土交通大臣は、マンション管理士の登録をしたときは、申請者に前条第二項に規定する事項を記載したマンション管理士登録証（以下「登録証」という。）を交付する。

（登録事項の変更の届出等）

第三二条　マンション管理士は、第三十条第二項に規定する事項に変更があったときは、遅滞なく、その旨を国土交通大臣に届け出なければならない。

2　マンション管理士は、前項の規定による届出をするときは、当該届出に登録証を添えて提出し、その訂正を受けなければならない。

（登録の取消し等）

第三三条　国土交通大臣は、マンション管理士が次の各号のいずれかに該当するときは、その登録を取り消さなければならない。

一　第三十条第一項各号（第三号を除く。）のいずれかに該当するに至ったとき。

二　偽りその他不正の手段により登録を受けたとき。

2　国土交通大臣は、マンション管理士が第四十条、第四十一条又は第四十二条の規定に違反したときは、その登録を取り消し、又は期間を定めてマンション管理士の名称の使用の停止を命ずることができる。

（登録の消除）

第三四条　国土交通大臣は、マンション管理士の登録がその効力を失ったときは、その登録を消除しなければならない。

（登録免許税及び手数料）

第三五条　マンション管理士の登録を受けようとする者は、登録免許税法（昭和四十二年法律第三十五号）の定めるところにより登録免許税を国に納付しなければならない。

2　登録証の再交付又は訂正を受けようとする者は、実費を勘案して政令で定める額の手数料を国に納付しなければならない。

（指定登録機関の指定等）

第三六条　国土交通大臣は、国土交通省令で定めるところにより、その指定する者（以下「指定登録機関」という。）に、マンション管理士の登録の実施に関する事務（以下「登録事務」という。）を行わせることができる。

2　指定登録機関の指定は、国土交通省令で定めるところにより、登録事務を行おうとする者の申請により行う。

第三七条　指定登録機関が登録事務を行う場合における第三十条、第三十一条、第三十二条第一項、第三十四条及び第三十五条第二項の規定の適用については、これらの規定中「国土交通大臣」とあり、及び「国」とあるのは、「指定登録機関」とする。

2　指定登録機関が登録を行う場合において、マンション管理士の登録を受けようとする者は、実費を勘案して政令で定める額の手数料を指定登録機関に納付しなければならない。

3　第一項の規定により読み替えて適用する第三十五条第二項及び前項の規定により指定登録機関に納付された手数料は、指定登録機関の収入とする。

（準用）

第三八条　第十一条第三項及び第四項、第十二条から第十五条まで並びに第十八条から第二十八条までの規定は、指定登録機関について準用する。この場合において、これらの規定中「試験事務」とあるのは「登録事務」と、「試験事務規程」とあるのは「登録事務規程」と、第十一条第三項中「前項」

とあり、及び同条第四項各号列記以外の部分中「第二項」とあるのは「第三十六条第二項」と、第二十四条第二項第七号、第二十五条第一項及び第二十八条第一号中「第十一条第一項」とあるのは「第三十六条第一項」と読み替えるものとする。

（国土交通省令への委任）
第三九条　この節に定めるもののほか、マンション管理士の登録、指定登録機関その他この節の規定の施行に関し必要な事項は、国土交通省令で定める。

第四節　義務等

（信用失墜行為の禁止）
第四〇条　マンション管理士は、マンション管理士の信用を傷つけるような行為をしてはならない。

（講習）
第四一条　マンション管理士は、国土交通省令で定める期間ごとに、次条から第四十一条の四までの規定により国土交通大臣の登録を受けた者（以下この節において「登録講習機関」という。）が国土交通省令で定めるところにより行う講習（以下この節において「講習」という。）を受けなければならない。

（登録）
第四一条の二　前条の登録は、講習の実施に関する事務（以下この節において「講習事務」という。）を行おうとする者の申請により行う。

（欠格条項）
第四一条の三　次の各号のいずれかに該当する者は、第四十一条の登録を受けることができない。
一　この法律又はこの法律に基づく命令に違反し、罰金以上の刑に処せられ、その執行を終わり、又は執行を受けることがなくなった日から二年を経過しない者
二　第四十一条の十三の規定により第四十一条の登録を取り消され、その取消しの日から二年を経過しない者
三　法人であって、講習事務を行う役員のうちに前二号のいずれかに該当する者があるもの

（登録基準等）
第四一条の四　国土交通大臣は、第四十一条の二の規定により登録を申請した者の行う講習が、別表第一の上欄に掲げる科目について、それぞれ同表の下欄に掲げる講師により行われるものであるときは、その登録をしなければならない。この場合において、登録に関して必要な手続は、国土交通省令で定める。
2　登録は、登録講習機関登録簿に次に掲げる事項を記載してするものとする。
一　登録年月日及び登録番号
二　登録講習機関の氏名又は名称及び住所並びに法人にあっては、その代表者の氏名
三　登録講習機関が講習事務を行う事務所の所在地
四　前三号に掲げるもののほか、国土交通省令で定める事項

（登録の更新）
第四一条の五　第四十一条の登録は、三年を下らない政令で定める期間ごとにその更新を受けなければ、その期間の経過によって、その効力を失う。
2　前三条の規定は、前項の登録の更新について準用する。

（講習事務の実施に係る義務）
第四一条の六　登録講習機関は、公正に、かつ、第四十一条の四第一項の規定及び国土交通省令で定める基準に適合する方法により講習事務を行わなければならない。

（登録事項の変更の届出）
第四一条の七　登録講習機関は、第四十一条の四第二項第二号から第四号までに掲げる事項を変更しようとするときは、変更しようとする日の二週間前までに、その旨を国土交通大臣に届け出なければならない。

（講習事務規程）
第四一条の八　登録講習機関は、講習事務に関する規程（以下この節において「講習事務規程」という。）を定め、講習事務の開始前に、国土交通大臣に届け出なければならない。これを変更しようとするときも、同様とする。
2　講習事務規程には、講習の実施方法、講習に関する料金その他の国土交通省令で定める事項を定めておかなければならない。

（講習事務の休廃止）
第四一条の九　登録講習機関は、講習事務の全部又は一部を休止し、又は廃止しようとするときは、国土交通省令で定めるところにより、あらかじめ、その旨を国土交通大臣に届け出なければならない。

（財務諸表等の備付け及び閲覧等）
第四一条の一〇　登録講習機関は、毎事業年度経過後三月以内に、その事業年度の財産目録、貸借対照表及び損益計算書又は収支計算書並びに事業報告書（その作成に代えて電磁的記録（電子的方式、磁気的方式その他の人の知覚によっては認識することができない方式で作られる記録であって、電子計算機による情報処理の用に供されるものをいう。以下この条において同じ。）の作成がされている場合における当該電磁的記録を含む。次項及び第百十二条において「財務諸表等」という。）を作成し、五年間登録講習機関の事務所に備えて置かなければならない。
2　マンション管理士その他の利害関係人は、登録講習機関の業務時間内は、いつでも、次に掲げる請求をすることができる。ただし、第二号又は第四号の請求をするには、登録講習機関の定めた費用を支払わなければならない。
一　財務諸表等が書面をもって作成されているときは、当該書面の閲覧又は謄写の請求
二　前号の書面の謄本又は抄本の請求
三　財務諸表等が電磁的記録をもって作成されているときは、当該電磁的記録に記録された事項を国土交通省令で定める方法により表示したものの閲覧又は謄写の請求
四　前号の電磁的記録に記録された事項を電磁的方法であって国土交通省令で定めるものにより提供することの請求又は当該事項を記載した書面の交付の請求

（適合命令）
第四一条の一一　国土交通大臣は、登録講習機関が第四十一条の四第一項の規定に適合しなくなったと認めるときは、その登録講習機関に対し、同項の規定に適合するため必要な措置をとるべきことを命ずることができる。

（改善命令）
第四一条の一二　国土交通大臣は、登録講習機関が第四十一条の六の規定に違反していると認めるときは、その登録講習機関に対し、同条の規定による講習事務を行うべきこと又は講習の方法その他の業務の方法の改善に関し必要な措置をとるべきことを命ずることができる。

（登録の取消し等）
第四一条の一三　国土交通大臣は、登録講習機関が次の各号のいずれかに該当するときは、その登録を取り消し、又は期間を定めて講習事務の全部若しくは一部の停止を命ずることができる。
一　第四十一条の三第一号又は第三号に該当するに至ったとき。
二　第四十一条の七から第四十一条の九まで、第四十一条の十第一項又は次条の規定に違反したとき。
三　正当な理由がないのに第四十一条の十第二項各号の規定による請求を拒んだとき。
四　前二条の規定による命令に違反したとき。
五　不正の手段により第四十一条の登録を受けたとき。

（帳簿の記載）
第四一条の一四　登録講習機関は、国土交通省令で定めるところにより、帳簿を備え、講習事務に関し国土交通省令で定める事項を記載し、これを保存しなければならない。

（国土交通大臣による講習事務の実施）
第四一条の一五　国土交通大臣は、第四十一条の登録を受けた者がいないとき、第四十一条の九の規定による講習事務の全部又は一部の休止又は廃止の届出があったとき、第四十一条の十三の規定により第四十一条の登録を取り消し、又は登録講習機関に対し講習事務の全部若しくは一部の停止を命じたとき、登録講習機関が天災その他の事由により講習事務の全部又は一部を実施することが困難となったとき、その他必要があると認めるときは、講習事務の全部又は一部を自ら行うことができる。
2　国土交通大臣が前項の規定により講習事務の全部又は一部を自ら行う場合における講習事務の引継ぎその他の必要な事項については、国土交通省令で定める。
3　第一項の規定により国土交通大臣が行う講習を受けようとする者は、実費を勘案して政令で定める額の手数料を国に納付しなければならない。

（報告）
第四一条の一六　国土交通大臣は、講習事務の適正な実施を確保するため必要があると認めるときは、その必要な限度で、登録講習機関に対し、報告をさせることができる。

（立入検査）
第四一条の一七　国土交通大臣は、講習事務の適正な実施を確保するため必要な限度で、その職員に、登録講習機関の事務所に立ち入り、登録講習機関の帳簿、書類その他必要な物件を検査させ、又は関係者に質問させることができる。
2　前項の規定により立入検査を行う職員は、その身分を示す証明書を携帯し、かつ、関係者の請求があるときは、これを提示しなければならない。
3　第一項に規定する権限は、犯罪捜査のために認められたものと解釈してはならない。

（公示）
第四一条の一八　国土交通大臣は、次に掲げる場合には、その旨を官報に公示しなければならない。
一　第四十一条の登録をしたとき。
二　第四十一条の七の規定による届出があったとき。
三　第四十一条の九の規定による届出があったとき。
四　第四十一条の十三の規定により第四十一条の登録を取り消し、又は講習事務の停止を命じたとき。
五　第四十一条の十五の規定により講習事務の全部若しくは一部を自ら行うこととするとき、又は自ら行っていた講習事務の全部若しくは一部を行わないこととするとき。

（秘密保持義務）
第四二条　マンション管理士は、正当な理由がなく、その業務に関して知り得た秘密を漏らしてはならない。マンション管理士でなくなった後においても、同様とする。

（名称の使用制限）
第四三条　マンション管理士でない者は、マンション管理士又はこれに紛らわしい名称を使用してはならない。

（国土交通省令への委任）
第四三条の二　この節に定めるもののほか、講習、登録講習機関その他この節の施行に関し必要な事項は、国土交通省令で定める。

第五章　マンション管理業

第一節　登録

（登録）
第四四条　マンション管理業を営もうとする者は、国土交通省に備えるマンション管理業者登録簿に登録を受けなければならない。
2　マンション管理業者の登録の有効期間は、五年とする。
3　前項の有効期間の満了後引き続きマンション管理業を営もうとする者は、更新の登録を受けなければならない。
4　更新の登録の申請があった場合において、第二項の有効期間の満了の日までにその申請に対する処分がなされないときは、従前の登録は、同項の有効期間の満了後もその処分がなされるまでの間は、なお効力を有する。
5　前項の場合において、更新の登録がなされたときは、その登録の有効期間は、従前の登録の有効期間の満了の日の翌日から起算するものとする。

（登録の申請）
第四五条　前条第一項又は第三項の規定により登録を受けようとする者（以下「登録申請者」という。）は、国土交通大臣に次に掲げる事項を記載した登録申請書を提出しなければならない。
一　商号、名称又は氏名及び住所
二　事務所（本店、支店その他の国土交通省令で定めるものをいう。以下この章において同じ。）の名称及び所在地並びに当該事務所が第五十六条第一項ただし書に規定する事務所であるかどうかの別
三　法人である場合においては、その役員の氏名
四　未成年者である場合においては、その法定代理人の氏名及び住所（法定代理人が法人である場合においては、その商号又は名称及び住所並びにその役員の氏名）
五　第五十六条第一項の規定により第二号の事務所ごとに置かれる成年者である専任の管理業務主任者（同条第二項の規定によりその者とみなされる者を含む。）の氏名
2　前項の登録申請書には、登録申請者が第四十七条各号のいずれにも該当しない者であることを誓約する書面その他国土交通省令で定める書類を添付しなければならない。

（登録の実施）
第四六条　国土交通大臣は、前条の規定による書類の提出があったときは、次条の規定により登録を拒否する場合を除くほか、遅滞なく、次に掲げる事項をマンション管理業者登録簿に登録しなければならない。
一　前条第一項各号に掲げる事項
二　登録年月日及び登録番号
2　国土交通大臣は、前項の規定による登録をしたときは、遅滞なく、その旨を登録申請者に通知しなければならない。

（登録の拒否）
第四七条　国土交通大臣は、登録申請者が次の各号のいずれかに該当するとき、又は登録申請書若しくはその添付書類のうちに重要な事項について虚偽の記載があり、若しくは重要な事実の記載が欠けているときは、その登録を拒否しなければならない。
一　破産手続開始の決定を受けて復権を得ない者
二　第八十三条の規定により登録を取り消され、その取消しの日から二年を経過しない者
三　マンション管理業者で法人であるものが第八十三条の規定により登録を取り消された場合において、その取消しの日前三十日以内にそのマンション管理業者の役員であった者でその取消しの日から二年を経過しないもの
四　第八十二条の規定により業務の停止を命ぜられ、その停止の期間が経過しない者
五　禁錮以上の刑に処せられ、その執行を終わり、又は執行を受けることがなくなった日から二年を経過しない者
六　この法律の規定により罰金の刑に処せられ、その執行を終わり、又は執行を受けることがなくなった日から二年を経過しない者
七　暴力団員による不当な行為の防止等に関する法律（平成三年法律第七十七号）第二条第六号に規定する暴力団員又は同号に規定する暴力団員でなくなった日から五年を経過しない者（第十一号において「暴力団員等」という。）
八　心身の故障によりマンション管理業を適正に営むことができない者として国土交通省令で定めるもの
九　マンション管理業に関し成年者と同一の行為能力を有しない未成年者でその法定代理人（法定代理人が法人である場合においては、その役員を含む。）が前各号のいずれかに該当するもの
十　法人でその役員のうちに第一号から第八号までのいずれかに該当する者があるもの
十一　暴力団員等がその事業活動を支配する者
十二　事務所について第五十六条に規定する要件を欠く者
十三　マンション管理業を遂行するために必要と認められる国土交通省令で定める基準に適合する財産的基礎を有しない者

（登録事項の変更の届出）
第四八条　マンション管理業者は、第四十五条第一項各号に掲げる事項に変更があったときは、その日から三十日以内に、その旨を国土交通大臣に届け出なければならない。
2　国土交通大臣は、前項の規定による届出を受理したときは、当該届出に係る事項が前条第九号、第十号又は第十二号のいずれかに該当する場合を除き、届出があった事項をマンション管理業者登録簿に登録しなければならない。
3　第四十五条第二項の規定は、第一項の規定による届出について準用する。

（マンション管理業者登録簿等の閲覧）
第四九条　国土交通大臣は、国土交通省令で定めるところにより、マンション管理業者登録簿その他国土交通省令で定める書類を一般の閲覧に供しなければならない。

（廃業等の届出）
第五〇条　マンション管理業者が次の各号のいずれかに該当することとなった場合においては、当該各号に定める者は、その日（第一号の場合にあっては、その事実を知った日）から三十日以内に、その旨を国土交通大臣に届け出なければならない。

一　死亡した場合　その相続人
二　法人が合併により消滅した場合　その法人を代表する役員であった者
三　破産手続開始の決定があった場合　その破産管財人
四　法人が合併及び破産手続開始の決定以外の理由により解散した場合　その清算人
五　マンション管理業を廃止した場合　マンション管理業者であった個人又はマンション管理業者であった法人を代表する役員

2　マンション管理業者が前項各号のいずれかに該当するに至ったときは、マンション管理業者の登録は、その効力を失う。

（登録の消除）

第五一条　国土交通大臣は、マンション管理業者の登録がその効力を失ったときは、その登録を消除しなければならない。

（登録免許税及び手数料）

第五二条　第四十四条第一項の規定により登録を受けようとする者は、登録免許税法の定めるところにより登録免許税を、同条第三項の規定により更新の登録を受けようとする者は、実費を勘案して政令で定める額の手数料を、それぞれ国に納付しなければならない。

（無登録営業の禁止）

第五三条　マンション管理業者の登録を受けない者は、マンション管理業を営んではならない。

（名義貸しの禁止）

第五四条　マンション管理業者は、自己の名義をもって、他人にマンション管理業を営ませてはならない。

（国土交通省令への委任）

第五五条　この節に定めるもののほか、マンション管理業者の登録に関し必要な事項は、国土交通省令で定める。

第二節　管理業務主任者

（管理業務主任者の設置）

第五六条　マンション管理業者は、その事務所ごとに、事務所の規模を考慮して国土交通省令で定める数の成年者である専任の管理業務主任者を置かなければならない。ただし、人の居住の用に供する独立部分（区分所有法第一条に規定する建物の部分をいう。以下同じ。）が国土交通省令で定める数以上である第二条第一号イに掲げる建物の区分所有者を構成員に含む管理組合から委託を受けて行う管理事務を、その業務としない事務所については、この限りでない。

2　前項の場合において、マンション管理業者（法人である場合においては、その役員）が管理業務主任者であるときは、その者が自ら主として業務に従事する事務所については、その者は、その事務所に置かれる成年者である専任の管理業務主任者とみなす。

3　マンション管理業者は、第一項の規定に抵触する事務所を開設してはならず、既存の事務所が同項の規定に抵触するに至ったときは、二週間以内に、同項の規定に適合させるため必要な措置をとらなければならない。

（試験）

第五七条　管理業務主任者試験（以下この節において「試験」という。）は、管理業務主任者として必要な知識について行う。

2　第七条第二項及び第八条から第十条までの規定は、試験について準用する。

（指定試験機関の指定等）

第五八条　国土交通大臣は、国土交通省令で定めるところにより、その指定する者（以下この節において「指定試験機関」という。）に、試験の実施に関する事務（以下この節において「試験事務」という。）を行わせることができる。

2　指定試験機関の指定は、国土交通省令で定めるところにより、試験事務を行おうとする者の申請により行う。

3　第十一条第三項及び第四項並びに第十二条から第二十八条までの規定は、指定試験機関について準用する。この場合において、第十一条第三項中「前項」とあり、及び同条第四項各号列記以外の部分中「第二項」とあるのは「第五十八条第二項」と、第十六条第一項中「マンション管理士として」とあるのは「管理業務主任者として」と、「マンション管理士試験委員」とあるのは「管理業務主任者試験委員」と、第二十四条第二項第七号、第二十五条第一項及び第二十八条第一号中「第十一条第一項」とあるのは「第五十八条第一項」と読み替えるものとする。

（登録）

第五九条　試験に合格した者で、管理事務に関し国土交通省令で定める期間以上の実務の経験を有するもの又は国土交通大臣がその実務の経験を有するものと同等以上の能力を有すると認めたものは、国土交通大臣の登録を受けることができる。ただし、次の各号のいずれかに該当する者については、この限りでない。

一　破産手続開始の決定を受けて復権を得ない者
二　禁錮以上の刑に処せられ、その執行を終わり、又は執行を受けることがなくなった日から二年を経過しない者
三　この法律の規定により罰金の刑に処せられ、その執行を終わり、又は執行を受けることがなくなった日から二年を経過しない者
四　第三十三条第一項第二号又は第二項の規定によりマンション管理士の登録を取り消され、その取消しの日から二年を経過しない者
五　第六十五条第一項第二号から第四号まで又は同条第二項第二号若しくは第三号のいずれかに該当することにより登録を取り消され、その取消しの日から二年を経過しない者
六　第八十三条第二号又は第三号に該当することによりマンション管理業者の登録を取り消され、その取消しの日から二年を経過しない者（当該登録を取り消された者が法人である場合においては、当該取消しの日前三十日以内にその法人の役員であった者で当該取消しの日から二年を経過しないもの）
七　心身の故障により管理業務主任者の事務を適正に行うことができない者として国土交通省令で定めるもの

2　前項の登録は、国土交通大臣が、管理業務主任者登録簿に、氏名、生年月日その他国土交通省令で定める事項を登載してするものとする。

（管理業務主任者証の交付等）

第六〇条　前条第一項の登録を受けている者は、国土交通大臣に対し、氏名、生年月日その他国土交通省令で定める事項を記載した管理業務主任者証の交付を申請することができる。

2　管理業務主任者証の交付を受けようとする者は、第六十一条の二において準用する第四十一条の二から第四十一条の四までの規定により国土交通大臣の登録を受けた者（以下この節において「登録講習機関」という。）が国土交通省令で定めるところにより行う講習（以下この節において「講習」という。）で交付の申請の日前六月以内に行われるものを受けなければならない。ただし、試験に合格した日から一年以内に管理業務主任者証の交付を受けようとする者については、この限りでない。

3　管理業務主任者証の有効期間は、五年とする。

4　管理業務主任者は、前条第一項の登録が消除されたとき、又は管理業務主任者証がその効力を失ったときは、速やかに、管理業務主任者証を国土交通大臣に返納しなければならない。

5　管理業務主任者は、第六十四条第二項の規定による禁止の処分を受けたときは、速やかに、管理業務主任者証を国土交通大臣に提出しなければならない。

6　国土交通大臣は、前項の禁止の期間が満了した場合において、同項の規定により管理業務主任者証を提出した者から返還の請求があったときは、直ちに、当該管理業務主任者証を返還しなければならない。

（管理業務主任者証の有効期間の更新）

第六一条　管理業務主任者証の有効期間は、申請により更新する。

2　前条第二項本文の規定は管理業務主任者証の有効期間の更新を受けようとする者について、同条第三項の規定は更新後の管理業務主任者証の有効期間について準用する。

（準用規定）

第六一条の二　第四十一条の二から第四十一条の十八までの規定は、登録講習機関について準用する。この場合において、第四十一条の二中「前条」とあるのは「第六十条第二項本文（前条第二項において準用する場合を含む。以下同じ。）」と、第四十一条の三、第四十一条の五第一項、第四十一条の十三第五号、第四十一条の十五第一項並びに第四十一条の十八第一号及び第四号中「第四十一条の登録」とあるのは「第六十条第二項本文の登録」と、第四十一条の四中「別表第一」とあるのは「別表第二」と、第四十一条の十第二項中「マンション管理士」とあるのは「管理業務主任者」と読み替えるものとする。

（登録事項の変更の届出等）

第六二条　第五十九条第一項の登録を受けた者は、登録を受けた事項に変更があつたときは、遅滞なく、その旨を国土交通大臣に届け出なければならない。

2　管理業務主任者は、前項の規定による届出をする場合において、管理業務主任者証の記載事項に変更があつたときは、当該届出に管理業務主任者証を添えて提出し、その訂正を受けなければならない。

（管理業務主任者証の提示）

第六三条　管理業務主任者は、その事務を行うに際し、マンションの区分所有者等その他の関係者から請求があつたときは、管理業務主任者証を提示しなければならない。

（指示及び事務の禁止）

第六四条　国土交通大臣は、管理業務主任者が次の各号のいずれかに該当するときは、当該管理業務主任者に対し、必要な指示をすることができる。

一　マンション管理業者に自己が専任の管理業務主任者として従事している事務所以外の事務所の専任の管理業務主任者である旨の表示をすることを許し、当該マンション管理業者がその旨の表示をしたとき。

二　他人に自己の名義の使用を許し、当該他人がその名義を使用して管理業務主任者である旨の表示をしたとき。

三　管理業務主任者として行う事務に関し、不正又は著しく不当な行為をしたとき。

2　国土交通大臣は、管理業務主任者が前項各号のいずれかに該当するとき、又は同項の規定による指示に従わないときは、当該管理業務主任者に対し、一年以内の期間を定めて、管理業務主任者としてすべき事務を行うことを禁止することができる。

（登録の取消し）

第六五条　国土交通大臣は、管理業務主任者が次の各号のいずれかに該当するときは、その登録を取り消さなければならない。

一　第五十九条第一項各号（第五号を除く。）のいずれかに該当するに至つたとき。

二　偽りその他不正の手段により登録を受けたとき。

三　偽りその他不正の手段により管理業務主任者証の交付を受けたとき。

四　前条第一項各号のいずれかに該当し情状が特に重いとき、又は同条第二項の規定による事務の禁止の処分に違反したとき。

2　国土交通大臣は、第五十九条第一項の登録を受けている者で管理業務主任者証の交付を受けていないものが次の各号のいずれかに該当するときは、その登録を取り消さなければならない。

一　第五十九条第一項各号（第五号を除く。）のいずれかに該当するに至つたとき。

二　偽りその他不正の手段により登録を受けたとき。

三　管理業務主任者としてすべき事務を行つた場合（第七十八条の規定により事務所を代表する者又はこれに準ずる地位にある者として行つた場合を除く。）であつて、情状が特に重いとき。

（登録の消除）

第六六条　国土交通大臣は、第五十九条第一項の登録がその効力を失つたときは、その登録を消除しなければならない。

（報告）

第六七条　国土交通大臣は、管理業務主任者の事務の適正な遂行を確保するため必要があると認めるときは、その必要な限度で、管理業務主任者に対し、報告をさせることができる。

（手数料）

第六八条　第五十九条第一項の登録を受けようとする者及び管理業務主任者証の交付、有効期間の更新、再交付又は訂正を受けようとする者は、実費を勘案して政令で定める額の手数料を国に納付しなければならない。

（国土交通省令への委任）

第六九条　この節に定めるもののほか、試験、指定試験機関、管理業務主任者の登録、講習、登録講習機関その他この節の規定の施行に関し必要な事項は、国土交通省令で定める。

第三節　業務

（業務処理の原則）

第七〇条　マンション管理業者は、信義を旨とし、誠実にその業務を行わなければならない。

（標識の掲示）

第七一条　マンション管理業者は、その事務所ごとに、公衆の見やすい場所に、国土交通省令で定める標識を掲げなければならない。

（重要事項の説明等）

第七二条　マンション管理業者は、管理組合から管理事務の委託を受けることを内容とする契約（新たに建設されたマンションの分譲に通常要すると見込まれる期間その他の管理組合を構成するマンションの区分所有者等が変動することが見込まれる期間として国土交通省令で定める期間中に契約期間が満了するものを除く。以下「管理受託契約」という。）を締結しようとするとき（次項に規定するときを除く。）は、あらかじめ、国土交通省令で定めるところにより説明会を開催し、当該管理組合を構成するマンションの区分所有者等及び当該管理組合の管理者等に対し、管理業務主任者をして、管理受託契約の内容及びその履行に関する事項であつて国土交通省令で定めるもの（以下「重要事項」という。）について説明をさせなければならない。この場合において、マンション管理業者は、当該説明会の日の一週間前までに、当該管理組合を構成するマンションの区分所有者等及び当該管理組合の管理者等の全員に対し、重要事項並びに説明会の日時及び場所を記載した書面を交付しなければならない。

2　マンション管理業者は、従前の管理受託契約と同一の条件で管理組合との管理受託契約を更新しようとするときは、あらかじめ、当該管理組合を構成するマンションの区分所有者等全員に対し、重要事項を記載した書面を交付しなければならない。

3　前項の場合において当該管理組合に管理者等が置かれているときは、マンション管理業者は、当該管理者等に対し、管理業務主任者をして、重要事項について、これを記載した書面を交付して説明をさせなければならない。ただし、当該説明は、認定管理者等から重要事項について説明を要しない旨の意思の表明があつたときは、マンション管理業者による当該認定管理者等に対する重要事項を記載した書面の交付をもつて、これに代えることができる。

4　管理業務主任者は、第一項又は前項の説明をするときは、説明の相手方に対し、管理業務主任者証を提示しなければならない。

5　マンション管理業者は、第一項から第三項までの規定により交付すべき書面を作成するときは、管理業務主任者をして、当該書面に記名させなければならない。

6　マンション管理業者は、第一項、第二項及び第三項ただし書の規定による書面の交付に代えて、政令で定めるところにより、当該管理組合を構成するマンションの区分所有者等又は当該管理組合の管理者等の承諾を得て、当該書面に記載すべき事項を電子情報処理組織を使用する方法その他の情報通信の技術を利用する方法であつて前項の規定による措置に代わる措置を講ずるものとして国土交通省令で定めるものにより提供することができる。この場合において、当該マンション管理業者は、当該書面を交付したものとみなし、同項の規定は、適用しない。

7　マンション管理業者は、第三項本文の規定による書面の交付に代えて、政令で定めるところにより、当該管理組合の管理者等の承諾を得て、管理業務主任者に、当該書面に記載すべき事項を電子情報処理組織を使用する方法その他の情報通信の技術を利用する方法であつて第五項の規定による措置に代わる措置を講ずるものとして国土交通省令で定めるものにより提供させることができる。この場合において、当該マンション管理業者は、当該管理業務主任者に当該書面を交付させたものとみなし、同項の規定は、適用しない。

（契約の成立時の書面の交付）

第七三条　マンション管理業者は、管理組合から管理事務の委託を受けることを内容とする契約を締結したときは、当該管理組合の管理者等（当該マンション管理業者が当該管理組合の管理者等である場合又は当該管理組合に管理者等が置かれていない場合にあつては、当該管理組合を構成するマンションの区分所有者等全員）に対し、遅滞なく、次に掲げる事項を記載した書面を交付しなければならない。

一　管理事務の対象となるマンションの部分

二　管理事務の内容及び実施方法（第七十六条の規定により管理する財産の管理の方法を含む。）

三　管理事務に要する費用並びにその支払の時期及び方法

四　管理事務の一部の再委託に関する定めがあるときは、その内容

五　契約期間に関する事項

六　契約の更新に関する定めがあるときは、その内容
七　契約の解除に関する定めがあるときは、その内容
八　その他国土交通省令で定める事項

2　マンション管理業者は、前項の規定により交付すべき書面を作成するときは、管理業務主任者をして、当該書面に記名させなければならない。

3　マンション管理業者は、第一項の規定による書面の交付に代えて、政令で定めるところにより、当該管理組合の管理者等又は当該管理組合を構成するマンションの区分所有者等の承諾を得て、当該書面に記載すべき事項を電子情報処理組織を使用する方法その他の情報通信の技術を利用する方法であって前項の規定による措置に代わる措置を講ずるものとして国土交通省令で定めるものにより提供することができる。この場合において、当該マンション管理業者は、当該書面を交付したものとみなし、同項の規定は、適用しない。

（再委託の制限）

第七四条　マンション管理業者は、管理組合から委託を受けた管理事務のうち基幹事務については、これを一括して他人に委託してはならない。

（帳簿の作成等）

第七五条　マンション管理業者は、管理組合から委託を受けた管理事務について、国土交通省令で定めるところにより、帳簿を作成し、これを保存しなければならない。

（財産の分別管理）

第七六条　マンション管理業者は、管理組合から委託を受けて管理する修繕積立金その他国土交通省令で定める財産については、整然と管理する方法として国土交通省令で定める方法により、自己の固有財産及び他の管理組合の財産と分別して管理しなければならない。

（管理事務の報告）

第七七条　マンション管理業者は、管理事務の委託を受けた管理組合に管理者等が置かれているときは、国土交通省令で定めるところにより、定期に、当該管理者等に対し、管理業務主任者をして、当該管理事務に関する報告をさせなければならない。

2　マンション管理業者は、管理事務の委託を受けた管理組合に管理者等が置かれていないときは、国土交通省令で定めるところにより、定期に、説明会を開催し、当該管理組合を構成するマンションの区分所有者等に対し、管理業務主任者をして、当該管理事務に関する報告をさせなければならない。

3　管理業務主任者は、前二項の説明をするときは、説明の相手方に対し、管理業務主任者証を提示しなければならない。

（管理業務主任者としてすべき事務の特例）

第七八条　マンション管理業者は、第五十六条第一項ただし書に規定する管理事務以外の管理事務については、管理業務主任者に代えて、当該事務所を代表する者又はこれに準ずる地位にある者をして、管理業務主任者としてすべき事務を行わせることができる。

（書類の閲覧）

第七九条　マンション管理業者は、国土交通省令で定めるところにより、当該マンション管理業者の業務及び財産の状況を記載した書類をその事務所ごとに備え置き、その業務に係る関係者の求めに応じ、これを閲覧させなければならない。

（秘密保持義務）

第八〇条　マンション管理業者は、正当な理由がなく、その業務に関して知り得た秘密を漏らしてはならない。マンション管理業者でなくなった後においても、同様とする。

第四節　監督

（指示）

第八一条　国土交通大臣は、マンション管理業者が次の各号のいずれかに該当するとき、又はこの法律の規定に違反したときは、当該マンション管理業者に対し、必要な指示をすることができる。

一　業務に関し、管理組合又はマンションの区分所有者等に損害を与えたとき、又は損害を与えるおそれが大であるとき。
二　業務に関し、その公正を害する行為をしたとき、又はその公正を害するおそれが大であるとき。
三　業務に関し他の法令に違反し、マンション管理業者として不適当であると認められるとき。
四　管理業務主任者が第六十四条又は第六十五条第一項の規定による処分を受けた場合において、マンション管理業者の責めに帰すべき理由があるとき。

（業務停止命令）

第八二条　国土交通大臣は、マンション管理業者が次の各号のいずれかに該当するときは、当該マンション管理業者に対し、一年以内の期間を定めて、その業務の全部又は一部の停止を命ずることができる。

一　前条第三号又は第四号に該当するとき。
二　第四十八条第一項、第五十四条、第五十六条第三項、第七十一条、第七十二条第一項から第三項まで若しくは第五項、第七十三条から第七十六条まで、第七十七条第一項若しくは第二項、第七十九条、第八十条又は第八十八条第一項の規定に違反したとき。
三　前条の規定による指示に従わないとき。
四　この法律の規定に基づく国土交通大臣の処分に違反したとき。
五　マンション管理業に関し、不正又は著しく不当な行為をしたとき。
六　営業に関し成年者と同一の行為能力を有しない未成年者である場合において、その法定代理人（法定代理人が法人である場合においては、その役員を含む。）が業務の停止をしようとするとき以前二年以内にマンション管理業に関し不正又は著しく不当な行為をしたとき。
七　法人である場合において、役員のうちに業務の停止をしようとするとき以前二年以内にマンション管理業に関し不正又は著しく不当な行為をした者があるに至ったとき。

（登録の取消し）

第八三条　国土交通大臣は、マンション管理業者が次の各号のいずれかに該当するときは、その登録を取り消さなければならない。

一　第四十七条第一号、第三号又は第五号から第十一号までのいずれかに該当するに至ったとき。
二　偽りその他不正の手段により登録を受けたとき。
三　前条各号のいずれかに該当し情状が特に重いとき、又は同条の規定による業務の停止の命令に違反したとき。

（監督処分の公告）

第八四条　国土交通大臣は、前二条の規定による処分をしたときは、国土交通省令で定めるところにより、その旨を公告しなければならない。

（報告）

第八五条　国土交通大臣は、マンション管理業の適正な運営を確保するため必要があると認めるときは、その必要な限度で、マンション管理業を営む者に対し、報告をさせることができる。

（立入検査）

第八六条　国土交通大臣は、マンション管理業の適正な運営を確保するため必要があると認めるときは、その必要な限度で、その職員に、マンション管理業を営む者の事務所その他その業務を行う場所に立ち入り、帳簿、書類その他必要な物件を検査させ、又は関係者に質問させることができる。

2　前項の規定により立入検査を行う職員は、その身分を示す証明書を携帯し、かつ、関係者の請求があるときは、これを提示しなければならない。

3　第一項に規定する権限は、犯罪捜査のために認められたものと解釈してはならない。

第五節　雑則

（使用人等の秘密保持義務）

第八七条　マンション管理業者の使用人その他の従業者は、正当な理由がなく、マンションの管理に関する事務を行ったことに関して知り得た秘密を漏らしてはならない。マンション管理業者の使用人その他の従業者でなくなった後においても、同様とする。

（証明書の携帯等）

第八八条　マンション管理業者は、国土交通省令で定めるところにより、使用人その他の従業者に、その従業者であることを証する証明書を携帯させなければ、その者をその業務に従事させてはならない。

2　マンション管理業者の使用人その他の従業者は、マンションの管理に関する事務を行うに際し、マンションの区分所有者等その他の関係者から請求があったときは、前項の証明書を提示しなければならない。

（登録の失効に伴う業務の結了）

第八九条　マンション管理業者の登録がその効力を失った場合には、当該マンション管理業者であった者又はその一般承継人は、当該マンション管理業者の管理組合からの委託に係る管理事務を結了する目的の範囲内においては、なおマンション管理業者とみなす。

（適用の除外）

第九〇条　この章の規定は、国及び地方公共団体には、適用しない。

第六章　マンション管理適正化推進センター

（指定）

第九一条　国土交通大臣は、管理組合によるマンションの管理の適正化の推進に寄与することを目的とする一般財団法人であって、次条に規定する業務（以下「管理適正化業務」という。）に関し次に掲げる基準に適合すると認められるものを、その申請により、全国に一を限って、マンション管理適正化推進センター（以下「センター」という。）として指定することができる。

一　職員、管理適正化業務の実施の方法その他の事項についての管理適正化業務の実施に関する計画が、管理適正化業務の適正かつ確実な実施のために適切なものであること。

二　前号の管理適正化業務の実施に関する計画の適正かつ確実な実施に必要な経理的及び技術的な基礎を有するものであること。

（業務）

第九二条　センターは、次に掲げる業務を行うものとする。

一　マンションの管理に関する情報及び資料の収集及び整理をし、並びにこれらを管理組合の管理者等その他の関係者に対し提供すること。

二　マンションの管理の適正化に関し、管理組合の管理者等その他の関係者に対し技術的な支援を行うこと。

三　マンションの管理の適正化に関し、管理組合の管理者等その他の関係者に対し講習を行うこと。

四　マンションの管理に関する苦情の処理のために必要な指導及び助言を行うこと。

五　マンションの管理に関する調査及び研究を行うこと。

六　マンションの管理の適正化の推進に資する啓発活動及び広報活動を行うこと。

七　前各号に掲げるもののほか、マンションの管理の適正化の推進に資する業務を行うこと。

（センターの都道府県知事又は市町村長による技術的援助への協力）

第九二条の二　センターは、マンションの建替え等の円滑化に関する法律（平成十四年法律第七十八号）第百二条第二項、第百六十三条第二項又は第二百十六条第二項の規定により都道府県知事又は市町村長から協力を要請されたときは、当該要請に応じ、同法第百二条第一項、第百六十三条第一項又は第二百十六条第一項に規定する技術的援助に関し協力するものとする。

（センターへの情報提供等）

第九三条　国土交通大臣は、センターに対し、管理適正化業務の実施に関し必要な情報及び資料の提供又は指導及び助言を行うものとする。

（準用）

第九四条　第十二条から第十五条まで、第十八条第一項、第十九条から第二十三条まで、第二十四条第二項、第二十五条、第二十八条（第五号を除く。）及び第二十九条の規定は、センターについて準用する。この場合において、これらの規定中「試験事務」とあるのは「管理適正化業務」と、「試験事務規程」とあるのは「管理適正化業務規程」と、第十二条中「名称又は主たる事務所」とあるのは「名称若しくは住所又は管理適正化業務を行う事務所」と、第十三条第二項中「指定試験機関の役員」とあるのは「管理適正化業務に従事するセンターの役員」と、第十四条第一項中「事業計画」とあるのは「管理適正化業務に係る事業計画」と、同条第二項中「事業報告書」とあるのは「管理適正化業務に係る事業報告書」と、第二十四条第二項第一号中「第十一条第三項各号」とあるのは「第九十一条各号」と、同項第七号及び第二十五条第一項中「第十一条第一項」とあるのは「第九十一条」と、第二十八条中「その旨」とあるのは「その旨（第一号の場合にあっては、管理適正化業務を行う事務所の所在地を含む。）」と、同条第一号中「第十一条第一項」とあるのは「第九十一条」と読み替えるものとする。

第七章　マンション管理業者の団体

（指定）

第九五条　国土交通大臣は、マンション管理業者の業務の改善向上を図ることを目的とし、かつ、マンション管理業者を社員とする一般社団法人であって、次項に規定する業務を適正かつ確実に行うことができると認められるものを、その申請により、同項に規定する業務を行う者として指定することができる。

2　前項の指定を受けた法人（以下「指定法人」という。）は、次に掲げる業務を行うものとする。

一　社員の営む業務に関し、社員に対し、この法律又はこの法律に基づく命令を遵守させるための指導、勧告その他の業務を行うこと。

二　社員の営む業務に関する管理組合等からの苦情の解決を行うこと。

三　管理業務主任者その他マンション管理業の業務に従事し、又は従事しようとする者に対し、研修を行うこと。

四　マンション管理業の健全な発達を図るための調査及び研究を行うこと。

五　前各号に掲げるもののほか、マンション管理業者の業務の改善向上を図るために必要な業務を行うこと。

3　指定法人は、前項の業務のほか、国土交通省令で定めるところにより、社員であるマンション管理業者との契約により、当該マンション管理業者が管理組合又はマンションの区分所有者等から受領した管理費、修繕積立金等の返還債務を負うこととなった場合においてその返還債務を保証する業務（以下「保証業務」という。）を行うことができる。

（苦情の解決）

第九六条　指定法人は、管理組合等から社員の営む業務に関する苦情について解決の申出があったときは、その相談に応じ、申出人に必要な助言をし、その苦情に係る事情を調査するとともに、当該社員に対しその苦情の内容を通知してその迅速な処理を求めなければならない。

2　指定法人は、前項の申出に係る苦情の解決について必要があると認めるときは、当該社員に対し、文書若しくは口頭による説明を求め、又は資料の提出を求めることができる。

3　社員は、指定法人から前項の規定による求めがあったときは、正当な理由がないのに、これを拒んではならない。

4　指定法人は、第一項の申出、当該苦情に係る事情及びその解決の結果について、社員に周知させなければならない。

（保証業務の承認等）

第九七条　指定法人は、保証業務を行う場合においては、あらかじめ、国土交通省令で定めるところにより、国土交通大臣の承認を受けなければならない。

2　前項の承認を受けた指定法人は、保証業務を廃止したときは、その旨を国土交通大臣に届け出なければならない。

（保証業務に係る契約の締結の制限）

第九八条　前条第一項の承認を受けた指定法人は、その保証業務として社員であるマンション管理業者との間において締結する契約に係る保証債務の額の合計額が、国土交通省令で定める額を超えることとなるときは、当該契約を締結してはならない。

（保証業務に係る事業計画書等）

第九九条　第九十七条第一項の承認を受けた指定法人は、毎事業年度、保証業務に係る事業計画書及び収支予算書を作成し、当該事業年度の開始前に（承認を受けた日の属する事業年度にあっては、その承認を受けた後遅滞なく）、国土交通大臣に提出しなければならない。これを変更しようとするときも、同様とする。

2　第九十七条第一項の承認を受けた指定法人は、毎事業年度の経過後三月以内に、その事業年度の保証業務に係る事業報告書及び収支決算書を作成し、国土交通大臣に提出しなければならない。

（改善命令）

第一〇〇条　国土交通大臣は、指定法人の第九十五条第二項又は第三項の業務の運営に関し改善が必要であると認めるときは、その指定法人に対し、その改善に必要な措置を講ずべきことを命ずることができる。

（指定の取消し）

第一〇一条　国土交通大臣は、指定法人が前条の規定による命令に違反したときは、その指定を取り消すことができる。

（報告及び立入検査）

第一〇二条　第二十一条及び第二十二条の規定は、指定法人について準用する。この場合において、これらの規定中「試験事務の適正な実施」とあるのは、「第九十五条第二項及び第三項の業務の適正な運営」と読み替えるものとする。

第八章　雑則

（設計図書の交付等）

第一〇三条　宅地建物取引業者（宅地建物取引業法（昭和二十七年法律第百七十六号）第二条第三号に規定する宅地建物取引業者をいい、同法第七十七条第二項の規定により宅地建物取引業者とみなされる者（信託業務を兼営する金融機関で政令で定めるもの及び宅地建物取引業法第七十七条第一項の政令で定める信託会社を含む。）を含む。以下同じ。）は、自ら売主として人の居住の用に供する独立部分がある建物（新たに建設された建物で人の居住の用に供したことがないものに限る。以下同じ。）を分譲した場合においては、国土交通省令で定める期間内に当該建物又はその附属施設の管理を行う管理組合の管理者等が選任されたときは、速やかに、当該管理者等に対し、当該建物又はその附属施設の設計に関する図書で国土交通省令で定めるものを交付しなければならない。

2　前項に定めるもののほか、宅地建物取引業者は、自ら売主として人の居住の用に供する独立部分がある建物を分譲する場合においては、当該建物の管理が管理組合に円滑に引き継がれるよう努めなければならない。

（権限の委任）

第一〇四条　この法律に規定する国土交通大臣の権限は、国土交通省令で定めるところにより、その一部を地方整備局長又は北海道開発局長に委任することができる。

（町村によるマンション管理適正化推進行政事務の処理）

第一〇四条の二　町村及びその長は、当該町村の区域内において、都道府県及び都道府県知事に代わってマンション管理適正化推進行政事務（第二章及び第三章の規定に基づく事務であって都道府県又は都道府県知事が処理することとされているものをいう。以下この条において同じ。）を処理することができる。

2　町村及びその長が前項の規定によりマンション管理適正化推進行政事務を処理しようとするときは、当該町村の長は、あらかじめ、これを処理することについて、都道府県知事と協議しなければならない。

3　前項の規定による協議をした町村の長は、マンション管理適正化推進行政事務の処理を開始する日の三十日前までに、国土交通省令で定めるところにより、その旨を公示しなければならない。

4　町村及びその長が第一項の規定によりマンション管理適正化推進行政事務を処理する場合におけるマンション管理適正化推進行政事務の引継ぎその他の必要な事項は、国土交通省令で定める。

（国土交通省令への委任）

第一〇四条の三　この法律に定めるもののほか、この法律の実施のための手続その他この法律の施行に関し必要な事項は、国土交通省令で定める。

（経過措置）

第一〇五条　この法律の規定に基づき命令を制定し、又は改廃する場合においては、その命令で、その制定又は改廃に伴い合理的に必要とされる範囲内において、所要の経過措置（罰則に関する経過措置を含む。）を定めることができる。

第九章　罰則

第一〇六条　次の各号のいずれかに該当する場合には、その違反行為をした者は、一年以下の懲役又は五十万円以下の罰金に処する。

一　偽りその他不正の手段により第四十四条第一項又は第三項の登録を受けたとき。

二　第五十三条の規定に違反して、マンション管理業を営んだとき。

三　第五十四条の規定に違反して、他人にマンション管理業を営ませたとき。

四　第八十二条の規定による業務の停止の命令に違反して、マンション管理業を営んだとき。

第一〇七条　次の各号のいずれかに該当する者は、一年以下の懲役又は三十万円以下の罰金に処する。

一　第五条の十二第二項又は第十八条第一項（第三十八条、第五十八条第三項及び第九十四条において準用する場合を含む。）の規定に違反した者

二　第四十二条の規定に違反した者

2　前項第二号の罪は、告訴がなければ公訴を提起することができない。

第一〇八条　第二十四条第二項（第三十八条、第五十八条第三項及び第九十四条において準用する場合を含む。）の規定による試験事務（第十一条第一項に規定する試験事務をいう。第百十条において同じ。）、登録事務若しくは管理適正化業務の停止の命令又は第四十一条の十三（第六十一条の二において準用する場合を含む。）の規定による講習事務（第四十一条の二に規定する講習事務及び第六十一条の二において準用する第四十一条の二に規定する講習事務をいう。第百十条において同じ。）の停止の命令に違反したときは、その違反行為をした指定試験機関（第十一条第一項に規定する指定試験機関及び第五十八条第一項に規定する指定試験機関をいう。第百十条において同じ。）、指定登録機関、登録講習機関（第四十一条に規定する登録講習機関及び第六十条第二項本文に規定する登録講習機関をいう。第百十条において同じ。）又はセンターの役員又は職員は、一年以下の懲役又は三十万円以下の罰金に処する。

第一〇九条　次の各号のいずれかに該当する場合には、その違反行為をした者は、三十万円以下の罰金に処する。

一　第五条の八、第六十七条又は第八十五条の規定による報告をせず、又は虚偽の報告をしたとき。

二　第三十三条第二項の規定によりマンション管理士の名称の使用の停止を命ぜられた者が、当該停止を命ぜられた期間中に、マンション管理士の名称を使用したとき。

三　第四十三条の規定に違反したとき。

四　第四十八条第一項の規定による届出をせず、又は虚偽の届出をしたとき。

五　第五十六条第三項又は第八十八条第一項の規定に違反したとき。

六　第七十三条第一項の規定に違反して、書面を交付せず、若しくは同項各号に掲げる事項を記載しない書面若しくは虚偽の記載のある書面を交付したとき、又は同条第三項に規定する方法により提供する場合において、同項に規定する事項を欠いた提供若しくは虚偽の事項の提供をしたとき。

七　第七十三条第二項の規定による記名のない書面を同条第一項の規定により交付すべき者に対し交付したとき。

八　第八十条又は第八十七条の規定に違反したとき。

九　第八十六条第一項の規定による立入り若しくは検査を拒み、妨げ、若しくは忌避し、又は質問に対して陳述をせず、若しくは虚偽の陳述をしたとき。

十　第九十八条の規定に違反して契約を締結したとき。

十一　第九十九条第一項の規定による事業計画書若しくは収支予算書若しくは同条第二項の規定による事業報告書若しくは収支決算書の提出をせず、又は虚偽の記載をした事業計画書、収支予算書、事業報告書若しくは収支決算書を提出したとき。

2　前項第八号の罪は、告訴がなければ公訴を提起することができない。

第一一〇条　次の各号のいずれかに該当するときは、その違反行為をした指定試験機関、指定登録機関、登録講習機関、センター又は指定法人の役員又は職員は、三十万円以下の罰金に処する。

一　第十九条（第三十八条、第五十八条第三項及び第九十四条において準用する場合を含む。）又は第四十一条の十四（第六十一条の二において準用する場合を含む。）の規定に違反して帳簿を備えず、帳簿に記載せず、若しくは帳簿に虚偽の記載をし、又は帳簿を保存しなかったとき。

二　第二十一条（第三十八条、第五十八条第三項、第九十四条及び第百二条において準用する場合を含む。）又は第四十一条の十六（第六十一条の二において準用する場合を含む。）の規定による報告をせず、又は虚偽の報告をしたとき。

三　第二十二条第一項（第三十八条、第五十八条第三項、第九十四条及び第百二条において準用する場合を含む。）又は第四十一条の十七第一項（第六十一条の二において準用する場合を含む。）の規定による立入り若

しくは検査を拒み、妨げ、若しくは忌避し、又は質問に対して陳述をせず、若しくは虚偽の陳述をしたとき。

四　第二十三条第一項（第三十八条、第五十八条第三項及び第九十四条において準用する場合を含む。）の許可を受けないで、又は第四十一条の九（第六十一条の二において準用する場合を含む。）の規定による届出をしないで、試験事務、登録事務、講習事務又は管理適正化業務の全部を廃止したとき。

第一一一条　法人の代表者又は法人若しくは人の代理人、使用人その他の従業者が、その法人又は人の業務に関して、第百六条、第百九条第一項（第二号、第三号及び第八号を除く。）の違反行為をしたときは、その行為者を罰するほか、その法人又は人に対しても、各本条の罰金刑を科する。

第一一二条　第四十一条の十第一項（第六十一条の二において準用する場合を含む。）の規定に違反して財務諸表等を備えて置かず、財務諸表等に記載すべき事項を記載せず、若しくは虚偽の記載をし、又は正当な理由がないのに第四十一条の十第二項各号（第六十一条の二において準用する場合を含む。）の規定による請求を拒んだ者は、二十万円以下の過料に処する。

第一一三条　次の各号のいずれかに該当する者は、十万円以下の過料に処する。

一　第五十条第一項の規定による届出を怠った者

二　第六十条第四項若しくは第五項、第七十二条第四項又は第七十七条第三項の規定に違反した者

三　第七十一条の規定による標識を掲げない者

附　則〔抄〕

（施行期日）

第一条　この法律は、公布の日から起算して九月を超えない範囲内において政令で定める日から施行する。

〔平成一三政二三七により、平成一三・八・一から施行〕

（経過措置）

第二条　この法律の施行の際現にマンション管理士又はこれに紛らわしい名称を使用している者については、第四十三条の規定は、この法律の施行後九月間は、適用しない。

第三条　第七十二条の規定は、管理組合から管理事務の委託を受けることを内容とする契約でこの法律の施行の日から起算して一月を経過する日前に締結されるものについては、適用しない。

2　第七十三条の規定は、管理組合から管理事務の委託を受けることを内容とする契約でこの法律の施行前に締結されたものについては、適用しない。

3　第七十七条の規定は、管理組合から管理事務の委託を受けることを内容とする契約でこの法律の施行前に締結されたものに基づき行う管理事務については、その契約期間が満了するまでの間は、適用しない。

4　第百三条第一項の規定は、この法律の施行前に建設工事が完了した建物の分譲については、適用しない。

第四条　この法律の施行の際現にマンション管理業を営んでいる者は、この法律の施行の日から九月間（当該期間内に第四十七条の規定に基づく登録の拒否の処分があったとき、又は次項の規定により読み替えて適用される第八十三条の規定によりマンション管理業の廃止を命ぜられたときは、当該処分のあった日又は当該廃止を命ぜられた日までの間）は、第四十四条第一項の登録を受けないでも、引き続きマンション管理業を営むことができる。その者がその期間内に第四十五条第一項の規定による登録の申請をした場合において、その期間を経過したときは、その申請について登録又は登録の拒否の処分があるまでの間も、同様とする。

2　前項の規定により引き続きマンション管理業を営むことができる場合においては、その者を第四十四条第一項の登録を受けたマンション管理業者と、その事務所（第四十五条第一項第二号に規定する事務所をいう。）を代表する者、これに準ずる地位にある者その他国土交通省令で定める者を管理業務主任者とみなして、第五十六条（第一項ただし書を除く。）、第七十条、第七十二条第一項から第三項まで及び第五項、第七十三条から第七十六条まで、第七十七条第一項及び第二項、第七十九条、第八十条、第八十一条（第四号を除く。）、第八十二条、第八十三条（第二号を除く。）並びに第八十五条から第八十九条までの規定（これらの規定に係る罰則を含む。）並びに前条第一項から第三項までの規定を適用する。この場合において、第五十六条第一項中「事務所の規模を考慮して国土交通省令で定める数の成年者である専任の管理業務主任者」とあるのは「成年者である専任の管理業務主任者」と、同条第三項中「既存の事務所が同項の規定に抵触するに至ったときは」とあるのは「この法律の施行の際事務所が同項の規定に抵触するときはこの法律の施行の日から、既存の事務所が同項の規定に抵触するに至ったときはその日から」と、第八十二条第一号中「前条第三号又は第四号」とあるのは「前条第三号」と、同条第二号中「第四十八条第一項、第五十四条、第五十六条第三項、第七十一条」とあるのは「第五十六条第三項」と、第八十三条中「その登録を取り消さなければならない」とあるのは「マンション管理業の廃止を命ずることができる」と、第八十九条中「マンション管理業者の登録がその効力を失った場合には」とあるのは「第五十条第一項各号のいずれかに該当することとなった場合又は附則第四条第二項の規定により読み替えて適用される第八十三条の規定によりマンション管理業の廃止を命ぜられた場合には」と、第百六条第四号中「第八十二条の規定による業務の停止の命令に違反して」とあるのは「第八十二条の規定による業務の停止の命令又は附則第四条第二項の規定により読み替えて適用される第八十三条の規定によるマンション管理業の廃止の命令に違反して」とする。

3　前項の規定により読み替えて適用される第八十三条の規定によりマンション管理業の廃止が命ぜられた場合における第三十条第一項第六号、第四十七条第二号及び第三号並びに第五十九条第一項第六号の規定の適用については、当該廃止の命令をマンション管理業者の登録の取消しの処分と、当該廃止を命ぜられた日を当該登録の取消しの日とみなす。

第五条　国土交通省令で定めるところによりマンションの管理に関し知識及び実務の経験を有すると認められる者でこの法律の施行の日から九月を経過する日までに国土交通大臣が指定する講習会の課程を修了したものは、第五十九条第一項に規定する試験に合格した者で管理事務に関し国土交通省令で定める期間以上の実務の経験を有するものとみなす。この場合における第六十条第二項ただし書の規定の適用については、同項中「試験に合格した日」とあるのは、「附則第五条に規定する国土交通大臣が指定する講習会の課程を修了した日」とする。

（検討）

第八条　政府は、この法律の施行後三年を経過した場合において、この法律の施行の状況について検討を加え、その結果に基づいて必要な措置を講ずるものとする。

附　則〔略〕〔平成一四・五・二九法律四五〕

附　則〔抄〕〔平成一五・六・一八法律九六〕

（施行期日）

第一条　この法律は、平成十六年三月一日から施行する。

（マンションの管理の適正化の推進に関する法律の一部改正に伴う経過措置）

第一三条　第十二条の規定による改正後のマンションの管理の適正化の推進に関する法律（以下この条において「新マンション管理適正化法」という。）第四十一条又は第六十条第二項本文の登録を受けようとする者は、第十二条の規定の施行前においても、その申請を行うことができる。新マンション管理適正化法第四十一条の八第一項又は新マンション管理適正化法第六十一条の二において準用する新マンション管理適正化法第四十一条の八第一項の規定による講習事務規程の届出についても、同様とする。

2　第十二条の規定の施行の際現に同条の規定による改正前のマンションの管理の適正化の推進に関する法律（以下この条において「旧マンション管理適正化法」という。）第六十条第二項本文の指定を受けている者は、第十二条の規定の施行の日から起算して六月を経過する日までの間は、新マンション管理適正化法第六十条第二項本文の登録を受けているものとみなす。

3　第十二条の規定の施行前六月以内に受けた旧マンション管理適正化法第六十条第二項本文の指定を受けた者が同項本文の規定により行った講習は、その受けた日から起算して六月を経過する日までの間は、新マンション管理適正化法第六十条第二項本文の登録を受けた者が同項本文の規定により行う講習とみなす。

（処分、手続等の効力に関する経過措置）

第一四条　附則第二条から前条までに規定するもののほか、この法律の施行前にこの法律による改正前のそれぞれの法律（これに基づく命令を含む。）の規定によってした処分、手続その他の行為であって、この法律による改正後のそれぞれの法律（これに基づく命令を含む。）中相当する規定があるものは、これらの規定によってした処分、手続その他の行為とみなす。

（罰則の適用に関する経過措置）

第一五条　この法律の施行前にした行為及びこの附則の規定によりなお従前の例によることとされる場合におけるこの法律の施行後にした行為に対する罰則の適用については、なお従前の例による。

（その他の経過措置の政令への委任）

第一六条　附則第二条から前条までに定めるもののほか、この法律の施行に関し必要となる経過措置（罰則に関する経過措置を含む。）は、政令で定める。

附　則〔抄〕〔平成一六・六・二法律七六〕

（施行期日）

第一条　この法律は、破産法〔中略〕の施行の日〔平成一七・一・一〕から施行する。〔以下略〕

（罰則の適用等に関する経過措置）

第一二条　1〜4〔略〕

5　施行日前にされた破産の宣告、再生手続開始の決定、更生手続開始の決定又は外国倒産処理手続の承認の決定に係る届出、通知又は報告の義務に関するこの法律による改正前の〔中略〕マンションの管理の適正化の推進に関する法律〔中略〕の規定並びにこれらの規定に係る罰則の適用については、なお従前の例による。

附　則〔略〕〔平成一六・一二・一法律一四七〕

附　則〔抄〕〔平成一六・一二・三法律一五四〕

（施行期日）

第一条　この法律は、公布の日から起算して六月を超えない範囲内において政令で定める日（以下「施行日」という。）から施行する。〔以下略〕

〔平成一六政四二六により、平成一六・一二・三〇から施行〕

（処分等の効力）

第一二一条　この法律の施行前のそれぞれの法律（これに基づく命令を含む。以下この条において同じ。）の規定によってした処分、手続その他の行為であって、改正後のそれぞれの法律の規定に相当の規定があるものは、この附則に別段の定めがあるものを除き、改正後のそれぞれの法律の相当の規定によってしたものとみなす。

（罰則に関する経過措置）

第一二二条　この法律の施行前にした行為並びにこの附則の規定によりなお従前の例によることとされる場合及びこの附則の規定によりなおその効力を有することとされる場合におけるこの法律の施行後にした行為に対する罰則の適用については、なお従前の例による。

（その他の経過措置の政令への委任）

第一二三条　この附則に規定するもののほか、この法律の施行に伴い必要な経過措置は、政令で定める。

（検討）

第一二四条　政府は、この法律の施行後三年以内に、この法律の施行の状況について検討を加え、必要があると認めるときは、その結果に基づいて所要の措置を講ずるものとする。

附　則〔略〕〔平成一七・七・一五法律八三〕

附　則〔略〕〔平成一七・七・二六法律八七〕

附　則〔略〕〔平成一八・六・二法律五〇〕

附　則〔略〕〔平成二三・六・三法律六一〕

附　則〔略〕〔平成二六・六・一三法律六九〕

附　則〔抄〕〔令和元・六・一四法律三七〕

（施行期日）

第一条　この法律は、公布の日から起算して三月を経過した日から施行する。ただし、次の各号に掲げる規定は、当該各号に定める日から施行する。

一　〔前略〕次条並びに附則第三条〔中略〕の規定　公布の日

二〜四　〔略〕

（行政庁の行為等に関する経過措置）

第二条　この法律（前条各号に掲げる規定にあっては、当該規定。以下この条及び次条において同じ。）の施行の日前に、この法律による改正前の法律又はこれに基づく命令の規定（欠格条項その他の権利の制限に係る措置を定めるものに限る。）に基づき行われた行政庁の処分その他の行為及び当該規定により生じた失職の効力については、なお従前の例による。

（罰則に関する経過措置）

第三条　この法律の施行前にした行為に対する罰則の適用については、なお従前の例による。

（検討）

第七条　政府は、会社法（平成十七年法律第八十六号）及び一般社団法人及び一般財団法人に関する法律（平成十八年法律第四十八号）における法人の役員の資格を成年被後見人又は被保佐人であることを理由に制限する旨の規定について、この法律の公布後一年以内を目途として検討を加え、その結果に基づき、当該規定の削除その他の必要な法制上の措置を講ずるものとする。

附　則〔抄〕〔令和二・六・二四法律六二〕

（施行期日）

第一条　この法律は、公布の日から起算して二年を超えない範囲内において政令で定める日から施行する。ただし、次の各号に掲げる規定は、当該各号に定める日から施行する。

〔令和三政二六四により、令和四・四・一から施行〕

一　第一条中マンションの管理の適正化の推進に関する法律第九十二条の次に一条を加える改正規定及び同法第百三十三条第二項の改正規定〔中略〕並びに次条第一項並びに附則〔中略〕第四条の規定　公布の日

二　第一条中マンションの管理の適正化の推進に関する法律第百六条の改正規定、同法第百九条の改正規定、同法第百十一条を削る改正規定、同法第百十二条の改正規定、同法第百十二条を同法第百十一条とし、同法第百十二条の二を同法第百十二条とする改正規定、同法第四十七条の改正規定、同法第四十八条第二項の改正規定、同法第七十二条の改正規定（同条第三項ただし書を加える部分を除く。）、同法第七十三条に一項を加える改正規定、同法第八十三条第一号の改正規定及び同法第四十一条の十第一項の改正規定並びに次条第二項の規定　公布の日から起算して九月を超えない範囲内において政令で定める日

〔令和三政二二により、令和三・三・一から施行〕

三　〔略〕

（マンションの管理の適正化の推進に関する法律の一部改正に伴う経過措置）

第二条　前条第一号に掲げる規定の施行の日からこの法律の施行の日の前日までの間における第一条の規定による改正後のマンションの管理の適正化の推進に関する法律第九十二条の二の規定の適用については、同条中「、第百六十三条第二項又は第二百十六条第二項」とあるのは「又は第百六十三条第二項」と、「、第百六十三条第一項又は第二百十六条第一項」とあるのは「又は第百六十三条第一項」とする。

2　前条第二号に掲げる規定の施行の日からこの法律の施行の日の前日までの間における第一条の規定による改正後のマンションの管理の適正化の推進に関する法律第百九条第一項第一号の規定の適用については、同号中「第五条の八、第六十七条」とあるのは、「第六十七条」とする。

（政令への委任）

第四条　前二条に定めるもののほか、この法律の施行に関し必要な経過措置（罰則に関する経過措置を含む。）は、政令で定める。

（検討）

第五条　政府は、この法律の施行後五年を経過した場合において、この法律による改正後のマンションの管理の適正化の推進に関する法律及びマンションの建替え等の円滑化に関する法律の施行の状況について検討を加え、必要があると認めるときは、その結果に基づいて所要の措置を講ずるものとする。

附　則〔抄〕〔令和三・五・一九法律三七〕

（施行期日）

第一条　この法律は、令和三年九月一日から施行する。ただし、次の各号に掲げる規定は、当該各号に定める日から施行する。

一　〔前略〕附則〔中略〕第七十一条から第七十三条までの規定　公布の日

二〜四　〔略〕

五　附則第三十七条の規定　マンションの管理の適正化の推進に関する法律及びマンションの建替え等の円滑化に関する法律の一部を改正する法律（令和二年法律第六十二号）の施行の日〔令和四・四・一〕

六〜十　〔略〕

（罰則に関する経過措置）

第七一条　この法律（附則第一条各号に掲げる規定にあっては、当該規定。以下この条において同じ。）の施行前にした行為及びこの附則の規定によりなお従前の例によることとされる場合におけるこの法律の施行後にした行為に対する罰則の適用については、なお従前の例による。

（政令への委任）

第七二条　この附則に定めるもののほか、この法律の施行に関し必要な経過措置（罰則に関する経過措置を含む。）は、政令で定める。

（検討）

第七三条　政府は、行政機関等に係る申請、届出、処分の通知その他の手続において、個人の氏名を平仮名又は片仮名で表記したものを利用して当該個人を識別できるようにするため、個人の氏名を平仮名又は片仮名で表記したものを戸籍の記載事項とすることを含め、この法律の公布後一年以内を目途としてその具体的な方策について検討を加え、その結果に基づいて必要な措置を講ずるものとする。

附　則〔抄〕〔令和三・五・二八法律四八〕

（施行期日）

第一条　この法律〔中略〕は、当該各号に定める日から施行する。

一・二〔略〕

三　附則第九条の規定　マンションの管理の適正化の推進に関する法律及びマンションの建替え等の円滑化に関する法律の一部を改正する法律（令和二年法律第六十二号）の施行の日又はこの法律の施行の日（次条において「施行日」という。）のいずれか遅い日〔令和四・四・一〕

四〔略〕

別表第一（第四十一条の四関係）

科目	講師
一　マンションの管理に関する法令及び実務に関する科目（四の項に掲げる科目を除く。）	一　学校教育法（昭和二十二年法律第二十六号）による大学（以下「大学」という。）において民事法学、行政法学若しくは会計学を担当する教授若しくは准教授の職にあり、又はこれらの職にあつた者 二　前号に掲げる者と同等以上の知識及び経験を有する者
二　管理組合の運営の円滑化に関する科目	一　大学において民事法学を担当する教授若しくは准教授の職にあり、又はこれらの職にあつた者 二　前号に掲げる者と同等以上の知識及び経験を有する者
三　マンションの建物及び附属施設の構造及び設備に関する科目	一　大学において建築学を担当する教授若しくは准教授の職にあり、又はこれらの職にあつた者 二　前号に掲げる者と同等以上の知識及び経験を有する者
四　この法律に関する科目	一　大学において行政法学を担当する教授若しくは准教授の職にあり、又はこれらの職にあつた者 二　前号に掲げる者と同等以上の知識及び経験を有する者

別表第二（第六十一条の二関係）

科目	講師
一　この法律その他関係法令に関する科目 二　管理事務の委託契約に関する科目	一　弁護士 二　管理業務主任者であつて、現に管理業務主任者としてマンション管理業に従事している者 三　前号に掲げる者と同等以上の知識及び経験を有する者
三　管理組合の会計の収入及び支出の調定並びに出納に関する科目	一　公認会計士 二　管理業務主任者であつて、現に管理業務主任者としてマンション管理業に従事している者 三　前号に掲げる者と同等以上の知識及び経験を有する者
四　マンションの建物及び附属設備の維持又は修繕に関する企画又は実施の調整に関する科目	一　一級建築士 二　管理業務主任者であつて、現に管理業務主任者としてマンション管理業に従事している者 三　前号に掲げる者と同等以上の知識及び経験を有する者

○マンションの管理の適正化の推進に関する法律施行令〔平成一三・七・四 政令二三八〕

改正 平成一五・一二政四九六、平成一六・一二政四二九、令和三・二政二三、八政二二四、九政二六五

（指定認定事務支援法人の指定）

第一条 マンションの管理の適正化の推進に関する法律（以下「法」という。）第五条の十二第一項の規定による指定（以下「指定」という。）は、国土交通省令で定めるところにより、計画作成都道府県等の委託を受けて同項各号に掲げる事務（以下「認定支援事務」という。）を行おうとする法人の申請により行う。

2 計画作成都道府県知事等は、前項の申請があった場合において、次の各号のいずれかに該当するときは、指定をしてはならない。

一 当該申請をした法人が、認定支援事務の運営に関する国土交通省令で定める基準に従って認定支援事務を適正に実施することができないと認められるとき。

二 当該申請をした法人が、法の規定により罰金の刑に処せられ、その執行を終わり、又はその執行を受けることがなくなった日から二年を経過しない法人であるとき。

三 当該申請をした法人が、第四条の規定により指定を取り消され、その取消しの日から二年を経過しない法人であるとき。

四 当該申請をした法人の役員のうちに、法の規定により刑に処せられ、その執行を終わり、又はその執行を受けることがなくなった日から二年を経過しない者があるとき。

（変更等の届出）

第二条 指定認定事務支援法人は、その名称若しくは住所その他国土交通省令で定める事項を変更するとき、又は認定支援事務の全部若しくは一部を廃止し、若しくは休止するときは、国土交通省令で定めるところにより、その二週間前までに、その旨を計画作成都道府県知事等に届け出なければならない。

（報告）

第三条 計画作成都道府県知事等は、認定支援事務の適正な実施を確保するため必要があると認めるときは、その必要な限度で、指定認定事務支援法人に対し、報告を求めることができる。

（指定の取消し）

第四条 計画作成都道府県知事等は、指定認定事務支援法人が次の各号のいずれかに該当するときは、指定を取り消すことができる。

一 法第五条の十二第一項の国土交通省令で定める要件を満たさなくなったとき。

二 第一条第二項第一号、第二号又は第四号のいずれかに該当するに至ったとき。

三 第二条の規定に違反したとき。

四 前条の規定により報告を求められて、報告をせず、又は虚偽の報告をしたとき。

五 不正の手段により指定を受けたとき。

（公示）

第五条 計画作成都道府県知事等は、次に掲げる場合には、その旨及び国土交通省令で定める事項を公示しなければならない。

一 指定をしたとき。

二 第二条の規定による届出（同条の国土交通省令で定める事項の変更及び認定支援事務の休止に係るものを除く。）があったとき。

三 前条の規定により指定を取り消したとき。

（マンション管理士試験の受験手数料）

第六条 法第十条第一項の政令で定める受験手数料の額は、九千四百円とする。

（マンション管理士登録証の再交付等手数料）

第七条 法第三十五条第二項の政令で定める手数料の額は、二千三百円とする。

（マンション管理士の登録手数料）

第八条 法第三十七条第二項の政令で定める手数料の額は、四千二百五十円とする。

（マンション管理士等に係る登録講習機関の登録の有効期間）

第九条 法第四十一条の五第一項（法第六十一条の二において準用する場合を含む。）の政令で定める期間は、三年とする。

（マンション管理士の講習手数料）

第一〇条 法第四十一条の十五第三項の政令で定める手数料の額は、一万三千五百円とする。

（マンション管理業者の更新登録手数料）

第一一条 法第五十二条の政令で定める手数料の額は、一万二千百円とする。

（管理業務主任者試験の受験手数料）

第一二条 法第五十七条第二項において準用する法第十条第一項の政令で定める受験手数料の額は、八千九百円とする。

（管理業務主任者の講習手数料）

第一三条 法第六十一条の二において準用する法第四十一条の十五第三項の政令で定める手数料の額は、六千七百円とする。

（管理業務主任者の登録等の手数料）

第一四条 法第六十八条の政令で定める手数料の額は、次の各号に掲げる者の区分に応じ、それぞれ当該各号に定める額とする。

一 法第五十九条第一項の登録を受けようとする者 四千二百五十円

二 管理業務主任者証の交付、有効期間の更新、再交付又は訂正を受けようとする者 二千三百円

（法第七十二条第六項の規定による承諾等に関する手続等）

第一五条 法第七十二条第六項の規定による承諾は、マンション管理業者が、国土交通省令で定めるところにより、あらかじめ、当該承諾に係る当該管理組合を構成するマンションの区分所有者等又は当該管理組合の管理者等（以下この項及び次項において「相手方」という。）に対し電磁的方法（同条第六項に規定する方法をいう。以下この項及び次項において同じ。）による提供に用いる電磁的方法の種類及び内容を示した上で、当該相手方から書面又は電子情報処理組織を使用する方法その他の情報通信の技術を利用する方法であって国土交通省令で定めるもの（次項において「書面等」という。）によって得るものとする。

2 マンション管理業者は、前項の承諾を得た場合であっても、相手方から書面等により電磁的方法による提供を受けない旨の申出があったときは、当該電磁的方法による提供をしてはならない。ただし、当該申出の後に当該相手方から再び同項の承諾を得た場合は、この限りでない。

3 前二項の規定は、法第七十二条第七項の規定による承諾について準用する。この場合において、第一項中「係る当該管理組合を構成するマンションの区分所有者等又は」とあるのは、「係る」と読み替えるものとする。

4 第一項及び第二項の規定は、法第七十三条第三項の規定による承諾について準用する。

（宅地建物取引業者とみなされる信託業務を兼営する金融機関）

第一六条 法第百三条第一項の政令で定める信託業務を兼営する金融機関は、次に掲げるものとする。

一 宅地建物取引業法施行令（昭和三十九年政令第三百八十三号）第九条第二項の規定により宅地建物取引業者とみなされる信託業務を兼営する金融機関

二 銀行法等の一部を改正する法律（平成十三年法律第百十七号）附則第十一条の規定によりなお従前の例によるものとされ、引き続き宅地建物取引業を営んでいる信託業務を兼営する金融機関

附 則〔抄〕

（施行期日）

第一条 この政令は、法の施行の日（平成十三年八月一日）から施行する。

附 則〔略〕〔平成一五・一二・一〇政令四九六〕

附 則〔略〕〔平成一六・一二・二八政令四二九〕

附 則〔略〕〔令和三・二・三政令二三〕

附 則〔略〕〔令和三・八・四政令二二四〕

附 則〔抄〕〔令和三・九・二七政令二六五〕

（施行期日）

1 この政令は、マンションの管理の適正化の推進に関する法律及びマンションの建替え等の円滑化に関する法律の一部を改正する法律（令和二年法律第六十二号）の施行の日（令和四年四月一日）から施行する。

○マンションの管理の適正化の推進に関する法律施行規則

〔平成一三・七・一九　国土交通省令一一〇〕

改正　平成一三・八国交令一一七、平成一四・九国交令一〇〇、平成一五・三国交令二六、五国交令六五、平成一六・二国交令四、三国交令三四、七国交令八二、平成一七・三国交令一二、国交令二一、平成一八・三国交令二五、四国交令六〇、平成一九・三国交令二七、平成二〇・一二国交令九七、平成二一・五国交令三五、平成二四・三国交令一八、平成二五・四国交令二三、平成二七・三国交令一二、一二国交令八二、令和元・五国交令一、九国交令三四、一二国交令四七、令和二・一二国交令九八、令和三・二国交令三、八国交令五三、一一国交令七〇、令和四・二国交令七、三国交令一一、令和五・一二国交令九八、令和六・三国交令二六、四国交令五八、五国交令六二

目次

第一章　マンション管理適正化推進計画（第一条）
第一章の二　管理計画の認定等（第一条の二―第一条の十八）
第一章の三　マンション管理士（第一条の十九―第四十九条）
第一節　マンション管理士試験（第一条の十九―第二十四条）
第二節　マンション管理士の登録（第二十四条の二―第四十条）
第三節　マンション管理士の講習（第四十一条―第四十九条）
第二章　マンション管理業（第五十条―第九十三条）
第一節　マンション管理業の登録（第五十条―第六十条）
第二節　管理業務主任者の設置（第六十一条・第六十二条）
第三節　管理業務主任者試験（第六十三条―第六十七条）
第四節　管理業務主任者の登録（第六十八条―第八十条）
第五節　マンション管理業務（第八十一条―第九十三条）
第三章　マンション管理適正化推進センター（第九十四条―第九十六条）
第四章　マンション管理業者の団体（第九十七条―第百条）
第五章　雑則（第百一条―第百六条）
附則

第一章　マンション管理適正化推進計画

（法第三条の二第三項の国土交通省令で定める期間）

第一条　マンションの管理の適正化の推進に関する法律（以下「法」という。）第三条の二第三項の国土交通省令で定める期間は、二十年とする。

第一章の二　管理計画の認定等

（管理計画の認定の申請）

第一条の二　法第五条の三第一項の規定による認定の申請をしようとする者は、別記様式第一号による申請書の正本及び副本に、それぞれ次の各号に掲げる書類その他計画作成都道府県知事等が必要と認める書類（第一条の十一を除き、以下「添付書類」と総称する。）を添えて、計画作成都道府県知事等に提出しなければならない。

一　当該認定の申請を決議（建物の区分所有等に関する法律（昭和三十七年法律第六十九号。以下この項、第八十二条第一号及び第八十五条第二号において「区分所有法」という。）第十八条第一項（区分所有法第六十六条において準用する場合を含む。）の規定による決議をいう。以下この項において同じ。）した集会（区分所有法第三十四条（区分所有法第六十六条において準用する場合を含む。）の規定による集会をいう。以下この項及び第一条の五第二号において同じ。）の議事録の写し（区分所有法第十八条第二項（区分所有法第六十六条において準用する場合を含む。以下この項において同じ。）の規定により規約（区分所有法第三十条第一項（区分所有法第六十六条において準用する場合を含む。）の規約をいう。以下この項、第一条の五第四号及び第一条の九第四号において同じ。）で別段の定めをした場合にあっては、当該規約の写し及びその定めるところにより当該認定の申請をすることを証する書類）

二　長期修繕計画（マンションの修繕に関する長期の計画をいう。以下同じ。）の写し及び当該長期修繕計画の作成又は変更を決議した集会の議事録の写し（区分所有法第十八条第二項の規定により規約で別段の定めをした場合にあっては、当該規約の写し及びその定めるところにより当該長期修繕計画を作成し、又は変更したことを証する書類）

三　申請の日（以下この項並びに第一条の四第一号及び第二号において「申請日」という。）の属する事業年度の直前の事業年度の集会において決議された管理組合の貸借対照表及び収支計算書（当該直前の事業年度がない場合にあっては、申請日を含む事業年度における集会において決議された収支予算書）並びに当該直前の事業年度の各月において組合員が滞納している修繕積立金の額を確認することができる書類

四　区分所有法第三条又は第六十五条に規定する団体が申請に係るマンションの管理を行う場合にあっては、区分所有法第二十五条第一項（区分所有法第六十六条において準用する場合を含む。）の規定により管理者を選任することを決議した集会の議事録の写し（区分所有法第十八条第二項の規定により規約で別段の定めをした場合にあっては、当該規約の写し及びその定めるところにより管理者が選任されたことを証する書類）

五　区分所有法第四十七条第一項（区分所有法第六十六条において準用する場合を含む。）に規定する法人が申請に係るマンションの管理を行う場合にあっては、区分所有法第四十九条第一項（区分所有法第六十六条において準用する場合を含む。）の規定により理事を置くことを決議した集会の議事録の写し（区分所有法第十八条第二項の規定により規約で別段の定めをした場合にあっては、当該規約の写し及びその定めるところにより理事が置かれたことを証する書類）

六　監事（管理組合の業務の執行及び財産の状況を監査し、その監査の結果を集会に報告する者として規約で定めるものをいう。以下この号、第一条の五第一号並びに第一条の九第三号及び第四号において同じ。）を置くことを決議した集会の議事録の写し（区分所有法第十八条第二項の規定により規約で別段の定めをした場合にあっては、当該規約の写し及びその定めるところにより監事が置かれたことを証する書類）

七　申請日の直近において開かれた集会の議事録の写し

八　申請に係るマンションの区分所有者の名簿（第一条の五第三号において「区分所有者名簿」という。）及び申請に係るマンションに居住する者の名簿（同号において「居住者名簿」という。）が作成され、かつ、これらの名簿が年一回以上更新されていることを確認することができる書類

九　規約の写し

2　前項に規定する計画作成都道府県知事等が必要と認める書類を添える場合には、同項の規定にかかわらず、同項各号に掲げる書類のうち計画作成都道府県知事等が不要と認めるものを同項の申請書に添えることを要しない。

（管理計画の記載事項）

第一条の三　法第五条の三第二項第四号の国土交通省令で定める事項は、管理計画が、都道府県等マンション管理適正化指針に照らして適切なものであることを確認するために必要な事項とする。

（管理の方法の基準）

第一条の四　法第五条の四第一号の国土交通省令で定める基準は、次に掲げる要件を満たす長期修繕計画が作成され、これに基づいてマンションの修繕その他の管理が行われることとする。

一　申請日以前七年以内に作成され、又は変更されたものであること。

二　計画期間が三十年以上であり、かつ、申請日から当該計画期間の終了の日までの間に二回以上の大規模修繕（マンションの建物の外壁について行う修繕又は模様替を含む大規模な工事をいう。第六十九条の六第四号において同じ。）の実施を予定するものであること（申請日から当該計画期間の終了の日までの間にマンションの除却その他の措置の実施が予定され、その実施時期が適切に定められている場合を除く。）。

三　マンションの構造又は維持若しくは修繕の状況を勘案して、次に掲げるマンションの修繕に関する事項が適切に定められていること。

イ　マンションの建物の修繕の内容に関する事項

ロ　マンションの附属設備の修繕の内容に関する事項

ハ　マンションの附属施設の修繕の内容に関する事項
ニ　イからハまでに掲げる修繕に必要な仮設工事の内容に関する事項
ホ　イからニまでに掲げる工事の実施に必要な調査の実施その他の措置に関する事項
ヘ　長期修繕計画の変更に必要な調査の実施その他の措置に関する事項
ト　イからヘまでに掲げる事項の実施時期及び実施に必要な費用に関する事項

（管理組合の運営の状況の基準）

第一条の五　法第五条の四第三号の国土交通省令で定める基準は、次に掲げるとおりとする。
一　管理者等及び監事が置かれていること。
二　集会が年一回以上開かれていること。
三　区分所有者名簿及び居住者名簿が作成され、かつ、これらの名簿が年一回以上更新されていること。
四　規約に次に掲げる事項が定められていること。
イ　マンションの管理のため必要となる、管理者等によるマンションの区分所有者の専有部分及び規約（これに類するものを含む。）の定めにより特定の者のみが立ち入ることができることとされた部分への立入りに関する事項
ロ　マンションの点検、修繕その他のマンションの維持管理に関する記録の作成及び保存に関する事項
ハ　マンションの区分所有者その他の利害関係人からマンションに関する情報の提供を要求された場合の対応に関する事項

（認定の通知）

第一条の六　法第五条の五の認定の通知は、別記様式第一号の二による通知書に第一条の二第一項の申請書の副本及びその添付書類を添えて行うものとする。

（管理計画の認定の更新の申請）

第一条の七　認定管理者等は、法第五条の六第一項の認定の更新を受けようとするときは、別記様式第一号の三による申請書の正本及び副本に、それぞれ添付書類を添えて、計画作成都道府県知事等に提出しなければならない。
2　第一条の二第二項及び第一条の三の規定は、前項の認定の更新の申請について準用する。

（認定の更新の通知）

第一条の八　法第五条の六第二項において準用する法第五条の五の規定による認定の更新の通知は、別記様式第一号の四による通知書に前条第一項の申請書の副本及びその添付書類を添えて行うものとする。

（法第五条の七第一項の国土交通省令で定める軽微な変更）

第一条の九　法第五条の七第一項の国土交通省令で定める軽微な変更は、次に掲げるものとする。
一　長期修繕計画の変更であって、次に掲げるもの
イ　マンションの修繕の内容又は実施時期の変更であって、計画期間又は修繕資金計画（長期修繕計画に定められたマンションの修繕の実施に必要な資金の総額、内訳及び調達方法を記載した資金計画をいう。ロにおいて同じ。）の変更を伴わないもの
ロ　修繕資金計画の変更であって、マンションの修繕の実施に支障を及ぼすおそれのないもの
二　二以上の管理者等を置く管理組合にあっては、その一部の管理者等の変更（法第五条の四の認定（法第五条の七第一項の変更の認定を含む。）又は法第五条の六第一項の認定の更新があった際に管理者等であった者の全てが管理者等でなくなる場合を除く。）
三　監事の変更
四　規約の変更であって、監事の職務及び第一条の五第四号に掲げる事項の変更を伴わないもの

（管理計画の変更の認定の申請）

第一条の一〇　法第五条の七第一項の変更の認定の申請をしようとする者は、別記様式第一号の五による申請書の正本及び副本に、それぞれ添付書類のうち変更に係るものを添えて、計画作成都道府県知事等に提出するものとする。

（変更の認定の通知）

第一条の一一　法第五条の七第二項において準用する法第五条の五の規定による変更の認定の通知は、別記様式第一号の六による通知書に前条の申請書の副本及びその添付書類を添えて行うものとする。

（指定認定事務支援法人の指定の要件）

第一条の一二　法第五条の十二第一項の国土交通省令で定める要件は、次に掲げるとおりとする。
一　認定支援事務（マンションの管理の適正化の推進に関する法律施行令（平成十三年政令第二百三十八号。以下「令」という。）第一条第一項に規定する認定支援事務をいう。以下同じ。）を適確に実施するに足りる経理的及び技術的な基礎を有するものであること。
二　法人の役員又は職員の構成が、認定支援事務の公正な実施に支障を及ぼすおそれがないものであること。
三　認定支援事務以外の業務を行っている場合には、その業務を行うことによって認定支援事務の公正な実施に支障を及ぼすおそれがないものであること。
四　前三号に定めるもののほか、認定支援事務を行うにつき十分な適格性を有するものであること。

（法第五条の十二第一項第二号の国土交通省令で定める事務）

第一条の一三　法第五条の十二第一項第二号の国土交通省令で定める事務は、管理計画が、都道府県等マンション管理適正化指針に照らして適切なものであるか否かについて調査することに関する事務とする。

（認定支援事務の委託の公示等）

第一条の一四　計画作成都道府県等は、法第五条の十二第四項の規定により公示するときは、次に掲げる事項について行うものとする。
一　委託する指定認定事務支援法人の名称及び住所並びにその代表者の氏名
二　委託開始の予定年月日
三　委託する認定支援事務の内容
2　計画作成都道府県等は、法第五条の十二第一項の規定による委託を終了するときは、次に掲げる項目を公示しなければならない。
一　委託している指定認定事務支援法人の名称及び住所並びにその代表者の氏名
二　委託終了の年月日
三　委託している認定支援事務の内容

（指定認定事務支援法人に係る指定の申請）

第一条の一五　令第一条第一項の規定に基づき法第五条の十二第一項に規定する指定認定事務支援法人の指定を受けようとする法人は、次に掲げる書類を、計画作成都道府県知事等に提出しなければならない。
一　次に掲げる事項を記載した申請書
イ　申請者の名称及び住所並びにその代表者の氏名、生年月日、住所及び職名
ロ　申請に係る認定支援事務の種類
ハ　申請に係る認定支援事務の開始の予定年月日
ニ　申請に係る認定支援事務の実施体制
ホ　申請に係る認定支援事務に係る資産の状況
ヘ　役員の氏名、生年月日及び住所
ト　その他指定に関し必要と認める事項
二　申請者の定款、寄附行為及びその登記事項証明書
三　令第一条第二項各号に該当しないことを誓約する書面（第一条の十七第二項において「誓約書」という。）

（令第一条第二項第一号の国土交通省令で定める基準）

第一条の一六　令第一条第二項第一号の国土交通省令で定める基準は、次に掲げるとおりとする。
一　職員及び会計に関する諸記録を整備しておくこと。
二　実施した認定支援事務の内容等の記録を整備し、その完結の日から二年間保存しておくこと。

（指定認定事務支援法人の名称等の変更の届出等）

第一条の一七　令第二条の国土交通省令で定める事項は次に掲げるとおりとする。
一　申請者の代表者の氏名、生年月日、住所及び職名
二　役員の氏名、生年月日及び住所
三　申請者の定款、寄附行為及びその登記事項証明書（当該指定に係る事務に関するものに限る。）
2　指定認定事務支援法人は、その名称若しくは住所又は前項各号に掲げる事項を変更するときは、当該変更に係る事項について計画作成都道府県知

事等に届け出なければならない。この場合において、役員の変更に伴うものは、誓約書を添えて行うものとする。

3　指定認定事務支援法人は、当該認定支援事務の全部又は一部を廃止し、又は休止するときは、次に掲げる事項を計画作成都道府県知事等に届け出なければならない。

一　廃止し、又は休止する認定支援事務

二　廃止し、又は休止する年月日

三　廃止し、又は休止する理由

四　休止する場合にあっては、休止の予定期間

（令第五条の国土交通省令で定める事項）

第一条の一八　令第五条の国土交通省令で定める事項は、次に掲げるものとする。

一　当該指定認定事務支援法人の名称及び住所

二　当該指定に係る認定支援事務の種類

三　指定をし、当該指定認定事務支援法人の名称若しくは住所の変更又は認定支援事務の廃止の届出の受理をし、又は指定を取り消した場合にあっては、その年月日

第一章の三　マンション管理士

第一節　マンション管理士試験

（試験の基準）

第一条の一九　マンション管理士試験（以下この節において「試験」という。）は、管理組合の運営その他マンションの管理に関する専門的知識を有するかどうかを判定することに基準を置くものとする。

（試験の内容）

第二条　前条の基準によって試験すべき事項は、おおむね次のとおりである。

一　マンションの管理に関する法令及び実務に関すること（第四号に掲げるものを除く。）。

二　管理組合の運営の円滑化に関すること。

三　マンションの建物及び附属施設の構造及び設備に関すること。

四　法に関すること。

（法第七条第二項の国土交通省令で定める資格を有する者）

第三条　法第七条第二項の国土交通省令で定める資格を有する者は、管理業務主任者試験に合格した者とする。

（試験の一部免除）

第四条　管理業務主任者試験に合格した者については、第二条に掲げる試験すべき事項のうち同条第四号に掲げるものを免除する。

（試験期日等の公告）

第五条　試験を施行する期日、場所その他試験の施行に関して必要な事項は、国土交通大臣があらかじめ官報で公告する。

（受験手続）

第六条　試験を受けようとする者は、別記様式第一号の七によるマンション管理士試験受験申込書（以下この節において「受験申込書」という。）を国土交通大臣に提出しなければならない。

（試験の方法）

第七条　試験は、筆記の方法により行う。

（合格証書の交付及び合格者の公告）

第八条　国土交通大臣は、試験に合格した者には、合格証書を交付するほか、その受験番号を公告するものとする。

（受験手数料の納付）

第九条　法第十条第一項に規定する受験手数料（以下この節において単に「受験手数料」という。）は、受験申込書に収入印紙を貼って納付するものとする。

（指定の申請等）

第一〇条　法第十一条第二項の規定による指定を受けようとする者は、次に掲げる事項を記載した申請書を国土交通大臣に提出しなければならない。

一　名称及び住所

二　法第十一条第一項に規定する試験の実施に関する事務（以下この節において「試験事務」という。）を行おうとする事務所の名称及び所在地

三　試験事務を開始しようとする年月日

2　前項の申請書には、次に掲げる書類を添付しなければならない。

一　定款及び登記事項証明書

二　申請の日の属する事業年度の前事業年度の貸借対照表及び当該事業年度末の財産目録

三　申請の日の属する事業年度及び翌事業年度における事業計画書及び収支予算書

四　指定の申請に関する意思の決定を証する書類

五　役員の氏名及び略歴を記載した書類

六　現に行っている業務の概要を記載した書類

七　試験事務の実施の方法に関する計画を記載した書類

3　法第十一条第一項に規定する指定試験機関（以下この節において単に「指定試験機関」という。）の名称及び主たる事務所の所在地並びに指定をした日は、次のとおりとする。

指定試験機関		指定をした日
名称	主たる事務所の所在地	
公益財団法人マンション管理センター	東京都千代田区一ツ橋二丁目五番五号	平成十三年八月十日

（指定試験機関の名称の変更等の届出）

第一一条　指定試験機関は、その名称又は主たる事務所の所在地を変更しようとするときは、次に掲げる事項を記載した届出書を国土交通大臣に提出しなければならない。

一　変更後の指定試験機関の名称又は主たる事務所の所在地

二　変更しようとする年月日

三　変更の理由

2　指定試験機関は、試験事務を行う事務所を新設し、又は廃止しようとするときは、次に掲げる事項を記載した届出書を国土交通大臣に提出しなければならない。

一　新設し、又は廃止しようとする事務所の名称及び所在地

二　新設し、又は廃止しようとする事務所において試験事務を開始し、又は廃止しようとする年月日

三　新設又は廃止の理由

（役員の選任及び解任）

第一二条　指定試験機関は、法第十三条第一項の認可を受けようとするときは、次に掲げる事項を記載した申請書を国土交通大臣に提出しなければならない。

一　選任に係る役員の氏名及び略歴又は解任に係る役員の氏名

二　選任又は解任の理由

（事業計画等の認可の申請）

第一三条　指定試験機関は、法第十四条第一項前段の認可を受けようとするときは、その旨を記載した申請書に事業計画書及び収支予算書を添えて、これを国土交通大臣に提出しなければならない。

2　指定試験機関は、法第十四条第一項後段の認可を受けようとするときは、次に掲げる事項を記載した申請書を国土交通大臣に提出しなければならない。

一　変更しようとする事項

二　変更しようとする年月日

三　変更の理由

（試験事務規程の認可の申請）

第一四条　指定試験機関は、法第十五条第一項前段の認可を受けようとするときは、その旨を記載した申請書に同項に規定する試験事務規程（以下この節において単に「試験事務規程」という。）を添えて、これを国土交通大臣に提出しなければならない。

2　指定試験機関は、法第十五条第一項後段の認可を受けようとするときは、次に掲げる事項を記載した申請書を国土交通大臣に提出しなければならない。

一　変更しようとする事項

二　変更しようとする年月日

三　変更の理由

（試験事務規程の記載事項）

第一五条　法第十五条第二項の国土交通省令で定める事項は、次のとおりとする。

一　試験事務を行う時間及び休日に関する事項

二　試験事務を行う事務所及び試験地に関する事項

三　試験事務の実施の方法に関する事項
四　受験手数料の収納の方法に関する事項
五　マンション管理士試験委員（以下この節において「試験委員」という。）の選任及び解任に関する事項
六　試験事務に関する秘密の保持に関する事項
七　試験事務に関する帳簿及び書類の管理に関する事項
八　その他試験事務の実施に関し必要な事項

（試験委員の要件）
第一六条　法第十六条第二項の国土交通省令で定める要件は、次の各号のいずれかに該当する者であることとする。
一　学校教育法（昭和二十二年法律第二十六号）による大学において民事法学、行政法学、会計学又は建築学を担当する教授若しくは准教授の職にあり、又はあった者その他これらの者に相当する知識及び経験を有する者
二　国又は地方公共団体の職員又は職員であった者で、第二条各号に掲げる事項について専門的な知識を有するもの

（試験委員の選任等の届出）
第一七条　法第十六条第三項の規定による試験委員の選任又は変更の届出は、次に掲げる事項を記載した届出書によって行わなければならない。
一　選任した試験委員の氏名及び略歴又は変更した試験委員の氏名
二　選任し、又は変更した年月日
三　選任又は変更の理由

（規定の適用）
第一八条　指定試験機関が試験事務を行う場合における第六条、第八条及び第九条の規定の適用については、第六条及び第八条中「国土交通大臣」とあるのは「指定試験機関」と、第九条中「受験申込書に収入印紙を貼って納付するものとする」とあるのは「試験事務規程で定めるところにより納付するものとする」とする。

（受験停止の処分等の報告等）
第一九条　指定試験機関は、法第十七条第一項の規定により読み替えて適用する法第九条第一項の規定により、試験に関する不正行為に関係のある者に対して、その受験を停止させ、又はその試験を無効としたときは、遅滞なく、次に掲げる事項を記載した報告書を国土交通大臣に提出しなければならない。
一　処分を行った者の氏名、生年月日及び住所
二　処分の内容及び処分を行った年月日
三　不正の行為の内容
2　前項の場合において、国土交通大臣は、法第九条第二項の処分を行ったときは、次に掲げる事項を指定試験機関に通知するものとする。
一　処分を行った者の氏名、生年月日及び住所
二　処分の内容及び処分を行った年月日

（帳簿の備付け等）
第二〇条　法第十九条に規定する国土交通省令で定める事項は、次のとおりとする。
一　試験年月日
二　試験地
三　受験者の受験番号、氏名、生年月日、住所及び合否の別
四　試験の合格年月日
2　前項各号に掲げる事項が、電子計算機（入出力装置を含む。以下同じ。）に備えられたファイル又は電磁的記録媒体（電磁的記録（電子的方式、磁気的方式その他の人の知覚によっては認識することができない方式で作られる記録であって、電子計算機による情報処理の用に供されるものをいう。第六十九条の十二において同じ。）に係る記録媒体をいう。以下同じ。）に記録され、必要に応じ指定試験機関において電子計算機その他の機器を用いて明確に紙面に表示されるときは、当該記録をもって法第十九条に規定する帳簿への記載に代えることができる。
3　法第十九条に規定する帳簿（前項の規定による記録が行われた同項のファイル又は電磁的記録媒体を含む。）は、試験事務を廃止するまで保存しなければならない。

（試験結果の報告）
第二一条　指定試験機関は、試験事務を実施したときは、遅滞なく次に掲げる事項を記載した報告書を国土交通大臣に提出しなければならない。
一　試験年月日
二　試験地
三　受験申込者数
四　受験者数
五　試験に合格した者の数
六　試験の合格年月日
2　前項の報告書には、試験に合格した者の受験番号、氏名、生年月日及び住所を記載した合格者一覧表を添えなければならない。

第二二条　削除

（試験事務の休廃止の許可の申請）
第二三条　指定試験機関は、法第二十三条第一項の許可を受けようとするときは、次に掲げる事項を記載した申請書を国土交通大臣に提出しなければならない。
一　休止し、又は廃止しようとする試験事務の範囲
二　休止し、又は廃止しようとする年月日
三　休止しようとする場合にあっては、その期間
四　休止又は廃止の理由

（試験事務の引継ぎ等）
第二四条　指定試験機関は、法第二十三条の規定による許可を受けて試験事務の全部若しくは一部を廃止する場合、法第二十四条の規定により指定を取り消された場合又は法第二十七条第二項の規定により国土交通大臣が試験事務の全部若しくは一部を自ら行う場合には、次に掲げる事項を行わなければならない。
一　試験事務を国土交通大臣に引き継ぐこと。
二　試験事務に関する帳簿及び書類を国土交通大臣に引き継ぐこと。
三　その他国土交通大臣が必要と認める事項

第二節　マンション管理士の登録

（心身の故障によりマンション管理士の業務を適正に行うことができない者）
第二四条の二　法第三十条第一項第六号の国土交通省令で定める者は、精神の機能の障害によりマンション管理士の業務を適正に行うに当たって必要な認知、判断及び意思疎通を適切に行うことができない者とする。

（登録の申請）
第二五条　法第三十条第一項の規定によりマンション管理士の登録を受けようとする者は、別記様式第三号によるマンション管理士登録申請書を国土交通大臣に提出しなければならない。
2　マンション管理士登録申請書には、法第三十条第一項各号のいずれにも該当しない旨を誓約する書面を添付しなければならない。
3　国土交通大臣は、法第三十条第一項の規定によりマンション管理士の登録を受けようとする者に係る機構保存本人確認情報（住民基本台帳法（昭和四十二年法律第八十一号）第三十条の七第四項に規定する機構保存本人確認情報をいう。以下同じ。）のうち住民票コード（同法第七条第十三号に規定する住民票コードをいう。以下同じ。）以外のものについて、同法第三十条の九の規定によるその提供を受けることができないときは、その者に対し、住民票の抄本又はこれに代わる書面を提出させることができる。
4　第二項の誓約書の様式は、別記様式第四号によるものとする。

（マンション管理士登録簿の登載事項）
第二六条　法第三十条第二項に規定する国土交通省令で定める事項は、次に掲げるものとする。
一　住所
二　本籍（日本の国籍を有しない者にあっては、その者の有する国籍）及び性別
三　試験の合格年月日及び合格証書番号
四　登録番号及び登録年月日
2　国土交通大臣は、登録講習機関から第四十二条の十一第一項の報告書の提出があったとき、又は第四十二条の十四の規定により講習の課程を修了したことを証する書面を交付したときは、講習の修了年月日及び講習を行った機関の氏名又は名称をマンション管理士登録簿に記載するものとする。
3　マンション管理士登録簿の様式は、別記様式第五号によるものとする。

（マンション管理士登録証）
第二七条　マンション管理士登録証（以下「登録証」という。）の様式は、

別記様式第六号によるものとする。

（登録事項の変更の届出）

第二八条　マンション管理士は、法第三十条第二項に規定する事項に変更があったときは、別記様式第七号による登録事項変更届出書（以下この節において「変更届出書」という。）を国土交通大臣に提出しなければならない。

（登録証再交付の申請等）

第二九条　マンション管理士は、登録証を亡失し、滅失し、汚損し、又は破損したときは、国土交通大臣に登録証の再交付を申請することができる。

2　前項の規定による再交付を申請しようとする者は、別記様式第八号による登録証再交付申請書（以下この節において「再交付申請書」という。）を提出しなければならない。

3　汚損又は破損を理由とする登録証の再交付は、汚損し、又は破損した登録証と引換えに新たな登録証を交付して行うものとする。

4　マンション管理士は、登録証の亡失によりその再交付を受けた後において、亡失した登録証を発見したときは、速やかに、発見した登録証を国土交通大臣に返納しなければならない。

（登録の取消しの通知等）

第三〇条　国土交通大臣は、法第三十三条の規定によりマンション管理士の登録を取り消し、又はマンション管理士の名称の使用の停止を命じたときは、理由を付し、その旨を登録の取消し又は名称の使用の停止の処分を受けた者に通知しなければならない。

2　法第三十三条の規定によりマンション管理士の登録を取り消された者は、前項の通知を受けた日から起算して十日以内に、登録証を国土交通大臣に返納しなければならない。

（死亡等の届出）

第三一条　マンション管理士が次の各号のいずれかに該当するに至った場合には、当該マンション管理士又は戸籍法（昭和二十二年法律第二百二十四号）に規定する届出義務者（第三号の場合にあっては、当該マンション管理士の同居の親族）若しくは法定代理人は、遅滞なく、登録証（同号の場合にあっては、病名、障害の程度、病因、病後の経過、治癒の見込みその他参考となる所見を記載した医師の診断書）を添え、その旨を国土交通大臣に届け出なければならない。

一　死亡し、又は失踪の宣告を受けた場合

二　法第三十条第一項各号（第三号及び第六号を除く。）のいずれかに該当するに至った場合

三　精神の機能の障害を有することにより認知、判断及び意思疎通を適切に行うことができない状態となった場合

（登録簿の登録の訂正等）

第三二条　国土交通大臣は、第二十八条の届出があったとき、第三十一条の届出があったとき、又は法第三十三条第一項若しくは第二項の規定によりマンション管理士の登録を取り消し、若しくはマンション管理士の名称の使用の停止を命じたときは、マンション管理士登録簿の当該マンション管理士に関する登録を訂正し、若しくは消除し、又は当該マンション管理士の名称の使用の停止をした旨をマンション管理士登録簿に記載するとともに、それぞれ登録の訂正若しくは消除又は名称の使用の停止の理由及びその年月日を記載するものとする。

（登録証の再交付等に係る手数料の納付）

第三三条　法第三十五条第二項に規定する手数料は、変更届出書又は再交付申請書に、それぞれ収入印紙を貼って納付するものとする。

2　前項の規定により納付された手数料は、これを返還しない。

（規定の適用）

第三四条　法第三十六条第一項に規定する指定登録機関（以下この節及び次節において単に「指定登録機関」という。）がマンション管理士の登録の実施に関する事務（以下この節及び次節において「登録事務」という。）を行う場合における第二十五条第一項及び第三項、第二十六条第二項、第二十八条、第二十九条第一項及び第四項、第三十条第二項、第三十一条、第三十二条並びに第三十三条第一項の規定の適用については、これらの規定（第三十三条第一項を除く。）中「国土交通大臣」とあるのは「指定登録機関」と、第二十五条第一項中「法第三十条第一項」とあるのは「法第三十七条第一項の規定により読み替えて適用する法第三十条第一項」と、第二十六条第二項中「第四十二条の十一第一項の報告書」とあるのは「第四十二条の十一第三項の規定により修了者一覧表」と、「、又は」とあるのは「、又は第三十五条の規定により国土交通大臣から」と、「交付した」とあるのは「交付した旨の通知を受けた」と、第三十二条中「法第三十三条第一項若しくは第二項の規定により」とあるのは「法第三十三条第一項若しくは第二項の規定により国土交通大臣が」と、「停止をした」とあるのは「停止があった」と、第三十三条第一項中「法第三十五条第二項」とあるのは「法第三十七条第一項の規定により読み替えて適用する法第三十五条第二項及び法第三十七条第二項」と、「変更届出書又は再交付申請書に、それぞれ収入印紙を貼って納付するものとする」とあるのは「法第三十八条において準用する法第十五条第一項に規定する登録事務規程で定めるところにより納付するものとする」とする。

（指定登録機関への通知）

第三五条　指定登録機関が登録事務を行う場合において、国土交通大臣は、法第三十三条の規定によりマンション管理士の登録を取り消し、若しくは期間を定めてマンション管理士の名称の使用の停止を命じたとき、又は第四十二条の十四に規定する講習の課程を修了したことを証する書面を交付したときは、その旨を指定登録機関に通知しなければならない。

（登録事務規程の記載事項）

第三六条　法第三十八条において準用する法第十五条第二項の国土交通省令で定める事項は、次のとおりとする。

一　登録事務を行う時間及び休日に関する事項

二　登録事務を行う事務所に関する事項

三　登録事務の実施の方法に関する事項

四　手数料の収納の方法に関する事項

五　登録事務に関する秘密の保持に関する事項

六　登録事務に関する帳簿及び書類並びにマンション管理士登録簿の管理に関する事項

七　その他登録事務の実施に関し必要な事項

（帳簿の備付け等）

第三七条　法第三十八条において準用する法第十九条に規定する国土交通省令で定める事項は、次のとおりとする。

一　各月における登録の件数

二　各月における登録事項の変更の届出の件数

三　各月における登録の消除の件数

四　各月における登録証の訂正及び再交付の件数

五　各月の末日において登録を受けている者の人数

2　前項各号に掲げる事項が、電子計算機に備えられたファイル又は電磁的記録媒体に記録され、必要に応じ指定登録機関において電子計算機その他の機器を用いて明確に紙面に表示されるときは、当該記録をもって法第三十八条において準用する法第十九条に規定する帳簿への記載に代えることができる。

3　法第三十八条において準用する法第十九条に規定する帳簿（前項の規定による記録が行われた同項のファイル又は電磁的記録媒体を含む。）は、登録事務を廃止するまで保存しなければならない。

（登録状況の報告）

第三八条　指定登録機関は、事業年度の各四半期の経過後遅滞なく、当該四半期における登録の件数、登録事項の変更の届出の件数、登録の消除の件数、登録証の訂正及び再交付の件数並びに当該四半期の末日において登録を受けている者の人数を記載した登録状況報告書を国土交通大臣に提出しなければならない。

（不正登録者の報告）

第三九条　指定登録機関は、マンション管理士が偽りその他不正の手段により登録を受けたと思料するときは、直ちに、次に掲げる事項を記載した報告書を国土交通大臣に提出しなければならない。

一　当該マンション管理士に係る登録事項

二　偽りその他不正の手段

（準用）

第四〇条　第十条から第十四条まで並びに第二十三条及び第二十四条の規定は、指定登録機関について準用する。この場合において、これらの規定（第十二条から第十四条までの規定を除く。）中「試験事務」とあるのは「登録事務」と、第十条第一項中「法第十一条第一項」とあるのは「法第三十六条第二項」と、同項第二号中「法第十一条第一項」とあるのは「法第三十六条第一項」と、「試験」とあるのは「登録」と、第十二条中「法第十三条第一項」とあるのは「法第三十八条において準用する法第十三条第一項」と、第十三条第一項中「法第十四条第一項前段」とあるのは「法第三

十八条において準用する法第十四条第一項前段」と、同条第二項中「法第十四条第一項後段」とあるのは「法第三十八条において準用する法第十四条第一項後段」と、第十四条第一項中「法第十五条第一項前段」とあるのは「法第三十八条において準用する法第十五条第一項前段」と、「試験事務規程」とあるのは「登録事務規程」と、同条第二項中「法第十五条第一項後段」とあるのは「法第三十八条において準用する法第十五条第一項後段」と、第二十三条中「法第二十三条第一項」とあるのは「法第三十八条において準用する法第二十三条第一項」と、第二十四条中「法第二十三条」とあるのは「法第三十八条において準用する法第二十三条」と、「法第二十四条」とあるのは「法第三十八条において準用する法第二十四条」と、「法第二十七条第二項」とあるのは「法第三十八条において準用する法第二十七条第二項」と、同条第二号中「及び書類」とあるのは「、書類及びマンション管理士登録簿」と読み替えるものとする。

第三節　マンション管理士の講習

（法第四十一条の国土交通省令で定める期間）

第四十一条　法第四十一条の国土交通省令で定める期間は、五年とする。

（登録の申請）

第四十二条　法第四十一条の登録又は法第四十一条の五第一項の登録の更新（以下この条において「登録等」という。）を受けようとする者は、別記様式第十号による申請書（第四十二条の三において「申請書」という。）に次に掲げる書類を添えて、これを国土交通大臣に提出しなければならない。

一　法人である場合においては、次に掲げる書類

イ　定款又は寄附行為及び登記事項証明書

ロ　申請に係る意思の決定を証する書類

ハ　役員の氏名及び略歴を記載した書類

二　個人である場合においては、登録等を受けようとする者の略歴を記載した書類

三　法第四十一条の講習（以下この節において「登録講習」という。）が法別表第一の上欄に掲げる科目（以下この節において「登録講習科目」という。）について、同表の下欄に掲げる講師（以下この節において「登録講習講師」という。）により行われるものであることを証する書類

四　法第四十一条の二の講習事務（以下この節において「登録講習事務」という。）以外の業務を行おうとするときは、その業務の種類及び概要を記載した書類

五　登録等を受けようとする者が法第四十一条の三各号のいずれにも該当しない者であることを誓約する書面

六　その他参考となる事項を記載した書類

2　国土交通大臣は、登録等を受けようとする者（個人である場合に限る。）に係る機構保存本人確認情報のうち住民票コード以外のものについて、住民基本台帳法第三十条の九の規定によるその提供を受けることができないときは、その者に対し、住民票の抄本若しくは個人番号カード（行政手続における特定の個人を識別するための番号の利用等に関する法律（平成二十五年法律第二十七号）第二条第七項に規定する個人番号カードをいう。以下同じ。）の写し又はこれらに類するものであって氏名、生年月日及び住所を証明する書類を提出させることができる。

（登録講習機関登録簿の記載事項）

第四十二条の二　法第四十一条の四第二項第四号（法第四十一条の五第二項において準用する場合を含む。）の国土交通省令で定める事項は、法第四十一条に規定する登録講習機関（以下この節において単に「登録講習機関」という。）が法人である場合における役員の氏名とする。

（登録の更新の申請期間）

第四十二条の三　法第四十一条の五第一項の登録の更新を受けようとする者は、登録の有効期間満了の日の九十日前から三十日前までの間に申請書を提出しなければならない。

（登録講習事務の実施基準）

第四十二条の四　法第四十一条の六の国土交通省令で定める基準は、次に掲げるとおりとする。

一　登録講習を毎年一回以上行うこと。

二　登録講習は講義により行い、講義時間の合計はおおむね六時間とし、登録講習科目ごとの講義時間は国土交通大臣が定める時間とすること。

三　登録講習科目に応じ国土交通大臣が定める事項を含む適切な内容の教材（以下この節において「登録講習教材」という。）を用いること。

四　登録講習講師は講義の内容に関する受講者の質問に対し、登録講習中に適切に応答すること。

五　登録講習の課程を修了した者（以下この節において「登録講習修了者」という。）に対して、別記様式第十号の二による修了証（以下この節において単に「修了証」という。）を交付すること。

六　不正な受講を防止するための措置を講じること。

七　登録講習を実施する日時、場所その他登録講習の実施に関し必要な事項及び当該講習が登録講習である旨を公示すること。

八　登録講習事務以外の業務を行う場合にあっては、当該業務が登録講習事務であると誤認されるおそれがある表示その他の行為をしないこと。

（登録事項の変更の届出）

第四十二条の五　登録講習機関は、法第四十一条の七の規定による届出をしようとするときは、次に掲げる事項を記載した届出書を国土交通大臣に提出しなければならない。

一　変更しようとする事項

二　変更しようとする年月日

三　変更の理由

（講習事務規程の記載事項）

第四十二条の六　法第四十一条の八第二項の国土交通省令で定める事項は、次に掲げるものとする。

一　登録講習事務を行う時間及び休日に関する事項

二　登録講習事務を行う事務所及び登録講習の実施場所に関する事項

三　登録講習の実施に係る公示の方法に関する事項

四　登録講習の受講の申込みに関する事項

五　登録講習の実施方法に関する事項

六　登録講習に関する料金の額及びその収納方法に関する事項

七　登録講習の内容及び時間に関する事項

八　登録講習に用いる登録講習教材に関する事項

九　修了証の交付に関する事項

十　第四十二条の十第三項の帳簿その他の登録講習事務に関する書類の管理に関する事項

十一　不正受講者の処分に関する事項

十二　その他登録講習事務の実施に関し必要な事項

（登録講習事務の休廃止の届出）

第四十二条の七　登録講習機関は、法第四十一条の九の規定により登録講習事務の全部又は一部を休止し、又は廃止しようとするときは、次に掲げる事項を記載した届出書を国土交通大臣に提出しなければならない。

一　休止し、又は廃止しようとする登録講習事務の範囲

二　休止し、又は廃止しようとする年月日

三　休止しようとする場合にあっては、その期間

四　休止又は廃止の理由

（電磁的記録に記録された事項を表示する方法）

第四十二条の八　法第四十一条の十第二項第三号の国土交通省令で定める方法は、当該電磁的記録に記録された事項を紙面又は出力装置の映像面に表示する方法とする。

（電磁的記録に記録された事項を提供するための方法）

第四十二条の九　法第四十一条の十第二項第四号の国土交通省令で定める方法は、次に掲げるもののうち、登録講習機関が定めるものとする。

一　送信者の使用に係る電子計算機と受信者の使用に係る電子計算機とを電気通信回線で接続した電子情報処理組織を使用する方法であって、当該電気通信回線を通じて情報が送信され、受信者の使用に係る電子計算機に備えられたファイルに当該情報が記録されるもの

二　電磁的記録媒体をもって調製するファイルに情報を記録したものを交付する方法

2　前項各号に掲げる方法は、受信者がファイルへの記録を出力することによる書面を作成することができるものでなければならない。

（帳簿の備付け等）

第四十二条の一〇　法第四十一条の十四の国土交通省令で定める事項は、次に掲げるものとする。

一　登録講習の実施年月日

二　登録講習の実施場所

三　講義を行った登録講習講師の氏名並びに講義において担当した登録講

習科目及びその時間

四　受講者の氏名、生年月日、住所及びマンション管理士の登録番号

五　登録講習修了者にあっては、前号に掲げる事項のほか、修了証の交付年月日及び修了証番号

2　前項各号に掲げる事項が、電子計算機に備えられたファイル又は電磁的記録媒体に記録され、必要に応じ登録講習機関において電子計算機その他の機器を用いて明確に紙面に表示されるときは、当該記録をもって帳簿への記載に代えることができる。

3　登録講習機関は、法第四十一条の十四に規定する帳簿（前項の規定による記録が行われた同項のファイル又は電磁的記録媒体を含む。）を、登録講習事務の全部を廃止するまで保存しなければならない。

4　登録講習機関は、登録講習に用いた登録講習教材を登録講習を実施した日から三年間保存しなければならない。

（登録講習事務の実施結果の報告）

第四十二条の十一　登録講習機関は、登録講習事務を実施したときは、遅滞なく、次に掲げる事項を記載した報告書を国土交通大臣に提出しなければならない。

一　登録講習の実施年月日

二　登録講習の実施場所

三　受講申込者数

四　受講者数

五　登録講習修了者数

2　前項の報告書には、登録講習修了者の氏名、生年月日、住所及びマンション管理士の登録番号並びに登録講習の修了年月日、修了証の交付年月日及び修了証番号を記載した修了者一覧表並びに登録講習に用いた登録講習教材を添えなければならない。

3　指定登録機関が登録事務を行う場合において、登録講習機関は、登録講習事務を実施したときは、遅滞なく、前項の修了者一覧表を指定登録機関に提出しなければならない。

（登録講習事務の引継ぎ等）

第四十二条の十二　登録講習機関は、法第四十一条の十五第二項に規定する場合には、次に掲げる事項を行わなければならない。

一　登録講習事務を国土交通大臣に引き継ぐこと。

二　第四十二条の十第三項の帳簿その他の登録講習事務に関する書類を国土交通大臣に引き継ぐこと。

三　その他国土交通大臣が必要と認める事項

（国土交通大臣が行う講習の受講手続）

第四十二条の十三　法第四十一条の十五第一項の規定により国土交通大臣が行う講習を受けようとする者は、別記様式第十号の三によるマンション管理士講習受講申込書を国土交通大臣に提出しなければならない。

（講習の修了）

第四十二条の十四　国土交通大臣は、その行う講習の課程を修了した者に対して、講習の課程を修了したことを証する書面を交付するものとする。

（講習手数料の納付）

第四十二条の十五　法第四十一条の十五第三項に規定する手数料は、第四十二条の十三に規定するマンション管理士講習受講申込書に収入印紙を貼って納付するものとする。

第四十二条の十六　削除

第四十三条から第四十九条まで　削除

第二章　マンション管理業

第一節　マンション管理業の登録

（更新の登録の申請期間）

第五〇条　法第四十四条第三項の規定により同項の更新の登録を受けようとする者は、登録の有効期間満了の日の九十日前から三十日前までの間に登録申請書を提出しなければならない。

（登録申請書）

第五一条　法第四十五条第一項に規定する登録申請書（以下この節において単に「登録申請書」という。）の様式は、別記様式第十一号によるものとする。

（法第四十五条第一項第二号の事務所）

第五二条　法第四十五条第一項第二号の事務所は、次に掲げるものとする。

一　本店又は支店（商人以外の者にあっては、主たる事務所又は従たる事務所）

二　前号に掲げるもののほか、継続的に業務を行うことができる施設を有する場所で、マンション管理業に係る契約の締結又は履行に関する権限を有する使用人を置くもの

（添付書類）

第五三条　法第四十五条第二項に規定する国土交通省令で定める書類は、次に掲げるものとする。

一　マンション管理業経歴書

二　事務所について法第五十六条第一項に規定する要件を備えていることを証する書面

三　登録申請者（法人である場合においてはその役員並びに相談役及び顧問をいい、営業に関し成年者と同一の行為能力を有しない未成年者である場合においてはその法定代理人（法定代理人が法人である場合においては、その役員）を含む。以下この条において同じ。）及び事務所ごとに置かれる専任の管理業務主任者が破産手続開始の決定を受けて復権を得ない者に該当しない旨の市町村（特別区を含む。以下同じ。）の長の証明書

四　法人である場合においては、相談役及び顧問の氏名及び住所並びに発行済株式総数の百分の五以上の株式を有する株主又は出資の額の百分の五以上の額に相当する出資をしている者の氏名又は名称、住所及びその有する株式の数又はその者のなした出資の金額を記載した書面

五　登録申請者、事務所ごとに置かれる専任の管理業務主任者の略歴を記載した書面

六　法人である場合においては、直前一年の各事業年度の貸借対照表及び損益計算書

七　個人である場合においては、資産に関する調書

八　法人である場合においては法人税、個人である場合においては所得税の直前一年の各年度における納付すべき額及び納付済額を証する書面

九　法人である場合においては、登記事項証明書

十　個人である場合（営業に関し成年者と同一の行為能力を有しない未成年者であって、その法定代理人が法人である場合に限る。）においては、その法定代理人の登記事項証明書

十一　マンション管理業者が第三者との間で締結する契約であって、当該マンション管理業者が管理組合に対して、法第七十六条に規定する財産（以下「修繕積立金等」という。）が金銭である場合における当該金銭（以下「修繕積立金等金銭」という。）の返還債務を負うこととなったときに当該第三者がその返還債務を保証することを内容とするもの（以下「保証契約」という。）を締結した場合においては、当該契約に関する事項を記載した書面

2　国土交通大臣は、登録申請者（個人に限る。）に係る機構保存本人確認情報のうち住民票コード以外のものについて、住民基本台帳法第三十条の九の規定によるその提供を受けることができないときは、その者に対し、住民票の抄本若しくは個人番号カードの写し又はこれらに類するものであって氏名、生年月日及び住所を証明する書類を提出させることができる。

3　国土交通大臣は、登録申請者に対し、第一項に規定するもののほか、必要と認める書類を提出させることができる。

4　法第四十五条第二項並びに第一項第一号、第二号、第四号、第五号、第七号及び第十一号に掲げる添付書類の様式は、別記様式第十二号によるものとする。

（心身の故障によりマンション管理業を適正に営むことができない者）

第五三条の二　法第四十七条第八号の国土交通省令で定める者は、精神の機能の障害によりマンション管理業を適正に営むに当たって必要な認知、判断及び意思疎通を適切に行うことができない者とする。

（財産的基礎）

第五四条　法第四十七条第十三号の国土交通省令で定める基準は、次条に定めるところにより算定した資産額（以下「基準資産額」という。）が、三百万円以上であることとする。

第五五条　基準資産額は、第五十三条第一項第六号又は第七号に規定する貸借対照表又は資産に関する調書（以下「基準資産表」という。）に計上された資産（創業費その他の繰延資産及び営業権を除く。以下同じ。）の総額から当該基準資産表に計上された負債の総額に相当する金額を控除した額とする。

2　前項の場合において、資産又は負債の評価額が基準資産表に計上された価額と異なることが明確であるときは、当該資産又は負債の価額は、その評価額によって計算するものとする。

3　第一項の規定にかかわらず、前二項の規定により算定される額に増減があったことが明確であるときは、当該増減後の額を基準資産額とするものとする。

（変更の手続）

第五六条　法第四十八条第一項の規定による変更の届出は、別記様式第十三号による登録事項変更届出書により行うものとする。

2　法第四十八条第三項において準用する法第四十五条第二項の国土交通省令で定める書類は、法第四十八条第一項の規定による変更が法人の役員若しくは事務所ごとに置かれる専任の管理業務主任者の増員若しくは交代又は事務所の新設若しくは移転によるものであるときは、その届出に係る者又は事務所に関する第五十三条第一項第二号、第三号及び第五号に掲げる書類とする。

（登録簿等の閲覧）

第五七条　国土交通大臣は、法第四十九条の規定によりマンション管理業者登録簿その他次条で定める書類を一般の閲覧に供するため、マンション管理業者登録簿閲覧所（以下「閲覧所」という。）を設けなければならない。

2　国土交通大臣は、前項の規定により閲覧所を設けたときは、当該閲覧所の閲覧規則を定めるとともに、当該閲覧所の場所及び閲覧規則を告示しなければならない。

第五八条　法第四十九条に規定する国土交通省令で定める書類は、法第四十五条の規定による登録の申請及び法第四十八条第一項の規定による変更の届出に係る書類とする。

（廃業等の手続）

第五九条　法第五十条第一項の規定による廃業等の届出は、別記様式第十四号による廃業等届出書により行うものとする。

（登録申請手数料の納付方法）

第六〇条　法第五十二条に規定する手数料は、登録申請書に収入印紙を貼って納付するものとする。

第二節　管理業務主任者の設置

（法第五十六条第一項の国土交通省令で定める管理業務主任者の数）

第六一条　法第五十六条第一項の国土交通省令で定める管理業務主任者の数は、マンション管理業者が管理事務の委託を受けた管理組合の数を三十で除したもの（一未満の端数は切り上げる。）以上とする。

（法第五十六条第一項の国土交通省令で定める人の居住の用に供する独立部分の数）

第六二条　法第五十六条第一項の国土交通省令で定める人の居住の用に供する独立部分の数は、六とする。

第三節　管理業務主任者試験

（試験の基準）

第六三条　管理業務主任者試験（以下この節及び次節において「試験」という。）は、マンション管理業に関する実用的な知識を有するかどうかを判定することに基準を置くものとする。

（試験の内容）

第六四条　前条の基準によって試験すべき事項は、おおむね次のとおりである。

一　管理事務の委託契約に関すること。

二　管理組合の会計の収入及び支出の調定並びに出納に関すること。

三　建物及び附属設備の維持又は修繕に関する企画又は実施の調整に関すること。

四　法に関すること。

五　前各号に掲げるもののほか、管理事務の実施に関すること。

（法第五十七条第二項において準用する法第七条第二項の国土交通省令で定める資格を有する者）

第六五条　法第五十七条第二項の規定により準用する法第七条第二項の国土交通省令で定める資格を有する者は、法第六条に規定するマンション管理士試験に合格した者とする。

（試験の一部免除）

第六六条　マンション管理士試験に合格した者については、第六十四条に掲げる試験すべき事項のうち同条第四号に掲げるものを免除する。

（指定試験機関の指定）

第六六条の二　法第五十八条第一項に規定する指定試験機関（次条において「指定試験機関」という。）の名称及び主たる事務所の所在地並びに指定をした日は、次のとおりとする。

指定試験機関		指定をした日
名称	主たる事務所の所在地	
一般社団法人マンション管理業協会	東京都港区虎ノ門一丁目十三番三号	平成十三年八月十日

（準用）

第六七条　第五条から第二十四条まで（第十条第三項を除く。）の規定は、試験及び指定試験機関について準用する。この場合において、第六条中「別記様式第一号の七」とあるのは「別記様式第十五号」と、「マンション管理士試験受験申込書」とあるのは「管理業務主任者試験受験申込書」と、第九条中「法第十条第一項」とあるのは「法第五十七条において準用する法第十条第一項」と、第十条第一項中「法第十一条第二項」とあるのは「法第五十八条第二項」と、同項第二号中「法第十一条第一項」とあるのは「法第五十八条第一項」と、第十二条中「法第十三条第一項」とあるのは「法第五十八条第三項において準用する法第十三条第一項」と、第十三条第一項中「法第十四条第一項前段」とあるのは「法第五十八条第三項において準用する法第十四条第一項前段」と、同条第二項中「法第十四条第一項後段」とあるのは「法第五十八条第三項において準用する法第十四条第一項後段」と、第十四条第一項中「法第十五条第一項前段」とあるのは「法第五十八条第三項において準用する法第十五条第一項前段」と、同条第二項中「法第十五条第一項後段」とあるのは「法第五十八条第三項において準用する法第十五条第一項後段」と、第十五条中「法第十五条第二項」とあるのは「法第五十八条第三項において準用する法第十五条第二項」と、同条第五号中「マンション管理士試験委員」とあるのは「管理業務主任者試験委員」と、第十六条中「法第十六条第二項」とあるのは「法第五十八条第三項において準用する法第十六条第二項」と、同条第二号中「第二条各号」とあるのは「第六十四条各号」と、第十七条中「法第十六条第三項」とあるのは「法第五十八条第三項において準用する法第十六条第三項」と、第十九条第一項中「法第十七条第一項」とあるのは「法第五十八条第三項において準用する法第十七条第一項」と、同条第二項中「法第九条第二項」とあるのは「法第五十七条第二項において準用する法第九条第二項」と、第二十条第一項及び第三項中「法第十九条」とあるのは「法第五十八条第三項において準用する法第十九条」と、第二十三条中「法第二十三条第一項」とあるのは「法第五十八条第三項において準用する法第二十三条第一項」と、第二十四条中「法第二十三条」とあるのは「法第五十八条第三項において準用する法第二十三条」と、「法第二十四条」とあるのは「法第五十八条第三項において準用する法第二十四条」と、「法第二十七条第一項」とあるのは「法第五十八条第三項において準用する法第二十七条第一項」と読み替えるものとする。

第四節　管理業務主任者の登録

（法第五十九条第一項の国土交通省令で定める期間）

第六八条　法第五十九条第一項の国土交通省令で定める期間は、二年とする。

（法第五十九条第一項の国土交通大臣が実務の経験を有するものと同等以上の能力を有すると認めたもの）

第六九条　法第五十九条第一項の規定により国土交通大臣がその実務の経験を有するものと同等以上の能力を有すると認めた者は、次のいずれかに該当する者とする。

一　管理事務に関する実務についての講習であって、次条から第六十九条の四までの規定により国土交通大臣の登録を受けたもの（以下「登録実務講習」という。）を修了した者

二　国、地方公共団体又は国若しくは地方公共団体の出資により設立された法人において管理事務に従事した期間が通算して二年以上である者

三　国土交通大臣が前二号に掲げるものと同等以上の能力を有すると認め

た者

（登録の申請）

第六九条の二　前条第一号の登録は、登録実務講習の実施に関する事務（以下「登録実務講習事務」という。）を行おうとする者の申請により行う。

２　前条第一号の登録を受けようとする者（以下「登録実務講習事務申請者」という。）は、別記様式第十六号の二による申請書に次に掲げる書類を添えて、これを国土交通大臣に提出しなければならない。

一　個人である場合においては、次に掲げる書類

イ　住民票の抄本若しくは個人番号カードの写し又はこれらに類するものであって氏名、生年月日及び住所を証明する書類

ロ　登録実務講習事務申請者の略歴を記載した書類

二　法人である場合においては、次に掲げる書類

イ　定款又は寄附行為及び登記事項証明書

ロ　株主名簿若しくは社員名簿の写し又はこれらに代わる書面

ハ　申請に係る意思の決定を証する書類

ニ　役員（持分会社（会社法（平成十七年法律第八十六号）第五百七十五条第一項に規定する持分会社をいう。）にあっては、業務を執行する社員をいう。次条第三号において同じ。）の氏名及び略歴を記載した書類

三　講師が第六十九条の六第四号の表の第三欄のいずれかに該当する者であることを証する書類

四　登録実務講習事務以外の業務を行おうとするときは、その業務の種類及び概要を記載した書類

五　登録実務講習事務申請者が次条各号のいずれにも該当しない者であることを誓約する書面

六　その他参考となる事項を記載した書類

（欠格条項）

第六九条の三　次の各号のいずれかに該当する者が行う講習は、第六十九条第一号の登録を受けることができない。

一　法又は法に基づく命令の規定に違反し、罰金以上の刑に処せられ、その執行を終わり、又は執行を受けることがなくなった日から起算して二年を経過しない者

二　第六十九条の十三の規定により第六十九条第一号の登録を取り消され、その取消しの日から起算して二年を経過しない者

三　法人であって、登録実務講習事務を行う役員のうちに前二号のいずれかに該当する者があるもの

（登録の要件等）

第六九条の四　国土交通大臣は、第六十九条の二第一項の規定による登録の申請が第六十九条の六第四号に掲げる基準に適合する講習を行おうとするものであるときは、その登録をしなければならない。

２　第六十九条第一号の登録は、登録実務講習登録簿に次に掲げる事項を記載してするものとする。

一　登録年月日及び登録番号

二　登録実務講習を行う者（以下「登録実務講習実施機関」という。）の氏名又は名称及び住所並びに法人にあっては、その代表者の氏名

三　登録実務講習事務を行う事務所の名称及び所在地

四　登録実務講習事務を開始する年月日

（登録の更新）

第六九条の五　第六十九条第一号の登録は、三年ごとにその更新を受けなければ、その期間の経過によって、その効力を失う。

２　前三条の規定は、前項の登録の更新について準用する。ただし、前項の登録の更新を受けようとする者は、前項の登録の有効期間満了の日の九十日前から三十日前までの間に申請書を提出しなければならない。

（登録実務講習事務の実施に係る義務）

第六九条の六　登録実務講習実施機関は、公正に、かつ、次に掲げる基準に適合する方法により登録実務講習事務を行わなければならない。

一　試験に合格した者で、第六十八条に定める期間以上の実務の経験を有しない者に対し、登録実務講習を行うこと。

二　登録実務講習を毎年一回以上行うこと。

三　講義及び登録実務講習修了試験により登録実務講習を行うこと。

四　次の表の第一欄に掲げる科目の区分に応じ、それぞれ同表の第二欄に掲げる内容を同表の第三欄に掲げる講師により、おおむね同表の第四欄に掲げる時間を標準として登録実務講習を行うこと。

科目	内容	講師	時間
一　法その他の関係法令に関する科目	管理業務主任者制度の趣旨、管理事務の委託契約及び法第七十二条第一項の書面の作成並びに管理事務の報告に関する事項	一　弁護士 二　管理業務主任者としてマンション管理業に二年以上従事した者 三　前二号に掲げる者と同等以上の知識及び経験を有する者	七時間
二　管理組合の会計の収入及び支出の調定並びに出納に関する科目	管理組合の会計及び財産の分別管理に関する事項	一　公認会計士 二　管理業務主任者としてマンション管理業に二年以上従事した者 三　前二号に掲げる者と同等以上の知識及び経験を有する者	三時間
三　マンションの建物及び付属設備の維持又は修繕に関する企画又は実施の調整に関する科目	建物の維持保全及び長期修繕計画並びに大規模修繕に関する事項	一　一級建築士 二　管理業務主任者としてマンション管理業に二年以上従事した者 三　前二号に掲げる者と同等以上の知識及び経験を有する者	五時間

五　受講者があらかじめ受講を申し込んだ者本人であることを確認すること。

六　第四号の表の第一欄に掲げる科目に応じ、適切な内容の教材を用いて登録実務講習を行うこと。

七　講師は、講義の内容に関する受講者の質問に対し、講義中に適切に応答すること。

八　登録実務講習修了試験は、講義の終了後に国土交通大臣の定めるところにより行い、受講者が講義の内容を十分に理解しているかどうか的確に把握できるものであること。

九　登録実務講習を実施する日時、場所その他登録実務講習の実施に関し必要な事項をあらかじめ公示すること。

十　登録実務講習に関する不正行為を防止するための措置を講じること。

十一　終了した登録実務講習の教材及び国土交通大臣の定めるところにより作成した登録実務講習修了試験の合格基準を公表すること。

十二　登録実務講習を修了した者（以下「修了者」という。）に対し、別記様式第十六号の三による修了証（以下単に「修了証」という。）を交付すること。

十三　登録実務講習以外の業務を行う場合にあっては、当該業務が登録実務講習事務であると誤認されるおそれがある表示その他の行為をしないこと。

（登録事項の変更の届出）

第六九条の七　登録実務講習実施機関は、第六十九条の四第二項第二号から第四号までに掲げる事項を変更しようとするときは、変更しようとする日の二週間前までに、その旨を国土交通大臣に届け出なければならない。

（登録実務講習事務規程）

第六九条の八　登録実務講習実施機関は、次に掲げる事項を記載した登録実務講習事務に関する規程を定め、当該事務の開始前に、国土交通大臣に届け出なければならない。これを変更しようとするときも、同様とする。

一　登録実務講習事務を行う時間及び休日に関する事項

二　登録実務講習の受講の申請に関する事項

三　登録実務講習事務を行う事務所及び講習の実施場所に関する事項

四　登録実務講習に関する料金の額及びその収納の方法に関する事項

五　登録実務講習の日程、公示方法その他の登録実務講習の実施の方法に関する事項

六　講師の選任及び解任に関する事項

七　講義に用いる教材及び登録実務講習修了試験の方法に関する事項

八　修了証の交付及び再交付に関する事項
九　登録実務講習事務に関する秘密の保持に関する事項
十　登録実務講習事務に関する公正の確保に関する事項
十一　不正受講者の処分に関する事項
十二　第六十九条の十四第三項の帳簿その他の登録実務講習事務に関する書類の管理に関する事項
十三　その他登録実務講習事務に関し必要な事項

（登録実務講習事務の休廃止）

第六十九条の九　登録実務講習実施機関は、登録実務講習事務の全部又は一部を休止し、又は廃止しようとするときは、あらかじめ、次に掲げる事項を記載した届出書を国土交通大臣に提出しなければならない。
一　休止し、又は廃止しようとする登録実務講習事務の範囲
二　休止し、又は廃止しようとする年月日及び休止しようとする場合にあっては、その期間
三　休止又は廃止の理由

（財務諸表等の備付け及び閲覧等）

第六十九条の一〇　登録実務講習実施機関は、毎事業年度経過後三月以内に、その事業年度の財産目録、貸借対照表及び損益計算書又は収支計算書並びに事業報告書（その作成に代えて電磁的記録の作成がされている場合における当該電磁的記録を含む。次項において「財務諸表等」という。）を作成し、五年間事務所に備えて置かなければならない。

2　登録実務講習を受講しようとする者その他の利害関係人は、登録実務講習実施機関の業務時間内は、いつでも、次に掲げる請求をすることができる。ただし、第二号又は第四号の請求をするには、登録実務講習実施機関の定めた費用を支払わなければならない。
一　財務諸表等が書面をもって作成されているときは、当該書面の閲覧又は謄写の請求
二　前号の書面の謄本又は抄本の請求
三　財務諸表等が電磁的記録をもって作成されているときは、当該電磁的記録に記録された事項を紙面又は出力装置の映像面に表示したものの閲覧又は謄写の請求
四　前号の電磁的記録に記録された事項を電磁的方法であって、次に掲げるもののうち登録実務講習実施機関が定めるものにより提供することの請求又は当該事項を記載した書面の交付の請求
イ　送信者の使用に係る電子計算機と受信者の使用に係る電子計算機とを電気通信回線で接続した電子情報処理組織を使用する方法であって、当該電気通信回線を通じて情報が送信され、受信者の使用に係る電子計算機に備えられたファイルに当該情報が記録されるもの
ロ　電磁的記録媒体をもって調製するファイルに情報を記録したものを交付する方法

3　前項第四号イ又はロに掲げる方法は、受信者がファイルへの記録を出力することにより書面を作成することができるものでなければならない。

（適合命令）

第六十九条の一一　国土交通大臣は、登録実務講習実施機関が第六十九条の四第一項の規定に適合しなくなったと認めるときは、当該登録実務講習実施機関に対し、同項の規定に適合するため必要な措置をとるべきことを命ずることができる。

（改善命令）

第六十九条の一二　国土交通大臣は、登録実務講習実施機関が第六十九条の六の規定に違反していると認めるときは、当該登録実務講習実施機関に対し、同条の規定による登録実務講習事務を行うべきこと又は登録実務講習事務の方法その他の業務の方法の改善に関し必要な措置をとるべきことを命ずることができる。

（登録の取消し等）

第六十九条の一三　国土交通大臣は、登録実務講習実施機関が次の各号のいずれかに該当するときは、当該登録実務講習実施機関が行う登録実務講習の登録を取り消し、又は期間を定めて登録実務講習事務の全部若しくは一部の停止を命ずることができる。
一　第六十九条の三第一号又は第三号に該当するに至ったとき。
二　第六十九条の七から第六十九条の九まで、第六十九条の十第一項又は次条の規定に違反したとき。
三　正当な理由がないのに第六十九条の十第二項各号の規定による請求を拒んだとき。
四　前二条の規定による命令に違反したとき。
五　第六十九条の十六の規定による報告を求められて、報告をせず、又は虚偽の報告をしたとき。
六　不正の手段により第六十九条第一号の登録を受けたとき。

（帳簿の記載等）

第六十九条の一四　登録実務講習実施機関は、登録実務講習に関する次に掲げる事項を記載した帳簿を備えなければならない。
一　実施年月日
二　実施場所
三　受講者の受講番号、氏名、生年月日、住所及び登録実務講習修了試験の合否の別
四　修了者にあっては、前号に掲げる事項のほか、修了年月日、修了証の交付年月日及び修了証番号

2　前項各号に掲げる事項が、電子計算機に備えられたファイル又は電磁的記録媒体に記録され、必要に応じ登録実務講習実施機関において電子計算機その他の機器を用いて明確に紙面に表示されるときは、当該記録をもって同項に規定する帳簿への記載に代えることができる。

3　登録実務講習実施機関は、第一項に規定する帳簿（前項の規定による記録が行われた同項のファイル又は電磁的記録媒体を含む。）を、登録実務講習事務の全部を廃止するまで保存しなければならない。

4　登録実務講習実施機関は、次に掲げる書類を備え、登録実務講習を実施した日から三年間保存しなければならない。
一　登録実務講習の受講申込書及び添付書類
二　終了した登録実務講習の教材
三　終了した登録実務講習修了試験の問題用紙及び答案用紙

（登録実務講習事務の実施結果の報告）

第六十九条の一五　登録実務講習実施機関は、登録実務講習事務を実施したときは、遅滞なく、登録実務講習に関する次に掲げる事項を記載した報告書を国土交通大臣に提出しなければならない。
一　実施年月日
二　実施場所
三　受講申込者数
四　受講者数
五　修了者数

2　前項の報告書には、修了者の氏名、生年月日、住所、修了年月日、修了証の交付年月日及び修了証番号を記載した修了者一覧表、登録実務講習に用いた教材並びに登録実務講習修了試験の問題、解答及び合格基準を記載した書面を添えなければならない。

（報告の徴収）

第六十九条の一六　国土交通大臣は、登録実務講習事務の適切な実施を確保するため必要があると認めるときは、登録実務講習実施機関に対し、登録実務講習事務の状況に関し必要な報告を求めることができる。

（公示）

第六十九条の一七　国土交通大臣は、次に掲げる場合には、その旨を官報に公示しなければならない。
一　第六十九条第一号の登録をしたとき。
二　第六十九条の七の規定による届出があったとき。
三　第六十九条の九の規定による届出があったとき。
四　第六十九条の十三の規定により登録を取り消し、又は登録実務講習事務の停止を命じたとき。

（心身の故障により管理業務主任者の事務を適正に行うことができない者）

第六十九条の一八　法第五十九条第一項第七号の国土交通省令で定める者は、精神の機能の障害により管理業務主任者の事務を適正に行うに当たって必要な認知、判断及び意思疎通を適切に行うことができない者とする。

（登録の申請）

第七〇条　法第五十九条第一項の規定により管理業務主任者の登録を受けることができる者がその登録を受けようとするときは、別記様式第十七号による管理業務主任者登録申請書を国土交通大臣に提出しなければならない。

2　国土交通大臣は、前項の登録申請書の提出があったときは、遅滞なく、登録をしなければならない。

3　管理業務主任者登録申請書には、次に掲げる書類を添付しなければならない。

一　法第五十九条第一項の実務の経験を有するものであることを証する書面又は同項の規定により能力を有すると認められたものであることを証する書面

二　法第五十九条第一項第一号に規定する破産手続開始の決定を受けて復権を得ない者に該当しない旨の市町村の長の証明書

三　法第五十九条第一項第二号から第七号までに該当しない旨を誓約する書面

4　国土交通大臣は、法第五十九条第一項の登録を受けようとする者に係る機構保存本人確認情報のうち住民票コード以外のものについて、住民基本台帳法第三十条の九の規定によるその提供を受けることができないときは、その者に対し、住民票の抄本又はこれに代わる書面を提出させることができる。

5　国土交通大臣は、法第五十九条第一項の登録を受けようとする者に対し、第三項に規定するもののほか、必要と認める書類を提出させることができる。

6　第三項第一号の書面のうち法第五十九条第一項の実務の経験を有するものであることを証する書面及び第三項第三号の誓約書の様式は、それぞれ別記様式第十八号及び別記様式第十九号によるものとする。

（登録の通知等）

第七十一条　国土交通大臣は、法第五十九条第一項の規定により登録をしたときは、遅滞なく、その旨を当該登録に係る者に通知しなければならない。

2　国土交通大臣は、法第五十九条第一項の登録を受けようとする者が次の各号のいずれかに該当する者であるときは、その登録を拒否するとともに、遅滞なく、その理由を示して、その旨をその者に通知しなければならない。

一　法第五十九条第一項の実務の経験を有するもの又は同項の規定により能力を有すると認められたもの以外のもの

二　法第五十九条第一項各号のいずれかに該当する者

（管理業務主任者登録簿の登載事項）

第七十二条　法第五十九条第二項に規定する国土交通省令で定める事項は、次に掲げるものとする。

一　住所

二　本籍（日本の国籍を有しない者にあっては、その者の有する国籍）及び性別

三　試験の合格年月日及び合格証書番号

四　法第五十九条第一項の実務の経験を有する者である場合においては、申請時現在の実務の経験の期間及びその内容並びに従事していたマンション管理業者の商号又は名称及び登録番号

五　法第五十九条第一項の規定により能力を有すると認められた者である場合においては、当該認定の内容及び年月日

六　マンション管理業者の業務に従事する者にあっては、当該マンション管理業者の商号又は名称及び登録番号

七　登録番号及び登録年月日

2　国土交通大臣は、次の各号に掲げる場合には、それぞれ当該各号に掲げる事項を管理業務主任者登録簿に記載するものとする。

一　法第六十四条第一項の規定による指示又は同条第二項の規定による禁止の処分をした場合　当該指示又は処分をした年月日及びその内容

二　管理業務主任者証を交付した場合　当該管理業務主任者証の交付年月日、有効期間の満了する日及び発行番号

三　法第六十条第一項の規定による管理業務主任者証の交付の申請に当たって、次条第二項の修了証明書又は同項の講習の課程を修了したことを証する書類が添付されている場合　当該修了証明書又は書類に係る講習の修了年月日及び講習を行った機関の氏名又は名称

3　管理業務主任者登録簿の様式は、別記様式第二十号によるものとする。

（管理業務主任者証交付の申請）

第七十三条　法第六十条第一項の規定により管理業務主任者証の交付を申請しようとする者は、次に掲げる事項を記載した管理業務主任者証交付申請書に交付の申請前六月以内に撮影した無帽、正面、上三分身、無背景の縦の長さ三センチメートル、横の長さ二・四センチメートルの写真でその裏面に氏名及び撮影年月日を記入したもの（以下「管理業務主任者証用写真」という。）を添えて、国土交通大臣に提出しなければならない。

一　申請者の氏名、生年月日及び住所

二　登録番号

三　マンション管理業者の業務に従事している場合にあっては、当該マンション管理業者の商号又は名称及び登録番号

四　試験に合格した後一年を経過しているか否かの別

2　管理業務主任者証の交付を申請しようとする者（試験に合格した後一年以内に交付を申請しようとする者を除く。）は、管理業務主任者証交付申請書に第七十五条において読み替えて準用する第四十二条の四第一項第五号の修了証明書又は第七十五条において準用する第四十二条の十四の講習の課程を修了したことを証する書面を添付しなければならない。

3　管理業務主任者証交付申請書の様式は、別記様式第二十一号によるものとする。

（管理業務主任者証の記載事項）

第七十四条　法第六十条第一項の国土交通省令で定める事項は、次のとおりとする。

一　登録番号及び登録年月日

二　管理業務主任者証の交付年月日

三　管理業務主任者証の有効期間の満了する日

2　管理業務主任者証の様式は、別記様式第二十二号によるものとする。

第七十五条　第四十二条から第四十二条の十五までの規定（第四十二条の十一第三項を除く。）は、法第六十一条の二において準用する法第四十一条の二の講習事務及び法第六十一条の二において準用する法第四十一条の十五第一項の規定により国土交通大臣が行う講習事務について準用する。この場合において、第四十二条第一項中「法第四十一条の登録又は法第四十一条の五第一項」とあるのは「法第六十条第二項本文（法第六十一条第二項において準用する場合を含む。以下同じ。）の登録又は法第六十一条の二において準用する法第四十一条の五第一項」と、「別記様式第十号」とあるのは「別記様式第二十三号」と、「第四十二条の三」とあるのは「第七十五条において準用する第四十二条の三」と、同項第三号中「法第四十一条」とあるのは「法第六十条第二項本文」と、「法別表第二」とあるのは「法別表第二」と、同項第四号中「法第四十一条の二」とあるのは「法第六十一条の二において準用する法第四十一条の二」と、同項第五号中「法第四十一条の三」とあるのは「法第六十一条の二において準用する法第四十一条の三」と、第四十二条の二中「法第四十一条の四第二項第四号（法第四十一条の五第二項」とあるのは「法第六十一条の二において準用する法第四十一条の四第二項第四号（法第六十一条の二において準用する法第四十一条の五第二項」と、「法第四十一条に」とあるのは「法第六十条第二項本文に」と、第四十二条の三中「法第四十一条の五第一項」とあるのは「法第六十一条の二において準用する法第四十一条の五第一項」と、第四十二条の四中「法第四十一条の六」とあるのは「法第六十一条の二において準用する法第四十一条の六」と、同条第五号中「別記様式第十号の二」とあるのは「別記様式第二十三号の二」と、「修了証」とあるのは「修了証明書」と、第四十二条の五中「法第四十一条の七」とあるのは「法第六十一条の二において準用する法第四十一条の七」と、第四十二条の六中「法第四十一条の八第二項」とあるのは「法第六十一条の二において準用する法第四十一条の八第二項」と、同条第九号中「修了証」とあるのは「修了証明書」と、同条第十号中「第四十二条の十第三項」とあるのは「第七十五条において準用する第四十二条の十第三項」と、第四十二条の七中「法第四十一条の九」とあるのは「法第六十一条の二において準用する法第四十一条の九」と、第四十二条の八中「法第四十一条の十第二項第三号」とあるのは「法第六十一条の二において準用する法第四十一条の十第二項第三号」と、第四十二条の九第一項中「法第四十一条の十第二項第四号」とあるのは「法第六十一条の二において準用する法第四十一条の十第二項第四号」と、第四十二条の十第一項及び第三項中「法第四十一条の十四」とあるのは「法第六十一条の二において準用する法第四十一条の十四」と、同条第一項第四号中「マンション管理士」とあるのは「管理業務主任者」と、同項第五号中「修了証の」とあるのは「修了証明書の」と、「修了証番号」とあるのは「修了番号」と、第四十二条の十一第二項中「マンション管理士」とあるのは「管理業務主任者」と、「修了証の」とあるのは「修了証明書の」と、「修了証番号」とあるのは「修了番号」と、第四十二条の十二中「法第四十一条の十五第二項」とあるのは「法第六十一条の二において準用する法第四十一条の十五第二項」と、同条第二号中「第四十二条の十第三項」とあるのは「第七十五条において準用する第四十二条の十第三項」と、第四十二条の十三中「法第四十一条の十五第一項」とあるのは「法第六十一条の二において準用する法第四十一条の十五第一項」と、「別記様式第十号の三」とあるのは「別記様式第二十三号の三」と、同条及び第四十二条

の十五中「マンション管理士講習受講申込書」とあるのは「管理業務主任者講習受講申込書」と、同条中「法第四十一条の十五第三項」とあるのは「法第六十一条の二において準用する法第四十一条の十五第三項」と、「第四十二条の十三」とあるのは「第七十五条において準用する第四十二条の十三」と、「法第四十一条の十五第一項」とあるのは「法第六十一条の二において準用する法第四十一条の十五第一項」と読み替えるものとする。

（登録事項の変更の届出等）

第七六条　法第五十九条第一項の登録を受けた者は、登録を受けた事項に変更があったときは、別記様式第二十四号による登録事項変更届出書を国土交通大臣に提出しなければならない。

２　国土交通大臣は、前項の届出があったときは、遅滞なく、届出があった事項を管理業務主任者登録簿に登録するとともに、その旨を登録事項の変更を届け出た者に通知しなければならない。

（管理業務主任者証の再交付等）

第七七条　管理業務主任者は、管理業務主任者証を亡失し、滅失し、汚損し、又は破損したときは、国土交通大臣に管理業務主任者証の再交付を申請することができる。

２　前項の規定による再交付を申請しようとする者は、管理業務主任者証用写真を添付した別記様式第二十五号による管理業務主任者証再交付申請書を提出しなければならない。

３　汚損又は破損を理由とする管理業務主任者証の再交付は、汚損し、又は破損した管理業務主任者証と引換えに新たな管理業務主任者証を交付して行うものとする。

４　管理業務主任者は、管理業務主任者証の亡失によりその再交付を受けた後において、亡失した管理業務主任者証を発見したときは、速やかに、発見した管理業務主任者証を国土交通大臣に返納しなければならない。

（登録の取消しの通知等）

第七八条　国土交通大臣は、法第六十五条の規定により管理業務主任者の登録を取り消したときは、理由を付し、その旨を登録の取消しの処分を受けた者に通知しなければならない。

２　法第六十五条第一項の規定により管理業務主任者の登録を取り消された者は、前項の通知を受けた日から起算して十日以内に、管理業務主任者証を国土交通大臣に返納しなければならない。

（登録等の手数料の納付）

第七九条　国に納付する法第六十八条に規定する手数料については、第七十条第一項に規定する管理業務主任者登録申請書、第七十三条第一項に規定する管理業務主任者証交付申請書及び第七十六条第一項に規定する登録事項変更届出書に、それぞれ収入印紙を貼って納付するものとする。

２　前項の規定により納付された手数料は、これを返還しない。

（準用）

第八〇条　第三十一条の規定は、管理業務主任者の登録について準用する。この場合において、「当該マンション管理士の同居の親族」とあるのは「当該管理業務主任者の同居の親族」と、「法第三十条第一項各号（第三号及び第六号を除く。）」とあるのは「法第五十九条第一項各号（第五号及び第七号を除く。）」と読み替えるものとする。

第五節　マンション管理業務

（標識の掲示）

第八一条　法第七十一条の規定によりマンション管理業者の掲げる標識の様式は、別記様式第二十六号によるものとする。

（法第七十二条第一項の国土交通省令で定める期間）

第八二条　法第七十二条第一項の国土交通省令で定める期間は、次の各号に掲げる場合に応じ、当該各号に定める期間とする。

一　新たに建設されたマンションを分譲した場合　当該マンションの人の居住の用に供する独立部分（区分所有法第一条に規定する建物の部分をいう。次号において同じ。）の引渡しの日のうち最も早い日から一年

二　既存のマンションの区分所有権の全部を一又は複数の者が買い取り、当該マンションを分譲した場合　当該買取り後における当該マンションの人の居住の用に供する独立部分の引渡しの日のうち最も早い日から一年

（説明会の開催）

第八三条　法第七十二条第一項の規定による説明会は、できる限り説明会に参加する者の参集の便を考慮して開催の日時及び場所を定め、管理事務の委託を受けた管理組合ごとに開催するものとする。

２　マンション管理業者は、前項の説明会の開催日の一週間前までに説明会の開催の日時及び場所について、当該管理組合を構成するマンションの区分所有者等及び当該管理組合の管理者等の見やすい場所に掲示しなければならない。

（重要事項）

第八四条　法第七十二条第一項の国土交通省令で定める事項は、次に掲げるものとする。

一　マンション管理業者の商号又は名称、住所、登録番号及び登録年月日

二　管理事務の対象となるマンションの所在地に関する事項

三　管理事務の対象となるマンションの部分に関する事項

四　管理事務の内容及び実施方法（法第七十六条の規定により管理する財産の管理の方法を含む。）

五　管理事務に要する費用並びにその支払の時期及び方法

六　管理事務の一部の再委託に関する事項

七　保証契約に関する事項

八　免責に関する事項

九　契約期間に関する事項

十　契約の更新に関する事項

十一　契約の解除に関する事項

（情報通信の技術を利用する方法）

第八四条の二　法第七十二条第六項の国土交通省令で定める方法は、次に掲げるものとする。

一　電子情報処理組織を使用する方法のうち次に掲げるもの

イ　マンション管理業者等（マンション管理業者又は法第七十二条第六項に規定する事項の提供を行うマンション管理業者との契約によりファイルを自己の管理する電子計算機に備え置き、これを相手方（令第十五条第一項に規定する相手方をいう。以下この条及び第八十四条の五第一項において同じ。）若しくは当該マンション管理業者の用に供する者をいう。以下この条及び第八十四条の四において同じ。）の使用に係る電子計算機と相手方等（相手方又は相手方との契約により相手方ファイル（専ら相手方の用に供されるファイルをいう。以下この条において同じ。）を自己の管理する電子計算機に備え置く者をいう。以下この条において同じ。）の使用に係る電子計算機とを接続する電気通信回線を通じて書面に記載すべき事項（以下この条において「記載事項」という。）を送信し、相手方等の使用に係る電子計算機に備えられた相手方ファイルに記録する方法

ロ　マンション管理業者等の使用に係る電子計算機に備えられたファイルに記録された記載事項を電気通信回線を通じて相手方の閲覧に供し、相手方等の使用に係る電子計算機に備えられた当該相手方の相手方ファイルに当該記載事項を記録する方法

ハ　マンション管理業者等の使用に係る電子計算機に備えられた相手方ファイルに記録された記載事項を電気通信回線を通じて相手方の閲覧に供する方法

二　電磁的記録媒体をもって調製するファイルに記載事項を記録したものを交付する方法

２　前項各号に掲げる方法は、次に掲げる基準に適合するものでなければならない。

一　相手方が相手方ファイルへの記録を出力することにより書面を作成できるものであること。

二　前項第一号ロに掲げる方法にあっては、記載事項をマンション管理業者等の使用に係る電子計算機に備えられたファイルに記録する旨又は記録した旨を相手方に対し通知するものであること。ただし、相手方が当該記載事項を閲覧していたことを確認したときはこの限りでない。

三　前項第一号ハに掲げる方法にあっては、記載事項をマンション管理業者等の使用に係る電子計算機に備えられた相手方ファイルに記録する旨又は記録した旨を相手方に対し通知するものであること。ただし、相手方が当該記載事項を閲覧していたことを確認したときはこの限りでない。

四　管理受託契約に係る管理業務主任者が明示されるものであること。

第八四条の三　法第七十二条第七項及び第七十三条第三項の国土交通省令で

定める方法については、前条の規定を準用する。

（電磁的方法の種類及び内容）

第八四条の四　令第十五条第一項（同条第三項及び第四項において準用する場合を含む。）の規定により示すべき電磁的方法の種類及び内容は、次に掲げる事項とする。

一　第八十四条の二第一項各号に掲げる方法のうちマンション管理業者等が使用するもの

二　ファイルへの記録の方式

（情報通信の技術を利用した承諾の取得）

第八四条の五　令第十五条第一項（同条第三項及び第四項において準用する場合を含む。）の国土交通省令で定める方法は、次に掲げるものとする。

一　電子情報処理組織を使用する方法のうち、イ又はロに掲げるもの

イ　相手方の使用に係る電子計算機から電気通信回線を通じてマンション管理業者の使用に係る電子計算機に令第十五条第一項の承諾又は同条第二項の申出（以下この項において「承諾等」という。）をする旨を送信し、当該電子計算機に備えられたファイルに記録する方法

ロ　マンション管理業者の使用に係る電子計算機に備えられたファイルに記録された前条に規定する電磁的方法の種類及び内容を電気通信回線を通じて相手方の閲覧に供し、当該電子計算機に備えられたファイルに承諾等をする旨を記録する方法

二　電磁的記録媒体をもって調製するファイルに承諾等をする旨を記録したものを交付する方法

2　前項各号に掲げる方法は、マンション管理業者がファイルへの記録を出力することにより書面を作成することができるものでなければならない。

（法第七十三条第一項第八号の国土交通省令で定める事項）

第八五条　法第七十三条第一項第八号の国土交通省令で定める事項は、次に掲げるものとする。

一　管理受託契約の当事者の名称及び住所並びに法人である場合においては、その代表者の氏名

二　マンション管理業者による管理事務の実施のため必要となる、マンションの区分所有者等の行為制限又はマンション管理業者によるマンションの区分所有者等の専有部分への立入り若しくはマンションの共用部分（区分所有法第二条第四項に規定する共用部分をいう。）の使用に関する定めがあるときは、その内容

三　法第七十七条に規定する管理事務の報告に関する事項

四　マンションの滅失し又は毀損した場合において、管理組合及びマンション管理業者が当該滅失又は毀損の事実を知ったときはその状況を契約の相手方に通知すべき旨の定めがあるときは、その内容

五　宅地建物取引業者からその行う業務の用に供する目的でマンションに関する情報の提供を要求された場合の対応に関する定めがあるときは、その内容

六　毎事業年度開始前に行う当該年度の管理事務に要する費用の見通しに関する定めがあるときは、その内容

七　管理事務として行う管理事務に要する費用の収納に関する事項

八　免責に関する事項

（帳簿の記載事項等）

第八六条　マンション管理業者は、管理受託契約を締結したつど、法第七十五条の帳簿に次に掲げる事項を記載し、その事務所ごとに、その業務に関する帳簿を備えなければならない。

一　管理受託契約を締結した年月日

二　管理受託契約を締結した管理組合の名称

三　契約の対象となるマンションの所在地及び管理事務の対象となるマンションの部分に関する事項

四　受託した管理事務の内容

五　管理事務に係る受託料の額

六　管理受託契約における特約その他参考となる事項

2　前項各号に掲げる事項が、電子計算機に備えられたファイル又は電磁的記録媒体に記録され、必要に応じ当該事務所において電子計算機その他の機器を用いて明確に紙面に表示されるときは、当該記録をもって法第七十五条に規定する帳簿への記載に代えることができる。

3　マンション管理業者は、法第七十五条に規定する帳簿（前項の規定による記録が行われた同項のファイル又は電磁的記録媒体を含む。）を各事業年度の末日をもって閉鎖するものとし、閉鎖後五年間当該帳簿を保存しなければならない。

（財産の分別管理）

第八七条　法第七十六条の国土交通省令で定める財産は、管理組合又はマンションの区分所有者等から受領した管理費用に充当する金銭又は有価証券とする。

2　法第七十六条に規定する国土交通省令で定める方法は、次の各号に掲げる場合に応じ、それぞれ当該各号に定める方法とする。

一　修繕積立金等が金銭である場合　次のいずれかの方法

イ　マンションの区分所有者等から徴収された修繕積立金等金銭を収納口座に預入し、毎月、その月分として徴収された修繕積立金等金銭から当該月中の管理事務に要した費用を控除した残額を、翌月末日までに収納口座から保管口座に移し換え、当該保管口座において預貯金として管理する方法

ロ　マンションの区分所有者等から徴収された修繕積立金（金銭に限る。以下この条において同じ。）を保管口座に預入し、当該保管口座において預貯金として管理するとともに、マンションの区分所有者等から徴収された前項に規定する財産（金銭に限る。以下この条において同じ。）を収納口座に預入し、毎月、その月分として徴収された前項に規定する財産から当該月中の管理事務に要した費用を控除した残額を、翌月末日までに収納口座から保管口座に移し換え、当該保管口座において預貯金として管理する方法

ハ　マンションの区分所有者等から徴収された修繕積立金等金銭を収納・保管口座に預入し、当該収納・保管口座において預貯金として管理する方法

二　修繕積立金等が有価証券である場合　金融機関又は証券会社に、当該有価証券（以下この号において「受託有価証券」という。）の保管場所を自己の固有財産及び他の管理組合の財産である有価証券の保管場所と明確に区分させ、かつ、当該受託有価証券が受託契約を締結した管理組合の有価証券であることを判別できる状態で管理させる方法

3　マンション管理業者は、前項第一号イ又はロに定める方法により修繕積立金等金銭を管理する場合にあっては、マンションの区分所有者等から徴収される一月分の修繕積立金等金銭又は第一項に規定する財産の合計額以上の額につき有効な保証契約を締結していなければならない。ただし、次のいずれにも該当する場合は、この限りでない。

一　修繕積立金等金銭若しくは第一項に規定する財産がマンションの区分所有者等からマンション管理業者が受託契約を締結した管理組合若しくはその管理者等（以下この条において「管理組合等」という。）を名義人とする収納口座に直接預入される場合又はマンション管理業者若しくはマンション管理業者から委託を受けた者がマンションの区分所有者等から修繕積立金等金銭若しくは第一項に規定する財産を徴収しない場合

二　マンション管理業者が、管理組合等を名義人とする収納口座に係る当該管理組合等の印鑑、預貯金の引出用のカードその他これらに類するものを管理しない場合

4　マンション管理業者は、第二項第一号イからハまでに定める方法により修繕積立金等金銭を管理する場合にあっては、保管口座又は収納・保管口座に係る管理組合等の印鑑、預貯金の引出用のカードその他これらに類するものを管理してはならない。ただし、管理組合に管理者等が置かれていない場合において、管理者等が選任されるまでの比較的短い期間に限り保管する場合は、この限りでない。

5　マンション管理業者は、毎月、管理事務の委託を受けた管理組合のその月（以下この項において「対象月」という。）における会計の収入及び支出の状況に関する書面を作成し、翌月末日までに、当該書面を当該管理組合の管理者等に交付しなければならない。この場合において、当該管理組合に管理者等が置かれていないときは、当該書面の交付に代えて、対象月の属する当該管理組合の事業年度の終了の日から二月を経過する日までの間、当該書面をその事務所ごとに備え置き、当該管理組合を構成するマンションの区分所有者等の求めに応じ、当該マンション管理業者の業務時間内において、これを閲覧させなければならない。

6　この条において、次の各号に掲げる用語の意義は、それぞれ当該各号に定めるところによる。

一　収納口座　マンションの区分所有者等から徴収された修繕積立金等金銭又は第一項に規定する財産を預入し、一時的に預貯金として管理するための口座をいう。

二　保管口座　マンションの区分所有者等から徴収された修繕積立金を預入し、又は修繕積立金等金銭若しくは第一項に規定する財産の残額（第二項第一号イ若しくはロに規定するものをいう。）を収納口座から移し換え、これらを預貯金として管理するための口座であって、管理組合等を名義人とするものをいう。

三　収納・保管口座　マンションの区分所有者等から徴収された修繕積立金等金銭を預入し、預貯金として管理するための口座であって、管理組合等を名義人とするものをいう。

（管理事務の報告）

第八八条　マンション管理業者は、法第七十七条第一項の規定により管理事務に関する報告を行うときは、管理事務を委託した管理組合の事業年度終了後、遅滞なく、当該期間における管理受託契約に係るマンションの管理の状況について次に掲げる事項を記載した管理事務報告書を作成し、管理業務主任者をして、これを管理者等に交付して説明をさせなければならない。

一　報告の対象となる期間

二　管理組合の会計の収入及び支出の状況

三　前二号に掲げるもののほか、管理受託契約の内容に関する事項

2　マンション管理業者は、前項の規定による管理事務報告書の交付に代えて、第四項で定めるところにより、当該管理事務報告書の交付すべき管理者等（以下この条において「相手方」という。）の承諾を得て、当該管理事務報告書に記載すべき事項（以下この条において「記載事項」という。）を電子情報処理組織を使用する方法その他の情報通信の技術を利用する方法であって次に掲げるもの（以下この条において「電磁的方法」という。）により提供することができる。この場合において、当該マンション管理業者は、当該管理事務報告書を交付したものとみなす。

一　電子情報処理組織を使用する方法のうち次に掲げるもの

イ　マンション管理業者等（マンション管理業者又は記載事項の提供を行うマンション管理業者との契約によりファイルを自己の管理する電子計算機に備え置き、これを相手方若しくは当該マンション管理業者の用に供する者をいう。以下この条において同じ。）の使用に係る電子計算機と相手方等（相手方又は相手方との契約により相手方ファイル（専ら相手方の用に供されるファイルをいう。以下この条において同じ。）を自己の管理する電子計算機に備え置く者をいう。以下この項において同じ。）の使用に係る電子計算機とを接続する電気通信回線を通じて記載事項を送信し、相手方等の使用に係る電子計算機に備えられた相手方ファイルに記録する方法

ロ　マンション管理業者等の使用に係る電子計算機に備えられたファイルに記録された記載事項を電気通信回線を通じて相手方の閲覧に供し、相手方等の使用に係る電子計算機に備えられた当該相手方の相手方ファイルに当該記載事項を記録する方法

ハ　マンション管理業者等の使用に係る電子計算機に備えられた相手方ファイルに記録された記載事項を電気通信回線を通じて相手方の閲覧に供する方法

二　電磁的記録媒体をもって調製するファイルに記載事項を記録したものを交付する方法

3　前項各号に掲げる方法は、次に掲げる基準に適合するものでなければならない。

一　相手方が相手方ファイルへの記録を出力することにより書面を作成できるものであること。

二　前項第一号ロに掲げる方法にあっては、記載事項をマンション管理業者等の使用に係る電子計算機に備えられたファイルに記録する旨又は記録した旨を相手方に対し通知するものであること。ただし、相手方が当該記載事項を閲覧していたことを確認したときはこの限りでない。

三　前項第一号ハに掲げる方法にあっては、記載事項をマンション管理業者等の使用に係る電子計算機に備えられた相手方ファイルに記録する旨又は記録した旨を相手方に対し通知するものであること。ただし、相手方が当該記載事項を閲覧していたことを確認したときはこの限りでない。

4　マンション管理業者は、第二項の規定により記載事項を提供しようとするときは、あらかじめ、当該相手方に対し、その用いる電磁的方法の種類及び内容を示し、書面又は電子情報処理組織を使用する方法その他の情報通信の技術を利用する方法であって次に掲げるものによる承諾を得なければならない。

一　電子情報処理組織を使用する方法のうち次に掲げるもの

イ　相手方の使用に係る電子計算機から電気通信回線を通じてマンション管理業者の使用に係る電子計算機に承諾をする旨を送信し、当該電子計算機に備えられたファイルに記録する方法

ロ　マンション管理業者の使用に係る電子計算機に備えられたファイルに記録された第六項に規定する電磁的方法の種類及び内容を電気通信回線を通じて相手方の閲覧に供し、当該電子計算機に備えられたファイルに承諾をする旨を記録する方法

二　電磁的記録媒体をもって調製するファイルに承諾をする旨を記録したものを交付する方法

5　前項各号に掲げる方法は、マンション管理業者がファイルへの記録を出力することにより書面を作成することができるものでなければならない。

6　第四項の規定により示すべき電磁的方法の種類及び内容は、次に掲げる事項とする。

一　第二項各号に掲げる方法のうちマンション管理業者等が使用するもの

二　ファイルへの記録の方式

7　マンション管理業者は、第四項の承諾を得た場合であっても、相手方から書面又は電子情報処理組織を使用する方法その他の情報通信の技術を利用する方法であって次に掲げるものにより電磁的方法による提供を受けない旨の申出があったときは、当該電磁的方法による提供をしてはならない。ただし、当該申出の後に当該相手方から再び同項の規定による承諾を得た場合は、この限りでない。

一　電子情報処理組織を使用する方法のうち次に掲げるもの

イ　相手方の使用に係る電子計算機から電気通信回線を通じてマンション管理業者の使用に係る電子計算機に申出をする旨を送信し、当該電子計算機に備えられたファイルに記録する方法

ロ　マンション管理業者の使用に係る電子計算機に備えられたファイルに記録された前項に規定する電磁的方法の種類及び内容を電気通信回線を通じて相手方の閲覧に供し、当該電子計算機に備えられたファイルに申出をする旨を記録する方法

二　電磁的記録媒体をもって調製するファイルに申出をする旨を記録する方法

8　第五項の規定は、前項各号に掲げる方法について準用する。

第八九条　マンション管理業者は、法第七十七条第二項の規定により管理事務に関する報告を行うときは、管理事務を委託した管理組合の事業年度の終了後、遅滞なく、当該期間における管理受託契約に係るマンションの管理の状況について前条第一項各号に掲げる事項を記載した管理事務報告書を作成し、法第七十七条第二項に規定する説明会を開催し、管理業務主任者をして、これを当該管理組合を構成するマンションの区分所有者等に交付して説明をさせなければならない。

2　前項の説明会は、できる限り説明会に参加する者の参集の便を考慮して開催の日時及び場所を定め、管理事務の委託を受けた管理組合ごとに開催するものとする。

3　マンション管理業者は、前項の説明会の開催日の一週間前までに説明会の開催の日時及び場所について、当該管理組合を構成するマンションの区分所有者等の見やすい場所に掲示しなければならない。

4　前条第二項から第八項までの規定は、第一項の規定により管理事務報告書を交付する場合に準用する。この場合において、同条第二項中「管理者等」とあるのは「管理組合を構成するマンションの区分所有者等」と読み替えるものとする。

（書類の閲覧）

第九〇条　法第七十九条に規定するマンション管理業者の業務及び財産の状況を記載した書類は、別記様式第二十七号による業務状況調書、貸借対照表及び損益計算書又はこれらに代わる書面（以下この条において「業務状況調書等」という。）とする。

2　業務状況調書等が、電子計算機に備えられたファイル又は電磁的記録媒体に記録され、必要に応じ事務所ごとに電子計算機その他の機器を用いて明確に紙面に表示されるときは、当該記録をもって法第七十九条に規定する書類への記載に代えることができる。この場合における法第七十九条の規定による閲覧は、当該業務状況調書等を紙面又は当該事務所に設置された入出力装置の映像面に表示する方法で行うものとする。

3　マンション管理業者は、第一項の書類（前項の規定による記録が行われ

た同項のファイル又は電磁的記録媒体を含む。次項において同じ。）を事業年度ごとに当該事業年度経過後三月以内に作成し、遅滞なく事務所ごとに備え置くものとする。

4　第一項の書類は、事務所に備え置かれた日から起算して三年を経過する日までの間、当該事務所に備え置くものとし、当該事務所の営業時間中、その業務に係る関係者の求めに応じて閲覧させるものとする。

（監督処分の公告）

第九一条　法第八十四条の規定による公告は、官報によるものとする。

第九二条　削除

（証明書の様式）

第九三条　法第八十八条第一項に規定する証明書の様式は、別記様式第二十九号によるものとする。

第三章　マンション管理適正化推進センター

（管理適正化業務規程の記載事項）

第九四条　法第九十四条において準用する法第十五条第二項の国土交通省令で定める事項は、次のとおりとする。

一　管理適正化業務を行う時間及び休日に関する事項

二　管理適正化業務を行う事務所に関する事項

三　管理適正化業務の実施の方法に関する事項

四　管理適正化業務に関する秘密の保持に関する事項

五　管理適正化業務に関する帳簿及び書類の管理に関する事項

六　その他管理適正化業務の実施に関し必要な事項

（帳簿の備付け等）

第九五条　法第九十四条において準用する法第十九条に規定する国土交通省令で定める事項は、次のとおりとする。

一　法第九十二条第一項第一号の情報及び資料の名称並びにこれらを収集した年月日

二　法第九十二条第一項第二号の技術的な支援を行った年月日及び相手方の氏名

三　法第九十二条第一項第三号の講習の名称及びこれを行った年月日

四　法第九十二条第一項第四号の指導及び助言を行った年月日並びに相手方の氏名

五　法第九十二条第一項第五号の調査及び研究の名称並びにこれらを行った年月日

2　前項各号に掲げる事項が、電子計算機に備えられたファイル又は電磁的記録媒体に記録され、必要に応じマンション管理適正化推進センターにおいて電子計算機その他の機器を用いて明確に紙面に表示されるときは、当該記録をもって法第九十四条において準用する法第十九条に規定する帳簿への記載に代えることができる。

3　法第九十四条において準用する法第十九条に規定する帳簿（前項の規定による記録が行われた同項のファイル又は電磁的記録媒体を含む。）は、管理適正化業務を廃止するまで保存しなければならない。

（準用）

第九六条　第十条第一項及び第二項、第十一条から第十四条まで並びに第二十三条の規定は、法第九十一条に規定するマンション管理適正化推進センターについて準用する。この場合において、これらの規定（第十二条から第十四条までの規定を除く。）中「試験事務」とあるのは「管理適正化業務」と、第十条第一項中「法第十一条第二項」とあるのは「法第九十一条」と、同項第二号中「法第十一条第一項に規定する試験の実施に関する事務」とあるのは「法第九十一条に規定する業務」と、第十二条中「法第十三条第一項」とあるのは「法第九十四条において準用する法第十三条第一項」と、第十三条第一項中「法第十四条第一項前段」とあるのは「法第九十四条において準用する法第十四条第一項前段」と、同条第二項中「法第十四条第一項後段」とあるのは「法第九十四条において準用する法第十四条第一項後段」と、第十四条第一項中「法第十五条第一項前段」とあるのは「法第九十四条において準用する法第十五条第一項前段」と、「試験事務規程」とあるのは「管理適正化業務規程」と、同条第二項中「法第十五条第一項後段」とあるのは「法第九十四条において準用する法第十五条第一項後段」と、第二十三条中「法第二十三条第一項」とあるのは「法第九十四条において準用する法第二十三条第一項」と読み替えるものとする。

第四章　マンション管理業者の団体

（保証業務の承認申請）

第九七条　指定法人は、法第九十七条第一項の規定により、保証業務の承認を受けようとするときは、次の各号に掲げる事項を記載した別記様式第三十一号による保証業務承認申請書を国土交通大臣に提出しなければならない。

一　名称及び住所並びに代表者の氏名

二　資産の総額

2　前項の保証業務承認申請書には、次の各号に掲げる書類を添付しなければならない。

一　保証業務方法書

二　保証基金の収支の見積り書

三　保証委託契約約款

3　前項第一号の規定による保証業務方法書には、保証の目的の範囲、保証限度、各保証委託者からの保証の受託の限度、保証委託契約の締結の方法に関する事項、保証受託の拒否の基準に関する事項、資産の運用方法に関する事項並びに保証委託者の業務及び財産の状況の調査方法に関する事項を記載しなければならない。

（保証業務の変更の届出）

第九八条　指定法人は、前条第一項第二号に掲げる事項又は同条第二項第一号若しくは第三号に掲げる書類に記載した事項について変更があった場合においては、二週間以内に、その旨を国土交通大臣に届け出なければならない。

（法第九十八条の国土交通省令で定める額）

第九九条　法第九十八条の国土交通省令で定める額は、保証基金の額に百を乗じて得た額とする。

（準用）

第一〇〇条　第十条第一項及び第二項の規定は、法第九十五条第二項に規定する指定法人について準用する。この場合において、第十条第一項中「法第十一条第二項」とあるのは「法第九十五条第一項」と、同項第二号中「法第十一条第一項に規定する試験の実施に関する事務（以下この節において「試験事務」という。）」とあるのは「法第九十五条第二項各号に掲げる業務及び同条第三項に規定する業務」と、同項第三号中「試験事務」とあるのは「法第九十五条第二項各号に掲げる業務及び同条第三項に規定する業務」と、同条第二項第七号中「試験事務」とあるのは「法第九十五条第二項各号に掲げる業務又は同条第三項に規定する業務」と読み替えるものとする。

第五章　雑則

（法第百三条第一項の国土交通省令で定める期間）

第一〇一条　法第百三条第一項の国土交通省令で定める期間は、一年とする。

（法第百三条第一項の国土交通省令で定める図書）

第一〇二条　法第百三条第一項の国土交通省令で定める図書は、次の各号に掲げる、工事が完了した時点の同項の建物及びその附属施設（駐車場、公園、緑地及び広場並びに電気設備及び機械設備を含む。）に係る図書とする。

一　付近見取図

二　配置図

三　仕様書（仕上げ表を含む。）

四　各階平面図

五　二面以上の立面図

六　断面図又は矩計図

七　基礎伏図

八　各階床伏図

九　小屋伏図

十　構造詳細図

十一　構造計算書

（権限の委任）

第一〇三条　法に規定する国土交通大臣の権限のうち、次に掲げるものは、マンション管理業者又は法第四十四条第一項の登録を受けようとする者の本店又は主たる事務所の所在地を管轄する地方整備局長及び北海道開発局長に委任する。ただし、第八号から第十三号までに掲げる権限については、国土交通大臣が自ら行うことを妨げない。

一　法第四十五条第一項の規定による登録申請書を受理すること。
二　法第四十六条第一項の規定により登録し、及び同条第二項の規定により通知すること。
三　法第四十七条の規定により登録を拒否すること。
四　法第四十八条第一項の規定による届出を受理し、及び同条第二項の規定により登録すること。
五　法第四十九条の規定により一般の閲覧に供すること。
六　法第五十条第一項の規定による届出を受理すること。
七　法第五十一条の規定により登録を消除すること。
八　法第八十一条の規定により必要な指示をすること。
九　法第八十二条の規定により業務の全部又は一部の停止を命ずること。
十　法第八十三条の規定により登録を取り消すこと。
十一　法第八十四条の規定により公告すること。
十二　法第八十五条の規定により必要な報告をさせること。
十三　法第八十六条第一項の規定により立入検査させ、又は関係者に質問させること。

2　前項第八号、第九号及び第十一号から第十三号までに掲げる権限でマンション管理業者の支店、従たる事務所又は第五十二条第二号に規定する事務所（以下「支店等」という。）に関するものについては、前項に規定する地方整備局長及び北海道開発局長のほか、当該支店等の所在地を管轄する地方整備局長及び北海道開発局長も当該権限を行うことができる。

第一〇四条　法及びこの省令に規定する国土交通大臣の権限のうち、次に掲げるものは、法第五十九条の登録を受けた者又は受けようとする者及び管理業務主任者又は法第六十条第二項の管理業務主任者証の交付を受けようとする者の住所地を管轄する地方整備局長及び北海道開発局長に委任する。ただし、第五号、第六号、第八号及び第十三号に掲げる権限については、国土交通大臣が自ら行うことを妨げない。

一　法第五十九条第一項の規定による登録をすること。
二　法第六十条第一項の規定による交付の申請を受理し、同条第四項の規定による返納を受理し、同条第五項の規定による提出を受理し、及び同条第六項の規定により返還すること。
三　法第六十一条第一項の規定による更新の申請を受理すること。
四　法第六十二条第一項の規定による届出を受理すること。
五　法第六十四条第一項の規定により必要な指示をし、及び同条第二項の規定により事務を行うことを禁止すること。
六　法第六十五条の規定により登録を取り消すこと。
七　法第六十六条の規定により登録を消除すること。
八　法第六十七条の規定により必要な報告をさせること。
九　第七十条第一項の規定による管理業務主任者登録申請書を受理すること。
十　第七十一条第一項の規定により通知し、並びに同条第二項の規定により登録を拒否し、及び通知すること。
十一　第七十六条第二項の規定により登録し、及び通知すること。
十二　第七十七条第一項の規定による再交付の申請を受理し、及び同条第四項の規定による返納を受理すること。
十三　第七十八条第一項の規定により通知し、及び同条第二項の規定による返納を受理すること。
十四　第八十条の規定により読み替えて準用する第三十一条の規定による届出を受理すること。

2　地方整備局長及び北海道開発局長は、前項の規定にかかわらず、当該地方整備局長及び北海道開発局長の管轄する区域内において事務を行う管理業務主任者に対し、同項第五号及び第八号に掲げる権限を行うことができる。

（マンション管理適正化推進行政事務の処理の開始の公示）

第一〇五条　法第百四条の二第三項の規定による公示は、次に掲げる事項について行うものとする。

一　マンション管理適正化推進行政事務の処理を開始する旨
二　マンション管理適正化推進行政事務の処理を開始する日

（マンション管理適正化推進行政事務の引継ぎ）

第一〇六条　都道府県知事は、法第百四条の二第四項に規定する場合においては、次に掲げる事務を行わなければならない。

一　引き継ぐべきマンション管理適正化推進行政事務を町村の長に引き継ぐこと。
二　引き継ぐべきマンション管理適正化推進行政事務に関する帳簿及び書類を町村の長に引き渡すこと。
三　その他町村の長が必要と認める事項を行うこと。

附　則

（施行期日）

第一条　この省令は、法の施行の日（平成十三年八月一日）から施行する。

（経過措置）

第二条　法附則第四条第二項の国土交通省令で定める者並びに法附則第五条のマンションの管理に関し知識及び実務の経験を有すると認められる者は、次のいずれかに該当する者をいう。

一　管理事務に関し三年以上の実務の経験を有し、国土交通大臣が指定する講習（本条において「講習」という。）を修了し、当該講習の修了証明書の交付を受けた者
二　管理事務に関し一年以上の実務の経験を有し、かつ、宅地建物取引業に関し五年以上の実務の経験を有する者で、講習を修了し、当該講習の修了証明書の交付を受けた者
三　国土交通大臣が前各号と同等以上の知識及び実務の経験を有すると認める者

2　講習は、次のすべてに該当するものでなければならない。

一　マンションにおける良好な居住環境の確保を図ることを目的として民法第三十四条の規定により設立された法人で、講習を行うのに必要かつ適切な組織及び能力を有すると国土交通大臣が認める者が行う講習であること。
二　正当な理由なく受講を制限する講習でないこと。
三　国土交通大臣が定める講習の実施要領に従って実施される講習であること。

3　講習を実施する者の名称及び主たる事務所の所在地並びに講習の名称は、次のとおりとする。

講習を実施する者		講習の名称
名称	主たる事務所の所在地	
社団法人高層住宅管理業協会	東京都港区新橋二丁目二十番一号	附則第二条の規定に基づく講習

第三条　法附則第五条の国土交通大臣が指定する講習会は、次のすべてに該当するものでなければならない。

一　マンションにおける良好な居住環境の確保を図ることを目的として民法第三十四条の規定により設立された法人で、講習を行うのに必要かつ適切な組織及び能力を有すると国土交通大臣が認める者が行う講習会であること。
二　正当な理由なく受講を制限する講習会でないこと。
三　国土交通大臣が定める講習の実施要領に従って実施される講習会であること。

2　第一項の規定による指定を受けた講習会を実施する者の名称及び主たる事務所の所在地並びに講習会の名称は、次のとおりとする。

講習会を実施する者		講習会の名称
名称	主たる事務所の所在地	
社団法人高層住宅管理業協会	東京都港区新橋二丁目二十番一号	管理業務主任者資格移行講習会

附　則〔抄〕〔平成一四・九・一八国土交通省令一〇〇〕

（施行期日）

第一条　この省令は、平成十四年十月一日から施行する。

（経過措置）

第二条　この省令の施行前に法第四十六条第一項、第四十七条、第四十八条第二項、第五十一条、第八十一条、第八十二条、第八十三条、第八十四条、第八十五条及び第八十六条第一項に規定する国土交通大臣がした登録その他の処分（以下単に「処分」という。）は、マンション管理業者又は法第四十四条第一項の登録を受けようとする者の本店又は主たる事務所の所在

地を管轄する地方整備局長又は北海道開発局長がした処分とみなし、この省令の施行前に法第四十五条第一項、第四十八条第一項及び第五十条第一項に規定する国土交通大臣に対してした申請又は届出（以下「申請等」という。）については、当該地方整備局長又は北海道開発局長に対してした申請等とみなす。

附　則〔略〕〔平成一五・五・一三国土交通省令六五施行〕

附　則〔略〕〔平成一六・二・一七国土交通省令四〕

附　則〔略〕〔平成一六・三・三一国土交通省令三四施行〕

附　則〔抄〕〔平成一六・七・三〇国土交通省令八二〕

（施行期日）

第一条　この省令は、平成十六年八月一日から施行する。

（経過措置）

第二条　この省令の施行前にマンションの管理の適正化の推進に関する法律第五十九条第一項及び第六十四条から第六十七条まで並びにマンションの管理の適正化の推進に関する法律施行規則（以下この条において「規則」という。）第七十一条第二項及び第七十六条第二項に規定する国土交通大臣がした登録その他の処分（以下この条において単に「処分」という。）は、同法第五十九条の登録を受けた者又は受けようとする者及び管理業務主任者又は同法第六十条第三項の管理業務主任者証の交付を受けようとする者の住所地を管轄する地方整備局長及び北海道開発局長がした処分とみなし、この省令の施行前に同法第六十条第一項及び第五項、第六十一条第一項並びに第六十二条第一項並びに規則第七十条第一項、第七十七条第一項及び第八十条の規定により読み替えて準用する規則第三十一条に規定する国土交通大臣に対してした申請、提出又は届出（以下この条において「申請等」という。）については、当該地方整備局長又は北海道開発局長に対してした申請等とみなす。

附　則〔略〕〔平成一七・三・七国土交通省令一二〕

附　則〔略〕〔平成一七・三・二八国土交通省令二一〕

附　則〔抄〕〔平成一八・三・三一国土交通省令二五〕

（施行期日）

第一条　この省令は、公布の日から施行する。

（マンションの管理の適正化の推進に関する法律施行規則の一部改正に伴う経過措置）

第三条　この省令の施行の際現に第二条の規定による改正前のマンションの管理の適正化の推進に関する法律施行規則（次項において「旧規則」という。）第六十九条第一項第一号の指定を受けている講習は、この省令の施行の日から起算して一年を経過する日までの間は、第二条の規定による改正後のマンションの管理の適正化の推進に関する法律施行規則（次項において「新規則」という。）第六十九条第一項の登録を受けているものとみなす。

2　この省令の施行前に旧規則第六十九条第一項第一号の指定を受けた講習を修了した者は、新規則第六十九条第一項第一号に該当する者とみなす。

附　則〔平成一八・四・二八国土交通省令六〇〕

（施行期日）

1　この省令は、会社法の施行の日（平成十八年五月一日）から施行する。

（経過措置）

2　この省令の施行の際現にあるこの省令による改正前の様式又は書式による申請書その他の文書は、この省令による改正後のそれぞれの様式又は書式にかかわらず、当分の間、なおこれを使用することができる。

3　この省令の施行前にこの省令による改正前のそれぞれの省令の規定によってした処分、手続その他の行為であって、この省令による改正後のそれぞれの省令の規定に相当の規定があるものは、これらの規定によってした処分、手続その他の行為とみなす。

附　則〔平成一九・三・三〇国土交通省令一七〕

（施行期日）

1　この省令は、平成十九年四月一日から施行する。

（助教授の在職に関する経過措置）

2　この省令の規定による改正後の次に掲げる省令の規定の適用については、この省令の施行前における助教授としての在職は、准教授としての在職とみなす。

一～十三　〔略〕

十四　マンションの管理の適正化の推進に関する法律施行規則第十六条

附　則〔略〕〔平成二〇・一一・一国土交通省令九七施行〕

附　則〔抄〕〔平成二一・五・一国土交通省令三五〕

（施行期日）

第一条　この省令は、平成二十二年五月一日から施行する。ただし、別記様式第二号表面、別記様式第九号表面、別記様式第十号の四表面、別記様式第十六号表面、別記様式第二十三号の四表面、別記様式第二十六号、別記様式第二十八号表面、別記様式第三十号表面及び別記様式第三十二号表面の改正規定は、公布の日から施行する。

（経過措置）

第二条　管理組合から管理事務の委託を受けることを内容とする契約でこの省令の施行前に締結されたものに基づき行う管理事務については、この省令による改正後のマンションの管理の適正化の推進に関する法律施行規則（以下「新規則」という。）第八十七条の規定にかかわらず、その契約期間が満了するまでの間は、なお従前の例による。

第三条　附則第一条ただし書に規定する規定の施行の際現に交付されているこの省令による改正前のマンションの管理の適正化の推進に関する法律施行規則（以下「旧規則」という。）別記様式第二号、別記様式第九号、別記様式第十号の四、別記様式第十六号、別記様式第二十三号の四、別記様式第二十八号、別記様式第三十号及び別記様式第三十二号による証明書は、それぞれ新規則別記様式第二号、別記様式第九号、別記様式第十号の四、別記様式第十六号、別記様式第二十三号の四、別記様式第二十八号、別記様式第三十号及び別記様式第三十二号による証明書とみなす。

第四条　附則第一条ただし書に規定する規定の施行の際現にマンション管理業者が掲げている旧規則別記様式第二十六号による標識は、附則第一条ただし書に規定する規定の施行の日から起算して三月を経過する日までの間は、新規則別記様式第二十六号による標識とみなす。

附　則〔略〕〔平成二四・三・一五国土交通省令一八〕

附　則〔略〕〔平成二五・四・一国土交通省令二三〕

附　則〔略〕〔平成二七・三・二七国土交通省令一二〕

附　則〔抄〕〔平成二七・一二・九国土交通省令八二〕

改正　平成三〇・一国交令一

（施行期日）

第一条　この省令は、公布の日から施行する。ただし、第三条、第八条、第十七条、第二十四条及び第二十五条の規定は、行政手続における特定の個人を識別するための番号の利用等に関する法律（平成二十五年法律第二十七号。以下「番号利用法」という。）附則第一条第四号に掲げる規定の施行の日（平成二十八年一月一日）から施行する。

（マンションの管理の適正化の推進に関する法律施行規則の一部改正に伴う経過措置）

第一四条　当分の間、第二十四条及び第二十五条の規定による改正後のマンションの管理の適正化の推進に関する法律施行規則第二十五条第三項、第四十二条第二項、第五十三条第二項及び第七十条第四項の規定の適用については、同令第二十五条第三項中「のうち住民票コード（同法第七条第十三号に規定する住民票コードをいう。以下同じ。）以外のものについて」とあるのは「について」と、同令第四十二条第二項、第五十三条第二項及び第七十条第四項中「のうち住民票コード以外のものについて」とあるのは「について」とする。

附　則〔略〕〔平成三〇・一・四国土交通省令一〕

附　則〔略〕〔令和元・九・一三国土交通省令三四〕

附　則〔略〕〔令和元・一二・一六国土交通省令四七〕

附　則〔略〕〔令和二・一二・二三国土交通省令九八〕

附　則〔略〕〔令和三・二・三国土交通省令三〕

附　則〔略〕〔令和三・八・三一国土交通省令五三〕

附　則〔略〕〔令和三・一一・一国土交通省令七〇〕

附　則〔略〕〔令和四・二・二八国土交通省令七〕

附　則〔令和四・三・四国土交通省令一二〕

（施行期日）

1　この省令は、令和四年四月一日から施行する。

（経過措置）

2　この省令による改正後のマンションの管理の適正化の推進に関する法律施行規則第八条（同令第六十七条において準用する場合を含む。）の規定は、令和四年度以後において行われるマンション管理士試験及び管理業務主任者試験から適用するものとし、令和三年度以前において行われたマンション管理士試験及び管理業務主任者試験については、なお従前の例による。

附則〔略〕〔令和五・一二・二八国土交通省令九八施行〕

附則〔略〕〔令和六・三・二九国土交通省令二六〕

附則〔略〕〔令和六・四・三〇国土交通省令五八〕

附則〔令和六・五・二七国土交通省令六二〕

この省令は、情報通信技術の活用による行政手続等に係る関係者の利便性の向上並びに行政運営の簡素化及び効率化を図るための行政手続等における情報通信の技術の利用に関する法律等の一部を改正する法律附則第一条第十号に掲げる規定の施行の日（令和六年五月二十七日）から施行する。

別記様式〔略〕

○マンションの建替え等の円滑化に関する法律

〔平成一四・六・一九　法律七八〕

改正　平成一四・一二法一四〇、平成一五・三法八、平成一六・六法八四、法一二四、一二法一四七、法一五〇、平成一七・七法八七、平成一八・六法五〇、法六一、平成二〇・四法二三、平成二三・四法三二、五法五三、八法一〇五、平成二六・六法六九、法八〇、平成二九・六法四五、平成三〇・七法七二、令和二・三法八、六法六二、令和三・五法三七

目次

第一章　総則（第一条―第四条）
第二章　マンション建替事業
第一節　施行者
第一款　マンション建替事業の施行（第五条）
第二款　マンション建替組合
第一目　通則（第六条―第八条）
第二目　設立等（第九条―第十五条）
第三目　管理（第十六条―第三十七条）
第四目　解散（第三十八条―第四十三条）
第五目　税法上の特例（第四十四条）
第三款　個人施行者（第四十五条―第五十四条）
第二節　権利変換手続等
第一款　権利変換手続
第一目　手続の開始（第五十五条・第五十六条）
第二目　権利変換計画（第五十七条―第六十七条）
第三目　権利の変換（第六十八条―第七十八条）
第四目　施行マンション等の明渡し（第七十九条・第八十条）
第五目　工事完了等に伴う措置（第八十一条―第八十九条）
第二款　借家権者等の居住の安定の確保に関する施行者等の責務（第九十条）
第三款　雑則（第九十一条―第九十六条）
第三節　マンション建替事業の監督等（第九十七条―第百一条）
第三章　除却する必要のあるマンションに係る特別の措置
第一節　除却の必要性に係る認定等（第百二条―第百五条の二）
第二節　マンション敷地売却決議等（第百六条―第百八条）
第三節　買受人（第百九条―第百十四条）
第四節　区分所有者等の居住の安定の確保に関する国及び地方公共団体の責務（第百十五条）
第五節　敷地分割決議等（第百十五条の二―第百十五条の四）
第四章　マンション敷地売却事業
第一節　マンション敷地売却組合
第一款　通則（第百十六条―第百十九条）
第二款　設立等（第百二十条―第百二十四条）
第三款　管理（第百二十五条―第百三十六条）
第四款　解散（第百三十七条・第百三十八条）
第五款　税法上の特例（第百三十九条）
第二節　分配金取得手続等
第一款　分配金取得手続
第一目　分配金取得手続開始の登記（第百四十条）
第二目　分配金取得計画（第百四十一条―第百四十六条）
第三目　分配金の取得等（第百四十七条―第百五十四条）
第四目　売却マンション等の明渡し（第百五十五条）
第二款　雑則（第百五十六条―第百五十九条）
第三節　マンション敷地売却事業の監督等（第百六十条―第百六十三条）
第五章　敷地分割事業
第一節　敷地分割組合
第一款　通則（第百六十四条―第百六十七条）
第二款　設立等（第百六十八条―第百七十三条）
第三款　管理（第百七十四条―第百八十五条）
第四款　解散（第百八十六条・第百八十七条）
第五款　税法上の特例（第百八十八条）
第二節　敷地権利変換手続等
第一款　敷地権利変換手続
第一目　手続の開始（第百八十九条）
第二目　敷地権利変換計画（第百九十条―第百九十八条）
第三目　敷地権利変換（第百九十九条―第二百七条）
第二款　雑則（第二百八条―第二百十二条）
第三節　敷地分割事業の監督等（第二百十三条―第二百十六条）
第六章　雑則（第二百十七条―第二百二十二条）
第七章　罰則（第二百二十三条―第二百三十二条）
附則

第一章　総則

（目的）

第一条　この法律は、マンション建替事業、除却する必要のあるマンションに係る特別の措置、マンション敷地売却事業及び敷地分割事業について定

めることにより、マンションにおける良好な居住環境の確保並びに地震によるマンションの倒壊、老朽化したマンションの損壊その他の被害からの国民の生命、身体及び財産の保護を図り、もって国民生活の安定向上と国民経済の健全な発展に寄与することを目的とする。

（定義等）

第二条 この法律において、次の各号に掲げる用語の意義は、それぞれ当該各号に定めるところによる。

一 マンション 二以上の区分所有者が存する建物で人の居住の用に供する専有部分のあるものをいう。

二 マンションの建替え 現に存する一又は二以上のマンションを除却するとともに、当該マンションの敷地（これに隣接する土地を含む。）にマンションを新たに建築することをいう。

三 再建マンション マンションの建替えにより新たに建築されたマンションをいう。

四 マンション建替事業 この法律（第三章を除く。）で定めるところに従って行われるマンションの建替えに関する事業及びこれに附帯する事業をいう。

五 施行者 マンション建替事業を施行する者をいう。

六 施行マンション マンション建替事業を施行する現に存するマンションをいう。

七 施行再建マンション マンション建替事業の施行により建築された再建マンションをいう。

八 マンション敷地売却 現に存するマンション及びその敷地（マンションの敷地利用権が借地権であるときは、その借地権）を売却することをいう。

九 マンション敷地売却事業 この法律で定めるところに従って行われるマンション敷地売却に関する事業をいう。

十 売却マンション マンション敷地売却事業を実施する現に存するマンションをいう。

十一 敷地分割 団地内建物（建物の区分所有等に関する法律（昭和三十七年法律第六十九号。以下「区分所有法」という。）第六十九条第一項に規定する団地内建物をいい、その全部又は一部がマンションであるものに限る。以下同じ。）の団地建物所有者（区分所有法第六十五条に規定する団地建物所有者をいう。以下同じ。）の共有に属する当該団地内建物の敷地又はその借地権を分割することをいう。

十二 敷地分割事業 この法律で定めるところに従って行われる敷地分割に関する事業をいう。

十三 分割実施敷地 敷地分割事業を実施する団地内建物の敷地をいう。

十四 区分所有権 区分所有法第二条第一項に規定する区分所有権をいう。

十五 区分所有者 区分所有法第二条第二項に規定する区分所有者をいう。

十六 専有部分 区分所有法第二条第三項に規定する専有部分をいう。

十七 共用部分 区分所有法第二条第四項に規定する共用部分をいう。

十八 マンションの敷地 マンションが所在する土地及び区分所有法第五条第一項の規定によりマンションの敷地とされた土地をいう。

十九 敷地利用権 区分所有法第二条第六項に規定する敷地利用権をいう。

二十 借地権 建物の所有を目的とする地上権及び賃借権をいう。ただし、臨時設備その他一時使用のため設定されたことが明らかなものを除く。

二十一 借家権 建物の賃借権（一時使用のため設定されたことが明らかなものを除く。以下同じ。）及び配偶者居住権をいう。

2 区分所有法第七十条第一項に規定する一括建替え決議（以下単に「一括建替え決議」という。）の内容により、団地内建物の全部を除却するとともに、同項に規定する再建団地内敷地に同条第三項第二号に規定する再建団地内建物（その全部又は一部がマンションであるものに限る。以下この項において「再建団地内建物」という。）を新たに建築する場合には、現に存する団地内建物（マンションを除く。）及び新たに建築された再建団地内建物（マンションを除く。）については、マンションとみなして、この法律を適用する。

（国及び地方公共団体の責務）

第三条 国及び地方公共団体は、マンションの建替え又は除却する必要のあるマンションに係るマンション敷地売却若しくは敷地分割（以下「マンションの建替え等」という。）の円滑化を図るため、必要な施策を講ずるよう努めなければならない。

（基本方針）

第四条 国土交通大臣は、マンションの建替え等の円滑化に関する基本的な方針（以下「基本方針」という。）を定めなければならない。

2 基本方針においては、次に掲げる事項を定めるものとする。

一 マンションの建替え等の円滑化を図るため講ずべき施策の基本的な方向

二 マンションの建替え等に向けた区分所有者等の合意形成の促進に関する事項

三 マンション建替事業その他のマンションの建替えに関する事業の円滑な実施に関する事項

四 再建マンションにおける良好な居住環境の確保に関する事項

五 マンションの建替えが行われる場合における従前のマンションに居住していた借家権者（借家権を有する者をいう。以下同じ。）及び転出区分所有者（従前のマンションの区分所有者で再建マンションの区分所有者とならないものをいう。以下同じ。）の居住の安定の確保に関する事項

六 除却する必要のあるマンションに係る特別の措置に関する事項

七 マンション敷地売却事業その他の除却する必要のあるマンションに係るマンション敷地売却の円滑な実施に関する事項

八 売却マンションに居住していた区分所有者及び借家権者の居住の安定の確保に関する事項

九 敷地分割事業その他の除却する必要のある団地内のマンションに係る敷地分割の円滑な実施に関する事項

十 その他マンションの建替え等の円滑化に関する重要事項

3 基本方針は、住生活基本法（平成十八年法律第六十一号）第十五条第一項に規定する全国計画及びマンションの管理の適正化の推進に関する法律（平成十二年法律第百四十九号）第三条第一項に規定する基本方針との調和が保たれたものでなければならない。

4 国土交通大臣は、基本方針を定め、又はこれを変更したときは、遅滞なく、これを公表しなければならない。

第二章 マンション建替事業

第一節 施行者

第一款 マンション建替事業の施行

第五条 マンション建替組合（以下この章において「組合」という。）は、マンション建替事業を施行することができる。

2 マンションの区分所有者又はその同意を得た者は、一人で、又は数人共同して、当該マンションについてマンション建替事業を施行することができる。

第二款 マンション建替組合

第一目 通則

（法人格）

第六条 組合は、法人とする。

2 一般社団法人及び一般財団法人に関する法律（平成十八年法律第四十八号）第四条及び第七十八条の規定は、組合について準用する。

（定款）

第七条 組合の定款には、次に掲げる事項を記載しなければならない。

一 組合の名称

二 施行マンションの名称及びその所在地

三 マンション建替事業の範囲

四 事務所の所在地

五 参加組合員に関する事項

六 事業に要する経費の分担に関する事項

七　役員の定数、任期、職務の分担並びに選挙及び選任の方法に関する事項
八　総会に関する事項
九　総代会を設けるときは、総代及び総代会に関する事項
十　事業年度
十一　公告の方法
十二　その他国土交通省令で定める事項

（名称の使用制限）
第八条　組合は、その名称中にマンション建替組合という文字を用いなければならない。
２　組合でない者は、その名称中にマンション建替組合という文字を用いてはならない。

第二目　設立等

（設立の認可）
第九条　区分所有法第六十四条の規定により区分所有法第六十二条第一項に規定する建替え決議（以下単に「建替え決議」という。）の内容によりマンションの建替えを行う旨の合意をしたものとみなされた者（マンションの区分所有権又は敷地利用権を有する者であってその後に当該建替え決議の内容により当該マンションの建替えを行う旨の同意をしたものを含む。以下「建替え合意者」という。）は、五人以上共同して、定款及び事業計画を定め、国土交通省令で定めるところにより、都道府県知事（市の区域内にあっては、当該市の長。以下「都道府県知事等」という。）の認可を受けて組合を設立することができる。
２　前項の規定による認可を申請しようとする建替え合意者は、組合の設立について、建替え合意者の四分の三以上の同意（同意した者の区分所有法第三十八条の議決権の合計が、建替え合意者の同条の議決権の合計の四分の三以上となる場合に限る。）を得なければならない。
３　区分所有法第七十条第四項において準用する区分所有法第六十四条の規定により一括建替え決議の内容によりマンションの建替えを行う旨の合意をしたものとみなされた者（マンションの区分所有権又は敷地利用権を有する者であってその後に当該一括建替え決議の内容により当該マンションの建替えを行う旨の同意をしたものを含む。以下「一括建替え合意者」という。）は、五人以上共同して、第一項の規定による認可を受けて組合を設立することができる。
４　第一項の規定による認可を申請しようとする一括建替え合意者は、組合の設立について、一括建替え合意者の四分の三以上の同意（同意した者の区分所有法第七十条第二項において準用する区分所有法第六十九条第二項の議決権の合計が、一括建替え合意者の同項の議決権の合計の四分の三以上となる場合に限る。）及び一括建替え決議マンション群（一括建替え決議に係る団地内の二以上のマンションをいう。以下同じ。）を構成する各マンションごとのその区分所有権を有する一括建替え合意者の三分の二以上の同意（各マンションごとに、同意した者の区分所有法第三十八条の議決権の合計が、それぞれその区分所有権を有する一括建替え合意者の同条の議決権の合計の三分の二以上となる場合に限る。）を得なければならない。
５　前各項の場合において、マンションの一の専有部分が数人の共有に属するときは、その数人を一人の建替え合意者又は一括建替え合意者（以下「建替え合意者等」という。）とみなす。
６　二以上の建替え決議マンション（建替え決議に係るマンションであって一括建替え決議マンション群に属さないものをいう。以下同じ。）若しくは一括建替え決議マンション群又は一以上の建替え決議マンション及び一括建替え決議マンション群に係る建替え合意者等は、五人以上共同して、第一項の規定による認可を申請することができる。この場合において、第二項の規定は建替え決議マンションごとに、第四項の規定は一括建替え決議マンション群ごとに、適用する。
７　第一項の規定による認可の申請は、施行マンションとなるべきマンションの所在地が町村の区域内にあるときは、当該町村の長を経由して行わなければならない。

（事業計画）
第一〇条　事業計画においては、国土交通省令で定めるところにより、施行マンションの状況、その敷地の区域及びその住戸（人の居住の用に供するマンションの部分をいう。以下同じ。）の状況、施行再建マンションの設計の概要及びその敷地の区域、事業施行期間、資金計画その他国土交通省令で定める事項を記載しなければならない。
２　事業計画は、建替え決議又は一括建替え決議（以下「建替え決議等」という。）の内容に適合したものでなければならない。

（事業計画の縦覧及び意見書の処理）
第一一条　第九条第一項の規定による認可の申請があった場合において、施行マンションとなるべきマンションの敷地（これに隣接する土地を合わせて施行再建マンションの敷地とする場合における当該土地（以下「隣接施行敷地」という。）を含む。）の所在地が市の区域内にあるときは、当該市の長は当該事業計画を二週間公衆の縦覧に供し、当該マンションの敷地の所在地が町村の区域内にあるときは、都道府県知事は当該町村の長に当該事業計画を二週間公衆の縦覧に供させなければならない。ただし、当該申請に関し明らかに次条各号のいずれかに該当しない事実があり、認可すべきでないと認めるときは、この限りでない。
２　施行マンションとなるべきマンション又はその敷地（隣接施行敷地を含む。）について権利を有する者は、前項の規定により縦覧に供された事業計画について意見があるときは、縦覧期間満了の日の翌日から起算して二週間を経過する日までに、都道府県知事等に意見書を提出することができる。
３　都道府県知事等は、前項の規定により意見書の提出があったときは、その内容を審査し、その意見書に係る意見を採択すべきであると認めるときは事業計画に必要な修正を加えるべきことを命じ、その意見書に係る意見を採択すべきでないと認めるときはその旨を意見書を提出した者に通知しなければならない。
４　前項の規定による意見書の内容の審査については、行政不服審査法（平成二十六年法律第六十八号）第二章第三節（第二十九条、第三十条、第三十二条第二項、第三十八条、第四十条、第四十一条第三項及び第四十二条を除く。）の規定を準用する。この場合において、同法第二十八条中「審理員」とあるのは「都道府県知事等（マンションの建替え等の円滑化に関する法律第九条第一項に規定する都道府県知事等をいう。以下同じ。）」と、同法第三十一条、第三十二条第三項、第三十三条から第三十七条まで、第三十九条並びに第四十一条第一項及び第二項中「審理員」とあるのは「都道府県知事等」と読み替えるものとする。
５　第九条第一項の規定による認可を申請した者が、第三項の規定により事業計画に修正を加え、その旨を都道府県知事等に申告したときは、その修正に係る部分について、更にこの条に規定する手続を行うべきものとする。

（認可の基準）
第一二条　都道府県知事等は、第九条第一項の規定による認可の申請があった場合において、次の各号のいずれにも該当すると認めるときは、その認可をしなければならない。
一　申請手続が法令に違反するものでないこと。
二　定款又は事業計画の決定手続又は内容が法令（事業計画の内容にあっては、前条第三項に規定する都道府県知事等の命令を含む。）に違反するものでないこと。
三　施行再建マンションの敷地とする隣接施行敷地に建築物その他の工作物が存しないこと又はこれに存する建築物その他の工作物を除却し、若しくは移転することができることが確実であること。
四　施行マンションの住戸の数が、国土交通省令で定める数以上であること。
五　施行マンションの住戸の規模、構造及び設備の状況にかんがみ、その建替えを行うことが、マンションにおける良好な居住環境の確保のために必要であること。
六　施行再建マンションの住戸の数が、国土交通省令で定める数以上であること。
七　施行再建マンションの住戸の規模、構造及び設備が、当該住戸に居住すべき者の世帯構成等を勘案して国土交通省令で定める基準に適合するものであること。
八　事業施行期間が適切なものであること。
九　当該マンション建替事業を遂行するために必要な経済的基礎及びこれを的確に遂行するために必要なその他の能力が十分であること。
十　その他基本方針に照らして適切なものであること。

（組合の成立）
第一三条　組合は、第九条第一項の規定による認可により成立する。

（認可の公告等）
第一四条 都道府県知事等は、第九条第一項の規定による認可をしたときは、遅滞なく、国土交通省令で定めるところにより、組合の名称、施行マンションの名称及びその敷地の区域、施行再建マンションの敷地の区域、事業施行期間その他国土交通省令で定める事項を公告し、かつ、関係市町村長に施行マンションの名称及びその敷地の区域、施行再建マンションの設計の概要及びその敷地の区域その他国土交通省令で定める事項を表示する図書を送付しなければならない。
2 組合は、前項の公告があるまでは、組合の成立又は定款若しくは事業計画をもって、組合員その他の第三者に対抗することができない。
3 市町村長は、第三十八条第六項又は第八十一条の公告の日まで、政令で定めるところにより、第一項の図書を当該市町村の事務所において公衆の縦覧に供しなければならない。

（区分所有権及び敷地利用権の売渡し請求）
第一五条 組合は、前条第一項の公告の日（その日が区分所有法第六十三条第三項（区分所有法第七十条第四項において準用する場合を含む。）の期間の満了の日前であるときは、当該期間の満了の日）から二月以内に、区分所有法第六十三条第五項（区分所有法第七十条第四項において準用する場合を含む。）に規定する建替えに参加しない旨を回答した区分所有者（その承継人を含み、その後に建替え合意者等となったものを除く。）に対し、区分所有権及び敷地利用権を時価で売り渡すべきことを請求することができる。建替え決議等があった後に当該区分所有者から敷地利用権のみを取得した者（その承継人を含み、その後に建替え合意者等となったものを除く。）の敷地利用権についても、同様とする。
2 前項の規定による請求は、建替え決議等の日から一年以内にしなければならない。ただし、この期間内に請求することができなかったことに正当な理由があるときは、この限りでない。
3 区分所有法第六十三条第六項から第八項まで（区分所有法第七十条第四項において準用する場合を含む。以下この項において同じ。）の規定は、第一項の規定による請求があった場合について準用する。この場合において、区分所有法第六十三条第七項中「第五項」とあるのは、「マンションの建替え等の円滑化に関する法律第十五条第一項」と読み替えるものとする。

第三目　管理

（組合員）
第一六条 施行マンションの建替え合意者等（その承継人（組合を除く。）を含む。）は、すべて組合の組合員とする。
2 マンションの一の専有部分が数人の共有に属するときは、その数人を一人の組合員とみなす。

（参加組合員）
第一七条 前条に規定する者のほか、組合が施行するマンション建替事業に参加することを希望し、かつ、それに必要な資力及び信用を有する者であって、定款で定められたものは、参加組合員として、組合の組合員となる。

（組合員名簿の作成等）
第一八条 第九条第一項の認可を受けた者は、第十四条第一項の公告後、遅滞なく、組合員の氏名及び住所（法人にあっては、その名称及び主たる事務所の所在地）並びに建替え合意者等である組合員又は参加組合員の別その他国土交通省令で定める事項を記載した組合員名簿を作成しなければならない。
2 第九条第一項の認可を受けた者又は理事長は、次項の規定による通知を受けたとき、又は組合員名簿の記載事項の変更を知ったときは、遅滞なく、組合員名簿に必要な変更を加えなければならない。
3 組合員は、組合員名簿の記載事項に変更を生じたときは、その旨を組合に通知しなければならない。

（組合員の権利義務の移転）
第一九条 施行マンションについて組合員の有する区分所有権又は敷地利用権の全部又は一部を承継した組合員があるときは、従前の組合員がその区分所有権又は敷地利用権の全部又は一部について組合に対して有していた権利義務は、その承継した組合員に移転する。

（役員）
第二〇条 組合に、役員として、理事三人以上及び監事二人以上を置く。
2 組合に、役員として、理事長一人を置き、理事の互選によりこれを定める。

（役員の資格、選挙及び選任）
第二一条 理事及び監事は、組合員（法人にあっては、その役員）のうちから総会で選挙する。ただし、特別の事情があるときは、組合員以外の者のうちから総会で選任することができる。
2 前項本文の規定により選挙された理事若しくは監事が組合員でなくなったとき、又はその理事若しくは監事が組合員である法人の役員である場合において、その法人が組合員でなくなったとき、若しくはその理事若しくは監事がその法人の役員でなくなったときは、その理事又は監事は、その地位を失う。

（役員の任期）
第二二条 理事及び監事の任期は、三年以内とし、補欠の理事及び監事の任期は、前任者の残任期間とする。
2 理事又は監事は、その任期が満了しても、後任の理事又は監事が就任するまでの間は、なおその職務を行う。

（役員の解任請求）
第二三条 組合員は、総組合員の三分の一以上の連署をもって、その代表者から、組合に対し、理事又は監事の解任の請求をすることができる。
2 前項の規定による請求があったときは、組合は、直ちに、その請求の要旨を公表し、これを組合員の投票に付さなければならない。
3 理事又は監事は、前項の規定による投票において過半数の同意があったときは、その地位を失う。
4 前三項に定めるもののほか、理事及び監事の解任の請求及び第二項の規定による投票に関し必要な事項は、政令で定める。

（役員の職務）
第二四条 理事長は、組合を代表し、その業務を総理する。
2 理事は、定款の定めるところにより、理事長を補佐して組合の業務を掌理し、理事長に事故があるときはその職務を代理し、理事長が欠けたときはその職務を行う。
3 監事の職務は、次のとおりとする。
一 組合の財産の状況を監査すること。
二 理事長及び理事の業務の執行の状況を監査すること。
三 財産の状況又は業務の執行について、法令若しくは定款に違反し、又は著しく不当な事項があると認めるときは、総会又は都道府県知事等に報告をすること。
四 前号の報告をするため必要があるときは、総会を招集すること。
4 定款に特別の定めがある場合を除くほか、組合の業務は、理事の過半数で決する。
5 組合と理事長との利益が相反する事項については、理事長は、代表権を有しない。この場合においては、監事が組合を代表する。
6 理事長は、事業年度ごとに事業報告書、収支決算書及び財産目録を作成し、監事の意見書を添えて、これを通常総会に提出し、その承認を求めなければならない。
7 前項の監事の意見書については、これに記載すべき事項を記録した電磁的記録（電子的方式、磁気的方式その他人の知覚によっては認識することができない方式で作られる記録であって、電子計算機による情報処理の用に供されるものとして国土交通省令で定めるものをいう。）の添付をもって、当該監事の意見書の添付に代えることができる。この場合において、理事長は、当該監事の意見書を添付したものとみなす。
8 監事は、理事又は組合の職員と兼ねてはならない。

（理事長の代表権の制限）
第二四条の二 理事長の代表権に加えた制限は、善意の第三者に対抗することができない。

（理事長の代理行為の委任）
第二四条の三 理事長は、定款又は総会の決議によって禁止されていないときに限り、特定の行為の代理を他人に委任することができる。

（理事長の氏名等の届出及び公告）
第二五条 組合は、理事長の氏名及び住所を、都道府県知事等に届け出なければならない。この場合において、施行マンションの所在地が町村の区域内にあるときは、当該町村の長を経由して行わなければならない。
2 都道府県知事等は、前項の規定による届出があったときは、遅滞なく、理事長の氏名及び住所を公告しなければならない。
3 組合は、前項の公告があるまでは、理事長の代表権をもって組合員以外の第三者に対抗することができない。

（総会の組織）

第二六条　組合の総会は、総組合員で組織する。

（総会の決議事項）

第二七条　次に掲げる事項は、総会の議決を経なければならない。

一　定款の変更

二　事業計画の変更

三　借入金の借入れ及びその方法並びに借入金の利率及び償還方法

四　経費の収支予算

五　予算をもって定めるものを除くほか、組合の負担となるべき契約

六　賦課金の額及び賦課徴収の方法

七　権利変換計画及びその変更

八　第九十四条第一項又は第三項の管理規約

九　組合の解散

十　その他定款で定める事項

（総会の招集）

第二八条　理事長は、毎事業年度一回通常総会を招集しなければならない。

2　理事長は、必要があると認めるときは、いつでも、臨時総会を招集することができる。

3　組合員が総組合員の五分の一以上の同意を得て、会議の目的である事項及び招集の理由を記載した書面を組合に提出して総会の招集を請求したときは、理事長は、その請求のあった日から起算して二十日以内に臨時総会を招集しなければならない。

4　前項の場合において、電磁的方法（電子情報処理組織を使用する方法その他の情報通信の技術を利用する方法であって国土交通省令で定めるものをいう。以下同じ。）により議決権及び選挙権を行使することが定款で定められているときは、組合員は、同項の規定による書面の提出に代えて、当該書面に記載すべき事項を当該電磁的方法により提供することができる。この場合において、当該組合員は、当該書面を提出したものとみなす。

5　前項前段の規定による書面に記載すべき事項の電磁的方法（国土交通省令で定める方法を除く。）による提供は、組合の使用に係る電子計算機に備えられたファイルへの記録がされた時に当該組合に到達したものとみなす。

6　第三項の規定による請求があった場合において、理事長が正当な理由がないのに総会を招集しないときは、監事は、同項の期間経過後十日以内に臨時総会を招集しなければならない。

7　第九条第一項の規定による認可を受けた者は、その認可の公告があった日から起算して三十日以内に、最初の理事及び監事を選挙し、又は選任するための総会を招集しなければならない。

8　総会を招集するには、少なくとも会議を開く日の五日前までに、会議の日時、場所及び目的である事項を組合員に通知しなければならない。ただし、緊急を要するときは、二日前までにこれらの事項を組合員に通知して、総会を招集することができる。

（総会の議事等）

第二九条　総会は、総組合員の半数以上の出席がなければ議事を開くことができず、その議事は、この法律に特別の定めがある場合を除くほか、出席者の議決権の過半数で決し、可否同数のときは、議長の決するところによる。

2　議長は、総会において選任する。

3　議長は、組合員として総会の議決に加わることができない。ただし、次条の規定による議決については、この限りでない。

4　総会においては、前条第八項の規定によりあらかじめ通知した会議の目的である事項についてのみ議決することができる。

（特別の議決）

第三〇条　第二十七条第一号及び第二号に掲げる事項のうち政令で定める重要な事項並びに同条第八号及び第九号に掲げる事項は、組合員の議決権及び持分割合（組合の専有部分が存しないものとして算定した施行マンションについての区分所有法第十四条に定める割合（一括建替え合意者のみにより設立された組合にあっては、組合の持分が存しないものとして算定した施行マンションの敷地（これに関する権利を含む。）の持分の割合）をいう。第三項において同じ。）の各四分の三以上で決する。

2　権利変換期日以後における前項の規定の適用については、同項中「組合の」とあるのは「組合及び参加組合員の」と、「施行マンション」とあるのは「施行再建マンション」とする。

3　第二十七条第七号に掲げる事項は、組合員の議決権及び持分割合の各五分の四以上で決する。

（総代会）

第三一条　組合員の数が五十人を超える組合は、総会に代わってその権限を行わせるために総代会を設けることができる。

2　総代会は、総代をもって組織するものとし、総代の定数は、組合員の総数の十分の一を下らない範囲内において定款で定める。ただし、組合員の総数が二百人を超える組合にあっては、二十人以上であることをもって足りる。

3　総代会が総会に代わって行う権限は、次の各号のいずれかに該当する事項以外の事項に関する総会の権限とする。

一　理事及び監事の選挙又は選任

二　前条の規定に従って議決しなければならない事項

4　第二十八条第一項から第六項まで及び第八項並びに第二十九条（第三項ただし書を除く。）の規定は、総代会について準用する。

5　総代会が設けられた組合においては、理事長は、第二十八条第一項の規定にかかわらず、通常総会を招集することを要しない。

（総代）

第三二条　総代は、定款で定めるところにより、組合員が組合員（法人にあっては、その役員）のうちから選挙する。

2　総代の任期は、三年を超えない範囲内において定款で定める。補欠の総代の任期は、前任者の残任期間とする。

3　第二十一条第二項及び第二十三条の規定は、総代について準用する。

（議決権及び選挙権）

第三三条　組合員及び総代は、定款に特別の定めがある場合を除き、各一個の議決権及び選挙権を有する。

2　組合員は書面又は代理人をもって、総代は書面をもって、議決権及び選挙権を行使することができる。

3　組合員及び総代は、定款で定めるところにより、前項の規定による書面をもってする議決権及び選挙権の行使に代えて、電磁的方法により議決権及び選挙権を行使することができる。

4　組合と特定の組合員との関係について議決をする場合には、その組合員は、議決権を有しない。

5　第二項又は第三項の規定により議決権及び選挙権を行使する者は、第二十九条第一項（第三十一条第四項において準用する場合を含む。）の規定の適用については、出席者とみなす。

6　代理人は、同時に五人以上の組合員を代理することができない。

7　代理人は、代理権を証する書面を組合に提出しなければならない。

8　前項の場合において、電磁的方法により議決権及び選挙権を行使することが定款で定められているときは、代理人は、当該書面の提出に代えて、当該書面において証すべき事項を当該電磁的方法により提供することができる。この場合において、当該代理人は、当該書面を提出したものとみなす。

（定款又は事業計画の変更）

第三四条　組合は、定款又は事業計画を変更しようとするときは、国土交通省令で定めるところにより、都道府県知事等の認可を受けなければならない。

2　第九条第二項の規定は組合が定款及び事業計画を変更して新たに施行マンションに追加しようとする建替え決議マンションがある場合について、同条第四項の規定は組合が定款及び事業計画を変更して新たに施行マンションに追加しようとする一括建替え決議マンション群がある場合について、同条第五項の規定は組合が定款及び事業計画を変更して新たに施行マンションに追加しようとするマンションがある場合について、第十一条の規定は事業計画の変更（国土交通省令で定める軽微な変更を除く。）の認可の申請があった場合について、第九条第七項、第十二条及び第十四条の規定は前項の規定による認可について、それぞれ準用する。この場合において、第九条第二項中「建替え合意者の」とあるのは「新たに施行マンションとなるべき建替え決議マンションの建替え合意者（新たに施行マンションとなるべき建替え決議マンションが二以上ある場合にあっては、当該二以上の建替え決議マンションごとの建替え合意者）の」と、同条第四項中「、一括建替え合意者」とあるのは「、新たに施行マンションとなるべき一括建替え決議マンション群の一括建替え合意者（新たに施行マンションとなるべき

となるべき一括建替え決議マンション群が二以上ある場合にあっては、当該二以上の一括建替え決議マンション群ごとの一括建替え合意者」と、「一括建替え決議マンション群」とあるのは「新たに施行マンションとなるべき一括建替え決議マンション群」と、同条第七項中「施行マンション又は新たに施行マンションとなるべきマンション」とあるのは「施行マンションとなるべきマンション」と、第十一条第一項中「施行マンションとなるべきマンション」とあり、及び「当該マンション」とあるのは「施行マンション又は新たに施行マンションとなるべきマンション」と、同条第二項中「施行マンションとなるべきマンション又はその敷地」とあるのは「施行マンション若しくは新たに施行マンションとなるべきマンション又はそれらの敷地」と、第十四条第二項中「組合の成立又は定款若しくは事業計画」とあるのは「定款又は事業計画の変更」と、「組合員その他の」とあるのは「その変更について第三十四条第一項の規定による認可があった際に従前から組合員であった者以外の」と読み替えるものとする。

3　組合は、事業に要する経費の分担に関し定款若しくは事業計画を変更しようとする場合又は定款及び事業計画の対象とされた二以上の施行マンションの数を縮減しようとする場合において、マンション建替事業の施行のための借入金があるときは、その変更又は縮減についてその債権者の同意を得なければならない。

4　第十五条の規定は、組合が定款及び事業計画を変更して新たに施行マンションを追加した場合について準用する。この場合において、同条第一項中「前条第一項」とあるのは「第三十四条第二項において準用する前条第一項」と、「区分所有者」とあるのは「新たに追加された施行マンションの区分所有者」と、同条第三項中「第十五条第一項」とあるのは「第三十四条第四項において準用する同法第十五条第一項」と読み替えるものとする。

（経費の賦課徴収）

第三五条　組合は、その事業に要する経費に充てるため、賦課金として参加組合員以外の組合員に対して金銭を賦課徴収することができる。

2　賦課金の額は、組合員の有する施行マンション（権利変換期日以後においては、施行再建マンション）の専有部分の位置、床面積等を考慮して公平に定めなければならない。

3　組合員は、賦課金の納付について、相殺をもって組合に対抗することができない。

4　組合は、組合員が賦課金の納付を怠ったときは、定款で定めるところにより、その組合員に対して過怠金を課することができる。

（参加組合員の負担金及び分担金）

第三六条　参加組合員は、国土交通省令で定めるところにより、権利変換計画の定めるところに従い取得することとなる施行再建マンションの区分所有権及び敷地利用権の価額に相当する額の負担金並びに組合のマンション建替事業に要する経費に充てるための分担金を組合に納付しなければならない。

2　前条第三項及び第四項の規定は、前項の負担金及び分担金について準用する。

（審査委員）

第三七条　組合に、この法律及び定款で定める権限を行わせるため、審査委員三人以上を置く。

2　審査委員は、土地及び建物の権利関係又は評価について特別の知識経験を有し、かつ、公正な判断をすることができる者のうちから総会で選任する。

3　前二項に規定するもののほか、審査委員に関し必要な事項は、政令で定める。

第四目　解散

（解散）

第三八条　組合は、次に掲げる理由により解散する。

一　設立についての認可の取消し

二　総会の議決

三　事業の完成又はその完成の不能

2　前項第二号の議決は、権利変換期日前に限り行うことができるものとする。

3　組合は、第一項第二号又は第三号に掲げる理由により解散しようとする場合において、借入金があるときは、解散について債権者の同意を得なければならない。

4　組合は、第一項第二号又は第三号に掲げる理由により解散しようとするときは、国土交通省令で定めるところにより、都道府県知事等の認可を受けなければならない。

5　前項の規定による認可の申請は、施行マンションの所在地が町村の区域内にあるときは、当該町村の長を経由して行わなければならない。

6　都道府県知事等は、組合の設立についての認可を取り消したとき、又は第四項の規定による認可をしたときは、遅滞なく、その旨を公告しなければならない。

7　組合は、前項の公告があるまでは、解散をもって組合員以外の第三者に対抗することができない。

（清算中の組合の能力）

第三八条の二　解散した組合は、清算の目的の範囲内において、その清算の結了に至るまではなお存続するものとみなす。

（清算人）

第三九条　組合が解散したときは、理事がその清算人となる。ただし、総会で他の者を選任したときは、この限りでない。

（裁判所による清算人の選任）

第三九条の二　前条の規定により清算人となる者がないとき、又は清算人が欠けたため損害を生ずるおそれがあるときは、裁判所は、利害関係人若しくは検察官の請求により又は職権で、清算人を選任することができる。

（清算人の解任）

第三九条の三　重要な事由があるときは、裁判所は、利害関係人若しくは検察官の請求により又は職権で、清算人を解任することができる。

（清算人の職務及び権限）

第三九条の四　清算人の職務は、次のとおりとする。

一　現務の結了

二　債権の取立て及び債務の弁済

三　残余財産の引渡し

2　清算人は、前項各号に掲げる職務を行うために必要な一切の行為をすることができる。

（清算事務）

第四〇条　清算人は、就職の後遅滞なく、組合の財産の現況を調査し、財産目録を作成し、及び財産処分の方法を定め、財産目録及び財産処分の方法について総会の承認を求めなければならない。

（債権の申出の催告等）

第四〇条の二　清算人は、その就職の日から二月以内に、少なくとも三回の公告をもって、債権者に対し、一定の期間内にその債権の申出をすべき旨の催告をしなければならない。この場合において、その期間は、二月を下ることができない。

2　前項の公告には、債権者がその期間内に申出をしないときは清算から除斥されるべき旨を付記しなければならない。ただし、清算人は、知れている債権者を除斥することができない。

3　清算人は、知れている債権者には、各別にその申出の催告をしなければならない。

4　第一項の公告は、官報に掲載してする。

（期間経過後の債権の申出）

第四〇条の三　前条第一項の期間の経過後に申出をした債権者は、組合の債務が完済された後まだ権利の帰属すべき者に引き渡されていない財産に対してのみ、請求をすることができる。

（残余財産の処分制限）

第四一条　清算人は、組合の債務を弁済した後でなければ、その残余財産を処分することができない。

（裁判所による監督）

第四一条の二　組合の解散及び清算は、裁判所の監督に属する。

2　裁判所は、職権で、いつでも前項の監督に必要な検査をすることができる。

3　組合の解散及び清算を監督する裁判所は、都道府県知事等に対し、意見を求め、又は調査を嘱託することができる。

4　都道府県知事等は、前項に規定する裁判所に対し、意見を述べることができる。

（決算報告）

第四二条　清算人は、清算事務が終わったときは、遅滞なく、国土交通省令で定めるところにより、決算報告書を作成し、これについて都道府県知事等の承認を得た後、これを組合員に報告しなければならない。

（解散及び清算の監督等に関する事件の管轄）

第四二条の二　組合の解散及び清算の監督並びに清算人に関する事件は、組合の主たる事務所の所在地を管轄する地方裁判所の管轄に属する。

（不服申立ての制限）

第四二条の三　清算人の選任の裁判に対しては、不服を申し立てることができない。

（裁判所の選任する清算人の報酬）

第四二条の四　裁判所は、第三十九条の二の規定により清算人を選任した場合には、組合が当該清算人に対して支払う報酬の額を定めることができる。この場合においては、裁判所は、当該清算人及び監事の陳述を聴かなければならない。

（検査役の選任）

第四三条　裁判所は、組合の解散及び清算の監督に必要な調査をさせるため、検査役を選任することができる。

２　前二条の規定は、前項の規定により裁判所が検査役を選任した場合について準用する。この場合において、前条中「清算人及び監事」とあるのは、「組合及び検査役」と読み替えるものとする。

第五目　税法上の特例

第四四条　組合は、法人税法（昭和四十年法律第三十四号）その他法人税に関する法令の規定の適用については、同法第二条第六号に規定する公益法人等とみなす。この場合において、同法第三十七条の規定を適用する場合には同条第四項中「公益法人等（」とあるのは「公益法人等（マンション建替組合並びに」と、同法第六十六条の規定を適用する場合には同条第一項中「普通法人」とあるのは「普通法人（マンション建替組合を含む。）」と、同条第二項中「除く」とあるのは「除くものとし、マンション建替組合を含む」と、同条第三項中「公益法人等（」とあるのは「公益法人等（マンション建替組合及び」とする。

２　組合は、消費税法（昭和六十三年法律第百八号）その他消費税に関する法令の規定の適用については、同法別表第三に掲げる法人とみなす。

第三款　個人施行者

（施行の認可）

第四五条　第五条第二項の規定によりマンション建替事業を施行しようとする者は、一人で施行しようとする者にあっては規準及び事業計画を定め、数人共同して施行しようとする者にあっては規約及び事業計画を定め、国土交通省令で定めるところにより、そのマンション建替事業について都道府県知事等の認可を受けなければならない。

２　前項の規定による認可を申請しようとする者は、その者以外に施行マンションとなるべきマンション又はその敷地（隣接施行敷地を含む。）について権利を有する者があるときは、事業計画についてこれらの者の同意を得なければならない。ただし、その権利をもって認可を申請しようとする者に対抗することができない者については、この限りでない。

３　前項の場合において、施行マンションとなるべきマンション又はその敷地（隣接施行敷地を含む。以下この項において同じ。）について権利を有する者のうち、区分所有権、敷地利用権、敷地の所有権及び借地権並びに借家権以外の権利（以下「区分所有権等以外の権利」という。）を有する者から同意を得られないとき、又はその者を確知することができないときは、その同意を得られない理由又は確知することができない理由を記載した書面を添えて、第一項の規定による認可を申請することができる。

４　第九条第七項の規定は、第一項の規定による認可について準用する。

（規準又は規約）

第四六条　前条第一項の規準又は規約には、次の各号（規準にあっては、第四号から第六号までを除く。）に掲げる事項を記載しなければならない。

一　施行マンションの名称及びその所在地
二　マンション建替事業の範囲
三　事務所の所在地
四　事業に要する経費の分担に関する事項
五　業務を代表して行う者を定めるときは、その職名、定数、任期、職務の分担及び選任の方法に関する事項
六　会議に関する事項
七　事業年度
八　公告の方法
九　その他国土交通省令で定める事項

（事業計画）

第四七条　事業計画においては、国土交通省令で定めるところにより、施行マンションの状況、その敷地の区域及びその住戸の状況、施行再建マンションの設計の概要及びその敷地の区域、事業施行期間、資金計画その他国土交通省令で定める事項を記載しなければならない。

２　施行マンションとなるべきマンションに建替え決議等があるときは、事業計画は、当該建替え決議等の内容に適合したものでなければならない。

（認可の基準）

第四八条　都道府県知事等は、第四十五条第一項の規定による認可の申請があった場合において、次の各号のいずれにも該当すると認めるときは、その認可をしなければならない。

一　申請手続が法令に違反するものでないこと。
二　規準若しくは規約又は事業計画の決定手続又は内容が法令に違反するものでないこと。
三　事業計画について区分所有権等以外の権利を有する者の同意を得られないことについて正当な理由があること。
四　区分所有権等以外の権利を有する者を確知することができないことについて過失がないこと。
五　第十二条第三号から第十号までに掲げる基準に適合すること。

（施行の認可の公告等）

第四九条　都道府県知事等は、第四十五条第一項の規定による認可をしたときは、遅滞なく、国土交通省令で定めるところにより、施行者の氏名又は名称、施行マンションの名称及びその敷地の区域、施行再建マンションの敷地の区域、事業施行期間その他国土交通省令で定める事項を公告し、かつ、関係市町村長に施行マンションの名称及びその敷地の区域、施行再建マンションの設計の概要及びその敷地の区域その他国土交通省令で定める事項を表示する図書を送付しなければならない。

２　第五条第二項の規定による施行者（以下「個人施行者」という。）は、前項の公告があるまでは、施行者として、又は規準若しくは規約若しくは事業計画をもって第三者に対抗することができない。

３　市町村長は、第五十四条第三項において準用する第一項、第八十一条又は第九十九条第三項の公告の日まで、政令で定めるところにより、第一項の図書を当該市町村の事務所において公衆の縦覧に供しなければならない。

（規準又は規約及び事業計画の変更）

第五〇条　個人施行者は、規準若しくは規約又は事業計画を変更しようとするときは、国土交通省令で定めるところにより、都道府県知事等の認可を受けなければならない。

２　第九条第七項、第四十五条第二項及び第三項並びに前二条の規定は、前項の規定による認可について準用する。この場合において、第九条第七項中「施行マンションとなるべきマンション」とあるのは「施行マンション又は新たに施行マンションとなるべきマンション」と、第四十五条第二項及び第三項中「施行マンションとなるべきマンション又はその敷地」とあるのは「施行マンション若しくは新たに施行マンションとなるべきマンション又はそれらの敷地」と、前条第二項中「施行者として、又は規準若しくは規約若しくは事業計画をもって」とあるのは「規準若しくは規約又は事業計画の変更をもって」と読み替えるものとする。

３　第三十四条第三項の規定は、事業に要する経費の分担に関し規準若しくは規約若しくは事業計画を変更しようとする場合又は規準若しくは規約及び事業計画の対象とされた二以上の施行マンションの数を縮減しようとする場合について準用する。

（施行者の変動）

第五一条　個人施行者について相続、合併その他の一般承継があった場合において、その一般承継人が施行者以外の者であるときは、その一般承継人は、施行者となる。

２　施行マンションについて、個人施行者の有する区分所有権又は敷地利用権の全部又は一部を施行者以外の者（前項に規定する一般承継人を除く。）が承継したときは、その者は、施行者となる。

３　一人で施行するマンション建替事業において、前二項の規定により施行者が数人となったときは、そのマンション建替事業は、第五条第二項の規

定により数人共同して施行するマンション建替事業となるものとする。この場合において、施行者は、遅滞なく、第四十五条第一項の規約を定め、その規約について都道府県知事等の認可を受けなければならない。

4　前項の規定による認可の申請は、施行マンションの所在地が町村の区域内にあるときは、当該町村の長を経由して行わなければならない。

5　数人共同して施行するマンション建替事業において、当該施行者について一般承継があり、又は当該施行者の有する区分所有権又は敷地利用権の一般承継以外の事由による承継があったことにより施行者が一人となったときは、そのマンション建替事業は、第五条第二項の規定により一人で施行するマンション建替事業となるものとする。この場合において、当該マンション建替事業について定められていた規約のうち、規準に記載すべき事項に相当する事項は、当該マンション建替事業に係る規準としての効力を有するものとし、その他の事項はその効力を失うものとする。

6　個人施行者について一般承継があり、又は個人施行者の有する区分所有権若しくは敷地利用権の一般承継以外の事由による承継があったことにより施行者に変動を生じたとき（第三項前段に規定する場合を除く。）は、施行者は、遅滞なく、国土交通省令で定めるところにより、新たに施行者となった者の氏名又は名称及び住所並びに施行者でなくなった者の氏名又は名称を都道府県知事等に届け出なければならない。この場合において、施行マンションの所在地が町村の区域内にあるときは、当該町村の長を経由して行わなければならない。

7　都道府県知事等は、第三項後段の規定により定められた規約について認可したときは新たに施行者となった者の氏名又は名称その他国土交通省令で定める事項を、前項の規定による届出を受理したときは新たに施行者となった者及び施行者でなくなった者の氏名又は名称その他国土交通省令で定める事項を、遅滞なく、公告しなければならない。

8　個人施行者は、前項の公告があるまでは、施行者の変動、第三項後段の規定により定めた規約又は第五項後段の規定による規約の一部の失効をもって第三者に対抗することができない。

（施行者の権利義務の移転）

第五二条　個人施行者について一般承継があったときは、その施行者がマンション建替事業に関して有する権利義務（その施行者が当該マンション建替事業に関し、行政庁の認可、許可その他の処分に基づいて有する権利義務を含む。以下この条において同じ。）は、その一般承継人に移転する。

2　前項に規定する場合を除き、個人施行者の有する区分所有権又は敷地利用権の全部又は一部を承継した者があるときは、その施行者がその区分所有権又は敷地利用権の全部又は一部についてマンション建替事業に関して有する権利義務は、その承継した者に移転する。

（審査委員）

第五三条　個人施行者は、都道府県知事等の承認を受けて、土地及び建物の権利関係又は評価について特別の知識経験を有し、かつ、公正な判断をすることができる者のうちから、この法律及び規準又は規約で定める権限を行う審査委員三人以上を選任しなければならない。

2　前項に規定するもののほか、審査委員に関し必要な事項は、政令で定める。

（マンション建替事業の廃止及び終了）

第五四条　個人施行者は、マンション建替事業を、事業の完成の不能により廃止し、又は終了しようとするときは、国土交通省令で定めるところにより、その廃止又は終了について都道府県知事等の認可を受けなければならない。

2　個人施行者は、事業の完成の不能によりマンション建替事業を廃止しようとする場合において、その者にマンション建替事業の施行のための借入金があるときは、その廃止についてその債権者の同意を得なければならない。

3　第九条第七項並びに第四十九条第一項（図書の送付に係る部分を除く。）及び第二項の規定は、第一項の規定による認可について準用する。この場合において、第九条第七項中「施行マンションとなるべきマンション」とあるのは「施行マンション」と、第四十九条第二項中「施行者として、又は規準若しくは規約若しくは事業計画をもって」とあるのは「マンション建替事業の廃止又は終了をもって」と読み替えるものとする。

第二節　権利変換手続等

第一款　権利変換手続

第一目　手続の開始

（権利変換手続開始の登記）

第五五条　施行者は、次に掲げる公告があったときは、遅滞なく、登記所に、施行マンションの区分所有権及び敷地利用権（既登記のものに限る。）並びに隣接施行敷地の所有権及び借地権（既登記のものに限る。）について、権利変換手続開始の登記を申請しなければならない。

一　組合が施行するマンション建替事業にあっては、第十四条第一項の公告又は新たな施行マンションの追加に係る事業計画の変更の認可の公告

二　個人施行者が施行するマンション建替事業にあっては、その施行についての認可の公告又は新たな施行マンションの追加に係る事業計画の変更の認可の公告

2　前項の登記があった後においては、当該登記に係る施行マンションの区分所有権若しくは敷地利用権を有する者（組合が施行するマンション建替事業にあっては、組合員に限る。）又は当該登記に係る隣接施行敷地の所有権若しくは借地権を有する者は、これらの権利を処分するときは、国土交通省令で定めるところにより、施行者の承認を得なければならない。

3　施行者は、事業の遂行に重大な支障が生ずることその他正当な理由がなければ、前項の承認を拒むことができない。

4　第二項の承認を得ないでした処分は、施行者に対抗することができない。

5　権利変換期日前において第三十八条第六項、前条第三項において準用する第四十九条第一項又は第九十九条第三項の公告があったときは、施行者（組合にあっては、その清算人）は、遅滞なく、登記所に、権利変換手続開始の登記の抹消を申請しなければならない。

（権利変換を希望しない旨の申出等）

第五六条　第十四条第一項の公告又は個人施行者の施行の認可の公告があったときは、施行マンションの区分所有権又は敷地利用権を有する者は、その公告があった日から起算して三十日以内に、施行者に対し、第七十条第一項及び第七十一条第二項の規定による権利の変換を希望せず、自己の有する区分所有権又は敷地利用権に代えて金銭の給付を希望する旨を申し出ることができる。

2　前項の区分所有権又は敷地利用権について仮登記上の権利、買戻しの特約その他権利の消滅に関する事項の定めの登記若しくは処分の制限の登記があるとき、又は同項の未登記の借地権の存否若しくは帰属について争いがあるときは、それらの権利者又は争いの相手方の同意を得なければ、同項の規定による金銭の給付の希望を申し出ることができない。

3　施行マンションについて借家権を有する者（その者が更に借家権を設定しているときは、その借家権の設定を受けた者）は、第一項の期間内に施行者に対し、第七十一条第三項の規定による借家権の取得を希望しない旨を申し出ることができる。

4　施行者が組合である場合においては、最初の役員が選挙され、又は選任されるまでの間は、第一項又は前項の規定による申出は、第九条第一項の規定による認可を受けた者が受理するものとする。

5　第一項の期間経過後六月以内に権利変換計画について次条第一項後段の規定による認可が行われないときは、当該六月の期間経過後三十日以内に、第一項若しくは第三項の規定による申出を撤回し、又は新たに第一項若しくは第三項の規定による申出をすることができる。その三十日の期間経過後更に六月を経過しても同条第一項後段の規定による認可が行われないときも、同様とする。

6　定款又は規準若しくは規約及び事業計画を変更して新たに施行マンションを追加した場合においては、前項前段中「第一項の期間経過後六月以内に権利変換計画について次条第一項後段の規定による認可が行われないときは、当該六月の期間経過後」とあるのは、「新たな施行マンションの追加に係る定款又は規準若しくは規約及び事業計画の変更の認可の公告があったときは、その公告があった日から起算して」とする。

7　第一項、第三項又は前二項の申出又は申出の撤回は、国土交通省令で定めるところにより、書面でしなければならない。

第二目　権利変換計画

（権利変換計画の決定及び認可）

第五七条　施行者は、前条の規定による手続に必要な期間の経過後、遅滞なく、権利変換計画を定めなければならない。この場合においては、国土交

通省令で定めるところにより、都道府県知事等の認可を受けなければならない。

2　施行者は、前項後段の規定による認可を申請しようとするときは、権利変換計画について、あらかじめ、組合にあっては総会の議決を経るとともに施行マンション又はその敷地について権利を有する者（組合員を除く。）及び隣接施行敷地がある場合における当該隣接施行敷地について権利を有する者の同意を得、個人施行者にあっては施行マンション又はその敷地（隣接施行敷地を含む。）について権利を有する者の同意を得なければならない。ただし、次に掲げる者については、この限りでない。

一　区分所有法第六十九条の規定により同条第一項に規定する特定建物である施行マンションの建替えを行うことができるときは、当該施行マンションの所在する土地（これに関する権利を含む。）の共有者である団地内建物の団地建物所有者

二　その権利をもって施行者に対抗することができない者

3　前項の場合において、区分所有権等以外の権利を有する者から同意を得られないときは、その同意を得られない理由及び同意を得られない者の権利に関し損害を与えないようにするための措置を記載した書面を添えて、第一項後段の規定による認可を申請することができる。

4　第二項の場合において、区分所有権等以外の権利を有する者を確知することができないときは、その確知することができない理由を記載した書面を添えて、第一項後段の規定による認可を申請することができる。

（権利変換計画の内容）

第五八条　権利変換計画においては、国土交通省令で定めるところにより、次に掲げる事項を定めなければならない。

一　施行再建マンションの配置設計

二　施行マンションの区分所有権又は敷地利用権を有する者で、当該権利に対応して、施行再建マンションの区分所有権又は敷地利用権を与えられることとなるものの氏名又は名称及び住所

三　前号に掲げる者が施行マンションについて有する区分所有権又は敷地利用権及びその価額

四　第二号に掲げる者に前号に掲げる区分所有権又は敷地利用権に対応して与えられることとなる施行再建マンションの区分所有権又は敷地利用権の明細及びその価額の概算額

五　第三号に掲げる区分所有権又は敷地利用権について先取特権、質権若しくは抵当権の登記、仮登記、買戻しの特約その他権利の消滅に関する事項の定めの登記又は処分の制限の登記（以下「担保権等の登記」と総称する。）に係る権利を有する者の氏名又は名称及び住所並びにその権利

六　前号に掲げる者が施行再建マンションの区分所有権又は敷地利用権の上に有することとなる権利

七　施行マンションについて賃借権を有する者（その者が更に賃借権を設定しているときは、その賃借権の設定を受けた者）又は施行マンションについて配偶者居住権を有する者から賃借権の設定を受けた者で、当該賃借権に対応して、施行再建マンションについて賃借権を与えられることとなるものの氏名又は名称及び住所

八　前号に掲げる者に賃借権が与えられることとなる施行再建マンションの部分

九　施行マンションについて配偶者居住権を有する者（その者が賃借権を設定している場合を除く。）で、当該配偶者居住権に対応して、施行再建マンションについて配偶者居住権を与えられることとなるものの氏名及び住所並びにその配偶者居住権の存続期間

十　前号に掲げる者に配偶者居住権が与えられることとなる施行再建マンションの部分

十一　施行者が施行再建マンションの部分を賃貸する場合における標準家賃の概算額及び家賃以外の借家条件の概要

十二　施行マンションに関する権利又はその敷地利用権を有する者で、この法律の規定により、権利変換期日において当該権利を失い、かつ、当該権利に対応して、施行再建マンションに関する権利又はその敷地利用権を与えられないものの氏名又は名称及び住所、失われる施行マンションに関する権利又はその敷地利用権並びにその価額

十三　隣接施行敷地の所有権又は借地権を有する者で、この法律の規定により、権利変換期日において当該権利を失い、又は当該権利の上に敷地利用権が設定されることとなるものの氏名又は名称及び住所、その権利並びにその価額又は減価額

十四　組合の参加組合員に与えられることとなる施行再建マンションの区分所有権及び敷地利用権の明細並びにその参加組合員の氏名又は名称及び住所

十五　第四号及び前号に掲げるもののほか、施行再建マンションの区分所有権又は敷地利用権の明細、その帰属及びその処分の方法

十六　施行マンションの敷地であった土地で施行再建マンションの敷地とならない土地（以下「保留敷地」という。）の所有権又は借地権の明細、その帰属及びその処分の方法

十七　補償金の支払又は清算金の徴収に係る利子又はその決定方法

十八　権利変換期日、施行マンションの明渡しの予定時期及び工事完了の予定時期

十九　その他国土交通省令で定める事項

2　施行マンションに関する権利若しくはその敷地利用権又は隣接施行敷地の所有権若しくは借地権に関して争いがある場合において、その権利の存否又は帰属が確定しないときは、当該権利が存するものとして、又は当該権利が現在の名義人（当該名義人に対して第十五条第一項（第三十四条第四項において準用する場合を含む。）若しくは第六十四条第一項（第六十六条において準用する場合を含む。）又は区分所有法第六十三条第五項（区分所有法第七十条第四項において準用する場合を含む。）の規定による請求があった場合においては、当該請求をした者）に属するものとして権利変換計画を定めなければならない。

3　区分所有法第六十三条第六項（第十五条第三項（第三十四条第四項において準用する場合を含む。）において準用する場合を含む。）又は区分所有法第七十条第四項において準用する区分所有法第六十三条第六項（第十五条第三項（第三十四条第四項において準用する場合を含む。）において準用する場合を含む。）の規定により、裁判所から建物の明渡しにつき相当の期限を許与された区分所有者がいるときは、第一項第十八号の施行マンションの明渡しの予定時期は、当該期限の日以降となるように定めなければならない。

（権利変換計画の決定基準）

第五九条　権利変換計画は、関係権利者間の利害の衡平に十分の考慮を払って定めなければならない。

（区分所有権及び敷地利用権等）

第六〇条　権利変換計画においては、第五十六条第一項の申出をした者を除き、施行マンションの区分所有権又は敷地利用権を有する者に対しては、施行再建マンションの区分所有権又は敷地利用権が与えられるように定めなければならない。組合の定款により施行再建マンションの区分所有権及び敷地利用権が与えられるように定められた参加組合員に対しても、同様とする。

2　前項前段に規定する者に対して与えられる施行再建マンションの区分所有権又は敷地利用権は、それらの者が有する施行マンションの専有部分の位置、床面積、環境、利用状況等又はその敷地利用権の地積若しくはその割合等とそれらの者に与えられる施行再建マンションの専有部分の位置、床面積、環境等又はその敷地利用権の地積若しくはその割合等を総合的に勘案して、それらの者の相互間の衡平を害しないように定めなければならない。

3　権利変換計画においては、第一項の規定により与えられるように定められるもの以外の施行再建マンションの区分所有権及び敷地利用権並びに保留敷地の所有権又は借地権は、施行者に帰属するように定めなければならない。

4　権利変換計画においては、第五十六条第三項の申出をした者を除き、施行マンションの区分所有者から当該施行マンションについて賃借権の設定を受けている者（その者が更に賃借権を設定しているときは、その賃借権の設定を受けている者）又は施行マンションについて配偶者居住権を有する者から賃借権の設定を受けている者に対しては、第一項の規定によりそれぞれ当該施行マンションの区分所有者に与えられることとなる施行再建マンションの部分について、賃借権が与えられるように定めなければならない。ただし、施行マンションの区分所有者が同条第一項の申出をしたときは、前項の規定により施行者に帰属することとなる施行再建マンションの部分について、賃借権が与えられるように定めなければならない。

5　権利変換計画においては、第五十六条第三項の申出をした者を除き、施行マンションについて配偶者居住権の設定を受けている者（その者が賃借

権を設定している場合を除く。）に対しては、第一項の規定により当該施行マンションの区分所有者に与えられることとなる施行再建マンションの部分について、配偶者居住権が与えられるように定めなければならない。ただし、施行マンションの区分所有者が同条第一項の申出をしたときは、第三項の規定により施行者に帰属することとなる施行再建マンションの部分について、配偶者居住権が与えられるように定めなければならない。

6　前項の場合においては、権利変換計画は、施行マンションについて配偶者居住権の設定を受けている者に対し与えられることとなる施行再建マンションの部分についての配偶者居住権の存続期間が当該施行マンションの配偶者居住権の存続期間と同一の期間となるように定めなければならない。

（担保権等の登記に係る権利）

第六十一条　施行マンションの区分所有権又は敷地利用権について担保権等の登記に係る権利が存するときは、権利変換計画においては、当該担保権等の登記に係る権利は、その権利の目的たる施行マンションの区分所有権又は敷地利用権に対応して与えられるものとして定められた施行再建マンションの区分所有権又は敷地利用権の上に存するものとして定めなければならない。

2　前項の場合において、関係権利者間の利害の衡平を図るため必要があるときは、施行者は、当該存するものとして定められる権利につき、これらの者の意見を聴いて、必要な定めをすることができる。

（施行マンションの区分所有権等の価額の算定基準）

第六十二条　第五十八条第一項第三号、第十二号又は第十三号の価額又は減価額は、第五十六条第一項又は第五項（同条第六項の規定により読み替えて適用する場合を含む。）の規定による三十日の期間を経過した日における近傍類似の土地又は近傍同種の建築物に関する同種の権利の取引価格等を考慮して定める相当の価額とする。

（施行再建マンションの区分所有権の価額等の概算額の算定基準）

第六十三条　権利変換計画においては、第五十八条第一項第四号又は第十一号の概算額は、国土交通省令で定めるところにより、マンション建替事業に要する費用及び前条に規定する三十日の期間を経過した日における近傍類似の土地又は近傍同種の建築物に関する同種の権利の取引価格等を考慮して定める相当の価額を基準として定めなければならない。

（権利変換計画に関する総会の議決に賛成しなかった組合員に対する売渡し請求等）

第六十四条　組合において、権利変換計画について総会の議決があったときは、組合は、当該議決があった日から二月以内に、当該議決に賛成しなかった組合員に対し、区分所有権及び敷地利用権を時価で売り渡すべきことを請求することができる。

2　区分所有法第六十三条第七項及び第八項（これらの規定を区分所有法第七十条第四項において準用する場合を含む。以下この項において同じ。）の規定は、前項の規定による請求について準用する。この場合において、区分所有法第六十三条第七項中「第五項」とあるのは、「マンションの建替え等の円滑化に関する法律第六十四条第一項」と読み替えるものとする。

3　組合において、権利変換計画について総会の議決があったときは、当該議決に賛成しなかった組合員は、当該議決があった日から二月以内に、組合に対し、区分所有権及び敷地利用権を時価で買い取るべきことを請求することができる。

（認可の基準）

第六十五条　都道府県知事等は、第五十七条第一項後段の規定による認可の申請があった場合において、次の各号のいずれにも該当すると認めるときは、その認可をしなければならない。

一　申請手続又は権利変換計画の決定手続若しくは内容が法令に違反するものでないこと。

二　施行マンションに建替え決議等があるときは、当該建替え決議等の内容に適合していること。

三　権利変換計画について区分所有権等以外の権利を有する者の同意を得られないことについて正当な理由があり、かつ、同意を得られない者の権利に関し損害を与えないようにするための措置が適切なものであること。

四　区分所有権等以外の権利を有する者を確知することができないことについて過失がないこと。

五　その他基本方針に照らして適切なものであること。

（権利変換計画の変更）

第六十六条　第五十七条第一項後段及び第二項から第四項まで並びに前二条の規定は、権利変換計画を変更する場合（国土交通省令で定める軽微な変更をする場合を除く。）に準用する。この場合において、第六十四条第一項及び第三項中「権利変換計画」とあるのは「権利変換計画の変更」と、同条第二項中「第六十四条第一項」とあるのは「第六十六条において準用する同法第六十四条第一項」と読み替えるものとする。

（審査委員の関与）

第六十七条　施行者は、権利変換計画を定め、又は変更しようとするとき（国土交通省令で定める軽微な変更をしようとする場合を除く。）は、審査委員の過半数の同意を得なければならない。

第三目　権利の変換

（権利変換の処分）

第六十八条　施行者は、権利変換計画若しくはその変更の認可を受けたとき、又は権利変換計画について第六十六条の国土交通省令で定める軽微な変更をしたときは、遅滞なく、国土交通省令で定めるところにより、その旨を公告し、及び関係権利者に関係事項を書面で通知しなければならない。

2　権利変換に関する処分は、前項の通知をすることによって行う。

3　権利変換に関する処分については、行政手続法（平成五年法律第八十八号）第三章の規定は、適用しない。

（権利変換期日等の通知）

第六十九条　施行者は、権利変換計画若しくはその変更（権利変換期日に係るものに限る。以下この条において同じ。）の認可を受けたとき、又は第六十六条の国土交通省令で定める軽微な変更をしたときは、遅滞なく、国土交通省令で定めるところにより、施行マンションの所在地の登記所に、権利変換期日その他国土交通省令で定める事項を通知しなければならない。

（敷地に関する権利の変換等）

第七十条　権利変換期日において、権利変換計画の定めるところに従い、施行マンションの敷地利用権は失われ、施行再建マンションの敷地利用権は新たに当該敷地利用権を与えられるべき者が取得する。

2　権利変換期日において、権利変換計画の定めるところに従い、隣接施行敷地の所有権又は借地権は、失われ、又はその上に施行再建マンションの敷地利用権が設定される。

3　権利変換期日において、権利変換計画の定めるところに従い、保留敷地に関しては、当該保留敷地についての従前の施行マンションの敷地利用権が所有権であるときはその所有権を、借地権であるときはその借地権を、施行者が取得する。

4　施行マンションの敷地及び隣接施行敷地に関する権利で前三項及び第七十三条の規定により権利が変換されることのないものは、権利変換期日以後においても、なお従前の土地に存する。この場合において、権利変換期日前において、これらの権利のうち地役権又は地上権の登記に係る権利が存していた敷地利用権が担保権等の登記に係る権利の目的となっていたときは、権利変換期日以後においても、当該地役権又は地上権の登記に係る権利と当該担保権等の登記に係る権利との順位は、変わらないものとする。

（施行マンションに関する権利の変換）

第七十一条　権利変換期日において、施行マンションは、施行者に帰属し、施行マンションを目的とする区分所有権以外の権利は、この法律に別段の定めがあるものを除き、消滅する。

2　施行再建マンションの区分所有権は、第八十一条の建築工事の完了の公告の日に、権利変換計画の定めるところに従い、新たに施行再建マンションの区分所有権を与えられるべき者が取得する。

3　施行マンションについて借家権を有していた者（その者が更に借家権を設定していたときは、その借家権の設定を受けた者）は、第八十一条の建築工事の完了の公告の日に、権利変換計画の定めるところに従い、施行再建マンションの部分について借家権を取得する。

（区分所有法の規約とみなす部分）

第七十二条　区分所有法第一条に規定する建物の部分若しくは附属の建物で権利変換計画において施行再建マンションの共用部分若しくは区分所有法第六十七条第一項の団地共用部分（以下単に「団地共用部分」という。）と定められたものがあるとき、権利変換計画において定められた施行再建マンションの共用部分若しくは団地共用部分の共有持分が区分所有法第十一条第一項若しくは第十四条第一項から第三項まで（これらの規定を区分所有法第六十七条第三項において準用する場合を含む。）の規定に適合しないとき、又は権利変換計画において定められた施行再建マンションの敷地利用権の割合が区分所有法第二十二条第二項本文の規定に適合しないときは、権利変換計画中その定めをした部分は、それぞれ区分所有法第四条第二項若しくは第六十七条第一項の規定による規約、区分所有法第十一条第二項若しくは第十四条第四項（区分所有法第六十七条第三項において準用する場合を含む。）の規定による規約又は区分所有法第二十二条第二項ただし書の規定による規約とみなす。

（担保権等の移行）
第七三条　施行マンションの区分所有権又は敷地利用権について存する担保権等の登記に係る権利は、権利変換期日以後は、権利変換計画の定めるところに従い、施行再建マンションの区分所有権又は敷地利用権の上に存するものとする。

（権利変換の登記）
第七四条　施行者は、権利変換期日後遅滞なく、施行再建マンションの敷地（保留敷地を含む。）につき、権利変換後の土地に関する権利について必要な登記を申請しなければならない。
2　権利変換期日以後においては、施行再建マンションの敷地（保留敷地を含む。）に関しては、前項の登記がされるまでの間は、他の登記をすることができない。

（補償金）
第七五条　施行者は、次に掲げる者に対し、その補償として、権利変換期日までに、第六十二条の規定により算定した相当の価額に同条に規定する三十日の期間を経過した日から第六十八条第一項の規定による権利変換計画又はその変更に係る公告（以下この条において「権利変換計画公告」という。）の日までの物価の変動に応ずる修正率を乗じて得た額に、当該権利変換計画公告の日から補償金を支払う日までの期間につき権利変換計画で定めるところによる利息を付したものを支払わなければならない。この場合において、その修正率は、国土交通省令で定める方法によって算定するものとする。
一　施行マンションに関する権利又はその敷地利用権を有する者で、この法律の規定により、権利変換期日において当該権利を失い、かつ、当該権利に対応して、施行再建マンションに関する権利又はその敷地利用権を与えられないもの
二　隣接施行敷地の所有権又は借地権を有する者で、この法律の規定により、権利変換期日において当該権利を失い、又は当該権利の上に敷地利用権が設定されることとなるもの

（補償金の供託）
第七六条　施行者は、次の各号のいずれかに該当する場合においては、前条に規定する補償金（利息を含む。以下この款において同じ。）の支払に代えてこれを供託することができる。
一　補償金の提供をした場合において、補償金を受けるべき者がその受領を拒んだとき。
二　補償金を受けるべき者が補償金を受領することができないとき。
三　施行者が補償金を受けるべき者を確知することができないとき。ただし、施行者に過失があるときは、この限りでない。
四　施行者が差押え又は仮差押えにより補償金の払渡しを禁じられたとき。
2　施行者は、第五十八条第二項の場合においては、権利変換計画において存するものとされた権利に係る補償金（併存し得ない二以上の権利が存するものとされた場合においては、それらの権利に対する補償金のうち最高額のもの）の支払に代えてこれを供託しなければならない。
3　施行者は、先取特権、質権若しくは抵当権又は仮登記若しくは買戻しの特約の登記に係る権利（以下「先取特権等」という。）の目的物について補償金を支払うときは、これらの権利者の全てから供託しなくてもよい旨の申出があったときを除き、その補償金を供託しなければならない。
4　前三項の規定による供託は、施行マンションの所在地の供託所にしなければならない。
5　施行者は、第一項から第三項までの規定による供託をしたときは、遅滞なく、その旨を補償金を取得すべき者（その供託が第二項の規定によるものであるときは、争いの当事者）に通知しなければならない。

（物上代位）
第七七条　前条第三項の先取特権、質権又は抵当権を有する者は、同項の規定により供託された補償金に対してその権利を行うことができる。

（差押え又は仮差押えがある場合の措置）
第七八条　差押えに係る権利については、第七十五条の規定にかかわらず、施行者は、権利変換期日までに、同条の規定により支払うべき金額を当該差押えによる配当手続を実施すべき機関に払い渡さなければならない。ただし、強制執行若しくは担保権の実行としての競売（その例による競売を含む。以下単に「競売」という。）による代金の納付又は滞納処分による売却代金の支払があった後においては、この限りでない。
2　前項の規定により配当手続を実施すべき機関が払渡しを受けた金銭は、配当に関しては、強制執行若しくは競売による代金又は滞納処分による売却代金とみなし、その払渡しを受けた時が強制競売又は競売に係る配当要求の終期の到来前であるときは、その時に配当要求の終期が到来したものとみなす。
3　強制競売若しくは競売に係る売却許可決定後代金の納付前又は滞納処分による売却決定後売却代金の支払前に第一項本文の規定による払渡しがあったときは、売却許可決定又は売却決定は、その効力を失う。
4　第一項の規定は、仮差押えの執行に係る権利に対する補償金の払渡しに準用する。
5　施行者に補償金の支払を命ずる判決が確定したときは、その補償金の支払に関しては、第一項の規定による補償金の例による。この場合において、施行者が補償金を配当手続を実施すべき機関に払い渡したときは、補償金の支払を命ずる判決に基づく給付をしたものとみなす。
6　第一項又は前二項の規定による補償金の裁判所への払渡し及びその払渡しがあった場合における強制執行、仮差押えの執行又は競売に関しては、最高裁判所規則で民事執行法（昭和五十四年法律第四号）又は民事保全法（平成元年法律第九十一号）の特例その他必要な事項を、その補償金の裁判所以外の配当手続を実施すべき機関への払渡し及びその払渡しがあった場合における滞納処分に関しては、政令で国税徴収法（昭和三十四年法律第百四十七号）の特例その他必要な事項を定めることができる。

第四目　施行マンション等の明渡し

（占有の継続）
第七九条　権利変換期日において、第七十一条第一項の規定により失った権利に基づき施行マンションを占有していた者及びその承継人は、次条第一項の規定により施行者が通知した明渡しの期限までは、従前の用法に従い、その占有を継続することができる。第七十条第二項の規定により、権利を失い、又は敷地利用権を設定された者及びその承継人についても、同様とする。

（施行マンション等の明渡し）
第八〇条　施行者は、権利変換期日後マンション建替事業に係る工事のため必要があるときは、施行マンション又はその敷地（隣接施行敷地を含む。）を占有している者に対し、期限を定めて、その明渡しを求めることができる。
2　前項の規定による明渡しの期限は、同項の請求をした日の翌日から起算して三十日を経過した後の日でなければならない。
3　第五十八条第三項の規定は、同項の相当の期限を許与された区分所有者に対する第一項の規定による明渡しの期限について準用する。
4　第一項の規定による明渡しの請求があった者は、明渡しの期限までに、施行者に明け渡さなければならない。ただし、第七十五条の補償金の支払を受けるべき者について同条の規定による支払若しくは第七十六条の規定による供託がないとき、第十五条第一項（第三十四条第四項において準用する場合を含む。）若しくは第六十四条第一項（第六十六条において準用する場合を含む。）若しくは区分所有法第六十三条第五項（区分所有法第七十条第四項において準用する場合を含む。）の規定による請求を受けた者について当該請求を行った者による代金の支払若しくは提供がないとき、又は第六十四条第三項（第六十六条において準用する場合を含む。）の規定による請求を行った者について当該請求を受けた者による代金の支払若しくは提供がないときは、この限りでない。

第五目　工事完了等に伴う措置

（建築工事の完了の公告等）
第八一条　施行者は、施行再建マンションの建築工事が完了したときは、速やかに、その旨を、公告するとともに、第七十一条第二項又は第三項の規

定により施行再建マンションに関し権利を取得する者に通知しなければならない。

（施行再建マンションに関する登記）

第八二条　施行者は、施行再建マンションの建築工事が完了したときは、遅滞なく、施行再建マンション及び施行再建マンションに関する権利について必要な登記を申請しなければならない。

2　施行再建マンションに関する権利に関しては、前項の登記がされるまでの間は、他の登記をすることができない。

（借家条件の協議及び裁定）

第八三条　権利変換計画において施行再建マンションの区分所有権が与えられるように定められた者と当該施行再建マンションについて第六十条第四項本文の規定により賃借権が与えられるように定められた者は、家賃その他の借家条件について協議しなければならない。

2　第八十一条の公告の日までに前項の規定による協議が成立しないときは、施行者は、当事者の一方又は双方の申立てにより、審査委員の過半数の同意を得て、次に掲げる事項について裁定することができる。

一　賃借の目的

二　家賃の額、支払期日及び支払方法

三　敷金又は賃借権の設定の対価を支払うべきときは、その額

3　施行者は、前項の規定による裁定をするときは、賃借の目的については賃借部分の構造及び賃借権を有する者の職業を、家賃の額については賃貸人の受けるべき適正な利潤を、その他の事項についてはその地方における一般の慣行を考慮して定めなければならない。

4　第二項の規定による裁定があつたときは、裁定の定めるところにより、当事者間に協議が成立したものとみなす。

5　第二項の裁定に関し必要な手続に関する事項は、国土交通省令で定める。

6　第二項の裁定に不服がある者は、その裁定があつた日から六十日以内に、訴えをもつてその変更を請求することができる。

7　前項の訴えにおいては、当事者の他の一方を被告としなければならない。

（施行再建マンションの区分所有権等の価額等の確定）

第八四条　施行者は、マンション建替事業の工事が完了したときは、速やかに、当該事業に要した費用の額を確定するとともに、政令で定めるところにより、その確定した額及び第六十二条に規定する三十日の期間を経過した日における近傍類似の土地又は近傍同種の建築物に関する同種の権利の取引価格等を考慮して定める相当の価額を基準として、施行再建マンションの区分所有権若しくは敷地利用権を取得した者又はその賃借権を取得した者（施行者の所有する施行再建マンションの部分について第六十条第四項ただし書の規定により賃借権が与えられるように定められたものに限る。）ごとに、施行再建マンションの区分所有権若しくは敷地利用権の価額又は施行者が賃貸する施行再建マンションの部分の家賃の額を確定し、これらの者にその確定した額を通知しなければならない。

（清算）

第八五条　前条の規定により確定した施行再建マンションの区分所有権又は敷地利用権の価額とこれを与えられた者がこれに対応する権利として有していた施行マンションの区分所有権又は敷地利用権の価額とに差額があるときは、施行者は、その差額に相当する金額を徴収し、又は交付しなければならない。

（清算金の供託及び物上代位）

第八六条　前条に規定する施行マンションの区分所有権又は敷地利用権が先取特権等の目的となっていたときは、これらの権利者の全てから供託しなくてもよい旨の申出があったときを除き、施行者は、同条の規定により交付すべき清算金の交付に代えてこれを供託しなければならない。第七十六条第四項及び第五項の規定は、この場合について準用する。

2　前項の先取特権、質権又は抵当権を有していた者は、同項の規定により供託された清算金に対してその権利を行うことができる。

（清算金の徴収）

第八七条　第八十五条の規定により徴収すべき清算金は、権利変換計画で定めるところにより、利子を付して分割して徴収することができる。

2　施行者は、第八十五条の規定により徴収すべき清算金（前項の規定により利子を付したときは、その利子を含む。）を滞納する者があるときは、権利変換計画で定めるところにより、利子を付して徴収することができる。

（先取特権）

第八八条　第八十五条の清算金を徴収する権利を有する施行者は、その納付義務者に与えられる施行再建マンションの区分所有権の上に先取特権を有する。

2　前項の先取特権は、第八十二条第一項の規定による登記の際に清算金の予算額を登記することによってその効力を保存する。ただし、清算金の額がその予算額を超過するときは、その超過額については存在しない。

3　第一項の先取特権は、不動産工事の先取特権とみなし、前項本文の規定に従ってした登記は、民法（明治二十九年法律第八十九号）第三百三十八条第一項前段の規定に従ってした登記とみなす。

（施行者が取得した権利の処分）

第八九条　マンション建替事業により施行者が取得した施行再建マンションの区分所有権及び敷地利用権又は保留敷地に関する権利は、施行マンションの区分所有権若しくは敷地利用権を有していた者又は施行マンションについて借家権を有していた者の居住又は業務の用に供するため特に必要がある場合を除き、原則として、公募により譲渡しなければならない。

第二款　借家権者等の居住の安定の確保に関する施行者等の責務

第九〇条　施行者は、基本方針に従って、施行マンションに居住していた借家権者及び転出区分所有者の居住の安定の確保に努めなければならない。

2　国及び地方公共団体は、基本方針に従って、施行マンションに居住していた借家権者及び転出区分所有者の居住の安定の確保を図るため必要な措置を講ずるよう努めなければならない。

第三款　雑則

（処分、手続等の効力）

第九一条　施行再建マンション若しくはその敷地（隣接施行敷地を含む。）又は施行再建マンションについて権利を有する者の変更があったときは、この法律又はこの法律に基づく定款、規準若しくは規約の規定により従前のこれらの者がした手続その他の行為は、新たにこれらの者となった者がしたものとみなし、従前のこれらの者に対してした処分、手続その他の行為は、新たにこれらの者となった者に対してしたものとみなす。

（代位による分筆又は合筆の登記の申請）

第九二条　施行者は、マンション建替事業の施行のために必要があるときは、所有者に代わって分筆又は合筆の登記を申請することができる。

（不動産登記法の特例）

第九三条　施行マンション及び施行再建マンション並びにこれらの敷地の登記については、政令で、不動産登記法（平成十六年法律第百二十三号）の特例を定めることができる。

（施行者による管理規約の設定）

第九四条　施行者は、政令で定めるところにより、都道府県知事等の認可を受け、施行再建マンション、その敷地及びその附属の建物（マンション建替事業の施行により建築されるものに限る。）の管理又は使用に関する区分所有者相互間の事項につき、管理規約を定めることができる。

2　前項の管理規約は、区分所有法第三十条第一項の規約とみなす。

3　施行者は、政令で定めるところにより、都道府県知事等の認可を受け、施行再建マンションに係る区分所有法第六十六条に規定する土地等又は区分所有法第六十八条第一項各号に掲げる物（附属施設にあっては、マンション建替事業の施行により建設されたものに限る。）の管理又は使用に関する団地建物所有者相互間の事項につき、管理規約を定めることができる。

4　前項の管理規約は、区分所有法第六十六条において準用する区分所有法第三十条第一項の規約とみなす。

（関係簿書の備付け）

第九五条　施行者は、国土交通省令で定めるところにより、マンション建替事業に関する簿書（組合にあっては、組合員名簿を含む。次項において同じ。）をその事務所に備え付けておかなければならない。

2　利害関係者から前項の簿書の閲覧の請求があったときは、施行者は、正当な理由がない限り、これを拒んではならない。

（書類の送付に代わる公告）

第九六条　施行者は、マンション建替事業の施行に関し書類を送付する場合において、送付を受けるべき者がその書類の受領を拒んだとき、又は過失がなくて、その者の住所、居所その他書類を送付すべき場所を確知することができないときは、政令で定めるところにより、その書類の内容を公告

することをもって書類の送付に代えることができる。

2　前項の公告があったときは、その公告の日の翌日から起算して十日を経過した日に当該書類が送付を受けるべき者に到達したものとみなす。

第三節　マンション建替事業の監督等

（報告、勧告等）

第九十七条　都道府県知事又は市町村長は、組合又は個人施行者に対し、その施行するマンション建替事業に関し、この法律（次章を除く。以下この節において同じ。）の施行のため必要な限度において、報告若しくは資料の提出を求め、又はその施行するマンション建替事業の円滑な施行を図るため必要な勧告、助言若しくは援助をすることができる。

2　都道府県知事等は、組合又は個人施行者に対し、マンション建替事業の施行の促進を図るため必要な措置を命ずることができる。

（組合に対する監督）

第九十八条　都道府県知事等は、組合の施行するマンション建替事業につき、その事業又は会計がこの法律若しくはこれに基づく行政庁の処分又は定款、事業計画若しくは権利変換計画に違反すると認めるときその他監督上必要があるときは、その組合の事業又は会計の状況を検査することができる。

2　都道府県知事等は、組合の組合員が総組合員の十分の一以上の同意を得て、その組合の事業又は会計がこの法律若しくはこれに基づく行政庁の処分又は定款、事業計画若しくは権利変換計画に違反する疑いがあることを理由として組合の事業又は会計の状況の検査を請求したときは、その組合の事業又は会計の状況を検査しなければならない。

3　都道府県知事等は、前二項の規定により検査を行った場合において、組合の事業又は会計がこの法律若しくはこれに基づく行政庁の処分又は定款、事業計画若しくは権利変換計画に違反していると認めるときは、組合に対し、その違反を是正するため必要な限度において、組合のした処分の取消し、変更若しくは停止又は組合のした工事の中止若しくは変更その他必要な措置を命ずることができる。

4　都道府県知事等は、組合が前項の規定による命令に従わないとき、又は組合の設立についての認可を受けた者がその認可の公告があった日から起算して三十日を経過してもなお総会を招集しないときは、権利変換期日前に限り、その組合についての設立の認可を取り消すことができる。

5　都道府県知事等は、第二十八条第三項の規定により組合員から総会の招集の請求があった場合において、理事長及び監事が総会を招集しないときは、これらの組合員の申出に基づき、総会を招集しなければならない。第三十一条第四項において準用する第二十八条第三項の規定により総代から総代会の招集の請求があった場合において、理事長及び監事が総代会を招集しないときも、同様とする。

6　都道府県知事等は、第二十三条第一項の規定により組合員から理事又は監事の解任の請求があった場合において、組合がこれを組合員の投票に付さないときは、これらの組合員の申出に基づき、これを組合員の投票に付さなければならない。第三十二条第三項において準用する第二十三条第一項の規定により、組合員から総代の解任の請求があった場合において、組合がこれを組合員の投票に付さないときも、同様とする。

7　都道府県知事等は、組合の組合員が総組合員の十分の一以上の同意を得て、総会若しくは総代会の招集手続若しくは議決の方法又は役員若しくは総代の選挙若しくは解任の投票の方法が、この法律又は定款に違反することを理由として、その議決、選挙、当選又は解任の投票の取消しを請求した場合において、その違反の事実があると認めるときは、その議決、選挙、当選又は解任の投票を取り消すことができる。

（個人施行者に対する監督）

第九十九条　都道府県知事等は、個人施行者の施行するマンション建替事業につき、その事業又は会計がこの法律若しくはこれに基づく行政庁の処分又は規準、規約、事業計画若しくは権利変換計画に違反すると認めるときその他監督上必要があるときは、その事業又は会計の状況を検査し、その結果、違反の事実があると認めるときは、その施行者に対し、その違反を是正するため必要な限度において、その施行者のした処分の取消し、変更若しくは停止又はその施行者のした工事の中止若しくは変更その他必要な措置を命ずることができる。

2　都道府県知事等は、個人施行者が前項の規定による命令に従わないときは、権利変換期日前に限り、その施行者に対するマンション建替事業の施行についての認可を取り消すことができる。

3　都道府県知事等は、前項の規定により認可を取り消したときは、遅滞なく、その旨を公告しなければならない。

4　個人施行者は、前項の公告があるまでは、認可の取消しによるマンション建替事業の廃止をもって第三者に対抗することができない。

（資金の融通等）

第百条　国及び地方公共団体は、施行者に対し、マンション建替事業に必要な資金の融通又はあっせんその他の援助に努めるものとする。

（技術的援助の請求）

第百一条　組合、組合を設立しようとする者、個人施行者又は個人施行者となろうとする者は、国土交通大臣、都道府県知事及び市町村長に対し、マンション建替事業の施行の準備又は施行のために、それぞれマンション建替事業に関し専門的知識を有する職員の技術的援助を求めることができる。

2　都道府県知事及び市町村長は、前項の規定による技術的援助を行うために必要があると認めるときは、マンションの管理の適正化の推進に関する法律第九十一条に規定するマンション管理適正化推進センター（以下「センター」という。）に必要な協力を要請することができる。

第三章　除却する必要のあるマンションに係る特別の措置

第一節　除却の必要性に係る認定等

（除却の必要性に係る認定）

第百二条　マンションの管理者等（区分所有法第二十五条第一項の規定により選任された管理者（管理者がないときは、区分所有法第三十四条の規定による集会（以下「区分所有者集会」という。）において指定された区分所有者）又は区分所有法第四十九条第一項の規定により置かれた理事をいう。第百五条の二において同じ。）は、国土交通省令で定めるところにより、建築基準法（昭和二十五年法律第二百一号）第二条第三十五号に規定する特定行政庁（以下単に「特定行政庁」という。）に対し、当該マンションを除却する必要がある旨の認定を申請することができる。

2　特定行政庁は、前項の規定による申請があった場合において、当該申請に係るマンションが次の各号のいずれかに該当するときは、その旨の認定をするものとする。

一　当該申請に係るマンションが地震に対する安全性に係る建築基準法又はこれに基づく命令若しくは条例の規定に準ずるものとして国土交通大臣が定める基準に適合していないと認められるとき。

二　当該申請に係るマンションが火災に対する安全性に係る建築基準法又はこれに基づく命令若しくは条例の規定に準ずるものとして国土交通大臣が定める基準に適合していないと認められるとき。

三　当該申請に係るマンションが外壁、外装材その他これらに類する建物の部分（第百八条第六項第二号ハ⑴において「外壁等」という。）が剝離し、落下することにより周辺に危害を生ずるおそれがあるものとして国土交通大臣が定める基準に該当すると認められるとき。

四　当該申請に係るマンションが給水、排水その他の配管設備（その改修に関する工事を行うことが著しく困難なものとして国土交通省令で定めるものに限る。）の損傷、腐食その他の劣化により著しく衛生上有害となるおそれがあるものとして国土交通大臣が定める基準に該当すると認められるとき。

五　当該申請に係るマンションが高齢者、障害者等の移動等の円滑化の促進に関する法律（平成十八年法律第九十一号）第十四条第五項に規定する建築物移動等円滑化基準に準ずるものとして国土交通大臣が定める基準に適合していないと認められるとき。

3　第一項の認定をした特定行政庁は、速やかに、国土交通省令で定めるところにより、都道府県知事等（当該特定行政庁である都道府県知事等を除く。）にその旨を通知しなければならない。

（要除却認定マンションの区分所有者の除却の努力）

第百三条　前条第一項の認定を受けたマンション（以下「要除却認定マンション」という。）の区分所有者は、当該要除却認定マンションについて除却を行うよう努めなければならない。

（要除却認定マンションの除却に係る指導及び助言並びに指示等）

第一〇四条　都道府県知事等は、要除却認定マンションの区分所有者に対し、要除却認定マンションの除却について必要な指導及び助言をすることができる。

2　都道府県知事等は、要除却認定マンションの除却が行われていないと認めるときは、要除却認定マンションの区分所有者に対し、必要な指示をすることができる。

3　都道府県知事等は、前項の規定による指示を受けた要除却認定マンションの区分所有者が、正当な理由がなく、その指示に従わなかったときは、その旨を公表することができる。

（容積率の特例）

第一〇五条　その敷地面積が政令で定める規模以上であるマンションのうち、要除却認定マンションに係るマンションの建替えにより新たに建築されるマンションで、特定行政庁が交通上、安全上、防火上及び衛生上支障がなく、かつ、その建ぺい率（建築面積の敷地面積に対する割合をいう。）、容積率（延べ面積の敷地面積に対する割合をいう。以下この項において同じ。）及び各部分の高さについて総合的な配慮がなされていることにより市街地の環境の整備改善に資すると認めて許可したものの容積率は、その許可の範囲内において、建築基準法第五十二条第一項から第九項まで又は第五十七条の二第六項の規定による限度を超えるものとすることができる。

2　建築基準法第四十四条第二項、第九十二条の二、第九十三条第一項及び第二項、第九十四条並びに第九十五条の規定は、前項の規定による許可について準用する。

（独立行政法人都市再生機構の行う調査等業務）

第一〇五条の二　独立行政法人都市再生機構は、独立行政法人都市再生機構法（平成十五年法律第百号）第十一条第一項に規定する業務のほか、第百二条第一項の認定を申請しようとする者又は要除却認定マンションの管理者等からの委託に基づき、マンションの建替え、マンション敷地売却又は敷地分割を行うために必要な調査、調整及び技術の提供の業務を行うことができる。

第二節　マンション敷地売却決議等

（区分所有者集会の特例）

第一〇六条　第百二条第一項の認定（同条第二項第一号から第三号までのいずれかに係るものに限る。以下「特定要除却認定」という。）を受けた場合においては、特定要除却認定を受けたマンション（以下「特定要除却認定マンション」という。）の区分所有者は、この法律及び区分所有法の定めるところにより、区分所有者集会を開くことができる。

（区分所有者集会の招集の通知に関する特例）

第一〇七条　区分所有法第三十五条第一項の通知をする場合において、会議の目的たる事項が次条第一項に規定する決議事項であるときは、その議案の要領をも通知しなければならない。

（マンション敷地売却決議）

第一〇八条　特定要除却認定を受けた場合において、特定要除却認定マンションに係る敷地利用権が数人で有する所有権又は借地権であるときは、区分所有者集会において、区分所有者、議決権及び当該敷地利用権の持分の価格の各五分の四以上の多数で、当該特定要除却認定マンション及びその敷地（当該敷地利用権が借地権であるときは、その借地権）を売却する旨の決議（以下「マンション敷地売却決議」という。）をすることができる。

2　マンション敷地売却決議においては、次に掲げる事項を定めなければならない。

一　買受人（第百二十条第一項の規定により組合（第百十六条に規定する組合をいう。以下この号において同じ。）が設立された場合にあっては、組合から特定要除却認定マンションを買い受ける者）となるべき者の氏名又は名称

二　売却による代金の見込額

三　売却によって各区分所有者が取得することができる金銭（以下「分配金」という。）の額の算定方法に関する事項

3　前項第一号に掲げる者は、次条第一項の認定を受けた者でなければならない。

4　第二項第三号に掲げる事項は、各区分所有者の衡平を害しないように定めなければならない。

5　第一項に規定する決議事項を会議の目的とする区分所有者集会を招集するときは、区分所有法第三十五条第一項の通知は、同項の規定にかかわらず、当該区分所有者集会の会日より少なくとも二月前に発しなければならない。

6　前項に規定する場合において、区分所有法第三十五条第一項の通知をするときは、前条に規定する議案の要領のほか、次に掲げる事項をも通知しなければならない。

一　売却を必要とする理由

二　次に掲げる場合の区分に応じ、それぞれ次に定める事項

イ　特定要除却認定マンションが第百二条第二項第一号に該当する場合　次に掲げる事項

(1)　建築物の耐震改修の促進に関する法律（平成七年法律第百二十三号）第二条第二項に規定する耐震改修（(2)において単に「耐震改修」という。）又はマンションの建替えをしない理由

(2)　耐震改修に要する費用の概算額

ロ　特定要除却認定マンションが第百二条第二項第二号に該当する場合　次に掲げる事項

(1)　火災に対する安全性の向上を目的とした改修又はマンションの建替えをしない理由

(2)　(1)の改修に要する費用の概算額

ハ　特定要除却認定マンションが第百二条第二項第三号に該当する場合　次に掲げる事項

(1)　外壁等の剝離及び落下の防止を目的とした改修又はマンションの建替えをしない理由

(2)　(1)の改修に要する費用の概算額

7　第五項の区分所有者集会を招集した者は、当該区分所有者集会の会日より少なくとも一月前までに、当該招集の際に通知すべき事項について区分所有者に対し説明を行うための説明会を開催しなければならない。

8　区分所有法第三十五条第一項から第四項まで及び第三十六条の規定は、前項の説明会の開催について準用する。この場合において、区分所有法第三十五条第一項ただし書中「伸縮する」とあるのは、「伸長する」と読み替えるものとする。

9　マンション敷地売却決議をした区分所有者集会の議事録には、その決議についての各区分所有者の賛否をも記載し、又は記録しなければならない。

10　区分所有法第六十三条及び第六十四条の規定は、マンション敷地売却決議があった場合について準用する。この場合において、区分所有法第六十三条第一項中「建替えに」とあるのは「マンションの建替え等の円滑化に関する法律（以下「円滑化法」という。）第二条第一項第八号に規定するマンション敷地売却（以下単に「マンション敷地売却」という。）に」と、同条第四項から第六項まで及び区分所有法第六十四条中「建替えに」とあるのは「マンション敷地売却に」と、区分所有法第六十三条第七項中「建物の取壊しの工事に着手しない」とあるのは「円滑化法第百八条第一項に規定するマンション敷地売却決議に基づく売買契約によるマンション（円滑化法第二条第一項第一号に規定するマンションをいう。以下同じ。）及びその敷地（マンションの敷地利用権が円滑化法第二条第一項第二十号に規定する借地権（以下単に「借地権」という。）であるときは、その借地権。以下同じ。）についての権利の移転（円滑化法第百二十条第一項の規定により組合（円滑化法第百十六条に規定する組合をいう。以下同じ。）が設立された場合にあっては、円滑化法第百四十九条の規定による売却マンション（円滑化法第二条第一項第十号に規定する売却マンションをいう。）及びその敷地の組合への帰属。以下「権利の移転等」という。）がない」と、同項ただし書中「建物の取壊しの工事に着手しなかった」とあるのは「権利の移転等がなかった」と、同条第八項中「建物の取壊しの工事の着手」とあるのは「権利の移転等」と、「その着手をしないとき」とあるのは「権利の移転等がないとき」と、区分所有法第六十四条中「建替えを」とあるのは「マンション敷地売却を」と読み替えるものとする。

第三節　買受人

（買受計画の認定）

第一〇九条　マンション敷地売却決議が予定されている特定要除却認定マン

ションについて、マンション敷地売却決議があった場合にこれを買い受けようとする者は、当該特定要除却認定マンションごとに、国土交通省令で定めるところにより、マンション敷地売却決議がされた特定要除却認定マンション（以下「決議特定要除却認定マンション」という。）の買受け及び除却並びに代替建築物の提供等（決議特定要除却認定マンションに代わるべき建築物又はその部分の提供又はあっせんをいう。以下同じ。）に関する計画（以下「買受計画」という。）を作成し、都道府県知事等の認定を申請することができる。

2　買受計画には、次に掲げる事項を記載しなければならない。

一　決議特定要除却認定マンションを買い受けた日から決議特定要除却認定マンションを除却する日までの間における当該決議特定要除却認定マンションの管理に関する事項

二　決議特定要除却認定マンションの買受け及び除却の予定時期

三　決議特定要除却認定マンションの買受け及び除却に関する資金計画

四　代替建築物の提供等に関する計画（次条第三号において「代替建築物提供等計画」という。）

五　決議特定要除却認定マンションを除却した後の土地の利用に関する事項

六　その他国土交通省令で定める事項

（買受計画の認定基準）

第一一〇条　都道府県知事等は、前条第一項の認定の申請があった場合において、次の各号のいずれにも該当すると認めるときは、その認定をするものとする。

一　決議特定要除却認定マンションを買い受けた日から決議特定要除却認定マンションが除却される日までの間に、当該決議特定要除却認定マンションについて新たな権利が設定されないことが確実であること。

二　決議特定要除却認定マンションの買受け及び除却に関する資金計画が当該買受け及び除却を遂行するため適切なものであり、当該決議特定要除却認定マンションが買い受けられ、かつ、除却されることが確実であること。

三　代替建築物提供等計画が当該決議特定要除却認定マンションの区分所有者又は借家権者の要請に係る代替建築物の提供等を確実に遂行するため適切なものであること。

（買受計画の変更）

第一一一条　第百九条第一項の認定を受けた者（以下「認定買受人」という。）は、買受計画の変更（国土交通省令で定める軽微な変更を除く。）をしようとするときは、国土交通省令で定めるところにより、都道府県知事等の認定を受けなければならない。

2　前条の規定は、前項の場合について準用する。

（マンション敷地売却決議の届出）

第一一二条　認定買受人は、マンション敷地売却決議があったときは、遅滞なく、その旨を都道府県知事等に届け出なければならない。

（除却等の実施）

第一一三条　認定買受人は、第百九条第一項の認定を受けた買受計画（第百十一条第一項の変更の認定があったときは、その変更後のもの。以下「認定買受計画」という。）に従い、決議特定要除却認定マンションの買受け及び除却並びに代替建築物の提供等を実施しなければならない。

（報告の徴収等）

第一一四条　都道府県知事等は、認定買受人に対し、認定買受計画に係る決議特定要除却認定マンションの買受け若しくは除却又は代替建築物の提供等の状況について報告を求めることができる。

2　都道府県知事等は、認定買受人が正当な理由がなく認定買受計画に従って決議特定要除却認定マンションの買受け若しくは除却又は代替建築物の提供等を実施していないと認めるときは、当該認定買受人に対して、当該認定買受計画に従ってこれらの措置を実施すべきことを勧告することができる。

3　都道府県知事等は、前項の規定による勧告を受けた認定買受人がその勧告に従わなかったときは、その旨を公表することができる。

第四節　区分所有者等の居住の安定の確保に関する国及び地方公共団体の責務

第一一五条　国及び地方公共団体は、基本方針に従って、決議特定要除却認定マンションに居住していた区分所有者及び借家権者の居住の安定の確保を図るため必要な措置を講ずるよう努めなければならない。

第五節　敷地分割決議等

（団地建物所有者集会の特例）

第一一五条の二　特定要除却認定を受けた場合においては、団地内建物を構成する特定要除却認定マンションの敷地（当該特定要除却認定マンションの敷地利用権が借地権であるときは、その借地権）の共有者である当該団地内建物の団地建物所有者（以下「特定団地建物所有者」という。）は、この法律及び区分所有法の定めるところにより、団地建物所有者集会（区分所有法第六十六条において準用する区分所有法第三十四条の規定による集会であって、当該特定団地建物所有者で構成される区分所有法第六十五条に規定する団体又は区分所有法第六十六条において読み替えて準用する区分所有法第四十七条第二項に規定する団地管理組合法人に係るものをいう。以下同じ。）を開くことができる。

（団地建物所有者集会の招集の通知に関する特例）

第一一五条の三　区分所有法第六十六条において準用する区分所有法第三十五条第一項の通知をする場合において、会議の目的たる事項が次条第一項に規定する決議事項であるときは、その議案の要領をも通知しなければならない。

（敷地分割決議）

第一一五条の四　特定要除却認定を受けた場合においては、団地建物所有者集会において、特定団地建物所有者及び議決権の各五分の四以上の多数で、当該特定団地建物所有者の共有に属する団地内建物の敷地又はその借地権を分割する旨の決議（以下「敷地分割決議」という。）をすることができる。

2　前項の団地建物所有者集会における各特定団地建物所有者の議決権は、区分所有法第六十六条において準用する区分所有法第三十八条の規定にかかわらず、区分所有法第六十六条において準用する区分所有法第三十条第一項の規約に別段の定めがある場合であっても、当該団地内建物の敷地又はその借地権の共有持分の割合によるものとする。

3　敷地分割決議においては、次に掲げる事項を定めなければならない。

一　除却マンション敷地（敷地分割後の特定要除却認定マンション（敷地分割決議に係るものに限る。）の存する敷地をいう。以下同じ。）となるべき土地の区域及び非除却マンション敷地（敷地分割後の除却マンション敷地以外の敷地をいう。以下同じ。）となるべき土地の区域

二　敷地分割後の土地又はその借地権の帰属に関する事項

三　敷地分割後の団地共用部分の共有持分の帰属に関する事項

四　敷地分割に要する費用の概算額

五　前号に規定する費用の分担に関する事項

六　団地内の駐車場、集会所その他の生活に必要な共同利用施設の敷地分割後の管理及び使用に関する事項

4　前項各号（第四号を除く。）に掲げる事項は、各特定団地建物所有者の衡平を害しないように定めなければならない。

5　第一項に規定する決議事項を会議の目的とする団地建物所有者集会を招集するときは、区分所有法第六十六条において準用する区分所有法第三十五条第一項の通知は、同項の規定にかかわらず、当該団地建物所有者集会の会日より少なくとも二月前に発しなければならない。

6　前項に規定する場合において、区分所有法第六十六条において準用する区分所有法第三十五条第一項の通知をするときは、前条に規定する議案の要領のほか、次に掲げる事項をも通知しなければならない。

一　特定要除却認定マンションの除却の実施のために敷地分割を必要とする理由

二　敷地分割後の当該特定要除却認定マンションの除却の実施方法

三　マンションの建替えその他の団地内建物における良好な居住環境を確保するための措置に関する中長期的な計画が定められているときは、当該計画の概要

7　第五項の団地建物所有者集会を招集した者は、当該団地建物所有者集会の会日より少なくとも一月前までに、当該招集の際に通知すべき事項について特定団地建物所有者に対し説明を行うための説明会を開催しなければならない。

8　区分所有法第三十五条第一項から第四項まで及び第三十六条の規定は、前項の説明会の開催について準用する。この場合において、区分所有法第三十五条第一項中「区分所有者」とあるのは「特定団地建物所有者（マンションの建替え等の円滑化に関する法律第百十五条の二に規定する特定団地建物所有者をいう。以下同じ。）」と、同項ただし書中「伸縮する」とあるのは「伸長する」と、同条第二項及び第三項中「専有部分」とあるのは「建物又は専有部分」と、同条第二項中「第四十条」とあるのは「区分所有法第六十六条において準用する区分所有法第四十条」と、同条第三項及び第四項並びに区分所有法第三十六条中「区分所有者」とあるのは「特定団地建物所有者」と、同項中「建物内」とあるのは「団地内」と読み替えるものとする。

9　敷地分割決議をした団地建物所有者集会の議事録には、その決議についての各特定団地建物所有者の賛否をも記載し、又は記録しなければならない。

10　敷地分割決議に賛成した各特定団地建物所有者（その承継人を含む。）は、敷地分割決議の内容により敷地分割を行う旨の合意をしたものとみなす。

第四章　マンション敷地売却事業

第一節　マンション敷地売却組合

第一款　通則

（マンション敷地売却事業の実施）

第百十六条　マンション敷地売却組合（以下この章において「組合」という。）は、マンション敷地売却事業を実施することができる。

（法人格）

第百十七条　組合は、法人とする。

2　一般社団法人及び一般財団法人に関する法律第四条及び第七十八条の規定は、組合について準用する。

（定款）

第百十八条　組合の定款には、次に掲げる事項を記載しなければならない。

一　組合の名称
二　売却マンションの名称及びその所在地
三　事務所の所在地
四　事業に要する経費の分担に関する事項
五　役員の定数、任期、職務の分担並びに選挙及び選任の方法に関する事項
六　総会に関する事項
七　総代会を設けるときは、総代及び総代会に関する事項
八　事業年度
九　公告の方法
十　その他国土交通省令で定める事項

（名称の使用制限）

第百十九条　組合は、その名称中にマンション敷地売却組合という文字を用いなければならない。

2　組合でない者は、その名称中にマンション敷地売却組合という文字を用いてはならない。

第二款　設立等

（設立の認可）

第百二十条　第百八条第十項において読み替えて準用する区分所有法第六十四条の規定によりマンション敷地売却決議の内容によりマンション敷地売却を行う旨の合意をしたものとみなされた者（マンションの区分所有権又は敷地利用権を有する者であってその後に当該マンション敷地売却決議の内容により当該マンション敷地売却を行う旨の同意をしたものを含む。以下「マンション敷地売却合意者」という。）は、五人以上共同して、定款及び資金計画を定め、国土交通省令で定めるところにより、都道府県知事等の認可を受けて組合を設立することができる。

2　前項の規定による認可を申請しようとするマンション敷地売却合意者は、組合の設立について、マンション敷地売却合意者の四分の三以上の同意（同意した者の区分所有法第三十八条の議決権の合計がマンション敷地売却合意者の同条の議決権の合計の四分の三以上であり、かつ、同意した者の敷地利用権の持分の価格の合計がマンション敷地売却合意者の敷地利用権の持分の価格の合計の四分の三以上となる場合に限る。）を得なければならない。

3　前二項の場合において、マンションの一の専有部分が数人の共有に属するときは、その数人を一人のマンション敷地売却合意者とみなす。

（認可の基準）

第百二十一条　都道府県知事等は、前条第一項の規定による認可の申請があった場合において、次の各号のいずれにも該当すると認めるときは、その認可をしなければならない。

一　申請手続が法令に違反するものでないこと。
二　定款又は資金計画の決定手続又は内容が法令に違反するものでないこと。
三　当該マンション敷地売却事業を遂行するために必要な経済的基礎及びこれを的確に遂行するために必要なその他の能力が十分であること。
四　その他基本方針に照らして適切なものであること。

（組合の成立）

第百二十二条　組合は、第百二十条第一項の規定による認可により成立する。

（認可の公告等）

第百二十三条　都道府県知事等は、第百二十条第一項の規定による認可をしたときは、遅滞なく、国土交通省令で定めるところにより、組合の名称、売却マンションの名称及びその所在地その他国土交通省令で定める事項を公告しなければならない。

2　組合は、前項の公告があるまでは、組合の成立又は定款若しくは資金計画をもって、組合員その他の第三者に対抗することができない。

（区分所有権及び敷地利用権の売渡し請求）

第百二十四条　組合は、前条第一項の公告の日（その日が第百八条第十項において準用する区分所有法第六十三条第三項の期間の満了の日前であるときは、当該期間の満了の日）から二月以内に、第百八条第十項において読み替えて準用する区分所有法第六十三条第五項に規定するマンション敷地売却に参加しない旨を回答した区分所有者（その承継人を含み、その後にマンション敷地売却合意者となったものを除く。）に対し、区分所有権及び敷地利用権を時価で売り渡すべきことを請求することができる。マンション敷地売却決議があった後に当該区分所有者から敷地利用権のみを取得した者（その承継人を含み、その後にマンション敷地売却合意者となったものを除く。）の敷地利用権についても、同様とする。

2　前項の規定による請求は、マンション敷地売却決議の日から一年以内にしなければならない。ただし、この期間内に請求することができなかったことに正当な理由があるときは、この限りでない。

3　区分所有法第六十三条第六項から第八項までの規定は、第一項の規定による請求があった場合について準用する。この場合において、同条第六項中「建替えに」とあるのは「マンションの建替え等の円滑化に関する法律（以下「円滑化法」という。）第二条第一項第八号に規定するマンション敷地売却に」と、「建替え決議」とあるのは「円滑化法第百八条第一項に規定するマンション敷地売却決議（以下単に「マンション敷地売却決議」という。）」と、同条第七項中「建替え決議」とあるのは「マンション敷地売却決議」と、「建物の取壊しの工事に着手しない」とあるのは「円滑化法第百四十九条の規定による売却マンション（円滑化法第二条第一項第十号に規定する売却マンションをいう。以下同じ。）及びその敷地（売却マンションの敷地利用権が円滑化法第二条第一項第二十号に規定する借地権（以下単に「借地権」という。）であるときは、その借地権）の円滑化法第百十六条に規定する組合への帰属（以下単に「組合への帰属」という。）がない」と、「第五項」とあるのは「円滑化法第百二十四条第一項」と、同項ただし書中「建物の取壊しの工事に着手しなかつた」とあるのは「組合への帰属がなかつた」と、同条第八項中「建物の取壊しの工事の着手」とあるのは「組合への帰属」と、「その着手をしないとき」とあるのは「組合への帰属がないとき」と読み替えるものとする。

第三款　管理

（組合員）

第百二十五条　売却マンションのマンション敷地売却合意者（その承継人（組合を除く。）を含む。）は、全て組合の組合員とする。

2　マンションの一の専有部分が数人の共有に属するときは、その数人を一人の組合員とみなす。

3　第十八条及び第十九条の規定は、組合の組合員について準用する。この

場合において、第十八条第一項及び第二項中「第九条第一項」とあるのは「第百二十条第一項」と、同条第一項中「第十四条第一項」とあるのは「第百二十三条第一項」と、「並びに建替え合意者等である組合員又は参加組合員の別その他」とあるのは「その他」と、第十九条中「施行マンション」とあるのは「売却マンション」と読み替えるものとする。

（役員）

第一二六条　組合に、役員として、理事三人以上及び監事二人以上を置く。

2　組合に、役員として、理事長一人を置き、理事の互選によりこれを定める。

3　第二十一条から第二十五条まで（同条第一項後段を除く。）の規定は、組合の役員について準用する。この場合において、第二十二条第一項中「三年」とあるのは、「一年」と読み替えるものとする。

（総会の組織）

第一二七条　組合の総会は、総組合員で組織する。

（総会の決議事項）

第一二八条　次に掲げる事項は、総会の議決を経なければならない。

一　定款の変更
二　資金計画の変更
三　借入金の借入れ及びその方法並びに借入金の利率及び償還方法
四　経費の収支予算
五　予算をもって定めるものを除くほか、組合の負担となるべき契約
六　賦課金の額及び賦課徴収の方法
七　分配金取得計画及びその変更
八　組合の解散
九　その他定款で定める事項

（総会の招集及び議事についての規定の準用）

第一二九条　第二十八条の規定は組合の総会の招集について、第二十九条の規定は組合の総会の議事について、それぞれ準用する。この場合において、第二十八条第七項中「第九条第一項」とあるのは「第百二十条第一項」と、第二十九条第三項中「次条」とあるのは「第百三十条」と読み替えるものとする。

（特別の議決）

第一三〇条　第百二十八条第一号に掲げる事項のうち政令で定める重要な事項及び同条第八号に掲げる事項は、組合員の議決権及び敷地利用権の持分の価格の各四分の三以上で決する。

（総代会）

第一三一条　組合員の数が五十人を超える組合は、総会に代わってその権限を行わせるために総代会を設けることができる。

2　総代会は、総代をもって組織するものとし、総代の定数は、組合員の総数の十分の一を下らない範囲内において定款で定める。ただし、組合員の総数が二百人を超える組合にあっては、二十人以上であることをもって足りる。

3　総代会が総会に代わって行う権限は、次の各号のいずれかに該当する事項以外の事項に関する総会の権限とする。

一　理事及び監事の選挙又は選任
二　前条の規定に従って議決しなければならない事項

4　第二十八条第一項から第六項まで及び第八項並びに第二十九条（第三項ただし書を除く。）の規定は組合の総代会について、第三十一条第五項の規定は総代会が設けられた組合について、それぞれ準用する。

（総代）

第一三二条　総代は、定款で定めるところにより、組合員が組合員（法人にあっては、その役員）のうちから選挙する。

2　総代の任期は、一年を超えない範囲内において定款で定める。補欠の総代の任期は、前任者の残任期間とする。

3　第二十一条第二項及び第二十三条の規定は、組合の総代について準用する。この場合において、同項中「前項本文」とあるのは、「第百三十二条第一項」と読み替えるものとする。

（議決権及び選挙権）

第一三三条　組合員及び総代は、定款に特別の定めがある場合を除き、各一個の議決権及び選挙権を有する。

2　組合員は書面又は代理人をもって、総代は書面をもって、議決権及び選挙権を行使することができる。

3　組合員及び総代は、定款で定めるところにより、前項の規定による書面をもってする議決権及び選挙権の行使に代えて、電磁的方法により議決権及び選挙権を行使することができる。

4　組合と特定の組合員との関係について議決をする場合には、その組合員は、議決権を有しない。

5　第二項又は第三項の規定により議決権及び選挙権を行使する者は、第百二十九条及び第百三十一条第四項において準用する第二十九条第一項の規定の適用については、出席者とみなす。

6　代理人は、同時に五人以上の組合員を代理することができない。

7　代理人は、代理権を証する書面を組合に提出しなければならない。

8　前項の場合において、電磁的方法により議決権及び選挙権を行使することが定款で定められているときは、代理人は、当該書面の提出に代えて、当該書面において証すべき事項を当該電磁的方法により提供することができる。この場合において、当該代理人は、当該書面を提出したものとみなす。

（定款又は資金計画の変更）

第一三四条　組合は、定款又は資金計画を変更しようとするときは、国土交通省令で定めるところにより、都道府県知事等の認可を受けなければならない。

2　第百二十一条及び第百二十三条の規定は、前項の規定による認可について準用する。この場合において、同条第二項中「組合の成立又は定款若しくは資金計画」とあるのは「定款又は資金計画の変更」と、「組合員その他の」とあるのは「その変更について第百三十四条第一項の規定による認可があった際に従前から組合員であった者以外の」と読み替えるものとする。

3　組合は、事業に要する経費の分担に関し定款又は資金計画を変更しようとする場合において、マンション敷地売却事業の実施のための借入金があるときは、その変更についてその債権者の同意を得なければならない。

（経費の賦課徴収）

第一三五条　組合は、その事業に要する経費に充てるため、賦課金として組合員に対して金銭を賦課徴収することができる。

2　賦課金の額は、分配金の額の算定方法を考慮して公平に定めなければならない。

3　組合員は、賦課金の納付について、相殺をもって組合に対抗することができない。

4　組合は、組合員が賦課金の納付を怠ったときは、定款で定めるところにより、その組合員に対して過怠金を課することができる。

（審査委員）

第一三六条　組合に、この法律及び定款で定める権限を行わせるため、審査委員三人以上を置く。

2　審査委員は、土地及び建物の権利関係又は評価について特別の知識経験を有し、かつ、公正な判断をすることができる者のうちから総会で選任する。

3　前二項に規定するもののほか、審査委員に関し必要な事項は、政令で定める。

第四款　解散

（解散）

第一三七条　組合は、次に掲げる理由により解散する。

一　設立についての認可の取消し
二　総会の議決
三　事業の完了又はその完了の不能

2　前項第二号の議決は、権利消滅期日前に限り行うことができるものとする。

3　組合は、第一項第二号又は第三号に掲げる理由により解散しようとする場合において、借入金があるときは、解散について債権者の同意を得なければならない。

4　組合は、第一項第二号又は第三号に掲げる理由により解散しようとするときは、国土交通省令で定めるところにより、都道府県知事等の認可を受けなければならない。

5　都道府県知事等は、組合の設立についての認可を取り消したとき、又は前項の規定による認可をしたときは、遅滞なく、その旨を公告しなければならない。

6　組合は、前項の公告があるまでは、解散をもって組合員以外の第三者に

対抗することができない。

（組合の解散及び清算についての規定の準用）

第一三八条　第三十八条の二から第四十三条までの規定は、組合の解散及び清算について準用する。

第五款　税法上の特例

第一三九条　組合は、法人税法その他法人税に関する法令の規定の適用については、同法第二条第六号に規定する公益法人等とみなす。この場合において、同法第三十七条の規定を適用する場合には同条第四項中「公益法人等（」とあるのは「公益法人等（マンション敷地売却組合並びに」と、同法第六十六条の規定を適用する場合には同条第一項中「普通法人」とあるのは「普通法人（マンション敷地売却組合を含む。）」と、同条第二項中「除く」とあるのは「除くものとし、マンション敷地売却組合を含む」と、同条第三項中「公益法人等（」とあるのは「公益法人等（マンション敷地売却組合及び」とする。

２　組合は、消費税法その他消費税に関する法令の規定の適用については、同法別表第三に掲げる法人とみなす。

第二節　分配金取得手続等

第一款　分配金取得手続

第一目　分配金取得手続開始の登記

第一四〇条　組合は、第百二十三条第一項の公告があったときは、遅滞なく、登記所に、売却マンションの区分所有権及び敷地利用権（既登記のものに限る。）について、分配金取得手続開始の登記を申請しなければならない。

２　前項の登記があった後においては、組合員は、当該登記に係る売却マンションの区分所有権又は敷地利用権を処分するときは、国土交通省令で定めるところにより、組合の承認を得なければならない。

３　組合は、事業の遂行に重大な支障が生ずることその他正当な理由がなければ、前項の承認を拒むことができない。

４　第二項の承認を得ないでした処分は、組合に対抗することができない。

５　権利消滅期日前において第百三十七条第五項の公告があったときは、組合の清算人は、遅滞なく、登記所に、分配金取得手続開始の登記の抹消を申請しなければならない。

第二目　分配金取得計画

（分配金取得計画の決定及び認可）

第一四一条　組合は、第百二十三条第一項の公告後、遅滞なく、分配金取得計画を定めなければならない。この場合においては、国土交通省令で定めるところにより、都道府県知事等の認可を受けなければならない。

２　組合は、前項後段の規定による認可を申請しようとするときは、分配金取得計画について、あらかじめ、総会の議決を経るとともに、売却マンションの敷地利用権が賃借権であるときは、売却マンションの敷地の所有権を有する者の同意を得なければならない。ただし、その所有権をもって組合に対抗することができない者については、この限りでない。

（分配金取得計画の内容）

第一四二条　分配金取得計画においては、国土交通省令で定めるところにより、次に掲げる事項を定めなければならない。

一　組合員の氏名又は名称及び住所

二　組合員が売却マンションについて有する区分所有権又は敷地利用権

三　組合員が取得することとなる分配金の価額

四　売却マンション又はその敷地に関する権利（組合員の有する区分所有権及び敷地利用権を除く。）を有する者で、この法律の規定により、権利消滅期日において当該権利を失うものの氏名又は名称及び住所、失われる売却マンション又はその敷地について有する権利並びにその価額

五　第百五十五条の規定による売却マンション又はその敷地の明渡しにより前号に掲げる者（売却マンション又はその敷地を占有している者に限る。）が受ける損失の額

六　補償金の支払に係る利子又はその決定方法

七　権利消滅期日

八　その他国土交通省令で定める事項

２　売却マンションに関する権利又はその敷地利用権に関して争いがある場合において、その権利の存否又は帰属が確定しないときは、当該権利が存するものとして、又は当該権利が現在の名義人（当該名義人に対して第百八条第十項において準用する区分所有法第六十三条第五項又は第百二十四条第一項の規定による請求があった場合においては、当該請求をした者）に属するものとして分配金取得計画を定めなければならない。

（分配金等の価額の算定基準）

第一四三条　前条第一項第三号の価額は、第百八条第二項第三号の算定方法により算定した価額とする。

２　前条第一項第四号の価額は、第百二十三条第一項の公告の日における近傍類似の土地又は近傍同種の建築物に関する同種の権利の取引価格その他の当該価額の算定の基礎となる事項を考慮して定める相当の価額とする。

３　前条第一項第五号の額は、第百五十五条の規定による売却マンション又はその敷地の明渡しにより同号に掲げる者が通常受ける損失として政令で定める額とする。

（認可の基準）

第一四四条　都道府県知事等は、第百四十一条第一項後段の規定による認可の申請があった場合において、次の各号のいずれにも該当すると認めるときは、その認可をしなければならない。

一　申請手続又は分配金取得計画の決定手続若しくは内容が法令に違反するものでないこと。

二　マンション敷地売却決議の内容に適合していること。

三　売却マンションの区分所有権又は敷地利用権について先取特権等を有する者の権利を不当に害するものでないこと。

四　その他基本方針に照らして適切なものであること。

（分配金取得計画の変更）

第一四五条　第百四十一条第一項後段及び第二項並びに前条の規定は、分配金取得計画を変更する場合（国土交通省令で定める軽微な変更をする場合を除く。）に準用する。

（審査委員の関与）

第一四六条　組合は、分配金取得計画を定め、又は変更しようとするとき（国土交通省令で定める軽微な変更をしようとする場合を除く。）は、審査委員の過半数の同意を得なければならない。

第三目　分配金の取得等

（分配金取得計画に基づく組合の処分）

第一四七条　組合は、分配金取得計画若しくはその変更の認可を受けたとき、又は分配金取得計画について第百四十五条の国土交通省令で定める軽微な変更をしたときは、遅滞なく、国土交通省令で定めるところにより、その旨を公告し、及び関係権利者に関係事項を書面で通知しなければならない。

２　分配金取得計画に基づく組合の処分は、前項の通知をすることによって行う。

３　分配金取得計画に基づく組合の処分については、行政手続法第三章の規定は、適用しない。

（権利消滅期日等の通知）

第一四八条　組合は、分配金取得計画若しくはその変更（権利消滅期日に係るものに限る。以下この条において同じ。）の認可を受けたとき、又は第百四十五条の国土交通省令で定める軽微な変更をしたときは、遅滞なく、国土交通省令で定めるところにより、売却マンションの所在地の登記所に、権利消滅期日その他国土交通省令で定める事項を通知しなければならない。

（権利消滅期日における権利の帰属等）

第一四九条　権利消滅期日において、売却マンションは、組合に帰属し、区分所有法第一条に規定する建物の各部分を所有権の目的としない建物となり、売却マンションを目的とする所有権以外の権利は、消滅する。

２　権利消滅期日において、売却マンションの敷地利用権は、組合に帰属し、売却マンションの敷地利用権が所有権であるときは当該所有権に係る敷地を目的とする所有権、地役権及び地上権以外の権利、売却マンションの敷地利用権が借地権であるときは当該借地権を目的とする権利は、消滅する。

（権利売却の登記）

第一五〇条　組合は、権利消滅期日後遅滞なく、売却マンション及びその敷地に関する権利について必要な登記を申請しなければならない。

２　権利消滅期日以後においては、売却マンション及びその敷地に関しては、前項の登記がされるまでの間は、他の登記をすることができない。

（分配金）

第一五一条　組合は、組合員に対し、権利消滅期日までに、第百四十二条第一項第三号の分配金を支払わなければならない。

（分配金の供託等についての規定の準用）

第一五二条　第七十六条第一項及び第三項から第五項までの規定は前条に規定する分配金の支払に代えて行う供託について、第七十七条の規定は供託された分配金について、第七十八条の規定は組合員の有する区分所有権又は敷地利用権について差押え又は仮差押えがある場合における分配金について、それぞれ準用する。この場合において、第七十六条第一項中「施行者は」とあるのは「第百十六条に規定する組合（以下単に「組合」という。）は」と、同項第三号及び第四号、同条第三項及び第五項並びに第七十八条第一項及び第五項中「施行者」とあるのは「組合」と、第七十六条第三項中「先取特権」とあるのは「組合員の有する区分所有権又は敷地利用権が、先取特権」と、「目的物について」とあるのは「目的となっている場合において、」と、「権利者」とあるのは「先取特権等を有する者」と、同条第四項中「前三項」とあり、及び同条第五項中「第一項から第三項まで」とあるのは「第一項及び第三項」と、同条第四項中「施行マンション」とあるのは「売却マンション」と、同条第五項中「取得すべき者（その供託が第二項の規定によるものであるときは、争いの当事者）」とあるのは「取得すべき者」と、第七十八条第一項中「第七十五条」とあるのは「第百五十一条」と、「権利変換期日」とあるのは「権利消滅期日」と読み替えるものとする。

（補償金）

第一五三条　組合は、売却マンション又はその敷地に関する権利（組合員の有する区分所有権及び敷地利用権を除く。）を有する者で、この法律の規定により、権利消滅期日において当該権利を失うものに対し、その補償として、権利消滅期日までに、第百四十二条第一項第四号の価額（売却マンション又はその敷地を占有している者にあっては、当該価額と同項第五号の額の合計額）に第百二十三条第一項の公告の日から第百四十七条第一項の規定による分配金取得計画又はその変更に係る公告（以下「分配金取得計画公告」という。）の日までの物価の変動に応ずる修正率を乗じて得た額に、当該分配金取得計画公告の日から補償金を支払う日までの期間につき分配金取得計画で定めるところによる利息を付したものを支払わなければならない。この場合において、その修正率は、国土交通省令で定める方法によって算定するものとする。

（補償金の供託等についての規定の準用）

第一五四条　第七十六条の規定は前条に規定する補償金（利息を含む。以下この款において同じ。）の支払に代えて行う供託について、第七十七条の規定は供託された補償金について、第七十八条の規定は補償金の支払の対象となる権利について差押え又は仮差押えがある場合について、それぞれ準用する。この場合において、第七十六条第一項中「施行者は」とあるのは「第百十六条に規定する組合（以下単に「組合」という。）は」と、同項第三号及び第四号、同条第二項、第三項及び第五項並びに第七十八条第一項及び第五項中「施行者」とあるのは「組合」と、第七十六条第二項中「第五十八条第二項」とあるのは「第百四十二条第二項」と、「権利変換計画」とあるのは「分配金取得計画」と、同条第四項中「施行マンション」とあるのは「売却マンション」と、第七十八条第一項中「第七十五条」とあるのは「第百五十三条」と、「権利変換期日」とあるのは「権利消滅期日」と読み替えるものとする。

第四目　売却マンション等の明渡し

第一五五条　売却マンション又はその敷地を占有している者は、権利消滅期日（第百八条第十項及び第百二十四条第三項において準用する区分所有法第六十三条第六項の規定により、裁判所から建物の明渡しにつき相当の期限を許与された区分所有者にあっては、当該期限の日）までに、組合に売却マンション又はその敷地を明け渡さなければならない。ただし、分配金取得計画公告の日の翌日から起算して三十日を経過していないとき、分配金の支払を受けるべき者について第百五十一条の規定による支払若しくは第百五十二条において準用する第七十六条の規定による供託がないとき、第百五十三条の補償金の支払を受けるべき者について同条の規定による支払若しくは前条において準用する第七十六条の規定による供託がないとき又は第百八条第十項において準用する区分所有法第六十三条第五項若しくは第百二十四条第一項の規定による請求を受けた者について当該請求を行った者による代金の支払若しくは提供がないときは、この限りでない。

第二款　雑則

（処分、手続等の効力）

第一五六条　売却マンション又はその敷地について権利を有する者の変更があったときは、この法律又はこの法律に基づく定款の規定により従前のこれらの者がした手続その他の行為は、新たにこれらの者となった者がしたものとみなし、従前のこれらの者に対してした処分、手続その他の行為は、新たにこれらの者となった者に対してしたものとみなす。

（不動産登記法の特例）

第一五七条　売却マンション及びその敷地の登記については、政令で、不動産登記法の特例を定めることができる。

（関係簿書の備付け）

第一五八条　組合は、国土交通省令で定めるところにより、マンション敷地売却事業に関する簿書（組合員名簿を含む。次項において同じ。）をその事務所に備え付けておかなければならない。

2　利害関係者から前項の簿書の閲覧の請求があったときは、組合は、正当な理由がない限り、これを拒んではならない。

（書類の送付に代わる公告）

第一五九条　組合は、マンション敷地売却事業の実施に関し書類を送付する場合において、送付を受けるべき者がその書類の受領を拒んだとき、又は過失がなくて、その者の住所、居所その他書類を送付すべき場所を確知することができないときは、政令で定めるところにより、その書類の内容を公告することをもって書類の送付に代えることができる。

2　前項の公告があったときは、その公告の日の翌日から起算して十日を経過した日に当該書類が送付を受けるべき者に到達したものとみなす。

第三節　マンション敷地売却事業の監督等

（組合に対する報告、勧告等）

第一六〇条　都道府県知事等は、組合に対し、その実施するマンション敷地売却事業に関し、この法律の施行のため必要な限度において、報告若しくは資料の提出を求め、又はその実施するマンション敷地売却事業の円滑な実施を図るため必要な勧告、助言若しくは援助をすることができる。

2　都道府県知事等は、組合に対し、マンション敷地売却事業の促進を図るため必要な措置を命ずることができる。

（組合に対する監督）

第一六一条　都道府県知事等は、組合の実施するマンション敷地売却事業につき、その事業又は会計がこの法律若しくはこれに基づく行政庁の処分又は定款、資金計画若しくは分配金取得計画に違反すると認めるときその他監督上必要があるときは、その組合の事業又は会計の状況を検査することができる。

2　都道府県知事等は、組合の組合員が総組合員の十分の一以上の同意を得て、その組合の事業又は会計がこの法律若しくはこれに基づく行政庁の処分又は定款、資金計画若しくは分配金取得計画に違反する疑いがあることを理由として組合の事業又は会計の状況の検査を請求したときは、その組合の事業又は会計の状況を検査しなければならない。

3　都道府県知事等は、前二項の規定により検査を行った場合において、組合の事業又は会計がこの法律若しくはこれに基づく行政庁の処分又は定款、資金計画若しくは分配金取得計画に違反していると認めるときは、組合に対し、その違反を是正するため必要な限度において、組合のした処分の取消し、変更又は停止その他必要な措置を命ずることができる。

4　都道府県知事等は、組合が前項の規定による命令に従わないとき、又は組合の設立についての認可を受けた者がその認可の公告があった日から起算して三十日を経過してもなお総会を招集しないときは、権利消滅期日前に限り、その組合についての設立の認可を取り消すことができる。

5　都道府県知事等は、第百二十九条において準用する第二十八条第三項の規定により組合員から総会の招集の請求があった場合において、理事長及び監事が総会を招集しないときは、これらの組合員の申出に基づき、総会を招集しなければならない。第百三十一条第四項において準用する第二十八条第三項の規定により総代から総代会の招集の請求があった場合において、理事長及び監事が総代会を招集しないときも、同様とする。

6　都道府県知事等は、第百二十六条第三項において準用する第二十三条第一項の規定により組合員から理事又は監事の解任の請求があった場合において、組合がこれを組合員の投票に付さないときは、これらの組合員の申出に基づき、これを組合員の投票に付さなければならない。第百三十二条第三項において準用する第二十三条第一項の規定により、組合員から総代の解任の請求があった場合において、組合がこれを組合員の投票に付さないときも、同様とする。

7　都道府県知事等は、組合の組合員が総組合員の十分の一以上の同意を得て、総会若しくは総代会の招集手続若しくは議決の方法又は役員若しくは総代の選挙若しくは解任の投票の方法が、この法律又は定款に違反することを理由として、その議決、選挙、当選又は解任の投票の取消しを請求した場合において、その違反の事実があると認めるときは、その議決、選挙、当選又は解任の投票を取り消すことができる。

（資金の融通等）

第一六二条　国及び地方公共団体は、組合に対し、マンション敷地売却事業に必要な資金の融通又はあっせんその他の援助に努めるものとする。

（技術的援助の請求）

第一六三条　組合又は組合を設立しようとする者は、国土交通大臣及び都道府県知事等に対し、マンション敷地売却事業の実施の準備又は実施のために、マンション敷地売却事業に関し専門的知識を有する職員の技術的援助を求めることができる。

2　都道府県知事等は、前項の規定による技術的援助を行うために必要があると認めるときは、センターに必要な協力を要請することができる。

第五章　敷地分割事業

第一節　敷地分割組合

第一款　通則

（敷地分割事業の実施）

第一六四条　敷地分割組合（以下この章において「組合」という。）は、敷地分割事業を実施することができる。

（法人格）

第一六五条　組合は、法人とする。

2　一般社団法人及び一般財団法人に関する法律第四条及び第七十八条の規定は、組合について準用する。

（定款）

第一六六条　組合の定款には、次に掲げる事項を記載しなければならない。

一　組合の名称

二　分割実施敷地に係る団地の名称及びその所在地

三　事務所の所在地

四　事業に要する経費の分担に関する事項

五　役員の定数、任期、職務の分担並びに選挙及び選任の方法に関する事項

六　総会に関する事項

七　総代会を設けるときは、総代及び総代会に関する事項

八　事業年度

九　公告の方法

十　その他国土交通省令で定める事項

（名称の使用制限）

第一六七条　組合は、その名称中に敷地分割組合という文字を用いなければならない。

2　組合でない者は、その名称中に敷地分割組合という文字を用いてはならない。

第二款　設立等

（設立の認可）

第一六八条　第百十五条の四第十項の規定により敷地分割決議の内容により敷地分割を行う旨の合意をしたものとみなされた者（特定団地建物所有者であってその後に当該敷地分割決議の内容により当該敷地分割を行う旨の同意をしたものを含む。以下「敷地分割合意者」という。）は、五人以上共同して、定款及び事業計画を定め、国土交通省令で定めるところにより、都道府県知事等の認可を受けて組合を設立することができる。

2　前項の規定による認可を申請しようとする敷地分割合意者は、組合の設立について、敷地分割合意者の四分の三以上の同意（同意した者の第百十五条の四第二項の議決権の合計が敷地分割合意者の同項の議決権の合計の四分の三以上となる場合に限る。）を得なければならない。

3　前二項の場合において、団地内建物の敷地に現に存する一の建物（専有部分のある建物にあっては、一の専有部分）が数人の共有に属するときは、その数人を一人の敷地分割合意者とみなす。

（事業計画）

第一六九条　事業計画においては、国土交通省令で定めるところにより、団地内建物の状況、分割実施敷地の区域、敷地分割の概要、除却マンション敷地及び非除却マンション敷地の区域、事業実施期間、資金計画その他国土交通省令で定める事項を記載しなければならない。

2　事業計画は、敷地分割決議の内容に適合したものでなければならない。

（事業計画の縦覧及び意見書の処理）

第一七〇条　第百六十八条第一項の規定による認可の申請があった場合において、分割実施敷地となるべき土地の所在地が市の区域内にあるときは、当該市の長は当該事業計画を二週間公衆の縦覧に供し、当該土地の所在地が町村の区域内にあるときは、都道府県知事は当該町村の長に当該事業計画を二週間公衆の縦覧に供させなければならない。ただし、当該申請に関し明らかに次条各号のいずれかに該当しない事実があり、認可すべきでないと認めるときは、この限りでない。

2　分割実施敷地となるべき土地について権利を有する者は、前項の規定により縦覧に供された事業計画について意見があるときは、縦覧期間満了の日の翌日から起算して二週間を経過する日までに、都道府県知事等に意見書を提出することができる。

3　都道府県知事等は、前項の規定により意見書の提出があったときは、その内容を審査し、その意見書に係る意見を採択すべきであると認めるときは事業計画に必要な修正を加えるべきことを命じ、その意見書に係る意見を採択すべきでないと認めるときはその旨を意見書を提出した者に通知しなければならない。

4　前項の規定による意見書の内容の審査については、行政不服審査法第二章第三節（第二十九条、第三十条、第三十二条第二項、第三十八条、第四十条、第四十一条第三項及び第四十二条を除く。）の規定を準用する。この場合において、同法第二十八条中「審理員」とあるのは「都道府県知事等（マンションの建替え等の円滑化に関する法律第九条第一項に規定する都道府県知事等をいう。以下同じ。）」と、同法第三十一条、第三十二条第三項、第三十三条から第三十七条まで、第三十九条並びに第四十一条第一項及び第二項中「審理員」とあるのは「都道府県知事等」と読み替えるものとする。

5　第百六十八条第一項の規定による認可を申請した者が、第三項の規定により事業計画に修正を加え、その旨を都道府県知事等に申告したときは、その修正に係る部分について、更にこの条に規定する手続を行うべきものとする。

（認可の基準）

第一七一条　都道府県知事等は、第百六十八条第一項の規定による認可の申請があった場合において、次の各号のいずれにも該当すると認めるときは、その認可をしなければならない。

一　申請手続が法令に違反するものでないこと。

二　定款又は事業計画の決定手続又は内容が法令（事業計画の内容にあっては、前条第三項に規定する都道府県知事等の命令を含む。）に違反するものでないこと。

三　敷地分割が特定要除却認定マンションの除却のために必要であること。

四　除却マンション敷地となるべき土地と非除却マンション敷地となるべき土地との境界線上に建物が存しないこと。

五　事業実施期間が適切なものであること。

六　当該敷地分割事業を遂行するために必要な経済的基礎及びこれを的確に遂行するために必要なその他の能力が十分であること。

七　その他基本方針に照らして適切なものであること。

（組合の成立）

第一七二条　組合は、第百六十八条第一項の規定による認可により成立する。

（認可の公告等）

第一七三条　都道府県知事等は、第百六十八条第一項の規定による認可をしたときは、遅滞なく、国土交通省令で定めるところにより、組合の名称、

分割実施敷地に係る団地の名称、分割実施敷地の区域、事業実施期間その他国土交通省令で定める事項を公告し、かつ、関係市町村長に分割実施敷地に係る団地の名称、分割実施敷地の区域その他国土交通省令で定める事項を表示する図書を送付しなければならない。

2　組合は、前項の公告があるまでは、組合の成立又は定款若しくは事業計画をもって、組合員その他の第三者に対抗することができない。

第三款　管理

（組合員）

第一七四条　分割実施敷地に現に存する団地内建物の特定団地建物所有者（その承継人（組合を除く。）を含む。）は、全て組合の組合員とする。

2　分割実施敷地に現に存する一の建物（専有部分のある建物にあっては、一の専有部分）が数人の共有に属するときは、その数人を一人の組合員とみなす。

3　第十八条及び第十九条の規定は、組合の組合員について準用する。この場合において、第十八条第一項及び第二項中「第九条第一項」とあるのは「第百六十八条第一項」と、同条第一項中「第十四条第一項」とあるのは「第百七十三条第一項」と、「並びに建替え合意者等である組合員又は参加組合員の別その他」とあるのは「その他」と、第十九条中「施行マンション」とあるのは「分割実施敷地」と、「有する区分所有権又は敷地利用権」とあるのは「有する分割実施敷地持分（第百七十九条に規定する分割実施敷地持分をいう。以下この条において同じ。）」と、「その区分所有権又は敷地利用権」とあるのは「その分割実施敷地持分」と読み替えるものとする。

（役員）

第一七五条　組合に、役員として、理事三人以上及び監事二人以上を置く。

2　組合に、役員として、理事長一人を置き、理事の互選によりこれを定める。

3　第二十一条から第二十五条まで（同条第一項後段を除く。）の規定は、組合の役員について準用する。

（総会の組織）

第一七六条　組合の総会は、総組合員で組織する。

（総会の決議事項）

第一七七条　次に掲げる事項は、総会の議決を経なければならない。

一　定款の変更
二　事業計画の変更
三　借入金の借入れ及びその方法並びに借入金の利率及び償還方法
四　経費の収支予算
五　予算をもって定めるものを除くほか、組合の負担となるべき契約
六　賦課金の額及び賦課徴収の方法
七　敷地権利変換計画及びその変更
八　組合の解散
九　その他定款で定める事項

（総会の招集及び議事についての規定の準用）

第一七八条　第二十八条の規定は組合の総会の招集について、第二十九条の規定は組合の総会の議事について、それぞれ準用する。この場合において、第二十八条第七項中「第九条第一項」とあるのは「第百六十八条第一項」と、第二十九条第三項中「次条」とあるのは「第百七十九条」と読み替えるものとする。

（特別の議決）

第一七九条　第百七十七条第一号及び第二号に掲げる事項のうち政令で定める重要な事項並びに同条第八号に掲げる事項は、組合員の議決権及び分割実施敷地持分（分割実施敷地に存する建物（専有部分のある建物にあっては、専有部分）を所有するための当該分割実施敷地の所有権又は借地権の共有持分をいう。以下同じ。）の割合の各四分の三以上で決する。

（総代会）

第一八〇条　組合員の数が五十人を超える組合は、総会に代わってその権限を行わせるために総代会を設けることができる。

2　総代会は、総代をもって組織するものとし、総代の定数は、組合員の総数の十分の一を下らない範囲内において定款で定める。ただし、組合員の総数が二百人を超える組合にあっては、二十人以上であることをもって足りる。

3　総代会が総会に代わって行う権限は、次の各号のいずれかに該当する事項以外の事項に関する総会の権限とする。

一　理事及び監事の選挙又は選任
二　前条の規定に従って議決しなければならない事項

4　第二十八条第一項から第六項まで及び第八項並びに第二十九条（第三項ただし書を除く。）の規定は組合の総代会について、第三十一条第五項の規定は総代会が設けられた組合について、それぞれ準用する。

（総代）

第一八一条　総代は、定款で定めるところにより、組合員が組合員（法人にあっては、その役員）のうちから選挙する。

2　総代の任期は、三年を超えない範囲内において定款で定める。補欠の総代の任期は、前任者の残任期間とする。

3　第二十一条第二項及び第二十三条の規定は、組合の総代について準用する。この場合において、同項中「前項本文」とあるのは、「第百八十一条第一項」と読み替えるものとする。

（議決権及び選挙権）

第一八二条　組合員及び総代は、定款に特別の定めがある場合を除き、各一個の議決権及び選挙権を有する。

2　組合員は書面又は代理人をもって、総代は書面をもって、議決権及び選挙権を行使することができる。

3　組合員及び総代は、定款で定めるところにより、前項の規定による書面をもってする議決権及び選挙権の行使に代えて、電磁的方法により議決権及び選挙権を行使することができる。

4　組合と特定の組合員との関係について議決をする場合には、その組合員は、議決権を有しない。

5　第二項又は第三項の規定により議決権及び選挙権を行使する者は、第百七十八条及び第百八十条第四項において準用する第二十九条第一項の規定の適用については、出席者とみなす。

6　代理人は、同時に五人以上の組合員を代理することができない。

7　代理人は、代理権を証する書面を組合に提出しなければならない。

8　前項の場合において、電磁的方法により議決権及び選挙権を行使することが定款で定められているときは、代理人は、当該書面の提出に代えて、当該書面において証すべき事項を当該電磁的方法により提供することができる。この場合において、当該代理人は、当該書面を提出したものとみなす。

（定款又は事業計画の変更）

第一八三条　組合は、定款又は事業計画を変更しようとするときは、国土交通省令で定めるところにより、都道府県知事等の認可を受けなければならない。

2　第百七十条の規定は事業計画の変更（国土交通省令で定める軽微な変更を除く。）の認可の申請があった場合について、第百七十一条及び第百七十三条の規定は前項の規定による認可について、それぞれ準用する。この場合において、同条第二項中「組合の成立又は定款若しくは事業計画」とあるのは「定款又は事業計画の変更」と、「組合員その他の」とあるのは「その変更について第百八十三条第一項の規定による認可があった際に従前から組合員であった者以外の」と読み替えるものとする。

3　組合は、事業に要する経費の分担に関し定款又は事業計画を変更しようとする場合において、敷地分割事業の実施のための借入金があるときは、その変更についてその債権者の同意を得なければならない。

（経費の賦課徴収）

第一八四条　組合は、その事業に要する経費に充てるため、賦課金として組合員に対して金銭を賦課徴収することができる。

2　賦課金の額は、組合員の有する建物の位置若しくは床面積又は分割実施敷地持分の割合等を考慮して公平に定めなければならない。

3　組合員は、賦課金の納付について、相殺をもって組合に対抗することができない。

4　組合は、組合員が賦課金の納付を怠ったときは、定款で定めるところにより、その組合員に対して過怠金を課することができる。

（審査委員）

第一八五条　組合に、この法律及び定款で定める権限を行わせるため、審査委員三人以上を置く。

2　審査委員は、土地及び建物の権利関係又は評価について特別の知識経験を有し、かつ、公正な判断をすることができる者のうちから総会で選任する。

3　前二項に規定するもののほか、審査委員に関し必要な事項は、政令で定

める。

第四款 解散

（解散）

第一八六条 組合は、次に掲げる理由により解散する。

一 設立についての認可の取消し

二 総会の議決

三 事業の完了又はその完了の不能

2 前項第二号の議決は、敷地権利変換期日前に限り行うことができるものとする。

3 組合は、第一項第二号又は第三号に掲げる理由により解散しようとする場合において、借入金があるときは、解散について債権者の同意を得なければならない。

4 組合は、第一項第二号又は第三号に掲げる理由により解散しようとするときは、国土交通省令で定めるところにより、都道府県知事等の認可を受けなければならない。

5 都道府県知事等は、組合の設立についての認可を取り消したとき、又は前項の規定による認可をしたときは、遅滞なく、その旨を公告しなければならない。

6 組合は、前項の公告があるまでは、解散をもって組合員以外の第三者に対抗することができない。

（組合の解散及び清算についての規定の準用）

第一八七条 第三十八条の二から第四十三条までの規定は、組合の解散及び清算について準用する。

第五款 税法上の特例

第一八八条 組合は、法人税法その他法人税に関する法令の規定の適用については、同法第二条第六号に規定する公益法人等とみなす。この場合において、同法第三十七条の規定を適用する場合には同条第四項中「公益法人等（」とあるのは「公益法人等（敷地分割組合並びに」と、同法第六十六条の規定を適用する場合には同条第一項中「普通法人」とあるのは「普通法人（敷地分割組合を含む。）」と、同条第二項中「除く」とあるのは「除くものとし、敷地分割組合を含む」と、同条第三項中「公益法人等（」とあるのは「公益法人等（敷地分割組合及び」とする。

2 組合は、消費税法その他消費税に関する法令の規定の適用については、同法別表第三に掲げる法人とみなす。

第二節 敷地権利変換手続等

第一款 敷地権利変換手続

第一目 手続の開始

第一八九条 組合は、第百七十三条第一項の公告があったときは、遅滞なく、登記所に、分割実施敷地に現に存する団地内建物の所有権（専有部分のある建物にあっては、区分所有権。次項において同じ。）及び分割実施敷地持分（既登記のものに限る。次項において同じ。）について、敷地権利変換手続開始の登記を申請しなければならない。

2 前項の登記があった後においては、組合員は、当該登記に係る団地内建物の所有権及び分割実施敷地持分を処分するときは、国土交通省令で定めるところにより、組合の承認を得なければならない。

3 組合は、事業の遂行に重大な支障が生ずることその他正当な理由がなければ、前項の承認を拒むことができない。

4 第二項の承認を得ないでした処分は、組合に対抗することができない。

5 敷地権利変換期日前において第百八十六条第五項の公告があったときは、組合の清算人は、遅滞なく、登記所に、敷地権利変換手続開始の登記の抹消を申請しなければならない。

第二目 敷地権利変換計画

（敷地権利変換計画の決定及び認可）

第一九〇条 組合は、第百七十三条第一項の公告後、遅滞なく、敷地権利変換計画を定めなければならない。この場合においては、国土交通省令で定めるところにより、都道府県知事等の認可を受けなければならない。

2 組合は、前項後段の規定による認可を申請しようとするときは、敷地権利変換計画について、あらかじめ、総会の議決を経るとともに、組合員以外に分割実施敷地について所有権を有する者があるときは、その者の同意を得なければならない。ただし、その所有権をもって組合に対抗することができない者については、この限りでない。

（敷地権利変換計画の内容）

第一九一条 敷地権利変換計画においては、国土交通省令で定めるところにより、次に掲げる事項を定めなければならない。

一 除却マンション敷地及び非除却マンション敷地の区域

二 分割実施敷地持分を有する者で、当該分割実施敷地持分に対応して、除却敷地持分（除却マンション敷地に存する建物（専有部分のある建物にあっては、専有部分）を所有するための当該除却マンション敷地の所有権又は借地権の共有持分をいう。以下同じ。）を与えられることとなるものの氏名又は名称及び住所

三 前号に掲げる者が有する分割実施敷地持分及びその価額

四 第二号に掲げる者に前号に掲げる分割実施敷地持分に対応して与えられることとなる除却敷地持分の明細及びその価額

五 分割実施敷地持分を有する者で、当該分割実施敷地持分に対応して、次に掲げるいずれかの権利（以下「非除却敷地持分等」という。）を与えられることとなるものの氏名又は名称及び住所

イ 非除却マンション敷地に存する建物（専有部分のある建物にあっては、専有部分）を所有するための当該非除却マンション敷地の所有権又は借地権の共有持分

ロ 非除却マンション敷地に存する建物（専有部分のある建物を除く。）の敷地又はその借地権

六 前号に掲げる者が有する分割実施敷地持分及びその価額

七 第五号に掲げる者に前号に掲げる分割実施敷地持分に対応して与えられることとなる非除却敷地持分等の明細及びその価額

八 第二号及び第五号に掲げる者で、その有する団地共用部分の共有持分に対応して、敷地分割後の団地共用部分の共有持分が与えられることとなるものの氏名又は名称及び住所、与えられることとなる団地共用部分の共有持分並びにその価額

九 第二号及び第五号に掲げる者で、この法律の規定により、敷地権利変換期日においてその有する団地共用部分の共有持分を失い、かつ、当該共有持分に対応して、敷地分割後の団地共用部分の共有持分を与えられないものの氏名又は名称及び住所、失われる団地共用部分の共有持分並びにその価額

十 第三号及び第六号に掲げる分割実施敷地持分について担保権等の登記に係る権利を有する者の氏名又は名称及び住所並びにその権利

十一 前号に掲げる者が除却敷地持分又は非除却敷地持分等の上に有することとなる権利

十二 清算金の徴収に係る利子又はその決定方法

十三 敷地権利変換期日

十四 その他国土交通省令で定める事項

2 分割実施敷地持分に関して争いがある場合において、当該分割実施敷地持分の存否又は帰属が確定しないときは、当該分割実施敷地持分が存するものとして、又は当該分割実施敷地持分が現在の名義人に属するものとして敷地権利変換計画を定めなければならない。

（敷地権利変換計画の決定基準）

第一九二条 敷地権利変換計画は、関係権利者間の利害の衡平に十分の考慮を払って定めなければならない。

（除却マンション敷地及び非除却マンション敷地）

第一九三条 敷地権利変換計画においては、除却マンション敷地となるべき土地に現に存する団地内建物の特定団地建物所有者に対しては、除却敷地持分が与えられるように定めなければならない。

2 敷地権利変換計画においては、非除却マンション敷地となるべき土地に現に存する団地内建物の特定団地建物所有者に対しては、非除却敷地持分等が与えられるように定めなければならない。

3 前二項に規定する者に対して与えられる除却敷地持分又は非除却敷地持分等は、それらの者が権利を有する建物の位置、環境、利用状況等及びそれらの者が有する分割実施敷地持分の割合等を総合的に勘案して、それらの者の相互間の衡平を害しないように定めなければならない。

4 敷地権利変換計画においては、第百九十一条第一項第二号に掲げる者に敷地分割後の団地共用部分の共有持分が与えられる場合は、当該団地共用

部分は除却敷地持分を与えられることとなる者全員の共有に属するように定めなければならない。

5　敷地権利変換計画においては、第百九十一条第一項第五号に掲げる者に敷地分割後の団地共用部分の共有持分が与えられる場合は、当該団地共用部分は非除却敷地持分等を与えられることとなる者の所有（当該者が二以上あるときは、当該二以上の者の共有）に属するように定めなければならない。

（担保権等の登記に係る権利）

第一九四条　分割実施敷地持分について担保権等の登記に係る権利が存するときは、敷地権利変換計画においては、当該担保権等の登記に係る権利は、その権利の目的たる分割実施敷地持分に対応して与えられるものとして定められた除却敷地持分又は非除却敷地持分等の上に存するものとして定めなければならない。

2　前項の場合において、関係権利者間の利害の衡平を図るため必要があるときは、組合は、当該存するものとして定められる権利につき、これらの者の意見を聴いて、必要な定めをすることができる。

（分割実施敷地持分等の価額の算定基準）

第一九五条　第百九十一条第一項第三号、第四号又は第六号から第九号までの価額は、第百七十三条第一項の公告の日における近傍類似の土地又は近傍同種の建築物に関する同種の権利の取引価格等を考慮して定める相当の価額とする。

（認可の基準）

第一九六条　都道府県知事等は、第百九十条第一項後段の規定による認可の申請があった場合において、次の各号のいずれにも該当すると認めるときは、その認可をしなければならない。

一　申請手続又は敷地権利変換計画の決定手続若しくは内容が法令に違反するものでないこと。

二　敷地分割決議の内容に適合していること。

三　分割実施敷地持分について先取特権等を有する者の権利を不当に害するものでないこと。

四　その他基本方針に照らして適切なものであること。

（敷地権利変換計画の変更）

第一九七条　第百九十条第一項後段及び第二項並びに前条の規定は、敷地権利変換計画を変更する場合（国土交通省令で定める軽微な変更をする場合を除く。）について準用する。

（審査委員の関与）

第一九八条　組合は、敷地権利変換計画を定め、又は変更しようとするとき（国土交通省令で定める軽微な変更をしようとする場合を除く。）は、審査委員の過半数の同意を得なければならない。

第三目　敷地権利変換

（敷地権利変換の処分）

第一九九条　組合は、敷地権利変換計画若しくはその変更の認可を受けたとき、又は敷地権利変換計画について第百九十七条の国土交通省令で定める軽微な変更をしたときは、遅滞なく、国土交通省令で定めるところにより、その旨を公告し、及び関係権利者に関係事項を書面で通知しなければならない。

2　敷地権利変換に関する処分は、前項の通知をすることによって行う。

3　敷地権利変換に関する処分については、行政手続法第三章の規定は、適用しない。

（敷地権利変換期日等の通知）

第二〇〇条　組合は、敷地権利変換計画若しくはその変更（敷地権利変換期日に係るものに限る。以下この条において同じ。）の認可を受けたとき、又は第百九十七条の国土交通省令で定める軽微な変更をしたときは、遅滞なく、国土交通省令で定めるところにより、分割実施敷地の所在地の登記所に、敷地権利変換期日その他国土交通省令で定める事項を通知しなければならない。

（敷地に関する権利変換）

第二〇一条　敷地権利変換期日において、敷地権利変換計画の定めるところに従い、分割実施敷地持分は失われ、除却敷地持分又は非除却敷地持分等は新たにこれらの権利を与えられるべき者が取得する。

2　分割実施敷地に関する権利で前項及び第二百三条の規定により権利が変換されることのないものは、敷地権利変換期日以後においても、なお従前の土地に存する。この場合において、敷地権利変換期日前において、当該権利のうち地役権又は地上権の登記に係る権利が存していた分割実施敷地持分が担保権等の登記に係る権利の目的となっていたときは、敷地権利変換期日以後においても、当該地役権又は地上権の登記に係る権利と当該担保権等の登記に係る権利との順位は、変わらないものとする。

3　敷地権利変換期日において、敷地権利変換計画の定めるところに従い、団地共用部分の共有持分は失われ、敷地分割後の団地共用部分の共有持分は新たに当該共有持分を与えられるべき者が取得する。

（区分所有法の規約とみなす部分）

第二〇二条　敷地権利変換計画において定められた敷地分割後の団地共用部分の共有持分が区分所有法第六十七条第三項において準用する区分所有法第十四条第一項から第三項までの規定に適合しないとき、又は敷地権利変換計画において定められた敷地分割後の専有部分のある建物の敷地利用権の割合が区分所有法第二十二条第二項本文の規定に適合しないときは、敷地権利変換計画中その定めをした部分は、それぞれ区分所有法第六十七条第三項において準用する区分所有法第十四条第四項の規定による規約又は区分所有法第二十二条第二項ただし書の規定による規約とみなす。

（担保権等の移行）

第二〇三条　分割実施敷地持分について存する担保権等の登記に係る権利は、敷地権利変換期日以後は、敷地権利変換計画の定めるところに従い、除却敷地持分又は非除却敷地持分等の上に存するものとする。

（敷地権利変換の登記）

第二〇四条　組合は、敷地権利変換期日後遅滞なく、分割実施敷地につき、敷地権利変換後の土地及びその権利について必要な登記を申請しなければならない。

2　敷地権利変換期日以後においては、分割実施敷地に関しては、前項の登記がされるまでの間は、他の登記をすることができない。

（清算）

第二〇五条　除却敷地持分、非除却敷地持分等又は敷地分割後の団地共用部分の共有持分の価額とこれらを与えられた者がこれらに対応する権利として有していた分割実施敷地持分又は敷地分割前の団地共用部分の共有持分の価額とに差額があるときは、組合は、その差額に相当する金額を徴収し、又は交付しなければならない。

（清算金の供託及び物上代位）

第二〇六条　前条に規定する分割実施敷地持分が先取特権等の目的となっていたときは、これらの権利者の全てから供託しなくてもよい旨の申出があったときを除き、組合は、同条の規定により交付すべき清算金の交付に代えてこれを供託しなければならない。

2　第七十六条第四項及び第五項の規定は、前項の規定により供託する場合について準用する。この場合において、同条第四項中「前三項」とあり、及び同条第五項中「第一項から第三項まで」とあるのは「第二百六条第一項」と、同条第四項中「施行マンション」とあるのは「分割実施敷地」と、同条第五項中「施行者」とあるのは「第百六十四条に規定する組合」と、「取得すべき者（その供託が第二項の規定によるものであるときは、争いの当事者）」とあるのは「取得すべき者」と読み替えるものとする。

3　第一項の先取特権、質権又は抵当権を有していた者は、同項の規定により供託された清算金に対してその権利を行うことができる。

（清算金の徴収）

第二〇七条　第二百五条の規定により徴収すべき清算金は、敷地権利変換計画で定めるところにより、利子を付して分割して徴収することができる。

2　組合は、第二百五条の規定により徴収すべき清算金（前項の規定により利子を付したときは、その利子を含む。）を滞納する者があるときは、敷地権利変換計画で定めるところにより、利子を付して徴収することができる。

第二款　雑則

（処分、手続等の効力）

第二〇八条　分割実施敷地、除却マンション敷地又は非除却マンション敷地について権利を有する者の変更があったときは、この法律又はこの法律に基づく定款の規定により従前のこれらの者がした処分、手続その他の行為は、新たにこれらの者となった者がしたものとみなし、従前のこれらの者に対してした処分、手続その他の行為は、新たにこれらの者となった者に対してしたものとみなす。

（代位による分筆又は合筆の登記の申請）
第二〇九条　組合は、敷地分割事業の実施のために必要があるときは、所有者に代わって分筆又は合筆の登記を申請することができる。
（不動産登記法の特例）
第二一〇条　分割実施敷地、除却マンション敷地及び非除却マンション敷地の登記については、政令で、不動産登記法の特例を定めることができる。
（関係簿書の備付け）
第二一一条　組合は、国土交通省令で定めるところにより、敷地分割事業に関する簿書（組合員名簿を含む。次項において同じ。）をその事務所に備え付けておかなければならない。
2　利害関係者から前項の簿書の閲覧の請求があったときは、組合は、正当な理由がない限り、これを拒んではならない。
（書類の送付に代わる公告）
第二一二条　組合は、敷地分割事業の実施に関し書類を送付する場合において、送付を受けるべき者がその書類の受領を拒んだとき、又は過失がなくて、その者の住所、居所その他書類を送付すべき場所を確知することができないときは、政令で定めるところにより、その書類の内容を公告することをもって書類の送付に代えることができる。
2　前項の公告があったときは、その公告の日の翌日から起算して十日を経過した日に当該書類が送付を受けるべき者に到達したものとみなす。

第三節　敷地分割事業の監督等

（組合に対する報告、勧告等）
第二一三条　都道府県知事等は、組合に対し、その実施する敷地分割事業に関し、この法律の施行のため必要な限度において、報告若しくは資料の提出を求め、又はその実施する敷地分割事業の円滑な実施を図るため必要な勧告、助言若しくは援助をすることができる。
2　都道府県知事等は、組合に対し、敷地分割事業の促進を図るため必要な措置を命ずることができる。
（組合に対する監督）
第二一四条　都道府県知事等は、組合の実施する敷地分割事業につき、その事業又は会計がこの法律若しくはこれに基づく行政庁の処分又は定款、事業計画若しくは敷地権利変換計画に違反すると認めるときその他監督上必要があるときは、その組合の事業又は会計の状況を検査することができる。
2　都道府県知事等は、組合の組合員が総組合員の十分の一以上の同意を得て、その組合の事業又は会計がこの法律若しくはこれに基づく行政庁の処分又は定款、事業計画若しくは敷地権利変換計画に違反する疑いがあることを理由として組合の事業又は会計の状況の検査を請求したときは、その組合の事業又は会計の状況を検査しなければならない。
3　都道府県知事等は、前二項の規定により検査を行った場合において、組合の事業又は会計がこの法律若しくはこれに基づく行政庁の処分又は定款、事業計画若しくは敷地権利変換計画に違反していると認めるときは、組合に対し、その違反を是正するため必要な限度において、組合のした処分の取消し、変更又は停止その他必要な措置を命ずることができる。
4　都道府県知事等は、組合が前項の規定による命令に従わないとき、又は組合の設立についての認可を受けた者がその認可の公告があった日から起算して三十日を経過してもなお総会を招集しないときは、敷地権利変換期日前に限り、その組合についての設立の認可を取り消すことができる。
5　都道府県知事等は、第百七十八条において準用する第二十八条第三項の規定により組合員から総会の招集の請求があった場合において、理事長及び監事が総会を招集しないときは、これらの組合員の申出に基づき、総会を招集しなければならない。第百八十条第四項において準用する第二十八条第三項の規定により総代から総代会の招集の請求があった場合において、理事長及び監事が総代会を招集しないときも、同様とする。
6　都道府県知事等は、第百七十五条第三項において準用する第二十三条第一項の規定により組合員から理事又は監事の解任の請求があった場合において、組合がこれを組合員の投票に付さないときは、これらの組合員の申出に基づき、これを組合員の投票に付さなければならない。第百八十一条第三項において準用する第二十三条第一項の規定により、組合員から総代の解任の請求があった場合において、組合がこれを組合員の投票に付さないときも、同様とする。
7　都道府県知事等は、組合の組合員が総組合員の十分の一以上の同意を得て、総会若しくは総代会の招集手続若しくは議決の方法又は役員若しくは総代の選挙若しくは解任の投票の方法が、この法律又は定款に違反することを理由として、その議決、選挙、当選又は解任の投票の取消しを請求した場合において、その違反の事実があると認めるときは、その議決、選挙、当選又は解任の投票を取り消すことができる。
（資金の融通等）
第二一五条　国及び地方公共団体は、組合に対し、敷地分割事業に必要な資金の融通又はあっせんその他の援助に努めるものとする。
（技術的援助の請求）
第二一六条　組合又は組合を設立しようとする者は、国土交通大臣及び都道府県知事等に対し、敷地分割事業の実施の準備又は実施のために、敷地分割事業に関し専門的知識を有する職員の技術的援助を求めることができる。
2　都道府県知事等は、前項の規定による技術的援助を行うために必要があると認めるときは、センターに必要な協力を要請することができる。

第六章　雑則

（意見書等の提出の期間の計算等）
第二一七条　この法律又はこの法律に基づく命令の規定により一定期間内に差し出すべき意見書その他の文書が郵便又は民間事業者による信書の送達に関する法律（平成十四年法律第九十九号）第二条第六項に規定する一般信書便事業者若しくは同条第九項に規定する特定信書便事業者による同条第二項に規定する信書便で差し出されたときは、送付に要した日数は、期間に算入しない。
2　前項の文書は、その提出期間が経過した後においても、容認すべき理由があるときは、受理することができる。
（審査請求）
第二一八条　次に掲げる処分又はその不作為については、審査請求をすることができない。
一　第九条第一項、第三十四条第一項、第百六十八条第一項又は第百八十三条第一項の規定による認可
二　第十一条第三項（第三十四条第二項において準用する場合を含む。）又は第百七十条第三項（第百八十三条第二項において準用する場合を含む。）の規定による通知
2　マンション建替組合、マンション敷地売却組合若しくは敷地分割組合（以下「組合」と総称する。）又は個人施行者がこの法律に基づいてした処分その他公権力の行使に当たる行為に不服のある者は、都道府県知事等に対して審査請求をすることができる。この場合において、都道府県知事等は、行政不服審査法第二十五条第二項及び第三項、第四十六条第一項及び第二項、第四十七条並びに第四十九条第三項の規定の適用については、組合又は個人施行者の上級行政庁とみなす。
（権限の委任）
第二一九条　この法律に規定する国土交通大臣の権限は、国土交通省令で定めるところにより、その一部を地方整備局長又は北海道開発局長に委任することができる。
（政令への委任）
第二二〇条　この法律に特に定めるもののほか、この法律の実施のため必要な事項は、政令で定める。
（経過措置）
第二二一条　この法律の規定に基づき政令又は国土交通省令を制定し、又は改廃する場合においては、それぞれ、政令又は国土交通省令で、その制定又は改廃に伴い合理的に必要と判断される範囲内において、所要の経過措置（罰則に関する経過措置を含む。）を定めることができる。
（事務の区分）
第二二二条　第九条第七項（第三十四条第二項、第四十五条第四項、第五十条第二項及び第五十四条第三項において準用する場合を含む。）、第十一条第一項（第三十四条第二項において準用する場合を含む。）、第十四条第三項（第三十四条第二項において準用する場合を含む。）、第二十五条第一項、第三十八条第五項、第四十九条第三項（第五十条第二項において準用する場合を含む。）、第五十一条第四項及び第六項、第九十七条第一項並びに第百七十条第一項（第百八十三条第二項において準用する場合を含む。）の規定により町村が処理することとされている事務は、地方自治法（昭和二

十二年法律第六十七号）第二条第九項第二号に規定する第二号法定受託事務とする。

第七章　罰則

第二二三条　組合の役員、総代若しくは職員、個人施行者（法人である個人施行者にあっては、その役員又は職員）又は審査委員（以下「組合の役員等」と総称する。）が職務に関して賄賂を収受し、又は要求し、若しくは約束したときは、三年以下の懲役又は三百万円以下の罰金に処する。よって不正の行為をし、又は相当の行為をしないときは、七年以下の懲役に処する。

2　組合の役員等であった者がその在職中に請託を受けて職務上不正の行為をし、又は相当の行為をしなかったことにつき賄賂を収受し、又は要求し、若しくは約束したときは、三年以下の懲役に処する。

3　組合の役員等がその職務に関し請託を受けて第三者に賄賂を供与させ、又はその供与を約束したときは、三年以下の懲役又は三百万円以下の罰金に処する。

4　犯人又は情を知った第三者の収受した賄賂は、没収する。その全部又は一部を没収することができないときは、その価額を追徴する。

第二二四条　前条第一項から第三項までに規定する賄賂を供与し、又はその申込み若しくは約束をした者は、三年以下の懲役又は百万円以下の罰金に処する。

2　前項の罪を犯した者が自首したときは、その刑を減軽し、又は免除することができる。

第二二五条　組合が次の各号のいずれかに該当する場合においては、その行為をした役員又は職員を二十万円以下の罰金に処する。

一　第九十七条第一項、第百六十条第一項又は第二百十三条第一項の規定による報告又は資料の提出を求められて、報告若しくは資料の提出をせず、又は虚偽の報告若しくは資料の提出をしたとき。

二　第九十七条第二項、第九十八条第三項、第百六十条第二項、第百六十一条第三項、第二百十三条第二項又は第二百十四条第三項の規定による都道府県知事等の命令に違反したとき。

三　第九十八条第一項若しくは第二項、第百六十一条第一項若しくは第二項又は第二百十四条第一項若しくは第二項の規定による都道府県知事等の検査を拒み、又は妨げたとき。

第二二六条　個人施行者が次の各号のいずれかに該当する場合においては、その行為をした個人施行者（法人である個人施行者を除く。）又は法人である個人施行者の役員若しくは職員を二十万円以下の罰金に処する。

一　第九十七条第一項の規定による報告又は資料の提出を求められて、報告若しくは資料の提出をせず、又は虚偽の報告若しくは資料の提出をしたとき。

二　第九十七条第二項又は第九十九条第一項の規定による都道府県知事等の命令に違反したとき。

三　第九十九条第一項の規定による都道府県知事等の検査を拒み、又は妨げたとき。

第二二七条　第百十四条第一項の規定による報告をせず、又は虚偽の報告をした者は、二十万円以下の罰金に処する。

第二二八条　法人の代表者又は法人若しくは人の代理人、使用人その他の従業者が、その法人又は人の業務又は財産に関して前三条に規定する違反行為をしたときは、行為者を罰するほか、その法人又は人に対して各本条の刑を科する。

第二二九条　次の各号のいずれかに該当する場合においては、その行為をした組合の理事、監事又は清算人を、二十万円以下の過料に処する。

一　マンション建替組合がマンション建替事業以外の事業を営んだとき。

二　マンション敷地売却組合がマンション敷地売却事業以外の事業を営んだとき。

三　敷地分割組合が敷地分割事業以外の事業を営んだとき。

四　第二十四条第八項（第百二十六条第三項及び第百七十五条第三項において準用する場合を含む。）の規定に違反して監事が理事又は組合の職員と兼ねたとき。

五　第二十八条第一項、第三項又は第六項（第三十一条第四項、第百二十九条、第百三十一条第四項、第百七十八条及び第百八十条第四項において準用する場合を含む。）の規定に違反して総会又は総代会を招集しなかったとき。

六　第三十四条第三項、第三十八条第三項、第百三十四条第三項、第百三十七条第三項、第百八十三条第三項又は第百八十六条第三項の規定に違反したとき。

七　第四十条又は第四十二条（これらの規定を第百三十八条及び第百八十七条において準用する場合を含む。）に規定する書類に記載すべき事項を記載せず、又は不実の記載をしたとき。

八　第四十一条（第百三十八条及び第百八十七条において準用する場合を含む。）の規定に違反して組合の残余財産を処分したとき。

九　第九十五条第一項、第百五十八条第一項又は第二百十一条第一項の規定に違反してこれらの規定に規定する簿書を備えず、又はその簿書に記載すべき事項を記載せず、若しくは不実の記載をしたとき。

十　第九十五条第二項、第百五十八条第二項又は第二百十一条第二項の規定に違反してこれらの規定に規定する簿書の閲覧を拒んだとき。

十一　都道府県知事等又は総会若しくは総代会に対し、不実の申立てをし、又は事実を隠したとき。

十二　この法律の規定による公告をせず、又は不実の公告をしたとき。

第二三〇条　第二十八条第七項（第百二十九条及び第百七十八条において読み替えて準用する場合を含む。）の規定に違反して最初の理事又は監事を選挙し、又は選任するための総会を招集しなかった者は、二十万円以下の過料に処する。

第二三一条　個人施行者が次の各号のいずれかに該当する場合においては、その行為をした個人施行者（法人である個人施行者を除く。）又は法人である個人施行者の役員若しくは清算人を二十万円以下の過料に処する。

一　第五十条第三項において準用する第三十四条第三項の規定に違反したとき。

二　第五十四条第二項の規定に違反したとき。

三　第九十五条第一項の規定に違反して簿書を備えず、又はその簿書に記載すべき事項を記載せず、若しくは不実の記載をしたとき。

四　第九十五条第二項の規定に違反して簿書の閲覧を拒んだとき。

五　この法律の規定による公告をせず、又は不実の公告をしたとき。

第二三二条　第八条第二項、第百十九条第二項又は第百六十七条第二項の規定に違反してその名称中にマンション建替組合、マンション敷地売却組合又は敷地分割組合という文字を用いた者は、十万円以下の過料に処する。

附　則〔抄〕

（施行期日）

第一条　この法律は、公布の日から起算して六月を超えない範囲内において政令で定める日から施行する。

〔平成一四政三六六により、平成一四・一二・一八から施行〕

（名称の使用制限に関する経過措置）

第二条　この法律の施行の際、現にその名称中にマンション建替組合という文字を用いている者については、この法律の施行の日から起算して六月間は、第八条第二項の規定を適用しない。

附　則〔抄〕〔平成一四・一二・一一法律一四〇〕

（施行期日）

第一条　この法律は、公布の日から起算して六月を超えない範囲内において政令で定める日から施行する。

〔平成一五政二二八により、平成一五・六・一から施行〕

（マンションの建替えの円滑化等に関する法律の一部改正に伴う経過措置）

第三条　第二条の規定による改正後のマンションの建替えの円滑化等に関する法律（以下「新マンション建替え円滑化法」という。）第十条第一項及び第十四条第一項の規定は、この法律の施行後に新マンション建替え円滑化法第九条第一項又は第三十四条第一項の規定によりされた認可の申請に係る事業計画、認可の公告及び図書の送付について適用し、この法律の施行前に第二条の規定による改正前のマンションの建替えの円滑化等に関する法律（以下「旧マンション建替え円滑化法」という。）第九条第一項又は第三十四条第一項の規定によりされた認可の申請に係る事業計画、認可の公告及び図書の送付については、なお従前の例による。

2　この法律の施行前に旧マンション建替え円滑化法第九条第一項又は第三十四条第一項の規定によりされた認可は、それぞれ新マンション建替え円滑化法第九条第一項又は第三十四条第一項の規定によりされた認可とみなす。

附　則〔略〕〔平成一五・三・三一法律八〕

附則〔略〕〔平成一六・六・九法律八四〕

附則〔略〕〔平成一六・六・一八法律一二四〕

附則〔略〕〔平成一六・一二・一法律一四七〕

附則〔抄〕〔平成一六・一二・一法律一五〇〕

（施行期日）

第一条 この法律は、平成十七年四月一日から施行する。

（罰則に関する経過措置）

第四条 この法律の施行前にした行為に対する罰則の適用については、なお従前の例による。

附則〔平成一七・七・二六法律八七〕

この法律は、会社法の施行の日（平成一八・五・一）から施行する。〔以下略〕

会社法の施行に伴う関係法律の整備等に関する法律〔抄〕

〔平成一七・七・二六 法律八七〕

（マンションの建替えの円滑化等に関する法律の一部改正に伴う経過措置）

第五一二条 施行日前に生じた前条の規定による改正前のマンションの建替えの円滑化等に関する法律第三十八条第一項各号に掲げる理由によりマンション建替組合が解散した場合におけるマンション建替組合の清算については、なお従前の例による。

（罰則に関する経過措置）

第五二七条 施行日前にした行為及びこの法律の規定によりなお従前の例によることとされる場合における施行日以後にした行為に対する罰則の適用については、なお従前の例による。

（政令への委任）

第五二八条 この法律に定めるもののほか、この法律の規定による法律の廃止又は改正に伴い必要な経過措置は、政令で定める。

附則〔略〕〔平成一八・六・二法律五〇〕

附則〔抄〕〔平成一八・六・八法律六一〕

（施行期日）

第一条 この法律は、公布の日から施行する。

（マンションの建替えの円滑化等に関する法律の一部改正に伴う経過措置）

第一四条 前条の規定による改正後のマンションの建替えの円滑化等に関する法律第四条第三項の規定は、この法律の施行の日以後第十五条第一項の規定により全国計画が定められるまでの間は、適用しない。

（政令への委任）

第一七条 この附則に規定するもののほか、この法律の施行に伴い必要な経過措置は、政令で定める。

附則〔略〕〔平成二〇・四・三〇法律二三〕

附則〔略〕〔平成二三・四・二八法律三二〕

附則〔略〕〔平成二三・五・二五法律五三〕

附則〔抄〕〔平成二三・八・三〇法律一〇五〕

（施行期日）

第一条 この法律は、公布の日から施行する。ただし、次の各号に掲げる規定は、当該各号に定める日から施行する。

一 〔前略〕第百五十六条（マンションの建替えの円滑化等に関する法律第百二条の改正規定に限る。）〔中略〕の規定 公布の日から起算して三月を経過した日

二 〔前略〕第百五十六条（マンションの建替えの円滑化等に関する法律第百二条の改正規定を除く。）〔中略〕の規定並びに附則〔中略〕第六十一条から第六十九条まで〔中略〕の規定 平成二十四年四月一日

三～六 〔略〕

（マンションの建替えの円滑化等に関する法律の一部改正に伴う経過措置）

第六八条 第百五十六条の規定（マンションの建替えの円滑化等に関する法律第百二条の改正規定を除く。以下この条において同じ。）の施行の際現に効力を有する第百五十六条の規定による改正前のマンションの建替えの円滑化等に関する法律（以下この条において「旧マンション建替え円滑化法」という。）第九条第一項、第十一条第三項若しくは第五項、第十四条第一項、第二十五条第二項、第三十四条第一項、第三十八条第四項若しくは第六項、第四十一条の二第四項、第四十二条、第四十五条第一項、第四十九条第一項、第五十条第一項、第五十一条第三項若しくは第七項、第五十三条第一項、第五十四条第一項、第五十七条第一項、第九十四条第一項若しくは第三項、第九十七条第二項、第九十八条若しくは第九十九条第一項から第三項までの規定により都道府県知事が行った認可その他の行為又は現に旧マンション建替え円滑化法第九条第一項、第十一条第二項若しくは第五項、第二十五条第一項、第三十四条第一項、第三十八条第四項、第四十一条の二第三項、第四十二条、第四十五条第一項、第五十条第一項、第五十一条第三項若しくは第六項、第五十三条第一項、第五十四条第一項、第五十七条第一項、第九十四条第一項若しくは第三項若しくは第九十八条第二項若しくは第五項から第七項までの規定により都道府県知事に対して行っている認可の申請その他の行為で、第百五十六条の規定による改正後のマンションの建替えの円滑化等に関する法律（以下この条において「新マンション建替え円滑化法」という。）第九条第一項、第十一条第二項、第三項若しくは第五項、第十四条第一項、第二十五条第一項若しくは第二項、第三十四条第一項、第三十八条第四項若しくは第六項、第四十一条の二第三項若しくは第四項、第四十二条、第四十五条第一項、第四十九条第一項、第五十条第一項、第五十一条第三項、第六項若しくは第七項、第五十三条第一項、第五十四条第一項、第五十七条第一項、第九十四条第一項若しくは第三項、第九十七条第二項、第九十八条又は第九十九条第一項から第三項までの規定により市長が行うこととなる事務に係るものは、それぞれこれらの規定により当該市長が行った認可その他の行為又は当該市長に対して行った認可の申請その他の行為とみなす。

2 第百五十六条の規定の施行前に旧マンション建替え円滑化法第二十五条第一項若しくは第五十一条第六項の規定により都道府県知事に対し届出をし、又は旧マンション建替え円滑化法第四十二条の規定により都道府県知事の承認を得なければならないとされている事項のうち新マンション建替え円滑化法第二十五条第一項若しくは第五十一条第六項の規定により市長に対して届出をし、又は新マンション建替え円滑化法第四十二条の規定により市長の承認を得なければならないこととなるもので、第百五十六条の規定の施行前にこれらの手続がされていないものについては、第百五十六条の規定の施行後は、これを、これらの規定により市長に対して届出をし、又は市長の承認を得なければならないとされた事項についてその手続がされていないものとみなして、これらの規定を適用する。

（罰則に関する経過措置）

第八一条 この法律（附則第一条各号に掲げる規定にあっては、当該規定。以下この条において同じ。）の施行前にした行為及びこの附則の規定によりなお従前の例によることとされる場合におけるこの法律の施行後にした行為に対する罰則の適用については、なお従前の例による。

（政令への委任）

第八二条 この附則に規定するもののほか、この法律の施行に関し必要な経過措置（罰則に関する経過措置を含む。）は、政令で定める。

附則〔略〕〔平成二六・六・一三法律六九〕

附則〔抄〕〔平成二六・六・二五法律八〇〕

（施行期日）

第一条 この法律は、公布の日から起算して六月を超えない範囲内において政令で定める日から施行する。

〔平成二六政二八二により、平成二六・一二・二四から施行〕

（名称の使用制限に関する経過措置）

第二条 この法律の施行の際現にその名称中にマンション敷地売却組合という文字を用いている者については、この法律による改正後のマンションの建替え等の円滑化に関する法律（以下「新法」という。）第百十九条第二項の規定は、この法律の施行後六月間は、適用しない。

（政令への委任）

第三条 前条に定めるもののほか、この法律の施行に関し必要な経過措置（罰則に関する経過措置を含む。）は、政令で定める。

（検討）

第四条 政府は、この法律の施行後五年を経過した場合において、新法の施行の状況について検討を加え、必要があると認めるときは、その結果に基づいて所要の措置を講ずるものとする。

附則〔平成二九・六・二法律四五〕

この法律は、民法改正法の施行の日（令和二・四・一）から施行する。ただし、〔中略〕第三百六十二条の規定は、公布の日から施行する。

民法の一部を改正する法律の施行に伴う関係法律の整備等に関する法律〔抄〕

〔平成二九・六・二 法律四五〕

（マンションの建替え等の円滑化に関する法律の一部改正に伴う経過措置）

第三四六条　施行日前に前条の規定による改正前のマンションの建替え等の円滑化に関する法律（以下この条において「旧円滑化法」という。）第七十五条若しくは第五十三条の規定により補償金の支払義務が生じた場合又は旧円滑化法第百五十一条の規定により分配金の支払義務が生じた場合におけるこれらの補償金又は分配金の供託については、なお従前の例による。

（罰則に関する経過措置）

第三六一条　施行日前にした行為及びこの法律の規定によりなお従前の例によることとされる場合における施行日以後にした行為に対する罰則の適用については、なお従前の例による。

（政令への委任）

第三六二条　この法律に定めるもののほか、この法律の施行に伴い必要な経過措置は、政令で定める。

附　則〔抄〕〔平成三〇・七・一三法律七一〕

（施行期日）

第一条　この法律〔中略〕は、当該各号に定める日から施行する。

一～三〔略〕

四〔前略〕附則〔中略〕第二十三条から第二十六条までの規定　公布の日から起算して二年を超えない範囲内において政令で定める日

〔平成三〇政三一六により、令和二・四・一から施行〕

五〔略〕

附　則〔抄〕〔令和二・三・三一法律八〕

（施行期日）

第一条　この法律は、令和二年四月一日から施行する。ただし、次の各号に掲げる規定は、当該各号に定める日から施行する。

一～四〔略〕

五　次に掲げる規定　令和四年四月一日

イ〔略〕

ロ〔前略〕附則〔中略〕第百六十四条〔中略〕の規定

ハ～ナ〔略〕

六～十二〔略〕

（罰則に関する経過措置）

第一七一条　この法律（附則第一条各号に掲げる規定にあっては、当該規定。以下この条において同じ。）の施行前にした行為並びにこの附則の規定によりなお従前の例によることとされる場合及びこの附則の規定によりなおその効力を有することとされる場合におけるこの法律の施行後にした行為に対する罰則の適用については、なお従前の例による。

（政令への委任）

第一七二条　この附則に規定するもののほか、この法律の施行に関し必要な経過措置は、政令で定める。

附　則〔抄〕〔令和二・六・二四法律六二〕

（施行期日）

第一条　この法律は、公布の日から起算して二年を超えない範囲内において政令で定める日から施行する。ただし、次の各号に掲げる規定は、当該各号に定める日から施行する。

〔令和三政二六四により、令和四・四・一から施行〕

一〔前略〕第二条中マンションの建替え等の円滑化に関する法律の目次の改正規定（「第百五条」を「第百五条の二」に改める部分に限る。）、同法第八十四条の改正規定、同法第百一条に一項を加える改正規定、同法第百二条第一項の改正規定（同項中「をいう」の下に「。第百五条の二において同じ」を加える部分に限る。）、同法第三章第一節中第百五条の次に一条を加える改正規定及び同法第百六十三条に一項を加える改正規定〔中略〕並びに附則第三条第一項、第四条〔中略〕の規定　公布の日

二〔略〕

三　第二条中マンションの建替え等の円滑化に関する法律第一条の改正規定（同条中「倒壊」の下に「、老朽化したマンションの損壊」を加える部分に限る。）、同法第百二条の改正規定（第一号に掲げる改正規定を除く。）、同法第百六条の改正規定、同法第百八条の改正規定（同条第十項の改正規定を除く。）、同法第百九条の改正規定並びに同法第百十条各号、第百十三条、第百十四条第一項及び第二項並びに第百十五条の改正規定並びに附則第三条第二項の規定　公布の日から起算して一年六月を超えない範囲内において政令で定める日

〔令和三政二六四により、令和三・一二・二〇から施行〕

（マンションの建替え等の円滑化に関する法律の一部改正に伴う経過措置）

第三条　附則第一条第一号に掲げる規定の施行の日からこの法律の施行の日の前日までの間における第二条の規定による改正後のマンションの建替え等の円滑化の促進に関する法律第百一条第二項及び第百五条の二の規定の適用については、同項中「マンションの管理の適正化の推進に関する法律」とあるのは「マンションの管理の適正化の推進に関する法律（平成十二年法律第百四十九号）」と、「以下」とあるのは「第百六十三条第二項において」と、同条中「、マンション敷地売却」とあるのは「又はマンション敷地売却又は敷地分割」とする。

2　附則第一条第三号に掲げる規定の施行前に第二条の規定による改正前のマンションの建替え等の円滑化に関する法律第百二条第一項の認定を受けたマンションは、第二条の規定による改正後のマンションの建替え等の円滑化に関する法律第百二条第一項（同条第二項第一号に係る部分に限る。）の認定を受けたマンションとみなす。

3　この法律の施行の際現にその名称中に敷地分割組合という文字を用いている者については、第二条の規定による改正後のマンションの建替え等の円滑化に関する法律第百六十七条第二項の規定は、この法律の施行後六月間は、適用しない。

（政令への委任）

第四条　前二条に定めるもののほか、この法律の施行に関し必要な経過措置（罰則に関する経過措置を含む。）は、政令で定める。

（検討）

第五条　政府は、この法律の施行後五年を経過した場合において、この法律による改正後のマンションの管理の適正化の推進に関する法律及びマンションの建替え等の円滑化に関する法律の施行の状況について検討を加え、必要があると認めるときは、その結果に基づいて所要の措置を講ずるものとする。

附　則〔抄〕〔令和三・五・一九法律三七〕

（施行期日）

第一条　この法律は、令和三年九月一日から施行する。ただし、次の各号に掲げる規定は、当該各号に定める日から施行する。

一〔前略〕附則〔中略〕第六十三条まで、第六十七条及び第七十一条から第七十三条までの規定　公布の日

二～十〔略〕

（罰則に関する経過措置）

第七一条　この法律（附則第一条各号に掲げる規定にあっては、当該規定。以下この条において同じ。）の施行前にした行為及びこの附則の規定によりなお従前の例によることとされる場合におけるこの法律の施行後にした行為に対する罰則の適用については、なお従前の例による。

（政令への委任）

第七二条　この附則に定めるもののほか、この法律の施行に関し必要な経過措置（罰則に関する経過措置を含む。）は、政令で定める。

（検討）

第七三条　政府は、行政機関等に係る申請、届出、処分の通知その他の手続において、個人の氏名を平仮名又は片仮名で表記したものを利用して当該個人を識別できるようにするため、個人の氏名を平仮名又は片仮名で表記したものを戸籍の記載事項とすることを含め、この法律の公布後一年以内を目途としてその具体的な方策について検討を加え、その結果に基づいて必要な措置を講ずるものとする。

○マンションの建替え等の円滑化に関する法律施行令

〔平成一四・一二・一二 政令三六七〕

改正 平成一五・五政二二九、平成二三・一一政三六三、平成二六・八政二八三、平成二七・一一政三九二、平成二九・六政一五六、令和元・一二政二〇二、令和三・八政二二四、九政二六五

目次

第一章 マンション建替事業
　第一節 施行者
　　第一款 マンション建替組合（第一条―第十四条）
　　第二款 個人施行者（第十五条・第十六条）
　第二節 権利変換手続等（第十七条―第二十五条）
　第三節 雑則（第二十六条）
第二章 除却する必要のあるマンションに係る容積率の特例に係る敷地面積の規模（第二十七条）
第三章 マンション敷地売却事業
　第一節 マンション敷地売却組合（第二十八条―第三十一条）
　第二節 分配金取得手続等（第三十二条―第三十四条）
　第三節 雑則（第三十五条）
第四章 敷地分割事業
　第一節 敷地分割組合（第三十六条―第四十一条）
　第二節 雑則（第四十二条・第四十三条）
第五章 雑則（第四十四条・第四十五条）
附則

第一章 マンション建替事業

第一節 施行者

第一款 マンション建替組合

（事業計画の縦覧についての公告）

第一条 市町村長は、マンションの建替え等の円滑化に関する法律（以下「法」という。）第十一条第一項（法第三十四条第二項において準用する場合を含む。）の規定により事業計画を公衆の縦覧に供しようとするときは、あらかじめ、縦覧の開始の日、場所及び時間を公告しなければならない。

（意見書の内容の審査の方法）

第一条の二 法第十一条第四項（法第三十四条第二項において準用する場合を含む。以下この条において同じ。）において準用する行政不服審査法（平成二十六年法律第六十八号）第三十一条第一項本文の規定による意見の陳述については行政不服審査法施行令（平成二十七年政令第三百九十一号）第八条の規定を、法第十一条第四項において準用する行政不服審査法第三十七条第二項の規定による意見の聴取については同令第九条の規定を、それぞれ準用する。この場合において、同令第八条中「審理員は」とあるのは「都道府県知事等（マンションの建替え等の円滑化に関する法律（平成十四年法律第七十八号）第九条第一項に規定する都道府県知事等をいう。以下同じ。）は」と、「総務省令」とあるのは「国土交通省令」と、「、審理員」とあるのは「、都道府県知事等」と、同令第九条中「審理員」とあるのは「都道府県知事等」と読み替えるものとする。

（施行マンションの名称等を表示する図書の縦覧）

第二条 市町村長は、法第十四条第一項（法第三十四条第二項において準用する場合を含む。）の規定による図書の送付を受けたときは、直ちに、その図書を公衆の縦覧に供する旨並びに縦覧の場所及び時間を公告しなければならない。

（代表者の選任等）

第三条 法第十六条第二項の規定により一人の組合員とみなされる数人の者は、そのうちから代表者一人を選任し、その者の氏名及び住所（法人にあっては、その名称及び主たる事務所の所在地）をマンション建替組合（以下この章において「組合」という。）に通知しなければならない。

2 前項の代表者の権限に加えた制限は、これをもって組合に対抗することができない。

3 第一項の代表者の解任は、組合にその旨を通知するまでは、これをもって組合に対抗することができない。

（解任請求代表者証明書の交付）

第四条 法第二十三条第一項（法第三十二条第三項において準用する場合を含む。）の規定により組合の理事若しくは監事又は総代の解任を請求しようとする組合員の代表者（以下「解任請求代表者」という。）は、次に掲げる事項を記載した解任請求書を添え、当該組合に対し、文書をもって解任請求代表者証明書の交付を請求しなければならない。

一 その解任を請求しようとする理事若しくは監事又は総代の氏名

二 解任の請求の理由

三 解任請求代表者の氏名及び住所（法人にあっては、その名称及び主たる事務所の所在地）

2 前項の請求があったときは、当該組合は、解任請求代表者が組合員名簿に記載された組合員であることを確認した上、直ちに、これに解任請求代表者証明書を交付し、かつ、当該確認の日の翌日にその旨を公告するとともに、当該組合の主たる事務所の所在地の市町村長に通知しなければならない。

3 組合は、前項の規定による公告の際、併せて組合員（当該公告の日の前日現在における組合員名簿に記載された者をいう。次条第一項において同じ。）の三分の一の数を公告しなければならない。

4 市町村長は、第二項の規定による通知があったときは、直ちに、次条第一項の規定による署名の収集の際に立ち会わせるための職員のうちから立会人を指名し、これを解任請求代表者及び組合に通知しなければならない。

（署名の収集）

第五条 解任請求代表者は、あらかじめ、署名の場所及び前条第二項の公告があった日から二週間を超えない範囲内において日時を定めて、署名簿に解任請求書又はその写し及び解任請求代表者証明書又はその写しを添え、組合員に対し、署名簿に署名をすることを求めなければならない。

2 解任請求代表者は、前項の場所及び日時を定めたときは、当該署名の日の初日の少なくとも二日前に署名立会人（前条第四項の規定により指名された立会人をいう。以下この条及び次条において同じ。）に通知しなければならない。

3 署名をしようとする者は、組合員名簿（前条第三項に規定する組合員名簿をいう。次項において同じ。）に記載された者であるかどうかについて署名立会人の確認を受けた上、署名簿に署名をするものとする。

4 前項の場合において、署名をしようとする者が法人であるときは、その指定する者が署名をし、かつ、当該法人が組合員名簿に記載された者であるかどうか及び当該署名をする者が当該法人の指定する者であるかどうかについて署名立会人の確認を受けるものとする。

（解任請求書の提出）

第六条 解任請求代表者は、署名簿に署名をした者の数が第四条第三項の規定により公告された数以上の数となったときは、当該署名の日の末日から五日以内に、署名立会人の証明を経た署名簿を添えて、解任請求書を組合に提出しなければならない。

2 前項の署名立会人の証明は、署名簿の末尾にその旨を記載した上、署名をすることによって行うものとする。

（解任の投票）

第七条 法第二十三条第二項（法第三十二条第三項において準用する場合を含む。）の規定による組合の理事若しくは監事又は総代の解任の投票（以下この節（第十二条を除く。）において単に「解任の投票」という。）は、前条第一項の規定による解任請求書の提出があった日から二週間以内に行わなければならない。

2 前項の場合において、組合は、解任の投票の場所及び日時を定め、これらの事項を、その解任を請求された理事若しくは監事又は総代の氏名及び解任の請求の理由の要旨とともに、解任の投票の日の少なくとも五日前に公告しなければならない。

3 組合は、前項の公告をしたときは、直ちに、組合員（当該公告の日現在における組合員名簿に記載された者をいう。次項、次条第一項から第三項

まで、第六項及び第十一項並びに第十一条第一項において同じ。）のうちから本人の承諾を得て、解任の投票の立会人一人を選任しなければならない。

4　解任請求代表者は、第二項の公告があったときは、直ちに、組合員のうちから本人の承諾を得て、解任の投票の立会人一人を組合に届け出なければならない。

（投票）

第八条　解任の投票における投票は、組合員が投票用紙に解任に対する同意又は不同意の旨を記載してするものとする。

2　組合員が法人であるときは、その指定する者が投票をするものとする。

3　組合員（法人を除く。以下この項において同じ。）は、代理人により投票をすることができる。この場合において、代理人は、同時に五人以上の組合員を代理することができない。

4　前二項の場合において、法人の指定する者又は代理人は、それぞれ投票の際その権限を証する書面を組合に提出しなければならない。

5　投票は、一人一票とし、無記名により行う。

6　投票用紙は、解任の投票の当日、解任の投票の場所において組合員に交付するものとする。

7　組合員名簿（前条第三項に規定する組合員名簿をいう。以下この項において同じ。）に記載されていない者及び組合員名簿に記載された者であっても解任の投票の当日組合員でない者は、投票をすることができない。

8　投票をしようとする者が明らかに本人でないと認められるときは、理事長は、その投票を拒否しなければならない。

9　前二項の場合において、理事長が投票を拒否しようとするときは、あらかじめ、投票立会人（前条第三項の規定により選任された立会人及び同条第四項の規定により届け出られた立会人をいう。以下同じ。）の意見を聴かなければならない。

10　理事長は、投票立会人の立会いの下に投票を点検し、同意又は不同意の別に有効投票数を計算しなければならない。

11　前項の場合においては、理事長は、投票立会人の意見を聴いて投票の効力を決定するものとする。その決定に当たっては、次項の規定により無効とされるものを除き、その投票をした組合員の意思が明らかであれば、その投票を有効とするようにしなければならない。

12　次の各号のいずれかに該当する投票は、無効とする。

一　所定の投票用紙を用いないもの

二　同意又は不同意の旨以外の事項を記載したもの

三　同意又は不同意の旨の記載のないもの

四　同意又は不同意の旨を確認することが困難なもの

（解任の投票の結果の公告）

第九条　組合は、解任の投票の結果が判明したときは、直ちに、これを公告しなければならない。

2　組合の理事若しくは監事又は総代は、解任の投票において過半数の同意があったときは、前項の公告があった日にその地位を失う。

（解任投票録）

第一〇条　理事長は、解任投票録を作り、解任の投票に関する次第を記載し、投票立会人とともに、これに署名しなければならない。

2　解任投票録は、組合において、その解任を請求された理事若しくは監事又は総代の任期中保存しなければならない。

（解任の投票又は解任の投票の結果の効力に関する異議の申出）

第一一条　組合員は、解任の投票又は解任の投票の結果の効力に関し異議があるときは、第九条第一項の公告があった日から二週間以内に、組合に対し、文書をもって異議を申し出ることができる。

2　組合は、前項の異議の申出を受けたときは、その申出を受けた日から二週間以内に、異議に対する決定をしなければならない。この場合において、当該決定は、文書によって行い、理由を付して申出人に交付するとともに、その要旨を公告しなければならない。

3　組合は、第一項の規定による異議の申出があった場合において、解任の投票に関する規定に違反することがあるときは、投票の結果に異動を及ぼすおそれがある場合に限り、その解任の投票の全部又は一部の無効を決定しなければならない。

（解任請求の禁止期間）

第一二条　法第二十三条第一項（法第三十二条第三項において準用する場合を含む。）の規定による組合の理事若しくは監事又は総代の解任の請求は、その就任の日から六月間及び法第二十三条第二項（法第三十二条第三項において準用する場合を含む。）又は法第九十八条第六項の規定によるその解任の投票の日から六月間は、することができない。

（定款又は事業計画の変更に関する特別議決事項）

第一三条　定款の変更のうち法第三十条第一項の政令で定める重要な事項は、次に掲げるものとする。

一　施行マンションの変更

二　参加組合員に関する事項の変更

三　事業に要する経費の分担に関する事項の変更

四　総代会の新設又は廃止

2　事業計画の変更のうち法第三十条第一項の政令で定める重要な事項は、施行再建マンションの敷地の区域の変更とする。

（組合に置かれる審査委員）

第一四条　次に掲げる者は、組合に置かれる審査委員となることができない。

一　破産者で復権を得ないもの

二　禁錮以上の刑に処せられ、その執行を終わるまで又はその執行を受けることがなくなるまでの者

2　審査委員は、前項各号のいずれかに該当するに至ったときは、その職を失う。

3　組合は、審査委員が次の各号のいずれかに該当するときその他審査委員たるに適しないと認めるときは、総会の議決を経て、その審査委員を解任することができる。

一　心身の故障のため職務の執行に堪えられないと認められるとき。

二　職務上の義務違反があるとき。

第二款　個人施行者

（施行マンションの名称等を表示する図書の縦覧）

第一五条　第二条の規定は、市町村長が法第四十九条第一項（法第五十条第二項において準用する場合を含む。）の規定による図書の送付を受けたときについて準用する。

（個人施行者の選任する審査委員）

第一六条　第十四条の規定は、個人施行者が選任する審査委員について準用する。この場合において、同条第三項中「総会の議決を経て」とあるのは、「都道府県知事（市の区域内にあっては、当該市の長）の承認を受けて」と読み替えるものとする。

第二節　権利変換手続等

（差押えがある場合の通知）

第一七条　施行者は、強制執行、担保権の実行としての競売（その例による競売を含む。）又は滞納処分（国税徴収法（昭和三十四年法律第百四十七号）による滞納処分及びその例による滞納処分をいう。）による差押えがされている施行マンションの区分所有権若しくは敷地利用権（既登記のものに限る。第三項において同じ。）又は隣接施行敷地の所有権若しくは借地権（既登記のものに限る。同項において同じ。）について権利変換手続開始の登記がされたときは、遅滞なく、その旨を当該差押えに係る配当手続を実施すべき機関（以下「配当機関」という。）に通知しなければならない。

2　施行者は、権利変換計画若しくはその変更の認可を受けたとき、又は権利変換計画について法第六十六条の国土交通省令で定める軽微な変更をしたときは、遅滞なく、国土交通省令で定めるところにより、前項の差押えに係る権利についての関係事項を同項の差押えに係る配当機関に通知しなければならない。

3　第一項の差押えに係る施行マンションの区分所有権若しくは敷地利用権又は隣接施行敷地の所有権若しくは借地権について権利変換手続開始の登記が抹消されたときは、施行者（組合にあっては、その清算人）は、遅滞なく、その旨を同項の差押えに係る配当機関に通知しなければならない。

（補償金の受領の効果）

第一八条　国税徴収法第百十六条第二項の規定は、法第七十八条第一項の規定により裁判所以外の配当機関が補償金を受領した場合について準用する。

（債権額の確認方法等）

第一九条　法第七十八条第一項の規定により裁判所以外の配当機関に補償金が払い渡された場合においては、国税徴収法第百三十条第一項中「売却決

定の日の前日まで」とあるのは「税務署長が指定した日まで」と、同条第三項中「売却決定の時まで」とあるのは「マンションの建替え等の円滑化に関する法律施行令（平成十四年政令第三百六十七号）第十九条第一項の規定により読み替えられた第一項の規定により税務署長が指定した日まで」と、同法第百三十一条中「換価財産の買受代金の納付の日から」とあるのは「マンションの建替え等の円滑化に関する法律施行令第十九条第一項の規定により読み替えられた前条第一項の規定により指定した日から」とする。

2　前項の規定により読み替えられた国税徴収法第百三十条第一項の規定又はその例により日を指定するときは、同法第九十五条第二項及び第九十六条第二項の規定の例により、公告及び催告をしなければならない。

（保全差押え等に係る補償金の取扱い）

第二〇条　裁判所以外の配当機関は、国税通則法（昭和三十七年法律第六十六号）第三十八条第三項、国税徴収法第百五十九条第一項又は地方税法（昭和二十五年法律第二百二十六号）第十六条の四第一項の規定による差押えに基づき法第七十八条第一項の規定による補償金の払渡しを受けたときは、当該金銭を配当機関の所在地の供託所に供託するものとする。

（仮差押えの執行に係る権利に対する補償金の払渡し）

第二一条　法第七十八条第四項において準用する同条第一項の規定により仮差押えの執行に係る権利について補償金を払い渡すべき機関は、当該権利の強制執行について管轄権を有する裁判所とする。

（施行再建マンションの区分所有権等の価額等の確定）

第二二条　法第八十四条の規定により確定する施行再建マンションの区分所有権の価額は、同条の規定により確定した費用の額を当該区分所有権に係る施行再建マンションの専有部分の床面積等に応じて国土交通省令で定めるところにより按分した額（以下この項において「費用の按分額」という。）を償い、かつ、法第六十二条に規定する三十日の期間を経過した日（次項において「基準日」という。）における近傍同種の建築物の区分所有権の取引価格等を参酌して定めた当該区分所有権の価額の見込額（以下この項において「市場価額」という。）を超えない範囲内の額とする。この場合において、費用の按分額が市場価額を超えるときは、市場価額をもって当該区分所有権の価額とする。

2　法第八十四条の規定により確定する施行再建マンションの敷地利用権の価額は、基準日における近傍類似の土地に関する同種の権利の取引価格等を参酌して定めた当該敷地利用権の価額の見込額とする。

3　法第八十四条の規定により確定する施行再建マンションの部分の家賃の額は、法第五十八条第一項第十一号の標準家賃の概算額に、国土交通省令で定めるところにより、当該施行再建マンションの部分に賃借権を与えられることとなる者が従前施行マンションについて有していた賃借権の価額を考慮して、必要な補正を行った額とする。

（管理規約の縦覧等）

第二三条　施行者は、法第九十四条第一項又は第三項の規定により管理規約を定めようとするときは、当該管理規約を二週間公衆の縦覧に供しなければならない。この場合においては、あらかじめ、縦覧の開始の日、場所及び時間を公告するとともに、施行再建マンションの区分所有権を有する者又は有することとなる者にこれらの事項を通知しなければならない。

2　施行再建マンションの区分所有権を有する者又は有することとなる者は、縦覧期間内に、管理規約について施行者に意見書を提出することができる。

第二四条　施行者は、法第九十四条第一項又は第三項の認可を申請しようとするときは、前条第二項の規定により提出された意見書の要旨を都道府県知事（市の区域内にあっては、当該市の長）に提出しなければならない。

（書類の送付に代わる公告）

第二五条　法第九十六条第一項の規定による公告は、官報、公報その他国土交通省令で定める定期刊行物に掲載し、かつ、施行マンションの敷地又は隣接施行敷地（法第八十一条の建築工事の完了の公告の日以後にあっては、施行再建マンションの敷地。次項において同じ。）の区域内の適当な場所に掲示して行わなければならない。

2　前項の場合においては、施行マンションの敷地又は隣接施行敷地の所在地の市町村長及び書類の送付を受けるべき者の住所又はその者の最後の住所の所在地の市町村長は、同項の掲示がされている旨の公告をしなければならない。この場合において、施行者は、市町村長に当該市町村長が行うべき公告の内容を通知しなければならない。

3　第一項の掲示は、前項の規定により市町村長が行う公告のあった日から十日間しなければならない。

4　法第九十六条第二項の公告の日は、前項の規定により行う掲示の期間の満了日とする。

第三節　雑則

（都道府県知事等の行う解任の投票）

第二六条　法第九十八条第六項の規定による組合の理事若しくは監事又は総代の解任の投票は、同項に規定する組合員の申出があった日から二週間以内に行わなければならない。

2　第七条第二項から第四項まで及び第八条から第十一条までの規定は、前項の解任の投票について準用する。この場合において、第七条第二項中「前項」とあるのは「第二十六条第一項」と、「組合」とあるのは「都道府県知事（市の区域内にあっては、当該市の長。以下「都道府県知事等」という。）」と、同条第三項中「組合は」とあるのは「都道府県知事等は」と、同条第四項及び第十一条第一項中「組合に」とあるのは「都道府県知事等に」と、第八条第四項、第九条第一項、第十条第二項並びに第十一条第二項及び第三項中「組合」とあるのは「都道府県知事等」と、第八条第八項から第十一項までの規定及び第十条第一項中「理事長」とあるのは「都道府県知事等が指名するその職員」と読み替えるものとする。

第二章　除却する必要のあるマンションに係る容積率の特例に係る敷地面積の規模

第二七条　法第百五条第一項の政令で定める規模は、次の表の上欄に掲げる地域又は区域の区分に応じて、それぞれ同表の下欄に定める数値とする。

地域又は区域	敷地面積の規模（単位　平方メートル）
都市計画法（昭和四十三年法律第百号）第八条第一項第一号に掲げる第一種低層住居専用地域、第二種低層住居専用地域若しくは田園住居地域又は同号に規定する用途地域の指定のない区域	一、〇〇〇
都市計画法第八条第一項第一号に掲げる第一種中高層住居専用地域、第二種中高層住居専用地域、第一種住居地域、第二種住居地域、準住居地域、準工業地域、工業地域又は工業専用地域	五〇〇
都市計画法第八条第一項第一号に掲げる近隣商業地域又は商業地域	三〇〇

第三章　マンション敷地売却事業

第一節　マンション敷地売却組合

（代表者の選任等）

第二八条　法第百二十五条第二項の規定により一人の組合員とみなされる数人の者は、そのうちから代表者一人を選任し、その者の氏名及び住所（法人にあっては、その名称及び主たる事務所の所在地）をマンション敷地売却組合（以下この章において「組合」という。）に通知しなければならない。

2　前項の代表者の権限に加えた制限は、これをもって組合に対抗することができない。

3　第一項の代表者の解任は、組合にその旨を通知するまでは、これをもって組合に対抗することができない。

（組合の役員等の解任請求）

第二九条　第四条から第十二条までの規定は、法第百二十六条第三項及び第百三十二条第三項において準用する法第二十三条の規定による組合の理事若しくは監事又は総代の解任請求について準用する。この場合において、第十二条中「法第二十三条第二項（法第三十二条第三項において準用する場合を含む。）又は法第九十八条第六項」とあるのは、「法第百二十六条第三項若しくは第百三十二条第三項において準用する法第二十三条第二項又は法第百六十一条第六項」と読み替えるものとする。

（定款の変更に関する特別議決事項）

第三〇条　法第百三十条の政令で定める重要な事項は、次に掲げるものとする。

一　事業に要する経費の分担に関する事項の変更

二　総代会の新設又は廃止

（組合に置かれる審査委員）

第三一条　第十四条の規定は、組合に置かれる審査委員について準用する。

第二節　分配金取得手続等

（政令で定める損失の額）

第三二条　法第百四十三条第三項の政令で定める額は、移転料、営業上の損失その他国土交通省令で定める損失について、国土交通省令で定めるところにより計算した額とする。

（差押えがある場合の通知等）

第三三条　第十七条の規定は、売却マンションの区分所有権又は敷地利用権（既登記のものに限る。）に差押えがある場合について準用する。この場合において、同条第一項中「施行者」とあるのは「法第百十六条に規定する組合（以下単に「組合」という。）」と、同項及び同条第三項中「権利変換手続開始の登記」とあるのは「分配金取得手続開始の登記」と、同条第二項中「施行者」とあるのは「組合」と、「権利変換計画」とあるのは「分配金取得計画」と、「法第六十六条」とあるのは「法第百四十五条」と、同条第三項中「施行者（組合にあっては、その清算人）」とあるのは「組合の清算人」と読み替えるものとする。

2　第十八条から第二十一条までの規定は、法第百五十二条及び第百五十四条において準用する法第七十八条第一項又は第四項の規定による分配金又は補償金の払渡し及びその払渡しがあった場合における滞納処分について準用する。この場合において、第十九条第一項中「第十九条第一項」とあるのは、「第三十三条第二項において準用する同令第十九条第一項」と読み替えるものとする。

（書類の送付に代わる公告）

第三四条　法第百五十九条第一項の公告は、官報、公報その他国土交通省令で定める定期刊行物に掲載し、かつ、売却マンションの敷地の区域内の適当な場所に掲示して行わなければならない。

2　第二十五条第二項から第四項までの規定は、前項の公告について準用する。この場合において、同条第二項中「前項」とあり、及び同条第三項中「第一項」とあるのは「第三十四条第一項」と、同条第二項中「施行マンションの敷地又は隣接施行敷地」とあるのは「売却マンションの敷地」と、「施行者」とあるのは「法第百十六条に規定する組合」と、同条第四項中「法第九十六条第二項」とあるのは「法第百五十九条第二項」と読み替えるものとする。

第三節　雑則

（都道府県知事等の行う解任の投票）

第三五条　第二十六条の規定は、法第百六十一条第六項の規定による組合の理事若しくは監事又は総代の解任の投票について準用する。この場合において、第二十六条第二項中「第二十六条第一項」とあるのは、「第三十五条において準用する第二十六条第一項」と読み替えるものとする。

第四章　敷地分割事業

第一節　敷地分割組合

（事業計画の縦覧についての公告）

第三六条　市町村長は、法第百七十条第一項（法第百八十三条第二項において準用する場合を含む。）の規定により事業計画を公衆の縦覧に供しようとするときは、あらかじめ、縦覧の開始の日、場所及び時間を公告しなければならない。

（意見書の内容の審査の方法）

第三七条　法第百七十条第四項（法第百八十三条第二項において準用する場合を含む。以下この条において同じ。）において準用する行政不服審査法第三十一条第一項本文の規定による意見の陳述については行政不服審査法施行令第八条の規定を、法第百七十条第四項において準用する行政不服審査法第三十七条第二項の規定による意見の聴取については同令第九条の規定を、それぞれ準用する。この場合において、同令第八条中「審理員」とあるのは「都道府県知事等（マンションの建替え等の円滑化に関する法律（平成十四年法律第七十八号）第九条第一項に規定する都道府県知事等をいう。以下同じ。）」と、「総務省令」とあるのは「国土交通省令」と、「、審理員」とあるのは「、都道府県知事等」と、同令第九条中「審理員」とあるのは「都道府県知事等」と読み替えるものとする。

（代表者の選任等）

第三八条　法第百七十四条第二項の規定により一人の組合員とみなされる数人の者は、そのうちから代表者一人を選任し、その者の氏名及び住所（法人にあっては、その名称及び主たる事務所の所在地）を敷地分割組合（以下この章において「組合」という。）に通知しなければならない。

2　前項の代表者の権限に加えた制限は、これをもって組合に対抗することができない。

3　第一項の代表者の解任は、組合にその旨を通知するまでは、これをもって組合に対抗することができない。

（組合の役員等の解任請求）

第三九条　第四条から第十二条までの規定は、法第百七十五条第三項及び第百八十一条第三項において準用する法第二十三条の規定による組合の理事若しくは監事又は総代の解任請求について準用する。この場合において、第十二条中「法第二十三条第二項（法第三十二条第三項において準用する場合を含む。）又は法第九十八条第六項」とあるのは、「法第百七十五条第三項若しくは第百八十一条第三項において準用する法第二十三条第二項の規定又は法第二百十四条第六項」と読み替えるものとする。

（特別議決事項）

第四〇条　法第百七十九条の政令で定める重要な事項は、次に掲げる事項についての定款の変更とする。

一　事業に要する経費の分担に関する事項

二　総代会の新設又は廃止

（組合に置かれる審査委員）

第四一条　第十四条の規定は、組合に置かれる審査委員について準用する。

第二節　雑則

（書類の送付に代わる公告）

第四二条　法第二百十二条第一項の公告は、官報、公報その他国土交通省令で定める定期刊行物に掲載し、かつ、分割実施敷地の区域内の適当な場所に掲示して行わなければならない。

2　第二十五条第二項から第四項までの規定は、前項の公告について準用する。この場合において、同条第二項中「前項」とあり、及び同条第三項中「第一項」とあるのは「第四十二条第一項」と、同条第二項中「施行マンションの敷地又は隣接施行敷地」とあるのは「分割実施敷地」と、「施行者」とあるのは「法第百六十四条に規定する組合」と、同条第四項中「法第九十六条第二項」とあるのは「法第二百十二条第二項」と読み替えるものとする。

（都道府県知事等の行う解任の投票）

第四三条　第二十六条の規定は、法第二百十四条第六項の規定による組合の理事若しくは監事又は総代の解任の投票について準用する。この場合において、第二十六条第二項中「第二十六条第一項」とあるのは、「第四十三条において準用する第二十六条第一項」と読み替えるものとする。

第五章　雑則

（事務の区分）

第四四条　第一条、第二条（第十五条において準用する場合を含む。）、第四条第四項（第二十九条及び第三十九条において準用する場合を含む。）、第二十五条第二項（第三十四条第二項及び第四十二条第二項において準用する場合を含む。）及び第三十六条の規定により町村が処理することとされている事務は、地方自治法（昭和二十二年法律第六十七号）第二条第九項第二号に規定する第二号法定受託事務とする。

（国土交通省令への委任）

第四五条　法及びこの政令に定めるもののほか、法及びこの政令の実施のため必要な手続その他の事項は、国土交通省令で定める。

附　則〔抄〕

（施行期日）

第一条　この政令は、法の施行の日（平成十四年十二月十八日）から施行する。

附　則〔略〕〔平成一五・五・二一政令二二九〕

附　則〔略〕〔平成二三・一一・二八政令三六三〕

附　則〔略〕〔平成二六・八・二〇政令二八三〕

附　則〔抄〕〔平成二七・一一・二六政令三九二〕

（施行期日）

第一条　この政令は、行政不服審査法の施行の日（平成二十八年四月一日）から施行する。

（経過措置の原則）

第二条　行政庁の処分その他の行為又は不作為についての不服申立てであってこの政令の施行前にされた行政庁の処分その他の行為又はこの政令の施行前にされた申請に係る行政庁の不作為に係るものについては、この附則に特別の定めがある場合を除き、なお従前の例による。

附　則〔略〕〔平成二九・六・一四政令一五六〕

附　則〔略〕〔令和元・一二・二五政令二〇二〕

附　則〔略〕〔令和三・八・四政令二二四〕

附　則〔抄〕〔令和三・九・二七政令二六五〕

（施行期日）

1　この政令は、マンションの管理の適正化の推進に関する法律及びマンションの建替え等の円滑化に関する法律の一部を改正する法律（令和二年法律第六十二号）の施行の日（令和四年四月一日）から施行する。

○マンションの建替え等の円滑化に関する法律施行規則

（平成一四・一二・一七　国土交通省令一一六）

改正　平成一五・一国交令三、五国交令六九、一〇国交令一一一、平成一六・一二国交令一一〇、平成一七・三国交令一二、国交令二五、平成一九・三国交令二〇、平成二〇・一一国交令九三、平成二一・三国交令一五、四国交令三四、平成二二・一二国交令六一、平成二三・三国交令三〇、一一国交令九〇、平成二六・一二国交令九〇、平成二七・一国交令五、平成二八・三国交令二三、平成三〇・三国交令一七、令和二・三国交令二七、一二国交令九八、令和三・八国交令五三、一二国交令七七、令和四・一二国交令九二、令和五・二国交令五、一二国交令九八、令和六・一国交令六

目次

第一章　マンション建替事業
　第一節　施行者
　　第一款　マンション建替組合（第一条―第二十一条）
　　第二款　個人施行者（第二十二条―第二十九条）
　第二節　権利変換手続等（第三十条―第四十八条）
第二章　除却する必要のあるマンションに係る特別の措置
　第一節　除却の必要性に係る認定等（第四十九条―第五十二条）
　第二節　買受計画の認定等（第五十三条―第五十五条）
第三章　マンション敷地売却事業
　第一節　マンション敷地売却組合（第五十六条―第六十二条）
　第二節　分配金取得手続等（第六十三条―第七十六条）
第四章　敷地分割事業
　第一節　敷地分割組合（第七十七条―第九十四条）
　第二節　敷地権利変換手続等（第九十五条―第百四条）
第五章　雑則（第百五条・第百六条）
附則

第一章　マンション建替事業

第一節　施行者

第一款　マンション建替組合

（定款の記載事項）

第一条　マンションの建替え等の円滑化に関する法律（以下「法」という。）第七条第十二号の国土交通省令で定める事項は、次に掲げるものとする。

一　審査委員に関する事項

二　会計に関する事項

（認可申請手続）

第二条　法第九条第一項の認可を申請しようとする者は、定款及び事業計画を認可申請書とともに提出しなければならない。

（認可申請書の添付書類）

第三条　法第九条第一項の認可を申請しようとする者は、認可申請書に次に掲げる書類を添付しなければならない。

一　認可を申請しようとする者が施行マンションとなるべきマンションの建替え合意者等であることを証する書類

二　施行マンションとなるべきマンションの全部又は一部が建替え決議マンションである場合においては、当該建替え決議マンションについて法第九条第二項の同意を得たことを証する書類及び当該建替え決議マンションについての建替え決議の内容を記載した書類

三　施行マンションとなるべきマンションの全部又は一部が一括建替え決議マンション群である場合においては、当該一括建替え決議マンション群について法第九条第四項の同意（一括建替え合意者の四分の三以上の同意及び一括建替え決議マンション群を構成する各マンションごとのその区分所有権を有する一括建替え合意者の三分の二以上の同意をいう。次項第三号において同じ。）を得たことを証する書類及び当該一括建替え決議マンション群についての一括建替え決議の内容を記載した書類

四　施行再建マンションの敷地とする隣接施行敷地がある場合においては、当該隣接施行敷地に建築物その他の工作物が存しないこと又はこれに存する建築物その他の工作物を除却し、若しくは移転することができることが確実であることを証する書類

2　法第三十四条第一項の認可を申請しようとするマンション建替組合（以下この章において「組合」という。）は、認可申請書に次に掲げる書類を添付しなければならない。

一　定款又は事業計画の変更について総会又は総代会の議決を経たことを証する書類

二　新たに施行マンションに追加しようとする建替え決議マンションがある場合においては、当該建替え決議マンションについて法第三十四条第二項において準用する法第九条第二項の同意を得たことを証する書類及び当該建替え決議マンションについての建替え決議の内容を記載した書類

三　新たに施行マンションに追加しようとする一括建替え決議マンション群がある場合においては、当該一括建替え決議マンション群について法第三十四条第二項において準用する法第九条第四項の同意を得たことを証する書類及び当該一括建替え決議マンション群についての一括建替え決議の内容を記載した書類

四　新たに施行再建マンションの敷地として追加しようとする隣接施行敷地がある場合においては、当該隣接施行敷地に建築物その他の工作物が存しないこと又はこれに存する建築物その他の工作物を除却し、若しくは移転することができることが確実であることを証する書類

五　認可を申請しようとする組合が法第三十四条第三項の同意を得なければならない場合においては、その同意を得たことを証する書類

3　法第三十八条第四項の認可を申請しようとする組合は、認可申請書に次に掲げる書類を添付しなければならない。

一　権利変換期日前に組合の解散について総会の議決を経たことを証する書類又は事業の完成を明らかにする書類若しくは事業の完成が不能であることを明らかにする書類

二　認可を申請しようとする組合が法第三十八条第三項の同意を得なければならない場合においては、その同意を得たことを証する書類

（施行マンションの状況）

第四条　法第十条第一項の施行マンションの状況は、次に掲げる事項を記載しなければならない。

一　規模、構造及び設備

二　竣工年月日

三　維持管理の状況

（施行マンションの敷地の区域）

第五条　法第十条第一項の施行マンションの敷地の区域は、施行マンション敷地位置図及び施行マンション敷地区域図を作成して定めなければならない。

2　前項の施行マンション敷地位置図は、縮尺二万五千分の一以上とし、施行マンションの敷地の位置を表示した地形図でなければならない。

3　第一項の施行マンション敷地区域図は、縮尺二千五百分の一以上とし、施行マンションの敷地の区域並びにその区域を明らかに表示するに必要な範囲内において都道府県界、市町村界、市町村の区域内の町又は字の境界並びに土地の地番及び形状を表示したものでなければならない。

（施行マンションの住戸の状況）

第六条　法第十条第一項の施行マンションの住戸の状況は、次に掲げる事項を記載しなければならない。

一　住戸の数

二　住戸の規模、構造及び設備

三　住戸の維持管理の状況

（施行再建マンションの設計の概要）

第七条　法第十条第一項の施行再建マンションの設計の概要は、設計図を作成して定めなければならない。

2　前項の設計図は、次の表に掲げるものとする。

図面の種類	縮尺	明示すべき事項
各階平面図	五百分の一以上	縮尺、方位、間取り、各室の用途及び設備の概要
二面以上の断面図	五百分の一以上	縮尺並びに施行再建マンション、床及び各階の天井の高さ

（施行再建マンションの敷地の区域）

第八条　法第十条第一項の施行再建マンションの敷地の区域は、施行再建マンション敷地位置図及び施行再建マンション敷地区域図を作成して定めなければならない。

2　第五条第二項及び第三項の規定は、前項の施行再建マンション敷地位置図及び施行再建マンション敷地区域図について準用する。

（資金計画）

第九条　法第十条第一項の資金計画は、収支予算を明らかにして定めなければならない。

（事業計画に記載すべき事項）

第一〇条　法第十条第一項の国土交通省令で定める事項は、次に掲げるものとする。

一　施行再建マンションの附属施設の設計の概要

二　施行再建マンションの敷地の設計の概要

（施行再建マンションの附属施設の設計の概要）

第一一条　前条第一号の施行再建マンションの附属施設の設計の概要は、設計図を作成して定めなければならない。

2　前項の設計図は、次の表に掲げるものとする。

図面の種類	縮尺	明示すべき事項
各階平面図	五百分の一以上	縮尺、方位、間取り、各室の用途及び設備の概要
二面以上の断面図	五百分の一以上	縮尺並びに施行再建マンションの附属施設、床及び各階の天井の高さ

（施行再建マンションの敷地の設計の概要）

第一二条　第十条第二号の施行再建マンションの敷地の設計の概要は、設計図を作成して定めなければならない。

2　前項の設計図は、次の表に掲げるものとする。

図面の種類	縮尺	明示すべき事項
平面図	五百分の一以上	縮尺、方位並びに施行再建マンション、その他の建築物、主要な給水施設、排水施設、電気施設及びガス施設並びに広場、駐車施設、遊び場その他の共同施設、通路及び消防用水利施設の位置

（意見書の内容の審査の方法）

第一二条の二　マンションの建替え等の円滑化に関する法律施行令（以下「令」という。）第一条の二において準用する行政不服審査法施行令（平成二十七年政令第三百九十一号）第八条に規定する方法によって口頭意見陳述（法第十一条第四項（法第三十四条第二項において準用する場合を含む。以下この条において同じ。）において準用する行政不服審査法（平成二十六年法律第六十八号）第三十一条第二項に規定する口頭意見陳述をいう。）の期日における審理を行う場合には、審理関係人（法第十一条第四項において準用する行政不服審査法第二十八条に規定する審理関係人をいう。以下この条において同じ。）の意見を聴いて、当該審理に必要な装置が設置された場所であって都道府県知事（市の区域内にあっては、当該市の長。以下「都道府県知事等」という。）が相当と認める場所を、審理関係人ごとに指定して行う。

（法第十二条第四号の国土交通省令で定める施行マンションの住戸の数）

第一三条　法第十二条第四号の国土交通省令で定める施行マンションの住戸の数は、五とする。

（法第十二条第六号の国土交通省令で定める施行再建マンションの住戸の数）

第一四条　法第十二条第六号の国土交通省令で定める施行再建マンションの住戸の数は、五とする。

（法第十二条第七号の国土交通省令で定める住戸の規模、構造及び設備の基準）

第一五条　法第十二条第七号の国土交通省令で定める施行再建マンションの住戸の規模、構造及び設備の基準は次のとおりとする。

一　各戸が床面積（施行再建マンションの共用部分の床面積を除く。以下この条において同じ。）五十平方メートル（現に同居し、又は同居しようとする親族（婚姻の届出をしないが事実上婚姻関係と同様の事情にある者その他婚姻の予約者を含む。）がない者（以下この条において「単身者」という。）の居住の用に供する住戸にあっては、二十五平方メートル）以上であること。ただし、居住すべき者の年齢、所得その他の特別の事情によりやむを得ないと認められる住戸（単身者の居住の用に供するものを除く。）にあっては、当該住戸の床面積を三十平方メートル以上とすることができる。

二　建築基準法（昭和二十五年法律第二百一号）第二条第九号の二イに掲げる基準に適合する建築物、当該建築物以外の建築物で同条第九号の三イ若しくはロのいずれかに該当するもの又はこれに準ずる耐火性能を有する構造の建築物として次に掲げる要件に該当するものであること。

イ　外壁及び軒裏が、建築基準法第二条第八号に規定する防火構造であること。

ロ　屋根が、建築基準法施行令（昭和二十五年政令第三百三十八号）第百三十六条の二の二第一号及び第二号に掲げる技術的基準に適合するものであること。

ハ　天井及び壁の室内に面する部分が、通常の火災時の加熱に十五分間以上耐える性能を有するものであること。
ニ　イからハまでに掲げるもののほか、建築物の各部分が、防火上支障のない構造であること。
三　各戸が台所、水洗便所、収納設備、洗面設備及び浴室を備えたものであること。
2　前項第一号の規定にかかわらず、住宅事情の実態により必要があると認められる場合においては、法第十二条第七号の国土交通省令で定める施行再建マンションの住戸の規模の基準を、各戸の床面積が五十平方メートル（単身者の居住の用に供する住戸にあっては、二十五平方メートル）以下で都道府県知事等が定める面積以上であることとすることができる。この場合においては、併せて、居住すべき者の年齢、所得その他の特別の事情によりやむを得ないと認められる住戸（単身者の居住の用に供するものを除く。）にあっては、当該住戸の床面積を三十平方メートル以下で都道府県知事等が定める面積以上とすることができる旨を定めなければならない。

（公告事項）
第一六条　法第十四条第一項の規定による公告をする場合における国土交通省令で定める事項は、次に掲げるものとする。
一　事務所の所在地
二　設立認可の年月日
三　事業年度
四　公告の方法
五　権利変換又は借家権の取得を希望しない旨の申出をすることができる期限
2　法第三十四条第二項において準用する法第十四条第一項の規定による公告をする場合における国土交通省令で定める事項は、次に掲げるものとする。
一　事務所の所在地及び設立認可の年月日
二　組合の名称、施行マンションの名称若しくはその敷地の区域、施行再建マンションの敷地の区域、事業施行期間又は事務所の所在地に関して変更がされたときは、その変更の内容
三　前項第三号又は第四号に掲げる事項に関して変更がされたときは、その変更の内容
四　新たに施行マンションを追加したときは、権利変換又は借家権の取得を希望しない旨の申出をすることができる期限
五　定款又は事業計画の変更の認可の年月日

（送付図書の表示事項）
第一七条　法第十四条第一項（法第三十四条第二項において準用する場合を含む。）の規定による送付をする場合における国土交通省令で定める事項は、次に掲げるものとする。
一　施行再建マンションの附属施設の設計の概要
二　施行再建マンションの敷地の設計の概要

（組合員名簿の記載事項）
第一八条　法第十八条第一項の国土交通省令で定める事項は、次に掲げるものとする。
一　令第三条第一項の代表者を選任したときは、その者の氏名及び住所（法人にあっては、その名称及び主たる事務所の所在地）
二　組合員名簿の作成又は変更の年月日

（電磁的記録）
第一八条の二　法第二十四条第七項の国土交通省令で定める電磁的記録は、電子計算機に備えられたファイル又は電磁的記録媒体（電子的方式、磁気的方式その他人の知覚によっては認識することができない方式で作られる記録であって、電子計算機による情報処理の用に供されるものに係る記録媒体をいう。次条第一項第二号において同じ。）をもって調製するファイルに記録したものとする。

（電磁的方法）
第一八条の三　法第二十八条第四項（法第三十一条第四項、第百二十九条、第百七十八条及び第百八十条第四項において準用する場合を含む。）に規定する国土交通省令で定めるものは、次に掲げる方法とする。
一　電子情報処理組織を使用する方法のうちイ又はロに掲げるもの
イ　送信者の使用に係る電子計算機と受信者の使用に係る電子計算機とを接続する電気通信回線を通じて送信し、受信者の使用に係る電子計算機に備えられたファイルに記録する方法
ロ　送信者の使用に係る電子計算機に備えられたファイルに記録された情報の内容を電気通信回線を通じて情報の提供を受ける者の閲覧に供し、当該情報の提供を受ける者の使用に係る電子計算機に備えられたファイルに当該情報を記録する方法
二　電磁的記録媒体をもって調製するファイルに情報を記録したものを交付する方法
2　前項各号に掲げる方法は、受信者がファイルへの記録を出力することにより書面を作成することができるものでなければならない。

（総会の招集に係る情報通信の技術を利用する方法）
第一八条の四　法第二十八条第五項（法第三十一条第四項、第百二十九条、第百七十八条及び第百八十条第四項において準用する場合を含む。）の国土交通省令で定める方法は、前条第一項第二号に掲げる方法とする。

（縦覧手続等を要しない事業計画の変更）
第一九条　法第三十四条第二項の国土交通省令で定める軽微な変更は、次に掲げるものとする。
一　施行再建マンションの設計の概要の変更で、最近の認可に係る当該施行再建マンションの延べ面積の十分の一を超える延べ面積の増減を伴わないもの
二　事業施行期間の変更
三　資金計画の変更
四　施行再建マンションの敷地の区域内の主要な給水施設、排水施設、電気施設又はガス施設の位置の変更
五　施行再建マンションの敷地の区域内の広場、駐車施設、遊び場その他の共同施設又は通路若しくは消防用水利施設の位置の変更

（参加組合員の負担金及び分担金の納付）
第二〇条　参加組合員が法第三十六条第一項の規定により納付すべき負担金の納付期限、分割して納付する場合における分割の回数、各納付期限及び各納付期限ごとの納付金額その他の負担金の納付に関する事項は、定款で定めるものとする。この場合において、最終の納付期限は、法第八十一条の公告の日から一月を超えてはならない。
2　参加組合員以外の組合員が賦課金を納付すべき場合においては、参加組合員は、分担金を納付するものとする。
3　分担金の額は、参加組合員の納付する負担金の額及び参加組合員以外の組合員が有する施行マンション（権利変換期日以後においては、施行再建マンション）の区分所有権又は敷地利用権の価額を考慮して、賦課金の額と均衡を失しないように定めるものとし、分担金の納付方法は、賦課金の賦課徴収の方法の例によるものとする。

（決算報告書）
第二一条　法第四十二条の決算報告書は、次に掲げる事項を記載して作成しなければならない。
一　組合の解散の時における財産及び債務の明細
二　債権の取立及び債務の弁済の経緯
三　残余財産の処分の明細

第二款　個人施行者

（認可申請手続）
第二二条　法第四十五条第一項の認可を申請しようとする者は、一人で施行しようとする者にあっては規準及び事業計画を、数人共同して施行しようとする者にあっては規約及び事業計画を認可申請書とともに提出しなければならない。

（認可申請書の添付書類）
第二三条　法第四十五条第一項の認可を申請しようとする者は、認可申請書に次に掲げる書類を添付しなければならない。
一　認可を申請しようとする者が施行マンションとなるべきマンションの区分所有者であるときはその旨を証する書類
二　認可を申請しようとする者が法第四十五条第二項の同意を得なければならない場合においては、その同意を得たことを証する書類
三　施行マンションとなるべきマンションの全部又は一部が建替え決議マンションである場合においては、当該建替え決議マンションについての建替え決議の内容を記載した書類

四　施行マンションとなるべきマンションの全部又は一部が一括建替え決議マンション群である場合においては、当該一括建替え決議マンション群についての一括建替え決議の内容を記載した書類

五　施行再建マンションの敷地とする隣接施行敷地がある場合においては、当該隣接施行敷地に建築物その他の工作物が存しないこと又はこれに存する建築物その他の工作物を除却し、若しくは移転することができることが確実であることを証する書類

2　法第五十条第一項の認可を申請しようとする個人施行者は、認可申請書に次に掲げる書類を添付しなければならない。

一　認可を申請しようとする個人施行者が法第五十条第二項において準用する法第四十五条第二項の同意を得なければならない場合においては、その同意を得たことを証する書類

二　新たに施行マンションに追加しようとする建替え決議マンションがある場合においては、当該建替え決議マンションについての建替え決議の内容を記載した書類

三　新たに施行マンションに追加しようとする一括建替え決議マンション群がある場合においては、当該一括建替え決議マンション群についての一括建替え決議の内容を記載した書類

四　新たに施行再建マンションの敷地として追加しようとする隣接施行敷地がある場合においては、当該隣接施行敷地に建築物その他の工作物が存しないこと又はこれに存する建築物その他の工作物を除却し、若しくは移転することができることが確実であることを証する書類

五　認可を申請しようとする個人施行者が法第五十条第三項において準用する法第三十四条第三項の同意を得なければならない場合においては、その同意を得たことを証する書類

3　法第五十四条第一項の認可を申請しようとする個人施行者は、認可申請書に次に掲げる書類を添付しなければならない。

一　事業の完成が不能であることを明らかにする書類又は事業の完成を明らかにする書類

二　認可を申請しようとする個人施行者が法第五十四条第二項の同意を得なければならない場合においては、その同意を得たことを証する書類

（規準又は規約の記載事項）

第二四条　法第四十六条第九号の国土交通省令で定める事項は、次に掲げるものとする。

一　審査委員に関する事項

二　会計に関する事項

（事業計画）

第二五条　第四条から第九条までの規定は、法第四十七条第一項の事業計画について準用する。

第二六条　法第四十七条第一項の国土交通省令で定める事項は、次に掲げるものとする。

一　施行再建マンションの附属施設の設計の概要

二　施行再建マンションの敷地の設計の概要

2　第十一条の規定は前項第一号の施行再建マンションの附属施設の設計の概要について、第十二条の規定は前項第二号の施行再建マンションの敷地の設計の概要について、それぞれ準用する。

（公告事項）

第二七条　法第四十九条第一項の規定による公告をする場合における国土交通省令で定める事項は、次に掲げるものとする。

一　マンション建替事業の名称

二　事務所の所在地

三　施行認可の年月日

四　施行者の住所

五　事業年度

六　公告の方法

七　権利変換又は借家権の取得を希望しない旨の申出をすることができる期限

2　法第五十条第二項において準用する法第四十九条第一項の規定による公告をする場合における国土交通省令で定める事項は、次に掲げるものとする。

一　マンション建替事業の名称及び事務所の所在地並びに施行認可の年月日

二　施行者の氏名若しくは名称、施行マンションの名称若しくはその敷地の区域、施行再建マンションの敷地の区域、事業施行期間又は前項第一号、第二号、第五号若しくは第六号に掲げる事項に関して変更がされたときは、その変更の内容

三　新たに施行マンションを追加したときは、権利変換又は借地権の取得を希望しない旨の申出をすることができる期限

四　規準若しくは規約又は事業計画の変更の認可の年月日

3　法第五十一条第三項後段の規定により定められた規約について認可した場合における同条第七項の国土交通省令で定める事項は、次に掲げるものとする。

一　マンション建替事業の名称及び事務所の所在地並びに施行認可の年月日

二　法第五十一条第三項後段の規定により規約について認可した旨及びその認可の年月日

4　法第五十一条第七項の規定による届出を受理した場合における同条第七項の国土交通省令で定める事項は、マンション建替事業の名称及び事務所の所在地並びに施行認可の年月日とする。

5　法第五十四条第三項において準用する法第四十九条第一項の国土交通省令で定める事項は、次に掲げるものとする。

一　マンション建替事業の名称及び施行認可の年月日

二　マンション建替事業の廃止又は終了の認可の年月日

（送付図書の表示事項）

第二八条　法第四十九条第一項（法第五十条第二項において準用する場合を含む。）の規定による送付をする場合における国土交通省令で定める事項は、次に掲げるものとする。

一　施行再建マンションの附属施設の設計の概要

二　施行再建マンションの敷地の設計の概要

（施行者の変動の届出）

第二九条　法第五十一条第六項の規定による届出をしようとする施行者は、施行者変動届出書に、当該変動の原因である一般承継又は個人施行者の有する区分所有権若しくは敷地利用権の一般承継以外の事由による承継があったことを証する書類を添付して、都道府県知事等に提出しなければならない。

第二節　権利変換手続等

（権利処分承認申請手続）

第三〇条　法第五十五条第二項の規定により権利の処分について承認を得ようとする者は、別記様式第一の権利処分承認申請書を施行者に提出しなければならない。

2　前項の権利処分承認申請書には、権利の処分について承認を得ようとする者及び権利の処分の相手方の運転免許証（道路交通法（昭和三十五年法律第百五号）第九十二条第一項に規定する運転免許証をいう。）、個人番号カード（行政手続における特定の個人を識別するための番号の利用等に関する法律（平成二十五年法律第二十七号）第二条第七項に規定する個人番号カードをいう。）、旅券（出入国管理及び難民認定法（昭和二十六年政令第三百十九号）第二条第五号に規定する旅券をいう。）の写しその他その者が本人であることを確認するに足りる書類（法人にあっては、印鑑登録証明書その他その者が本人であることを確認するに足りる書類）を添付しなければならない。

（権利変換を希望しない旨の申出等の方法）

第三一条　法第五十六条第一項の規定による申出をしようとする者は、別記様式第二の権利変換を希望しない旨の申出書に、自己が施行マンションの区分所有権又は敷地利用権を有する者であることを証する書類を添付して、これを施行者に提出しなければならない。この場合において、その申出について同条第二項の同意を得なければならないときは、同項の同意を得たことを証する書類も添付しなければならない。

2　法第五十六条第三項の規定による申出をしようとする者は、別記様式第三の借家権の取得を希望しない旨の申出書に、自己が施行マンションについて法第四条第二項第五号に規定する借家権者（以下単に「借家権者」という。）であることを証する書類を添付して、これを施行者に提出しなければならない。

3　法第五十六条第五項又は第六項の規定による申出の撤回をしようとする者は、別記様式第四の権利変換を希望しない旨の申出撤回書又は別記様式

第五の借家権の取得を希望しない旨の申出撤回書を施行者に提出しなければならない。

（権利変換計画又はその変更の認可申請手続）

第三二条　法第五十七条第一項後段の認可を申請しようとする施行者は権利変換計画に、法第六十六条において準用する法第五十七条第一項後段の認可を申請しようとする施行者は権利変換計画のうち変更に係る事項に、次に掲げる書類を添付して、認可申請書とともに、都道府県知事等に提出しなければならない。

一　法第六十七条の規定による審査委員の過半数の同意を得たことを証する書類

二　認可を申請しようとする施行者が組合である場合においては、権利変換計画の決定又は変更についての総会の議決を経たことを証する書類

三　法第五十七条第二項の同意を得なければならない場合においては、その同意を得たことを証する書類

四　建物の区分所有等に関する法律（昭和三十七年法律第六十九号。以下「区分所有法」という。）第六十九条の規定により同条第一項に規定する特定建物（以下単に「特定建物」という。）である施行マンションの建替えを行うことができるときは、同項に規定する建替え承認決議を得たことを証する書類

五　法第六十一条第二項の必要な定めをするときは、関係権利者の意見の概要を記載した書類

（権利変換計画に関する図書）

第三三条　法第五十八条第一項第一号に掲げる施行再建マンションの配置設計は、配置設計図を作成して定めなければならない。

2　前項の配置設計図は、施行再建マンションの各階平面図に専有部分及び共用部分の配置及び用途を表示したもの並びに施行再建マンションの敷地の平面図に各施行再建マンションの敷地の区域を表示したものとする。

3　法第五十八条第一項第二号から第十九号までに掲げる事項は、別記様式第六の権利変換計画書を作成して定めなければならない。

（権利変換計画に定めるべき事項）

第三四条　法第五十八条第一項第十九号の国土交通省令で定める事項は、次に掲げるものとする。

一　法第七十五条の補償金（利息相当額を含む。）の支払期日及び支払方法

二　施行再建マンションの区分所有権を与えられることとなる者の施行マンションの共用部分の共有持分

三　施行再建マンションの区分所有権を与えられることとなる者に与えられることとなる施行再建マンションの共用部分の共有持分

四　施行再建マンションの区分所有権を与えられることとなる者の施行マンションの団地共用部分の共有持分（団地共用部分がある場合に限る。）

五　施行再建マンションの区分所有権を与えられることとなる者に与えられることとなる施行再建マンションの団地共用部分の共有持分（団地共用部分がある場合に限る。）

（施行再建マンションの区分所有権等の価額の概算額）

第三五条　法第五十八条第一項第四号に掲げる施行再建マンションの区分所有権の価額の概算額は、マンション建替事業に要する費用の額を当該区分所有権に係る施行再建マンションの専有部分の床面積等に応じて按分した額（以下「費用の按分額の概算額」という。）を償い、かつ、法第六十二条に規定する三十日の期間を経過した日（以下「基準日」という。）における近傍同種の建築物の区分所有権の取引価格等を参酌して定めた当該区分所有権の見込額（この項において「市場価額の概算額」という。）を超えない範囲内の額とする。この場合において、費用の按分額の概算額が市場価額の概算額を超えるときは、市場価額の概算額をもって当該区分所有権の価額の概算額とする。

2　前項の費用の按分額の概算額は、付録第一の式によって算出するものとする。

3　法第五十八条第一項第四号に掲げる施行再建マンションの敷地利用権の価額の概算額は、基準日における近傍類似の土地に関する同種の権利の取引価格等を参酌して定めた当該敷地利用権の価額の見込額とする。

（施行再建マンションの部分の標準家賃の概算額）

第三六条　法第五十八条第一項第十一号の概算額は、費用の按分額の概算額の償却額に修繕費、管理事務費、地代に相当する額、損害保険料、貸倒れ及び空家による損失をうめるための引当金並びに公課（国有資産等所在市町村交付金を含む。以下同じ。）を加えたものとする。

2　前項の償却額を算出する場合における償却方法は、費用の按分額の概算額を当該費用にあてられる資金の種類及び額並びに借入条件を考慮して施行者が定める期間及び利率で毎年元利均等に償却する方法とする。

3　第一項の修繕費の年額は、昇降機を共用する場合にあっては、費用の按分額の概算額（昇降機の整備に係るものを除く。）に百分の一・二を超えない範囲内において施行者が定める数値を乗じて得た額に費用の按分額の概算額のうち昇降機の整備に係るものの額に百分の三を超えない範囲内において施行者が定める数値を乗じて得た額を加えた額とし、昇降機を共用しない場合にあっては、費用の按分額の概算額に百分の一・二を超えない範囲内において施行者が定める数値を乗じて得た額とする。

4　第一項の管理事務費の年額は、昇降機を共用する場合にあっては、費用の按分額の概算額に百分の〇・五を超えない範囲内において施行者が定める数値を乗じて得た額に当該昇降機の運転に要する費用の年額に当該施行再建マンションの部分に係る当該昇降機の共有持分の割合を乗じて得た額を加えた額とし、昇降機を共用しない場合にあっては、費用の按分額の概算額に百分の〇・五を超えない範囲内において施行者が定める数値を乗じて得た額とする。

5　第一項の地代に相当する額は、基準日における近傍類似の土地の地代の額に当該土地の借地権の設定の対価を当該借地権の存続期間及び相当の利率により元利均等に償却するものとして算出した償却額を加えた地代の見込額を超えない範囲内において定めなければならない。

6　第一項の貸倒れ及び空家による損失をうめるための引当金の年額は、同項の償却額、修繕費、管理事務費、地代に相当する額、損害保険料及び公課の年額を合計した額に百分の二を超えない範囲内において施行者が定める数値を乗じて得た額とする。

（都道府県知事等の認可を要しない権利変換計画の変更）

第三七条　権利変換計画の変更のうち法第六十六条の国土交通省令で定める軽微な変更は、次に掲げるものとする。

一　法第五十八条第一項第二号又は第七号に掲げる事項の変更

二　法第五十八条第一項第五号、第九号又は第十二号から第十四号までに掲げる事項のうち氏名若しくは名称又は住所の変更

三　法第五十八条第一項第十五号に掲げる事項のうち施行再建マンションの区分所有権又は敷地利用権の明細の変更

四　法第五十八条第一項第十六号に掲げる事項のうち保留敷地の所有権又は借地権の明細の変更

五　前四号に掲げるもののほか、権利変換計画の変更で、当該変更に係る部分について利害関係を有する者の同意を得たもの

（審査委員の同意を要しない権利変換計画の変更）

第三八条　権利変換計画の変更のうち法第六十七条の国土交通省令で定める軽微な変更は、次に掲げるものとする。

一　法第五十八条第一項第二号、第七号、第十五号又は第十六号に掲げる事項の変更

二　法第五十八条第一項第五号、第九号又は第十二号から第十四号までに掲げる事項のうち氏名若しくは名称又は住所の変更

（権利変換計画の公告事項等）

第三九条　施行者は、権利変換計画の認可を受けたときは、次に掲げる事項を公告しなければならない。

一　マンション建替事業の名称

二　施行者の氏名又は名称

三　事務所の所在地

四　権利変換計画に係る施行マンションの敷地の区域及び施行再建マンションの敷地の区域に含まれる地域の名称

五　権利変換期日

六　権利変換計画の認可を受けた年月日

2　施行者は、権利変換計画の変更の認可を受けたとき又は権利変換計画について第三十七条各号に掲げる軽微な変更をしたときは、次に掲げる事項を公告しなければならない。

一　前項第一号から第四号まで及び第六号に掲げる事項

二　権利変換期日について変更がされたときは、その変更の内容

三　権利変換計画の変更の認可を受けた年月日又は権利変換計画について第三十七条各号に掲げる軽微な変更をした年月日

3　法第六十八条第一項の規定により通知すべき事項は、権利変換計画の認

可を受けたときにあっては、第一項第一号から第四号までに掲げる事項及び権利変換計画の内容のうちその通知を受けるべき者に係る部分とし、権利変換計画の変更の認可を受けたとき又は権利変換計画につき第三十七条各号に掲げる軽微な変更をしたときにあっては、同項第一号から第四号まで及び前項第三号に掲げる事項並びに権利変換計画の内容のうちその通知を受けるべき者に係る部分とする。

（権利変換期日等の通知）

第四〇条　法第六十九条の規定による通知は、別記様式第七により行うものとする。

2　法第六十九条の国土交通省令で定める事項は、権利変換計画の認可を受けたときにあっては、前条第一項第一号から第四号まで及び第六号に掲げる事項とし、権利変換計画の変更の認可を受けたとき又は権利変換計画につき第三十七条各号に掲げる軽微な変更をしたときにあっては、前条第一項第一号から第四号まで及び同条第二項第三号に掲げる事項とする。

（補償金の支払に係る修正率の算定方法）

第四一条　法第七十五条の規定による修正率は、総務省統計局が統計法（平成十九年法律第五十三号）第二条第四項に規定する基幹統計である小売物価統計のための調査の結果に基づき作成する消費者物価指数のうち全国総合指数（以下「全国総合消費者物価指数」という。）及び日本銀行が同法第二十五条の規定により届け出て行う統計調査の結果に基づき作成する企業物価指数のうち投資財指数（以下単に「投資財指数」という。）を用いて、付録第二の式により算定するものとする。

（配当機関への通知）

第四二条　第三十九条第三項の規定は、令第十七条第二項の規定により通知すべき事項について準用する。この場合において、第三十九条第三項中「法第六十八条第一項」とあるのは「令第十七条第二項」と、「その通知を受けるべき者」とあるのは「その通知を受けるべき配当機関」と読み替えるものとする。

（配当機関への補償金の払渡し）

第四三条　施行者は、法第七十八条第一項（同条第四項において準用する場合を含む。）の規定により補償金を払い渡すときは、併せて、別記様式第八の補償金払渡通知書及び別記様式第九の権利喪失通知書を提出しなければならない。

（借家条件の裁定手続）

第四四条　法第八十三条第二項の裁定の申立てをしようとする者は、別記様式第十の裁定申立書を施行者に提出しなければならない。

2　施行者は、裁定前に当事者双方の意見を聴かなければならない。

3　裁定は、文書をもってし、かつ、その理由を付さなければならない。

4　施行者は、裁定書の正本を当事者双方に送付しなければならない。

（令第二十二条第一項の費用の按分額）

第四五条　令第二十二条第一項の費用の按分額は、付録第一の式によって算出するものとする。

（標準家賃の額の確定の補正方法）

第四六条　令第二十二条第三項の標準家賃の概算額の補正は、第三十六条の規定の例により定めた標準家賃の月額から、施行再建マンションの部分について賃借権を与えられることとなる者が施行マンションについて有していた賃借権の価額を当該賃借権の残存期間、近隣の同類型の借家の取引慣行等を総合的に比較考量して施行者が定める期間で毎月均等に償却するものとして算定した償却額を控除して行うものとする。

（事務所備付け簿書）

第四七条　法第九十五条第一項の規定により施行者が備え付けておかなければならない簿書は、次に掲げるものとする。

一　規準、規約又は定款

二　事業計画

三　配置設計図

四　権利変換計画書

五　マンション建替事業に関し、施行者が受けた行政庁の認可その他の処分を証する書類

六　組合にあっては、組合員名簿、総会及び総代会の会議の議事録並びに通常総会の承認を得た事業報告書、収支決算書及び財産目録

七　法第六十七条の規定による審査委員の過半数の同意を得たことを証する書類

（書類の送付に代わる公告）

第四八条　令第二十五条第一項で規定する国土交通省令で定める定期刊行物は、時事に関する事項を掲載する日刊新聞紙とする。

第二章　除却する必要のあるマンションに係る特別の措置

第一節　除却の必要性に係る認定等

（マンションの除却の必要性に係る認定の申請）

第四九条　法第百二条第二項第一号に該当するものとして同項の認定を受けようとするマンションについて同条第一項の認定の申請をしようとする者は、木造のマンション又は木造と木造以外の構造とを併用するマンションについては別記様式第十一の除却の必要性に係る認定申請書の正本及び副本並びに別記様式第十二の正本及び副本に、木造の構造部分を有しないマンションについては別記様式第十一の除却の必要性に係る認定申請書の正本及び副本に、それぞれ、次に掲げる図書又は書類を添えて、これらを特定行政庁に提出するものとする。

一　区分所有法第十八条第一項（区分所有法第六十六条において準用する場合を含む。）の規定により当該認定の申請を決議した集会の議事録の写し（区分所有法第十八条第二項の規定により規約で別段の定めをした場合にあっては、当該規約の写し及びその定めるところにより当該認定の申請をすることを証する書類）

二　建築物の耐震改修の促進に関する法律施行規則（平成七年建設省令第二十八号）第二十八条第二項の表の上欄に掲げる建築物等の区分に応じて同表の下欄に掲げる事項を明示した構造計算書

三　当該マンションが法第百二条第二項第一号の国土交通大臣が定める基準に適合していないことを特定行政庁が適切であると認める者が証する書類その他の当該マンションが当該基準に適合していないことを証するものとして特定行政庁が規則で定める書類

2　法第百二条第二項第二号から第五号までのいずれかに該当するものとして同項の認定を受けようとするマンションについて同条第一項の認定の申請をしようとする者は、別記様式第十一の除却の必要性に係る認定申請書の正本及び副本に、それぞれ、次に掲げる書類を添えて、これらを特定行政庁に提出するものとする。

一　第一項第一号に掲げる書類

二　当該マンションが法第百二条第二項第二号若しくは第五号の国土交通大臣が定める基準に適合していないこと又は同項第三号若しくは第四号の国土交通大臣が定める基準に該当することを証する書類

三　当該マンションの平面図その他の当該マンションが法第百二条第二項第二号若しくは第五号の国土交通大臣が定める基準に適合していないこと又は同項第三号若しくは第四号の国土交通大臣が定める基準に該当することを証するものとして特定行政庁が規則で定める書類

3　特定行政庁は、第一項の規定にかかわらず、規則で、同項第二号に掲げる構造計算書を添えることを要しない旨を規定することができる。

（改修に関する工事を行うことが著しく困難な配管設備）

第四九条の二　法第百二条第二項第四号に規定する国土交通省令で定めるものは、マンションの専有部分の天井裏に設ける配管設備（当該配管設備を有する階の直上階の専有部分又は共用部分の給水又は排水のために設けるものに限る。）であって、その改修に関する工事を行うことが著しく困難なものとして国土交通大臣が定めるものとする。

（認定通知書の様式）

第五〇条　特定行政庁は、法第百二条第二項の認定をしたときは、速やかに、別記様式第十三の除却の必要性に係る認定通知書に前条第一項の申請書の副本を添えて、申請者に通知するものとする。

（認定をした旨の通知書の様式）

第五一条　法第百二条第三項の規定による通知は、別記様式第十四により行うものとする。

（許可申請書及び許可通知書の様式）

第五二条　法第百五条第一項の許可を申請しようとする者は、別記様式第十五の許可申請書の正本及び副本に、それぞれ、特定行政庁が規則で定める図書又は書面を添えて、特定行政庁に提出するものとする。

2　特定行政庁は、法第百五条第一項の許可をしたときは、別記様式第十六の許可通知書に、前項の許可申請書の副本及びその添付図書を添えて、申

請者に通知するものとする。

3　特定行政庁は、法第百五条第一項の許可をしないときは、別記様式第十七の許可しない旨の通知書に、第一項の許可申請書の副本及びその添付図書を添えて、申請者に通知するものとする。

第二節　買受計画の認定等

（買受計画の認定の申請）

第五三条　法第百九条第一項の認定を申請しようとする者は、別記様式第十八の買受計画書を認定申請書とともに提出しなければならない。

2　法第百九条第二項第六号の国土交通省令で定める事項は、次に掲げるものとする。

一　特定要除却認定マンションについてのマンション敷地売却決議の予定時期

二　一団地内にある数棟の建物（当該買受計画に係る特定要除却認定マンションを含むものに限る。）の全部が特定要除却認定マンションであり、かつ、これらの建物（以下「団地内マンション」という。）の敷地（団地内マンションが所在する土地及び区分所有法第五条第一項の規定により団地内マンションの敷地とされた土地をいい、これに関する権利を含む。以下同じ。）の全部又は一部が当該団地内マンションの区分所有者の共有に属する場合において、当該買受計画の認定を申請しようとする者が、当該団地内マンション及びその敷地につき一括して、その全部を買い受けようとする場合には、当該団地内マンション（当該買受計画に係る特定要除却認定マンション及び既に買受計画の認定の申請がなされた特定要除却認定マンションを除く。）の買受計画の認定を申請する予定時期

（認定通知書の様式）

第五四条　都道府県知事等は、法第百九条第一項の認定をしたときは、速やかに、別記様式第十九によりその旨を申請者に通知するものとする。

（買受計画の変更）

第五五条　前二条の規定は、法第百十一条第一項の変更の認定について準用する。

第三章　マンション敷地売却事業

第一節　マンション敷地売却組合

（定款の記載事項）

第五六条　第一条の規定は、法第百十八条第十号の国土交通省令で定める事項について準用する。

（認可申請手続）

第五七条　法第百二十条第一項の認可を申請しようとする者は、定款及び資金計画を認可申請書とともに提出しなければならない。

（認可申請書の添付書類）

第五八条　法第百二十条第一項の認可を申請しようとする者は、認可申請書に次に掲げる書類を添付しなければならない。

一　認可を申請しようとする者が売却マンションとなるべきマンションのマンション敷地売却合意者であることを証する書類

二　前号のマンションについて法第百二十条第二項の同意を得たことを証する書類及び当該マンションについてのマンション敷地売却決議の内容を記載した書類

2　法第百三十四条第一項の認可を申請しようとするマンション敷地売却組合（以下この章及び第百五条第七項において「組合」という。）は、認可申請書に次に掲げる書類を添付しなければならない。

一　定款又は資金計画の変更について総会又は総代会の議決を経たことを証する書類

二　認可を申請しようとする組合が法第百三十四条第三項の同意を得なければならない場合においては、その同意を得たことを証する書類

3　法第百三十七条第四項の認可を申請しようとする組合は、認可申請書に次に掲げる書類を添付しなければならない。

一　権利消滅期日前に組合の解散について総会の議決を経たことを証する書類又は事業の完了を明らかにする書類若しくは事業の完了が不能であることを明らかにする書類

二　認可を申請しようとする組合が法第百三十七条第三項の同意を得なければならない場合においては、その同意を得たことを証する書類

（公告事項）

第五九条　法第百二十三条第一項の規定による公告をする場合における国土交通省令で定める事項は、次に掲げるものとする。

一　事務所の所在地

二　設立認可の年月日

三　事業年度

四　公告の方法

2　法第百三十四条第二項において準用する法第百二十三条第一項の規定による公告をする場合における国土交通省令で定める事項は、次に掲げるものとする。

一　事務所の所在地及び設立認可の年月日

二　組合の名称、売却マンションの名称又は事務所の所在地に関して変更がされたときは、その変更の内容

三　前項第三号又は第四号に掲げる事項に関して変更がされたときは、その変更の内容

四　定款又は資金計画の変更の認可の年月日

（組合員名簿の記載事項）

第六〇条　第十八条の規定は、法第百二十五条第三項において読み替えて準用する法第十八条第一項の国土交通省令で定める事項について準用する。この場合において、第十八条第一号中「マンションの建替え等の円滑化に関する法律施行令（以下「令」という。）第三条第一項」とあるのは、「令第二十八条第一項」と読み替えるものとする。

（電磁的記録）

第六一条　第十八条の二の規定は、法第百二十六条第三項において準用する法第二十四条第七項の国土交通省令で定める電磁的記録について準用する。

（決算報告書）

第六二条　第二十一条の規定は、法第百三十八条において準用する法第四十二条の決算報告書について準用する。この場合において、第二十一条第一号中「組合」とあるのは、「法第百十六条に規定する組合」と読み替えるものとする。

第二節　分配金取得手続等

（権利処分承認申請手続）

第六三条　第三十条の規定は、法第百四十条第二項の規定により権利の処分について承認を得ようとする者について準用する。この場合において、第三十条第一項中「別記様式第一」とあるのは「別記様式第二十」と、「施行者」とあるのは「法第百十六条に規定する組合」と読み替えるものとする。

（分配金取得計画又はその変更の認可申請手続）

第六四条　法第百四十一条第一項後段の認可を申請しようとする組合は分配金取得計画に、法第百四十五条において準用する法第百四十一条第一項後段の認可を申請しようとする組合は分配金取得計画のうち変更に係る事項に、次に掲げる書類を添付して、認可申請書とともに、都道府県知事等に提出しなければならない。

一　法第百四十六条の規定による審査委員の過半数の同意を得たことを証する書類

二　分配金取得計画の決定又は変更についての総会の議決を経たことを証する書類

三　法第百四十一条第二項の同意を得なければならない場合においては、その同意を得たことを証する書類

（分配金取得計画書の様式）

第六五条　法第百四十二条第一項各号に掲げる事項は、別記様式第二十一の分配金取得計画書を作成して定めなければならない。

（分配金取得計画に定めるべき事項）

第六六条　法第百四十二条第一項第八号の国土交通省令で定める事項は、法第百五十一条の分配金及び法第百五十三条の補償金（利息相当額を含む。）の支払期日及び支払方法とする。

（通常受ける損失）

第六七条　令第三十二条の国土交通省令で定める損失は、次に掲げるものとする。

一　借家権者に係る損失であって新たな物件の賃借に係るもの

二　その他法第百四十二条第一項第五号に掲げる者（次項第八号において「権利を有する者」という。）がマンション敷地売却事業の実施により通常受ける損失（令第三十二条に規定するものを除く。）

2　令第三十二条の国土交通省令で定めるところにより計算した額は、次に掲げる額を合算した額とする。

一　売却マンション又はその敷地に物件があるときは、その物件の移転料（物件を通常妥当と認められる移転先に、通常妥当と認められる移転方法によって移転するのに要する費用をいう。次号において同じ。）

二　前号の場合において、物件を移転することが著しく困難であるとき若しくは物件を移転することによって従来利用していた目的に供することが著しく困難となるとき又は移転料が移転しなければならない物件に相当するものを取得するのに要する価格を超えるときは、その物件の正常な取引価格

三　営業の継続が通常不能となるものと認められるときは、次に掲げる額

イ　独立した資産として取引される慣習のある営業の権利その他の営業に関する無形の資産については、その正常な取引価格

ロ　機械器具、商品、仕掛品等の売却損その他資産に関して通常生ずる損失額

ハ　従業員を解雇するため必要となる解雇予告手当（労働基準法（昭和二十二年法律第四十九号）第二十条の規定により使用者が支払うべき平均賃金をいう。）相当額、転業が相当であり、かつ、従業員を継続して雇用する必要があるものと認められる場合における転業に通常必要とする期間中の休業手当（同法第二十六条の規定により使用者が支払うべき手当をいう。次号イにおいて同じ。）相当額その他労働に関して通常生ずる損失額

ニ　転業に通常必要とする期間中の従前の収益（個人営業の場合においては、従前の所得。次号ロ及び第五号ロにおいて同じ。）相当額

四　営業の全部又は一部を通常一時休止する必要があるものと認められるときは、次に掲げる額

イ　休業を通常必要とする期間中の営業用資産に対する公租公課その他の当該期間中においても発生する固定的な経費及び従業員に対する休業手当相当額

ロ　休業を通常必要とする期間中の収益の減少額

ハ　休業することにより、又は営業を行う場所を変更することにより、一時的に顧客を喪失することによって通常生ずる損失額（ロに掲げるものを除く。）

ニ　営業を行う場所の移転に伴う輸送の際における商品、仕掛品等の減損、移転広告費その他移転に伴い通常生ずる損失額

五　営業を休止することなく仮営業所において営業を継続することが通常必要かつ相当であるものと認められるときは、次に掲げる額

イ　仮営業所を新たに確保し、かつ、使用するのに通常要する費用

ロ　仮営業所における営業であることによる収益の減少額

ハ　営業を行う場所を変更することにより、一時的に顧客を喪失することによって通常生ずる損失額（ロに掲げるものを除く。）

六　営業の規模を通常縮小しなければならないものと認められるときは、次に掲げる額

イ　第三号ロ及びハに掲げる額（営業の規模の縮小に伴い通常生ずるものに限る。）

ロ　営業の規模の縮小に伴い経営効率が客観的に低下するものと認められるときは、これにより通常生ずる損失額

七　売却マンションの借家権者にあっては、次に掲げる額

イ　新たに借家権を有していた売却マンションの部分に照応する物件を賃借するための契約を締結するのに通常要する費用

ロ　イの物件における居住又は営業を安定させるために通常必要と認められる期間中の当該物件の通常の賃借料のうち従前の賃借の目的物の賃借料の額を超える部分の額

八　前各号に掲げるもののほか、マンション敷地売却事業の実施により権利を有する者が通常受ける損失額

3　前項各号に掲げる額は、法第百二十三条第一項の公告の日の価格によって算定するものとする。

（都道府県知事等の認可を要しない分配金取得計画の変更）

第六八条　分配金取得計画の変更のうち法第百四十五条の国土交通省令で定める軽微な変更は、次に掲げるものとする。

一　法第百四十二条第一項第一号に掲げる事項の変更

二　法第百四十二条第一項第四号に掲げる事項のうち氏名若しくは名称又は住所の変更

三　前二号に掲げるもののほか、分配金取得計画の変更で、当該変更に係る部分について利害関係を有する者の同意を得たもの

（審査委員の同意を要しない分配金取得計画の変更）

第六九条　分配金取得計画の変更のうち法第百四十六条の国土交通省令で定める軽微な変更は、次に掲げるものとする。

一　法第百四十二条第一項第一号に掲げる事項の変更

二　法第百四十二条第一項第四号に掲げる事項のうち氏名若しくは名称又は住所の変更

（分配金取得計画の公告事項等）

第七〇条　組合は、分配金取得計画の認可を受けたときは、次に掲げる事項を公告しなければならない。

一　マンション敷地売却事業の名称

二　組合の名称

三　事務所の所在地

四　分配金取得計画に係る売却マンションの敷地の区域に含まれる地域の名称

五　権利消滅期日

六　分配金取得計画の認可を受けた年月日

2　組合は、分配金取得計画の変更の認可を受けたとき又は分配金取得計画について第六十八条各号に掲げる軽微な変更をしたときは、次に掲げる事項を公告しなければならない。

一　前項第一号から第四号まで及び第六号に掲げる事項

二　権利消滅期日について変更がされたときは、その変更の内容

三　分配金取得計画の変更の認可を受けた年月日又は分配金取得計画について第六十八条各号に掲げる軽微な変更をした年月日

3　法第百四十七条第一項の規定により通知すべき事項は、分配金取得計画の認可を受けたときにあっては、第一項第一号から第四号までに掲げる事項及び分配金取得計画の内容のうちその通知を受けるべき者に係る部分とし、分配金取得計画の変更の認可を受けたとき又は分配金取得計画につき第六十八条各号に掲げる軽微な変更をしたときにあっては、同項第一号から第四号まで及び前項第三号に掲げる事項並びに分配金取得計画の内容のうちその通知を受けるべき者に係る部分とする。

（権利消滅期日等の通知）

第七一条　第四十条の規定は、法第百四十八条の規定による通知及び同条の国土交通省令で定める事項について準用する。この場合において、第四十条の見出し中「権利変換期日等」とあるのは「権利消滅期日等」と、同条第一項中「別記様式第七」とあるのは「別記様式第二十二」と、同条第二項中「権利変換計画」とあるのは「分配金取得計画」と、「第三十七条各号」とあるのは「第六十八条各号」と読み替えるものとする。

（補償金の支払に係る修正率の算定方法）

第七二条　第四十一条の規定は、法第百五十三条の規定による修正率について準用する。この場合において、付録第二の備考中「権利変換計画」とあるのは「分配金取得計画」と読み替えるものとする。

（配当機関への通知）

第七三条　第七十条第三項の規定は、令第三十三条第一項において読み替えて準用する令第十七条第二項の規定により通知すべき事項について準用する。

（配当機関への分配金又は補償金の払渡し）

第七四条　組合は、法第百五十二条及び法第百五十四条において読み替えて準用する法第七十八条第一項（同条第四項において準用する場合を含む。）の規定により分配金又は補償金を払い渡すときは、併せて、別記様式第二十三の分配金払渡通知書又は別記様式第二十四の補償金払渡通知書及び別記様式第二十五の権利喪失通知書を提出しなければならない。

（事務所備付け簿書）

第七五条　法第百五十八条第一項の規定により組合が備え付けておかなければならない簿書は、次に掲げるものとする。

一　定款

二　分配金取得計画書

三　マンション敷地売却事業に関し、組合が受けた行政庁の認可その他の処分を証する書類
四　組合員名簿、総会及び総代会の会議の議事録並びに通常総会の承認を得た事業報告書、収支決算書及び財産目録
五　法第百四十六条の規定による審査委員の過半数の同意を得たことを証する書類

（書類の送付に代わる公告）
第七六条　第四十八条の規定は、令第三十四条第一項で規定する国土交通省令で定める定期刊行物について準用する。

第四章　敷地分割事業

第一節　敷地分割組合

（定款の記載事項）
第七七条　第一条の規定は、法第百六十六条第十号の国土交通省令で定める事項について準用する。

（認可申請手続）
第七八条　法第百六十八条第一項の認可を申請しようとする者は、定款及び事業計画を認可申請書とともに提出しなければならない。

（認可申請書の添付書類）
第七九条　法第百六十八条第一項の認可を申請しようとする者は、認可申請書に次に掲げる書類を添付しなければならない。
一　認可を申請しようとする者が分割実施敷地となるべき土地の敷地分割合意者であることを証する書類
二　前号の土地について法第百六十八条第二項の同意を得たことを証する書類及び当該土地についての敷地分割決議の内容を記載した書類
2　法第百八十三条第一項の認可を申請しようとする敷地分割組合（以下この章及び第百五条第九項において「組合」という。）は、認可申請書に次に掲げる書類を添付しなければならない。
一　定款又は事業計画の変更について総会又は総代会の議決を経たことを証する書類
二　認可を申請しようとする組合が法第百八十三条第三項の同意を得なければならない場合においては、その同意を得たことを証する書類
3　法第百八十六条第四項の認可を申請しようとする組合は、認可申請書に次に掲げる書類を添付しなければならない。
一　敷地権利変換期日前に組合の解散について総会の議決を経たことを証する書類又は事業の完了を明らかにする書類若しくは事業の完了が不能であることを明らかにする書類
二　認可を申請しようとする組合が法第百八十六条第三項の同意を得なければならない場合においては、その同意を得たことを証する書類

（団地内建物の状況）
第八〇条　法第百六十九条第一項の団地内建物の状況は、次に掲げる事項を記載しなければならない。
一　規模、構造及び設備
二　竣工年月日
三　維持管理の状況

（分割実施敷地の区域）
第八一条　法第百六十九条第一項の分割実施敷地の区域は、分割実施敷地位置図及び分割実施敷地区域図を作成して定めなければならない。
2　前項の分割実施敷地位置図は、縮尺二万五千分の一以上とし、分割実施敷地の位置を表示した地形図でなければならない。
3　第一項の分割実施敷地区域図は、縮尺二千五百分の一以上とし、分割実施敷地の区域並びにその区域を明らかに表示するに必要な範囲内において都道府県界、市町村界、市町村の区域内の町又は字の境界並びに土地の地番及び形状を表示したものでなければならない。

（敷地分割の概要）
第八二条　法第百六十九条第一項の敷地分割の概要は、次に掲げる事項を記載しなければならない。
一　特定要除却認定マンションの除却の実施のために敷地分割を必要とする理由
二　敷地分割後の当該特定要除却認定マンションの除却の実施方法
三　マンションの建替え等その他の団地内建物における良好な居住環境を確保するための措置に関する中長期的な計画が定められているときは、当該計画の概要

（除却マンション敷地及び非除却マンション敷地の区域）
第八三条　法第百六十九条第一項の除却マンション敷地及び非除却マンション敷地の区域は、除却マンション敷地位置図及び除却マンション敷地区域図並びに非除却マンション敷地位置図及び非除却マンション敷地区域図を作成して定めなければならない。
2　第八十一条第二項及び第三項の規定は、前項の除却マンション敷地位置図及び除却マンション敷地区域図並びに非除却マンション敷地位置図及び非除却マンション敷地区域図について準用する。

（資金計画）
第八四条　法第百六十九条第一項の資金計画は、収支予算を明らかにして定めなければならない。

（事業計画に記載すべき事項）
第八五条　法第百六十九条第一項の国土交通省令で定める事項は、次に掲げるものとする。
一　除却マンション敷地及び非除却マンション敷地の区域内にある団地内建物の附属施設の状況
二　除却マンション敷地及び非除却マンション敷地の区域の現況

（除却マンション敷地及び非除却マンション敷地の区域内にある団地内建物の附属施設の状況）
第八六条　前条第一号の除却マンション敷地及び非除却マンション敷地の区域内にある団地内建物の附属施設の状況は、次に掲げる事項を記載しなければならない。
一　規模、構造及び設備
二　設置年月日
三　維持管理の状況

（除却マンション敷地及び非除却マンション敷地の区域の現況）
第八七条　第八十五条第二号の除却マンション敷地及び非除却マンション敷地の区域の現況は、次に掲げる事項を記載しなければならない。
一　除却マンション敷地及び非除却マンション敷地の区域内にある団地内建物、その附属施設及び通路の位置
二　維持管理の状況

（意見書の内容の審査の方法）
第八八条　令第三十七条において準用する行政不服審査法施行令第八条に規定する方法によって口頭意見陳述（法第百七十条第四項（法第百八十三条第二項において準用する場合を含む。以下この条において同じ。）において準用する行政不服審査法第三十一条第一項に規定する口頭意見陳述をいう。）の期日における審理を行う場合には、審理関係人（法第百七十条第四項において準用する行政不服審査法第二十八条に規定する審理関係人をいう。以下この条において同じ。）の意見を聴いて、当該審理に必要な装置が設置された場所であって都道府県知事等が相当と認める場所を、審理関係人ごとに指定して行う。

（公告事項）
第八九条　法第百七十三条第一項の規定による公告をする場合における国土交通省令で定める事項は、次に掲げるものとする。
一　事務所の所在地
二　設立認可の年月日
三　事業年度
四　公告の方法
2　法第百八十三条第二項において準用する法第百七十三条第一項の規定による公告をする場合における国土交通省令で定める事項は、次に掲げるものとする。
一　事務所の所在地及び設立認可の年月日
二　組合の名称、分割実施敷地に係る団地の名称、事業実施期間又は事務所の所在地に関して変更がされたときは、その変更の内容
三　前項第三号又は第四号に掲げる事項に関して変更がされたときは、その変更の内容
四　定款又は事業計画の変更の認可の年月日

（送付図書の表示事項）
第九〇条　法第百七十三条第一項（法第百八十三条第二項において準用する場合を含む。）の規定による送付をする場合における国土交通省令で定める事項は、次に掲げるものとする。
一　団地内建物の状況

二　除却マンション敷地及び非除却マンション敷地の区域内にある団地内建物の附属施設の状況
三　除却マンション敷地及び非除却マンション敷地の区域の現況

（組合員名簿の記載事項）
第九一条　第十八条の規定は、法第百七十四条第三項において読み替えて準用する法第十八条第一項の国土交通省令で定める事項について準用する。この場合において、第十八条第一号中「マンションの建替え等の円滑化に関する法律施行令（以下「令」という。）第三条第一項」とあるのは、「令第三十八条第一項」と読み替えるものとする。

（電磁的記録）
第九二条　第十八条の二の規定は、法第百七十五条第三項において準用する法第二十四条第七項の国土交通省令で定める電磁的記録について準用する。

（縦覧手続等を要しない事業計画の変更）
第九三条　法第百八十三条第二項の国土交通省令で定める軽微な変更は、次に掲げるものとする。
一　事業実施期間の変更
二　資金計画の変更

（決算報告書）
第九四条　第二十一条の規定は、法第百八十七条において準用する法第四十二条の決算報告書について準用する。この場合において、第二十一条第一号中「組合」とあるのは、「法第百六十四条に規定する組合」と読み替えるものとする。

第二節　敷地権利変換手続等

（権利処分承認申請手続）
第九五条　第三十条の規定は、法第百八十九条第二項の規定により権利の処分について承認を得ようとする者について準用する。この場合において、第三十条第一項中「別記様式第二」とあるのは「別記様式第二十六」と、「施行者」とあるのは「法第百六十四条に規定する組合」と読み替えるものとする。

（敷地権利変換計画又はその変更の認可申請手続）
第九六条　法第百九十条第一項後段の認可を申請しようとする組合は敷地権利変換計画に、法第百九十七条において準用する法第九十条第一項後段の認可を申請しようとする組合は敷地権利変換計画のうち変更に係る事項に、次に掲げる書類を添付して、認可申請書とともに、都道府県知事等に提出しなければならない。
一　法第百九十八条の規定による審査委員の過半数の同意を得たことを証する書類
二　敷地権利変換計画の決定又は変更についての総会の議決を経たことを証する書類
三　法第百九十条第二項の同意を得なければならない場合においては、その同意を得たことを証する書類
四　法第百九十四条第二項の必要な定めをするときは、関係権利者の意見の概要を記載した書類

（敷地権利変換計画に関する図書）
第九七条　法第百九十一条第一項第一号に掲げる除却マンション敷地及び非除却マンション敷地の区域は、これらの敷地の平面図に各団地内建物の配置を表示したものを作成して定めなければならない。
2　法第百九十一条第一項第二号から第十四号までに掲げる事項は、別記様式第二十七の敷地権利変換計画書を作成して定めなければならない。

（敷地権利変換計画に定めるべき事項）
第九八条　法第百九十一条第一項第十四号の国土交通省令で定める事項は、次に掲げるものとする。
一　分割実施敷地持分を有する者が分割実施敷地並びに除却マンション敷地又は非除却マンション敷地に存する建物（団地共用部分を除く。）について有する所有権
二　敷地分割後の団地共用部分の共有持分が与えられることとなる者の敷地分割前の団地共用部分の共有持分（団地共用部分がある場合に限る。）及びその価額

（都道府県知事等の認可を要しない敷地権利変換計画の変更）
第九九条　敷地権利変換計画の変更のうち法第百九十七条の国土交通省令で定める軽微な変更は、次に掲げるものとする。
一　法第百九十一条第一項第二号又は第五号に掲げる事項の変更
二　法第百九十一条第一項第八号から第十号までに掲げる事項のうち氏名若しくは名称又は住所の変更
三　前二号に掲げるもののほか、敷地権利変換計画の変更で、当該変更に係る部分について利害関係を有する者の同意を得たもの

（審査委員の同意を要しない敷地権利変換計画の変更）
第一〇〇条　敷地権利変換計画の変更のうち法第百九十八条の国土交通省令で定める軽微な変更は、次に掲げるものとする。
一　法第百九十一条第一項第二号又は第五号に掲げる事項の変更
二　法第百九十一条第一項第八号から第十号までに掲げる事項のうち氏名若しくは名称又は住所の変更

（敷地権利変換計画の公告事項等）
第一〇一条　組合は、敷地権利変換計画の認可を受けたときは、次に掲げる事項を公告しなければならない。
一　敷地分割事業の名称
二　組合の名称
三　事務所の所在地
四　敷地権利変換計画に係る分割実施敷地の区域に含まれる地域の名称
五　敷地権利変換期日
六　敷地権利変換計画の認可を受けた年月日
2　組合は、敷地権利変換計画の変更の認可を受けたとき又は敷地権利変換計画について第九十九条各号に掲げる軽微な変更をしたときは、次に掲げる事項を公告しなければならない。
一　前項第一号から第四号まで及び第六号に掲げる事項
二　敷地権利変換期日について変更がされたときは、その変更の内容
三　敷地権利変換計画の変更の認可を受けた年月日又は敷地権利変換計画について第九十九条各号に掲げる軽微な変更をした年月日
3　法第百九十九条第一項の規定により通知すべき事項は、敷地権利変換計画の認可を受けたときにあっては、第一項第一号から第四号までに掲げる事項及び敷地権利変換計画の内容のうちその通知を受けるべき者に係る部分とし、敷地権利変換計画の変更の認可を受けたとき又は敷地権利変換計画につき第九十九条各号に掲げる軽微な変更をしたときにあっては、同項第一号から第四号まで及び前項第三号に掲げる事項並びに敷地権利変換計画の内容のうちその通知を受けるべき者に係る部分とする。

（敷地権利変換期日等の通知）
第一〇二条　第四十条の規定は、法第二百条の規定による通知及び同条の国土交通省令で定める事項について準用する。この場合において、第四十条の見出し中「権利変換期日等」とあるのは「敷地権利変換期日等」と、同条第一項中「別記様式第七」とあるのは「別記様式第二十八」と、同条第二項中「権利変換計画」とあるのは「敷地権利変換計画」と、「第三十七条各号」とあるのは「第九十九条各号」と読み替えるものとする。

（事務所備付け簿書）
第一〇三条　法第二百十一条第一項の規定により組合が備え付けておかなければならない簿書は、次に掲げるものとする。
一　定款
二　事業計画
三　除却マンション敷地及び非除却マンション敷地の平面図
四　敷地権利変換計画書
五　敷地分割事業に関し、組合が受けた行政庁の認可その他の処分を証する書類
六　組合員名簿、総会及び総代会の会議の議事録並びに通常総会の承認を得た事業報告書、収支決算書及び財産目録
七　法第百九十八条の規定による審査委員の過半数の同意を得たことを証する書類

（書類の送付に代わる公告）
第一〇四条　第四十八条の規定は、令第四十二条第一項で規定する国土交通省令で定める定期刊行物について準用する。

第五章　雑則

（公告の方法等）
第一〇五条　法第十四条第一項（法第三十四条第二項において準用する場合

を含む。）、法第二十五条第二項（法第百二十六条第三項及び法第百七十五条第三項において準用する場合を含む。）、法第三十八条第六項、法第四十九条第一項（法第五十条第二項及び法第五十四条第三項において準用する場合を含む。）、法第五十一条第七項、法第六十八条第一項、法第八十一条、法第九十九条第三項、法第百二十三条第一項（法第百三十四条第二項において準用する場合を含む。）、法第百三十七条第五項、法第百四十七条第一項、法第百七十三条第一項（法第百八十三条第二項において準用する場合を含む。）、法第百八十六条第五項又は法第百九十九条第一項の公告は、官報、公報その他所定の手段により行わなければならない。

2　都道府県知事等は、法第十四条第一項の公告、法第三十四条第二項において準用する法第十四条第一項の公告（施行マンションの敷地の区域又は施行再建マンションの敷地の区域を変更するものに限る。）、法第四十九条第一項の公告又は法第五十条第二項において準用する法第四十九条第一項の公告（施行マンションの敷地の区域又は施行再建マンションの敷地の区域を変更するものに限る。）をしたときは、その公告の内容、第五条第一項（第二十五条において準用する場合を含む。）の施行マンション敷地区域図によって表示した施行マンションの敷地の区域又は第八条第一項（第二十五条において準用する場合を含む。）の施行再建マンション敷地区域図によって表示した施行再建マンションの敷地の区域について、その公告をした日から起算して三十日間、施行マンションの敷地又は隣接施行敷地（法第八十一条の建築工事の完了の公告の日以後にあっては、施行再建マンションの敷地。以下この条において同じ。）の区域内の適当な場所に掲示するとともに、当該都道府県（市の区域内にあっては、当該市。以下この条において同じ。）のウェブサイトに掲載して公衆の閲覧に供しなければならない。

3　都道府県知事等は、法第三十四条第二項において準用する法第十四条第一項の公告又は法第五十条第二項において準用する法第四十九条第一項の公告（これらの公告のうち施行マンションの敷地の区域又は施行再建マンションの敷地の区域を変更するものを除く。）をしたときは、その公告の内容について、その公告をした日から起算して十日間、施行マンションの敷地又は隣接施行敷地の区域内の適当な場所に掲示するとともに、当該都道府県のウェブサイトに掲載して公衆の閲覧に供しなければならない。

4　施行者は、法第六十八条第一項の公告をしたときは、その公告の内容及び第三十三条第一項の配置設計図によって表示した配置設計について、その公告をした日から起算して十日間、施行マンションの敷地又は隣接施行敷地の区域内の適当な場所に掲示するとともに、次の各号のいずれかに該当する場合を除き、当該施行者のウェブサイトに掲載して公衆の閲覧に供しなければならない。ただし、施行者が、権利変換計画の変更で配置設計の変更を伴わないものについて法第六十八条第一項の公告をしたときにおいては、第三十三条第一項の配置設計図によって表示した配置設計を掲示することを及び公衆の閲覧に供することを要しない。

一　施行マンションの敷地面積が〇・四ヘクタール未満である場合

二　施行者が自ら管理するウェブサイトを有していない場合（法第五条第二項の規定による施行者にあっては、マンション建替事業のために自ら管理するウェブサイトを有していない場合）

5　都道府県知事等又は施行者は、法第五十一条第七項、法第八十一条又は法第九十九条第三項の公告をしたときは、その公告の内容について、その公告をした日から起算して十日間、施行マンションの敷地又は隣接施行敷地の区域内の適当な場所に掲示するとともに、都道府県知事等にあっては当該都道府県の、施行者にあっては次の各号のいずれかに該当する場合を除き当該施行者のウェブサイトに掲載して公衆の閲覧に供しなければならない。

一　施行マンションの敷地面積が〇・四ヘクタール未満である場合

二　施行者が自ら管理するウェブサイトを有していない場合（法第五条第二項の規定による施行者にあっては、マンション建替事業のために自ら管理するウェブサイトを有していない場合）

6　都道府県知事等は、法第百二十三条第一項の公告をしたときは、その公告の内容について、その公告をした日から起算して三十日間、売却マンションの敷地の区域内の適当な場所に掲示するとともに、当該都道府県のウェブサイトに掲載して公衆の閲覧に供しなければならない。

7　都道府県知事等又は組合は、法第百三十四条第二項において準用する法第百二十三条第一項又は法第百四十七条第一項の公告をしたときは、その公告の内容について、その公告をした日から起算して十日間、売却マンションの敷地の区域内の適当な場所に掲示するとともに、都道府県知事等にあっては当該都道府県の、組合にあっては次の各号のいずれかに該当する場合を除き当該組合のウェブサイトに掲載して公衆の閲覧に供しなければならない。

一　売却マンションの敷地面積が〇・四ヘクタール未満である場合

二　組合が自ら管理するウェブサイトを有していない場合

8　都道府県知事等は、法第百七十三条第一項の公告をしたときは、その公告の内容、第八十一条第一項の分割実施敷地区域図によって表示した分割実施敷地の区域又は第八十三条第一項の除却マンション敷地区域図によって表示した除却マンション敷地の区域及び非除却マンション敷地区域図によって表示した非除却マンション敷地の区域について、その公告をした日から起算して三十日間、分割実施敷地の区域内の適当な場所に掲示するとともに、当該都道府県のウェブサイトに掲載して公衆の閲覧に供しなければならない。

9　都道府県知事等又は組合は、法第百八十三条第二項において準用する法第百七十三条第一項の公告又は法第百九十九条第一項の公告をしたときは、その公告の内容について、その公告をした日から起算して十日間、分割実施敷地の区域内の適当な場所に掲示するとともに、都道府県知事等にあっては当該都道府県の、組合にあっては次の各号のいずれかに該当する場合を除き当該組合のウェブサイトに掲載して公衆の閲覧に供しなければならない。

一　分割実施敷地の敷地面積が〇・四ヘクタール未満である場合

二　組合が自ら管理するウェブサイトを有していない場合

（権限の委任）

第一〇六条　法第百一条第一項、法第百六十三条第一項及び法第二百十六条第一項に規定する国土交通大臣の権限は、地方整備局長及び北海道開発局長に委任する。ただし、国土交通大臣が自ら行うことを妨げない。

附　則〔抄〕

（施行期日）

第一条　この省令は、法の施行の日（平成十四年十二月十八日）から施行する。

附　則〔略〕〔平成一五・一・一六国土交通省令三〕

附　則〔略〕〔平成一五・五・二六国土交通省令六九〕

附　則〔略〕〔平成一五・一〇・七国土交通省令一一一施行〕

附　則〔略〕〔平成一六・一二・二七国土交通省令一一〇〕

附　則〔略〕〔平成一七・三・七国土交通省令一二施行〕

附　則〔略〕〔平成一七・三・二九国土交通省令二五〕

附　則〔略〕〔平成一九・三・二八国土交通省令二〇〕

附　則〔略〕〔平成二〇・一一・七国土交通省令九三〕

附　則〔略〕〔平成二一・三・三〇国土交通省令一五〕

附　則〔略〕〔平成二一・四・三〇国土交通省令三四施行〕

附　則〔略〕〔平成二二・一二・二七国土交通省令六一〕

附　則〔略〕〔平成二三・三・三一国土交通省令三〇〕

附　則〔略〕〔平成二三・一一・三〇国土交通省令九〇〕

附　則〔略〕〔平成二六・一一・二八国土交通省令九〇〕

附　則〔略〕〔平成二七・一・二九国土交通省令五〕

附　則〔略〕〔平成二八・三・三一国土交通省令二三〕

附　則〔略〕〔平成三〇・三・三〇国土交通省令一七施行〕

附　則〔略〕〔令和二・三・三一国土交通省令二七〕

附　則〔略〕〔令和二・一二・二三国土交通省令九八〕

附　則〔略〕〔令和三・八・三一国土交通省令五三〕

附　則〔略〕〔令和三・一二・一五国土交通省令七七〕

附　則〔略〕〔令和四・一二・二三国土交通省令九二〕

附　則〔略〕〔令和五・二・二八国土交通省令五〕

附　則〔略〕〔令和五・一二・二八国土交通省令九八施行〕

附　則〔抄〕〔令和六・一・三一国土交通省令六〕

（施行期日）

1　この省令は、令和六年三月三十一日から施行する。ただし、〔中略〕第十一条から第十四条までの規定は、同年四月一日から施行する。

（経過措置）

4　〔前略〕第十四条の規定による改正後の次に掲げる省令の規定は、附則第一項ただし書に規定する規定の施行の日以後にされる公告について適用し、同日前にされた公告については、なお従前の例による。

一～四　〔略〕

五　マンションの建替え等の円滑化に関する法律施行規則第百五条第二項から第九項まで

付録第一（第三十五条、第四十五条関係）

$$C_1=\frac{CbA_1}{\Sigma Ai}+\Sigma C'bRb_1$$

C_1は、費用の按分額の概算額又は費用の按分額

Cbは、マンション建替事業に要する費用のうち、施行再建マンションの専有部分に係るもの

$C'b$は、当該施行再建マンションの整備に要する費用のうち、施行再建マンションの共用部分でRb_1に対応するものに係るもの

A_1は、その者が取得することとなる施行再建マンションの専有部分の床面積

Aiは、当該施行再建マンションの専有部分の床面積

Rb_1は、その者が取得することとなる施行再建マンションの共用部分の共有持分の割合

備考　A_1及びAiについては、施行再建マンションの専有面積の同一床面積当たりの容積、用途又は位置により効用が異なるときは、必要な補正を行うことができるものとする。

付録第二（第四十一条関係）

$$\frac{Pc'}{Pc}\times0.8+\frac{Pi'}{Pi}\times0.2$$

備考

一　Pc、Pc′、Pi、Pi′は、それぞれ次の数値を表すものとする。

Pc　基準日の属する月及びその前後の月の全国総合消費者物価指数の相加平均。ただし、権利変換計画の認可の公告の日においてこれらの月の全国総合消費者物価指数及び投資財指数が公表されていない場合においては、これらの指数が公表されている最近の三箇月の全国総合消費者物価指数の相加平均とする。

Pc′　権利変換計画の認可の公告の日において全国総合消費者物価指数及び投資財指数が公表されている最近の三箇月の全国総合消費者物価指数の相加平均

Pi　基準日の属する月及びその前後の月の投資財指数の相加平均。ただし、権利変換計画の認可の公告の日においてこれらの月の全国総合消費者物価指数及び投資財指数が公表されていない場合においては、これらの指数が公表されている最近の三箇月の投資財指数の相加平均とする。

Pi′　権利変換計画の認可の公告の日において全国総合消費者物価指数及び投資財指数が公表されている最近の三箇月の投資財指数の相加平均

二　各月の全国総合消費者物価指数の基準年が異なる場合又は各月の投資財指数の基準年が異なる場合においては、従前の基準年に基づく月の指数を変更後の基準年である年の従前の基準年に基づく指数で除し、百を乗じて得た数値（その数値に小数点以下一位未満の端数があるときは、これを四捨五入する。）を、当該月の指数とする。

三　$\frac{Pc'}{Pc}$又は$\frac{Pi'}{Pi}$により算出した数値に小数点以下三位未満の端数があるときは、これを四捨五入する。

別記様式　〔略〕

○マンションの建替え等の円滑化に関する法律による不動産登記に関する政令

〔平成一四・一二・一八 政令三七九〕

改正　平成一五・五政二二九、平成一七・二政二四、平成二六・一二政三九〇、令和二・三政五七、令和四・一政二

（趣旨）

第一条　この政令は、マンションの建替え等の円滑化に関する法律（以下「法」という。）第九十三条、第百五十七条及び第二百十条の規定による不動産登記法（平成十六年法律第百二十三号）の特例を定めるものとする。

（代位登記）

第二条　マンション建替事業（法第二条第一項第四号に規定するマンション建替事業をいう。以下同じ。）を施行する者、マンション敷地売却事業（同項第九号に規定するマンション敷地売却事業をいう。以下この条において同じ。）を実施する者又は敷地分割事業（同項第十二号に規定する敷地分割事業をいう。以下この条において同じ。）を実施する敷地分割組合（法第百六十四条に規定する敷地分割組合をいう。）は、それぞれマンション建替事業の施行又はマンション敷地売却事業若しくは敷地分割事業の実施のため必要があるときは、次の各号に掲げる登記をそれぞれ当該各号に定める者に代わって申請することができる。

一　不動産の表題登記　所有者

二　不動産の表題部の登記事項に関する変更の登記又は更正の登記　表題部所有者若しくは所有権の登記名義人又はこれらの相続人その他の一般承継人

三　所有権、地上権又は賃借権の登記名義人の氏名若しくは名称又は住所についての変更の登記又は更正の登記　当該登記名義人又はその相続人その他の一般承継人

四　所有権の保存の登記　表題部所有者又はその相続人その他の一般承継人

五　相続その他の一般承継による所有権その他の権利の移転の登記　相続人その他の一般承継人

（代位登記の登記識別情報）

第三条　登記官は、前条の規定による申請に基づいて同条第四号又は第五号に掲げる登記を完了したときは、速やかに、登記権利者のために登記識別情報を申請人に通知しなければならない。

2　前項の規定により登記識別情報の通知を受けた申請人は、遅滞なく、こ

れを同項の登記権利者に通知しなければならない。

（権利変換手続開始の登記）

第四条　法第五十五条第一項の規定による権利変換手続開始の登記の申請をする場合には、同項各号に掲げる公告があったことを証する情報をその申請情報と併せて登記所に提供しなければならない。

2　法第五十五条第五項の規定による権利変換手続開始の登記の抹消の申請をする場合には、法第三十八条第六項、法第五十四条第三項において準用する法第四十九条第一項又は法第九十九条第三項の公告があったことを証する情報をその申請情報と併せて登記所に提供しなければならない。

（土地についての登記の申請）

第五条　法第七十四条第一項の規定によってする登記の申請は、土地ごとに、一の申請情報によってしなければならない。

2　前項の場合において、二以上の登記の登記事項を申請情報の内容とするには、次に掲げる順序に従って登記事項に順序を付するものとする。この場合において、目的を同一とする二以上の担保権等登記（法第七十三条の規定により存するものとされた権利に関する登記をいう。以下この項、第七条第二項及び第八条第二項において同じ。）については、その登記をすべき順序に従って登記事項に順序を付するものとする。

一　所有権の移転の登記の申請

二　地上権又は賃借権の設定又は移転の登記の申請

三　担保権等登記の申請

3　第一項の登記の申請をする場合には、不動産登記令（平成十六年政令第三百七十九号）第三条各号に掲げる事項のほか、法第七十四条第一項の規定により登記の申請をする旨を申請情報の内容とし、かつ、権利変換計画及びその認可を証する情報をその申請情報と併せて登記所に提供しなければならない。

4　マンション建替事業を施行する者は、法第七十四条第一項の登記の申請と同時に、区分建物に関する敷地権の登記がある施行マンション（法第二条第一項第六号に規定する施行マンションをいう。次条第一項において同じ。）について、敷地権の消滅を原因とする建物の表題部の変更の登記の申請をしなければならない。

5　登記官は、法第七十四条第一項の登記をするときは、職権で、権利変換手続開始の登記を抹消しなければならない。

（施行マンションの滅失の登記の申請）

第六条　マンション建替事業を施行する者は、施行マンションが滅失したときは、遅滞なく、その滅失の登記を申請しなければならない。

2　前項の登記の申請をする場合には、権利変換計画及びその認可を証する情報をその申請情報と併せて登記所に提供しなければならない。

（施行再建マンションに関する登記の申請）

第七条　法第八十二条第一項の規定によってする登記の申請は、一棟の建物及び一棟の建物に属する建物の全部について、一の申請情報によってしなければならない。

2　前項の場合において、二以上の登記の登記事項を申請情報の内容とするには、同項の一棟の建物及び一棟の建物に属する建物ごとに、次に掲げる順序に従って登記事項に順序を付するものとする。

一　建物の表題登記の申請

二　共用部分である旨の登記の申請

三　所有権の保存の登記の申請

四　法第八十八条第一項の先取特権の保存の登記の申請

五　法第七十一条第三項の規定による借家権に関する登記の申請

六　担保権等登記の申請

3　第一項の登記の申請をする場合には、不動産登記令第三条各号に掲げる事項のほか、法第八十二条第一項の規定により登記の申請をする旨を申請情報の内容とし、かつ、権利変換計画及びその認可を証する情報をその申請情報と併せて登記所に提供しなければならない。

4　第五条第二項後段の規定は、第一項の申請について準用する。

（借家権に関する登記等の登記原因）

第八条　前条第二項第五号の借家権に関する登記においては、登記原因及びその日付として、権利変換前の当該借家権に関する登記の登記原因及びその日付（当該登記の申請の受付の年月日及び受付番号を含む。次項において同じ。）並びに法による権利変換があった旨及びその日付を登記事項とする。

2　担保権等登記においては、登記原因及びその日付として、権利変換前の法第七十三条に規定する担保権等の登記の登記原因及びその日付並びに法による権利変換があった旨及びその日付を登記事項とする。

3　前二項の登記の申請をする場合に登記所に提供しなければならない申請情報の内容とする登記原因及びその日付は、これらの規定に規定する事項とする。

（分配金取得手続開始の登記）

第九条　法第百四十条第一項の規定による分配金取得手続開始の登記の申請をする場合には、法第百二十三条第一項の公告があったことを証する情報をその申請情報と併せて登記所に提供しなければならない。

2　法第百四十条第五項の規定による分配金取得手続開始の登記の抹消の申請をする場合には、法第百三十七条第五項の公告があったことを証する情報をその申請情報と併せて登記所に提供しなければならない。

（権利消滅期日後の登記の申請）

第一〇条　法第百五十条第一項の規定によってする登記の申請は、同一の登記所の管轄に属するものの全部について、一の申請情報によってしなければならない。

2　前項の場合において、二以上の登記の登記事項を申請情報の内容とするには、次に掲げる順序に従って登記事項に順序を付するものとする。

一　建物の表題登記の申請

二　所有権の保存の登記の申請

三　所有権の移転の登記の申請

四　地上権又は賃借権の移転の登記の申請

五　所有権以外の権利の登記の抹消の申請

六　建物の表題部の変更の登記の申請

七　建物の分割の登記の申請

八　建物の合併の登記の申請

3　第一項の登記の申請をする場合には、不動産登記令第三条各号に掲げる事項のほか、法第百五十条第一項の規定により登記の申請をする旨を申請情報の内容とし、かつ、分配金取得計画及びその認可を証する情報をその申請情報と併せて登記所に提供しなければならない。

4　第一項の登記の申請をする場合において、建物の表題登記の登記事項を申請情報の内容としたときは、不動産登記令別表の二十一の項の規定を準用する。この場合において、同項添付情報欄イ中「規約を廃止した」とあるのは、「規約の効力が失われた」と読み替えるものとする。

5　登記官は、法第百五十条第一項の登記をするときは、職権で、分配金取得手続開始の登記を抹消しなければならない。

（敷地権利変換手続開始の登記）

第一一条　法第百八十九条第一項の規定による敷地権利変換手続開始の登記の申請をする場合には、法第百七十三条第一項の公告があったことを証する情報をその申請情報と併せて登記所に提供しなければならない。

2　法第百八十九条第五項の規定による敷地権利変換手続開始の登記の抹消の申請をする場合には、法第百八十六条第五項の公告があったことを証する情報をその申請情報と併せて登記所に提供しなければならない。

（敷地権利変換期日後の登記の申請）

第一二条　法第二百四条第一項の規定によってする登記の申請は、同一の登記所の管轄に属するものの全部について、一の申請情報によってしなければならない。

2　前項の場合において、二以上の登記の登記事項を申請情報の内容とするには、次に掲げる順序に従って登記事項に順序を付するものとする。この場合において、目的を同一とする二以上の担保権等登記（法第二百三条の規定により存するものとされた権利に関する登記をいう。以下この項及び次条第一項において同じ。）については、その登記をすべき順序に従って登記事項に順序を付するものとする。

一　敷地権の消滅を原因とする建物の表題部の変更の登記の申請

二　所有権の登記の申請

三　地上権又は賃借権の登記の申請

四　敷地権の発生を原因とする建物の表題部の変更の登記の申請

五　担保権等登記の申請

3　第一項の登記の申請をする場合には、不動産登記令第三条各号に掲げる事項のほか、法第二百四条第一項の規定により登記の申請をする旨を申請情報の内容とし、かつ、敷地権利変換計画及びその認可を証する情報をその申請情報と併せて登記所に提供しなければならない。

4　登記官は、法第二百四条第一項の登記をするときは、職権で、敷地権利変換手続開始の登記を抹消しなければならない。

（担保権等登記に関する登記等の登記原因）

第一三条　担保権等登記においては、登記原因及びその日付として、敷地権利変換前の法第二百三条に規定する担保権等の登記の登記原因及びその日付（当該登記の申請の受付の年月日及び受付番号を含む。）並びに法による敷地権利変換があった旨及びその日付を登記事項とする。

２　前項の登記の申請をする場合に登記所に提供しなければならない申請情報の内容とする登記原因及びその日付は、同項に規定する事項とする。

（受付番号）

第一四条　登記官は、第五条第一項、第七条第一項、第十条第一項及び第十二条第一項の申請ごとに、第五条第二項、第七条第二項、第十条第二項及び第十二条第二項の規定により付した順序に従って受付番号を付するものとする。

（登記識別情報の通知）

第一五条　登記官は、第五条第一項、第七条第一項又は第十二条第一項の登記を完了したときは、速やかに、登記権利者のために登記識別情報を申請人に通知しなければならない。

２　前項の規定により登記識別情報の通知を受けた申請人は、遅滞なく、これを同項の登記権利者に通知しなければならない。

（法務省令への委任）

第一六条　この政令に定めるもののほか、この政令に規定する登記についての登記簿及び登記記録の記録方法その他の登記の事務に関し必要な事項は、法務省令で定める。

附　則

この政令は、マンションの建替えの円滑化等に関する法律の施行の日（平成十四年十二月十八日）から施行する。

附　則〔略〕〔平成一五・五・二一政令二二九〕

附　則〔抄〕〔平成一七・二・一八政令二四〕

（施行期日）

第一条　この政令は、不動産登記法の施行の日（平成十七年三月七日）から施行する。

不動産登記法及び不動産登記法の施行に伴う関係法律の整備等に関する法律の施行に伴う関係政令の整備等に関する政令〔抄〕〔平成一七・二・一八 政令二四〕

（マンションの建替えの円滑化等に関する法律による不動産登記に関する政令の一部改正に伴う経過措置）

第八五条　前条の規定による改正後のマンションの建替えの円滑化等に関する法律による不動産登記に関する政令（以下この条において「新令」という。）の規定は、第三項の場合を除き、この政令の施行前に生じた事項にも適用する。ただし、前条の規定による改正前のマンションの建替えの円滑化等に関する法律による不動産登記に関する政令（以下この条において「旧令」という。）の規定により生じた効力を妨げない。

２　この政令の施行前にした旧令の規定による処分、手続その他の行為は、次項の場合を除き、新令の相当規定によってしたものとみなす。

３　この政令の施行前にされた登記の申請に係る登記に関する手続については、なお従前の例による。

４　不動産登記法附則第三条第一項の規定による指定がされるまでの間における同項の規定による指定を受けていない事務についての新令の適用については、新令第十一条中「登記簿及び登記記録」とあるのは、「登記簿」とする。

５　不動産登記法附則第六条第一項の規定による指定がされるまでの間、各登記所の登記手続についての新令の規定の適用については、新令第三条（見出しを含む。）及び第十条（見出しを含む。）中「登記識別情報」とあるのは「登記済証」と、「通知しなければ」とあるのは「交付しなければ」と、「の通知」とあるのは「の交付」とする。

６　前各項に定めるもののほか、前条の規定によるマンションの建替えの円滑化等に関する法律による不動産登記に関する政令の一部改正に伴う登記の手続に関し必要な経過措置は、法務省令で定める。

附　則〔略〕〔平成二六・一二・一二政令三九〇〕

附　則〔略〕〔令和二・三・二五政令五七〕

附　則〔令和四・一・四政令二〕

この政令は、マンションの管理の適正化の推進に関する法律及びマンションの建替え等の円滑化に関する法律の一部を改正する法律（令和二年法律第六十二号）の施行の日（令和四年四月一日）から施行する。

○建物の区分所有等に関する法律

〔昭和三七・四・四 法律六九〕

改正　昭和五八・五法五一、昭和六二・一二法一〇八、平成一四・七法七九、一二法一四〇、平成一六・六法七六、法一二四、平成一七・七法八七、平成一八・六法五〇、平成二〇・四法二三、平成二三・五法五三、令和二・三法八、令和三・四法二四、五法三七

目次

第一章　建物の区分所有
　第一節　総則（第一条―第十条）
　第二節　共用部分等（第十一条―第二十一条）
　第三節　敷地利用権（第二十二条―第二十四条）
　第四節　管理者（第二十五条―第二十九条）
　第五節　規約及び集会（第三十条―第四十六条）
　第六節　管理組合法人（第四十七条―第五十六条の七）
　第七節　義務違反者に対する措置（第五十七条―第六十条）
　第八節　復旧及び建替え（第六十一条―第六十四条）
第二章　団地（第六十五条―第七十条）
第三章　罰則（第七十一条・第七十二条）
附則

第一章　建物の区分所有

第一節　総則

（建物の区分所有）

第一条　一棟の建物に構造上区分された数個の部分で独立して住居、店舗、事務所又は倉庫その他建物としての用途に供することができるものがあるときは、その各部分は、この法律の定めるところにより、それぞれ所有権の目的とすることができる。

（定義）

第二条　この法律において「区分所有権」とは、前条に規定する建物の部分（第四条第二項の規定により共用部分とされたものを除く。）を目的とする所有権をいう。

２　この法律において「区分所有者」とは、区分所有権を有する者をいう。

３　この法律において「専有部分」とは、区分所有権の目的たる建物の部分をいう。

4 この法律において「共用部分」とは、専有部分以外の建物の部分、専有部分に属しない建物の附属物及び第四条第二項の規定により共用部分とされた附属の建物をいう。

5 この法律において「建物の敷地」とは、建物が所在する土地及び第五条第一項の規定により建物の敷地とされた土地をいう。

6 この法律において「敷地利用権」とは、専有部分を所有するための建物の敷地に関する権利をいう。

（区分所有者の団体）

第三条 区分所有者は、全員で、建物並びにその敷地及び附属施設の管理を行うための団体を構成し、この法律の定めるところにより、集会を開き、規約を定め、及び管理者を置くことができる。一部の区分所有者のみの共用に供されるべきことが明らかな共用部分（以下「一部共用部分」という。）をそれらの区分所有者が管理するときも、同様とする。

（共用部分）

第四条 数個の専有部分に通ずる廊下又は階段室その他構造上区分所有者の全員又はその一部の共用に供されるべき建物の部分は、区分所有権の目的とならないものとする。

2 第一条に規定する建物の部分及び附属の建物は、規約により共用部分とすることができる。この場合には、その旨の登記をしなければ、これをもつて第三者に対抗することができない。

（規約による建物の敷地）

第五条 区分所有者が建物及び建物が所在する土地と一体として管理又は使用をする庭、通路その他の土地は、規約により建物の敷地とすることができる。

2 建物が所在する土地が建物の一部の滅失により建物が所在する土地以外の土地となつたときは、その土地は、前項の規定により規約で建物の敷地と定められたものとみなす。建物が所在する土地の一部が分割により建物が所在する土地以外の土地となつたときも、同様とする。

（区分所有者の権利義務等）

第六条 区分所有者は、建物の保存に有害な行為その他建物の管理又は使用に関し区分所有者の共同の利益に反する行為をしてはならない。

2 区分所有者は、その専有部分又は共用部分を保存し、又は改良するため必要な範囲内において、他の区分所有者の専有部分又は自己の所有に属しない共用部分の使用を請求することができる。この場合において、他の区分所有者が損害を受けたときは、その償金を支払わなければならない。

3 第一項の規定は、区分所有者以外の専有部分の占有者（以下「占有者」という。）に準用する。

4 民法（明治二十九年法律第八十九号）第二百六十四条の八及び第二百六十四条の十四の規定は、専有部分及び共用部分には適用しない。

（先取特権）

第七条 区分所有者は、共用部分、建物の敷地若しくは共用部分以外の建物の附属施設につき他の区分所有者に対して有する債権又は規約若しくは集会の決議に基づき他の区分所有者に対して有する債権について、債務者の区分所有権（共用部分に関する権利及び敷地利用権を含む。）及び建物に備え付けた動産の上に先取特権を有する。管理者又は管理組合法人がその職務又は業務を行うにつき区分所有者に対して有する債権についても、同様とする。

2 前項の先取特権は、優先権の順位及び効力については、共益費用の先取特権とみなす。

3 民法第三百十九条の規定は、第一項の先取特権に準用する。

（特定承継人の責任）

第八条 前条第一項に規定する債権は、債務者たる区分所有者の特定承継人に対しても行うことができる。

（建物の設置又は保存の瑕疵に関する推定）

第九条 建物の設置又は保存に瑕疵があることにより他人に損害を生じたときは、その瑕疵は、共用部分の設置又は保存にあるものと推定する。

（区分所有権売渡請求権）

第一〇条 敷地利用権を有しない区分所有者があるときは、その専有部分の収去を請求する権利を有する者は、その区分所有者に対し、区分所有権を時価で売り渡すべきことを請求することができる。

第二節　共用部分等

（共用部分の共有関係）

第一一条 共用部分は、区分所有者全員の共有に属する。ただし、一部共用部分は、これを共用すべき区分所有者の共有に属する。

2 前項の規定は、規約で別段の定めをすることを妨げない。ただし、第二十七条第一項の場合を除いて、区分所有者以外の者を共用部分の所有者と定めることはできない。

3 民法第百七十七条の規定は、共用部分には適用しない。

第一二条 共用部分が区分所有者の全員又はその一部の共有に属する場合には、その共用部分の共有については、次条から第十九条までに定めるところによる。

（共用部分の使用）

第一三条 各共有者は、共用部分をその用方に従つて使用することができる。

（共用部分の持分の割合）

第一四条 各共有者の持分は、その有する専有部分の床面積の割合による。

2 前項の場合において、一部共用部分（附属の建物であるものを除く。）で床面積を有するものがあるときは、その一部共用部分の床面積は、これを共用すべき各区分所有者の専有部分の床面積の割合により配分して、それぞれその区分所有者の専有部分の床面積に算入するものとする。

3 前二項の床面積は、壁その他の区画の内側線で囲まれた部分の水平投影面積による。

4 前三項の規定は、規約で別段の定めをすることを妨げない。

（共用部分の持分の処分）

第一五条 共有者の持分は、その有する専有部分の処分に従う。

2 共有者は、この法律に別段の定めがある場合を除いて、その有する専有部分と分離して持分を処分することができない。

（一部共用部分の管理）

第一六条 一部共用部分の管理のうち、区分所有者全員の利害に関係するもの又は第三十一条第二項の規約に定めがあるものは区分所有者全員で、その他のものはこれを共用すべき区分所有者のみで行う。

（共用部分の変更）

第一七条 共用部分の変更（その形状又は効用の著しい変更を伴わないものを除く。）は、区分所有者及び議決権の各四分の三以上の多数による集会の決議で決する。ただし、この区分所有者の定数は、規約でその過半数まで減ずることができる。

2 前項の場合において、共用部分の変更が専有部分の使用に特別の影響を及ぼすべきときは、その専有部分の所有者の承諾を得なければならない。

（共用部分の管理）

第一八条 共用部分の管理に関する事項は、前条の場合を除いて、集会の決議で決する。ただし、保存行為は、各共有者がすることができる。

2 前項の規定は、規約で別段の定めをすることを妨げない。

3 前条第二項の規定は、第一項本文の場合に準用する。

4 共用部分につき損害保険契約をすることは、共用部分の管理に関する事項とみなす。

（共用部分の負担及び利益収取）

第一九条 各共有者は、規約に別段の定めがない限りその持分に応じて、共用部分の負担に任じ、共用部分から生ずる利益を収取する。

（管理所有者の権限）

第二〇条 第十一条第二項の規定により規約で共用部分の所有者と定められた区分所有者は、区分所有者全員（一部共用部分については、これを共用すべき区分所有者）のためにその共用部分を管理する義務を負う。この場合には、それらの区分所有者に対し、相当な管理費用を請求することができる。

2 前項の共用部分の所有者は、第十七条第一項に規定する共用部分の変更をすることができない。

（共用部分に関する規定の準用）

第二一条 建物の敷地又は共用部分以外の附属施設（これらに関する権利を含む。）が区分所有者の共有に属する場合には、第十七条から第十九条までの規定は、その敷地又は附属施設に準用する。

第三節　敷地利用権

（分離処分の禁止）

第二二条 敷地利用権が数人で有する所有権その他の権利である場合には、

区分所有者は、その有する専有部分とその専有部分に係る敷地利用権とを分離して処分することができない。ただし、規約に別段の定めがあるときは、この限りでない。

２　前項本文の場合において、区分所有者が数個の専有部分を所有するときは、各専有部分に係る敷地利用権の割合は、第十四条第一項から第三項までに定める割合による。ただし、規約でこの割合と異なる割合が定められているときは、その割合による。

３　前二項の規定は、建物の専有部分の全部を所有する者の敷地利用権が単独で有する所有権その他の権利である場合に準用する。

（分離処分の無効の主張の制限）

第二三条　前条第一項本文（同条第三項において準用する場合を含む。）の規定に違反する専有部分又は敷地利用権の処分については、その無効を善意の相手方に主張することができない。ただし、不動産登記法（平成十六年法律第百二十三号）の定めるところにより分離して処分することができない専有部分及び敷地利用権であることを登記した後に、その処分がされたときは、この限りでない。

（民法第二百五十五条の適用除外）

第二四条　第二十二条第一項本文の場合には、民法第二百五十五条（同法第二百六十四条において準用する場合を含む。）の規定は、敷地利用権には適用しない。

第四節　管理者

（選任及び解任）

第二五条　区分所有者は、規約に別段の定めがない限り集会の決議によつて、管理者を選任し、又は解任することができる。

２　管理者に不正な行為その他その職務を行うに適しない事情があるときは、各区分所有者は、その解任を裁判所に請求することができる。

（権限）

第二六条　管理者は、共用部分並びに第二十一条に規定する場合における当該建物の敷地及び附属施設（次項及び第四十七条第六項において「共用部分等」という。）を保存し、集会の決議を実行し、並びに規約で定めた行為をする権利を有し、義務を負う。

２　管理者は、その職務に関し、区分所有者を代理する。第十八条第四項（第二十一条において準用する場合を含む。）の規定による損害保険契約に基づく保険金額並びに共用部分等について生じた損害賠償金及び不当利得による返還金の請求及び受領についても、同様とする。

３　管理者の代理権に加えた制限は、善意の第三者に対抗することができない。

４　管理者は、規約又は集会の決議により、その職務（第二項後段に規定する事項を含む。）に関し、区分所有者のために、原告又は被告となることができる。

５　管理者は、前項の規約により原告又は被告となつたときは、遅滞なく、区分所有者にその旨を通知しなければならない。この場合には、第三十五条第二項から第四項までの規定を準用する。

（管理所有）

第二七条　管理者は、規約に特別の定めがあるときは、共用部分を所有することができる。

２　第六条第二項及び第二十条の規定は、前項の場合に準用する。

（委任の規定の準用）

第二八条　この法律及び規約に定めるもののほか、管理者の権利義務は、委任に関する規定に従う。

（区分所有者の責任等）

第二九条　管理者がその職務の範囲内において第三者との間にした行為につき区分所有者がその責めに任ずべき割合は、第十四条に定める割合と同一の割合とする。ただし、規約で建物並びにその敷地及び附属施設の管理に要する経費につき負担の割合が定められているときは、その割合による。

２　前項の行為により第三者が区分所有者に対して有する債権は、その特定承継人に対しても行うことができる。

第五節　規約及び集会

（規約事項）

第三〇条　建物又はその敷地若しくは附属施設の管理又は使用に関する区分所有者相互間の事項は、この法律に定めるもののほか、規約で定めることができる。

２　一部共用部分に関する事項で区分所有者全員の利害に関係しないものは、区分所有者全員の規約に定めがある場合を除いて、これを共用すべき区分所有者の規約で定めることができる。

３　前二項に規定する規約は、専有部分若しくは共用部分又は建物の敷地若しくは附属施設（建物の敷地又は附属施設に関する権利を含む。）につき、これらの形状、面積、位置関係、使用目的及び利用状況並びに区分所有者が支払つた対価その他の事情を総合的に考慮して、区分所有者間の利害の衡平が図られるように定めなければならない。

４　第一項及び第二項の場合には、区分所有者以外の者の権利を害することができない。

５　規約は、書面又は電磁的記録（電子的方式、磁気的方式その他人の知覚によつては認識することができない方式で作られる記録であつて、電子計算機による情報処理の用に供されるものとして法務省令で定めるものをいう。以下同じ。）により、これを作成しなければならない。

（規約の設定、変更及び廃止）

第三一条　規約の設定、変更又は廃止は、区分所有者及び議決権の各四分の三以上の多数による集会の決議によつてする。この場合において、規約の設定、変更又は廃止が一部の区分所有者の権利に特別の影響を及ぼすべきときは、その承諾を得なければならない。

２　前条第二項に規定する事項についての区分所有者全員の規約の設定、変更又は廃止は、当該一部共用部分を共用すべき区分所有者の四分の一を超える者又はその議決権の四分の一を超える議決権を有する者が反対したときは、することができない。

（公正証書による規約の設定）

第三二条　最初に建物の専有部分の全部を所有する者は、公正証書により、第四条第二項、第五条第一項並びに第二十二条第一項ただし書及び第二項ただし書（これらの規定を同条第三項において準用する場合を含む。）の規約を設定することができる。

（規約の保管及び閲覧）

第三三条　規約は、管理者が保管しなければならない。ただし、管理者がないときは、建物を使用している区分所有者又はその代理人で規約又は集会の決議で定めるものが保管しなければならない。

２　前項の規定により規約を保管する者は、利害関係人の請求があつたときは、正当な理由がある場合を除いて、規約の閲覧（規約が電磁的記録で作成されているときは、当該電磁的記録に記録された情報の内容を法務省令で定める方法により表示したものの当該規約の保管場所における閲覧）を拒んではならない。

３　規約の保管場所は、建物内の見やすい場所に掲示しなければならない。

（集会の招集）

第三四条　集会は、管理者が招集する。

２　管理者は、少なくとも毎年一回集会を招集しなければならない。

３　区分所有者の五分の一以上で議決権の五分の一以上を有するものは、管理者に対し、会議の目的たる事項を示して、集会の招集を請求することができる。ただし、この定数は、規約で減ずることができる。

４　前項の規定による請求がされた場合において、二週間以内にその請求の日から四週間以内の日を会日とする集会の招集の通知が発せられなかつたときは、その請求をした区分所有者は、集会を招集することができる。

５　管理者がないときは、区分所有者の五分の一以上で議決権の五分の一以上を有するものは、集会を招集することができる。ただし、この定数は、規約で減ずることができる。

（招集の通知）

第三五条　集会の招集の通知は、会日より少なくとも一週間前に、会議の目的たる事項を示して、各区分所有者に発しなければならない。ただし、この期間は、規約で伸縮することができる。

２　専有部分が数人の共有に属するときは、前項の通知は、第四十条の規定により定められた議決権を行使すべき者（その者がないときは、共有者の一人）にすれば足りる。

３　第一項の通知は、区分所有者が管理者に対して通知を受けるべき場所を通知したときはその場所に、これを通知しなかつたときは区分所有者の所有する専有部分が所在する場所にあててすれば足りる。この場合には、同項の通知は、通常それが到達すべき時に到達したものとみなす。

４　建物内に住所を有する区分所有者又は前項の通知を受けるべき場所を通

知しない区分所有者に対する第一項の通知は、規約に特別の定めがあるときは、建物内の見やすい場所に掲示してすることができる。この場合には、同項の通知は、その掲示をした時に到達したものとみなす。

5　第一項の通知をする場合において、会議の目的たる事項が第十七条第一項、第三十一条第一項、第六十一条第五項、第六十二条第一項、第六十八条第一項又は第六十九条第七項に規定する決議事項であるときは、その議案の要領をも通知しなければならない。

（招集手続の省略）

第三六条　集会は、区分所有者全員の同意があるときは、招集の手続を経ないで開くことができる。

（決議事項の制限）

第三七条　集会においては、第三十五条の規定によりあらかじめ通知した事項についてのみ、決議をすることができる。

2　前項の規定は、この法律に集会の決議につき特別の定数が定められている事項を除いて、規約で別段の定めをすることを妨げない。

3　前二項の規定は、前条の規定による集会には適用しない。

（議決権）

第三八条　各区分所有者の議決権は、規約に別段の定めがない限り、第十四条に定める割合による。

（議事）

第三九条　集会の議事は、この法律又は規約に別段の定めがない限り、区分所有者及び議決権の各過半数で決する。

2　議決権は、書面で、又は代理人によつて行使することができる。

3　区分所有者は、規約又は集会の決議により、前項の規定による書面による議決権の行使に代えて、電磁的方法（電子情報処理組織を使用する方法その他の情報通信の技術を利用する方法であつて法務省令で定めるものをいう。以下同じ。）によつて議決権を行使することができる。

（議決権行使者の指定）

第四〇条　専有部分が数人の共有に属するときは、共有者は、議決権を行使すべき者一人を定めなければならない。

（議長）

第四一条　集会においては、規約に別段の定めがある場合及び別段の決議をした場合を除いて、管理者又は集会を招集した区分所有者の一人が議長となる。

（議事録）

第四二条　集会の議事については、議長は、書面又は電磁的記録により、議事録を作成しなければならない。

2　議事録には、議事の経過の要領及びその結果を記載し、又は記録しなければならない。

3　前項の場合において、議事録が書面で作成されているときは、議長及び集会に出席した区分所有者の二人がこれに署名しなければならない。

4　第二項の場合において、議事録が電磁的記録で作成されているときは、当該電磁的記録に記録された情報については、議長及び集会に出席した区分所有者の二人が行う法務省令で定める署名に代わる措置を執らなければならない。

5　第三十三条の規定は、議事録について準用する。

（事務の報告）

第四三条　管理者は、集会において、毎年一回一定の時期に、その事務に関する報告をしなければならない。

（占有者の意見陳述権）

第四四条　区分所有者の承諾を得て専有部分を占有する者は、会議の目的たる事項につき利害関係を有する場合には、集会に出席して意見を述べることができる。

2　前項に規定する場合には、集会を招集する者は、第三十五条の規定により招集の通知を発した後遅滞なく、集会の日時、場所及び会議の目的たる事項を建物内の見やすい場所に掲示しなければならない。

（書面又は電磁的方法による決議）

第四五条　この法律又は規約により集会において決議をすべき場合において、区分所有者全員の承諾があるときは、書面又は電磁的方法による決議をすることができる。ただし、電磁的方法による決議に係る区分所有者の承諾については、法務省令で定めるところによらなければならない。

2　この法律又は規約により集会において決議すべきものとされた事項については、区分所有者全員の書面又は電磁的方法による合意があつたときは、書面又は電磁的方法による決議があつたものとみなす。

3　この法律又は規約により集会において決議すべきものとされた事項についての書面又は電磁的方法による決議は、集会の決議と同一の効力を有する。

4　第三十三条の規定は、書面又は電磁的方法による決議に係る書面並びに第一項及び第二項の電磁的方法が行われる場合に当該電磁的方法により作成される電磁的記録について準用する。

5　集会に関する規定は、書面又は電磁的方法による決議について準用する。

（規約及び集会の決議の効力）

第四六条　規約及び集会の決議は、区分所有者の特定承継人に対しても、その効力を生ずる。

2　占有者は、建物又はその敷地若しくは附属施設の使用方法につき、区分所有者が規約又は集会の決議に基づいて負う義務と同一の義務を負う。

第六節　管理組合法人

（成立等）

第四七条　第三条に規定する団体は、区分所有者及び議決権の各四分の三以上の多数による集会の決議で法人となる旨並びにその名称及び事務所を定め、かつ、その主たる事務所の所在地において登記をすることによつて法人となる。

2　前項の規定による法人は、管理組合法人と称する。

3　この法律に規定するもののほか、管理組合法人の登記に関して必要な事項は、政令で定める。

4　管理組合法人に関して登記すべき事項は、登記した後でなければ、第三者に対抗することができない。

5　管理組合法人の成立前の集会の決議、規約及び管理者の職務の範囲内の行為は、管理組合法人につき効力を生ずる。

6　管理組合法人は、その事務に関し、区分所有者を代理する。第十八条第四項（第二十一条において準用する場合を含む。）の規定による損害保険契約に基づく保険金額並びに共用部分等について生じた損害賠償金及び不当利得による返還金の請求及び受領についても、同様とする。

7　管理組合法人の代理権に加えた制限は、善意の第三者に対抗することができない。

8　管理組合法人は、規約又は集会の決議により、その事務（第六項後段に規定する事項を含む。）に関し、区分所有者のために、原告又は被告となることができる。

9　管理組合法人は、前項の規約により原告又は被告となつたときは、遅滞なく、区分所有者にその旨を通知しなければならない。この場合においては、第三十五条第二項から第四項までの規定を準用する。

10　一般社団法人及び一般財団法人に関する法律（平成十八年法律第四十八号）第四条及び第七十八条の規定は管理組合法人に、破産法（平成十六年法律第七十五号）第十六条第二項の規定は存立中の管理組合法人に準用する。

11　第四節及び第三十三条第一項ただし書（第四十二条第五項及び第四十五条第四項において準用する場合を含む。）の規定は、管理組合法人には、適用しない。

12　管理組合法人について、第三十三条第一項本文（第四十二条第五項及び第四十五条第四項において準用する場合を含む。以下この項において同じ。）の規定を適用する場合には第三十三条第一項本文中「管理者が」とあるのは「理事が管理組合法人の事務所において」と、第三十四条第一項から第三項まで及び第五項、第三十五条第三項、第四十一条並びに第四十三条の規定を適用する場合にはこれらの規定中「管理者」とあるのは「理事」とする。

13　管理組合法人は、法人税法（昭和四十年法律第三十四号）その他法人税に関する法令の規定の適用については、同法第二条第六号に規定する公益法人等とみなす。この場合において、同法第三十七条の規定を適用する場合には同条第四項中「公益法人等（」とあるのは「公益法人等（管理組合法人並びに」と、同法第六十六条の規定を適用する場合には同条第一項中「普通法人」とあるのは「普通法人（管理組合法人を含む。）」と、同条第二項中「除く」とあるのは「除くものとし、管理組合法人を含む」と、同条第三項中「公益法人等（」とあるのは「公益法人等（管理組合法人及び」とする。

14 管理組合法人は、消費税法（昭和六十三年法律第百八号）その他消費税に関する法令の規定の適用については、同法別表第三に掲げる法人とみなす。

（名称）

第四八条 管理組合法人は、その名称中に管理組合法人という文字を用いなければならない。

2 管理組合法人でないものは、その名称中に管理組合法人という文字を用いてはならない。

（財産目録及び区分所有者名簿）

第四八条の二 管理組合法人は、設立の時及び毎年一月から三月までの間に財産目録を作成し、常にこれをその主たる事務所に備え置かなければならない。ただし、特に事業年度を設けるものは、設立の時及び毎事業年度の終了の時に財産目録を作成しなければならない。

2 管理組合法人は、区分所有者名簿を備え置き、区分所有者の変更があるごとに必要な変更を加えなければならない。

（理事）

第四九条 管理組合法人には、理事を置かなければならない。

2 理事が数人ある場合において、規約に別段の定めがないときは、管理組合法人の事務は、理事の過半数で決する。

3 理事は、管理組合法人を代表する。

4 理事が数人あるときは、各自管理組合法人を代表する。

5 前項の規定は、規約若しくは集会の決議によつて、管理組合法人を代表すべき理事を定め、若しくは数人の理事が共同して管理組合法人を代表すべきことを定め、又は規約の定めに基づき理事の互選によつて管理組合法人を代表すべき理事を定めることを妨げない。

6 理事の任期は、二年とする。ただし、規約で三年以内において別段の期間を定めたときは、その期間とする。

7 理事が欠けた場合又は規約で定めた理事の員数が欠けた場合には、任期の満了又は辞任により退任した理事は、新たに選任された理事（第四十九条の四第一項の仮理事を含む。）が就任するまで、なおその職務を行う。

8 第二十五条の規定は、理事に準用する。

（理事の代理権）

第四九条の二 理事の代理権に加えた制限は、善意の第三者に対抗することができない。

（理事の代理行為の委任）

第四九条の三 理事は、規約又は集会の決議によつて禁止されていないときに限り、特定の行為の代理を他人に委任することができる。

（仮理事）

第四九条の四 理事が欠けた場合において、事務が遅滞することにより損害を生ずるおそれがあるときは、裁判所は、利害関係人又は検察官の請求により、仮理事を選任しなければならない。

2 仮理事の選任に関する事件は、管理組合法人の主たる事務所の所在地を管轄する地方裁判所の管轄に属する。

（監事）

第五〇条 管理組合法人には、監事を置かなければならない。

2 監事は、理事又は管理組合法人の使用人と兼ねてはならない。

3 監事の職務は、次のとおりとする。

一 管理組合法人の財産の状況を監査すること。

二 理事の業務の執行の状況を監査すること。

三 財産の状況又は業務の執行について、法令若しくは規約に違反し、又は著しく不当な事項があると認めるときは、集会に報告をすること。

四 前号の報告をするため必要があるときは、集会を招集すること。

4 第二十五条、第四十九条第六項及び第七項並びに前条の規定は、監事に準用する。

（監事の代表権）

第五一条 管理組合法人と理事との利益が相反する事項については、監事が管理組合法人を代表する。

（事務の執行）

第五二条 管理組合法人の事務は、この法律に定めるもののほか、すべて集会の決議によつて行う。ただし、この法律に集会の決議につき特別の定数が定められている事項及び第五十七条第二項に規定する事項を除いて、規約で、理事その他の役員が決するものとすることができる。

2 前項の規定にかかわらず、保存行為は、理事が決することができる。

（区分所有者の責任）

第五三条 管理組合法人の財産をもつてその債務を完済することができないときは、区分所有者は、第十四条に定める割合と同一の割合で、その債務の弁済の責めに任ずる。ただし、第二十九条第一項ただし書に規定する負担の割合が定められているときは、その割合による。

2 管理組合法人の財産に対する強制執行がその効を奏しなかつたときも、前項と同様とする。

3 前項の規定は、区分所有者が管理組合法人に資力があり、かつ、執行が容易であることを証明したときは、適用しない。

（特定承継人の責任）

第五四条 区分所有者の特定承継人は、その承継前に生じた管理組合法人の債務についても、その区分所有者が前条の規定により負う責任と同一の責任を負う。

（解散）

第五五条 管理組合法人は、次の事由によつて解散する。

一 建物（一部共用部分を共用すべき区分所有者で構成する管理組合法人にあつては、その共用部分）の全部の滅失

二 建物に専有部分がなくなつたこと。

三 集会の決議

2 前項第三号の決議は、区分所有者及び議決権の各四分の三以上の多数でする。

（清算中の管理組合法人の能力）

第五五条の二 解散した管理組合法人は、清算の目的の範囲内において、その清算の結了に至るまではなお存続するものとみなす。

（清算人）

第五五条の三 管理組合法人が解散したときは、破産手続開始の決定による解散の場合を除き、理事がその清算人となる。ただし、規約に別段の定めがあるとき、又は集会において理事以外の者を選任したときは、この限りでない。

（裁判所による清算人の選任）

第五五条の四 前条の規定により清算人となる者がないとき、又は清算人が欠けたため損害を生ずるおそれがあるときは、裁判所は、利害関係人若しくは検察官の請求により又は職権で、清算人を選任することができる。

（清算人の解任）

第五五条の五 重要な事由があるときは、裁判所は、利害関係人若しくは検察官の請求により又は職権で、清算人を解任することができる。

（清算人の職務及び権限）

第五五条の六 清算人の職務は、次のとおりとする。

一 現務の結了

二 債権の取立て及び債務の弁済

三 残余財産の引渡し

2 清算人は、前項各号に掲げる職務を行うために必要な一切の行為をすることができる。

（債権の申出の催告等）

第五五条の七 清算人は、その就職の日から二月以内に、少なくとも三回の公告をもつて、債権者に対し、一定の期間内にその債権の申出をすべき旨の催告をしなければならない。この場合において、その期間は、二月を下ることができない。

2 前項の公告には、債権者がその期間内に申出をしないときは清算から除斥されるべき旨を付記しなければならない。ただし、清算人は、知れている債権者を除斥することができない。

3 清算人は、知れている債権者には、各別にその申出の催告をしなければならない。

4 第一項の公告は、官報に掲載してする。

（期間経過後の債権の申出）

第五五条の八 前条第一項の期間の経過後に申出をした債権者は、管理組合法人の債務が完済された後まだ権利の帰属すべき者に引き渡されていない財産に対してのみ、請求をすることができる。

（清算中の管理組合法人についての破産手続の開始）

第五五条の九 清算中に管理組合法人の財産がその債務を完済するのに足りないことが明らかになつたときは、清算人は、直ちに破産手続開始の申立てをし、その旨を公告しなければならない。

2 清算人は、清算中の管理組合法人が破産手続開始の決定を受けた場合に

おいて、破産管財人にその事務を引き継いだときは、その任務を終了したものとする。

3　前項に規定する場合において、清算中の管理組合法人が既に債権者に支払い、又は権利の帰属すべき者に引き渡したものがあるときは、破産管財人は、これを取り戻すことができる。

4　第一項の規定による公告は、官報に掲載してする。

（残余財産の帰属）

第五六条　解散した管理組合法人の財産は、規約に別段の定めがある場合を除いて、第十四条に定める割合と同一の割合で各区分所有者に帰属する。

（裁判所による監督）

第五六条の二　管理組合法人の解散及び清算は、裁判所の監督に属する。

2　裁判所は、職権で、いつでも前項の監督に必要な検査をすることができる。

（解散及び清算の監督等に関する事件の管轄）

第五六条の三　管理組合法人の解散及び清算の監督並びに清算人に関する事件は、その主たる事務所の所在地を管轄する地方裁判所の管轄に属する。

（不服申立ての制限）

第五六条の四　清算人の選任の裁判に対しては、不服を申し立てることができない。

（裁判所の選任する清算人の報酬）

第五六条の五　裁判所は、第五十五条の四の規定により清算人を選任した場合には、管理組合法人が当該清算人に対して支払う報酬の額を定めることができる。この場合においては、裁判所は、当該清算人及び監事の陳述を聴かなければならない。

第五六条の六　削除

（検査役の選任）

第五六条の七　裁判所は、管理組合法人の解散及び清算の監督に必要な調査をさせるため、検査役を選任することができる。

2　第五十六条の四及び第五十六条の五の規定は、前項の規定により裁判所が検査役を選任した場合について準用する。この場合において、同条中「清算人及び監事」とあるのは、「管理組合法人及び検査役」と読み替えるものとする。

第七節　義務違反者に対する措置

（共同の利益に反する行為の停止等の請求）

第五七条　区分所有者が第六条第一項に規定する行為をした場合又はその行為をするおそれがある場合には、他の区分所有者の全員又は管理組合法人は、区分所有者の共同の利益のため、その行為を停止し、その行為の結果を除去し、又はその行為を予防するため必要な措置を執ることを請求することができる。

2　前項の規定に基づき訴訟を提起するには、集会の決議によらなければならない。

3　管理者又は集会において指定された区分所有者は、集会の決議により、第一項の他の区分所有者の全員のために、前項に規定する訴訟を提起することができる。

4　前三項の規定は、占有者が第六条第三項において準用する同条第一項に規定する行為をした場合及びその行為をするおそれがある場合に準用する。

（使用禁止の請求）

第五八条　前条第一項に規定する場合において、第六条第一項に規定する行為による区分所有者の共同生活上の障害が著しく、前条第一項に規定する請求によつてはその障害を除去して共用部分の利用の確保その他の区分所有者の共同生活の維持を図ることが困難であるときは、他の区分所有者の全員又は管理組合法人は、集会の決議に基づき、訴えをもつて、相当の期間の当該行為に係る区分所有者による専有部分の使用の禁止を請求することができる。

2　前項の決議は、区分所有者及び議決権の各四分の三以上の多数でする。

3　第一項の決議をするには、あらかじめ、当該区分所有者に対し、弁明する機会を与えなければならない。

4　前条第三項の規定は、第一項の訴えの提起に準用する。

（区分所有権の競売の請求）

第五九条　第五十七条第一項に規定する場合において、第六条第一項に規定する行為による区分所有者の共同生活上の障害が著しく、他の方法によつてはその障害を除去して共用部分の利用の確保その他の区分所有者の共同生活の維持を図ることが困難であるときは、他の区分所有者の全員又は管理組合法人は、集会の決議に基づき、訴えをもつて、当該行為に係る区分所有者の区分所有権及び敷地利用権の競売を請求することができる。

2　第五十七条第三項の規定は前項の訴えの提起に、前条第二項及び第三項の規定は前項の決議に準用する。

3　第一項の規定による判決に基づく競売の申立ては、その判決が確定した日から六月を経過したときは、することができない。

4　前項の競売においては、競売を申し立てられた区分所有者又はその者の計算において買い受けようとする者は、買受けの申出をすることができない。

（占有者に対する引渡し請求）

第六〇条　第五十七条第四項に規定する場合において、第六条第三項において準用する同条第一項に規定する行為による区分所有者の共同生活上の障害が著しく、他の方法によつてはその障害を除去して共用部分の利用の確保その他の区分所有者の共同生活の維持を図ることが困難であるときは、区分所有者の全員又は管理組合法人は、集会の決議に基づき、訴えをもつて、当該行為に係る占有者が占有する専有部分の使用又は収益を目的とする契約の解除及びその専有部分の引渡しを請求することができる。

2　第五十七条第三項の規定は前項の訴えの提起に、第五十八条第二項及び第三項の規定は前項の決議に準用する。

3　第一項の規定による判決に基づき専有部分の引渡しを受けた者は、遅滞なく、その専有部分を占有する権原を有する者にこれを引き渡さなければならない。

第八節　復旧及び建替え

（建物の一部が滅失した場合の復旧等）

第六一条　建物の価格の二分の一以下に相当する部分が滅失したときは、各区分所有者は、滅失した共用部分及び自己の専有部分を復旧することができる。ただし、共用部分については、復旧の工事に着手するまでに第三項、次条第一項又は第七十条第一項の決議があつたときは、この限りでない。

2　前項の規定により共用部分を復旧した者は、他の区分所有者に対し、復旧に要した金額を第十四条に定める割合に応じて償還すべきことを請求することができる。

3　第一項本文に規定する場合には、集会において、滅失した共用部分を復旧する旨の決議をすることができる。

4　前三項の規定は、規約で別段の定めをすることを妨げない。

5　第一項本文に規定する場合を除いて、建物の一部が滅失したときは、集会において、区分所有者及び議決権の各四分の三以上の多数で、滅失した共用部分を復旧する旨の決議をすることができる。

6　前項の決議をした集会の議事録には、その決議についての各区分所有者の賛否をも記載し、又は記録しなければならない。

7　第五項の決議があつた場合において、その決議の日から二週間を経過したときは、次項の場合を除き、その決議に賛成した区分所有者（その承継人を含む。以下この条において「決議賛成者」という。）以外の区分所有者は、決議賛成者の全部又は一部に対し、建物及びその敷地に関する権利を時価で買い取るべきことを請求することができる。この場合において、その請求を受けた決議賛成者は、その請求の日から二月以内に、他の決議賛成者の全部又は一部に対し、決議賛成者以外の区分所有者を除いて算定した第十四条に定める割合に応じて当該建物及びその敷地に関する権利を時価で買い取るべきことを請求することができる。

8　第五項の決議の日から二週間以内に、決議賛成者がその全員の合意により建物及びその敷地に関する権利を買い取ることができる者を指定し、かつ、その指定された者（以下この条において「買取指定者」という。）がその旨を決議賛成者以外の区分所有者に対して書面で通知したときは、その通知を受けた区分所有者は、買取指定者に対してのみ、前項前段に規定する請求をすることができる。

9　買取指定者は、前項の規定による書面による通知に代えて、法務省令で定めるところにより、同項の規定による通知を受けるべき区分所有者の承諾を得て、電磁的方法により買取指定者の指定がされた旨を通知することができる。この場合において、当該買取指定者は、当該書面による通知をしたものとみなす。

10　買取指定者が第七項前段に規定する請求に基づく売買の代金に係る債務の全部又は一部の弁済をしないときは、決議賛成者（買取指定者となつたものを除く。以下この項及び第十五項において同じ。）は、連帯してその債務の全部又は一部の弁済の責めに任ずる。ただし、決議賛成者が買取指定者に資力があり、かつ、執行が容易であることを証明したときは、この限りでない。

11　第五項の集会を招集した者（買取指定者の指定がされているときは、当該買取指定者。次項において同じ。）は、決議賛成者以外の区分所有者に対し、四月以上の期間を定めて、第七項前段に規定する請求をするか否かを確答すべき旨を書面で催告することができる。

12　第五項の集会を招集した者は、前項の規定による書面による催告に代えて、法務省令で定めるところにより、同項に規定する区分所有者の承諾を得て、電磁的方法により第七項前段に規定する請求をするか否かを確答すべき旨を催告することができる。この場合において、当該第五項の集会を招集した者は、当該書面による催告をしたものとみなす。

13　第十一項に規定する催告を受けた区分所有者は、同項の規定により定められた期間を経過したときは、第七項前段に規定する請求をすることができない。

14　第五項に規定する場合において、建物の一部が滅失した日から六月以内に同項、次条第一項又は第七十条第一項の決議がないときは、各区分所有者は、他の区分所有者に対し、建物及びその敷地に関する権利を時価で買い取るべきことを請求することができる。

15　第二項、第七項、第八項及び前項の場合には、裁判所は、償還若しくは買取りの請求を受けた区分所有者、買取りの請求を受けた買取指定者又は第十項本文に規定する債務について履行の請求を受けた決議賛成者の請求により、償還金又は代金の支払につき相当の期限を許与することができる。

（建替え決議）

第六十二条　集会においては、区分所有者及び議決権の各五分の四以上の多数で、建物を取り壊し、かつ、当該建物の敷地若しくはその一部の土地又は当該建物の敷地の全部若しくは一部を含む土地に新たに建物を建築する旨の決議（以下「建替え決議」という。）をすることができる。

2　建替え決議においては、次の事項を定めなければならない。

一　新たに建築する建物（以下この項において「再建建物」という。）の設計の概要

二　建物の取壊し及び再建建物の建築に要する費用の概算額

三　前号に規定する費用の分担に関する事項

四　再建建物の区分所有権の帰属に関する事項

3　前項第三号及び第四号の事項は、各区分所有者の衡平を害しないように定めなければならない。

4　第一項に規定する決議事項を会議の目的とする集会を招集するときは、第三十五条第一項の通知は、同項の規定にかかわらず、当該集会の会日より少なくとも二月前に発しなければならない。ただし、この期間は、規約で伸長することができる。

5　前項に規定する場合において、第三十五条第一項の通知をするときは、同条第五項に規定する議案の要領のほか、次の事項をも通知しなければならない。

一　建替えを必要とする理由

二　建物の建替えをしないとした場合における当該建物の効用の維持又は回復（建物が通常有すべき効用の確保を含む。）をするのに要する費用の額及びその内訳

三　建物の修繕に関する計画が定められているときは、当該計画の内容

四　建物につき修繕積立金として積み立てられている金額

6　第四項の集会を招集した者は、当該集会の会日より少なくとも一月前までに、当該招集の際に通知すべき事項について区分所有者に対し説明を行うための説明会を開催しなければならない。

7　第三十五条第一項から第四項まで及び第三十六条の規定は、前項の説明会の開催について準用する。この場合において、第三十五条第一項ただし書中「伸縮する」とあるのは、「伸長する」と読み替えるものとする。

8　前条第六項の規定は、建替え決議をした集会の議事録について準用する。

（区分所有権等の売渡し請求等）

第六十三条　建替え決議があつたときは、集会を招集した者は、遅滞なく、建替え決議に賛成しなかつた区分所有者（その承継人を含む。）に対し、建替え決議の内容により建替えに参加するか否かを回答すべき旨を書面で催告しなければならない。

2　集会を招集した者は、前項の規定による書面による催告に代えて、法務省令で定めるところにより、同項に規定する区分所有者の承諾を得て、電磁的方法により建替え決議の内容により建替えに参加するか否かを回答すべき旨を催告することができる。この場合において、当該集会を招集した者は、当該書面による催告をしたものとみなす。

3　第一項に規定する区分所有者は、同項の規定による催告を受けた日から二月以内に回答しなければならない。

4　前項の期間内に回答しなかつた第一項に規定する区分所有者は、建替えに参加しない旨を回答したものとみなす。

5　第三項の期間が経過したときは、建替え決議に賛成した各区分所有者若しくは建替え決議の内容により建替えに参加する旨を回答した各区分所有者（これらの者の承継人を含む。）又はこれらの者の全員の合意により区分所有権及び敷地利用権を買い受けることができる者として指定された者（以下「買受指定者」という。）は、同項の期間の満了の日から二月以内に、建替えに参加しない旨を回答した区分所有者（その承継人を含む。）に対し、区分所有権及び敷地利用権を時価で売り渡すべきことを請求することができる。建替え決議があつた後にこの区分所有者から敷地利用権のみを取得した者（その承継人を含む。）の敷地利用権についても、同様とする。

6　前項の規定による請求があつた場合において、建替えに参加しない旨を回答した区分所有者が建物の明渡しによりその生活上著しい困難を生ずるおそれがあり、かつ、建替え決議の遂行に甚だしい影響を及ぼさないものと認めるべき顕著な事由があるときは、裁判所は、その者の請求により、代金の支払又は提供の日から一年を超えない範囲内において、建物の明渡しにつき相当の期限を許与することができる。

7　建替え決議の日から二年以内に建物の取壊しの工事に着手しない場合には、第五項の規定により区分所有権又は敷地利用権を売り渡した者は、この期間の満了の日から六月以内に、買主が支払つた代金に相当する金銭をその区分所有権又は敷地利用権を現在有する者に提供して、これらの権利を売り渡すべきことを請求することができる。ただし、建物の取壊しの工事に着手しなかつたことにつき正当な理由があるときは、この限りでない。

8　前項本文の規定は、同項ただし書に規定する場合において、建物の取壊しの工事の着手を妨げる理由がなくなつた日から六月以内にその着手をしないときに準用する。この場合において、同項本文中「この期間の満了の日から六月以内に」とあるのは、「建物の取壊しの工事の着手を妨げる理由がなくなつたことを知つた日から六月又はその理由がなくなつた日から二年のいずれか早い時期までに」と読み替えるものとする。

（建替えに関する合意）

第六十四条　建替え決議に賛成した各区分所有者、建替え決議の内容により建替えに参加する旨を回答した各区分所有者及び区分所有権又は敷地利用権を買い受けた各買受指定者（これらの者の承継人を含む。）は、建替え決議の内容により建替えを行う旨の合意をしたものとみなす。

第二章　団地

（団地建物所有者の団体）

第六十五条　一団地内に数棟の建物があつて、その団地内の土地又は附属施設（これらに関する権利を含む。）がそれらの建物の所有者（専有部分のある建物にあつては、区分所有者）の共有に属する場合には、それらの所有者（以下「団地建物所有者」という。）は、全員で、その団地内の土地、附属施設及び専有部分のある建物の管理を行うための団体を構成し、この法律の定めるところにより、集会を開き、規約を定め、及び管理者を置くことができる。

（建物の区分所有に関する規定の準用）

第六十六条　第七条、第八条、第十七条から第十九条まで、第二十五条、第二十六条、第二十八条、第二十九条、第三十条第一項及び第三項から第五項まで、第三十一条第一項並びに第三十三条から第五十六条の七までの規定は、前条の場合について準用する。この場合において、これらの規定（第五十五条第一項第一号を除く。）中「区分所有者」とあるのは「第六十五条に規定する団地建物所有者」と、「管理組合法人」とあるのは「団地管理組合法人」と、第七条第一項中「共用部分、建物の敷地若しくは共用部分以外の建物の附属施設」とあるのは「第六十五条に規定する場合におけ

る当該土地若しくは附属施設（以下「土地等」という。）」と、「区分所有権」とあるのは「土地等に関する権利、建物又は区分所有権」と、第十七条、第十八条第一項及び第四項並びに第十九条中「共用部分」とあり、第二十六条第一項中「共用部分並びに第二十一条に規定する場合における当該建物の敷地及び附属施設」とあり、並びに第二十九条第一項中「建物並びにその敷地及び附属施設」とあるのは「土地等並びに第六十八条の規定による規約により管理すべきものと定められた同条第一項第一号に掲げる土地及び附属施設並びに同項第二号に掲げる建物の共用部分」と、第十七条第二項、第三十五条第二項及び第三項、第四十条並びに第四十四条第一項中「専有部分」とあるのは「建物又は専有部分」と、第二十九条第一項、第三十八条、第五十三条第一項及び第五十六条中「第十四条に定める」とあるのは「土地等（これらに関する権利を含む。）の持分の」と、第三十条第一項及び第四十六条第二項中「建物又はその敷地若しくは附属施設」とあるのは「土地等又は第六十八条第一項各号に掲げる物」と、第三十条第三項中「専有部分若しくは共用部分又は建物の敷地若しくは附属施設（建物の敷地又は附属施設に関する権利を含む。）」とあるのは「建物若しくは専有部分若しくは土地等（土地等に関する権利を含む。）又は第六十八条の規定による規約により管理すべきものと定められた同条第一項第一号に掲げる土地若しくは附属施設（これらに関する権利を含む。）若しくは同項第二号に掲げる建物の共用部分」と、第三十三条第三項、第三十五条第四項及び第四十四条第二項中「建物内」とあるのは「団地内」と、第三十五条第五項中「第六十一条第五項、第六十二条第一項、第六十八条第一項又は第六十九条第七項」とあるのは「第六十九条第一項又は第七十条第一項」と、第四十六条第二項中「占有者」とあるのは「建物又は専有部分を占有する者で第六十五条に規定する団地建物所有者でないもの」と、第四十七条第一項中「第三条」とあるのは「第六十五条」と、第五十五条第一項第一号中「建物（一部共用部分を共用すべき区分所有者で構成する管理組合法人にあつては、その共用部分）」とあるのは「土地等（これらに関する権利を含む。）」と、同項第二号中「建物に専有部分が」とあるのは「土地等（これらに関する権利を含む。）が第六十五条に規定する団地建物所有者の共有で」と読み替えるものとする。

（団地共用部分）

第六十七条 一団地内の附属施設たる建物（第一条に規定する建物の部分を含む。）は、前条において準用する第三十条第一項の規約により団地共用部分とすることができる。この場合においては、その旨の登記をしなければ、これをもつて第三者に対抗することができない。

2 一団地内の数棟の建物の全部を所有する者は、公正証書により、前項の規約を設定することができる。

3 第十一条第一項本文及び第三項並びに第十三条から第十五条までの規定は、団地共用部分に準用する。この場合において、第十一条第一項本文中「区分所有者」とあるのは「第六十五条に規定する団地建物所有者」と、第十四条第一項及び第十五条中「専有部分」とあるのは「建物又は専有部分」と読み替えるものとする。

（規約の設定の特例）

第六十八条 次の物につき第六十六条において準用する第三十条第一項の規約を定めるには、第一号に掲げる土地又は附属施設にあつては当該土地の全部又は附属施設の全部につきそれぞれ共有者の四分の三以上でその持分の四分の三以上を有するものの同意、第二号に掲げる建物にあつてはその全部につきそれぞれ第三十四条の規定による集会における区分所有者及び議決権の各四分の三以上の多数による決議があることを要する。

一 一団地内の土地又は附属施設（これらに関する権利を含む。）が当該団地内の一部の建物の所有者（専有部分のある建物にあつては、区分所有者）の共有に属する場合における当該土地又は附属施設（専有部分のある建物以外の建物の所有者のみの共有に属するものを除く。）

二 当該団地内の専有部分のある建物

2 第三十一条第二項の規定は、前項第二号に掲げる建物の一部共用部分に関する事項で区分所有者全員の利害に関係しないものについての同項の集会の決議に準用する。

（団地内の建物の建替え承認決議）

第六九条 一団地内にある数棟の建物（以下この条及び次条において「団地内建物」という。）の全部又は一部が専有部分のある建物であり、かつ、その団地内の特定の建物（以下この条において「特定建物」という。）の所在する土地（これに関する権利を含む。）が当該団地内建物の第六十五条に規定する団地建物所有者（以下この条において単に「団地建物所有者」という。）の共有に属する場合においては、次の各号に掲げる区分に応じてそれぞれ当該各号に定める要件に該当する場合であつて当該土地（これに関する権利を含む。）の共有者である当該団地内建物の団地建物所有者で構成される同条に規定する団体又は団地管理組合法人の集会において議決権の四分の三以上の多数による承認の決議（以下「建替え承認決議」という。）を得たときは、当該特定建物の団地建物所有者は、当該特定建物を取り壊し、かつ、当該土地又はこれと一体として管理若しくは使用をする団地内の土地（当該団地内建物の団地建物所有者の共有に属するものに限る。）に新たに建物を建築することができる。

一 当該特定建物が専有部分のある建物である場合　その建替え決議又はその区分所有者の全員の同意があること。

二 当該特定建物が専有部分のある建物以外の建物である場合　その所有者の同意があること。

2 前項の集会における各団地建物所有者の議決権は、第六十六条において準用する第三十八条の規定にかかわらず、第六十六条において準用する第三十条第一項の規約に別段の定めがある場合であつても、当該特定建物の所在する土地（これに関する権利を含む。）の持分の割合によるものとする。

3 第一項各号に定める要件に該当する場合における当該特定建物の団地建物所有者は、建替え承認決議においては、いずれもこれに賛成する旨の議決権の行使をしたものとみなす。ただし、同項第一号に規定する場合において、当該特定建物の区分所有者が団地内建物のうち当該特定建物以外の建物の敷地利用権に基づいて有する議決権の行使については、この限りでない。

4 第一項の集会を招集するときは、第六十六条において準用する第三十五条第一項の通知は、同項の規定にかかわらず、当該集会の会日より少なくとも二月前に、同条第五項に規定する議案の要領のほか、新たに建築する建物の設計の概要（当該建物の当該団地内における位置を含む。）をも示して発しなければならない。ただし、この期間は、第六十六条において準用する第三十条第一項の規約で伸長することができる。

5 第一項の場合において、建替え承認決議に係る建替えが当該特定建物以外の建物（以下この項において「当該他の建物」という。）の建替えに特別の影響を及ぼすべきときは、次の各号に掲げる区分に応じてそれぞれ当該各号に定める者が当該建替え承認決議に賛成しているときに限り、当該特定建物の建替えをすることができる。

一 当該他の建物が専有部分のある建物である場合　第一項の集会において当該他の建物の区分所有者全員の議決権の四分の三以上の議決権を有する区分所有者

二 当該他の建物が専有部分のある建物以外の建物である場合　当該他の建物の所有者

6 第一項の場合において、当該特定建物が二以上あるときは、当該二以上の特定建物の団地建物所有者は、各特定建物の団地建物所有者の合意により、当該二以上の特定建物の建替えについて一括して建替え承認決議に付することができる。

7 前項の場合において、当該特定建物が専有部分のある建物であるときは、当該特定建物の建替えを会議の目的とする第六十二条第一項の集会において、当該特定建物の区分所有者及び議決権の各五分の四以上の多数で、当該二以上の特定建物の建替えについて一括して建替え承認決議に付する旨の決議をすることができる。この場合において、その決議があつたときは、当該特定建物の団地建物所有者（区分所有者に限る。）の前項に規定する合意があつたものとみなす。

（団地内の建物の一括建替え決議）

第七〇条 団地内建物の全部が専有部分のある建物であり、かつ、当該団地内建物の敷地（団地内建物が所在する土地及び第五条第一項の規定により団地内建物の敷地とされた土地をいい、これに関する権利を含む。以下この項及び次項において同じ。）が当該団地内建物の区分所有者の共有に属する場合において、当該団地内建物について第六十八条第一項（第一号を除く。）の規定により第六十六条において準用する第三十条第一項の規約が定められているときは、第六十二条第一項の規定にかかわらず、当該団地内建物の敷地の共有者である当該団地内建物の区分所有者で構成される第六十五条に規定する団体又は団地管理組合法人の集会において、当該団地内建物の区分所有者及び議決権の各五分の四以上の多数で、当該団地内建物につき一括して、その全部を取り壊し、かつ、当該団地内建物の敷地

（これに関する権利を除く。以下この項において同じ。）若しくはその一部の土地又は当該団地内建物の敷地の全部若しくは一部を含む土地（第三項第一号においてこれらの土地を「再建団地内敷地」という。）に新たに建物を建築する旨の決議（以下この条において「一括建替え決議」という。）をすることができる。ただし、当該集会において、当該各団地内建物ごとに、それぞれその区分所有者の三分の二以上の者であつて第三十八条に規定する議決権の合計の三分の二以上の議決権を有するものがその一括建替え決議に賛成した場合でなければならない。

2　前条第二項の規定は、前項本文の各区分所有者の議決権について準用する。この場合において、前条第二項中「当該特定建物の所在する土地（これに関する権利を含む。）」とあるのは、「当該団地内建物の敷地」と読み替えるものとする。

3　団地内建物の一括建替え決議においては、次の事項を定めなければならない。

一　再建団地内敷地の一体的な利用についての計画の概要

二　新たに建築する建物（以下この項において「再建団地内建物」という。）の設計の概要

三　団地内建物の全部の取壊し及び再建団地内建物の建築に要する費用の概算額

四　前号に規定する費用の分担に関する事項

五　再建団地内建物の区分所有権の帰属に関する事項

4　第六十二条第三項から第八項まで、第六十三条及び第六十四条の規定は、団地内建物の一括建替え決議について準用する。この場合において、第六十二条第三項中「前項第三号及び第四号」とあるのは「第七十条第三項第四号及び第五号」と、同条第四項中「第一項に規定する」とあるのは「第七十条第一項に規定する」と、「第三十五条第一項」とあるのは「第六十六条において準用する第三十五条第一項」と、「規約」とあるのは「第六十六条において準用する第三十条第一項の規約」と、同条第五項中「第三十五条第一項」とあるのは「第六十六条において準用する第三十五条第一項」と、同条第七項中「第三十五条第一項から第四項まで及び第三十六条」とあるのは「第六十六条において準用する第三十五条第一項から第四項まで及び第三十六条」と、「第三十五条第一項ただし書」とあるのは「第六十六条において準用する第三十五条第一項ただし書」と、同条第八項中「前条第六項」とあるのは「第六十一条第六項」と読み替えるものとする。

第三章　罰則

第七一条　次の各号のいずれかに該当する場合には、その行為をした管理者、理事、規約を保管する者、議長又は清算人は、二十万円以下の過料に処する。

一　第三十三条第一項本文（第四十二条第五項及び第四十五条第四項（これらの規定を第六十六条において準用する場合を含む。）並びに第六十六条において準用する場合を含む。以下この号において同じ。）又は第四十七条第十二項（第六十六条において準用する場合を含む。）において読み替えて適用される第三十三条第一項本文の規定に違反して、規約、議事録又は第四十五条第四項（第六十六条において準用する場合を含む。）の書面若しくは電磁的記録の保管をしなかつたとき。

二　第三十三条第二項（第四十二条第五項及び第四十五条第四項（これらの規定を第六十六条において準用する場合を含む。）並びに第六十六条において準用する場合を含む。）の規定に違反して、正当な理由がないのに、前号に規定する書類又は電磁的記録に記録された情報の内容を法務省令で定める方法により表示したものの閲覧を拒んだとき。

三　第四十二条第一項から第四項まで（これらの規定を第六十六条において準用する場合を含む。）の規定に違反して、議事録を作成せず、又は議事録に記載し、若しくは記録すべき事項を記載せず、若しくは記録せず、若しくは虚偽の記載若しくは記録をしたとき。

四　第四十三条（第四十七条第十二項（第六十六条において準用する場合を含む。）において読み替えて適用される場合及び第六十六条において準用する場合を含む。）の規定に違反して、報告をせず、又は虚偽の報告をしたとき。

五　第四十七条第三項（第六十六条において準用する場合を含む。）の規定に基づく政令に定める登記を怠つたとき。

六　第四十八条の二第一項（第六十六条において準用する場合を含む。）の規定に違反して、財産目録を作成せず、又は財産目録に不正の記載若しくは記録をしたとき。

七　理事若しくは監事が欠けた場合又は規約で定めたその員数が欠けた場合において、その選任手続を怠つたとき。

八　第五十五条の七第一項又は第五十五条の九第一項（これらの規定を第六十六条において準用する場合を含む。）の規定による公告を怠り、又は不正の公告をしたとき。

九　第五十五条の九第一項（第六十六条において準用する場合を含む。）の規定による破産手続開始の申立てを怠つたとき。

十　第五十六条の二第二項（第六十六条において準用する場合を含む。）の規定による検査を妨げたとき。

第七二条　第四十八条第二項（第六十六条において準用する場合を含む。）の規定に違反した者は、十万円以下の過料に処する。

附　則

（施行期日）

第一条　この法律は、昭和三十八年四月一日から施行する。

2　第十七条及び第二十四条から第三十四条まで（第三十六条においてこれらの規定を準用する場合を含む。）の規定は、前項の規定にかかわらず、公布の日から施行する。ただし、昭和三十八年四月一日前においては、この法律中その他の規定の施行に伴う準備のため必要な範囲内においてのみ、適用があるものとする。

（経過措置）

第二条　この法律の施行の際現に存する共用部分が区分所有者のみの所有に属する場合において、第四条第一項の規定に適合しないときは、その共用部分の所有者は、同条第二項の規定により規約でその共用部分の所有者と定められたものとみなす。

2　この法律の施行の際現に存する共用部分が区分所有者の全員又はその一部の共有に属する場合において、各共有者の持分が第十条の規定に適合しないときは、その持分は、第八条ただし書の規定により規約で定められたものとみなす。

3　この法律の施行の際現に存する共用部分の所有者が第四条第一項の規定の適用により損失を受けたときは、その者は、民法第七百三条の規定に従い、償金を請求することができる。

第三条～第七条　〔他の法令改正等に付き略〕

附　則〔抄〕〔昭和五八・五・二一法律五一〕

（施行期日）

第一条　この法律は、昭和五十九年一月一日から施行する。

（建物の区分所有等に関する法律の一部改正に伴う経過措置の原則）

第二条　第一条の規定による改正後の建物の区分所有等に関する法律（以下「新法」という。）の規定は、特別の定めがある場合を除いて、この法律の施行前に生じた事項にも適用する。ただし、同条の規定による改正前の建物の区分所有等に関する法律（以下「旧法」という。）の規定により生じた効力を妨げない。

（建物の設置又は保存の瑕疵に関する推定に関する経過措置）

第三条　新法第九条の規定は、この法律の施行前に建物の設置又は保存の瑕疵により損害が生じた場合における当該瑕疵については、適用しない。

（共用部分に関する合意等に関する経過措置）

第四条　この法律の施行前に区分所有者が共用部分、新法第二十一条に規定する場合における当該建物の敷地若しくは附属施設又は規約、議事録若しくは旧法第三十四条第一項の書面の保管者についてした合意又は決定（民法第二百五十一条又は第二百五十二条の規定によるものを含む。以下この条において同じ。）は、新法の規定により集会の決議で定められたものとみなす。この法律の施行前に新法第六十五条に規定する場合における当該土地又は附属施設に係る同条の所有者がこれらの物又は規約、議事録若しくは旧法第三十六条において準用する旧法第三十四条第一項の書面の保管者についてした合意又は決定も、同様とする。

（既存専有部分等に関する経過措置）

第五条　新法第二十二条から第二十四条までの規定は、この法律の施行の際現に存する専有部分及びその専有部分に係る敷地利用権（以下「既存専有部分等」という。）については、この法律の施行の日から起算して五年を超えない範囲内において政令で定める日から適用する。ただし、次条第一項の指定に係る建物の既存専有部分等については、同項に規定する適用開始日から適用する。

第六条　法務大臣は、専有部分の数、専有部分及び建物の敷地に関する権利の状況等を考慮して、前条本文の政令で定める日前に同条本文に規定する規定を適用する既存専有部分等に係る建物及びこれらの規定の適用を開始すべき日（以下「適用開始日」という。）を指定することができる。

2　法務大臣は、前項の指定をするときは、あらかじめ、その旨を各区分所有者又は管理者若しくは管理組合法人の理事に通知しなければならない。

3　前項の規定による通知を発した日から一月内に四分の一を超える区分所有者又は四分の一を超える議決権を有する区分所有者が法務省令の定めるところにより異議の申出をしたときは、法務大臣は、第一項の指定をすることができない。

4　第一項の指定は、建物の表示及び適用開始日を告示して行う。

5　適用開始日は、前項の規定による告示の日から一月以上を経過した日でなければならない。

6　法務大臣は、区分所有者の四分の三以上で議決権の四分の三以上を有するものの請求があつたときは、第一項の指定をしなければならない。この場合には、第二項及び第三項の規定は、適用しない。

第七条　法務大臣は、前条第四項の規定による告示をする場合において、区分所有者が数人で有する所有権、地上権又は賃借権に基づき建物及びその建物が所在する土地と一体として管理又は使用をしている土地があるときは、その土地の表示を併せて告示しなければならない。

2　前項の規定により告示された土地は、適用開始日に新法第五条第一項の規定により規約で建物の敷地と定められたものとみなす。

3　前条第二項及び第三項の規定は、第一項の規定による告示について準用する。

第八条　附則第六条第一項の指定に係る建物以外の建物の既存専有部分等は、附則第五条本文の政令で定める日に、新法第二十二条第一項ただし書の規定により規約で分離して処分することができることと定められたものとみなす。

（規約に関する経過措置）

第九条　この法律の施行の際現に効力を有する規約は、新法第三十一条又は新法第六十六条において準用する新法第三十一条第一項及び新法第六十八条の規定により定められたものとみなす。

2　前項の規約で定められた事項で新法に抵触するものは、この法律の施行の日からその効力を失う。

（義務違反者に対する措置に関する経過措置）

第一〇条　この法律の施行前に区分所有者がした旧法第五条第一項に規定する行為に対する措置については、なお従前の例による。

（建物の一部滅失に関する経過措置）

第一一条　新法第六十一条第五項及び第六十二条の規定は、この法律の施行前に旧法第三十五条第四項本文の規定による請求があつた建物については、適用しない。

（罰則に関する経過措置）

第一三条　この法律の施行前にした行為に対する罰則の適用については、なお従前の例による。

附　則〔略〕〔昭和六三・一二・三〇法律一〇八〕

附　則〔略〕〔平成三・五・一五法律七三〕

附　則〔略〕〔平成一四・七・三法律七九〕

附　則〔抄〕〔平成一四・一二・一一法律一四〇〕

（施行期日）

第一条　この法律は、公布の日から起算して六月を超えない範囲内において政令で定める日から施行する。

〔平成一五政二一八により、平成一五・六・一から施行〕

（建物の区分所有等に関する法律の一部改正に伴う経過措置）

第二条　第一条の規定による改正後の建物の区分所有等に関する法律の規定は、特別の定めがある場合を除いて、この法律の施行前に生じた事項にも適用する。ただし、同条の規定による改正前の建物の区分所有等に関する法律（以下「旧区分所有法」という。）の規定により生じた効力を妨げない。

2　この法律の施行前に旧区分所有法第六十一条第七項の規定による買取請求があった建物及びその敷地に関する権利に関するこの法律の施行後にする買取請求については、なお従前の例による。

3　この法律の施行前に招集の手続が開始された集会においてこの法律の施行後にする建替え決議については、なお従前の例による。

（罰則に関する経過措置）

第九条　この法律の施行前にした旧区分所有法又は附則第七条の規定による改正前の被災区分所有建物の再建等に関する特別措置法の規定に違反する行為に対する罰則の適用については、なお従前の例による。

附　則〔略〕〔平成一六・六・二法律七六〕

附　則〔略〕〔平成一六・六・一八法律一二四〕

附　則〔略〕〔平成一七・七・二六法律八七〕

附　則〔略〕〔平成一八・六・二法律五〇〕

附　則〔略〕〔平成二〇・四・三〇法律二三〕

附　則〔略〕〔平成二三・五・二五法律五三〕

附　則〔略〕〔令和二・三・三一法律八〕

附　則〔抄〕〔令和三・四・二八法律二四〕

（施行期日）

第一条　この法律は、公布の日から起算して二年を超えない範囲内において政令で定める日から施行する。ただし、次の各号に掲げる規定は、当該各号に定める日から施行する。

〔令和三政三三二により、令和五・四・一から施行〕

一　〔前略〕附則第三十四条の規定　公布の日

二・三　〔略〕

（その他の経過措置の政令等への委任）

第三四条　この附則に定めるもののほか、この法律の施行に関し必要な経過措置は、政令で定める。

2　〔略〕

附　則〔抄〕〔令和三・五・一九法律三七〕

（施行期日）

第一条　この法律は、令和三年九月一日から施行する。ただし、次の各号に掲げる規定は、当該各号に定める日から施行する。

一　〔前略〕附則〔中略〕第七十一条から第七十三条までの規定　公布の日

二〜十　〔略〕

（罰則に関する経過措置）

第七一条　この法律（附則第一条各号に掲げる規定にあっては、当該規定。以下この条において同じ。）の施行前にした行為及びこの附則の規定によりなお従前の例によることとされる場合におけるこの法律の施行後にした行為に対する罰則の適用については、なお従前の例による。

（政令への委任）

第七二条　この附則に定めるもののほか、この法律の施行に関し必要な経過措置（罰則に関する経過措置を含む。）は、政令で定める。

（検討）

第七三条　政府は、行政機関等に係る申請、届出、処分の通知その他の手続において、個人の氏名を平仮名又は片仮名で表記したものを利用して当該個人を識別できるようにするため、個人の氏名を平仮名又は片仮名で表記したものを戸籍の記載事項とすることを含め、この法律の公布後一年以内を目途としてその具体的な方策について検討を加え、その結果に基づいて必要な措置を講ずるものとする。

○独立行政法人住宅金融支援機構法

〔平成一七・七・六　法律八二〕

改正　平成一七・七法八七、一〇法一〇二、一一法一二二、平成一八・六法六一、法六六、一二法一〇九、法一一五、平成一九・四法三〇、六法七九、平成二三・四法二六、法三二、五法四〇、平成二四・三法二五、平成二五・五法一一、平成二六・六法六七、平成二七・五法一七、法二〇、平成二九・四法二四、平成三〇・六法四〇、令和二・六法四〇、令和四・六法六九、令和五・六法五〇、令和六・六法四三

目次

第一章　総則（第一条―第七条）
第二章　役員及び職員（第八条―第十二条）
第三章　業務（第十三条―第十六条）
第四章　財務及び会計（第十七条―第二十五条）
第五章　雑則（第二十六条―第三十一条）
第六章　罰則（第三十二条―第三十六条）
附則

第一章　総則

（目的）

第一条　この法律は、独立行政法人住宅金融支援機構の名称、目的、業務の範囲等に関する事項を定めることを目的とする。

（定義）

第二条　この法律において「住宅」とは、人の居住の用に供する建築物又は建築物の人の居住の用に供する部分（以下「住宅部分」という。）をいう。

2　この法律において「災害復興建築物」とは、災害により、住宅又は主として住宅部分からなる建築物が滅失した場合におけるこれらの建築物又は建築物の部分に代わるべき建築物又は建築物の部分をいう。

3　この法律において「被災建築物」とは、災害により、住宅又は主として住宅部分からなる建築物が損傷した場合における当該損傷したこれらの建築物又は建築物の部分をいう。

4　この法律において「災害予防代替建築物」とは、災害を防止し又は軽減するため、住宅部分を有する建築物を除却する必要がある場合として政令で定める場合における当該建築物に代わるべき建築物又は建築物の部分をいう。

5　この法律において「災害予防移転建築物」とは、災害を防止し又は軽減するため、住宅部分を有する建築物を移転する必要がある場合として政令で定める場合における当該移転する必要がある建築物をいう。

6　この法律において「災害予防関連工事」とは、災害を防止し又は軽減するため、住宅部分を有する建築物の敷地について擁壁又は排水施設の設置又は改造その他の工事を行う必要がある場合として政令で定める場合における当該工事をいう。

7　この法律において「合理的土地利用建築物」とは、市街地の土地の合理的な利用に寄与するものとして政令で定める建築物で相当の住宅部分を有するもの又はその部分をいう。

8　この法律において「マンション」とは、二以上の区分所有者（建物の区分所有等に関する法律（昭和三十七年法律第六十九号）第二条第二項に規定する区分所有者をいう。）が存する建築物で住宅部分を有するものをいう。

（名称）

第三条　この法律及び独立行政法人通則法（平成十一年法律第百三号。以下「通則法」という。）の定めるところにより設立される通則法第二条第一項に規定する独立行政法人の名称は、独立行政法人住宅金融支援機構とする。

（機構の目的）

第四条　独立行政法人住宅金融支援機構（以下「機構」という。）は、一般の金融機関による住宅の建設等に必要な資金の融通を支援するための貸付債権の譲受け等の業務を行うとともに、国民の住生活を取り巻く環境の変化に対応した良質な住宅の建設等に必要な資金の調達等に関する情報の提供その他の援助の業務を行うほか、一般の金融機関による融通を補完するための災害復興建築物の建設等に必要な資金の貸付けの業務を行うことにより、住宅の建設等に必要な資金の円滑かつ効率的な融通を図り、もって国民生活の安定と社会福祉の増進に寄与することを目的とする。

（中期目標管理法人）

第四条の二　機構は、通則法第二条第二項に規定する中期目標管理法人とする。

（事務所）

第五条　機構は、主たる事務所を東京都に置く。

（資本金）

第六条　機構の資本金は、附則第三条第六項の規定により政府から出資があったものとされた金額とする。

2　政府は、必要があると認めるときは、予算で定める金額の範囲内において、機構に追加して出資することができる。この場合において、政府は、当該出資した金額の全部又は一部が第二十五条第一項の金利変動準備基金に充てるべきものであるときは、その金額を示すものとする。

3　機構は、前項の規定による政府の出資があったときは、その出資額により資本金を増加するものとする。

（名称の使用制限）

第七条　機構でない者は、住宅金融支援機構という名称を用いてはならない。

第二章　役員及び職員

（役員）

第八条　機構に、役員として、その長である理事長及び監事三人を置く。

2　機構に、役員として、副理事長一人及び理事六人以内を置くことができる。

（副理事長及び理事の職務及び権限等）

第九条　副理事長は、理事長の定めるところにより、機構を代表し、理事長を補佐して機構の業務を掌理する。

2　理事は、理事長の定めるところにより、理事長（副理事長が置かれているときは、理事長及び副理事長）を補佐して機構の業務を掌理する。

3　通則法第十九条第二項の個別法で定める役員は、副理事長とする。ただし、副理事長が置かれていない場合であって理事が置かれているときは理事、副理事長及び理事が置かれていないときは監事とする。

4　前項ただし書の場合において、通則法第十九条第二項の規定により理事長の職務を代理し又はその職務を行う監事は、その間、監事の職務を行ってはならない。

（副理事長及び理事の任期）

第一〇条　副理事長の任期は四年とし、理事の任期は二年とする。

（役員及び職員の秘密保持義務）

第一一条　機構の役員及び職員は、職務上知ることのできた秘密を漏らしてはならない。その職を退いた後も、同様とする。

（役員及び職員の地位）

第一二条　機構の役員及び職員は、刑法（明治四十年法律第四十五号）その他の罰則の適用については、法令により公務に従事する職員とみなす。

第三章　業務

（業務の範囲）

第一三条　機構は、第四条の目的を達成するため、次の業務を行う。

一　住宅の建設若しくは購入又は改良（高齢者その他の居住の安定の確保を図ることが特に必要と認められる者として主務省令で定める者が居住性能又は居住環境の確保又は向上を主たる目的として行うものに限る。以下この号において同じ。）に必要な資金（当該住宅の建設若しくは購入又は改良に付随する行為で政令で定めるものに必要な資金を含む。）の貸付けに係る主務省令で定める金融機関の貸付債権の譲受けを行うこと。

二　前号に規定する貸付債権で、その貸付債権について次に掲げる行為を予定した貸付けに係るもの（以下「特定貸付債権」という。）のうち、

住宅融資保険法（昭和三十年法律第六十三号）第三条に規定する保険関係が成立した貸付けに係るもの（その信託の受益権を含む。）を担保とする債券その他これに準ずるものとして主務省令で定める有価証券に係る債務の保証（以下「特定債務保証」という。）を行うこと。

イ　信託法（平成十八年法律第百八号）第三条第一号に掲げる方法（信託会社又は金融機関の信託業務の兼営等に関する法律（昭和十八年法律第四十三号）第一条第一項の認可を受けた金融機関との間で同号に規定する信託契約を締結するものに限る。第二十三条第一項において同じ。）又は信託法第三条第三号に掲げる方法による信託（以下「特定信託」と総称する。）をし、当該信託の受益権を譲渡すること。

ロ　資産の流動化に関する法律（平成十年法律第百五号）第二条第三項に規定する特定目的会社（以下「特定目的会社」という。）に譲渡すること。

ハ　その他イ又はロに類するものとして主務省令で定める行為

三　住宅融資保険法による保険を行うこと。

四　住宅の建設、購入、改良若しくは移転（以下この号において「建設等」という。）をしようとする者又は住宅の建設等に関する事業を行う者に対し、必要な資金の調達又は良質な住宅の設計若しくは建設等に関する情報の提供、相談その他の援助を行うこと。

五　災害復興建築物の建設若しくは購入又は被災建築物の補修に必要な資金（当該災害復興建築物の建設若しくは購入又は当該被災建築物の補修に付随する行為で政令で定めるものに必要な資金を含む。）の貸付けを行うこと。

六　災害予防代替建築物の建設若しくは購入若しくは災害予防移転建築物の移転に必要な資金（当該災害予防代替建築物の建設若しくは購入又は当該災害予防移転建築物の移転に付随する行為で政令で定めるものに必要な資金を含む。）、災害予防関連工事に必要な資金又は地震に対する安全性の向上を主たる目的とする住宅の改良に必要な資金の貸付けを行うこと。

七　合理的土地利用建築物の建設若しくは合理的土地利用建築物で人の居住の用その他の本来の用途に供したことのないものの購入に必要な資金（当該合理的土地利用建築物の建設又は購入に付随する行為で政令で定めるものに必要な資金を含む。）又はマンションの共用部分の改良に必要な資金の貸付けを行うこと。

八　子どもを育成する家庭若しくは高齢者の家庭（単身の世帯を含む。次号において同じ。）に適した良好な居住性能及び居住環境を有する賃貸住宅若しくは賃貸の用に供する住宅部分が大部分を占める建築物の建設に必要な資金（当該賃貸住宅又は当該建築物の建設に付随する行為で政令で定めるものに必要な資金を含む。）又は当該賃貸住宅の改良（当該賃貸住宅とすることを主たる目的とする人の居住の用その他の本来の用途に供したことのある建築物の改良を含む。）に必要な資金の貸付けを行うこと。

九　高齢者の家庭に適した良好な居住性能及び居住環境を有する住宅とすることを主たる目的とする住宅の改良（高齢者が自ら居住する住宅について行うものに限る。）に必要な資金又は高齢者の居住の安定確保に関する法律（平成十三年法律第二十六号）第七条第五項に規定する登録住宅（賃貸住宅であるものに限る。）とすることを主たる目的とする人の居住の用に供したことのある住宅の購入に必要な資金（当該住宅の購入に付随する行為で政令で定めるものに必要な資金を含む。）の貸付けを行うこと。

十　住宅のエネルギー消費性能（建築物のエネルギー消費性能の向上等に関する法律（平成二十七年法律第五十三号）第二条第一項第二号に規定するエネルギー消費性能をいう。）の向上を主たる目的とする住宅の改良に必要な資金の貸付けを行うこと。

十一　機構が第一号の業務により譲り受ける貸付債権に係る貸付けを受けた者若しくは第五号から第七号まで若しくは前号若しくは次項第五号若しくは第八号の規定による貸付けを受けた者とあらかじめ契約を締結して、その者が死亡した場合（重度障害の状態となった場合を含む。以下同じ。）に支払われる生命保険の保険金若しくは生命共済の共済金（以下「保険金等」という。）を当該貸付けに係る債務の弁済に充当し、又は沖縄振興開発金融公庫法（昭和四十七年法律第三十一号）第十九条第一項第三号の規定による貸付けを受けた者とあらかじめ契約を締結して、その者が死亡した場合に支払われる保険金等により当該貸付けに係る債務を弁済すること。

十二　前各号の業務に附帯する業務を行うこと。

2　機構は、前項に規定する業務のほか、次の業務を行う。

一　高齢者の居住の安定確保に関する法律第二十二条第一項の規定により住宅融資保険法第四条の保険関係が成立するとみなされる貸付けについて同法の規定による保険を行うこと。

二　高齢者の居住の安定確保に関する法律第二十二条第二項の規定による貸付債権の譲受け及び債務の保証を行うこと。

三　海外社会資本事業への我が国事業者の参入の促進に関する法律（平成三十年法律第四十号）第七条の規定による調査、研究及び情報の提供を行うこと。

四　空家等対策の推進に関する特別措置法（平成二十六年法律第百二十七号）第二十一条の規定による情報の提供その他の援助を行うこと。

五　阪神・淡路大震災に対処するための特別の財政援助及び助成に関する法律（平成七年法律第十六号）第七十七条、東日本大震災に対処するための特別の財政援助及び助成に関する法律（平成二十三年法律第四十号）第百三十八条又は福島復興再生特別措置法（平成二十四年法律第二十五号）第三十一条若しくは第四十三条の規定による貸付けを行うこと。

六　住宅確保要配慮者に対する賃貸住宅の供給の促進に関する法律（平成十九年法律第百十二号）第十九条（同法第五十二条において準用する場合を含む。）の規定による貸付けを行うこと。

七　住宅確保要配慮者に対する賃貸住宅の供給の促進に関する法律第二十条第一項又は第八十条第一項の規定による保険を行うこと。

八　勤労者財産形成促進法（昭和四十六年法律第九十二号）第十条第一項の規定による貸付けを行うこと。

九　中小企業退職金共済法（昭和三十四年法律第百六十号）第七十二条第二項の規定による委託に基づき、勤労者財産形成促進法第九条第一項に規定する業務の一部を行うこと。

十　前各号の業務に附帯する業務を行うこと。

（業務の実施）

第一四条　機構は、前条第一項第一号、第二号及び第五号から第十号までの業務の実施に当たっては、住宅の建設等に必要な資金の需要及び供給の状況に応じて、一般の金融機関との適切な役割分担を図り、これらの業務を通じ、国民に対する住宅の建設等に必要な長期資金の融通が円滑に行われるよう努めなければならない。

2　機構は、前条第一項第一号、第二号及び第五号から第十号までの業務の実施に当たっては、住宅の質の向上を図るために必要なものとして政令で定める事項に配慮して、貸付債権の譲受け、特定債務保証又は資金の貸付けの条件の適切な設定その他の必要な措置を講ずるとともに、国及び地方公共団体が行う良好な居住環境を整備するためのまちづくりその他の必要な施策について協力しなければならない。

（緊急の必要がある場合の主務大臣の要求）

第一五条　主務大臣は、災害の発生、経済事情の急激な変動その他の事情が生じた場合において、国民の居住の安定確保を図るために金融上の支援を緊急に行う必要があると認めるときは、機構に対し、第十三条に規定する業務に関し必要な措置をとることを求めることができる。

2　機構は、主務大臣から前項の規定による求めがあったときは、正当な理由がない限り、その求めに応じなければならない。

（業務の委託）

第一六条　機構は、次に掲げる者に対し、第十三条（第一項第四号を除く。）に規定する業務のうち政令で定める業務を委託することができる。

一　主務省令で定める金融機関

二　債権管理回収業に関する特別措置法（平成十年法律第百二十六号）第二条第三項に規定する債権回収会社

三　地方公共団体その他政令で定める法人

2　前項第一号及び第三号に掲げる者は、他の法律の規定にかかわらず、機構が同項の規定により委託した業務を受託することができる。

3　機構は、必要があると認めるときは、第一項の規定による業務の委託を受けた者に対し、その委託を受けた業務について報告を求め、又は機構の役員若しくは職員に、その委託を受けた業務について必要な調査をさせることができる。

4　第一項の規定による業務の委託を受けた同項各号に掲げる者（地方公共団体を除く。）の役員又は職員であって同項の規定による委託を受けた業務に従事する者は、刑法その他の罰則の規定の適用については、これを法令により公務に従事する職員とみなす。

5　機構は、沖縄振興開発金融公庫に対し、第十三条第一項第一号から第三号までの業務及びこれらに附帯する業務の一部を委託することができる。

第四章　財務及び会計

（区分経理）

第一七条　機構は、次に掲げる業務ごとに経理を区分し、それぞれ勘定を設けて整理しなければならない。

一　第十三条第一項第一号及び第二号の業務、同項第三号の業務（特定貸付債権に係るものに限る。）、同条第二項第一号の業務（高齢者の居住の安定確保に関する法律第二十二条第二項第二号に規定する行為を予定した貸付けに係る同項第一号に規定する貸付債権（次号において「特例貸付債権」という。）に係るものに限る。）並びに第十三条第二項第二号及び第三号の業務並びにこれらに附帯する業務

二　第十三条第一項第三号の業務（特定貸付債権に係るものを除く。）、同条第二項第一号の業務（特例貸付債権に係るものを除く。）及び同項第七号の業務並びにこれらに附帯する業務

三　第十三条第二項第八号の業務及びこれに附帯する業務

四　前三号に掲げる業務以外の業務

（利益及び損失の処理の特例等）

第一八条　機構は、前条第二号から第四号までに掲げる業務に係るそれぞれの勘定において、通則法第二十九条第二項第一号に規定する中期目標の期間（以下「中期目標の期間」という。）の最後の事業年度に係る通則法第四十四条第一項又は第二項の規定による整理を行った後、同条第一項の規定による積立金があるときは、その額に相当する金額のうち主務大臣の承認を受けた金額を、当該中期目標の期間の次の中期目標の期間における通則法第三十条第一項の認可を受けた中期計画（同項後段の規定による変更の認可を受けたときは、その変更後のもの）の定めるところにより、当該次の中期目標の期間における第十三条に規定する業務の財源に充てることができる。

2　機構は、前項の勘定において、同項に規定する積立金の額に相当する金額から同項の規定による承認を受けた金額を控除してなお残余があるときは、その残余の額のうち主務大臣の承認を受けた金額を、当該中期目標の期間の次の中期目標の期間における同項に規定する積立金として整理することができる。

3　機構は、第一項に規定する積立金の額に相当する金額から前二項の規定による承認を受けた金額を控除してなお残余があるときは、その残余の額を国庫に納付しなければならない。

4　前条第一号に掲げる業務に係る勘定における通則法第四十四条第一項ただし書の規定の適用については、同項ただし書中「第三項の規定により同項の使途に充てる場合」とあるのは、「政令で定めるところにより計算した額を国庫に納付する場合又は第三項の規定により同項の使途に充てる場合」とする。

5　第一項から第三項までの規定は、前項の勘定について準用する。この場合において、第一項中「通則法第四十四条第一項又は第二項」とあるのは、「第四項の規定により読み替えられた通則法第四十四条第一項又は通則法第四十四条第二項」と読み替えるものとする。

6　前各項に定めるもののほか、納付金の納付の手続その他積立金の処分に関し必要な事項は、政令で定める。

（長期借入金及び住宅金融支援機構債券等）

第一九条　機構は、第十三条第一項（第四号及び第十二号を除く。）並びに第二項第一号、第二号及び第五号から第八号までの業務に必要な費用に充てるため、主務大臣の認可を受けて、長期借入金をし、又は住宅金融支援機構債券（以下「機構債券」という。）を発行することができる。

2　前項に定めるもののほか、機構は、機構債券を失った者に対し交付するため必要があるときは、政令で定めるところにより、機構債券を発行することができる。

3　機構は、第十三条第二項第八号の業務に必要な費用に充てるため、主務大臣の認可を受けて、勤労者財産形成促進法第六条第一項に規定する勤労者財産形成貯蓄契約、同条第二項に規定する勤労者財産形成年金貯蓄契約又は同条第四項に規定する勤労者財産形成住宅貯蓄契約を締結した同条第一項第一号に規定する金融機関等、同項第二号に規定する生命保険会社等及び同項第二号の二に規定する損害保険会社が引き受けるべきものとして、住宅金融支援機構財形住宅債券（以下「財形住宅債券」という。）を発行することができる。

4　第一項若しくは第二項の規定による機構債券（当該機構債券に係る債権が第二十一条の規定に基づく特定信託に係る貸付債権により担保されているものを除く。）又は前項の規定による財形住宅債券の債権者は、機構の財産について他の債権者に先立って自己の債権の弁済を受ける権利を有する。

5　前項の先取特権の順位は、民法（明治二十九年法律第八十九号）の規定による一般の先取特権に次ぐものとする。

6　機構は、第十三条第二項第八号の業務に係る長期借入金の借入れに関する事務の全部又は一部を主務省令で定める金融機関に、機構債券又は財形住宅債券の発行に関する事務の全部又は一部を本邦又は外国の銀行、信託会社又は金融商品取引業（金融商品取引法（昭和二十三年法律第二十五号）第二条第八項に規定する金融商品取引業をいう。次項において同じ。）を行う者に委託することができる。

7　会社法（平成十七年法律第八十六号）第七百五条第一項及び第二項並びに第七百九条の規定は、前項の規定による機構債券又は財形住宅債券の発行に関する事務の委託を受けた銀行、信託会社又は金融商品取引業を行う者について準用する。

8　前各項に定めるもののほか、機構債券又は財形住宅債券に関し必要な事項は、政令で定める。

（債務保証）

第二〇条　政府は、法人に対する政府の財政援助の制限に関する法律（昭和二十一年法律第二十四号）第三条の規定にかかわらず、国会の議決を経た金額の範囲内において、機構の長期借入金又は機構債券に係る債務（国際復興開発銀行等からの外資の受入に関する特別措置に関する法律（昭和二十八年法律第五十一号）第二条の規定に基づき政府が保証契約をすることができる債務を除く。）について保証することができる。

（機構債券の担保のための貸付債権の信託）

第二一条　機構は、主務大臣の認可を受けて、機構債券に係る債務（前条の規定により政府が保証するものを除く。）の担保に供するため、その貸付債権（第十三条第一項第一号又は第二項第一号の業務（同号の業務にあっては、貸付債権の譲受けに係る部分に限る。以下「債権譲受業務」という。）により譲り受けた貸付債権又は附則第三条第一項の規定により承継した貸付債権を含む。次条及び第二十三条第一項において同じ。）の一部について、特定信託をすることができる。

（貸付債権の信託の受益権の譲渡等）

第二二条　機構は、主務大臣の認可を受けて、債権譲受業務又は第十三条第一項第五号から第十号まで若しくは第二項第五号若しくは第六号の業務に必要な費用に充てるため、その貸付債権について、次に掲げる行為をすることができる。

一　特定信託をし、当該特定信託の受益権を譲渡すること。

二　特定目的会社に譲渡すること。

三　前二号に掲げる行為に附帯する行為をすること。

（信託の受託者からの業務の受託等）

第二三条　機構は、前二条の規定によりその貸付債権について特定信託（信託法第三条第一号に掲げる方法によるものに限る。）をし、又は譲渡するときは、当該特定信託の受託者又は当該貸付債権の譲受人から当該貸付債権に係る元利金の回収その他回収に関する業務及びこれに附帯する業務の全部を受託しなければならない。

2　機構は、第十六条第一項第一号又は第二号に掲げる者に対し、前項の規定により受託した業務の一部を委託することができる。同条第二項から第四項までの規定は、この場合について準用する。

3　機構は、沖縄振興開発金融公庫に対し、第一項の規定により受託した業務（債権譲受業務により譲り受けた貸付債権に係るものに限る。）を委託することができる。

（償還計画）

第二四条　機構は、毎事業年度、長期借入金並びに機構債券及び財形住宅債券の償還計画を立てて、主務大臣の認可を受けなければならない。

（金利変動準備基金）

第二五条　機構は、債権譲受業務及びこれに附帯する業務に必要な経費で主

務省令で定めるものの財源をその運用によって得るために金利変動準備基金を設け、附則第三条第七項の規定により金利変動準備基金に充てるべきものとして政府から出資があったものとされた金額及び第六条第二項後段の規定により政府が金利変動準備基金に充てるべきものとして示した金額の合計額に相当する金額をもってこれに充てるものとする。

2　通則法第四十七条の規定は、金利変動準備基金の運用について準用する。この場合において、同条第三号中「金銭信託」とあるのは、「金銭信託で元本補てんの契約があるもの」と読み替えるものとする。

第五章　雑則

（報告及び検査）

第二六条　主務大臣は、この法律を施行するため必要があると認めるときは、第十六条第一項若しくは第二十三条第二項の規定による委託を受けた者又は第十六条第五項若しくは第二十三条第三項の規定による委託を受けた沖縄振興開発金融公庫（以下「受託者等」という。）に対し、その委託を受けた業務に関し報告をさせ、又はその職員に、受託者等の事務所に立ち入り、その委託を受けた業務に関し業務の状況若しくは帳簿、書類その他の必要な物件を検査させることができる。

2　前項の規定により立入検査をする職員は、その身分を示す証明書を携帯し、関係者にこれを提示しなければならない。

3　第一項の規定による立入検査の権限は、犯罪捜査のために認められたものと解してはならない。

（権限の委任）

第二七条　主務大臣は、政令で定めるところにより、次に掲げる権限の一部を内閣総理大臣に委任することができる。

一　機構に対する通則法第六十四条第一項の規定による立入検査の権限

二　受託者等に対する前条第一項の規定による立入検査の権限

2　内閣総理大臣は、前項の規定による委任に基づき、通則法第六十四条第一項又は前条第一項の規定により立入検査をしたときは、速やかに、その結果について主務大臣に報告するものとする。

3　内閣総理大臣は、第一項の規定により委任された権限及び前項の規定による権限を金融庁長官に委任する。

4　金融庁長官は、政令で定めるところにより、前項の規定により委任された権限の全部又は一部を財務局長又は財務支局長に委任することができる。

（厚生労働大臣との協議）

第二八条　主務大臣は、第十三条第二項第八号の業務に関し、通則法第二十八条第一項の認可をしようとするときは、厚生労働大臣に協議しなければならない。

（主務大臣等）

第二九条　機構に係る通則法における主務大臣及び主務省令は、それぞれ国土交通大臣及び財務大臣並びに国土交通省令・財務省令とする。

2　第二十六条第一項及び機構に係る通則法第六十四条第一項に規定する主務大臣の権限は、国土交通大臣又は財務大臣がそれぞれ単独に行使することを妨げない。

（貸金業法の適用除外）

第三〇条　機構が貸金業法（昭和五十八年法律第三十二号）第二条第二項に規定する貸金業者から主務省令で定めるところにより第十三条第一項第一号又は第二項第二号に規定する貸付債権の譲受けを行う場合には、同法第二十四条の規定は、適用しない。

（国家公務員宿舎法の適用除外）

第三一条　国家公務員宿舎法（昭和二十四年法律第百十七号）の規定は、機構の役員及び職員には適用しない。

第六章　罰則

第三二条　第十一条の規定に違反して秘密を漏らした者は、一年以下の懲役又は五十万円以下の罰金に処する。

第三三条　第十六条第三項（第二十三条第二項後段において準用する場合を含む。以下この条において同じ。）の規定による報告をせず、若しくは虚偽の報告をし、又は第十六条第三項の規定による調査を拒み、妨げ、若しくは忌避した場合には、その違反行為をした受託者等（地方公共団体及び沖縄振興開発金融公庫を除く。）の役員又は職員は、三十万円以下の罰金に処する。

第三四条　第二十六条第一項の規定による報告をせず、若しくは虚偽の報告をし、又は同項の規定による検査を拒み、妨げ、若しくは忌避した場合には、その違反行為をした受託者等（地方公共団体を除く。）の役員又は職員は、三十万円以下の罰金に処する。

第三五条　次の各号のいずれかに該当する場合には、その行為をした機構の役員は、二十万円以下の過料に処する。

一　この法律の規定により主務大臣の認可又は承認を受けなければならない場合において、その認可又は承認を受けなかったとき。

二　第十三条に規定する業務以外の業務を行ったとき。

三　第二十五条第二項において準用する通則法第四十七条の規定に違反して金利変動準備基金を運用したとき。

第三六条　第七条の規定に違反した者は、十万円以下の過料に処する。

附　則〔抄〕

（施行期日）

第一条　この法律は、平成十九年四月一日から施行する。ただし、第二十九条第一項並びに附則第三条、第六条、第二十一条及び第二十二条の規定は、公布の日から施行する。

（機構の設立）

第二条　機構は、通則法第十七条の規定にかかわらず、この法律の施行の日に成立する。

2　機構は、通則法第十六条の規定にかかわらず、機構の成立後遅滞なく、政令で定めるところにより、その設立の登記をしなければならない。

（公庫の解散並びに権利及び義務の承継等）

第三条　住宅金融公庫（以下「公庫」という。）は、機構の成立の時において解散するものとし、その一切の権利及び義務は、次項の規定により国が承継する資産を除き、その時において機構が承継する。

2　機構の成立の際現に公庫が有する権利のうち、機構がその業務を確実に実施するために必要な資産以外の資産は、機構の成立の時において国が承継する。

3　前項の規定により国が承継する資産の範囲その他当該資産の国への承継に関し必要な事項は、政令で定める。

4　公庫の平成十八年四月一日に始まる事業年度に係る決算並びに損益計算書、貸借対照表及び財産目録の作成等については、機構が従前の例により行うものとする。

5　附則第十条の規定による廃止前の住宅金融公庫法（昭和二十五年法律第百五十六号。以下「旧公庫法」という。）の規定による貸付けを受けた者に対する会計検査院の検査については、なお従前の例による。

6　第一項の規定により機構が公庫の権利及び義務を承継したときは、その承継の際、政府から公庫に出資されている出資金に相当する金額のうち次の表の上欄に掲げる業務に充てるべきものとして出資されたものは、それぞれ、政府から機構に対し同表の下欄に掲げる業務に充てるべきものとして出資されたものとし、機構が承継する同表の上欄に掲げる業務に係る資産の価額から当該業務に係る負債の金額及び同表の下欄に掲げる業務に充てるべきものとして出資されたものとした金額の合計額を差し引いた額は、それぞれ、同欄に掲げる業務に係る勘定に属する積立金又は繰越欠損金として整理するものとする。

公庫の業務	機構の業務
旧公庫法第二十六条の二第一項第二号に掲げる業務	第十七条第一号に掲げる業務
旧公庫法第二十六条の二第一項第三号に掲げる業務	第十七条第二号に掲げる業務
旧公庫法第二十六条の二第一項第一号に掲げる業務	第十七条第三号に掲げる業務
旧公庫法第二十六条の二第一項各号に掲げる業務以外の業務	第十七条第四号に掲げる業務

旧公庫法第二十六条の二第一項第四号に掲げる業務	附則第七条第五項に規定する既往債権管理業務

7　第一項の規定により機構が公庫の権利及び義務を承継したときは、その承継の際、旧公庫法第五条第三項の規定により旧公庫法第二十六条の二第一項第二号に掲げる債権譲受けの業務に関して設けられた基金に充てるべきものとして政府から出資された金額並びに旧公庫法第二十六条の三第二項及び第三項の規定により当該基金に組み入れられた金額の合計額のうち、第二十五条第一項の金利変動準備基金に充てるべきものとして主務大臣が定める金額は、金利変動準備基金に充てるべきものとして政府から機構に対し出資されたものとする。

8　第六項の資産の価額は、機構の成立の日現在における時価を基準として評価委員が評価した価額とする。

9　前項の評価委員その他評価に関し必要な事項は、政令で定める。

10　第一項の規定により公庫が解散した場合における解散の登記については、政令で定める。

（権利及び義務の承継に伴う経過措置）

第四条　前条第一項の規定により機構が承継する旧公庫法第二十七条の三第一項又は第二項の住宅金融公庫債券に係る債務について政府がした旧公庫法第二十七条の四第一項又は第二項の規定による保証契約は、その承継後においても、当該債券に係る債務について従前の条件により存続するものとする。

第五条　公庫がこの法律の施行前に締結した貸付契約に係る貸付金その他の貸付けに係る事項については、なお従前の例による。

（財団法人公庫住宅融資保証協会からの引継ぎ）

第六条　昭和四十七年十一月二十九日に設立された財団法人公庫住宅融資保証協会（以下「保証協会」という。）は、寄附行為の定めるところにより、設立委員に対し、機構においてその権利及び義務を承継すべき旨を申し出ることができる。

2　設立委員は、前項の規定による申出があったときは、遅滞なく、主務大臣の認可を申請しなければならない。

3　前項の認可があったときは、第一項の規定による申出に係る権利及び義務は、機構の成立の時において機構に承継されるものとし、保証協会は、その時において解散するものとする。この場合においては、他の法令中法人の解散及び清算に関する規定は、適用しない。

4　前項の規定により保証協会が解散した場合における解散の登記については、政令で定める。

（業務の特例等）

第七条　機構は、第十三条に規定する業務のほか、次の業務を行うものとする。

一　附則第三条第一項の規定により機構が承継する公庫が貸し付けた資金に係る債権の回収が終了するまでの間、当該債権の管理及び回収を行うこと。

二　前条第三項の規定により、保証協会が債務保証契約を履行したことによって取得した求償権を機構が承継した場合において、当該求償権に基づく債権の回収が終了するまでの間、当該債権の管理及び回収を行うこと。

三　当分の間、年金積立金管理運用独立行政法人法（平成十六年法律第百五号）附則第十四条の規定による廃止前の年金福祉事業団の解散及び業務の承継等に関する法律（平成十二年法律第二十号）第十二条第二項第二号ロ若しくはハ又は同法附則第三条の規定による廃止前の年金福祉事業団法（昭和三十六年法律第百八十号）第十七条第一項第三号ロ若しくはハの規定により貸し付けられた資金に係る債権について、独立行政法人福祉医療機構から譲受けを行うこと。

四　当分の間、沖縄振興開発金融公庫法第十九条第一項第三号の規定により貸し付けられた資金（沖縄振興開発金融公庫が平成十七年三月三十一日までに受理した申込みに係るものに限る。）に係る債務の保証又は福祉医療機構債権（前号に規定する債権であって、同号の規定により譲り受けたものを除いたものをいう。次号において同じ。）に係る債務の保証を行うこと。

五　独立行政法人福祉医療機構法（平成十四年法律第百六十六号）附則第五条の二第十七項の規定により読み替えて適用される同法第十四条第一項の規定による委託に基づき、福祉医療機構債権の回収が終了するまでの間、福祉医療機構債権の管理及び回収の業務の一部を行うこと。

六　中小企業退職金共済法附則第二条第二項の規定により読み替えて適用される同法第七十二条第二項の規定による委託に基づき、同法附則第二条第一項第二号及び第四号の業務（次に掲げる業務に限る。）を行うこと。

イ　独立行政法人雇用・能力開発機構法を廃止する法律（平成二十三年法律第二十六号）による廃止前の独立行政法人雇用・能力開発機構法（平成十四年法律第百七十号。ロにおいて「旧雇用・能力開発機構法」という。）附則第四条第一項第四号に掲げる業務に係る債権（政令で定めるものに限る。）の回収が終了するまでの間、当該債権の管理及び回収の業務の一部を行うこと。

ロ　旧雇用・能力開発機構法附則第四条第二項第八号に掲げる業務が終了するまでの間、当該業務の一部を行うこと。

2　機構は、当分の間、第十三条及び前項に規定する業務のほか、旧公庫法、附則第十七条の規定による改正前の阪神・淡路大震災に対処するための特別の財政援助及び助成に関する法律及び附則第十八条の規定による改正前の高齢者の居住の安定確保に関する法律（これらの法律を適用し、又は準用する他の法律を含む。）の規定の例により、次の貸付けの業務を行うことができる。

一　公庫がこの法律の施行前に受理した申込みに係る資金の貸付け

二　前号に掲げるもののほか、次に掲げる貸付け

イ　旧公庫法第十七条第一項第四号に掲げる者が建設する住宅で当該住宅の建設について平成十七年三月三十一日までに公庫の承認を受けたものを購入する者に対する貸付け

ロ　旧公庫法第十七条第四項に規定する事業に係る計画について平成十七年三月三十一日までに公庫の承認を受けた者に対する貸付け

ハ　旧公庫法第十七条第十二項に規定する合理的土地利用耐火建築物等で当該合理的土地利用耐火建築物等の建設について平成十七年三月三十一日までに公庫の承認を受けたものを購入する者に対する貸付け

ニ　公的資金による住宅及び宅地の供給体制の整備のための公営住宅法等の一部を改正する法律（平成十七年法律第七十八号。以下この号において「整備法」という。）第二条の規定による改正前の住宅金融公庫法第二十七条の三第四項、整備法第二条の規定による改正後の住宅金融公庫法第二十七条の三第四項若しくは整備法附則第四条第一項の規定により公庫が発行した住宅金融公庫住宅宅地債券（以下単に「住宅金融公庫住宅宅地債券」という。）を引き受けた者（その相続人を含む。以下「旧住宅宅地債券引受者」という。）又は次条の規定により当分の間発行することとされた住宅金融支援機構住宅宅地債券を引き受けた者（その相続人を含む。）であってその一定割合以上を所有しているものに対する貸付け

ホ　整備法附則第六条の規定による改正前の郵便貯金法（昭和二十二年法律第百四十四号）第七条第一項第五号に規定する住宅積立郵便貯金の預金者で同法第六十条（整備法附則第七条第二項（郵政民営化法等の施行に伴う関係法律の整備等に関する法律（平成十七年法律第百二号）附則第五条第三項の規定によりなおその効力を有することとされる場合を含む。）の規定によりなおその効力を有することとされる場合を含む。）の規定により独立行政法人郵便貯金・簡易生命保険管理機構又は郵政民営化法（平成十七年法律第九十七号）第百六十六条第一項の規定による解散前の日本郵政公社があっせんするものに対する貸付け

3　機構は、前項の規定により貸し付けた資金に係る債権の回収が終了するまでの間、当該債権に係る貸付けを受けた者とあらかじめ契約を締結して、その者が死亡した場合に支払われる保険金等を当該貸付けに係る債務の弁済に充当する業務を行うことができる。

4　機構は、前三項に規定する業務に附帯する業務を行うことができる。

5　機構は、第一項第一号及び第二項（第一号に係る部分に限る。）に規定する業務（附則第十六条の規定による改正前の勤労者財産形成促進法第十条第一項本文の規定による貸付けに係るものを除き、公庫が平成十七年三月三十一日までに申込みを受理した資金の貸付けに係るものに限る。）並びにこれらに附帯する業務（以下これらの業務を「既往債権管理業務」という。）に係る経理については、その他の経理と区分し、特別の勘定（以下「既往債権管理勘定」という。）を設けて整理しなければならない。

6　機構が第一項から第四項までに規定する業務を行う場合には、第十五条第一項、第十八条第一項及び第三十五条第二号中「第十三条」とあるのは

「第十三条及び附則第七条第一項から第四項まで」と、第十六条第一項中「除く。」」とあるのは「除く。」及び附則第七条第一項から第四項まで」と、第十七条第三号中「業務及び」とあるのは「業務（附則第七条第一項第一号及び第二項（第一号に係る部分に限る。）に規定する業務で附則第十六条の規定による改正前の勤労者財産形成促進法第十条第一項本文の規定による貸付けに係るものを含む。）及び」と、同条第四号中「掲げる業務」とあるのは「掲げる業務及び附則第七条第五項に規定する既往債権管理業務」と、第十九条第一項中「第八号まで」とあるのは「第八号まで並びに附則第七条第一項（第五号及び第六号を除く。）から第三項まで」と、第二十一条中「という。）により」とあるのは「という。）若しくは附則第七条第一項第三号の業務により」と、第二十二条中「第六号」とあるのは「第六号若しくは附則第七条第一項第一号若しくは第三号若しくは第二項」とする。

7 機構は、既往債権管理勘定において、毎事業年度、損益計算において利益を生じたとき（附則第九条第二項の規定による交付金の交付を受けた場合にあっては、同条第三項の規定による整理を行った後なお利益があるとき）は、通則法第四十四条第一項及び第三項の規定にかかわらず、前事業年度から繰り越した損失を埋め、なお残余があるときは、その残余の額のうち主務大臣の承認を受けた金額を積立金として整理するものとする。

8 機構は、前項に規定する残余の額から同項の規定による承認を受けた金額を控除してなお残余があるときは、その残余の額を国庫に納付しなければならない。

9 機構は、既往債権管理勘定において、中期目標の期間の最後の事業年度に係る第七項又は通則法第四十四条第二項の規定による整理を行った後、第七項の規定による積立金があるときは、その額に相当する金額のうち主務大臣の承認を受けた金額を、当該中期目標の期間の次の中期目標の期間における同項に規定する積立金として整理することができる。

10 機構は、前項に規定する第七項の規定による積立金の額に相当する金額から前項の規定による承認を受けた金額を控除してなお残余があるときは、その残余の額を国庫に納付しなければならない。

11 第七項から前項までの規定に定めるもののほか、既往債権管理勘定に係る納付金の納付の手続その他積立金の処分に関し必要な事項は、政令で定める。

12 既往債権管理勘定に属する債務のうち、政府が平成十七年三月三十一日までに公庫に貸し付けた資金に係る債務で主務大臣が財務大臣と協議して定めるものの償還期限は、平成二十四年三月三十一日までの間において主務大臣が財務大臣と協議して定める日とする。

13 機構は、既往債権管理業務を終えたときは、遅滞なく、既往債権管理勘定を廃止するものとし、その廃止の際現に既往債権管理勘定に所属する権利及び義務を第十七条第四号に掲げる業務に係る勘定に帰属させるものとする。

14 機構は、前項の規定により、既往債権管理勘定を廃止する場合において、その際既往債権管理勘定に属する資産の価額が既往債権管理勘定に属する負債の金額を上回るときは、その差額に相当する金額の全部又は一部を、政令で定めるところにより、国庫に納付しなければならない。

15 第十三項の規定による既往債権管理勘定の廃止の時において、政府から機構に対し既往債権管理業務に充てるべきものとして出資された額については、機構に対する政府からの出資はなかったものとし、機構は、その額により資本金を減少するものとする。

（住宅金融支援機構住宅宅地債券の発行）

第八条 機構は、当分の間、主務大臣の認可を受けて、旧住宅宅地債券引受者のうち附則第十条の規定の施行の際現に住宅金融公庫住宅宅地債券を所有している者が引き受けるべきものとして、住宅金融支援機構住宅宅地債券を発行することができる。この場合における第十九条第四項から第八項まで及び第二十四条の規定の適用については、第十九条第四項中「又は前項の規定による財形住宅債券」とあるのは「、前項の規定による財形住宅債券又は住宅金融支援機構住宅宅地債券」と、同条第六項から第八項までの規定中「又は財形住宅債券」とあるのは「、財形住宅債券又は住宅金融支援機構住宅宅地債券」と、第二十四条中「及び財形住宅債券」とあるのは「、財形住宅債券及び住宅金融支援機構住宅宅地債券」とする。

（特別損失）

第九条 機構は、附則第三条第一項の規定により公庫の権利及び義務を承継した場合において、その承継の際、旧公庫法附則第十五項の規定により同項の特別損失として整理されている金額があるときは、当該金額に相当する金額を特別損失として整理するものとする。

2 政府は、前項の特別損失を埋めるため、機構に対して、平成十九年度から平成二十三年度までの間において、予算の範囲内で、交付金の交付を行うものとする。

3 機構は、前項の規定による交付金の交付を受けたことにより生ずる利益をもって第一項の特別損失を減額して整理するものとする。

（住宅金融公庫法の廃止）

第一〇条 住宅金融公庫法は、廃止する。

（住宅金融公庫法の廃止に伴う経過措置）

第一一条 次に掲げる債券は、第十九条第四項及び第五項の規定の適用については、同条第一項の規定による機構債券又は同条第三項の規定による財形住宅債券とみなす。

一 旧公庫法第二十七条の三第一項又は第二項の規定により公庫が発行した住宅金融公庫債券（当該債券に係る債権が旧公庫法第二十七条の五の規定に基づき信託された貸付債権により担保されているものを除く。）

二 旧公庫法第二十七条の三第三項の規定により公庫が発行した住宅金融公庫財形住宅債券

三 住宅金融公庫住宅宅地債券

（処分、手続等に関する経過措置）

第一二条 旧公庫法（第十一条を除く。）の規定によりした処分、手続その他の行為は、通則法又はこの法律の相当の規定によりした処分、手続その他の行為とみなす。

（罰則に関する経過措置）

第一九条 この法律の施行前にした行為並びに附則第七条第二項の規定により旧公庫法、附則第十六条の規定による改正前の阪神・淡路大震災に対処するための特別の財政援助及び助成に関する法律及び前条の規定による改正前の高齢者の居住の安定確保に関する法律（これらの法律を適用し、又は準用する他の法律を含む。）の規定の例によることとされる場合におけるこの附則の規定によりなお従前の例によることとされる場合並びにこの法律の施行後にした行為に対する罰則の適用については、なお従前の例による。

（名称の使用制限に関する経過措置）

第二〇条 この法律の規定の施行の際現に住宅金融支援機構という名称を使用している者については、第七条の規定は、この法律の施行後六月間は、適用しない。

（政令への委任）

第二一条 この附則に定めるもののほか、機構の設立に伴い必要な経過措置その他この法律の施行に関し必要な経過措置は、政令で定める。

（住宅の建設等に必要な長期資金の調達に係る施策の推進）

第二二条 政府は、機構の設立及び公庫の解散に際し、国民によるその負担能力に応じた住宅の建設等に必要な長期資金の調達に支障が生じないよう必要な施策の推進に努めるものとする。

附　則（略）〔平成一七・七・二六法律八七〕

附　則（略）〔平成一七・一〇・二一法律一〇二〕

附　則（略）〔平成一七・一一・七法律一一二〕

附　則（略）〔平成一八・六・八法律六一〕

附　則（略）〔平成一八・六・一四法律六六〕

附　則（略）〔平成一八・一二・一五法律一〇九〕

附　則（略）〔平成一八・一二・二〇法律一一五〕

附　則（略）〔平成一九・四・二三法律三〇〕

附　則（略）〔平成一九・六・八法律七九〕

附　則（略）〔平成二三・四・二七法律二六〕

附　則（抄）〔平成二三・四・二八法律三二〕

（施行期日）

第一条 この法律は、公布の日から起算して六月を超えない範囲内において政令で定める日から施行する。

〔平成二三政二三六により、平成二三・一〇・二〇から施行〕

（罰則に関する経過措置）

第七条 この法律の施行前にした行為並びに附則第二条及び第五条の規定によりなお従前の例によることとされる事項に係るこの法律の施行後にした行為に対する罰則の適用については、なお従前の例による。

（政令への委任）

第八条　附則第二条から前条までに定めるもののほか、この法律の施行に伴い必要な経過措置（罰則に関する経過措置を含む。）は、政令で定める。

附　則〔略〕〔平成二三・五・二法律四〇施行〕

附　則〔略〕〔平成二四・三・三一法律二五施行〕

附　則〔略〕〔平成二五・五・一〇法律一二施行〕

附　則〔略〕〔平成二六・六・一三法律六七〕

附　則〔略〕〔平成二七・五・七法律一七〕

附　則〔略〕〔平成二七・五・七法律二〇施行〕

附　則〔略〕〔平成二九・四・二六法律二四〕

附　則〔略〕〔平成三〇・六・一法律四〇〕

附　則〔抄〕〔令和二・六・五法律四〇〕

（施行期日）

第一条　この法律は、令和四年四月一日から施行する。ただし、次の各号に掲げる規定は、当該各号に定める日から施行する。

一　〔前略〕附則第九十七条の規定　公布の日

二〜十一　〔略〕

（政令への委任）

第九十七条　この附則に定めるもののほか、この法律の施行に伴い必要な経過措置（罰則に関する経過措置を含む。）は、政令で定める。

附　則〔抄〕〔令和四・六・一七法律六九〕

（施行期日）

第一条　この法律は、公布の日から起算して三年を超えない範囲内において政令で定める日から施行する。ただし、次の各号に掲げる規定は、当該各号に定める日から施行する。

一　附則第五条の規定　公布の日

二　第六条の規定　公布の日から起算して三月を超えない範囲内において政令で定める日

〔令和四政二七一により、令和四・九・一から施行〕

三　〔略〕

四　〔前略〕第七条の規定並びに附則第四条〔中略〕の規定　公布の日から起算して二年を超えない範囲内において政令で定める日

〔令和五政二七九により、令和六・四・一から施行〕

（罰則の適用に関する経過措置）

第四条　この法律（附則第一条第四号に掲げる規定にあっては、当該規定）の施行前にした行為及び附則第二条の規定によりなお従前の例によることとされる場合におけるこの法律の施行後にした行為に対する罰則の適用については、なお従前の例による。

（政令への委任）

第五条　前三条に定めるもののほか、この法律の施行に関し必要な経過措置（罰則に関する経過措置を含む。）は、政令で定める。

（検討）

第六条　政府は、この法律の施行後五年を目途として、この法律による改正後のそれぞれの法律の規定について、その施行の状況等を勘案して検討を加え、必要があると認めるときは、その結果に基づいて所要の措置を講ずるものとする。

附　則〔略〕〔令和五・六・一四法律五〇〕

附　則〔抄〕〔令和六・六・五法律四三〕

（施行期日）

第一条　この法律〔中略〕は、当該各号に定める日から施行する。

一　附則第七条の規定　公布の日

二　〔前略〕第三条の規定並びに附則第六条〔中略〕の規定　公布の日から起算して三月を超えない範囲内において政令で定める日

三　〔略〕

（独立行政法人住宅金融支援機構法の一部改正に伴う経過措置）

第六条　附則第一条第二号に掲げる規定の施行の日から施行日の前日までの間における第三条の規定による改正後の独立行政法人住宅金融支援機構法第十三条第二項第六号及び第七号の規定の適用については、同項第六号中「第十九条（同法第五十二条において準用する場合を含む。）」とあるのは「第十九条」と、同項第七号中「第二十条第一項又は第八十条第一項」とあるのは「第二十条第一項」とする。

（政令への委任）

第七条　附則第二条から前条までに定めるもののほか、この法律の施行に関し必要な経過措置（罰則に関する経過措置を含む。）は、政令で定める。

（検討）

第八条　政府は、この法律の施行後五年を目途として、この法律による改正後のそれぞれの法律の規定について、その施行の状況等を勘案して検討を加え、必要があると認めるときは、その結果に基づいて所要の措置を講ずるものとする。

○独立行政法人住宅金融支援機構法施行令〔平成一九・二・二三政令三〇〕

改正　平成一九・四政一六一、六政一九五、平成二〇・二政四〇、七政二一九、平成二一・四政一三一、一二政二九四、平成二三・六政一六六、八政二八二、平成二四・三政一一五、七政一九七、平成二五・五政一三四、平成二六・八政二八三、平成二七・一政六、三政七四、四政一〇二、五政二三〇、平成二九・九政二三七、平成三〇・八政二四四、令和四・八政二七二、一二政三九三、令和五・一一政三三二

目次

第一章　総則（第一条—第四条）
第二章　業務（第五条—第七条）
第三章　利益の処理及び納付金（第八条—第十三条）
第四章　住宅金融支援機構債券（第十四条—第三十一条）
第五章　雑則（第三十二条—第三十四条）
附則

第一章　総則

（災害を防止し又は軽減するため、住宅部分を有する建築物を除却する必要がある場合）

第一条　独立行政法人住宅金融支援機構法（以下「法」という。）第二条第四項の政令で定める場合は、次に掲げる場合とする。

一　住宅部分を有する建築物について建築基準法（昭和二十五年法律第二百一号）第十条第一項又は第三項の規定による除却の勧告又は命令を受けた場合

二　地すべり等防止法（昭和三十三年法律第三十号）第二十四条第一項に規定する関連事業計画に住宅部分を有する家屋の除却に関する事項が記載された場合

三　住宅部分を有する建築物について次に掲げる法律の規定による除却の勧告を受けた場合

イ　密集市街地における防災街区の整備の促進に関する法律（平成九年法律第四十九号）第十三条第一項

ロ　土砂災害警戒区域等における土砂災害防止対策の推進に関する法律（平成十二年法律第五十七号）第二十六条第一項

四　前三号に掲げる場合のほか、住宅部分を有する建築物が保安上危険で

あり、又は衛生上有害である場合であって主務省令で定める場合

（災害を防止し又は軽減するため、住宅部分を有する建築物を移転する必要がある場合）

第二条　法第二条第五項の政令で定める場合は、次に掲げる場合とする。

一　住宅部分を有する建築物について建築基準法第十条第一項又は第三項の規定による移転の勧告又は命令を受けた場合

二　地すべり等防止法第二十四条第一項に規定する関連事業計画に住宅部分を有する家屋の移転に関する事項が記載された場合

三　住宅部分を有する建築物について土砂災害警戒区域等における土砂災害防止対策の推進に関する法律第二十六条第一項の規定による移転の勧告を受けた場合

四　前三号に掲げる場合のほか、住宅部分を有する建築物が災害により滅失し、又は損傷するおそれがある場合であって主務省令で定める場合

（災害を防止し又は軽減するため、住宅部分を有する建築物の敷地について擁壁の設置等の工事を行う必要がある場合）

第三条　法第二条第六項の政令で定める場合は、住宅部分を有する建築物の敷地について次に掲げる法律の規定による擁壁又は排水施設の設置又は改造その他の工事の施行の勧告又は命令を受けた場合とする。

一　建築基準法第十条第一項又は第三項

二　宅地造成及び特定盛土等規制法（昭和三十六年法律第百九十一号）第二十二条第二項、第二十三条第一項若しくは第二項、第四十一条第二項、第四十二条第一項若しくは第二項、第四十六条第二項又は第四十七条第一項若しくは第二項

三　急傾斜地の崩壊による災害の防止に関する法律（昭和四十四年法律第五十七号）第九条第三項又は第十条第一項若しくは第二項

（合理的土地利用建築物）

第四条　法第二条第七項の政令で定める建築物は、次に掲げる建築物であって、延べ面積（同一敷地内に二以上の建築物がある場合においては、その延べ面積の合計）の敷地面積に対する割合が主務省令で定める数値以上であるものとする。

一　耐火建築物（建築基準法第二条第九号の二に規定する耐火建築物をいう。以下この条において同じ。）であって、敷地面積が五百平方メートル以上であり、かつ、その敷地内に主務省令で定める規模の空地を有するもの

二　土地の利用が細分されていることその他の事由により土地の利用状況が不健全な市街地の区域において、現に存する建築物が除却されるとともに、当該建築物の存していた土地及びその土地に隣接する土地を一の敷地として新たに建設される耐火建築物

三　施行再建マンション（マンションの建替え等の円滑化に関する法律（平成十四年法律第七十八号）第二条第一項第七号に規定する施行再建マンションをいう。）又は売却再建マンション（同項第十号に規定する売却マンションが除却されるとともに、当該売却マンションの敷地（これに隣接する土地を含む。）に新たに建設されるマンションをいう。）であって、耐火建築物であり、かつ、敷地面積が三百平方メートル以上であるもの

四　前三号に掲げる建築物に準ずるものとして主務省令で定める建築物

第二章　業務

（住宅の建設等に付随する行為）

第五条　法第十三条第一項第一号の政令で定める行為は、次に掲げる行為とする。

一　住宅の建設に付随する土地又は借地権の取得

二　住宅の購入に付随する土地若しくは借地権の取得又は当該住宅の改良

2　法第十三条第一項第五号の政令で定める行為は、次に掲げる行為とする。

一　災害復興建築物の建設に付随する土地若しくは借地権の取得又は堆積土砂の排除その他の宅地の整備

二　災害復興建築物の購入に付随する土地若しくは借地権の取得又は当該災害復興建築物の改良

三　被災建築物の補修に付随する当該被災建築物の移転又は堆積土砂の排除その他の宅地の整備

3　法第十三条第一項第六号の政令で定める行為は、次に掲げる行為とする。

一　災害予防代替建築物の建設に付随する土地又は借地権の取得

二　災害予防代替建築物の購入に付随する土地若しくは借地権の取得又は当該災害予防代替建築物の改良

三　災害予防移転建築物の移転に付随する土地又は借地権の取得

4　法第十三条第一項第七号から第九号までの政令で定める行為は、土地又は借地権の取得とする。

（業務の実施に当たっての配慮事項）

第六条　法第十四条第二項の政令で定める事項は、次に掲げる住宅の建設若しくは購入又は当該住宅とすることを主たる目的とする住宅の改良が促進されることとする。

一　高齢者又は障害者であって、日常生活に身体の機能上の制限を受けるものが円滑に利用するために必要な構造及び設備を備えた住宅

二　住宅に係るエネルギーの使用の合理化に資するように外壁、窓その他の部分を通しての熱の損失の防止及び空気調和設備その他の建築設備に係るエネルギーの効率的利用のための措置が講じられた住宅

三　大規模な地震に対する安全性を確保するために必要な構造及び設備を備えた住宅

四　建築後の機能低下の防止又は軽減に資するように腐食、腐朽又は摩損を防止し、及び適切な維持保全を容易にするための措置が講じられた住宅

（業務の委託の範囲等）

第七条　法第十六条第一項の政令で定める業務は、次の各号に掲げる者の区分に応じ、当該各号に定める業務及びこれらに附帯する業務とする。

一　法第十六条第一項第一号に掲げる者　次に掲げる業務

イ　譲り受けた貸付債権に係る元利金の回収その他回収に関する業務

ロ　住宅融資保険法（昭和三十年法律第六十三号）第三条に規定する保険関係が成立した貸付けについて保険法（平成二十年法律第五十六号）第二十五条第一項の規定により取得した貸付債権に係る元利金の回収その他回収に関する業務

ハ　法第十三条第一項第五号から第十号まで並びに第二項第三号、第四号、第六号及び第七号の業務（貸付けの決定及び第三号に定める業務を除く。）

ニ　法第十三条第一項第十一号の業務（同号に規定する生命保険又は生命共済に係る契約の締結を除く。）

二　法第十六条第一項第二号に掲げる者　前号イからハまでに掲げる業務（同号ハに掲げる業務にあっては、貸付債権に係る元利金の回収その他回収に関する業務に限る。）

三　法第十六条第一項第三号に掲げる者（次項第二号に掲げる法人を除く。）　次に掲げる業務

イ　貸付金に係る建築物若しくは建築物の部分の工事、災害復興建築物、避難指示・解除区域原子力災害代替建築物（福島復興再生特別措置法（平成二十四年法律第二十五号）第三十一条に規定する避難指示・解除区域原子力災害代替建築物をいう。）若しくは原子力災害代替建築物（同法第四十三条に規定する原子力災害代替建築物をいう。）の建設若しくは被災建築物の補修に付随する堆積土砂の排除その他の宅地の整備に関する工事、災害予防関連工事又は法第十三条第二項第三号の規定による貸付け（福島復興再生特別措置法第三十一条及び第四十三条の規定によるものを除く。）に係る土地の補修に関する工事の審査

ロ　建築物又は建築物の部分の購入に必要な資金の貸付けに係る当該建築物又は建築物の部分の規模、規格その他の事項についての審査

四　法第十六条第一項第三号に掲げる者（次項第二号に掲げる法人に限る。）　建築物又は建築物の部分の建設、購入又は改良に必要な資金の貸付けに係る当該建築物又は建築物の部分の構造方法に係る構造計算についての審査

2　法第十六条第一項第三号の政令で定める法人は、次に掲げる法人とする。

一　建築基準法第七十七条の二十一第一項に規定する指定確認検査機関である法人

二　建築基準法第七十七条の三十五の五第一項に規定する指定構造計算適合性判定機関である法人

三　住宅の品質確保の促進等に関する法律（平成十一年法律第八十一号）第五条第一項に規定する登録住宅性能評価機関である法人

第三章　利益の処理及び納付金

（毎事業年度において国庫に納付すべき額の算定方法）

第八条　法第十七条第一号に掲げる業務に係る勘定における法第十八条第四項の規定により読み替えて適用する独立行政法人通則法（以下「通則法」という。）第四十四条第一項ただし書の政令で定めるところにより計算した額（第十三条において「毎事業年度において国庫に納付すべき額」という。）は、同項に規定する残余の額に百分の九十を乗じて得た額とする。

（積立金の処分に係る承認の手続）

第九条　独立行政法人住宅金融支援機構（以下「機構」という。）は、通則法第二十九条第二項第一号に規定する中期目標の期間（以下「中期目標の期間」という。）の最後の事業年度（以下「期間最後の事業年度」という。）に係る通則法第四十四条第一項又は第二項の規定による整理を行った後、同条第一項の規定による積立金がある場合において、その額に相当する金額の全部又は一部を法第十八条第一項（同条第五項において準用する場合を含む。以下同じ。）の規定により当該中期目標の期間の次の中期目標の期間における法第十三条に規定する業務の財源に充てようとするときは、次に掲げる事項を記載した承認申請書を主務大臣に提出し、当該次の中期目標の期間の最初の事業年度の六月三十日までに、法第十八条第一項の規定による承認を受けなければならない。

一　法第十八条第一項の規定による承認を受けようとする金額

二　前号の金額を財源に充てようとする業務の内容

2　機構は、法第十八条第一項に規定する積立金の額に相当する金額から同項の規定による承認を受けた金額を控除してなお残余がある場合において、その額に相当する金額の全部又は一部を同条第二項（同条第五項において準用する場合を含む。以下この項において同じ。）の規定により当該中期目標の期間の次の中期目標の期間における同条第一項に規定する積立金として整理しようとするときは、同条第二項の規定による承認を受けようとする金額を記載した承認申請書を主務大臣に提出し、当該次の中期目標の期間の最初の事業年度の六月三十日までに、その承認を受けなければならない。

3　前二項の承認申請書には、当該期間最後の事業年度の事業年度末の貸借対照表、当該期間最後の事業年度の損益計算書その他の主務省令で定める書類を添付しなければならない。

（国庫納付金の納付の手続）

第一〇条　機構は、法第十八条第三項（同条第五項において準用する場合を含む。以下同じ。）に規定する残余があるときは、同条第三項の規定による納付金（以下「国庫納付金」という。）の計算書に、当該期間最後の事業年度の事業年度末の貸借対照表、当該期間最後の事業年度の損益計算書その他の当該国庫納付金の計算の基礎を明らかにした書類を添付して、当該期間最後の事業年度の次の事業年度の六月三十日までに、これを主務大臣に提出しなければならない。ただし、前条第一項又は第二項の承認申請書を提出したときは、これらに添付した同条第三項に規定する書類を重ねて提出することを要しない。

（国庫納付金の納付期限）

第一一条　国庫納付金は、当該期間最後の事業年度の次の事業年度の七月十日までに納付しなければならない。

（国庫納付金の帰属する会計）

第一二条　法第十七条第一号に掲げる業務に係る勘定における国庫納付金については、法第十八条第三項に規定する残余の額を政府の一般会計及び財政投融資特別会計の投資勘定（特別会計に関する法律（平成十九年法律第二十三号）附則第六十七条第一項第二号の規定により設置する産業投資特別会計の産業投資勘定を含む。次項において同じ。）からの出資金の額に応じて按分した額を、それぞれ政府の一般会計及び財政投融資特別会計の投資勘定に帰属させるものとする。

2　前項に規定する出資金の額は、法第十八条第三項に規定する残余の額を生じた中期目標の期間の開始の日における政府の一般会計及び財政投融資特別会計の投資勘定からの出資金の額（同日後当該中期目標の期間中に政府の一般会計又は財政投融資特別会計の投資勘定から機構に出資があったときは、当該出資があった日から当該中期目標の期間の末日までの日数を当該中期目標の期間の日数で除して得た数を当該出資の額に乗じて得た額を、それぞれ加えた額）とする。

3　法第十七条第二号から第四号までに掲げる業務に係る勘定における国庫納付金については、一般会計に帰属させるものとする。

（毎事業年度において国庫に納付すべき額の納付の手続等）

第一三条　前三条の規定は、毎事業年度において国庫に納付すべき額を国庫に納付する場合について準用する。この場合において、第十条及び第十一条中「期間最後の事業年度」とあり、並びに前条第二項中「中期目標の期間」とあるのは、「事業年度」と読み替えるものとする。

第四章　住宅金融支援機構債券

（住宅金融支援機構債券の種別）

第一四条　住宅金融支援機構債券（本邦以外の地域において発行する住宅金融支援機構債券（以下「国外債券」という。）を除く。）は、無記名式とする。

2　国外債券は、無記名式及び記名式とする。

（住宅金融支援機構債券の発行方法）

第一五条　住宅金融支援機構債券の発行は、募集の方法による。

（募集住宅金融支援機構債券に関する事項の決定）

第一六条　機構は、その発行する住宅金融支援機構債券を引き受ける者の募集をしようとするときは、その都度、募集住宅金融支援機構債券（当該募集に応じて当該住宅金融支援機構債券の引受けの申込みをした者に対して割り当てる住宅金融支援機構債券をいう。以下同じ。）について次に掲げる事項を定めなければならない。

一　募集住宅金融支援機構債券の総額

二　各募集住宅金融支援機構債券の金額

三　募集住宅金融支援機構債券の利率

四　募集住宅金融支援機構債券の償還の方法及び期限

五　利息支払の方法及び期限

六　住宅金融支援機構債券の債券を発行するときは、その旨

七　各募集住宅金融支援機構債券の払込金額

八　募集住宅金融支援機構債券と引換えに払い込む金銭の払込みの期日

九　一定の日までに募集住宅金融支援機構債券の総額について割当てを受ける者を定めていない場合において、募集住宅金融支援機構債券の全部を発行しないこととするときは、その旨及びその一定の日

十　社債、株式等の振替に関する法律（平成十三年法律第七十五号。以下「社債等振替法」という。）の規定の適用を受けることとするときは、その旨

十一　募集住宅金融支援機構債券に係る債務の担保に供するため法第二十一条の規定により貸付債権を信託することとするときは、その旨、当該信託の受託者の名称及び住所並びに当該貸付債権の概要

十二　前各号に掲げるもののほか、主務省令で定める事項

（募集住宅金融支援機構債券の申込み）

第一七条　機構は、前条の募集に応じて募集住宅金融支援機構債券の引受けの申込みをしようとする者に対し、同条に規定する事項その他主務省令で定める事項を通知しなければならない。

2　前条の募集に応じて募集住宅金融支援機構債券の引受けの申込みをする者は、次に掲げる事項を記載した書面を機構に交付しなければならない。

一　申込みをする者の氏名又は名称及び住所

二　引き受けようとする募集住宅金融支援機構債券の金額及び金額ごとの数

三　社債等振替法の規定の適用を受けることとされた住宅金融支援機構債券（以下「振替債券」という。）の引受けの申込みをする者にあっては、自己のために開設された当該住宅金融支援機構債券の振替を行うための口座

四　前三号に掲げるもののほか、主務省令で定める事項

3　前項の申込みをする者は、同項の書面の交付に代えて、主務省令で定めるところにより、機構の承諾を得て、同項の書面に記載すべき事項を電磁的方法（電子情報処理組織を使用する方法その他の情報通信の技術を利用する方法であって主務省令で定めるものをいう。）により提供することができる。この場合において、当該申込みをした者は、同項の書面を交付したものとみなす。

4　機構は、第一項に規定する事項について変更があったときは、直ちに、その旨及び当該変更があった事項を第二項の申込みをした者（以下「申込

者」という。）に通知しなければならない。

5　機構が申込者に対してする通知又は催告は、第二項第一号の住所（当該申込者が別に通知又は催告を受ける場所又は連絡先を機構に通知した場合にあっては、その場所又は連絡先）にあてて発すれば足りる。

6　前項の通知又は催告は、その通知又は催告が通常到達すべきであった時に、到達したものとみなす。

（募集住宅金融支援機構債券の割当て）

第一八条　機構は、申込者（当該募集住宅金融支援機構債券がマンション債券（マンションの区分所有者の団体で法第十三条第一項第七号の規定によるマンションの共用部分の改良に必要な資金の貸付けを受けることを希望するものが引き受けるべきものとして発行する住宅金融支援機構債券をいう。以下同じ。）である場合にあっては、マンション債券積立者（マンションの区分所有者の団体で、一定のマンション債券を引き受けることとなる団体として機構が選定したものをいう。以下同じ。）であるものに限る。）の中から募集住宅金融支援機構債券の割当てを受ける者を定め、かつ、その者に割り当てる募集住宅金融支援機構債券の金額及び金額ごとの数を定めなければならない。この場合において、機構は、当該申込者に割り当てる募集住宅金融支援機構債券の金額ごとの数を、前条第二項第二号の数よりも減少することができる。

2　機構は、第十六条第八号の期日の前日までに、申込者に対し、当該申込者に割り当てる募集住宅金融支援機構債券の金額及び金額ごとの数を通知しなければならない。

3　第一項の規定による団体の選定の方法その他マンション債券積立者に関し必要な事項は、主務省令で定める。

（募集住宅金融支援機構債券の申込み及び割当てに関する特則）

第一九条　第十七条並びに前条第一項及び第二項の規定は、政府若しくは地方公共団体が募集住宅金融支援機構債券を引き受ける場合若しくは募集住宅金融支援機構債券の募集の委託を受けた者が自ら募集住宅金融支援機構債券を引き受ける場合におけるその引き受ける部分又は募集住宅金融支援機構債券を引き受けようとする者がその総額を引き受ける場合については、適用しない。

2　前項の場合において、振替債券を引き受ける政府若しくは地方公共団体、振替債券の募集の委託を受けた者で自ら振替債券を引き受けるもの又は振替債券の総額を引き受ける者は、その引受けの際に、第十七条第二項第三号に掲げる事項を機構に示さなければならない。

（募集住宅金融支援機構債券の債権者）

第二〇条　次の各号に掲げる者は、当該各号に定める募集住宅金融支援機構債券の債権者となる。

一　申込者　機構の割り当てた募集住宅金融支援機構債券

二　募集住宅金融支援機構債券を引き受けた政府若しくは地方公共団体、募集住宅金融支援機構債券の募集の委託を受けた者で自ら募集住宅金融支援機構債券を引き受けたもの又は募集住宅金融支援機構債券の総額を引き受けた者　これらの者が引き受けた募集住宅金融支援機構債券

（住宅金融支援機構債券原簿）

第二一条　機構は、住宅金融支援機構債券を発行した日以後遅滞なく、住宅金融支援機構債券原簿を作成し、これに次に掲げる事項を記載し、又は記録しなければならない。

一　第十六条第三号から第六号までに掲げる事項その他の住宅金融支援機構債券の内容を特定するものとして主務省令で定める事項（以下「種類」という。）

二　種類ごとの住宅金融支援機構債券の総額及び各住宅金融支援機構債券の金額

三　各住宅金融支援機構債券と引換えに払い込まれた金銭の額及び払込みの日

四　住宅金融支援機構債券の債券を発行したときは、住宅金融支援機構債券の債券の番号、発行の日、住宅金融支援機構債券の債券が無記名式か、又は記名式かの別及び無記名式の住宅金融支援機構債券の債券の数

五　前各号に掲げるもののほか、主務省令で定める事項

2　振替債券についての住宅金融支援機構債券原簿には、当該住宅金融支援機構債券について社債等振替法の規定の適用がある旨を記載し、又は記録しなければならない。

（住宅金融支援機構債券原簿の備置き及び閲覧等）

第二二条　機構は、住宅金融支援機構債券原簿をその主たる事務所に備え置かなければならない。

2　住宅金融支援機構債券の債権者その他の主務省令で定める者は、機構の業務時間内は、いつでも、次に掲げる請求をすることができる。この場合においては、当該請求の理由を明らかにしてしなければならない。

一　住宅金融支援機構債券原簿が書面をもって作成されているときは、当該書面の閲覧又は謄写の請求

二　住宅金融支援機構債券原簿が電磁的記録（電子的方式、磁気的方式その他人の知覚によっては認識することができない方式で作られる記録であって、電子計算機による情報処理の用に供されるものをいう。）をもって作成されているときは、当該電磁的記録に記録された事項を主務省令で定める方法により表示したものの閲覧又は謄写の請求

3　機構は、前項の請求があったときは、次の各号のいずれかに該当する場合を除き、これを拒むことができない。

一　当該請求を行う者がその権利の確保又は行使に関する調査以外の目的で請求を行ったとき。

二　当該請求を行う者が住宅金融支援機構債券原簿の閲覧又は謄写によって知り得た事実を利益を得て第三者に通報するため請求を行ったとき。

三　当該請求を行う者が、過去二年以内において、住宅金融支援機構債券原簿の閲覧又は謄写によって知り得た事実を利益を得て第三者に通報したことがあるものであるとき。

（住宅金融支援機構債券の債券の発行）

第二三条　機構は、住宅金融支援機構債券の債券を発行する旨の定めがある住宅金融支援機構債券を発行した日以後遅滞なく、当該住宅金融支援機構債券に係る債券を発行しなければならない。

（住宅金融支援機構債券の債券の記載事項）

第二四条　住宅金融支援機構債券の債券には、次に掲げる事項を記載し、機構の理事長がこれに署名し、又は記名押印しなければならない。

一　機構の名称

二　当該債券の番号

三　当該債券に係る住宅金融支援機構債券の金額

四　当該債券に係る住宅金融支援機構債券の種類

2　住宅金融支援機構債券の債券には、利札を付することができる。

（住宅金融支援機構債券の債券の喪失）

第二五条　住宅金融支援機構債券の債券は、非訟事件手続法（平成二十三年法律第五十一号）第百条に規定する公示催告手続によって無効とすることができる。

2　住宅金融支援機構債券の債券を喪失した者は、非訟事件手続法第百六条第一項に規定する除権決定を得た後でなければ、その再発行を請求することができない。

（利札が欠けている場合における住宅金融支援機構債券の償還）

第二六条　機構は、債券が発行されている住宅金融支援機構債券をその償還の期限前に償還する場合において、これに付された利札が欠けているときは、当該利札に表示される住宅金融支援機構債券の利息の請求権の額を償還額から控除しなければならない。ただし、当該請求権が弁済期にある場合は、この限りでない。

2　前項の利札の所持人は、いつでも、機構に対し、これと引換えに同項の規定により控除しなければならない額の支払を請求することができる。

（国外債券以外の住宅金融支援機構債券の発行の認可）

第二七条　機構は、法第十九条第一項の規定による住宅金融支援機構債券（国外債券を除く。以下この条において同じ。）の発行の認可を受けようとするときは、住宅金融支援機構債券の募集の日の二十日前までに、次に掲げる事項を記載した申請書を主務大臣に提出しなければならない。

一　住宅金融支援機構債券の発行を必要とする理由

二　第十六条第一号から第五号まで、第七号及び第十号に掲げる事項

三　当該住宅金融支援機構債券がマンション債券以外の住宅金融支援機構債券であるときは、その募集の方法

四　当該住宅金融支援機構債券がマンション債券であるときは、そのマンション債券を引き受けることとなるマンション債券積立者（第十八条第一項の規定により選定しようとする団体を含む。）に係る積立ての総口数

五　住宅金融支援機構債券の発行に要する費用の概算額

六　前各号に掲げるもののほか、住宅金融支援機構債券の債券に記載しようとする事項

2　前項の申請書には、次に掲げる書類を添付しなければならない。
一　第十七条第一項に規定する事項を記載した書面
二　住宅金融支援機構債券の発行により調達する資金の使途を記載した書面
三　住宅金融支援機構債券の引受けの見込みを記載した書面

（国外債券の発行の認可）

第二八条　機構は、法第十九条第一項の規定による国外債券の発行の認可を受けようとするときは、主務大臣の定めるところにより、次に掲げる事項を記載した申請書を主務大臣に提出しなければならない。
一　国外債券の発行を必要とする理由
二　第十六条第一号から第五号まで及び第七号に掲げる事項
三　無記名式か、又は記名式かの別
四　国外債券の発行の方法
五　国外債券の発行に要する費用の概算額

2　前項の申請書には、国外債券の発行により調達する資金の使途を記載した書面その他国外債券の発行に関し必要な書類で主務省令で定めるものを添付しなければならない。

（住宅金融支援機構債券の債券を喪失した場合の代わり債券の発行）

第二九条　法第十九条第二項の規定による住宅金融支援機構債券の発行は、第二十五条第二項の請求があったときに限り行うものとする。

（会社法の準用）

第三〇条　会社法（平成十七年法律第八十六号）第六百八十七条、第六百八十九条、第六百九十二条及び第七百一条の規定は、住宅金融支援機構債券について準用する。この場合において、同法第六百八十七条、第六百八十九条及び第六百九十二条中「社債券」とあるのは、「債券」と読み替えるものとする。

（国外債券の特例）

第三一条　国外債券の発行、国外債券に関する帳簿その他国外債券に関する事項については、第十五条から第二十六条まで及び前二条の規定にかかわらず、当該国外債券の準拠法又は発行市場の慣習によることができる。

第五章　雑則

（内閣総理大臣への権限の委任）

第三二条　法第二十七条第一項各号に掲げる主務大臣の権限（同項第二号に掲げる主務大臣の権限にあっては、第七条第一項第三号及び第四号に定める業務に係るものを除く。）のうち機構の業務に係る損失の危険の管理に係るものは、内閣総理大臣に委任する。ただし、主務大臣がその権限を自ら行うことを妨げない。

（財務局長等への権限の委任）

第三三条　法第二十七条第三項の規定により金融庁長官に委任された権限は、関東財務局長に委任する。ただし、金融庁長官がその権限を自ら行うことを妨げない。

2　前項の権限で機構の従たる事務所又は法第二十六条第一項に規定する受託者等の事務所（以下この条において「従たる事務所等」という。）に関するものについては、関東財務局長のほか、当該従たる事務所等の所在地を管轄する財務局長（当該所在地が福岡財務支局の管轄区域内にある場合にあっては、福岡財務支局長）も行うことができる。

3　前項の規定により従たる事務所等に対して立入検査を行った財務局長又は福岡財務支局長は、機構の主たる事務所又は当該従たる事務所等以外の従たる事務所等に対して立入検査の必要を認めたときは、機構の主たる事務所又は当該従たる事務所等以外の従たる事務所等に対し、立入検査を行うことができる。

（主務大臣等）

第三四条　この政令における主務大臣及び主務省令は、それぞれ国土交通大臣及び財務大臣並びに国土交通省令・財務省令とする。

附　則

（施行期日）

第一条　この政令は、平成十九年四月一日から施行する。ただし、第三十四条、次条から附則第四条まで並びに附則第五条第一項及び第二項の規定は、公布の日から施行する。

（合理的土地利用建築物に該当することとなる建築物の敷地面積の要件の特例）

第一条の二　機構が平成二十四年三月三十一日までにその建設又は購入に必要な資金の貸付けの申込みを受けた建築物についての第四条の規定の適用については、同条第一号中「五百平方メートル」とあるのは、「三百平方メートル」とする。

（国が承継する資産の範囲等）

第二条　法附則第三条第二項の規定により国が承継する資産は、主務大臣が財務大臣と協議して定める資産とする。

2　前項の資産は、一般会計に帰属する。

（機構が承継する資産に係る評価委員の任命等）

第三条　法附則第三条第八項の評価委員は、次に掲げる者につき主務大臣が任命する。
一　財務省の職員　二人
二　国土交通省の職員　一人
三　機構の役員（機構が成立するまでの間は、機構に係る通則法第十五条第一項の設立委員）　一人
四　学識経験のある者　二人

2　法附則第三条第八項の規定による評価は、同項の評価委員の過半数の一致によるものとする。

3　法附則第三条第八項の規定による評価に関する庶務は、国土交通省住宅局総務課及び財務省大臣官房政策金融課において処理する。

（住宅金融公庫等の解散の登記の嘱託等）

第四条　法附則第三条第一項の規定により住宅金融公庫が解散したとき又は法附則第六条第三項の規定により同条第一項に規定する保証協会（次条第一項において単に「保証協会」という。）が解散したときは、主務大臣は、遅滞なく、その解散の登記を登記所に嘱託しなければならない。

2　登記官は、前項の規定による嘱託に係る解散の登記をしたときは、その登記記録を閉鎖しなければならない。

（機構が承継する保証協会の資産及び負債に係る会計の整理等）

第五条　法附則第六条第三項の規定により機構が保証協会の権利及び義務を承継したときは、その承継の際、機構が承継する保証協会の資産の価額から保証協会の負債の金額を差し引いた額は、法第十七条第四号に掲げる業務に係る勘定に属する積立金又は繰越欠損金として整理するものとする。

2　前項の資産の価額は、機構の成立の日現在における時価を基準として法附則第三条第八項の評価委員が評価した価額とする。この場合においては、附則第三条第二項及び第三項の規定を準用する。

3　機構は、第一項の規定による積立金があるときは、その額に相当する金額のうち主務大臣の承認を受けた金額を、機構の成立後最初の中期目標の期間に係る通則法第三十条第一項の認可を受けた中期計画（同項後段の規定による変更の認可を受けたときは、その変更後のもの）の定めるところにより、当該最初の中期目標の期間における法第十七条第四号に掲げる業務の財源に充てることができる。

4　主務大臣は、前項の規定による承認をしようとするときは、あらかじめ、国土交通省及び財務省の独立行政法人評価委員会の意見を聴かなければならない。

（独立行政法人勤労者退職金共済機構の委託に基づき機構がその管理及び回収の業務の一部を行う債権）

第六条　法附則第七条第一項第六号イの政令で定める債権は、独立行政法人雇用・能力開発機構法の廃止に伴う関係政令の整備及び経過措置に関する政令（平成二十三年政令第百六十六号）第一条の規定による廃止前の独立行政法人雇用・能力開発機構法施行令（平成十五年政令第五百五十五号）附則第十条の規定による廃止前の雇用・能力開発機構法施行令（平成十一年政令第二百七十四号）第五条第一項第一号に掲げる労働者住宅の設置又は整備に要する資金の貸付けに係る債権とする。

（業務の特例に関する技術的読替え）

第七条　法附則第七条第一項から第三項までの規定により機構がこれらの規定に規定する業務を行う場合には、第七条第一項中「第十六条第一項の」とあるのは「第十六条第一項（法附則第七条第六項の規定により読み替えて適用する場合を含む。以下同じ。）の」と、同項第一号イ中「貸付債権」とあるのは「貸付債権又は法附則第七条第一項第一号、第五号若しくは第六号イの債権」と、「業務」とあるのは「業務及び同項第二号の求償権又は同項第四号の規定による債務保証契約を履行したことによって取得した求償権に基づく債権の回収に関する業務」と、同号ハ中「の業務（」とあるのは「並びに附則第七条第一項第六号ロの業務並びに同条第二項各号の

貸付けの業務（いずれも」と、同号ニ中「除く。）」とあるのは「除く。）及び法附則第七条第三項に規定する業務」と、同項第三号イ中「又は法」とあるのは「、法」と、「工事の」とあるのは「工事、法附則第十条の規定による廃止前の住宅金融公庫法（昭和二十五年法律第百五十六号）第十七条第四項に規定する土地の造成に関する工事又は法附則第十七条の規定による改正前の阪神・淡路大震災に対処するための特別の財政援助及び助成に関する法律（平成七年法律第十六号）第七十七条第一項第二号に規定する災害復興宅地の補修に関する工事の」と、第十二条第三項中「第十七条第七条第六項の規定により読み替えて適用する場合を含む。）及び第四号」条第二号から第四号まで」とあるのは「第十七条第二号、第三号（法附則と、第十六条第十一号中「第二十一条」とあるのは「第二十一条（法附則第七条第六項の規定により読み替えて適用する場合を含む。）」と、第二十七条第一項及び第二十八条第一項中「第十九条第一項」とあるのは「第十九条第一項（法附則第七条第六項の規定により読み替えて適用する場合を含む。）」とする。

（既往債権管理勘定における利益の処理に係る承認の手続）

第八条　機構は、法附則第七条第七項に規定する残余がある場合において、その額に相当する金額の全部又は一部を同項の規定により積立金として整理しようとするときは、同項の規定による承認を受けようとする金額を記載した承認申請書を主務大臣に提出し、当該事業年度の次の事業年度の六月三十日までに、その承認を受けなければならない。

2　前項の承認申請書には、当該事業年度の事業年度末の貸借対照表、当該事業年度の損益計算書その他の主務省令で定める書類を添付しなければならない。

（既往債権管理勘定納付金の納付の手続）

第九条　機構は、法附則第七条第八項に規定する残余があるときは、同項の規定による納付金（以下「既往債権管理勘定納付金」という。）の計算書に、当該事業年度の事業年度末の貸借対照表、当該事業年度の損益計算書その他の当該既往債権管理勘定納付金の計算の基礎を明らかにした書類を添付して、当該事業年度の次の事業年度の六月三十日までに、これを主務大臣に提出しなければならない。ただし、前条第一項の承認申請書を提出したときは、これに添付した同条第二項に規定する書類を重ねて提出することを要しない。

（既往債権管理勘定納付金の納付期限）

第一〇条　既往債権管理勘定納付金は、当該事業年度の次の事業年度の七月十日までに納付しなければならない。

（既往債権管理勘定納付金の帰属する会計）

第一一条　既往債権管理勘定納付金については、一般会計に帰属させるものとする。

（既往債権管理勘定における積立金の処分に係る承認の手続）

第一二条　附則第八条の規定は、法附則第七条第九項の規定により同条第七項の規定による積立金の額に相当する金額の全部又は一部を当該中期目標の期間の次の中期目標の期間における同項に規定する積立金として整理しようとするときについて準用する。この場合において、附則第八条中「当該事業年度」とあるのは、「当該中期目標の期間の最後の事業年度」と読み替えるものとする。

（既往債権管理勘定における中期目標の期間の最後の事業年度の納付の手続等）

第一三条　附則第九条から第十一条までの規定は、機構が法附則第七条第十項に規定する残余の額を同項の規定により国庫に納付する場合について準用する。この場合において、附則第九条及び第十条中「当該事業年度」とあるのは、「当該中期目標の期間の最後の事業年度」と読み替えるものとする。

（既往債権管理勘定を廃止する場合において国庫に納付すべき金額等）

第一四条　法附則第七条第十四項の規定により機構が国庫に納付すべき金額（以下この条において「納付金額」という。）は、主務大臣が定める金額とする。

2　法附則第七条第十四項の規定による納付金については、一般会計に帰属させるものとする。

3　主務大臣は、納付金額を定めたときは、機構に対し、その納付金額を通知しなければならない。

4　前項の通知は、既往債権管理業務を終えた日の属する事業年度に係る財務諸表（通則法第三十八条第一項に規定する財務諸表をいう。）の提出があった日から一月以内にするものとする。

5　機構は、第三項の通知を受けたときは、主務大臣の指定する期日までに、その納付金額を国庫に納付しなければならない。

附　則〔略〕〔平成一九・四・一三政令一六一〕

附　則〔略〕〔平成一九・六・二九政令一九五〕

附　則〔略〕〔平成二〇・二・二九政令四〇〕

附　則〔略〕〔平成二〇・七・四政令二一九〕

附　則〔略〕〔平成二一・四・三〇政令一三一施行〕

附　則〔平成二一・一二・二四政令二九四〕

この政令は、保険法の施行の日（平成二十二年四月一日）から施行する。

保険法及び保険法の施行に伴う関係法律の整備に関する法律の施行に伴う関係政令の整理に関する政令〔抄〕

〔平成二一・一二・二四
政令二九四〕

（独立行政法人住宅金融支援機構法施行令の一部改正に伴う経過措置）

第七条　この政令の施行の日前に締結された住宅融資保険法（昭和三十年法律第六十三号）第三条の規定による保険契約により保険関係が成立した貸付けについて保険法の施行に伴う関係法律の整備に関する法律（以下この条において「整備法」という。）第一条の規定による改正前の商法（明治三十二年法律第四十八号）第六百六十二条第一項（整備法第二条の規定によりなお従前の例によることとされる場合における当該規定を含む。）の規定により独立行政法人住宅金融支援機構が取得した貸付債権については、前条の規定による改正後の独立行政法人住宅金融支援機構法施行令第七条第一項の規定にかかわらず、なお従前の例による。

附　則〔略〕〔平成二三・六・一〇政令一六六〕

附　則〔略〕〔平成二三・八・三〇政令二八二施行〕

附　則〔略〕〔平成二四・三・三一政令一一五施行〕

附　則〔平成二四・七・一九政令一九七〕

この政令は、新非訟事件手続法の施行の日（平成二十五年一月一日）から施行する。

非訟事件手続法等の施行に伴う関係政令の整備に関する政令〔抄〕

〔平成二四・七・一九
政令一九七〕

（独立行政法人住宅金融支援機構法施行令の一部改正に伴う経過措置）

第五一条　前条の規定による改正後の独立行政法人住宅金融支援機構法施行令第二十五条の規定の適用については、旧非訟事件手続法第百四十二条に規定する公示催告手続（整備法第二条の規定によりなお従前の例によることとされる場合におけるものを含む。）を新非訟事件手続法第百条に規定する公示催告手続と、旧非訟事件手続法第百四十八条第一項に規定する除権決定（整備法第二条の規定によりなお従前の例によることとされる場合におけるものを含む。）を新非訟事件手続法第百六条第一項に規定する除権決定と、それぞれみなす。

附　則〔略〕〔平成二五・五・一〇政令一三四施行〕

附　則〔略〕〔平成二六・八・二〇政令二八三〕

附　則〔略〕〔平成二七・一・一五政令六〕

附　則〔略〕〔平成二七・三・一八政令七四〕

附　則〔略〕〔平成二七・四・一〇政令二〇二施行〕

附　則〔略〕〔平成二七・五・七政令二三〇施行〕

附　則〔略〕〔平成二九・九・八政令二三七〕

附　則〔略〕〔平成三〇・八・二〇政令二四四〕

附　則〔略〕〔令和四・八・一〇政令二七二〕

附　則〔略〕〔令和四・一二・二三政令三九三〕

附　則〔令和五・一一・二二政令三三二〕

この政令は、空家等対策の推進に関する特別措置法の一部を改正する法律の施行の日（令和五年十二月十三日）から施行する。

○独立行政法人住宅金融支援機構に関する省令

〔平成一九・三・二八
財務・国土交通省令二〕

改正　平成一九・一二財・国交令三、平成二〇・三財・国交令一、九財・国交令二、一二財・国交令三、平成二一・四財・国交令二、六財・国交令三、平成二二・五財・国交令二、六財・国交令四、八財・国交令五、一一財・国交令七、平成二三・五財・国交令一、八財・国交令二、平成二六・四財・国交令一、一一財・国交令三、平成二七・三財・国交令二、平成二八・八財・国交令一、平成二九・一〇財・国交令一、平成三〇・八財・国交令一、平成三一・三財・国交令一、令和元・六財・国交令二、令和二・七財・国交令一、令和四・三財・国交令一、八財・国交令二、令和五・一二財・国交令一、令和六・三財・国交令一

（通則法第八条第三項の主務省令で定める重要な財産）

第一条　独立行政法人住宅金融支援機構（以下「機構」という。）に係る独立行政法人通則法（以下「通則法」という。）第八条第三項の主務省令で定める重要な財産は、その保有する財産であって、その通則法第四十六条の二第一項又は第二項の認可に係る申請の日（各項ただし書の場合にあっては、当該財産の処分に関する計画を定めた通則法第三十条第一項の中期計画の認可に係る申請の日）における帳簿価額（現金及び預金にあっては、申請の日におけるその額）が五十万円以上のもの（その性質上、通則法第四十六条の二の規定により処分することが不適当なものを除く。）その他主務大臣が定める財産とする。

（監査報告の作成）

第一条の二　機構に係る通則法第十九条第四項の規定により主務省令で定める事項については、この条の定めるところによる。

２　監事は、その職務を適切に遂行するため、次に掲げる者との意思疎通を図り、情報の収集及び監査の環境の整備に努めなければならない。この場合において、役員（監事を除く。以下同じ。）は、監事の職務の執行のための必要な体制の整備に留意しなければならない。

一　機構の役員及び職員

二　その他監事が適切に職務を遂行するに当たり意思疎通を図るべき者

３　前項の規定は、監事が公正不偏の態度及び独立の立場を保持することができなくなるおそれのある関係の創設及び維持を認めるものと解してはならない。

４　監事は、その職務の遂行に当たり、必要に応じ、機構の他の監事その他これに相当する者との意思疎通及び情報の交換を図るよう努めなければならない。

５　監査報告には、次に掲げる事項を記載しなければならない。

一　監事の監査の方法及びその内容

二　機構の業務が、法令等に従って適正に実施されているかどうか及び中期目標の着実な達成に向け効果的かつ効率的に実施されているかどうかについての意見

三　機構の役員の職務の執行が法令等に適合することを確保するための体制その他機構の業務の適正を確保するための体制の整備及び運用についての意見

四　機構の役員の職務の遂行に関し、不正の行為又は法令等に違反する重大な事実があったときは、その事実

五　監査のため必要な調査ができなかったときは、その旨及びその理由

六　監査報告を作成した日

（監事の調査の対象となる書類）

第二条　機構に係る通則法第十九条第六項第二号に規定する主務省令で定める書類は、独立行政法人住宅金融支援機構法（以下「法」という。）及び独立行政法人住宅金融支援機構法施行令（以下「令」という。）の規定に基づき主務大臣に提出する書類とする。

（業務方法書の記載事項）

第三条　機構に係る通則法第二十八条第二項の主務省令で定める事項は、次のとおりとする。

一　法第十三条第一項第一号に規定する貸付債権の譲受けに関する事項

二　法第十三条第一項第二号に規定する債務の保証に関する事項

三　法第十三条第一項第三号に規定する保険に関する事項

四　法第十三条第一項第四号に規定する情報の提供、相談その他の援助に関する事項

五　法第十三条第一項第五号に規定する資金の貸付けに関する事項

六　法第十三条第一項第六号に規定する資金の貸付けに関する事項

七　法第十三条第一項第七号に規定する資金の貸付けに関する事項

八　法第十三条第一項第八号に規定する資金の貸付けに関する事項

九　法第十三条第一項第九号に規定する資金の貸付けに関する事項

十　法第十三条第一項第十号に規定する資金の貸付けに関する事項

十一　法第十三条第一項第十一号に規定する契約の締結に関する事項

十二　法第十三条第二項第一号に規定する調査、研究及び情報の提供に関する事項

十三　法第十三条第二項第二号に規定する情報の提供その他の援助に関する事項

十四　法第十三条第二項第三号に規定する貸付けに関する事項

十五　法第十三条第二項第四号に規定する貸付けに関する事項

十六　法第十三条第二項第五号に規定する保険に関する事項

十七　法第十三条第二項第六号に規定する貸付けに関する事項

十八　法第十三条第二項第七号に規定する業務に関する事項

十九　業務委託の基準

二十　競争入札その他契約に関する基本的事項

二十一　その他機構の業務の執行に関して必要な事項

（中期計画の認可申請等）

第四条　機構は、通則法第三十条第一項前段の規定により中期計画の認可を受けようとするときは、当該中期計画を記載した申請書を、当該中期計画の最初の事業年度開始の日の三十日前までに（機構の成立後最初の中期計画については、機構の成立後遅滞なく）、主務大臣に提出しなければならない。

２　機構は、通則法第三十条第一項後段の規定により中期計画の変更の認可を受けようとするときは、変更しようとする事項及びその理由を記載した申請書を主務大臣に提出しなければならない。

（中期計画の記載事項）

第五条　機構に係る通則法第三十条第二項第八号の主務省令で定める業務運営に関する事項は、次のとおりとする。

一　施設及び設備に関する計画

二　人事に関する計画

三　法第十八条第一項に規定する積立金の使途

四　その他当該中期目標を達成するために必要な事項

２　機構の成立後最初の中期計画については、前項第三号中「法第十八条第一項」とあるのは、「独立行政法人住宅金融支援機構法施行令附則第五条第一項」とする。

（年度計画の記載事項等）

第六条　機構に係る通則法第三十一条第一項の年度計画には、中期計画に定めた事項に関し、当該事業年度において実施すべき事項を記載しなければならない。

２　機構は、通則法第三十一条第一項後段の規定により年度計画の変更をしたときは、変更した事項及びその理由を記載した届出書を主務大臣に提出しなければならない。

（業務実績等報告書）

第七条　機構に係る通則法第三十二条第二項の報告書には、当該報告書が次の表の上欄に掲げる報告書のいずれに該当するかに応じ、同表の下欄に掲げる事項を記載しなければならない。その際、機構は、当該報告書が同条第一項の評価の根拠となる情報を提供するために作成されるものであることに留意しつつ、機構の事務及び事業の性質、内容等に応じて区分して同欄に掲げる事項を記載するものとする。

事業年度における業務の実績及び当該実績について自ら評価を行った結	一　当該事業年度における業務の実績（当該業務の実績が通則法第二十九条第二項第二号に掲げる事項に係るものである場合にあっては次のイからニまでに掲げる事項を明らかにしたものに、同項第

果を明らかにした報告書	三号から第五号までに掲げる事項に係るものである場合にあっては次のイからハまでに掲げる事項を明らかにしたものに限る。） イ　中期計画及び年度計画の実施状況 ロ　当該事業年度における業務運営の状況 ハ　当該業務の実績に係る指標及び当該事業年度の属する中期目標の期間における当該事業年度以前の毎年度の当該指標の数値（当該業務の実績に係る指標が設定されている場合に限る。） ニ　当該事業年度の属する中期目標の期間における当該事業年度以前の毎年度の当該業務の実績に係る財務情報及び人員に関する情報 二　次のイからハまでに掲げる事項を明らかにした前号に掲げる業務の実績についての評価の結果（当該業務の実績が通則法第二十九条第二項第二号から第五号までに掲げる事項に係るものである場合に限る。） イ　中期目標に定めた項目ごとの評定及び当該評定を付した理由 ロ　業務運営上の課題が検出された場合には、当該課題及び当該課題に対する改善方策 ハ　過去の報告書に記載された改善方策のうちその実施が完了した旨の記載がないものがある場合には、その実施状況
中期目標の期間の終了時に見込まれる中期目標の期間における業務の実績及び当該実績について自ら評価を行った結果を明らかにした報告書	一　中期目標の期間の終了時に見込まれる中期目標の期間における業務の実績（当該業務の実績が通則法第二十九条第二項第二号に掲げる事項に係るものである場合にあっては次のイからニまでに掲げる事項を明らかにしたものに、同項第三号から第五号までに掲げる事項に係るものである場合にあっては次のイからハまでに掲げる事項を明らかにしたものに限る。） イ　中期目標及び中期計画の実施状況 ロ　当該期間における業務運営の状況 ハ　当該業務の実績に係る指標及び当該期間における毎年度の当該指標の数値（当該業務の実績に係る指標が設定されている場合に限る。） ニ　当該期間における毎年度の当該業務の実績に係る財務情報及び人員に関する情報 二　次のイからハまでに掲げる事項を明らかにした前号に掲げる業務の実績についての評価の結果（当該業務の実績が通則法第二十九条第二項第二号から第五号までに掲げる事項に係るものである場合に限る。） イ　中期目標に定めた項目ごとの評定及び当該評定を付した理由 ロ　業務運営上の課題が検出された場合には、当該課題及び当該課題に対する改善方策 ハ　過去の報告書に記載された改善方策のうちその実施が完了した旨の記載がないものがある場合には、その実施状況
中期目標の期間における業務の実績及び当該実績について自ら評価を行った結果を明らかにした報告書	一　中期目標の期間における業務の実績（当該業務の実績が通則法第二十九条第二項第二号に掲げる事項に係るものである場合にあっては次のイからニまでに掲げる事項を明らかにしたものに、同項第三号から第五号までに掲げる事項に係るものである場合にあっては次のイからハまでに掲げる事項を明らかにしたものに限る。） イ　中期目標及び中期計画の実施状況 ロ　当該期間における業務運営の状況 ハ　当該業務の実績に係る指標及び当該期間における毎年度の当該指標の数値（当該業務の実績に係る指標が設定されている場合に限る。） ニ　当該期間における毎年度の当該業務の実績に係る財務情報及び人員に関する情報 二　次のイからハまでに掲げる事項を明らかにした前号に掲げる業務の実績についての評価の結果（当該業務の実績が通則法第二十九条第二項第二号から第五号までに掲げる事項に係るものである場合に限る。） イ　中期目標に定めた項目ごとの評定及び当該評定を付した理由 ロ　業務運営上の課題が検出された場合には、当該課題及び当該課題に対する改善方策 ハ　過去の報告書に記載された改善方策のうちその実施が完了した旨の記載がないものがある場合には、その実施状況

2　機構は、前項に規定する報告書を主務大臣に提出したときは、速やかに、当該報告書をインターネットの利用その他の適切な方法により公表するものとする。

（会計の原則）

第八条　機構の会計については、この省令の定めるところによるものとし、この省令に定めのないものについては、一般に公正妥当と認められる企業会計の基準に従うものとする。

2　金融庁組織令（平成十年政令第三百九十二号）第二十四条第一項に規定する企業会計審議会により公表された企業会計の基準は、前項に規定する一般に公正妥当と認められる企業会計の基準に該当するものとする。

3　平成十一年四月二十七日の中央省庁等改革推進本部決定に基づき行われた独立行政法人の会計に関する研究の成果として公表された基準（以下「独立行政法人会計基準」という。）は、この省令に準ずるものとして、第一項に規定する一般に公正妥当と認められる企業会計の基準に優先して適用されるものとする。

（共通経費の配賦基準）

第九条　機構は、法第十七条の規定により区分して経理する場合において、経理すべき事項が当該区分に係る勘定以外の勘定において経理すべき事項と共通の事項であるため、当該勘定に係る部分を区分して経理することが困難なときは、当該事項については、主務大臣の承認を受けて定める基準に従って、各勘定に配分することにより経理することができる。

（区分経理等）

第一〇条　機構は、次の各号に掲げる勘定においては、内訳として、当該各号に定める業務に係る経理単位に区分するものとする。

一　法第十七条第一号に掲げる業務に係る勘定

イ　法第十三条第一項第一号及び第二項第一号の業務並びにこれらに附帯する業務

ロ　法第十三条第一項第二号の業務及び同項第三号の業務（特定貸付債権に係るものに限る。）並びにこれらに附帯する業務

二　法第十七条第四号に掲げる業務に係る勘定

イ　法第十三条第一項第四号から第十号まで並びに第二項第二号から第四号まで及び第七号の業務並びにこれらに附帯する業務

ロ　イに掲げる業務以外の業務

2　機構は、前項の規定により区分して経理する場合において、機構の運営に必要な経費については、前項第一号イ又はロの一方の業務に係る経理単位から他の一方の業務に係る経理単位に繰り入れることができる。

（貸付債権の評価）

第一一条　法第十三条第一項第一号の業務により譲り受けた貸付債権の貸借対照表価額は、当該貸付債権の取得価額とする。

（譲渡差額を損益計算上の損益に計上しない譲渡取引）

第一一条の二　主務大臣は、機構が通則法第四十六条の二第二項の規定に基づいて行う不要財産の譲渡取引についてその譲渡差額を損益計算上の損益に計上しないことが必要と認められる場合には、当該譲渡取引を指定することができる。

（会計処理の特例）

第一二条　機構が法第十三条第一項第一号の業務に係る金利変動による損失（同号に規定する金融機関が機構に譲渡する貸付債権に係る貸付金の利率

を定める際に勘案すべき利率を機構が定める日から、当該貸付債権の譲受けに要する資金を調達するために発行する住宅金融支援機構債券の利率を機構が定める日までの間の金利変動による損失をいう。）の可能性を減殺することを目的として、一定の期間中に機構が行う当該貸付債権の譲受けに要する資金を調達するために発行しようとする住宅金融支援機構債券の金額に基づき当事者が元本として定めた金額について当該当事者のそれぞれが相手方と取り決めた利率に基づき金銭の支払を相互に約する取引（以下「金利スワップ取引」という。）を行った場合には、当該金利スワップ取引の損益をその元本の金額を定める基礎となった住宅金融支援機構債券が消滅するまでの間、主務大臣が指定する方法により繰り延べるものとする。

（責任準備金）

第一三条　機構は、毎事業年度末日現在で、法第十七条第一号及び第二号に掲げる業務に係る勘定において、住宅融資保険法（昭和三十年法律第六十三号）第三条及び住宅確保要配慮者に対する賃貸住宅の供給の促進に関する法律（平成十九年法律第百十二号）第二十条第二項に規定する保険関係に基づく将来における債務の履行に備えるため、収入保険料及び保険料の額の引下げを行うことによる減収額を埋めるために国から交付された補助金のうち、次の各号に掲げる保険関係の区分に応じ当該各号に定める期間に対応する責任に相当する金額として主務大臣が定めるところにより算定した金額を責任準備金として積み立てなければならない。

一　住宅融資保険法第三条に規定する保険関係（死亡時に一括償還をする方法による貸付けに係るものに限る。）及び住宅確保要配慮者に対する賃貸住宅の供給の促進に関する法律第二十条第二項に規定する保険関係　当該保険関係の保険期間

二　住宅融資保険法第三条に規定する保険関係（死亡時に一括償還をする方法による貸付けに係るものを除く。）　当該保険関係の保険期間のうち事業年度末においてまだ経過していない期間

2　前項の規定により積み立てられた責任準備金では、将来の債務の履行に支障を来すおそれがあると認められる場合には、主務大臣の定めるところにより、責任準備金を追加して積み立てなければならない。

（財務諸表）

第一四条　機構に係る通則法第三十八条第一項の主務省令で定める書類は、独立行政法人会計基準に定める行政コスト計算書、純資産変動計算書及びキャッシュ・フロー計算書とする。

（貸借対照表及び損益計算書の様式）

第一五条　機構に係る貸借対照表及び損益計算書は、別紙様式により作成しなければならない。

（事業報告書の作成）

第一五条の二　機構に係る通則法第三十八条第二項の規定により主務省令で定める事項については、この条の定めるところによる。

2　事業報告書には、次に掲げる事項を記載しなければならない。

一　機構の目的及び業務内容
二　国の政策における機構の位置付け及び役割
三　中期目標の概要
四　理事長の理念並びに運営上の方針及び戦略
五　中期計画及び年度計画の概要
六　持続的に適正なサービスを提供するための源泉
七　業務運営上の課題並びにリスクの状況及び対応策
八　業績の適正な評価に資する情報
九　業務の成果及び当該業務に要した資源
十　予算及び決算の概要
十一　財務諸表の要約
十二　財政状態及び運営状況の理事長による説明
十三　内部統制の運用状況
十四　機構に関する基礎的な情報

（財務諸表の閲覧期間）

第一六条　機構に係る通則法第三十八条第三項の主務省令で定める期間は、五年とする。

（会計監査報告の作成）

第一六条の二　通則法第三十九条第一項後段の規定により主務省令で定める事項については、この条の定めるところによる。

2　会計監査人は、その職務を適切に遂行するため、次に掲げる者との意思疎通を図り、情報の収集及び監査の環境の整備に努めなければならない。ただし、会計監査人が公正不偏の態度及び独立の立場を保持することができなくなるおそれのある関係の創設及び維持を認めるものと解してはならない。

一　機構の役員及び職員
二　その他会計監査人が適切に職務を遂行するに当たり意思疎通を図るべき者

3　会計監査人は、通則法第三十八条第一項の財務諸表並びに同条第二項に規定する事業報告書及び決算報告書を受領したときは、次に掲げる事項を内容とする会計監査報告を作成しなければならない。

一　会計監査人の監査の方法及びその内容
二　財務諸表（利益の処分又は損失の処理に関する書類を除く。以下この号及び次項において同じ。）が機構の財政状態、運営状況、キャッシュ・フローの状況等を全ての重要な点において適正に表示しているかどうかについての意見があるときは、次のイからハまでに掲げる意見の区分に応じ、当該イからハまでに定める事項

イ　無限定適正意見　監査の対象となった財務諸表が独立行政法人会計基準その他の一般に公正妥当と認められる会計の慣行に準拠して、機構の財政状態、運営状況、キャッシュ・フローの状況等を全ての重要な点において適正に表示していると認められる旨

ロ　除外事項を付した限定付適正意見　監査の対象となった財務諸表が除外事項を除き独立行政法人会計基準その他の一般に公正妥当と認められる会計の慣行に準拠して、機構の財政状態、運営状況、キャッシュ・フローの状況等を全ての重要な点において適正に表示していると認められる旨及び除外事項

ハ　不適正意見　監査の対象となった財務諸表が不適正である旨及びその理由

三　前号の意見がないときは、その旨及びその理由
四　第二号の意見がある場合は、事業報告書（会計に関する部分を除く。）の内容と通則法第三十九条第一項に規定する財務諸表、事業報告書（会計に関する部分に限る。）及び決算報告書の内容又は会計監査人が監査の過程で得た知識との間の重要な相違等について、報告すべき事項の有無及び報告すべき事項があるときはその内容
五　追記情報
六　前各号に掲げるもののほか、利益の処分又は損失の処理に関する書類、事業報告書（会計に関する部分に限る。）及び決算報告書に関して必要な報告
七　会計監査報告を作成した日

4　前項第五号に規定する「追記情報」とは、次に掲げる事項その他の事項のうち、会計監査人の判断に関して説明を付す必要がある事項又は財務諸表の内容のうち強調する必要がある事項とする。

一　会計方針の変更
二　重要な偶発事象
三　重要な後発事象

（積立金の処分に係る申請の添付書類）

第一七条　令第九条第三項の主務省令で定める書類は、次に掲げる書類とする。

一　令第九条第一項の期間最後の事業年度（以下単に「期間最後の事業年度」という。）の事業年度末の貸借対照表
二　期間最後の事業年度の損益計算書
三　期間最後の事業年度の事業年度末の利益の処分に関する書類
四　承認を受けようとする金額の計算の基礎を明らかにした書類

（短期借入金の認可の申請）

第一八条　機構は、通則法第四十五条第一項ただし書の規定により短期借入金の借入れの認可を受けようとするとき、又は同条第二項ただし書の規定により短期借入金の借換えの認可を受けようとするときは、次に掲げる事項を記載した申請書を主務大臣に提出しなければならない。

一　借入れを必要とする理由
二　借入金の額
三　借入先
四　借入金の利率
五　借入金の償還の方法及び期限
六　利息の支払の方法及び期限

七　その他必要な事項

（長期借入金の認可の申請）

第一九条　機構は、法第十九条第一項の規定により長期借入金の借入れの認可を受けようとするときは、前条各号に掲げる事項を記載した申請書を主務大臣に提出しなければならない。

（長期借入金の借入れに関する事務を委託することができる金融機関）

第二〇条　法第十九条第六項の主務省令で定める金融機関は、次に掲げる金融機関とする。

一　銀行（銀行法（昭和五十六年法律第五十九号）第二条第一項に規定する銀行をいう。）、長期信用銀行（長期信用銀行法（昭和二十七年法律第百八十七号）第二条に規定する長期信用銀行をいう。）、信用金庫、信用協同組合及び労働金庫

二　農業協同組合法（昭和二十二年法律第百三十二号）第十条第一項第二号及び第三号の事業を併せ行う農業協同組合及び農業協同組合連合会、水産業協同組合法（昭和二十三年法律第二百四十二号）第十一条第一項第三号及び第四号の事業を併せ行う漁業協同組合並びに同法第八十七条第一項第三号及び第四号の事業を併せ行う漁業協同組合連合会並びに農林中央金庫

三　株式会社商工組合中央金庫

（住宅金融支援機構債券の募集事項）

第二一条　令第十六条第十二号の主務省令で定める事項は、募集住宅金融支援機構債券と引換えにする金銭の払込みに代えて金銭以外の財産を給付する旨の契約を締結する場合におけるその契約の内容とする。

（募集住宅金融支援機構債券の申込みをしようとする者に対して通知すべき事項）

第二二条　令第十七条第一項の主務省令で定める事項は、法第十九条第六項の規定による募集住宅金融支援機構債券の発行に関する事務の委託を受ける者を定めた場合におけるその名称及び住所とする。

（募集住宅金融支援機構債券の申込みをしようとする者が書面に記載すべき事項）

第二三条　令第十七条第二項第四号の主務省令で定める事項は、募集住宅金融支援機構債券が令第十八条第一項に規定するマンション債券（以下単に「マンション債券」という。）である場合における第二十六条第一項第五号に掲げる事項とする。

（マンション債券積立者の募集）

第二四条　令第十八条第一項に規定するマンション債券積立者（以下単に「積立者」という。）の選定は、募集の方法による。

２　機構は、積立者の募集をしようとするときは、その都度、次に掲げる事項を広告しなければならない。

一　初回募集マンション債券（令第十六条に規定する募集住宅金融支援機構債券であって、積立者の募集後最初の募集に係るマンション債券をいう。以下同じ。）の申込みの期日

二　初回募集マンション債券の金額

三　初回募集マンション債券の利率

四　初回募集マンション債券の償還の方法及び期限

五　利息支払の方法及び期限

六　初回募集マンション債券と引換えに払い込む金銭の額

七　積立者の募集に係る積立ての口数

八　前各号に掲げるもののほか、機構が必要と認める事項

（マンション債券積立者の選定）

第二五条　機構は、前条第一項の募集に応じた者の中から積立者を選定しなければならない。この場合において、当該募集に応じた者が希望する積立ての口数の合計が同条第二項第七号の積立ての口数を超えるときは、抽選その他公正な方法により行うものとする。

（積立手帳）

第二六条　機構は、前条の規定により積立者を選定したときは、積立者に対し、次に掲げる事項を記載した積立手帳を交付するものとする。

一　第二十四条第二項第一号から第六号までに掲げる事項

二　当該積立者の積立ての口数

三　当該積立者の名称及び住所

四　当該積立者の管理者又は理事の氏名及び住所

五　記番号

２　積立者は、前項第三号又は第四号に掲げる事項に変更があったときは、機構の定めるところにより、機構にその旨及び当該変更があった事項を届け出なければならない。

３　積立者は、積立手帳を亡失し、滅失し、汚損し、又は破損したときは、機構の定めるところにより、機構に申請して、積立手帳の再交付を受けることができる。

４　積立者は、機構又は法第十九条第六項の規定によるマンション債券の発行に関する事務の委託を受けた者の請求があったときは、積立手帳を提示しなければならない。

（住宅金融支援機構債券の種類）

第二七条　令第二十一条第一項第一号の主務省令で定める事項は、次に掲げる事項とする。

一　住宅金融支援機構債券の利率

二　住宅金融支援機構債券の償還の方法及び期限

三　利息支払の方法及び期限

四　住宅金融支援機構債券の債券を発行するときは、その旨

五　法第十九条第六項の規定による住宅金融支援機構債券の発行に関する事務の委託を受ける者を定めたときは、その名称及び住所

六　住宅金融支援機構債券に係る債務の担保に供するため法第二十一条の規定により貸付債権を信託するときは、その旨、当該信託の受託者の名称及び住所並びに当該貸付債権の概要

（住宅金融支援機構債券原簿の記載事項）

第二八条　令第二十一条第一項第五号の主務省令で定める事項は、次に掲げる事項とする。

一　募集住宅金融支援機構債券と引換えにする金銭の払込みに代えて金銭以外の財産の給付があったときは、その財産の価額及び給付の日

二　住宅金融支援機構債券の債権者が募集住宅金融支援機構債券と引換えにする金銭の払込みをする債務と機構に対する債権とを相殺したときは、その債権の額及び相殺をした日

（住宅金融支援機構債券原簿の閲覧権者）

第二九条　令第二十二条第二項の主務省令で定める者は、住宅金融支援機構債券の債権者とする。

（電磁的記録に記録された住宅金融支援機構債券原簿を表示する方法）

第三〇条　令第二十二条第二項第二号の主務省令で定める方法は、同号に規定する電磁的記録に記録された事項を紙面又は映像面に表示する方法とする。

（償還計画の認可の申請）

第三一条　機構は、法第二十四条の規定により償還計画の認可を受けようとするときは、通則法第三十一条第一項前段の規定により年度計画を届け出た後、遅滞なく、次に掲げる事項を記載した償還計画を主務大臣に提出しなければならない。ただし、償還計画の変更の認可を受けようとするときは、その都度提出しなければならない。

一　長期借入金の総額及び当該事業年度における借入見込額並びにその借入先

二　住宅金融支援機構債券の総額及び当該事業年度において発行するものの引受けの見込み

三　住宅金融支援機構財形住宅債券の総額及び当該事業年度において発行するものの引受けの見込み

四　長期借入金並びに住宅金融支援機構債券及び住宅金融支援機構財形住宅債券の償還の方法及び期限

五　その他必要な事項

（金利変動準備基金の運用益をその財源とする経費）

第三二条　法第二十五条第一項の主務省令で定める経費は、第十二条に規定する金利変動による損失として想定される金額（法第十三条第一項第一号に規定する金融機関が機構に譲渡する貸付債権に係る貸付金の利率を定める際に勘案すべき利率を機構が定める日から、当該貸付債権の譲受けに要する資金を調達するために発行する住宅金融支援機構債券の利率を機構が定める日までの間に想定される範囲内の金利変動があった場合における最大の損失の金額をいう。）を超えるものの全部又は一部をうめるための経費とする。

（通則法第四十八条の主務省令で定める重要な財産）

第三三条　機構に係る通則法第四十八条の主務省令で定める重要な財産は、土地及び建物とする。

（重要な財産の処分等の認可の申請）

第三四条　機構は、通則法第四十八条の規定により重要な財産を譲渡し、又は担保に供すること（以下この条において「処分等」という。）について認可を受けようとするときは、次に掲げる事項を記載した申請書を主務大臣に提出しなければならない。
一　処分等に係る財産の内容及び評価額
二　処分等の条件
三　処分等の方法
四　機構の業務運営上支障がない旨及びその理由

（内部組織）
第三四条の二　機構に係る通則法第五十条の六第一号に規定する離職前五年間に在職していた当該中期目標管理法人の内部組織として主務省令で定めるものは、現に存する理事長の直近下位の内部組織として主務大臣が定めるもの（次項において「現内部組織」という。）であって再就職者（離職後二年を経過した者を除く。同項において同じ。）が離職前五年間に在職していたものとする。
2　直近七年間に存し、又は存していた理事長の直近下位の内部組織（独立行政法人通則法の一部を改正する法律（平成二十六年法律第六十六号）の施行の日以後のものに限る。）として主務大臣が定めるものであって再就職者が離職前五年間に在職していたものが行っていた業務を現内部組織（当該内部組織が現内部組織である場合にあっては他の現内部組織）が行っている場合における前項の規定の適用については、当該再就職者が離職前五年間に当該現内部組織に在職していたものとみなす。

（管理又は監督の地位）
第三四条の三　機構に係る通則法第五十条の六第二号に規定する管理又は監督の地位として主務省令で定めるものは、職員の退職管理に関する政令（平成二十年政令第三百八十九号）第二十七条第六号に規定する職員が就いている官職に相当するものとして主務大臣が定めるものとする。

（住宅部分を有する建築物が保安上危険であり、又は衛生上有害である場合）
第三五条　令第一条第四号の主務省令で定める場合は、次に掲げる場合とする。
一　住宅部分を有する建築物について建築基準法（昭和二十五年法律第二百一号）第九条第一項の規定による除却の命令を受けた場合
二　住宅部分を有する建築物について次に掲げる法律の規定による勧告（当該建築物の除却を実施すべき旨のものに限る。）を受けた場合
イ　特定都市河川浸水被害対策法（平成十五年法律第七十七号）第七十六条第一項
ロ　津波防災地域づくりに関する法律（平成二十三年法律第百二十三号）第九十二条第一項
三　住宅部分を有する建築物について除却する必要があり、かつ、当該建築物の敷地の全部又は一部が次に掲げる区域に含まれる場合
イ　防災のための集団移転促進事業に係る国の財政上の特別措置等に関する法律（昭和四十七年法律第百三十二号）第三条第二項第一号に規定する区域
ロ　建築基準法第三十九条第一項の規定により地方公共団体が条例で指定した災害危険区域（同条第二項の規定により当該区域内における住居の用に供する建築物の建築の禁止が定められた区域に限る。）
四　住宅部分を有する建築物について除却する必要があり、かつ、当該建築物について除却その他これに準ずる措置に要する費用の全部又は一部について補助を行うものとして地方公共団体の長が補助金の交付を決定した場合

（住宅部分を有する建築物が災害により滅失し、又は損傷するおそれがある場合）
第三六条　令第二条第四号の主務省令で定める場合は、次に掲げる場合とする。
一　住宅部分を有する建築物について建築基準法第九条第一項の規定による移転の命令を受けた場合
二　住宅部分を有する建築物について前条第二号に規定する法律の規定による勧告（当該建築物の移転を実施すべき旨のものに限る。）を受けた場合
三　住宅部分を有する建築物について移転する必要があり、かつ、当該建築物の敷地の全部又は一部が前条第三号に規定する区域に含まれる場合
四　住宅部分を有する建築物について移転する必要があり、かつ、当該建築物について移転その他これに準ずる措置に要する費用の全部又は一部について補助を行うものとして地方公共団体の長が補助金の交付を決定した場合

（合理的土地利用建築物の延べ面積の敷地面積に対する割合）
第三七条　令第四条の主務省令で定める数値は、建築基準法第五十二条第一項から第九項までの規定による限度の二分の一（現に存する一又は二以上のマンションを除却するとともに、当該マンションの敷地（これに隣接する土地を含む。）にマンションを新たに建築する場合にあっては、三分の一）とする。

（合理的土地利用建築物の敷地内の空地の規模）
第三八条　令第四条第一号の主務省令で定める規模は、次の各号に掲げる場合の区分に応じ、敷地面積に当該各号に定める数値を乗じて得た面積を超えるものとする。
一　建築基準法第五十三条の規定による建築面積の敷地面積に対する割合の最高限度（以下「建ぺい率限度」という。）が定められている場合　十分の一から当該建ぺい率限度を減じた数値に十分の二（マンションの建替え（現に存する建築物を除却するとともに、当該建築物の存していた土地に新たに建築物を建設することをいう。以下同じ。）を行う場合にあっては、十分の一）を加えた数値
二　建ぺい率限度が定められていない場合　十分の二（マンションの建替えを行う場合にあっては、十分の一）
2　建築基準法第五十三条の規定に適合しないマンションであって同法第三条第二項の規定の適用を受けているものの建替えを行う場合における令第四条第一号の主務省令で定める規模は、前項の規定にかかわらず、当該マンションの敷地内の空地の面積に、敷地面積に十分の一を乗じて得た面積を加えた面積を超えるものとする。

（合理的土地利用建築物）
第三九条　令第四条第四号の主務省令で定める建築物は、次に掲げるものとする。
一　耐火構造の建築物又は準耐火構造の建築物であって、敷地面積が五百平方メートル以上であり、かつ、その敷地内に前条に規定する規模の空地を有するもの
二　土地の利用が細分されていることその他の事由により土地の利用状況が不健全な市街地の区域において、現に存する建築物が除却されるとともに、当該建築物の存していた土地及びその土地に隣接する土地を一の敷地として新たに建設される耐火構造の建築物又は準耐火構造の建築物
三　施行再建マンション（マンションの建替え等の円滑化に関する法律（平成十四年法律第七十八号）第二条第一項第七号に規定する施行再建マンションをいう。）又は売却再建マンション（同項第十号に規定する売却マンションが除却されるとともに、当該売却マンションの敷地（これに隣接する土地を含む。）に新たに建設されるマンションをいう。）であって、耐火構造の建築物又は準耐火構造の建築物であり、かつ、敷地面積が三百平方メートル以上であるもの
四　二以上の建築物のある一団の土地の区域内において、建替えにより新たに建設される耐火建築物、耐火構造の建築物又は準耐火構造の建築物（以下この項において「耐火建築物等」という。）であって、次のいずれかに該当するもの
イ　建築基準法第八十六条第一項から第四項まで又は第八十六条の二第一項から第三項までの規定による認定又は許可を受けたもの
ロ　総合的設計によって建設される二以上の構えを成すもの
五　建替えにより新たに建設される耐火建築物等であって、次のいずれかに該当するもの
イ　都市計画法（昭和四十三年法律第百号）第四条第九項に規定する地区計画等の区域（建ぺい率限度又は壁面の位置の制限が定められている同法第十二条の五第二項第一号に規定する地区整備計画、密集市街地における防災街区の整備の促進に関する法律（平成九年法律第四十九号）第三十二条第二項第一号に規定する特定建築物地区整備計画、同項第二号に規定する防災街区整備地区整備計画、幹線道路の沿道の整備に関する法律（昭和五十五年法律第三十四号）第九条第二項第一号に規定する沿道地区整備計画又は集落地域整備法（昭和六十二年法律第六十三号）第五条第三項に規定する集落地区整備計画の区域に限る。）内にある建築物で、当該地区計画等の内容（建ぺい率限度又は壁面の位置の制限に限る。）に適合するもの

ロ　建築基準法第六十九条若しくは第七十六条の三第一項の規定による建築協定（建ぺい率限度又は壁面の位置の制限が定められているものに限る。）又は条例に基づく協定その他の特別の定め（壁面の位置の制限が定められているものに限る。以下この条において「協定等」という。）の目的となっている建築物で、当該建築協定の内容（建ぺい率限度又は壁面の位置の制限に限る。）又は当該協定等の内容（壁面の位置の制限に限る。）に適合するもの

ハ　建築基準法第四十七条に適合することにより、敷地内に有効な空地が確保されるもの

六　都市再開発法（昭和四十四年法律第三十八号）第七十条の二第五項に規定する指定宅地に存する同条第二項第二号イからニまでのいずれかに該当する建築物を除却し、同法第八十七条第一項の規定による権利の変換により当該指定宅地に対応して与えられることとなる個別利用区内の宅地に新たに建設する当該建築物に代わるべき耐火建築物等

七　密集市街地における防災街区の整備の促進に関する法律第二百二条第五項に規定する指定宅地に存する建築物を除却し、同法第二百二十一条第一項の規定による権利の変換により当該指定宅地に対応して与えられることとなる個別利用区内の宅地に新たに建設する耐火建築物等及びこれと一体の建築物として当該宅地に隣接する土地に新たに建設する耐火建築物等

八　密集市街地における防災街区の整備の促進に関する法律第二条第三号に掲げる特定防災機能が確保されていない市街地に存する建築物（その全部又は一部を賃貸の用に供しているものに限る。）の建替えにより新たに建設される耐火建築物等

2　前項の「耐火構造の建築物」とは、耐火建築物以外の建築物で、建築基準法第二条第九号の二イに掲げる基準に適合するものをいう。

3　第一項の「準耐火構造の建築物」とは、耐火建築物及び耐火構造の建築物以外の建築物で、建築基準法第二条第九号の三イ若しくはロのいずれかに該当するもの又はこれに準ずる耐火性能を有する構造の建築物として次に掲げる要件に該当するものをいう。

一　外壁及び軒裏が、建築基準法第二条第八号に規定する防火構造であること。

二　屋根が、建築基準法施行令（昭和二十五年政令第三百三十八号）第百三十六条の二の二第一号及び第二号に掲げる技術的基準に適合するものであること。

三　前二号に定めるもののほか、建築物の各部分が、防火上支障のない構造であること。

（債権譲受けの対象となる金融機関）

第四〇条　法第十三条第一項第一号の主務省令で定める金融機関は、次に掲げる金融機関とする。

一　第二十条各号に掲げる金融機関

二　信用金庫連合会及び信用協同組合連合会（中小企業等協同組合法（昭和二十四年法律第百八十一号）第九条の九第一項第一号の事業を行う協同組合連合会をいう。）

三　保険会社

四　法人である貸金業者（貸金業法（昭和五十八年法律第三十二号）第二条第二項に規定する貸金業者をいう。第四十四条において同じ。）

（特定債務保証の対象となる有価証券）

第四一条　法第十三条第一項第二号の主務省令で定める有価証券は、次に掲げる有価証券とする。

一　資産の流動化に関する法律（平成十年法律第百五号）に規定する特定目的信託の受益証券

二　信託会社等（法第十三条第一項第二号イに規定する信託会社等をいう。第四十四条において同じ。）の発行する証券又は証書で信託の受益権を表示するもの（前号に掲げる有価証券を除く。）

（特定貸付債権について予定した行為）

第四二条　法第十三条第一項第二号ハの主務省令で定める行為は、次に掲げる行為とする。

一　資産の流動化に関する法律第二条第三項に規定する特定目的会社と同様の事業を営む事業体で、事業内容の変更が制限されているものに譲渡すること。

二　住宅融資保険法第二条第三号に定める金融機関で、その貸付債権について法第十三条第一項第二号イ若しくはロ又は前号に掲げる行為をするものに譲渡すること。

（業務を委託することができる金融機関）

第四三条　法第十六条第一項第一号の主務省令で定める金融機関は、次の各号に掲げる業務の区分に応じ、当該各号に定める金融機関とする。

一　令第七条第一項第一号イ及びニに掲げる業務　第四十条各号に掲げる金融機関

二　令第七条第一項第一号ロに掲げる業務　住宅融資保険法第二条第三号に定める金融機関

三　令第七条第一項第一号ハに掲げる業務　第四十条第一号及び第四号に掲げる金融機関

（貸金業法の適用除外）

第四四条　法第三十条の主務省令で定めるところにより貸付債権の譲受けを行う場合は、法人である貸金業者の貸付けに係る貸付債権を機構が譲り受けること及び譲り受けた当該貸付債権を機構が信託会社等に信託することについて、当該貸金業者が当該貸付けの契約を締結する際に当該貸付債権の債務者の承諾を得た場合とする。

附　則〔抄〕

（施行期日）

第一条　この省令は、平成十九年四月一日から施行する。

（合理的土地利用建築物に該当することとなる建築物の要件の特例）

第一条の二　機構が平成二十四年三月三十一日までにその建設又は購入に必要な資金の貸付けの申込みを受けた建築物についての第三十七条、第三十八条並びに第三十九条第一項第一号、第四号及び第五号の規定の適用については、第三十七条中「二分の一」とあるのは「三分の一」と、第三十八条第一項第一号中「十分の二（マンションの建替え（現に存する建築物を除却するとともに、当該建築物の存していた土地に新たに建築物を建設することをいう。以下同じ。）を行う場合にあっては、十分の一）」とあるのは「十分の一」と、同項第二号中「十分の二（マンションの建替えを行う場合にあっては、十分の一）」とあるのは「十分の一」と、同条第二項中「建替え」とあるのは「建替え（現に存する建築物を除却するとともに、当該建築物の存していた土地に新たに建築物を建設することをいう。）」と、第三十九条第一項第一号中「五百平方メートル」とあるのは「三百平方メートル」と、同項第四号中「二以上の建築物のある一団の土地の区域内において、建替えにより新たに建設される」とあるのは「新たに建設される」と、同項第五号中「建替えにより新たに建設される」とあるのは「新たに建設される」とする。

（業務方法書の記載事項の特例）

第二条　法附則第七条第一項から第三項までの規定により機構がこれらの規定に規定する業務を行う場合には、第三条各号に掲げる事項のほか、次に掲げる事項を業務方法書に記載するものとする。

一　法附則第七条第一項第一号に規定する債権の管理及び回収に関する事項

二　法附則第七条第一項第二号に規定する債権の管理及び回収に関する事項

三　法附則第七条第一項第三号に規定する貸付債権の譲受けに関する事項

四　法附則第七条第一項第四号に規定する債務の保証に関する事項

五　法附則第七条第一項第五号に規定する債権の管理及び回収に関する事項

六　法附則第七条第一項第六号に規定する業務に関する事項

七　法附則第七条第二項第一号に規定する資金の貸付けに関する事項

八　法附則第七条第二項第二号に規定する貸付けに関する事項

九　法附則第七条第三項に規定する契約の締結に関する事項

2　法附則第七条第一項から第三項までの規定により機構がこれらの規定に規定する業務を行う場合には、第九条中「第十七条」とあるのは「第十七条及び附則第七条第五項」と、第十条第二号中「第十七条第四号」とあるのは「第十七条第四号（法附則第七条第六項の規定により読み替えて適用する場合を含む。）」と、同号イ中「第七号の業務」とあるのは「第七号並びに附則第七条第一項第一号、第五号及び第六号並びに第二項の業務」と、第十一条中「第十三条第一項第一号」とあるのは「第十三条第一項第一号及び附則第七条第一項第三号」と、第十九条中「第十九条第一項」とあるのは「第十九条第一項（法附則第七条第六項の規定により読み替えて適用する場合を含む。）」と、第二十七条第六号中「第二十一条」とあるのは「第二十一条（法附則第七条第六項の規定により読み替えて適用する場合を含

む。）」と、第四十三条第一号中「及びニ」とあるのは「及びニ（令附則第七条の規定により読み替えて適用する場合を含む。）」と、同条第三号中「第七条第一項第一号ハ」とあるのは「第七条第一項第一号ハ（令附則第七条の規定により読み替えて適用する場合を含む。）」とする。

（資金の融通の制限等）

第三条　法附則第七条第五項に規定する既往債権管理勘定（以下単に「既往債権管理勘定」という。）から法第十七条各号に掲げる業務に係る勘定（以下「他勘定」という。）への資金の融通は、既往債権管理勘定に属する業務上の余裕金（当該資金の融通を行った日からその償還期限までの期間を通じて同項に規定する既往債権管理業務（以下単に「既往債権管理業務」という。）に充てる見込みのない資金をいう。）の額を超えてしてはならない。

2　既往債権管理勘定から他勘定への資金の融通は、既往債権管理勘定からその融通を受ける勘定への貸付けとして整理するものとする。

（承継時の会計処理に関する経過措置）

第四条　機構は、法附則第三条第一項又は第六条第三項の規定により住宅金融公庫又は同条第一項に規定する保証協会（以下単に「保証協会」という。）の権利及び義務を承継したときは、既往債権管理勘定に係る貸借対照表の資産の部に未収財源措置予定額の勘定科目を設けて、既往債権管理業務に係る貸付債権の貸倒引当金の額及び当該貸付債権に係る貸付けを受けた者がその債務の保証を保証協会に委託したときに支払った保証料のうち、未経過期間（債務保証契約に定めた期間のうち、機構が保証協会の権利及び義務を承継した時において、まだ経過していない期間をいう。次条において同じ。）に対応するものの返還に必要な費用に充てるための引当金の額の合計額の範囲内で主務大臣が定める額を当該勘定科目に計上するものとする。

（保証債務履行準備金）

第五条　機構は、法附則第七条第一項第四号に規定する福祉医療機構債権（以下この条において単に「福祉医療機構債権」という。）に係る債務保証契約の履行に必要な費用及び法附則第七条第一項第三号に規定する債権に係る貸付け又は福祉医療機構債権に係る貸付けを受けた者がその債務の保証を保証協会に委託したときに支払った保証料及びこれらの債権に係る債務の保証の委託に関する契約の変更に伴いこれらの債権の債務者が機構に支払った保証料のうち、未経過期間に対応するものの返還に必要な費用に充てるために保証債務履行準備金を設け、次の各号に掲げる金額をもってこれに充てるものとする。

一　法附則第六条第三項の規定により保証協会から承継した資産のうち、福祉医療機構債権に係る債務の保証に要する費用に充てるものとして承継した資産（金銭に限る。）の金額

二　法附則第七条第一項第二号の規定により承継した求償権（福祉医療機構債権に係る債務保証契約を履行したことによって保証協会が取得したものに限る。）に基づく債権の回収及び同項第四号の規定による福祉医療機構債権に係る債務保証契約を履行したことによって取得した求償権に基づく債権の回収により得られた金額

三　法附則第七条第一項第三号の規定により独立行政法人福祉医療機構から譲り受けた債権の回収により支払を受けた当該債権の利息に相当する金額の一部

四　前号に規定する債権又は福祉医療機構債権に係る債務の保証の委託に関する契約の変更に伴いこれらの債権の債務者が機構に保証料を支払った場合におけるその保証料の金額

（既往債権管理勘定における積立金の処分に係る申請の添付書類）

第六条　第十七条の規定は、令附則第八条第二項の主務省令で定める書類について準用する。この場合において、第十七条中「期間最後の事業年度」とあるのは、「当該事業年度」と読み替えるものとする。

（住宅宅地債券積立手帳）

第七条　住宅宅地債券積立者（住宅宅地債券令附則第三項の規定により読み替えて適用される同令第四条第一項に規定する機構に係る住宅宅地債券積立者をいう。以下同じ。）は、その氏名又は住所（区分所有者団体引受住宅宅地債券（同令附則第三項の規定により読み替えて適用される同令第一条第二項に規定する区分所有者団体引受住宅宅地債券をいう。附則第九条において同じ。）の住宅宅地債券積立者にあっては、その名称若しくは住所又は管理者若しくは理事の氏名若しくは住所）に変更があったときは、機構の定めるところにより、機構にその旨及び当該変更があった事項を届け出なければならない。

2　住宅宅地債券積立者は、住宅宅地債券積立手帳（附則第十一条の規定による廃止前の住宅金融公庫法施行規則（昭和二十九年大蔵省・建設省令第一号）第十八条の四第一項に規定する積立手帳をいう。以下同じ。）を亡失し、滅失し、汚損し、又は破損したときは、機構の定めるところにより、機構に申請して、住宅宅地債券積立手帳の再交付を受けることができる。

3　住宅宅地債券積立者は、機構又は法附則第八条の規定により読み替えて適用される法第十九条第六項の規定による住宅金融支援機構住宅宅地債券の発行に関する事務の委託を受けた者の請求があったときは、住宅宅地債券積立手帳を提示しなければならない。

（住宅宅地債券申込証の記載事項）

第八条　法附則第八条の規定により住宅金融支援機構住宅宅地債券を発行する場合における住宅宅地債券令第三条第一項の主務省令で定める事項は、住宅宅地債券積立手帳の記番号とする。

（住宅宅地債券発行の認可申請書の記載事項）

第九条　法附則第八条の規定により住宅金融支援機構住宅宅地債券を発行する場合における住宅宅地債券令第九条第一項第二号の主務省令で定める事項は、区分所有者団体引受住宅宅地債券以外の住宅宅地債券（同令附則第三項の規定により読み替えて適用される同令第一条第一項に規定する住宅宅地債券をいう。以下この条において同じ。）の場合にあっては当該年度に住宅宅地債券を引き受けることとなる住宅宅地債券積立者の総数及び当該積立者が引き受けることとなる住宅宅地債券の申込みの回数により区分した数とし、区分所有者団体引受住宅宅地債券の場合にあっては当該年度に区分所有者団体引受住宅宅地債券を引き受けることとなる住宅宅地債券積立者に係る積立ての総口数とする。

（住宅宅地債券を発行する場合の償還計画の認可の申請）

第一〇条　法附則第八条の規定により住宅金融支援機構住宅宅地債券を発行する場合には、第三十一条第二号中「住宅金融支援機構債券の総額及び」とあるのは「住宅金融支援機構債券及び住宅宅地債券の総額並びに」と、同条第四号中「住宅金融支援機構債券」とあるのは「住宅金融支援機構債券、住宅宅地債券」とする。

附　則〔略〕〔平成一九・一二・一九財務・国土交通省令三〕

附　則〔略〕〔平成二〇・三・二八財務・国土交通省令一施行〕

附　則〔略〕〔平成二〇・九・一七財務・国土交通省令二〕

附　則〔略〕〔平成二〇・一二・二二財務・国土交通省令三施行〕

附　則〔略〕〔平成二一・四・三〇財務・国土交通省令二施行〕

附　則〔略〕〔平成二一・六・五財務・国土交通省令三施行〕

附　則〔略〕〔平成二二・五・三一財務・国土交通省令二施行〕

附　則〔平成二二・六・二九財務・国土交通省令四〕

改正　平成二二・一一財・国交令七

（施行期日）

1　この省令は、独立行政法人通則法の一部を改正する法律（平成二十二年法律第三十七号）の施行の日から施行する。

（経過措置）

2　この省令による改正後の独立行政法人住宅金融支援機構の業務運営並びに財務及び会計に関する省令第十二条第二項の規定は、この省令の公布の日から施行の日の前日までの間に独立行政法人住宅金融支援機構がその保有する財産を国庫に納付するために満期保有目的の債券（満期まで所有する意図をもって保有する債券をいう。）を売却した場合についても適用する。

附　則〔略〕〔平成二二・八・二三財務・国土交通省令五施行〕

附　則〔平成二二・一一・二六財務・国土交通省令七〕

（施行期日）

1　この省令は、独立行政法人通則法の一部を改正する法律の施行の日（平成二十二年十一月二十七日）から施行する。ただし、第二条の規定については、公布の日から施行する。

（経過措置）

2　一部改正省令の公布の日からこの省令の施行の日の前日までに独立行政法人住宅金融支援機構がその保有する財産を国庫に納付するために満期保

有目的の債券（満期まで所有する意図をもって保有する債券をいう。）を売却した場合については、この省令第一条の規定による改正前の第十二条第二項の規定を適用する。

附 則〔略〕〔平成二三・五・三〇財務・国土交通省令一〕

附 則〔略〕〔平成二三・八・三〇財務・国土交通省令二施行〕

附 則〔略〕〔平成二六・四・一財務・国土交通省令一〕

附 則〔略〕〔平成二六・一一・二八財務・国土交通省令三〕

附 則〔平成二七・三・三一財務・国土交通省令二〕

（施行期日）

1 この省令は、独立行政法人通則法の一部を改正する法律（以下「改正法」という。）の施行の日（平成二十七年四月一日）から施行する。

（業務実績等報告書に係る経過措置）

2 改正法附則第八条第一項の規定により改正法による改正前の独立行政法人通則法第二十九条第一項の中期目標が改正法による改正後の独立行政法人通則法第二十九条第一項の中期目標とみなされる場合におけるこの省令による改正後の独立行政法人住宅金融支援機構に関する省令（次項において「新省令」という。）第七条第一項の規定の適用については、同項中「当該事業年度における業務の実績（当該項目が通則法」とあるのは「当該事業年度における業務の実績（当該項目が独立行政法人通則法の一部を改正する法律（平成二十六年法律第六十六号）による改正前の通則法（以下「旧通則法」という。）」と、「第二十九条第二項第二号に」とあるのは「第二十九条第二項第三号に」と、「同項第三号から第五号まで」とあるのは「同項第二号、第四号及び第五号」と、「結果（当該項目が通則法」とあるのは「結果（当該項目が旧通則法」と、「期間における業務の実績（当該項目が通則法」とあるのは「期間における業務の実績（当該項目が旧通則法」とする。

（事業報告書の作成に係る経過措置）

3 新省令第十五条の二第三項の規定は、改正法の施行の日以後に開始する事業年度に係る事業報告書から適用する。

附 則〔略〕〔平成二八・八・二九財務・国土交通省令一〕

附 則〔略〕〔平成二九・一〇・二〇財務・国土交通省令一〕

附 則〔略〕〔平成三〇・八・二四財務・国土交通省令一〕

附 則〔平成三一・三・二九財務・国土交通省令一〕

（施行期日）

1 この省令は、公布の日から施行する。

（経過措置）

2 この省令による改正後の独立行政法人住宅金融支援機構に関する省令及び独立行政法人奄美群島振興開発基金に関する省令の規定は、平成三十一年四月一日以後に開始する事業年度に係る財務諸表及び事業報告書について適用し、同日前に開始する事業年度に係る財務諸表及び事業報告書については、なお従前の例による。

附 則〔略〕〔令和元・六・二七財務・国土交通省令二施行〕

附 則〔令和二・七・三〇財務・国土交通省令一〕

（施行期日）

1 この省令中、第十四条の改正規定は公布の日から、第三十七条の改正規定は令和二年十月一日から施行する。

（経過措置）

2 この省令による改正後の第十四条の規定の令和二年四月一日前に開始する事業年度における適用については、なお従前の例による。

附 則〔略〕〔令和四・三・二九財務・国土交通省令一施行〕

附 則〔略〕〔令和四・八・一八財務・国土交通省令二〕

附 則〔略〕〔令和五・一二・八財務・国土交通省令二〕

附 則〔略〕〔令和六・三・二九財務・国土交通省令一施行〕

○住宅融資保険法〔昭和三〇・七・一二 法律六三〕

改正 昭和四二・五法一五、平成元・三法一八、平成四・六法八七、平成一一・一二法一六〇、平成一三・三法二三、六法九四、平成一四・六法七五、一二法一五五、平成一五・六法七五、平成一七・七法八二、法八七、平成一九・六法七四、令和六・六法四三

（目的）

第一条 この法律は、住宅の建設等に必要な資金の融通を円滑にするため、金融機関の住宅の建設等に必要な資金の貸付につき保険を行う制度を確立し、もつて健康で文化的な生活を営むに足りる住宅の建設を促進することを目的とする。

（定義）

第二条 この法律において、次の各号に掲げる用語の意義は、それぞれ当該各号に定めるところによる。

一 住宅 主として人の居住の用に供する家屋をいう。

二 住宅の建設 住宅の新築（住宅以外の家屋の新築で人の居住の用に供する部分に係るものを含む。）、住宅の購入若しくは住宅の移転又は家屋の増築、改築、修繕若しくは模様替で、人の居住の用に供するため若しくは居住性を良好にするために行うものをいう。

三 金融機関 銀行（日本銀行を除く。）、保険会社、無尽会社、株式会社商工組合中央金庫、農林中央金庫、信用金庫、信用金庫連合会、労働金庫、信用協同組合、信用協同組合連合会、農業協同組合法（昭和二十二年法律第百三十二号）第十条第一項第二号及び第三号の事業を併せ行う農業協同組合及び農業協同組合連合会、水産業協同組合法（昭和二十三年法律第二百四十二号）第十一条第一項第三号及び第四号の事業を併せ行う漁業協同組合並びに同法第八十七条第一項第三号及び第四号の事業を併せ行う漁業協同組合連合会並びに資金の融通を業とするその他の法人であつて政令で定めるものをいう。

四 給付 銀行法（昭和五十六年法律第五十九号）第二条第四項の契約に基づく給付及び無尽業法（昭和六年法律第四十二号）第一条の無尽による給付をいう。

（保険契約）

第三条 独立行政法人住宅金融支援機構（以下「機構」という。）は、事業年度又はその半期ごとに、金融機関を相手方として、当該金融機関が貸付け（給付を含む。以下同じ。）を行つたことを機構に通知することにより、貸付金の額（給付の場合は、当該給付に係る契約に基づいて給付後におい

て受け入れるべき掛金の額。以下同じ。）の総額が一定の金額に達するまで、その貸付けにつき、機構と当該金融機関との間に保険関係が成立する旨を定める契約を結ぶことができる。

（保険関係が成立する貸付け）

第四条　前条の保険関係（以下「保険関係」という。）が成立する貸付けは、住宅の建設、住宅の建設に伴い通常必要とされる施設（以下「施設」という。）の建設、住宅若しくは施設の建設に必要な土地若しくは借地権の取得又は住宅若しくは施設の建設に必要な土地の造成のための貸付けでなければならない。

（保険価額、保険事故及び保険金額）

第五条　保険関係においては、貸付金の額を保険価額とし、弁済期（給付の場合は、当該給付に係る契約の期間の満了の時）における債務の不履行による貸付金の回収未済（給付の場合は、掛金の受入未済。以下同じ。）又は民事再生法（平成十一年法律第二百二十五号）第三十三条の規定による再生手続開始の決定、会社更生法（平成十四年法律第百五十四号）第四十一条の規定による更生手続開始の決定若しくは会社法（平成十七年法律第八十六号）第五百十条の規定による特別清算開始の命令のあつた時における貸付金の回収未済を保険事故とし、保険価額に百分の九十（機構が承認した貸付けに係る保険関係（以下「特定保険関係」という。）にあつては、百分の百）を乗じて得た金額を保険金額とする。

2　独立行政法人住宅金融支援機構法（平成十七年法律第八十二号）第十三条第一項第二号に規定する特定貸付債権又は高齢者の居住の安定確保に関する法律（平成十三年法律第二十六号）第二十二条第二項第一号に規定する貸付債権（同項第二号に規定する行為を予定した貸付けに係るものに限る。）に係る貸付けについて成立する保険関係については、前項中「貸付金の額」とあるのは、「貸付金（利息その他の附帯の債権で政令で定めるものを含む。以下同じ。）の額」とする。

（保険金）

第六条　機構が保険関係に基づいて支払うべき保険金の額は、保険価額から金融機関がその支払の請求をする時までに貸付金の回収（給付の場合は、掛金の受入れ）をした額を控除した残額に、百分の九十（特定保険関係に基づいて支払うべきものにあつては、百分の百）を乗じて得た額とする。

第七条　金融機関は、保険事故の発生の日から一年を超えない範囲内で政令で定める期間を経過した後は、保険金の支払の請求をすることができない。

（契約の解除等）

第八条　機構は、金融機関がこの法律の規定又は第三条の契約の条項に違反したときは、保険関係に基づく保険金の全部若しくは一部を支払わず、保険金の全部若しくは一部を返還させ、又は将来にわたつて同条の契約を解除することができる。

附　則〔略〕〔昭和三〇・七・一一法律六三施行〕

附　則〔昭和四二・五・三〇法律一五〕

（施行期日）

1　この法律は、昭和四十二年六月一日から施行する。

（経過規定）

2　この法律の施行前に始まつた保険料期間に係る保険料の額及び当該保険料期間中に発生した保険事故に係る保険金の額については、この法律の施行後も、なお従前の例による。

3　この法律の施行前に保険事故が発生した場合における住宅融資保険法第九条第一項の期間については、この法律の施行後も、なお従前の例による。ただし、その期間の末日が昭和四十二年七月三十一日後であるときは、同日の経過と同時にその期間が満了するものとする。

附　則〔平成元・三・三一法律一八〕

（施行期日）

1　この法律は、平成元年四月一日から施行する。

（罰則に関する経過措置）

2　この法律の施行前にした行為に対する罰則の適用については、なお従前の例による。

附　則〔略〕〔平成四・六・二六法律八七〕

附　則〔略〕〔平成一一・一二・二二法律一六〇〕

附　則〔抄〕〔平成一三・三・三一法律二三〕

（施行期日）

第一条　この法律は、平成十三年四月一日から施行する。

（罰則に関する経過措置）

第二条　この法律の施行前にした行為に対する罰則の適用については、なお従前の例による。

附　則〔抄〕〔平成一三・六・二九法律九四〕

（施行期日）

第一条　この法律は、平成十四年一月一日から施行する。〔以下略〕

（検討）

第三六条　政府は、この法律の施行後五年を目途として、この法律による改正後の規定の実施状況等を勘案し、組合員である農業者の利益の増進を図る観点から、組合の役員に関する制度の在り方、組合の事業運営の在り方等について検討を加え、その結果に基づいて必要な措置を講ずるものとする。

附　則〔略〕〔平成一四・六・一九法律七五〕

附　則〔略〕〔平成一四・一二・一三法律一五五〕

附　則〔略〕〔平成一五・六・一一法律七五〕

附　則〔抄〕〔平成一七・七・六法律八二〕

（施行期日）

第一条　この法律は、平成十九年四月一日から施行する。ただし、〔中略〕附則〔中略〕第二十一条及び第二十二条の規定は、公布の日から施行する。

（住宅融資保険法の一部改正に伴う経過措置）

第一五条　附則第三条第一項の規定により機構が承継する前条の規定による改正前の住宅融資保険法（以下この条において「旧保険法」という。）第三条第一項の規定により公庫が旧保険法第三条第三号に規定する金融機関とその貸付けにつき締結した契約に基づき成立した保険関係については、なお従前の例による。

（罰則に関する経過措置）

第一九条　この法律の施行前にした行為並びに附則第七条第二項の規定により旧公庫法、附則第十七条の規定による改正前の阪神・淡路大震災に対処するための特別の財政援助及び助成に関する法律及び前条の規定による改正前の高齢者の居住の安定確保に関する法律（これらの法律を適用し、又は準用する他の法律を含む。）の規定の例によることとされる場合並びにこの附則の規定によりなお従前の例によることとされる場合におけるこの法律の施行後にした行為に対する罰則の適用については、なお従前の例による。

（政令への委任）

第二一条　この附則に定めるもののほか、機構の設立に伴い必要な経過措置その他この法律の施行に関し必要な経過措置は、政令で定める。

（住宅の建設等に必要な長期資金の調達に係る施策の推進）

第二二条　政府は、機構の設立及び公庫の解散に際し、国民によるその負担能力に応じた住宅の建設等に必要な長期資金の調達に支障が生じないよう必要な施策の推進に努めるものとする。

附　則〔平成一七・七・二六法律八七〕

この法律は、会社法の施行の日〔平成一八・五・一〕から施行する。〔以下略〕

会社法の施行に伴う関係法律の整備等に関する法律〔抄〕〔平成一七・七・二六法律八七〕

（住宅融資保険法の一部改正に伴う経過措置）

第四八二条　施行日前に整理開始の命令があった場合又はこの法律の施行の際現に係属している会社の整理に関する事件について施行日以後に整理開始の命令があった場合における保険関係については、前条の規定による改正後の住宅融資保険法第五条第一項の規定にかかわらず、なお従前の例による。

（罰則に関する経過措置）

第五二七条　施行日前にした行為及びこの法律の規定によりなお従前の例によることとされる場合における施行日以後にした行為に対する罰則の適用については、なお従前の例による。

（政令への委任）

第五二八条　この法律に定めるもののほか、この法律の規定による法律の廃止又は改正に伴い必要な経過措置は、政令で定める。

附　則〔略〕〔平成一九・六・一法律七四〕

附　則〔抄〕〔令和六・六・五法律四三〕

（施行期日）

第一条　この法律〔中略〕は、当該各号に定める日〔公布の日から起算して三月を超えない範囲内において政令で定める日〕から施行する。

○住宅融資保険法施行令

〔昭和三〇・七・一九　政令一三三〕

改正　昭和三九・三政六五、昭和四一・四政一〇九、昭和四五・四政四八、平成一〇・八政二七二、平成一六・六政二〇三、平成一九・二政三二、一一政三二九

（資金の融通を業とする法人）

第一条　住宅融資保険法（以下「法」という。）第二条第三号の政令で定める法人は、貸金業法（昭和五十八年法律第三十二号）第二条第二項に規定する貸金業者である法人とする。

（附帯の債権）

第二条　法第五条第二項の規定により読み替えて適用される同条第一項の政令で定める附帯の債権は、保険金の支払の日（その日が保険事故の発生の日から三月を経過する日より後の日であるときは、当該経過する日）までの貸付金の利息とする。

（保険金の支払の請求期間）

第三条　法第七条の政令で定める期間は、一年とする。

附　則〔略〕〔昭和三〇・七・一九政令一三三施行〕

附　則〔昭和三九・三・三一政令六五〕

1　この政令は、昭和三十九年四月一日から施行する。

2　この政令は、この政令の施行の日以後に支払期日が到来する保険料について適用するものとし、この政令の施行の日前に支払期日が到来した保険料については、なお従前の例による。

附　則〔昭和四一・四・四政令一〇九〕

1　この政令は、公布の日から施行する。

2　この政令は、昭和四十一年四月一日以後に支払期日が到来する保険料について適用するものとし、同日前に支払期日が到来した保険料については、なお従前の例による。

附　則〔抄〕〔昭和四五・四・一政令四八〕

（施行期日）

第一条　この政令は、公布の日から施行する。

（住宅融資保険の保険料の率を定める政令の一部改正に伴う経過措置）

第五条　住宅融資保険の保険料の率を定める政令の規定を適用して算定すべき保険料で施行日前に始まった保険料期間に係るものの額の計算については、なお従前の例による。

附　則〔略〕〔平成一〇・八・七政令二七二施行〕

附　則〔略〕〔平成一六・六・一八政令二〇三施行〕

附　則〔略〕〔平成一九・二・二三政令三二〕

附　則〔抄〕〔平成一九・一一・七政令三二九〕

（施行期日）

第一条　この政令は、貸金業の規制等に関する法律等の一部を改正する法律（以下「改正法」という。）の施行の日（平成十九年十二月十九日。以下「施行日」という。）から施行する。〔以下略〕

○独立行政法人都市再生機構法

〔平成一五・六・二〇
法律一〇〇〕

改正　平成一五・六法一〇一、平成一六・三法一〇、四法三五、六法一〇九、法一二四、法一三〇、平成一七・四法三四、六法七八、七法八七、法八九、一一法一二〇、平成一八・五法四六、一二法一〇九、平成一九・三法一九、法二三、平成二一・六法四五、平成二二・三法二〇、平成二三・四法二四、五法三七、一二法一二二、平成二四・三法二五、平成二五・五法一二、法二〇、六法五五、平成二六・六法六七、法六九、平成二七・五法二〇、六法四八、平成二八・六法七二、平成三〇・六法四〇、七法七二、令和元・一二法六六、令和二・六法六二、令和三・五法三一、令和五・六法五〇、令和六・四法一七、五法四〇

目次

第一章　総則（第一条―第五条）
第二章　役員及び職員（第六条―第十条）
第三章　業務
　第一節　業務の範囲（第十一条）
　第二節　業務の実施方法（第十二条―第十七条の二）
　第三節　特定公共施設工事（第十八条―第二十四条）
　第四節　賃貸住宅の管理等（第二十五条―第三十二条）
第四章　財務及び会計（第三十三条―第三十九条）
第五章　雑則（第四十条―第四十三条）
第六章　罰則（第四十四条）
附則

第一章　総則

（目的）

第一条　この法律は、独立行政法人都市再生機構の名称、目的、業務の範囲等に関する事項を定めることを目的とする。

（名称）

第二条　この法律及び独立行政法人通則法（平成十一年法律第百三号。以下「通則法」という。）の定めるところにより設立される通則法第二条第一項に規定する独立行政法人の名称は、独立行政法人都市再生機構とする。

（機構の目的）

第三条　独立行政法人都市再生機構（以下「機構」という。）は、機能的な都市活動及び豊かな都市生活を営む基盤の整備が社会経済情勢の変化に対応して十分に行われていない大都市及び地域社会の中心となる都市において、市街地の整備改善及び賃貸住宅の供給の支援に関する業務を行うことにより、社会経済情勢の変化に対応した都市機能の高度化及び居住環境の向上を通じてこれらの都市の再生を図るとともに、都市基盤整備公団（以下「都市公団」という。）から承継した賃貸住宅等の管理等に関する業務を行うことにより、良好な居住環境を備えた賃貸住宅の安定的な確保を図り、もって都市の健全な発展と国民生活の安定向上に寄与することを目的とする。

（中期目標管理法人）

第三条の二　機構は、通則法第二条第二項に規定する中期目標管理法人とする。

（事務所）

第四条　機構は、主たる事務所を神奈川県に置く。

（資本金）

第五条　機構の資本金は、附則第三条第六項及び第四条第七項の規定により政府及び地方公共団体から出資があったものとされた金額の合計額とする。

2　機構は、必要があるときは、国土交通大臣の認可を受けて、その資本金を増加することができる。

3　政府及び地方公共団体は、前項の規定により機構がその資本金を増加するときは、機構に出資することができる。

4　政府及び地方公共団体は、機構に出資するときは、土地又は建物その他の土地の定着物（以下「土地等」という。）を出資の目的とすることができる。

5　前項の規定により出資の目的とする土地等の価額は、出資の日現在における時価を基準として評価委員が評価した価額とする。

6　前項の評価委員その他評価に関し必要な事項は、政令で定める。

第二章　役員及び職員

（役員）

第六条　機構に、役員として、その長である理事長及び監事三人を置く。

2　機構に、役員として、副理事長一人及び理事八人以内を置くことができる。

（副理事長及び理事の職務及び権限等）

第七条　副理事長は、理事長の定めるところにより、機構を代表し、理事長を補佐して機構の業務を掌理する。

2　理事は、理事長の定めるところにより、理事長（副理事長が置かれているときは、理事長及び副理事長）を補佐して機構の業務を掌理する。

3　通則法第十九条第二項の個別法で定める役員は、副理事長とする。ただし、副理事長が置かれていない場合であって理事が置かれているときは理事、副理事長及び理事が置かれていないときは監事とする。

4　前項ただし書の場合において、通則法第十九条第二項の規定により理事長の職務を代理し又はその職務を行う監事は、その間、監事の職務を行ってはならない。

（副理事長及び理事の任期）

第八条　副理事長の任期は四年とし、理事の任期は二年とする。

（役員の欠格条項の特例）

第九条　通則法第二十二条に定めるもののほか、次の各号のいずれかに該当する者は、役員となることができない。

一　物品の製造若しくは販売若しくは工事の請負を業とする者であって機構と取引上密接な利害関係を有するもの又はこれらの者が法人であるときはその役員（いかなる名称によるかを問わず、これと同等以上の職権又は支配力を有する者を含む。）

二　前号に掲げる事業者の団体の役員（いかなる名称によるかを問わず、これと同等以上の職権又は支配力を有する者を含む。）

2　機構の役員の解任に関する通則法第二十三条第一項の規定の適用については、同項中「前条」とあるのは、「前条及び独立行政法人都市再生機構法（平成十五年法律第百号）第九条第一項」とする。

（役員及び職員の地位）

第一〇条　機構の役員及び職員は、刑法（明治四十年法律第四十五号）その他の罰則の適用については、法令により公務に従事する職員とみなす。

第三章　業務

第一節　業務の範囲

第一一条　機構は、第三条の目的を達成するため、次の業務を行う。

一　既に市街地を形成している区域において、市街地の整備改善を図るための建築物の敷地の整備（当該敷地の周囲に十分な公共の用に供する施設がない場合において公共の用に供する施設を併せて整備するもの又は当該敷地内の土地の利用が細分されている場合において当該細分された土地を一団の土地として有効かつ適切に利用できるよう整備するものに限る。）又は宅地の造成並びに整備した敷地又は造成した宅地の管理及び譲渡を行うこと。

二　既に市街地を形成している区域において、良好な居住性能及び居住環境を有する利便性の高い中高層の賃貸住宅その他の国の施策上特にその供給を支援すべき賃貸住宅の敷地の整備、管理及び譲渡を行うこと。

三　既に市街地を形成している区域において、市街地再開発事業（都市再開発法（昭和四十四年法律第三十八号）による市街地再開発事業をいう。以下同じ。）、防災街区整備事業（密集市街地における防災街区の整備の促進に関する法律（平成九年法律第四十九号。以下「密集市街地整備法」という。）による防災街区整備事業をいう。以下同じ。）、土地区画整理事業（土地区画整理法（昭和二十九年法律第百十九号）による土地区画

整理事業をいう。以下同じ。）、住宅街区整備事業（大都市地域における住宅及び住宅地の供給の促進に関する特別措置法（昭和五十年法律第六十七号）による住宅街区整備事業をいう。以下同じ。）及び流通業務団地造成事業（流通業務市街地の整備に関する法律（昭和四十一年法律第百十号）による流通業務団地造成事業をいう。）を行うこと。

四　既に市街地を形成している区域において、市街地再開発事業、防災街区整備事業、土地区画整理事業又は住宅街区整備事業に参加組合員（市街地再開発事業にあっては都市再開発法第七十三条第一項第二十一号に規定する特定事業参加者を、防災街区整備事業にあっては密集市街地整備法第二百五条第一項第二十号に規定する特定事業参加者を含む。）として参加すること（第六号の業務を併せて行うものに限る。）。

五　特定建築者（都市再開発法第九十九条の二第二項に規定する特定建築者をいう。以下この号において同じ。）又は防災特定建築者（密集市街地整備法第二百三十五条第二項に規定する特定建築者をいう。以下この号において同じ。）に特定施設建築物（都市再開発法第九十九条の二第三項に規定する特定施設建築物をいう。以下この号において同じ。）又は特定防災施設建築物（密集市街地整備法第二百三十五条第三項に規定する特定防災施設建築物をいう。以下この号において同じ。）の建設を行わせる市街地再開発事業又は防災街区整備事業に、他に特定建築者となろうとする者（都市再開発法第九十九条の三第二項の規定により特定建築者となることができるものに限る。）又は防災特定建築者となろうとする者（密集市街地整備法第二百三十六条第二項の規定により防災特定建築者となることができるものに限る。）がいない場合において、当該市街地再開発事業の特定建築者又は当該防災街区整備事業の防災特定建築者として特定施設建築物又は特定防災施設建築物の建設を行い、並びにそれらの管理、増築又は改築（以下「増改築」という。）及び譲渡を行うこと。

六　既に市街地を形成している区域における市街地の整備改善に必要な調査、調整及び技術の提供を行うこと。

七　既に市街地を形成している区域において、第一号から第三号までの業務の実施と併せて整備されるべき公共の用に供する施設の整備、管理及び譲渡を行うこと。

八　既に市街地を形成している区域において、地方公共団体からの委託に基づき、民間事業者による次に掲げる事業の施行と併せて整備されるべき公共の用に供する施設の整備、管理及び譲渡を行うこと。

イ　市街地再開発事業

ロ　防災街区整備事業

ハ　土地区画整理事業

ニ　住宅街区整備事業

ホ　大都市地域における住宅及び住宅地の供給の促進に関する特別措置法第百一条の八の認定計画に基づく同法第二条第五号に規定する都心共同住宅供給事業

ヘ　都市再開発法第百二十九条の六の認定再開発事業計画に基づく同法第百二十九条の二第一項に規定する再開発事業

ト　都市再生特別措置法（平成十四年法律第二十二号）第二十五条の認定計画に基づく同法第二十条第一項に規定する都市再生事業

チ　その他政令で定める事業

九　第十六条第一項に規定する整備敷地等（以下この号において単に「整備敷地等」という。）について、同項及び同条第二項本文の規定に基づき公募の方法により譲渡し、又は賃貸しようとしたにもかかわらず、同条第一項各号に掲げる条件を備えた応募者がいなかった場合において、次に掲げる住宅又は施設（賃貸住宅の敷地として整備した整備敷地等にあっては、イからハまでに掲げるものに限る。）の建設を行い、並びにそれらの管理、増改築及び譲渡を行うこと。

イ　第二号に規定する賃貸住宅

ロ　イの賃貸住宅の建設と一体として事務所、店舗等の用に供する施設の建設を行うことが適当である場合におけるそれらの用に供する施設

ハ　整備敷地等の利用者の利便に供する施設

ニ　整備敷地等の合理的かつ健全な高度利用と都市機能の高度化を図るため住宅又は事務所、店舗等の用に供する施設を建設する必要がある場合における当該住宅又は施設

十　土地等の取得を要する業務（委託に基づき行うものを除く。）の実施に必要な土地等を提供した者又は当該業務が実施される土地の区域内に居住し、若しくは当該区域内で事業を営んでいた者（以下この号及び第十六条第一項において「土地提供者等」という。）の申出に応じて、当該土地提供者等に譲渡し、又は賃貸するための住宅又は事務所、店舗等の用に供する施設（市街地の土地の合理的かつ健全な高度利用と都市機能の高度化を図るため当該住宅又は施設と一体として住宅又は事務所、店舗等の用に供する施設を建設する必要がある場合における当該住宅又は施設を含む。）の建設を行い、並びにそれらの管理、増改築及び譲渡を行うこと。

十一　地方公共団体からの委託に基づき、根幹的なものとして政令で定める規模以上の都市公園（都市公園法（昭和三十一年法律第七十九号）第二条第一項に規定する都市公園をいう。以下同じ。）の建設、設計及び工事の監督管理を行うこと。

十二　附則第四条第一項の規定により機構が都市公団から承継した賃貸住宅、公共の用に供する施設及び事務所、店舗等の用に供する施設並びに附則第十二条第一項第二号の規定により機構が建設し、及び整備した賃貸住宅、公共の用に供する施設及び事務所、店舗等の用に供する施設の管理、増改築及び譲渡を行うこと。

十三　第九号の業務に係る同号イの賃貸住宅及び前号の賃貸住宅について賃貸住宅の建替え（現に存する賃貸住宅の除却を行うとともに、これらの存していた土地の全部若しくは一部に新たな賃貸住宅の建設（新たに建設する賃貸住宅と一体の賃貸住宅を当該区域内の土地に隣接する土地に新たに建設することを含む。）又はこれらの存していた土地に近接する土地に新たにこれらに代わるべき賃貸住宅の建設（複数の賃貸住宅の機能を集約するために行うものに限る。）を行うことをいう。以下同じ。）を行い、並びにこれにより新たに建設した賃貸住宅の管理、増改築及び譲渡を行うこと。

十四　前二号の業務に係る賃貸住宅の居住者の利便に供する施設の整備、管理及び譲渡を行うこと。

十五　第十三号の業務による賃貸住宅の建替えに併せて、次の業務を行うこと。

イ　当該賃貸住宅の建替えと併せて整備されるべき公共の用に供する施設の整備、管理及び譲渡を行うこと。

ロ　当該賃貸住宅の建替えと併せてこれと一体として事務所、店舗等の用に供する施設の建設を行うことが適当である場合において、それらの用に供する施設の建設を行い、並びにその管理、増改築及び譲渡を行うこと。

ハ　当該賃貸住宅の建替えにより除却すべき賃貸住宅の居住者の申出に応じて、当該居住者に譲渡するための住宅の建設を行い、並びにその管理及び譲渡を行うこと。

十六　災害の発生により緊急に賃貸住宅を建設する必要がある場合において、第十三条第一項に規定する国土交通大臣の求め又は第十四条第三項に規定する地方公共団体の要請に基づき、当該賃貸住宅の建設を行い、並びにその管理、増改築及び譲渡を行うこと。

十七　前各号の業務に附帯する業務を行うこと。

2　機構は、前項の業務のほか、次に掲げる業務を行う。

一　防災のための集団移転促進事業に係る国の財政上の特別措置等に関する法律（昭和四十七年法律第百三十二号）第十二条に規定する業務

二　被災市街地復興特別措置法（平成七年法律第十四号）第二十二条第一項に規定する業務

三　密集市街地整備法第三十条に規定する業務

四　マンションの建替え等の円滑化に関する法律（平成十四年法律第七十八号）第百五条の二に規定する業務

五　地域再生法（平成十七年法律第二十四号）第十七条の六十に規定する業務

六　東日本大震災復興特別区域法（平成二十三年法律第百二十二号）第七十四条に規定する業務

七　福島復興再生特別措置法（平成二十四年法律第二十五号）第三十条及び第四十二条に規定する業務

八　大規模災害からの復興に関する法律（平成二十五年法律第五十五号）第三十七条に規定する業務

九　空家等対策の推進に関する特別措置法（平成二十六年法律第百二十七号）第二十条に規定する業務

十　海外社会資本事業への我が国事業者の参入の促進に関する法律（平成

3　三十年法律第四十号）第六条に規定する業務で、委託に基づき、次の業務を行うことができる。前二項の業務のほか、前二項の業務の遂行に支障のない範囲内
一　建築物の敷地の整備又は宅地の造成及び整備した敷地又は造成した宅地の管理を行うこと。
二　政令で定める住宅の建設（増改築を含む。）及び管理を行うこと。
三　建築物の敷地の整備若しくは宅地の造成又は住宅の建設と併せて整備されるべき公共の用に供する施設の整備を行うこと。
四　次に掲げる施設の建設（増改築を含む。）又は整備及び管理を行うこと。
イ　第一項第一号から第三号までの業務（同項第三号の業務にあっては、市街地再開発事業、防災街区整備事業又は土地区画整理事業の施行に係るものに限る。）の実施と併せて事務所、店舗等の用に供する施設の建設を行うことが必要である場合におけるそれらの用に供する施設
ロ　機構が整備した敷地若しくは造成した宅地（第一号の規定によるものを含む。）の利用者又は機構が建設し若しくは管理する住宅（第二号の規定によるものを含む。）の居住者の利便に供する施設
ハ　機構が行う住宅の建設（第二号の規定によるものを含む。）と一体として事務所、店舗等の用に供する施設の建設を行うことが適当である場合におけるそれらの用に供する施設
五　市街地の整備改善、賃貸住宅の供給、管理及び増改築並びに都市公園の整備のために必要な調査、調整及び技術の提供を行うこと。

第二節　業務の実施方法

（民間事業者との協力等）

第一二条　機構は、前条に規定する業務の実施に当たっては、それぞれの都市の実情に応じて、できる限り民間の資金、経営能力及び技術的能力を活用し、民間事業者との協力及び役割分担が適切に図られるよう努めなければならない。

2　機構は、前条第一項第二号の業務の実施に当たっては、当該業務の実施により整備した敷地における民間事業者の賃貸住宅の建設の見通しを十分勘案して行わなければならない。

（国土交通大臣の要求）

第一三条　国土交通大臣は、国の利害に重大な関係があり、かつ、災害の発生その他特別の事情により緊急の実施を要すると認めるときは、機構に対し、第十一条第一項第一号から第三号まで、第十三号又は第十六号の業務（これらに附帯する業務を含む。）に関し、当該業務に関する計画を示して、その実施を求めることができる。

2　国土交通大臣は、前項の規定による求めをしようとするときは、あらかじめ、当該業務に関する計画について関係地方公共団体の意見を聴き、その意見を尊重しなければならない。

3　機構は、国土交通大臣から第一項の規定による求めがあったときは、正当な理由がない限り、その求めに応じなければならない。

（関係地方公共団体からの要請等）

第一四条　機構は、第十一条第一項第三号の業務で都市再開発法第二条の二第五項第一号若しくは土地区画整理法第三条の二第一項の規定により実施するもの又は防災街区整備事業（国の施策上特に供給が必要な賃貸住宅の建設と併せて行うものを除く。）に係るもの（これらに附帯する業務を含み、前条第一項の規定による国土交通大臣の求めに基づき実施するものを除く。以下この条において「特定再開発等業務」という。）については、関係地方公共団体からの当該業務に関する計画を示した要請に基づき行うものとする。ただし、都市再生特別措置法第二条第三項に規定する都市再生緊急整備地域（以下この条において「都市再生緊急整備地域」という。）において同法第十五条第一項に規定する地域整備方針（以下この条において「地域整備方針」という。）に即して行う特定再開発等業務にあっては、この限りでない。

2　地方公共団体は、必要があると認めるときは、機構に対し、都市再生緊急整備地域において地域整備方針に即して行うべき特定再開発等業務に関し、当該業務に関する計画を示して、その実施を要請することができる。

3　地方公共団体は、災害の発生により緊急に賃貸住宅を建設する必要があるときは、機構に対し、第十一条第一項第十六号に掲げる業務（これに附帯する業務を含む。）に関し、当該業務に関する計画を示して、その実施を要請することができる。

4　前三項の要請に関し必要な事項は、政令で定める。

5　機構は、都市再生緊急整備地域において地域整備方針に即して特定再開発等業務を実施しようとするときは、第二項の規定による地方公共団体の要請があり、かつ、当該要請に基づき行うものを除き、あらかじめ、当該業務に関する計画について関係地方公共団体の意見を聴かなければならない。この場合において、関係地方公共団体の意見があるときは、これを尊重しなければならない。

6　機構は、賃貸住宅の建設（賃貸住宅の建替えを含む。）に係る業務を実施しようとするときは、第三項の規定による地方公共団体の要請があり、かつ、当該要請に基づき行うものを除き、あらかじめ、当該業務に関する計画について関係地方公共団体の意見を聴かなければならない。

7　機構は、賃貸住宅の管理に関する業務の運営については、公営住宅（公営住宅法（昭和二十六年法律第百九十三号）第二条第二号に規定する公営住宅をいう。以下同じ。）の事業主体（同条第十六号に規定する事業主体をいう。以下同じ。）である関係地方公共団体と密接に連絡するものとする。

（都市計画の決定等の提案の特例）

第一五条　次の各号に掲げる業務の実施に関し、当該各号に定める都市計画の決定又は変更をする必要がある場合における都市計画法（昭和四十三年法律第百号）第二十一条の二第二項及び第四項の規定の適用については、同条第二項中「前項に規定する土地の区域」とあるのは「前項に規定する土地の区域（独立行政法人都市再生機構にあっては、都市計画区域又は準都市計画区域のうち独立行政法人都市再生機構法第十五条各号に掲げる業務の実施に必要となる土地の区域）」と、同条第四項中「次に掲げるところにより」とあるのは「次の各号（独立行政法人都市再生機構法第十五条の規定により読み替えて適用される第二項の規定による独立行政法人都市再生機構の提案にあっては、第一号）に掲げるところにより」とする。

一　第十三条第一項の規定による国土交通大臣の求め又は前条第一項から第三項までの規定による地方公共団体の要請に基づき行う第十一条第一項第一号から第三号まで、第十三号又は第十六号の業務　当該業務の実施に必要な市街地再開発事業に関する都市計画その他の政令で定める都市計画

二　第十八条第一項に規定する特定公共施設工事に関する業務（同項に規定する特定公共施設の管理者の同意を得たものに限る。）　同項に規定する特定公共施設に係る都市施設に関する都市計画

（整備敷地等の譲渡又は賃貸の方法）

第一六条　機構は、建築物の敷地の整備又は宅地の造成に係る業務（土地区画整理事業の施行に伴うものを含み、委託に基づくものを除く。）の実施により整備した敷地又は造成した宅地（以下「整備敷地等」という。）については、当該整備敷地等の譲渡の対価又は地代に関する事項、当該整備敷地等において建設すべき建築物（賃貸住宅の敷地として整備した整備敷地等にあっては、当該整備敷地等に建設すべき賃貸住宅。以下この条において同じ。）に関する事項その他国土交通省令で定める事項に関する計画（以下この条において「譲渡等計画」という。）を定め、次に掲げる条件を備えた者に譲渡し、又は賃貸しなければならない。ただし、機構がその事務若しくは事業（第十一条第一項第九号に規定する住宅又は施設の建設に係るものを除く。）の用に供するため必要がある場合又は土地提供者等、自己の居住の用に供する宅地を必要とする者その他国土交通省令で定める者に譲渡し、若しくは賃貸する場合は、この限りでない。

一　譲渡等計画に定められた建設すべき建築物に関する事項に適合する建築物を建設しようとする者であること。

二　前号に規定する建築物の建設に必要な経済的基礎及びこれを的確に遂行するために必要なその他の能力が十分な者であること。

三　整備敷地等の譲渡の対価又は地代の支払能力がある者であること。

2　機構は、前項本文の規定により整備敷地等を譲渡し、又は賃貸しようとするときは、国土交通省令で定めるところにより、公募し、その応募者のうちから公正な方法で選考しなければならない。ただし、いったん公募したにもかかわらず、同項各号に掲げる条件を備えた応募者がいなかった場合においては、次条第一項の規定による投資を受けて同項第三号に掲げる業務を行う事業を営む者に、当該整備敷地等を譲渡し、又は賃貸することができる。

3　機構は、第一項本文の規定により整備敷地等を譲渡し、又は賃貸するときは、当該整備敷地等の土地の区域について、都市計画法第二十一条の二（前条の規定により読み替えて適用する場合を含む。）の規定による都市計画の決定又は変更の提案その他譲渡等計画に定められた建設すべき建築物

に関する事項に適合した建築物の建設の促進を図るため必要な措置を講ずるよう努めなければならない。

（投資）

第一七条　機構は、業務運営の効率化、提供するサービスの質の向上等を図るため特に必要がある場合においては、国土交通大臣の認可を受けて、次に掲げる業務を行う事業に投資（融資を含む。以下同じ。）をすることができる。

一　第十一条第一項第三号から第五号まで、第九号ロ若しくは二又は第十号の業務（同項第三号又は第四号の業務にあっては、市街地再開発事業、防災街区整備事業又は土地区画整理事業に係るものに限る。）の実施により機構が建設した事務所、店舗等の用に供する施設の管理に関する業務

二　機構が管理する建築物の敷地若しくは宅地又は賃貸住宅に係る環境の維持又は改善に関する業務

三　整備敷地等の合理的かつ健全な高度利用と都市機能の高度化を図るための建築物で政令で定めるものの建設又は管理に関する業務

2　前項第三号に掲げる業務を行う事業に対する投資は、当該整備敷地等について、前条第一項及び第二項本文の規定に基づき公募の方法により譲渡し、又は賃貸しようとしたにもかかわらず、同条第一項各号に掲げる条件を備えた応募者がいなかった場合に限り、することができるものとする。

第一七条の二　機構は、民間の資金、経営能力及び技術的能力の活用を図るため特に必要がある場合においては、国土交通大臣の認可を受けて、民間事業者と共同して、市街地の土地の合理的かつ健全な高度利用と都市機能の高度化を図るための建築物の建設及び管理並びにその敷地の整備又はその用に供する宅地の造成に関する事業に投資をすることができる。

2　前項の規定による投資は、次に掲げる要件に該当する場合に限り、することができるものとする。

一　機構と共同して前項に規定する事業（以下この項において「投資対象事業」という。）に投資をしようとする民間事業者からの要請があること。

二　投資対象事業が行われる土地の区域に、機構が第十一条第一項第一号の業務を行うことを目的として取得した土地（現に機構が所有しているものに限る。）が含まれること。

三　機構が投資対象事業について第十一条第一項第六号の業務を行うこと。

四　投資対象事業を営む者が、専ら当該投資対象事業の実施を目的とする株式会社、合同会社又は特定目的会社（資産の流動化に関する法律（平成十年法律第百五号）第二条第三項に規定する特定目的会社をいう。第三十七条第二号及び附則第十二条第十項において同じ。）であること。

第三節　特定公共施設工事

（特定公共施設工事の施行）

第一八条　機構は、第十一条第一項第七号の業務を行う場合において、その業務が建築物の敷地の整備又は宅地の造成（市街地再開発事業、防災街区整備事業又は土地区画整理事業の施行に伴うものを含み、その種類に応じて国土交通省令で定める規模以上のものに限る。）と併せて整備されるべき次の各号に掲げる公共の用に供する施設（以下「特定公共施設」という。）に係る当該各号に定める工事（以下「特定公共施設工事」という。）であるときは、当該特定公共施設の管理者（管理者となるべき者を含む。以下この節において同じ。）の同意を得て、その管理者に代わって当該特定公共施設工事を施行することができる。

一　道路法（昭和二十七年法律第百八十号）の道路（高速自動車国道及び一般国道を除く。）　同法による当該道路の新設又は改築に関する工事

二　都市公園法の都市公園（同法第二条第一項第一号に該当するものに限る。）　同法による当該都市公園の新設又は改築に関する工事

三　下水道法（昭和三十三年法律第七十九号）の公共下水道又は都市下水路　同法による当該公共下水道又は都市下水路の設置又は改築に関する工事

四　河川法（昭和三十九年法律第百六十七号）の一級河川（指定区間内のものを除く。）以外の河川（同法第百条第一項に規定する準用河川（第二十一条において単に「準用河川」という。）を含む。）　同法による河川工事

2　機構は、前項の規定により特定公共施設工事を施行する場合には、政令で定めるところにより、特定公共施設の管理者に代わってその権限の一部を行うものとする。

3　特定公共施設（河川を除く。）の管理者が第一項の同意をしようとするときは、あらかじめ、当該管理者である地方公共団体の議会の議決を経なければならない。

4　機構は、第一項の規定により特定公共施設工事を行おうとするときは、あらかじめ、国土交通省令で定めるところにより、その旨を公告しなければならない。

5　機構は、第一項の規定による特定公共施設工事の全部又は一部を完了したときは、遅滞なく、国土交通省令で定めるところにより、その旨を公告しなければならない。

（機構の意見の聴取）

第一九条　特定公共施設の管理者は、前条第一項の同意をした特定公共施設について次の行為を行おうとする場合には、あらかじめ、機構の意見を聴かなければならない。

一　道路法第十条の路線の廃止又は変更

二　道路法第十八条第一項の道路の区域の変更

三　都市公園法第三十条の都市公園の区域の変更又は廃止

四　下水道法第四条第六項の公共下水道の事業計画の変更

五　下水道法第二十七条第一項の公示事項の変更

六　河川法第五条第六項（同法第百条において準用する場合を含む。）の指定の変更又は廃止

（特定公共施設工事の廃止等）

第二〇条　機構は、特定公共施設の管理者の同意を得た場合でなければ、特定公共施設工事を廃止してはならない。

2　第十八条第五項の規定は、機構が特定公共施設工事を廃止した場合について準用する。

3　機構が特定公共施設工事を廃止したときは、当該特定公共施設工事に要した費用の負担については、機構と特定公共施設の管理者が協議して定めるものとする。

4　前項の協議が成立しないときは、機構又は当該特定公共施設の管理者の申請に基づき、国土交通大臣が裁定する。

5　前項の規定により国土交通大臣が裁定をした場合においては、第三項の規定の適用については、機構と当該特定公共施設の管理者との協議が成立したものとみなす。

（特定公共施設及びその用に供する土地の権利の帰属）

第二一条　第十八条第五項の規定による特定公共施設工事の完了の公告のあった特定公共施設及びその用に供する土地について機構が取得した権利は、その公告の日の翌日において当該特定公共施設の管理者（当該特定公共施設が河川（準用河川を除く。）である場合には、国）に帰属するものとする。

（費用の負担又は補助）

第二二条　機構が第十八条の規定により特定公共施設工事を施行する場合には、その施行に要する費用の負担及びその費用に関する国の補助については、特定公共施設の管理者が自ら当該特定公共施設工事を施行するものとみなす。

2　前項の規定により国が当該特定公共施設の管理者（管理者が地方公共団体の長である場合には、その長の統轄する地方公共団体。第四項において同じ。）に対し交付すべき負担金又は補助金は、機構に交付するものとする。

3　前項の場合には、機構は、補助金等に係る予算の執行の適正化に関する法律（昭和三十年法律第百七十九号）の規定の適用については、同法第二条第三項に規定する補助事業者等とみなす。

4　第一項の特定公共施設の管理者は、同項の費用の額から第二項の負担金又は補助金の額を控除した額を機構に支払わなければならない。

5　第一項の費用の範囲、前項の規定による支払の方法その他同項の費用に関し必要な事項は、政令で定める。

（審査請求）

第二三条　機構が第十八条第二項の規定により特定公共施設の管理者に代わってする処分又はその不作為に不服がある者は、国土交通大臣に対して審査請求をすることができる。ただし、他の法令により審査請求ができないこととされているものについては、この限りでない。

2　前項の場合において、国土交通大臣は、行政不服審査法（平成二十六年法律第六十八号）第二十五条第二項及び第三項、第四十六条第一項及び第二項、第四十七条並びに第四十九条第三項の規定の適用については、機構

の上級行政庁とみなす。

（道路法等の適用）

第二四条　第十八条第二項の規定により特定公共施設の管理者に代わってその権限を行う機構は、道路法第八章、都市公園法第六章、下水道法第五章及び河川法第七章の規定の適用については、当該特定公共施設の管理者とみなす。

第四節　賃貸住宅の管理等

（家賃の決定）

第二五条　機構は、賃貸住宅（公営住宅の事業主体その他の住宅を賃貸する事業を行う者に譲渡し、又は賃貸するものを除く。以下この条において同じ。）に新たに入居する者の家賃の額については、近傍同種の住宅の家賃の額と均衡を失しないよう定めなければならない。

2　機構は、賃貸住宅の家賃の額を変更しようとする場合においては、近傍同種の住宅の家賃の額、変更前の家賃の額、経済事情の変動等を総合的に勘案して定めなければならない。この場合において、変更後の家賃の額は、近傍同種の住宅の家賃の額を上回らないように定めなければならない。

3　前二項の近傍同種の住宅の家賃の算定方法は、国土交通省令で定める。

4　機構は、第一項又は第二項の規定にかかわらず、居住者が高齢者、身体障害者その他の特に居住の安定を図る必要がある者でこれらの規定による家賃を支払うことが困難であると認められるものである場合又は賃貸住宅に災害その他の特別の事由が生じた場合においては、家賃を減免することができる。

（賃貸住宅の建替えの実施等）

第二六条　機構は、次に掲げる要件に該当する場合には、賃貸住宅の建替えをすることができる。

一　除却する賃貸住宅の大部分が政令で定める耐用年限の二分の一を経過していること又はその大部分につき賃貸住宅としての機能が災害その他の理由により相当程度低下していること。

二　第十一条第一項第二号に規定する賃貸住宅を新たに建設する必要があること又は賃貸住宅の需要及び供給の現況及び将来の見通しを勘案して当該地域に良好な居住性能及び居住環境を有する賃貸住宅を十分確保する必要があること。

2　機構は、賃貸住宅の建替えに関する計画について第十四条第六項の規定による意見聴取に基づき関係地方公共団体から申出があった場合においては、公営住宅又は社会福祉施設（社会福祉法（昭和二十六年法律第四十五号）第六十二条第一項に規定する社会福祉施設をいう。）その他の居住者の共同の福祉のため必要な施設の整備を促進するため、賃貸住宅の建替えに併せて、当該賃貸住宅の建替えに支障のない範囲内で、土地の譲渡その他の必要な措置を講じなければならない。

（仮住居の提供）

第二七条　機構は、賃貸住宅の建替えにより除却すべき賃貸住宅の居住者で当該賃貸住宅の建替えに伴いその明渡しをするもの（以下「従前居住者」という。）に対して、必要な仮住居を提供しなければならない。

（新たに建設される賃貸住宅への入居）

第二八条　機構は、従前居住者であって、三十日を下らない範囲内で当該従前居住者ごとに機構の定める期間内に当該賃貸住宅の建替えにより新たに建設される賃貸住宅への入居を希望する旨を申し出たものを、当該賃貸住宅に入居させなければならない。

2　機構は、前項の期間を定めたときは、当該従前居住者に対して、これを通知しなければならない。

3　機構は、第一項の規定による申出をした者に対して、相当の猶予期間を置いてその者が新たに建設された賃貸住宅に入居すべき期間を定め、その期間内に当該賃貸住宅に入居すべき旨を通知しなければならない。

4　機構は、正当な理由がないのに前項の通知に係る入居すべき期間内に当該賃貸住宅に入居しなかった者については、第一項の規定にかかわらず、当該賃貸住宅に入居させないことができる。

（公営住宅への入居）

第二九条　機構は、賃貸住宅の建替えに併せて公営住宅が整備される場合において、従前居住者で公営住宅法第二十三条各号に掲げる条件を具備する者が当該公営住宅への入居を希望したときは、その入居を容易にするように特別の配慮をしなければならない。

2　前項の場合において、当該公営住宅の事業主体は、機構が行う措置に協力するよう努めなければならない。

（説明会の開催等）

第三〇条　機構は、賃貸住宅の建替えに関し、説明会を開催する等の措置を講ずることにより、当該賃貸住宅の建替えにより除却すべき賃貸住宅の居住者の協力が得られるように努めなければならない。

（移転料の支払）

第三一条　機構は、従前居住者が賃貸住宅の建替えに伴い住居を移転した場合においては、当該従前居住者に対して、通常必要な移転料を支払わなければならない。

（建替えに係る家賃の特例）

第三二条　機構は、従前居住者を、賃貸住宅の建替えにより新たに建設した賃貸住宅又は機構が管理する他の賃貸住宅に入居させる場合において、新たに入居する賃貸住宅の家賃が従前の賃貸住宅の最終の家賃を超えることとなり、当該入居者の居住の安定を図るため必要があると認めるときは、第二十五条第一項又は第二項の規定にかかわらず、当該入居者の家賃を減額することができる。

第四章　財務及び会計

（利益及び損失の処理の特例等）

第三三条　機構における通則法第四十四条第一項ただし書の規定の適用については、同項ただし書中「第三項の規定により同項の使途に充てる場合」とあるのは、「政令で定めるところにより計算した額を国庫及び機構に出資した地方公共団体に納付する場合又は第三項の規定により同項の使途に充てる場合」とする。

2　機構は、通則法第二十九条第二項第一号に規定する中期目標の期間（以下「中期目標の期間」という。）の最後の事業年度に係る前項の規定により読み替えられた通則法第四十四条第一項又は第二項の規定による整理を行った後、同条第一項の規定による積立金があるときは、その額に相当する金額のうち国土交通大臣の承認を受けた金額を、当該中期目標の期間の次の中期目標の期間に係る通則法第三十条第一項の認可を受けた中期計画（同項後段の規定による変更の認可を受けたときは、その変更後のもの）の定めるところにより、当該次の中期目標の期間における第十一条に規定する業務の財源に充てることができる。

3　機構は、前項に規定する積立金の額に相当する金額から同項の規定による承認を受けた金額を控除してなお残余があるときは、その残余の額を国庫及び機構に出資した地方公共団体に納付しなければならない。

4　前三項に定めるもののほか、納付金の納付の手続その他積立金の処分に関し必要な事項は、政令で定める。

（長期借入金及び都市再生債券）

第三四条　機構は、第十一条第一項（第十一号を除く。）に規定する業務に必要な費用に充てるため、国土交通大臣の認可を受けて、長期借入金をし、又は都市再生債券（以下この章において「債券」という。）を発行することができる。

2　前項の規定による債券（当該債券に係る債権が第三十六条の規定に基づく信託に係る金銭債権により担保されているものを除く。）の債権者は、機構の財産について他の債権者に先立って自己の債権の弁済を受ける権利を有する。

3　前項の先取特権の順位は、民法（明治二十九年法律第八十九号）の規定による一般の先取特権に次ぐものとする。

4　機構は、国土交通大臣の認可を受けて、債券の発行に関する事務の全部又は一部を銀行又は信託会社に委託することができる。

5　会社法（平成十七年法律第八十六号）第七百五条第一項及び第二項並びに第七百九条の規定は、前項の規定により委託を受けた銀行又は信託会社について準用する。

6　前各項に定めるもののほか、債券に関し必要な事項は、政令で定める。

（債務保証）

第三五条　政府は、法人に対する政府の財政援助の制限に関する法律（昭和二十一年法律第二十四号）第三条の規定にかかわらず、国会の議決を経た金額の範囲内において、機構の長期借入金又は債券に係る債務（国際復興開発銀行等からの外資の受入に関する特別措置に関する法律（昭和二十八年法律第五十一号）第二条の規定に基づき政府が保証契約をすることができきる債務を除く。）について保証することができる。

（債券の担保のための金銭債権の信託）

第三六条　機構は、国土交通大臣の認可を受けて、債券に係る債務（前条の規定により政府が保証するものを除く。）の担保に供するため、その金銭債権の一部について、信託法（平成十八年法律第百八号）第三条第一号に掲げる方法（信託会社又は金融機関の信託業務の兼営等に関する法律（昭和十八年法律第四十三号）第一条第一項の認可を受けた金融機関との間で同号に規定する信託契約を締結するものに限る。第三十八条において同じ。）又は信託法第三条第三号に掲げる方法による信託（次条第一号及び第三十八条において「特定信託」と総称する。）をすることができる。

（金銭債権の信託の受益権の譲渡等）

第三七条　機構は、国土交通大臣の認可を受けて、第十一条第一項（第十一号を除く。）に規定する業務に必要な費用に充てるため、その金銭債権について、次に掲げる行為をすることができる。

一　特定信託をし、当該特定信託の受益権を譲渡すること。

二　特定目的会社に譲渡すること。

三　前二号に掲げる行為に附帯する行為をすること。

（信託の受託者からの業務の受託等）

第三八条　機構は、前二条の規定によりその金銭債権について特定信託（信託法第三条第一号に掲げる方法によるものに限る。）をし、又は譲渡するときは、当該特定信託の受託者又は当該金銭債権の譲受人から当該金銭債権の回収に関する業務及びこれに附帯する業務の全部を受託しなければならない。

（償還計画）

第三九条　機構は、毎事業年度、長期借入金及び債券の償還計画を立てて、国土交通大臣の認可を受けなければならない。

第五章　雑則

（協議）

第四〇条　国土交通大臣は、次の場合には、財務大臣に協議しなければならない。

一　第五条第二項、第十七条第一項、第十七条の二第一項、第三十四条第一項若しくは第四項、第三十六条、第三十七条又は前条の認可をしようとするとき。

二　第三十三条第二項の承認をしようとするとき。

2　国土交通大臣は、第二十条第四項の規定による裁定をしようとするときは、あらかじめ、総務大臣と協議しなければならない。

（主務大臣等）

第四一条　機構に係る通則法における主務大臣及び主務省令は、それぞれ国土交通大臣及び国土交通省令とする。

（他の法令の準用）

第四二条　不動産登記法（平成十六年法律第百二十三号）及び政令で定めるその他の法令については、政令で定めるところにより、機構を国の行政機関とみなして、これらの法令を準用する。

（国家公務員宿舎法の適用除外）

第四三条　国家公務員宿舎法（昭和二十四年法律第百十七号）の規定は、機構の役員及び職員には適用しない。

第六章　罰則

第四四条　次の各号のいずれかに該当する場合には、その違反行為をした機構の役員は、二十万円以下の過料に処する。

一　この法律の規定により国土交通大臣の認可又は承認を受けなければならない場合において、その認可又は承認を受けなかったとき。

二　第十一条に規定する業務以外の業務を行ったとき。

附　則〔抄〕

（施行期日）

第一条　この法律は、平成十六年七月一日から施行する。ただし、第三十八条並びに附則第三条、第四条及び第二十四条の規定は、公布の日から施行する。

（機構の設立）

第二条　機構は、通則法第十七条の規定にかかわらず、この法律の施行の時に成立する。

2　機構は、通則法第十六条の規定にかかわらず、機構の成立後遅滞なく、政令で定めるところにより、その設立の登記をしなければならない。

（地域公団の権利及び義務の承継等）

第三条　機構の成立の時において現に地域振興整備公団（以下「地域公団」という。）が有する権利及び義務であって次に掲げる業務（以下「旧地方都市開発整備等業務」という。）に係るものは、次項の規定により国が承継する資産を除き、権利及び義務の承継に関し必要な事項を定めた承継計画書において定めるところに従い、その時において機構が承継する。

一　附則第十六条の規定による改正前の地域振興整備公団法（昭和三十七年法律第九十五号。以下「旧地域公団法」という。）第二十四条の二に規定する地方都市開発整備等業務（旧地域公団法第十九条第一項第一号ハに掲げる業務のうち同項第三号の規定による工場用地の造成と併せて行われるものを除く。）

二　次に掲げる業務（前号に掲げるものを除く。）

イ　附則第六十条の規定による改正前の地方拠点都市地域の整備及び産業業務施設の再配置の促進に関する法律（平成四年法律第七十六号）第四十二条の規定により読み替えて適用される旧地域公団法第二十四条の二に規定する地方都市開発整備等業務

ロ　附則第六十四条の規定による改正前の中心市街地における市街地の整備改善及び商業等の活性化の一体的推進に関する法律（平成十年法律第九十二号）第九条の規定により読み替えて適用される旧地域公団法第二十四条の二に規定する地方都市開発整備等業務

2　機構の成立の際現に地域公団が有する旧地方都市開発整備等業務に係る権利のうち、機構がその業務を確実に実施するために必要な資産以外の資産は、機構の成立の時において国が承継する。

3　前項の規定により国が承継する資産の範囲その他当該資産の国への承継に関し必要な事項は、政令で定める。

4　機構の成立の時において現に地域公団が発行している債券に係る債務のうち第一項の規定により機構が承継するものの範囲は、国土交通大臣が経済産業大臣と協議して定める。

5　第一項の承継計画書は、地域公団が、政令で定める基準に従って作成し、国土交通大臣の認可を受けたものでなければならない。

6　第一項の規定により機構が地域公団の権利及び義務を承継したときは、その承継の際、旧地方都市開発整備等出資金額（政府から地域公団に対し出資されている出資金に相当する金額のうち、旧地方都市開発整備等業務に充てるべきものとして出資されたものとみなすものとして国土交通大臣が財務大臣と協議して定める金額をいう。以下この項において同じ。）は、政府から機構に対し公的資金による住宅及び宅地の供給体制の整備のための公営住宅法等の一部を改正する法律（平成十七年法律第七十八号）第三条の規定による改正前の附則第十三条第二項に規定するその他の業務（以下この項及び次条において「都市基盤整備業務」という。）に充てるべきものとして出資されたものとし、機構が承継する旧地方都市開発整備等業務に係る資産の価額から当該旧地方都市開発整備等業務に係る負債の金額及び旧地方都市開発整備等出資金額の合計額を差し引いた額は、都市基盤整備業務に係る勘定に属する積立金又は繰越欠損金として整理するものとする。

7　前項の資産の価額は、機構の成立の日現在における時価を基準として評価委員が評価した価額とする。

8　前項の評価委員その他評価に関し必要な事項は、政令で定める。

9　地域公団は、第一項の規定により機構が地域公団の権利及び義務を承継した時に、旧地方都市開発整備等業務に必要な資金に充てるため政府から地域公団に対して出資された額として国土交通大臣が定める金額によりその資本金を減少するものとする。

10　国土交通大臣は、第五項の認可をしようとするとき、又は前項の額を定めようとするときは、経済産業大臣に協議しなければならない。

11　地域公団の平成十六年四月一日に始まる事業年度の旧地方都市開発整備等業務に係る決算並びに財産目録、貸借対照表及び損益計算書の作成等については、機構が従前の例により行うものとする。

（都市公団の解散並びに権利及び義務の承継等）

第四条　都市公団は、機構の成立の時において解散するものとし、その一切の権利及び義務は、次項の規定により国が承継する資産を除き、その時において機構が承継する。

2　機構の成立の際現に都市公団が有する権利のうち、機構がその業務を確実に実施するために必要な資産以外の資産は、機構の成立の時において国が承継する。
3　前項の規定により国が承継する資産の範囲その他当該資産の国への承継に関し必要な事項は、政令で定める。
4　都市公団の平成十六年四月一日に始まる事業年度は、都市公団の解散の日の前日に終わるものとする。
5　都市公団の平成十六年四月一日に始まる事業年度に係る決算並びに財産目録、貸借対照表及び損益計算書の作成等については、機構が従前の例により行うものとする。この場合において、当該決算完結の期限は、解散の日の翌日から起算して四月を経過した日とする。
6　前項の場合においては、附則第十八条の規定による廃止前の都市基盤整備公団法（平成十一年法律第七十六号。以下「旧都市公団法」という。）第九条第一項の規定は、適用しない。
7　第一項の規定により機構が都市公団の権利及び義務を承継したときは、その承継の際、政府及び地方公共団体から都市公団に出資されている出資金に相当する金額のうち次の表の上欄に掲げる業務に充てるべきものとして出資されたもの（政府からの出資に係るものにあっては、国土交通大臣が財務大臣と協議して定める金額に限る。）は、それぞれ、政府及び当該地方公共団体から機構に対し同表の下欄に掲げる業務に充てるべきものとして出資されたものとし、機構が承継する同表の上欄に掲げる業務に係る資産の価額から当該業務に係る負債の金額及び同表の下欄に掲げる業務に充てるべきものとして出資されたものとした金額の合計額を差し引いた額は、それぞれ、同欄に掲げる業務に係る勘定に属する積立金又は繰越欠損金として整理するものとする。

都市公団の業務	機構の業務
旧都市公団法附則第十一条第二項に規定するその他の業務	都市基盤整備業務
旧都市公団法附則第十一条第一項に規定する鉄道業務	公的資金による住宅及び宅地の供給体制の整備のための公営住宅法等の一部を改正する法律第三条の規定による改正前の附則第十三条第一項に規定する鉄道業務

8　前条第七項及び第八項の規定は、前項に規定する資産の価額について準用する。
9　都市公団が解散した場合は、旧都市公団法第六十三条第二項の規定にかかわらず、残余財産の分配は、行わない。
10　第一項の規定により都市公団が解散した場合における解散の登記については、政令で定める。

（借入金及び都市基盤整備債券等の利息等に係る交付金）
第五条　政府は、平成十六年度から平成二十一年度までの間において、機構に対して、都市公団が平成十四年度末までに借り入れた借入金（旧都市公団法附則第六条第一項の規定により都市公団が住宅・都市整備公団から承継した借入金を含む。以下この項において同じ。）及び発行した都市基盤整備債券等（旧都市公団法第五十五条第一項の都市基盤整備債券、同条第二項の都市基盤整備公団宅地債券及び旧都市公団法附則第十三条第一項の特別住宅債券並びに旧都市公団法附則第六条第一項の規定により都市公団が住宅・都市整備公団から承継した旧都市公団法附則第十七条による廃止前の住宅・都市整備公団法（昭和五十六年法律第四十八号。以下「旧住宅・都市整備公団法」という。）第五十五条第一項の住宅・都市整備債券及び同条第二項の特別住宅債券をいう。以下この項において同じ。）の利息並びに発行した都市基盤整備債券等に係る債務発行費及び債券発行差金償却（以下この項において「利息等」という。）で平成十三年度及び平成十四年度に支払ったもの又は償却したもの（平成十三年度に管理を開始した賃貸住宅の建設のために借り入れた借入金及び発行した都市基盤整備債券等の利息等で平成十二年度以前に支払ったもの又は償却したものを含む。）に相当する金額のうち、政府が負担することが適当であるものとして政令で定める金額を交付するものとする。
2　前項の政令を定める場合においては、国の財政状況を勘案しつつ、将来にわたる機構の業務運営の安定が損なわれることのないよう配慮しなければならない。

（権利及び義務の承継に伴う経過措置）
第六条　附則第三条第一項の規定により機構が地域公団の義務を承継したときは、当該承継の時において発行されているすべての旧地域公団法第二十六条第一項の地域振興整備債券に係る債務については、機構及び独立行政法人中小企業基盤整備機構が連帯して弁済の責めに任ずる。ただし、国が保有している当該地域振興整備債券に係る債務について、国が弁済の請求をする場合にあっては、この限りでない。
2　地域振興整備債券の債権者は、機構又は独立行政法人中小企業基盤整備機構の財産について他の債権者に先立って自己の債権の弁済を受ける権利を有する。
3　前項の先取特権の順位は、民法の規定による一般の先取特権に次ぐものとする。
第七条　附則第三条第一項又は第四条第一項の規定により機構が承継する次の各号に掲げる長期借入金又は債券に係る債務について政府がした当該各号に定める保証契約は、その承継後においても、当該長期借入金又は債券に係る債務について従前の条件により存続するものとする。
一　旧地域公団法第二十六条第一項の長期借入金及び地域振興整備債券　旧地域公団法第二十六条の二の規定による保証契約
二　旧都市公団法第五十五条第一項の長期借入金及び都市基盤整備債券　旧都市公団法第五十六条の規定による保証契約
三　旧都市公団法附則第七条第一項の長期借入金及び住宅・都市整備債券　同項の規定により従前の条件により存続するものとされた保証契約
第八条　機構は、自ら建設した住宅又は造成した宅地（附則第四条第一項の規定により都市公団から承継したものを含む。）を譲渡する場合における譲受人の選定については、次の各号に掲げる債券を引き受けた者（その相続人を含む。）であって、当該住宅又は宅地の譲受けの申込みの際現にその一定割合以上を所有しているものに対し、当該各号に定める規定による特別の定めの例により、特別の取扱いをするものとする。
一　旧住宅・都市整備公団法第五十五条第二項又は旧都市公団法附則第十三条第一項の一定の特別住宅債券　旧住宅・都市整備公団法第三十条第二項
二　旧都市公団法第五十五条第二項の規定により都市基盤整備公団が発行した一定の都市基盤整備公団宅地債券　旧都市公団法第三十四条第二項
第九条　附則第七条第二号及び第三号並びに前条各号に掲げる債券は、第三十四条第二項及び第三項の規定の適用については、同条第一項の規定による都市再生債券とみなす。

（非課税）
第一〇条　附則第三条第一項及び第四条第一項の規定により機構が権利を承継する場合における当該承継に係る不動産又は自動車の取得に対しては、不動産取得税又は自動車取得税を課することができない。

（役員に関する特例）
第一一条　次条第一項に規定する業務が完了するまでの間に限り、第六条第二項に定めるもののほか、機構に、役員として、理事三人以内を置くことができる。

（業務の特例）
第一二条　機構は、当分の間、第十一条に規定する業務のほか、次の業務（同条に規定する業務に該当するものを除く。）を行うことができる。
一　旧地域公団法第十九条の四第一項の規定により事業実施基本計画について国土交通大臣の認可を受けた業務（旧地域公団法第十九条第一項第一号の業務に該当するものに限る。）を行うこと。
二　旧都市公団法第二十八条第一項に規定する業務のうち、この法律の施行前に開始されたもの（当該業務の実施のためにその用地を取得したものを含み、同項第六号の業務及びこれと併せて行う業務にあっては、国土交通大臣が指定するものに限る。）及びこれと併せて整備されるべき公共の用に供する施設の整備に係るものを行うこと。
三　前二号の業務に附帯する業務を行うこと。
四　旧都市公団法附則第十条第一項に規定する業務を行うこと。
五　建築物の耐震改修の促進に関する法律（平成七年法律第百二十三号）第二十九条に規定する業務を行うこと。
六　密集市街地整備法第三十条の二第一項に規定する業務を行うこと。
2　前項の規定により機構が同項第一号の業務、同項第二号の業務（旧都市公団法第二十八条第一項第六号の業務及びこれと併せて行う業務であって前項第二号の規定により国土交通大臣が指定したものを除く。）及びこれらに附帯する業務並びに同項第四号の業務（以下この条において「宅地造造成等経過業務」という。）を行う場合には、機構の経理については、宅地造成等経過業務とその他の業務（以下この条において「都市再生業務」という。）に係るものとを区分し、それぞれ勘定を設けて整理しなければならない。

3 宅地造成等経過業務に係る勘定については、通則法第四十四条第一項ただし書及び第三項の規定は、適用しない。

4 機構は、宅地造成等経過業務に係る勘定において、中期目標の期間の最後の事業年度に係る通則法第四十四条第一項本文又は第二項の規定による整理を行った後、同条第一項の規定による積立金があるときは、その額に相当する金額を当該中期目標の期間の次の中期目標の期間における積立金として整理しなければならない。

5 機構は、都市再生業務に係る勘定において、毎事業年度の損益計算上利益を生じたときは、国土交通省令で定めるところにより、当該利益に相当する金額を限度として国土交通大臣の承認を受けた金額を都市再生業務に係る勘定から宅地造成等経過業務に係る勘定に繰り入れることができる。この場合において、宅地造成等経過業務に係る勘定に繰り入れる金額については、都市再生業務の運営に支障のない範囲内の金額となるよう配慮しなければならない。

6 国土交通大臣は、前項の規定による承認をしようとするときは、財務大臣に協議しなければならない。

7 第一項の規定により機構が同項に規定する業務を行う場合には、第十二条第一項中「前条」とあるのは「前条及び附則第十二条第一項」と、第十六条第一項中「宅地（」とあるのは「宅地（地域公団又は都市公団が整備した敷地又は造成した宅地を含む。」と、第十七条第一項第一号中「又は第十号」とあるのは「若しくは第十号」と、「に限る。」」とあるのは「に限る。）又は附則第十二条第一項第二号の規定により行う旧都市公団法第二十八条第一項第二号から第四号まで若しくは第九号の業務（同項第二号又は第三号の業務にあっては、土地区画整理事業、市街地再開発事業又は防災街区整備事業に係るものに限る。）」と、「機構」とあるのは「機構又は都市公団」と、第十八条第一項中「第十一条第一項第七号の業務」とあるのは「第十一条第一項第七号の業務又は附則第十二条第一項第二号の規定により行う旧都市公団法第二十八条第一項第七号の業務」と、第三十三条第一項中「機構における」とあるのは「機構の都市再生業務（附則第十二条第二項に規定する都市再生業務をいう。）に係る勘定における」と、同条第二項及び第四十四条第二号中「第十一条」とあるのは「第十一条及び附則第十二条第一項」と、第三十四条第一項及び第三十七条中「除く。）」とあるのは「除く。）及び附則第十二条第一項」と、第三十五条中「債務（」とあるのは「債務（附則第十二条第二項に規定する宅地造成等経過業務に係る債務及び」と、第三十六条中「前条」とあるのは「前条及び附則第十二条第九項」と、附則第二十一条第一項中「政令で定めるものの整備」とあるのは「政令で定めるものの整備、旧地域公団法第十九条第一項第一号ハの公共の用に供する施設で政令で定めるものの整備（委託により行うものを除く。）及び旧都市公団法第二十八条第一項第七号の公共の用に供する施設（旧都市公団法第二十八条第一項第一号又は第二号の業務の実施と併せて整備されるものに限る。）で政令で定めるものの整備」とする。

8 宅地造成等経過業務に係る勘定に属する債務のうち政府が貸し付けた資金に係る債務で国土交通大臣が財務大臣と協議して定めるものの償還期限は、平成二十五年三月三十一日までの間において国土交通大臣が財務大臣と協議して定める日とする。

9 政府は、法人に対する政府の財政援助の制限に関する法律第三条の規定にかかわらず、平成二十五年三月三十一日までの間に限り、国会の議決を経た金額の範囲内において、同日までに償還期限が到来する機構の長期借入金又は都市再生債券に係る債務で宅地造成等経過業務に要する費用に充てるためのもの（国際復興開発銀行等からの外資の受入に関する特別措置に関する法律第二条の規定に基づき政府が保証契約をすることができる債務を除く。）について保証することができる。

10 機構は、第十七条第一項に規定するもののほか、国土交通大臣の認可を受けて、宅地造成等経過業務に係る整備敷地等の管理及び処分を行うことを目的とする株式会社又は特定目的会社に対する出資をすることができる。

11 国土交通大臣は、前項の認可をしようとするときは、財務大臣に協議しなければならない。

12 機構は、旧都市公団法第二十八条第一項第一号の規定による宅地の造成又は同項第二号の規定による土地区画整理事業の施行のためにこの法律の施行前に取得した用地について、第一項第二号の業務（第十一条に規定する業務に該当するもの、造成した宅地の管理及び譲渡に関するもの並びに土地区画整理事業の施行に係るものを除く。）を行おうとするときは、あらかじめ、国土交通省令で定めるところにより、その業務に関する計画を作成し、国土交通大臣の認可を受けなければならない。

13 機構は、前項の計画を作成しようとするときは、あらかじめ、関係地方公共団体の意見を聴かなければならない。

14 国土交通大臣は、第十項又は第十二項の認可の申請があったときは、第十項の出資又は第十二項の計画に係る業務を行うことが第十項の整備敷地等又は第十二項の用地を早期に譲渡するために必要であると認める場合でなければ、これを認可してはならない。

15 前三項の規定は、第十二項の計画の変更（国土交通省令で定める軽微な変更を除く。）について準用する。

16 機構は、宅地造成等経過業務を終えたときは、遅滞なく、宅地造成等経過業務に係る勘定を廃止するものとし、その廃止の際現に当該勘定に所属する権利及び義務を都市再生業務に係る勘定に帰属させるものとする。

17 機構は、前項の規定により、宅地造成等経過業務に係る勘定を廃止する場合において、その際当該勘定に属する資産の価額が当該勘定に属する負債の金額を上回るときは、その差額に相当する金額の全部又は一部を、政令で定めるところにより、国庫及び地方公共団体（その出資金を宅地造成等経過業務に充てるべきものとして出資したものに限る。以下この条において同じ。）に納付しなければならない。

18 第十六項の規定による宅地造成等経過業務に係る勘定の廃止の時において、政府及び地方公共団体から機構に対し宅地造成等経過業務に充てるべきものとして出資された額については、機構に対する政府及び地方公共団体からの出資はなかったものとし、機構は、その額により資本金を減少するものとする。

第一三条　削除

第一四条　機構は、第十一条及び附則第十二条第一項に規定する業務のほか、当分の間、これらの業務の遂行に支障のない範囲内で、条約その他の国際約束に基づき技術研修その他これに類する目的で日本国内に滞在する者の居住の用に供する賃貸住宅及び当該賃貸住宅の居住者の利便に供する施設の建設（増改築を含む。）、管理及び譲渡を行うことができる。

2 前項の規定により機構が同項に規定する業務を行う場合には、第四十四条第二号中「第十一条」とあるのは、「第十一条及び附則第十四条第一項」とする。

（都市再生機構宅地債券の発行）

第一五条　機構は、当分の間、国土交通大臣の認可を受けて、自ら造成した宅地（附則第四条第一項の規定により都市公団から承継したものを含み、自己の居住の用に供する宅地を必要とする者に譲渡するものその他国土交通省令で定めるものに限る。）を譲り受けることを希望する者が引き受けるべきものとして、都市再生機構宅地債券を発行することができる。この場合における第三十九条の規定の適用については、同条中「及び債券」とあるのは、「、債券及び都市再生機構宅地債券」とする。

2 附則第八条（第一号に係る部分を除く。）及び第九条の規定は、前項の規定により機構が発行する都市再生機構宅地債券について準用する。この場合において、同条中「及び第三項」とあるのは、「から第六項まで」と読み替えるものとする。

（都市基盤整備公団法の廃止）

第一八条　都市基盤整備公団法は、廃止する。

（都市基盤整備公団法の廃止に伴う経過措置）

第一九条　この法律の施行前に旧都市公団法（第十九条を除く。）の規定によりした処分、手続その他の行為（旧都市公団法附則第十八条又は第三十五条第一項の規定により旧都市公団法又は旧都市公団法附則第二十九条の規定による改正後の土地区画整理法の相当する規定によりした処分、手続その他の行為とみなされたものを含む。）は、通則法、この法律又は附則第三十条の規定による改正後の土地区画整理法の相当する規定によりした処分、手続その他の行為とみなす。

第二〇条　旧住宅・都市整備公団法附則第六条第一項の規定により解散した日本住宅公団又は旧住宅・都市整備公団法附則第七条第一項の規定により解散した宅地開発公団の役員又は職員であった者に対する旧都市公団法附則第二十条の規定は、この法律の施行の日以後も、なおその効力を有する。

この場合において、旧都市公団法附則第二十条第六項中「都市基盤整備公団」とあるのは、「独立行政法人都市再生機構」とする。

（国の無利子貸付け）

第二一条　国は、当分の間、機構に対し、第十一条第一項第七号の公共の用に供する施設で政令で定めるものの整備に関する事業のうち、日本電信電話株式会社の株式の売払収入の活用による社会資本の整備の促進に関する特別措置法（昭和六十二年法律第八十六号。以下「社会資本整備特別措置法」という。）第二条第一項第一号に該当するものに要する費用に充てる資金の一部を無利子で貸し付けることができる。

2　前項の規定による貸付金の償還期間は、二十年（五年以内の据置期間を含む。）以内とする。

3　前項に定めるもののほか、第一項の規定による貸付金の償還方法は、政令で定める。

（道路法等による国の無利子貸付けの特例等）

第二二条　機構が第十八条の規定により特定公共施設工事で社会資本整備特別措置法第二条第一項第二号に該当するもの（以下「社会資本整備関連特定工事」という。）を施行する場合においては、当該社会資本整備関連特定工事に要する費用についての次に掲げる法律の規定の適用については、第一号に掲げる法律の規定中「道路管理者である地方公共団体」とあるのは「独立行政法人都市再生機構」と、第二号から第六号までに掲げる法律の規定中「地方公共団体」とあるのは「独立行政法人都市再生機構」とする。

一　道路法附則第四項

二　道路法附則第八項及び第九項

三　共同溝の整備等に関する特別措置法（昭和三十八年法律第八十一号）附則第二項、第五項及び第六項

四　都市公園法附則第十項、第十三項及び第十四項

五　下水道法附則第五条第一項、第四項及び第五項

六　河川法附則第三項、第四項及び第七項から第九項まで

2　前項の場合においては、当該社会資本整備関連特定工事に係る特定公共施設の管理者は、同項の費用の額から道路法附則第四項、共同溝の整備等に関する特別措置法附則第二項、都市公園法附則第十項、下水道法附則第五条第一項又は河川法附則第三項若しくは第四項の規定による無利子貸付金の額を控除した額を機構に支払わなければならない。

3　第一項の費用の範囲、前項の規定による支払の方法その他同項の費用に関し必要な事項は、政令で定める。

4　当該社会資本整備関連特定工事に係る特定公共施設の管理者が第二項の規定による支払をする場合には、第二十二条第四項及び第五項の規定は、適用しない。

（罰則に関する経過措置）

第二三条　この法律の施行前にした行為並びに附則第三条第十一項及び第四条第五項の規定によりなお従前の例によることとされる事項に係るこの法律の施行後にした行為に対する罰則の適用については、なお従前の例による。

（政令への委任）

第二四条　附則第二条から第十五条まで、第十七条及び第十九条から前条までに規定するもののほか、機構の設立に伴い必要な経過措置その他この法律の施行に関し必要な経過措置は、政令で定める。

附　則〔抄〕〔平成一五・六・二〇法律一〇一〕

（施行期日）

第一条　この法律は、公布の日から起算して六月を超えない範囲内において政令で定める日から施行する。

〔平成一五政五二一により、平成一五・一二・一九から施行〕

（罰則に関する経過措置）

第五条　この法律の施行前にした行為に対する罰則の適用については、なお従前の例による。

（政令への委任）

第六条　附則第二条から前条までに定めるもののほか、この法律の施行に関して必要な経過措置は、政令で定める。

附　則〔略〕〔平成一六・三・三一法律一〇〕

附　則〔略〕〔平成一六・四・二一法律三五〕

附　則〔略〕〔平成一六・六・一八法律一〇九〕

附　則〔略〕〔平成一六・六・一八法律一二四〕

附　則〔略〕〔平成一六・六・二三法律一三〇〕

附　則〔抄〕〔平成一七・六・二九法律七八〕

（施行期日）

第一条　この法律は、公布の日から施行する。〔以下略〕

（独立行政法人都市再生機構法の一部改正に伴う経過措置）

第五条　第三条の規定による改正後の独立行政法人都市再生機構法附則第十二条第二項の規定は、独立行政法人都市再生機構の平成十七年四月一日に始まる事業年度に係る経理から適用する。

（罰則に関する経過措置）

第一六条　この法律（附則第一条ただし書に規定する規定については、当該規定。以下この条において同じ。）の施行前にした行為及びこの附則の規定によりなお従前の例によることとされる場合におけるこの法律の施行後にした行為に対する罰則の適用については、なお従前の例による。

（政令への委任）

第一七条　この附則に規定するもののほか、この法律の施行に伴い必要な経過措置は、政令で定める。

附　則〔略〕〔平成一七・七・二六法律八七〕

附　則〔略〕〔平成一七・一一・七法律一二〇〕

附　則〔抄〕〔平成一八・五・三一法律四六〕

（施行期日）

第一条　この法律〔中略〕は、当該各号に定める日〔平成一八・八・三〇〕から施行する。

（独立行政法人都市再生機構法の一部改正に伴う経過措置）

第九条　附則第一条第二号に掲げる規定の施行前に第八条の規定による改正前の独立行政法人都市再生機構法第十五条第一項の規定により読み替えて適用される旧都市計画法第二十一条の二第二項の規定によりされた提案で附則第一条第二号に掲げる規定の施行の際旧都市計画法第二十一条の三の規定による案の作成又は旧都市計画法第二十一条の五第一項の規定による通知がされていないものは、新都市計画法第二十一条の二第二項の規定によりされた提案とみなす。

（罰則に関する経過措置）

第一〇条　この法律（附則第一条第二号及び第三号に掲げる規定については、当該規定。以下この条において同じ。）の施行前にした行為及びこの附則の規定によりなお従前の例によることとされる場合におけるこの法律の施行後にした行為に対する罰則の適用については、なお従前の例による。

（政令への委任）

第一一条　この附則に定めるもののほか、この法律の施行に関して必要な経過措置は、政令で定める。

（検討）

第一二条　政府は、この法律の施行後五年を経過した場合において、新都市計画法、新建築基準法、新駐車場法及び第六条の規定による改正後の都市緑地法の規定の施行の状況について検討を加え、必要があると認めるときは、その結果に基づいて所要の措置を講ずるものとする。

附　則〔略〕〔平成一八・一二・一五法律一〇九〕

附　則〔略〕〔平成一九・三・三一法律一九〕

附　則〔略〕〔平成二二・三・三一法律二〇〕

附　則〔略〕〔平成二三・四・二七法律二四〕

附　則〔略〕〔平成二三・五・二法律三七〕

附　則〔略〕〔平成二三・一二・一四法律一二二〕

附　則〔略〕〔平成二四・三・三一法律二五施行〕

附　則〔略〕〔平成二五・五・一〇法律一二施行〕

附　則〔略〕〔平成二五・五・二九法律二〇〕

附　則〔略〕〔平成二五・六・二一法律五五〕

附　則〔略〕〔平成二六・六・一三法律六七〕

附　則〔略〕〔平成二六・六・一三法律六九〕

附　則〔略〕〔平成二七・五・七法律二〇施行〕

附　則〔略〕〔平成二七・六・二六法律四八〕

附　則〔略〕〔平成二八・六・七法律七二〕

附　則〔略〕〔平成三〇・六・一法律四〇〕

附　則〔略〕〔平成三〇・七・一三法律七二〕

附　則〔略〕〔令和元・一二・六法律六六〕

附　則〔略〕〔令和二・六・二四法律六二施行〕

附　則〔略〕〔令和三・五・一〇法律三一〕

附則〔略〕〔令和五・六・一四法律五〇〕

附則〔略〕〔令和六・四・一九法律一七〕

附則〔抄〕〔令和六・五・二九法律四〇〕

（施行期日）

第一条　この法律は、公布の日から起算して六月を超えない範囲内において政令で定める日から施行する。〔以下略〕

○独立行政法人都市再生機構法施行令

〔平成一六・四・九
政令一六〇〕

改正　平成一六・四政一六八、政一七一、五政一八一、一二政三九六、政三九九、平成一七・二政二四、四政一一八、五政一八二、六政二二九、七政二六二、一二政三七五、平成一八・六政二一三、八政二七三、九政三一〇、一一政三五〇、一二政三七九、平成一九・九政三〇四、一二政三六九、平成二〇・二政四〇、七政二一九、一〇政三三八、平成二三・一一政三六三、平成二四・六政一五八、平成二七・一政六、政二一、三政七四、七政二七三、一一政三九二、平成二八・三政一八二、一一政三六四、平成二九・六政一五六、七政二〇〇、八政二二一、平成三〇・九政二八〇、一一政三〇八、令和元・六政三〇、一一政一五〇、令和二・九政二六八、一〇政三一三、一一政三二九、一二政三六三、令和三・七政二〇五、九政二六一、一〇政二九六、令和四・一〇政三三五、一二政三九三、令和五・九政二八〇

注　［　］の部分は、令和六年四月一九日政令第一七二号により改正され、令和七年四月一日から施行

目次

第一章　評価委員（第一条）
第二章　業務の範囲（第二条・第三条）
第三章　業務の実施方法（第四条―第六条）
第四章　特定公共施設工事（第七条―第十三条）
第五章　賃貸住宅の建替え（第十四条）
第六章　利益の処理及び納付金（第十五条―第二十三条）
第七章　都市再生債券（第二十四条―第三十三条）
第八章　雑則（第三十四条・第三十五条）
附則

第一章　評価委員

第一条　独立行政法人都市再生機構法（以下「法」という。）第五条第五項の評価委員は、必要の都度、次に掲げる者につき国土交通大臣が任命する。

一　財務省の職員　一人
二　国土交通省の職員　一人
三　独立行政法人都市再生機構（以下「機構」という。）の役員　一人
四　機構に出資した地方公共団体の長が共同推薦した者　一人
五　学識経験のある者　三人

2　国土交通大臣は、評価に係る財産の出資者中に初めて機構に出資する地方公共団体があるときは、前項の規定による評価委員のほか、その地方公共団体の長が推薦した者一人（その地方公共団体が二以上あるときは、それらの地方公共団体の長が共同推薦した者のうちから一人）を評価委員として任命しなければならない。

3　法第五条第五項の規定による評価は、同項の評価委員の過半数の一致によるものとする。

4　法第五条第五項の規定による評価に関する庶務は、国土交通省住宅局総務課において処理する。

第二章　業務の範囲

（根幹的な都市公園の規模）

第二条　法第十一条第一項第十一号の政令で定める規模は、おおむね四ヘクタールとする。

（委託に基づき建設等を行う住宅）

第三条　法第十一条第三項第二号の政令で定める住宅は、次に掲げる住宅とする。

一　良好な居住性能及び居住環境を有する利便性の高い中高層の賃貸住宅その他の国の施策上特に供給が必要と認められる賃貸住宅

二　公営住宅その他地方公共団体が建設する住宅

三　その大部分が老朽化し、又はその大部分につき住宅としての機能が災害その他の理由により相当程度低下している共同住宅又は長屋（以下この号において「共同住宅等」という。）の建替え（現に存する共同住宅等を除却するとともに、これらの存していた土地の全部又は一部に新たに共同住宅等を建設すること（新たに建設する共同住宅等と一体の共同住宅等を当該区域内の土地に隣接する土地に新たに建設することを含む。）をいう。）により新たに建設される共同住宅等

四　被災市街地復興特別措置法（平成七年法律第十四号）第二十一条に規定する住宅被災市町村の復興に必要な住宅

五　密集市街地における防災街区の整備の促進に関する法律（平成九年法律第四十九号）第三条第一項第一号に規定する防災再開発促進地区の区域内におけるその一体的かつ総合的な市街地の再開発の促進に必要な住宅又は同法第三十条に規定する防災都市施設の整備と一体となって同法第二条第三号に規定する特定防災機能を確保するために必要な住宅

六　法第十一条第一項第一号又は第三号の業務の実施と併せて住宅の建設を行うことが必要である場合における当該住宅

七　機構が行う住宅の建設（第一号から第五号までの規定によるものを含む。）と一体として住宅の建設を行うことが適当である場合における当該住宅

第三章　業務の実施方法

（関係地方公共団体からの要請）

第四条　法第十四条第一項から第三項までの要請は、これに基づき業務を行うべき地区をその区域に含むすべての都道府県及び市町村が行うものでなければならない。

2　法第十四条第一項から第三項までの規定による業務に関する計画には、当該業務を行うべき地区の名称及び区域、事業の内容（同項の規定による業務に関する計画にあっては、賃貸住宅の戸数）、事業の施行期間その他の基本的事項を記載しなければならない。

（国土交通大臣の求め等に基づき行う業務の実施に必要な都市計画）

第五条　法第十五条第一項の政令で定める都市計画は、次の各号に掲げる業務の区分に応じて、それぞれ当該各号に定める都市計画とする。

一　市街地再開発事業を行う業務　次に掲げる都市計画（都市再開発法（昭和四十四年法律第三十八号）第二条第一号に規定する第一種市街地再開発事業を行う業務にあっては、イ、ロ又はニに掲げる都市計画）

イ　都市計画法（昭和四十三年法律第百号）第八条第一項第三号の高度利用地区に関する都市計画

ロ　都市再生特別措置法（平成十四年法律第二十二号）第三十六条第一項の規定による都市再生特別地区に関する都市計画

ハ　被災市街地復興特別措置法第五条第一項の規定による被災市街地復興推進地域に関する都市計画

ニ　市街地再開発事業に関する都市計画

二　防災街区整備事業を行う業務　次に掲げる都市計画

イ　密集市街地における防災街区の整備の促進に関する法律第三十一条第一項の規定による特定防災街区整備地区に関する都市計画

ロ　イに掲げる都市計画の決定又は変更に必要な都市計画法第八条第一項第五号の防火地域又は準防火地域に関する都市計画

ハ　防災街区整備事業に関する都市計画

三　土地区画整理事業を行う業務　次に掲げる都市計画

イ　第一号ハに掲げる都市計画

ロ　土地区画整理事業に関する都市計画

四　住宅街区整備事業を行う業務　次に掲げる都市計画

イ　大都市地域における住宅及び住宅地の供給の促進に関する特別措置法（昭和五十年法律第六十七号）第二十四条第一項の規定による住宅街区整備促進区域に関する都市計画

ロ　イに掲げる都市計画の決定又は変更に必要な都市計画法第八条第一項第三号の高度利用地区に関する都市計画又は同項第一号の第一種中高層住居専用地域、第二種中高層住居専用地域、第一種住居地域、第二種住居地域若しくは準住居地域に関する都市計画

ハ　住宅街区整備事業に関する都市計画

五　流通業務市街地の整備に関する法律（昭和四十一年法律第百十号）による流通業務団地造成事業を行う業務　次に掲げる都市計画

イ　流通業務市街地の整備に関する法律第四条第一項の規定による流通業務地区に関する都市計画

ロ　都市計画法第十一条第一項第十一号の流通業務団地に関する都市計画

2　都市計画法第八条第一項第一号の工業専用地域に関する都市計画その他の法第十三条第一項又は第十四条第一項から第三項までの規定による業務に関する計画の内容を実現する上で支障となる都市計画が定められている場合における法第十五条第一項の政令で定める都市計画は、前項各号に定めるもののほか、当該支障となる都市計画の変更に係る都市計画とする。

（建設又は管理に関する業務について投資することができる建築物）

第六条　法第十七条第一項第三号の政令で定める建築物は、次に掲げる建築物とする。

一　住宅

二　医療施設又は社会福祉施設

三　託児所又は児童遊戯施設

四　店舗又は事務所

五　倉庫、車庫又は駐車場

六　健全な娯楽用施設又はスポーツ用施設

七　集会場又は展示場

第四章　特定公共施設工事

（道路管理者の権限の代行）

第七条　機構が法第十八条第一項第一号に定める工事を施行する場合において、同条第二項の規定により機構が道路法（昭和二十七年法律第百八十号）第十八条第一項に規定する道路管理者（以下単に「道路管理者」という。）に代わって行う権限は、次に掲げるものとする。

一　道路法施行令（昭和二十七年政令第四百七十九号）第四条第一項各号（第一号及び第二号を除く。）に掲げるもの

二　道路法第三十一条第一項の規定により協議し、これを成立させること。

三　道路法第九十一条第一項の規定による許可を与え、並びに同条第三項及び第四項の規定により損失の補償について協議し、及び損失を補償すること。

四　共同溝の整備等に関する特別措置法（昭和三十八年法律第八十一号。以下「共同溝整備法」という。）第五条第一項の規定により意見を求めること。

五　共同溝整備法第六条第一項の規定により共同溝整備計画を作成すること。

六　共同溝整備法第七条第一項及び第二項の規定による通知をし、同条第一項の規定により意見書の提出を求め、並びに同条第四項の規定により意見を聴くこと。

七　共同溝整備法第八条の規定により共同溝の建設を廃止し、及び通知すること。

八　共同溝整備法第十二条第二項の規定により申請を却下し、及び通知すること。

九　共同溝整備法第十四条第一項の規定により許可をすること。

十　共同溝整備法第十七条の規定により認可をすること。

十一　共同溝整備法第十八条第一項の規定による届出を受理すること。

十二　共同溝整備法第十九条の規定により公益物件の敷設に関する工事の中止又は公益物件の改築、移転若しくは除却を命ずること。

十三　電線共同溝の整備等に関する特別措置法（平成七年法律第三十九号。以下「電線共同溝整備法」という。）第四条第四項（電線共同溝整備法第八条第三項において準用する場合を含む。）の規定により申請を却下すること。

十四　電線共同溝整備法第五条第二項（電線共同溝整備法第八条第三項において準用する場合を含む。）の規定により意見を聴き、及び電線共同溝整備計画又は電線共同溝増設計画を定めること。

十五　電線共同溝整備法第六条第二項（電線共同溝整備法第八条第三項において準用する場合を含む。）又は第十四条第二項の規定による届出を受理すること。

十六　電線共同溝整備法第十条、第十一条第一項又は第十二条第一項の規定による許可をすること。

十七　電線共同溝整備法第十五条第一項の規定による承認をすること。

十八　電線共同溝整備法第十六条第二項の規定により電線の敷設に関する工事の中止又は電線の改造、移転若しくは除却その他必要な措置を講ずべきことを命ずること。

十九　電線共同溝整備法第二十条第二項の規定により必要な指示をすること。

二十　電線共同溝整備法第二十一条の規定により協議すること。

二十一　電線共同溝整備法第二十六条に規定する処分をすること。

二十二　電線共同溝の整備等に関する特別措置法施行令（平成七年政令第二百五十六号）第七条第二項第一号の規定による届出を受理すること。

2　機構は、前項第一号（道路法施行令第四条第一項第六号から第九号までに係る部分、同項第十二号に規定する入札占用指針の策定に係る部分、同項第二十五号に規定する公募占用指針の策定に係る部分並びに同項第三十五号及び第三十六号に規定する道路法第三十二条第一項又は第三項の規定による許可があったものとみなされる協議に係る部分に限る。）、第五号、第八号から第十号まで、第十三号、第十四号（意見の聴取に係る部分を除く。）、第十六号、第十七号又は第二十号に掲げる権限を行おうとする場合には、道路管理者の同意を得なければならない。

3　機構は、第一項第一号（道路法施行令第四条第一項第二十四号、第三十二号及び第三十四号に規定する協定の締結に係る部分に限る。）に掲げる

権限を行おうとするときは、あらかじめ、道路管理者の意見を聴かなければならない。

4　機構は、第一項第一号（道路法施行令第四条第一項第二十四号、第三十二号及び第三十四号に規定する協定の締結に係る部分並びに同項第四十三号に係る部分に限る。）、第四号、第七号、第十二号、第十四号（意見の聴取に係る部分に限る。）、第十五号、第十八号、第二十一号若しくは第二十二号に掲げる権限又は第二項の権限を行った場合には、遅滞なく、その旨を道路管理者に通知しなければならない。

（公園管理者の権限の代行）

第八条　機構が法第十八条第一項第二号に定める工事を施行する場合において、同条第二項の規定により機構が都市公園法（昭和三十一年法律第七十九号）第三十四条第一項に規定する地方公共団体である公園管理者（以下単に「公園管理者」という。）に代わって行う権限は、次に掲げるものとする。

一　都市公園法第六条第一項又は第三項（これらの規定を同法第三十三条第四項において準用する場合を含む。）の規定による許可を与え、及び同法第八条（同法第三十三条第四項において準用する場合を含む。）の規定により当該許可に必要な条件を付すること。

二　都市公園法第九条（同法第三十三条第四項において準用する場合を含む。）の規定により協議すること。

三　都市公園法第十条第二項（同法第三十三条第四項において準用する場合を含む。）の規定により必要な指示をすること。

四　都市公園法第二十二条第一項の規定により協定を締結し、及び当該協定の目的となる建物を管理すること。

五　都市公園法第二十六条第二項若しくは第四項（これらの規定を同法第三十三条第四項において準用する場合を含む。）若しくは第二十七条第一項（同法第三十三条第四項において準用する場合を含む。）若しくは第二項（第一号に係る部分に限り、同法第三十三条第四項において準用する場合を含む。）の規定により処分をし、若しくは措置を命じ、又は同法第二十七条第三項前段（同法第三十三条第四項において準用する場合を含む。）の規定によりその措置を自ら行い、若しくはその命じた者若しくは委任した者に行わせること。

六　都市公園法第二十七条第四項（同法第三十三条第四項において準用する場合を含む。）の規定により工作物等を保管し、同法第二十七条第五項（同法第三十三条第四項において準用する場合を含む。）の規定により公示し、同法第二十七条第六項（同法第三十三条第四項において準用する場合を含む。）の規定により工作物等を売却し、及び代金を保管し、並びに同法第二十七条第七項（同法第三十三条第四項において準用する場合を含む。）の規定により工作物等を廃棄すること。

七　都市公園法第二十八条第一項から第三項まで（これらの規定を同法第三十三条第四項において準用する場合を含む。）の規定により損失の補償について協議し、及び損失を補償すること。

2　機構は、前項第一号又は第二号に掲げる権限を行おうとする場合には、公園管理者の同意を得なければならない。

3　機構は、第一項第一号、第二号又は第五号に掲げる権限を行った場合には、遅滞なく、その旨を公園管理者に通知しなければならない。

（公共下水道管理者又は都市下水路管理者の権限の代行）

第九条　機構が法第十八条第一項第三号に定める工事を施行する場合において、同条第二項の規定により機構が下水道法（昭和三十三年法律第七十九号）第四条第一項に規定する公共下水道管理者（以下単に「公共下水道管理者」という。）又は同法第二十七条第一項に規定する都市下水路管理者（以下単に「都市下水路管理者」という。）に代わって行う権限は、次に掲げるものとする。

一　下水道法第十五条（同法第三十一条において準用する場合を含む。）の規定により工事の施行について協議し、及び工事を施行させること。

二　下水道法第十六条（同法第三十一条において準用する場合を含む。）の規定により工事を行うことの承認をし、及び同法第三十三条第一項の規定により当該承認に必要な条件を付すること。

三　下水道法第十七条（同法第三十一条において準用する場合を含む。）の規定により工事の施行に要する費用の負担について協議すること。

四　下水道法第二十四条第一項の規定による許可を与え、及び同条第三項第二号の規定により協議し、並びに同法第三十三条第一項の規定により当該許可に必要な条件を付すること。

五　下水道法第二十九条第一項の規定による許可を与え、及び同法第三十三条第一項の規定により当該許可に必要な条件を付すること。

六　下水道法第三十二条の規定により他人の土地に立ち入り、若しくは他人の土地を一時使用し、又はその命じた者若しくは委任を受けた者にこれらの行為をさせ、並びにこれらの行為による損失の補償について協議し、及び損失を補償すること。

七　下水道法第三十八条第一項若しくは第二項（第一号に係る部分に限る。）の規定により処分をし、若しくは措置を命じ、又は同条第三項前段の規定によりその措置を自ら行い、若しくはその命じた者若しくは委任した者に行わせること。

八　下水道法第三十八条第四項及び第五項の規定により損失の補償について協議し、及び損失を補償すること。

九　下水道法第四十一条の規定により協議すること。

2　機構は、前項第四号、第五号又は第九号に掲げる権限を行おうとする場合には、公共下水道管理者又は都市下水路管理者の同意を得なければならない。

3　機構は、第一項第四号、第五号、第七号又は第九号に掲げる権限を行った場合には、遅滞なく、その旨を公共下水道管理者又は都市下水路管理者に通知しなければならない。

（河川管理者の権限の代行）

第一〇条　機構が法第十八条第一項第四号に定める工事を施行する場合において、同条第二項の規定により機構が河川法（昭和三十九年法律第百六十七号）第七条に規定する河川管理者（同法第百条第一項において準用する同法第十条の規定により河川を管理する者を含む。）に代わって行う権限は、次に掲げるものとする。

一　河川法第十七条第一項（同法第百条第一項において準用する場合を含む。）の規定により河川管理施設及び他の工作物の新築又は改築に関する工事の施行について協議すること。

二　河川法第十九条（同法第百条第一項において準用する場合を含む。）の規定により他の工事を施行すること。

三　河川法第二十一条（同法第百条第一項において準用する場合を含む。）の規定により損失の補償について協議し、及び補償金を支払い、又は補償金に代えて工事を施行することを要求し、並びに裁決を申請すること。

四　河川法第六十六条（同法第百条第一項において準用する場合を含む。）の規定により河川管理施設及び他の工作物の新築又は改築に関する工事の施行に要する費用の負担について協議すること。

五　河川法第八十九条（同法第百条第一項において準用する場合を含む。）の規定により他人の占有する土地に立ち入り、若しくは他人の土地を一時使用し、又はその命じた者若しくはその委任を受けた者にこれらの行為をさせ、並びにこれらの行為による損失の補償について協議し、及び損失を補償すること。

（権限の代行の期間）

第一一条　第七条から前条までの規定により機構が特定公共施設の管理者に代わって行う権限は、法第十八条第四項の規定に基づき公告された特定公共施設工事の開始の日から同条第五項（法第二十条第二項において準用する場合を含む。）の規定に基づき公告された当該特定公共施設工事の完了又は廃止の日までの間に限り行うことができるものとする。ただし、次に掲げる権限については、当該完了又は廃止の日後においても行うことができる。

一　第七条第一項第一号（道路法施行令第四条第一項第四十一号及び第四十二号に係る部分に限る。）及び第三号（損失の補償に係る部分に限る。）に掲げる権限

二　第八条第一項第七号に掲げる権限

三　第九条第一項第六号（損失の補償に係る部分に限る。）及び第八号に掲げる権限

四　前条第三号及び第五号（損失の補償に係る部分に限る。）に掲げる権限

（特定公共施設工事の施行に要する費用の範囲等）

第一二条　法第二十二条第一項の特定公共施設工事の施行に要する費用の範囲は、当該特定公共施設工事の施行のため必要な本工事費、附帯工事費、測量試験費、用地費、補償費、機械器具費、営繕費、事務費及び借入金の利息とする。

2　機構が法第十八条の規定により道路の新設又は改築に関する工事を行う

場合において、道路管理者が当該道路について共同溝整備法第二十条第一項又は電線共同溝整備法第七条第一項（電線共同溝整備法第八条第三項において準用する場合を含む。）の規定による負担金を徴収したときは、当該道路管理者は、当該負担金に相当する額を当該負担金の徴収後直ちに機構に支払わなければならない。この場合において、前項の費用の額は、同項の費用の額から機構に支払われた当該負担金に相当する額を控除した額とする。

第一三条　法第二十二条第四項の規定による支払金は、年賦支払の方法（当該支払金を支払うべき者の申出がある場合その他国土交通大臣が定める場合にあっては、その全部又は一部につき一時支払の方法）により支払うものとする。

２　前項の年賦支払の支払期間（据置期間を含む。）は、国土交通大臣の定める期間とし、当該特定公共施設工事の完了の日の属する年度の翌年度から起算するものとする。

３　第一項の支払金の利率は、当該特定公共施設工事の施行に要する費用の財源とされる借入金の利率、都市再生債券の利率その他の金利水準を勘案して国土交通大臣が定める率とする。

第五章　賃貸住宅の建替え

（賃貸住宅の耐用年限）

第一四条　法第二十六条第一項第一号の政令で定める耐用年限は、公営住宅法施行令（昭和二十六年政令第二百四十号）第十三条第一項の表の上欄各項に定める区分に応じて、それぞれ同表の下欄各項に定める耐用年限とする。

第六章　利益の処理及び納付金

（毎事業年度において国庫等に納付すべき額の算定方法）

第一五条　法第三十三条第一項の規定により読み替えて適用する独立行政法人通則法（以下「通則法」という。）第四十四条第一項ただし書の政令で定めるところにより計算した額（以下「毎事業年度において国庫等に納付すべき額」という。）は、第一号に掲げる額から第二号に掲げる額を減じて得た額とする。

一　当該事業年度における通則法第四十四条第一項に規定する残余の額

二　当該事業年度の末日における政府及び地方公共団体からの出資金の額の合計額の二分の一に相当する額から当該事業年度の前事業年度までに積み立てた積立金の額を減じて得た額

２　機構は、毎事業年度において国庫等に納付すべき額を法第三十三条第一項の規定により読み替えて適用する通則法第四十四条第一項ただし書の規定により国庫及び機構に出資した地方公共団体に納付しようとするときは、当該毎事業年度において国庫等に納付すべき額を政府及び当該地方公共団体からの出資金の額に応じて按分するものとする。

３　前項に規定する出資金の額は、毎事業年度において国庫等に納付すべき額を生じた事業年度の開始の日における政府及び地方公共団体からの出資金の額（同日後当該事業年度中に政府又は地方公共団体から機構に出資があったときは、当該出資があった日から当該事業年度の末日までの日数を当該事業年度の日数で除して得た数を当該出資の額に乗じて得た額を、それぞれ加えた額）とする。

（事業年度納付金の納付の手続）

第一六条　機構は、毎事業年度において国庫等に納付すべき額を生じたときは、法第三十三条第一項の規定により読み替えて適用する通則法第四十四条第一項の規定による納付金（以下「事業年度納付金」という。）の計算書に、当該事業年度の事業年度末の貸借対照表、当該事業年度の損益計算書その他の当該事業年度納付金の計算の基礎を明らかにした書類（次項及び第十九条第二項において「添付書類」という。）を添付して、当該事業年度の次の事業年度の六月三十日までに、これを国土交通大臣及び機構に出資した地方公共団体に提出しなければならない。

２　国土交通大臣は、前項の事業年度納付金の計算書及び添付書類の提出があったときは、遅滞なく、当該計算書及び添付書類の写しを財務大臣に送付するものとする。

（事業年度納付金の納付期限）

第一七条　事業年度納付金は、当該事業年度の次の事業年度の七月十日までに納付しなければならない。

（国庫に納付すべき事業年度納付金の帰属する会計）

第一八条　国庫に納付する事業年度納付金については、第十五条第二項の規定により国庫に納付する事業年度納付金の額を政府の一般会計又は財政投融資特別会計の投資勘定（特別会計に関する法律（平成十九年法律第二十三号）附則第六十六条第十五号の規定による廃止前の産業投資特別会計法（昭和二十八年法律第百二十二号）に基づく産業投資特別会計の産業投資勘定及び特別会計に関する法律附則第六十七条第一項第二号の規定により設置する産業投資特別会計の産業投資勘定（次項及び第二十三条において「旧産業投資特別会計の産業投資勘定」と総称する。）を含む。）からの出資金の額に応じて按分した額を、それぞれ政府の一般会計又は財政投融資特別会計の投資勘定に帰属させるものとする。

２　前項に規定する出資金の額は、毎事業年度において国庫等に納付すべき額を生じた事業年度の開始の日における政府の一般会計又は財政投融資特別会計の投資勘定（旧産業投資特別会計の産業投資勘定を含む。）からの出資金の額（同日後当該事業年度中に政府の一般会計又は財政投融資特別会計の投資勘定（旧産業投資特別会計の産業投資勘定を含む。）から機構に出資があったときは、当該出資があった日から当該事業年度の末日までの日数を当該事業年度の日数で除して得た数を当該出資の額に乗じて得た額を、それぞれ加えた額）とする。

（積立金の処分に係る承認の手続）

第一九条　機構は、通則法第二十九条第二項第一号に規定する中期目標の期間（以下「中期目標の期間」という。）の最後の事業年度（以下「期間最後の事業年度」という。）に係る通則法第四十四条第一項又は第二項の規定による整理を行った後、同条第一項の規定による積立金がある場合において、その額に相当する金額の全部又は一部を法第三十三条第二項の規定により当該中期目標の期間の次の中期目標の期間における法第十一条に規定する業務の財源に充てようとするときは、次に掲げる事項を記載した承認申請書を国土交通大臣に提出し、当該次の中期目標の期間の最初の事業年度の六月三十日までに、法第三十三条第二項の規定による承認を受けなければならない。

一　法第三十三条第二項の規定による承認を受けようとする金額

二　前号の金額を財源に充てようとする業務の内容

２　前項の承認申請書には、当該期間最後の事業年度の事業年度末の貸借対照表、当該期間最後の事業年度の損益計算書その他の国土交通省令で定める書類を添付しなければならない。ただし、第十六条第一項の事業年度納付金の計算書を提出したときは、これに添付した添付書類と同一の書類は、提出することを要しない。

（中期目標の期間経過後の残余の額の按分方法）

第二〇条　機構は、法第三十三条第三項の規定により同項に規定する残余の額を国庫及び機構に出資した地方公共団体に納付しようとするときは、当該残余の額を政府及び当該地方公共団体からの出資金の額に応じて按分するものとする。

２　前項に規定する出資金の額は、同項に規定する残余の額を生じた中期目標の期間の開始の日における政府及び地方公共団体からの出資金の額（同日後当該中期目標の期間中に政府又は地方公共団体から機構に出資があったときは、当該出資があった日から当該中期目標の期間の末日までの日数を当該中期目標の期間の日数で除して得た数を当該出資の額に乗じて得た額を、それぞれ加えた額）とする。

（中期目標期間納付金の納付の手続）

第二一条　機構は、法第三十三条第三項に規定する残余があるときは、当該規定による納付金（以下「中期目標期間納付金」という。）の計算書に、当該期間最後の事業年度の事業年度末の貸借対照表、当該期間最後の事業年度の損益計算書その他の当該中期目標期間納付金の計算の基礎を明らかにした書類（次項において「添付書類」という。）を添付して、当該期間最後の事業年度の次の事業年度の六月三十日までに、これを国土交通大臣及び機構に出資した地方公共団体に提出しなければならない。ただし、国土交通大臣に第十六条第一項の事業年度納付金の計算書又は第十九条第一項の承認申請書を提出したときはこれらに添付した書類と同一の書類、機構に出資した地方公共団体に第十六条第一項の事業年度納付金の計算書を提出したときはこれに添付した書類と同一の書類は、それぞれ、国土交通大臣又は機構に出資した地方公共団体に提出することを要しない。

２　国土交通大臣は、中期目標期間納付金の計算書及び添付書類の提出があったときは、遅滞なく、当該計算書及び添付書類の写しを財務大臣に送付するものとする。

（中期目標期間納付金の納付期限）

第二二条　中期目標期間納付金は、当該期間最後の事業年度の次の事業年度の七月十日までに納付しなければならない。

（国庫に納付すべき中期目標期間納付金の帰属する会計）

第二三条　国庫に納付する中期目標期間納付金については、第二十条第一項の規定により国庫に納付する中期目標期間納付金の額を政府の一般会計又は財政投融資特別会計の投資勘定（旧産業投資特別会計の産業投資勘定を含む。）からの出資金の額に応じて按分した額を、それぞれ政府の一般会計又は財政投融資特別会計の投資勘定に帰属させるものとする。

2　前項に規定する出資金の額は、法第三十三条第三項に規定する残余の額を生じた中期目標の期間の開始の日における政府の一般会計又は財政投融資特別会計の投資勘定（旧産業投資特別会計の産業投資勘定を含む。）からの出資金の額（同日後当該中期目標の期間中に政府の一般会計又は財政投融資特別会計の投資勘定（旧産業投資特別会計の産業投資勘定を含む。）から機構に出資があったときは、当該出資があった日から当該中期目標の期間の末日までの日数を当該中期目標の期間の日数で除して得た数を当該出資の額に乗じて得た額を、それぞれ加えた額）とする。

第七章　都市再生債券

（形式）

第二四条　都市再生債券は、無記名利札付きとする。

（発行の方法）

第二五条　都市再生債券の発行は、募集の方法による。

（都市再生債券申込証）

第二六条　都市再生債券の募集に応じようとする者は、都市再生債券申込証に、その引き受けようとする都市再生債券の数並びにその氏名又は名称及び住所を記載しなければならない。

2　社債、株式等の振替に関する法律（平成十三年法律第七十五号。以下「社債等振替法」という。）の規定の適用がある都市再生債券（次条第二項において「振替都市再生債券」という。）の募集に応じようとする者は、前項の記載事項のほか、自己のために開設された当該都市再生債券の振替を行うための口座（同条第二項において「振替口座」という。）を都市再生債券の申込証に記載しなければならない。

3　都市再生債券申込証は、機構が作成し、これに次の事項を記載しなければならない。

一　都市再生債券の名称
二　都市再生債券の総額
三　各都市再生債券の金額
四　都市再生債券の利率
五　都市再生債券の償還の方法及び期限
六　利息支払の方法及び期限
七　都市再生債券の発行の価額
八　社債等振替法の規定の適用があるときは、その旨
九　社債等振替法の規定の適用がないときは、無記名式である旨
十　募集又は管理の委託を受けた会社があるときは、その商号

（引受け）

第二七条　前条の規定は、政府若しくは地方公共団体が都市再生債券を引き受ける場合又は都市再生債券の募集の委託を受けた会社が自ら都市再生債券を引き受ける場合においては、その引き受ける部分については、適用しない。

2　前項の場合において、振替都市再生債券を引き受ける政府若しくは地方公共団体又は振替都市再生債券の募集の委託を受けた会社は、その引受けの際に、振替口座を機構に示さなければならない。

（成立の特則）

第二八条　都市再生債券の応募総額が都市再生債券の総額に達しないときでも都市再生債券を成立させる旨を都市再生債券申込証に記載したときは、その応募額をもって都市再生債券の総額とする。

（払込み）

第二九条　都市再生債券の募集が完了したときは、機構は、遅滞なく、各都市再生債券につきその全額の払込みをさせなければならない。

（債券の発行）

第三〇条　機構は、前条の払込みがあったときは、遅滞なく、債券を発行しなければならない。ただし、都市再生債券につき社債等振替法の規定の適用があるときは、この限りでない。

2　各債券には、第二十六条第三項第一号から第六号まで、第九号及び第十号に掲げる事項並びに番号を記載し、機構の理事長がこれに記名押印しなければならない。

（都市再生債券原簿）

第三一条　機構は、主たる事務所に都市再生債券原簿を備えて置かなければならない。

2　都市再生債券原簿には、次の事項を記載しなければならない。

一　都市再生債券の発行の年月日
二　都市再生債券の数（社債等振替法の規定の適用がないときは、都市再生債券の数及び番号）
三　第二十六条第三項第一号から第六号まで、第八号及び第十号に掲げる事項
四　元利金の支払に関する事項

（利札が欠けている場合）

第三二条　都市再生債券を償還する場合において、欠けている利札があるときは、これに相当する金額を償還額から控除する。ただし、既に支払期が到来した利札については、この限りでない。

2　前項の利札の所持人がこれと引換えに控除金額の支払を請求したときは、機構は、これに応じなければならない。

（発行の認可）

第三三条　機構は、法第三十四条第一項の規定により都市再生債券の発行の認可を受けようとするときは、都市再生債券の募集の日の二十日前までに次に掲げる事項を記載した申請書を国土交通大臣に提出しなければならない。

一　都市再生債券の発行を必要とする理由
二　第二十六条第三項第一号から第八号までに掲げる事項
三　都市再生債券の募集の方法
四　都市再生債券の発行に要する費用の概算額
五　第二号に掲げるもののほか、債券に記載しようとする事項

2　前項の申請書には、次に掲げる書類を添付しなければならない。

一　作成しようとする都市再生債券申込証
二　都市再生債券の発行により調達する資金の使途を記載した書面
三　都市再生債券の引受けの見込みを記載した書面

第八章　雑則

（他の法令の準用）

第三四条　次の法令の規定については、機構を国の行政機関とみなして、これらの規定を準用する。

一　行政代執行法（昭和二十三年法律第四十三号）
二　建築基準法（昭和二十五年法律第二百一号）第十八条（同法第八十七条第一項、第八十七条の四、第八十八条第一項から第三項まで又は第九十条第三項において準用する場合を含む。）
三　土地収用法（昭和二十六年法律第二百十九号）第十一条第一項ただし書（大深度地下の公共的使用に関する特別措置法（平成十二年法律第八十七号）第九条において準用する場合を含む。）、第十五条第一項（大深度地下の公共的使用に関する特別措置法第九条において準用する場合を含む。）、第十七条第一項第一号（土地収用法第百三十八条第一項において準用する場合を含む。）、第十八条第二項第五号、第二十一条（同法第百三十八条第一項及び公共用地の取得に関する特別措置法（昭和三十六年法律第百五十号）第八条（同法第四十五条において準用する場合を含む。）において準用する場合を含む。）、第八十二条第五項及び第六項（これらの規定を土地収用法第百三十八条第一項において準用する場合を含む。）、第八十三条第三項（同法第八十四条第三項（同法第百三十八条第一項において準用する場合を含む。）及び第百三十八条第一項において準用する場合を含む。）、第百二十二条第一項ただし書（同法第百三十八条第一項において準用する場合を含む。）並びに第百二十五条第一項ただし書（同法第百三十八条第一項において準用する場合を含む。）
四　宅地建物取引業法（昭和二十七年法律第百七十六号）第七十八条第一

項

五　都市公園法第九条（同法第三十三条第四項において準用する場合を含む。）

六　公共用地の取得に関する特別措置法第四条第二項第五号（同法第四十五条において準用する場合を含む。）及び第五条ただし書（同法第四十五条において準用する場合を含む。）

七　宅地造成及び特定盛土等規制法（昭和三十六年法律第百九十一号）第十五条第一項（同法第十六条第三項において準用する場合を含む。）及び第三十四条第一項（同法第三十五条第三項において準用する場合を含む。）

八　古都における歴史的風土の保存に関する特別措置法（昭和四十一年法律第一号）第七条第三項及び第八条第八項

九　都市計画法第十一条第六項、第十二条の二第三項、第三十四条の二第一項（同法第三十五条の二第四項において準用する場合を含む。）、第四十二条第二項、第四十三条第三項、第五十二条第三項、第五十二条の二第二項（同法第五十三条第二項、第五十七条の三第一項及び第六十五条第三項並びに密集市街地における防災街区の整備の促進に関する法律第二百八十三条第三項において準用する場合を含む。）、第五十八条の二第一項第三号、第五十八条の七第一項、第五十九条第三項及び第四項、第六十三条第一項並びに第八十条第一項

十　急傾斜地の崩壊による災害の防止に関する法律（昭和四十四年法律第五十七号）第七条第四項及び第十三条

十一　都市緑地法（昭和四十八年法律第七十二号）第八条第七項及び第八項、第十四条第八項並びに第三十七条第二項

十二　幹線道路の沿道の整備に関する法律（昭和五十五年法律第三十四号）第十条第一項第三号

十三　集落地域整備法（昭和六十二年法律第六十三号）第六条第一項第三号

十四　不動産特定共同事業法（平成六年法律第七十七号）第六十九条第三項

十五　密集市街地における防災街区の整備の促進に関する法律第三十三条第一項第三号及び第二百八十一条第一項

十六　土砂災害警戒区域等における土砂災害防止対策の推進に関する法律（平成十二年法律第五十七号）第十五条

十七　大深度地下の公共的使用に関する特別措置法第十一条第一項第一号、第十四条第二項第九号、第十八条及び第三十九条ただし書

十八　建設工事に係る資材の再資源化等に関する法律（平成十二年法律第百四号）第十一条

十九　マンションの管理の適正化の推進に関する法律（平成十二年法律第百四十九号）第九十条

二十　特定都市河川浸水被害対策法（平成十五年法律第七十七号）第三十五条（同法第三十七条第四項及び第三十九条第四項において準用する場合を含む。）、第六十条（同法第六十二条第四項において準用する場合を含む。）及び第六十九条（同法第七十一条第五項において準用する場合を含む。）

二十一　景観法（平成十六年法律第百十号）第十六条第五項及び第六項、第二十二条第四項並びに第六十六条第一項から第三項まで及び第五項

二十二　不動産登記法（平成十六年法律第百二十三号）第十六条、第百十五条から第百十七条まで及び第百十八条第二項（同条第三項において準用する場合を含む。）

二十三　高齢者、障害者等の移動等の円滑化の促進に関する法律（平成十八年法律第九十一号）第十五条第二項

二十四　地域における歴史的風致の維持及び向上に関する法律（平成二十年法律第四十号）第十五条第六項及び第七項並びに第三十三条第一項第三号

二十五　津波防災地域づくりに関する法律（平成二十三年法律第百二十三号）第七十六条第一項（同法第七十八条第四項において準用する場合を含む。）及び第八十五条（同法第八十七条第五項において準用する場合を含む。）

二十六　建築物のエネルギー消費性能の向上等に関する法律（平成二十七年法律第五十三号）第十三条、第十四条第二項、第十六条第三項、第二十条及び附則第三条第七項から第九項まで

二十六　建築物のエネルギー消費性能の向上等に関する法律（平成二十七年法律第五十三号）第十二条及び第十三条第二項

二十七　所有者不明土地の利用の円滑化等に関する特別措置法（平成三十年法律第四十九号）第六条ただし書、第八条第一項並びに第四十三条第三項及び第五項並びに同法第三十五条第一項（同法第三十七条第四項において準用する場合を含む。）において準用する土地収用法第八十四条第三項において準用する同法第八十三条第三項

二十八　賃貸住宅の管理業務等の適正化に関する法律（令和二年法律第六十号）第三十七条

二十九　都市計画法施行令（昭和四十四年政令第百五十八号）第三十六条の五、第三十六条の九、第三十七条の二及び第三十八条の三

三十　文化財保護法施行令（昭和五十年政令第二百六十七号）第四条第五項及び第六項第一号

三十一　大都市地域における住宅及び住宅地の供給の促進に関する特別措置法施行令（昭和五十年政令第三百六号）第三条及び第十一条

三十二　地方拠点都市地域の整備及び産業業務施設の再配置の促進に関する法律施行令（平成四年政令第二百六十六号）第六条

三十三　被災市街地復興特別措置法施行令（平成七年政令第三十六号）第三条

三十四　不動産登記令（平成十六年政令第三百七十九号）第七条第一項第六号（同令別表の七十三の項に係る部分に限る。）及び第二項、第十六条第四項、第十七条第二項、第十八条第四項並びに第十九条第二項

三十五　景観法施行令（平成十六年政令第三百九十八号）第二十二条第二号（同令第二十四条において準用する場合を含む。）

2　前項の規定により次の表の上欄に掲げる法令の規定を準用する場合においては、これらの規定中の字句で同表の中欄に掲げるものは、それぞれ同表の下欄の字句と読み替えるものとする。

行政代執行法第六条第三項	事務費の所属に従い、国庫又は地方公共団体の経済	独立行政法人都市再生機構
土地収用法第二十一条第一項（同法第百三十八条第一項及び公共用地の取得に関する特別措置法第八条（同法第四十五条において準用する場合を含む。）において準用する場合を含む。）	行政機関若しくはその地方支分部局の長	独立行政法人都市再生機構
土地収用法第二十一条第二項（同法第百三十八条第一項及び公共用地の取得に関する特別措置法第八条（同法第四十五条において準用する場合を含む。）において準用する場合を含む。）	行政機関又はその地方支分部局の長	独立行政法人都市再生機構
土地収用法第百二十二条第一項ただし書（同法第百三十八条第一項において準用する場合を含む。）	当該事業の施行について権限を有する行政機関又はその地方支分部局の長	独立行政法人都市再生機構
不動産登記令第七条第二項	命令又は規則により指定された官庁又は公署の職員	独立行政法人都市再生機構の理事長が指定し、その旨を官報により公告した独立行政法

		人都市再生機構の役員又は職員

第三五条　勅令及び政令以外の命令であって国土交通省令で定めるものについては、国土交通省令で定めるところにより、機構を国の行政機関とみなして、これらの命令を準用する。

附　則〔抄〕

（施行期日）

第一条　この政令は、平成十六年七月一日から施行する。ただし、次条から附則第四条までの規定は、公布の日から施行する。

（承継計画書の作成基準）

第二条　法附則第三条第一項の承継計画書は、機構の成立の時において地域振興整備公団（以下「地域公団」という。）が有する旧地方都市開発整備等業務に係る権利及び義務について、次に掲げる事項を基準として定めるものとする。

一　資産及び債務（次号に規定する債務を除く。以下この号において同じ。）については、法附則第十六条の規定による改正前の地域振興整備公団法（昭和三十七年法律第九十五号。以下「旧地域公団法」という。）第二十四条の二（法附則第六十条の規定による改正前の地方拠点都市地域の整備及び産業業務施設の再配置の促進に関する法律（平成四年法律第七十六号）第四十二条及び法附則第六十四条の規定による改正前の中心市街地における市街地の整備改善及び商業等の活性化の一体的推進に関する法律（平成十年法律第九十二号）第九条の規定により読み替えて適用される場合を含む。）に規定する地方都市開発整備等業務に係る勘定に属するもの（旧地域公団法第十九条第一項第一号ハに掲げる業務のうち同項第三号の規定による工場用地の造成と併せて行われるものに係る資産及び債務を除く。）を機構が承継するものとすること。

二　機構の成立の時において現に地域公団が発行している債券に係る債務については、法附則第三条第四項の規定により国土交通大臣が経済産業大臣に協議して定めたものを機構が承継するものとすること。

三　職員の雇用契約については、機構の成立の時において現に地域公団に在籍する職員のうち、当該職員の人数にイからホまでに掲げる業務に専ら従事する職員の定員に対するイに掲げる業務に専ら従事する職員の定員の割合を乗じた人数に相当する職員の雇用契約を機構が承継することを基本とするものとすること。この場合においては、承継後における機構の業務の円滑な遂行に支障を生じさせないよう配慮しなければならない。

イ　旧地方都市開発整備等業務

ロ　旧地域公団法第二十四条の二に規定する工業再配置業務

ハ　次に掲げる業務（ロに掲げるものを除く。）

(1)　法附則第六十条の規定による改正前の地方拠点都市地域の整備及び産業業務施設の再配置の促進に関する法律第四十二条の規定により読み替えて適用される旧地域公団法第二十四条の二に規定する工業再配置等業務

(2)　法附則第六十二条の規定による改正前の特定産業集積の活性化に関する臨時措置法（平成九年法律第二十八号）第十二条の規定により読み替えて適用される旧地域公団法第二十四条の二に規定する工業再配置等業務

(3)　法附則第六十四条の規定による改正前の中心市街地における市街地の整備改善及び商業等の活性化の一体的推進に関する法律第九条の規定により読み替えて適用される旧地域公団法第二十四条の二に規定する工業再配置等業務

(4)　法附則第六十五条の規定による改正前の新事業創出促進法（平成十年法律第百五十二号）第二十七条又は附則第十二条第二項の規定により読み替えて適用される旧地域公団法第二十四条の二に規定する工業再配置等業務

ニ　旧地域公団法附則第十条第一項から第三項までの業務

ホ　法附則第三十七条の規定による改正前の旧産炭地域振興臨時措置法（昭和三十六年法律第二百十九号）附則第四項前段の業務

四　前三号に掲げる権利及び義務以外の旧地方都市開発整備等業務に係る権利及び義務については、機構が承継するものとすること。

（評価に関する規定の準用）

第三条　第一条第一項、第三項及び第四項の規定は、法附則第三条第七項（法附則第四条第八項において準用する場合を含む。）の評価委員その他評価について準用する。この場合において、第一条第一項中「必要の都度、次に掲げる者」とあるのは「次に掲げる者」と、同項第三号中「役員」とあるのは「役員（機構が成立するまでの間は、機構に係る独立行政法人通則法第十五条第一項の設立委員）」と、同項第四号中「機構に出資した地方公共団体」とあるのは「法附則第四条第七項に規定する地方公共団体」とする。

（都市基盤整備公団の解散の登記の嘱託等）

第四条　法附則第四条第一項の規定により都市基盤整備公団（以下「都市公団」という。）が解散したときは、国土交通大臣は、遅滞なく、その解散の登記を登記所に嘱託しなければならない。

2　登記官は、前項の規定による嘱託に係る解散の登記をしたときは、その登記用紙を閉鎖しなければならない。

（交付金の金額）

第五条　法附則第五条第一項の政令で定める金額は、千四百二億千七百九十万五千四百十六円とする。

（機構が当分の間行うことができる業務に関する特例）

第六条　法附則第十二条第一項の規定により機構が同項に規定する業務を行う場合には、次の表の上欄に掲げる規定中同表の中欄に掲げる字句は、それぞれ同表の下欄に掲げる字句とする。

第十五条第一項及び第二項、第十六条第一項	第三十三条第一項	附則第十二条第七項の規定により読み替えて適用する法第三十三条第一項
第十五条第一項第一号	事業年度	事業年度の都市再生業務に係る勘定
第十五条第一項第二号、第二項及び第三項、第十八条、第二十条、第二十三条	の出資金	都市再生業務に充てるべきものとして出資された出資金
第十五条第一項第二号	積み立てた	都市再生業務に係る勘定において積み立てた
第十五条第二項、第十六条第一項、第二十条第一項、第二十一条第一項	出資した	都市再生業務に充てるべきものとして出資した
第十五条第三項、第十八条第二項、第二十条第二項、第二十三条第二項	出資があったとき	都市再生業務に充てるべきものとして出資があったとき
第十六条第一項、第二十一条第一項	計算書に、	計算書に、都市再生業務に係る勘定における
第十九条第一項	第三十三条第二項	附則第十二条第七項の規定により読み替えて適用する法第三十三条第二項
	第十一条	第十一条及び附則第十二条第一項
附則第八条、附則第九条	附則第二十一条第一項	附則第二十一条第一項（法附則第十二条第七項の規定により読み替えて適用する場合を含む。）

2　法附則第十二条第一項の規定により機構が同項第一号又は第二号の業務（同号の業務にあっては、公的資金による住宅及び宅地の供給体制の整備のための公営住宅法等の一部を改正する法律（平成十七年法律第七十八号）第三条の規定による改正前の法第十一条第二項第一号又は第二号の業務に限る。）として森林法（昭和二十六年法律第二百四十九号）第十条の二第

一項に規定する開発行為を行う場合には、同項第一号の規定については、機構を国の行政機関とみなして、この規定を準用する。

（国庫等に納付すべき金額等）

第七条　法附則第十二条第十七項の規定により機構が国庫及び地方公共団体（その出資金を宅地造成等経過業務に充てるべきものとして出資したものに限る。次項、第四項及び第六項において同じ。）に納付すべき金額（以下この条において「納付金額」という。）は、国土交通大臣が財務大臣に協議して定めるものとする。

2　国土交通大臣は、前項の規定により納付金額を定めたときは、機構及び地方公共団体に対し、その納付金額を通知しなければならない。

3　前項の規定による通知は、宅地造成等経過業務を終えた日の属する事業年度に係る財務諸表（通則法第三十八条第一項に規定する財務諸表をいう。）の提出があった日から一月以内にするものとする。

4　機構は、納付金額を法附則第十二条第十七項の規定により国庫及び地方公共団体に納付しようとするときは、当該納付金額を政府及び当該地方公共団体から宅地造成等経過業務に充てるべきものとして出資された出資金の額に応じて按分するものとする。

5　前項に規定する出資金の額は、平成十七年四月一日における政府及び地方公共団体から宅地造成等経過業務に充てるべきものとして出資された出資金の額（同日後法附則第十二条第十六項の規定により宅地造成等経過業務に係る勘定を廃止する日までの間に政府又は地方公共団体から機構に宅地造成等経過業務に充てるべきものとして出資があったときは、当該出資の額に、当該出資があった日から当該宅地造成等経過業務に係る勘定を廃止する日までの日数を平成十七年四月一日から当該宅地造成等経過業務に係る勘定を廃止する日までの日数で除して得た数を乗じて得た額を、それぞれ加えた額）とする。

6　機構は、第二項の規定による通知を受けたときは、国土交通大臣の指定する期日までに、その納付金額を国庫及び地方公共団体に納付しなければならない。

（無利子貸付けの対象となる公共の用に供する施設）

第八条　法附則第二十一条第一項の政令で定める公共の用に供する施設は、道路、公園、下水道、河川、砂防設備及び急傾斜地崩壊防止施設とする。

（無利子貸付金の償還方法）

第九条　法附則第二十一条第一項の規定による貸付金の償還は、均等半年賦償還の方法によるものとする。

（社会資本整備関連特定工事に要する費用の範囲等）

第一〇条　第十二条第一項の規定は法附則第二十二条第一項の費用の範囲について、第十二条第二項の規定は機構が法第十八条の規定により社会資本整備関連特定工事を施行する道路につき道路管理者が共同溝整備法第二十条第一項の規定による負担金を徴収した場合について、第十三条の規定は法附則第二十二条第二項の規定による支払の方法について準用する。この場合において、第十二条第二項中「前項」とあるのは、「附則第十条において準用する第十二条第一項」と読み替えるものとする。

附　則〔抄〕〔平成一六・一二・一五政令三九六〕

（施行期日）

第一条　この政令は、都市緑地保全法等の一部を改正する法律（以下「改正法」という。）の施行の日（平成十六年十二月十七日。以下「施行日」という。）から施行する。

（処分、手続等の効力に関する経過措置）

第四条　改正法附則第二条から第五条まで及び前二条に規定するもののほか、施行日前に改正法による改正前のそれぞれの法律又はこの政令による改正前のそれぞれの政令の規定によってした処分、手続その他の行為であって、改正法による改正後のそれぞれの法律又はこの政令による改正後のそれぞれの政令に相当の規定があるものは、これらの規定によってした処分、手続その他の行為とみなす。

附　則〔略〕〔平成一六・一二・一五政令三九九〕

附　則〔略〕〔平成一七・二・一八政令二四〕

附　則〔略〕〔平成一七・四・一政令一一八〕

附　則〔略〕〔平成一七・五・二五政令一八二〕

附　則〔略〕〔平成一七・六・二九政令二二九〕

附　則〔略〕〔平成一七・七・二九政令二六二〕

附　則〔略〕〔平成一七・一二・二一政令三七五〕

附　則〔略〕〔平成一八・六・八政令二一三〕

附　則〔略〕〔平成一八・八・一八政令二七三〕

附　則〔略〕〔平成一八・九・二二政令三一〇〕

附　則〔略〕〔平成一八・一一・六政令三五〇〕

附　則〔略〕〔平成一八・一二・八政令三七九〕

附　則〔略〕〔平成一九・九・二五政令三〇四〕

附　則〔略〕〔平成一九・一二・一四政令三六九〕

附　則〔略〕〔平成二〇・二・二九政令四〇〕

附　則〔略〕〔平成二〇・七・四政令二一九〕

附　則〔略〕〔平成二〇・一〇・三一政令三三八〕

附　則〔略〕〔平成二三・一一・二八政令三六三〕

附　則〔略〕〔平成二四・六・一政令一五八〕

附　則〔略〕〔平成二七・一・一五政令六〕

附　則〔略〕〔平成二七・一・二三政令二一〕

附　則〔略〕〔平成二七・三・一八政令七四〕

附　則〔略〕〔平成二七・七・一七政令二七三〕

附　則〔略〕〔平成二七・一一・二六政令三九二〕

附　則〔略〕〔平成二八・三・三一政令一八二〕

附　則〔略〕〔平成二八・一一・三〇政令三六四〕

附　則〔略〕〔平成二九・六・一四政令一五六〕

附　則〔略〕〔平成二九・七・二一政令二〇〇〕

附　則〔略〕〔平成二九・八・一四政令二二一〕

附　則〔略〕〔平成三〇・九・二八政令二八〇〕

附　則〔略〕〔平成三〇・一一・九政令三〇八〕

附　則〔略〕〔令和元・六・一九政令三〇〕

附　則〔略〕〔令和元・一一・七政令一五〇〕

附　則〔略〕〔令和二・九・四政令二六八〕

附　則〔略〕〔令和二・一〇・一六政令三一三〕

附　則〔略〕〔令和二・一一・二〇政令三二九〕

附　則〔略〕〔令和二・一二・二三政令三六三〕

附　則〔略〕〔令和三・七・一四政令二〇五〕

附　則〔略〕〔令和三・九・二四政令二六一〕

附　則〔略〕〔令和三・一〇・二九政令二九六〕

附　則〔略〕〔令和四・一〇・二八政令三三五〕

附　則〔略〕〔令和四・一二・二三政令三九三〕

附　則〔略〕〔令和五・九・一三政令二八〇〕

附　則〔抄〕〔令和六・四・一九政令一七二〕

（施行期日）

1　この政令は、脱炭素社会の実現に資するための建築物のエネルギー消費性能の向上に関する法律等の一部を改正する法律の施行の日（令和七年四月一日）から施行する。

○独立行政法人都市再生機構に関する省令

〔平成一六・六・一八
国土交通省令七〇〕

改正 平成一七・三国交令一二、四国交令五四、六国交令七三、平成一八・一国交令二、四国交令五八、八国交令八三、九国交令九四、平成一九・三国交令二二、平成二〇・一二国交令九七、平成二二・一一国交令五五、平成二四・五国交令五三、平成二六・七国交令六七、平成二七・三国交令一九、五国交令四〇、七国交令五三、平成三〇・八国交令六四、平成三一・三国交令二九、令和元・六国交令一六、一二国交令五〇、令和二・六国交令五八、令和三・七国交令四八、令和四・三国交令一七、令和五・一二国交令九二

目次

第一章 重要な財産（第一条）
第二章 監査報告等（第二条・第三条）
第三章 業務方法書の記載事項（第四条）
第四章 中期計画（第五条・第六条）
第五章 年度計画の記載事項等（第七条）
第六章 業務実績等報告書（第八条）
第七章 財務及び会計（第九条―第二十三条）
第八章 再就職者による法令等違反行為の依頼等（第二十三条の二・第二十三条の三）
第九章 整備敷地等の譲渡又は賃貸（第二十四条―第二十六条）
第十章 特定公共施設工事（第二十七条・第二十八条）
第十一章 近傍同種の住宅の家賃（第二十九条・第三十条）
第十二章 不動産登記規則の準用（第三十一条）
附則

第一章 重要な財産

第一条 独立行政法人都市再生機構（以下「機構」という。）に係る独立行政法人通則法（以下「通則法」という。）第八条第三項に規定する主務省令で定める重要な財産は、その保有する財産であって、その通則法第四十六条の二第一項若しくは第二項又は第四十六条の三第一項の認可に係る申請の日（各項ただし書の場合にあっては、当該財産の処分に関する計画を定めた通則法第三十条第一項の中期計画の認可に係る申請の日）における帳簿価額（現金及び預金にあっては、申請の日におけるその額）が五十万円以上のもの（その性質上通則法第四十六条の二又は第四十六条の三の規定により処分することが不適当なものを除く。）その他国土交通大臣が定める財産とする。

第二章 監査報告等

（**監査報告の作成**）

第二条 機構に係る通則法第十九条第四項の規定により主務省令で定める事項については、この条の定めるところによる。

2 監事は、その職務を適切に遂行するため、次に掲げる者との意思疎通を図り、情報の収集及び監査の環境の整備に努めなければならない。この場合において、役員（監事を除く。以下同じ。）は、監事の職務の執行のための必要な体制の整備に留意しなければならない。

一 機構の役員及び職員

二 機構の子法人（通則法第十九条第七項に規定する子法人をいう。以下同じ。）の取締役、会計参与、執行役、業務を執行する社員、会社法（平成十七年法律第八十六号）第五百九十八条第一項の職務を行うべき者その他これらの者に相当する者及び使用人

三 その他監事が適切に職務を遂行するに当たり意思疎通を図るべき者

3 前項の規定は、監事が公正不偏の態度及び独立の立場を保持することができなくなるおそれのある関係の創設及び維持を認めるものと解してはならない。

4 監事は、その職務の遂行に当たり、必要に応じ、機構の他の監事、機構の子法人の監査役その他これらの者に相当する者との意思疎通及び情報の交換を図るよう努めなければならない。

5 監査報告には、次に掲げる事項を記載しなければならない。

一 監事の監査の方法及びその内容

二 機構の業務が、法令等に従って適正に実施されているかどうか及び中期目標の着実な達成に向け効果的かつ効率的に実施されているかどうかについての意見

三 機構の役員の職務の執行が法令等に適合することを確保するための体制その他機構の業務の適正を確保するための体制の整備及び運用についての意見

四 機構の役員の職務の遂行に関し、不正の行為又は法令等に違反する重大な事実があったときは、その事実

五 監査のため必要な調査ができなかったときは、その旨及びその理由

六 監査報告を作成した日

（**監事の調査の対象となる書類**）

第三条 機構に係る通則法第十九条第六項第二号に規定する主務省令で定める書類は、独立行政法人都市再生機構法（平成十五年法律第百号。以下「法」という。）及び独立行政法人都市再生機構法施行令（平成十六年政令第百六十号。以下「令」という。）の規定に基づき国土交通大臣に提出する書類とする。

第三章 業務方法書の記載事項

第四条 機構に係る通則法第二十八条第二項の主務省令で定める事項は、次のとおりとする。

一 法第十一条第一項第一号に規定する建築物の敷地の整備又は宅地の造成並びに整備した敷地又は造成した宅地の管理及び譲渡に関する事項

二 法第十一条第一項第二号に規定する賃貸住宅の敷地の整備、管理及び譲渡に関する事項

三 法第十一条第一項第三号に規定する市街地再開発事業、防災街区整備事業、土地区画整理事業、住宅街区整備事業及び流通業務団地造成事業の実施に関する事項

四 法第十一条第一項第四号に規定する市街地再開発事業、防災街区整備事業、土地区画整理事業又は住宅街区整備事業への参加に関する事項

五 法第十一条第一項第五号に規定する特定施設建築物又は特定防災施設建築物の建設並びにそれらの管理、増改築及び譲渡に関する事項

六 法第十一条第一項第六号に規定する市街地の整備改善に必要な調査、調整及び技術の提供に関する事項

七 法第十一条第一項第七号に規定する公共の用に供する施設の整備、管理及び譲渡に関する事項

八 法第十一条第一項第八号に規定する公共の用に供する施設の整備、管理及び譲渡に関する事項

九 法第十一条第一項第九号に規定する住宅又は施設の建設並びにそれらの管理、増改築及び譲渡に関する事項

十 法第十一条第一項第十号に規定する住宅又は事務所、店舗等の用に供する施設の建設並びにそれらの管理、増改築及び譲渡に関する事項

十一 法第十一条第一項第十一号に規定する都市公園の建設、設計及び工事の監督管理に関する事項

十二 法第十一条第一項第十二号に規定する機構が都市基盤整備公団（以下「都市公団」という。）から承継した賃貸住宅、公共の用に供する施設及び事務所、店舗等の用に供する施設並びに機構が建設し、及び整備した賃貸住宅、公共の用に供する施設及び事務所、店舗等の用に供する施設の管理、増改築及び譲渡に関する事項

十三 法第十一条第一項第十三号に規定する賃貸住宅の建替え並びにこれにより新たに建設した賃貸住宅の管理、増改築及び譲渡に関する事項

十四 法第十一条第一項第十四号に規定する賃貸住宅の居住者の利便に供する施設の整備、管理及び譲渡に関する事項

十五 法第十一条第一項第十五号イに規定する公共の用に供する施設の整備、管理及び譲渡、同号ロに規定する事務所、店舗等の用に供する施設の建設並びにその管理、増改築及び譲渡並びに同号ハに規定する住宅の建設並びにその管理及び譲渡に関する事項

十六　法第十一条第一項第十六号に規定する賃貸住宅の建設並びにその管理、増改築及び譲渡に関する事項
十七　法第十一条第一項第十七号に規定する附帯する業務に関する事項
十八　法第十一条第二項第一号に規定する防災のための集団移転促進事業に係る国の財政上の特別措置等に関する法律（昭和四十七年法律第百三十二号）第十二条に規定する業務に関する事項
十九　法第十一条第二項第二号に規定する被災市街地復興特別措置法（平成七年法律第十四号）第二十二条第一項に規定する業務に関する事項
二十　法第十一条第二項第三号に規定する密集市街地における防災街区の整備の促進に関する法律（平成九年法律第四十九号）第三十条に規定する業務に関する事項
二十一　法第十一条第二項第四号に規定するマンションの建替え等の円滑化に関する法律（平成十四年法律第七十八号）第百五条の二に規定する業務に関する事項
二十二　法第十一条第二項第五号に規定する地域再生法（平成十七年法律第二十四号）第十七条の五十二に規定する業務に関する事項
二十三　法第十一条第二項第六号に規定する東日本大震災復興特別区域法（平成二十三年法律第百二十二号）第七十四条に規定する業務に関する事項
二十四　法第十一条第二項第七号に規定する福島復興再生特別措置法（平成二十四年法律第二十五号）第三十条及び第四十二条に規定する業務に関する事項
二十五　法第十一条第二項第八号に規定する大規模災害からの復興に関する法律（平成二十五年法律第五十五号）第三十七条に規定する業務に関する事項
二十六　法第十一条第二項第九号に規定する空家等対策の推進に関する特別措置法（平成二十六年法律第百二十七号）第二十条に規定する業務に関する事項
二十七　法第十一条第二項第十号に規定する海外社会資本事業への我が国事業者の参入の促進に関する法律（平成三十年法律第四十号）第六条に規定する業務に関する事項
二十八　法第十一条第三項第一号に規定する建築物の敷地の整備又は宅地の造成及び整備した敷地又は造成した宅地の管理に関する事項
二十九　法第十一条第三項第二号に規定する住宅の建設及び管理に関する事項
三十　法第十一条第三項第三号に規定する公共の用に供する施設の整備に関する事項
三十一　法第十一条第三項第四号に規定する施設の建設又は整備及び管理に関する事項
三十二　法第十一条第三項第五号に規定する調査、調整及び技術の提供に関する事項
三十三　業務委託の基準
三十四　競争入札その他契約に関する基本的事項
三十五　その他機構の業務の執行に関して必要な事項

第四章　中期計画

（中期計画の認可申請等）

第五条　機構は、通則法第三十条第一項前段の規定により中期計画の認可を受けようとするときは、当該中期計画を記載した申請書を、当該中期計画の最初の事業年度開始の日の三十日前までに（機構の成立後最初の中期計画については、機構の成立後遅滞なく）、国土交通大臣に提出しなければならない。

2　機構は、通則法第三十条第一項後段の規定により中期計画の変更の認可を受けようとするときは、変更しようとする事項及びその理由を記載した申請書を国土交通大臣に提出しなければならない。

（中期計画の記載事項）

第六条　機構に係る通則法第三十条第二項第八号の主務省令で定める業務運営に関する事項は、次に掲げるものとする。ただし、機構の成立後最初の中期計画に係る当該事項については、第一号から第三号まで及び第五号に掲げるものとする。
一　施設及び設備に関する計画
二　人事に関する計画
三　中期目標の期間を超える債務負担
四　法第三十三条第二項に規定する積立金の使途
五　その他当該中期目標を達成するために必要な事項

第五章　年度計画の記載事項等

第七条　機構に係る通則法第三十一条第一項の年度計画には、中期計画に定めた事項に関し、当該事業年度において実施すべき事項を記載しなければならない。

2　機構は、通則法第三十一条第一項後段の規定により年度計画の変更をしたときは、変更した事項及びその理由を記載した届出書を国土交通大臣に提出しなければならない。

第六章　業務実績等報告書

第八条　機構に係る通則法第三十二条第二項の報告書には、当該報告書が次の表の上欄に掲げる報告書のいずれに該当するかに応じ、同表の下欄に掲げる事項を記載しなければならない。その際、機構は、当該報告書が同条第一項の評価の根拠となる情報を提供するために作成されるものであることに留意しつつ、機構の事務及び事業の性質、内容等に応じて区分して同欄に掲げる事項を記載するものとする。

報告書	事項
事業年度における業務の実績及び当該実績について自ら評価を行った結果を明らかにした報告書	一　当該事業年度における業務の実績（当該業務の実績が通則法第二十九条第二項第二号に掲げる事項に係るものである場合にあっては次のイからニまでに掲げる事項を明らかにしたものに、同項第三号から第五号までに掲げる事項に係るものである場合にあっては次のイからハまでに掲げる事項を明らかにしたものに限る。） イ　中期計画及び年度計画の実施状況 ロ　当該事業年度における業務運営の状況 ハ　当該業務の実績に係る指標及び当該事業年度の属する中期目標の期間における当該事業年度以前の毎年度の当該指標の数値（当該業務の実績に係る指標が設定されている場合に限る。） ニ　当該事業年度の属する中期目標の期間における当該事業年度以前の毎年度の当該業務の実績に係る財務情報及び人員に関する情報 二　次のイからハまでに掲げる事項を明らかにした前号に掲げる業務の実績についての評価の結果（当該業務の実績が通則法第二十九条第二項第二号から第五号までに掲げる事項に係るものである場合に限る。） イ　中期目標に定めた項目ごとの評定及び当該評定を付した理由 ロ　業務運営上の課題が検出された場合には、当該課題及び当該課題に対する改善方策 ハ　過去の報告書に記載された改善方策のうちその実施が完了した旨の記載がないものがある場合には、その実施状況
中期目標の期間の終了時に見込まれる中期目標の期間における業務の実績及び当該実績について自ら評価を行った結果を明らかにした報告書	一　中期目標の期間の終了時に見込まれる中期目標の期間における業務の実績（当該業務の実績が通則法第二十九条第二項第二号に掲げる事項に係るものである場合にあっては次のイからニまでに掲げる事項を明らかにしたものに、同項第三号から第五号までに掲げる事項に係るものである場合にあっては次のイからハまでに掲げる事項を明らかにしたものに限る。） イ　中期目標及び中期計画の実施状況 ロ　当該期間における業務運営の状況

	ハ　当該業務の実績に係る指標及び当該期間における毎年度の当該指標の数値（当該業務の実績に係る指標が設定されている場合に限る。） ニ　当該期間における毎年度の当該業務の実績に係る財務情報及び人員に関する情報 二　次のイからハまでに掲げる事項を明らかにした前号に掲げる業務の実績についての評価の結果（当該業務の実績が通則法第二十九条第二項第二号から第五号までに掲げる事項に係るものである場合に限る。） イ　中期目標に定めた項目ごとの評定及び当該評定を付した理由 ロ　業務運営上の課題が検出された場合には、当該課題及び当該課題に対する改善方策 ハ　過去の報告書に記載された改善方策のうちその実施が完了した旨の記載がないものがある場合には、その実施状況
中期目標の期間における業務の実績及び当該実績について自ら評価を行った結果を明らかにした報告書	一　中期目標の期間における業務の実績（当該業務の実績が通則法第二十九条第二項第二号に掲げる事項に係るものである場合にあっては次のイからニまでに掲げる事項を明らかにしたものに、同項第三号から第五号までに掲げる事項に係るものである場合にあっては次のイからハまでに掲げる事項を明らかにしたものに限る。） イ　中期目標及び中期計画の実施状況 ロ　当該期間における業務運営の状況 ハ　当該業務の実績に係る指標及び当該期間における毎年度の当該指標の数値（当該業務の実績に係る指標が設定されている場合に限る。） ニ　当該期間における毎年度の当該業務の実績に係る財務情報及び人員に関する情報 二　次のイからハまでに掲げる事項を明らかにした前号に掲げる業務の実績についての評価の結果（当該業務の実績が通則法第二十九条第二項第二号から第五号までに掲げる事項に係るものである場合に限る。） イ　中期目標に定めた項目ごとの評定及び当該評定を付した理由 ロ　業務運営上の課題が検出された場合には、当該課題及び当該課題に対する改善方策 ハ　過去の報告書に記載された改善方策のうちその実施が完了した旨の記載がないものがある場合には、その実施状況

2　機構は、前項に規定する報告書を国土交通大臣に提出したときは、速やかに、当該報告書をインターネットの利用その他の適切な方法により公表するものとする。

第七章　財務及び会計

（会計の原則）

第九条　機構の会計については、この省令の定めるところによるものとし、この省令に定めのないものについては、一般に公正妥当と認められる企業会計の基準に従うものとする。

2　金融庁組織令（平成十年政令第三百九十二号）第二十四条第一項に規定する企業会計審議会により公表された企業会計の基準は、前項に規定する一般に公正妥当と認められる企業会計の基準に該当するものとする。

3　平成十一年四月二十七日の中央省庁等改革推進本部決定に基づき行われた独立行政法人の会計に関する研究の成果として公表された基準（平成十七年六月二十九日に設定された固定資産の減損に係る基準を除く。以下「独立行政法人会計基準」という。）は、この省令に準ずるものとして、第一項に規定する一般に公正妥当と認められる企業会計の基準に優先して適用されるものとする。

（譲渡差額を損益計算上の損益に計上しない譲渡取引）

第一〇条　国土交通大臣は、機構が通則法第四十六条の二第二項又は第四十六条の三第三項の規定に基づいて行う不要財産の譲渡取引についてその譲渡差額を損益計算上の損益に計上しないことが必要と認められる場合には、当該譲渡取引を指定することができる。

（区分経理）

第一一条　機構の費用及び収益に関する経理については、それぞれ内訳として次に掲げる業務に係るものに区分するものとする。

一　賃貸住宅（譲渡するために建設されるものを除く。以下この号において同じ。）、賃貸住宅の建設と一体として事務所、店舗等の用に供する施設の建設を行うことが適当である場合におけるそれらの用に供する施設及び賃貸住宅の居住者の利便に供する施設に係る業務並びにこれらに附帯する業務（次号に掲げるものを除く。）

二　次に掲げる業務

イ　法第十一条第一項第六号及び第十六号の業務並びにこれらに附帯する業務、同条第二項第二号の業務並びに同条第三項各号の業務（これらの業務のうち東日本大震災（平成二十三年三月十一日に発生した東北地方太平洋沖地震及びこれに伴う原子力発電所の事故による災害をいう。）からの復興に係るものに限る。）

ロ　法第十一条第二項第六号及び第七号の業務

三　その他の業務

（財務諸表）

第一二条　機構に係る通則法第三十八条第一項の主務省令で定める書類は、独立行政法人会計基準に定める行政コスト計算書、純資産変動計算書及びキャッシュ・フロー計算書並びに連結貸借対照表、連結損益計算書、連結純資産変動計算書、連結キャッシュ・フロー計算書及び連結附属明細書とする。

（事業報告書の作成）

第一二条の二　機構に係る通則法第三十八条第二項の規定により主務省令で定める事項については、この条の定めるところによる。

2　事業報告書には、次に掲げる事項を記載しなければならない。

一　機構の目的及び業務内容
二　国の政策における機構の位置付け及び役割
三　中期目標の概要
四　理事長の理念並びに運営上の方針及び戦略
五　中期計画及び年度計画の概要
六　持続的に適正なサービスを提供するための源泉
七　業務運営上の課題並びにリスクの状況及び対応策
八　業績の適正な評価に資する情報
九　業務の成果及び当該業務に要した資源
十　予算及び決算の概要
十一　財務諸表の要約
十二　財政状態及び運営状況の理事長による説明
十三　内部統制の運用状況
十四　機構に関する基礎的な情報

（財務諸表の閲覧期間）

第一三条　機構に係る通則法第三十八条第三項の主務省令で定める期間は、五年とする。

（通則法第三十八条第四項の主務省令で定める書類）

第一三条の二　機構に係る通則法第三十八条第四項の主務省令で定める書類は、連結貸借対照表、連結損益計算書、連結純資産変動計算書、連結キャッシュ・フロー計算書及び連結附属明細書とする。

（会計監査報告の作成）

第一三条の三　通則法第三十九条第一項後段の規定により主務省令で定める事項については、この条の定めるところによる。

2　会計監査人は、その職務を適切に遂行するため、次に掲げる者との意思疎通を図り、情報の収集及び監査の環境の整備に努めなければならない。ただし、会計監査人が公正不偏の態度及び独立の立場を保持することができなくなるおそれのある関係の創設及び維持を認めるものと解してはならない。

一　機構の役員及び職員
二　機構の子法人の取締役、会計参与、執行役、業務を執行する社員、会

社法第五百九十八条第一項の職務を行うべき者その他これらの者に相当する者及び使用人

三　その他会計監査人が適切に職務を遂行するに当たり意思疎通を図るべき者

3　会計監査人は、通則法第三十八条第一項に規定する財務諸表並びに同条第二項に規定する事業報告書及び決算報告書を受領したときは、次に掲げる事項を内容とする会計監査報告を作成しなければならない。

一　会計監査人の監査の方法及びその内容

二　財務諸表（利益の処分又は損失の処理に関する書類を除く。以下この号及び次項において同じ。）が機構の財政状態、運営状況、キャッシュ・フローの状況等を全ての重要な点において適正に表示しているかどうかについての意見があるときは、次のイからハまでに掲げる意見の区分に応じ、当該イからハまでに定める事項

イ　無限定適正意見　監査の対象となった財務諸表が独立行政法人会計基準その他の一般に公正妥当と認められる会計の慣行に準拠して、機構の財政状態、運営状況、キャッシュ・フローの状況等を全ての重要な点において適正に表示していると認められる旨

ロ　除外事項を付した限定付適正意見　監査の対象となった財務諸表が除外事項を除き独立行政法人会計基準その他の一般に公正妥当と認められる会計の慣行に準拠して、機構の財政状態、運営状況、キャッシュ・フローの状況等を全ての重要な点において適正に表示していると認められる旨並びに除外事項

ハ　不適正意見　監査の対象となった財務諸表が不適正である旨及びその理由

三　前号の意見がないときは、その旨及びその理由

四　第二号の意見がある場合は、事業報告書（会計に関する部分を除く。）の内容と通則法第三十九条第一項に規定する財務諸表、事業報告書（会計に関する部分に限る。）及び決算報告書の内容又は会計監査人が監査の過程で得た知識との間の重要な相違等について、報告すべき事項の有無及び報告すべき事項があるときはその内容

五　追記情報

六　前各号に掲げるもののほか、利益の処分又は損失の処理に関する書類、事業報告書（会計に関する部分に限る。）及び決算報告書に関して必要な報告

七　会計監査報告を作成した日

4　前項第五号に規定する「追記情報」とは、次に掲げる事項その他の事項のうち、会計監査人の判断に関して説明を付す必要がある事項又は財務諸表の内容のうち強調する必要がある事項とする。

一　会計方針の変更

二　重要な偶発事象

三　重要な後発事象

（短期借入金の認可の申請）

第一四条　機構は、通則法第四十五条第一項ただし書の規定により短期借入金の借入れの認可を受けようとするとき、又は同条第二項ただし書の規定により短期借入金の借換えの認可を受けようとするときは、次に掲げる事項を記載した申請書を国土交通大臣に提出しなければならない。

一　借入れを必要とする理由

二　借入金の額

三　借入先

四　借入金の利率

五　借入金の償還の方法及び期限

六　利息の支払の方法及び期限

七　その他必要な事項

（長期借入金の認可の申請）

第一五条　機構は、法第三十四条第一項の規定により長期借入金の認可を受けようとするときは、前条各号に掲げる事項を記載した申請書を国土交通大臣に提出しなければならない。

（償還計画の認可の申請）

第一六条　機構は、法第三十九条の規定により償還計画の認可を受けようとするときは、通則法第三十一条第一項前段の規定により年度計画を届け出た後、遅滞なく、次に掲げる事項を記載した償還計画を国土交通大臣に提出しなければならない。ただし、償還計画の変更の認可を受けようとするときは、その都度提出しなければならない。

一　長期借入金の総額及び当該事業年度における借入見込額並びにその借入先

二　都市再生債券の総額及び当該事業年度において発行するものの引受けの見込み

三　長期借入金及び都市再生債券の償還の方法及び期限

四　その他必要な事項

（不要財産に係る民間等出資の払戻しの認可の申請）

第一七条　機構は、通則法第四十六条の三第一項の規定により、民間等出資に係る不要財産について、当該民間等出資に係る不要財産に係る出資者（以下単に「出資者」という。）に対し当該民間等出資に係る不要財産に係る出資額として国土交通大臣が定める額の持分の全部又は一部の払戻しの請求をすることができる旨を催告することについて、同項本文の規定により認可を受けようとするときは、次に掲げる事項を記載した申請書を国土交通大臣に提出しなければならない。

一　催告に係る不要財産の内容

二　不要財産であると認められる理由

三　当該不要財産の取得の日及び申請の日における不要財産の帳簿価額（現金及び預金にあっては、取得の日及び申請の日におけるその額）

四　当該不要財産の取得に係る出資の内容（出資者が複数ある場合にあっては、出資者ごとの当該不要財産の取得の日における帳簿価額に占める出資額の割合）

五　催告の内容

六　不要財産により払戻しをする場合には、不要財産の評価額

七　通則法第四十六条の三第三項の規定により主務大臣が定める基準に従い算定した金額により払戻しをする場合には、不要財産の譲渡によって得られる収入の見込額並びに譲渡に要する費用の費目、費目ごとの見込額及びその合計額

八　前号の場合における譲渡の方法

九　第七号の場合における譲渡の予定時期

十　その他必要な事項

2　国土交通大臣は、前項の申請に係る払戻しの方法が通則法第四十六条の三第三項の規定により主務大臣が定める基準に従い算定した金額による払戻しである場合において、同条第一項の認可をしたときは、次に掲げる事項を機構に通知するものとする。

一　通則法第四十六条の三第一項の規定により当該不要財産に係る出資額として国土交通大臣が定める額の持分

二　通則法第四十六条の三第三項の規定により主務大臣が定める基準に従い算定した金額により払戻しをする場合における当該払戻しの見込額

（中期計画に定めた不要財産の払戻しの催告に係る通知）

第一八条　機構は、通則法第四十四条第三項の中期計画において通則法第三十条第二項第五号の計画を定めた場合において、通則法第四十六条の三第一項の規定により、民間等出資に係る不要財産について、出資者に対し当該民間等出資に係る不要財産に係る出資額として国土交通大臣が定める額の持分の全部又は一部の払戻しの請求をすることができる旨を催告しようとするときは、前条第一項各号に掲げる事項を国土交通大臣に通知しなければならない。

2　国土交通大臣は、前項の通知を受けたときは、遅滞なく、財務大臣にその旨を通知するものとする。

（催告の方法）

第一九条　機構は、通則法第四十六条の三第一項の規定により催告しようとするときは、次に掲げる事項を記載した書面を交付し、又は当該事項を電磁的方法（電子的方法、磁気的方法その他人の知覚によっては認識することができない方法をいう。）により提供しなければならない。

一　催告に係る不要財産の内容

二　通則法第四十六条の三第一項の規定に基づき当該民間等出資に係る不要財産に係る出資額として主務大臣が定める額の持分の全部又は一部の払戻しの請求をすることができる旨

三　通則法第四十六条の三第一項に規定する払戻しについて、次に掲げる方法のうちいずれの方法によるかの別

イ　不要財産により払戻しをすること

ロ　通則法第四十六条の三第三項の規定により主務大臣が定める基準に従い算定した金額により払戻しをすること

四　払戻しを行う予定時期

五　第三号ロの方法による払戻しの場合における払戻しの見込額

2　前項の規定により催告するに際し、当該不要財産の帳簿価額を超えることその他の事情があるため、払戻しの方法が同項第三号イの方法により難い場合には、その旨を当該催告の相手方に対し、通知するものとする。

（民間等出資に係る不要財産の譲渡の報告等）

第二〇条　機構は、通則法第四十六条の三第三項の規定により民間等出資に係る不要財産の譲渡を行ったときは、遅滞なく、次に掲げる事項を記載した報告書を国土交通大臣に提出するものとする。

一　当該不要財産の内容
二　譲渡によって得られた収入の額
三　譲渡に要した費用の費目、費目ごとの金額及びその合計額
四　譲渡した時期
五　通則法第四十六条の三第二項の規定により払戻しを請求された持分の額

2　前項の報告書には、同項各号に掲げる事項を証する書類を添付するものとする。

3　国土交通大臣は、第一項の報告書の提出を受けたときは、通則法第四十六条の三第三項の規定により主務大臣が定める基準に従い算定した金額（当該算定した金額が第一項第五号の持分の額に満たない場合にあっては、当該算定した金額及び通則法第四十六条の三第三項の規定により当該持分のうち国土交通大臣が定める額の持分）を機構に通知するものとする。

4　機構は、前項の通知を受けたときは、遅滞なく、同項の規定により通知された金額により、第一項第五号の持分（当該通知された金額が当該持分の額に満たない場合にあっては、前項の規定により通知された額の持分）を、当該請求をした出資者に払い戻すものとする。

（資本金の減少の報告）

第二一条　機構は、通則法第四十六条の三第四項の規定により資本金を減少したときは、遅滞なく、その旨を国土交通大臣に報告するものとする。

（金銭信託による余裕金の運用）

第二二条　機構は、通則法第四十七条第三号に規定する金銭信託による余裕金の運用については、当該金銭信託につき元本の補てんの契約が締結される場合に限り、これを行うことができる。

（積立金の処分に係る承認の申請の添付書類）

第二三条　令第十九条第二項の国土交通省令で定める書類は、次に掲げるものとする。

一　当該期間最後の事業年度の事業年度末の貸借対照表
二　当該期間最後の事業年度の損益計算書
三　当該期間最後の事業年度末の利益の処分に関する書類
四　承認を受けようとする金額の計算の基礎を明らかにした書類

第八章　再就職者による法令等違反行為の依頼等

（内部組織）

第二三条の二　機構に係る通則法第五十条の六第一号に規定する離職前五年間に在職していた当該中期目標管理法人の内部組織として主務省令で定めるものは、現に存する理事長の直近下位の内部組織として国土交通大臣が定めるもの（次項において「現内部組織」という。）であって再就職者（離職後二年を経過した者を除く。同項において同じ。）が離職前五年間に在職していたものとする。

2　直近七年間に存し、又は存していた理事長の直近下位の内部組織（独立行政法人通則法の一部を改正する法律（平成二十六年法律第六十六号）の施行の日以後のものに限る。）として国土交通大臣が定めるものであって再就職者が離職前五年間に在職していたものが行っていた業務を現内部組織（当該内部組織が現内部組織である場合にあっては他の現内部組織）が行っている場合における前項の規定の適用については、当該再就職者が離職前五年間に当該現内部組織に在職していたものとみなす。

（管理又は監督の地位）

第二三条の三　機構に係る通則法第五十条の六第二号に規定する管理又は監督の地位として主務省令で定めるものは、職員の退職管理に関する政令（平成二十年政令第三百八十九号）第二十七条第六号に規定する職員が就いている官職に相当するものとして国土交通大臣が定めるものとする。

第九章　整備敷地等の譲渡又は賃貸

（譲渡等計画に定める事項）

第二四条　法第十六条第一項の国土交通省令で定める事項は、次に掲げる事項とする。

一　建築物の敷地の整備又は宅地の造成に係る事業の目的及び当該事業が行われた地区の現況
二　当該整備敷地等の所在及び面積
三　当該整備敷地等に係る都市計画法（昭和四十三年法律第百号）、建築基準法（昭和二十五年法律第二百一号）その他の法令に基づく制限に関する事項
四　当該整備敷地等に関する権利の処分の制限に関する事項
五　前各号に掲げるもののほか、第一号に規定する事業の目的の達成に必要な事項

（譲渡等計画を定めないで譲渡し、又は賃貸することができる者）

第二五条　法第十六条第一項ただし書の国土交通省令で定める者は、次に掲げる者とする。

一　国又は地方公共団体
二　地方住宅供給公社又は日本勤労者住宅協会
三　土地開発公社
四　地方公共団体が基本金、資本金その他これらに準ずるものの二分の一以上を出資している一般社団法人若しくは一般財団法人又は株式会社で住宅又は公益的施設の建設又は管理の事業を営むもの
五　整備敷地等において土地収用法（昭和二十六年法律第二百十九号）第三条に規定する事業を行う者
六　整備敷地等において都市計画施設（都市計画法第四条第六項に規定する都市計画施設をいう。以下同じ。）の整備に関する事業又は同条第七項に規定する市街地開発事業を施行する者
七　整備敷地等において大都市地域における住宅及び住宅地の供給の促進に関する特別措置法（昭和五十年法律第六十七号）第百一条の八の認定計画に基づく同法第二条第五号に規定する都心共同住宅供給事業、都市再開発法（昭和四十四年法律第三十八号）第百二十九条の六の認定再開発事業計画に基づく同法第百二十九条の二第一項に規定する再開発事業、都市再生特別措置法（平成十四年法律第二十二号）第二十五条の認定計画に基づく同法第二十条第一項に規定する都市再生事業、同法第六十七条の認定整備事業計画に基づく同法第六十三条第一項に規定する都市再生整備事業又は同法第九十九条の認定誘導事業計画に基づく同法第九十五条第一項に規定する誘導施設等整備事業を施行する者
八　法第十七条第一項の規定による機構の投資を受けて事業を営む者で同項各号（第三号を除く。）に掲げる業務の用に供する整備敷地等を必要とするもの
九　法第十七条の二第一項の規定による機構の投資を受けて整備敷地等を含む土地の区域において同項に規定する事業を営む者
十　整備敷地等に隣接する土地の区域において市街地の整備改善に関する事業を実施しようとしている者のうち次に掲げる条件を備えた者
　イ　市街地の整備改善に関する事業の実施に必要な経済的基礎及びこれを的確に遂行するために必要なその他の能力が十分な者であること。
　ロ　整備敷地等の譲渡の対価又は地代の支払能力がある者であること。
十一　親族又は使用人の居住の用に供する宅地を必要とする者
十二　自己の生計を維持するための業務の用に供する宅地を必要とする者

2　整備敷地等において条約その他の国際約束に基づき国がその取得に協力する必要がある施設（国土交通大臣が整備敷地等の合理的かつ健全な高度利用に資すると認めたものに限る。）を建設する外国政府は、法第十六条第一項ただし書の国土交通省令で定める者とする。

（譲受人等の公募及び選考の方法）

第二六条　法第十六条第二項の規定による譲受人又は賃借人の公募は、新聞掲載、掲示、インターネットの利用その他の適切な方法により広告して行わなければならない。

2　法第十六条第二項の規定による譲受人又は賃借人の選考は、建築物の建設に関する計画を提出させ審査する方法、競争入札の方法その他整備敷地等の公正かつ適切な譲渡又は賃貸の実施が確保される方法により行わなけ

ればならない。

第十章　特定公共施設工事

（特定公共施設工事を併せて行うことができる建築物の敷地の整備又は宅地の造成の規模）

第二七条　法第十八条第一項の国土交通省令で定める規模は、次の各号に掲げる事業の種類に応じて当該各号に定める規模とする。ただし、第四号に掲げる事業（現に機構が行っているおおむね五十ヘクタール以上の規模のものに限る。）のうち、その事業の規模を変更しようとする場合において、自然的環境の整備又は保全に配慮するものとして国土交通大臣が承認するものにあっては、おおむね五ヘクタールとする。

一　既成市街地において行う建築物の敷地の整備（当該建築物の敷地の整備及びこれと併せて行う特定公共施設の整備により居住環境の向上又は都市機能の増進が図られる地区がおおむね〇・五ヘクタール以上となるものに限る。）、都市再開発法第二条の二第五項の規定により行う市街地再開発事業又は密集市街地における防災街区の整備の促進に関する法律第百十九条第五項の規定により行う防災街区整備事業　おおむね〇・一ヘクタール

二　土地区画整理法（昭和二十九年法律第百十九号）第三条の二の規定により行う土地区画整理事業（一体的かつ総合的に市街地の再開発を促進すべき相当規模の地区の計画的な整備改善を図るために行うものに限る。）　おおむね〇・五ヘクタール

三　大都市地域内の都心の地域又は多極分散型国土形成促進法（昭和六十三年法律第八十三号）第二十二条第一項に規定する業務核都市及びそれらの周辺の地域において行う宅地の造成　おおむね五ヘクタール

四　前号に掲げる宅地の造成以外の宅地の造成　おおむね五十ヘクタール

（特定公共施設工事の公告）

第二八条　法第十八条第四項の規定による公告は、次に掲げる事項を官報に掲載して行うものとする。

一　特定公共施設の種類及び名称

二　工事の区域又は区間

三　工事の種類

四　工事の開始の日

2　前項の規定は、法第十八条第五項の規定による公告について準用する。この場合において、前項第四号中「開始」とあるのは、「完了」と読み替えるものとする。

第十一章　近傍同種の住宅の家賃

（定義）

第二九条　この章において、次の各号に掲げる用語の意義は、それぞれ当該各号に定めるところによる。

一　近傍同種家賃　法第二十五条第一項及び第二項の近傍同種の住宅の家賃をいう。

二　対象住宅　法第二十五条第一項又は第二項の規定により家賃の額を決定し、又は変更すべき賃貸住宅をいう。

三　事例住宅　賃貸借の事例で近傍同種家賃の算定に用いられるものに係る賃貸住宅をいう。

四　家賃形成要因　賃貸住宅の家賃の形成に作用する客観的な諸要因をいう。

五　地域要因　土地の用途が同質と認められるまとまりのある地域内の賃貸住宅の家賃の水準に作用する家賃形成要因をいう。

六　個別的要因　賃貸住宅の家賃について、当該賃貸住宅の存する地域で土地の用途が同質と認められるまとまりのあるものにおける家賃の水準に比し、個別的な差違を生じさせる家賃形成要因をいう。

七　近隣地域　対象住宅の存する地域で、土地の用途が同質と認められるまとまりのあるものをいう。

八　同一需給圏　対象住宅と一般的に代替関係が成立して、その家賃の形成について相互に影響を及ぼす関係にある他の賃貸住宅の存する圏域をいう。

九　類似地域　同一需給圏内の土地の用途が同質と認められるまとまりのある地域で、当該地域内の土地の用途が近隣地域内の土地の用途と同質又は類似のものをいう。

（近傍同種家賃の算定方法）

第三〇条　近傍同種家賃の算定に当たっては、これに必要と認められる家賃形成要因に関する資料及び賃貸借の事例に係る住宅の家賃に関する資料を適切かつ十分に収集し、当該収集した資料を適正に選択し、これを用いなければならない。

2　前項の賃貸借の事例に係る住宅の家賃に関する資料の選択に当たっては、近隣地域又は類似地域に存する賃貸住宅に係るものを選択しなければならない。ただし、近隣地域又は類似地域に存する賃貸住宅に係る資料の大部分が特殊な事情による影響を著しく受けていることその他の特別な事情により、当該資料のみによっては近傍同種家賃の算定を適切に行うことができないと認められる場合には、当該資料に加えて、同一需給圏内の近隣地域の周辺の地域（次項において「周辺地域」という。）に存する賃貸住宅に係るものを選択することができる。

3　近傍同種家賃の算定に当たっては、近隣地域、類似地域又は周辺地域内における地域要因がそれぞれの地域における家賃の水準に作用する程度及び個別的要因がそれぞれの家賃の形成に作用する程度を判定しなければならない。

4　近傍同種家賃は、前項の手続の結果に基づき、地域要因を考慮し、かつ、相互に比較を行った上、対象住宅及び各事例住宅のそれぞれの個別的要因についての比較を行い、その比較の結果に従い、各事例住宅の家賃から求められたそれぞれの額を相互に比較考量することにより求めなければならない。

5　前項の場合において、事例住宅の家賃が特殊な事情による影響を受けていると認められるときは、適正な補正を行わなければならない。

6　第四項の場合において、事例住宅の家賃に係る賃貸借の時点が近傍同種家賃の算定の時点と異なり、その間に家賃の変動があると認められるときは、当該事例住宅の家賃を近傍同種家賃の算定の時点における家賃に修正しなければならない。

第十二章　不動産登記規則の準用

第三一条　不動産登記規則（平成十七年法務省令第十八号）第四十三条第一項第四号（同規則第五十一条第八項、第六十五条第九項、第六十八条第十項及び第七十条第七項において準用する場合を含む。）、第六十三条の二第一項及び第三項、第六十四条第一項第一号及び第四号並びに第百八十二条第二項の規定については、機構を国の行政機関とみなして、これらの規定を準用する。

附　則〔抄〕

（施行期日）

第一条　この省令は、平成十六年七月一日から施行する。

（業務方法書の記載事項の特例）

第二条　法附則第十二条第一項の規定により機構が同項に規定する業務を行う場合には、第二条各号に掲げる事項のほか、次に掲げる事項を業務方法書に記載するものとする。

一　法附則第十二条第一項第一号に規定する業務に関する事項

二　法附則第十二条第一項第二号に規定する業務に関する事項

三　法附則第十二条第一項第三号に規定する附帯する業務に関する事項

四　法附則第十二条第一項第四号に規定する業務に関する事項

五　法附則第十二条第一項第五号に規定する業務に関する事項

六　法附則第十二条第一項第六号に規定する業務に関する事項

2　法附則第十四条第一項の規定により機構が同項に規定する業務を行う場合には、第二条各号に掲げる事項のほか、法附則第十四条第一項の業務に関する事項を業務方法書に記載するものとする。

（勘定区分等の特例）

第三条　法附則第十二条第一項の規定により機構が宅地造成等経過業務を行う場合においては、第十一条中「機構の」とあるのは、「機構の都市再生業務に係る勘定における」とする。

2　機構は、法附則第十二条第二項の規定により区分して経理する場合において、経理すべき事項が当該区分に係る勘定以外の勘定によって経理すべき事項と共通の事項であるため、当該勘定に係る部分を区分して経理することが困難なときは、当該事項については、国土交通大臣の承認を受けて定める基準に従って、事業年度の期間中一括して経理し、当該事業年度の

末日現在において各勘定に配分することにより経理することができる。

3　法附則第十二条第一項の規定により機構が宅地造成等経過業務を行う場合には、機構の宅地造成等経過業務に係る勘定における費用及び収益に関する経理については、それぞれ内訳として次に掲げる業務に係るものに区分するものとする。

一　法附則第十二条第一項第一号の業務、同項第二号の業務（法附則第十八条の規定による廃止前の都市基盤整備公団法（平成十一年法律第七十六号。以下「旧都市公団法」という。）第二十八条第一項第六号の業務及びこれと併せて行う業務であって法附則第十二条第一項第二号の規定により国土交通大臣が指定したもの並びに次号に掲げる業務に該当するものを除く。）及びこれらに附帯する業務

二　法附則第十二条第一項第二号に掲げる業務のうち旧都市公団法第二十八条第一項第十一号及び第十二号に掲げる業務並びにこれらに附帯する業務

三　法附則第十二条第一項第四号に掲げる業務

4　機構は、法附則第十二条第五項の承認を受けようとするときは、次に掲げる事項を記載した申請書を国土交通大臣に提出しなければならない。

一　繰り入れる金額

二　都市再生業務の運営に支障のない理由

三　その他必要な事項

（勘定間の資金の融通）

第四条　機構は、都市再生業務又は宅地造成等経過業務を行う場合において一時的な資金繰りのために必要があると認めるときは、融通をする勘定に属する余裕金の額を限度として都市再生業務に係る勘定と宅地造成等経過業務に係る勘定との間において資金を融通することができる。

2　前項の資金の融通は、融通をする勘定からその融通を受ける勘定への貸付けとして整理するものとする。

3　第一項の規定により融通された資金は、一月以内に償還しなければならない。

（譲渡等計画を定めないで譲渡し、又は賃貸することができる者の特例等）

第五条　宅地造成等経過業務に係る整備敷地等の譲渡に係る法第十六条第一項ただし書の国土交通省令で定める者は、第二十五条第一項各号に掲げる者のほか、当該整備敷地等の管理及び処分を行うことを目的とする法附則第十二条第十項の株式会社又は特定目的会社とする。

2　法附則第十二条第一項第一号に規定する業務に係る整備敷地等のうち国土交通大臣が指定するものの譲渡に係る法第十六条第一項ただし書の国土交通省令で定める者は、平成二十六年六月三十日までの間に限り、第二十五条第一項各号及び前項に掲げる者のほか、整備敷地等において良好な居住性能及び居住環境を有する住宅を建設する事業を実施しようとしている者のうち次に掲げる条件を備えた者とする。

一　当該事業の実施に必要な経済的基礎及びこれを的確に遂行するために必要なその他の能力が十分な者であること。

二　当該整備敷地等の譲渡の対価の支払能力がある者であること。

3　法附則第十二条第一項の規定により機構が同項に規定する業務を行う場合においては、第二十五条第一項第八号中「法第十七条第一項」とあるのは、「法第十七条第一項（法附則第十二条第七項の規定により読み替えて適用する場合を含む。）」とする。

（都市再生機構宅地債券を引き受けることとなる者が譲り受けることを希望する宅地）

第六条　法附則第十五条第一項の国土交通省令で定める宅地は、機構が造成した宅地（法附則第四条第一項の規定により都市公団から承継したものを含む。）で第二十五条第一項第十号又は第十一号に掲げる者に譲渡するものとする。

（積立者の募集及び選定）

第七条　機構は、法附則第十五条第一項の規定により都市再生機構宅地債券（以下この条から附則第九条まで、第十一条、第十二条及び第二十七条第二項において「宅地債券」という。）を発行する場合において、住宅宅地債券令附則第二項の規定により読み替えて適用される同令第四条第二項に規定する宅地債券積立者（以下この条から附則第九条まで及び第十一条において「積立者」という。）を選定しようとするときは、募集の方法によってしなければならない。

2　前項の募集に当たっては、次に掲げる事項を広告するものとする。

一　積立者が引き受けることとなる宅地債券の申込みの期日

二　積立者が引き受けることとなる宅地債券についての払込額又はその概算額及び払込みの方法

三　積立者が引き受けることとなる宅地債券の償還期限及び償還期限前において、法附則第十五条第二項の規定において準用する法附則第八条（第一号に係る部分を除く。）の規定により宅地を譲り受けたとき（新住宅市街地開発事業（新住宅市街地開発法（昭和三十八年法律第百三十四号）第二条第一項に規定する新住宅市街地開発事業をいう。以下同じ。）にあっては、令附則第三十五条の規定により読み替えて適用する新住宅市街地開発法施行令（昭和三十八年政令第三百六十五号）第五条第二号に該当する者として宅地を譲り受けたとき）は償還することその他宅地債券の償還に関する事項

四　宅地の譲受人の選定に当たり、積立者が積立者以外の者に優先することとなる宅地（以下この条において「宅地債券関連宅地」という。）の所在する地域

五　宅地債券関連宅地の譲受人の選定に当たり、積立者が積立者以外の者に優先することとなる期間（以下この条において「優先譲受期間」という。）

六　法附則第十五条第二項の規定において準用する法附則第八条（第一号に係る部分を除く。）の規定により宅地を譲り受けることができる積立者の要件に関する事項（新住宅市街地開発事業にあっては、附則第二十七条第二項各号に規定する事項）並びに宅地債券関連宅地の譲受人の資格及び選定方法に関する事項

七　当該募集に係る積立者の数

八　前各号に掲げるもののほか、機構が必要と認める事項

3　次の各号に掲げる事項については、それぞれ当該各号に定めるところによるものとする。

一　前項第一号の期日　積立者の選定の日から適当な期間をおいて、その者の第一回の申込みの期日を定め、当該期日からおおむね等しい期間をおいて、第二回以降の申込みの期日を定めること。

二　前項第二号の払込額又はその概算額　各回おおむね均等額となり、かつ、その額が自己の居住の用に供する宅地を必要とする者の負担能力を考慮して通常払込可能な額となるように定めること。

三　前項第七号の積立者の数　優先譲受期間内に供給することとなる宅地債券関連宅地の予定画地数を超えないように定めること。

4　第二十六条第一項の規定は、第一項の募集について準用する。

第八条　機構は、法附則第十五条第一項の規定により宅地債券を発行する場合において、前条第一項の募集に応じた者の数が同条第二項第七号に規定する当該募集に係る積立者の数を超えるときは、抽選その他公正な方法により選考して積立者を選定しなければならない。

（積立手帳）

第九条　機構は、積立者を選定したときは、積立者に附則第七条第二項各号に掲げる事項、その者の住所氏名及び記番号を記載した積立手帳（以下この条及び次条において「手帳」という。）を交付するものとする。

2　機構は、積立者の住所又は氏名に変更があったときは、機構の定めるところにより、その旨を届け出させるものとする。

3　機構は、積立者が手帳を亡失し、滅失し、汚損し、又は破損したときは、機構の定めるところにより、機構に再交付の申請をさせるものとする。

4　機構又は機構から宅地債券の発行に関する事務の全部若しくは一部の委託を受けた者は、積立者であることを確認することが必要であるときは、その者に手帳を提示させることができる。

（宅地債券申込証の記載事項）

第一〇条　住宅宅地債券令附則第二項の規定により読み替えて適用される同令第三条第一項の主務省令で定める事項は、手帳の記番号とする。

（宅地債券の発行の認可申請書の記載事項）

第一一条　住宅宅地債券令附則第二項の規定により読み替えて適用される同令第九条第一項第二号の主務省令で定める事項は、当該年度に宅地債券を引き受けることとなる積立者（当該年度において積立者に選定しようとする者を含む。）の総数及び次に掲げる事項により区分した数とする。

一　積立者が引き受けることとなる宅地債券の申込みの回数

二　附則第七条第二項第二号の払込額又はその概算額の合計額

（宅地債券を発行する場合の特例）

第一二条　法附則第十五条第一項の規定に基づき宅地債券が発行される場合には、第十六条第二号中「都市再生債券」とあるのは「都市再生債券及び

宅地債券」と、同条第三号中「及び都市再生債券」とあるのは「、都市再生債券及び宅地債券」とする。

（事業計画の作成）

第一三条　法附則第十二条第十二項（同条第十五項において準用する場合を含む。）の業務に関する計画（以下この条において「事業計画」という。）には、次に掲げる事項（当該事業計画に係る業務が工事を伴わない場合にあっては、第七号に掲げる事項を除く。）を記載しなければならない。

一　当該業務の目的及び内容

二　当該業務を行う土地の区域（以下この条において「施行区域」という。）に含まれる地域の名称及び施行区域の面積

三　施行区域内の土地の現況

四　施行区域内の法附則第十二条第十二項の用地の所在、地番、地目及び地積

五　前号の用地を取得した目的並びに当該目的に係る業務を行う土地の区域に含まれる地域の名称及び当該区域の面積

六　前号の土地の区域内の都市計画施設の種類及び名称

七　施行区域内の土地利用計画及び公共施設の整備計画

八　当該事業計画に係る業務を行う期間

九　当該業務を行うことが第四号の用地を早期に譲渡するために必要な理由

十　その他必要な事項

2　事業計画には、次に掲げる書類（当該事業計画に係る業務が工事を伴わない場合にあっては、第四号に掲げる書類を除く。）を添付しなければならない。

一　施行区域の位置、都市計画区域及び市街化区域を表示する地形図で縮尺三万分の一以上のもの

二　施行区域、都道府県界、市町村界、市町村の区域内の町又は字の名称及び境界、都市計画区域界、市街化区域界並びに宅地の地番及び形状を表示する図面で縮尺二千五百分の一以上のもの

三　前項第四号の用地の区域、同項第五号の土地の区域並びに同項第六号の都市計画施設の区域及び名称を表示する図面で縮尺二千五百分の一以上のもの

四　前項第七号に掲げる土地利用計画及び公共施設の整備計画を表示する図面で縮尺二千五百分の一以上のもの

五　法附則第十二条第十三項（同条第十五項において準用する場合を含む。）の規定による関係地方公共団体の意見を記載した書類

（都市基盤整備公団法施行規則等の廃止）

第一四条　次に掲げる省令は、廃止する。

一　都市基盤整備公団法施行規則（平成十一年建設省令第四十一号）

二　都市基盤整備公団の財務及び会計に関する省令（平成十一年建設省令第四十四号）

附　則〔抄〕〔平成一七・三・七国土交通省令一二〕

（施行期日）

第一条　この省令は、公布の日から施行する。

（独立行政法人都市再生機構に関する省令の一部改正に伴う経過措置）

第一一条　不動産登記規則附則第十五条第四項第一号及び第三号の規定については、独立行政法人都市再生機構を国の行政機関とみなして、これらの規定を準用する。

附　則〔略〕〔平成一七・四・二七国土交通省令五四〕

附　則〔略〕〔平成一七・六・二九国土交通省令七三施行〕

附　則〔略〕〔平成一八・一・二五国土交通省令二〕

附　則〔抄〕〔平成一八・四・二八国土交通省令五八〕

（施行期日）

第一条　この省令は、会社法の施行の日（平成十八年五月一日）から施行する。

附　則〔略〕〔平成一八・八・二五国土交通省令八三〕

附　則〔略〕〔平成一八・九・二九国土交通省令九四〕

（経過措置）

第三条　この省令の施行前にしたこの省令による改正前の省令の規定による処分、手続、その他の行為は、この省令による改正後の省令（以下「新令」という。）の規定の適用については、新令の相当規定によってしたものとみなす。

附　則〔平成一九・三・二九国土交通省令二二〕

（施行期日）

第一条　この省令は、公布の日から施行する。

（経過措置）

第二条　この省令による改正後の独立行政法人都市再生機構に関する省令第八条第三項の規定は、独立行政法人都市再生機構の平成十八年四月一日に始まる事業年度に係る会計から適用する。

附　則〔略〕〔平成二〇・一二・一国土交通省令九七施行〕

附　則〔略〕〔平成二二・一・二六国土交通省令五五〕

附　則〔平成二四・五・一五国土交通省令五三〕

（施行期日）

第一条　この省令は、公布の日から施行する。

（経過措置）

第二条　この省令による改正後の独立行政法人都市再生機構に関する省令第十一条の規定は、独立行政法人都市再生機構の平成二十四年四月一日に始まる事業年度に係る経理から適用する。

附　則〔略〕〔平成二六・七・二五国土交通省令六七〕

附　則〔抄〕〔平成二七・三・三一国土交通省令一九〕

（施行期日）

第一条　この省令は、独立行政法人通則法の一部を改正する法律（以下「改正法」という。）の施行の日（平成二十七年四月一日）から施行する。

（中期目標管理法人となる独立行政法人の業務実績等報告書に係る経過措置）

第二条　改正法附則第八条第一項の規定により改正法による改正前の独立行政法人通則法第二十九条第一項の中期目標が改正法による改正後の独立行政法人通則法第二十九条第一項の中期目標とみなされる場合におけるこの省令による改正後の次に掲げる省令の規定の適用については、これらの規定中「当該事業年度における業務の実績（当該項目が通則法」とあるのは「当該事業年度における業務の実績（当該項目が独立行政法人通則法の一部を改正する法律（平成二十六年法律第六十六号）による改正前の通則法（以下「旧通則法」という。）」と、「第二十九条第二項第二号に」とあるのは「第二十九条第二項第三号に」と、「同項第三号から第五号まで」とあるのは「同項第二号、第四号及び第五号」と、「結果（当該項目が通則法」とあるのは「結果（当該項目が旧通則法」と、「期間における業務の実績（当該項目が通則法」とあるのは「期間における業務の実績（当該項目が旧通則法」とする。

一～九〔略〕

十　独立行政法人都市再生機構に関する省令第八条第一項

十一〔略〕

（事業報告書の作成に係る経過措置）

第四条　この省令による改正後の次に掲げる省令の規定は、改正法の施行の日以後に開始する事業年度に係る事業報告書から適用する。

一～十五〔略〕

十六　独立行政法人都市再生機構に関する省令第十二条の二第三項

十七〔略〕

附　則〔略〕〔平成二七・五・七国土交通省令四〇施行〕

附　則〔略〕〔平成二七・七・一五国土交通省令五三〕

附　則〔略〕〔平成三〇・八・二四国土交通省令六四〕

附　則〔平成三一・三・二九国土交通省令二九〕

（施行期日）

第一条　この省令は、公布の日から施行する。

（財務諸表及び事業報告書の作成に係る経過措置）

第二条　この省令による改正後の規定の平成三十一年四月一日前に開始する事業年度における適用については、なお従前の例による。

附　則〔令和元・六・二七国土交通省令一六〕

（施行期日）

1　この省令は、公布の日から施行する。

（経過措置）

2　独立行政法人通則法の一部を改正する法律（平成二十六年法律第六十六号。以下「改正法」という。）附則第八条第一項の規定により改正法による改正前の独立行政法人通則法第二十九条第一項の中期目標が改正法による改正後の独立行政法人通則法第二十九条第一項の中期目標とみなされる場合におけるこの省令による改正後の独立行政法人都市再生機構に関する省令第八条第一項の規定の適用については、同項中「当該事業年度におけ

る業務の実績（当該業務の実績が通則法」とあるのは「当該事業年度における業務の実績（当該業務の実績が独立行政法人通則法の一部を改正する法律（平成二十六年法律第六十六号）による改正前の通則法（以下「旧通則法」という。）」と、「第二十九条第二項第二号に」とあるのは「第二十九条第二項第三号に」と、「同項第三号から第五号まで」とあるのは「同項第二号、第四号及び第五号」と、「結果（当該業務の実績が通則法」とあるのは「結果（当該業務の実績が旧通則法」と、「期間における業務の実績（当該業務の実績が通則法」とあるのは「期間における業務の実績（当該業務の実績が旧通則法」とする。

附　則〔略〕〔令和元・一二・二七国土交通省令五〇〕

附　則〔令和二・六・二四国土交通省令五八〕

（施行期日）

1　この省令は、マンションの管理の適正化の推進に関する法律及びマンションの建替え等の円滑化に関する法律の一部を改正する法律の公布の日から施行する。

（経過措置）

2　この省令による改正後の第十二条及び第十三条の二の規定の令和二年四月一日前に開始する事業年度における適用については、なお従前の例による。

附　則〔略〕〔令和三・七・一四国土交通省令四八〕

附　則〔略〕〔令和四・三・二九国土交通省令一七施行〕

附　則〔令和五・一二・八国土交通省令九二〕

この省令は、空家等対策の推進に関する特別措置法の一部を改正する法律の施行の日（令和五年十二月十三日）から施行する。

○地方住宅供給公社法〔昭和四〇・六・一〇 法律一二四〕

改正　昭和四〇・九法一四二、昭和四一・六法三六、昭和四七・五法三一、昭和六三・四法二二、平成五・一一法八九、平成一一・七法八七、一二法一六〇、平成一四・六法六五、平成一六・六法七六、法一二四、平成一七・六法七八、七法八二、法八七、一〇法一〇二、平成一八・六法五〇、平成二三・五法五三、八法一〇五、平成二五・六法四四

目次

第一章　総則（第一条—第七条）
第二章　設立（第八条—第十条）
第三章　役員及び職員（第十一条—第二十条）
第四章　業務（第二十一条—第二十八条）
第五章　財務及び会計（第二十九条—第三十五条）
第六章　解散及び清算（第三十六条—第三十九条）
第七章　監督（第四十条—第四十二条）
第八章　雑則（第四十三条—第四十七条）
第九章　罰則（第四十八条—第五十条）
附則

第一章　総則

（目的）

第一条　地方住宅供給公社は、住宅の不足の著しい地域において、住宅を必要とする勤労者の資金を受け入れ、これをその他の資金とあわせて活用して、これらの者に居住環境の良好な集団住宅及びその用に供する宅地を供給し、もつて住民の生活の安定と社会福祉の増進に寄与することを目的とする。

（法人格）

第二条　地方住宅供給公社（以下「地方公社」という。）は、法人とする。

（名称）

第三条　地方公社は、その名称中に住宅供給公社という文字を用いなければならない。

2　地方公社でない者は、その名称中に住宅供給公社という文字を用いてはならない。

（出資）

第四条　地方公共団体でなければ、地方公社に出資することができない。

2　設立団体（地方公社を設立する地方公共団体をいう。以下同じ。）は、地方公社の基本財産の額の二分の一以上に相当する資金その他の財産を出資しなければならない。

（定款）

第五条　地方公社は、定款をもつて、次の事項を規定しなければならない。

一　目的
二　名称
三　設立団体たる地方公共団体
四　事務所の所在地
五　役員の定数、任期その他役員に関する事項
六　業務及びその執行に関する事項
七　基本財産の額その他資産及び会計に関する事項
八　公告の方法

2　定款の変更は、国土交通大臣の認可を受けなければ、その効力を生じない。

（登記）

第六条　地方公社は、政令で定めるところにより、登記をしなければならない。

2　前項の規定により登記しなければならない事項は、登記の後でなければ、これをもつて第三者に対抗することができない。

（一般社団法人及び一般財団法人に関する法律の準用）

第七条　一般社団法人及び一般財団法人に関する法律（平成十八年法律第四十八号）第四条及び第七十八条の規定は、地方公社について準用する。

第二章　設立

（設立）

第八条　地方公社は、都道府県又は政令で指定する人口五十万以上の市でなければ、設立することができない。

第九条　地方公社を設立するには、議会の議決を経、かつ、定款及び業務方法書を作成して、国土交通大臣の認可を受けなければならない。

（成立）

第一〇条　地方公社は、その主たる事務所の所在地において設立の登記をすることによつて成立する。

第三章　役員及び職員

（役員）

第一一条　地方公社に、役員として、理事長、理事及び監事を置く。

（役員の職務及び権限）

第一二条　理事長は、地方公社を代表し、その業務を総理する。

2　理事は、定款で定めるところにより、理事長を補佐して地方公社の業務を掌理し、理事長に事故があるときはその職務を代理し、理事長が欠けた

ときはその職務を行なう。

3　監事は、地方公社の業務を監査する。

4　監事は、監査の結果に基づき、必要があると認めるときは、理事長又は国土交通大臣若しくは設立団体の長に意見を提出することができる。

（役員の任命）

第一三条　理事長及び監事は、設立団体の長が任命する。

2　理事は、理事長が任命する。

（役員の任期）

第一四条　役員の任期は、四年をこえることができない。

2　役員は、再任されることができる。

（役員の欠格条項）

第一五条　次の各号の一に該当する者は、役員となることができない。

一　物品の製造若しくは販売若しくは工事の請負を業とする者であつて地方公社と取引上密接な利害関係を有するもの又はこれらの者が法人であるときはその役員（いかなる名称によるかを問わず、これと同等以上の職権又は支配力を有する者を含む。）

二　前号に掲げる事業者の団体の役員（いかなる名称によるかを問わず、これと同等以上の職権又は支配力を有する者を含む。）

（役員の解任）

第一六条　設立団体の長又は理事長は、それぞれその任命に係る役員が前条各号の一に該当するに至つたときは、その役員を解任しなければならない。

2　設立団体の長又は理事長は、それぞれその任命に係る役員が次の各号の一に該当するとき、その他役員たるに適しないと認めるときは、その役員を解任することができる。

一　心身の故障のため職務の執行に堪えないと認められるとき。

二　職務上の義務違反があるとき。

（代表権の制限）

第一七条　地方公社と理事長との利益が相反する事項については、理事長は、代表権を有しない。この場合においては、監事が地方公社を代表する。

（代理人の選任）

第一八条　理事長は、理事又は地方公社の職員のうちから、地方公社の主たる事務所又は従たる事務所の業務に関し一切の裁判上又は裁判外の行為をする権限を有する代理人を選任することができる。

（職員の任命）

第一九条　地方公社の職員は、理事長が任命する。

（役員及び職員の公務員たる性質）

第二〇条　役員及び職員は、刑法（明治四十年法律第四十五号）その他の罰則の適用については、法令により公務に従事する職員とみなす。

第四章　業務

（業務）

第二一条　地方公社は、第一条の目的を達成するため、住宅の積立分譲及びこれに附帯する業務を行う。

2　前項の住宅の積立分譲とは、一定の期間内において一定の金額に達するまで定期に金銭を受け入れ、その期間満了後、受入額を超える一定額を代金の一部に充てて住宅及びその敷地を売り渡すことをいうものとし、その受入額を超える一定額の算出方法については、国土交通省令で定める。

3　地方公社は、第一条の目的を達成するため、第一項の業務のほか、次の業務の全部又は一部を行うことができる。

一　住宅の建設、賃貸その他の管理及び譲渡を行うこと。

二　住宅の用に供する宅地の造成、賃貸その他の管理及び譲渡を行うこと。

三　市街地において地方公社が行う住宅の建設と一体として商店、事務所等の用に供する施設の建設を行うことが適当である場合において、それらの用に供する施設の建設、賃貸その他の管理及び譲渡を行うこと。

四　住宅の用に供する宅地の造成と併せて学校、病院、商店等の用に供する宅地の造成を行うことが適当である場合において、それらの用に供する宅地の造成、賃貸その他の管理及び譲渡を行うこと。

五　地方公社が賃貸し、又は譲渡する住宅及び地方公社が賃貸し、又は譲渡する宅地に建設される住宅の居住者の利便に供する施設の建設、賃貸その他の管理及び譲渡を行うこと。

六　前各号に掲げる業務に附帯する業務を行うこと。

七　水面埋立事業を施行すること。

八　第一項の業務及び前各号に掲げる業務の遂行に支障のない範囲内で、委託により、住宅の建設及び賃貸その他の管理、宅地の造成及び賃貸その他の管理並びに市街地において自ら又は委託により行う住宅の建設と一体として建設することが適当である商店、事務所等の用に供する施設及び集団住宅の存する団地の居住者の利便に供する施設の建設及び賃貸その他の管理を行うこと。

4　地方公社は、公営住宅法（昭和二十六年法律第百九十三号）第四十七条第一項の規定により、設立団体以外の地方公共団体が事業主体（同法第二条第十六号の事業主体をいう。）である公営住宅（同法第二条第二号の公営住宅をいう。）又は共同施設（同法第二条第九号の共同施設をいう。）の管理を行おうとするときは、あらかじめ、設立団体の長の認可を受けなければならない。

第二二条　地方公社は、住宅の建設又は宅地の造成に関する業務を行なうには、勤労者が健康で文化的な生活を営むに足りる良好な環境の住宅又は宅地が確保されるように努め、住宅又は宅地の賃貸その他の管理及び譲渡に関する業務を行なうには、住宅を必要とする勤労者の適正な利用が確保され、かつ、賃貸料又は譲渡価格が適正なものとなるように努めなければならない。

（住宅の積立分譲に関する契約）

第二三条　地方公社は、住宅の積立分譲に関する契約をするには、契約の相手方の資格及び選定方法並びに契約の内容に関し国土交通省令で定める基準に従つてしなければならない。

2　住宅の積立分譲に関する契約をした者は、その契約の解除により地方公社から受けるべき金額につき地方公社の総財産の上に先取特権を有する。

3　前項の先取特権の順位は、民法（明治二十九年法律第八十九号）の規定による一般の先取特権に次ぐものとする。

（住宅の建設等の基準）

第二四条　地方公社は、住宅の建設、賃貸その他の管理及び譲渡、宅地の造成、賃貸その他の管理及び譲渡並びに第二十一条第三項第三号及び第五号の施設の建設、賃貸その他の管理及び譲渡を行なうときは、他の法令により特に定められた基準がある場合においてその基準に従うほか、国土交通省令で定める基準に従つて行なわなければならない。

（業務の委託）

第二五条　地方公社は、国土交通省令で定めるところにより、住宅の積立分譲に関する契約に基づく金銭の受入れに関する業務の一部を銀行その他の金融機関に委託するものとする。

（業務方法書）

第二六条　地方公社の業務方法書に記載しなければならない事項は、国土交通省令で定める。

2　地方公社は、業務方法書を変更しようとするときは、国土交通大臣の認可を受けなければならない。

（事業計画及び資金計画）

第二七条　地方公社は、毎事業年度、事業計画及び資金計画を作成し、事業年度開始前に、設立団体の長の承認を受けなければならない。これを変更しようとするときも、同様とする。

（地方公共団体の長の意見の聴取）

第二八条　地方公社は、住宅の建設又は宅地の造成をしようとするときは、当該住宅の建設計画又は宅地の造成計画について、あらかじめ、当該住宅の建設又は宅地の造成をしようとする地域をその区域に含む地方公共団体の長の意見をきかなければならない。

第五章　財務及び会計

（事業年度）

第二九条　地方公社の事業年度は、毎年四月一日に始まり、翌年三月三十一日に終わる。ただし、設立後最初の事業年度は、設立の日に始まり、その後最初の三月三十一日に終わる。

（会計区分）

第三〇条　地方公社は、住宅の積立分譲に関する契約に基づく受入金に係る会計を他の会計と区分して経理しなければならない。

2　住宅の積立分譲に関する契約に基づく受入金に係る会計においては、国土交通省令で定めるところにより、契約の解除による債務の支払に充てるために必要な引当金を保有しなければならない。

（決算）

第三一条　地方公社は、毎事業年度の決算を翌年度の五月三十一日までに完結しなければならない。

（財務諸表及び業務報告書）

第三二条　地方公社は、毎事業年度、財産目録、貸借対照表及び損益計算書（以下「財務諸表」という。）を作成し、決算完結後二月以内に設立団体の長に提出しなければならない。

2　地方公社は、前項の規定により財務諸表を提出するときは、これに、国土交通省令で定める事項を記載した当該事業年度の業務報告書を添附し、並びに財務諸表及び業務報告書に関する監事の意見をつけなければならない。

（利益及び損失の処理）

第三三条　地方公社は、第三十条第一項の会計区分に従い、毎事業年度の損益計算上利益を生じたときは、前事業年度から繰り越した損失をうめ、なお残余があるときは、その残余の額は、準備金として整理しなければならない。

2　地方公社は、第三十条第一項の会計区分に従い、毎事業年度の損益計算上損失を生じたときは、前項の規定による準備金を減額して整理し、なお不足があるときは、その不足額は、繰越欠損金として整理しなければならない。

（債券）

第三三条の二　地方公社は、債券を発行することができる。

（余裕金の運用）

第三四条　地方公社は、次の方法によるほか、業務上の余裕金を運用してはならない。

一　国債、地方債その他国土交通大臣の指定する有価証券の取得

二　銀行その他国土交通大臣の指定する金融機関への預金

三　その他国土交通省令で定める方法

（国土交通省令への委任）

第三五条　この法律に規定するもののほか、地方公社の財務及び会計に関し必要な事項は、国土交通省令で定める。

第六章　解散及び清算

（解散事由）

第三六条　地方公社は、次の事由によつて解散する。

一　破産手続開始の決定

二　第九条の規定による認可の取消し

2　地方公社は、前項各号の事由によるほか、設立団体がその議会の議決を経て国土交通大臣の認可を受けたときに、解散する。

（清算中の地方公社の能力）

第三六条の二　解散した地方公社は、清算の目的の範囲内において、その清算の結了に至るまではなお存続するものとみなす。

（清算人）

第三七条　地方公社が解散したときは、破産手続開始の決定による解散の場合を除き、理事長及び理事がその清算人となる。

2　理事長であつた清算人には第十二条第一項の規定を、理事であつた清算人には同条第二項の規定を準用する。

（裁判所による清算人の選任）

第三七条の二　前条第一項の規定により清算人となる者がないとき、又は清算人が欠けたため損害を生ずるおそれがあるときは、裁判所は、利害関係人若しくは検察官の請求により又は職権で、清算人を選任することができる。

（清算人の解任）

第三七条の三　重要な事由があるときは、裁判所は、利害関係人若しくは検察官の請求により又は職権で、清算人を解任することができる。

（清算人の届出）

第三七条の四　清算中に就職した清算人は、その氏名及び住所を国土交通大臣に届け出なければならない。

（清算人の職務及び権限）

第三七条の五　清算人の職務は、次のとおりとする。

一　現務の結了

二　債権の取立て及び債務の弁済

三　残余財産の引渡し

2　清算人は、前項各号に掲げる職務を行うために必要な一切の行為をすることができる。

（債権の申出の催告等）

第三七条の六　清算人は、その就職の日から二月以内に、少なくとも三回の公告をもつて、債権者に対し、一定の期間内にその債権の申出をすべき旨の催告をしなければならない。この場合において、その期間は、二月を下ることができない。

2　前項の公告には、債権者がその期間内に申出をしないときは清算から除斥されるべき旨を付記しなければならない。ただし、清算人は、知れている債権者を除斥することができない。

3　清算人は、知れている債権者には、各別にその申出の催告をしなければならない。

4　第一項の公告は、官報に掲載してする。

（期間経過後の債権の申出）

第三七条の七　前条第一項の期間の経過後に申出をした債権者は、地方公社の債務が完済された後まだ権利の帰属すべき者に引き渡されていない財産に対してのみ、請求をすることができる。

（清算中の地方公社についての破産手続の開始）

第三七条の八　清算中に地方公社の財産がその債務を完済するのに足りないことが明らかになつたときは、清算人は、直ちに破産手続開始の申立てをし、その旨を公告しなければならない。

2　清算人は、清算中の地方公社が破産手続開始の決定を受けた場合において、破産管財人にその事務を引き継いだときは、その任務を終了したものとする。

3　前項に規定する場合において、清算中の地方公社が既に債権者に支払い、又は権利の帰属すべき者に引き渡したものがあるときは、破産管財人は、これを取り戻すことができる。

4　第一項の規定による公告は、官報に掲載してする。

（清算事務）

第三八条　清算人は、地方公社の債務を弁済してなお残余財産があるときは、これを地方公社に出資した地方公共団体に、出資の額に応じて分配しなければならない。

（裁判所による監督）

第三八条の二　地方公社の解散及び清算は、裁判所の監督に属する。

2　裁判所は、職権で、いつでも前項の監督に必要な検査をすることができる。

3　地方公社の解散及び清算を監督する裁判所は、国土交通大臣に対し、意見を求め、又は調査を嘱託することができる。

4　国土交通大臣は、前項に規定する裁判所に対し、意見を述べることができる。

（清算結了の届出）

第三八条の三　清算が結了したときは、清算人は、その旨を国土交通大臣に届け出なければならない。

（解散及び清算の監督等に関する事件の管轄）

第三八条の四　地方公社の解散及び清算の監督並びに清算人に関する事件は、地方公社の主たる事務所の所在地を管轄する地方裁判所の管轄に属する。

（不服申立ての制限）

第三八条の五　清算人の選任の裁判に対しては、不服を申し立てることができない。

（裁判所の選任する清算人の報酬）

第三八条の六　裁判所は、第三十七条の二の規定により清算人を選任した場合には、地方公社が当該清算人に対して支払う報酬の額を定めることができる。この場合においては、裁判所は、当該清算人及び監事の陳述を聴かなければならない。

（検査役の選任）

第三九条　裁判所は、地方公社の解散及び清算の監督に必要な調査をさせるため、検査役を選任することができる。

2　前二条の規定は、前項の規定により裁判所が検査役を選任した場合について準用する。この場合において、前条中「清算人及び監事」とあるのは、「地方公社及び検査役」と読み替えるものとする。

第七章　監督

（報告及び検査）
第四〇条　国土交通大臣又は設立団体の長は、必要があると認めるときは、地方公社に対して業務及び資産の状況に関し報告を求め、又はその職員をして地方公社の事務所に立ち入り、業務の状況若しくは帳簿、書類その他の必要な物件を検査させることができる。
2　前項の規定により職員が立入検査をする場合においては、その身分を示す証明書を携帯し、関係人にこれを提示しなければならない。
3　第一項の規定による立入検査の権限は、犯罪捜査のために認められたものと解してはならない。

（監督命令）
第四一条　国土交通大臣又は設立団体の長は、地方公社の業務の健全な運営を確保し、又は住宅の積立分譲に関する契約をした者を保護するため必要があると認めるときは、地方公社に対してその業務に関し監督上必要な命令をすることができる。ただし、国土交通大臣は、設立団体の長が必要な命令をすることを怠つていると認めた場合に限り、その命令をすることができる。

（違法行為に対する措置）
第四二条　国土交通大臣又は設立団体の長は、第四十条第一項の規定により報告を求め、又は検査を行つた場合において、地方公社の業務又は会計がこの法律、この法律に基づく命令若しくはこれらに基づく国土交通大臣、都道府県知事若しくは市長の処分又は定款、業務方法書、事業計画若しくは資金計画に違反すると認めるときは、その地方公社に対して、この法律の目的を達成するため必要な限度において、業務の全部又は一部の停止その他必要な措置を命ずることができる。この場合においては、前条ただし書の規定を準用する。
2　国土交通大臣は、地方公社が前項の規定による命令に従わなかつた場合において、やむをえないと認めるときは、第九条の規定による認可を取り消すことができる。

第八章　雑則

（共同設立）
第四三条　次の各号の一に掲げる都道府県又は都道府県及び市は、共同して地方公社を設立することができる。
一　二以上の都道府県
二　二以上の都道府県及びそれらの区域内の第八条の市
三　一の都道府県及びその区域内の第八条の市
2　前項第一号の都道府県又は同項第二号の都道府県及び市が共同して設立した地方公社にあつては、第十二条第四項中「国土交通大臣若しくは設立団体の長」とあり、第二十七条若しくは第三十二条第一項中「設立団体の長」とあり、又は第四十条第一項、第四十一条若しくは第四十二条第一項中「国土交通大臣又は設立団体の長」とあるのは、「国土交通大臣」とし、第四十一条ただし書及び第四十二条第一項後段の規定は、適用せず、前項第三号の都道府県及び市が共同して設立した地方公社にあつては、第十二条第四項、第二十七条、第三十二条第一項、第四十条第一項、第四十一条又は第四十二条第一項中「設立団体の長」とあるのは、「都道府県知事」とする。
3　前項の場合において、国土交通大臣又は都道府県知事が第二十七条の規定により事業計画及び資金計画の承認の申請に係る処分をしようとするときは、それぞれ設立団体の長又は設立団体たる市の長の意見を聴かなければならない。

（権限の委任）
第四三条の二　この法律に規定する国土交通大臣の権限は、国土交通省令で定めるところにより、その一部を地方整備局長又は北海道開発局長に委任することができる。

（都道府県知事等の経由）
第四四条　第四十三条第一項第一号の都道府県又は同項第二号の都道府県及び市が共同して設立した地方公社を除き、地方公社がこの法律又はこの法律に基づく命令で定めるところにより国土交通大臣に提出する申請書その他の書類は、国土交通省令で定めるところにより、市のみが設立した地方公社にあつては市長を、その他の地方公社にあつては都道府県知事を経由しなければならない。
2　都道府県知事又は市長は、前項の書類を受け取つたときは、遅滞なくこれを国土交通大臣に提出しなければならない。この場合において、都道府県知事又は市長は、当該書類の内容について意見があるときは、その意見を付さなければならない。
3　第一項の規定により都道府県又は市が処理することとされている事務は、地方自治法（昭和二十二年法律第六十七号）第二条第九項第一号に規定する第一号法定受託事務とする。

（沖縄振興開発金融公庫の融資）
第四五条　沖縄振興開発金融公庫は、法令及びその事業計画の範囲内において、地方公社の住宅の積立分譲による住宅及びその敷地の供給が円滑に行われるよう、必要な資金の貸付けについて配慮しなければならない。

（非課税）
第四六条　地方公社が、設立の際、直接その本来の業務の用に供する不動産を出資の目的として取得したときは、その取得については、不動産取得税を課することができない。
2　第二十一条第二項に規定する受入額をこえる一定額のうち、その超過金額については、所得税を課さない。

（他の法令の準用）
第四七条　不動産登記法（平成十六年法律第百二十三号）及び政令で定めるその他の法令については、政令で定めるところにより、地方公社を地方公共団体とみなして、これらの法令を準用する。

第九章　罰則

（罰則）
第四八条　第四十条第一項の規定により報告を求められて、報告をせず、若しくは虚偽の報告をし、又は同項の規定による検査を拒み、妨げ、若しくは忌避した場合には、その違反行為をした地方公社の役員、清算人又は職員は、三十万円以下の罰金に処する。
2　地方公社の役員、清算人又は職員がその地方公社の業務に関して前項の違反行為をしたときは、行為者を罰するほか、その地方公社に対して同項の刑を科する。

第四九条　次の各号のいずれかに該当する場合には、その違反行為をした地方公社の役員又は清算人は、二十万円以下の過料に処する。
一　この法律の規定により国土交通大臣、都道府県知事又は市長の認可又は承認を受けなければならない場合において、その認可又は承認を受けなかつたとき。
二　第六条第一項の規定に違反して、登記することを怠つたとき。
三　第二十一条に規定する業務以外の業務を行つたとき。
四　第三十条、第三十三条、第三十四条又は第三十八条の規定に違反したとき。
五　第三十二条の規定に違反して、財務諸表又は業務報告書を提出することを怠り、又はそれらの書類に記載すべき事項を記載せず、若しくは不実の記載をしてこれを提出したとき。
六　第三十七条の六第一項の規定に違反して、公告することを怠り、又は虚偽の公告をしたとき。
七　第三十七条の六第一項に規定する期間内に債権者に弁済したとき。
八　第三十七条の八第一項の規定に違反して、破産手続開始の申立てを怠つたとき。
九　第四十一条の規定による命令に違反したとき。

第五〇条　第三条第二項の規定に違反した者は、十万円以下の過料に処する。

附　則〔抄〕

（施行期日）
1　この法律は、公布の日から施行する。

（公益法人の地方公社への組織変更）
2　民法第三十四条の規定により設立され、都道府県又は第八条の市が基本財産たる財産の全部又は一部を拠出している法人で、第二十一条第三項の業務を行なうことを目的とするもの（以下「公益法人」という。）は、この法律の施行後二年内に限り、その組織を変更して地方公社となることができる。ただし、当該公益法人が社団法人であるときは、総社員の同意がある場合に限る。

3 前項の規定により公益法人がその組織を変更して地方公社となるには、設立団体となるべき地方公共団体の議会の議決を経、その公益法人の定款又は寄附行為の変更をし、建設大臣の認可を受けなければならない。
4 前項の組織変更は、政令で定めるところにより、地方公社の主たる事務所の所在地において登記をすることによつて効力を生ずる。
5 公益法人が附則第二項の規定により事業年度の中途において地方公社に組織変更した場合における法人税法（昭和四十年法律第三十四号）の規定及び地方税法（昭和二十五年法律第二百二十六号）中法人の事業税に関する規定の適用については、当該事業年度開始の日から組織変更の日までの期間及び組織変更の日の翌日から当該事業年度の末日までの期間をそれぞれ一事業年度とみなす。
6 公益法人が附則第二項の規定により地方公社に組織変更した場合において、当該組織変更に伴い、当該公益法人の名義に係る権利についてする登記名義人又は登録名義人の表示の変更の登記又は登録及び当該公益法人を債務者とする担保権についてする債務者の表示の変更の登記又は登録については、登録免許税を課さない。
7 第二十一条第三項各号の一に該当しない業務を行なうことをも目的とする公益法人が附則第二項の規定により地方公社に組織変更した場合において、当該業務に係る不動産に関する権利で政令で定めるものについて、地方公共団体又は地方公共団体が設立した法人で、同項各号の一に該当しない業務を行なうものが受ける権利の取得の登記及び政令で定める債務を当該地方公共団体又は当該法人が引き受けたことによる担保権の変更の登記については、政令で定めるところにより、登録免許税を課さない。

（名称使用の制限に関する経過措置）
8 この法律の施行の際現にその名称中に住宅供給公社という文字を使用している者については、第三条第二項の規定は、この法律の施行後二年間は、適用しない。

（国の無利子貸付け）
9 国は、当分の間、地方公社に対し、地方公社が行う宅地の造成と併せて整備されるべき公共の用に供する施設で政令で定めるものの整備に関する事業のうち、日本電信電話株式会社の株式の売払収入の活用による社会資本の整備の促進に関する特別措置法（昭和六十二年法律第八十六号）第二条第一項第一号に該当するものに要する費用に充てる資金の一部を無利子で貸し付けることができる。
10 前項の規定による貸付金の償還期間は、二十年（五年以内の据置期間を含む。）以内とする。
11 前項に定めるもののほか、附則第九項の規定による貸付金の償還方法は、政令で定める。
21 昭和四十年六月三十日までの間は、前項の規定による改正後の建設省設置法第三条第二十三号の六に規定する事務のうち、地方住宅供給公社の業務で水面埋立事業に係るものに関するものは都市局において、その他のものは住宅局においてつかさどる。

附　則〔昭和四二・六・一二法律三八〕

1 この法律は、登録免許税法の施行の日〔昭和四二・八・一〕から施行する。
2 登録免許税法別表第一の第二十三号の（三）、（十三）、（十六）及び（十七）、第三十一号、第四十三号から第四十六号まで並びに第四十八号に掲げる登録又は免許（以下「登録等」という。）の申請書を同法の公布の日前に当該登録等の事務をつかさどる官署（以下「登録官署等」という。）に提出した者が昭和四十二年十二月三十一日までに当該申請書に係る登録等を受ける場合における当該登録等に係る手数料については、なお従前の例による。
3 登録等の申請書を登録免許税法の公布の日から昭和四十二年七月三十一日までの間に登録官署等に提出した者が同日後に当該申請書に係る登録等を受ける場合又は登録等の申請書を同法の公布の日前に登録官署等に提出した者が昭和四十三年一月一日以後に当該申請書に係る登録等を受ける場合において、当該登録等の申請に際し当該登録等に係る手数料を納付しているときは、当該納付した手数料の額は、登録免許税法の規定により納付すべき登録免許税の額の一部として納付したものとみなす。

附　則〔抄〕〔平成五・一一・一二法律八九〕

（施行期日）
第一条 この法律は、行政手続法（平成五年法律第八十八号）の施行の日〔平成六・一〇・一〕から施行する。

（諮問等がされた不利益処分に関する経過措置）
第二条 この法律の施行前に法令に基づき審議会その他の合議制の機関に対し行政手続法第十三条に規定する聴聞又は弁明の機会の付与の手続その他の意見陳述のための手続に相当する手続を執るべきことの諮問その他の求めがされた場合においては、当該諮問その他の求めに係る不利益処分の手続に関しては、この法律による改正後の関係法律の規定にかかわらず、なお従前の例による。

（罰則に関する経過措置）
第一三条 この法律の施行前にした行為に対する罰則の適用については、なお従前の例による。

（聴聞に関する規定の整理に伴う経過措置）
第一四条 この法律の施行前に法律の規定により行われた聴聞、聴問若しくは聴聞会（不利益処分に係るものを除く。）又はこれらのための手続は、この法律による改正後の関係法律の相当規定により行われたものとみなす。

（政令への委任）
第一五条 附則第二条から前条までに定めるもののほか、この法律の施行に関して必要な経過措置は、政令で定める。

附　則〔抄〕〔平成一一・七・一六法律八七〕

（施行期日）
第一条 この法律は、平成十二年四月一日から施行する。ただし、次の各号に掲げる規定は、当該各号に定める日から施行する。
一 〔前略〕附則〔中略〕第百六十条、第百六十三条、第百六十四条並びに第二百二条の規定　公布の日
二～六 〔略〕

（地方住宅供給公社法の一部改正に伴う経過措置）
第一三八条 施行日前に第四百三十四条の規定による改正前の地方住宅供給公社法（以下この条において「旧公社法」という。）第四条第三項の規定による承認を受けた出資は、第四百三十四条の規定による改正後の地方住宅供給公社法（以下この条において「新公社法」という。）第四条第三項の規定による協議を行った出資とみなす。
2 この法律の施行の際現に旧公社法第四条第三項の規定によりされている承認の申請は、新公社法第四条第三項の規定によりされた協議の申出とみなす。

（国等の事務）
第一五九条 この法律による改正前のそれぞれの法律に規定するもののほか、この法律の施行前において、地方公共団体の機関が法律又はこれに基づく政令により管理し又は執行する国、他の地方公共団体その他公共団体の事務（附則第百六十一条において「国等の事務」という。）は、この法律の施行後は、地方公共団体が法律又はこれに基づく政令により当該地方公共団体の事務として処理するものとする。

（処分、申請等に関する経過措置）
第一六〇条 この法律（附則第一条各号に掲げる規定については、当該各規定。以下この条及び附則第百六十三条において同じ。）の施行前に改正前のそれぞれの法律の規定によりされた許可等の処分その他の行為（以下この条において「処分等の行為」という。）又はこの法律の施行の際現に改正前のそれぞれの法律の規定によりされている許可等の申請その他の行為（以下この条において「申請等の行為」という。）で、この法律の施行の日においてこれらの行為に係る行政事務を行うべき者が異なることとなるものは、附則第二条から前条までの規定又は改正後のそれぞれの法律（これに基づく命令を含む。）の経過措置に関する規定に定めるものを除き、この法律の施行の日以後における改正後のそれぞれの法律の適用については、改正後のそれぞれの法律の相当規定によりされた処分等の行為又は申請等の行為とみなす。
2 この法律の施行前に改正前のそれぞれの法律の規定により国又は地方公共団体の機関に対し報告、届出、提出その他の手続をしなければならない事項で、この法律の施行の日前にその手続がされていないものについては、この法律及びこれに基づく政令に別段の定めがあるもののほか、これを、改正後のそれぞれの法律の相当規定により国又は地方公共団体の相当の機関に対して報告、届出、提出その他の手続をしなければならない事項についてその手続がされていないものとみなして、この法律による改正後のそれぞれの法律の規定を適用する。

（不服申立てに関する経過措置）
第一六一条 施行日前にされた国等の事務に係る処分であって、当該処分をした行政庁（以下この条において「処分庁」という。）に施行日前に行政

不服審査法に規定する上級行政庁（以下この条において「上級行政庁」という。）があったものについての同法による不服申立てについては、施行日以後においても、当該処分庁に引き続き上級行政庁があるものとみなして、行政不服審査法の規定を適用する。この場合において、当該処分庁の上級行政庁とみなされる行政庁は、施行日前に当該処分庁の上級行政庁であった行政庁とする。

２　前項の場合において、上級行政庁とみなされる行政庁が地方公共団体の機関であるときは、当該機関が行政不服審査法の規定により処理することとされる事務は、新地方自治法第二条第九項第一号に規定する第一号法定受託事務とする。

（**手数料に関する経過措置**）

第一六二条　施行日前においてこの法律による改正前のそれぞれの法律（これに基づく命令を含む。）の規定により納付すべきであった手数料については、この法律及びこれに基づく政令に別段の定めがあるもののほか、なお従前の例による。

（**罰則に関する経過措置**）

第一六三条　この法律の施行前にした行為に対する罰則の適用については、なお従前の例による。

（**その他の経過措置の政令への委任**）

第一六四条　この附則に規定するもののほか、この法律の施行に伴い必要な経過措置（罰則に関する経過措置を含む。）は、政令で定める。

２　〔略〕

附　則〔略〕〔平成一一・一二・二二法律一六〇〕

附　則〔抄〕〔平成一四・六・一二法律六五〕

改正　平成一七・一〇法一〇二

（**施行期日**）

第一条　この法律は、平成十五年一月六日から施行する。〔以下略〕

（**罰則の適用に関する経過措置**）

第八四条　この法律（附則第一条各号に掲げる規定にあっては、当該規定。以下この条において同じ。）の施行前にした行為及びこの附則の規定によりなお従前の例によることとされる場合におけるこの法律の施行後にした行為に対する罰則の適用については、なお従前の例による。

（**その他の経過措置の政令への委任**）

第八五条　この附則に規定するもののほか、この法律の施行に関し必要な経過措置は、政令で定める。

附　則〔略〕〔平成一六・六・二法律七六〕

附　則〔略〕〔平成一六・六・一八法律一二四〕

附　則〔抄〕〔平成一七・六・二九法律七八〕

（**施行期日**）

第一条　この法律は、公布の日から施行する。〔以下略〕

（**罰則に関する経過措置**）

第一六条　この法律（附則第一条ただし書に規定する規定については、当該規定。以下この条において同じ。）の施行前にした行為及びこの附則の規定によりなお従前の例によることとされる場合におけるこの法律の施行後にした行為に対する罰則の適用については、なお従前の例による。

（**政令への委任**）

第一七条　この附則に規定するもののほか、この法律の施行に伴い必要な経過措置は、政令で定める。

附　則〔略〕〔平成一七・七・六法律八二〕

附　則〔平成一七・七・二六法律八七〕

この法律は、会社法の施行の日〔平成一八・五・一〕から施行する。〔以下略〕

会社法の施行に伴う関係法律の整備等に関する法律〔抄〕〔平成一七・七・二六 法律八七〕

（**地方住宅供給公社法の一部改正に伴う経過措置**）

第四八七条　施行日前に生じた前条の規定による改正前の地方住宅供給公社法第三十六条第一項各号に掲げる事由により地方住宅供給公社が解散した場合又は施行日前に同条第二項の規定により地方住宅供給公社が解散した場合における地方住宅供給公社の清算については、なお従前の例による。ただし、清算に関する登記の登記事項については、前条の規定による改正後の地方住宅供給公社法の定めるところによる。

（**罰則に関する経過措置**）

第五二七条　施行日前にした行為及びこの法律の規定によりなお従前の例によることとされる場合における施行日以後にした行為に対する罰則の適用については、なお従前の例による。

（**政令への委任**）

第五二八条　この法律に定めるもののほか、この法律の規定による法律の廃止又は改正に伴い必要な経過措置は、政令で定める。

附　則〔略〕〔平成一七・一〇・二一法律一〇二〕

附　則〔略〕〔平成一八・六・二法律五〇〕

附　則〔略〕〔平成二三・五・二五法律五三〕

附　則〔抄〕〔平成二三・八・三〇法律一〇五〕

（**施行期日**）

第一条　この法律は、公布の日から施行する。〔以下略〕

（**罰則に関する経過措置**）

第八一条　この法律（附則第一条各号に掲げる規定にあっては、当該規定。以下この条において同じ。）の施行前にした行為及びこの附則の規定によりなお従前の例によることとされる場合におけるこの法律の施行後にした行為に対する罰則の適用については、なお従前の例による。

（**政令への委任**）

第八二条　この附則に規定するもののほか、この法律の施行に関し必要な経過措置（罰則に関する経過措置を含む。）は、政令で定める。

附　則〔略〕〔平成二五・六・一四法律四四施行〕

○地方住宅供給公社法施行令

〔昭和四〇・六・一〇 政令一九八〕

改正　昭和四四・六政一五八、七政二〇六、昭和四六・一一政三四一、政三四五、昭和四八・三政三八、九政二七八、昭和四九・一政三、六政二〇三、八政二八八、一〇政三五七、昭和五〇・一政二、九政二九三、一〇政三〇六、昭和五四・九政二三七、昭和五五・一〇政二七三、昭和五六・四政一四四、昭和六三・二政二五、四政一三二、九政二六一、一一政三二一、平成元・一一政三〇九、平成二・一一政三三三、政三三五、平成三・一〇政三二四、平成四・七政二六六、平成五・二政一七、五政一七〇、平成六・一二政四一三、平成七・二政三六、六政二四〇、平成九・一一政三三五、平成一一・一政三五二、平成一二・六政三一二、平成一三・三政八四、政九八、七政二三八、平成一四・一政七、一一政三三一、平成一五・一政九、平成一六・四政一六八、一二政三九六、政三九九、平成一七・二政二四、五政一八二、七政二六二、一二政三七二、平成一八・六政二一三、九政三一〇、一一政三五〇、一二政三七九、平成二〇・一〇政三三八、平成二二・二政一三、平成二三・五政一一九、平成二四・六政一五八、平成二七・一政六、一一政三九二、平成二八・一一政三六四、平成二九・六政一五六、八政二二一、平成三〇・一政一九、一一政三〇八、令和元・六政三〇、一一政一五〇、令和二・九政二六八、一〇政三二三、令和三・七政二〇五、一〇政二九六、令和四・七政二四九、一〇政三三五、一二政三九三、令和五・九政二八〇

注　［　］の部分は、令和六年四月一九日政令第一七二号により改正され、令和七年四月一日から施行

（**地方住宅供給公社を設立することができる市**）

第一条　地方住宅供給公社法第八条の政令で指定する人口五十万以上の市は、大阪市、名古屋市、京都市、横浜市、神戸市、北九州市、札幌市、川崎市、福岡市、広島市、仙台市、千葉市及び堺市とする。

（**他の法令の準用**）

第二条　次の法令の規定については、地方住宅供給公社を、市のみが設立したものにあつては当該市（第二十三号及び第二十六号にあつては、建築主事を置く市）と、その他のものにあつては都道府県とみなして、これらの規定を準用する。

一　建築基準法（昭和二十五年法律第二百一号）第十八条（同法第八十七条第一項、第八十七条の四、第八十八条第一項から第三項まで又は第九十条第三項において準用する場合を含む。）

二　土地収用法（昭和二十六年法律第二百十九号）第十一条第一項ただし書、第十五条第一項、第十七条第一項第一号（同法第百三十八条第一項において準用する場合を含む。）、第二十一条（同法第百三十八条第一項において準用する場合を含む。）、第八十二条第五項及び第六項（同法第百三十八条第一項において準用する場合を含む。）、第百二十二条第一項ただし書（同法第百三十八条第一項において準用する場合を含む。）並びに第百二十五条第一項ただし書（同法第百三十八条第一項において準用する場合を含む。）

三　森林法（昭和二十六年法律第二百四十九号）第十条の二第一項第一号

四　宅地建物取引業法（昭和二十七年法律第百七十六号）第七十八条第一項

五　公共用地の取得に関する特別措置法（昭和三十六年法律第百五十号）第五条ただし書（同法第四十五条において準用する場合を含む。）及び第八条（同法第四十五条において準用する場合を含む。）において準用する土地収用法第二十一条

六　宅地造成及び特定盛土等規制法（昭和三十六年法律第百九十一号）第十五条第一項（同法第十六条第三項において準用する場合を含む。）及び第三十四条第一項（同法第三十五条第三項において準用する場合を含む。）

七　都市計画法（昭和四十三年法律第百号）第十一条第六項、第十二条の二第三項、第三十四条の二第一項（同法第三十五条の二第四項において準用する場合を含む。）、第四十二条第二項、第四十三条第三項、第五十二条第三項、第五十八条の二第一項第三号、第五十八条の七第一項、第五十九条第一項、第二項及び第四項、第六十三条第一項並びに第八十条第一項

八　急傾斜地の崩壊による災害の防止に関する法律（昭和四十四年法律第五十七号）第七条第四項及び第十三条

九　積立式宅地建物販売業法（昭和四十六年法律第百十一号）第五十四条第一号

十　自然環境保全法（昭和四十七年法律第八十五号）第二十一条（同法第三十条において準用する場合を含む。）、第二十五条第十項第三号、第二十六条第三項第五号、第二十七条第九項第三号、第二十八条第六項第四号及び第五十条

十一　都市緑地法（昭和四十八年法律第七十二号）第八条第七項及び第八項、第十四条第八項並びに第三十七条第二項

十二　幹線道路の沿道の整備に関する法律（昭和五十五年法律第三十四号）第十条第一項第三号

十三　集落地域整備法（昭和六十二年法律第六十三号）第六条第一項第三号

十四　絶滅のおそれのある野生動植物の種の保存に関する法律（平成四年法律第七十五号）第十二条第一項第八号及び第五十四条

十五　不動産特定共同事業法（平成六年法律第七十七号）第六十九条第三項

十六　密集市街地における防災街区の整備の促進に関する法律（平成九年法律第四十九号）第三十三条第一項第三号

十七　土砂災害警戒区域等における土砂災害防止対策の推進に関する法律（平成十二年法律第五十七号）第十五条

十八　建設工事に係る資材の再資源化等に関する法律（平成十二年法律第百四号）第十一条

十九　マンションの管理の適正化の推進に関する法律（平成十二年法律第百四十九号）第九十条

二十　特定都市河川浸水被害対策法（平成十五年法律第七十七号）第三十五条（同法第三十七条第四項及び第三十九条第四項において準用する場合を含む。）、第六十条（同法第六十二条第四項において準用する場合を含む。）及び第六十九条（同法第七十一条第五項において準用する場合を含む。）

二十一　景観法（平成十六年法律第百十号）第十六条第五項及び第六項、第二十二条第四項並びに第六十六条第一項から第三項まで及び第五項

二十二　不動産登記法（平成十六年法律第百二十三号）第十六条、第百十六条、第百十七条及び第百十八条第二項（同条第三項において準用する場合を含む。）

二十三　高齢者、障害者等の移動等の円滑化の促進に関する法律（平成十八年法律第九十一号）第十五条第二項

二十四　地域における歴史的風致の維持及び向上に関する法律（平成二十年法律第四十号）第十五条第六項及び第七項並びに第三十三条第一項第三号

二十五　津波防災地域づくりに関する法律（平成二十三年法律第百二十三号）第七十六条第一項（同法第七十八条第四項において準用する場合を含む。）及び第八十五条（同法第八十七条第五項において準用する場合を含む。）

二十六　建築物のエネルギー消費性能の向上等に関する法律（平成二十七年法律第五十三号）第十三条、第十四条第二項、第十六条第三項、第二十条及び附則第三条第七項から第九項まで

二十六　建築物のエネルギー消費性能の向上等に関する法律（平成二十七年法律第五十三号）第十二条及び第十三条第二項

二十七　所有者不明土地の利用の円滑化等に関する特別措置法（平成三十年法律第四十九号）第六条ただし書、第八条第一項並びに第四十三条第三項及び第五項

二十八　賃貸住宅の管理業務等の適正化に関する法律（令和二年法律第六十号）第三十七条

二十九　登記手数料令（昭和二十四年政令第百四十号）第十八条

三十　都市計画法施行令（昭和四十四年政令第百五十八号）第三十六条の五、第三十六条の九、第三十七条の二及び第三十八条の三

三十一　文化財保護法施行令（昭和五十年政令第二百六十七号）第四条第五項及び第六項第一号

三十二　大都市地域における住宅及び住宅地の供給の促進に関する特別措置法施行令（昭和五十年政令第三百六号）第三条及び第十一条

三十三　地方拠点都市地域の整備及び産業業務施設の再配置の促進に関する法律施行令（平成四年政令第二百六十六号）第六条

三十四　被災市街地復興特別措置法施行令（平成七年政令第三十六号）第三条

三十五　不動産登記令（平成十六年政令第三百七十九号）第七条第一項第六号（同令別表の七十三の項に係る部分に限る。）、第十六条第四項、第十七条第二項、第十八条第四項及び第十九条第二項

三十六　景観法施行令（平成十六年政令第三百九十八号）第二十二条第二号（同令第二十四条において準用する場合を含む。）

2　前項の規定により次の表の上欄に掲げる法令の規定を準用する場合においては、これらの規定中の字句で同表の中欄に掲げるものは、それぞれ同表の下欄の字句と読み替えるものとする。

土地収用法第二十一条第一項（同法第百三十八条第一項において準用する場合を含む。）	行政機関若しくはその地方支分部局の長	地方住宅供給公社
土地収用法第二十一条第二項（同法第百三十八条第一項において準用する場合を含む。）	行政機関又はその地方支分部局の長	地方住宅供給公社
土地収用法第百二十二条第一項ただし書（同法第百三十八条第一項において準用する場合を含む。）	都道府県知事	地方住宅供給公社
公共用地の取得に関する特別措置法第八条（同法第四十五条において準用する場合を含む。）において準用する土地収用法第二十一条第一項	行政機関若しくはその地方支分部局の長	地方住宅供給公社
公共用地の取得に関す	行政機関又はその地方	地方住宅供給公社

る特別措置法第八条（同法第四十五条において準用する場合を含む。）において準用する土地収用法第二十一条第二項	支分部局の長	
登記手数料令第十八条	国又は地方公共団体の職員	地方住宅供給公社の役員又は職員

第三条　勅令及び政令以外の命令であつて国土交通省令で定めるものについては、国土交通省令で定めるところにより、地方住宅供給公社を地方公共団体とみなして、これらの命令を準用する。

附　則〔抄〕

（施行期日）

1　この政令は、公布の日から施行する。

（組織変更の登記）

2　地方住宅供給公社法（以下「法」という。）附則第二項の規定により同項の公益法人がその組織を変更して地方住宅供給公社となるときは、法附則第三項の認可のあつた日から主たる事務所の所在地においては二週間以内に、従たる事務所の所在地においては三週間以内に、公益法人については解散の登記、地方住宅供給公社については組合等登記令（昭和三十九年政令第二十九号）第三条に定める登記をしなければならない。

3　前項の規定により地方住宅供給公社についてする登記の申請書には、定款及び代表権を有する者の資格を証する書面を添附しなければならない。

4　商業登記法（昭和三十八年法律第百二十五号）第十九条、第五十五条第一項、第七十一条及び第七十三条の規定は、第二項の登記について準用する。

（組織変更の際の登録税の非課税）

5　法附則第七項に規定する不動産に関する権利で政令で定めるものは、法第二十一条第三項各号の一に該当しない業務に係る不動産に関する権利で、当該地方公共団体又は当該法人が譲り受けることが適当であると建設大臣が認めたものとする。

6　法附則第七項に規定する政令で定める債務は、同項の公益法人が前項の権利の取得に関して負担した債務で、当該地方公共団体又は当該法人が引き受けることが適当であると建設大臣が認めたものとする。

7　法附則第七項の規定の適用を受けようとする者は、当該組織変更の日から起算して一年以内に、当該登記の申請書に組織変更があつたこと及び前二項の規定による建設大臣の認定があつたことを証する書面を添附して、その登記の申請をしなければならない。

（法附則第九項の政令で定める公共の用に供する施設）

8　法附則第九項の政令で定める公共の用に供する施設は、道路、公園、下水道、河川、砂防設備及び急傾斜地崩壊防止施設とする。

（法附則第九項の規定による貸付金の償還方法）

9　法附則第九項の規定による貸付金の償還は、均等半年賦償還の方法によるものとする。

附則〔略〕〔昭和四四・六・一三政令一五八〕
附則〔略〕〔昭和四四・七・三一政令二〇六〕
附則〔略〕〔昭和四六・一一・一五政令三四一〕
附則〔略〕〔昭和四六・一一・二二政令三四五〕
附則〔略〕〔昭和四八・三・三一政令三八〕
附則〔略〕〔昭和四八・九・二九政令二七八〕
附則〔略〕〔昭和四九・一・一〇政令三〕
附則〔略〕〔昭和四九・六・一〇政令二〇三〕
附則〔略〕〔昭和四九・一〇・二八政令三五七〕
附則〔略〕〔昭和五〇・一・九政令二〕
附則〔略〕〔昭和五〇・九・三〇政令二九三〕
附則〔略〕〔昭和五〇・一〇・二四政令三〇六〕
附則〔略〕〔昭和五四・九・四政令二三七〕
附則〔略〕〔昭和五五・一〇・二四政令二七三〕
附則〔略〕〔昭和五六・四・二四政令一四四〕
附則〔略〕〔昭和六三・二・二三政令二五〕
附則〔略〕〔昭和六三・九・六政令二六一〕
附則〔略〕〔昭和六三・一一・一一政令三二二〕
附則〔略〕〔平成元・一一・二一政令三〇九〕
附則〔略〕〔平成二・一一・九政令三三三〕
附則〔略〕〔平成二・一一・九政令三三五〕
附則〔略〕〔平成三・一〇・一八政令三二四〕
附則〔略〕〔平成四・七・三一政令二六六〕
附則〔略〕〔平成五・二・一〇政令一七〕
附則〔略〕〔平成五・五・一二政令一七〇〕
附則〔略〕〔平成六・一二・二六政令四一三〕
附則〔略〕〔平成七・二・二六政令三六〕
附則〔略〕〔平成七・六・一四政令二四〇〕
附則〔略〕〔平成九・一一・六政令三二五〕
附則〔略〕〔平成一一・一一・一〇政令三五二〕
附則〔略〕〔平成一二・六・七政令三一二〕
附則〔略〕〔平成一三・三・二八政令八四〕
附則〔略〕〔平成一三・三・三〇政令九八〕
附則〔略〕〔平成一三・七・四政令二三八〕
附則〔略〕〔平成一四・一・二三政令七〕
附則〔略〕〔平成一四・一一・一三政令三三一〕
附則〔略〕〔平成一五・一・二二政令九〕
附則〔略〕〔平成一六・四・二一政令一六八〕

附　則〔抄〕〔平成一六・一二・一五政令三九六〕

（施行期日）

第一条　この政令は、都市緑地保全法等の一部を改正する法律（以下「改正法」という。）の施行の日（平成十六年十二月十七日。以下「施行日」という。）から施行する。

（処分、手続等の効力に関する経過措置）

第四条　改正法附則第二条から第五条まで及び前二条に規定するもののほか、施行日前に改正法による改正前のそれぞれの法律又はこの政令による改正前のそれぞれの政令の規定によってした処分、手続その他の行為であって、改正法による改正後のそれぞれの法律又はこの政令による改正後のそれぞれの政令に相当の規定があるものは、これらの規定によってした処分、手続その他の行為とみなす。

附則〔略〕〔平成一六・一二・一五政令三九九〕
附則〔略〕〔平成一七・二・一八政令二四〕
附則〔略〕〔平成一七・五・二五政令一八二〕
附則〔略〕〔平成一七・七・二九政令二六二〕
附則〔略〕〔平成一七・一二・二一政令三七二〕
附則〔略〕〔平成一八・六・八政令二一三〕
附則〔略〕〔平成一八・九・二二政令三一〇〕
附則〔略〕〔平成一八・一一・六政令三五〇〕
附則〔略〕〔平成一八・一二・八政令三七九〕
附則〔略〕〔平成二〇・一〇・三一政令三三八〕
附則〔略〕〔平成二二・二・一五政令一三〕
附則〔略〕〔平成二三・五・二政令一一九施行〕
附則〔略〕〔平成二四・六・一政令一五八〕
附則〔略〕〔平成二七・一・一五政令六〕
附則〔略〕〔平成二七・一一・二六政令三九二〕
附則〔略〕〔平成二八・一一・三〇政令三六四〕
附則〔略〕〔平成二九・六・一四政令一五六〕
附則〔略〕〔平成二九・八・一四政令二二二〕
附則〔略〕〔平成三〇・一・三一政令一九〕
附則〔略〕〔平成三〇・一一・九政令三〇八〕
附則〔略〕〔令和元・六・一九政令三〇〕
附則〔略〕〔令和元・一一・七政令一五〇〕

この政令は、建築物のエネルギー消費性能の向上に関する法律の一部を改正する法律の施行の日（令和元年十一月十六日）から施行する。

附則〔略〕〔令和二・九・四政令二六八〕
附則〔略〕〔令和二・一〇・一六政令三一三〕
附則〔略〕〔令和三・七・一四政令二〇五〕
附則〔略〕〔令和三・一〇・二九政令二九六〕
附則〔略〕〔令和四・七・二二政令二四九〕
附則〔略〕〔令和四・一〇・二八政令三三五〕

附則（略）〔令和四・一二・二三政令三九三〕

附則（略）〔令和五・九・一三政令二八〇〕

附則（抄）〔令和六・四・一九政令一七二〕

（施行期日）

1　この政令は、脱炭素社会の実現に資するための建築物のエネルギー消費性能の向上に関する法律等の一部を改正する法律の施行の日（令和七年四月一日）から施行する。

○住宅の品質確保の促進等に関する法律〔平成一一・六・二三 法律八一〕

改正　平成一一・一二法一五一、法一六〇、平成一二・五法九一、平成一六・一二法一四一、一二法一四七、平成一七・七法八三、法八七、平成一八・六法五〇、一二法一一四、平成二一・六法四九、平成二六・六法九二、平成二九・六法四五、令和元・六法三七、令和三・五法四八、令和五・六法五八、法六三

目次

第一章　総則（第一条・第二条）
第二章　日本住宅性能表示基準（第三条―第四条）
第三章　住宅性能評価
　第一節　住宅性能評価（第五条―第六条の二）
　第二節　登録住宅性能評価機関（第七条―第二十四条）
　第三節　登録講習機関（第二十五条―第三十条）
第四章　住宅型式性能認定等
　第一節　住宅型式性能認定等（第三十一条―第四十三条）
　第二節　登録住宅型式性能認定等機関（第四十四条―第五十七条）
第五章　特別評価方法認定
　第一節　特別評価方法認定（第五十八条―第六十条）
　第二節　登録試験機関（第六十一条―第六十五条）
第六章　住宅に係る紛争の処理体制
　第一節　指定住宅紛争処理機関（第六十六条―第八十一条）
　第二節　住宅紛争処理支援センター（第八十二条―第九十三条）
第七章　瑕疵担保責任（第九十四条―第九十七条）
第八章　雑則（第九十八条―第百条）
第九章　罰則（第百一条―第百八条）
附則

第一章　総則

（目的）

第一条　この法律は、住宅の性能に関する表示基準及びこれに基づく評価の制度を設け、住宅に係る紛争の処理体制を整備するとともに、新築住宅の請負契約又は売買契約における瑕疵担保責任について特別の定めをすることにより、住宅の品質確保の促進、住宅購入者等の利益の保護及び住宅に係る紛争の迅速かつ適正な解決を図り、もって国民生活の安定向上と国民経済の健全な発展に寄与することを目的とする。

（定義）

第二条　この法律において「住宅」とは、人の居住の用に供する家屋又は家屋の部分（人の居住の用以外の用に供する家屋の部分との共用に供する部分を含む。）をいう。

2　この法律において「新築住宅」とは、新たに建設された住宅で、まだ人の居住の用に供したことのないもの（建設工事の完了の日から起算して一年を経過したものを除く。）をいう。

3　この法律において「日本住宅性能表示基準」とは、住宅の性能に関し表示すべき事項及びその表示の方法の基準であって、次条の規定により定められたものをいう。

4　この法律において「住宅購入者等」とは、住宅の購入若しくは住宅の建設工事の注文をし、若しくはしようとする者又は購入され、若しくは建設された住宅に居住をし、若しくはしようとする者をいう。

5　この法律において「瑕疵」とは、種類又は品質に関して契約の内容に適合しない状態をいう。

第二章　日本住宅性能表示基準

（日本住宅性能表示基準）

第三条　国土交通大臣及び内閣総理大臣は、住宅の性能に関する表示の適正化を図るため、日本住宅性能表示基準を定めなければならない。

2　日本住宅性能表示基準は、利害関係人の意向を適切に反映するように、かつ、その適用に当たって同様な条件の下にある者に対して不公正に差別を付することがないように定め、又は変更しなければならない。

3　国土交通大臣又は内閣総理大臣は、日本住宅性能表示基準を定め、又は変更しようとする場合において、必要があると認めるときは、当該日本住宅性能表示基準又はその変更の案について、公聴会を開いて利害関係人の意見を聴くことができる。

4　国土交通大臣及び内閣総理大臣は、日本住宅性能表示基準を定め、又は変更しようとするときは、国土交通大臣にあっては社会資本整備審議会の議決を、内閣総理大臣にあっては消費者委員会の議決を、それぞれ経なければならない。ただし、社会資本整備審議会又は消費者委員会が軽微な事項と認めるものについては、この限りでない。

5　国土交通大臣及び内閣総理大臣は、日本住宅性能表示基準を定め、又は変更したときは、遅滞なく、これを告示しなければならない。

（評価方法基準）

第三条の二　国土交通大臣は、日本住宅性能表示基準を定める場合には、併せて、日本住宅性能表示基準に従って表示すべき住宅の性能に関する評価（評価のための検査を含む。以下同じ。）の方法の基準（以下「評価方法基準」という。）を定めるものとする。

2　前条第二項から第五項までの規定は、評価方法基準について準用する。この場合において、同条第三項中「国土交通大臣又は内閣総理大臣」とあり、並びに同条第四項及び第五項中「国土交通大臣及び内閣総理大臣」とあるのは「国土交通大臣」と、同条第四項中「国土交通大臣にあっては社会資本整備審議会の議決を、内閣総理大臣にあっては消費者委員会の議決を、それぞれ」とあるのは「社会資本整備審議会の議決を」と、同項ただし書中「社会資本整備審議会又は消費者委員会」とあるのは「社会資本整備審議会」と読み替えるものとする。

3　内閣総理大臣は、個人である住宅購入者等の利益の保護を図るため必要があると認めるときは、国土交通大臣に対し、評価方法基準の策定又は変更に関し、必要な意見を述べることができる。

（**日本住宅性能表示基準の呼称の禁止**）

第四条　何人も、日本住宅性能表示基準でない住宅の性能の表示に関する基準について、日本住宅性能表示基準という名称又はこれと紛らわしい名称を用いてはならない。

第三章　住宅性能評価

第一節　住宅性能評価

（**住宅性能評価**）

第五条　第七条から第十条までの規定の定めるところにより国土交通大臣の登録を受けた者（以下「登録住宅性能評価機関」という。）は、申請により、住宅性能評価（設計された住宅又は建設された住宅について、日本住宅性能表示基準に従って表示すべき性能に関し、評価方法基準（第五十八条第一項の特別評価方法認定を受けた方法を用いる場合における当該方法を含む。第三十一条第一項において同じ。）に従って評価することをいう。以下同じ。）を行い、国土交通省令・内閣府令で定める事項を記載し、国土交通省令・内閣府令で定める標章を付した評価書（以下「住宅性能評価書」という。）を交付することができる。

2　前項の申請の手続その他住宅性能評価及び住宅性能評価書の交付に関し必要な事項は、国土交通省令・内閣府令で定める。

3　何人も、第一項の場合を除き、住宅の性能に関する評価書、住宅の建設工事の請負契約若しくは売買契約に係る契約書又はこれらに添付する書類に、同項の標章又はこれと紛らわしい標章を付してはならない。

（**住宅性能評価書等と契約内容**）

第六条　住宅の建設工事の請負人は、設計された住宅に係る住宅性能評価書（以下「設計住宅性能評価書」という。）若しくはその写しを請負契約書に添付し、又は注文者に対し設計住宅性能評価書若しくはその写しを交付した場合においては、当該設計住宅性能評価書又はその写しに表示された性能を有する住宅の建設工事を行うことを契約したものとみなす。

2　新築住宅の建設工事の完了前に当該新築住宅の売買契約を締結した売主は、設計住宅性能評価書若しくはその写しを売買契約書に添付し、又は買主に対し設計住宅性能評価書若しくはその写しを交付した場合においては、当該設計住宅性能評価書又はその写しに表示された性能を有する新築住宅を引き渡すことを契約したものとみなす。

3　新築住宅の建設工事の完了後に当該新築住宅の売買契約を締結した売主は、建設された住宅に係る住宅性能評価書（以下「建設住宅性能評価書」という。）若しくはその写しを売買契約書に添付し、又は買主に対し建設住宅性能評価書若しくはその写しを交付した場合においては、当該建設住宅性能評価書又はその写しに表示された性能を有する新築住宅を引き渡すことを契約したものとみなす。

4　前三項の規定は、請負人又は売主が、請負契約書又は売買契約書において反対の意思を表示しているときは、適用しない。

（**長期優良住宅の普及の促進に関する法律の特例**）

第六条の二　長期優良住宅の普及の促進に関する法律（平成二十年法律第八十七号）第五条第一項から第七項までの規定による認定の申請（同法第八条第一項の規定による変更の認定の申請を含む。）をする者は、あらかじめ、国土交通省令で定めるところにより、登録住宅性能評価機関に対し、当該申請に係る住宅の構造及び設備が長期使用構造等（同法第二条第四項に規定する長期使用構造等をいう。以下この条において同じ。）であることの確認を行うことを求めることができる。

2　第五条第一項の住宅性能評価の申請をする者は、前項の規定による求めを当該住宅性能評価の申請と併せてすることができる。

3　第一項の規定による求めがあった場合（次項に規定する場合を除く。）は、登録住宅性能評価機関は、当該住宅の構造及び設備が長期使用構造等であるかどうかの確認を行い、国土交通省令で定めるところにより、その結果を記載した書面（第五項において「確認書」という。）を当該求めをした者に交付するものとする。

4　第二項の規定により住宅性能評価の申請と併せて第一項の規定による求めがあった場合は、登録住宅性能評価機関は、当該住宅の構造及び設備が長期使用構造等であるかどうかの確認を行い、国土交通省令で定めるところにより、その結果を住宅性能評価書に記載するものとする。

5　前二項の規定によりその住宅の構造及び設備が長期使用構造等である旨が記載された確認書若しくは住宅性能評価書又はこれらの写しを、長期優良住宅の普及の促進に関する法律第五条第一項に規定する長期優良住宅建築等計画又は同条第六項に規定する長期優良住宅維持保全計画に添えて同条第一項から第七項までの規定による認定の申請（同法第八条第一項の規定による変更の認定の申請を含む。）をした場合においては、当該申請に係る長期優良住宅建築等計画又は長期優良住宅維持保全計画は、同法第六条第一項第一号（同法第八条第二項において準用する場合を含む。）に掲げる基準に適合しているものとみなす。

第二節　登録住宅性能評価機関

（**登録**）

第七条　第五条第一項の登録（第十三条を除き、以下この節において単に「登録」という。）は、同項に規定する業務（以下この節において「評価の業務」という。）を行おうとする者の申請により行う。

2　前項の申請は、国土交通省令で定めるところにより、評価の業務を行おうとする住宅の種類及び規模に応じ、次に掲げる住宅の種別ごとに国土交通省令で定める区分に従って行わなければならない。

一　建築士法（昭和二十五年法律第二百二号）第三条第一項第二号から第四号までに掲げる建築物である住宅

二　建築士法第三条の二第一項各号に掲げる建築物である住宅（前号に掲げる住宅を除く。）

三　前二号に掲げる住宅以外の住宅

（**欠格条項**）

第八条　次の各号のいずれかに該当する者は、登録を受けることができない。

一　未成年者

二　破産手続開始の決定を受けて復権を得ない者

三　禁錮以上の刑に処せられ、又はこの法律の規定により刑に処せられ、その執行を終わり、又は執行を受けることがなくなった日から起算して二年を経過しない者

四　第二十四条第一項又は第二項の規定により登録を取り消され、その取消しの日から起算して二年を経過しない者

五　心身の故障により評価の業務を適正に行うことができない者として国土交通省令で定めるもの

六　法人であって、その役員のうちに前各号のいずれかに該当する者があるもの

（**登録基準等**）

第九条　国土交通大臣は、登録の申請をした者（以下この項において「登録申請者」という。）が次に掲げる基準のすべてに適合しているときは、その登録をしなければならない。

一　第十三条の評価員（別表各号の上欄に掲げる住宅性能評価を行う住宅の区分に応じ、それぞれ当該各号の中欄に掲げる者に該当するものに限る。以下この号において同じ。）が住宅性能評価を実施し、その数が次のいずれにも適合するものであること。

イ　別表各号の上欄に掲げる住宅性能評価を行う住宅の区分ごとに、それぞれ当該各号の下欄に掲げる数（その数が二未満であるときは、二）以上であること。

ロ　別表各号の上欄に掲げる住宅性能評価を行う住宅の区分の二以上にわたる住宅について住宅性能評価を行う場合にあっては、第十三条の評価員の総数が、それらの区分に応じそれぞれ当該各号の下欄に掲げ

る数を合計した数（その数が二未満であるときは、二）以上であること。

二　登録申請者が、業として、住宅を設計し若しくは販売し、住宅の販売を代理し若しくは媒介し、又は新築住宅の建設工事を請け負う者（以下「住宅関連事業者」という。）に支配されているものとして次のいずれかに該当するものでないこと。

イ　登録申請者が株式会社である場合にあっては、住宅関連事業者がその親法人（会社法（平成十七年法律第八十六号）第八百七十九条第一項に規定する親法人をいう。以下同じ。）であること。

ロ　登録申請者の役員（持分会社（会社法第五百七十五条第一項に規定する持分会社をいう。以下同じ。）にあっては、業務を執行する社員）に占める住宅関連事業者の役員又は職員（過去二年間に当該住宅関連事業者の役員又は職員であった者を含む。）の割合が二分の一を超えていること。

ハ　登録申請者（法人にあっては、その代表権を有する役員）が、住宅関連事業者の役員又は職員（過去二年間に当該住宅関連事業者の役員又は職員であった者を含む。）であること。

三　評価の業務を適正に行うために評価の業務を行う部門に専任の管理者が置かれていること。

四　債務超過の状態にないこと。

2　登録は、登録住宅性能評価機関登録簿に次に掲げる事項を記載してするものとする。

一　登録年月日及び登録番号

二　登録住宅性能評価機関の氏名又は名称及び住所並びに法人にあっては、その代表者の氏名

三　登録の区分

四　登録住宅性能評価機関が評価の業務を行う事務所の所在地

五　第十三条の評価員の氏名

六　前各号に掲げるもののほか、国土交通省令で定める事項

（登録の公示等）

第一〇条　国土交通大臣は、登録をしたときは、前条第二項第二号から第五号までに掲げる事項その他国土交通省令で定める事項を公示しなければならない。

2　登録住宅性能評価機関は、前条第二項第二号又は第四号から第六号までに掲げる事項を変更しようとするときは、変更しようとする日の二週間前までに、その旨を国土交通大臣に届け出なければならない。

3　国土交通大臣は、前項の規定による届出があったときは、その旨を公示しなければならない。

（登録の更新）

第一一条　登録は、五年以上十年以内において政令で定める期間ごとにその更新を受けなければ、その期間の経過によって、その効力を失う。

2　第七条から第九条までの規定は、前項の登録の更新の場合について準用する。

（承継）

第一二条　登録住宅性能評価機関が当該登録に係る事業の全部を譲渡し、又は登録住宅性能評価機関について相続、合併若しくは分割（当該登録に係る事業の全部を承継させるものに限る。）があったときは、その事業の全部を譲り受けた者又は相続人（相続人が二人以上ある場合において、その全員の同意により当該事業を承継すべき相続人を選定したときは、その者。以下この項及び第三十七条において同じ。）、合併後存続する法人若しくは合併により設立した法人若しくは分割によりその事業の全部を承継した法人は、その登録住宅性能評価機関の地位を承継する。ただし、当該事業の全部を譲り受けた者又は相続人、合併後存続する法人若しくは合併により設立した法人若しくは分割により当該事業の全部を承継した法人が第八条各号のいずれかに該当するときは、この限りでない。

2　前項の規定により登録住宅性能評価機関の地位を承継した者は、遅滞なく、国土交通省令で定めるところにより、その旨を国土交通大臣に届け出なければならない。

（評価員）

第一三条　登録住宅性能評価機関は、別表各号の上欄に掲げる住宅性能評価を行う住宅の区分に応じ、それぞれ当該各号の中欄に掲げる者に該当する者であって、第二十五条から第二十七条までの規定の定めるところにより国土交通大臣の登録を受けた者（以下「登録講習機関」という。）が行う講習の課程を修了したもののうちから評価員を選任しなければならない。

（秘密保持義務）

第一四条　登録住宅性能評価機関（その者が法人である場合にあっては、その役員）及びその職員（評価員を含む。）並びにこれらの者であった者は、評価の業務（第六条の二第三項又は第四項に規定する確認の業務を含む。以下この節において同じ。）に関して知り得た秘密を漏らし、又は自己の利益のために使用してはならない。

（評価の業務の義務）

第一五条　登録住宅性能評価機関は、評価の業務を行うべきことを求められたときは、正当な理由がある場合を除き、遅滞なく、評価の業務を行わなければならない。

2　登録住宅性能評価機関は、公正に、かつ、国土交通省令で定める基準に適合する方法により評価の業務を行わなければならない。

（評価業務規程）

第一六条　登録住宅性能評価機関は、評価の業務に関する規程（以下この節において「評価業務規程」という。）を定め、評価の業務の開始前に、国土交通大臣に届け出なければならない。これを変更しようとするときも、同様とする。

2　評価業務規程には、評価の業務の実施の方法、評価の業務に関する料金その他の国土交通省令で定める事項を定めておかなければならない。

3　国土交通大臣は、第一項の規定による届出のあった評価業務規程が、この章の規定に従って評価の業務を公正かつ適確に実施する上で不適当であり、又は不適当となったと認めるときは、その評価業務規程を変更すべきことを命ずることができる。

（登録の区分等の掲示等）

第一七条　登録住宅性能評価機関は、国土交通省令で定めるところにより、登録の区分その他国土交通省令で定める事項について、その事務所において公衆に見やすいように掲示するとともに、電気通信回線に接続して行う自動公衆送信（公衆によって直接受信されることを目的として公衆からの求めに応じ自動的に送信を行うことをいい、放送又は有線放送に該当するものを除く。第六十六条第四項において同じ。）により公衆の閲覧に供しなければならない。

（財務諸表等の備付け及び閲覧等）

第一八条　登録住宅性能評価機関は、毎事業年度経過後三月以内に、その事業年度の財産目録、貸借対照表及び損益計算書又は収支計算書並びに事業報告書（その作成に代えて電磁的記録（電子的方式、磁気的方式その他の人の知覚によっては認識することができない方式で作られる記録であって、電子計算機による情報処理の用に供されるものをいう。以下この条において同じ。）の作成がされている場合における当該電磁的記録を含む。以下「財務諸表等」という。）を作成し、五年間事務所に備えて置かなければならない。

2　利害関係人は、登録住宅性能評価機関の業務時間内は、いつでも、次に掲げる請求をすることができる。ただし、第二号又は第四号の請求をするには、登録住宅性能評価機関の定めた費用を支払わなければならない。

一　財務諸表等が書面をもって作成されているときは、当該書面の閲覧又は謄写の請求

二　前号の書面の謄本又は抄本の請求

三　財務諸表等が電磁的記録をもって作成されているときは、当該電磁的記録に記録された事項を国土交通省令で定める方法により表示したものの閲覧又は謄写の請求

四　前号の電磁的記録に記録された事項を電磁的方法であって国土交通省令で定めるものにより提供することの請求又は当該事項を記載した書面の交付の請求

（帳簿の備付け等）

第一九条　登録住宅性能評価機関は、国土交通省令で定めるところにより、評価の業務に関する事項で国土交通省令で定めるものを記載した帳簿を備え付け、これを保存しなければならない。

2　前項に定めるもののほか、登録住宅性能評価機関は、国土交通省令で定めるところにより、評価の業務に関する書類で国土交通省令で定めるものを保存しなければならない。

（適合命令）

第二〇条　国土交通大臣は、登録住宅性能評価機関が第九条第一項各号のいずれかに適合しなくなったと認めるときは、その登録住宅性能評価機関に対し、これらの規定に適合するため必要な措置をとるべきことを命ずるこ

とができる。

（改善命令）

第二一条　国土交通大臣は、登録住宅性能評価機関が第十五条の規定に違反していると認めるときは、その登録住宅性能評価機関に対し、評価の業務を行うべきこと又は評価の業務の方法その他の業務の方法の改善に関し必要な措置をとるべきことを命ずることができる。

（報告、検査等）

第二二条　国土交通大臣は、評価の業務の公正かつ適確な実施を確保するため必要があると認めるときは、登録住宅性能評価機関に対し評価の業務若しくは経理の状況に関し必要な報告を求め、又はその職員に、登録住宅性能評価機関の事務所に立ち入り、評価の業務の状況若しくは設備、帳簿、書類その他の物件を検査させ、若しくは関係者に質問させることができる。

2　前項の規定により立入検査をする職員は、その身分を示す証明書を携帯し、関係者に提示しなければならない。

3　第一項の規定による権限は、犯罪捜査のために認められたものと解釈してはならない。

（評価の業務の休廃止等）

第二三条　登録住宅性能評価機関は、評価の業務の全部又は一部を休止し、又は廃止しようとするときは、国土交通省令で定めるところにより、あらかじめ、その旨を国土交通大臣に届け出なければならない。

2　前項の規定により評価の業務の全部を廃止しようとする届出があったときは、当該届出に係る登録は、その効力を失う。

3　国土交通大臣は、第一項の規定による届出があったときは、その旨を公示しなければならない。

（登録の取消し等）

第二四条　国土交通大臣は、登録住宅性能評価機関が第八条各号（第四号を除く。）のいずれかに該当するに至ったときは、その登録を取り消さなければならない。

2　国土交通大臣は、登録住宅性能評価機関が次の各号のいずれかに該当するときは、その登録を取り消し、又は期間を定めて評価の業務の全部若しくは一部の停止を命ずることができる。

一　第十条第二項、第十二条第二項、第十七条、第十八条第一項、第十九条、前条第一項又は第七十一条第二項の規定に違反したとき。

二　第十六条第一項の規定による届出のあった評価業務規程によらないで評価の業務を行ったとき。

三　正当な理由がないのに第十八条第二項各号の請求を拒んだとき。

四　第十六条第三項、第二十条又は第二十一条の規定による命令に違反したとき。

五　第八十七条第四項の規定による負担金の納付をしないとき。

六　評価の業務に関し著しく不適当な行為をしたとき、又はその業務に従事する評価員若しくは法人にあってはその役員が、評価の業務に関し著しく不適当な行為をしたとき。

七　不正な手段により登録を受けたとき。

3　国土交通大臣は、前二項の規定により登録を取り消し、又は前項の規定により評価の業務の全部若しくは一部の停止を命じたときは、その旨を公示しなければならない。

第三節　登録講習機関

（登録）

第二五条　第十三条の登録（以下この節において単に「登録」という。）は、同条の講習の実施に関する業務（以下「講習の業務」という。）を行おうとする者の申請により行う。

2　第十条第一項及び第十一条の規定は登録に、第十条第二項及び第三項、第十二条、第十五条第二項、第十六条第一項及び第二項、第十八条、第十九条第一項並びに第二十条から第二十三条までの規定は登録講習機関について準用する。この場合において、次の表の上欄に掲げる規定中同表の中欄に掲げる字句は、それぞれ同表の下欄に掲げる字句に読み替えるものとする。

第十条第一項	前条第二項第二号から第五号まで	第二十七条第二項第二号及び第三号
第十条第二項	前条第二項第二号又は第四号から第六号まで	第二十七条第二項第二号から第四号まで
第十一条第二項	第七条から第九条まで	第二十五条第一項、第二十六条及び第二十七条
第十二条第一項ただし書	第八条各号	第二十六条各号
第十五条第二項、第十六条第一項及び第二項、第十九条第一項、第二十二条第一項、第二十三条第一項及び第二項	評価の業務	講習の業務
第十六条第一項及び第二項	評価業務規程	講習業務規程
第二十条	第九条第一項各号	第二十七条第一項各号
第二十一条	第十五条	第二十五条第二項において準用する第十五条第二項
	評価の業務を行うべきこと又は評価の業務	同項の規定による講習の業務を行うべきこと又は講習の業務
第二十二条第一項	公正かつ適確な	適正な

（欠格条項）

第二六条　次の各号のいずれかに該当する者は、登録を受けることができない。

一　第八条第一号から第三号までに掲げる者

二　第二十八条第一項又は第二項の規定により登録を取り消され、その取消しの日から起算して二年を経過しない者

三　心身の故障により講習の業務を適正に行うことができない者として国土交通省令で定めるもの

四　法人であって、その役員のうちに前三号のいずれかに該当する者があるもの

（登録基準等）

第二七条　国土交通大臣は、登録の申請をした者（以下この項において「登録申請者」という。）が次に掲げる基準の全てに適合しているときは、その登録をしなければならない。この場合において、登録に関して必要な手続は、国土交通省令で定める。

一　住宅性能評価に関する法律制度及び実務に関する科目について講習の業務を実施するものであること。

二　前号の住宅性能評価に関する実務に関する科目にあっては、次のいずれかに該当する者が講師として講習の業務に従事するものであること。

イ　建築士法第二条第二項に規定する一級建築士（以下「一級建築士」という。）であって、住宅性能評価について評価員として三年以上の実務の経験を有するもの

ロ　イに掲げる者と同等以上の知識及び経験を有する者

三　登録申請者が、住宅関連事業者又は登録住宅性能評価機関（以下この号において「住宅関連事業者等」という。）に支配されているものとして次のいずれかに該当するものでないこと。

イ　登録申請者が株式会社である場合にあっては、住宅関連事業者等がその親法人であること。

ロ　登録申請者の役員（持分会社にあっては、業務を執行する社員）に占める住宅関連事業者等の役員又は職員（過去二年間に当該住宅関連事業者等の役員又は職員であった者を含む。）の割合が二分の一を超えていること。

八　登録申請者（法人にあっては、その代表権を有する役員）が、住宅関連事業者等の役員又は職員（過去二年間に当該住宅関連事業者等の役員又は職員であった者を含む。）であること。
四　債務超過の状態にないこと。
2　登録は、登録講習機関登録簿に次に掲げる事項を記載してするものとする。
一　登録年月日及び登録番号
二　登録講習機関の氏名又は名称及び住所並びに法人にあっては、その代表者の氏名
三　登録講習機関が講習の業務を行う事務所の所在地
四　前三号に掲げるもののほか、国土交通省令で定める事項

（登録の取消し等）
第二八条　国土交通大臣は、登録講習機関が第二十六条第一号、第三号又は第四号に該当するに至ったときは、その登録を取り消さなければならない。
2　国土交通大臣は、登録講習機関が次の各号のいずれかに該当するときは、その登録を取り消し、又は期間を定めて講習の業務の全部若しくは一部の停止を命ずることができる。
一　第二十五条第二項において準用する第十条第二項、第十二条第二項、第十八条第一項、第十九条第一項又は第二十三条第一項の規定に違反したとき。
二　第二十五条第二項において準用する第十六条第一項の規定による届出のあった講習業務規程によらないで講習の業務を行ったとき。
三　正当な理由がないのに第二十五条第二項において準用する第十八条第二項各号の請求を拒んだとき。
四　第二十五条第二項において準用する第二十条又は第二十一条の規定による命令に違反したとき。
五　講習の業務に関し著しく不適当な行為をしたとき、又はその業務に従事する者若しくは法人にあってはその役員が、講習の業務に関し著しく不適当な行為をしたとき。
六　不正な手段により登録を受けたとき。
3　第二十四条第三項の規定は、前二項の規定による登録の取消し又は前項の規定による講習の業務の停止について準用する。

（国土交通大臣による講習の業務の実施）
第二九条　国土交通大臣は、次の各号のいずれかに該当するときその他必要があると認めるときは、講習の業務の全部又は一部を自ら行うことができる。
一　登録を受ける者がいないとき。
二　第二十五条第二項において準用する第二十三条第一項の規定による講習の業務の全部又は一部の休止又は廃止の届出があったとき。
三　前条第一項若しくは第二項の規定により登録を取り消し、又は同項の規定により講習の業務の全部若しくは一部の停止を命じたとき。
四　登録講習機関が天災その他の事由により講習の業務の全部又は一部を実施することが困難となったとき。
2　国土交通大臣は、前項の規定により講習の業務を行い、又は同項の規定により行っている講習の業務を行わないこととしようとするときは、あらかじめ、その旨を公示しなければならない。
3　国土交通大臣が第一項の規定により講習の業務を行うこととした場合における講習の業務の引継ぎその他の必要な事項は、国土交通省令で定める。

（手数料）
第三〇条　前条第一項の規定により国土交通大臣が行う講習を受けようとする者は、国土交通省令で定めるところにより、実費を勘案して国土交通省令で定める額の手数料を国に納めなければならない。

第四章　住宅型式性能認定等

第一節　住宅型式性能認定等

（住宅型式性能認定）
第三一条　第四十四条から第四十六条までの規定の定めるところにより国土交通大臣の登録（第四十四条第二項第一号に掲げる業務の種別に係るものに限る。）を受けた者は、申請により、住宅型式性能認定（住宅又はその部分で国土交通大臣が定めるものの型式について評価方法基準に従って評価し、当該型式が日本住宅性能表示基準に従って表示すべき性能を有する旨を認定することをいい、当該登録を受けた者が外国にある事務所によりこれを行う者である場合にあっては、外国において事業を行う者の申請に基づくものに限る。以下同じ。）を行うことができる。
2　前項の申請の手続その他住宅型式性能認定に関し必要な事項は、国土交通省令で定める。
3　第一項の登録を受けた者は、住宅型式性能認定をしたときは、国土交通省令で定めるところにより、その旨を公示しなければならない。

（住宅型式性能認定を受けた型式に係る住宅性能評価の特例）
第三二条　住宅型式性能認定を受けた型式に適合する住宅又はその部分は、住宅性能評価において、当該住宅型式性能認定により認定された性能を有するものとみなす。

（型式住宅部分等製造者の認証）
第三三条　第四十四条から第四十六条までの規定の定めるところにより国土交通大臣の登録（第四十四条第二項第二号に掲げる業務の種別に係るものに限る。）を受けた者は、申請により、規格化された型式の住宅の部分又は住宅で国土交通大臣が定めるもの（以下この節において「型式住宅部分等」という。）の製造又は新築（以下この節において単に「製造」という。）をする者について、当該型式住宅部分等の製造者としての認証（当該登録を受けた者が外国にある事務所によりこれを行う者である場合にあっては、外国において事業を行う者の申請に基づくものに限る。）を行うことができる。
2　前項の申請をしようとする者は、国土交通省令で定めるところにより、国土交通省令で定める事項を記載した申請書を提出して、これを行わなければならない。
3　第一項の登録を受けた者は、同項の認証をしたときは、国土交通省令で定めるところにより、その旨を公示しなければならない。

（欠格条項）
第三四条　次の各号のいずれかに該当する者は、前条第一項の認証を受けることができない。
一　この法律の規定により刑に処せられ、その執行を終わり、又は執行を受けることがなくなった日から起算して二年を経過しない者
二　第四十三条第一項又は第二項の規定により標章を付することを禁止され、その禁止の処分を受けた日から起算して二年を経過しない者
三　前条第一項の認証が第五十三条第三項の規定により効力を失い、同項の規定による公示の日から起算して二年を経過しない者
四　法人であって、その役員のうちに前三号のいずれかに該当する者があるもの

（認証の基準）
第三五条　第三十三条第一項の登録を受けた者は、同項の申請が次に掲げる基準に適合していると認めるときは、同項の認証をしなければならない。
一　申請に係る型式住宅部分等の型式が住宅型式性能認定を受けたものであること。
二　申請に係る型式住宅部分等の製造設備、検査設備、検査方法、品質管理方法その他品質保持に必要な技術的生産条件が国土交通大臣が定める技術的基準に適合していると認められること。

（認証の更新）
第三六条　第三十三条第一項の認証は、五年以上十年以内において政令で定める期間ごとにその更新を受けなければ、その期間の経過によって、その効力を失う。
2　第三十三条第二項及び前二条の規定は、前項の認証の更新の場合について準用する。

（承継）
第三七条　第三十三条第一項の認証を受けた者（以下「認証型式住宅部分等製造者」という。）が当該認証に係る型式住宅部分等の製造の事業の全部を譲渡し、又は認証型式住宅部分等製造者について相続、合併若しくは分割（当該認証に係る型式住宅部分等の製造の事業の全部を承継させるものに限る。）があったときは、その事業の全部を譲り受けた者又は相続人、合併後存続する法人若しくは合併により設立した法人若しくは分割によりその事業の全部を承継した法人は、その認証型式住宅部分等製造者の地位を承継する。ただし、当該事業の全部を譲り受けた者又は相続人、合併後存続する法人若しくは合併により設立した法人若しくは分割により当該事業の全部を承継した法人が第三十四条各号のいずれかに該当するときは、この限りでない。

（型式適合義務等）

第三八条　認証型式住宅部分等製造者は、その認証に係る型式住宅部分等の製造をするときは、当該型式住宅部分等がその認証に係る型式に適合するようにしなければならない。ただし、本邦において外国に輸出するため当該型式住宅部分等の製造をする場合、試験的に当該型式住宅部分等の製造をする場合その他の国土交通省令で定める場合は、この限りでない。

2　認証型式住宅部分等製造者は、国土交通省令で定めるところにより、製造をする当該認証に係る型式住宅部分等について検査を行い、その検査記録を作成し、これを保存しなければならない。

（特別な標章等）

第三九条　認証型式住宅部分等製造者は、その認証に係る型式住宅部分等の製造をしたときは、これに当該型式住宅部分等が認証型式住宅部分等製造者が製造をした型式住宅部分等であることを示す国土交通省令で定める方式による特別な標章を付することができる。ただし、第四十三条第一項又は第二項の規定により、その標章を付することを禁止されたときは、この限りでない。

2　何人も、前項の規定により同項の標章を付する場合を除くほか、住宅の部分又は住宅に、同項の標章又はこれと紛らわしい標章を付してはならない。

（認証型式住宅部分等に係る住宅性能評価の特例）

第四〇条　認証型式住宅部分等製造者が製造をするその認証に係る型式住宅部分等（以下この節において「認証型式住宅部分等」という。）は、設計された住宅に係る住宅性能評価において、その認証に係る型式に適合するものとみなす。

2　住宅の部分である認証型式住宅部分等で前条第一項の標章を付したもの及び住宅である認証型式住宅部分等でその新築の工事が国土交通省令で定めるところにより建築士である工事監理者（建築士法第二条第八項に規定する工事監理をする者をいう。）によって設計図書（同法第二条第六項に規定する設計図書をいう。）のとおり実施されたことが確認されたものは、建設された住宅に係る住宅性能評価において、その認証に係る型式に適合するものとみなす。

（認証の失効）

第四一条　第三十三条第一項の認証は、当該認証に係る住宅型式性能認定が第五十三条第二項の規定により効力を失ったときは、その効力を失う。

（報告、検査等）

第四二条　国土交通大臣は、第三十七条、第三十八条、第三十九条第二項並びに次条第一項及び第二項の規定の施行に必要な限度において、認証型式住宅部分等製造者に対しその業務に関し必要な報告を求め、又はその職員に、認証型式住宅部分等製造者の工場、営業所、事務所、倉庫その他の事業場に立ち入り、認証型式住宅部分等の製造設備若しくは検査設備、帳簿、書類その他の物件を検査させ、若しくは関係者に質問させることができる。

2　前項の規定により立入検査をする職員は、その身分を示す証明書を携帯し、関係者に提示しなければならない。

3　第一項の規定による権限は、犯罪捜査のために認められたものと解釈してはならない。

（標章の禁止）

第四三条　国土交通大臣は、認証型式住宅部分等製造者（外国において本邦に輸出される型式住宅部分等の製造をするもの（以下「認証外国型式住宅部分等製造者」という。）を除く。以下この項において同じ。）が次の各号のいずれかに該当するときは、当該認証型式住宅部分等製造者に対し、二年以内の期間を定めて、当該認証型式住宅部分等に第三十九条第一項の標章を付することを禁止することができる。

一　認証型式住宅部分等の製造設備、検査設備、検査方法、品質管理方法その他品質保持に必要な技術的生産条件が第三十五条第二号の国土交通大臣が定める技術的基準に適合していない場合において、住宅購入者等の利益を保護するため特に必要があると認めるとき。

二　第三十八条又は第七十一条第二項の規定に違反したとき。

三　不正な手段により認証を受けたとき。

2　国土交通大臣は、認証外国型式住宅部分等製造者が次の各号のいずれかに該当するときは、当該認証外国型式住宅部分等製造者に対し、二年以内の期間を定めて、当該認証型式住宅部分等に第三十九条第一項の標章を付することを禁止することができる。

一　前項各号のいずれかに該当するとき。

二　前条第一項の規定による報告をせず、又は虚偽の報告をしたとき。

三　前条第一項の規定による検査を拒み、妨げ、若しくは忌避し、又は同項の規定による質問に対して答弁をせず、若しくは虚偽の答弁をしたとき。

四　第四項の規定による費用の負担をしないとき。

3　国土交通大臣は、前二項の規定により標章を付することを禁止したときは、国土交通省令で定めるところにより、その旨を公示しなければならない。この場合において、第四十条の規定は、当該認証型式住宅部分等については、適用しない。

4　前条第一項の規定による認証外国型式住宅部分等製造者に対する検査に要する費用（政令で定めるものに限る。）は、当該認証外国型式住宅部分等製造者の負担とする。

第二節　登録住宅型式性能認定等機関

（登録）

第四四条　第三十一条第一項又は第三十三条第一項の登録（以下この節において単に「登録」という。）は、それぞれ住宅型式性能認定及び第三十一条第三項の規定による公示又は第三十三条第一項の認証、同条第三項の規定による公示及び第三十六条第一項の認証の更新（以下この節において「認定等」という。）の業務を行おうとする者の申請により行う。

2　前項の申請は、国土交通省令で定めるところにより、次に掲げる業務の種別ごとに国土交通大臣が定める区分に従って行わなければならない。

一　住宅型式性能認定及び第三十一条第三項の規定による公示

二　第三十三条第一項の認証、同条第三項の規定による公示及び第三十六条第一項の認証の更新

3　第十条第一項及び第十一条の規定は登録に、第十条第二項及び第三項、第十二条、第十五条、第十八条、第十九条、第二十二条並びに第二十三条の規定は登録を受けた者（以下「登録住宅型式性能認定等機関」という。）について準用する。この場合において、次の表の上欄に掲げる規定中同表の中欄に掲げる字句は、それぞれ同表の下欄に掲げる字句に読み替えるものとする。

第十条第一項及び第二項	前条第二項第二号	第四十六条第二項第二号
第十一条第二項	第七条から第九条まで	第四十四条第一項及び第二項、第四十五条並びに第四十六条
第十二条第一項ただし書	第八条各号	第四十五条各号
第十五条、第十九条、第二十二条第一項、第二十三条第一項及び第二項	評価の業務	認定等の業務

（欠格条項）

第四五条　次の各号のいずれかに該当する者は、登録を受けることができない。

一　第八条第一号から第三号までに掲げる者

二　第五十五条第一項から第三項までの規定により登録を取り消され、その取消しの日から起算して二年を経過しない者

三　心身の故障により認定等の業務を適正に行うことができない者として国土交通省令で定めるもの

四　法人であって、その役員のうちに前三号のいずれかに該当する者があるもの

（登録基準等）

第四六条　国土交通大臣は、登録の申請をした者（以下この項において「登録申請者」という。）が次に掲げる基準のすべてに適合しているときは、その登録をしなければならない。

一　次の認定員（第四十四条第二項第一号に掲げる業務の種別に係る登録を受けようとする場合にあっては次条第一号イからニまでのいずれかに該当するもの、第四十四条第二項第二号に掲げる業務の種別に係る登録を受けようとする場合にあっては次条第二号イからハまでのいずれかに該当するものに限る。）が認定等の業務を実施し、その数が三以上で

あること。

二　登録申請者が、住宅関連事業者に支配されているものとして次のいずれかに該当するものでないこと。

イ　登録申請者が株式会社である場合にあっては、住宅関連事業者がその親法人であること。

ロ　登録申請者の役員（持分会社にあっては、業務を執行する社員）に占める住宅関連事業者の役員又は職員（過去二年間に当該住宅関連事業者の役員又は職員であった者を含む。）の割合が二分の一を超えていること。

ハ　登録申請者（法人にあっては、その代表権を有する役員）が、住宅関連事業者の役員又は職員（過去二年間に当該住宅関連事業者の役員又は職員であった者を含む。）であること。

三　認定等の業務を適正に行うために認定等の業務を行う部門に専任の管理者が置かれていること。

四　債務超過の状態にないこと。

2　登録は、登録住宅型式性能認定等機関登録簿に次に掲げる事項を記載してするものとする。

一　登録年月日及び登録番号

二　登録住宅型式性能認定等機関の氏名又は名称及び住所並びに法人にあっては、その代表者の氏名

三　登録の区分

四　登録住宅型式性能認定等機関が認定等の業務を行う事務所の所在地

五　次条の認定員の氏名

六　前各号に掲げるもののほか、国土交通省令で定める事項

（認定員）

第四七条　登録住宅型式性能認定等機関は、次の各号に掲げる業務の種別に応じ、それぞれ当該各号に定める者のうちから認定員を選任しなければならない。

一　第四十四条第二項第一号に掲げる業務　次のイからニまでのいずれかに該当する者

イ　学校教育法（昭和二十二年法律第二十六号）に基づく大学において建築学、機械工学、電気工学又は衛生工学を担当する教授若しくは准教授の職にあり、又はこれらの職にあった者

ロ　建築、機械、電気又は衛生に関する分野の試験研究機関において十年以上試験研究の業務に従事した経験を有する者

ハ　一級建築士であって、第七条第二項第一号に掲げる住宅に係る住宅性能評価について評価員として五年以上の実務の経験を有するもの

ニ　イからハまでに掲げる者と同等以上の知識及び経験を有する者

二　第四十四条第二項第二号に掲げる業務　次のイからハまでのいずれかに該当する者

イ　前号イ又はロのいずれかに該当する者

ロ　建築材料又は建築物の部分の製造、検査又は品質管理の業務（工場その他これに類する場所において行われるものに限る。）についてこれらの業務を行う部門の管理者として五年以上の実務の経験を有する者

ハ　イ又はロに掲げる者と同等以上の知識及び経験を有する者

（秘密保持義務）

第四八条　登録住宅型式性能認定等機関（外国にある事務所により認定等の業務を行うもの（以下「登録外国住宅型式性能認定等機関」という。）を除く。）（その者が法人である場合にあっては、その役員）及びその職員（認定員を含む。）並びにこれらの者であった者は、認定等の業務に関して知り得た秘密を漏らし、又は自己の利益のために使用してはならない。

（認定等業務規程）

第四九条　登録住宅型式性能認定等機関は、認定等の業務に関する規程（以下この節において「認定等業務規程」という。）を定め、認定等の業務の開始前に、国土交通大臣に届け出なければならない。これを変更しようとするときも、同様とする。

2　認定等業務規程には、認定等の業務の実施の方法、認定等の業務に関する料金その他の国土交通省令で定める事項を定めておかなければならない。

3　国土交通大臣は、第一項の規定による届出のあった認定等業務規程が、この章の規定に従って認定等の業務を公正かつ適確に実施する上で不適当であり、又は不適当となったと認めるときは、登録住宅型式性能認定等機関（登録外国住宅型式性能認定等機関を除く。）に対し、その認定等業務規程を変更すべきことを命ずることができる。

（適合命令）

第五〇条　国土交通大臣は、登録住宅型式性能認定等機関（登録外国住宅型式性能認定等機関を除く。）が第四十六条第一項各号のいずれかに適合しなくなったと認めるときは、その登録住宅型式性能認定等機関に対し、これらの規定に適合するため必要な措置をとるべきことを命ずることができる。

（改善命令）

第五一条　国土交通大臣は、登録住宅型式性能認定等機関（登録外国住宅型式性能認定等機関を除く。）が第四十四条第三項において準用する第十五条の規定に違反していると認めるときは、その登録住宅型式性能認定等機関に対し、認定等の業務を行うべきこと又は認定等の業務の方法その他の業務の方法の改善に関し必要な措置をとるべきことを命ずることができる。

（登録外国住宅型式性能認定等機関への準用）

第五二条　第四十九条第三項及び前二条の規定は、登録外国住宅型式性能認定等機関について準用する。この場合において、これらの規定中「命ずる」とあるのは、「請求する」と読み替えるものとする。

（国土交通大臣への報告等）

第五三条　登録住宅型式性能認定等機関は、住宅型式性能認定、第三十三条第一項の認証又は第三十六条第一項の認証の更新をしたときは、国土交通省令で定めるところにより、国土交通大臣に報告しなければならない。

2　国土交通大臣は、住宅型式性能認定を受けた型式が日本住宅性能表示基準に従って表示すべき性能を有していないと認めるときは、国土交通省令で定めるところにより、その旨を、当該住宅型式性能認定の申請者及び当該住宅型式性能認定を行った登録住宅型式性能認定等機関に通知するとともに、公示しなければならない。この場合において、当該住宅型式性能認定は、その効力を失う。

3　国土交通大臣は、認証型式住宅部分等製造者が第三十四条第一号又は第四号に該当するに至ったときは、国土交通省令で定めるところにより、その旨を、当該認証型式住宅部分等製造者及び当該認証を行った登録住宅型式性能認定等機関に通知するとともに、公示しなければならない。この場合において、当該認証は、その効力を失う。

（認定等についての申請及び国土交通大臣の命令）

第五四条　住宅型式性能認定又は第三十三条第一項の認証を申請した者は、その申請に係る型式又は型式住宅部分等の製造をする者について、登録住宅型式性能認定等機関（登録外国住宅型式性能認定等機関を除く。以下この項及び次項において同じ。）が認定等の業務を行わない場合又は登録住宅型式性能認定等機関の認定等の結果に異議のある場合は、国土交通大臣に対し、登録住宅型式性能認定等機関が認定等の業務を行うこと又は改めて認定等の業務を行うことを命ずべきことを申請することができる。

2　国土交通大臣は、前項の申請があった場合において、当該申請に係る登録住宅型式性能認定等機関が第四十四条第三項において準用する第十五条の規定に違反していると認めるときは、当該登録住宅型式性能認定等機関に対し、第五十一条の規定による命令をするものとする。

3　国土交通大臣は、前項の場合において、第五十一条の規定による命令をし、又は命令をしないことの決定をしたときは、遅滞なく、当該申請をした者に通知するものとする。

4　前三項の規定は、登録外国住宅型式性能認定等機関について準用する。この場合において、第一項中「命ずべき」とあるのは「請求すべき」と、前二項中「命令」とあるのは「請求」と読み替えるものとする。

（登録の取消し等）

第五五条　国土交通大臣は、登録住宅型式性能認定等機関が第四十五条第一号、第三号又は第四号に該当するに至ったときは、その登録を取り消さなければならない。

2　国土交通大臣は、登録住宅型式性能認定等機関（登録外国住宅型式性能認定等機関を除く。）が次の各号のいずれかに該当するときは、その登録を取り消し、又は期間を定めて認定等の業務の全部若しくは一部の停止を命ずることができる。

一　第四十四条第三項において準用する第十条第二項、第十二条第二項、第十八条第一項、第十九条若しくは第二十三条第一項、第三十一条第三項、第三十三条第三項、第五十三条第一項又は第七十一条第二項の規定に違反したとき。

二　第四十九条第一項の規定による届出のあった認定等業務規程によらないで認定等の業務を行ったとき。
三　正当な理由がないのに第四十四条第三項において準用する第十八条第二項各号の請求を拒んだとき。
四　第四十九条第三項、第五十条又は第五十一条の規定による命令に違反したとき。
五　認定等の業務に関し著しく不適当な行為をしたとき、又はその業務に従事する認定員若しくは法人にあってはその役員が、認定等の業務に関し著しく不適当な行為をしたとき。
六　不正な手段により登録を受けたとき。

3　国土交通大臣は、登録外国住宅型式性能認定等機関が次の各号のいずれかに該当するときは、その登録を取り消すことができる。
一　前項第一号から第三号まで、第五号又は第六号のいずれかに該当するとき。
二　第五十二条において準用する第四十九条第三項、第五十条又は第五十一条の規定による請求に応じなかったとき。
三　国土交通大臣が、登録外国住宅型式性能認定等機関が前二号のいずれかに該当すると認めて、期間を定めて認定等の業務の全部又は一部の停止の請求をした場合において、その請求に応じなかったとき。
四　第四十四条第三項において準用する第二十二条第一項の規定による報告をせず、又は虚偽の報告をしたとき。
五　第四十四条第三項において準用する第二十二条第一項の規定による検査を拒み、妨げ、若しくは忌避し、又は同項の規定による質問に対して答弁をせず、若しくは虚偽の答弁をしたとき。
六　第五項の規定による費用の負担をしないとき。

4　第二十四条第三項の規定は、前三項の規定による登録の取消し又は第二項の規定による認定等の業務の停止について準用する。

5　第四十四条第三項において準用する第二十二条第一項の規定による検査に要する費用（政令で定めるものに限る。）は、当該登録外国住宅型式性能認定等機関の負担とする。

（国土交通大臣による認定等の実施）

第五六条　国土交通大臣は、次の各号のいずれかに該当するときその他必要があると認めるときは、認定等の業務の全部又は一部を自ら行うことができる。
一　登録を受ける者がいないとき。
二　第四十四条第三項において準用する第二十三条第一項の規定により登録住宅型式性能認定等機関（登録外国住宅型式性能認定等機関を除く。以下この項において同じ。）から認定等の業務の全部又は一部の休止又は廃止の届出があったとき。
三　前条第一項若しくは第二項の規定により登録を取り消し、又は同項の規定により認定等の業務の全部若しくは一部の停止を命じたとき。
四　登録住宅型式性能認定等機関が天災その他の事由により認定等の業務の全部又は一部を実施することが困難となったとき。

2　国土交通大臣は、前項の規定により認定等の業務を行い、又は同項の規定により行っている認定等の業務を行わないこととしようとするときは、あらかじめ、その旨を公示しなければならない。

3　国土交通大臣が第一項の規定により認定等の業務を行うこととした場合における認定等の業務の引継ぎその他の必要な事項は、国土交通省令で定める。

（手数料）

第五七条　前条第一項の規定により国土交通大臣が行う認定等の申請をしようとする者は、国土交通省令で定めるところにより、実費を勘案して国土交通省令で定める額の手数料を国に納めなければならない。

第五章　特別評価方法認定

第一節　特別評価方法認定

（特別評価方法認定）

第五八条　国土交通大臣は、申請により、特別評価方法認定（日本住宅性能表示基準に従って表示すべき性能に関し、評価方法基準に従った方法に代えて、特別の建築材料若しくは構造方法に応じて又は特別の試験方法若しくは計算方法を用いて評価する方法を認定することをいう。以下同じ。）をすることができる。

2　前項の申請をしようとする者は、国土交通省令で定めるところにより、国土交通省令で定める事項を記載した申請書を提出して、これを行わなければならない。

3　国土交通大臣は、特別評価方法認定をし、又は特別評価方法認定を取り消したときは、その旨を公示しなければならない。

（審査のための試験）

第五九条　国土交通大臣は、特別評価方法認定のための審査に当たっては、審査に係る特別の建築材料若しくは構造方法又は特別の試験方法若しくは計算方法に関する試験、分析又は測定（以下単に「試験」という。）であって、第六十一条から第六十三条までの規定の定めるところにより国土交通大臣の登録を受けた者（以下「登録試験機関」という。）が行うもの（当該登録試験機関が外国にある事務所により試験を行う者である場合にあっては、外国において事業を行う者の申請に基づくものに限る。）に基づきこれを行うものとする。

2　特別評価方法認定の申請をしようとする者は、登録試験機関が作成した当該申請に係る特別の建築材料若しくは構造方法又は特別の試験方法若しくは計算方法に関する試験の結果の証明書を前条第二項の申請書に添えて、これをしなければならない。この場合において、国土交通大臣は、当該証明書に基づき特別評価方法認定のための審査を行うものとする。

（手数料）

第六〇条　特別評価方法認定の申請をしようとする者は、国土交通省令で定めるところにより、実費を勘案して国土交通省令で定める額の手数料を国に納めなければならない。

第二節　登録試験機関

（登録）

第六一条　第五十九条第一項の登録（以下この節において単に「登録」という。）は、特別評価方法認定のための審査に必要な試験を行おうとする者の申請により行う。

2　前項の申請は、国土交通省令で定めるところにより、国土交通大臣が定める区分に従って行わなければならない。

3　第十条第一項及び第十一条の規定は登録に、第十条第二項及び第三項、第十二条、第十五条、第十八条、第十九条、第二十二条、第二十三条、第四十八条から第五十一条まで、第五十四条第一項から第三項まで並びに第五十六条の規定は登録試験機関に、第五十二条及び第五十四条第四項の規定は外国にある事務所により試験を行う登録試験機関（以下「登録外国試験機関」という。）に、第五十七条の規定はこの項において準用する第五十六条第一項の規定により国土交通大臣の行う試験について準用する。この場合において、次の表の上欄に掲げる規定中同表の中欄に掲げる字句は、それぞれ同表の下欄に掲げる字句に読み替えるものとする。

上欄	中欄	下欄
第十条第一項及び第二項	前条第二項第二号	第六十三条第二項第二号
第十一条第二項	第七条から第九条まで	第六十一条第一項及び第二項、第六十二条並びに第六十三条
第十二条第一項ただし書	第八条各号	第六十二条各号
第十五条、第十九条、第二十二条第一項、第二十三条第一項及び第二項	評価の業務	試験の業務
第四十八条、第四十九条、第五十一条、第五十四条第一項、第五十六条、第五十七条	認定等の	試験の
第四十八条、第四十九条第三項、第五十条、	登録外国住宅型式性能認定等機関	登録外国試験機関

第五十一条、第五十四条第一項、第五十六条第一項第二号		
第四十八条	認定員	第六十四条の試験員
第四十九条	認定等業務規程	試験業務規程
第五十条	第四十六条第一項各号	第六十三条第一項各号
第五十一条、第五十四条第二項、第五十六条第一項第二号	第四十四条第三項	第六十一条第三項
第五十四条第一項	住宅型式性能認定又は第三十三条第一項の認証	特別評価方法認定のための審査に必要な試験
	型式又は型式住宅部分等の製造をする者	特別の建築材料若しくは構造方法又は特別の試験方法若しくは計算方法
第五十六条第一項第三号	前条第一項	第六十五条第一項

（欠格条項）

第六十二条　次の各号のいずれかに該当する者は、登録を受けることができない。

一　第八条第一号から第三号までに掲げる者

二　第六十五条第一項から第三項までの規定により登録を取り消され、その取消しの日から起算して二年を経過しない者

三　心身の故障により試験の業務を適正に行うことができない者として国土交通省令で定めるもの

四　法人であって、その役員のうちに前三号のいずれかに該当する者があるもの

（登録基準等）

第六十三条　国土交通大臣は、登録の申請をした者（以下この項において「登録申請者」という。）が次に掲げる基準のすべてに適合しているときは、その登録をしなければならない。

一　次条の試験員が試験を実施し、その数が三以上であること。

二　登録申請者が、住宅関連事業者に支配されているものとして次のいずれかに該当するものでないこと。

イ　登録申請者が株式会社である場合にあっては、住宅関連事業者がその親法人であること。

ロ　登録申請者の役員（持分会社にあっては、業務を執行する社員）に占める住宅関連事業者の役員又は職員（過去二年間に当該住宅関連事業者の役員又は職員であった者を含む。）の割合が二分の一を超えていること。

ハ　登録申請者（法人にあっては、その代表権を有する役員）が、住宅関連事業者の役員又は職員（過去二年間に当該住宅関連事業者の役員又は職員であった者を含む。）であること。

三　試験の業務を適正に行うために試験の業務を行う部門に専任の管理者が置かれていること。

四　債務超過の状態にないこと。

2　登録は、登録試験機関登録簿に次に掲げる事項を記載してするものとする。

一　登録年月日及び登録番号

二　登録試験機関の氏名又は名称及び住所並びに法人にあっては、その代表者の氏名

三　登録の区分

四　登録試験機関が試験の業務を行う事務所の所在地

五　次条の試験員の氏名

六　前各号に掲げるもののほか、国土交通省令で定める事項

（試験員）

第六十四条　登録試験機関は、次に掲げる者のうちから試験員を選任しなければならない。

一　学校教育法に基づく大学において建築学、機械工学、電気工学又は衛生工学を担当する教授若しくは准教授の職にあり、又はこれらの職にあった者

二　建築、機械、電気又は衛生に関する分野の試験研究機関において十年以上試験研究の業務に従事した経験を有する者

三　前二号に掲げる者と同等以上の知識及び経験を有する者

（登録の取消し等）

第六十五条　国土交通大臣は、登録試験機関が第六十二条第一号、第三号又は第四号に該当するに至ったときは、その登録を取り消さなければならない。

2　国土交通大臣は、登録試験機関（登録外国試験機関を除く。）が次の各号のいずれかに該当するときは、その登録を取り消し、又は期間を定めて試験の業務の全部若しくは一部の停止を命ずることができる。

一　第六十一条第三項において準用する第十条第二項、第十二条第二項、第十八条第一項、第十九条若しくは第二十三条第一項又は第七十一条第二項の規定に違反したとき。

二　第六十一条第三項において準用する第四十九条第一項の規定による届出のあった試験業務規程によらないで試験を行ったとき。

三　正当な理由がないのに第六十一条第三項において準用する第十八条第二項各号の請求を拒んだとき。

四　第六十一条第三項において準用する第四十九条第三項、第五十条又は第五十一条の規定による命令に違反したとき。

五　試験の業務に関し著しく不適当な行為をしたとき、又はその業務に従事する試験員若しくは法人にあってはその役員が、試験の業務に関し著しく不適当な行為をしたとき。

六　不正な手段により登録を受けたとき。

3　国土交通大臣は、登録外国試験機関が次の各号のいずれかに該当するときは、その登録を取り消すことができる。

一　前項第一号から第三号まで、第五号又は第六号のいずれかに該当するとき。

二　第六十一条第三項において準用する第五十二条において準用する第四十九条第三項、第五十条又は第五十一条の規定による請求に応じなかったとき。

三　国土交通大臣が、登録外国試験機関が前二号のいずれかに該当すると認めて、期間を定めて試験の業務の全部又は一部の停止の請求をした場合において、その請求に応じなかったとき。

四　第六十一条第三項において準用する第二十二条第一項の規定による報告をせず、又は虚偽の報告をしたとき。

五　第六十一条第三項において準用する第二十二条第一項の規定による検査を拒み、妨げ、若しくは忌避し、又は同項の規定による質問に対して答弁をせず、若しくは虚偽の答弁をしたとき。

六　第五項の規定による費用の負担をしないとき。

4　第二十四条第三項の規定は、前三項の規定による登録の取消し又は第二項の規定による試験の業務の停止について準用する。

5　第六十一条第三項において準用する第二十二条第一項の規定による登録外国試験機関に対する検査に要する費用（政令で定めるものに限る。）は、当該登録外国試験機関の負担とする。

第六章　住宅に係る紛争の処理体制

第一節　指定住宅紛争処理機関

（指定住宅紛争処理機関の指定等）

第六十六条　国土交通大臣は、弁護士会又は一般社団法人若しくは一般財団法人であって、次条第一項に規定する業務（以下この章において「紛争処理の業務」という。）を公正かつ適確に行うことができると認められるものを、その申請により、紛争処理の業務を行う者として指定することができる。

2　国土交通大臣は、前項の規定による指定（以下この節において単に「指定」という。）をしたときは、指定を受けた者（以下「指定住宅紛争処理機関」という。）の名称及び住所並びに紛争処理の業務を行う事務所の所在地を公示しなければならない。

3　第十条第二項及び第三項並びに第二十三条の規定は、指定住宅紛争処理機関について準用する。この場合において、第十条第二項中「前条第二項

第二号又は第四号から第六号までに掲げる事項」とあるのは「その名称若しくは住所又は紛争処理の業務を行う事務所の所在地」と、第二十三条第一項及び第二項中「評価の業務」とあるのは「紛争処理の業務」と、同項中「登録」とあるのは「指定」と読み替えるものとする。

4　指定住宅紛争処理機関は、国土交通省令で定めるところにより、指定住宅紛争処理機関である旨について、その事務所において公衆に見やすいように掲示するとともに、電気通信回線に接続して行う自動公衆送信により公衆の閲覧に供しなければならない。

5　第三項において読み替えて準用する第二十三条第一項の規定により紛争処理の業務の全部を廃止しようとする届出をした者は、当該届出の日に次条第一項に規定する紛争のあっせん又は調停の業務を行っていたときは、当該届出の日から二週間以内に、当該あっせん又は調停に係る当該紛争の当事者に対し、当該届出をした旨及び第三項において読み替えて準用する第二十三条第二項の規定により指定がその効力を失った旨を通知しなければならない。

（業務）

第六七条　指定住宅紛争処理機関は、建設住宅性能評価書が交付された住宅（以下この章において「評価住宅」という。）の建設工事の請負契約又は売買契約に関する紛争（以下この節において「紛争」という。）の当事者の双方又は一方からの申請により、当該紛争のあっせん、調停及び仲裁（以下この章において「住宅紛争処理」という。）の業務を行うものとする。

2　前項の申請の手続は、国土交通省令で定める。

（紛争処理委員）

第六八条　指定住宅紛争処理機関は、人格が高潔で識見の高い者のうちから、国土交通省令で定める数以上の紛争処理委員を選任しなければならない。

2　指定住宅紛争処理機関は、住宅紛争処理を行うときは、前項の規定により選任した紛争処理委員のうちから、事件ごとに、指定住宅紛争処理機関の長が指名する者に住宅紛争処理を実施させなければならない。この場合において、指定住宅紛争処理機関の長は、当該事件に関し当事者と利害関係を有することその他住宅紛争処理の公正を妨げるべき事情がある紛争処理委員については、当該事件の紛争処理委員に指名してはならない。

3　前項の規定により指名される紛争処理委員のうち少なくとも一人は、弁護士でなければならない。

（秘密保持義務等）

第六九条　指定住宅紛争処理機関の紛争処理委員並びにその役員及び職員並びにこれらの職にあった者は、紛争処理の業務に関して知り得た秘密を漏らし、又は自己の利益のために使用してはならない。

2　指定住宅紛争処理機関の紛争処理委員並びにその役員及び職員で紛争処理の業務に従事する者は、刑法（明治四十年法律第四十五号）その他の罰則の適用については、法令により公務に従事する職員とみなす。

（紛争処理の業務の義務）

第七〇条　指定住宅紛争処理機関は、紛争処理の業務を行うべきことを求められたときは、正当な理由がある場合を除き、遅滞なく、紛争処理の業務を行わなければならない。

（説明又は資料提出の請求）

第七一条　指定住宅紛争処理機関は、紛争処理の業務の実施に必要な限度において、登録住宅性能評価機関、認証型式住宅部分等製造者、登録住宅型式性能認定等機関又は登録試験機関（次項において「登録住宅性能評価機関等」という。）に対して、第八十二条第一項の規定による指定を受けた者を経由して、文書若しくは口頭による説明又は資料の提出を求めることができる。

2　登録住宅性能評価機関等は、前項の規定による求めがあったときは、正当な理由がない限り、これを拒んではならない。

（住宅紛争処理の手続の非公開）

第七二条　指定住宅紛争処理機関が行う住宅紛争処理の手続は、公開しない。ただし、指定住宅紛争処理機関は、相当と認める者に傍聴を許すことができる。

（申請手数料）

第七三条　住宅紛争処理の申請をする者は、国土交通省令で定めるところにより、実費を超えない範囲内において国土交通省令で定める額の申請手数料を指定住宅紛争処理機関に納めなければならない。

2　前項の規定により指定住宅紛争処理機関に納められた申請手数料は、指定住宅紛争処理機関の収入とする。

（時効の完成猶予）

第七三条の二　あっせん又は調停に係る紛争についてあっせん又は調停による解決の見込みがないことを理由に指定住宅紛争処理機関により当該あっせん又は調停が打ち切られた場合において、当該あっせん又は調停の申請をした当該紛争の当事者がその旨の通知を受けた日から一月以内に当該あっせん又は調停の目的となった請求について訴えを提起したときは、時効の完成猶予に関しては、当該あっせん又は調停の申請の時に、訴えの提起があったものとみなす。

2　第六十六条第三項において読み替えて準用する第二十三条第二項の規定により指定がその効力を失い、かつ、当該指定がその効力を失った日にあっせん又は調停が実施されていた紛争がある場合において、当該あっせん又は調停の申請をした当該紛争の当事者が第六十六条第五項の規定による通知を受けた日又は当該指定がその効力を失ったことを知った日のいずれか早い日から一月以内に当該あっせん又は調停の目的となった請求について訴えを提起したときも、前項と同様とする。

3　指定が第八十条第一項の規定により取り消され、かつ、その取消しの処分の日にあっせん又は調停が実施されていた紛争がある場合において、当該あっせん又は調停の申請をした当該紛争の当事者が同条第三項の規定による通知を受けた日又は当該処分を知った日のいずれか早い日から一月以内に当該あっせん又は調停の目的となった請求について訴えを提起したときも、第一項と同様とする。

（訴訟手続の中止）

第七三条の三　紛争について当該紛争の当事者間に訴訟が係属する場合において、次の各号に掲げる事由のいずれかに該当し、かつ、当該紛争の当事者の共同の申立てがあるときは、受訴裁判所は、四月以内の期間を定めて訴訟手続を中止する旨の決定をすることができる。

一　当該紛争について、当該紛争の当事者間において指定住宅紛争処理機関によるあっせん又は調停が実施されていること。

二　前号に掲げる事由のほか、当該紛争の当事者間に指定住宅紛争処理機関によるあっせん又は調停によって当該紛争の解決を図る旨の合意があること。

2　受訴裁判所は、いつでも前項の決定を取り消すことができる。

3　第一項の申立てを却下する決定及び前項の規定により第一項の決定を取り消す決定に対しては、不服を申し立てることができない。

（技術的基準）

第七四条　国土交通大臣は、指定住宅紛争処理機関による住宅に係る紛争の迅速かつ適正な解決に資するため、住宅紛争処理の参考となるべき技術的基準を定めることができる。

（指定住宅紛争処理機関の指定の申請の命令）

第七五条　国土交通大臣は、指定住宅紛争処理機関の指定の申請がなく、又は指定を受けた指定住宅紛争処理機関のみでは紛争処理の業務が適当かつ十分に行われないと認めるときは、第八十二条第一項の規定により指定した者に対し、指定住宅紛争処理機関の指定を申請すべきことを命ずることができる。

（事業計画等）

第七六条　指定住宅紛争処理機関は、毎事業年度、紛争処理の業務に係る事業計画及び収支予算を作成し、当該事業年度の開始前に（指定を受けた日の属する事業年度にあっては、その指定を受けた後遅滞なく）、国土交通大臣に提出しなければならない。これを変更しようとするときも、同様とする。

2　指定住宅紛争処理機関は、毎事業年度、紛争処理の業務に係る事業報告書及び収支決算書を作成し、当該事業年度経過後三月以内に、国土交通大臣に提出しなければならない。

（区分経理）

第七七条　指定住宅紛争処理機関は、国土交通省令で定めるところにより、紛争処理の業務に係る経理とその他の業務に係る経理とを区分して整理しなければならない。

（報告徴収）

第七八条　国土交通大臣は、紛争処理の業務の適正な運営を確保するため必要があると認めるときは、指定住宅紛争処理機関に対し、紛争処理の業務に関し必要な報告を求めることができる。

（業務改善命令）

第七九条　国土交通大臣は、紛争処理の業務の運営に関し改善が必要であると認めるときは、指定住宅紛争処理機関に対し、その改善に必要な措置をとるべきことを命ずることができる。

（指定の取消し等）

第八〇条　国土交通大臣は、指定住宅紛争処理機関が次の各号のいずれかに該当するときは、その指定を取り消し、又は期間を定めて紛争処理の業務の全部若しくは一部の停止を命ずることができる。

一　第六十六条第三項において準用する第十条第二項若しくは第二十三条第一項、第六十六条第四項、第六十八条、第七十条、第七十二条、第七十六条又は第七十七条の規定に違反したとき。

二　第七十八条の規定による報告をせず、又は虚偽の報告をしたとき。

三　前条又はこの項の規定による命令に違反したとき。

四　紛争処理の業務を公正かつ適確に行うことができないと認めるとき。

五　不正な手段により指定を受けたとき。

2　国土交通大臣は、前項の規定により指定を取り消し、又は紛争処理の業務の全部若しくは一部の停止を命じたときは、その旨を公示しなければならない。

3　第一項の規定により指定の取消しの処分を受けた者は、当該処分の日から二週間以内に、当該処分の日にあっせん又は調停が実施されていた紛争の当事者に対し、当該処分があった旨を通知しなければならない。

（国土交通省令への委任）

第八一条　この法律に規定するもののほか、住宅紛争処理の手続及びこれに要する費用に関し必要な事項は、国土交通省令で定める。

第二節　住宅紛争処理支援センター

（住宅紛争処理支援センター）

第八二条　国土交通大臣は、指定住宅紛争処理機関の行う紛争処理の業務の支援その他住宅購入者等の利益の保護及び住宅に係る紛争の迅速かつ適正な解決を図ることを目的とする一般財団法人であって、次条第一項に規定する業務（以下この節において「支援等の業務」という。）に関し次に掲げる基準に適合すると認められるものを、その申請により、全国に一を限って、住宅紛争処理支援センター（以下「センター」という。）として指定することができる。

一　職員、支援等の業務の実施の方法その他の事項についての支援等の業務の実施に関する計画が、支援等の業務の適確な実施のために適切なものであること。

二　前号の支援等の業務の実施に関する計画を適確に実施するに足りる経理的及び技術的な基礎を有するものであること。

三　役員又は職員の構成が、支援等の業務の公正な実施に支障を及ぼすおそれがないものであること。

四　支援等の業務以外の業務を行っている場合には、その業務を行うことによって支援等の業務の公正な実施に支障を及ぼすおそれがないものであること。

五　前各号に定めるもののほか、支援等の業務を公正かつ適確に行うことができるものであること。

2　国土交通大臣は、前項の規定による指定（以下この節において単に「指定」という。）をしたときは、センターの名称及び住所並びに支援等の業務を行う事務所の所在地を公示しなければならない。

3　第十条第二項及び第三項、第十九条、第二十二条並びに第六十九条の規定は、センターについて準用する。この場合において、次の表の上欄に掲げる規定中同表の中欄に掲げる字句は、それぞれ同表の下欄に掲げる字句に読み替えるものとする。

第十条第二項	前条第二項第二号又は第四号から第六号までに掲げる事項	その名称若しくは住所又は支援等の業務を行う事務所の所在地
第十九条、第二十二条第一項	評価の業務	支援等の業務
第六十九条	紛争処理委員並びにその役員	役員
	紛争処理の業務	支援等の業務

（業務）

第八三条　センターは、次に掲げる業務を行うものとする。

一　指定住宅紛争処理機関に対して紛争処理の業務の実施に要する費用を助成すること。

二　住宅紛争処理に関する情報及び資料の収集及び整理をし、並びにこれらを指定住宅紛争処理機関に対し提供すること。

三　住宅紛争処理に関する調査及び研究を行うこと。

四　指定住宅紛争処理機関の紛争処理委員又はその職員に対する研修を行うこと。

五　指定住宅紛争処理機関の行う紛争処理の業務について、連絡調整を図ること。

六　評価住宅の建設工事の請負契約又は売買契約に関する相談、助言及び苦情の処理を行うこと。

七　評価住宅以外の住宅の建設工事の請負契約又は売買契約に関する相談、助言及び苦情の処理を行うこと。

八　住宅の瑕疵の発生の防止に関する調査及び研究を行うこと。

九　前各号に掲げるもののほか、住宅購入者等の利益の保護及び住宅に係る紛争の迅速かつ適正な解決を図るために必要な業務を行うこと。

2　前項第一号に規定する費用の助成に関する手続、基準その他必要な事項は、国土交通省令で定める。

（支援等業務規程）

第八四条　センターは、支援等の業務に関する規程（以下この節において「支援等業務規程」という。）を定め、支援等の業務の開始前に、国土交通大臣の認可を受けなければならない。これを変更しようとするときも、同様とする。

2　支援等業務規程には、支援等の業務の実施の方法その他の国土交通省令で定める事項を定めておかなければならない。

3　国土交通大臣は、第一項の認可をした支援等業務規程が、この節の規定に従って支援等の業務を公正かつ適確に実施する上で不適当となったと認めるときは、その支援等業務規程を変更すべきことを命ずることができる。

（役員の選任及び解任）

第八五条　センターの支援等の業務に従事する役員の選任及び解任は、国土交通大臣の認可を受けなければ、その効力を生じない。

2　国土交通大臣は、センターの支援等の業務に従事する役員が、前条第一項の認可を受けた支援等業務規程に違反したとき、支援等の業務に関し著しく不適当な行為をしたとき、又はその在任によりセンターが第八十二条第一項第三号に掲げる基準に適合しなくなったときは、センターに対し、その役員を解任すべきことを命ずることができる。

（事業計画等）

第八六条　センターは、毎事業年度、支援等の業務に係る事業計画及び収支予算を作成し、当該事業年度の開始前に（指定を受けた日の属する事業年度にあっては、その指定を受けた後遅滞なく）、国土交通大臣の認可を受けなければならない。これを変更しようとするときも、同様とする。

2　センターは、毎事業年度、支援等の業務に係る事業報告書及び収支決算書を作成し、当該事業年度経過後三月以内に、国土交通大臣に提出しなければならない。

（負担金の徴収）

第八七条　センターは、第八十三条第一項第一号から第六号までの業務（以下この節において「評価住宅関係業務」という。）の実施に必要な経費に充てるため、登録住宅性能評価機関から負担金を徴収することができる。

2　センターは、毎事業年度、前項の負担金の額及び徴収方法について、国土交通大臣の認可を受けなければならない。

3　センターは、前項の認可を受けたときは、登録住宅性能評価機関に対し、負担金の額、納付期限及び納付方法を通知しなければならない。

4　登録住宅性能評価機関は、前項の通知に従い、センターに対し、負担金を納付しなければならない。

（区分経理）

第八八条　センターは、国土交通省令で定めるところにより、評価住宅関係業務に係る経理とその他の業務に係る経理とを区分して整理しなければならない。

（監督命令）

第八九条　国土交通大臣は、支援等の業務の公正かつ適確な実施を確保するため必要があると認めるときは、センターに対し、支援等の業務に関し監督上必要な命令をすることができる。

（支援等の業務の休廃止等）

第九〇条　センターは、国土交通大臣の許可を受けなければ、支援等の業務の全部又は一部を休止し、又は廃止してはならない。

2　国土交通大臣が前項の規定により支援等の業務の全部の廃止を許可したときは、当該許可に係る指定は、その効力を失う。

3　国土交通大臣は、第一項の許可をしたときは、その旨を公示しなければならない。

（指定の取消し等）

第九一条　国土交通大臣は、センターが次の各号のいずれかに該当するときは、その指定を取り消し、又は期間を定めて支援等の業務の全部若しくは一部の停止を命ずることができる。

一　第八十二条第三項において準用する第十条第二項若しくは第十九条、第八十六条、第八十八条又は前条第一項の規定に違反したとき。

二　第八十四条第一項の認可を受けた支援等業務規程によらないで支援等の業務を行ったとき。

三　第七十五条、第八十四条第三項、第八十五条第二項又は第八十九条の規定による命令に違反したとき。

四　第八十七条第二項の認可を受けず、又は認可を受けた事項に違反して負担金を徴収したとき。

五　第八十二条第一項各号に掲げる基準に適合していないと認めるとき。

六　センター又はその役員が、支援等の業務に関し著しく不適当な行為をしたとき。

七　不正な手段により指定を受けたとき。

2　国土交通大臣は、前項の規定により指定を取り消し、又は支援等の業務の全部若しくは一部の停止を命じたときは、その旨を公示しなければならない。

（指定を取り消した場合における経過措置）

第九二条　前条第一項の規定により指定を取り消した場合において、国土交通大臣がその取消し後に新たにセンターを指定したときは、取消しに係るセンターの評価住宅関係業務に係る財産は、新たに指定を受けたセンターに帰属する。

2　前項に定めるもののほか、前条第一項の規定により指定を取り消した場合における評価住宅関係業務に係る財産の管理その他所要の経過措置（罰則に関する経過措置を含む。）は、合理的に必要と判断される範囲内において、政令で定める。

（センターへの情報提供等）

第九三条　国土交通大臣は、センターに対し、支援等の業務の実施に関し必要な情報及び資料の提供又は指導及び助言を行うものとする。

第七章　瑕疵担保責任

（住宅の新築工事の請負人の瑕疵担保責任）

第九四条　住宅を新築する建設工事の請負契約（以下「住宅新築請負契約」という。）においては、請負人は、注文者に引き渡した時から十年間、住宅のうち構造耐力上主要な部分又は雨水の浸入を防止する部分として政令で定めるもの（次条において「住宅の構造耐力上主要な部分等」という。）の瑕疵（構造耐力又は雨水の浸入に影響のないものを除く。次条において同じ。）について、民法（明治二十九年法律第八十九号）第四百十五条、第五百四十一条及び第五百四十二条並びに同法第五百五十九条において準用する同法第五百六十二条及び第五百六十三条に規定する担保の責任を負う。

2　前項の規定に反する特約で注文者に不利なものは、無効とする。

3　第一項の場合における民法第六百三十七条の規定の適用については、同条第一項中「前条本文に規定する」とあるのは「請負人が住宅の品質確保の促進等に関する法律（平成十一年法律第八十一号）第九十四条第一項に規定する瑕疵がある目的物を注文者に引き渡した」と、同項及び同条第二項中「不適合」とあるのは「瑕疵」とする。

（新築住宅の売主の瑕疵担保責任）

第九五条　新築住宅の売買契約においては、売主は、買主に引き渡した時（当該新築住宅が住宅新築請負契約に基づき請負人から当該売主に引き渡されたものである場合にあっては、その引渡しの時）から十年間、住宅の構造耐力上主要な部分等の瑕疵について、民法第四百十五条、第五百四十一条、第五百四十二条、第五百六十二条及び第五百六十三条に規定する担保の責任を負う。

2　前項の規定に反する特約で買主に不利なものは、無効とする。

3　第一項の場合における民法第五百六十六条の規定の適用については、同条中「種類又は品質に関して契約の内容に適合しない」とあるのは「住宅の品質確保の促進等に関する法律（平成十一年法律第八十一号）第九十五条第一項に規定する瑕疵がある」と、「不適合」とあるのは「瑕疵」とする。

（一時使用目的の住宅の適用除外）

第九六条　前二条の規定は、一時使用のため建設されたことが明らかな住宅については、適用しない。

（瑕疵担保責任の期間の伸長等）

第九七条　住宅新築請負契約又は新築住宅の売買契約においては、請負人が第九十四条第一項に規定する瑕疵その他の住宅の瑕疵について同項に規定する担保の責任を負うべき期間又は売主が第九十五条第一項に規定する瑕疵その他の住宅の瑕疵について同項に規定する担保の責任を負うべき期間は、注文者又は買主に引き渡した時から二十年以内とすることができる。

第八章　雑則

（国及び地方公共団体の措置）

第九八条　国及び地方公共団体は、住宅の品質確保の促進、住宅購入者等の利益の保護及び住宅に係る紛争の迅速かつ適正な解決を図るため、必要な情報及び資料の提供その他の措置を講ずるよう努めなければならない。

（内閣総理大臣への資料提供等）

第九八条の二　内閣総理大臣は、住宅の性能に関する表示に関し、個人である住宅購入者等の利益の保護を図るため必要があると認めるときは、国土交通大臣に対し、資料の提供、説明その他必要な協力を求めることができる。

（権限の委任）

第九九条　この法律に規定する国土交通大臣の権限は、国土交通省令で定めるところにより、その一部を地方整備局長又は北海道開発局長に委任することができる。

2　この法律に規定する内閣総理大臣の権限（政令で定めるものを除く。）は、消費者庁長官に委任する。

（経過措置）

第一〇〇条　この法律の規定に基づき命令を制定し、又は改廃する場合においては、その命令で、その制定又は改廃に伴い合理的に必要と判断される範囲内において、所要の経過措置（罰則に関する経過措置を含む。）を定めることができる。

第九章　罰則

第一〇一条　次の各号のいずれかに該当する者がその職務に関して賄賂を収受し、又は要求し、若しくは約束したときは、三年以下の懲役に処する。よって不正の行為をし、又は相当の行為をしないときは、七年以下の懲役に処する。

一　登録住宅性能評価機関（その者が法人である場合にあっては、その役員）又はその職員（評価員を含む。）で第五条第一項に規定する業務（第六条の二第三項又は第四項に規定する業務を含む。）に従事する者

二　登録住宅型式性能認定等機関（その者が法人である場合にあっては、その役員）又はその職員（認定員を含む。）で第四十四条第一項に規定する業務に従事する者

三　登録試験機関（その者が法人である場合にあっては、その役員）又はその職員（試験員を含む。）で第六十一条第一項に規定する業務に従事する者

2　前項各号に掲げる者であった者がその在職中に請託を受けて職務上不正の行為をし、又は相当の行為をしなかったことにつき賄賂を収受し、又は要求し、若しくは約束したときは、三年以下の懲役に処する。

3　第一項各号に掲げる者がその職務に関し請託を受けて第三者に賄賂を供与させ、又はその供与を約束したときは、三年以下の懲役に処する。

4　犯人又は情を知った第三者の収受した賄賂は、没収する。その全部又は一部を没収することができないときは、その価額を追徴する。

第一〇二条　前条第一項から第三項までに規定する賄賂を供与し、又はその申込み若しくは約束をした者は、三年以下の懲役又は百万円以下の罰金に

処する。
2　前項の罪を犯した者が自首したときは、その刑を減軽し、又は免除することができる。
第一〇三条　次の各号のいずれかに該当する者は、一年以下の懲役又は百万円以下の罰金に処する。
一　第四条の規定に違反した者
二　第五条第三項の規定に違反した者
第一〇四条　次の各号のいずれかに該当する者は、一年以下の懲役又は五十万円以下の罰金に処する。
一　第十四条、第四十八条（第六十一条第三項において準用する場合を含む。）又は第六十九条第一項（第八十二条第三項において準用する場合を含む。）の規定に違反して、その職務に関して知り得た秘密を漏らし、又は自己の利益のために使用した者
二　第二十四条第二項、第二十八条第二項、第五十五条第二項、第六十五条第二項又は第九十一条第一項の規定による業務の停止の命令に違反した者
第一〇五条　次の各号のいずれかに該当する者は、五十万円以下の罰金に処する。
一　第三十八条第二項の規定に違反して、検査を行わず、検査記録を作成せず、虚偽の検査記録を作成し、又は検査記録を保存しなかった者
二　第三十九条第二項の規定に違反した者
第一〇六条　次の各号のいずれかに該当する者は、三十万円以下の罰金に処する。
一　第十九条第一項（第二十五条第二項、第四十四条第三項、第六十一条第三項又は第八十二条第三項において準用する場合を含む。）の規定に違反して帳簿を備え付けず、帳簿に記載せず、若しくは帳簿に虚偽の記載をし、又は帳簿を保存しなかった者
二　第十九条第二項（第四十四条第三項、第六十一条第三項又は第八十二条第三項において準用する場合を含む。）の規定に違反した者
三　第二十二条第一項（第二十五条第二項、第四十四条第三項、第六十一条第三項又は第八十二条第三項において準用する場合を含む。以下この条において同じ。）又は第四十二条第一項の規定による報告をせず、又は虚偽の報告をした者
四　第二十二条第一項又は第四十二条第一項の規定による検査を拒み、妨げ、又は忌避した者
五　第二十二条第一項又は第四十二条第一項の規定による質問に対して答弁せず、又は虚偽の答弁をした者
六　第二十三条第一項（第二十五条第二項、第四十四条第三項又は第六十一条第三項において準用する場合を含む。）の規定による届出をしないで業務の全部を廃止し、又は虚偽の届出をした者
七　第五十三条第一項の規定による報告をせず、又は虚偽の報告をした者
八　第九十条第一項の規定による許可を受けないで業務の全部を廃止した者
第一〇七条　法人の代表者又は法人若しくは人の代理人、使用人その他の従業者がその法人又は人の業務に関して第百三条から前条までの違反行為をした場合においては、その行為者を罰するほか、その法人又は人に対して各本条の罰金刑を科する。
第一〇八条　次の各号のいずれかに該当する者は、二十万円以下の過料に処する。
一　第十二条第二項（第二十五条第二項、第四十四条第三項又は第六十一条第三項において準用する場合を含む。）の規定による届出をせず、又は虚偽の届出をした者
二　第十八条第一項（第二十五条第二項、第四十四条第三項又は第六十一条第三項において準用する場合を含む。）の規定に違反して財務諸表等を備えて置かず、財務諸表等に記載すべき事項を記載せず、若しくは虚偽の記載をし、又は正当な理由がないのに第十八条第二項各号（第二十五条第二項、第四十四条第三項又は第六十一条第三項において準用する場合を含む。）の請求を拒んだ者

附　則〔抄〕

（施行期日）

第一条　この法律は、公布の日から起算して一年を超えない範囲内において政令で定める日から施行する。

〔平成一二政六四により、平成一二・四・一から施行〕

（経過措置）

第二条　この法律の施行の際現に日本住宅性能表示基準という名称又はこれと紛らわしい名称を使用している者については、第四条の規定は、この法律の施行後二月間は、適用しない。
2　第七章の規定は、この法律の施行前に締結された住宅新築請負契約又は新築住宅の売買契約については、適用しない。
（検討）
第三条　政府は、この法律の施行後十年を経過した場合において、第三章第二節、第四章第二節及び第五章第二節の規定の施行の状況について検討を加え、その結果に基づいて必要な措置を講ずるものとする。

附　則〔略〕〔平成一一・一二・八法律一五一〕

附　則〔略〕〔平成一一・一二・二二法律一六〇〕

附　則〔略〕〔平成一二・五・三一法律九一〕

附　則〔平成一六・一二・一法律一四二〕

（施行期日）
第一条　この法律は、平成十八年三月一日から施行する。ただし、次条の規定は、平成十七年九月一日から施行する。
（施行前の準備）
第二条　この法律による改正後の住宅の品質確保の促進等に関する法律（以下「新法」という。）第五条第一項、第十三条、第三十一条第一項、第三十三条第一項又は第五十九条第一項の登録を受けようとする者は、この法律の施行前においても、その申請を行うことができる。新法第十六条第一項（新法第二十五条第二項において準用する場合を含む。）又は新法第四十九条第一項（新法第六十一条第三項において準用する場合を含む。）の規定による評価業務規程その他の規程の届出についても、同様とする。
（指定住宅性能評価機関等に関する経過措置）
第三条　この法律の施行の際現に次の表の各号の上欄に掲げる指定、認証又は承認を受けている者は、それぞれ当該各号の中欄に掲げる登録又は認証を受けているものとみなす。この場合において、同表の各号の下欄に掲げる期間は、それぞれ当該各号の上欄に掲げる指定、認証若しくは承認又はそれらの更新の日から起算するものとする。

上欄	中欄	下欄
一　この法律による改正前の住宅の品質確保の促進等に関する法律（以下「旧法」という。）第七条第二項の国土交通省令で定める区分に係る旧法第五条第一項の指定	上欄に掲げる指定を受けた区分に相当するものとして国土交通省令で定める区分に係る新法第五条第一項の登録	新法第十一条第一項に規定する期間
二　旧法第二十五条第一項又は第三十七条第一項の認証	新法第三十三条第一項の認証	新法第三十六条第一項に規定する期間
三　旧法第四十一条第二項の国土交通大臣が定める区分に係る旧法第三十九条第一項の指定及び旧法第五十条第二項において準用する旧法第四十一条第二項の国土交通大臣が定める区分に係る旧法第三十九条第三項の承認	上欄に掲げる指定及び承認を受けた区分に相当するものとして国土交通大臣が定める区分に係る新法第三十一条第一項又は第三十三条第一項の登録	新法第四十四条第三項において準用する新法第十一条第一項に規定する期間
四　旧法第五十五条第二項において準用する旧法第四十一条第二項の国土交通大臣が定める区分に係る旧法第五十三条第二項の指定及び旧法第六十条第二項において準用する旧法第四十一条第二項の国土交通大臣が定める区分に係る旧法第五十三条第五項の承認	上欄に掲げる指定及び承認を受けた区分に相当するものとして国土交通大臣が定める区分に係る新法第五十九条第一項の登録	新法第六十一条第三項において準用する新法第十一条第一項に規定する期間

第四条　この法律の施行前にその課程を修了した講習であって、新法第十三条の講習に相当するものとして国土交通大臣が定めるものは、同条の講習とみなす。

第五条　旧法第五条第一項の指定住宅性能評価機関、旧法第三十九条第一項の指定住宅型式性能認定機関又は旧法第五十三条第二項の指定試験機関（これらの者が法人である場合にあっては、その役員）及びこれらの職員（旧法第十二条第一項の評価員、旧法第四十四条第一項の認定員及び旧法第五十八条第一項の試験員を含む。）であった者に係る旧法第七条第一項の評価の業務、旧法第三十九条第一項の認定等の業務又は旧法第五十三条第一項の試験の業務に関して知り得た秘密を漏らしてはならない義務については、この法律の施行後も、なお従前の例による。

（住宅性能評価等に関する経過措置）

第六条　この法律の施行前に旧法第五条第一項の規定により交付された住宅性能評価書は、新法第五条第一項の規定により交付された住宅性能評価書とみなす。

第七条　この法律の施行の際現に旧法第二十二条第一項の規定による住宅型式性能認定（以下「旧住宅型式性能認定」という。）を受けている型式は、新法第三十一条第一項の規定による住宅型式性能認定を受けているものとみなす。

第八条　この法律の施行前に旧法第三十三条第一項（旧法第三十七条第二項において準用する場合を含む。）の規定により付された標章は、新法第三十九条第一項の規定により付された標章とみなす。

第九条　この法律の施行前に旧法第五十三条第二項の指定試験機関又は同条第五項の承認試験機関が作成した同条第四項の証明書は、新法第五十九条第一項の登録試験機関が作成した同条第二項の試験の結果の証明書とみなす。

第一〇条　この法律の施行前にされた旧法第五条第一項の住宅性能評価の申請、旧法第二十二条第一項の旧住宅型式性能認定の申請、旧法第二十五条第一項若しくは第三十七条第一項の認証（以下「旧認証」という。）の申請又は旧法第五十四条第二項の試験（以下「旧試験」という。）の申請であって、この法律の施行の際、旧法第五条第一項の住宅性能評価書の交付、旧住宅型式性能認定若しくはその拒否、旧認証若しくはその拒否又は旧試験の結果の証明書の交付がなされていないものについてのこれらの交付又は処分については、なお従前の例による。

（審査請求に関する経過措置）

第一一条　この法律の施行前に旧法第三十九条第一項の指定住宅型式性能認定機関がした旧住宅型式性能認定若しくは旧認証又は旧法第五十三条第二項の指定試験機関がした旧試験（前条の規定によりなお従前の例によることとされる場合におけるものを含む。）に係る処分又はその不作為に関する行政不服審査法（昭和三十七年法律第百六十号）による審査請求については、なお従前の例による。

（処分、手続等の効力に関する経過措置）

第一二条　附則第二条から前条までに規定するもののほか、この法律の施行前に旧法（これに基づく命令を含む。）の規定によってした処分、手続その他の行為であって、新法（これに基づく命令を含む。）の規定に相当の規定があるものは、これらの規定によってした処分、手続その他の行為とみなす。

（罰則の適用に関する経過措置）

第一三条　この法律の施行前にした行為及びこの附則の規定によりなお従前の例によることとされる場合におけるこの法律の施行後にした行為に対する罰則の適用については、なお従前の例による。

（その他の経過措置の政令への委任）

第一四条　附則第二条から前条までに定めるもののほか、この法律の施行に関し必要となる経過措置（罰則に関する経過措置を含む。）は、政令で定める。

附　則〔略〕〔平成一六・一二・一法律一四七〕

附　則〔略〕〔平成一七・七・一五法律八三〕

附　則〔略〕〔平成一七・七・二六法律八七〕

附　則〔略〕〔平成一八・六・二法律五〇〕

附　則〔略〕〔平成一八・一二・二〇法律一一四〕

附　則〔抄〕〔平成二一・六・五法律四九〕

（施行期日）

第一条　この法律は、消費者庁及び消費者委員会設置法（平成二十一年法律第四十八号）の施行の日〔平成二一・九・一〕から施行する。〔以下略〕

（住宅の品質確保の促進等に関する法律の一部改正に伴う経過措置）

第七条　この法律の施行前に第二十条の規定による改正前の住宅の品質確保の促進等に関する法律第五条第一項の規定により交付された住宅性能評価書は、第二十条の規定による改正後の住宅の品質確保の促進等に関する法律第五条第一項の規定により交付された住宅性能評価書とみなす。

（罰則の適用に関する経過措置）

第八条　この法律の施行前にした行為及びこの法律の附則においてなお従前の例によることとされる場合におけるこの法律の施行後にした行為に対する罰則の適用については、なお従前の例による。

（政令への委任）

第九条　附則第二条から前条までに定めるもののほか、この法律の施行に関し必要な経過措置（罰則に関する経過措置を含む。）は、政令で定める。

附　則〔略〕〔平成二六・六・一七法律九二〕

附　則〔平成二九・六・二法律四五〕

この法律は、民法改正法の施行の日〔令和二・四・一〕から施行する。ただし、〔中略〕第三百六十二条の規定は、公布の日から施行する。

民法の一部を改正する法律の施行に伴う関係法律の整備等に関する法律〔抄〕〔平成二九・六・二法律四五〕

（住宅の品質確保の促進等に関する法律の一部改正に伴う経過措置）

第三四二条　施行日前に住宅新築請負契約（前条の規定による改正前の住宅の品質確保の促進等に関する法律（次項において「旧住宅品質確保法」という。）第九十四条第一項に規定する住宅新築請負契約をいう。）が締結された場合におけるその契約に係る同項に規定する担保の責任については、なお従前の例による。

2　施行日前に新築住宅（旧住宅品質確保法第二条第二項に規定する新築住宅をいう。）の売買契約が締結された場合におけるその契約に係る旧住宅品質確保法第九十五条第一項に規定する担保の責任については、なお従前の例による。

（罰則に関する経過措置）

第三六一条　施行日前にした行為及びこの法律の規定によりなお従前の例によることとされる場合における施行日以後にした行為に対する罰則の適用については、なお従前の例による。

（政令への委任）

第三六二条　この法律に定めるもののほか、この法律の施行に伴い必要な経過措置は、政令で定める。

附　則〔抄〕〔令和元・六・一四法律三七〕

（施行期日）

第一条　この法律は、公布の日から起算して三月を経過した日から施行する。ただし、次の各号に掲げる規定は、当該各号に定める日から施行する。

一　〔前略〕次条並びに附則第三条及び第六条の規定　公布の日

二～四　〔略〕

（行政庁の行為等に関する経過措置）

第二条　この法律（前条各号に掲げる規定にあっては、当該規定。以下この条及び次条において同じ。）の施行の日前に、この法律による改正前の法律又はこれに基づく命令の規定（欠格条項その他の権利の制限に係る措置を定めるものに限る。）に基づき行われた行政庁の処分その他の行為及び当該規定により生じた失職の効力については、なお従前の例による。

（罰則に関する経過措置）

第三条　この法律の施行前にした行為に対する罰則の適用については、なお従前の例による。

（検討）

第七条　政府は、会社法（平成十七年法律第八十六号）及び一般社団法人及び一般財団法人に関する法律（平成十八年法律第四十八号）における法人の役員の資格を成年被後見人又は被保佐人であることを理由に制限する旨の規定について、この法律の公布後一年以内を目途として検討を加え、その結果に基づき、当該規定の削除その他の必要な法制上の措置を講ずるものとする。

附　則〔抄〕〔令和三・五・二八法律四八〕

（施行期日）

第一条　この法律は、公布の日から起算して九月を超えない範囲内において政令で定める日から施行する。ただし、次の各号に掲げる規定は、当該各号に定める日から施行する。

〔令和三政二八一により、令和四・二・二〇から施行〕

一 附則第五条の規定 公布の日

二 第三条（住宅の品質確保の促進等に関する法律の目次の改正規定、同法第六条の次に一条を加える改正規定、同法第十四条の改正規定及び同法第百一条第一項第一号の改正規定を除く。）〔中略〕の規定並びに附則第三条〔中略〕の規定 令和三年九月三十日

三 〔略〕

四 第二条、第四条〔中略〕の規定 公布の日から起算して一年六月を超えない範囲内において政令で定める日

〔令和三政三一五により、令和四・一〇・一から施行〕

（住宅の品質確保の促進等に関する法律の一部改正に伴う経過措置）

第三条 附則第一条第二号に掲げる規定の施行の際現に指定住宅紛争処理機関に係属している第三条の規定による改正前の住宅の品質確保の促進等に関する法律第六十七条第一項のあっせん又は調停に関し当該あっせん又は調停の目的となっている請求についての第三条の規定による改正後の住宅の品質確保の促進等に関する法律（次条において「改正後住宅品質確保法」という。）第七十三条の二の規定の適用については、同号に掲げる規定の施行の時に、当該あっせん又は調停の申請がされたものとみなす。

（政令への委任）

第五条 前三条に定めるもののほか、この法律の施行に関し必要な経過措置（罰則に関する経過措置を含む。）は、政令で定める。

（検討）

第六条 政府は、この法律の施行後五年を目途として、この法律による改正後のそれぞれの法律の規定について、その施行の状況等を勘案して検討を加え、必要があると認めるときは、その結果に基づいて所要の措置を講ずるものとする。

附 則 〔略〕〔令和五・六・一六法律五八〕

附 則 〔抄〕〔令和五・六・一六法律六三〕

（施行期日）

第一条 この法律は、公布の日から起算して一年を超えない範囲内において政令で定める日から施行する。ただし、次の各号に掲げる規定は、当該各号に定める日から施行する。

〔令和五政二八四により、令和六・四・一から施行〕

一 〔前略〕附則第七条〔中略〕の規定 公布の日

二 〔略〕

（罰則に関する経過措置）

第六条 この法律の施行前にした行為に対する罰則の適用については、なお従前の例による。

（政令への委任）

第七条 この附則に定めるもののほか、この法律の施行に関し必要な経過措置（罰則に関する経過措置を含む。）は、政令で定める。

別表（第九条、第十三条関係）

住宅性能評価を行う住宅	評価員	数
一 第七条第二項第一号に掲げる住宅	一級建築士又はこれと同等以上の知識及び経験を有する者	住宅性能評価を行う設計された住宅の棟数を百九十で除した数及び住宅性能評価を行う建設された住宅の棟数を百二十で除した数の合計
二 第七条第二項第二号に掲げる住宅	前号の中欄に掲げる者又は建築士法第二条第三項に規定する二級建築士若しくはこれと同等以上の知識及び経験を有する者	住宅性能評価を行う設計された住宅の棟数を千百で除した数及び住宅性能評価を行う建設された住宅の棟数を三百四十で除した数の合計
三 第七条第二項第三号に掲げる住宅	前号の中欄に掲げる者又は建築士法第二条第四項に規定する木造建築士若しくはこれと同等以上の知識及び経験を有する者	住宅性能評価を行う設計された住宅の棟数を二千五百で除した数及び住宅性能評価を行う建設された住宅の棟数を六百で除した数の合計
備考 この表において、住宅性能評価を行う設計された住宅又は建設された住宅の棟数は、第七条第一項の申請の日の属する事業年度の翌事業年度における計画（第十一条第一項の登録の更新を受けようとする場合にあっては、同条第二項において準用する第七条第一項の申請の日の属する事業年度の前事業年度における実績）によるものとする。		

○住宅の品質確保の促進等に関する法律施行令〔平成一二・三・一五 政令六四〕

改正 平成一二・六政三一二、平成一七・八政二七五、平成二一・八政二一七

（登録住宅性能評価機関等の登録の有効期間）

第一条 住宅の品質確保の促進等に関する法律（以下「法」という。）第十一条第一項（法第二十五条第二項、第四十四条第三項又は第六十一条第三項において準用する場合を含む。）の政令で定める期間は、五年とする。

（型式住宅部分等製造者の認証の有効期間）

第二条 法第三十六条第一項の政令で定める期間は、五年とする。

（認証外国型式住宅部分等製造者の工場等における検査に要する費用の負担）

第三条 法第四十三条第四項の政令で定める費用は、同項の検査のため法第四十二条第一項の職員がその検査に係る工場、営業所、事務所、倉庫その他の事業場の所在地に出張をするのに要する旅費の額に相当するものとする。この場合において、その出張をする職員を二人とし、その旅費の額の計算に関し必要な細目は、国土交通省令で定める。

（登録外国住宅型式性能認定等機関等の事務所における検査に要する費用の負担）

第四条 法第五十五条第五項及び第六十五条第五項の政令で定める費用は、法第五十五条第五項又は第六十五条第五項の検査のため法第四十四条第三項又は第六十一条第三項において準用する法第二十二条第一項の職員がその検査に係る事務所の所在地に出張をするのに要する旅費の額に相当するものとする。この場合において、その出張をする職員を二人とし、その旅費の額の計算に関し必要な細目は、国土交通省令で定める。

（住宅の構造耐力上主要な部分等）

第五条 法第九十四条第一項の住宅のうち構造耐力上主要な部分として政令で定めるものは、住宅の基礎、基礎ぐい、壁、柱、小屋組、土台、斜材（筋かい、方づえ、火打材その他これらに類するものをいう。）、床版、屋根版又は横架材（はり、けたその他これらに類するものをいう。）で、当該住宅の自重若しくは積載荷重、積雪、風圧、土圧若しくは水圧又は地震その他の震動若しくは衝撃を支えるものとする。

2 法第九十四条第一項の住宅のうち雨水の浸入を防止する部分として政令で定めるものは、次に掲げるものとする。

一 住宅の屋根若しくは外壁又はこれらの開口部に設ける戸、わくその他の建具

二　雨水を排除するため住宅に設ける排水管のうち、当該住宅の屋根若しくは外壁の内部又は屋内にある部分

（消費者庁長官に委任されない権限）

第六条　法第九十九条第二項の政令で定める権限は、法第三条第一項及び第四項、第三条の二第三項並びに第九十八条の二に規定する内閣総理大臣の権限とする。

附　則〔抄〕

（施行期日）

1　この政令は、法の施行の日（平成十二年四月一日）から施行する。

附　則〔略〕〔平成一二・六・七政令三一二〕

附　則〔略〕〔平成一七・八・一〇政令二七五〕

附　則〔抄〕〔平成二一・八・一四政令二一七〕

（施行期日）

1　この政令は、消費者庁及び消費者委員会設置法の施行の日（平成二十一年九月一日）から施行する。

（罰則に関する経過措置）

2　この政令の施行前にした行為に対する罰則の適用については、なお従前の例による。

○住宅の品質確保の促進等に関する法律施行規則〔平成一二・三・三一 建設省令二〇〕

改正　平成一二・七建令三〇、一一建令四一、平成一三・三国交令七二、平成一四・八国交令九五、平成一五・四国交令六一、平成一六・三国交令一〇、国交令三四、平成一七・三国交令一二、五国交令五八、八国交令八六、九国交令八九、平成一八・四国交令五八、平成二〇・一二国交令九七、平成二一・三国交令一三、平成二二・五内府・国交令二、平成二六・二内府・国交令一、平成二七・一国交令五、令和元・六国交令二〇、九国交令三四、一〇国交令三八、一二国交令四七、令和二・一二国交令九八、令和三・八国交令五三、九国交令五六、一〇内府・国交令五、国交令六七、八内府・国交令四、国交令六一、令和六・一国交令二、国交令五、三国交令一八、六国交令七二

目次

第一章　住宅性能評価
　第一節　住宅性能評価（第一条―第七条の四）
　第二節　登録住宅性能評価機関（第八条―第二十三条）
　第三節　登録講習機関（第二十四条―第三十九条）
第二章　住宅型式性能認定等
　第一節　住宅型式性能認定（第四十条―第四十二条）
　第二節　認証型式住宅部分等製造者（第四十三条―第五十七条）
　第三節　登録住宅型式性能認定等機関（第五十八条―第七十七条）
第三章　特別評価方法認定
　第一節　特別評価方法認定（第七十八条―第八十三条）
　第二節　登録試験機関（第八十四条―第九十九条）
第四章　住宅に係る紛争の処理体制
　第一節　指定住宅紛争処理機関（第百条―第百十六条）
　第二節　住宅紛争処理支援センター（第百十六条の二―第百二十四条）
第五章　権限の委任（第百二十五条）
附則

第一章　住宅性能評価

第一節　住宅性能評価

（住宅性能評価書に記載すべき事項）

第一条　住宅の品質確保の促進等に関する法律（以下「法」という。）第五条第一項の国土交通省令・内閣府令で定める事項は、次に掲げるものとする。

一　申請者の氏名又は名称及び住所

二　住宅性能評価を行った新築住宅にあっては、当該新築住宅の建築主及び設計者の氏名又は名称及び連絡先

三　建設された住宅に係る住宅性能評価（以下「建設住宅性能評価」という。）を行った新築住宅にあっては、当該新築住宅の工事監理者及び工事施工者の氏名又は名称及び連絡先

四　住宅性能評価を行った既存住宅（新築住宅以外の住宅をいう。以下同じ。）にあっては、当該既存住宅の所有者（当該既存住宅が共同住宅、長屋その他一戸建ての住宅（住宅の用途以外の用途に供する部分を有しないものに限る。以下同じ。）以外の住宅（以下「共同住宅等」という。）である場合にあっては、住宅性能評価を行った住戸の所有者に限る。）の氏名又は名称及び連絡先

五　住宅性能評価を行った既存住宅にあっては、新築、増築、改築、移転、修繕及び模様替（修繕及び模様替にあっては、軽微なものを除く。）の時における当該既存住宅の建築主、設計者、工事監理者、工事施工者及び売主の氏名又は名称及び連絡先（国土交通大臣及び消費者庁長官が定める方法により確認されたものに限る。）並びにその確認の方法

六　住宅性能評価を行った住宅の所在地及び名称

七　住宅性能評価を行った住宅の階数、延べ面積、構造その他の当該住宅に関する基本的な事項で国土交通大臣及び消費者庁長官が定めるもの（国土交通大臣及び消費者庁長官が定める方法により確認されたものに限る。）及びその確認の方法

八　住宅の性能に関し日本住宅性能表示基準に従って表示すべき事項（以下「性能表示事項」という。）ごとの住宅性能評価の実施の有無

九　住宅性能評価を行った住宅の性能その他日本住宅性能表示基準に従って表示すべきもの

十　住宅性能評価を行った既存住宅にあっては、住宅性能評価の際に認められた当該既存住宅に関し特記すべき事項（前号に掲げるものを除く。）

十一　住宅性能評価を行った住宅の地盤の液状化に関し住宅性能評価の際に入手した事項のうち参考となるもの（申請者からの申出があった場合に限る。）

十二　住宅性能評価書を交付する登録住宅性能評価機関の名称及び登録の番号

十三　登録住宅性能評価機関の印

十四　住宅性能評価を行った評価員の氏名

十五　住宅性能評価書の交付番号

十六　住宅性能評価書を交付する年月日

（住宅性能評価書に付すべき標章）

第二条　法第五条第一項の国土交通省令・内閣府令で定める標章で設計住宅性能評価書に係るものは、別記第一号様式に定める標章とする。

2　法第五条第一項の国土交通省令・内閣府令で定める標章で建設住宅性能評価書に係るものは、住宅性能評価を行った住宅が新築住宅である場合にあっては別記第二号様式に、既存住宅である場合にあっては別記第三号様式に定める標章とする。

（設計住宅性能評価の申請）

第三条　設計された住宅に係る住宅性能評価（以下「設計住宅性能評価」という。）の申請をしようとする者は、別記第四号様式の設計住宅性能評価申請書（設計住宅性能評価書が交付された住宅でその計画の変更をしようとするものに係る設計住宅性能評価（以下この項において「変更設計住宅性能評価」という。）にあっては、第一面を別記第五号様式としたものとする。以下単に「設計住宅性能評価申請書」という。）の正本及び副本に、それぞれ、設計住宅性能評価のために必要な図書で国土交通大臣及び消費者庁長官が定めるもの（変更設計住宅性能評価にあっては、当該変更に係るものに限る。以下この条において「設計評価申請添付図書」という。）を添えて、これを登録住宅性能評価機関に提出しなければならない。

2　前項の申請は、性能表示事項のうち設計住宅性能評価を希望するもの（住宅性能評価を受けなければならない事項として国土交通大臣及び消費者庁長官が定めるもの（以下「必須評価事項」という。）を除く。）を明らかにして、しなければならない。

3　住宅型式性能認定を受けた型式に適合する住宅又は住宅型式性能認定を受けた型式に適合する住宅の部分を含む住宅に係る設計住宅性能評価の申請のうち、次に掲げるものにあっては、第一項の規定にかかわらず、設計評価申請添付図書に明示すべき事項のうち第六十四条第一号イ(3)の規定により指定されたものを明示することを要しない。

一　第四十一条第一項に規定する住宅型式性能認定書の写しを添えたもの

二　第四十一条第一項に規定する住宅型式性能認定書の写しを有している登録住宅性能評価機関が設計評価申請添付図書に明示すべき事項のうち第六十四条第一号イ(3)の規定により指定されたものを明示しないことについて評価の業務の公正かつ適確な実施に支障がないと認めたもの

4　住宅である認証型式住宅部分等又は住宅の部分である認証型式住宅部分等を含む住宅に係る設計住宅性能評価の申請のうち、次に掲げるものにあっては、第一項の規定にかかわらず、設計評価申請添付図書に明示すべき事項のうち第六十四条第一号ロ(4)の規定により指定されたものを明示することを要しない。

一　第四十五条第一項に規定する型式住宅部分等製造者認証書の写しを添えたもの

二　第四十五条第一項に規定する型式住宅部分等製造者認証書の写しを有している登録住宅性能評価機関が設計評価申請添付図書に明示すべき事項のうち第六十四条第一号ロ(4)の規定により指定されたものを明示しないことについて評価の業務の公正かつ適確な実施に支障がないと認めたもの

5　特別評価方法認定を受けた方法（以下「認定特別評価方法」という。）を用いて評価されるべき住宅に係る設計住宅性能評価の申請にあっては、設計評価申請添付図書のほか、設計住宅性能評価申請書の正本及び副本に、それぞれ、第八十条第一項に規定する特別評価方法認定書の写しを添えなければならない（登録住宅性能評価機関が、当該特別評価方法認定書の写しを有していないことその他の理由により、提出を求める場合に限る。）。

6　認定特別評価方法を用いて評価されるべき住宅に係る設計住宅性能評価の申請にあっては、設計評価申請添付図書に明示すべき事項のうち評価方法基準（当該認定特別評価方法により代えられる方法に限る。）に従って評価されるべき事項については、これを明示することを要しない。

7　登録住宅性能評価機関は、設計住宅性能評価申請書及びその添付図書の受理については、電子情報処理組織（登録住宅性能評価機関の使用に係る電子計算機（入出力装置を含む。以下同じ。）と申請者の使用に係る入出力装置とを電気通信回線で接続した電子情報処理組織をいう。第四条第五項において同じ。）の使用又は磁気ディスク（これに準ずる方法により一定の事項を確実に記録しておくことができる物を含む。以下同じ。）の受理によることができる。

（設計住宅性能評価書の交付等）

第四条　設計住宅性能評価書の交付は、設計住宅性能評価申請書の副本及びその添付図書を添えて行わなければならない。

2　登録住宅性能評価機関は、次に掲げる場合においては、設計住宅性能評価書を交付してはならない。この場合において、登録住宅性能評価機関は、別記第六号様式の通知書を申請者に交付しなければならない。

一　設計住宅性能評価申請書又はその添付図書に形式上の不備があり、又はこれらに記載すべき事項の記載が不十分であると認めるとき。

二　設計住宅性能評価申請書又はその添付図書に記載された内容が明らかに虚偽であるとき。

三　申請に係る住宅の計画が、建築基準法（昭和二十五年法律第二百一号）第六条第一項の建築基準関係規定に適合しないと認めるとき。

3　前項の通知書の交付は、設計住宅性能評価申請書の副本及びその添付図書を添えて行うものとする。ただし、共同住宅又は長屋における二以上の住戸で一の申請者により設計住宅性能評価の申請が行われたもののうち、それらの一部について同項の通知書を交付する場合にあっては、この限りでない。

4　登録住宅性能評価機関から設計住宅性能評価書を交付された者は、設計住宅性能評価書を滅失し、汚損し、又は破損したときは、設計住宅性能評価書の再交付を当該登録住宅性能評価機関に申請することができる。

5　登録住宅性能評価機関は、前各項に規定する図書の交付については、電子情報処理組織の使用又は磁気ディスクの交付によることができる。

（建設住宅性能評価の申請）

第五条　建設住宅性能評価の申請をしようとする者は、新築住宅に係る申請にあっては別記第七号様式の、既存住宅に係る申請にあっては別記第八号様式の建設住宅性能評価申請書（建設住宅性能評価書が交付された住宅でその建設工事の変更をしようとするものに係る建設住宅性能評価（以下この項において「変更建設住宅性能評価」という。）にあっては第一面を別記第九号様式としたものとする。以下単に「建設住宅性能評価申請書」という。）の正本及び副本に、それぞれ、当該住宅に係る設計住宅性能評価書又はその写し（新築住宅について当該住宅に係る設計住宅性能評価を行った登録住宅性能評価機関とは異なる登録住宅性能評価機関に申請しようとする場合に限る。）、建設住宅性能評価のために必要な図書で国土交通大臣及び消費者庁長官が定めるもの（変更建設住宅性能評価にあっては、当該変更に係るものに限る。）並びに建築基準法第六条第一項又は第六条の二第一項の確認済証（以下この項において単に「確認済証」という。）の写しを添えて、これを登録住宅性能評価機関に提出しなければならない。ただし、同法第六条第一項の規定による確認を要しない住宅に係る申請又は既存住宅に係る建設住宅性能評価の申請にあっては、確認済証の写しの添付を要しない。

2　前項の申請は、性能表示事項のうち建設住宅性能評価を希望するもの（必須評価事項を除く。）を明らかにして、しなければならない。

3　新築住宅に係る建設住宅性能評価の申請は、検査時期（住宅性能評価のための検査を行うべき時期として評価方法基準に定められたもの（第六十四条第一号ロ(4)の規定により指定された検査が、特定の時期に行うべき検査のすべてのものである場合においては、当該時期を除く。）をいう。以下同じ。）のうち最初のものの後の工程に係る工事を開始するまでに、これを行わなければならない。ただし、検査を要しない住宅にあっては、この限りでない。

4　第三条第五項及び第六項の規定は、既存住宅に係る建設住宅性能評価の申請について準用する。

5　第三条第七項の規定は、建設住宅性能評価申請書及びその添付図書の受理について準用する。

（検査）

第六条　建設住宅性能評価（新築住宅に係るものに限る。以下この条において同じ。）の申請者は、登録住宅性能評価機関に対し、検査時期に行われるべき検査の対象となる工程（以下この条において「検査対象工程」という。）に係る工事が完了する日又は完了した日を通知しなければならない。

2　登録住宅性能評価機関は、前項の規定による通知を受理したときは、同項に規定する日又はその通知を受理した日のいずれか遅い日から七日以内に、評価員に当該検査時期における検査を行わせなければならない。

3　建設住宅性能評価の申請者は、検査が行われるまでに、当該検査対象工程に係る工事の実施の状況を報告する書類で評価方法基準に定められたもの（以下「施工状況報告書」という。）を登録住宅性能評価機関に提出しなければならない。

4　第三条第七項の規定は、施工状況報告書の受理について準用する。

5　建設住宅性能評価の申請者は、検査が行われる場合には、当該住宅の建設工事が設計住宅性能評価書に表示された性能を有する住宅のものであることを証する図書を当該工事現場に備えておかなければならない。

6　前項の図書が電子計算機に備えられたファイル又は磁気ディスクに記録され、必要に応じ電子計算機その他の機器を用いて明確に紙面に表示されるときは、当該ファイル又は磁気ディスクをもって同項の図書に代えることができる。

7　登録住宅性能評価機関は、新築住宅に係る検査を行ったときは、遅滞なく、別記第十号様式の検査報告書により建設住宅性能評価の申請者にその旨を報告しなければならない。

8　第四条第五項の規定は、前項の規定による報告について準用する。

（建設住宅性能評価書の交付等）

第七条　建設住宅性能評価書の交付は、建設住宅性能評価申請書の副本及び第十五条第一号ロ(1)若しくはハ(2)に規定する書類（建設住宅性能評価申請書を除き、住宅性能評価に要したものに限る。）又はその写しを添えて行わなければならない。

2　登録住宅性能評価機関は、新築住宅に係る建設住宅性能評価にあっては次の各号に、既存住宅に係る建設住宅性能評価にあっては第一号、第二号又は第四号に掲げる場合においては、建設住宅性能評価書を交付してはならない。この場合においては、登録住宅性能評価機関は、別記第十一号様式の通知書を申請者に交付しなければならない。

一　建設住宅性能評価申請書若しくはその添付図書、施工状況報告書又は前条第五項に規定する図書（次号において「申請書等」という。）に形式上の不備があり、又はこれらに記載すべき事項の記載が不十分であると認めるとき。

二　申請書等に記載された内容が明らかに虚偽であるとき。

三　申請に係る住宅が、建築基準法第六条第一項の建築基準関係規定に適合しないと認めるとき。

四　登録住宅性能評価機関の責に帰すことのできない事由により検査を行うことができないとき。

五　申請に係る住宅について建築基準法第七条第五項又は第七条の二第五項の検査済証が交付されていないとき。ただし、同法第七条第一項の規定による検査を要しない住宅又は同法第七条の六第一項第一号若しくは第二号の規定による認定を受けた住宅にあっては、この限りでない。

3　前項の通知書の交付は、建設住宅性能評価申請書の副本及びその添付図書を添えて行うものとする。第四条第三項ただし書の規定は、この場合について準用する。

4　登録住宅性能評価機関から建設住宅性能評価書を交付された者（次項において「被交付者」という。）は、建設住宅性能評価書を滅失し、汚損し、又は破損したときは、建設住宅性能評価書の再交付を当該登録住宅性能評価機関に申請することができる。

5　住宅を新築する建設工事の請負契約又は住宅を譲渡する契約を被交付者と締結し、かつ、被交付者から当該住宅に係る当該建設住宅性能評価書又はその写しを交付された者は、建設住宅性能評価書の交付を当該登録住宅性能評価機関に申請することができる。

6　第四条第五項の規定は、前各項に規定する図書の交付について準用する。

（長期使用構造等であることの確認の申請）

第七条の二　法第六条の二第一項の規定による求めをしようとする者は、別記第十一号の二様式の確認申請書（第七条の四第一項第一号に規定する確認書又は法第六条の二第五項の住宅性能評価書が交付された住宅でその計画の変更をしようとするものに係る確認（以下この項において「変更確認」という。）にあっては第一面を別記第十一号の三様式としたものとする。以下単に「確認申請書」という。）の正本及び副本に、それぞれ、同条第三項の規定による確認のために必要な図書で国土交通大臣が定めるもの（変更確認にあっては、当該変更に係るものに限る。）を添えて、これを登録住宅性能評価機関に提出しなければならない。

2　第三条第七項の規定は、確認申請書及びその添付図書の受理について準用する。

第七条の三　法第六条の二第二項の規定により住宅性能評価の申請と併せて同条第一項の規定による求めをしようとする場合における第三条第一項の規定及び第五条第一項の規定の適用については、第三条第一項中「を添えて」とあるのは「並びに法第六条の二第四項の規定による確認のために必要な図書で国土交通大臣が定めるものを添えて」と、第五条第一項中「並びに建築基準法第六条第一項又は第六条の二第一項の確認済証（以下この項において単に「確認済証」という。）の写しを添えて」とあるのは「、建築基準法第六条第一項又は第六条の二第一項の確認済証（以下この項において単に「確認済証」という。）の写し並びに法第六条の二第四項の規定による確認のために必要な図書で国土交通大臣が定めるものを添えて」とする。

（確認書の交付等）

第七条の四　法第六条の二第三項の規定による確認書の交付は、次の各号に掲げる場合に応じ、それぞれ当該各号に定めるものに確認申請書の副本及びその添付図書を添えて行わなければならない。

一　当該住宅の構造及び設備が長期使用構造等であることを確認した場合　別記第十一号の四様式による確認書

二　当該住宅の構造及び設備が長期使用構造等でないことを確認した場合　別記第十一号の五様式による確認書

2　登録住宅性能評価機関から確認書を交付された者は、確認書を滅失し、汚損し、又は破損したときは、確認書の再交付を当該登録住宅性能評価機関に申請することができる。

第二節　登録住宅性能評価機関

（登録住宅性能評価機関に係る登録の申請）

第八条　法第七条第一項に規定する登録を受けようとする者は、別記第十二号様式の登録住宅性能評価機関登録申請書に次に掲げる書類を添えて、これを国土交通大臣に提出しなければならない。

一　定款又は寄附行為及び登記事項証明書

二　申請の日の属する事業年度の前事業年度における財産目録及び貸借対照表。ただし、申請の日の属する事業年度に設立された法人にあっては、その設立時における財産目録とする。

三　申請に係る意思の決定を証する書類

四　申請者（法人である場合はその役員（持分会社（会社法（平成十七年法律第八十六号）第五百七十五条第一項に規定する持分会社をいう。以下同じ。）にあっては、業務を執行する社員。以下同じ。））の氏名及び略歴（申請者が住宅関連事業者の役員又は職員（過去二年間に当該住宅関連事業者の役員又は職員であった者を含む。）である場合には、その旨を含む。）を記載した書類

五　主要な株主の構成を記載した書類

六　組織及び運営に関する事項（評価の業務以外の業務を行っている場合は、当該業務の種類及び概要）を記載した書類

七　申請者が法第八条第一号及び第二号に規定する者に該当しない旨の市町村（特別区を含む。以下同じ。）の長の証明書

八　申請者が法第八条第三号から第六号までに該当しない旨を誓約する書面

九　別記第十三号様式の評価の業務の計画棟数を記載した書類

十　評価の業務を行う部門の専任の管理者の氏名及び略歴を記載した書類

十一　評価員となるべき者の氏名及び略歴を記載した書類並びに当該者が法別表の中欄に掲げる者であることを証する書類及び登録講習機関が行う講習の課程を修了したことを証する書類

十二　その他参考となる事項を記載した書類

（登録住宅性能評価機関に係る登録の区分）

第九条　法第七条第二項の国土交通省令で定める区分は、同項各号に掲げる住宅の種別ごとにそれぞれ次に掲げるものとする。

一　設計住宅性能評価を行う者としての登録

二　新築住宅である住宅の建設住宅性能評価を行う者としての登録

三　既存住宅である住宅の建設住宅性能評価を行う者としての登録

（心身の故障により評価の業務を適正に行うことができない者）

第九条の二　法第八条第五号の国土交通省令で定める者は、精神の機能の障害により評価の業務を適正に行うに当たって必要な認知、判断及び意思疎通を適切に行うことができない者とする。

（登録住宅性能評価機関登録簿の記載事項）

第一〇条　法第九条第二項第六号の国土交通省令で定める事項は、次に掲げるものとする。

一　登録住宅性能評価機関が法人である場合は、役員の氏名

二　評価の業務を行う部門の専任の管理者の氏名

三　登録住宅性能評価機関が評価の業務を行う区域

（公示事項）

第一一条　法第十条第一項の国土交通省令で定める事項は、前条各号に掲げる事項とする。

（登録住宅性能評価機関に係る事項の変更の届出）

第一二条　登録住宅性能評価機関は、法第十条第二項の規定により法第九条第二項第二号又は第四号から第六号までに掲げる事項を変更しようとするときは、別記第十四号様式の登録住宅性能評価機関変更届出書に第八条各号に掲げる書類のうち変更に係るものを添えて、これを国土交通大臣に提出しなければならない。

（登録住宅性能評価機関に係る登録の更新）

第一三条　登録住宅性能評価機関は、法第十一条第一項の登録の更新を受けようとするときは、別記第十五号様式の登録住宅性能評価機関登録更新申請書に第八条各号に掲げる書類を添えて、これを国土交通大臣に提出しなければならない。

2　第九条及び第十条の規定は、登録住宅性能評価機関が登録の更新を行う場合について準用する。

（承継の届出）

第一四条　法第十二条第二項の規定により登録住宅性能評価機関の地位の承継の届出をしようとする者は、別記第十六号様式の登録住宅性能評価機関事業承継届出書に次に掲げる書類を添えて、これを国土交通大臣に提出しなければならない。

一　法第十二条第一項の規定により登録住宅性能評価機関の事業の全部を譲り受けて登録住宅性能評価機関の地位を承継した者にあっては、別記第十七号様式の登録住宅性能評価機関事業譲渡証明書及び事業の全部の譲渡しがあったことを証する書面

二　法第十二条第一項の規定により登録住宅性能評価機関の地位を承継した相続人であって、二以上の相続人の全員の同意により選定されたものにあっては、別記第十八号様式の登録住宅性能評価機関事業相続同意証明書及び戸籍謄本

三　法第十二条第一項の規定により登録住宅性能評価機関の地位を承継した相続人であって、前号の相続人以外のものにあっては、別記第十九号様式の登録住宅性能評価機関事業相続証明書及び戸籍謄本

四　法第十二条第一項の規定により合併によって登録住宅性能評価機関の地位を承継した法人にあっては、その法人の登記事項証明書

五　法第十二条第一項の規定により分割によって登録住宅性能評価機関の地位を承継した法人にあっては、別記第二十号様式の登録住宅性能評価機関事業承継証明書、事業の全部の承継があったことを証する書面及びその法人の登記事項証明書

（評価の業務の実施基準）

第一五条　法第十五条第二項の国土交通省令で定める基準は、次に掲げるとおりとする。

一　次に掲げる方法により住宅性能評価を行うこと。

イ　設計住宅性能評価は、評価方法基準に従い、設計住宅性能評価申請書及びその添付図書をもって行うこと。

ロ　新築住宅に係る建設住宅性能評価は、次に定める方法により行うこと。

(1)　建設住宅性能評価申請書及びその添付図書、施工状況報告書並びに第六条第五項の図書をもって行うこと。

(2)　検査は、評価方法基準に従い、検査時期に行うこと。

ハ　既存住宅に係る建設住宅性能評価は、次に定める方法により行うこと。

(1)　建設住宅性能評価の実施上の必要に応じ、平面図、立面図、断面図、配置図、構造計算書その他の図書を作成すること。

(2)　建設住宅性能評価申請書及びその添付図書並びに(1)に規定する図書をもって行うこと。

(3)　検査は、評価方法基準に従い、行うこと。

二　法第六条の二第三項及び第四項の規定による確認は、評価員（次の表の各号の上欄に掲げる確認を行う住宅の区分に応じ、それぞれ当該各号の下欄に掲げる者に該当するものに限る。）が、確認申請書及びその添付図書をもって行うこと。

確認を行う住宅	評価員
一　法第七条第二項第一号に掲げる住宅	一級建築士又はこれと同等以上の知識及び経験を有する者
二　法第七条第二項第二号に掲げる住宅	前号の下欄に掲げる者又は建築士法（昭和二十五年法律第二百二号）第二条第三項に規定する二級建築士若しくはこれと同等以上の知識及び経験を有する者
三　法第七条第二項第三号に掲げる住宅	前号の下欄に掲げる者又は建築士法第二条第四項に規定する木造建築士若しくはこれと同等以上の知識及び経験を有する者

三　登録住宅性能評価機関が評価の申請又は法第六条の二第一項の規定による求めを自ら行った場合その他の場合であって、評価の業務（法第六条の二第三項又は第四項の規定による確認の業務を含む。第六号、次条第三項及び第四項、第二十条第一項及び第三項並びに第二十一条第一項において同じ。）の公正な実施に支障を及ぼすおそれがあるものとして国土交通大臣が定める場合においては、これらの申請に係る住宅性能評価又は法第六条の二第三項若しくは第四項の規定による確認を行わないこと。

四　評価の業務を行う部門の専任の管理者は、登録住宅性能評価機関の役員又は当該部門を管理する上で必要な権限を有する者であること。

五　登録住宅性能評価機関は、評価員の資質の向上のために、その研修の機会を確保すること。

六　評価の業務に関し支払うことのある損害賠償のため保険契約を締結していること。

（評価業務規程）

第一六条　登録住宅性能評価機関は、法第十六条第一項前段の規定により評価業務規程の届出をしようとするときは、別記第二十一号様式の登録住宅性能評価機関評価業務規程届出書を国土交通大臣に提出しなければならない。

2　登録住宅性能評価機関は、法第十六条第一項後段の規定により評価業務規程の変更の届出をしようとするときは、別記第二十二号様式の登録住宅性能評価機関評価業務規程変更届出書を国土交通大臣に提出しなければならない。

3　法第十六条第二項の国土交通省令で定める事項は、次に掲げるものとする。

一　評価の業務を行う時間及び休日に関する事項

二　事務所の所在地及びその事務所が評価の業務を行う区域に関する事項

三　住宅性能評価及び法第六条の二第三項又は第四項の規定による確認を行う住宅の種類その他評価の業務の範囲に関する事項

四　評価の業務の実施の方法に関する事項

五　評価の業務に関する料金及びその収納の方法に関する事項

六　評価員の選任及び解任に関する事項

七　評価の業務に関する秘密の保持に関する事項

八　評価員の配置及び教育に関する事項

九　住宅性能評価を行う際に携帯する身分証及びその携帯に関する事項

十　評価の業務の実施及び管理の体制に関する事項

十一　第二十条第三項に規定する帳簿その他の評価の業務に関する書類の管理に関する事項

十二　財務諸表等（法第十八条第一項に規定する財務諸表等をいう。以下この号において同じ。）の備付け及び財務諸表等に係る同条第二項各号に掲げる請求の受付に関する事項

十三　評価の業務に関する公正の確保に関する事項

十四　その他評価の業務の実施に関し必要な事項

4　登録住宅性能評価機関は、評価業務規程を評価の業務を行うすべての事務所で業務時間内に公衆に閲覧させるとともに、インターネットを利用して閲覧に供する方法により公表するものとする。

（掲示等の記載事項等）

第一七条　法第十七条の国土交通省令で定める事項は、次に掲げるものとする。

一　登録番号

二　登録の有効期間

三　登録住宅性能評価機関の氏名又は名称

四　登録住宅性能評価機関が法人である場合においては、代表者の氏名

五　主たる事務所の所在地及び電話番号

六　実施する住宅性能評価の種類
七　住宅性能評価を行う住宅の種類
八　その事務所が住宅性能評価を行う区域
九　法第六条の二第三項又は第四項の規定による確認を行う場合にあっては、確認を行う住宅の種類
十　法第六条の二第三項又は第四項の規定による確認を行う場合にあっては、その事務所が確認を行う区域

2　法第十七条の規定により登録住宅性能評価機関が行う掲示及び公衆の閲覧は、別記第二十三号様式によるものとする。

3　法第十七条の規定による公衆の閲覧は、登録住宅性能評価機関のウェブサイトへの掲載により行うものとする。

（電磁的記録に記録された事項を表示する方法）

第一八条　法第十八条第二項第三号の国土交通省令で定める方法は、当該電磁的記録に記録された事項を紙面又は出力装置の映像面に表示する方法とする。

（電磁的記録に記録された事項を提供するための電磁的方法）

第一九条　法第十八条第二項第四号の国土交通省令で定める電磁的方法は、次に掲げるもののうち、登録住宅性能評価機関が定めるものとする。
一　登録住宅性能評価機関の使用に係る電子計算機と法第十八条第二項第四号に掲げる請求をした者（以下この条において「請求者」という。）の使用に係る電子計算機とを電気通信回線で接続した電子情報処理組織を使用する方法であって、当該電気通信回線を通じて情報が送信され、請求者の使用に係る電子計算機に備えられたファイルに当該情報が記録されるもの
二　磁気ディスクをもって調製するファイルに情報を記録したものを請求者に交付する方法

2　前項各号に掲げる方法は、請求者がファイルへの記録を出力することによる書面を作成できるものでなければならない。

（帳簿）

第二〇条　法第十九条第一項の評価の業務に関する事項で国土交通省令で定めるものは、次に掲げるものとする。
一　住宅性能評価の申請を受け付けた年月日
二　法第六条の二第一項の規定による確認の求めを受けた年月日
三　検査を行った年月日
四　住宅性能評価書に記載した事項のうち、第一条各号（第十二号及び第十三号を除く。）に掲げるもの及び法第六条の二第四項の規定による確認の結果
五　確認書に記載した事項のうち、次に掲げるもの
イ　申請者の氏名又は名称
ロ　確認を行った住宅の所在地及び名称
ハ　確認を行った住宅の階数、延べ面積及び構造
ニ　確認を行った住宅の建設工事の種別
ホ　確認を行った評価員の氏名
ヘ　確認書の交付番号
ト　確認書を交付した年月日
チ　法第六条の二第三項の規定による確認の結果
六　第四条第二項又は第七条第二項の規定により通知書を交付した年月日及びその通知書に記載した事項
七　当該住宅に係る評価の業務に関する料金の額

2　前項各号に掲げる事項が、電子計算機に備えられたファイル又は磁気ディスクに記録され、必要に応じ登録住宅性能評価機関において電子計算機その他の機器を用いて明確に紙面に表示されるときは、当該記録をもって法第十九条第一項の帳簿（次項において単に「帳簿」という。）への記載に代えることができる。

3　登録住宅性能評価機関は、帳簿（前項の規定による記録が行われた同項のファイル又は磁気ディスクを含む。第二十三条において同じ。）を、評価の業務の全部を廃止するまで保存しなければならない。

（書類の保存）

第二一条　法第十九条第二項の評価の業務に関する書類で国土交通省令で定めるものは、次の各号に掲げる区分に応じ、当該各号に定めるものとする。
一　設計住宅性能評価　設計住宅性能評価申請書及びその添付図書
二　新築住宅に係る建設住宅性能評価　建設住宅性能評価申請書及びその添付図書、施工状況報告書並びに第六条第五項の図書（住宅性能評価に要したものに限る。）並びに同条第七項に規定する検査報告書の写し
三　既存住宅に係る建設住宅性能評価　建設住宅性能評価申請書及びその添付図書並びに建設住宅性能評価の実施上の必要に応じて作成した平面図、立面図、断面図、配置図、構造計算書その他の図書
四　法第六条の二第三項の規定による確認　確認申請書、その添付図書及び確認書の写し

2　前項各号に掲げる書類が、電子計算機に備えられたファイル又は磁気ディスクに記録され、必要に応じ登録住宅性能評価機関において電子計算機その他の機器を用いて明確に紙面に表示されるときは、当該ファイル又は磁気ディスクをもって同項各号に掲げる書類に代えることができる。

3　登録住宅性能評価機関は、第一項各号に掲げる書類（前項の規定による記録が行われた同項のファイル又は磁気ディスクを含む。第二十三条において単に「書類」という。）を、設計住宅性能評価に要したもの（当該登録住宅性能評価機関が行った建設住宅性能評価に要したものと同一のものを除く。）にあっては設計住宅性能評価書を交付した日から五年間、建設住宅性能評価に要したものにあっては建設住宅性能評価書を交付した日から二十年間、法第六条の二第三項又は第四項の規定による確認に要したもの及び確認書の写しにあっては確認書又は住宅性能評価書を交付した日から五年間、保存しなければならない。

（登録住宅性能評価機関に係る業務の休廃止の届出）

第二二条　登録住宅性能評価機関は、法第二十三条第一項の規定により評価の業務の全部又は一部を休止し、又は廃止しようとするときは、別記第二十四号様式の登録住宅性能評価機関業務休廃止届出書を国土交通大臣に提出しなければならない。

（業務の廃止等に係る書類の引継ぎ）

第二三条　登録住宅性能評価機関は、法第二十三条第一項の規定により評価の業務の全部を廃止したとき又は法第二十四条第一項若しくは第二項の規定により登録を取り消されたときは、当該業務に係る帳簿及び書類を住宅紛争処理支援センターに引き継がなければならない。

第三節　登録講習機関

（登録講習機関に係る登録の申請）

第二四条　法第二十五条第一項に規定する登録を受けようとする者は、別記第二十五号様式の登録講習機関登録申請書に次に掲げる書類を添えて、これを国土交通大臣に提出しなければならない。
一　定款又は寄附行為及び登記事項証明書
二　申請の日の属する事業年度の前事業年度における財産目録及び貸借対照表。ただし、申請の日の属する事業年度に設立された法人にあっては、その設立時における財産目録とする。
三　申請に係る意思の決定を証する書類
四　申請者（法人である場合はその役員）の氏名及び略歴（申請者が住宅関連事業者又は登録住宅性能評価機関（以下この号において「住宅関連事業者等」という。）の役員又は職員（過去二年間に当該住宅関連事業者等の役員又は職員であった者を含む。）である場合には、その旨を含む。）を記載した書類
五　主要な株主の構成を記載した書類
六　組織及び運営に関する事項（講習の業務以外の業務を行っている場合は、当該業務の種類及び概要）を記載した書類
七　申請者が法第八条第一号及び第二号に規定する者に該当しない旨の市町村の長の証明書
八　申請者が法第八条第三号及び法第二十六条第二号から第四号までに該当しない旨を誓約する書面
九　法第二十七条第一項第一号の住宅性能評価に関する実務に関する科目を担当する講師が同項第二号に掲げる基準に適合していることを証する書類
十　その他参考となる事項を記載した書類

（心身の故障により講習の業務を適正に行うことができない者）

第二四条の二　法第二十六条第三号の国土交通省令で定める者は、精神の機能の障害により講習の業務を適正に行うに当たって必要な認知、判断及び意思疎通を適切に行うことができない者とする。

（登録講習機関登録簿の記載事項）

第二五条　法第二十七条第二項第四号の国土交通省令で定める事項は、役員

の氏名（登録講習機関が法人である場合に限る。）とする。

（公示事項）

第二六条　法第二十五条第二項において準用する法第十条第一項の国土交通省令で定める事項は、前条に規定する事項とする。

（登録講習機関に係る事項の変更の届出）

第二七条　登録講習機関は、法第二十五条第二項において準用する法第十条第二項の規定により法第二十七条第二項第二号から第四号までに掲げる事項を変更しようとするときは、別記第二十六号様式の登録講習機関変更届出書に第二十四条各号に掲げる書類のうち変更に係るものを添えて、これを国土交通大臣に提出しなければならない。

（登録講習機関に係る登録の更新）

第二八条　登録講習機関は、法第二十五条第二項において準用する法第十一条第一項の登録の更新を受けようとするときは、別記第二十七号様式の登録講習機関登録更新申請書に第二十四条各号に掲げる書類を添えて、これを国土交通大臣に提出しなければならない。

2　第二十五条の規定は、登録講習機関が登録の更新を行う場合について準用する。

（承継の届出）

第二九条　法第二十五条第二項において準用する法第十二条第二項の規定により登録講習機関の地位の承継の届出をしようとする者は、別記第二十八号様式の登録講習機関事業承継届出書に次に掲げる書類を添えて、これを国土交通大臣に提出しなければならない。

一　法第二十五条第二項において準用する法第十二条第一項の規定により登録講習機関の事業の全部を譲り受けて登録講習機関の地位を承継した者にあっては、別記第二十九号様式の登録講習機関事業譲渡証明書及び事業の全部の譲渡しがあったことを証する書面

二　法第二十五条第二項において準用する法第十二条第一項の規定により登録講習機関の地位を承継した相続人であって、二以上の相続人の全員の同意により選定されたものにあっては、別記第三十号様式の登録講習機関事業相続同意証明書及び戸籍謄本

三　法第二十五条第二項において準用する法第十二条第一項の規定により登録講習機関の地位を承継した相続人であって、前号の相続人以外のものにあっては、別記第三十一号様式の登録講習機関事業相続証明書及び戸籍謄本

四　法第二十五条第二項において準用する法第十二条第一項の規定により合併によって登録講習機関の地位を承継した法人にあっては、その法人の登記事項証明書

五　法第二十五条第二項において準用する法第十二条第一項の規定により分割によって登録講習機関の地位を承継した法人にあっては、別記第三十二号様式の登録講習機関事業承継証明書、事業の全部の承継があったことを証する書面及びその法人の登記事項証明書

（講習の業務の実施基準）

第三〇条　法第二十五条第二項において準用する法第十五条第二項の国土交通省令で定める基準は、次に掲げるとおりとする。

一　講習を毎年一回以上行うこと。

二　講習は講義及び修了考査により行い、講習時間の合計はおおむね二十七時間とし、講習科目ごとの講習時間は国土交通大臣が定める時間とすること。

三　講習科目に応じ国土交通大臣が定める事項を含む適切な内容の教材を用いること。

四　講師は講義の内容に関する受講者の質問に対し、講義中に適切に応答すること。

五　修了考査は、講義の終了後に行い、評価員として必要な知識及び技能を修得したかどうかを判定できるものであること。

六　講習の課程を修了した者（以下この節において「講習修了者」という。）に対して、別記第三十三号様式の修了証（以下この節において「修了証」という。）を交付すること。

七　不正な受講を防止するための措置を講じること。

八　講習を実施する日時、場所その他講習の実施に関し必要な事項及び当該講習が登録講習機関として行う講習である旨を公示すること。

九　講習の業務以外の業務を行う場合にあっては、当該業務が登録講習機関として行う講習の業務であると誤認されるおそれがある表示その他の行為をしないこと。

（講習業務規程）

第三一条　登録講習機関は、法第二十五条第二項において準用する法第十六条第一項前段の規定により講習業務規程の届出をしようとするときは、別記第三十四号様式の登録講習機関講習業務規程届出書を国土交通大臣に提出しなければならない。

2　登録講習機関は、法第二十五条第二項において準用する法第十六条第一項後段の規定により講習業務規程の変更の届出をしようとするときは、別記第三十五号様式の登録講習機関講習業務規程変更届出書を国土交通大臣に提出しなければならない。

3　法第二十五条第二項において準用する法第十六条第二項の国土交通省令で定める事項は、次に掲げるものとする。

一　講習の業務を行う時間及び休日に関する事項

二　講習の業務を行う事務所及び講習の実施場所に関する事項

三　講習の実施に係る公示の方法に関する事項

四　講習の受講の申請に関する事項

五　講習の業務の実施の方法に関する事項

六　講習の内容及び時間に関する事項

七　講習に用いる教材に関する事項

八　修了考査の方法に関する事項

九　修了証の交付に関する事項

十　講習の業務に関する料金及びその収納の方法に関する事項

十一　第三十四条第三項に規定する帳簿その他の講習の業務に関する書類の管理に関する事項

十二　財務諸表等（法第二十五条第二項において準用する法第十八条第一項に規定する財務諸表等をいう。以下この号において同じ。）の備付け及び財務諸表等に係る法第二十五条第二項において準用する法第十八条第二項各号に掲げる請求の受付に関する事項

十三　講習の業務に関する公正の確保に関する事項

十四　その他講習の業務の実施に関し必要な事項

4　登録講習機関は、講習業務規程を講習の業務を行うすべての事務所で業務時間内に公衆に閲覧させるとともに、インターネットを利用して閲覧に供する方法により公表するものとする。

（電磁的記録に記録された事項を表示する方法）

第三二条　法第二十五条第二項において準用する法第十八条第二項第三号の国土交通省令で定める方法は、当該電磁的記録に記録された事項を紙面又は出力装置の映像面に表示する方法とする。

（電磁的記録に記録された事項を提供するための電磁的方法）

第三三条　法第二十五条第二項において準用する法第十八条第二項第四号の国土交通省令で定める電磁的方法は、次に掲げるもののうち、登録講習機関が定めるものとする。

一　登録講習機関の使用に係る電子計算機と法第二十五条第二項において準用する法第十八条第二項第四号に掲げる請求をした者（以下この条において「請求者」という。）の使用に係る電子計算機とを電気通信回線で接続した電子情報処理組織を使用する方法であって、当該電気通信回線を通じて情報が送信され、請求者の使用に係る電子計算機に備えられたファイルに当該情報が記録されるもの

二　磁気ディスクをもって調製するファイルに情報を記録したものを請求者に交付する方法

2　前項各号に掲げる方法は、請求者がファイルへの記録を出力することによる書面を作成できるものでなければならない。

（帳簿の備付け等）

第三四条　法第二十五条第二項において準用する法第十九条第一項の講習の業務に関する事項で国土交通省令で定めるものは、次に掲げるものとする。

一　講習の実施年月日

二　講習の実施場所

三　講習を行った講師の氏名並びに当該講習において担当した講習科目及びその時間

四　受講者の氏名、生年月日及び住所

五　講習修了者にあっては、前号に掲げる事項のほか、修了証の交付の年月日及び修了証の番号

2　前項各号に掲げる事項が、電子計算機に備えられたファイル又は磁気ディスクに記録され、必要に応じ登録講習機関において電子計算機その他の機器を用いて明確に紙面に表示されるときは、当該記録をもって法第二

十五条第二項において準用する法第十九条第一項の帳簿（次項において単に「帳簿」という。）への記載に代えることができる。

3　登録講習機関は、帳簿（前項の規定による記録が行われた同項のファイル又は磁気ディスクを含む。第三十七条第二号において同じ。）を、講習の業務の全部を廃止するまで保存しなければならない。

4　登録講習機関は、講習に用いた教材、修了考査に用いた問題用紙及び答案用紙並びに修了証の写しを講習を実施した日から三年間保存しなければならない。

（登録講習機関に係る業務の休廃止の届出）

第三五条　登録講習機関は、法第二十五条第二項において準用する法第二十三条第一項の規定により講習の業務の全部又は一部を休止し、又は廃止しようとするときは、別記第三十六号様式の登録講習機関業務休廃止届出書を国土交通大臣に提出しなければならない。

（講習の実施結果の報告）

第三六条　登録講習機関は、講習を行ったときは、国土交通大臣の定める期日までに次に掲げる事項を記載した報告書を国土交通大臣に提出しなければならない。

一　講習の実施年月日

二　講習の実施場所

三　修了者数

2　前項の報告書には、第三十四条第一項第四号及び第五号に掲げる事項を記載した修了者一覧表並びに講習に用いた教材及び修了考査に用いた問題用紙を添えなければならない。

3　報告書等（第一項の報告書及び前項の添付書類をいう。以下この項において同じ。）の提出については、当該報告書等が電磁的記録で作成されている場合には、次に掲げる電磁的方法をもって行うことができる。

一　登録講習機関の使用に係る電子計算機と国土交通大臣の使用に係る電子計算機とを電気通信回線で接続した電子情報処理組織を使用する方法であって、当該電気通信回線を通じて情報が送信され、国土交通大臣の使用に係る電子計算機に備えられたファイルに当該情報が記録されるもの

二　磁気ディスクをもって調製するファイルに情報を記録したものを国土交通大臣に交付する方法

（講習の業務の引継ぎ）

第三七条　登録講習機関は、法第二十九条第三項に規定する場合には、次に掲げる行為をしなければならない。

一　講習の業務を国土交通大臣に引き継ぐこと。

二　講習の業務に関する帳簿を国土交通大臣に引き継ぐこと。

三　その他国土交通大臣が必要と認める行為

（国土交通大臣が行う講習の手数料の納付の方法）

第三八条　法第三十条の規定による手数料の納付は、当該手数料の金額に相当する額の収入印紙をもって行うものとする。ただし、印紙をもって納め難い事由があるときは、現金をもってすることができる。

（国土交通大臣が行う講習の手数料の額）

第三九条　法第三十条の国土交通省令で定める手数料の額は、九万九千六百円とする。

第二章　住宅型式性能認定等

第一節　住宅型式性能認定

（住宅型式性能認定の申請）

第四〇条　住宅型式性能認定の申請をしようとする者は、別記第三十七号様式の住宅型式性能認定申請書（以下単に「住宅型式性能認定申請書」という。）に住宅型式性能認定のために必要な図書で国土交通大臣が定めるもの（次項において「住宅型式性能認定申請添付図書」という。）を添えて、これを登録住宅型式性能認定等機関に提出しなければならない。

2　認定特別評価方法を用いて評価されるべき住宅に係る住宅型式性能認定の申請にあっては、住宅型式性能認定申請添付図書のほか、住宅型式性能認定申請書に第八十条第一項に規定する特別評価方法認定書の写しを添えなければならない（登録住宅型式性能認定等機関が、当該特別評価方法認定書の写しを有していないことその他の理由により、提出を求める場合に限る。）。

3　認定特別評価方法を用いて評価されるべき住宅に係る住宅型式性能認定の申請にあっては、住宅型式性能認定申請添付図書に明示すべき事項のうち評価方法基準（当該認定特別評価方法により代えられる方法に限る。）に従って評価されるべき事項を明示することを要しない。

（住宅型式性能認定書の交付等）

第四一条　登録住宅型式性能認定等機関は、住宅型式性能認定をしたときは、別記第三十八号様式の住宅型式性能認定書（以下単に「住宅型式性能認定書」という。）を申請者に交付しなければならない。

2　登録住宅型式性能認定等機関は、住宅型式性能認定をしないときは、別記第三十九号様式の通知書を申請者に交付しなければならない。

3　住宅型式性能認定書の交付を受けた者は、住宅型式性能認定書を滅失し、汚損し、又は破損したときは、住宅型式性能認定書の再交付を申請することができる。

（住宅型式性能認定の公示）

第四二条　法第三十一条第三項の規定による公示は、次に掲げる事項について行うものとする。

一　住宅型式性能認定書の交付を受けた者の氏名又は名称及び住所

二　認定を受けた型式に係る住宅又はその部分の種類

三　認定を受けた型式に係る性能表示事項

四　住宅に係る住宅型式性能認定にあっては、当該認定を受けた型式の性能

五　認定番号

六　認定年月日

第二節　認証型式住宅部分等製造者

（型式住宅部分等製造者の認証）

第四三条　法第三十三条第一項の認証（以下単に「認証」という。）の申請をしようとする者は、別記第四十号様式の型式住宅部分等製造者認証申請書（以下単に「型式住宅部分等製造者認証申請書」という。）に住宅型式性能認定書の写しその他の認証のために必要な図書で国土交通大臣が定めるもの（以下「型式住宅部分等製造者認証申請添付図書」という。）を添えて、これを登録住宅型式性能認定等機関に提出しなければならない。

（型式住宅部分等製造者認証申請書に記載すべき事項）

第四四条　法第三十三条第二項の国土交通省令で定める申請書に記載すべき事項は、次に掲げるものとする。

一　認証を申請しようとする者の氏名又は名称及び住所

二　型式住宅部分等の種類

三　型式住宅部分等に係る住宅型式性能認定の認定番号及び認定年月日

四　工場その他の事業場（以下「工場等」という。）の名称及び所在地

五　技術的生産条件に関する事項

2　前項第五号の事項には、法第三十五条第二号の国土交通大臣が定める技術的基準に適合していることを証するものとして、次に掲げる事項を記載するものとする。

一　申請に係る工場等に関する事項

イ　沿革

ロ　経営指針（品質管理に関する事項を含むものとする。）

ハ　配置図

ニ　従業員数

ホ　組織図（全社的なものを含み、かつ、品質管理推進責任者の位置付けを明確にすること。）

ヘ　就業者に対する教育訓練等の概要

二　申請に係る型式住宅部分等の生産に関する事項

イ　当該型式住宅部分等又はそれと類似のものに関する製造経歴

ロ　生産設備能力及び今後の生産計画

ハ　社内規格一覧表

ニ　製品の品質特性及び品質管理の概要（保管に関するものを含む。）

ホ　主要資材の名称、製造業者の氏名又は名称及び品質並びに品質確保の方法（保管に関するものを含む。）の概要

ヘ　製造工程の概要図

ト　工程中における品質管理の概要

チ　主要製造設備及びその管理の概要

リ　主要検査設備及びその管理の概要

ヌ　外注状況及び外注管理（製造若しくは検査又は設備の管理の一部を

外部に行わせている場合における当該発注に係る管理をいう。以下同じ。）の概要

ル　苦情処理の概要

ヲ　監査の対象、監査の時期、監査事項その他監査の実施の概要

三　申請に係る型式住宅部分等に法第三十九条第一項の特別な標章を付する場合にあっては、その表示方式に関する事項

四　申請に係る型式住宅部分等に係る品質管理推進責任者に関する事項

イ　氏名及び職名

ロ　申請に係る型式住宅部分等の製造に必要な技術に関する実務経験

ハ　品質管理に関する実務経験及び専門知識の修得状況

3　前項の規定にかかわらず、製造設備、検査設備、検査方法、品質管理方法その他品質保持に必要な技術的生産条件が、日本産業規格Q九〇〇一の規定に適合していることを証する書面を添付する場合にあっては、前項第一号ロ及びヘに掲げる事項を記載することを要しない。

（型式住宅部分等製造者認証書の交付等）

第四五条　登録住宅型式性能認定等機関は、認証をしたときは、別記第四十一号様式の型式住宅部分等製造者認証書（以下単に「型式住宅部分等製造者認証書」という。）を申請者に交付しなければならない。

2　登録住宅型式性能認定等機関は、認証をしないときは、別記第四十二号様式の通知書を申請者に交付しなければならない。

3　型式住宅部分等製造者認証書の交付を受けた者は、型式住宅部分等製造者認証書を滅失し、汚損し、又は破損したときは、型式住宅部分等製造者認証書の再交付を申請することができる。

（認証に係る公示）

第四六条　法第三十三条第三項の規定による公示は、次に掲げる事項について行うものとする。

一　認証を受けた者の氏名又は名称及び住所

二　認証を受けた型式住宅部分等の種類

三　認証を受けた型式住宅部分等に係る性能表示事項

四　住宅である型式住宅部分等にあっては、当該認証を受けた型式住宅部分等の性能

五　認証番号

六　認証年月日

（認証型式住宅部分等製造者に係る認証の更新）

第四七条　認証型式住宅部分等製造者は、法第三十六条第一項の認証の更新（以下単に「認証の更新」という。）を受けようとするときは、別記第四十三号様式の認証型式住宅部分等製造者更新申請書（以下単に「認証型式住宅部分等製造者更新申請書」という。）に型式住宅部分等製造者認証申請添付図書を添えて、これを登録住宅型式性能認定等機関に提出しなければならない。

2　第四十四条及び第四十五条の規定は、認証型式住宅部分等製造者に係る認証の更新について準用する。この場合において、第四十四条第一項中「型式住宅部分等の種類」とあるのは「当該認証型式住宅部分等の認証番号及び認証年月日」と、同条第二項中「法第三十五条第二号」とあるのは「法第三十六条第二項において準用する法第三十五条第二号」と読み替えるものとする。

（認証型式住宅部分等製造者に係る変更の届出）

第四八条　認証型式住宅部分等製造者は、氏名若しくは名称、住所又は第四十四条第二項各号に掲げる事項に変更（型式住宅部分等の種類の変更、工場等の移転による所在地の変更その他の当該認証の効力が失われることとなる変更並びに第四十四条第二項第一号イ及びニに掲げる事項に係る変更を除く。）があったときは、別記第四十四号様式の認証型式住宅部分等製造者変更届出書（以下単に「認証型式住宅部分等製造者変更届出書」という。）を登録住宅型式性能認定等機関に提出しなければならない。

（認証型式住宅部分等製造者に係る製造の廃止の届出）

第四九条　認証型式住宅部分等製造者は、当該認証に係る型式住宅部分等の製造の事業を廃止しようとするときは、登録住宅型式性能認定等機関に別記第四十五号様式の製造事業廃止届出書により届け出なければならない。

2　登録住宅型式性能認定等機関は、前項の規定による届出があったときは、次に掲げる事項について公示しなければならない。

一　認証型式住宅部分等製造者の氏名又は名称及び住所

二　事業の廃止に係る認証型式住宅部分等の種類

三　認証番号

四　事業を廃止する年月日

（型式適合義務が免除される場合）

第五〇条　法第三十八条第一項の国土交通省令で定める場合は、次に掲げる場合とする。

一　本邦において外国に輸出するため当該型式住宅部分等の製造をする場合

二　試験的に当該型式住宅部分等の製造をする場合

三　住宅性能評価を行うことのできる住宅以外の建築物に用いるため当該型式住宅部分等の製造をする場合

（検査方法等）

第五一条　法第三十八条第二項の規定による検査並びにその検査記録の作成及び保存は、次に掲げるところにより行うものとする。

一　法第三十五条第二号の国土交通大臣が定める技術的基準に定められた検査を行うこと。

二　製造される型式住宅部分等が法第三十五条第二号の国土交通大臣が定める技術的基準に適合することを確認できる検査手順書を作成し、それを確実に履行すること。

三　検査手順書に定めるすべての事項を終了し、製造される型式住宅部分等がその認証に係る型式に適合することを確認するまで型式住宅部分等を出荷しないこと。

四　認証型式住宅部分等ごとに次に掲げる事項を記載した検査記録簿を作成すること。

イ　検査を行った型式住宅部分等の概要

ロ　検査を行った年月日及び場所

ハ　検査を実施した者の氏名

ニ　検査を行った型式住宅部分等の数量

ホ　検査の方法

ヘ　検査の結果

五　前号の検査記録簿（次項の規定による記録が行われた同項のファイル又は磁気ディスクを含む。）は、当該型式住宅部分等の製造をした工場等の所在地において、記載の日から起算して五年以上保存すること。

2　前項第四号の検査記録簿が、電子計算機に備えられたファイル又は磁気ディスクに記録され、必要に応じ電子計算機その他の機器を用いて明確に紙面に表示されるときは、当該ファイル又は磁気ディスクをもって同号の検査記録簿に代えることができる。

（特別な標章）

第五二条　法第三十九条第一項の国土交通省令で定める方式による特別な標章は、別記第四十六号様式に定める標章とし、認証型式住宅部分等製造者がその認証に係る型式住宅部分等の見やすい箇所に付するものとする。

（認証型式住宅部分等に関する住宅性能評価の特例）

第五三条　法第四十条第二項の規定による確認は、建設住宅性能評価申請書及びその添付図書、施工状況報告書並びに第六条第五項の図書の審査により行うものとする。

（特別な標章の禁止に係る公示）

第五四条　国土交通大臣は、法第四十三条第一項又は第二項の規定により特別な標章を付することを禁止したときは、次に掲げる事項を公示しなければならない。

一　特別な標章を付することを禁止した認証型式住宅部分等製造者の氏名又は名称及び住所

二　特別な標章を付することを禁止した型式住宅部分等の種類

三　認証番号

四　特別な標章を付することを禁止した年月日及び禁止の期間

（旅費の額）

第五五条　住宅の品質確保の促進等に関する法律施行令（以下「令」という。）第三条の旅費の額に相当する額（以下「旅費相当額」という。）は、国家公務員等の旅費に関する法律（昭和二十五年法律第百十四号。以下「旅費法」という。）の規定により支給すべきこととなる旅費の額とする。この場合において、当該検査に係る工場等の所在地に出張をする職員は、一般職の職員の給与に関する法律（昭和二十五年法律第九十五号）第六条第一項第一号イに規定する行政職俸給表(一)による職務の級が六級である者であるものとしてその旅費の額を計算するものとする。

（在勤官署の所在地）

第五六条　旅費相当額を計算する場合において、当該検査に係る工場等の所

在地に出張をする職員の旅費法第二条第一項第六号の在勤官署の所在地は、東京都千代田区霞が関二丁目一番三号とする。

（旅費の額の計算に係る細目）

第五七条 旅費法第六条第一項の支度料は、旅費相当額に算入しない。

2 検査を実施する日数は、当該検査に係る工場等ごとに三日として旅費相当額を計算する。

3 旅費法第六条第一項の旅行雑費は、一万円として旅費相当額を計算する。

4 国土交通大臣が、旅費法第四十六条第一項の規定により、実費を超えることとなる部分又は必要としない部分の旅費を支給しないときは、当該部分に相当する額は、旅費相当額に算入しない。

第三節　登録住宅型式性能認定等機関

（登録住宅型式性能認定等機関に係る登録の申請）

第五八条 法第四十四条第一項に規定する登録を受けようとする者は、別記第四十七号様式の登録住宅型式性能認定等機関登録申請書に次に掲げる書類を添えて、これを国土交通大臣に提出しなければならない。

一 定款又は寄附行為及び登記事項証明書

二 申請の日の属する事業年度の前事業年度における財産目録及び貸借対照表。ただし、申請の日の属する事業年度に設立された法人にあっては、その設立時における財産目録とする。

三 申請に係る意思の決定を証する書類

四 申請者（法人である場合はその役員）の氏名及び略歴（申請者が住宅関連事業者の役員又は職員（過去二年間に当該住宅関連事業者の役員又は職員であった者を含む。）である場合には、その旨を含む。）を記載した書類

五 主要な株主の構成を記載した書類

六 組織及び運営に関する事項（認定等の業務以外の業務を行っている場合は、当該業務の種類及び概要）を記載した書類

七 申請者が法第八条第一号及び第二号に規定する者に該当しない旨の市町村の長の証明書

八 申請者が法第八条第三号及び法第四十五条第二号から第四号までに該当しない旨を誓約する書面

九 認定等の業務を行う部門の専任の管理者の氏名及び略歴を記載した書類

十 認定員となるべき者の氏名及び略歴を記載した書類並びに当該者が法第四十七条各号に定める者であることを証する書類

十一 その他参考となる事項を記載した書類

（心身の故障により認定等の業務を適正に行うことができない者）

第五八条の二 法第四十五条第三号の国土交通省令で定める者は、精神の機能の障害により認定等の業務を適正に行うに当たって必要な認知、判断及び意思疎通を適切に行うことができない者とする。

（登録住宅型式性能認定等機関登録簿の記載事項）

第五九条 法第四十六条第二項第六号の国土交通省令で定める事項は、次に掲げるものとする。

一 登録住宅型式性能認定等機関が法人である場合は、役員の氏名

二 認定等の業務を行う部門の専任の管理者の氏名

（公示事項）

第六〇条 法第四十四条第三項において準用する法第十条第一項の国土交通省令で定める事項は、前条各号に掲げる事項とする。

（登録住宅型式性能認定等機関に係る事項の変更の届出）

第六一条 登録住宅型式性能認定等機関は、法第四十四条第三項において準用する法第十条第二項の規定により法第四十六条第二項第二号又は第四号から第六号までに掲げる事項を変更しようとするときは、別記第四十八号様式の登録住宅型式性能認定等機関変更届出書に第五十八条各号に掲げる書類のうち変更に係るものを添えて、これを国土交通大臣に提出しなければならない。同条ただし書の規定は、この場合について準用する。

（登録住宅型式性能認定等機関に係る登録の更新）

第六二条 登録住宅型式性能認定等機関は、法第四十四条第三項において準用する法第十一条第一項の登録の更新を受けようとするときは、別記第四十九号様式の登録住宅型式性能認定等機関登録更新申請書に第五十八条各号に掲げる書類を添えて、これを国土交通大臣に提出しなければならない。同条ただし書の規定は、この場合について準用する。

2 第五十九条の規定は、登録住宅型式性能認定等機関が登録の更新を行う場合について準用する。

（承継の届出）

第六三条 法第四十四条第三項において準用する法第十二条第二項の規定により登録住宅型式性能認定等機関の地位の承継の届出をしようとする者は、別記第五十号様式の登録住宅型式性能認定等機関事業承継届出書に次に掲げる書類を添えて、これを国土交通大臣に提出しなければならない。

一 法第四十四条第三項において準用する法第十二条第一項の規定により登録住宅型式性能認定等機関の事業の全部を譲り受けて登録住宅型式性能認定等機関の地位を承継した者にあっては、別記第五十一号様式の登録住宅型式性能認定等機関事業譲渡証明書及び事業の全部の譲渡しがあったことを証する書面

二 法第四十四条第三項において準用する法第十二条第一項の規定により登録住宅型式性能認定等機関の地位を承継した相続人であって、二以上の相続人の全員の同意により選定されたものにあっては、別記第五十二号様式の登録住宅型式性能認定等機関事業相続同意証明書及び戸籍謄本

三 法第四十四条第三項において準用する法第十二条第一項の規定により登録住宅型式性能認定等機関の地位を承継した相続人であって、前号の相続人以外のものにあっては、別記第五十三号様式の登録住宅型式性能認定等機関事業相続証明書及び戸籍謄本

四 法第四十四条第三項において準用する法第十二条第一項の規定により合併によって登録住宅型式性能認定等機関の地位を承継した法人にあっては、その法人の登記事項証明書

五 法第四十四条第三項において準用する法第十二条第一項の規定により分割によって登録住宅型式性能認定等機関の地位を承継した法人にあっては、別記第五十四号様式の登録住宅型式性能認定等機関事業承継証明書、事業の全部の承継があったことを証する書面及びその法人の登記事項証明書

（認定等の業務の実施基準）

第六四条 法第四十四条第三項において準用する法第十五条第二項の国土交通省令で定める基準は、次に掲げるとおりとする。

一 認定等の方法は、次に掲げる場合の区分に応じ、それぞれ次のイ又はロに定めるものとする。

イ 住宅型式性能認定を行う場合　次に定める方法に従い、認定員二名以上によって行うこと。

(1) 住宅型式性能認定申請書及びその添付図書をもって審査を行うこと。

(2) 審査を行うに際し、書類の記載事項に疑義があり、提出された書類のみでは当該型式が日本住宅性能表示基準に従って表示すべき性能を有しているかどうかの判断ができないと認めるときは、追加の書類を求めて審査を行うこと。

(3) 住宅型式性能認定書には、住宅性能評価の申請において明示することを要しない事項を指定すること。

ロ 認証又は認証の更新を行う場合　次に定める方法に従い、認定員二名以上によって行うこと。

(1) 型式住宅部分等製造者認証申請書又は認証型式住宅部分等製造者更新申請書及びその添付図書をもって審査を行うこと。

(2) 審査を行うに際し、書類の記載事項に疑義があり、提出された書類のみでは法第三十五条各号（法第三十六条第二項において準用する場合を含む。）に掲げる基準に適合しているかどうかの判断ができないと認めるときは、追加の書類を求めて審査を行うこと。

(3) 第七十七条第二項第二号から第五号までに掲げる場合を除き、申請に係る工場等において実地に行うこと。

(4) 型式住宅部分等製造者認証書には、住宅性能評価の申請において明示することを要しない事項及び建設住宅性能評価において要しない検査を指定すること。

二 登録住宅型式性能認定等機関が認定等の申請を自ら行った場合その他の場合であって、認定等の業務の公正な実施に支障を及ぼすおそれがあるものとして国土交通大臣が定める場合においては、これらの申請に係る認定等を行わないこと。

三 認定等の業務を行う部門の専任の管理者は、登録住宅型式性能認定等機関の役員又は当該部門を管理する上で必要な権限を有する者であること。

四　認定等の業務に関し支払うことのある損害賠償のため保険契約を締結していること。

（**電磁的記録に記録された事項を表示する方法**）

第六五条　法第四十四条第三項において準用する法第十八条第二項第三号の国土交通省令で定める方法は、当該電磁的記録に記録された事項を紙面又は出力装置の映像面に表示する方法とする。

（**電磁的記録に記録された事項を提供するための電磁的方法**）

第六六条　法第四十四条第三項において準用する法第十八条第二項第四号の国土交通省令で定める電磁的方法は、次に掲げるもののうち、登録住宅型式性能認定等機関が定めるものとする。

一　登録住宅型式性能認定等機関の使用に係る電子計算機と法第四十四条第三項において準用する法第十八条第二項第四号に掲げる請求をした者（以下この条において「請求者」という。）の使用に係る電子計算機とを電気通信回線で接続した電子情報処理組織を使用する方法であって、当該電気通信回線を通じて情報が送信され、請求者の使用に係る電子計算機に備えられたファイルに当該情報が記録されるもの

二　磁気ディスクをもって調製するファイルに情報を記録したものを請求者に交付する方法

2　前項各号に掲げる方法は、請求者がファイルへの記録を出力することによる書面を作成できるものでなければならない。

（**帳簿**）

第六七条　法第四十四条第三項において準用する法第十九条第一項の認定等の業務に関する事項で国土交通省令で定めるものは、次に掲げるものとする。

一　認定等を申請した者の氏名又は名称及び住所

二　認定等の対象となるものの概要として次に定めるもの

イ　住宅型式性能認定にあっては、当該認定の申請に係る住宅又はその部分の種類、名称、構造、材料その他の概要

ロ　認証又は認証の更新にあっては、当該認証又は認証の更新の申請に係る工場等の所在地、名称その他の概要及び製造をする型式住宅部分等に係る住宅型式性能認定番号その他の概要

三　認定等の申請を受け付けた年月日

四　認証又は認証の更新にあっては、実地検査を行った年月日

五　住宅型式性能認定にあっては審査を行った認定員の氏名、認証又は認証の更新にあっては実地検査又は審査を行った認定員の氏名

六　審査の結果（認定等をしない場合にあっては、その理由を含む。）

七　住宅型式性能認定にあっては認定番号、認証にあっては認証番号、認証の更新にあっては更新に係る認証の認証番号

八　住宅型式性能認定書又は型式住宅部分等製造者認証書を交付した年月日（認定等をしない場合にあっては、その旨を通知した年月日）

九　法第五十三条第一項の規定による報告を行った年月日

十　認定等に係る公示を行った年月日

十一　第四十九条第二項の規定による公示を行った年月日及び同項第四号の年月日

2　前項各号に掲げる事項が、電子計算機に備えられたファイル又は磁気ディスクに記録され、必要に応じ登録住宅型式性能認定等機関において電子計算機その他の機器を用いて明確に紙面に表示されるときは、当該記録をもって法第四十四条第三項において準用する法第十九条第一項の帳簿（次項において単に「帳簿」という。）への記載に代えることができる。

3　登録住宅型式性能認定等機関は、帳簿（前項の規定による記録が行われた同項のファイル又は磁気ディスクを含む。第七十五条第二号において同じ。）は、認定等の業務の全部を廃止するまで保存しなければならない。

（**書類の保存**）

第六八条　法第四十四条第三項において準用する法第十九条第二項の認定等の業務に関する書類で国土交通省令で定めるものは、次の各号に掲げる認定等の業務の区分に応じ、それぞれ当該各号に定めるものとする。

一　住宅型式性能認定　住宅型式性能認定申請書及びその添付図書並びに住宅型式性能認定書の写しその他審査の結果を記載した書類

二　認証　型式住宅部分等製造者認証申請書及びその添付図書、型式住宅部分等製造者認証書の写しその他審査の結果を記載した書類並びに認証型式住宅部分等製造者変更届出書

三　認証の更新　型式住宅部分等製造者認証更新申請書及びその添付図書、型式住宅部分等製造者認証書の写しその他審査の結果を記載した書類並びに認証型式住宅部分等製造者変更届出書

2　前項各号に定める書類が、電子計算機に備えられたファイル又は磁気ディスクに記録され、必要に応じ登録住宅型式性能認定等機関において電子計算機その他の機器を用いて明確に紙面に表示されるときは、当該ファイル又は磁気ディスクをもって同項各号の書類に代えることができる。

3　登録住宅型式性能認定等機関は、第一項各号の書類（前項の規定による記録が行われた同項のファイル又は磁気ディスクを含む。第七十五条第二号において単に「書類」という。）を、当該認定又は認証が失効したときから二十年間保存しなければならない。

（**登録住宅型式性能認定等機関に係る業務の休廃止の届出**）

第六九条　登録住宅型式性能認定等機関は、法第四十四条第三項において準用する法第二十三条第一項の規定により認定等の業務の全部又は一部を休止し、又は廃止しようとするときは、別記第五十五号様式の登録住宅型式性能認定等機関業務休廃止届出書を国土交通大臣に提出しなければならない。

（**認定等業務規程**）

第七〇条　登録住宅型式性能認定等機関は、法第四十九条第一項前段の規定により認定等業務規程の届出をしようとするときは、別記第五十六号様式の登録住宅型式性能認定等機関認定等業務規程届出書を国土交通大臣に提出しなければならない。

2　登録住宅型式性能認定等機関は、法第四十九条第一項後段の規定により認定等業務規程の変更の届出をしようとするときは、別記第五十七号様式の登録住宅型式性能認定等機関認定等業務規程変更届出書を国土交通大臣に提出しなければならない。

3　法第四十九条第二項の国土交通省令で定める事項は、次に掲げるものとする。

一　認定等の業務を行う時間及び休日に関する事項

二　事務所の所在地及びその事務所が認定等の業務を行う区域に関する事項

三　認定等を行う住宅の種類その他認定等の業務の範囲に関する事項

四　認定等の業務の実施の方法に関する事項

五　認定等の業務に関する料金及びその収納の方法に関する事項

六　認定員の選任及び解任に関する事項

七　認定等の業務に関する秘密の保持に関する事項

八　認定等の業務の実施及び管理の体制に関する事項

九　第六十七条第三項に規定する帳簿その他の認定等の業務に関する書類の管理に関する事項

十　財務諸表等（法第四十四条第三項において準用する法第十八条第一項に規定する財務諸表等をいう。以下この号において同じ。）の備付け及び財務諸表等に係る法第四十四条第三項において準用する法第十八条第二項各号に掲げる請求の受付に関する事項

十一　認定等の業務に関する公正の確保に関する事項

十二　その他認定等の業務の実施に関し必要な事項

4　登録住宅型式性能認定等機関は、認定等業務規程を認定等の業務を行うすべての事務所で業務時間内に公衆に閲覧させるとともに、インターネットを利用して閲覧に供する方法により公表するものとする。

（**登録住宅型式性能認定等機関による認定等の報告**）

第七一条　登録住宅型式性能認定等機関は、認定等を行ったときは、遅滞なく、別記第五十八号様式の認定等を行った旨の報告書を国土交通大臣に提出しなければならない。

2　登録住宅型式性能認定等機関は、前項の認定等を行った旨の報告書に記載した事項に変更があった場合には、遅滞なく、その旨を国土交通大臣に報告するものとする。

（**国土交通大臣への報告**）

第七二条　登録住宅型式性能認定等機関は、次に掲げる場合には、直ちにその旨を国土交通大臣に報告しなければならない。

一　住宅型式性能認定を受けた型式が日本住宅性能表示基準に従って表示すべき性能を有していない事実があると思料するとき。

二　認証型式住宅部分等製造者が法第三十四条第一号又は第四号に該当する事実があると思料するとき。

三　認証型式住宅部分等製造者の技術的生産条件が法第三十五条第二号の国土交通大臣が定める技術的基準に適合していない事実があると思料するとき。

四　認証型式住宅部分等製造者が法第三十八条の規定に違反する事実があると思料するとき。
五　認証型式住宅部分等製造者が不正の手段により認証を受けたと思料するとき。

（国土交通大臣による通知等）
第七三条　法第五十三条第二項の規定により国土交通大臣が行う通知及び公示は、次に掲げる事項について行うものとする。
一　住宅型式性能認定書の交付を受けた者の氏名又は名称及び住所
二　住宅型式性能認定を受けた型式に係る住宅又はその部分の種類
三　当該型式に係る性能表示事項
四　当該型式が住宅に係るものである場合にあっては、当該型式の性能
五　当該型式の認定番号
六　当該型式を認定した登録住宅型式性能認定等機関の名称

第七四条　法第五十三条第三項の規定により国土交通大臣が行う通知及び公示は、次に掲げる事項について行うものとする。
一　認証型式住宅部分等製造者の氏名又は名称及び住所
二　当該認証に係る型式住宅部分等の種類
三　認証番号
四　当該認証を行った登録住宅型式性能認定等機関の名称

（認定等の業務の引継ぎ）
第七五条　登録住宅型式性能認定等機関は、法第五十六条第三項に規定する場合には、次に掲げる行為をしなければならない。
一　認定等の業務を国土交通大臣に引き継ぐこと。
二　認定等の業務に関する帳簿及び書類を国土交通大臣に引き継ぐこと。
三　その他国土交通大臣が必要と認める行為

（国土交通大臣が行う認定等の手数料の納付の方法）
第七六条　法第五十七条の規定による手数料の納付は、当該手数料の金額に相当する額の収入印紙をもって行うものとする。ただし、印紙をもって納め難い事由があるときは、現金をもってすることができる。

（国土交通大臣が行う認定等の手数料の額）
第七七条　法第五十七条の国土交通省令で定める手数料の額は、次の各号に掲げる認定等の区分に応じ、それぞれ当該各号に定める額とする。
一　住宅型式性能認定　申請一件につき、次の表の(い)欄に掲げる区分に応じ、(ろ)欄及び(は)欄に掲げる額の合計額

(い)	(ろ)	(は)
床面積の合計が百平方メートル以内のもの又は床の部分がないもの	一万五千円	一万円
床面積の合計が百平方メートルを超え、二百平方メートル以内のもの	二万円	一万二千円
床面積の合計が二百平方メートルを超え、五百平方メートル以内のもの	三万二千円	一万四千円
床面積の合計が五百平方メートルを超え、千平方メートル以内のもの	三万八千円	一万五千円
床面積の合計が千平方メートルを超え、二千平方メートル以内のもの	五万五千円	一万七千円
床面積の合計が二千平方メートルを超え、一万平方メートル以内のもの	十六万九千円	一万八千円
床面積の合計が一万平方メートルを超えるもの	二十七万二千円	二万千円

二　認証又は認証の更新　申請に係る工場等一件につき、四十九万円（外国において本邦に輸出される型式住宅部分の製造をするものにあっては、申請に係る工場等一件につき三十九万円に、職員二人が法第三十五条第二号に掲げる基準に適合するかどうかを審査するため、当該審査に係る工場等の所在地に出張をするとした場合に旅費法の規定により支給すべきこととなる旅費の額に相当する額を加算した額。この場合において、その旅費の額の計算に関し必要な細目は、第五十五条から第五十七条までの規定を準用する。）
2　次の各号に掲げる場合の手数料は、前項各号の規定にかかわらず、次の各号に掲げる場合の区分に応じ、それぞれ当該各号に定める額とする。
一　同時に行われる申請において、一の型式につき二以上の性能表示事項についてそれぞれ住宅型式性能認定を受けようとする場合　前項第一号の表の(い)欄に掲げる認定を受けようとする住宅又はその部分に応じ、(ろ)欄に掲げる額に申請件数を乗じた額及び(は)欄に掲げる額の合計額
二　既に認証を受けた者が、当該認証に係る技術的生産条件で製造をする別の型式住宅部分等につき新たに認証を受けようとする場合　申請一件につき二万六千円
三　既に建築基準法施行令（昭和二十五年政令第三百三十八号）第百三十六条の二の十一第一号に規定する建築物の部分に係る建築基準法第六十八条の十一第一項の認証を受けた者が、当該認証に係る技術的生産条件で製造をする住宅である型式住宅部分等につき認証を受けようとする場合　申請一件につき二万六千円
四　同時に行われる申請において、一の技術的生産条件で製造をする二以上の型式の型式住宅部分等につき認証を受けようとする場合　二万六千円に申請件数から一を減じた数を乗じた額及び前項第二号に定める額の合計額
五　一の申請において、一の技術的生産条件で二以上の工場等において認証を受けようとする場合　二万六千円に申請に係る工場等の件数から一を減じた数を乗じた額及び前項第二号に定める額の合計額
六　同時に行われる申請において、一の工場において二以上の技術的生産条件で製造をする二以上の型式の型式住宅部分等につき認証を受けようとする場合　三十九万円に申請件数から一を減じた数を乗じた額及び前項第二号に定める額の合計額

第三章　特別評価方法認定

第一節　特別評価方法認定

（特別評価方法認定の申請）
第七八条　特別評価方法認定の申請をしようとする者は、別記第五十九号様式の特別評価方法認定申請書（以下単に「特別評価方法認定申請書」という。）に第八十三条第一項に規定する証明書を添えて、これを国土交通大臣に提出しなければならない。

（特別評価方法認定申請書に記載すべき事項）
第七九条　法第五十八条第二項の国土交通省令で定める申請書に記載すべき事項は、次に掲げるものとする。
一　認定を申請しようとする者の氏名又は名称及び住所
二　日本住宅性能表示基準に従って表示すべき性能に関し、評価方法基準に従った方法に代えて、特別の建築材料若しくは構造方法に応じて又は特別の試験方法若しくは計算方法を用いて評価する方法（以下「特別評価方法」という。）の名称
三　特別評価方法を用いて評価されるべき性能表示事項

（特別評価方法認定書の交付等）
第八〇条　国土交通大臣は、特別評価方法認定をしたときは、別記第六十号様式の特別評価方法認定書（以下単に「特別評価方法認定書」という。）を申請者に交付しなければならない。
2　国土交通大臣は、特別評価方法認定をしないときは、別記第六十一号様式の通知書を申請者に交付しなければならない。
3　特別評価方法認定書の交付を受けた者は、特別評価方法認定書を滅失し、汚損し、又は破損したときは、特別評価方法認定書の再交付を申請することができる。

（特別評価方法認定の手数料）
第八一条　法第六十条の規定による手数料の納付は、当該手数料の金額に相当する額の収入印紙をもって行うものとする。ただし、印紙をもって納め難い事由があるときは、現金をもってすることができる。
2　法第六十条の国土交通省令で定める手数料の額は、申請一件につき二万円とする。

（試験の申請）
第八二条　特別評価方法認定のための審査に係る試験の申請をしようとする者は、別記第六十二号様式の試験申請書に次に掲げる図書を添えて、これ

を登録試験機関に提出しなければならない。

一　特別評価方法の概要を記載した書類

二　評価方法基準に従った方法のうち、特別評価方法により代えられるべき部分を明示した書類

三　前二号に掲げるもののほか、平面図、立面図、断面図、構造詳細図、構造計算書、実験の結果その他の試験を実施するために必要な事項を記載した図書

（証明書の交付等）

第八三条　登録試験機関は、試験を実施したときは、別記第六十三号様式の試験の結果の証明書（次項において「証明書」という。）を申請者に交付しなければならない。

2　証明書の交付を受けた者は、証明書を滅失し、汚損し、又は破損したときは、証明書の再交付を申請することができる。

第二節　登録試験機関

（登録試験機関に係る登録の申請）

第八四条　法第六十一条第一項に規定する登録を受けようとする者は、別記第六十四号様式の登録試験機関登録申請書に次に掲げる書類を添えて、これを国土交通大臣に提出しなければならない。

一　定款又は寄附行為及び登記事項証明書

二　申請の日の属する事業年度の前事業年度における財産目録及び貸借対照表。ただし、申請の日の属する事業年度に設立された法人にあっては、その設立時における財産目録とする。

三　申請に係る意思の決定を証する書類

四　申請者（法人である場合はその役員）の氏名及び略歴（申請者が住宅関連事業者の役員又は職員（過去二年間に当該住宅関連事業者の役員又は職員であった者を含む。）である場合には、その旨を含む。）を記載した書類

五　主要な株主の構成を記載した書類

六　組織及び運営に関する事項（試験の業務以外の業務を行っている場合は、当該業務の種類及び概要）を記載した書類

七　申請者が法第八条第一号及び第二号に規定する者に該当しない旨の市町村の長の証明書

八　申請者が法第八条第三号及び法第六十二条第二号から第四号までに該当しない旨を誓約する書面

九　試験の業務を行う部門の専任の管理者の氏名及び略歴を記載した書類

十　試験員となるべき者の氏名及び略歴を記載した書類並びに当該者が法第六十四条各号に掲げる者であることを証する書類

十一　その他参考となる事項を記載した書類

（心身の故障により試験の業務を適正に行うことができない者）

第八四条の二　法第六十二条第三号の国土交通省令で定める者は、精神の機能の障害により試験の業務を適正に行うに当たって必要な認知、判断及び意思疎通を適切に行うことができない者とする。

（登録試験機関登録簿の記載事項）

第八五条　法第六十三条第二項第六号の国土交通省令で定める事項は、次に掲げるものとする。

一　登録試験機関が法人である場合は、役員の氏名

二　試験の業務を行う部門の専任の管理者の氏名

（公示事項）

第八六条　法第六十一条第三項において準用する法第十条第一項の国土交通省令で定める事項は、前条各号に掲げる事項とする。

（登録試験機関に係る事項の変更の届出）

第八七条　登録試験機関は、法第六十一条第三項において準用する法第十条第二項の規定により法第六十三条第二項第二号又は第四号から第六号までに掲げる事項を変更しようとするときは、別記第六十五号様式の登録試験機関変更届出書に第八十四条各号に掲げる書類のうち変更に係るものを添えて、これを国土交通大臣に提出しなければならない。同条ただし書の規定は、この場合について準用する。

（登録試験機関に係る登録の更新）

第八八条　登録試験機関は、法第六十一条第三項において準用する法第十一条第一項の登録の更新を受けようとするときは、別記第六十六号様式の登録試験機関登録更新申請書に第八十四条各号に掲げる書類を添えて、これを国土交通大臣に提出しなければならない。同条ただし書の規定は、この場合について準用する。

2　第八十五条の規定は、登録試験機関が登録の更新を行う場合について準用する。

（承継の届出）

第八九条　法第六十一条第三項において準用する法第十二条第二項の規定により登録試験機関の地位の承継の届出をしようとする者は、別記第六十七号様式の登録試験機関事業承継届出書に次に掲げる書類を添えて、これを国土交通大臣に提出しなければならない。

一　法第六十一条第三項において準用する法第十二条第一項の規定により登録試験機関の事業の全部を譲り受けて登録試験機関の地位を承継した者にあっては、別記第六十八号様式の登録試験機関事業譲渡証明書及び事業の全部の譲渡しがあったことを証する書面

二　法第六十一条第三項において準用する法第十二条第一項の規定により登録試験機関の地位を承継した相続人であって、二以上の相続人の全員の同意により選定されたものにあっては、別記第六十九号様式の登録試験機関事業相続同意証明書及び戸籍謄本

三　法第六十一条第三項において準用する法第十二条第一項の規定により登録試験機関の地位を承継した相続人であって、前号の相続人以外のものにあっては、別記第七十号様式の登録試験機関事業相続証明書及び戸籍謄本

四　法第六十一条第三項において準用する法第十二条第一項の規定により合併によって登録試験機関の地位を承継した法人にあっては、その法人の登記事項証明書

五　法第六十一条第三項において準用する法第十二条第一項の規定により分割によって登録試験機関の地位を承継した法人にあっては、別記第七十一号様式の登録試験機関事業承継証明書、事業の全部の承継があったことを証する書面及びその法人の登記事項証明書

（試験の業務の実施基準）

第九〇条　法第六十一条第三項において準用する法第十五条第二項の国土交通省令で定める基準は、次に掲げるとおりとする。

一　次に定める方法に従い、試験員二名以上によって行うこと。

イ　第八十二条第一項各号に掲げる図書をもって審査を行うこと。

ロ　審査を行うに際し、図書の記載事項に疑義があり、提出された図書のみでは試験を行うことが困難であると認めるときは、追加の図書を求めて審査を行うこと。

ハ　イ又はロの図書のみでは、試験を行うことが困難であると認めるときは、申請者にその旨を通知し、試験に係る実物等の提出を受け、当該試験を行うことが困難であると認める事項について追加試験その他の方法により審査を行うこと。

二　登録試験機関が試験の申請を自ら行った場合その他の場合であって、試験の業務の公正な実施に支障を及ぼすおそれがあるものとして国土交通大臣が定める場合においては、これらの申請に係る試験を行わないこと。

三　試験の業務を行う部門の専任の管理者は、登録試験機関の役員又は当該部門を管理する上で必要な権限を有する者であること。

四　試験の業務に関し支払うことのある損害賠償のため保険契約を締結していること。

（電磁的記録に記録された事項を表示する方法）

第九一条　法第六十一条第三項において準用する法第十八条第二項第三号の国土交通省令で定める方法は、当該電磁的記録に記録された事項を紙面又は出力装置の映像面に表示する方法とする。

（電磁的記録に記録された事項を提供するための電磁的方法）

第九二条　法第六十一条第三項において準用する法第十八条第二項第四号の国土交通省令で定める電磁的方法は、次に掲げるもののうち、登録試験機関が定めるものとする。

一　登録試験機関の使用に係る電子計算機と法第六十一条第三項において準用する法第十八条第二項第四号に掲げる請求をした者（以下この条において「請求者」という。）の使用に係る電子計算機とを電気通信回線で接続した電子情報処理組織を使用する方法であって、当該電気通信回線を通じて情報が送信され、請求者の使用に係る電子計算機に備えられたファイルに当該情報が記録されるもの

二　磁気ディスクをもって調製するファイルに情報を記録したものを請求

者に交付する方法

2　前項各号に掲げる方法は、請求者がファイルへの記録を出力することによる書面を作成できるものでなければならない。

（帳簿）

第九三条　法第六十一条第三項において準用する法第十九条第一項の試験の業務に関する事項で国土交通省令で定めるものは、次に掲げるものとする。

一　試験を申請した者の氏名又は名称及び住所

二　試験の申請に係る特別評価方法の名称

三　当該特別評価方法を用いて評価されるべき性能表示事項

四　試験の申請を受けた年月日

五　試験を行った試験員の氏名

六　証明書の交付を行った年月日

2　前項各号に掲げる事項が、電子計算機に備えられたファイル又は磁気ディスクに記録され、必要に応じ登録試験機関において電子計算機その他の機器を用いて明確に紙面に表示されるときは、当該記録をもって法第六十一条第三項において準用する法第十九条第一項の帳簿（次項において単に「帳簿」という。）への記載に代えることができる。

3　登録試験機関は、帳簿（前項の規定による記録が行われた同項のファイル又は磁気ディスクを含む。第九十七条第二号において同じ。）は、試験の業務の全部を廃止するまで保存しなければならない。

（書類の保存）

第九四条　法第六十一条第三項において準用する法第十九条第二項の試験の業務に関する書類で国土交通省令で定めるものは、第八十二条第一項各号に掲げる図書及び証明書の写しその他の審査の結果を記載した書類とする。

2　前項の書類が、電子計算機に備えられたファイル又は磁気ディスクに記録され、必要に応じ登録試験機関において電子計算機その他の機器を用いて明確に紙面に表示されるときは、当該ファイル又は磁気ディスクをもって同項の書類に代えることができる。

3　登録試験機関は、第一項の書類（前項の規定による記録が行われた同項のファイル又は磁気ディスクを含む。第九十七条第二号において単に「書類」という。）を、当該書類に係る特別評価方法認定が取り消されたときから二十年間保存しなければならない。

（登録試験機関に係る業務の休廃止の届出）

第九五条　登録試験機関は、法第六十一条第三項において準用する法第二十三条第一項の規定により試験の業務の全部又は一部を休止し、又は廃止しようとするときは、別記第七十二号様式の登録試験機関業務休廃止届出書を国土交通大臣に提出しなければならない。

（試験業務規程）

第九六条　登録試験機関は、法第六十一条第三項において準用する法第四十九条第一項前段の規定により試験業務規程の届出をしようとするときは、別記第七十三号様式の登録試験機関試験業務規程届出書を国土交通大臣に提出しなければならない。

2　登録試験機関は、法第六十一条第三項において準用する法第四十九条第一項後段の規定により試験業務規程の変更の届出をしようとするときは、別記第七十四号様式の登録試験機関試験業務規程変更届出書を国土交通大臣に提出しなければならない。

3　法第六十一条第三項において準用する法第四十九条第二項の国土交通省令で定める事項は、次に掲げるものとする。

一　試験の業務を行う時間及び休日に関する事項

二　事務所の所在地及びその事務所が試験の業務を行う区域に関する事項

三　試験を行う住宅の種類その他試験の業務の範囲に関する事項

四　試験の業務の実施の方法に関する事項

五　試験の業務に関する料金及びその収納の方法に関する事項

六　試験員の選任及び解任に関する事項

七　試験の業務に関する秘密の保持に関する事項

八　試験の業務の実施及び管理の体制に関する事項

九　第九十三条第三項に規定する帳簿その他の試験の業務に関する書類の管理に関する事項

十　財務諸表等（法第六十一条第三項において準用する法第十八条第一項に規定する財務諸表等をいう。以下この号において同じ。）の備付け及び財務諸表等に係る法第六十一条第三項において準用する法第十八条第二項各号に掲げる請求の受付に関する事項

十一　試験の業務に関する公正の確保に関する事項

十二　その他試験の業務の実施に関し必要な事項

4　登録試験機関は、試験業務規程を試験の業務を行うすべての事務所で業務時間内に公衆に閲覧させるとともに、インターネットを利用して閲覧に供する方法により公表するものとする。

（試験の業務の引継ぎ）

第九七条　登録試験機関は、法第六十一条第三項において準用する法第五十六条第三項に規定する場合には、次に掲げる行為をしなければならない。

一　試験の業務を国土交通大臣に引き継ぐこと。

二　試験の業務に関する帳簿及び書類を国土交通大臣に引き継ぐこと。

三　その他国土交通大臣が必要と認める行為

（国土交通大臣が行う試験の手数料の納付の方法）

第九八条　法第六十一条第三項において準用する法第五十七条の規定による手数料の納付は、当該手数料の金額に相当する額の収入印紙をもって行うものとする。ただし、印紙をもって納め難い事由があるときは、現金をもってすることができる。

（国土交通大臣が行う試験の手数料の額）

第九九条　法第六十一条第三項において準用する法第五十七条の国土交通省令で定める手数料の額は、申請一件につき、次の表の(い)欄に掲げる試験の区分に応じ、(ろ)欄及び(は)欄に掲げる額の合計額を加算した額とする。

(い)			(ろ)	(は)
特別の建築材料に応じて評価する方法の認定のための審査に必要な試験			二十九万円	四万円
特別の構造方法に応じて評価する方法の認定のための審査に必要な試験	構造の安定に関する性能表示事項として国土交通大臣が定めるものに係る認定のための審査に必要な試験	床面積の合計が五百平方メートル以内のもの	三十七万円	五万円
		床面積の合計が五百平方メートルを超え、三千平方メートル以内のもの	五十八万円	七万円
		床面積の合計が三千平方メートルを超え、一万平方メートル以内のもの	八十六万円	十万円
		床面積の合計が一万平方メートルを超えるもの	百十一万円	十一万円
	右に掲げる試験以外のもの		三十六万円	五万円
特別の試験方法に応じて評価する方法の認定のための審査に必要な試験			四十六万円	五万円
特別の計算方法に応じて評価する方法の認定のための審査に必要な試験			四十六万円	五万円

2　次の各号に掲げる場合の手数料は、前項の規定にかかわらず、次の各号に掲げる場合の区分に応じ、それぞれ当該各号に定める額とする。

一　建築基準法第六十八条の二十五第一項の構造方法等の認定その他建築材料又は建築物に係る構造方法、試験方法若しくは計算方法に関する認定、評定又はこれらに類するもので国土交通大臣が認めるもの（次号において「技術的認定等」という。）を受けた特別評価方法（建築材料又は構造方法に係るものに限る。）の認定のための審査に必要な試験を受けようとする場合　申請一件につき、前項の表の(い)欄に掲げる試験の区分に応じ、(ろ)欄に掲げる額に二分の一を乗じた額及び(は)欄に掲げる額の合計額を加算した額

二　技術的認定等を受けた特別評価方法（試験方法又は計算方法に係るものに限る。）の認定のための審査に必要な試験を受けようとする場合　申請一件につき、前項の表の(い)欄に掲げる試験の区分に応じ、(ろ)欄に掲げる額に三分の二を乗じた額及び(は)欄に掲げる額の合計額を加算した額

三　一の申請において、前項の表の(い)欄に掲げる二以上の試験の区分について試験を受けようとする場合　それぞれの試験の区分に係る(ろ)欄に掲げる額（第一号に規定する場合にあっては(ろ)欄に掲げる額に二分の一を乗じた額、前号に規定する場合にあっては(ろ)欄に掲げる額に三分の二を乗じた額）の合計額及びそれぞれの試験の区分に係る(は)欄に掲げる額のうち最も大きい額の合計額を加算した額

第四章　住宅に係る紛争の処理体制

第一節　指定住宅紛争処理機関

（指定住宅紛争処理機関に係る指定の申請）

第一〇〇条　法第六十六条第一項の規定による指定を受けようとする者は、次に掲げる事項を記載した申請書を国土交通大臣に提出しなければならない。

一　名称及び住所

二　紛争処理の業務を行おうとする事務所の所在地

三　紛争処理の業務を開始しようとする年月日

2　前項の申請書には、指定の申請をしようとする者が弁護士会である場合にあっては第一号、第四号、第六号及び第八号、弁護士会以外の者である場合にあっては次の各号に掲げる書類を添付しなければならない。

一　弁護士法（昭和二十四年法律第二百五号）第三十三条第一項に規定する会則又は定款及び登記事項証明書

二　申請の日の属する事業年度の前事業年度における財産目録（申請の日の属する事業年度に設立された法人にあっては、その設立時における財産目録）及び貸借対照表

三　申請に係る意思の決定を証する書類

四　役員の氏名及び略歴を記載した書類

五　組織及び運営に関する事項を記載した書類

六　紛争処理委員となるべき者の氏名及び略歴を記載した書類

七　現に行っている業務の概要を記載した書類

八　その他参考となる事項を記載した書類

（紛争処理委員の変更の届出）

第一〇一条　指定住宅紛争処理機関は、紛争処理委員に変更があった場合においては、遅滞なく、新たに選任した紛争処理委員の氏名及び略歴を記載した書類を添付して、その旨を国土交通大臣に届け出なければならない。

（指定住宅紛争処理機関である旨の掲示等）

第一〇二条　指定住宅紛争処理機関は、当該機関の名称及び「指定住宅紛争処理機関」の文字を、当該機関の事務所の入口又は受付の付近の見やすい場所に掲示するとともに、当該機関のウェブサイトに掲載して公衆の閲覧に供しなければならない。

（指定住宅紛争処理機関に係る業務の休廃止の届出）

第一〇三条　指定住宅紛争処理機関は、法第六十六条第三項において準用する法第二十三条第一項の規定により紛争処理の業務の全部又は一部を休止し、又は廃止しようとするときは、別記第七十五号様式の指定住宅紛争処理機関業務休廃止届出書を国土交通大臣に提出しなければならない。

（住宅紛争処理の申請）

第一〇四条　住宅紛争処理の申請をしようとする者は、別記第七十六号様式の住宅紛争処理申請書（次項及び第百五条の二において単に「住宅紛争処理申請書」という。）を指定住宅紛争処理機関に提出しなければならない。

2　仲裁の申請をする場合においては、法による仲裁に付する旨の合意を証する書面を住宅紛争処理申請書に添付しなければならない。

3　前項の場合において、仲裁合意が仲裁法（平成十五年法律第百三十八号）第十三条第四項に規定する電磁的記録によってされたときは、書面に代えて電磁的記録を添付することができる。

（あっせん又は調停の開始）

第一〇五条　指定住宅紛争処理機関は、当事者の双方又は一方から、あっせん又は調停の申請がなされたときは、あっせん又は調停を行う。

（紛争処理の通知）

第一〇五条の二　指定住宅紛争処理機関は、当事者の一方からあっせん又は調停の申請がなされたときは住宅紛争処理申請書の写しを添えてその相手方に対し、遅滞なく、その旨を通知しなければならない。

（申請の変更）

第一〇五条の三　あっせん又は調停の申請人は、住宅紛争処理を求める事項を変更することができる。ただし、これにより、当該あっせん又は調停の手続を著しく遅延させる場合は、この限りでない。

2　指定住宅紛争処理機関は、前項の規定による変更の申請がなされたときは、その相手方に対し、遅滞なく、その旨を通知しなければならない。

（あっせん）

第一〇六条　指定住宅紛争処理機関によるあっせんは、三人以内のあっせん委員がこれを行う。

2　あっせん委員は、当事者間をあっせんし、双方の主張の要点を確かめ、事件が解決されるように努めるものとする。

（調停）

第一〇七条　指定住宅紛争処理機関による調停は、三人以内の調停委員がこれを行う。

2　指定住宅紛争処理機関は、調停案を作成し、当事者に対しその受諾を勧告することができる。

（あっせん又は調停をしない場合）

第一〇八条　指定住宅紛争処理機関は、紛争がその性質上あっせん若しくは調停をするのに適当でないと認めるとき、又は当事者が不当な目的でみだりにあっせん若しくは調停の申請をしたと認めるときは、あっせん又は調停をしないものとする。

（あっせん又は調停の打切り）

第一〇八条の二　指定住宅紛争処理機関は、あっせん又は調停に係る法第六十七条第一項に規定する紛争についてあっせん又は調停による解決の見込みがないと認めるときは、あっせん又は調停を打ち切ることができる。

2　指定住宅紛争処理機関は、前項の規定によりあっせん又は調停を打ち切ったときは、その旨を当事者に通知しなければならない。

（仲裁の開始）

第一〇九条　指定住宅紛争処理機関は、当事者間に法による仲裁に付する旨の合意がある場合であって、当事者の双方又は一方から仲裁の申請がなされたときは、仲裁を行う。

（仲裁）

第一一〇条　指定住宅紛争処理機関による仲裁は、三人以内の仲裁委員がこれを行う。

2　仲裁委員は、紛争処理委員のうちから当事者が合意によって選定した者につき、指定住宅紛争処理機関の長が指名する。

3　当事者の合意による仲裁委員となるべき者の選定（以下この項において「合意選定」という。）がなされない場合において、合意選定がなされていない仲裁委員となるべき者は、紛争処理委員のうちから指定住宅紛争処理機関の長が指名する。ただし、合意選定がなされていない仲裁委員となるべき者が二人又は三人である場合においては、仲裁委員のうち二人は、紛争処理委員のうちから当事者がそれぞれ一人ずつ選定した者につき、指定住宅紛争処理機関の長が指名する。

4　指定住宅紛争処理機関の行う仲裁については、法及びこの規則に別段の定めがある場合を除いて、仲裁委員を仲裁人とみなして、仲裁法の規定に準じて行うものとする。

（仲裁委員が欠けた場合の措置）

第一一一条　指定住宅紛争処理機関は、仲裁委員が死亡、解任、辞任その他の理由により欠けた場合においては、当事者に対し、遅滞なく、その旨を通知しなければならない。

2　前条の規定は、仲裁委員が欠けた場合における後任の仲裁委員となるべき者の選定及び後任の仲裁委員の指名について準用する。

（住宅紛争処理における期日調書等の保存）

第一一二条　指定住宅紛争処理機関は、住宅紛争処理の手続が終了した日から二十年間、審理の経過を記載した期日調書その他当該事件に関する書類を保存しなければならない。

2　前項の書類が、電子計算機に備えられたファイル又は磁気ディスクに記録され、必要に応じ指定住宅紛争処理機関において電子計算機その他の機器を用いて明確に紙面に表示されるときは、当該ファイル又は磁気ディスクをもって同項の書類に代えることができる。

（選任すべき紛争処理委員の数）

第一一三条　法第六十八条第一項の国土交通省令で定める数は、十人とする。

（住宅紛争処理の申請手数料）

第一一四条　法第七十三条第一項の規定による申請手数料の納付は、住宅紛争処理支援センターが指定する口座に当該申請手数料を振り込み、かつ、その振込みを証明する書面（電磁的記録（電子的方式、磁気的方式その他の人の知覚によっては認識することができない方式で作られる記録であって、電子計算機による情報処理の用に供されるものをいう。第百二十三条第一項において同じ。）を含む。）を、指定住宅紛争処理機関に対し、提出することにより行わなければならない。

2　法第七十三条第一項の国土交通省令で定める額は、一万円とする。

（当事者が負担する費用）

第一一五条　指定住宅紛争処理機関は、当事者の申立てに係る鑑定、証人の出頭その他の住宅紛争処理の手続に要する費用で、指定住宅紛争処理機関の長が相当と認めるものを、当事者に負担させることができる。

（区分経理の方法）

第一一六条　指定住宅紛争処理機関は、紛争処理の業務に係る経理について特別の勘定を設け、紛争処理の業務に係る経理とその他の業務に係る経理とを区分して整理しなければならない。

2　指定住宅紛争処理機関は、紛争処理の業務とその他の業務の双方に関連する費用については、適正な基準によりそれぞれの業務に配分して経理しなければならない。

第二節　住宅紛争処理支援センター

（住宅紛争処理支援センターに係る指定の申請）

第一一六条の二　法第八十二条第一項の規定による指定を受けようとする者は、次に掲げる事項を記載した申請書を国土交通大臣に提出しなければならない。

一　名称及び住所

二　支援等の業務を行おうとする事務所の所在地

三　支援等の業務を開始しようとする年月日

2　前項の申請書には、次に掲げる書類を添付しなければならない。

一　定款及び登記事項証明書

二　申請の日の属する事業年度の前事業年度における財産目録（申請の日の属する事業年度に設立された法人にあっては、その設立時における財産目録）及び貸借対照表

三　申請に係る意思の決定を証する書類

四　法第八十二条第一項第一号に規定する支援等の業務の実施に関する計画として次の事項を記載した書類

イ　支援等の業務に関する知識及び経験を有する者の確保の状況並びに当該者の配置の状況に関する事項

ロ　組織及び運営に関する事項

ハ　支援等の業務の概要に関する事項

五　役員の氏名及び略歴を記載した書類

六　現に行っている業務の概要を記載した書類

七　その他参考となる事項を記載した書類

（支援等業務規程で定めるべき事項）

第一一七条　法第八十四条第二項の国土交通省令で定める事項は、次に掲げるものとする。

一　支援等の業務を行う時間及び休日に関する事項

二　支援等の業務を行う事務所に関する事項

三　支援等の業務の実施の方法に関する事項

四　支援等の業務に関する書類の管理に関する事項

五　その他支援等の業務の実施に関し必要な事項

（帳簿）

第一一八条　法第八十二条第三項において準用する法第十九条第一項の支援等の業務に関する事項で国土交通省令で定めるものは、次に掲げるものとする。

一　法第八十三条第一項第二号の情報及び資料の名称並びにこれらを収集した年月日

二　法第八十三条第一項第三号の調査及び研究の名称並びにこれらを行った年月日

三　法第八十三条第一項第四号の研修の名称及びこれを行った年月日

四　法第八十三条第一項第六号の相談、助言及び苦情の処理を行った年月日並びに相手方の氏名

五　法第八十三条第一項第七号の相談、助言及び苦情の処理を行った年月日

六　法第八十三条第一項第八号の調査及び研究の名称並びにこれらを行った年月日

2　前項各号に掲げる事項が、電子計算機に備えられたファイル又は磁気ディスクに記録され、必要に応じ住宅紛争処理支援センター（以下「センター」という。）において電子計算機その他の機器を用いて明確に紙面に表示されるときは、当該記録をもって法第八十二条第三項において準用する法第十九条第一項の帳簿（次項において単に「帳簿」という。）への記載に代えることができる。

3　センターは、帳簿（前項の規定による記録が行われた同項のファイル又は磁気ディスクを含む。）を、支援等の業務の全部を廃止するまで保存しなければならない。

（書類の保存）

第一一九条　法第八十二条第三項において準用する法第十九条第二項の支援等の業務に関する書類（以下この条において単に「書類」という。）で国土交通省令で定めるものは、次に掲げるものとする。

一　第百二十一条第一項の期首計画書、助成金使途計画書及び設備購入計画書

二　第百二十三条第一項の助成金使途報告書及び紛争処理の業務に要する費用に係る支出であることを証すべき書面

2　前項の書類が、電子計算機に備えられたファイル又は磁気ディスクに記録され、必要に応じセンターにおいて電子計算機その他の機器を用いて明確に紙面に表示されるときは、当該ファイル又は磁気ディスクをもって同項各号の書類に代えることができる。

3　センターは、第一項各号の書類（前項の規定による記録が行われた同項のファイル又は磁気ディスクを含む。）を、支援等の業務の全部を廃止するまで保存しなければならない。

（助成の対象となる費用）

第一二〇条　指定住宅紛争処理機関の支出に計上することができる費用は、次の各号に掲げる費目に応じ、当該各号に掲げるものとする。

一　人件費　紛争処理の業務に従事する役員又は職員に支払う基本給、手当、賞与、法定福利費、法定外福利費及び退職金並びに紛争処理の業務に従事する役員又は職員であった者に支払う退職金のうち、実質的に紛争処理の業務に従事したと認められる部分に相当する費用

二　事務所使用料　紛争処理の業務のために使用する事務所の賃料（当該事務所が指定住宅紛争処理機関の所有するものである場合にあっては、適正な算出方法により算定した賃料に相当する費用）のうち、実質的に紛争処理の業務のために使用したと認められる部分に相当する費用

三　貸会議室使用料　審理その他の紛争処理の業務のために使用する会議室（一時的に賃借する室で、賃借する時間によって賃料が定められたものをいう。）の賃料

四　紛争処理委員謝金　法第六十八条第二項の規定により事件ごとに指名された紛争処理委員（次号において「指名紛争処理委員」という。）に対して支払う謝金

五　鑑定・現地調査費　鑑定又は指名紛争処理委員が行う現地調査に要する費用

六　設備費　紛争処理の業務のために使用する設備の購入費用

七　諸雑費　前各号に掲げるもののほか、光熱水費、通信費、消耗品費、旅費その他紛争処理の業務に要する費用

八　設立準備費　法第六十六条第一項の規定による指定以前に紛争処理の業務を開始するために要した費用

2　指定住宅紛争処理機関は、紛争処理の業務に要する費用について、前項各号に掲げる費目以外の費目を設けることができる。

（助成金使途計画書等の提出）

第一二一条　指定住宅紛争処理機関は、毎事業年度、別記第七十七号様式の助成金使途計画書に、別記第七十八号様式の設備購入計画書及び別記第七十九号様式の期首計画書を添えて、当該事業年度開始の日の一月前までに（法第六十六条第一項の指定を受けた日の属する事業年度にあっては、その指定を受けた後遅滞なく）、センターに提出しなければならない。

2　指定住宅紛争処理機関は、前項の規定により提出した期首計画書又は設

備購入計画書の記載内容を変更しようとするときは、その変更に係るものをセンターに提出しなければならない。

3　センターは、前二項の規定により提出された助成金使途計画書、期首計画書又は設備購入計画書の記載内容が適正でないと認める場合においては、指定住宅紛争処理機関から理由を聴取し、又はその補正を求めるものとする。

（助成）

第一二二条　センターは、助成金使途計画書に記載された助成金収入の予算額を、一時に又は分割して、指定住宅紛争処理機関に助成するものとする。

2　指定住宅紛争処理機関は、前項の規定により助成された金額が不足する見込みがあると認める場合においては、センターに対し、必要な金額の助成を請求することができる。この場合において、センターは、当該請求が適正と認める場合においては、遅滞なく、当該請求に係る金額を助成するものとする。

（助成金使途報告書等の提出）

第一二三条　指定住宅紛争処理機関は、毎事業年度、別記第八十号様式の助成金使途報告書に、賃金台帳、事務所の賃貸借契約書、領収書その他の紛争処理の業務に要する費用に係る支出であることを証すべき書面（電磁的記録を含む。）を添えて、当該事業年度経過後三月以内に、センターに提出しなければならない。

2　指定住宅紛争処理機関は、毎事業年度、当該事業年度における次に掲げる金額の合計額から支出（紛争処理の業務に要する費用に係る支出であることが明らかでなく、又は紛争処理の業務に要する費用に係る支出として適正でないとセンターが認めたものを除く。）の合計額を控除した額を、センターに返還しなければならない。

一　前条の規定により助成された金額

二　法第七十三条第一項に規定する申請手数料による収入

三　第百十五条の規定により当事者が負担した費用

（区分経理の方法）

第一二四条　センターは、評価住宅関係業務に係る経理について特別の勘定を設け、評価住宅関係業務に係る経理とその他の業務に係る経理とを区分して整理しなければならない。

2　センターは、評価住宅関係業務とその他の業務の双方に関連する収入及び費用については、適正な基準によりそれぞれの業務に配分して経理しなければならない。

第五章　権限の委任

第一二五条　法第三章第二節に規定する国土交通大臣の権限のうち、その評価の業務を一の地方整備局又は北海道開発局の管轄区域内のみにおいて行う登録住宅性能評価機関に関するものは、当該地方整備局長及び北海道開発局長に委任する。ただし、法第十六条第三項、第二十条、第二十一条、第二十二条第一項及び第二十四条に掲げる権限については、国土交通大臣が自ら行うことを妨げない。

附　則

この省令は、法の施行の日（平成十二年四月一日）から施行する。

附　則〔略〕（平成一二・一一・二〇建設省令四一）

附　則〔略〕（平成一三・三・三〇国土交通省令七二）

附　則〔略〕（平成一七・三・七国土交通省令一二）

附　則〔略〕（平成一七・五・二五国土交通省令五八）

附　則〔略〕（平成一七・八・二二国土交通省令八六）

附　則〔抄〕（平成一七・九・一国土交通省令八九）

（施行期日）

第一条　この省令は、平成十八年三月一日から施行する。

（経過措置）

第二条　住宅の品質確保の促進等に関する法律の一部を改正する法律附則第三条の表の第一号中欄に規定する指定を受けた区分に相当するものとして国土交通省令で定める区分は、次の表の各号の上欄に掲げる区分に応じ、当該各号の下欄に定める区分とする。

一　この省令による改正前の住宅の品質確保の促進等に関する法律施行規則（以下「旧施行規則」という。）第九条第一号に係る指定	法第七条第二項第一号に掲げる住宅の種別に係るこの省令による改正後の住宅の品質確保の促進等に関する法律施行規則（以下「新施行規則」という。）第九条第一号に掲げる区分
二　旧施行規則第九条第二号に係る指定	
三　旧施行規則第九条第三号に係る指定	法第七条第二項第一号に掲げる住宅の種別に係る新施行規則第九条第二号に掲げる区分
四　旧施行規則第九条第四号に係る指定	
五　旧施行規則第九条第五号に係る指定	法第七条第二項第一号に掲げる住宅の種別に係る新施行規則第九条第三号に掲げる区分
六　旧施行規則第九条第六号に係る指定	
七　旧施行規則第九条第七号に係る指定	法第七条第二項第二号に掲げる住宅の種別に係る新施行規則第九条第一号に掲げる区分
八　旧施行規則第九条第八号に係る指定	
九　旧施行規則第九条第九号に係る指定	法第七条第二項第二号に掲げる住宅の種別に係る新施行規則第九条第二号に掲げる区分
十　旧施行規則第九条第十号に係る指定	
十一　旧施行規則第九条第十一号に係る指定	法第七条第二項第二号に掲げる住宅の種別に係る新施行規則第九条第三号に掲げる区分
十二　旧施行規則第九条第十二号に係る指定	
十三　旧施行規則第九条第十三号に係る指定	法第七条第二項第三号に掲げる住宅の種別に係る新施行規則第九条第一号に掲げる区分
十四　旧施行規則第九条第十四号に係る指定	
十五　旧施行規則第九条第十五号に係る指定	法第七条第二項第三号に掲げる住宅の種別に係る新施行規則第九条第二号に掲げる区分
十六　旧施行規則第九条第十六号に係る指定	
十七　旧施行規則第九条第十七号に係る指定	法第七条第二項第三号に掲げる住宅の種別に係る新施行規則第九条第三号に掲げる区分
十八　旧施行規則第九条第十八号に係る指定	

附　則〔略〕（平成一八・四・二八国土交通省令五八）

附　則〔略〕（平成二〇・一二・一国土交通省令九七施行）

附　則〔略〕（平成二一・三・二七国土交通省令一三施行）

附　則〔略〕（平成二二・五・二四内閣府・国土交通省令二）

附　則〔略〕（平成二六・二・二五内閣府・国土交通省令一）

附　則〔略〕（平成二七・一・二九国土交通省令五）

附　則〔略〕（令和元・六・二八国土交通省令二〇）

附　則〔略〕（令和元・九・一三国土交通省令三四）

附　則（令和元・一〇・一国土交通省令三八）

（施行期日）

1　この省令は、公布の日から施行する。ただし、第四十四条の改正規定は、令和二年四月一日から施行する。

（準備行為）

2　住宅の品質確保の促進等に関する法律第三十三条第一項の認証を受けようとする者は、前条ただし書に規定する規定の施行の日前においても、この省令による改正後の住宅の品質確保の促進等に関する法律施行規則第四十四条の規定の例により、その申請をすることができる。

附　則〔略〕〔令和元・一二・一六国土交通省令四七〕

附　則〔略〕〔令和二・一二・二三国土交通省令九八〕

附　則〔略〕〔令和三・八・三一国土交通省令五三〕

附　則〔略〕〔令和三・九・一〇国土交通省令五六〕

附　則〔略〕〔令和三・一〇・二〇内閣府・国土交通省令五〕

附　則〔略〕〔令和三・一〇・二〇国土交通省令六七〕

附　則〔略〕〔令和四・八・一六内閣府・国土交通省令四〕

附　則〔抄〕〔令和四・八・一六国土交通省令六一〕

（施行期日）

1　この省令は、住宅の質の向上及び円滑な取引環境の整備のための長期優良住宅の普及の促進に関する法律等の一部を改正する法律（次項において「改正法」という。）附則第一条第四号に掲げる規定の施行の日（令和四年十月一日。以下「施行日」という。）から施行する。

（経過措置）

4　この省令の施行の際現にされている住宅の品質確保の促進等に関する法律第六条の二第一項の規定による確認の求めに係る申請書の様式については、第二条の規定による改正後の住宅の品質確保の促進等に関する法律施行規則別記第十一号の二様式及び別記第十一号の三様式にかかわらず、なお従前の例による。

附　則〔略〕〔令和六・一・一九国土交通省令二〕

附　則〔略〕〔令和六・一・二九国土交通省令五施行〕

附　則〔略〕〔令和六・三・八国土交通省令一八〕

附　則〔略〕〔令和六・六・二八国土交通省令七二施行〕

別記様式〔略〕

○特定住宅瑕疵担保責任の履行の確保等に関する法律

〔平成一九・五・三〇 法律六六〕

改正　平成二九・六法四五、令和三・五法四八

注　［　　］の部分は、令和五年六月一四日法律第五三号により改正され、公布の日から起算して二年六月を超えない範囲内において政令で定める日から施行

目次

第一章　総則（第一条・第二条）
第二章　住宅建設瑕疵担保保証金（第三条―第十条）
第三章　住宅販売瑕疵担保保証金（第十一条―第十六条）
第四章　住宅瑕疵担保責任保険法人（第十七条―第三十二条）
第五章　住宅瑕疵担保責任保険契約に係る新築住宅等に関する紛争の処理（第三十三条―第三十五条）
第六章　雑則（第三十六条―第三十九条）
第七章　罰則（第四十条―第四十四条）
附則

第一章　総則

（目的）

第一条　この法律は、国民の健康で文化的な生活にとって不可欠な基盤である住宅の備えるべき安全性その他の品質又は性能を確保するためには、住宅の瑕疵の発生の防止が図られるとともに、住宅に瑕疵があった場合においてはその瑕疵担保責任が履行されることが重要であることにかんがみ、建設業者による住宅建設瑕疵担保保証金の供託、宅地建物取引業者による住宅販売瑕疵担保保証金の供託、住宅瑕疵担保責任保険法人の指定及び住宅瑕疵担保責任保険契約に係る新築住宅に関する紛争の処理体制等について定めることにより、住宅の品質確保の促進等に関する法律（平成十一年法律第八十一号。以下「住宅品質確保法」という。）と相まって、住宅を新築する建設工事の発注者及び新築住宅の買主の利益の保護並びに円滑な住宅の供給を図り、もって国民生活の安定向上と国民経済の健全な発展に寄与することを目的とする。

（定義）

第二条　この法律において「住宅」とは住宅品質確保法第二条第一項に規定する住宅をいい、「新築住宅」とは同条第二項に規定する新築住宅をいう。

2　この法律において「瑕疵」とは、住宅品質確保法第二条第五項に規定する瑕疵をいう。

3　この法律において「建設業者」とは、建設業法（昭和二十四年法律第百号）第二条第三項に規定する建設業者をいう。

4　この法律において「宅地建物取引業者」とは、宅地建物取引業法（昭和二十七年法律第百七十六号）第二条第三号に規定する宅地建物取引業者をいい、信託会社又は金融機関の信託業務の兼営等に関する法律（昭和十八年法律第四十三号）第一条第一項の認可を受けた金融機関であって、宅地建物取引業法第二条第二号に規定する宅地建物取引業を営むもの（第十二条第一項において「信託会社等」という。）を含むものとする。

5　この法律において「特定住宅瑕疵担保責任」とは、住宅品質確保法第九十四条第一項又は第九十五条第一項の規定による担保の責任をいう。

6　この法律において「住宅建設瑕疵担保責任保険契約」とは、次に掲げる要件に適合する保険契約をいう。

一　建設業者が保険料を支払うことを約するものであること。

二　その引受けを行う者が次に掲げる事項を約して保険料を収受するものであること。

イ　住宅品質確保法第九十四条第一項の規定による担保の責任（以下「特定住宅建設瑕疵担保責任」という。）に係る新築住宅に同項に規定する瑕疵がある場合において、建設業者が当該特定住宅建設瑕疵担保責任を履行したときに、当該建設業者の請求に基づき、その履行によって生じた当該建設業者の損害を填補すること。

ロ　特定住宅建設瑕疵担保責任に係る新築住宅に住宅品質確保法第九十四条第一項に規定する瑕疵がある場合において、建設業者が相当の期間を経過してもなお当該特定住宅建設瑕疵担保責任を履行しないときに、当該住宅を新築する建設工事の発注者（建設業法第二条第五項に規定する発注者をいい、宅地建物取引業者であるものを除く。以下同じ。）の請求に基づき、その瑕疵によって生じた当該発注者の損害を填補すること。

三　前号イ及びロの損害を填補するための保険金額が二千万円以上であること。

四　住宅を新築する建設工事の発注者が当該建設工事の請負人である建設業者から当該建設工事に係る新築住宅の引渡しを受けた時から十年以上の期間にわたって有効であること。

五　国土交通大臣の承認を受けた場合を除き、変更又は解除をすることができないこと。

六　前各号に掲げるもののほか、その内容が第二号イに規定する建設業者及び同号ロに規定する発注者の利益の保護のため必要なものとして国土交通省令で定める基準に適合すること。

7　この法律において「住宅販売瑕疵担保責任保険契約」とは、次に掲げる要件に適合する保険契約をいう。

一　宅地建物取引業者が保険料を支払うことを約するものであること。

二　その引受けを行う者が次に掲げる事項を約して保険料を収受するもの

であること。

イ　住宅品質確保法第九十五条第一項の規定による担保の責任（以下「特定住宅販売瑕疵担保責任」という。）に係る新築住宅に同項に規定する瑕疵がある場合において、宅地建物取引業者が当該特定住宅販売瑕疵担保責任を履行したときに、当該宅地建物取引業者の請求に基づき、その履行によって生じた当該宅地建物取引業者の損害を塡補すること。

ロ　特定住宅販売瑕疵担保責任に係る新築住宅に住宅品質確保法第九十五条第一項に規定する瑕疵がある場合において、宅地建物取引業者が相当の期間を経過してもなお当該特定住宅販売瑕疵担保責任を履行しないときに、当該新築住宅の買主（宅地建物取引業者であるものを除く。第十九条第二号を除き、以下同じ。）の請求に基づき、その瑕疵によって生じた当該買主の損害を塡補すること。

三　前号イ及びロの損害を塡補するための保険金額が二千万円以上であること。

四　新築住宅の買主が当該新築住宅の売主である宅地建物取引業者から当該新築住宅の引渡しを受けた時から十年以上の期間にわたって有効であること。

五　国土交通大臣の承認を受けた場合を除き、変更又は解除をすることができないこと。

六　前各号に掲げるもののほか、その内容が第二号イに規定する宅地建物取引業者及び同号ロに規定する買主の利益の保護のため必要なものとして国土交通省令で定める基準に適合すること。

第二章　住宅建設瑕疵担保保証金

（住宅建設瑕疵担保保証金の供託等）

第三条　建設業者は、毎年、基準日（三月三十一日をいう。以下同じ。）から三週間を経過する日までの間において、当該基準日前十年間に住宅を新築する建設工事の請負契約に基づき発注者に引き渡した新築住宅について、当該発注者に対する特定住宅建設瑕疵担保責任の履行を確保するため、住宅建設瑕疵担保保証金の供託をしていなければならない。

2　前項の住宅建設瑕疵担保保証金の額は、当該基準日における同項の新築住宅（当該建設業者が第十七条第一項に規定する住宅瑕疵担保責任保険法人（以下この章及び次章において単に「住宅瑕疵担保責任保険法人」という。）と住宅建設瑕疵担保責任保険契約を締結し、当該発注者に、保険証券又はこれに代わるべき書面を交付し、又はこれらに記載すべき事項を記録した電磁的記録（電子的方式、磁気的方式その他人の知覚によっては認識することができない方式で作られる記録をいう。第十一条第二項において同じ。）を提供した場合における当該住宅建設瑕疵担保責任保険契約に係る新築住宅を除く。以下この条において「建設新築住宅」という。）の合計戸数の別表の上欄に掲げる区分に応じ、それぞれ同表の下欄に掲げる金額の範囲内で、建設新築住宅の合計戸数を基礎として、新築住宅に住宅品質確保法第九十四条第一項に規定する瑕疵があった場合に生ずる損害の状況を勘案して政令で定めるところにより算定する額（以下この章において「基準額」という。）以上の額とする。

3　前項の建設新築住宅の合計戸数の算定に当たっては、建設新築住宅のうち、その床面積の合計が政令で定める面積以下のものは、その二戸をもって一戸とする。

4　前項に定めるもののほか、住宅を新築する建設工事の発注者と二以上の建設業者との間で締結された請負契約であって、建設業法第十九条第一項の規定により特定住宅建設瑕疵担保責任の履行に係る当該建設業者それぞれの負担の割合が記載された書面が相互に交付されたものに係る建設新築住宅その他の政令で定める建設新築住宅については、政令で、第二項の建設新築住宅の合計戸数の算定の特例を定めることができる。

5　第一項の住宅建設瑕疵担保保証金は、国土交通省令で定めるところにより、国債証券、地方債証券その他の国土交通省令で定める有価証券（社債、株式等の振替に関する法律（平成十三年法律第七十五号）第二百七十八条第一項に規定する振替債を含む。第八条第二項及び第十一条第五項において同じ。）をもって、これに充てることができる。

6　第一項の規定による住宅建設瑕疵担保保証金の供託は、当該建設業者の主たる事務所の最寄りの供託所にするものとする。

（住宅建設瑕疵担保保証金の供託等の届出等）

第四条　前条第一項の新築住宅を引き渡した建設業者は、基準日ごとに、当該基準日に係る住宅建設瑕疵担保保証金の供託及び同条第二項に規定する住宅建設瑕疵担保責任保険契約の締結の状況について、国土交通省令で定めるところにより、その建設業法第三条第一項の許可を受けた国土交通大臣又は都道府県知事に届け出なければならない。

2　前項の建設業者が新たに住宅建設瑕疵担保保証金の供託をし、又は新たに住宅瑕疵担保責任保険法人と住宅建設瑕疵担保責任保険契約を締結して同項の規定による届出をする場合においては、住宅建設瑕疵担保保証金の供託又は住宅建設瑕疵担保責任保険契約の締結に関する書類で国土交通省令で定めるものを添付しなければならない。

（住宅を新築する建設工事の請負契約の新たな締結の制限）

第五条　第三条第一項の新築住宅を引き渡した建設業者は、同項の規定による供託をし、かつ、前条第一項の規定による届出をしなければ、当該基準日の翌日から起算して五十日を経過した日以後においては、新たに住宅を新築する建設工事の請負契約を締結してはならない。ただし、当該基準日後に当該基準日に係る住宅建設瑕疵担保保証金の基準額に不足する額の供託をし、かつ、その供託について、国土交通省令で定めるところにより、その建設業法第三条第一項の許可を受けた国土交通大臣又は都道府県知事の確認を受けたときは、その確認を受けた日以後においては、この限りでない。

（住宅建設瑕疵担保保証金の還付等）

第六条　第三条第一項の規定により住宅建設瑕疵担保保証金の供託をしている建設業者（以下「供託建設業者」という。）が特定住宅建設瑕疵担保責任を負う期間内に、住宅品質確保法第九十四条第一項に規定する瑕疵によって生じた損害を受けた当該特定住宅建設瑕疵担保責任に係る新築住宅の発注者は、その瑕疵を理由とする報酬の返還請求権又は損害賠償請求権（次項において「報酬返還請求権等」という。）に関し、当該供託建設業者が供託をしている住宅建設瑕疵担保保証金について、他の債権者に先立って弁済を受ける権利を有する。

2　前項の権利を有する者は、次に掲げるときに限り、同項の権利の実行のため住宅建設瑕疵担保保証金の還付を請求することができる。

一　当該報酬返還請求権等について債務名義を取得したとき。

二　当該報酬返還請求権等の存在及び内容について当該供託建設業者と合意した旨が記載された公正証書を作成したときその他これに準ずる場合として国土交通省令で定めるとき。

二　当該報酬返還請求権等の存在及び内容について当該供託建設業者と合意した旨が記載され、又は記録された公正証書を作成したときその他これに準ずる場合として国土交通省令で定めるとき。

三　当該供託建設業者が死亡した場合その他当該報酬返還請求権等に係る報酬の返還の義務又は損害の賠償の義務を履行することができず、又は著しく困難である場合として国土交通省令で定める場合において、前項の権利を有することについて国土交通大臣の確認を受けたとき。

3　前項に定めるもののほか、第一項の権利の実行に関し必要な事項は、法務省令・国土交通省令で定める。

（住宅建設瑕疵担保保証金の不足額の供託）

第七条　供託建設業者は、前条第一項の権利の実行その他の理由により、住宅建設瑕疵担保保証金が基準額に不足することとなったときは、法務省令・国土交通省令で定める日から二週間以内にその不足額を供託しなければならない。

2　供託建設業者は、前項の規定により供託したときは、国土交通省令で定めるところにより、その旨をその建設業法第三条第一項の許可を受けた国土交通大臣又は都道府県知事に届け出なければならない。

3　第三条第五項の規定は、第一項の規定により供託する場合について準用する。

（住宅建設瑕疵担保保証金の保管替え等）

第八条　供託建設業者は、金銭のみをもって住宅建設瑕疵担保保証金の供託をしている場合において、主たる事務所を移転したためその最寄りの供託所が変更したときは、法務省令・国土交通省令で定めるところにより、遅滞なく、住宅建設瑕疵担保保証金の供託をしている供託所に対し、費用を予納して、移転後の主たる事務所の最寄りの供託所への住宅建設瑕疵担保保証金の保管替えを請求しなければならない。

2　供託建設業者は、有価証券又は有価証券及び金銭で住宅建設瑕疵担保保証金の供託をしている場合において、主たる事務所を移転したためその最寄りの供託所が変更したときは、遅滞なく、当該住宅建設瑕疵担保保証金の額と同額の住宅建設瑕疵担保保証金の供託を移転後の主たる事務所の最寄りの供託所にしなければならない。その供託をしたときは、法務省令・国土交通省令で定めるところにより、移転前の主たる事務所の最寄りの供託所に供託をしていた住宅建設瑕疵担保保証金を取り戻すことができる。

3　第三条第五項の規定は、前項の規定により住宅建設瑕疵担保保証金の供託をする場合について準用する。

（住宅建設瑕疵担保保証金の取戻し）

第九条　供託建設業者又は建設業者であった者若しくはその承継人で第三条第一項の規定により住宅建設瑕疵担保保証金の供託をしているものは、基準日において当該住宅建設瑕疵担保保証金の額が当該基準日に係る基準額を超えることとなったときは、その超過額を取り戻すことができる。

2　前項の規定による住宅建設瑕疵担保保証金の取戻しは、国土交通省令で定めるところにより、当該供託建設業者又は建設業者であった者がその建設業法第三条第一項の許可を受けた国土交通大臣又は都道府県知事の承認を受けなければ、することができない。

3　前二項に定めるもののほか、住宅建設瑕疵担保保証金の取戻しに関し必要な事項は、法務省令・国土交通省令で定める。

（建設業者による供託所の所在地等に関する説明）

第一〇条　供託建設業者は、住宅を新築する建設工事の発注者に対し、当該建設工事の請負契約を締結するまでに、その住宅建設瑕疵担保保証金の供託をしている供託所の所在地その他住宅建設瑕疵担保保証金に関し国土交通省令で定める事項について、これらの事項を記載した書面を交付して説明しなければならない。

2　供託建設業者は、前項の規定による書面の交付に代えて、政令で定めるところにより、発注者の承諾を得て、当該書面に記載すべき事項を電磁的方法（電子情報処理組織を使用する方法その他の情報通信の技術を利用する方法であって国土交通省令で定めるものをいう。）により提供することができる。この場合において、当該供託建設業者は、当該書面を交付したものとみなす。

第三章　住宅販売瑕疵担保保証金

（住宅販売瑕疵担保保証金の供託等）

第一一条　宅地建物取引業者は、毎年、基準日から三週間を経過する日までの間において、当該基準日前十年間に自ら売主となる売買契約に基づき買主に引き渡した新築住宅について、当該買主に対する特定住宅販売瑕疵担保責任の履行を確保するため、住宅販売瑕疵担保保証金の供託をしていなければならない。

2　前項の住宅販売瑕疵担保保証金の額は、当該基準日における同項の新築住宅（当該宅地建物取引業者が住宅瑕疵担保責任保険法人と住宅販売瑕疵担保責任保険契約を締結し、保険証券又はこれに代わるべき書面を交付し、又はこれらに記載すべき事項を記録した電磁的記録を提供した場合における当該住宅販売瑕疵担保責任保険契約に係る新築住宅を除く。以下この条において「販売新築住宅」という。）の合計戸数の別表の上欄に掲げる区分に応じ、それぞれ同表の下欄に掲げる金額の範囲内で、販売新築住宅の合計戸数を基礎として、新築住宅に住宅品質確保法第九十五条第一項に規定する瑕疵があった場合に生ずる損害の状況を勘案して政令で定めるところにより算定する額（第十三条において「基準額」という。）以上の額とする。

3　前項の販売新築住宅の合計戸数の算定に当たっては、販売新築住宅のうち、その床面積の合計が政令で定める面積以下のものは、その二戸をもって一戸とする。

4　前項に定めるもののほか、新築住宅の買主と二以上の自ら売主となる宅地建物取引業者との間で締結された売買契約であって、宅地建物取引業法第三十七条第一項の規定により当該宅地建物取引業者が特定住宅販売瑕疵担保責任の履行に係る当該宅地建物取引業者それぞれの負担の割合が記載された書面を当該新築住宅の買主に交付したものに係る販売新築住宅その他の政令で定める販売新築住宅については、政令で、第二項の販売新築住宅の合計戸数の算定の特例を定めることができる。

5　第一項の住宅販売瑕疵担保保証金は、国土交通省令で定めるところにより、国債証券、地方債証券その他の国土交通省令で定める有価証券をもって、これに充てることができる。

6　第一項の規定による住宅販売瑕疵担保保証金の供託は、当該宅地建物取引業者の主たる事務所の最寄りの供託所にするものとする。

（住宅販売瑕疵担保保証金の供託等の届出等）

第一二条　前条第一項の新築住宅を引き渡した宅地建物取引業者は、基準日ごとに、当該基準日に係る住宅販売瑕疵担保保証金の供託及び同条第二項に規定する住宅販売瑕疵担保責任保険契約の締結の状況について、国土交通省令で定めるところにより、その宅地建物取引業法第三条第一項の免許を受けた国土交通大臣又は都道府県知事（信託会社等にあっては、国土交通大臣。次条において同じ。）に届け出なければならない。

2　前項の宅地建物取引業者が新たに住宅販売瑕疵担保保証金の供託をし、又は新たに住宅瑕疵担保責任保険法人と住宅販売瑕疵担保責任保険契約を締結して同項の規定による届出をする場合においては、住宅販売瑕疵担保保証金の供託又は住宅販売瑕疵担保責任保険契約の締結に関する書類で国土交通省令で定めるものを添付しなければならない。

（自ら売主となる新築住宅の売買契約の新たな締結の制限）

第一三条　第十一条第一項の新築住宅を引き渡した宅地建物取引業者は、同項の規定による供託をし、かつ、前条第一項の規定による届出をしなければ、当該基準日の翌日から起算して五十日を経過した日以後においては、新たに自ら売主となる新築住宅の売買契約を締結してはならない。ただし、当該基準日後に当該基準日に係る住宅販売瑕疵担保保証金の基準額に不足する額の供託をし、かつ、その供託について、国土交通省令で定めるところにより、その宅地建物取引業法第三条第一項の免許を受けた国土交通大臣又は都道府県知事の確認を受けたときは、その確認を受けた日以後においては、この限りでない。

（住宅販売瑕疵担保保証金の還付等）

第一四条　第十一条第一項の規定により住宅販売瑕疵担保保証金の供託をしている宅地建物取引業者（以下「供託宅地建物取引業者」という。）が特定住宅販売瑕疵担保責任を負う期間内に、住宅品質確保法第九十五条第一項に規定する瑕疵によって生じた損害を受けた当該特定住宅販売瑕疵担保責任に係る新築住宅の買主は、その瑕疵を理由とする代金の返還請求権又は損害賠償請求権（次項において「代金返還請求権等」という。）に関し、当該供託宅地建物取引業者が供託をしている住宅販売瑕疵担保保証金について、他の債権者に先立って弁済を受ける権利を有する。

2　前項の権利を有する者は、次に掲げるときに限り、同項の権利の実行のため住宅販売瑕疵担保保証金の還付を請求することができる。

一　当該代金返還請求権等について債務名義を取得したとき。

二　当該代金返還請求権等の存在及び内容について当該供託宅地建物取引業者と合意した旨が記載された公正証書を作成したときその他これに準ずる場合として国土交通省令で定めるとき。

> 二　当該代金返還請求権等の存在及び内容について当該供託宅地建物取引業者と合意した旨が記載され、又は記録された公正証書を作成したときその他これに準ずる場合として国土交通省令で定めるとき。

三　当該供託宅地建物取引業者が死亡した場合その他当該代金返還請求権等に係る代金の返還の義務又は損害の賠償の義務を履行することができず、又は著しく困難である場合として国土交通省令で定める場合において、国土交通省令で定めるところにより、前項の権利を有することについて国土交通大臣の確認を受けたとき。

3　前項に定めるもののほか、第一項の権利の実行に関し必要な事項は、法務省令・国土交通省令で定める。

（宅地建物取引業者による供託所の所在地等に関する説明）

第一五条　供託宅地建物取引業者は、自ら売主となる新築住宅の買主に対し、当該新築住宅の売買契約を締結するまでに、その住宅販売瑕疵担保保証金の供託をしている供託所の所在地その他住宅販売瑕疵担保保証金に関し国土交通省令で定める事項について、これらの事項を記載した書面を交付して説明しなければならない。

2　第十条第二項の規定は、前項の規定による書面の交付について準用する。

（準用）

第一六条　第七条から第九条までの規定は、供託宅地建物取引業者について準用する。この場合において、第七条第一項中「前条第一項」とあるのは「第十四条第一項」と、「基準額」とあるのは「第十一条第二項に規定する基準額（以下単に「基準額」という。）」と、同条第二項及び第九条第二項中「建設業法第三条第一項の許可」とあるのは「宅地建物取引業法第三条第一項の免許」と、「都道府県知事」とあるのは「都道府県知事（第二条第四項に規定する信託会社等にあっては、国土交通大臣）」と、第七条第三項及び第八条第三項中「第三条第五項」とあるのは「第十一条第五項」と、第九条第一項及び第二項中「建設業者であった者」とあるのは「宅地建物取引業者であった者」と、同条第一項中「第三条第一項」とあるのは「第十一条第一項」と読み替えるものとする。

第四章　住宅瑕疵担保責任保険法人

（指定）

第一七条　国土交通大臣は、特定住宅瑕疵担保責任その他住宅の建設工事の請負又は住宅の売買に係る民法（明治二十九年法律第八十九号）第四百十五条、第五百四十一条、第五百四十二条又は第五百六十二条若しくは第五百六十三条（これらの規定を同法第五百五十九条において準用する場合を含む。）に規定する担保の責任の履行の確保を図る事業を行うことを目的とする一般社団法人、一般財団法人その他政令で定める法人であって、第十九条に規定する業務（以下「保険等の業務」という。）に関し、次に掲げる基準に適合すると認められるものを、その申請により、住宅瑕疵担保責任保険法人（以下「保険法人」という。）として指定することができる。

一　保険等の業務を的確に実施するために必要と認められる国土交通省令で定める基準に適合する財産的基礎を有し、かつ、保険等の業務に係る収支の見込みが適正であること。

二　職員、業務の方法その他の事項についての保険等の業務の実施に関する計画が、保険等の業務を的確に実施するために適切なものであること。

三　役員又は構成員の構成が、保険等の業務の公正な実施に支障を及ぼすおそれがないものであること。

四　保険等の業務以外の業務を行っている場合には、その業務を行うことによって保険等の業務の公正な実施に支障を及ぼすおそれがないものであること。

2　国土交通大臣は、前項の申請をした者が次の各号のいずれかに該当するときは、同項の規定による指定（以下単に「指定」という。）をしてはならない。

一　この法律の規定に違反して、刑に処せられ、その執行を終わり、又は執行を受けることがなくなった日から起算して二年を経過しない者であること。

二　第三十条第一項又は第二項の規定により指定を取り消され、その取消しの日から起算して二年を経過しない者であること。

三　その役員のうちに、次のいずれかに該当する者があること。

イ　第一号に該当する者

ロ　第二十条第二項の規定による命令により解任され、その解任の日から起算して二年を経過しない者

（指定の公示等）

第一八条　国土交通大臣は、指定をしたときは、当該保険法人の名称及び住所、保険等の業務を行う事務所の所在地並びに保険等の業務の開始の日を公示しなければならない。

2　保険法人は、その名称若しくは住所又は保険等の業務を行う事務所の所在地を変更しようとするときは、変更しようとする日の二週間前までに、その旨を国土交通大臣に届け出なければならない。

3　国土交通大臣は、前項の規定による届出があったときは、その旨を公示しなければならない。

（業務）

第一九条　保険法人は、次に掲げる業務を行うものとする。

一　住宅建設瑕疵担保責任保険契約及び住宅販売瑕疵担保責任保険契約（以下この条及び第三十三条第一項において「住宅瑕疵担保責任保険契約」という。）の引受けを行うこと。

二　民法第四百十五条、第五百四十一条、第五百四十二条又は第五百六十二条若しくは第五百六十三条（これらの規定を同法第五百五十九条において準用する場合を含む。）に規定する担保の責任の履行によって生じた住宅の建設工事の請負人若しくは住宅の売主の損害又は瑕疵によって生じた住宅の建設工事の注文者若しくは住宅の買主の損害を塡補することを約して保険料を収受する保険契約（住宅瑕疵担保責任保険契約を除く。）の引受けを行うこと。

三　他の保険法人が引き受けた住宅瑕疵担保責任保険契約又は前号の保険契約に係る再保険契約の引受けを行うこと。

四　住宅品質確保法第九十四条第一項又は第九十五条第一項に規定する瑕疵（以下この条及び第三十五条において「特定住宅瑕疵」という。）の発生の防止及び修補技術その他特定住宅瑕疵に関する情報又は資料を収集し、及び提供すること。

五　特定住宅瑕疵の発生の防止及び修補技術その他特定住宅瑕疵に関する調査研究を行うこと。

六　前各号の業務に附帯する業務を行うこと。

（役員の選任及び解任）

第二〇条　保険法人の役員の選任及び解任は、国土交通大臣の認可を受けなければ、その効力を生じない。

2　国土交通大臣は、保険法人の役員が、この法律（この法律に基づく命令又は処分を含む。）若しくは次条第一項に規定する業務規程に違反する行為をしたとき、又は保険等の業務に関し著しく不適当な行為をしたときは、保険法人に対し、その役員を解任すべきことを命ずることができる。

（業務規程）

第二一条　保険法人は、保険等の業務の開始前に、保険等の業務に関する規程（以下この章において「業務規程」という。）を定め、国土交通大臣の認可を受けなければならない。これを変更しようとするときも、同様とする。

2　保険等の業務の実施の方法その他の業務規程で定めるべき事項は、国土交通省令で定める。

3　国土交通大臣は、第一項の認可をした業務規程が保険等の業務の的確な実施上不適当となったと認めるときは、保険法人に対し、これを変更すべきことを命ずることができる。

（事業計画等）

第二二条　保険法人は、事業年度ごとに、その事業年度の事業計画及び収支予算を作成し、毎事業年度開始前に（指定を受けた日の属する事業年度にあっては、その指定を受けた後遅滞なく）、国土交通大臣の認可を受けなければならない。これを変更しようとするときも、同様とする。

2　保険法人は、事業年度ごとに、その事業年度の事業報告書及び収支決算書を作成し、毎事業年度経過後三月以内に国土交通大臣に提出しなければならない。

（区分経理）

第二三条　保険法人は、次に掲げる業務ごとに経理を区分し、それぞれ勘定を設けて整理しなければならない。

一　第十九条第一号の業務及びこれに附帯する業務

二　第十九条第二号の業務及びこれに附帯する業務

三　第十九条第三号の業務及びこれに附帯する業務

四　前三号に掲げる業務以外の業務

（責任準備金）

第二四条　保険法人は、国土交通省令で定めるところにより、毎事業年度末において、責任準備金を積み立てなければならない。

（帳簿の備付け等）

第二五条　保険法人は、国土交通省令で定めるところにより、保険等の業務に関する事項で国土交通省令で定めるものを記載した帳簿を備え付け、これを保存しなければならない。

（財務及び会計に関し必要な事項の国土交通省令への委任）

第二六条　この章に定めるもののほか、保険法人が保険等の業務を行う場合における保険法人の財務及び会計に関し必要な事項は、国土交通省令で定める。

（監督命令）

第二七条　国土交通大臣は、保険等の業務の適正な実施を確保するため必要があると認めるときは、保険法人に対し、保険等の業務に関し監督上必要な命令をすることができる。

（報告及び検査）

第二八条　国土交通大臣は、保険等の業務の適正な実施を確保するため必要があると認めるときは、保険法人に対し業務若しくは財産の状況に関して報告を求め、又はその職員に、保険法人の事務所に立ち入り、保険等の業務若しくは財産の状況若しくは帳簿、書類その他の物件を検査させることができる。

2　前項の規定により立入検査をする職員は、その身分を示す証明書を携帯し、関係人に提示しなければならない。

3　第一項の規定による立入検査の権限は、犯罪捜査のために認められたものと解釈してはならない。

（**業務の休廃止**）

第二九条　保険法人は、国土交通大臣の許可を受けなければ、保険等の業務の全部又は一部を休止し、又は廃止してはならない。

2　国土交通大臣が前項の規定により保険等の業務の全部の廃止を許可したときは、当該保険法人に係る指定は、その効力を失う。

3　国土交通大臣は、第一項の許可をしたときは、その旨を公示しなければならない。

（**指定の取消し等**）

第三〇条　国土交通大臣は、保険法人が第十七条第二項各号（第二号を除く。）のいずれかに該当するに至ったときは、その指定を取り消さなければならない。

2　国土交通大臣は、保険法人が次の各号のいずれかに該当するときは、その指定を取り消し、又は期間を定めて保険等の業務の全部若しくは一部の停止を命ずることができる。

一　保険等の業務を適正かつ確実に実施することができないと認められるとき。

二　不正な手段により指定を受けたとき。

三　第十八条第二項、第二十二条から第二十五条まで又は前条第一項の規定に違反したとき。

四　第二十条第二項、第二十一条第三項又は第二十七条の規定による命令に違反したとき。

五　第二十一条第一項の規定により認可を受けた業務規程によらないで保険等の業務を行ったとき。

3　国土交通大臣は、前二項の規定により指定を取り消し、又は前項の規定により保険等の業務の全部若しくは一部の停止を命じたときは、その旨を公示しなければならない。

（**指定の取消しに伴う措置**）

第三一条　保険法人は、前条第一項又は第二項の規定により指定を取り消されたときは、その保険等の業務の全部を、当該保険等の業務の全部を承継するものとして国土交通大臣が指定する保険法人に引き継がなければならない。

2　前項に定めるもののほか、前条第一項又は第二項の規定により指定を取り消された場合における保険等の業務の引継ぎその他の必要な事項は、国土交通省令で定める。

（**情報の提供等**）

第三二条　国土交通大臣は、保険法人に対し、保険等の業務の実施に関し必要な情報及び資料の提供又は指導及び助言を行うものとする。

第五章　住宅瑕疵担保責任保険契約に係る新築住宅等に関する紛争の処理

（**指定住宅紛争処理機関の業務の特例**）

第三三条　住宅品質確保法第六十六条第二項に規定する指定住宅紛争処理機関（次項及び次条第一項において単に「指定住宅紛争処理機関」という。）は、住宅品質確保法第六十六条第一項に規定する業務のほか、住宅瑕疵担保責任保険契約に係る新築住宅（同項に規定する評価住宅を除く。）又は第十九条第二号に規定する保険契約に係る住宅の建設工事の請負契約又は売買契約に関する紛争の当事者の双方又は一方からの申請により、当該紛争のあっせん、調停及び仲裁の業務を行うことができる。

2　前項の規定により指定住宅紛争処理機関が同項に規定する業務を行う場合には、次の表の上欄に掲げる住宅品質確保法の規定中同表の中欄に掲げる字句は、それぞれ同表の下欄に掲げる字句とするほか、住宅品質確保法の規定（罰則を含む。）の適用に関し必要な技術的読替えは、政令で定める。

第六十六条第五項	のあっせん	又は特定住宅瑕疵担保責任の履行の確保等に関する法律（平成十九年法律第六十六号。以下「履行確保法」という。）第三十三条第一項に規定する紛争（以下この節において「特別紛争」という。）のあっせん
第六十八条第二項	当該紛争	当該紛争又は特別紛争
	、住宅紛争処理	、住宅紛争処理又は特別紛争のあっせん、調停及び仲裁（以下「特別住宅紛争処理」という。）
	に住宅紛争処理	に住宅紛争処理又は特別住宅紛争処理
第六十八条第二項及び第七十三条第一項	住宅紛争処理の	住宅紛争処理又は特別住宅紛争処理の
第六十九条第一項	紛争処理の業務	紛争処理の業務又は履行確保法第三十三条第一項に規定する業務（以下「特別紛争処理の業務」という。）
第六十九条第二項、第七十条、第七十一条第一項、第七十八条、第七十九条及び第八十条第一項第四号	紛争処理の業務	紛争処理の業務又は特別紛争処理の業務
第七十一条第一項	、登録住宅性能評価機関	、紛争処理の業務にあっては登録住宅性能評価機関
	に対して	に、特別紛争処理の業務にあっては履行確保法第十七条第一項に規定する住宅瑕疵担保責任保険法人に対して
第七十一条第二項	登録住宅性能評価機関等	登録住宅性能評価機関等又は履行確保法第十七条第一項に規定する住宅瑕疵担保責任保険法人
第七十二条及び第七十四条	住宅紛争処理の	住宅紛争処理及び特別住宅紛争処理の
第七十三条の二第一項及び第七十三条の三第一項	紛争に	紛争又は特別紛争に
第七十三条の二、第七十三条の三第一項及び第八十条第三項	紛争の	紛争又は特別紛争の
第七十三条の二第二項及び第三項	紛争が	紛争又は特別紛争が
第七十六条	紛争処理の業務	紛争処理の業務及び特別紛争処理の業務
第七十七条	とその他の業務に係る経理とを	、特別紛争処理の業務に係る経理及びその他の業務に係る経理をそれぞれ
第八十条第一項及び第二項	紛争処理の業務の	紛争処理の業務若しくは特別紛争処理の業務の

第八十一条	の手続及びこれ	及び特別住宅紛争処理の手続並びにこれら

（住宅紛争処理支援センターの業務の特例）

第三四条　住宅品質確保法第八十二条第一項に規定する住宅紛争処理支援センター（第三項及び次条において単に「住宅紛争処理支援センター」という。）は、住宅品質確保法第八十三条第一項に規定する業務のほか、次に掲げる業務を行うことができる。

一　指定住宅紛争処理機関に対して前条第一項に規定する業務の実施に要する費用を助成すること。

二　前条第一項の紛争のあっせん、調停及び仲裁に関する情報及び資料の収集及び整理をし、並びにこれらを指定住宅紛争処理機関に対し提供すること。

三　前条第一項の紛争のあっせん、調停及び仲裁に関する調査及び研究を行うこと。

四　指定住宅紛争処理機関の行う前条第一項に規定する業務について、連絡調整を図ること。

2　前項第一号に規定する費用の助成に関する手続、基準その他必要な事項は、国土交通省令で定める。

3　第一項の規定により住宅紛争処理支援センターが同項各号に掲げる業務を行う場合には、次の表の上欄に掲げる住宅品質確保法の規定中同表の中欄に掲げる字句は、それぞれ同表の下欄に掲げる字句とするほか、住宅品質確保法の規定（罰則を含む。）の適用に関し必要な技術的読替えは、政令で定める。

第八十二条第三項	第十条第二項及び第三項、第十九条、第二十二条並びに	第十九条、第二十二条及び
	次の表の上欄に掲げる規定中同表の中欄に掲げる字句は、それぞれ同表の下欄に掲げる字句に	第十九条第一項中「評価の業務」とあるのは「第八十二条第一項に規定する支援等の業務（以下「支援等の業務」という。）及び特定住宅瑕疵担保責任の履行の確保等に関する法律（平成十九年法律第六十六号）第三十四条第一項各号に掲げる業務（以下「特別支援等の業務」という。）」と、同条第二項中「評価の業務」とあるのは「支援等の業務及び特別支援等の業務」と、第二十二条第一項中「評価の業務の公正」とあるのは「支援等の業務又は特別支援等の業務の公正」と、「評価の業務若しくは」とあるのは「支援等の業務若しくは特別支援等の業務若しくは」と、「評価の業務の状況」とあるのは「支援等の業務若しくは特別支援等の業務の状況」と、第六十九条中「紛争処理委員並びにその役員」とあるのは「役員」と、「紛争処理の業務」とあるのは「支援等の業務又は特別支援等の業務」と
第八十四条第一項	支援等の業務に	支援等の業務及び特定住宅瑕疵担保責任の履行の確保等に関する法律（以下「履行確保法」という。）第三十四条第一項各号に掲げる業務（以下「特別支援等の業務」という。）に
	支援等の業務の	支援等の業務及び特別支援等の業務の
第八十四条第二項及び第三項並びに第八十六条	支援等の業務	支援等の業務及び特別支援等の業務
第八十五条第一項、第八十九条、第九十一条第一項第二号及び第六号並びに第九十三条	支援等の業務	支援等の業務又は特別支援等の業務
第八十五条第二項	の支援等の業務	の支援等の業務又は特別支援等の業務
第九十一条	、支援等の業務	、支援等の業務若しくは特別支援等の業務
	支援等の業務の	支援等の業務若しくは特別支援等の業務の

（調査研究事業への協力）

第三五条　保険法人は、前条第一項第三号に掲げる業務及び住宅品質確保法第八十三条第一項第八号に掲げる業務（特定住宅瑕疵の発生の防止に関するものに限る。）の実施に関し住宅紛争処理支援センターから必要な協力を求められた場合には、これに応ずるように努めるものとする。

第六章　雑則

（国及び地方公共団体の努力義務）

第三六条　国及び地方公共団体は、特定住宅瑕疵担保責任の履行の確保を通じて住宅を新築する建設工事の発注者及び新築住宅の買主の利益の保護を図るため、必要な情報及び資料の提供その他の措置を講ずるよう努めなければならない。

（権限の委任）

第三七条　この法律に規定する国土交通大臣の権限は、国土交通省令で定めるところにより、その一部を地方整備局長又は北海道開発局長に委任することができる。

（国土交通省令への委任）

第三八条　この法律に定めるもののほか、この法律の実施のため必要な事項は、国土交通省令で定める。

（経過措置）

第三九条　この法律に基づき命令を制定し、又は改廃する場合においては、その命令で、その制定又は改廃に伴い合理的に必要と判断される範囲内において、所要の経過措置（罰則に関する経過措置を含む。）を定めることができる。

第七章　罰則

第四〇条　次の各号のいずれかに該当するときは、その違反行為をした者は、一年以下の懲役若しくは百万円以下の罰金に処し、又はこれを併科する。

一　第五条の規定に違反して住宅を新築する建設工事の請負契約を締結したとき。

二　第十三条の規定に違反して自ら売主となる新築住宅の売買契約の締結をしたとき。

第四一条　第三十条第二項の規定による保険等の業務の停止の命令に違反したときは、その違反行為をした保険法人の役員又は職員は、一年以下の懲役又は五十万円以下の罰金に処する。

第四二条　第四条第一項、第七条第二項（第十六条において準用する場合を含む。）又は第十二条第一項の規定による届出をせず、又は虚偽の届出をしたときは、その違反行為をした者は、五十万円以下の罰金に処する。

第四三条　次の各号のいずれかに該当するときは、その違反行為をした保険法人の役員又は職員は、三十万円以下の罰金に処する。

一　第二十五条の規定に違反して帳簿を備え付けず、帳簿に記載せず、若しくは帳簿に虚偽の記載をし、又は帳簿を保存しなかったとき。

二　第二十八条第一項の規定による報告をせず、又は虚偽の報告をしたとき。

三　第二十八条第一項の規定による検査を拒み、妨げ、又は忌避したとき。

四　第二十九条第一項の規定による許可を受けないで、保険等の業務の全部を廃止したとき。

第四四条　法人の代表者又は法人若しくは人の代理人、使用人その他の従業者が、その法人又は人の業務に関し、第四十条又は第四十二条の違反行為をしたときは、その行為者を罰するほか、その法人又は人に対しても各本条の罰金刑を科する。

附　則〔抄〕

（施行期日）

第一条　この法律は、公布の日から起算して一年を超えない範囲内で政令で定める日から施行する。ただし、第二章、第三章、第三十九条、第四十一条及び第四十三条並びに附則第三条、第四条、第六条及び第七条の規定は、公布の日から起算して二年六月を超えない範囲内で政令で定める日から施行する。

〔平成一九政三九四により、平成二〇・四・一から施行。ただし書の規定は、平成二一・一〇・一から施行〕

（調整規定）

第二条　この法律の施行の日が一般社団法人及び一般財団法人に関する法律（平成十八年法律第四十八号）の施行の日前である場合には、同法の施行の日の前日までの間における第十七条第一項の規定の適用については、同項中「一般社団法人、一般財団法人」とあるのは、「同法第三十四条の規定により設立された法人」とする。

第三条　附則第一条ただし書に規定する規定の施行の日が株式等の取引に係る決済の合理化を図るための社債等の振替に関する法律等の一部を改正する法律（平成十六年法律第八十八号）の施行の日前である場合には、同法の施行の日の前日までの間における第三条第五項の規定の適用については、同項中「社債、株式等の振替に関する法律」とあるのは「社債等の振替に関する法律」と、「第二百七十八条第一項」とあるのは「第百二十九条第一項」と、「振替債」とあるのは「振替社債等」とする。

（経過措置）

第四条　附則第一条ただし書に規定する規定の施行の日から起算して十年を経過する日までの間は、第三条第一項及び第十一条第一項中「当該基準日前十年間」とあるのは「附則第一条ただし書に規定する規定の施行の日から当該基準日までの間」と、第六条第一項中「発注者」とあるのは「発注者（附則第一条ただし書に規定する規定の施行の日以後に当該新築住宅の引渡しを受けたものに限る。）」と、第十四条第一項中「買主」とあるのは「買主（附則第一条ただし書に規定する規定の施行の日以後に当該新築住宅の引渡しを受けたものに限る。）」とする。

（検討）

第五条　政府は、この法律の施行後五年を経過した場合において、この法律の施行の状況について検討を加え、必要があると認めるときは、その結果に基づいて所要の措置を講ずるものとする。

附　則〔平成二九・六・二法律四五〕

この法律は、民法改正法の施行の日〔令和二・四・一〕から施行する。ただし〔中略〕第三百六十二条の規定は、公布の日から施行する。

民法の一部を改正する法律の施行に伴う関係法律の整備等に関する法律〔抄〕

〔平成二九・六・二法律四五〕

（特定住宅瑕疵担保責任の履行の確保等に関する法律の一部改正に伴う経過措置）

第三四八条　施行日前に住宅（前条の規定による改正前の特定住宅瑕疵担保責任の履行の確保等に関する法律（以下この条において「旧履行確保法」という。）第二条第一項に規定する住宅をいう。）を新築する建設工事の請負契約が締結された場合におけるその契約に係る旧履行確保法第六条第一項に規定する弁済を受ける権利については、なお従前の例による。

2　施行日前に新築住宅（旧履行確保法第二条第一項に規定する新築住宅をいう。）の売買契約が締結された場合におけるその契約に係る旧履行確保法第十四条第一項に規定する弁済を受ける権利については、なお従前の例による。

（罰則に関する経過措置）

第三六一条　施行日前にした行為及びこの法律の規定によりなお従前の例によることとされる場合における施行日以後にした行為に対する罰則の適用については、なお従前の例による。

（政令への委任）

第三六二条　この法律に定めるもののほか、この法律の施行に伴い必要な経過措置は、政令で定める。

附　則〔抄〕〔令和三・五・二八法律四八〕

（施行期日）

第一条　この法律は、公布の日から起算して九月を超えない範囲内において政令で定める日から施行する。ただし、次の各号に掲げる規定は、当該各号に定める日から施行する。

〔令和三政二八一により、令和四・二・二〇から施行〕

一　附則第五条の規定　公布の日

二　〔前略〕第五条（特定住宅瑕疵担保責任の履行の確保等に関する法律の目次の改正規定（「新築住宅」を「新築住宅等」に改める部分に限る。）、同法第五章の章名の改正規定及び同法第三十三条第一項の改正規定を除く。）の規定並びに附則〔中略〕第四条〔中略〕の規定　令和三年九月三十日

三　〔略〕

四　〔前略〕第五条（特定住宅瑕疵担保責任の履行の確保等に関する法律の目次の改正規定（「新築住宅」を「新築住宅等」に改める部分に限る。）、同法第五章の章名の改正規定及び同法第三十三条第一項の改正規定に限る。）の規定　公布の日から起算して一年六月を超えない範囲内において政令で定める日

〔令和三政三一五により、令和四・一〇・一から施行〕

（特定住宅瑕疵担保責任の履行の確保等に関する法律の一部改正に伴う経過措置）

第四条　附則第一条第二号に掲げる規定の施行の際現に指定住宅紛争処理機関に係属している第五条の規定による改正前の特定住宅瑕疵担保責任の履行の確保等に関する法律第三十三条第一項のあっせん又は調停に関し当該あっせん又は調停の目的となっている請求についての第五条の規定による改正後の特定住宅瑕疵担保責任の履行の確保等に関する法律第三十三条第二項の規定により読み替えて適用する改正後住宅品質確保法第七十三条の二の規定の適用については、同号に掲げる規定の施行の時に、当該あっせん又は調停の申請がされたものとみなす。

（政令への委任）

第五条　前三条に定めるもののほか、この法律の施行に関し必要な経過措置（罰則に関する経過措置を含む。）は、政令で定める。

（検討）

第六条　政府は、この法律の施行後五年を目途として、この法律による改正後のそれぞれの法律の規定について、その施行の状況等を勘案して検討を加え、必要があると認めるときは、その結果に基づいて所要の措置を講ずるものとする。

附　則〔抄〕〔令和五・六・一四法律五三〕

この法律〔中略〕は、当該各号に定める日〔公布の日から起算して二年六月を超えない範囲内において政令で定める日〕から施行する。

別表（第三条、第十一条関係）

	区分	住宅建設瑕疵担保保証金又は住宅販売瑕疵担保保証金の額の範囲
一	一以下の場合	二千万円以下
二	一を超え十以下の場合	二千万円を超え三千八百万円以下
三	十を超え五十以下の場合	三千八百万円を超え七千万円以下
四	五十を超え百以下の場合	七千万円を超え一億円以下
五	百を超え五百以下の場合	一億円を超え一億四千万円以下
六	五百を超え千以下の場合	一億四千万円を超え一億八千万円以下
七	千を超え五千以下の場合	一億八千万円を超え三億四千万円以下
八	五千を超え一万以下の場合	三億四千万円を超え四億四千万円以下
九	一万を超え二万以下の場合	四億四千万円を超え六億三千万円以下
十	二万を超え三万以下の場合	六億三千万円を超え八億千万円以下
十一	三万を超え四万以下の場合	八億千万円を超え九億八千万円以下
十二	四万を超え五万以下の場合	九億八千万円を超え十一億四千万円以下
十三	五万を超え十万以下の場合	十一億四千万円を超え十八億九千万円以下
十四	十万を超え二十万以下の場合	十八億九千万円を超え三十二億九千万円以下
十五	二十万を超え三十万以下の場合	三十二億九千万円を超え四十五億九千万円以下
十六	三十万を超える場合	四十五億九千万円を超え百二十億円以下

〇特定住宅瑕疵担保責任の履行の確保等に関する法律施行令

〔平成一九・一二・二七
政令三九五〕

改正　令和三・九政二四二

（住宅建設瑕疵担保保証金の基準額）

第一条　特定住宅瑕疵担保責任の履行の確保等に関する法律（以下「法」という。）第三条第二項の政令で定めるところにより算定する額は、建設新築住宅（同項に規定する建設新築住宅をいう。以下同じ。）の合計戸数の別表の区分の欄に掲げる区分に応じ、それぞれ、建設新築住宅の合計戸数に同表の乗ずる金額の欄に掲げる金額を乗じて得た額に、同表の加える金額の欄に掲げる金額を加えて得た額（その額が百二十億円を超える場合にあっては、百二十億円）とする。

（合計戸数の算定に当たって二戸をもって一戸とする建設新築住宅の床面積の合計面積）

第二条　法第三条第三項の政令で定める面積は、五十五平方メートルとする。

（建設新築住宅の合計戸数の算定の特例）

第三条　法第三条第四項の政令で定める建設新築住宅は、住宅を新築する建設工事の発注者と二以上の建設業者との間で締結された請負契約であって、建設業法（昭和二十四年法律第百号）第十九条第一項の規定により特定住宅建設瑕疵担保責任の履行に係る当該建設業者それぞれの負担の割合（次項において「建設瑕疵負担割合」という。）が記載された書面が相互に交付されたものに係る建設新築住宅とする。

2　法第三条第二項の建設新築住宅の合計戸数の算定に当たっては、前項に規定する建設新築住宅は、その一戸を同項の書面に記載された二以上の建設業者それぞれの建設瑕疵負担割合の合計に対する当該建設業者の建設瑕疵負担割合の割合で除して得た戸数をもって一戸とする。

（法第十条第二項の規定による承諾に関する手続等）

第四条　法第十条第二項の規定による承諾は、供託建設業者が、国土交通省令で定めるところにより、あらかじめ、当該承諾に係る発注者に対し同項の規定による電磁的方法による提供に用いる電磁的方法の種類及び内容を示した上で、当該発注者から書面又は電子情報処理組織を使用する方法その他の情報通信の技術を利用する方法であって国土交通省令で定めるもの（次項において「書面等」という。）によって得るものとする。

2　供託建設業者は、前項の承諾を得た場合であっても、当該承諾に係る発注者から書面等により法第十条第二項の規定による電磁的方法による提供を受けない旨の申出があったときは、当該電磁的方法による提供をしてはならない。ただし、当該申出の後に当該発注者から再び前項の承諾を得た場合は、この限りでない。

3　前二項の規定は、法第十五条第二項において法第十条第二項の規定を準用する場合について準用する。この場合において、これらの規定中「供託建設業者」とあるのは「供託宅地建物取引業者」と、「発注者」とあるのは「買主」と読み替えるものとする。

（住宅販売瑕疵担保保証金の基準額）

第五条　法第十一条第二項の政令で定めるところにより算定する額は、販売新築住宅（同項に規定する販売新築住宅をいう。以下同じ。）の合計戸数の別表の区分の欄に掲げる区分に応じ、それぞれ、販売新築住宅の合計戸数に同表の乗ずる金額の欄に掲げる金額を乗じて得た額に、同表の加える金額の欄に掲げる金額を加えて得た額（その額が百二十億円を超える場合にあっては、百二十億円）とする。

（合計戸数の算定に当たって二戸をもって一戸とする販売新築住宅の床面積の合計面積）

第六条　法第十一条第三項の政令で定める面積は、五十五平方メートルとする。

（販売新築住宅の合計戸数の算定の特例）

第七条　法第十一条第四項の政令で定める販売新築住宅は、新築住宅の買主と二以上の自ら売主となる宅地建物取引業者との間で締結された売買契約であって、宅地建物取引業法（昭和二十七年法律第百七十六号）第三十七条第一項の規定により当該宅地建物取引業者が特定住宅販売瑕疵担保責任の履行に係る当該宅地建物取引業者それぞれの負担の割合（次項において「販売瑕疵負担割合」という。）が記載された書面を当該新築住宅の買主に交付したものに係る販売新築住宅とする。

2　法第十一条第二項の販売新築住宅の合計戸数の算定に当たっては、前項に規定する販売新築住宅は、その一戸を同項の書面に記載された二以上の宅地建物取引業者それぞれの販売瑕疵負担割合の合計に対する当該宅地建物取引業者の販売瑕疵負担割合の割合で除して得た戸数をもって一戸とする。

（住宅瑕疵担保責任保険法人としての指定を受けることができる法人）

第八条　法第十七条第一項の政令で定める法人は、株式会社とする。

（指定住宅紛争処理機関の業務の特例に係る住宅品質確保法の規定の適用についての技術的読替え）

第九条　法第三十三条第二項に規定する場合における住宅の品質確保の促進等に関する法律（平成十一年法律第八十一号。以下「住宅品質確保法」という。）の規定（罰則を含む。）の適用についての技術的読替えは、次の表のとおりとする。

読み替える住宅品質確保法の規定	読み替えられる字句	読み替える字句

第百四条第一号	第八十二条第三項	履行確保法第三十三条第二項の規定により読み替えて適用する場合及び第八十二条第三項
第百七条	前条まで	前条まで（第百四条の規定を履行確保法第三十三条第二項の規定により読み替えて適用する場合を含む。）

（住宅紛争処理支援センターの業務の特例に係る住宅品質確保法の規定の適用についての技術的読替え）

第一〇条　法第三十四条第三項に規定する場合における住宅品質確保法の規定（罰則を含む。）の適用についての技術的読替えは、次の表のとおりとする。

読み替える住宅品質確保法の規定	読み替えられる字句	読み替える字句
第八十四条第三項	この節	この節及び履行確保法
第八十五条第一項	解任	解任（この項の規定により国土交通大臣の認可を受けて支援等の業務に従事している役員が特別支援等の業務にも従事する場合における当該特別支援等の業務に従事する役員としての選任及び解任を除く。）
第八十七条第一項	センターは、	センターは、登録住宅性能評価機関から
	の業務（	の業務（同項第四号の業務にあっては、履行確保法第三十三条第一項に規定する紛争のあっせん、調停及び仲裁に関するものを除く。）
	、登録住宅性能評価機関から負担金を	の負担金（以下この条において「評価住宅負担金」という。）を、履行確保法第十七条第一項に規定する住宅瑕疵担保責任保険法人（以下この条において「住宅瑕疵担保責任保険法人」という。）から保険住宅関係業務（第八十三条第一項第四号の業務（履行確保法第三十三条第一項に規定する紛争のあっせん、調停及び仲裁に関するものに限る。）、第八十三条第一項第七号の業務（履行確保法第三十三条第一項に規定する建設工事の請負契約又は売買契約に関するものに限る。）及び特別支援等の業務をいう。次条及び第九十二条において同じ。）の実施に必要な経費に充てるための負担金（以下この条において「保険住宅負担金」という。）を、それぞれ
第八十七条第二項	前項の負担金	評価住宅負担金及び保険住宅負担金
第八十七条第三項	、負担金	、評価住宅負担金
	納付方法を	納付方法を、住宅瑕疵担保責任保険法人に対し保険住宅負担金の額、納付期限及び納付方法を、それぞれ
第八十七条第四項	登録住宅性能評価機関	登録住宅性能評価機関及び住宅瑕疵担保責任保険法人
	負担金	それぞれ評価住宅負担金又は保険住宅負担金
第八十八条	とその他の業務に係る経理とを	、保険住宅関係業務に係る経理及びその他の業務に係る経理をそれぞれ
第九十一条第一項第一号	第十条第二項若しくは第十九条、	第十九条の規定又は
第九十二条	又は	若しくは
	評価住宅関係業務	評価住宅関係業務及び保険住宅関係業務
第百四条第一号	第八十二条第三項	第八十二条第三項（履行確保法第三十四条第三項の規定により読み替えて適用する場合を含む。）
第百四条第二号	第九十一条第一項	第九十一条第一項（履行確保法第三十四条第三項の規定により読み替えて適用する場合を含む。）
第百六条第一号	第八十二条第三項	第八十二条第三項（履行確保法第三十四条第三項の規定により読み替えて適用する場合を含む。次号及び第三号において同じ。）
第百七条	前条まで	前条まで（第百四条及び前条の規定を履行確保法第三十四条第三項の規定により読み替えて適用する場合を含む。）

附　則〔抄〕

（施行期日）

1　この政令は、法の施行の日（平成二十年四月一日）から施行する。ただし、第一条から第六条までの規定は、法附則第一条ただし書に規定する規定の施行の日（平成二十一年十月一日）から施行する。

附　則〔令和三・九・一政令二四二〕

（施行期日）

第一条　この政令は、令和三年九月三十日から施行する。

（指定住宅紛争処理機関の指定の取消しに関する経過措置）

第二条　住宅の質の向上及び円滑な取引環境の整備のための長期優良住宅の普及の促進に関する法律等の一部を改正する法律（以下この条において「改正法」という。）第五条の規定による改正後の特定住宅瑕疵担保責任の履行の確保等に関する法律（次条第一項において「改正後履行確保法」という。）第三十三条第二項の規定により読み替えて適用する住宅の品質確保の促進等に関する法律（平成十一年法律第八十一号）第八十条第一項（指定の取消しに係る部分に限る。）の規定は、改正法附則第一条第二号に掲げる規定の施行の日（次条において「施行日」という。）以後に指定住宅紛争処理機関が同項各号に掲げる事由に該当する場合について適用する。

（住宅紛争処理支援センターの役員の解任等に関する経過措置）

第三条　改正後履行確保法第三十四条第三項の規定により読み替えて適用する住宅の品質確保の促進等に関する法律（次項において「読替え後の住宅品質確保法」という。）第八十五条第二項（特別支援等の業務に従事する役員の解任の命令に係る部分に限る。）の規定は、施行日以後に当該役員が同項に規定する事由に該当する場合について適用する。

２　読替え後の住宅品質確保法第九十一条第一項（指定の取消しに係る部分に限る。）の規定は、施行日以後に住宅紛争処理支援センターが同項各号に掲げる事由に該当する場合について適用する。

別表（第一条、第五条関係）

	区分	乗ずる金額	加える金額
一	一以下の場合	二千万円	零
二	一を超え十以下の場合	二百万円	千八百万円
三	十を超え五十以下の場合	八十万円	三千万円
四	五十を超え百以下の場合	六十万円	四千万円
五	百を超え五百以下の場合	十万円	九千万円
六	五百を超え千以下の場合	八万円	一億円
七	千を超え五千以下の場合	四万円	一億四千万円
八	五千を超え一万以下の場合	二万円	二億四千万円
九	一万を超え二万以下の場合	一万九千円	二億五千万円
十	二万を超え三万以下の場合	一万八千円	二億七千万円
十一	三万を超え四万以下の場合	一万七千円	三億円
十二	四万を超え五万以下の場合	一万六千円	三億四千万円
十三	五万を超え十万以下の場合	一万五千円	三億九千万円
十四	十万を超え二十万以下の場合	一万四千円	四億九千万円
十五	二十万を超え三十万以下の場合	一万三千円	六億九千万円
十六	三十万を超える場合	一万二千円	九億九千万円

〇特定住宅瑕疵担保責任の履行の確保等に関する法律施行規則

（平成二〇・三・二四　国土交通省令一〇）

改正　平成二〇・一二国交令九七、平成二一・八国交令五一、平成二三・三国交令一五、令和二・四国交令三八、一二国交令九八、令和三・八国交令五三、九国交令五六、一二国交令八〇、令和五・一二国交令九八、令和六・三国交令二六

目次

第一章　総則（第一条・第二条）
第二章　住宅建設瑕疵担保保証金（第三条―第十三条）
第三章　住宅販売瑕疵担保保証金（第十四条―第二十二条）
第四章　住宅瑕疵担保責任保険法人（第二十三条―第三十九条）
第五章　住宅瑕疵担保責任保険契約に係る新築住宅に関する紛争の処理（第四十条・第四十一条）
第六章　雑則（第四十二条）
附則

第一章　総則

（住宅建設瑕疵担保責任保険契約の内容の基準）

第一条　特定住宅瑕疵担保責任の履行の確保等に関する法律（以下「法」という。）第二条第六項第六号の国土交通省令で定める基準は、次に掲げるものとする。

一　法第二条第六項第二号イの規定による損害の塡補の内容が、同号イに規定する建設業者に生じた損害の額から次に掲げる区分に応じそれぞれ次に定める額を控除した残額に百分の八十を乗じた額（当該額が負数となるときは、零とする。）以上の額を塡補するものであること。

イ　一戸建ての住宅　十万円

ロ　共同住宅又は長屋（以下「共同住宅等」という。）　五十万円又は住宅建設瑕疵担保責任保険契約に係る共同住宅等の合計戸数に十万円を乗じた額のいずれか低い額

二　法第二条第六項第二号ロの規定による損害の塡補の内容が、次のいずれにも適合するものであること。

イ　建設業者の悪意又は重大な過失によって生じた同号ロに規定する発注者の損害を塡補しないものでないこと。

ロ　同号ロに規定する発注者に生じた損害の額から前号イ又はロに掲げる区分に応じそれぞれ同号イ又はロに定める額を控除した残額（当該額が負数となるときは、零とする。）以上の額を塡補するものであること。

三　前二号に掲げるもののほか、塡補すべき損害の範囲その他の法第二条第六項第二号イに規定する建設業者及び同号ロに規定する発注者の利益の保護のため必要な事項について、国土交通大臣が定める基準に適合するものであること。

（住宅販売瑕疵担保責任保険契約の内容の基準）

第二条　法第二条第七項第六号の国土交通省令で定める基準は、次に掲げるものとする。

一　法第二条第七項第二号イの規定による損害の塡補の内容が、同号イに規定する宅地建物取引業者に生じた損害の額から次に掲げる区分に応じそれぞれ次に定める額を控除した残額に百分の八十を乗じた額（当該額が負数となるときは、零とする。）以上の額を塡補するものであること。

イ　一戸建ての住宅　十万円

ロ　共同住宅等　五十万円又は住宅販売瑕疵担保責任保険契約に係る共同住宅等の合計戸数に十万円を乗じた額のいずれか低い額

二　法第二条第七項第二号ロの規定による損害の塡補の内容が、次のいずれにも適合するものであること。

イ　宅地建物取引業者の悪意又は重大な過失によって生じた同号ロに規定する買主の損害を塡補しないものでないこと。

ロ　同号ロに規定する買主に生じた損害の額から前号イ又はロに掲げる区分に応じそれぞれ同号イ又はロに定める額を控除した残額（当該額が負数となるときは、零とする。）以上の額を塡補するものであること。

三　前二号に掲げるもののほか、塡補すべき損害の範囲その他の法第二条第七項第二号イに規定する宅地建物取引業者及び同号ロに規定する買主の利益の保護のため必要な事項について、国土交通大臣が定める基準に適合するものであること。

第二章　住宅建設瑕疵担保保証金

（住宅建設瑕疵担保保証金に充てることができる有価証券）

第三条　法第三条第五項（法第七条第三項及び法第八条第三項において準用する場合を含む。）の国土交通省令で定める有価証券は、次に掲げるものとする。

一　国債証券（その権利の帰属が社債、株式等の振替に関する法律（平成十三年法律第七十五号）の規定による振替口座簿の記載又は記録により定まるものとされるものを含む。次条第一項、第十四条及び第十五条第一項において同じ。）

二　地方債証券

三　前二号に掲げるもののほか、国土交通大臣が指定した社債券その他の債券

（住宅建設瑕疵担保保証金に充てることができる有価証券の価額）

第四条　法第三条第五項（法第七条第三項及び法第八条第三項において準用する場合を含む。）の規定により有価証券を住宅建設瑕疵担保保証金に充てる場合における当該有価証券の価額は、次の各号に掲げる有価証券の区分に応じ、当該各号に定めるところによる。

一　国債証券については、その額面金額（その権利の帰属が社債、株式等の振替に関する法律の規定による振替口座簿の記載又は記録により定まるものとされるものにあっては、振替口座簿に記載又は記録された金額。第十五条第一項において同じ。）

二　地方債証券又は政府がその債務について保証契約をした債券については、その額面金額の百分の九十

三　前二号以外の債券については、その額面金額の百分の八十

2　割引の方法により発行した債券で供託の日から償還期限までの期間が五年を超えるものについては、前項の規定の適用については、その発行価額に別記算式により算出した額を加えた額を額面金額とみなす。

（住宅建設瑕疵担保保証金の供託等の届出等）

第五条　法第四条第一項の規定による届出は、基準日（法第三条第一項に規定する基準日をいう。以下同じ。）から三週間以内に、別記第一号様式による届出書により行うものとする。

2　前項の届出書には、当該基準日における法第三条第一項の新築住宅のうち、当該基準日前一年間に引き渡した新築住宅に関する事項を記載した別記第一号の二様式による一覧表を添付しなければならない。

3　法第四条第二項に規定する国土交通省令で定める書類は、次に掲げるものとする。

一　新たに供託した住宅建設瑕疵担保保証金の供託に係る供託物受入れの記載のある供託書の写し

二　新たに法第十七条第一項に規定する住宅瑕疵担保責任保険法人（以下単に「住宅瑕疵担保責任保険法人」という。）と締結した住宅建設瑕疵担保責任保険契約を証する書面

（住宅建設瑕疵担保保証金の不足額の供託についての確認の申請）

第六条　法第五条ただし書の確認を受けようとする者は、別記第二号様式による確認申請書を、その建設業法（昭和二十四年法律第百号）第三条第一項の許可を受けた国土交通大臣又は都道府県知事に提出しなければならない。

2　前項の確認申請書には、次に掲げる書類を添付しなければならない。

一　前条第二項の一覧表

二　法第五条ただし書の供託に係る供託物受入れの記載のある供託書の写し

（公正証書を作成したときに準ずる場合）

第七条　法第六条第二項第二号の国土交通省令で定める場合は、同条第一項の報酬返還請求権等の存在及び内容について供託建設業者（同項に規定する供託建設業者をいう。以下同じ。）と合意した旨が記載された公証人の認証を受けた私署証書を作成した場合とする。

（報酬返還請求権等に係る報酬の返還の義務又は損害の賠償の義務を履行することができず、又は著しく困難である場合）

第八条　法第六条第二項第三号の国土交通省令で定める場合は、次に掲げる場合とする。

一　供託建設業者が合併以外の理由により解散した場合

二　供託建設業者が再生手続開始の決定又は更生手続開始の決定を受けた場合

三　供託建設業者が、その債務のうち弁済期にあるものにつき、一般的かつ継続的に弁済することができない状態にあることが明らかである場合

（他の債権者に先立って弁済を受ける権利を有することについての確認）

第九条　法第六条第二項第三号の確認を受けようとする同条第一項に規定する発注者は、別記第三号様式による確認申請書を、国土交通大臣に提出しなければならない。

2　前項の確認申請書には、法第六条第一項の瑕疵があること及びその瑕疵によって損害が生じたことを証する書面並びに同条第二項第三号の供託建設業者が死亡した場合又は前条各号に掲げる場合に該当することを証する書面を添付しなければならない。

3　国土交通大臣は、第一項の確認申請書を受理したときは、遅滞なく、法第六条第一項の権利（以下この章において単に「権利」という。）の調査をしなければならない。

4　国土交通大臣は、次の各号のいずれかに該当するときは、前項の規定にかかわらず、同項の規定による権利の調査を行わないものとする。

一　第二項の規定により添付された書面に記載された報酬返還請求権等に係る瑕疵が法第六条第一項の瑕疵に該当しないことが、当該書面から明らかであるとき。

二　当該確認申請書を受理した日（当該確認申請書を受理した日前三十日内に受理した当該確認申請書に記載された供託建設業者に係る第一項の確認申請書又は住宅建設瑕疵担保保証金及び住宅販売瑕疵担保保証金に関する規則（平成二十一年法務省国土交通省令第一号。以下「保証金規則」という。）第二条第一項の技術的確認の申請書（既に第十項第二号の規定による合計額の算定の対象となる期間内に受理されたものを除く。以下この号において「対象確認申請書等」という。）があるときは、対象確認申請書等を受理した日のうち最も早い日。以下この章において「受理日」という。）における当該供託建設業者が供託をしている住宅建設瑕疵担保保証金の額（受理日前にされた当該供託建設業者に係る第一項の規定による確認の申請及び保証金規則第二条第一項の規定による技術的確認の申請のうち、前項の規定による権利の調査又は保証金規則第二条第三項の規定による権利の調査の結果、権利を有することが確認され、まだ住宅建設瑕疵担保保証金の還付を受けていないものに係る金額（これらの権利の調査に要した第八項に規定する損害調査費用を含む。）に相当する額を除く。以下この章において「受理日供託額」という。）が、受理日以後当該確認申請書を受理した日までの間に受理した対象確認申請書等（前号の規定により権利の調査を行わないこととされたもの及び次項ただし書の規定により同項の損害調査を行わないこととされたものを除く。）に係る戸数に十万円を乗じた額以下であるとき。

5　国土交通大臣は、第三項の規定による権利の調査のため、住宅瑕疵担保責任保険法人に、第一項の規定による確認の申請に係る損害についての調査（以下この章において「損害調査」という。）を行わせるものとする。ただし、第二項の規定により添付された書面によりその必要がないと認められるときは、この限りでない。

6　住宅瑕疵担保責任保険法人は、損害調査を行うときは、その役員又は職員のうち、国土交通大臣が別に定める要件を備える者に損害調査を実施させなければならない。

7　住宅瑕疵担保責任保険法人は、損害調査を終えたときは、直ちに、当該確認の申請に係る損害が法第六条第一項の瑕疵により生じた損害に該当するか否か並びに該当する場合は当該損害の内容及び額について報告書を作成し、これを国土交通大臣に提出しなければならない。

8　国土交通大臣は、前項の報告書の提出を受けたときは、受理日から起算して三十日を経過した日（当該報告書の提出を受けた日が受理日から起算して三十日を経過した日より後の日であるときは、当該報告書の提出を受けた日）以後、遅滞なく、当該報告書に係る損害調査を実施した住宅瑕疵担保責任保険法人に対し、当該損害調査に要する費用として国土交通大臣が別に定める費用（以下この章において「損害調査費用」という。）に係る別記第三号の二様式による確認書を交付しなければならない。ただし、第十項第二号に該当するときは、これを交付してはならない。

9　国土交通大臣は、第三項の規定による権利の調査の結果に基づき、第一項の確認申請書を提出した者（以下この条において「申請者」という。）が権利を有することを確認したときは、受理日から起算して三十日を経過した日（当該権利を有することを確認した日が受理日から起算して三十日を経過した日より後の日であるときは、当該権利を有することを確認した日）以後、遅滞なく、申請者に別記第三号の三様式による確認書を交付しなければならない。この場合において、当該確認書に記載する報酬返還請求権等の額は、受理日供託額から損害調査費用を控除した額を限度とする。

10　国土交通大臣は、次の各号のいずれかに該当する場合には、前項の規定にかかわらず、同項の確認書を交付してはならない。

一　第三項の規定による権利の調査の結果に基づき権利を有することが確認された金額が、次に掲げる区分に応じそれぞれ次に定める額以下の場合

イ　一戸建て住宅　十万円

ロ　共同住宅等　五十万円又は当該確認申請書に係る共同住宅等の合計

戸数に十万円を乗じた額のいずれか低い額

二　受理日以後受理日から起算して三十日を経過する日までにされた当該供託建設業者に係る第一項の規定による確認の申請及び保証金規則第二条第一項の規定による技術的確認の申請のうち、第三項の規定による権利の調査又は保証金規則第二条第三項の規定による権利の調査の結果、権利を有することが確認されたものに係る金額（これらの権利の調査に要した損害調査費用を含む。）の合計額が、受理日供託額を超える場合

11　国土交通大臣は、次の各号のいずれかに該当する場合には、申請者に対し、その旨を通知しなければならない。

一　第三項の規定による権利の調査の結果に基づき、申請者が権利を有していないことが確認された場合

二　第四項各号のいずれかに該当する場合

三　前項第一号に該当する場合

（権利の申出）

第九条の二　国土交通大臣は、前条第十項第二号に該当する場合は、遅滞なく、六十日を下らない一定の期間内に国土交通大臣に権利の申出をすべきこと及びその期間内に申出をしないときは当該公示に係るこの条から第九条の四までの規定による手続（以下この条において「配当手続」という。）から除斥されるべきことを公示しなければならない。

2　国土交通大臣は、前項の規定による公示をしたときは、その旨を次に掲げる者に対して通知しなければならない。

一　受理日以後当該公示をした日までの間に、前項の規定による公示に係る供託建設業者に関する前条第一項の確認申請書又は保証金規則第二条第一項の技術的確認の申請書を提出した者

二　当該供託建設業者

3　第一項の規定による公示があった後は、受理日以後受理日から起算して三十日を経過する日までの間に当該公示に係る供託建設業者に関する前条第一項の確認申請書又は保証金規則第二条第一項の技術的確認の申請書を提出した者が、その申請を取り下げた場合においても、配当手続の進行は、妨げられない。

4　第一項に規定する権利の申出をしようとする法第六条第一項に規定する発注者は、権利を有することを証する書面を添付して、別記第三号の四様式による申出書を国土交通大臣に提出しなければならない。

5　第一項の規定による公示をした場合にあっては、受理日から起算して三十日を経過した日以後同項の期間を経過する日までの間に行われた前条第一項の規定による確認の申請又は保証金規則第二条第一項の規定による技術的確認の申請は、第一項の期間内に行われた前項の規定による権利の申出とみなす。この場合において、前条第一項の確認申請書（同条第二項の規定により添付された書面を含む。）又は保証金規則第二条第一項の技術的確認の申請書（同条第二項の規定により添付された書面を含む。）は、前項の申出書とみなす。

6　第四項の申出書が郵便又は民間事業者による信書の送達に関する法律（平成十四年法律第九十九号）第二条第六項に規定する一般信書便事業者若しくは同条第九項に規定する特定信書便事業者による同条第二項に規定する信書便で提出された場合における第一項の期間の計算については、送付に要した日数は、算入しない。

（権利の調査）

第九条の三　国土交通大臣は、前条第四項の規定による権利の申出を受けたときは、遅滞なく、権利の調査をしなければならない。

2　国土交通大臣は、次の各号のいずれかに該当するときは、前項の規定にかかわらず、同項の規定による権利の調査を行わないものとする。

一　前条第四項の規定により添付された書面に記載された報酬返還請求権等に係る瑕疵が法第六条第一項の瑕疵に該当しないことが、当該書面から明らかであるとき。

二　受理日供託額が受理日以後当該権利の申出を受けた日までの間に受理した前条第四項の規定による権利の申出（前号の規定により権利の調査を行わないこととされたもの及び次項において準用する第九条第五項ただし書の規定により損害調査を行わないこととされたものを除く。）に係る戸数に十万円を乗じた額以下であるとき。

3　第九条第五項から第七項までの規定は、第一項の権利の調査について準用する。

（配当表の作成等）

第九条の四　国土交通大臣は、第九条の二第三項に規定する者に係る第九条第三項の規定による権利の調査若しくは保証金規則第二条第三項の規定による権利の調査又は第九条の二第一項の期間内に同条第四項の規定による権利の申出をした者に係る前条第一項の規定による権利の調査（以下この条において「権利調査」という。）の結果に基づき、これらの者が権利を有することを確認したときは、速やかに、権利を有することが確認された者に係る配当表を作成し、これを公示し、かつ、当該配当表に係る供託建設業者に通知しなければならない。

2　配当の順位は、次に掲げる順位による。

一　損害調査費用

二　権利調査により権利を有することが確認された者が有する権利で、二千万円以下のものは全額、二千万円を超えるものは二千万円までの額

三　前号に掲げるものを除く同号の者が有する権利

3　同一順位において配当をすべき債権については、それぞれその債権の額の割合に応じて、配当をする。

4　国土交通大臣は、配当の実施のため、供託規則第二十七号から第二十八号の二までの書式により作成した支払委託書を供託所に送付するとともに、配当を受けるべき者に同令第二十九号書式により作成した証明書を交付しなければならない。

5　国土交通大臣は、前項の手続をしたときは、同項の支払委託書の写しを供託建設業者に交付しなければならない。

（公示の方法）

第九条の五　第九条の二第一項及び前条第一項の規定による公示は、官報に掲載することによって行う。

（住宅建設瑕疵担保保証金の不足額の供託の届出）

第一〇条　法第七条第二項の規定による届出は、同条第一項の規定により供託した日から二週間以内に、別記第四号様式による届出書により行うものとする。

2　前項の届出書には、当該供託に係る供託物受入れの記載のある供託書の写しを添付しなければならない。

（住宅建設瑕疵担保保証金の保管替え等の届出）

第一一条　供託建設業者は、法第八条第一項の住宅建設瑕疵担保保証金の保管替えがされ、又は同条第二項の規定により住宅建設瑕疵担保保証金を供託したときは、遅滞なく、別記第五号様式による届出書に当該供託に係る供託物受入れの記載のある供託書の写しを添えて、その建設業法第三条第一項の許可を受けた国土交通大臣又は都道府県知事に届け出るものとする。

（住宅建設瑕疵担保保証金の取戻しの承認）

第一二条　法第九条第二項の承認を受けようとする者は、別記第六号様式による承認申請書を、その建設業法第三条第一項の許可を受けた国土交通大臣又は都道府県知事に提出しなければならない。

2　国土交通大臣又は都道府県知事は、住宅建設瑕疵担保保証金の取戻しの承認をしたときは、別記第六号の二様式による取戻承認書を交付するものとする。

（住宅建設瑕疵担保保証金に関する説明事項）

第一三条　法第十条第一項の国土交通省令で定める事項は、次に掲げるものとする。

一　住宅建設瑕疵担保保証金の供託をしている供託所の表示

二　特定住宅瑕疵担保責任の履行の確保等に関する法律施行令（平成十九年政令第三百九十五号。以下「令」という。）第三条第一項の建設新築住宅については、同項の書面に記載された二以上の建設業者それぞれの建設瑕疵負担割合（同項に規定する建設瑕疵負担割合をいう。以下この号において同じ。）の合計に対する当該建設業者の建設瑕疵負担割合の割合

（情報通信の技術を利用する方法）

第一三条の二　法第十条第二項（法第十五条第二項において準用する場合を含む。）の国土交通省令で定める方法は、次に掲げるものとする。

一　電子情報処理組織を使用する方法のうち次に掲げるもの

イ　送信者等（送信者又は送信者との契約によりファイルを自己の管理する電子計算機に備え置き、これを受信者若しくは当該送信者の用に供する者をいう。以下この条及び次条において同じ。）の使用に係る電子計算機と受信者等（受信者又は受信者との契約により受信者ファイル（専ら受信者の用に供されるファイルをいう。以下この条において同じ。）を自己の管理する電子計算機に備え置く者をいう。以下こ

の項において同じ。）の使用に係る電子計算機とを接続する電気通信回線を通じて書面に記載すべき事項（以下この条において「記載事項」という。）を送信し、受信者等の使用に係る電子計算機に備えられた受信者ファイルに記録する方法

ロ　送信者等の使用に係る電子計算機に備えられたファイルに記録された記載事項を電気通信回線を通じて受信者の閲覧に供し、受信者等の使用に係る電子計算機に備えられた当該受信者の受信者ファイルに当該記載事項を記録する方法

ハ　送信者等の使用に係る電子計算機に備えられた受信者ファイルに記録された記載事項を電気通信回線を通じて受信者の閲覧に供する方法

二　電磁的記録媒体（電子的方式、磁気的方式その他人の知覚によっては認識することができない方式で作られる記録であって、電子計算機による情報処理の用に供されるものに係る記録媒体をいう。第十三条の四第一項第二号並びに第三十四条第二項及び第三項において同じ。）をもって調製するファイルに記載事項を記録したものを交付する方法

2　前項各号に掲げる方法は、次に掲げる基準に適合するものでなければならない。

一　受信者が受信者ファイルへの記録を出力することにより書面を作成できるものであること。

二　前項第一号ロに掲げる方法にあっては、記載事項を送信者等の使用に係る電子計算機に備えられたファイルに記録する旨又は記録した旨を受信者に対し通知するものであること。ただし、受信者が当該記載事項を閲覧していたことを確認したときはこの限りではない。

三　前項第一号ハに掲げる方法にあっては、記載事項を送信者等の使用に係る電子計算機に備えられた受信者ファイルに記録する旨又は記録した旨を受信者に対し通知するものであること。ただし、受信者が当該記載事項を閲覧していたことを確認したときはこの限りでない。

（電磁的方法の種類及び内容）

第一三条の三　令第四条第一項（同条第三項において準用する場合を含む。）の規定により示すべき電磁的方法の種類及び内容は、次に掲げる事項とする。

一　前条第一項各号に掲げる方法のうち送信者等が使用するもの

二　ファイルへの記録の方式

（情報通信の技術を利用した承諾の取得）

第一三条の四　令第四条第一項（同条第三項において準用する場合を含む。）の国土交通省令で定める方法は、次に掲げるものとする。

一　電子情報処理組織を使用する方法のうち、イ又はロに掲げるもの

イ　送信者の使用に係る電子計算機から電気通信回線を通じて受信者の使用に係る電子計算機に令第四条第一項の承諾又は同条第二項の申出（以下この項において「承諾等」という。）をする旨を送信し、当該電子計算機に備えられたファイルに記録する方法

ロ　受信者の使用に係る電子計算機に備えられたファイルに記録された前条に規定する電磁的方法の種類及び内容を電気通信回線を通じて送信者の閲覧に供し、当該電子計算機に備えられたファイルに承諾等をする旨を記録する方法

二　電磁的記録媒体をもって調製するファイルに承諾等をする旨を記録したものを交付する方法

2　前項各号に掲げる方法は、受信者がファイルへの記録を出力することにより書面を作成することができるものでなければならない。

第三章　住宅販売瑕疵担保保証金

（住宅販売瑕疵担保保証金に充てることができる有価証券）

第一四条　法第十一条第五項（法第十六条において読み替えて準用する法第七条第三項及び法第八条第三項において準用する場合を含む。）の国土交通省令で定める有価証券は、次に掲げるものとする。

一　国債証券

二　地方債証券

三　前二号に掲げるもののほか、国土交通大臣が指定した社債券その他の債券

（住宅販売瑕疵担保保証金に充てることができる有価証券の価額）

第一五条　法第十一条第五項（法第十六条において読み替えて準用する法第七条第三項及び法第八条第三項において準用する場合を含む。）の規定により有価証券を住宅販売瑕疵担保保証金に充てる場合における当該有価証券の価額は、次の各号に掲げる有価証券の区分に応じ、当該各号に定めるところによる。

一　国債証券については、その額面金額

二　地方債証券又は政府がその債務について保証契約をした債券については、その額面金額の百分の九十

三　前二号以外の債券については、その額面金額の百分の八十

2　割引の方法により発行した債券で供託の日から償還期限までの期間が五年をこえるものについては、前項の規定の適用については、その発行価額に別記算式により算出した額を加えた額を額面金額とみなす。

（住宅販売瑕疵担保保証金の供託等の届出等）

第一六条　法第十二条第一項の規定による届出は、基準日から三週間以内に、別記第七号様式による届出書により行うものとする。

2　前項の届出書には、当該基準日における法第十一条第一項の新築住宅のうち、当該基準日前一年間に引き渡した新築住宅に関する事項を記載した別記第七号の二様式による一覧表を添付しなければならない。

3　法第十二条第二項に規定する国土交通省令で定める書類は、次に掲げるものとする。

一　新たに供託した住宅販売瑕疵担保保証金の供託に係る供託物受入れの記載のある供託書の写し

二　新たに住宅瑕疵担保責任保険法人と締結した住宅販売瑕疵担保責任保険契約を証する書面

（住宅販売瑕疵担保保証金の不足額の供託についての確認の申請）

第一七条　法第十三条ただし書の確認を受けようとする者は、別記第八号様式による確認申請書を、その宅地建物取引業法（昭和二十七年法律第百七十六号）第三条第一項の免許を受けた国土交通大臣又は都道府県知事に提出しなければならない。

2　前項の確認申請書には、次に掲げる書類を添付しなければならない。

一　前条第二項の一覧表

二　法第十三条ただし書の供託に係る供託物受入れの記載のある供託書の写し

（公正証書を作成したときに準ずる場合）

第一八条　法第十四条第二項第二号の国土交通省令で定める場合は、同条第一項の代金返還請求権等の存在及び内容について供託宅地建物取引業者（同項に規定する供託宅地建物取引業者をいう。以下同じ。）と合意した旨が記載された公証人の認証を受けた私署証書を作成した場合とする。

（代金返還請求権等に係る代金の返還の義務又は損害の賠償の義務を履行することができず、又は著しく困難である場合）

第一九条　法第十四条第二項第三号の国土交通省令で定める場合は、次に掲げる場合とする。

一　供託宅地建物取引業者が合併以外の理由により解散した場合

二　供託宅地建物取引業者が再生手続開始の決定又は更生手続開始の決定を受けた場合

三　供託宅地建物取引業者が、その債務のうち弁済期にあるものにつき、一般的かつ継続的に弁済することができない状態にあることが明らかである場合

（他の債権者に先立って弁済を受ける権利を有することについての確認）

第二〇条　法第十四条第二項第三号の確認を受けようとする同条第一項に規定する買主は、別記第九号様式による確認申請書を、国土交通大臣に提出しなければならない。

2　前項の確認申請書には、法第十四条第一項の瑕疵があること及びその瑕疵によって損害が生じたことを証する書面並びに同条第二項第三号の供託宅地建物取引業者が死亡した場合又は前条各号に掲げる場合に該当することを証する書面を添付しなければならない。

3　国土交通大臣は、第一項の確認申請書を受理したときは、遅滞なく、法第十四条第一項の権利（以下この章において単に「権利」という。）の調査をしなければならない。

4　国土交通大臣は、次の各号のいずれかに該当するときは、前項の規定にかかわらず、同項の規定による権利の調査を行わないものとする。

一　第二項の規定により添付された書面に記載された代金返還請求権等に係る瑕疵が法第十四条第一項の瑕疵に該当しないことが、当該書面から明らかであるとき。

二　当該確認申請書を受理した日（当該確認申請書を受理した日前三十日

内に受理した当該確認申請書に記載された供託宅地建物取引業者に係る第一項の確認申請書又は保証金規則第十八条第一項の技術的確認の申請書（既に第十項第二号の規定による合計額の算定の対象となる期間内に受理されたものを除く。以下この号において「対象確認申請書等」という。）があるときは、対象確認申請書等を受理した日のうち最も早い日。以下この章において「受理日」という。）における当該供託宅地建物取引業者が供託をしている住宅販売瑕疵担保保証金の額（受理日前にされた当該供託宅地建物取引業者に係る第一項の規定による確認の申請及び保証金規則第十八条第一項の規定による技術的確認の申請のうち、前項の規定による権利の調査又は保証金規則第十八条第三項の規定による権利の調査の結果、権利を有することが確認され、まだ住宅販売瑕疵担保保証金の還付を受けていないものに係る金額（これらの権利の調査に要した第八項に規定する損害調査費用を含む。）に相当する額を除く。以下この章において「受理日供託額」という。）が、受理日以後当該確認申請書を受理した日までの間に受理した対象確認申請書等（前号の規定により権利の調査を行わないこととされたもの及び次項ただし書の規定により同項の損害調査を行わないこととされたものを除く。）に係る戸数に十万円を乗じた額以下であるとき。

5　国土交通大臣は、第三項の規定による権利の調査のため、住宅瑕疵担保責任保険法人に第一項の規定による確認の申請に係る損害についての調査（以下この章において「損害調査」という。）を行わせるものとする。ただし、第二項の規定により添付された書面によりその必要がないと認められるときは、この限りでない。

6　住宅瑕疵担保責任保険法人は、損害調査を行うときは、その役員又は職員のうち、国土交通大臣が別に定める要件を備える者に損害調査を実施させなければならない。

7　住宅瑕疵担保責任保険法人は、損害調査を終えたときは、直ちに、当該確認の申請に係る損害が法第十四条第一項の瑕疵により生じた損害に該当するか否か並びに該当する場合は当該損害の内容及び額について報告書を作成し、これを国土交通大臣に提出しなければならない。

8　国土交通大臣は、前項の報告書の提出を受けたときは、受理日から起算して三十日を経過した日（当該報告書の提出を受けた日が受理日から起算して三十日を経過した日より後の日であるときは、当該報告書の提出を受けた日）以後、遅滞なく、当該報告書に係る損害調査を実施した住宅瑕疵担保責任保険法人に対し、当該損害調査に要する費用として国土交通大臣が別に定める費用（以下この章において「損害調査費用」という。）に係る別記第九号の二様式による確認書を交付しなければならない。ただし、第十項第二号に該当するときは、これを交付してはならない。

9　国土交通大臣は、第三項の規定による権利の調査の結果に基づき、第一項の確認申請書を提出した者（以下この条において「申請者」という。）が権利を有することを確認したときは、受理日から起算して三十日を経過した日（当該権利を有することを確認した日が受理日から起算して三十日を経過した日より後の日であるときは、当該権利を有することを確認した日）以後、遅滞なく、申請者に別記第九号の三様式による確認書を交付しなければならない。この場合において、当該確認書に記載する代金返還請求権等の額は、受理日供託額から損害調査費用を控除した額を限度とする。

10　国土交通大臣は、次の各号のいずれかに該当する場合には、前項の規定にかかわらず、同項の確認書を交付してはならない。

一　第三項の規定による権利の調査の結果に基づき権利を有することが確認された金額が、次に掲げる区分に応じそれぞれ次に定める額以下の場合

イ　一戸建て住宅　十万円

ロ　共同住宅等　五十万円又は当該確認申請書に係る共同住宅等の合計戸数に十万円を乗じた額のいずれか低い額

二　受理日以後受理日から起算して三十日を経過する日までにされた当該供託宅地建物取引業者に係る第一項の規定による確認の申請及び保証金規則第十八条第一項の規定による技術的確認の申請のうち、第三項の規定による権利の調査又は保証金規則第十八条第三項の規定による権利の調査の結果、権利を有することが確認されたものに係る金額（これらの権利の調査に要した損害調査費用を含む。）の合計額が、受理日供託額を超える場合

11　国土交通大臣は、次の各号のいずれかに該当する場合には、申請者に対し、その旨を通知しなければならない。

一　第三項の規定による権利の調査の結果に基づき、申請者が権利を有していないことが確認された場合

二　第四項各号のいずれかに該当する場合

三　前項第一号に該当する場合

（**権利の申出**）

第二〇条の二　国土交通大臣は、前条第十項第二号に該当する場合は、遅滞なく、六十日を下らない一定の期間内に国土交通大臣に権利の申出をすべきこと及びその期間内に申出をしないときは当該公示に係るこの条から第二十条の四までの規定による手続（以下この条において「配当手続」という。）から除斥されるべきことを公示しなければならない。

2　国土交通大臣は、前項の規定による公示をしたときは、その旨を次に掲げる者に対して通知しなければならない。

一　受理日以後当該公示をした日までの間に、前項の規定による公示に係る供託宅地建物取引業者に関する前条第一項の確認申請書又は保証金規則第十八条第一項の技術的確認の申請書を提出した者

二　当該供託宅地建物取引業者

3　第一項の規定による公示があった後は、受理日以後受理日から起算して三十日を経過する日までの間に当該公示に係る供託宅地建物取引業者に関する前条第一項の確認申請書又は保証金規則第十八条第一項の技術的確認の申請書を提出した者が、その申請を取り下げた場合においても、配当手続の進行は、妨げられない。

4　第一項に規定する権利の申出をしようとする法第十四条第一項に規定する買主は、権利を有することを証する書面を添付して、別記第九号の四様式による申出書を国土交通大臣に提出しなければならない。

5　第一項の規定による公示をした場合にあっては、受理日から起算して三十日を経過した日以後同項の期間を経過する日までの間に行われた前条第一項の規定による確認の申請又は保証金規則第十八条第一項の規定による技術的確認の申請は、第一項の期間内に行われた前項の規定による権利の申出とみなす。この場合において、前条第一項の確認申請書（同条第二項の規定により添付された書面を含む。）又は保証金規則第十八条第一項の技術的確認の申請書（同条第二項の規定により添付された書面を含む。）は、前項の申出書（同項の規定により添付すべき書面を含む。）とみなす。

6　第四項の申出書が郵便又は民間事業者による信書の送達に関する法律第二条第六項に規定する一般信書便事業者若しくは同条第九項に規定する特定信書便事業者による同条第二項に規定する信書便で提出された場合における第一項の期間の計算については、送付に要した日数は、算入しない。

（**権利の調査**）

第二〇条の三　国土交通大臣は、前条第四項の規定による権利の申出を受けたときは、遅滞なく、権利の調査をしなければならない。

2　国土交通大臣は、次の各号のいずれかに該当するときは、前項の規定にかかわらず、同項の規定による権利の調査を行わないものとする。

一　前条第四項の規定により添付された書面に記載された代金返還請求権等に係る瑕疵が法第十四条第一項の瑕疵に該当しないことが、当該書面から明らかであるとき。

二　受理日供託額が受理日以後当該権利の申出を受けた日までの間に受理した前条第四項の規定による権利の申出（前号の規定により権利の調査を行わないこととされたもの及び次項において準用する第二十条第五項ただし書の規定により損害調査を行わないこととされたものを除く。）に係る戸数に十万円を乗じた額以下であるとき。

3　第二十条第五項から第七項までの規定は、第一項の権利の調査について準用する。

（**配当表の作成等**）

第二〇条の四　国土交通大臣は、第二十条の二第三項に規定する者に係る第二十条第三項の規定による権利の調査若しくは保証金規則第十八条第三項の規定による権利の調査又は第二十条の二第一項の期間内に同条第四項の規定による権利の申出をした者に係る前条第一項の規定による権利の調査（以下この条において「権利調査」という。）の結果に基づき、これらの者が権利を有することを確認したときは、速やかに、権利を有することが確認された者に係る配当表を作成し、これを公示し、かつ、当該配当表に係る供託宅地建物取引業者に通知しなければならない。

2　配当の順位は、次に掲げる順位による。

一　損害調査費用

二　権利調査により権利を有することが確認された者が有する権利で、二

千万円以下のものは全額、二千万円を超えるものは二千万円までの額

三　前号に掲げるものを除く同号の者が有する権利

3　同一順位において配当をすべき債権については、それぞれその債権の額の割合に応じて、配当をする。

4　国土交通大臣は、配当の実施のため、供託規則第二十七号から第二十八号の二までの書式により作成した支払委託書を供託所に送付するとともに、配当を受けるべき者に同令第二十九号書式により作成した証明書を交付しなければならない。

5　国土交通大臣は、前項の手続をしたときは、同項の支払委託書の写しを供託宅地建物取引業者に交付しなければならない。

（公示の方法）

第二〇条の五　第二十条の二第一項及び前条第一項の規定による公示は、官報に掲載することによって行う。

（住宅販売瑕疵担保保証金に関する説明事項）

第二一条　法第十五条第一項の国土交通省令で定める事項は、次に掲げるものとする。

一　住宅販売瑕疵担保保証金の供託をしている供託所の表示

二　令第七条第一項の販売新築住宅については、同項の書面に記載された二以上の宅地建物取引業者それぞれの販売瑕疵負担割合（同項に規定する販売瑕疵負担割合をいう。以下この号において同じ。）の合計に対する当該宅地建物取引業者の販売瑕疵負担割合の割合

（準用）

第二二条　第十条から第十二条までの規定は、供託宅地建物取引業者について準用する。この場合において、第十条第一項中「法第七条第二項」とあるのは「法第十六条において読み替えて準用する法第七条第二項」と、「同条第一項」とあるのは「法第十六条において読み替えて準用する法第七条第一項」と、「別記第四号様式」とあるのは「別記第十号様式」と、同条第二項中「前項」とあるのは「第二十二条において読み替えて準用する第十条第一項」と、第十一条中「法第八条第一項」とあるのは「法第十六条において準用する法第八条第一項」と、「同条第二項」とあるのは「法第十六条において準用する法第八条第二項」と、「別記第五号様式」とあるのは「別記第十一号様式」と、同条及び第十二条中「建設業法第三条第一項の許可」とあるのは「宅地建物取引業法第三条第一項の免許」と、「都道府県知事」とあるのは「都道府県知事（法第二条第四項に規定する信託会社等にあっては、国土交通大臣）」と、同条第一項中「法第九条第一項」とあるのは「法第十六条において読み替えて準用する法第九条第二項」と、「別記第六号様式」とあるのは「別記第十二号様式」と、同条第二項中「別記第六号の二様式」とあるのは「別記第十二号の二様式」と読み替えるものとする。

第四章　住宅瑕疵担保責任保険法人

（住宅瑕疵担保責任保険法人に係る指定の申請等）

第二三条　法第十七条第一項の指定を受けようとする者（以下「指定申請者」という。）は、別記第十三号様式による住宅瑕疵担保責任保険法人指定申請書に次に掲げる書類を添えて、これを国土交通大臣に提出しなければならない。

一　定款及び登記事項証明書

二　申請の日の属する事業年度の前事業年度における財産目録及び貸借対照表（以下「財産目録等」という。）。ただし、申請の日の属する事業年度に設立された法人にあっては、その設立時における財産目録とする。

三　申請の日の属する事業年度及び翌事業年度における事業計画書及び収支予算書で法第十九条に規定する業務（以下「保険等の業務」という。）に係る事項と保険等の業務以外の業務に係る事項とを区分したもの

四　申請の日の属する事業年度及び翌事業年度から起算して十事業年度における収支の見込みを記載した書面

五　申請に係る意思の決定を証する書類

六　法第十七条第一項第二号に規定する保険等の業務の実施に関する計画として次の事項を記載した書類

イ　保険等の業務に関する知識及び経験を有する者の確保の状況並びに当該者の配置の状況に関する事項

ロ　組織及び運営に関する事項

ハ　法第十九条第一号から第三号までの保険契約（第三十四条を除き、以下単に「保険契約」という。）に係る住宅の検査の実施に関する事項

七　役員の氏名及び略歴を記載した書類

八　指定申請者が一般社団法人である場合においてはその社員の氏名及び略歴（社員が法人である場合は、その法人の名称）、指定申請者が一般財団法人である場合においてはその評議員の氏名及び略歴を記載した書類

九　指定申請者が株式会社である場合においては、発行済株式総数の百分の五以上の株式を有する株主の氏名又は名称、住所及びその有する株式の数を記載した書類

十　現に行っている業務の概要を記載した書類

十一　指定申請者が法第十七条第二項各号に該当しない旨を誓約する書面

十二　その他参考となる事項を記載した書類

（保険等の業務を的確に実施するために必要と認められる財産的基礎）

第二四条　法第十七条第一項第一号の国土交通省令で定める基準は、基本財産又は資本金の額が二億円以上であることとする。

（保険法人の名称等の変更の届出）

第二五条　法第十八条第二項の規定による届出は、別記第十四号様式による住宅瑕疵担保責任保険法人名称等変更届出書により行うものとする。

（役員の選任又は解任の認可の申請）

第二六条　住宅瑕疵担保責任保険法人（以下「保険法人」という。）は、法第二十条第一項の規定により役員の選任又は解任の認可を受けようとするときは、別記第十五号様式による住宅瑕疵担保責任保険法人役員選任等認可申請書を国土交通大臣に提出しなければならない。

2　前項の場合において、選任の認可を受けようとするときは、同項の申請書に、当該選任に係る者の就任承諾書及び法第十七条第二項第三号イ又はロのいずれにも該当しない旨を誓約する書面を添えなければならない。

（業務規程の認可の申請等）

第二七条　保険法人は、法第二十一条第一項前段の規定により保険等の業務に関する規程（以下「業務規程」という。）の認可を受けようとするときは、別記第十六号様式による住宅瑕疵担保責任保険法人保険等業務規程認可申請書に当該認可に係る業務規程を添えて、これを国土交通大臣に提出しなければならない。

2　保険法人は、法第二十一条第一項後段の規定により業務規程の変更の認可を受けようとするときは、別記第十七号様式による住宅瑕疵担保責任保険法人保険等業務規程変更認可申請書を国土交通大臣に提出しなければならない。

（業務規程の記載事項）

第二八条　法第二十一条第二項の国土交通省令で定める事項は、次に掲げるものとする。

一　保険等の業務を行う時間及び休日に関する事項

二　保険等の業務を行う事務所の所在地

三　保険契約の締結の手続に関する事項

四　保険契約の内容に関する事項

五　保険料、検査手数料その他保険等の業務に関する料金（以下「保険料等」という。）の収納の方法に関する事項

六　保険契約の締結の媒介、取次ぎ又は代理に関する事項

七　保険引受に当たっての検査に関する事項

八　保険金の支払に関する事項

九　保険料等及び責任準備金の算出方法に関する事項

十　保険等の業務の実施体制に関する事項

十一　法第二十五条の帳簿（以下単に「帳簿」という。）その他の保険等の業務に関する書類の管理及び保存に関する事項

十二　保険等の業務に関する秘密の保持に関する事項

十三　保険契約に関する苦情及び紛争の処理に関する事項

十四　区分経理の方法その他の経理に関する事項

十五　第三十五条第二項の規定による支払備金の積立てを行う場合にあっては、その計算方法に関する事項

十六　保険等の業務の公正かつ的確な実施を確保するための措置に関する事項

十七　法第三十五条の規定による住宅紛争処理支援センターの調査研究事業への協力に関する事項

十八　その他保険等の業務の実施に関し必要な事項

（事業計画等の認可の申請等）

第二九条　保険法人は、法第二十二条第一項前段の規定により事業計画及び収支予算の認可を受けようとするときは、別記第十八号様式による住宅瑕疵担保責任保険法人事業計画等認可申請書に次に掲げる書類を添えて、毎事業年度開始の日の一月前までに（指定を受けた日の属する事業年度にあっては、その指定を受けた後遅滞なく）、これを国土交通大臣に提出しなければならない。

一　事業計画書
二　収支予算書
三　前事業年度の予定貸借対照表
四　当該事業年度の予定貸借対照表
五　前二号に掲げるもののほか、収支予算書の参考となる書類

2　保険法人は、法第二十二条第一項後段の規定により事業計画又は収支予算の変更の認可を受けようとするときは、別記第十九号様式による住宅瑕疵担保責任保険法人事業計画等変更認可申請書を国土交通大臣に提出しなければならない。この場合において、収支予算の変更が前項第四号又は第五号に掲げる書類の変更を伴うときは、当該変更後の書類を添付しなければならない。

（事業報告書等の提出）

第三〇条　保険法人は、法第二十二条第二項の規定により事業報告書及び収支決算書を提出するときは、財産目録等を添付しなければならない。

2　前項の収支決算書及び財産目録等については、公認会計士（公認会計士法（昭和二十三年法律第百三号）第十六条の二第五項に規定する外国公認会計士を含む。）又は監査法人の監査を受けたものとする。

（区分経理の方法）

第三一条　保険法人は、法第二十三条各号に掲げる業務のうち、二以上の業務に関連する収入及び費用については、適正な基準によりそれぞれの業務に配分して経理しなければならない。

（責任準備金の積立て）

第三二条　保険法人は、毎事業年度末において、次の各号に掲げる区分に応じ、当該各号に定める金額を責任準備金として積み立てなければならない。

一　普通責任準備金　収入保険料を基礎として、未経過期間（保険契約に定めた保険期間のうち、事業年度末において、まだ経過していない期間をいう。）に対応する責任に相当する額として計算した金額。
二　異常危険準備金　保険契約に基づく将来の債務を確実に履行するため、将来発生が見込まれる危険に備えて計算した金額。ただし、危険に備えるために最低限度必要なものとして国土交通大臣が定める額を下回ってはならない。

（再保険契約の責任準備金）

第三三条　保険法人は、保険契約を再保険に付した場合において、次に掲げる者に再保険を付した部分に相当する責任準備金を積み立てないことができる。

一　保険業法（平成七年法律第百五号）第二条第二項に規定する保険会社
二　保険業法第二条第七項に規定する外国保険会社等
三　保険法人

（帳簿の備付け等）

第三四条　法第二十五条の国土交通省令で定める事項は、次に掲げるものとする。

一　法第十九条第一号及び第二号の保険契約（以下この号において単に「保険契約」という。）について、それぞれ次に掲げる事項
イ　保険契約の申込みを受けた年月日
ロ　保険契約に係る住宅の検査を行った年月日及び当該検査を行った者の氏名
ハ　保険契約に係る住宅の建設工事が完了した年月日
ニ　保険契約に係る住宅を引き渡した年月日
ホ　保険契約を締結した年月日
ヘ　保険証券の番号
ト　保険契約者の氏名又は名称及び連絡先
チ　保険契約に係る住宅の建設工事の発注者又は当該住宅の買主の氏名又は名称及び連絡先
リ　保険料等の額
ヌ　保険契約に基づく損害の塡補の内容及び保険金の額
ル　保険契約の期間
ヲ　保険契約に係る住宅の建築主及び設計者の氏名又は名称及び連絡先
ワ　保険契約に係る住宅の工事監理者、工事施工者及び売主の氏名又は名称及び連絡先
カ　保険契約に係る住宅の所在地及び名称
ヨ　保険契約に係る住宅の階数、延べ面積、構造その他当該住宅に関する基本的な事項
二　法第十九条第三号の再保険契約（以下この号において単に「再保険契約」という。）について、次に掲げる事項
イ　再保険契約を締結した年月日
ロ　再保険契約に係る法第十九条第一号及び第二号の保険契約に関する前号に掲げる事項
三　法第十九条第一号から第三号までの保険契約に基づく保険金の支払について、次に掲げる事項
イ　保険金の支払に係る保険契約の保険証券の番号
ロ　保険金の支払の原因となった事象を発見した年月日
ハ　現地調査を実施した年月日及びその調査結果
ニ　保険金の支払の対象となった瑕疵及びその瑕疵の修補工事の内容
ホ　保険金を支払った年月日及びその額

2　前項各号に掲げる事項が、電子計算機に備えられたファイル又は電磁的記録媒体に記録され、必要に応じ保険法人において電子計算機その他の機器を用いて明確に紙面に表示されるときは、当該記録をもって帳簿への記載に代えることができる。

3　保険法人は、帳簿（前項の規定による記録が行われた同項のファイル又は電磁的記録媒体を含む。第三十九条第一号において同じ。）を、保険等の業務の全部を廃止するまで保存しなければならない。

（支払備金の積立て）

第三五条　保険法人は、毎事業年度末において、次に掲げる金額を支払備金として積み立てなければならない。

一　保険契約に基づいて支払義務が発生した保険金及び返戻金（当該支払義務に係る訴訟が係属しているものを含む。）のうち、保険法人が毎事業年度末において、まだ支出として計上していないものがある場合は、当該支払のために必要な金額
二　まだ支払事由の発生の報告を受けていないが保険契約に規定する支払事由が既に発生したと認める保険金及び返戻金について、その支払のために必要なものとして国土交通大臣が定める金額

2　保険法人の業務又は財産の状況等に照らし、やむを得ないと認められる事情がある場合には、前項の規定にかかわらず、同項第二号に規定する保険金及び返戻金については、一定の期間を限り、業務規程に規定する方法により計算した金額を支払備金として積み立てることができる。

3　第三十三条の規定は、支払備金の積立てについて準用する。

（資産の運用方法）

第三六条　保険法人は、保険料として収納した金銭その他の資産の運用を行うには、次に掲げる方法によらなければならない。

一　国債、地方債その他国土交通大臣が指定する有価証券の取得
二　銀行その他国土交通大臣が指定する金融機関への預金
三　信託業務を営む金融機関（金融機関の信託業務の兼営等に関する法律（昭和十八年法律第四十三号）第一条第一項の認可を受けた金融機関をいう。）への金銭信託で元本補塡の契約があるもの

第三七条　削除

（業務の休廃止の許可の申請）

第三八条　保険法人は、法第二十九条第一項の規定により保険等の業務の全部又は一部の休止又は廃止の許可を受けようとするときは、別記第二十一号様式による住宅瑕疵担保責任保険法人業務休廃止許可申請書を国土交通大臣に提出しなければならない。

（保険等の業務の引継ぎ）

第三九条　法第二十九条第一項の規定による保険等の業務の全部又は一部の廃止の許可に係る保険法人（当該許可の条件として、その保険等の業務の全部又は一部を、当該保険等の業務の全部又は一部を承継するものとして国土交通大臣が指定する保険法人に引き継ぐこととされたものに限る。）及び法第三十条第一項又は第二項の規定による指定の取消しに係る保険法人は、次に掲げる事項を行わなければならない。

一　国土交通大臣が指定する保険法人に帳簿その他の保険等の業務に関する書類を引き継ぐこと。

二　国土交通大臣が指定する保険法人に保険契約に係る責任準備金及び支払備金に相当する額を引き渡すこと。
三　その他国土交通大臣が必要と認める事項

第五章　住宅瑕疵担保責任保険契約に係る新築住宅に関する紛争の処理

（指定住宅紛争処理機関の業務の特例に係る住宅品質確保法施行規則の規定の適用）

第四〇条　法第三十三条第一項の規定により指定住宅紛争処理機関が同項に規定する業務を行う場合には、次の表の上欄に掲げる住宅の品質確保の促進等に関する法律施行規則（平成十二年建設省令第二十号。以下「住宅品質確保法施行規則」という。）の規定中同表の中欄に掲げる字句は、それぞれ同表の下欄に掲げる字句とする。

上欄	中欄	下欄
第百四条第一項	の申請をしようとする者は、	又は特定住宅瑕疵担保責任の履行の確保等に関する法律（平成十九年法律第六十六号。以下「履行確保法」という。）第三十三条第一項に規定する紛争のあっせん、調停及び仲裁（以下「特別住宅紛争処理」という。）の申請をしようとする者は、住宅紛争処理の申請にあっては
	を指定住宅紛争処理機関	を、特別住宅紛争処理の申請にあっては特定住宅瑕疵担保責任の履行の確保等に関する法律施行規則（平成二十年国土交通省令第十号。以下「履行確保法施行規則」という。）別記第二十二号様式の特別住宅紛争処理申請書（次項及び第百五条の二において単に「特別住宅紛争処理申請書」という。）を、それぞれ指定住宅紛争処理機関
第百四条第二項及び第百九条	法	法又は履行確保法
第百四条第二項及び第百五条の二	住宅紛争処理申請書	住宅紛争処理申請書又は特別住宅紛争処理申請書
第百五条の三第一項	住宅紛争処理を求める事項	住宅紛争処理を求める事項又は特別住宅紛争処理を求める事項
第百八条の二第一項	紛争に	紛争又は履行確保法第三十三条第一項に規定する紛争に
第百十条第四項	この規則	この規則又は履行確保法及び履行確保法施行規則
第百十二条第一項及び第百十五条	住宅紛争処理	住宅紛争処理又は特別住宅紛争処理
第百十四条第二項	一万円	一万円（履行確保法第十九条第二号に規定する保険契約（令和四年九月三十日以前に申込みがされたものに限る。）に係る住宅の建設工事の請負契約又は売買契約に関する紛争のあっせん、調停及び仲裁の申請をする場合にあっては、一万四千円）
第百十六条第一項	について	及び履行確保法第三十三条第一項に規定する業務（以下「特別紛争処理の業務」という。）に係る経理についてそれぞれ
	とその他の業務に係る経理とを	、特別紛争処理の業務に係る経理及びその他の業務に係る経理をそれぞれ
第百十六条第二項	とその他の業務の双方に	、特別紛争処理の業務及びその他の業務のうち、二以上の業務に

（住宅紛争処理支援センターの業務の特例に係る住宅品質確保法施行規則の規定の適用）

第四一条　法第三十四条第一項の規定により住宅紛争処理支援センターが同項各号に掲げる業務を行う場合には、次の表の上欄に掲げる住宅品質確保法施行規則の規定中同表の中欄に掲げる字句は、それぞれ同表の下欄に掲げる字句とする。

上欄	中欄	下欄
第百十七条第一号	支援等の業務	支援等の業務及び特定住宅瑕疵担保責任の履行の確保等に関する法律（平成十九年法律第六十六号。以下「履行確保法」という。）第三十四条第一項各号に掲げる業務（以下「特別支援等の業務」という。）
第百十七条（第一号を除く。）、第百十八条第一項及び第三項並びに第百十九条第一項及び第三項	支援等の業務	支援等の業務及び特別支援等の業務
第百十八条第一項第一号	の情報	及び履行確保法第三十四条第一項第二号の情報
第百十八条第一項第二号	の調査	及び履行確保法第三十四条第一項第三号の調査
第百十九条第一項第二号	紛争処理の業務	紛争処理の業務又は履行確保法第三十三条第一項に規定する業務（以下「特別紛争処理の業務」という。）
第百二十条及び第百二十三条第一項	紛争処理の業務	紛争処理の業務又は特別紛争処理の業務
第百二十一条第一項	別記第七十七号様式	特定住宅瑕疵担保責任の履行の確保等に関する法律施行規則（平成二十年国土交通省令第十号。以下「履行確保法施行規則」という。）別記第二十三号様式
	別記第七十八号様式	履行確保法施行規則別記第二十四号様式
	別記第七十九号様式	履行確保法施行規則別記第二十五号様式

第百二十三条第一項	別記第八十号様式	履行確保法施行規則別記第二十六号様式
第百二十三条第二項	紛争処理の業務	紛争処理の業務若しくは特別紛争処理の業務
第百二十四条第一項	センターは、評価住宅関係業務	センターは、評価住宅関係業務（法第八十三条第一項第一号から第六号までの業務（同項第四号の業務にあっては、履行確保法第三十三条第一項に規定する紛争のあっせん、調停及び仲裁に関するものを除く。）をいう。以下この条において同じ。）
	について	及び保険住宅関係業務（法第八十三条第一項第四号の業務（履行確保法第三十三条第一項に規定する紛争のあっせん、調停及び仲裁に関するものに限る。）、法第八十三条第一項第七号の業務（履行確保法第三十三条第一項に規定する建設工事の請負契約又は売買契約に関するものに限る。）及び特別支援等の業務をいう。以下この条において同じ。）に係る経理についてそれぞれ
	とその他の業務に係る経理とを	、保険住宅関係業務に係る経理及びその他の業務に係る経理をそれぞれ
第百二十四条第二項	とその他の業務の双方に	、保険住宅関係業務及びその他の業務のうち、二以上の業務に

第六章　雑則

（権限の委任）

第四二条　法に規定する国土交通大臣の権限のうち、次に掲げるものは、建設業者又は宅地建物取引業者の主たる事務所の所在地を管轄する地方整備局長及び北海道開発局長に委任する。

一　法第四条第一項の規定による届出を受理すること。

二　法第五条ただし書の規定による確認をすること。

三　法第七条第二項（法第十六条において読み替えて準用する場合を含む。）の規定による届出を受理すること。

四　法第九条第二項（法第十六条において読み替えて準用する場合を含む。）の規定による承認をすること。

五　法第十二条第一項の規定による届出を受理すること。

六　法第十三条ただし書の規定による確認をすること。

2　法第二十八条第一項の規定による国土交通大臣の権限は、保険法人の本店又は主たる事務所（以下「本店等」という。）の所在地を管轄する地方整備局長及び北海道開発局長も行うことができる。

3　法第二十八条第一項の規定による国土交通大臣の権限で保険法人の本店等以外の支店、事務所その他の施設（以下「支店等」という。）に関するものについては、前項に規定する地方整備局長及び北海道開発局長のほか、当該支店等の所在地を管轄する地方整備局長及び北海道開発局長も行うことができる。

4　前項の規定により、保険法人の支店等に対して報告の求め又は立入検査（以下この項において「検査等」という。）を行った地方整備局長及び北海道開発局長は、当該保険法人の本店等又は当該支店等以外の支店等に対して検査等の必要を認めたときは、当該本店等又は当該支店等以外の支店等に対し、検査等を行うことができる。

附　則〔抄〕

（施行期日）

第一条　この省令は、法の施行の日（平成二十年四月一日）から施行する。ただし、第二章、第三章及び第四十二条第一項並びに附則第三条及び附則第四条の規定は、法附則第一条ただし書に規定する規定の施行の日（平成二十一年十月一日）から施行する。

（経過措置）

第二条　この省令の施行の日の属する事業年度における第四十一条の規定により読み替えて適用する住宅品質確保法施行規則第百二十一条第一項の規定の適用については、同項中「当該事業年度開始の日の一月前までに」とあるのは、「履行確保法施行規則の施行後遅滞なく」とする。

2　附則第一条ただし書に規定する規定の施行の日から起算して十年を経過する日までの間は、別記第一号様式、別記第二号様式、別記第七号様式及び別記第八号様式中「1の基準日前10年間」とあるのは、「法附則第一条ただし書に規定する規定の施行の日から1の基準日までの間」とする。

附　則〔略〕〔平成二〇・一二・一国土交通省令九七施行〕

附　則〔略〕〔平成二一・八・二六国土交通省令五一〕

附　則〔略〕〔平成二三・三・二三国土交通省令一五施行〕

附　則〔略〕〔令和二・四・一国土交通省令三八〕

附　則〔略〕〔令和二・一二・二三国土交通省令九八〕

附　則〔略〕〔令和三・八・三一国土交通省令五三〕

附　則〔略〕〔令和三・九・一〇国土交通省令五六〕

附　則〔略〕〔令和三・一二・二一国土交通省令八〇〕

附　則〔略〕〔令和五・一二・二八国土交通省令九八施行〕

附　則〔抄〕〔令和六・三・二九国土交通省令二六〕

（施行期日）

第一条　この省令は、令和六年四月一日から施行する。〔以下略〕

別記様式〔略〕

○住宅建設瑕疵担保保証金及び住宅販売瑕疵担保保証金に関する規則

〔平成二一・八・二六
法務省・国土交通省令二〕

改正　令和二・四法・国交令一、一二法・国交令二、令和四・七法・国交令一

目次

第一章　住宅建設瑕疵担保保証金（第一条―第十六条）
第二章　住宅販売瑕疵担保保証金（第十七条―第二十八条）
附則

第一章　住宅建設瑕疵担保保証金

（住宅建設瑕疵担保保証金の還付請求の添付書類）

第一条　特定住宅瑕疵担保責任の履行の確保等に関する法律（以下「法」という。）第六条第二項の規定により住宅建設瑕疵担保保証金の還付を受けようとする者が供託規則（昭和三十四年法務省令第二号）第二十四条第一項第一号の規定により供託物払渡請求書に添付すべき書面は、次の各号に掲げる場合に応じそれぞれ当該各号に定める書面とする。

一　法第六条第二項第一号又は第二号の場合　次条第九項の技術的確認書

二　法第六条第二項第三号の場合　特定住宅瑕疵担保責任の履行の確保等に関する法律施行規則（平成二十年国土交通省令第十号。以下「施行規則」という。）第九条第九項の確認書

（技術的確認）

第二条　法第六条第二項第一号又は第二号の規定により住宅建設瑕疵担保保証金の還付を受けようとする者は、別記第一号様式による技術的確認（同項第一号に規定する債務名義又は同項第二号に規定する公正証書若しくは施行規則第七条に規定する私署証書に記載された報酬返還請求権等に関し、同項の規定により住宅建設瑕疵担保保証金の還付を受けることができる額について国土交通大臣が技術的に確認することをいう。以下この章において同じ。）の申請書を国土交通大臣に提出しなければならない。

2　前項の技術的確認の申請書には、法第六条第二項第一号に掲げる場合においては同号に規定する債務名義の謄本を、同項第二号に掲げる場合においては同号に規定する公正証書の謄本又は施行規則第七条に規定する私署証書を添付しなければならない。

3　国土交通大臣は、第一項の技術的確認の申請書を受理したときは、遅滞なく、法第六条第一項の権利（以下この章において単に「権利」という。）の調査をしなければならない。

4　国土交通大臣は、次の各号のいずれかに該当するときは、前項の規定にかかわらず、同項の規定による権利の調査を行わないものとする。

一　第二項の規定により添付された書面に記載された報酬返還請求権等に係る瑕疵が法第六条第一項の瑕疵に該当しないことが、当該書面から明らかであるとき。

二　当該技術的確認の申請書を受理した日（当該技術的確認の申請書を受理した日前三十日内に受理した当該技術的確認の申請書に記載された供託建設業者（法第六条第一項に規定する供託建設業者をいう。以下同じ。）に係る第一項の技術的確認の申請書又は施行規則第九条第一項の確認申請書（既に第十項第二号の規定による合計額の算定の対象となる期間内に受理されたものを除く。以下この号において「対象申請書等」という。）があるときは、対象申請書等を受理した日のうち最も早い日。以下この章において「受理日」という。）における当該供託建設業者が供託をしている住宅建設瑕疵担保保証金の額（受理日前にされた当該供託建設業者に係る第一項の規定による技術的確認の申請及び施行規則第九条第一項の規定による確認の申請のうち、前項の規定による権利の調査又は施行規則第九条第三項の規定による権利の調査の結果、権利を有することが確認され、まだ住宅建設瑕疵担保保証金の還付を受けていないものに係る金額（これらの権利の調査に要した第八項に規定する損害調査費用を含む。）に相当する額を除く。以下この章において「受理日供託額」という。）が、受理日以後当該技術的確認の申請書を受理した日までの間に受理した対象申請書等（前号の規定により権利の調査を行わないこととされたもの及び次項ただし書の規定により同項の損害調査を行わないこととされたものを除く。）に係る戸数に十万円を乗じた額以下であるとき。

5　国土交通大臣は、第三項の規定による権利の調査のため、法第十七条第一項に規定する住宅瑕疵担保責任保険法人（以下「保険法人」という。）に、第一項の規定による技術的確認の申請に係る損害についての調査（以下この章において「損害調査」という。）を行わせるものとする。ただし、第二項の規定により添付された書面によりその必要がないと認められるときは、この限りでない。

6　保険法人は、損害調査を行うときは、その役員又は職員のうち、国土交通大臣が別に定める要件を備える者に損害調査を実施させなければならない。

7　保険法人は、損害調査を終えたときは、直ちに、当該技術的確認の申請に係る損害が法第六条第一項の瑕疵により生じた損害に該当するか否か並びに該当する場合は当該損害の内容及び額について報告書を作成し、これを国土交通大臣に提出しなければならない。

8　国土交通大臣は、前項の報告書の提出を受けたときは、受理日から起算して三十日を経過した日（当該報告書の提出を受けた日が受理日から起算して三十日を経過した日より後の日であるときは、当該報告書の提出を受けた日）以後、遅滞なく、当該報告書に係る損害調査を実施した保険法人に対し、当該損害調査に要する費用として国土交通大臣が別に定める費用（以下この章において「損害調査費用」という。）に係る別記第二号様式による確認書を交付しなければならない。ただし、第十項第二号に該当するときは、これを交付してはならない。

9　国土交通大臣は、第三項の規定による権利の調査の結果に基づき、第一項の技術的確認の申請書を提出した者（以下この条において「申請者」という。）が権利を有することを確認したときは、受理日から起算して三十日を経過した日（当該権利を有することを確認した日が受理日から起算して三十日を経過した日より後の日であるときは、当該権利を有することを確認した日）以後、遅滞なく、申請者に別記第三号様式による技術的確認書を交付しなければならない。この場合において、当該技術的確認書に記載する報酬返還請求権等の額は、受理日供託額から損害調査費用を控除した額を限度とする。

10　国土交通大臣は、次の各号のいずれかに該当する場合には、前項の規定にかかわらず、同項の技術的確認書を交付してはならない。

一　第三項の規定による権利の調査の結果に基づき権利を有することが確認された金額が、次に掲げる区分に応じそれぞれ次に定める額以下の場合

イ　一戸建て住宅　十万円

ロ　共同住宅又は長屋（以下「共同住宅等」という。）　五十万円又は当該技術的確認の申請書に係る共同住宅等の合計戸数に十万円を乗じた額のいずれか低い額

二　受理日以後受理日から起算して三十日を経過する日までにされた当該供託建設業者に係る第一項の規定による技術的確認の申請及び施行規則第九条第一項の規定による確認の申請のうち、第三項の規定による権利の調査又は施行規則第九条第三項の規定による権利の調査の結果、権利を有することが確認されたものに係る金額（これらの権利の調査に要した損害調査費用を含む。）の合計額が、受理日供託額を超える場合

11　国土交通大臣は、次の各号のいずれかに該当する場合には、申請者に対し、その旨を通知しなければならない。

一　第三項の規定による権利の調査の結果に基づき、申請者が権利を有していないことが確認された場合

二　第四項各号のいずれかに該当する場合

三　前項第一号に該当する場合

（権利の申出）

第三条　国土交通大臣は、前条第十項第二号に該当する場合は、遅滞なく、六十日を下らない一定の期間内に国土交通大臣に権利の申出をすべきこと及びその期間内に申出をしないときは当該公示に係るこの条から第五条までの規定による手続（以下この条において「配当手続」という。）から除斥されるべきことを公示しなければならない。

2　国土交通大臣は、前項の規定による公示をしたときは、その旨を次に掲げる者に対して通知しなければならない。

一　受理日以後当該公示をした日までの間に、前項の規定による公示に係る供託建設業者に関する前条第一項の技術的確認の申請書又は施行規則第九条第一項の確認申請書を提出した者

二　当該供託建設業者

3　第一項の規定による公示があった後は、受理日以後受理日から起算して三十日を経過する日までの間に当該公示に係る供託建設業者に関する前条第一項の技術的確認の申請書又は施行規則第九条第一項の確認申請書を提出した者が、その申請を取り下げた場合においても、配当手続の進行は妨げられない。

4　第一項に規定する権利の申出をしようとする法第六条第一項に規定する発注者は、権利を有することを証する書面を添付して、別記第四号様式による申出書を国土交通大臣に提出しなければならない。

5　第一項の規定による公示をした場合にあっては、受理日から起算して三十日を経過した日以後同項の期間を経過する日までの間に行われた前条第一項の規定による技術的確認の申請又は施行規則第九条第一項の規定による確認の申請は、第一項の期間内に行われた前項の規定による権利の申出とみなす。この場合において、前条第一項の技術的確認の申請書（同条第二項の規定により添付された書面を含む。）又は施行規則第九条第一項の確認申請書（同条第二項の規定により添付された書面を含む。）は、前項の申出書（同項の規定により添付すべき書面を含む。）とみなす。

6　第四項の申出書が郵便又は民間事業者による信書の送達に関する法律（平成十四年法律第九十九号）第二条第六項に規定する一般信書便事業者若しくは同条第九項に規定する特定信書便事業者による同条第二項に規定する信書便で提出された場合における第一項の期間の計算については、送付に要した日数は、算入しない。

（権利の調査）

第四条　国土交通大臣は、前条第四項の規定による権利の申出を受けたときは、遅滞なく、権利の調査をしなければならない。

2　国土交通大臣は、次の各号のいずれかに該当するときは、前項の規定にかかわらず、同項の規定による権利の調査を行わないものとする。

一　前条第四項の規定により添付された書面に記載された報酬返還請求権等に係る瑕疵が法第六条第一項の瑕疵に該当しないことが、当該書面から明らかであるとき。

二　受理日供託額が受理日以後当該権利の申出を受けた日までの間に受理した前条第四項の規定による権利の申出（前号の規定により権利の調査を行わないこととされたもの及び次項において準用する第二条第五項ただし書の規定により損害調査を行わないこととされたものを除く。）に係る戸数に十万円を乗じた額以下であるとき。

3　第二条第五項から第七項までの規定は、第一項の権利の調査について準用する。

（配当表の作成等）

第五条　国土交通大臣は、第三条第三項に規定する者に係る第二条第三項の規定による権利の調査若しくは施行規則第九条の三の規定による権利の調査又は第三条第一項の期間内に同条第四項の規定による権利の申出をした者に係る前条第一項の規定による権利の調査（以下この条において「権利調査」という。）の結果に基づき、これらの者が権利を有することを確認したときは、速やかに、権利を有することが確認された者に係る配当表を作成し、これを公示し、かつ、当該配当表に係る供託建設業者に通知しなければならない。

2　配当の順位は、次に掲げる順位による。

一　損害調査費用

二　権利調査により権利を有することが確認された者が有する権利で、二千万円以下のものは全額、二千万円を超えるものは二千万円までの額

三　前号に掲げるものを除く同号の者が有する権利

3　同一順位において配当をすべき債権については、それぞれその債権の額の割合に応じて、配当をする。

4　国土交通大臣は、配当の実施のため、供託規則第二十七号から第二十八号の二までの書式により作成した支払委託書を供託所に送付するとともに、配当を受けるべき者に同令第二十九号書式により作成した証明書を交付しなければならない。

5　国土交通大臣は、前項の手続をしたときは、同項の支払委託書の写しを供託建設業者に交付しなければならない。

（公示の方法）

第六条　第三条第一項及び前条第一項の規定による公示は、官報に掲載することによって行う。

（供託書正本の提出）

第七条　国土交通大臣は、権利の実行に必要があるときは、供託建設業者に対し、当該供託建設業者が供託した住宅建設瑕疵担保保証金に係る供託書正本の提出を命ずることができる。

2　国土交通大臣は、前項の規定により供託書正本の提出を受けたときは、保管証書を当該供託建設業者に交付しなければならない。

（有価証券の換価）

第八条　国土交通大臣は、法第三条第五項の規定により有価証券（同項に規定する有価証券をいう。以下同じ。）が供託されている場合において、権利の実行に必要があるときは、これを換価することができる。この場合において、換価の費用は、換価代金から控除する。

2　国土交通大臣は、前項の規定により有価証券を換価するためその還付を受けようとするときは、供託物払渡請求書二通を供託所に提出しなければならない。

3　国土交通大臣は、有価証券を換価したときは、換価代金から換価の費用を控除した額を、当該有価証券に代わる供託金として供託しなければならない。

4　前項の規定により供託された供託金は、第二項の規定により還付された有価証券を供託した供託建設業者が供託したものとみなす。

5　国土交通大臣は、第三項の規定により供託したときは、その旨を前項に規定する供託建設業者に通知しなければならない。

（住宅建設瑕疵担保保証金の還付に係る通知書）

第九条　権利を有する者で、当該権利の実行のため住宅建設瑕疵担保保証金の還付を受けようとする者は、供託規則及び第一条の定めるところによるほか、別記第五号様式の通知書三通を供託所に提出しなければならない。

第一〇条　供託所は、法第六条第二項の規定による請求に基づき供託物を還付したときは、前条の通知書のうち二通を国土交通大臣に送付しなければならない。

第一一条　前条の通知書の送付を受けた国土交通大臣は、その一通に、別記第五号様式の奥書の式による記載をし、これを当該通知書に係る供託建設業者に送付しなければならない。この場合において、当該供託建設業者が建設業法（昭和二十四年法律第百号）第三条第一項に規定する都道府県知事の許可を受けているときは、国土交通大臣は、その写しを当該許可に係る都道府県知事に送付しなければならない。

（不足額の供託の起算日）

第一二条　法第七条第一項の法務省令・国土交通省令で定める日は、供託建設業者が還付があったことについて国土交通大臣から前条の規定による通知書の送付を受けた場合においては、当該供託建設業者が当該通知書の送付を受けた日とする。

2　前項に規定する場合以外の場合においては、法第七条第一項の法務省令・国土交通省令で定める日は、当該供託建設業者が住宅建設瑕疵担保保証金が基準額に不足することとなったことを知った日とする。

（金銭のみをもって住宅建設瑕疵担保保証金の供託をしている場合の住宅建設瑕疵担保保証金の保管替え）

第一三条　法第八条第一項の規定により供託建設業者が住宅建設瑕疵担保保証金の保管替えを請求するには、供託規則第二十一条の三から第二十一条の六までに定めるところによらなければならない。

（有価証券又は有価証券及び金銭で供託をしている場合の住宅建設瑕疵担保保証金の取戻し）

第一四条　法第八条第二項後段の規定により住宅建設瑕疵担保保証金の取戻しをしようとする者が供託規則第二十五条第一項の規定により供託物払渡請求書に添付すべき書面は、登記事項証明書その他の主たる事務所の移転の事実を証する書面及び法第八条第二項前段の規定による供託に係る供託書正本の写しとする。

（住宅建設瑕疵担保保証金の取戻し）

第一五条　法第九条第二項の規定により住宅建設瑕疵担保保証金の取戻しをしようとする者が供託規則第二十五条第一項の規定により供託物払渡請求書に添付すべき書面は、施行規則第十二条第二項に規定する取戻承認書とする。

（供託規則の適用）
第一六条　この省令に定めるもののほか、住宅建設瑕疵担保保証金の供託及び払渡しについては、供託規則の手続による。

第二章　住宅販売瑕疵担保保証金

（住宅販売瑕疵担保保証金の還付請求の添付書類）
第一七条　法第十四条第二項の規定により住宅販売瑕疵担保保証金の還付を受けようとする者が供託規則第二十四条第一項第一号の規定により供託物払渡請求書に添付すべき書面は、次の各号に掲げる場合に応じそれぞれ当該各号に定める書面とする。
一　法第十四条第二項第一号又は第二号の場合　次条第九項の技術的確認書
二　法第十四条第二項第三号の場合　施行規則第二十条第九項の確認書

（技術的確認）
第一八条　法第十四条第二項第一号又は第二号の規定により住宅販売瑕疵担保保証金の還付を受けようとする者は、別記第六号様式による技術的確認（同項第一号に規定する債務名義又は同項第二号に規定する公正証書若しくは施行規則第十八条に規定する私署証書に記載された代金返還請求権等に関し、同項の規定により住宅販売瑕疵担保保証金の還付を受けることができる額について国土交通大臣が技術的に確認することをいう。以下この章において同じ。）の申請書を国土交通大臣に提出しなければならない。
2　前項の技術的確認の申請書には、法第十四条第二項第一号に掲げる場合においては同号に規定する債務名義の謄本を、同項第二号に掲げる場合においては同号に規定する公正証書の謄本又は施行規則第十八条に規定する私署証書を添付しなければならない。
3　国土交通大臣は、第一項の技術的確認の申請書を受理したときは、遅滞なく、法第十四条第一項の権利（以下この章において単に「権利」という。）の調査をしなければならない。
4　国土交通大臣は、次の各号のいずれかに該当するときは、前項の規定にかかわらず、同項の規定による権利の調査を行わないものとする。
一　第二項の規定により添付された書面に記載された代金返還請求権等に係る瑕疵が法第十四条第一項の瑕疵に該当しないことが、当該書面から明らかであるとき。
二　当該技術的確認の申請書を受理した日（当該技術的確認の申請書を受理した日前三十日内に受理した当該技術的確認の申請書に記載された供託宅地建物取引業者（法第十四条第一項に規定する供託宅地建物取引業者をいう。以下同じ。）に係る第一項の技術的確認の申請書又は施行規則第二十条第一項の確認申請書（既に第十項第二号の規定による合計額の算定の対象となる期間に受理されたものを除く。以下この号において「対象申請書等」という。）があるときは、対象申請書等を受理した日のうち最も早い日。以下この章において「受理日」という。）における当該供託宅地建物取引業者が供託をしている住宅販売瑕疵担保保証金の額（受理日前にされた当該供託宅地建物取引業者に係る第一項の規定による技術的確認の申請及び施行規則第二十条第一項の規定による確認の申請のうち、前項の規定による権利の調査又は施行規則第二十条第三項の規定による権利の調査の結果、権利を有することが確認され、まだ住宅販売瑕疵担保保証金の還付を受けていないものに係る金額（これらの権利の調査に要した第八項に規定する損害調査費用を含む。）に相当する額を除く。以下この章において「受理日供託額」という。）が、受理日以後当該技術的確認の申請書を受理した日までの間に受理した対象申請書等（前号の規定により権利の調査を行わないこととされたもの及び次項ただし書の規定により同項の損害調査を行わないこととされたものを除く。）に係る戸数に十万円を乗じた額以下であるとき。
5　国土交通大臣は、第三項の規定による権利の調査のため、保険法人に第一項の規定による技術的確認の申請に係る損害についての調査（以下この章において「損害調査」という。）を行わせるものとする。ただし、第二項の規定により添付された書面によりその必要がないと認められるときは、この限りでない。
6　保険法人は、損害調査を行うときは、その役員又は職員のうち、国土交通大臣が別に定める要件を備える者に損害調査を実施させなければならない。
7　保険法人は、損害調査を終えたときは、直ちに、当該技術的確認の申請に係る損害が法第十四条第一項の瑕疵により生じた損害に該当するか否か並びに該当する場合は当該損害の内容及び額について報告書を作成し、これを国土交通大臣に提出しなければならない。
8　国土交通大臣は、前項の報告書の提出を受けたときは、受理日から起算して三十日を経過した日（当該報告書の提出を受けた日が受理日から起算して三十日を経過した日より後の日であるときは、当該報告書の提出を受けた日）以後、遅滞なく、当該報告書に係る損害調査を実施した保険法人に対し、当該損害調査に要する費用として国土交通大臣が別に定める費用（以下この章において「損害調査費用」という。）に係る別記第七号様式による確認書を交付しなければならない。ただし、第十項第二号に該当するときは、これを交付してはならない。
9　国土交通大臣は、第三項の規定による権利の調査の結果に基づき、第一項の技術的確認の申請書を提出した者（以下この条において「申請者」という。）が権利を有することを確認したときは、受理日から起算して三十日を経過した日（当該権利を有することを確認した日が受理日から起算して三十日を経過した日より後の日であるときは、当該権利を有することを確認した日）以後、遅滞なく、申請者に別記第八号様式による技術的確認書を交付しなければならない。この場合において、当該技術的確認書に記載する代金返還請求権等の額は、受理日供託額から損害調査費用を控除した額を限度とする。
10　国土交通大臣は、次の各号のいずれかに該当する場合には、前項の規定にかかわらず、同項の技術的確認書を交付してはならない。
一　第三項の規定による権利の調査の結果に基づき権利を有することが確認された金額が、次に掲げる区分に応じそれぞれ次に定める額以下の場合
イ　一戸建て住宅　十万円
ロ　共同住宅等　五十万円又は当該技術的確認の申請書に係る共同住宅等の合計戸数に十万円を乗じた額のいずれか低い額
二　受理日以後受理日から起算して三十日を経過する日までにされた当該供託宅地建物取引業者に係る第一項の規定による技術的確認の申請及び施行規則第二十条第一項の規定による確認の申請のうち、第三項の規定による権利の調査又は施行規則第二十条第三項の規定による権利の調査の結果、権利を有することが確認されたものに係る金額（これらの権利の調査に要した損害調査費用を含む。）の合計額が、受理日供託額を超える場合
11　国土交通大臣は、次の各号のいずれかに該当する場合には、申請者に対し、その旨を通知しなければならない。
一　第三項の規定による権利の調査の結果に基づき、申請者が権利を有していないことが確認された場合
二　第四項各号のいずれかに該当する場合
三　前項第一号に該当する場合

（権利の申出）
第一九条　国土交通大臣は、前条第十項第二号に該当する場合は、遅滞なく、六十日を下らない一定の期間内に国土交通大臣に権利の申出をすべきこと及びその期間内に申出をしないときは当該公示に係るこの条から第二十一条までの規定による手続（以下この条において「配当手続」という。）から除斥されるべきことを公示しなければならない。
2　国土交通大臣は、前項の規定による公示をしたときは、その旨を次に掲げる者に対して通知しなければならない。
一　受理日以後当該公示をした日までの間に、前項の規定による公示に係る供託宅地建物取引業者に関する前条第一項の技術的確認の申請書又は施行規則第二十条第一項の確認申請書を提出した者
二　当該供託宅地建物取引業者
3　第一項の規定による公示があった後は、受理日以後受理日から起算して三十日を経過する日までの間に当該公示に係る供託宅地建物取引業者に関する前条第一項の技術的確認の申請書又は施行規則第二十条第一項の確認申請書を提出した者が、その申請を取り下げた場合においても、配当手続の進行は、妨げられない。
4　第一項に規定する権利の申出をしようとする法第十四条第一項に規定する買主は、権利を有することを証する書面を添付して、別記第九号様式による申出書を国土交通大臣に提出しなければならない。
5　第一項の規定による公示をした場合にあっては、受理日から起算して三十日を経過した日以後同項の期間を経過する日までの間に行われた前条第

一項の規定による技術的確認の申請又は施行規則第二十条第一項の規定による確認の申請は、第一項の期間内に行われた前項の規定による権利の申出とみなす。この場合において、前条第一項の技術的確認の申請書（同条第二項の規定により添付された書面を含む。）又は施行規則第二十条第一項の確認申請書（同条第二項の規定により添付された書面を含む。）は、前項の申出書（同項の規定により添付すべき書面を含む。）とみなす。

6　第四項の申出書が郵便又は民間事業者による信書の送達に関する法律第二条第六項に規定する一般信書便事業者若しくは同条第九項に規定する特定信書便事業者による同条第二項に規定する信書便で提出された場合における第一項の期間の計算については、送付に要した日数は、算入しない。

（権利の調査）

第二〇条　国土交通大臣は、前条第四項の規定による権利の申出を受けたときは、遅滞なく、権利の調査をしなければならない。

2　国土交通大臣は、次の各号のいずれかに該当するときは、前項の規定にかかわらず、同項の規定による権利の調査を行わないものとする。

一　前条第四項の規定により添付された書面に記載された代金返還請求権等に係る瑕疵が法第十四条第一項の瑕疵に該当しないことが、当該書面から明らかであるとき。

二　受理日供託額が受理日以後当該権利の申出を受けた日までの間に受理した前条第四項の規定による権利の申出（前号の規定により権利の調査を行わないこととされたもの及び次項において準用する第十八条第五項ただし書の規定により損害調査を行わないこととされたものを除く。）に係る戸数に十万円を乗じた額以下であるとき。

3　第十八条第五項から第七項までの規定は、第一項の権利の調査について準用する。

（配当表の作成等）

第二一条　国土交通大臣は、第十九条第三項に規定する者に係る第十八条第三項の規定による権利の調査若しくは施行規則第二十条の三の規定による権利の調査又は第十九条第一項の期間内に同条第四項の規定による権利の申出をした者に係る前条第一項の規定による権利の調査（以下この条において「権利調査」という。）の結果に基づき、これらの者が権利を有することを確認したときは、速やかに、権利を有することが確認された者に係る配当表を作成し、これを公示し、かつ、当該配当表に係る供託宅地建物取引業者に通知しなければならない。

2　配当の順位は、次に掲げる順位による。

一　損害調査費用

二　権利調査により権利を有することが確認された者が有する権利で、二千万円以下のものは全額、二千万円を超えるものは二千万円までの額

三　前号に掲げるものを除く同号の者が有する権利

3　同一順位において配当をすべき債権については、それぞれその債権の額の割合に応じて、配当をする。

4　国土交通大臣は、配当の実施のため、供託規則第二十七号から第二十八号の二までの書式により作成した支払委託書を供託所に送付するとともに、配当を受けるべき者に同令第二十九号書式により作成した証明書を交付しなければならない。

5　国土交通大臣は、前項の手続をしたときは、同項の支払委託書の写しを供託宅地建物取引業者に交付しなければならない。

（公示の方法）

第二二条　第十九条第一項及び前条第一項の規定による公示は、官報に掲載することによって行う。

（供託書正本の提出）

第二三条　国土交通大臣は、権利の実行に必要があるときは、供託宅地建物取引業者に対し、当該供託宅地建物取引業者が供託した住宅販売瑕疵担保保証金に係る供託書正本の提出を命ずることができる。

2　国土交通大臣は、前項の規定により供託書正本の提出を受けたときは、保管証書を当該供託宅地建物取引業者に交付しなければならない。

（有価証券の換価）

第二四条　国土交通大臣は、法第十一条第五項の規定により有価証券が供託されている場合において、権利の実行に必要があるときは、これを換価することができる。この場合において、換価の費用は、換価代金から控除する。

2　国土交通大臣は、前項の規定により有価証券を換価するためその還付を受けようとするときは、供託物払渡請求書二通を供託所に提出しなければならない。

3　国土交通大臣は、有価証券を換価したときは、換価代金から換価の費用を控除した額を、当該有価証券に代わる供託金として供託しなければならない。

4　前項の規定により供託された供託金は、第二項の規定により還付された有価証券を供託した供託宅地建物取引業者が供託したものとみなす。

5　国土交通大臣は、第三項の規定により供託したときは、その旨を前項に規定する供託宅地建物取引業者に通知しなければならない。

（住宅販売瑕疵担保保証金の還付に係る通知書）

第二五条　権利を有する者で、当該権利の実行のため住宅販売瑕疵担保保証金の還付を受けようとする者は、供託規則及び第十七条の定めるところによるほか、別記第十号様式の通知書三通を供託所に提出しなければならない。

第二六条　供託所は、法第十四条第二項の規定による請求に基づき供託物を還付したときは、前条の通知書のうち二通を国土交通大臣に送付しなければならない。

第二七条　前条の通知書の送付を受けた国土交通大臣は、その一通に、別記第十号様式の奥書の式による記載をし、これを当該通知書に係る供託宅地建物取引業者に送付しなければならない。この場合において、当該供託宅地建物取引業者が宅地建物取引業法（昭和二十七年法律第百七十六号）第三条第一項に規定する都道府県知事の免許を受けているときは、国土交通大臣は、その写しを当該免許に係る都道府県知事に送付しなければならない。

（準用）

第二八条　第十二条から第十六条までの規定は、供託宅地建物取引業者について準用する。この場合において、第十二条第一項中「法第七条第一項」とあるのは「法第十六条において読み替えて準用する法第七条第一項」と、第十三条中「法第八条第一項」とあるのは「法第十六条において準用する法第八条第一項」と、第十四条中「法第八条第二項後段」とあるのは「法第十六条において準用する法第八条第二項後段」と、「法第八条第二項前段」とあるのは「法第十六条において準用する法第八条第二項前段」と、第十五条中「法第九条第二項」とあるのは「法第十六条において読み替えて準用する法第九条第二項」と、「施行規則第十二条第二項」とあるのは「施行規則第二十二条において読み替えて準用する施行規則第十二条第二項」と読み替えるものとする。

附　則

この省令は、特定住宅瑕疵担保責任の履行の確保等に関する法律附則第一条ただし書に規定する規定の施行の日（平成二十一年十月一日）から施行する。

附　則〔略〕〔令和二・四・一法務・国土交通省令一施行〕

附　則〔略〕〔令和二・一二・二三法務・国土交通省令二〕

附　則〔令和四・七・二九法務・国土交通省令一〕

この省令は、令和四年九月一日から施行する。

別記様式〔略〕

○長期優良住宅の普及の促進に関する法律〔平成二〇・一二・五 法律八七〕

改正　平成二一・五法三八、平成二三・四法三二、平成二六・六法五四、令和三・五法四八、令和五・六法五八、令和六・六法五三

目次

第一章　総則（第一条―第三条）
第二章　基本方針（第四条）
第三章　長期優良住宅建築等計画等の認定等（第五条―第十五条）
第四章　認定長期優良住宅建築等計画等に基づく措置（第十六条―第十八条）
第五章　雑則（第十九条・第二十条）
第六章　罰則（第二十一条）
附則

第一章　総則

（目的）

第一条　この法律は、現在及び将来の国民の生活の基盤となる良質な住宅が建築され、及び長期にわたり良好な状態で使用されることが住生活の向上及び環境への負荷の低減を図る上で重要となっていることにかんがみ、長期にわたり良好な状態で使用するための措置がその構造及び設備について講じられた優良な住宅の普及を促進するため、国土交通大臣が策定する基本方針について定めるとともに、所管行政庁による長期優良住宅建築等計画の認定、当該認定を受けた長期優良住宅建築等計画に基づき建築及び維持保全が行われている住宅についての住宅性能評価に関する措置その他の措置を講じ、もって豊かな国民生活の実現と我が国の経済の持続的かつ健全な発展に寄与することを目的とする。

（定義）

第二条　この法律において「住宅」とは、人の居住の用に供する建築物（建築基準法（昭和二十五年法律第二百一号）第二条第一号に規定する建築物をいう。以下この項において同じ。）又は建築物の部分（人の居住の用以外の用に供する建築物の部分との共用に供する部分を含む。）をいう。

２　この法律において「建築」とは、住宅を新築し、増築し、又は改築することをいう。

３　この法律において「維持保全」とは、次に掲げる住宅の部分又は設備について、点検又は調査を行い、及び必要に応じ修繕又は改良を行うことをいう。

一　住宅の構造耐力上主要な部分として政令で定めるもの
二　住宅の雨水の浸入を防止する部分として政令で定めるもの
三　住宅の給水又は排水の設備で政令で定めるもの

４　この法律において「長期使用構造等」とは、住宅の構造及び設備であって、次に掲げる措置が講じられたものをいう。

一　当該住宅を長期にわたり良好な状態で使用するために次に掲げる事項に関し誘導すべき国土交通省令で定める基準に適合させるための措置
イ　前項第一号及び第二号に掲げる住宅の部分の構造の腐食、腐朽及び摩損の防止
ロ　前項第一号に掲げる住宅の部分の地震に対する安全性の確保
二　居住者の加齢による身体の機能の低下、居住者の世帯構成の異動その他の事由による住宅の利用の状況の変化に対応した構造及び設備の変更を容易にするための措置として国土交通省令で定めるもの
三　維持保全を容易にするための措置として国土交通省令で定めるもの
四　日常生活に身体の機能上の制限を受ける高齢者の利用上の利便性及び安全性、エネルギーの使用の効率性その他住宅の品質又は性能に関し誘導すべき国土交通省令で定める基準に適合させるための措置

５　この法律において「長期優良住宅」とは、住宅であって、その構造及び設備が長期使用構造等であるものをいう。

６　この法律において「所管行政庁」とは、建築基準法の規定により建築主事又は建築副主事を置く市町村又は特別区の区域については当該市町村又は特別区の長をいい、その他の市町村又は特別区の区域については都道府県知事をいう。ただし、同法第九十七条の二第一項若しくは第二項又は第九十七条の三第一項若しくは第二項の規定により建築主事又は建築副主事を置く市町村又は特別区の区域内の政令で定める住宅については、都道府県知事とする。

（国、地方公共団体及び事業者の努力義務）

第三条　国及び地方公共団体は、長期優良住宅の普及を促進するために必要な財政上及び金融上の措置その他の措置を講ずるよう努めなければならない。

２　国及び地方公共団体は、長期優良住宅の普及の促進に関し、国民の理解と協力を得るため、長期優良住宅の建築及び維持保全に関する知識の普及及び情報の提供に努めなければならない。

３　国及び地方公共団体は、長期優良住宅の普及を促進するために必要な人材の養成及び資質の向上に努めなければならない。

４　国は、長期優良住宅の普及を促進するため、住宅の建設における木材の使用に関する伝統的な技術を含め、長期使用構造等に係る技術に関する研究開発の推進及びその成果の普及に努めなければならない。

５　長期優良住宅の建築又は販売を業として行う者は、長期優良住宅の建築又は購入をしようとする者及び長期優良住宅の建築又は購入をした者に対し、当該長期優良住宅の品質又は性能に関する情報及びその維持保全を適切に行うために必要な情報を提供するよう努めなければならない。

６　長期優良住宅の維持保全を業として行う者は、長期優良住宅の所有者又は管理者に対し、当該長期優良住宅の維持保全を適切に行うために必要な情報を提供するよう努めなければならない。

第二章　基本方針

第四条　国土交通大臣は、長期優良住宅の普及の促進に関する基本的な方針（以下この条及び第六条第一項第八号において「基本方針」という。）を定めなければならない。

２　基本方針には、次に掲げる事項を定めるものとする。

一　長期優良住宅の普及の促進の意義に関する事項
二　長期優良住宅の普及の促進のための施策に関する基本的事項
三　次条第一項に規定する長期優良住宅建築等計画及び同条第六項に規定する長期優良住宅維持保全計画の第六条第一項の認定に関する基本的事項
四　前三号に掲げるもののほか、長期優良住宅の普及の促進に関する重要事項

３　国土交通大臣は、基本方針を定めるに当たっては、国産材（国内で生産された木材をいう。以下この項において同じ。）の適切な利用が我が国における森林の適正な整備及び保全並びに地球温暖化の防止及び循環型社会の形成に資することに鑑み、国産材その他の木材を使用した長期優良住宅の普及が図られるよう配慮するものとする。

４　国土交通大臣は、基本方針を定めようとするときは、関係行政機関の長に協議しなければならない。

５　国土交通大臣は、基本方針を定めたときは、遅滞なく、これを公表しなければならない。

６　前二項の規定は、基本方針の変更について準用する。

第三章　長期優良住宅建築等計画等の認定等

（長期優良住宅建築等計画等の認定）

第五条　住宅（区分所有住宅（二以上の区分所有者（建物の区分所有等に関する法律（昭和三十七年法律第六十九号）第二条第二項に規定する区分所有者をいう。）が存する住宅をいう。以下同じ。）を除く。以下この項から第三項までにおいて同じ。）の建築をしてその構造及び設備を長期使用構造等とし、自らその建築後の住宅について長期優良住宅として維持保全を行おうとする者は、国土交通省令で定めるところにより、当該住宅の建築及び維持保全に関する計画（以下「長期優良住宅建築等計画」という。）を作成し、所管行政庁の認定を申請することができる。

２　住宅の建築をしてその構造及び設備を長期使用構造等とし、その建築後

の住宅を他の者に譲渡してその者（以下この条、第九条第一項及び第十三条第二項において「譲受人」という。）において当該建築後の住宅について長期優良住宅として維持保全を行おうとする場合における当該譲渡をしようとする者（次項、第九条第一項及び第十三条第二項において「一戸建て住宅等分譲事業者」という。）は、当該譲受人と共同して、国土交通省令で定めるところにより、長期優良住宅建築等計画を作成し、所管行政庁の認定を申請することができる。

3　一戸建て住宅等分譲事業者は、譲受人を決定するまでに相当の期間を要すると見込まれる場合において、当該譲受人の決定に先立って当該住宅の建築に関する工事に着手する必要があるときは、前項の規定にかかわらず、国土交通省令で定めるところにより、単独で長期優良住宅建築等計画を作成し、所管行政庁の認定を申請することができる。

4　住宅（複数の者に譲渡することにより区分所有住宅とするものに限る。）の建築をしてその構造及び設備を長期使用構造等とし、当該区分所有住宅の管理者等（建物の区分所有等に関する法律第三条若しくは第六十五条に規定する団体について同法第二十五条第一項（同法第六十六条において準用する場合を含む。）の規定により選任された管理者又は同法第四十七条第一項（同法第六十六条において準用する場合を含む。）の規定による法人について同法第四十九条第一項（同法第六十六条において準用する場合を含む。）の規定により置かれた理事をいう。以下同じ。）において当該建築後の区分所有住宅について長期優良住宅として維持保全を行おうとする場合における当該譲渡をしようとする者（第九条第三項及び第十三条第三項において「区分所有住宅分譲事業者」という。）は、国土交通省令で定めるところにより、長期優良住宅建築等計画を作成し、所管行政庁の認定を申請することができる。

5　区分所有住宅の増築又は改築をしてその構造及び設備を長期使用構造等とし、その増築又は改築後の区分所有住宅について長期優良住宅として維持保全を行おうとする当該区分所有住宅の管理者等は、国土交通省令で定めるところにより、長期優良住宅建築等計画を作成し、所管行政庁の認定を申請することができる。

6　住宅（区分所有住宅を除く。以下この項において同じ。）のうちその構造及び設備が長期使用構造等に該当すると認められるものについて当該住宅の所有者その他当該住宅の維持保全の権原を有する者（以下この項において「所有者等」という。）において長期優良住宅として維持保全を行おうとする場合には、当該所有者等は、国土交通省令で定めるところにより、当該住宅の維持保全に関する計画（以下「長期優良住宅維持保全計画」という。）を作成し、所管行政庁の認定を申請することができる。

7　区分所有住宅のうちその構造及び設備が長期使用構造等に該当すると認められるものについて当該区分所有住宅の管理者等において長期優良住宅として維持保全を行おうとする場合には、当該管理者等は、国土交通省令で定めるところにより、長期優良住宅維持保全計画を作成し、所管行政庁の認定を申請することができる。

8　長期優良住宅建築等計画又は長期優良住宅維持保全計画には、次に掲げる事項を記載しなければならない。
一　住宅の位置
二　住宅の構造及び設備
三　住宅の規模
四　第一項、第二項又は第五項の長期優良住宅建築等計画にあっては、次に掲げる事項
　イ　建築後の住宅の維持保全の方法及び期間
　ロ　住宅の建築及び建築後の住宅の維持保全に係る資金計画
五　第三項又は第四項の長期優良住宅建築等計画にあっては、次に掲げる事項
　イ　建築後の住宅の維持保全の方法の概要
　ロ　住宅の建築に係る資金計画
六　長期優良住宅維持保全計画にあっては、次に掲げる事項
　イ　当該認定後の住宅の維持保全の方法及び期間
　ロ　当該認定後の住宅の維持保全に係る資金計画
七　その他国土交通省令で定める事項

（認定基準等）

第六条　所管行政庁は、前条第一項から第七項までの規定による認定の申請があった場合において、当該申請に係る長期優良住宅建築等計画又は長期優良住宅維持保全計画が次に掲げる基準に適合すると認めるときは、その認定をすることができる。
一　当該申請に係る住宅の構造及び設備が長期使用構造等であること。
二　当該申請に係る住宅の規模が国土交通省令で定める規模以上であること。
三　当該申請に係る住宅が良好な景観の形成その他の地域における居住環境の維持及び向上に配慮されたものであること。
四　当該申請に係る住宅が自然災害による被害の発生の防止又は軽減に配慮されたものであること。
五　前条第一項、第二項又は第五項の規定による認定の申請に係る長期優良住宅建築等計画にあっては、次に掲げる基準に適合すること。
　イ　建築後の住宅の維持保全の方法が当該住宅を長期にわたり良好な状態で使用するために誘導すべき国土交通省令で定める基準に適合するものであること。
　ロ　建築後の住宅の維持保全の期間が三十年以上であること。
　ハ　資金計画が当該住宅の建築及び維持保全を確実に遂行するため適切なものであること。
六　前条第三項又は第四項の規定による認定の申請に係る長期優良住宅建築等計画にあっては、次に掲げる基準に適合すること。
　イ　建築後の住宅の維持保全の方法の概要が当該住宅を三十年以上にわたり良好な状態で使用するため適切なものであること。
　ロ　資金計画が当該住宅の建築を確実に遂行するため適切なものであること。
七　前条第六項又は第七項の規定による認定の申請に係る長期優良住宅維持保全計画にあっては、次に掲げる基準に適合すること。
　イ　当該認定後の住宅の維持保全の方法が当該住宅を長期にわたり良好な状態で使用するために誘導すべき国土交通省令で定める基準に適合するものであること。
　ロ　当該認定後の住宅の維持保全の期間が三十年以上であること。
　ハ　資金計画が当該住宅の維持保全を確実に遂行するため適切なものであること。
八　その他基本方針のうち第四条第二項第三号に掲げる事項に照らして適切なものであること。

2　前条第一項から第五項までの規定による認定の申請をする者は、所管行政庁に対し、当該所管行政庁が当該申請に係る長期優良住宅建築等計画（住宅の建築に係る部分に限る。以下この条において同じ。）を建築主事又は建築副主事に通知し、当該長期優良住宅建築等計画が建築基準法第六条第一項に規定する建築基準関係規定に適合するかどうかの審査を受けるよう申し出ることができる。この場合においては、当該申請に併せて、同項の規定による確認の申請書を提出しなければならない。

3　前項の規定による申出を受けた所管行政庁は、速やかに、当該申出に係る長期優良住宅建築等計画を建築主事又は建築副主事に通知しなければならない。

4　建築基準法第十八条第三項及び第十五項の規定は、建築主事又は建築副主事が前項の規定による通知を受けた場合について準用する。

5　所管行政庁が、前項において準用する建築基準法第十八条第三項の規定による確認済証の交付を受けた場合において、第一項の認定をしたときは、当該認定を受けた長期優良住宅建築等計画は、同法第六条第一項の規定による確認済証の交付があったものとみなす。

6　所管行政庁は、第四項において準用する建築基準法第十八条第十五項の規定による通知書の交付を受けた場合においては、第一項の認定をしてはならない。

7　建築基準法第十二条第八項及び第九項並びに第九十三条から第九十三条の三までの規定は、第四項において準用する同法第十八条第三項及び第十五項の規定による確認済証及び通知書の交付について準用する。

8　マンションの管理の適正化の推進に関する法律（平成十二年法律第百四十九号）第五条の八に規定する認定管理計画のうち国土交通省令で定める維持保全に関する基準に適合するものに係る区分所有住宅の管理者等が前条第五項の長期優良住宅建築等計画又は同条第七項の長期優良住宅維持保全計画の認定の申請をした場合における第一項の規定の適用については、当該申請に係る長期優良住宅建築等計画にあっては同項第五号に掲げる基準に、当該申請に係る長期優良住宅維持保全計画にあっては同項第七号に掲げる基準に、それぞれ適合しているものとみなす。

（認定の通知）

第七条　所管行政庁は、前条第一項の認定をしたときは、速やかに、国土交通省令で定めるところにより、その旨（同条第五項の場合においては、同条第四項において準用する建築基準法第十八条第三項の規定による確認済証の交付を受けた旨を含む。）を当該認定を受けた者に通知しなければならない。

（認定を受けた長期優良住宅建築等計画等の変更）

第八条　第六条第一項の認定を受けた者は、当該認定を受けた長期優良住宅建築等計画又は長期優良住宅維持保全計画の変更（国土交通省令で定める軽微な変更を除く。）をしようとするときは、国土交通省令で定めるところにより、所管行政庁の認定を受けなければならない。

2　前三条の規定は、前項の認定について準用する。

（譲受人を決定した場合における認定を受けた長期優良住宅建築等計画の変更の認定の申請等）

第九条　第五条第三項の規定による認定の申請に基づき第六条第一項の認定を受けた一戸建て住宅等分譲事業者は、同項の認定（前条第一項の変更の認定を含む。）を受けた長期優良住宅建築等計画（変更があったときは、その変更後のもの。以下「認定長期優良住宅建築等計画」という。）に基づく建築に係る住宅の譲受人を決定したときは、当該認定長期優良住宅建築等計画に第五条第八項第四号イ及びロに規定する事項その他国土交通省令で定める事項を記載し、当該譲受人と共同して、国土交通省令で定めるところにより、速やかに、前条第一項の変更の認定を申請しなければならない。

2　前項の規定による前条第一項の変更の認定の申請があった場合における同条第二項において準用する第六条第一項の規定の適用については、同項第五号中「前条第一項、第二項又は第五項の規定による」とあるのは、「第九条第一項の規定による第八条第一項の変更の」とする。

3　第五条第四項の規定による認定の申請に基づき第六条第一項の認定を受けた区分所有住宅分譲事業者は、認定長期優良住宅建築等計画に基づく建築に係る区分所有住宅の管理者等が選任されたときは、当該認定長期優良住宅建築等計画に第五条第八項第四号イ及びロに規定する事項その他国土交通省令で定める事項を記載し、当該管理者等と共同して、国土交通省令で定めるところにより、速やかに、前条第一項の変更の認定を申請しなければならない。

4　前項の規定による前条第一項の変更の認定の申請があった場合における同条第二項において準用する第六条第一項の規定の適用については、同項第五号中「前条第一項、第二項又は第五項の規定による」とあるのは、「第九条第三項の規定による第八条第一項の変更の」とする。

（地位の承継）

第一〇条　次に掲げる者は、所管行政庁の承認を受けて、第六条第一項の認定（第五条第五項又は第七項の規定による認定の申請に基づくものを除き、第八条第一項の変更の認定（前条第一項の規定による第八条第一項の変更の認定を含む。）を含む。）を受けた者が有していた当該認定に基づく地位を承継することができる。

一　当該認定を受けた者の一般承継人

二　当該認定を受けた者から、次に掲げる住宅の所有権その他当該住宅の建築及び維持保全に必要な権原を取得した者

イ　認定長期優良住宅建築等計画に基づき建築及び維持保全が行われ、又は行われた住宅（当該認定長期優良住宅建築等計画に記載された第五条第八項第四号イ（第八条第二項において準用する場合を含む。）に規定する建築後の住宅の維持保全の期間が経過したものを除く。）

ロ　第六条第一項の認定（第八条第一項の変更の認定を含む。）を受けた長期優良住宅維持保全計画（変更があったときは、その変更後のもの。以下「認定長期優良住宅維持保全計画」という。）に基づき維持保全が行われ、又は行われた住宅（当該認定長期優良住宅維持保全計画に記載された第五条第八項第六号イ（第八条第二項において準用する場合を含む。）に規定する当該認定後の住宅の維持保全の期間が経過したものを除く。）

（記録の作成及び保存）

第一一条　第六条第一項の認定（第八条第一項の変更の認定（第九条第一項又は第三項の規定による第八条第一項の変更の認定を含む。）を含む。第十四条において「計画の認定」という。）を受けた者（以下「認定計画実施者」という。）は、国土交通省令で定めるところにより、認定長期優良住宅（前条第二号イ又はロに掲げる住宅をいう。以下同じ。）の建築及び維持保全（同号ロに掲げる住宅にあっては、維持保全）の状況に関する記録を作成し、これを保存しなければならない。

2　国及び地方公共団体は、前項の認定長期優良住宅の建築及び維持保全の状況に関する記録の作成及び保存を容易にするため、必要な援助を行うよう努めるものとする。

（報告の徴収）

第一二条　所管行政庁は、認定計画実施者に対し、認定長期優良住宅の建築又は維持保全の状況について報告を求めることができる。

（改善命令）

第一三条　所管行政庁は、認定計画実施者が認定長期優良住宅建築等計画又は認定長期優良住宅維持保全計画に従って認定長期優良住宅の建築又は維持保全を行っていないと認めるときは、当該認定計画実施者に対し、相当の期限を定めて、その改善に必要な措置を命ずることができる。

2　所管行政庁は、認定計画実施者（第五条第三項の規定による認定の申請に基づき第六条第一項の認定を受けた一戸建て住宅等分譲事業者に限る。）が認定長期優良住宅建築等計画に基づく建築に係る住宅の譲受人を決定せず、又はこれを決定したにもかかわらず、第九条第一項の規定による第八条第一項の変更の認定を申請していないと認めるときは、当該認定計画実施者に対し、相当の期限を定めて、その改善に必要な措置を命ずることができる。

3　所管行政庁は、認定計画実施者（第五条第四項の規定による認定の申請に基づき第六条第一項の認定を受けた区分所有住宅分譲事業者に限る。）が、認定長期優良住宅建築等計画に基づく建築に係る区分所有住宅の管理者等が選任されたにもかかわらず、第九条第三項の規定による第八条第一項の変更の認定を申請していないと認めるときは、当該認定計画実施者に対し、相当の期限を定めて、その改善に必要な措置を命ずることができる。

（計画の認定の取消し）

第一四条　所管行政庁は、次に掲げる場合には、計画の認定を取り消すことができる。

一　認定計画実施者が前条の規定による命令に違反したとき。

二　認定計画実施者から認定長期優良住宅建築等計画又は認定長期優良住宅維持保全計画に基づく住宅の建築又は維持保全を取りやめる旨の申出があったとき。

三　認定長期優良住宅建築等計画（第五条第四項の規定による認定の申請に基づき第六条第一項の認定を受けたものに限る。以下この号において同じ。）に基づく建築に関する工事が完了してから当該建築に係る区分所有住宅の管理者等が選任されるまでに通常必要と認められる期間として国土交通省令で定める期間内に認定長期優良住宅建築等計画に基づく建築に係る区分所有住宅の管理者等が選任されないとき。

2　所管行政庁は、前項の規定により計画の認定を取り消したときは、速やかに、その旨を当該認定計画実施者であった者に通知しなければならない。

（助言及び指導）

第一五条　所管行政庁は、認定計画実施者に対し、認定長期優良住宅の建築及び維持保全に関し必要な助言及び指導を行うよう努めるものとする。

第四章　認定長期優良住宅建築等計画等に基づく措置

（認定長期優良住宅についての住宅性能評価）

第一六条　認定長期優良住宅（認定長期優良住宅建築等計画に係るものに限る。）の建築に関する工事の完了後に当該認定長期優良住宅（住宅の品質確保の促進等に関する法律（平成十一年法律第八十一号）第二条第二項に規定する新築住宅であるものを除く。以下この項において同じ。）の売買契約を締結した売主又は認定長期優良住宅（認定長期優良住宅維持保全計画に係るものに限る。）の売買契約を締結した売主は、これらの認定長期優良住宅に係る同法第五条第一項の規定による住宅性能評価書（以下この項において「認定長期優良住宅性能評価書」という。）若しくはその写しを売買契約書に添付し、又は買主に対し認定長期優良住宅性能評価書若しくはその写しを交付した場合においては、当該認定長期優良住宅性能評価書又はその写しに表示された性能を有する認定長期優良住宅を引き渡すことを契約したものとみなす。

2　前項の規定は、売主が売買契約書において反対の意思を表示しているときは、適用しない。

（地方住宅供給公社の業務の特例）

第一七条　地方住宅供給公社は、地方住宅供給公社法（昭和四十年法律第百二十四号）第二十一条に規定する業務のほか、委託により、認定長期優良住宅建築等計画又は認定長期優良住宅維持保全計画に基づく認定長期優良住宅の維持保全を行うことができる。

2　前項の規定により地方住宅供給公社が同項に規定する業務を行う場合には、地方住宅供給公社法第四十九条第三号中「第二十一条に規定する業務」とあるのは、「第二十一条に規定する業務及び長期優良住宅の普及の促進に関する法律（平成二十年法律第八十七号）第十七条第一項に規定する業務」とする。

（容積率の特例）

第一八条　その敷地面積が政令で定める規模以上である住宅のうち、認定長期優良住宅建築等計画に基づく建築に係る住宅であって、建築基準法第二条第三十五号に規定する特定行政庁が交通上、安全上、防火上及び衛生上支障がなく、かつ、その建蔽率（建築面積の敷地面積に対する割合をいう。）、容積率（延べ面積の敷地面積に対する割合をいう。以下この項において同じ。）及び各部分の高さについて総合的な配慮がなされていることにより市街地の環境の整備改善に資すると認めて許可したものの容積率は、その許可の範囲内において、同法第五十二条第一項から第九項まで又は第五十七条の二第六項の規定による限度を超えるものとすることができる。

2　建築基準法第四十四条第二項、第九十二条の二、第九十三条第一項及び第二項、第九十四条並びに第九十五条の規定は、前項の規定による許可について準用する。

第五章　雑則

（国土交通省令への委任）

第一九条　この法律に定めるもののほか、この法律の実施のために必要な事項は、国土交通省令で定める。

（経過措置）

第二〇条　この法律の規定に基づき命令を制定し、又は改廃する場合においては、その命令で、その制定又は改廃に伴い合理的に必要と判断される範囲内において、所要の経過措置を定めることができる。

第六章　罰則

第二一条　第十二条の規定による報告をせず、又は虚偽の報告をしたときは、その違反行為をした者は、三十万円以下の罰金に処する。

2　法人の代表者又は法人若しくは人の代理人、使用人その他の従業者が、その法人又は人の業務に関し、前項の違反行為をしたときは、行為者を罰するほか、その法人又は人に対して同項の刑を科する。

附　則　〔抄〕

（施行期日）

1　この法律は、公布の日から起算して六月を超えない範囲内において政令で定める日から施行する。

〔平成二一政二二三により、平成二一・六・四から施行〕

（検討）

2　政府は、この法律の施行後十年以内に、この法律の施行の状況について検討を加え、その結果に基づいて必要な措置を講ずるものとする。

附　則　〔略〕〔平成二一・五・二〇法律三八〕

附　則　〔略〕〔平成二三・四・二八法律三二〕

附　則　〔略〕〔平成二六・六・四法律五四〕

附　則　〔抄〕〔令和三・五・二八法律四八〕

（施行期日）

第一条　この法律は、公布の日から起算して九月を超えない範囲内において政令で定める日から施行する。ただし、次の各号に掲げる規定は、当該各号に定める日から施行する。

〔令和三政二八一により、令和四・二・二〇から施行〕

一　附則第五条の規定　公布の日

二・三　〔略〕

四　第二条〔中略〕の規定　公布の日から起算して一年六月を超えない範囲内において政令で定める日

〔令和三政三二五により、令和四・一〇・一から施行〕

（長期優良住宅の普及の促進に関する法律の一部改正に伴う経過措置）

第二条　施行日前にされた第一条の規定による改正前の長期優良住宅の普及の促進に関する法律（次項及び第三項各号において「改正前長期優良住宅法」という。）第五条第一項から第三項までの規定による認定の申請であって、この法律の施行の際、まだその認定をするかどうかの処分がされていないものについての認定の処分については、なお従前の例による。

2　この法律の施行の際現に改正前長期優良住宅法第六条第一項の認定を受けている又は施行日以後に前項の規定によりなお従前の例によることとされる同条第一項の認定を受ける長期優良住宅建築等計画（次項の規定の適用を受けるものを除く。）に関する認定の通知、長期優良住宅建築等計画の変更（譲受人を決定した場合における変更を含む。）及び認定に基づく地位の承継については、なお従前の例による。

3　次に掲げる長期優良住宅建築等計画については、第一条の規定による改正後の長期優良住宅の普及の促進に関する法律（以下この項において「改正後長期優良住宅法」という。）第五条第四項の規定による認定の申請に基づき改正後長期優良住宅法第六条第一項の認定を受けた長期優良住宅建築等計画とみなして、改正後長期優良住宅法（第六条第一項（第四号に係る部分に限り、第八条第二項において準用する場合を含む。）及び第十八条を除く。）の規定を適用する。

一　この法律の施行の際現に改正前長期優良住宅法第五条第三項の規定による認定の申請に基づき改正前長期優良住宅法第六条第一項の認定を受けている長期優良住宅建築等計画（改正前長期優良住宅法第五条第三項に規定する分譲事業者のうち、住宅の建築をしてその構造及び設備を長期使用構造等とし、その建築後の住宅を複数の者に譲渡することにより当該住宅を改正後長期優良住宅法第五条第一項に規定する区分所有住宅としようとする者（次号において「特定区分所有住宅分譲事業者」という。）が作成したものに限る。）であって、改正前長期優良住宅法第九条第一項の規定による改正前長期優良住宅法第八条第一項の変更の認定を申請していないもの

二　施行日以後に改正前長期優良住宅法第五条第三項の規定による認定の申請に基づき第一項の規定によりなお従前の例によることとされる改正前長期優良住宅法第六条第一項の認定を受ける長期優良住宅建築等計画（特定区分所有住宅分譲事業者が作成したものに限る。）

（政令への委任）

第五条　前三条に定めるもののほか、この法律の施行に関し必要な経過措置（罰則に関する経過措置を含む。）は、政令で定める。

（検討）

第六条　政府は、この法律の施行後五年を目途として、この法律による改正後のそれぞれの法律の規定について、その施行の状況等を勘案して検討を加え、必要があると認めるときは、その結果に基づいて所要の措置を講ずるものとする。

附　則　〔略〕〔令和五・六・一六法律五八〕

附　則　〔抄〕〔令和六・六・一九法律五三〕

（施行期日）

第一条　この法律〔中略〕は、当該各号に定める日〔公布の日から起算して六月を超えない範囲内において政令で定める日〕から施行する。

○長期優良住宅の普及の促進に関する法律施行令

〔平成二一・二・一六
政令二四〕

改正　令和三・一〇政二八二、令和五・九政二九三

注　[　　]の部分は、令和六年四月一九日政令第一七二号により改正され、令和七年四月一日から施行

（住宅の構造耐力上主要な部分）

第一条　長期優良住宅の普及の促進に関する法律（以下「法」という。）第二条第三項第一号の住宅の構造耐力上主要な部分として政令で定めるものは、住宅の基礎、基礎ぐい、壁、柱、小屋組、土台、斜材（筋かい、方づえ、火打材その他これらに類するものをいう。）、床版、屋根版又は横架材（はり、けたその他これらに類するものをいう。）で、当該住宅の自重若しくは積載荷重、積雪荷重、風圧、土圧若しくは水圧又は地震その他の震動若しくは衝撃を支えるものとする。

（住宅の雨水の浸入を防止する部分）

第二条　法第二条第三項第二号の住宅の雨水の浸入を防止する部分として政令で定めるものは、住宅の屋根若しくは外壁又はこれらの開口部に設ける戸、枠その他の建具とする。

（住宅の給水又は排水の設備）

第三条　法第二条第三項第三号の住宅の給水又は排水の設備で政令で定めるものは、住宅に設ける給水又は排水のための配管設備とする。

（都道府県知事が所管行政庁となる住宅）

第四条　法第二条第六項ただし書の政令で定める住宅のうち建築基準法（昭和二十五年法律第二百一号）第九十七条の二第一項又は第二項の規定により建築主事又は建築副主事を置く市町村の区域内のものは、同法第六条第一項第四号に掲げる建築物（その新築、改築、増築、移転又は用途の変更に関して、法律並びにこれに基づく命令及び条例の規定により都道府県知事の許可を必要とするものを除く。）以外の建築物である住宅とする。

第四条　法第二条第六項ただし書の政令で定める住宅のうち建築基準法（昭和二十五年法律第二百一号）第九十七条の二第一項又は第二項の規定により建築主事又は建築副主事を置く市町村の区域内のものは、建築基準法施行令（昭和二十五年政令第三百三十八号）第百四十八条第一項第一号又は第二号に掲げる建築物（その新築、改築、増築、移転又は用途の変更に関して、法律並びにこれに基づく命令及び条例の規定により都道府県知事の許可を必要とするものを除く。）以外の建築物である住宅とする。

2　法第二条第六項ただし書の政令で定める住宅のうち建築基準法第九十七条の三第一項又は第二項の規定により建築主事又は建築副主事を置く特別区の区域内のものは、次に掲げる住宅とする。

一　延べ面積（建築基準法施行令（昭和二十五年政令第三百三十八号）第二条第一項第四号に規定する延べ面積をいう。）が一万平方メートルを超える住宅

一　延べ面積（建築基準法施行令第二条第一項第四号に規定する延べ面積をいう。）が一万平方メートルを超える住宅

二　その新築、改築、増築、移転又は用途の変更に関して、法律並びにこれに基づく命令及び条例の規定により都知事の許可を必要とする住宅（地方自治法（昭和二十二年法律第六十七号）第二百五十二条の十七の二第一項の規定により当該許可に関する事務を特別区が処理することとされた場合における当該住宅を除く。）

（容積率の特例の対象となる住宅の敷地面積の規模）

第五条　法第十八条第一項の政令で定める規模は、次の表の上欄に掲げる地域又は区域の区分に応じ、それぞれ同表の下欄に定める数値とする。

地域又は区域	敷地面積の規模（単位　平方メートル）
都市計画法（昭和四十三年法律第百号）第八条第一項第一号に掲げる第一種低層住居専用地域、第二種低層住居専用地域若しくは田園住居地域又は同号に規定する用途地域の指定のない区域	一、〇〇〇
都市計画法第八条第一項第一号に掲げる第一種中高層住居専用地域、第二種中高層住居専用地域、第一種住居地域、第二種住居地域、準住居地域、準工業地域、工業地域又は工業専用地域	五〇〇
都市計画法第八条第一項第一号に掲げる近隣商業地域又は商業地域	三〇〇

附　則〔抄〕

（施行期日）

1　この政令は、法の施行の日（平成二十一年六月四日）から施行する。

附　則（略）〔令和三・一〇・四政令二八二〕

附　則（略）〔令和五・九・二九政令二九三〕

附　則〔令和六・四・一九政令一七二〕

（施行期日）

1　この政令は、脱炭素社会の実現に資するための建築物のエネルギー消費性能の向上に関する法律等の一部を改正する法律の施行の日（令和七年四月一日）から施行する。

（罰則に関する経過措置）

2　この政令の施行前にした行為に対する罰則の適用については、なお従前の例による。

○長期優良住宅の普及の促進に関する法律施行規則（平成二一・二・二四 国土交通省令三）

改正 平成二一・五国交令三二、平成二三・八国交令六四、平成二八・二国交令六、令和元・六国交令二〇、令和二・九国交令七五、一二国交令九八、令和三・一〇国交令六七、令和四・八国交令六一、一二国交令九二、令和五・二国交令五、令和五・九国交令七五、令和六・三国交令一八

（長期使用構造等とするための措置）

第一条 長期優良住宅の普及の促進に関する法律（以下「法」という。）第二条第四項第一号イに掲げる事項に関し誘導すべき国土交通省令で定める基準は、住宅の構造に応じた腐食、腐朽又は摩損しにくい部材の使用その他の同条第三項第一号及び第二号に掲げる住宅の部分の構造の腐食、腐朽及び摩損の防止を適切に図るための措置として国土交通大臣が定めるものが講じられていることとする。

2 法第二条第四項第一号ロに掲げる事項に関し誘導すべき国土交通省令で定める基準は、同条第三項第一号に掲げる住宅の部分（以下「構造躯体」という。）の地震による損傷の軽減を適切に図るための措置として国土交通大臣が定めるものが講じられていることとする。

3 法第二条第四項第二号の国土交通省令で定める措置は、居住者の加齢による身体の機能の低下、居住者の世帯構成の異動その他の事由による住宅の利用の状況の変化に対応した間取りの変更に伴う構造の変更及び設備の変更を容易にするための措置として国土交通大臣が定めるものとする。

4 法第二条第四項第三号の国土交通省令で定める措置は、同条第三項第三号に掲げる住宅の設備について、同項第一号に掲げる住宅の部分に影響を及ぼすことなく点検又は調査を行い、及び必要に応じ修繕又は改良を行うことができるようにするための措置その他の維持保全を容易にするための措置として国土交通大臣が定めるものとする。

5 法第二条第四項第四号の国土交通省令で定める基準は、次に掲げるものとする。

一 住宅の通行の用に供する共用部分について、日常生活に身体の機能上の制限を受ける高齢者の利用上の利便性及び安全性の確保を適切に図るための措置その他の高齢者が日常生活を支障なく営むことができるようにするための措置として国土交通大臣が定めるものが講じられていること。

二 外壁、窓その他の部分を通しての熱の損失の防止その他の住宅に係るエネルギーの使用の合理化を適切に図るための措置として国土交通大臣が定めるものが講じられていること。

（長期優良住宅建築等計画等の認定の申請）

第二条 法第五条第一項から第七項までの規定による認定の申請をしようとする者は、同条第一項から第三項までの規定による認定の申請にあっては第一号様式の、同条第四項又は第五項の規定による認定の申請にあっては第一号の二様式の、同条第六項又は第七項の規定による認定の申請にあっては第一号の三様式の申請書の正本及び副本に、同条第一項から第五項までの規定による認定の申請にあっては次の表一に、同条第六項又は第七項の規定による認定の申請にあっては次の表一及び表二に掲げる図書（住宅の品質確保の促進等に関する法律（平成十一年法律第八十一号）第六条の二第五項の確認書若しくは住宅性能評価書又はこれらの写しを添えて、法第五条第一項から第五項までの規定による認定の申請をする場合においては次の表三に、同条第六項又は第七項の規定による認定の申請をする場合においては次の表二及び表三に掲げる図書）その他所管行政庁が必要と認める図書（第九条、第十六条第一項第九号並びに第十八条第二項及び第三項を除き、以下「添付図書」と総称する。）を添えて、これらを所管行政庁に提出するものとする。ただし、これらの申請に係る長期優良住宅建築等計画又は長期優良住宅維持保全計画（第五条において「長期優良住宅建築等計画等」という。）に応じて、その必要がないときは、これらの表に掲げる図書又は当該図書に明示すべき事項の一部を省略することができる。

一

図書の種類	明示すべき事項
設計内容説明書	住宅の構造及び設備が長期使用構造等であることの説明
付近見取図	方位、道路及び目標となる地物
配置図	縮尺、方位、敷地境界線、敷地内における建築物の位置、申請に係る建築物と他の建築物との別、空気調和設備等（建築物のエネルギー消費性能の向上等に関する法律（平成二十七年法律第五十三号）第二条第一項第二号に規定する空気調和設備等をいう。）及び当該空気調和設備等以外のエネルギー消費性能（同号に規定するエネルギー消費性能をいう。）の向上に資する建築設備（以下この表において「エネルギー消費性能向上設備」という。）の位置並びに配管に係る外部の排水ますの位置
仕様書（仕上げ表を含む。）	部材の種別、寸法及び取付方法並びにエネルギー消費性能向上設備の種別
各階平面図	縮尺、方位、間取り、各室の名称、用途及び寸法、居室の寸法、階段の寸法及び構造、廊下及び出入口の寸法、段差の位置及び寸法、壁の種類及び位置、通し柱の位置、筋かいの種類及び位置、開口部の位置及び構造、換気孔の位置、設備の種別及び位置、点検口及び掃除口の位置並びに配管取出口及び縦管の位置
用途別床面積表	用途別の床面積
床面積求積図	床面積の求積に必要な建築物の各部分の寸法及び算式
二面以上の立面図	縮尺、外壁、開口部及びエネルギー消費性能向上設備の位置並びに小屋裏換気孔の種別、寸法及び位置
断面図又は矩計図	縮尺、建築物の高さ、外壁及び屋根の構造、軒の高さ、軒及びひさしの出、小屋裏の構造、各階の天井の高さ、天井の構造、床の高さ及び構造並びに床下及び基礎の構造
基礎伏図	縮尺、構造躯体の材料の種別及び寸法並びに床下換気孔の寸法
各階床伏図	縮尺並びに構造躯体の材料の種別及び寸法
小屋伏図	縮尺並びに構造躯体の材料の種別及び寸法
各部詳細図	縮尺並びに断熱部その他の部分の材料の種別及び寸法
各種計算書	構造計算その他の計算を要する場合における当該計算の内容
機器表	エネルギー消費性能向上設備の種別、位置、仕様、数及び制御方法
状況調査書	建築物の劣化事象等の状況の調査の結果

二

図書の種類	明示すべき事項
工事履歴書	新築、増築又は改築の時期及び増築又は改築に係る工事の内容

三

図書の種類	明示すべき事項
付近見取図	方位、道路及び目標となる地物
配置図	縮尺、方位、敷地境界線、敷地内における建築物の位置及び申請に係る建築物と他の建築物との別
各階平面図	縮尺、方位、間取り、各室の名称、用途及び寸法、居室の寸法並びに階段の寸法
用途別床面積表	用途別の床面積
床面積求積図	床面積の求積に必要な建築物の各部分の寸法及び算式
二面以上の立面図	縮尺、外壁及び開口部の位置
断面図又は矩計図	縮尺、建築物の高さ、軒の高さ並びに軒及びひさしの出
状況調査書	建築物の劣化事象等の状況の調査の結果

2　前項の表一、表二又は表三の各項に掲げる図書に明示すべき事項を添付図書のうち他の図書に明示する場合には、同項の規定にかかわらず、当該事項を当該各項に掲げる図書に明示することを要しない。この場合において、当該各項に掲げる図書に明示すべき全ての事項を当該他の図書に明示したときは、当該各項に掲げる図書を同項の申請書に添えることを要しない。

3　第一項に規定する所管行政庁が必要と認める図書を添付する場合には、同項の規定にかかわらず、同項の表一、表二又は表三に掲げる図書のうち所管行政庁が不要と認めるものを同項の申請書に添えることを要しない。

4　法第五条第五項又は第七項の規定による認定の申請をしようとする者のうち、法第六条第八項の規定の適用を受けようとする者は、第一項の申請書の正本及び副本並びに添付図書にマンションの管理の適正化の推進に関する法律施行規則（平成十三年国土交通省令第百十号）第一条の六に規定する通知書及びマンションの管理の適正化の推進に関する法律（平成十二年法律第百四十九号。第五条の二において「マンション管理適正化法」という。）第五条の八に規定する認定管理計画又はこれらの写しを添えて、所管行政庁に提出するものとする。

（長期優良住宅建築等計画の記載事項）

第三条　法第五条第八項第七号の国土交通省令で定める事項は、次に掲げるものとする。

一　長期優良住宅建築等計画にあっては、住宅の建築に関する工事の着手予定時期及び完了予定時期

二　法第五条第三項の長期優良住宅建築等計画にあっては、譲受人の決定の予定時期

三　法第五条第四項の長期優良住宅建築等計画にあっては、区分所有住宅の管理者等の選任の予定時期

（規模の基準）

第四条　法第六条第一項第二号の国土交通省令で定める規模は、次の各号に掲げる住宅の区分に応じ、それぞれ当該各号に定める面積とする。ただし、住戸の少なくとも一の階の床面積（階段部分の面積を除く。）が四十平方メートルであるものとする。

一　一戸建ての住宅（人の居住の用以外の用途に供する部分を有しないものに限る。次号において同じ。）　床面積の合計が七十五平方メートル（地域の実情を勘案して所管行政庁が五十五平方メートルを下回らない範囲内で別に面積を定める場合には、その面積）

二　共同住宅等（共同住宅、長屋その他の一戸建ての住宅以外の住宅をいう。）　一戸の床面積の合計（共用部分の床面積を除く。）が四十平方メートル（地域の実情を勘案して所管行政庁が四十平方メートルを下回らない範囲内で別に面積を定める場合には、その面積）

（維持保全の方法の基準）

第五条　法第六条第一項第五号イ及び第七号イの国土交通省令で定める基準は、法第二条第三項各号に掲げる住宅の部分及び設備について、国土交通大臣が定めるところにより点検の時期及び内容が長期優良住宅建築等計画等に定められていることとする。

（維持保全に関する基準）

第五条の二　法第六条第八項の国土交通省令で定める基準は、法第二条第三項各号に掲げる住宅の部分及び設備について、国土交通大臣が定めるところにより点検の時期及び内容がマンション管理適正化法第五条の八に規定する認定管理計画に定められていることとする。

（認定の通知）

第六条　法第七条の認定の通知は、第二号様式による通知書に第二条第一項の申請書の副本及びその添付図書を添えて行うものとする。

（法第八条第一項の国土交通省令で定める軽微な変更）

第七条　法第八条第一項の国土交通省令で定める軽微な変更は、次に掲げるものとする。

一　長期優良住宅建築等計画にあっては、住宅の建築に関する工事の着手予定時期又は完了予定時期の六月以内の変更

二　法第五条第三項の長期優良住宅建築等計画にあっては、譲受人の決定の予定時期の六月以内の変更

三　法第五条第四項の長期優良住宅建築等計画にあっては、区分所有住宅の管理者等の選任の予定時期の六月以内の変更

四　前三号に掲げるもののほか、住宅の品質又は性能を向上させる変更その他の変更後も認定に係る長期優良住宅建築等計画が法第六条第一項第一号から第六号まで及び第八号に掲げる基準に適合することが明らかな変更（法第六条第二項の規定により建築基準関係規定に適合するかどうかの審査を受けるよう申し出た場合には、建築基準法（昭和二十五年法律第二百一号）第六条第一項（同法第八十七条第一項において準用する場合を含む。）に規定する軽微な変更であるものに限る。）

五　住宅の品質又は性能を向上させる変更その他の変更後も認定に係る長期優良住宅維持保全計画が法第六条第一項第一号から第四号まで、第七号及び第八号に掲げる基準に適合することが明らかな変更

（法第八条第一項の規定による認定長期優良住宅建築等計画等の変更の認定の申請）

第八条　法第八条第一項の変更の認定を申請しようとする者は、第三号様式による申請書の正本及び副本に、それぞれ添付図書のうち変更に係るものを添えて、所管行政庁に提出するものとする。

（変更の認定の通知）

第九条　法第八条第二項において準用する法第七条の規定による変更の認定の通知は、第四号様式による通知書に、前条の申請書の副本及びその添付図書、第十一条第一項の申請書の副本又は第十三条第一項の申請書の副本を添えて行うものとする。

（法第九条第一項の規定による認定長期優良住宅建築等計画の変更の認定の申請）

第一〇条　法第九条第一項の国土交通省令で定める事項は、譲受人の氏名又は名称とする。

第一一条　法第九条第一項の規定による法第八条第一項の変更の認定を申請しようとする者は、第五号様式による申請書の正本及び副本を所管行政庁に提出するものとする。

2　前項の申請は、譲受人を決定した日から三月以内に行うものとする。

（法第九条第三項の規定による認定長期優良住宅建築等計画の変更の認定の申請）

第一二条　法第九条第三項の国土交通省令で定める事項は、区分所有住宅の管理者等の氏名又は名称とする。

第一三条　法第九条第三項の規定による法第八条第一項の変更の認定を申請しようとする者は、第六号様式による申請書の正本及び副本を所管行政庁に提出するものとする。

2　前項の申請は、区分所有住宅の管理者等が選任された日から三月以内に行うものとする。

（**地位の承継の承認の申請**）

第一四条　法第十条の承認を受けようとする者は、第七号様式による申請書の正本及び副本に、それぞれ地位の承継の事実を証する書類（次条において「添付書類」という。）を添えて、所管行政庁に提出するものとする。

（**地位の承継の承認の通知**）

第一五条　所管行政庁は、法第十条の承認をしたときは、速やかに、第八号様式による通知書に前条の申請書の副本及びその添付書類を添えて、当該承認を受けた者に通知するものとする。

（**記録の作成及び保存**）

第一六条　法第十一条第一項の認定長期優良住宅の建築及び維持保全の状況に関する記録は、次に掲げる事項を記載した図書とする。

一　法第五条第八項各号に掲げる事項

二　法第六条第一項の認定を受けた旨、その年月日、認定計画実施者の氏名及び認定番号

三　法第八条第一項の変更の認定（法第九条第一項又は第三項の規定による法第八条第一項の変更の認定を含む。第九号において同じ。）を受けた場合は、その旨及びその年月日並びに当該変更の内容

四　法第十条の承認を受けた場合は、その旨並びに承認を受けた者の氏名並びに当該地位の承継があった年月日及び当該承認を受けた年月日

五　法第十二条の規定による報告をした場合は、その旨及びその年月日並びに当該報告の内容

六　法第十三条の規定による命令を受けた場合は、その旨及びその年月日並びに当該命令の内容

七　法第十五条の規定による助言又は指導を受けた場合は、その旨及びその年月日並びに当該助言又は指導の内容

八　添付図書に明示すべき事項

九　法第八条第一項の変更の認定を受けた場合は、第八条に規定する添付図書に明示すべき事項

十　長期優良住宅の維持保全を行った場合は、その旨及びその年月日並びに当該維持保全の内容（維持保全を委託により他の者に行わせる場合は、当該他の者の氏名又は名称を含む。）

2　前項各号に掲げる事項が、電子計算機に備えられたファイル又は磁気ディスク（これに準ずる方法により一定の事項を確実に記録しておくことができるものを含む。以下同じ。）に記録され、必要に応じ電子計算機その他の機器を用いて明確に紙面に表示されるときは、当該記録をもって法第十一条第一項の記録の作成及び保存に代えることができる。

（**区分所有住宅の管理者等が選任されるまでの期間**）

第一七条　法第十四条第一項第三号の国土交通省令で定める期間は、当該工事が完了した日から起算して一年とする。

（**許可申請書及び許可通知書の様式**）

第一八条　法第十八条第一項の許可を申請しようとする者は、第九号様式の許可申請書の正本及び副本に、それぞれ、特定行政庁が規則で定める図書又は書面を添えて、特定行政庁に提出するものとする。

2　特定行政庁は、法第十八条第一項の許可をしたときは、第十号様式の許可通知書に、前項の許可申請書の副本及びその添付図書を添えて、申請者に通知するものとする。

3　特定行政庁は、法第十八条第一項の許可をしないときは、第十一号様式の許可しない旨の通知書に、第一項の許可申請書の副本及びその添付図書を添えて、申請者に通知するものとする。

附　則

この省令は、法の施行の日（平成二十一年六月四日）から施行する。

附　則〔略〕〔平成二二・五・二四国土交通省令三二〕

附　則〔略〕〔平成二三・八・一二国土交通省令六四〕

附　則〔略〕〔平成二八・二・四国土交通省令六〕

附　則〔略〕〔令和二・九・四国土交通省令七五〕

附　則〔略〕〔令和二・一二・二三国土交通省令九八〕

附　則〔略〕〔令和三・一〇・二〇国土交通省令六七〕

附　則〔抄〕〔令和四・八・一六国土交通省令六一〕

（**施行期日**）

1　この省令は、住宅の質の向上及び円滑な取引環境の整備のための長期優良住宅の普及の促進に関する法律等の一部を改正する法律（次項において「改正法」という。）附則第一条第四号に掲げる規定の施行の日（令和四年十月一日。以下「施行日」という。）から施行する。

（**経過措置**）

2　改正法第二条の規定による改正後の長期優良住宅の普及の促進に関する法律第五条第六項又は第七項の規定による認定の申請であって、施行日前に建築がされた共同住宅等（施行日以後に増築又は改築がされたものを除く。）に係るものに対する第一条の規定による改正後の長期優良住宅の普及の促進に関する法律施行規則（次項において「新長期優良住宅法施行規則」という。）第四条の規定の適用については、同条第二号中「四十平方メートル」とあるのは、「五十五平方メートル」とする。

3　この省令の施行の際現にされている長期優良住宅の普及の促進に関する法律第五条第一項から第五項までの規定による認定の申請（同法第八条第一項の規定による変更の認定の申請を含む。）又は同法第十条の承認の申請に係る申請書の様式については、新長期優良住宅法施行規則第一号様式、第一号の二様式、第三号様式及び第七号様式にかかわらず、なお従前の例による。

附　則〔略〕〔令和四・一二・二三国土交通省令九二〕

附　則〔略〕〔令和五・二・二八国土交通省令五〕

附　則〔略〕〔令和五・九・二五国土交通省令七五〕

附　則〔略〕〔令和六・三・八国土交通省令一八〕

様式〔略〕

◉建築基準法〔昭和二五・五・二四 法律二〇一〕

改正　昭和二六・六法一九五、法二二〇、一二法三一八、昭和二七・五法一六〇、六法一八一、七法二五八、昭和二八・八法一一四、昭和二九・四法七二、五法一二〇、法一三一、六法一四〇、昭和三一・六法一四八、昭和三二・五法一〇一、昭和三三・四法七九、昭和三四・四法一五六、昭和三五・六法一一三、八法一四〇、昭和三六・六法一一五、一一法一九一、昭和三七・四法八一、五法一四〇、九法一六一、昭和三八・七法一五一、昭和三九・七法一六〇、法一六九、昭和四〇・六法一一九、昭和四三・六法一〇一、昭和四四・六法三八、昭和四五・四法二〇、六法一〇九、一二法一三七、法一四一、昭和四七・六法八六、昭和四九・六法六七、昭和五〇・七法四九、法五九、法六六、法六七、昭和五一・一一法八三、昭和五三・五法三八、昭和五五・五法三四、法三五、昭和五六・五法五八、昭和五八・五法四三、法四四、昭和五九・五法四七、八法七六、昭和六二・六法六三、法六六、昭和六三・五法四九、平成元・六法五六、平成二・六法六一、法六二、平成三・四法二四、平成四・六法八二、平成五・一一法八九、平成六・六法六二、平成七・二法一三、平成八・五法四八、平成九・五法五〇、六法七九、平成一〇・五法五五、六法一〇〇、平成一一・七法八七、一二法一五一、法一六〇、平成一二・五法七三、法九一、六法一〇六、平成一四・四法二二、七法八五、平成一五・六法一〇一、平成一六・五法六一、六法六七、法一一一、平成一七・一〇法一〇二、一一法一二〇、平成一八・二法五、四法三〇、五法四六、六法五〇、法五三、法九二、一二法一一四、平成一九・三法一九、平成二〇・五法四〇、平成二三・五法三五、八法一〇五、一二法一二四、平成二四・八法六七、平成二五・五法二〇、六法四四、平成二六・五法三九、六法五四、法六九、法九二、平成二七・六法四五、法五〇、平成二八・五法四七、六法七二、平成二九・五法二六、平成三〇・四法二二、五法三三、六法六七、令和元・六法三七、令和二・六法四三、令和三・五法三一、法四四、令和四・五法四四、法五五、六法六九、令和五・六法五八、法六三、令和六・六法五三

注1　⬚の部分は、令和四年六月一七日法律第六八号により改正され、令和七年六月一日から施行

注2　□の部分は、令和四年六月一七日法律第六九号により改正され、令和七年四月一日から施行

目次

第一章　総則（第一条―第十八条の三）
第二章　建築物の敷地、構造及び建築設備（第十九条―第四十一条）
第三章　都市計画区域等における建築物の敷地、構造、建築設備及び用途
　第一節　総則（第四十一条の二・第四十二条）
　第二節　建築物又はその敷地と道路又は壁面線との関係等（第四十三条―第四十七条）
　第三節　建築物の用途（第四十八条―第五十一条）
　第四節　建築物の敷地及び構造（第五十二条―第六十条）
　第四節の二　都市再生特別地区、居住環境向上用途誘導地区及び特定用途誘導地区（第六十条の二―第六十条の三）
　第五節　防火地域及び準防火地域（第六十一条―第六十六条）
　第五節の二　特定防災街区整備地区（第六十七条・第六十七条の二）
　第六節　景観地区（第六十八条）
　第七節　地区計画等の区域（第六十八条の二―第六十八条の八）
　第八節　都市計画区域及び準都市計画区域以外の区域内の建築物の敷地及び構造（第六十八条の九）
第三章の二　型式適合認定等（第六十八条の十―第六十八条の二十六）
第四章　建築協定（第六十九条―第七十七条）
第四章の二　指定建築基準適合判定資格者検定機関等
　第一節　指定建築基準適合判定資格者検定機関（第七十七条の二―第七十七条の十七）
　第一節の二　指定構造計算適合判定資格者検定機関（第七十七条の十七の二）
　第二節　指定確認検査機関（第七十七条の十八―第七十七条の三十五）
　第三節　指定構造計算適合性判定機関（第七十七条の三十五の二―第七十七条の三十五の二十一）
　第四節　指定認定機関等（第七十七条の三十六―第七十七条の五十五）
　第五節　指定性能評価機関等（第七十七条の五十六・第七十七条の五十七）
第四章の三　建築基準適合判定資格者等の登録
　第一節　建築基準適合判定資格者の登録（第七十七条の五十八―第七十七条の六十五）
　第二節　構造計算適合判定資格者の登録（第七十七条の六十六）
第五章　建築審査会（第七十八条―第八十三条）
第六章　雑則（第八十四条―第九十七条の六）
第七章　罰則（第九十八条―第百七条）
附則

第一章　総則

（目的）

第一条　この法律は、建築物の敷地、構造、設備及び用途に関する最低の基準を定めて、国民の生命、健康及び財産の保護を図り、もつて公共の福祉の増進に資することを目的とする。

（用語の定義）

第二条　この法律において次の各号に掲げる用語の意義は、当該各号に定めるところによる。

一　建築物　土地に定着する工作物のうち、屋根及び柱若しくは壁を有するもの（これに類する構造のものを含む。）、これに附属する門若しくは塀、観覧のための工作物又は地下若しくは高架の工作物内に設ける事務所、店舗、興行場、倉庫その他これらに類する施設（鉄道及び軌道の線路敷地内の運転保安に関する施設並びに跨線橋、プラットホームの上家、貯蔵槽その他これらに類する施設を除く。）をいい、建築設備を含むものとする。

二　特殊建築物　学校（専修学校及び各種学校を含む。以下同様とする。）、体育館、病院、劇場、観覧場、集会場、展示場、百貨店、市場、ダンスホール、遊技場、公衆浴場、旅館、共同住宅、寄宿舎、下宿、工場、倉庫、自動車車庫、危険物の貯蔵場、と畜場、火葬場、汚物処理場その他これらに類する用途に供する建築物をいう。

三　建築設備　建築物に設ける電気、ガス、給水、排水、換気、暖房、冷房、消火、排煙若しくは汚物処理の設備又は煙突、

昇降機若しくは避雷針をいう。

四　居室　居住、執務、作業、集会、娯楽その他これらに類する目的のために継続的に使用する室をいう。

五　主要構造部　壁、柱、床、はり、屋根又は階段をいい、建築物の構造上重要でない間仕切壁、間柱、付け柱、揚げ床、最下階の床、回り舞台の床、小ばり、ひさし、局部的な小階段、屋外階段その他これらに類する建築物の部分を除くものとする。

六　延焼のおそれのある部分　隣地境界線、道路中心線又は同一敷地内の二以上の建築物（延べ面積の合計が五百平方メートル以内の建築物は、一の建築物とみなす。）相互の外壁間の中心線（ロにおいて「隣地境界線等」という。）から、一階にあつては三メートル以下、二階以上にあつては五メートル以下の距離にある建築物の部分をいう。ただし、次のイ又はロのいずれかに該当する部分を除く。

イ　防火上有効な公園、広場、川その他の空地又は水面、耐火構造の壁その他これらに類するものに面する部分

ロ　建築物の外壁面と隣地境界線等との角度に応じて、当該建築物の周囲において発生する通常の火災時における火熱により燃焼するおそれのないものとして国土交通大臣が定める部分

七　耐火構造　壁、柱、床その他の建築物の部分の構造のうち、耐火性能（通常の火災が終了するまでの間当該火災による建築物の倒壊及び延焼を防止するために当該建築物の部分に必要とされる性能をいう。）に関して政令で定める技術的基準に適合する鉄筋コンクリート造、れんが造その他の構造で、国土交通大臣が定めた構造方法を用いるもの又は国土交通大臣の認定を受けたものをいう。

七の二　準耐火構造　壁、柱、床その他の建築物の部分の構造のうち、準耐火性能（通常の火災による延焼を抑制するために当該建築物の部分に必要とされる性能をいう。第九号の三ロ及び第二十六条第二項第二号において同じ。）に関して政令で定める技術的基準に適合するもので、国土交通大臣が定めた構造方法を用いるもの又は国土交通大臣の認定を受けたものをいう。

八　防火構造　建築物の外壁又は軒裏の構造のうち、防火性能（建築物の周囲において発生する通常の火災による延焼を抑制するために当該外壁又は軒裏に必要とされる性能をいう。）に関して政令で定める技術的基準に適合する鉄網モルタル塗、しつくい塗その他の構造で、国土交通大臣が定めた構造方法を用いるもの又は国土交通大臣の認定を受けたものをいう。

九　不燃材料　建築材料のうち、不燃性能（通常の火災時における火熱により燃焼しないことその他の政令で定める性能をいう。）に関して政令で定める技術的基準に適合するもので、国土交通大臣が定めたもの又は国土交通大臣の認定を受けたものをいう。

九の二　耐火建築物　次に掲げる基準に適合する建築物をいう。

イ　その主要構造部のうち、防火上及び避難上支障がないものとして政令で定める部分以外の部分（以下「特定主要構造部」という。）が、(1)又は(2)のいずれかに該当すること。

(1)　耐火構造であること。

(2)　次に掲げる性能（外壁以外の特定主要構造部にあつては、(i)に掲げる性能に限る。）に関して政令で定める技術的基準に適合するものであること。

(i)　当該建築物の構造、建築設備及び用途に応じて屋内において発生が予測される火災による火熱に当該火災が終了するまで耐えること。

(ii)　当該建築物の周囲において発生する通常の火災による火熱に当該火災が終了するまで耐えること。

ロ　その外壁の開口部で延焼のおそれのある部分に、防火戸その他の政令で定める防火設備（その構造が遮炎性能（通常の火災時における火炎を有効に遮るために防火設備に必要とされる性能をいう。第二十七条第一項において同じ。）に関して政令で定める技術的基準に適合するもので、国土交通大臣が定めた構造方法を用いるもの又は国土交通大臣の認定を受けたものに限る。）を有すること。

九の三　準耐火建築物　耐火建築物以外の建築物で、イ又はロのいずれかに該当し、外壁の開口部で延焼のおそれのある部分に前号ロに規定する防火設備を有するものをいう。

イ　主要構造部を準耐火構造としたもの

ロ　イに掲げる建築物以外の建築物であつて、イに掲げるものと同等の準耐火性能を有するものとして主要構造部の防火の措置その他の事項について政令で定める技術的基準に適合するもの

十　設計　建築士法（昭和二十五年法律第二百二号）第二条第六項に規定する設計をいう。

十一　工事監理者　建築士法第二条第八項に規定する工事監理をする者をいう。

十二　設計図書　建築物、その敷地又は第八十八条第一項から第三項までに規定する工作物に関する工事用の図面（現寸図その他これに類するものを除く。）及び仕様書をいう。

十三　建築　建築物を新築し、増築し、改築し、又は移転することをいう。

十四　大規模の修繕　建築物の主要構造部の一種以上について行う過半の修繕をいう。

十五　大規模の模様替　建築物の主要構造部の一種以上について行う過半の模様替をいう。

十六　建築主　建築物に関する工事の請負契約の注文者又は請負契約によらないで自らその工事をする者をいう。

十七　設計者　その者の責任において、設計図書を作成した者をいい、建築士法第二十条の二第三項又は第二十条の三第三項の規定により建築物が構造関係規定（同法第二十条の二第二項に規定する構造関係規定をいう。第五条の六第二項及び第六条第三項第二号において同じ。）又は設備関係規定（同法第二十条の三第二項に規定する設備関係規定をいう。第五条の六第三項及び第六条第三項第三号において同じ。）に適合することを確認した構造設計一級建築士（同法第十条の三第四項に規定する構造設計一級建築士をいう。第五条の六第二項及び第六条第三項第二号において同じ。）又は設備設計一級建築士（同法第十条の三第四項に規定する設備設計一級建築士をいう。第五条の六第三項及び第六条第三項第三号において同じ。）を含むものとする。

十七　設計者　その者の責任において、設計図書を作成した者をいい、建築士法第二十条の二第三項又は第二十条の三第三項の規定により建築物が構造関係規定（同法第二十条の二第二項に規定する構造関係規定をいう。以下同じ。）又は設備関係規定（同法第二十条の三第二項に規定する設備関係規定をいう。第五条の六第三項及び第六条第三項第三号において同じ。）に適合することを確認した構造設計

一級建築士（同法第十条の三第四項に規定する構造設計一級建築士をいう。以下同じ。）又は設備設計一級建築士（同法第十条の三第四項に規定する設備設計一級建築士をいう。第五条の六第三項及び同号において同じ。）を含むものとする。

十八　工事施工者　建築物、その敷地若しくは第八十八条第一項から第三項までに規定する工作物に関する工事の請負人又は請負契約によらないで自らこれらの工事をする者をいう。

十九　都市計画　都市計画法（昭和四十三年法律第百号）第四条第一項に規定する都市計画をいう。

二十　都市計画区域又は準都市計画区域　それぞれ、都市計画法第四条第二項に規定する都市計画区域又は準都市計画区域をいう。

二十一　第一種低層住居専用地域、第二種低層住居専用地域、第一種中高層住居専用地域、第二種中高層住居専用地域、第一種住居地域、第二種住居地域、準住居地域、田園住居地域、近隣商業地域、商業地域、準工業地域、工業地域、工業専用地域、特別用途地区、特定用途制限地域、特例容積率適用地区、高層住居誘導地区、高度地区、高度利用地区、特定街区、都市再生特別地区、居住環境向上用途誘導地区、特定用途誘導地区、防火地域、準防火地域、特定防災街区整備地区又は景観地区　それぞれ、都市計画法第八条第一項第一号から第六号までに掲げる第一種低層住居専用地域、第二種低層住居専用地域、第一種中高層住居専用地域、第二種中高層住居専用地域、第一種住居地域、第二種住居地域、準住居地域、田園住居地域、近隣商業地域、商業地域、準工業地域、工業地域、工業専用地域、特別用途地区、特定用途制限地域、特例容積率適用地区、高層住居誘導地区、高度地区、高度利用地区、特定街区、都市再生特別地区、居住環境向上用途誘導地区、特定用途誘導地区、防火地域、準防火地域、特定防災街区整備地区又は景観地区をいう。

二十二　地区計画　都市計画法第十二条の四第一項第一号に掲げる地区計画をいう。

二十三　地区整備計画　都市計画法第十二条の五第二項第一号に掲げる地区整備計画をいう。

二十四　防災街区整備地区計画　都市計画法第十二条の四第一項第二号に掲げる防災街区整備地区計画をいう。

二十五　特定建築物地区整備計画　密集市街地における防災街区の整備の促進に関する法律（平成九年法律第四十九号。以下「密集市街地整備法」という。）第三十二条第二項第一号に規定する特定建築物地区整備計画をいう。

二十六　防災街区整備地区整備計画　密集市街地整備法第三十二条第二項第二号に規定する防災街区整備地区整備計画をいう。

二十七　歴史的風致維持向上地区計画　都市計画法第十二条の四第一項第三号に掲げる歴史的風致維持向上地区計画をいう。

二十八　歴史的風致維持向上地区整備計画　地域における歴史的風致の維持及び向上に関する法律（平成二十年法律第四十号。以下「地域歴史的風致法」という。）第三十一条第二項第一号に規定する歴史的風致維持向上地区整備計画をいう。

二十九　沿道地区計画　都市計画法第十二条の四第一項第四号に掲げる沿道地区計画をいう。

三十　沿道地区整備計画　幹線道路の沿道の整備に関する法律（昭和五十五年法律第三十四号。以下「沿道整備法」という。）第九条第二項第一号に掲げる沿道地区整備計画をいう。

三十一　集落地区計画　都市計画法第十二条の四第一項第五号に掲げる集落地区計画をいう。

三十二　集落地区整備計画　集落地域整備法（昭和六十二年法律第六十三号）第五条第三項に規定する集落地区整備計画をいう。

三十三　地区計画等　都市計画法第四条第九項に規定する地区計画等をいう。

三十四　プログラム　電子計算機に対する指令であつて、一の結果を得ることができるように組み合わされたものをいう。

三十五　特定行政庁　この法律の規定により建築主事又は建築副主事を置く市町村の区域については当該市町村の長をいい、その他の市町村の区域については都道府県知事をいう。ただし、第九十七条の二第一項若しくは第二項又は第九十七条の三第一項若しくは第二項の規定により建築主事又は建築副主事を置く市町村の区域内の政令で定める建築物については、都道府県知事とする。

〔改正・昭和二六法一九五・昭和二八法一一四・昭和三一法一四八・昭和三四法一五六・昭和三九法一六九・昭和四三法一〇一・昭和四四法三八・昭和四五法一〇九・昭和四九法六七・昭和五〇法五九・昭和五五法三四・法三五・昭和五八法四四・昭和六二法六三・昭和六三法四九・平成二法六一・平成四法八二・平成八法四八・平成九法五〇・法七九・平成一〇法一〇〇・平成一一法八七・法一六〇・平成一二法七三・平成一四法二二・法八五・平成一五法一〇一・平成一六法六七・法一一一・平成一八法九二・法一一四・平成二〇法四〇・平成二三法一〇五・平成二六法三九・法五四・法九二・平成二九法二六・平成三〇法六七・令和二法四三・令和三法四四・令和四法六九・令和五法五八〕

参照　【各種学校及び専修学校—学校教育法一二四・一三四【政令で定める技術的基準—令一〇七・一〇七の二・一〇八【政令で定める性能及び政令で定める技術的基準—令一〇八の二【政令で定める部分—令一〇八の三【政令で定める防火設備—令一〇九【政令で定める技術的基準—令一〇八の四・一〇九の二・一〇九の三【政令で定める建築物—令二の二

（適用の除外）

第三条　この法律並びにこれに基づく命令及び条例の規定は、次の各号のいずれかに該当する建築物については、適用しない。

一　文化財保護法（昭和二十五年法律第二百十四号）の規定によつて国宝、重要文化財、重要有形民俗文化財、特別史跡名勝天然記念物又は史跡名勝天然記念物として指定され、又は仮指定された建築物

二　旧重要美術品等の保存に関する法律（昭和八年法律第四十三号）の規定によつて重要美術品等として認定された建築物

三　文化財保護法第百八十二条第二項の条例その他の条例の定めるところにより現状変更の規制及び保存のための措置が講じられている建築物（次号において「保存建築物」という。）であつて、特定行政庁が建築審査会の同意を得て指定したもの

四　第一号若しくは第二号に掲げる建築物又は保存建築物であつたものの原形を再現する建築物で、特定行政庁が建築審査会の同意を得てその原形の再現がやむを得ないと認めたもの

2　この法律又はこれに基づく命令若しくは条例の規定の施行又は適用の際現に存する建築物若しくはその敷地又は現に建築、修繕若しくは模様替の工事中の建築物若しくはその敷地がこれらの規定に適合せず、又はこれらの規定に適合しない部分を有

する場合においては、当該建築物、建築物の敷地又は建築物若しくはその敷地の部分に対しては、当該規定は、適用しない。

3　前項の規定は、次の各号のいずれかに該当する建築物、建築物の敷地又は建築物若しくはその敷地の部分に対しては、適用しない。

一　この法律又はこれに基づく命令若しくは条例を改正する法令による改正（この法律に基づく命令又は条例を廃止すると同時に新たにこれに相当する命令又は条例を制定することを含む。）後のこの法律又はこれに基づく命令若しくは条例の規定の適用の際当該規定に相当する従前の規定に違反している建築物、建築物の敷地又は建築物若しくはその敷地の部分

二　都市計画区域若しくは準都市計画区域の指定若しくは変更、第一種低層住居専用地域、第二種低層住居専用地域、第一種中高層住居専用地域、第二種中高層住居専用地域、第一種住居地域、第二種住居地域、準住居地域、田園住居地域、近隣商業地域、商業地域、準工業地域、工業地域若しくは工業専用地域若しくは防火地域若しくは準防火地域に関する都市計画の決定若しくは変更、第四十二条第一項、第五十二条第二項第二号若しくは第三号若しくは第八項、第五十六条第一項第二号イ若しくは別表第三備考三の号の区域の指定若しくはその取消し又は第五十二条第一項第八号、第二項第三号若しくは第八項、第五十三条第一項第六号、第五十六条第一項第二号ニ若しくは別表第三(に)欄の五の項に掲げる数値の決定若しくは変更により、第四十三条第一項、第四十八条第一項から第十四項まで、第五十二条第一項、第二項、第七項若しくは第八項、第五十三条第一項から第三項まで、第五十四条第一項、第五十五条第一項、第五十六条第一項、第五十六条の二第一項若しくは第六十一条に規定する建築物、建築物の敷地若しくは建築物若しくはその敷地の部分に関する制限又は第四十三条第三項、第四十三条の二、第四十九条から第五十条まで若しくは第六十八条の九の規定に基づく条例に規定する建築物、建築物の敷地若しくは建築物若しくはその敷地の部分に関する制限に変更があつた場合における当該変更後の制限に相当する従前の制限に違反している建築物、建築物の敷地又は建築物若しくはその敷地の部分

三　工事の着手がこの法律又はこれに基づく命令若しくは条例の規定の施行又は適用の後である増築、改築、移転、大規模の修繕又は大規模の模様替に係る建築物又はその敷地

四　前号に該当する建築物又はその敷地の部分

五　この法律又はこれに基づく命令若しくは条例の規定に適合するに至つた建築物、建築物の敷地又は建築物若しくはその敷地の部分

〔改正・昭和二六法三一八・昭和二九法一三一・昭和三四法一五六・昭和三六法一一五・昭和三八法一五一・昭和四三法一〇一・昭和四五法一〇九・昭和五〇法四九・昭和五一法八三・昭和六二法六六・平成四法八二・平成六法六二・平成九法七九・平成一二法七三・平成一四法八五・平成一五法一〇一・平成一六法六一・法六七・平成一八法四六・平成二六法三九・法五四・平成二九法二六・平成三〇法六七・令和二法四三〕

参照 【国宝、重要文化財―文化財二七】【重要有形民俗文化財―文化財七八】【特別史跡名勝天然記念物、史跡名勝天然記念物―文化財一〇九】【指定―文化財二七・二八・七八・一〇九】【仮指定―文化財一一〇】【建築物―法二1】【敷地―令一1】【建築審査会―法七八～八三】【建築―法二13】【大規模の修繕―法二14】【大規模の模様替―法二15】【準用―法八六の九①・八八①～③・九〇③】【用途変更の場合―法八七③】

類似規定―消防法一七の二の五・一七の三

（建築主事又は建築副主事）

第四条　政令で指定する人口二十五万以上の市は、その長の指揮監督の下に、第六条第一項の規定による確認に関する事務その他のこの法律の規定により建築主事の権限に属するものとされている事務（以下この条において「確認等事務」という。）をつかさどらせるために、建築主事を置かなければならない。

2　市町村（前項の市を除く。）は、その長の指揮監督の下に、確認等事務をつかさどらせるために、建築主事を置くことができる。

3　市町村は、前項の規定により建築主事を置こうとする場合においては、あらかじめ、その設置について、都道府県知事に協議しなければならない。

4　市町村が前項の規定により協議して建築主事を置くときは、当該市町村の長は、建築主事が置かれる日の三十日前までにその旨を公示し、かつ、これを都道府県知事に通知しなければならない。

5　都道府県は、都道府県知事の指揮監督の下に、第一項又は第二項の規定によつて建築主事を置いた市町村（第九十七条の二を除き、以下「建築主事を置く市町村」という。）の区域外における確認等事務をつかさどらせるために、建築主事を置かなければならない。

6　第一項、第二項及び前項の建築主事は、市町村又は都道府県の職員で第七十七条の五十八第一項の登録（同条第二項の一級建築基準適合判定資格者登録簿への登録に限る。）を受けている者のうちから、それぞれ市町村の長又は都道府県知事が命ずる。

7　第一項、第二項又は第五項の規定によつて建築主事を置いた市町村又は都道府県は、当該市町村又は都道府県における確認等事務の実施体制の確保又は充実を図るため必要があると認めるときは、建築主事のほか、当該市町村の長又は都道府県知事の指揮監督の下に、確認等事務のうち建築士法第三条第一項各号に掲げる建築物（以下「大規模建築物」という。）に係るもの以外のものをつかさどらせるために、建築副主事を置くことができる。

8　前項の建築副主事は、市町村又は都道府県の職員で第七十七条の五十八第一項の登録（同条第二項の二級建築基準適合判定資格者登録簿への登録に限る。）を受けている者のうちから、それぞれ市町村の長又は都道府県知事が命ずる。

9　特定行政庁は、その所轄区域を分けて、その区域を所管する建築主事（第七項の規定によつて建築副主事を置いた場合にあつては、建築主事及び建築副主事）を指定することができる。

〔改正・昭和三四法一五六・昭和四五法一〇九・平成一〇法一〇〇・平成一一法八七・平成一八法五三・平成二七法五〇・令和五法五八〕

参照 【政令で指定する人口二十五万以上の市―建築基準法第四条第一項の人口二十五万以上の市を指定する政令】【特定行政庁―法二35】【準用―法九七の二②】

（建築基準適合判定資格者検定）

第五条　建築基準適合判定資格者検定は、建築士の設計に係る建築物が第六条第一項の建築基準関係規定に適合するかどうかを判定するために必要な知識について、国土交通大臣が行う。

2　前項の検定は、これを分けて一級建築基準適合判定資格者検

定及び二級建築基準適合判定資格者検定とする。

3　一級建築基準適合判定資格者検定は、一級建築士の設計に係る建築物が第六条第一項の建築基準関係規定に適合するかどうかを判定するために必要な知識について行う。

4　二級建築基準適合判定資格者検定は、二級建築士の設計に係る建築物が第六条第一項の建築基準関係規定に適合するかどうかを判定するために必要な知識について行う。

5　一級建築基準適合判定資格者検定は、一級建築士試験に合格した者でなければ受けることができない。

6　二級建築基準適合判定資格者検定は、一級建築士試験又は二級建築士試験に合格した者でなければ受けることができない。

7　建築基準適合判定資格者検定に関する事務をつかさどらせるために、国土交通省に、建築基準適合判定資格者検定委員を置く。ただし、次条第一項の指定建築基準適合判定資格者検定機関が同項の建築基準適合判定資格者検定事務を行う場合においては、この限りでない。

8　建築基準適合判定資格者検定委員は、建築及び行政に関し学識経験のある者のうちから、国土交通大臣が命ずる。

9　国土交通大臣は、不正の手段によつて建築基準適合判定資格者検定を受け、又は受けようとした者に対しては、合格の決定を取り消し、又はその建築基準適合判定資格者検定を受けることを禁止することができる。

10　国土交通大臣は、前項又は次条第二項の規定による処分を受けた者に対し、情状により、二年以内の期間を定めて建築基準適合判定資格者検定を受けることができないものとすることができる。

11　前各項に定めるもののほか、建築基準適合判定資格者検定の手続及び基準その他建築基準適合判定資格者検定に関し必要な事項は、政令で定める。

〔改正・平成一〇法一〇〇・平成一一法一六〇・平成二六法五四・令和五法五八〕

参照　【建築基準適合判定資格者検定に関し必要な事項】令三～八の三、規則一・一の二

（建築基準適合判定資格者検定事務を行う者の指定）

第五条の二　国土交通大臣は、第七十七条の二から第七十七条の五までの規定の定めるところにより指定する者（以下「指定建築基準適合判定資格者検定機関」という。）に、建築基準適合判定資格者検定の実施に関する事務（以下「建築基準適合判定資格者検定事務」という。）を行わせることができる。

2　指定建築基準適合判定資格者検定機関は、前条第九項に規定する国土交通大臣の職権を行うことができる。

3　国土交通大臣は、第一項の規定による指定をしたときは、建築基準適合判定資格者検定事務を行わないものとする。

〔追加・平成一〇法一〇〇、改正・平成一一法一六〇・平成二六法五四・令和五法五八〕

参照　【指定の申請】機関省令二

（受検手数料）

第五条の三　建築基準適合判定資格者検定を受けようとする者（市町村又は都道府県の職員である者を除く。）は、政令で定めるところにより、実費を勘案して政令で定める額の受検手数料を、国（指定建築基準適合判定資格者検定機関が行う建築基準適合判定資格者検定を受けようとする者にあつては、指定建築基準適合判定資格者検定機関）に納めなければならない。

2　前項の規定により指定建築基準適合判定資格者検定機関に納められた受検手数料は、当該指定建築基準適合判定資格者検定機関の収入とする。

〔追加・平成一〇法一〇〇、改正・平成一八法五三・平成二六法五四〕

参照　【政令で定めるところ】令八の三②・③【政令で定める受検手数料】令八の三①

（構造計算適合判定資格者検定）

第五条の四　構造計算適合判定資格者検定は、建築士の設計に係る建築物の計画について第六条の三第一項の構造計算適合性判定を行うために必要な知識及び経験について行う。

2　構造計算適合判定資格者検定は、国土交通大臣が行う。

3　構造計算適合判定資格者検定は、一級建築士試験に合格した者で、第六条の三第一項の構造計算適合性判定の業務その他これに類する業務で政令で定めるものに関して、五年以上の実務の経験を有するものでなければ受けることができない。

4　構造計算適合判定資格者検定に関する事務をつかさどらせるために、国土交通省に、構造計算適合判定資格者検定委員を置く。ただし、次条第一項の指定構造計算適合判定資格者検定機関が同項の構造計算適合判定資格者検定事務を行う場合においては、この限りでない。

5　第五条第八項の規定は構造計算適合判定資格者検定委員に、同条第九項から第十一項までの規定は構造計算適合判定資格者検定について準用する。この場合において、同条第十項中「次条第二項」とあるのは、「第五条の五第二項において準用する第五条の二第二項」と読み替えるものとする。

〔追加・平成二六法五四、改正・令和五法五八〕

参照　【政令で定めるもの】令八の四【構造計算適合判定資格者検定に関し必要な事項】令八の五、規則一の二の二・一の二の三

（構造計算適合判定資格者検定事務を行う者の指定等）

第五条の五　国土交通大臣は、第七十七条の十七の二第一項及び同条第二項において準用する第七十七条の三から第七十七条の五までの規定の定めるところにより指定する者（以下「指定構造計算適合判定資格者検定機関」という。）に、構造計算適合判定資格者検定の実施に関する事務（以下「構造計算適合判定資格者検定事務」という。）を行わせることができる。

2　第五条の二第二項及び第五条の三第二項の規定は指定構造計算適合判定資格者検定機関に、第五条の二第三項の規定は構造計算適合判定資格者検定事務に、第五条の三第一項の規定は構造計算適合判定資格者検定について準用する。この場合において、第五条の二第二項中「前条第九項」とあるのは「第五条の四第五項において準用する第五条第九項」と、同条第三項中「第一項」とあるのは「第五条の五第一項」と、第五条の三第一項中「者（市町村又は都道府県の職員である者を除く。）」とあるのは「者」と読み替えるものとする。

〔追加・平成二六法五四、改正・令和五法五八〕

参照　【指定の申請】機関省令一三の二【準用】令八の六

（建築物の設計及び工事監理）

第五条の六　建築士法第三条第一項（同条第二項の規定により適

用される場合を含む。以下同じ。）、第三条の二第一項（同条第二項において準用する同法第三条第二項の規定により適用される場合を含む。以下同じ。）若しくは第三条の三第一項（同条第二項において準用する同法第三条第二項の規定により適用される場合を含む。以下同じ。）に規定する建築物又は同法第三条の二第三項（同法第三条の三第二項において読み替えて準用する場合を含む。以下同じ。）の規定に基づく条例に規定する建築物の工事は、それぞれ当該各条に規定する建築士の設計によらなければ、することができない。

2　建築士法第二条第七項に規定する構造設計図書による同法第二十条の二第一項の建築物の工事は、構造設計一級建築士の構造設計（同法第二条第七項に規定する構造設計をいう。以下この項及び次条第三項第二号において同じ。）又は当該建築物が構造関係規定に適合することを構造設計一級建築士が確認した構造設計によらなければ、することができない。

> 2　建築士法第二条第七項に規定する構造設計図書による同法第二十条の二第一項の建築物の工事は、構造設計一級建築士の構造設計（同法第二条第七項に規定する構造設計をいう。以下同じ。）又は当該建築物が構造関係規定に適合することを構造設計一級建築士が確認した構造設計によらなければ、することができない。

3　建築士法第二条第七項に規定する設備設計図書による同法第二十条の三第一項の建築物の工事は、設備設計一級建築士の設備設計（同法第二条第七項に規定する設備設計をいう。以下この項及び次条第三項第三号において同じ。）又は当該建築物が設備関係規定に適合することを設備設計一級建築士が確認した設備設計によらなければ、することができない。

4　建築主は、第一項に規定する工事をする場合においては、それぞれ建築士法第三条第一項、第三条の二第一項若しくは第三条の三第一項に規定する建築士又は同法第三条の二第三項の規定に基づく条例に規定する建築士である工事監理者を定めなければならない。

5　前項の規定に違反した工事は、することができない。

（追加・昭和二六法一九五、改正・昭和五八法四四、旧五条の二を繰下・平成一〇法一〇〇、改正・平成一八法九二・法一一四、旧五条の四を繰下・平成二六法五四、改正・平成二六法九二）

参照　【建築物―法二1】【設計―法二10】【建築主―法二16】【工事監理者―法二11】【罰則―法一〇一①1・一〇五】

（建築物の建築等に関する申請及び確認）

第六条　建築主は、第一号から第三号までに掲げる建築物を建築しようとする場合（増築しようとする場合においては、建築物が増築後において第一号から第三号までに掲げる規模のものとなる場合を含む。）、これらの建築物の大規模の修繕若しくは大規模の模様替をしようとする場合又は第四号に掲げる建築物を建築しようとする場合においては、当該工事に着手する前に、その計画が建築基準関係規定（この法律並びにこれに基づく命令及び条例の規定（以下「建築基準法令の規定」という。）その他建築物の敷地、構造又は建築設備に関する法律並びにこれに基づく命令及び条例の規定で政令で定めるものをいう。以下同じ。）に適合するものであることについて、確認の申請書を提出して建築主事又は建築副主事（以下「建築主事等」という。）の確認（建築副主事の確認にあつては、大規模建築物以外の建築物に係るものに限る。以下この項において同じ。）を受け、確認済証の交付を受けなければならない。当該確認を受けた建築物の計画の変更（国土交通省令で定める軽微な変更を除く。）をして、第一号から第三号までに掲げる建築物を建築しようとする場合（増築しようとする場合においては、建築物が増築後において第一号から第三号までに掲げる規模のものとなる場合を含む。）、これらの建築物の大規模の修繕若しくは大規模の模様替をしようとする場合又は第四号に掲げる建築物を建築しようとする場合も、同様とする。

一　別表第一(い)欄に掲げる用途に供する特殊建築物で、その用途に供する部分の床面積の合計が二百平方メートルを超えるもの

二　木造の建築物で三以上の階数を有し、又は延べ面積が五百平方メートル、高さが十三メートル若しくは軒の高さが九メートルを超えるもの

三　木造以外の建築物で二以上の階数を有し、又は延べ面積が二百平方メートルを超えるもの

四　前三号に掲げる建築物を除くほか、都市計画区域若しくは準都市計画区域（いずれも都道府県知事が都道府県都市計画審議会の意見を聴いて指定する区域を除く。）若しくは景観法（平成十六年法律第百十号）第七十四条第一項の準景観地区（市町村長が指定する区域を除く。）内又は都道府県知事が関係市町村の意見を聴いてその区域の全部若しくは一部について指定する区域内における建築物

> **第六条**　建築主は、第一号若しくは第二号に掲げる建築物を建築しようとする場合（増築しようとする場合においては、建築物が増築後において第一号又は第二号に規定する規模のものとなる場合を含む。）、これらの建築物の大規模の修繕若しくは大規模の模様替をしようとする場合又は第三号に掲げる建築物を建築しようとする場合においては、当該工事に着手する前に、その計画が建築基準関係規定（この法律並びにこれに基づく命令及び条例の規定（以下「建築基準法令の規定」という。）その他建築物の敷地、構造又は建築設備に関する法律並びにこれに基づく命令及び条例の規定で政令で定めるものをいう。以下同じ。）に適合するものであることについて、確認の申請書を提出して建築主事又は建築副主事（以下「建築主事等」という。）の確認（建築副主事の確認にあつては、大規模建築物以外の建築物に係るものに限る。以下この項において同じ。）を受け、確認済証の交付を受けなければならない。当該確認を受けた建築物の計画の変更（国土交通省令で定める軽微な変更を除く。）をして、第一号若しくは第二号に掲げる建築物を建築しようとする場合（増築しようとする場合においては、建築物が増築後において第一号又は第二号に規定する規模のものとなる場合を含む。）、これらの建築物の大規模の修繕若しくは大規模の模様替をしようとする場合又は第三号に掲げる建築物を建築しようとする場合も、同様とする。
>
> 一　［略］
>
> 二　前号に掲げる建築物を除くほか、二以上の階数を有し、又は延べ面積が二百平方メートルを超える建築物
>
> 三　前二号に掲げる建築物を除くほか、都市計画区域若しくは準都市計画区域（いずれも都道府県知事が都道府県都市計画審議会の意見を聴いて指定する区域を除く。）若しくは景観法（平成十六年法律第百十号）第七十四条第一項の準景観地区（市町村長が指定する区域を除く。）内又は都道府県知事が関係市町村の意見を聴いてその区域の全部若

しくは一部について指定する区域内における建築物

2　前項の規定は、防火地域及び準防火地域外において建築物を増築し、改築し、又は移転しようとする場合で、その増築、改築又は移転に係る部分の床面積の合計が十平方メートル以内であるときについては、適用しない。

3　建築主事等は、第一項の申請書が提出された場合において、その計画が次の各号のいずれかに該当するときは、当該申請書を受理することができない。

一　建築士法第三条第一項、第三条の二第一項、第三条の三第一項、第二十条の二第一項若しくは第二十条の三第一項の規定又は同法第三条の二第三項の規定に基づく条例の規定に違反するとき。

二　構造設計一級建築士以外の一級建築士が建築士法第二十条の二第一項の建築物の構造設計を行つた場合において、当該建築物が構造関係規定に適合することを構造設計一級建築士が確認した構造設計によるものでないとき。

三　設備設計一級建築士以外の一級建築士が建築士法第二十条の三第一項の建築物の設備設計を行つた場合において、当該建築物が設備関係規定に適合することを設備設計一級建築士が確認した設備設計によるものでないとき。

4　建築主事等は、第一項の申請書を受理した場合においては、同項第一号から第三号までに係るものにあつてはその受理した日から三十五日以内に、同項第四号に係るものにあつてはその受理した日から七日以内に、申請に係る建築物の計画が建築基準関係規定に適合するかどうかを審査し、審査の結果に基づいて建築基準関係規定に適合することを確認したときは、当該申請者に確認済証を交付しなければならない。

4　建築主事等は、第一項の申請書を受理した場合においては、同項第一号又は第二号に係るものにあつてはその受理した日から三十五日以内に、同項第三号に係るものにあつてはその受理した日から七日以内に、申請に係る建築物の計画が建築基準関係規定に適合するかどうかを審査し、審査の結果に基づいて建築基準関係規定に適合することを確認したときは、当該申請者に確認済証を交付しなければならない。

5　建築主事等は、前項の場合において、申請に係る建築物の計画が第六条の三第一項の構造計算適合性判定を要するものであるときは、建築主から同条第七項の適合判定通知書又はその写しの提出を受けた場合に限り、第一項の規定による確認をすることができる。

6　建築主事等は、第四項の場合（申請に係る建築物の計画が第六条の三第一項の特定構造計算基準（第二十条第一項第二号イの政令で定める基準に従つた構造計算で同号イに規定する方法によるものによつて確かめられる安全性を有することに係る部分に限る。）に適合するかどうかを審査する場合その他国土交通省令で定める場合に限る。）において、第四項の期間内に当該申請者に第一項の確認済証を交付することができない合理的な理由があるときは、三十五日の範囲内において、第四項の期間を延長することができる。この場合においては、その旨及びその延長する期間並びにその期間を延長する理由を記載した通知書を同項の期間内に当該申請者に交付しなければならない。

6　建築主事等は、第四項の場合（申請に係る建築物の計画が第六条の三第一項本文に規定する特定構造計算基準（第二十条第一項第二号イの政令で定める基準に従つた構造計算で同号イに規定する方法によるものによつて確かめられる安全性を有することに係る部分に限る。）に適合するかどうかを審査する場合その他国土交通省令で定める場合に限る。）において、第四項の期間内に当該申請者に第一項の確認済証を交付することができない合理的な理由があるときは、三十五日の範囲内において、第四項の期間を延長することができる。この場合においては、その旨及びその延長する期間並びにその期間を延長する理由を記載した通知書を同項の期間内に当該申請者に交付しなければならない。

7　建築主事等は、第四項の場合において、申請に係る建築物の計画が建築基準関係規定に適合しないことを認めたとき、又は建築基準関係規定に適合するかどうかを決定することができない正当な理由があるときは、その旨及びその理由を記載した通知書を同項の期間（前項の規定により第四項の期間を延長した場合にあつては、当該延長後の期間）内に当該申請者に交付しなければならない。

8　第一項の確認済証の交付を受けた後でなければ、同項の建築物の建築、大規模の修繕又は大規模の模様替の工事は、することができない。

9　第一項の規定による確認の申請書、同項の確認済証並びに第六項及び第七項の通知書の様式は、国土交通省令で定める。

〔改正・昭和二六法一九五・昭和二九法一四〇・昭和三四法一五六・昭和三八法一五一・昭和四三法一〇一・昭和五一法八三・昭和五三法三八・昭和五六法五八・昭和五八法四四・昭和五九法四七・昭和六二法六六・平成一〇法一〇〇・平成一一法八七・法一六〇・平成一二法七三・平成一六法一一一・平成一八法四六・法九二・法一一四・平成二六法五四・平成三〇法六七・令和五法五八〕

参照　【建築主―法二16】【建築物―法二1】【建築―法二13】【敷地―令一1】【大規模の修繕―法二14】【大規模の模様替―法二15】【政令で定めるもの―令九】【省令で定める―規則三の二】【防火地域及び準防火地域―都計法八①5・九㉑】【床面積―法九二、令二①3】【階数―法九二、令二①8・④】【延べ面積―法九二、令二①4・③】【特殊建築物―法二2】【建築物の高さ―法九二、令二①6・②・④】【軒の高さ―法九二、令二①7・②】【都市計画区域―都計法五】【準都市計画区域―都計法五の二】【都道府県都市計画審議会―都計法七七、都道府県都市計画審議会及び市町村都市計画審議会の組織及び運営の基準を定める政令】【確認申請書及び確認済証の様式―規則一の三・二】【消防長の同意等―法九三】【準用―法八七①・八七の四・八八①・②】【罰則―法九九①1・2・一〇五】【引用規定―電波法による伝搬障害防止規則六1、クレーン等安全規則一四〇②、消防法七①・②、消防法施行令一、河川法施行規則一八の一〇①1、都計法施行規則六〇、流通業務市街地の整備に関する法律施行規則二五、宅地造成及び特定盛土等規制法施行規則八八、宅地建物取引業法三三・三六

（国土交通大臣等の指定を受けた者による確認）

第六条の二　前条第一項各号に掲げる建築物の計画（前条第三項各号のいずれかに該当するものを除く。）が建築基準関係規定に適合するものであることについて、第七十七条の十八から第七十七条の二十一までの規定の定めるところにより国土交通大臣又は都道府県知事が指定した者の確認を受け、国土交通省令で定めるところにより確認済証の交付を受けたときは、当該確認は前条第一項の規定による確認と、当該確認済証は同項の確認済証とみなす。

2　前項の規定による指定は、二以上の都道府県の区域において同項の規定による確認の業務を行おうとする者を指定する場合

にあつては国土交通大臣が、一の都道府県の区域において同項の規定による確認の業務を行おうとする者を指定する場合にあつては都道府県知事がするものとする。

3　第一項の規定による指定を受けた者は、同項の規定による確認の申請を受けた場合において、申請に係る建築物の計画が次条第一項の構造計算適合性判定を要するものであるときは、建築主から同条第七項の適合判定通知書又はその写しの提出を受けた場合に限り、第一項の規定による確認をすることができる。

4　第一項の規定による指定を受けた者は、同項の規定による確認の申請を受けた場合において、申請に係る建築物の計画が建築基準関係規定に適合しないことを認めたとき、又は建築基準関係規定に適合するかどうかを決定することができない正当な理由があるときは、国土交通省令で定めるところにより、その旨及びその理由を記載した通知書を当該申請者に交付しなければならない。

5　第一項の規定による指定を受けた者は、同項の確認済証又は前項の通知書の交付をしたときは、国土交通省令で定める期間内に、国土交通省令で定めるところにより、確認審査報告書を作成し、当該確認済証又は当該通知書の交付に係る建築物の計画に関する国土交通省令で定める書類を添えて、これを特定行政庁に提出しなければならない。

6　特定行政庁は、前項の規定による確認審査報告書の提出を受けた場合において、第一項の確認済証の交付を受けた建築物の計画が建築基準関係規定に適合しないと認めるときは、当該建築物の建築主及び当該確認済証を交付した同項の規定による指定を受けた者にその旨を通知しなければならない。この場合において、当該確認済証は、その効力を失う。

7　前項の場合において、特定行政庁は、必要に応じ、第九条第一項又は第十項の命令その他の措置を講ずるものとする。

〔追加・平成一〇法一〇〇、改正・平成一一法一六〇・平成一八法九二・法一一四・平成二六法五四〕

参照　【省令で定めるところ―規則三の四・三の五】【罰則―法一〇三1・一〇五】【特定行政庁―法二35】【準用―法八七①・八七の四・八八①・②】

（構造計算適合性判定）

第六条の三　建築主は、第六条第一項の場合において、申請に係る建築物の計画が第二十条第一項第二号若しくは第三号に定める基準（同項第二号イ又は第三号イの政令で定める基準に従つた構造計算で、同項第二号イに規定する方法若しくはプログラムによるもの又は同項第三号イに規定するプログラムによるものによつて確かめられる安全性を有することに係る部分に限る。以下「特定構造計算基準」という。）又は第三条第二項（第八十六条の九第一項において準用する場合を含む。）の規定により第二十条の規定の適用を受けない建築物について第八十六条の七第一項の政令で定める範囲内において増築若しくは改築をする場合における同項の政令で定める基準（特定構造計算基準に相当する基準として政令で定めるものに限る。以下「特定増改築構造計算基準」という。）に適合するかどうかの確認審査（第六条第四項に規定する審査又は前条第一項の規定による確認のための審査をいう。以下この項において同じ。）を要するものであるときは、構造計算適合性判定（当該建築物の計画が特定構造計算基準又は特定増改築構造計算基準に適合するかどうかの判定をいう。以下同じ。）の申請書を提出して都道府県知事の構造計算適合性判定を受けなければならない。ただし、当該建築物の計画が特定構造計算基準（第二十条第一項第二号イの政令で定める基準に従つた構造計算で同号イに規定する方法によるものによつて確かめられる安全性を有することに係る部分のうち確認審査が比較的容易にできるものとして政令で定めるものに限る。）又は特定増改築構造計算基準（確認審査が比較的容易にできるものとして政令で定めるものに限る。）に適合するかどうかを、構造計算に関する高度の専門的知識及び技術を有する者として国土交通省令で定める要件を備える者である建築主事等が第六条第四項に規定する審査をする場合又は前条第一項の規定による指定を受けた者が当該国土交通省令で定める要件を備える者である第七十七条の二十四第一項の確認検査員若しくは副確認検査員に前条第一項の規定による確認のための審査をさせる場合は、この限りでない。

第六条の三　建築主は、第六条第一項の場合において、申請に係る建築物の計画が第二十条第一項第二号若しくは第三号に定める基準（同項第二号イ又は第三号イの政令で定める基準に従つた構造計算で、同項第二号イに規定する方法若しくはプログラムによるもの又は同項第三号イに規定するプログラムによるものによつて確かめられる安全性を有することに係る部分に限る。以下「特定構造計算基準」という。）又は第三条第二項（第八十六条の九第一項において準用する場合を含む。）の規定により第二十条の規定の適用を受けない建築物について第八十六条の七第一項の政令で定める範囲内において増築若しくは改築をする場合における同項の政令で定める基準（特定構造計算基準に相当する基準として政令で定めるものに限る。以下「特定増改築構造計算基準」という。）に適合するかどうかの確認審査（第六条第四項に規定する審査又は前条第一項の規定による確認のための審査をいう。以下この項において同じ。）を要するものであるときは、構造計算適合性判定（当該建築物の計画が特定構造計算基準又は特定増改築構造計算基準に適合するかどうかの判定をいう。以下同じ。）の申請書を提出して都道府県知事の構造計算適合性判定を受けなければならない。ただし、当該建築物の計画が次の各号に掲げる確認審査である場合において、当該確認審査を構造計算に関する高度の専門的知識及び技術を有する者として当該各号に掲げる確認審査の区分に応じて国土交通省令で定める要件を備える者である建築主事等がするとき又は前条第一項の規定による指定を受けた者が当該要件を備える者である第七十七条の二十四第一項の確認検査員若しくは副確認検査員にさせるときは、この限りでない。

一　当該建築物の計画が特定構造計算基準のうち第二十条第一項第二号イの政令で定める基準に従つた構造計算で同号イに規定する方法によるものによつて確かめられる安全性を有することに係る部分であつて確認審査が比較的容易にできるものとして政令で定めるもの又は特定増改築構造計算基準のうち確認審査が比較的容易にできるものとして政令で定めるものに適合するかどうかの確認審査

二　当該建築物の計画（第二十条第一項第四号に掲げる建築物に係るもののうち、構造設計一級建築士の構造設計に基づくもの又は当該建築物が構造関係規定に適合することを構造設計一級建築士が確認した構造設計に基づくものに限る。）が特定構造計算基準又は特定増改築構造計算基準に適合するかどうかの確認審査（前号に掲げる確認審査に該当するものを除く。）

2　都道府県知事は、前項の申請書を受理した場合において、申請に係る建築物の計画が建築基準関係規定に適合するものであることについて当該都道府県に置かれた建築主事等が第六条第一項の規定による確認をするときは、当該建築主事等を当該申請に係る構造計算適合性判定に関する事務に従事させてはならない。

3　都道府県知事は、特別な構造方法の建築物の計画について第一項の構造計算適合性判定を行うに当たつて必要があると認めるときは、当該構造方法に係る構造計算に関して専門的な識見を有する者の意見を聴くものとする。

4　都道府県知事は、第一項の申請書を受理した場合においては、その受理した日から十四日以内に、当該申請に係る構造計算適合性判定の結果を記載した通知書を当該申請者に交付しなければならない。

5　都道府県知事は、前項の場合（申請に係る建築物の計画が特定構造計算基準（第二十条第一項第二号イの政令で定める基準に従つた構造計算で同号イに規定する方法によるものによつて確かめられる安全性を有することに係る部分に限る。）に適合するかどうかの判定の申請を受けた場合その他国土交通省令で定める場合に限る。）において、前項の期間内に当該申請者に同項の通知書を交付することができない合理的な理由があるときは、三十五日の範囲内において、同項の期間を延長することができる。この場合においては、その旨及びその延長する期間並びにその期間を延長する理由を記載した通知書を同項の期間内に当該申請者に交付しなければならない。

6　都道府県知事は、第四項の場合において、申請書の記載によつては当該建築物の計画が特定構造計算基準又は特定増改築構造計算基準に適合するかどうかを決定することができない正当な理由があるときは、その旨及びその理由を記載した通知書を同項の期間（前項の規定により第四項の期間を延長した場合にあつては、当該延長後の期間）内に当該申請者に交付しなければならない。

7　建築主は、第四項の規定により同項の通知書の交付を受けた場合において、当該通知書が適合判定通知書（当該建築物の計画が特定構造計算基準又は特定増改築構造計算基準に適合するものであると判定された旨が記載された通知書をいう。以下同じ。）であるときは、第六条第一項又は前条第一項の規定による確認をする建築主事等又は同項の規定による指定を受けた者に、当該適合判定通知書又はその写しを提出しなければならない。ただし、当該建築物の計画に係る第六条第七項又は前条第四項の通知書の交付を受けた場合は、この限りでない。

8　建築主は、前項の場合において、建築物の計画が第六条第一項の規定による建築主事等の確認に係るものであるときは、同条第四項の期間（同条第六項の規定により同条第四項の期間が延長された場合にあつては、当該延長後の期間）の末日の三日前までに、前項の適合判定通知書又はその写しを当該建築主事等に提出しなければならない。

9　第一項の規定による構造計算適合性判定の申請書及び第四項から第六項までの通知書の様式は、国土交通省令で定める。

〔追加・平成二六法五四、改正・令和五法五八〕

参照　【建築主―法二16【建築物―法二1【プログラム―法二34【政令で定める―令九の二・九の三【省令で定める要件―規則三の一三～三の二八【構造計算適合性判定の申請書の様式―規則三の七【適合判定通知書等の様式等―規則三の九【適合判定通知書又は写しの提出―規則三の一二

（建築物の建築に関する確認の特例）

第六条の四　第一号若しくは第二号に掲げる建築物の建築、大規模の修繕若しくは大規模の模様替又は第三号に掲げる建築物の建築に対する第六条及び第六条の二の規定の適用については、第六条第一項中「政令で定めるものをいう。以下同じ」とあるのは、「政令で定めるものをいい、建築基準法令の規定のうち政令で定める規定を除く。以下この条及び次条において同じ」とする。

一　第六十八条の十第一項の認定を受けた型式（次号において「認定型式」という。）に適合する建築材料を用いる建築物

二　認定型式に適合する建築物の部分を有する建築物

三　第六条第一項第四号に掲げる建築物で建築士の設計に係るもの

三　第六条第一項第三号に掲げる建築物で建築士の設計に係るもの

2　前項の規定により読み替えて適用される第六条第一項に規定する政令のうち建築基準法令の規定を定めるものにおいては、建築士の技術水準、建築物の敷地、構造及び用途その他の事情を勘案して、建築士及び建築物の区分に応じ、建築主事等の審査を要しないこととしても建築物の安全上、防火上及び衛生上支障がないと認められる規定を定めるものとする。

〔追加・昭和五八法四四、旧六条の二を改正し繰下・平成一〇法一〇〇、改正・平成一八法一一四、旧六条の三を改正し繰下・平成二六法五四、改正・令和五法五八〕

参照　【建築物―法二1【建築―法二13【大規模の修繕―法二14【大規模の模様替―法二15【政令で定める規定―令一〇【設計―法二10【敷地―令一1【準用―法八七①・八七の四・八八①【引用規定―消防法七②

（建築物に関する完了検査）

第七条　建築主は、第六条第一項の規定による工事を完了したときは、国土交通省令で定めるところにより、建築主事等の検査（建築副主事の検査にあつては、大規模建築物以外の建築物に係るものに限る。第七条の三第一項において同じ。）を申請しなければならない。

2　前項の規定による申請は、第六条第一項の規定による工事が完了した日から四日以内に建築主事等に到達するように、しなければならない。ただし、申請をしなかつたことについて国土交通省令で定めるやむを得ない理由があるときは、この限りでない。

3　前項ただし書の場合における検査の申請は、その理由がやんだ日から四日以内に建築主事等に到達するように、しなければならない。

4　建築主事等が第一項の規定による申請を受理した場合においては、建築主事等又はその委任を受けた当該市町村若しくは都道府県の職員（以下この章において「検査実施者」という。）は、その申請を受理した日から七日以内に、当該工事に係る建築物及びその敷地が建築基準関係規定に適合しているかどうかを検査しなければならない。

5　検査実施者は、前項の規定による検査をした場合において、当該建築物及びその敷地が建築基準関係規定に適合していることを

とを認めたときは、国土交通省令で定めるところにより、当該建築物の建築主に対して検査済証を交付しなければならない。

〔改正・昭和三四法一五六・昭和五一法八三・昭和五八法四四・平成一〇法一〇〇・平成一一法八七・法一六〇・平成一八法五三・令和五法五八〕

参照【建築主―法二16【省令で定める―規則四・四の三・四の四【建築基準関係規定―令九【建築物―法二1【敷地―令一1【完了検査申請書の様式―規則四【検査済証の様式―規則四の四【準用―法八七①・八七の四・八八①・②【罰則―法九九①3・一〇五【引用規定―クレーン等安全規則一四一⑤・一四六

（国土交通大臣等の指定を受けた者による完了検査）

第七条の二　第七十七条の十八から第七十七条の二十一までの規定の定めるところにより国土交通大臣又は都道府県知事が指定した者が、第六条第一項の規定による工事の完了の日から四日が経過する日までに、当該工事に係る建築物及びその敷地が建築基準関係規定に適合しているかどうかの検査を引き受けた場合において、当該検査の引受けに係る工事が完了したときについては、前条第一項から第三項までの規定は、適用しない。

2　前項の規定による指定は、二以上の都道府県の区域において同項の検査の業務を行おうとする者を指定する場合にあつては国土交通大臣が、一の都道府県の区域において同項の検査の業務を行おうとする者を指定する場合にあつては都道府県知事がするものとする。

3　第一項の規定による指定を受けた者は、同項の規定による検査の引受けを行つたときは、国土交通省令で定めるところにより、その旨を証する書面を建築主に交付するとともに、その旨を建築主事等（当該検査の引受けが大規模建築物に係るものである場合にあつては、建築主事。第七条の四第二項において同じ。）に通知しなければならない。

4　第一項の規定による指定を受けた者は、同項の規定による検査の引受けを行つたときは、当該検査の引受けを行つた第六条第一項の規定による工事が完了した日又は当該検査の引受けを行つた日のいずれか遅い日から七日以内に、第一項の検査をしなければならない。

5　第一項の規定による指定を受けた者は、同項の検査をした建築物及びその敷地が建築基準関係規定に適合していることを認めたときは、国土交通省令で定めるところにより、当該建築物の建築主に対して検査済証を交付しなければならない。この場合において、当該検査済証は、前条第五項の検査済証とみなす。

6　第一項の規定による指定を受けた者は、同項の検査をしたときは、国土交通省令で定める期間内に、国土交通省令で定めるところにより、完了検査報告書を作成し、同項の検査をした建築物及びその敷地に関する国土交通省令で定める書類を添えて、これを特定行政庁に提出しなければならない。

7　特定行政庁は、前項の規定による完了検査報告書の提出を受けた場合において、第一項の検査をした建築物及びその敷地が建築基準関係規定に適合しないと認めるときは、遅滞なく、第九条第一項又は第七項の規定による命令その他必要な措置を講ずるものとする。

〔追加・平成一〇法一〇〇、改正・平成一一法一六〇・平成一八法九二・令和五法五八〕

参照【建築物―法二1【敷地―令一1【建築基準関係規定―令九【完了検査引受証及び完了検査引受通知書の様式―規則四の五【検査済証の様式―規則四の六【検査結果の報告―規則四の七【特定行政庁―法二35【罰則―法一〇三1・一〇五【準用―法八七の四・八八①・②

（建築物に関する中間検査）

第七条の三　建築主は、第六条第一項の規定による工事が次の各号のいずれかに該当する工程（以下「特定工程」という。）を含む場合において、当該特定工程に係る工事を終えたときは、その都度、国土交通省令で定めるところにより、建築主事等の検査を申請しなければならない。

一　階数が三以上である共同住宅の床及びはりに鉄筋を配置する工事の工程のうち政令で定める工程

二　前号に掲げるもののほか、特定行政庁が、その地方の建築物の建築の動向又は工事に関する状況その他の事情を勘案して、区域、期間又は建築物の構造、用途若しくは規模を限つて指定する工程

2　前項の規定による申請は、特定工程に係る工事を終えた日から四日以内に建築主事等に到達するように、しなければならない。ただし、申請をしなかつたことについて国土交通省令で定めるやむを得ない理由があるときは、この限りでない。

3　前項ただし書の場合における検査の申請は、その理由がやんだ日から四日以内に建築主事等に到達するように、しなければならない。

4　建築主事等が第一項の規定による申請を受理した場合においては、検査実施者は、その申請を受理した日から四日以内に、当該申請に係る工事中の建築物等（建築、大規模の修繕又は大規模の模様替の工事中の建築物及びその敷地をいう。以下この章において同じ。）について、検査前に施工された工事に係る建築物の部分及びその敷地が建築基準関係規定に適合するかどうかを検査しなければならない。

5　検査実施者は、前項の規定による検査をした場合において、工事中の建築物等が建築基準関係規定に適合することを認めたときは、国土交通省令で定めるところにより、当該建築主に対して当該特定工程に係る中間検査合格証を交付しなければならない。

6　第一項第一号の政令で定める特定工程ごとに政令で定める当該特定工程後の工程及び特定行政庁が同項第二号の指定と併せて指定する特定工程後の工程（第十八条第三十一項及び第三十五項において「特定工程後の工程」と総称する。）に係る工事は、前項の規定による当該特定工程に係る中間検査合格証の交付を受けた後でなければ、これを施工してはならない。

7　検査実施者又は前条第一項の規定による指定を受けた者は、第四項の規定による検査において建築基準関係規定に適合することを認められた工事中の建築物等について、第七条第四項、前条第一項、第四項又は次条第一項の規定による検査をするときは、第四項の規定による検査において建築基準関係規定に適合することを認められた建築物の部分及びその敷地については、これらの規定による検査をすることを要しない。

8　第一項第二号の規定による指定に関して公示その他の必要な事項は、国土交通省令で定める。

〔追加・平成一〇法一〇〇、改正・平成一一法八七・法一六〇・平成一八法九二・平成二六法五四・令和五法五八・令和六法五三〕

参照【特定行政庁―法二35【建築物―法二1【建築―法二13【政令で定める工程―令一一【建築基準関係規定―令九【省令で定めるや

むを得ない理由―規則四の三【中間検査申請書の様式―規則四の八【中間検査合格証―規則四の一〇【省令で定める―規則四の八・四の一一【特定工程後の工程―令一一【罰則―法九九①２・３・一〇五【準用―法八七の四・八八①

（国土交通大臣等の指定を受けた者による中間検査）

第七条の四　第六条第一項の規定による工事が特定工程を含む場合において、第七条の二第一項の規定による指定を受けた者が当該特定工程に係る工事を終えた後の工事中の建築物等について、検査前に施工された工事に係る建築物の部分及びその敷地が建築基準関係規定に適合するかどうかの検査を当該工事を終えた日から四日が経過する日までに引き受けたときについては、前条第一項から第三項までの規定は、適用しない。

2　第七条の二第一項の規定による指定を受けた者は、前項の規定による検査の引受けを行つたときは、国土交通省令で定めるところにより、その旨を証する書面を建築主に交付するとともに、その旨を建築主事等に通知しなければならない。

3　第七条の二第一項の規定による指定を受けた者は、第一項の検査をした場合において、特定工程に係る工事中の建築物等が建築基準関係規定に適合することを認めたときは、国土交通省令で定めるところにより、当該建築主に対して当該特定工程に係る中間検査合格証を交付しなければならない。

4　前項の規定により交付された特定工程に係る中間検査合格証は、それぞれ、当該特定工程に係る前条第五項の中間検査合格証とみなす。

5　前条第七項の規定の適用については、第三項の規定により特定工程に係る中間検査合格証が交付された第一項の検査は、それぞれ、同条第五項の規定により当該特定工程に係る中間検査合格証が交付された同条第四項の規定による検査とみなす。

6　第七条の二第一項の規定による指定を受けた者は、第一項の検査をしたときは、国土交通省令で定める期間内に、国土交通省令で定めるところにより、中間検査報告書を作成し、同項の検査をした工事中の建築物等に関する国土交通省令で定める書類を添えて、これを特定行政庁に提出しなければならない。

7　特定行政庁は、前項の規定による中間検査報告書の提出を受けた場合において、第一項の検査をした工事中の建築物等が建築基準関係規定に適合しないと認めるときは、遅滞なく、第九条第一項又は第十項の規定による命令その他必要な措置を講ずるものとする。

〔追加・平成一〇法一〇〇、改正・平成一一法一六〇・平成一八法九二・令和五法五八〕

参照【建築物―法二1【建築基準関係規定―令九【省令で定めるところ―規則四の一一～四の一四【特定行政庁―法二35【罰則―法一〇三1・一〇五【準用―法八七の四・八八①

（建築物に関する検査の特例）

第七条の五　第六条の四第一項第一号若しくは第二号に掲げる建築物の建築、大規模の修繕若しくは大規模の模様替又は同項第三号に掲げる建築物の建築の工事（同号に掲げる建築物の建築の工事にあつては、国土交通省令で定めるところにより建築士である工事監理者によつて設計図書のとおりに実施されたことが確認されたものに限る。）に対する第七条から前条までの規定の適用については、第七条第四項及び第五項中「建築基準関係規定」とあるのは「前条第一項の規定により読み替えて適用される第六条第一項に規定する建築基準関係規定」と、第七条の二第一項、第五項及び第七項、第七条の三第四項、第五項及び第七項並びに前条第一項、第三項及び第七項中「建築基準関係規定」とあるのは「第六条の四第一項の規定により読み替えて適用される第六条第一項に規定する建築基準関係規定」とする。

〔追加・昭和五八法四四、旧七条の二を改正し繰下・平成一〇法一〇〇、改正・平成一一法一六〇・平成一八法九二・平成二六法五四〕

参照【建築物―法二1【建築―法二13【大規模の修繕―法二14【大規模の模様替―法二15【省令で定めるところ―規則四の一五【工事監理者―法二11【設計図書―法二12【準用―法八七の四・八八①

（検査済証の交付を受けるまでの建築物の使用制限）

第七条の六　第六条第一項第一号から第三号までの建築物を新築する場合又はこれらの建築物（共同住宅以外の住宅及び居室を有しない建築物を除く。）の増築、改築、移転、大規模の修繕若しくは大規模の模様替の工事で、廊下、階段、出入口その他の避難施設、消火栓、スプリンクラーその他の消火設備、排煙設備、非常用の照明装置、非常用の昇降機若しくは防火区画で政令で定めるものに関する工事（政令で定める軽易な工事を除く。以下この項、第十八条第三十八項及び第九十条の三において「避難施設等に関する工事」という。）を含むものをする場合においては、当該建築物の建築主は、第七条第五項の検査済証の交付を受けた後でなければ、当該新築に係る建築物又は当該避難施設等に関する工事に係る建築物若しくは建築物の部分を使用し、又は使用させてはならない。ただし、次の各号のいずれかに該当する場合には、検査済証の交付を受ける前においても、仮に、当該建築物又は建築物の部分を使用し、又は使用させることができる。

第七条の六　第六条第一項第一号若しくは第二号に掲げる建築物を新築する場合又はこれらの建築物（共同住宅以外の住宅及び居室を有しない建築物を除く。）の増築、改築、移転、大規模の修繕若しくは大規模の模様替の工事で、廊下、階段、出入口その他の避難施設、消火栓、スプリンクラーその他の消火設備、排煙設備、非常用の照明装置、非常用の昇降機若しくは防火区画で政令で定めるものに関する工事（政令で定める軽易な工事を除く。以下この項、第十八条第三十八項及び第九十条の三において「避難施設等に関する工事」という。）を含むものをする場合においては、当該建築物の建築主は、第七条第五項の検査済証の交付を受けた後でなければ、当該新築に係る建築物又は当該避難施設等に関する工事に係る建築物若しくは建築物の部分を使用し、又は使用させてはならない。ただし、次の各号のいずれかに該当する場合には、検査済証の交付を受ける前においても、仮に、当該建築物又は建築物の部分を使用し、又は使用させることができる。

一　特定行政庁が、安全上、防火上及び避難上支障がないと認めたとき。

二　建築主事等（当該建築物又は建築物の部分が大規模建築物又はその部分に該当する場合にあつては、建築主事）又は第七条の二第一項の規定による指定を受けた者が、安全上、防火上及び避難上支障がないものとして国土交通大臣が定める基準に適合していることを認めたとき。

三　第七条第一項の規定による申請が受理された日（第七条の二第一項の規定による指定を受けた者が同項の規定による検

査の引受けを行つた場合にあつては、当該検査の引受けに係る工事が完了した日又は当該検査の引受けを行つた日のいずれか遅い日）から七日を経過したとき。

2　前項第一号及び第二号の規定による認定の申請の手続に関し必要な事項は、国土交通省令で定める。

3　第七条の二第一項の規定による指定を受けた者は、第一項第二号の規定による認定をしたときは、国土交通省令で定める期間内に、国土交通省令で定めるところにより、仮使用認定報告書を作成し、同号の規定による認定をした建築物に関する国土交通省令で定める書類を添えて、これを特定行政庁に提出しなければならない。

4　特定行政庁は、前項の規定による仮使用認定報告書の提出を受けた場合において、第一項第二号の規定による認定を受けた建築物が同号の国土交通大臣が定める基準に適合しないと認めるときは、当該建築物の建築主及び当該認定を行つた第七条の二第一項の規定による指定を受けた者にその旨を通知しなければならない。この場合において、当該認定は、その効力を失う。

〔追加・昭和五一法八三、旧七条の二を改正し繰下・昭和五八法四四、旧七条の三を改正し繰下・平成一〇法一〇〇、改正・平成一一法一六〇・平成一八法九二・平成二六法五四・令和五法五八・令和六法五三〕

参照【建築物―法二1【居室―法二4【大規模の修繕―法二14【大規模の模様替―法二15【政令で定める避難施設、消火設備、排煙設備、非常用の照明装置、非常用の昇降機又は防火区画―令一三【政令で定める軽易な工事―令一三の二【建築主―法二16【特定行政庁―法二35【認定の申請手続―規則四の一六【仮使用認定報告書―規則四の一六の二【通知書の様式―規則四の一六の三【準用―法八七の四・八八②【罰則―法九九①1・一〇三①1・一〇五

（維持保全）

第八条　建築物の所有者、管理者又は占有者は、その建築物の敷地、構造及び建築設備を常時適法な状態に維持するように努めなければならない。

2　次の各号のいずれかに該当する建築物の所有者又は管理者は、その建築物の敷地、構造及び建築設備を常時適法な状態に維持するため、必要に応じ、その建築物の維持保全に関する準則又は計画を作成し、その他適切な措置を講じなければならない。ただし、国、都道府県又は建築主事を置く市町村が所有し、又は管理する建築物については、この限りでない。

一　特殊建築物で安全上、防火上又は衛生上特に重要であるものとして政令で定めるもの

二　前号の特殊建築物以外の特殊建築物その他政令で定める建築物で、特定行政庁が指定するもの

3　国土交通大臣は、前項各号のいずれかに該当する建築物の所有者又は管理者による同項の準則又は計画の適確な作成に資するため、必要な指針を定めることができる。

〔改正・昭和五八法四四・平成一一法一六〇・平成三〇法六七〕

参照【建築物―法二1【敷地―令一1【建築設備―法二3【政令で定める特殊建築物―令一三の三①【政令で定める建築物―令一三の三②【準用―法八八①～③

（違反建築物に対する措置）

第九条　特定行政庁は、建築基準法令の規定又はこの法律の規定に基づく許可に付した条件に違反した建築物又は建築物の敷地については、当該建築物の建築主、当該建築物に関する工事の請負人（請負工事の下請人を含む。）若しくは現場管理者又は当該建築物若しくは建築物の敷地の所有者、管理者若しくは占有者に対して、当該工事の施工の停止を命じ、又は、相当の猶予期限を付けて、当該建築物の除却、移転、改築、増築、修繕、模様替、使用禁止、使用制限その他これらの規定又は条件に対する違反を是正するために必要な措置をとることを命ずることができる。

2　特定行政庁は、前項の措置を命じようとする場合においては、あらかじめ、その措置を命じようとする者に対して、その命じようとする措置及びその事由並びに意見書の提出先及び提出期限を記載した通知書を交付して、その措置を命じようとする者又はその代理人に意見書及び自己に有利な証拠を提出する機会を与えなければならない。

3　前項の通知書の交付を受けた者は、その交付を受けた日から三日以内に、特定行政庁に対して、意見書の提出に代えて公開による意見の聴取を行うことを請求することができる。

4　特定行政庁は、前項の規定による意見の聴取の請求があつた場合においては、第一項の措置を命じようとする者又はその代理人の出頭を求めて、公開による意見の聴取を行わなければならない。

5　特定行政庁は、前項の規定による意見の聴取を行う場合においては、第一項の規定によつて命じようとする措置並びに意見の聴取の期日及び場所を、期日の二日前までに、前項に規定する者に通知するとともに、これを公告しなければならない。

6　第四項に規定する者は、意見の聴取に際して、証人を出席させ、かつ、自己に有利な証拠を提出することができる。

7　特定行政庁は、緊急の必要がある場合においては、前五項の規定にかかわらず、これらに定める手続によらないで、仮に、使用禁止又は使用制限の命令をすることができる。

8　前項の命令を受けた者は、その命令を受けた日から三日以内に、特定行政庁に対して公開による意見の聴取を行うことを請求することができる。この場合においては、第四項から第六項までの規定を準用する。ただし、意見の聴取は、その請求があつた日から五日以内に行わなければならない。

9　特定行政庁は、前項の意見の聴取の結果に基づいて、第七項の規定によつて仮にした命令が不当でないと認めた場合においては、第一項の命令をすることができる。意見の聴取の結果、第七項の規定によつて仮にした命令が不当であると認めた場合においては、直ちに、その命令を取り消さなければならない。

10　特定行政庁は、建築基準法令の規定又はこの法律の規定に基づく許可に付した条件に違反することが明らかな建築、修繕又は模様替の工事中の建築物については、緊急の必要があつて第二項から第六項までに定める手続によることができない場合に限り、これらの手続によらないで、当該建築物の建築主又は当該工事の請負人（請負工事の下請人を含む。）若しくは現場管理者に対して、当該工事の施工の停止を命ずることができる。この場合において、これらの者が当該工事の現場にいないときは、当該工事に従事する者に対して、当該工事に係る作業の停止を命ずることができる。

11　第一項の規定により必要な措置を命じようとする場合において、過失がなくてその措置を命ぜられるべき者を確知することができず、かつ、その違反を放置することが著しく公益に反すると認められるときは、特定行政庁は、その者の負担において、その措置を自ら行い、又はその命じた者若しくは委任した者に行わせることができる。この場合においては、相当の期限を定

めて、その措置を行うべき旨及びその期限までにその措置を行わないときは、特定行政庁又はその命じた者若しくは委任した者がその措置を行うべき旨をあらかじめ公告しなければならない。

12　特定行政庁は、第一項の規定により必要な措置を命じた場合において、その措置を命ぜられた者がその措置を履行しないとき、履行しても十分でないとき、又は履行しても同項の期限までに完了する見込みがないときは、行政代執行法（昭和二十三年法律第四十三号）の定めるところに従い、みずから義務者のなすべき行為をし、又は第三者をしてこれをさせることができる。

13　特定行政庁は、第一項又は第十項の規定による命令をした場合（建築監視員が第十項の規定による命令をした場合を含む。）においては、標識の設置その他国土交通省令で定める方法により、その旨を公示しなければならない。

14　前項の標識は、第一項又は第十項の規定による命令に係る建築物又は建築物の敷地内に設置することができる。この場合においては、第一項又は第十項の規定による命令に係る建築物又は建築物の敷地の所有者、管理者又は占有者は、当該標識の設置を拒み、又は妨げてはならない。

15　第一項、第七項又は第十項の規定による命令については、行政手続法（平成五年法律第八十八号）第三章（第十二条及び第十四条を除く。）の規定は、適用しない。

〔改正・昭和三四法一五六・昭和三六法一一五・昭和四五法一〇九・平成四法八二・平成五法八九・平成一〇法一〇〇・平成一一法一六〇〕

参照　【条件―法九二の二】【建築物―法二1】【敷地―令一1】【特定行政庁―法二35】【建築主―法二16】【建築―法二13】【省令で定める方法―規則四の一七】【建築監視員―法九の二】【準用―法一〇④・四五②・八八①～③・九〇③・九〇の二②】【罰則―法九八①1・九九①4・一〇五】【引用規定―河川法施行規則一八の一〇②1、土地区画整理法七八、建設業法施行令三の二1・七の三1

参考規定―消防法五、宅地造成及び特定盛土等規制法二〇・二三、都計法八一

（**建築監視員**）

第九条の二　特定行政庁は、政令で定めるところにより、当該市町村又は都道府県の職員のうちから建築監視員を命じ、前条第七項及び第十項に規定する特定行政庁の権限を行なわせることができる。

〔追加・昭和四五法一〇九、改正・平成一八法五三〕

参照　【特定行政庁―法二35】【建築監視員の資格―令一四】【準用―法八八①～③・九〇③】

（**違反建築物の設計者等に対する措置**）

第九条の三　特定行政庁は、第九条第一項又は第十項の規定による命令をした場合（建築監視員が同条第十項の規定による命令をした場合を含む。）においては、国土交通省令で定めるところにより、当該命令に係る建築物の設計者、工事監理者若しくは工事の請負人（請負工事の下請人を含む。次項において同じ。）若しくは当該建築物について宅地建物取引業に係る取引をした宅地建物取引業者又は当該命令に係る浄化槽の製造業者の氏名又は名称及び住所その他国土交通省令で定める事項を、建築士法、建設業法（昭和二十四年法律第百号）、浄化槽法（昭和五十八年法律第四十三号）又は宅地建物取引業法（昭和二十七年法律第百七十六号）の定めるところによりこれらの者を監督する国土交通大臣又は都道府県知事に通知しなければならない。

2　国土交通大臣又は都道府県知事は、前項の規定による通知を受けた場合においては、遅滞なく、当該通知に係る者について、建築士法、建設業法、浄化槽法又は宅地建物取引業法による免許又は許可の取消し、業務の停止の処分その他必要な措置を講ずるものとし、その結果を同項の規定による通知をした特定行政庁に通知しなければならない。

〔追加・昭和四五法一〇九、改正・昭和五一法八三・昭和五八法四三・平成一一法一六〇〕

参照　【特定行政庁―法二35】【建築監視員―法九の二】【建築物―法二1】【省令で定めるところ―規則四の一九】【設計者―法二17】【工事監理者―法二11】【準用―法八八①～③・九〇③】【引用規定―建設業法三・二八、宅地建物取引業法三・六五、建築士法四・一〇・二六の二

（**保安上危険な建築物等の所有者等に対する指導及び助言**）

第九条の四　特定行政庁は、建築物の敷地、構造又は建築設備（いずれも第三条第二項の規定により次章の規定又はこれに基づく命令若しくは条例の規定の適用を受けないものに限る。）について、損傷、腐食その他の劣化が生じ、そのまま放置すれば保安上危険となり、又は衛生上有害となるおそれがあると認める場合においては、当該建築物又はその敷地の所有者、管理者又は占有者に対して、修繕、防腐措置その他当該建築物又はその敷地の維持保全に関し必要な指導及び助言をすることができる。

〔追加・平成三〇法六七〕

参照　【特定行政庁―法二35】【建築物―法二1】【建築設備―法二3】

（**著しく保安上危険な建築物等の所有者等に対する勧告及び命令**）

第一〇条　特定行政庁は、第六条第一項第一号に掲げる建築物その他政令で定める建築物の敷地、構造又は建築設備（いずれも第三条第二項の規定により次章の規定又はこれに基づく命令若しくは条例の規定の適用を受けないものに限る。）について、損傷、腐食その他の劣化が進み、そのまま放置すれば著しく保安上危険となり、又は著しく衛生上有害となるおそれがあると認める場合においては、当該建築物又はその敷地の所有者、管理者又は占有者に対して、相当の猶予期限を付けて、当該建築物の除却、移転、改築、増築、修繕、模様替、使用中止、使用制限その他保安上又は衛生上必要な措置をとることを勧告することができる。

2　特定行政庁は、前項の勧告を受けた者が正当な理由がなくてその勧告に係る措置をとらなかつた場合において、特に必要があると認めるときは、その者に対し、相当の猶予期限を付けて、その勧告に係る措置をとることを命ずることができる。

3　前項の規定による場合のほか、特定行政庁は、建築物の敷地、構造又は建築設備（いずれも第三条第二項の規定により次章の規定又はこれに基づく命令若しくは条例の規定の適用を受けないものに限る。）が著しく保安上危険であり、又は著しく衛生上有害であると認める場合においては、当該建築物又はその敷地の所有者、管理者又は占有者に対して、相当の猶予期限を付けて、当該建築物の除却、移転、改築、増築、修繕、模様替、

使用禁止、使用制限その他保安上又は衛生上必要な措置をとることを命ずることができる。

4　第九条第二項から第九項まで及び第十一項から第十五項までの規定は、前二項の場合に準用する。

〔改正・昭和三四法一五六・昭和四五法一〇九・平成五法八九・平成一六法六七・平成三〇法六七〕

参照【特定行政庁―法二35【建築物―法二1【政令で定める建築物―令一四の二【敷地―令一1【建築設備―法二3【準用―法八八①・③【罰則―法九九①4・一〇五【引用規定―河川法施行規則一八の一〇②1

参考規定―宅地造成及び特定盛土等規制法

（第三章の規定に適合しない建築物に対する措置）

第一一条　特定行政庁は、建築物の敷地、構造、建築設備又は用途（いずれも第三条第二項（第八十六条の九第一項において準用する場合を含む。）の規定により第三章の規定又はこれに基づく命令若しくは条例の規定の適用を受けないものに限る。）が公益上著しく支障があると認める場合においては、当該建築物の所在地の市町村の議会の同意を得た場合に限り、当該建築物の所有者、管理者又は占有者に対して、相当の猶予期限を付けて、当該建築物の除却、移転、修繕、模様替、使用禁止又は使用制限を命ずることができる。この場合においては、当該建築物の所在地の市町村は、当該命令に基づく措置によつて通常生ずべき損害を時価によつて補償しなければならない。

2　前項の規定によつて補償を受けることができる者は、その補償金額に不服がある場合においては、政令の定める手続によつて、その決定の通知を受けた日から一月以内に土地収用法（昭和二十六年法律第二百十九号）第九十四条第二項の規定による収用委員会の裁決を求めることができる。

〔改正・昭和二六法二二〇・昭和三四法一五六・昭和三九法一六九・平成一六法六七〕

参照【特定行政庁―法二35【建築物―法二1【敷地―令一1【建築設備―法二3【政令の定める手続―令一五【準用―法八八①～③【罰則―法九九①4・一〇五

（報告、検査等）

第一二条　第六条第一項第一号に掲げる建築物で安全上、防火上又は衛生上特に重要であるものとして政令で定めるもの（国、都道府県及び建築主事を置く市町村が所有し、又は管理する建築物（以下この項及び第三項において「国等の建築物」という。）を除く。）及び当該政令で定めるもの以外の特定建築物（同号に掲げる建築物その他政令で定める建築物をいう。以下この条において同じ。）で特定行政庁が指定するもの（国等の建築物を除く。）の所有者（所有者と管理者が異なる場合においては、管理者。第三項において同じ。）は、これらの建築物の敷地、構造及び建築設備について、国土交通省令で定めるところにより、定期に、一級建築士若しくは二級建築士又は建築物調査員資格者証の交付を受けている者（次項及び次条第三項において「建築物調査員」という。）にその状況の調査（これらの建築物の敷地及び構造についての損傷、腐食その他の劣化の状況の点検を含み、これらの建築物の建築設備及び防火戸その他の政令で定める防火設備（以下「建築設備等」という。）についての第三項の検査を除く。）をさせて、その結果を特定行政庁に報告しなければならない。

2　国、都道府県又は建築主事を置く市町村が所有し、又は管理する特定建築物の管理者である国、都道府県若しくは市町村の機関の長又はその委任を受けた者（以下この章において「国の機関の長等」という。）は、当該特定建築物の敷地及び構造について、国土交通省令で定めるところにより、定期に、一級建築士若しくは二級建築士又は建築物調査員に、損傷、腐食その他の劣化の状況の点検（当該特定建築物の防火戸その他の前項の政令で定める防火設備についての第四項の点検を除く。）をさせなければならない。ただし、当該特定建築物（第六条第一項第一号に掲げる建築物で安全上、防火上又は衛生上特に重要であるものとして前項の政令で定めるもの及び同項の規定により特定行政庁が指定するものを除く。）のうち特定行政庁が安全上、防火上及び衛生上支障がないと認めて建築審査会の同意を得て指定したものについては、この限りでない。

3　特定建築設備等（昇降機及び特定建築物の昇降機以外の建築設備等をいう。以下この項及び次項において同じ。）で安全上、防火上又は衛生上特に重要であるものとして政令で定めるもの（国等の建築物に設けるものを除く。）及び当該政令で定めるもの以外の特定建築設備等で特定行政庁が指定するもの（国等の建築物に設けるものを除く。）の所有者は、これらの特定建築設備等について、国土交通省令で定めるところにより、定期に、一級建築士若しくは二級建築士又は建築設備等検査員資格者証の交付を受けている者（次項及び第十二条の三第二項において「建築設備等検査員」という。）に検査（これらの特定建築設備等についての損傷、腐食その他の劣化の状況の点検を含む。）をさせて、その結果を特定行政庁に報告しなければならない。

4　国の機関の長等は、国、都道府県又は建築主事を置く市町村が所有し、又は管理する建築物の特定建築設備等について、国土交通省令で定めるところにより、定期に、一級建築士若しくは二級建築士又は建築設備等検査員に、損傷、腐食その他の劣化の状況の点検をさせなければならない。ただし、当該特定建築設備等（前項の政令で定めるもの及び同項の規定により特定行政庁が指定するものを除く。）のうち特定行政庁が安全上、防火上及び衛生上支障がないと認めて建築審査会の同意を得て指定したものについては、この限りでない。

5　特定行政庁、建築主事等又は建築監視員は、次に掲げる者に対して、建築物の敷地、構造、建築設備若しくは用途、建築材料若しくは建築設備その他の建築物の部分（以下「建築材料等」という。）の受取若しくは引渡しの状況、建築物に関する工事の計画若しくは施工の状況又は建築物の敷地、構造若しくは建築設備に関する調査（以下「建築物に関する調査」という。）の状況に関する報告を求めることができる。

一　建築物若しくは建築物の敷地の所有者、管理者若しくは占有者、建築主、設計者、建築材料等を製造した者、工事監理者、工事施工者又は建築物に関する調査をした者

二　第七十七条の二十一第一項の指定確認検査機関

三　第七十七条の三十五の五第一項の指定構造計算適合性判定機関

6　特定行政庁又は建築主事等にあつては第六条第四項、第六条の二第六項、第七条第四項、第七条の三第四項、第九条第一項、第十項若しくは第十三項、第十条第一項から第三項まで、前条第一項又は第九十条の二第一項の規定の施行に必要な限度において、建築監視員にあつては第九条第十項の規定の施行に必要な限度において、当該建築物若しくは建築物の敷地の所有者、管理者若しくは占有者、建築主、設計者、建築材料等を製造し

た者、工事監理者、工事施工者又は建築物に関する調査をした者に対し、帳簿、書類その他の物件の提出を求めることができる。

7　建築主事等又は特定行政庁の命令若しくは建築主事等の委任を受けた当該市町村若しくは都道府県の職員にあつては第六条第四項、第六条の二第六項、第七条第四項、第七条の三第四項、第九条第一項、第十項若しくは第十三項、第十条第一項から第三項まで、前条第一項又は第九十条の二第一項の規定の施行に必要な限度において、建築監視員にあつては第九条第十項の規定の施行に必要な限度において、当該建築物、建築物の敷地、建築材料等を製造した者の工場、営業所、事務所、倉庫その他の事業場、建築工事場又は建築物に関する調査をした者の営業所、事務所その他の事業場に立ち入り、建築物、建築物の敷地、建築設備、建築材料、建築材料等の製造に関係がある物件、設計図書その他建築物に関する工事に関係がある物件若しくは建築物に関する調査に関係がある物件を検査し、若しくは試験し、又は建築物若しくは建築物の敷地の所有者、管理者若しくは占有者、建築主、設計者、建築材料等を製造した者、工事監理者、工事施工者若しくは建築物に関する調査をした者に対し必要な事項について質問することができる。ただし、住居に立ち入る場合においては、あらかじめ、その居住者の承諾を得なければならない。

8　特定行政庁は、確認その他の建築基準法令の規定による処分並びに第一項及び第三項の規定による報告に係る建築物の敷地、構造、建築設備又は用途に関する台帳を整備し、かつ、当該台帳（当該処分及び当該報告に関する書類で国土交通省令で定めるものを含む。）を保存しなければならない。

9　前項の台帳の記載事項その他その整備に関し必要な事項及び当該台帳（同項の国土交通省令で定める書類を含む。）の保存期間その他その保存に関し必要な事項は、国土交通省令で定める。

〔改正・昭和二六法一九五・昭和三四法一五六・昭和四五法一〇九・昭和五一法八三・昭和五八法四四・平成四法八二・平成一〇法一〇〇・平成一一法一六〇・平成一六法六七・平成一八法五三・法九二・平成二六法五四・平成二八法四七・平成三〇法六七・令和五法五八〕

参照【建築物―法二1【安全上、防火上又は衛生上特に重要であるものとして政令で定めるもの―令一六①【政令で定める防火設備―令一〇九①【政令で定める建築物―令一六②【特定行政庁―法二35【敷地―令一1【建築設備―法二3【省令で定める建築物の定期報告・検査―規則五・六の二の二【建築物調査員資格者証等の種類―規則六の五【建築物の種類等―規則六の六【省令で定める建築物の点検―規則五の二・六の二の三【政令で定める特定建築設備等―令一六③【省令で定める建築設備等の定期報告―規則六・六の二の二【建築物調査員資格者証等の種類―規則六の五【省令で定める建築設備等の点検―規則六の二・六の二の三【建築監視員―法九の二【建築主―法二16【設計者―法二17【工事監理者―法二11【工事施工者―法二18【設計図書―法二12【省令で定める台帳の記載事項等―規則六の三【準用―法八八①～③【罰則―法九九①5～7・一〇一①2・一〇二・一〇五

（建築物調査員資格者証）

第十二条の二　国土交通大臣は、次の各号のいずれかに該当する者に対し、建築物調査員資格者証を交付する。

一　前条第一項の調査及び同条第二項の点検（次項第四号及び第三項第三号において「調査等」という。）に関する講習で国土交通省令で定めるものの課程を修了した者

二　前号に掲げる者と同等以上の専門的知識及び能力を有すると国土交通大臣が認定した者

2　国土交通大臣は、前項の規定にかかわらず、次の各号のいずれかに該当する者に対しては、建築物調査員資格者証の交付を行わないことができる。

一　未成年者

二　建築基準法令の規定により刑に処せられ、その執行を終わり、又はその執行を受けることがなくなつた日から起算して二年を経過しない者

三　次項（第二号を除く。）の規定により建築物調査員資格者証の返納を命ぜられ、その日から起算して一年を経過しない者

四　心身の故障により調査等の業務を適正に行うことができない者として国土交通省令で定めるもの

3　国土交通大臣は、建築物調査員が次の各号のいずれかに該当すると認めるときは、その建築物調査員資格者証の返納を命ずることができる。

一　この法律又はこれに基づく命令の規定に違反したとき。

二　前項第三号又は第四号のいずれかに該当するに至つたとき。

三　調査等に関して不誠実な行為をしたとき。

四　偽りその他不正の手段により建築物調査員資格者証の交付を受けたとき。

4　建築物調査員資格者証の交付の手続その他建築物調査員資格者証に関し必要な事項は、国土交通省令で定める。

〔追加・平成二六法五四、改正・令和元法三七〕

参照【特定建築物調査員資格者証の交付の申請―規則六の一七【講習―規則六の六【特定建築物調査員資格者証の返納の命令等―規則六の二二【罰則―法一〇六①1【省令で定めるもの―規則六の一六の二

（建築設備等検査員資格者証）

第十二条の三　建築設備等検査員資格者証の種類は、国土交通省令で定める。

2　建築設備等検査員が第十二条第三項の検査及び同条第四項の点検（次項第一号において「検査等」という。）を行うことができる建築設備等の種類は、前項の建築設備等検査員資格者証の種類に応じて国土交通省令で定める。

3　国土交通大臣は、次の各号のいずれかに該当する者に対し、建築設備等検査員資格者証を交付する。

一　検査等に関する講習で建築設備等検査員資格者証の種類ごとに国土交通省令で定めるものの課程を修了した者

二　前号に掲げる者と同等以上の専門的知識及び能力を有すると国土交通大臣が認定した者

4　前条第二項から第四項までの規定は、建築設備等検査員資格者証について準用する。この場合において、同条第二項中「前項」とあるのは「次条第三項」と、同項第四号及び同条第三項第三号中「調査等」とあるのは「次条第二項に規定する検査等」と読み替えるものとする。

〔追加・平成二六法五四、改正・令和元法三七〕

参照【建築物調査員資格者証等の種類―規則六の五【建築設備等の種類―規則六の六【建築設備検査員資格者証の交付の申請―規則六の二四【昇降機等検査員資格者証の交付の申請―規則六の二六

（身分証明書の携帯）

第一三条　建築主事等、建築監視員若しくは特定行政庁の命令若しくは建築主事等の委任を受けた当該市町村若しくは都道府県の職員が第十二条第七項の規定によつて建築物、建築物の敷地若しくは建築工事場に立ち入る場合又は建築監視員が第九条の二（第九十条第三項において準用する場合を含む。）の規定による権限を行使する場合においては、その身分を示す証明書を携帯し、関係者に提示しなければならない。

2　第十二条第七項の規定による権限は、犯罪捜査のために認められたものと解釈してはならない。

〔改正・昭和三四法一五六・昭和四五法一〇九・平成一〇法一〇〇・平成一六法六七・平成一八法五三・平成二六法五四・令和五法五八〕

参照　【建築監視員―法九の二】【特定行政庁―法二35】【建築物―法二1】【敷地―令一1】【身分証明書の様式―規則七①②】【準用―法八八①～③】

（都道府県知事又は国土交通大臣の勧告、助言又は援助）

第一四条　建築主事を置く市町村の長は、都道府県知事又は国土交通大臣に、都道府県知事は、国土交通大臣に、この法律の施行に関し必要な助言又は援助を求めることができる。

2　国土交通大臣は、特定行政庁に対して、都道府県知事は、建築主事を置く市町村の長に対して、この法律の施行に関し必要な勧告、助言若しくは援助をし、又は必要な参考資料を提供することができる。

〔改正・平成一一法一六〇〕

参照　【特定行政庁―法二35】

（届出及び統計）

第一五条　建築主が建築物を建築しようとする場合又は建築物の除却の工事を施工する者が建築物を除却しようとする場合においては、これらの者は、建築主事等（大規模建築物を建築し、又は除却しようとする場合にあつては、建築主事）を経由して、その旨を都道府県知事に届け出なければならない。ただし、当該建築物又は当該工事に係る部分の床面積の合計が十平方メートル以内である場合においては、この限りでない。

2　前項の規定にかかわらず、同項の建築物の建築又は除却が第一号の耐震改修又は第二号の建替えに該当する場合における同項の届出は、それぞれ、当該各号に規定する所管行政庁が都道府県知事であるときは直接当該都道府県知事に対し、市町村の長であるときは当該市町村の長を経由して行わなければならない。

一　建築物の耐震改修の促進に関する法律（平成七年法律第百二十三号）第十七条第一項の規定により建築物の耐震改修（増築又は改築に限る。）の計画の認定を同法第二条第三項の所管行政庁に申請する場合の当該耐震改修

二　密集市街地整備法第四条第一項の規定により建替計画の認定を同項の所管行政庁に申請する場合の当該建替え

3　市町村の長は、当該市町村の区域内における建築物が火災、震災、水災、風災その他の災害により滅失し、又は損壊した場合においては、都道府県知事に報告しなければならない。ただし、当該滅失した建築物又は損壊した建築物の損壊した部分の床面積の合計が十平方メートル以内である場合においては、この限りでない。

4　都道府県知事は、前三項の規定による届出及び報告に基づき、建築統計を作成し、これを国土交通大臣に送付し、かつ、関係書類を国土交通省令で定める期間保存しなければならない。

5　前各項の規定による届出、報告並びに建築統計の作成及び送付の手続は、国土交通省令で定める。

〔改正・昭和二九法一四〇・昭和三四法一五六・平成一一法八七・法一六〇・平成一四法八五・平成一七法一二〇・平成一八法九二・平成二五法二〇・令和五法五八〕

参照　【建築主―法二16】【建築物―法二1】【建築―法二13】【床面積―法九二、令二①3】【届出、報告並びに建築統計の作成及び送付の手続―規則八、建築動態統計調査規則一三・二五】【罰則―法一〇三2・一〇五】

（報告、検査等）

第一五条の二　国土交通大臣は、第一条の目的を達成するため特に必要があると認めるときは、建築物若しくは建築物の敷地の所有者、管理者若しくは占有者、建築主、設計者、建築材料等を製造した者、工事監理者、工事施工者、建築物に関する調査をした者若しくは第六十八条の十第一項の型式適合認定、第六十八条の二十五第一項の構造方法等の認定若しくは第六十八条の二十六の特殊構造方法等認定（以下この項において「型式適合認定等」という。）を受けた者に対し、建築物の敷地、構造、建築設備若しくは用途、建築材料等の受取若しくは引渡しの状況、建築物に関する工事の計画若しくは施工の状況若しくは建築物に関する調査の状況に関する報告若しくは帳簿、書類その他の物件の提出を求め、又はその職員に、建築物、建築物の敷地、建築材料等を製造した者の工場、営業所、事務所、倉庫その他の事業場、建築工事場、建築物に関する調査をした者の営業所、事務所その他の事業場若しくは型式適合認定等を受けた者の事務所その他の事業場に立ち入り、建築物、建築物の敷地、建築設備、建築材料、建築材料等の製造に関係がある物件、設計図書その他建築物に関する工事に関係がある物件、建築物に関する調査に関係がある物件若しくは型式適合認定等に関係がある物件を検査させ、若しくは試験させ、若しくは建築物若しくは建築物の敷地の所有者、管理者若しくは占有者、建築主、設計者、建築材料等を製造した者、工事監理者、工事施工者、建築物に関する調査をした者若しくは型式適合認定等を受けた者に対し必要な事項について質問させることができる。ただし、住居に立ち入る場合においては、あらかじめ、その居住者の承諾を得なければならない。

2　前項の規定により立入検査をする職員は、その身分を示す証明書を携帯し、関係者に提示しなければならない。

3　第一項の規定による権限は、犯罪捜査のために認められたものと解釈してはならない。

〔追加・平成二六法五四〕

参照　【建築物―法二1】【敷地―令一1】【建築主―法二16】【設計者―法二17】【建築設備―法二3】【工事監理者―法二11】【工事施工者―法二18】【設計図書―法二12】【身分証明書の様式―規則七③】【罰則―法九九①5～7・一〇五】

（国土交通大臣又は都道府県知事への報告）

第一六条　国土交通大臣は、特定行政庁に対して、都道府県知事は、建築主事を置く市町村の長に対して、この法律の施行に関して必要な報告又は統計の資料の提出を求めることができる。

〔改正・昭和三二法一四八・昭和四五法一〇九・平成一一法一六〇〕

参照 【特定行政庁─法二35

（特定行政庁等に対する指示等）

第一七条　国土交通大臣は、都道府県若しくは市町村の建築主事等の処分がこの法律若しくはこれに基づく命令の規定に違反し、又は都道府県若しくは市町村の建築主事等がこれらの規定に基づく処分を怠つている場合において、国の利害に重大な関係がある建築物に関し必要があると認めるときは、当該都道府県知事又は市町村の長に対して、期限を定めて、都道府県又は市町村の建築主事等に対し必要な措置を命ずべきことを指示することができる。

2　国土交通大臣は、都道府県の建築主事等の処分がこの法律若しくはこれに基づく命令の規定に違反し、又は都道府県の建築主事等がこれらの規定に基づく処分を怠つている場合において、これらにより多数の者の生命又は身体に重大な危害が発生するおそれがあると認めるときは、当該都道府県知事に対して、期限を定めて、都道府県の建築主事等に対し必要な措置を命ずべきことを指示することができる。

3　都道府県知事は、市町村の建築主事等の処分がこの法律若しくはこれに基づく命令の規定に違反し、又は市町村の建築主事等がこれらの規定に基づく処分を怠つている場合において、これらにより多数の者の生命又は身体に重大な危害が発生するおそれがあると認めるときは、当該市町村の長に対して、期限を定めて、市町村の建築主事等に対し必要な措置を命ずべきことを指示することができる。

4　国土交通大臣は、前項の場合において都道府県知事がそのすべき指示をしないときは、自ら同項の指示をすることができる。

5　都道府県知事又は市町村の長は、正当な理由がない限り、前各項の規定により国土交通大臣又は都道府県知事が行つた指示に従わなければならない。

6　都道府県又は市町村の建築主事等は、正当な理由がない限り、第一項から第四項までの規定による指示に基づく都道府県知事又は市町村の長の命令に従わなければならない。

7　国土交通大臣は、都道府県知事若しくは市町村の長が正当な理由がなく、所定の期限までに、第一項の規定による指示に従わない場合又は都道府県若しくは市町村の建築主事等が正当な理由がなく、所定の期限までに、同項の規定による国土交通大臣の指示に基づく都道府県知事若しくは市町村の長の命令に従わない場合においては、正当な理由がないことについて社会資本整備審議会の確認を得た上で、自ら当該指示に係る必要な措置をとることができる。

8　国土交通大臣は、都道府県知事若しくは市町村の長がこの法律若しくはこれに基づく命令の規定に違反し、又はこれらの規定に基づく処分を怠つている場合において、国の利害に重大な関係がある建築物に関し必要があると認めるときは、当該都道府県知事又は市町村の長に対して、期限を定めて、必要な措置をとるべきことを指示することができる。

9　国土交通大臣は、都道府県知事がこの法律若しくはこれに基づく命令の規定に違反し、又はこれらの規定に基づく処分を怠つている場合において、これらにより多数の者の生命又は身体に重大な危害が発生するおそれがあると認めるときは、当該都道府県知事に対して、期限を定めて、必要な措置をとるべきことを指示することができる。

10　都道府県知事は、市町村の長がこの法律若しくはこれに基づく命令の規定に違反し、又はこれらの規定に基づく処分を怠つている場合において、これらにより多数の者の生命又は身体に重大な危害が発生するおそれがあると認めるときは、当該市町村の長に対して、期限を定めて、必要な措置をとるべきことを指示することができる。

11　第四項及び第五項の規定は、前三項の場合について準用する。この場合において、第五項中「前各項」とあるのは、「第八項から第十項まで又は第十一項において準用する第四項」と読み替えるものとする。

12　国土交通大臣は、都道府県知事又は市町村の長が正当な理由がなく、所定の期限までに、第八項の規定による指示に従わない場合においては、正当な理由がないことについて社会資本整備審議会の確認を得た上で、自ら当該指示に係る必要な措置をとることができる。

〔改正・平成三法二四、全改・平成一一法八七、改正・平成一一法一六〇・令和五法五八〕

参照 【建築物─法二1

（国、都道府県又は建築主事を置く市町村の建築物に対する確認、検査又は是正措置に関する手続の特例）

第一八条　国、都道府県又は建築主事を置く市町村の建築物及び建築物の敷地については、第六条から第七条の六まで、第九条から第九条の三まで、第十条及び第九十条の二の規定は、適用しない。この場合においては、次項から第四十一項までの規定に定めるところによる。

2　第六条第一項の規定によつて建築し、又は大規模の修繕若しくは大規模の模様替をしようとする建築物の建築主が国、都道府県又は建築主事を置く市町村である場合においては、当該国の機関の長等は、当該工事に着手する前に、その計画を建築主事等（当該計画が大規模建築物に係るものである場合にあつては、建築主事）に通知しなければならない。ただし、防火地域及び準防火地域外において建築物を増築し、改築し、又は移転しようとする場合（当該増築、改築又は移転に係る部分の床面積の合計が十平方メートル以内である場合に限る。）においては、この限りでない。

3　建築主事等は、前項の通知を受けた場合においては、第六条第四項に定める期間内に、当該通知に係る建築物の計画が建築基準関係規定（第六条の四第一項第一号若しくは第二号に掲げる建築物の建築、大規模の修繕若しくは大規模の模様替又は同項第三号に掲げる建築物の建築について通知を受けた場合にあつては、同項の規定により読み替えて適用される第六条第一項に規定する建築基準関係規定。以下この項、次項、第十五項、第十六項及び第十九項において同じ。）に適合するかどうかを審査し、審査の結果に基づいて、建築基準関係規定に適合することを認めたときは、当該通知をした国の機関の長等に対して確認済証を交付しなければならない。

4　国の機関の長等は、第二項の規定による通知をしなければならない場合において、国の機関の長等が同項の計画を当該計画に係る工事に着手する前に第六条の二第一項の規定による指定を受けた者に通知したときは、当該者は、当該計画が建築基準関係規定に適合するかどうかを審査し、審査の結果に基づいて、建築基準関係規定に適合することを認めたときは、当該通知をした国の機関の長等に対して確認済証を交付しなければならない。この場合においては、前二項の規定は、適用しない。

5　国の機関の長等は、前二項の場合において、第二項又は前項の通知に係る建築物の計画が特定構造計算基準又は特定増改築構造計算基準に適合するかどうかの審査（以下この項において「審査」という。）を要するものであるときは、当該建築物の計画を都道府県知事に通知し、構造計算適合性判定を求めなければならない。ただし、当該建築物の計画に係る審査が、特定構造計算基準のうち第二十条第一項第二号イの政令で定める基準に従つた構造計算で同号イに規定する方法によるものによつて確かめられる安全性を有することに係る部分であつて審査が比較的容易にできるものとして政令で定めるもの又は特定増改築構造計算基準のうち審査が比較的容易にできるものとして政令で定めるものに適合するかどうかの審査である場合において、当該審査を構造計算に関する高度の専門的知識及び技術を有する者として国土交通省令で定める要件を備える者である建築主事等がするとき又は第六条の二第一項の規定による指定を受けた者が当該要件を備える者である第七十七条の二十四第一項の確認検査員若しくは副確認検査員にさせるときは、この限りでない。

6　都道府県知事は、前項の通知を受けた場合において、当該通知に係る建築物の計画が建築基準関係規定に適合するものであることについて当該都道府県に置かれた建築主事等が第三項に規定する審査をするときは、当該建築主事等を当該通知に係る構造計算適合性判定に関する事務に従事させてはならない。

5　国の機関の長等は、前二項の場合において、第二項又は前項の通知に係る建築物の計画が特定構造計算基準又は特定増改築構造計算基準に適合するかどうかの審査（以下この項において「審査」という。）を要するものであるときは、当該建築物の計画を都道府県知事に通知し、構造計算適合性判定を求めなければならない。ただし、当該建築物の計画に係る審査が次の各号に掲げる審査である場合において、当該審査を構造計算に関する高度の専門的知識及び技術を有する者として当該各号に掲げる審査の区分に応じて国土交通省令で定める要件を備える者である建築主事等がするとき又は第六条の二第一項の規定による指定を受けた者が当該要件を備える者である第七十七条の二十四第一項の確認検査員若しくは副確認検査員にさせるときは、この限りでない。

一　当該建築物の計画が特定構造計算基準のうち第二十条第一項第二号イの政令で定める基準に従つた構造計算で同号イに規定する方法によるものによつて確かめられる安全性を有することに係る部分であつて審査が比較的容易にできるものとして政令で定めるもの又は特定増改築構造計算基準のうち審査が比較的容易にできるものとして政令で定めるものに適合するかどうかの審査

二　当該建築物の計画（第二十条第一項第四号に掲げる建築物に係るもののうち、構造設計一級建築士の構造設計に基づくもの又は当該建築物が構造関係規定に適合することを構造設計一級建築士が確認した構造設計に基づくものに限る。）が特定構造計算基準又は特定増改築構造計算基準に適合するかどうかの審査（前号に掲げる審査に該当するものを除く。）

7　都道府県知事は、特別な構造方法の建築物の計画について第五項の構造計算適合性判定を行うに当たつて必要があると認めるときは、当該構造方法に係る構造計算に関して専門的な識見を有する者の意見を聴くものとする。

8　都道府県知事は、第五項の通知を受けた場合においては、その通知を受けた日から十四日以内に、当該通知に係る構造計算適合性判定の結果を記載した通知書を当該通知をした国の機関の長等に交付しなければならない。

9　都道府県知事は、前項の場合（第五項の通知に係る建築物の計画が特定構造計算基準（第二十条第一項第二号イの政令で定める基準に従つた構造計算で同号イに規定する方法によるものによつて確かめられる安全性を有することに係る部分に限る。）に適合するかどうかの判定を求められた場合その他国土交通省令で定める場合に限る。）において、前項の期間内に当該通知をした国の機関の長等に同項の通知書を交付することができない合理的な理由があるときは、三十五日の範囲内において、同項の期間を延長することができる。この場合においては、その旨及びその延長する期間並びにその期間を延長する理由を記載した通知書を同項の期間内に当該通知をした国の機関の長等に交付しなければならない。

10　都道府県知事は、第八項の場合において、第五項の通知の記載によつては当該建築物の計画が特定構造計算基準又は特定増改築構造計算基準に適合するかどうかを決定することができない正当な理由があるときは、その旨及びその理由を記載した通知書を第八項の期間（前項の規定により第八項の期間を延長した場合にあつては、当該延長後の期間）内に当該通知をした国の機関の長等に交付しなければならない。

11　国の機関の長等は、第八項の規定により同項の通知書の交付を受けた場合において、当該通知書が適合判定通知書であるときは、第三項又は第四項の規定による審査をする建築主事等又は第六条の二第一項の規定による指定を受けた者に、当該適合判定通知書又はその写しを提出しなければならない。ただし、当該建築物の計画に係る第十五項又は第十六項の通知書の交付を受けた場合は、この限りでない。

12　前項の場合において、同項の規定による適合判定通知書又はその写しの建築主事等への提出は、第三項の期間（第十四項の規定により第三項の期間が延長された場合にあつては、当該延長後の期間）の末日の三日前までにしなければならない。

13　建築主事等又は第六条の二第一項の規定による指定を受けた者は、第三項又は第四項の場合において、第二項又は第四項の通知に係る建築物の計画が第五項の構造計算適合性判定を要するものであるときは、当該通知をした国の機関の長等から第十一項の適合判定通知書又はその写しの提出を受けた場合に限り、第三項又は第四項の確認済証を交付することができる。

14　建築主事等は、第三項の場合（第二項の通知に係る建築物の計画が特定構造計算基準（第二十条第一項第二号イの政令で定める基準に従つた構造計算で同号イに規定する方法によるものによつて確かめられる安全性を有することに係る部分に限る。）に適合するかどうかを審査する場合その他国土交通省令で定める場合に限る。）において、第三項の期間内に当該通知をした国の機関の長等に同項の確認済証を交付することができない合理的な理由があるときは、三十五日の範囲内において、同項の期間を延長することができる。この場合においては、その旨及びその延長する期間並びにその期間を延長する理由を記載した通知書を同項の期間内に当該通知をした国の機関の長等に交付しなければならない。

15　建築主事等は、第三項の場合において、第二項の通知に係る建築物の計画が建築基準関係規定に適合しないことを認めたとき、又は建築基準関係規定に適合するかどうかを決定することができない正当な理由があるときは、その旨及びその理由を記載した通知書を第三項の期間（前項の規定により第三項の期間を延長した場合にあつては、当該延長後の期間）内に当該通知をした国の機関の長等に交付しなければならない。

16 第六条の二第一項の規定による指定を受けた者は、第四項の場合において、同項の通知に係る建築物の計画が建築基準関係規定に適合しないことを認めたとき、又は建築基準関係規定に適合するかどうかを決定することができない正当な理由があるときは、国土交通省令で定めるところにより、その旨及びその理由を記載した通知書を当該通知をした国の機関の長等に交付しなければならない。

17 第二項又は第四項の通知に係る建築物の建築、大規模の修繕又は大規模の模様替の工事は、第三項又は第四項の確認済証の交付を受けた後でなければすることができない。

18 第六条の二第一項の規定による指定を受けた者は、第四項の確認済証又は第十六項の通知書の交付をしたときは、国土交通省令で定める期間内に、国土交通省令で定めるところにより、審査報告書を作成し、当該確認済証又は当該通知書の交付に係る建築物の計画に関する国土交通省令で定める書類を添えて、これを特定行政庁に提出しなければならない。

19 特定行政庁は、前項の規定による審査報告書の提出を受けた場合において、第四項の確認済証の交付を受けた建築物の計画が建築基準関係規定に適合しないと認めるときは、国の機関の長等及び当該確認済証を交付した第六条の二第一項の規定による指定を受けた者にその旨を通知しなければならない。

20 国の機関の長等は、第十七項の工事を完了した場合においては、その旨を、工事が完了した日から四日以内に到達するように、建築主事等（当該工事が大規模建築物に係るものである場合にあつては、建築主事。第二十八項において同じ。）に通知しなければならない。

21 建築主事等が前項の規定による通知を受けた場合においては、検査実施者は、その通知を受けた日から七日以内に、その通知に係る建築物及びその敷地が建築基準関係規定（第七条の五に規定する建築物の建築、大規模の修繕又は大規模の模様替の工事について通知を受けた場合にあつては、第六条の四第一項の規定により読み替えて適用される第六条第一項に規定する建築基準関係規定。以下この条において同じ。）に適合しているかどうかを検査しなければならない。

22 検査実施者は、前項の規定による検査をした場合において、当該建築物及びその敷地が建築基準関係規定に適合していることを認めたときは、国の機関の長等に対して検査済証を交付しなければならない。

23 第二十項の規定は、第七条の二第一項の規定による指定を受けた者が、第十七項の工事の完了の日から四日が経過する日までに、当該工事に係る建築物及びその敷地が建築基準関係規定に適合しているかどうかの検査を引き受けた場合において、当該検査の引受けに係る工事が完了したときについては、適用しない。

24 第七条の二第一項の規定による指定を受けた者は、前項の規定による検査の引受けを行つたときは、国土交通省令で定めるところにより、その旨を証する書面を国の機関の長等に交付しなければならない。

25 第七条の二第一項の規定による指定を受けた者は、第二十三項の規定による検査の引受けを行つたときは、当該検査の引受けを行つた第十七項の工事が完了した日又は当該検査の引受けを行つた日のいずれか遅い日から七日以内に、第二十三項の検査をしなければならない。

26 第七条の二第一項の規定による指定を受けた者は、第二十三項の検査をした建築物及びその敷地が建築基準関係規定に適合していることを認めたときは、国土交通省令で定めるところにより、国の機関の長等に対して検査済証を交付しなければならない。

27 第七条の二第一項の規定による指定を受けた者は、第二十三項の検査をしたときは、国土交通省令で定める期間内に、国土交通省令で定めるところにより、完了検査報告書を作成し、同項の検査をした建築物及びその敷地に関する国土交通省令で定める書類を添えて、これを特定行政庁に提出しなければならない。

28 国の機関の長等は、第十七項の工事が特定工程を含む場合において、当該特定工程に係る工事を終えたときは、その都度、その旨を、その日から四日以内に到達するように、建築主事等に通知しなければならない。

29 建築主事等が前項の規定による通知を受けた場合においては、検査実施者は、その通知を受けた日から四日以内に、当該通知に係る工事中の建築物等について、検査前に施工された工事に係る建築物の部分及びその敷地が建築基準関係規定に適合するかどうかを検査しなければならない。

30 検査実施者は、前項の規定による検査をした場合において、工事中の建築物等が建築基準関係規定に適合することを認めたときは、国土交通省令で定めるところにより、国の機関の長等に対して当該特定工程に係る中間検査合格証を交付しなければならない。

31 特定工程後の工程に係る工事は、前項の規定による当該特定工程に係る中間検査合格証の交付を受けた後でなければ、これを施工してはならない。

32 第二十八項及び前項の規定は、第十七項の工事が特定工程を含む場合において、第七条の二第一項の規定による指定を受けた者が当該特定工程に係る工事を終えた後の工事中の建築物等について、検査前に施工された工事に係る建築物の部分及びその敷地が建築基準関係規定に適合するかどうかの検査を当該工事を終えた日から四日が経過する日までに引き受けたときについては、適用しない。

33 第七条の二第一項の規定による指定を受けた者は、前項の規定による検査の引受けを行つたときは、国土交通省令で定めるところにより、その旨を証する書面を国の機関の長等に交付しなければならない。

34 第七条の二第一項の規定による指定を受けた者は、第三十二項の検査をした場合において、特定工程に係る工事中の建築物等が建築基準関係規定に適合することを認めたときは、国土交通省令で定めるところにより、国の機関の長等に対して当該特定工程に係る中間検査合格証を交付しなければならない。

35 第三十二項の規定による検査に係る特定工程後の工程に係る工事は、前項の規定による当該特定工程に係る中間検査合格証の交付を受けた後でなければ、これを施工してはならない。

36 第七条の二第一項の規定による指定を受けた者は、第三十二項の検査をしたときは、国土交通省令で定める期間内に、国土交通省令で定めるところにより、中間検査報告書を作成し、同項の検査をした工事中の建築物等に関する国土交通省令で定める書類を添えて、これを特定行政庁に提出しなければならない。

37 検査実施者又は第七条の二第一項の規定による指定を受けた者は、第二十九項又は第三十二項の規定による検査において建築基準関係規定に適合することを認められた工事中の建築物等について、第二十一項、第二十三項、第二十九項又は第三十二項の規定による検査をするときは、第二十九項又は第三十二項の規定による検査において建築基準関係規定に適合することを認められた建築物の部分及びその敷地については、第二十一項、第二十三項、第二十九項又は第三十二項の規定による検査をすることを要しない。

38　第六条第一項第一号から第三号までの建築物を新築する場合又はこれらの建築物（共同住宅以外の住宅及び居室を有しない建築物を除く。）の増築、改築、移転、大規模の修繕若しくは大規模の模様替の工事で避難施設等に関する工事を含むものをする場合においては、第二十二項又は第二十六項の検査済証の交付を受けた後でなければ、当該新築に係る建築物又は当該避難施設等に関する工事に係る建築物若しくは建築物の部分を使用し、又は使用させてはならない。ただし、次の各号のいずれかに該当する場合には、検査済証の交付を受ける前においても、仮に、当該建築物又は建築物の部分を使用し、又は使用させることができる。

38　第六条第一項第一号若しくは第二号に掲げる建築物を新築する場合又はこれらの建築物（共同住宅以外の住宅及び居室を有しない建築物を除く。）の増築、改築、移転、大規模の修繕若しくは大規模の模様替の工事で避難施設等に関する工事を含むものをする場合においては、第二十二項又は第二十六項の検査済証の交付を受けた後でなければ、当該新築に係る建築物又は当該避難施設等に関する工事に係る建築物若しくは建築物の部分を使用し、又は使用させてはならない。ただし、次の各号のいずれかに該当する場合には、検査済証の交付を受ける前においても、仮に、当該建築物又は建築物の部分を使用し、又は使用させることができる。

一　特定行政庁が、安全上、防火上又は避難上支障がないと認めたとき。

二　建築主事等（当該建築物又は建築物の部分が大規模建築物又はその部分に該当する場合にあつては、建築主事）又は第七条の二第一項の規定による指定を受けた者が、安全上、防火上及び避難上支障がないものとして国土交通大臣が定める基準に適合していることを認めたとき。

三　第二十項の規定による通知をした日（第七条の二第一項の規定による指定を受けた者が第二十三項の規定による検査の引受けを行つた場合にあつては、当該検査の引受けに係る工事が完了した日又は当該検査の引受けを行つた日のいずれか遅い日）から七日を経過したとき。

39　第七条の二第一項の規定による指定を受けた者は、前項第二号の規定による認定をしたときは、国土交通省令で定める期間内に、国土交通省令で定めるところにより、仮使用認定報告書を作成し、同号の規定による認定をした建築物に関する国土交通省令で定める書類を添えて、これを特定行政庁に提出しなければならない。

40　特定行政庁は、前項の規定による仮使用認定報告書の提出を受けた場合において、第三十八項第二号の国土交通大臣が定める基準に適合しないと認めるときは、国の機関の長等及び当該認定を行つた第七条の二第一項の規定による指定を受けた者にその旨を通知しなければならない。

41　特定行政庁は、国、都道府県又は建築主事を置く市町村の建築物又は建築物の敷地が第九条第一項、第十条第一項若しくは第三項又は第九十条の二第一項の規定に該当すると認める場合においては、直ちに、その旨を当該建築物又は建築物の敷地を管理する国の機関の長等に通知し、これらの規定に掲げる必要な措置をとるべきことを要請しなければならない。

〔改正・昭和二六法一九五・昭和三四法一五六・昭和四五法一〇九・昭和五一法八三・昭和五八法四四・平成一〇法一〇〇・平成一一法一六〇・平成一六法六七・平成一八法九二・平成二六法五四・平成三〇法六七・令和五法五八・令和六法五三〕

参照【建築物―法二1】【敷地―令一1】【建築―法二13】【建築主―法二16】【建築基準関係規定―令九】【四項ただし書の政令―令九の三】【中間検査合格証の様式―規則八の二】【居室―法二4】【大規模の修繕―法二14】【大規模の模様替―法二15】【特定行政庁―法二35】【準用―法八七①・八七の四・八八①～③・九〇③】【引用規定―電波法による伝搬障害の防止に関する規則六1、河川法施行規則一八の一〇①1】【国の機関等とみなされるもの―独立行政法人都市再生機構法施行令三四、独立行政法人鉄道建設・運輸施設整備支援機構法施行令二八、地方住宅供給公社法施行令二、地方道路公社法施行令一〇、独立行政法人水資源機構法施行令五六、日本下水道事業団法施行令七】

（指定構造計算適合性判定機関による構造計算適合性判定の実施）

第一八条の二　都道府県知事は、第七十七条の三十五の二から第七十七条の三十五の五までの規定の定めるところにより国土交通大臣又は都道府県知事が指定する者に、第六条の三第一項及び前条第五項の構造計算適合性判定の全部又は一部を行わせることができる。

2　前項の規定による指定は、二以上の都道府県の区域において同項の規定による構造計算適合性判定の業務を行おうとする者を指定する場合にあつては国土交通大臣が、一の都道府県の区域において同項の規定による構造計算適合性判定の業務を行おうとする者を指定する場合にあつては都道府県知事がするものとする。

3　都道府県知事は、第一項の規定による指定を受けた者に構造計算適合性判定の全部又は一部を行わせることとしたときは、当該構造計算適合性判定の全部又は一部を行わないものとする。

4　第一項の規定による指定を受けた者が構造計算適合性判定を行う場合における第六条の三第一項及び第三項から第六項まで並びに前条第五項及び第七項から第十項までの規定の適用については、これらの規定中「都道府県知事」とあるのは、「第十八条の二第一項の規定による指定を受けた者」とする。

〔追加・平成一八法九二、改正・平成二六法五四・令和六法五三〕

（確認審査等に関する指針等）

第一八条の三　国土交通大臣は、第六条第四項並びに第十八条第三項及び第四項（これらの規定を第八十七条第一項、第八十七条の四並びに第八十八条第一項及び第二項において準用する場合を含む。）に規定する審査、第六条の二第一項（第八十七条第一項、第八十七条の四並びに第八十八条第一項及び第二項において準用する場合を含む。）の規定による確認のための審査、第六条の三第一項及び第十八条第五項に規定する構造計算適合性判定、第七条第四項、第七条の二第一項並びに第十八条第二十一項及び第二十三項（これらの規定を第八十七条の四並びに第八十八条第一項及び第二項において準用する場合を含む。）の規定による検査並びに第七条の三第四項、第七条の四第一項並びに第十八条第二十九項及び第三十二項（これらの規定を第八十七条の四及び第八十八条第一項において準用する場合を含む。）の規定による検査（以下この条及び第七十七条の六十二第二項第三号において「確認審査等」という。）の公正かつ適確な実施を確保するため、確認審査等に関する指針を定めなければならない。

２　国土交通大臣は、前項の指針を定め、又はこれを変更したときは、遅滞なく、これを公表しなければならない。

３　確認審査等は、前項の規定により公表された第一項の指針に従つて行わなければならない。

〔追加・平成一八法九二、改正・平成二六法五四・平成三〇法六七・令和元法三七・令和六法五三〕

第二章　建築物の敷地、構造及び建築設備

（敷地の衛生及び安全）

第一九条　建築物の敷地は、これに接する道の境より高くなければならず、建築物の地盤面は、これに接する周囲の土地より高くなければならない。ただし、敷地内の排水に支障がない場合又は建築物の用途により防湿の必要がない場合においては、この限りでない。

２　湿潤な土地、出水のおそれの多い土地又はごみその他これに類する物で埋め立てられた土地に建築物を建築する場合においては、盛土、地盤の改良その他衛生上又は安全上必要な措置を講じなければならない。

３　建築物の敷地には、雨水及び汚水を排出し、又は処理するための適当な下水管、下水溝又はためますその他これらに類する施設をしなければならない。

４　建築物ががけ崩れ等による被害を受けるおそれのある場合においては、擁壁の設置その他安全上適当な措置を講じなければならない。

〔改正・昭和三四法一五六〕

参照【建築物―法二1】【敷地―令一1】【擁壁―令一三八①5・一四二】【罰則―法一〇一①3・②・一〇五

参考規定―宅地造成及び特定盛土等規制法一三

（構造耐力）

第二〇条　建築物は、自重、積載荷重、積雪荷重、風圧、土圧及び水圧並びに地震その他の震動及び衝撃に対して安全な構造のものとして、次の各号に掲げる建築物の区分に応じ、それぞれ当該各号に定める基準に適合するものでなければならない。

> **第二〇条**　建築物は、自重、積載荷重、積雪荷重、風圧、土圧及び水圧並びに地震その他の震動及び衝撃に対して安全な構造のものとして、次の各号に掲げる建築物の区分に応じ、当該各号に定める基準に適合するものでなければならない。

一　高さが六十メートルを超える建築物　当該建築物の安全上必要な構造方法に関して政令で定める技術的基準に適合するものであること。この場合において、その構造方法は、荷重及び外力によつて建築物の各部分に連続的に生ずる力及び変形を把握することその他の政令で定める基準に従つた構造計算によつて安全性が確かめられたものとして国土交通大臣の認定を受けたものであること。

二　高さが六十メートル以下の建築物のうち、第六条第一項第二号に掲げる建築物（高さが十三メートル又は軒の高さが九メートルを超えるものに限る。）又は同項第三号に掲げる建築物（地階を除く階数が四以上である鉄骨造の建築物、高さが二十メートルを超える鉄筋コンクリート造又は鉄骨鉄筋コンクリート造の建築物その他これらの建築物に準ずるものとして政令で定める建築物に限る。）　次に掲げる基準のいずれかに適合するものであること。

> 二　高さが六十メートル以下の建築物のうち、木造の建築物（地階を除く階数が四以上であるもの又は高さが十六メートルを超えるものに限る。）又は木造以外の建築物（地階を除く階数が四以上である鉄骨造の建築物、高さが二十メートルを超える鉄筋コンクリート造又は鉄骨鉄筋コンクリート造の建築物その他これらの建築物に準ずるものとして政令で定める建築物に限る。）　次に掲げる基準のいずれかに適合するものであること。

イ　当該建築物の安全上必要な構造方法に関して政令で定める技術的基準に適合すること。この場合において、その構造方法は、地震力によつて建築物の地上部分の各階に生ずる水平方向の変形を把握することその他の政令で定める基準に従つた構造計算で、国土交通大臣が定めた方法によるもの又は国土交通大臣の認定を受けたプログラムによるものによつて確かめられる安全性を有すること。

ロ　前号に定める基準に適合すること。

三　高さが六十メートル以下の建築物のうち、第六条第一項第二号又は第三号に掲げる建築物その他その主要構造部（床、屋根及び階段を除く。）を石造、れんが造、コンクリートブロック造、無筋コンクリート造その他これらに類する構造とした建築物で高さが十三メートル又は軒の高さが九メートルを超えるもの（前号に掲げる建築物を除く。）　次に掲げる基準のいずれかに適合するものであること。

> 三　高さが六十メートル以下の建築物（前号に掲げる建築物を除く。）のうち、第六条第一項第一号又は第二号に掲げる建築物（木造の建築物にあつては、地階を除く階数が三以上であるもの又は延べ面積が三百平方メートルを超えるものに限る。）　次に掲げる基準のいずれかに適合するものであること。

イ　当該建築物の安全上必要な構造方法に関して政令で定める技術的基準に適合すること。この場合において、その構造方法は、構造耐力上主要な部分ごとに応力度が許容応力度を超えないことを確かめることその他の政令で定める基準に従つた構造計算で、国土交通大臣が定めた方法によるもの又は国土交通大臣の認定を受けたプログラムによるものによつて確かめられる安全性を有すること。

ロ　前二号に定める基準のいずれかに適合すること。

四　前三号に掲げる建築物以外の建築物　次に掲げる基準のいずれかに適合するものであること。

イ　当該建築物の安全上必要な構造方法に関して政令で定める技術的基準に適合すること。

ロ　前三号に定める基準のいずれかに適合すること。

２　前項に規定する基準の適用上一の建築物であつても別の建築物とみなすことができる部分として政令で定める部分が二以上ある建築物の当該建築物の部分は、同項の規定の適用については、それぞれ別の建築物とみなす。

〔改正・平成一〇法一〇〇・平成一八法九二・平成二六法五四〕

参照【建築物―法二1】【政令で定める技術的基準―令三六・一二九の二の三】【構造計算―令八一～九九】【建築物の高さ―法九二、令二

①6・②・④【軒の高さ—法九二、令二①7・②【プログラム—法二34【主要構造部—法二5【設計図書—法二12【政令で定める部分—令三六の四【準用—法八八①【罰則—法九八①2・②・九九①8・②・一〇五

（大規模の建築物の主要構造部等）

第二十一条　次の各号のいずれかに該当する建築物（その主要構造部（床、屋根及び階段を除く。）の政令で定める部分の全部又は一部に木材、プラスチックその他の可燃材料を用いたものに限る。）は、その特定主要構造部を通常火災終了時間（建築物の構造、建築設備及び用途に応じて通常の火災が消火の措置により終了するまでに通常要する時間をいう。）が経過するまでの間当該火災による建築物の倒壊及び延焼を防止するために特定主要構造部に必要とされる性能に関して政令で定める技術的基準に適合するもので、国土交通大臣が定めた構造方法を用いるもの又は国土交通大臣の認定を受けたものとしなければならない。ただし、その周囲に延焼防止上有効な空地で政令で定める技術的基準に適合するものを有する建築物については、この限りでない。

一　地階を除く階数が四以上である建築物

二　高さが十六メートルを超える建築物

三　別表第一(い)欄(五)項又は(六)項に掲げる用途に供する特殊建築物で、高さが十三メートルを超えるもの

2　延べ面積が三千平方メートルを超える建築物（その主要構造部（床、屋根及び階段を除く。）の前項の政令で定める部分の全部又は一部に木材、プラスチックその他の可燃材料を用いたものに限る。）は、その壁、柱、床その他の建築物の部分又は防火戸その他の政令で定める防火設備を通常の火災時における火熱が当該建築物の周囲に防火上有害な影響を及ぼすことを防止するためにこれらに必要とされる性能に関して政令で定める技術的基準に適合するもので、国土交通大臣が定めた構造方法を用いるもの又は国土交通大臣の認定を受けたものとしなければならない。

3　前二項に規定する基準の適用上一の建築物であつても別の建築物とみなすことができる部分として政令で定める部分が二以上ある建築物の当該建築物の部分は、これらの規定の適用については、それぞれ別の建築物とみなす。

〔改正・昭和三四法一五六・昭和六二法六六・平成一〇法一〇〇・平成二六法五四・平成三〇法六七・令和四法六九〕

参照【建築物—法二1【建築物の高さ—法九二、令二①6・②・④【軒の高さ—法九二、令二①7・②【特定主要構造部—法二9の2【政令で定める部分—令一〇九の四【政令で定める技術的基準—令一〇九の五～一〇九の七【政令で定める防火設備—令一〇九【構造計算—令八一～九九【政令で定める部分—令一〇九の八【罰則—法九八①2・②・一〇五

（屋根）

第二十二条　特定行政庁が防火地域及び準防火地域以外の市街地について指定する区域内にある建築物の屋根の構造は、通常の火災を想定した火の粉による建築物の火災の発生を防止するために屋根に必要とされる性能に関して建築物の構造及び用途の区分に応じて政令で定める技術的基準に適合するもので、国土交通大臣が定めた構造方法を用いるもの又は国土交通大臣の認定を受けたものとしなければならない。ただし、茶室、あずまやその他これらに類する建築物又は延べ面積が十平方メートル以内の物置、納屋その他これらに類する建築物の屋根の延焼のおそれのある部分以外の部分については、この限りでない。

2　特定行政庁は、前項の規定による指定をする場合においては、あらかじめ、都市計画区域内にある区域については都道府県都市計画審議会（市町村都市計画審議会が置かれている市町村の長たる特定行政庁が行う場合にあつては、当該市町村都市計画審議会。第五十一条を除き、以下同じ。）の意見を聴き、その他の区域については関係市町村の同意を得なければならない。

〔改正・昭和三四法一五六・昭和四三法一〇一・平成四法八二・平成一〇法一〇〇・平成一一法八七・法一六〇〕

参照【特定行政庁—法二35【建築物—法二1【防火地域及び準防火地域—都計法八①5・九㉑【耐火建築物—法二9の2【準耐火建築物—法二9の3【不燃材料—法二9【延べ面積—法九二、令二①4・③【延焼のおそれのある部分—法二6【政令で定める技術的基準—令一〇九の九【都市計画区域—都計法五【都道府県都市計画審議会—都計法七七、都道府県都市計画審議会及び市町村都市計画審議会の組織及び運営の基準を定める政令【市町村都市計画審議会—都計法七七の二、都道府県都市計画審議会及び市町村都市計画審議会の組織及び運営の基準を定める政令【罰則—法九九①8・②・一〇五

（外壁）

第二十三条　前条第一項の市街地の区域内にある建築物（その主要構造部の第二十一条第一項の政令で定める部分が木材、プラスチックその他の可燃材料で造られたもの（第二十五条及び第六十一条第一項において「木造建築物等」という。）に限る。）は、その外壁で延焼のおそれのある部分の構造を、準防火性能（建築物の周囲において発生する通常の火災による延焼の抑制に一定の効果を発揮するために外壁に必要とされる性能をいう。）に関して政令で定める技術的基準に適合する土塗壁その他の構造で、国土交通大臣が定めた構造方法を用いるもの又は国土交通大臣の認定を受けたものとしなければならない。

〔改正・昭和三四法一五六・平成四法八二、全改・平成一〇法一〇〇、改正・平成一一法一六〇・平成三〇法六七・令和四法六九〕

参照【建築物—法二1【主要構造部—法二5【準耐火建築物—法二9の3【延焼のおそれのある部分—法二6【政令で定める技術的基準—令一〇九の一〇【罰則—法九九①8・②・一〇五

（建築物が第二十二条第一項の市街地の区域の内外にわたる場合の措置）

第二十四条　建築物が第二十二条第一項の市街地の区域の内外にわたる場合においては、その全部について同項の市街地の区域内の建築物に関する規定を適用する。

〔追加・昭和五一法八三、旧二四条の二を繰上・平成三〇法六七〕

参照【建築物—法二1

（大規模の木造建築物等の外壁等）

第二十五条　延べ面積（同一敷地内に二以上の木造建築物等がある場合においては、その延べ面積の合計）が千平方メートルを超える木造建築物等は、その外壁及び軒裏で延焼のおそれのある部分を防火構造とし、その屋根の構造を第二十二条第一項に規定する構造としなければならない。

〔改正・昭和三四法一五六・平成一〇法一〇〇〕

参照【延べ面積―法九二、令二①4・③【敷地―令一1【木造建築物等―法二三【建築物―法二1【延焼のおそれのある部分―法二6【防火構造―法二8【不燃材料―法二9【罰則―法九九①8・②・一〇五

（防火壁等）

第二六条　延べ面積が千平方メートルを超える建築物は、防火上有効な構造の防火壁又は防火床によつて有効に区画し、かつ、各区画における床面積の合計をそれぞれ千平方メートル以内としなければならない。ただし、次の各号のいずれかに該当する建築物については、この限りでない。

一　耐火建築物又は準耐火建築物

二　卸売市場の上家、機械製作工場その他これらと同等以上に火災の発生のおそれが少ない用途に供する建築物で、次のイ又はロのいずれかに該当するもの

イ　主要構造部が不燃材料で造られたものその他これに類する構造のもの

ロ　構造方法、主要構造部の防火の措置その他の事項について防火上必要な政令で定める技術的基準に適合するもの

三　畜舎その他の政令で定める用途に供する建築物で、その周辺地域が農業上の利用に供され、又はこれと同様の状況にあつて、その構造及び用途並びに周囲の状況に関し避難上及び延焼防止上支障がないものとして国土交通大臣が定める基準に適合するもの

2　防火上有効な構造の防火壁又は防火床によつて他の部分と有効に区画されている部分（以下この項において「特定部分」という。）を有する建築物であつて、当該建築物の特定部分が次の各号のいずれかに該当し、かつ、当該特定部分の外壁の開口部で延焼のおそれのある部分に第二条第九号の二ロに規定する防火設備を有するものに係る前項の規定の適用については、当該建築物の特定部分及び他の部分をそれぞれ別の建築物とみなし、かつ、当該特定部分を同項第一号に該当する建築物とみなす。

一　当該特定部分の特定主要構造部が耐火構造であるもの又は第二条第九号の二イ(2)に規定する性能と同等の性能を有するものとして国土交通大臣が定める基準に適合するもの

二　当該特定部分の主要構造部が準耐火構造であるもの又はこれと同等の準耐火性能を有するものとして国土交通大臣が定める基準に適合するもの（前号に該当するものを除く。）

〔改正・昭和三四法一五六・昭和六二法六六・平成四法八二・平成六法六二・平成一一法一六〇・平成三〇法六七・令和四法六九〕

参照【延べ面積―法九二、令二①4・③【建築物―法二1【防火壁及び防火床の構造―令一一三【防火区画―令一一二【床面積―法九二、令二①3【耐火建築物―法二9の2【準耐火建築物―法二9の3【主要構造部―法二5【不燃材料―法二9【政令で定める技術的基準―令一一五の二①【政令で定める用途―令一一五の二②【特定部分―令一〇九の二の二③【準耐火構造―法二7の2【特定行政庁―法二35【罰則―法九八①2・②・一〇五

（耐火建築物等としなければならない特殊建築物）

第二七条　次の各号のいずれかに該当する特殊建築物は、その特定主要構造部を当該特殊建築物に存する者の全てが当該特殊建築物から地上までの避難を終了するまでの間通常の火災による建築物の倒壊及び延焼を防止するために特定主要構造部に必要とされる性能に関して政令で定める技術的基準に適合するもので、国土交通大臣が定めた構造方法を用いるもの又は国土交通大臣の認定を受けたものとし、かつ、その外壁の開口部であつて建築物の他の部分から当該開口部へ延焼するおそれがあるものとして政令で定めるものに、防火戸その他の政令で定める防火設備（その構造が遮炎性能に関して政令で定める技術的基準に適合するもので、国土交通大臣が定めた構造方法を用いるもの又は国土交通大臣の認定を受けたものに限る。）を設けなければならない。

一　別表第一(ろ)欄に掲げる階を同表(い)欄(一)項から(四)項までに掲げる用途に供するもの（階数が三で延べ面積が二百平方メートル未満のもの（同表(ろ)欄に掲げる階を同表(い)欄(二)項に掲げる用途で政令で定めるものに供するものにあつては、政令で定める技術的基準に従つて警報設備を設けたものに限る。）を除く。）

二　別表第一(い)欄(一)項から(四)項までに掲げる用途に供するもので、その用途に供する部分（同表(一)項の場合にあつては客席、同表(二)項及び(四)項の場合にあつては二階の部分に限り、かつ、病院及び診療所についてはその部分に患者の収容施設がある場合に限る。）の床面積の合計が同表(は)欄の当該各項に該当するもの

三　別表第一(い)欄(四)項に掲げる用途に供するもので、その用途に供する部分の床面積の合計が三千平方メートル以上のもの

四　劇場、映画館又は演芸場の用途に供するもので、主階が一階にないもの（階数が三以下で延べ面積が二百平方メートル未満のものを除く。）

2　次の各号のいずれかに該当する特殊建築物は、耐火建築物としなければならない。

一　別表第一(い)欄(五)項に掲げる用途に供するもので、その用途に供する三階以上の部分の床面積の合計が同表(は)欄(五)項に該当するもの

二　別表第一(ろ)欄(六)項に掲げる階を同表(い)欄(六)項に掲げる用途に供するもの

3　次の各号のいずれかに該当する特殊建築物は、耐火建築物又は準耐火建築物（別表第一(い)欄(六)項に掲げる用途に供するものにあつては、第二条第九号の三ロに該当する準耐火建築物のうち政令で定めるものを除く。）としなければならない。

一　別表第一(い)欄(五)項又は(六)項に掲げる用途に供するもので、その用途に供する部分の床面積の合計が同表(に)欄の当該各項に該当するもの

二　別表第二(と)項第四号に規定する危険物（安全上及び防火上支障がないものとして政令で定めるものを除く。以下この号において同じ。）の貯蔵場又は処理場の用途に供するもの（貯蔵又は処理に係る危険物の数量が政令で定める限度を超えないものを除く。）

4　前三項に規定する基準の適用上一の建築物であつても別の建築物とみなすことができる部分として政令で定める部分が二以上ある建築物の当該建築物の部分は、これらの規定の適用については、それぞれ別の建築物とみなす。

〔全改・昭和三四法一五六、改正・昭和五一法八三・平成四法八二・平成一〇法一〇〇・平成二六法五四・平成三〇法六七・令和四法六九〕

参照【特殊建築物―法二2【特定主要構造部―法二9の2【耐火建築物―法二9の2【床面積―法九二、令二①3【準耐火建築物―法二9の3【政令で定める危険物の数量の限度―令一一六【政令で定める技術的基準―令一一〇・一一〇の三・一一〇の五【政令で定める防火設備―令一一〇の二【政令で定めるもの―令一〇九①【政令

で定める用途―令一一〇の四【政令で定める準耐火建築物―令一一五の四【政令で定める部分―令一〇九の八【準用―法八七③【罰則―法九八①2・②・一〇五

参考規定―危険物の規制に関する政令

（居室の採光及び換気）

第二八条　住宅、学校、病院、診療所、寄宿舎、下宿その他これらに類する建築物で政令で定めるものの居室（居住のための居室、学校の教室、病院の病室その他これらに類するものとして政令で定めるものに限る。）には、採光のための窓その他の開口部を設け、その採光に有効な部分の面積は、その居室の床面積に対して、五分の一から十分の一までの間において居室の種類に応じ政令で定める割合以上としなければならない。ただし、地階若しくは地下工作物内に設ける居室その他これらに類する居室又は温湿度調整を必要とする作業を行う作業室その他用途上やむを得ない居室については、この限りでない。

2　居室には換気のための窓その他の開口部を設け、その換気に有効な部分の面積は、その居室の床面積に対して、二十分の一以上としなければならない。ただし、政令で定める技術的基準に従つて換気設備を設けた場合においては、この限りでない。

3　別表第一(い)欄(一)項に掲げる用途に供する特殊建築物の居室又は建築物の調理室、浴室その他の室でかまど、こんろその他火を使用する設備若しくは器具を設けたもの（政令で定めるものを除く。）には、政令で定める技術的基準に従つて、換気設備を設けなければならない。

4　ふすま、障子その他随時開放することができるもので仕切られた二室は、前三項の規定の適用については、一室とみなす。

〔改正・昭和三四法一五六・昭和四五法一〇九・平成一〇法一〇〇・令和四法六九〕

参照【建築物―法二1【政令で定める建築物―令一九①【政令で定める居室―令一九②【居室―法二4【床面積―法九二、令二①3【政令で定める割合―令一九③・二〇【地階―令一2【政令で定める室―令二〇の三①【換気設備―令二〇の二・二〇の三・一二九の二の五【特殊建築物―法二2【準用―法八七③【罰則―法九九①8・②・一〇一①3・②・一〇五

（石綿その他の物質の飛散又は発散に対する衛生上の措置）

第二八条の二　建築物は、石綿その他の物質の建築材料からの飛散又は発散による衛生上の支障がないよう、次に掲げる基準に適合するものとしなければならない。

一　建築材料に石綿その他の著しく衛生上有害なものとして政令で定める物質（次号及び第三号において「石綿等」という。）を添加しないこと。

二　石綿等をあらかじめ添加した建築材料（石綿等を飛散又は発散させるおそれがないものとして国土交通大臣が定めたもの又は国土交通大臣の認定を受けたものを除く。）を使用しないこと。

三　居室を有する建築物にあつては、前二号に定めるもののほか、石綿等以外の物質でその居室内において衛生上の支障を生ずるおそれがあるものとして政令で定める物質の区分に応じ、建築材料及び換気設備について政令で定める技術的基準に適合すること。

〔追加・平成一四法八五、全改・平成一八法五〕

参照【建築物―法二1【一号の政令で定める物質―令二〇の四【三号の政令で定める物質―令二〇の五【換気設備―令二〇の二・二〇の三・一二九の二の五【三号の政令で定める技術的基準―令二〇の六～二〇の九【工作物への準用―八八①【罰則―法九九①8・②・一〇五

（地階における住宅等の居室）

第二九条　住宅の居室、学校の教室、病院の病室又は寄宿舎の寝室で地階に設けるものは、壁及び床の防湿の措置その他の事項について衛生上必要な政令で定める技術的基準に適合するものとしなければならない。

〔改正・昭和三四法一五六、旧三〇条を繰上・全改・平成一〇法一〇〇〕

参照【居室―法二4【地階―令一2【政令で定める技術的基準―令二二の二【準用―法八七③

（長屋又は共同住宅の各戸の界壁）

第三〇条　長屋又は共同住宅の各戸の界壁は、次に掲げる基準に適合するものとしなければならない。

一　その構造が、隣接する住戸からの日常生活に伴い生ずる音を衛生上支障がないように低減するために界壁に必要とされる性能に関して政令で定める技術的基準に適合するもので、国土交通大臣が定めた構造方法を用いるもの又は国土交通大臣の認定を受けたものであること。

二　小屋裏又は天井裏に達するものであること。

2　前項第二号の規定は、長屋又は共同住宅の天井の構造が、隣接する住戸からの日常生活に伴い生ずる音を衛生上支障がないように低減するために天井に必要とされる性能に関して政令で定める技術的基準に適合するもので、国土交通大臣が定めた構造方法を用いるもの又は国土交通大臣の認定を受けたものである場合においては、適用しない。

〔追加・昭和四五法一〇九、旧三〇条の二を繰上・全改・平成一〇法一〇〇、改正・平成一二法一六〇、全改・平成三〇法六七〕

参照【政令で定める技術的基準―令二二の三【準用―法八七③

（便所）

第三一条　下水道法（昭和三十三年法律第七十九号）第二条第八号に規定する処理区域内においては、便所は、水洗便所（汚水管が下水道法第二条第三号に規定する公共下水道に連結されたものに限る。）以外の便所としてはならない。

2　便所から排出する汚物を下水道法第二条第六号に規定する終末処理場を有する公共下水道以外に放流しようとする場合においては、屎尿浄化槽（その構造が汚物処理性能（当該汚物を衛生上支障がないように処理するために屎尿浄化槽に必要とされる性能をいう。）に関して政令で定める技術的基準に適合するもので、国土交通大臣が定めた構造方法を用いるもの又は国土交通大臣の認定を受けたものに限る。）を設けなければならない。

〔改正・昭和二九法七二・昭和三三法七九・昭和三四法一五六・昭和四〇法一一九・昭和四五法一四一・平成一〇法一〇〇・平成一一法一六〇〕

参照【便所―令二八～三五【政令で定める技術的基準―令三二・三五【罰則―法一〇一①3・②・一〇五【引用規定―自然公園法施行規則一二22の8、自然環境保全法施行規則一九10ル、下水道法一一の三②

参考規定―浄化槽法四～七

（電気設備）

第三二条 建築物の電気設備は、法律又はこれに基く命令の規定で電気工作物に係る建築物の安全及び防火に関するものの定める工法によつて設けなければならない。

参照 【建築物―法二1】【電気工作物に関する規定―電気設備に関する技術基準を定める省令】【準用―法八八①】【罰則―法九九①8・②・一〇五】

（避雷設備）

第三三条 高さ二十メートルをこえる建築物には、有効に避雷設備を設けなければならない。ただし、周囲の状況によつて安全上支障がない場合においては、この限りでない。

〔改正・昭和三四法一五六〕

参照 【建築物―法二1】【建築物の高さ―法九二、令二①6・②・④】【避雷設備―令一二九の一四・一二九の一五】【準用―法八八①】【罰則―法九九①8・②・一〇五】【引用規定―航空法施行規則九二の五2】

（昇降機）

第三四条 建築物に設ける昇降機は、安全な構造で、かつ、その昇降路の周壁及び開口部は、防火上支障がない構造でなければならない。

2 高さ三十一メートルをこえる建築物（政令で定めるものを除く。）には、非常用の昇降機を設けなければならない。

〔改正・昭和三四法一五六・昭和四五法一〇九〕

参照 【建築物―法二1】【昇降機の構造―令一二九の三～一二九の一三】【建築物の高さ―法九二、令二①6・②・④】【政令で定める建築物―令一二九の一三の二】【非常用の昇降機―令一二九の一三の三】【準用―法八八①】【罰則―法九九①8・②・一〇五】

（特殊建築物等の避難及び消火に関する技術的基準）

第三五条 別表第一(い)欄(一)項から(四)項までに掲げる用途に供する特殊建築物、階数が三以上である建築物、政令で定める窓その他の開口部を有しない居室を有する建築物又は延べ面積（同一敷地内に二以上の建築物がある場合においては、その延べ面積の合計）が千平方メートルをこえる建築物については、廊下、階段、出入口その他の避難施設、消火栓、スプリンクラー、貯水槽その他の消火設備、排煙設備、非常用の照明装置及び進入口並びに敷地内の避難上及び消火上必要な通路は、政令で定める技術的基準に従つて、避難上及び消火上支障がないようにしなければならない。

〔改正・昭和三四法一五六・昭和四五法一〇九〕

参照 【建築物―法二1】【居室―法二4】【階数―法九二、令二①8・④】【政令で定める窓その他開口部を有しない居室―令一一六の二】【延べ面積―法九二、令二①4・③】【政令で定める技術的基準―令一一七～一二八の三】【準用―法八七③】【罰則―法九八①2・②・一〇五】

（特殊建築物等の内装）

第三五条の二 別表第一(い)欄に掲げる用途に供する特殊建築物、階数が三以上である建築物、政令で定める窓その他の開口部を有しない居室を有する建築物、延べ面積が千平方メートルをこえる建築物又は建築物の調理室、浴室その他の室でかまど、こんろその他火を使用する設備若しくは器具を設けたものは、政令で定めるものを除き、政令で定める技術的基準に従つて、その壁及び天井（天井のない場合においては、屋根）の室内に面する部分の仕上げを防火上支障がないようにしなければならない。

〔追加・昭和三四法一五六、改正・昭和三八法一五一・昭和四五法一〇九〕

参照 【建築物―法二1】【特殊建築物―法二2】【階数―法九二、令二①8・④】【政令で定める窓その他開口部を有しない居室―令一二八の三の二】【延べ面積―法九二、令二①4・③】【政令で定める室―令一二八の四】【政令で定める技術的基準―令一二八の五】【準用―法八七③】【罰則―法九八①2・②・一〇五】

（無窓の居室等の主要構造部）

第三五条の三 政令で定める窓その他の開口部を有しない居室は、その居室を区画する主要構造部を耐火構造とし、又は不燃材料で造らなければならない。ただし、別表第一(い)欄(一)項に掲げる用途に供するものについては、この限りでない。

〔追加・昭和三四法一五六、改正・昭和四五法一〇九〕

参照 【建築物―法二1】【政令で定める窓その他の開口部を有しない居室―令一一一】【居室―法二4】【主要構造部―法二5】【耐火構造―法二7】【不燃材料―法二9】【準用―法八七③】【罰則―法九九①8・②・一〇五】

（この章の規定を実施し、又は補足するため必要な技術的基準）

第三六条 居室の採光面積、天井及び床の高さ、床の防湿方法、階段の構造、便所、防火壁、防火床、防火区画、消火設備、避雷設備及び給水、排水その他の配管設備の設置及び構造並びに浄化槽、煙突及び昇降機の構造に関して、この章の規定を実施し、又は補足するために安全上、防火上及び衛生上必要な技術的基準は、政令で定める。

〔改正・昭和三四法一五六・平成一〇法一〇〇・平成一二法一〇六・平成三〇法六七〕

参照 【居室―法二4】【安全上必要な構造方法―令三六～八〇の三】【構造計算―令八一～九九】【居室の採光面積―令一九・二〇】【天井及び床の高さ、床の防湿方法―令二一・二二】【階段の構造―令二三～二七】【便所―令二八～三五】【防火壁及び防火床―令一一三】【防火区画―令一一二・一一四】【避雷設備―令一二九の一四・一二九の一五】【給水・排水その他の配管設備―令一二九の二の四～一二九の二の六】【煙突―令一一五】【昇降機―令一二九の三～一二九の一三】【準用―法八七③、八八①】【罰則―法九八①3・②・九九①9・②・一〇一①4・②・一〇五】

（建築材料の品質）

第三七条 建築物の基礎、主要構造部その他安全上、防火上又は衛生上重要である政令で定める部分に使用する木材、鋼材、コンクリートその他の建築材料として国土交通大臣が定めるもの（以下この条において「指定建築材料」という。）は、次の各号のいずれかに該当するものでなければならない。

一 その品質が、指定建築材料ごとに国土交通大臣の指定する

一　日本産業規格又は日本農林規格に適合するもの

二　前号に掲げるもののほか、指定建築材料ごとに国土交通大臣が定める安全上、防火上又は衛生上必要な品質に関する技術的基準に適合するものであることについて国土交通大臣の認定を受けたもの

〔改正・昭和四五法一〇九・平成一〇法一〇〇・平成一一法一六〇・平成三〇法三三〕

参照【建築物―法二1【主要構造部―法二5【安全上、防火上又は衛生上重要である政令で定める部分―令一四四の三【準用―法八八①【罰則―法九九①8・②・一〇五

参考規定―産業標準化法二〇

（特殊の構造方法又は建築材料）

第三八条　この章の規定及びこれに基づく命令の規定は、その予想しない特殊の構造方法又は建築材料を用いる建築物については、国土交通大臣がその構造方法又は建築材料がこれらの規定に適合するものと同等以上の効力があると認める場合においては、適用しない。

〔全改・平成二六法五四〕

参照【建築物―法二1【準用―法六六・六七の二

（災害危険区域）

第三九条　地方公共団体は、条例で、津波、高潮、出水等による危険の著しい区域を災害危険区域として指定することができる。

2　災害危険区域内における住居の用に供する建築物の建築の禁止その他建築物の建築に関する制限で災害防止上必要なものは、前項の条例で定める。

参照【建築物―法二1【建築―法二13【用途の変更に対する準用―法八七②・③【罰則―法一〇七【引用規定―防災のための集団移転促進事業に係る国の財政上の特別措置等に関する法律一、都計法三三①8、宅地建物取引業法施行令二の五2・三①2

（地方公共団体の条例による制限の附加）

第四〇条　地方公共団体は、その地方の気候若しくは風土の特殊性又は特殊建築物の用途若しくは規模に因り、この章の規定又はこれに基く命令の規定のみによつては建築物の安全、防火又は衛生の目的を充分に達し難いと認める場合においては、条例で、建築物の敷地、構造又は建築設備に関して安全上、防火上又は衛生上必要な制限を附加することができる。

参照【特殊建築物―法二2【建築物―法二1【敷地―令一1【建築設備―法二3【準用―法八七②・③・八八①【罰則―法一〇七

（市町村の条例による制限の緩和）

第四一条　第六条第一項第四号の区域外においては、市町村は、土地の状況により必要と認める場合においては、国土交通大臣の承認を得て、条例で、区域を限り、第十九条、第二十一条、第二十八条、第二十九条及び第三十六条の規定の全部若しくは一部を適用せず、又はこれらの規定による制限を緩和することができる。ただし、第六条第一項第一号及び第三号の建築物については、この限りでない。

> **第四一条**　第六条第一項第三号の区域外においては、市町村は、土地の状況により必要と認める場合においては、国土交通大臣の承認を得て、条例で、区域を限り、第十九条、第二十一条、第二十八条、第二十九条及び第三十六条の規定の全部若しくは一部を適用せず、又はこれらの規定による制限を緩和することができる。ただし、第六条第一項第一号に掲げる建築物及び同項第二号に掲げる建築物（木造以外の建築物に限る。）については、この限りでない。

〔改正・昭和三四法一五六・昭和六二法六六・平成一〇法一〇〇・平成一一法一六〇〕

第三章　都市計画区域等における建築物の敷地、構造、建築設備及び用途

〔改正・昭和三四法一五六・平成四法八二・平成一二法七三〕

第一節　総則

〔追加・昭和三四法一五六〕

（適用区域）

第四一条の二　この章（第八節を除く。）の規定は、都市計画区域及び準都市計画区域内に限り、適用する。

〔追加・昭和三四法一五六、改正・平成四法八二・平成一二法七三〕

参照【都市計画区域―法二20、都計法四②・五【準都市計画区域―法二20、都計法四②・五の二

（道路の定義）

第四二条　この章の規定において「道路」とは、次の各号のいずれかに該当する幅員四メートル（特定行政庁がその地方の気候若しくは風土の特殊性又は土地の状況により必要と認めて都道府県都市計画審議会の議を経て指定する区域内においては、六メートル。次項及び第三項において同じ。）以上のもの（地下におけるものを除く。）をいう。

一　道路法（昭和二十七年法律第百八十号）による道路

二　都市計画法、土地区画整理法（昭和二十九年法律第百十九号）、旧住宅地造成事業に関する法律（昭和三十九年法律第百六十号）、都市再開発法（昭和四十四年法律第三十八号）、新都市基盤整備法（昭和四十七年法律第八十六号）、大都市地域における住宅及び住宅地の供給の促進に関する特別措置法（昭和五十年法律第六十七号）又は密集市街地整備法（第六章に限る。以下この項において同じ。）による道路

三　都市計画区域若しくは準都市計画区域の指定若しくは変更又は第六十八条の九第一項の規定に基づく条例の制定若しくは改正によりこの章の規定が適用されるに至つた際現に存在する道

四　道路法、都市計画法、土地区画整理法、都市再開発法、新都市基盤整備法、大都市地域における住宅及び住宅地の供給の促進に関する特別措置法又は密集市街地整備法による新設又は変更の事業計画のある道路で、二年以内にその事業が執行される予定のものとして特定行政庁が指定したもの

五　土地を建築物の敷地として利用するため、道路法、都市計画法、土地区画整理法、都市再開発法、新都市基盤整備法、大都市地域における住宅及び住宅地の供給の促進に関する特別措置法又は密集市街地整備法によらないで築造する政令で定める基準に適合する道で、これを築造しようとする者が特

定行政庁からその位置の指定を受けたもの

2　都市計画区域若しくは準都市計画区域の指定若しくは変更又は第六十八条の九第一項の規定に基づく条例の制定若しくは改正によりこの章の規定が適用されるに至つた際現に建築物が立ち並んでいる幅員四メートル未満の道で、特定行政庁の指定したものは、前項の規定にかかわらず、同項の道路とみなし、その中心線からの水平距離二メートル（同項の規定により指定された区域内においては、三メートル（特定行政庁が周囲の状況により避難及び通行の安全上支障がないと認める場合は、二メートル）。以下この項及び次項において同じ。）の線をその道路の境界線とみなす。ただし、当該道がその中心線からの水平距離二メートル未満で崖地、川、線路敷地その他これらに類するものに沿う場合においては、当該崖地等の道の側の境界線及びその境界線から道の側に水平距離四メートルの線をその道路の境界線とみなす。

3　特定行政庁は、土地の状況に因りやむを得ない場合においては、前項の規定にかかわらず、同項に規定する中心線からの水平距離については二メートル未満一・三五メートル以上の範囲内において、同項に規定するがけ地等の境界線からの水平距離については四メートル未満二・七メートル以上の範囲内において、別にその水平距離を指定することができる。

4　第一項の区域内の幅員六メートル未満の道（第一号又は第二号に該当する道にあつては、幅員四メートル以上のものに限る。）で、特定行政庁が次の各号の一に該当すると認めて指定したものは、同項の規定にかかわらず、同項の道路とみなす。

一　周囲の状況により避難及び通行の安全上支障がないと認められる道

二　地区計画等に定められた道の配置及び規模又はその区域に即して築造される道

三　第一項の区域が指定された際現に道路とされていた道

5　前項第三号に該当すると認めて特定行政庁が指定した幅員四メートル未満の道については、第二項の規定にかかわらず、第一項の区域が指定された際道路の境界線とみなされていた線をその道路の境界線とみなす。

6　特定行政庁は、第二項の規定により幅員一・八メートル未満の道を指定する場合又は第三項の規定により別に水平距離を指定する場合においては、あらかじめ、建築審査会の同意を得なければならない。

〔改正・昭和二七法一八一・昭和三四法一五六・昭和三九法一六〇・昭和四三法一〇一・昭和四四法三八・昭和四五法一〇九・昭和四七法八六・昭和五〇法六七・昭和六三法四九・平成二法六二・平成四法八二・平成九法五〇・平成一一法八七・平成一二法七三・平成一四法八五・平成一五法一〇一・平成三〇法六七〕

参照　【道路法による道路―道路法二①・三】【都市計画法による道路―都計法一一①1・三三①2・②、都計法施行令二五・二九、都計法施行規則二〇・二〇の二・二四】【土地区画整理法による道路―土地区画整理法二⑤・六、土地区画整理法施行規則九2～5】【旧住宅地造成事業に関する法律による道路―旧住宅地造成事業に関する法律二⑥・五、旧住宅地造成事業に関する法律施行規則八2～4・6】【都市再開発法による道路―都市再開発法二4・四】【新都市基盤整備法による道路―新都市基盤整備法二⑤・四・二四、新都市基盤整備法施行令一1、新都市基盤整備法施行規則二一2】【大都市地域における住宅及び住宅地の供給の促進に関する特別措置法による道路―大都市地域における住宅及び住宅地の供給の促進に関する特別措置法二6・三一】【この章の規定が適用されるに至つた際―法四一の二】【政令で定める基準―令一四四の四、昭和四五年一二月二八日建設省告示第一八三七号】【政令で定める基準に関する経過措置―建築基準法施行令の一部を改正する政令（昭和四五年政令第三三三号）附則②】【道路の位置の指定の手続―規則九～一〇の二】【道路の位置の指定があつたとみなされる旧市街地建築物法による建築線の指定―法附則⑤】【建築物―法二1】【敷地―令一1】【特定行政庁―法二35】【建築審査会―法七八～八三】【引用規定―下水道法施行令五の二3・一七2ホ・一七の一〇1

第三節　建築物又はその敷地と道路又は壁面線との関係等

〔追加・昭和三四法一五六、改正・平成一五法一〇一〕

（敷地等と道路との関係）

第四三条　建築物の敷地は、道路（次に掲げるものを除く。第四十四条第一項を除き、以下同じ。）に二メートル以上接しなければならない。

一　自動車のみの交通の用に供する道路

二　地区計画の区域（地区整備計画が定められている区域のうち都市計画法第十二条の十一の規定により建築物その他の工作物の敷地として併せて利用すべき区域として定められている区域に限る。）内の道路

2　前項の規定は、次の各号のいずれかに該当する建築物については、適用しない。

一　その敷地が幅員四メートル以上の道（道路に該当するものを除き、避難及び通行の安全上必要な国土交通省令で定める基準に適合するものに限る。）に二メートル以上接する建築物のうち、利用者が少数であるものとしてその用途及び規模に関し国土交通省令で定める基準に適合するもので、特定行政庁が交通上、安全上、防火上及び衛生上支障がないと認めるもの

二　その敷地の周囲に広い空地を有する建築物その他の国土交通省令で定める基準に適合する建築物で、特定行政庁が交通上、安全上、防火上及び衛生上支障がないと認めて建築審査会の同意を得て許可したもの

3　地方公共団体は、次の各号のいずれかに該当する建築物について、その用途、規模又は位置の特殊性により、第一項の規定によつては避難又は通行の安全の目的を十分に達成することが困難であると認めるときは、条例で、その敷地が接しなければならない道路の幅員、その敷地が道路に接する部分の長さその他その敷地又は建築物と道路との関係に関して必要な制限を付加することができる。

一　特殊建築物

二　階数が三以上である建築物

三　政令で定める窓その他の開口部を有しない居室を有する建築物

四　延べ面積（同一敷地内に二以上の建築物がある場合においては、その延べ面積の合計。次号、第四節、第七節及び別表第三において同じ。）が千平方メートルを超える建築物

五　その敷地が袋路状道路（その一端のみが他の道路に接続したものをいう。）にのみ接する建築物で、延べ面積が百五十平方メートルを超えるもの（一戸建ての住宅を除く。）

〔改正・昭和三四法一五六・昭和四五法一〇九・平成元法五六・平成一二法六一・平成七法一三・平成一〇法一〇〇・平成一一法一六〇・平成一二法七三・平成一四法八五・平成一六法六七・平成三〇法二二・法六七〕

【参照】【建築物―法二1【敷地―令一1【道路―法四二【省令で定める基準―規則一〇の三【特定行政庁―法二35【建築審査会―法七八～八三【地区計画―法二23、都計法一二の四①1【地区整備計画―法二22、都計法一二の五②1【特殊建築物―法二2【階数―法九二・令二①8・④【政令で定める窓その他の開口部を有しない居室―令一一六の二・一四四の五【延べ面積―法九二・令二①4・③【用途の変更に対する準用―法八七②・③【罰則―法一〇一①3・②・一〇五・一〇七【引用規定―宅地建物取引業法施行令二の五2・三①2、密集市街地における防災街区の整備の促進に関する法律一一六、都市再生特別措置法三六の三①

参考規定―自動車のみの交通の用に供する道路―道路法四八の二、高速自動車国道法四、道路運送法二⑧、国土開発幹線自動車道建設法二・三、建築物その他の工作物の敷地として併せて利用すべき区域―都計法一二の五⑥

（その敷地が四メートル未満の道路にのみ接する建築物に対する制限の付加）

第四三条の二　地方公共団体は、交通上、安全上、防火上又は衛生上必要があると認めるときは、その敷地が第四十二条第三項の規定により水平距離が指定された道路にのみ二メートル（前条第三項各号のいずれかに該当する建築物で同項の条例によりその敷地が道路に接する部分の長さの制限が付加されているものにあつては、当該長さ）以上接する建築物について、条例で、その敷地、構造、建築設備又は用途に関して必要な制限を付加することができる。

〔追加・平成一五法一〇一、改正・平成三〇法六七〕

【参照】【敷地―令一1【道路―法四二【建築物―法二1【建築設備―法二3【用途の変更に対する準用―法八七②・③【罰則―法一〇七【引用規定―宅地建物取引業法施行令二の五2・三①2

（道路内の建築制限）

第四四条　建築物又は敷地を造成するための擁壁は、道路内に、又は道路に突き出して建築し、又は築造してはならない。ただし、次の各号のいずれかに該当する建築物については、この限りでない。

一　地盤面下に設ける建築物

二　公衆便所、巡査派出所その他これらに類する公益上必要な建築物で特定行政庁が通行上支障がないと認めて建築審査会の同意を得て許可したもの

三　第四十三条第一項第二号の道路の上空又は路面下に設ける建築物のうち、当該道路に係る地区計画の内容に適合し、かつ、政令で定める基準に適合するものであつて特定行政庁が安全上、防火上及び衛生上支障がないと認めるもの

四　公共用歩廊その他政令で定める建築物で特定行政庁が安全上、防火上及び衛生上他の建築物の利便を妨げ、その他周囲の環境を害するおそれがないと認めて許可したもの

2　特定行政庁は、前項第四号の規定による許可をする場合においては、あらかじめ、建築審査会の同意を得なければならない。

〔改正・昭和三二法一〇一・昭和三四法一五六・昭和四三法一〇一・平成元法五六・平成一〇法一〇〇・平成一四法八五・平成三〇法二二〕

【参照】【建築物―法二1【敷地―令一1【道路―法四二【建築―法二13【特定行政庁―法二35【建築審査会―法七八～八三【地区計画―法二22、都計法一二の四①1【政令で定める基準―令一四五①【政令で定める建築物―令一四五②・③【許可に関する消防長等の同意等―法九三、消防法七【罰則―法一〇一①3・②・一〇五【引用規定―宅地建物取引業法施行令二の五2・三①2、都市再生特別措置法三六の三②

参考規定―道路法三二、道路法施行令七、道路交通法七七、都計法五三

（私道の変更又は廃止の制限）

第四五条　私道の変更又は廃止によつて、その道路に接する敷地が第四十三条第一項の規定又は同条第三項の規定に基づく条例の規定に抵触することとなる場合においては、特定行政庁は、その私道の変更又は廃止を禁止し、又は制限することができる。

2　第九条第二項から第六項まで及び第十五項の規定は、前項の措置を命ずる場合に準用する。

〔改正・平成五法八九・平成三〇法六七〕

【参照】【道路―法四二【敷地―令一1【特定行政庁―法二35【引用規定―宅地建物取引業法施行令三①2

（壁面線の指定）

第四六条　特定行政庁は、街区内における建築物の位置を整えその環境の向上を図るために必要があると認める場合においては、建築審査会の同意を得て、壁面線を指定することができる。この場合においては、あらかじめ、その指定に利害関係を有する者の出頭を求めて公開による意見の聴取を行わなければならない。

2　前項の規定による意見の聴取を行う場合においては、同項の規定による指定の計画並びに意見の聴取の期日及び場所を期日の三日前までに公告しなければならない。

3　特定行政庁は、第一項の規定による指定をした場合においては、遅滞なく、その旨を公告しなければならない。

〔改正・平成五法八九〕

【参照】【特定行政庁―法二35【建築物―法二1【建築審査会―法七八～八三

類似規定―都計法八③2チ・四一①【壁面の位置の制限―法五九②・六〇②・六〇の二②・六〇の二の二②

（壁面線による建築制限）

第四七条　建築物の壁若しくはこれに代る柱又は高さ二メートルをこえる門若しくはへいは、壁面線を越えて建築してはならない。ただし、地盤面下の部分又は特定行政庁が建築審査会の同意を得て許可した歩廊の柱その他これに類するものについては、この限りでない。

〔改正・昭和三四法一五六〕

【参照】【建築物―法二1【壁面線―法四六【建築―法二13【特定行政庁―法二35【建築審査会―法七八～八三【許可に関する消防長等の同意等―法九三、消防法七【壁面の位置の制限―法五九②・六〇②・六〇の二②・六〇の二の二②【罰則―法一〇一①3・②・一〇五【引用規定―宅地建物取引業法施行令二の五2・三①2

類似規定―都計法四一②

第三節　建築物の用途

〔追加・昭和三四法一五六、改正・平成一二法七三〕

（用途地域等）

第四八条　第一種低層住居専用地域内においては、別表第二(い)項に掲げる建築物以外の建築物は、建築してはならない。ただし、特定行政庁が第一種低層住居専用地域における良好な住居の環境を害するおそれがないと認め、又は公益上やむを得ないと認めて許可した場合においては、この限りでない。

2　第二種低層住居専用地域内においては、別表第二(ろ)項に掲げる建築物以外の建築物は、建築してはならない。ただし、特定行政庁が第二種低層住居専用地域における良好な住居の環境を害するおそれがないと認め、又は公益上やむを得ないと認めて許可した場合においては、この限りでない。

3　第一種中高層住居専用地域内においては、別表第二(は)項に掲げる建築物以外の建築物は、建築してはならない。ただし、特定行政庁が第一種中高層住居専用地域における良好な住居の環境を害するおそれがないと認め、又は公益上やむを得ないと認めて許可した場合においては、この限りでない。

4　第二種中高層住居専用地域内においては、別表第二(に)項に掲げる建築物は、建築してはならない。ただし、特定行政庁が第二種中高層住居専用地域における良好な住居の環境を害するおそれがないと認め、又は公益上やむを得ないと認めて許可した場合においては、この限りでない。

5　第一種住居地域内においては、別表第二(ほ)項に掲げる建築物は、建築してはならない。ただし、特定行政庁が第一種住居地域における住居の環境を害するおそれがないと認め、又は公益上やむを得ないと認めて許可した場合においては、この限りでない。

6　第二種住居地域内においては、別表第二(へ)項に掲げる建築物は、建築してはならない。ただし、特定行政庁が第二種住居地域における住居の環境を害するおそれがないと認め、又は公益上やむを得ないと認めて許可した場合においては、この限りでない。

7　準住居地域内においては、別表第二(と)項に掲げる建築物は、建築してはならない。ただし、特定行政庁が準住居地域における住居の環境を害するおそれがないと認め、又は公益上やむを得ないと認めて許可した場合においては、この限りでない。

8　田園住居地域内においては、別表第二(ち)項に掲げる建築物以外の建築物は、建築してはならない。ただし、特定行政庁が農業の利便及び田園住居地域における良好な住居の環境を害するおそれがないと認め、又は公益上やむを得ないと認めて許可した場合においては、この限りでない。

9　近隣商業地域内においては、別表第二(り)項に掲げる建築物は、建築してはならない。ただし、特定行政庁が近隣の住宅地の住民に対する日用品の供給を行うことを主たる内容とする商業その他の業務の利便及び当該住宅地の環境を害するおそれがないと認め、又は公益上やむを得ないと認めて許可した場合においては、この限りでない。

10　商業地域内においては、別表第二(ぬ)項に掲げる建築物は、建築してはならない。ただし、特定行政庁が商業の利便を害するおそれがないと認め、又は公益上やむを得ないと認めて許可した場合においては、この限りでない。

11　準工業地域内においては、別表第二(る)項に掲げる建築物は、建築してはならない。ただし、特定行政庁が安全上若しくは防火上の危険の度若しくは衛生上の有害の度が低いと認め、又は公益上やむを得ないと認めて許可した場合においては、この限りでない。

12　工業地域内においては、別表第二(を)項に掲げる建築物は、建築してはならない。ただし、特定行政庁が工業の利便上又は公益上必要と認めて許可した場合においては、この限りでない。

13　工業専用地域内においては、別表第二(わ)項に掲げる建築物は、建築してはならない。ただし、特定行政庁が工業の利便を害するおそれがないと認め、又は公益上やむを得ないと認めて許可した場合においては、この限りでない。

14　第一種低層住居専用地域、第二種低層住居専用地域、第一種中高層住居専用地域、第二種中高層住居専用地域、第一種住居地域、第二種住居地域、準住居地域、田園住居地域、近隣商業地域、商業地域、準工業地域、工業地域又は工業専用地域（以下「用途地域」と総称する。）の指定のない区域（都市計画法第七条第一項に規定する市街化調整区域を除く。）内においては、別表第二(か)項に掲げる建築物は、建築してはならない。ただし、特定行政庁が当該区域における適正かつ合理的な土地利用及び環境の保全を図る上で支障がないと認め、又は公益上やむを得ないと認めて許可した場合においては、この限りでない。

15　特定行政庁は、前各項のただし書の規定による許可（次項において「特例許可」という。）をする場合においては、あらかじめ、その許可に利害関係を有する者の出頭を求めて公開により意見を聴取し、かつ、建築審査会の同意を得なければならない。

16　前項の規定にかかわらず、特定行政庁は、第一号に該当する場合においては同項の規定による意見の聴取及び同意の取得を要せず、第二号に該当する場合においては同項の規定による同意の取得を要しない。

一　特例許可を受けた建築物の増築、改築又は移転（これらのうち、政令で定める場合に限る。）について特例許可をする場合

二　日常生活に必要な政令で定める建築物で、騒音又は振動の発生その他の事象による住居の環境の悪化を防止するために必要な国土交通省令で定める措置が講じられているものの建築について特例許可（第一項から第七項までの規定のただし書の規定によるものに限る。）をする場合

17　特定行政庁は、第十五項の規定により意見を聴取する場合においては、その許可しようとする建築物の建築の計画並びに意見の聴取の期日及び場所を期日の三日前までに公告しなければならない。

〔全改・昭和四五法一〇九、改正・平成四法八二・平成五法八九・平成一八法四六・平成二九法二六・平成三〇法六七〕

参照【第一種低層住居専用地域、第二種低層住居専用地域、第一種中高層住居専用地域、第二種中高層住居専用地域、第一種住居地域、第二種住居地域、準住居地域、田園住居地域、近隣商業地域、商業地域、準工業地域、工業地域、工業専用地域―法二21、都計法八①1・九①～⑬【建築物―法二1【建築―法二13【特定行政庁―法二35【許可に関する消防長等の同意等―法九三、消防法七【建築審査会―法七八～八三【政令で定める場合―令一三〇①【政令で定める建築物―令一三〇②【用途の変更に対する準用―法八七②・③、令一三七の一九【省令で定める措置―規則一〇の四の三【工作物への準用―法八八②【罰則―法一〇一①5・一〇五【引用規定―宅地建物取引業法施行令二の五2・三①2、国家戦略特別区域法一五

参考規定―都計法一〇

（特別用途地区）

第四九条　特別用途地区内においては、前条第一項から第十三項までに定めるものを除くほか、その地区の指定の目的のためにする建築物の建築の制限又は禁止に関して必要な規定は、地方

公共団体の条例で定める。

2　特別用途地区内においては、地方公共団体は、その地区の指定の目的のために必要と認める場合においては、国土交通大臣の承認を得て、条例で、前条第一項から第十三項までの規定による制限を緩和することができる。

〔改正・昭和三四法一五六・昭和四三法一〇一、旧五二条を改正し繰上・昭和四五法一〇九、改正・平成四法八二・平成一一法一六〇・平成二九法二六〕

参照【特別用途地区―法二21、都計法八①2・③1・九⑭【建築物―法二1【建築―法二13【用途の変更に対する準用―法八七②・③、令一三七の一九③【工作物への準用―法八八②【罰則―法一〇七【引用規定―宅地建物取引業法施行令二の五2・三①2、国家戦略特別区域法一五

（特定用途制限地域）

第四九条の二　特定用途制限地域内における建築物の用途の制限は、当該特定用途制限地域に関する都市計画に即し、政令で定める基準に従い、地方公共団体の条例で定める。

〔追加・平成一二法七三〕

参照【特定用途制限地域―法二21、都計法八①2の2・九⑮【都市計画―法二19、都計法四①【建築物―法二1【政令で定める基準―令一三〇の二・一四四の二の四【用途の変更に対する準用―法八七②・③【工作物への準用―法八八②【罰則―法一〇七【引用規定―宅地建物取引業法施行令二の五2・三①2

（用途地域等における建築物の敷地、構造又は建築設備に対する制限）

第五〇条　用途地域、特別用途地区、特定用途制限地域、都市再生特別地区、居住環境向上用途誘導地区又は特定用途誘導地区内における建築物の敷地、構造又は建築設備に関する制限で当該地域又は地区の指定の目的のために必要なものは、地方公共団体の条例で定める。

〔改正・昭和二八法一一四、全改・昭和三四法一五六、改正・昭和四三法一〇一、旧五三条を改正し繰上・昭和四五法一〇九、改正・平成四法八二・平成一二法七三・平成一四法二二・平成一八法四六・平成二六法三九・令和二法四三〕

参照【第一種低層住居専用地域、第二種低層住居専用地域、第一種中高層住居専用地域、第二種中高層住居専用地域、第一種住居地域、第二種住居地域、準住居地域、田園住居地域、近隣商業地域、商業地域、準工業地域、工業地域、工業専用地域、特別用途地区、特定用途制限地域、都市再生特別地区、居住環境向上用途誘導地区、特定用途誘導地区―法二21、都計法八①1・2・2の2・4の2・九①～⑮、都市再生特別措置法三六①・九四の二①・一〇九①【建築物―法二1【敷地―令一1【用途の変更に対する準用―法八七②・③【工作物への準用―法八八②【罰則―法一〇七【引用規定―宅地建物取引業法施行令二の五2・三①2

（卸売市場等の用途に供する特殊建築物の位置）

第五一条　都市計画区域内においては、卸売市場、火葬場又はと畜場、汚物処理場、ごみ焼却場その他政令で定める処理施設の用途に供する建築物は、都市計画においてその敷地の位置が決定しているものでなければ、新築し、又は増築してはならない。ただし、特定行政庁が都道府県都市計画審議会（その敷地の位置を都市計画に定めるべき者が市町村であり、かつ、その敷地が所在する市町村に市町村都市計画審議会が置かれている場合にあつては、当該市町村都市計画審議会）の議を経てその敷地の位置が都市計画上支障がないと認めて許可した場合又は政令で定める規模の範囲内において新築し、若しくは増築する場合においては、この限りでない。

〔全改・昭和三四法一五六、改正・昭和四三法一〇一、旧五四条を繰上・昭和四五法一〇九、改正・昭和四五法一三七・平成一一法八七・平成一二法七三・平成一六法六七〕

参照【政令で定める処理施設―令一三〇の二の二【建築物―法二1【都市計画―法二19、都計法四①【都市計画においてその敷地の位置が決定―都計法一一①3・7・一三①11・一九【敷地―令一1【特定行政庁―法二35【都道府県都市計画審議会―都計法七七、都道府県都市計画審議会及び市町村都市計画審議会の組織及び運営の基準を定める政令【市町村都市計画審議会―都計法七七の二、都道府県都市計画審議会及び市町村都市計画審議会の組織及び運営の基準を定める政令【許可に関する消防長等の同意等―法九三、消防法七【政令で定める規模―令一三〇の二の三【用途の変更に対する準用―法八七②・③【工作物への準用―法八八②【罰則―法一〇一①5・一〇五

第四節　建築物の敷地及び構造

〔追加・昭和三四法一五六、改正・平成一二法七三〕

（容積率）

第五二条　建築物の延べ面積の敷地面積に対する割合（以下「容積率」という。）は、次の各号に掲げる区分に従い、当該各号に定める数値以下でなければならない。ただし、当該建築物が第五号に掲げる建築物である場合において、第三項の規定により建築物の延べ面積の算定に当たりその床面積が当該建築物の延べ面積に算入されない部分を有するときは、当該部分の床面積を含む当該建築物の容積率は、当該建築物がある第一種住居地域、第二種住居地域、準住居地域、近隣商業地域又は準工業地域に関する都市計画において定められた第二号に定める数値の一・五倍以下でなければならない。

一　第一種低層住居専用地域、第二種低層住居専用地域又は田園住居地域内の建築物（第六号及び第七号に掲げる建築物を除く。）　十分の五、十分の六、十分の八、十分の十、十分の十五又は十分の二十のうち当該地域に関する都市計画において定められたもの

二　第一種中高層住居専用地域若しくは第二種中高層住居専用地域内の建築物（第六号及び第七号に掲げる建築物を除く。）又は第一種住居地域、第二種住居地域、準住居地域、近隣商業地域若しくは準工業地域内の建築物（第五号から第七号までに掲げる建築物を除く。）　十分の十、十分の十五、十分の二十、十分の三十、十分の四十又は十分の五十のうち当該地域に関する都市計画において定められたもの

三　商業地域内の建築物（第六号及び第七号に掲げる建築物を除く。）	十分の二十、十分の三十、十分の四十、十分の五十、十分の六十、十分の七十、十分の八十、十分の九十、十分の百、十分の百十、十分の百二十又は十分の百三十のうち当該地域に関する都市計画において定められたもの
四　工業地域内の建築物（第六号及び第七号に掲げる建築物を除く。）又は工業専用地域内の建築物	十分の十、十分の十五、十分の二十、十分の三十又は十分の四十のうち当該地域に関する都市計画において定められたもの
五　高層住居誘導地区内の建築物（第七号に掲げる建築物を除く。）であつて、その住宅の用途に供する部分の床面積の合計がその延べ面積の三分の二以上であるもの（当該高層住居誘導地区に関する都市計画において建築物の敷地面積の最低限度が定められたときは、その敷地面積が当該最低限度以上のものに限る。）	当該建築物がある第一種住居地域、第二種住居地域、準住居地域、近隣商業地域又は準工業地域に関する都市計画において定められた第二号に定める数値から、その一・五倍以下で当該建築物の住宅の用途に供する部分の床面積の合計のその延べ面積に対する割合に応じて政令で定める方法により算出した数値までの範囲内で、当該高層住居誘導地区に関する都市計画において定められたもの
六　居住環境向上用途誘導地区内の建築物であつて、その全部又は一部を当該居住環境向上用途誘導地区に関する都市計画において定められた誘導すべき用途に供するもの	当該居住環境向上用途誘導地区に関する都市計画において定められた数値
七　特定用途誘導地区内の建築物であつて、その全部又は一部を当該特定用途誘導地区に関する都市計画において定められた誘導すべき用途に供するもの	当該特定用途誘導地区に関する都市計画において定められた数値
八　用途地域の指定のない区域内の建築物	十分の五、十分の八、十分の十、十分の二十、十分の三十又は十分の四十のうち、特定行政庁が土地利用の状況等を考慮し当該区域を区分して都道府県都市計画審議会の議を経て定めるもの

2　前項に定めるもののほか、前面道路（前面道路が二以上あるときは、その幅員の最大のもの。以下この項及び第十二項において同じ。）の幅員が十二メートル未満である建築物の容積率は、当該前面道路の幅員のメートルの数値に、次の各号に掲げる区分に従い、当該各号に定める数値を乗じたもの以下でなければならない。

一　第一種低層住居専用地域、第二種低層住居専用地域又は田園住居地域内の建築物	十分の四
二　第一種中高層住居専用地域若しくは第二種中高層住居専用地域内の建築物又は第一種住居地域、第二種住居地域若しくは準住居地域内の建築物（高層住居誘導地区内の建築物であつて、その住宅の用途に供する部分の床面積の合計がその延べ面積の三分の二以上であるもの（当該高層住居誘導地区に関する都市計画において建築物の敷地面積の最低限度が定められたときは、その敷地面積が当該最低限度以上のものに限る。第五十六条第一項第二号ハ及び別表第三の四の項において同じ。）を除く。）	十分の四（特定行政庁が都道府県都市計画審議会の議を経て指定する区域内の建築物にあつては、十分の六）
三　その他の建築物	十分の六（特定行政庁が都道府県都市計画審議会の議を経て指定する区域内の建築物にあつては、十分の四又は十分の八のうち特定行政庁が都道府県都市計画審議会の議を経て定めるもの）

3　第一項（ただし書を除く。）、前項、第七項、第十二項及び第十四項、第五十七条の二第三項第二号、第五十七条の三第二項、第五十九条第一項及び第三項、第五十九条の二第一項、第六十条第一項、第六十条の二第一項及び第四項、第六十八条の三第一項、第六十八条の四、第六十八条の五（第二号イを除く。第六項において同じ。）、第六十八条の五の二（第二号イを除く。第六項において同じ。）、第六十八条の五の三第一項（第一号ロを除く。第六項において同じ。）、第六十八条の五の四（ただし書及び第一号ロを除く。）、第六十八条の五の五第一項第一号ロ、第六十八条の八、第六十八条の九第一項、第八十六条第三項及び第四項、第八十六条の二第二項及び第三項、第八十六条の五第三項並びに第八十六条の六第一項に規定する建築物の容積率（第五十九条第一項、第六十条の二第一項及び第六十八条の九第一項に規定するものについては、建築物の容積率の最高限度に係る場合に限る。第六項において同じ。）の算定の基礎となる延べ面積には、建築物の地階でその天井が地盤面からの高さ一メートル以下にあるものの住宅又は老人ホーム、福祉ホームその他これらに類するもの（以下この項並びに第六項第二号及

び第三号において「老人ホーム等」という。）の用途に供する部分（第六項各号に掲げる建築物の部分を除く。以下この項において同じ。）の床面積（当該床面積が当該建築物の住宅及び老人ホーム等の用途に供する部分の床面積の合計の三分の一を超える場合においては、当該建築物の住宅及び老人ホーム等の用途に供する部分の床面積の合計の三分の一）は、算入しないものとする。

4　前項の地盤面とは、建築物が周囲の地面と接する位置の平均の高さにおける水平面をいい、その接する位置の高低差が三メートルを超える場合においては、その高低差三メートル以内ごとの平均の高さにおける水平面をいう。

5　地方公共団体は、土地の状況等により必要と認める場合においては、前項の規定にかかわらず、政令で定める基準に従い、条例で、区域を限り、第三項の地盤面を別に定めることができる。

6　第一項、第二項、次項、第十二項及び第十四項、第五十七条の二第三項第二号、第五十七条の三第二項、第五十九条第一項及び第三項、第五十九条の二第一項、第六十条第一項、第六十条の二第一項及び第四項、第六十八条の三第一項、第六十八条の四、第六十八条の五、第六十八条の五の二、第六十八条の五の三第一項、第六十八条の五の四（第一号ロを除く。）、第六十八条の五の五第一項第一号ロ、第六十八条の八、第六十八条の九第一項、第八十六条第三項及び第四項、第八十六条の二第二項及び第三項、第八十六条の五第三項並びに第八十六条の六第一項に規定する建築物の容積率の算定の基礎となる延べ面積には、次に掲げる建築物の部分の床面積は、算入しないものとする。

一　政令で定める昇降機の昇降路の部分

二　共同住宅又は老人ホーム等の共用の廊下又は階段の用に供する部分

三　住宅又は老人ホーム等に設ける機械室その他これに類する建築物の部分（給湯設備その他の国土交通省令で定める建築設備を設置するためのものであつて、市街地の環境を害するおそれがないものとして国土交通省令で定める基準に適合するものに限る。）で、特定行政庁が交通上、安全上、防火上及び衛生上支障がないと認めるもの

7　建築物の敷地が第一項及び第二項の規定による建築物の容積率に関する制限を受ける地域、地区又は区域の二以上にわたる場合においては、当該建築物の容積率は、第一項及び第二項の規定による当該各地域、地区又は区域内の建築物の容積率の限度にその敷地の当該地域、地区又は区域内にある各部分の面積の敷地面積に対する割合を乗じて得たものの合計以下でなければならない。

8　その全部又は一部を住宅の用途に供する建築物（居住環境向上用途誘導地区内の建築物であつてその一部を当該居住環境向上用途誘導地区に関する都市計画において定められた誘導すべき用途に供するもの及び特定用途誘導地区内の建築物であつてその一部を当該特定用途誘導地区に関する都市計画において定められた誘導すべき用途に供するものを除く。）であつて次に掲げる条件に該当するものについては、当該建築物がある地域に関する都市計画において定められた第一項第二号又は第三号に定める数値の一・五倍以下で当該建築物の住宅の用途に供する部分の床面積の合計のその延べ面積に対する割合に応じて政令で定める方法により算出した数値（特定行政庁が都道府県都市計画審議会の議を経て指定する区域内にあつては、当該都市計画において定められた数値から当該算出した数値までの範囲内で特定行政庁が都道府県都市計画審議会の議を経て別に定めた数値）を同項第二号又は第三号に定める数値とみなして、同項及び第三項から前項までの規定を適用する。ただし、当該建築物が第三項の規定により建築物の延べ面積の算定に当たりその床面積が当該建築物の延べ面積に算入されない部分を有するときは、当該部分の床面積を含む当該建築物の容積率は、当該建築物がある地域に関する都市計画において定められた第一項第二号又は第三号に定める数値の一・五倍以下でなければならない。

一　第一種住居地域、第二種住居地域、準住居地域、近隣商業地域若しくは準工業地域（高層住居誘導地区及び特定行政庁が都道府県都市計画審議会の議を経て指定する区域を除く。）又は商業地域（特定行政庁が都道府県都市計画審議会の議を経て指定する区域を除く。）内にあること。

二　その敷地内に政令で定める規模以上の空地（道路に接して有効な部分が政令で定める規模以上であるものに限る。）を有し、かつ、その敷地面積が政令で定める規模以上であること。

9　建築物の敷地が、幅員十五メートル以上の道路（以下この項において「特定道路」という。）に接続する幅員六メートル以上十二メートル未満の前面道路のうち当該特定道路からの延長が七十メートル以内の部分において接する場合における当該建築物に対する第二項から第七項までの規定の適用については、第二項中「幅員」とあるのは、「幅員（第九項の特定道路に接続する同項の前面道路のうち当該特定道路からの延長が七十メートル以内の部分にあつては、その幅員に、当該特定道路から当該建築物の敷地が接する当該前面道路の部分までの延長に応じて政令で定める数値を加えたもの）」とする。

10　建築物の敷地が都市計画において定められた計画道路（第四十二条第一項第四号に該当するものを除くものとし、以下この項において「計画道路」という。）に接する場合又は当該敷地内に計画道路がある場合において、特定行政庁が交通上、安全上、防火上及び衛生上支障がないと認めて許可した建築物については、当該計画道路を第二項の前面道路とみなして、同項から第七項まで及び前項の規定を適用するものとする。この場合においては、当該敷地のうち計画道路に係る部分の面積は、敷地面積又は敷地の部分の面積に算入しないものとする。

11　前面道路の境界線又はその反対側の境界線からそれぞれ後退して壁面線の指定がある場合において、特定行政庁が次に掲げる基準に適合すると認めて許可した建築物については、当該前面道路の境界線又はその反対側の境界線は、それぞれ当該壁面線にあるものとみなして、第二項から第七項まで及び第九項の規定を適用するものとする。この場合においては、当該建築物の敷地のうち前面道路と壁面線との間の部分の面積は、敷地面積又は敷地の部分の面積に算入しないものとする。

一　当該建築物がある街区内における土地利用の状況等からみて、その街区内において、前面道路と壁面線との間の敷地の部分が当該前面道路と一体的かつ連続的に有効な空地として確保されており、又は確保されることが確実と見込まれること。

二　交通上、安全上、防火上及び衛生上支障がないこと。

12　第二項各号の規定により前面道路の幅員のメートルの数値に乗ずる数値が十分の四とされている建築物で、前面道路の境界線から後退して壁面線の指定がある場合又は第六十八条の二第一項の規定に基づく条例で定める壁面の位置の制限（道路に面する建築物の壁又はこれに代わる柱の位置及び道路に面する高

さ二メートルを超える門又は塀の位置を制限するものに限る。）がある場合において当該壁面線又は当該壁面の位置の制限として定められた限度の線（以下この項及び次項において「壁面線等」という。）を越えないもの（ひさしその他の建築物の部分で政令で定めるものを除く。）については、当該前面道路の境界線は、当該壁面線等にあるものとみなして、第二項から第七項まで及び第九項の規定を適用することができる。ただし、建築物の容積率は、当該前面道路の幅員のメートルの数値に十分の六を乗じたもの以下でなければならない。

13 前項の場合においては、当該建築物の敷地のうち前面道路と壁面線等との間の部分の面積は、敷地面積又は敷地の部分の面積に算入しないものとする。

14 次の各号のいずれかに該当する建築物で、特定行政庁が交通上、安全上、防火上及び衛生上支障がないと認めて許可したものの容積率は、第一項から第九項までの規定にかかわらず、その許可の範囲内において、これらの規定による限度を超えるものとすることができる。

一 同一敷地内の建築物の機械室その他これに類する部分の床面積の合計の建築物の延べ面積に対する割合が著しく大きい場合におけるその敷地内の建築物

二 その敷地の周囲に広い公園、広場、道路その他の空地を有する建築物

三 建築物のエネルギー消費性能（建築物のエネルギー消費性能の向上等に関する法律（平成二十七年法律第五十三号）第二条第一項第二号に規定するエネルギー消費性能をいう。次条第五項第四号において同じ。）の向上のため必要な外壁に関する工事その他の屋外に面する建築物の部分に関する工事を行う建築物で構造上やむを得ないものとして国土交通省令で定めるもの

15 第四十四条第二項の規定は、第十項、第十一項又は前項の規定による許可をする場合に準用する。

〔追加・昭和四五法一〇九、改正・昭和五一法八三・昭和六二法六六・平成四法八二・平成六法六二・平成七法一三・平成九法五〇・法七九・平成一〇法一〇〇・平成一一法八七・平成一二法七三・平成一四法二二・法八五・平成一五法一〇一・平成一六法六七・法一一一・平成一九法一九・平成二六法三九・法五四・平成二九法二六・平成三〇法六七・令和二法四三・令和四法六九〕

参照 【建築物―法二1【延べ面積―法九二、令二①4・③【敷地―令一1【敷地面積―法九二、令二①1【道路―法四二・四三【第一種低層住居専用地域、第二種低層住居専用地域、第一種中高層住居専用地域、第二種中高層住居専用地域、第一種住居地域、第二種住居地域、準住居地域、田園住居地域、近隣商業地域、商業地域、準工業地域、工業地域、工業専用地域―法二21、都計法八①1・九①～⑬【都市計画―法二19、都計法四①【都市計画において定められた―都計法八③2イ【特定行政庁―法二35【高層住居誘導地区―法二21、都計法八①2の4・③2へ・九⑰【政令で定める方法により算出した数値―令一三五の一四【地階―令一2【床面積―令二①3【政令で定める基準―令一三五の一五【政令で定める昇降機―令一三五の一六【政令で定める空地の規模―令一三五の一七①【政令で定める道路に接して有効な部分―令一三五の一七②【政令で定める敷地面積の規模―令一三五の一七③【政令で定める数値―令一三五の一八【壁面線―法四六【許可に関する消防長等の同意等―法九三、消防法七【壁面の位置の制限―法五九②・六〇②・六〇の二②・六〇の二の二②【政令で定める除く部分―令一三五の一九【省令で定める建築設備―規則一〇の四の四【省令で定める建築物―規則一〇の四の五【省令で定める基準―規則一〇の四の六【罰則―法一〇一①3・②・一〇五【引用規定―宅地建物取引業法施行令二の五2・三①2、高齢者、障害者等の移動等の円滑化の促進に関する法律一九・二四、津波防災地域づくりに関する法律一五、都市再生特別措置法一九の一九、都市の低炭素化の促進に関する法律六〇、国家戦略特別区域法一六、建築物のエネルギー消費性能の向上等に関する法律四〇

類似規定―都計法八③2へ・ト

（建蔽率）

第五三条 建築物の建築面積（同一敷地内に二以上の建築物がある場合においては、その建築面積の合計）の敷地面積に対する割合（以下「建蔽率」という。）は、次の各号に掲げる区分に従い、当該各号に定める数値を超えてはならない。

一 第一種低層住居専用地域、第二種低層住居専用地域、第一種中高層住居専用地域、第二種中高層住居専用地域、田園住居地域又は工業専用地域内の建築物　十分の三、十分の四、十分の五又は十分の六のうち当該地域に関する都市計画において定められたもの

二 第一種住居地域、第二種住居地域、準住居地域又は準工業地域内の建築物　十分の五、十分の六又は十分の八のうち当該地域に関する都市計画において定められたもの

三 近隣商業地域内の建築物　十分の六又は十分の八のうち当該地域に関する都市計画において定められたもの

四 商業地域内の建築物　十分の八

五 工業地域内の建築物　十分の五又は十分の六のうち当該地域に関する都市計画において定められたもの

六 用途地域の指定のない区域内の建築物　十分の三、十分の四、十分の五、十分の六又は十分の七のうち、特定行政庁が土地利用の状況等を考慮し当該区域を区分して都道府県都市計画審議会の議を経て定めるもの

2 建築物の敷地が前項の規定による建築物の建蔽率に関する制限を受ける地域又は区域の二以上にわたる場合においては、当該建築物の建蔽率は、同項の規定による当該各地域又は区域内の建築物の建蔽率の限度にその敷地の当該地域又は区域内にある各部分の面積の敷地面積に対する割合を乗じて得たものの合計以下でなければならない。

3 前二項の規定の適用については、第一号又は第二号のいずれかに該当する建築物にあつては第一項各号に定める数値に十分の一を加えたものをもつて当該各号に定める数値とし、第一号及び第二号に該当する建築物にあつては同項各号に定める数値に十分の二を加えたものをもつて当該各号に定める数値とする。

一 防火地域（第一項第二号から第四号までの規定により建蔽率の限度が十分の八とされている地域を除く。）内にあるイに該当する建築物又は準防火地域内にあるイ若しくはロのいずれかに該当する建築物

イ 耐火建築物又はこれと同等以上の延焼防止性能（通常の火災による周囲への延焼を防止するために壁、柱、床その他の建築物の部分及び防火戸その他の政令で定める防火設備に必要とされる性能をいう。ロにおいて同じ。）を有す

るものとして政令で定める建築物（以下この条及び第六十七条第一項において「耐火建築物等」という。）
ロ　準耐火建築物又はこれと同等以上の延焼防止性能を有するものとして政令で定める建築物（耐火建築物等を除く。第八項及び第六十七条第一項において「準耐火建築物等」という。）
二　街区の角にある敷地又はこれに準ずる敷地で特定行政庁が指定するものの内にある建築物

4　隣地境界線から後退して壁面線の指定がある場合又は第六十八条の二第一項の規定に基づく条例で定める壁面の位置の制限（隣地境界線に面する建築物の壁又はこれに代わる柱の位置及び隣地境界線に面する高さ二メートルを超える門又は塀の位置を制限するものに限る。）がある場合において、当該壁面線又は壁面の位置の制限として定められた限度の線を越えない建築物（ひさしその他の建築物の部分で政令で定めるものを除く。次項において同じ。）で、特定行政庁が安全上、防火上及び衛生上支障がないと認めて許可したものの建蔽率は、前三項の規定にかかわらず、その許可の範囲内において、前三項の規定による限度を超えるものとすることができる。

5　次の各号のいずれかに該当する建築物で、特定行政庁が安全上、防火上及び衛生上支障がないと認めて許可したものの建蔽率は、第一項から第三項までの規定にかかわらず、その許可の範囲内において、これらの規定による限度を超えるものとすることができる。
一　特定行政庁が街区における避難上及び消火上必要な機能の確保を図るため必要と認めて前面道路の境界線から後退して壁面線を指定した場合における、当該壁面線を越えない建築物
二　特定防災街区整備地区に関する都市計画において特定防災機能（密集市街地整備法第二条第三号に規定する特定防災機能をいう。次号において同じ。）の確保を図るため必要な壁面の位置の制限（道路に面する建築物の壁又はこれに代わる柱の位置及び道路に面する高さ二メートルを超える門又は塀の位置を制限するものに限る。同号において同じ。）が定められた場合における、当該壁面の位置の制限として定められた限度の線を越えない建築物
三　第六十八条の二第一項の規定に基づく条例において防災街区整備地区計画の区域（特定建築物地区整備計画又は防災街区整備地区整備計画が定められている区域に限る。）における特定防災機能の確保を図るため必要な壁面の位置の制限が定められた場合における、当該壁面の位置の制限として定められた限度の線を越えない建築物
四　建築物のエネルギー消費性能の向上のため必要な外壁に関する工事その他の屋外に面する建築物の部分に関する工事を行う建築物で構造上やむを得ないものとして国土交通省令で定めるもの

6　前各項の規定は、次の各号のいずれかに該当する建築物については、適用しない。
一　防火地域（第一項第二号から第四号までの規定により建蔽率の限度が十分の八とされている地域に限る。）内にある耐火建築物等
二　巡査派出所、公衆便所、公共用歩廊その他これらに類するもの
三　公園、広場、道路、川その他これらに類するものの内にある建築物で特定行政庁が安全上、防火上及び衛生上支障がないと認めて許可したもの

7　建築物の敷地が防火地域の内外にわたる場合において、その敷地内の建築物の全部が耐火建築物等であるときは、その敷地は、全て防火地域内にあるものとみなして、第三項第一号又は前項第一号の規定を適用する。

8　建築物の敷地が準防火地域と防火地域及び準防火地域以外の区域とにわたる場合において、その敷地内の建築物の全部が耐火建築物等又は準耐火建築物等であるときは、その敷地は、全て準防火地域内にあるものとみなして、第三項第一号の規定を適用する。

9　第四十四条第二項の規定は、第四項、第五項又は第六項第三号の規定による許可をする場合に準用する。

〔追加・昭和四五法一〇九、改正・昭和四九法六七・昭和五一法八三・平成四法八二・平成一〇法一〇〇・平成一一法八七・平成一二法七三・平成一四法八五・平成二九法二六・平成三〇法六七・令和四法六九〕

参照　【建築物―法二1】【建築面積―法九二、令二①2】【敷地―令一1】【敷地面積―法九二、令二①1】【第一種低層住居専用地域、第二種低層住居専用地域、第一種中高層住居専用地域、第二種中高層住居専用地域、第一種住居地域、第二種住居地域、準住居地域、田園住居地域、近隣商業地域、商業地域、準工業地域、工業地域、工業専用地域―法二21、都計法八①1、九①～⑬】【都市計画―法二19、都計法四①】【都市計画において定められた―都計法八③2ロ・ハ】【第二種住居専用地域に関する経過措置―建築基準法の一部を改正する法律（昭和五一年法律第八三号）附則⑤】【工業専用地域に関する経過措置―都市計画法及び建築基準法の一部を改正する法律（昭和四九年法律第六七号）附則②】【防火地域―法二21、都計法八①5・九㉑】【耐火建築物―法二9の2】【政令で定める防火設備―令一〇九①】【政令で定める建築物―令一三五の二〇】【壁面線―法四六①】【政令で定めるもの―令一三五の二一】【省令で定める建築物―規則一〇の四の八】【特定行政庁―法二35】【建築審査会―法七八～八三】【道路―法四二】【罰則―法一〇一①3・②・一〇五】【引用規定―宅地建物取引業法施行令二の五2・三①2

類似規定―都計法八③2へ

（建築物の敷地面積）

第五三条の二　建築物の敷地面積は、用途地域に関する都市計画において建築物の敷地面積の最低限度が定められたときは、当該最低限度以上でなければならない。ただし、次の各号のいずれかに該当する建築物の敷地については、この限りでない。
一　前条第六項第一号に掲げる建築物
二　公衆便所、巡査派出所その他これらに類する建築物で公益上必要なもの
三　その敷地の周囲に広い公園、広場、道路その他の空地を有する建築物であつて、特定行政庁が市街地の環境を害するおそれがないと認めて許可したもの
四　特定行政庁が用途上又は構造上やむを得ないと認めて許可したもの

2　前項の都市計画において建築物の敷地面積の最低限度を定める場合においては、その最低限度は、二百平方メートルを超えてはならない。

3　第一項の都市計画において建築物の敷地面積の最低限度が定められ、又は変更された際、現に建築物の敷地として使用されている土地で同項の規定に適合しないもの又は現に存する所有権その他の権利に基づいて建築物の敷地として使用するならば同項の規定に適合しないこととなる土地について、その全部を一の敷地として使用する場合においては、同項の規定は、適用

しない。ただし、次の各号のいずれかに該当する土地については、この限りでない。

一　第一項の都市計画における建築物の敷地面積の最低限度が変更された際、建築物の敷地面積の最低限度に関する従前の制限に違反していた建築物の敷地又は所有権その他の権利に基づいて建築物の敷地として使用するならば当該制限に違反することとなつた土地

二　第一項の規定に適合するに至つた建築物の敷地又は所有権その他の権利に基づいて建築物の敷地として使用するならば同項の規定に適合するに至つた土地

4　第四十四条第二項の規定は、第一項第三号又は第四号の規定による許可をする場合に準用する。

〔追加・平成一四法八五、改正・平成三〇法六七〕

参照【建築物―法二1【都市計画において建築物の敷地面積の最低限度が定められた―都計法八③２イ【敷地面積―法九二、令二①１【道路―法四二【特定行政庁―法二35【建築審査会―法七八～八三【公共事業の施行等による敷地面積の減少についての準用―法八六の九②【罰則―法一〇一①３・②・一〇五【引用規定―宅地建物取引業法施行令二の五２・三①２

（第一種低層住居専用地域等内における外壁の後退距離）

第五四条　第一種低層住居専用地域、第二種低層住居専用地域又は田園住居地域内においては、建築物の外壁又はこれに代わる柱の面から敷地境界線までの距離（以下この条及び第八十六条の六第一項において「外壁の後退距離」という。）は、当該地域に関する都市計画において外壁の後退距離の限度が定められた場合においては、政令で定める場合を除き、当該限度以上でなければならない。

2　前項の都市計画において外壁の後退距離の限度を定める場合においては、その限度は、一・五メートル又は一メートルとする。

〔追加・昭和四五法一〇九、改正・昭和六二法六六・平成四法八二・平成九法五〇・平成一〇法一〇〇・平成二九法二六〕

参照【第一種低層住居専用地域、第二種低層住居専用地域、田園住居地域―法二21、都計法八①１・九①・②・⑧【建築物―法二１【敷地―令一１【都市計画―法二19、都計法四①【都市計画において外壁の後退距離の限度が定められた―都計法八③２ロ【政令で定める場合―令一三五の二二【罰則―法一〇一①３・②・一〇五【引用規定―宅地建物取引業法施行令三①２

（第一種低層住居専用地域等内における建築物の高さの限度）

第五五条　第一種低層住居専用地域、第二種低層住居専用地域又は田園住居地域内においては、建築物の高さは、十メートル又は十二メートルのうち当該地域に関する都市計画において定められた建築物の高さの限度を超えてはならない。

2　前項の都市計画において建築物の高さの限度が十メートルと定められた第一種低層住居専用地域、第二種低層住居専用地域又は田園住居地域内においては、その敷地内に政令で定める空地を有し、かつ、その敷地面積が政令で定める規模以上である建築物であつて、特定行政庁が低層住宅に係る良好な住居の環境を害するおそれがないと認めるものの高さの限度は、同項の規定にかかわらず、十二メートルとする。

3　再生可能エネルギー源（太陽光、風力その他非化石エネルギー源のうち、エネルギー源として永続的に利用することができると認められるものをいう。第五十八条第二項において同じ。）の利用に資する設備の設置のため必要な屋根に関する工事その他の屋外に面する建築物の部分に関する工事を行う建築物で構造上やむを得ないものとして国土交通省令で定めるものであつて、特定行政庁が低層住宅に係る良好な住居の環境を害するおそれがないと認めて許可したものの高さは、前二項の規定にかかわらず、その許可の範囲内において、これらの規定による限度を超えるものとすることができる。

4　第一項及び第二項の規定は、次の各号のいずれかに該当する建築物については、適用しない。

一　その敷地の周囲に広い公園、広場、道路その他の空地を有する建築物であつて、低層住宅に係る良好な住居の環境を害するおそれがないと認めて特定行政庁が許可したもの

二　学校その他の建築物であつて、その用途によつてやむを得ないと認めて特定行政庁が許可したもの

5　第四十四条第二項の規定は、第三項又は前項各号の規定による許可をする場合について準用する。

〔改正・昭和二七法一六〇・昭和三三法一〇一・昭和三四法一五六・昭和四四法三八、全改・昭和四五法一〇九・昭和五一法八三・昭和六二法六六、改正・平成四法八二・平成二九法二六・令和四法六九〕

参照【第一種低層住居専用地域、第二種低層住居専用地域、田園住居地域―法二21、都計法八①１・九①・②・⑧【建築物―法二１【都市計画において定められた―都計法八③２ロ【建築物の高さ―法九二、令二①６・②・④【敷地―令一１【道路―法四二【特定行政庁―法二35【許可に関する消防長等の同意等―法九三、消防法七【敷地面積―法九二、令二①１【政令で定める敷地内の空地・政令で定める敷地面積の規模―令一三〇の一〇【省令で定める建築物―規則一〇の四の九【罰則―法一〇一①３・②・一〇五【引用規定―宅地建物取引業法施行令二の五２・三①２、電波法による伝搬障害の防止に関する規則六２【経過措置―建築基準法の一部を改正する法律（昭和六二年法律六六号）附則七

（建築物の各部分の高さ）

第五六条　建築物の各部分の高さは、次に掲げるもの以下としなければならない。

一　別表第三(い)欄及び(ろ)欄に掲げる地域、地区又は区域及び容積率の限度の区分に応じ、前面道路の反対側の境界線からの水平距離が同表(は)欄に掲げる距離以下の範囲内においては、当該部分から前面道路の反対側の境界線までの水平距離に、同表(に)欄に掲げる数値を乗じて得たもの

二　当該部分から隣地境界線までの水平距離に、次に掲げる区分に従い、イ若しくはニに定める数値が一・二五とされている建築物で高さが二十メートルを超える部分を有するもの又はイからニまでに定める数値が二・五とされている建築物（ロ及びハに掲げる建築物で、特定行政庁が都道府県都市計画審議会の議を経て指定する区域内にあるものを除く。以下この号及び第七項第二号において同じ。）で高さが三十一メートルを超える部分を有するものにあつては、それぞれその部分から隣地境界線までの水平距離のうち最小のものに相当する距離を加えたものに、イ又はニに定める数値が一・二五とされている建築物にあつては二十メートルを、イからニまでに定める数値が二・五とされている建築物にあつては三十一メートルを加えたもの

イ　第一種中高層住居専用地域若しくは第　一・二五（第五十二条第一項第二号の規定により容積率の限度が十

二種中高層住居専用地域内の建築物又は第一種住居地域、第二種住居地域若しくは準住居地域内の建築物（ハに掲げる建築物を除く。）		分の三十以下とされている第一種中高層住居専用地域及び第二種中高層住居専用地域以外の地域のうち、特定行政庁が都道府県都市計画審議会の議を経て指定する区域内の建築物にあつては、二・五）
ロ　近隣商業地域若しくは準工業地域内の建築物（ハに掲げる建築物を除く。）又は商業地域、工業地域若しくは工業専用地域内の建築物	二・五	
ハ　高層住居誘導地区内の建築物であつて、その住宅の用途に供する部分の床面積の合計がその延べ面積の三分の二以上であるもの	二・五	
二　用途地域の指定のない区域内の建築物	一・二五又は二・五のうち、特定行政庁が土地利用の状況等を考慮し当該区域を区分して都道府県都市計画審議会の議を経て定めるもの	

三　第一種低層住居専用地域、第二種低層住居専用地域若しくは田園住居地域内又は第一種中高層住居専用地域若しくは第二種中高層住居専用地域（次条第一項の規定に基づく条例で別表第四の二の項に規定する㈠、㈡又は㈢の号が指定されているものを除く。以下この号及び第七項第三号において同じ。）内においては、当該部分から前面道路の反対側の境界線又は隣地境界線までの真北方向の水平距離に一・二五を乗じて得たものに、第一種低層住居専用地域、第二種低層住居専用地域又は田園住居地域内の建築物にあつては五メートルを、第一種中高層住居専用地域又は第二種中高層住居専用地域内の建築物にあつては十メートルを加えたもの

2　前面道路の境界線から後退した建築物に対する前項第一号の規定の適用については、同号中「前面道路の反対側の境界線」とあるのは、「前面道路の反対側の境界線から当該建築物の後退距離（当該建築物（地盤面下の部分その他政令で定める部分を除く。）から前面道路の境界線までの水平距離のうち最小のものをいう。）に相当する距離だけ外側の線」とする。

3　第一種中高層住居専用地域、第二種中高層住居専用地域、第一種住居地域、第二種住居地域又は準住居地域内における前面道路の幅員が十二メートル以上である建築物に対する別表第三の規定の適用については、同表(に)欄中「一・二五」とあるのは、「一・二五（前面道路の反対側の境界線からの水平距離が前面道路の幅員に一・二五を乗じて得たもの以上の区域内においては、一・五）」とする。

4　前項に規定する建築物で前面道路の境界線から後退したものに対する同項の規定の適用については、同項中「前面道路の反対側の境界線」とあるのは「前面道路の反対側の境界線から当該建築物の後退距離（当該建築物（地盤面下の部分その他政令で定める部分を除く。）から前面道路の境界線までの水平距離のうち最小のものをいう。以下この表において同じ。）に相当する距離だけ外側の線」と、「前面道路の幅員に」とあるのは「、前面道路の幅員に、当該建築物の後退距離に二を乗じて得たものを加えたものに」とすることができる。

5　建築物が第一項第二号及び第三号の地域、地区又は区域の二以上にわたる場合においては、これらの規定中「建築物」とあるのは、「建築物の部分」とする。

6　建築物の敷地が二以上の道路に接し、又は公園、広場、川若しくは海その他これらに類するものに接する場合、建築物の敷地とこれに接する道路若しくは隣地との高低の差が著しい場合その他特別の事情がある場合における前各項の規定の適用の緩和に関する措置は、政令で定める。

7　次の各号のいずれかに掲げる規定によりその高さが制限された場合にそれぞれ当該各号に定める位置において確保される採光、通風等と同程度以上の採光、通風等が当該位置において確保されるものとして政令で定める基準に適合する建築物については、それぞれ当該各号に掲げる規定は、適用しない。

一　第一項第一号、第二項から第四項まで及び前項（同号の規定の適用の緩和に係る部分に限る。）	前面道路の反対側の境界線上の政令で定める位置
二　第一項第二号、第五項及び前項（同号の規定の適用の緩和に係る部分に限る。）	隣地境界線からの水平距離が、第一項第二号イ又は二に定める数値が一・二五とされている建築物にあつては十六メートル、第一項第二号イから二までに定める数値が二・五とされている建築物にあつては十二・四メートルだけ外側の線上の政令で定める位置
三　第一項第三号、第五項及び前項（同号の規定の適用の緩和に係る部分に限る。）	隣地境界線から真北方向への水平距離が、第一種低層住居専用地域、第二種低層住居専用地域又は田園住居地域内の建築物にあつては四メートル、第一種中高層住居専用地域又は第二種中高層住居専用地域内の建築物にあつては八メートルだけ外側の線上の政令で定める位置

〔改正・昭和三四法一五六・昭和三八法一五一・昭和四三法一〇一、全改・昭和四五法一〇九、改正・昭和五一法八三・昭和六二法六六・平成四法八二・平成七法一三・平成九法七九・平成一二法七三・平成一四法八五・平成二九法二六〕

参照　【建築物—法二1】【建築物の高さ—法九二、令二①6・②・④】【道路—法四二・四三】【第一種低層住居専用地域、第二種低層住居専用地域、第一種中高層住居専用地域、第二種中高層住居専用地域、第一種住居地域、第二種住居地域、準住居地域、田園住居地域、近隣商業地域、商業地域、準工業地域、工業地域、工業専用地域—法二21、都計法八①1・九①～⑬】【高層住居誘導地区—法二21、都計法八①2の4・③2へ・九⑰】【政令で定める部分—令一三〇の一二】【敷地—令一1】【政令で定める緩和措置—令一三一～一三五の四】【天空率—令一三五の五】【政令で定める基準—令一三五の六～一三五の八】【政令で定める位置—令一三五の九～一三五の一一】【罰則—法一〇一①3・②・一〇五】【引用規定—宅地建物取引業法施行令三①2

（日影による中高層の建築物の高さの制限）

第五六条の二　別表第四(い)欄の各項に掲げる地域又は区域の全部又は一部で地方公共団体の条例で指定する区域（以下この条において「対象区域」という。）内にある同表(ろ)欄の当該各項（四の項にあつては、同項イ又はロのうちから地方公共団体がその地方の気候及び風土、当該区域の土地利用の状況等を勘案して条例で指定するもの）に掲げる建築物は、冬至日の真太陽時による午前八時から午後四時まで（道の区域内にあつては、午前九時から午後三時まで）の間において、それぞれ、同表(は)欄の各項（四の項にあつては、同項イ又はロ）に掲げる平均地盤面からの高さ（二の項及び三の項にあつては、当該各項に掲げる平均地盤面からの高さのうちから地方公共団体が当該区域の土地利用の状況等を勘案して条例で指定するもの）の水平面（対象区域外の部分、高層住居誘導地区内の部分、都市再生特別地区内の部分及び当該建築物の敷地内の部分を除く。）に、敷地境界線からの水平距離が五メートルを超える範囲において、同表(に)欄の(一)、(二)又は(三)の号（同表の三の項にあつては、(一)又は(二)の号）のうちから地方公共団体がその地方の気候及び風土、土地利用の状況等を勘案して条例で指定する号に掲げる時間以上日影となる部分を生じさせることのないものとしなければならない。ただし、特定行政庁が土地の状況等により周囲の居住環境を害するおそれがないと認めて建築審査会の同意を得て許可した場合又は当該許可を受けた建築物を周囲の居住環境を害するおそれがないものとして政令で定める位置及び規模の範囲内において増築し、改築し、若しくは移転する場合においては、この限りでない。

２　同一の敷地内に二以上の建築物がある場合においては、これらの建築物を一の建築物とみなして、前項の規定を適用する。

３　建築物の敷地が道路、川又は海その他これらに類するものに接する場合、建築物の敷地とこれに接する隣地との高低差が著しい場合その他これらに類する特別の事情がある場合における第一項本文の規定の適用の緩和に関する措置は、政令で定める。

４　対象区域外にある高さが十メートルを超える建築物で、冬至日において、対象区域内の土地に日影を生じさせるものは、当該対象区域内にある建築物とみなして、第一項の規定を適用する。

５　建築物が第一項の規定による日影時間の制限の異なる区域の内外にわたる場合又は建築物が、冬至日において、対象区域のうち当該建築物がある区域外の土地に日影を生じさせる場合における同項の規定の適用に関し必要な事項は、政令で定める。

〔追加・昭和五一法八三、改正・昭和六二法六六・平成四法八二・平成一二法七三・平成一四法二二・法八五・平成三〇法六七〕

参照　【建築物―法二1】【建築物の高さ―法九二、令二①6・②・④】【敷地―令一1】【特定行政庁―法二35】【建築審査会―法七八～八三】【許可に関する消防長の同意等―法九三、消防法七】【道路―法四二】【政令で定める位置及び規模―令一三五の一二】【政令で定める建築物が日影時間の制限の異なる区域の内外にわたる場合等の措置―令一三五の一三】【罰則―法一〇一①3・②・一〇五】【引用規定―宅地建物取引業法施行令二の五2・三①2、電波法による伝搬障害の防止に関する規則六2

（高架の工作物内に設ける建築物等に対する高さの制限の緩和）

第五七条　高架の工作物内に設ける建築物で特定行政庁が周囲の状況により交通上、安全上、防火上及び衛生上支障がないと認めるものについては、前三条の規定は、適用しない。

２　道路内にある建築物（高架の道路の路面下に設けるものを除く。）については、第五十六条第一項第一号及び第二項から第四項までの規定は、適用しない。

〔追加・昭和三四法一五六、旧五八条の二を改正し繰上・昭和四五法一〇九、改正・昭和五一法八三・昭和六二法六六・平成七法一三〕

参照　【建築物―法二1】【特定行政庁―法二35】【道路―法四二】

（特例容積率適用地区内における建築物の容積率の特例）

第五七条の二　特例容積率適用地区内の二以上の敷地（建築物の敷地となるべき土地及び当該特例容積率適用地区の内外にわたる敷地であつてその過半が当該特例容積率適用地区に属するものを含む。以下この項において同じ。）に係る土地について所有権若しくは建築物の所有を目的とする地上権若しくは賃借権（臨時設備その他一時使用のため設定されたことが明らかなものを除く。以下「借地権」という。）を有する者又はこれらの者の同意を得た者は、一人で、又は数人が共同して、特定行政庁に対し、国土交通省令で定めるところにより、当該二以上の敷地（以下この条及び次条において「特例敷地」という。）のそれぞれに適用される特別の容積率（以下この条及び第六十条の二第四項において「特例容積率」という。）の限度の指定を申請することができる。

２　前項の規定による申請をしようとする者は、申請者及び同項の規定による同意をした者以外に当該申請に係る特例敷地について政令で定める利害関係を有する者があるときは、あらかじめ、これらの者の同意を得なければならない。

３　特定行政庁は、第一項の規定による申請が次の各号に掲げる要件のいずれにも該当すると認めるときは、当該申請に基づき、特例敷地のそれぞれに適用される特例容積率の限度を指定するものとする。

一　申請に係るそれぞれの特例敷地の敷地面積に申請に係るそれぞれの特例容積率の限度を乗じて得た数値の合計が、当該それぞれの特例敷地の敷地面積に第五十二条第一項各号（第五号から第七号までを除く。以下この号において同じ。）の規定によるそれぞれの建築物の容積率（当該特例敷地について現に次項の規定により特例容積率の限度が公告されているときは、当該特例容積率。以下この号において「基準容積率」という。）の限度を乗じて得た数値の合計以下であること。この場合において、当該それぞれの特例敷地が基準容積率に関する制限を受ける地域又は区域の二以上にわたるときの当該基準容積率の限度は、同条第一項各号の規定による当該各地域又は区域内の建築物の容積率の限度にその特例敷地の当該地域又は区域内にある各部分の面積の敷地面積に対する割合を乗じて得たものの合計とする。

二　申請に係るそれぞれの特例敷地内に現に存する建築物の容積率又は現に建築の工事中の建築物の計画上の容積率が、申請に係るそれぞれの特例容積率の限度以下であること。

三　申請に係るそれぞれの特例敷地における建築物の利用上の必要性、周囲の状況等を考慮して、当該それぞれの特例敷地にふさわしい容積を備えた建築物が建築されることにより当該それぞれの特例敷地の土地が適正かつ合理的な利用形態となるよう定められていること。この場合において、申請に係る特例容積率の限度のうち第五十二条第一項及び第三項から第八項までの規定による限度を超えるものにあつては、当該特例容積率の限度に適合して建築される建築物が交通上、安全上、防火上及び衛生上支障がないものとなるよう定められていること。

4　特定行政庁は、前項の規定による指定をしたときは、遅滞なく、特例容積率の限度、特例敷地の位置その他国土交通省令で定める事項を公告するとともに、国土交通省令で定める事項を表示した図書をその事務所に備えて、一般の縦覧に供さなければならない。

5　第三項の規定による指定は、前項の規定による公告によつて、その効力を生ずる。

6　第四項の規定により特例容積率の限度が公告されたときは、当該特例敷地内の建築物については、当該特例容積率の限度を第五十二条第一項各号に掲げる数値とみなして、同条の規定を適用する。

7　第四項の規定により公告された特例敷地のいずれかについて第一項の規定による申請があつた場合において、特定行政庁が当該申請に係る第三項の指定（以下この項において「新規指定」という。）をしたときは、当該特例敷地についての第三項の規定による従前の指定は、新規指定に係る第四項の規定による公告があつた日から将来に向かつて、その効力を失う。

〔追加・平成一六法六七、改正・平成二六法三九・令和二法四三〕

参照【特例容積率適用地区―法二21、都計法八①2の3・③2ホ・九⑯【敷地―令一1【建築物―法二1【容積率―法五二【省令で定める指定の申請等―規則一〇の四の一〇【政令で定める利害関係者―令一三五の二三【敷地面積―法九二、令二①1【省令で定める公告事項等―規則一〇の四の一一【省令で定める公告の方法―規則一〇の四の一二【引用規定―宅地建物取引業法施行令二の五2・三①2

（指定の取消し）

第五七条の三　前条第四項の規定により公告された特例敷地である土地について所有権又は借地権を有する者は、その全員の合意により、同条第三項の指定の取消しを特定行政庁に申請することができる。この場合においては、あらかじめ、当該特例敷地について政令で定める利害関係を有する者の同意を得なければならない。

2　前項の規定による申請を受けた特定行政庁は、当該申請に係るそれぞれの特例敷地内に現に存する建築物の容積率又は現に建築の工事中の建築物の計画上の容積率が第五十二条第一項から第九項までの規定による限度以下であるとき、その他当該建築物の構造が交通上、安全上、防火上及び衛生上支障がないと認めるときは、当該申請に係る指定を取り消すものとする。

3　特定行政庁は、前項の規定による取消しをしたときは、遅滞なく、国土交通省令で定めるところにより、その旨を公告しなければならない。

4　第二項の規定による取消しは、前項の規定による公告によつて、その効力を生ずる。

5　前二項に定めるもののほか、第二項の規定による指定の取消しについて必要な事項は、国土交通省令で定める。

〔追加・平成一六法六七〕

参照【特定行政庁―法二35【特例敷地―法五七の二①【政令で定める利害関係者―令一三五の二四【省令で定める指定の取消しの申請等―規則一〇の四の一三【省令で定める公告の方法―規則一〇の四の一四

（特例容積率適用地区内における建築物の高さの限度）

第五七条の四　特例容積率適用地区内においては、建築物の高さは、特例容積率適用地区に関する都市計画において建築物の高さの最高限度が定められたときは、当該最高限度以下でなければならない。ただし、特定行政庁が用途上又は構造上やむを得ないと認めて許可したものについては、この限りでない。

2　第四十四条第二項の規定は、前項ただし書の規定による許可をする場合に準用する。

〔追加・平成一六法六七〕

参照【特例容積率適用地区―法二21、都計法八①2の3・③2ホ・九⑯【建築物―法二1【建築物の高さ―法九二、令二①6・②・④【都市計画―法二19、都計法四①【特定行政庁―法二35【罰則―法一〇一①3・②・一〇五【引用規定―宅地建物取引業法施行令二の五2・三①2

（高層住居誘導地区）

第五七条の五　高層住居誘導地区内においては、建築物の建蔽率は、高層住居誘導地区に関する都市計画において建築物の建蔽率の最高限度が定められたときは、当該最高限度以下でなければならない。

2　前項の場合において、建築物の敷地が高層住居誘導地区の内外にわたるときは、当該高層住居誘導地区に関する都市計画において定められた建築物の建蔽率の最高限度を、当該建築物の当該高層住居誘導地区内にある部分に係る第五十三条第一項の規定による建築物の建蔽率の限度とみなして、同条第二項の規定を適用する。

3　高層住居誘導地区に関する都市計画において建築物の敷地面積の最低限度が定められた場合については、第五十三条の二（第二項を除く。）の規定を準用する。この場合において、同条第一項中「用途地域」とあるのは、「高層住居誘導地区」と読み替えるものとする。

4　高層住居誘導地区内の建築物については、第五十六条の二第一項に規定する対象区域外にある建築物とみなして、同条の規定を適用する。この場合における同条第四項の規定の適用については、同項中「対象区域内の土地」とあるのは、「対象区域（高層住居誘導地区を除く。）内の土地」とする。

〔追加・平成九法七九、改正・平成一二法七三・平成一四法八五、旧五七条の二を繰下・平成一六法六七、改正・平成二九法二六〕

参照【高層住居誘導地区―法二21、都計法八①2の4・③2ヘ・九⑰【建築物―法二1【敷地―令一1【都市計画―法二19、都計法四①【罰則―法一〇一①3・②・一〇五【引用規定―宅地建物取引業法施行令二の五2・三①2

（高度地区）

第五八条　高度地区内においては、建築物の高さは、高度地区に関する都市計画において定められた内容に適合するものでなければならない。

2　前項の都市計画において建築物の高さの最高限度が定められた高度地区内においては、再生可能エネルギー源の利用に資する設備の設置のため必要な屋根に関する工事その他の屋外に面する建築物の部分に関する工事を行う建築物で構造上やむを得ないものとして国土交通省令で定めるものであつて、特定行政庁が市街地の環境を害するおそれがないと認めて許可したものの高さは、同項の規定にかかわらず、その許可の範囲内において、当該最高限度を超えるものとすることができる。

3　第四十四条第二項の規定は、前項の規定による許可をする場合について準用する。

〔全改・昭和四三法一〇一、旧五九条を繰上・昭和四五法一〇九、改正・令和四法六九〕

参照【高度地区―法二21、都計法八①3・③2ト・九⑱【建築物―法二1【建築物の高さ―法九二、令二①6・②・④【都市計画―法二19、都計法四①【高度地区に関する都市計画―都計法八③2ト【省令で定める建築物―規則一〇の四の一五【罰則―法一〇一①6・②・一〇五【引用規定―宅地建物取引業法施行令二の五2・三①2

（高度利用地区）

第五九条　高度利用地区内においては、建築物の容積率及び建蔽率並びに建築物の建築面積（同一敷地内に二以上の建築物がある場合においては、それぞれの建築面積）は、高度利用地区に関する都市計画において定められた内容に適合するものでなければならない。ただし、次の各号のいずれかに該当する建築物については、この限りでない。

一　主要構造部が木造、鉄骨造、コンクリートブロック造その他これらに類する構造であつて、階数が二以下で、かつ、地階を有しない建築物で、容易に移転し、又は除却することができるもの

二　公衆便所、巡査派出所その他これらに類する建築物で、公益上必要なもの

三　学校、駅舎、卸売市場その他これらに類する公益上必要な建築物で、特定行政庁が用途上又は構造上やむを得ないと認めて許可したもの

2　高度利用地区内においては、建築物の壁又はこれに代わる柱は、建築物の地盤面下の部分及び国土交通大臣が指定する歩廊の柱その他これに類するものを除き、高度利用地区に関する都市計画において定められた壁面の位置の制限に反して建築してはならない。ただし、前項各号の一に該当する建築物については、この限りでない。

3　高度利用地区内の建築物については、当該高度利用地区に関する都市計画において定められた建築物の容積率の最高限度を第五十二条第一項各号に掲げる数値とみなして、同条の規定を適用する。

4　高度利用地区内においては、敷地内に道路に接して有効な空地が確保されていること等により、特定行政庁が、交通上、安全上、防火上及び衛生上支障がないと認めて許可した建築物については、第五十六条第一項第一号及び第二項から第四項までの規定は、適用しない。

5　第四十四条第二項の規定は、第一項第三号又は前項の規定による許可をする場合に準用する。

〔追加・昭和四四法三八、旧五九条の三を改正し繰上・昭和四五法一〇九、改正・昭和五〇法六六・昭和六二法六六・平成二法六一・平成七法一三・平成一一法一六〇・平成一二法七三・平成二九法二六〕

参照【高度利用地区―法二21、都計法八①3・③2チ・九⑲【建築物―法二1【敷地―令一1【都市計画―法二19【高度利用地区に関する都市計画―都計法八③2チ【主要構造部―法二5【階数―法九二、令二①8・④【地階―令一2【特定行政庁―法二35【許可に関する消防長等の同意等―法九三、消防法七【国土交通大臣が指定する歩廊の柱その他これに類するもの―未指定【道路―法四二・四三【罰則―法一〇一①3・②・一〇五【引用規定―宅地建物取引業法施行令二の五2・三①2、都市再開発法七の四①・七の八・七〇の二②2、電波法による伝搬障害の防止に関する規則六2

（敷地内に広い空地を有する建築物の容積率等の特例）

第五九条の二　その敷地内に政令で定める空地を有し、かつ、その敷地面積が政令で定める規模以上である建築物で、特定行政庁が交通上、安全上、防火上及び衛生上支障がなく、かつ、その建蔽率、容積率及び各部分の高さについて総合的な配慮がなされていることにより市街地の環境の整備改善に資すると認めて許可したものの容積率又は各部分の高さは、その許可の範囲内において、第五十二条第一項から第九項まで、第五十五条第一項、第五十六条又は第五十七条の二第六項の規定による限度を超えるものとすることができる。

2　第四十四条第二項の規定は、前項の規定による許可をする場合に準用する。

〔追加・昭和五一法八三、改正・昭和六二法六六・平成六法六二・平成九法七九・平成一二法七三・平成一四法八五・平成一六法六七・平成二九法二六〕

参照【敷地―令一1【敷地面積―法九二、令二①1【建築物―法二1【特定行政庁―法二35【建築物の高さ―法九二、令二①6・②・④【許可に関する消防長の同意等―法九三、消防法七【政令で定める敷地内の空地・政令で定める敷地面積の規模―令一三六【引用規定―宅地建物取引業法施行令二の五2・三①2、電波法による伝搬障害の防止に関する規則六2

（特定街区）

第六〇条　特定街区内においては、建築物の容積率及び高さは、特定街区に関する都市計画において定められた限度以下でなければならない。

2　特定街区内においては、建築物の壁又はこれに代わる柱は、建築物の地盤面下の部分及び国土交通大臣が指定する歩廊の柱その他これに類するものを除き、特定街区に関する都市計画において定められた壁面の位置の制限に反して建築してはならない。

3　特定街区内の建築物については、第五十二条から前条まで並びに第六十条の三第一項及び第二項の規定は、適用しない。

〔追加・昭和三六法一一五、旧五九条の二を改正し繰下・昭和三八法一五一、改正・昭和四三法一〇一、旧五九条の三を改正し繰下・昭和四四法三八、旧五九条の四を繰下・昭和四五法一〇九、改正・昭和五一法八三・平成一一法一六〇・平成一二法七三・平成二六法三九・平成二八法七二〕

参照【特定街区―法二21、都計法八①4・③2リ・九⑳【建築物―法二1【敷地―令一1【建築物の高さ―法九二、令二①6・②・④【都市計画―法二19、都計法四①【特定街区に関する都市計画―都計法八③2リ【罰則―法一〇一①3・②・一〇五【引用規定―宅地建物取引業法施行令三①2

第四節の二　都市再生特別地区、居住環境向上用途誘導地区及び特定用途誘導地区

〔追加・平成一四法二二、改正・平成二六法三九・令和二法四三〕

（都市再生特別地区）

第六〇条の二　都市再生特別地区内においては、建築物の容積率及び建蔽率、建築物の建築面積（同一敷地内に二以上の建築物

がある場合においては、それぞれの建築面積）並びに建築物の高さは、都市再生特別地区に関する都市計画において定められた内容に適合するものでなければならない。ただし、次の各号のいずれかに該当する建築物については、この限りでない。

一　主要構造部が木造、鉄骨造、コンクリートブロック造その他これらに類する構造であつて、階数が二以下で、かつ、地階を有しない建築物で、容易に移転し、又は除却することができるもの

二　公衆便所、巡査派出所その他これらに類する建築物で、公益上必要なもの

三　学校、駅舎、卸売市場その他これらに類する公益上必要な建築物で、特定行政庁が用途上又は構造上やむを得ないと認めて許可したもの

2　都市再生特別地区内においては、建築物の壁又はこれに代わる柱は、建築物の地盤面下の部分及び国土交通大臣が指定する歩廊の柱その他これに類するものを除き、都市再生特別地区に関する都市計画において定められた壁面の位置の制限に反して建築してはならない。ただし、前項各号のいずれかに該当する建築物については、この限りでない。

3　都市再生特別地区に関する都市計画において定められた誘導すべき用途に供する建築物については、第四十八条から第四十九条の二までの規定は、適用しない。

4　都市再生特別地区内の建築物については、当該都市再生特別地区に関する都市計画において定められた建築物の容積率の最高限度を第五十二条第一項各号に掲げる数値（第五十七条の二第六項の規定により当該数値とみなされる特例容積率の限度の数値を含む。）とみなして、第五十二条の規定を適用する。

5　都市再生特別地区内の建築物については、第五十六条、第五十七条の四、第五十八条及び第六十条の三第二項の規定は、適用しない。

6　都市再生特別地区内の建築物については、第五十六条の二第一項に規定する対象区域外にある建築物とみなして、同条の規定を適用する。この場合における同条第四項の規定の適用については、同項中「対象区域内の土地」とあるのは、「対象区域（都市再生特別地区を除く。）内の土地」とする。

7　第四十四条第二項の規定は、第一項第三号の規定による許可をする場合に準用する。

〔追加・平成一四法二二、改正・平成一六法六七・平成一八法四六・平成二六法三九・平成二八法七二・平成二九法二六・令和二法四三〕

参照【都市再生特別地区―法二21、都計法八①4の2・④、都市再生特別措置法三六【敷地―令一1【都市計画―法二19、都計法四①【都市再生特別地区に関する都市計画―都市再生特別措置法三六【主要構造部―法二5【階数―法九二、令二①8・④【地階―令一2【特定行政庁―法二35【許可に関する消防長等の同意等―法九三、消防法七【国土交通大臣が指定する歩廊の柱その他これに類するもの―未指定【用途の変更に対する準用―法八七②【工作物への準用―法八八②【罰則―法一〇一①3・②、一〇五【引用規定―宅地建物取引業法施行令三①2、都市再開発法七の四①・七の八・七〇の二②2

（居住環境向上用途誘導地区）

第六〇条の二の二　居住環境向上用途誘導地区内においては、建築物の建蔽率は、居住環境向上用途誘導地区に関する都市計画において建築物の建蔽率の最高限度が定められたときは、当該最高限度以下でなければならない。ただし、次の各号のいずれかに該当する建築物については、この限りでない。

一　公衆便所、巡査派出所その他これらに類する建築物で、公益上必要なもの

二　学校、駅舎、卸売市場その他これらに類する公益上必要な建築物で、特定行政庁が用途上又は構造上やむを得ないと認めて許可したもの

2　居住環境向上用途誘導地区内においては、建築物の壁又はこれに代わる柱は、居住環境向上用途誘導地区に関する都市計画において壁面の位置の制限が定められたときは、建築物の地盤面下の部分及び国土交通大臣が指定する歩廊の柱その他これに類するものを除き、当該壁面の位置の制限に反して建築してはならない。ただし、前項各号のいずれかに該当する建築物については、この限りでない。

3　居住環境向上用途誘導地区内においては、建築物の高さは、居住環境向上用途誘導地区に関する都市計画において建築物の高さの最高限度が定められたときは、当該最高限度以下でなければならない。ただし、特定行政庁が用途上又は構造上やむを得ないと認めて許可したものについては、この限りでない。

4　居住環境向上用途誘導地区内においては、地方公共団体は、その地区の指定の目的のために必要と認める場合においては、国土交通大臣の承認を得て、条例で、第四十八条第一項から第十三項までの規定による制限を緩和することができる。

5　第四十四条第二項の規定は、第一項第二号又は第三項ただし書の規定による許可をする場合に準用する。

〔追加・令和二法四三〕

参照【居住環境向上用途誘導地区―法二21、都計法八①4の2・④、都市再生特別措置法九四の二【用途の変更に対する準用―法八七②【工作物への準用―法八八②【罰則―法一〇一①3・②、一〇五【引用規定―宅地建物取引業法施行令二の五2・三①2

（特定用途誘導地区）

第六〇条の三　特定用途誘導地区内においては、建築物の容積率及び建築物の建築面積（同一敷地内に二以上の建築物がある場合においては、それぞれの建築面積）は、特定用途誘導地区に関する都市計画において建築物の容積率の最低限度及び建築物の建築面積の最低限度が定められたときは、それぞれ、これらの最低限度以上でなければならない。ただし、次の各号のいずれかに該当する建築物については、この限りでない。

一　主要構造部が木造、鉄骨造、コンクリートブロック造その他これらに類する構造であつて、階数が二以下で、かつ、地階を有しない建築物で、容易に移転し、又は除却することができるもの

二　公衆便所、巡査派出所その他これらに類する建築物で、公益上必要なもの

三　学校、駅舎、卸売市場その他これらに類する公益上必要な建築物で、特定行政庁が用途上又は構造上やむを得ないと認めて許可したもの

2　特定用途誘導地区内においては、建築物の高さは、特定用途誘導地区に関する都市計画において建築物の高さの最高限度が定められたときは、当該最高限度以下でなければならない。ただし、特定行政庁が用途上又は構造上やむを得ないと認めて許可したものについては、この限りでない。

3　特定用途誘導地区内においては、地方公共団体は、その地区の指定の目的のために必要と認める場合においては、国土交通大臣の承認を得て、条例で、第四十八条第一項から第十三項ま

での規定による制限を緩和することができる。

4　第四十四条第二項の規定は、第一項第三号又は第二項ただし書の規定による許可をする場合に準用する。

〔追加・平成二六法三九、改正・平成二八法七二・平成二九法二六〕

参照【特定用途誘導地区―法二21、都計法八①4の2・④、都市再生特別措置法一〇九【建築物―法二1【都市計画―法二19、都計法四①【建築物の高さ―法九二、令二①6・②・④【特定行政庁―法二35【用途の変更に対する準用―法八七②【工作物への準用―法八八②【罰則―法一〇一①3・②・一〇五【引用規定―宅地建物取引業法施行令二の五2・三①2、都市再開発法七の四①・七の八・七〇の二②2

第五節　防火地域及び準防火地域

〔追加・昭和三四法一五六、改正・平成三〇法六七〕

（防火地域及び準防火地域内の建築物）

第六十一条　防火地域又は準防火地域内にある建築物は、その外壁の開口部で延焼のおそれのある部分に防火戸その他の政令で定める防火設備を設け、かつ、壁、柱、床その他の建築物の部分及び当該防火設備を通常の火災による周囲への延焼を防止するためにこれらに必要とされる性能に関して防火地域及び準防火地域の別並びに建築物の規模に応じて政令で定める技術的基準に適合するもので、国土交通大臣が定めた構造方法を用いるもの又は国土交通大臣の認定を受けたものとしなければならない。ただし、門又は塀で、高さ二メートル以下のもの又は準防火地域内にある建築物（木造建築物等を除く。）に附属するものについては、この限りでない。

2　前項に規定する基準の適用上一の建築物であつても別の建築物とみなすことができる部分として政令で定める部分が二以上ある建築物の当該建築物の部分は、同項の規定の適用については、それぞれ別の建築物とみなす。

〔改正・昭和三四法一五六・平成四法八二、全改・平成三〇法六七、改正・令和四法六九〕

参照【防火地域、準防火地域―法二21、都計法八①5・九㉑【建築物―法二1【延焼のおそれのある部分―法二6【政令で定める防火設備―令一〇九①【政令で定める技術的基準―令一三六の二【政令で定める部分―令一〇九の八【罰則―法九九①8・②・一〇五

（屋根）

第六十二条　防火地域又は準防火地域内の建築物の屋根の構造は、市街地における火災を想定した火の粉による建築物の火災の発生を防止するために屋根に必要とされる性能に関して建築物の構造及び用途の区分に応じて政令で定める技術的基準に適合するもので、国土交通大臣が定めた構造方法を用いるもの又は国土交通大臣の認定を受けたものとしなければならない。

〔改正・平成四法八二、全改・平成一〇法一〇〇、改正・平成一一法一六〇、旧六三条を繰上・平成三〇法六七〕

参照【防火地域、準防火地域―法二21、都計法八①5・九㉑【建築物―法二1【政令で定める技術的基準―令一三六の二の二【罰則―法九九①8・②・一〇五

（隣地境界線に接する外壁）

第六十三条　防火地域又は準防火地域内にある建築物で、外壁が耐火構造のものについては、その外壁を隣地境界線に接して設けることができる。

〔旧六五条を繰上・平成三〇法六七〕

参照【防火地域、準防火地域―法二21、都計法八①5・九㉑【建築物―法二1【耐火構造―法二7

参考規定―民法二三四

（看板等の防火措置）

第六十四条　防火地域内にある看板、広告塔、装飾塔その他これらに類する工作物で、建築物の屋上に設けるもの又は高さ三メートルを超えるものは、その主要な部分を不燃材料で造り、又は覆わなければならない。

〔旧六六条を改正し繰上・平成三〇法六七〕

参照【防火地域―法二21、都計法八①5・九㉑【建築物―法二1【不燃材料―法二9【罰則―法九九①8・②・一〇五

（建築物が防火地域又は準防火地域の内外にわたる場合の措置）

第六十五条　建築物が防火地域又は準防火地域とこれらの地域として指定されていない区域にわたる場合においては、その全部についてそれぞれ防火地域又は準防火地域内の建築物に関する規定を適用する。ただし、その建築物が防火地域又は準防火地域外において防火壁で区画されている場合においては、その防火壁外の部分については、この限りでない。

2　建築物が防火地域及び準防火地域にわたる場合においては、その全部について防火地域内の建築物に関する規定を適用する。ただし、建築物が防火地域外において防火壁で区画されている場合においては、その防火壁外の部分については、準防火地域内の建築物に関する規定を適用する。

〔改正・昭和三四法一五六、旧六七条を繰上・平成三〇法六七〕

参照【建築物―法二1【防火地域、準防火地域―法二21、都計法八①5・九㉑【防火地域内の建築物に関する規定―法二七・六一・六三～六六・八六の四【準防火地域内の建築物に関する規定―法六二～六五【建築物の敷地が区域、地域又は地区の内外にわたる場合の措置―法九一

（第三十八条の準用）

第六十六条　第三十八条の規定は、その予想しない特殊の構造方法又は建築材料を用いる建築物に対するこの節の規定及びこれに基づく命令の規定の適用について準用する。

〔追加・平成二六法五四、旧六七条の二を繰上・平成三〇法六七〕

第五節の二　特定防災街区整備地区

〔追加・平成一五法一〇一〕

（特定防災街区整備地区）

第六十七条　特定防災街区整備地区内にある建築物は、耐火建築物等又は準耐火建築物等としなければならない。ただし、次の各号のいずれかに該当する建築物については、この限りでない。

一　延べ面積が五十平方メートル以内の平家建ての附属建築物で、外壁及び軒裏が防火構造のもの

二　卸売市場の上家、機械製作工場その他これらと同等以上に

火災の発生のおそれが少ない用途に供する建築物で、主要構造部が不燃材料で造られたものその他これに類する構造のもの

三　高さ二メートルを超える門又は塀で、不燃材料で造られ、又は覆われたもの

四　高さ二メートル以下の門又は塀

2　建築物が特定防災街区整備地区と特定防災街区整備地区として指定されていない区域にわたる場合においては、その全部について、前項の規定を適用する。ただし、その建築物が特定防災街区整備地区外において防火壁で区画されている場合においては、その防火壁外の部分については、この限りでない。

3　特定防災街区整備地区内においては、建築物の敷地面積は、特定防災街区整備地区に関する都市計画において定められた建築物の敷地面積の最低限度以上でなければならない。ただし、次の各号のいずれかに該当する建築物の敷地については、この限りでない。

一　公衆便所、巡査派出所その他これらに類する建築物で公益上必要なもの

二　特定行政庁が用途上又は構造上やむを得ないと認めて許可したもの

4　第五十三条の二第三項の規定は、前項の都市計画において建築物の敷地面積の最低限度が定められ、又は変更された場合に準用する。この場合において、同条第三項中「第一項」とあるのは、「第六十七条第三項」と読み替えるものとする。

5　特定防災街区整備地区内においては、建築物の壁又はこれに代わる柱は、特定防災街区整備地区に関する都市計画において壁面の位置の制限が定められたときは、建築物の地盤面下の部分を除き、当該壁面の位置の制限に反して建築してはならない。ただし、次の各号のいずれかに該当する建築物については、この限りでない。

一　第三項第一号に掲げる建築物

二　学校、駅舎、卸売市場その他これらに類する公益上必要な建築物で、特定行政庁が用途上又は構造上やむを得ないと認めて許可したもの

6　特定防災街区整備地区内においては、その敷地が防災都市計画施設（密集市街地整備法第三十一条第二項に規定する防災都市計画施設をいう。以下この条において同じ。）に接する建築物の防災都市計画施設に係る間口率（防災都市計画施設に面する部分の長さの敷地の当該防災都市計画施設に接する部分の長さに対する割合をいう。以下この条において同じ。）及び高さは、特定防災街区整備地区に関する都市計画において建築物の防災都市計画施設に係る間口率の最低限度及び建築物の高さの最低限度が定められたときは、それぞれ、これらの最低限度以上でなければならない。

7　前項の場合においては、同項に規定する建築物の高さの最低限度より低い高さの建築物の部分（同項に規定する建築物の防災都市計画施設に係る間口率の最低限度を超える部分を除く。）は、空隙のない壁が設けられる等防火上有効な構造としなければならない。

8　前二項の建築物の防災都市計画施設に係る間口率及び高さの算定に関し必要な事項は、政令で定める。

9　前三項の規定は、次の各号のいずれかに該当する建築物については、適用しない。

一　第三項第一号に掲げる建築物

二　学校、駅舎、卸売市場その他これらに類する公益上必要な建築物で、特定行政庁が用途上又は構造上やむを得ないと認めて許可したもの

10　第四十四条第二項の規定は、第三項第二号、第五項第二号又は前項第二号の規定による許可をする場合に準用する。

〔追加・平成一五法一〇一、旧六七条の二を改正し繰下・平成二六法五四、旧六七条の三を改正し繰上・平成三〇法六七〕

参照【特定防災街区整備地区―法二21、都計法八①5の2・④、密集市街地における防災街区の整備の促進に関する法律三一①【耐火建築物―法二9の2【準耐火建築物―法二9の3【建築物―法二1【建築物の敷地面積―法九二、令二①1【都市計画―法二19、都計法四①【建築物の防災都市計画施設に係る間口率及び高さの算定―令一三六の二の四【特定行政庁―法二35【罰則―法九九①8・②・一〇一①3・②・一〇五【引用規定―宅地建物取引業法施行令二の五2・三①2

（第三十八条の準用）

第六十七条の二　第三十八条の規定は、その予想しない特殊の構造方法又は建築材料を用いる建築物に対する前条第一項及び第二項の規定の適用について準用する。

〔追加・平成二六法五四、旧六七条の四を繰上・平成三〇法六七〕

第六節　景観地区

〔追加・昭和三四法一五六、改正・平成一六法一一一〕

第六十八条　景観地区内においては、建築物の高さは、景観地区に関する都市計画において建築物の高さの最高限度又は最低限度が定められたときは、当該最高限度以下又は当該最低限度以上でなければならない。ただし、次の各号のいずれかに該当する建築物については、この限りでない。

一　公衆便所、巡査派出所その他これらに類する建築物で、公益上必要なもの

二　特定行政庁が用途上又は構造上やむを得ないと認めて許可したもの

2　景観地区内においては、建築物の壁又はこれに代わる柱は、景観地区に関する都市計画において壁面の位置の制限が定められたときは、建築物の地盤面下の部分を除き、当該壁面の位置の制限に反して建築してはならない。ただし、次の各号のいずれかに該当する建築物については、この限りでない。

一　前項第一号に掲げる建築物

二　学校、駅舎、卸売市場その他これらに類する公益上必要な建築物で、特定行政庁が用途上又は構造上やむを得ないと認めて許可したもの

3　景観地区内においては、建築物の敷地面積は、景観地区に関する都市計画において建築物の敷地面積の最低限度が定められたときは、当該最低限度以上でなければならない。ただし、次の各号のいずれかに該当する建築物の敷地については、この限りでない。

一　第一項第一号に掲げる建築物

二　特定行政庁が用途上又は構造上やむを得ないと認めて許可したもの

4　第五十三条の二第三項の規定は、前項の都市計画において建築物の敷地面積の最低限度が定められ、又は変更された場合に準用する。この場合において、同条第三項中「第一項」とあるのは、「第六十八条第三項」と読み替えるものとする。

5　景観地区に関する都市計画において建築物の高さの最高限度、壁面の位置の制限（道路に面する壁面の位置を制限するも

のを含むものに限る。）及び建築物の敷地面積の最低限度が定められている景観地区（景観法第七十二条第二項の景観地区工作物制限条例で、壁面後退区域（当該壁面の位置の制限として定められた限度の線と敷地境界線との間の土地の区域をいう。）における工作物（土地に定着する工作物以外のものを含む。）の設置の制限（当該壁面後退区域において連続的に有効な空地を確保するため必要なものを含むものに限る。）が定められている区域に限る。）内の建築物で、当該景観地区に関する都市計画の内容に適合し、かつ、敷地内に有効な空地が確保されていること等により、特定行政庁が交通上、安全上、防火上及び衛生上支障がないと認めるものについては、第五十六条の規定は、適用しない。

6　第四十四条第二項の規定は、第一項第二号、第二項第二号又は第三項第二号の規定による許可をする場合に準用する。

〔改正・昭和四三法一〇一、全改・平成一六法一一一、改正・平成二六法五四〕

参照【景観地区―法二21、都計法八①6、景観法六一①【建築物の高さ―法九二、令二①6・②・④【都市計画―法二19、都計法四①【特定行政庁―法二35【建築物―法二1【建築物の敷地面積―法九二、令二①1【罰則―法一〇一①3・②・一〇五【引用規定―宅地建物取引業法施行令二の五2・三①2

第七節　地区計画等の区域

〔追加・昭和五五法三四、改正・昭和五五法三五〕

（市町村の条例に基づく制限）

第六八条の二　市町村は、地区計画等の区域（地区整備計画、特定建築物地区整備計画、防災街区整備地区整備計画、歴史的風致維持向上地区整備計画、沿道地区整備計画又は集落地区整備計画（以下「地区整備計画等」という。）が定められている区域に限る。）内において、建築物の敷地、構造、建築設備又は用途に関する事項で当該地区計画等の内容として定められたものを、条例で、これらに関する制限として定めることができる。

2　前項の規定による制限は、建築物の利用上の必要性、当該区域内における土地利用の状況等を考慮し、地区計画、防災街区整備地区計画、歴史的風致維持向上地区計画又は沿道地区計画の区域にあつては適正な都市機能と健全な都市環境を確保するため、集落地区計画の区域にあつては当該集落地区計画の区域の特性にふさわしい良好な居住環境の確保と適正な土地利用を図るため、それぞれ合理的に必要と認められる限度において、同項に規定する事項のうち特に重要な事項につき、政令で定める基準に従い、行うものとする。

3　第一項の規定に基づく条例で建築物の敷地面積に関する制限を定める場合においては、当該条例に、当該条例の規定の施行又は適用の際、現に建築物の敷地として使用されている土地で当該規定に適合しないもの又は現に存する所有権その他の権利に基づいて建築物の敷地として使用するならば当該規定に適合しないこととなる土地について、その全部を一の敷地として使用する場合の適用の除外に関する規定（第三条第三項第一号及び第五号の規定に相当する規定を含む。）を定めるものとする。

4　第一項の規定に基づく条例で建築物の構造に関する防火上必要な制限を定める場合においては、当該条例に、第六十五条の規定の例により、当該制限を受ける区域の内外にわたる建築物についての当該制限に係る規定の適用に関する措置を定めるものとする。

5　市町村は、用途地域における用途の制限を補完し、当該地区計画等（集落地区計画を除く。）の区域の特性にふさわしい土地利用の増進等の目的を達成するため必要と認める場合においては、国土交通大臣の承認を得て、第一項の規定に基づく条例で、第四十八条第一項から第十三項までの規定による制限を緩和することができる。

〔追加・昭和五五法三四、改正・昭和五五法三五・昭和六二法六三・昭和六三法四九・平成二法六一・平成八法四八・平成九法五〇・平成一四法八五・平成二〇法四〇・平成二九法二六・平成三〇法六七〕

参照【地区計画―法二22、都計法一二の四①1【地区整備計画―法二23、都計法一二の五②1【防災街区整備地区計画―法二24、都計法一二の四①2【特定建築物地区整備計画―法二25、密集市街地における防災街区の整備の促進に関する法律三二②1【防災街区整備地区整備計画―法二26、密集市街地における防災街区の整備の促進に関する法律三二②2【歴史的風致維持向上地区計画―法二27、都計法一二の四①3【歴史的風致維持向上地区整備計画―法二28、地域における歴史的風致の維持及び向上に関する法律三一②1【沿道地区計画―法二29、都計法一二の四①4【沿道地区整備計画―法二30、幹線道路の沿道の整備に関する法律九②1【集落地区計画―法二31、都計法一二の四①5【集落地区整備計画―法二32、集落地域整備法五③【地区計画等―法二33、都計法四⑨【建築物―法二1【敷地―令一1【建築設備―法二3【政令で定める基準―令一三六の二の五【敷地面積―法九二、令二①1【工作物への準用―法八八②【用途の変更に対する準用―法八七②・③【罰則―法一〇七【引用規定―宅地建物取引業法施行令二の五2、三①2、幹線道路の沿道の整備に関する法律一三、都市再開発法二の二①4ハ、国家戦略特別区域法一六の二

（再開発等促進区等内の制限の緩和等）

第六八条の三　地区計画又は沿道地区計画の区域のうち再開発等促進区（都市計画法第十二条の五第三項に規定する再開発等促進区をいう。以下同じ。）又は沿道再開発等促進区（沿道整備法第九条第三項に規定する沿道再開発等促進区をいう。以下同じ。）で地区整備計画又は沿道地区整備計画が定められている区域のうち建築物の容積率の最高限度が定められている区域内においては、当該地区計画又は沿道地区計画の内容に適合する建築物で、特定行政庁が交通上、安全上、防火上及び衛生上支障がないと認めるものについては、第五十二条の規定は、適用しない。

2　地区計画又は沿道地区計画の区域のうち再開発等促進区又は沿道再開発等促進区（地区整備計画又は沿道地区整備計画が定められている区域のうち当該地区整備計画又は沿道地区整備計画において十分の六以下の数値で建築物の建蔽率の最高限度が定められている区域に限る。）内においては、当該地区計画又は沿道地区計画の内容に適合する建築物で、特定行政庁が交通上、安全上、防火上及び衛生上支障がないと認めるものについては、第五十三条第一項から第三項まで、第七項及び第八項の規定は、適用しない。

3　地区計画又は沿道地区計画の区域のうち再開発等促進区又は沿道再開発等促進区（地区整備計画又は沿道地区整備計画が定められている区域のうち二十メートル以下の高さで建築物の高さの最高限度が定められている区域に限る。）内においては、当該地区計画又は沿道地区計画の内容に適合し、かつ、その敷地面積が政令で定める規模以上の建築物であつて特定行政庁が交通上、安全上、防火上及び衛生上支障がないと認めるものについては、第五十五条第一項及び第二項の規定は、適用しない。

4 地区計画又は沿道地区計画の区域のうち再開発等促進区又は沿道再開発等促進区（地区整備計画又は沿道地区整備計画が定められている区域に限る。第六項において同じ。）内においては、敷地内に有効な空地が確保されていること等により、特定行政庁が交通上、安全上、防火上及び衛生上支障がないと認めて許可した建築物については、第五十六条の規定は、適用しない。

5 第四十四条第二項の規定は、前項の規定による許可をする場合に準用する。

6 地区計画又は沿道地区計画の区域のうち再開発等促進区又は沿道再開発等促進区内の建築物に対する第四十八条第一項から第十三項まで（これらの規定を第八十七条第二項又は第三項において準用する場合を含む。）の規定の適用については、第四十八条第一項から第十一項まで及び第十三項中「又は公益上やむを得ない」とあるのは「公益上やむを得ないと認め、又は地区計画若しくは沿道地区計画において定められた土地利用に関する基本方針に適合し、かつ、当該地区計画若しくは沿道地区計画の区域における業務の利便の増進上やむを得ない」と、同条第十二項中「工業の利便上又は公益上必要」とあるのは「工業の利便上若しくは公益上必要と認め、又は地区計画若しくは沿道地区計画において定められた土地利用に関する基本方針に適合し、かつ、当該地区計画若しくは沿道地区計画の区域における業務の利便の増進上やむを得ない」とする。

7 地区計画の区域のうち開発整備促進区（都市計画法第十二条の五第四項に規定する開発整備促進区をいう。以下同じ。）で地区整備計画が定められているものの区域（当該地区整備計画において同法第十二条の十二の土地の区域として定められている区域に限る。）内においては、別表第二(か)項に掲げる建築物のうち当該地区整備計画の内容に適合するもので、特定行政庁が交通上、安全上、防火上及び衛生上支障がないと認めるものについては、第四十八条第六項、第七項、第十二項及び第十四項の規定は、適用しない。

8 地区計画の区域のうち開発整備促進区（地区整備計画が定められている区域に限る。）内の建築物（前項の建築物を除く。）に対する第四十八条第六項、第七項、第十二項及び第十四項（これらの規定を第八十七条第二項又は第三項において準用する場合を含む。）の規定の適用については、第四十八条第六項、第七項及び第十四項中「又は公益上やむを得ない」とあるのは「公益上やむを得ないと認め、又は地区計画において定められた土地利用に関する基本方針に適合し、かつ、当該地区計画の区域における商業その他の業務の利便の増進上やむを得ない」と、同条第十二項中「工業の利便上又は公益上必要」とあるのは「工業の利便上若しくは公益上必要と認め、又は地区計画において定められた土地利用に関する基本方針に適合し、かつ、当該地区計画の区域における商業その他の業務の利便の増進上やむを得ない」とする。

9 歴史的風致維持向上地区計画の区域（歴史的風致維持向上地区整備計画が定められている区域に限る。）内の建築物に対する第四十八条第一項から第十三項まで（これらの規定を第八十七条第二項又は第三項において準用する場合を含む。）の規定の適用については、第四十八条第一項から第十一項まで及び第十三項中「又は公益上やむを得ない」とあるのは「公益上やむを得ないと認め、又は歴史的風致維持向上地区計画において定められた土地利用に関する基本方針に適合し、かつ、当該歴史的風致維持向上地区計画の区域における歴史的風致（地域歴史的風致法第一条に規定する歴史的風致をいう。）の維持及び向上を図る上でやむを得ない」と、同条第十二項中「工業の利便上又は公益上必要」とあるのは「工業の利便上若しくは公益上必要と認め、又は歴史的風致維持向上地区計画において定められた土地利用に関する基本方針に適合し、かつ、当該歴史的風致維持向上地区計画の区域における歴史的風致（地域歴史的風致法第一条に規定する歴史的風致をいう。）の維持及び向上を図る上でやむを得ない」とする。

〔追加・平成二法六一、改正・平成四法八二・平成一二法七三、旧六八条の四を改正し繰上・平成一四法八五、改正・平成一八法四六・法九二・平成二〇法四〇・平成二九法二六・平成三〇法六七〕

参照【地区計画―法二22、都計法一二の四①1【沿道地区計画―法二29、都計法一二の四①4【再開発等促進区―都計法一二の五③【沿道再開発等促進区―幹線道路の沿道の整備に関する法律九③～⑤【地区整備計画―法二23、都計法一二の五②1【沿道地区整備計画―法二30、幹線道路の沿道の整備に関する法律九②【建築物―法二1【敷地―令一1【特定行政庁―法二35【政令で定める規模―令一三六の二の六【開発整備促進区―都計法一二の五④【歴史的風致維持向上地区計画―法二27、都計法一二の四①3【歴史的風致維持向上地区整備計画―法二28、地域における歴史的風致の維持及び向上に関する法律三一②1【工作物への準用―法八八②【引用規定―宅地建物取引業法施行令二の五2

（建築物の容積率の最高限度を区域の特性に応じたものと公共施設の整備の状況に応じたものとに区分して定める地区計画等の区域内における建築物の容積率の特例）

第六八条の四 次に掲げる条件に該当する地区計画、防災街区整備地区計画又は沿道地区計画（防災街区整備地区計画にあつては、密集市街地整備法第三十二条第二項第一号に規定する地区防災施設（以下単に「地区防災施設」という。）の区域が定められているものに限る。以下この条において同じ。）の区域内にある建築物で、当該地区計画、防災街区整備地区計画又は沿道地区計画の内容（都市計画法第十二条の六第二号、密集市街地整備法第三十二条の二第二号又は沿道整備法第九条の二第二号の規定による公共施設の整備の状況に応じた建築物の容積率の最高限度（以下この条において「公共施設の整備の状況に応じた建築物の容積率の最高限度」という。）を除く。）に適合し、かつ、特定行政庁が交通上、安全上、防火上及び衛生上支障がないと認めるものについては、公共施設の整備の状況に応じた建築物の容積率の最高限度に関する第二号の条例の規定は、適用しない。

一 地区整備計画、特定建築物地区整備計画、防災街区整備地区整備計画又は沿道地区整備計画が定められている区域のうち、次に掲げる事項が定められている区域であること。

イ 都市計画法第十二条の六、密集市街地整備法第三十二条の二又は沿道整備法第九条の二の規定による区域の特性に応じたものと公共施設の整備の状況に応じたものとに区分した建築物の容積率の最高限度

ロ (1)から(3)までに掲げる区域の区分に従い、当該(1)から(3)までに定める施設の配置及び規模

(1) 地区整備計画の区域 都市計画法第十二条の五第二項第一号に規定する地区施設又は同条第五項第一号に規定する施設

(2) 防災街区整備地区整備計画の区域 密集市街地整備法第三十二条第二項第二号に規定する地区施設

(3) 沿道地区整備計画の区域 沿道整備法第九条第二項第一号に規定する沿道地区施設又は同条第四項第一号に規

定する施設

二　第六十八条の二第一項の規定に基づく条例で、前号イに掲げる事項に関する制限が定められている区域であること。

〔追加・平成一四法八五、改正・平成一八法四六・平成一九法一九・平成二〇法四〇・平成二三法一〇五〕

参照【地区計画―法二22、都計法一二の四①1【防災街区整備地区計画―法二24、都計法一二の四①2【沿道地区計画―法二29、都計法一二の四①4【特定行政庁―法二35【地区整備計画―法二23、都計法一二の五②1【特定建築物地区整備計画―法二25、密集市街地における防災街区の整備の促進に関する法律三二②1【防災街区整備地区整備計画―法二26、密集市街地における防災街区の整備の促進に関する法律三二②2【沿道地区整備計画―法二30、幹線道路の沿道の整備に関する法律九②1

（区域を区分して建築物の容積を適正に配分する地区計画等の区域内における建築物の容積率の特例）

第六八条の五　次に掲げる条件に該当する地区計画又は沿道地区計画の区域内にある建築物については、当該地区計画又は沿道地区計画において定められた建築物の容積率の最高限度を第五十二条第一項第一号から第四号までに定める数値とみなして、同条の規定を適用する。

一　地区整備計画又は沿道地区整備計画（都市計画法第十二条の七又は沿道整備法第九条の三の規定により、地区整備計画又は沿道地区整備計画の区域を区分して建築物の容積率の最高限度が定められているものに限る。）が定められている区域であること。

二　前号の建築物の容積率の最高限度が当該区域に係る用途地域において定められた建築物の容積率を超えるものとして定められている区域にあつては、地区整備計画又は沿道地区整備計画において次に掲げる事項が定められており、かつ、第六十八条の二第一項の規定に基づく条例でこれらの事項に関する制限が定められている区域であること。

イ　建築物の容積率の最低限度

ロ　建築物の敷地面積の最低限度

ハ　壁面の位置の制限（道路に面する壁面の位置を制限するものを含むものに限る。）

〔追加・平成八法四八、改正・平成一二法七三、旧六八条の五の二を改正し繰上・平成一四法八五、改正・平成一九法一九〕

参照【地区計画―法二22、都計法一二の四①1【沿道地区計画―法二29、都計法一二の四①4【建築物―法二1【地区整備計画―法二23、都計法一二の五②1【沿道地区整備計画―法二30、幹線道路の沿道の整備に関する法律九②1【道路―法四二

（区域を区分して建築物の容積を適正に配分する特定建築物地区整備計画等の区域内における建築物の容積率の特例）

第六八条の五の二　次に掲げる条件に該当する防災街区整備地区計画の区域内にある建築物（第二号に規定する区域内の建築物にあつては、防災街区整備地区計画の内容に適合する建築物で、特定行政庁が交通上、安全上、防火上及び衛生上支障がないと認めるものに限る。）については、当該防災街区整備地区計画において定められた建築物の容積率の最高限度を第五十二条第一項第一号から第四号までに定める数値とみなして、同条の規定を適用する。

一　特定建築物地区整備計画及び防災街区整備地区整備計画（いずれも密集市街地整備法第三十二条の三第一項の規定により、その区域をそれぞれ区分し、又は区分しないで建築物の容積率の最高限度が定められているものに限る。）が定められている区域であること。

二　前号の建築物の容積率の最高限度が当該区域に係る用途地域において定められた建築物の容積率を超えるものとして定められている区域にあつては、特定建築物地区整備計画において次に掲げる事項が定められており、かつ、第六十八条の二第一項の規定に基づく条例でこれらの事項に関する制限が定められている区域であること。

イ　建築物の容積率の最低限度

ロ　建築物の敷地面積の最低限度

ハ　壁面の位置の制限（道路に面する壁面の位置を制限するものを含むものに限る。）

〔追加・平一九法一九〕

（高度利用と都市機能の更新とを図る地区計画等の区域内における制限の特例）

第六八条の五の三　次に掲げる条件に該当する地区計画又は沿道地区計画の区域内にある建築物については、当該地区計画又は沿道地区計画において定められた建築物の容積率の最高限度を第五十二条第一項第二号から第四号までに定める数値とみなして、同条の規定を適用する。

一　都市計画法第十二条の八又は沿道整備法第九条の四の規定により、次に掲げる事項が定められている地区整備計画又は沿道地区整備計画の区域であること。

イ　建築物の容積率の最高限度

ロ　建築物の容積率の最低限度（沿道地区整備計画において沿道整備法第九条第六項第二号の建築物の沿道整備道路に係る間口率の最低限度及び建築物の高さの最低限度が定められている場合にあつては、これらの最低限度）、建築物の建蔽率の最高限度、建築物の建築面積の最低限度及び壁面の位置の制限（壁面の位置の制限にあつては、市街地の環境の向上を図るため必要な場合に限る。）

二　第六十八条の二第一項の規定に基づく条例で、前号ロに掲げる事項（壁面の位置の制限にあつては、地区整備計画又は沿道地区整備計画に定められたものに限る。）に関する制限が定められている区域であること。

2　前項各号に掲げる条件に該当する地区計画又は沿道地区計画の区域内においては、敷地内に道路に接して有効な空地が確保されていること等により、特定行政庁が、交通上、安全上、防火上及び衛生上支障がないと認めて許可した建築物については、第五十六条第一項第一号及び第二項から第四項までの規定は、適用しない。

3　第四十四条第二項の規定は、前項の規定による許可をする場合に準用する。

〔追加・平成一四法八五、旧六八条の五の二を改正し繰下・平成一九法一九、改正・平成二九法二六〕

参照【地区計画―法二22、都計法一二の四①1【沿道地区計画―法二29、都計法一二の四①4【建築物―法二1【地区整備計画―法二23、都計法一二の五②1【沿道地区整備計画―法二30、幹線道路の沿道の整備に関する法律九②1【道路―法四二【特定行政庁―法二35【引用規定―宅地建物取引業法施行令二の五2

（住居と住居以外の用途とを区分して定める地区計画等の区域内における建築物の容積率の特例）

第六八条の五の四　次に掲げる条件に該当する地区計画、防災街区整備地区計画又は沿道地区計画の区域内にあるその全部又は一部を住宅の用途に供する建築物については、当該地区計画、防災街区整備地区計画又は沿道地区計画において定められた建築物の容積率の最高限度を第五十二条第一項第二号又は第三号に定める数値とみなして、同条（第八項を除く。）の規定を適用する。ただし、当該建築物が同条第三項の規定により建築物の延べ面積の算定に当たりその床面積が当該建築物の延べ面積に算入されない部分を有するときは、当該部分の床面積を含む当該建築物の容積率は、当該建築物がある地域に関する都市計画において定められた同条第一項第二号又は第三号に定める数値の一・五倍以下でなければならない。

一　次に掲げる事項が定められている地区整備計画、特定建築物地区整備計画、防災街区整備地区整備計画又は沿道地区整備計画の区域であること。

イ　建築物の容積率の最高限度（都市計画法第十二条の九、密集市街地整備法第三十二条の四又は沿道整備法第九条の五の規定により、それぞれ都市計画法第十二条の九第一号、密集市街地整備法第三十二条の四第一号又は沿道整備法第九条の五第一号に掲げるものの数値が第五十二条第一項第二号又は第三号に定める数値以上その一・五倍以下で定められているものに限る。）

ロ　建築物の容積率の最低限度

ハ　建築物の敷地面積の最低限度

ニ　壁面の位置の制限（道路に面する壁面の位置を制限するものを含むものに限る。）

二　第六十八条の二第一項の規定に基づく条例で、前号ロからニまでに掲げる事項に関する制限が定められている区域であること。

三　当該区域が第一種住居地域、第二種住居地域、準住居地域、近隣商業地域、商業地域又は準工業地域内にあること。

〔追加・平成一四法八五、改正・平成一六法六七、旧六八条の五の三を改正し繰下・平成一九法一九、改正・平成二〇法四〇〕

参照【地区計画―法二22、都計法一二の四①1【防災街区整備地区計画―法二24、都計法一二の四①2【沿道地区計画―法二29、都計法一二の四①4【特定行政庁―法二35【地区整備計画―法二23、都計法一二の五②1【特定建築物地区整備計画―法二25、密集市街地における防災街区の整備の促進に関する法律三二②1【防災街区整備地区整備計画―法二26、密集市街地における防災街区の整備の促進に関する法律三二②2【沿道地区整備計画―法二30、幹線道路の沿道の整備に関する法律九②1【建築物―法二1【床面積―令二①3【敷地―令一1【第一種住居地域、第二種住居地域、準住居地域、田園住居地域、近隣商業地域、商業地域、準工業地域―法二21、都計法八①1・九⑤～⑪【道路―法四二

（区域の特性に応じた高さ、配列及び形態を備えた建築物の整備を誘導する地区計画等の区域内における制限の特例）

第六八条の五の五　次に掲げる条件に該当する地区計画等（集落地区計画を除く。以下この条において同じ。）の区域内の建築物で、当該地区計画等の内容に適合し、かつ、特定行政庁が交通上、安全上、防火上及び衛生上支障がないと認めるものについては、第五十二条第二項の規定は、適用しない。

一　次に掲げる事項が定められている地区整備計画等（集落地区整備計画を除く。）の区域であること。

イ　都市計画法第十二条の十、密集市街地整備法第三十二条の五、地域歴史的風致法第三十二条又は沿道整備法第九条の六の規定による壁面の位置の制限、壁面後退区域（壁面の位置の制限として定められた限度の線と敷地境界線との間の土地の区域をいう。以下この条において同じ。）における工作物の設置の制限及び建築物の高さの最高限度

ロ　建築物の容積率の最高限度

ハ　建築物の敷地面積の最低限度

二　第六十八条の二第一項の規定に基づく条例で、前号イ及びハに掲げる事項（壁面後退区域における工作物の設置の制限を除く。）に関する制限が定められている区域であること。

2　前項第一号イ及びハに掲げる事項が定められており、かつ、第六十八条の二第一項の規定に基づく条例で前項第一号イ及びハに掲げる事項（壁面後退区域における工作物の設置の制限を除く。）に関する制限が定められている地区計画等の区域内にある建築物で、当該地区計画等の内容に適合し、かつ、敷地内に有効な空地が確保されていること等により、特定行政庁が交通上、安全上、防火上及び衛生上支障がないと認めるものについては、第五十六条の規定は、適用しない。

〔追加・平成一四法八五、旧六八条の五の四を改正し繰下・平成一九法一九、改正・平成二〇法四〇〕

参照【地区計画等―法二33、都計法四⑨【建築物―法二1【特定行政庁―法二35【壁面の位置の制限―法五九②、六〇②、六〇の二②、六〇の二の二②

（地区計画等の区域内における建築物の建蔽率の特例）

第六八条の五の六　次に掲げる条件に該当する地区計画等（集落地区計画を除く。）の区域内の建築物については、第一号イに掲げる地区施設等の下にある部分で、特定行政庁が交通上、安全上、防火上及び衛生上支障がないと認めるものの建築面積は、第五十三条第一項及び第二項、第五十七条の五第一項及び第二項、第五十九条第一項、第五十九条の二第一項、第六十条の二第一項、第六十八条の八、第八十六条第三項及び第四項、第八十六条の二第二項及び第三項、第八十六条の五第三項並びに第八十六条の六第一項に規定する建築物の建蔽率の算定の基礎となる建築面積に算入しない。

一　地区整備計画等（集落地区整備計画を除く。）が定められている区域のうち、次に掲げる事項が定められている区域であること。

イ　その配置が地盤面の上に定められている通路その他の公共空地である地区施設等（第六十八条の四第一号ロに規定する施設、地域歴史的風致法第三十一条第二項第一号に規定する地区施設又は地区防災施設をいう。以下同じ。）

ロ　壁面の位置の制限（イの地区施設等に面する壁面の位置を制限するものを含むものに限る。）

二　第六十八条の二第一項の規定に基づく条例で、前号ロに掲げる事項に関する制限が定められている区域であること。

〔追加・平成一四法八五、改正・平成一六法六七、旧六八条の五の五を改正し繰下・平成一九法一九、改正・平成二〇法四〇・平成二三法一〇五・平成二九法二六〕

参照【地区計画等―法二33、都計法四⑨【地区整備計画等―法六八の二①【建築物―法二1【地区施設―都計法一二の五②1【特定行政庁―法二35【壁面の位置の制限―法五九②、六〇②、六〇の二②、六〇の二の二②

（道路の位置の指定に関する特例）

第六八条の六　地区計画等に道の配置及び規模又はその区域が定められている場合には、当該地区計画等の区域（次の各号に掲げる地区計画等の区分に応じて、当該各号に定める事項が定められている区域に限る。次条第一項において同じ。）における第四十二条第一項第五号の規定による位置の指定は、地区計画等に定められた道の配置又はその区域に即して行わなければならない。ただし、建築物の敷地として利用しようとする土地の位置と現に存する道路の位置との関係その他の事由によりこれにより難いと認められる場合においては、この限りでない。

一　地区計画　再開発等促進区若しくは開発整備促進区（いずれも都市計画法第十二条の五第五項第一号に規定する施設の配置及び規模が定められているものに限る。）又は地区整備計画

二　防災街区整備地区計画　地区防災施設の区域又は防災街区整備地区整備計画

三　歴史的風致維持向上地区計画　歴史的風致維持向上地区整備計画

四　沿道地区計画　沿道再開発等促進区（沿道整備法第九条第四項第一号に規定する施設の配置及び規模が定められているものに限る。）又は沿道地区整備計画

五　集落地区計画　集落地区整備計画

〔追加・昭和五五法三五、改正・昭和六二法六三、旧六八条の三を改正し繰下・昭和六三法四九、旧六八条の四を繰下・平成二法六一、改正・平成八法四八・平成九法五〇・平成一〇法一〇〇、全改・平成一四法八五、改正・平成一八法四六・平成二〇法四〇・平成二三法一〇五〕

参照　【地区計画等―法二33、都計法四⑨】【地区計画―法二22、都計法一二の四①1】【沿道地区計画―法二29、都計法一二の四①4】【集落地区計画―法二31、都計法一二の四①5】【防災街区整備地区計画―法二24、都計法一二の四①2】【防災街区整備地区整備計画―法二26、密集市街地における防災街区の整備の促進に関する法律三二②2】【歴史的風致維持向上地区計画―法二27、都計法一二の四①3】【歴史的風致維持向上地区整備計画―法二28、地域における歴史的風致の維持及び向上に関する法律三一②1】【建築物―法二1】【敷地―令一1】【道路―法四二】

（予定道路の指定）

第六八条の七　特定行政庁は、地区計画等に道の配置及び規模又はその区域が定められている場合で、次の各号の一に該当するときは、当該地区計画等の区域において、地区計画等に定められた道の配置及び規模又はその区域に即して、政令で定める基準に従い、予定道路の指定を行うことができる。ただし、第二号又は第三号に該当する場合で当該指定に伴う制限により当該指定の際現に当該予定道路の敷地となる土地を含む土地について所有権その他の権利を有する者が当該土地をその権利に基づいて利用することが著しく妨げられることとなるときは、この限りでない。

一　当該指定について、当該予定道路の敷地となる土地の所有者その他の政令で定める利害関係を有する者の同意を得たとき。

二　土地区画整理法による土地区画整理事業又はこれに準ずる事業により主要な区画道路が整備された区域において、当該指定に係る道が新たに当該区画道路に接続した細街路網を一体的に形成するものであるとき。

三　地区計画等においてその配置及び規模又はその区域が定められた道の相当部分の整備が既に行われている場合で、整備の行われていない道の部分に建築物の建築等が行われることにより整備された道の機能を著しく阻害するおそれがあるとき。

2　特定行政庁は、前項の規定により予定道路の指定を行う場合（同項第一号に該当する場合を除く。）においては、あらかじめ、建築審査会の同意を得なければならない。

3　第四十六条第一項後段、第二項及び第三項の規定は、前項に規定する場合について準用する。

4　第一項の規定により予定道路が指定された場合においては、当該予定道路を第四十二条第一項に規定する道路とみなして、第四十四条の規定を適用する。

5　第一項の規定により予定道路が指定された場合において、建築物の敷地が予定道路に接するとき又は当該敷地内に予定道路があるときは、特定行政庁が交通上、安全上、防火上及び衛生上支障がないと認めて許可した建築物については、当該予定道路を第五十二条第二項の前面道路とみなして、同項から同条第七項まで及び第九項の規定を適用するものとする。この場合においては、当該敷地のうち予定道路に係る部分の面積は、敷地面積又は敷地の部分の面積に算入しないものとする。

6　第四十四条第二項の規定は、前項の規定による許可をする場合に準用する。

〔追加・昭和五五法三五、改正・昭和六二法六三、旧六八条の四を繰下・昭和六三法四九、旧六八条の五を繰下・平成二法六一、改正・平成四法八二・平成六法六二・平成九法五〇・法七九・平成一四法八五・平成一六法六七〕

参照　【特定行政庁―法二35】【地区計画等―法二33、都計法四⑨】【地区計画―法二22、都計法一二の四①1】【沿道地区計画―法二29、都計法一二の四①4】【集落地区計画―法二31、都計法一二の四①5】【政令で定める基準―令一三六の二の七】【政令で定める利害関係を有する者―令一三六の二の八】【土地区画整理事業―土地区画整理法二①・②】【建築物―法二1】【建築―法二13】【建築審査会―法七八～八三】【敷地面積―法九二、令二①1】【敷地―令一1】【引用規定―宅地建物取引業法施行令二の五2】

（建築物の敷地が地区計画等の区域の内外にわたる場合の措置）

第六八条の八　第六十八条の二第一項の規定に基づく条例で建築物の容積率の最高限度又は建築物の建蔽率の最高限度が定められた場合において、建築物の敷地が当該条例による制限を受ける区域の内外にわたるときは、当該条例で定められた建築物の容積率の最高限度又は建築物の建蔽率の最高限度を、それぞれ当該建築物の当該条例による制限を受ける区域内にある部分に係る第五十二条第一項及び第二項の規定による建築物の容積率の限度又は第五十三条第一項の規定による建築物の建蔽率の限度とみなして、第五十二条第七項、第十四項及び第十五項又は第五十三条第二項及び第四項から第六項までの規定を適用する。

〔追加・昭和五五法三五、改正・昭和六二法六六、旧六八条の五を繰下・昭和六三法四九、旧六八条の六を繰下・平成二法六一、改正・平成六法六二・平成七法一三・平成九法七九・平成一二法七三・平成一四法八五・平成一六法六七・平成二九法二六・平成三〇法六七〕

参照　【建築物―法二1】【地区計画等―法二33、都計法四⑨】【敷地―令一1】

第八節　都市計画区域及び準都市計画区域以外の区域内の建築物の敷地及び構造

〔追加・平成四法八二、改正・平成一二法七三〕

第六八条の九　第六条第一項第四号の規定に基づき、都道府県知事が関係市町村の意見を聴いて指定する区域内においては、地方公共団体は、当該区域内における土地利用の状況等を考慮し、適正かつ合理的な土地利用を図るため必要と認めるときは、政令で定める基準に従い、条例で、建築物又はその敷地と道路との関係、建築物の容積率、建築物の高さその他の建築物の敷地又は構造に関して必要な制限を定めることができる。

> **第六八条の九**　第六条第一項第三号の規定に基づき、都道府県知事が関係市町村の意見を聴いて指定する区域内においては、地方公共団体は、当該区域内における土地利用の状況等を考慮し、適正かつ合理的な土地利用を図るため必要と認めるときは、政令で定める基準に従い、条例で、建築物又はその敷地と道路との関係、建築物の容積率、建築物の高さその他の建築物の敷地又は構造に関して必要な制限を定めることができる。

2　景観法第七十四条第一項の準景観地区内においては、市町村は、良好な景観の保全を図るため必要があると認めるときは、政令で定める基準に従い、条例で、建築物の高さ、壁面の位置その他の建築物の構造又は敷地に関して必要な制限を定めることができる。

〔追加・平成四法八二、改正・平成一二法七三・平成一六法一一一・平成二六法五四〕

参照　【建築物—法二1】【都市計画区域—法二20、都計法四②・五】【延べ面積—法九二、令二①4】【敷地面積—法九二、令二①1】【政令で定める基準—令一三六の二の九・一三六の二の一〇】【用途の変更に対する準用—法八七②・③】【罰則—法一〇七】【引用規定—宅地建物取引業法施行令二の五2・三①2

第三章の二　型式適合認定等

〔追加・平成一〇法一〇〇〕

（型式適合認定）

第六八条の一〇　国土交通大臣は、申請により、建築材料又は主要構造部、建築設備その他の建築物の部分で、政令で定めるものの型式が、前三章の規定又はこれに基づく命令の規定（第六十八条の二十五第一項の構造方法等の認定の内容を含む。）のうち当該建築材料又は建築物の部分の構造上の基準その他の技術的基準に関する政令で定める一連の規定に適合するものであることの認定（以下「型式適合認定」という。）を行うことができる。

2　型式適合認定の申請の手続その他型式適合認定に関し必要な事項は、国土交通省令で定める。

〔追加・平成一〇法一〇〇、改正・平成一一法一六〇・平成二六法五四〕

参照　【主要構造部—法二5】【建築設備—法二3】【政令で定める—令一三六の二の一一】【省令で定める—規則一〇の五の二・一〇の五の三】【工作物への準用—法八八①】

（型式部材等製造者の認証）

第六八条の一一　国土交通大臣は、申請により、規格化された型式の建築材料、建築物の部分又は建築物で、国土交通省令で定めるもの（以下この章において「型式部材等」という。）の製造又は新築（以下この章において単に「製造」という。）をする者について、当該型式部材等の製造者としての認証を行う。

2　前項の申請をしようとする者は、国土交通省令で定めるところにより、国土交通省令で定める事項を記載した申請書を提出して、これを行わなければならない。

3　国土交通大臣は、第一項の規定による認証をしたときは、国土交通省令で定めるところにより、その旨を公示しなければならない。

〔追加・平成一〇法一〇〇、改正・平成一一法一六〇〕

参照　【建築物—法二1】【省令で定める—規則一〇の五の四〜一〇の五の七】【工作物への準用—法八八①】

（欠格条項）

第六八条の一二　次の各号のいずれかに該当する者は、前条第一項の規定による認証を受けることができない。

一　建築基準法令の規定により刑に処せられ、その執行を終わり、又は執行を受けることがなくなつた日から起算して二年を経過しない者

二　第六十八条の二十一第一項若しくは第二項又は第六十八条の二十三第一項若しくは第二項の規定により認証を取り消され、その取消しの日から起算して二年を経過しない者

三　法人であつて、その役員のうちに前二号のいずれかに該当する者があるもの

〔追加・平成一〇法一〇〇、改正・平成二六法五四〕

参照　【工作物への準用—法八八①】

（認証の基準）

第六八条の一三　国土交通大臣は、第六十八条の十一第一項の申請が次に掲げる基準に適合していると認めるときは、同項の規定による認証をしなければならない。

一　申請に係る型式部材等の型式で型式部材等の種類ごとに国土交通省令で定めるものが型式適合認定を受けたものであること。

二　申請に係る型式部材等の製造設備、検査設備、検査方法、品質管理方法その他品質保持に必要な技術的生産条件が国土交通省令で定める技術的基準に適合していると認められること。

〔追加・平成一〇法一〇〇、改正・平成一一法一六〇〕

参照　【省令で定める—規則一〇の五の八・一〇の五の九】【工作物への準用—法八八①】

（認証の更新）

第六八条の一四　第六十八条の十一第一項の規定による認証は、五年以上十年以内において政令で定める期間ごとにその更新を

受けなければ、その期間の経過によつて、その効力を失う。

2　第六十八条の十一第二項及び前二条の規定は、前項の認証の更新の場合について準用する。

〔追加・平成一〇法一〇〇〕

参照【政令で定める期間―令一三六の二の一二】【工作物への準用―法八八①】

（承継）

第六八条の一五　第六十八条の十一第一項の認証を受けた者（以下この章において「認証型式部材等製造者」という。）が当該認証に係る型式部材等の製造の事業の全部を譲渡し、又は認証型式部材等製造者について相続、合併若しくは分割（当該認証に係る型式部材等の製造の事業の全部を承継させるものに限る。）があつたときは、その事業の全部を譲り受けた者又は相続人（相続人が二人以上ある場合において、その全員の同意により当該事業を承継すべき相続人を選定したときは、その者。以下この条において同じ。）、合併後存続する法人若しくは合併により設立した法人若しくは分割によりその事業の全部を承継した法人は、その認証型式部材等製造者の地位を承継する。ただし、当該事業の全部を譲り受けた者又は相続人、合併後存続する法人若しくは合併により設立した法人若しくは分割により当該事業の全部を承継した法人が第六十八条の十二各号のいずれかに該当するときは、この限りでない。

〔追加・平成一〇法一〇〇、改正・平成一二法九一〕

（変更の届出）

第六八条の一六　認証型式部材等製造者は、第六十八条の十一第二項の国土交通省令で定める事項に変更（国土交通省令で定める軽微なものを除く。）があつたときは、国土交通省令で定めるところにより、その旨を国土交通大臣に届け出なければならない。

〔追加・平成一〇法一〇〇、改正・平成一一法一六〇〕

参照【省令で定める―規則一〇の五の一〇・一〇の五の一一】【工作物への準用―法八八①】【罰則―法一〇六①2

（廃止の届出）

第六八条の一七　認証型式部材等製造者は、当該認証に係る型式部材等の製造の事業を廃止しようとするときは、国土交通省令で定めるところにより、あらかじめ、その旨を国土交通大臣に届け出なければならない。

2　前項の規定による届出があつたときは、当該届出に係る第六十八条の十一第一項の規定による認証は、その効力を失う。

3　国土交通大臣は、第一項の規定による届出があつたときは、その旨を公示しなければならない。

〔追加・平成一〇法一〇〇、改正・平成一一法一六〇〕

参照【省令で定める―規則一〇の五の一二】【工作物への準用―法八八①】【罰則―法一〇六①2

（型式適合義務等）

第六八条の一八　認証型式部材等製造者は、その認証に係る型式部材等の製造をするときは、当該型式部材等がその認証に係る型式に適合するようにしなければならない。ただし、輸出のため当該型式部材等の製造をする場合、試験的に当該型式部材等の製造をする場合その他の国土交通省令で定める場合は、この限りでない。

2　認証型式部材等製造者は、国土交通省令で定めるところにより、製造をする当該認証に係る型式部材等について検査を行い、その検査記録を作成し、これを保存しなければならない。

〔追加・平成一〇法一〇〇、改正・平成一一法一六〇〕

参照【省令で定める―規則一〇の五の一三・一〇の五の一四】【工作物への準用―法八八①】【罰則―法一〇一①7・一〇五

（表示等）

第六八条の一九　認証型式部材等製造者は、その認証に係る型式部材等の製造をしたときは、これに当該型式部材等が認証型式部材等製造者が製造をした型式部材等であることを示す国土交通省令で定める方式による特別な表示を付することができる。

2　何人も、前項の規定による場合を除くほか、建築材料、建築物の部分又は建築物に、同項の表示又はこれと紛らわしい表示を付してはならない。

〔追加・平成一〇法一〇〇、改正・平成一一法一六〇〕

参照【省令で定める方式―規則一〇の五の一五】【建築物―法二1】【工作物への準用―法八八①】【罰則―法九九①1・一〇五

（認証型式部材等に関する確認及び検査の特例）

第六八条の二〇　認証型式部材等製造者が製造をするその認証に係る型式部材等（以下この章において「認証型式部材等」という。）は、第六条第四項に規定する審査、第六条の二第一項の規定による確認のための審査又は第十八条第三項若しくは第四項に規定する審査において、その認証に係る型式に適合するものとみなす。

2　建築物以外の認証型式部材等で前条第一項の表示を付したもの及び建築物である認証型式部材等でその新築の工事が国土交通省令で定めるところにより建築士である工事監理者によつて設計図書のとおり実施されたことが確認されたものは、第七条第四項、第七条の二第一項、第七条の三第四項、第七条の四第一項又は第十八条第二十一項、第二十三項、第二十九項若しくは第三十二項の規定による検査において、その認証に係る型式に適合するものとみなす。

〔追加・平成一〇法一〇〇、改正・平成一一法一六〇・平成一八法九二・平成二六法五四・令和六法五三〕

参照【建築物―法二1】【省令で定める―規則一〇の五の一六】【工事監理者―法二11】【設計図書―法二12】【工作物への準用―法八八①】

（認証の取消し）

第六八条の二一　国土交通大臣は、認証型式部材等製造者が次の各号のいずれかに該当するときは、その認証を取り消さなければならない。

一　第六十八条の十二第一号又は第三号に該当するに至つたとき。

二　当該認証に係る型式適合認定が取り消されたとき。

2　国土交通大臣は、認証型式部材等製造者が次の各号のいずれかに該当するときは、その認証を取り消すことができる。

一　第六十八条の十六、第六十八条の十八又は第六十八条の十九第二項の規定に違反したとき。

二　認証型式部材等の製造設備、検査設備、検査方法、品質管理方法その他品質保持に必要な技術的生産条件が、第六十八条の十三第二号の国土交通省令で定める技術的基準に適合していないと認めるとき。

三　不正な手段により認証を受けたとき。

3　国土交通大臣は、前二項の規定により認証を取り消したときは、国土交通省令で定めるところにより、その旨を公示しなければならない。

〔追加・平成一〇法一〇〇、改正・平成一一法一六〇、旧六八条の二二を改正し繰上・平成二六法五四〕

参照【省令で定める技術的基準―規則一〇の五の九【省令で定めるところ―規則一〇の五の一七【工作物への準用―法八八①

（外国型式部材等製造者の認証）

第六八条の二二　国土交通大臣は、申請により、外国において本邦に輸出される型式部材等の製造をする者について、当該型式部材等の外国製造者としての認証を行う。

2　第六十八条の十一第二項及び第三項並びに第六十八条の十二から第六十八条の十四までの規定は前項の認証に、第六十八条の十五から第六十八条の十九までの規定は同項の認証を受けた者（以下この章において「認証外国型式部材等製造者」という。）に、第六十八条の二十の規定は認証外国型式部材等製造者が製造をする型式部材等に準用する。この場合において、第六十八条の十九第二項中「何人も」とあるのは「認証外国型式部材等製造者は」と、「建築材料」とあるのは「本邦に輸出される建築材料」と読み替えるものとする。

〔追加・平成一〇法一〇〇、改正・平成一一法一六〇、旧六八条の二三を改正し繰上・平成二六法五四〕

参照【型式部材等の外国製造者―規則一〇の五の五【工作物への準用―法八八①

（認証の取消し）

第六八条の二三　国土交通大臣は、認証外国型式部材等製造者が次の各号のいずれかに該当するときは、その認証を取り消さなければならない。

一　前条第二項において準用する第六十八条の十二第一号又は第三号に該当するに至つたとき。

二　当該認証に係る型式適合認定が取り消されたとき。

2　国土交通大臣は、認証外国型式部材等製造者が次の各号のいずれかに該当するときは、その認証を取り消すことができる。

一　前条第二項において準用する第六十八条の十六、第六十八条の十八又は第六十八条の十九第二項の規定に違反したとき。

二　認証に係る型式部材等の製造設備、検査設備、検査方法、品質管理方法その他品質保持に必要な技術的生産条件が、前条第二項において準用する第六十八条の十三第二号の国土交通省令で定める技術的基準に適合していないと認めるとき。

三　不正な手段により認証を受けたとき。

四　第十五条の二第一項の規定による報告若しくは物件の提出をせず、又は虚偽の報告若しくは虚偽の物件の提出をしたとき。

五　第十五条の二第一項の規定による検査若しくは試験を拒み、妨げ、若しくは忌避し、又は同項の規定による質問に対して答弁をせず、若しくは虚偽の答弁をしたとき。

六　第四項の規定による費用の負担をしないとき。

3　国土交通大臣は、前二項の規定により認証を取り消したときは、国土交通省令で定めるところにより、その旨を公示しなければならない。

4　第十五条の二第一項の規定による検査又は試験に要する費用（政令で定めるものに限る。）は、当該検査又は試験を受ける認証外国型式部材等製造者の負担とする。

〔追加・平成一〇法一〇〇、改正・平成一一法一六〇、旧六八条の二四を改正し繰上・平成二六法五四〕

参照【省令で定める技術的基準―規則一〇の五の九【省令で定めるところ―規則一〇の五の一七【政令で定めるもの―令一三六の二の一三【旅費の額―規則一〇の五の一八【在勤官署の所在地―規則一〇の五の一九【旅費の額の計算に係る細目―規則一〇の五の二〇【工作物への準用―法八八①

（指定認定機関等による認定等の実施）

第六八条の二四　国土交通大臣は、第七十七条の三十六から第七十七条の三十九までの規定の定めるところにより指定する者に、型式適合認定又は第六十八条の十一第一項若しくは第六十八条の二十二第一項の規定による認証、第六十八条の十四第一項（第六十八条の二十二第二項において準用する場合を含む。）の認証の更新及び第六十八条の十一第三項（第六十八条の二十二第二項において準用する場合を含む。）の規定による公示（以下「認定等」という。）の全部又は一部を行わせることができる。

2　国土交通大臣は、前項の規定による指定をしたときは、当該指定を受けた者が行う認定等を行わないものとする。

3　国土交通大臣は、第七十七条の五十四の規定の定めるところにより承認する者に、認定等（外国において事業を行う者の申請に基づき行うものに限る。）の全部又は一部を行わせることができる。

〔追加・平成一〇法一〇〇、改正・平成一一法一六〇、旧六八条の二五を改正し繰上・平成二六法五四〕

参照【工作物への準用―法八八①

（構造方法等の認定）

第六八条の二五　構造方法等の認定（前三章の規定又はこれに基づく命令の規定で、建築物の構造上の基準その他の技術的基準に関するものに基づき国土交通大臣がする構造方法、建築材料又はプログラムに係る認定をいう。以下同じ。）の申請をしようとする者は、国土交通省令で定めるところにより、国土交通省令で定める事項を記載した申請書を国土交通大臣に提出して、これをしなければならない。

2　国土交通大臣は、構造方法等の認定のための審査に当たつては、審査に係る構造方法、建築材料又はプログラムの性能に関する評価（以下この条において単に「評価」という。）に基づきこれを行うものとする。

3　国土交通大臣は、第七十七条の五十六の規定の定めるところにより指定する者に、構造方法等の認定のための審査に必要な評価の全部又は一部を行わせることができる。

4　国土交通大臣は、前項の規定による指定をしたときは、当該指定を受けた者が行う評価を行わないものとする。

5　国土交通大臣が第三項の規定による指定をした場合において、当該指定に係る構造方法等の認定の申請をしようとする者は、第七項の規定により申請する場合を除き、第三項の規定による指定を受けた者が作成した当該申請に係る構造方法、建築材料又はプログラムの性能に関する評価書（以下この条において「性能評価書」という。）を第一項の申請書に添えて、これをしなければならない。この場合において、国土交通大臣は、当該性能評価書に基づき構造方法等の認定のための審査を行うものとする。

6　国土交通大臣は、第七十七条の五十七の規定の定めるところにより承認する者に、構造方法等の認定のための審査に必要な評価（外国において事業を行う者の申請に基づき行うものに限る。）の全部又は一部を行わせることができる。

7　外国において事業を行う者は、前項の承認を受けた者が作成した性能評価書を第一項の申請書に添えて構造方法等の認定を申請することができる。この場合において、国土交通大臣は、当該性能評価書に基づき構造方法等の認定のための審査を行うものとする。

〔追加・平成一〇法一〇〇、改正・平成一一法一六〇・平成一八法九二、旧六八条の二六を繰上・平成二六法五四〕

参照【省令で定める申請―規則一〇の五の二一【認定書の通知等―規則一〇の五の二二【工作物への準用―法八八①

（特殊構造方法等認定）

第六八条の二六　特殊構造方法等認定（第三十八条（第六十六条及び第六十七条の二において準用する場合を含む。）の規定による認定をいう。以下同じ。）の申請をしようとする者は、国土交通省令で定めるところにより、国土交通省令で定める事項を記載した申請書を国土交通大臣に提出して、これをしなければならない。

〔追加・平成二六法五四、改正・平成三〇法六七〕

参照【省令で定める申請―規則一〇の五の二三【認定書の通知等―規則一〇の五の二四【工作物への準用―法八八①

第四章　建築協定

〔旧八章を繰上・昭和三四法一五六〕

（建築協定の目的）

第六九条　市町村は、その区域の一部について、住宅地としての環境又は商店街としての利便を高度に維持増進する等建築物の利用を増進し、かつ、土地の環境を改善するために必要と認める場合においては、土地の所有者及び借地権を有する者（土地区画整理法第九十八条第一項（大都市地域における住宅及び住宅地の供給の促進に関する特別措置法第八十三条において準用する場合を含む。次条第三項、第七十四条の二第一項及び第二項並びに第七十五条の二第一項、第二項及び第五項において同じ。）の規定により仮換地として指定された土地にあつては、当該土地に対応する従前の土地の所有者及び借地権を有する者。以下「土地の所有者等」と総称する。）が当該土地について一定の区域を定め、その区域内における建築物の敷地、位置、構造、用途、形態、意匠又は建築設備に関する基準についての協定（以下「建築協定」という。）を締結することができる旨を、条例で、定めることができる。

〔改正・昭和三四法一五六・昭和三六法一一五・昭和三九法一六九・昭和五一法八三・平成七法一三・平成一二法七三〕

参照【建築物―法二1【敷地―令一1【特別区の特例―地方自治法二八一②【経過措置―地方自治法施行令の一部を改正する政令（昭和四九年政令第二〇三号）附則三②

（建築協定の認可の申請）

第七〇条　前条の規定による建築協定を締結しようとする土地の所有者等は、協定の目的となつている土地の区域（以下「建築協定区域」という。）、建築物に関する基準、協定の有効期間及び協定違反があつた場合の措置を定めた建築協定書を作成し、その代表者によつて、これを特定行政庁に提出し、その認可を受けなければならない。

2　前項の建築協定書においては、同項に規定するもののほか、前条の条例で定める区域内の土地のうち、建築協定区域に隣接した土地であつて、建築協定区域の一部とすることにより建築物の利用の増進及び土地の環境の改善に資するものとして建築協定区域の土地となることを当該建築協定区域内の土地の所有者等が希望するもの（以下「建築協定区域隣接地」という。）を定めることができる。

3　第一項の建築協定書については、土地の所有者等の全員の合意がなければならない。ただし、当該建築協定区域内の土地（土地区画整理法第九十八条第一項の規定により仮換地として指定された土地にあつては、当該土地に対応する従前の土地）に借地権の目的となつている土地がある場合においては、当該借地権の目的となつている土地の所有者以外の土地の所有者等の全員の合意があれば足りる。

4　第一項の規定によつて建築協定書を提出する場合において、当該建築協定区域が建築主事を置く市町村の区域外にあるときは、その所在地の市町村の長を経由しなければならない。

〔改正・昭和三九法一六九・昭和五一法八三・平成七法一三〕

参照【建築物―法二1【特定行政庁―法二35【建築主事を置く市町村―法四⑤【建築主事を置く市町村の区域外―地方自治法施行令二一〇の一七

（申請に係る建築協定の公告）

第七一条　市町村の長は、前条第一項又は第四項の規定による建築協定書の提出があつた場合においては、遅滞なく、その旨を公告し、二十日以上の相当の期間を定めて、これを関係人の縦覧に供さなければならない。

〔改正・昭和五一法八三・平成七法一三〕

（公開による意見の聴取）

第七二条　市町村の長は、前条の縦覧期間の満了後、関係人の出頭を求めて公開による意見の聴取を行わなければならない。

2　建築主事を置く市町村以外の市町村の長は、前項の意見の聴取をした後、遅滞なく、当該建築協定書を、同項の規定による意見の聴取の記録を添えて、都道府県知事に送付しなければならない。この場合において、当該市町村の長は、当該建築協定書の内容について意見があるときは、その意見を付さなければならない。

〔改正・平成五法八九・平成一五法四〕

参照【建築主事を置く市町村―法四⑤【建築主事を置く市町村以外の市町村―地方自治法施行令二一〇の一七

（建築協定の認可）

第七三条　特定行政庁は、当該建築協定の認可の申請が、次に掲げる条件に該当するときは、当該建築協定を認可しなければならない。

一　建築協定の目的となつている土地又は建築物の利用を不当に制限するものでないこと。

二　第六十九条の目的に合致するものであること。

三　建築協定において建築協定区域隣接地を定める場合には、その区域の境界が明確に定められていることその他の建築協定区域隣接地について国土交通省令で定める基準に適合するものであること。

2　特定行政庁は、前項の認可をした場合においては、遅滞なく、その旨を公告しなければならない。この場合において、当該建築協定が建築主事を置く市町村の区域外の区域に係るものであるときは、都道府県知事は、その認可した建築協定に係る建築協定書の写し一通を当該建築協定区域及び建築協定区域隣接地の所在地の市町村の長に送付しなければならない。

3　第一項の規定による認可をした市町村の長又は前項の規定によつて建築協定書の写の送付を受けた市町村の長は、その建築協定書を当該市町村の事務所に備えて、一般の縦覧に供さなければならない。

〔改正・昭和三四法一五六・平成七法一三・平成一一法一六〇〕

参照　【特定行政庁―法二35】【建築物―法二1】【省令で定める基準―規則一〇の六】【建築主事を置く市町村―法四⑤】

（建築協定の変更）

第七四条　建築協定区域内における土地の所有者等（当該建築協定の効力が及ばない者を除く。）は、前条第一項の規定による認可を受けた建築協定に係る建築協定区域、建築物に関する基準、有効期間、協定違反があつた場合の措置又は建築協定区域隣接地を変更しようとする場合においては、その旨を定め、これを特定行政庁に申請してその認可を受けなければならない。

2　前四条の規定は、前項の認可の手続に準用する。

〔改正・昭和五一法八三・平成七法一三〕

参照　【建築物―法二1】【特定行政庁―法二35】

第七四条の二　建築協定区域内の土地（土地区画整理法第九十八条第一項の規定により仮換地として指定された土地にあつては、当該土地に対応する従前の土地）で当該建築協定の効力が及ばない者の所有するものの全部又は一部について借地権が消滅した場合においては、その借地権の目的となつていた土地（同項の規定により仮換地として指定された土地に対応する従前の土地にあつては、当該土地についての仮換地として指定された土地）は、当該建築協定区域から除かれるものとする。

2　建築協定区域内の土地で土地区画整理法第九十八条第一項の規定により仮換地として指定されたものが、同法第八十六条第一項の換地計画又は大都市地域における住宅及び住宅地の供給の促進に関する特別措置法第七十二条第一項の換地計画において当該土地に対応する従前の土地についての換地として定められず、かつ、土地区画整理法第九十一条第三項（大都市地域における住宅及び住宅地の供給の促進に関する特別措置法第八十二条において準用する場合を含む。）の規定により当該土地に対応する従前の土地の所有者に対してその共有持分を与えるように定められた土地としても定められなかつたときは、当該土地は、土地区画整理法第百三条第四項（大都市地域における住宅及び住宅地の供給の促進に関する特別措置法第八十三条において準用する場合を含む。）の公告があつた日が終了した時において当該建築協定区域から除かれるものとする。

3　前二項の場合においては、当該借地権を有していた者又は当該仮換地として指定されていた土地に対応する従前の土地に係る土地の所有者等（当該建築協定の効力が及ばない者を除く。）は、遅滞なく、その旨を特定行政庁に届け出なければならない。

4　特定行政庁は、前項の規定による届出があつた場合その他第一項又は第二項の規定により建築協定区域内の土地が当該建築協定区域から除かれたことを知つた場合においては、遅滞なく、その旨を公告しなければならない。

〔追加・昭和五一法八三、改正・平成七法一三〕

参照　【借地権―法六九】【特定行政庁―法二35】

（建築協定の効力）

第七五条　第七十三条第二項又はこれを準用する第七十四条第二項の規定による認可の公告（次条において「建築協定の認可等の公告」という。）のあつた建築協定は、その公告のあつた日以後において当該建築協定区域内の土地の所有者等となつた者（当該建築協定について第七十条第三項又はこれを準用する第七十四条第二項の規定による合意をしなかつた者の有する土地の所有権を承継した者を除く。）に対しても、その効力があるものとする。

〔改正・昭和五一法八三・平成七法一三〕

参照　【引用規定―宅地建物取引業法施行令三①2】

（建築協定の認可等の公告のあつた日以後建築協定に加わる手続等）

第七五条の二　建築協定区域内の土地の所有者（土地区画整理法第九十八条第一項の規定により仮換地として指定された土地にあつては、当該土地に対応する従前の土地の所有者）で当該建築協定の効力が及ばないものは、建築協定の認可等の公告のあつた日以後いつでも、特定行政庁に対して書面でその意思を表示することによつて、当該建築協定に加わることができる。

2　建築協定区域隣接地の区域内の土地に係る土地の所有者等は、建築協定の認可等の公告のあつた日以後いつでも、当該土地に係る土地の所有者等の全員の合意により、特定行政庁に対して書面でその意思を表示することによつて、建築協定に加わることができる。ただし、当該土地（土地区画整理法第九十八条第一項の規定により仮換地として指定された土地にあつては、当該土地に対応する従前の土地）の区域内に借地権の目的となつている土地がある場合においては、当該借地権の目的となつている土地の所有者以外の土地の所有者等の全員の合意があれば足りる。

3　建築協定区域隣接地の区域内の土地に係る土地の所有者等で前項の意思を表示したものに係る土地の区域は、その意思の表示があつた時以後、建築協定区域の一部となるものとする。

4　第七十三条第二項及び第三項の規定は、第一項又は第二項の規定による意思の表示があつた場合に準用する。

5　建築協定は、第一項又は第二項の規定により当該建築協定に加わつた者がその時において所有し、又は借地権を有していた当該建築協定区域内の土地（土地区画整理法第九十八条第一項の規定により仮換地として指定された土地にあつては、当該土地に対応する従前の土地）について、前項において準用する第七十三条第二項の規定による公告のあつた日以後において土地の所有者等となつた者（当該建築協定について第二項の規定による合意をしなかつた者の有する土地の所有権を承継した者及び前条の規定の適用がある者を除く。）に対しても、その効力があるものとする。

〔追加・昭和五一法八三、改正・平成七法一三〕

参照 【特定行政庁―法二35 【引用規定―宅地建物取引業法施行令三①2

（建築協定の廃止）

第七六条 建築協定区域内の土地の所有者等（当該建築協定の効力が及ばない者を除く。）は、第七十三条第一項の規定による認可を受けた建築協定を廃止しようとする場合においては、その過半数の合意をもつてその旨を定め、これを特定行政庁に申請してその認可を受けなければならない。

2 特定行政庁は、前項の認可をした場合においては、遅滞なく、その旨を公告しなければならない。

〔改正・昭和五一法八三〕

参照 【特定行政庁―法二35

（土地の共有者等の取扱い）

第七六条の二 土地の共有者又は共同借地権者は、第七十条第三項（第七十四条第二項において準用する場合を含む。）、第七十五条の二第一項及び第二項並びに前条第一項の規定の適用については、合わせて一の所有者又は借地権者とみなす。

〔追加・昭和五一法八三、改正・平成七法一三〕

（建築協定の設定の特則）

第七六条の三 第六十九条の条例で定める区域内における土地で、一の所有者以外に土地の所有者等が存しないものの所有者は、当該土地の区域を建築協定区域とする建築協定を定めることができる。

2 前項の規定による建築協定を定めようとする者は、建築協定区域、建築物に関する基準、協定の有効期間及び協定違反があつた場合の措置を定めた建築協定書を作成し、これを特定行政庁に提出して、その認可を受けなければならない。

3 前項の建築協定書においては、同項に規定するもののほか、建築協定区域隣接地を定めることができる。

4 第七十条第四項及び第七十一条から第七十三条までの規定は、第二項の認可の手続に準用する。

5 第二項の規定による認可を受けた建築協定は、認可の日から起算して三年以内において当該建築協定区域内の土地に二以上の土地の所有者等が存することとなつた時から、第七十三条第二項の規定による認可の公告のあつた建築協定と同一の効力を有する建築協定となる。

6 第七十四条及び第七十六条の規定は、前項の規定により第七十三条第二項の規定による認可の公告のあつた建築協定と同一の効力を有する建築協定となつた建築協定の変更又は廃止について準用する。

〔追加・昭和五一法八三、改正・平成七法一三〕

参照 【建築物―法二1 【特定行政庁―法二35 【引用規定―大都市地域における優良宅地開発の促進に関する緊急措置法一〇、宅地建物取引業法施行令三①2

（建築物の借主の地位）

第七七条 建築協定の目的となつている建築物に関する基準が建築物の借主の権限に係る場合においては、その建築協定については、当該建築物の借主は、土地の所有者等とみなす。

〔改正・昭和五一法八三〕

参照 【建築物―法二1

第四章の二　指定建築基準適合判定資格者検定機関等

〔追加・平成一〇法一〇〇、改正・平成二六法五四〕

第一節　指定建築基準適合判定資格者検定機関

〔追加・平成一〇法一〇〇、改正・平成二六法五四〕

（指定）

第七七条の二 第五条の二第一項の規定による指定は、一を限り、建築基準適合判定資格者検定事務を行おうとする者の申請により行う。

〔追加・平成一〇法一〇〇、改正・平成二六法五四〕

（欠格条項）

第七七条の三 次の各号のいずれかに該当する者は、第五条の二第一項の規定による指定を受けることができない。

一 一般社団法人又は一般財団法人以外の者

二 建築基準法令の規定により刑に処せられ、その執行を終わり、又は執行を受けることがなくなつた日から起算して二年を経過しない者

三 第七十七条の十五第一項又は第二項の規定により指定を取り消され、その取消しの日から起算して二年を経過しない者

四 その役員のうちに、イ又はロのいずれかに該当する者がある者

イ 第二号に該当する者

ロ 第七十七条の六第二項の規定による命令により解任され、その解任の日から起算して二年を経過しない者

〔追加・平成一〇法一〇〇、改正・平成一八法五〇〕

（指定の基準）

第七七条の四 国土交通大臣は、第五条の二第一項の規定による指定の申請が次に掲げる基準に適合していると認めるときでなければ、その指定をしてはならない。

一 職員（第七十七条の七第一項の建築基準適合判定資格者検定委員を含む。）、設備、建築基準適合判定資格者検定事務の実施の方法その他の事項についての建築基準適合判定資格者検定事務の実施に関する計画が、建築基準適合判定資格者検定事務の適確な実施のために適切なものであること。

二 前号の建築基準適合判定資格者検定事務の実施に関する計画を適確に実施するに足りる経理的及び技術的な基礎を有するものであること。

三 建築基準適合判定資格者検定事務以外の業務を行つている場合には、その業務を行うことによつて建築基準適合判定資格者検定事務の公正な実施に支障を及ぼすおそれがないものであること。

〔追加・平成一〇法一〇〇、改正・平成一一法一六〇・平成二六法五四〕

（指定の公示等）

第七七条の五　国土交通大臣は、第五条の二第一項の規定による指定をしたときは、指定建築基準適合判定資格者検定機関の名称及び住所、建築基準適合判定資格者検定事務を行う事務所の所在地並びに建築基準適合判定資格者検定事務の開始の日を公示しなければならない。

2　指定建築基準適合判定資格者検定機関は、その名称若しくは住所又は建築基準適合判定資格者検定事務を行う事務所の所在地を変更しようとするときは、変更しようとする日の二週間前までに、その旨を国土交通大臣に届け出なければならない。

3　国土交通大臣は、前項の規定による届出があつたときは、その旨を公示しなければならない。

〔追加・平成一〇法一〇〇、改正・平成一一法一六〇・平成二六法五四〕

参照　【公示―機関省令一三】【名称等の変更の届出―機関省令三】

（役員の選任及び解任）

第七七条の六　指定建築基準適合判定資格者検定機関の役員の選任及び解任は、国土交通大臣の認可を受けなければ、その効力を生じない。

2　国土交通大臣は、指定建築基準適合判定資格者検定機関の役員が、第七十七条の九第一項の認可を受けた建築基準適合判定資格者検定事務規程に違反したとき、又は建築基準適合判定資格者検定事務に関し著しく不適当な行為をしたときは、指定建築基準適合判定資格者検定機関に対し、その役員を解任すべきことを命ずることができる。

〔追加・平成一〇法一〇〇、改正・平成一一法一六〇・平成二六法五四〕

参照　【役員の選任及び解任の認可の申請―機関省令四】

（建築基準適合判定資格者検定委員）

第七七条の七　指定建築基準適合判定資格者検定機関は、建築基準適合判定資格者検定の問題の作成及び採点を建築基準適合判定資格者検定委員に行わせなければならない。

2　建築基準適合判定資格者検定委員は、建築及び行政に関し学識経験のある者のうちから選任しなければならない。

3　指定建築基準適合判定資格者検定機関は、建築基準適合判定資格者検定委員を選任し、又は解任したときは、国土交通省令で定めるところにより、その旨を国土交通大臣に届け出なければならない。

4　国土交通大臣は、建築基準適合判定資格者検定委員が、第七十七条の九第一項の認可を受けた建築基準適合判定資格者検定事務規程に違反したとき、又は建築基準適合判定資格者検定事務に関し著しく不適当な行為をしたときは、指定建築基準適合判定資格者検定機関に対し、その建築基準適合判定資格者検定委員を解任すべきことを命ずることができる。

〔追加・平成一〇法一〇〇、改正・平成一一法一六〇・平成二六法五四〕

参照　【省令で定めるところ―機関省令五】

（秘密保持義務等）

第七七条の八　指定建築基準適合判定資格者検定機関の役員及び職員（建築基準適合判定資格者検定委員を含む。第三項において同じ。）並びにこれらの職にあつた者は、建築基準適合判定資格者検定事務に関して知り得た秘密を漏らしてはならない。

2　前項に定めるもののほか、建築基準適合判定資格者検定委員は、建築基準適合判定資格者検定の問題の作成及び採点に当たつて、厳正を保持し不正な行為のないようにしなければならない。

3　建築基準適合判定資格者検定事務に従事する指定建築基準適合判定資格者検定機関の役員及び職員は、刑法（明治四十年法律第四十五号）その他の罰則の適用については、法令により公務に従事する職員とみなす。

〔追加・平成一〇法一〇〇、改正・平成二六法五四〕

参照　【罰則―法九九①10・11】

（建築基準適合判定資格者検定事務規程）

第七七条の九　指定建築基準適合判定資格者検定機関は、建築基準適合判定資格者検定事務の実施に関する規程（以下この節において「建築基準適合判定資格者検定事務規程」という。）を定め、国土交通大臣の認可を受けなければならない。これを変更しようとするときも、同様とする。

2　建築基準適合判定資格者検定事務規程で定めるべき事項は、国土交通省令で定める。

3　国土交通大臣は、第一項の認可をした建築基準適合判定資格者検定事務規程が建築基準適合判定資格者検定事務の公正かつ適確な実施上不適当となつたと認めるときは、その建築基準適合判定資格者検定機関に対し、その建築基準適合判定資格者検定事務規程を変更すべきことを命ずることができる。

〔追加・平成一〇法一〇〇、改正・平成一一法一六〇・平成二六法五四〕

参照　【建築基準適合判定資格者検定事務規程の認可の申請―機関省令六】【省令で定める―機関省令七】

（事業計画等）

第七七条の一〇　指定建築基準適合判定資格者検定機関は、毎事業年度、事業計画及び収支予算を作成し、当該事業年度の開始前に（指定を受けた日の属する事業年度にあつては、その指定を受けた後遅滞なく）、国土交通大臣の認可を受けなければならない。これを変更しようとするときも、同様とする。

2　指定建築基準適合判定資格者検定機関は、毎事業年度、事業報告書及び収支決算書を作成し、当該事業年度の終了後三月以内に国土交通大臣に提出しなければならない。

〔追加・平成一〇法一〇〇、改正・平成一一法一六〇・平成二六法五四〕

参照　【事業計画等の認可の申請―機関省令八】

（帳簿の備付け等）

第七七条の一一　指定建築基準適合判定資格者検定機関は、国土交通省令で定めるところにより、建築基準適合判定資格者検定事務に関する事項で国土交通省令で定めるものを記載した帳簿を備え付け、これを保存しなければならない。

〔追加・平成一〇法一〇〇、改正・平成一一法一六〇・平成二六法五四〕

参照【省令で定める―機関省令九【罰則―法一〇四2

（監督命令）

第七七条の一二　国土交通大臣は、建築基準適合判定資格者検定事務の公正かつ適確な実施を確保するため必要があると認めるときは、指定建築基準適合判定資格者検定機関に対し、建築基準適合判定資格者検定事務に関し監督上必要な命令をすることができる。

〔追加・平成一〇法一〇〇、改正・平成一一法一六〇・平成二六法五四〕

（報告、検査等）

第七七条の一三　国土交通大臣は、建築基準適合判定資格者検定事務の公正かつ適確な実施を確保するため必要があると認めるときは、指定建築基準適合判定資格者検定機関に対し建築基準適合判定資格者検定事務に関し必要な報告を求め、又はその職員に、指定建築基準適合判定資格者検定機関の事務所に立ち入り、建築基準適合判定資格者検定事務の状況若しくは設備、帳簿、書類その他の物件を検査させ、若しくは関係者に質問させることができる。

2　第十五条の二第二項及び第三項の規定は、前項の場合について準用する。

〔追加・平成一〇法一〇〇、改正・平成一〇法一〇〇・平成一一法一六〇・平成二六法五四〕

参照【建築基準適合判定資格者検定事務の実施結果の報告―機関省令一〇【罰則―法一〇四1・3

（建築基準適合判定資格者検定事務の休廃止等）

第七七条の一四　指定建築基準適合判定資格者検定機関は、国土交通大臣の許可を受けなければ、建築基準適合判定資格者検定事務の全部又は一部を休止し、又は廃止してはならない。

2　国土交通大臣が前項の規定により建築基準適合判定資格者検定事務の全部の廃止を許可したときは、当該許可に係る指定は、その効力を失う。

3　国土交通大臣は、第一項の許可をしたときは、その旨を公示しなければならない。

〔追加・平成一〇法一〇〇、改正・平成一一法一六〇・平成二六法五四〕

参照【建築基準適合判定資格者検定事務の休廃止の許可申請―機関省令一一【公示―機関省令一三【罰則―法一〇四4

（指定の取消し等）

第七七条の一五　国土交通大臣は、指定建築基準適合判定資格者検定機関が第七十七条の三第一号、第二号又は第四号のいずれかに該当するに至つたときは、その指定を取り消さなければならない。

2　国土交通大臣は、指定建築基準適合判定資格者検定機関が次の各号のいずれかに該当するときは、その指定を取り消し、又は期間を定めて建築基準適合判定資格者検定事務の全部若しくは一部の停止を命ずることができる。

一　第七十七条の五第二項、第七十七条の七第一項から第三項まで、第七十七条の十、第七十七条の十一又は前条第一項の規定に違反したとき。

二　第七十七条の九第一項の認可を受けた建築基準適合判定資格者検定事務規程によらないで建築基準適合判定資格者検定事務を行つたとき。

三　第七十七条の六第二項、第七十七条の七第四項、第七十七条の九第三項又は第七十七条の十二の規定による命令に違反したとき。

四　第七十七条の四各号に掲げる基準に適合していないと認めるとき。

五　その役員又は建築基準適合判定資格者検定委員が、建築基準適合判定資格者検定事務に関し著しく不適当な行為をしたとき。

六　不正な手段により指定を受けたとき。

3　国土交通大臣は、前二項の規定により指定を取り消し、又は前項の規定により建築基準適合判定資格者検定事務の全部若しくは一部の停止を命じたときは、その旨を公示しなければならない。

〔追加・平成一〇法一〇〇、改正・平成一一法一六〇・平成二六法五四〕

参照【公示―機関省令一三【罰則―法一〇〇

（国土交通大臣による建築基準適合判定資格者検定の実施）

第七七条の一六　国土交通大臣は、指定建築基準適合判定資格者検定機関が第七十七条の十四第一項の規定により建築基準適合判定資格者検定事務の全部若しくは一部を休止したとき、前条第二項の規定により指定建築基準適合判定資格者検定機関に対し建築基準適合判定資格者検定事務の全部若しくは一部の停止を命じたとき、又は指定建築基準適合判定資格者検定機関が天災その他の事由により建築基準適合判定資格者検定事務の全部若しくは一部を実施することが困難となつた場合において必要があると認めるときは、第五条の二第三項の規定にかかわらず、建築基準適合判定資格者検定事務の全部又は一部を自ら行うものとする。

2　国土交通大臣は、前項の規定により建築基準適合判定資格者検定事務を行い、又は同項の規定により行つている建築基準適合判定資格者検定事務を行わないこととしようとするときは、あらかじめ、その旨を公示しなければならない。

3　国土交通大臣が、第一項の規定により建築基準適合判定資格者検定事務を行うこととし、第七十七条の十四第一項の規定により建築基準適合判定資格者検定事務の廃止を許可し、又は前条第一項若しくは第二項の規定により指定を取り消した場合における建築基準適合判定資格者検定事務の引継ぎその他の必要な事項は、国土交通省令で定める。

〔追加・平成一〇法一〇〇、改正・平成一一法一六〇・平成二六法五四〕

参照【公示―機関省令一三【省令で定める―機関省令一二

（審査請求）

第七七条の一七　指定建築基準適合判定資格者検定機関が行う建築基準適合判定資格者検定事務に係る処分又はその不作為については、国土交通大臣に対し、審査請求をすることができる。この場合において、国土交通大臣は、行政不服審査法（平成二十六年法律第六十八号）第二十五条第二項及び第三項、第四十六条第一項及び第二項、第四十七条並びに第四十九条第三項の規定の適用については、指定建築基準適合判定資格者検定機関の上級行政庁とみなす。

〔追加・平成一〇法一〇〇、改正・平成一一法一六〇・平成二六法五四・法六九〕

第一節の二　指定構造計算適合判定資格者検定機関

〔追加・平成二六法五四〕

第七七条の一七の二　第五条の五第一項の規定による指定は、一を限り、構造計算適合判定資格者検定事務を行おうとする者の申請により行う。

2　第七十七条の三、第七十七条の四及び第七十七条の五第一項の規定は第五条の五第一項の規定による指定に、第七十七条の六から第七十七条の十六までの規定は指定構造計算適合判定資格者検定機関に、前条の規定は指定構造計算適合判定資格者検定機関が行う構造計算適合判定資格者検定事務について準用する。この場合において、第七十七条の十六第一項中「第五条の二第三項」とあるのは、「第五条の五第二項において準用する第五条の二第三項」と読み替えるものとする。

〔追加・平成二六法五四〕

参照【指定の申請—機関省令一三の二】【準用—機関省令一三の三】【罰則—法九九①10 11・一〇〇・一〇四1～4】

第二節　指定確認検査機関

〔追加・平成一〇法一〇〇〕

（指定）

第七七条の一八　第六条の二第一項（第八十七条第一項、第八十七条の四又は第八十八条第一項若しくは第二項において準用する場合を含む。以下この項において同じ。）又は第七条の二第一項（第八十七条の四又は第八十八条第一項若しくは第二項において準用する場合を含む。以下この項において同じ。）の規定による指定（以下この節において「指定」という。）は、第六条の二第一項の規定による確認及び第十八条第四項（第八十七条第一項、第八十七条の四又は第八十八条第一項若しくは第二項において準用する場合を含む。）の規定による審査又は第七条の二第一項（第八十七条の四又は第八十八条第一項において準用する場合を含む。）、第十八条第二十三項（第八十七条の四又は第八十八条第一項若しくは第二項において準用する場合を含む。）及び第十八条第三十二項（第八十七条の四又は第八十八条第一項において準用する場合を含む。）の検査並びに第七条の六第一項第二号及び第十八条第三十八項第二号（これらの規定を第八十七条の四又は第八十八条第一項若しくは第二項において準用する場合を含む。）の規定による認定（以下「確認検査」という。）の業務を行おうとする者の申請により行う。

2　前項の申請は、国土交通省令で定めるところにより、国土交通省令で定める確認検査の業務の区分（以下この節において「指定区分」という。）に従い、確認検査の業務を行う区域（以下この節において「業務区域」という。）を定めてしなければならない。

3　国土交通大臣又は都道府県知事は、指定をしようとするときは、あらかじめ、業務区域を所轄する特定行政庁（都道府県知事にあつては、当該都道府県知事を除く。）の意見を聴かなければならない。

〔追加・平成一〇法一〇〇、改正・平成一〇法一〇〇・平成一一法八七・法一六〇・平成一八法九二・平成二六法五四・平成三〇法六七・令和五法五八・令和六法五三〕

参照【指定の申請—機関省令一四】【省令で定める区分—機関省令一五】【指定確認検査機関—機関省令三一の二】

（欠格条項）

第七七条の一九　次の各号のいずれかに該当する者は、指定を受けることができない。

一　未成年者

二　破産手続開始の決定を受けて復権を得ない者

三　禁錮以上の刑に処せられ、又は建築基準法令の規定により刑に処せられ、その執行を終わり、又は執行を受けることがなくなつた日から起算して五年を経過しない者

> 三　拘禁刑以上の刑に処せられ、又は建築基準法令の規定により刑に処せられ、その執行を終わり、又は執行を受けることがなくなつた日から起算して五年を経過しない者

四　第七十七条の三十五第一項又は第二項の規定により指定を取り消され、その取消しの日から起算して五年を経過しない者

五　第七十七条の三十五の十九第二項の規定により第七十七条の三十五の二第一項に規定する指定を取り消され、その取消しの日から起算して五年を経過しない者

六　第七十七条の六十二第二項（第七十七条の六十六第二項において準用する場合を含む。）の規定により第七十七条の五十八第一項又は第七十七条の六十六第一項の登録を消除され、その消除の日から起算して五年を経過しない者

七　建築士法第七条第四号又は第二十三条の四第一項第三号に該当する者

八　公務員で懲戒免職の処分を受け、その処分の日から起算して三年を経過しない者

九　心身の故障により確認検査の業務を適正に行うことができない者として国土交通省令で定めるもの

十　法人であつて、その役員のうちに前各号のいずれかに該当する者があるもの

十一　その者の親会社等（その者の経営を実質的に支配することが可能となる関係にあるものとして政令で定める者をいう。以下同じ。）が前各号のいずれかに該当する者

〔追加・改正・平成一〇法一〇〇、改正・平成一一法一五一・平成一八法九二・平成二六法五四・令和元法三七〕

参照【政令で定める者—令一三六の二の一四】【省令で定めるもの—機関省令一五の二】

（指定の基準）

第七七条の二〇　国土交通大臣又は都道府県知事は、指定の申請が次に掲げる基準に適合していると認めるときでなければ、指定をしてはならない。

一　第七十七条の二十四第一項の確認検査員又は副確認検査員（いずれも常勤の職員である者に限る。）の数が、指定区分ごとに確認検査を行おうとする建築物の種類、規模及び数に応じて国土交通省令で定める数以上であること。

二　前号に定めるもののほか、職員、確認検査の業務の実施の方法その他の事項についての確認検査の業務の実施に関する

計画が、確認検査の業務の適確な実施のために適切なものであること。

三　その者の有する財産の評価額（その者が法人である場合にあつては、資本金、基本金その他これらに準ずるものの額）が国土交通省令で定める額以上であること。

四　前号に定めるもののほか、第二号の確認検査の業務の実施に関する計画を適確に実施するに足りる経理的基礎を有するものであること。

五　法人にあつては役員、法人の種類に応じて国土交通省令で定める構成員又は職員（第七十七条の二十四第一項の確認検査員又は副確認検査員を含む。以下この号において同じ。）の構成が、法人以外の者にあつてはその者及びその職員の構成が、確認検査の業務の公正な実施に支障を及ぼすおそれがないものであること。

六　その者又はその者の親会社等が第七十七条の三十五の五第一項の指定構造計算適合性判定機関である場合には、当該指定構造計算適合性判定機関に対してされた第十八条の二第四項の規定により読み替えて適用される第六条の三第一項又は第十八条第五項の規定による構造計算適合性判定の申請又は求めに係る建築物の計画について、第六条の二第一項の規定による確認又は第十八条第四項の規定による審査をしないものであること。

七　前号に定めるもののほか、その者又はその者の親会社等が確認検査の業務以外の業務を行つている場合には、その業務を行うことによつて確認検査の業務の公正な実施に支障を及ぼすおそれがないものであること。

八　前各号に定めるもののほか、確認検査の業務を行うにつき十分な適格性を有するものであること。

〔追加・改正・平成一一法一六〇、改正・平成一八法九二・平成二六法五四・令和五法五八・令和六法五三〕

参照【省令で定める数―機関省令一六【省令で定める額―機関省令一七【省令で定める構成員―機関省令一八

（指定の公示等）

第七十七条の二十一　国土交通大臣又は都道府県知事は、指定をしたときは、指定を受けた者（以下「指定確認検査機関」という。）の名称及び住所、指定区分（当該指定確認検査機関が第七十七条の二十四第一項の確認検査員を選任しないものである場合にあつては、指定区分及びその旨。第七十七条の二十八において同じ。）、業務区域並びに確認検査の業務を行う事務所の所在地を公示しなければならない。

2　指定確認検査機関は、その名称若しくは住所又は確認検査の業務を行う事務所の所在地を変更しようとするときは、変更しようとする日の二週間前までに、その指定をした国土交通大臣又は都道府県知事（以下この節において「国土交通大臣等」という。）にその旨を届け出なければならない。

3　国土交通大臣等は、前項又は第七十七条の二十四第四項の規定による届出（同項の規定による届出にあつては、同条第一項の確認検査員を選任していない指定確認検査機関が同項の確認検査員を選任した場合又は同項の確認検査員及び副確認検査員を選任している指定確認検査機関が当該確認検査員の全てを解任した場合におけるものに限る。）があつたときは、その旨を公示しなければならない。

〔追加・改正・平成一一法一六〇、改正・令和五法五八〕

参照【名称等の変更の届出―機関省令一九

（業務区域の変更）

第七十七条の二十二　指定確認検査機関は、業務区域を増加しようとするときは、国土交通大臣等の認可を受けなければならない。

2　指定確認検査機関は、業務区域を減少したときは、国土交通省令で定めるところにより、その旨を国土交通大臣等に届け出なければならない。

3　第七十七条の十八第三項及び第七十七条の二十第一号から第四号までの規定は、第一項の認可について準用する。この場合において、第七十七条の十八第三項中「業務区域」とあるのは、「増加しようとする業務区域」と読み替えるものとする。

4　国土交通大臣等は、第一項の認可をしたとき又は第二項の規定による届出があつたときは、その旨を公示しなければならない。

〔追加・平成一〇法一〇〇、改正・平成一一法一六〇・平成一八法九二〕

参照【業務区域の変更の認可申請―機関省令二〇【業務区域の変更の届出―機関省令二一

（指定の更新）

第七十七条の二十三　指定は、五年以上十年以内において政令で定める期間ごとにその更新を受けなければ、その期間の経過によつて、その効力を失う。

2　第七十七条の十八から第七十七条の二十までの規定は、前項の指定の更新の場合について準用する。

〔追加・平成一〇法一〇〇〕

参照【政令で定める期間―令一三六の二の一五【指定の更新―機関省令二二

（確認検査員又は副確認検査員）

第七十七条の二十四　指定確認検査機関は、確認検査を行うときは、確認検査員又は副確認検査員（当該確認検査が大規模建築物に係るものである場合にあつては、確認検査員）に確認検査を実施させなければならない。

2　確認検査員は、第七十七条の五十八第一項の登録（同条第二項の一級建築基準適合判定資格者登録簿への登録に限る。）を受けている者のうちから、選任しなければならない。

3　副確認検査員は、第七十七条の五十八第一項の登録（同条第二項の二級建築基準適合判定資格者登録簿への登録に限る。）を受けている者のうちから、選任しなければならない。

4　指定確認検査機関は、確認検査員又は副確認検査員を選任し、又は解任したときは、国土交通省令で定めるところにより、その旨を国土交通大臣等に届け出なければならない。

5　国土交通大臣等は、確認検査員又は副確認検査員の在任により指定確認検査機関が第七十七条の二十第五号に掲げる基準に適合しなくなつたときは、指定確認検査機関に対し、その確認検査員又は副確認検査員を解任すべきことを命ずることができる。

〔追加・改正・平成一〇法一〇〇、改正・平成一一法一六〇・平成一八法九二・令和五法五八〕

参照【省令で定めるところ―機関省令二四

（秘密保持義務等）

第七七条の二五　指定確認検査機関（その者が法人である場合にあつては、その役員。次項において同じ。）及びその職員（確認検査員又は副確認検査員を含む。同項において同じ。）並びにこれらの者であつた者は、確認検査の業務に関して知り得た秘密を漏らし、又は盗用してはならない。

2　指定確認検査機関及びその職員で確認検査の業務に従事するものは、刑法その他の罰則の適用については、法令により公務に従事する職員とみなす。

〔追加・平成一〇法一〇〇、改正・平成一八法九二・令和五法五八〕

参照　【罰則―法九九①12・一〇五】

（確認検査の義務）

第七七条の二六　指定確認検査機関は、確認検査を行うべきことを求められたときは、当該確認検査が大規模建築物に係るものである場合において当該指定確認検査機関が確認検査員を選任しないものであることその他の正当な理由がある場合を除き、遅滞なく、確認検査を行わなければならない。

〔追加・平成一〇法一〇〇、改正・令和五法五八〕

（確認検査業務規程）

第七七条の二七　指定確認検査機関は、確認検査の業務に関する規程（以下この節において「確認検査業務規程」という。）を定め、国土交通大臣等の認可を受けなければならない。これを変更しようとするときも、同様とする。

2　確認検査業務規程で定めるべき事項は、国土交通省令で定める。

3　国土交通大臣等は、第一項の認可をした確認検査業務規程が確認検査の公正かつ適確な実施上不適当となつたと認めるときは、その確認検査業務規程を変更すべきことを命ずることができる。

〔追加・平成一〇法一〇〇、改正・平成一一法一六〇〕

参照　【確認検査業務規程の認可の申請―機関省令二五】【省令で定める―機関省令二六】

（指定区分等の掲示等）

第七七条の二八　指定確認検査機関は、国土交通省令で定めるところにより、指定区分、業務区域その他国土交通省令で定める事項について、その事務所において公衆に見やすいように掲示するとともに、電気通信回線に接続して行う自動公衆送信（公衆によつて直接受信されることを目的として公衆からの求めに応じ自動的に送信を行うことをいい、放送又は有線放送に該当するものを除く。第七十七条の三十五の十三において同じ。）により公衆の閲覧に供しなければならない。

〔追加・平成一〇法一〇〇、改正・平成一一法一六〇・令和五法五八・法六三〕

参照　【省令で定める―機関省令二七】

（帳簿の備付け等）

第七七条の二九　指定確認検査機関は、国土交通省令で定めるところにより、確認検査の業務に関する事項で国土交通省令で定めるものを記載した帳簿を備え付け、これを保存しなければならない。

2　前項に定めるもののほか、指定確認検査機関は、国土交通省令で定めるところにより、確認検査の業務に関する書類で国土交通省令で定めるものを保存しなければならない。

〔追加・平成一〇法一〇〇、改正・平成一一法一六〇〕

参照　【省令で定める―機関省令二八・二九】【罰則―法一〇三3・7・一〇五】

（書類の閲覧）

第七七条の二九の二　指定確認検査機関は、国土交通省令で定めるところにより、確認検査の業務を行う事務所に次に掲げる書類を備え置き、第六条の二第一項の規定による確認を受けようとする者その他の関係者の求めに応じ、これを閲覧させなければならない。

一　当該指定確認検査機関の業務の実績を記載した書類

二　確認検査員又は副確認検査員の氏名及び略歴を記載した書類

三　確認検査の業務に関し生じた損害を賠償するために必要な金額を担保するための保険契約の締結その他の措置を講じている場合にあつては、その内容を記載した書類

四　その他指定確認検査機関の業務及び財務に関する書類で国土交通省令で定めるもの

〔追加・平成一八法九二、改正・令和五法五八〕

参照　【省令で定める書類―機関省令二九の二】【罰則―法一〇六①3】

（監督命令）

第七七条の三〇　国土交通大臣等は、確認検査の業務の公正かつ適確な実施を確保するため必要があると認めるときは、その指定に係る指定確認検査機関に対し、確認検査の業務に関し監督上必要な命令をすることができる。

2　国土交通大臣等は、前項の規定による命令をしたときは、国土交通省令で定めるところにより、その旨を公示しなければならない。

〔追加・平成一〇法一〇〇、改正・平成一一法一六〇・平成一八法九二〕

参照　【省令で定めるところ―機関省令二九の三】

（報告、検査等）

第七七条の三一　国土交通大臣等は、確認検査の業務の公正かつ適確な実施を確保するため必要があると認めるときは、その指定に係る指定確認検査機関に対し確認検査の業務に関し必要な報告を求め、又はその職員に、指定確認検査機関の事務所に立ち入り、確認検査の業務の状況若しくは帳簿、書類その他の物件を検査させ、若しくは関係者に質問させることができる。

2　特定行政庁は、その指揮監督の下にある建築主事等が確認その他の建築基準法令の規定による処分をする権限を有する建築物の確認検査の適正な実施を確保するため必要があると認めるときは、その職員に、指定確認検査機関の事務所に立ち入り、確認検査の業務の状況若しくは帳簿、書類その他の物件を検査させ、又は関係者に質問させることができる。

3　特定行政庁は、前項の規定による立入検査の結果、当該指定確認検査機関が、確認検査業務規程に違反する行為をし、又は確認検査の業務に関し著しく不適当な行為をした事実があると認めるときは、国土交通省令で定めるところにより、その旨を

国土交通大臣等に報告しなければならない。

4　前項の規定による報告を受けた場合において、国土交通大臣等は、必要に応じ、第七十七条の三十五第二項の規定による確認検査の業務の全部又は一部の停止命令その他の措置を講ずるものとする。

5　第十五条の二第二項及び第三項の規定は、第一項及び第二項の場合について準用する。

〔追加・改正・平成一〇法一〇〇、改正・平成一一法一六〇・平成一八法九二・平成二六法五四・令和五法五八・令和六法五三〕

参照【省令で定めるところ—機関省令二九の四】【罰則—法一〇三4～6・一〇五】

（照会及び指示）

第七七条の三二　指定確認検査機関は、確認検査の適正な実施のため必要な事項について、特定行政庁に照会することができる。この場合において、当該特定行政庁は、当該照会をした者に対して、照会に係る事項の通知その他必要な措置を講ずるものとする。

2　特定行政庁は、前条第二項に規定する建築物の確認検査の適正な実施を確保するため必要があると認めるときは、指定確認検査機関に対し、当該確認検査の適正な実施のために必要な措置をとるべきことを指示することができる。

〔追加・平成一〇法一〇〇・平成一八法九二〕

参照【特定行政庁—法二35】【建築主事—法四】【建築物—法二1】

（指定確認検査機関に対する配慮）

第七七条の三三　国土交通大臣及び地方公共団体は、指定確認検査機関に対して、確認検査の業務の適確な実施に必要な情報の提供その他の必要な配慮をするものとする。

〔追加・平成一〇法一〇〇、改正・平成一一法一六〇〕

（確認検査の業務の休廃止等）

第七七条の三四　指定確認検査機関は、確認検査の業務の全部又は一部を休止し、又は廃止しようとするときは、国土交通省令で定めるところにより、あらかじめ、その旨を国土交通大臣等に届け出なければならない。

2　前項の規定により確認検査の業務の全部を廃止しようとする届出があつたときは、当該届出に係る指定は、その効力を失う。

3　国土交通大臣等は、第一項の規定による届出があつたときは、その旨を公示しなければならない。

〔追加・平成一〇法一〇〇、改正・平成一一法一六〇〕

参照【省令で定めるところ—機関省令三〇】【罰則—一〇三8・一〇五】

（指定の取消し等）

第七七条の三五　国土交通大臣等は、その指定に係る指定確認検査機関が第七十七条の十九各号（第四号を除く。）のいずれかに該当するに至つたときは、その指定を取り消さなければならない。

2　国土交通大臣等は、その指定に係る指定確認検査機関が次の各号のいずれかに該当するときは、その指定を取り消し、又は期間を定めて確認検査の業務の全部若しくは一部の停止を命ずることができる。

一　第六条の二第四項若しくは第五項（これらの規定を第八十七条第一項、第八十七条の四又は第八十八条第一項若しくは第二項において準用する場合を含む。）、第七条の二第三項から第六項まで（これらの規定を第八十七条の四又は第八十八条第一項若しくは第二項において準用する場合を含む。）、第七条の四第二項、第三項若しくは第六項（これらの規定を第八十七条の四又は第八十八条第一項において準用する場合を含む。）、第七条の六第三項（第八十七条の四又は第八十八条第一項若しくは第二項において準用する場合を含む。）、第十八条第十六項若しくは第十八項（これらの規定を第八十七条第一項、第八十七条の四又は第八十八条第一項若しくは第二項において準用する場合を含む。）、第十八条第二十四項から第二十七項まで（これらの規定を第八十七条の四又は第八十八条第一項若しくは第二項において準用する場合を含む。）、第十八条第三十三項、第三十四項若しくは第三十六項（これらの規定を第八十七条の四又は第八十八条第一項において準用する場合を含む。）、第十八条第三十九項（第八十七条の四又は第八十八条第一項若しくは第二項において準用する場合を含む。）、第十八条の三第三項、第七十七条の二十一第二項、第七十七条の二十二第一項若しくは第二項、第七十七条の二十四第一項から第四項まで、第七十七条の二十六、第七十七条の二十八から第七十七条の二十九の二まで又は前条第一項の規定に違反したとき。

二　第七十七条の二十七第一項の認可を受けた確認検査業務規程によらないで確認検査を行つたとき。

三　第七十七条の二十四第五項、第七十七条の二十七第三項又は第七十七条の三十第一項の規定による命令に違反したとき。

四　第七十七条の二十各号に掲げる基準に適合していないと認めるとき。

五　確認検査の業務に関し著しく不適当な行為をしたとき、又はその業務に従事する確認検査員若しくは副確認検査員若しくは法人にあつてはその役員が、確認検査の業務に関し著しく不適当な行為をしたとき。

六　不正な手段により指定を受けたとき。

3　国土交通大臣等は、前二項の規定により指定を取り消し、又は前項の規定により確認検査の業務の全部若しくは一部の停止を命じたときは、その旨を公示しなければならない。

〔追加・平成一〇法一〇〇、改正・平成一一法八七・法一六〇・平成一八法九二・平成二六法五四・平成三〇法六七・令和五法五八・令和六法五三〕

参照【処分の公示—機関省令三〇の二】【罰則—法九九①13・一〇五】

第三節　指定構造計算適合性判定機関

〔追加・平成一八法九二〕

（指定）

第七七条の三五の二　第十八条の二第一項の規定による指定（以下この節において単に「指定」という。）は、構造計算適合性判定の業務を行おうとする者の申請により行う。

2　前項の申請は、国土交通省令で定めるところにより、構造計算適合性判定の業務を行う区域（以下この節において「業務区域」という。）を定めてしなければならない。

3　国土交通大臣は、指定をしようとするときは、あらかじめ、業務区域を所轄する都道府県知事の意見を聴かなければならない。

〔追加・平成一八法九二、改正・平成二六法五四〕

参照【指定の申請―機関省令三一の三】

（欠格条項）

第七七条の三五の三　次の各号のいずれかに該当する者は、指定を受けることができない。

一　未成年者

二　破産手続開始の決定を受けて復権を得ない者

三　禁錮以上の刑に処せられ、又は建築基準法令の規定により刑に処せられ、その執行を終わり、又は執行を受けることがなくなつた日から起算して五年を経過しない者

三　拘禁刑以上の刑に処せられ、又は建築基準法令の規定により刑に処せられ、その執行を終わり、又は執行を受けることがなくなつた日から起算して五年を経過しない者

四　第七十七条の三十五第二項の規定により第七十七条の十八第一項に規定する指定を取り消され、その取消しの日から起算して五年を経過しない者

五　第七十七条の三十五の十九第一項又は第二項の規定により指定を取り消され、その取消しの日から起算して五年を経過しない者

六　第七十七条の六十二第二項（第七十七条の六十六第二項において準用する場合を含む。）の規定により第七十七条の五十八第一項又は第七十七条の六十六第一項の登録を消除され、その消除の日から起算して五年を経過しない者

七　建築士法第七条第四号又は第二十三条の四第一項第三号に該当する者

八　公務員で懲戒免職の処分を受け、その処分の日から起算して三年を経過しない者

九　心身の故障により構造計算適合性判定の業務を適正に行うことができない者として国土交通省令で定めるもの

十　法人であつて、その役員のうちに前各号のいずれかに該当する者があるもの

十一　その者の親会社等が前各号のいずれかに該当する者

〔追加・平成一八法九二、改正・平成二六法五四・令和元法三七〕

参照【省令で定めるもの―機関省令三一の三の二】

（指定の基準）

第七七条の三五の四　国土交通大臣又は都道府県知事は、指定の申請が次に掲げる基準に適合していると認めるときでなければ、指定をしてはならない。

一　第七十七条の三十五の九第一項の構造計算適合性判定員（職員である者に限る。）の数が、構造計算適合性判定を行おうとする建築物の規模及び数に応じて国土交通省令で定める数以上であること。

二　前号に定めるもののほか、職員、設備、構造計算適合性判定の業務の実施の方法その他の事項についての構造計算適合性判定の業務の実施に関する計画が、構造計算適合性判定の業務の適確な実施のために適切なものであること。

三　その者の有する財産の評価額（その者が法人である場合にあつては、資本金、基本金その他これらに準ずるものの額）が国土交通省令で定める額以上であること。

四　前号に定めるもののほか、第二号の構造計算適合性判定の業務の実施に関する計画を適確に実施するに足りる経理的基礎を有するものであること。

五　法人にあつては役員、第七十七条の二十第五号の国土交通省令で定める構成員又は職員（第七十七条の三十五の九第一項の構造計算適合性判定員を含む。以下この号において同じ。）の構成が、法人以外の者にあつてはその者及びその職員の構成が、構造計算適合性判定の業務の公正な実施に支障を及ぼすおそれがないものであること。

六　その者又はその者の親会社等が指定確認検査機関である場合には、当該指定確認検査機関に対してされた第六条の二第一項の規定による確認の申請又は第十八条第四項の規定による通知に係る建築物の計画について、第十八条の二第四項の規定により読み替えて適用される第六条の三第一項又は第十八条第五項の規定による構造計算適合性判定を行わないものであること。

七　前号に定めるもののほか、その者又はその者の親会社等が構造計算適合性判定の業務以外の業務を行つている場合には、その業務を行うことによつて構造計算適合性判定の業務の公正な実施に支障を及ぼすおそれがないものであること。

八　前各号に定めるもののほか、構造計算適合性判定の業務を行うにつき十分な適格性を有するものであること。

〔追加・平成一八法九二、改正・平成二六法五四・令和六法五三〕

参照【省令で定める数―機関省令三一の三の三】【省令で定める額―機関省令三一の三の四】

（指定の公示等）

第七七条の三五の五　国土交通大臣又は都道府県知事は、指定をしたときは、指定を受けた者（以下この節及び第百条において「指定構造計算適合性判定機関」という。）の名称及び住所並びに業務区域を公示しなければならない。

2　指定構造計算適合性判定機関は、その名称又は住所を変更しようとするときは、変更しようとする日の二週間前までに、その指定をした国土交通大臣又は都道府県知事（以下この節において「国土交通大臣等」という。）にその旨を届け出なければならない。

3　国土交通大臣等は、前項の規定による届出があつたときは、その旨を公示しなければならない。

〔追加・平成一八法九二、改正・平成二六法五四〕

参照【名称等の変更の届出―機関省令三一の四】

（業務区域の変更）

第七七条の三五の六　指定構造計算適合性判定機関は、業務区域を増加し、又は減少しようとするときは、国土交通大臣等の認可を受けなければならない。

2　国土交通大臣は、指定構造計算適合性判定機関が業務区域を減少しようとするときは、当該業務区域の減少により構造計算適合性判定の業務の適正かつ確実な実施が損なわれるおそれがないと認めるときでなければ、前項の認可をしてはならない。

3　第七十七条の三十五の二第三項及び第七十七条の三十五の四第一号から第四号までの規定は、第一項の認可について準用する。この場合において、第七十七条の三十五の二第三項中「業務区域」とあるのは、「増加し、又は減少しようとする業務区域」と読み替えるものとする。

4　国土交通大臣等は、第一項の認可をしたときは、その旨を公

示しなければならない。
〔追加・平成二六法五四〕

参照 【変更に係る認可の申請―機関省令三一の四の二

（指定の更新）

第七七条の三五の七　指定は、五年以上十年以内において政令で定める期間ごとにその更新を受けなければ、その期間の経過によつて、その効力を失う。

2　第七十七条の三十五の二から第七十七条の三十五の四までの規定は、前項の指定の更新の場合について準用する。
〔追加・平成一八法九二、旧七七条の三五の六を繰下・平成二六法五四〕

参照 【政令で定める期間―令一三六の二の一六】【指定の更新―機関省令三一の五

（委任の公示等）

第七七条の三五の八　第十八条の二第一項の規定により指定構造計算適合性判定機関にその構造計算適合性判定を行わせることとした都道府県知事（以下「委任都道府県知事」という。）は、当該指定構造計算適合性判定機関の名称及び住所、業務区域並びに当該構造計算適合性判定の業務を行う事務所の所在地並びに当該指定構造計算適合性判定機関に行わせることとした構造計算適合性判定の業務及び当該構造計算適合性判定の業務の開始の日を公示しなければならない。

2　国土交通大臣の指定に係る指定構造計算適合性判定機関は、その名称又は住所を変更しようとするときは委任都道府県知事に、構造計算適合性判定の業務を行う事務所の所在地を変更しようとするときは関係委任都道府県知事に、それぞれ、変更しようとする日の二週間前までに、その旨を届け出なければならない。

3　都道府県知事の指定に係る指定構造計算適合性判定機関は、構造計算適合性判定の業務を行う事務所の所在地を変更しようとするときは、変更しようとする日の二週間前までに、その旨を委任都道府県知事に届け出なければならない。

4　委任都道府県知事は、前二項の規定による届出があつたときは、その旨を公示しなければならない。
〔追加・平成二六法五四〕

参照 【名称等の変更の届出―機関省令三一の六

（構造計算適合性判定員）

第七七条の三五の九　指定構造計算適合性判定機関は、構造計算適合性判定を行うときは、構造計算適合性判定員に構造計算適合性判定を実施させなければならない。

2　構造計算適合性判定員は、第七十七条の六十六第一項の登録を受けた者のうちから選任しなければならない。

3　指定構造計算適合性判定機関は、構造計算適合性判定員を選任し、又は解任したときは、国土交通省令で定めるところにより、その旨を国土交通大臣等に届け出なければならない。

4　国土交通大臣等は、構造計算適合性判定員の在任により指定構造計算適合性判定機関が第七十七条の三十五の四第五号に掲げる基準に適合しなくなつたときは、指定構造計算適合性判定機関に対し、その構造計算適合性判定員を解任すべきことを命ずることができる。
〔追加・平成一八法九二、旧七七条の三五の七を改正し繰下・平成二六法五四〕

参照 【省令で定める届出―機関省令三一の七

（秘密保持義務等）

第七七条の三五の一〇　指定構造計算適合性判定機関（その者が法人である場合にあつては、その役員。次項において同じ。）及びその職員（構造計算適合性判定員を含む。次項において同じ。）並びにこれらの者であつた者は、構造計算適合性判定の業務に関して知り得た秘密を漏らし、又は盗用してはならない。

2　指定構造計算適合性判定機関及びその職員で構造計算適合性判定の業務に従事するものは、刑法その他の罰則の適用については、法令により公務に従事する職員とみなす。
〔追加・平成一八法九二、旧七七条の三五の八を繰下・平成二六法五四〕

参照 【罰則―法九九①12

（構造計算適合性判定の義務）

第七七条の三五の一一　指定構造計算適合性判定機関は、構造計算適合性判定を行うべきことを求められたときは、正当な理由がある場合を除き、遅滞なく、構造計算適合性判定を行わなければならない。
〔追加・平成二六法五四〕

（構造計算適合性判定業務規程）

第七七条の三五の一二　指定構造計算適合性判定機関は、構造計算適合性判定の業務に関する規程（以下この節において「構造計算適合性判定業務規程」という。）を定め、国土交通大臣等の認可を受けなければならない。これを変更しようとするときも、同様とする。

2　構造計算適合性判定業務規程で定めるべき事項は、国土交通省令で定める。

3　国土交通大臣等は、第一項の認可をした構造計算適合性判定業務規程が構造計算適合性判定の公正かつ適確な実施上不適当となつたと認めるときは、その構造計算適合性判定業務規程を変更すべきことを命ずることができる。
〔追加・平成一八法九二、旧七七条の三五の九を改正し繰下・平成二六法五四〕

参照 【構造計算適合性判定業務規程の認可―機関省令三一の八】【省令の定め―機関省令三一の九

（業務区域等の掲示等）

第七七条の三五の一三　指定構造計算適合性判定機関は、国土交通省令で定めるところにより、業務区域その他国土交通省令で定める事項について、その事務所において公衆に見やすいように掲示するとともに、電気通信回線に接続して行う自動公衆送信により公衆の閲覧に供しなければならない。
〔追加・平成二六法五四、改正・令和五法六三〕

参照 【省令で定める―機関省令三一の九の二

（帳簿の備付け等）

第七七条の三五の一四　指定構造計算適合性判定機関は、国土交通省令で定めるところにより、構造計算適合性判定の業務に関する事項で国土交通省令で定めるものを記載した帳簿を備え付け、これを保存しなければならない。

2　前項に定めるもののほか、指定構造計算適合性判定機関は、国土交通省令で定めるところにより、構造計算適合性判定の業務に関する書類で国土交通省令で定めるものを保存しなければならない。

〔追加・平成一八法九二、旧七七条の三五の一〇を繰下・平成二六法五四〕

参照　【省令で定める帳簿—機関省令三一の一〇】【省令で定めるもの—機関省令三一の一一】【罰則—法一〇四2・5】

（書類の閲覧）

第七七条の三五の一五　指定構造計算適合性判定機関は、国土交通省令で定めるところにより、構造計算適合性判定の業務を行う事務所に次に掲げる書類を備え置き、構造計算適合性判定を受けようとする者その他の関係者の求めに応じ、これを閲覧させなければならない。

一　当該指定構造計算適合性判定機関の業務の実績を記載した書類

二　構造計算適合性判定員の氏名及び略歴を記載した書類

三　構造計算適合性判定の業務に関し生じた損害を賠償するために必要な金額を担保するための保険契約の締結その他の措置を講じている場合にあつては、その内容を記載した書類

四　その他指定構造計算適合性判定機関の業務及び財務に関する書類で国土交通省令で定めるもの

〔追加・平成二六法五四〕

参照　【省令で定める書類—機関省令三一の一一の二】【罰則—法一〇六2】

（監督命令）

第七七条の三五の一六　国土交通大臣等は、構造計算適合性判定の業務の公正かつ適確な実施を確保するため必要があると認めるときは、その指定に係る指定構造計算適合性判定機関に対し、構造計算適合性判定の業務に関し監督上必要な命令をすることができる。

2　国土交通大臣等は、前項の規定による命令をしたときは、国土交通省令で定めるところにより、その旨を公示しなければならない。

〔追加・平成一八法九二、旧七七条の三五の一一を改正し繰下・平成二六法五四〕

参照　【省令で定めるところ—機関省令三一の一一の三】

（報告、検査等）

第七七条の三五の一七　国土交通大臣等又は委任都道府県知事は、構造計算適合性判定の業務の公正かつ適確な実施を確保するため必要があると認めるときは、国土交通大臣等にあつてはその指定に係る指定構造計算適合性判定機関に対し、委任都道府県知事にあつてはその構造計算適合性判定を行わせることとした指定構造計算適合性判定機関に対し、構造計算適合性判定の業務に関し必要な報告を求め、又はその職員に、指定構造計算適合性判定機関の事務所に立ち入り、構造計算適合性判定の業務の状況若しくは設備、帳簿、書類その他の物件を検査させ、若しくは関係者に質問させることができる。

2　委任都道府県知事は、前項の規定による立入検査の結果、当該指定構造計算適合性判定機関（国土交通大臣の指定に係る者に限る。）が、構造計算適合性判定業務規程に違反する行為をし、又は構造計算適合性判定の業務に関し著しく不適当な行為をした事実があると認めるときは、国土交通省令で定めるところにより、その旨を国土交通大臣に報告しなければならない。

3　前項の規定による報告を受けた場合において、国土交通大臣は、必要に応じ、第七十七条の三十五の十九第二項の規定による構造計算適合性判定の業務の全部又は一部の停止命令その他の措置を講ずるものとする。

4　第十五条の二第二項及び第三項の規定は、第一項の場合について準用する。

〔追加・平成一八法九二、旧七七条の三五の一二を改正し繰下・平成二六法五四〕

参照　【省令で定めるところ—機関省令三一の一一の四】【罰則—法一〇四1・3】

（構造計算適合性判定の業務の休廃止等）

第七七条の三五の一八　指定構造計算適合性判定機関は、国土交通大臣等の許可を受けなければ、構造計算適合性判定の業務の全部又は一部を休止し、又は廃止してはならない。

2　国土交通大臣は、指定構造計算適合性判定機関の構造計算適合性判定の業務の全部又は一部の休止又は廃止により構造計算適合性判定の業務の適正かつ確実な実施が損なわれるおそれがないと認めるときでなければ、前項の許可をしてはならない。

3　国土交通大臣は、第一項の許可をしようとするときは、関係委任都道府県知事の意見を聴かなければならない。

4　国土交通大臣等が第一項の規定により構造計算適合性判定の業務の全部の廃止を許可したときは、当該許可に係る指定は、その効力を失う。

5　国土交通大臣等は、第一項の許可をしたときは、その旨を公示しなければならない。

〔追加・平成一八法九二、旧七七条の三五の一三を改正し繰下・平成二六法五四〕

参照　【業務の休廃止の許可申請—機関省令三一の一二】【罰則—法一〇四4】

（指定の取消し等）

第七七条の三五の一九　国土交通大臣等は、その指定に係る指定構造計算適合性判定機関が第七十七条の三十五の三各号（第五号を除く。）のいずれかに該当するに至つたときは、その指定を取り消さなければならない。

2　国土交通大臣等は、その指定に係る指定構造計算適合性判定機関が次の各号のいずれかに該当するときは、その指定を取り消し、又は期間を定めて構造計算適合性判定の業務の全部若しくは一部の停止を命ずることができる。

一　第十八条の二第四項の規定により読み替えて適用される第六条の三第四項から第六項まで若しくは第十八条第八項から第十項までの規定又は第十八条の三第三項、第七十七条の三十五の五第二項、第七十七条の三十五の六第一項、第七十七条の三十五の八第二項若しくは第三項、第七十七条の三十五の九第一項から第三項まで、第七十七条の三十五の十一、第七十七条の三十五の十三から第七十七条の三十五の十五まで

若しくは前条第一項の規定に違反したとき。

二　第七十七条の三十五の十二第一項の認可を受けた構造計算適合性判定業務規程によらないで構造計算適合性判定を行つたとき。

三　第七十七条の三十五の九第四項、第七十七条の三十五の十二第三項又は第七十七条の三十五の十六第一項の規定による命令に違反したとき。

四　第七十七条の三十五の四各号に掲げる基準に適合していないと認めるとき。

五　構造計算適合性判定の業務に関し著しく不適当な行為をしたとき、又はその業務に従事する構造計算適合性判定員若しくは法人にあつてはその役員が、構造計算適合性判定の業務に関し著しく不適当な行為をしたとき。

六　不正な手段により指定を受けたとき。

3　国土交通大臣等は、前二項の規定により指定を取り消し、又は前項の規定により構造計算適合性判定の業務の全部若しくは一部の停止を命じたときは、その旨を公示するとともに、国土交通大臣にあつては関係都道府県知事に通知しなければならない。

〔追加・平成一八法九二、旧七七条の三五の一四を改正し繰下・平成二六法五四、改正・令和六法五三〕

参照【処分の公示—機関省令三一の一三】【罰則—法一〇〇】

（構造計算適合性判定の委任の解除）

第七十七条の三十五の二十　委任都道府県知事は、指定構造計算適合性判定機関に構造計算適合性判定の全部又は一部を行わせないこととするときは、その六月前までに、その旨を指定構造計算適合性判定機関に通知しなければならない。

2　委任都道府県知事は、指定構造計算適合性判定機関に構造計算適合性判定の全部又は一部を行わせないこととしたときは、その旨を公示しなければならない。

〔追加・平成二六法五四〕

（委任都道府県知事による構造計算適合性判定の実施）

第七十七条の三十五の二十一　委任都道府県知事は、指定構造計算適合性判定機関が次の各号のいずれかに該当するときは、第十八条の二第三項の規定にかかわらず、当該指定構造計算適合性判定機関が休止し、停止を命じられ、又は実施することが困難となつた構造計算適合性判定の業務のうち他の指定構造計算適合性判定機関によつて行われないものを自ら行うものとする。

一　第七十七条の三十五の十八第一項の規定により構造計算適合性判定の業務の全部又は一部を休止したとき。

二　第七十七条の三十五の十九第二項の規定により構造計算適合性判定の業務の全部又は一部の停止を命じられたとき。

三　天災その他の事由により構造計算適合性判定の業務の全部又は一部を実施することが困難となつた場合において委任都道府県知事が必要があると認めるとき。

2　委任都道府県知事は、前項の規定により構造計算適合性判定の業務を行い、又は同項の規定により行つている構造計算適合性判定の業務を行わないこととしようとするときは、あらかじめ、その旨を公示しなければならない。

3　委任都道府県知事が第一項の規定により構造計算適合性判定の業務を行うこととし、又は国土交通大臣等が第七十七条の三十五の六第一項の規定により業務区域の減少を認可し、第七十七条の三十五の十八第一項の規定により構造計算適合性判定の業務の廃止を許可し、若しくは第七十七条の三十五の十九第一項若しくは第二項の規定により指定を取り消した場合における構造計算適合性判定の業務の引継ぎその他の必要な事項は、国土交通省令で定める。

〔追加・平成一八法九二、旧七七条の三五の一五を改正し繰下・平成二六法五四〕

参照【省令で定める—機関省令三一の一四】

第四節　指定認定機関等

〔追加・平成一〇法一〇〇、旧三節を繰下・平成一八法九二〕

（指定）

第七十七条の三十六　第六十八条の二十四第一項（第八十八条第一項において準用する場合を含む。）の規定による指定（以下この節において単に「指定」という。）は、認定等を行おうとする者（外国にある事務所により行おうとする者を除く。）の申請により行う。

2　前項の申請は、国土交通省令で定めるところにより、国土交通省令で定める区分に従い、認定等の業務を行う区域（以下この節において「業務区域」という。）を定めてしなければならない。

〔追加・平成一〇法一〇〇、改正・平成一一法一六〇・平成二六法五四〕

参照【指定の申請—機関省令三二】【省令で定める区分—機関省令三三】

（欠格条項）

第七十七条の三十七　次の各号のいずれかに該当する者は、指定を受けることができない。

一　未成年者

二　破産手続開始の決定を受けて復権を得ない者

三　禁錮以上の刑に処せられ、又は建築基準法令の規定により刑に処せられ、その執行を終わり、又は執行を受けることがなくなつた日から起算して二年を経過しない者

三　拘禁刑以上の刑に処せられ、又は建築基準法令の規定により刑に処せられ、その執行を終わり、又は執行を受けることがなくなつた日から起算して二年を経過しない者

四　第七十七条の五十一第一項若しくは第二項の規定により指定を取り消され、又は第七十七条の五十五第一項若しくは第二項の規定により承認を取り消され、その取消しの日から起算して二年を経過しない者

五　心身の故障により認定等の業務を適正に行うことができない者として国土交通省令で定めるもの

六　法人であつて、その役員のうちに前各号のいずれかに該当する者があるもの

〔追加・平成一〇法一〇〇、改正・平成一一法一五一・平成一八法九二・令和元法三七〕

参照【国土交通省令で定めるもの—機関省令三三の二】

（指定の基準）

第七十七条の三十八　国土交通大臣は、指定の申請が次に掲げる基準に適合していると認めるときでなければ、指定をしてはならな

い。

一　職員（第七十七条の四十二第一項の認定員を含む。第三号において同じ。）、設備、認定等の業務の実施の方法その他の事項についての認定等の業務の実施に関する計画が、認定等の業務の適確な実施のために適切なものであること。

二　前号の認定等の業務の実施に関する計画を適確に実施するに足りる経理的及び技術的な基礎を有するものであること。

三　法人にあつては役員、第七十七条の二十第五号の国土交通省令で定める構成員又は職員の構成が、法人以外の者にあつてはその者及びその職員の構成が、認定等の業務の公正な実施に支障を及ぼすおそれがないものであること。

四　認定等の業務以外の業務を行つている場合には、その業務を行うことによつて認定等の業務の公正な実施に支障を及ぼすおそれがないものであること。

五　前各号に定めるもののほか、認定等の業務を行うにつき十分な適格性を有するものであること。

〔追加・平成一〇法一〇〇、改正・平成一一法一六〇・平成一八法九二〕

（**指定の公示等**）

第七七条の三九　国土交通大臣は、指定をしたときは、指定を受けた者（以下この節、第九十七条の四及び第百条において「指定認定機関」という。）の名称及び住所、指定の区分、業務区域、認定等の業務を行う事務所の所在地並びに認定等の業務の開始の日を公示しなければならない。

2　指定認定機関は、その名称若しくは住所又は認定等の業務を行う事務所の所在地を変更しようとするときは、変更しようとする日の二週間前までに、その旨を国土交通大臣に届け出なければならない。

3　国土交通大臣は、前項の規定による届出があつたときは、その旨を公示しなければならない。

〔追加・平成一〇法一〇〇、改正・平成一一法一六〇・平成一八法九二〕

参照　【名称等の変更の届出―機関省令三四】

（**業務区域の変更**）

第七七条の四〇　指定認定機関は、業務区域を増加し、又は減少しようとするときは、国土交通大臣の許可を受けなければならない。

2　第七十七条の三十八第一号及び第二号の規定は、前項の許可について準用する。

3　国土交通大臣は、第一項の許可をしたときは、その旨を公示しなければならない。

〔追加・平成一〇法一〇〇、改正・平成一一法一六〇〕

参照　【業務区域の変更の許可申請―機関省令三五】

（**指定の更新**）

第七七条の四一　指定は、五年以上十年以内において政令で定める期間ごとにその更新を受けなければ、その期間の経過によつて、その効力を失う。

2　第七十七条の三十六から第七十七条の三十八までの規定は、前項の指定の更新の場合について準用する。

〔追加・平成一〇法一〇〇〕

参照　【政令で定める期間―令一三六の二の一七】【指定の更新―機関省令三六】

（**認定員**）

第七七条の四二　指定認定機関は、認定等を行うときは、国土交通省令で定める方法に従い、認定員に認定等を実施させなければならない。

2　認定員は、建築技術に関して優れた識見を有する者として国土交通省令で定める要件を備える者のうちから選任しなければならない。

3　指定認定機関は、認定員を選任し、又は解任したときは、国土交通省令で定めるところにより、その旨を国土交通大臣に届け出なければならない。

4　国土交通大臣は、認定員が、第七十七条の四十五第一項の認可を受けた認定等業務規程に違反したとき、認定等の業務に関し著しく不適当な行為をしたとき、又はその在任により指定認定機関が第七十七条の三十八第三号に掲げる基準に適合しなくなつたときは、指定認定機関に対し、その認定員を解任すべきことを命ずることができる。

〔追加・平成一〇法一〇〇、改正・平成一一法一六〇〕

参照　【省令で定める方法―機関省令三七】【省令で定める要件―機関省令三八】【省令で定めるところ―機関省令三九】

（**秘密保持義務等**）

第七七条の四三　指定認定機関（その者が法人である場合にあつては、その役員。次項において同じ。）及びその職員（認定員を含む。次項において同じ。）並びにこれらの者であつた者は、認定等の業務に関して知り得た秘密を漏らし、又は盗用してはならない。

2　指定認定機関及びその職員で認定等の業務に従事するものは、刑法その他の罰則の適用については、法令により公務に従事する職員とみなす。

〔追加・平成一〇法一〇〇・平成一八法九二〕

参照　【罰則―法九九①12】

（**認定等の義務**）

第七七条の四四　指定認定機関は、認定等を行うべきことを求められたときは、正当な理由がある場合を除き、遅滞なく、認定等を行わなければならない。

〔追加・平成一〇法一〇〇〕

（**認定等業務規程**）

第七七条の四五　指定認定機関は、認定等の業務に関する規程（以下この節において「認定等業務規程」という。）を定め、国土交通大臣の認可を受けなければならない。これを変更しようとするときも、同様とする。

2　認定等業務規程で定めるべき事項は、国土交通省令で定める。

3　国土交通大臣は、第一項の認可をした認定等業務規程が認定等の公正かつ適確な実施上不適当となつたと認めるときは、その認定等業務規程を変更すべきことを命ずることができる。

〔追加・平成一〇法一〇〇、改正・平成一一法一六〇〕

参照　【認定等業務規程の認可の申請―機関省令四〇】【省令で定める―機関省令四一】

（国土交通大臣への報告等）

第七七条の四六　指定認定機関は、認定等を行つたときは、国土交通省令で定めるところにより、国土交通大臣に報告しなければならない。

2　国土交通大臣は、前項の規定による報告を受けた場合において、指定認定機関が行つた型式適合認定を受けた型式が第一章、第二章（第八十八条第一項において準用する場合を含む。）若しくは第三章の規定又はこれに基づく命令の規定に適合しないと認めるときは、当該型式適合認定を受けた者及び当該型式適合認定を行つた指定認定機関にその旨を通知しなければならない。この場合において、当該型式適合認定は、その効力を失う。

〔追加・平成一〇法一〇〇、改正・平成一一法一六〇〕

参照　【省令で定める―機関省令四二】

（帳簿の備付け等）

第七七条の四七　指定認定機関は、国土交通省令で定めるところにより、認定等の業務に関する事項で国土交通省令で定めるものを記載した帳簿を備え付け、これを保存しなければならない。

2　前項に定めるもののほか、指定認定機関は、国土交通省令で定めるところにより、認定等の業務に関する書類で国土交通省令で定めるものを保存しなければならない。

〔追加・平成一〇法一〇〇、改正・平成一一法一六〇〕

参照　【省令で定める―機関省令四三・四四】【罰則―法一〇四2・5】

（監督命令）

第七七条の四八　国土交通大臣は、認定等の業務の公正かつ適確な実施を確保するため必要があると認めるときは、指定認定機関に対し、認定等の業務に関し監督上必要な命令をすることができる。

〔追加・平成一〇法一〇〇、改正・平成一一法一六〇〕

（報告、検査等）

第七七条の四九　国土交通大臣は、認定等の業務の公正かつ適確な実施を確保するため必要があると認めるときは、指定認定機関に対し認定等の業務に関し必要な報告を求め、又はその職員に、指定認定機関の事務所に立ち入り、認定等の業務の状況若しくは設備、帳簿、書類その他の物件を検査させ、若しくは関係者に質問させることができる。

2　第十五条の二第二項及び第三項の規定は、前項の場合について準用する。

〔追加・平成一〇法一〇〇、改正・平成一一法一六〇・平成二六法五四〕

参照　【罰則―法一〇四1・3】

（認定等の業務の休廃止等）

第七七条の五〇　指定認定機関は、国土交通大臣の許可を受けなければ、認定等の業務の全部又は一部を休止し、又は廃止してはならない。

2　国土交通大臣が前項の規定により認定等の業務の全部の廃止を許可したときは、当該許可に係る指定は、その効力を失う。

3　国土交通大臣は、第一項の許可をしたときは、その旨を公示しなければならない。

〔追加・平成一〇法一〇〇、改正・平成一一法一六〇〕

参照　【業務の休廃止の許可申請―機関省令四五】【罰則―法一〇四4

（指定の取消し等）

第七七条の五一　国土交通大臣は、指定認定機関が第七十七条の三十七各号（第四号を除く。）の一に該当するに至つたときは、その指定を取り消さなければならない。

2　国土交通大臣は、指定認定機関が次の各号の一に該当するときは、その指定を取り消し、又は期間を定めて認定等の業務の全部若しくは一部の停止を命ずることができる。

一　第七十七条の三十九第二項、第七十七条の四十第一項、第七十七条の四十二第一項から第三項まで、第七十七条の四十四、第七十七条の四十六第一項、第七十七条の四十七又は前条第一項の規定に違反したとき。

二　第七十七条の四十五第一項の認可を受けた認定等業務規程によらないで認定等を行つたとき。

三　第七十七条の四十二第四項、第七十七条の四十五第三項又は第七十七条の四十八の規定による命令に違反したとき。

四　第七十七条の三十八各号に掲げる基準に適合していないと認めるとき。

五　認定等の業務に関し著しく不適当な行為をしたとき、又はその業務に従事する認定員若しくは法人にあつてはその役員が、認定等の業務に関し著しく不適当な行為をしたとき。

六　不正な手段により指定を受けたとき。

3　国土交通大臣は、前二項の規定により指定を取り消し、又は前項の規定による認定等の業務の全部若しくは一部の停止を命じたときは、その旨を公示しなければならない。

〔追加・平成一〇法一〇〇、改正・平成一一法一六〇〕

参照　【処分の公示―機関省令四五の二】【罰則―法一〇〇

（国土交通大臣による認定等の実施）

第七七条の五二　国土交通大臣は、指定認定機関が次の各号のいずれかに該当するときは、第六十八条の二十四第二項の規定にかかわらず、当該指定認定機関が休止し、停止を命じられ、又は実施することが困難となつた認定等の業務のうち他の指定認定機関によつて行われないものを自ら行うものとする。

一　第七十七条の五十第一項の規定により認定等の業務の全部又は一部を休止したとき。

二　前条第二項の規定により認定等の業務の全部又は一部の停止を命じられたとき。

三　天災その他の事由により認定等の業務の全部又は一部を実施することが困難となつた場合において国土交通大臣が必要があると認めるとき。

2　国土交通大臣は、前項の規定により認定等の業務を行い、又は同項の規定により行つている認定等の業務を行わないこととしようとするときは、あらかじめ、その旨を公示しなければならない。

3　国土交通大臣が、第一項の規定により認定等の業務を行うこととし、第七十七条の四十第一項の規定により業務区域の減少を許可し、第七十七条の五十第一項の規定により認定等の業務の廃止を許可し、又は前条第一項若しくは第二項の規定により指定を取り消した場合における認定等の業務の引継ぎその他の必要な事項は、国土交通省令で定める。

〔追加・平成一〇法一〇〇、改正・平成一一法一六〇・平成二六法五四〕

参照【省令で定める―機関省令四六

（審査請求）

第七七条の五三　この法律の規定による指定認定機関の行う処分又はその不作為については、国土交通大臣に対し、審査請求をすることができる。この場合において、国土交通大臣は、行政不服審査法第二十五条第二項及び第三項、第四十六条第一項及び第二項、第四十七条並びに第四十九条第三項の規定の適用については、指定認定機関の上級行政庁とみなす。

〔追加・平成一〇法一〇〇、改正・平成一一法一六〇・平成二六法六九〕

（承認）

第七七条の五四　第六十八条の二十四第三項（第八十八条第一項において準用する場合を含む。以下この条において同じ。）の規定による承認は、認定等を行おうとする者（外国にある事務所により行おうとする者に限る。）の申請により行う。

2　第七十七条の三十六第二項の規定は前項の申請に、第七十七条の三十七、第七十七条の三十八、第七十七条の三十九第一項及び第七十七条の四十一の規定は第六十八条の二十四第三項の規定による承認に、第七十七条の二十二（第三項後段を除く。）、第七十七条の三十四、第七十七条の三十九第二項及び第三項、第七十七条の四十二、第七十七条の四十四、第七十七条の四十五、第七十七条の四十六第一項並びに第七十七条の四十七から第七十七条の四十九までの規定は第六十八条の二十四第三項の規定による承認を受けた者（以下この条、次条及び第九十七条の四において「承認認定機関」という。）に、第七十七条の四十六第二項の規定は承認認定機関が行つた認定等について準用する。この場合において、第七十七条の二十二第一項、第二項及び第四項並びに第七十七条の三十四第一項及び第三項中「国土交通大臣等」とあるのは「国土交通大臣」と、第七十七条の二十二第三項前段中「第七十七条の十八第三項及び第七十七条の二十第一号から第四号までの規定」とあるのは「第七十七条の三十八第一号及び第二号の規定」と、第七十七条の四十二第四項及び第七十七条の四十五第三項中「命ずる」とあるのは「請求する」と、第七十七条の四十八中「命令」とあるのは「請求」と読み替えるものとする。

〔追加・平成一〇法一〇〇、改正・平成一一法一六〇・平成一八法九二・平成二六法五四〕

参照【承認認定機関―機関省令四七～五三

（承認の取消し等）

第七七条の五五　国土交通大臣は、承認認定機関が前条第二項において準用する第七十七条の三十七各号（第四号を除く。）の一に該当するに至つたときは、その承認を取り消さなければならない。

2　国土交通大臣は、承認認定機関が次の各号の一に該当するときは、その承認を取り消すことができる。

一　前条第二項において準用する第七十七条の二十二第一項若しくは第二項、第七十七条の三十四第一項、第七十七条の三十九第二項、第七十七条の四十二第一項から第三項まで、第七十七条の四十四、第七十七条の四十六第一項又は第七十七条の四十七の規定に違反したとき。

二　前条第二項において準用する第七十七条の四十五第一項の認可を受けた認定等業務規程によらないで認定等を行つたとき。

三　前条第二項において準用する第七十七条の四十二第四項、第七十七条の四十五第三項又は第七十七条の四十八の規定による請求に応じなかつたとき。

四　前条第二項において準用する第七十七条の三十八各号に掲げる基準に適合していないと認めるとき。

五　認定等の業務に関し著しく不適当な行為をしたとき、又はその業務に従事する認定員若しくは法人にあつてはその役員が、認定等の業務に関し著しく不適当な行為をしたとき。

六　不正な手段により承認を受けたとき。

七　国土交通大臣が、承認認定機関が前各号の一に該当すると認めて、期間を定めて認定等の業務の全部又は一部の停止の請求をした場合において、その請求に応じなかつたとき。

八　前条第二項において準用する第七十七条の四十九第一項の規定による報告をせず、又は虚偽の報告をしたとき。

九　前条第二項において準用する第七十七条の四十九第一項の規定による検査を拒み、妨げ、若しくは忌避し、又は同項の規定による質問に対して答弁をせず、若しくは虚偽の答弁をしたとき。

十　次項の規定による費用の負担をしないとき。

3　前条第二項において準用する第七十七条の四十九第一項の規定による検査に要する費用（政令で定めるものに限る。）は、当該検査を受ける承認認定機関の負担とする。

〔追加・平成一〇法一〇〇、改正・平成一一法一六〇〕

参照【政令で定める―令一三六の二の一八【旅費の額―機関省令五四【在勤官署の所在地―機関省令五五【旅費の額の計算に係る細目―機関省令五六

第五節　指定性能評価機関等

〔追加・平成一〇法一〇〇、旧四節を繰下・平成一八法九二〕

（指定性能評価機関）

第七七条の五六　第六十八条の二十五第三項（第八十八条第一項において準用する場合を含む。以下この条において同じ。）の規定による指定は、第六十八条の二十五第三項の評価（以下「性能評価」という。）を行おうとする者（外国にある事務所により行おうとする者を除く。）の申請により行う。

2　第七十七条の三十六第二項の規定は前項の申請に、第七十七条の三十七、第七十七条の三十八、第七十七条の三十九第一項及び第七十七条の四十一の規定は第六十八条の二十五第三項の規定による指定に、第七十七条の二十二第二項及び第三項、第七十七条の四十、第七十七条の四十二から第七十七条の四十五まで並びに第七十七条の四十七から第七十七条の五十二までの規定は前項の規定による指定を受けた者（以下この条、第九十七条の四及び第百条において「指定性能評価機関」という。）に、第七十七条の五十三の規定は指定性能評価機関の行う性能評価又はその不作為について準用する。この場合において、第七十七条の三十八第一号、第七十七条の四十二、第七十七条の四十三第一項及び第七十七条の五十一第二項第五号中「認定員」とあるのは「評価員」と、同項第一号中「第七十七条の四十六第一項、第七十七条の四十七」とあるのは「第七十七条の四十七」と、第七十七条の五十三中「処分」とあるのは「処分（性能評価の結果を除く。）」と読み替えるものとする。

〔追加・平成一〇法一〇〇、改正・平成一八法九二・平成二六法五四・法六九〕

参照【指定性能評価機関―機関省令五八～七一の二【罰則―法九九①12・一〇〇・一〇四

（承認性能評価機関）

第七十七条の五十七　第六十八条の二十五第六項（第八十八条第一項において準用する場合を含む。以下この条において同じ。）の規定による承認は、性能評価を行おうとする者（外国にある事務所により行おうとする者に限る。）の申請により行う。

2　第七十七条の三十六第二項の規定は前項の申請に、第七十七条の三十七、第七十七条の三十八、第七十七条の三十九第一項及び第七十七条の四十一の規定は第六十八条の二十五第六項の規定による承認に、第七十七条の二十二（第三項後段を除く。）、第七十七条の三十四、第七十七条の三十九第二項及び第三項、第七十七条の四十二、第七十七条の四十四、第七十七条の四十五、第七十七条の四十七から第七十七条の四十九まで並びに第七十七条の五十五の規定は第六十八条の二十五第六項の規定による承認を受けた者（第九十七条の四において「承認性能評価機関」という。）について準用する。この場合において、第七十七条の二十二第一項、第二項及び第四項並びに第七十七条の三十四第一項及び第三項中「国土交通大臣等」とあるのは「国土交通大臣」と、第七十七条の二十二第三項前段中「第七十七条の十八第三項及び第七十七条の二十第一号から第四号までの規定」とあるのは「第七十七条の三十八第一号及び第二号の規定」と、第七十七条の三十八第一号、第七十七条の四十二及び第七十七条の五十五第二項第五号中「認定員」とあるのは「評価員」と、第七十七条の四十二第四項及び第七十七条の四十五第三項中「命ずる」とあるのは「請求する」と、第七十七条の四十八中「命令」とあるのは「請求」と、第七十七条の五十五第二項第一号中「、第七十七条の四十六第一項又は第七十七条の四十七」とあるのは「又は第七十七条の四十七」と読み替えるものとする。

〔追加・平成一〇法一〇〇、改正・平成一一法一六〇・平成一八法九二・平成二六法五四〕

参照【承認性能評価機関―機関省令七二～七八

第四章の三　建築基準適合判定資格者等の登録

〔追加・平成一〇法一〇〇、改正・平成二六法五四〕

第一節　建築基準適合判定資格者の登録

〔追加・平成二六法五四〕

（登録）

第七十七条の五十八　建築基準適合判定資格者検定に合格した者で、建築行政又は確認検査の業務その他これに類する業務で国土交通省令で定めるものに関して二年以上の実務の経験を有するものは、国土交通大臣の登録を受けることができる。

2　前項の登録は、国土交通大臣が、一級建築基準適合判定資格者検定に合格して当該登録を受ける者にあつては一級建築基準適合判定資格者登録簿に、二級建築基準適合判定資格者検定に合格して当該登録を受ける者にあつては二級建築基準適合判定資格者登録簿に、それぞれ氏名、生年月日、住所その他の国土交通省令で定める事項を登載してするものとする。

〔追加・旧七七条の三六を繰下・平成一〇法一〇〇、改正・平成一一法一六〇・令和五法五八〕

参照【省令で定める業務―規則一〇の六の二【登録の申請―規則一〇の七【省令で定める事項―規則一〇の九

（欠格条項）

第七十七条の五十九　次の各号のいずれかに該当する者は、前条第一項の登録を受けることができない。

一　未成年者

二　禁錮以上の刑に処せられ、又は建築基準法令の規定若しくは建築士法の規定により刑に処せられ、その執行を終わり、又は執行を受けることがなくなつた日から起算して五年を経過しない者

二　拘禁刑以上の刑に処せられ、又は建築基準法令の規定若しくは建築士法の規定により刑に処せられ、その執行を終わり、又は執行を受けることがなくなつた日から起算して五年を経過しない者

三　第七十七条の六十二第一項第四号又は第二項第三号から第五号までの規定により前条第一項の登録を消除され、その消除の日から起算して五年を経過しない者

四　第七十七条の六十二第二項第三号から第五号までの規定により確認検査の業務を行うことを禁止され、その禁止の期間中に同条第一項第一号の規定により前条第一項の登録を消除され、まだその期間が経過しない者

五　建築士法第七条第四号に該当する者

六　公務員で懲戒免職の処分を受け、その処分の日から起算して三年を経過しない者

〔追加・旧七七条の三七を改正し繰下・平成一〇法一〇〇、改正・平成一一法一五一・平成一八法九二・令和元法三七〕

第七十七条の五十九の二　国土交通大臣は、心身の故障により確認検査の業務を適正に行うことができない者として国土交通省令で定めるものについては、第七十七条の五十八第一項の登録をしないことができる。

〔追加・令和元法三七〕

参照【省令で定めるもの―規則一〇の九の二

（変更の登録）

第七十七条の六十　第七十七条の五十八第一項の登録を受けている者（次条及び第七十七条の六十二第二項において「建築基準適合判定資格者」という。）は、当該登録を受けている事項で国土交通省令で定めるものに変更があつたときは、国土交通省令で定めるところにより、変更の登録を申請しなければならない。

〔追加・旧七七条の三八を改正し繰下・平成一〇法一〇〇、改正・平成一一法一六〇〕

参照【省令で定める―規則一〇の一〇

（死亡等の届出）

第七十七条の六十一　建築基準適合判定資格者が次の各号のいずれかに該当するときは、当該各号に定める者は、当該各号に該当するに至つた日（第一号の場合にあつては、その事実を知つた日）から三十日以内に、国土交通大臣にその旨を届け出なければならない。

一　死亡したとき　相続人
二　第七十七条の五十九第二号、第五号又は第六号に該当するに至つたとき　本人
三　心身の故障により確認検査の業務を適正に行うことができない場合に該当するものとして国土交通省令で定める場合に該当するに至つたとき　本人又はその法定代理人若しくは同居の親族

〔追加・旧七七条の三九を改正し繰下・平成一〇法一〇〇、改正・平成一一法一五一・法一六〇・平成一八法九二・令和元法三七〕

参照【死亡等の届出―規則一〇の一二】【罰則―法一〇六①2】【省令で定める場合―規則一〇の一二の二】

（登録の消除等）

第七七条の六二　国土交通大臣は、次の各号のいずれかに掲げる場合は、第七十七条の五十八第一項の登録を消除しなければならない。
一　本人から登録の消除の申請があつたとき。
二　前条（第三号に係る部分を除く。次号において同じ。）の規定による届出があつたとき。
三　前条の規定による届出がなくて同条第一号又は第二号に該当する事実が判明したとき。
四　不正な手段により登録を受けたとき。
五　第五条第九項又は第五条の二第二項の規定により、建築基準適合判定資格者検定の合格の決定を取り消されたとき。

2　国土交通大臣は、建築基準適合判定資格者が次の各号のいずれかに該当するときは、一年以内の期間を定めて確認検査の業務を行うことを禁止し、又はその登録を消除することができる。
一　前条（第三号に係る部分に限る。次号において同じ。）の規定による届出があつたとき。
二　前条の規定による届出がなくて同条第三号に該当する事実が判明したとき。
三　第十八条の三第三項の規定に違反して、確認審査等を実施したとき。
四　第七十七条の二十七第一項の認可を受けた確認検査業務規程に違反したとき。
五　確認検査の業務に関し著しく不適当な行為をしたとき。

3　国土交通大臣は、前二項の規定による処分をしたときは、国土交通省令で定めるところにより、その旨を公告しなければならない。

〔追加・旧七七条の四〇を改正し繰下・平成一〇法一〇〇、改正・平成一一法一六〇・平成一八法九二・令和元法三七・令和五法五八〕

参照【省令で定める―規則一〇の一五の二】【罰則―法九九①14・一〇五】

（都道府県知事の経由）

第七七条の六三　第七十七条の五十八第一項の登録の申請、登録証の交付、訂正、再交付及び返納その他の同項の登録に関する国土交通大臣への書類の提出は、住所地又は勤務地の都道府県知事を経由して行わなければならない。

2　登録証の交付及び再交付その他の第七十七条の五十八第一項の登録に関する国土交通大臣の書類の交付は、住所地又は勤務地の都道府県知事を経由して行うものとする。

〔追加・平成一一法八七、旧七七条の四一を改正し繰下・平成一〇法一〇〇、改正・平成一一法一六〇〕

（国土交通省令への委任）

第七七条の六四　第七十七条の五十八から前条までに規定するもののほか、第七十七条の五十八第一項の登録の申請、登録証の交付、訂正、再交付及び返納その他の同項の登録に関する事項は、国土交通省令で定める。

〔追加・平成一〇法一〇〇、旧七七条の四一を繰下・平成一一法八七、旧七七条の四二を改正し繰下・平成一〇法一〇〇、改正・平成一一法一六〇〕

参照【省令で定める―規則一〇の七・一〇の八・一〇の一〇～一〇の一五の二】

（手数料）

第七七条の六五　第七十七条の五十八第一項の登録又は登録証の訂正若しくは再交付の申請をしようとする者（市町村又は都道府県の職員である者を除く。）は、政令で定めるところにより、実費を勘案して政令で定める額の手数料を国に納めなければならない。

〔追加・平成一〇法一〇〇、旧七七条の四二を繰下・平成一一法八七、旧七七条の四三を改正し繰下・平成一〇法一〇〇、改正・平成一八法五三〕

参照【政令で定める―令一三六の二の一九】

第二節　構造計算適合判定資格者の登録

〔追加・平成二六法五四〕

第七七条の六六　構造計算適合判定資格者検定に合格した者又はこれと同等以上の知識及び経験を有する者として国土交通省令で定める者は、国土交通大臣の登録を受けることができる。

2　第七十七条の五十八第二項、第七十七条の五十九、第七十七条の五十九の二、第七十七条の六十二第一項及び第三項（同条第一項に係る部分に限る。）並びに第七十七条の六十三から前条までの規定は前項の登録に、第七十七条の六十、第七十七条の六十一並びに第七十七条の六十二第二項及び第三項（同条第二項に係る部分に限る。）の規定は前項の登録を受けている者について準用する。この場合において、第七十七条の五十九第四号、第七十七条の五十九の二、第七十七条の六十一第三号及び第七十七条の六十二第二項第五号中「確認検査」とあるのは「構造計算適合性判定」と、同条第一項第五号中「第五条第九項又は第五条の二第二項」とあるのは「第五条の四第五項において準用する第五条第九項又は第五条の五第二項において準用する第五条の二第二項」と、同条第二項中「定めて確認検査」とあるのは「定めて構造計算適合性判定」と、同項第四号中「第七十七条の二十七第一項」とあるのは「第七十七条の三十五の十二第一項」と、「確認検査業務規程」とあるのは「構造計算適合性判定業務規程」と、前条中「者（市町村又は都道府県の職員である者を除く。）」とあるのは「者」と読み替えるものとする。

〔追加・平成二六法五四、改正・令和元法三七・令和五法五八〕

参照【政令で定める―令一三六の二の一九】【省令で定める者―規則一〇の一五の三】【登録の申請―規則一〇の一五の四】【登録事項―規則一〇の一五の五】【準用―規則一〇の一五の六】【罰則―法九九①14・一〇五・一〇六①2】

第五章　建築審査会

〔旧九章を繰上・昭和三四法一五六〕

（建築審査会）

第七十八条　この法律に規定する同意及び第九十四条第一項前段の審査請求に対する裁決についての議決を行わせるとともに、特定行政庁の諮問に応じて、この法律の施行に関する重要事項を調査審議させるために、建築主事を置く市町村及び都道府県に、建築審査会を置く。

2　建築審査会は、前項に規定する事務を行う外、この法律の施行に関する事項について、関係行政機関に対し建議することができる。

〔改正・昭和三七法一六一・平成二六法六九〕

参照【特定行政庁―法二35【この法律に規定する同意―法三①・四二⑥・四三①・四四①2・②・四六①・四七・四八⑮・五二⑮・五三⑦・五三の二④・五五④・五六の二①・五七の四②・五九⑤・五九の二②・六〇の二⑦・六〇の三④・六七の三⑩・六八⑥・六八の三⑤・六八の五の三③・六八の七②・⑥・八六⑤・八六の二⑤

（建築審査会の組織）

第七十九条　建築審査会は、委員五人以上をもつて組織する。

2　委員は、法律、経済、建築、都市計画、公衆衛生又は行政に関しすぐれた経験と知識を有し、公共の福祉に関し公正な判断をすることができる者のうちから、市町村長又は都道府県知事が任命する。

〔改正・昭和三四法一五六・昭和四五法一〇九・平成二五法四四〕

（委員の欠格条項）

第八十条　次の各号のいずれかに該当する者は、委員となることができない。

一　破産手続開始の決定を受けて復権を得ない者

二　禁錮以上の刑に処せられ、その執行を終わるまで又はその執行を受けることがなくなるまでの者

二　拘禁刑以上の刑に処せられ、その執行を終わるまで又はその執行を受けることがなくなるまでの者

〔追加・昭和三四法一五六、改正・平成一一法一五一・平成一八法九二、旧八〇条の二を改正し繰上・平成二七法五〇〕

参照①【復権―破産法二五五・二五六【禁錮以上の刑―刑法九・一〇

（委員の解任）

第八十条の二　市町村長又は都道府県知事は、それぞれその任命に係る委員が前条各号のいずれかに該当するに至つた場合においては、その委員を解任しなければならない。

2　市町村長又は都道府県知事は、それぞれその任命に係る委員が次の各号のいずれかに該当する場合においては、その委員を解任することができる。

一　心身の故障のため職務の執行に堪えないと認められる場合

二　職務上の義務違反その他委員たるに適しない非行があると認められる場合

〔追加・昭和三四法一五六、旧八〇条の三を改正し繰上・平成二七法五〇〕

（会長）

第八十一条　建築審査会に会長を置く。会長は、委員が互選する。

2　会長は、会務を総理し、建築審査会を代表する。

3　会長に事故があるときは、委員のうちからあらかじめ互選された者が、その職務を代理する。

（委員の除斥）

第八十二条　委員は、自己又は三親等以内の親族の利害に関係のある事件については、この法律に規定する同意又は第九十四条第一項前段の審査請求に対する裁決に関する議事に加わることができない。

〔改正・昭和三八法一五一・平成二六法六九〕

（条例への委任）

第八十三条　この章に規定するものを除くほか、建築審査会の組織、議事並びに委員の任期、報酬及び費用弁償その他建築審査会に関して必要な事項は、条例で定める。この場合において、委員の任期については、国土交通省令で定める基準を参酌するものとする。

〔改正・平成二七法五〇〕

参照【省令で定める基準―規則一〇の一五の七

第六章　雑則

〔旧一〇章を繰上・昭和三四法一五六〕

（被災市街地における建築制限）

第八十四条　特定行政庁は、市街地に災害のあつた場合において都市計画又は土地区画整理法による土地区画整理事業のため必要があると認めるときは、区域を指定し、災害が発生した日から一月以内の期間を限り、その区域内における建築物の建築を制限し、又は禁止することができる。

2　特定行政庁は、更に一月を超えない範囲内において前項の期間を延長することができる。

〔改正・昭和二九法一二〇・昭和三四法一五六・平成一一法八七〕

参照【特定行政庁―法二35【土地区画整理事業―土地区画整理法二①【建築物―法二1【建築―法二13【罰則―法一〇一①11・一〇五

（簡易な構造の建築物に対する制限の緩和）

第八十四条の二　壁を有しない自動車車庫、屋根を帆布としたスポーツの練習場その他の政令で指定する簡易な構造の建築物又は建築物の部分で、政令で定める基準に適合するものについては、第二十二条から第二十六条まで、第二十七条第一項及び第三項、第三十五条の二、第六十一条、第六十二条並びに第六十七条第一項の規定は、適用しない。

〔追加・平成四法八二、改正・平成一五法一〇一・平成二六法五四・平成三〇法六七〕

参照【建築物―法二1【政令で指定する簡易な構造の建築物等―令一三六の九【政令で定める基準―令一三六の一〇

（仮設建築物に対する制限の緩和）

第八十五条　非常災害があつた場合において、非常災害区域等（非常災害が発生した区域又はこれに隣接する区域で特定行政庁が指定するものをいう。第八十七条の三第一項において同じ。）内においては、災害により破損した建築物の応急の修繕又は次の各号のいずれかに該当する応急仮設建築物の建築でその災害

が発生した日から一月以内にその工事に着手するものについては、建築基準法令の規定は、適用しない。ただし、防火地域内に建築する場合については、この限りでない。

一　国、地方公共団体又は日本赤十字社が災害救助のために建築するもの

二　被災者が自ら使用するために建築するもので延べ面積が三十平方メートル以内のもの

2　災害があつた場合において建築する停車場、官公署その他これらに類する公益上必要な用途に供する応急仮設建築物又は工事を施工するために現場に設ける事務所、下小屋、材料置場その他これらに類する仮設建築物については、第六条から第七条の六まで、第十二条第一項から第四項まで、第十五条、第十八条（第四十一項を除く。）、第十九条、第二十一条から第二十三条まで、第二十六条、第三十一条、第三十三条、第三十四条第二項、第三十五条、第三十六条（第十九条、第二十一条、第二十六条、第三十一条、第三十三条、第三十四条第二項及び第三十五条に係る部分に限る。）、第三十七条、第三十九条及び第四十条の規定並びに第三章の規定は、適用しない。ただし、防火地域又は準防火地域内にある延べ面積が五十平方メートルを超えるものについては、第六十二条の規定の適用があるものとする。

3　前二項の応急仮設建築物を建築した者は、その建築工事を完了した後三月を超えて当該建築物を存続させようとする場合においては、その超えることとなる日前に、特定行政庁の許可を受けなければならない。ただし、当該許可の申請をした場合において、その超えることとなる日前に当該申請に対する処分がされないときは、当該処分がされるまでの間は、なお当該建築物を存続させることができる。

4　特定行政庁は、前項の許可の申請があつた場合において、安全上、防火上及び衛生上支障がないと認めるときは、二年以内の期間を限つて、その許可をすることができる。

5　特定行政庁は、被災者の需要に応ずるに足りる適当な建築物が不足することその他の理由により前項に規定する期間を超えて使用する特別の必要がある応急仮設建築物について、安全上、防火上及び衛生上支障がなく、かつ、公益上やむを得ないと認める場合においては、同項の規定にかかわらず、更に一年を超えない範囲内において同項の規定による許可の期間を延長することができる。被災者の需要に応ずるに足りる適当な建築物が不足することその他の理由により当該延長に係る期間を超えて使用する特別の必要がある応急仮設建築物についても、同様とする。

6　特定行政庁は、仮設興行場、博覧会建築物、仮設店舗その他これらに類する仮設建築物（次項及び第百一条第一項第十号において「仮設興行場等」という。）について安全上、防火上及び衛生上支障がないと認める場合においては、一年以内の期間（建築物の工事を施工するためその工事期間中当該従前の建築物に代えて必要となる仮設店舗その他の仮設建築物については、特定行政庁が当該工事の施工上必要と認める期間）を定めてその建築を許可することができる。この場合においては、第十二条第一項から第四項まで、第二十一条から第二十七条まで、第三十一条、第三十四条第二項、第三十五条の二、第三十五条の三及び第三十七条の規定並びに第三章の規定は、適用しない。

7　特定行政庁は、国際的な規模の会議又は競技会の用に供することその他の理由により一年を超えて使用する特別の必要がある仮設興行場等について、安全上、防火上及び衛生上支障がなく、かつ、公益上やむを得ないと認める場合においては、前項の規定にかかわらず、当該仮設興行場等の使用上必要と認める期間を定めてその建築を許可することができる。この場合においては、同項後段の規定を準用する。

8　特定行政庁は、第五項の規定により許可の期間を延長する場合又は前項の規定による許可をする場合においては、あらかじめ、建築審査会の同意を得なければならない。ただし、官公署、病院、学校その他の公益上特に必要なものとして国土交通省令で定める用途に供する応急仮設建築物について第五項の規定により許可の期間を延長する場合は、この限りでない。

〔改正・昭和三三法一〇一・昭和三四法一五六・昭和三八法一五一・昭和四五法一〇九・昭和五一法八三・昭和五八法四四・平成一〇法一〇〇・平成一一法八七・平成一六法六七・法一一一・平成一七法一〇二・平成一八法九二・平成二六法五四・平成三〇法六七・令和四法四四・令和六法五三〕

参照【特定行政庁―法二35【建築物―法二1【建築―法二13【延べ面積―法九二、令二①4・③【防火地域及び準防火地域―都計法八①5・九㉑【仮設建築物に対する制限の緩和―令一四七①【罰則―法一〇一①8・一〇五【引用規定―特定非常災害の被害者の権利利益の保全等を図るための特別措置に関する法律七、東日本大震災復興特別区域法一七①

（景観重要建造物である建築物に対する制限の緩和）

第八五条の二　景観法第十九条第一項の規定により景観重要建造物として指定された建築物のうち、良好な景観の保全のためその位置又は構造をその状態において保存すべきものについては、市町村は、同法第二十二条及び第二十五条の規定の施行のため必要と認める場合においては、国土交通大臣の承認を得て、条例で、第二十一条から第二十五条まで、第二十八条、第四十三条、第四十四条、第四十七条、第五十二条、第五十三条、第五十四条から第五十六条の二まで、第五十八条、第六十一条、第六十二条、第六十七条第一項及び第五項から第七項まで並びに第六十八条第一項及び第二項の規定の全部若しくは一部を適用せず、又はこれらの規定による制限を緩和することができる。

〔追加・改正・平成一六法一一一、改正・平成二六法五四・平成三〇法六七〕

参照【建築物―法二1

（伝統的建造物群保存地区内の制限の緩和）

第八五条の三　文化財保護法第百四十三条第一項又は第二項の伝統的建造物群保存地区内においては、市町村は、同条第一項後段（同条第二項後段において準用する場合を含む。）の条例において定められた現状変更の規制及び保存のための措置を確保するため必要と認める場合においては、国土交通大臣の承認を得て、条例で、第二十一条から第二十五条まで、第二十八条、第四十三条、第四十四条、第五十二条、第五十三条、第五十五条、第五十六条、第六十一条、第六十二条及び第六十七条第一項の規定の全部若しくは一部を適用せず、又はこれらの規定による制限を緩和することができる。

〔追加・昭和五〇法四九、改正・平成一一法一六〇・平成一五法一〇一、旧八五条の二を繰下・平成一六法一一一、改正・平成一六法六一・平成二六法五四・平成三〇法六七〕

参照【伝統的建造物群保存地区―文化財一四二〜一四六【伝統的建造物群―文化財二①6【規制条例の基準―文化財保護法施行令四

（一の敷地とみなすこと等による制限の緩和）

第八六条　建築物の敷地又は建築物の敷地以外の土地で二以上のものが一団地を形成している場合において、当該一団地（その内に第八項の規定により現に公告されている他の対象区域があるときは、当該他の対象区域の全部を含むものに限る。以下この項、第六項及び第七項において同じ。）内において建築、大規模の修繕又は大規模の模様替（以下この条及び第八十六条の四において「建築等」という。）をする一又は二以上の構えを成す建築物（二以上の構えを成すものにあつては、総合的設計によつて建築等をするものに限る。以下この項及び第三項において「一又は二以上の建築物」という。）について、国土交通省令で定めるところにより、特定行政庁が当該一又は二以上の建築物の位置及び構造が安全上、防火上及び衛生上支障がないと認めるときは、当該一又は二以上の建築物に対する第二十三条、第四十三条、第五十二条第一項から第十四項まで、第五十三条第一項若しくは第二項、第五十四条第一項、第五十五条第二項、第五十六条第一項から第四項まで、第六項若しくは第七項、第五十六条の二第一項から第三項まで、第五十七条の二、第五十七条の三第一項から第四項まで、第五十九条第一項、第五十九条の二第一項、第六十条第一項、第六十条の二第一項、第六十条の二の二第一項、第六十条の三第一項、第六十一条又は第六十八条の三第一項から第三項までの規定（次項から第四項までにおいて「特例対象規定」という。）の適用については、当該一団地を当該一又は二以上の建築物の一の敷地とみなす。

2　一定の一団の土地の区域（その内に第八項の規定により現に公告されている他の対象区域があるときは、当該他の対象区域の全部を含むものに限る。以下この項及び第六項において同じ。）内に現に存する建築物の位置及び構造を前提として、安全上、防火上及び衛生上必要な国土交通省令で定める基準に従い総合的見地からした設計によつて当該区域内において建築物の建築等をする場合において、国土交通省令で定めるところにより、特定行政庁がその位置及び構造が安全上、防火上及び衛生上支障がないと認めるときは、当該区域内における各建築物に対する特例対象規定の適用については、当該一定の一団の土地の区域をこれらの建築物の一の敷地とみなす。

3　建築物の敷地又は建築物の敷地以外の土地で二以上のものが、政令で定める空地を有し、かつ、面積が政令で定める規模以上である一団地を形成している場合において、当該一団地（その内に第八項の規定により現に公告されている他の対象区域があるときは、当該他の対象区域の全部を含むものに限る。以下この項、第六項、第七項及び次条第八項において同じ。）内において建築等をする一又は二以上の建築物について、国土交通省令で定めるところにより、特定行政庁が、当該一又は二以上の建築物の位置及び建蔽率、容積率、各部分の高さその他の構造について、交通上、安全上、防火上及び衛生上支障がなく、かつ、総合的な配慮がなされていることにより市街地の環境の整備改善に資すると認めて許可したときは、当該一又は二以上の建築物に対する特例対象規定（第五十九条の二第一項を除く。）の適用について、当該一団地を当該一又は二以上の建築物の一の敷地とみなすとともに、当該一又は二以上の建築物の各部分の高さ又は容積率を、その許可の範囲内において、第五十五条第一項の規定又は当該一団地を一の敷地とみなして適用する第五十二条第一項から第九項まで、第五十六条若しくは第五十七条の二第六項の規定による限度を超えるものとすることができる。

4　その面積が政令で定める規模以上である一定の一団の土地の区域（その内に第八項の規定により現に公告されている他の対象区域があるときは、当該他の対象区域の全部を含むものに限る。以下この項、第六項及び次条第八項において同じ。）内に現に存する建築物の位置及び建蔽率、容積率、各部分の高さその他の構造を前提として、安全上、防火上及び衛生上必要な国土交通省令で定める基準に従い総合的見地からした設計によつて当該区域内において建築物の建築等をし、かつ、当該区域内に政令で定める空地を有する場合において、国土交通省令で定めるところにより、特定行政庁が、その建築物の位置及び建蔽率、容積率、各部分の高さその他の構造について、交通上、安全上、防火上及び衛生上支障がなく、かつ、総合的な配慮がなされていることにより市街地の環境の整備改善に資すると認めて許可したときは、当該区域内における各建築物に対する特例対象規定（第五十九条の二第一項を除く。）の適用について、当該一定の一団の土地の区域をこれらの建築物の一の敷地とみなすとともに、当該建築等をする建築物の各部分の高さ又は容積率を、その許可の範囲内において、第五十五条第一項の規定又は当該一定の一団の土地の区域を一の敷地とみなして適用する第五十二条第一項から第九項まで、第五十六条若しくは第五十七条の二第六項の規定による限度を超えるものとすることができる。

5　第四十四条第二項の規定は、前二項の規定による許可をする場合に準用する。

6　第一項から第四項までの規定による認定又は許可を申請する者は、国土交通省令で定めるところにより、対象区域（第一項若しくは第三項の一団地又は第二項若しくは第四項の一定の一団の土地の区域をいう。以下同じ。）内の建築物の位置及び構造に関する計画を策定して提出するとともに、その者以外に当該対象区域の内にある土地について所有権又は借地権を有する者があるときは、当該計画について、あらかじめ、これらの者の同意を得なければならない。

7　第一項又は第三項の場合において、次に掲げる条件に該当する地区計画等（集落地区計画を除く。）の区域内の建築物については、一団地内に二以上の構えを成す建築物の総合的設計による建築等を工区を分けて行うことができる。

一　地区整備計画等（集落地区整備計画を除く。）が定められている区域のうち、次に掲げる事項が定められている区域であること。

イ　地区施設等の配置及び規模

ロ　壁面の位置の制限（地区施設等に面する壁面の位置を制限するものを含むものに限る。）

二　第六十八条の二第一項の規定に基づく条例で、前号ロに掲げる事項に関する制限が定められている区域であること。

8　特定行政庁は、第一項から第四項までの規定による認定又は許可をしたときは、遅滞なく、当該認定又は許可に係る第六項の計画に関して、対象区域その他国土交通省令で定める事項を公告するとともに、対象区域、建築物の位置その他国土交通省令で定める事項を表示した図書をその事務所に備えて、一般の縦覧に供さなければならない。

9　第一項から第四項までの規定による認定又は許可は、前項の規定による公告によつて、その効力を生ずる。

10　第八項の規定により公告された対象区域（以下「公告対象区域」という。）の全部を含む土地の区域内の建築物の位置及び構造について第一項から第四項までの規定による認定又は許可の申請があつた場合において、特定行政庁が当該申請に係る第一項若しくは第二項の規定による認定（以下この項において「新規認定」という。）又は第三項若しくは第四項の規定による許可（以下この項において「新規許可」という。）をしたときは、当該公告対象区域内の建築物の位置及び構造についての第一項若しくは第二項若しくは次条第一項の規定による従前の認定又は第三項若しくは第四項若しくは次条第二項若しくは第三項の規定による従前の許可は、新規認定又は新規許可に係る第八項の規定による公告があつた日から将来に向かつて、その効力を失う。

〔改正・昭和三二法一〇一・昭和三四法一五六・昭和三六法一一五・昭和三八法一五一・昭和四三法一〇一・昭和四四法三八・昭和四五法一〇九・昭和五一法八三・昭和六二法六六・昭和六三法四九・平成二法六一・平成四法八二・平成六法六二・平成七法一三・平成九法五〇・法七九・平成一〇法一〇〇・平成一一法一六〇・平成一二法七三・平成一四法二二・法八五・平成一五法一〇一・平成一六法六七・平成二八法七二・平成二九法二六・平成三〇法六七・令和二法四三・令和四法六九〕

参照 【建築物―法二1【建築―法二13【敷地―令一1【省令で定めるところにより―規則一〇の一六【特定行政庁―法二35【省令で定める基準―規則一〇の一七【政令で定める空地―令一三六の一二①【政令で定める規模―令一三六の一二②【省令で定めるところにより―規則一〇の一八【省令で定める事項―規則一〇の一九【公告―規則一〇の二〇【引用規定―宅地建物取引業法施行令二の五2・三①2

（公告認定対象区域内における建築物の位置及び構造の認定等）

第八六条の二　公告認定対象区域（前条第一項又は第二項の規定による認定に係る公告対象区域をいう。以下同じ。）内において、同条第一項又は第二項の規定により一の敷地内にあるものとみなされる建築物（以下「一敷地内認定建築物」という。）以外の建築物を新築し、又は一敷地内認定建築物について増築、改築、移転、大規模の修繕若しくは大規模の模様替（位置又は構造の変更を伴うものに限る。以下この項から第三項までにおいて「増築等」という。）をしようとする者は、国土交通省令で定めるところにより、当該新築又は増築等に係る建築物の位置及び構造が当該公告認定対象区域内の他の一敷地内認定建築物の位置及び構造との関係において安全上、防火上及び衛生上支障がない旨の特定行政庁の認定を受けなければならない。

2　面積が政令で定める規模以上である公告認定対象区域内において、一敷地内認定建築物以外の建築物を新築し、又は一敷地内認定建築物について増築等をしようとする場合（当該区域内に政令で定める空地を有することとなる場合に限る。）において、国土交通省令で定めるところにより、特定行政庁が、当該新築又は増築等に係る建築物の位置及び建蔽率、容積率、各部分の高さその他の構造について、他の一敷地内認定建築物の位置及び建蔽率、容積率、各部分の高さその他の構造との関係において、交通上、安全上、防火上及び衛生上支障がなく、かつ、市街地の環境の整備改善に資すると認めて許可したときは、当該新築又は増築等に係る建築物の各部分の高さ又は容積率を、その許可の範囲内において、第五十五条第一項の規定又は当該公告認定対象区域を一の敷地とみなして適用される第五十二条第一項から第九項まで、第五十六条若しくは第五十七条の二第六項の規定による限度を超えるものとすることができる。この場合において、前項の規定は、適用しない。

3　公告許可対象区域（前条第三項又は第四項の規定による許可に係る公告対象区域をいう。以下同じ。）内において、同条第三項又は第四項の規定により一の敷地内にあるものとみなされる建築物（以下「一敷地内許可建築物」という。）以外の建築物を新築し、又は一敷地内許可建築物について増築等をしようとする者は、国土交通省令で定めるところにより、特定行政庁の許可を受けなければならない。この場合において、特定行政庁は、当該新築又は増築等に係る建築物が、その位置及び建蔽率、容積率、各部分の高さその他の構造について、他の一敷地内許可建築物の位置及び建蔽率、容積率、各部分の高さその他の構造との関係において、交通上、安全上、防火上及び衛生上支障がなく、かつ、市街地の環境の整備改善を阻害することがないと認めるとともに、当該区域内に同条第三項又は第四項の政令で定める空地を維持することとなると認める場合に限り、許可するものとする。

4　第二項の規定による許可を申請する者は、その者以外に公告認定対象区域内にある土地について所有権又は借地権を有する者があるときは、建築物に関する計画について、あらかじめ、これらの者の同意を得なければならない。

5　第四十四条第二項の規定は、第二項又は第三項の規定による許可をする場合に準用する。

6　特定行政庁は、第一項から第三項までの規定による認定又は許可をしたときは、遅滞なく、国土交通省令で定めるところにより、その旨を公告するとともに、前条第八項の図書の表示する事項について所要の変更をしなければならない。

7　前条第九項の規定は、第一項から第三項までの規定による認定又は許可について準用する。

8　公告対象区域内の第一項の規定による認定又は第二項若しくは第三項の規定による許可を受けた建築物及び当該建築物以外の当該公告対象区域内の建築物については、それぞれ、前条第一項若しくは第二項の規定又は同条第三項若しくは第四項（第二項の規定による許可に係るものにあつては、同条第三項又は第四項中一団地又は一定の一団の土地の区域を一の敷地とみなす部分に限る。）の規定を準用する。

9　公告認定対象区域内に第一項の規定による認定を受けた建築物がある場合における同項又は第二項の規定の適用については、当該建築物を一敷地内認定建築物とみなす。

10　第二項の規定による許可に係る第六項の公告があつた公告認定対象区域は、その日以後は、公告許可対象区域とみなす。

11　前項に規定する公告許可対象区域内における第三項の規定の適用については、第二項の規定による許可を受けた建築物及び当該建築物以外の当該公告許可対象区域内の建築物を一敷地内許可建築物とみなす。

12　公告許可対象区域内に第三項の規定による許可を受けた建築物がある場合における同項の規定の適用については、当該建築物を一敷地内許可建築物とみなす。

〔追加・平成一〇法一〇〇、改正・平成一一法一六〇・平成一四法八五・平成一六法六七・平成二九法二六・令和四法六九〕

参照 【建築物―法二1【建築―法二13【敷地―令一1【政令で定める規模―令一三六の一二②【政令で定める空地―令一三六の一二①【省令で定めるところ―規則一〇の一六・一〇の二〇【特定行政庁―法二35【引用規定―宅地建物取引業法施行令二の五2・三①2

（一の敷地内にあるとみなされる建築物に対する高度利用地区等内における制限の特例）

第八六条の三　第八十六条第一項から第四項まで（これらの規定を前条第八項において準用する場合を含む。）の規定により一の敷地内にあるものとみなされる建築物は、第五十九条第一項、第六十条の二第一項又は第六十条の三第一項の規定を適用する場合においては、これを一の建築物とみなす。

〔追加・平成一〇法一〇〇、改正・平成一四法二二・法八五・平成一六法六七・平成一八法九二・平成二八法七二〕

参照【敷地―令一1【建築物―法二1

（一の敷地内にあるとみなされる建築物に対する外壁の開口部に対する制限の特例）

第八十六条の四　次の各号のいずれかに該当する建築物について第二十七条第二項若しくは第三項又は第六十七条第一項の規定を適用する場合においては、第一号イに該当する建築物は耐火建築物と、同号ロに該当する建築物は準耐火建築物とみなす。

一　第八十六条第一項又は第三項の規定による認定又は許可を受けて建築等をする建築物で、次のいずれかに該当するもの

イ　第二条第九号の二イに該当するもの

ロ　第二条第九号の三イ又はロのいずれかに該当するもの

二　第八十六条第二項又は第四項の規定による認定又は許可を受けて建築等をする建築物で、前号イ又はロのいずれかに該当するもの（当該認定又は許可に係る公告対象区域内に現に存する建築物が、同号イ又はロのいずれかに該当するものである場合に限る。）

三　第八十六条の二第一項から第三項までの規定による認定又は許可を受けて建築等をする建築物で、第一号イ又はロのいずれかに該当するもの（当該認定又は許可に係る公告対象区域内の他の一敷地内認定建築物又は一敷地内許可建築物が、同号イ又はロのいずれかに該当するものである場合に限る。）

〔追加・改正・平成一〇法一〇〇、改正・平成一四法八五・平成一五法一〇一・平成一六法六七・平成二六法五四・平成三〇法六七・令和四法六九〕

参照【建築物―法二1【耐火建築物―法二9の2【準耐火建築物―法二9の3【建築―法二13【主要構造部―法二5【耐火構造―法二7【敷地―令一1

（一の敷地とみなすこと等の認定又は許可の取消し）

第八十六条の五　公告対象区域内の土地について所有権又は借地権を有する者は、その全員の合意により、当該公告対象区域内の建築物に係る第八十六条第一項若しくは第二項若しくは第八十六条の二第一項の規定による認定又は第八十六条第三項若しくは第四項若しくは第八十六条の二第二項若しくは第三項の規定による許可の取消しを特定行政庁に申請することができる。

2　前項の規定による認定の取消しの申請を受けた特定行政庁は、当該申請に係る公告認定対象区域内の建築物の位置及び構造が安全上、防火上及び衛生上支障がないと認めるときは、当該申請に係る認定を取り消すものとする。

3　第一項の規定による許可の取消しの申請を受けた特定行政庁は、当該申請に係る公告許可対象区域内の建築物の位置及び建蔽率、容積率、各部分の高さその他の構造について、交通上、安全上、防火上及び衛生上支障がなく、かつ、市街地の環境の整備改善を阻害することがないと認めるときは、当該申請に係る許可を取り消すものとする。

4　特定行政庁は、前二項の規定による取消しをしたときは、遅滞なく、国土交通省令で定めるところにより、その旨を公告しなければならない。

5　第二項又は第三項の規定による取消しは、前項の規定による公告によつて、その効力を生ずる。

6　前二項に定めるもののほか、第二項又は第三項の規定による認定又は許可の取消しについて必要な事項は、国土交通省令で定める。

〔追加・平成一〇法一〇〇、改正・平成一一法一六〇・平成一四法八五・平成一六法六七・平成二九法二六〕

参照【建築物―法二1【特定行政庁―法二35【省令で定めるところ―規則一〇の二二【省令で定める―規則一〇の二一

（総合的設計による一団地の住宅施設についての制限の特例）

第八十六条の六　一団地の住宅施設に関する都市計画を定める場合においては、第一種低層住居専用地域、第二種低層住居専用地域又は田園住居地域については、第五十二条第一項第一号に規定する容積率、第五十三条第一項第一号に規定する建蔽率、第五十四条第二項に規定する外壁の後退距離及び第五十五条第一項に規定する建築物の高さと異なる容積率、建蔽率、距離及び高さの基準を定めることができる。

2　前項の都市計画に基づき建築物を総合的設計によつて建築する場合において、当該建築物が同項の規定により当該都市計画に定められた基準に適合しており、かつ、特定行政庁がその各建築物の位置及び構造が当該第一種低層住居専用地域、第二種低層住居専用地域又は田園住居地域内の住居の環境の保護に支障がないと認めるときは、当該建築物については、第五十二条第一項第一号、第五十三条第一項第一号、第五十四条第一項及び第五十五条第一項の規定は、適用しない。

〔追加・平成一〇法一〇〇、改正・平成一二法七三・平成二九法二六〕

参照【第一種低層住居専用地域、第二種低層住居専用地域、田園住居地域―法二21【敷地―令一1【建築物―法二1【延べ面積―法五二①・九二、令二①4・③【敷地面積―法九二、令二①4【建築面積―法五三①・九二、令二①2【特定行政庁―法二35

（既存の建築物に対する制限の緩和）

第八十六条の七　第三条第二項（第八十六条の九第一項において準用する場合を含む。以下この条、次条、第八十七条及び第八十七条の二において同じ。）の規定により第二十条、第二十一条、第二十二条第一項、第二十三条、第二十五条から第二十七条まで、第二十八条の二（同条第一号及び第二号に掲げる基準に係る部分に限る。）、第三十条、第三十四条第二項、第三十五条（同条の階段、出入口その他の避難施設及び排煙設備に関する技術的基準のうち政令で定めるもの（次項及び第八十七条第四項において「階段等に関する技術的基準」という。）並びに第三十五条の敷地内の避難上及び消火上必要な通路に関する技術的基準のうち政令で定めるものに係る部分に限る。）、第三十六条（同条の防火壁及び防火区画の設置及び構造に関する技術的基準のうち政令で定めるもの（次項において「防火壁等に関する技術的基準」という。）に係る部分に限る。）、第四十三条第一項、第四十四条第一項、第四十七条、第四十八条第一項から第十四項まで、第五十一条、第五十二条第一項、第二項若しくは第七項、第五十三条第一項若しくは第二項、第五十四条第一項、第五十五条第一項、第五十六条第一項、第五十六条の二第一項、第五十七条の四第一項、第五十七条の五第一項、第五十八条第一項、第五十九条第一項若しくは第二項、第六十条第一項若し

くは第二項、第六十条の二第一項若しくは第二項、第六十条の二の二第一項から第三項まで、第六十条の三第一項若しくは第二項、第六十一条、第六十二条、第六十七条第一項若しくは第五項から第七項まで又は第六十八条第一項若しくは第二項の規定の適用を受けない建築物について政令で定める範囲内において増築、改築、大規模の修繕又は大規模の模様替（以下この条及び次条において「増築等」という。）をする場合（第三条第二項の規定により第二十条の規定の適用を受けない建築物について当該政令で定める範囲内において増築又は改築をする場合にあつては、当該増築又は改築後の建築物の構造方法が政令で定める基準に適合する場合に限る。）においては、第三条第三項（第三号及び第四号に係る部分に限る。以下この条において同じ。）の規定にかかわらず、これらの規定は、適用しない。

2　第三条第二項の規定により第二十条、第二十一条、第二十三条、第二十六条、第二十七条、第三十五条（階段等に関する技術的基準に係る部分に限る。）、第三十六条（防火壁等に関する技術的基準（政令で定める防火区画に係る部分を除く。）に係る部分に限る。）又は第六十一条の規定の適用を受けない建築物であつて、これらの規定に規定する基準の適用上一の建築物であつても別の建築物とみなすことができる部分として政令で定める部分（以下この項において「独立部分」という。）が二以上あるものについて増築等をする場合においては、第三条第三項の規定にかかわらず、当該増築等をする独立部分以外の独立部分に対しては、これらの規定は、適用しない。

3　第三条第二項の規定により第二十八条、第二十八条の二（同条第三号に掲げる基準のうち政令で定めるものに係る部分に限る。）、第二十九条から第三十二条まで、第三十四条第一項、第三十五条（同条の廊下並びに非常用の照明装置及び進入口に関する技術的基準のうち政令で定めるもの（第八十七条第四項において「廊下等に関する技術的基準」という。）に係る部分に限る。）、第三十五条の二、第三十五条の三、第三十六条（防火壁、防火床、防火区画、消火設備及び避雷設備の設置及び構造に係る部分を除く。）又は第三十七条の規定の適用を受けない建築物について増築等をする場合においては、第三条第三項の規定にかかわらず、当該増築等をする部分以外の部分に対しては、これらの規定は、適用しない。

4　第三条第二項の規定により建築基準法令の規定の適用を受けない建築物について政令で定める範囲内において移転をする場合においては、同条第三項の規定にかかわらず、建築基準法令の規定は、適用しない。

〔追加・昭和三四法一五六、改正・昭和三八法一五一・昭和四三法一〇一・昭和四四法三八・昭和四五法一〇九・昭和五一法八三・昭和六二法六六・平成四法八二・平成六法六二・平成九法七九、追加・旧八六条の二を繰下・平成一〇法一〇〇、改正・平成一二法七三・平成一四法二二・法八五・平成一五法一〇一・平成一六法六七・平成一八法五・平成一八法四六・平成二六法三九・法五四・平成二八法七二・平成二九法二六・平成三〇法六七・令和二法四三・令和四法六九〕

参照　【一項の政令で定める基準―令一三七の二】【建築物―法二1】【一項の政令で定める範囲―令一三七の二～一三七の一二（構造耐力関係―令一三七の二、大規模の建築物の主要構造部等関係―令一三七の二の二、屋根関係―令一三七の二の三、外壁関係―令一三七の二の四、大規模の木造建築物等の外壁等関係―令一三七の二の五、防火壁及び防火床関係―令一三七の三、耐火建築物等としなければならない特殊建築物関係―令一三七の四、石綿関係―令一三七の四の二、長屋又は共同住宅の各戸の界壁関係―令一三七の五、非常用の昇降機関係―令一三七の六、階段等関係―令一三七の六の二、敷地内の避難上及び消火上必要な通路関係―令一三七の六の三、防火壁及び防火区画関係―令一三七の六の四、用途地域等関係―令一三七の七、容積率関係―令一三七の八、高度利用地区又は都市再生特別地区関係―令一三七の九、防火地域関係―令一三七の一〇、準防火地域関係―令一三七の一一、防火地域及び準防火地域内の建築物の屋根関係―令一三七の一一の二、特定防災街区整備地区関係―令一三七の一一の三、大規模の修繕又は大規模の模様替―令一三七の一二）】【大規模の修繕―法二14】【大規模の模様替―法二15】【二項の政令で定める防火区画―令一三七の一三】【政令で定める部分―令一三七の一四】【三項の政令で定める基準―令一三七の一五】【用途の変更に対する準用―法八七④】【四項の政令で定める範囲―令一三七の一六】【工作物への準用―法八八①・②】

（既存の一の建築物について二以上の工事に分けて増築等を含む工事を行う場合の制限の緩和）

第八六条の八　第三条第二項の規定によりこの法律又はこれに基づく命令若しくは条例の規定の適用を受けない一の建築物について二以上の工事に分けて増築等を含む工事を行う場合において、特定行政庁が当該二以上の工事の全体計画が次に掲げる基準に適合すると認めたときにおける同項及び同条第三項の規定の適用については、同条第二項中「建築、修繕若しくは模様替の工事中の」とあるのは「第八十六条の八第一項の認定を受けた全体計画に係る二以上の工事の工事中若しくはこれらの工事の間の」と、同条第三項中「適用しない」とあるのは「適用しない。ただし、第三号又は第四号に該当するものにあつては、第八十六条の八第一項の認定を受けた全体計画に係る二以上の工事のうち最後の工事に着手するまでは、この限りでない」と、同項第三号中「工事」とあるのは「最初の工事」と、「増築、改築、移転、大規模の修繕又は大規模の模様替」とあるのは「第八十六条の八第一項の認定を受けた全体計画に係る二以上の工事」とする。

一　一の建築物の増築等を含む工事を二以上の工事に分けて行うことが当該建築物の利用状況その他の事情によりやむを得ないものであること。

二　全体計画に係る全ての工事の完了後において、当該全体計画に係る建築物及び建築物の敷地が建築基準法令の規定に適合することとなること。

三　全体計画に係るいずれの工事の完了後においても、当該全体計画に係る建築物及び建築物の敷地について、交通上の支障、安全上、防火上及び避難上の危険性並びに衛生上及び市街地の環境の保全上の有害性が増大しないものであること。

2　前項の認定の申請の手続その他当該認定に関し必要な事項は、国土交通省令で定める。

3　第一項の認定を受けた全体計画に係る工事の建築主（以下この条において「認定建築主」という。）は、当該認定を受けた全体計画の変更（国土交通省令で定める軽微な変更を除く。）をしようとするときは、特定行政庁の認定を受けなければならない。前二項の規定は、この場合に準用する。

4　特定行政庁は、認定建築主に対し、第一項の認定を受けた全体計画（前項の規定による変更の認定があつたときは、その変更後のもの。次項において同じ。）に係る工事の状況について報告を求めることができる。

5　特定行政庁は、認定建築主が第一項の認定を受けた全体計画に従つて工事を行つていないと認めるときは、当該認定建築主に対し、相当の猶予期限を付けて、その改善に必要な措置をとるべきことを命ずることができる。

6　特定行政庁は、認定建築主が前項の命令に違反したときは、第一項又は第三項の認定を取り消すことができる。
〔追加・平成一六法六七、改正・平成二六法五四・平成三〇法六七〕

参照　【建築物―法二1　【増築等―法八六の七①　【特定行政庁―法二35　【省令で定める申請等―規則一〇の二三・一〇の二四　【建築主―法二16　【省令で定める軽微な変更―規則一〇の二五　【準用―法八七の二②　【罰則―法一〇三4・一〇五　【引用規定―宅地建物取引業法施行令二の五2・三①2

（公共事業の施行等による敷地面積の減少についての第三条等の規定の準用）

第八六条の九　第三条第二項及び第三項（第一号及び第二号を除く。）の規定は、次に掲げる事業の施行の際現に存する建築物若しくはその敷地又は現に建築、修繕若しくは模様替の工事中の建築物若しくはその敷地が、当該事業の施行によるこれらの建築物の敷地面積の減少により、この法律若しくはこれに基づく命令若しくは条例の規定に適合しないこととなつた場合又はこれらの規定に適合しない部分を有するに至つた場合について準用する。この場合において、同項第三号中「この法律又はこれに基づく命令若しくは条例の規定の施行又は適用」とあるのは、「第八十六条の九第一項各号に掲げる事業の施行による建築物の敷地面積の減少」と読み替えるものとする。

一　土地収用法第三条各号に掲げるものに関する事業若しくは都市計画法の規定により土地を収用し、若しくは使用することができる都市計画事業又はこれらの事業に係る土地収用法第十六条に規定する関連事業

二　その他前号の事業に準ずる事業で政令で定めるもの

2　第五十三条の二第三項（第五十七条の五第三項、第六十七条第四項及び第六十八条第四項において準用する場合を含む。以下この項において同じ。）の規定は、前項各号に掲げる事業の施行による面積の減少により、当該事業の施行の際現に建築物の敷地として使用されている土地で第五十三条の二第一項（第五十七条の五第三項において準用する場合を含む。）、第六十七条第三項若しくは第六十八条第三項の規定に適合しなくなるもの又は当該事業の施行の際現に存する所有権その他の権利に基づいて建築物の敷地として使用するならばこれらの規定に適合しないこととなる土地について準用する。この場合において、第五十三条の二第三項中「同項の規定は」とあるのは「第一項、第五十七条の五第三項又は第六十八条第三項の規定は」と、同項第一号中「第一項の都市計画における建築物の敷地面積の最低限度が変更された際」とあるのは「第八十六条の九第一項各号に掲げる事業の施行により面積が減少した際、当該面積の減少がなくとも」と、「従前の制限」とあるのは「制限」と、同項第二号中「第一項」とあるのは「第一項（第五十七条の五第三項において準用する場合を含む。）、第六十七条第三項若しくは第六十八条第三項」と、「同項」とあるのは「これら」と読み替えるものとする。
〔追加・平成一六法六七、改正・平成二六法五四・平成三〇法六七〕

参照　【建築物―法二1　【敷地―令一1　【建築物の敷地面積―法九二、令二①1　【政令で定める事業―令一三七の一七

（用途の変更に対するこの法律の準用）

第八七条　建築物の用途を変更して第六条第一項第一号の特殊建築物のいずれかとする場合（当該用途の変更が政令で指定する類似の用途相互間におけるものである場合を除く。）においては、同条（第三項、第五項及び第六項を除く。）、第六条の二（第三項を除く。）、第六条の四（第一項第一号及び第二号の建築物に係る部分に限る。）、第七条第一項並びに第十八条第一項から第四項まで及び第十五項から第二十項までの規定を準用する。この場合において、第七条第一項中「建築主事等の検査（建築副主事の検査にあつては、大規模建築物以外の建築物に係るものに限る。第七条の三第一項において同じ。）を申請しなければならない」とあるのは、「建築主事等（当該用途の変更が大規模建築物に係るものである場合にあつては、建築主事）に届け出なければならない」と読み替えるものとする。

2　建築物（次項の建築物を除く。）の用途を変更する場合においては、第四十八条第一項から第十四項まで、第五十一条、第六十条の二第三項及び第六十八条の三第七項の規定並びに第三十九条第二項、第四十条、第四十三条第三項、第四十三条の二、第四十九条から第五十条まで、第六十条の二の二第四項、第六十条の三第三項、第六十八条の二第一項及び第五項並びに第六十八条の九第一項の規定に基づく条例の規定を準用する。

3　第三条第二項の規定により第二十七条、第二十八条第一項若しくは第三項、第二十九条、第三十条、第三十五条から第三十五条の三まで、第三十六条中第二十八条第一項若しくは第三十五条に関する部分、第四十八条第一項から第十四項まで若しくは第五十一条の規定又は第三十九条第二項、第四十条、第四十三条第三項、第四十三条の二、第四十九条から第五十条まで、第六十八条の二第一項若しくは第六十八条の九第一項の規定に基づく条例の規定（次条第一項において「第二十七条等の規定」という。）の適用を受けない建築物の用途を変更する場合においては、次の各号のいずれかに該当する場合を除き、これらの規定を準用する。

一　増築、改築、大規模の修繕又は大規模の模様替をする場合

二　当該用途の変更が政令で指定する類似の用途相互間におけるものであつて、かつ、建築物の修繕若しくは模様替をしない場合又はその修繕若しくは模様替が大規模でない場合

三　第四十八条第一項から第十四項までの規定に関しては、用途の変更が政令で定める範囲内である場合

4　第八十六条の七第二項（第二十七条又は第三十五条（階段等に関する技術的基準に係る部分に限る。）に係る部分に限る。）及び第八十六条の七第三項（第二十八条第一項若しくは第三項、第二十九条、第三十条、第三十五条（廊下等に関する技術的基準に係る部分に限る。）、第三十五条の二、第三十五条の三又は第三十六条（居室の採光面積に係る部分に限る。以下この項において同じ。）に係る部分に限る。）の規定は、第三条第二項の規定により第二十七条、第二十八条第一項若しくは第三項、第二十九条、第三十条、第三十五条（階段等に関する技術的基準及び廊下等に関する技術的基準に係る部分に限る。）又は第三十五条の二から第三十六条までの規定の適用を受けない建築物の用途を変更する場合について準用する。この場合において、第八十六条の七第二項及び第三項中「増築等」とあるのは「用途の変更」と、「第三条第三項」とあるのは「第八十七条第三項」と読み替えるものとする。
〔全改・昭和三四法一五六、改正・昭和四三法一〇一・昭和四五法一〇九・昭和五一法八三・昭和五五法三四・平成四法八二・平成一〇法一〇〇・平成一一法八七・平成一二法七三・平成一四法二二・法八五・平成一五法一〇一・平成一六法六七・法一一一・平成一八法四六・法九二・平成二六法三九・法五四・平成二八法七二・平成二九法二六・平成三〇法六七・令和二法四三・令和四法六九・令和五法五

八・令和六法五三〕

参照　【建築物―法二1】【一項の政令で指定する類似の用途―令一三七の一八】【大規模の修繕―法二14】【大規模の模様替―法二15】【三項の政令で指定する類似の用途―令一三七の一九①】【政令で定める範囲―令一三七の一九②】【工作物への準用―法八八②】【罰則―法九八①4・5・九九①1・15・16・一〇一①12・14・一〇三1・2・一〇五・一〇七】【引用規定―河川法施行規則一八の一〇①1、消防法七】

（既存の一の建築物について二以上の工事に分けて用途の変更に伴う工事を行う場合の制限の緩和）

第八七条の二　第三条第二項の規定により第二十七条等の規定の適用を受けない一の建築物について二以上の工事に分けて用途の変更に伴う工事を行う場合（第八十六条の八第一項に規定する場合に該当する場合を除く。）において、特定行政庁が当該二以上の工事の全体計画が次に掲げる基準に適合すると認めたときにおける第三条第二項及び前条第三項の規定の適用については、第三条第二項中「建築、修繕若しくは模様替の工事中の」とあるのは「第八十七条の二第一項の認定を受けた全体計画に係る二以上の工事の工事中若しくはこれらの工事の間の」と、前条第三項中「準用する」とあるのは「準用する。ただし、次条第一項の認定を受けた全体計画に係る二以上の工事のうち最後の工事に着手するまでは、この限りでない」とする。

一　一の建築物の用途の変更に伴う工事を二以上の工事に分けて行うことが当該建築物の利用状況その他の事情によりやむを得ないものであること。

二　全体計画に係る全ての工事の完了後において、当該全体計画に係る建築物及び建築物の敷地が建築基準法令の規定に適合することとなること。

三　全体計画に係るいずれの工事の完了後においても、当該全体計画に係る建築物及び建築物の敷地について、交通上の支障、安全上、防火上及び避難上の危険性並びに衛生上及び市街地の環境の保全上の有害性が増大しないものであること。

2　第八十六条の八第二項から第六項までの規定は、前項の認定について準用する。

〔追加・平成三〇法六七〕

（建築物の用途を変更して一時的に他の用途の建築物として使用する場合の制限の緩和）

第八七条の三　非常災害があつた場合において、非常災害区域等内にある建築物の用途を変更して災害救助用建築物（住宅、病院その他これらに類する建築物で、国、地方公共団体又は日本赤十字社が災害救助のために使用するものをいう。以下この条及び第百一条第一項第十六号において同じ。）として使用するとき（その災害が発生した日から一月以内に当該用途の変更に着手するときに限る。）における当該災害救助用建築物については、建築基準法令の規定は、適用しない。ただし、非常災害区域等のうち防火地域内にある建築物については、この限りでない。

2　災害があつた場合において、建築物の用途を変更して公益的建築物（学校、集会場その他これらに類する公益上必要な用途に供する建築物をいう。以下この条及び第百一条第一項第十六号において同じ。）として使用するときにおける当該公益的建築物については、第十二条第一項から第四項まで、第二十一条、第二十二条、第二十六条、第三十条、第三十四条第二項、第三十五条、第三十六条（第二十一条、第二十六条、第三十四条第二項及び第三十五条に係る部分に限る。）、第三十九条、第四十条、第三章並びに第八十七条第一項及び第二項の規定は、適用しない。

3　建築物の用途を変更して第一項の災害救助用建築物又は前項の公益的建築物とした者は、その用途の変更を完了した後三月を超えて当該建築物を引き続き災害救助用建築物又は公益的建築物として使用しようとする場合においては、その超えることとなる日前に、特定行政庁の許可を受けなければならない。ただし、当該許可の申請をした場合において、その超えることとなる日前に当該申請に対する処分がされないときは、当該処分がされるまでの間は、当該建築物を引き続き災害救助用建築物又は公益的建築物として使用することができる。

4　特定行政庁は、前項の許可の申請があつた場合において、安全上、防火上及び衛生上支障がないと認めるときは、二年以内の期間を限つて、その許可をすることができる。

5　特定行政庁は、被災者の需要に応ずるに足りる適当な建築物が不足することその他の理由により前項に規定する期間を超えて使用する特別の必要がある災害救助用建築物又は公益的建築物について、安全上、防火上及び衛生上支障がなく、かつ、公益上やむを得ないと認める場合においては、同項の規定にかかわらず、更に一年を超えない範囲内において同項の規定による許可の期間を延長することができる。被災者の需要に応ずるに足りる適当な建築物が不足することその他の理由により当該延長に係る期間を超えて使用する特別の必要がある災害救助用建築物又は公益的建築物についても、同様とする。

6　特定行政庁は、建築物の用途を変更して興行場等（興行場、博覧会建築物、店舗その他これらに類する建築物をいう。以下同じ。）とする場合における当該興行場等について安全上、防火上及び衛生上支障がないと認めるときは、一年以内の期間（建築物の用途を変更して代替建築物（建築物の工事を施工するためその工事期間中当該従前の建築物に代えて使用する興行場、店舗その他これらに類する建築物をいう。）とする場合における当該代替建築物については、特定行政庁が当該工事の施工上必要と認める期間）を定めて、当該建築物を興行場等として使用することを許可することができる。この場合においては、第十二条第一項から第四項まで、第二十一条、第二十二条、第二十四条、第二十六条、第二十七条、第三十四条第二項、第三十五条の二、第三十五条の三、第三章及び第八十七条第二項の規定は、適用しない。

7　特定行政庁は、建築物の用途を変更して特別興行場等（国際的な規模の会議又は競技会の用に供することその他の理由により一年を超えて使用する特別の必要がある興行場等をいう。以下この項において同じ。）とする場合における当該特別興行場等について、安全上、防火上及び衛生上支障がなく、かつ、公益上やむを得ないと認めるときは、前項の規定にかかわらず、当該特別興行場等の使用上必要と認める期間を定めて、当該建築物を特別興行場等として使用することを許可することができる。この場合においては、同項後段の規定を準用する。

8　特定行政庁は、第五項の規定により許可の期間を延長する場合又は前項の規定による許可をする場合においては、あらかじめ、建築審査会の同意を得なければならない。ただし、病院、学校その他の公益上特に必要なものとして国土交通省令で定める用途に供する災害救助用建築物又は公益的建築物について第五項の規定により許可の期間を延長する場合は、この限りでない。

〔追加・平成三〇法六七、改正・令和四法四四〕

参照【罰則―法一〇一①15～17・一〇五

（建築設備への準用）

第八七条の四　政令で指定する昇降機その他の建築設備を第六条第一項第一号から第三号までに掲げる建築物に設ける場合においては、同項（第八十七条第一項において準用する場合を含む。）の規定による確認又は第十八条第二項（第八十七条第一項において準用する場合を含む。）の規定による通知を要する場合を除き、第六条（第三項、第五項及び第六項を除く。）、第六条の二（第三項を除く。）、第六条の四（第一項第一号及び第二号の建築物に係る部分に限る。）、第七条から第七条の四まで、第七条の五（第六条の四第一項第一号及び第二号の建築物に係る部分に限る。）、第七条の六、第十八条（第五項から第十四項まで及び第四十一項を除く。）及び第八十九条から第九十条の三までの規定を準用する。この場合において、第六条第四項中「同項第一号から第三号までに係るものにあつてはその受理した日から三十五日以内に、同項第四号に係るものにあつてはその受理した日から七日以内に」とあるのは、「その受理した日から七日以内に」と読み替えるものとする。

第八七条の四　政令で指定する昇降機その他の建築設備を第六条第一項第一号又は第二号に掲げる建築物に設ける場合においては、同項（第八十七条第一項において準用する場合を含む。）の規定による確認又は第十八条第二項（第八十七条第一項において準用する場合を含む。）の規定による通知を要する場合を除き、第六条（第三項、第五項及び第六項を除く。）、第六条の二（第三項を除く。）、第六条の四（第一項第一号及び第二号の建築物に係る部分に限る。）、第七条から第七条の四まで、第七条の五（第六条の四第一項第一号及び第二号の建築物に係る部分に限る。）、第七条の六、第十八条（第五項から第十四項まで及び第四十一項を除く。）及び第八十九条から第九十条の三までの規定を準用する。この場合において、第六条第四項中「同項第一号又は第二号に係るものにあつてはその受理した日から三十五日以内に、同項第三号に係るものにあつてはその受理した日から七日以内に」とあるのは、「その受理した日から七日以内に」と読み替えるものとする。

〔追加・昭和三四法一五六、改正・昭和五一法八三・昭和五三法三八・昭和五八法四四・昭和五九法四七・平成一〇法一〇〇・平成一一法八七・平成一八法九二・平成二六法五四、旧八七条の二を改正し繰下・平成三〇法六七、改正・令和六法五三〕

参照【政令で指定する昇降機その他の建築設備―令一四六①【建築物―法二1【工作物への準用―法八八①・②【罰則―法九九①1～3・一〇一①18・一〇三1・3・一〇五【引用規定―クレーン等安全規則一四〇②・一四一⑤・一四六

（工作物への準用）

第八八条　煙突、広告塔、高架水槽、擁壁その他これらに類する工作物で政令で指定するもの及び昇降機、ウォーターシュート、飛行塔その他これらに類する工作物で政令で指定するもの（以下この項において「昇降機等」という。）については、第三条、第六条（第三項、第五項及び第六項を除くものとし、第一項及び第四項は、昇降機等については第一項第一号から第三号までの建築物に係る部分、その他のものについては同項第四号の建築物に係る部分に限る。）、第六条の二（第三項を除く。）、第六条の四（第一項第一号及び第二号の建築物に係る部分に限る。）、第七条から第七条の四まで、第七条の五（第六条の四第一項第一号及び第二号の建築物に係る部分に限る。）、第八条から第十一条まで、第十二条第五項（第三号を除く。）及び第六項から第九項まで、第十三条、第十五条の二、第十八条（第五項から第十四項まで及び第三十八項から第四十項までを除く。）、第二十条、第二十八条の二（同条各号に掲げる基準のうち政令で定めるものに係る部分に限る。）、第三十二条、第三十三条、第三十四条第一項、第三十六条（避雷設備及び昇降機に係る部分に限る。）、第三十七条、第三十八条、第四十条、第三章の二（第六十八条の二十第二項については、同項に規定する建築物以外の認証型式部材等に係る部分に限る。）、第八十六条の七第一項（第二十八条の二（同条第一号及び第二号に掲げる基準に係る部分に限る。）に係る部分に限る。）、第八十六条の七第二項（第二十条に係る部分に限る。）、第八十六条の七第三項（第三十二条、第三十四条第一項、第三十六条（昇降機に係る部分に限る。）及び第三十七条に係る部分に限る。）、前条、次条並びに第九十条の規定を、昇降機等については、第七条の六、第十二条第一項から第四項まで、第十二条の二、第十二条の三及び第十八条第三十八項から第四十項までの規定を準用する。この場合において、第二十条第一項中「次の各号に掲げる建築物の区分に応じ、それぞれ当該各号に定める基準」とあるのは、「政令で定める技術的基準」と読み替えるものとする。

2　製造施設、貯蔵施設、遊戯施設等の工作物で政令で指定するものについては、第三条、第六条（第三項、第五項及び第六項を除くものとし、第一項及び第四項は、第一項第一号から第三号までの建築物に係る部分に限る。）、第六条の二（第三項を除く。）、第七条、第七条の二、第七条の六から第九条の三まで、第十一条、第十二条第五項（第三号を除く。）及び第六項から第九項まで、第十三条、第十五条の二、第十八条（第五項から第十四項まで及び第二十八項から第三十七項までを除く。）、第四十八条から第五十一条まで、第六十条の二第三項、第六十条の二の二第四項、第六十条の三第三項、第六十八条の二第一項及び第五項、第六十八条の三第六項から第九項まで、第八十六条の七第一項（第四十八条第一項から第十四項まで及び第五十一条に係る部分に限る。）、第八十七条第二項（第四十八条第一項から第十四項まで、第四十九条から第五十一条まで、第六十条の二第三項、第六十条の二の二第四項、第六十条の三第三項並びに第六十八条の二第一項及び第五項に係る部分に限る。）、第八十七条第三項（第四十八条第一項から第十四項まで、第四十九条から第五十一条まで及び第六十八条の二第一項に係る部分に限る。）、前条、次条、第九十一条、第九十二条の二並びに第九十三条の二の規定を準用する。この場合において、第六条第二項及び別表第二中「床面積の合計」とあるのは「築造面積」と、第六十八条の二第一項中「敷地、構造、建築設備又は用途」とあるのは「用途」と読み替えるものとする。

第八八条　煙突、広告塔、高架水槽、擁壁その他これらに類する工作物で政令で指定するもの及び昇降機、ウォーターシュート、飛行塔その他これらに類する工作物で政令で指定するもの（以下この項において「昇降機等」という。）については、第三条、第六条（第三項、第五項及び第六項を除くものとし、第一項及び第四項は、昇降機等については第一項第一号又は第二号の建築物に係る部分、その他のものについては同項第三号の建築物に係る部分に限る。）、第六条の四（第一項第一号及び第二号の建築物に係る部分に限る。）、第七条から第七条の四まで、第七条の五（第六条の四第一項第一号及び第二号の建築物に係る部分に限る。）、第八条から第十一条まで、第十二条第五項（第三号を除く。）及び第六項から第九項まで、第十三条、第十五条の二、第十八条（第五項から第十四項まで及び第三十八項から第四十項までを除く。）、第二十条、第二十八条の二（同条各号に掲げる基準のうち政令で定めるものに係る部分に限る。）、第三十二条、第三十三条、第三十四条第一項、第三十六条（避雷設備及び昇降機に係る部分に限る。）、第三十七条、第三十八条、第四十条、第三章の二（第六十八条の二十第二項については、同項に規定する建築物以外の認証型式部材等に係る部分に限る。）、第八十六条の七第一項（第二十八条の二（同条第一号及び第二号に掲げる基準に係る部分に限る。）に係る部分に限る。）、第八十六条の七第二項（第二十条に係る部分に限る。）、第八十六条の七第三項（第三十二条、第三十四条第一項、第三十六条（昇降機に係る部分に限る。）及び第三十七条に係る部分に限る。）、前条、次条並びに第九十条の規定を、昇降機等については、第七条の六、第十二条第一項から第四項まで、第十二条の二、第十二条の三及び第十八条第三十八項から第四十項までの規定を準用する。この場合において、第二十条第一項中「次の各号に掲げる建築物の区分に応じ、当該各号に定める基準」とあるのは、「政令で定める技術的基準」と読み替えるものとする。

2　製造施設、貯蔵施設、遊戯施設等の工作物で政令で指定するものについては、第三条、第六条（第三項、第五項及び第六項を除くものとし、第一項及び第四項は、第一項第一号又は第二号の建築物に係る部分に限る。）、第六条の二（第三項を除く。）、第七条、第七条の二、第七条の六から第九条の三まで、第十一条、第十二条第五項（第三号を除く。）及び第六項から第九項まで、第十三条、第十五条の二、第十八条（第五項から第十四項まで及び第二十八項から第三十七項までを除く。）、第四十八条から第五十一条まで、第六十条の二第三項、第六十条の二の二第四項、第六十条の三第三項、第六十八条の二第一項及び第五項、第六十八条の三第六項から第九項まで、第八十六条の七第一項（第四十八条第一項から第十四項まで及び第五十一条に係る部分に限る。）、第八十七条第二項（第四十八条第一項から第十四項まで、第四十九条から第五十一条まで、第六十条の二第三項、第六十条の二の二第四項、第六十条の三第三項並びに第六十八条の二第一項及び第五項に係る部分に限る。）、第八十七条第三項（第四十八条第一項から第十四項まで、第四十九条から第五十一条まで及び第六十八条の二第一項に係る部分に限る。）、前条、次条、第九十一条、第九十二条の二並びに第九十三条の二の規定を準用する。この場合において、第六条第二項及び別表第二中「床面積の合計」とあるのは「築造面積」と、第六十八条の二第一項中「敷地、構造、建築設備又は用途」とあるのは「用途」と読み替えるものとする。

3　第三条、第八条から第十一条まで、第十二条（第五項第三号を除く。）、第十二条の二、第十二条の三、第十三条、第十五条の二並びに第十八条第一項及び第四十一項の規定は、第六十四条に規定する工作物について準用する。

4　第一項中第六条から第七条の五まで、第十八条（第一項及び第四十一項を除く。）及び次条に係る部分は、宅地造成及び特定盛土等規制法（昭和三十六年法律第百九十一号）第十二条第一項、第十六条第一項、第三十条第一項若しくは第三十五条第一項、都市計画法第二十九条第一項若しくは第二項若しくは第三十五条の二第一項本文、特定都市河川浸水被害対策法（平成十五年法律第七十七号）第五十七条第一項若しくは第六十二条第一項又は津波防災地域づくりに関する法律（平成二十三年法律第百二十三号）第七十三条第一項若しくは第七十八条第一項の規定による許可を受けなければならない場合の擁壁については、適用しない。

〔改正・昭和三四法一五六・昭和三六法一九一・昭和四五法一〇九・昭和四九法六七・昭和五一法八三・昭和五五法三四・昭和五八法四四・昭和六三法四九・平成二法六一・平成四法八二・平成一〇法一〇〇・平成一一法一六〇・平成一四法二二・法八五・平成一六法六七・平成一八法五・法三〇・平成一八法四六・法九二・平成二〇法四〇・平成二三法一二四・平成二六法三九・法五四・平成二八法七二・平成二九法二六・平成三〇法六七・令和二法四三・令和三法三一・令和四法五五・法六九・令和六法五三〕

参照　【政令で定めるもの—令一三八【煙突及び煙突の支線—令一三九【鉄筋コンクリート造の柱等—令一四〇【広告塔又は高架水槽等—令一四一【擁壁—令一四二【乗用エレベーター又はエスカレーター—令一四三【遊戯施設—令一四四【製造施設、貯蔵施設、遊戯施設等—令一四四の二の二【存続期間が二年以内の工作物の制限緩和—令一四七【建築物—法二1【床面積—法九二、令二①3【築造面積—法九二、令二①5【罰則—九八①1・九九①1～9・②・一〇一①2・5・7・13・15・一〇三1・3・一〇五・一〇六①2・一〇七【引用規定—建設業法施行令三の二1・七の三1

参考規定—労働安全衛生法、都計法四⑨・二九・三七・四一～四三・五三

（工事現場における確認の表示等）

第八九条　第六条第一項の建築、大規模の修繕又は大規模の模様替の工事の施工者は、当該工事現場の見易い場所に、国土交通省令で定める様式によつて、建築主、設計者、工事施工者及び工事の現場管理者の氏名又は名称並びに当該工事に係る同項の確認があつた旨の表示をしなければならない。

2　第六条第一項の建築、大規模の修繕又は大規模の模様替の工事の施工者は、当該工事に係る設計図書を当該工事現場に備えておかなければならない。

〔改正・昭和三四法一五六・平成一一法一六〇〕

参照　【建築—法二13【大規模の修繕—法二14【大規模の模様替—法二15【省令で定める様式—規則一一【建築主—法二16【設計者—法二17【工事施工者—法二18【設計図書—法二12【建築設備への準用—法八七の二【工作物への準用—法八八①・②【罰則—法一〇三3・一〇五

（工事現場の危害の防止）

第九〇条　建築物の建築、修繕、模様替又は除却のための工事の施工者は、当該工事の施工に伴う地盤の崩落、建築物又は工事用の工作物の倒壊等による危害を防止するために必要な措置を講じなければならない。

2　前項の措置の技術的基準は、政令で定める。

3　第三条第二項及び第三項、第九条（第十三項及び第十四項を除く。）、第九条の二、第九条の三（設計者及び宅地建物取引業者に係る部分を除く。）並びに第十八条第一項及び第四十一項の規定は、第一項の工事の施工について準用する。

〔改正・昭和三四法一五六・昭和四五法一〇九・平成一〇法一〇〇・平成一八法九二・平成二六法五四・令和六法五三〕

参照　【建築物―法二1】【建築―法二13】【政令で定める技術的基準―令一三六の二の二〇～一三六の八】【建築設備への準用―法八七の二】【工作物への準用―法八八①】【罰則―法九八①1・九九①4・一〇一①18・一〇五】【引用規定―建設業法施行令三の二1・七の三1

参考規定―労働安全衛生規則

（工事中の特殊建築物等に対する措置）

第九〇条の二　特定行政庁は、第九条又は第十条の規定による場合のほか、建築、修繕若しくは模様替又は除却の工事の施工中に使用されている第六条第一項第一号から第三号までの建築物が、安全上、防火上又は避難上著しく支障があると認める場合においては、当該建築物の建築主又は所有者、管理者若しくは占有者に対して、相当の猶予期限を付けて、当該建築物の使用禁止、使用制限その他安全上、防火上又は避難上必要な措置を採ることを命ずることができる。

第九〇条の二　特定行政庁は、第九条又は第十条の規定による場合のほか、建築、修繕若しくは模様替又は除却の工事の施工中に使用されている第六条第一項第一号又は第二号に掲げる建築物が、安全上、防火上又は避難上著しく支障があると認める場合においては、当該建築物の建築主又は所有者、管理者若しくは占有者に対して、相当の猶予期限を付けて、当該建築物の使用禁止、使用制限その他安全上、防火上又は避難上必要な措置を採ることを命ずることができる。

2　第九条第二項から第九項まで及び第十一項から第十五項までの規定は、前項の場合に準用する。

〔追加・昭和五一法八三、改正・平成五法八九〕

参照　【特定行政庁―法二35】【建築―法二13】【建築物―法二1】【建築主―法二16】【建築設備への準用―法八七の四】【罰則―法九九①4・一〇五】

（工事中における安全上の措置等に関する計画の届出）

第九〇条の三　別表第一(い)欄の(一)項、(二)項及び(四)項に掲げる用途に供する建築物並びに地下の工作物内に設ける建築物で政令で定めるものの新築の工事又はこれらの建築物に係る避難施設等に関する工事の施工中において当該建築物を使用し、又は使用させる場合においては、当該建築主は、国土交通省令で定めるところにより、あらかじめ、当該工事の施工中における当該建築物の安全上、防火上又は避難上の措置に関する計画を作成して特定行政庁に届け出なければならない。

〔追加・昭和五一法八三、改正・平成一一法一六〇〕

参照　【建築物―法二1】【政令で定めるもの―令一四七の二】【避難施設等に関する工事―令一三・一三の二】【建築主―法二16】【省令で定めるところ―規則一一の二】【特定行政庁―法二35】【建築設備への準用―法八七の四】

（建築物の敷地が区域、地域又は地区の内外にわたる場合の措置）

第九一条　建築物の敷地がこの法律の規定（第五十二条、第五十三条、第五十四条から第五十六条の二まで、第五十七条の二、第五十七条の三、第六十七条第一項及び第二項並びに別表第三の規定を除く。以下この条において同じ。）による建築物の敷地、構造、建築設備又は用途に関する禁止又は制限を受ける区域（第二十二条第一項の市街地の区域を除く。以下この条において同じ。）、地域（防火地域及び準防火地域を除く。以下この条において同じ。）又は地区（高度地区を除く。以下この条において同じ。）の内外にわたる場合においては、その建築物又はその敷地の全部について敷地の過半の属する区域、地域又は地区内の建築物に関するこの法律の規定又はこの法律に基づく命令の規定を適用する。

〔改正・昭和三四法一五六・昭和五一法八三・昭和六二法六六・平成四法八二・平成一四法八五・平成一五法一〇一・平成一六法六七・平成二六法五四・平成三〇法六七〕

参照　【建築物―法二1】【敷地―令一1】【建築設備―法二3】【この法律による禁止又は制限を受ける区域、地域又は地区―法三①・三九～四一の二・四八・四九・五九・八五の二】【防火地域及び準防火地域―都計法八①5・九21】【高度地区―都計法八①3・九18】【工作物への準用―法八八②】

（面積、高さ及び階数の算定）

第九二条　建築物の敷地面積、建築面積、延べ面積、床面積及び高さ、建築物の軒、天井及び床の高さ、建築物の階数並びに工作物の築造面積の算定方法は、政令で定める。

〔改正・昭和四九法六七〕

参照　【建築物―法二1】【政令で定める算定方法―令二（敷地面積―令二①1、建築面積―令二①2・②、延べ面積―令二①4・③、床面積―令二①3、高さ―令二①6・②・④、軒の高さ―令二①7・②、天井の高さ―令二一、床の高さ―令二二、階数―令二①8・④、築造面積―令二①5）】

（許可の条件）

第九二条の二　この法律の規定による許可には、建築物又は建築物の敷地を交通上、安全上、防火上又は衛生上支障がないものとするための条件その他必要な条件を付することができる。この場合において、その条件は、当該許可を受けた者に不当な義務を課するものであつてはならない。

〔追加・平成四法八二〕

参照　【建築物―法二1】【敷地―令一1】【工作物への準用―法八八②】

（許可又は確認に関する消防長等の同意等）

第九三条　特定行政庁、建築主事等又は指定確認検査機関は、この法律の規定による許可又は確認をする場合においては、当該許可又は確認に係る建築物の工事施工地又は所在地を管轄する消防長（消防本部を置かない市町村にあつては、市町村長。以下同じ。）又は消防署長の同意を得なければ、当該許可又は確認をすることができない。ただし、確認に係る建築物が防火地域及び準防火地域以外の区域内における住宅（長屋、共同住宅その他政令で定める住宅を除く。）である場合又は建築主事等若しくは指定確認検査機関が第八十七条の四において準用する第六条第一項若しくは第六条の二第一項の規定による確認をする場合においては、この限りでない。

2　消防長又は消防署長は、前項の規定によつて同意を求められた場合においては、当該建築物の計画が法律又はこれに基づく命令若しくは条例の規定（建築主事等又は指定確認検査機関が第六条の四第一項第一号若しくは第二号に掲げる建築物の建築、大規模の修繕、大規模の模様替若しくは用途の変更又は同項第三号に掲げる建築物の建築について確認する場合において同意を求められたときは、同項の規定により読み替えて適用される第六条第一項の政令で定める建築基準法令の規定を除く。）で建築物の防火に関するものに違反しないものであるときは、同項第四号に係る場合にあつては、同意を求められた日から三日以内に、その他の場合にあつては、同意を求められた日から七日以内に同意を与えてその旨を当該特定行政庁、建築主事等又は指定確認検査機関に通知しなければならない。この場合において、消防長又は消防署長は、同意することができない事由があると認めるときは、これらの期限内に、その事由を当該特定行政庁、建築主事等又は指定確認検査機関に通知しなければならない。

2　消防長又は消防署長は、前項の規定によつて同意を求められた場合においては、当該建築物の計画が法律又はこれに基づく命令若しくは条例の規定（建築主事等又は指定確認検査機関が第六条の四第一項第一号若しくは第二号に掲げる建築物の建築、大規模の修繕、大規模の模様替若しくは用途の変更又は同項第三号に掲げる建築物の建築について確認する場合において同意を求められたときは、同項の規定により読み替えて適用される第六条第一項の政令で定める建築基準法令の規定を除く。）で建築物の防火に関するものに違反しないものであるときは、第六条第一項第三号に係る場合にあつては、同意を求められた日から三日以内に、その他の場合にあつては、同意を求められた日から七日以内に同意を与えてその旨を当該特定行政庁、建築主事等又は指定確認検査機関に通知しなければならない。この場合において、消防長又は消防署長は、同意することができない事由があると認めるときは、これらの期限内に、その事由を当該特定行政庁、建築主事等又は指定確認検査機関に通知しなければならない。

3　第六十八条の二十第一項（第六十八条の二十二第二項において準用する場合を含む。）の規定は、消防長又は消防署長が第一項の規定によつて同意を求められた場合に行う審査について準用する。

4　建築主事等又は指定確認検査機関は、第一項ただし書の場合において第六条第一項（第八十七条の四において準用する場合を含む。）の規定による確認申請書を受理したとき若しくは第六条の二第一項（第八十七条の四において準用する場合を含む。）の規定による確認の申請を受けたとき又は第十八条第二項若しくは第四項（これらの規定を第八十七条第一項又は第八十七条の四において準用する場合を含む。）の規定による通知を受けた場合においては、遅滞なく、これを当該申請又は通知に係る建築物の工事施工地又は所在地を管轄する消防長又は消防署長に通知しなければならない。

5　建築主事等又は指定確認検査機関は、第三十一条第二項に規定する屎尿浄化槽又は建築物における衛生的環境の確保に関する法律（昭和四十五年法律第二十号）第二条第一項に規定する特定建築物に該当する建築物に関して、第六条第一項（第八十七条第一項において準用する場合を含む。）の規定による確認の申請書を受理した場合、第六条の二第一項（第八十七条第一項において準用する場合を含む。）の規定による確認の申請を受けた場合又は第十八条第二項若しくは第四項（これらの規定を第八十七条第一項において準用する場合を含む。）の規定による通知を受けた場合においては、遅滞なく、これを当該申請又は通知に係る建築物の工事施工地又は所在地を管轄する保健所長に通知しなければならない。

6　保健所長は、必要があると認める場合においては、この法律の規定による許可又は確認について、特定行政庁、建築主事等又は指定確認検査機関に対して意見を述べることができる。

〔改正・昭和二九法七二・昭和三四法一五六・昭和四五法二〇・昭和五八法四四・平成一〇法一〇〇・平成一一法八七・平成二六法五四・平成三〇法六七・令和五法五八・令和六法五三〕

参照 【特定行政庁―法二35】【この法律の規定による許可―法四四①・四七・四八・五一・五二⑩・⑪・⑭・五五③1・2・五六の二①・五九①3・④・五九の二①・八五③・⑤】【この法律の規定による確認―法六（法八七①・八七の二・八八①・②にて準用）】【建築物―法二1】【防火地域及び準防火地域―都計法八①5・九㉑】【政令で定める住宅―令一四七の三、消防法七】

（書類の閲覧）

第九三条の二　特定行政庁は、確認その他の建築基準法令の規定による処分並びに第十二条第一項及び第三項の規定による報告に関する書類のうち、当該処分若しくは報告に係る建築物若しくは建築物の敷地の所有者、管理者若しくは占有者又は第三者の権利利益を不当に侵害するおそれがないものとして国土交通省令で定めるものについては、国土交通省令で定めるところにより、閲覧の請求があつた場合には、これを閲覧させなければならない。

〔追加・昭和四五法一〇九、全改・平成一〇法一〇〇、改正・平成一一法一六〇・平成一六法六七〕

参照 【特定行政庁―法二35】【建築物―法二1】【省令―規則一一の三】【工作物への準用―法八八②】

（国土交通省令への委任）

第九三条の三　この法律に定めるもののほか、この法律の規定に基づく許可その他の処分に関する手続その他この法律の実施のため必要な事項は、国土交通省令で定める。

〔追加・平成一〇法一〇〇、改正・平成一一法一六〇〕

（不服申立て）

第九四条　建築基準法令の規定による特定行政庁、建築主事等若しくは建築監視員、都道府県知事、指定確認検査機関又は指定構造計算適合性判定機関の処分又はその不作為についての審査請求は、行政不服審査法第四条第一号に規定する処分庁又は不作為庁が、特定行政庁、建築主事等若しくは建築監視員又は都道府県知事である場合にあつては当該市町村又は都道府県の建築審査会に、指定確認検査機関である場合にあつては当該処分又は不作為に係る建築物又は工作物について確認その他の建築基準法令の規定による処分をする権限を有する建築主事等が置かれた市町村又は都道府県の建築審査会に、指定構造計算適合性判定機関である場合にあつては第十八条の二第一項の規定により当該指定構造計算適合性判定機関にその構造計算適合性判定を行わせた都道府県知事が統括する都道府県の建築審査会に対してするものとする。この場合において、不作為についての審査請求は、建築審査会に代えて、当該不作為庁が、特定行政庁、建築主事等、建築監視員又は都道府県知事である場合にあつては当該市町村の長又は都道府県知事に、指定確認検査機関である場合にあつては当該指定確認検査機関に、指定構造計算適合性判定機関である場合にあつては当該指定構造計算適合性判定機関に対してすることもできる。

2　建築審査会は、前項前段の規定による審査請求がされた場合においては、当該審査請求がされた日（行政不服審査法第二十三条の規定により不備を補正すべきことを命じた場合にあつては、当該不備が補正された日）から一月以内に、裁決をしなければならない。

3　建築審査会は、前項の裁決を行う場合においては、行政不服審査法第二十四条の規定により当該審査請求を却下する場合を除き、あらかじめ、審査請求人、特定行政庁、建築主事等、建築監視員、都道府県知事、指定確認検査機関、指定構造計算適合性判定機関その他の関係人又はこれらの者の代理人の出頭を求めて、公開による口頭審査を行わなければならない。

4　第一項前段の規定による審査請求については、行政不服審査法第三十一条の規定は適用せず、前項の口頭審査については、同法第九条第三項の規定により読み替えられた同法第三十一条第二項から第五項までの規定を準用する。

〔改正・昭和三四法一五六・昭和三七法一六一・昭和四五法一〇九・平成一〇法一〇〇・平成一一法八七・平成二六法五四・法六九・平成三〇法六七・令和五法五八・令和六法五三〕

参照【特定行政庁―法二35【特定行政庁の処分―法九・一〇・一一・四四①・四七・四八・五一・五二⑩・⑪・⑭・五五・五六の二①・五九①3・④・五九の二①・八五③・⑤等【建築主事の処分―法六・七・七の三・一八【建築監視員の処分―法九の二【建築審査会―法七八～八三【口頭審査―令一四七の四

第九十五条　建築審査会の裁決に不服がある者は、国土交通大臣に対して再審査請求をすることができる。

〔全改・昭和三七法一六一、改正・平成一一法一六〇〕

参照【建築審査会―法七八～八三

第九十六条　削除　〔平成二六法六九〕

（権限の委任）

第九十七条　この法律に規定する国土交通大臣の権限は、国土交通省令で定めるところにより、その一部を地方整備局長又は北海道開発局長に委任することができる。

〔追加・平成一一法一六〇、旧九六条の二を繰下・平成二三法三五〕

参照【省令で定めるところ―規則一二、機関省令八〇

（市町村の建築主事等の特例）

第九十七条の二　第四条第一項の市以外の市又は町村においては、同条第二項の規定によるほか、当該市町村の長の指揮監督の下に、この法律中建築主事の権限に属するものとされている事務で政令で定めるものをつかさどらせるために、建築主事を置くことができる。この場合においては、この法律中建築主事に関する規定は、当該市町村が置く建築主事に適用があるものとする。

2　前項の市町村においては、第四条第七項の規定によるほか、当該市町村の長の指揮監督の下に、この法律中建築副主事の権限に属するものとされている事務で政令で定めるものをつかさどらせるために、建築副主事を置くことができる。この場合においては、この法律中建築副主事に関する規定は、当該市町村が置く建築副主事に適用があるものとする。

3　第四条第三項及び第四項の規定は、前二項の市町村がこれらの規定により建築主事等を置く場合に準用する。

4　第一項又は第二項の規定により建築主事等を置く市町村は、これらの規定により建築主事等が行うこととなる事務に関する限り、この法律の規定の適用については、第四条第五項に規定する建築主事を置く市町村とみなす。この場合において、第七十八条第一項中「置く」とあるのは、「置くことができる」とする。

5　この法律中都道府県知事たる特定行政庁の権限に属する事務で政令で定めるものは、政令で定めるところにより、第一項又は第二項の規定により建築主事等を置く市町村の長が行うものとする。この場合においては、この法律中都道府県知事たる特定行政庁に関する規定は、当該市町村の長に関する規定として当該市町村の長に適用があるものとする。

6　第一項若しくは第二項の規定により建築主事等を置く市町村の長たる特定行政庁、当該建築主事等又は当該特定行政庁が命じた建築監視員の建築基準法令の規定による処分又はその不作為についての審査請求は、当該市町村に建築審査会が置かれていないときは、当該市町村を包括する都道府県の建築審査会に対してするものとする。この場合において、不作為についての審査請求は、建築審査会に代えて、当該不作為に係る市町村の長に対してすることもできる。

〔追加・昭和三一法一四八、全改・昭和四五法一〇九、改正・平成一〇法一〇〇・平成一一法八七・平成二六法六九・令和五法五八〕

参照【政令で定める事務―令一四八①～③【政令で定めるところ―令一四八④【審査請求―法九四【建築審査会―法七八～八三

（特別区の特例）

第九十七条の三　特別区においては、第四条第二項の規定によるほか、特別区の長の指揮監督の下に、この法律中建築主事の権限に属するものとされている事務で政令で定めるものをつかさどらせるために、建築主事を置くことができる。この場合においては、この法律中建築主事に関する規定は、特別区が置く建築主事に適用があるものとする。

2　前項の規定により建築主事を置く特別区においては、当該特別区における同項に規定する事務の実施体制の確保又は充実を図るため必要があると認めるときは、当該特別区の長の指揮監督の下に、この法律中建築副主事の権限に属するものとされている事務で政令で定めるものをつかさどらせるために、建築副主事を置くことができる。この場合においては、この法律中建築副主事に関する規定は、当該特別区が置く建築副主事に適用があるものとする。

3　前二項の規定は、特別区に置かれる建築主事等の権限に属しない特別区の区域における事務をつかさどらせるために、都が都知事の指揮監督の下に建築主事等を置くことを妨げるものではない。

4　この法律中都道府県知事たる特定行政庁の権限に属する事務で政令で定めるものは、政令で定めるところにより、特別区の長が行うものとする。この場合においては、この法律中都道府県知事たる特定行政庁に関する規定は、特別区の長に関する規定として特別区の長に適用があるものとする。

5　特別区が第四条第二項の規定により建築主事を置こうとする場合における同条第三項及び第四項の規定の適用については、同条第三項中「協議しなければ」とあるのは「協議し、その同意を得なければ」と、同条第四項中「により協議して」とあるのは「による同意を得た場合において」とする。

〔追加・昭和三九法一六九、改正・昭和四五法一〇九・平成二七法五〇・令和五法五八〕

参照【政令で定める事務―令一四九①～③【政令で定めるところ―令一四九④、地方自治法施行令二二〇の一七

（手数料）

第九七条の四　国土交通大臣が行う次に掲げる処分の申請をしようとする者は、国土交通省令で定めるところにより、実費を勘案して国土交通省令で定める額の手数料を国に納めなければならない。

一　構造方法等の認定
二　特殊構造方法等認定
三　型式適合認定
四　第六十八条の十一第一項の認証又はその更新
五　第六十八条の二十二第一項の認証又はその更新

2　指定認定機関、承認認定機関、指定性能評価機関又は承認性能評価機関が行う前項第三号から第五号までに掲げる処分又は性能評価の申請をしようとする者は、国土交通省令で定めるところにより、実費を勘案して国土交通省令で定める額の手数料を当該指定認定機関、承認認定機関、指定性能評価機関又は承認性能評価機関に納めなければならない。

3　前項の規定により指定認定機関、承認認定機関、指定性能評価機関又は承認性能評価機関に納められた手数料は、当該指定認定機関、承認認定機関、指定性能評価機関又は承認性能評価機関の収入とする。

〔追加・平成一〇法一〇〇、改正・平成一一法一六〇・平成二六法五四〕

参照【省令で定めるところ―規則一一の二の二【省令で定める額―規則一一の二の三【指定認定機関―法七七の三六【承認認定機関―法七七の五四【指定性能評価機関―法七七の五六【承認性能評価機関―法七七の五七

（事務の区分）

第九七条の五　第十五条第四項、第十六条及び第七十七条の六十三の規定により都道府県が処理することとされている事務並びに第十五条第一項から第三項までの規定により市町村が処理することとされている事務は、地方自治法（昭和二十二年法律第六十七号）第二条第九項第一号に規定する第一号法定受託事務とする。

2　第七十条第四項（第七十四条第二項（第七十六条の三第六項において準用する場合を含む。以下この項において同じ。）及び第七十六条の三第四項において準用する場合を含む。）、第七十一条（第七十四条第二項及び第七十六条の三第四項において準用する場合を含む。）、第七十二条（同条第二項の規定により建築協定書に意見を付する事務に係る部分を除き、第七十四条第二項及び第七十六条の三第四項において準用する場合を含む。）及び第七十三条第三項（第七十四条第二項、第七十五条の二第四項及び第七十六条の三第四項において準用する場合を含む。）の規定により市町村（建築主事等を置かない市町村に限る。）が処理することとされている事務は、地方自治法第二条第九項第二号に規定する第二号法定受託事務とする。

〔追加・平成一一法八七、旧九七条の四を改正し繰下・平成一〇法一〇〇、改正・平成二五法四四・令和五法五八〕

（経過措置）

第九七条の六　この法律の規定に基づき命令を制定し、又は改廃する場合においては、その命令で、その制定又は改廃に伴い合理的に必要と判断される範囲内において、所要の経過措置（罰則に関する経過措置を含む。）を定めることができる。

〔追加・昭和五五法三五、旧九七条の四を繰下・平成一一法八七、旧九七条の五を繰下・平成一〇法一〇〇〕

第七章　罰則

〔旧一一章を繰上・昭和三四法一五六〕

第九八条　次の各号のいずれかに該当する者は、三年以下の懲役又は三百万円以下の罰金に処する。

第九八条　次の各号のいずれかに該当する者は、三年以下の拘禁刑又は三百万円以下の罰金に処する。

一　第九条第一項又は第十項前段（これらの規定を第八十八条第一項から第三項まで又は第九十条第三項において準用する場合を含む。）の規定による特定行政庁又は建築監視員の命令に違反した者

二　第二十条（第一項第一号から第三号までに係る部分に限る。）、第二十一条、第二十六条、第二十七条、第三十五条又は第三十五条の二の規定に違反した場合における当該建築物又は建築設備の設計者（設計図書に記載された認定建築材料等（型式適合認定に係る型式の建築材料若しくは建築物の部分、構造方法等の認定に係る構造方法を用いる建築物の部分若しくは建築材料又は特殊構造方法等認定に係る特殊の構造方法を用いる建築物の部分若しくは特殊の建築材料をいう。以下同じ。）の全部又は一部として当該認定建築材料等の全部又は一部と異なる建築材料又は建築物の部分を引き渡した場合においては当該建築材料又は建築物の部分を引き渡した者、設計図書を用いないで工事を施工し、又は設計図書に従わないで工事を施工した場合（設計図書に記載された認定建築材料等と異なる建築材料又は建築物の部分を引き渡された場合において、当該建築材料又は建築物の部分を使用して工事を施工した場合を除く。）においては当該建築物又は建築設備の工事施工者）

三　第三十六条（防火壁、防火床及び防火区画の設置及び構造に係る部分に限る。）の規定に基づく政令の規定に違反した場合における当該建築物の設計者（設計図書に記載された認定建築材料等の全部又は一部として当該認定建築材料等の全部又は一部と異なる建築材料又は建築物の部分を引き渡した場合においては当該建築材料又は建築物の部分を引き渡した者、設計図書を用いないで工事を施工し、又は設計図書に従わないで工事を施工した場合（設計図書に記載された認定建築材料等と異なる建築材料又は建築物の部分を引き渡された場合において、当該建築材料又は建築物の部分を使用して工事を施工した場合を除く。）においては当該建築物の工事施工者）

四　第八十七条第三項において準用する第二十七条、第三十五条又は第三十五条の二の規定に違反した場合における当該建築物の所有者、管理者又は占有者

五　第八十七条第三項において準用する第三十六条（防火壁、防火床及び防火区画の設置及び構造に関して、第三十五条の規定を実施し、又は補足するために安全上及び防火上必要な技術的基準に係る部分に限る。）の規定に基づく政令の規定に違反した場合における当該建築物の所有者、管理者又は占有者

2　前項第二号又は第三号に規定する違反があつた場合におい

て、その違反が建築主又は建築設備の設置者の故意によるものであるときは、当該設計者又は工事施工者を罰するほか、当該建築主又は建築設備の設置者に対して同項の刑を科する。
〔追加・平成一六法六七、全改・平成一八法九二、改正・平成二六法五四・平成三〇法六七〕

参照【特定行政庁－法二35】【建築監視員－法九の二】【両罰規定－法一〇五】

第九九条　次の各号のいずれかに該当する者は、一年以下の懲役又は百万円以下の罰金に処する。

第九九条　次の各号のいずれかに該当する者は、一年以下の拘禁刑又は百万円以下の罰金に処する。

一　第六条第一項（第八十七条第一項、第八十七条の四又は第八十八条第一項若しくは第二項において準用する場合を含む。）、第七条の六第一項（第八十七条の四又は第八十八条第二項において準用する場合を含む。）又は第六十八条の十九第二項（第八十八条第一項において準用する場合を含む。）の規定に違反した者

二　第六条第八項（第八十七条の四又は第八十八条第一項若しくは第二項において準用する場合を含む。）又は第七条の三第六項（第八十七条の四又は第八十八条第一項において準用する場合を含む。）の規定に違反した場合における当該建築物、工作物又は建築設備の工事施工者

三　第七条第二項若しくは第三項（これらの規定を第八十七条の四又は第八十八条第一項若しくは第二項において準用する場合を含む。）又は第七条の三第二項若しくは第三項（これらの規定を第八十七条の四又は第八十八条第一項において準用する場合を含む。）の期限内に第七条第一項（第八十七条の四又は第八十八条第一項若しくは第二項において準用する場合を含む。）又は第七条の三第一項（第八十七条の四又は第八十八条第一項において準用する場合を含む。）の規定による申請をせず、又は虚偽の申請をした者

四　第九条第十項後段（第八十八条第一項から第三項まで又は第九十条第三項において準用する場合を含む。）、第十条第二項若しくは第三項（これらの規定を第八十八条第一項又は第三項において準用する場合を含む。）、第十一条第一項（第八十八条第一項から第三項までにおいて準用する場合を含む。）又は第九十条の二第一項の規定による特定行政庁又は建築監視員の命令に違反した者

五　第十二条第五項（第一号に係る部分に限る。）又は第十五条の二第一項（これらの規定を第八十八条第一項から第三項までにおいて準用する場合を含む。）の規定による報告をせず、又は虚偽の報告をした者

六　第十二条第六項又は第十五条の二第一項（これらの規定を第八十八条第一項から第三項までにおいて準用する場合を含む。）の規定による物件の提出をせず、又は虚偽の物件の提出をした者

七　第十二条第七項又は第十五条の二第一項（これらの規定を第八十八条第一項から第三項までにおいて準用する場合を含む。）の規定による検査若しくは試験を拒み、妨げ、若しくは忌避し、又は質問に対して答弁せず、若しくは虚偽の答弁をした者

八　第二十条（第一項第四号に係る部分に限る。）、第二十二条第一項、第二十三条、第二十五条、第二十八条第三項、第二十八条の二（第八十八条第一項において準用する場合を含む。）、第三十二条（第八十八条第一項において準用する場合を含む。）、第三十三条（第八十八条第一項において準用する場合を含む。）、第三十四条第一項（第八十八条第一項において準用する場合を含む。）、第三十四条第二項、第三十五条の三、第三十七条（第八十八条第一項において準用する場合を含む。）、第六十一条、第六十二条、第六十四条、第六十七条第一項又は第八十八条第一項において準用する第二十条の規定に違反した場合における当該建築物、工作物又は建築設備の設計者（設計図書に記載された認定建築材料等の全部又は一部として当該認定建築材料等の全部又は一部と異なる建築材料又は建築物の部分を引き渡した場合においては当該建築材料又は建築物の部分を引き渡した者、設計図書を用いないで工事を施工し、又は設計図書に従わないで工事を施工した場合（設計図書に記載された認定建築材料等と異なる建築材料又は建築物の部分を引き渡された場合において、当該建築材料又は建築物の部分を使用して工事を施工した場合を除く。）においては当該建築物、工作物又は建築設備の工事施工者）

九　第三十六条（消火設備、避雷設備及び給水、排水その他の配管設備の設置及び構造並びに煙突及び昇降機の構造に係る部分に限り、第八十八条第一項において準用する場合を含む。）の規定に基づく政令の規定に違反した場合における当該建築物、工作物又は建築設備の設計者（設計図書に記載された認定建築材料等の全部又は一部として当該認定建築材料等の全部又は一部と異なる建築材料又は建築物の部分を引き渡した場合においては当該建築材料又は建築物の部分を引き渡した者、設計図書を用いないで工事を施工し、又は設計図書に従わないで工事を施工した場合（設計図書に記載された認定建築材料等と異なる建築材料又は建築物の部分を引き渡された場合において、当該建築材料又は建築物の部分を使用して工事を施工した場合を除く。）においては当該建築物、工作物又は建築設備の工事施工者）

十　第七十七条の八第一項（第七十七条の十七の二第二項において準用する場合を含む。）の規定に違反して、その職務に関して知り得た秘密を漏らした者

十一　第七十七条の八第二項（第七十七条の十七の二第二項において準用する場合を含む。）の規定に違反して、事前に建築基準適合判定資格者検定若しくは構造計算適合判定資格者検定の問題を漏らし、又は不正の採点をした者

十二　第七十七条の二十五第一項、第七十七条の三十五の十第一項又は第七十七条の四十三第一項（第七十七条の五十六第二項において準用する場合を含む。）の規定に違反して、その職務に関して知り得た秘密を漏らし、又は盗用した者

十三　第七十七条の三十五第二項の規定による確認検査の業務の停止の命令に違反した者

十四　第七十七条の六十二第二項（第七十七条の六十六第二項において準用する場合を含む。）の規定による禁止に違反して、確認検査又は構造計算適合性判定の業務を行つた者

十五　第八十七条第三項において準用する第二十八条第三項又は第三十五条の三の規定に違反した場合における当該建築物の所有者、管理者又は占有者

十六　第八十七条第三項において準用する第三十六条（消火設備の設置及び構造に関して、第三十五条の規定を実施し、又は補足するために安全上及び防火上必要な技術的基準に係る

部分に限る。）の規定に基づく政令の規定に違反した場合における当該建築物の所有者、管理者又は占有者

2　前項第八号又は第九号に規定する違反があつた場合において、その違反が建築主、工作物の築造主又は建築設備の設置者の故意によるものであるときは、当該設計者又は工事施工者を罰するほか、当該建築主、工作物の築造主又は建築設備の設置者に対して同項の刑を科する。

（改正・昭和三四法一五六・昭和三六法一一五・昭和四五法一〇九・昭和四九法六七・昭和六二法六六、全改・改正・平成一〇法一〇〇、改正・平成一一法八七、旧九八条を改正し繰下・平成一六法六七、全改・平成一八法九二、改正・平成二六法五四・平成三〇法六七）

参照　【特定行政庁―法二35】【建築監視員―法九の二】【両罰規定―法一〇五】

第一〇〇条　第七十七条の十五第二項（第七十七条の十七の二第二項において準用する場合を含む。）、第七十七条の三十五の十九第二項又は第七十七条の五十一第二項（第七十七条の五十六第二項において準用する場合を含む。）の規定による建築基準適合判定資格者検定事務、構造計算適合判定資格者検定事務又は構造計算適合性判定、認定等若しくは性能評価の業務の停止の命令に違反したときは、その違反行為をした指定建築基準適合判定資格者検定機関若しくは指定構造計算適合判定資格者検定機関の役員若しくは職員（建築基準適合判定資格者検定委員及び構造計算適合判定資格者検定委員を含む。）又は指定構造計算適合性判定機関、指定認定機関若しくは指定性能評価機関（いずれもその者が法人である場合にあつては、その役員）若しくはその職員（構造計算適合性判定員、認定員及び評価員を含む。）（第百四条において「指定建築基準適合判定資格者検定機関等の役員等」という。）は、一年以下の懲役又は百万円以下の罰金に処する。

第一〇〇条　第七十七条の十五第二項（第七十七条の十七の二第二項において準用する場合を含む。）、第七十七条の三十五の十九第二項又は第七十七条の五十一第二項（第七十七条の五十六第二項において準用する場合を含む。）の規定による建築基準適合判定資格者検定事務、構造計算適合判定資格者検定事務又は構造計算適合性判定、認定等若しくは性能評価の業務の停止の命令に違反したときは、その違反行為をした指定建築基準適合判定資格者検定機関若しくは指定構造計算適合判定資格者検定機関の役員若しくは職員（建築基準適合判定資格者検定委員及び構造計算適合判定資格者検定委員を含む。）又は指定構造計算適合性判定機関、指定認定機関若しくは指定性能評価機関（いずれもその者が法人である場合にあつては、その役員）若しくはその職員（構造計算適合性判定員、認定員及び評価員を含む。）（第百四条において「指定建築基準適合判定資格者検定機関等の役員等」という。）は、一年以下の拘禁刑又は百万円以下の罰金に処する。

（追加・平成一六法六七、全改・平成一八法九二、改正・平成二六法五四）

第一〇一条　次の各号のいずれかに該当する者は、百万円以下の罰金に処する。

一　第五条の六第一項から第三項まで又は第五項の規定に違反した場合における当該建築物の工事施工者

二　第十二条第一項若しくは第三項（これらの規定を第八十八条第一項又は第三項において準用する場合を含む。）又は第五項（第二号に係る部分に限り、第八十八条第一項から第三項までにおいて準用する場合を含む。）の規定による報告をせず、又は虚偽の報告をした者

三　第十九条、第二十八条第一項若しくは第二項、第三十一条、第四十三条第一項、第四十四条第一項、第四十七条、第五十二条第一項、第二項若しくは第七項、第五十三条第一項若しくは第二項、第五十三条の二第一項（第五十七条の五第三項において準用する場合を含む。）、第五十四条第一項、第五十五条第一項、第五十六条第一項、第五十六条の二第一項、第五十七条の四第一項、第五十七条の五第一項、第五十九条第一項若しくは第二項、第六十条第一項若しくは第二項、第六十条の二第一項若しくは第二項、第六十条の二の二第一項から第三項まで、第六十条の三第一項若しくは第二項、第六十七条第三項若しくは第五項から第七項まで又は第六十八条第一項から第三項までの規定に違反した場合における当該建築物又は建築設備の設計者（設計図書に記載された認定建築材料等の全部又は一部として当該認定建築材料等の全部又は一部と異なる建築材料又は建築物の部分を引き渡した場合においては当該建築材料又は建築物の部分を引き渡した者、設計図書を用いないで工事を施工し、又は設計図書に従わないで工事を施工した場合（設計図書に記載された認定建築材料等と異なる建築材料又は建築物の部分を引き渡された場合において、当該建築材料又は建築物の部分を使用して工事を施工した場合を除く。）においては当該建築物又は建築設備の工事施工者）

四　第三十六条（居室の採光面積、天井及び床の高さ、床の防湿方法、階段の構造、便所の設置及び構造並びに浄化槽の構造に係る部分に限る。）の規定に基づく政令の規定に違反した場合における当該建築物又は建築設備の設計者（設計図書に記載された認定建築材料等の全部又は一部として当該認定建築材料等の全部又は一部と異なる建築材料又は建築物の部分を引き渡した場合においては当該建築材料又は建築物の部分を引き渡した者、設計図書を用いないで工事を施工し、又は設計図書に従わないで工事を施工した場合（設計図書に記載された認定建築材料等と異なる建築材料又は建築物の部分を引き渡された場合において、当該建築材料又は建築物の部分を使用して工事を施工した場合を除く。）においては当該建築物又は建築設備の工事施工者）

五　第四十八条第一項から第十四項まで又は第五十一条（これらの規定を第八十八条第二項において準用する場合を含む。）の規定に違反した場合における当該建築物又は工作物の建築主又は築造主

六　第五十八条第一項の規定による制限に違反した場合における当該建築物の設計者（設計図書を用いないで工事を施工し、又は設計図書に従わないで工事を施工した場合においては、当該建築物の工事施工者）

七　第六十八条の十八第二項（第八十八条第一項において準用する場合を含む。）の規定に違反して、検査を行わず、検査記録を作成せず、虚偽の検査記録を作成し、又は検査記録を保存しなかつた者

八　第八十五条第三項の規定に違反した場合における当該建築物の建築主

九　第八十五条第四項又は第五項の規定により特定行政庁が定めた期間を超えて応急仮設建築物を存続させた場合における

当該建築物の所有者、管理者又は占有者

十　第八十五条第六項又は第七項の規定により特定行政庁が定めた期間を超えて仮設興行場等を存続させた場合における当該建築物の所有者、管理者又は占有者

十一　第八十四条第一項の規定による制限又は禁止に違反した場合における当該建築物の建築主

十二　第八十七条第二項又は第三項において準用する第二十八条第一項、第四十八条第一項から第十四項まで又は第五十一条の規定に違反した場合における当該建築物の所有者、管理者又は占有者

十三　第八十八条第二項において準用する第八十七条第二項又は第三項において準用する第四十八条第一項から第十四項まで又は第五十一条の規定に違反した場合における当該工作物の所有者、管理者又は占有者

十四　第八十七条第三項において準用する第三十六条（居室の採光面積及び階段の構造に関して、第二十八条第一項又は第三十五条の規定を実施し、又は補足するために安全上、防火上及び衛生上必要な技術的基準に係る部分に限る。）の規定に基づく政令の規定に違反した場合における当該建築物の所有者、管理者又は占有者

十五　第八十七条の三第三項の規定に違反した場合における当該建築物の所有者、管理者又は占有者

十六　第八十七条の三第四項又は第五項の規定により特定行政庁が定めた期間を超えて当該建築物を災害救助用建築物又は公益的建築物として使用した場合における当該建築物の所有者、管理者又は占有者

十七　第八十七条の三第六項又は第七項の規定により特定行政庁が定めた期間を超えて当該建築物を興行場等として使用した場合における当該建築物の所有者、管理者又は占有者

十八　第九十条第一項（第八十七条の四又は第八十八条第一項において準用する場合を含む。）の規定に違反した者

2　前項第三号、第四号又は第六号に規定する違反があつた場合において、その違反が建築主又は建築設備の設置者の故意によるものであるときは、当該設計者又は工事施工者を罰するほか、当該建築主又は建築設備の設置者に対して同項の刑を科する。

〔改正・昭和二六法一九五・昭和二七法一六〇・昭和三四法一五六・昭和三六法一一五・昭和三八法一五一・昭和四三法一〇一・昭和四四法三八・昭和四五法一〇九・昭和四九法六七・昭和五〇法六六・昭和五一法八三・昭和五八法四四・昭和六二法六六・平成四法八二・平成六法六二・平成九法七九・平成一〇法一〇〇・平成一一法八七・平成一四法二二・法八五・平成一五法一〇一・平成一六法一一一、旧九九条を改正し繰下・平成一六法六七、改正・平成一八法五・法四六・平成一八法四六・法九二・法一一四・平成二六法三九・法五四・平成二八法七二・平成二九法二六・平成三〇法六七・令和二法四三・令和四法四四・法六九〕

参照　【建築物─法二1】【工事施工者─法二18】【特定行政庁─法二35】【工作物─法八八】【建築設備─法二3】【設計者─法二17】【設計図書─法二12】【建築主─法二16】【両罰規定─法一〇五】

第一〇二条　第十二条第五項（第三号に係る部分に限る。）の規定による報告をせず、又は虚偽の報告をしたときは、その違反行為をした指定構造計算適合性判定機関（その者が法人である場合にあつては、その役員）又はその職員（構造計算適合性判定員を含む。）は、百万円以下の罰金に処する。

〔追加・平成二六法五四〕

第一〇三条　次の各号のいずれかに該当する者は、五十万円以下の罰金に処する。

一　第六条の二第五項（第八十七条第一項、第八十七条の四又は第八十八条第一項若しくは第二項において準用する場合を含む。）、第七条の二第六項（第八十七条の四又は第八十八条第一項若しくは第二項において準用する場合を含む。）、第七条の四第六項（第八十七条の四又は第八十八条第一項において準用する場合を含む。）、第七条の六第三項（第八十七条の四又は第八十八条第一項若しくは第二項において準用する場合を含む。）、第十八条第十八項（第八十七条第一項、第八十七条の四又は第八十八条第一項若しくは第二項において準用する場合を含む。）、第十八条第二十七項（第八十七条の四又は第八十八条第一項若しくは第二項において準用する場合を含む。）、第十八条第三十六項（第八十七条の四又は第八十八条第一項において準用する場合を含む。）又は第十八条第三十九項（第八十七条の四又は第八十八条第一項若しくは第二項において準用する場合を含む。）の規定による報告書若しくは添付書類の提出をせず、又は虚偽の報告書若しくは添付書類の提出をした者

二　第十五条第一項の規定又は第八十七条第一項において読み替えて準用する第七条第一項の規定による届出をせず、又は虚偽の届出をした者

三　第七十七条の二十九第二項又は第八十九条（第八十七条の四又は第八十八条第一項若しくは第二項において準用する場合を含む。）の規定に違反した者

四　第七十七条の三十一第一項又は第八十六条の八第四項（第八十七条の二第二項において準用する場合を含む。）の規定による報告をせず、又は虚偽の報告をした者

五　第七十七条の三十一第一項又は第二項の規定による検査を拒み、妨げ、又は忌避した者

六　第七十七条の三十一第一項又は第二項の規定による質問に対して答弁せず、又は虚偽の答弁をした者

七　第七十七条の二十九第一項の規定に違反して、帳簿を備え付けず、帳簿に記載せず、若しくは帳簿に虚偽の記載をし、又は帳簿を保存しなかつた者

八　第七十七条の三十四第一項の規定による届出をしないで確認検査の業務の全部を廃止し、又は虚偽の届出をした者

〔改正・昭和三四法一五六・昭和四五法一〇九・昭和四九法六七・昭和五一法八三・昭和六二法六六・平成一〇法一〇〇・平成一一法八七、旧一〇〇条を改正し繰下・平成一六法六七、改正・平成一八法九二、旧一〇二条を改正し繰下・平成二六法五四、改正・平成三〇法六七・令和六法五三〕

参照　【両罰規定─法一〇五】

第一〇四条　次の各号のいずれかに該当するときは、その違反行為をした指定建築基準適合判定資格者検定機関等の役員等は、五十万円以下の罰金に処する。

一　第七十七条の十三第一項（第七十七条の十七の二第二項において準用する場合を含む。）、第七十七条の三十五の十七第一項又は第七十七条の四十九第一項（第七十七条の五十六第二項において準用する場合を含む。）の規定による報告をせず、又は虚偽の報告をしたとき。

二　第七十七条の十一（第七十七条の十七の二第二項において準用する場合を含む。）、第七十七条の三十五の十四第一項又は第七十七条の四十七第一項（第七十七条の五十六第二項に

おいて準用する場合を含む。）の規定に違反して、帳簿を備え付けず、帳簿に記載せず、若しくは帳簿に虚偽の記載をし、又は帳簿を保存しなかつたとき。

三　第七十七条の十三第一項（第七十七条の十七の二第二項において準用する場合を含む。）、第七十七条の三十五の十七第一項又は第七十七条の四十九第一項（第七十七条の五十六第二項において準用する場合を含む。）の規定による検査を拒み、妨げ、若しくは忌避し、又は質問に対して答弁せず、若しくは虚偽の答弁をしたとき。

四　第七十七条の十四第一項（第七十七条の十七の二第二項において準用する場合を含む。）、第七十七条の三十五の十八第一項又は第七十七条の五十第一項（第七十七条の五十六第二項において準用する場合を含む。）の許可を受けないで建築基準適合判定資格者検定事務、構造計算適合判定資格者検定事務又は構造計算適合性判定、認定等若しくは性能評価の業務の全部を廃止したとき。

五　第七十七条の三十五の十四第二項又は第七十七条の四十七第二項（第七十七条の五十六第二項において準用する場合を含む。）の規定に違反したとき。

〔追加・平成一八法九二、旧一〇三条を改正し繰下・平成二六法五四〕

第一〇五条　法人の代表者又は法人若しくは人の代理人、使用人その他の従業者がその法人又は人の業務に関して、次の各号に掲げる規定の違反行為をした場合においては、その行為者を罰するほか、その法人に対して当該各号に定める罰金刑を、その人に対して各本条の罰金刑を科する。

一　第九十八条第一項第一号（第十九条第四項、第二十条、第二十一条、第二十二条第一項、第二十三条、第二十五条から第二十七条まで、第二十八条第三項、第二十八条の二、第三十二条から第三十五条の三まで、第三十六条（防火壁、防火床、防火区画、消火設備、避雷設備及び給水、排水その他の配管設備の設置及び構造並びに煙突及び昇降機の構造に係る部分に限る。）、第三十七条、第六十一条、第六十二条、第六十四条又は第六十七条第一項、第三項若しくは第五項から第七項までの規定に違反する特殊建築物等（第六条第一項第一号に掲げる建築物その他多数の者が利用するものとして政令で定める建築物をいう。以下この条において同じ。）又は当該特殊建築物等の敷地に関してされた第九条第一項又は第十項前段（これらの規定を第九十条第三項において準用する場合を含む。）の規定による命令の違反に係る部分に限る。）、第九十八条（第一項第一号を除き、特殊建築物等に係る部分に限る。）並びに第九十九条第一項第八号、第九号、第十五号及び第十六号並びに第二項（特殊建築物等に係る部分に限る。）　一億円以下の罰金刑

二　第九十八条（前号に係る部分を除く。）、第九十九条第一項第一号から第七号まで、第八号及び第九号（特殊建築物等に係る部分を除く。）、第十二号（第七十七条の二十五第一項に係る部分に限る。）、第十三号、第十四号並びに第十五号及び第十六号（特殊建築物等に係る部分を除く。）並びに第二項（特殊建築物等に係る部分を除く。）、第百一条並びに第百二条　各本条の罰金刑

〔改正・昭和三四法一五六・平成一〇法一〇〇、旧一〇一条を改正し繰下・平成一六法六七、旧一〇三条を改正し繰下・平成一八法九二、旧一〇四条を改正し繰下・平成二六法五四、改正・平成三〇法六七〕

参照　【政令で定める建築物】令一五〇

第一〇六条　次の各号のいずれかに該当する者は、三十万円以下の過料に処する。

一　第十二条の二第三項（第十二条の三第四項（第八十八条第一項において準用する場合を含む。）又は第八十八条第一項において準用する場合を含む。）の規定による命令に違反した者

二　第六十八条の十六若しくは第六十八条の十七第一項（これらの規定を第八十八条第一項において準用する場合を含む。）又は第七十七条の六十一（第三号を除き、第七十七条の六十六第二項において準用する場合を含む。）の規定による届出をせず、又は虚偽の届出をした者

三　第七十七条の二十九の二の規定に違反して、書類を備え置かず、若しくは関係者の求めに応じて閲覧させず、又は書類に虚偽の記載をし、若しくは虚偽の記載のある書類を関係者に閲覧させた者

2　第七十七条の三十五の十五の規定に違反して、書類を備え置かず、若しくは関係者の求めに応じて閲覧させず、又は書類に虚偽の記載をし、若しくは虚偽の記載のある書類を関係者に閲覧させた指定構造計算適合性判定機関（その者が法人である場合にあつては、その役員）又はその職員は、三十万円以下の過料に処する。

〔追加・平成一八法九二、旧一〇五条を改正し繰下・平成二六法五四、改正・平成三〇法六七・令和元法三七〕

第一〇七条　第三十九条第二項、第四十条若しくは第四十三条第三項（これらの規定を第八十七条第二項において準用する場合を含む。）、第四十三条の二（第八十七条第二項において準用する場合を含む。）、第四十九条第一項（第八十七条第二項又は第八十八条第二項において準用する場合を含む。）、第四十九条の二（第八十七条第二項において準用する場合を含む。）、第五十条（第八十七条第二項又は第八十八条第二項において準用する場合を含む。）、第六十八条の二第一項（第八十七条第二項又は第八十八条第二項において準用する場合を含む。）、第六十八条の九第一項（第八十七条第二項において準用する場合を含む。）又は第六十八条の九第二項の規定に基づく条例には、これに違反した者に対し、五十万円以下の罰金に処する旨の規定を設けることができる。

〔改正・昭和三四法一五六・昭和四三法一〇一・昭和四五法一〇九・昭和四九法六七・昭和五五法三四・昭和六二法六六・平成四法八二、旧一〇二条を繰下・平成一〇法一〇〇、改正・平成一二法七三・平成一五法一〇一、平成一六法一一一、旧一〇三条を改正し繰下・平成一六法六七、旧一〇五条を改正し繰下・平成一八法九二、旧一〇六条を繰下・平成二六法五四、改正・平成三〇法六七〕

附　則〔抄〕

（施行期日）

1　この法律は、公布の日から起算して三月をこえ六月をこえない期間内において政令で定める日から施行する。

〔昭和二五政三一九により、昭和二五・一一・二三から施行。ただし、第四条（第四項を除く。）、第五条、第四六条及び第九章の規定並びに第六条第一項第四号、第二二条、第四八条、第五〇条第一項、第三項及び第五項、第五二条第一項及び第二項、第五六条第一項及び第二項、第五九条、第六〇条及び第六八条第一項及び第二項中区域、地域又は地区の指定に関する規定は、昭和二五・一〇・二五から施行〕

（市街地建築物法その他の法令の廃止）

2　左に掲げる法律及び命令は廃止する。

一　市街地建築物法（大正八年法律第三十七号）

二　市街地建築物法の適用に関する法律（昭和二十二年法律第二百二十八号）
三　市街地建築物法施行令（大正九年勅令第四百三十八号）
四　市街地建築物法施行規則（大正九年内務省令第三十七号）
五　市街地建築物法第十四条の規定に依る特殊建築物耐火構造規則（大正十二年内務省令第十五号）
六　特殊建築物規則（昭和十一年内務省令第三十一号）
七　特殊建築物に関する東京都令、警視庁令、北海道庁令及び府県令の効力に関する命令（昭和二十三年総理庁令第二号）
八　臨時防火建築規則（昭和二十三年建設省令第六号）
九　臨時建築制限規則（昭和二十四年建設省令第九号）

（建築主事の任用の特例）

3　この法律施行の際現に建築監督主事である者で市街地建築物法の施行に関する事務をつかさどつているものは、第四条第五項の規定にかかわらず、同項の規定による資格検定を受けないでこの法律の規定による建築主事となることができる。但し、その在任期間は、この法律施行の日から一年をこえることができない。

（この法律施行前に指定された地域及び地区）

4　この法律施行の際、市街地建築物法第一条、第二条第二項、第四条第三項、第十一条第二項又は第十五条の規定によつて指定されている住居地域、商業地域、工業地域、住居専用地区、工業専用地区、空地地区、高度地区又は美観地区は、それぞれこの法律第四十八条第一項、第五十条第一項若しくは第三項、第五十六条第一項、第五十九条第一項又は第六十八条第一項の規定によつて指定された住居地域、商業地域、工業地域、住居専用地区、工業専用地区、空地地区、高度地区又は美観地区とみなし、市街地建築物法第十三条並びに市街地建築物法施行規則第百十八条及び臨時防火建築規則第六条の規定によつて指定されている甲種防火地区又は乙種防火地区及び準防火区域は、それぞれこの法律第六十条第一項の規定によつて指定された防火地域又は準防火地域とみなす。

（この法律施行前に指定された建築線）

5　市街地建築物法第七条但書の規定によつて指定された建築線で、その間の距離が四メートル以上のものは、その建築線の位置にこの法律第四十二条第一項第五号の規定による道路の位置の指定があつたものとみなす。

（この法律施行前の違反行為及び訴願に対する取扱）

6　この法律施行前にした附則第二項第一号から第八号までに掲げる法令又はこれらに基いてした処分に違反する行為に対する市街地建築物法第十七条第三号、第十九条及び第二十条の規定の適用については、なお、従前の例による。

7　附則第二項第一号から第八号までに掲げる法令に基いてした処分に対する訴願でこの法律施行前に提起したものの取扱については、なお、従前の例による。

8　この法律の施行前にした臨時建築制限規則又はこれに基いて発せられた命令に違反する行為に対する臨時物資需給調整法（昭和二十一年法律第三十二号）の罰則の規定の適用については、なお、従前の例による。

附則〔略〕〔昭和二六・六・四法律一九五〕

附則〔略〕〔昭和二六・六・九法律二二〇〕

附則〔略〕〔昭和二七・六・一〇法律一八一〕

附則〔略〕〔昭和二七・七・三一法律二五八〕

附則〔略〕〔昭和二九・四・二二法律七二〕

附則〔略〕〔昭和二九・五・二〇法律一二〇〕

附則〔略〕〔昭和二九・五・二九法律一三一〕

附則〔略〕〔昭和三一・六・一二法律一四八〕

附則〔略〕〔昭和三三・四・二四法律七九〕

附則〔略〕〔昭和三四・四・二四法律一五六〕

附則〔略〕〔昭和三五・六・三〇法律一一三〕

附則〔略〕〔昭和三五・八・二法律一四〇〕

附則〔略〕〔昭和三六・六・五法律一一五〕

附則〔略〕〔昭和三六・一一・七法律一九一〕

附則〔抄〕〔昭和三七・五・一六法律一四〇〕

1　この法律は、昭和三十七年十月一日から施行する。

2　この法律による改正後の規定は、この附則に特別の定めがある場合を除き、この法律の施行前に生じた事項にも適用する。ただし、この法律による改正前の規定によつて生じた効力を妨げない。

3　この法律の施行の際現に係属している訴訟については、当該訴訟を提起することができない旨を定めるこの法律による改正後の規定にかかわらず、なお従前の例による。

4　この法律の施行の際現に係属している訴訟の管轄については、当該管轄を専属管轄とする旨のこの法律による改正後の規定にかかわらず、なお従前の例による。

5　この法律の施行の際現にこの法律による改正前の規定による出訴期間が進行している処分又は裁決に関する訴訟の出訴期間については、なお従前の例による。ただし、この法律による改正後の規定による出訴期間がこの法律による改正前の規定による出訴期間より短い場合に限る。

6　この法律の施行前にされた処分又は裁決に関する当事者訴訟で、この法律による改正により出訴期間が定められることとなつたものについての出訴期間は、この法律の施行の日から起算する。

7　この法律の施行の際現に係属している処分又は裁決の取消しの訴えについては、当該法律関係の当事者の一方を被告とする旨のこの法律による改正後の規定にかかわらず、なお従前の例による。ただし、裁判所は、原告の申立てにより、決定をもつて、当該訴訟を当事者訴訟に変更することを許すことができる。

8　前項ただし書の場合には、行政事件訴訟法第十八条後段及び第二十一条第二項から第五項までの規定を準用する。

附則〔抄〕〔昭和三七・九・一五法律一六一〕

1　この法律は、昭和三十七年十月一日から施行する。

2　この法律による改正後の規定は、この附則に特別の定めがある場合を除き、この法律の施行前にされた行政庁の処分、この法律の施行前にされた申請に係る行政庁の不作為その他この法律の施行前に生じた事項についても適用する。ただし、この法律による改正前の規定によつて生じた効力を妨げない。

3　この法律の施行前に提起された訴願、審査の請求、異議の申立てその他の不服申立て（以下「訴願等」という。）については、この法律の施行後も、なお従前の例による。この法律の施行前にされた訴願等の裁決、決定その他の処分（以下「裁決等」という。）又はこの法律の施行前に提起された訴願等につきこの法律の施行後にされる裁決等にさらに不服がある場合の訴願等についても、同様とする。

4　前項に規定する訴願等で、この法律の施行後は行政不服審査法による不服申立てをすることができることとなる処分に係るものは、同法以外の法律の適用については、行政不服審査法による不服申立てとみなす。

5　第三項の規定によりこの法律の施行後にされる審査の請求、異議の申立てその他の不服申立ての裁決等については、行政不服審査法による不服申立てをすることができない。

6　この法律の施行前にされた行政庁の処分で、この法律による改正前の規定により訴願等をすることができるものとされ、かつ、その提起期間が定められていなかつたものについて、行政不服審査法による不服申立てをすることができる期間は、この法律の施行の日から起算する。

8　この法律の施行前にした行為に対する罰則の適用については、なお従前の例による。

9　前八項に定めるもののほか、この法律の施行に関して必要な経過措置は、政令で定める。

附　則〔昭和三八・七・一六法律一五一〕

（施行期日）

1　この法律は、公布の日から起算して六月をこえない範囲内において政令で定める日から施行する。ただし、第八十二条、第八十五条及び第九十九条第一項第十二号の改正規定は、公布の日から施行する。

〔昭和三九政三により、昭和三九・一・一五から施行〕

（罰則に関する経過措置）

2　この法律の施行前にした行為に対する罰則の適用については、なお、従前の例による。

（この法律の施行前に指定された特定街区に関する経過措置）

3　この法律の施行の際この法律による改正前の建築基準法（以下「旧法」という。）第五十九条の二第一項の規定により指定されている同法別表第五(い)欄の各項に掲げる特定街区は、この法律による改正後の建築基準法（以下「新法」という。）第五十九条の三第一項の規定により指定された特定街区と、当該特定街区についての旧法別表第五(ろ)欄の当該各項に掲げる建築物の延べ面積（同一敷地内に二以上の建築物がある場合においては、その延べ面積の合計。以下同じ。）の敷地面積に対する割合並びに同法第五十九条の二第一項の規定により定められた建築物の高さの最高限度及び壁面の位置の制限は、新法第五十九条の三第一項の規定により定められた建築物の延べ面積の敷地面積に対する割合並びに建築物の高さの最高限度及び壁面の位置の制限とみなす。

附　則〔略〕〔昭和三九・七・九法律一六〇〕

附　則〔略〕〔昭和三九・七・一一法律一六九〕

附　則〔略〕〔昭和四〇・六・三法律一一九〕

附　則〔略〕〔昭和四三・六・一五法律一〇一〕

附　則〔略〕〔昭和四四・六・三法律三八〕

附　則〔略〕〔昭和四五・四・一四法律二〇〕

附　則〔抄〕〔昭和四五・六・一法律一〇九〕

（施行期日）

1　この法律は、公布の日から起算して一年をこえない範囲内において政令で定める日から施行する。

〔昭和四五政二七〇により、昭和四六・一・一から施行。ただし、第四条及び第七九条第二項の規定は、昭和四五・一〇・一から施行〕

（検討）

2　政府は、建築基準法の規定による工事の施工の停止命令等の履行を確保するための措置について検討を加えるものとする。

（都市計画法等の一部改正に伴う経過措置）

15　この法律の施行の際現に附則第十三項の規定による改正前の都市計画法（以下「改正前の都市計画法」という。）第八条第一項第一号に規定する用途地域が定められている都市計画に係る都市計画区域について、建設大臣、都道府県知事又は市町村が附則第十三項の規定による改正後の都市計画法（以下「改正後の都市計画法」という。）第二章の規定により行なう用途地域に関する都市計画の決定及びその告示は、この法律の施行の日から起算して三年以内にしなければならない。

16　改正前の都市計画法の規定による都市計画区域でこの法律の施行の際現に存するものの内の建築物、建築物の敷地又は建築物若しくはその敷地の部分については、この法律の施行の日から起算して三年を経過する日（その日前に改正後の都市計画法第二章の規定により、当該都市計画区域について、用途地域に関する都市計画が決定されたときは、同法第二十条第一項（同法第二十二条第一項において読み替える場合を含む。）の規定による告示があつた日。次項において同じ。）までの間は、この法律による改正後の建築基準法第二条第二十一号、第三条第三項第二号、第四十八条から第五十条まで、第五十二条から第五十七条まで、第八十六条（同法第五十二条第一項から第三項まで、第五十三条第一項第一号、第五十四条、第五十五条第一項及び第五十六条第一項から第三項までの規定に関する部分に限る。）、第八十六条の二（同法第四十八条第一項から第八項まで及び第五十二条第一項の規定に関する部分に限る。）、第八十七条（同法第四十八条第一項から第八項までの規定並びに同法第四十九条及び第五十条の規定に基づく条例の規定の準用に関する部分に限る。）、第九十九条第一項（同法第四十八条第一項から第八項まで、第五十二条第一項、第五十三条第一項、第五十四条第一項、第五十五条第一項及び第五十六条第一項の規定に関する部分に限る。）及び第百二条（同法第四十九条第一項及び第五十条（同法第八十七条第二項においてこれらの規定を準用する場合を含む。）の規定に基づく条例に関する部分に限る。）の規定は、適用せず、この法律による改正前の建築基準法第二条第二十一号、第三条第三項第二号、第四十九条から第五十三条まで、第五十五条から第五十八条の二まで、第五十九条の二、第八十六条（同法第五十六条、第五十八条及び第五十九条の二第一項から第五項までの規定に関する部分に限る。）、第八十六条の二（同法第四十九条第一項から第四項まで、第五十条及び第五十九条の二第一項の規定に関する部分に限る。）、第八十七条（同法第四十九条及び第五十条の規定並びに同法第五十二条及び第五十三条の規定に基づく条例の規定の準用に関する部分に限る。）、第九十九条第一項（同法第四十九条第一項から第四項まで、第五十条、第五十五条第一項、第五十六条、第五十七条第一項、第五十八条第一項並びに第五十九条の二第一項及び第四項の規定に関する部分に限る。）及び第百二条（同法第五十二条第一項及び第五十三条（同法第八十七条第二項においてこれらの規定を準用する場合を含む。）の規定に基づく条例に関する部分に限る。）の規定は、なおその効力を有する。

17　この法律の施行の際現に改正前の都市計画法第二章の規定による都市計画において定められている用途地域、住居専用地区若しくは工業専用地区又は空地地区若しくは容積地区に関しては、この法律の施行の日から起算して三年を経過する日までの間は、この法律による改正前の次の各号に掲げる法律の規定は、なおその効力を有する。

一　屋外広告物法
二　港湾法
三　土地収用法
四　駐車場法
五　首都圏の近郊整備地帯及び都市開発区域の整備に関する法律
六　新住宅市街地開発法

七　近畿圏の近郊整備区域及び都市開発区域の整備及び開発に関する法律
八　流通業務市街地の整備に関する法律
九　都市計画法

18　都市計画法施行法（昭和四十三年法律第百一号）第七条第一項の規定によりなお従前の例によるものとされる住宅地造成事業に関しては、旧住宅地造成事業に関する法律（昭和三十九年法律第百六十号）第八条第一項第二号中「工業地域」とあるのは、「工業地域又は工業専用地域」とする。ただし、この法律の施行の際現に改正前の都市計画法第二章の規定による都市計画において定められている工業地域に関しては、前項に規定する日までの間は、この限りでない。

（罰則に関する経過措置）

19　この法律の施行前にした行為に対する罰則の適用については、なお従前の例による。附則第十六項に規定する都市計画区域内の建築物、建築物の敷地又は建築物若しくはその敷地の部分について、同項に規定する日までの間にした行為に対する同日後における罰則の適用についても、同様とする。

附　則〔略〕〔昭和四五・一二・二五法律一三七〕

附　則〔略〕〔昭和四五・一二・二五法律一四一〕

附　則〔略〕〔昭和四七・六・二二法律八六〕

附　則〔抄〕〔昭和四九・六・一法律六七〕

（施行期日）

1　この法律は、公布の日から起算して一年をこえない範囲内において政令で定める日から施行する。

〔昭和五〇政一により、昭和五〇・四・一から施行〕

（工業専用地域内の建築物の建築面積の敷地面積に対する割合に関する経過措置）

2　この法律の施行の際現に存する工業専用地域については、当該工業専用地域内の建築物の建築面積の敷地面積に対する割合は、十分の六と定められているものとみなす。

附　則〔略〕〔昭和五〇・七・一法律四九〕

附　則〔略〕〔昭和五〇・七・一一法律五九〕

附　則〔略〕〔昭和五〇・七・一六法律六六〕

附　則〔略〕〔昭和五〇・七・一六法律六七〕

附　則〔抄〕〔昭和五一・一一・一五法律八三〕

（施行期日）

1　この法律は、公布の日から起算して一年を超えない範囲内において政令で定める日から施行する。

〔昭和五二政二六五により、昭和五二・一一・一から施行〕

（処分、手続等に関する経過措置）

2　この法律の施行前に改正前の建築基準法の規定によりされた承認、許可、申請等の処分又は手続は、それぞれ改正後の建築基準法の相当規定によりされた処分又は手続とみなす。

（罰則に関する経過措置）

3　この法律の施行前にした行為に対する罰則の適用については、なお従前の例による。

（第二種住居専用地域内の建築物の建築面積の敷地面積に対する割合に関する経過措置）

5　この法律の施行の際現に存する第二種住居専用地域については、当該第二種住居専用地域内の建築物の建築面積の敷地面積に対する割合は、十分の六と定められているものとみなす。

附　則〔略〕〔昭和五五・五・一法律三四〕

附　則〔略〕〔昭和五五・五・一法律三五〕

附　則〔略〕〔昭和五八・五・一八法律四三〕

附　則〔略〕〔昭和五八・五・二〇法律四四〕

附　則〔略〕〔昭和五九・五・二五法律四七〕

附　則〔略〕〔昭和五九・八・一四法律七六〕

附　則〔略〕〔昭和六二・六・二法律六三〕

附　則〔抄〕〔昭和六二・六・五法律六六〕

（施行期日）

第一条　この法律は、公布の日から起算して六月を超えない範囲内において政令で定める日から施行する。

〔昭和六二政三四七により、昭和六二・一一・一六から施行〕

（総合的設計による一団地の建築物の取扱いに関する経過措置）

第二条　特定行政庁は、この法律の施行の際現に改正前の建築基準法（以下「旧法」という。）第八十六条第一項の規定により同一敷地内にあるものとみなされている二以上の構えをなす建築物でこの法律の施行前に建築主事が建築基準法第六条第三項又は第十八条第三項の規定による通知をしたものについて、この法律の施行の日から起算して六月以内に、建設省令で定める事項を公告しなければならない。

2　前項の規定によりされた公告は、改正後の建築基準法（以下「新法」という。）第八十六条第二項の規定によりされた公告とみなす。

（処分又は手続に関する経過措置）

第三条　この法律の施行前に旧法の規定によりされた許可、申請等の処分又は手続は、それぞれ新法の相当規定によりされた処分又は手続とみなす。

（罰則に関する経過措置）

第四条　この法律の施行前にした行為に対する罰則の適用については、なお従前の例による。

（第一種住居専用地域内における建築物の高さの限度に関する経過措置）

第七条　この法律の施行の際現に存する第一種住居専用地域については、当該第一種住居専用地域内における建築物の高さの限度は、十メートルと定められているものとみなす。

附　則〔略〕〔昭和六三・五・二〇法律四九〕

附　則〔略〕〔平成元・六・二八法律五六〕

附　則〔抄〕〔平成二・六・二九法律六一〕

（施行期日）

1　この法律は、公布の日から起算して六月を超えない範囲内において政令で定める日から施行する。

〔平成二政三二一により、平成二・一一・二〇から施行〕

（処分又は手続に関する経過措置）

2　この法律の施行前に第二条の規定による改正前の建築基準法の規定によりされた許可、申請等の処分又は手続は、それぞれ同条の規定による改正後の建築基準法の相当規定によりされた処分又は手続とみなす。

（罰則に関する経過措置）

3　この法律の施行前にした行為に対する罰則の適用については、なお従前の例による。

附　則〔略〕〔平成二・六・二九法律六二〕

附　則〔略〕〔平成三・四・二法律二四〕

附　則〔抄〕〔平成四・六・二六法律八二〕

（施行期日）

第一条　この法律は、公布の日から起算して一年を超えない範囲内において政令で定める日から施行する。

〔平成五政一六九により、平成五・六・二五から施行〕

（用途地域に関する経過措置）

第四条　この法律の施行の際現に旧都市計画法の規定により定め

られている都市計画区域に係る用途地域内の建築物、建築物の敷地又は建築物若しくはその敷地の部分については、この法律の施行の日から起算して三年を経過する日までの間は、第二条の規定による改正後の建築基準法（以下「新建築基準法」という。）第二条第二十一号、第三条第三項第二号（第一種低層住居専用地域、第二種低層住居専用地域、第一種中高層住居専用地域、第二種中高層住居専用地域、第一種住居地域、第二種住居地域及び準住居地域に関する都市計画の決定又は変更に関する部分並びに新建築基準法第四十八条第一項から第十二項までの規定に関する部分に限る。）、第四十八条（第十三項及び第十四項を除く。）、第四十九条、第五十条、第五十二条第一項（第五号を除く。）、第五十三条第一項（第三号及び第四号を除く。）、第五十四条から第五十五条まで、第五十六条第一項、第六十八条の三第三項、第六十八条の四第六項、第六十八条の五第四項、第八十六条第九項及び第十項、第八十六条の二、第八十七条第二項及び第三項（これらの規定中新建築基準法第四十八条第一項から第十二項までの規定の準用に関する部分に限る。）、第八十八条第二項（新建築基準法第四十八条第一項から第十二項までの規定の準用に関する部分に限る。）、第九十一条、第九十九条第一項、別表第二、別表第三の一の項並びに別表第四の一の項から三の項までの規定は適用せず、第二条の規定による改正前の建築基準法（以下「旧建築基準法」という。）第二条第二十一号、第三条第三項第二号（第一種住居専用地域、第二種住居専用地域及び住居地域に関する都市計画の決定又は変更に関する部分並びに旧建築基準法第四十八条第一項から第八項までの規定に関する部分に限る。）、第四十八条（第九項及び第十項を除く。）、第四十九条、第五十条、第五十二条第一項（第五号を除く。）、第五十三条第一項（第三号及び第四号を除く。）、第五十四条、第五十五条、第五十六条第一項、第六十八条の三、第六十八条の四第六項、第六十八条の五第四項、第八十六条第八項及び第九項、第八十六条の二、第八十七条第二項及び第三項（これらの規定中旧建築基準法第四十八条第一項から第八項までの規定の準用に関する部分に限る。）、第八十八条第二項（旧建築基準法第四十八条第一項から第八項までの規定の準用に関する部分に限る。）、第九十一条、第九十九条第一項、別表第二、別表第三の一の項並びに別表第四の規定は、なおその効力を有する。

第五条　この法律の施行の際現に旧都市計画法の規定により定められている都市計画区域に係る用途地域内の建築物、建築物の敷地又は建築物若しくはその敷地の部分についてのこの法律の施行の日から起算して三年を経過する日までの間の新建築基準法第二十七条第二項第二号及び第四十八条第十三項の規定の適用については、新建築基準法第二十七条第二項第二号中「別表第二(と)項第四号に規定する危険物」とあるのは「別表第二(へ)項第一号(一)、(三)若しくは(十一)の物品、可燃性ガス又は消防法（昭和二十三年法律第百八十六号）第二条第七項に規定する危険物」と、新建築基準法第四十八条第十三項中「前各項のただし書」とあるのは「都市計画法及び建築基準法の一部を改正する法律（平成四年法律第八十二号）による改正前の建築基準法第四十八条第一項から第八項までの規定のただし書」とする。

（総合的設計による一団地の建築物の取扱いに関する経過措置）

第九条　特定行政庁（建築基準法第二条第三十二号の特定行政庁をいう。）は、この法律の施行の際現に旧建築基準法第八十六条第一項の規定により同一敷地内にあるものとみなされている二以上の構えを成す建築物でこの法律の施行前に建築主事が建築基準法第六条第三項又は第十八条第三項の規定による通知をしたものについて、この法律の施行の日から起算して六月以内に、新建築基準法第八十六条第三項の建設省令で定める事項を表示した図書をその事務所に備えて、一般の縦覧に供さなければならない。

（処分又は手続に関する経過措置）

第一〇条　この法律の施行前に旧建築基準法の規定によりされた許可、申請等の処分又は手続は、それぞれ新建築基準法の相当規定によりされた処分又は手続とみなす。附則第四条に規定する都市計画区域に係る用途地域内の建築物、建築物の敷地又は建築物若しくはその敷地の部分について、附則第三条に規定する日までの間にされた処分又は手続についても、同様とする。

（罰則に関する経過措置）

第一一条　この法律の施行前にした行為に対する罰則の適用については、なお従前の例による。附則第四条に規定する都市計画区域に係る用途地域内の建築物、建築物の敷地又は建築物若しくはその敷地の部分について、附則第三条に規定する日までの間にした行為に対する同日後における罰則の適用についても、同様とする。

附　則〔抄〕〔平成五・一一・一二法律八九〕

（施行期日）

第一条　この法律は、行政手続法（平成五年法律第八十八号）の施行の日〔平成六・一〇・一〕から施行する。

（諮問等がされた不利益処分に関する経過措置）

第二条　この法律の施行前に法令に基づき審議会その他の合議制の機関に対し行政手続法第十三条に規定する聴聞又は弁明の機会の付与の手続その他の意見陳述のための手続に相当する手続を執るべきことの諮問その他の求めがされた場合においては、当該諮問その他の求めに係る不利益処分の手続に関しては、この法律による改正後の関係法律の規定にかかわらず、なお従前の例による。

（建築基準法の一部改正に伴う経過措置）

第一二条　第三百二十二条の規定の施行前に、同条の規定による改正前の建築基準法第九条第二項（同法第十条第二項（同法第八十八条第一項及び第四項において準用する場合を含む。）、第四十五条第二項、第八十八条第一項、第二項及び第四項、第九十条第三項（同法第八十七条の二第一項（同法第八十八条第一項及び第二項において準用する場合を含む。以下同じ。）及び第八十八条第一項において準用する場合を含む。）並びに第九十条の二第二項（同法第八十七条の二第一項において準用する場合を含む。）において準用する場合を含む。）の規定による通知書の交付がされた場合においては、当該通知書の交付に係る違反建築物その他の違反工作物に対する措置、保安上危険であり、又は衛生上有害である建築物その他の工作物に対する措置、私道の変更又は廃止の制限、工事現場の危害の防止及び工事中の特殊建築物等又は建築設備に対する措置の手続に関しては、第三百二十二条の規定による改正後の同法の規定にかかわらず、なお従前の例による。

（罰則に関する経過措置）

第一三条　この法律の施行前にした行為に対する罰則の適用については、なお従前の例による。

（聴聞に関する規定の整理に伴う経過措置）

第一四条　この法律の施行前に法律の規定により行われた聴聞、聴問若しくは聴聞会（不利益処分に係るものを除く。）又はこれらのための手続は、この法律による改正後の関係法律の相当規定により行われたものとみなす。

（政令への委任）

第一五条　附則第二条から前条までに定めるもののほか、この法律の施行に関して必要な経過措置は、政令で定める。

附　則〔抄〕〔平成六・六・二九法律六二〕

改正　平成一一・一二法一六〇

（施行期日）

1　この法律は、公布の日から施行する。ただし、第二十六条第三号の改正規定は公布の日から起算して一月を経過した日から〔中略〕施行する。

（特定行政庁が避難上及び延焼防止上支障がないと認めた建築物に関する経過措置）

2　第二十六条第三号の改正規定の施行前に改正前の建築基準法第二十六条第三号の規定により特定行政庁が避難上及び延焼防止上支障がないと認めた建築物は、改正後の建築基準法第二十六条第三号の国土交通大臣が定める基準に適合する建築物とみなす。

（平成四年改正法附則によりなおその効力を有する旧法の規定に係る建築物の延べ面積の算定方法）

3　改正後の建築基準法第五十二条第二項及び第三項の規定は、都市計画法及び建築基準法の一部を改正する法律（平成四年法律第八十二号。以下「平成四年改正法」という。）附則第四条の規定によりなおその効力を有するものとされる平成四年改正法第二条の規定による改正前の建築基準法（以下「旧法」という。）第五十二条第一項（第五号を除く。）、第六十八条の三（ただし書及び第二号ロを除く。）及び第八十六条第八項に規定する建築物の延べ面積の算定方法について準用する。

（罰則に関する経過措置）

5　この法律（第二十六条第三号の改正規定については、当該改正規定）の施行前にした行為に対する罰則の適用については、なお従前の例による。

附　則〔抄〕〔平成七・二・二六法律一三〕

（施行期日）

1　この法律は、公布の日から起算して三月を超えない範囲内において政令で定める日から施行する。

〔平成七政二一三により、平成七・五・二五から施行〕

（一人建築協定に関する経過措置）

2　この法律の施行前に第三条の規定による改正前の建築基準法（以下「旧法」という。）第七十六条の三第三項において準用する旧法第七十三条第二項の規定による認可の公告のあった建築協定についての第三条の規定による改正後の建築基準法（以下「新法」という。）第七十六条の三第五項の規定の適用については、同項中「三年」とあるのは、「一年」とする。

（建築基準法の規定による処分又は手続に関する経過措置）

3　この法律の施行前に旧法の規定によりされた許可、申請等の処分又は手続は、それぞれ新法の相当規定によりされた処分又は手続とみなす。

（罰則に関する経過措置）

4　この法律の施行前にした行為に対する罰則の適用については、なお従前の例による。

附　則〔抄〕〔平成八・五・二四法律四八〕

（施行期日）

1　この法律は、公布の日から起算して六月を超えない範囲内において政令で定める日から施行する。

〔平成八政三〇七により、平成八・一一・一〇から施行〕

（経過措置）

2　この法律の施行の際現にこの法律による改正前の幹線道路の沿道の整備に関する法律（以下「旧法」という。）の規定により定められている沿道整備計画に関する都市計画は、この法律による改正後の幹線道路の沿道の整備に関する法律（以下「新法」という。）の規定により定められた沿道地区計画でその区域の全部について沿道地区整備計画が定められているものに関する都市計画とみなす。

3　旧法の規定により沿道整備計画に関する都市計画に関してした手続、処分その他の行為は、新法の規定により沿道地区計画に関する都市計画に関してした手続、処分その他の行為とみなす。

4　この法律の施行の際現に旧法の規定により定められている沿道整備計画の区域は、新法の規定により定められた沿道地区計画の区域で沿道地区整備計画が定められている区域とみなす。

5　旧法第十三条第一項に規定する区域内において同項の制限が定められた際、当該制限が定められた区域内に現に存する人の居住の用に供する建築物又はその部分は、新法第十三条第一項に規定する特定住宅に該当するものとみなす。

6　この法律の施行前にした行為に対する罰則の適用については、なお従前の例による。

附　則〔略〕〔平成九・五・九法律五〇〕

附　則〔略〕〔平成九・六・一三法律七九〕

附　則〔略〕〔平成一〇・五・八法律五五〕

附　則〔抄〕〔平成一〇・六・一二法律一〇〇〕

改正　平成一一・七法八七

（施行期日）

第一条　この法律は、公布の日から起算して二年を超えない範囲内において政令で定める日から施行する。ただし、第一条の規定は公布の日から、第二条並びに次条から附則第六条まで、第八条から第十一条まで〔中略〕の規定は公布の日から起算して一年を超えない範囲内において政令で定める日から施行する。

〔平成一一政二一〇により、平成一一・六・一から施行。ただし書の規定は、平成一一政四により、平成一一・五・一から施行〕

（建築主事の登録等に関する経過措置）

第二条　第二条の規定の施行の際現に同条の規定による改正前の建築基準法（以下この条から附則第六条までにおいて「旧法」という。）の規定により市町村の長又は都道府県知事により命じられている建築主事である者は、第二条の規定による改正後の建築基準法（以下この条から附則第六条まで及び第十条において「新法」という。）の規定により市町村の長又は都道府県知事により命じられている建築主事とみなす。

2　第二条の規定の施行前に旧法第五条第一項の建築主事の資格検定に合格した者は、新法第五条第一項の建築基準適合判定資格者検定に合格した者とみなす。

（完了検査の手数料に関する経過措置）

第三条　第二条の規定の施行前に旧法第六条第一項の規定による確認の申請がされた建築物に係る新法第七条第一項の検査の申請については、同条第六項において準用する新法第六条第七項及び第八項の規定は、適用しない。

2　第二条の規定の施行前に旧法第八十七条の二第一項において準用する旧法第六条第一項の規定による確認の申請がされた旧法第八十七条の二第一項に規定する昇降機その他の建築設備に係る新法第八十七条の二第一項において準用する新法第七条第一項の検査の申請については、新法第八十七条の二第二項の規定は、適用しない。

3　第二条の規定の施行前に旧法第八十八条第一項又は第二項に

において準用する旧法第六条第一項の規定による確認の申請がされた旧法第八十八条第一項又は第二項に規定する工作物に係る新法第八十八条第一項又は第二項において準用する新法第七条第一項の検査の申請については、新法第八十八条第三項において準用する新法第八十七条の二第二項の規定は、適用しない。

（中間検査に関する経過措置）

第四条　第二条の規定の施行前に旧法第六条第一項（旧法第八十七条の二第一項又は第八十八条第一項において準用する場合を含む。）の規定による確認の申請又は旧法第十八条第二項（旧法第八十七条の二第一項又は第八十八条第一項において準用する場合を含む。）の規定による通知がされた建築物又は工作物については、新法第七条の三、第七条の四又は第十八条第八項から第十二項まで（新法第八十七条の二第一項又は第八十八条第一項においてこれらの規定を準用する場合を含む。）の規定は、適用しない。

（総合的設計による一団地の建築物の取扱いに関する経過措置）

第五条　特定行政庁（建築基準法第二条第三十六号の特定行政庁をいう。）は、第二条の規定の施行の際旧法第八十六条第一項の規定により同一敷地内にあるものとみなされている二以上の構えを成す建築物で第二条の規定の施行前に建築主事が旧法第六条第三項又は第十八条第三項の規定による通知をしたものについて、第二条の規定の施行の日から起算して六月以内に、新法第八十六条第六項の対象区域、各建築物の位置その他建設省令で定める事項を表示した書類をその事務所に備えて、一般の縦覧に供さなければならない。

（書類の閲覧に関する経過措置）

第六条　第二条の規定の施行前にされた旧法又はこれに基づく命令若しくは条例の規定による確認以外の処分に関する書類については、新法第九十三条の二（新法第八十八条第二項において準用する場合を含む。）の規定は、適用しない。

（旧法第三十八条の認定に係る建築物等に関する経過措置）

第七条　第三条の規定の施行前に第三条の規定による改正前の建築基準法（以下この条において「旧法」という。）第三十八条（旧法第六十七条の二又は第八十八条第一項において準用する場合を含む。以下この条において同じ。）の規定により建設大臣が旧法第二章（旧法第八十八条第一項において準用する場合を含む。）又は第三章第五節の規定によるものと同等以上の効力があると認めた建築材料又は構造方法を用いる建築物又は工作物については、第三条の規定の施行の日から起算して二年を経過する日までの間は、当該建築材料又は構造方法を用いる建築物又は工作物について旧法第三十八条の規定により適用しないこととされた旧法の規定に相当する新法の規定は、適用しない。

（処分又は手続に関する経過措置）

第八条　この法律（第二条の規定については、当該規定。以下この条及び次条において同じ。）の施行前にこの法律による改正前の建築基準法の規定によりされた認定、申請等の処分又は手続は、この附則に別段の定めがあるものを除き、それぞれこの法律による改正後の建築基準法の相当規定によりされた処分又は手続とみなす。

（罰則に関する経過措置）

第九条　この法律の施行前にした行為に対する罰則の適用については、なお従前の例による。

（検討）

第一〇条　政府は、第二条の規定の施行後十年を経過した場合において、新法第七条の三の規定の施行状況について検討を加え、その結果に基づいて必要な措置を講ずるものとする。

附　則　〔抄〕〔平成一一・七・一六法律八七〕

（施行期日）

第一条　この法律は、平成十二年四月一日から施行する。ただし、次の各号に掲げる規定は、当該各号に定める日から施行する。

一　〔前略〕附則〔中略〕第百六十条、第百六十三条、第百六十四条並びに第二百二条の規定　公布の日

二～六　〔略〕

（国等の事務）

第一五九条　この法律による改正前のそれぞれの法律に規定するもののほか、この法律の施行前において、地方公共団体の機関が法律又はこれに基づく政令により管理し又は執行する国、他の地方公共団体その他公共団体の事務（附則第百六十一条において「国等の事務」という。）は、この法律の施行後は、地方公共団体が法律又はこれに基づく政令により当該地方公共団体の事務として処理するものとする。

（処分、申請等に関する経過措置）

第一六〇条　この法律（附則第一条各号に掲げる規定については、当該各規定。以下この条及び附則第百六十三条において同じ。）の施行前に改正前のそれぞれの法律の規定によりされた許可等の処分その他の行為（以下この条において「処分等の行為」という。）又はこの法律の施行の際現に改正前のそれぞれの法律の規定によりされている許可等の申請その他の行為（以下この条において「申請等の行為」という。）で、この法律の施行の日においてこれらの行為に係る行政事務を行うべき者が異なることとなるものは、附則第二条から前条までの規定又は改正後のそれぞれの法律（これに基づく命令を含む。）の経過措置に関する規定に定めるものを除き、この法律の施行の日以後における改正後のそれぞれの法律の適用については、改正後のそれぞれの法律の相当規定によりされた処分等の行為又は申請等の行為とみなす。

2　この法律の施行前に改正前のそれぞれの法律の規定により国又は地方公共団体の機関に対し報告、届出、提出その他の手続をしなければならない事項で、この法律の施行の日前にその手続がされていないものについては、この法律及びこれに基づく政令に別段の定めがあるもののほか、これを、改正後のそれぞれの法律の相当規定により国又は地方公共団体の相当の機関に対して報告、届出、提出その他の手続をしなければならない事項についてその手続がされていないものとみなして、この法律による改正後のそれぞれの法律の規定を適用する。

（不服申立てに関する経過措置）

第一六一条　施行日前にされた国等の事務に係る処分であって、当該処分をした行政庁（以下この条において「処分庁」という。）に施行日前に行政不服審査法に規定する上級行政庁（以下この条において「上級行政庁」という。）があったものについての同法による不服申立てについては、施行日以後においても、当該処分庁に引き続き上級行政庁があるものとみなして、行政不服審査法の規定を適用する。この場合において、当該処分庁の上級行政庁とみなされる行政庁は、施行日前に当該処分庁の上級行政庁であった行政庁とする。

2　前項の場合において、上級行政庁とみなされる行政庁が地方公共団体の機関であるときは、当該機関が行政不服審査法の規定により処理することとされる事務は、新地方自治法第二条第九項第一号に規定する第一号法定受託事務とする。

（手数料に関する経過措置）

第一六二条　施行日前においてこの法律による改正前のそれぞれ

の法律（これに基づく命令を含む。）の規定により納付すべきであった手数料については、この法律及びこれに基づく政令に別段の定めがあるもののほか、なお従前の例による。

（罰則に関する経過措置）

第一六三条　この法律の施行前にした行為に対する罰則の適用については、なお従前の例による。

（その他の経過措置の政令への委任）

第一六四条　この附則に規定するもののほか、この法律の施行に伴い必要な経過措置（罰則に関する経過措置を含む。）は、政令で定める。

2　〔略〕

附　則　〔抄〕〔平成一一・一二・八法律一五一〕

（施行期日）

第一条　この法律は、平成十二年四月一日から施行する。〔以下略〕

（経過措置）

第三条　民法の一部を改正する法律（平成十一年法律第百四十九号）附則第三条第三項の規定により従前の例によることとされる準禁治産者及びその保佐人に関するこの法律による改正規定の適用については、次に掲げる改正規定を除き、なお従前の例による。

一～十一　〔略〕

十二　第五十条中建築基準法第八十条の二の改正規定

十三～二十五　〔略〕

第四条　この法律の施行前にした行為に対する罰則の適用については、なお従前の例による。

附　則　〔略〕〔平成一一・一二・二二法律一六〇〕

附　則　〔抄〕〔平成一二・五・一九法律七三〕

（施行期日）

第一条　この法律は、公布の日から起算して一年を超えない範囲内において政令で定める日から施行する。

〔平成一三政九七により、平成一三・五・一八から施行〕

（用途地域の指定のない区域に関する経過措置）

第七条　この法律の施行の際現に旧都市計画法の規定により指定されている都市計画区域のうち用途地域の指定のない区域について、特定行政庁（建築基準法第二条第三十六号の特定行政庁をいう。以下同じ。）による第二条の規定による改正後の建築基準法（以下「新建築基準法」という。）第五十二条第一項第六号、第五十三条第一項第四号、第五十六条第一項第二号ニ及び別表第三(に)欄の五の項に掲げる数値の決定並びにその適用は、施行日から起算して三年以内にしなければならない。

2　この法律の施行の際現に旧都市計画法の規定により指定されている都市計画区域のうち用途地域の指定のない区域内の建築物については、施行日から起算して三年を経過する日（その日以前に特定行政庁が前項に規定する数値の決定及びその適用をしたときは、当該適用の日の前日）までの間は、新建築基準法第三条第三項第二号（新建築基準法第五十二条第一項第六号、第五十三条第一項第四号、第五十六条第一項第二号ニ及び別表第三(に)欄の五の項に掲げる数値の決定又は変更に係る部分に限る。）、第五十二条第一項第六号、第五十三条第一項第四号、第五十六条第一項第二号及び別表第三(に)欄の五の項の規定は適用せず、第二条の規定による改正前の建築基準法（以下「旧建築基準法」という。）第三条第三項第二号（旧建築基準法第五十三条第一項の区域の指定又はその取消しに係る部分に限る。）、第五十二条第一項第六号、第五十三条第一項第四号、第五十六条第一項第二号及び別表第三(に)欄の五の項の規定は、なおその効力を有する。

3　この法律の施行の際現に旧建築基準法第五十六条の二第一項の規定により条例で指定されている区域のうち用途地域の指定のない区域について、地方公共団体による新建築基準法第五十六条の二第一項の規定に基づく新建築基準法別表第四(ろ)欄の四の項のイ又はロ及び同表(に)欄の(一)、(二)又は(三)の号の指定並びにその適用は、施行日から起算して三年以内にしなければならない。

4　この法律の施行の際現に旧建築基準法第五十六条の二第一項の規定により条例で指定されている区域のうち用途地域の指定のない区域内の建築物については、施行日から起算して三年を経過する日（その日以前に地方公共団体が前項に規定する指定及びその適用をしたときは、当該適用の日の前日）までの間は、新建築基準法第五十六条の二第一項（新建築基準法別表第四の四の項に係る部分に限る。）及び別表第四の四の項は適用せず、旧建築基準法第五十六条の二第一項（旧建築基準法別表第四の四の項に係る部分に限る。）及び別表第四の四の項の規定は、なおその効力を有する。

（建ぺい率の許可等に関する経過措置）

第八条　施行日前に旧建築基準法第五十三条第四項第三号の規定によりされた許可は、新建築基準法第五十三条第五項第三号の規定によりされた許可とみなす。

2　この法律の施行の際現に旧建築基準法第五十三条第四項第三号の規定によりされている許可の申請は、新建築基準法第五十三条第五項第三号の規定によりされた許可の申請とみなす。

（罰則に関する経過措置）

第九条　施行日前にした行為に対する罰則の適用については、なお従前の例による。附則第七条第二項及び第四項に規定する用途地域の指定のない区域内の建築物について、施行日から起算して三年を経過する日（その日以前に特定行政庁が同条第一項に規定する数値の決定及びその適用をしたとき又は地方公共団体が同条第三項に規定する指定及びその適用をしたときは、それぞれの適用の日の前日）までの間にした行為に対する同日後における罰則の適用についても、同様とする。

附　則　〔略〕〔平成一二・五・三一法律九一〕

附　則　〔略〕〔平成一二・六・二法律一〇六〕

附　則　〔略〕〔平成一四・四・五法律二二〕

附　則　〔抄〕〔平成一四・七・一二法律八五〕

（施行期日）

第一条　この法律は、公布の日から起算して六月を超えない範囲内において政令で定める日から施行する。ただし、第一条中建築基準法第二十八条の次に一条を加える改正規定及び同法第九十九条第一項第五号の改正規定（「第二十八条第一項から第三項まで」の下に「、第二十八条の二」を加える部分に限る。）は、公布の日から起算して一年を超えない範囲内において政令で定める日から施行する。

〔平成一四政三三〇により、平成一五・一・一から施行。ただし、第五二条に第七項を加える改正規定（同項に規定する区域の指定及び数値の決定のための都道府県都市計画審議会の議決に係る部分に限る。）は、公布の日から施行。ただし書の規定は、平成一四政三九二により、平成一五・七・一から施行〕

（建築基準法の一部改正に伴う経過措置）

第二条　この法律の施行前にこの法律による改正前の建築基準法（以下「旧建築基準法」という。）の規定によりされた許可、認定、申請等の処分又は手続は、それぞれこの法律による改正後の建築基準法（以下「新建築基準法」という。）の相当規定によりされた処分又は手続とみなす。

２　この法律の施行の際現に旧建築基準法第五十二条第一項の規定に基づき指定されている区域内の建築物については、この法律の施行の日以後特定行政庁が新建築基準法第五十二条第二項第三号の規定に基づき前面道路の幅員のメートルの数値に乗ずべき数値を定めるまでの間は、当該数値が十分の四に定められたものとみなす。

３　旧建築基準法別表第四(い)欄の二の項又は三の項に掲げる地域でこの法律の施行の際現に旧建築基準法第五十六条の二第一項の規定により条例で指定されている区域については、この法律の施行の日以後地方公共団体が新建築基準法第五十六条の二第一項の規定に基づき条例で新建築基準法別表第四(は)欄の二の項又は三の項に掲げる平均地盤面からの高さを指定するまでの間は、当該平均地盤面からの高さが四メートルに指定されたものとみなす。

（罰則に関する経過措置）

第五条　この法律の施行前にした行為に対する罰則の適用については、なお従前の例による。

附　則〔抄〕〔平成一五・六・二〇法律一〇一〕

（施行期日）

第一条　この法律は、公布の日から起算して六月を超えない範囲内において政令で定める日から施行する。

〔平成一五政五二三により、平成一五・一二・一九から施行〕

（罰則に関する経過措置）

第五条　この法律の施行前にした行為に対する罰則の適用については、なお従前の例による。

（政令への委任）

第六条　附則第二条から前条までに定めるもののほか、この法律の施行に関して必要な経過措置は、政令で定める。

附　則〔略〕〔平成一六・五・二八法律六一〕

附　則〔抄〕〔平成一六・六・二法律六七〕

（施行期日）

第一条　この法律は、公布の日から起算して一年を超えない範囲内において政令で定める日から施行する。ただし、次の各号に掲げる規定は、当該各号に定める日から施行する。

〔平成一七政一九一により、平成一七・六・一から施行〕

一　第一条中建築基準法第五十一条の改正規定　公布の日から起算して一月を超えない範囲内において政令で定める日

〔平成一六政二〇九により、平成一六・七・一から施行〕

二　〔前略〕附則第五条〔中略〕の規定　公布の日

（建築基準法の一部改正に伴う経過措置）

第二条　この法律の施行前にされた確認その他の建築基準法令の規定による処分に関する書類の閲覧については、第一条の規定による改正後の建築基準法（以下「新建築基準法」という。）第九十三条の二（新建築基準法第八十八条第二項において準用する場合を含む。次項において同じ。）の規定にかかわらず、なお従前の例による。

２　この法律の施行前に第一条の規定による改正前の建築基準法第十二条第一項及び第二項の規定に基づきされた報告に関する書類については、新建築基準法第九十三条の二の規定は、適用しない。

（罰則に関する経過措置）

第四条　この法律の施行前にした行為に対する罰則の適用については、なお従前の例による。

（政令への委任）

第五条　附則第二条から前条までに定めるもののほか、この法律の施行に関して必要な経過措置は、政令で定める。

附　則〔抄〕〔平成一六・六・一八法律一一一〕

（施行期日）

第一条　この法律は、景観法（平成十六年法律第百十号）の施行の日〔平成一六・一二・一七〕から施行する。ただし、〔中略〕第三条〔中略〕次条並びに附則第四条、第五条及び第七条の規定は、景観法附則ただし書に規定する日〔平成一七・六・一〕から施行する。

（美観地区に関する経過措置）

第二条　この法律の施行の際現に第一条の規定による改正前の都市計画法（以下「旧都市計画法」という。）第八条第一項第六号の規定により定められた美観地区（第三条の規定による改正前の建築基準法第六十八条の規定により地方公共団体の条例で建築物の形態又は色彩その他の意匠の制限が定められているものに限る。）は、第一条の規定による改正後の都市計画法（以下「新都市計画法」という。）第八条第一項第六号の規定により定められた景観地区とみなす。この場合において、当該条例に定められた建築物の敷地、構造又は建築設備に関する制限のうち景観法第六十一条第二項各号に掲げる事項に相当する事項は、景観地区に関する都市計画において定められた同項各号に掲げる事項とみなす。

２　この法律の施行の際現に前項前段の規定により景観地区とみなされた地区内に存する建築物についての景観法第六十九条第二項及び第三項の規定の適用については、同条第二項中「景観地区に関する都市計画が定められ、又は変更された際」とあるのは「景観法の施行に伴う関係法律の整備等に関する法律（以下この条において「景観法整備法」という。）第三条の規定による改正前の建築基準法第六十八条の規定により定められた地方公共団体の条例（建築物の形態又は色彩その他の意匠の制限に係る部分に限る。）の規定の施行又は適用の際」と、「適用しない」とあるのは「適用しない。ただし、景観法整備法の施行前に建築基準法第三条第三項の規定により当該条例について同条第二項の規定が適用されないこととなったものにあっては、この限りでない」と、同条第三項中「前項の規定」とあるのは「景観法整備法附則第二条第二項の規定により読み替えて適用する前項本文の規定」と、同項第二号及び第三号中「景観地区に関する都市計画が定められ、又は変更された後」とあるのは「景観法整備法の施行の日以後」とする。

（罰則に関する経過措置）

第五条　この法律の施行前にした行為に対する罰則の適用については、なお従前の例による。

（政令への委任）

第六条　附則第二条から前条までに定めるもののほか、この法律の施行に関して必要な経過措置は、政令で定める。

附　則〔略〕〔平成一七・一〇・二一法律一〇二〕

附　則〔略〕〔平成一七・一一・七法律一二〇〕

附　則〔抄〕〔平成一八・二・一〇法律五〕

（施行期日）

第一条　この法律は、公布の日から起算して八月を超えない範囲内において政令で定める日から施行する。〔以下略〕

〔平成一八政二六八により、平成一八・一〇・一から施行〕

（検討）

第二条　政府は、この法律の施行後五年を経過した場合において、第一条、第三条及び第四条の規定による改正後の規定の施行の状況等について検討を加え、必要があると認めるときは、その結果に基づいて所要の措置を講ずるものとする。

附　則〔抄〕〔平成一八・四・一法律三〇〕

（施行期日）

第一条　この法律は、公布の日から起算して六月を超えない範囲内において政令で定める日（以下「施行日」という。）から施行する。ただし、〔中略〕附則第五条及び第六条の規定は、公布の日から施行する。

〔平成一八政三〇九により、平成一八・九・三〇から施行〕

（建築基準法の一部改正に伴う経過措置）

第四条　第三条の規定による改正後の建築基準法第八十八条第四項（都市計画法第二十九条第一項若しくは第二項又は第三十五条の二第一項本文の規定による許可を受けなければならない場合に係る部分に限る。）の規定は、旧都市計画法第二十九条第一項若しくは第二項若しくは第三十五条の二第一項本文の許可又は前条の規定によりその基準についてなお従前の例によることとされる新都市計画法第二十九条第一項若しくは第二項若しくは第三十五条の二第一項本文の許可を受けなければならない場合については、適用しない。

（罰則に関する経過措置）

第五条　この法律（附則第一条ただし書に規定する規定については、当該規定）の施行前にした行為に対する罰則の適用については、なお従前の例による。

（政令への委任）

第六条　この附則に規定するもののほか、この法律の施行に伴い必要な経過措置は、政令で定める。

附　則〔抄〕〔平成一八・五・三一法律四六〕

改正　平成一八・六法九二、平成一九・三法一九

（施行期日）

第一条　この法律は、公布の日から起算して一年六月を超えない範囲内において政令で定める日から施行する。ただし、次の各号に掲げる規定は、当該各号に定める日から施行する。

〔平成一八政三四九により、平成一九・一一・三〇から施行〕

一　次条の規定　公布の日

二　〔前略〕第二条中建築基準法第六十条の二第三項及び第百一条第二項の改正規定〔中略〕並びに附則〔中略〕第九条から第十一条までの規定　公布の日から起算して三月を超えない範囲内において政令で定める日

〔平成一八政二七二により、平成一八・八・三〇から施行〕

三　〔前略〕第二条中建築基準法第六条第一項の改正規定〔中略〕並びに附則〔中略〕第四条第一項〔中略〕の規定　公布の日から起算して六月を超えない範囲内において政令で定める日

〔平成一八政三四九により、平成一八・一一・三〇から施行〕

（実施のための準備）

第二条　第一条の規定による改正後の都市計画法（以下「新都市計画法」という。）第十二条の五第四項及び第十二条の十二並びに第二条の規定による改正後の建築基準法（以下「新建築基準法」という。）第四十八条第十三項並びに第六十八条の三第七項及び第八項の規定の円滑な実施を確保するため、都道府県又は市町村は、都市計画法第八条第一項第一号に規定する用途地域及び同法第十二条の四第一項第一号に掲げる地区計画に関する都市計画の決定又は変更のために必要な土地利用の状況に関する情報の収集及び提供その他必要な準備を行うものとする。

（建築基準法の一部改正に伴う経過措置）

第四条　附則第一条第三号に掲げる規定の施行の際現に第二条の規定による改正前の建築基準法第六条第一項第四号の規定により市町村長が市町村都市計画審議会（当該市町村に市町村都市計画審議会が置かれていないときは、当該市町村の存する都道府県の都道府県都市計画審議会）の意見を聴いて指定している準都市計画区域内の区域は、新建築基準法第六条第一項第四号の規定により都道府県知事が都道府県都市計画審議会の意見を聴いて指定した準都市計画区域内の区域とみなす。

2　この法律の施行の際現に大都市地域における住宅及び住宅地の供給の促進に関する特別措置法（昭和五十年法律第六十七号）第五条第一項又は第二十四条第一項の規定により都市計画に定められている土地区画整理促進区域又は住宅街区整備促進区域は、新建築基準法別表第二(と)項の規定にかかわらず、大都市地域における住宅及び住宅地の供給の促進に関する特別措置法第五条第一項各号又は第二十四条第一項各号に掲げる要件に該当するものとみなす。

（罰則に関する経過措置）

第一〇条　この法律（附則第一条第二号及び第三号に掲げる規定については、当該規定。以下この条において同じ。）の施行前にした行為及びこの附則の規定によりなお従前の例によることとされる場合におけるこの法律の施行後にした行為に対する罰則の適用については、なお従前の例による。

（政令への委任）

第一一条　この附則に定めるもののほか、この法律の施行に関し必要な経過措置は、政令で定める。

（検討）

第一二条　政府は、この法律の施行後五年を経過した場合において、新都市計画法、新建築基準法、新駐車場法及び第六条の規定による改正後の都市緑地法の規定の施行の状況について検討を加え、必要があると認めるときは、その結果に基づいて所要の措置を講ずるものとする。

附　則〔略〕〔平成一八・六・二法律五〇〕

附　則〔略〕〔平成一八・六・七法律五三〕

附　則〔抄〕〔平成一八・六・二一法律九二〕

（施行期日）

第一条　この法律は、公布の日から起算して一年を超えない範囲内において政令で定める日から施行する。ただし、次の各号に掲げる規定は、当該各号に定める日から施行する。

〔平成一九政四八により、平成一九・六・二〇から施行〕

一　〔前略〕附則第五条から第七条まで及び第十一条の規定　公布の日から起算して六月を超えない範囲内において政令で定める日

〔平成一八政三七二により、平成一八・一二・二〇から施行〕

二　次条の規定　公布の日から起算して九月を超えない範囲内において政令で定める日

〔平成一九政四八により、平成一九・三・二〇から施行〕

（準備行為）

第二条　第一条の規定による改正後の建築基準法（以下「新基準法」という。）第十八条の二第一項の規定による指定及びこれに関し必要な手続その他の行為は、この法律の施行前においても、新基準法第七十七条の三十五の二から第七十七条の三十五の四まで、第七十七条の三十五の五第一項並びに第七十七条の三十五の九第一項及び第二項の規定の例により行うことができる。

2　新基準法第二十条又は同条に基づく命令の規定に基づき国土交通大臣がする認定及びこれに関し必要な手続その他の行為は、この法律の施行前においても、新基準法第六十八条の二十

六の規定の例により行うことができる。

（建築基準法の一部改正に伴う経過措置）

第三条　新基準法第六条第四項（新基準法第八十七条第一項、第八十七条の二又は第八十八条第一項若しくは第二項において準用する場合を含む。）、第六条第五項から第十二項まで若しくは同条第十三項（新基準法第八十七条第一項、第八十七条の二又は第八十八条第一項若しくは第二項において準用する場合を含む。）、第六条の二第三項から第八項まで若しくは同条第九項（新基準法第八十七条第一項、第八十七条の二又は第八十八条第一項若しくは第二項において準用する場合を含む。）、第七条の三（第三項及び第七項を除き、新基準法第八十七条の二又は第八十八条第一項において準用する場合を含む。）、第七条の四（第二項、第六項及び第七項を除き、新基準法第八十七条の二又は第八十八条第一項において準用する場合を含む。）又は第十八条第三項若しくは第十二項（これらの規定を新基準法第八十七条第一項、第八十七条の二又は第八十八条第一項若しくは第二項において準用する場合を含む。）、第十八条第四項から第十一項まで若しくは同条第十七項から第二十一項まで（これらの規定を新基準法第八十七条の二又は第八十八条第一項において準用する場合を含む。）の規定は、この法律の施行の日以後に新基準法第六条第一項若しくは第六条の二第一項（これらの規定を新基準法第八十七条第一項、第八十七条の二又は第八十八条第一項若しくは第二項において準用する場合を含む。）の規定による確認の申請又は新基準法第十八条第二項（新基準法第八十七条第一項、第八十七条の二又は第八十八条第一項若しくは第二項において準用する場合を含む。）の規定による通知がされた建築物、建築設備又は工作物について適用し、この法律の施行前に第一条の規定による改正前の建築基準法（以下「旧基準法」という。）第六条第一項若しくは第六条の二第一項（これらの規定を旧基準法第八十七条第一項、第八十七条の二又は第八十八条第一項若しくは第二項において準用する場合を含む。）の規定による確認の申請又は旧基準法第十八条第二項（旧基準法第八十七条第一項、第八十七条の二又は第八十八条第一項若しくは第二項において準用する場合を含む。）の規定による通知がされた建築物、建築設備又は工作物については、なお従前の例による。

2　この法律の施行の際現に旧基準法第六条の二第一項（旧基準法第八十七条第一項、第八十七条の二又は第八十八条第一項若しくは第二項において準用する場合を含む。次項において同じ。）若しくは第七条の二第一項（旧基準法第八十七条の二又は第八十八条第一項若しくは第二項において準用する場合を含む。次項において同じ。）の規定による指定を受けている者は新基準法第六条の二第一項（新基準法第八十七条第一項、第八十七条の二又は第八十八条第一項若しくは第二項において準用する場合を含む。）又は第七条の二第一項（新基準法第八十七条の二又は第八十八条第一項若しくは第二項において準用する場合を含む。）の規定による指定を受けた者と、旧基準法第七十七条の五十八第一項の登録を受けている者は新基準法第七十七条の五十八第一項の登録を受けた者とみなす。

3　この法律の施行の際現に旧基準法第六条の二第一項又は第七条の二第一項の規定による指定を受けている者に対する新基準法第七十七条の三十五第一項又は第二項の規定による指定の取消しその他の監督上の処分に関しては、この法律の施行の日から起算して一年を経過する日までの間は、なお従前の例による。

4　この法律の施行の際現に旧基準法第七条の三第一項（旧基準法第八十七条の二又は第八十八条第一項において準用する場合を含む。）の規定に基づき旧基準法第二条第三十二号に規定する特定行政庁が指定している特定工程（新基準法第七条の三第一項第一号の政令で定める工程に該当するものを除く。）は、新基準法第七条の三第一項第二号の規定に基づき新基準法第二条第三十三号に規定する特定行政庁が指定した工程とみなす。

5　この法律の施行の際現に旧基準法第七条の三第六項（旧基準法第八十七条の二又は第八十八条第一項において準用する場合を含む。）の規定に基づき旧基準法第二条第三十二号に規定する特定行政庁が指定している特定工程後の工程（新基準法第七条の三第六項（新基準法第八十七条の二又は第八十八条第一項において準用する場合を含む。）の政令で定める特定工程後の工程に該当するものを除く。）は、新基準法第七条の三第六項（新基準法第八十七条の二又は第八十八条第一項において準用する場合を含む。）の規定に基づき新基準法第二条第三十三号に規定する特定行政庁が指定した特定工程後の工程とみなす。

6　新基準法第十二条第七項及び第八項（これらの規定を新基準法第八十八条第一項又は第二項において準用する場合を含む。）の規定は、この法律の施行の日以後にされた新基準法並びにこれに基づく命令及び条例の規定による処分並びに新基準法第十二条第一項及び第三項の規定による報告について適用し、旧基準法並びにこれに基づく命令及び条例の規定による処分並びに旧基準法第十二条第一項及び第三項の規定による報告については、なお従前の例による。

7　この法律の施行前にされた申請に係る新基準法第七十七条の十八第一項に規定する指定又は新基準法第七十七条の二十二第一項の認可については、新基準法第七十七条の十八第三項（新基準法第七十七条の二十二第三項において読み替えて準用する場合を含む。）の規定は、適用しない。

8　この法律の施行の際現に旧基準法第七十七条の五十八第一項の登録を受けている者に対する新基準法第七十七条の六十二第一項又は第二項の規定による登録の消除その他の監督上の処分に関しては、この法律の施行前に生じた事由については、なお従前の例による。

9　この法律の施行前にされた旧基準法第七十七条の六十二第一項又は第二項の規定による処分については、新基準法第七十七条の六十二第三項の規定は、適用しない。

（政令への委任）

第七条　この附則に定めるもののほか、この法律の施行に関して必要な経過措置（罰則に関する経過措置を含む。）は、政令で定める。

（検討）

第八条　政府は、この法律の施行後五年を経過した場合において、第一条から第四条までの規定による改正後の規定の施行の状況について検討を加え、必要があると認めるときは、その結果に基づいて必要な措置を講ずるものとする。

附　則〔抄〕〔平成一八・一二・二〇法律一一四〕

（施行期日）

第一条　この法律は、公布の日から起算して二年を超えない範囲内において政令で定める日から施行する。〔以下略〕

〔平成二〇政一八五により、平成二〇・一一・二八から施行〕

（建築基準法の一部改正に伴う経過措置）

第四条　適用開始日前に行った設計による建築物の計画については、適用開始日から起算して六月を経過する日までの間は、第三条の規定による改正後の建築基準法（次項において「新基準法」という。）第六条第三項第一号（新建築士法第二十条の二第一項及び第二十条の三第一項の規定に係る部分に限る。）、第二号及び第三号の規定は、適用しない。

2　施行日前に第三条の規定による改正前の建築基準法第六条第一項又は第六条の二第一項の規定による確認がされた建築物の工事及び前項の規定の適用がある場合において施行日以後に新基準法第六条第一項又は第六条の二第一項の規定による確認がされた建築物の工事については、新基準法第五条の四第二項及び第三項の規定は、適用しない。

（罰則に関する経過措置）

第六条　この法律（附則第一条第三号に掲げる規定については、当該規定）の施行前にした行為に対する罰則の適用については、なお従前の例による。

（政令への委任）

第七条　附則第二条から前条までに定めるもののほか、この法律の施行に関して必要な経過措置（罰則に関する経過措置を含む。）は、政令で定める。

（検討）

第八条　政府は、この法律の施行後五年を経過した場合において、第一条から第四条までの規定による改正後の規定の施行の状況について検討を加え、必要があると認めるときは、その結果に基づいて必要な措置を講ずるものとする。

附　則〔抄〕〔平成一九・三・三一法律一九〕

（施行期日）

第一条　この法律は、公布の日から起算して六月を超えない範囲内において政令で定める日から施行する。〔中略〕附則第五条の規定は、平成十九年四月一日から施行する。

〔平成一九政三〇三により、平成一九・九・二八から施行〕

（罰則に関する経過措置）

第四条　この法律の施行前にした行為に対する罰則の適用については、なお従前の例による。

（政令への委任）

第五条　前三条に定めるもののほか、この法律の施行に関して必要な経過措置（罰則に関する経過措置を含む。）は、政令で定める。

（検討）

第六条　政府は、この法律の施行後五年を経過した場合において、第二条から第四条までの規定による改正後の規定の施行の状況について検討を加え、必要があると認めるときは、その結果に基づいて必要な措置を講ずるものとする。

附　則〔略〕〔平成二〇・五・二三法律四〇〕

附　則〔略〕〔平成二三・五・二法律三五〕

附　則〔略〕〔平成二三・八・三〇法律一〇五施行〕

附　則〔略〕〔平成二三・一二・一四法律一二四〕

附　則〔略〕〔平成二四・八・二二法律六七〕

附　則〔略〕〔平成二五・五・二九法律二〇〕

附　則〔略〕〔平成二五・六・一四法律四四〕

附　則〔略〕〔平成二六・五・二一法律三九〕

附　則〔抄〕〔平成二六・六・四法律五四〕

（施行期日）

第一条　この法律は、公布の日から起算して一年を超えない範囲内において政令で定める日から施行する。ただし、次の各号に掲げる規定は、当該各号に定める日から施行する。

〔平成二七政一〇により、平成二七・六・一から施行〕

一　附則第四条の規定　公布の日

二　第五十二条第三項の改正規定（「部分（」の下に「第六項の政令で定める昇降機の昇降路の部分又は」を加える部分及び「又は」を「若しくは」に改める部分に限る。）及び同条第六項の改正規定並びに次条の規定〔中略〕公布の日から起算して六月を超えない範囲内において政令で定める日

〔平成二六政二三二により、平成二六・七・一から施行〕

三　第十二条第一項から第四項までの改正規定、同条の次に二条を加える改正規定、第八十八条第一項の改正規定（「第四項まで」の下に「、第十二条の二、第十二条の三」を加える部分に限る。）、同条第三項の改正規定（「除く。）」の下に「、第十二条の二、第十二条の三」を加える部分に限る。）及び第百五条の改正規定（同条第一号中「第七十七条の六十二」の下に「（第七十七条の六十六第二項において準用する場合を含む。）」を加える部分及び同条に一項を加える部分を除く。）〔中略〕公布の日から起算して二年を超えない範囲内において政令で定める日

〔平成二八政五により、平成二八・六・一から施行〕

（準備行為）

第二条　この法律による改正後の建築基準法（以下「新法」という。）第十二条の二第一項の建築物調査員資格者証及び新法第十二条の三第一項の建築設備等検査員資格者証の交付及びこれに関し必要な手続その他の行為は、前条第三号に掲げる規定の施行の日前においても、新法第十二条の二及び第十二条の三の規定の例により行うことができる。

2　新法第二十一条第二項第二号及び第二十七条第一項の規定に基づき国土交通大臣がする認定及びこれに関し必要な手続その他の行為は、この法律の施行の日（以下「施行日」という。）前においても、新法第六十八条の二十五の規定の例により行うことができる。

3　新法第三十八条の規定に基づき国土交通大臣がする認定及びこれに関し必要な手続その他の行為は、施行日前においても、新法第六十八条の二十六の規定の例により行うことができる。

（経過措置）

第三条　新法第六条から第六条の三まで又は第十八条第一項から第十五項までの規定は、施行日以後に新法第六条第一項若しくは第六条の二第一項の規定による確認の申請又は新法第十八条第二項の規定による通知がされた建築物について適用し、施行日前にこの法律による改正前の建築基準法（以下この条において「旧法」という。）第六条第一項若しくは第六条の二第一項の規定による確認の申請又は旧法第十八条第二項の規定による通知がされた建築物については、なお従前の例による。

2　この法律の施行の際現に旧法第六条の二第一項（旧法第八十七条第一項、第八十七条の二又は第八十八条第一項若しくは第二項において準用する場合を含む。）又は第七条の二第一項（旧法第八十七条の二又は第八十八条第一項若しくは第二項において準用する場合を含む。）の規定による指定を受けている者は、新法第六条の二第一項（新法第八十七条第一項、第八十七条の二又は第八十八条第一項若しくは第二項において準用する場合を含む。）又は第七条の二第一項（新法第八十七条の二又は第八十八条第一項若しくは第二項において準用する場合を含む。）の規定による指定を受けた者とみなす。

3　施行日前に旧法第七条の六第一項第一号又は第十八条第二十二項第一号の規定により特定行政庁がした仮使用の承認は、新法第七条の六第一項第一号又は第十八条第二十四項第一号の規定により特定行政庁がした認定とみなす。

4　施行日前に旧法第七条の六第一項第一号又は第十八条第二十二項第一号の規定により建築主事がした仮使用の承認は、新法

第七条の六第一項第二号又は第十八条第二十四項第二号の規定により建築主事がした認定とみなす。

5　この法律の施行の際現に旧法第十八条の二第一項の規定により指定を受けている者であって、二以上の都道府県の区域において構造計算適合性判定の業務を行っているものは、施行日に新法第十八条の二第一項の規定により国土交通大臣が指定した者とみなす。この場合において、その者に係る当該指定の有効期間は、同日におけるその者に係る旧法第十八条の二第一項の規定による指定の有効期間の残存期間と同一の期間とする。

6　新法第七十七条の三十五の五第二項及び第三項の規定は、施行日から起算して十四日を経過する日以後に同条第二項に規定する事項を変更しようとする指定構造計算適合性判定機関について適用し、同日前に当該事項を変更しようとする指定構造計算適合性判定機関については、なお従前の例による。この場合においては、新法第七十七条の三十五の八第二項及び第三項の規定は、適用しない。

7　この法律の施行の際現に旧法第七十七条の三十五の七第二項に規定する国土交通省令で定める要件を備える者は、施行日から起算して二年を経過する日までの間は、新法第七十七条の三十五の九第二項の規定の適用については、新法第七十七条の六十六第一項の登録を受けた者とみなす。

8　施行日前に旧法第七十七条の三十五の七第四項の規定により都道府県知事がした命令は、新法第七十七条の三十五の九第四項の規定により国土交通大臣等がした命令とみなす。

9　施行日前にされた旧法第七十七条の三十五の十一の規定による命令については、新法第七十七条の三十五の十六第二項の規定は、適用しない。

10　施行日前にした行為に対する罰則の適用については、なお従前の例による。

（政令への委任）

第四条　前二条に定めるもののほか、この法律の施行に関して必要な経過措置（罰則に関する経過措置を含む。）は、政令で定める。

（検討）

第五条　政府は、この法律の施行後五年を経過した場合において、新法の施行の状況について検討を加え、必要があると認めるときは、その結果に基づいて必要な措置を講ずるものとする。

附　則〔略〕〔平成二六・六・一三法律六九〕

附　則〔略〕〔平成二六・六・二七法律九二〕

附　則〔略〕〔平成二七・六・二四法律四五〕

附　則〔抄〕〔平成二七・六・二六法律五〇〕

（施行期日）

第一条　この法律は、平成二十八年四月一日から施行する。ただし、次の各号に掲げる規定は、当該各号に定める日から施行する。

一　〔前略〕第十七条（建築基準法第八十条を削る改正規定、同法第八十条の二を同法第八十条とする改正規定、同法第八十条の三を同法第八十条の二とする改正規定及び同法第八十三条の改正規定を除く。）の規定並びに附則第四条及び第六条から第八条までの規定　公布の日

二～五　〔略〕

（処分、申請等に関する経過措置）

第六条　この法律（附則第一条各号に掲げる規定については、当該各規定。以下この条及び次条において同じ。）の施行前にこの法律による改正前のそれぞれの法律の規定によりされた許可等の処分その他の行為（以下この項において「処分等の行為」という。）又はこの法律の施行の際現にこの法律による改正前のそれぞれの法律の規定によりされている許可等の申請その他の行為（以下この項において「申請等の行為」という。）で、この法律の施行の日においてこれらの行為に係る行政事務を行うべき者が異なることとなるものは、附則第二条から前条までの規定又は附則第八条の規定に基づく政令の規定に定めるものを除き、この法律の施行の日以後におけるこの法律による改正後のそれぞれの法律の適用については、この法律による改正後のそれぞれの法律の相当規定によりされた処分等の行為又は申請等の行為とみなす。

2　この法律の施行前にこの法律による改正前のそれぞれの法律の規定により国又は地方公共団体の機関に対し報告、届出、提出その他の手続をしなければならない事項で、この法律の施行の日前にその手続がされていないものについては、附則第二条から前条までの規定又は附則第八条の規定に基づく政令の規定に定めるもののほか、これを、この法律による改正後のそれぞれの法律の相当規定により国又は地方公共団体の相当の機関に対して報告、届出、提出その他の手続をしなければならない事項についてその手続がされていないものとみなして、この法律による改正後のそれぞれの法律の規定を適用する。

（罰則に関する経過措置）

第七条　この法律の施行前にした行為に対する罰則の適用については、なお従前の例による。

（政令への委任）

第八条　附則第二条から前条までに規定するもののほか、この法律の施行に関し必要な経過措置（罰則に関する経過措置を含む。）は、政令で定める。

附　則〔抄〕〔平成二八・五・二〇法律四七〕

（施行期日）

第一条　この法律〔中略〕は、当該各号に定める日から施行する。

一　〔前略〕附則第四条第一項及び第二項、第六条から第十条まで〔中略〕の規定　公布の日

二　〔略〕

三　第十三条の規定及び附則第十七条の規定　この法律の公布の日又は建築基準法の一部を改正する法律（平成二十六年法律第五十四号）附則第一条第三号に掲げる規定の施行の日のいずれか遅い日〔平成二八・六・一〕

（処分、申請等に関する経過措置）

第七条　この法律（附則第一条各号に掲げる規定については、当該各規定。以下この条及び次条において同じ。）の施行の日前にこの法律による改正前のそれぞれの法律の規定によりされた承認等の処分その他の行為（以下この項において「処分等の行為」という。）又はこの法律の施行の際現にこの法律による改正前のそれぞれの法律の規定によりされている承認等の申請その他の行為（以下この項において「申請等の行為」という。）で、この法律の施行の日においてこれらの行為に係る行政事務を行うべき者が異なることとなるものは、この附則又は附則第九条の規定に基づく政令に定めるものを除き、この法律の施行の日以後におけるこの法律による改正後のそれぞれの法律の適用については、この法律による改正後のそれぞれの法律の相当規定によりされた処分等の行為又は申請等の行為とみなす。

2　この法律の施行の日前にこの法律による改正前のそれぞれの法律の規定により国又は地方公共団体の機関に対し、届出その他の手続をしなければならない事項で、この法律の施行の日前にその手続がされていないものについては、この附則又は附則

第九条の規定に基づく政令に定めるもののほか、これを、この法律による改正後のそれぞれの法律の相当規定により国又は地方公共団体の相当の機関に対して届出その他の手続をしなければならない事項についてその手続がされていないものとみなして、この法律による改正後のそれぞれの法律の規定を適用する。

（罰則に関する経過措置）

第八条　この法律の施行前にした行為及びこの附則の規定によりなお従前の例によることとされる場合におけるこの法律の施行後にした行為に対する罰則の適用については、なお従前の例による。

（政令への委任）

第九条　この附則に定めるもののほか、この法律の施行に関し必要な経過措置（罰則に関する経過措置を含む。）は、政令で定める。

附　則〔抄〕〔平成二八・六・七法律七二〕

（施行期日）

第一条　この法律は、公布の日から起算して三月を超えない範囲内において政令で定める日から施行する。

〔平成二八政二八七により、平成二八・九・一から施行〕

（政令への委任）

第三条　前条に定めるもののほか、この法律の施行に関し必要な経過措置は、政令で定める。

（検討）

第四条　政府は、この法律の施行後五年を経過した場合において、第一条から第三条までの規定による改正後の規定の施行の状況について検討を加え、必要があると認めるときは、その結果に基づいて必要な措置を講ずるものとする。

附　則〔抄〕〔平成二九・五・一二法律二六〕

（施行期日）

第一条　この法律は、公布の日から起算して二月を超えない範囲内において政令で定める日から施行する。ただし、次の各号に掲げる規定は、当該各号に定める日から施行する。

〔平成二九政一五五により、平成二九・六・一五から施行〕

一　附則第二十五条の規定　公布の日

二　〔前略〕第六条の規定〔中略〕公布の日から起算して一年を超えない範囲内において政令で定める日

〔平成二九政一五五により、平成三〇・四・一から施行〕

（罰則に関する経過措置）

第四条　施行日前にした行為に対する罰則の適用については、なお従前の例による。

（検討）

第五条　政府は、この法律の施行後五年を経過した場合において、第一条、第二条及び第四条から第六条までの規定による改正後の規定の施行の状況について検討を加え、必要があると認めるときは、その結果に基づいて必要な措置を講ずるものとする。

（政令への委任）

第二五条　この附則に定めるもののほか、この法律の施行に関し必要な経過措置は、政令で定める。

附　則〔抄〕〔平成三〇・四・二五法律二二〕

（施行期日）

1　この法律は、公布の日から起算して三月を超えない範囲内において政令で定める日から施行する。

〔平成三〇政二〇一により、平成三〇・七・一五から施行〕

（政令への委任）

2　この法律の施行に関し必要な経過措置は、政令で定める。

（検討）

3　政府は、この法律の施行後五年を経過した場合において、第一条から第三条までの規定による改正後の規定の施行の状況について検討を加え、必要があると認めるときは、その結果に基づいて必要な措置を講ずるものとする。

附　則〔略〕〔平成三〇・五・三〇法律三三〕

附　則〔抄〕〔平成三〇・六・二七法律六七〕

（施行期日）

第一条　この法律は、公布の日から起算して一年を超えない範囲内において政令で定める日から施行する。ただし、次の各号に掲げる規定は、当該各号に定める日から施行する。

〔令和元政二九により、令和元・六・二五から施行〕

一　附則第四条の規定　公布の日

二　第一条の規定並びに次条並びに附則第三条〔中略〕の規定　公布の日から起算して三月を超えない範囲内において政令で定める日

〔平成三〇政二五四により、平成三〇・九・二五から施行〕

（経過措置）

第二条　第一条の規定の施行の際現に存する同条の規定による改正前の建築基準法（次項において「旧法」という。）第四十二条第一項第三号に掲げる道に該当するものは、第一条の規定による改正後の建築基準法（次項において「新法」という。）第四十二条第一項第三号に掲げる道に該当するものとみなす。

2　第一条の規定の施行の際現に存する旧法第四十二条第二項に規定する道に該当するものは、新法第四十二条第二項に規定する道に該当するものとみなす。

（罰則に関する経過措置）

第三条　この法律（附則第一条第二号に掲げる規定については、当該規定）の施行前にした行為に対する罰則の適用については、なお従前の例による。

（政令への委任）

第四条　前二条に定めるもののほか、この法律の施行に関し必要な経過措置（罰則に関する経過措置を含む。）は、政令で定める。

（検討）

第五条　政府は、この法律の施行後五年を経過した場合において、この法律による改正後の建築基準法の施行の状況について検討を加え、必要があると認めるときは、その結果に基づいて必要な措置を講ずるものとする。

附　則〔抄〕〔令和元・六・一四法律三七〕

（施行期日）

第一条　この法律は、公布の日から起算して三月を経過した日から施行する。ただし、次の各号に掲げる規定は、当該各号に定める日から施行する。

一　〔前略〕次条並びに附則第三条及び第六条の規定　公布の日

二　〔略〕

三　第百四十五条（建築基準法第七十七条の十九第七号及び第七十七条の三十五の三第七号の改正規定並びに同法第七十七条の五十九の改正規定（同条第六号中「第七条第五号」を「第七条第四号」に改める部分に限る。）に限る。）〔中略〕の規定　令和元年十二月一日

四　〔略〕

（行政庁の行為等に関する経過措置）

第二条　この法律（前条各号に掲げる規定にあっては、当該規定。以下この条及び次条において同じ。）の施行の日前に、この法律による改正前の法律又はこれに基づく命令の規定（欠格条項

その他の権利の制限に係る措置を定めるものに限る。）に基づき行われた行政庁の処分その他の行為及び当該規定により生じた失職の効力については、なお従前の例による。

（罰則に関する経過措置）

第三条　この法律の施行前にした行為に対する罰則の適用については、なお従前の例による。

（検討）

第七条　政府は、会社法（平成十七年法律第八十六号）及び一般社団法人及び一般財団法人に関する法律（平成十八年法律第四十八号）における法人の役員の資格を成年被後見人又は被保佐人であることを理由に制限する旨の規定について、この法律の公布後一年以内を目途として検討を加え、その結果に基づき、当該規定の削除その他の必要な法制上の措置を講ずるものとする。

附　則〔抄〕〔令和二・六・一〇法律四三〕

（施行期日）

第一条　この法律は、公布の日から起算して三月を超えない範囲内において政令で定める日から施行する。〔以下略〕

〔令和二政二六七により、令和二・九・七から施行〕

（政令への委任）

第四条　前二条に規定するもののほか、この法律の施行に関し必要な経過措置は、政令で定める。

（検討）

第五条　政府は、この法律の施行後五年を経過した場合において、この法律による改正後の規定の施行の状況について検討を加え、必要があると認めるときは、その結果に基づいて必要な措置を講ずるものとする。

附　則〔略〕〔令和三・五・一〇法律三一〕

附　則〔略〕〔令和三・五・二六法律四四〕

附　則〔抄〕〔令和四・五・二〇法律四四〕

（施行期日）

第一条　この法律は、公布の日から起算して三月を経過した日から施行する。ただし、次の各号に掲げる規定は、当該各号に定める日から施行する。

一　〔前略〕附則第六条の規定　公布の日

二　第十一条の規定〔中略〕公布の日から起算して一月を超えない範囲内において政令で定める日

〔令和四政二〇二により、令和四・五・三一から施行〕

三　〔略〕

（罰則に関する経過措置）

第五条　この法律の施行前にした行為に対する罰則の適用については、なお従前の例による。

（政令への委任）

第六条　附則第二条から前条までに規定するもののほか、この法律の施行に関し必要な経過措置は、政令で定める。

附　則〔略〕〔令和四・五・二七法律五五〕

附　則〔抄〕〔令和四・六・一七法律六八〕

（施行期日）

1　この法律は、刑法等一部改正法（令和四年法律第六十七号）施行日（令和七・六・一）から施行する。ただし、次の各号に掲げる規定は、当該各号に定める日から施行する。

一　第五百九条の規定　公布の日

二　〔略〕

刑法等の一部を改正する法律の施行に伴う関係法律の整理等に関する法律〔抄〕

〔令和四・六・一七 法律六八〕

（罰則の適用等に関する経過措置）

第四四一条　刑法等の一部を改正する法律（令和四年法律第六十七号。以下「刑法等一部改正法」という。）及びこの法律（以下「刑法等一部改正法等」という。）の施行前にした行為の処罰については、次章に別段の定めがあるもののほか、なお従前の例による。

2　刑法等一部改正法等の施行後にした行為に対して、他の法律の規定によりなお従前の例によることとされ、なお効力を有することとされ又は改正前若しくは廃止前の法律の規定の例によることとされる罰則を適用する場合において、当該罰則に定める刑（刑法施行法第十九条第一項の規定又は第八十二条の規定による改正後の沖縄の復帰に伴う特別措置に関する法律第二十五条第四項の規定の適用後のものを含む。）に刑法等一部改正法第二条の規定による改正前の刑法（明治四十年法律第四十五号。以下この項において「旧刑法」という。）第十二条に規定する懲役（以下「懲役」という。）、旧刑法第十三条に規定する禁錮（以下「禁錮」という。）又は旧刑法第十六条に規定する拘留（以下「旧拘留」という。）が含まれるときは、当該刑のうち無期の懲役又は禁錮はそれぞれ無期拘禁刑と、有期の懲役又は禁錮はそれぞれその刑と長期及び短期（刑法施行法第二十条の規定の適用後のものを含む。）を同じくする有期拘禁刑と、旧拘留は長期及び短期（刑法施行法第二十条の規定の適用後のものを含む。）を同じくする拘留とする。

（裁判の効力とその執行に関する経過措置）

第四四二条　懲役、禁錮及び旧拘留の確定裁判の効力並びにその執行については、次章に別段の定めがあるもののほか、なお従前の例による。

（人の資格に関する経過措置）

第四四三条　懲役、禁錮又は旧拘留に処せられた者に係る人の資格に関する法令の規定の適用については、無期の懲役又は禁錮に処せられた者はそれぞれ無期拘禁刑に処せられた者と、有期の懲役又は禁錮に処せられた者はそれぞれ刑期を同じくする有期拘禁刑に処せられた者と、旧拘留に処せられた者は拘留に処せられた者とみなす。

2　拘禁刑又は拘留に処せられた者に係る他の法律の規定によりなお従前の例によることとされ、なお効力を有することとされ又は改正前若しくは廃止前の法律の規定の例によることとされる人の資格に関する法令の規定の適用については、無期拘禁刑に処せられた者は無期禁錮に処せられた者と、有期拘禁刑に処せられた者は刑期を同じくする有期禁錮に処せられた者と、拘留に処せられた者は刑期を同じくする旧拘留に処せられた者とみなす。

（経過措置の政令への委任）

第五〇九条　この編に定めるもののほか、刑法等一部改正法等の施行に伴い必要な経過措置は、政令で定める。

附　則〔抄〕〔令和四・六・一七法律六九〕

（施行期日）

第一条　この法律は、公布の日から起算して三年を超えない範囲内において政令で定める日から施行する。ただし、次の各号に掲げる規定は、当該各号に定める日から施行する。

〔令和六政一七一により、令和七・四・一から施行〕

一　附則第五条の規定　公布の日

二　〔略〕

三　〔前略〕第三条の規定〔中略〕公布の日から起算して一年を超えない範囲内において政令で定める日

〔令和四政三五〇により、令和五・四・一から施行〕

四　〔前略〕第四条（建築基準法第二条の改正規定（同条第十七号の改正規定を除く。）、同法第二十一条の改正規定、同法第二十三条の改正規定、同法第二十六条の改正規定、同法第二十七条の改正規定、同法第五十二条第十四項第三号の改正規定、同法第六十一条に一項を加える改正規定、同法第八十六条の七の改正規定、同法第八十七条第四項の改正規定及び同法第八十八条第一項の改正規定（「から第三号まで」を「又は第二号」に、「同項第四号」を「同項第三号」に改める部分及び「それぞれ」を削る部分を除く。）に限る。）〔中略〕の規定並びに附則第四条〔中略〕の規定　公布の日から起算して二年を超えない範囲内において政令で定める日

〔令和五政二七九により、令和六・四・一から施行〕

（建築基準法の一部改正に伴う経過措置）

第三条　第四条の規定による改正後の建築基準法第六条第一項又は第十八条第二項の規定は、施行日以後にその工事に着手する建築物の建築、大規模の修繕又は大規模の模様替について適用する。

（罰則の適用に関する経過措置）

第四条　この法律（附則第一条第四号に掲げる規定にあっては、当該規定）の施行前にした行為及び附則第二条の規定によりなお従前の例によることとされる場合におけるこの法律の施行後にした行為に対する罰則の適用については、なお従前の例による。

（政令への委任）

第五条　前三条に定めるもののほか、この法律の施行に関し必要な経過措置（罰則に関する経過措置を含む。）は、政令で定める。

（検討）

第六条　政府は、この法律の施行後五年を目途として、この法律による改正後のそれぞれの法律の規定について、その施行の状況等を勘案して検討を加え、必要があると認めるときは、その結果に基づいて所要の措置を講ずるものとする。

附　則〔抄〕〔令和五・六・一六法律五八〕

（施行期日）

第一条　この法律は、公布の日から施行する。ただし、次の各号に掲げる規定は、当該各号に定める日から施行する。

一・二　〔略〕

三　第七条の規定並びに附則第四条〔中略〕の規定　公布の日から起算して一年を超えない範囲内において政令で定める日

〔令和五政二九二により、令和六・四・一から施行〕

（建築基準法の一部改正に伴う経過措置）

第四条　附則第一条第三号に掲げる規定の施行の日前に第七条の規定による改正前の建築基準法（以下この条において「旧建築基準法」という。）第五条第一項の建築基準適合判定資格者検定に合格した者（建築基準法の一部を改正する法律（平成十年法律第百号）附則第二条第二項の規定により建築基準適合判定資格者検定に合格した者とみなされた者を含む。）は、第七条の規定による改正後の建築基準法（以下この条において「新建築基準法」という。）第七十七条の五十八第一項に規定する者とみなす。

2　附則第一条第三号に掲げる規定の施行の際現に旧建築基準法第七十七条の五十八第一項の登録を受けている者は、新建築基準法第七十七条の五十八第二項の一級建築基準適合判定資格者登録簿への同条第一項の登録を受けている者とみなす。

3　附則第一条第三号に掲げる規定の施行の際現に存する旧建築基準法第七十七条の五十八第二項の規定による建築基準適合判定資格者登録簿は、新建築基準法第七十七条の五十八第二項の規定による一級建築基準適合判定資格者登録簿とみなす。

（政令への委任）

第五条　前三条に規定するもののほか、この法律の施行に関し必要な経過措置は、政令で定める。

附　則〔抄〕〔令和五・六・一六法律六三〕

（施行期日）

第一条　この法律は、公布の日から起算して一年を超えない範囲内において政令で定める日から施行する。ただし、次の各号に掲げる規定は、当該各号に定める日から施行する。

〔令和五政二八四により、令和六・四・一から施行〕

一　〔前略〕附則第七条〔中略〕の規定　公布の日

二　〔略〕

（罰則に関する経過措置）

第六条　この法律の施行前にした行為に対する罰則の適用については、なお従前の例による。

（政令への委任）

第七条　この附則に定めるもののほか、この法律の施行に関し必要な経過措置（罰則に関する経過措置を含む。）は、政令で定める。

附　則〔抄〕〔令和六・六・一九法律五三〕

（施行期日）

第一条　この法律〔中略〕は、当該各号に定める日から施行する。

一　〔前略〕附則第八条の規定　公布の日

二　〔略〕

三　第七条の規定並びに附則第四条〔中略〕の規定　公布の日から起算して六月を超えない範囲内において政令で定める日

四・五　〔略〕

（建築基準法の一部改正に伴う経過措置）

第四条　附則第一条第三号に掲げる規定の施行の際現に第七条の規定による改正前の建築基準法（以下この条において「旧建築基準法」という。）第六条の二第一項（旧建築基準法第八十七条第一項、第八十七条の四又は第八十八条第一項若しくは第二項において準用する場合を含む。）又は第七条の二第一項（旧建築基準法第八十七条の四又は第八十八条第一項若しくは第二項において準用する場合を含む。）の規定による指定を受けている者は、第七条の規定による改正後の建築基準法（以下この条において「新建築基準法」という。）第六条の二第一項（新建築基準法第八十七条第一項、第八十七条の四又は第八十八条第一項若しくは第二項において準用する場合を含む。）又は第七条の二第一項（新建築基準法第八十七条の四又は第八十八条第一項若しくは第二項において準用する場合を含む。）の規定による指定を受けた者とみなす。

（政令への委任）

第八条　附則第二条から前条までに規定するもののほか、この法律の施行に関し必要な経過措置（罰則に関する経過措置を含む。）は、政令で定める。

別表第一　耐火建築物等としなければならない特殊建築物（第六条、第二十一条、第二十七条、第二十八条、第三十五条―第三十五条の三、第九十条の三関係）

	（い）	（ろ）	（は）	（に）
	用途	（い）欄の用途に供する階	（い）欄の用途に供する部分（㈠項の場合にあつては客席、㈡項及び㈣項の場合にあつては二階、㈤項の場合にあつては三階以上の部分に限り、かつ、病院及び診療所についてはその部分に患者の収容施設がある場合に限る。）の床面積の合計	（い）欄の用途に供する部分の床面積の合計
㈠	劇場、映画館、演芸場、観覧場、公会堂、集会場その他これらに類するもので政令で定めるもの	三階以上の階	二百平方メートル（屋外観覧席にあつては、千平方メートル）以上	
㈡	病院、診療所（患者の収容施設があるものに限る。）、ホテル、旅館、下宿、共同住宅、寄宿舎その他これらに類するもので政令で定めるもの	三階以上の階	三百平方メートル以上	
㈢	学校、体育館その他これらに類するもので政令で定めるもの	三階以上の階	二千平方メートル以上	
㈣	百貨店、マーケット、展示場、キャバレー、カフェー、ナイトクラブ、バー、ダンスホール、遊技場その他これらに類するもので政令で定めるもの	三階以上の階	五百平方メートル以上	
㈤	倉庫その他これらに類するもので政令で定めるもの		二百平方メートル以上	千五百平方メートル以上
㈥	自動車車庫、自動車修理工場その他これらに類するもので政令で定めるもの	三階以上の階		百五十平方メートル以上

（追加・昭和三四法一五六、改正・昭和三六法一一五・昭和四五法一〇九・昭和五一法八三・昭和六二法六六・平成四法八二・平成二六法五四・平成三〇法六七）

参照　【政令で定めるもの―令一一五の三（（い）欄の㈠項及び㈤項の政令は未制定）】【床面積―法九二、令二①3

別表第二　用途地域等内の建築物の制限（第二十七条、第四十八条、第六十八条の三関係）

（い）	第一種低層住居専用地域内に建築することができる建築物	一　住宅 二　住宅で事務所、店舗その他これらに類する用途を兼ねるもののうち政令で定めるもの 三　共同住宅、寄宿舎又は下宿 四　学校（大学、高等専門学校、専修学校及び各種学校を除く。）、図書館その他これらに類するもの 五　神社、寺院、教会その他これらに類するもの 六　老人ホーム、保育所、福祉ホームその他これらに類するもの 七　公衆浴場（風俗営業等の規制及び業務の適正化等に関する法律（昭和二十三年法律第百二十二号）第二条第六項第一号に該当する営業（以下この表において「個室付浴場業」という。）に係るものを除く。） 八　診療所 九　巡査派出所、公衆電話所その他これらに類する政令で定める公益上必要な建築物 十　前各号の建築物に附属するもの（政令で定めるものを除く。）
（ろ）	第二種低層住居専用地域内に建築することができる建築物	一　（い）項第一号から第九号までに掲げるもの 二　店舗、飲食店その他これらに類する用途に供するもののうち政令で定めるものでその用途に供する部分の床面積の合計が百五十平方メートル以内のもの（三階以上の部分をその用途に供するものを除く。） 三　前二号の建築物に附属するもの（政令で定めるものを除く。）
		一　（い）項第一号から第九号までに掲げるもの 二　大学、高等専門学校、専修学校その他これらに類するもの

(は)	第一種中高層住居専用地域内に建築することができる建築物	三 病院 四 老人福祉センター、児童厚生施設その他これらに類するもの 五 店舗、飲食店その他これらに類する用途に供するもののうち政令で定めるものでその用途に供する部分の床面積の合計が五百平方メートル以内のもの（三階以上の部分をその用途に供するものを除く。） 六 自動車車庫で床面積の合計が三百平方メートル以内のもの又は都市計画として決定されたもの（三階以上の部分をその用途に供するものを除く。） 七 公益上必要な建築物で政令で定めるもの 八 前各号の建築物に附属するもの（政令で定めるものを除く。）
(に)	第二種中高層住居専用地域内に建築してはならない建築物	一 (ほ)項第二号及び第三号、(へ)項第三号から第五号まで、(と)項第四号並びに(り)項第二号及び第三号に掲げるもの 二 工場（政令で定めるものを除く。） 三 ボーリング場、スケート場、水泳場その他これらに類する政令で定める運動施設 四 ホテル又は旅館 五 自動車教習所 六 政令で定める規模の畜舎 七 三階以上の部分を(は)項に掲げる建築物以外の建築物の用途に供するもの（政令で定めるものを除く。） 八 (は)項に掲げる建築物以外の建築物の用途に供するものでその用途に供する部分の床面積の合計が千五百平方メートルを超えるもの（政令で定めるものを除く。）
(ほ)	第一種住居地域内に建築してはならない建築物	一 (へ)項第一号から第五号までに掲げるもの 二 マージャン屋、ぱちんこ屋、射的場、勝馬投票券発売所、場外車券売場その他これらに類するもの 三 カラオケボックスその他これに類するもの 四 (は)項に掲げる建築物以外の建築物の用途に供するものでその用途に供する部分の床面積の合計が三千平方メートルを超えるもの（政令で定めるものを除く。）
(へ)	第二種住居地域内に建築してはならない建築物	一 (と)項第三号及び第四号並びに(り)項に掲げるもの 二 原動機を使用する工場で作業場の床面積の合計が五十平方メートルを超えるもの 三 劇場、映画館、演芸場若しくは観覧場又はナイトクラブその他これに類する政令で定めるもの 四 自動車車庫で床面積の合計が三百平方メートルを超えるもの又は三階以上の部分にあるもの（建築物に附属するもので政令で定めるもの又は都市計画として決定されたものを除く。） 五 倉庫業を営む倉庫 六 店舗、飲食店、展示場、遊技場、勝馬投票券発売所、場外車券売場その他これらに類する用途で政令で定めるものに供する建築物でその用途に供する部分の床面積の合計が一万平方メートルを超えるもの
(と)	準住居地域内に建築してはならない建築物	一 (り)項に掲げるもの 二 原動機を使用する工場で作業場の床面積の合計が五十平方メートルを超えるもの（作業場の床面積の合計が百五十平方メートルを超えない自動車修理工場を除く。） 三 次に掲げる事業（特殊の機械の使用その他の特殊の方法による事業であつて住居の環境を害するおそれがないものとして政令で定めるものを除く。）を営む工場 (一) 容量十リットル以上三十リットル以下のアセチレンガス発生器を用いる金属の工作 (一の二) 印刷用インキの製造 (二) 出力の合計が〇・七五キロワット以下の原動機を使用する塗料の吹付 (二の二) 原動機を使用する魚肉の練製品の製造 (三) 原動機を使用する二台以下の研磨機による金属の乾燥研磨（工具研磨を除く。） (四) コルク、エボナイト若しくは合成樹脂の粉砕若しくは乾燥研磨又は木材の粉砕で原動機を使用するもの (四の二) 厚さ〇・五ミリメートル以上の金属板のつち打加工（金属工芸品の製造を目的とするものを除く。）又は原動機を使用する金属のプレス（液圧プレスのうち矯正プレスを使用するものを除く。）若しくはせん断 (四の三) 印刷用平版の研磨 (四の四) 糖衣機を使用する製品の製造 (四の五) 原動機を使用するセメント製品の製造 (四の六) ワイヤーフォーミングマシンを使用する金属線の加工で出力の合計が〇・七五キロワットを超える原動機を使用するもの (五) 木材の引割若しくはかんな削り、裁縫、機織、撚（ねん）糸、組ひも、編物、製袋又はやすりの目立で出力の合計が〇・七五キロワットを超える原動機を使用するもの (六) 製針又は石材の引割で出力の合計が一・五キロワットを超える原動機を使用するもの (七) 出力の合計が二・五キロワットを超える原動機を使用する製粉 (八) 合成樹脂の射出成形加工 (九) 出力の合計が十キロワットを超える原動機を使用する金属の切削

(十) メッキ

(十一) 原動機の出力の合計が一・五キロワットを超える空気圧縮機を使用する作業

(十二) 原動機を使用する印刷

(十三) ベンディングマシン（ロール式のものに限る。）を使用する金属の加工

(十四) タンブラーを使用する金属の加工

(十五) ゴム練用又は合成樹脂練用のロール機（カレンダーロール機を除く。）を使用する作業

(十六) (一)から(十五)までに掲げるもののほか、安全上若しくは防火上の危険の度又は衛生上若しくは健康上の有害の度が高いことにより、住居の環境を保護する上で支障があるものとして政令で定める事業

四　(る)項第一号(一)から(三)まで、(十一)又は(十二)の物品（(ぬ)項第四号及び(る)項第二号において「危険物」という。）の貯蔵又は処理に供するもので政令で定めるもの

五　劇場、映画館、演芸場若しくは観覧場のうち客席の部分の床面積の合計が二百平方メートル以上のもの又はナイトクラブその他これに類する用途で政令で定めるものに供する建築物でその用途に供する部分の床面積の合計が二百平方メートル以上のもの

六　前号に掲げるもののほか、劇場、映画館、演芸場若しくは観覧場、ナイトクラブその他これに類する用途で政令で定めるもの又は店舗、飲食店、展示場、遊技場、勝馬投票券発売所、場外車券売場その他これらに類する用途で政令で定めるものに供する建築物でその用途に供する部分（劇場、映画館、演芸場又は観覧場の用途に供する部分にあつては、客席の部分に限る。）の床面積の合計が一万平方メートルを超えるもの

(ち)

田園住居地域内に建築することができる建築物

一　(い)項第一号から第九号までに掲げるもの

二　農産物の生産、集荷、処理又は貯蔵に供するもの（政令で定めるものを除く。）

三　農業の生産資材の貯蔵に供するもの

四　地域で生産された農産物の販売を主たる目的とする店舗その他の農業の利便を増進するために必要な店舗、飲食店その他これらに類する用途に供するもののうち政令で定めるものでその用途に供する部分の床面積の合計が五百平方メートル以内のもの（三階以上の部分をその用途に供するものを除く。）

五　前号に掲げるもののほか、店舗、飲食店その他これらに類する用途に供するもののうち政令で定めるものでその用途に供する部分の床面積の合計が百五十平方メートル以内のもの（三階以上の部分をその用途に供するものを除く。）

六　前各号の建築物に附属するもの（政令で定めるものを除く。）

(り)

近隣商業地域内に建築してはならない建築物

一　(ぬ)項に掲げるもの

二　キャバレー、料理店その他これらに類するもの

三　個室付浴場業に係る公衆浴場その他これに類する政令で定めるもの

(ぬ)

商業地域内に建築してはならない建築物

一　(る)項第一号及び第二号に掲げるもの

二　原動機を使用する工場で作業場の床面積の合計が百五十平方メートルを超えるもの（日刊新聞の印刷所及び作業場の床面積の合計が三百平方メートルを超えない自動車修理工場を除く。）

三　次に掲げる事業（特殊の機械の使用その他の特殊の方法による事業であつて商業その他の業務の利便を害するおそれがないものとして政令で定めるものを除く。）を営む工場

(一) 玩具煙火の製造

(二) アセチレンガスを用いる金属の工作（アセチレンガス発生器の容量三十リットル以下のもの又は溶解アセチレンガスを用いるものを除く。）

(三) 引火性溶剤を用いるドライクリーニング、ドライダイイング又は塗料の加熱乾燥若しくは焼付（赤外線を用いるものを除く。）

(四) セルロイドの加熱加工又は機械のこぎりを使用する加工

(五) 絵具又は水性塗料の製造

(六) 出力の合計が〇・七五キロワットを超える原動機を使用する塗料の吹付

(七) 亜硫酸ガスを用いる物品の漂白

(八) 骨炭その他動物質炭の製造

(八の二) せつけんの製造

(八の三) 魚粉、フェザーミール、肉骨粉、肉粉若しくは血粉又はこれらを原料とする飼料の製造

(八の四) 手すき紙の製造

(九) 羽又は毛の洗浄、染色又は漂白

(十) ぼろ、くず綿、くず紙、くず糸、くず毛その他これらに類するものの消毒、選別、洗浄又は漂白

(十一) 製綿、古綿の再製、起毛、せん毛、反毛又はフェルトの製造で原動機を使用するもの

(十二) 骨、角、牙、ひづめ若しくは貝殻の引割若しくは乾燥研磨又は三台以上の研磨機による金属の乾燥研磨で原動機を使用するもの

(十三) 鉱物、岩石、土砂、コンクリート、アスファルト・コンクリート、硫黄、金属、ガラス、れんが、陶磁器、骨又は貝殻の粉砕で原動機を使用するもの

(十三の二)　レディーミクストコンクリートの製造又はセメントの袋詰で出力の合計が二・五キロワットを超える原動機を使用するもの
(十四)　墨、懐炉灰又はれん炭の製造
(十五)　活字若しくは金属工芸品の鋳造又は金属の溶融で容量の合計が五十リットルを超えないるつぼ又は窯を使用するもの（印刷所における活字の鋳造を除く。）
(十六)　瓦、れんが、土器、陶磁器、人造砥石、るつぼ又はほうろう鉄器の製造
(十七)　ガラスの製造又は砂吹
(十七の二)　金属の溶射又は砂吹
(十七の三)　鉄板の波付加工
(十七の四)　ドラム缶の洗浄又は再生
(十八)　スプリングハンマーを使用する金属の鍛造
(十九)　伸線、伸管又はロールを用いる金属の圧延で出力の合計が四キロワット以下の原動機を使用するもの
(二十)　(一)から(十九)までに掲げるもののほか、安全上若しくは防火上の危険の度又は衛生上若しくは健康上の有害の度が高いことにより、商業その他の業務の利便を増進する上で支障があるものとして政令で定める事業

四　危険物の貯蔵又は処理に供するもので政令で定めるもの

一　次に掲げる事業（特殊の機械の使用その他の特殊の方法による事業であつて環境の悪化をもたらすおそれのない工業の利便を害するおそれがないものとして政令で定めるものを除く。）を営む工場
(一)　火薬類取締法（昭和二十五年法律第百四十九号）の火薬類（玩具煙火を除く。）の製造

(る)

準工業地域内に建築してはならない建築物

(二)　消防法（昭和二十三年法律第百八十六号）第二条第七項に規定する危険物の製造（政令で定めるものを除く。）
(三)　マッチの製造
(四)　ニトロセルロース製品の製造
(五)　ビスコース製品、アセテート又は銅アンモニアレーヨンの製造
(六)　合成染料若しくはその中間物、顔料又は塗料の製造（漆又は水性塗料の製造を除く。）
(七)　引火性溶剤を用いるゴム製品又は芳香油の製造
(八)　乾燥油又は引火性溶剤を用いる擬革紙布又は防水紙布の製造
(九)　木材を原料とする活性炭の製造（水蒸気法によるものを除く。）
(十)　石炭ガス類又はコークスの製造
(十一)　可燃性ガスの製造（政令で定めるものを除く。）
(十二)　圧縮ガス又は液化ガスの製造（製氷又は冷凍を目的とするものを除く。）
(十三)　塩素、臭素、ヨード、硫黄、塩化硫黄、弗化水素酸、塩酸、硝酸、硫酸、燐酸、苛性カリ、苛性ソーダ、アンモニア水、炭酸カリ、洗濯ソーダ、ソーダ灰、さらし粉、次硝酸蒼鉛、亜硫酸塩類、チオ硫酸塩類、砒素化合物、鉛化合物、バリウム化合物、銅化合物、水銀化合物、シアン化合物、クロールズルホン酸、クロロホルム、四塩化炭素、ホルマリン、ズルホナール、グリセリン、イヒチオールズルホン酸アンモン、酢酸、石炭酸、安息香酸、タンニン酸、アセトアニリド、アスピリン又はグアヤコールの製造
(十四)　たんぱく質の加水分解による製品の製造
(十五)　油脂の採取、硬化又は加熱加工（化粧品の製造を除く。）
(十六)　ファクチス、合成樹脂、合成ゴム又は合成繊維の製造
(十七)　肥料の製造
(十八)　製紙（手すき紙の製造を除く。）又はパルプの製造
(十九)　製革、にかわの製造又は毛皮若しくは骨の精製
(二十)　アスファルトの精製
(二十一)　アスファルト、コールタール、木タール、石油蒸溜産物又はその残りかすを原料とする製造
(二十二)　セメント、石膏、消石灰、生石灰又はカーバイドの製造
(二十三)　金属の溶融又は精練（容量の合計が五十リットルを超えないるつぼ若しくは窯を使用するもの又は活字若しくは金属工芸品の製造を目的とするものを除く。）
(二十四)　炭素粉を原料とする炭素製品若しくは黒鉛製品の製造又は黒鉛の粉砕
(二十五)　金属厚板又は形鋼の工作で原動機を使用するはつり作業（グラインダーを用いるものを除く。）、びよう打作業又は孔埋作業を伴うもの
(二十六)　鉄釘類又は鋼球の製造
(二十七)　伸線、伸管又はロールを用いる金属の圧延で出力の合計が四キロワットを超える原動機を使用するもの
(二十八)　鍛造機（スプリングハンマーを除く。）を使用する金属の鍛造
(二十九)　動物の臓器又は排せつ物を原料とする医薬品の製造
(三十)　石綿を含有する製品の製造又は粉砕
(三十一)　(一)から(三十)までに掲げるもののほか、安全上若しくは防火上の危険の度又は衛

		生上若しくは健康上の有害の度が高いことにより、環境の悪化をもたらすおそれのない工業の利便を増進する上で支障があるものとして政令で定める事業 二　危険物の貯蔵又は処理に供するもので政令で定めるもの 三　個室付浴場業に係る公衆浴場その他これに類する政令で定めるもの
(を)	工業地域内に建築してはならない建築物	一　(る)項第三号に掲げるもの 二　ホテル又は旅館 三　キャバレー、料理店その他これらに類するもの 四　劇場、映画館、演芸場若しくは観覧場又はナイトクラブその他これに類する政令で定めるもの 五　学校（幼保連携型認定こども園を除く。） 六　病院 七　店舗、飲食店、展示場、遊技場、勝馬投票券発売所、場外車券売場その他これらに類する用途で政令で定めるものに供する建築物でその用途に供する部分の床面積の合計が一万平方メートルを超えるもの
(わ)	工業専用地域内に建築してはならない建築物	一　(を)項に掲げるもの 二　住宅 三　共同住宅、寄宿舎又は下宿 四　老人ホーム、福祉ホームその他これらに類するもの 五　物品販売業を営む店舗又は飲食店 六　図書館、博物館その他これらに類するもの 七　ボーリング場、スケート場、水泳場その他これらに類する政令で定める運動施設 八　マージャン屋、ぱちんこ屋、射的場、勝馬投票券発売所、場外車券売場その他これらに類するもの
(か)	用途地域の指定のない区域（都市計画法第七条第一項に規定する市街化調整区域を除く。）内に建築してはならない建築物	劇場、映画館、演芸場若しくは観覧場、ナイトクラブその他これに類する用途で政令で定めるもの又は店舗、飲食店、展示場、遊技場、勝馬投票券発売所、場外車券売場その他これらに類する用途で政令で定めるものに供する建築物でその用途に供する部分（劇場、映画館、演芸場又は観覧場の用途に供する部分にあつては、客席の部分に限る。）の床面積の合計が一万平方メートルを超えるもの

〔旧別表一を改正し繰下・昭和三四法一五六、改正・昭和三五法一四〇・昭和三六法一一五・昭和三七法八一・昭和四五法一〇九・昭和五〇法五九・昭和五一法八三・昭和五九法七六・昭和六二法六六・平成四法八二・平成一〇法五五・平成一八法四六・平成二四法六七・平成二六法五四・平成二七法四五・平成二九法二六〕

参照【住宅で事務所、店舗その他これらに類する用途を兼ねるもののうち政令で定めるもの—令一三〇の三】【巡査派出所、公衆電話所その他これらに類する政令で定める公益上必要な建築物—令一三〇の四】【第一種低層住居専用地域等内に建築してはならない附属建築物—令一三〇の五】【第二種低層住居専用地域及び田園住居地域内に建築することができる店舗、飲食店その他これらに類する用途に供するもののうち政令で定めるもの—令一三〇の五の二】【第一種中高層住居専用地域内に建築することができる店舗、飲食店その他これらに類する用途に供するもののうち政令で定めるもの—令一三〇の五の三】【公益上必要な建築物で政令で定めるもの—令一三〇の五の四】【第一種中高層住居専用地域内に建築してはならない附属建築物—令一三〇の五の五】【第二種中高層住居専用地域内に建築することができる工場—令一三〇の六】【政令で定める運動施設—令一三〇の六の二】【政令で定める規模の畜舎—令一三〇の七】【第一種住居地域内に建築することができる三〇〇〇平方メートルを超える建築物—令一三〇の七の二】【第二種住居地域及び工業地域内に建築してはならない建築物—令一三〇の七の三】【建築物に附属する自動車車庫で政令で定めるもの—令一三〇の八】【店舗、飲食店、展示場、遊技場、勝馬投票券発売所、場外車券売場その他これらに類する用途で政令で定めるもの—令一三〇の八の二】【特殊の機械の使用その他の特殊の方法による事業であつて住居の環境を害するおそれがないものとして政令で定めるもの—令一三〇の八の三】【危険物の貯蔵又は処理に供するもので政令で定めるもの—令一三〇の九】【準住居地域及び用途地域の指定のない区域内に建築してはならない建築物のナイトクラブに類する用途—令一三〇の九の二】【田園住居地域内に建築してはならない建築物—令一三〇の九の三】【田園住居地域内に建築することができる農業の利便を増進するために必要な店舗、飲食店等の建築物—令一三〇の九の四】【その他公衆浴場に類する政令で定めるもの—令一三〇の九の五】【商業その他の業務の利便を増進する上で支障があるものとして政令で定める事業—令一三〇の九の六】【特殊の機械の使用その他の特殊の方法による事業であつて環境の悪化をもたらすおそれのない工業の利便を害するおそれがないものとして政令で定めるもの—令一三〇の九の七】【準工業地域内に建築することのできる可燃性ガスの製造を営む工場—令一三〇の九の八】

引用規定—流通業務市街地の整備に関する法律施行令二①

別表第三　前面道路との関係についての建築物の各部分の高さの制限（第五十六条、第九十一条関係）

	(い)	(ろ)	(は)	(に)
	建築物がある地域、地区又は区域	第五十二条第一項、第二項、第七項及び第九項の規定による容積率の限度	距離	数値
一	第一種低層住居専用地域、第二種低層住居専用地域、第一種中高層住居専用地域、第二種中高層住居専用地域若しくは田園住居地域内の建築物又は第一種住居地域、第二種住居地域若しくは準住居地域内の建築物（四の項に掲げる建築物を除く。）	十分の二十以下の場合	二十メートル	一・二五
		十分の二十を超え、十分の三十以下の場合	二十五メートル	
		十分の三十を超え、十分の四十以下の場合	三十メートル	
		十分の四十を超える場合	三十五メートル	
二	近隣商業地域又は商業地域内の建築物	十分の四十以下の場合	二十メートル	一・五
		十分の四十を超え、十分の六十以下の場合	二十五メートル	
		十分の六十を超え、十分の八十以下の場合	三十メートル	
		十分の八十を超え、十分の百以下の場合	三十五メートル	
		十分の百を超え、十分の百十以下の場合	四十メートル	
		十分の百十を超え、十分の百二十以下の場合	四十五メートル	
		十分の百二十を超える場合	五十メートル	
三	準工業地域内の建築物（四の項に掲げる建築物を除く。）又は工業地域若しくは工業専用地域内の建築物	十分の二十以下の場合	二十メートル	一・五
		十分の二十を超え、十分の三十以下の場合	二十五メートル	
		十分の三十を超え、十分の四十以下の場合	三十メートル	
		十分の四十を超える場合	三十五メートル	
四	第一種住居地域、第二種住居地域又は準工業地域内について定められた高層住居誘導地区内の建築物であつて、その住宅の用途に供する部分の床面積の合計がその延べ面積の三分の二以上であるもの		三十五メートル	一・五
五	用途地域の指定のない区域内の建築物	十分の二十以下の場合	二十メートル	一・二五又は一・五のうち、特定行政庁が土地利用の状況等を考慮し当該区域を区分して都道府県都市計画審議会の議を経て定めるもの
		十分の二十を超え、十分の三十以下の場合	二十五メートル	
		十分の三十を超える場合	三十メートル	

備考

一　建築物がこの表(い)欄に掲げる地域、地区又は区域の二以上にわたる場合においては、同欄中「建築物」とあるのは、「建築物の部分」とする。

二　建築物の敷地がこの表(い)欄に掲げる地域、地区又は区域の二以上にわたる場合における同表(は)欄に掲げる距離の適用に関し必要な事項は、政令で定める。

三　この表(い)欄一の項に掲げる第一種中高層住居専用地域若しくは第二種中高層住居専用地域（第五十二条第一項第二号の規定により、容積率の限度が十分の四十以上とされている地域に限る。）又は第一種住居地域、第二種住居地域若しくは準住居地域のうち、特定行政庁が都道府県都市計画審議会の議を経て指定する区域内の建築物については、(は)欄一の項中「二十五メートル」とあるのは「二十メートル」と、「三十メートル」とあるのは「二十五メートル」と、「三十五メートル」とあるのは「三十メートル」と、(に)欄一の項中「一・二五」とあるのは「一・五」とする。

〔追加・昭和六二法六六、改正・平成四法八二・平成七法一三・平成九法七九・平成一二法七三・平成一四法八五・平成一六法六七・平成二九法二六〕

参照　【適用に関し必要な事項―令一三〇の一一】

別表第四 日影による中高層の建築物の制限（第五十六条、第五十六条の二関係）

	(い)	(ろ)	(は)	(に)		
	地域又は区域	制限を受ける建築物	平均地盤面からの高さ		敷地境界線からの水平距離が十メートル以内の範囲における日影時間	敷地境界線からの水平距離が十メートルを超える範囲における日影時間
一	第一種低層住居専用地域、第二種低層住居専用地域又は田園住居地域	軒の高さが七メートルを超える建築物又は地階を除く階数が三以上の建築物	一・五メートル	(一)	三時間（道の区域内にあっては、二時間）	二時間（道の区域内にあっては、一・五時間）
				(二)	四時間（道の区域内にあっては、三時間）	二・五時間（道の区域内にあっては、二時間）
				(三)	五時間（道の区域内にあっては、四時間）	三時間（道の区域内にあっては、二・五時間）
二	第一種中高層住居専用地域又は第二種中高層住居専用地域	高さが十メートルを超える建築物	四メートル又は六・五メートル	(一)	三時間（道の区域内にあっては、二時間）	二時間（道の区域内にあっては、一・五時間）
				(二)	四時間（道の区域内にあっては、三時間）	二・五時間（道の区域内にあっては、二時間）
				(三)	五時間（道の区域内にあっては、四時間）	三時間（道の区域内にあっては、二・五時間）
三	第一種住居地域、第二種住居地域、準住居地域、近隣商業地域又は準工業地域	高さが十メートルを超える建築物	四メートル又は六・五メートル	(一)	四時間（道の区域内にあっては、三時間）	二・五時間（道の区域内にあっては、二時間）
				(二)	五時間（道の区域内にあっては、四時間）	三時間（道の区域内にあっては、二・五時間）
四	用途地域の指定のない区域	イ 軒の高さが七メートルを超える建築物又は地階を除く階数が三以上の建築物	一・五メートル	(一)	三時間（道の区域内にあっては、二時間）	二時間（道の区域内にあっては、一・五時間）
				(二)	四時間（道の区域内にあっては、三時間）	二・五時間（道の区域内にあっては、二時間）
				(三)	五時間（道の区域内にあっては、四時間）	三時間（道の区域内にあっては、二・五時間）
		ロ 高さが十メートルを超える建築物	四メートル	(一)	三時間（道の区域内にあっては、二時間）	二時間（道の区域内にあっては、一・五時間）
				(二)	四時間（道の区域内にあっては、三時間）	二・五時間（道の区域内にあっては、二時間）
				(三)	五時間（道の区域内にあっては、四時間）	三時間（道の区域内にあっては、二・五時間）

この表において、平均地盤面からの高さとは、当該建築物が周囲の地面と接する位置の平均の高さにおける水平面からの高さをいうものとする。

〔追加・昭和五一法八三、旧別表三を改正し繰下・昭和六二法六六、改正・平成四法八二・平成一二法七三・平成一四法八五・平成二九法二六〕

○建築基準法施行令

〔昭和二五・一一・一六　政令三三八〕

改正　昭和二六・一〇政三四二、一二政三七一、昭和二七・五政一六四、八政三五三、昭和二八・九政二八四、昭和二九・六政一八三、昭和三一・六政一八五、八政二六五、昭和三二・五政九九、昭和三三・一〇政二八三、一一政三一八、昭和三四・一二政三四四、昭和三五・六政一八五、一〇政二七二、昭和三六・一二政三九六、昭和三七・七政三〇九、八政三三二、昭和三九・一政四、四政一〇六、一一政三四七、昭和四二・一〇政三三五、昭和四四・一政八、六政一五八、八政二三二、昭和四五・六政一七六、一二政三三三、昭和四六・六政一八八、昭和四七・一二政四二〇、昭和四八・八政二四二、昭和四九・六政二〇三、昭和五〇・一政二、一〇政三〇四、一二政三八一、昭和五一・八政二二八、昭和五二・九政二六六、昭和五三・四政一二三、五政二〇六、昭和五五・七政一九六、一〇政二七三、昭和五六・四政一四四、七政二四八、昭和五七・一一政三〇二、昭和五九・二政一五、六政二三一、昭和六〇・三政三一、昭和六一・二政一七、八政二七四、昭和六二・三政五七、一〇政三四八、昭和六三・二政二五、四政八九、一一政三二二、平成元・一一政三〇九、平成二・一一政三二三、一二政三四七、平成三・三政二五、平成五・五政一七〇、六政二三五、一二政三八五、平成六・三政六九、六政一九三、八政二七八、一二政四一一、平成七・五政二一四、一〇政三五九、平成八・一〇政三〇八、平成九・三政七四、六政一九六、八政二七四、一一政三二五、平成一〇・一〇政三五一、一一政三七二、平成一一・一政五、一〇政三一二、一一政三五二、政三七一、一二政四三一、平成一二・四政二一一、六政三一二、九政四三四、平成一三・三政四二、政八五、政九八、七政二三九、平成一四・五政一九一、一一政三三一、一二政三九三、平成一五・七政三二一、九政四二三、一二政四七六、政五二三、平成一六・二政一九、三政五九、四政一六八、六政二一〇、一〇政三二五、一二政三九九、平成一七・三政七四、五政一八二、政一九二、七政二四六、一一政三三四、平成一八・九政三〇八、政三一〇、九政三二〇、一一政三五〇、平成一九・三政四九、三政六九、八政二三五、平成二〇・九政二九〇、一〇政三三八、平成二三・一政一〇、三政四六、八政二八二、一一政三六三、平成二四・七政二〇二、九政二三九、平成二五・七政二一七、平成二六・六政二二一、政二三二、七政二三九、一二政四一二、平成二七・一政六、政一一、政一三、七政二七三、一一政三八二、政三九二、一二政四二一、平成二八・一政六、二政四三、八政二八八、平成二九・三政四〇、六政一五六、平成三〇・七政二〇二、九政二五五、令和元・六政三〇、政四四、九政九一、一二政一八一、令和二・九政二六八、令和三・七政二〇五、一〇政二九六、令和四・五政二〇三、九政二九五、一一政三五一、一二政三八一、政三九三、令和五・二政三四、四政一六三、九政二八〇、政二九三、一一政三二四

注1　┆　┆の部分は、令和六年一月四日政令第一号により改正され、令和七年四月一日から施行

注2　□の部分は、令和六年四月一九日政令第一七二号により改正され、令和七年四月一日から施行

目次

第一章　総則
第一節　用語の定義等（第一条―第二条の二）
第二節　建築基準適合判定資格者検定（第三条―第八条の三）
第二節の二　構造計算適合判定資格者検定（第八条の四―第八条の六）
第二節の三　建築基準関係規定（第九条）
第二節の四　特定増改築構造計算基準等（第九条の二・第九条の三）
第三節　建築物の建築に関する確認の特例（第十条）
第三節の二　中間検査合格証の交付を受けるまでの共同住宅に関する工事の施工制限（第十一条・第十二条）
第三節の三　検査済証の交付を受けるまでの建築物の使用制限（第十三条・第十三条の二）
第三節の四　維持保全に関する準則の作成等を要する建築物（第十三条の三）
第三節の五　建築監視員（第十四条）
第三節の六　勧告の対象となる建築物（第十四条の二）
第四節　損失補償（第十五条）
第五節　定期報告を要する建築物等（第十六条―第十八条）
第二章　一般構造
第一節　採光に必要な開口部（第十九条・第二十条）
第一節の二　開口部の少ない建築物等の換気設備（第二十条の二・第二十条の三）
第一節の三　石綿その他の物質の飛散又は発散に対する衛生上の措置（第二十条の四―第二十条の九）
第二節　居室の天井の高さ、床の高さ及び防湿方法（第二十一条・第二十二条）
第二節の二　地階における住宅等の居室の防湿の措置等（第二十二条の二）
第二節の三　長屋又は共同住宅の界壁の遮音構造等（第二十二条の三）
第三節　階段（第二十三条―第二十七条）
第四節　便所（第二十八条―第三十五条）
第三章　構造強度
第一節　総則（第三十六条―第三十六条の四）
第二節　構造部材等（第三十七条―第三十九条）
第三節　木造（第四十条―第五十条）
第四節　組積造（第五十一条―第六十二条）
第四節の二　補強コンクリートブロック造（第六十二条の二―第六十二条の八）
第五節　鉄骨造（第六十三条―第七十条）
第六節　鉄筋コンクリート造（第七十一条―第七十九条）
第六節の二　鉄骨鉄筋コンクリート造（第七十九条の二―第七十九条の四）
第七節　無筋コンクリート造（第八十条）
第七節の二　構造方法に関する補則（第八十条の二・第八十条の三）
第八節　構造計算
第一款　総則（第八十一条）
第一款の二　保有水平耐力計算（第八十二条―第八十二条の四）
第一款の三　限界耐力計算（第八十二条の五）
第一款の四　許容応力度等計算（第八十二条の六）
第二款　荷重及び外力（第八十三条―第八十八条）
第三款　許容応力度（第八十九条―第九十四条）
第四款　材料強度（第九十五条―第百六条）
第四章　耐火構造、準耐火構造、防火構造、防火区画等（第百七条―第百十六条）
第五章　避難施設等
第一節　総則（第百十六条の二）
第二節　廊下、避難階段及び出入口（第百十七条―第百二十六条）
第三節　排煙設備（第百二十六条の二・第百二十六条の三）
第四節　非常用の照明装置（第百二十六条の四・第百二十六条の五）
第五節　非常用の進入口（第百二十六条の六・第百二十六条の七）
第六節　敷地内の避難上及び消火上必要な通路等（第百二十七条―第百二十八条の三）
第五章の二　特殊建築物等の内装（第百二十八条の三の二―第百二十八条の六）
第五章の三　避難上の安全の検証（第百二十八条の七―第百二十九条の二の二）
第五章の四　建築設備等
第一節　建築設備の構造強度（第百二十九条の二の三）
第一節の二　給水、排水その他の配管設備（第百二十九条の二の四―第百二十九条の二の六）
第二節　昇降機（第百二十九条の三―第百二十九条の十三の三）
第三節　避雷設備（第百二十九条の十四・第百二十九条の十五）
第六章　建築物の用途（第百三十条―第百三十条の九の八）
第七章　建築物の各部分の高さ等（第百三十条の十―第百三十六条）
第七章の二　防火地域又は準防火地域内の建築物（第百三十六条の二―第百三十六条の二の三）

第七章の二の二　特定防災街区整備地区内の建築物（第百三十六条の二の四）
第七章の三　地区計画等の区域（第百三十六条の二の五―第百三十六条の二の八）
第七章の四　都市計画区域及び準都市計画区域以外の区域内の建築物の敷地及び構造（第百三十六条の二の九・第百三十六条の二の十）
第七章の五　型式適合認定等（第百三十六条の二の十一―第百三十六条の二の十三）
第七章の六　指定確認検査機関等（第百三十六条の二の十四―第百三十六条の二の十八）
第七章の七　建築基準適合判定資格者等の登録手数料（第百三十六条の二の十九）
第七章の八　工事現場の危害の防止（第百三十六条の二の二十―第百三十六条の八）
第七章の九　簡易な構造の建築物に対する制限の緩和（第百三十六条の九―第百三十六条の十一）
第七章の十　一の敷地とみなすこと等による制限の緩和（第百三十六条の十二）
第八章　既存の建築物に対する制限の緩和等（第百三十七条―第百三十七条の十九）
第九章　工作物（第百三十八条―第百四十四条の二の四）
第十章　雑則（第百四十四条の三―第百五十条）
附則

第一章　総則

第一節　用語の定義等

（用語の定義）

第一条　この政令において次の各号に掲げる用語の意義は、それぞれ当該各号に定めるところによる。

一　敷地　一の建築物又は用途上不可分の関係にある二以上の建築物のある一団の土地をいう。

二　地階　床が地盤面下にある階で、床面から地盤面までの高さがその階の天井の高さの三分の一以上のものをいう。

三　構造耐力上主要な部分　基礎、基礎ぐい、壁、柱、小屋組、土台、斜材（筋かい、方づえ、火打材その他これらに類するものをいう。）、床版、屋根版又は横架材（はり、けたその他これらに類するものをいう。）で、建築物の自重若しくは積載荷重、積雪荷重、風圧、土圧若しくは水圧又は地震その他の震動若しくは衝撃を支えるものをいう。

四　耐水材料　れんが、石、人造石、コンクリート、アスファルト、陶磁器、ガラスその他これらに類する耐水性の建築材料をいう。

五　準不燃材料　建築材料のうち、通常の火災による火熱が加えられた場合に、加熱開始後十分間第百八条の二各号（建築物の外部の仕上げに用いるものにあつては、同条第一号及び第二号）に掲げる要件を満たしているものとして、国土交通大臣が定めたもの又は国土交通大臣の認定を受けたものをいう。

六　難燃材料　建築材料のうち、通常の火災による火熱が加えられた場合に、加熱開始後五分間第百八条の二各号（建築物の外部の仕上げに用いるものにあつては、同条第一号及び第二号）に掲げる要件を満たしているものとして、国土交通大臣が定めたもの又は国土交通大臣の認定を受けたものをいう。

（面積、高さ等の算定方法）

第二条　次の各号に掲げる面積、高さ及び階数の算定方法は、当該各号に定めるところによる。

一　敷地面積　敷地の水平投影面積による。ただし、建築基準法（以下「法」という。）第四十二条第二項、第三項又は第五項の規定によつて道路の境界線とみなされる線と道との間の部分の敷地は、算入しない。

二　建築面積　建築物（地階で地盤面上一メートル以下にある部分を除く。以下この号において同じ。）の外壁又はこれに代わる柱の中心線（軒、ひさし、はね出し縁その他これらに類するもの（以下この号において「軒等」という。）で当該中心線から水平距離一メートル以上突き出たもの（建築物の建蔽率の算定の基礎となる建築面積を算定する場合に限り、工場又は倉庫の用途に供する建築物において専ら貨物の積卸しその他これに類する業務のために設ける軒等でその端と敷地境界線との間の敷地の部分に有効な空地が確保されていることその他の理由により安全上、防火上及び衛生上支障がないものとして国土交通大臣が定める軒等（以下この号において「特例軒等」という。）のうち当該中心線から突き出た距離が水平距離一メートル以上五メートル未満のものであるものを除く。）がある場合においては、その端から水平距離一メートル後退した線（建築物の建蔽率の算定の基礎となる建築面積を算定する場合に限り、特例軒等のうち当該中心線から水平距離五メートル以上突き出たものにあつては、その端から水平距離五メートル以内で当該特例軒等の構造に応じて国土交通大臣が定める距離後退した線））で囲まれた部分の水平投影面積による。ただし、国土交通大臣が高い開放性を有すると認めて指定する構造の建築物又はその部分については、当該建築物又はその部分の端から水平距離一メートル以内の部分の水平投影面積は、当該建築物の建築面積に算入しない。

三　床面積　建築物の各階又はその一部で壁その他の区画の中心線で囲まれた部分の水平投影面積による。

四　延べ面積　建築物の各階の床面積の合計による。ただし、法第五十二条第一項に規定する延べ面積（建築物の容積率の最低限度に関する規制に係る当該容積率の算定の基礎となる延べ面積を除く。）には、次に掲げる建築物の部分の床面積を算入しない。

イ　自動車車庫その他の専ら自動車又は自転車の停留又は駐車のための施設（誘導車路、操車場所及び乗降場を含む。）の用途に供する部分（第三項第一号及び第百三十七条の八において「自動車車庫等部分」という。）

ロ　専ら防災のために設ける備蓄倉庫の用途に供する部分（第三項第二号及び第百三十七条の八において「備蓄倉庫部分」という。）

ハ　蓄電池（床に据え付けるものに限る。）を設ける部分（第三項第三号及び第百三十七条の八において「蓄電池設置部分」という。）

ニ　自家発電設備を設ける部分（第三項第四号及び第百三十七条の八において「自家発電設備設置部分」という。）

ホ　貯水槽を設ける部分（第三項第五号及び第百三十七条の八において「貯水槽設置部分」という。）

ヘ　宅配ボックス（配達された物品（荷受人が不在その他の事由により受け取ることができないものに限る。）の一時保管のための荷受箱をいう。）を設ける部分（第三項第六号及び第百三十七条の八において「宅配ボックス設置部分」という。）

五　築造面積　工作物の水平投影面積による。ただし、国土交通大臣が別に算定方法を定めた工作物については、その算定方法による。

六　建築物の高さ　地盤面からの高さによる。ただし、次のイ、ロ又はハのいずれかに該当する場合においては、それぞれイ、ロ又はハに定めるところによる。

イ　法第五十六条第一項第一号の規定並びに第百三十条の十二及び第百三十五条の十九の規定による高さの算定については、前面道路の路面の中心からの高さによる。

ロ　法第三十三条及び法第五十六条第一項第三号に規定する高さ並びに法第五十七条の四第一項、法第五十八条第一項及び第二項、法第六十条の二の二第三項並びに法第六十条の三第二項に規定する高さ（北側の前面道路又は隣地との関係についての建築物の各部分の高さの最高限度が定められている場合におけるその高さに限る。）を算定する場合を除き、階段室、昇降機塔、装飾塔、物見塔、屋窓その他これらに類する建築物の屋上部分の水平投影面積の合計が当該建築物の建築面積の八分の一以内の場合においては、その部分の高さは、十二メートル（法第五十五条第一項から第三項まで、法第五十六条の二第四項、法第五十九条の二第一項（法第五十五条第一項に係る部分に限る。）並びに法別表第四(ろ)欄二の項、三の項及び四の項ロの場合には、五メートル）までは、当該建築物の高さに算入しない。

ハ　棟飾、防火壁の屋上突出部その他これらに類する屋上突出物は、当該建築物の高さに算入しない。

七　軒の高さ　地盤面（第百三十条の十二第一号イの場合には、前面道路の路面の中心）から建築物の小屋組又はこれに代わる横架材を支持する壁、敷桁又は柱の上端までの高さによる。

八　階数　昇降機塔、装飾塔、物見塔その他これらに類する建築物の屋上部分又は地階の倉庫、機械室その他これらに類する建築物の部分で、水平投影面積の合計がそれぞれ当該建築物の建築面積の八分の一以下のものは、当該建築物の階数に算入しない。また、建築物の一部が吹抜きとなつている場合、建築物の敷地が斜面又は段地である場合その他建築物の部分によつて階数を異にする場合においては、これらの階数のうち最大なものによる。

2　前項第二号、第六号又は第七号の「地盤面」とは、建築物が周囲の地面と接する位置の平均の高さにおける水平面をいい、その接する位置の高低差が三メートルを超える場合においては、その高低差三メートル以内ごとの平均の高さにおける水平面をいう。

3　第一項第四号ただし書の規定は、次の各号に掲げる建築物の部分の区分に応じ、当該敷地内の建築物の各階の床面積の合計（同一敷地内に二以上の建築物がある場合においては、それらの建築物の各階の床面積の合計の和）に当該各号に定める割合を乗じて得た面積を限度として適用するものとする。

一　自動車車庫等部分　五分の一
二　備蓄倉庫部分　五十分の一
三　蓄電池設置部分　五十分の一
四　自家発電設備設置部分　百分の一
五　貯水槽設置部分　百分の一
六　宅配ボックス設置部分　百分の一

4　第一項第六号ロ又は第八号の場合における水平投影面積の算定方法は、同項第二号の建築面積の算定方法によるものとする。

（都道府県知事が特定行政庁となる建築物）

第二条の二　法第二条第三十五号ただし書の政令で定める建築物のうち法第九十七条の二第一項又は第二項の規定により建築主事又は建築副主事を置く市町村の区域内のものは、第百四十八条第一項に規定する建築物以外の建築物とする。

2　法第二条第三十五号ただし書の政令で定める建築物のうち法第九十七条の三第一項又は第二項の規定により建築主事又は建築副主事を置く特別区の区域内のものは、第百四十九条第一項に規定する建築物とする。

第二節　建築基準適合判定資格者検定

（建築基準適合判定資格者検定の基準）

第三条　法第五条の規定による建築基準適合判定資格者検定は、法第六条第一項又は法第六条の二第一項の規定による確認をするために必要な知識について行う。

（建築基準適合判定資格者検定の方法）

第四条　建築基準適合判定資格者検定は、考査によつて行う。

2　前項の考査は、法第六条第一項の建築基準関係規定に関する知識について行う。

（建築基準適合判定資格者検定の施行）

第五条　建築基準適合判定資格者検定は、一級建築基準適合判定資格者検定又は二級建築基準適合判定資格者検定のそれぞれにつき、毎年一回以上行う。

2　建築基準適合判定資格者検定の期日及び場所は、国土交通大臣が、あらかじめ、官報で公告する。

（合格公告及び通知）

第六条　国土交通大臣（法第五条の二第一項の指定があつたときは、同項の指定建築基準適合判定資格者検定機関（以下「指定建築基準適合判定資格者検定機関」という。））は、建築基準適合判定資格者検定に合格した者の氏名を公告し、合格した者にその旨を通知する。

（建築基準適合判定資格者検定委員の定員）

第七条　建築基準適合判定資格者検定委員の数は、一級建築基準適合判定資格者検定又は二級建築基準適合判定資格者検定に関する事務のそれぞれにつき、十人以内とする。

（建築基準適合判定資格者検定委員の勤務）

第八条　建築基準適合判定資格者検定委員は、非常勤とする。

（受検の申込み）

第八条の二　建築基準適合判定資格者検定（指定建築基準適合判定資格者検定機関が行うものを除く。）の受検の申込みは、住所地又は勤務地の都道府県知事を経由して行わなければならない。

2　前項の規定により都道府県が処理することとされている事務は、地方自治法（昭和二十二年法律第六十七号）第二条第九項第一号に規定する第一号法定受託事務とする。

（受検手数料）

第八条の三　法第五条の三第一項の受検手数料の額は、一級建築基準適合判定資格者検定又は二級建築基準適合判定資格者検定のそれぞれにつき、二万七千円とする。

2　前項の受検手数料は、これを納付した者が検定を受けなかつた場合においても、返還しない。

3　建築基準適合判定資格者検定の受検手数料であつて指定建築基準適合判定資格者検定機関に納付するものの納付の方法は、法第七十七条の九第一項の建築基準適合判定資格者検定事務規程の定めるところによる。

第二節の二　構造計算適合判定資格者検定

（受検資格）

第八条の四　法第五条の四第三項の政令で定める業務は、次のとおりとする。

一　建築士法（昭和二十五年法律第二百二号）第二条第七項に規定する構造設計の業務
二　法第六条第四項若しくは法第十八条第三項に規定する審査又は法第六条の二第一項の規定による確認のための審査の業務（法第二十条第一項に規定する基準に適合するかどうかの審査の業務を含むものに限る。）
三　建築物の構造の安全上の観点からする審査の業務（法第六条の三第一項の構造計算適合性判定の業務を除く。）であつて国土交通大臣が同項の構造計算適合性判定の業務と同等以上の知識及び能力を要すると認めたもの

（構造計算適合判定資格者検定の基準等）

第八条の五　法第五条の四の規定による構造計算適合判定資格者検定は、建築士の設計に係る建築物の計画が法第六条の三第一項に規定する特定構造計算基準又は特定増改築構造計算基準に適合するかどうかの審査をするために必要な知識及び経験について行う。

2　構造計算適合判定資格者検定は、経歴審査及び考査によつて行う。

3　前項の経歴審査は、法第六条の三第一項の構造計算適合性判定の業務又は前条各号に掲げる業務に関する実務の経歴について行う。

4　第二項の考査は、法第六条の三第一項に規定する特定構造計算基準及び特定増改築構造計算基準に関する知識について行う。

5　第五条、第六条及び第八条の二の規定は構造計算適合判定資格者検定に、第七条及び第八条の規定は構造計算適合判定資格者検定委員について準用する。この場合において、第五条第一項中「一級建築基準適合判定資格者検定又は二級建築基準適合判定資格者検定のそれぞれにつき、毎年」とあるのは「三年に」と、第六条中「第五条の二第一項」とあるのは「第五条の五第一項」と、第七条中「数は、一級建築基準適合判定資格者検定又は二級建築基準適合判定資格者検定に関する事務のそれぞれにつき」とあるのは「数は」と読み替えるものとする。

（受検手数料）

第八条の六　法第五条の五第二項において準用する法第五条の三第一項の受検手数料の額は、三万五千円とする。

2　第八条の三第二項及び第三項の規定は、前項の受検手数料について準用する。この場合において、同条第三項中「第七十七条の九第一項」とあるのは、「第七十七条の十七の二第二項において準用する法第七十七条の九第一項」と読み替えるものとする。

第三節　建築基準関係規定

第九条　法第六条第一項（法第八十七条第一項、法第八十七条の四（法第八十八条第一項及び第二項において準用する場合を含む。）並びに法第八十八条第一項及び第二項において準用する場合を含む。）の政令で定める規定は、次に掲げる法律の規定並びにこれらの規定に基づく命令及び条例の規定で建築物の敷地、構造又は建築設備に係るものとする。

一　消防法（昭和二十三年法律第百八十六号）第九条、第九条の二、第十五条及び第十七条
二　屋外広告物法（昭和二十四年法律第百八十九号）第三条から第五条まで（広告物の表示及び広告物を掲出する物件の設置の禁止又は制限に係る部分に限る。）
三　港湾法（昭和二十五年法律第二百十八号）第四十条第一項（同法第五十条の五第二項の規定により読み替えて適用する場合を含む。）
四　高圧ガス保安法（昭和二十六年法律第二百四号）第二十四条
五　ガス事業法（昭和二十九年法律第五十一号）第百六十二条

六　駐車場法（昭和三十二年法律第百六号）第二十条（都市再生特別措置法（平成十四年法律第二十二号）第十九条の十四、第六十二条の十二及び第百七条並びに都市の低炭素化の促進に関する法律（平成二十四年法律第八十四号）第二十条の規定により読み替えて適用する場合を含む。）
七　水道法（昭和三十二年法律第百七十七号）第十六条
八　下水道法（昭和三十三年法律第七十九号）第十条第一項及び第三項、第二十五条の二並びに第三十条第一項
九　宅地造成及び特定盛土等規制法（昭和三十六年法律第百九十一号）第十二条第一項、第十六条第一項、第三十条第一項及び第三十五条第一項
十　流通業務市街地の整備に関する法律（昭和四十一年法律第百十号）第五条第一項
十一　液化石油ガスの保安の確保及び取引の適正化に関する法律（昭和四十二年法律第百四十九号）第三十八条の二
十二　都市計画法（昭和四十三年法律第百号）第二十九条第一項及び第二項、第三十五条の二第一項、第四十一条第二項（同法第三十五条の二第四項において準用する場合を含む。）、第四十二条、第四十三条第一項並びに第五十三条第一項（都市再生特別措置法第三十六条の四の規定により読み替えて適用する場合を含む。）並びに都市計画法第五十三条第二項において準用する同法第五十二条の二第二項
十三　特定空港周辺航空機騒音対策特別措置法（昭和五十三年法律第二十六号）第五条第一項から第三項まで（同条第五項において準用する場合を含む。）
十四　自転車の安全利用の促進及び自転車等の駐車対策の総合的推進に関する法律（昭和五十五年法律第八十七号）第五条第四項
十五　浄化槽法（昭和五十八年法律第四十三号）第三条の二第一項
十六　特定都市河川浸水被害対策法（平成十五年法律第七十七号）第十条

第二節の四　特定増改築構造計算基準等

（特定増改築構造計算基準）
第九条の二　法第六条の三第一項本文の政令で定める基準は、第八十一条第二項又は第三項に規定する基準に従つた構造計算で、法第二十条第一項第二号イに規定する方法若しくはプログラムによるもの又は同項第三号イに規定するプログラムによるものによつて確かめられる安全性を有することとする。

（確認審査が比較的容易にできる特定構造計算基準及び特定増改築構造計算基準）
第九条の三　法第六条の三第一項ただし書の政令で定める特定構造計算基準及び特定増改築構造計算基準並びに法第十八条第四項ただし書の政令で定める特定構造計算基準及び特定増改築構造計算基準は、第八十一条第二項第二号イに掲げる構造計算で、法第二十条第一項第二号イに規定する方法によるものによつて確かめられる安全性を有することとする。

第九条の三　法第六条の三第一項第一号の政令で定める特定構造計算基準及び特定増改築構造計算基準並びに法第十八条第四項第一号の政令で定める特定構造計算基準及び特定増改築構造計算基準は、第八十一条第二項第二号イに掲げる構造計算で、法第二十条第一項第二号イに規定する方法によるものによつて確かめられる安全性を有することとする。

第三節　建築物の建築に関する確認の特例

第一〇条　法第六条の四第一項の規定により読み替えて適用される法第六条第一項（法第八十七条第一項及び法第八十七条の四において準用する場合を含む。）の政令で定める規定は、次の各号（法第八十七条第一項において準用する場合にあつては第一号及び第二号、法第八十七条の四において準用する場合にあつては同号。以下この条において同じ。）に掲げる建築物の区分に応じ、それぞれ当該各号に定める規定とする。
一　法第六条の四第一項第二号に掲げる建築物のうち、その認定型式に適合する建築物の部分が第百三十六条の二の十一第一号に掲げるものであるもの　その認定型式が、同号イに掲げる全ての規定に適合するものであることの認定を受けたものである場合にあつては同号イに掲げる全ての規定、同号ロに掲げる全ての規定に適合するものであることの認定を受けたものである場合にあつては同号ロに掲げる全ての規定
二　法第六条の四第一項第二号に掲げる建築物のうち、その認定型式に適合する建築物の部分が第百三十六条の二の十一第二号の表の建築物の部分の欄の各項に掲げるものであるもの　同表の一連の規定の欄の当該各項に掲げる規定（これらの規定中建築物の部分の構造に係る部分が、当該認定型式に適合する建築物の部分に適用される場合に限る。）
三　法第六条の四第一項第三号に掲げる建築物のうち防火地域及び準防火地域以外の区域内における一戸建ての住宅（住宅の用途以外の用途に供する部分の床面積の合計が、延べ面積の二分の一以上であるもの又は五十平方メートルを超えるものを除く。）　次に定める規定
イ　法第二十条（第一項第四号イに係る部分に限る。）、法第二十一条から法第二十五条まで、法第二十七条、法第二十八条、法第二十九条、法第三十一条第一項、法第三十二条、法第三十三条、法第三十五条から法第三十五条の三まで及び法第三十七条の規定
ロ　次章（第一節の三、第三十二条及び第三十五条を除く。）、第三章（第八節を除き、第八十条の二にあつては国土交通大臣が定めた安全上必要な技術的基準のうちその指定する基準に係る部分に限る。）、第四章から第五章の二まで、第五章の四（第二節を除く。）及び第百四十四条の三の規定
ハ　法第三十九条から法第四十一条までの規定に基づく条例の規定のうち特定行政庁が法第六条の四第二項の規定の趣旨により規則で定める規定
四　法第六条の四第一項第三号に掲げる建築物のうち前号の一戸建ての住宅以外の建築物　次に定める規定
イ　法第二十条（第一項第四号イに係る部分に限る。）、法第二十一条、法第二十八条第一項及び第二項、法第二十九条、法第三十条、法第三十一条第一項、法第三十二条、法第三十三条並びに法第三十七条の規定
ロ　次章（第二十条の三、第一節の三、第三十二条及び第三十五条を除く。）、第三章（第八節を除き、第八十条の二にあつては国土交通大臣が定めた安全上必要な技術的基準のうちその指定する基準に係る部分に限る。）、第百十九条、第五章の四（第百二十九条の二の四第一項第六号及び第七号並びに第二節を除く。）及び第百四十四条の三の規定
ハ　法第三十九条から法第四十一条までの規定に基づく条例の規定のうち特定行政庁が法第六条の四第二項の規定の趣旨により規則で定める規定

第三節の二　中間検査合格証の交付を受けるまでの共同住宅に関する工事の施工制限

（工事を終えたときに中間検査を申請しなければならない工程）
第一一条　法第七条の三第一項第一号の政令で定める工程は、二階の床及びこれを支持するはりに鉄筋を配置する工事の工程とする。
（中間検査合格証の交付を受けるまで施工してはならない工程）
第一二条　法第七条の三第六項の政令で定める特定工程後の工程のうち前条に規定する工程に係るものは、二階の床及びこれを支持するはりに配置された鉄筋をコンクリートその他これに類するもので覆う工事の工程とする。

第三節の三　検査済証の交付を受けるまでの建築物の使用制限

（避難施設等の範囲）
第一三条　法第七条の六第一項の政令で定める避難施設、消火設備、排煙設備、非常用の照明装置、非常用の昇降機又は防火区画（以下この条及び次条において「避難施設等」という。）は、次に掲げるもの（当該工事に係る避難施設等がないものとした場合に第百十二条、第五章第二節から第四節まで、第百二十八条の三、第百二十九条の十三の三又は消防法施行令（昭和三十六年政令第三十七号）第十二条から第十五条までの規定による技術的基準に適合している建築物に係る当該避難施設等を除く。）とする。
一　避難階（直接地上へ通ずる出入口のある階をいう。以下同じ。）以外の階にあつては居室から第百二十条又は第百二十一条の直通階段に、避難階にあつては階段又は居室から屋外への出口に通ずる出入口及び廊下その他の通路
二　第百十八条の客席からの出口の戸、第百二十条又は第百二十一条の直

通階段、同条第三項ただし書の避難上有効なバルコニー、屋外通路その他これらに類するもの、第百二十五条の屋外への出口及び第百二十六条第二項の屋上広場

三　第百二十八条の三第一項の地下街の各構えが接する地下道及び同条第四項の地下道への出入口

四　スプリンクラー設備、水噴霧消火設備又は泡消火設備で自動式のもの

五　第百二十六条の二第一項の排煙設備

六　第百二十六条の四第一項の非常用の照明装置

七　第百二十九条の十三の三の非常用の昇降機

八　第百十二条（第百二十八条の三第五項において準用する場合を含む。）又は第百二十八条の三第二項若しくは第三項の防火区画

（避難施設等に関する工事に含まれない軽易な工事）

第一三条の二　法第七条の六第一項の政令で定める軽易な工事は、バルコニーの手すりの塗装の工事、出入口又は屋外への出口の戸に用いるガラスの取替えの工事、非常用の照明装置に用いる照明カバーの取替えの工事その他当該避難施設等の機能の確保に支障を及ぼさないことが明らかな工事とする。

第三節の四　維持保全に関する準則の作成等を要する建築物

第一三条の三　法第八条第二項第一号の政令で定める特殊建築物は、次に掲げるものとする。

一　法別表第一(い)欄㈠項から㈣項までに掲げる用途に供する特殊建築物でその用途に供する部分の床面積の合計が百平方メートルを超えるもの（当該床面積の合計が二百平方メートル以下のものにあつては、階数が三以上のものに限る。）

二　法別表第一(い)欄㈤項又は㈥項に掲げる用途に供する特殊建築物でその用途に供する部分の床面積の合計が三千平方メートルを超えるもの

2　法第八条第二項第二号の政令で定める建築物は、事務所その他これに類する用途に供する建築物（特殊建築物を除く。）のうち階数が三以上で延べ面積が二百平方メートルを超えるものとする。

第三節の五　建築監視員

第一四条　建築監視員は、次の各号のいずれかに該当する者でなければならない。

一　三年以上の建築行政に関する実務の経験を有する者

二　建築士で一年以上の建築行政に関する実務の経験を有するもの

三　建築の実務に関し技術上の責任のある地位にあつた建築士で国土交通大臣が前二号のいずれかに該当する者と同等以上の建築行政に関する知識及び能力を有すると認めたもの

第三節の六　勧告の対象となる建築物

第一四条の二　法第十条第一項の政令で定める建築物は、次に掲げるものとする。

一　法別表第一(い)欄に掲げる用途に供する特殊建築物のうち階数が三以上でその用途に供する部分の床面積の合計が百平方メートルを超え二百平方メートル以下のもの

二　事務所その他これに類する用途に供する建築物（法第六条第一項第一号に掲げる建築物を除く。）のうち階数が三以上で延べ面積が二百平方メートルを超えるもの

第四節　損失補償

（収用委員会の裁決の申請手続）

第一五条　補償金額について不服がある者が、法第十一条第二項（法第八十八条第一項から第三項までにおいて準用する場合を含む。）の規定によつて収用委員会の裁決を求めようとする場合においては、土地収用法（昭和二十六年法律第二百十九号）第九十四条第三項の規定による裁決申請書には、同項各号の規定にかかわらず、次の各号に掲げる事項を記載しなければならない。

一　申請者の住所及び氏名

二　当該建築物又は工作物の所在地

三　当該建築物又は工作物について申請者の有する権利

四　当該建築物又は工作物の用途及び構造の概要、附近見取図、配置図並びに各階平面図。ただし、命ぜられた措置に関係がない部分は、省略することができる。

五　法第十一条第一項（法第八十八条第一項から第三項までにおいて準用する場合を含む。）の規定によつて特定行政庁が命じた措置

六　通知を受けた補償金額及びその通知を受領した年月日

七　通知を受けた補償金額を不服とする理由並びに申請者が求める補償金額及びその内訳

八　前各号に掲げるものを除くほか、申請者が必要と認める事項

第五節　定期報告を要する建築物等

第一六条　法第十二条第一項の安全上、防火上又は衛生上特に重要であるものとして政令で定める建築物は、次に掲げるもの（避難階以外の階を法別表第一(い)欄㈠項から㈣項までに掲げる用途に供しないことその他の理由により通常の火災時において避難上著しい支障が生ずるおそれの少ないものとして国土交通大臣が定めるものを除く。）とする。

一　地階又は三階以上の階を法別表第一(い)欄㈠項に掲げる用途に供する建築物及び当該用途に供する部分（客席の部分に限る。）の床面積の合計が百平方メートル以上の建築物

二　劇場、映画館又は演芸場の用途に供する建築物で、主階が一階にないもの

三　法別表第一(い)欄㈡項又は㈣項に掲げる用途に供する建築物

四　三階以上の階を法別表第一(い)欄㈢項に掲げる用途に供する建築物及び当該用途に供する部分の床面積の合計が二千平方メートル以上の建築物

2　法第十二条第一項の政令で定める建築物は、第十四条の二に規定する建築物とする。

3　法第十二条第三項の政令で定める特定建築設備等は、次に掲げるものとする。

一　第百二十九条の三第一項各号に掲げる昇降機（使用頻度が低く劣化が生じにくいことその他の理由により人が危害を受けるおそれのある事故が発生するおそれの少ないものとして国土交通大臣が定めるものを除く。）

二　防火設備のうち、法第六条第一項第一号に掲げる建築物で第一項各号に掲げるものに設けるもの（常時閉鎖をした状態にあることその他の理由により通常の火災時において避難上著しい支障が生ずるおそれの少ないものとして国土交通大臣が定めるものを除く。）

第一七条及び第一八条　削除

第二章　一般構造

第一節　採光に必要な開口部

（居室の採光）

第一九条　法第二十八条第一項（法第八十七条第三項において準用する場合を含む。以下この条及び次条において同じ。）の政令で定める建築物は、児童福祉施設（幼保連携型認定こども園を除く。）、助産所、身体障害者社会参加支援施設（補装具製作施設及び視聴覚障害者情報提供施設を除く。）、保護施設（医療保護施設を除く。）、女性自立支援施設、老人福祉施設、有料老人ホーム、母子保健施設、障害者支援施設、地域活動支援センター、福祉ホーム又は障害福祉サービス事業（生活介護、自立訓練、就労移行支援又は就労継続支援を行う事業に限る。）の用に供する施設（以下「児童福祉施設等」という。）とする。

2　法第二十八条第一項の政令で定める居室は、次に掲げるものとする。

一　保育所及び幼保連携型認定こども園の保育室

二　診療所の病室

三　児童福祉施設等の寝室（入所する者の使用するものに限る。）

四　児童福祉施設等（保育所を除く。）の居室のうちこれらに入所し、又は通う者に対する保育、訓練、日常生活に必要な便宜の供与その他これらに類する目的のために使用されるもの

五　病院、診療所及び児童福祉施設等の居室のうち入院患者又は入所する者の談話、娯楽その他これらに類する目的のために使用されるもの

3　法第二十八条第一項の政令で定める割合は、次の表の上欄に掲げる居室の種類の区分に応じ、それぞれ同表の下欄に掲げる割合とする。ただし、同表の㈠の項から㈥の項までの上欄に掲げる居室のうち、国土交通大臣が定める基準に従い、照明設備の設置、有効な採光方法の確保その他これらに準ずる措置が講じられているものにあつては、それぞれ同表の下欄に掲げる割合から十分の一までの範囲内において国土交通大臣が別に定める割合とする。

	居室の種類	割合
㈠	幼稚園、小学校、中学校、義務教育学校、高等学校、中等教育学校又は幼保連携型認定こども園の教室	五分の一
㈡	前項第一号に掲げる居室	
㈢	住宅の居住のための居室	七分の一
㈣	病院又は診療所の病室	
㈤	寄宿舎の寝室又は下宿の宿泊室	
㈥	前項第三号及び第四号に掲げる居室	
㈦	㈠の項に掲げる学校以外の学校の教室	十分の一
㈧	前項第五号に掲げる居室	

（有効面積の算定方法）

第二〇条　法第二十八条第一項に規定する居室の窓その他の開口部（以下この条において「開口部」という。）で採光に有効な部分の面積は、当該居室の開口部ごとの面積に、それぞれ採光補正係数を乗じて得た面積を合計して算定するものとする。ただし、国土交通大臣が別に算定方法を定めた建築物の開口部については、その算定方法によることができる。

2　前項の採光補正係数は、次の各号に掲げる地域又は区域の区分に応じ、それぞれ当該各号に定めるところにより計算した数値（天窓にあつては当該数値に三・〇を乗じて得た数値、その外側に幅九十センチメートル以上の縁側（ぬれ縁を除く。）その他これに類するものがある開口部にあつては当該数値に〇・七を乗じて得た数値）とする。ただし、採光補正係数が三・〇を超えるときは、三・〇を限度とする。

一　第一種低層住居専用地域、第二種低層住居専用地域、第一種中高層住居専用地域、第二種中高層住居専用地域、第一種住居地域、第二種住居地域、準住居地域又は田園住居地域　隣地境界線（法第八十六条第十項に規定する公告対象区域（以下「公告対象区域」という。）内の建築物にあつては、当該公告対象区域内の他の法第八十六条の二第一項に規定する一敷地内認定建築物（同条第九項の規定により一敷地内認定建築物とみなされるものを含む。以下この号において「一敷地内認定建築物」という。）又は同条第三項に規定する一敷地内許可建築物（同条第十一項又は第十二項の規定により一敷地内許可建築物とみなされるものを含む。以下この号において「一敷地内許可建築物」という。）との隣地境界線を除く。以下この号において同じ。）又は同一敷地内の他の建築物（公告対象区域内の建築物にあつては、当該公告対象区域内の他の一敷地内認定建築物又は一敷地内許可建築物を含む。以下この号において同じ。）若しくは当該建築物の他の部分に面する開口部の部分で、その開口部の直上にある建築物の各部分（開口部の直上垂直面から後退し、又は突出する部分がある場合においては、その部分を含み、半透明のひさしその他採光上支障のないひさしがある場合においては、これを除くものとする。）からその部分の面する隣地境界線（開口部が、道（都市計画区域又は準都市計画区域内においては、法第四十二条に規定する道路をいう。第百四十四条の四を除き、以下同じ。）に面する場合にあつては当該道の反対側の境界線とし、公園、広場、川その他これらに類する空地又は水面に面する場合にあつては当該公園、広場、川その他これらに類する空地又は水面の幅の二分の一だけ隣地境界線の外側にある線とする。）又は同一敷地内の他の建築物若しくは当該建築物の他の部分の対向部までの水平距離（以下この項において「水平距離」という。）を、その部分から開口部の中心までの垂直距離で除した数値のうちの最も小さい数値（以下「採光関係比率」という。）に六・〇を乗じた数値から一・四を減じて得た算定値（次のイからハまでに掲げる場合にあつては、それぞれイからハまでに定める数値）

イ　開口部が道に面する場合であつて、当該算定値が一・〇未満となる場合　一・〇

ロ　開口部が道に面しない場合であつて、水平距離が七メートル以上であり、かつ、当該算定値が一・〇未満となる場合　一・〇

ハ　開口部が道に面しない場合であつて、水平距離が七メートル未満であり、かつ、当該算定値が負数となる場合　零

二　準工業地域、工業地域又は工業専用地域　採光関係比率に八・〇を乗じた数値から一・〇を減じて得た算定値（次のイからハまでに掲げる場合にあつては、それぞれイからハまでに定める数値）

イ　開口部が道に面する場合であつて、当該算定値が一・〇未満となる場合　一・〇

ロ　開口部が道に面しない場合であつて、水平距離が五メートル以上であり、かつ、当該算定値が一・〇未満となる場合　一・〇

ハ　開口部が道に面しない場合であつて、水平距離が五メートル未満であり、かつ、当該算定値が負数となる場合　零

三　近隣商業地域、商業地域又は用途地域の指定のない区域　採光関係比率に十を乗じた数値から一・〇を減じて得た算定値（次のイからハまでに掲げる場合にあつては、それぞれイからハまでに定める数値）

イ　開口部が道に面する場合であつて、当該算定値が一・〇未満となる場合　一・〇

ロ　開口部が道に面しない場合であつて、水平距離が四メートル以上であり、かつ、当該算定値が一・〇未満となる場合　一・〇

ハ　開口部が道に面しない場合であつて、水平距離が四メートル未満であり、かつ、当該算定値が負数となる場合　零

第一節の二　開口部の少ない建築物等の換気設備

（換気設備の技術的基準）

第二〇条の二　法第二十八条第二項ただし書の政令で定める技術的基準及び同条第三項（法第八十七条第三項において準用する場合を含む。以下この条及び次条第一項において同じ。）の政令で定める法第二十八条第三項に規定する特殊建築物（第一号において「特殊建築物」という。）の居室に設ける換気設備の技術的基準は、次に掲げるものとする。

一　換気設備の構造は、次のイから二まで（特殊建築物の居室に設ける換気設備にあつては、ロから二まで）のいずれかに適合するものであること。

イ　自然換気設備にあつては、第百二十九条の二の五第一項の規定によるほか、次に掲げる構造とすること。

(1)　排気筒の有効断面積（平方メートルで表した面積とする。）が、次の式によつて計算した必要有効断面積以上であること。

$$A_v = \frac{A_f}{250\sqrt{h}}$$

この式において、A_v、A_f及びhは、それぞれ次の数値を表すものとする。

A_v　必要有効断面積（単位　平方メートル）

A_f　居室の床面積（当該居室が換気上有効な窓その他の開口部を有する場合においては、当該開口部の換気上有効な面積に二十を乗じて得た面積を当該居室の床面積から減じた面積）（単位　平方メートル）

h　給気口の中心から排気筒の頂部の外気に開放された部分の中心までの高さ（単位　メートル）

(2)　給気口及び排気口の有効開口面積（平方メートルで表した面積とする。）が、(1)の式によつて計算した必要有効断面積以上であること。

(3)　(1)及び(2)に掲げるもののほか、衛生上有効な換気を確保することができるものとして国土交通大臣が定めた構造方法を用いるものであること。

ロ　機械換気設備（中央管理方式の空気調和設備（空気を浄化し、その温度、湿度及び流量を調節して供給（排出を含む。）をすることができる設備をいう。以下同じ。）を除く。以下同じ。）にあつては、第百二

十九条の二の五第二項の規定によるほか、次に掲げる構造とすること。

(1)　有効換気量（立方メートル毎時で表した量とする。(2)において同じ。）が、次の式によつて計算した必要有効換気量以上であること。

$$V = \frac{20A_f}{N}$$

この式において、V、A_f及びNは、それぞれ次の数値を表すものとする。

V　必要有効換気量（単位　一時間につき立方メートル）

A_f　居室の床面積（特殊建築物の居室以外の居室が換気上有効な窓その他の開口部を有する場合においては、当該開口部の換気上有効な面積に二十を乗じて得た面積を当該居室の床面積から減じた面積）（単位　平方メートル）

N　実況に応じた一人当たりの占有面積（特殊建築物の居室にあつては、三を超えるときは三と、その他の居室にあつては、十を超えるときは十とする。）（単位　平方メートル）

(2)　一の機械換気設備が二以上の居室に係る場合にあつては、当該換気設備の有効換気量が、当該二以上の居室のそれぞれの必要有効換気量の合計以上であること。

(3)　(1)及び(2)に掲げるもののほか、衛生上有効な換気を確保することができるものとして国土交通大臣が定めた構造方法を用いるものであること。

ハ　中央管理方式の空気調和設備にあつては、第百二十九条の二の五第三項の規定によるほか、衛生上有効な換気を確保することができるものとして国土交通大臣が定めた構造方法を用いるものとすること。

ニ　イからハまでに掲げる構造とした換気設備以外の換気設備にあつては、次に掲げる基準に適合するものとして、国土交通大臣の認定を受けたものとすること。

(1)　当該居室で想定される通常の使用状態において、当該居室内の人が通常活動することが想定される空間の炭酸ガスの含有率をおおむね百万分の千以下に、当該空間の一酸化炭素の含有率をおおむね百万分の六以下に保つ換気ができるものであること。

(2)　給気口及び排気口には、雨水の浸入又はねずみ、ほこりその他衛生上有害なものの侵入を防ぐための設備を設けること。

(3)　風道から発散する物質及びその表面に付着する物質によつて居室の内部の空気が汚染されないものであること。

(4)　中央管理方式の空気調和設備にあつては、第百二十九条の二の五第三項の表の㈠の項及び㈣の項から㈥の項までの中欄に掲げる事項がそれぞれ同表の下欄に掲げる基準に適合するものであること。

二　法第三十四条第二項に規定する建築物又は各構えの床面積の合計が千平方メートルを超える地下街に設ける機械換気設備（一の居室のみに係るものを除く。）又は中央管理方式の空気調和設備にあつては、これらの制御及び作動状態の監視を中央管理室（当該建築物、同一敷地内の他の建築物又は一団地内の他の建築物の内にある管理事務所、守衛所その他常時当該建築物を管理する者が勤務する場所で避難階又はその直上階若しくは直下階に設けたものをいう。以下同じ。）において行うことができるものであること。

（火を使用する室に設けなければならない換気設備等）

第二〇条の三　法第二十八条第三項の規定により政令で定める室は、次に掲げるものとする。

一　火を使用する設備又は器具で直接屋外から空気を取り入れ、かつ、廃ガスその他の生成物を直接屋外に排出する構造を有するものその他室内の空気を汚染するおそれがないもの（以下この項及び次項において「密閉式燃焼器具等」という。）以外の火を使用する設備又は器具を設けていない室

二　床面積の合計が百平方メートル以内の住宅又は住戸に設けられた調理室（発熱量の合計（密閉式燃焼器具等又は煙突を設けた設備若しくは器具に係るものを除く。次号において同じ。）が十二キロワット以下の火を使用する設備又は器具を設けたものに限る。）で、当該調理室の床面積の十分の一（〇・八平方メートル未満のときは、〇・八平方メートルとする。）以上の有効開口面積を有する窓その他の開口部を換気上有効に設けたもの

三　発熱量の合計が六キロワット以下の火を使用する設備又は器具を設けた室（調理室を除く。）で換気上有効な開口部を設けたもの

2　建築物の調理室、浴室、その他の室でかまど、こんろその他火を使用する設備又は器具を設けたもの（前項に規定するものを除く。第一号イ及び第百二十九条の二の五第一項において「換気設備を設けるべき調理室等」という。）に設ける換気設備は、次に定める構造としなければならない。

一　換気設備の構造は、次のイ又はロのいずれかに適合するものとすること。

イ　次に掲げる基準に適合すること。

(1)　給気口は、換気設備を設けるべき調理室等の天井の高さの二分の一以下の高さの位置（煙突を設ける場合又は換気上有効な排気のための換気扇その他これに類するもの（以下このイにおいて「換気扇等」という。）を設ける場合には、適当な位置）に設けること。

(2)　排気口は、換気設備を設けるべき調理室等の天井又は天井から下方八十センチメートル以内の高さの位置（煙突又は排気フードを有する排気筒を設ける場合には、適当な位置）に設け、かつ、換気扇等を設けて、直接外気に開放し、若しくは排気筒に直結し、又は排気上有効な立上り部分を有する排気筒に直結すること。

(3)　給気口の有効開口面積又は給気筒の有効断面積は、国土交通大臣が定める数値以上とすること。

(4)　排気口又は排気筒に換気扇等を設ける場合にあつては、その有効換気量は国土交通大臣が定める数値以上とし、換気扇等を設けない場合にあつては、排気口の有効開口面積又は排気筒の有効断面積は国土交通大臣が定める数値以上とすること。

(5)　風呂釜又は発熱量が十二キロワットを超える火を使用する設備若しくは器具（密閉式燃焼器具等を除く。）を設けた換気設備を設けるべき調理室等には、当該風呂釜又は設備若しくは器具に接続して煙突を設けること。ただし、用途上、構造上その他の理由によりこれによることが著しく困難である場合において、排気フードを有する排気筒を設けたときは、この限りでない。

(6)　火を使用する設備又は器具に煙突（第百十五条第一項第七号の規定が適用される煙突を除く。）を設ける場合において、煙突に換気扇等を設ける場合にあつてはその有効換気量は国土交通大臣が定める数値以上とし、換気扇等を設けない場合にあつては煙突の有効断面積は国土交通大臣が定める数値以上とすること。

(7)　火を使用する設備又は器具の近くに排気フードを有する排気筒を設ける場合において、排気筒に換気扇等を設ける場合にあつてはその有効換気量は国土交通大臣が定める数値以上とし、換気扇等を設けない場合にあつては排気筒の有効断面積は国土交通大臣が定める数値以上とすること。

(8)　直接外気に開放された排気口又は排気筒の頂部は、外気の流れによつて排気が妨げられない構造とすること。

ロ　火を使用する設備又は器具の通常の使用状態において、異常な燃焼が生じないよう当該室内の酸素の含有率をおおむね二十・五パーセント以上に保つ換気ができるものとして、国土交通大臣の認定を受けたものとすること。

二　給気口は、火を使用する設備又は器具の燃焼を妨げないように設けること。

三　排気口及びこれに接続する排気筒並びに煙突の構造は、当該室に廃ガスその他の生成物を逆流させず、かつ、他の室に廃ガスその他の生成物を漏らさないものとして国土交通大臣が定めた構造方法を用いるものとすること。

四　火を使用する設備又は器具の近くに排気フードを有する排気筒を設ける場合においては、排気フードは、不燃材料で造ること。

第一節の三　石綿その他の物質の飛散又は発散に対する衛生上の措置

（著しく衛生上有害な物質）

第二〇条の四　法第二十八条の二第一号（法第八十八条第一項において準用する場合を含む。）の政令で定める物質は、石綿とする。

（居室内において衛生上の支障を生ずるおそれがある物質）

第二〇条の五　法第二十八条の二第三号の政令で定める物質は、クロルピリホス及びホルムアルデヒドとする。

（居室を有する建築物の建築材料についてのクロルピリホスに関する技術的基準）

第二〇条の六　建築材料についてのクロルピリホスに関する法第二十八条の二第三号の政令で定める技術的基準は、次のとおりとする。

一　建築材料にクロルピリホスを添加しないこと。

二　クロルピリホスをあらかじめ添加した建築材料（添加したときから長期間経過していることその他の理由によりクロルピリホスを発散させるおそれがないものとして国土交通大臣が定めたものを除く。）を使用しないこと。

（居室を有する建築物の建築材料についてのホルムアルデヒドに関する技術的基準）

第二〇条の七　建築材料についてのホルムアルデヒドに関する法第二十八条の二第三号の政令で定める技術的基準は、次のとおりとする。

一　居室（常時開放された開口部を通じてこれと相互に通気が確保される廊下その他の建築物の部分を含む。以下この節において同じ。）の壁、床及び天井（天井のない場合においては、屋根）並びにこれらの開口部に設ける戸その他の建具の室内に面する部分（回り縁、窓台その他これらに類する部分を除く。以下この条、第百八条の四第一項第一号及び第百九条の八第二号において「内装」という。）の仕上げには、夏季においてその表面積一平方メートルにつき毎時〇・一二ミリグラムを超える量のホルムアルデヒドを発散させるものとして国土交通大臣が定める建築材料（以下この条において「第一種ホルムアルデヒド発散建築材料」という。）を使用しないこと。

二　居室の内装の仕上げに、夏季においてその表面積一平方メートルにつき毎時〇・〇二ミリグラムを超え〇・一二ミリグラム以下の量のホルムアルデヒドを発散させるものとして国土交通大臣が定める建築材料（以下この条において「第二種ホルムアルデヒド発散建築材料」という。）又は夏季においてその表面積一平方メートルにつき毎時〇・〇〇五ミリグラムを超え〇・〇二ミリグラム以下の量のホルムアルデヒドを発散させるものとして国土交通大臣が定める建築材料（以下この条において「第三種ホルムアルデヒド発散建築材料」という。）を使用するときは、それぞれ、第二種ホルムアルデヒド発散建築材料を使用する内装の仕上げの部分の面積に次の表㈠の項に定める数値を乗じて得た面積又は第三種ホルムアルデヒド発散建築材料を使用する内装の仕上げの部分の面積に同表㈡の項に定める数値を乗じて得た面積（居室の内装の仕上げに第二種ホルムアルデヒド発散建築材料及び第三種ホルムアルデヒド発散建築材料を使用するときは、これらの面積の合計）が、当該居室の床面積を超えないこと。

	住宅等の居室		住宅等の居室以外の居室		
	換気回数が〇・七以上の機械換気設備を設け、又はこれに相当する換気が確保されるものとして、国土交通大臣が定めた構造方法を用い、若しくは国土交通大臣の認定を受けた居室	その他の居室	換気回数が〇・七以上の機械換気設備を設け、又はこれに相当する換気が確保されるものとして、国土交通大臣が定めた構造方法を用い、若しくは国土交通大臣の認定を受けた居室	換気回数が〇・五以上〇・七未満の機械換気設備を設け、又はこれに相当する換気が確保されるものとして、国土交通大臣が定めた構造方法を用い、若しくは国土交通大臣の認定を受けた居室	その他の居室
㈠	一・二	二・八	〇・八八	一・四	三・〇
㈡	〇・二〇	〇・五〇	〇・一五	〇・二五	〇・五〇

備考

一　この表において、住宅等の居室とは、住宅の居室並びに下宿の宿泊室、寄宿舎の寝室及び家具その他これに類する物品の販売業を営む店舗の売場（常時開放された開口部を通じてこれらと相互に通気が確保される廊下その他の建築物の部分を含む。）をいうものとする。

二　この表において、換気回数とは、次の式によって計算した数値をいうものとする。

$$n=\frac{V}{Ah}$$

この式において、n、V、A及びhは、それぞれ次の数値を表すものとする。

n　一時間当たりの換気回数

V　機械換気設備の有効換気量（次条第一項第一号ロに規定する方式を用いる機械換気設備で同号ロ(1)から(3)までに掲げる構造とするものにあっては、同号ロ(1)に規定する有効換気換算量）（単位　一時間につき立方メートル）

A　居室の床面積（単位　平方メートル）

h　居室の天井の高さ（単位　メートル）

2　第一種ホルムアルデヒド発散建築材料のうち、夏季においてその表面積一平方メートルにつき毎時〇・一二ミリグラムを超える量のホルムアルデヒドを発散させないものとして国土交通大臣の認定を受けたもの（次項及び第四項の規定により国土交通大臣の認定を受けたものを除く。）については、第二種ホルムアルデヒド発散建築材料に該当するものとみなす。

3　第一種ホルムアルデヒド発散建築材料又は第二種ホルムアルデヒド発散建築材料のうち、夏季においてその表面積一平方メートルにつき毎時〇・〇二ミリグラムを超える量のホルムアルデヒドを発散させないものとして国土交通大臣の認定を受けたもの（次項の規定により国土交通大臣の認定を受けたものを除く。）については、第三種ホルムアルデヒド発散建築材料に該当するものとみなす。

4　第一種ホルムアルデヒド発散建築材料、第二種ホルムアルデヒド発散建築材料又は第三種ホルムアルデヒド発散建築材料のうち、夏季においてその表面積一平方メートルにつき毎時〇・〇〇五ミリグラムを超える量のホルムアルデヒドを発散させないものとして国土交通大臣の認定を受けたものについては、これらの建築材料に該当しないものとみなす。

5　次条第一項第一号ハに掲げる基準に適合する中央管理方式の空気調和設備を設ける建築物の居室については、第一項の規定は、適用しない。

（居室を有する建築物の換気設備についてのホルムアルデヒドに関する技術的基準）

第二〇条の八　換気設備についてのホルムアルデヒドに関する法第二十八条の二第三号の政令で定める技術的基準は、次のとおりとする。

一　居室には、次のいずれかに適合する構造の換気設備を設けること。

イ　機械換気設備（ロに規定する方式を用いるものでロ(1)から(3)までに掲げる構造とするものを除く。）にあっては、第百二十九条の二の五第二項の規定によるほか、次に掲げる構造とすること。

(1)　有効換気量（立方メートル毎時で表した量とする。(2)において同じ。）が、次の式によって計算した必要有効換気量以上であること。

$$Vr=nAh$$

この式において、Vr、n、A及びhは、それぞれ次の数値を表すものとする。

Vr　必要有効換気量（単位　一時間につき立方メートル）

n　前条第一項第二号の表備考一の号に規定する住宅等の居室（次項において単に「住宅等の居室」という。）にあっては〇・五、その他の居室にあっては〇・三

A　居室の床面積（単位　平方メートル）

h　居室の天井の高さ（単位　メートル）

(2)　一の機械換気設備が二以上の居室に係る場合にあっては、当該換気設備の有効換気量が、当該二以上の居室のそれぞれの必要有効換気量の合計以上であること。

(3)　(1)及び(2)に掲げるもののほか、ホルムアルデヒドの発散による衛生上の支障がないようにするために必要な換気を確保することがで

きるものとして、国土交通大臣が定めた構造方法を用いるものであること。

ロ　居室内の空気を浄化して供給する方式を用いる機械換気設備にあつては、第百二十九条の二の五第二項の規定によるほか、次に掲げる構造とすること。

(1)　次の式によつて計算した有効換気換算量がイ(1)の式によつて計算した必要有効換気量以上であるものとして、国土交通大臣が定めた構造方法を用いるもの又は国土交通大臣の認定を受けたものであること。

$$Vq = Q\frac{C - Cp}{C} + V$$

この式において、Vq、Q、C、Cp及びVは、それぞれ次の数値を表すものとする。

Vq　有効換気換算量（単位　一時間につき立方メートル）

Q　浄化して供給する空気の量（単位　一時間につき立方メートル）

C　浄化前の空気に含まれるホルムアルデヒドの量（単位　一立方メートルにつきミリグラム）

Cp　浄化して供給する空気に含まれるホルムアルデヒドの量（単位　一立方メートルにつきミリグラム）

V　有効換気量（単位　一時間につき立方メートル）

(2)　一の機械換気設備が二以上の居室に係る場合にあつては、当該換気設備の有効換気換算量が、当該二以上の居室のそれぞれの必要有効換気量の合計以上であること。

(3)　(1)及び(2)に掲げるもののほか、ホルムアルデヒドの発散による衛生上の支障がないようにするために必要な換気を確保することができるものとして、国土交通大臣が定めた構造方法を用いるものであること。

ハ　中央管理方式の空気調和設備にあつては、第百二十九条の二の五第三項の規定によるほか、ホルムアルデヒドの発散による衛生上の支障がないようにするために必要な換気を確保することができるものとして、国土交通大臣が定めた構造方法を用いる構造又は国土交通大臣の認定を受けた構造とすること。

二　法第三十四条第二項に規定する建築物又は各構えの床面積の合計が千平方メートルを超える地下街に設ける機械換気設備（一の居室のみに係るものを除く。）又は中央管理方式の空気調和設備にあつては、これらの制御及び作動状態の監視を中央管理室において行うことができるものとすること。

2　前項の規定は、同項に規定する基準に適合する換気設備を設ける住宅等の居室又はその他の居室とそれぞれ同等以上にホルムアルデヒドの発散による衛生上の支障がないようにするために必要な換気を確保することができるものとして、国土交通大臣が定めた構造方法を用いる住宅等の居室若しくはその他の居室又は国土交通大臣の認定を受けた住宅等の居室若しくはその他の居室については、適用しない。

（居室を有する建築物のホルムアルデヒドに関する技術的基準の特例）

第二〇条の九　前二条の規定は、一年を通じて、当該居室内の人が通常活動することが想定される空間のホルムアルデヒドの量を空気一立方メートルにつきおおむね〇・一ミリグラム以下に保つことができるものとして、国土交通大臣の認定を受けた居室については、適用しない。

第二節　居室の天井の高さ、床の高さ及び防湿方法

（居室の天井の高さ）

第二一条　居室の天井の高さは、二・一メートル以上でなければならない。

2　前項の天井の高さは、室の床面から測り、一室で天井の高さの異なる部分がある場合においては、その平均の高さによるものとする。

（居室の床の高さ及び防湿方法）

第二二条　最下階の居室の床が木造である場合における床の高さ及び防湿方法は、次の各号に定めるところによらなければならない。ただし、床下をコンクリート、たたきその他これらに類する材料で覆う場合及び当該最下階の居室の床の構造が、地面から発生する水蒸気によつて腐食しないものとして、国土交通大臣の認定を受けたものである場合においては、この限りでない。

一　床の高さは、直下の地面からその床の上面まで四十五センチメートル以上とすること。

二　外壁の床下部分には、壁の長さ五メートル以下ごとに、面積三百平方センチメートル以上の換気孔を設け、これにねずみの侵入を防ぐための設備をすること。

第二節の二　地階における住宅等の居室の防湿の措置等

（地階における住宅等の居室の技術的基準）

第二二条の二　法第二十九条（法第八十七条第三項において準用する場合を含む。）の政令で定める技術的基準は、次に掲げるものとする。

一　居室が、次のイからハまでのいずれかに該当すること。

イ　国土交通大臣が定めるところにより、からぼりその他の空地に面する開口部が設けられていること。

ロ　第二十条の二に規定する技術的基準に適合する換気設備が設けられていること。

ハ　居室内の湿度を調節する設備が設けられていること。

二　直接土に接する外壁、床及び屋根又はこれらの部分（以下この号において「外壁等」という。）の構造が、次のイ又はロのいずれかに適合するものであること。

イ　外壁等の構造が、次の(1)又は(2)のいずれか（屋根又は屋根の部分にあつては、(1)）に適合するものであること。ただし、外壁等のうち常水面以上の部分にあつては、耐水材料で造り、かつ、材料の接合部及びコンクリートの打継ぎをする部分に防水の措置を講ずる場合においては、この限りでない。

(1)　外壁等にあつては、国土交通大臣が定めるところにより、直接土に接する部分に、水の浸透を防止するための防水層を設けること。

(2)　外壁又は床にあつては、直接土に接する部分を耐水材料で造り、かつ、直接土に接する部分と居室に面する部分の間に居室内への水の浸透を防止するための空隙（当該空隙に浸透した水を有効に排出するための設備が設けられているものに限る。）を設けること。

ロ　外壁等の構造が、外壁等の直接土に接する部分から居室内に水が浸透しないものとして、国土交通大臣の認定を受けたものであること。

第二節の三　長屋又は共同住宅の界壁の遮音構造等

第二二条の三　法第三十条第一項第一号（法第八十七条第三項において準用する場合を含む。）の政令で定める技術的基準は、次の表の上欄に掲げる振動数の音に対する透過損失がそれぞれ同表の下欄に掲げる数値以上であることとする。

振動数（単位　ヘルツ）	透過損失（単位　デシベル）
一二五	二五
五〇〇	四〇
二、〇〇〇	五〇

2　法第三十条第二項（法第八十七条第三項において準用する場合を含む。）の政令で定める技術的基準は、前項に規定する基準とする。

第三節　階段

（階段及びその踊場の幅並びに階段の蹴上げ及び踏面の寸法）

第二三条　階段及びその踊場の幅並びに階段の蹴上げ及び踏面の寸法は、次の表によらなければならない。ただし、屋外階段の幅は、第百二十条又は第百二十一条の規定による直通階段にあつては九十センチメートル以上、その他のものにあつては六十センチメートル以上、住宅の階段（共同住宅の共用の階段を除く。）の蹴上げは二十三センチメートル以下、踏面は十五センチメートル以上とすることができる。

階段の種別	階段及びその踊場の幅（単位　センチメートル）	蹴上げの寸法（単位　センチメートル）	踏面の寸法（単位　センチメートル）

(一)	小学校（義務教育学校の前期課程を含む。）における児童用のもの	一四〇以上	一六以下	二六以上
(二)	中学校（義務教育学校の後期課程を含む。）、高等学校若しくは中等教育学校における生徒用のもの又は物品販売業（物品加工修理業を含む。第百三十条の五の三を除き、以下同じ。）を営む店舗で床面積の合計が千五百平方メートルを超えるもの、劇場、映画館、演芸場、観覧場、公会堂若しくは集会場における客用のもの	一四〇以上	一八以下	二六以上
(三)	直上階の居室の床面積の合計が二百平方メートルを超える地上階又は居室の床面積の合計が百平方メートルを超える地階若しくは地下工作物内におけるもの	一二〇以上	二〇以下	二四以上
(四)	(一)から(三)までに掲げる階段以外のもの	七五以上	二二以下	二一以上

2　回り階段の部分における踏面の寸法は、踏面の狭い方の端から三十センチメートルの位置において測るものとする。

3　階段及びその踊場に手すり及び階段の昇降を安全に行うための設備でその高さが五十センチメートル以下のもの（以下この項において「手すり等」という。）が設けられた場合における第一項の階段及びその踊場の幅は、手すり等の幅が十センチメートルを限度として、ないものとみなして算定する。

4　第一項の規定は、同項の規定に適合する階段と同等以上に昇降を安全に行うことができるものとして国土交通大臣が定めた構造方法を用いる階段については、適用しない。

（踊場の位置及び踏幅）

第二四条　前条第一項の表の(一)又は(二)に該当する階段でその高さが三メートルをこえるものにあつては高さ三メートル以内ごとに、その他の階段でその高さが四メートルをこえるものにあつては高さ四メートル以内ごとに踊場を設けなければならない。

2　前項の規定によつて設ける直階段の踊場の踏幅は、一・二メートル以上としなければならない。

（階段等の手すり等）

第二五条　階段には、手すりを設けなければならない。

2　階段及びその踊場の両側（手すりが設けられた側を除く。）には、側壁又はこれに代わるものを設けなければならない。

3　階段の幅が三メートルをこえる場合においては、中間に手すりを設けなければならない。ただし、けあげが十五センチメートル以下で、かつ、踏面が三十センチメートル以上のものにあつては、この限りでない。

4　前三項の規定は、高さ一メートル以下の階段の部分には、適用しない。

（階段に代わる傾斜路）

第二六条　階段に代わる傾斜路は、次の各号に定めるところによらなければならない。

一　勾配は、八分の一をこえないこと。

二　表面は、粗面とし、又はすべりにくい材料で仕上げること。

2　前三条の規定（けあげ及び踏面に関する部分を除く。）は、前項の傾斜路に準用する。

（特殊の用途に専用する階段）

第二七条　第二十三条から第二十五条までの規定は、昇降機機械室用階段、物見塔用階段その他特殊の用途に専用する階段には、適用しない。

第四節　便所

（便所の採光及び換気）

第二八条　便所には、採光及び換気のため直接外気に接する窓を設けなければならない。ただし、水洗便所で、これに代わる設備をした場合においては、この限りでない。

（くみ取便所の構造）

第二九条　くみ取便所の構造は、次に掲げる基準に適合するものとして、国土交通大臣が定めた構造方法を用いるもの又は国土交通大臣の認定を受けたものとしなければならない。

一　屎尿に接する部分から漏水しないものであること。

二　屎尿の臭気（便器その他構造上やむを得ないものから漏れるものを除く。）が、建築物の他の部分（便所の床下を除く。）又は屋外に漏れないものであること。

三　便槽に、雨水、土砂等が流入しないものであること。

（特殊建築物及び特定区域の便所の構造）

第三〇条　都市計画区域又は準都市計画区域内における学校、病院、劇場、映画館、演芸場、観覧場、公会堂、集会場、百貨店、ホテル、旅館、寄宿舎、停車場その他地方公共団体が条例で指定する用途に供する建築物の便所及び公衆便所の構造は、前条各号に掲げる基準及び次に掲げる基準に適合するものとして、国土交通大臣が定めた構造方法を用いるもの又は国土交通大臣の認定を受けたものとしなければならない。

一　便器及び小便器から便槽までの汚水管が、汚水を浸透させないものであること。

二　水洗便所以外の大便所にあつては、窓その他換気のための開口部からはえが入らないものであること。

2　地方公共団体は、前項に掲げる用途の建築物又は条例で指定する区域内の建築物のくみ取便所の便槽を次条の改良便槽とすることが衛生上必要であり、かつ、これを有効に維持することができると認められる場合においては、当該条例で、これを改良便槽としなければならない旨の規定を設けることができる。

（改良便槽）

第三一条　改良便槽は、次に定める構造としなければならない。

一　便槽は、貯留槽及びくみ取槽を組み合わせた構造とすること。

二　便槽の天井、底、周壁及び隔壁は、耐水材料で造り、防水モルタル塗その他これに類する有効な防水の措置を講じて漏水しないものとすること。

三　貯留槽は、二槽以上に区分し、汚水を貯留する部分の深さは八十センチメートル以上とし、その容積は〇・七五立方メートル以上で、かつ、百日以上（国土交通大臣が定めるところにより汚水の温度の低下を防止するための措置が講じられたものにあつては、その容積は〇・六立方メートル以上で、かつ、八十日以上）貯留できるようにすること。

四　貯留槽には、掃除するために必要な大きさの穴を設け、かつ、これに密閉することができるふたを設けること。

五　小便器からの汚水管は、その先端を貯留槽の汚水面下四十センチメートル以上の深さに差し入れること。

（法第三十一条第二項等の規定に基づく汚物処理性能に関する技術的基準）

第三二条　屎尿浄化槽の法第三十一条第二項の政令で定める技術的基準及び合併処理浄化槽（屎尿と併せて雑排水を処理する浄化槽をいう。以下同じ。）について法第三十六条の規定により定めるべき構造に関する技術的基準のうち処理性能に関するもの（以下「汚物処理性能に関する技術的基準」と総称する。）は、次のとおりとする。

一　通常の使用状態において、次の表に掲げる区域及び処理対象人員の区分に応じ、それぞれ同表に定める性能を有するものであること。

屎尿浄化槽又は合併処理浄化槽を設ける区域	処理対象人員（単位　人）	性能	
		生物化学的酸素要求量の除去率（単位　パーセント）	屎尿浄化槽又は合併処理浄化槽からの放流水の生物化学的酸素要求量（単位　一リットルにつきミリグラム）

特定行政庁が衛生上特に支障があると認めて規則で指定する区域	五〇以下	六五以上	九〇以下
	五一以上五〇〇以下	七〇以上	六〇以下
	五〇一以上	八五以上	三〇以下
特定行政庁が衛生上特に支障がないと認めて規則で指定する区域		五五以上	一二〇以下
その他の区域	五〇〇以下	六五以上	九〇以下
	五〇一以上二、〇〇〇以下	七〇以上	六〇以下
	二、〇〇一以上	八五以上	三〇以下

一　この表における処理対象人員の算定は、国土交通大臣が定める方法により行うものとする。

二　この表において、生物化学的酸素要求量の除去率とは、屎尿浄化槽又は合併処理浄化槽への流入水の生物化学的酸素要求量の数値から屎尿浄化槽又は合併処理浄化槽からの放流水の生物化学的酸素要求量の数値を減じた数値を屎尿浄化槽又は合併処理浄化槽への流入水の生物化学的酸素要求量の数値で除して得た割合をいうものとする。

二　放流水に含まれる大腸菌群数が、一立方センチメートルにつき三千個以下とする性能を有するものであること。

二　放流水に含まれる大腸菌数が、一ミリリットルにつき八百コロニー形成単位以下とする性能を有するものであること。

2　特定行政庁が地下浸透方式により汚物（便所から排出する汚物をいい、これと併せて雑排水を処理する場合にあつては雑排水を含む。次項及び第三十五条第一項において同じ。）を処理することとしても衛生上支障がないと認めて規則で指定する区域内に設ける当該方式に係る汚物処理性能に関する技術的基準は、前項の規定にかかわらず、通常の使用状態において、次の表に定める性能及び同項第二号に掲げる性能を有するものであることとする。

性能		
一次処理装置による浮遊物質量の除去率（単位　パーセント）	一次処理装置からの流出水に含まれる浮遊物質量（単位　一リットルにつきミリグラム）	地下浸透能力
五五以上	二五〇以下	一次処理装置からの流出水が滞留しない程度のものであること。

この表において、一次処理装置による浮遊物質量の除去率とは、一次処理装置への流入水に含まれる浮遊物質量の数値から一次処理装置からの流出水に含まれる浮遊物質量の数値を減じた数値を一次処理装置への流入水に含まれる浮遊物質量の数値で除して得た割合をいうものとする。

3　次の各号に掲げる場合における汚物処理性能に関する技術的基準は、第一項の規定にかかわらず、通常の使用状態において、汚物を当該各号に定める基準に適合するよう処理する性能及び同項第二号に掲げる性能を有するものであることとする。

一　水質汚濁防止法（昭和四十五年法律第百三十八号）第三条第一項又は第三項の規定による排水基準により、屎尿浄化槽又は合併処理浄化槽からの放流水について、第一項第一号の表に掲げる生物化学的酸素要求量に関する基準より厳しい基準が定められ、又は生物化学的酸素要求量以外の項目に関しても基準が定められている場合　当該排水基準

二　浄化槽法第四条第一項の規定による技術上の基準により、屎尿浄化槽又は合併処理浄化槽からの放流水について、第一項第一号の表に掲げる生物化学的酸素要求量に関する基準より厳しい基準が定められ、又は生物化学的酸素要求量以外の項目に関しても基準が定められている場合　当該技術上の基準

（漏水検査）

第三十三条　第三十一条の改良便槽並びに前条の屎尿浄化槽及び合併処理浄化槽は、満水して二十四時間以上漏水しないことを確かめなければならない。

（便所と井戸との距離）

第三十四条　くみ取便所の便槽は、井戸から五メートル以上離して設けなければならない。ただし、地盤面下三メートル以上埋設した閉鎖式井戸で、その導水管が外管を有せず、かつ、不浸透質で造られている場合又はその導水管が内径二十五センチメートル以下の外管を有し、かつ、導水管及び外管が共に不浸透質で造られている場合においては、一・八メートル以上とすることができる。

（合併処理浄化槽の構造）

第三十五条　合併処理浄化槽の構造は、排出する汚物を下水道法第二条第六号に規定する終末処理場を有する公共下水道以外に放流しようとする場合においては、第三十二条の汚物処理性能に関する技術的基準に適合するもので、国土交通大臣が定めた構造方法を用いるもの又は国土交通大臣の認定を受けたものとしなければならない。

2　その構造が前項の規定に適合する合併処理浄化槽を設けた場合は、法第三十一条第二項の規定に適合するものとみなす。

第三章　構造強度

第一節　総則

（構造方法に関する技術的基準）

第三十六条　法第二十条第一項第一号の政令で定める技術的基準（建築設備に係る技術的基準を除く。）は、耐久性等関係規定（この条から第三十六条の三まで、第三十七条、第三十八条第一項、第五項及び第六項、第三十九条第一項及び第四項、第四十一条、第四十九条、第七十条、第七十二条（第七十九条の四及び第八十条において準用する場合を含む。）、第七十四条から第七十六条まで（これらの規定を第七十九条の四及び第八十条において準用する場合を含む。）、第七十九条（第七十九条の四において準用する場合を含む。）、第七十九条の三並びに第八十条の二（国土交通大臣が定めた安全上必要な技術的基準のうちその指定する基準に係る部分に限る。）の規定をいう。以下同じ。）に適合する構造方法を用いることとする。

2　法第二十条第一項第二号イの政令で定める技術的基準（建築設備に係る技術的基準を除く。）は、次の各号に掲げる場合の区分に応じ、それぞれ当該各号に定める構造方法を用いることとする。

一　第八十一条第二項第一号イに掲げる構造計算によつて安全性を確かめる場合　この節から第四節の二まで、第五節（第六十七条第一項（同項各号に掲げる措置に係る部分を除く。）及び第六十八条第四項（これらの規定を第七十九条の四において準用する場合を含む。）を除く。）、第六節（第七十三条、第七十七条第二号から第六号まで、第七十七条の二第二項、第七十八条（プレキャスト鉄筋コンクリートで造られたはりで二以上の部材を組み合わせるものの接合部に適用される場合に限る。）及び第七十八条の二第一項第三号（これらの規定を第七十九条の四において準用する場合を含む。）を除く。）、第六節の二、第八十条及び第七節の二（第八十条の二（国土交通大臣が定めた安全上必要な技術的基準のうちその指定する基準に係る部分に限る。）を除く。）の規定に適合する構造方法

二　第八十一条第二項第一号ロに掲げる構造計算によつて安全性を確かめる場合　耐久性等関係規定に適合する構造方法

三　第八十一条第二項第二号イに掲げる構造計算によつて安全性を確かめる場合　この節から第七節の二までの規定に適合する構造方法

3　法第二十条第一項第三号イ及び第四号イの政令で定める技術的基準（建築設備に係る技術的基準を除く。）は、この節から第七節の二までの規定に適合する構造方法を用いることとする。

（地階を除く階数が四以上である鉄骨造の建築物等に準ずる建築物）

第三六条の二　法第二十条第一項第二号の政令で定める建築物は、次に掲げる建築物とする。

一　地階を除く階数が四以上である組積造又は補強コンクリートブロック造の建築物

二　地階を除く階数が三以下である鉄骨造の建築物であつて、高さが十三メートル又は軒の高さが九メートルを超えるもの

二　地階を除く階数が三以下である鉄骨造の建築物であつて、高さが十六メートルを超えるもの

三　鉄筋コンクリート造と鉄骨鉄筋コンクリート造とを併用する建築物であつて、高さが二十メートルを超えるもの

四　木造、組積造、補強コンクリートブロック造若しくは鉄骨造のうち二以上の構造を併用する建築物又はこれらの構造のうち一以上の構造と鉄筋コンクリート造若しくは鉄骨鉄筋コンクリート造とを併用する建築物であつて、次のイ又はロのいずれかに該当するもの

イ　地階を除く階数が四以上である建築物

ロ　高さが十三メートル又は軒の高さが九メートルを超える建築物

ロ　高さが十六メートルを超える建築物

五　前各号に掲げるもののほか、その安全性を確かめるために地震力によつて地上部分の各階に生ずる水平方向の変形を把握することが必要であるものとして、構造又は規模を限つて国土交通大臣が指定する建築物

（構造設計の原則）

第三六条の三　建築物の構造設計に当たつては、その用途、規模及び構造の種別並びに土地の状況に応じて柱、はり、床、壁等を有効に配置して、建築物全体が、これに作用する自重、積載荷重、積雪荷重、風圧、土圧及び水圧並びに地震その他の震動及び衝撃に対して、一様に構造耐力上安全であるようにすべきものとする。

2　構造耐力上主要な部分は、建築物に作用する水平力に耐えるように、釣合い良く配置すべきものとする。

3　建築物の構造耐力上主要な部分には、使用上の支障となる変形又は振動が生じないような剛性及び瞬間的破壊が生じないような靱（じん）性をもたすべきものとする。

（別の建築物とみなすことができる部分）

第三六条の四　法第二十条第二項（法第八十八条第一項において準用する場合を含む。）の政令で定める部分は、建築物の二以上の部分がエキスパンションジョイントその他の相互に応力を伝えない構造方法のみで接している場合における当該建築物の部分とする。

第二節　構造部材等

（構造部材の耐久）

第三七条　構造耐力上主要な部分で特に腐食、腐朽又は摩損のおそれのあるものには、腐食、腐朽若しくは摩損しにくい材料又は有効なさび止め、防腐若しくは摩損防止のための措置をした材料を使用しなければならない。

（基礎）

第三八条　建築物の基礎は、建築物に作用する荷重及び外力を安全に地盤に伝え、かつ、地盤の沈下又は変形に対して構造耐力上安全なものとしなければならない。

2　建築物には、異なる構造方法による基礎を併用してはならない。

3　建築物の基礎の構造は、建築物の構造、形態及び地盤の状況を考慮して国土交通大臣が定めた構造方法を用いるものとしなければならない。この場合において、高さ十三メートル又は延べ面積三千平方メートルを超える建築物で、当該建築物に作用する荷重が最下階の床面積一平方メートルにつき百キロニュートンを超えるものにあつては、基礎の底部（基礎ぐいを使用する場合にあつては、当該基礎ぐいの先端）を良好な地盤に達することとしなければならない。

4　前二項の規定は、建築物の基礎について国土交通大臣が定める基準に従つた構造計算によつて構造耐力上安全であることが確かめられた場合においては、適用しない。

5　打撃、圧力又は振動により設けられる基礎ぐいは、それを設ける際に作用する打撃力その他の外力に対して構造耐力上安全なものでなければならない。

6　建築物の基礎に木ぐいを使用する場合においては、その木ぐいは、平家建の木造の建築物に使用する場合を除き、常水面下にあるようにしなければならない。

（屋根ふき材等）

第三九条　屋根ふき材、内装材、外装材、帳壁その他これらに類する建築物の部分及び広告塔、装飾塔その他建築物の屋外に取り付けるものは、風圧並びに地震その他の震動及び衝撃によつて脱落しないようにしなければならない。

2　屋根ふき材、外装材及び屋外に面する帳壁の構造は、構造耐力上安全なものとして国土交通大臣が定めた構造方法を用いるものとしなければならない。

3　特定天井（脱落によつて重大な危害を生ずるおそれがあるものとして国土交通大臣が定める天井をいう。以下同じ。）の構造は、構造耐力上安全なものとして、国土交通大臣が定めた構造方法を用いるもの又は国土交通大臣の認定を受けたものとしなければならない。

4　特定天井で特に腐食、腐朽その他の劣化のおそれのあるものには、腐食、腐朽その他の劣化しにくい材料又は有効なさび止め、防腐その他の劣化防止のための措置をした材料を使用しなければならない。

第三節　木造

（適用の範囲）

第四〇条　この節の規定は、木造の建築物又は木造と組積造その他の構造とを併用する建築物の木造の構造部分に適用する。ただし、茶室、あずまやその他これらに類する建築物又は延べ面積が十平方メートル以内の物置、納屋その他これらに類する建築物については、適用しない。

（木材）

第四一条　構造耐力上主要な部分に使用する木材の品質は、節、腐れ、繊維の傾斜、丸身等による耐力上の欠点がないものでなければならない。

（土台及び基礎）

第四二条　構造耐力上主要な部分である柱で最下階の部分に使用するものの下部には、土台を設けなければならない。ただし、次の各号のいずれかに該当する場合においては、この限りでない。

一　当該柱を基礎に緊結した場合

二　平家建ての建築物（地盤が軟弱な区域として特定行政庁が国土交通大臣の定める基準に基づいて規則で指定する区域内にあるものを除く。次項において同じ。）で足固めを使用した場合

三　当該柱と基礎とをだぼ継ぎその他の国土交通大臣が定める構造方法により接合し、かつ、当該柱に構造耐力上支障のある引張応力が生じないことが国土交通大臣が定める方法によつて確かめられた場合

2　土台は、基礎に緊結しなければならない。ただし、平家建ての建築物で延べ面積が五十平方メートル以内のものについては、この限りでない。

（柱の小径）

第四三条　構造耐力上主要な部分である柱の張り間方向及びけた行方向の小径は、それぞれの方向でその柱に接着する土台、足固め、胴差、はり、けたその他の構造耐力上主要な部分である横架材の相互間の垂直距離に対して、次の表に掲げる割合以上のものでなければならない。ただし、国土交通大臣が定める基準に従つた構造計算によつて構造耐力上安全であることが確かめられた場合においては、この限りでない。

柱／建築物	張り間方向又はけた行方向に相互の間隔が十メートル以上の柱又は学校、保育所、劇場、映画館、演芸場、観覧場、公会堂、集会場、物品販売業を営む店舗（床面積の合計が十平方メートル以内のものを除く。）若しくは公衆浴場の用途に供する建築物の柱		上欄以外の柱	
	最上階又は階数が一の建築物の柱	その他の階の柱	最上階又は階数が一の建築物の柱	その他の階の柱
(一) 土蔵造の建築物その他これに類する壁の重量が特に大きい建築物	二十二分の一	二十分の一	二十五分の一	二十二分の一
(二) (一)に掲げる建築物以外の建築物で屋根を金属板、石板、木板その他これらに類する軽い材料でふいたもの	三十分の一	二十五分の一	三十三分の一	三十分の一
(三) (一)及び(二)に掲げる建築物以外の建築物	二十五分の一	二十二分の一	三十分の一	二十八分の一

第四三条　構造耐力上主要な部分である柱の張り間方向及び桁行方向の小径は、それぞれの方向でその柱に接着する土台、足固め、胴差、はり、桁その他の構造耐力上主要な部分である横架材の相互間の垂直距離に対して、建築物の用途及び規模並びに屋根、外壁その他の建築物の部分の構造に応じて国土交通大臣が定める割合以上のものでなければならない。

2　地階を除く階数が二を超える建築物の一階の構造耐力上主要な部分である柱の張り間方向及びけた行方向の小径は、十三・五センチメートルを下回つてはならない。ただし、当該柱と土台又は基礎及び当該柱とはり、けたその他の横架材とをそれぞれボルト締その他これに類する構造方法により緊結し、かつ、国土交通大臣が定める基準に従つた構造計算によつて構造耐力上安全であることが確かめられた場合においては、この限りでない。

2　地階を除く階数が二を超える建築物の一階の構造耐力上主要な部分である柱の張り間方向及び桁行方向の小径は、十三・五センチメートルを下回つてはならない。ただし、当該柱と土台又は基礎及び当該柱とはり、桁その他の横架材とをそれぞれボルト締その他これに類する構造方法により緊結し、かつ、国土交通大臣が定める基準に従つた構造計算によつて構造耐力上安全であることが確かめられた場合においては、この限りでない。

3　法第四十一条の規定によつて、条例で、法第二十一条第一項及び第二項の規定の全部若しくは一部を適用せず、又はこれらの規定による制限を緩和する場合においては、当該条例で、柱の小径の横架材の相互間の垂直距離に対する割合を補足する規定を設けなければならない。

4　前三項の規定による柱の小径に基づいて算定した柱の所要断面積の三分の一以上を欠き取る場合においては、その部分を補強しなければならない。

5　階数が二以上の建築物におけるすみ柱又はこれに準ずる柱は、通し柱としなければならない。ただし、接合部を通し柱と同等以上の耐力を有するように補強した場合においては、この限りでない。

5　階数が二以上の建築物における隅柱又はこれに準ずる柱は、通し柱としなければならない。ただし、接合部を通し柱と同等以上の耐力を有するように補強した場合においては、この限りでない。

6　構造耐力上主要な部分である柱の有効細長比（断面の最小二次率半径に対する座屈長さの比をいう。以下同じ。）は、百五十以下としなければならない。

（はり等の横架材）

第四四条　はり、けたその他の横架材には、その中央部附近の下側に耐力上支障のある欠込みをしてはならない。

（筋かい）

第四五条　引張り力を負担する筋かいは、厚さ一・五センチメートル以上で幅九センチメートル以上の木材又は径九ミリメートル以上の鉄筋を使用したものとしなければならない。

2　圧縮力を負担する筋かいは、厚さ三センチメートル以上で幅九センチメートル以上の木材を使用したものとしなければならない。

3　筋かいは、その端部を、柱とはりその他の横架材との仕口に接近して、ボルト、かすがい、くぎその他の金物で緊結しなければならない。

4　筋かいには、欠込みをしてはならない。ただし、筋かいをたすき掛けにするためにやむを得ない場合において、必要な補強を行なつたときは、この限りでない。

第四五条　引張力を負担する筋かいは、厚さ一・五センチメートル以上で幅九センチメートル以上の木材若しくは径九ミリメートル以上の鉄筋又はこれらと同等以上に引張力を負担することができる材料として国土交通大臣が定めたもの若しくは国土交通大臣の認定を受けたものを使用したものとしなければならない。

2　圧縮力を負担する筋かいは、厚さ三センチメートル以上で幅九センチメートル以上の木材又はこれと同等以上に圧縮力を負担することができる材料として国土交通大臣が定めたもの若しくは国土交通大臣の認定を受けたものを使用したものとしなければならない。

3　筋かいは、その両端の端部を、柱又ははりその他の横架材に、ボルト、かすがい、くぎその他の金物で緊結しなければならない。この場合において、そのいずれか一方の端部を緊結する位置は、当該柱と当該横架材との仕口の部分でなければならない。

4　筋かいには、欠込みをしてはならない。ただし、筋かいをたすき掛けにするためにやむを得ない場合において、必要な補強を行つたときは、この限りでない。

（構造耐力上必要な軸組等）

第四六条　構造耐力上主要な部分である壁、柱及び横架材を木造とした建築物にあつては、すべての方向の水平力に対して安全であるように、各階の張り間方向及びけた行方向に、それぞれ壁を設け又は筋かいを入れた軸組を釣合い良く配置しなければならない。

第四六条　構造耐力上主要な部分である壁、柱及び横架材を木造とした建築物にあつては、全ての方向の水平力に対して安全であるように、各階の張り間方向及び桁行方向に、それぞれ壁を設け又は筋かいを入れた軸組を釣合い良く配置しなければならない。

2　前項の規定は、次の各号のいずれかに該当する木造の建築物又は建築物の構造部分については、適用しない。

一 次に掲げる基準に適合するもの

イ 構造耐力上主要な部分である柱及び横架材（間柱、小ばりその他これらに類するものを除く。以下この号において同じ。）に使用する集成材その他の木材の品質が、当該柱及び横架材の強度及び耐久性に関し国土交通大臣の定める基準に適合していること。

ロ 構造耐力上主要な部分である柱の脚部が、一体の鉄筋コンクリート造の布基礎に緊結している土台に緊結し、又は鉄筋コンクリート造の基礎に緊結していること。

ハ イ及びロに掲げるもののほか、国土交通大臣が定める基準に従つた構造計算によつて、構造耐力上安全であることが確かめられた構造であること。

二 方づえ（その接着する柱が添木等によつて補強されているものに限る。）、控柱又は控壁があつて構造耐力上支障がないもの

二 方づえ（その接着する柱が添木その他これに類するものによって補強されているものに限る。）、控柱又は控壁があって構造耐力上支障がないもの

3 床組及び小屋ばり組には木板その他これに類するものを国土交通大臣が定める基準に従つて打ち付け、小屋組には振れ止めを設けなければならない。ただし、国土交通大臣が定める基準に従つた構造計算によつて構造耐力上安全であることが確かめられた場合においては、この限りでない。

4 階数が二以上又は延べ面積が五十平方メートルを超える木造の建築物においては、第一項の規定によつて各階の張り間方向及びけた行方向に配置する壁を設け又は筋かいを入れた軸組を、それぞれの方向につき、次の表一の軸組の種類の欄に掲げる区分に応じて当該軸組の長さに同表の倍率の欄に掲げる数値を乗じて得た長さの合計が、その階の床面積（その階又は上の階の小屋裏、天井裏その他これらに類する部分に物置等を設ける場合にあつては、当該物置等の床面積及び高さに応じて国土交通大臣が定める面積をその階の床面積に加えた面積）に次の表二に掲げる数値（特定行政庁が第八十八条第二項の規定によつて指定した区域内における場合においては、表二に掲げる数値のそれぞれ一・五倍とした数値）を乗じて得た数値以上で、かつ、その階（その階より上の階がある場合においては、当該上の階を含む。）の見付面積（張り間方向又はけた行方向の鉛直投影面積をいう。以下同じ。）からその階の床面からの高さが一・三五メートル以下の部分の見付面積を減じたものに次の表三に掲げる数値を乗じて得た数値以上となるように、国土交通大臣が定める基準に従つて設置しなければならない。

一

	軸組の種類	倍率
㈠	土塗壁又は木ずりその他これに類するものを柱及び間柱の片面に打ち付けた壁を設けた軸組	〇・五
㈡	木ずりその他これに類するものを柱及び間柱の両面に打ち付けた壁を設けた軸組 厚さ一・五センチメートル以上で幅九センチメートル以上の木材又は径九ミリメートル以上の鉄筋の筋かいを入れた軸組	一
㈢	厚さ三センチメートル以上で幅九センチメートル以上の木材の筋かいを入れた軸組	一・五
㈣	厚さ四・五センチメートル以上で幅九センチメートル以上の木材の筋かいを入れた軸組	二
㈤	九センチメートル角以上の木材の筋かいを入れた軸組	三
㈥	㈡から㈣までに掲げる筋かいをたすき掛けに入れた軸組	㈡から㈣までのそれぞれの数値の二倍
㈦	㈤に掲げる筋かいをたすき掛けに入れた軸組	五
㈧	その他㈠から㈦までに掲げる軸組と同等以上の耐力を有するものとして国土交通大臣が定めた構造方法を用いるもの又は国土交通大臣の認定を受けたもの	〇・五から五までの範囲内において国土交通大臣が定める数値
㈨	㈠又は㈡に掲げる壁と㈡から㈥までに掲げる筋かいとを併用した軸組	㈠又は㈡のそれぞれの数値と㈡から㈥までのそれぞれの数値との和

二

建築物	階の床面積に乗ずる数値（単位　一平方メートルにつきセンチメートル）					
	階数が一の建築物	階数が二の建築物の一階	階数が二の建築物の二階	階数が三の建築物の一階	階数が三の建築物の二階	階数が三の建築物の三階
第四十三条第一項の表の㈠又は㈢に掲げる建築物	一五	三三	二一	五〇	三九	二四
第四十三条第一項の表の㈡に掲げる建築物	一一	二九	一五	四六	三四	一八

この表における階数の算定については、地階の部分の階数は、算入しないものとする。

三

	区域	見付面積に乗ずる数値（単位　一平方メートルにつきセンチメートル）
㈠	特定行政庁がその地方における過去の風の記録を考慮してしばしば強い風が吹くと認めて規則で指定する区域	五〇を超え、七五以下の範囲内において特定行政庁がその地方における風の状況に応じて規則で定める数値
㈡	㈠に掲げる区域以外の区域	五〇

4　階数が二以上又は延べ面積が五十平方メートルを超える木造の建築物においては、第一項の規定により配置する軸組は、当該建築物の各階に作用する水平力により構造耐力上支障のある変形又は破壊が生じないよう木材、鉄筋その他必要な強度を有する材料を使用した壁又は筋かいが有効に設けられたものとして国土交通大臣が定めた構造方法を用いるもの又は国土交通大臣の認定を受けたものを、当該建築物が地震及び風圧に対して構造耐力上安全なものとなるように国土交通大臣が定める基準に従つて設置するものでなければならない。

（構造耐力上主要な部分である継手又は仕口）

第四七条　構造耐力上主要な部分である継手又は仕口は、ボルト締、かすがい打、込み栓打その他の国土交通大臣が定める構造方法によりその部分の存在応力を伝えるように緊結しなければならない。この場合において、横架材の丈が大きいこと、柱と鉄骨の横架材とが剛に接合していること等により柱に構造耐力上支障のある局部応力が生ずるおそれがあるときは、当該柱を添木等によつて補強しなければならない。

2　前項の規定によるボルト締には、ボルトの径に応じ有効な大きさと厚さを有する座金を使用しなければならない。

（学校の木造の校舎）

第四八条　学校における壁、柱及び横架材を木造とした校舎は、次に掲げるところによらなければならない。

一　外壁には、第四十六条第四項の表一の㈤に掲げる筋かいを使用すること。

二　桁行が十二メートルを超える場合においては、桁行方向の間隔十二メートル以内ごとに第四十六条第四項の表一の㈤に掲げる筋かいを使用した通し壁の間仕切壁を設けること。ただし、控柱又は控壁を適当な間隔に設け、国土交通大臣が定める基準に従つた構造計算によつて構造耐力上安全であることが確かめられた場合においては、この限りでない。

三　桁行方向の間隔二メートル（屋内運動場その他規模が大きい室においては、四メートル）以内ごとに柱、はり及び小屋組を配置し、柱とはり又は小屋組とを緊結すること。

四　構造耐力上主要な部分である柱は、十三・五センチメートル角以上のもの（二階建ての一階の柱で、張り間方向又は桁行方向に相互の間隔が四メートル以上のものについては、十三・五センチメートル角以上の柱を二本合わせて用いたもの又は十五センチメートル角以上のもの）とすること。

2　前項の規定は、次の各号のいずれかに該当する校舎については、適用しない。

一　第四十六条第二項第一号に掲げる基準に適合するもの

二　国土交通大臣が指定する日本産業規格に適合するもの

第四八条　削除

（外壁内部等の防腐措置等）

第四九条　木造の外壁のうち、鉄網モルタル塗その他軸組が腐りやすい構造である部分の下地には、防水紙その他これに類するものを使用しなければならない。

2　構造耐力上主要な部分である柱、筋かい及び土台のうち、地面から一メートル以内の部分には、有効な防腐措置を講ずるとともに、必要に応じて、しろありその他の虫による害を防ぐための措置を講じなければならない。

第五〇条　削除

第四節　組積造

（適用の範囲）

第五一条　この節の規定は、れんが造、石造、コンクリートブロック造その他の組積造（補強コンクリートブロック造を除く。以下この項及び第四項において同じ。）の建築物又は組積造と木造その他の構造とを併用する建築物の組積造の構造部分に適用する。ただし、高さ十三メートル以下であり、かつ、軒の高さが九メートル以下の建築物の部分で、鉄筋、鉄骨又は鉄筋コンクリートによつて補強され、かつ、国土交通大臣が定める基準に従つた構造計算によつて構造耐力上安全であることが確かめられたものについては、適用しない。

2　高さが四メートル以下で、かつ、延べ面積が二十平方メートル以内の建築物については、この節の規定中第五十五条第二項及び第五十六条の規定は、適用しない。

3　構造耐力上主要な部分でない間仕切壁で高さが二メートル以下のものについては、この節の規定中第五十二条及び第五十五条第五項の規定に限り適用する。

4　れんが造、石造、コンクリートブロック造その他の組積造の建築物（高さ十三メートル又は軒の高さが九メートルを超えるものに限る。）又は組積造と木造その他の構造とを併用する建築物（高さ十三メートル又は軒の高さが九メートルを超えるものに限る。）については、この節の規定中第五十九条の二に限り適用する。

（組積造の施工）

第五二条　組積造に使用するれんが、石、コンクリートブロックその他の組積材は、組積するに当たつて充分に水洗いをしなければならない。

2　組積材は、その目地塗面の全部にモルタルが行きわたるように組積しなければならない。

3　前項のモルタルは、セメントモルタルでセメントと砂との容積比が一対三のもの若しくはこれと同等以上の強度を有するもの又は石灰入りセメントモルタルでセメントと石灰と砂との容積比が一対二対五のもの若しくはこれと同等以上の強度を有するものとしなければならない。

4　組積材は、芋目地ができないように組積しなければならない。

第五三条　削除

（壁の長さ）

第五四条　組積造の壁の長さは、十メートル以下としなければならない。

2　前項の壁の長さは、その壁に相隣つて接着する二つの壁（控壁でその基礎の部分における長さが、控壁の接着する壁の高さの三分の一以上のものを含む。以下この節において「対隣壁」という。）がその壁に接着する部分間の中心距離をいう。

（壁の厚さ）

第五五条　組積造の壁の厚さ（仕上材料の厚さを含まないものとする。以下この節において同じ。）は、その建築物の階数及びその壁の長さ（前条第二項の壁の長さをいう。以下この節において同じ。）に応じて、それぞれ次の表の数値以上としなければならない。

壁の長さ／建築物の階数	五メートル以下の場合（単位　センチメートル）	五メートルをこえる場合（単位　センチメートル）
階数が二以上の建築物	三〇	四〇
階数が一の建築物	二〇	三〇

2　組積造の各階の壁の厚さは、その階の壁の高さの十五分の一以上としなければならない。

3　組積造の間仕切壁の壁の厚さは、前二項の規定による壁の厚さより十センチメートル以下を減らすことができる。ただし、二十センチメートル以下としてはならない。

4　組積造の壁を二重壁とする場合においては、前三項の規定は、そのいずれか一方の壁について適用する。

5　組積造の各階の壁の厚さは、その上にある壁の厚さより薄くしてはならない。

6　鉄骨造、鉄筋コンクリート造又は鉄骨鉄筋コンクリート造の建築物における組積造の帳壁は、この条の規定の適用については、間仕切壁とみなす。

（臥梁）

第五六条　組積造の壁には、その各階の壁頂（切妻壁がある場合においては、その切妻壁の壁頂）に鉄骨造又は鉄筋コンクリート造の臥梁（がりよう）を設けなければならない。ただし、その壁頂に鉄筋コンクリート造の屋根版、床版等が接着する場合又は階数が一の建築物で壁の厚さが壁の高さの十分の一以上の場合若しくは壁の長さが五メートル以下の場合においては、この限りでない。

（開口部）

第五七条　組積造の壁における窓、出入口その他の開口部は、次の各号に定めるところによらなければならない。

一　各階の対隣壁によつて区画されたおのおのの壁における開口部の幅の総和は、その壁の長さの二分の一以下とすること。

二　各階における開口部の幅の総和は、その階における壁の長さの総和の三分の一以下とすること。

三　一の開口部とその直上にある開口部との垂直距離は、六十センチメートル以上とすること。

2　組積造の壁の各階における開口部相互間又は開口部と対隣壁の中心との水平距離は、その壁の厚さの二倍以上としなければならない。ただし、開口部周囲を鉄骨又は鉄筋コンクリートで補強した場合においては、この限りでない。

3　幅が一メートルをこえる開口部の上部には、鉄筋コンクリート造のまぐさを設けなければならない。

4　組積造のはね出し窓又ははね出し縁は、鉄骨又は鉄筋コンクリートで補強しなければならない。

5　壁付暖炉の組積造の炉胸は、暖炉及び煙突を充分に支持するに足りる基礎の上に造り、かつ、上部を積出しとしない構造とし、木造の建築物に設ける場合においては、更に鋼材で補強しなければならない。

（壁のみぞ）

第五十八条　組積造の壁に、その階の壁の高さの四分の三以上連続した縦壁みぞを設ける場合においては、その深さは壁の厚さの三分の一以下とし、横壁みぞを設ける場合においては、その深さは壁の厚さの三分の一以下で、かつ、長さを三メートル以下としなければならない。

（鉄骨組積造である壁）

第五十九条　鉄骨組積造である壁の組積造の部分は、鉄骨の軸組にボルト、かすがいその他の金物で緊結しなければならない。

（補強を要する組積造）

第五十九条の二　高さ十三メートル又は軒の高さが九メートルを超える建築物にあつては、国土交通大臣が定める構造方法により、鉄筋、鉄骨又は鉄筋コンクリートによつて補強しなければならない。

（手すり又は手すり壁）

第六十条　手すり又は手すり壁は、組積造としてはならない。ただし、これらの頂部に鉄筋コンクリート造の臥梁を設けた場合においては、この限りでない。

（組積造のへい）

第六十一条　組積造のへいは、次の各号に定めるところによらなければならない。

一　高さは、一・二メートル以下とすること。

二　各部分の壁の厚さは、その部分から壁頂までの垂直距離の十分の一以上とすること。

三　長さ四メートル以下ごとに、壁面からその部分における壁の厚さの一・五倍以上突出した控壁（木造のものを除く。）を設けること。ただし、その部分における壁の厚さが前号の規定による壁の厚さの一・五倍以上ある場合においては、この限りでない。

四　基礎の根入れの深さは、二十センチメートル以上とすること。

（構造耐力上主要な部分等のささえ）

第六十二条　組積造である構造耐力上主要な部分又は構造耐力上主要な部分でない組積造の壁で高さが二メートルをこえるものは、木造の構造部分でささえてはならない。

第四節の二　補強コンクリートブロック造

（適用の範囲）

第六十二条の二　この節の規定は、補強コンクリートブロック造の建築物又は補強コンクリートブロック造と鉄筋コンクリート造その他の構造とを併用する建築物の補強コンクリートブロック造の構造部分に適用する。

2　高さが四メートル以下で、かつ、延べ面積が二十平方メートル以内の建築物については、この節の規定中第六十二条の六及び第六十二条の七の規定に限り適用する。

第六十二条の三　削除

（耐力壁）

第六十二条の四　各階の補強コンクリートブロック造の耐力壁の中心線により囲まれた部分の水平投影面積は、六十平方メートル以下としなければならない。

2　各階の張り間方向及びけた行方向に配置する補強コンクリートブロック造の耐力壁の長さのそれぞれの方向についての合計は、その階の床面積一平方メートルにつき十五センチメートル以上としなければならない。

3　補強コンクリートブロック造の耐力壁の厚さは、十五センチメートル以上で、かつ、その耐力壁に作用するこれと直角な方向の水平力に対する構造耐力上主要な支点間の水平距離（以下第六十二条の五第二項において「耐力壁の水平力に対する支点間の距離」という。）の五十分の一以上としなければならない。

4　補強コンクリートブロック造の耐力壁は、その端部及び隅角部に径十二ミリメートル以上の鉄筋を縦に配置するほか、径九ミリメートル以上の鉄筋を縦横に八十センチメートル以内の間隔で配置したものとしなければならない。

5　補強コンクリートブロック造の耐力壁は、前項の規定による縦筋の末端をかぎ状に折り曲げてその縦筋の径の四十倍以上基礎又は基礎ばり及び臥梁又は屋根版に定着する等の方法により、これらと互いにその存在応力を伝えることができる構造としなければならない。

6　第四項の規定による横筋は、次の各号に定めるところによらなければならない。

一　末端は、かぎ状に折り曲げること。ただし、補強コンクリートブロック造の耐力壁の端部以外の部分における異形鉄筋の末端にあつては、この限りでない。

二　継手の重ね長さは、溶接する場合を除き、径の二十五倍以上とすること。

三　補強コンクリートブロック造の耐力壁の端部が他の耐力壁又は構造耐力上主要な部分である柱に接着する場合には、横筋の末端をこれらに定着するものとし、これらの鉄筋に溶接する場合を除き、定着される部分の長さを径の二十五倍以上とすること。

（臥梁）

第六十二条の五　補強コンクリートブロック造の耐力壁には、その各階の壁頂に鉄筋コンクリート造の臥梁を設けなければならない。ただし、階数が一の建築物で、その壁頂に鉄筋コンクリート造の屋根版が接着する場合においては、この限りでない。

2　臥梁の有効幅は、二十センチメートル以上で、かつ、耐力壁の水平力に対する支点間の距離の二十分の一以上としなければならない。

（目地及び空胴部）

第六十二条の六　コンクリートブロックは、その目地塗面の全部にモルタルが行きわたるように組積し、鉄筋を入れた空胴部及び縦目地に接する空胴部は、モルタル又はコンクリートで埋めなければならない。

2　補強コンクリートブロック造の耐力壁、門又はへいの縦筋は、コンクリートブロックの空胴部内で継いではならない。ただし、溶接接合その他これと同等以上の強度を有する接合方法による場合においては、この限りでない。

（帳壁）

第六十二条の七　補強コンクリートブロック造の帳壁は、鉄筋で、木造及び組積造（補強コンクリートブロック造を除く。）以外の構造耐力上主要な部分に緊結しなければならない。

（塀）

第六十二条の八　補強コンクリートブロック造の塀は、次の各号（高さ一・二メートル以下の塀にあつては、第五号及び第七号を除く。）に定めるところによらなければならない。ただし、国土交通大臣が定める基準に従つた構造計算によつて構造耐力上安全であることが確かめられた場合においては、この限りでない。

一　高さは、二・二メートル以下とすること。

二　壁の厚さは、十五センチメートル（高さ二メートル以下の塀にあつては、十センチメートル）以上とすること。

三　壁頂及び基礎には横に、壁の端部及び隅角部には縦に、それぞれ径九ミリメートル以上の鉄筋を配置すること。

四　壁内には、径九ミリメートル以上の鉄筋を縦横に八十センチメートル以下の間隔で配置すること。

五　長さ三・四メートル以下ごとに、径九ミリメートル以上の鉄筋を配置した控壁で基礎の部分において壁面から高さの五分の一以上突出したものを設けること。

六　第三号及び第四号の規定により配置する鉄筋の末端は、かぎ状に折り曲げて、縦筋にあつては壁頂及び基礎の横筋に、横筋にあつてはこれらの縦筋に、それぞれかぎ掛けして定着すること。ただし、縦筋をその径の四十倍以上基礎に定着させる場合にあつては、縦筋の末端は、基礎の横筋にかぎ掛けしないことができる。

七　基礎の丈は、三十五センチメートル以上とし、根入れの深さは三十センチメートル以上とすること。

第五節　鉄骨造

（適用の範囲）

第六三条　この節の規定は、鉄骨造の建築物又は鉄骨造と鉄筋コンクリート造その他の構造とを併用する建築物の鉄骨造の構造部分に適用する。

（材料）

第六四条　鉄骨造の建築物の構造耐力上主要な部分の材料は、炭素鋼若しくはステンレス鋼（この節において「鋼材」という。）又は鋳鉄としなければならない。

2　鋳鉄は、圧縮応力又は接触応力以外の応力が存在する部分には、使用してはならない。

（圧縮材の有効細長比）

第六五条　構造耐力上主要な部分である鋼材の圧縮材（圧縮力を負担する部材をいう。以下同じ。）の有効細長比は、柱にあつては二百以下、柱以外のものにあつては二百五十以下としなければならない。

（柱の脚部）

第六六条　構造耐力上主要な部分である柱の脚部は、国土交通大臣が定める基準に従つたアンカーボルトによる緊結その他の構造方法により基礎に緊結しなければならない。ただし、滑節構造である場合においては、この限りでない。

（接合）

第六七条　構造耐力上主要な部分である鋼材の接合は、接合される鋼材が炭素鋼であるときは高力ボルト接合、溶接接合若しくはリベット接合（構造耐力上主要な部分である継手又は仕口に係るリベット接合にあつては、添板リベット接合）又はこれらと同等以上の効力を有するものとして国土交通大臣の認定を受けた接合方法に、接合される鋼材がステンレス鋼であるときは高力ボルト接合若しくは溶接接合又はこれらと同等以上の効力を有するものとして国土交通大臣の認定を受けた接合方法に、それぞれよらなければならない。ただし、軒の高さが九メートル以下で、かつ、張り間が十三メートル以下の建築物（延べ面積が三千平方メートルを超えるものを除く。）にあつては、ボルトが緩まないように次の各号のいずれかに該当する措置を講じたボルト接合によることができる。

第六七条　構造耐力上主要な部分である鋼材の接合は、接合される鋼材が炭素鋼であるときは高力ボルト接合、溶接接合若しくはリベット接合（構造耐力上主要な部分である継手又は仕口に係るリベット接合にあつては、添板リベット接合）又はこれらと同等以上の効力を有するものとして国土交通大臣の認定を受けた接合方法に、接合される鋼材がステンレス鋼であるときは高力ボルト接合若しくは溶接接合又はこれらと同等以上の効力を有するものとして国土交通大臣の認定を受けた接合方法に、それぞれよらなければならない。ただし、軒の高さが九メートル以下で、かつ、張り間が十三メートル以下の建築物（延べ面積が三千平方メートルを超えるものを除く。）その他その規模及び構造に関し安全上支障がないものとして国土交通大臣が定める基準に適合する建築物にあつては、ボルトが緩まないように次の各号のいずれかに該当する措置を講じたボルト接合によることができる。

一　当該ボルトをコンクリートで埋め込むこと。

二　当該ボルトに使用するナットの部分を溶接すること。

三　当該ボルトにナットを二重に使用すること。

四　前三号に掲げるもののほか、これらと同等以上の効力を有する戻り止めをすること。

2　構造耐力上主要な部分である継手又は仕口の構造は、その部分の存在応力を伝えることができるものとして、国土交通大臣が定めた構造方法を用いるもの又は国土交通大臣の認定を受けたものとしなければならない。この場合において、柱の端面を削り仕上げとし、密着する構造とした継手又は仕口で引張り応力が生じないものは、その部分の圧縮力及び曲げモーメントの四分の一（柱の脚部においては、二分の一）以内を接触面から伝えている構造とみなすことができる。

2　構造耐力上主要な部分である継手又は仕口の構造は、その部分の存在応力を伝えることができるものとして、国土交通大臣が定めた構造方法を用いるもの又は国土交通大臣の認定を受けたものとしなければならない。この場合において、柱の端面を削り仕上げとし、密着する構造とした継手又は仕口で引張応力が生じないものは、その部分の圧縮力及び曲げモーメントの四分の一（柱の脚部においては、二分の一）以内を接触面から伝えている構造とみなすことができる。

（高力ボルト、ボルト及びリベット）

第六八条　高力ボルト、ボルト又はリベットの相互間の中心距離は、その径の二・五倍以上としなければならない。

2　高力ボルト孔の径は、高力ボルトの径より二ミリメートルを超えて大きくしてはならない。ただし、高力ボルトの径が二十七ミリメートル以上であり、かつ、構造耐力上支障がない場合においては、高力ボルト孔の径を高力ボルトの径より三ミリメートルまで大きくすることができる。

3　前項の規定は、同項の規定に適合する高力ボルト接合と同等以上の効力を有するものとして国土交通大臣の認定を受けた高力ボルト接合については、適用しない。

4　ボルト孔の径は、ボルトの径より一ミリメートルを超えて大きくしてはならない。ただし、ボルトの径が二十ミリメートル以上であり、かつ、構造耐力上支障がない場合においては、ボルト孔の径をボルトの径より一・五ミリメートルまで大きくすることができる。

5　リベットは、リベット孔に充分埋まるように打たなければならない。

（斜材、壁等の配置）

第六九条　軸組、床組及び小屋ばり組には、すべての方向の水平力に対して安全であるように、国土交通大臣が定める基準に従つた構造計算によつて構造耐力上安全であることが確かめられた場合を除き、形鋼、棒鋼若しくは構造用ケーブルの斜材又は鉄筋コンクリート造の壁、屋根版若しくは床版を釣合い良く配置しなければならない。

（柱の防火被覆）

第七〇条　地階を除く階数が三以上の建築物（法第二条第九号の二イに掲げる基準に適合する建築物及び同条第九号の三イに該当する建築物を除く。）にあつては、一の柱のみの火熱による耐力の低下によつて建築物全体が容易に倒壊するおそれがある場合として国土交通大臣が定める場合においては、当該柱の構造は、通常の火災による火熱が加えられた場合に、加熱開始後三十分間構造耐力上支障のある変形、溶融、破壊その他の損傷を生じないものとして国土交通大臣が定めた構造方法を用いるもの又は国土交通大臣の認定を受けたものとしなければならない。

第六節　鉄筋コンクリート造

（適用の範囲）

第七一条　この節の規定は、鉄筋コンクリート造の建築物又は鉄筋コンクリート造と鉄骨造その他の構造とを併用する建築物の鉄筋コンクリート造の構造部分に適用する。

2　高さが四メートル以下で、かつ、延べ面積が三十平方メートル以内の建築物又は高さが三メートル以下のへいについては、この節の規定中第七十二条、第七十五条及び第七十九条の規定に限り適用する。

（コンクリートの材料）

第七二条　鉄筋コンクリート造に使用するコンクリートの材料は、次の各号に定めるところによらなければならない。

一　骨材、水及び混和材料は、鉄筋をさびさせ、又はコンクリートの凝結及び硬化を妨げるような酸、塩、有機物又は泥土を含まないこと。

二　骨材は、鉄筋相互間及び鉄筋とせき板との間を容易に通る大きさであること。

三　骨材は、適切な粒度及び粒形のもので、かつ、当該コンクリートに必要な強度、耐久性及び耐火性が得られるものであること。

（鉄筋の継手及び定着）

第七三条　鉄筋の末端は、かぎ状に折り曲げて、コンクリートから抜け出ないように定着しなければならない。ただし、次の各号に掲げる部分以外の部分に使用する異形鉄筋にあつては、その末端を折り曲げないことができる。

一　柱及びはり（基礎ばりを除く。）の出すみ部分

二　煙突

2　主筋又は耐力壁の鉄筋（以下この項において「主筋等」という。）の継手の重ね長さは、継手を構造部材における引張力の最も小さい部分に設ける場合にあつては、主筋等の径（径の異なる主筋等をつなぐ場合にあつて

は、細い主筋等の径。以下この条において同じ。）の二十五倍以上とし、継手を引張り力の最も小さい部分以外の部分に設ける場合にあつては、主筋等の径の四十倍以上としなければならない。ただし、国土交通大臣が定めた構造方法を用いる継手にあつては、この限りでない。

3　柱に取り付けるはりの引張り鉄筋は、柱の主筋に溶接する場合を除き、柱に定着される部分の長さをその径の四十倍以上としなければならない。ただし、国土交通大臣が定める基準に従つた構造計算によつて構造耐力上安全であることが確かめられた場合においては、この限りでない。

2　主筋又は耐力壁の鉄筋（以下この項において「主筋等」という。）の継手の重ね長さは、継手を構造部材における引張力の最も小さい部分に設ける場合にあつては、主筋等の径（径の異なる主筋等をつなぐ場合にあつては、細い主筋等の径。以下この項において同じ。）の二十五倍以上とし、継手を引張力の最も小さい部分以外の部分に設ける場合にあつては、主筋等の径の四十倍以上としなければならない。ただし、国土交通大臣が定めた構造方法を用いる継手にあつては、この限りでない。

3　柱に取り付けるはりの引張鉄筋は、柱の主筋に溶接する場合を除き、柱に定着される部分の長さをその径の四十倍以上としなければならない。ただし、国土交通大臣が定める基準に従つた構造計算によつて構造耐力上安全であることが確かめられた場合においては、この限りでない。

4　軽量骨材を使用する鉄筋コンクリート造について前二項の規定を適用する場合には、これらの項中「二十五倍」とあるのは「三十倍」と、「四十倍」とあるのは「五十倍」とする。

（コンクリートの強度）

第七四条　鉄筋コンクリート造に使用するコンクリートの強度は、次に定めるものでなければならない。

一　四週圧縮強度は、一平方ミリメートルにつき十二ニュートン（軽量骨材を使用する場合においては、九ニュートン）以上であること。

二　設計基準強度（設計に際し採用する圧縮強度をいう。以下同じ。）との関係において国土交通大臣が安全上必要であると認めて定める基準に適合するものであること。

2　前項に規定するコンクリートの強度を求める場合においては、国土交通大臣が指定する強度試験によらなければならない。

3　コンクリートは、打上りが均質で密実になり、かつ、必要な強度が得られるようにその調合を定めなければならない。

（コンクリートの養生）

第七五条　コンクリート打込み中及び打込み後五日間は、コンクリートの温度が二度を下らないようにし、かつ、乾燥、震動等によつてコンクリートの凝結及び硬化が妨げられないように養生しなければならない。ただし、コンクリートの凝結及び硬化を促進するための特別の措置を講ずる場合においては、この限りでない。

（型わく及び支柱の除去）

第七六条　構造耐力上主要な部分に係る型わく及び支柱は、コンクリートが自重及び工事の施工中の荷重によつて著しい変形又はひび割れその他の損傷を受けない強度になるまでは、取りはずしてはならない。

2　前項の型わく及び支柱の取りはずしに関し必要な技術的基準は、国土交通大臣が定める。

（柱の構造）

第七七条　構造耐力上主要な部分である柱は、次に定める構造としなければならない。

一　主筋は、四本以上とすること。

二　主筋は、帯筋と緊結すること。

三　帯筋の径は、六ミリメートル以上とし、その間隔は、十五センチメートル（柱に接着する壁、はりその他の横架材から上方又は下方に柱の小径の二倍以内の距離にある部分においては、十センチメートル）以下で、かつ、最も細い主筋の径の十五倍以下とすること。

四　帯筋比（柱の軸を含むコンクリートの断面の面積に対する帯筋の断面積の和の割合として国土交通大臣が定める方法により算出した数値をいう。）は、〇・二パーセント以上とすること。

五　柱の小径は、その構造耐力上主要な支点間の距離の十五分の一以上とすること。ただし、国土交通大臣が定める基準に従つた構造計算によつて構造耐力上安全であることが確かめられた場合においては、この限りでない。

六　主筋の断面積の和は、コンクリートの断面積の〇・八パーセント以上とすること。

（床版の構造）

第七七条の二　構造耐力上主要な部分である床版は、次に定める構造としなければならない。ただし、第八十二条第四号に掲げる構造計算によつて振動又は変形による使用上の支障が起こらないことが確かめられた場合においては、この限りでない。

一　厚さは、八センチメートル以上とし、かつ、短辺方向における有効張り間長さの四十分の一以上とすること。

二　最大曲げモーメントを受ける部分における引張鉄筋の間隔は、短辺方向において二十センチメートル以下、長辺方向において三十センチメートル以下で、かつ、床版の厚さの三倍以下とすること。

2　前項の床版のうちプレキャスト鉄筋コンクリートで造られた床版は、同項の規定によるほか、次に定める構造としなければならない。

一　周囲のはり等との接合部は、その部分の存在応力を伝えることができるものとすること。

二　二以上の部材を組み合わせるものにあつては、これらの部材相互を緊結すること。

（はりの構造）

第七八条　構造耐力上主要な部分であるはりは、複筋ばりとし、これにあばら筋をはりの丈の四分の三（臥梁にあつては、三十センチメートル）以下の間隔で配置しなければならない。

（耐力壁）

第七八条の二　耐力壁は、次に定める構造としなければならない。

一　厚さは、十二センチメートル以上とすること。

二　開口部周囲に径十二ミリメートル以上の補強筋を配置すること。

三　径九ミリメートル以上の鉄筋を縦横に三十センチメートル（複配筋として配置する場合においては、四十五センチメートル）以下の間隔で配置すること。ただし、平家建ての建築物にあつては、その間隔を三十五センチメートル（複配筋として配置する場合においては、五十センチメートル）以下とすることができる。

四　周囲の柱及びはりとの接合部は、その部分の存在応力を伝えることができるものとすること。

2　壁式構造の耐力壁は、前項の規定によるほか、次に定める構造としなければならない。

一　長さは、四十五センチメートル以上とすること。

二　その端部及び隅角部に径十二ミリメートル以上の鉄筋を縦に配置すること。

三　各階の耐力壁は、その頂部及び脚部を当該耐力壁の厚さ以上の幅の壁ばり（最下階の耐力壁の脚部にあつては、布基礎又は基礎ばり）に緊結し、耐力壁の存在応力を相互に伝えることができるようにすること。

（鉄筋のかぶり厚さ）

第七九条　鉄筋に対するコンクリートのかぶり厚さは、耐力壁以外の壁又は床にあつては二センチメートル以上、耐力壁、柱又ははりにあつては三センチメートル以上、直接土に接する壁、柱、床若しくははり又は布基礎の立上り部分にあつては四センチメートル以上、基礎（布基礎の立上り部分を除く。）にあつては捨コンクリートの部分を除いて六センチメートル以上としなければならない。

2　前項の規定は、水、空気、酸又は塩による鉄筋の腐食を防止し、かつ、鉄筋とコンクリートとを有効に付着させることにより、同項に規定するかぶり厚さとした場合と同等以上の耐久性及び強度を有するものとして、国土交通大臣が定めた構造方法を用いる部材及び国土交通大臣の認定を受けた部材については、適用しない。

第六節の二　鉄骨鉄筋コンクリート造

（適用の範囲）

第七九条の二　この節の規定は、鉄骨鉄筋コンクリート造の建築物又は鉄骨鉄筋コンクリート造と鉄筋コンクリート造その他の構造とを併用する建築物の鉄骨鉄筋コンクリート造の構造部分に適用する。

（鉄骨のかぶり厚さ）

第七九条の三　鉄骨に対するコンクリートのかぶり厚さは、五センチメートル以上としなければならない。

2　前項の規定は、水、空気、酸又は塩による鉄骨の腐食を防止し、かつ、鉄骨とコンクリートとを有効に付着させることにより、同項に規定するかぶり厚さとした場合と同等以上の耐久性及び強度を有するものとして、国土交通大臣が定めた構造方法を用いる部材及び国土交通大臣の認定を受けた部材については、適用しない。

（鉄骨鉄筋コンクリート造に対する第五節及び第六節の規定の準用）

第七九条の四　鉄骨鉄筋コンクリート造の建築物又は建築物の構造部分については、前二節（第六十五条、第七十条及び第七十七条第四号を除く。）の規定を準用する。この場合において、第七十二条第二号中「鉄筋相互間及び鉄筋とせき板」とあるのは「鉄骨及び鉄筋の間並びにこれらとせき板」と、第七十七条第六号中「主筋」とあるのは「鉄骨及び主筋」と読み替えるものとする。

第七節　無筋コンクリート造

（無筋コンクリート造に対する第四節及び第六節の規定の準用）

第八〇条　無筋コンクリート造の建築物又は無筋コンクリート造とその他の構造とを併用する建築物の無筋コンクリート造の構造部分については、この章の第四節（第五十二条を除く。）の規定並びに第七十一条（第七十九条に関する部分を除く。）、第七十二条及び第七十四条から第七十六条までの規定を準用する。

第七節の二　構造方法に関する補則

（構造方法に関する補則）

第八〇条の二　第三節から前節までに定めるもののほか、国土交通大臣が、次の各号に掲げる建築物又は建築物の構造部分の構造方法に関し、安全上必要な技術的基準を定めた場合においては、それらの建築物又は建築物の構造部分は、その技術的基準に従つた構造としなければならない。

一　木造、組積造、補強コンクリートブロック造、鉄骨造、鉄筋コンクリート造、鉄骨鉄筋コンクリート造又は無筋コンクリート造の建築物又は建築物の構造部分で、特殊の構造方法によるもの

二　木造、組積造、補強コンクリートブロック造、鉄骨造、鉄筋コンクリート造、鉄骨鉄筋コンクリート造及び無筋コンクリート造以外の建築物又は建築物の構造部分

（土砂災害特別警戒区域内における居室を有する建築物の構造方法）

第八〇条の三　土砂災害警戒区域等における土砂災害防止対策の推進に関する法律（平成十二年法律第五十七号）第九条第一項に規定する土砂災害特別警戒区域（以下この条及び第八十二条の五第八号において「特別警戒区域」という。）内における居室を有する建築物の外壁及び構造耐力上主要な部分（当該特別警戒区域の指定において都道府県知事が同法第九条第二項及び土砂災害警戒区域等における土砂災害防止対策の推進に関する法律施行令（平成十三年政令第八十四号）第四条の規定に基づき定めた土石等の高さ又は土石流の高さ（以下この条及び第八十二条の五第八号において「土石等の高さ等」という。）以下の部分であつて、当該特別警戒区域に係る同法第二条に規定する土砂災害の発生原因となる自然現象（河道閉塞による湛水を除く。以下この条及び第八十二条の五第八号において単に「自然現象」という。）により衝撃が作用すると想定される部分に限る。以下この条及び第八十二条の五第八号において「外壁等」という。）の構造は、自然現象の種類、当該特別警戒区域の指定において都道府県知事が同法第九条第二項及び同令第四条の規定に基づき定めた最大の力の大きさ又は力の大きさ（以下この条及び第八十二条の五第八号において「最大の力の大きさ等」という。）及び土石等の高さ等（当該外壁等の高さが土石等の高さ等未満であるときは、自然現象の種類、最大の力の大きさ等、土石等の高さ等及び当該外壁等の高さ）に応じて、当該自然現象により想定される衝撃が作用した場合においても破壊を生じないものとして国土交通大臣が定めた構造方法を用いるものとしなければならない。ただし、土石等の高さ等以上の高さの門又は塀（当該構造方法を用いる外壁等と同等以上の耐力を有するものとして国土交通大臣が定めた構造方法を用いるものに限る。）が当該自然現象により当該外壁等に作用すると想定される衝撃を遮るように設けられている場合においては、この限りでない。

第八節　構造計算

第一款　総則

第八一条　法第二十条第一項第一号の政令で定める基準は、次のとおりとする。

一　荷重及び外力によつて建築物の各部分に連続的に生ずる力及び変形を把握すること。

二　前号の規定により把握した力及び変形が当該建築物の各部分の耐力及び変形限度を超えないことを確かめること。

三　屋根ふき材、特定天井、外装材及び屋外に面する帳壁が、風圧並びに地震その他の震動及び衝撃に対して構造耐力上安全であることを確かめること。

四　前三号に掲げるもののほか、建築物が構造耐力上安全であることを確かめるために必要なものとして国土交通大臣が定める基準に適合すること。

2　法第二十条第一項第二号イの政令で定める基準は、次の各号に掲げる建築物の区分に応じ、それぞれ当該各号に定める構造計算によるものであることとする。

一　高さが三十一メートルを超える建築物　次のイ又はロのいずれかに該当する構造計算

イ　保有水平耐力計算又はこれと同等以上に安全性を確かめることができるものとして国土交通大臣が定める基準に従つた構造計算

ロ　限界耐力計算又はこれと同等以上に安全性を確かめることができるものとして国土交通大臣が定める基準に従つた構造計算

二　高さが三十一メートル以下の建築物　次のイ又はロのいずれかに該当する構造計算

イ　許容応力度等計算又はこれと同等以上に安全性を確かめることができるものとして国土交通大臣が定める基準に従つた構造計算

ロ　前号に定める構造計算

3　法第二十条第一項第三号イの政令で定める基準は、次条各号及び第八十二条の四に定めるところによる構造計算又はこれと同等以上に安全性を確かめることができるものとして国土交通大臣が定める基準に従つた構造計算によるものであることとする。

第一款の二　保有水平耐力計算

（保有水平耐力計算）

第八二条　前条第二項第一号イに規定する保有水平耐力計算とは、次の各号及び次条から第八十二条の四までに定めるところによりする構造計算をいう。

一　第二款に規定する荷重及び外力によつて建築物の構造耐力上主要な部分に生ずる力を国土交通大臣が定める方法により計算すること。

二　前号の構造耐力上主要な部分の断面に生ずる長期及び短期の各応力度を次の表に掲げる式によつて計算すること。

力の種類	荷重及び外力について想定する状態	一般の場合	第八十六条第二項ただし書の規定により特定行政庁が指定する多雪区域における場合	備考
長期に生ずる力	常時	G+P	G+P	
	積雪時		G+P+0.7S	
短期に生ずる力	積雪時	G+P+S	G+P+S	
	暴風時	G+P+W	G+P+W	建築物の転倒、柱の引抜き等を検討する場合においては、Pについては、建築物の実況に応じて積載荷重を減らした数値によるものとする。
			G+P+0.35S+W	
	地震時	G+P+K	G+P+0.35S+K	

この表において、G、P、S、W及びKは、それぞれ次の力（軸方向力、曲げモーメント、せん断力等をいう。）を表すものとする。
G　第八十四条に規定する固定荷重によつて生ずる力
P　第八十五条に規定する積載荷重によつて生ずる力
S　第八十六条に規定する積雪荷重によつて生ずる力
W　第八十七条に規定する風圧力によつて生ずる力
K　第八十八条に規定する地震力によつて生ずる力

三　第一号の構造耐力上主要な部分ごとに、前号の規定によつて計算した長期及び短期の各応力度が、それぞれ第三款の規定による長期に生ずる力又は短期に生ずる力に対する各許容応力度を超えないことを確かめること。

四　国土交通大臣が定める場合においては、構造耐力上主要な部分である構造部材の変形又は振動によつて建築物の使用上の支障が起こらないことを国土交通大臣が定める方法によつて確かめること。

（**層間変形角**）

第八十二条の二　建築物の地上部分については、第八十八条第一項に規定する地震力（以下この款において「地震力」という。）によつて各階に生ずる水平方向の層間変位を国土交通大臣が定める方法により計算し、当該層間変位の当該各階の高さに対する割合（第八十二条の六第二号イ及び第百九条の二の二第一項において「層間変形角」という。）が二百分の一（地震力による構造耐力上主要な部分の変形によつて建築物の部分に著しい損傷が生ずるおそれのない場合にあつては、百二十分の一）以内であることを確かめなければならない。

（**保有水平耐力**）

第八十二条の三　建築物の地上部分については、第一号の規定によつて計算した各階の水平力に対する耐力（以下この条及び第八十二条の五において「保有水平耐力」という。）が、第二号の規定によつて計算した必要保有水平耐力以上であることを確かめなければならない。

一　第四款に規定する材料強度によつて国土交通大臣が定める方法により保有水平耐力を計算すること。

二　地震力に対する各階の必要保有水平耐力を次の式によつて計算すること。

$$Qun = Ds\ Fes\ Qud$$

（この式において、Qun、Ds、Fes及びQudは、それぞれ次の数値を表すものとする。
Qun　各階の必要保有水平耐力（単位　キロニュートン）
Ds　各階の構造特性を表すものとして、建築物の構造耐力上主要な部分の構造方法に応じた減衰性及び各階の靱性を考慮して国土交通大臣が定める数値
Fes　各階の形状特性を表すものとして、各階の剛性率及び偏心率に応じて国土交通大臣が定める方法により算出した数値
Qud　地震力によつて各階に生ずる水平力（単位　キロニュートン））

（**屋根ふき材等の構造計算**）

第八十二条の四　屋根ふき材、外装材及び屋外に面する帳壁については、国土交通大臣が定める基準に従つた構造計算によつて風圧に対して構造耐力上安全であることを確かめなければならない。

第一款の三　限界耐力計算

第八十二条の五　第八十一条第二項第一号ロに規定する限界耐力計算とは、次に定めるところによりする構造計算をいう。

一　地震時を除き、第八十二条第一号から第三号まで（地震に係る部分を除く。）に定めるところによること。

二　積雪時又は暴風時に、建築物の構造耐力上主要な部分に生ずる力を次の表に掲げる式によつて計算し、当該構造耐力上主要な部分に生ずる力が、それぞれ第四款の規定による材料強度によつて計算した当該構造耐力上主要な部分の耐力を超えないことを確かめること。

荷重及び外力について想定する状態	一般の場合	第八十六条第二項ただし書の規定により特定行政庁が指定する多雪区域における場合	備考
積雪時	G+P+1.4S	G+P+1.4S	
暴風時	G+P+1.6W	G+P+1.6W	建築物の転倒、柱の引抜き等を検討する場合においては、Pについては、建築物の実況に応じて積載荷重を減らした数値によるものとする。
		G+P+0.35S+1.6W	

この表において、G、P、S及びWは、それぞれ次の力（軸方向力、曲げモーメント、せん断力等をいう。）を表すものとする。
G　第八十四条に規定する固定荷重によつて生ずる力
P　第八十五条に規定する積載荷重によつて生ずる力
S　第八十六条に規定する積雪荷重によつて生ずる力
W　第八十七条に規定する風圧力によつて生ずる力

三　地震による加速度によつて建築物の地上部分の各階に作用する地震力及び各階に生ずる層間変位を次に定めるところによつて計算し、当該地震力が、損傷限界耐力（建築物の各階の構造耐力上主要な部分の断面に生ずる応力度が第三款の規定による短期に生ずる力に対する許容応力度に達する場合の建築物の各階の水平力に対する耐力をいう。以下この号において同じ。）を超えないことを確かめるとともに、層間変位の当該各階の高さに対する割合が二百分の一（地震力による構造耐力上主要な部分の変形によつて建築物の部分に著しい損傷が生ずるおそれのない場合にあつては、百二十分の一）を超えないことを確かめること。

イ　各階が、損傷限界耐力に相当する水平力その他のこれに作用する力に耐えている時に当該階に生ずる水平方向の層間変位（以下この号において「損傷限界変位」という。）を国土交通大臣が定める方法により計算すること。

ロ　建築物のいずれかの階において、イによつて計算した損傷限界変位に相当する変位が生じている時の建築物の固有周期（以下この号及び第七号において「損傷限界固有周期」という。）を国土交通大臣が定める方法により計算すること。

ハ　地震により建築物の各階に作用する地震力を、損傷限界固有周期に応じて次の表に掲げる式によつて計算した当該階以上の各階に水平方向に生ずる力の総和として計算すること。

Td<0.16の場合	$Pdi=(0.64+6Td)\ mi\ Bdi\ Z\ Gs$
0.16≦Td<0.64の場合	$Pdi=1.6mi\ Bdi\ Z\ Gs$
0.64≦Tdの場合	$Pdi=\frac{1.024mi\ Bdi\ Z\ Gs}{Td}$

この表において、Td、Pdi、mi、Bdi、Z及びGsは、それぞれ次の数値を表すものとする。
Td　建築物の損傷限界固有周期（単位　秒）
Pdi　各階に水平方向に生ずる力（単位　キロニュートン）
mi　各階の質量（各階の固定荷重及び積載荷重との和（第八十六条第二項ただし書の規定によつて特定行政庁が指定する多雪区域においては、更に積雪荷重を加えたものとする。）を重力加速度で除したもの）（単位　トン）
Bdi　建築物の各階に生ずる加速度の分布を表すものとして、損傷限界固有周期に応じて国土交通大臣が定める基準に従つて算出した数値
Z　第八十八条第一項に規定するZの数値
Gs　表層地盤による加速度の増幅率を表すものとして、表層地盤の種類に応じて国土交通大臣が定める方法により算出した数値

ニ　各階が、ハによつて計算した地震力その他のこれに作用する力に耐えている時に当該階に生ずる水平方向の層間変位を国土交通大臣が定める方法により計算すること。

四　第八十八条第四項に規定する地震力により建築物の地下部分の構造耐力上主要な部分の断面に生ずる応力度を第八十二条第一号及び第二号の規定によつて計算し、それぞれ第三款の規定による短期に生ずる力に対する許容応力度を超えないことを確かめること。

五　地震による加速度によつて建築物の各階に作用する地震力を次に定めるところによつて計算し、当該地震力が保有水平耐力を超えないことを確かめること。

イ　各階が、保有水平耐力に相当する水平力その他のこれに作用する力に耐えている時に当該階に生ずる水平方向の最大の層間変位（以下この号において「安全限界変位」という。）を国土交通大臣が定める方法により計算すること。

ロ　建築物のいずれかの階において、イによつて計算した安全限界変位に相当する変位が生じている時の建築物の周期（以下この号において「安全限界固有周期」という。）を国土交通大臣が定める方法により計算すること。

ハ　地震により建築物の各階に作用する地震力を、安全限界固有周期に応じて次の表に掲げる式によつて計算した当該階以上の各階に水平方向に生ずる力の総和として計算すること。

$Ts<0.16$の場合	$Psi=(3.2+30Ts)\ mi\ Bsi\ Fh\ Z\ Gs$
$0.16\leqq Ts<0.64$の場合	$Psi=8mi\ Bsi\ Fh\ Z\ Gs$
$0.64\leqq Ts$の場合	$Psi=\dfrac{5.12mi\ Bsi\ Fh\ Z\ Gs}{Ts}$

この表において、Ts、Psi、mi、Bsi、Fh、Z及びGsは、それぞれ次の数値を表すものとする。

Ts　建築物の安全限界固有周期（単位　秒）

Psi　各階に水平方向に生ずる力（単位　キロニュートン）

mi　第三号の表に規定するmiの数値

Bsi　各階に生ずる加速度の分布を表すものとして、安全限界固有周期に対応する振動特性に応じて国土交通大臣が定める基準に従つて算出した数値

Fh　安全限界固有周期における振動の減衰による加速度の低減率を表すものとして国土交通大臣が定める基準に従つて算出した数値

Z　第八十八条第一項に規定するZの数値

Gs　第三号の表に規定するGsの数値

六　第八十二条第四号の規定によること。

七　屋根ふき材、特定天井、外装材及び屋外に面する帳壁が、第三号ニの規定によつて計算した建築物の各階に生ずる水平方向の層間変位及び同号ロの規定によつて計算した建築物の損傷限界固有周期に応じて建築物の各階に生ずる加速度を考慮して国土交通大臣が定める基準に従つた構造計算によつて風圧並びに地震その他の震動及び衝撃に対して構造耐力上安全であることを確かめること。

八　特別警戒区域内における居室を有する建築物の外壁等が、自然現象の種類、最大の力の大きさ等及び土石等の高さ等（当該外壁等の高さが土石等の高さ等未満であるときは、自然現象の種類、最大の力の大きさ等、土石等の高さ等及び当該外壁等の高さ）に応じて、国土交通大臣が定める基準に従つた構造計算によつて当該自然現象により想定される衝撃が作用した場合においても破壊を生じないものであることを確かめること。ただし、第八十条の三ただし書に規定する場合は、この限りでない。

第一款の四　許容応力度等計算

第八十二条の六　第八十一条第二項第二号イに規定する許容応力度等計算とは、次に定めるところによりする構造計算をいう。

一　第八十二条各号、第八十二条の二及び第八十二条の四に定めるところによること。

二　建築物の地上部分について、次に適合することを確かめること。

イ　次の式によつて計算した各階の剛性率が、それぞれ十分の六以上であること。

$$Rs=\frac{rs}{\bar{r}s}$$

この式において、Rs、rs及び$\bar{r}s$は、それぞれ次の数値を表すものとする。

Rs　各階の剛性率

rs　各階の層間変形角の逆数

$\bar{r}s$　当該建築物についてのrsの相加平均

ロ　次の式によつて計算した各階の偏心率が、それぞれ百分の十五を超えないこと。

$$Re=\frac{e}{re}$$

この式において、Re、e及びreは、それぞれ次の数値を表すものとする。

Re　各階の偏心率

e　各階の構造耐力上主要な部分が支える固定荷重及び積載荷重（第八十六条第二項ただし書の規定により特定行政庁が指定する多雪区域にあつては、固定荷重、積載荷重及び積雪荷重）の重心と当該各階の剛心をそれぞれ同一水平面に投影させて結ぶ線を計算しようとする方向と直交する平面に投影させた線の長さ（単位　センチメートル）

re　国土交通大臣が定める方法により算出した各階の剛心周りのねじり剛性の数値を当該各階の計算しようとする方向の水平剛性の数値で除した数値の平方根（単位　センチメートル）

三　前二号に定めるところによるほか、建築物の地上部分について、国土交通大臣がその構造方法に応じ、地震に対し、安全であることを確かめるために必要なものとして定める基準に適合すること。

第二款　荷重及び外力

（荷重及び外力の種類）

第八十三条　建築物に作用する荷重及び外力としては、次の各号に掲げるものを採用しなければならない。

一　固定荷重

二　積載荷重

三　積雪荷重

四　風圧力

五　地震力

2　前項に掲げるもののほか、建築物の実況に応じて、土圧、水圧、震動及び衝撃による外力を採用しなければならない。

（固定荷重）

第八十四条　建築物の各部の固定荷重は、当該建築物の実況に応じて計算しなければならない。ただし、次の表に掲げる建築物の部分の固定荷重については、それぞれ同表の単位面積当たり荷重の欄に定める数値に面積を乗じて計算することができる。

建築物の部分	種別		単位面積当たり荷重（単位　一平方メートルにつきニュートン）	備考
	瓦ぶき	ふき土がない場合	六四〇	下地及びたるきを含み、もやを含まない。
	瓦ぶき	ふき土がある場合	九八〇	下地及びたるきを含み、もやを含まない。
屋根			屋根面につき	
	波形鉄板ぶき	もやに直接ふく場合	五〇	もやを含まない。
	薄鉄板ぶき		二〇〇	下地及びたるきを含み、もやを含まない。
	ガラス屋根		二九〇	鉄製枠を含み、もやを含まない。

建築物の部分	種別				単位面積当たり荷重（単位　一平方メートルにつきニュートン）	備考
	厚形スレートぶき				四四〇	下地及びたるきを含み、もやを含まない。
木造のもや	もやの支点間の距離が二メートル以下の場合			屋根面につき	五〇	
	もやの支点間の距離が四メートル以下の場合				一〇〇	
天井	さお縁			天井面につき	一〇〇	つり木、受木及びその他の下地を含む。
	繊維板張、打上げ板張、合板張又は金属板張				一五〇	
	木毛セメント板張				二〇〇	
	格縁				二九〇	
	しつくい塗				三九〇	
	モルタル塗				五九〇	
床	木造の床	板張		床面につき	一五〇	根太を含む。
		畳敷			三四〇	床板及び根太を含む。
		床ばり	張り間が四メートル以下の場合		一〇〇	
			張り間が六メートル以下の場合		一七〇	
			張り間が八メートル以下の場合		二五〇	
	コンクリート造の床の仕上げ	板張			二〇〇	根太及び大引を含む。
		フロアリングブロック張			一五〇	仕上げ厚さ一センチメートルごとに、そのセンチメートルの数値を乗ずるものとする。
		モルタル塗、人造石塗及びタイル張			二〇〇	
		アスファルト防水層			一五〇	厚さ一センチメートルごとに、そのセンチメートルの数値を乗ずるものとする。
壁	木造の建築物の壁の軸組			壁面につき	一五〇	柱、間柱及び筋かいを含む。
	木造の建築物の壁の仕上げ	下見板張、羽目板張又は繊維板張			一〇〇	下地を含み、軸組を含まない。
		木ずりしつくい塗			三四〇	
		鉄網モルタル塗			六四〇	
	木造の建築物の小舞壁				八三〇	軸組を含む。
	コンクリート造の壁の仕上げ	しつくい塗			一七〇	仕上げ厚さ一センチメートルごとに、そのセンチメートルの数値を乗ずるものとする。
		モルタル塗及び人造石塗			二〇〇	
		タイル張			二〇〇	

（積載荷重）

第八五条　建築物の各部の積載荷重は、当該建築物の実況に応じて計算しなければならない。ただし、次の表に掲げる室の床の積載荷重については、それぞれ同表の(い)、(ろ)又は(は)の欄に定める数値に床面積を乗じて計算することができる。

	構造計算の対象／室の種類		(い) 床の構造計算をする場合（単位　一平方メートルにつきニュートン）	(ろ) 大ばり、柱又は基礎の構造計算をする場合（単位　一平方メートルにつきニュートン）	(は) 地震力を計算する場合（単位　一平方メートルにつきニュートン）
(一)	住宅の居室、住宅以外の建築物における寝室又は病室		一、八〇〇	一、三〇〇	六〇〇
(二)	事務室		二、九〇〇	一、八〇〇	八〇〇
(三)	教室		二、三〇〇	二、一〇〇	一、一〇〇
(四)	百貨店又は店舗の売場		二、九〇〇	二、四〇〇	一、三〇〇
(五)	劇場、映画館、演芸場、観覧場、公会堂、集会場その他これらに類する用途に供する建築物の客席又は集会室	固定席の場合	二、九〇〇	二、六〇〇	一、六〇〇
		その他の場合	三、五〇〇	三、二〇〇	二、一〇〇
(六)	自動車車庫及び自動車通路		五、四〇〇	三、九〇〇	二、〇〇〇
(七)	廊下、玄関又は階段		(三)から(五)までに掲げる室に連絡するものにあつては、(五)の「その他の場合」の数値による。		
(八)	屋上広場又はバルコニー		(一)の数値による。ただし、学校又は百貨店の用途に供する建築物にあつては、(四)の数値による。		

2　柱又は基礎の垂直荷重による圧縮力を計算する場合においては、前項の表の(ろ)欄の数値は、そのささえる床の数に応じて、これに次の表の数値を乗じた数値まで減らすことができる。ただし、同項の表の(五)に掲げる室の床の積載荷重については、この限りでない。

ささえる床の数	積載荷重を減らすために乗ずべき数値
二	〇・九五
三	〇・九
四	〇・八五
五	〇・八
六	〇・七五
七	〇・七
八	〇・六五
九以上	〇・六

3　倉庫業を営む倉庫における床の積載荷重は、第一項の規定によつて実況に応じて計算した数値が一平方メートルにつき三千九百ニュートン未満の場合においても、三千九百ニュートンとしなければならない。

（**積雪荷重**）

第八六条　積雪荷重は、積雪の単位荷重に屋根の水平投影面積及びその地方における垂直積雪量を乗じて計算しなければならない。

2　前項に規定する積雪の単位荷重は、積雪量一センチメートルごとに一平方メートルにつき二十ニュートン以上としなければならない。ただし、特定行政庁は、規則で、国土交通大臣が定める基準に基づいて多雪区域を指定し、その区域につきこれと異なる定めをすることができる。

3　第一項に規定する垂直積雪量は、国土交通大臣が定める基準に基づいて特定行政庁が規則で定める数値としなければならない。

4　屋根の積雪荷重は、屋根に雪止めがある場合を除き、その勾配が六十度以下の場合においては、その勾配に応じて第一項の積雪荷重に次の式によつて計算した屋根形状係数（特定行政庁が屋根ふき材、雪の性状等を考慮して規則でこれと異なる数値を定めた場合においては、その定めた数値）を乗じた数値とし、その勾配が六十度を超える場合においては、零とすることができる。

$$\mu b=\sqrt{\cos(1.5\beta)}$$

この式において、μb及びβは、それぞれ次の数値を表すものとする。

μb　屋根形状係数

β　屋根勾配（単位　度）

5　屋根面における積雪量が不均等となるおそれのある場合においては、その影響を考慮して積雪荷重を計算しなければならない。

6　雪下ろしを行う慣習のある地方においては、その地方における垂直積雪量が一メートルを超える場合においても、積雪荷重は、雪下ろしの実況に応じて垂直積雪量を一メートルまで減らして計算することができる。

7　前項の規定により垂直積雪量を減らして積雪荷重を計算した建築物については、その出入口、主要な居室又はその他の見やすい場所に、その軽減の実況その他必要な事項を表示しなければならない。

（**風圧力**）

第八七条　風圧力は、速度圧に風力係数を乗じて計算しなければならない。

2　前項の速度圧は、次の式によつて計算しなければならない。

$$q=0.6EV_0^2$$

この式において、q、E及びV_0は、それぞれ次の数値を表すものとする。

q　速度圧（単位　一平方メートルにつきニュートン）

E　当該建築物の屋根の高さ及び周辺の地域に存する建築物その他の工作物、樹木その他の風速に影響を与えるものの状況に応じて国土交通大臣が定める方法により算出した数値

V_0　その地方における過去の台風の記録に基づく風害の程度その他の風の性状に応じて三十メートル毎秒から四十六メートル毎秒までの範囲内において国土交通大臣が定める風速（単位　メートル毎秒）

3　建築物に近接してその建築物を風の方向に対して有効にさえぎる他の建築物、防風林その他これらに類するものがある場合においては、その方向における速度圧は、前項の規定による数値の二分の一まで減らすことができる。

4　第一項の風力係数は、風洞試験によつて定める場合のほか、建築物又は工作物の断面及び平面の形状に応じて国土交通大臣が定める数値によらなければならない。

（**地震力**）

第八八条　建築物の地上部分の地震力については、当該建築物の各部分の高さに応じ、当該高さの部分が支える部分に作用する全体の地震力として計算するものとし、その数値は、当該部分の固定荷重と積載荷重との和（第八十六条第二項ただし書の規定により特定行政庁が指定する多雪区域においては、更に積雪荷重を加えるものとする。）に当該高さにおける地震層せん断力係数を乗じて計算しなければならない。この場合において、地震層せん断力係数は、次の式によつて計算するものとする。

$$Ci=ZRtAiCo$$

この式において、Ci、Z、Rt、Ai及びCoは、それぞれ次の数値を表すものとする。

Ci　建築物の地上部分の一定の高さにおける地震層せん断力係数

Z　その地方における過去の地震の記録に基づく震害の程度及び地震活動の状況その他地震の性状に応じて一・〇から〇・七までの範囲内において国土交通大臣が定める数値

Rt　建築物の振動特性を表すものとして、建築物の弾性域における固有周期及び地盤の種類に応じて国土交通大臣が定める方法により算出した数値

Ai　建築物の振動特性に応じて地震層せん断力係数の建築物の高さ方向の分布を表すものとして国土交通大臣が定める方法により算出した数値

Co　標準せん断力係数

2　標準せん断力係数は、〇・二以上としなければならない。ただし、地盤が著しく軟弱な区域として特定行政庁が国土交通大臣の定める基準に基づいて規則で指定する区域内における木造の建築物（第四十六条第二項第一号に掲げる基準に適合するものを除く。）にあつては、〇・三以上としなければならない。

3　第八十二条の三第二号の規定により必要保有水平耐力を計算する場合においては、前項の規定にかかわらず、標準せん断力係数は、一・〇以上としなければならない。

4　建築物の地下部分の各部分に作用する地震力は、当該部分の固定荷重と積載荷重との和に次の式に適合する水平震度を乗じて計算しなければならない。ただし、地震時における建築物の振動の性状を適切に評価して計算をすることができる場合においては、当該計算によることができる。

$$k\geqq 0.1\left(1-\frac{H}{40}\right)Z$$

この式において、k、H及びZは、それぞれ次の数値を表すものとする。

k　水平震度

H　建築物の地下部分の各部分の地盤面からの深さ（二十を超えるときは二十とする。）（単位　メートル）

Z　第一項に規定するZの数値

第三款　許容応力度

（木材）

第八十九条　木材の繊維方向の許容応力度は、次の表の数値によらなければならない。ただし、第八十二条第一号から第三号までの規定によつて積雪時の構造計算をするに当たつては、長期に生ずる力に対する許容応力度は同表の数値に一・三を乗じて得た数値と、短期に生ずる力に対する許容応力度は同表の数値に〇・八を乗じて得た数値としなければならない。

長期に生ずる力に対する許容応力度（単位　一平方ミリメートルにつきニュートン）				短期に生ずる力に対する許容応力度（単位　一平方ミリメートルにつきニュートン）			
圧縮	引張り	曲げ	せん断	圧縮	引張り	曲げ	せん断
$\frac{1.1Fc}{3}$	$\frac{1.1Ft}{3}$	$\frac{1.1Fb}{3}$	$\frac{1.1Fs}{3}$	$\frac{2Fc}{3}$	$\frac{2Ft}{3}$	$\frac{2Fb}{3}$	$\frac{2Fs}{3}$

この表において、Fc、Ft、Fb及びFsは、それぞれ木材の種類及び品質に応じて国土交通大臣が定める圧縮、引張り、曲げ及びせん断に対する基準強度（単位　一平方ミリメートルにつきニュートン）を表すものとする。

2　かた木で特に品質優良なものをしやち、込み栓の類に使用する場合においては、その許容応力度は、それぞれ前項の表の数値の二倍まで増大することができる。

3　基礎ぐい、水槽、浴室その他これらに類する常時湿潤状態にある部分に使用する場合においては、その許容応力度は、それぞれ前二項の規定による数値の七十パーセントに相当する数値としなければならない。

（鋼材等）

第九〇条　鋼材等の許容応力度は、次の表一又は表二の数値によらなければならない。

一

種類			長期に生ずる力に対する許容応力度（単位　一平方ミリメートルにつきニュートン）圧縮	引張り	曲げ	せん断	短期に生ずる力に対する許容応力度（単位　一平方ミリメートルにつきニュートン）圧縮	引張り	曲げ	せん断
炭素鋼	構造用鋼材		$\frac{F}{1.5}$	$\frac{F}{1.5}$	$\frac{F}{1.5}$	$\frac{F}{1.5\sqrt{3}}$	長期に生ずる力に対する圧縮、引張り、曲げ又はせん断の許容応力度のそれぞれの数値の一・五倍とする。			
	ボルト	黒皮	—	$\frac{F}{1.5}$	—	—				
		仕上げ	—	$\frac{F}{1.5}$	—	$\frac{F}{2}$（Fが二四〇を超えるボルトについて、国土交通大臣がこれと異なる数値を定めた場合は、その定めた数値）				
	構造用ケーブル		—	$\frac{F}{1.5}$	—	—				
	リベット鋼		—	$\frac{F}{1.5}$	—	$\frac{F}{2}$				
	鋳鋼		$\frac{F}{1.5}$	$\frac{F}{1.5}$	$\frac{F}{1.5}$	$\frac{F}{1.5\sqrt{3}}$				
ステンレス鋼	構造用鋼材		$\frac{F}{1.5}$	$\frac{F}{1.5}$	$\frac{F}{1.5}$	$\frac{F}{1.5\sqrt{3}}$				
	ボルト		—	$\frac{F}{1.5}$	—	$\frac{F}{1.5\sqrt{3}}$				
	構造用ケーブル		—	$\frac{F}{1.5}$	—	—				
	鋳鋼		$\frac{F}{1.5}$	$\frac{F}{1.5}$	$\frac{F}{1.5}$	$\frac{F}{1.5\sqrt{3}}$				
鋳鉄			$\frac{F}{1.5}$	—	—	—				

この表において、Fは、鋼材等の種類及び品質に応じて国土交通大臣が定める基準強度（単位　一平方ミリメートルにつきニュートン）を表すものとする。

二

種類	長期に生ずる力に対する許容応力度（単位　一平方ミリメートルにつきニュートン）圧縮	引張り せん断補強以外に用いる場合	引張り せん断補強に用いる場合	短期に生ずる力に対する許容応力度（単位　一平方ミリメートルにつきニュートン）圧縮	引張り せん断補強以外に用いる場合	引張り せん断補強に用いる場合
	$\frac{F}{1.5}$（当該数値が一五	$\frac{F}{1.5}$（当該数値が一五	$\frac{F}{1.5}$（当該数値が一九			F（当該数値が二九五

丸鋼		五を超える場合には、一五五）	五を超える場合には、一五五）	五を超える場合には、一九五）	F	F	を超える場合には、二九五）
異形鉄筋	径二十八ミリメートル以下のもの	$\frac{F}{1.5}$（当該数値が二一五を超える場合には、二一五）	$\frac{F}{1.5}$（当該数値が二一五を超える場合には、二一五）	$\frac{F}{1.5}$（当該数値が一九五を超える場合には、一九五）	F	F	F（当該数値が三九〇を超える場合には、三九〇）
	径二十八ミリメートルを超えるもの	$\frac{F}{1.5}$（当該数値が一九五を超える場合には、一九五）	$\frac{F}{1.5}$（当該数値が一九五を超える場合には、一九五）	$\frac{F}{1.5}$（当該数値が一九五を超える場合には、一九五）	F	F	F（当該数値が三九〇を超える場合には、三九〇）
鉄線の径が四ミリメートル以上の溶接金網		－	$\frac{F}{1.5}$	$\frac{F}{1.5}$	－	F（ただし、床版に用いる場合に限る。）	F

この表において、Fは、表一に規定する基準強度を表すものとする。

（コンクリート）

第九十一条 コンクリートの許容応力度は、次の表の数値によらなければならない。ただし、異形鉄筋を用いた付着について、国土交通大臣が異形鉄筋の種類及び品質に応じて別に数値を定めた場合は、当該数値によることができる。

長期に生ずる力に対する許容応力度（単位 一平方ミリメートルにつきニュートン）				短期に生ずる力に対する許容応力度（単位 一平方ミリメートルにつきニュートン）			
圧縮	引張り	せん断	付着	圧縮	引張り	せん断	付着
$\frac{F}{3}$	$\frac{F}{30}$（Fが二一を超えるコンクリートについて、国土交通大臣がこれと異なる数値を定めた場合は、その定めた数値）		〇・七（軽量骨材を使用するものにあっては、〇・六）	長期に生ずる力に対する圧縮、引張り、せん断又は付着の許容応力度のそれぞれの数値の二倍（Fが二一を超えるコンクリートの引張り及びせん断について、国土交通大臣がこれと異なる数値を定めた場合は、その定めた数値）とする。			

この表において、Fは、設計基準強度（単位 一平方ミリメートルにつきニュートン）を表すものとする。

2 特定行政庁がその地方の気候、骨材の性状等に応じて規則で設計基準強度の上限の数値を定めた場合において、設計基準強度が、その数値を超えるときは、前項の表の適用に関しては、その数値を設計基準強度とする。

（溶接）

第九十二条 溶接継目ののど断面に対する許容応力度は、次の表の数値によらなければならない。

継目の形式	長期に生ずる力に対する許容応力度（単位 一平方ミリメートルにつきニュートン）				短期に生ずる力に対する許容応力度（単位 一平方ミリメートルにつきニュートン）			
	圧縮	引張り	曲げ	せん断	圧縮	引張り	曲げ	せん断
突合せ	$\frac{F}{1.5}$			$\frac{F}{1.5\sqrt{3}}$	長期に生ずる力に対する圧縮、引張り、曲げ又はせん断の許容応力度のそれぞれの数値の一・五倍とする。			
突合せ以外のもの	$\frac{F}{1.5\sqrt{3}}$			$\frac{F}{1.5\sqrt{3}}$				

この表において、Fは、溶接される鋼材の種類及び品質に応じて国土交通大臣が定める溶接部の基準強度（単位 一平方ミリメートルにつきニュートン）を表すものとする。

（高力ボルト接合）

第九十二条の二 高力ボルト摩擦接合部の高力ボルトの軸断面に対する許容せん断応力度は、次の表の数値によらなければならない。

種類＼許容せん断応力度	長期に生ずる力に対する許容せん断応力度（単位 一平方ミリメートルにつきニュートン）	短期に生ずる力に対する許容せん断応力度（単位 一平方ミリメートルにつきニュートン）
一面せん断	0.3To	長期に生ずる力に対する許容せん断応力度の数値の一・五倍とする。
二面せん断	0.6To	

この表において、Toは、高力ボルトの品質に応じて国土交通大臣が定める基準張力（単位 一平方ミリメートルにつきニュートン）を表すものとする。

2 高力ボルトが引張力とせん断力とを同時に受けるときの高力ボルト摩擦接合部の高力ボルトの軸断面に対する許容せん断応力度は、前項の規定にかかわらず、次の式により計算したものとしなければならない。

$$f_{st}=f_{so}\left(1-\frac{\sigma t}{T_o}\right)$$

この式において、fst、fso、σt及びToは、それぞれ次の数値を表すものとする。

fst この項の規定による許容せん断応力度（単位 一平方ミリメートルにつきニュートン）
fso 前項の規定による許容せん断応力度（単位 一平方ミリメートルにつきニュートン）
σt 高力ボルトに加わる外力により生ずる引張応力度（単位 一平方ミリメートルにつきニュートン）
To 前項の表に規定する基準張力

（地盤及び基礎ぐい）

第九十三条 地盤の許容応力度及び基礎ぐいの許容支持力は、国土交通大臣が定める方法によって、地盤調査を行い、その結果に基づいて定めなければならない。ただし、次の表に掲げる地盤の許容応力度については、地盤の種類に応じて、それぞれ次の表の数値によることができる。

地盤	長期に生ずる力に対する許容応力度（単位 一平方メートルにつきキロニュートン）	短期に生ずる力に対する許容応力度（単位 一平方メートルにつきキロニュートン）
岩盤	一、〇〇〇	長期に生ずる力に対する許容応力度のそれぞれの数値の二倍とする。
固結した砂	五〇〇	
土丹盤	三〇〇	
密実な礫層	三〇〇	
密実な砂質地盤	二〇〇	
砂質地盤（地震時に液状化のおそれのないものに限る。）	五〇	
堅い粘土質地盤	一〇〇	
粘土質地盤	二〇	
堅いローム層	一〇〇	
ローム層	五〇	

（補則）

第九四条 第八十九条から前条までに定めるもののほか、構造耐力上主要な部分の材料の長期に生ずる力に対する許容応力度及び短期に生ずる力に対する許容応力度は、材料の種類及び品質に応じ、国土交通大臣が建築物の安全を確保するために必要なものとして定める数値によらなければならない。

第四款 材料強度

（木材）

第九五条 木材の繊維方向の材料強度は、次の表の数値によらなければならない。ただし、第八十二条の五第二号の規定によつて積雪時の構造計算をするに当たつては、同表の数値に〇・八を乗じて得た数値としなければならない。

材料強度（単位 一平方ミリメートルにつきニュートン）			
圧縮	引張り	曲げ	せん断
Fc	Ft	Fb	Fs

この表において、Fc、Ft、Fb及びFsは、それぞれ第八十九条第一項の表に規定する基準強度を表すものとする。

2 第八十九条第二項及び第三項の規定は、木材の材料強度について準用する。

（鋼材等）

第九六条 鋼材等の材料強度は、次の表一又は表二の数値によらなければならない。

一

種類			材料強度（単位 一平方ミリメートルにつきニュートン）			
			圧縮	引張り	曲げ	せん断
炭素鋼	構造用鋼材		F	F	F	$\frac{F}{\sqrt{3}}$
	高力ボルト		—	F	—	$\frac{F}{\sqrt{3}}$
	ボルト	黒皮	—	F	—	—
		仕上げ	—	F	—	$\frac{3F}{4}$（Fが二四〇を超えるボルトについて、国土交通大臣がこれと異なる数値を定めた場合は、その定めた数値）
	構造用ケーブル		—	F	—	—
	リベット鋼		—	F	—	$\frac{3F}{4}$
	鋳鋼		F	F	F	$\frac{F}{\sqrt{3}}$
ステンレス鋼	構造用鋼材		F	F	F	$\frac{F}{\sqrt{3}}$
	高力ボルト		—	F	—	$\frac{F}{\sqrt{3}}$
	ボルト		—	F	—	$\frac{F}{\sqrt{3}}$
	構造用ケーブル		—	F	—	—
	鋳鋼		F	F	F	$\frac{F}{\sqrt{3}}$
鋳鉄			F	—	—	—

この表において、Fは、第九十条の表一に規定する基準強度を表すものとする。

二

種類	材料強度（単位 一平方ミリメートルにつきニュートン）		
	圧縮	引張り	
		せん断補強以外に用いる場合	せん断補強に用いる場合
丸鋼	F	F	F（当該数値が二九五を超える場合には、二九五）

異形鉄筋	F	F	F（当該数値が三九〇を超える場合には、三九〇）
鉄線の径が四ミリメートル以上の溶接金網	—	F（ただし、床版に用いる場合に限る。）	F

この表において、Fは、第九十条の表一に規定する基準強度を表すものとする。

（コンクリート）

第九十七条 コンクリートの材料強度は、次の表の数値によらなければならない。ただし、異形鉄筋を用いた付着について、国土交通大臣が異形鉄筋の種類及び品質に応じて別に数値を定めた場合は、当該数値によることができる。

材料強度（単位 一平方ミリメートルにつきニュートン）			
圧縮	引張り	せん断	付着
F	$\frac{F}{10}$（Fが二一を超えるコンクリートについて、国土交通大臣がこれと異なる数値を定めた場合は、その定めた数値）		二・一（軽量骨材を使用する場合にあつては、一・八）

この表において、Fは、設計基準強度（単位 一平方ミリメートルにつきニュートン）を表すものとする。

2 第九十一条第二項の規定は、前項の設計基準強度について準用する。

（溶接）

第九十八条 溶接継目ののど断面に対する材料強度は、次の表の数値によらなければならない。

継目の形式	材料強度（単位 一平方ミリメートルにつきニュートン）			
	圧縮	引張り	曲げ	せん断
突合せ	F			$\frac{F}{\sqrt{3}}$
突合せ以外のもの	$\frac{F}{\sqrt{3}}$			$\frac{F}{\sqrt{3}}$

この表において、Fは、第九十二条の表に規定する基準強度を表すものとする。

（補則）

第九十九条 第九十五条から前条までに定めるもののほか、構造耐力上主要な部分の材料の材料強度は、材料の種類及び品質に応じ、国土交通大臣が地震に対して建築物の安全を確保するために必要なものとして定める数値によらなければならない。

第百条から第百六条まで 削除

第四章 耐火構造、準耐火構造、防火構造、防火区画等

（耐火性能に関する技術的基準）

第百七条 法第二条第七号の政令で定める技術的基準は、次に掲げるものとする。

一 次の表の上欄に掲げる建築物の部分にあつては、当該各部分に通常の火災による火熱が同表の下欄に掲げる当該部分の存する階の区分に応じそれぞれ同欄に掲げる時間加えられた場合に、構造耐力上支障のある変形、溶融、破壊その他の損傷を生じないものであること。

建築物の部分		時間				
		最上階及び最上階から数えた階数が二以上で四以内の階	最上階から数えた階数が五以上で九以内の階	最上階から数えた階数が十以上で十四以内の階	最上階から数えた階数が十五以上で十九以内の階	最上階から数えた階数が二十以上の階
壁	間仕切壁（耐力壁に限る。）	一時間	一・五時間	二時間	二時間	二時間
	外壁（耐力壁に限る。）	一時間	一・五時間	二時間	二時間	二時間
柱		一時間	一・五時間	二時間	二・五時間	三時間
床		一時間	一・五時間	二時間	二時間	二時間
はり		一時間	一・五時間	二時間	二・五時間	三時間
屋根		三十分間				
階段		三十分間				

備考
一 第二条第一項第八号の規定により階数に算入されない屋上部分がある建築物の当該屋上部分は、この表の適用については、建築物の最上階に含まれるものとする。
二 この表における階数の算定については、第二条第一項第八号の規定にかかわらず、地階の部分の階数は、全て算入するものとする。

二 前号に掲げるもののほか、壁及び床にあつては、これらに通常の火災による火熱が一時間（非耐力壁である外壁の延焼のおそれのある部分以外の部分にあつては、三十分間）加えられた場合に、当該加熱面以外の面（屋内に面するものに限る。）の温度が当該面に接する可燃物が燃焼するおそれのある温度として国土交通大臣が定める温度（以下「可燃物燃焼温度」という。）以上に上昇しないものであること。

三 前二号に掲げるもののほか、外壁及び屋根にあつては、これらに屋内において発生する通常の火災による火熱が一時間（非耐力壁である外壁の延焼のおそれのある部分以外の部分及び屋根にあつては、三十分間）加えられた場合に、屋外に火炎を出す原因となる亀裂その他の損傷を生じないものであること。

（準耐火性能に関する技術的基準）

第一〇七条の二　法第二条第七号の二の政令で定める技術的基準は、次に掲げるものとする。

一　次の表の上欄に掲げる建築物の部分にあつては、当該部分に通常の火災による火熱が加えられた場合に、加熱開始後それぞれ同表の下欄に掲げる時間において構造耐力上支障のある変形、溶融、破壊その他の損傷を生じないものであること。

建築物の部分		時間
壁	間仕切壁（耐力壁に限る。）	四十五分間
	外壁（耐力壁に限る。）	四十五分間
柱		四十五分間
床		四十五分間
はり		四十五分間
屋根（軒裏を除く。）		三十分間
階段		三十分間

二　壁、床及び軒裏（外壁によつて小屋裏又は天井裏と防火上有効に遮られているものを除く。以下この号において同じ。）にあつては、これらに通常の火災による火熱が加えられた場合に、加熱開始後四十五分間（非耐力壁である外壁及び軒裏（いずれも延焼のおそれのある部分以外の部分に限る。）にあつては、三十分間）当該加熱面以外の面（屋内に面するものに限る。）の温度が可燃物燃焼温度以上に上昇しないものであること。

三　外壁及び屋根にあつては、これらに屋内において発生する通常の火災による火熱が加えられた場合に、加熱開始後四十五分間（非耐力壁である外壁（延焼のおそれのある部分以外の部分に限る。）及び屋根にあつては、三十分間）屋外に火炎を出す原因となる亀裂その他の損傷を生じないものであること。

（防火性能に関する技術的基準）

第一〇八条　法第二条第八号の政令で定める技術的基準は、次に掲げるものとする。

一　耐力壁である外壁にあつては、これに建築物の周囲において発生する通常の火災による火熱が加えられた場合に、加熱開始後三十分間構造耐力上支障のある変形、溶融、破壊その他の損傷を生じないものであること。

二　外壁及び軒裏にあつては、これらに建築物の周囲において発生する通常の火災による火熱が加えられた場合に、加熱開始後三十分間当該加熱面以外の面（屋内に面するものに限る。）の温度が可燃物燃焼温度以上に上昇しないものであること。

（不燃性能及びその技術的基準）

第一〇八条の二　法第二条第九号の政令で定める性能及びその技術的基準は、建築材料に、通常の火災による火熱が加えられた場合に、加熱開始後二十分間次の各号（建築物の外部の仕上げに用いるものにあつては、第一号及び第二号）に掲げる要件を満たしていることとする。

一　燃焼しないものであること。

二　防火上有害な変形、溶融、き裂その他の損傷を生じないものであること。

三　避難上有害な煙又はガスを発生しないものであること。

（主要構造部のうち防火上及び避難上支障がない部分）

第一〇八条の三　法第二条第九号の二イの政令で定める部分は、主要構造部のうち、次の各号のいずれにも該当する部分とする。

一　当該部分が、床、壁又は第百九条に規定する防火設備（当該部分において通常の火災が発生した場合に建築物の他の部分又は周囲への延焼を有効に防止できるものとして、国土交通大臣が定めた構造方法を用いるもの又は国土交通大臣の認定を受けたものに限る。）で区画されたものであること。

二　当該部分が避難の用に供する廊下その他の通路の一部となつている場合にあつては、通常の火災時において、建築物に存する者の全てが当該通路を経由しないで地上までの避難を終了することができるものであること。

（耐火建築物の特定主要構造部に関する技術的基準）

第一〇八条の四　法第二条第九号の二イ(2)の政令で定める技術的基準は、特定主要構造部が、次の各号のいずれかに該当することとする。

一　特定主要構造部が、次のイ及びロ（外壁以外の特定主要構造部にあつては、イ）に掲げる基準に適合するものであることについて耐火性能検証法により確かめられたものであること。

イ　特定主要構造部ごとに当該建築物の屋内において発生が予測される火災による火熱が加えられた場合に、当該特定主要構造部が次に掲げる要件を満たしていること。

(1)　耐力壁である壁、柱、床、はり、屋根及び階段にあつては、当該建築物の自重及び積載荷重（第八十六条第二項ただし書の規定によつて特定行政庁が指定する多雪区域における建築物の特定主要構造部にあつては、自重、積載荷重及び積雪荷重。以下この条において同じ。）により、構造耐力上支障のある変形、溶融、破壊その他の損傷を生じないものであること。

(2)　壁及び床にあつては、当該壁及び床の加熱面以外の面（屋内に面するものに限る。）の温度が可燃物燃焼温度（当該面が面する室において、国土交通大臣が定める基準に従い、内装の仕上げを不燃材料ですることその他これに準ずる措置が講じられている場合にあつては、国土交通大臣が別に定める温度）以上に上昇しないものであること。

(3)　外壁及び屋根にあつては、屋外に火炎を出す原因となる亀裂その他の損傷を生じないものであること。

ロ　外壁が、当該建築物の周囲において発生する通常の火災による火熱が一時間（延焼のおそれのある部分以外の部分にあつては、三十分間）加えられた場合に、次に掲げる要件を満たしていること。

(1)　耐力壁である外壁にあつては、当該外壁に当該建築物の自重及び積載荷重により、構造耐力上支障のある変形、溶融、破壊その他の損傷を生じないものであること。

(2)　外壁の当該加熱面以外の面（屋内に面するものに限る。）の温度が可燃物燃焼温度（当該面が面する室において、国土交通大臣が定める基準に従い、内装の仕上げを不燃材料ですることその他これに準ずる措置が講じられている場合にあつては、国土交通大臣が別に定める温度）以上に上昇しないものであること。

二　前号イ及びロ（外壁以外の特定主要構造部にあつては、同号イ）に掲げる基準に適合するものとして国土交通大臣の認定を受けたものであること。

2　前項の「耐火性能検証法」とは、次に定めるところにより、当該建築物の特定主要構造部の耐火に関する性能を検証する方法をいう。

一　当該建築物の屋内において発生が予測される火災の継続時間を当該建築物の室ごとに次の式により計算すること。

$$t_f = \frac{Q_r}{60 q_b}$$

この式において、t_f、Q_r及びq_bは、それぞれ次の数値を表すものとする。

t_f　当該室における火災の継続時間（単位　分）

Q_r　当該室の用途及び床面積並びに当該室の壁、床及び天井（天井のない場合においては、屋根）の室内に面する部分の表面積及び当該部分に使用する建築材料の種類に応じて国土交通大臣が定める方法により算出した当該室内の可燃物の発熱量（単位　メガジュール）

q_b　当該室の用途及び床面積の合計並びに当該室の開口部の面積及び高さに応じて国土交通大臣が定める方法により算出した当該室内の可燃物の一秒間当たりの発熱量（単位　メガワット）

二　特定主要構造部ごとに、当該特定主要構造部が、当該建築物の屋内において発生が予測される火災による火熱が加えられた場合に、前項第一号イに掲げる要件に該当して耐えることができる加熱時間（以下この項において「屋内火災保有耐火時間」という。）を、当該特定主要構造部の構造方法、当該建築物の自重及び積載荷重並びに当該火熱による特定主要構造部の表面の温度の推移に応じて国土交通大臣が定める方法により求めること。

三　当該外壁が、当該建築物の周囲において発生する通常の火災時の火熱が加えられた場合に、前項第一号ロに掲げる要件に該当して耐えることができる加熱時間（以下この項において「屋外火災保有耐火時間」という。）を、当該外壁の構造方法並びに当該建築物の自重及び積載荷重に応じて国土交通大臣が定める方法により求めること。

四　特定主要構造部ごとに、次のイ及びロ（外壁以外の特定主要構造部にあつては、イ）に該当するものであることを確かめること。

イ　各特定主要構造部の屋内火災保有耐火時間が、当該特定主要構造部が面する室について第一号に掲げる式によつて計算した火災の継続時間以上であること。

ロ　各外壁の屋外火災保有耐火時間が、一時間（延焼のおそれのある部分以外の部分にあつては、三十分間）以上であること。

3　特定主要構造部が第一項第一号又は第二号に該当する建築物（次項に規定する建築物を除く。）に対する第百十二条第一項、第三項、第七項から第十一項まで及び第十六項から第二十一項まで、第百十四条第一項及び第二項、第百十七条第二項、第百二十条第一項、第二項及び第四項、第百二十一条第二項、第百二十二条第一項、第百二十三条第一項及び第三項、第百二十三条の二、第百二十六条の二、第百二十八条の四第一項及び第四項、第百二十八条の五第一項及び第四項、第百二十八条の七第一項、第百二十九条第一項、第百二十九条の二の四第一項、第百二十九条の十三の二、第百二十九条の十三の三第三項及び第四項、第百三十七条の十四並びに第百四十五条第一項第一号及び第二項の規定（次項において「耐火性能関係規定」という。）の適用については、当該建築物の部分で特定主要構造部であるものの構造は、耐火構造とみなす。

4　特定主要構造部が第一項第一号に該当する建築物（当該建築物の特定主要構造部である床又は壁（外壁を除く。）の開口部に設けられた防火設備が、当該防火設備に当該建築物の屋内において発生が予測される火災による火熱が加えられた場合に、当該加熱面以外の面に火炎を出さないものであることについて防火区画検証法により確かめられたものであるものに限る。）及び特定主要構造部が同項第二号に該当する建築物（当該建築物の特定主要構造部である床又は壁（外壁を除く。）の開口部に設けられた防火設備が、当該防火設備に当該建築物の屋内において発生が予測される火災による火熱が加えられた場合に、当該加熱面以外の面に火炎を出さないものとして国土交通大臣の認定を受けたものであるものに限る。）に対する第百十二条第一項、第七項から第十一項まで、第十六項、第十八項、第十九項及び第二十一項、第百二十二条第一項、第百二十三条第一項及び第三項、第百二十六条の二、第百二十八条の五第一項及び第四項、第百二十八条の七第一項、第百二十九条の二の四第一項、第百二十九条の十三の二、第百二十九条の十三の三第三項並びに第百三十七条の十四の規定（以下この項において「防火区画等関係規定」という。）の適用については、これらの建築物の部分で特定主要構造部であるものの構造は耐火構造と、これらの防火設備の構造は第百十二条第一項に規定する特定防火設備とみなし、これらの建築物に対する防火区画等関係規定以外の耐火性能関係規定の適用については、これらの建築物の部分で特定主要構造部であるものの構造は耐火構造とみなす。

5　前項の「防火区画検証法」とは、次に定めるところにより、開口部に設けられる防火設備（以下この項において「開口部設備」という。）の火災時における遮炎に関する性能を検証する方法をいう。

一　開口部設備が設けられる開口部が面する室において発生が予測される火災の継続時間を第二項第一号に掲げる式により計算すること。

二　開口部設備ごとに、当該開口部設備が、当該建築物の屋内において発生が予測される火災による火熱が加えられた場合に、当該加熱面以外の面に火炎を出すことなく耐えることができる加熱時間（以下この項において「保有遮炎時間」という。）を、当該開口部設備の構造方法及び当該火熱による開口部設備の表面の温度の推移に応じて国土交通大臣が定める方法により求めること。

三　開口部設備ごとに、保有遮炎時間が第一号の規定によつて計算した火災の継続時間以上であることを確かめること。

（防火戸その他の防火設備）

第一〇九条　法第二条第九号の二ロ、法第十二条第一項、法第二十一条第二項、法第二十七条第一項（法第八十七条第三項において準用する場合を含む。第百十条から第百十条の五までにおいて同じ。）、法第五十三条第三項第一号イ及び法第六十一条第一項の政令で定める防火設備は、防火戸、ドレンチャーその他火炎を遮る設備とする。

2　隣地境界線、道路中心線又は同一敷地内の二以上の建築物（延べ面積の合計が五百平方メートル以内の建築物は、一の建築物とみなす。）相互の外壁間の中心線のあらゆる部分で、開口部から一階にあつては三メートル以下、二階以上にあつては五メートル以下の距離にあるものと当該開口部とを遮る外壁、袖壁、塀その他これらに類するものは、前項の防火設備とみなす。

（遮炎性能に関する技術的基準）

第一〇九条の二　法第二条第九号の二ロの政令で定める技術的基準は、防火設備に通常の火災による火熱が加えられた場合に、加熱開始後二十分間当該加熱面以外の面に火炎を出さないものであることとする。

（主要構造部を準耐火構造とした建築物等の層間変形角）

第一〇九条の二の二　主要構造部を準耐火構造とした建築物（特定主要構造部を耐火構造とした建築物を含む。）及び第百三十六条の二第一号ロ又は第二号ロに掲げる基準に適合する建築物の地上部分の層間変形角は、百五十分の一以内でなければならない。ただし、主要構造部が防火上有害な変形、亀裂その他の損傷を生じないことが計算又は実験によつて確かめられた場合においては、この限りでない。

2　建築物が第百九条の八に規定する火熱遮断壁等で区画されている場合における当該火熱遮断壁等により分離された部分は、前項の規定の適用については、それぞれ別の建築物とみなす。

3　法第二十六条第二項に規定する特定部分（以下この項において「特定部分」という。）を有する建築物であつて、当該建築物の特定部分が同条第二項第一号（同号に規定する基準に係る部分を除く。）又は第二号に該当するものに係る第一項の規定の適用については、当該建築物の特定部分及び他の部分をそれぞれ別の建築物とみなす。

（主要構造部を準耐火構造とした建築物と同等の耐火性能を有する建築物の技術的基準）

第一〇九条の三　法第二条第九号の三ロの政令で定める技術的基準は、次の各号のいずれかに掲げるものとする。

一　外壁が耐火構造であり、かつ、屋根の構造が法第二十二条第一項に規定する構造であるほか、法第八十六条の四の場合を除き、屋根の延焼のおそれのある部分の構造が、当該部分に屋内において発生する通常の火災による火熱が加えられた場合に、加熱開始後二十分間屋外に火炎を出す原因となるき裂その他の損傷を生じないものとして、国土交通大臣が定めた構造方法を用いるもの又は国土交通大臣の認定を受けたものであること。

二　主要構造部である柱及びはりが不燃材料で、その他の主要構造部が準不燃材料で造られ、外壁の延焼のおそれのある部分、屋根及び床が次に掲げる構造であること。

イ　外壁の延焼のおそれのある部分にあつては、防火構造としたもの

ロ　屋根にあつては、法第二十二条第一項に規定する構造としたもの

ハ　床にあつては、準不燃材料で造るほか、三階以上の階における床又はその直下の天井の構造を、これらに屋内において発生する通常の火災による火熱が加えられた場合に、加熱開始後三十分間構造耐力上支障のある変形、溶融、き裂その他の損傷を生じず、かつ、当該加熱面以外の面（屋内に面するものに限る。）の温度が可燃物燃焼温度以上に上昇しないものとして、国土交通大臣が定めた構造方法を用いるもの又は国土交通大臣の認定を受けたものとしたもの

（法第二十一条第一項の政令で定める部分）

第一〇九条の四　法第二十一条第一項の政令で定める部分は、主要構造部のうち自重又は積載荷重（第八十六条第二項ただし書の規定によつて特定行政庁が指定する多雪区域における建築物の主要構造部にあつては、自重、積載荷重又は積雪荷重）を支える部分とする。

（大規模の建築物の特定主要構造部の性能に関する技術的基準）

第一〇九条の五　法第二十一条第一項本文の政令で定める技術的基準は、次の各号のいずれかに掲げるものとする。

一　次に掲げる基準

イ　次の表の上欄に掲げる建築物の部分にあつては、当該部分に通常の火災による火熱が加えられた場合に、加熱開始後それぞれ同表の下欄に掲げる時間において構造耐力上支障のある変形、溶融、破壊その他の損傷を生じないものであること。

壁		柱	床	はり	屋根（軒裏を除く。）	階段
間仕切壁（耐力壁に限る。）	外壁（耐力壁に限る。）					
通常火災終了時間（通常火災終了時間が四十五分間未満である場合にあつては、四十五分間。以下この号において同じ。）	通常火災終了時間	通常火災終了時間	通常火災終了時間	通常火災終了時間	三十分間	三十分間

ロ　壁、床及び屋根の軒裏（外壁によつて小屋裏又は天井裏と防火上有効に遮られているものを除く。以下このロにおいて同じ。）にあつては、これらに通常の火災による火熱が加えられた場合に、加熱開始後通常火災終了時間（非耐力壁である外壁及び屋根の軒裏（いずれも延焼のおそれのある部分以外の部分に限る。）にあつては、三十分間）当該加熱面以外の面（屋内に面するものに限る。）の温度が可燃物燃焼温度以上に上昇しないものであること。

ハ　外壁及び屋根にあつては、これらに屋内において発生する通常の火災による火熱が加えられた場合に、加熱開始後通常火災終了時間（非耐力壁である外壁（延焼のおそれのある部分以外の部分に限る。）及び屋根にあつては、三十分間）屋外に火炎を出す原因となる亀裂その他の損傷を生じないものであること。

二　第百七条各号又は第百八条の四第一項第一号イ及びロに掲げる基準

（延焼防止上有効な空地の技術的基準）

第一〇九条の六　法第二十一条第一項ただし書の政令で定める技術的基準は、当該建築物の各部分から当該空地の反対側の境界線までの水平距離が、当該各部分の高さに相当する距離以上であることとする。

（大規模の建築物の壁、柱、床その他の部分又は防火設備の性能に関する技術的基準）

第一〇九条の七　法第二十一条第二項の政令で定める技術的基準は、次の各号のいずれかに掲げるものとする。

一　主要構造部の部分及び袖壁、塀その他これらに類する建築物の部分並びに防火設備の構造が、当該建築物の周辺高火熱面積の規模を避難上及び消火上必要な機能の確保に支障を及ぼさないものとして国土交通大臣が定める規模以下とすることができるものであること。

二　特定主要構造部が第百九条の五各号のいずれかに掲げる基準に適合するものであること。

2　前項第一号の「周辺高火熱面積」とは、建築物の屋内において発生する通常の火災による熱量により、当該建築物の用途及び規模並びに消火設備の設置の状況及び構造に応じて国土交通大臣が定める方法により算出した当該建築物の周囲の土地における熱量が、人の生命又は身体に危険を及ぼすおそれがあるものとして国土交通大臣が定める熱量を超えることとなる場合における当該土地の面積をいう。

（別の建築物とみなすことができる部分）

第一〇九条の八　法第二十一条第三項、法第二十七条第四項（法第八十七条第三項において準用する場合を含む。）及び法第六十一条第二項の政令で定める部分は、建築物が火熱遮断壁等（壁、柱、床その他の建築物の部分又は第百九条に規定する防火設備（以下この条において「壁等」という。）のうち、次に掲げる技術的基準に適合するもので、国土交通大臣が定めた構造方法を用いるもの又は国土交通大臣の認定を受けたものをいう。以下同じ。）で区画されている場合における当該火熱遮断壁等により分離された部分とする。

一　当該壁等に通常の火災による火熱が火災継続予測時間（建築物の構造、建築設備及び用途に応じて火災が継続することが予測される時間をいう。以下この条において同じ。）加えられた場合に、当該壁等が構造耐力上支障のある変形、溶融、破壊その他の損傷を生じないものであること。

二　当該壁等に通常の火災による火熱が火災継続予測時間加えられた場合に、当該加熱面以外の面（屋内に面するものに限る。）のうち防火上支障がないものとして国土交通大臣が定めるもの以外のもの（ロにおいて「特定非加熱面」という。）の温度が、次のイ又はロに掲げる場合の区分に応じ、それぞれ当該イ又はロに定める温度以上に上昇しないものであること。

イ　ロに掲げる場合以外の場合　可燃物燃焼温度

ロ　当該壁等が第百九条に規定する防火設備である場合において、特定非加熱面が面する室について、国土交通大臣が定める基準に従い、内装の仕上げを不燃材料でし、かつ、その下地を不燃材料で造ることその他これに準ずる措置が講じられているとき　可燃物燃焼温度を超える温度であつて当該措置によつて当該室における延焼を防止することができる温度として国土交通大臣が定める温度

三　当該壁等に屋内において発生する通常の火災による火熱が火災継続予測時間加えられた場合に、当該壁等が屋外に火炎を出す原因となる亀裂その他の損傷を生じないものであること。

四　当該壁等に通常の火災による当該壁等以外の建築物の部分の倒壊によつて生ずる応力が伝えられた場合に、当該壁等の一部が損傷してもなおその自立する構造が保持されることその他国土交通大臣が定める機能が確保されることにより、当該建築物の他の部分に防火上有害な変形、亀裂その他の損傷を生じさせないものであること。

五　当該壁等が、通常の火災時において、当該壁等以外の建築物の部分から屋外に出た火炎による当該建築物の他の部分への延焼を有効に防止できるものであること。

（法第二十二条第一項の市街地の区域内にある建築物の屋根の性能に関する技術的基準）

第一〇九条の九　法第二十二条第一項の政令で定める技術的基準は、次に掲げるもの（不燃性の物品を保管する倉庫その他これに類するものとして国土交通大臣が定める用途に供する建築物又は建築物の部分で、通常の火災による火の粉が屋内に到達した場合に建築物の火災が発生するおそれのないものとして国土交通大臣が定めた構造方法を用いるものの屋根にあつては、第一号に掲げるもの）とする。

一　屋根が、通常の火災による火の粉により、防火上有害な発炎をしないものであること。

二　屋根が、通常の火災による火の粉により、屋内に達する防火上有害な溶融、亀裂その他の損傷を生じないものであること。

（準防火性能に関する技術的基準）

第一〇九条の一〇　法第二十三条の政令で定める技術的基準は、次に掲げるものとする。

一　耐力壁である外壁にあつては、これに建築物の周囲において発生する通常の火災による火熱が加えられた場合に、加熱開始後二十分間構造耐力上支障のある変形、溶融、破壊その他の損傷を生じないものであること。

二　外壁にあつては、これに建築物の周囲において発生する通常の火災による火熱が加えられた場合に、加熱開始後二十分間当該加熱面以外の面（屋内に面するものに限る。）の温度が可燃物燃焼温度以上に上昇しないものであること。

（法第二十七条第一項に規定する特殊建築物の特定主要構造部の性能に関する技術的基準）

第一一〇条　特定主要構造部の性能に関する法第二十七条第一項の政令で定める技術的基準は、次の各号のいずれかに掲げるものとする。

一　次に掲げる基準

イ　次の表の上欄に掲げる建築物の部分にあつては、当該部分に通常の火災による火熱が加えられた場合に、加熱開始後それぞれ同表の下欄に掲げる時間において構造耐力上支障のある変形、溶融、破壊その他の損傷を生じないものであること。

壁	
間仕切壁（耐力壁に限る。）	特定避難時間（特殊建築物の構造、建築設備及び用途に応じて当該特殊建築物に存する者の全てが当該特殊建築物から地上までの避難を終了するまでに要する時間をいう。以下同じ。）（特定避難時間が四十五分間未満である場合

	にあつては、四十五分間。以下この号において同じ。）
外壁（耐力壁に限る。）	特定避難時間
柱	特定避難時間
床	特定避難時間
はり	特定避難時間
屋根（軒裏を除く。）	三十分間
階段	三十分間

ロ 壁、床及び屋根の軒裏（外壁によつて小屋裏又は天井裏と防火上有効に遮られているものを除く。以下このロにおいて同じ。）にあつては、これらに通常の火災による火熱が加えられた場合に、加熱開始後特定避難時間（非耐力壁である外壁及び屋根の軒裏（いずれも延焼のおそれのある部分以外の部分に限る。）にあつては、三十分間）当該加熱面以外の面（屋内に面するものに限る。）の温度が可燃物燃焼温度以上に上昇しないものであること。

ハ 外壁及び屋根にあつては、これらに屋内において発生する通常の火災による火熱が加えられた場合に、加熱開始後特定避難時間（非耐力壁である外壁（延焼のおそれのある部分以外の部分に限る。）及び屋根にあつては、三十分間）屋外に火炎を出す原因となる亀裂その他の損傷を生じないものであること。

二 第百九条の五各号のいずれかに掲げる基準

（延焼するおそれがある外壁の開口部）

第一一〇条の二 法第二十七条第一項の政令で定める外壁の開口部は、次に掲げるものとする。

一 延焼のおそれのある部分であるもの（法第八十六条の四各号のいずれかに該当する建築物の外壁の開口部を除く。）

二 他の外壁の開口部から通常の火災時における火炎が到達するおそれがあるものとして国土交通大臣が定めるもの（前号に掲げるものを除く。）

（法第二十七条第一項に規定する特殊建築物の防火設備の遮炎性能に関する技術的基準）

第一一〇条の三 防火設備の遮炎性能に関する法第二十七条第一項の政令で定める技術的基準は、防火設備に通常の火災による火熱が加えられた場合に、加熱開始後二十分間当該加熱面以外の面（屋内に面するものに限る。）に火炎を出さないものであることとする。

（警報設備を設けた場合に耐火建築物等とすることを要しないこととなる用途）

第一一〇条の四 法第二十七条第一項第一号の政令で定める用途は、病院、診療所（患者の収容施設があるものに限る。）、ホテル、旅館、下宿、共同住宅、寄宿舎及び児童福祉施設等（入所する者の寝室があるものに限る。）とする。

（警報設備の技術的基準）

第一一〇条の五 法第二十七条第一項第一号の政令で定める技術的基準は、当該建築物のいずれの室（火災の発生のおそれの少ないものとして国土交通大臣が定める室を除く。）で火災が発生した場合においても、有効かつ速やかに、当該火災の発生を感知し、当該建築物の各階に報知することができるよう、国土交通大臣が定めた構造方法を用いる警報設備が、国土交通大臣が定めるところにより適当な位置に設けられていることとする。

（窓その他の開口部を有しない居室等）

第一一一条 法第三十五条の三（法第八十七条第三項において準用する場合を含む。）の規定により政令で定める窓その他の開口部を有しない居室は、次の各号のいずれかに該当する窓その他の開口部を有しない居室（避難階又は避難階の直上階若しくは直下階の居室その他の居室であつて、当該居室の床面積、当該居室からの避難の用に供する廊下その他の通路の構造並びに消火設備、排煙設備、非常用の照明装置及び警報設備の設置の状況及び構造に関し避難上支障がないものとして国土交通大臣が定める基準に適合するものを除く。）とする。

一 面積（第二十条の規定により計算した採光に有効な部分の面積に限る。）の合計が、当該居室の床面積の二十分の一以上のもの

二 直接外気に接する避難上有効な構造のもので、かつ、その大きさが直径一メートル以上の円が内接することができるもの又はその幅及び高さが、それぞれ、七十五センチメートル以上及び一・二メートル以上のもの

2 ふすま、障子その他随時開放することができるもので仕切られた二室は、前項の規定の適用については、一室とみなす。

（防火区画）

第一一二条 法第二条第九号の三イ若しくはロのいずれかに該当する建築物（特定主要構造部を耐火構造とした建築物を含む。）又は第百三十六条の二第一号ロ若しくは第二号ロに掲げる基準に適合する建築物で、延べ面積（スプリンクラー設備、水噴霧消火設備、泡消火設備その他これらに類するもので自動式のものを設けた部分の床面積の二分の一に相当する床面積を除く。以下この条において同じ。）が千五百平方メートルを超えるものは、床面積の合計（スプリンクラー設備、水噴霧消火設備、泡消火設備その他これらに類するもので自動式のものを設けた部分の床面積の二分の一に相当する床面積を除く。以下この条において同じ。）千五百平方メートル以内ごとに一時間準耐火基準に適合する準耐火構造の床若しくは壁又は特定防火設備（第百九条に規定する防火設備であつて、これに通常の火災による火熱が加えられた場合に、加熱開始後一時間当該加熱面以外の面に火炎を出さないものとして、国土交通大臣が定めた構造方法を用いるもの又は国土交通大臣の認定を受けたものをいう。以下同じ。）で区画しなければならない。ただし、次の各号のいずれかに該当する建築物の部分でその用途上やむを得ないものについては、この限りでない。

一 劇場、映画館、演芸場、観覧場、公会堂又は集会場の客席、体育館、工場その他これらに類する用途に供する建築物の部分

二 階段室の部分等（階段室の部分又は昇降機の昇降路の部分（当該昇降機の乗降のための乗降ロビーの部分を含む。）をいう。第十四項において同じ。）で一時間準耐火基準に適合する準耐火構造の床若しくは壁又は特定防火設備で区画されたもの

2 前項の「一時間準耐火基準」とは、主要構造部である壁、柱、床、はり及び屋根の軒裏の構造が、次に掲げる基準に適合するものとして、国土交通大臣が定めた構造方法を用いるもの又は国土交通大臣の認定を受けたものであることとする。

一 次の表の上欄に掲げる建築物の部分にあつては、当該部分に通常の火災による火熱が加えられた場合に、加熱開始後それぞれ同表の下欄に掲げる時間において構造耐力上支障のある変形、溶融、破壊その他の損傷を生じないものであること。

壁	間仕切壁（耐力壁に限る。）	一時間
	外壁（耐力壁に限る。）	一時間
柱		一時間
床		一時間
はり		一時間

二 壁（非耐力壁である外壁の延焼のおそれのある部分以外の部分を除く。）、床及び屋根の軒裏（外壁によつて小屋裏又は天井裏と防火上有効に遮られているものを除き、延焼のおそれのある部分に限る。）にあつては、これらに通常の火災による火熱が加えられた場合に、加熱開始後一時間当該加熱面以外の面（屋内に面するものに限る。）の温度が可燃物燃焼温度以上に上昇しないものであること。

三 外壁（非耐力壁である外壁の延焼のおそれのある部分以外の部分を除く。）にあつては、これに屋内において発生する通常の火災による火熱が加えられた場合に、加熱開始後一時間屋外に火炎を出す原因となる亀裂その他の損傷を生じないものであること。

3 特定主要構造部を耐火構造とした建築物の二以上の部分が当該建築物の吹抜きとなつている部分その他の一定の規模以上の空間が確保されている部分（以下この項において「空間部分」という。）に接する場合において、当該二以上の部分の構造が通常の火災時において相互に火熱による防火上有害な影響を及ぼさないものとして、国土交通大臣が定めた構造方法を用いるもの又は国土交通大臣の認定を受けたものであるときは、当該二以上の部分と当該空間部分とが特定防火設備で区画されているものとみなし

て、第一項の規定を適用する。この場合において、同項ただし書中「ものに」とあるのは、「もの又は第三項の規定が適用される建築物の同項に規定する空間部分に」とする。

4　法第二十一条第一項若しくは第二項（これらの規定を同条第三項の規定によりみなして適用する場合を含む。次項において同じ。）若しくは法第二十七条第一項（同条第四項の規定によりみなして適用する場合を含む。以下この項及び次項において同じ。）の規定により第百九条の五第一号に掲げる基準に適合する建築物（通常火災終了時間が一時間以上であるものを除く。）とした建築物、法第二十七条第一項の規定により第百十条第一号に掲げる基準に適合する特殊建築物（特定避難時間が一時間以上であるものを除く。）とした建築物、法第二十七条第三項（同条第四項の規定によりみなして適用する場合を含む。次項において同じ。）の規定により準耐火建築物（第百九条の三第二号に掲げる基準又は一時間準耐火基準（第二項に規定する一時間準耐火基準をいう。以下同じ。）に適合するものを除く。）とした建築物、法第六十一条第一項（同条第二項の規定によりみなして適用する場合を含む。次項において同じ。）の規定により第百三十六条の二第二号に定める基準に適合する建築物（準防火地域内にあるものに限り、第百九条の三第二号に掲げる基準又は一時間準耐火基準に適合するものを除く。）とした建築物又は法第六十七条第一項の規定により準耐火建築物等（第百九条の三第二号に掲げる基準又は一時間準耐火基準に適合するものを除く。）とした建築物で、延べ面積が五百平方メートルを超えるものについては、第一項の規定にかかわらず、床面積の合計五百平方メートル以内ごとに一時間準耐火基準に適合する準耐火構造の床若しくは壁又は特定防火設備で区画し、かつ、防火上主要な間仕切壁（自動スプリンクラー設備等設置部分（床面積が二百平方メートル以下の階又は床面積二百平方メートル以内ごとに準耐火構造の壁若しくは法第二条第九号の二ロに規定する防火設備で区画されている部分で、スプリンクラー設備、水噴霧消火設備、泡消火設備その他これらに類するもので自動式のものを設けたものをいう。第百十四条第一項及び第二項において同じ。）その他防火上支障がないものとして国土交通大臣が定める部分の間仕切壁を除く。）を準耐火構造とし、次の各号のいずれかに該当する部分を除き、小屋裏又は天井裏に達せしめなければならない。

一　天井の全部が強化天井（天井のうち、その下方からの通常の火災時の加熱に対してその上方への延焼を有効に防止することができるものとして、国土交通大臣が定めた構造方法を用いるもの又は国土交通大臣の認定を受けたものをいう。次号及び第百十四条第三項において同じ。）である階

二　準耐火構造の壁又は法第二条第九号の二ロに規定する防火設備で区画されている部分で、当該部分の天井が強化天井であるもの

5　法第二十一条第一項若しくは第二項若しくは法第二十七条第一項の規定により第百九条の五第一号に掲げる基準に適合する建築物（通常火災終了時間が一時間以上であるものに限る。）とした建築物、同項の規定により第百十条第一号に掲げる基準に適合する特殊建築物（特定避難時間が一時間以上であるものに限る。）とした建築物、法第二十七条第三項の規定により準耐火建築物（第百九条の三第二号に掲げる基準又は一時間準耐火基準に適合するものに限る。）とした建築物、法第六十一条第一項の規定により第百三十六条の二第二号に定める基準に適合する建築物（準防火地域内にあり、かつ、第百九条の三第二号に掲げる基準又は一時間準耐火基準に適合するものに限る。）とした建築物又は法第六十七条第一項の規定により準耐火建築物等（第百九条の三第二号に掲げる基準又は一時間準耐火基準に適合するものに限る。）とした建築物で、延べ面積が千平方メートルを超えるものについては、第一項の規定にかかわらず、床面積の合計千平方メートル以内ごとに一時間準耐火基準に適合する準耐火構造の床若しくは壁又は特定防火設備で区画しなければならない。

6　前二項の規定は、次の各号のいずれかに該当する建築物の部分で、天井（天井のない場合においては、屋根。以下この条において同じ。）及び壁の室内に面する部分の仕上げを準不燃材料でしたものについては、適用しない。

一　体育館、工場その他これらに類する用途に供する建築物の部分

二　第一項第二号に掲げる建築物の部分

7　建築物の十一階以上の部分で、各階の床面積の合計が百平方メートルを超えるものは、第一項の規定にかかわらず、床面積の合計百平方メートル以内ごとに耐火構造の床若しくは壁又は法第二条第九号の二ロに規定する防火設備で区画しなければならない。

8　前項の建築物の部分で、当該部分の壁（床面からの高さが一・二メートル以下の部分を除く。次項及び第十四項第一号において同じ。）及び天井の室内に面する部分（回り縁、窓台その他これらに類する部分を除く。以下この条において同じ。）の仕上げを準不燃材料でし、かつ、その下地を準不燃材料で造つたものは、特定防火設備以外の法第二条第九号の二ロに規定する防火設備で区画する場合を除き、前項の規定にかかわらず、床面積の合計二百平方メートル以内ごとに区画すれば足りる。

9　第七項の建築物の部分で、当該部分の壁及び天井の室内に面する部分の仕上げを不燃材料でし、かつ、その下地を不燃材料で造つたものは、特定防火設備以外の法第二条第九号の二ロに規定する防火設備で区画する場合を除き、同項の規定にかかわらず、床面積の合計五百平方メートル以内ごとに区画すれば足りる。

10　前三項の規定は、階段室の部分若しくは昇降機の昇降路の部分（当該昇降機の乗降のための乗降ロビーの部分を含む。）、廊下その他避難の用に供する部分又は床面積の合計が二百平方メートル以内の共同住宅の住戸で、耐火構造の床若しくは壁又は特定防火設備（第七項の規定により区画すべき建築物にあつては、法第二条第九号の二ロに規定する防火設備）で区画されたものについては、適用しない。

11　主要構造部を準耐火構造とした建築物（特定主要構造部を耐火構造とした建築物を含む。）又は第百三十六条の二第一号ロ若しくは第二号ロに掲げる基準に適合する建築物であつて、地階又は三階以上の階に居室を有するものの竪穴部分（長屋又は共同住宅の住戸でその階数が二以上であるもの、吹抜きとなつている部分、階段の部分（当該部分からのみ人が出入りすることのできる便所、公衆電話所その他これらに類するものを含む。）、昇降機の昇降路の部分、ダクトスペースの部分その他これらに類する部分をいう。以下この条において同じ。）については、当該竪穴部分以外の部分（直接外気に開放されている廊下、バルコニーその他これらに類する部分を除く。次項及び第十三項において同じ。）と準耐火構造の床若しくは壁又は法第二条第九号の二ロに規定する防火設備で区画しなければならない。ただし、次の各号のいずれかに該当する竪穴部分については、この限りでない。

一　避難階からその直上階又は直下階のみに通ずる吹抜きとなつている部分、階段の部分その他これらに類する部分でその壁及び天井の室内に面する部分の仕上げを不燃材料でし、かつ、その下地を不燃材料で造つたもの

二　階数が三以下で延べ面積が二百平方メートル以内の一戸建ての住宅又は長屋若しくは共同住宅の住戸のうちその階数が三以下で、かつ、床面積の合計が二百平方メートル以内であるものにおける吹抜きとなつている部分、階段の部分、昇降機の昇降路の部分その他これらに類する部分

12　三階を病院、診療所（患者の収容施設があるものに限る。次項において同じ。）又は児童福祉施設等（入所する者の寝室があるものに限る。同項において同じ。）の用途に供する建築物のうち階数が三で延べ面積が二百平方メートル未満のもの（前項に規定する建築物を除く。）の竪穴部分については、当該竪穴部分以外の部分と間仕切壁又は法第二条第九号の二ロに規定する防火設備で区画しなければならない。ただし、居室、倉庫その他これらに類する部分にスプリンクラー設備その他これに類するものを設けた建築物の竪穴部分については、当該防火設備に代えて、十分間防火設備（第百九条に規定する防火設備であつて、これに通常の火災による火熱が加えられた場合に、加熱開始後十分間当該加熱面以外の面に火炎を出さないものとして、国土交通大臣が定めた構造方法を用いるもの又は国土交通大臣の認定を受けたものをいう。第十九項及び第百二十一条第四項第一号において同じ。）で区画することができる。

13　三階を法別表第一(い)欄(二)項に掲げる用途（病院、診療所又は児童福祉施設等を除く。）に供する建築物のうち階数が三で延べ面積が二百平方メートル未満のもの（第十一項に規定する建築物を除く。）の竪穴部分については、当該竪穴部分以外の部分と間仕切壁又は戸（ふすま、障子その他これらに類するものを除く。）で区画しなければならない。

14　竪穴部分及びこれに接する他の竪穴部分（いずれも第一項第一号に該当する建築物の部分又は階段室の部分等であるものに限る。）が次に掲げる基準に適合する場合においては、これらの竪穴部分を一の竪穴部分とみな

して、前三項の規定を適用する。
一　当該竪穴部分及び他の竪穴部分の壁及び天井の室内に面する部分の仕上げが準不燃材料でされ、かつ、その下地が準不燃材料で造られたものであること。
二　当該竪穴部分と当該他の竪穴部分とが用途上区画することができないものであること。

15　第十二項及び第十三項の規定は、火災が発生した場合に避難上支障のある高さまで煙又はガスの降下が生じない建築物として、壁及び天井の仕上げに用いる材料の種類並びに消火設備及び排煙設備の設置の状況及び構造を考慮して国土交通大臣が定めるものの竪穴部分については、適用しない。

16　第一項若しくは第四項から第六項までの規定による一時間準耐火基準に適合する準耐火構造の床若しくは壁（第四項に規定する防火上主要な間仕切壁を除く。）若しくは特定防火設備、第七項の規定による耐火構造の床若しくは壁若しくは法第二条第九号の二ロに規定する防火設備又は第十一項の規定による準耐火構造の床若しくは壁若しくは同号ロに規定する防火設備に接する外壁については、当該外壁のうちこれらに接する部分を含み幅九十センチメートル以上の部分を準耐火構造としなければならない。ただし、外壁面から五十センチメートル以上突出した準耐火構造のひさし、床、袖壁その他これらに類するもので防火上有効に遮られている場合においては、この限りでない。

17　前項の規定によつて準耐火構造としなければならない部分に開口部がある場合においては、その開口部に法第二条第九号の二ロに規定する防火設備を設けなければならない。

18　建築物の一部が法第二十七条第一項各号、第二項各号又は第三項各号のいずれかに該当する場合においては、その部分とその他の部分とを一時間準耐火基準に適合する準耐火構造とした床若しくは壁又は特定防火設備で区画しなければならない。ただし、国土交通大臣が定める基準に従い、警報設備を設けることその他これに準ずる措置が講じられている場合においては、この限りでない。

19　第一項、第四項、第五項、第十項又は前項の規定による区画に用いる特定防火設備、第七項、第十項、第十一項又は第十二項本文の規定による区画に用いる法第二条第九号の二ロに規定する防火設備、同項ただし書の規定による区画に用いる十分間防火設備及び第十三項の規定による区画に用いる戸は、次の各号に掲げる区分に応じ、当該各号に定める構造のものとしなければならない。
一　第一項本文、第四項若しくは第五項の規定による区画に用いる特定防火設備又は第七項の規定による区画に用いる法第二条第九号の二ロに規定する防火設備　次に掲げる要件を満たすものとして、国土交通大臣が定めた構造方法を用いるもの又は国土交通大臣の認定を受けたもの
イ　常時閉鎖若しくは作動をした状態にあるか、又は随時閉鎖若しくは作動をできるものであること。
ロ　閉鎖又は作動をするに際して、当該特定防火設備又は防火設備の周囲の人の安全を確保することができるものであること。
ハ　居室から地上に通ずる主たる廊下、階段その他の通路の通行の用に供する部分に設けるものにあつては、閉鎖又は作動をした状態において避難上支障がないものであること。
ニ　常時閉鎖又は作動をした状態にあるもの以外のものにあつては、火災により煙が発生した場合又は火災により温度が急激に上昇した場合のいずれかの場合に、自動的に閉鎖又は作動をするものであること。
二　第一項第二号、第十項、第十一項若しくは第十二項本文の規定による区画に用いる法第二条第九号の二ロに規定する防火設備、同項ただし書の規定による区画に用いる十分間防火設備又は第十三項の規定による区画に用いる戸　次に掲げる要件を満たすものとして、国土交通大臣が定めた構造方法を用いるもの又は国土交通大臣の認定を受けたもの
イ　前号イからハまでに掲げる要件を満たしているものであること。
ロ　避難上及び防火上支障のない遮煙性能を有し、かつ、常時閉鎖又は作動をした状態にあるもの以外のものにあつては、火災により煙が発生した場合に自動的に閉鎖又は作動をするものであること。

20　給水管、配電管その他の管が第一項、第四項から第六項まで若しくは第十八項の規定による一時間準耐火基準に適合する準耐火構造の床若しくは壁、第七項若しくは第十項の規定による耐火構造の床若しくは壁、第十一項本文若しくは第十六項本文の規定による準耐火構造の床若しくは壁又は同項ただし書の場合における同項ただし書のひさし、床、袖壁その他これらに類するもの（以下この条において「準耐火構造の防火区画」という。）を貫通する場合においては、当該管と準耐火構造の防火区画との隙間をモルタルその他の不燃材料で埋めなければならない。

21　換気、暖房又は冷房の設備の風道が準耐火構造の防火区画を貫通する場合（国土交通大臣が防火上支障がないと認めて指定する場合を除く。）においては、当該風道の準耐火構造の防火区画を貫通する部分又はこれに近接する部分に、特定防火設備（法第二条第九号の二ロに規定する防火設備によつて区画すべき準耐火構造の防火区画を貫通する場合にあつては、同号ロに規定する防火設備）であつて、次に掲げる要件を満たすものとして、国土交通大臣が定めた構造方法を用いるもの又は国土交通大臣の認定を受けたものを国土交通大臣が定める方法により設けなければならない。
一　火災により煙が発生した場合又は火災により温度が急激に上昇した場合に自動的に閉鎖するものであること。
二　閉鎖した場合に防火上支障のない遮煙性能を有するものであること。

22　建築物が火熱遮断壁等で区画されている場合における当該火熱遮断壁等により分離された部分は、第一項又は第十一項から第十三項までの規定の適用については、それぞれ別の建築物とみなす。

23　第百九条の二の二第三項に規定する建築物に係る第一項又は第十一項の規定の適用については、当該建築物の同条第三項に規定する特定部分及び他の部分をそれぞれ別の建築物とみなす。

（木造等の建築物の防火壁及び防火床）

第一一三条　防火壁及び防火床は、次に掲げる構造としなければならない。
一　耐火構造とすること。
二　通常の火災による当該防火壁又は防火床以外の建築物の部分の倒壊によつて生ずる応力が伝えられた場合に倒壊しないものとして国土交通大臣が定めた構造方法を用いるものとすること。
三　通常の火災時において、当該防火壁又は防火床で区画された部分（当該防火壁又は防火床の部分を除く。）から屋外に出た火炎による当該防火壁又は防火床で区画された他の部分（当該防火壁又は防火床の部分を除く。）への延焼を有効に防止できるものとして国土交通大臣が定めた構造方法を用いるものとすること。
四　防火壁に設ける開口部の幅及び高さ又は防火床に設ける開口部の幅及び長さは、それぞれ二・五メートル以下とし、かつ、これに特定防火設備で前条第十九項第一号に規定する構造であるものを設けること。

2　前条第二十項の規定は給水管、配電管その他の管が防火壁又は防火床を貫通する場合に、同条第二十一項の規定は換気、暖房又は冷房の設備の風道が防火壁又は防火床を貫通する場合について準用する。

3　防火壁又は防火床で火熱遮断壁等に該当するものについては、第一項の規定は、適用しない。

（建築物の界壁、間仕切壁及び隔壁）

第一一四条　長屋又は共同住宅の各戸の界壁（自動スプリンクラー設備等設置部分その他防火上支障がないものとして国土交通大臣が定める部分の界壁を除く。）は、準耐火構造とし、第百十二条第四項各号のいずれかに該当する部分を除き、小屋裏又は天井裏に達せしめなければならない。

2　学校、病院、診療所（患者の収容施設を有しないものを除く。）、児童福祉施設等、ホテル、旅館、下宿、寄宿舎又はマーケットの用途に供する建築物の当該用途に供する部分については、その防火上主要な間仕切壁（自動スプリンクラー設備等設置部分その他防火上支障がないものとして国土交通大臣が定める部分の間仕切壁を除く。）を準耐火構造とし、第百十二条第四項各号のいずれかに該当する部分を除き、小屋裏又は天井裏に達せしめなければならない。

3　建築面積が三百平方メートルを超える建築物の小屋組が木造である場合においては、小屋裏の直下の天井の全部を強化天井とするか、又は桁行間隔十二メートル以内ごとに小屋裏（準耐火構造の隔壁で区画されている小屋裏の部分で、当該部分の直下の天井が強化天井であるものを除く。）に準耐火構造の隔壁を設けなければならない。ただし、次の各号のいずれかに該当する建築物については、この限りでない。
一　法第二条第九号の二イに掲げる基準に適合する建築物
二　第百十五条の二第一項第七号の基準に適合するもの
三　その周辺地域が農業上の利用に供され、又はこれと同様の状況にあつて、その構造及び用途並びに周囲の状況に関し避難上及び延焼防止上支

障がないものとして国土交通大臣が定める基準に適合する畜舎、堆肥舎並びに水産物の増殖場及び養殖場の上家

4 延べ面積がそれぞれ二百平方メートルを超える建築物で耐火建築物以外のもの相互を連絡する渡り廊下で、その小屋組が木造であり、かつ、けた行が四メートルを超えるものは、小屋裏に準耐火構造の隔壁を設けなければならない。

5 第百十二条第二十項の規定は給水管、配電管その他の管が第一項の界壁、第二項の間仕切壁又は前二項の隔壁を貫通する場合に、同条第二十一項の規定は換気、暖房又は冷房の設備の風道がこれらの界壁、間仕切壁又は隔壁を貫通する場合について準用する。この場合において、同項中「特定防火設備」とあるのは、「第百九条に規定する防火設備であつて、これに通常の火災による火熱が加えられた場合に、加熱開始後四十五分間当該加熱面以外の面に火炎を出さないものとして、国土交通大臣が定めた構造方法を用いるもの又は国土交通大臣の認定を受けたもの」と読み替えるものとする。

6 建築物が火熱遮断壁等で区画されている場合における当該火熱遮断壁等により分離された部分は、第三項又は第四項の規定の適用については、それぞれ別の建築物とみなす。

（建築物に設ける煙突）

第百十五条 建築物に設ける煙突は、次に定める構造としなければならない。

一 煙突の屋上突出部は、屋根面からの垂直距離を六十センチメートル以上とすること。

二 煙突の高さは、その先端からの水平距離一メートル以内に建築物がある場合で、その建築物に軒がある場合においては、その建築物の軒から六十センチメートル以上高くすること。

三 煙突は、次のイ又はロのいずれかに適合するものとすること。

イ 次に掲げる基準に適合するものであること。

(1) 煙突の小屋裏、天井裏、床裏等にある部分は、煙突の上又は周囲にたまるほこりを煙突内の廃ガスその他の生成物の熱により燃焼させないものとして国土交通大臣が定めた構造方法を用いるものとすること。

(2) 煙突は、建築物の部分である木材その他の可燃材料から十五センチメートル以上離して設けること。ただし、厚さが十センチメートル以上の金属以外の不燃材料で造り、又は覆う部分その他当該可燃材料を煙突内の廃ガスその他の生成物の熱により燃焼させないものとして国土交通大臣が定めた構造方法を用いる部分は、この限りでない。

ロ その周囲にある建築物の部分（小屋裏、天井裏、床裏等にある部分にあつては、煙突の上又は周囲にたまるほこりを含む。）を煙突内の廃ガスその他の生成物の熱により燃焼させないものとして、国土交通大臣の認定を受けたものであること。

四 壁付暖炉のれんが造、石造又はコンクリートブロック造の煙突（屋内にある部分に限る。）には、その内部に陶管の煙道を差し込み、又はセメントモルタルを塗ること。

五 壁付暖炉の煙突における煙道の屈曲が百二十度以内の場合においては、その屈曲部に掃除口を設けること。

六 煙突の廃ガスその他の生成物により、腐食又は腐朽のおそれのある部分には、腐食若しくは腐朽しにくい材料を用いるか、又は有効なさび止め若しくは防腐のための措置を講ずること。

七 ボイラーの煙突は、前各号に定めるもののほか、煙道接続口の中心から頂部までの高さがボイラーの燃料消費量（国土交通大臣が経済産業大臣の意見を聴いて定めるものとする。）に応じて国土交通大臣が定める基準に適合し、かつ、防火上必要があるものとして国土交通大臣が定めた構造方法を用いるものであること。

2 前項第一号から第三号までの規定は、廃ガスその他の生成物の温度が低いことその他の理由により防火上支障がないものとして国土交通大臣が定める基準に適合する場合においては、適用しない。

（防火壁又は防火床の設置を要しない建築物に関する技術的基準等）

第百十五条の二 法第二十六条第一項第二号ロの政令で定める技術的基準は、次のとおりとする。

一 第四十六条第二項第一号イ及びロに掲げる基準に適合していること。

二 地階を除く階数が二以下であること。

三 二階の床面積（吹抜きとなつている部分に面する二階の通路その他の部分の床で壁の室内に面する部分から内側に二メートル以内の間に設けられたもの（次号において「通路等の床」という。）の床面積を除く。）が一階の床面積の八分の一以下であること。

四 外壁及び軒裏が防火構造であり、かつ、一階の床（直下に地階がある部分に限る。）及び二階の床（通路等の床を除く。）の構造が、これに屋内において発生する通常の火災による火熱が加えられた場合に、加熱開始後三十分間構造耐力上支障のある変形、溶融、亀裂その他の損傷を生じず、かつ、当該加熱面以外の面（屋内に面するものに限る。）の温度が可燃物燃焼温度以上に上昇しないものとして、国土交通大臣が定めた構造方法を用いるもの又は国土交通大臣の認定を受けたものであること。ただし、特定行政庁がその周囲の状況により延焼防止上支障がないと認める建築物の外壁及び軒裏については、この限りでない。

五 地階については、その特定主要構造部が耐火構造であるか、又はその主要構造部が不燃材料で造られていること。

六 調理室、浴室その他の室でかまど、こんろその他火を使用する設備又は器具を設けたものの部分が、その他の部分と耐火構造の床若しくは壁（これらの床又は壁を貫通する給水管、配電管その他の管の部分及びその周囲の部分の構造が国土交通大臣が定めた構造方法を用いるものに限る。）又は特定防火設備で第百十二条第十九項第一号に規定する構造であるもので区画されていること。

七 建築物の各室及び各通路について、壁（床面からの高さが一・二メートル以下の部分を除く。）及び天井（天井のない場合においては、屋根）の室内に面する部分（回り縁、窓台その他これらに類する部分を除く。）の仕上げが難燃材料でされ、又はスプリンクラー設備、水噴霧消火設備、泡消火設備その他これらに類するもので自動式のもの及び第百二十六条の三の規定に適合する排煙設備が設けられていること。

八 主要構造部である柱又ははりを接合する継手又は仕口の構造が、通常の火災時の加熱に対して耐力の低下を有効に防止することができるものとして国土交通大臣が定めた構造方法を用いるものであること。

九 国土交通大臣が定める基準に従つた構造計算によつて、通常の火災により建築物全体が容易に倒壊するおそれのないことが確かめられた構造であること。

2 法第二十六条第一項第三号の政令で定める用途は、畜舎、堆肥舎並びに水産物の増殖場及び養殖場の上家とする。

（耐火建築物等としなければならない特殊建築物）

第百十五条の三 法別表第一(い)欄の(二)項から(四)項まで及び(六)項（法第八十七条第三項において法第二十七条の規定を準用する場合を含む。）に掲げる用途に類するもので政令で定めるものは、それぞれ次の各号に掲げるものとする。

一 (二)項の用途に類するもの　児童福祉施設等（幼保連携型認定こども園を含む。以下同じ。）

二 (三)項の用途に類するもの　博物館、美術館、図書館、ボーリング場、スキー場、スケート場、水泳場又はスポーツの練習場

三 (四)項の用途に類するもの　公衆浴場、待合、料理店、飲食店又は物品販売業を営む店舗（床面積が十平方メートル以内のものを除く。）

四 (六)項の用途に類するもの　映画スタジオ又はテレビスタジオ

（自動車車庫等の用途に供してはならない準耐火建築物）

第百十五条の四 法第二十七条第三項（法第八十七条第三項において準用する場合を含む。次条第一項において同じ。）の規定により政令で定める準耐火建築物は、第百九条の三第一号に掲げる技術的基準に適合するもの（同条第二号に掲げる技術的基準に適合するものを除く。）とする。

（危険物の数量）

第百十六条 法第二十七条第三項第二号の規定により政令で定める危険物の数量の限度は、次の表に定めるところによるものとする。

危険物品の種類	数量	
	常時貯蔵する場合	製造所又は他の事業を営む工場において処理する場合
火薬	二十トン	十トン

火薬類（玩具煙火を除く。）	爆薬	二十トン	五トン
	工業雷管及び電気雷管	三百万個	五十万個
	銃用雷管	千万個	五百万個
	信号雷管	三百万個	五十万個
	実包	千万個	五万個
	空包	千万個	五万個
	信管及び火管	十万個	五万個
	導爆線	五百キロメートル	五百キロメートル
	導火線	二千五百キロメートル	五百キロメートル
	電気導火線	七万個	五万個
	信号炎管及び信号火箭	二トン	二トン
	煙火	二トン	二トン
	その他の火薬又は爆薬を使用した火工品	当該火工品の原料をなす火薬又は爆薬の数量に応じて、火薬又は爆薬の数量のそれぞれの限度による。	
消防法第二条第七項に規定する危険物		危険物の規制に関する政令（昭和三十四年政令第三百六号）別表第三の類別欄に掲げる類、同表の品名欄に掲げる品名及び同表の性質欄に掲げる性状に応じ、それぞれ同表の指定数量欄に定める数量の十倍の数量	危険物の規制に関する政令別表第三の類別欄に掲げる類、同表の品名欄に掲げる品名及び同表の性質欄に掲げる性状に応じ、それぞれ同表の指定数量欄に定める数量の十倍の数量
マッチ		三百マッチトン	三百マッチトン
可燃性ガス		七百立方メートル	二万立方メートル
圧縮ガス		七千立方メートル	二十万立方メートル
液化ガス		七十トン	二千トン

この表において、可燃性ガス及び圧縮ガスの容積の数値は、温度が零度で圧力が一気圧の状態に換算した数値とする。

2 土木工事又はその他の事業に一時的に使用するためにその事業中臨時に貯蔵する危険物の数量の限度及び支燃性又は不燃性の圧縮ガス又は液化ガスの数量の限度は、無制限とする。

3 第一項の表に掲げる危険物の二種類以上を同一の建築物に貯蔵しようとする場合においては、第一項に規定する危険物の数量の限度は、それぞれ当該各欄の危険物の数量の限度の数値で貯蔵しようとする危険物の数値を除し、それらの商を加えた数値が一である場合とする。

第五章 避難施設等

第一節 総則

（窓その他の開口部を有しない居室等）

第百十六条の二 法第三十五条（法第八十七条第三項において準用する場合を含む。第百二十七条において同じ。）の規定により政令で定める窓その他の開口部を有しない居室は、次の各号に該当する窓その他の開口部を有しない居室とする。

一 面積（第二十条の規定より計算した採光に有効な部分の面積に限る。）の合計が、当該居室の床面積の二十分の一以上のもの

二 開放できる部分（天井又は天井から下方八十センチメートル以内の距離にある部分に限る。）の面積の合計が、当該居室の床面積の五十分の一以上のもの

2 ふすま、障子その他随時開放することができるもので仕切られた二室は、前項の規定の適用については、一室とみなす。

第二節 廊下、避難階段及び出入口

（適用の範囲）

第百十七条 この節の規定は、法別表第一(い)欄(一)項から(四)項までに掲げる用途に供する特殊建築物、階数が三以上である建築物、前条第一項第一号に該当する窓その他の開口部を有しない居室を有する階又は延べ面積が千平方メートルをこえる建築物に限り適用する。

2 次に掲げる建築物の部分は、この節の規定の適用については、それぞれ別の建築物とみなす。

一 建築物が開口部のない耐火構造の床又は壁で区画されている場合における当該床又は壁により分離された部分

二 建築物の二以上の部分の構造が通常の火災時において相互に火熱又は煙若しくはガスによる防火上有害な影響を及ぼさないものとして国土交通大臣が定めた構造方法を用いるものである場合における当該部分

（客席からの出口の戸）

第百十八条 劇場、映画館、演芸場、観覧場、公会堂又は集会場における客席からの出口の戸は、内開きとしてはならない。

（廊下の幅）

第百十九条 廊下の幅は、それぞれ次の表に掲げる数値以上としなければならない。

廊下の配置 ／ 廊下の用途	両側に居室がある廊下における場合（単位 メートル）	その他の廊下における場合（単位 メートル）
小学校、中学校、義務教育学校、高等学校又は中等教育学校における児童用又は生徒用のもの	二・三	一・八
病院における患者用のもの、共同住宅の住戸若しくは住室の床面積の合計が百平方メートルを超える階における共用のもの又は三室以下の専用のものを除き居室の床面積の合計が二百平方メートル（地階にあつては、百平方メートル）を超える階におけるもの	一・六	一・二

（直通階段の設置）

第百二十条 建築物の避難階以外の階（地下街におけるものを除く。次条第一項において同じ。）においては、避難階又は地上に通ずる直通階段（傾斜路を含む。以下同じ。）を次の表の上欄に掲げる居室の種類の区分に応じ当該各居室からその一に至る歩行距離が同表の中欄又は下欄に掲げる場合の区分に応じそれぞれ同表の中欄又は下欄に掲げる数値以下となるように設けなければならない。

構造 ／ 居室の種類	主要構造部が準耐火構造である場合（特定主要構造部が耐火構造である場合を含む。）又は主要構造部が不燃材料で造られている場合（単位 メートル）	その他の場合（単位 メートル）
第百十六条の二第一項第一号に該当する窓その他の開口部を有しない居室（当該居室の床面積、当該居室か		

(一) らの避難の用に供する廊下その他の通路の構造並びに消火設備、排煙設備、非常用の照明装置及び警報設備の設置の状況及び構造に関し避難上支障がないものとして国土交通大臣が定める基準に適合するものを除く。）又は法別表第一(い)欄(四)項に掲げる用途に供する特殊建築物の主たる用途に供する居室	三〇	三〇
(二) 法別表第一(い)欄(二)項に掲げる用途に供する特殊建築物の主たる用途に供する居室	五〇	三〇
(三) (一)の項又は(二)の項に掲げる居室以外の居室	五〇	四〇

2 主要構造部が準耐火構造である建築物（特定主要構造部が耐火構造である建築物を含む。次条第二項及び第百二十二条第一項において同じ。）又は主要構造部が不燃材料で造られている建築物の居室で、当該居室及びこれから地上に通ずる主たる廊下、階段その他の通路の壁（床面からの高さが一・二メートル以下の部分を除く。）及び天井（天井のない場合においては、屋根）の室内に面する部分（回り縁、窓台その他これらに類する部分を除く。）の仕上げを準不燃材料でしたものについては、前項の表の数値に十を加えた数値を同項の表の数値とする。ただし、十五階以上の階の居室については、この限りでない。

3 十五階以上の階の居室については、前項本文の規定に該当するものを除き、第一項の表の数値から十を減じた数値を同項の表の数値とする。

4 第一項の規定は、主要構造部を準耐火構造とした共同住宅（特定主要構造部を耐火構造とした共同住宅を含む。第百二十三条の二において同じ。）の住戸でその階数が二又は三であり、かつ、出入口が一の階のみにあるものの当該出入口のある階以外の階については、その居室の各部分から避難階又は地上に通ずる直通階段の一に至る歩行距離が四十メートル以下である場合においては、適用しない。

（二以上の直通階段を設ける場合）

第百二十一条 建築物の避難階以外の階が次の各号のいずれかに該当する場合においては、その階から避難階又は地上に通ずる二以上の直通階段を設けなければならない。

一 劇場、映画館、演芸場、観覧場、公会堂又は集会場の用途に供する階でその階に客席、集会室その他これらに類するものを有するもの

二 物品販売業を営む店舗（床面積の合計が千五百平方メートルを超えるものに限る。第百二十二条第二項、第百二十四条第一項及び第百二十五条第三項において同じ。）の用途に供する階でその階に売場を有するもの

三 次に掲げる用途に供する階でその階に客席、客室その他これらに類するものを有するもの（五階以下の階で、その階の居室の床面積の合計が百平方メートルを超えず、かつ、その階に避難上有効なバルコニー、屋外通路その他これらに類するもの及びその階から避難階又は地上に通ずる直通階段で第百二十三条第二項又は第三項の規定に適合するものが設けられているもの並びに避難階の直上階又は直下階である五階以下の階でその階の居室の床面積の合計が百平方メートルを超えないものを除く。）

イ キャバレー、カフェー、ナイトクラブ又はバー

ロ 個室付浴場業その他客の性的好奇心に応じてその客に接触する役務を提供する営業を営む施設

ハ ヌードスタジオその他これに類する興行場（劇場、映画館又は演芸場に該当するものを除く。）

ニ 専ら異性を同伴する客の休憩の用に供する施設

ホ 店舗型電話異性紹介営業その他これに類する営業を営む店舗

四 病院若しくは診療所の用途に供する階でその階における病室の床面積の合計又は児童福祉施設等の用途に供する階でその階における児童福祉施設等の主たる用途に供する居室の床面積の合計が、それぞれ五十平方メートルを超えるもの

五 ホテル、旅館若しくは下宿の用途に供する階でその階における宿泊室の床面積の合計、共同住宅の用途に供する階でその階における居室の床面積の合計又は寄宿舎の用途に供する階でその階における寝室の床面積の合計が、それぞれ百平方メートルを超えるもの

六 前各号に掲げる階以外の階で次のイ又はロに該当するもの

イ 六階以上の階でその階に居室を有するもの（第一号から第四号までに掲げる用途に供する階以外の階で、その階の居室の床面積の合計が百平方メートルを超えず、かつ、その階に避難上有効なバルコニー、屋外通路その他これらに類するもの及びその階から避難階又は地上に通ずる直通階段で第百二十三条第二項又は第三項の規定に適合するものが設けられているものを除く。）

ロ 五階以下の階でその階における居室の床面積の合計が避難階の直上階にあつては二百平方メートルを、その他の階にあつては百平方メートルを超えるもの

2 主要構造部が準耐火構造である建築物又は主要構造部が不燃材料で造られている建築物について前項の規定を適用する場合には、同項中「五十平方メートル」とあるのは「百平方メートル」と、「百平方メートル」とあるのは「二百平方メートル」と、「二百平方メートル」とあるのは「四百平方メートル」とする。

3 第一項の規定により避難階又は地上に通ずる二以上の直通階段を設ける場合において、居室の各部分から各直通階段に至る通常の歩行経路の全てに共通の重複区間があるときにおける当該重複区間の長さは、前条に規定する歩行距離の数値の二分の一をこえてはならない。ただし、居室の各部分から、当該重複区間を経由しないで、避難上有効なバルコニー、屋外通路その他これらに類するものに避難することができる場合は、この限りでない。

4 第一項（第四号及び第五号（第二項の規定が適用される場合にあつては、第四号）に係る部分に限る。）の規定は、階数が三以下で延べ面積が二百平方メートル未満の建築物の避難階以外の階（以下この項において「特定階」という。）（階段の部分（当該部分からのみ人が出入りすることのできる便所、公衆電話所その他これらに類するものを含む。）と当該階段の部分以外の部分（直接外気に開放されている廊下、バルコニーその他これらに類する部分を除く。）とが間仕切壁若しくは次の各号に掲げる場合の区分に応じ当該各号に定める防火設備で第百十二条第十九項第二号に規定する構造であるもので区画されている建築物又は同条第十五項の国土交通大臣が定める建築物の特定階に限る。）については、適用しない。

一 特定階を第一項第四号に規定する用途（児童福祉施設等については入所する者の寝室があるものに限る。）に供する場合　法第二条第九号の二ロに規定する防火設備（当該特定階がある建築物の居室、倉庫その他これらに類する部分にスプリンクラー設備その他これに類するものを設けた場合にあつては、十分間防火設備）

二 特定階を児童福祉施設等（入所する者の寝室があるものを除く。）の用途又は第一項第五号に規定する用途に供する場合　戸（ふすま、障子その他これらに類するものを除く。）

（屋外階段の構造）

第百二十一条の二 前二条の規定による直通階段で屋外に設けるものは、木造（準耐火構造のうち有効な防腐措置を講じたものを除く。）としてはならない。

（避難階段の設置）

第百二十二条 建築物の五階以上の階（主要構造部が準耐火構造である建築物又は主要構造部が不燃材料で造られている建築物で五階以上の階の床面積の合計が百平方メートル以下である場合を除く。）又は地下二階以下の階（主要構造部が準耐火構造である建築物又は主要構造部が不燃材料で造られている建築物で地下二階以下の階の床面積の合計が百平方メートル以下である場合を除く。）に通ずる直通階段は次条の規定による避難階段又は特別避難階段とし、建築物の十五階以上の階又は地下三階以下の階に通ずる直通階段は同条第三項の規定による特別避難階段としなければならない。ただし、特定主要構造部が耐火構造である建築物（階段室の部分、昇降機の昇降路の部分（当該昇降機の乗降のための乗降ロビーの部分を含む。）及び廊下その他の避難の用に供する部分で耐火構造の床若しくは壁又は特定防火設備で区画されたものを除く。）で床面積の合計百平方メー

トル（共同住宅の住戸にあつては、二百平方メートル）以内ごとに耐火構造の床若しくは壁又は特定防火設備（直接外気に開放されている階段室に面する換気のための窓で開口面積が〇・二平方メートル以下のものに設けられる法第二条第九号の二ロに規定する防火設備を含む。）で区画されている場合においては、この限りでない。

２　三階以上の階を物品販売業を営む店舗の用途に供する建築物にあつては、各階の売場及び屋上広場に通ずる二以上の直通階段を設け、これを次条の規定による避難階段又は特別避難階段としなければならない。

３　前項の直通階段で、五階以上の売場に通ずるものはその一以上を、十五階以上の売場に通ずるものはその全てを次条第三項の規定による特別避難階段としなければならない。

（避難階段及び特別避難階段の構造）

第百二十三条　屋内に設ける避難階段は、次に定める構造としなければならない。

一　階段室は、第四号の開口部、第五号の窓又は第六号の出入口の部分を除き、耐火構造の壁で囲むこと。

二　階段室の天井（天井のない場合にあつては、屋根。第三項第四号において同じ。）及び壁の室内に面する部分は、仕上げを不燃材料でし、かつ、その下地を不燃材料で造ること。

三　階段室には、窓その他の採光上有効な開口部又は予備電源を有する照明設備を設けること。

四　階段室の屋外に面する壁に設ける開口部（開口面積が各々一平方メートル以内で、法第二条第九号の二ロに規定する防火設備ではめごろし戸であるものが設けられたものを除く。）は、階段室以外の当該建築物の部分に設けた開口部並びに階段室以外の当該建築物の壁及び屋根（耐火構造の壁及び屋根を除く。）から九十センチメートル以上の距離に設けること。ただし、第百十二条第十六項ただし書に規定する場合は、この限りでない。

五　階段室の屋内に面する壁に窓を設ける場合においては、その面積は、各々一平方メートル以内とし、かつ、法第二条第九号の二ロに規定する防火設備ではめごろし戸であるものを設けること。

六　階段に通ずる出入口には、法第二条第九号の二ロに規定する防火設備で第百十二条第十九項第二号に規定する構造であるものを設けること。この場合において、直接手で開くことができ、かつ、自動的に閉鎖する戸又は戸の部分は、避難の方向に開くことができるものとすること。

七　階段は、耐火構造とし、避難階まで直通すること。

２　屋外に設ける避難階段は、次に定める構造としなければならない。

一　階段は、その階段に通ずる出入口以外の開口部（開口面積が各々一平方メートル以内で、法第二条第九号の二ロに規定する防火設備ではめごろし戸であるものが設けられたものを除く。）から二メートル以上の距離に設けること。

二　屋内から階段に通ずる出入口には、前項第六号の防火設備を設けること。

三　階段は、耐火構造とし、地上まで直通すること。

３　特別避難階段は、次に定める構造としなければならない。

一　屋内と階段室とは、バルコニー又は付室を通じて連絡すること。

二　屋内と階段室とが付室を通じて連絡する場合においては、階段室又は付室の構造が、通常の火災時に生ずる煙が付室を通じて階段室に流入することを有効に防止できるものとして、国土交通大臣が定めた構造方法を用いるもの又は国土交通大臣の認定を受けたものであること。

三　階段室、バルコニー及び付室は、第六号の開口部、第八号の窓又は第十号の出入口の部分（第百二十九条の十三の三第三項に規定する非常用エレベーターの乗降ロビーの用に供するバルコニー又は付室にあつては、当該エレベーターの昇降路の出入口の部分を含む。）を除き、耐火構造の壁で囲むこと。

四　階段室及び付室の天井及び壁の室内に面する部分は、仕上げを不燃材料でし、かつ、その下地を不燃材料で造ること。

五　階段室には、付室に面する窓その他の採光上有効な開口部又は予備電源を有する照明設備を設けること。

六　階段室、バルコニー又は付室の屋外に面する壁に設ける開口部（開口面積が各々一平方メートル以内で、法第二条第九号の二ロに規定する防火設備ではめごろし戸であるものが設けられたものを除く。）は、階段室、バルコニー又は付室以外の当該建築物の部分に設けた開口部並びに階段室、バルコニー又は付室以外の当該建築物の部分の壁及び屋根（耐火構造の壁及び屋根を除く。）から九十センチメートル以上の距離にある部分で、延焼のおそれのある部分以外の部分に設けること。ただし、第百十二条第十六項ただし書に規定する場合は、この限りでない。

七　階段室には、バルコニー及び付室に面する部分以外に屋内に面して開口部を設けないこと。

八　階段室のバルコニー又は付室に面する部分に窓を設ける場合においては、はめごろし戸を設けること。

九　バルコニー及び付室には、階段室以外の屋内に面する壁に出入口以外の開口部を設けないこと。

十　屋内からバルコニー又は付室に通ずる出入口には第一項第六号の特定防火設備を、バルコニー又は付室から階段室に通ずる出入口には同号の防火設備を設けること。

十一　階段は、耐火構造とし、避難階まで直通すること。

十二　建築物の十五階以上の階又は地下三階以下の階に通ずる特別避難階段の十五階以上の各階又は地下三階以下の各階における階段室及びこれと屋内とを連絡するバルコニー又は付室の床面積（バルコニーで床面積がないものにあつては、床部分の面積）の合計は、当該階に設ける各居室の床面積に、法別表第一(い)欄㈠項又は㈣項に掲げる用途に供する居室にあつては百分の八、その他の居室にあつては百分の三を乗じたものの合計以上とすること。

（共同住宅の住戸の床面積の算定等）

第百二十三条の二　主要構造部を準耐火構造とした共同住宅の住戸でその階数が二又は三であり、かつ、出入口が一の階のみにあるものの当該出入口のある階以外の階は、その居室の各部分から避難階又は地上に通ずる直通階段の一に至る歩行距離が四十メートル以下である場合においては、第百十九条、第百二十一条第一項第五号及び第六号イ（これらの規定を同条第二項の規定により読み替える場合を含む。）、第百二十二条第一項並びに前条第三項第十二号の規定の適用については、当該出入口のある階にあるものとみなす。

（物品販売業を営む店舗における避難階段等の幅）

第百二十四条　物品販売業を営む店舗の用途に供する建築物における避難階段、特別避難階段及びこれらに通ずる出入口の幅は、次の各号に定めるところによらなければならない。

一　各階における避難階段及び特別避難階段の幅の合計は、その直上階以上の階（地階にあつては、当該階以下の階）のうち床面積が最大の階における床面積百平方メートルにつき六十センチメートルの割合で計算した数値以上とすること。

二　各階における避難階段及び特別避難階段に通ずる出入口の幅の合計は、各階ごとにその階の床面積百平方メートルにつき、地上階にあつては二十七センチメートル、地階にあつては三十六センチメートルの割合で計算した数値以上とすること。

２　前項に規定する所要幅の計算に関しては、もつぱら一若しくは二の地上階から避難階若しくは地上に通ずる避難階段及び特別避難階段又はこれらに通ずる出入口については、その幅が一・五倍あるものとみなすことができる。

３　前二項の規定の適用に関しては、屋上広場は、階とみなす。

（屋外への出口）

第百二十五条　避難階においては、階段から屋外への出口の一に至る歩行距離は第百二十条に規定する数値以下と、居室（避難上有効な開口部を有するものを除く。）の各部分から屋外への出口の一に至る歩行距離は同条に規定する数値の二倍以下としなければならない。

２　劇場、映画館、演芸場、観覧場、公会堂又は集会場の客用に供する屋外への出口の戸は、内開きとしてはならない。

３　物品販売業を営む店舗の避難階に設ける屋外への出口の幅の合計は、床面積が最大の階における床面積百平方メートルにつき六十センチメートルの割合で計算した数値以上としなければならない。

４　前条第三項の規定は、前項の場合に準用する。

（屋外への出口等の施錠装置の構造等）

第百二十五条の二　次の各号に掲げる出口に設ける戸の施錠装置は、当該建築物が法令の規定により人を拘禁する目的に供せられるものである場合を除き、屋内からかぎを用いることなく解錠できるものとし、かつ、当該戸の近くの見やすい場所にその解錠方法を表示しなければならない。

一　屋外に設ける避難階段に屋内から通ずる出口
二　避難階段から屋外に通ずる出口
三　前二号に掲げる出口以外の出口のうち、維持管理上常時鎖錠状態にある出口で、火災その他の非常の場合に避難の用に供すべきもの

2　前項に規定するもののほか、同項の施錠装置の構造及び解錠方法の表示の基準は、国土交通大臣が定める。

（屋上広場等）

第一二六条　屋上広場又は二階以上の階にあるバルコニーその他これに類するものの周囲には、安全上必要な高さが一・一メートル以上の手すり壁、さく又は金網を設けなければならない。

2　建築物の五階以上の階を百貨店の売場の用途に供する場合においては、避難の用に供することができる屋上広場を設けなければならない。

第三節　排煙設備

（設置）

第一二六条の二　法別表第一(い)欄㈠項から㈣項までに掲げる用途に供する特殊建築物で延べ面積が五百平方メートルを超えるもの、階数が三以上で延べ面積が五百平方メートルを超える建築物（建築物の高さが三十一メートル以下の部分にある居室で、床面積百平方メートル以内ごとに、間仕切壁、天井面から五十センチメートル以上下方に突出した垂れ壁その他これらと同等以上に煙の流動を妨げる効力のあるもので不燃材料で造り、又は覆われたもの（以下「防煙壁」という。）によつて区画されたものを除く。）、第百十六条の二第一項第二号に該当する窓その他の開口部を有しない居室又は延べ面積が千平方メートルを超える建築物の居室で、その床面積が二百平方メートルを超えるもの（建築物の高さが三十一メートル以下の部分にある居室で、床面積百平方メートル以内ごとに防煙壁で区画されたものを除く。）には、排煙設備を設けなければならない。ただし、次の各号のいずれかに該当する建築物又は建築物の部分については、この限りでない。

一　法別表第一(い)欄㈡項に掲げる用途に供する特殊建築物のうち、準耐火構造の床若しくは壁又は法第二条第九号の二ロに規定する防火設備で区画された部分で、その床面積が百平方メートル（共同住宅の住戸にあつては、二百平方メートル）以内のもの
二　学校（幼保連携型認定こども園を除く。）、体育館、ボーリング場、スキー場、スケート場、水泳場又はスポーツの練習場（以下「学校等」という。）
三　階段の部分、昇降機の昇降路の部分（当該昇降機の乗降のための乗降ロビーの部分を含む。）その他これらに類する建築物の部分
四　機械製作工場、不燃性の物品を保管する倉庫その他これらに類する用途に供する建築物で主要構造部が不燃材料で造られたものその他これらと同等以上に火災の発生のおそれの少ない構造のもの
五　火災が発生した場合に避難上支障のある高さまで煙又はガスの降下が生じない建築物の部分として、天井の高さ、壁及び天井の仕上げに用いる材料の種類等を考慮して国土交通大臣が定めるもの

2　次に掲げる建築物の部分は、この節の規定の適用については、それぞれ別の建築物とみなす。

一　建築物が開口部のない準耐火構造の床若しくは壁又は法第二条第九号の二ロに規定する防火設備でその構造が第百十二条第十九項第一号イ及びロ並びに第二号ロに掲げる要件を満たすものとして、国土交通大臣が定めた構造方法を用いるもの若しくは国土交通大臣の認定を受けたもので区画されている場合における当該床若しくは壁又は防火設備により分離された部分
二　建築物の二以上の部分の構造が通常の火災時において相互に煙又はガスによる避難上有害な影響を及ぼさないものとして国土交通大臣が定めた構造方法を用いるものである場合における当該部分

（構造）

第一二六条の三　前条第一項の排煙設備は、次に定める構造としなければならない。

一　建築物をその床面積五百平方メートル以内ごとに、防煙壁で区画すること。
二　排煙設備の排煙口、風道その他煙に接する部分は、不燃材料で造ること。
三　排煙口は、第一号の規定により区画された部分（以下「防煙区画部分」という。）のそれぞれについて、当該防煙区画部分の各部分から排煙口の一に至る水平距離が三十メートル以下となるように、天井又は壁の上部（天井から八十センチメートル（たけの最も短い防煙壁のたけが八十センチメートルに満たないときは、その値）以内の距離にある部分をいう。）に設け、直接外気に接する場合を除き、排煙風道に直結すること。
四　排煙口には、手動開放装置を設けること。
五　前号の手動開放装置のうち手で操作する部分は、壁に設ける場合においては床面から八十センチメートル以上一・五メートル以下の高さの位置に、天井から吊り下げて設ける場合においては床面からおおむね一・八メートルの高さの位置に設け、かつ、見やすい方法でその使用方法を表示すること。
六　排煙口には、第四号の手動開放装置若しくは煙感知器と連動する自動開放装置又は遠隔操作方式による開放装置により開放された場合を除き閉鎖状態を保持し、かつ、開放時に排煙に伴い生ずる気流により閉鎖されるおそれのない構造の戸その他これに類するものを設けること。
七　排煙風道は、第百十五条第一項第三号に定める構造とし、かつ、防煙壁を貫通する場合においては、当該風道と防煙壁とのすき間をモルタルその他の不燃材料で埋めること。
八　排煙口が防煙区画部分の床面積の五十分の一以上の開口面積を有し、かつ、直接外気に接する場合を除き、排煙機を設けること。
九　前号の排煙機は、一の排煙口の開放に伴い自動的に作動し、かつ、一分間に、百二十立方メートル以上で、かつ、防煙区画部分の床面積一平方メートルにつき一立方メートル（二以上の防煙区画部分に係る排煙機にあつては、当該防煙区画部分のうち床面積の最大のものの床面積一平方メートルにつき二立方メートル）以上の空気を排出する能力を有するものとすること。
十　電源を必要とする排煙設備には、予備電源を設けること。
十一　法第三十四条第二項に規定する建築物又は各構えの床面積の合計が千平方メートルを超える地下街における排煙設備の制御及び作動状態の監視は、中央管理室において行うことができるものとすること。
十二　前各号に定めるもののほか、火災時に生ずる煙を有効に排出することができるものとして国土交通大臣が定めた構造方法を用いるものとすること。

2　前項の規定は、送風機を設けた排煙設備その他の特殊な構造の排煙設備で、通常の火災時に生ずる煙を有効に排出することができるものとして国土交通大臣が定めた構造方法を用いるものについては、適用しない。

第四節　非常用の照明装置

（設置）

第一二六条の四　法別表第一(い)欄㈠項から㈣項までに掲げる用途に供する特殊建築物の居室、階数が三以上で延べ面積が五百平方メートルを超える建築物の居室、第百十六条の二第一項第一号に該当する窓その他の開口部を有しない居室又は延べ面積が千平方メートルを超える建築物の居室及びこれらの居室から地上に通ずる廊下、階段その他の通路（採光上有効に直接外気に開放された通路を除く。）並びにこれらに類する建築物の部分で照明装置の設置を通常要する部分には、非常用の照明装置を設けなければならない。ただし、次の各号のいずれかに該当する建築物又は建築物の部分については、この限りでない。

一　一戸建の住宅又は長屋若しくは共同住宅の住戸
二　病院の病室、下宿の宿泊室又は寄宿舎の寝室その他これらに類する居室
三　学校等
四　避難階又は避難階の直上階若しくは直下階の居室で避難上支障がないものその他これらに類するものとして国土交通大臣が定めるもの

2　第百十七条第二項各号に掲げる建築物の部分は、この節の規定の適用については、それぞれ別の建築物とみなす。

（構造）

第一二六条の五　前条第一項の非常用の照明装置は、次の各号のいずれかに定める構造としなければならない。

一　次に定める構造とすること。
イ　照明は、直接照明とし、床面において一ルクス以上の照度を確保することができるものとすること。

ロ　照明器具の構造は、火災時において温度が上昇した場合であつても著しく光度が低下しないものとして国土交通大臣が定めた構造方法を用いるものとすること。

ハ　予備電源を設けること。

ニ　イからハまでに定めるもののほか、非常の場合の照明を確保するために必要があるものとして国土交通大臣が定めた構造方法を用いるものとすること。

二　火災時において、停電した場合に自動的に点灯し、かつ、避難するまでの間に、当該建築物の室内の温度が上昇した場合にあつても床面において一ルクス以上の照度を確保することができるものとして、国土交通大臣の認定を受けたものとすること。

第五節　非常用の進入口

（設置）

第百二十六条の六　建築物の高さ三十一メートル以下の部分にある三階以上の階（不燃性の物品の保管その他これと同等以上に火災の発生のおそれの少ない用途に供する階又は国土交通大臣が定める特別の理由により屋外からの進入を防止する必要がある階で、その直上階又は直下階から進入することができるものを除く。）には、非常用の進入口を設けなければならない。ただし、次の各号のいずれかに該当する場合においては、この限りでない。

一　第百二十九条の十三の三の規定に適合するエレベーターを設置している場合

二　道又は道に通ずる幅員四メートル以上の通路その他の空地に面する各階の外壁面に窓その他の開口部（直径一メートル以上の円が内接することができるもの又はその幅及び高さが、それぞれ、七十五センチメートル以上及び一・二メートル以上のもので、格子その他の屋外からの進入を妨げる構造を有しないものに限る。）を当該壁面の長さ十メートル以内ごとに設けている場合

三　吹抜きとなつている部分その他の一定の規模以上の空間で国土交通大臣が定めるものを確保し、当該空間から容易に各階に進入することができるよう、通路その他の部分であつて、当該空間との間に壁を有しないことその他の高い開放性を有するものとして国土交通大臣が定めた構造方法を用いるもの又は国土交通大臣の認定を受けたものを設けている場合

（構造）

第百二十六条の七　前条の非常用の進入口は、次の各号に定める構造としなければならない。

一　進入口は、道又は道に通ずる幅員四メートル以上の通路その他の空地に面する各階の外壁面に設けること。

二　進入口の間隔は、四十メートル以下であること。

三　進入口の幅、高さ及び下端の床面からの高さが、それぞれ、七十五センチメートル以上、一・二メートル以上及び八十センチメートル以下であること。

四　進入口は、外部から開放し、又は破壊して室内に進入できる構造とすること。

五　進入口には、奥行き一メートル以上、長さ四メートル以上のバルコニーを設けること。

六　進入口又はその近くに、外部から見やすい方法で赤色灯の標識を掲示し、及び非常用の進入口である旨を赤色で表示すること。

七　前各号に定めるもののほか、国土交通大臣が非常用の進入口としての機能を確保するために必要があると認めて定める基準に適合する構造とすること。

第六節　敷地内の避難上及び消火上必要な通路等

（適用の範囲）

第百二十七条　この節の規定は、法第三十五条に掲げる建築物に適用する。

（敷地内の通路）

第百二十八条　敷地内には、第百二十三条第二項の屋外に設ける避難階段及び第百二十五条第一項の出口から道又は公園、広場その他の空地に通ずる幅員が一・五メートル（階数が三以下で延べ面積が二百平方メートル未満の建築物の敷地内にあつては、九十センチメートル）以上の通路を設けなければならない。

（大規模な木造等の建築物の敷地内における通路）

第百二十八条の二　主要構造部の全部が木造の建築物（法第二条第九号の二イに掲げる基準に適合する建築物を除く。）でその延べ面積が千平方メートルを超える場合又は主要構造部の一部が木造の建築物でその延べ面積（主要構造部が耐火構造の部分を含む場合で、その部分とその他の部分とが耐火構造とした壁又は特定防火設備で区画されているときは、その部分の床面積を除く。以下この条において同じ。）が千平方メートルを超える場合においては、その周囲（道に接する部分を除く。）に幅員が三メートル以上の通路を設けなければならない。ただし、延べ面積が三千平方メートル以下の場合における隣地境界線に接する部分の通路は、その幅員を一・五メートル以上とすることができる。

2　同一敷地内に二以上の建築物（耐火建築物、準耐火建築物及び延べ面積が千平方メートルを超えるものを除く。）がある場合で、その延べ面積の合計が千平方メートルを超えるときは、延べ面積の合計千平方メートル以内ごとの建築物に区画し、その周囲（道又は隣地境界線に接する部分を除く。）に幅員が三メートル以上の通路を設けなければならない。

3　耐火建築物又は準耐火建築物が延べ面積の合計千平方メートル以内ごとに区画された建築物を相互に防火上有効に遮つている場合においては、これらの建築物については、前項の規定は、適用しない。ただし、これらの建築物の延べ面積の合計が三千平方メートルを超える場合においては、その延べ面積の合計三千平方メートル以内ごとに、その周囲（道又は隣地境界線に接する部分を除く。）に幅員が三メートル以上の通路を設けなければならない。

4　前各項の規定にかかわらず、通路は、次の各号の規定に該当する渡り廊下を横切ることができる。ただし、通路が横切る部分における渡り廊下の開口の幅は二・五メートル以上、高さは三メートル以上としなければならない。

一　幅が三メートル以下であること。

二　通行又は運搬以外の用途に供しないこと。

5　前各項の規定による通路は、敷地の接する道まで達しなければならない。

（地下街）

第百二十八条の三　地下街の各構えは、次の各号に該当する地下道に二メートル以上接しなければならない。ただし、公衆便所、公衆電話所その他これらに類するものにあつては、その接する長さを二メートル未満とすることができる。

一　壁、柱、床、はり及び床版は、国土交通大臣が定める耐火に関する性能を有すること。

二　幅員五メートル以上、天井までの高さ三メートル以上で、かつ、段及び八分の一をこえる勾配の傾斜路を有しないこと。

三　天井及び壁の内面の仕上げを不燃材料でし、かつ、その下地を不燃材料で造つていること。

四　長さが六十メートルをこえる地下道にあつては、避難上安全な地上に通ずる直通階段で第二十三条第一項の表の(二)に適合するものを各構えの接する部分からその一に至る歩行距離が三十メートル以下となるように設けていること。

五　末端は、当該地下道の幅員以上の幅員の出入口で道に通ずること。ただし、その末端の出入口が二以上ある場合においては、それぞれの出入口の幅員の合計が当該地下道の幅員以上であること。

六　非常用の照明設備、排煙設備及び排水設備で国土交通大臣が定めた構造方法を用いるものを設けていること。

2　地下街の各構えが当該地下街の他の各構えに接する場合においては、当該各構えと当該他の各構えとを耐火構造の床若しくは壁又は特定防火設備で第百十二条第十九項第二号に規定する構造であるもので区画しなければならない。

3　地下街の各構えは、地下道と耐火構造の床若しくは壁又は特定防火設備で第百十二条第十九項第二号に規定する構造であるもので区画しなければならない。

4　地下街の各構えの居室の各部分から地下道（当該居室の各部分から直接地上へ通ずる通路を含む。）への出入口の一に至る歩行距離は、三十メートル以下でなければならない。

5　第百十二条第七項から第十一項まで、第十四項、第十六項、第十七項及び第十九項から第二十一項まで並びに第百二十九条の二の四第一項第七号（第百十二条第二十項に関する部分に限る。）の規定は、地下街の各構えについて準用する。この場合において、第百十二条第七項中「建築物の十一階以上の部分で、各階の」とあるのは「地下街の各構えの部分で」と、同

条第八項から第十項までの規定中「建築物」とあるのは「地下街の各構え」と、同条第十一項中「主要構造部を準耐火構造とした建築物（特定主要構造部を耐火構造とした建築物を含む。）又は第百三十六条の二第一号ロ若しくは第二号ロに掲げる基準に適合する建築物であつて、地階又は三階以上の階に居室を有するもの」とあるのは「地下街の各構え」と、「準耐火構造」とあるのは「耐火構造」と、同条第十四項中「該当する建築物」とあるのは「規定する用途に供する地下街の各構え」と、同条第十六項中「準耐火構造」とあるのは「耐火構造」と、同号中「一時間準耐火基準に適合する準耐火構造」とあるのは「耐火構造」と、「建築物」とあるのは「地下街の各構え」と読み替えるものとする。

6　地方公共団体は、他の工作物との関係その他周囲の状況により必要と認める場合においては、条例で、前各項に定める事項につき、これらの規定と異なる定めをすることができる。

第五章の二　特殊建築物等の内装

（制限を受ける窓その他の開口部を有しない居室）

第一二八条の三の二　法第三十五条の二（法第八十七条第三項において準用する場合を含む。次条において同じ。）の規定により政令で定める窓その他の開口部を有しない居室は、次の各号のいずれかに該当するもの（天井の高さが六メートルを超えるものを除く。）とする。

一　床面積が五十平方メートルを超える居室で窓その他の開口部の開放できる部分（天井又は天井から下方八十センチメートル以内の距離にある部分に限る。）の面積の合計が、当該居室の床面積の五十分の一未満のもの

二　法第二十八条第一項ただし書に規定する温湿度調整を必要とする作業を行う作業室その他用途上やむを得ない居室で同項本文の規定に適合しないもの

（制限を受けない特殊建築物等）

第一二八条の四　法第三十五条の二の規定により政令で定める特殊建築物は、次に掲げるもの以外のものとする。

一　次の表に掲げる特殊建築物

	用途＼構造	法第二条第九号の三イに該当する建築物（特定主要構造部を耐火構造とした建築物を含む。）であつて一時間準耐火基準に適合するもの	法第二条第九号の三イ又はロのいずれかに該当する建築物であつて一時間準耐火基準に適合しないもの	その他の建築物
(一)	法別表第一(い)欄(一)項に掲げる用途	客席の床面積の合計が四百平方メートル以上のもの	客席の床面積の合計が百平方メートル以上のもの	客席の床面積の合計が百平方メートル以上のもの
(二)	法別表第一(い)欄(二)項に掲げる用途	当該用途に供する三階以上の部分の床面積の合計が三百平方メートル以上のもの	当該用途に供する二階の部分（病院又は診療所については、その部分に患者の収容施設がある場合に限る。）の床面積の合計が三百平方メートル以上のもの	当該用途に供する部分の床面積の合計が二百平方メートル以上のもの
(三)	法別表第一(い)欄(四)項に掲げる用途	当該用途に供する三階以上の部分の床面積の合計が千平方メートル以上のもの	当該用途に供する二階の部分の床面積の合計が五百平方メートル以上のもの	当該用途に供する部分の床面積の合計が二百平方メートル以上のもの

二　自動車車庫又は自動車修理工場の用途に供する特殊建築物

三　地階又は地下工作物内に設ける居室その他これらに類する居室で法別表第一(い)欄(一)項、(二)項又は(四)項に掲げる用途に供するものを有する特殊建築物

2　法第三十五条の二の規定により政令で定める階数が三以上である建築物は、延べ面積が五百平方メートルを超えるもの（学校等の用途に供するものを除く。）以外のものとする。

3　法第三十五条の二の規定により政令で定める延べ面積が千平方メートルを超える建築物は、階数が二で延べ面積が千平方メートルを超えるもの又は階数が一で延べ面積が三千平方メートルを超えるもの（学校等の用途に供するものを除く。）以外のものとする。

4　法第三十五条の二の規定により政令で定める建築物の調理室、浴室その他の室でかまど、こんろその他火を使用する設備又は器具を設けたものは、階数が二以上の住宅（住宅で事務所、店舗その他これらに類する用途を兼ねるものを含む。以下この項において同じ。）の用途に供する建築物（特定主要構造部を耐火構造としたものを除く。）の最上階以外の階又は住宅の用途に供する建築物以外の建築物（特定主要構造部を耐火構造としたものを除く。）に存する調理室、浴室、乾燥室、ボイラー室、作業室その他の室でかまど、こんろ、ストーブ、炉、ボイラー、内燃機関その他火を使用する設備又は器具を設けたもの（次条第六項において「内装の制限を受ける調理室等」という。）以外のものとする。

（特殊建築物等の内装）

第一二八条の五　前条第一項第一号に掲げる特殊建築物は、当該各用途に供する居室（法別表第一(い)欄(二)項に掲げる用途に供する特殊建築物が主要構造部を準耐火構造とした建築物（特定主要構造部を耐火構造とした建築物を含む。第四項において同じ。）である場合にあつては、当該用途に供する特殊建築物の部分で床面積の合計百平方メートル（共同住宅の住戸にあつては、二百平方メートル）以内ごとに準耐火構造の床若しくは壁又は法第二条第九号の二ロに規定する防火設備で区画されている部分の居室を除く。）の壁（床面からの高さが一・二メートル以下の部分を除く。第四項において同じ。）及び天井（天井のない場合においては、屋根。以下この条において同じ。）の室内に面する部分（回り縁、窓台その他これらに類する部分を除く。以下この条において同じ。）の仕上げを第一号に掲げる仕上げと、当該各用途に供する居室から地上に通ずる主たる廊下、階段その他の通路の壁及び天井の室内に面する部分の仕上げを第二号に掲げる仕上げとしなければならない。

一　次のイ又はロに掲げる仕上げ

イ　難燃材料（三階以上の階に居室を有する建築物の当該各用途に供する居室の天井の室内に面する部分にあつては、準不燃材料）でしたもの

ロ　イに掲げる仕上げに準ずるものとして国土交通大臣が定める方法により国土交通大臣が定める材料の組合せによつてしたもの

二　次のイ又はロに掲げる仕上げ

イ　準不燃材料でしたもの

ロ　イに掲げる仕上げに準ずるものとして国土交通大臣が定める方法により国土交通大臣が定める材料の組合せによつてしたもの

2　前条第一項第二号に掲げる特殊建築物は、当該各用途に供する部分及びこれから地上に通ずる主たる通路の壁及び天井の室内に面する部分の仕上げを前項第二号に掲げる仕上げとしなければならない。

3　前条第一項第三号に掲げる特殊建築物は、同号に規定する居室及びこれから地上に通ずる主たる廊下、階段その他の通路の壁及び天井の室内に面する部分の仕上げを第一項第二号に掲げる仕上げとしなければならない。

4　階数が三以上で延べ面積が五百平方メートルを超える建築物、階数が二で延べ面積が千平方メートルを超える建築物又は階数が一で延べ面積が三千平方メートルを超える建築物（学校等の用途に供するものを除く。）は、居室（床面積の合計百平方メートル以内ごとに準耐火構造の床若しくは壁又は法第二条第九号の二ロに規定する防火設備で第百十二条第十九項第二号に規定する構造であるもので区画され、かつ、法別表第一(い)欄に掲げる用途に供しない部分の居室で、主要構造部を準耐火構造とした建築物の高さが三十一メートル以下の部分にあるものを除く。）の壁及び天井の室内に面する部分の仕上げを次の各号のいずれかに掲げる仕上げと、居室から地上に通ずる主たる廊下、階段その他の通路の壁及び天井の室内に面する部分の仕上げを第一項第二号に掲げる仕上げとしなければならない。ただし、同表(い)欄(二)項に掲げる用途に供する特殊建築物の高さ三十一メー

トル以下の部分については、この限りでない。

一　難燃材料でしたもの

二　前号に掲げる仕上げに準ずるものとして国土交通大臣が定める方法により国土交通大臣が定める材料の組合せでしたもの

5　第百二十八条の三の二に規定する居室を有する建築物は、当該居室及びこれから地上に通ずる主たる廊下、階段その他の通路の壁及び天井の室内に面する部分の仕上げを第一項第二号に掲げる仕上げとしなければならない。

6　内装の制限を受ける調理室等は、その壁及び天井の室内に面する部分の仕上げを第一項第二号に掲げる仕上げとしなければならない。

7　前各項の規定は、火災が発生した場合に避難上支障のある高さまで煙又はガスの降下が生じない建築物の部分として、床面積、天井の高さ並びに消火設備及び排煙設備の設置の状況及び構造を考慮して国土交通大臣が定めるものについては、適用しない。

（別の建築物とみなすことができる部分）

第一二八条の六　第百十七条第二項各号に掲げる建築物の部分は、この章の規定の適用については、それぞれ別の建築物とみなす。

第五章の三　避難上の安全の検証

（避難上の安全の検証を行う区画部分に対する基準の適用）

第一二八条の七　居室その他の建築物の部分で、準耐火構造の床若しくは壁又は法第二条第九号の二ロに規定する防火設備で第百十二条第十九項第二号に規定する構造であるもので区画されたもの（二以上の階にわたつて区画されたものを除く。以下この条において「区画部分」という。）のうち、当該区画部分が区画避難安全性能を有するものであることについて、区画避難安全検証法により確かめられたもの（主要構造部が準耐火構造である建築物（特定主要構造部が耐火構造である建築物を含む。次条第一項において同じ。）又は主要構造部が不燃材料で造られた建築物の区画部分に限る。）又は国土交通大臣の認定を受けたものについては、第百二十六条の二、第百二十六条の三及び第百二十八条の五（第二項、第六項及び第七項並びに階段に係る部分を除く。）の規定は、適用しない。

2　前項の「区画避難安全性能」とは、当該区画部分のいずれの室（火災の発生のおそれの少ないものとして国土交通大臣が定める室を除く。以下この章において「火災室」という。）で火災が発生した場合においても、当該区画部分に存する者（当該区画部分を通らなければ避難することができない者を含む。次項第一号ニにおいて「区画部分に存する者」という。）の全てが当該区画部分から当該区画部分以外の部分等（次の各号に掲げる当該区画部分がある階の区分に応じ、当該各号に定める場所をいう。以下この条において同じ。）までの避難を終了するまでの間、当該区画部分の各居室及び各居室から当該区画部分以外の部分等に通ずる主たる廊下その他の建築物の部分において、避難上支障がある高さまで煙又はガスが降下しないものであることとする。

一　避難階以外の階　当該区画部分以外の部分であつて、直通階段（避難階又は地上に通ずるものに限る。次条において同じ。）に通ずるもの

二　避難階　地上又は地上に通ずる当該区画部分以外の部分

3　第一項の「区画避難安全検証法」とは、次の各号のいずれかに掲げる方法をいう。

一　次に定めるところにより、火災発生時において当該区画部分からの避難が安全に行われることを当該区画部分からの避難に要する時間に基づき検証する方法

イ　当該区画部分の各居室ごとに、当該居室に存する者（当該居室を通らなければ避難することができない者を含む。）の全てが当該居室において火災が発生してから当該居室からの避難を終了するまでに要する時間を、当該居室及び当該居室を通らなければ避難することができない建築物の部分（以下このイにおいて「当該居室等」という。）の用途及び床面積の合計、当該居室等の各部分から当該居室の出口（当該居室から当該区画部分以外の部分等に通ずる主たる廊下その他の通路に通ずる出口に限る。）の一に至る歩行距離、当該区画部分の各室の用途及び床面積並びに当該区画部分の各室の出口（当該居室の出口及びこれに通ずる出口に限る。）の幅に応じて国土交通大臣が定める方法により計算すること。

ロ　当該区画部分の各居室ごとに、当該居室において発生した火災により生じた煙又はガスが避難上支障のある高さまで降下するために要する時間を、当該居室の用途、床面積及び天井の高さ、当該居室に設ける排煙設備の構造並びに当該居室の壁及び天井の仕上げに用いる材料の種類に応じて国土交通大臣が定める方法により計算すること。

ハ　当該区画部分の各居室についてイの規定によつて計算した時間が、ロの規定によつて計算した時間を超えないことを確かめること。

ニ　当該区画部分の各火災室ごとに、区画部分に存する者の全てが当該火災室で火災が発生してから当該区画部分からの避難を終了するまでに要する時間を、当該区画部分の各室及び当該区画部分を通らなければ避難することができない建築物の部分（以下このニにおいて「当該区画部分の各室等」という。）の用途及び床面積、当該区画部分の各室等の各部分から当該区画部分以外の部分等への出口の一に至る歩行距離並びに当該区画部分の各室等の出口（当該区画部分以外の部分等に通ずる出口及びこれに通ずるものに限る。）の幅に応じて国土交通大臣が定める方法により計算すること。

ホ　当該区画部分の各火災室ごとに、当該火災室において発生した火災により生じた煙又はガスが、当該区画部分の各居室（当該火災室を除く。）及び当該居室から当該区画部分以外の部分等に通ずる主たる廊下その他の建築物の部分において避難上支障のある高さまで降下するために要する時間を、当該区画部分の各室の用途、床面積及び天井の高さ、各室の壁及びこれに設ける開口部の構造、各室に設ける排煙設備の構造並びに各室の壁及び天井の仕上げに用いる材料の種類に応じて国土交通大臣が定める方法により計算すること。

ヘ　当該区画部分の各火災室についてニの規定によつて計算した時間が、ホの規定によつて計算した時間を超えないことを確かめること。

二　次に定めるところにより、火災発生時において当該区画部分からの避難が安全に行われることを火災により生じた煙又はガスの高さに基づき検証する方法

イ　当該区画部分の各居室ごとに、前号イの規定によつて計算した時間が経過した時における当該居室において発生した火災により生じた煙又はガスの高さを、当該居室の用途、床面積及び天井の高さ、当該居室に設ける消火設備及び排煙設備の構造並びに当該居室の壁及び天井の仕上げに用いる材料の種類に応じて国土交通大臣が定める方法により計算すること。

ロ　当該区画部分の各居室についてイの規定によつて計算した高さが、避難上支障のある高さとして国土交通大臣が定める高さを下回らないことを確かめること。

ハ　当該区画部分の各火災室ごとに、前号ニの規定によつて計算した時間が経過した時における当該火災室において発生した火災により生じた煙又はガスの当該区画部分の各居室（当該火災室を除く。）及び当該居室から当該区画部分以外の部分等に通ずる主たる廊下その他の建築物の部分における高さを、当該区画部分の各室の用途、床面積及び天井の高さ、各室の壁及びこれに設ける開口部の構造、各室に設ける消火設備及び排煙設備の構造並びに各室の壁及び天井の仕上げに用いる材料の種類に応じて国土交通大臣が定める方法により計算すること。

ニ　当該区画部分の各火災室についてハの規定によつて計算した高さが、避難上支障のある高さとして国土交通大臣が定める高さを下回らないことを確かめること。

（避難上の安全の検証を行う建築物の階に対する基準の適用）

第一二九条　建築物の階（物品販売業を営む店舗の用途に供する建築物にあつては、屋上広場を含む。以下この条及び次条第四項において同じ。）のうち、当該階が階避難安全性能を有するものであることについて、階避難安全検証法により確かめられたもの（主要構造部が準耐火構造である建築物又は主要構造部が不燃材料で造られた建築物の階に限る。）又は国土交通大臣の認定を受けたものについては、第百十九条、第百二十条、第百二十三条第三項第一号、第二号、第十号（屋内からバルコニー又は付室に通ずる出入口に係る部分に限る。）及び第十二号、第百二十四条第一項第二号、第百二十六条の二、第百二十六条の三並びに第百二十八条の五（第二項、第六項及び第七項並びに階段に係る部分を除く。）の規定は、適用しない。

2　前項の「階避難安全性能」とは、当該階のいずれの火災室で火災が発生した場合においても、当該階に存する者（当該階を通らなければ避難することができない者を含む。次項第一号ニにおいて「階に存する者」という。）

の全てが当該階から直通階段の一までの避難（避難階にあつては、地上までの避難）を終了するまでの間、当該階の各居室及び各居室から直通階段（避難階にあつては、地上。以下この条において同じ。）に通ずる主たる廊下その他の建築物の部分において、避難上支障がある高さまで煙又はガスが降下しないものであることとする。

3　第一項の「階避難安全検証法」とは、次の各号のいずれかに掲げる方法をいう。

一　次に定めるところにより、火災発生時において当該建築物の階からの避難が安全に行われることを当該階からの避難に要する時間に基づき検証する方法

イ　当該階の各居室ごとに、当該居室に存する者（当該居室を通らなければ避難することができない者を含む。）の全てが当該居室において火災が発生してから当該居室からの避難を終了するまでに要する時間を、当該居室及び当該居室を通らなければ避難することができない建築物の部分（以下このイにおいて「当該居室等」という。）の用途及び床面積の合計、当該居室等の各部分から当該居室の出口（当該居室から直通階段に通ずる主たる廊下その他の通路に通ずる出口に限る。）の一に至る歩行距離、当該階の各室の用途及び床面積並びに当該階の各室の出口（当該居室の出口及びこれに通ずるものに限る。）の幅に応じて国土交通大臣が定める方法により計算すること。

ロ　当該階の各居室ごとに、当該居室において発生した火災により生じた煙又はガスが避難上支障のある高さまで降下するために要する時間を、当該居室の用途、床面積及び天井の高さ、当該居室に設ける排煙設備の構造並びに当該居室の壁及び天井の仕上げに用いる材料の種類に応じて国土交通大臣が定める方法により計算すること。

ハ　当該階の各居室についてイの規定によつて計算した時間が、ロの規定によつて計算した時間を超えないことを確かめること。

ニ　当該階の各火災室ごとに、階に存する者の全てが当該火災室で火災が発生してから当該階からの避難を終了するまでに要する時間を、当該階の各室及び当該階を通らなければ避難することができない建築物の部分（以下このニにおいて「当該階の各室等」という。）の用途及び床面積、当該階の各室等の各部分から直通階段への出口（直通階段に通ずる出口の一に至る歩行距離並びに当該階の各室等の出口（直通階段に通ずる出口及びこれに通ずるものに限る。）の幅に応じて国土交通大臣が定める方法により計算すること。

ホ　当該階の各火災室ごとに、当該火災室において発生した火災により生じた煙又はガスが、当該階の各居室（当該火災室を除く。）及び当該居室から直通階段に通ずる主たる廊下その他の建築物の部分において避難上支障のある高さまで降下するために要する時間を、当該階の各室の用途、床面積及び天井の高さ、各室の壁及びこれに設ける開口部の構造、各室に設ける排煙設備の構造並びに各室の壁及び天井の仕上げに用いる材料の種類に応じて国土交通大臣が定める方法により計算すること。

ヘ　当該階の各火災室についてニの規定によつて計算した時間が、ホの規定によつて計算した時間を超えないことを確かめること。

二　次に定めるところにより、火災発生時において当該建築物の階からの避難が安全に行われることを火災により生じた煙又はガスの高さに基づき検証する方法

イ　当該階の各居室ごとに、前号イの規定によつて計算した時間が経過した時における当該居室において発生した火災により生じた煙又はガスの高さを、当該居室の用途、床面積及び天井の高さ、当該居室に設ける消火設備及び排煙設備の構造並びに当該居室の壁及び天井の仕上げに用いる材料の種類に応じて国土交通大臣が定める方法により計算すること。

ロ　当該階の各居室についてイの規定によつて計算した高さが、避難上支障のある高さとして国土交通大臣が定める高さを下回らないことを確かめること。

ハ　当該階の各火災室ごとに、前号ニの規定によつて計算した時間が経過した時における当該火災室において発生した火災により生じた煙又はガスの当該階の各居室（当該火災室を除く。）及び当該居室から直通階段に通ずる主たる廊下その他の建築物の部分における高さを、当該階の各室の用途、床面積及び天井の高さ、各室の壁及びこれに設ける開口部の構造、各室に設ける消火設備及び排煙設備の構造並びに各室の壁及び天井の仕上げに用いる材料の種類に応じて国土交通大臣が定める方法により計算すること。

ニ　当該階の各火災室についてハの規定によつて計算した高さが、避難上支障のある高さとして国土交通大臣が定める高さを下回らないことを確かめること。

（避難上の安全の検証を行う建築物に対する基準の適用）

第一二九条の二　建築物のうち、当該建築物が全館避難安全性能を有するものであることについて、全館避難安全検証法により確かめられたもの（主要構造部が準耐火構造であるもの（特定主要構造部が耐火構造であるものを含む。）又は主要構造部が不燃材料で造られたものに限る。）又は国土交通大臣の認定を受けたもの（次項において「全館避難安全性能確認建築物」という。）については、第百十二条第七項、第十一項から第十三項まで及び第十八項、第百十九条、第百二十条、第百二十三条第一項第一号及び第六号、第二項第二号並びに第三項第一号から第三号まで、第十号及び第十二号、第百二十四条第一項、第百二十五条第一項及び第三項、第百二十六条の二、第百二十六条の三並びに第百二十八条の五（第二項、第六項及び第七項並びに階段に係る部分を除く。）の規定は、適用しない。

2　全館避難安全性能確認建築物の屋内に設ける避難階段に対する第百二十三条第一項第七号の規定の適用については、同号中「避難階」とあるのは、「避難階又は屋上広場その他これに類するもの（屋外に設ける避難階段が接続しているものに限る。）」とする。

3　第一項の「全館避難安全性能」とは、当該建築物のいずれの火災室で火災が発生した場合においても、当該建築物に存する者（次項第一号ロにおいて「在館者」という。）の全てが当該建築物から地上までの避難を終了するまでの間、当該建築物の各居室及び各居室から地上に通ずる主たる廊下、階段その他の建築物の部分において、避難上支障がある高さまで煙又はガスが降下しないものであることとする。

4　第一項の「全館避難安全検証法」とは、次の各号のいずれかに掲げる方法をいう。

一　次に定めるところにより、火災発生時において当該建築物からの避難が安全に行われることを当該建築物からの避難に要する時間に基づき検証する方法

イ　各階が、前条第二項に規定する階避難安全性能を有するものであることについて、同条第三項第一号に定めるところにより確かめること。

ロ　当該建築物の各階における各火災室ごとに、在館者の全てが、当該火災室で火災が発生してから当該建築物からの避難を終了するまでに要する時間を、当該建築物の各室の用途及び床面積、当該建築物の各室の各部分から地上への出口の一に至る歩行距離並びに当該建築物の各室の出口（地上に通ずる出口及びこれに通ずるものに限る。）の幅に応じて国土交通大臣が定める方法により計算すること。

ハ　当該建築物の各階における各火災室ごとに、当該火災室において発生した火災により生じた煙又はガスが、階段の部分又は当該階の直上階以上の階の一に流入するために要する時間を、当該階の各室の用途、床面積及び天井の高さ、各室の壁及びこれに設ける開口部の構造、各室に設ける排煙設備の構造並びに各室の壁及び天井の仕上げに用いる材料の種類並びに当該階の階段の部分を区画する壁及びこれに設ける開口部の構造に応じて国土交通大臣が定める方法により計算すること。

ニ　当該建築物の各階における各火災室についてロの規定によつて計算した時間が、ハの規定によつて計算した時間を超えないことを確かめること。

二　次に定めるところにより、火災発生時において当該建築物からの避難が安全に行われることを火災により生じた煙又はガスの高さに基づき検証する方法

イ　各階が、前条第二項に規定する階避難安全性能を有するものであることについて、同条第三項第二号に定めるところにより確かめること。

ロ　当該建築物の各階における各火災室ごとに、前号ロの規定によつて計算した時間が経過した時における当該火災室において発生した火災により生じた煙又はガスの階段の部分及び当該階の直上階以上の各階における高さを、当該階の各室の用途、床面積及び天井の高さ、各室の壁及びこれに設ける開口部の構造、各室に設ける消火設備及び排煙設備の構造並びに各室の壁及び天井の仕上げに用いる材料の種類並びに当該階の階段の部分を区画する壁及びこれに設ける開口部の構造に

応じて国土交通大臣が定める方法により計算すること。

ハ　当該建築物の各階における各火災室についてロの規定によつて計算した高さが、避難上支障のある高さとして国土交通大臣が定める高さを下回らないことを確かめること。

（別の建築物とみなす部分）

第一二九条の二の二　第百十七条第二項各号に掲げる建築物の部分は、この章の規定の適用については、それぞれ別の建築物とみなす。

第五章の四　建築設備等

第一節　建築設備の構造強度

第一二九条の二の三　法第二十条第一項第一号、第二号イ、第三号イ及び第四号イの政令で定める技術的基準のうち建築設備に係るものは、次のとおりとする。

一　建築物に設ける第百二十九条の三第一項第一号又は第二号に掲げる昇降機にあつては、第百二十九条の四及び第百二十九条の五（これらの規定を第百二十九条の十二第二項において準用する場合を含む。）、第百二十九条の六第一号、第百二十九条の八第一項並びに第百二十九条の十二第一項第六号の規定（第百二十九条の三第二項第一号に掲げる昇降機にあつては、第百二十九条の六第一号の規定を除く。）に適合すること。

二　建築物に設ける昇降機以外の建築設備にあつては、構造耐力上安全なものとして国土交通大臣が定めた構造方法を用いること。

三　法第二十条第一項第一号から第三号までに掲げる建築物に設ける屋上から突出する水槽、煙突その他これらに類するものにあつては、国土交通大臣が定める基準に従つた構造計算により風圧並びに地震その他の震動及び衝撃に対して構造耐力上安全であることを確かめること。

第一節の二　給水、排水その他の配管設備

（給水、排水その他の配管設備の設置及び構造）

第一二九条の二の四　建築物に設ける給水、排水その他の配管設備の設置及び構造は、次に定めるところによらなければならない。

一　コンクリートへの埋設等により腐食するおそれのある部分には、その材質に応じ有効な腐食防止のための措置を講ずること。

二　構造耐力上主要な部分を貫通して配管する場合においては、建築物の構造耐力上支障を生じないようにすること。

三　第百二十九条の三第一項第一号又は第三号に掲げる昇降機の昇降路内に設けないこと。ただし、地震時においても昇降機の籠（人又は物を乗せ昇降する部分をいう。以下同じ。）の昇降、籠及び出入口の戸の開閉その他の昇降機の機能並びに配管設備の機能に支障が生じないものとして、国土交通大臣が定めた構造方法を用いるもの及び国土交通大臣の認定を受けたものは、この限りでない。

四　圧力タンク及び給湯設備には、有効な安全装置を設けること。

五　水質、温度その他の特性に応じて安全上、防火上及び衛生上支障のない構造とすること。

六　地階を除く階数が三以上である建築物、地階に居室を有する建築物又は延べ面積が三千平方メートルを超える建築物に設ける換気、暖房又は冷房の設備の風道及びダストシュート、メールシュート、リネンシュートその他これらに類するもの（屋外に面する部分その他防火上支障がないものとして国土交通大臣が定める部分を除く。）は、不燃材料で造ること。

七　給水管、配電管その他の管が、第百十二条第二十項の準耐火構造の防火区画、第百十三条第一項の防火壁若しくは防火床、第百十四条第一項の界壁、同条第二項の間仕切壁又は同条第三項若しくは第四項の隔壁（ハにおいて「防火区画等」という。）を貫通する場合においては、これらの管の構造は、次のイからハまでのいずれかに適合するものとすること。ただし、一時間準耐火基準に適合する準耐火構造の床若しくは壁又は特定防火設備で建築物の他の部分と区画されたパイプシャフト、パイプダクトその他これらに類するものの中にある部分については、この限りでない。

イ　給水管、配電管その他の管の貫通する部分及び当該貫通する部分からそれぞれ両側に一メートル以内の距離にある部分を不燃材料で造ること。

ロ　給水管、配電管その他の管の外径が、当該管の用途、材質その他の事項に応じて国土交通大臣が定める数値未満であること。

ハ　防火区画等を貫通する管に通常の火災による火熱が加えられた場合に、加熱開始後二十分間（第百十二条第一項若しくは第四項から第六項まで、同条第七項（同条第八項の規定により床面積の合計二百平方メートル以内ごとに区画する場合又は同条第九項の規定により床面積の合計五百平方メートル以内ごとに区画する場合に限る。）、同条第十項（同条第八項の規定により床面積の合計二百平方メートル以内ごとに区画する場合又は同条第九項の規定により床面積の合計五百平方メートル以内ごとに区画する場合に限る。）若しくは同条第十八項の規定による準耐火構造の床若しくは壁又は第百十三条第一項の防火壁若しくは防火床にあつては一時間、第百十四条第一項の界壁、同条第二項の間仕切壁又は同条第三項若しくは第四項の隔壁にあつては四十五分間）防火区画等の加熱側の反対側に火炎を出す原因となる亀裂その他の損傷を生じないものとして、国土交通大臣の認定を受けたものであること。

八　三階以上の階を共同住宅の用途に供する建築物の住戸に設けるガスの配管設備は、国土交通大臣が安全を確保するために必要があると認めて定める基準によること。

2　建築物に設ける飲料水の配管設備（水道法第三条第九項に規定する給水装置に該当する配管設備を除く。）の設置及び構造は、前項の規定によるほか、次に定めるところによらなければならない。

一　飲料水の配管設備（これと給水系統を同じくする配管設備を含む。以下この項において同じ。）とその他の配管設備とは、直接連結させないこと。

二　水槽、流しその他水を入れ、又は受ける設備に給水する飲料水の配管設備の水栓の開口部にあつては、これらの設備のあふれ面と水栓の開口部との垂直距離を適当に保つことその他の有効な水の逆流防止のための措置を講ずること。

三　飲料水の配管設備の構造は、次に掲げる基準に適合するものとして、国土交通大臣が定めた構造方法を用いるもの又は国土交通大臣の認定を受けたものであること。

イ　当該配管設備から漏水しないものであること。

ロ　当該配管設備から溶出する物質によつて汚染されないものであること。

四　給水管の凍結による破壊のおそれのある部分には、有効な防凍のための措置を講ずること。

五　給水タンク及び貯水タンクは、ほこりその他衛生上有害なものが入らない構造とし、金属性のものにあつては、衛生上支障のないように有効なさび止めのための措置を講ずること。

六　前各号に定めるもののほか、安全上及び衛生上支障のないものとして国土交通大臣が定めた構造方法を用いるものであること。

3　建築物に設ける排水のための配管設備の設置及び構造は、第一項の規定によるほか、次に定めるところによらなければならない。

一　排出すべき雨水又は汚水の量及び水質に応じ有効な容量、傾斜及び材質を有すること。

二　配管設備には、排水トラップ、通気管等を設置する等衛生上必要な措置を講ずること。

三　配管設備の末端は、公共下水道、都市下水路その他の排水施設に排水上有効に連結すること。

四　汚水に接する部分は、不浸透質の耐水材料で造ること。

五　前各号に定めるもののほか、安全上及び衛生上支障のないものとして国土交通大臣が定めた構造方法を用いるものであること。

（換気設備）

第一二九条の二の五　建築物（換気設備を設けるべき調理室等を除く。以下この条において同じ。）に設ける自然換気設備は、次に定める構造としなければならない。

一　換気上有効な給気口及び排気筒を有すること。

二　給気口は、居室の天井の高さの二分の一以下の高さの位置に設け、常時外気に開放された構造とすること。

三　排気口（排気筒の居室に面する開口部をいう。以下この項において同じ。）は、給気口より高い位置に設け、常時開放された構造とし、かつ、排気筒の立上り部分に直結すること。

四　排気筒は、排気上有効な立上り部分を有し、その頂部は、外気の流れによつて排気が妨げられない構造とし、かつ、直接外気に開放すること。

五　排気筒には、その頂部及び排気口を除き、開口部を設けないこと。

六　給気口及び排気口並びに排気筒の頂部には、雨水の浸入又はねずみ、虫、ほこりその他衛生上有害なものの侵入を防ぐための設備を設けること。

2　建築物に設ける機械換気設備は、次に定める構造としなければならない。

一　換気上有効な給気機及び排気機、換気上有効な給気機及び排気口又は換気上有効な給気口及び排気機を有すること。

二　給気口及び排気口の位置及び構造は、当該居室内の人が通常活動することが想定される空間における空気の分布を均等にし、かつ、著しく局部的な空気の流れを生じないようにすること。

三　給気機の外気取入口並びに直接外気に開放された給気口及び排気口には、雨水の浸入又はねずみ、虫、ほこりその他衛生上有害なものの侵入を防ぐための設備を設けること。

四　直接外気に開放された給気口又は排気口に換気扇を設ける場合には、外気の流れによつて著しく換気能力が低下しない構造とすること。

五　風道は、空気を汚染するおそれのない材料で造ること。

3　建築物に設ける中央管理方式の空気調和設備の構造は、前項の規定によるほか、居室における次の表の中欄に掲げる事項がそれぞれおおむね同表の下欄に掲げる基準に適合するように空気を浄化し、その温度、湿度又は流量を調節して供給（排出を含む。）をすることができる性能を有し、かつ、安全上、防火上及び衛生上支障がないものとして国土交通大臣が定めた構造方法を用いるものとしなければならない。

(一)	浮遊粉じんの量	空気一立方メートルにつき〇・一五ミリグラム以下であること。
(二)	一酸化炭素の含有率	百万分の六以下であること。
(三)	炭酸ガスの含有率	百万分の千以下であること。
(四)	温度	一　十八度以上二十八度以下であること。 二　居室における温度を外気の温度より低くする場合は、その差を著しくしないものであること。
(五)	相対湿度	四十パーセント以上七十パーセント以下であること。
(六)	気流	一秒間につき〇・五メートル以下であること。

（冷却塔設備）

第百二十九条の二の六　地階を除く階数が十一以上である建築物の屋上に設ける冷房のための冷却塔設備の設置及び構造は、次の各号のいずれかに掲げるものとしなければならない。

一　主要な部分を不燃材料で造るか、又は防火上支障がないものとして国土交通大臣が定めた構造方法を用いるものとすること。

二　冷却塔の構造に応じ、建築物の他の部分までの距離を国土交通大臣が定める距離以上としたものとすること。

三　冷却塔設備の内部が燃焼した場合においても建築物の他の部分を国土交通大臣が定める温度以上に上昇させないものとして国土交通大臣の認定を受けたものとすること。

第二節　昇降機

（適用の範囲）

第百二十九条の三　この節の規定は、建築物に設ける次に掲げる昇降機に適用する。

一　人又は人及び物を運搬する昇降機（次号に掲げるものを除く。）並びに物を運搬するための昇降機でかごの水平投影面積が一平方メートルを超え、又は天井の高さが一・二メートルを超えるもの（以下「エレベーター」という。）

二　エスカレーター

三　物を運搬するための昇降機で、かごの水平投影面積が一平方メートル以下で、かつ、天井の高さが一・二メートル以下のもの（以下「小荷物専用昇降機」という。）

2　前項の規定にかかわらず、次の各号に掲げる昇降機については、それぞれ当該各号に掲げる規定は、適用しない。

一　特殊な構造又は使用形態のエレベーターで国土交通大臣が定めた構造方法を用いるもの　第百二十九条の六、第百二十九条の七、第百二十九条の八第二項第二号、第百二十九条の九、第百二十九条の十第三項及び第四項並びに第百二十九条の十三の三の規定

二　特殊な構造又は使用形態のエスカレーターで国土交通大臣が定めた構造方法を用いるもの　第百二十九条の十二第一項の規定

三　特殊な構造又は使用形態の小荷物専用昇降機で国土交通大臣が定めた構造方法を用いるもの　第百二十九条の十三の規定

（エレベーターの構造上主要な部分）

第百二十九条の四　エレベーターのかご及びかごを支え、又は吊る構造上主要な部分（以下この条において「主要な支持部分」という。）の構造は、次の各号のいずれかに適合するものとしなければならない。

一　設置時及び使用時のかご及び主要な支持部分の構造が、次に掲げる基準に適合するものとして、通常の使用状態における摩損及び疲労破壊を考慮して国土交通大臣が定めた構造方法を用いるものであること。

イ　かごの昇降によつて摩損又は疲労破壊を生ずるおそれのある部分以外の部分は、通常の昇降時の衝撃及び安全装置が作動した場合の衝撃により損傷を生じないこと。

ロ　かごの昇降によつて摩損又は疲労破壊を生ずるおそれのある部分については、通常の使用状態において、通常の昇降時の衝撃及び安全装置が作動した場合の衝撃によりかごの落下をもたらすような損傷が生じないこと。

二　かごを主索で吊るエレベーター、油圧エレベーターその他国土交通大臣が定めるエレベーターにあつては、設置時及び使用時のかご及び主要な支持部分の構造が、通常の使用状態における摩損及び疲労破壊を考慮したエレベーター強度検証法により、前号イ及びロに掲げる基準に適合するものであることについて確かめられたものであること。

三　設置時及び使用時のかご及び主要な支持部分の構造が、それぞれ第一号イ及びロに掲げる基準に適合することについて、通常の使用状態における摩損又は疲労破壊を考慮して行う国土交通大臣の認定を受けたものであること。

2　前項の「エレベーター強度検証法」とは、次に定めるところにより、エレベーターの設置時及び使用時のかご及び主要な支持部分の強度を検証する方法をいう。

一　次条に規定する荷重によつて主要な支持部分並びにかごの床版及び枠（以下この条において「主要な支持部分等」という。）に生ずる力を計算すること。

二　前号の主要な支持部分等の断面に生ずる常時及び安全装置の作動時の各応力度を次の表に掲げる式によつて計算すること。

荷重について想定する状態	式
常時	$G_1+\alpha_1(G_2+P)$
安全装置の作動時	$G_1+\alpha_2(G_2+P)$

この表において、G_1、G_2及びPはそれぞれ次の力を、α_1及びα_2はそれぞれ次の数値を表すものとする。

G_1　次条第一項に規定する固定荷重のうち昇降する部分以外の部分に係るものによつて生ずる力

G_2　次条第一項に規定する固定荷重のうち昇降する部分に係るものによつて生ずる力

P　次条第二項に規定する積載荷重によつて生ずる力

α_1　通常の昇降時に昇降する部分に生ずる加速度を考慮して国土交通大臣が定める数値

α_2　安全装置が作動した場合に昇降する部分に生ずる加速度を考慮して国土交通大臣が定める数値

三　前号の規定によつて計算した常時及び安全装置の作動時の各応力度

が、それぞれ主要な支持部分等の材料の破壊強度を安全率（エレベーターの設置時及び使用時の別に応じて、主要な支持部分等の材料の摩損又は疲労破壊による強度の低下を考慮して国土交通大臣が定めた数値をいう。）で除して求めた許容応力度を超えないことを確かめること。

四　次項第二号に基づき設けられる独立してかごを支え、又は吊ることができる部分について、その一がないものとして第一号及び第二号に定めるところにより計算した各応力度が、当該部分の材料の破壊強度を限界安全率（エレベーターの設置時及び使用時の別に応じて、当該部分にかごの落下をもたらすような損傷が生じないように材料の摩損又は疲労破壊による強度の低下を考慮して国土交通大臣が定めた数値をいう。）で除して求めた限界の許容応力度を超えないことを確かめること。

3　前二項に定めるもののほか、エレベーターのかご及び主要な支持部分の構造は、次に掲げる基準に適合するものとしなければならない。

一　エレベーターのかご及び主要な支持部分のうち、腐食又は腐朽のおそれのあるものにあつては、腐食若しくは腐朽しにくい材料を用いるか、又は有効なさび止め若しくは防腐のための措置を講じたものであること。

二　主要な支持部分のうち、摩損又は疲労破壊を生ずるおそれのあるものにあつては、二以上の部分で構成され、かつ、それぞれが独立してかごを支え、又は吊ることができるものであること。

三　滑節構造とした接合部にあつては、地震その他の震動によつて外れるおそれがないものとして国土交通大臣が定めた構造方法を用いるものであること。

四　滑車を使用してかごを吊るエレベーターにあつては、地震その他の震動によつて索が滑車から外れるおそれがないものとして国土交通大臣が定めた構造方法を用いるものであること。

五　釣合おもりを用いるエレベーターにあつては、地震その他の震動によつて釣合おもりが脱落するおそれがないものとして国土交通大臣が定めた構造方法を用いるものであること。

六　国土交通大臣が定める基準に従つた構造計算により地震その他の震動に対して構造耐力上安全であることが確かめられたものであること。

七　屋外に設けるエレベーターで昇降路の壁の全部又は一部を有しないものにあつては、国土交通大臣が定める基準に従つた構造計算により風圧に対して構造耐力上安全であることが確かめられたものであること。

（エレベーターの荷重）

第一二九条の五　エレベーターの各部の固定荷重は、当該エレベーターの実況に応じて計算しなければならない。

2　エレベーターのかごの積載荷重は、当該エレベーターの実況に応じて定めなければならない。ただし、かごの種類に応じて、次の表に定める数値（用途が特殊なエレベーターで国土交通大臣が定めるものにあつては、当該用途に応じて国土交通大臣が定める数値）を下回つてはならない。

かごの種類		積載荷重（単位　ニュートン）
乗用エレベーター（人荷共用エレベーターを含み、寝台用エレベーターを除く。以下この節において同じ。）のかご	床面積が一・五平方メートル以下のもの	床面積一平方メートルにつき三、六〇〇として計算した数値
	床面積が一・五平方メートルを超え三平方メートル以下のもの	床面積の一・五平方メートルを超える面積に対して一平方メートルにつき四、九〇〇として計算した数値に五、四〇〇を加えた数値
	床面積が三平方メートルを超えるもの	床面積の三平方メートルを超える面積に対して一平方メートルにつき五、九〇〇として計算した数値に一三、〇〇〇を加えた数値
乗用エレベーター以外のエレベーターのかご		床面積一平方メートルにつき二、五〇〇（自動車運搬用エレベーターにあつては、一、五〇〇）として計算した数値

（エレベーターのかごの構造）

第一二九条の六　エレベーターのかごは、次に定める構造としなければならない。

一　各部は、かご内の人又は物による衝撃に対して安全なものとして国土交通大臣が定めた構造方法を用いるものとすること。

二　構造上軽微な部分を除き、難燃材料で造り、又は覆うこと。ただし、地階又は三階以上の階に居室を有さない建築物に設けるエレベーターのかごその他防火上支障のないものとして国土交通大臣が定めるエレベーターのかごにあつては、この限りでない。

三　かご内の人又は物が釣合おもり、昇降路の壁その他のかご外の物に触れるおそれのないものとして国土交通大臣が定める基準に適合する壁又は囲い及び出入口の戸を設けること。

四　非常の場合においてかご内の人を安全にかご外に救出することができる開口部をかごの天井部に設けること。

五　用途及び積載量（キログラムで表した重量とする。以下同じ。）並びに乗用エレベーター及び寝台用エレベーターにあつては最大定員（積載荷重を前条第二項の表に定める数値とし、重力加速度を九・八メートル毎秒毎秒と、一人当たりの体重を六十五キログラムとして計算した定員をいう。第百二十九条の十三の三第三項第九号において同じ。）を明示した標識をかご内の見やすい場所に掲示すること。

（エレベーターの昇降路の構造）

第一二九条の七　エレベーターの昇降路は、次に定める構造としなければならない。

一　昇降路外の人又は物がかご又は釣合おもりに触れるおそれのないものとして国土交通大臣が定める基準に適合する壁又は囲い及び出入口（非常口を含む。以下この節において同じ。）の戸を設けること。

二　構造上軽微な部分を除き、昇降路の壁又は囲い及び出入口の戸は、難燃材料で造り、又は覆うこと。ただし、地階又は三階以上の階に居室を有さない建築物に設けるエレベーターの昇降路その他防火上支障のないものとして国土交通大臣が定めるエレベーターの昇降路にあつては、この限りでない。

三　昇降路の出入口の戸には、籠がその戸の位置に停止していない場合において昇降路外の人又は物の昇降路内への落下を防止することができるものとして国土交通大臣が定める基準に適合する施錠装置を設けること。

四　出入口の床先と籠の床先との水平距離は、四センチメートル以下とし、乗用エレベーター及び寝台用エレベーターにあつては、籠の床先と昇降路壁との水平距離は、十二・五センチメートル以下とすること。

五　昇降路内には、次のいずれかに該当するものを除き、突出物を設けないこと。

イ　レールブラケット又は横架材であつて、次に掲げる基準に適合するもの

(1)　地震時において主索その他の索が触れた場合においても、籠の昇降、籠の出入口の戸の開閉その他のエレベーターの機能に支障が生じないよう金網、鉄板その他これらに類するものが設置されていること。

(2)　(1)に掲げるもののほか、国土交通大臣の定める措置が講じられていること。

ロ　第百二十九条の二の四第一項第三号ただし書の配管設備で同条の規定に適合するもの

ハ　イ又はロに掲げるもののほか、係合装置その他のエレベーターの構造上昇降路内に設けることがやむを得ないものであつて、地震時においても主索、電線その他のものの機能に支障が生じないように必要な措置が講じられたもの

（エレベーターの駆動装置及び制御器）

第一二九条の八　エレベーターの駆動装置及び制御器は、地震その他の震動によつて転倒し又は移動するおそれがないものとして国土交通大臣が定める方法により設置しなければならない。

2　エレベーターの制御器の構造は、次に掲げる基準に適合するものとして、国土交通大臣が定めた構造方法を用いるもの又は国土交通大臣の認定を受けたものとしなければならない。

一　荷重の変動によりかごの停止位置が著しく移動しないこととするものであること。

二　かご及び昇降路のすべての出入口の戸が閉じた後、かごを昇降させるものであること。

三　エレベーターの保守点検を安全に行うために必要な制御ができるものであること。

（エレベーターの機械室）

第百二十九条の九　エレベーターの機械室は、次に定める構造としなければならない。

一　床面積は、昇降路の水平投影面積の二倍以上とすること。ただし、機械の配置及び管理に支障がない場合においては、この限りでない。

二　床面から天井又ははりの下端までの垂直距離は、かごの定格速度（積載荷重を作用させて上昇する場合の毎分の最高速度をいう。以下この節において同じ。）に応じて、次の表に定める数値以上とすること。

定格速度	垂直距離（単位　メートル）
六十メートル以下の場合	二・〇
六十メートルをこえ、百五十メートル以下の場合	二・二
百五十メートルをこえ、二百十メートル以下の場合	二・五
二百十メートルをこえる場合	二・八

三　換気上有効な開口部又は換気設備を設けること。

四　出入口の幅及び高さは、それぞれ、七十センチメートル以上及び一・八メートル以上とし、施錠装置を有する鋼製の戸を設けること。

五　機械室に通ずる階段のけあげ及び踏面は、それぞれ、二十三センチメートル以下及び十五センチメートル以上とし、かつ、当該階段の両側に側壁又はこれに代わるものがない場合においては、手すりを設けること。

（エレベーターの安全装置）

第百二十九条の十　エレベーターには、制動装置を設けなければならない。

2　前項のエレベーターの制動装置の構造は、次に掲げる基準に適合するものとして、国土交通大臣が定めた構造方法を用いるもの又は国土交通大臣の認定を受けたものとしなければならない。

一　かごが昇降路の頂部又は底部に衝突するおそれがある場合に、自動的かつ段階的に作動し、これにより、かごに生ずる垂直方向の加速度が九・八メートル毎秒毎秒を、水平方向の加速度が五・〇メートル毎秒毎秒を超えることなく安全にかごを制止させることができるものであること。

二　保守点検をかごの上に人が乗り行うエレベーターにあつては、点検を行う者が昇降路の頂部とかごの間に挟まれることのないよう自動的にかごを制止させることができるものであること。

3　エレベーターには、前項に定める制動装置のほか、次に掲げる安全装置を設けなければならない。

一　次に掲げる場合に自動的にかごを制止する装置

イ　駆動装置又は制御器に故障が生じ、かごの停止位置が著しく移動した場合

ロ　駆動装置又は制御器に故障が生じ、かご及び昇降路のすべての出入口の戸が閉じる前にかごが昇降した場合

二　地震その他の衝撃により生じた国土交通大臣が定める加速度を検知し、自動的に、かごを昇降路の出入口の戸の位置に停止させ、かつ、当該かごの出入口の戸及び昇降路の出入口の戸を開き、又はかご内の人がこれらの戸を開くことができることとする装置

三　停電等の非常の場合においてかご内からかご外に連絡することができる装置

四　乗用エレベーター又は寝台用エレベーターにあつては、次に掲げる安全装置

イ　積載荷重に一・一を乗じて得た数値を超えた荷重が作用した場合において警報を発し、かつ、出入口の戸の閉鎖を自動的に制止する装置

ロ　停電の場合においても、床面で一ルクス以上の照度を確保することができる照明装置

4　前項第一号及び第二号に掲げる装置の構造は、それぞれ、その機能を確保することができるものとして、国土交通大臣が定めた構造方法を用いるもの又は国土交通大臣の認定を受けたものとしなければならない。

（適用の除外）

第百二十九条の十一　第百二十九条の七第四号、第百二十九条の八第二項第二号又は前条第三項第一号から第三号までの規定は、乗用エレベーター及び寝台用エレベーター以外のエレベーターのうち、それぞれ昇降路、制御器又は安全装置について安全上支障がないものとして国土交通大臣が定めた構造方法を用いるものについては、適用しない。

（エスカレーターの構造）

第百二十九条の十二　エスカレーターは、次に定める構造としなければならない。

一　国土交通大臣が定めるところにより、通常の使用状態において人又は物が挟まれ、又は障害物に衝突することがないようにすること。

二　勾配は、三十度以下とすること。

三　踏段（人を乗せて昇降する部分をいう。以下同じ。）の両側に手すりを設け、手すりの上端部が踏段と同一方向に同一速度で連動するようにすること。

四　踏段の幅は、一・一メートル以下とし、踏段の端から当該踏段の端の側にある手すりの上端部の中心までの水平距離は、二十五センチメートル以下とすること。

五　踏段の定格速度は、五十メートル以下の範囲内において、エスカレーターの勾配に応じ国土交通大臣が定める毎分の速度以下とすること。

六　地震その他の震動によつて脱落するおそれがないものとして、国土交通大臣が定めた構造方法を用いるもの又は国土交通大臣の認定を受けたものとすること。

2　建築物に設けるエスカレーターについては、第百二十九条の四（第三項第五号から第七号までを除く。）及び第百二十九条の五第一項の規定を準用する。この場合において、次の表の上欄に掲げる規定中同表の中欄に掲げる字句は、それぞれ同表の下欄に掲げる字句に読み替えるものとする。

第百二十九条の四の見出し、同条第一項各号列記以外の部分、第二項及び第三項並びに第百二十九条の五の見出し及び同条第一項	エレベーター	エスカレーター
第百二十九条の四	かご	踏段
第百二十九条の四第一項第二号	主索で吊るエレベーター、油圧エレベーターその他国土交通大臣が定めるエレベーター	くさりで吊るエスカレーターその他国土交通大臣が定めるエスカレーター
第百二十九条の四第一項第二号及び第二項	エレベーター強度検証法	エスカレーター強度検証法
第百二十九条の四第二項第一号	次条	次条第一項及び第百二十九条の十二第三項
第百二十九条の四第二項第二号	次条第二項に規定する積載荷重	第百二十九条の十二第三項に規定する積載荷重

3　エスカレーターの踏段の積載荷重は、次の式によつて計算した数値以上としなければならない。

P=2,600A

（この式において、P及びAは、それぞれ次の数値を表すものとする。

P　エスカレーターの積載荷重（単位　ニュートン）

A　エスカレーターの踏段面の水平投影面積（単位　平方メートル））

4　エスカレーターには、制動装置及び昇降口において踏段の昇降を停止させることができる装置を設けなければならない。

5　前項の制動装置の構造は、動力が切れた場合、駆動装置に故障が生じた場合、人又は物が挟まれた場合その他の人が危害を受け又は物が損傷するおそれがある場合に自動的に作動し、踏段に生ずる進行方向の加速度が一・二五メートル毎秒毎秒を超えることなく安全に踏段を制止させること

ができるものとして、国土交通大臣が定めた構造方法を用いるもの又は国土交通大臣の認定を受けたものとしなければならない。

（小荷物専用昇降機の構造）

第一二九条の一三　小荷物専用昇降機は、次に定める構造としなければならない。

一　昇降路には昇降路外の人又は物がかご又は釣合おもりに触れるおそれのないものとして国土交通大臣が定める基準に適合する壁又は囲い及び出し入れ口の戸を設けること。

二　昇降路の壁又は囲い及び出し入れ口の戸は、難燃材料で造り、又は覆うこと。ただし、地階又は三階以上の階に居室を有さない建築物に設ける小荷物専用昇降機の昇降路その他防火上支障のないものとして国土交通大臣が定める小荷物専用昇降機の昇降路にあつては、この限りでない。

三　昇降路のすべての出し入れ口の戸が閉じた後、かごを昇降させるものであること。

四　昇降路の出し入れ口の戸には、かごがその戸の位置に停止していない場合においては、かぎを用いなければ外から開くことができない装置を設けること。ただし、当該出し入れ口の下端が当該出し入れ口が設けられる室の床面より高い場合においては、この限りでない。

（非常用の昇降機の設置を要しない建築物）

第一二九条の一三の二　法第三十四条第二項の規定により政令で定める建築物は、次の各号のいずれかに該当するものとする。

一　高さ三十一メートルを超える部分を階段室、昇降機その他の建築設備の機械室、装飾塔、物見塔、屋窓その他これらに類する用途に供する建築物

二　高さ三十一メートルを超える部分の各階の床面積の合計が五百平方メートル以下の建築物

三　高さ三十一メートルを超える部分の階数が四以下の特定主要構造部を耐火構造とした建築物で、当該部分が床面積の合計百平方メートル以内ごとに耐火構造の床若しくは壁又は特定防火設備でその構造が第百十二条第十九項第一号イ、ロ及びニに掲げる要件を満たすものとして、国土交通大臣が定めた構造方法を用いるもの又は国土交通大臣の認定を受けたもの（廊下に面する窓で開口面積が一平方メートル以内のものに設けられる法第二条第九号の二ロに規定する防火設備を含む。）で区画されているもの

四　高さ三十一メートルを超える部分を機械製作工場、不燃性の物品を保管する倉庫その他これらに類する用途に供する建築物で主要構造部が不燃材料で造られたものその他これと同等以上に火災の発生のおそれの少ない構造のもの

（非常用の昇降機の設置及び構造）

第一二九条の一三の三　法第三十四条第二項の規定による非常用の昇降機は、エレベーターとし、その設置及び構造は、第百二十九条の四から第百二十九条の十までの規定によるほか、この条に定めるところによらなければならない。

2　前項の非常用の昇降機であるエレベーター（以下「非常用エレベーター」という。）の数は、高さ三十一メートルを超える部分の床面積が最大の階における床面積に応じて、次の表に定める数以上とし、二以上の非常用エレベーターを設置する場合には、避難上及び消火上有効な間隔を保つて配置しなければならない。

	高さ三十一メートルを超える部分の床面積が最大の階の床面積	非常用エレベーターの数
(一)	千五百平方メートル以下の場合	一
(二)	千五百平方メートルを超える場合	三千平方メートル以内を増すごとに(一)の数に一を加えた数

3　乗降ロビーは、次に定める構造としなければならない。

一　各階（屋内と連絡する乗降ロビーを設けることが構造上著しく困難である階で次のイからホまでのいずれかに該当するもの及び避難階を除く。）において屋内と連絡すること。

イ　当該階及びその直上階（当該階が、地階である場合にあつては当該階及びその直下階、最上階又は地階の最下階である場合にあつては当該階）が次の(1)又は(2)のいずれかに該当し、かつ、当該階の直下階（当該階が地階である場合にあつては、その直上階）において乗降ロビーが設けられている階

(1)　階段室、昇降機その他の建築設備の機械室その他これらに類する用途に供する階

(2)　その主要構造部が不燃材料で造られた建築物その他これと同等以上に火災の発生のおそれの少ない構造の建築物の階で、機械製作工場、不燃性の物品を保管する倉庫その他これらに類する用途に供するもの

ロ　当該階以上の階の床面積の合計が五百平方メートル以下の階

ハ　避難階の直上階又は直下階

ニ　その主要構造部が不燃材料で造られた建築物の地階（他の非常用エレベーターの乗降ロビーが設けられているものに限る。）で居室を有しないもの

ホ　当該階の床面積に応じ、次の表に定める数の他の非常用エレベーターの乗降ロビーが屋内と連絡している階

	当該階の床面積	当該階で乗降ロビーが屋内と連絡している他の非常用エレベーターの数
(一)	千五百平方メートル以下の場合	一
(二)	千五百平方メートルを超える場合	三千平方メートル以内を増すごとに(一)の数に一を加えた数

二　バルコニーを設けること。

三　出入口（特別避難階段の階段室に通ずる出入口及び昇降路の出入口を除く。）には、第百二十三条第一項第六号に規定する構造の特定防火設備を設けること。

四　窓若しくは排煙設備又は出入口を除き、耐火構造の床及び壁で囲むこと。

五　天井及び壁の室内に面する部分は、仕上げを不燃材料でし、かつ、その下地を不燃材料で造ること。

六　予備電源を有する照明設備を設けること。

七　床面積は、非常用エレベーター一基について十平方メートル以上とすること。

八　屋内消火栓、連結送水管の放水口、非常コンセント設備等の消火設備を設置できるものとすること。

九　乗降ロビーには、見やすい方法で、積載量及び最大定員のほか、非常用エレベーターである旨、避難階における避難経路その他避難上必要な事項を明示した標識を掲示し、かつ、非常の用に供している場合においてその旨を明示することができる表示灯その他これに類するものを設けること。

4　非常用エレベーターの昇降路は、非常用エレベーター二基以内ごとに、乗降ロビーに通ずる出入口及び機械室に通ずる主索、電線その他のものの周囲を除き、耐火構造の床及び壁で囲まなければならない。

5　避難階においては、非常用エレベーターの昇降路の出入口（第三項に規定する構造の乗降ロビーを設けた場合には、その出入口）から屋外への出口（道又は道に通ずる幅員四メートル以上の通路、空地その他これらに類するものに接している部分に限る。）の一に至る歩行距離は、三十メートル以下としなければならない。

6　非常用エレベーターの籠及びその出入口の寸法並びに籠の積載量は、国土交通大臣の指定する日本産業規格に定める数値以上としなければならない。

7　非常用エレベーターには、籠を呼び戻す装置（各階の乗降ロビー及び非常用エレベーターの籠内に設けられた通常の制御装置の機能を停止させ、籠を避難階又はその直上階若しくは直下階に呼び戻す装置をいう。）を設け、かつ、当該装置の作動は、避難階又はその直上階若しくは直下階の乗降ロビー及び中央管理室において行うことができるものとしなければならない。

8　非常用エレベーターには、籠内と中央管理室とを連絡する電話装置を設けなければならない。

9　非常用エレベーターには、第百二十九条の八第二項第二号及び第百二十九条の十第三項第二号に掲げる装置の機能を停止させ、籠の戸を開いたま

ま籠を昇降させることができる装置を設けなければならない。

10　非常用エレベーターには、予備電源を設けなければならない。

11　非常用エレベーターの籠の定格速度は、六十メートル以上としなければならない。

12　第二項から前項までの規定によるほか、非常用エレベーターの構造は、その機能を確保するために必要があるものとして国土交通大臣が定めた構造方法を用いるものとしなければならない。

13　第三項第二号の規定は、非常用エレベーターの昇降路又は乗降ロビーの構造が、通常の火災時に生ずる煙が乗降ロビーを通じて昇降路に流入することを有効に防止できるものとして、国土交通大臣が定めた構造方法を用いるもの又は国土交通大臣の認定を受けたものである場合においては、適用しない。

第三節　避雷設備

（設置）

第一二九条の一四　法第三十三条の規定による避雷設備は、建築物の高さ二十メートルをこえる部分を雷撃から保護するように設けなければならない。

（構造）

第一二九条の一五　前条の避雷設備の構造は、次に掲げる基準に適合するものとしなければならない。

一　雷撃によつて生ずる電流を建築物に被害を及ぼすことなく安全に地中に流すことができるものとして、国土交通大臣が定めた構造方法を用いるもの又は国土交通大臣の認定を受けたものであること。

二　避雷設備の雨水等により腐食のおそれのある部分にあつては、腐食しにくい材料を用いるか、又は有効な腐食防止のための措置を講じたものであること。

第六章　建築物の用途

（用途地域の制限に適合しない建築物の増築等の許可に当たり意見の聴取等を要しない場合等）

第一三〇条　法第四十八条第十六項第一号の政令で定める場合は、次に掲げる要件に該当する場合とする。

一　増築、改築又は移転が特例許可を受けた際における敷地内におけるものであること。

二　増築又は改築後の法第四十八条各項（第十五項から第十七項までを除く。次号において同じ。）の規定に適合しない用途に供する建築物の部分の床面積の合計が、特例許可を受けた際におけるその部分の床面積の合計を超えないこと。

三　法第四十八条各項の規定に適合しない事由が原動機の出力、機械の台数又は容器等の容量による場合においては、増築、改築又は移転後のそれらの出力、台数又は容量の合計が、特例許可を受けた際におけるそれらの出力、台数又は容量の合計を超えないこと。

2　法第四十八条第十六項第二号の政令で定める建築物は、次に掲げるものとする。

一　日用品の販売を主たる目的とする店舗で第一種低層住居専用地域又は第二種低層住居専用地域内にあるもの

二　共同給食調理場（二以上の学校（法別表第二(い)項第四号に規定する学校に限る。）において給食を実施するために必要な施設をいう。）で第一種中高層住居専用地域、第二種中高層住居専用地域、第一種住居地域、第二種住居地域又は準住居地域内にあるもの

三　自動車修理工場で第一種住居地域、第二種住居地域又は準住居地域内にあるもの

（特定用途制限地域内において条例で定める制限）

第一三〇条の二　法第四十九条の二の規定に基づく条例による建築物の用途の制限は、特定用途制限地域に関する都市計画に定められた用途の概要に即し、当該地域の良好な環境の形成又は保持に貢献する合理的な制限であることが明らかなものでなければならない。

2　法第四十九条の二の規定に基づく条例には、法第三条第二項の規定により当該条例の規定の適用を受けない建築物について、法第八十六条の七第一項の規定の例により当該条例に定める制限の適用の除外に関する規定を定めるものとする。

3　法第四十九条の二の規定に基づく条例には、当該地方公共団体の長が、当該地域の良好な環境を害するおそれがないと認め、又は公益上やむを得ないと認めて許可したものについて、当該条例に定める制限の適用の除外に関する規定を定めるものとする。

（位置の制限を受ける処理施設）

第一三〇条の二の二　法第五十一条本文（法第八十七条第二項又は第三項において準用する場合を含む。）の政令で定める処理施設は、次に掲げるものとする。

一　廃棄物の処理及び清掃に関する法律施行令（昭和四十六年政令第三百号。以下「廃棄物処理法施行令」という。）第五条第一項のごみ処理施設（ごみ焼却場を除く。）

二　次に掲げる処理施設（工場その他の建築物に附属するもので、当該建築物において生じた廃棄物のみの処理を行うものを除く。以下「産業廃棄物処理施設」という。）

イ　廃棄物処理法施行令第七条第一号から第十三号の二までに掲げる産業廃棄物の処理施設

ロ　海洋汚染等及び海上災害の防止に関する法律（昭和四十五年法律第百三十六号）第三条第十四号に掲げる廃油処理施設

（卸売市場等の用途に供する特殊建築物の位置に対する制限の緩和）

第一三〇条の二の三　法第五十一条ただし書（法第八十七条第二項又は第三項において準用する場合を含む。以下この条において同じ。）の規定により政令で定める新築、増築又は用途変更の規模は、次に定めるものとする。

一　第一種低層住居専用地域、第二種低層住居専用地域、第一種中高層住居専用地域、第二種中高層住居専用地域、第一種住居地域、第二種住居地域、田園住居地域及び工業専用地域以外の区域内における卸売市場の用途に供する建築物に係る新築、増築又は用途変更（第四号に該当するものを除く。）	延べ面積の合計（増築又は用途変更の場合にあつては、増築又は用途変更後の延べ面積の合計）が五百平方メートル以下のもの
二　汚物処理場又はごみ焼却場その他のごみ処理施設の用途に供する建築物に係る新築、増築又は用途変更（第五号に該当するものを除く。）	処理能力（増築又は用途変更の場合にあつては、増築又は用途変更後の処理能力）が三千人（総合的設計による一団地の住宅施設に関して当該団地内においてする場合にあつては、一万人）以下のもの
三　工業地域又は工業専用地域内における産業廃棄物処理施設の用途に供する建築物に係る新築、増築又は用途変更（第六号に該当するものを除く。）	一日当たりの処理能力（増築又は用途変更の場合にあつては、増築又は用途変更後の処理能力）が当該処理施設の種類に応じてそれぞれ次に定める数値以下のもの イ　汚泥の脱水施設　三十立方メートル ロ　汚泥の乾燥施設（ハに掲げるものを除く。）　二十立方メートル ハ　汚泥の天日乾燥施設　百二十立方メートル ニ　汚泥（ポリ塩化ビフェニル処理物（廃ポリ塩化ビフェニル等（廃棄物処理法施行令第二条の四第五号イに掲げる廃ポリ塩化ビフェニル等をいう。以下この号において同じ。）又はポリ塩化ビフェニル汚染物（同号ロに掲げるポリ塩化ビフェニル汚染物をいう。以下この号において同じ。）を処分するために処理したものをいう。以下この号において同じ。）であるものを除く。）の焼却施設　十立方メートル ホ　廃油の油水分離施設　三十立方メートル

ヘ　廃油（廃ポリ塩化ビフェニル等を除く。）の焼却施設　四立方メートル

ト　廃酸又は廃アルカリの中和施設　六十立方メートル

チ　廃プラスチック類の破砕施設　六トン

リ　廃プラスチック類（ポリ塩化ビフェニル汚染物又はポリ塩化ビフェニル処理物であるものを除く。）の焼却施設　一トン

ヌ　廃棄物処理法施行令第二条第二号に掲げる廃棄物（事業活動に伴つて生じたものに限る。）又はがれき類の破砕施設　百トン

ル　廃棄物処理法施行令別表第三の三に掲げる物質又はダイオキシン類を含む汚泥のコンクリート固型化施設　四立方メートル

ヲ　水銀又はその化合物を含む汚泥のばい焼施設　六立方メートル

ワ　汚泥、廃酸又は廃アルカリに含まれるシアン化合物の分解施設　八立方メートル

カ　廃ポリ塩化ビフェニル等、ポリ塩化ビフェニル汚染物又はポリ塩化ビフェニル処理物の焼却施設　〇・二トン

ヨ　廃ポリ塩化ビフェニル等（ポリ塩化ビフェニル汚染物に塗布され、染み込み、付着し、又は封入されたポリ塩化ビフェニルを含む。）又はポリ塩化ビフェニル処理物の分解施設　〇・二トン

タ　ポリ塩化ビフェニル汚染物又はポリ塩化ビフェニル処理物の洗浄施設又は分離施設　〇・二トン

レ　焼却施設（ニ、ヘ、リ及びカに掲げるものを除く。）　六トン

四　法第五十一条ただし書の規定による許可を受けた卸売市場、と畜場若しくは火葬場の用途に供する建築物又は法第三条第二項の規定により法第五十一条の規定の適用を受けないこれらの用途に供する建築物に係る増築又は用途変更

増築又は用途変更後の延べ面積の合計がそれぞれイ若しくはロに掲げる延べ面積の合計の一・五倍以下又は七百五十平方メートル以下のもの

イ　当該許可に係る建築又は用途変更後の延べ面積の合計

ロ　初めて法第五十一条の規定の適用を受けるに至つた際の延べ面積の合計

五　法第五十一条ただし書の規定による許可を受けた汚物処理場若しくはごみ焼却場その他のごみ処理施設の用途に供する建築物又は法第三条第二項の規定により法第五十一条の規定の適用を受けないこれらの用途に供する建築物に係る増築又は用途変更

増築又は用途変更後の処理能力がそれぞれイ若しくはロに掲げる処理能力の一・五倍以下又は四千五百人（総合的設計による一団地の住宅施設に関して当該団地内においてする場合にあつては、一万五千人）以下のもの

イ　当該許可に係る建築又は用途変更後の処理能力

ロ　初めて法第五十一条の規定の適用を受けるに至つた際の処理能力

六　法第五十一条ただし書の規定による許可を受けた産業廃棄物処理施設の用途に供する建築物又は法第三条第二項の規定により法第五十一条の規定の適用を受けない当該用途に供する建築物に係る増築又は用途変更

増築又は用途変更後の処理能力が、それぞれイ若しくはロに掲げる処理能力の一・五倍以下又は産業廃棄物処理施設の種類に応じてそれぞれ第三号に掲げる処理能力の一・五倍以下のもの

イ　当該許可に係る建築又は用途変更後の処理能力

ロ　初めて法第五十一条の規定の適用を受けるに至つた際の処理能力

2　特定行政庁が法第五十一条ただし書の規定による許可をする場合において、前項第四号から第六号までに規定する規模の範囲内において、増築し、又は用途を変更することができる規模を定めたときは、同項の規定にかかわらず、その規模を同条ただし書の規定により政令で定める規模とする。

（第一種低層住居専用地域内に建築することができる兼用住宅）

第一三〇条の三　法別表第二(い)項第二号（法第八十七条第二項又は第三項において法第四十八条第一項の規定を準用する場合を含む。）の規定により政令で定める住宅は、延べ面積の二分の一以上を居住の用に供し、かつ、次の各号のいずれかに掲げる用途を兼ねるもの（これらの用途に供する部分の床面積の合計が五十平方メートルを超えるものを除く。）とする。

一　事務所（汚物運搬用自動車、危険物運搬用自動車その他これらに類する自動車で国土交通大臣の指定するもののための駐車施設を同一敷地内に設けて業務を運営するものを除く。）

二　日用品の販売を主たる目的とする店舗又は食堂若しくは喫茶店

三　理髪店、美容院、クリーニング取次店、質屋、貸衣装屋、貸本屋その他これらに類するサービス業を営む店舗

四　洋服店、畳屋、建具屋、自転車店、家庭電気器具店その他これらに類するサービス業を営む店舗（原動機を使用する場合にあつては、その出力の合計が〇・七五キロワット以下のものに限る。）

五　自家販売のために食品製造業（食品加工業を含む。以下同じ。）を営むパン屋、米屋、豆腐屋、菓子屋その他これらに類するもの（原動機を使用する場合にあつては、その出力の合計が〇・七五キロワット以下のものに限る。）

六　学習塾、華道教室、囲碁教室その他これらに類する施設

七　美術品又は工芸品を製作するためのアトリエ又は工房（原動機を使用する場合にあつては、その出力の合計が〇・七五キロワット以下のものに限る。）

（第一種低層住居専用地域内に建築することができる公益上必要な建築物）

第一三〇条の四　法別表第二(い)項第九号（法第八十七条第二項又は第三項において法第四十八条第一項の規定を準用する場合を含む。）の規定により政令で定める公益上必要な建築物は、次に掲げるものとする。

一　郵便法（昭和二十二年法律第百六十五号）の規定により行う郵便の業務の用に供する施設で延べ面積が五百平方メートル以内のもの

二　地方公共団体の支庁又は支所の用に供する建築物、老人福祉センター、児童厚生施設その他これらに類するもので延べ面積が六百平方メートル以内のもの

三　近隣に居住する者の利用に供する公園に設けられる公衆便所又は休憩所

四　路線バスの停留所の上家

五　次のイからチまでのいずれかに掲げる施設である建築物で国土交通大臣が指定するもの

イ　電気通信事業法（昭和五十九年法律第八十六号）第百二十条第一項に規定する認定電気通信事業者が同項に規定する認定電気通信事業の用に供する施設

ロ　電気事業法（昭和三十九年法律第百七十号）第二条第一項第十六号に規定する電気事業（同項第二号に規定する小売電気事業を除く。）の用に供する施設

ハ　ガス事業法第二条第二項に規定するガス小売事業又は同条第五項に規定する一般ガス導管事業の用に供する施設

ニ　液化石油ガスの保安の確保及び取引の適正化に関する法律第二条第三項に規定する液化石油ガス販売事業の用に供する施設

ホ　水道法第三条第二項に規定する水道事業の用に供する施設

ヘ　下水道法第二条第三号に規定する公共下水道の用に供する施設

ト　都市高速鉄道の用に供する施設

チ　熱供給事業法（昭和四十七年法律第八十八号）第二条第二項に規定する熱供給事業の用に供する施設

（第一種低層住居専用地域等内に建築してはならない附属建築物）

第一三〇条の五　法別表第二(い)項第十号、(ろ)項第三号及び(ち)項第六号（法第八十七条第二項又は第三項において法第四十八条第一項、第二項及び第八項の規定を準用する場合を含む。）の規定により政令で定める建築物は、次に掲げるものとする。

一　自動車車庫で当該自動車車庫の床面積の合計に同一敷地内にある建築物に附属する自動車車庫の用途に供する工作物の築造面積（当該築造面積が五十平方メートル以下である場合には、その値を減じた値）を加えた値が六百平方メートル（同一敷地内にある建築物（自動車車庫の用途

に供する部分を除く。）の延べ面積の合計が六百平方メートル以下の場合においては、当該延べ面積の合計）を超えるもの（次号に掲げるものを除く。）

二　公告対象区域内の建築物に附属する自動車車庫で次のイ又はロのいずれかに該当するもの

イ　自動車車庫の床面積の合計に同一敷地内にある建築物に附属する自動車車庫の用途に供する工作物の築造面積を加えた値が二千平方メートルを超えるもの

ロ　自動車車庫の床面積の合計に同一公告対象区域内にある建築物に附属する他の自動車車庫の床面積の合計及び当該公告対象区域内にある建築物に附属する自動車車庫の用途に供する工作物の築造面積を加えた値が、当該公告対象区域内の敷地ごとに前号の規定により算定される自動車車庫の床面積の合計の上限の値を合算した値を超えるもの

三　自動車車庫で二階以上の部分にあるもの

四　床面積の合計が十五平方メートルを超える畜舎

五　法別表第二(と)項第四号に掲げるもの

（第二種低層住居専用地域及び田園住居地域内に建築することができる店舗、飲食店等の建築物）

第百三十条の五の二　法別表第二(ろ)項第二号及び(ち)項第五号（法第八十七条第二項又は第三項において法第四十八条第二項及び第八項の規定を準用する場合を含む。）の規定により政令で定める建築物は、次に掲げるものとする。

一　日用品の販売を主たる目的とする店舗又は食堂若しくは喫茶店

二　理髪店、美容院、クリーニング取次店、質屋、貸衣装屋、貸本屋その他これらに類するサービス業を営む店舗

三　洋服店、畳屋、建具屋、自転車店、家庭電気器具店その他これらに類するサービス業を営む店舗で作業場の床面積の合計が五十平方メートル以内のもの（原動機を使用する場合にあつては、その出力の合計が〇・七五キロワット以下のものに限る。）

四　自家販売のために食品製造業を営むパン屋、米屋、豆腐屋、菓子屋その他これらに類するもので作業場の床面積の合計が五十平方メートル以内のもの（原動機を使用する場合にあつては、その出力の合計が〇・七五キロワット以下のものに限る。）

五　学習塾、華道教室、囲碁教室その他これらに類する施設

（第一種中高層住居専用地域内に建築することができる店舗、飲食店等の建築物）

第百三十条の五の三　法別表第二(は)項第五号（法第八十七条第二項又は第三項において法第四十八条第三項の規定を準用する場合を含む。）の規定により政令で定める建築物は、次に掲げるものとする。

一　前条第二号から第五号までに掲げるもの

二　物品販売業を営む店舗（専ら性的好奇心をそそる写真その他の物品の販売を行うものを除く。）又は飲食店

三　銀行の支店、損害保険代理店、宅地建物取引業を営む店舗その他これらに類するサービス業を営む店舗

（第一種中高層住居専用地域内に建築することができる公益上必要な建築物）

第百三十条の五の四　法別表第二(は)項第七号（法第八十七条第二項又は第三項において法第四十八条第三項の規定を準用する場合を含む。）の規定により政令で定める建築物は、次に掲げるものとする。

一　税務署、警察署、保健所、消防署その他これらに類するもの（法別表第二(い)項第九号に掲げるもの及び五階以上の部分をこれらの用途に供するものを除く。）

二　第百三十条の四第五号イからハまでの一に掲げる施設である建築物で国土交通大臣が指定するもの（法別表第二(い)項第九号に掲げるもの及び五階以上の部分をこれらの用途に供するものを除く。）

（第一種中高層住居専用地域内に建築してはならない附属建築物）

第百三十条の五の五　法別表第二(は)項第八号（法第八十七条第二項又は第三項において法第四十八条第三項の規定を準用する場合を含む。）の規定により政令で定める建築物は、次に掲げるものとする。

一　自動車車庫で当該自動車車庫の床面積の合計に同一敷地内にある建築物に附属する自動車車庫の用途に供する工作物の築造面積（当該築造面積が三百平方メートル以下である場合には、その値を減じた値。第百三十条の七の二第三号及び第四号並びに第百三十条の八において同じ。）を加えた値が三千平方メートル（同一敷地内にある建築物（自動車車庫の用途に供する部分を除く。）の延べ面積の合計が三千平方メートル以下の場合においては、当該延べ面積の合計）を超えるもの（次号に掲げるものを除く。）

二　公告対象区域内の建築物に附属する自動車車庫で次のイ又はロのいずれかに該当するもの

イ　自動車車庫の床面積の合計に同一敷地内にある建築物に附属する自動車車庫の用途に供する工作物の築造面積を加えた値が一万平方メートルを超えるもの

ロ　自動車車庫の床面積の合計に同一公告対象区域内にある建築物に附属する他の自動車車庫の床面積の合計及び当該公告対象区域内にある建築物に附属する自動車車庫の用途に供する工作物の築造面積を加えた値が、当該公告対象区域内の敷地ごとに前号の規定により算定される自動車車庫の床面積の合計の上限の値を合算した値を超えるもの

三　自動車車庫で三階以上の部分にあるもの

四　第百三十条の五第四号及び第五号に掲げるもの

（第二種中高層住居専用地域内に建築することができる工場）

第百三十条の六　法別表第二(に)項第二号（法第八十七条第二項又は第三項において法第四十八条第四項の規定を準用する場合を含む。）の規定により政令で定める工場は、パン屋、米屋、豆腐屋、菓子屋その他これらに類する食品製造業を営むもの（同表(と)項第三号(二の二)又は(四の四)に該当するものを除く。）で、作業場の床面積の合計が五十平方メートル以内のもの（原動機を使用する場合にあつては、その出力の合計が〇・七五キロワット以下のものに限る。）とする。

（第二種中高層住居専用地域及び工業専用地域内に建築してはならない運動施設）

第百三十条の六の二　法別表第二(に)項第三号及び(わ)項第七号（法第八十七条第二項又は第三項において法第四十八条第四項及び第十三項の規定を準用する場合を含む。）の規定により政令で定める運動施設は、スキー場、ゴルフ練習場及びバッティング練習場とする。

（第二種中高層住居専用地域内に建築してはならない畜舎）

第百三十条の七　法別表第二(に)項第六号（法第八十七条第二項又は第三項において法第四十八条第四項の規定を準用する場合を含む。）に規定する政令で定める規模の畜舎は、床面積の合計が十五平方メートルを超えるものとする。

（第一種住居地域内に建築することができる大規模な建築物）

第百三十条の七の二　法別表第二(ほ)項第四号（法第八十七条第二項又は第三項において法第四十八条第五項の規定を準用する場合を含む。）の規定により政令で定める建築物は、次に掲げるものとする。

一　税務署、警察署、保健所、消防署その他これらに類するもの

二　電気通信事業法第百二十条第一項に規定する認定電気通信事業者が同項に規定する認定電気通信事業の用に供する施設である建築物で国土交通大臣が指定するもの

三　建築物に附属する自動車車庫で、当該自動車車庫の床面積の合計に同一敷地内にある建築物に附属する自動車車庫の用途に供する工作物の築造面積を加えた値が当該敷地内にある建築物（自動車車庫の用途に供する部分を除く。）の延べ面積の合計を超えないもの（三階以上の部分を自動車車庫の用途に供するものを除く。）

四　公告対象区域内の建築物に附属する自動車車庫で、床面積の合計に同一公告対象区域内にある建築物に附属する他の自動車車庫の床面積の合計及び当該公告対象区域内にある建築物に附属する自動車車庫の用途に供する工作物の築造面積を加えた値が当該公告対象区域内の建築物（自動車車庫の用途に供する部分を除く。）の延べ面積の合計を超えないもの（三階以上の部分を自動車車庫の用途に供するものを除く。）

五　自動車車庫で都市計画として決定されたもの

（第二種住居地域及び工業地域内に建築してはならない建築物）

第百三十条の七の三　法別表第二(へ)項第三号及び(を)項第四号（法第八十七条第二項又は第三項において法第四十八条第六項及び第十二項の規定を準用する場合を含む。）の規定により政令で定める建築物は、客にダンスをさせ、かつ、客に飲食をさせる営業（客の接待をするものを除く。）を営む施設（ナイトクラブを除く。）とする。

（第二種住居地域内に建築することができる附属自動車車庫）

第百三十条の八　法別表第二(へ)項第四号（法第八十七条第二項又は第三項において法第四十八条第六項の規定を準用する場合を含む。）の規定により政令で定める建築物に附属する自動車車庫は、次に掲げるものとする。

一　床面積の合計に同一敷地内にある建築物に附属する自動車車庫の用途

に供する工作物の築造面積を加えた値が当該敷地内にある建築物（自動車車庫の用途に供する部分を除く。）の延べ面積の合計を超えないもの（三階以上の部分を自動車車庫の用途に供するものを除く。）

二　公告対象区域内の建築物に附属する自動車車庫で、床面積の合計に同一公告対象区域内にある建築物に附属する他の自動車車庫の床面積の合計及び当該公告対象区域内にある建築物に附属する自動車車庫の用途に供する工作物の築造面積を加えた値が当該公告対象区域内の建築物（自動車車庫の用途に供する部分を除く。）の延べ面積の合計を超えないもの（三階以上の部分を自動車車庫の用途に供するものを除く。）

（第二種住居地域等内に建築してはならない建築物の店舗、飲食店等に類する用途）

第一三〇条の八の二　法別表第二(へ)項第六号及び(を)項第七号（法第八十七条第二項又は第三項において法第四十八条第六項及び第十二項の規定を準用する場合を含む。）の規定により政令で定める用途は、場外勝舟投票券発売所とする。

2　法別表第二(と)項第六号及び(か)項（法第八十七条第二項又は第三項において法第四十八条第七項及び第十四項の規定を準用する場合を含む。）の規定により政令で定める店舗、飲食店、展示場、遊技場、勝馬投票券発売所及び場外車券売場に類する用途は、場内車券売場及び勝舟投票券発売所とする。

（準住居地域内で営むことができる特殊の方法による事業）

第一三〇条の八の三　法別表第二(と)項第三号（法第八十七条第二項又は第三項において法第四十八条第七項の規定を準用する場合を含む。）の規定により政令で定める特殊の方法による事業は、同号(十一)に掲げる事業のうち、国土交通大臣が防音上有効な構造と認めて指定する空気圧縮機で原動機の出力の合計が七・五キロワット以下のものを使用する事業とする。

（危険物の貯蔵又は処理に供する建築物）

第一三〇条の九　法別表第二(と)項第四号、(ぬ)項第四号及び(る)項第二号（法第八十七条第二項又は第三項において法第四十八条第七項、第十項及び第十一項の規定を準用する場合を含む。）の規定により政令で定める危険物の貯蔵又は処理に供する建築物は、次の表に定める数量を超える危険物（同表に数量の定めのない場合にあつてはその数量を問わないものとし、圧縮ガス又は液化ガスを燃料電池又は内燃機関の燃料として用いる自動車にこれらのガスを充塡するための設備（安全上及び防火上支障がないものとして国土交通大臣が定める基準に適合するものに限る。）により貯蔵し、又は処理される圧縮ガス及び液化ガス、地下貯蔵槽により貯蔵される第一石油類（消防法別表第一の備考十二に規定する第一石油類をいう。以下この項において同じ。）、アルコール類（同表の備考十三に規定するアルコール類をいう。）、第二石油類（同表の備考十四に規定する第二石油類をいう。以下この項において同じ。）、第三石油類（同表の備考十五に規定する第三石油類をいう。以下この項において同じ。）及び第四石油類（同表の備考十六に規定する第四石油類をいう。以下この項において同じ。）並びに国土交通大臣が安全上及び防火上支障がない構造と認めて指定する蓄電池により貯蔵される硫黄及びナトリウムを除く。）の貯蔵又は処理に供する建築物とする。

<table>
<tr><th colspan="3">危険物＼用途地域</th><th>準住居地域</th><th>商業地域</th><th>準工業地域</th></tr>
<tr><td rowspan="11">(一)</td><td rowspan="11">火薬類（玩具煙火を除く。）</td><td>火薬</td><td>二十キログラム</td><td>五十キログラム</td><td>二十トン</td></tr>
<tr><td>爆薬</td><td></td><td>二十五キログラム</td><td>十トン</td></tr>
<tr><td>工業雷管、電気雷管及び信号雷管</td><td></td><td>一万個</td><td>二百五十万個</td></tr>
<tr><td>銃用雷管</td><td>三万個</td><td>十万個</td><td>二千五百万個</td></tr>
<tr><td>実包及び空包</td><td>二千個</td><td>三万個</td><td>千万個</td></tr>
<tr><td>信管及び火管</td><td></td><td>三万個</td><td>五十万個</td></tr>
<tr><td>導爆線</td><td></td><td>一・五キロメートル</td><td>五百キロメートル</td></tr>
<tr><td>導火線</td><td>一キロメートル</td><td>五キロメートル</td><td>二千五百キロメートル</td></tr>
<tr><td>電気導火線</td><td></td><td>三万個</td><td>十万個</td></tr>
<tr><td>信号炎管、信号火箭（せん）及び煙火</td><td>二十五キログラム</td><td colspan="2">二トン</td></tr>
<tr><td>その他の火薬又は爆薬を使用した火工品</td><td colspan="3">当該火工品の原料をなす火薬又は爆薬の数量に応じて、火薬又は爆薬の数量のそれぞれの限度による。</td></tr>
<tr><td>(二)</td><td colspan="2">マッチ、圧縮ガス、液化ガス又は可燃性ガス</td><td>A/20</td><td>A/10</td><td>A/2</td></tr>
<tr><td>(三)</td><td colspan="2">第一石油類、第二石油類、第三石油類又は第四石油類</td><td>A/2（危険物の規制に関する政令第二条第一号に規定する屋内貯蔵所のうち位置、構造及び設備について国土交通大臣が定める基準に適合するもの（以下この表において「特定屋内貯蔵所」という。）又は同令第三条第二号イに規定する第一種販売取扱所（以下この表において「第一種販売取扱所」という。）にあつては、3A/2）</td><td>A（特定屋内貯蔵所、第一種販売取扱所又は危険物の規制に関する政令第三条第二号ロに規定する第二種販売取扱所（以下この表において「第二種販売取扱所」という。）にあつては、3A）</td><td></td></tr>
<tr><td>(四)</td><td colspan="2">(一)から(三)までに掲げる危険物以外のもの</td><td>A/10（特定屋内貯蔵所又は第一種販売取扱所にあつては、3A/10）</td><td>A/5（特定屋内貯蔵所又は第一種販売取扱所にあつては、3A/5）</td><td>2A（特定屋内貯蔵所、第一種販売取扱所又は第二種販売取扱所にあつては、5A）</td></tr>
<tr><td colspan="6">この表において、Aは、(二)に掲げるものについては第百十六条第一項の表中「常時貯蔵する場合」の欄に掲げる数量、(三)及び(四)に掲げるものについては同項の表中「製造所又は他の事業を営む工場において処理する場合」の欄に掲げる数量を表すものとする。</td></tr>
</table>

2　第百十六条第二項及び第三項の規定は、前項の場合に準用する。ただし、同条第三項の規定については、準住居地域又は商業地域における前項の表の(一)に掲げる危険物の貯蔵に関しては、この限りでない。

（準住居地域及び用途地域の指定のない区域内に建築してはならない建築物のナイトクラブに類する用途）

第一三〇条の九の二　法別表第二(と)項第五号及び第六号並びに(か)項（法第八十七条第二項又は第三項において法第四十八条第七項及び第十四項の規定を準用する場合を含む。）の規定により政令で定めるナイトクラブに類する用途は、客にダンスをさせ、かつ、客に飲食をさせる営業（客の接待をするものを除く。）を営む施設（ナイトクラブを除く。）とする。

（田園住居地域内に建築してはならない建築物）

第一三〇条の九の三　法別表第二(ち)項第二号（法第八十七条第二項又は第三項において法第四十八条第八項の規定を準用する場合を含む。）の規定により政令で定める建築物は、農産物の乾燥その他の農産物の処理に供する建築物のうち著しい騒音を発生するものとして国土交通大臣が指定するものとする。

（田園住居地域内に建築することができる農業の利便を増進するために必要な店舗、飲食店等の建築物）

第一三〇条の九の四　法別表第二(ち)項第四号（法第八十七条第二項又は第三項において法第四十八条第八項の規定を準用する場合を含む。）の規定により政令で定める建築物は、次に掲げるものとする。

一　田園住居地域及びその周辺の地域で生産された農産物の販売を主たる目的とする店舗

二　前号の農産物を材料とする料理の提供を主たる目的とする飲食店

三　自家販売のために食品製造業を営むパン屋、米屋、豆腐屋、菓子屋その他これらに類するもの（第一号の農産物を原材料とする食品の製造又は加工を主たる目的とするものに限る。）で作業場の床面積の合計が五十平方メートル以内のもの（原動機を使用する場合にあつては、その出力の合計が〇・七五キロワット以下のものに限る。）

（近隣商業地域及び準工業地域内に建築してはならない建築物）

第一三〇条の九の五　法別表第二(り)項第三号及び(る)項第三号（法第八十七条第二項又は第三項において法第四十八条第九項及び第十一項の規定を準用する場合を含む。）の規定により政令で定める建築物は、ヌードスタジオ、のぞき劇場、ストリップ劇場、専ら異性を同伴する客の休憩の用に供する施設、専ら性的好奇心をそそる写真その他の物品の販売を目的とする店舗その他これらに類するものとする。

（商業地域内で営んではならない事業）

第一三〇条の九の六　法別表第二(ぬ)項第三号(二十)（法第八十七条第二項又は第三項において法第四十八条第十項の規定を準用する場合を含む。）の規定により政令で定める事業は、スエージングマシン又はロールを用いる金属の鍛造とする。

（準工業地域内で営むことができる特殊の方法による事業）

第一三〇条の九の七　法別表第二(る)項第一号（法第八十七条第二項又は第三項において法第四十八条第十一項の規定を準用する場合を含む。）の規定により政令で定める特殊の方法による事業は、次に掲げるものとする。

一　法別表第二(る)項第一号(五)に掲げる銅アンモニアレーヨンの製造のうち、液化アンモニアガス及びアンモニア濃度が三十パーセントを超えるアンモニア水を用いないもの

二　法別表第二(る)項第一号(十一)に掲げる圧縮ガスの製造のうち、次のいずれかに該当するもの

イ　内燃機関の燃料として自動車に充填するための圧縮天然ガスに係るもの

ロ　燃料電池又は内燃機関の燃料として自動車に充填するための圧縮水素に係るものであつて、安全上及び防火上支障がないものとして国土交通大臣が定める基準に適合する製造設備を用いるもの

三　法別表第二(る)項第一号(十六)に掲げる合成繊維の製造のうち、国土交通大臣が安全上及び防火上支障がないと認めて定める物質を原料とするもの又は国土交通大臣が安全上及び防火上支障がないと認めて定める工程によるもの

四　法別表第二(る)項第一号(二十八)に掲げる事業のうち、スエージングマシン又はロールを用いるもの

五　法別表第二(る)項第一号(三十)に掲げる事業のうち、集じん装置の使用その他国土交通大臣が石綿の粉じんの飛散の防止上有効であると認めて定める方法により行われるもの

（準工業地域内で営むことができる可燃性ガスの製造）

第一三〇条の九の八　法別表第二(る)項第一号(十一)（法第八十七条第二項又は第三項において法第四十八条第十一項の規定を準用する場合を含む。）の規定により政令で定める可燃性ガスの製造は、次に掲げるものとする。

一　アセチレンガスの製造

二　ガス事業法第二条第二項に規定するガス小売事業又は同条第九項に規定するガス製造事業として行われる可燃性ガスの製造

第七章　建築物の各部分の高さ等

（第一種低層住居専用地域等内における建築物の高さの制限の緩和に係る敷地内の空地等）

第一三〇条の一〇　法第五十五条第二項の規定により政令で定める空地は、法第五十三条の規定により建蔽率の最高限度が定められている場合においては、当該空地の面積の敷地面積に対する割合が一から当該最高限度を減じた数値に十分の一を加えた数値以上であるものとし、同条の規定により建蔽率の最高限度が定められていない場合においては、当該空地の面積の敷地面積に対する割合が十分の一以上であるものとする。

2　法第五十五条第二項の規定により政令で定める規模は、千五百平方メートルとする。ただし、特定行政庁は、街区の形状、宅地の規模その他土地の状況によりこれによることが不適当であると認める場合においては、規則で、七百五十平方メートル以上千五百平方メートル未満の範囲内で、その規模を別に定めることができる。

（建築物の敷地が二以上の地域、地区又は区域にわたる場合の法別表第三(は)欄に掲げる距離の適用の特例）

第一三〇条の一一　建築物の敷地が法別表第三(い)欄に掲げる地域、地区又は区域の二以上にわたる場合における同表(は)欄に掲げる距離の適用については、同表(い)欄中「建築物がある地域、地区又は区域」とあるのは、「建築物又は建築物の部分の前面道路に面する方向にある当該前面道路に接する敷地の部分の属する地域、地区又は区域」とする。

（前面道路との関係についての建築物の各部分の高さの制限に係る建築物の後退距離の算定の特例）

第一三〇条の一二　法第五十六条第二項及び第四項の政令で定める建築物の部分は、次に掲げるものとする。

一　物置その他これに類する用途に供する建築物の部分で次に掲げる要件に該当するもの

イ　軒の高さが二・三メートル以下で、かつ、床面積の合計が五平方メートル以内であること。

ロ　当該部分の水平投影の前面道路に面する長さを敷地の前面道路に接する部分の水平投影の長さで除した数値が五分の一以下であること。

ハ　当該部分から前面道路の境界線までの水平距離のうち最小のものが一メートル以上であること。

二　ポーチその他これに類する建築物の部分で、前号ロ及びハに掲げる要件に該当し、かつ、高さが五メートル以下であるもの

三　道路に沿つて設けられる高さが二メートル以下の門又は塀（高さが一・二メートルを超えるものにあつては、当該一・二メートルを超える部分が網状その他これに類する形状であるものに限る。）

四　隣地境界線に沿つて設けられる門又は塀

五　歩廊、渡り廊下その他これらに類する建築物の部分で、特定行政庁がその地方の気候若しくは風土の特殊性又は土地の状況を考慮して規則で定めたもの

六　前各号に掲げるもののほか、建築物の部分で高さが一・二メートル以下のもの

（前面道路との関係についての建築物の各部分の高さの制限の緩和）

第一三一条　法第五十六条第六項の規定による同条第一項第一号及び第二項から第四項までの規定の適用の緩和に関する措置は、次条から第百三十五

条の二までに定めるところによる。

（前面道路とみなす道路等）

第一三一条の二　土地区画整理事業を施行した地区その他これに準ずる街区の整つた地区内の街区で特定行政庁が指定するものについては、その街区の接する道路を前面道路とみなす。

2　建築物の敷地が都市計画において定められた計画道路（法第四十二条第一項第四号に該当するものを除くものとし、以下この項において「計画道路」という。）若しくは法第六十八条の七第一項の規定により指定された予定道路（以下この項において「予定道路」という。）に接する場合又は当該敷地内に計画道路若しくは予定道路がある場合において、特定行政庁が交通上、安全上、防火上及び衛生上支障がないと認める建築物については、当該計画道路又は予定道路を前面道路とみなす。

3　前面道路の境界線若しくはその反対側の境界線からそれぞれ後退して壁面線の指定がある場合又は前面道路の境界線若しくはその反対側の境界線からそれぞれ後退して法第六十八条の二第一項の規定に基づく条例で定める壁面の位置の制限（道路に面する建築物の壁又はこれに代わる柱の位置及び道路に面する高さ二メートルを超える門又は塀の位置を制限するものに限る。以下この項において「壁面の位置の制限」という。）がある場合において、当該壁面線又は当該壁面の位置の制限として定められた限度の線を越えない建築物（第百三十五条の十九各号に掲げる建築物の部分を除く。）で特定行政庁が交通上、安全上、防火上及び衛生上支障がないと認めるものについては、当該前面道路の境界線又はその反対側の境界線は、それぞれ当該壁面線又は当該壁面の位置の制限として定められた限度の線にあるものとみなす。

（二以上の前面道路がある場合）

第一三二条　建築物の前面道路が二以上ある場合においては、幅員の最大な前面道路の境界線からの水平距離がその前面道路の幅員の二倍以内で、かつ、三十五メートル以内の区域及びその他の前面道路の中心線からの水平距離が十メートルをこえる区域については、すべての前面道路が幅員の最大な前面道路と同じ幅員を有するものとみなす。

2　前項の区域外の区域のうち、二以上の前面道路の境界線からの水平距離がそれぞれその前面道路の幅員の二倍（幅員が四メートル未満の前面道路にあつては、十メートルからその幅員の二分の一を減じた数値）以内で、かつ、三十五メートル以内の区域については、これらの前面道路のみを前面道路とし、これらの前面道路のうち、幅員の小さい前面道路は、幅員の大きい前面道路と同じ幅員を有するものとみなす。

3　前二項の区域外の区域については、その接する前面道路のみを前面道路とする。

第一三三条　削除

（前面道路の反対側に公園、広場、水面その他これらに類するものがある場合）

第一三四条　前面道路の反対側に公園、広場、水面その他これらに類するものがある場合においては、当該前面道路の反対側の境界線は、当該公園、広場、水面その他これらに類するものの反対側の境界線にあるものとみなす。

2　建築物の前面道路が二以上ある場合において、その反対側に公園、広場、水面その他これらに類するものがある前面道路があるときは、第百三十二条第一項の規定によらないで、当該公園、広場、水面その他これらに類するものがある前面道路（二以上あるときは、そのうちの一）の境界線からの水平距離がその公園、広場、水面その他これらに類するものの反対側の境界線から当該前面道路の境界線までの水平距離の二倍以内で、かつ、三十五メートル以内の区域及びその他の前面道路の中心線からの水平距離が十メートルをこえる区域については、すべての前面道路を当該公園、広場、水面その他これらに類するものがある前面道路と同じ幅員を有し、かつ、その反対側に同様の公園、広場、水面その他これらに類するものがあるものとみなして、前項の規定によることができる。この場合においては、第百三十二条第二項及び第三項の規定を準用する。

第一三五条　削除

（道路面と敷地の地盤面に高低差がある場合）

第一三五条の二　建築物の敷地の地盤面が前面道路より一メートル以上高い場合においては、その前面道路は、敷地の地盤面と前面道路との高低差から一メートルを減じたものの二分の一だけ高い位置にあるものとみなす。

2　特定行政庁は、地形の特殊性により前項の規定をそのまま適用することが著しく不適当であると認める場合においては、同項の規定にかかわらず、規則で、前面道路の位置を同項の規定による位置と敷地の地盤面の高さとの間において適当と認める高さに定めることができる。

（隣地との関係についての建築物の各部分の高さの制限の緩和）

第一三五条の三　法第五十六条第六項の規定による同条第一項及び第五項の規定の適用の緩和に関する措置で同条第一項第二号に係るものは、次に定めるところによる。

一　建築物の敷地が公園（都市公園法施行令（昭和三十一年政令第二百九十号）第二条第一項第一号に規定する都市公園を除く。）、広場、水面その他これらに類するものに接する場合においては、その公園、広場、水面その他これらに類するものに接する隣地境界線は、その公園、広場、水面その他これらに類するものの幅の二分の一だけ外側にあるものとみなす。

二　建築物の敷地の地盤面が隣地の地盤面（隣地に建築物がない場合においては、当該隣地の平均地表面をいう。次項において同じ。）より一メートル以上低い場合においては、その建築物の敷地の地盤面は、当該高低差から一メートルを減じたものの二分の一だけ高い位置にあるものとみなす。

三　第百三十一条の二第二項の規定により計画道路又は予定道路を前面道路とみなす場合においては、その計画道路又は予定道路内の隣地境界線は、ないものとみなす。

2　特定行政庁は、前項第二号の場合において、地形の特殊性により同号の規定をそのまま適用することが著しく不適当であると認めるときは、規則で、建築物の敷地の地盤面の位置を当該建築物の敷地の地盤面の位置と隣地の地盤面の位置との間において適当と認める高さに定めることができる。

（北側の前面道路又は隣地との関係についての建築物の各部分の高さの制限の緩和）

第一三五条の四　法第五十六条第六項の規定による同条第一項及び第五項の規定の適用の緩和に関する措置で同条第一項第三号に係るものは、次に定めるところによる。

一　北側の前面道路の反対側に水面、線路敷その他これらに類するものがある場合又は建築物の敷地が北側で水面、線路敷その他これらに類するものに接する場合においては、当該前面道路の反対側の境界線又は当該水面、線路敷その他これらに類するものに接する隣地境界線は、当該水面、線路敷その他これらに類するものの幅の二分の一だけ外側にあるものとみなす。

二　建築物の敷地の地盤面が北側の隣地（北側に前面道路がある場合においては、当該前面道路の反対側の隣接地をいう。以下この条において同じ。）の地盤面（隣地に建築物がない場合においては、当該隣地の平均地表面をいう。次項において同じ。）より一メートル以上低い場合においては、その建築物の敷地の地盤面は、当該高低差から一メートルを減じたものの二分の一だけ高い位置にあるものとみなす。

三　第百三十一条の二第二項の規定により計画道路又は予定道路を前面道路とみなす場合においては、その計画道路又は予定道路内の隣地境界線は、ないものとみなす。

2　特定行政庁は、前項第二号の場合において、地形の特殊性により同号の規定をそのまま適用することが著しく不適当であると認めるときは、規則で、建築物の敷地の地盤面の位置を当該建築物の敷地の地盤面の位置と北側の隣地の地盤面の位置との間において適当と認める高さに定めることができる。

（天空率）

第一三五条の五　この章において「天空率」とは、次の式によつて計算した数値をいう。

$$Rs=\frac{As-Ab}{As}$$

この式において、Rs、As及びAbは、それぞれ次の数値を表すものとする。

Rs　天空率

As　地上のある位置を中心としてその水平面上に想定する半球（以下この章において「想定半球」という。）の水平投影面積

Ab　建築物及びその敷地の地盤をAsの想定半球と同一の想定半球に投影した投影面の水平投影面積

（前面道路との関係についての建築物の各部分の高さの制限を適用しない建築物の基準等）

第一三五条の六　法第五十六条第七項の政令で定める基準で同項第一号に掲げる規定を適用しない建築物に係るものは、次のとおりとする。

一　当該建築物（法第五十六条第一項第一号に掲げる規定による高さの制限（以下この章において「道路高さ制限」という。）が適用される範囲内の部分に限る。）の第百三十五条の九に定める位置を想定半球の中心として算定する天空率が、当該建築物と同一の敷地内において道路高さ制限に適合するものとして想定する建築物（道路高さ制限が適用される範囲内の部分に限り、階段室、昇降機塔、装飾塔、物見塔、屋窓その他これらに類する建築物の屋上部分でその水平投影面積の合計が建築物の建築面積の八分の一以内のものの頂部から十二メートル以内の部分（以下この章において「階段室等」という。）及び棟飾、防火壁の屋上突出部その他これらに類する屋上突出物（以下この章において「棟飾等」という。）を除く。以下この章において「道路高さ制限適合建築物」という。）の当該位置を想定半球の中心として算定する天空率以上であること。

二　当該建築物の前面道路の境界線からの後退距離（法第五十六条第二項に規定する後退距離をいう。以下この号において同じ。）が、前号の道路高さ制限適合建築物と同一の道路高さ制限適合建築物の前面道路の境界線からの後退距離以上であること。

2　当該建築物の敷地が、道路高さ制限による高さの限度として水平距離に乗ずべき数値が異なる地域、地区又は区域（以下この章において「道路制限勾配が異なる地域等」という。）にわたる場合における前項第一号の規定の適用については、同号中「限る。）」とあるのは「限る。）の道路制限勾配が異なる地域等ごとの部分」と、「という。）の」とあるのは「という。）の道路制限勾配が異なる地域等ごとの部分の」とする。

3　当該建築物の前面道路が二以上ある場合における第一項第一号の規定の適用については、同号中「限る。）」とあるのは「限る。）の第百三十二条又は第百三十四条第二項に規定する区域ごとの部分」と、「という。）の」とあるのは「という。）の第百三十二条又は第百三十四条第二項に規定する区域ごとの部分の」とする。

（隣地との関係についての建築物の各部分の高さの制限を適用しない建築物の基準等）

第一三五条の七　法第五十六条第七項の政令で定める基準で同項第二号に掲げる規定を適用しない建築物に係るものは、次のとおりとする。

一　当該建築物（法第五十六条第一項第二号に掲げる規定による高さの制限（以下この章において「隣地高さ制限」という。）が適用される地域、地区又は区域内の部分に限る。）の第百三十五条の十に定める位置を想定半球の中心として算定する天空率が、当該建築物と同一の敷地内の同一の地盤面において隣地高さ制限に適合するものとして想定する建築物（隣地高さ制限が適用される地域、地区又は区域内の部分に限り、階段室等及び棟飾等を除く。以下この章において「隣地高さ制限適合建築物」という。）の当該位置を想定半球の中心として算定する天空率以上であること。

二　当該建築物（法第五十六条第一項第二号イ又はニに定める数値が一・二五とされている建築物にあつては高さが二十メートルを、同号イからニまでに定める数値が二・五とされている建築物にあつては高さが三十一メートルを超える部分に限る。）の隣地境界線からの後退距離（同号に規定する水平距離のうち最小のものに相当する距離をいう。以下この号において同じ。）が、前号の隣地高さ制限適合建築物と同一の隣地高さ制限適合建築物（同項第二号イ又はニに定める数値が一・二五とされている隣地高さ制限適合建築物にあつては高さが二十メートルを、同号イからニまでに定める数値が二・五とされている隣地高さ制限適合建築物にあつては高さが三十一メートルを超える部分に限る。）の隣地境界線からの後退距離以上であること。

2　当該建築物の敷地が、隣地高さ制限による高さの限度として水平距離に乗ずべき数値が異なる地域、地区又は区域（以下この章において「隣地制限勾配が異なる地域等」という。）にわたる場合における前項第一号の規定の適用については、同号中「限る。）」とあるのは「限る。）の隣地制限勾配が異なる地域等ごとの部分」と、「という。）の」とあるのは「という。）の隣地制限勾配が異なる地域等ごとの部分の」とする。

3　当該建築物が周囲の地面と接する位置の高低差が三メートルを超える場合における第一項第一号の規定の適用については、同号中「限る。）」とあるのは「限る。）の周囲の地面と接する位置の高低差が三メートル以内となるようにその敷地を区分した区域（以下この章において「高低差区分区域」という。）ごとの部分」と、「地盤面」とあるのは「高低差区分区域ごとの地盤面」と、「という。）の」とあるのは「という。）の高低差区分区域ごとの部分の」とする。

（北側の隣地との関係についての建築物の各部分の高さの制限を適用しない建築物の基準等）

第一三五条の八　法第五十六条第七項の政令で定める基準で同項第三号に掲げる規定を適用しない建築物に係るものは、当該建築物（同号に掲げる規定による高さの制限（以下この章において「北側高さ制限」という。）が適用される地域内の部分に限る。）の第百三十五条の十一に定める位置を想定半球の中心として算定する天空率が、当該建築物と同一の敷地内の同一の地盤面において北側高さ制限に適合するものとして想定する建築物（北側高さ制限が適用される地域内の部分に限り、棟飾等を除く。）の当該位置を想定半球の中心として算定する天空率以上であることとする。

2　当該建築物の敷地が、北側高さ制限による高さの限度として加える高さが異なる地域（以下この章において「北側制限高さが異なる地域」という。）にわたる場合における前項の規定の適用については、同項中「限る。）」とあるのは「限る。）の北側制限高さが異なる地域ごとの部分」と、「除く。）」とあるのは「除く。）の北側制限高さが異なる地域ごとの部分」とする。

3　当該建築物が周囲の地面と接する位置の高低差が三メートルを超える場合における第一項の規定の適用については、同項中「限る。）」とあるのは「限る。）の高低差区分区域ごとの部分」と、「地盤面」とあるのは「高低差区分区域ごとの地盤面」と、「除く。）」とあるのは「除く。）の高低差区分区域ごとの部分」とする。

（法第五十六条第七項第一号の政令で定める位置）

第一三五条の九　法第五十六条第七項第一号の政令で定める位置は、前面道路の路面の中心の高さにある次に掲げる位置とする。

一　当該建築物の敷地（道路高さ制限が適用される範囲内の部分に限る。）の前面道路に面する部分の両端から最も近い当該前面道路の反対側の境界線上の位置

二　前号の位置の間の境界線の延長が当該前面道路の幅員の二分の一を超えるときは、当該位置の間の境界線上に当該前面道路の幅員の二分の一以内の間隔で均等に配置した位置

2　当該建築物の敷地が道路制限勾配が異なる地域等にわたる場合における前項の規定の適用については、同項第一号中「限る。）」とあるのは「限る。）の道路制限勾配が異なる地域等ごと」とする。

3　当該建築物の前面道路が二以上ある場合における第一項の規定の適用については、同項第一号中「限る。）」とあるのは、「限る。）の第百三十二条又は第百三十四条第二項に規定する区域ごと」とする。

4　当該建築物の敷地の地盤面が前面道路の路面の中心の高さより一メートル以上高い場合においては、第一項に規定する前面道路の路面の中心は、当該高低差から一メートルを減じたものの二分の一だけ高い位置にあるものとみなす。

5　第百三十五条の二第二項の規則で前面道路の位置の高さが別に定められている場合にあつては、前項の規定にかかわらず、当該高さを第一項に規定する前面道路の路面の中心の高さとみなす。

（法第五十六条第七項第二号の政令で定める位置）

第一三五条の一〇　法第五十六条第七項第二号の政令で定める位置は、当該建築物の敷地の地盤面の高さにある次に掲げる位置とする。

一　法第五十六条第七項第二号に規定する外側の線（以下この条において「基準線」という。）の当該建築物の敷地（隣地高さ制限が適用される地域、地区又は区域内の部分に限る。）に面する部分の両端上の位置

二　前号の位置の間の基準線の延長が、法第五十六条第一項第二号イ又はニに定める数値が一・二五とされている建築物にあつては八メートル、

同号イから二までに定める数値が二・五とされている建築物にあつては六・二メートルを超えるときは、当該位置の間の基準線上に、同号イ又はニに定める数値が一・二五とされている建築物にあつては八メートル、同号イから二までに定める数値が二・五とされている建築物にあつては六・二メートル以内の間隔で均等に配置した位置

2　当該建築物の敷地が隣地制限勾配が異なる地域等にわたる場合における前項の規定の適用については、同項第一号中「限る。）」とあるのは、「限る。）の隣地制限勾配が異なる地域等ごとの部分」とする。

3　当該建築物が周囲の地面と接する位置の高低差が三メートルを超える場合における第一項の規定の適用については、同項中「地盤面」とあるのは「高低差区分区域ごとの地盤面」と、同項第一号中「限る。）」とあるのは「限る。）の高低差区分区域ごとの部分」とする。

4　当該建築物の敷地の地盤面が隣地の地盤面（隣地に建築物がない場合においては、当該隣地の平均地表面をいう。）より一メートル以上低い場合においては、第一項に規定する当該建築物の敷地の地盤面は、当該高低差から一メートルを減じたものの二分の一だけ高い位置にあるものとみなす。

5　第百三十五条の三第二項の規則で建築物の敷地の地盤面の位置の高さが別に定められている場合にあつては、前項の規定にかかわらず、当該高さを第一項に規定する当該建築物の敷地の地盤面の高さとみなす。

（法第五十六条第七項第三号の政令で定める位置）

第一三五条の一一　法第五十六条第七項第三号の政令で定める位置は、当該建築物の敷地の地盤面の高さにある次に掲げる位置とする。

一　当該建築物の敷地（北側高さ制限が適用される地域内の部分に限る。）の真北に面する部分の両端から真北方向の法第五十六条第七項第三号に規定する外側の線（以下この条において「基準線」という。）上の位置

二　前号の位置の間の基準線の延長が、第一種低層住居専用地域、第二種低層住居専用地域又は田園住居地域内の建築物にあつては一メートル、第一種中高層住居専用地域又は第二種中高層住居専用地域内の建築物にあつては二メートルを超えるときは、当該位置の間の基準線上に、第一種低層住居専用地域、第二種低層住居専用地域又は田園住居地域内の建築物にあつては一メートル、第一種中高層住居専用地域又は第二種中高層住居専用地域内の建築物にあつては二メートル以内の間隔で均等に配置した位置

2　当該建築物の敷地が北側制限高さが異なる地域にわたる場合における前項の規定の適用については、同項第一号中「限る。）」とあるのは、「限る。）の北側制限高さが異なる地域ごと」とする。

3　当該建築物が周囲の地面と接する位置の高低差が三メートルを超える場合における第一項の規定の適用については、同項中「地盤面」とあるのは「高低差区分区域ごとの地盤面」と、同項第一号中「限る。）」とあるのは「限る。）の高低差区分区域ごと」とする。

4　当該建築物の敷地の地盤面が北側の隣地の地盤面（隣地に建築物がない場合においては、当該隣地の平均地表面をいう。）より一メートル以上低い場合においては、第一項に規定する当該建築物の敷地の地盤面は、当該高低差から一メートルを減じたものの二分の一だけ高い位置にあるものとみなす。

5　第百三十五条の四第二項の規則で建築物の敷地の地盤面の位置の高さが別に定められている場合にあつては、前項の規定にかかわらず、当該高さを第一項に規定する当該建築物の敷地の地盤面の高さとみなす。

（日影による中高層の建築物の高さの制限の適用除外等）

第一三五条の一二　法第五十六条の二第一項ただし書の政令で定める位置は、同項ただし書の規定による許可を受けた際における敷地の区域とする。

2　法第五十六条の二第一項ただし書の政令で定める規模は、同項に規定する平均地盤面からの高さの水平面に、敷地境界線からの水平距離が五メートルを超える範囲において新たに日影となる部分を生じさせることのない規模とする。

3　法第五十六条の二第三項の規定による同条第一項本文の規定の適用の緩和に関する措置は、次の各号に定めるところによる。

一　建築物の敷地が道路、水面、線路敷その他これらに類するものに接する場合においては、当該道路、水面、線路敷その他これらに類するものに接する敷地境界線は、当該道路、水面、線路敷その他これらに類するものの幅の二分の一だけ外側にあるものとみなす。ただし、当該道路、水面、線路敷その他これらに類するものの幅が十メートルを超えるときは、当該道路、水面、線路敷その他これらに類するものの反対側の境界線から当該敷地の側に水平距離五メートルの線を敷地境界線とみなす。

二　建築物の敷地の平均地盤面が隣地又はこれに連接する土地で日影の生ずるものの地盤面（隣地又はこれに連接する土地に建築物がない場合においては、当該隣地又はこれに連接する土地の平均地表面をいう。次項において同じ。）より一メートル以上低い場合においては、その建築物の敷地の平均地盤面は、当該高低差から一メートルを減じたものの二分の一だけ高い位置にあるものとみなす。

4　特定行政庁は、前項第二号の場合において、地形の特殊性により同号の規定をそのまま適用することが著しく不適当であると認めるときは、規則で、建築物の敷地の平均地盤面の位置を当該建築物の敷地の平均地盤面の位置と隣地又はこれに連接する土地で日影の生ずるものの地盤面の位置との間において適当と認める高さに定めることができる。

（建築物が日影時間の制限の異なる区域の内外にわたる場合等の措置）

第一三五条の一三　法第五十六条の二第一項に規定する対象区域（以下この条において「対象区域」という。）である第一種低層住居専用地域、第二種低層住居専用地域、田園住居地域若しくは用途地域の指定のない区域内にある部分の軒の高さが七メートルを超える建築物若しくは当該部分の地階を除く階数が三以上である建築物又は高さが十メートルを超える建築物（以下この条において「対象建築物」という。）が同項の規定による日影時間の制限の異なる区域の内外にわたる場合には当該対象建築物がある各区域内に、対象建築物が、冬至日において、対象区域のうち当該対象建築物がある区域外の土地に日影を生じさせる場合には当該対象建築物が日影を生じさせる各区域内に、それぞれ当該対象建築物があるものとして、同項の規定を適用する。

（高層住居誘導地区内の建築物及び法第五十二条第八項に規定する建築物の容積率の上限の数値の算出方法）

第一三五条の一四　法第五十二条第一項第五号及び第八項の政令で定める方法は、次の式により計算する方法とする。

$$Vr = \frac{3Vc}{3 - R}$$

この式において、Vr、Vc及びRは、それぞれ次の数値を表すものとする。

Vr　法第五十二条第一項第五号又は第八項の政令で定める方法により算出した数値

Vc　建築物がある用途地域に関する都市計画において定められた容積率の数値

R　建築物の住宅の用途に供する部分の床面積の合計のその延べ面積に対する割合

（条例で地盤面を別に定める場合の基準）

第一三五条の一五　法第五十二条第五項の政令で定める基準は、次のとおりとする。

一　建築物が周囲の地面と接する位置のうち最も低い位置の高さ以上の高さに定めること。

二　周囲の地面と接する位置の高低差が三メートルを超える建築物については、その接する位置のうち最も低い位置からの高さが三メートルを超えない範囲内で定めること。

三　周囲の地面と接する位置の高低差が三メートル以下の建築物については、その接する位置の平均の高さを超えない範囲内で定めること。

（容積率の算定の基礎となる延べ面積に昇降路の部分の床面積を算入しない昇降機）

第一三五条の一六　法第五十二条第六項第一号の政令で定める昇降機は、エレベーターとする。

（敷地内の空地の規模等）

第一三五条の一七　法第五十二条第八項第二号の政令で定める空地の規模は、次の表(い)欄に掲げる区分に応じて、当該建築物の敷地面積に同表(ろ)欄に掲げる数値を乗じて得た面積とする。ただし、地方公共団体は、土地利用の状況等を考慮し、条例で、同表(は)欄に掲げる数値の範囲内で、当該建築物の敷地面積に乗ずべき数値を別に定めることができる。

	(い)	(ろ)	(は)
(一)	法第五十三条の規定による建蔽率の最高限度（以下この表において「建蔽率限度」という。）が十分の四・五以下の場合	一から建蔽率限度を減じた数値に十分の一・五を加えた数値	一から建蔽率限度を減じた数値に十分の一・五を加えた数値を超え、十分の八・五以下の範囲
(二)	建蔽率限度が十分の四・五を超え、十分の五以下の場合		一から建蔽率限度を減じた数値に十分の一・五を加えた数値を超え、当該減じた数値に十分の三を加えた数値以下の範囲
(三)	建蔽率限度が十分の五を超え、十分の五・五以下の場合	十分の六・五	十分の六・五を超え、一から建蔽率限度を減じた数値に十分の三を加えた数値以下の範囲
(四)	建蔽率限度が十分の五・五を超える場合	一から建蔽率限度を減じた数値に十分の二を加えた数値	一から建蔽率限度を減じた数値に十分の二を加えた数値を超え、当該減じた数値に十分の三を加えた数値以下の範囲
(五)	建蔽率限度が定められていない場合	十分の二	十分の二を超え、十分の三以下の範囲

2　法第五十二条第八項第二号の政令で定める道路に接して有効な部分の規模は、前項の規定による空地の規模に二分の一を乗じて得たものとする。

3　法第五十二条第八項第二号の政令で定める敷地面積の規模は、次の表(い)欄に掲げる区分に応じて、同表(ろ)欄に掲げる数値とする。ただし、地方公共団体は、街区の形状、宅地の規模その他土地の状況により同欄に掲げる数値によることが不適当であると認める場合においては、条例で、同表(は)欄に掲げる数値の範囲内で、その規模を別に定めることができる。

	(い)	(ろ)	(は)
	地域	敷地面積の規模（単位　平方メートル）	条例で定めることができる敷地面積の規模（単位　平方メートル）
(一)	第一種住居地域、第二種住居地域、準住居地域又は準工業地域（高層住居誘導地区及び特定行政庁が都道府県都市計画審議会の議を経て指定する区域（以下この表において「高層住居誘導地区等」という。）を除く。）	二、〇〇〇	五〇〇以上四、〇〇〇未満
(二)	近隣商業地域（高層住居誘導地区等を除く。）又は商業地域（特定行政庁が都道府県都市計画審議会の議を経て指定する区域を除く。）	一、〇〇〇	五〇〇以上二、〇〇〇未満

備考
一　建築物の敷地がこの表(い)欄各項に掲げる地域とこれらの地域として指定されていない区域にわたる場合においては、その全部について、同欄各項に掲げる地域に関する同表の規定を適用する。
二　建築物の敷地がこの表(い)欄(一)の項に掲げる地域と同欄(二)の項に掲げる地域にわたる場合においては、その全部について、敷地の属する面積が大きい方の地域に関する同表の規定を適用する。

（容積率の制限について前面道路の幅員に加算する数値）

第一三五条の一八　法第五十二条第九項の政令で定める数値は、次の式によつて計算したものとする。

$$Wa=\frac{(12-Wr)(70-L)}{70}$$

この式において、Wa、Wr及びLは、それぞれ次の数値を表すものとする。

Wa　法第五十二条第九項の政令で定める数値（単位　メートル）
Wr　前面道路の幅員（単位　メートル）
L　法第五十二条第九項の特定道路からその建築物の敷地が接する前面道路の部分の直近の端までの延長（単位　メートル）

（容積率の算定に当たり建築物から除かれる部分）

第一三五条の一九　法第五十二条第十二項の政令で定める建築物の部分は、次に掲げるものとする。

一　ひさしその他これに類する建築物の部分で、次に掲げる要件に該当するもの
イ　高さが五メートル以下であること。
ロ　当該部分の水平投影の前面道路に面する長さを敷地の前面道路に接する部分の水平投影の長さで除した数値が五分の一以下であること。
ハ　当該部分から前面道路の境界線までの水平距離のうち最小のものが一メートル以上であること。
二　建築物の地盤面下の部分
三　道路に沿つて設けられる高さが二メートル以下の門又は塀（高さが一・二メートルを超えるものにあつては、当該一・二メートルを超える部分が網状その他これに類する形状であるものに限る。）
四　隣地境界線に沿つて設けられる高さが二メートル以下の門又は塀
五　歩廊、渡り廊下その他これらに類する建築物の部分で、特定行政庁がその地方の気候若しくは風土の特殊性又は土地の状況を考慮して規則で定めたもの

（耐火建築物と同等以上の延焼防止性能を有する建築物等）

第一三五条の二〇　法第五十三条第三項第一号イの政令で定める建築物は、次に掲げる要件に該当する建築物とする。

一　外壁の開口部で延焼のおそれのある部分に防火設備が設けられていること。
二　壁、柱、床その他の建築物の部分及び前号の防火設備が第百三十六条の二第一号ロに掲げる基準に適合し、かつ、法第六十一条第一項に規定する構造方法を用いるもの又は同項の規定による認定を受けたものであること。

2　前項の規定は、法第五十三条第三項第一号ロの政令で定める建築物につ

いて準用する。この場合において、前項第二号中「第百三十六条の二第一号ロ」とあるのは、「第百三十六条の二第二号ロ」と読み替えるものとする。

（建蔽率の制限の緩和に当たり建築物から除かれる部分）

第一三五条の二一　法第五十三条第四項の政令で定める建築物の部分は、次に掲げるものとする。

一　軒、ひさし、ぬれ縁及び国土交通省令で定める建築設備

二　建築物の地盤面下の部分

三　高さが二メートル以下の門又は塀

（第一種低層住居専用地域等内における外壁の後退距離に対する制限の緩和）

第一三五条の二二　法第五十四条第一項の規定により政令で定める場合は、当該地域に関する都市計画において定められた外壁の後退距離の限度に満たない距離にある建築物又は建築物の部分が次の各号のいずれかに該当する場合とする。

一　外壁又はこれに代わる柱の中心線の長さの合計が三メートル以下であること。

二　物置その他これに類する用途に供し、軒の高さが二・三メートル以下で、かつ、床面積の合計が五平方メートル以内であること。

（特例容積率の限度の指定の申請について同意を得るべき利害関係者）

第一三五条の二三　法第五十七条の二第二項の政令で定める利害関係を有する者は、所有権、対抗要件を備えた借地権（同条第一項に規定する借地権をいう。次条において同じ。）又は登記した先取特権、質権若しくは抵当権を有する者及びこれらの権利に関する仮登記、これらの権利に関する差押えの登記又はその土地に関する買戻しの特約の登記の登記名義人とする。

（特例容積率の限度の指定の取消しの申請について同意を得るべき利害関係者）

第一三五条の二四　法第五十七条の三第一項の政令で定める利害関係を有する者は、前条に規定する者（所有権又は借地権を有する者を除く。）とする。

（敷地内の空地及び敷地面積の規模）

第一三六条　法第五十九条の二第一項の規定により政令で定める空地は、法第五十三条の規定により建蔽率の最高限度が定められている場合においては、当該最高限度に応じて、当該空地の面積の敷地面積に対する割合が次の表に定める数値以上であるものとし、同条の規定により建蔽率の最高限度が定められていない場合においては、当該空地の面積の敷地面積に対する割合が十分の二以上であるものとする。

	法第五十三条の規定による建蔽率の最高限度	空地の面積の敷地面積に対する割合
(一)	十分の五以下の場合	一から法第五十三条の規定による建蔽率の最高限度を減じた数値に十分の一・五を加えた数値
(二)	十分の五を超え、十分の五・五以下の場合	十分の六・五
(三)	十分の五・五を超える場合	一から法第五十三条の規定による建蔽率の最高限度を減じた数値に十分の二を加えた数値

2　法第五十九条の二第一項の規定によりその各部分の高さのみを法第五十五条第一項又は法第五十六条の規定による限度を超えるものとする建築物に対する前項の規定の適用については、同項中「十分の二」とあるのは「十分の一・五」と、「十分の一・五」とあるのは「十分の一」と、「十分の六・五」とあるのは「十分の六」とする。

3　法第五十九条の二第一項の規定により政令で定める規模は、次の表の(い)欄に掲げる区分に応じて、同表(ろ)欄に掲げる数値とする。ただし、特定行政庁は、街区の形状、宅地の規模その他土地の状況により同欄に掲げる数値によることが不適当であると認める場合においては、規則で、同表(は)欄に掲げる数値の範囲内で、その規模を別に定めることができる。

	(い)	(ろ)	(は)
	地域又は区域	敷地面積の規模（単位　平方メートル）	規則で定めることができる敷地面積の規模（単位　平方メートル）
(一)	第一種低層住居専用地域、第二種低層住居専用地域又は田園住居地域	三、〇〇〇	一、〇〇〇以上三、〇〇〇未満
(二)	第一種中高層住居専用地域、第二種中高層住居専用地域、第一種住居地域、第二種住居地域、準住居地域、準工業地域、工業地域又は工業専用地域	二、〇〇〇	五〇〇以上二、〇〇〇未満
(三)	近隣商業地域又は商業地域	一、〇〇〇	五〇〇以上一、〇〇〇未満
(四)	用途地域の指定のない区域	二、〇〇〇	一、〇〇〇以上二、〇〇〇未満

第七章の二　防火地域又は準防火地域内の建築物

（防火地域又は準防火地域内の建築物の壁、柱、床その他の部分及び防火設備の性能に関する技術的基準）

第一三六条の二　法第六十一条第一項の政令で定める技術的基準は、次の各号に掲げる建築物の区分に応じ、当該各号に定めるものとする。

一　防火地域内にある建築物で階数が三以上のもの若しくは延べ面積が百平方メートルを超えるもの又は準防火地域内にある建築物で地階を除く階数が四以上のもの若しくは延べ面積が千五百平方メートルを超えるもの　次のイ又はロのいずれかに掲げる基準

イ　特定主要構造部が第百七条各号又は第百八条の四第一項第一号イ及びロに掲げる基準に適合し、かつ、外壁開口部設備（外壁の開口部で延焼のおそれのある部分に設ける防火設備をいう。以下この条において同じ。）が第百九条の二に規定する基準に適合するものであること。ただし、準防火地域内にある建築物で法第八十六条の四各号のいずれかに該当するものの外壁開口部設備については、この限りでない。

ロ　当該建築物の特定主要構造部、防火設備及び消火設備の構造に応じて算出した延焼防止時間（建築物が通常の火災による周囲への延焼を防止することができる時間をいう。以下この条において同じ。）が、当該建築物の特定主要構造部及び外壁開口部設備がイに掲げる基準に適合すると仮定した場合における当該特定主要構造部及び外壁開口部設備の構造に応じて算出した延焼防止時間以上であること。

二　防火地域内にある建築物のうち階数が二以下で延べ面積が百平方メートル以下のもの又は準防火地域内にある建築物のうち地階を除く階数が三で延べ面積が千五百平方メートル以下のもの若しくは地階を除く階数が二以下で延べ面積が五百平方メートルを超え千五百平方メートル以下のもの　次のイ又はロのいずれかに掲げる基準

イ　主要構造部が第百七条の二各号又は第百九条の三第一号若しくは第二号に掲げる基準に適合し、かつ、外壁開口部設備が前号イに掲げる基準（外壁開口部設備に係る部分に限る。）に適合するものであること。

ロ　当該建築物の主要構造部、防火設備及び消火設備の構造に応じて算出した延焼防止時間が、当該建築物の主要構造部及び外壁開口部設備がイに掲げる基準に適合すると仮定した場合における当該主要構造部及び外壁開口部設備の構造に応じて算出した延焼防止時間以上であること。

三　準防火地域内にある建築物のうち地階を除く階数が二以下で延べ面積が五百平方メートル以下のもの（木造建築物等に限る。）　次のイ又はロのいずれかに掲げる基準

イ　外壁及び軒裏で延焼のおそれのある部分が第百八条各号に掲げる基準に適合し、かつ、外壁開口部設備に建築物の周囲において発生する通常の火災による火熱が加えられた場合に、当該外壁開口部設備が加

熱開始後二十分間当該加熱面以外の面（屋内に面するものに限る。）に火炎を出さないものであること。ただし、法第八十六条の四各号のいずれかに該当する建築物の外壁開口部設備については、この限りでない。

ロ　当該建築物の主要構造部、防火設備及び消火設備の構造に応じて算出した延焼防止時間が、当該建築物の外壁及び軒裏で延焼のおそれのある部分並びに外壁開口部設備（以下このロにおいて「特定外壁部分等」という。）がイに掲げる基準に適合すると仮定した場合における当該特定外壁部分等の構造に応じて算出した延焼防止時間以上であること。

四　準防火地域内にある建築物のうち地階を除く階数が二以下で延べ面積が五百平方メートル以下のもの（木造建築物等を除く。）　次のイ又はロのいずれかに掲げる基準

イ　外壁開口部設備が前号イに掲げる基準（外壁開口部設備に係る部分に限る。）に適合するものであること。

ロ　当該建築物の主要構造部、防火設備及び消火設備の構造に応じて算出した延焼防止時間が、当該建築物の外壁開口部設備がイに掲げる基準に適合すると仮定した場合における当該外壁開口部設備の構造に応じて算出した延焼防止時間以上であること。

五　高さ二メートルを超える門又は塀で、防火地域内にある建築物に附属するもの又は準防火地域内にある木造建築物等に附属するもの　延焼防止上支障のない構造であること。

（防火地域又は準防火地域内の建築物の屋根の性能に関する技術的基準）

第一三六条の二の二　法第六十二条の政令で定める技術的基準は、次に掲げるもの（不燃性の物品を保管する倉庫その他これに類するものとして国土交通大臣が定める用途に供する建築物又は建築物の部分で、市街地における通常の火災による火の粉が屋内に到達した場合に建築物の火災が発生するおそれのないものとして国土交通大臣が定めた構造方法を用いるものの屋根にあつては、第一号に掲げるもの）とする。

一　屋根が、市街地における通常の火災による火の粉により、防火上有害な発炎をしないものであること。

二　屋根が、市街地における通常の火災による火の粉により、屋内に達する防火上有害な溶融、亀裂その他の損傷を生じないものであること。

第一三六条の二の三　削除

第七章の二の二　特定防災街区整備地区内の建築物

（建築物の防災都市計画施設に係る間口率及び高さの算定）

第一三六条の二の四　法第六十七条第六項に規定する建築物の防災都市計画施設に係る間口率の算定の基礎となる次の各号に掲げる長さの算定方法は、当該各号に定めるところによる。

一　防災都市計画施設に面する部分の長さ　建築物の周囲の地面に接する外壁又はこれに代わる柱の面で囲まれた部分の水平投影の防災都市計画施設に面する長さによる。

二　敷地の防災都市計画施設に接する部分の長さ　敷地の防災都市計画施設に接する部分の水平投影の長さによる。

2　法第六十七条第六項に規定する建築物の高さの算定については、建築物の防災都市計画施設に面する方向の鉛直投影の各部分（同項に規定する建築物の防災都市計画施設に係る間口率の最低限度を超える部分を除く。）の防災都市計画施設と敷地との境界線からの高さによる。

第七章の三　地区計画等の区域

（地区計画等の区域内において条例で定める制限）

第一三六条の二の五　法第六十八条の二第一項の規定に基づく条例による制限は、次の各号に掲げる事項で地区計画等の内容として定められたものについて、それぞれ当該各号に適合するものでなければならない。

一　建築物の用途の制限　次に掲げるものであること。

イ　地区計画の区域（再開発等促進区及び開発整備促進区を除く。）にあつては、当該区域の用途構成の適正化、各街区ごとの住居の環境の保持、商業その他の業務の利便の増進その他適正な土地利用の確保及び都市機能の増進による良好な環境の街区の形成に貢献する合理的な制限であることが明らかなもの

ロ　地区計画の区域のうち再開発等促進区又は開発整備促進区にあつては、当該再開発等促進区又は開発整備促進区にふさわしい良好な住居の環境の確保、商業その他の業務の利便の増進その他適正な土地利用の確保及び都市機能の増進に貢献する合理的な制限であることが明らかなもの

ハ　防災街区整備地区計画の区域にあつては、当該区域にふさわしい良好な住居の環境の確保、商業その他の業務の利便の増進その他適正な土地利用の確保及び都市機能の増進に貢献し、かつ、当該区域における特定防災機能（密集市街地における防災街区の整備の促進に関する法律（平成九年法律第四十九号）第二条第三号に規定する特定防災機能をいう。次項において同じ。）を確保する観点から見て合理的な制限であることが明らかなもの

ニ　歴史的風致維持向上地区計画の区域にあつては、当該区域にふさわしい良好な住居の環境の確保、商業その他の業務の利便の増進その他適正な土地利用の確保及び都市機能の増進に貢献し、かつ、当該区域における歴史的風致（地域における歴史的風致の維持及び向上に関する法律（平成二十年法律第四十号）第一条に規定する歴史的風致をいう。）の維持及び向上を図る観点から見て合理的な制限であることが明らかなもの

ホ　沿道地区計画の区域にあつては、商業その他幹線道路の沿道としての当該区域の特性にふさわしい業務の利便の増進その他適正な土地利用の確保及び都市機能の増進に貢献し、かつ、道路交通騒音により生ずる障害を防止する観点から見て合理的な制限であることが明らかなもの

ヘ　集落地区計画の区域にあつては、当該区域の特性にふさわしい良好な住居の環境の保持その他適正な土地利用の確保に貢献する合理的な制限であることが明らかなもの

二　建築物の容積率の最高限度　十分の五以上の数値であること。

三　建築物の建蔽率の最高限度　十分の三以上の数値であること。

四　建築物の敷地面積の最低限度　次に掲げるものであること。

イ　地区計画等（集落地区計画を除く。）の区域にあつては、建築物の敷地が細分化されることにより、又は建築物が密集することにより、住宅その他の建築物の敷地内に必要とされる空地の確保又は建築物の安全、防火若しくは衛生の目的を達成することが著しく困難となる区域について、当該区域の良好な住居の環境の確保その他市街地の環境の維持増進に貢献する合理的な数値であること。

ロ　集落地区計画の区域にあつては、建築物の敷地が細分化されることにより、住宅その他の建築物の敷地内に必要とされる空地の確保又は建築物の安全、防火若しくは衛生の目的を達成することが著しく困難となる区域について、当該集落地区計画の区域の特性にふさわしい良好な住居の環境の保持その他適正な土地利用の確保に貢献する合理的な数値であること。

五　壁面の位置の制限　建築物の壁若しくはこれに代わる柱の位置の制限又は当該制限と併せて定められた建築物に附属する門若しくは塀で高さ二メートルを超えるものの位置の制限であること。

六　建築物の高さの最高限度　地階を除く階数が二である建築物の通常の高さを下回らない数値であること。

七　建築物の高さの最低限度、建築物の容積率の最低限度及び建築物の建築面積の最低限度　商業その他の業務又は住居の用に供する中高層の建築物を集合して一体的に整備すべき区域その他の土地の合理的かつ健全な高度利用を図るべき区域について、当該区域の高度利用を促進するに足りる合理的な数値であること。

八　建築物の敷地の地盤面の高さの最低限度及び建築物の居室の床面の高さの最低限度　洪水、雨水出水（水防法（昭和二十四年法律第百九十三号）第二条第一項に規定する雨水出水をいう。）、津波又は高潮が発生した場合には建築物が損壊し、又は浸水し、住民その他の者の生命、身体又は財産に著しい被害（以下この号において「洪水等による被害」という。）が生ずるおそれがあると認められる土地の区域について、当該区域における洪水等による被害を防止し、又は軽減する観点から見て合理的な数値であること。

九　建築物の形態又は意匠の制限　地区計画等の区域（景観法（平成十六年法律第百十号）第七十六条第一項の規定に基づく条例の規定による制限が行われている区域を除く。）内に存する建築物に関して、その屋根

又は外壁の形態又は意匠をその形状又は材料によつて定めた制限であること。

十　垣又は柵の構造の制限　建築物に附属する門又は塀の構造をその高さ、形状又は材料によつて定めた制限であること。

十一　建築物の建築の限界　都市計画法第十二条の十一に規定する道路の整備上合理的に必要な建築の限界であること。

十二　建築物の特定地区防災施設（密集市街地における防災街区の整備の促進に関する法律第三十二条第二項第一号に規定する特定地区防災施設をいう。以下この条において同じ。）に面する部分の長さの敷地の当該特定地区防災施設に接する部分の長さに対する割合（以下この条において「特定地区防災施設に係る間口率」という。）の最低限度　十分の七以上十分の九以下の範囲内の数値であること。

十三　建築物の構造に関する防火上必要な制限　次に掲げるものであること。

イ　特定建築物地区整備計画の区域内に存する建築物に関して、次の(1)及び(2)に掲げる構造としなければならないとされるものであること。

(1)　耐火建築物等（法第五十三条第三項第一号イに規定する耐火建築物等をいう。ロにおいて同じ。）又は準耐火建築物等（同号ロに規定する準耐火建築物等をいう。ロにおいて同じ。）であること。

(2)　その敷地が特定地区防災施設に接する建築物（特定地区防災施設に係る間口率の最低限度を超える部分を除く。）の当該特定地区防災施設の当該敷地との境界線からの高さ（次項において「特定地区防災施設からの高さ」という。）が五メートル未満の範囲は、空隙のない壁が設けられていることその他の防火上有効な構造であること。

ロ　防災街区整備地区整備計画の区域内に存する建築物に関して、(1)に掲げる構造としなければならないとされるものであること又は耐火建築物等及び準耐火建築物等以外の建築物については次の(2)及び(3)に掲げる構造としなければならないとされるものであること。

(1)　耐火建築物等又は準耐火建築物等であること。

(2)　その屋根が不燃材料で造られ、又はふかれたものであること。

(3)　当該建築物が木造建築物である場合にあつては、その外壁及び軒裏で延焼のおそれのある部分が防火構造であること。

十四　建築物の沿道整備道路（幹線道路の沿道の整備に関する法律（昭和五十五年法律第三十四号）第二条第二号に規定する沿道整備道路をいう。以下この条において同じ。）に面する部分の長さの敷地の沿道整備道路に接する部分の長さに対する割合（以下この条において「沿道整備道路に係る間口率」という。）の最低限度　十分の七以上十分の九以下の範囲内の数値であること。

十五　建築物の構造に関する遮音上必要な制限　その敷地が沿道整備道路に接する建築物（沿道整備道路に係る間口率の最低限度を超える部分を除く。）の沿道整備道路の路面の中心からの高さが五メートル未満の範囲は、空隙のない壁が設けられたものとすることその他の遮音上有効な構造としなければならないとされるものであること。

十六　建築物の構造に関する防音上必要な制限　学校、病院、診療所、住宅、寄宿舎、下宿その他の静穏を必要とする建築物で、道路交通騒音により生ずる障害を防止し、又は軽減するため、防音上有効な構造とする必要があるものの居室及び居室との間に区画となる間仕切壁又は戸（ふすま、障子その他これらに類するものを除く。）がなく当該居室と一体とみなされる建築物の部分の窓、出入口、排気口、給気口、排気筒、給気筒、屋根及び壁で、直接外気に接するものに関して、次のイからハまでに掲げる構造としなければならないとされるものであること。

イ　窓及び出入口は、閉鎖した際防音上有害な空隙が生じないものであり、これらに設けられる戸は、ガラスの厚さ（当該戸が二重以上になつている場合は、それぞれの戸のガラスの厚さの合計）が〇・五センチメートル以上であるガラス入りの金属製のもの又はこれと防音上同等以上の効果のあるものであること。

ロ　排気口、給気口、排気筒及び給気筒は、開閉装置を設けることその他の防音上効果のある措置を講じたものであること。

ハ　屋根及び壁は、防音上有害な空隙のないものであるとともに、防音上支障がない構造のものであること。

2　法第六十八条の二第一項の規定に基づく条例で建築物の高さの最低限度に係る制限を定める場合において防災街区整備地区計画の区域における特定防災機能の確保の観点から必要があるときは、前項の規定にかかわらず、特定建築物地区整備計画の内容として定められたその敷地が特定地区防災施設に接する建築物に係る当該建築物の特定地区防災施設に面する方向の鉛直投影の各部分（特定地区防災施設に係る間口率の最低限度を超える部分を除く。）の特定地区防災施設からの高さの最低限度が五メートルとされる制限（同項第七号に規定する区域については、当該制限及び同号の建築物の高さの最低限度の数値に係る制限）を定めることができる。

3　法第六十八条の二第一項の規定に基づく条例で建築物の高さの最低限度に係る制限を定める場合において遮音上の観点から必要があるときは、第一項の規定にかかわらず、沿道地区計画の内容として定められたその敷地が沿道整備道路に接する建築物に係る当該建築物の沿道整備道路に面する方向の鉛直投影の各部分（沿道整備道路に係る間口率の最低限度を超える部分を除く。）の沿道整備道路の路面の中心からの高さの最低限度が五メートルとされる制限（同項第七号に規定する区域については、当該制限及び同号の建築物の高さの最低限度の数値に係る制限）を定めることができる。

4　特定地区防災施設に係る間口率及び沿道整備道路に係る間口率の算定については、次の各号に掲げる長さの算定方法は、それぞれ当該各号に定めるところによる。

一　建築物の特定地区防災施設に面する部分の長さ　建築物の周囲の地面に接する外壁又はこれに代わる柱の面で囲まれた部分の水平投影の特定地区防災施設に面する長さによる。

二　敷地の特定地区防災施設に接する部分の長さ　敷地の特定地区防災施設に接する部分の水平投影の長さによる。

三　建築物の沿道整備道路に面する部分の長さ　建築物の周囲の地面に接する外壁又はこれに代わる柱の面で囲まれた部分の水平投影の沿道整備道路に面する長さによる。

四　敷地の沿道整備道路に接する部分の長さ　敷地の沿道整備道路に接する部分の水平投影の長さによる。

5　建築物の容積率の最高限度若しくは最低限度又は建築物の建蔽率の最高限度の算定に当たつては、同一敷地内に二以上の建築物がある場合においては、建築物の延べ面積又は建築面積は、当該建築物の延べ面積又は建築面積の合計とする。

6　特定建築物地区整備計画の区域内において法第六十八条の二第一項の規定に基づく条例で第一項第十二号若しくは第十三号の制限又は第二項に規定する高さの最低限度が五メートルとされる制限を定めようとするときは、これらを全て定めるものとする。

7　前項の場合においては、当該条例に、建築物の敷地の地盤面が特定地区防災施設の当該敷地との境界線より低い建築物について第二項に規定する高さの最低限度が五メートルとされる制限を適用した結果、当該建築物の高さが地階を除く階数が二である建築物の通常の高さを超えるものとなる場合における前項に規定する制限（第一項第十三号の制限で同号イ(1)に掲げるものを除く。）の適用の除外に関する規定を定めるものとする。

8　沿道地区計画の区域内において法第六十八条の二第一項の規定に基づく条例で第一項第十四号若しくは第十五号の制限又は第三項に規定する高さの最低限度が五メートルとされる制限を定めようとするときは、これらを全て定めるものとする。

9　前項の場合においては、当該条例に、建築物の敷地の地盤面が沿道整備道路の路面の中心より低い建築物について第三項に規定する高さの最低限度が五メートルとされる制限を適用した結果、当該建築物の高さが地階を除く階数が二である建築物の通常の高さを超えるものとなる場合における前項に規定する制限の適用の除外に関する規定を定めるものとする。

10　法第六十八条の二第一項の規定に基づく条例については、第百三十条の二第二項の規定を準用する。この場合において、同項中「第三条第二項」とあるのは、「第三条第二項（法第八十六条の九第一項において準用する場合を含む。）」と読み替えるものとする。

11　法第六十八条の二第一項の規定に基づく条例で建築物の敷地面積の最低限度に関する制限を定める場合においては、当該条例に、法第八十六条の九第一項各号に掲げる事業の施行による建築物の敷地面積の減少により、当該事業の施行の際現に建築物の敷地として使用されている土地で当該制限に適合しなくなるもの及び当該事業の施行の際現に存する所有権その他の権利に基づいて建築物の敷地として使用するならば当該制限に適合しないこととなる土地のうち、次に掲げる土地以外のものについて、その全部を一の敷地として使用する場合の適用の除外に関する規定を定めるものとする。

一　法第八十六条の九第一項各号に掲げる事業の施行により面積が減少した際、当該面積の減少がなくとも建築物の敷地面積の最低限度に関する制限に違反していた建築物の敷地及び所有権その他の権利に基づいて建築物の敷地として使用するならば当該制限に違反することとなつた土地

二　当該条例で定める建築物の敷地面積の最低限度に関する制限に適合するに至つた建築物の敷地及び所有権その他の権利に基づいて建築物の敷地として使用するならば当該制限に適合することとなるに至つた土地

12　法第六十八条の二第一項の規定に基づく条例には、市町村長が、公益上必要な建築物で用途上又は構造上やむを得ないと認めて許可したもの及び防災街区整備地区計画の内容として防火上の制限が定められた建築物又は沿道地区計画の内容として防音上若しくは遮音上の制限が定められた建築物でその位置、構造、用途等の特殊性により防火上又は防音上若しくは遮音上支障がないと認めて許可したものについて、当該条例に定める制限の全部又は一部の適用の除外に関する規定を定めるものとする。

（再開発等促進区等内において高さの制限の緩和を受ける建築物の敷地面積の規模）

第一三六条の二の六　法第六十八条の三第三項の政令で定める規模は、三百平方メートルとする。

（予定道路の指定の基準）

第一三六条の二の七　法第六十八条の七第一項に規定する予定道路の指定は、次に掲げるところに従い、行うものとする。

一　予定道路となる土地の区域及びその周辺の地域における地形、土地利用の動向、道路（法第四十二条に規定する道路をいう。第百四十四条の四において同じ。）の整備の現状及び将来の見通し、建築物の敷地境界線、建築物の位置等を考慮して特に必要なものについて行うこと。

二　予定道路となる土地の区域内に建築物の建築等が行われることにより、通行上、安全上、防火上又は衛生上地区計画等の区域の利便又は環境が著しく妨げられることとなる場合において行うこと。

三　幅員が四メートル以上となるものについて行うこと。

（予定道路の指定について同意を得るべき利害関係者）

第一三六条の二の八　法第六十八条の七第一項第一号の政令で定める利害関係を有する者は、同号の土地について所有権、建築物の所有を目的とする対抗要件を備えた地上権若しくは賃借権又は登記した先取特権、質権若しくは抵当権を有する者及びこれらの権利に関する仮登記、これらの権利に関する差押えの登記又はその土地に関する買戻しの特約の登記の登記名義人とする。

第七章の四　都市計画区域及び準都市計画区域以外の区域内の建築物の敷地及び構造

（都道府県知事が指定する区域内の建築物に係る制限）

第一三六条の二の九　法第六十八条の九第一項の規定に基づく条例による制限は、次の各号に掲げる事項のうち必要なものについて、それぞれ当該各号に適合するものでなければならない。

一　建築物又はその敷地と道路との関係　法第四十三条から第四十五条までの規定による制限より厳しいものでないこと。

二　建築物の容積率の最高限度　用途地域の指定のない区域内の建築物についての法第五十二条の規定による制限より厳しいものでないこと。

三　建築物の建蔽率の最高限度　用途地域の指定のない区域内の建築物についての法第五十三条の規定による制限より厳しいものでないこと。

四　建築物の高さの最高限度　地階を除く階数が二である建築物の通常の高さを下回らない数値であること。

五　建築物の各部分の高さの最高限度　用途地域の指定のない区域内の建築物についての法第五十六条の規定による制限より厳しいものでないこと。

六　日影による中高層の建築物の高さの制限　用途地域の指定のない区域内の建築物についての法第五十六条の二の規定による制限より厳しいものでないこと。

2　法第六十八条の九第一項の規定に基づく条例については、第百三十条の二第二項の規定を準用する。この場合において、同項中「第三条第二項」とあるのは、「第三条第二項（法第八十六条の九第一項において準用する場合を含む。）」と読み替えるものとする。

3　法第六十八条の九第一項の規定に基づく条例には、公益上必要な建築物で用途上又は構造上やむを得ないと認められるものについて、当該条例に定める制限の全部又は一部の適用の除外に関する規定を定めるものとする。

（準景観地区内の建築物に係る制限）

第一三六条の二の一〇　法第六十八条の九第二項の規定に基づく条例による制限は、次の各号に掲げる事項のうち必要なものについて、それぞれ当該各号に適合するものでなければならない。

一　建築物の高さの最高限度　地域の特性に応じた高さを有する建築物を整備し又は保全することが良好な景観の保全を図るために特に必要と認められる区域、当該地域が連続する山の稜線その他その背景と一体となつて構成している良好な景観を保全するために特に必要と認められる区域その他一定の高さを超える建築物の建築を禁止することが良好な景観の保全を図るために特に必要と認められる区域について、当該区域における良好な景観の保全に貢献する合理的な数値であり、かつ、地階を除く階数が二である建築物の通常の高さを下回らない数値であること。

二　建築物の高さの最低限度　地域の特性に応じた高さを有する建築物を整備し又は保全することが良好な景観の保全を図るために特に必要と認められる区域について、当該区域における良好な景観の保全に貢献する合理的な数値であること。

三　壁面の位置の制限　建築物の位置を整えることが良好な景観の保全を図るために特に必要と認められる区域について、当該区域における良好な景観の保全に貢献する合理的な制限であり、かつ、建築物の壁若しくはこれに代わる柱の位置の制限又は当該制限と併せて定められた建築物に附属する門若しくは塀で高さ二メートルを超えるものの位置の制限であること。

四　建築物の敷地面積の最低限度　建築物の敷地が細分化されることを防止することが良好な景観の保全を図るために特に必要と認められる区域について、当該区域における良好な景観の保全に貢献する合理的な数値であること。

2　法第六十八条の九第二項の規定に基づく条例で建築物の敷地面積の最低限度を定める場合においては、当該条例に、当該条例の規定の施行又は適用の際、現に建築物の敷地として使用されている土地で当該規定に適合しないもの及び現に存する所有権その他の権利に基づいて建築物の敷地として使用するならば当該規定に適合しないこととなる土地について、その全部を一の敷地として使用する場合の適用の除外に関する規定（法第三条第三項第一号及び第五号の規定に相当する規定を含む。）を定めるものとする。

3　法第六十八条の九第二項の規定に基づく条例については、第百三十条の二第二項、第百三十六条の二の五第十一項及び前条第三項の規定を準用する。

第七章の五　型式適合認定等

（型式適合認定の対象とする建築物の部分及び一連の規定）

第一三六条の二の一一　法第六十八条の十第一項に規定する政令で定める建築物の部分は、次の各号に掲げる建築物の部分とし、同項に規定する政令で定める一連の規定は、当該各号に定める規定とする。

一　建築物の部分で、門、塀、改良便槽、屎尿浄化槽及び合併処理浄化槽並びに給水タンク及び貯水タンクその他これらに類するもの（屋上又は屋内にあるものを除く。）以外のもの　次のいずれかに掲げる規定

イ　次に掲げる全ての規定

(1)　法第二十条（第一項第一号後段、第二号イ後段及び第三号イ後段に係る部分に限る。）、法第二十一条から法第二十三条まで、法第二十五条から法第二十七条まで、法第二十八条の二（第三号を除く。）、法第二十九条、法第三十条、法第三十五条の二、法第三十五条の三、法第三十七条、法第三章第五節（法第六十一条第一項中門及び塀に係る部分、法第六十四条並びに法第六十六条を除く。）、法第六十七条第一項（門及び塀に係る部分を除く。）及び法第八十四条の二の規定

(2)　第二章（第一節、第一節の二、第二十条の八及び第四節を除く。）、第三章（第五十二条第一項、第六十一条、第六十二条の八、第七十四条第二項、第七十五条、第七十六条及び第八十条の三を除き、第八十条の二にあつては国土交通大臣が定めた安全上必要な技術的基準のうちその指定する基準に係る部分に限る。）、第四章（第百十五条を除く。）、第五章（第三節、第四節及び第六節を除く。）、第五章の二、第五章の三、第七章の二及び第七章の九の規定

ロ　次に掲げる全ての規定

(1)　イ(1)に掲げる規定並びに法第二十八条（第一項を除く。）、法第二十八条の二第三号、法第三十一条第一項、法第三十三条及び法第三十四条の規定

(2)　イ(2)に掲げる規定並びに第二章第一節の二、第二十条の八、第二十八条から第三十条まで、第百十五条、第五章第三節及び第四節並びに第五章の四（第百二十九条の二の四第三項第三号を除き、第百二十九条の二の三第二号及び第百二十九条の二の四第二項第六号にあつては国土交通大臣が定めた構造方法のうちその指定する構造方法に係る部分に限る。）の規定

二　次の表の建築物の部分の欄の各項に掲げる建築物の部分　同表の一連の規定の欄の当該各項に掲げる規定（これらの規定中建築物の部分の構造に係る部分に限る。）

	建築物の部分	一連の規定
(一)	防火設備	イ　法第二条第九号の二ロ、法第二十七条第一項、法第二十八条の二（第三号を除く。）及び法第三十七条の規定 ロ　第百九条第一項、第百九条の二、第百十条の三、第百十二条第一項、第十二項ただし書、第十九項及び第二十一項、第百十四条第五項、第百三十六条の二第三号イ並びに第百三十七条の十第一号ロ(4)の規定
(二)	換気設備	イ　法第二十八条の二及び法第三十七条の規定 ロ　第二十条の八第一項第一号（国土交通大臣が定めた構造方法のうちその指定する構造方法に係る部分に限る。）の規定
(三)	屎尿浄化槽	イ　法第二十八条の二（第三号を除く。）、法第三十一条第二項及び法第三十七条の規定 ロ　第三十二条及び第百二十九条の二の三第二号（国土交通大臣が定めた構造方法のうちその指定する構造方法に係る部分に限る。）の規定
(四)	合併処理浄化槽	イ　法第二十八条の二（第三号を除く。）及び法第三十七条の規定 ロ　第三十二条、第三十五条第一項及び第百二十九条の二の三第二号（国土交通大臣が定めた構造方法のうちその指定する構造方法に係る部分に限る。）の規定
(五)	非常用の照明装置	イ　法第二十八条の二（第三号を除く。）、法第三十五条及び法第三十七条の規定 ロ　第百二十六条の五の規定
(六)	給水タンク又は貯水タンク	イ　法第二十八条の二（第三号を除く。）及び法第三十七条の規定 ロ　第百二十九条の二の三第二号（国土交通大臣が定めた構造方法のうちその指定する構造方法に係る部分に限る。）並びに第百二十九条の二の四第一項第四号及び第五号並びに第二項第二号、第三号、第五号及び第六号（国土交通大臣が定めた構造方法のうちその指定する構造方法に係る部分に限る。）の規定
(七)	冷却塔設備	イ　法第二十八条の二（第三号を除く。）及び法第三十七条の規定 ロ　第百二十九条の二の三第二号（国土交通大臣が定めた構造方法のうちその指定する構造方法に係る部分に限る。）及び第百二十九条の二の六（第二号を除く。）の規定
(八)	エレベーターの部分で昇降路及び機械室以外のもの	イ　法第二十八条の二（第三号を除く。）及び法第三十七条の規定 ロ　第百二十九条の三、第百二十九条の四（第三項第七号を除く。）、第百二十九条の五、第百二十九条の六、第百二十九条の八、第百二十九条の十、第百二十九条の十一並びに第百二十九条の十三の三第六項から第十一項まで及び第十二項（国土交通大臣が定める構造方法のうちその指定する構造方法に係る部分に限る。）の規定
(九)	エスカレーター	イ　法第二十八条の二（第三号を除く。）及び法第三十七条の規定 ロ　第百二十九条の三及び第百二十九条の十二（第一項第一号及び第六号を除く。）の規定
(十)	避雷設備	イ　法第二十八条の二（第三号を除く。）及び法第三十七条の規定 ロ　第百二十九条の十五の規定

（型式部材等製造者等に係る認証の有効期間）

第一三六条の二の一二　法第六十八条の十四第一項（法第六十八条の二十二第二項において準用する場合を含む。）（これらの規定を法第八十八条第一項において準用する場合を含む。）の政令で定める期間は、五年とする。

（認証外国型式部材等製造者の工場等における検査等に要する費用の負担）

第一三六条の二の一三　法第六十八条の二十三第四項（法第八十八条第一項において準用する場合を含む。）の政令で定める費用は、法第十五条の二第一項の規定による検査又は試験のため同項の職員がその検査又は試験に係る工場、営業所、事務所、倉庫その他の事業場の所在地に出張をするのに要する旅費の額に相当するものとする。この場合において、その出張をする職員を二人とし、その旅費の額の計算に関し必要な細目は、国土交通省令で定める。

第七章の六　指定確認検査機関等

（親会社等）

第一三六条の二の一四　法第七十七条の十九第十一号の政令で定める者は、法第七十七条の十八第一項又は法第七十七条の三十五の二第一項に規定する指定を受けようとする者に対して、それぞれ次のいずれかの関係（次項において「特定支配関係」という。）を有する者とする。

一　その総株主（株主総会において決議をすることができる事項の全部につき議決権を行使することができない株主を除く。）又は総出資者の議決権の三分の一を超える数を有していること。

二　その役員（理事、取締役、執行役、業務を執行する社員又はこれらに準ずる者をいう。以下この項において同じ。）に占める自己の役員又は職員（過去二年間に役員又は職員であつた者を含む。次号において同じ。）の割合が三分の一を超えていること。

三　その代表権を有する役員の地位を自己又はその役員若しくは職員が占めていること。

2　ある者に対して特定支配関係を有する者に対して特定支配関係を有する者は、その者に対して特定支配関係を有する者とみなして、この条の規定を適用する。

（指定確認検査機関に係る指定の有効期間）

第一三六条の二の一五　法第七十七条の二十三第一項の政令で定める期間は、五年とする。

（指定構造計算適合性判定機関に係る指定の有効期間）

第一三六条の二の一六　法第七十七条の三十五の七第一項の政令で定める期間は、五年とする。

（指定認定機関等に係る指定等の有効期間）

第一三六条の二の一七　法第七十七条の四十一第一項（法第七十七条の五十四第二項、法第七十七条の五十六第二項又は法第七十七条の五十七第二項において準用する場合を含む。）の政令で定める期間は、五年とする。

（承認認定機関等の事務所における検査に要する費用の負担）

第一三六条の二の一八　法第七十七条の五十五第三項（法第七十七条の五十七第二項において準用する場合を含む。）の政令で定める費用は、法第七十七条の五十四第二項（承認性能評価機関にあつては、法第七十七条の五十七第二項）において準用する法第七十七条の四十九第一項の検査のため同項の職員がその検査に係る事務所の所在地に出張をするのに要する旅費の額に相当するものとする。この場合において、その出張をする職員を二人とし、その旅費の額の計算に関し必要な細目は、国土交通省令で定める。

第七章の七　建築基準適合判定資格者等の登録手数料

第一三六条の二の一九　法第七十七条の六十五の政令で定める手数料の額は、一万五千円とする。

2　法第七十七条の六十六第二項において準用する法第七十七条の六十五の政令で定める手数料の額は、一万二千円とする。

第七章の八　工事現場の危害の防止

（仮囲い）

第一三六条の二の二〇　木造の建築物で高さが十三メートル若しくは軒の高さが九メートルを超えるもの又は木造以外の建築物で二以上の階数を有するものについて、建築、修繕、模様替又は除却のための工事（以下この章において「建築工事等」という。）を行う場合においては、工事期間中工事現場の周囲にその地盤面（その地盤面が工事現場の周辺の地盤面より低い場合においては、工事現場の周辺の地盤面）からの高さが一・八メートル以上の板塀その他これに類する仮囲いを設けなければならない。ただし、これらと同等以上の効力を有する他の囲いがある場合又は工事現場の周辺若しくは工事の状況により危害防止上支障がない場合においては、この限りでない。

（根切り工事、山留め工事等を行う場合の危害の防止）

第一三六条の三　建築工事等において根切り工事、山留め工事、ウエル工事、ケーソン工事その他基礎工事を行なう場合においては、あらかじめ、地下に埋設されたガス管、ケーブル、水道管及び下水道管の損壊による危害の発生を防止するための措置を講じなければならない。

2　建築工事等における地階の根切り工事その他の深い根切り工事（これに伴う山留め工事を含む。）は、地盤調査による地層及び地下水の状況に応じて作成した施工図に基づいて行なわなければならない。

3　建築工事等において建築物その他の工作物に近接して根切り工事その他土地の掘削を行なう場合においては、当該工作物の基礎又は地盤を補強して構造耐力の低下を防止し、急激な排水を避ける等その傾斜又は倒壊による危害の発生を防止するための措置を講じなければならない。

4　建築工事等において深さ一・五メートル以上の根切り工事を行なう場合においては、地盤が崩壊するおそれがないとき、及び周辺の状況により危害防止上支障がないときを除き、山留めを設けなければならない。この場合において、山留めの根入れは、周辺の地盤の安定を保持するために相当な深さとしなければならない。

5　前項の規定により設ける山留めの切ばり、矢板、腹起しその他の主要な部分は、土圧に対して、次に定める方法による構造計算によつた場合に安全であることが確かめられる最低の耐力以上の耐力を有する構造としなければならない。

一　次に掲げる方法によつて土圧を計算すること。

イ　土質及び工法に応じた数値によること。ただし、深さ三メートル以内の根切り工事を行う場合においては、土を水と仮定した場合の圧力の五十パーセントを下らない範囲でこれと異なる数値によることができる。

ロ　建築物その他の工作物に近接している部分については、イの数値に当該工作物の荷重による影響に相当する数値を加えた数値によること。

二　前号の規定によつて計算した土圧によつて山留めの主要な部分の断面に生ずる応力度を計算すること。

三　前号の規定によつて計算した応力度が、次に定める許容応力度を超えないことを確かめること。

イ　木材の場合にあつては、第八十九条（第三項を除く。）又は第九十四条の規定による長期に生ずる力に対する許容応力度と短期に生ずる力に対する許容応力度との平均値。ただし、腹起しに用いる木材の許容応力度については、国土交通大臣が定める許容応力度によることができる。

ロ　鋼材又はコンクリートの場合にあつては、それぞれ第九十条若しくは第九十四条又は第九十一条の規定による短期に生ずる力に対する許容応力度

6　建築工事等における根切り及び山留めについては、その工事の施工中必要に応じて点検を行ない、山留めを補強し、排水を適当に行なう等これを安全な状態に維持するための措置を講ずるとともに、矢板等の抜取りに際しては、周辺の地盤の沈下による危害を防止するための措置を講じなければならない。

（基礎工事用機械等の転倒による危害の防止）

第一三六条の四　建築工事等において次に掲げる基礎工事用機械（動力を用い、かつ、不特定の場所に自走することができるものに限る。）又は移動式クレーン（吊り上げ荷重が〇・五トン以上のものに限る。）を使用する場合においては、敷板、敷角等の使用等によりその転倒による工事現場の周辺への危害を防止するための措置を講じなければならない。ただし、地盤の状況等により危害防止上支障がない場合においては、この限りでない。

一　くい打機
二　くい抜機
三　アース・ドリル
四　リバース・サーキュレーション・ドリル
五　せん孔機（チュービングマシンを有するものに限る。）
六　アース・オーガー
七　ペーパー・ドレーン・マシン
八　前各号に掲げるもののほか、これらに類するものとして国土交通大臣が定める基礎工事用機械

（落下物に対する防護）

第一三六条の五　建築工事等において工事現場の境界線からの水平距離が五メートル以内で、かつ、地盤面からの高さが三メートル以上の場所からくず、ごみその他飛散するおそれのある物を投下する場合においては、ダストシユートを用いる等当該くず、ごみ等が工事現場の周辺に飛散することを防止するための措置を講じなければならない。

2　建築工事等を行なう場合において、建築のための工事をする部分が工事現場の境界線から水平距離が五メートル以内で、かつ、地盤面から高さが七メートル以上にあるとき、その他はつり、除却、外壁の修繕等に伴う落下物によつて工事現場の周辺に危害を生ずるおそれがあるときは、国土交通大臣の定める基準に従つて、工事現場の周囲その他危害防止上必要な部分を鉄網又は帆布でおおう等落下物による危害を防止するための措置を講じなければならない。

（建て方）

第一三六条の六　建築物の建て方を行なうに当たつては、仮筋かいを取り付ける等荷重又は外力による倒壊を防止するための措置を講じなければならない。

2　鉄骨造の建築物の建て方の仮締は、荷重及び外力に対して安全なものとしなければならない。

（工事用材料の集積）

第一三六条の七　建築工事等における工事用材料の集積は、その倒壊、崩落等による危害の少ない場所に安全にしなければならない。

2　建築工事等において山留めの周辺又は架構の上に工事用材料を集積する場合においては、当該山留め又は架構に予定した荷重以上の荷重を与えないようにしなければならない。

（火災の防止）

第一三六条の八　建築工事等において火気を使用する場合においては、その場所に不燃材料の囲いを設ける等防火上必要な措置を講じなければならない。

第七章の九　簡易な構造の建築物に対する制限の緩和

（簡易な構造の建築物の指定）

第一三六条の九　法第八十四条の二の規定により政令で指定する簡易な構造の建築物又は建築物の部分は、次に掲げるもの（建築物の部分にあつては、準耐火構造の壁（これらの壁を貫通する給水管、配電管その他の管の部分及びその周囲の部分の構造が国土交通大臣が定めた構造方法を用いるものに限る。）又は第百二十六条の二第二項第一号に規定する防火設備で区画された部分に限る。）とする。

一　壁を有しない建築物その他の国土交通大臣が高い開放性を有すると認めて指定する構造の建築物又は建築物の部分（間仕切壁を有しないものに限る。）であつて、次のイからニまでのいずれかに該当し、かつ、階数が一で床面積が三千平方メートル以内であるもの（次条において「開放的簡易建築物」という。）

イ　自動車車庫の用途に供するもの

ロ　スケート場、水泳場、スポーツの練習場その他これらに類する運動施設

ハ　不燃性の物品の保管その他これと同等以上に火災の発生のおそれの少ない用途に供するもの

ニ　畜舎、堆肥舎並びに水産物の増殖場及び養殖場

二　屋根及び外壁が帆布その他これに類する材料で造られている建築物又は建築物の部分（間仕切壁を有しないものに限る。）で、前号ロからニまでのいずれかに該当し、かつ、階数が一で床面積が三千平方メートル以内であるもの

（簡易な構造の建築物の基準）

第一三六条の一〇　法第八十四条の二の規定により政令で定める基準は、次に掲げるものとする。

一　主要構造部である柱及びはりが次に掲げる基準に適合していること。

イ　防火地域又は準防火地域内にある建築物又は建築物の部分（準防火地域（特定防災街区整備地区を除く。）内にあるものにあつては、床面積が五百平方メートルを超えるものに限る。）にあつては、準耐火構造であるか、又は不燃材料で造られていること。

ロ　準防火地域（特定防災街区整備地区を除く。）内にある建築物若しくは建築物の部分で床面積が五百平方メートル以内のもの、法第二十二条第一項の市街地の区域内にある建築物若しくは建築物の部分又は防火地域、準防火地域及び同項の市街地の区域以外の区域内にある建築物若しくは建築物の部分で床面積が千平方メートルを超えるものにあつては、延焼のおそれのある部分が準耐火構造であるか、又は不燃材料で造られていること。

二　前号イ又はロに規定する建築物又は建築物の部分にあつては、外壁（同号ロに規定する建築物又は建築物の部分にあつては、延焼のおそれのある部分に限る。）及び屋根が、準耐火構造であるか、不燃材料で造られているか、又は国土交通大臣が定める防火上支障のない構造であること。

三　前条第一号イに該当する開放的簡易建築物にあつては、前二号の規定にかかわらず、次に掲げる基準に適合していること。ただし、防火地域、準防火地域及び法第二十二条第一項の市街地の区域以外の区域内にあるもので床面積が百五十平方メートル未満のものにあつては、この限りでない。

イ　主要構造部である柱及びはり（準防火地域（特定防災街区整備地区を除く。）又は法第二十二条第一項の市街地の区域内にある開放的簡易建築物で床面積が百五十平方メートル未満のものにあつては、延焼のおそれのある部分に限る。）が準耐火構造であるか、又は不燃材料で造られており、かつ、外壁（準防火地域（特定防災街区整備地区を除く。）又は同項の市街地の区域内にある開放的簡易建築物で床面積が百五十平方メートル未満のものにあつては、延焼のおそれのある部分に限る。）及び屋根が準耐火構造であるか、不燃材料で造られているか、又は国土交通大臣が定める防火上支障のない構造であること。

ロ　隣地境界線又は当該開放的簡易建築物と同一敷地内の他の建築物（同一敷地内の建築物の延べ面積の合計が五百平方メートル以内である場合における当該他の建築物を除く。）との外壁間の中心線（以下ロにおいて「隣地境界線等」という。）に面する外壁の開口部（防火上有効な公園、広場、川等の空地若しくは水面又は耐火構造の壁その他これらに類するものに面するものを除く。以下ロにおいて同じ。）及び屋上（自動車車庫の用途に供する部分に限る。以下ロにおいて同じ。）の周囲で当該隣地境界線等からの水平距離がそれぞれ一メートル以下の部分について、当該外壁の開口部と隣地境界線等との間及び当該屋上の周囲に、塀その他これに類するもので国土交通大臣が通常の火災時における炎及び火熱を遮る上で有効と認めて定める基準に適合するものが設けられていること。

ハ　屋上を自動車車庫の用途に供し、かつ、床面積が千平方メートルを超える場合にあつては、屋根が、国土交通大臣がその屋内側からの通常の火災時における炎及び火熱を遮る上で有効と認めて定める基準に適合しているとともに、屋上から地上に通ずる二以上の直通階段（誘導車路を含む。）が設けられていること。

（防火区画等に関する規定の適用の除外）

第一三六条の一一　第百三十六条の九に規定する建築物又は建築物の部分で前条に規定する基準に適合するものについては、第百十二条、第百十四条及び第五章の二の規定は、適用しない。

第七章の十　一の敷地とみなすこと等による制限の緩和

（一団地内の空地及び一団地の面積の規模）

第一三六条の一二　第百三十六条第一項及び第二項の規定は、法第八十六条第三項及び第四項並びに法第八十六条の二第二項の政令で定める空地について準用する。

2　第百三十六条第三項の規定は、法第八十六条第三項の政令で定める一団地の規模、同条第四項の政令で定める一定の一団の土地の区域の規模及び法第八十六条の二第二項の政令で定める公告認定対象区域の規模について準用する。

第八章　既存の建築物に対する制限の緩和等

（基準時）

第一三七条　この章において「基準時」とは、法第三条第二項（法第八十六条の九第一項において準用する場合を含む。以下この条、第百三十七条の九及び第百三十七条の十二第二項において同じ。）の規定により法第二十条、法第二十一条、法第二十二条第一項、法第二十三条、法第二十五条から法第二十七条まで、法第二十八条の二、法第三十条、法第三十四条第二項、法第三十五条、法第三十六条、法第四十三条第一項、法第四十四条第一項、法第四十七条、法第四十八条第一項から第十四項まで、法第五十一条、法第五十二条第一項、第二項若しくは第七項、法第五十三条第一項若しくは第二項、法第五十四条第一項、法第五十五条第一項、法第五十六条第一項、法第五十六条の二第一項、法第五十七条の四第一項、法第五十七条の五第一項、法第五十八条第一項、法第五十九条第一項若しくは第二項、法第六十条第一項若しくは第二項、法第六十条の二第一項若しくは第二項、法第六十条の二の二第一項から第三項まで、法第六十条の三第一項若しくは第二項、法第六十一条、法第六十二条、法第六十七条第一項若しくは第五項から第七項まで又は法第六十八条第一項若しくは第二項の規定の適用を受けない建築物について、法第三条第二項の規定により引き続きそれらの規定（それらの規定が改正された場合においては改正前の規定を含むものとし、法第四十八条第一項から第十四項までの各項の規定は同一の規定とみなす。）の適用を受けない期間の始期をいう。

（構造耐力関係）

第一三七条の二　法第三条第二項の規定により法第二十条の規定の適用を受けない建築物（法第八十六条の七第二項の規定により法第二十条の規定の適用を受けない部分を除く。第百三十七条の十二第一項において同じ。）について法第八十六条の七第一項の規定により政令で定める範囲は、増築及び改築については、次の各号に掲げる範囲とし、同項の政令で定める基準は、それぞれ当該各号に定める基準とする。

一　増築又は改築の全て（次号及び第三号に掲げる範囲を除く。）　増築又は改築後の建築物の構造方法が次のいずれかに適合するものであること。

イ　次に掲げる基準に適合するものであること。

(1)　第三章第八節の規定に適合すること。

(2)　増築又は改築に係る部分が第三章第一節から第七節の二まで及び第百二十九条の二の三の規定並びに法第四十条の規定に基づく条例の構造耐力に関する制限を定めた規定に適合すること。

(3)　増築又は改築に係る部分以外の部分が耐久性等関係規定に適合し、かつ、自重、積載荷重、積雪荷重、風圧、土圧及び水圧並びに地震その他の震動及び衝撃による当該建築物の倒壊及び崩落、屋根ふき材、特定天井、外装材及び屋外に面する帳壁の脱落並びにエレ

ベーターの籠の落下及びエスカレーターの脱落のおそれがないものとして国土交通大臣が定める基準に適合すること。

ロ　次に掲げる基準に適合するものであること。

(1)　増築又は改築に係る部分がそれ以外の部分とエキスパンションジョイントその他の相互に応力を伝えない構造方法のみで接すること。

(2)　増築又は改築に係る部分が第三章及び第百二十九条の二の三の規定並びに法第四十条の規定に基づく条例の構造耐力に関する制限を定めた規定に適合すること。

(3)　増築又は改築に係る部分以外の部分が耐久性等関係規定に適合し、かつ、自重、積載荷重、積雪荷重、風圧、土圧及び水圧並びに地震その他の震動及び衝撃による当該建築物の倒壊及び崩落、屋根ふき材、特定天井、外装材及び屋外に面する帳壁の脱落並びにエレベーターの籠の落下及びエスカレーターの脱落のおそれがないものとして国土交通大臣が定める基準に適合すること。

二　増築又は改築に係る部分の床面積の合計が基準時における延べ面積の二十分の一（五十平方メートルを超える場合にあつては、五十平方メートル）を超え、二分の一を超えないこと　増築又は改築後の建築物の構造方法が次のいずれかに適合するものであること。

イ　耐久性等関係規定に適合し、かつ、自重、積載荷重、積雪荷重、風圧、土圧及び水圧並びに地震その他の震動及び衝撃による当該建築物の倒壊及び崩落、屋根ふき材、特定天井、外装材及び屋外に面する帳壁の脱落並びにエレベーターの籠の落下及びエスカレーターの脱落のおそれがないものとして国土交通大臣が定める基準に適合するものであること。

ロ　第三章第一節から第七節の二まで（第三十六条及び第三十八条第二項から第四項までを除く。）の規定に適合し、かつ、その基礎の補強について国土交通大臣が定める基準に適合するものであること（法第二十条第一項第四号に掲げる建築物である場合に限る。）。

ハ　前号に定める基準に適合するものであること。

三　増築又は改築に係る部分の床面積の合計が基準時における延べ面積の二十分の一（五十平方メートルを超える場合にあつては、五十平方メートル）を超えないこと　増築又は改築後の建築物の構造方法が次のいずれかに適合するものであること。

イ　次に掲げる基準に適合するものであること。

(1)　増築又は改築に係る部分が第三章及び第百二十九条の二の三の規定並びに法第四十条の規定に基づく条例の構造耐力に関する制限を定めた規定に適合すること。

(2)　増築又は改築に係る部分以外の部分の構造耐力上の危険性が増大しないこと。

ロ　前二号に定める基準のいずれかに適合するものであること。

（大規模の建築物の主要構造部等関係）

第一三七条の二の二　法第三条第二項の規定により法第二十一条第一項の規定の適用を受けない建築物についての法第八十六条の七第一項の政令で定める範囲は、増築及び改築については、次の各号のいずれかに該当する増築又は改築に係る部分とする。

一　次のイ及びロに該当するものであること。

イ　増築又は改築に係る部分が火熱遮断壁等で区画されるものであること。

ロ　増築又は改築に係る部分の特定主要構造部（法第二十一条第一項に規定する性能と同等の性能を有すべきものとして国土交通大臣が定める部分に限る。）が、第百九条の五各号のいずれかに掲げる基準に適合するもので、国土交通大臣が定めた構造方法を用いるもの又は国土交通大臣の認定を受けたものであること。

二　増築又は改築に係る部分の対象床面積（当該部分の床面積から階段室、機械室その他の火災の発生のおそれの少ないものとして国土交通大臣が定める用途に供する部分の床面積を減じた面積をいう。以下この章において同じ。）の合計が基準時における延べ面積の二十分の一（五十平方メートルを超える場合にあつては、五十平方メートル。以下この章において同じ。）を超えず、かつ、当該増築又は改築が当該増築又は改築に係る部分以外の部分における倒壊及び延焼の危険性を増大させないものであること。

2　法第三条第二項の規定により法第二十一条第二項の規定の適用を受けない建築物についての法第八十六条の七第一項の政令で定める範囲は、増築及び改築については、次の各号のいずれかに該当する増築又は改築に係る部分とする。

一　次のイ及びロに該当するものであること。

イ　増築又は改築に係る部分が火熱遮断壁等で区画されるものであること。

ロ　増築又は改築に係る部分（法第二十一条第二項に規定する性能と同等の性能を有すべきものとして国土交通大臣が定める部分に限る。）が、第百九条の七第一項各号のいずれかに掲げる基準に適合するもので、国土交通大臣が定めた構造方法を用いるもの又は国土交通大臣の認定を受けたものであること。

二　工事の着手が基準時以後である増築又は改築に係る部分の対象床面積の合計が五十平方メートルを超えないものであること。

（屋根関係）

第一三七条の二の三　法第三条第二項の規定により法第二十二条第一項の規定の適用を受けない建築物についての法第八十六条の七第一項の政令で定める範囲は、増築及び改築については、増築又は改築に係る部分の対象床面積の合計が基準時における延べ面積の二十分の一を超えず、かつ、当該増築又は改築が当該増築又は改築に係る部分以外の部分の屋根における延焼の危険性を増大させないものである増築又は改築に係る部分とする。

（外壁関係）

第一三七条の二の四　法第三条第二項の規定により法第二十三条の規定の適用を受けない木造建築物等についての法第八十六条の七第一項の政令で定める範囲は、増築及び改築については、次の各号のいずれかに該当する増築又は改築に係る部分とする。

一　次のイ及びロに該当するものであること。

イ　増築又は改築に係る部分が火熱遮断壁等で区画されるものであること。

ロ　増築又は改築に係る部分の外壁（法第二十三条に規定する準防火性能を有すべきものとして国土交通大臣が定める外壁に限る。）が、第百九条の九に掲げる基準に適合するもので、国土交通大臣が定めた構造方法を用いるもの又は国土交通大臣の認定を受けたものであること。

二　増築又は改築に係る部分の対象床面積の合計が基準時における延べ面積の二十分の一を超えず、かつ、当該増築又は改築が当該増築又は改築に係る部分以外の部分の外壁における延焼の危険性を増大させないものであること。

（大規模の木造建築物等の外壁等関係）

第一三七条の二の五　法第三条第二項の規定により法第二十五条の規定の適用を受けない木造建築物等についての法第八十六条の七第一項の政令で定める範囲は、増築及び改築については、増築又は改築に係る部分の対象床面積の合計が基準時における延べ面積の二十分の一を超えず、かつ、当該増築又は改築が当該増築又は改築に係る部分以外の部分の外壁及び軒裏並びに屋根における延焼の危険性を増大させないものである増築又は改築に係る部分とする。

（防火壁及び防火床関係）

第一三七条の三　法第三条第二項の規定により法第二十六条の規定の適用を受けない建築物についての法第八十六条の七第一項の政令で定める範囲は、増築及び改築については、次の各号のいずれかに該当する増築又は改築に係る部分とする。

一　次のイ及びロに該当するものであること。

イ　増築又は改築に係る部分が火熱遮断壁等で区画されるものであること。

ロ　増築又は改築に係る部分が、法第二十六条第一項に規定する基準に相当する建築物の部分に関する基準として国土交通大臣が定めるものに従い、防火上有効な構造の防火壁又は防火床によつて有効に区画されるものであること。

二　工事の着手が基準時以後である増築又は改築に係る部分の対象床面積の合計が五十平方メートルを超えないものであること。

（耐火建築物等としなければならない特殊建築物関係）

第一三七条の四　法第三条第二項の規定により法第二十七条の規定の適用を受けない特殊建築物についての法第八十六条の七第一項の政令で定める範囲は、増築及び改築については、次の各号のいずれか（劇場の客席、病院の病室、学校の教室その他の当該特殊建築物の主たる用途に供する部分に係る増築にあつては、第一号）に該当する増築又は改築に係る部分とする。

一　次のイ及びロに該当するものであること。

イ　増築又は改築に係る部分が火熱遮断壁等で区画されるものであること。

ロ　増築又は改築に係る部分が、法第二十七条第一項から第三項までに規定する基準に相当する建築物の部分に関する基準として国土交通大臣が定めるものに適合するもので、国土交通大臣の定めた構造方法を用いるもの又は国土交通大臣の認定を受けたものであること。

二　工事の着手が基準時以後である増築又は改築に係る部分の対象床面積の合計が五十平方メートルを超えないものであること。

（石綿関係）

第百三十七条の四の二　法第三条第二項の規定により法第二十八条の二（同条第一号及び第二号に掲げる基準に係る部分に限る。）の規定の適用を受けない建築物についての法第八十六条の七第一項の政令で定める範囲は、増築及び改築については、次の各号のいずれにも該当する増築又は改築に係る部分とする。

一　増築又は改築に係る部分の床面積の合計が基準時における延べ面積の二分の一を超えないものであること。

二　増築又は改築に係る部分が法第二十八条の二第一号及び第二号に掲げる基準に適合するものであること。

三　増築又は改築に係る部分以外の部分が、建築材料から石綿を飛散させるおそれがないものとして石綿が添加された建築材料を被覆し又は添加された石綿を建築材料に固着する措置について国土交通大臣が定める基準に適合するものであること。

（長屋又は共同住宅の各戸の界壁関係）

第百三十七条の五　法第三条第二項の規定により法第三十条の規定の適用を受けない長屋又は共同住宅について法第八十六条の七第一項の規定により政令で定める範囲は、増築については増築後の延べ面積が基準時における延べ面積の一・五倍を超えないこととし、改築については改築に係る部分の床面積が基準時における延べ面積の二分の一を超えないこととする。

（非常用の昇降機関係）

第百三十七条の六　法第三条第二項の規定により法第三十四条第二項の規定の適用を受けない高さ三十一メートルを超える建築物について法第八十六条の七第一項の規定により政令で定める範囲は、増築及び改築については、次に定めるところによる。

一　増築に係る部分の建築物の高さが三十一メートルを超えず、かつ、増築に係る部分の床面積の合計が基準時における延べ面積の二分の一を超えないこと。

二　改築に係る部分の床面積の合計が基準時における延べ面積の五分の一を超えず、かつ、改築に係る部分の建築物の高さが基準時における当該部分の高さを超えないこと。

（階段等関係）

第百三十七条の六の二　法第八十六条の七第一項の政令で定める階段、出入口その他の避難施設及び排煙設備に関する技術的基準は、第五章第二節（第百十九条を除く。）及び第三節に規定する技術的基準とする。

2　法第三条第二項の規定により法第三十五条（前項に規定する技術的基準に係る部分に限る。）の規定の適用を受けない建築物についての法第八十六条の七第一項の政令で定める範囲は、増築及び改築については、次の各号のいずれか（居室の部分に係る増築にあつては、第一号）に該当する増築又は改築に係る部分とする。

一　次のイ及びロに該当するものであること。

イ　増築又は改築に係る部分及びその他の部分が、増築又は改築後において、それぞれ第百十七条第二項各号（法第三十五条（第五章第三節に規定する技術的基準に係る部分に限る。）の規定の適用を受けない建築物について増築又は改築を行う場合にあつては、第百二十六条の二第二項各号）のいずれかに掲げる建築物の部分となるものであること。

ロ　増築又は改築に係る部分が、前項に規定する技術的基準に相当する建築物の部分に関する基準として国土交通大臣が定めるものに適合するものであること。

二　増築又は改築に係る部分の対象床面積の合計が基準時における延べ面積の二十分の一を超えず、かつ、当該増築又は改築が当該増築又は改築に係る部分以外の部分における避難の安全上支障とならないものであること。

（敷地内の避難上及び消火上必要な通路関係）

第百三十七条の六の三　法第八十六条の七第一項の政令で定める敷地内の避難上及び消火上必要な通路に関する技術的基準は、第五章第六節（第百二十八条の三を除く。）に規定する技術的基準とする。

2　法第三条第二項の規定により法第三十五条（前項に規定する技術的基準に係る部分に限る。）の規定の適用を受けない建築物についての法第八十六条の七第一項の政令で定める範囲は、増築（居室の部分に係るものを除く。以下この項において同じ。）及び改築については、増築又は改築に係る部分の対象床面積の合計が基準時における延べ面積の二十分の一を超えず、かつ、当該増築又は改築が当該増築又は改築に係る部分以外の部分における避難及び消火の安全上支障とならないものである増築又は改築に係る部分とする。

（防火壁及び防火区画関係）

第百三十七条の六の四　法第八十六条の七第一項の政令で定める防火壁及び防火区画の設置及び構造に関する技術的基準は、第百十二条及び第百十四条に規定する技術的基準（第百十二条第十一項から第十三項までに規定する竪穴部分の技術的基準のうち、当該竪穴部分が第百二十条又は第百二十一条の規定による直通階段に該当する場合に適用されることとなるもの（次項第二号において「特定竪穴基準」という。）を除く。）とする。

2　法第三条第二項の規定により法第三十六条（前項に規定する技術的基準に係る部分に限る。）の規定の適用を受けない建築物についての法第八十六条の七第一項の政令で定める範囲は、増築及び改築については、次の各号に掲げる建築物の区分に応じ、当該各号に定める要件に該当する増築又は改築に係る部分とする。

一　次号に掲げる建築物以外の建築物　次のイ又はロのいずれかに該当するものであること。

イ　次の(1)及び(2)に該当するものであること。

(1)　増築又は改築に係る部分が火熱遮断壁等で区画されるものであること。

(2)　増築又は改築に係る部分が、前項に規定する技術的基準に相当する建築物の部分に関する基準として国土交通大臣が定めるものに適合するものであること。

ロ　増築又は改築に係る部分の対象床面積の合計が基準時における延べ面積の二十分の一を超えず、かつ、当該増築又は改築が当該増築又は改築に係る部分以外の部分における延焼の危険性を増大させないものであること。

二　第百十二条第十一項から第十三項までに規定する竪部分の技術的基準（特定竪穴基準を除く。）に適合しない建築物　前号ロに該当するものであること。

（用途地域等関係）

第百三十七条の七　法第三条第二項の規定により法第四十八条第一項から第十四項までの規定の適用を受けない建築物について法第八十六条の七第一項の規定により政令で定める範囲は、増築及び改築については、次に定めるところによる。

一　増築又は改築が基準時における敷地内におけるものであり、かつ、増築又は改築後における延べ面積及び建築面積が基準時における敷地面積に対してそれぞれ法第五十二条第一項、第二項及び第七項並びに法第五十三条の規定並びに法第六十八条の二第一項の規定に基づく条例の第百三十六条の二の五第一項第二号及び第三号の制限を定めた規定に適合すること。

二　増築後の床面積の合計は、基準時における床面積の合計の一・二倍を超えないこと。

三　増築後の法第四十八条第一項から第十四項までの規定に適合しない用途に供する建築物の部分の床面積の合計は、基準時におけるその部分の床面積の合計の一・二倍を超えないこと。

四　法第四十八条第一項から第十四項までの規定に適合しない事由が原動機の出力、機械の台数又は容器等の容量による場合においては、増築後のそれらの出力、台数又は容量の合計は、基準時におけるそれらの出力、台数又は容量の合計の一・二倍を超えないこと。

五　用途の変更（第百三十七条の十九第二項に規定する範囲内のものを除く。）を伴わないこと。

（容積率関係）

第一三七条の八　法第三条第二項の規定により法第五十二条第一項、第二項若しくは第七項又は法第六十条第一項（建築物の高さに係る部分を除く。）の規定の適用を受けない建築物について法第八十六条の七第一項の規定により政令で定める範囲は、増築及び改築については、次に定めるところによる。

一　増築又は改築に係る部分が増築又は改築後においてエレベーターの昇降路の部分（当該エレベーターの設置に付随して設けられる共同住宅又は老人ホーム等（法第五十二条第三項に規定する老人ホーム等をいう。次号において同じ。）の共用の廊下又は階段の用に供する部分を含む。）、同条第六項第三号に掲げる建築物の部分、自動車車庫等部分、備蓄倉庫部分、蓄電池設置部分、自家発電設備設置部分、貯水槽設置部分又は宅配ボックス設置部分となること。

二　増築前におけるエレベーターの昇降路の部分、共同住宅又は老人ホーム等の共用の廊下又は階段の用に供する部分、法第五十二条第六項第三号に掲げる建築物の部分、自動車車庫等部分、備蓄倉庫部分、蓄電池設置部分、自家発電設備設置部分、貯水槽設置部分及び宅配ボックス設置部分以外の部分の床面積の合計が基準時における当該部分の床面積の合計を超えないものであること。

三　増築又は改築後における自動車車庫等部分の床面積の合計、備蓄倉庫部分の床面積の合計、蓄電池設置部分の床面積の合計、自家発電設備設置部分の床面積の合計、貯水槽設置部分の床面積の合計又は宅配ボックス設置部分の床面積の合計（以下この号において「対象部分の床面積の合計」という。）が、第二条第三項各号に掲げる建築物の部分の区分に応じ、増築又は改築後における当該建築物の床面積の合計に当該各号に定める割合を乗じて得た面積（改築の場合において、基準時における対象部分の床面積の合計が同項各号に掲げる建築物の部分の区分に応じ基準時における当該建築物の床面積の合計に当該各号に定める割合を乗じて得た面積を超えているときは、基準時における対象部分の床面積の合計）を超えないものであること。

（**高度利用地区等関係**）

第一三七条の九　法第三条第二項の規定により法第五十九条第一項（建築物の建蔽率に係る部分を除く。）、法第六十条の二第一項（建築物の建蔽率及び高さに係る部分を除く。）又は法第六十条の三第一項の規定の適用を受けない建築物について法第八十六条の七第一項の規定により政令で定める範囲は、その適合しない部分が、当該建築物の容積率の最低限度又は建築面積に係る場合の増築及び改築については次の各号に、当該建築物の容積率の最高限度及び建築面積に係る場合の増築及び改築については次の各号及び前条各号に、当該建築物の容積率の最高限度に係る場合の増築及び改築については同条各号に定めるところによる。

一　増築後の建築面積及び延べ面積が基準時における建築面積及び延べ面積の一・五倍を超えないこと。

二　増築後の建築面積が高度利用地区、都市再生特別地区又は特定用途誘導地区に関する都市計画において定められた建築面積の最低限度の三分の二を超えないこと。

三　増築後の容積率が高度利用地区、都市再生特別地区又は特定用途誘導地区に関する都市計画において定められた容積率の最低限度の三分の二を超えないこと。

四　改築に係る部分の床面積が基準時における延べ面積の二分の一を超えないこと。

（**防火地域関係**）

第一三七条の一〇　法第三条第二項の規定により法第六十一条（防火地域内にある建築物に係る部分に限る。）の規定の適用を受けない建築物についての法第八十六条の七第一項の政令で定める範囲は、増築及び改築については、次の各号に掲げる建築物の区分に応じ、当該各号に定める要件に該当する増築又は改築に係る部分とする。

一　次号に掲げる建築物以外の建築物　次のイ又はロのいずれかに該当するものであること。

イ　次の(1)及び(2)に該当するものであること。

(1)　増築又は改築に係る部分が火熱遮断壁等で区画されるものであること。

(2)　増築又は改築に係る部分が、第百三十六条の二各号に定める基準（防火地域内にある建築物に係るものに限る。）に相当する建築物の部分に関する基準として国土交通大臣が定めるものに適合するもので、国土交通大臣の定めた構造方法を用いるもの又は国土交通大臣の認定を受けたものであること。

ロ　次の(1)から(5)までに該当するものであること。

(1)　工事の着手が基準時以後である増築及び改築に係る部分の対象床面積の合計（当該増築又は改築に係る建築物が同一敷地内に二以上ある場合においては、これらの増築又は改築に係る部分の床面積の合計）は、五十平方メートルを超えず、かつ、基準時における当該建築物の延べ面積の合計を超えないこと。

(2)　増築又は改築後における建築物の階数が二以下で、かつ、延べ面積が五百平方メートルを超えないこと。

(3)　増築又は改築に係る部分の外壁及び軒裏は、防火構造であること。

(4)　増築又は改築に係る部分の外壁の開口部（法第八十六条の四各号のいずれかに該当する建築物の外壁の開口部を除く。(5)及び第百三十七条の十二第九項において同じ。）で延焼のおそれのある部分に、二十分間防火設備（第百九条に規定する防火設備であつて、これに建築物の周囲において発生する通常の火災による火熱が加えられた場合に、加熱開始後二十分間当該加熱面以外の面（屋内に面するものに限る。）に火炎を出さないものとして、国土交通大臣が定めた構造方法を用いるもの又は国土交通大臣の認定を受けたものをいう。(5)及び同項において同じ。）を設けること。

(5)　増築又は改築に係る部分以外の部分の外壁の開口部で延焼のおそれのある部分に、二十分間防火設備が設けられていること。

二　木造の建築物のうち、外壁及び軒裏が防火構造のもの以外のもの　前号イに該当するものであること。

（**準防火地域関係**）

第一三七条の一一　法第三条第二項の規定により法第六十一条（準防火地域内にある建築物に係る部分に限る。）の規定の適用を受けない建築物についての法第八十六条の七第一項の政令で定める範囲は、増築及び改築については、次の各号に掲げる建築物の区分に応じ、当該各号に定める要件に該当する増築又は改築に係る部分とする。

一　次号に掲げる建築物以外の建築物　次のイ又はロのいずれかに該当するものであること。

イ　次の(1)及び(2)に該当するものであること。

(1)　増築又は改築に係る部分が火熱遮断壁等で区画されるものであること。

(2)　増築又は改築に係る部分が、第百三十六条の二各号に定める基準（準防火地域内にある建築物に係るものに限る。）に相当する建築物の部分に関する基準として国土交通大臣が定めるものに適合するもので、国土交通大臣の定めた構造方法を用いるもの又は国土交通大臣の認定を受けたものであること。

ロ　次の(1)及び(2)並びに前条第一号ロ(3)から(5)までに該当するものであること。

(1)　工事の着手が基準時以後である増築及び改築に係る部分の対象床面積の合計（当該増築又は改築に係る建築物が同一敷地内に二以上ある場合においては、これらの増築又は改築に係る部分の床面積の合計）は、五十平方メートルを超えないこと。

(2)　増築又は改築後における建築物の階数が二以下であること。

二　木造の建築物のうち、外壁及び軒裏が防火構造のもの以外のもの　前号イに該当するものであること。

（**防火地域及び準防火地域内の建築物の屋根関係**）

第一三七条の一一の二　法第三条第二項の規定により法第六十二条の規定の適用を受けない建築物（木造の建築物にあつては、外壁及び軒裏が防火構造のものに限る。）についての法第八十六条の七第一項の政令で定める範囲は、増築及び改築については、次の各号のいずれにも該当する増築又は改築に係る部分とする。

一　工事の着手が基準時以後である増築及び改築に係る部分の対象床面積の合計（当該増築又は改築に係る建築物が同一敷地内に二以上ある場合においては、これらの増築又は改築に係る部分の床面積の合計）は、五十平方メートルを超えず、かつ、基準時における当該建築物の延べ面積の合計を超えないものであること。

二　増築又は改築が当該増築又は改築に係る部分以外の部分の屋根における延焼の危険性を増大させないものであること。

（**特定防災街区整備地区関係**）

第一三七条の一一の三　法第三条第二項の規定により法第六十七条第一項の規定の適用を受けない建築物（木造の建築物にあつては、外壁及び軒裏が防火構造のものに限る。）についての法第八十六条の七第一項の政令で定める範囲は、増築及び改築については、第百三十七条の十第一号ロに該当する増築又は改築に係る部分とする。

（大規模の修繕又は大規模の模様替）

第一三七条の一二　法第三条第二項の規定により法第二十条の規定の適用を受けない建築物についての法第八十六条の七第一項の政令で定める範囲は、大規模の修繕又は大規模の模様替については、当該建築物における当該建築物の構造耐力上の危険性を増大させない全ての大規模の修繕又は大規模の模様替とする。

2　法第三条第二項の規定により法第二十六条、法第二十七条、法第三十条、法第三十四条第二項、法第四十七条、法第五十一条、法第五十二条第一項、法第二項若しくは第七項、法第五十三条第一項若しくは第二項、法第五十四条第一項、法第五十五条第一項、法第五十六条第一項、法第五十六条の二第一項、法第五十七条の四第一項、法第五十七条の五第一項、法第五十八条第一項、法第五十九条第一項若しくは第二項、法第六十条第一項若しくは第二項、法第六十条の二第一項若しくは第二項、法第六十条の二の二第一項から第三項まで、法第六十条の三第一項若しくは第二項、法第六十七条第一項若しくは第五項から第七項まで又は法第六十八条第一項若しくは第二項の規定の適用を受けない建築物についての法第八十六条の七第一項の政令で定める範囲は、大規模の修繕又は大規模の模様替については、当該建築物における全ての大規模の修繕又は大規模の模様替とする。

3　法第三条第二項の規定により法第二十八条の二（同条第一号及び第二号に掲げる基準に係る部分に限る。）の規定の適用を受けない建築物についての法第八十六条の七第一項の政令で定める範囲は、大規模の修繕及び大規模の模様替については、当該建築物における次の各号のいずれにも該当する大規模の修繕及び大規模の模様替とする。

一　大規模の修繕又は大規模の模様替に係る部分が法第二十八条の二第一号及び第二号に掲げる基準に適合するものであること。

二　大規模の修繕又は大規模の模様替に係る部分以外の部分が第百三十七条の四の二第三号の国土交通大臣が定める基準に適合するものであること。

4　法第三条第二項の規定により法第三十五条（第百三十七条の六の二第一項又は第百三十七条の六の三第一項に規定する技術的基準に係る部分に限る。）の規定の適用を受けない建築物についての法第八十六条の七第一項の政令で定める範囲は、大規模の修繕又は大規模の模様替については、当該建築物における屋根又は外壁に係る大規模の修繕又は大規模の模様替であつて、当該建築物の避難の安全上支障とならないものとする。

5　法第三条第二項の規定により法第三十六条（第百三十七条の六の四第一項に規定する技術的基準に係る部分に限る。）の規定の適用を受けない建築物についての法第八十六条の七第一項の政令で定める範囲は、大規模の修繕又は大規模の模様替については、当該建築物における屋根又は外壁に係る全ての大規模の修繕又は大規模の模様替とする。

6　法第三条第二項の規定により法第四十三条第一項の規定の適用を受けない建築物についての法第八十六条の七第一項の政令で定める範囲は、大規模の修繕又は大規模の模様替については、当該建築物における当該建築物の用途の変更（当該変更後に当該建築物の利用者の増加が見込まれないものを除く。）を伴わない大規模の修繕又は大規模の模様替であつて、特定行政庁が交通上、安全上、防火上及び衛生上支障がないと認めるものとする。

7　法第三条第二項の規定により法第四十四条第一項の規定の適用を受けない建築物についての法第八十六条の七第一項の政令で定める範囲は、大規模の修繕又は大規模の模様替については、当該建築物における当該建築物の形態の変更（他の建築物の利便その他周囲の環境の維持又は向上のため必要なものを除く。）を伴わない大規模の修繕又は大規模の模様替であつて、特定行政庁が通行上、安全上、防火上及び衛生上支障がないと認めるものとする。

8　法第三条第二項の規定により法第四十八条第一項から第十四項までの規定の適用を受けない建築物についての法第八十六条の七第一項の政令で定める範囲は、大規模の修繕又は大規模の模様替については、当該建築物における当該建築物の用途の変更（第百三十七条の十九第二項に規定する範囲内のものを除く。）を伴わない全ての大規模の修繕又は大規模の模様替とする。

9　法第三条第二項の規定により法第六十一条の規定の適用を受けない建築物についての法第八十六条の七第一項の政令で定める範囲は、大規模の修繕及び大規模の模様替については、当該建築物における次の各号のいずれにも該当する大規模の修繕及び大規模の模様替とする。

一　大規模の修繕又は大規模の模様替に係る部分の外壁の開口部で延焼のおそれのある部分に、二十分間防火設備を設けるものであること。

二　大規模の修繕又は大規模の模様替に係る部分以外の部分の外壁の開口部で延焼のおそれのある部分に、二十分間防火設備が設けられているものであること。

（技術的基準から除かれる防火区画）

第一三七条の一三　法第八十六条の七第二項の政令で定める防火区画は、第百十二条第十一項から第十三項までの規定による竪穴部分の防火区画（当該竪穴部分が第百二十条又は第百二十一条の規定による直通階段に該当する場合のものを除く。）とする。

（独立部分）

第一三七条の一四　法第八十六条の七第二項（法第八十七条第四項及び法第八十八条第一項において準用する場合を含む。）の政令で定める部分は、次の各号に掲げる建築物の部分の区分に応じ、当該各号に定める部分とする。

一　法第二十条第一項に規定する基準の適用上一の建築物であつても別の建築物とみなすことができる部分　第三十六条の四に規定する建築物の部分

二　法第二十一条第一項若しくは第二項、法第二十三条、法第二十六条第一項、法第二十七条第一項から第三項まで、法第三十六条（法第八十六条の七第二項に規定する防火壁等に関する技術的基準に係る部分に限る。）又は法第六十一条第一項に規定する基準の適用上一の建築物であつても別の建築物とみなすことができる部分　第百九条の八に規定する建築物の部分

三　法第三十五条（第五章第二節（第百十七条第二項及び第百十九条を除く。）に規定する技術的基準に係る部分に限る。）に規定する基準の適用上一の建築物であつても別の建築物とみなすことができる部分　第百十七条第二項各号に掲げる建築物の部分

四　法第三十五条（第五章第三節（第百二十六条の二第二項を除く。）に規定する技術的基準に係る部分に限る。）に規定する基準の適用上一の建築物であつても別の建築物とみなすことができる部分　第百二十六条の二第二項各号に掲げる建築物の部分

（増築等をする部分以外の部分に対して適用されない基準）

第一三七条の一五　法第八十六条の七第三項の政令で定める基準は、法第二十八条の二第三号に掲げる基準のうち、第二十条の七から第二十条の九までに規定する技術的基準に係る部分とする。

2　法第八十六条の七第三項の政令で定める技術的基準は、第百十九条並びに第五章第四節及び第五節に規定する技術的基準とする。

（移転）

第一三七条の一六　法第八十六条の七第四項の政令で定める範囲は、次の各号のいずれかに該当することとする。

一　移転が同一敷地内におけるものであること。

二　移転が交通上、安全上、防火上、避難上、衛生上及び市街地の環境の保全上支障がないと特定行政庁が認めるものであること。

（公共事業の施行等による敷地面積の減少について法第三条等の規定を準用する事業）

第一三七条の一七　法第八十六条の九第一項第二号の政令で定める事業は、次に掲げるものとする。

一　土地区画整理法（昭和二十九年法律第百十九号）による土地区画整理事業（同法第三条第一項の規定により施行するものを除く。）

二　都市再開発法（昭和四十四年法律第三十八号）による第一種市街地再開発事業（同法第二条の二第一項の規定により施行するものを除く。）

三　大都市地域における住宅及び住宅地の供給の促進に関する特別措置法（昭和五十年法律第六十七号）による住宅街区整備事業（同法第二十九条第一項の規定により施行するものを除く。）

四　密集市街地における防災街区の整備の促進に関する法律による防災街区整備事業（同法第百十九条第一項の規定により施行するものを除く。）

（建築物の用途を変更して特殊建築物とする場合に建築主事の確認等を要

（しない類似の用途）

第一三七条の一八　法第八十七条第一項の規定により政令で指定する類似の用途は、当該建築物が次の各号のいずれかに掲げる用途である場合において、それぞれ当該各号に掲げる他の用途とする。ただし、第三号若しくは第六号に掲げる用途に供する建築物が第一種低層住居専用地域、第二種低層住居専用地域若しくは田園住居地域内にある場合、第七号に掲げる用途に供する建築物が第一種中高層住居専用地域、第二種中高層住居専用地域若しくは工業専用地域内にある場合又は第九号に掲げる用途に供する建築物が準住居地域若しくは近隣商業地域内にある場合については、この限りでない。

一　劇場、映画館、演芸場

二　公会堂、集会場

三　診療所（患者の収容施設があるものに限る。）、児童福祉施設等

四　ホテル、旅館

五　下宿、寄宿舎

六　博物館、美術館、図書館

七　体育館、ボーリング場、スケート場、水泳場、スキー場、ゴルフ練習場、バッティング練習場

八　百貨店、マーケット、その他の物品販売業を営む店舗

九　キャバレー、カフェー、ナイトクラブ、バー

十　待合、料理店

十一　映画スタジオ、テレビスタジオ

（建築物の用途を変更する場合に法第二十七条等の規定を準用しない類似の用途等）

第一三七条の一九　法第八十七条第三項第二号の規定により政令で指定する類似の用途は、当該建築物が前条第八号から第十一号まで及び次の各号のいずれかに掲げる用途である場合において、それぞれ当該各号に掲げる他の用途とする。ただし、法第四十八条第一項から第十四項までの規定の準用に関しては、この限りでない。

一　劇場、映画館、演芸場、公会堂、集会場

二　病院、診療所（患者の収容施設があるものに限る。）、児童福祉施設等

三　ホテル、旅館、下宿、共同住宅、寄宿舎

四　博物館、美術館、図書館

2　法第八十七条第三項第三号の規定により政令で定める範囲は、次に定めるものとする。

一　次のイからホまでのいずれかに掲げる用途である場合において、それぞれ当該イからホまでに掲げる用途相互間におけるものであること。

イ　法別表第二(に)項第三号から第六号までに掲げる用途

ロ　法別表第二(ほ)項第二号若しくは第三号、同表(へ)項第四号若しくは第五号又は同表(と)項第三号(一)から(十六)までに掲げる用途

ハ　法別表第二(り)項第二号又は同表(ぬ)項第三号(一)から(二十)までに掲げる用途

ニ　法別表第二(る)項第一号(一)から(三十一)までに掲げる用途（この場合において、同号(一)から(三)まで、(十一)及び(十二)中「製造」とあるのは、「製造、貯蔵又は処理」とする。）

ホ　法別表第二(を)項第五号若しくは第六号又は同表(わ)項第二号から第六号までに掲げる用途

二　法第四十八条第一項から第十四項までの規定に適合しない事由が原動機の出力、機械の台数又は容器等の容量による場合においては、用途変更後のそれらの出力、台数又は容量の合計は、基準時におけるそれらの出力、台数又は容量の合計の一・二倍を超えないこと。

三　用途変更後の法第四十八条第一項から第十四項までの規定に適合しない用途に供する建築物の部分の床面積の合計は、基準時におけるその部分の床面積の合計の一・二倍を超えないこと。

3　法第八十七条第三項の規定によつて同項に掲げる条例の規定を準用する場合における同項第二号に規定する類似の用途の指定については、第一項の規定にかかわらず、当該条例で、別段の定めをすることができる。

第九章　工作物

（工作物の指定等）

第一三八条　煙突、広告塔、高架水槽、擁壁その他これらに類する工作物で法第八十八条第一項の規定により政令で指定するものは、次に掲げるもの（鉄道及び軌道の線路敷地内の運転保安に関するものその他他の法令の規定により法及びこれに基づく命令の規定による規制と同等の規制を受けるものとして国土交通大臣が指定するものを除く。）とする。

一　高さが六メートルを超える煙突（支枠及び支線がある場合においては、これらを含み、ストーブの煙突を除く。）

二　高さが十五メートルを超える鉄筋コンクリート造の柱、鉄柱、木柱その他これらに類するもの（旗ざおを除く。）

三　高さが四メートルを超える広告塔、広告板、装飾塔、記念塔その他これらに類するもの

四　高さが八メートルを超える高架水槽、サイロ、物見塔その他これらに類するもの

五　高さが二メートルを超える擁壁

2　昇降機、ウオーターシュート、飛行塔その他これらに類する工作物で法第八十八条第一項の規定により政令で指定するものは、次の各号に掲げるものとする。

一　乗用エレベーター又はエスカレーターで観光のためのもの（一般交通の用に供するものを除く。）

二　ウオーターシュート、コースターその他これらに類する高架の遊戯施設

三　メリーゴーラウンド、観覧車、オクトパス、飛行塔その他これらに類する回転運動をする遊戯施設で原動機を使用するもの

3　法第八十八条第一項の政令で定める基準は、法第二十八条の二第一号及び第二号に掲げる基準とする。

4　製造施設、貯蔵施設、遊戯施設等の工作物で法第八十八条第二項の規定により政令で指定するものは、次に掲げる工作物（土木事業その他の事業に一時的に使用するためにその事業中臨時にあるもの及び第一号又は第五号に掲げるもので建築物の敷地（法第三条第二項の規定により法第四十八条第一項から第十四項までの規定の適用を受けない建築物については、第百三十七条に規定する基準時における敷地をいう。）と同一の敷地内にあるものを除く。）とする。

一　法別表第二(ぬ)項第三号(十三)又は(十三の二)の用途に供する工作物で用途地域（準工業地域、工業地域及び工業専用地域を除く。）内にあるもの及び同表(る)項第一号(二十一)の用途に供する工作物で用途地域（工業地域及び工業専用地域を除く。）内にあるもの

二　自動車車庫の用途に供する工作物で次のイからチまでに掲げるもの

イ　築造面積が五十平方メートルを超えるもので第一種低層住居専用地域、第二種低層住居専用地域又は田園住居地域内にあるもの（建築物に附属するものを除く。）

ロ　築造面積が三百平方メートルを超えるもので第一種中高層住居専用地域、第二種中高層住居専用地域、第一種住居地域又は第二種住居地域内にあるもの（建築物に附属するものを除く。）

ハ　第一種低層住居専用地域、第二種低層住居専用地域又は田園住居地域内にある建築物に附属するもので築造面積に同一敷地内にある建築物に附属する自動車車庫の用途に供する建築物の部分の延べ面積の合計を加えた値が六百平方メートル（同一敷地内にある建築物（自動車車庫の用途に供する部分を除く。）の延べ面積の合計が六百平方メートル以下の場合においては、当該延べ面積の合計）を超えるもの（築造面積が五十平方メートル以下のもの及びニに掲げるものを除く。）

ニ　第一種低層住居専用地域、第二種低層住居専用地域又は田園住居地域内にある公告対象区域内の建築物に附属するもので次の(1)又は(2)のいずれかに該当するもの

(1)　築造面積に同一敷地内にある建築物に附属する自動車車庫の用途に供する建築物の部分の延べ面積の合計を加えた値が二千平方メートルを超えるもの

(2)　築造面積に同一公告対象区域内にある建築物に附属する他の自動車車庫の用途に供する工作物の築造面積及び当該公告対象区域内にある建築物に附属する自動車車庫の用途に供する建築物の部分の延べ面積の合計を加えた値が、当該公告対象区域内の敷地ごとにハの規定により算定される自動車車庫の用途に供する工作物の築造面積の上限の値を合算した値を超えるもの

ホ　第一種中高層住居専用地域又は第二種中高層住居専用地域内にある建築物に附属するもので築造面積に同一敷地内にある建築物に附属する自動車車庫の用途に供する建築物の部分の延べ面積の合計を加えた

値が三千平方メートル（同一敷地内にある建築物（自動車車庫の用途に供する部分を除く。）の延べ面積の合計が三千平方メートル以下の場合においては、当該延べ面積の合計）を超えるもの（築造面積が三百平方メートル以下のもの及びへに掲げるものを除く。）

へ　第一種中高層住居専用地域又は第二種中高層住居専用地域内にある公告対象区域内の建築物に附属するもので次の(1)又は(2)のいずれかに該当するもの

(1)　築造面積に同一敷地内にある建築物に附属する自動車車庫の用途に供する建築物の部分の延べ面積の合計を加えた値が一万平方メートルを超えるもの

(2)　築造面積に同一公告対象区域内にある建築物に附属する他の自動車車庫の用途に供する工作物の築造面積及び当該公告対象区域内にある建築物に附属する自動車車庫の用途に供する建築物の部分の延べ面積の合計を加えた値が、当該公告対象区域内の敷地ごとにホの規定により算定される自動車車庫の用途に供する工作物の築造面積の上限の値を合算した値を超えるもの

ト　第一種住居地域又は第二種住居地域内にある建築物に附属するもので築造面積に同一敷地内にある建築物に附属する自動車車庫の用途に供する建築物の部分の延べ面積の合計を加えた値が当該敷地内にある建築物（自動車車庫の用途に供する部分を除く。）の延べ面積の合計を超えるもの（築造面積が三百平方メートル以下のもの及びチに掲げるものを除く。）

チ　第一種住居地域又は第二種住居地域内にある公告対象区域内の建築物に附属するもので、築造面積に同一公告対象区域内にある建築物に附属する他の自動車車庫の用途に供する工作物の築造面積及び当該公告対象区域内にある建築物に附属する自動車車庫の用途に供する建築物の部分の延べ面積の合計を加えた値が、当該公告対象区域内の敷地ごとにトの規定により算定される自動車車庫の用途に供する工作物の築造面積の上限の値を合算した値を超えるもの

三　高さが八メートルを超えるサイロその他これに類する工作物のうち飼料、肥料、セメントその他これらに類するものを貯蔵するもので第一種低層住居専用地域、第二種低層住居専用地域、第一種中高層住居専用地域又は田園住居地域内にあるもの

四　第二項各号に掲げる工作物で第一種低層住居専用地域、第二種低層住居専用地域、第一種中高層住居専用地域又は田園住居地域内にあるもの

五　汚物処理場、ごみ焼却場又は第百三十条の二の二各号に掲げる処理施設の用途に供する工作物で都市計画区域又は準都市計画区域（準都市計画区域にあつては、第一種低層住居専用地域、第二種低層住居専用地域、第一種中高層住居専用地域又は田園住居地域に限る。）内にあるもの

六　特定用途制限地域内にある工作物で当該特定用途制限地域に係る法第八十八条第二項において準用する法第四十九条の二の規定に基づく条例において制限が定められた用途に供するもの

（工作物に関する確認の特例）

第一三八条の二　法第八十八条第一項において準用する法第六条の四第一項の規定により読み替えて適用される法第六条第一項の政令で定める規定は、第百四十四条の二の表の工作物の部分の欄の各項に掲げる工作物の部分の区分に応じ、それぞれ同表の一連の規定の欄の当該各項に掲げる規定（これらの規定中工作物の部分の構造に係る部分が、法第八十八条第一項において準用する法第六十八条の十第一項の認定を受けた工作物の部分に適用される場合に限る。）とする。

（維持保全に関する準則の作成等を要する昇降機等）

第一三八条の三　法第八十八条第一項において準用する法第八条第二項第一号の政令で定める昇降機等、法第八十八条第一項において準用する法第十二条第一項の安全上、防火上又は衛生上特に重要であるものとして政令で定める昇降機等及び法第八十八条第一項において準用する法第十二条第三項の政令で定める昇降機等は、第百三十八条第二項各号に掲げるものとする。

（煙突及び煙突の支線）

第一三九条　第百三十八条第一項に規定する工作物のうち同項第一号に掲げる煙突（以下この条において単に「煙突」という。）に関する法第八十八条第一項において読み替えて準用する法第二十条第一項の政令で定める技術的基準は、次のとおりとする。

一　次に掲げる基準に適合する構造方法又はこれと同等以上に煙突の崩落及び倒壊を防止することができるものとして国土交通大臣が定めた構造方法を用いること。

イ　高さが十六メートルを超える煙突は、鉄筋コンクリート造、鉄骨鉄筋コンクリート造又は鋼造とし、支線を要しない構造とすること。

ロ　鉄筋コンクリート造の煙突は、鉄筋に対するコンクリートのかぶり厚さを五センチメートル以上とすること。

ハ　陶管、コンクリート管その他これらに類する管で造られた煙突は、次に定めるところによること。

(1)　管と管とをセメントモルタルで接合すること。

(2)　高さが十メートル以下のものにあつては、その煙突を支えることができる支枠又は支枠及び支線を設けて、これに緊結すること。

(3)　高さが十メートルを超えるものにあつては、その煙突を支えることができる鋼製の支枠を設けて、これに緊結すること。

ニ　組積造又は無筋コンクリート造の煙突は、その崩落を防ぐことができる鋼材の支枠を設けること。

ホ　煙突の支線の端部にあつては、鉄筋コンクリート造のくいその他腐食するおそれのない建築物若しくは工作物又は有効なさび止め若しくは防腐の措置を講じたくいに緊結すること。

二　次項から第四項までにおいて準用する規定（第七章の八の規定を除く。）に適合する構造方法を用いること。

三　高さが六十メートルを超える煙突にあつては、その用いる構造方法が、荷重及び外力によつて煙突の各部分に連続的に生ずる力及び変形を把握することその他の国土交通大臣が定める基準に従つた構造計算によつて安全性が確かめられたものとして国土交通大臣の認定を受けたものであること。

四　高さが六十メートル以下の煙突にあつては、その用いる構造方法が、次のイ又はロのいずれかに適合すること。

イ　国土交通大臣が定める基準に従つた構造計算によつて確かめられる安全性を有すること。

ロ　前号の国土交通大臣が定める基準に従つた構造計算によつて安全性が確かめられたものとして国土交通大臣の認定を受けたものであること。

2　煙突については、第百十五条第一項第六号及び第七号、第五章の四第三節並びに第七章の八の規定を準用する。

3　第一項第三号又は第四号ロの規定により国土交通大臣の認定を受けた構造方法を用いる煙突については、前項に規定するもののほか、耐久性等関係規定（第三十六条、第三十六条の二、第三十九条第四項、第四十一条、第四十九条、第七十条及び第七十六条（第七十九条の四及び第八十条において準用する場合を含む。）の規定を除く。）を準用する。

4　前項に規定する煙突以外の煙突については、第二項に規定するもののほか、第三十六条の三、第三十七条、第三十八条、第三十九条第一項及び第二項、第五十一条第一項、第五十二条、第三章第五節（第七十条を除く。）、第六節（第七十六条から第七十八条の二までを除く。）及び第六節の二（第七十九条の四（第七十六条から第七十八条の二までの準用に関する部分に限る。）を除く。）、第八十条（第五十一条第一項、第七十一条、第七十二条、第七十四条及び第七十五条の準用に関する部分に限る。）並びに第八十条の二の規定を準用する。

（鉄筋コンクリート造の柱等）

第一四〇条　第百三十八条第一項に規定する工作物のうち同項第二号に掲げる工作物に関する法第八十八条第一項において読み替えて準用する法第二十条第一項の政令で定める技術的基準は、次項から第四項までにおいて準用する規定（第七章の八の規定を除く。）に適合する構造方法を用いることとする。

2　前項に規定する工作物については、第五章の四第三節、第七章の八並びに前条第一項第三号及び第四号の規定を準用する。

3　第一項に規定する工作物のうち前項において準用する前条第一項第三号又は第四号ロの規定により国土交通大臣の認定を受けた構造方法を用いるものについては、前項に規定するもののほか、耐久性等関係規定（第三十六条、第三十六条の二、第三十九条第四項、第四十九条、第七十条、第七十六条（第七十九条の四及び第八十条において準用する場合を含む。）並びに第八十条において準用する第七十二条、第七十四条及び第七十五条の規定を除く。）を準用する。

4　第一項に規定する工作物のうち前項に規定するもの以外のものについて

は、第二項に規定するもののほか、第三十六条の三、第三十七条、第三十八条、第三十九条第一項及び第二項、第四十条、第四十一条、第四十七条、第三章第五節（第七十条を除く。）、第六節（第七十六条から第七十八条の二までを除く。）及び第六節の二（第七十九条の四（第七十六条から第七十八条の二までの準用に関する部分に限る。）を除く。）並びに第八十条の二の規定を準用する。

（広告塔又は高架水槽等）

第一四一条　第百三十八条第一項に規定する工作物のうち同項第三号及び第四号に掲げる工作物に関する法第八十八条第一項において読み替えて準用する法第二十条第一項の政令で定める技術的基準は、次のとおりとする。

一　国土交通大臣が定める構造方法により鉄筋、鉄骨又は鉄筋コンクリートによつて補強した場合を除き、その主要な部分を組積造及び無筋コンクリート造以外の構造とすること。

二　次項から第四項までにおいて準用する規定（第七章の八の規定を除く。）に適合する構造方法を用いること。

2　前項に規定する工作物については、第五章の四第三節、第七章の八並びに第百三十九条第一項第三号及び第四号の規定を準用する。

3　第一項に規定する工作物のうち前項において準用する第百三十九条第一項第三号又は第四号ロの規定により国土交通大臣の認定を受けた構造方法を用いるものについては、前項に規定するもののほか、耐久性等関係規定（第三十六条、第三十六条の二、第三十九条第四項、第四十九条並びに第八十条において準用する第七十二条及び第七十四条から第七十六条までの規定を除く。）を準用する。

4　第一項に規定する工作物のうち前項に規定するもの以外のものについては、第二項に規定するもののほか、第三十六条の三、第三十七条、第三十八条、第三十九条第一項及び第二項、第四十条から第四十二条まで、第四十四条、第四十六条第一項及び第二項、第四十七条、第三章第五節、第六節及び第六節の二並びに第八十条の二の規定を準用する。

（擁壁）

第一四二条　第百三十八条第一項に規定する工作物のうち同項第五号に掲げる擁壁（以下この条において単に「擁壁」という。）に関する法第八十八条第一項において読み替えて準用する法第二十条第一項の政令で定める技術的基準は、次に掲げる基準に適合する構造方法又はこれと同等以上に擁壁の破壊及び転倒を防止することができるものとして国土交通大臣が定めた構造方法を用いることとする。

一　鉄筋コンクリート造、石造その他これらに類する腐食しない材料を用いた構造とすること。

二　石造の擁壁にあつては、コンクリートを用いて裏込めし、石と石とを十分に結合すること。

三　擁壁の裏面の排水を良くするため、水抜穴を設け、かつ、擁壁の裏面の水抜穴の周辺に砂利その他これに類するものを詰めること。

四　次項において準用する規定（第七章の八（第百三十六条の六を除く。）の規定を除く。）に適合する構造方法を用いること。

五　その用いる構造方法が、国土交通大臣が定める基準に従つた構造計算によつて確かめられる安全性を有すること。

2　擁壁については、第三十六条の三、第三十七条、第三十八条、第三十九条第一項及び第二項、第五十一条第一項、第六十二条、第七十一条第一項、第七十二条、第七十三条第一項、第七十四条、第七十五条、第七十九条、第八十条（第五十一条第一項、第六十二条、第七十一条第一項、第七十二条、第七十四条及び第七十五条の準用に関する部分に限る。）、第八十条の二並びに第七章の八（第百三十六条の六を除く。）の規定を準用する。

（乗用エレベーター又はエスカレーター）

第一四三条　第百三十八条第二項第一号に掲げる乗用エレベーター又はエスカレーターに関する法第八十八条第一項において読み替えて準用する法第二十条第一項の政令で定める技術的基準は、次項から第四項までにおいて準用する規定（第七章の八の規定を除く。）に適合する構造方法を用いることとする。

2　前項に規定する乗用エレベーター又はエスカレーターについては、第百二十九条の三から第百二十九条の十まで、第百二十九条の十二、第七章の八並びに第百三十九条第一項第三号及び第四号の規定を準用する。

3　第一項に規定する乗用エレベーター又はエスカレーターのうち前項において準用する第百三十九条第一項第三号又は第四号ロの規定により国土交通大臣の認定を受けた構造方法を用いるものについては、前項に規定するもののほか、耐久性等関係規定（第三十六条、第三十六条の二、第三十九条第四項、第四十一条、第四十九条並びに第八十条において準用する第七十二条及び第七十四条から第七十六条までの規定を除く。）を準用する。

4　第一項に規定する乗用エレベーター又はエスカレーターのうち前項に規定するもの以外のものについては、第二項に規定するもののほか、第三十六条の三、第三十七条、第三十八条、第三十九条第一項及び第二項、第三章第五節、第六節及び第六節の二並びに第八十条の二の規定を準用する。

（遊戯施設）

第一四四条　第百三十八条第二項第二号又は第三号に掲げる遊戯施設（以下この条において単に「遊戯施設」という。）に関する法第八十八条第一項において読み替えて準用する法第二十条第一項の政令で定める技術的基準は、次のとおりとする。

一　籠、車両その他人を乗せる部分（以下この条において「客席部分」という。）を支え、又は吊る構造上主要な部分（以下この条において「主要な支持部分」という。）のうち摩損又は疲労破壊が生ずるおそれのある部分以外の部分の構造は、次に掲げる基準に適合するものとすること。

イ　構造耐力上安全なものとして国土交通大臣が定めた構造方法を用いるものであること。

ロ　高さが六十メートルを超える遊戯施設にあつては、その用いる構造方法が、荷重及び外力によつて主要な支持部分に連続的に生ずる力及び変形を把握することその他の国土交通大臣が定める基準に従つた構造計算によつて安全性が確かめられたものとして国土交通大臣の認定を受けたものであること。

ハ　高さが六十メートル以下の遊戯施設にあつては、その用いる構造方法が、次の(1)又は(2)のいずれかに適合するものであること。

(1)　国土交通大臣が定める基準に従つた構造計算によつて確かめられる安全性を有すること。

(2)　ロの国土交通大臣が定める基準に従つた構造計算によつて安全性が確かめられたものとして国土交通大臣の認定を受けたものであること。

二　軌条又は索条を用いるものにあつては、客席部分が当該軌条又は索条から脱落するおそれのない構造とすること。

三　遊戯施設の客席部分の構造は、次に掲げる基準に適合するものとすること。

イ　走行又は回転時の衝撃及び非常止め装置の作動時の衝撃が加えられた場合に、客席にいる人を落下させないものとして、国土交通大臣が定めた構造方法を用いるもの又は国土交通大臣の認定を受けたものであること。

ロ　客席部分は、堅固で、かつ、客席にいる人が他の構造部分に触れることにより危害を受けるおそれのないものとして国土交通大臣が定めた構造方法を用いるものであること。

ハ　客席部分には、定員を明示した標識を見やすい場所に掲示すること。

四　動力が切れた場合、駆動装置に故障が生じた場合その他客席にいる人が危害を受けるおそれのある事故が発生し、又は発生するおそれのある場合に自動的に作動する非常止め装置を設けること。

五　前号の非常止め装置の構造は、自動的に作動し、かつ、当該客席部分以外の遊戯施設の部分に衝突することなく制止できるものとして、国土交通大臣が定めた構造方法を用いるもの又は国土交通大臣の認定を受けたものとすること。

六　前各号に定めるもののほか、客席にいる人その他当該遊戯施設の周囲の人の安全を確保することができるものとして国土交通大臣が定めた構造方法を用いるものであること。

七　次項において読み替えて準用する第百二十九条の四（第一項第一号イを除く。）及び第百二十九条の五第一項の規定に適合する構造方法を用いること。

2　遊戯施設については第七章の八の規定を、その主要な支持部分のうち摩損又は疲労破壊が生ずるおそれのある部分については第百二十九条の四（第一項第一号イを除く。）及び第百二十九条の五第一項の規定を準用する。この場合において、次の表の上欄に掲げる規定中同表の中欄に掲げる字句は、それぞれ同表の下欄に掲げる字句に読み替えるものとする。

第百二十九条の四の見出し、同条第一項（第二号を除く。）、第二項第三号及び第四号並びに第三項（第七号を除く。）並びに第百二十九条の五の見出し及び同条第一項	エレベーター	遊戯施設
第百二十九条の四第一項	かご及びかごを支え、又は吊る構造上主要な部分（	客席部分を支え、又は吊る構造上主要な部分（摩損又は疲労破壊を生ずるおそれのある部分に限る。）
第百二十九条の四	かご及び主要な支持部分	主要な支持部分
第百二十九条の四第一項第一号ロ、第二項第四号並びに第三項第二号及び第四号	かご	客席部分
第百二十九条の四第一項第一号ロ	昇降に	走行又は回転に
第百二十九条の四第一項第一号ロ及び第二項第二号	通常の昇降時	通常の走行又は回転時
第百二十九条の四第一項第二号	かごを主索で吊るエレベーター、油圧エレベーターその他国土交通大臣が定めるエレベーター	客席部分を主索で吊る遊戯施設その他国土交通大臣が定める遊戯施設
	前号イ及びロ	前号ロ
第百二十九条の四第一項第三号及び第二項	エレベーター強度検証法	遊戯施設強度検証法
第百二十九条の四第一項第三号	第一号イ及びロ	第一号ロ
第百二十九条の四第二項	、エレベーター	、遊戯施設
第百二十九条の四第二項第一号	次条に規定する荷重	次条第一項に規定する固定荷重及び国土交通大臣が定める積載荷重
	主要な支持部分並びにかごの床版及び枠（以下この条において「主要な支持部分等」という。）	主要な支持部分
第百二十九条の四第二項第二号及び第三号	主要な支持部分等	主要な支持部分
第百二十九条の四第二項第二号	昇降する	走行し、又は回転する
	次条第二項に規定する	国土交通大臣が定める
第百二十九条の四第三項第二号	主要な支持部分のうち、摩損又は疲労破壊を生ずるおそれのあるものにあつては、二以上	二以上
第百二十九条の四第三項第七号	エレベーターで昇降路の壁の全部又は一部を有しないもの	遊戯施設

（型式適合認定の対象とする工作物の部分及び一連の規定）

第一四四条の二 法第八十八条第一項において準用する法第六十八条の十第一項に規定する政令で定める工作物の部分は、次の表の工作物の部分の欄の各項に掲げる工作物の部分とし、法第八十八条第一項において準用する法第六十八条の十第一項に規定する政令で定める一連の規定は、同表の一連の規定の欄の当該各項に掲げる規定（これらの規定中工作物の部分の構造に係る部分に限る。）とする。

	工作物の部分	一連の規定
(一)	乗用エレベーターで観光のためのもの（一般交通の用に供するものを除く。）の部分で、昇降路及び機械室以外のもの	イ 法第八十八条第一項において準用する法第二十八条の二（第三号を除く。）及び法第三十七条の規定 ロ 第百四十三条第二項（第百二十九条の三、第百二十九条の四（第三項第七号を除く。）、第百二十九条の五、第百二十九条の六、第百二十九条の八及び第百二十九条の十の規定の準用に関する部分に限る。）の規定
(二)	エスカレーターで観光のためのもの（一般交通の用に供するものを除く。）の部分で、トラス又ははりを支える部分以外のもの	イ 法第八十八条第一項において準用する法第二十八条の二（第三号を除く。）及び法第三十七条の規定 ロ 第百四十三条第二項（第百二十九条の三及び第百二十九条の十二（第一項第一号及び第六号を除く。）の規定の準用に関する部分に限る。）の規定
(三)	ウォーターシュート、コースターその他これらに類する高架の遊戯施設又はメリーゴーラウンド、観覧車、オクトパス、飛行塔その他これらに類する回転運動をする遊戯施設で原動機を使用するものの部分のうち、かご、車両その他人を乗せる部分及びこれを支え、又は吊る構造上主要な部分並びに非常止め装置の部分	イ 法第八十八条第一項において準用する法第二十八条の二（第三号を除く。）及び法第三十七条の規定 ロ 前条第一項（同項第一号イ及び第六号にあつては、国土交通大臣が定めた構造方法のうちその指定する構造方法に係る部分に限る。）の規定

（製造施設、貯蔵施設、遊戯施設等）

第一四四条の二の二 第百三十八条第四項第一号から第四号までに掲げるものについては、第百三十七条（法第四十八条第一項から第十四項までに係る部分に限る。）、第百三十七条の七、第百三十七条の十二第八項及び第百三十七条の十九第二項（第三号を除く。）の規定を準用する。この場合において、第百三十七条の七第二号及び第三号中「床面積の合計」とあるのは、「築造面積」と読み替えるものとする。

（処理施設）

第一四四条の二の三 第百三十八条第四項第五号に掲げるもの（都市計画区域内にあるものに限る。）については、第百三十条の二の三（第一項第一号及び第四号を除く。）及び第百三十七条の十二第二項（法第五十一条に係る部分に限る。）の規定を準用する。

（特定用途制限地域内の工作物）

第一四四条の二の四 第百三十八条第四項第六号に掲げるものについては、第百三十条の二の規定を準用する。

2　第百三十八条第四項第六号に掲げるものについての法第八十八条第二項において準用する法第八十七条第三項の規定によつて法第四十九条の二の規定に基づく条例の規定を準用する場合における同項第二号に規定する類似の用途の指定については、当該条例で定めるものとする。

第十章　雑則

（安全上、防火上又は衛生上重要である建築物の部分）

第一四四条の三　法第三十七条の規定により政令で定める安全上、防火上又は衛生上重要である建築物の部分は、次に掲げるものとする。

一　構造耐力上主要な部分で基礎及び主要構造部以外のもの

二　耐火構造、準耐火構造又は防火構造の構造部分で主要構造部以外のもの

三　第百九条に定める防火設備又はこれらの部分

四　建築物の内装又は外装の部分で安全上又は防火上重要であるものとして国土交通大臣が定めるもの

五　主要構造部以外の間仕切壁、揚げ床、最下階の床、小ばり、ひさし、局部的な小階段、屋外階段、バルコニーその他これらに類する部分で防火上重要であるものとして国土交通大臣が定めるもの

六　建築設備又はその部分（消防法第二十一条の二第一項に規定する検定対象機械器具等及び同法第二十一条の十六の二に規定する自主表示対象機械器具等、ガス事業法第二条第十三項に規定するガス工作物及び同法第百三十七条第一項に規定するガス用品、電気用品安全法（昭和三十六年法律第二百三十四号）第二条第一項に規定する電気用品、液化石油ガスの保安の確保及び取引の適正化に関する法律第二条第七項に規定する液化石油ガス器具等並びに安全上、防火上又は衛生上支障がないものとして国土交通大臣が定めるものを除く。）

（道に関する基準）

第一四四条の四　法第四十二条第一項第五号の規定により政令で定める基準は、次の各号に掲げるものとする。

一　両端が他の道路に接続したものであること。ただし、次のイからホまでのいずれかに該当する場合においては、袋路状道路（法第四十三条第三項第五号に規定する袋路状道路をいう。以下この条において同じ。）とすることができる。

イ　延長（既存の幅員六メートル未満の袋路状道路に接続する道にあつては、当該袋路状道路が他の道路に接続するまでの部分の延長を含む。ハにおいて同じ。）が三十五メートル以下の場合

ロ　終端が公園、広場その他これらに類するもので自動車の転回に支障がないものに接続している場合

ハ　延長が三十五メートルを超える場合で、終端及び区間三十五メートル以内ごとに国土交通大臣の定める基準に適合する自動車の転回広場が設けられている場合

ニ　幅員が六メートル以上の場合

ホ　イからニまでに準ずる場合で、特定行政庁が周囲の状況により避難及び通行の安全上支障がないと認めた場合

二　道が同一平面で交差し、若しくは接続し、又は屈曲する箇所（交差、接続又は屈曲により生ずる内角が百二十度以上の場合を除く。）は、角地の隅角を挟む辺の長さ二メートルの二等辺三角形の部分を道に含む隅切りを設けたものであること。ただし、特定行政庁が周囲の状況によりやむを得ないと認め、又はその必要がないと認めた場合においては、この限りでない。

三　砂利敷その他ぬかるみとならない構造であること。

四　縦断勾配が十二パーセント以下であり、かつ、階段状でないものであること。ただし、特定行政庁が周囲の状況により避難及び通行の安全上支障がないと認めた場合においては、この限りでない。

五　道及びこれに接する敷地内の排水に必要な側溝、街渠その他の施設を設けたものであること。

2　地方公共団体は、その地方の気候若しくは風土の特殊性又は土地の状況により必要と認める場合においては、条例で、区域を限り、前項各号に掲げる基準と異なる基準を定めることができる。

3　地方公共団体は、前項の規定により第一項各号に掲げる基準を緩和する場合においては、あらかじめ、国土交通大臣の承認を得なければならない。

（窓その他の開口部を有しない居室）

第一四四条の五　法第四十三条第三項第三号の規定により政令で定める窓その他の開口部を有しない居室は、第百十六条の二に規定するものとする。

（道路内に建築することができる建築物に関する基準等）

第一四五条　法第四十四条第一項第三号の政令で定める基準は、次のとおりとする。

一　特定主要構造部が耐火構造であること。

二　耐火構造とした床若しくは壁又は特定防火設備のうち、次に掲げる要件を満たすものとして、国土交通大臣が定めた構造方法を用いるもの又は国土交通大臣の認定を受けたもので道路と区画されていること。

イ　第百十二条第十九項第一号イ及びロ並びに第二号ロに掲げる要件を満たしていること。

ロ　閉鎖又は作動をした状態において避難上支障がないものであること。

三　道路の上空に設けられる建築物にあつては、屋外に面する部分に、ガラス（網入りガラスを除く。）、瓦、タイル、コンクリートブロック、飾石、テラコッタその他これらに類する材料が用いられていないこと。ただし、これらの材料が道路上に落下するおそれがない部分については、この限りでない。

2　法第四十四条第一項第四号の政令で定める建築物は、道路（高度地区（建築物の高さの最低限度が定められているものに限る。以下この項において同じ。）、高度利用地区又は都市再生特別地区内の自動車のみの交通の用に供するものを除く。）の上空に設けられる渡り廊下その他の通行又は運搬の用途に供する建築物で、次の各号のいずれかに該当するものであり、かつ、特定主要構造部が耐火構造であるか又は主要構造部が不燃材料で造られている建築物に設けられるもの、高度地区、高度利用地区又は都市再生特別地区内の自動車のみの交通の用に供する道路の上空に設けられる建築物、高架の道路の路面下に設けられる建築物並びに自動車のみの交通の用に供する道路に設けられる建築物である休憩所、給油所その他の自動車に燃料又は動力源としての電気を供給するための施設及び自動車修理所（高度地区、高度利用地区又は都市再生特別地区内の自動車のみの交通の用に供する道路の上空に設けられるもの及び高架の道路の路面下に設けられるものを除く。）とする。

一　学校、病院、老人ホームその他これらに類する用途に供する建築物に設けられるもので、生徒、患者、老人等の通行の危険を防止するために必要なもの

二　建築物の五階以上の階に設けられるもので、その建築物の避難施設として必要なもの

三　多数人の通行又は多量の物品の運搬の用途に供するもので、道路の交通の緩和に寄与するもの

3　前項の建築物のうち、道路の上空に設けられるものの構造は、次の各号に定めるところによらなければならない。

一　構造耐力上主要な部分は、鉄骨造、鉄筋コンクリート造又は鉄骨鉄筋コンクリート造とし、その他の部分は、不燃材料で造ること。

二　屋外に面する部分には、ガラス（網入ガラスを除く。）、瓦、タイル、コンクリートブロック、飾石、テラコッタその他これらに類する材料を用いないこと。ただし、これらの材料が道路上に落下するおそれがない部分については、この限りでない。

三　道路の上空に設けられる建築物が渡り廊下その他の通行又は運搬の用途に供する建築物である場合においては、その側面には、床面からの高さが一・五メートル以上の壁を設け、その壁の床面からの高さが一・五メートル以下の部分に開口部を設けるときは、これにはめごろし戸を設けること。

（確認等を要する建築設備）

第一四六条　法第八十七条の四（法第八十八条第一項及び第二項において準用する場合を含む。）の規定により政令で指定する建築設備は、次に掲げるものとする。

一　エレベーター及びエスカレーター

一　エレベーター（使用頻度が低く劣化が生じにくいことその他の理由により人が危害を受けるおそれのある事故が発生するおそれの少ないものとして国土交通大臣が定めるものを除く。）及びエスカレーター

二　小荷物専用昇降機（昇降路の出し入れ口の下端が当該出し入れ口が設けられる室の床面より高いことその他の理由により人が危害を受けるお

それのある事故が発生するおそれの少ないものとして国土交通大臣が定めるものを除く。）

三　法第十二条第三項の規定により特定行政庁が指定する建築設備（屎尿浄化槽及び合併処理浄化槽を除く。）

2　第七章の八の規定は、前項各号に掲げる建築設備について準用する。

（仮設建築物等に対する制限の緩和）

第一四七条　法第八十五条第二項の規定の適用を受ける建築物（以下この項において「応急仮設建築物等」という。）又は同条第六項若しくは第七項の規定による許可を受けた建築物（いずれも高さが六十メートル以下のものに限る。）については、第二十二条、第二十八条から第三十条まで、第三十七条、第四十六条、第四十九条、第六十七条、第七十条、第三章第八節、第百十二条、第百十四条、第五章の二、第百二十九条の二の三（屋上から突出する水槽、煙突その他これらに類するものに係る部分に限る。）、第百二十九条の十三の二及び第百二十九条の十三の三の規定は適用せず、応急仮設建築物等については、第四十一条から第四十三条まで、第四十八条及び第五章の規定は適用しない。

> **第一四七条**　法第八十五条第二項の規定の適用を受ける建築物（以下この項において「応急仮設建築物等」という。）又は同条第六項若しくは第七項の規定による許可を受けた建築物（いずれも高さが六十メートル以下のものに限る。）については、第二十二条、第二十八条から第三十条まで、第三十七条、第四十六条、第四十九条、第六十七条、第七十条、第三章第八節、第百十二条、第百十四条、第五章の二、第百二十九条の二の三（屋上から突出する水槽、煙突その他これらに類するものに係る部分に限る。）、第百二十九条の十三の二及び第百二十九条の十三の三の規定は適用せず、応急仮設建築物等については、第四十一条から第四十三条まで及び第五章の規定は適用しない。

2　災害があつた場合において建築物の用途を変更して法第八十七条の三第二項に規定する公益的建築物として使用するときにおける当該公益的建築物（以下この項において「公益的建築物」という。）、建築物の用途を変更して同条第六項に規定する興行場等とする場合における当該興行場等及び建築物の用途を変更して同条第七項に規定する特別興行場等とする場合における当該特別興行場等（いずれも高さが六十メートル以下のものに限る。）については、第二十二条、第二十八条から第三十条まで、第四十六条、第四十九条、第百十二条、第百十四条、第五章の二、第百二十九条の十三の二及び第百二十九条の十三の三の規定は適用せず、公益的建築物については、第四十一条から第四十三条まで及び第五章の規定は適用しない。

3　第百三十八条第一項に規定する工作物のうち同項第一号に掲げる煙突でその存続期間が二年以内のもの（高さが六十メートルを超えるものにあつては、その構造及び周囲の状況に関し安全上支障がないものとして国土交通大臣が定める基準に適合するものに限る。）については、第百三十九条第一項第三号及び第四号の規定並びに同条第四項において準用する第三十七条、第三十八条第六項及び第六十七条の規定は、適用しない。

4　第百三十八条第一項に規定する工作物のうち同項第二号に掲げる工作物でその存続期間が二年以内のもの（高さが六十メートルを超えるものにあつては、その構造及び周囲の状況に関し安全上支障がないものとして国土交通大臣が定める基準に適合するものに限る。）については、第百四十条第二項において準用する第百三十九条第一項第三号及び第四号の規定並びに第百四十条第四項において準用する第三十七条、第三十八条第六項及び第六十七条の規定は、適用しない。

5　第百三十八条第一項に規定する工作物のうち同項第三号又は第四号に掲げる工作物でその存続期間が二年以内のもの（高さが六十メートルを超えるものにあつては、その構造及び周囲の状況に関し安全上支障がないものとして国土交通大臣が定める基準に適合するものに限る。）については、第百四十一条第二項において準用する第百三十九条第一項第三号及び第四号の規定並びに第百四十一条第四項において準用する第三十七条、第三十八条第六項、第六十七条及び第七十条の規定は、適用しない。

（工事中における安全上の措置等に関する計画の届出を要する建築物）

第一四七条の二　法第九十条の三（法第八十七条の四において準用する場合を含む。）の政令で定める建築物は、次に掲げるものとする。

一　百貨店、マーケットその他の物品販売業を営む店舗（床面積が十平方メートル以内のものを除く。）又は展示場の用途に供する建築物で三階以上の階又は地階におけるその用途に供する部分の床面積の合計が千五百平方メートルを超えるもの

二　病院、診療所（患者の収容施設があるものに限る。）又は児童福祉施設等の用途に供する建築物で五階以上の階におけるその用途に供する部分の床面積の合計が千五百平方メートルを超えるもの

三　劇場、映画館、演芸場、観覧場、公会堂、集会場、ホテル、旅館、キャバレー、カフェー、ナイトクラブ、バー、ダンスホール、遊技場、公衆浴場、待合、料理店若しくは飲食店の用途又は前二号に掲げる用途に供する建築物で五階以上の階又は地階におけるその用途に供する部分の床面積の合計が二千平方メートルを超えるもの

四　地下の工作物内に設ける建築物で居室の床面積の合計が千五百平方メートルを超えるもの

（消防長等の同意を要する住宅）

第一四七条の三　法第九十三条第一項ただし書の政令で定める住宅は、一戸建ての住宅で住宅の用途以外の用途に供する部分の床面積の合計が延べ面積の二分の一以上であるもの又は五十平方メートルを超えるものとする。

（映像等の送受信による通話の方法による口頭審査）

第一四七条の四　法第九十四条第三項の口頭審査については、行政不服審査法施行令（平成二十七年政令第三百九十一号）第二条の規定により読み替えられた同令第八条の規定を準用する。この場合において、同条中「総務省令」とあるのは、「国土交通省令」と読み替えるものとする。

（権限の委任）

第一四七条の五　この政令に規定する国土交通大臣の権限は、国土交通省令で定めるところにより、その一部を地方整備局長又は北海道開発局長に委任することができる。

（市町村の建築主事等の特例）

第一四八条　法第九十七条の二第一項の政令で定める事務は、法の規定により建築主事の権限に属するものとされている事務のうち、次に掲げる建築物又は工作物（当該建築物又は工作物の新築、改築、増築、移転、築造又は用途の変更に関して、法律並びにこれに基づく命令及び条例の規定により都道府県知事の許可を必要とするものを除く。）に係る事務とする。

一　法第六条第一項第四号に掲げる建築物

二　第百三十八条第一項に規定する工作物のうち同項第一号に掲げる煙突若しくは同項第三号に掲げる工作物で高さが十メートル以下のもの又は同項第五号に掲げる擁壁で高さが三メートル以下のもの（いずれも前号に規定する建築物以外の建築物の敷地内に築造するものを除く。）

> 一　法第六条第一項第二号に掲げる建築物のうち、木造の建築物（地階を除く階数が三以上であるもの、延べ面積が三百平方メートルを超えるもの及び高さが十六メートルを超えるものを除く。）
>
> 二　法第六条第一項第三号に掲げる建築物
>
> 三　第百三十八条第一項に規定する工作物のうち、同項第一号に掲げる煙突若しくは同項第三号に掲げる工作物で高さが十メートル以下のもの又は同項第五号に掲げる擁壁で高さが三メートル以下のもの（いずれも前二号に規定する建築物以外の建築物の敷地内に築造するものを除く。）

2　前項の規定は、法第九十七条の二第二項の政令で定める事務について準用する。この場合において、前項中「建築主事」とあるのは、「建築副主事」と読み替えるものとする。

3　法第九十七条の二第五項の政令で定める事務は、次に掲げる事務（建築審査会が置かれていない市町村の長にあつては、第一号及び第三号に掲げる事務）とする。

一　法第六条の二第六項及び第七項（これらの規定を法第八十八条第一項において準用する場合を含む。）、法第七条の二第七項（法第八十八条第一項において準用する場合を含む。）、法第七条の四第七項（法第八十八条第一項及び第三項並びに法第九十条第三項において準用する場合を含む。）、法第九条（法第八十八条第一項及び第三項並びに法第九十条第三項において準用する場合を含む。）、法第九条の二（法第八十八条第一項及び第三項並びに法第九十条第三項において準用する場合を含む。）、法第九条の三（法第八十八条第一項及び第三項並びに法第九十条第三項において準用する場合を含む。）、法第九条の四（法第八十八条第一項及び第三項において準用する場合を含む。）、法第十条（法第八十八条第一項及び第三項において準用する場合を含む。）、法第十一条第一項（法第八十八条第一項及び第三項において準用する場合を含む。）、法第十二条（法第八十八条第一項及び第三項に

おいて準用する場合を含む。）、法第十八条第二十五項（法第八十八条第一項及び第三項並びに法第九十条第三項において準用する場合を含む。）、法第四十三条第二項第一号、法第八十五条第三項、第五項、第六項及び第八項（同条第五項の規定により許可の期間を延長する場合に係る部分に限る。）、法第八十六条第一項、第二項及び第八項（同条第一項又は第二項の規定による認定に係る部分に限る。）、法第八十六条の二第一項及び第六項（同条第一項の規定による認定に係る部分に限る。）、法第八十六条の五第二項及び第四項（同条第二項の規定による認定の取消しに係る部分に限る。）、法第八十六条の六、法第八十六条の八（第二項を除き、法第八十七条の二第二項において準用する場合を含む。）、法第八十七条の二第一項、法第八十七条の三第三項、第五項、第六項及び第八項（同条第五項の規定により許可の期間を延長する場合に係る部分に限る。）並びに法第九十三条の二に規定する都道府県知事たる特定行政庁の権限に属する事務のうち、第一項各号に掲げる建築物又は工作物に係る事務

一　法第六条の二第六項及び第七項（これらの規定を法第八十七条の四及び法第八十八条第一項において準用する場合を含む。）、法第七条の二第七項（法第八十七条の四及び法第八十八条第一項において準用する場合を含む。）、法第七条の四第七項（法第八十七条の四及び法第八十八条第一項において準用する場合を含む。）、法第七条の六第一項第一号及び第四項（これらの規定を法第八十七条の四において準用する場合を含む。）、法第九条第一項及び第十項（これらの規定を法第八十八条第一項及び第三項並びに法第九十条第三項において準用する場合を含む。）、法第九条第二項から第九項まで、第十一項、第十二項及び第十五項（これらの規定を法第八十八条第一項及び第三項、法第九十条第三項並びに法第九十条の二第二項において準用する場合を含む。）、法第九条第十三項及び第十四項（これらの規定を法第八十八条第一項及び第三項並びに法第九十条の二第二項において準用する場合を含む。）、法第九条の二（法第八十八条第一項及び第三項並びに法第九十条第三項において準用する場合を含む。）、法第九条の三（法第八十八条第一項及び第三項並びに法第九十条第三項において準用する場合を含む。）、法第九条の四（法第八十八条第一項及び第三項において準用する場合を含む。）、法第十条（法第八十八条第一項及び第三項において準用する場合を含む。）、法第十一条第一項（法第八十八条第一項及び第三項において準用する場合を含む。）、法第十二条（法第八十八条第一項及び第三項において準用する場合を含む。）、法第十八条第二十四項第一号（法第八十七条の四において準用する場合を含む。）及び第二十五項（法第八十八条第一項及び第三項並びに法第九十条第三項において準用する場合を含む。）、法第四十三条第二項第一号、法第八十五条第三項、第五項、第六項及び第八項（同条第五項の規定により許可の期間を延長する場合に係る部分に限る。）、法第八十六条第一項、第二項及び第八項（同条第一項又は第二項の規定による認定に係る部分に限る。）、法第八十六条の二第一項及び第六項（同条第一項の規定による認定に係る部分に限る。）、法第八十六条の五第二項及び第四項（同条第二項の規定による認定の取消しに係る部分に限る。）、法第八十六条の六、法第八十六条の八第一項、同条第三項から第六項まで（これらの規定を法第八十七条の二第二項において準用する場合を含む。）、法第八十七条の二第一項、法第八十七条の三第三項、第五項、第六項及び第八項（同条第五項の規定により許可の期間を延長する場合に係る部分に限る。）、法第九十条の二第一項（法第八十七条の四において準用する場合を含む。）並びに法第九十三条の二に規定する都道府県知事たる特定行政庁の権限に属する事務のうち、第一項各号に掲げる建築物又は工作物に係る事務

二　法第四十三条第二項第二号、法第四十四条第一項第二号、法第五十二条第十四項（同項第二号に該当する場合に限る。以下この号において同じ。）、同条第十五項（同条第十四項の規定による許可をする場合に係る部分に限る。）において準用する法第四十四条第二項、法第五十三条第六項第三号、同条第九項（同号の規定による許可をする場合に係る部分に限る。）において準用する法第四十四条第二項、法第五十三条の二第一項第三号及び第四号、同条第四項において準用する法第四十四条第二項、法第六十七条第三項第二号、同条第十項（同号の規定による許可をする場合に係る部分に限る。）において準用する法第四十四条第二項、法第六十八条第三項第二号、同条第六項（同号の規定による許可をする場合に係る部分に限る。）において準用する法第四十四条第二項、法第六十八条の七第五項並びに同条第六項において準用する法第四十四条第二項に規定する都道府県知事たる特定行政庁の権限に属する事務のうち、第一項各号に掲げる建築物又は工作物に係る事務

三　法第四十二条第一項第五号、同条第二項（幅員一・八メートル未満の道の指定を除く。）、同条第四項（幅員一・八メートル未満の道の指定を除く。）、法第四十五条及び法第六十八条の七第一項（同項第一号に該当する場合に限る。）に規定する都道府県知事たる特定行政庁の権限に属する事務

四　法第四十二条第二項（幅員一・八メートル未満の道の指定に限る。）、第三項、第四項（幅員一・八メートル未満の道の指定に限る。）及び第六項並びに法第六十八条の七第一項（同項第一号に該当する場合を除く。）及び第二項に規定する都道府県知事たる特定行政庁の権限に属する事務

4　法第九十七条の二第五項の規定により同項に規定する市町村の長が前項第一号に掲げる事務のうち法第十二条第四項ただし書、法第八十五条第八項又は法第八十七条の三第八項の規定に係るものを行う場合におけるこれらの規定の適用については、これらの規定中「建築審査会」とあるのは、「建築審査会（建築審査会が置かれていない市町村にあつては、当該市町村を包括する都道府県の建築審査会）」とする。

5　法第九十七条の二第五項の場合においては、この政令中都道府県知事たる特定行政庁に関する規定は、同条第一項又は第二項の規定により建築主事又は建築副主事を置く市町村の長に関する規定として当該市町村の長に適用があるものとする。

（特別区の特例）

第一四九条　法第九十七条の三第一項の政令で定める事務は、法の規定により建築主事の権限に属するものとされている事務のうち、次に掲げる建築物、工作物又は建築設備（第二号に掲げる建築物又は工作物にあつては、地方自治法第二百五十二条の十七の二第一項の規定により同号に規定する処分に関する事務を特別区が処理することとされた場合における当該建築物又は工作物を除く。）に係る事務以外の事務とする。

一　延べ面積が一万平方メートルを超える建築物

二　その新築、改築、増築、移転、築造又は用途の変更に関して、法第五十一条（法第八十七条第二項及び第三項並びに法第八十八条第二項において準用する場合を含む。以下この条において同じ。）（市町村都市計画審議会が置かれている特別区の建築主事にあつては、卸売市場、と畜場及び産業廃棄物処理施設に係る部分に限る。）並びに法以外の法律並びにこれに基づく命令及び条例の規定により都知事の許可を必要とする建築物又は工作物

三　第百三十八条第一項に規定する工作物で前二号に掲げる建築物に附置するもの及び同条第四項に規定する工作物のうち同項第二号ハからチまでに掲げる工作物で前二号に掲げる建築物に附属するもの

四　第百四十六条第一項第一号に掲げる建築設備で第一号及び第二号に掲げる建築物に設けるもの

2　前項の規定は、法第九十七条の三第二項の政令で定める事務について準用する。この場合において、前項中「建築主事」とあるのは「建築副主事」と、同項第一号中「建築物」とあるのは「建築物又は延べ面積が一万平方メートル以下の建築物のうち建築士法第三条第一項各号に掲げる建築物に該当するもの」と読み替えるものとする。

3　法第九十七条の三第四項の政令で定める事務は、第一項各号に掲げる建築物、工作物又は建築設備に係る事務以外の事務であつて法の規定により都知事たる特定行政庁の権限に属する事務のうち、次の各号に掲げる区分に応じ、当該各号に定める事務以外の事務とする。

一　市町村都市計画審議会が置かれていない特別区の長　法第七条の三（法第八十七条の四及び法第八十八条第一項において準用する場合を含む。次号において同じ。）、法第二十二条、法第四十二条第一項（各号列記以外の部分に限る。）、法第五十一条、法第五十二条第一項、第二項及び第八項、法第五十三条第一項、法第五十六条第一項、法第五十七条の二第三項及び第四項、法第五十七条の三第二項及び第三項、法第八十四条、法第八十五条第一項並びに法別表第三に規定する事務

二　市町村都市計画審議会が置かれている特別区の長　法第七条の三、法

第五十一条（卸売市場、と畜場及び産業廃棄物処理施設に係る部分に限る。）、法第五十二条第一項及び第八項、法第五十三条第一項、法第五十六条第一項第二号ニ、法第五十七条の二第三項及び第四項、法第五十七条の三第二項及び第三項、法第八十四条、法第八十五条第一項並びに法別表第三(に)欄五の項に規定する事務

4　法第九十七条の三第四項の場合においては、この政令中都道府県知事たる特定行政庁に関する規定（第百三十条の十第二項ただし書、第百三十五条の十二第四項及び第百三十六条第三項ただし書の規定を除く。）は、特別区の長に関する規定として特別区の長に適用があるものとする。

（両罰規定の対象となる多数の者が利用する建築物）

第一五〇条　法第百五条第一号の政令で定める建築物は、次に掲げるものとする。

一　法別表第一(い)欄に掲げる用途に供する特殊建築物のうち階数が三以上でその用途に供する部分の床面積の合計が百平方メートルを超え二百平方メートル以下のもの

二　事務所その他これに類する用途に供する建築物（法第六条第一項第一号に掲げる建築物を除く。）のうち階数が五以上で延べ面積が千平方メートルを超えるもの

附　則〔抄〕

（施行期日）

1　この政令中第一章第二節の規定は、公布の日から、その他の規定は、昭和二十五年十一月二十三日から施行する。

（法施行後初めて行う資格検定の特例）

2　法施行後初めて行う資格検定においては、第四条第三項の規定にかかわらず、旧市街地建築物法（大正八年法律第三十七号）又は建築基準法の施行に関し十年以上の行政経験を有し、且つ、当該資格検定実施の日以前五年以内において一年以上都道府県又は戦災復興院、建設院若しくは建設省の建築行政に関する局、部又は課の長の地位にあつた者又は建設大臣がこれと同等以上の知識及び実務の経験を有すると認める者については、同第六号から第八号までに掲げる科目を免除する。

（臨時資格検定）

3　法施行の日〔昭和二五・一一・二三〕から一年以内においては、資格検定は、第三条及び第四条に規定する資格検定の外、附則第四項及び第五項の規定による臨時資格検定によつて行うことができる。

4　臨時資格検定は、法第六条第一項第四号に掲げる建築物について同項の規定による確認をするために必要な建築技術及び法令に関する知識及び経験について行う。

5　臨時資格検定は、経歴審査及び考査によつて行い、経歴審査は建築行政又は建築工事に関する実務の経歴について、考査は左の表の上欄に掲げる科目について、それぞれ行う。但し、下欄に該当する者については、それぞれ当該上欄の科目を免除する。

科目	上欄の科目を免除される者
(一) 建築設計	建築士の資格を有する者
(二) 建築計画	
(三) 建築構造	
(四) 建築材料	
(五) 建築施工	
(六) 建築基準法及びこれに基く命令	旧市街地建築物法若しくは建築基準法の施行に関し二年以上の行政経験を有し、且つ、当該資格検定実施の日以前十年以内において建築行政に関する相当の責任ある地位にあつた者又は建設大臣がこれと同等以上の知識及び実務の経験を有すると認める者
(七) 都市計画法及び消防法並びにこれらに基く命令の概要	
(八) (六)及び(七)以外の建築行政に必要な知識	

6　前三項の規定による臨時資格検定は、法施行の日から五年間に限りその効力を有する。

（防火戸の特例）

7　法第六十四条の規定によつて防火戸を設ける場合においては、特定行政庁が第百十条に規定する防火戸を設けることが著しく困難と認めて消防長又は消防署長の同意を得て指定する区域内にこの政令の施行の日から二年以内に建築する建築物については、左の各号の一に該当する構造の簡易防火戸をもつて同条の規定による乙種防火戸に代えることができる。この場合においては、第百十条第五項の規定は、適用しない。

一　金属板、石綿板、マグネシヤセメント板、防火木材、網入ガラスその他これらに類するものをもつて造られたもので、第百十条第二項第一号又は第四号から第六号までに掲げる構造に該当しないもの

二　骨組を木製とし、屋外面に金属板を張つたもの

附　則〔略〕〔昭和二六・一〇・二七政令三四二〕

附　則〔略〕〔昭和二六・一二・七政令三七一〕

附　則〔略〕〔昭和二七・八・二〇政令三五三〕

附　則〔略〕〔昭和二九・六・三〇政令一八三〕

附　則〔略〕〔昭和三一・六・一五政令一八五〕

附　則〔略〕〔昭和三一・八・二一政令二六五〕

附　則〔略〕〔昭和三三・一〇・四政令二八三〕

附　則〔抄〕〔昭和三四・一二・四政令三四四〕

改正　昭和三六・一二政三九六

（施行期日）

1　この政令は、昭和三十四年十二月二十三日から施行する。

（乙種防火戸の特例）

2　法第六十四条に規定する建築物の外壁の開口部で延焼のおそれのある部分のうち、隣地境界線、道路中心線又は同一敷地内の二以上の建築物（延べ面積の合計が五百平方メートル以内の建築物は、一の建築物とみなす。）相互の外壁間の中心線から、一階にあつては一メートル以上、二階以上にあつては三メートル以上の距離にある部分に設ける戸で、次の各号の一に該当するものは、当分の間、この政令による改正後の建築基準法施行令（以下「改正後の施行令」という。）第百十条第二項の乙種防火戸とみなす。

一　防火塗料を塗布した木材及び網入ガラスで造られたもの

二　屋外面に石綿板、石膏板、難燃合板その他これらに類するものを張つたもの

（改正前の法第五十三条第一項の規定による許可等）

3　改正後の施行令第百三十条の二第一項第三号又は第四号に規定する法第五十四条ただし書の規定による許可には、建築基準法の一部を改正する法律（昭和三十四年法律第百五十六号）による改正前の建築基準法（以下「改正前の法」という。）第五十三条第一項（改正前の法第八十七条第二項において準用する場合を含む。）の規定による許可が含まれ、改正後の施行令第百三十七条に規定する法第三条第二項には、法第四十九条第一項から第三項までの規定に適合しない事由が容器等の容量によるものである場合を除き、改正前の法第三条第二項及び第三項が含まれるものとする。

附　則〔略〕〔昭和三五・六・三〇政令一八五〕

附　則〔略〕〔昭和三五・一〇・一八政令二七二〕

附　則〔略〕〔昭和三六・一二・二政令三九六〕

附　則〔昭和三九・一・一四政令四〕

1　この政令は、建築基準法の一部を改正する法律（昭和三十八年法律第百五十一号）の施行の日（昭和三十九年一月十五日）から施行する。

2　この政令の施行前に建築基準法の一部を改正する法律による改正前の建築基準法第五十九条の二第一項の規定により指定された特定街区内における建築物の延べ面積の算定方法については、なお従前の例による。

附　則〔抄〕〔昭和三九・一一・一六政令三四七〕

（施行期日）

1　この政令は、昭和四十年四月一日から施行する。

（許認可等に関する経過措置）

3　昭和四十年四月一日において現に効力を有する都知事その他の都の機関が行なつた許可、認可等の処分その他の行為又は同日において現にこれらの機関に対して行なつている許可、認可等の申請その他の行為で、同日以後において特別区の区長その他の機関が管理し、及び執行することとなる事務に係るものは、同日以後においては、特別区の区長その他の機関が行なつた許可、認可等の処分その他の行為又はこれらの機関に対して行なつ

た許可、認可等の申請その他の行為とみなす。

附則〔略〕〔昭和四四・一一・二三政令八〕

附則〔略〕〔昭和四四・六・一三政令一五八〕

附則〔抄〕〔昭和四五・一二・二政令三三三〕

改正　昭和五〇・一政二

（施行期日）

1　この政令は、建築基準法の一部を改正する法律（昭和四十五年法律第百九号。以下「改正法」という。）の施行の日（昭和四十六年一月一日）から施行する。

（改正前の建築基準法第四十二条第一項第五号の規定による指定）

2　この政令の施行の際現に改正法による改正前の建築基準法第四十二条第一項第五号の規定による道路の位置の指定を受けている道は、この政令による改正後の建築基準法施行令第百四十四条の四第一項各号に掲げる基準に適合するものとみなす。

（用途地域等に関する経過措置）

3　改正法附則第十三項の規定による改正前の都市計画法（昭和四十三年法律第百号。以下「改正前の都市計画法」という。）の規定による都市計画区域でこの政令の施行の際現に存するものの内の建築物、建築物の敷地又は建築物若しくはその敷地の部分については、この政令の施行の日から起算して三年を経過する日（その日前に同項の規定による改正後の都市計画法第二章の規定により、当該都市計画区域について用途地域に関する都市計画が決定されたときは、同法第二十条第一項（同法第二十二条第一項において読み替える場合を含む。）の規定による告示があつた日。附則第十五項において同じ。）までの間は、この政令による改正後の建築基準法施行令第二条第一項第四号及び第五号、第二十条第一項第一号、第百三十条の二第一項第一号、第百三十条の三から第百三十一条まで、第百三十三条、第百三十四条第一項、第百三十五条第一項、第百三十五条の三から第百三十六条まで、第百三十七条、第百三十七条の四、第百三十七条の五、第百三十七条の九並びに第百三十七条の十第一項及び第二項の規定は、適用せず、この政令による改正前の建築基準法施行令第二条第一項第四号及び第五号、第二十条第一項第一号、第百三十条の二第一項第一号、第百三十条の三から第百三十一条まで、第百三十三条、第百三十四条第一項、第百三十五条第一項、第百三十五条の三、第百三十五条の四、第百三十七条、第百三十七条の四、第百三十七条の五、第百三十七条の九並びに第百三十七条の十第一項及び第二項の規定は、なおその効力を有する。

15　この政令の施行の際現に改正前の都市計画法第二章の規定による都市計画において定められている用途地域、住居専用地区若しくは工業専用地区又は空地地区若しくは容積地区に関しては、この政令の施行の日から起算して三年を経過する日までの間は、この政令による改正前の次の各号に掲げる政令の規定は、なおその効力を有する。

一　道路法施行令

二　土地区画整理法施行令

三　地方公共団体手数料令

四　租税特別措置法施行令

五　宅地建物取引業法施行令

六　流通業務市街地の整備に関する法律施行令

七　都市計画法施行令

附則〔略〕〔昭和四六・六・一七政令一八八〕

附則〔略〕〔昭和四七・一二・八政令四二〇〕

附則〔略〕〔昭和四八・八・二三政令二四二〕

附則〔略〕〔昭和四九・六・一〇政令二〇三〕

附則〔略〕〔昭和五〇・一・九政令二〕

附則〔略〕〔昭和五〇・一〇・二四政令三〇四〕

附則〔略〕〔昭和五〇・一二・二七政令三八一〕

附則〔略〕〔昭和五一・八・二〇政令二二八〕

附則〔略〕〔昭和五二・九・一七政令二六六〕

附則〔略〕〔昭和五三・四・七政令一二三〕

附則〔略〕〔昭和五三・五・三〇政令二〇六〕

附則〔略〕〔昭和五五・七・一四政令一九六〕

附則〔略〕〔昭和五五・一〇・二四政令二七三〕

附則〔略〕〔昭和五六・四・二四政令一四四〕

附則〔略〕〔昭和五六・七・七政令二四八〕

附則〔略〕〔昭和五七・一一・二四政令三〇二〕

附則〔略〕〔昭和五九・二・二一政令一五〕

附則〔略〕〔昭和五九・六・二九政令二三一〕

附則〔略〕〔昭和六〇・三・一五政令三一〕

附則〔略〕〔昭和六一・二・二八政令一七〕

附則〔略〕〔昭和六一・八・五政令二七四〕

附則〔略〕〔昭和六二・三・二五政令五七〕

附則〔略〕〔昭和六二・一〇・六政令三四八〕

附則〔略〕〔昭和六三・二・二三政令二五〕

附則〔略〕〔昭和六三・四・八政令八九〕

附則〔略〕〔昭和六三・一一・一一政令三二二〕

附則〔略〕〔平成元・一一・二一政令三〇九〕

附則〔略〕〔平成二・一一・九政令三二三〕

附則〔略〕〔平成二・一二・七政令三四七〕

附則〔略〕〔平成三・三・一三政令二五〕

附則〔抄〕〔平成五・五・一二政令一七〇〕

（施行期日）

第一条　この政令は、都市計画法及び建築基準法の一部を改正する法律（以下「改正法」という。）の施行の日（平成五年六月二十五日）から施行する。

（用途地域に関する経過措置）

第二条　この政令の施行の際現に改正法第一条の規定による改正前の都市計画法（以下「旧都市計画法」という。）の規定により定められている都市計画区域内の用途地域に関するこの政令の施行の日から起算して三年を経過する日（その日前に改正法第一条の規定による改正後の都市計画法第二章の規定により、当該都市計画区域について、用途地域に関する都市計画が決定されたときは、当該都市計画の決定に係る都市計画法第二十条第一項（同法第二十二条第一項において読み替える場合を含む。）の規定による告示があった日。以下同じ。）までの間の第一条の規定による改正後の都市計画法施行令（以下「新都市計画法施行令」という。）第三十八条の七第三号の規定の適用については、同号イ中「同法第六十八条の三第三項の規定により同法」とあるのは「都市計画法及び建築基準法の一部を改正する法律（平成四年法律第八十二号）第二条の規定による改正前の建築基準法第六十八条の三の規定により建築基準法」とし、同号ロ中「第一種低層住居専用地域、第二種低層住居専用地域、第一種中高層住居専用地域又は第二種中高層住居専用地域」とあるのは「第一種住居専用地域又は第二種住居専用地域」と、「第一種低層住居専用地域又は第二種低層住居専用地域」とあるのは「第一種住居専用地域」とする。

第三条　この政令の施行の際現に旧都市計画法の規定により定められている都市計画区域に係る用途地域内の建築物、建築物の敷地又は建築物若しくはその敷地の部分については、この政令の施行の日から起算して三年を経過する日までの間は、第二条の規定による改正後の建築基準法施行令（以下「新建築基準法施行令」という。）第二十条第一項第一号、第百三十条の二から第百三十条の十まで、第百三十五条の四の三、第百三十五条の五、第百三十六条第三項、第百三十七条、第百三十七条の四、第百三十七条の九の二、第百三十七条の十第一項及び第二項、第百三十八条第三項（第五号を除く。）、第百四十四条の二第一項並びに第百四十九条第一項第四号から第七号まで及び第二項第一号の規定は適用せず、第二条の規定による改正前の建築基準法施行令第二十条第一項第一号、第百三十条の二から第百三十条の十まで、第百三十五条の四の三、第百三十五条の五、第百三十六条第三項、第百三十七条、第百三十七条の四、第百三十七条の九の二、第百三十七条の十第一項及び第二項、第百三十八条第三項（第五号を除く。）、第百四十四条の二第一項並びに第百四十九条第一項第四号から第七号まで及び第二項第一号の規定は、なおその効力を有する。

第四条　この政令の施行の際現に旧都市計画法の規定により定められている都市計画区域に係る用途地域内の建築物、建築物の敷地又は建築物若しくはその敷地の部分についてのこの政令の施行の日から起算して三年を経過する日までの間の新建築基準法施行令第百三十条の規定の適用については、同条第一号中「法第四十八条各項（第十三項及び第十四項を除く。以下この条において同じ。）のただし書」とあるのは「都市計画法及び建築基準法の一部を改正する法律（平成四年法律第八十二号）による改正前の建築基準法第四十八条各項（第九項及び第十項を除く。以下この条において同じ。）のただし書」と、同条第二号及び第三号中「法第四十八条各項」とあるのは「都市計画法及び建築基準法の一部を改正する法律による改正前の建築基準法第四十八条各項」とする。

第五条　この政令の施行の日から起算して三年を経過する日において建築基準法第三条第二項の規定により改正法第二条の規定による改正前の建築基準法（以下「旧建築基準法」という。）第四十八条第一項から第八項までの規定の適用を受けない建築物に対する新建築基準法施行令第百三十七条の四及び第百三十七条の十第二項の規定の適用については、新建築基準法施行令第百三十七条の規定にかかわらず、当該建築物について建築基準法第三条第二項の規定により旧建築基準法第四十八条第一項から第八項までの規定（この政令の施行の日から起算して三年を経過する日までの間にこれらの規定が改正された場合においては改正前の規定を含むものとし、旧建築基準法第四十八条第一項から第八項までの各項の規定は同一の規定とみなす。）の適用を受けない期間の始期をもって基準時とする。

第六条　改正法附則第五条の規定により読み替えて適用される改正法第二条の規定による改正後の建築基準法（以下「新建築基準法」という。）第二十七条第二項第二号（新建築基準法第八十七条第三項において準用する場合を含む。）の規定により政令で定める危険物の数量の限度は、新建築基準法施行令第百十六条第一項の表に定めるものとする。

附則〔略〕〔平成五・六・三〇政令二三五〕

附則〔略〕〔平成五・一二・三政令三八五〕

附則〔略〕〔平成六・三・二四政令六九〕

附則〔略〕〔平成六・六・二九政令一九三〕

附則〔平成六・八・二六政令二七八〕

改正　平成一二・四政二一一、六政三一二

（施行期日）

1　この政令は、公布の日から施行する。ただし、第三十一条の改正規定及び次項の規定は、公布の日から起算して三月を経過した日から施行する。

（特定行政庁が衛生上の効果があると認めた改良便槽に関する経過措置）

2　第三十一条の改正規定の施行前に改正前の建築基準法施行令第三十一条ただし書の規定により特定行政庁が同条各号に定める構造の改良便槽と同等以上に衛生上の効果があると認めた改良便槽は、改正後の建築基準法施行令第三十一条の建設大臣が定める基準に適合する改良便槽とみなす。

（特定行政庁が避難上及び延焼防止上支障がないと認めた建築物に関する経過措置）

3　この政令の施行前に改正前の建築基準法施行令第百十四条第三項第三号の規定により特定行政庁が避難上及び延焼防止上支障がないと認めた建築物は、改正後の建築基準法施行令第百十四条第三項第三号の国土交通大臣が定める基準に適合する建築物とみなす。

附則〔略〕〔平成六・一二・二六政令四一二〕

附則〔略〕〔平成七・五・二四政令二一四〕

附則〔略〕〔平成七・一〇・一八政令三五九〕

附則〔略〕〔平成八・一〇・二五政令三〇八〕

附則〔略〕〔平成九・三・二六政令七四〕

附則〔略〕〔平成九・八・二九政令二七四〕

附則〔略〕〔平成九・一一・六政令三二五〕

附則〔略〕〔平成一〇・一〇・三〇政令三五一〕

附則〔略〕〔平成一〇・一一・二六政令三七二〕

附則〔略〕〔平成一一・一・一三政令五〕

附則〔抄〕〔平成一一・一〇・一政令三一二〕

（施行期日）

第一条　この政令は、地方自治法等の一部を改正する法律（平成十年法律第五十四号。以下「法」という。）の施行の日（平成十二年四月一日。以下「施行日」という。）から施行する。〔以下略〕

（許認可等に関する経過措置）

第一三条　施行日前に法による改正前のそれぞれの法律若しくはこの政令による改正前のそれぞれの政令の規定により都知事その他の都の機関が行った許可等の処分その他の行為（以下この条において「処分等の行為」という。）又は施行日前に法による改正前のそれぞれの法律若しくはこの政令による改正前のそれぞれの政令の規定によりこれらの機関に対してされた許可等の申請その他の行為（以下この条において「申請等の行為」という。）で、施行日において特別区の区長その他の機関がこれらの行為に係る行政事務を行うこととなるものは、別段の定めがあるもののほか、施行日以後における法による改正後のそれぞれの法律又はこの政令による改正後のそれぞれの政令の適用については、法による改正後のそれぞれの法律若しくはこの政令による改正後のそれぞれの政令の相当規定によりされた処分等の行為又は申請等の行為とみなす。

2　施行日前に法による改正前のそれぞれの法律又はこの政令による改正前のそれぞれの政令の規定により都知事その他の都の機関に対し報告、届出その他の手続をしなければならない事項で、施行日前にその手続がされていないものについては、別段の定めがあるもののほか、これを、法による改正後のそれぞれの法律又はこの政令による改正後のそれぞれの政令の相当規定により特別区の区長その他の相当の機関に対して報告、届出その他の手続をしなければならない事項についてその手続がされていないものとみなして、法による改正後のそれぞれの法律又はこの政令による改正後のそれぞれの政令の規定を適用する。

附則〔略〕〔平成一一・一一・一〇政令三五二〕

附則〔略〕〔平成一一・一一・一七政令三七一〕

附則〔略〕〔平成一一・一二・二七政令四三一〕

附則〔抄〕〔平成一二・四・二六政令二一一〕

（施行期日）

第一条　この政令は、建築基準法の一部を改正する法律（平成十年法律第百号）の施行の日（平成十二年六月一日）から施行する。

（高さが六十メートルを超える建築物に関する経過措置）

第二条　この政令の施行前に改正前の建築基準法施行令第八十一条の二の規定により建設大臣が認める構造計算により構造耐力上安全であることが確かめられた建築物の構造方法は、改正後の建築基準法施行令第三十六条第四項の規定による建設大臣の認定を受けているものとみなす。

（罰則に関する経過措置）

第三条　この政令の施行前にした行為に対する罰則の適用については、なお従前の例による。

附則〔略〕〔平成一二・六・七政令三一二〕

附則〔略〕〔平成一二・九・二二政令四三四〕

附則〔平成一三・三・二政令四二〕

（施行期日）

1　この政令は、浄化槽法の一部を改正する法律の施行の日（平成十三年四月一日）から施行する。

（経過措置）

2　この政令の施行前に建築基準法第三十一条第二項の規定による国土交通大臣の認定を受けた屎尿浄化槽のうち合併処理浄化槽であるものは、この政令による改正後の建築基準法施行令第三十五条第一項の規定による国土交通大臣の認定を受けているものとみなす。

附則〔略〕〔平成一三・三・二八政令八五〕

附則〔抄〕〔平成一三・三・三〇政令九八〕

（施行期日）

第一条　この政令は、都市計画法及び建築基準法の一部を改正する法律（以下「改正法」という。）の施行の日（平成十三年五月十八日。以下「施行日」という。）から施行する。

（建築基準法施行令の一部改正に伴う経過措置）

第四条　この政令の施行の際現に改正法第二条の規定による改正前の建築基準法（昭和二十五年法律第二百一号）第五十六条の二第一項の規定により条例で指定されている区域のうち用途地域の指定のない区域内の建築物については、施行日から起算して三年を経過する日（その日以前に地方公共団体が改正法附則第七条第三項に規定する指定及びその適用をしたときは、当該適用の日の前日）までの間は、第三条の規定による改正後の建築基準法施行令第二条第一項第六号ロの規定は適用せず、第三条の規定による改正前の建築基準法施行令第二条第一項第六号ロの規定は、なおその効力を有する。

附則〔略〕〔平成一三・七・一一政令二三九〕

附則〔略〕〔平成一四・五・三一政令一九一〕

附則〔略〕〔平成一四・一一・七政令三二九〕

附則〔略〕〔平成一四・一一・一三政令三三一〕

附則〔平成一四・一二・二六政令三九三〕

（施行期日）

第一条　この政令は、建築基準法等の一部を改正する法律の一部の施行の日（平成十五年七月一日）から施行する。

（国土交通大臣の認定等に関する経過措置）

第二条　改正後の建築基準法施行令（以下「新令」という。）第二十条の五から第二十条の七までの規定による国土交通大臣の認定及びこれに関し必

要な手続その他の行為は、この政令の施行前においても、新令の例によりすることができる。

（罰則に関する経過措置）

第三条　この政令の施行前にした行為に対する罰則の適用については、なお従前の例による。

附　則〔略〕〔平成一五・七・二四政令三二二〕

附　則〔略〕〔平成一五・九・二五政令四二三〕

附　則〔略〕〔平成一五・一二・三政令四七六〕

附　則〔平成一五・一二・一七政令五二三〕

（施行期日）

第一条　この政令は、密集市街地における防災街区の整備の促進に関する法律等の一部を改正する法律の施行の日（平成十五年十二月十九日）から施行する。

（罰則に関する経過措置）

第二条　この政令の施行前にした行為に対する罰則の適用については、なお従前の例による。

附　則〔略〕〔平成一六・二・六政令一九〕

附　則〔略〕〔平成一六・三・二四政令五九〕

附　則〔略〕〔平成一六・四・二一政令一六八〕

附　則〔抄〕〔平成一六・六・二三政令二一〇〕

（施行期日）

第一条　この政令は、建築物の安全性及び市街地の防災機能の確保等を図るための建築基準法等の一部を改正する法律（平成十六年法律第六十七号）附則第一条第一号に掲げる規定の施行の日（平成十六年七月一日）から施行する。ただし、建築基準法施行令第四十三条第一項、第八十四条及び第百十五条第一項第三号の改正規定は、同年十月一日から施行する。

（罰則に関する経過措置）

第二条　この政令の施行前にした行為に対する罰則の適用については、なお従前の例による。

附　則〔略〕〔平成一六・一〇・二七政令三三五〕

附　則〔略〕〔平成一六・一二・一五政令三九九〕

附　則〔略〕〔平成一七・三・二五政令七四〕

附　則〔略〕〔平成一七・五・二五政令一八二〕

附　則〔平成一七・五・二七政令一九二〕

（施行期日）

第一条　この政令は、建築物の安全性及び市街地の防災機能の確保等を図るための建築基準法等の一部を改正する法律（以下「改正法」という。）の施行の日（平成十七年六月一日。附則第四条において「施行日」という。）から施行する。

（建築基準法第六十八条の二第一項等の規定に基づく条例に関する経過措置）

第二条　この政令の施行の際現に効力を有する建築基準法（昭和二十五年法律第二百一号。以下「法」という。）第六十八条の二第一項の規定に基づく条例が第一条の規定による改正後の建築基準法施行令（以下この条及び次条において「新令」という。）第百三十六条の二の五に規定する基準に適合しないこととなる場合における同項の規定による制限に係る基準については、平成十八年五月三十一日以前において新令第百三十六条の二の五に規定する基準に従い当該条例の改正が行われるまでの間に限り、なお従前の例による。

第三条　この政令の施行の際現に効力を有する法第六十八条の九第一項の規定に基づく条例が新令第百三十六条の二の九に規定する基準に適合しないこととなる場合における同項の規定による制限に係る基準については、平成十八年五月三十一日以前において新令第百三十六条の二の九に規定する基準に従い当該条例の改正が行われるまでの間に限り、なお従前の例による。

（公共事業の施行等による敷地面積の減少についての法第三条等の規定の準用に係る規定の適用に関する経過措置）

第四条　改正法第一条の規定による改正後の法第八十六条の九の規定は、施行日以後に同条第一項各号に掲げる事業の施行により建築物の敷地面積が減少した場合について適用するものとし、施行日前に同項各号に掲げる事業の施行により建築物の敷地面積が減少した場合については、なお従前の例による。

（罰則に関する経過措置）

第五条　この政令の施行前にした行為及び前条の規定によりなお従前の例によることとされる場合におけるこの政令の施行後にした行為に対する罰則の適用については、なお従前の例による。

附　則〔平成一七・七・二一政令二四六〕

（施行期日）

1　この政令は、平成十七年十二月一日から施行する。ただし、第三十二条第一項第二号及び第三項の改正規定は、平成十八年二月一日から施行する。

（経過措置）

2　改正後の建築基準法施行令（以下「新令」という。）第百十二条第十四項各号、第百二十六条の二第二項、第百二十九条の十三の二第三号、第百三十六条の二第一号、第百三十七条の十四第三号ロ及び第百四十五条第一項第二号の規定による国土交通大臣の認定並びにこれに関し必要な手続その他の行為は、この政令の施行前においても、新令の例によりすることができる。

附　則〔略〕〔平成一七・一一・七政令三三四〕

附　則〔略〕〔平成一八・九・二二政令三〇八〕

附　則〔略〕〔平成一八・九・二二政令三一〇〕

附　則〔平成一八・九・二六政令三二〇〕

この政令は、障害者自立支援法の一部の施行の日（平成十八年十月一日）から施行する。

障害者自立支援法の一部の施行に伴う関係政令の整備に関する政令〔抄〕〔平成一八・九・二六 政令三二〇〕

（建築基準法施行令の一部改正に伴う経過措置）

第五条　施行日から障害者自立支援法附則第一条第三号に掲げる規定の施行の日〔平成二四・四・一〕の前日までの間は、前条の規定による改正後の建築基準法施行令第十九条第一項中「福祉ホーム又は」とあるのは「福祉ホーム、」と、「供する施設」とあるのは「供する施設又は障害者自立支援法（平成十七年法律第百二十三号）附則第四十一条第一項、第四十八条若しくは第五十八条第一項の規定によりなお従前の例により運営をすることができることとされた同法附則第四十一条第一項に規定する身体障害者更生援護施設、同法附則第四十八条に規定する精神障害者社会復帰施設若しくは同法附則第五十八条第一項に規定する知的障害者援護施設」とする。

附　則〔略〕〔平成一八・一一・六政令三五〇〕

附　則〔抄〕〔平成一九・三・一六政令四九〕

（施行期日）

第一条　この政令は、建築物の安全性の確保を図るための建築基準法等の一部を改正する法律（以下「改正法」という。）の施行の日（平成十九年六月二十日）から施行する。ただし、次条の規定は、公布の日から施行する。

（準備行為）

第二条　第一条の規定による改正後の建築基準法施行令（以下この条において「新令」という。）第百三十九条第一項第三号及び第四号ロ（これらの規定を新令第百四十条第二項、第百四十一条第二項及び第百四十三条第二項において準用する場合を含む。）並びに第百四十四条第一項第一号ロ及びハ(2)の規定による国土交通大臣の認定並びにこれに関し必要な手続その他の行為は、この政令の施行前においても、新令の規定の例によりすることができる。

（経過措置）

第三条　この政令の施行前に第一条の規定による改正前の建築基準法施行令第三十六条第二項第三号又は同条第四項の規定による国土交通大臣の認定を受けた構造方法は、改正法第一条の規定による改正後の建築基準法（昭和二十五年法律第二百一号）第二十条第一号の規定による国土交通大臣の認定を受けているものとみなす。

附　則〔抄〕〔平成一九・三・二八政令六九〕

改正　平成二八・三政八四

（施行期日）

1　この政令は、平成十九年四月一日から施行する。

（助教授の在職に関する経過措置）

2　この政令の規定による改正後の次に掲げる政令の規定の適用については、この政令の施行前における助教授としての在職は、准教授としての在職とみなす。

一　〔略〕

二　建築基準法施行令第二条の二

三　〔略〕

附　則〔略〕〔平成一九・八・三政令二三五〕

附　則〔平成二〇・九・一九政令二九〇〕

（施行期日）

1　この政令は、平成二十一年九月二十八日から施行する。ただし、次項の規定は、公布の日から施行する。

（準備行為）

2　この政令による改正後の建築基準法施行令（以下この項において「新令」という。）第百二十九条の八第二項及び第百二十九条の十第四項の規定による国土交通大臣の認定並びにこれに関し必要な手続その他の行為は、この政令の施行前においても、新令の規定の例によりすることができる。

附　則〔略〕〔平成二〇・一〇・三一政令三三八〕

附　則〔略〕〔平成二三・一・二八政令一〇〕

附　則〔平成二三・三・三〇政令四六〕

（施行期日）

1　この政令は、平成二十三年五月一日から施行する。ただし、第百三十八条第一項の改正規定は、同年十月一日から施行する。

（罰則に関する経過措置）

2　この政令（前項ただし書に規定する改正規定については、当該改正規定）の施行前にした行為に対する罰則の適用については、なお従前の例による。

附　則〔略〕〔平成二三・八・三〇政令二八二施行〕

附　則〔略〕〔平成二三・一一・二八政令三六三〕

附　則〔略〕〔平成二四・七・二五政令二〇二〕

附　則〔略〕〔平成二四・九・二〇政令二三九〕

附　則〔平成二五・七・一二政令二一七〕

（施行期日）

1　この政令は、平成二十六年四月一日から施行する。ただし、次項の規定は、公布の日から施行する。

（準備行為）

2　この政令による改正後の建築基準法施行令（以下この項において「新令」という。）第三十九条第三項及び第百二十九条の十二第一項第六号の規定による国土交通大臣の認定並びにこれに関し必要な手続その他の行為は、この政令の施行前においても、新令の規定の例によりすることができる。

（罰則に関する経過措置）

3　この政令の施行前にした行為に対する罰則の適用については、なお従前の例による。

附　則〔略〕〔平成二六・六・二五政令二二一〕

附　則〔略〕〔平成二六・六・二七政令二三二〕

附　則〔略〕〔平成二六・七・二政令二三九〕

附　則〔略〕〔平成二六・一二・二四政令四一二〕

附　則〔略〕〔平成二七・一・一五政令六〕

附　則〔平成二七・一・二一政令一一〕

（施行期日）

第一条　この政令は、建築基準法の一部を改正する法律の施行の日（平成二十七年六月一日）から施行する。

（国土交通大臣の認定に関する経過措置）

第二条　この政令の施行前に第一条の規定による改正前の建築基準法施行令（次項において「旧令」という。）第百十五条の二第一項第一号の規定による国土交通大臣の認定を受けた構造は、第一条の規定による改正後の建築基準法施行令（次項において「新令」という。）第百二十九条の二の三第一項第一号ロの規定による国土交通大臣の認定を受けているものとみなす。

2　この政令の施行前に旧令第百十五条の二第一項第四号ハの規定による国土交通大臣の認定を受けた構造は、新令第百二十九条の二の三第一項第一号ハ(2)の規定による国土交通大臣の認定を受けているものとみなす。

（罰則に関する経過措置）

第三条　この政令の施行前にした行為に対する罰則の適用については、なお従前の例による。

附　則〔略〕〔平成二七・一・二一政令一三〕

附　則〔略〕〔平成二七・七・一七政令二七三〕

附　則〔略〕〔平成二七・一一・一三政令三八二〕

附　則〔略〕〔平成二七・一一・二六政令三九二〕

附　則〔略〕〔平成二七・一二・一六政令四二一〕

附　則〔平成二八・一・一五政令六〕

（施行期日）

1　この政令は、建築基準法の一部を改正する法律附則第一条第三号に掲げる規定の施行の日（平成二十八年六月一日）から施行する。

（型式適合認定に関する経過措置）

2　この政令の施行前に第一条の規定による改正前の建築基準法施行令第百三十六条の二の十一第一号に掲げる規定に適合するものであることの建築基準法第六十八条の十第一項の認定を受けた型式は、第一条の規定による改正後の建築基準法施行令第百三十六条の二の十一第一号ロに掲げる規定に適合するものであることの同法第六十八条の十第一項の認定を受けているものとみなす。

（罰則に関する経過措置）

3　この政令の施行前にした行為に対する罰則の適用については、なお従前の例による。

附　則〔略〕〔平成二八・二・一七政令四三〕

附　則〔略〕〔平成二八・三・二五政令八四〕

附　則〔略〕〔平成二八・八・二九政令二八八〕

附　則〔略〕〔平成二九・三・二三政令四〇〕

附　則〔略〕〔平成二九・六・一四政令一五六〕

附　則〔略〕〔平成三〇・七・一一政令二〇二〕

附　則〔平成三〇・九・一二政令二五五〕

（施行期日）

1　この政令は、建築基準法の一部を改正する法律附則第一条第二号に掲げる規定の施行の日（平成三十年九月二十五日）から施行する。

（罰則に関する経過措置）

2　この政令の施行前にした行為に対する罰則の適用については、なお従前の例による。

附　則〔抄〕〔令和元・六・一九政令三〇〕

（施行期日）

第一条　この政令は、建築基準法の一部を改正する法律の施行の日（令和元年六月二十五日）から施行する。〔以下略〕

（国土交通大臣の認定に関する経過措置）

第二条　この政令の施行前に第一条の規定による改正前の建築基準法施行令第百二十九条の二の三第一項第一号ロの規定による国土交通大臣の認定を受けた構造は、第一条の規定による改正後の建築基準法施行令（次項及び次条において「新令」という。）第百十二条第二項の規定による国土交通大臣の認定を受けているものとみなす。

2　この政令の施行前に建築基準法の一部を改正する法律第二条の規定による改正前の建築基準法（昭和二十五年法律第二百一号。次条において「旧法」という。）第六十四条の規定による国土交通大臣の認定を受けた構造は、新令第百三十七条の十第四号の規定による国土交通大臣の認定を受けているものとみなす。

（基準時に関する経過措置）

第三条　この政令の施行の際建築基準法第三条第二項の規定により旧法第六十一条又は第六十二条第一項の規定の適用を受けていない建築物に対する新令第百三十七条の十、第百三十七条の十一及び第百三十七条の十二第五項の規定の適用については、新令第百三十七条の規定にかかわらず、当該建築物について建築基準法第三条第二項の規定により旧法第六十一条又は第六十二条第一項の規定（これらの規定は同一の規定とみなす。）の適用を受けていなかった期間の始期をもって基準時とする。

（罰則に関する経過措置）

第四条　この政令の施行前にした行為に対する罰則の適用については、なお従前の例による。

附　則〔略〕〔令和元・六・二八政令四四〕

附　則〔略〕〔令和元・九・六政令九一〕

附　則〔抄〕〔令和元・一二・一一政令一八一〕

（施行期日）

第一条　この政令は、令和二年四月一日から施行する。

（国土交通大臣の認定に関する経過措置）

第二条　この政令の施行前にこの政令による改正前の建築基準法施行令第百二十六条の二第二項又は第百三十七条の十四第三号ロの規定による国土交通大臣の認定を受けた防火設備は、この政令による改正後の建築基準法施行令第百二十六条の二第二項第一号の規定による国土交通大臣の認定を受けているものとみなす。

（罰則に関する経過措置）

第三条　この政令の施行前にした行為に対する罰則の適用については、なお従前の例による。

附　則〔略〕〔令和二・九・四政令二六八〕

附　則〔略〕〔令和三・七・一四政令二〇五〕

附　則〔略〕〔令和三・一〇・二九政令二九六〕

附　則〔略〕〔令和四・五・二七政令二〇三〕

附　則〔令和四・九・二政令二九五〕

（施行期日）

1　この政令は、令和四年十月一日から施行する。

（罰則に関する経過措置）

2　この政令の施行前にした行為に対する罰則の適用については、なお従前の例による。

附　則〔令和四・一一・一六政令三五一〕

（施行期日）

1　この政令は、脱炭素社会の実現に資するための建築物のエネルギー消費性能の向上に関する法律等の一部を改正する法律附則第一条第三号に掲げる規定の施行の日（令和五年四月一日）から施行する。

（罰則に関する経過措置）

2　この政令の施行前にした行為に対する罰則の適用については、なお従前の例による。

附　則〔略〕〔令和四・一二・一四政令三八一〕

附　則〔略〕〔令和四・一二・二三政令三九三〕

附　則〔令和五・二・一〇政令三四〕

（施行期日）

1　この政令は、令和五年四月一日から施行する。

（罰則に関する経過措置）

2　この政令の施行前にした行為に対する罰則の適用については、なお従前の例による。

附　則〔抄〕〔令和五・四・七政令一六三〕

（施行期日）

第一条　この政令は、令和六年四月一日から施行する。

（罰則に関する経過措置）

第五条　この政令の施行前にした行為に対する罰則の適用については、なお従前の例による。

附　則〔令和五・九・一三政令二八〇〕

（施行期日）

1　この政令は、脱炭素社会の実現に資するための建築物のエネルギー消費性能の向上に関する法律等の一部を改正する法律附則第一条第四号に掲げる規定の施行の日（令和六年四月一日）から施行する。

（罰則に関する経過措置）

2　この政令の施行前にした行為に対する罰則の適用については、なお従前の例による。

附　則〔略〕〔令和五・九・二九政令二九三〕

附　則〔略〕〔令和五・一一・一〇政令三二四〕

附　則〔略〕〔令和六・一・四政令一〕

附　則〔令和六・四・一九政令一七二〕

（施行期日）

1　この政令は、脱炭素社会の実現に資するための建築物のエネルギー消費性能の向上に関する法律等の一部を改正する法律の施行の日（令和七年四月一日）から施行する。

（罰則に関する経過措置）

2　この政令の施行前にした行為に対する罰則の適用については、なお従前の例による。

○建築基準法施行規則

〔昭和二五・一一・一六
建設省令四〇〕

改正　昭和二六・八建令二六、昭和二七・四建令一〇、昭和二九・六建令一八、昭和三〇・五建令一一、昭和三一・二建令一、八建令二七、昭和三三・四建令一四、昭和三四・一二建令三四、昭和三七・一〇建令三一、昭和三八・一二建令二六、昭和三九・一建令一、四建令一五、昭和四一・三建令一二、昭和四四・六建令四二、一一建令五三、昭和四五・一二建令二七、昭和四七・一二建令三七、昭和五〇・三建令三、一二建令二〇、昭和五二・一〇建令九、昭和五五・一〇建令一二、昭和五六・六建令九、一二建令一九、昭和五九・三建令二、昭和六二・三建令五、一一建令二五、平成元・三建令三、一一建令一七、平成二・一一建令一〇、平成五・一建令一、六建令八、建令一四、平成六・六建令一九、平成七・五建令一五、一二建令二八、平成九・六建令九、八建令一三、一一建令一六、平成一一・四建令一四、平成一二・一建令一〇、三建令一九、五建令二六、一一建令四一、平成一三・三国交令七二、国交令七四、五国交令九〇、九国交令一二八、平成一四・五国交令六六、一二国交令一二〇、平成一五・二国交令一〇、三国交令一六、一二国交令一一六、平成一六・三国交令三四、五国交令六七、六国交令七〇、一二国交令九九、国交令一〇一、平成一七・三国交令一二、国交令二四、五国交令五八、国交令五九、平成一八・三国交令一七、四国交令五八、五国交令六七、九国交令九〇、国交令九六、平成一九・三国交令一三、国交令二〇、国交令二七、六国交令六六、八国交令七五、九国交令八四、一一国交令八八、平成二〇・二国交令七、三国交令一三、五国交令三六、一〇国交令八九、一一国交令九五、平成二一・五国交令三七、一〇国交令六一、平成二二・三国交令七、平成二三・四国交令三七、平成二四・二国交令八、九国交令七六、一〇国交令八二、平成二五・五国交令四九、七国交令六一、平成二六・四国交令四三、六国交令五八、七国交令六七、八国交令七一、平成二七・一国交令五、二国交令八、三国交令一三、七国交令五四、九国交令七一、一二国交令八一、平成二八・一国交令四、二国交令一〇、三国交令二三、八国交令六一、一〇国交令七二、一一国交令八〇、平成二九・三国交令一九、八国交令四九、平成三〇・七国交令五八、九国交令六九、令和元・五国交令一、六国交令一五、国交令二〇、九国交令三四、一〇国交令三七、一二国交令四七、令和二・三国交令一三、九国交令七四、国交令七五、一二国交令九八、令和三・三国交令一七、七国交令四六、八国交令五三、一〇国交令六八、国交令六九、令和四・一国交令四、二国交令七、五国交令四八、一二国交令九〇、国交令九二、令和五・二国交令五、三国交令三〇、一二国交令九三、国交令九五、国交令九八、令和六・一国交令五、三国交令一八、国交令二一、国交令二六

注１　［　］の部分は、令和六年六月二八日国土交通省令第六八号により改正され、令和七年四月一日から施行

注２　令和六年六月二八日国土交通省令第六八号の改正の一部は、令和八年四月一日から施行のため、改正を加えてありません。

（建築基準適合判定資格者検定の受検申込書）

第一条　建築基準適合判定資格者検定（指定建築基準適合判定資格者検定機関が建築基準適合判定資格者検定事務を行うものを除く。）を受けようとする者は、別記第一号様式による受検申込書に申請前六月以内に撮影した無帽、正面、無背景の縦の長さ四・五センチメートル、横の長さ三・五センチメートルの写真（以下「受検申込用写真」という。）を添え、これを国土交通大臣に提出しなければならない。

２　指定建築基準適合判定資格者検定機関が建築基準適合判定資格者検定事務を行う建築基準適合判定資格者検定を受けようとする者は、前項の受検申込書に受検申込用写真を添え、指定建築基準適合判定資格者検定機関の定めるところにより、これを指定建築基準適合判定資格者検定機関に提出しなければならない。

（受検者の不正行為に対する報告）

第一条の二　指定建築基準適合判定資格者検定機関は、建築基準法（以下「法」という。）第五条の二第二項の規定により法第五条第九項に規定する国土交通大臣の職権を行つたときは、遅滞なく次に掲げる事項を記載した報告書を国土交通大臣に提出しなければならない。

一　不正行為者の氏名、住所及び生年月日

二　不正行為に係る検定の年月日及び検定地

三　不正行為の事実

四　処分の内容及び年月日

五　その他参考事項

（構造計算適合判定資格者検定の受検申込書）

第一条の二の二　構造計算適合判定資格者検定（指定構造計算適合判定資格者検定機関が構造計算適合判定資格者検定事務を行うものを除く。）を受けようとする者は、別記第一号の二様式による受検申込書に受検申込用写真を添え、これを国土交通大臣に提出しなければならない。

（準用）

第一条の二の三　第一条第二項の規定は指定構造計算適合判定資格者検定機関が構造計算適合判定資格者検定事務を行う構造計算適合判定資格者検定を受けようとする者に、第一条の二の規定は指定構造計算適合判定資格者検定機関が法第五条の五第二項において読み替えて準用する法第五条の二第二項の規定により法第五条の四第五項において準用する法第五条第九項に規定する国土交通大臣の職権を行つたときについて準用する。この場合において、第一条第二項中「前項」とあるのは、「第一条の二の二」と読み替えるものとする。

（確認申請書の様式）

第一条の三　法第六条第一項（法第八十七条第一項において準用する場合を含む。第四項において同じ。）の規定による確認の申請書は、次の各号に掲げる図書及び書類とする。ただし、次の表一の(い)項に掲げる配置図又は各階平面図は、次の表二の(二十三)項の(ろ)欄に掲げる道路に接して有効な部分の配置図若しくは特定道路の配置図、同表の(二十八)項の(ろ)欄に掲げる道路高さ制限適合建築物の配置図、隣地高さ制限適合建築物の配置図若しくは北側高さ制限適合建築物の配置図又は同表の(二十九)項の(ろ)欄に掲げる日影図と、表一の(ろ)項に掲げる二面以上の立面図又は二面以上の断面図は、表二の(二十八)項の(ろ)欄に掲げる道路高さ制限適合建築物の二面以上の立面図、隣地高さ制限適合建築物の二面以上の立面図若しくは北側高さ制限適合建築物の二面以上の立面図又は同表の(四十五)項の(ろ)欄に掲げる防災都市計画施設に面する方向の立面図と、それぞれ併せて作成することができる。

一　別記第二号様式による正本一通及び副本一通に、それぞれ、次に掲げる図書及び書類を添えたもの（正本に添える図書にあつては、当該図書の設計者の氏名が記載されたものに限る。）。

イ　次の表一の各項に掲げる図書（用途変更の場合においては同表の(は)項に掲げる図書を、国土交通大臣があらかじめ安全であると認定した構造の建築物又はその部分に係る場合で当該認定に係る認定書の写しを添えたものにおいては同項に掲げる図書のうち国土交通大臣の指定したものを除く。）

一　別記第二号様式による正本一通及び副本一通に、それぞれ、次に掲げる図書及び書類を添えたもの（正本に添える図書にあつては、当該図書の設計者の氏名が記載されたものに限る。）

イ　次の表一の各項に掲げる図書（次の(1)から(3)までに掲げる場合にあつては、当該(1)から(3)までに掲げる図書を除く。）

(1)　用途変更の場合　次の表一の(は)項に掲げる図書

(2)　確認に係る建築物又は建築物の部分が木造の建築物（法第六条第一項に規定する建築基準法令の規定（国土交通大臣が定めるものを除く。）に定めるところによる構造計算によつて安全性を確

かめたものを除く。以下この項及び第三条の二第一項第十号において「特定木造建築物」という。）又はその部分である場合　次の表一の(は)項に掲げる図書のうち基礎伏図、各階床伏図及び小屋伏図

(3)　確認に係る建築物又は建築物の部分が国土交通大臣があらかじめ安全であると認定した構造の建築物又はその部分である場合（当該認定に係る認定書の写しを添えた場合に限る。）　次の表一の(は)項に掲げる図書のうち国土交通大臣が指定したもの

ロ　申請に係る建築物が次の(1)から(3)までに掲げる建築物である場合にあつては、それぞれ当該(1)から(3)までに定める図書及び書類

(1)　次の表二の各項の(い)欄並びに表五の(二)項及び(三)項の(い)欄に掲げる建築物　それぞれ表二の各項の(ろ)欄に掲げる計算書及び同表の(三)項の(ろ)欄に掲げる図書並びに表五の(二)項の(ろ)欄に掲げる計算書並びに同表の(三)項の(ろ)欄に掲げる図書（用途変更の場合においては表二の(一)項の(ろ)欄に掲げる図書を、国土交通大臣があらかじめ安全であると認定した構造の建築物又はその部分に係る場合で当該認定に係る認定書の写しを添えたものにおいては表二の(一)項の(ろ)欄に掲げる図書、表五の(一)項及び(四)項から(六)項までの(ろ)欄に掲げる計算書並びに同表の(三)項の(ろ)欄に掲げる図書のうち国土交通大臣が指定したものを、(2)の認定を受けた構造の建築物又はその部分に係る場合においては同表の(二)項の(ろ)欄に掲げる計算書を除く。）

(2)　次の(i)及び(ii)に掲げる建築物（用途変更をする建築物を除く。）　それぞれ当該(i)及び(ii)に定める図書（国土交通大臣があらかじめ安全であると認定した構造の建築物又はその部分に係る場合においては、当該認定に係る認定書の写し及び当該構造であることを確かめることができるものとして国土交通大臣が指定した構造計算の計算書）。ただし、(i)及び(ii)に掲げる建築物について法第二十条第一項第二号イ及び第三号イの認定を受けたプログラムによる構造計算によつて安全性を確かめた場合は、当該認定に係る認定書の写し、当該プログラムによる構造計算を行うときに電子計算機（入出力装置を含む。以下同じ。）に入力した構造設計の条件並びに構造計算の過程及び結果に係る情報を記録した電磁的記録媒体（電磁的記録（電子的方式、磁気的方式その他人の知覚によつては認識することができない方式で作られる記録であつて、電子計算機による情報処理の用に供されるものをいう。第三条の二十二第一項及び第二項において同じ。）に係る記録媒体をいう。以下同じ。）並びに(i)及び(ii)に定める図書のうち国土交通大臣が指定したものをもつて代えることができる。

(i)　次の表三の各項の(い)欄上段（(二)項にあつては(い)欄）に掲げる建築物　当該各項の(ろ)欄に掲げる構造計算書

(ii)　建築基準法施行令（以下「令」という。）第八十一条第二項第一号イ若しくはロ又は同項第二号イ又は同条第三項に規定する国土交通大臣が定める基準に従つた構造計算により安全性を確かめた建築物　次の表三の各項の(ろ)欄に掲げる構造計算書に準ずるものとして国土交通大臣が定めるもの

(3)　次の表四の各項の(い)欄に掲げる建築物　当該各項に掲げる書類（建築主事又は建築副主事（以下「建築主事等」という。）が、当該書類を有していないことその他の理由により、提出を求める場合に限る。）

二　別記第三号様式による建築計画概要書

三　代理者によつて確認の申請を行う場合にあつては、当該代理者に委任することを証する書類（以下「委任状」という。）又はその写し

四　申請に係る建築物が一級建築士、二級建築士又は木造建築士（第四項第四号、第三条第三項第四号及び第三条の七第一項第四号において「建築士」という。）により構造計算によつてその安全性を確かめられたものである場合（建築士法（昭和二十五年法律第二百二号）第二十条の二の規定の適用がある場合を除く。第四項第四号、第三条第三項第四号及び第三条の七第一項第四号において同じ。）にあつては、同法第二十条第二項に規定する証明書（構造計算書を除く。第四項第四号、第三条第三項第四号及び第三条の七第一項第四号において単に「証明書」という。）の写し

一

	図書の種類	明示すべき事項
(い)	付近見取図	方位、道路及び目標となる地物
	配置図	縮尺及び方位
		敷地境界線、敷地内における建築物の位置及び申請に係る建築物と他の建築物との別
		延焼のおそれのある部分
		防火上有効な公園、広場、川その他の空地又は水面、耐火構造の壁その他これらに類するものの位置
		擁壁の設置その他安全上適当な措置
		土地の高低、敷地と敷地の接する道の境界部分との高低差及び申請に係る建築物の各部分の高さ
		敷地の接する道路の位置、幅員及び種類
		下水管、下水溝又はためますその他これらに類する施設の位置及び排出経路又は処理経路
	各階平面図	縮尺及び方位
		間取、各室の用途及び床面積
		壁及び筋かいの位置及び種類
		通し柱及び開口部の位置
		延焼のおそれのある部分の外壁の位置及び構造
		申請に係る建築物が法第三条第二項の規定により法第二十八条の二（同条第一号及び第二号に掲げる基準に係る部分に限る。）の規定の適用を受けない建築物である場合であつて当該建築物について増築、改築、大規模の修繕又は大規模の模様替（以下この項において「増築等」という。）をしようとするときにあつては、当該増築等に係る部分以外の部分について行う令第百三十七条の四の二第三号に規定する措置
	床面積求積図	床面積の求積に必要な建築物の各部分の寸法及び算式
(ろ)	二面以上の立面図	縮尺
		開口部の位置
		延焼のおそれのある部分の外壁及び軒裏の構造
	二面以上の断面図	縮尺
		地盤面
		各階の床及び天井（天井のない場合は、屋根）の高さ、軒及びひさしの出並びに建築物の各部分の高さ
	地盤面算定表	建築物が周囲の地面と接する各位置の高さ
		地盤面を算定するための算式
(は)	基礎伏図	縮尺並びに構造耐力上主要な部分の材料の種別及び寸法
	各階床伏図	
	小屋伏図	
	構造詳細図	

二	(い)	(ろ)	
(一) 法第二十条の規定が適用される建築物	令第三章第二節の規定が適用される建築物	図書の種類	明示すべき事項
		各階平面図 二面以上の立面図 二面以上の断面図 基礎伏図	一　基礎の配置、構造方法及び寸法並びに材料の種別及び寸法 二　屋根ふき材、内装材、外装材、帳壁その他これらに類する建築物の部分及び広告塔、装飾塔その他建築物の屋外に取り付けるものの種別、位置及び寸法
		構造詳細図	屋根ふき材、内装材、外装材、帳壁その他これらに類する建築物の部分及び広告塔、装飾塔その他建築物の屋外に取り付けるものの取付け部分の構造方法
		使用構造材料一覧表	構造耐力上主要な部分で特に腐食、腐朽又は摩損のおそれのあるものに用いる材料の腐食、腐朽若しくは摩損のおそれの程度又はさび止め、防腐若しくは摩損防止のための措置
			特定天井（令第三十九条第三項に規定する特定天井をいう。以下同じ。）で特に腐食、腐朽その他の劣化のおそれのあるものに用いる材料の腐食、腐朽その他の劣化のおそれの程度又はさび止め、防腐その他の劣化防止のための措置
		基礎・地盤説明書	支持地盤の種別及び位置
			基礎の種類
			基礎の底部又は基礎ぐいの先端の位置
			基礎の底部に作用する荷重の数値及びその算出方法
			木ぐい及び常水面の位置
		施工方法等計画書	打撃、圧力又は振動により設けられる基礎ぐいの打撃力等に対する構造耐力上の安全性を確保するための措置
		令第三十八条第三項若しくは第四項又は令第三十九条第二項若しくは第三項の規定に適合することの確認に必要な図書	令第三十八条第三項に規定する構造方法への適合性審査に必要な事項
			令第三十八条第四項の構造計算の結果及びその算出方法
			令第三十九条第二項に規定する構造方法への適合性審査に必要な事項
			令第三十九条第三項に規定する構造方法への適合性審査に必要な事項
	令第三章第三節の規定が適用される建築物	各階平面図 二面以上の立面図 二面以上の断面図	構造耐力上主要な部分である部材の位置及び寸法並びに開口部の位置、形状及び寸法
		基礎伏図 各階床伏図 小屋伏図 二面以上の軸組図	構造耐力上主要な部分である部材（接合部を含む。）の位置、寸法、構造方法及び材料の種別並びに開口部の位置、形状及び寸法
		構造詳細図	屋根ふき材の種別
			柱の有効細長比
			構造耐力上主要な部分である軸組等の構造方法
			構造耐力上主要な部分である継手又は仕口の構造方法
			外壁のうち、軸組が腐りやすい構造である部分の下地
			構造耐力上主要な部分である部材の地面から一メートル以内の部分の防腐又は防蟻措置
		使用構造材料一覧表	構造耐力上主要な部分に使用する木材の品質
		令第四十条ただし書、令第四十二条第一項第二号、同条第一項第三号、令第四十三条第一項ただし書、同条第二項ただし書、令第四十六条第二項第一号イ、同条第二項第一号ハ、同条第三項、同条第四項、令第四十七条第一項、令第四十八条第一項第二号ただし書又は同条第二項第二号の規定に適合することの確認に必要な図書	令第四十条ただし書に規定する用途又は規模への適合性審査に必要な事項
			令第四十二条第一項第二号に規定する基準への適合性審査に必要な事項
			令第四十二条第一項第三号に規定する構造方法への適合性審査に必要な事項
			令第四十二条第一項第三号に規定する方法による検証内容
			令第四十三条第一項ただし書の構造計算の結果及びその算出方法
			令第四十三条第二項ただし書の構造計算の結果及びその算出方法
			令第四十六条第二項第一号イに規定する基準への適合性審査に必要な事項

区分	図書の種類	明示すべき事項
		令第四十六条第二項第一号ハの構造計算の結果及びその算出方法
		令第四十六条第三項本文に規定する基準への適合性審査に必要な事項
		令第四十六条第三項ただし書の構造計算の結果及びその算出方法
		令第四十六条第四項に規定する基準への適合性審査に必要な事項
		令第四十七条第一項に規定する構造方法への適合性審査に必要な事項
		令第四十八条第一項第二号ただし書の構造計算の結果及びその算出方法
		令第四十八条第二項第二号に規定する規格への適合性審査に必要な事項
令第三章第四節の規定が適用される建築物	配置図	組積造の塀の位置
	各階平面図	構造耐力上主要な部分である部材、間仕切壁及び手すり又は手すり壁の位置及び寸法並びに開口部の位置、形状及び寸法
	二面以上の立面図	
	二面以上の断面図	
	基礎伏図	構造耐力上主要な部分である部材（接合部を含む。）、間仕切壁及び手すり又は手すり壁の位置、寸法、構造方法及び材料の種別並びに開口部の位置、形状及び寸法
	各階床伏図	
	小屋伏図	
	二面以上の軸組図	
	構造詳細図	塀の寸法、構造方法、基礎の根入れ深さ並びに材料の種別及び寸法
	使用構造材料一覧表	構造耐力上主要な部分に用いる材料の種別
	施工方法等計画書	使用するモルタルの調合等の組積材の施工方法の計画
	令第五十一条第一項ただし書、令第五十五条第二項、令第五十七条第一項第一号及び第二号又は令第五十九条の二の規定に適合することの確認に必要な図書	令第五十一条第一項ただし書の構造計算の結果及びその算出方法
		令第五十五条第二項に規定する基準への適合性審査に必要な事項
		令第五十七条第一項第一号及び第二号に規定する基準への適合性審査に必要な事項
		令第五十九条の二に規定する構造方法への適合性審査に必要な事項
令第三章第四節の二の規定が適用される建築物	配置図	補強コンクリートブロック造の塀の位置
	各階平面図	構造耐力上主要な部分である部材、間仕切壁及び手すり又は手すり壁の位置及び寸法並びに開口部の位置、形状及び寸法
	二面以上の立面図	
	二面以上の断面図	
	基礎伏図	構造耐力上主要な部分である部材（接合部を含む。）の位置、寸法、構造方法及び材料の種別並びに開口部の位置、形状及び寸法
	各階床伏図	
	小屋伏図	
	二面以上の軸組図	
	構造詳細図	塀の寸法、構造方法、基礎の丈及び根入れ深さ並びに材料の種別及び寸法
		帳壁の材料の種別及び構造方法
		鉄筋の配置、径、継手及び定着の方法
	使用構造材料一覧表	構造耐力上主要な部分に用いる材料の種別
	施工方法等計画書	コンクリートブロックの組積方法
		補強コンクリートブロックの耐力壁、門又は塀の縦筋の接合方法
	令第六十二条の四第一項から第三項まで、令第六十二条の五第二項又は令第六十二条の八ただし書の規定に適合することの確認に必要な図書	令第六十二条の四第一項から第三項までに規定する基準への適合性審査に必要な事項
		令第六十二条の五第二項に規定する基準への適合性審査に必要な事項
		令第六十二条の八ただし書の構造計算の結果及びその算出方法
令第三章第五節の規定が適用される建築物	各階平面図	構造耐力上主要な部分である部材の位置及び寸法並びに開口部の位置、形状及び寸法
	二面以上の立面図	
	二面以上の断面図	
	基礎伏図	構造耐力上主要な部分である

	各階床伏図	部材（接合部を含む。）の位置、寸法、構造方法及び材料の種別並びに開口部の位置、形状及び寸法
	小屋伏図	
	二面以上の軸組図	
	構造詳細図	圧縮材の有効細長比
		構造耐力上主要な部分である接合部並びに継手及び仕口の構造方法
	使用構造材料一覧表	構造耐力上主要な部分に用いる材料の種別
	令第六十六条、令第六十七条第二項、令第六十九条又は令第七十条の規定に適合することの確認に必要な図書	令第六十六条に規定する基準への適合性審査に必要な事項
		令第六十七条第二項に規定する構造方法への適合性審査に必要な事項
		令第六十九条の構造計算の結果及びその算出方法
		令第七十条に規定する構造方法への適合性審査に必要な事項
		令第七十条に規定する一の柱のみの火熱による耐力の低下によつて建築物全体が容易に倒壊するおそれがある場合として国土交通大臣が定める場合に該当することを確認するために必要な事項
令第三章第六節の規定が適用される建築物	各階平面図	構造耐力上主要な部分である部材の位置及び寸法並びに開口部の位置、形状及び寸法
	二面以上の立面図	
	二面以上の断面図	
	基礎伏図	構造耐力上主要な部分である部材（接合部を含む。）の位置、寸法、構造方法及び材料の種別並びに開口部の位置、形状及び寸法
	各階床伏図	
	小屋伏図	
	二面以上の軸組図	
	構造詳細図	鉄筋の配置、径、継手及び定着の方法
		鉄筋に対するコンクリートのかぶり厚さ
	使用構造材料一覧表	構造耐力上主要な部分に用いる材料の種別
		コンクリートの骨材、水及び混和材料の種別
	施工方法等計画書	コンクリートの強度試験方法、調合及び養生方法
		コンクリートの型枠の取外し時期及び方法
	令第七十三条第二項ただし書、同条第三項ただし書、令第七十七条第四号、同条第五号ただし書、令第七十七条の二第一項ただし書又は令第七十九条第二項の規定に適合することの確認に必要な図書	令第七十三条第二項ただし書に規定する構造方法への適合性審査に必要な事項
		令第七十三条第三項ただし書の構造計算の結果及びその算出方法
		令第七十七条第四号に規定する基準への適合性審査に必要な事項
		令第七十七条第五号ただし書の構造計算の結果及びその算出方法
		令第七十七条の二第一項ただし書の構造計算の結果及びその算出方法
		令第七十九条第二項に規定する構造方法への適合性審査に必要な事項
令第三章第六節の二の規定が適用される建築物	各階平面図	構造耐力上主要な部分である部材の位置及び寸法並びに開口部の位置、形状及び寸法
	二面以上の立面図	
	二面以上の断面図	
	基礎伏図	構造耐力上主要な部分である部材（接合部を含む。）の位置、寸法、構造方法及び材料の種別並びに開口部の位置、形状及び寸法
	各階床伏図	
	小屋伏図	
	二面以上の軸組図	
	構造詳細図	構造耐力上主要な部分である接合部並びに継手及び仕口の構造方法
		鉄筋の配置、径、継手及び定着の方法
		鉄筋及び鉄骨に対するコンクリートのかぶり厚さ
	使用構造材料一覧表	構造耐力上主要な部分に用いる材料の種別
		コンクリートの骨材、水及び混和材料の種別
	施工方法等計画書	コンクリートの強度試験方法、調合及び養生方法
		コンクリートの型枠の取外し時期及び方法
	令第六十六条、令第六十	令第六十六条に規定する構造方法への適合性審査に必要な

		事項
	七条第二項、令第六十九条、令第七十三条第二項ただし書、同条第三項ただし書、令第七十七条第五号ただし書、同条第六号、令第七十七条の二第一項ただし書、令第七十九条第二項又は令第七十九条の三第二項の規定に適合することの確認に必要な図書	令第六十七条第二項に規定する構造方法への適合性審査に必要な事項
		令第六十九条の構造計算の結果及びその算出方法
		令第七十三条第二項ただし書に規定する構造方法への適合性審査に必要な事項
		令第七十三条第三項ただし書の構造計算の結果及びその算出方法
		令第七十七条第五号ただし書の構造計算の結果及びその算出方法
		令第七十七条第六号に規定する基準への適合性審査に必要な事項
		令第七十七条の二第一項ただし書の構造計算の結果及びその算出方法
		令第七十九条第二項に規定する構造方法への適合性審査に必要な事項
		令第七十九条の三第二項に規定する構造方法への適合性審査に必要な事項
令第三章第七節の規定が適用される建築物	配置図	無筋コンクリート造の塀の位置、構造方法及び寸法
	各階平面図	構造耐力上主要な部分である部材、間仕切壁及び手すり又は手すり壁の位置及び寸法並びに開口部の位置、形状及び寸法
	二面以上の立面図	
	二面以上の断面図	
	基礎伏図	構造耐力上主要な部分である部材（接合部を含む。）、間仕切壁及び手すり又は手すり壁の位置、寸法、構造方法及び材料の種別並びに開口部の位置、形状及び寸法
	各階床伏図	
	小屋伏図	
	二面以上の軸組図	
	構造詳細図	塀の寸法、構造方法、基礎の根入れ深さ並びに材料の種別及び寸法
	使用構造材料一覧表	コンクリートの骨材、水及び混和材料の種別
	施工方法等計画書	コンクリートの強度試験方法、調合及び養生方法
		コンクリートの型枠の取外し時期及び方法
	令第五十一条第一項ただし書、令第五十五条第二項、令第五十七条第一項第一号及び第二号又は令第五十九条の二の規定に適合することの確認に必要な図書	令第五十一条第一項ただし書の構造計算の結果及びその算出方法
		令第五十五条第二項に規定する基準への適合性審査に必要な事項
		令第五十七条第一項第一号及び第二号に規定する基準への適合性審査に必要な事項
		令第五十九条の二に規定する構造方法への適合性審査に必要な事項
令第三章第七節の二の規定が適用される建築物	令第八十条の二又は令第八十条の三の規定に適合することの確認に必要な図書	令第八十条の二に規定する構造方法への適合性審査に必要な事項
		令第八十条の三に規定する構造方法への適合性審査に必要な事項
令第三章第八節の規定が適用される建築物	各階平面図、二面以上の立面図、二面以上の断面図、基礎伏図、小屋伏図、二面以上の軸組図及び構造詳細図	構造耐力上主要な部分である部材（接合部を含む。）の位置、寸法、構造方法及び材料の種別並びに開口部の位置、形状及び寸法
		構造計算においてその影響を考慮した非構造部材の位置、形状、寸法及び材料の種別
令第百二十九条の二の三第三号の規定が適用される建築物	令第百二十九条の二の三第三号の規定に適合することの確認に必要な図書	令第百二十九条の二の三第三号に規定する構造方法への適合性審査に必要な事項
第八条の三の規定が適用される建築物	第八条の三の規定に適合することの確認に必要な図書	第八条の三に規定する構造方法への適合性審査に必要な事項
法第二十条第二項の規定が適用される建築物	二面以上の断面図	令第三十六条の四に規定する構造方法

(一)	法第二十条の規定が適用される建築物	令第三章第二節の規定が適用される建築物（特定木造建築物に限る。）	各階平面図	屋根ふき材、内装材、外装材、帳壁その他これらに類する建築物の部分及び広告塔、装飾塔その他建築物の屋外に取り付けるものの種別、位置及び寸法
			二面以上の立面図	
			二面以上の断面図	
			仕様表	基礎の構造方法、寸法並びに材料の種別及び寸法

	構造詳細図	屋根ふき材、内装材、外装材、帳壁その他これらに類する建築物の部分及び広告塔、装飾塔その他建築物の屋外に取り付けるものの取付け部分の構造方法
	使用構造材料一覧表	構造耐力上主要な部分で特に腐食、腐朽又は摩損のおそれのあるものに用いる材料の腐食、腐朽若しくは摩損のおそれの程度又はさび止め、防腐若しくは摩損防止のための措置
		特定天井（令第三十九条第三項に規定する特定天井をいう。以下同じ。）で特に腐食、腐朽その他の劣化のおそれのあるものに用いる材料の腐食、腐朽その他の劣化のおそれの程度又はさび止め、防腐その他の劣化防止のための措置
	基礎・地盤説明書	支持地盤の種別及び位置
		基礎の種類
		基礎の底部又は基礎ぐいの先端の位置
		基礎の底部に作用する荷重の数値及びその算出方法
		木ぐい及び常水面の位置
	施工方法等計画書	打撃、圧力又は振動により設けられる基礎ぐいの打撃力等に対する構造耐力上の安全性を確保するための措置
	令第三十八条第三項若しくは第四項又は令第三十九条第二項若しくは第三項の規定に適合することの確認に必要な図書	令第三十八条第三項に規定する構造方法への適合性審査に必要な事項
		令第三十八条第四項の構造計算の結果及びその算出方法
		令第三十九条第二項に規定する構造方法への適合性審査に必要な事項
		令第三十九条第三項に規定する構造方法への適合性審査に必要な事項
令第三章第二節の規定が適用される建築物（特定木造建築物を除く。）	各階平面図 二面以上の立面図 二面以上の断面図	屋根ふき材、内装材、外装材、帳壁その他これらに類する建築物の部分及び広告塔、装飾塔その他建築物の屋外に取り付けるものの種別、位置及び寸法
	基礎伏図	基礎の配置、構造方法、寸法並びに材料の種別及び寸法
	構造詳細図	屋根ふき材、内装材、外装材、帳壁その他これらに類する建築物の部分及び広告塔、装飾塔その他建築物の屋外に取り付けるものの取付け部分の構造方法
	使用構造材料一覧表	構造耐力上主要な部分で特に腐食、腐朽又は摩損のおそれのあるものに用いる材料の腐食、腐朽若しくは摩損のおそれの程度又はさび止め、防腐若しくは摩損防止のための措置
		特定天井で特に腐食、腐朽その他の劣化のおそれのあるものに用いる材料の腐食、腐朽その他の劣化のおそれの程度又はさび止め、防腐その他の劣化防止のための措置
	基礎・地盤説明書	支持地盤の種別及び位置
		基礎の種類
		基礎の底部又は基礎ぐいの先端の位置
		基礎の底部に作用する荷重の数値及びその算出方法
		木ぐい及び常水面の位置
	施工方法等計画書	打撃、圧力又は振動により設けられる基礎ぐいの打撃力等に対する構造耐力上の安全性を確保するための措置
	令第三十八条第三項若しくは第四項又は令第三十九条第二項若しくは第三項の規定に適合することの確認に必要な図書	令第三十八条第三項に規定する構造方法への適合性審査に必要な事項
		令第三十八条第四項の構造計算の結果及びその算出方法
		令第三十九条第二項に規定する構造方法への適合性審査に必要な事項
		令第三十九条第三項に規定する構造方法への適合性審査に必要な事項
令第三章第三節の規定が適用される建築物（特定木造建築物	各階平面図 二面以上の立面図 二面以上の断面図	構造耐力上主要な部分である部材の位置及び寸法並びに開口部の位置、形状及び寸法

に限る。）		
	仕様表	構造耐力上主要な部分である部材（接合部を含む。）の寸法、構造方法及び材料の種別並びに開口部の形状及び寸法
	構造詳細図	屋根ふき材の種別
		柱の有効細長比
		構造耐力上主要な部分である軸組等の構造方法
		構造耐力上主要な部分である継手又は仕口の構造方法
		外壁のうち、軸組が腐りやすい構造である部分の下地
		構造耐力上主要な部分である部材の地面から一メートル以内の部分の防腐又は防蟻措置
	使用構造材料一覧表	構造耐力上主要な部分に使用する木材の品質
	令第四十条ただし書、令第四十二条第一項第二号若しくは第三号、令第四十三条第一項若しくは第二項ただし書、令第四十六条第三項本文若しくは第四項又は令第四十七条第一項の規定に適合することの確認に必要な図書	令第四十条ただし書に規定する用途又は規模への適合性審査に必要な事項
		令第四十二条第一項第二号に規定する基準への適合性審査に必要な事項
		令第四十二条第一項第三号に規定する構造方法への適合性審査に必要な事項
		令第四十二条第一項第三号に規定する方法による検証内容
		令第四十三条第一項の規定に適合することを確認するために必要な事項

		令第四十三条第二項ただし書の構造計算の結果及びその算出方法
		令第四十六条第三項本文に規定する基準への適合性審査に必要な事項
		令第四十六条第四項に規定する基準への適合性審査に必要な事項
		令第四十七条第一項に規定する構造方法への適合性審査に必要な事項
令第三章第三節の規定が適用される建築物（特定木造建築物を除く。）	各階平面図	構造耐力上主要な部分である部材の位置及び寸法並びに開口部の位置、形状及び寸法
	二面以上の立面図	
	二面以上の断面図	
	基礎伏図	構造耐力上主要な部分である部材（接合部を含む。）の位置、寸法、構造方法及び材料の種別並びに開口部の位置、形状及び寸法
	各階床伏図	
	小屋伏図	
	二面以上の軸組図	
	構造詳細図	屋根ふき材の種別
		柱の有効細長比
		構造耐力上主要な部分である軸組等の構造方法
		構造耐力上主要な部分である継手又は仕口の構造方法
		外壁のうち、軸組が腐りやすい構造である部分の下地

		構造耐力上主要な部分である部材の地面から一メートル以内の部分の防腐又は防蟻措置
	使用構造材料一覧表	構造耐力上主要な部分に使用する木材の品質
	令第四十条ただし書、令第四十二条第一項第二号若しくは第三号、令第四十三条第一項若しくは第二項ただし書、令第四十六条第二項第一号イ若しくはハ、第三項若しくは第四項又は令第四十七条第一項の規定に適合することの確認に必要な図書	令第四十条ただし書に規定する用途又は規模への適合性審査に必要な事項
		令第四十二条第一項第二号に規定する基準への適合性審査に必要な事項
		令第四十二条第一項第三号に規定する構造方法への適合性審査に必要な事項
		令第四十二条第一項第三号に規定する方法による検証内容
		令第四十三条第一項の規定に適合することを確認するために必要な事項
		令第四十三条第二項ただし書の構造計算の結果及びその算出方法
		令第四十六条第二項第一号イに規定する基準への適合性審査に必要な事項
		令第四十六条第二項第一号ハの構造計算の結果及びその算出方法
		令第四十六条第三項本文に規定する基準への適合性審査に必要な事項
		令第四十六条第三項ただし書の構造計算の結果及びその算出方法

区分	建築物	図書	明示すべき事項
			令第四十六条第四項に規定する基準への適合性審査に必要な事項
			令第四十七条第一項に規定する構造方法への適合性審査に必要な事項
〔略〕			
	令第三章第五節の規定が適用される建築物	〔略〕	
		令第六十六条、令第六十七条第一項ただし書若しくは第二項、令第六十九条又は令第七十条の規定に適合することの確認に必要な図書	令第六十六条に規定する構造方法への適合性審査に必要な事項
			令第六十七条第一項ただし書に規定する基準への適合性審査に必要な事項
			〔略〕
〔略〕			
	令第三章第六節の二の規定が適用される建築物	〔略〕	
		令第六十六条、令第六十七条第一項ただし書若しくは第二項、令第六十九条、令第七十三条第二項ただし書若しくは第三項ただし書、令第七十七条第五号ただし書若しくは第六号、令第七十七条の	令第六十六条に規定する構造方法への適合性審査に必要な事項
			令第六十七条第一項ただし書に規定する基準への適合性審査に必要な事項
			〔略〕
〔略〕		二第一項ただし書、令第七十九条第二項又は令第七十九条の三第二項の規定に適合することの確認に必要な図書	
(二)	法第二十一条の規定が適用される建築物		
	法第二十一条第一項本文の規定が適用される建築物	各階平面図	耐力壁及び非耐力壁の位置
			防火区画の位置及び面積
			通常火災終了時間の算出に当たって必要な建築設備の位置
		耐火構造等の構造詳細図	主要構造部の断面の構造、材料の種別及び寸法
		通常火災終了時間計算書	通常火災終了時間及びその算出方法
	法第二十一条第一項ただし書の規定が適用される建築物	付近見取図	延焼防止上有効な空地の状況
		配置図	敷地境界線、敷地内における建築物の位置及び申請に係る建築物と他の建築物との別
			令第百九条の六に規定する建築物の各部分から空地の反対側の境界線までの水平距離
			建築物の各部分の高さ
	法第二十一条第二項の規定が適用される建築物	各階平面図	開口部及び防火設備の位置
			耐力壁及び非耐力壁の位置
			スプリンクラー設備等消火設備の配置
			袖壁、塀その他これらに類するものの位置及び高さ
		二面以上の立面図	開口部の面積、位置、構造、形状及び寸法
		耐火構造等の構造詳細図	主要構造部及び防火設備の断面の構造、材料の種別及び寸法
		その他法第二十一条第二項の規定に適合することの確認に必要な図書	法第二十一条第二項に規定する構造方法への適合性審査に必要な事項
	法第二十一条第三項の規定が適用される建築物	各階平面図	火熱遮断壁等の位置
		耐火構造等の構造詳細図	火熱遮断壁等の断面の構造、材料の種別及び寸法
		その他法第二十一条第三項の規定に適合することの確認に必要な図書	令第百九条の八に規定する構造方法への適合性審査に必要な事項
(三)	法第二十二条の規定が適用される建築物	耐火構造等の構造詳細図	屋根の断面の構造、材料の種別及び寸法
		その他法第二十二条の規定に適合することの確認に必要な図書	令第百九条の九に規定する構造方法への適合性審査に必要な事項
(四)	法第二十三条の規定が適用される建築物	各階平面図	耐力壁及び非耐力壁の位置
		耐火構造等の構造詳細図	延焼のおそれのある部分の外壁の断面の構造、材料の種別及び寸法

			使用建築材料表	主要構造部の材料の種別
(五)	法第二十四条の規定が適用される建築物		配置図	法第二十二条第一項の規定による区域の境界線
(六)	法第二十五条の規定が適用される建築物		各階平面図	耐力壁及び非耐力壁の位置
			耐火構造等の構造詳細図	屋根並びに延焼のおそれのある部分の外壁及び軒裏の断面の構造、材料の種別及び寸法
(七)	法第二十六条の規定が適用される建築物	法第二十六条第一項本文の規定が適用される建築物	各階平面図	防火壁及び防火床の位置
				防火壁及び防火床による区画の位置及び面積
			二面以上の断面図	防火床の位置
				防火床による区画の位置
			耐火構造等の構造詳細図	防火壁及び防火床並びに防火設備の断面の構造、材料の種別及び寸法
		法第二十六条第一項ただし書の規定が適用される建築物	付近見取図	建築物の周囲の状況
			各階平面図	耐力壁及び非耐力壁の位置
				かまど、こんろその他火を使用する設備又は器具の位置
				外壁、袖壁、塀その他これらに類するものの位置及び高さ
				令第百十五条の二第一項第六号に規定する区画の位置並びに当該区画を構成する床若しくは壁又は防火設備の位置及び構造
				令第百十五条の二第一項第七号に規定するスプリンクラー設備等及び令第百二十六条の三の規定に適合する排煙設備の位置
			耐火構造等の構造詳細図	主要構造部、軒裏及び防火設備の断面の構造、材料の種別及び寸法
				令第百十五条の二第一項第六号に規定する床又は壁を貫通する給水管、配電管その他の管の部分及びその周囲の部分の構造
				令第百十五条の二第一項第八号に規定する柱又ははりを接合する継手又は仕口の構造
			室内仕上げ表	令第百十五条の二第一項第七号に規定する部分の仕上げの材料の種別及び厚さ
			令第百十五条の二第一項第九号の規定に適合することの確認に必要な図書	通常の火災により建築物全体が容易に倒壊するおそれのないことが確かめられた構造
		令第百十三条第二項の規定が適用される建築物	各階平面図	風道の配置
				防火壁又は防火床を貫通する風道に設ける防火設備の位置及び種別
				給水管、配電管その他の管と防火壁又は防火床との隙間を埋める材料の種別
			二面以上の断面図	防火壁又は防火床を貫通する風道に設ける防火設備の位置及び種別
				給水管、配電管その他の管と防火壁又は防火床との隙間を埋める材料の種別
			耐火構造等の構造詳細図	防火設備の構造、材料の種別及び寸法
		法第二十六条第二項の規定が適用される建築物	各階平面図	特定部分の位置
			耐火構造等の構造詳細図	特定部分の主要構造部及び防火設備の断面の構造、材料の種別及び寸法
			その他法第二十六条第二項の規定に適合することの確認に必要な図書	法第二十六条第二項に規定する構造方法への適合性審査に必要な事項
(八)	法第二十七条の規定が適用される建築物	法第二十七条第一項の規定が適用される建築物	各階平面図	開口部及び防火設備の位置
				耐力壁及び非耐力壁の位置
				外壁、袖壁、塀その他これらに類するものの位置及び高さ
				防火区画の位置及び面積
				特定避難時間の算出に当たって必要な建築設備の位置
			耐火構造等の構造詳細図	主要構造部及び防火設備の断面の構造、材料の種別及び寸法
			特定避難時間計算書	特定避難時間及びその算出方法
			その他法第二十七条第一項の規定に適合することの確認に必要な図書	法第二十七条第一項に規定する構造方法への適合性審査に必要な事項

令第百十条の五の規定が適用される建築物	各階平面図	警報設備の位置及び構造
法第二十七条第二項の規定が適用される建築物	各階平面図	開口部及び防火設備の位置
		耐力壁及び非耐力壁の位置
		外壁、袖壁、塀その他これらに類するものの位置及び高さ
	耐火構造等の構造詳細図	主要構造部及び防火設備の断面の構造、材料の種別及び寸法
法第二十七条第三項の規定が適用される建築物	各階平面図	開口部及び防火設備の位置
		耐力壁及び非耐力壁の位置
		外壁、袖壁、塀その他これらに類するものの位置及び高さ
	耐火構造等の構造詳細図	主要構造部、軒裏、天井及び防火設備の断面の構造、材料の種別及び寸法
	危険物の数量表	危険物の種類及び数量
法第二十七条第四項の規定が適用される建築物	各階平面図	火熱遮断壁等の位置
	耐火構造等の構造詳細図	火熱遮断壁等の断面の構造、材料の種別及び寸法
	その他法第二十七条第四項の規定に適合することの確認に必要な図書	令第百九条の八に規定する構造方法への適合性審査に必要な事項

(九)	法第二十八条第一項及び第四項の規定が適用される建築物	配置図	敷地の接する道路の位置及び幅員並びに令第二十条第二項第一号に規定する公園、広場、川その他これらに類する空地又は水面の位置及び幅
			令第二十条第二項第一号に規定する水平距離
		各階平面図	法第二十八条第一項に規定する開口部の位置及び面積
		二面以上の立面図	令第二十条第二項第一号に規定する垂直距離
		二面以上の断面図	令第二十条第二項第一号に規定する垂直距離
		開口部の採光に有効な部分の面積を算出した際の計算書	居室の床面積
			開口部の採光に有効な部分の面積及びその算出方法
	令第十九条第三項ただし書の規定が適用される居室を有する建築物	令第十九条第三項ただし書に規定する国土交通大臣が定める基準に適合することの確認に必要な図書	令第十九条第三項ただし書に規定する国土交通大臣が定める基準に適合する居室に該当することを確認するために必要な事項
(十)	法第二十八条の二の規定が適用される建築物	各階平面図	給気機又は給気口及び排気機又は排気口の位置
			外壁の開口部に設ける建具（通気ができる空隙のあるものに限る。）の構造
		使用建築材料表	内装の仕上げに使用する建築材料の種別

			令第二十条の七第一項第一号に規定する第一種ホルムアルデヒド発散建築材料（以下この表及び第三条の二第一項第十二号の表において単に「第一種ホルムアルデヒド発散建築材料」という。）、令第二十条の七第一項第二号に規定する第二種ホルムアルデヒド発散建築材料（以下この表及び第三条の二第一項第十二号の表において単に「第二種ホルムアルデヒド発散建築材料」という。）又は令第二十条の七第一項第二号に規定する第三種ホルムアルデヒド発散建築材料（以下この表及び第三条の二第一項第十二号の表において単に「第三種ホルムアルデヒド発散建築材料」という。）を使用する内装の仕上げの部分の面積（以下この項において単に「内装の仕上げの部分の面積」という。）
			内装の仕上げの部分の面積に、内装の仕上げに用いる建築材料の種別に応じ令第二十条の七第一項第二号の表の(一)項又は(二)項に定める数値を乗じて得た面積の合計
		有効換気量又は有効換気換算量を算出した際の計算書	有効換気量又は有効換気換算量及びその算出方法
			換気回数及び必要有効換気量
(十)	法第二十八条の二の規定が適用される建築物	〔略〕	
		使用建築材料表	〔略〕
			令第二十条の七第一項第一号

		に規定する第一種ホルムアルデヒド発散建築材料（以下この表及び第三条の二第一項第十三号の表において単に「第一種ホルムアルデヒド発散建築材料」という。）、令第二十条の七第一項第二号に規定する第二種ホルムアルデヒド発散建築材料（以下この表及び第三条の二第一項第十三号の表において単に「第二種ホルムアルデヒド発散建築材料」という。）又は令第二十条の七第一項第三号に規定する第三種ホルムアルデヒド発散建築材料（以下この表及び第三条の二第一項第十三号の表において単に「第三種ホルムアルデヒド発散建築材料」という。）を使用する内装の仕上げの部分の面積（以下この項において単に「内装の仕上げの部分の面積」という。）
	〔略〕	〔略〕
(十一) 法第二十九条の規定が適用される建築物	各階平面図	令第二十二条の二第一号イに規定する開口部、令第二十条の二に規定する技術的基準に適合する換気設備又は居室内の湿度を調節する設備の位置
	外壁等の構造詳細図	直接土に接する外壁、床及び屋根又はこれらの部分の構造及び材料の種別
	開口部の換気に有効な部分の面積を算出した際の計算書	居室の床面積
		開口部の換気に有効な部分の面積及びその算出方法
(十二) 法第三十条の規定が適用される建築物	各階平面図	界壁の位置及び遮音性能
	二面以上の断面図	界壁の位置及び構造
法第三十条第二項の規定が適用される建築物	二面以上の断面図	天井の位置、構造及び遮音性能
(十三) 法第三十五条の規定が適用される建築物	各階平面図	令第百十六条の二第一項に規定する窓その他の開口部の面積
		令第百十六条の二第一項第二号に規定する窓その他の開口部の開放できる部分の面積
	消火設備の構造詳細図	消火栓、スプリンクラー、貯水槽その他の消火設備の構造
令第五章第二節の規定が適用される建築物	各階平面図	開口部及び防火設備の位置
		耐力壁及び非耐力壁の位置
		防火区画の位置及び面積
		階段の配置及び構造
		階段室、バルコニー及び付室の開口部、窓及び出入口の構造及び面積
		歩行距離
		廊下の幅
		避難階段及び特別避難階段に通ずる出入口の幅
		物品販売業を営む店舗の避難階に設ける屋外への出口の幅
		令第百十八条に規定する出口の戸
		令第百二十五条の二第一項に規定する施錠装置の構造
		令第百二十六条第一項に規定する手すり壁、さく又は金網の位置及び高さ
	二面以上の断面図	直通階段の構造
	耐火構造等の構造詳細図	主要構造部及び防火設備の断面の構造、材料の種別及び寸法
	室内仕上げ表	令第百二十三条第一項第二号及び第三項第四号に規定する部分の仕上げ及び下地の材料の種別及び厚さ
	令第百十七条第二項第二号及び令第百二十三条第三項第二号の規定に適合することの確認に必要な図書	令第百十七条第二項第二号に規定する建築物の部分に該当することを確認するために必要な事項
		令第百二十三条第三項第二号に規定する構造方法への適合性審査に必要な事項
	令第百二十条第一項の表の(一)の項に規定する国土交通大臣が定める基準に適合することの確認に必要な図書	令第百二十条第一項の表の(一)の項に規定する国土交通大臣が定める基準に適合する居室に該当することを確認するために必要な事項
	令第百二十一条の二の規定に適合するこ	直通階段で屋外に設けるものが木造である場合における当該直通階段の構造及び防腐措

			との確認に必要な図書	置
		令第五章第五節の規定が適用される建築物	各階平面図	赤色灯及び非常用進入口である旨の表示の構造
				令第百二十六条の六第三号に規定する空間の位置
			二面以上の立面図	非常用進入口又は令第百二十六条の六第二号に規定する窓その他の開口部の構造
				赤色灯及び非常用進入口である旨の表示の構造
			二面以上の断面図	令第百二十六条の六第三号に規定する空間に通ずる出入口の構造
			その他令第百二十六条の六第三号の規定に適合することの確認に必要な図書	令第百二十六条の六第三号に規定する空間に該当することを確認するために必要な事項
				令第百二十六条の六第三号に規定する構造方法への適合性審査に必要な事項
		令第五章第六節の規定が適用される建築物	配置図	敷地内における通路の幅員
			各階平面図	防火設備の位置及び種別
				歩行距離
				渡り廊下の位置及び幅員
				地下道の位置及び幅員
			二面以上の断面図	渡り廊下の高さ
			使用建築材料表	主要構造部の材料の種別及び厚さ
			室内仕上げ表	令第百二十八条の三に規定する部分の仕上げ及び下地の材料の種別及び厚さ
			地下道の床面積求積図	地下道の床面積の求積に必要な建築物の各部分の寸法及び算式
			非常用の照明設備の構造詳細図	照度
				照明設備の構造
				照明器具の材料の位置及び種別
			非常用の排煙設備の構造詳細図	地下道の床面積
				垂れ壁の材料の種別
				排煙設備の構造、材料の配置及び種別
				排煙口の手動開放装置の位置及び構造
				排煙機の能力
			非常用の排水設備の構造詳細図	排水設備の構造及び材料の種別
				排水設備の能力
(十四)	法第三十五条の二の規定が適用される建築物		各階平面図	令第百二十八条の三の二第一項に規定する窓のその他の開口部の開放できる部分の面積
				令第百二十八条の五第七項に規定する国土交通大臣が定める建築物の部分に該当することを確認するために必要な事項
			室内仕上げ表	令第百二十八条の五に規定する部分の仕上げの材料の種別及び厚さ
		令第百二十八条の六の規定が適用される建築物	令第百二十八条の六の規定に適合することの確認に必要な図書	令第百二十八条の六に規定する建築物の部分に該当することを確認するために必要な事項
(十五)	法第三十五条の三の規定が適用される建築物		各階平面図	令第百十一条第一項に規定する窓その他の開口部の面積
			耐火構造等の構造詳細図	主要構造部の断面の構造、材料の種別及び寸法
			令第百十一条第一項に規定する国土交通大臣が定める基準に適合することの確認に必要な図書	令第百十一条第一項に規定する国土交通大臣が定める基準に適合する居室に該当することを確認するために必要な事項
(十六)	法第三十六条の規定が適用される建築物	令第二章第二節の規定が適用される建築物	二面以上の断面図	最下階の居室の床が木造である場合における床の高さ及び防湿方法
				換気孔の位置
				ねずみの侵入を防ぐための設備の設置状況
		令第二章第三節の規定が適用される建築物	各階平面図	階段、踊り場、手すり等又は階段に代わる傾斜路の位置及び構造
				令第二十七条に規定する階段の設置状況
			二面以上の断面図	階段、踊り場、手すり等又は階段に代わる傾斜路の構造

令第百九条の二の二第一項本文の規定が適用される建築物	層間変形角計算書	層間変位の計算に用いる地震力 地震力によつて各階に生ずる水平方向の層間変位の算出方法 各階及び各方向の層間変形角の算出方法
令第百九条の二の二第一項ただし書の規定が適用される建築物	防火上有害な変形、亀裂その他の損傷に関する図書	令第百九条の二の二第一項ただし書に規定する計算又は実験による検証内容
令第百九条の二の二第二項の規定が適用される建築物	令第百九条の二の二第二項の規定に適合することの確認に必要な図書	令第百九条の二の二第二項に規定する建築物の部分に該当することを確認するために必要な事項
令第百九条の二の二第三項の規定が適用される建築物	令第百九条の二の二第三項の規定に適合することの確認に必要な図書	令第百九条の二の二第三項に規定する建築物に該当することを確認するために必要な事項
令第百十二条第一項から第十八項までの規定が適用される建築物	各階平面図	耐力壁及び非耐力壁の位置 スプリンクラー設備等消火設備の配置 防火設備の位置及び種別並びに戸の位置 防火区画の位置及び面積 強化天井の位置
	二面以上の断面図	令第百十二条第十八項に規定する区画に用いる壁の構造 令第百十二条第十六項に規定する外壁の位置及び構造 令第百十二条第十八項に規定する区画に用いる床の構造
	耐火構造等の構造詳細図	主要構造部、天井及び防火設備の断面の構造、材料の種別及び寸法
	令第百十二条第三項の規定に適合することの確認に必要な図書	令第百十二条第三項に規定する構造方法への適合性審査に必要な事項
	令第百十二条第四項の規定に適合することの確認に必要な図書	令第百十二条第四項に規定する防火上支障がないものとして国土交通大臣が定める部分に該当することを確認するために必要な事項
	令第百十二条第十五項の規定に適合することの確認に必要な図書	令第百十二条第十五項に規定する国土交通大臣が定める建築物の竪穴部分に該当することを確認するために必要な事項
	令第百十二条第十八項ただし書の規定に適合することの確認に必要な図書	令第百十二条第十八項ただし書に規定する場合に該当することを確認するために必要な事項
令第百十二条第十九項第一号の規定が適用される建築物	各階平面図	防火設備の位置及び種別
	耐火構造等の構造詳細図	防火設備の構造、材料の種別及び寸法
令第百十二条第十九項第二号の規定が適用される建築物	各階平面図	防火設備の位置及び種別並びに戸の位置
	耐火構造等の構造詳細図	防火設備の構造、材料の種別及び寸法並びに戸の構造
令第百十二条第二十項及び第二十一項の規定が適用される建築物	各階平面図	風道の配置 令第百十二条第二十項に規定する準耐火構造の防火区画を貫通する風道に設ける防火設備の位置及び種別 令第百十二条第二十項に規定する準耐火構造の防火区画と給水管、配電管その他の管との隙間を埋める材料の種別
	二面以上の断面図	令第百十二条第二十項に規定する準耐火構造の防火区画を貫通する風道に設ける防火設備の位置及び種別 令第百十二条第二十項に規定する準耐火構造の防火区画と給水管、配電管その他の管との隙間を埋める材料の種別
	耐火構造等の構造詳細図	防火設備の構造、材料の種別及び寸法
令第百十二条第二十二項の規定が適用される建築物	令第百十二条第二十二項の規定に適合することの確認に必要な図書	令第百十二条第二十二項に規定する建築物の部分に該当することを確認するために必要な事項
令第百十二条第二十三項の規定が適	令第百十二条第二十三項の規定に適合することの確認	令第百九条の二の二第三項に規定する建築物に該当することを確認するために必要な事項

	用される建築物	に必要な図書	
	令第百十四条の規定が適用される建築物	各階平面図	界壁又は防火上主要な間仕切壁の位置
			スプリンクラー設備等消火設備の配置
			防火区画の位置
			強化天井の位置
			界壁、防火上主要な間仕切壁又は隔壁を貫通する風道に設ける防火設備の位置
			給水管、配電管その他の管と界壁、防火上主要な間仕切壁又は隔壁との隙間を埋める材料の種別
		二面以上の断面図	小屋組の構造
			界壁、防火上主要な間仕切壁又は隔壁の位置
			界壁、防火上主要な間仕切壁又は隔壁を貫通する風道に設ける防火設備の位置
			給水管、配電管その他の管と界壁、防火上主要な間仕切壁又は隔壁との隙間を埋める材料の種別
		耐火構造等の構造詳細図	界壁、防火上主要な間仕切壁又は隔壁及び天井の断面並びに防火設備の構造、材料の種別及び寸法
		令第百十四条第一項の規定に適合することの確認に必要な図書	令第百十四条第一項に規定する防火上支障がないものとして国土交通大臣が定める部分に該当することを確認するために必要な事項
		令第百十四条第二項の規定に適合することの確認に必要な図書	令第百十四条第二項に規定する防火上支障がないものとして国土交通大臣が定める部分に該当することを確認するために必要な事項
		令第百十四条第六項の規定に適合することの確認に必要な図書	令第百十四条第六項に規定する建築物の部分に該当することを確認するために必要な事項
	第八条の四の規定が適用される建築物	各階平面図	令第百八条の三に該当する部分その他必要な事項を表示する位置
(七)	法第三十七条の規定が適用される建築物	使用建築材料表	建築物の基礎、主要構造部及び令第百四十四条の三に規定する部分に使用する指定建築材料の種別
			指定建築材料を使用する部分
			使用する指定建築材料の品質が適合する日本産業規格又は日本農林規格及び当該規格に適合することを証する事項
			日本産業規格又は日本農林規格に適合することを証明する事項
			使用する指定建築材料が国土交通大臣の認定を受けたものである場合は認定番号
(八)	法第四十三条の規定が適用される建築物	付近見取図	敷地の位置
		配置図	敷地の道路に接する部分及びその長さ
		その他法第四十三条の規定に適合することの確認に必要な図書	法第四十三条に規定する敷地等と道路との関係への適合性審査に必要な事項
	法第四十三条第二項第一号又は第二号の規定が適用される建築物	法第四十三条第二項第一号の認定又は同項第二号の許可の内容に適合することの確認に必要な図書	当該認定又は許可に係る建築物の敷地、構造、建築設備又は用途に関する事項
(九)	法第四十四条の規定が適用される建築物	付近見取図	敷地の位置
		二面以上の断面図	敷地境界線
			敷地の接する道路の位置、幅員及び種類
		その他法第四十四条の規定に適合することの確認に必要な図書	法第四十四条に規定する道路内の建築制限への適合性審査に必要な事項
	法第四十四条第一項第二号から第四号までの規定が適用される建築物	法第四十四条第一項第二号若しくは第四号の許可又は同項第三号の認定の内容に適合することの確認に必要な図書	当該許可又は認定に係る建築物の敷地、構造、建築設備又は用途に関する事項
(十)	法第四十七条の規定が適用される建築物	付近見取図	敷地の位置
		配置図	壁面線
			申請に係る建築物の壁又はこれに代わる柱の位置
			門又は塀の位置及び高さ

	建築物	図書	明示すべき事項
		二面以上の断面図	敷地境界線
			壁面線
			門又は塀の位置及び高さ
	法第四十七条ただし書の規定が適用される建築物	法第四十七条ただし書の許可の内容に適合することの確認に必要な図書	当該許可に係る建築物の敷地、構造、建築設備又は用途に関する事項
(二十一)	法第四十八条の規定が適用される建築物	付近見取図	敷地の位置
		配置図	用途地域の境界線
		危険物の数量表	危険物の種類及び数量
		工場・事業調書	事業の種類
	法第四十八条第一項から第十四項までのただし書の規定が適用される建築物	法第四十八条第一項から第十四項までのただし書の許可の内容に適合することの確認に必要な図書	当該許可に係る建築物の敷地、構造、建築設備又は用途に関する事項
(二十二)	法第五十一条の規定が適用される建築物	付近見取図	敷地の位置
		配置図	都市計画において定められた法第五十一条に規定する建築物の敷地の位置
			用途地域の境界線
			都市計画区域の境界線
		卸売市場等の用途に供する建築物調書	法第五十一条に規定する建築物の用途及び規模
	法第五十一条ただし書の規定が適用される建築物	法第五十一条ただし書の許可の内容に適合することの確認に必要な図書	当該許可に係る建築物の敷地、構造、建築設備又は用途に関する事項
(二十三)	法第五十二条の規定が適用される建築物	付近見取図	敷地の位置
		配置図	指定された容積率の数値の異なる地域の境界線
			法第五十二条第十二項の壁面線等
			令第百三十五条の十九に掲げる建築物の部分の位置、高さ及び構造
		各階平面図	蓄電池設置部分、自家発電設備設置部分、貯水槽設置部分又は宅配ボックス設置部分の位置
		床面積求積図	蓄電池設置部分、自家発電設備設置部分、貯水槽設置部分又は宅配ボックス設置部分の床面積の求積に必要な建築物の各部分の寸法及び算式
		敷地面積求積図	敷地面積の求積に必要な敷地の各部分の寸法及び算式
		その他法第五十二条の規定に適合することの確認に必要な図書	法第五十二条に規定する容積率への適合性審査に必要な事項
	法第五十二条第六項第三号の規定が適用される建築物	法第五十二条第六項第三号の認定の内容に適合することの確認に必要な図書	当該認定に係る建築物の敷地、構造、建築設備又は用途に関する事項
	法第五十二条第八項の規定が適用される建築物	法第五十二条第八項第二号に規定する空地のうち道路に接して有効な部分（以下「道路に接して有効な部分」という。）の配置図	敷地境界線
			法第五十二条第八項第二号に規定する空地の面積及び位置
			道路に接して有効な部分の面積及び位置
			敷地内における工作物の位置
			敷地の接する道路の位置
			令第百三十五条の十七第三項の表(い)欄各項に掲げる地域の境界線
	法第五十二条第九項の規定が適用される建築物	法第五十二条第九項に規定する特定道路（以下単に「特定道路」という。）の配置図	敷地境界線
			前面道路及び前面道路が接続する特定道路の位置及び幅員
			当該特定道路から敷地が接する前面道路の部分の直近の端までの延長
	法第五十二条第十項、第十一項又は第十四項の規定が適用される建築物	法第五十二条第十項、第十一項又は第十四項の許可の内容に適合することの確認に必要な図書	当該許可に係る建築物の敷地、構造、建築設備又は用途に関する事項
(二十四)	法第五十三条の規定が適用される建築物	付近見取図	敷地の位置
		配置図	用途地域の境界線
			防火地域の境界線
		敷地面積求積図	敷地面積の求積に必要な敷地の各部分の寸法及び算式
		建築面積求積図	建築面積の求積に必要な建築物の各部分の寸法及び算式

		図書の種類	明示すべき事項
		耐火構造等の構造詳細図	主要構造部の断面の構造、材料の種別及び寸法
		令第二条第一項第二号に規定する特例軒等に該当することの確認に必要な図書	令第二条第一項第二号に規定する特例軒等に該当することを確認するために必要な事項
	法第五十三条第四項、第五項又は第六項第三号の規定が適用される建築物	法第五十三条第四項、第五項又は第六項第三号の許可の内容に適合することの確認に必要な図書	当該許可に係る建築物の敷地、構造、建築設備又は用途に関する事項
(二十五)	法第五十三条の二の規定が適用される建築物	付近見取図	敷地の位置
		敷地面積求積図	敷地面積の求積に必要な敷地の各部分の寸法及び算式
		配置図	用途地域の境界線
			防火地域の境界線
		耐火構造等の構造詳細図	主要構造部の断面の構造、材料の種別及び寸法
	法第五十三条の二第一項第三号又は第四号の規定が適用される建築物	法第五十三条の二第一項第三号又は第四号の許可の内容に適合することの確認に必要な図書	当該許可に係る建築物の敷地、構造、建築設備又は用途に関する事項
	法第五十三条の二第三項の規定が適用される建築物	現に存する所有権その他の権利に基づいて当該土地を建築物の敷地として使用することができる旨を証する書面	現に存する所有権その他の権利に基づいて当該土地を建築物の敷地として使用することができる旨
(二十六)	法第五十四条の規定が適用される建築物	付近見取図	敷地の位置
		配置図	用途地域の境界線
			都市計画において定められた外壁の後退距離の限度の線
			申請に係る建築物の外壁又はこれに代わる柱の面の位置
			令第百三十五条の二十二に掲げる建築物又はその部分の用途、高さ及び床面積
			申請に係る建築物又はその部分の外壁又はこれに代わる柱の中心線及びその長さ
(二十七)	法第五十五条の規定が適用される建築物	付近見取図	敷地の位置
		配置図	用途地域の境界線
		二面以上の断面図	用途地域の境界線
			土地の高低
	法第五十五条第二項、第三項又は第四項の規定が適用される建築物	法第五十五条第二項の認定又は同条第三項若しくは第四項の許可の内容に適合することの確認に必要な図書	当該認定又は許可に係る建築物の敷地、構造、建築設備又は用途に関する事項
(二十八)	法第五十六条の規定が適用される建築物	付近見取図	敷地の位置
			令第百三十一条の二第一項に規定する街区の位置
		配置図	地盤面及び前面道路の路面の中心からの申請に係る建築物の各部分の高さ
			地盤面の異なる区域の境界線
			法第五十六条第一項第二号に規定する水平距離のうち最小のものに相当する距離
			令第百三十条の十二に掲げる建築物の部分の用途、位置、高さ、構造及び床面積
			法第五十六条第二項に規定する後退距離
			用途地域の境界線
			高層住居誘導地区の境界線
			法第五十六条第一項第二号イの規定により特定行政庁が指定した区域の境界線
			令第百三十二条第一項若しくは第二項又は令第百三十四条第二項に規定する区域の境界線
			前面道路の反対側又は隣地にある公園、広場、水面その他これらに類するものの位置
			北側の前面道路の反対側又は北側の隣地にある水面、線路敷その他これらに類するものの位置
		二面以上の断面図	前面道路の路面の中心の高さ
			地盤面及び前面道路の路面の中心からの建築物の各部分の高さ

	図書の種類	明示すべき事項
		令第百三十五条の二第二項、令第百三十五条の三第二項又は令第百三十五条の四第二項の規定により特定行政庁が規則において定める前面道路の位置
		法第五十六条第一項から第六項までの規定による建築物の各部分の高さの限度
		敷地の接する道路の位置、幅員及び種類
		前面道路の中心線
		擁壁の位置
		土地の高低
		地盤面の異なる区域の境界線
		令第百三十条の十二に掲げる建築物の部分の用途、位置、高さ、構造及び床面積
		法第五十六条第一項第二号に規定する水平距離のうち最小のものに相当する距離
		法第五十六条第二項に規定する後退距離
		用途地域の境界線
		高層住居誘導地区の境界線
		法第五十六条第一項第二号イの規定により特定行政庁が指定した区域の境界線
		令第百三十二条第一項若しくは第二項又は令第百三十四条第二項に規定する区域の境界線
		前面道路の反対側又は隣地にある公園、広場、水面その他これらに類するものの位置
		北側の前面道路の反対側又は北側の隣地にある水面、線路敷その他これらに類するものの位置
法第五十六条第七項の規定が適用される建築物	令第百三十五条の六第一項第一号の規定により想定する道路高さ制限適合建築物（以下「道路高さ制限適合建築物」という。）の配置図	縮尺
		敷地境界線
		敷地内における申請に係る建築物及び道路高さ制限適合建築物の位置
		擁壁の位置
		土地の高低
		敷地の接する道路の位置、幅員及び種類
		前面道路の路面の中心からの申請に係る建築物及び道路高さ制限適合建築物の各部分の高さ
		申請に係る建築物及び道路高さ制限適合建築物の前面道路の境界線からの後退距離
		道路制限勾配が異なる地域等の境界線
		令第百三十二条又は令第百三十四条第二項に規定する区域の境界線
		令第百三十五条の九に規定する位置及び当該位置の間の距離
		申請に係る建築物及び道路高さ制限適合建築物について令
		第百三十五条の九に規定する位置ごとに算定した天空率（令第百三十五条の五に規定する天空率をいう。以下同じ。）
	道路高さ制限適合建築物の二面以上の立面図	縮尺
		前面道路の路面の中心の高さ
		前面道路の路面の中心からの申請に係る建築物及び道路高さ制限適合建築物の各部分の高さ
		令第百三十五条の二第二項の規定により特定行政庁が規則に定める高さ
		擁壁の位置
		土地の高低
		令第百三十五条の九に規定する位置からの申請に係る建築物及び道路高さ制限適合建築物の各部分の高さ
	申請に係る建築物と道路高さ制限適合建築物の天空率の差が最も近い算定位置（以下「道路高さ制限近接点」という。）における水平投影位置確認表	前面道路の路面の中心からの申請に係る建築物及び道路高さ制限適合建築物の各部分の高さ
		道路高さ制限近接点から申請に係る建築物及び道路高さ制限適合建築物の各部分までの水平距離、仰角及び方位角
	道路高さ制限近接点における申請に係る	水平投影面
		天空率

図書の種類	明示すべき事項
建築物及び道路高さ制限適合建築物の天空図	
道路高さ制限近接点における天空率算定表	申請に係る建築物及び道路高さ制限適合建築物の天空率を算定するための算式
令第百三十五条の七第一項第一号の規定により想定する隣地高さ制限適合建築物（以下「隣地高さ制限適合建築物」という。）の配置図	縮尺
	敷地境界線
	敷地内における申請に係る建築物及び隣地高さ制限適合建築物の位置
	擁壁の位置
	土地の高低
	敷地の接する道路の位置、幅員及び種類
	地盤面からの申請に係る建築物及び隣地高さ制限適合建築物の各部分の高さ
	法第五十六条第一項第二号に規定する水平距離のうち最小のものに相当する距離
	令第百三十五条の七第一項第二号に規定する隣地高さ制限適合建築物の隣地境界線からの後退距離
	隣地制限勾配が異なる地域等の境界線
	高低差区分区域の境界線
	令第百三十五条の十に規定する位置及び当該位置の間の距離
	申請に係る建築物及び隣地高さ制限適合建築物について令第百三十五条の十に規定する位置ごとに算定した天空率
隣地高さ制限適合建築物の二面以上の立面図	縮尺
	地盤面
	地盤面からの申請に係る建築物及び隣地高さ制限適合建築物の各部分の高さ
	令第百三十五条の三第二項の規定により特定行政庁が規則に定める高さ
	擁壁の位置
	土地の高低
	高低差区分区域の境界線
	令第百三十五条の十に規定する位置からの申請に係る建築物及び隣地高さ制限適合建築物の各部分の高さ
申請に係る建築物と隣地高さ制限適合建築物の天空率の差が最も近い算定位置（以下「隣地高さ制限近接点」という。）における水平投影位置確認表	申請に係る建築物及び隣地高さ制限適合建築物の各部分の高さ
	隣地高さ制限近接点から申請に係る建築物及び隣地高さ制限適合建築物の各部分までの水平距離、仰角及び方位角
隣地高さ制限近接点における申請に係る建築物及び隣	水平投影面
	天空率
地高さ制限適合建築物の天空図	
隣地高さ制限近接点における天空率算定表	申請に係る建築物及び隣地高さ制限適合建築物の天空率を算定するための算式
令第百三十五条の八第一項の規定により想定する建築物（以下「北側高さ制限適合建築物」という。）の配置図	縮尺
	敷地境界線
	敷地内における申請に係る建築物及び北側高さ制限適合建築物の位置
	擁壁の位置
	土地の高低
	敷地の接する道路の位置、幅員及び種類
	地盤面からの申請に係る建築物及び北側高さ制限適合建築物の各部分の高さ
	北側制限高さが異なる地域の境界線
	高低差区分区域の境界線
	令第百三十五条の十一に規定する位置及び当該位置の間の距離
	申請に係る建築物及び北側高さ制限適合建築物について令第百三十五条の十一に規定する位置ごとに算定した天空率
北側高さ制限適合建築物の二面以上の立面図	縮尺
	地盤面

		面図	地盤面からの申請に係る建築物及び北側高さ制限適合建築物の各部分の高さ
			令第百三十五条の四第二項の規定により特定行政庁が規則に定める高さ
			擁壁の位置
			土地の高低
			令第百三十五条の十一に規定する位置からの申請に係る建築物及び北側高さ制限適合建築物の高さ
		申請に係る建築物と北側高さ制限適合建築物の天空率の差が最も近い算定位置（以下「北側高さ制限近接点」という。）における水平投影位置確認表	申請に係る建築物及び北側高さ制限適合建築物の各部分の高さ
			北側高さ制限近接点から申請に係る建築物及び北側高さ制限適合建築物の各部分までの水平距離、仰角及び方位角
		北側高さ制限近接点における申請に係る建築物及び北側高さ制限適合建築物の天空図	水平投影面
			天空率
		北側高さ制限近接点における天空率算定表	申請に係る建築物及び北側高さ制限適合建築物の天空率を算定するための算式
	令第百三十一条の二第二項又は第三項の規定が適用される建築物	令第百三十一条の二第二項又は第三項の認定の内容に適合することの確認に必要な図書	当該認定に係る申請に係る建築物の敷地、構造、建築設備又は用途に関する事項
（二十九）	法第五十六条の二の規定が適用される建築物	付近見取図	敷地の位置
		配置図	建築物の各部分の高さ
			軒の高さ
			地盤面の異なる区域の境界線
			敷地の接する道路、水面、線路敷その他これらに類するものの位置及び幅員
		日影図	縮尺及び方位
			敷地境界線
			法第五十六条の二第一項に規定する対象区域の境界線
			法別表第四(い)欄の各項に掲げる地域又は区域の境界線
			高層住居誘導地区又は都市再生特別地区の境界線
			日影時間の異なる区域の境界線
			敷地の接する道路、水面、線路敷その他これらに類するものの位置及び幅員
			敷地内における建築物の位置
			平均地盤面からの建築物の各部分の高さ
			法第五十六条の二第一項の水平面（以下「水平面」という。）上の敷地境界線からの水平距離五メートル及び十メートルの線（以下「測定線」という。）
			建築物が冬至日の真太陽時による午前八時から三十分ごとに午後四時まで（道の区域内にあつては、午前九時から三十分ごとに午後三時まで）の各時刻に水平面に生じさせる日影の形状
			建築物が冬至日の真太陽時による午前八時から午後四時まで（道の区域内にあつては、午前九時から午後三時まで）の間に測定線上の主要な点に生じさせる日影時間
			建築物が冬至日の真太陽時による午前八時から午後四時まで（道の区域内にあつては、午前九時から午後三時まで）の間に水平面に生じさせる日影の等時間日影線
			土地の高低
		日影形状算定表	平均地盤面からの建築物の各部分の高さ及び日影の形状を算定するための算式
		二面以上の断面図	平均地盤面
			地盤面及び平均地盤面からの建築物の各部分の高さ
			隣地又はこれに連接する土地で日影が生ずるものの地盤面又は平均地表面

			図書の種類	明示すべき事項
			平均地盤面算定表	建築物が周囲の地面と接する各位置の高さ及び平均地盤面を算定するための算式
		法第五十六条の二第一項ただし書の規定が適用される建築物	法第五十六条の二第一項ただし書の許可の内容に適合することの確認に必要な図書	当該許可に係る建築物の敷地、構造、建築設備又は用途に関する事項
(三十)	法第五十七条の規定が適用される建築物		付近見取図	敷地の位置
			配置図	道路の位置
			二面以上の断面図	道路の位置
		法第五十七条第一項の規定が適用される建築物	法第五十七条第一項の認定の内容に適合することの確認に必要な図書	当該認定に係る建築物の敷地、構造、建築設備又は用途に関する事項
(三十一)	法第五十七条の二の規定が適用される建築物		付近見取図	敷地の位置
			配置図	特例敷地の位置
(三十二)	法第五十七条の四の規定が適用される建築物		付近見取図	敷地の位置
			配置図	地盤面の異なる区域の境界線
				特例容積率適用地区の境界線
			二面以上の断面図	土地の高低
		法第五十七条の四第一項ただし書の規定が適用される建築物	法第五十七条の四第一項ただし書の許可の内容に適合することの確認に必要な図書	当該許可に係る建築物の敷地、構造、建築設備又は用途に関する事項
(三十三)	法第五十七条の五の規定が適用される建築物		付近見取図	敷地の位置
			配置図	高層住居誘導地区の境界線
			敷地面積求積図	敷地面積の求積に必要な敷地の各部分の寸法及び算式
			建築面積求積図	建築面積の求積に必要な建築物の各部分の寸法及び算式
		法第五十七条の五第三項の規定が適用される建築物	現に存する所有権その他の権利に基づいて当該土地を建築物の敷地として使用することができる旨を証する書面	現に存する所有権その他の権利に基づいて当該土地を建築物の敷地として使用することができる旨
(三十四)	法第五十八条の規定が適用される建築物		付近見取図	敷地の位置
			配置図	地盤面の異なる区域の境界線
				高度地区の境界線
			二面以上の断面図	高度地区の境界線
				土地の高低
		法第五十八条第二項の規定が適用される建築物	法第五十八条第二項の許可の内容に適合することの確認に必要な図書	当該許可に係る建築物の敷地、構造、建築設備又は用途に関する事項
(三十五)	法第五十九条の規定が適用される建築物		付近見取図	敷地の位置
			配置図	高度利用地区の境界線
				高度利用地区に関する都市計画において定められた壁面の位置の制限の位置
				申請に係る建築物の壁又はこれに代わる柱の位置
				国土交通大臣が指定する歩廊の柱その他これに類するものの位置
			二面以上の断面図	高度利用地区に関する都市計画において定められた壁面の位置の制限の位置
				国土交通大臣が指定する歩廊の柱その他これに類するものの位置
			敷地面積求積図	敷地面積の求積に必要な敷地の各部分の寸法及び算式
			建築面積求積図	建築面積の求積に必要な建築物の各部分の寸法及び算式
		法第五十九条第一項第三号又は第四項の規定が適用される建築物	法第五十九条第一項第三号又は第四項の許可の内容に適合することの確認に必要な図書	当該許可に係る建築物の敷地、構造、建築設備又は用途に関する事項
(三十六)	法第五十九条の二の規定が適用される建築物		法第五十九条の二第一項の許可の内容に適合することの確認に必要な図書	当該許可に係る建築物の敷地、構造、建築設備又は用途に関する事項
(三十七)	法第六十条の規定が適用される建築物		付近見取図	敷地の位置
			配置図	地盤面の異なる区域の境界線
				特定街区に関する都市計画において定められた壁面の位置の制限の位置

			申請に係る建築物の壁又はこれに代わる柱の位置
			国土交通大臣が指定する歩廊の柱その他これに類するものの位置
		二面以上の断面図	特定街区に関する都市計画において定められた壁面の位置の制限の位置
			国土交通大臣が指定する歩廊の柱その他これに類するものの位置
			土地の高低
		敷地面積求積図	敷地面積の求積に必要な敷地の各部分の寸法及び算式
(三十八)	法第六十条の二の規定が適用される建築物	付近見取図	敷地の位置
		配置図	都市再生特別地区の境界線
			都市再生特別地区に関する都市計画において定められた壁面の位置の制限の位置
			申請に係る建築物の壁又はこれに代わる柱の位置
			国土交通大臣が指定する歩廊の柱その他これに類するものの位置
		二面以上の断面図	都市再生特別地区に関する都市計画において定められた壁面の位置の制限の位置
			都市再生特別地区の境界線
			土地の高低
			国土交通大臣が指定する歩廊の柱その他これに類するものの位置
		敷地面積求積図	敷地面積の求積に必要な敷地の各部分の寸法及び算式
		建築面積求積図	建築面積の求積に必要な建築物の各部分の寸法及び算式
	法第六十条の二第一項第三号の規定が適用される建築物	法第六十条の二第一項第三号の許可の内容に適合することの確認に必要な図書	当該許可に係る建築物の敷地、構造、建築設備又は用途に関する事項
(三十八の二)	法第六十条の二の二の規定が適用される建築物	付近見取図	敷地の位置
		配置図	地盤面の異なる区域の境界線
			居住環境向上用途誘導地区の境界線
			居住環境向上用途誘導地区に関する都市計画において定められた壁面の位置の制限の位置
			申請に係る建築物の壁又はこれに代わる柱の位置
			国土交通大臣が指定する歩廊の柱その他これに類するものの位置
		二面以上の断面図	居住環境向上用途誘導地区に関する都市計画において定められた壁面の位置の制限の位置
			居住環境向上用途誘導地区の境界線
			土地の高低
			国土交通大臣が指定する歩廊の柱その他これに類するものの位置
		敷地面積求積図	敷地面積の求積に必要な敷地の各部分の寸法及び算式
		建築面積求積図	建築面積の求積に必要な建築物の各部分の寸法及び算式
	法第六十条の二の二第一項第二号又は第三項ただし書の規定が適用される建築物	法第六十条の二の二第一項第二号又は第三項ただし書の許可の内容に適合することの確認に必要な図書	当該許可に係る建築物の敷地、構造、建築設備又は用途に関する事項
(三十九)	法第六十条の三の規定が適用される建築物	付近見取図	敷地の位置
		配置図	地盤面の異なる区域の境界線
			特定用途誘導地区の境界線
		二面以上の断面図	土地の高低
		敷地面積求積図	敷地面積の求積に必要な敷地の各部分の寸法及び算式
		建築面積求積図	建築面積の求積に必要な建築物の各部分の寸法及び算式
	法第六十条の三第一項第三号又は第二項ただし書の規定が適用される建築物	法第六十条の三第一項第三号又は第二項ただし書の許可の内容に適合することの確認に必要な図書	当該許可に係る建築物の敷地、構造、建築設備又は用途に関する事項
(四十)	法第六十一条の規定		
	法第六十一条第一項本文の	配置図	隣地境界線、道路中心線及び同一敷地内の他の建築物の外壁の位置

	規定が適用される建築物	図書の種類	明示すべき事項
	が適用される建築物　規定が適用される建築物	各階平面図	開口部及び防火設備の位置
			耐力壁及び非耐力壁の位置
			スプリンクラー設備等消火設備の配置
			外壁、袖壁、塀その他これらに類するものの位置及び高さ
		二面以上の立面図	開口部の面積、位置、構造、形状及び寸法
		二面以上の断面図	換気孔の位置及び面積
			窓の位置及び面積
		耐火構造等の構造詳細図	主要構造部の断面及び防火設備の構造、材料の種別及び寸法
	令第百三十六条の二第五号の規定が適用される建築物	構造詳細図	門又は塀の断面の構造、材料の種別及び寸法
	法第六十一条第二項の規定が適用される建築物	各階平面図	火熱遮断壁等の位置
		耐火構造等の構造詳細図	火熱遮断壁等の断面の構造、材料の種別及び寸法
		その他法第六十一条第二項の規定に適合することの確認に必要な図書	令第百九条の八に規定する構造方法への適合性審査に必要な事項
(四十一)	法第六十二条の規定が適用される建築物	耐火構造等の構造詳細図	主要構造部の断面の構造、材料の種別及び寸法
		その他法第六十二条の規定に適合することの確認に必要な図書	令第百三十六条の二の二に規定する構造方法への適合性審査に必要な事項
(四十二)	法第六十三条の規定が適用される建築物	配置図	隣地境界線の位置
		耐火構造等の構造詳細図	外壁の断面の構造、材料の種別及び寸法
(四十三)	法第六十四条の規定が適用される建築物	配置図	看板等の位置
		二面以上の立面図	看板等の高さ
		耐火構造等の構造詳細図	看板等の材料の種別
(四十四)	法第六十五条の規定が適用される建築物	配置図	防火地域又は準防火地域の境界線
		各階平面図	防火壁の位置
		耐火構造等の構造詳細図	防火壁の断面の構造、材料の種別及び寸法
(四十五)	法第六十七条の規定が適用される建築物	付近見取図	敷地の位置
		配置図	特定防災街区整備地区の境界線
			特定防災街区整備地区に関する都市計画において定められた壁面の位置の制限の位置
			申請に係る建築物の壁又はこれに代わる柱の位置
			敷地の接する防災都市計画施設の位置
			申請に係る建築物の防災都市計画施設に面する部分及びその長さ
			敷地の防災都市計画施設に接する部分及びその長さ
		敷地面積求積図	敷地面積の求積に必要な敷地の各部分の寸法及び算式
		防災都市計画施設に面する方向の立面図	縮尺
			建築物の防災都市計画施設に係る間口率の最低限度以内の部分の位置
			建築物の高さの最低限度より低い高さの建築物の部分（建築物の防災都市計画施設に係る間口率の最低限度を超える部分を除く。）の構造
			建築物の防災都市計画施設に面する部分及びその長さ
			敷地の防災都市計画施設に接する部分及びその長さ
			敷地に接する防災都市計画施設の位置
		二面以上の断面図	特定防災街区整備地区に関する都市計画において定められた壁面の位置の制限の位置
			土地の高低
		耐火構造等の構造詳細図	主要構造部の断面の構造、材料の種別及び寸法
	法第六十七条第三項第二号、第五項第二号又は第九項第二号	法第六十七条第三項第二号、第五項第二号又は第九項第二号の許可の内容に適合することの	当該許可に係る建築物の敷地、構造、建築設備又は用途に関する事項

	の規定が適用される建築物	確認に必要な図書	
	法第六十七条第四項の規定が適用される建築物	現に存する所有権その他の権利に基づいて当該土地を建築物の敷地として使用することができる旨を証する書面	現に存する所有権その他の権利に基づいて当該土地を建築物の敷地として使用することができる旨
(四十六)	法第六十八条の規定が適用される建築物	付近見取図	敷地の位置
		配置図	地盤面の異なる区域の境界線
			景観地区の境界線
			景観地区に関する都市計画において定められた壁面の位置の制限の位置
			申請に係る建築物の壁又はこれに代わる柱の位置
		二面以上の断面図	土地の高低
			景観地区に関する都市計画において定められた壁面の位置の制限の位置
		敷地面積求積図	敷地面積の求積に必要な敷地の各部分の寸法及び算式
	法第六十八条第一項第二号、第二項第二号若しくは第三項第二号又は第五項の規定が適用される建築物	法第六十八条第一項第二号、第二項第二号若しくは第三項第二号の許可又は同条第五項の認定の内容に適合することの確認に必要な図書	当該許可又は認定に係る建築物の敷地、構造、建築設備又は用途に関する事項
	法第六十八条第四項の規定が適用される建築物	現に存する所有権その他の権利に基づいて当該土地を建築物の敷地として使用することができる旨を証する書面	現に存する所有権その他の権利に基づいて当該土地を建築物の敷地として使用することができる旨
(四十七)	法第六十八条の三の規定が適用される建築物	法第六十八条の三第一項から第三項まで若しくは第七項の認定又は同条第四項の許可の内容に適合することの確認に必要な図書	当該認定又は許可に係る建築物の敷地、構造、建築設備又は用途に関する事項
(四十八)	法第六十八条の四の規定が適用される建築物	法第六十八条の四の認定の内容に適合することの確認に必要な図書	当該認定に係る建築物の敷地、構造、建築設備又は用途に関する事項
(四十八の二)	法第六十八条の五の二の規定が適用される建築物	法第六十八条の五の二の認定の内容に適合することの確認に必要な図書	当該認定に係る建築物の敷地、構造、建築設備又は用途に関する事項
(四十九)	法第六十八条の五の三の規定が適用される建築物	法第六十八条の五の三第二項の許可の内容に適合することの確認に必要な図書	当該許可に係る建築物の敷地、構造、建築設備又は用途に関する事項
(五十)	法第六十八条の五の五の規定が適用される建築物	法第六十八条の五の五第一項又は第二項の認定の内容に適合することの確認に必要な図書	当該認定に係る建築物の敷地、構造、建築設備又は用途に関する事項
(五十一)	法第六十八条の五の六の規定が適用される建築物	法第六十八条の五の六の認定の内容に適合することの確認に必要な図書	当該認定に係る建築物の敷地、構造、建築設備又は用途に関する事項
(五十二)	法第六十八条の七の規定が適用される建築物	法第六十八条の七第五項の許可の内容に適合することの確認に必要な図書	当該許可に係る建築物の敷地、構造、建築設備又は用途に関する事項
(五十三)	法第八十四条の二の規定が適用される建築物	配置図	敷地境界線の位置
		各階平面図	壁及び開口部の位置
			延焼のおそれのある部分
		二面以上の立面図	常時開放されている開口部の位置
		二面以上の断面図	塀その他これに類するものの高さ及び材料の種別
		耐火構造等の構造詳細図	柱、はり、外壁及び屋根の断面の構造及び材料の種別
			令第百三十六条の十第三号ハに規定する屋根の構造

（五十四）	法第八十五条の規定が適用される建築物	法第八十五条第六項又は第七項の許可の内容に適合することの確認に必要な図書	仮設建築物の許可の内容に関する事項
（五十五）	法第八十五条の二の規定が適用される建築物	景観法（平成十六年法律第百十号）第十九条第一項の規定により景観重要建造物として指定されていることの確認に必要な図書	景観重要建造物としての指定の内容に関する事項
（五十六）	法第八十五条の三の規定が適用される建築物	文化財保護法（昭和二十五年法律第二百十四号）第百四十三条第一項後段に規定する条例の内容に適合することの確認に必要な図書	当該条例に係る制限の緩和の内容に関する事項
（五十七）	法第八十六条の規定が適用される建築物	法第八十六条第一項若しくは第二項の認定又は同条第三項若しくは第四項の許可の内容に適合することの確認に必要な図書	当該認定又は許可に係る建築物の敷地、構造、建築設備又は用途に関する事項
（五十八）	法第八十六条の二の規定が適用される建築物	法第八十六条の二第一項の認定又は同条第二項若しくは第三項の許可の内容に適合することの確認に必要な図書	当該認定又は許可に係る建築物の敷地、構造、建築設備又は用途に関する事項
（五十九）	法第八十六条の四の規定が適用される建築物	法第八十六条第一項から第四項まで又は法第八十六条の二第一項から第三項までの認定又は許可の内容に適合することの確認に必要な図書	当該認定又は許可に係る建築物の敷地、構造、建築設備又は用途に関する事項
		耐火構造等の構造詳細図	主要構造部の断面の構造、材料の種別及び寸法
（六十）	法第八十六条の六の規定が適用される建築物	法第八十六条の六第二項の認定の内容に適合することの確認に必要な図書	当該認定に係る建築物の敷地、構造、建築設備又は用途に関する事項
（六十一）	法第八十六条の七の規定が適用される建築物	既存不適格調書	既存建築物の基準時及びその状況に関する事項
	令第百三十七条の二の規定が適用される建築物	令第百三十七条の二第一号イ若しくはロ、第二号イ若しくはロ又は第三号イの規定に適合することの確認に必要な図書	令第百三十七条の二第一号イ若しくはロ、第二号イ若しくはロ又は第三号イに規定する構造方法に関する事項
		各階平面図	増築又は改築に係る部分
	令第百三十七条の二の二第一項の規定が適用される建築物	各階平面図	増築又は改築に係る部分
		その他令第百三十七条の二の二第一項の規定に適合することの確認に必要な図書	令第百三十七条の二の二第一項の規定に適合することを確認するために必要な事項
	令第百三十七条の二の二第二項の規定が適用される建築物	各階平面図	増築又は改築に係る部分
		その他令第百三十七条の二の二第二項の規定に適合することの確認に必要な図書	令第百三十七条の二の二第二項の規定に適合することを確認するために必要な事項
	令第百三十七条の二の三の規定が適用される建築物	各階平面図	増築又は改築に係る部分
		その他令第百三十七条の二の三の規定に適合することの確認に必要な図書	令第百三十七条の二の三の規定に適合することを確認するために必要な事項
	令第百三十七条の二の四の規定が適用される建築物	各階平面図	増築又は改築に係る部分
		その他令第百三十七条の二の四の規定に適合することの確認に必要な図書	令第百三十七条の二の四の規定に適合することを確認するために必要な事項
	令第百三十七条の二の五の規定が適用される建築物	各階平面図	増築又は改築に係る部分
		その他令第百三十七条の二の五の規定に適合すること	令第百三十七条の二の五の規定に適合することを確認するために必要な事項

	の確認に必要な図書	
令第百三十七条の三の規定が適用される建築物	各階平面図	増築又は改築に係る部分
	その他令第百三十七条の三の規定に適合することの確認に必要な図書	令第百三十七条の三の規定に適合することを確認するために必要な事項
令第百三十七条の四の規定が適用される建築物	各階平面図	増築又は改築に係る部分
	その他令第百三十七条の四の規定に適合することの確認に必要な図書	令第百三十七条の四の規定に適合することを確認するために必要な事項
令第百三十七条の四の二の規定が適用される建築物	各階平面図	増築又は改築に係る部分
		石綿が添加されている部分
	二面以上の断面図	石綿が添加された建築材料を被覆し又は添加された石綿を建築材料に固着する措置
令第百三十七条の五の規定が適用される建築物	各階平面図	増築又は改築に係る部分
令第百三十七条の六の規定が適用される建築物	各階平面図	増築又は改築に係る部分
	二面以上の断面図	改築に係る部分の建築物の高さ及び基準時における当該部分の建築物の高さ
令第百三十七条の六の二第二項の規定が適用される建築物	各階平面図	増築又は改築に係る部分
	その他令第百三十七条の六の二第二項の規定に適合することの確認に必要な図書	令第百三十七条の六の二第二項の規定に適合することを確認するために必要な事項
令第百三十七条の六の三第二項の規定が適用される建築物	各階平面図	増築又は改築に係る部分
	その他令第百三十七条の六の三第二項の規定に適合することの確認に必要な図書	令第百三十七条の六の三第二項の規定に適合することを確認するために必要な事項
令第百三十七条の六の四第二項の規定が適用される建築物	各階平面図	増築又は改築に係る部分
	その他令第百三十七条の六の四第二項の規定に適合することの確認に必要な図書	令第百三十七条の六の四第二項の規定に適合することを確認するために必要な事項
令第百三十七条の七の規定が適用される建築物	敷地面積求積図	敷地面積の求積に必要な敷地の各部分の寸法及び算式
	建築面積求積図	建築面積の求積に必要な建築物の各部分の寸法及び算式
	危険物の数量表	危険物の種類及び数量
	工場・事業調書	事業の種類
令第百三十七条の八の規定が適用される建築物	各階平面図	増築又は改築に係る部分
		増築前におけるエレベーターの昇降路の部分、共同住宅又は老人ホーム等の共用の廊下又は階段の用に供する部分、法第五十二条第六項第三号に掲げる建築物の部分、自動車車庫等部分、備蓄倉庫部分、蓄電池設置部分、自家発電設備設置部分、貯水槽設置部分及び宅配ボックス設置部分以外の部分
		増築又は改築後における自動車車庫等部分、備蓄倉庫部分、蓄電池設置部分、自家発電設備設置部分、貯水槽設置部分又は宅配ボックス設置部分
令第百三十七条の九の規定が適用される建築物	各階平面図	改築に係る部分
	敷地面積求積図	敷地面積の求積に必要な敷地の各部分の寸法及び算式
	建築面積求積図	建築面積の求積に必要な建築物の各部分の寸法及び算式
令第百三十七条の十の規定が適用される建築物	耐火構造等の構造詳細図	増築又は改築に係る部分の外壁及び軒裏の構造、材料の種別及び寸法
	各階平面図	増築又は改築に係る部分
	その他令第百三十七条の十の規定に適合することの確認に必要な図書	令第百三十七条の十の規定に適合することを確認するために必要な事項
令第百三十七条の十一の規定が適用される建	耐火構造等の構造詳細図	増築又は改築に係る部分の外壁及び軒裏の構造、材料の種別及び寸法
	各階平面図	増築又は改築に係る部分

	築物	その他令第百三十七条の十一の規定に適合することの確認に必要な図書	令第百三十七条の十一の規定に適合することを確認するために必要な事項
	令第百三十七条の十一の二の規定が適用される建築物	各階平面図	増築又は改築に係る部分
		その他令第百三十七条の十一の二の規定に適合することの確認に必要な図書	令第百三十七条の十一の二の規定に適合することを確認するために必要な事項
	令第百三十七条の十一の三の規定が適用される建築物	耐火構造等の構造詳細図	増築又は改築に係る部分の外壁及び軒裏の構造、材料の種別及び寸法
		各階平面図	増築又は改築に係る部分
		その他令第百三十七条の十一の三の規定に適合することの確認に必要な図書	令第百三十七条の十一の三の規定に適合することを確認するために必要な事項
	令第百三十七条の十二第三項の規定が適用される建築物	各階平面図	大規模の修繕又は大規模の模様替に係る部分
			石綿が添加されている部分
	令第百三十七条の十二第四項の規定が適用される建築物	各階平面図	大規模の修繕又は大規模の模様替に係る部分
		その他令第百三十七条の十二第四項の規	令第百三十七条の十二第四項の規定に適合することを確認するために必要な事項
	物	定に適合することの確認に必要な図書	
	令第百三十七条の十二第五項の規定が適用される建築物	各階平面図	大規模の修繕又は大規模の模様替に係る部分
	令第百三十七条の十二第六項の規定が適用される建築物	令第百三十七条の十二第六項の認定の内容に適合することの確認に必要な図書	当該認定に係る建築物の敷地、構造、建築設備又は用途に関する事項
	令第百三十七条の十二第七項の規定が適用される建築物	令第百三十七条の十二第七項の認定の内容に適合することの確認に必要な図書	当該認定に係る建築物の敷地、構造、建築設備又は用途に関する事項
	令第百三十七条の十四の規定が適用される建築物	各階平面図	防火設備の位置
		二面以上の断面図	令第百三十七条の十四第一号に規定する構造方法
		耐火構造等の構造詳細図	床又は壁の断面の構造、材料の種別及び寸法
		令第百三十七条の十四第二号の規定に適合することの確認に必要な図書	令第百三十七条の十四第二号に規定する建築物の部分に該当することを確認するために必要な事項
		令第百三十七条の十四第三号の規定に適合することの確認に必要な図書	令第百三十七条の十四第三号に規定する建築物の部分に該当することを確認するために必要な事項
	令第百三十七条の十六第二号の規定が適用される建築物	付近見取図	敷地の位置
		その他令第百三十七条の十六第二号の認定の内容に適合することの確認に必要な図書	当該認定に係る建築物の敷地、構造、建築設備又は用途に関する事項
（六十二）	法第八十六条の九第二項の規定が適用される建築物	現に存する所有権その他の権利に基づいて当該土地を建築物の敷地として使用することができる旨を証する書面	現に存する所有権その他の権利に基づいて当該土地を建築物の敷地として使用することができる旨
（六十三）	法第八十七条の三の規定が適用される建築物	法第八十七条の三第六項又は第七項の許可の内容に適合することの確認に必要な図書	法第八十七条の三第六項又は第七項の許可の内容に関する事項
（六十四）	消防法（昭和二十三年法律第百八十六号）第九条の規定が適用される建築物	消防法第九条の市町村条例の規定に適合することの確認に必要な図書	当該市町村条例で定められた火災の予防のために必要な事項

(六十五)	消防法第九条の二の規定が適用される建築物	各階平面図	住宅用防災機器の位置及び種類
		消防法第九条の二第二項の市町村条例の規定に適合することの確認に必要な図書	当該市町村条例で定められた住宅用防災機器の設置及び維持に関する基準その他住宅における火災の予防のために必要な事項
(六十六)	消防法第十五条の規定が適用される建築物	各階平面図	特定防火設備の位置及び構造
			消火設備の位置
			映写機用排気筒及び室内換気筒の位置及び材料
			格納庫の位置
			映写窓の構造
			映写室の寸法
			映写室の出入口の幅
			映写室である旨を表示した標識及び防火に関し必要な事項を掲示した掲示板の位置及び構造
		二面以上の断面図	映写室の天井の高さ
			映写室の出入口の高さ
		構造詳細図	映写室の壁、柱、床及び天井の断面の構造、材料の種別及び寸法
(六十七)	消防法第十七条の規定が適用される建築物	消防法第十七条第一項の規定に適合することの確認に必要な図書	当該規定に係る消防用設備等の技術上の基準に関する事項
		消防法第十七条第二項の条例の規定に適合することの確認に必要な図書	当該条例で定められた制限に係る消防用設備等の技術上の基準に関する事項
		消防法第十七条第三項の認定の内容に適合することの確認に必要な図書	当該認定に係る消防用設備等に関する事項
(六十八)	屋外広告物法（昭和二十四年法律第百八十九号）第三条（公告物の表示及び公告物を掲出する物件の設置の禁止又は制限に係る部分に限る。以下この項において同じ。）の規定が適用される建築物	屋外広告物法第三条第一項から第三項までの条例の規定に適合することの確認に必要な図書	当該条例で定められた制限に係る広告物の表示又は掲出物件の設置に関する事項
(六十九)	屋外広告物法第四条（公告物の表示及び公告物を掲出する物件の設置の禁止又は制限に係る部分に限る。以下この項において同じ。）の規定が適用される建築物	屋外広告物法第四条の条例の規定に適合することの確認に必要な図書	当該条例で定められた制限に係る広告物の表示又は掲出物件の設置に関する事項
(七十)	屋外広告物法第五条（公告物の表示及び公告物を掲出する物件の設置の禁止又は制限に係る部分に限る。以下この項において同じ。）の規定が適用される建築物	屋外広告物法第五条の条例の規定に適合することの確認に必要な図書	当該条例で定められた制限に係る広告物の形状、面積、意匠その他表示の方法又は掲出物件の形状その他設置の方法に関する事項
(七十一)	港湾法（昭和二十五年法律第二百十八号）第四十条第一項（同法第五十条の五第二項の規定により読み替えて適用する場合を含む。以下この項において同じ。）の規定が適用される建築物	港湾法第四十条第一項の条例の規定に適合することの確認に必要な図書	当該条例で定められた制限に係る建築物その他の構築物に関する事項
(七十二)	駐車場法（昭和三十二年法律第百六号）第二十条（都市再生特別措置法（平成十四年法律第二十二号）第十九条の十四、第六十二条の十二及び第百七条並びに都市の低炭素化の促進に関する法律（平成二十四年法律第八十四号）第二十条の規定により読み替えて適用する場合を含む。以下この項において同じ。）の規定が適用される建築物	駐車場法第二十条第一項又は第二項の条例の規定に適合することの確認に必要な図書	当該条例で定められた制限に係る駐車施設に関する事項
(七十三)	宅地造成及び特定盛土等規制法（昭和三十六年法律第百九十一号）第十二条第一項の規定が適用される建築物	宅地造成及び特定盛土等規制法第十二条第一項の規定に適合していることを証する書面	宅地造成及び特定盛土等規制法第十二条第一項の規定に適合していること
(七十三の二)	宅地造成及び特定	宅地造成及び	宅地造成及び特定盛土等規制

	盛土等規制法第十六条第一項の規定が適用される建築物	特定盛土等規制法第十六条第一項の規定に適合していることを証する書面	法第十六条第一項の規定に適合していること
(七十四)	宅地造成及び特定盛土等規制法第三十条第一項の規定が適用される建築物	宅地造成及び特定盛土等規制法第三十条第一項の規定に適合していることを証する書面	宅地造成及び特定盛土等規制法第三十条第一項の規定に適合していること
(七十四の二)	宅地造成及び特定盛土等規制法第三十五条第一項の規定が適用される建築物	宅地造成及び特定盛土等規制法第三十五条第一項の規定に適合していることを証する書面	宅地造成及び特定盛土等規制法第三十五条第一項の規定に適合していること
(七十五)	流通業務市街地の整備に関する法律（昭和四十一年法律第百十号）第五条第一項の規定が適用される建築物	流通業務市街地の整備に関する法律第五条第一項の規定に適合していることを証する書面	流通業務市街地の整備に関する法律第五条第一項の規定に適合していること
(七十六)	都市計画法（昭和四十三年法律第百号）第二十九条第一項又は第二項の規定が適用される建築物	都市計画法第二十九条第一項又は第二項の規定に適合していることを証する書面	都市計画法第二十九条第一項又は第二項の規定に適合していること
(七十七)	都市計画法第三十五条の二第一項の規定が適用される建築物	都市計画法第三十五条の二第一項の規定に適合していることを証する書面	都市計画法第三十五条の二第一項の規定に適合していること
(七十八)	都市計画法第四十一条第二項（同法第三十五条の二第四項において準用する場合を含む。以下この項において同じ。）の規定が適用される建築物	都市計画法第四十一条第二項の規定に適合していることを証する書面	都市計画法第四十一条第二項の規定に適合していること
(七十九)	都市計画法第四十二条の規定が適用される建築物	都市計画法第四十二条の規定に適合していることを証する書面	都市計画法第四十二条の規定に適合していること
(八十)	都市計画法第四十三条第一項の規定が適用される建築物	都市計画法第四十三条第一項の規定に適合していることを証する書面	都市計画法第四十三条第一項の規定に適合していること
(八十一)	都市計画法第五十三条第一項（都市再生特別措置法第三十六条の四の規定により読み替えて適用する場合を含む。以下この項において同じ。）又は都市計画法第五十三条第二項において準用する同法第五十二条の二第二項の規定が適用される建築物	都市計画法第五十三条第一項又は同条第二項において準用する同法第五十二条の二第二項の規定に適合していることを証する書面	都市計画法第五十三条第一項又は同条第二項において準用する同法第五十二条の二第二項の規定に適合していること
(八十二)	特定空港周辺航空機騒音対策特別措置法（昭和五十三年法律第二十六号）第五条第一項（同条第五項において準用する場合を含む。）の規定が適用される建築物	構造詳細図	窓及び出入口の構造
			排気口、給気口、排気筒及び給気筒の構造
(八十三)	特定空港周辺航空機騒音対策特別措置法第五条第二項及び第三項（同条第五項において準用する場合を含む。以下この項において同じ。）の規定が適用される建築物	特定空港周辺航空機騒音対策特別措置法第五条第二項ただし書の許可を受けたことの確認に必要な図書	特定空港周辺航空機騒音対策特別措置法第五条第二項の規定に適合していること
(八十四)	自転車の安全利用の促進及び自転車等の駐車対策の総合的推進に関する法律（昭和五十五年法律第八十七号）第五条第四項の規定が適用される建築物	自転車の安全利用の促進及び自転車等の駐車対策の総合的推進に関する法律第五条第四項の条例の規定に適合することの確認に必要な図書	当該条例で定められた制限に係る駐車施設に関する事項
(八十五)	高齢者、障害者等の移動等の円滑化の促進に関する法律（平成十八年法律第九十一号）第十四条の規定が適用される建築物	配置図	高齢者、障害者等の移動等の円滑化の促進に関する法律施行令（平成十八年政令第三百七十九号。以下この項において「移動等円滑化促進法施行令」という。）第十六条に規定する敷地内の通路の構造
			移動等円滑化経路を構成する敷地内の通路の構造
			車いす使用者用駐車施設の位置及び寸法

法令	図書の種類	明示すべき事項
	各階平面図	客室の数
		移動等円滑化経路及び視覚障害者移動等円滑化経路の位置
		車いす使用者用客室及び案内所の位置
		移動等円滑化促進法施行令第十八条第二項第六号及び第十九条に規定する標識の位置
		移動等円滑化促進法施行令第二十条第一項に規定する案内板その他の設備の位置
		移動等円滑化促進法施行令第二十条第二項に規定する設備の位置
		移動等円滑化経路を構成する出入口、廊下等及び傾斜路の構造
		移動等円滑化経路を構成するエレベーター及びその乗降ロビーの構造
		車いす使用者用客室の便所及び浴室等の構造
		移動等円滑化促進法施行令第十四条に規定する便所の位置及び構造
		階段、踊り場、手すり等及び階段に代わる傾斜路の位置及び構造
(八十五の二) 建築物のエネルギー消費性能の向上等に関する法律（平成二十七年法律第五十三号）第十条第一項の規定が適用される建築物（同法第十一条第一項又は第二項（これらの規定を同法第十四条第二項において読み替えて適用する場合を含む。）の建築物エネルギー消費性能適合性判定を受ける建築物及び法第六条の四第一項第三号に掲げる建築物を除く。）	建築物のエネルギー消費性能の向上等に関する法律施行規則（平成二十八年国土交通省令第五号）第一条第一項第一号又は第二項の規定が適用される建築物	
	設計内容説明書	建築物（増築又は改築をする場合にあっては、当該増築又は改築をする建築物の部分）が建築物のエネルギー消費性能の向上等に関する法律施行規則第二条第一項第一号イ又はロに掲げる基準に適合するものであることの説明
	配置図	空気調和設備等及び空気調和設備等以外のエネルギー消費性能の確保に資する建築設備（以下この項において「エネルギー消費性能確保設備」という。）の位置
	仕様書（仕上げ表を含む。）	部材の種別及び寸法
		エネルギー消費性能確保設備の種別
	各階平面図	各室の名称及び天井の高さ
		開口部の構造
		エネルギー消費性能確保設備の位置
	用途別床面積表	用途別の床面積
	立面図	外壁の位置
		エネルギー消費性能確保設備の位置
	断面図又は矩計図	外壁及び屋根の構造
		小屋裏の構造
		各階の天井の構造
		床、床下及び基礎の構造
	各部詳細図	縮尺
		外壁、開口部、床、屋根その他断熱性を有する部分の材料の種別及び寸法
	機器表 空気調和設備	空気調和設備の種別、位置、仕様、数及び制御方法
	空気調和設備以外の機械換気設備	空気調和設備以外の機械換気設備の種別、位置、仕様、数及び制御方法
	照明設備	照明設備の種別、位置、仕様、数及び制御方法
	給湯設備	給湯器の種別、位置、仕様、数及び制御方法
		太陽熱を給湯に利用するための設備の種別、位置、仕様、数及び制御方法
		節湯器具の種別、位置及び数
	空気調和設備等以外のエネルギー消費性能の確保に資する建築設備	空気調和設備等以外のエネルギー消費性能の確保に資する建築設備の種別、位置、仕様、数及び制御方法
建築物エネルギー消費性能基準等を定める省令（平成二十八年経済産業省・国土交通省令	建築物エネルギー消費性能基準等を定める省令第一条第一項第二号イただし書の国土交通大臣が定める基準に適合することの確認に必	建築物エネルギー消費性能基準等を定める省令第一条第一項第二号イただし書の国土交通大臣が定める基準に関する事項

	第一号）第一条第一項第二号イただし書の国土交通大臣が定める基準が適用される建築物	要な図書	
	建築物のエネルギー消費性能の向上等に関する法律施行規則第二条第一項第二号の規定が適用される建築物	建築物のエネルギー消費性能の向上等に関する法律施行規則第二条第一項第二号の規定に適合することの確認に必要な図書	建築物のエネルギー消費性能の向上等に関する法律施行規則第二条第一項第二号の規定に適合していること
	建築物のエネルギー消費性能の向上等に関する法律施行規則第二条第一項第三号の規定が適用される建築物	建築物のエネルギー消費性能の向上等に関する法律施行規則第二条第一項第三号の規定に適合することの確認に必要な図書	建築物のエネルギー消費性能の向上等に関する法律施行規則第二条第一項第三号の規定に適合していること
(八十六)	都市緑地法（昭和四十八年法律第七十二号）第三十五条の規定が適用される建築物	都市緑地法第三十五条の規定に適合していることを証する書面	都市緑地法第三十五条の規定に適合していること
(八十七)	都市緑地法第三十六条の規定が適用される建築物	都市緑地法第三十六条の規定に適合していることを証する書面	都市緑地法第三十六条の規定に適合していること
(八十八)	都市緑地法第三十九条第一項の規定が適用される建築物	都市緑地法第三十九条第二項の条例の規定に適合することの確認に必要な図書	当該条例で定められた制限に係る建築物の緑化率に関する事項
(八十九)	令第百八条の三に規定する防火上及び避難上支障がない主要構造部を有する建築物	各階平面図	当該主要構造部を区画する床及び壁の位置 開口部の位置及び寸法 防火設備の位置及び種別
		耐火構造等の構造詳細図	主要構造部及び防火設備の断面の構造、材料の種別及び寸法
		その他令第百八条の三の規定に適合することの確認に必要な図書	令第百八条の三に規定する構造方法への適合性審査に必要な事項
(九十)	令第百八条の四第一項第一号の耐火性能検証法により法第二条第九号の二イ(2)に該当するものであることを確かめた特定主要構造部を有する建築物	各階平面図	開口部の位置及び寸法 防火設備の種別
		耐火構造等の構造詳細図	主要構造部の断面の構造、材料の種別及び寸法
		使用建築材料表	令第百八条の四第二項第一号に規定する部分の表面積並びに当該部分に使用する建築材料の種別及び発熱量
		耐火性能検証法により検証した際の計算書	令第百八条の四第二項第一号に規定する火災の継続時間及びその算出方法 令第百八条の四第二項第二号に規定する屋内火災保有耐火時間及びその算出方法 令第百八条の四第二項第三号に規定する屋外火災保有耐火時間及びその算出方法
		防火区画検証法により検証した際の計算書	令第百八条の四第五項第二号に規定する保有遮炎時間
		発熱量計算書	令第百八条の四第二項第一号に規定する可燃物の発熱量及び可燃物の一秒間当たりの発熱量
		令第百八条の四第一項第一号イ(2)及びロ(2)の規定に適合することの確認に必要な図書	令第百八条の四第一項第一号イ(2)及びロ(2)に規定する基準への適合性審査に必要な事項
(九十一)	令第百二十八条の七第一項の区画避難安全検証法により区画避難安全性能を有することを確かめた区画部分を有する建築物	各階平面図	耐力壁及び非耐力壁の位置
		耐火構造等の構造詳細図	主要構造部の断面の構造、材料の種別及び寸法
		室内仕上げ表	令第百二十八条の五に規定する部分の仕上げの材料の種別及び厚さ
		区画避難安全検証法により検証した際の平面図	防火区画の位置及び面積 居室の出口の幅 各室の天井の高さ
		区画避難安全	各室の用途

	検証法により検証した際の計算書	在館者密度
		各室の用途に応じた発熱量
		令第百二十八条の七第三項第一号イに規定する居室避難時間及びその算出方法
		令第百二十八条の七第三項第一号ロに規定する居室煙降下時間及びその算出方法
		令第百二十八条の七第三項第一号ニに規定する区画避難時間及びその算出方法
		令第百二十八条の七第三項第一号ホに規定する区画煙降下時間及びその算出方法
		令第百二十八条の七第三項第二号イに規定する煙又はガスの高さ及びその算出方法
		令第百二十八条の七第三項第二号ハに規定する煙又はガスの高さ及びその算出方法
(九十二)		
令第百二十九条第一項の階避難安全検証法により階避難安全性能を有することを確かめた階を有する建築物	各階平面図	耐力壁及び非耐力壁の位置
	耐火構造等の構造詳細図	主要構造部の断面の構造、材料の種別及び寸法
	室内仕上げ表	令第百二十八条の五に規定する部分の仕上げの材料の種別及び厚さ
	階避難安全検証法により検証した際の平面図	防火区画の位置及び面積
		居室の出口の幅
		各室の天井の高さ
	階避難安全検証法により検証した際の計算書	各室の用途
		在館者密度
		各室の用途に応じた発熱量
		令第百二十九条第三項第一号イに規定する居室避難時間及びその算出方法
		令第百二十九条第三項第一号ロに規定する居室煙降下時間及びその算出方法
		令第百二十九条第三項第一号ニに規定する階避難時間及びその算出方法
		令第百二十九条第三項第一号ホに規定する階煙降下時間及びその算出方法
		令第百二十九条第三項第二号イに規定する煙又はガスの高さ及びその算出方法
		令第百二十九条第三項第二号ハに規定する煙又はガスの高さ及びその算出方法
令第百二十九条の二の二の規定が適用される建築物	令第百二十九条の二の二の規定に適合することの確認に必要な図書	令第百二十九条の二の二に規定する建築物の部分に該当することを確認するために必要な事項
(九十三)		
令第百二十九条の二第一項の全館避難安全検証法により全館避難安全性能を有することを確かめた建築物	各階平面図	耐力壁及び非耐力壁の位置
		屋上広場その他これに類するものの位置
		屋外に設ける避難階段の位置
	耐火構造等の構造詳細図	主要構造部の断面の構造、材料の種別及び寸法
	室内仕上げ表	令第百二十八条の五に規定する部分の仕上げの材料の種別及び厚さ
	全館避難安全検証法により検証した際の平面図	防火区画の位置及び面積
		居室の出口の幅
		各室の天井の高さ
	全館避難安全検証法により検証した際の計算書	各室の用途
		在館者密度
		各室の用途に応じた発熱量
		令第百二十九条第三項第一号イに規定する居室避難時間及びその算出方法
		令第百二十九条第三項第一号ロに規定する居室煙降下時間及びその算出方法
		令第百二十九条第三項第一号ニに規定する階避難時間及びその算出方法
		令第百二十九条第三項第一号ホに規定する階煙降下時間及びその算出方法
		令第百二十九条の二第四項第一号ロに規定する全館避難時間及びその算出方法
		令第百二十九条の二第四項第一号ハに規定する全館煙降下時間及びその算出方法
		令第百二十九条第三項第二号イに規定する煙又はガスの高さ及びその算出方法

	令第百二十九条第三項第二号ハに規定する煙又はガスの高さ及びその算出方法	
	令第百二十九条の二第四項第二号ロに規定する煙又はガスの高さ及びその算出方法	
令第百二十九条の二の二の規定が適用される建築物	令第百二十九条の二の二の規定に適合することの確認に必要な図書	令第百二十九条の二の二に規定する建築物の部分に該当することを確認するために必要な事項

三

(い)	(ろ)	
	構造計算書の種類	明示すべき事項
令第八十一条第二項第一号イに規定する保有水平耐力計算により安全性を確かめた建築物	(一) 共通事項	
	構造計算チェックリスト	プログラムによる構造計算を行う場合において、申請に係る建築物が、当該プログラムによる構造計算によつて安全性を確かめることのできる建築物の構造の種別、規模その他のプログラムの使用条件に適合するかどうかを照合するための事項
	使用構造材料一覧表	構造耐力上主要な部分である部材（接合部を含む。）に使用されるすべての材料の種別（規格がある場合にあつては、当該規格）及び使用部位
		使用する材料の許容応力度、許容耐力及び材料強度の数値及びそれらの算出方法
		使用する指定建築材料が法第三十七条の規定に基づく国土交通大臣の認定を受けたものである場合にあつては、その使用位置、形状及び寸法、当該構造計算において用いた許容応力度及び材料強度の数値並びに認定番号
	特別な調査又は研究の結果等説明書	法第六十八条の二十五の規定に基づく国土交通大臣の認定を受けた構造方法等その他特殊な構造方法等が使用されている場合にあつては、その認定番号、使用条件及び内容
		特別な調査又は研究の結果に基づき構造計算が行われている場合にあつては、その検討内容
		構造計算の仮定及び計算結果の適切性に関する検討内容
	令第八十二条各号関係	
	基礎・地盤説明書（国土交通大臣があらかじめ適切であると認定した算出方法により基礎ぐいの許容支持力を算出する場合で当該認定に係る認定書の写しを添えた場合にあつては、当該算出方法に係る図書のうち国土交通大臣の指定したものを除く。）	地盤調査方法及びその結果
		地層構成、支持地盤及び建築物（地下部分を含む。）の位置
		地下水位（地階を有しない建築物に直接基礎を用いた場合を除く。）
		基礎の工法（地盤改良を含む。）の種別、位置、形状、寸法及び材料の種別
		構造計算において用いた支持層の位置、層の構成及び地盤調査の結果により設定した地盤の特性値
		地盤の許容応力度並びに基礎及び基礎ぐいの許容支持力の数値及びそれらの算出方法
	略伏図	各階の構造耐力上主要な部分である部材の種別、配置及び寸法並びに開口部の位置
	略軸組図	すべての通りの構造耐力上主要な部分である部材の種別、配置及び寸法並びに開口部の位置
	部材断面表	各階及びすべての通りの構造耐力上主要な部分である部材の断面の形状、寸法及び仕様
	荷重・外力計算書	固定荷重の数値及びその算出方法
		各階又は各部分の用途ごとに積載荷重の数値及びその算出方法
		各階又は各部分の用途ごとに大規模な設備、塔屋その他の特殊な荷重（以下「特殊な荷重」という。）の数値及びその算出方法
		積雪荷重の数値及びその算出方法
		風圧力の数値及びその算出方法
		地震力の数値及びその算出方法
		土圧、水圧その他考慮すべき荷重及び外力の数値及びそれらの算出方法
		略伏図上に記載した特殊な荷重の分布
	応力計算書（国土交通大臣が定める様式による応力図及び基礎反力図を含む。）	構造耐力上主要な部分である部材に生ずる力の数値及びその算出方法
		地震時（風圧力によつて生ずる力が地震力によつて生ずる力を上回る場合にあつては、暴風時）における柱が負担す

		るせん断力及びその分担率並びに耐力壁又は筋かいが負担するせん断力及びその分担率
		国土交通大臣が定める様式による応力図及び基礎反力図に記載すべき事項
	断面計算書（国土交通大臣が定める様式による断面検定比図を含む。）	構造耐力上主要な部分である部材（接合部を含む。）の位置、部材に付す記号、部材断面の仕様、部材に生じる荷重の種別及び当該荷重が作用する方向
		構造耐力上主要な部分である部材（接合部を含む。）の軸方向、曲げ及びせん断の応力度
		構造耐力上主要な部分である部材（接合部を含む。）の軸方向、曲げ及びせん断の許容応力度
		構造耐力上主要な部分である部材（接合部を含む。）の応力度と許容応力度の比率
		国土交通大臣が定める様式による断面検定比図に記載すべき事項
	基礎ぐい等計算書	基礎ぐい、床版、小ばりその他の構造耐力上主要な部分である部材に関する構造計算の計算書
	使用上の支障に関する計算書	令第八十二条第四号に規定する構造計算の計算書
令第八十二条の二関係	層間変形角計算書	層間変位の計算に用いる地震力
		地震力によつて各階に生ずる
		水平方向の層間変位の算出方法
		各階及び各方向の層間変形角の算出方法
	層間変形角計算結果一覧表	各階及び各方向の層間変形角
		損傷が生ずるおそれのないことについての検証内容（層間変形角が二百分の一を超え百二十分の一以内である場合に限る。）
令第八十二条の三関係	保有水平耐力計算書	保有水平耐力計算に用いる地震力
		各階及び各方向の保有水平耐力の算出方法
		令第八十二条の三第二号に規定する各階の構造特性を表すDs（以下この表において「Ds」という。）の算出方法
		令第八十二条の三第二号に規定する各階の形状特性を表すFes（以下この表において「Fes」という。）の算出方法
		各階及び各方向の必要保有水平耐力の算出方法
		構造耐力上主要な部分である柱、はり若しくは壁又はこれらの接合部について、局部座屈、せん断破壊等による構造耐力上支障のある急激な耐力の低下が生ずるおそれのないことについての検証内容
	保有水平耐力計算結果一覧表	各階の保有水平耐力を増分解析により計算する場合における外力分布
		架構の崩壊形
		保有水平耐力、Ds、Fes及び必要保有水平耐力の数値
		各階及び各方向のDsの算定時における構造耐力上主要な部分である部材に生ずる力の分布及び塑性ヒンジの発生状況
		各階及び各方向の構造耐力上主要な部分である部材の部材群としての部材種別
		各階及び各方向の保有水平耐力時における構造耐力上主要な部分である部材に生ずる力の分布及び塑性ヒンジの発生状況
		各階の保有水平耐力を増分解析により計算する場合において、建築物の各方向におけるせん断力と層間変形角の関係
令第八十二条の四関係	使用構造材料一覧表	屋根ふき材、外装材及び屋外に面する帳壁に使用されるすべての材料の種別（規格がある場合にあつては、当該規格）及び使用部位
		使用する材料の許容応力度、許容耐力及び材料強度の数値及びそれらの算出方法
		使用する指定建築材料が法第三十七条の規定に基づく国土交通大臣の認定を受けたものである場合にあつては、その使用位置、形状及び寸法、当該構造計算において用いた許容応力度及び材料強度の数値並びに認定番号
	荷重・外力計算書	風圧力の数値及びその算出方法

(二)	令第八十一条第二項第一号ロに規定する限界耐力計算により安全性を確かめた建築物	

図書の種類	明示すべき事項
応力計算書	屋根ふき材及び屋外に面する帳壁に生ずる力の数値及びその算出方法
屋根ふき材等計算書	令第八十二条の四に規定する構造計算の計算書
構造計算チェックリスト	プログラムによる構造計算を行う場合において、申請に係る建築物が、当該プログラムによる構造計算によつて安全性を確かめることのできる建築物の構造の種別、規模その他のプログラムの使用条件に適合するかどうかを照合するための事項
使用構造材料一覧表	構造耐力上主要な部分である部材（接合部を含む。）に使用されるすべての材料の種別（規格がある場合にあつては、当該規格）及び使用部位
	使用する材料の許容応力度、許容耐力及び材料強度の数値及びそれらの算出方法
	使用する指定建築材料が法第三十七条の規定に基づく国土交通大臣の認定を受けたものである場合にあつては、その使用位置、形状及び寸法、当該構造計算において用いた許容応力度及び材料強度の数値並びに認定番号
特別な調査又は研究の結果等説明書	法第六十八条の二十五の規定に基づく国土交通大臣の認定を受けた構造方法等その他特殊な構造方法等が使用されている場合にあつては、その認定番号、使用条件及び内容
	特別な調査又は研究の結果に基づき構造計算が行われている場合にあつては、その検討内容
	構造計算の仮定及び計算結果の適切性に関する検討内容
基礎・地盤説明書（国土交通大臣があらかじめ適切であると認定した算出方法により基礎ぐいの許容支持力を算出する場合で当該認定に係る認定書の写しを添えた場合にあつては、当該算出方法に係る図書のうち国土交通大臣の指定したものを除く。）	地盤調査方法及びその結果
	地層構成、支持地盤及び建築物（地下部分を含む。）の位置
	地下水位（地階を有しない建築物に直接基礎を用いた場合を除く。）
	基礎の工法（地盤改良を含む。）の種別、位置、形状、寸法及び材料の種別
	構造計算において用いた支持層の位置、層の構成及び地盤調査の結果により設定した地盤の特性値
	地盤の許容応力度並びに基礎及び基礎ぐいの許容支持力の数値及びそれらの算出方法
略伏図	各階の構造耐力上主要な部分である部材の種別、配置及び寸法並びに開口部の位置
略軸組図	すべての通りの構造耐力上主要な部分である部材の種別、配置及び寸法並びに開口部の位置
部材断面表	各階及びすべての通りの構造耐力上主要な部分である部材の断面の形状、寸法及び仕様
荷重・外力計算書	固定荷重の数値及びその算出方法
	各階又は各部分の用途ごとに積載荷重の数値及びその算出方法
	各階又は各部分の用途ごとに特殊な荷重の数値及びその算出方法
	積雪荷重の数値及びその算出方法
	風圧力の数値及びその算出方法
	地震力（令第八十二条の五第三号ハに係る部分）の数値及びその算出方法
	地震力（令第八十二条の五第五号ハに係る部分）の数値及びその算出方法
	土圧、水圧その他考慮すべき荷重及び外力の数値及びそれらの算出方法
	略伏図上にそれぞれ記載した特殊な荷重の分布
応力計算書（国土交通大臣が定める様式による応力図及び基礎反力図を含む。）（地下部分の計算を含む。）	構造耐力上主要な部分である部材に生ずる力の数値及びその算出方法
	地震時（風圧力によつて生ずる力が地震力によつて生ずる力を上回る場合にあつては、暴風時）における柱が負担するせん断力及びその分担率並びに耐力壁又は筋かいが負担するせん断力及びその分担率
	国土交通大臣が定める様式による応力図及び基礎反力図に記載すべき事項
断面計算書（国土交通大臣が定める様式による断面検定比図を含	構造耐力上主要な部分である部材（接合部を含む。）の位置、部材に付す記号、部材断面の仕様、部材に生じる荷重の種別及び当該荷重が作用す

	む。）（地下部分の計算を含む。）	る方向
		構造耐力上主要な部分である部材（接合部を含む。）の軸方向、曲げ及びせん断の応力度
		構造耐力上主要な部分である部材（接合部を含む。）の軸方向、曲げ及びせん断の許容応力度
		構造耐力上主要な部分である部材（接合部を含む。）の応力度と許容応力度の比率
		国土交通大臣が定める様式による断面検定比図に記載すべき事項
	積雪・暴風時耐力計算書	構造耐力上主要な部分である部材（接合部を含む。）に生ずる力の数値及びその算出方法
		構造耐力上主要な部分である部材（接合部を含む。）の耐力の数値及びその算出方法
	積雪・暴風時耐力計算結果一覧表	構造耐力上主要な部分である部材（接合部を含む。）に生ずる力及び耐力並びにその比率
	損傷限界に関する計算書	各階及び各方向の損傷限界変位の数値及びその算出方法
		建築物の損傷限界固有周期の数値及びその算出方法
		建築物の損傷限界固有周期に応じて求めた地震時に作用する地震力の数値及びその算出方法
		表層地盤による加速度の増幅率Gsの数値及びその算出方法
		各階及び各方向の損傷限界耐力の数値及びその算出方法
	損傷限界に関する計算結果一覧表	令第八十二条の五第三号ハに規定する地震力及び損傷限界耐力
		損傷限界変位の当該各階の高さに対する割合
		損傷が生ずるおそれのないことについての検証内容（損傷限界変位の当該各階の高さに対する割合が二百分の一を超え百二十分の一以内である場合に限る。）
	安全限界に関する計算書	各階及び各方向の安全限界変位の数値及びその算出方法
		建築物の安全限界固有周期の数値及びその算出方法
		建築物の安全限界固有周期に応じて求めた地震時に作用する地震力の数値及びその算出方法
		各階の安全限界変位の当該各階の高さに対する割合及びその算出方法
		表層地盤による加速度の増幅率Gsの数値及びその算出方法
		各階及び各方向の保有水平耐力の数値及びその算出方法
		構造耐力上主要な部分である柱、はり若しくは壁又はこれらの接合部について、局部座屈、せん断破壊等による構造耐力上支障のある急激な耐力の低下が生ずるおそれのないことについての検証内容
		各階の保有水平耐力を増分解析により計算する場合における外力分布
	安全限界に関する計算結果一覧表	各階の安全限界変位の当該各階の高さに対する割合
		各階の安全限界変位の当該各階の高さに対する割合が七十五分の一（木造である階にあつては、三十分の一）を超える場合にあつては、建築物の各階が荷重及び外力に耐えることができることについての検証内容
		表層地盤による加速度の増幅率Gsの数値を精算法で算出する場合にあつては、工学的基盤の条件
		令第八十二条の五第五号ハに規定する地震力及び保有水平耐力
		各階及び各方向の安全限界変形時における構造耐力上主要な部分である部材に生ずる力の分布
		各階及び各方向の安全限界変形時における構造耐力上主要な部分である部材に生ずる塑性ヒンジ及び変形の発生状況
		各階及び各方向の保有水平耐力時における構造耐力上主要な部分である部材に生ずる塑性ヒンジ及び変形の発生状況
		各階の保有水平耐力を増分解析により計算する場合において、建築物の各方向におけるせん断力と層間変形角の関係

		図書の種類	明示すべき事項
		基礎ぐい等計算書	基礎ぐい、床版、小ばりその他の構造耐力上主要な部分である部材に関する構造計算の計算書
		使用上の支障に関する計算書	令第八十二条第四号に規定する構造計算の計算書
		屋根ふき材等計算書	令第八十二条の五第七号に規定する構造計算の計算書
		土砂災害特別警戒区域内破壊防止計算書	令第八十二条の五第八号に規定する構造計算の計算書
(三) 令第八十一条第二項第二号イに規定する許容応力度等計算により安全性を確かめた建築物	共通事項	構造計算チェックリスト	プログラムによる構造計算を行う場合において、申請に係る建築物が、当該プログラムによる構造計算によつて安全性を確かめることのできる建築物の構造の種別、規模その他のプログラムの使用条件に適合するかどうかを照合するための事項
		使用構造材料一覧表	構造耐力上主要な部分である部材（接合部を含む。）に使用されるすべての材料の種別（規格がある場合にあつては、当該規格）及び使用部位 使用する材料の許容応力度、許容耐力及び材料強度の数値及びそれらの算出方法 使用する指定建築材料が法第三十七条の規定に基づく国土交通大臣の認定を受けたものである場合にあつては、その使用位置、形状及び寸法、当該構造計算において用いた許容応力度及び材料強度の数値並びに認定番号
		特別な調査又は研究の結果等説明書	法第六十八条の二十五の規定に基づく国土交通大臣の認定を受けた構造方法等その他特殊な構造方法等が使用されている場合にあつては、その認定番号、使用条件及び内容 特別な調査又は研究の結果に基づき構造計算が行われている場合にあつては、その検討内容 構造計算の仮定及び計算結果の適切性に関する検討内容
	令第八十二条各号関係	基礎・地盤説明書（国土交通大臣があらかじめ適切であると認定した算出方法により基礎ぐいの許容支持力を算出する場合で当該認定に係る認定書の写しを添えた場合にあつては、当該算出方法に係る図書のうち国土交通大臣の指定したものを除く。）	地盤調査方法及びその結果 地層構成、支持地盤及び建築物（地下部分を含む。）の位置 地下水位（地階を有しない建築物に直接基礎を用いた場合を除く。） 基礎の工法（地盤改良を含む。）の種別、位置、形状、寸法及び材料の種別 構造計算において用いた支持層の位置、層の構成及び地盤調査の結果により設定した地盤の特性値 地盤の許容応力度並びに基礎及び基礎ぐいの許容支持力の数値及びそれらの算出方法
		略伏図	各階の構造耐力上主要な部分である部材の種別、配置及び寸法並びに開口部の位置
		略軸組図	すべての通りの構造耐力上主要な部分である部材の種別、配置及び寸法並びに開口部の位置
		部材断面表	各階及びすべての通りの構造耐力上主要な部分である部材の断面の形状、寸法及び仕様
		荷重・外力計算書	固定荷重の数値及びその算出方法 各階又は各部分の用途ごとに積載荷重の数値及びその算出方法 各階又は各部分の用途ごとに特殊な荷重の数値及びその算出方法 積雪荷重の数値及びその算出方法 風圧力の数値及びその算出方法 地震力の数値及びその算出方法 土圧、水圧その他考慮すべき荷重及び外力の数値及びそれらの算出方法 略伏図上に記載した特殊な荷重の分布
		応力計算書（国土交通大臣が定める様式による応力図及び基礎反力図を含む。）	構造耐力上主要な部分である部材に生ずる力の数値及びその算出方法 地震時（風圧力によつて生ずる力が地震力によつて生ずる力を上回る場合にあつては、暴風時）における柱が負担するせん断力及びその分担率並びに耐力壁又は筋かいが負担するせん断力及びその分担率 国土交通大臣が定める様式による応力図及び基礎反力図に記載すべき事項

		断面計算書（国土交通大臣が定める様式による断面検定比図を含む。）	構造耐力上主要な部分である部材（接合部を含む。）の位置、部材に付す記号、部材断面の仕様、部材に生じる荷重の種別及び当該荷重が作用する方向
			構造耐力上主要な部分である部材（接合部を含む。）の軸方向、曲げ及びせん断の応力度
			構造耐力上主要な部分である部材（接合部を含む。）の軸方向、曲げ及びせん断の許容応力度
			構造耐力上主要な部分である部材（接合部を含む。）の応力度と許容応力度の比率
			国土交通大臣が定める様式による断面検定比図に記載すべき事項
		基礎ぐい等計算書	基礎ぐい、床版、小ばりその他の構造耐力上主要な部分である部材に関する構造計算の計算書
		使用上の支障に関する計算書	令第八十二条第四号に規定する構造計算の計算書
	令第八十二条の二関係	層間変形角計算書	層間変位の計算に用いる地震力
			地震力によつて各階に生ずる水平方向の層間変位の算出方法
			各階及び各方向の層間変形角の算出方法
		層間変形角計算結果一覧表	各階及び各方向の層間変形角
			損傷が生ずるおそれのないことについての検証内容（層間変形角が二百分の一を超え百二十分の一以内である場合に限る。）
	令第八十二条の四関係	使用構造材料一覧表	屋根ふき材、外装材及び屋外に面する帳壁に使用されるすべての材料の種別（規格がある場合にあつては、当該規格）及び使用部位
			使用する材料の許容応力度、許容耐力及び材料強度の数値及びそれらの算出方法
			使用する指定建築材料が法第三十七条の規定に基づく国土交通大臣の認定を受けたものである場合にあつては、その使用位置、形状及び寸法、当該構造計算において用いた許容応力度及び材料強度の数値並びに認定番号
		荷重・外力計算書	風圧力の数値及びその算出方法
		応力計算書	屋根ふき材及び屋外に面する帳壁に生ずる力の数値及びその算出方法
		屋根ふき材等計算書	令第八十二条の四に規定する構造計算の計算書
	令第八十二条の六関係	剛性率・偏心率等計算書	各階及び各方向の剛性率を計算する場合における層間変形角の算定に用いる層間変位の算出方法
			各階及び各方向の剛性率の算出方法
			各階の剛心周りのねじり剛性の算出方法
			各階及び各方向の偏心率の算出方法
			令第八十二条の六第三号の規定に基づき国土交通大臣が定める基準による計算の根拠
		剛性率・偏心率等計算結果一覧表	各階の剛性率及び偏心率
			令第八十二条の六第三号の規定に基づき国土交通大臣が定める基準に適合していること
(四) 令第八十一条第三項に規定する令第八十二条各号及び令第八十二条の四に定めるところによる構造計算により安全性を確かめた建築物	共通事項	構造計算チェックリスト	プログラムによる構造計算を行う場合において、申請に係る建築物が、当該プログラムによる構造計算によつて安全性を確かめることのできる建築物の構造の種別、規模その他のプログラムの使用条件に適合するかどうかを照合するための事項
		使用構造材料一覧表	構造耐力上主要な部分である部材（接合部を含む。）に使用されるすべての材料の種別（規格がある場合にあつては、当該規格）及び使用部位
			使用する材料の許容応力度、許容耐力及び材料強度の数値並びにそれらの算出方法
			使用する指定建築材料が法第三十七条の規定に基づく国土交通大臣の認定を受けたものである場合にあつては、その使用位置、形状及び寸法、当該構造計算において用いた許容応力度及び材料強度の数値並びに認定番号
		特別な調査又は研究の結果等説明書	法第六十八条の二十五の規定に基づく国土交通大臣の認定を受けた構造方法等その他特殊な構造方法等が使用されている場合にあつては、その認

		定番号、使用条件及び内容
		特別な調査又は研究の結果に基づき構造計算が行われている場合にあつては、その検討内容
		構造計算の仮定及び計算結果の適切性に関する検討内容
令第八十二条各号関係	基礎・地盤説明書（国土交通大臣があらかじめ適切であると認定した算出方法により基礎ぐいの許容支持力を算出する場合で当該認定に係る認定書の写しを添えた場合にあつては、当該算出方法に係る図書のうち国土交通大臣の指定したものを除く。）	地盤調査方法及びその結果
		地層構成、支持地盤及び建築物（地下部分を含む。）の位置
		地下水位（地階を有しない建築物に直接基礎を用いた場合を除く。）
		基礎の工法（地盤改良を含む。）の種別、位置、形状、寸法及び材料の種別
		構造計算において用いた支持層の位置、層の構成及び地盤調査の結果により設定した地盤の特性値
		地盤の許容応力度並びに基礎及び基礎ぐいの許容支持力の数値及びそれらの算出方法
	略伏図	各階の構造耐力上主要な部分である部材の種別、配置及び寸法並びに開口部の位置
	略軸組図	すべての通りの構造耐力上主要な部分である部材の種別、配置及び寸法並びに開口部の位置
	部材断面表	各階及びすべての通りの構造耐力上主要な部分である部材の断面の形状、寸法及び仕様
	荷重・外力計算書	固定荷重の数値及びその算出方法
		各階又は各部分の用途ごとに積載荷重の数値及びその算出方法
		各階又は各部分の用途ごとに特殊な荷重の数値及びその算出方法
		積雪荷重の数値及びその算出方法
		風圧力の数値及びその算出方法
		地震力の数値及びその算出方法
		土圧、水圧その他考慮すべき荷重及び外力の数値及びそれらの算出方法
		略伏図上に記載した特殊な荷重の分布
	応力計算書（国土交通大臣が定める様式による応力図及び基礎反力図を含む。）	構造耐力上主要な部分である部材に生ずる力の数値及びその算出方法
		地震時（風圧力によつて生ずる力が地震力によつて生ずる力を上回る場合にあつては、暴風時）における柱が負担するせん断力及びその分担率並びに耐力壁又は筋かいが負担するせん断力及びその分担率
		国土交通大臣が定める様式による応力図及び基礎反力図に記載すべき事項
	断面計算書（国土交通大臣が定める様式による断面検定比図を含む。）	構造耐力上主要な部分である部材（接合部を含む。）の位置、部材に付す記号、部材断面の仕様、部材に生じる荷重の種別及び当該荷重が作用する方向
		構造耐力上主要な部分である部材（接合部を含む。）の軸方向、曲げ及びせん断の応力度
		構造耐力上主要な部分である部材（接合部を含む。）の軸方向、曲げ及びせん断の許容応力度
		構造耐力上主要な部分である部材（接合部を含む。）の応力度と許容応力度の比率
		国土交通大臣が定める様式による断面検定比図に記載すべき事項
	基礎ぐい等計算書	基礎ぐい、床版、小ばりその他の構造耐力上主要な部分である部材に関する構造計算の計算書
	使用上の支障に関する計算書	令第八十二条第四号に規定する構造計算の計算書
令第八十二条の四関係	使用構造材料一覧表	屋根ふき材、外装材及び屋外に面する帳壁に使用されるすべての材料の種別（規格がある場合にあつては、当該規格）及び使用部位
		使用する材料の許容応力度、許容耐力及び材料強度の数値及びそれらの算出方法
		使用する指定建築材料が法第三十七条の規定に基づく国土交通大臣の認定を受けたもの

	である場合にあつては、その使用位置、形状及び寸法、当該構造計算において用いた許容応力度及び材料強度の数値並びに認定番号
荷重・外力計算書	風圧力の数値及びその算出方法
応力計算書	屋根ふき材及び屋外に面する帳壁に生ずる力の数値及びその算出方法
屋根ふき材等計算書	令第八十二条の四に規定する構造計算の計算書

構造計算書の作成に当たつては、次に掲げる事項について留意するものとする。

一　確認申請時に提出する構造計算書には通し頁を付すことその他の構造計算書の構成を識別できる措置を講じること。

二　建築物の構造等の実況に応じて、当該建築物の安全性を確かめるために必要な図書の追加、変更等を行うこと。

三　この表の略伏図及び略軸組図は、構造計算における架構の様相を示した図に代えることができるものとするほか、プログラムによる構造計算を行わない場合にあつては省略することができるものとする。

四

	(い)	(ろ)
(一)	壁、柱、床その他の建築物の部分の構造を法第二条第七号の認定を受けたものとする建築物	法第二条第七号に係る認定書の写し
(二)	壁、柱、床その他の建築物の部分の構造を法第二条第七号の二の認定を受けたものとする建築物	法第二条第七号の二に係る認定書の写し
(三)	建築物の外壁又は軒裏の構造を法第二条第八号の認定を受けたものとする建築物	法第二条第八号に係る認定書の写し
(四)	法第二条第九号の認定を受けたものとする建築材料を用いる建築物	法第二条第九号に係る認定書の写し
(五)	防火設備を法第二条第九号の二ロの認定を受けたものとする建築物	法第二条第九号の二ロに係る認定書の写し
(六)	法第二十条第一項第一号の認定を受けたものとする構造方法を用いる建築物	法第二十条第一項第一号に係る認定書の写し
(七)	法第二十条第一項第二号イ及び第三号イの認定を受けたものとするプログラムによる構造計算によつて安全性を確かめた建築物	法第二十条第一項第二号イ及び第三号イに係る認定書の写し
(八)	特定主要構造部を法第二十一条第一項の認定を受けたものとする建築物	法第二十一条第一項に係る特定主要構造部に関する認定書の写し
(九)	壁、柱、床その他の建築物の部分又は防火設備を法第二十一条第二項の認定を受けたものとする建築物	法第二十一条第二項に係る認定書の写し
(十)	屋根の構造を法第二十二条第一項の認定を受けたものとする建築物	法第二十二条第一項に係る認定書の写し
(十一)	外壁で延焼のおそれのある部分の構造を法第二十三条の認定を受けたものとする建築物	法第二十三条に係る認定書の写し
(十二)	特定主要構造部を法第二十七条第一項の認定を受けたものとする建築物	法第二十七条第一項に係る特定主要構造部に関する認定書の写し
(十三)	防火設備を法第二十七条第一項の認定を受けたものとする建築物	法第二十七条第一項に係る防火設備に関する認定書の写し
(十四)	法第二十八条の二第二号の認定を受けたものとする建築材料を用いる建築物	法第二十八条の二第二号に係る認定書の写し
(十五)	界壁を法第三十条第一項第一号の認定を受けたものとする建築物	法第三十条第一項第一号に係る認定書の写し
(十六)	天井を法第三十条第二項の認定を受けたものとする建築物	法第三十条第二項に係る認定書の写し
(十七)	法第三十七条第二号の認定を受けたものとする建築材料を用いる建築物	法第三十七条第二号に係る認定書の写し
(十八)	法第三十八条の認定を受けたものとする特殊の構造方法又は建築材料を用いる建築物	法第三十八条に係る認定書の写し
(十九)	壁、柱、床その他の建築物の部分の構造を法第六十一条第一項の認定を受けたものとする建築物	法第六十一条第一項に係る建築物の部分に関する認定書の写し
(二十)	防火設備を法第六十一条第一項の認定を受けたものとする建築物	法第六十一条第一項に係る防火設備に関する認定書の写し
(二十一)	屋根の構造を法第六十二条の認定を受けたものとする建築物	法第六十二条に係る認定書の写し
(二十二)	法第六十六条において準用する法第三十八条の認定を受けたものとする特殊の構造方法又は建築材料を用いる建築物	法第六十六条において準用する法第三十八条に係る認定書の写し
(二十三)	法第六十七条の二において準用する法第三十八条の認定を受けたものとする特殊の構造方法又は建築材料を用いる建築物	法第六十七条の二において準用する法第三十八条に係る認定書の写し
(二十四)	令第一条第五号の認定を受けたものとする建築材料を用いる建築物	令第一条第五号に係る認定書の写し
(二十五)	令第一条第六号の認定を受けたものとする建築材料を用いる建築物	令第一条第六号に係る認定書の写し
(二十六)	令第二十条の七第一項第二号の表の認定を受けたものとする居室を有する建築物	令第二十条の七第一項第二号の表に係る認定書の写し
(二十七)	令第二十条の七第二項の認定を受けたものとする建築材料を用いる建築物	令第二十条の七第二項に係る認定書の写し
(二十八)	令第二十条の七第三項の認定を受けたものとする建築材料を用いる建築物	令第二十条の七第三項に係る認定書の写し
(二十九)	令第二十条の七第四項の認定を受けたものとする建築材料を用いる建築物	令第二十条の七第四項に係る認定書の写し
(三十)	令第二十条の八第二項の認定を受けたものとする居室を有する建築物	令第二十条の八第二項に係る認定書の写し
(三十一)	令第二十条の九の認定を受けたものとする居室を有する建築物	令第二十条の九に係る認定書の写し
(三十二)	床の構造を令第二十二条の認定を受けたものとする建築物	令第二十二条に係る認定書の写し

(三十三)	外壁、床及び屋根又はこれらの部分を令第二十二条の二第二号ロの認定を受けたものとする建築物	令第二十二条の二第二号ロに係る認定書の写し
(三十四)	特定天井の構造を令第三十九条第三項の認定を受けたものとする建築物	令第三十九条第三項に係る認定書の写し
(三十五)	令第四十六条第四項の表一の(八)項の認定を受けたものとする軸組を設置する建築物	令第四十六条第四項の表一の(八)項に係る認定書の写し
(三十四)	特定天井の構造を令第三十九条第三項の認定を受けたものとする建築物	令第三十九条第三項に係る認定書の写し
(三十五)	令第四十五条第一項の認定を受けたものとする材料を用いた筋かいを入れた軸組を設置する建築物	令第四十五条第一項に係る認定書の写し
(三十六)	令第四十五条第二項の認定を受けたものとする材料を用いた筋かいを入れた軸組を設置する建築物	令第四十五条第二項に係る認定書の写し
(三十七)	令第四十六条第四項の認定を受けたものとする軸組を設置する建築物	令第四十六条第四項に係る認定書の写し
(三十八)～(七十七)	〔略〕	
(三十六)	構造耐力上主要な部分である鋼材の接合を令第六十七条第一項の認定を受けたものとする接合方法による建築物	令第六十七条第一項に係る認定書の写し
(三十七)	構造耐力上主要な部分である継手又は仕口の構造を令第六十七条第二項の認定を受けたものとする建築物	令第六十七条第二項に係る認定書の写し
(三十八)	令第六十八条第三項の認定を受けたものとする高力ボルト接合を用いる建築物	令第六十八条第三項に係る認定書の写し
(三十九)	令第七十条に規定する国土交通大臣が定める場合において、当該建築物の柱の構造を令第七十条の認定を受けたものとする建築物	令第七十条に係る認定書の写し
(四十)	鉄筋に対するコンクリートのかぶり厚さを令第七十九条第二項の認定を受けたものとする建築物	令第七十九条第二項に係る認定書の写し
(四十一)	鉄骨に対するコンクリートのかぶり厚さを令第七十九条の三第二項の認定を受けたものとする建築物	令第七十九条の三第二項に係る認定書の写し
(四十二)	建築物の部分を令第百八条の三第一号の認定を受けた床、壁又は防火設備で区画されたものとする建築物	令第百八条の三第一号に係る建築物の部分に関する認定書の写し
(四十三)	床、壁又は防火設備を令第百八条の三第一号の認定を受けたものとする建築物	令第百八条の三第一号に係る床、壁又は防火設備に関する認定書の写し
(四十四)	特定主要構造部を令第百八条の四第一項第二号の認定を受けたものとする建築物	令第百八条の四第一項第二号に係る認定書の写し
(四十五)	防火設備を令第百八条の四第四項の認定を受けたものとする建築物	令第百八条の四第四項に係る認定書の写し
(四十六)	屋根の延焼のおそれのある部分の構造を令第百九条の三第一号の認定を受けたものとする建築物	令第百九条の三第一号に係る認定書の写し
(四十七)	床又はその直下の天井の構造を令第百九条の三第二号ハの認定を受けたものとする建築物	令第百九条の三第二号ハに係る認定書の写し
(四十八)	壁、柱、床その他の建築物の部分又は防火設備を令第百九条の八の認定を受けたものとする建築物	令第百九条の八に係る認定書の写し
(四十九)	防火設備を令第百十二条第一項の認定を受けたものとする建築物	令第百十二条第一項に係る認定書の写し
(五十)	主要構造部である壁、柱、床、はり及び屋根の軒裏の構造を令第百十二条第二項の認定を受けたものとする建築物	令第百十二条第二項に係る認定書の写し
(五十一)	建築物の部分の構造を令第百十二条第三項の認定を受けたものとする建築物	令第百十二条第三項に係る認定書の写し
(五十二)	天井を令第百十二条第四項第一号の認定を受けたものとする建築物	令第百十二条第四項第一号に係る認定書の写し
(五十三)	防火設備を令第百十二条第十二項ただし書の認定を受けたものとする建築物	令第百十二条第十二項ただし書に係る認定書の写し
(五十四)	防火設備を令第百十二条第十九項第一号の認定を受けたものとする建築物	令第百十二条第十九項第一号に係る認定書の写し
(五十五)	防火設備又は戸を令第百十二条第十九項第二号の認定を受けたものとする建築物	令第百十二条第十九項第二号に係る認定書の写し
(五十六)	防火設備を令第百十二条第二十一項の認定を受けたものとする建築物	令第百十二条第二十一項に係る認定書の写し
(五十七)	防火設備を令第百十四条第五項において読み替えて準用する令第百十二条第二十一項の認定を受けたものとする建築物	令第百十四条第五項において読み替えて準用する令第百十二条第二十一項に係る認定書の写し
(五十八)	床の構造を令第百十五条の二第一項第四号の認定を受けたものとする建築物	令第百十五条の二第一項第四号に係る認定書の写し
(五十九)	階段室又は付室の構造を令第百二十三条第三項第二号の認定を受けたものとする建築物	令第百二十三条第三項第二号に係る認定書の写し
(六十)	防火設備を令第百二十六条の二第二項第一号の認定を受けたものとする建築物	令第百二十六条の二第二項第一号に係る認定書の写し

(六十一)	通路その他の部分を令第百二十六条の六第三号の認定を受けたものとする建築物	令第百二十六条の六第三号に係る認定書の写し
(六十二)	令第百二十八条の七第一項の認定を受けたものとする区画部分を有する建築物	令第百二十八条の七第一項に係る認定書の写し
(六十三)	令第百二十九条第一項の認定を受けたものとする階を有する建築物	令第百二十九条第一項に係る認定書の写し
(六十四)	令第百二十九条の二第一項の認定を受けたものとする建築物	令第百二十九条の二第一項に係る認定書の写し
(六十五)	防火設備を令第百二十九条の十三の二第三号の認定を受けたものとする建築物	令第百二十九条の十三の二第三号に係る認定書の写し
(六十六)	特定主要構造部を令第百三十七条の二の二第一項第一号ロの認定を受けたものとする建築物	令第百三十七条の二の二第一項第一号ロに係る認定書の写し
(六十七)	増築又は改築に係る部分を令第百三十七条の二の二第二項第一号ロの認定を受けたものとする建築物	令第百三十七条の二の二第二項第一号ロに係る認定書の写し
(六十八)	外壁を令第百三十七条の二の四第一号ロの認定を受けたものとする建築物	令第百三十七条の二の四第一号ロに係る認定書の写し
(六十九)	増築又は改築に係る部分を令第百三十七条の四第一号ロの認定を受けたものとする建築物	令第百三十七条の四第一号ロに係る認定書の写し
(七十)	増築又は改築に係る部分を令第百三十七条の十第一号イ(2)の認定を受けたものとする建築物	令第百三十七条の十第一号イ(2)に係る認定書の写し
(七十一)	防火設備を令第百三十七条の十第一号ロ(4)の認定を受けたものとする建築物	令第百三十七条の十第一号ロ(4)に係る認定書の写し
(七十二)	増築又は改築に係る部分を令第百三十七条の十一第一号イ(2)の認定を受けたものとする建築物	令第百三十七条の十一第一号イ(2)に係る認定書の写し
(七十三)	防火設備を令第百四十五条第一項第二号の認定を受けたものとする建築物	令第百四十五条第一項第二号に係る認定書の写し
(七十四)	第一条の三第一項第一号イ又は同号ロ(1)若しくは(2)又は同項の表三の各項の認定を受けたものとする建築物又は建築物の部分	第一条の三第一項第一号イ又は同号ロ(1)若しくは(2)に係る認定書の写し
(七十五)	構造耐力上主要な部分である壁及び床版の構造を第八条の三の認定を受けたものとする建築物	第八条の三に係る認定書の写し

五

	(い)	(ろ)
(一)	特定主要構造部を法第二条第九号の二イ(2)に該当する構造とする建築物（令第百八条の四第一項第一号に該当するものに限る。）	一 令第百八条の四第一項第一号の耐火性能検証法により検証をした際の計算書 二 当該建築物の開口部が令第百八条の四第四項の防火区画検証法により検証をしたものである場合にあつては、当該検証をした際の計算書
(二)	令第三十八条第四項、令第四十三条第一項ただし書、同条第二項ただし書、令第四十六条第二項第一号ハ、同条第三項ただし書、令第四十八条第一項第二号ただし書、令第五十一条第一項ただし書、令第六十二条の八ただし書、令第七十三条第三項ただし書、令第七十七条第五号ただし書又は令第七十七条の二第一項ただし書の構造計算により安全性を確かめた建築物	(い)欄に掲げる規定にそれぞれ規定する構造計算の計算書
	令第三十八条第四項、令第四十三条第二項ただし書、令第四十六条第二項第一号ハ、同条第三項ただし書、令第五十一条第一項ただし書、令第六十二条の八ただし書、令第七十三条第三項ただし書、令第七十七条第五号ただし書又は令第七十七条の二第一項ただし書の構造計算により安全性を確かめた建築物	
(三)	令第七十条に規定する国土交通大臣が定める場合に該当しないとする建築物	一の柱のみの火熱による耐力の低下によつて建築物全体が容易に倒壊するおそれのあるものではないことを証する図書
(四)	令第百二十八条の七第一項の区画避難安全検証法により区画避難安全性能を有することを確かめた区画部分を有する建築物	令第百二十八条の七第一項の区画避難安全検証法により検証をした際の計算書
(五)	令第百二十九条第一項の階避難安全検証法により階避難安全性能を有することを確かめた階を有する建築物	令第百二十九条第一項の階避難安全検証法により検証をした際の計算書
(六)	令第百二十九条の二第一項の全館避難安全検証法により全館避難安全性能を有することを確かめた建築物	令第百二十九条の二第一項の全館避難安全検証法により検証をした際の計算書

2　法第八十六条の七各項の規定によりそれぞれ当該各項に規定する増築、改築、移転、大規模の修繕又は大規模の模様替をする建築物に係る確認の申請書にあつては、前項の表一の(い)項に掲げる図書に当該各項に規定する規定が適用されない旨を明示することとする。

3　法第八十六条の八第一項若しくは法第八十七条の二第一項の認定（以下「全体計画認定」という。）又は法第八十六条の八第三項（法第八十七条の二第二項において準用する場合を含む。）の規定による変更の認定（以下「全体計画変更認定」という。）を受けた建築物に係る確認の申請書にあつては、別記第六十七号の五様式による全体計画認定通知書又は全体計画変更認定通知書及び添付図書の写しを添えるものとする。

4　法第六条第一項の規定による確認の申請に係る建築物の計画に建築設備

に係る部分が含まれる場合においては、同項の規定による確認の申請書は、次の各号に掲げる図書及び書類とする。

一　別記第二号様式による正本一通及び副本一通に、それぞれ、次に掲げる図書及び書類を添えたもの（正本に添える図書にあつては、当該図書の設計者の氏名が記載されたものに限る。）。

イ　第一項第一号イ及びロに掲げる図書及び書類

ロ　申請に係る建築物の計画に法第八十七条の四の昇降機に係る部分が含まれる場合又は法第六条第一項第一号から第三号までに掲げる建築物の計画に令第百四十六条第一項第三号に掲げる建築設備に係る部分が含まれる場合にあつては、別記第八号様式中の「昇降機の概要の欄」又は「建築設備の概要の欄」に記載すべき事項を記載した書類

ハ　申請に係る建築物の計画に含まれる建築設備が次の(1)及び(2)に掲げる建築設備である場合にあつては、それぞれ当該(1)及び(2)に定める図書及び書類

一　別記第二号様式による正本一通及び副本一通に、それぞれ、次に掲げる図書及び書類を添えたもの（正本に添える図書にあつては、当該図書の設計者の氏名が記載されたものに限る。）

イ　〔略〕

ロ　申請に係る建築物の計画に法第八十七条の四の昇降機に係る部分が含まれる場合又は法第六条第一項第一号又は第二号に掲げる建築物の計画に令第百四十六条第一項第三号に掲げる建築設備に係る部分が含まれる場合にあつては、別記第八号様式中の「昇降機の概要の欄」又は「建築設備の概要の欄」に記載すべき事項を記載した書類

ハ　申請に係る建築物の計画に含まれる建築設備が次の(1)及び(2)に掲げる建築設備である場合にあつては、当該(1)及び(2)に定める図書及び書類

(1)　次の表一の各項の(い)欄に掲げる建築設備　当該各項の(ろ)欄に掲げる図書

(2)　次の表二の各項の(い)欄に掲げる建築設備　当該各項の(ろ)欄に掲げる書類（建築主事等が、当該書類を有していないことその他の理由により、提出を求める場合に限る。）

二　別記第三号様式による建築計画概要書

三　代理者によつて確認の申請を行う場合にあつては、委任状又はその写し

四　申請に係る建築物が建築士により構造計算によつてその安全性を確かめられたものである場合にあつては、証明書の写し

一

	(い)	(ろ) 図書の種類	明示すべき事項
(一)	法第二十八条第二項から第四項までの規定が適用される換気設備	各階平面図	居室に設ける換気のための窓その他の開口部の位置及び面積
			給気機又は給気口の位置
			排気機若しくは排気口、排気筒又は煙突の位置
			かまど、こんろその他設備器具の位置、種別及び発熱量
			火を使用する室に関する換気経路
			中央管理室の位置
		二面以上の断面図	給気機又は給気口の位置
			排気機若しくは排気口、排気筒又は煙突の位置
		換気設備の仕様書	換気設備の有効換気量
			中央管理方式の空気調和設備の有効換気量
		換気設備の構造詳細図	火を使用する設備又は器具の近くの排気フードの材料の種別
		給気口及び排気口の有効開口面積等を算出した際の計算書	給気口の有効開口面積又は給気筒の有効断面積及びその算出方法
			排気口の有効開口面積又は排気筒の有効断面積及びその算出方法
			必要有効断面積及びその算出方法
			煙突の有効断面積及びその算出方法
			給気口の中心から排気筒の頂部の外気に開放された部分の中心までの高さ
		必要有効換気量を算出した際の計算書	必要有効換気量及びその算出方法
(二)	法第二十八条の二第三号の規定が適用される換気設備	各階平面図	中央管理室の位置
			令第二十条の七第一項第二号の表及び令第二十条の八第二項に規定するホルムアルデヒドの発散による衛生上の支障がないようにするために必要な換気を確保することができる居室の構造方法
		換気設備の構造詳細図	令第二十条の七第一項第二号の表及び令第二十条の八第二項に規定するホルムアルデヒドの発散による衛生上の支障がないようにするために必要な換気を確保することができる居室の構造方法
			令第二十条の八第一項第一号イ(3)、ロ(3)及びハに規定するホルムアルデヒドの発散による衛生上の支障がないようにするために必要な換気を確保することができる換気設備の構造方法
		給気機又は排気機の給気又は排気能力を算定した際の計算書	給気機又は排気機の給気又は排気能力及びその算出方法
			換気経路の全圧力損失（直管部損失、局部損失、諸機器その他における圧力損失の合計をいう。）及びその算出方法
(三)	法第三十一条第一項の規定が適用される便所	配置図	排水ます及び公共下水道の位置

(四)	法第三十一条第二項の規定が適用される屎尿浄化槽又は合併処理浄化槽（以下この項において「浄化槽」という。）	配置図	浄化槽の位置及び当該浄化槽からの放流水の放流先又は放流方法
		浄化槽の仕様書	浄化槽の汚物処理性能
			浄化槽の処理対象人員及びその算出方法
			浄化槽の処理方式
			浄化槽の各槽の有効容量
		浄化槽の構造詳細図	浄化槽の構造
(五)	法第三十二条の規定が適用される電気設備	各階平面図	常用の電源及び予備電源の種類及び位置
			非常用の照明装置及び予備電源を有する照明設備の位置
		電気設備の構造詳細図	受電設備の電気配線の状況
			常用の電源及び予備電源の種類及び構造
			予備電源に係る負荷機器の電気配線の状況
			ガス漏れを検知し、警報する設備（以下「ガス漏れ警報設備」という。）に係る電気配線の構造
		予備電源の容量を算出した際の計算書	予備電源の容量及びその算出方法
(六)	法第三十三条の規定が適用される避雷設備	付近見取図	建築物の周囲の状況
		二面以上の立面図	建築物の高さが二十メートルを超える部分
			雷撃から保護される範囲
			受雷部システムの配置
		小屋伏図	受雷部システムの配置
		避雷設備の構造詳細図	雨水等により腐食のおそれのある避雷設備の部分
			日本産業規格A四二〇一―一九九二又は日本産業規格A四二〇一―二〇〇三の別
			避雷設備の構造が適合する日本産業規格
			受雷部システム及び引下げ導線の位置及び構造
			接地極の位置及び構造
		避雷設備の使用材料表	腐食しにくい材料を用い、又は有効な腐食防止のための措置を講じた避雷設備の部分
(七)	法第三十四条第一項の規定が適用される昇降機	各階平面図	昇降機の昇降路の周壁及び開口部の位置
		昇降機の構造詳細図	昇降機の昇降路の周壁及び開口部の構造
(八)	法第三十四条第二項の規定が適用される非常用の昇降機	各階平面図	非常用の昇降機の位置
(九)	法第三十五条の規定が適用される建築設備　令第五章第三節の規定が適用される排煙設備	各階平面図	排煙の方法及び火災が発生した場合に避難上支障のある高さまで煙又はガスの降下が生じない建築物の部分
			令第百十六条の二第一項第二号に該当する窓その他の開口部の位置
			防火区画及び令第百二十六条の二第一項に規定する防煙壁による区画の位置
			排煙口の位置
			排煙風道の配置
			排煙口に設ける手動開放装置の使用方法を表示する位置
			排煙口の開口面積又は排煙機の位置
			法第三十四条第二項に規定する建築物又は各構えの床面積が千平方メートルを超える地下街に設ける排煙設備の制御及び作動状態の監視を行うことができる中央管理室の位置
			予備電源の位置
			不燃性ガス消火設備又は粉末消火設備の位置
			給気口を設けた付室（以下「給気室」という。）及び直通階段の位置
			給気口から給気室に通ずる建築物の部分に設ける開口部（排煙口を除く。）に設ける戸の構造
		床面積求積図	防火区画及び令第百二十六条の二第一項に規定する防煙壁による区画の面積の求積に必要な建築物の各部分の寸法及び算式
		二面以上の断面図	排煙口に設ける手動開放装置の位置
			排煙口及び当該排煙口に係る防煙区画部分に設けられた防煙壁の位置
			給気口の位置

		給気口の開口面積及び給気室の開口部の開口面積
	使用建築材料表	建築物の壁及び天井の室内に面する部分の仕上げに用いる建築材料の種別
	排煙設備の構造詳細図	排煙口の構造
		排煙口に設ける手動開放装置の使用方法
		排煙風道の構造
		排煙設備の電気配線に用いる配線の種別
		給気室の構造
	排煙機の空気を排出する能力を算出した際の計算書	排煙機の空気を排出する能力及びその算出方法
	排煙設備の使用材料表	排煙設備の給気口の風道に用いる材料の種別
	令第百二十六条の二第二項第二号の規定に適合することの確認に必要な図書	令第百二十六条の二第二項第二号に規定する構造方法への適合性審査に必要な事項
令第五章第四節の規定が適用される非常用の照明装置	各階平面図	照明装置の位置及び構造
		非常用の照明装置によつて、床面において一ルクス以上の照度を確保することができる範囲
	令第百二十六条の四第二項の規定に適合することの確認に必要な図書	令第百二十六条の四第二項に規定する建築物の部分に該当することを確認するために必要な事項
	認に必要な図書	
令第五章第六節の規定が適用される非常用の照明設備、排煙設備及び排水設備	非常用の照明設備の構造詳細図	照度
		照明設備の構造
		照明器具の位置及び材料の種別
	非常用の排煙設備の構造詳細図	地下道の床面積
		垂れ壁の材料の種別
		排煙設備の構造、配置及び材料の種別
		排煙口の手動開放装置の構造及び位置
		排煙機の能力
	地下道の床面積求積図	床面積の求積に必要な地下道の各部分の寸法及び算式
	非常用の排水設備の構造詳細図	排水設備の構造及び材料の種別
		排水設備の能力
(十) 法第三十六条の規定が適用される建築設備		
令第百二十九条の二の三第二号に関する規定が適用される昇降機以外の建築設備	構造詳細図	昇降機以外の建築設備の構造方法
令第二十八条から第三十一条まで、第三十三条及び第三十四条	配置図	くみ取便所の便槽及び井戸の位置
	各階平面図	便所に設ける採光及び換気のため直接外気に接する窓の位置又は当該窓に代わる設備の位置及び構造
に関する規定が適用される便所	便所の構造詳細図	屎尿に接するくみ取便所の部分
		くみ取便所の便器から便槽までの汚水管の構造
		水洗便所以外の大便所に設ける窓その他換気のための開口部の構造
		便槽の種類及び構造
		改良便槽の貯留槽に設ける掃除するための穴の位置及び構造
		くみ取便所に講じる防水モルタル塗その他これに類する防水の措置
		くみ取便所のくみ取口の位置及び構造
	便所の断面図	改良便槽の貯留槽の構造
		汚水の温度の低下を防止するための措置
	便所の使用材料表	便器及び小便器から便槽までの汚水管に用いる材料の種別
		耐水材料で造り、防水モルタル塗その他これに類する有効な防水の措置を講じる便槽の部分
	井戸の断面図	令第三十四条ただし書の適用に係る井戸の構造
	井戸の使用材料表	令第三十四条ただし書の適用に係る井戸の不浸透質で造られている部分
令第百十五条の規定が適用される煙	各階平面図	煙突の位置及び構造
	二面以上の立面図	煙突の位置及び高さ

	突	
	二面以上の断面図	煙突の位置及び構造
令第百二十九条の二の四の規定が適用される配管設備	配置図	建築物の外部の給水タンク等の位置
		配管設備の種別及び配置
		給水タンク及び貯水タンク（以下「給水タンク等」という。）からくみ取便所の便槽、浄化槽、排水管（給水タンク等の水抜管又はオーバーフロー管に接続する管を除く。）、ガソリンタンクその他衛生上有害な物の貯留槽又は処理に供する施設までの水平距離（給水タンク等の底が地盤面下にある場合に限る。）
	各階平面図	配管設備の種別及び配置
		給水管、配電管その他の管が防火区画等を貫通する部分の位置及び構造
		給水タンク等の位置及び構造
		建築物の内部、屋上又は最下階の床下に設ける給水タンク等の周辺の状況
		ガス栓及びガス漏れ警報設備の位置
	二面以上の断面図	給水管、配電管その他の管が防火区画等を貫通する部分の構造
		給水タンク等の位置及び構造
		建築物の内部、屋上又は最下階の床下に設ける給水タンク等の周辺の状況
		ガス漏れ警報設備を設けた場合にあつては、当該設備及びガス栓の位置
	配管設備の仕様書	腐食するおそれのある部分及び当該部分の材料に応じ腐食防止のために講じた措置
		圧力タンク及び給湯設備に設ける安全装置の種別
		水槽、流しその他水を入れ、又は受ける設備に給水する飲料水の配管設備の水栓の開口部に講じた水の逆流防止のための措置
		給水管の凍結による破壊のおそれのある部分及び当該部分に講じた防凍のための措置
		金属製の給水タンク等に講じたさび止めのための措置
		給水管に講じたウォーターハンマー防止のための措置
		ガス栓の金属管等への接合方法
		ガスが過流出した場合に自動的にガスの流出を停止することができる機構の種別
		排水トラップの深さ及び汚水に含まれる汚物等が付着又は沈殿しない措置
	配管設備の構造詳細図	飲料水の配管設備に設ける活性炭等の濾材その他これに類するものを内蔵した装置の位置及び構造
		給水タンク等の構造
		排水槽の構造
		阻集器の位置及び構造
		ガス漏れ警報設備の構造
	配管設備の系統図	配管設備の種類、配置及び構造
		配管設備の末端の連結先
		給水管、配電管その他の管が防火区画等を貫通する部分の位置
		給水管の止水弁の位置
		排水トラップ、通気管等の位置
	排水のための配管設備の容量及び傾斜を算出した際の計算書	排水のための配管設備の容量及び傾斜並びにそれらの算出方法
	配管設備の使用材料表	配管設備に用いる材料の種別
	風道の構造詳細図	風道の構造
		防火設備及び特定防火設備の位置
令第百二十九条の二の五の規定が適用される換気設備	各階平面図	給気口又は給気機の位置
		排気口若しくは排気機又は排気筒の位置
	二面以上の断面図	給気口又は給気機の位置
		排気口若しくは排気機又は排気筒の位置
	換気設備の構造詳細図	排気筒の立上り部分及び頂部の構造
		給気機の外気取入口、給気口及び排気口並びに排気筒の頂部に設ける雨水の浸入又はね

		ずみ、虫、ほこりその他衛生上有害なものの侵入を防ぐための設備の構造
		直接外気に開放された給気口又は排気口に換気扇を設けた換気設備の外気の流れによつて著しく換気能力が低下しない構造
		中央管理方式の空気調和設備の空気浄化装置に設ける濾過材、フィルターその他これらに類するものの構造
	中央管理方式の空気調和設備の給気機又は排気機の給気又は排気能力を算出した際の計算書	中央管理方式の空気調和設備の給気機又は排気機の給気又は排気能力及びその算出方法
		換気経路の全圧力損失（直管部損失、局部損失、諸機器その他における圧力損失の合計をいう。）及びその算出方法
	換気設備の使用材料表	風道に用いる材料の種別
令第百二十九条の二の六の規定が適用される冷却塔設備	各階平面図	冷却塔設備から建築物の他の部分までの距離
	二面以上の断面図	冷却塔設備から建築物の他の部分までの距離
	冷却塔設備の仕様書	冷却塔設備の容量
	冷却塔設備の使用材料表	冷却塔設備の主要な部分に用いる材料の種別
令第百二十九条の三第一項第一号及び第二項第一号並びに第百二十九条の四から第百二十九条の十一までの規定が適用されるエレベーター	各階平面図	エレベーターの機械室に設ける換気上有効な開口部又は換気設備の位置
		エレベーターの機械室の出入口の構造
		エレベーターの機械室に通ずる階段の構造
		エレベーター昇降路の壁又は囲いの全部又は一部を有さない部分の構造
	床面積求積図	エレベーターの機械室の床面積及び昇降路の水平投影面積の求積に必要な建築物の各部分の寸法及び算式
	エレベーターの仕様書	乗用エレベーター及び寝台用エレベーターである場合にあつては、エレベーターの用途及び積載量並びに最大定員
		昇降行程
		エレベーターのかごの定格速度
		保守点検の内容
	エレベーターの構造詳細図	エレベーターのかごの構造
		エレベーターの主要な支持部分の位置及び構造
		エレベーターの釣合おもりの構造
		エレベーターのかご及び昇降路の壁又は囲い及び出入口の戸の位置及び構造
		非常の場合においてかご内の人を安全にかご外に救出することができる開口部の位置及び構造
		エレベーターの駆動装置及び制御器の位置及び取付方法
		エレベーターの制御器の構造
		エレベーターの安全装置の位置及び構造
		乗用エレベーター及び寝台用エレベーターである場合にあつては、エレベーターの用途及び積載量並びに最大定員を明示した標識の意匠及び当該標識を掲示する位置
	エレベーターのかご、昇降路及び機械室の断面図	乗用エレベーター及び寝台用エレベーターである場合にあつては、出入口の床先とかごの床先との水平距離及びかごの床先と昇降路の壁との水平距離
		エレベーターの昇降路内の突出物の種別、位置及び構造
		エレベーターの機械室の床面から天井又ははりの下端までの垂直距離
		エレベーターの機械室に通ずる階段の構造
	エレベーター強度検証法により検証した際の計算書	固定荷重及び積載荷重によつて主要な支持部分等に生ずる力
		主要な支持部分等の断面に生ずる常時及び安全装置作動時の各応力度
		主要な支持部分等の材料の破壊強度を安全率で除して求めた許容応力度
		独立してかごを支え、又は吊ることができる部分の材料の破断強度を限界安全率で除して求めた限界の許容応力度
	エレベーターの荷重を算出した際の計算書	エレベーターの各部の固定荷重
		エレベーターのかごの積載荷重及びその算出方法

	令第百二十九条の四第三項第六号又は第七号の規定に適合することの確認に必要な図書	エレベーターのかごの床面積
		令第百二十九条の四第三項第六号の構造計算の結果及びその算出方法
		令第百二十九条の四第三項第七号の構造計算の結果及びその算出方法
	エレベーターの使用材料表	エレベーターのかご及び昇降路の壁又は囲い及び出入口の戸（構造上軽微な部分を除く。）に用いる材料の種別
		エレベーターの機械室の出入口に用いる材料
令第百二十九条の三第一項第二号及び第二項第二号並びに第百二十九条の十二の規定が適用されるエスカレーター	各階平面図	エスカレーターの位置
	エスカレーターの仕様書	エスカレーターの勾配及び揚程
		エスカレーターの踏段の定格速度
		保守点検の内容
	エスカレーターの構造詳細図	通常の使用状態において人又は物が挟まれ、又は障害物に衝突することがないようにするための措置
		エスカレーターの踏段の構造
		エスカレーターの取付け部分の構造方法
		エスカレーターの主要な支持部分の位置及び構造
		エスカレーターの制動装置の構造
		昇降口において踏段の昇降を停止させることができる装置の構造
	エスカレーターの断面図	エスカレーターの踏段の両側に設ける手すりの構造
		エスカレーターの踏段の幅及び踏段の端から当該踏段の端の側にある手すりの上端部及び中心までの水平距離
	エスカレーター強度検証法により検証した際の計算書	固定荷重及び積載荷重によつて主要な支持部分等に生ずる力
		主要な支持部分等の断面に生ずる常時及び安全装置作動時の各応力度
		主要な支持部分等の材料の破壊強度を安全率で除して求めた許容応力度
		独立して踏段を支え、又は吊ることができる部分の材料の破断強度を限界安全率で除して求めた限界の許容応力度
	エスカレーターの荷重を算出した際の計算書	エスカレーターの各部の固定荷重
		エスカレーターの踏段の積載荷重及びその算出方法
		エスカレーターの踏段面の水平投影面積
令第百二十九条の三第一項第三号及び第二項第三号並びに第百二十九条の十三の規定が適用される小荷物専用昇降機	各階平面図	小荷物専用昇降機の昇降路の壁又は囲い及び出し入れ口の戸の位置
	小荷物専用昇降機の構造詳細図	小荷物専用昇降機の昇降路の壁又は囲い及び出し入れ口の戸の構造
		小荷物専用昇降機の安全装置の位置及び構造
		かごの構造
	小荷物専用昇降機の使用材料表	小荷物専用昇降機の昇降路の壁又は囲い及び出し入れ口の戸に用いる材料の種別
令第百二十九条の十三の二及び第百二十九条の十三の三の規定が適用される非常用エレベーター	各階平面図	非常用エレベーターの配置
		高さ三十一メートルを超える建築物の部分の階の用途
		非常用エレベーターの乗降ロビーの位置
		バルコニーの位置
		非常用の乗降ロビーの出入口（特別避難階段の階段室に通ずる出入口及び昇降路の出入口を除く。）に設ける特定防火設備
		非常用エレベーターの乗降ロビーの床及び壁（窓若しくは排煙設備又は出入口を除く。）の構造
		予備電源を有する照明設備の位置
		屋内消火栓、連結送水管の放水口、非常コンセント設備等の消火設備を設置できる非常用エレベーターの乗降ロビーの部分
		非常用エレベーターの積載量及び最大定員
		非常用エレベーターである旨、避難階における避難経路その他避難上必要な事項を明示した標識を掲示する位置
		非常用エレベーターを非常の用に供している場合においてその旨を明示することができ

		図書の種類	明示すべき事項
			る表示灯その他これに類するものの位置
			非常用エレベーターの昇降路の床及び壁（乗降ロビーに通ずる出入口及び機械室に通ずる鋼索、電線その他のものの周囲を除く。）の構造
			避難階における非常用エレベーターの昇降路の出入口又は令第百二十九条の十三の三第三項に規定する構造の乗降ロビーの出入口から屋外への出口（道又は道に通ずる幅員四メートル以上の通路、空地その他これらに類するものに接しているものに限る。）の位置
			避難階における非常用エレベーターの昇降路の出入口又は令第百二十九条の十三の三第三項に規定する構造の乗降ロビーの出入口から屋外への出口（道又は道に通ずる幅員四メートル以上の通路、空地その他これらに類するものに接しているものに限る。）の一に至る歩行距離
		床面積求積図	非常用エレベーターの乗降ロビーの床面積の求積に必要な建築物の各部分の寸法及び算式
		二面以上の断面図	建築物の高さが三十一メートルとなる位置
		エレベーターの仕様書	非常用エレベーターのかごの積載量
		エレベーターの構造詳細図	非常用エレベーターのかご及びその出入口の寸法
			非常用エレベーターのかごを呼び戻す装置の位置
			非常用エレベーターのかご内と中央管理室とを連絡する電話装置の位置
			非常用エレベーターのかごの戸を開いたままかごを昇降させることができる装置及び予備電源の位置
			非常用エレベーターの予備電源の位置
		エレベーターの使用材料表	非常用エレベーターの乗降ロビーの室内に面する部分の仕上げ及び下地に用いる材料の種別
		令第百二十九条の十三の三第十三項の規定に適合することの確認に必要な図書	令第百二十九条の十三の三第十三項に規定する構造方法への適合性審査に必要な事項
(十一)	高圧ガス保安法（昭和二十六年法律第二百四号）第二十四条の規定が適用される家庭用設備	各階平面図	一般高圧ガス保安規則（昭和四十一年通商産業省令第五十三号）第五十二条に規定する燃焼器に接続する配管の配置
			一般高圧ガス保安規則第五十二条に規定する家庭用設備の位置
		家庭用設備の構造詳細図	閉止弁と燃焼器との間の配管の構造
			硬質管以外の管と硬質管とを接続する部分の締付状況
(十二)	ガス事業法（昭和二十九年法律第五十一号）第百六十二条の規定が適用される消費機器	各階平面図	ガス事業法施行規則（昭和四十五年通商産業省令第九十七号）第二百二条第一号に規定する燃焼器（以下この項において単に「燃焼器」という。）の排気筒又は排気フードの位置
			給気口その他給気上有効な開口部の位置及び構造
			密閉燃焼式の燃焼器の給排気部の位置及び構造
		二面以上の断面図	燃焼器の排気筒の高さ
			燃焼器の排気筒又は密閉燃焼式の燃焼器の給排気部が外壁を貫通する箇所の構造
		消費機器の仕様書	燃焼器の種類
			ガスの消費量
			燃焼器出口の排気ガスの温度
			ガス事業法施行規則第二十一条に規定する建物区分（以下この項において単に「建物区分」という。）のうち特定地下街等又は特定地下室等に設置する燃焼器と接続するガス栓における過流出安全機構の有無
			ガス事業法施行規則第二百二条第十号に規定する自動ガス遮断装置の有無
			ガス事業法施行規則第二百二条第十号に規定するガス漏れ警報器の有無
		消費機器の構造詳細図	燃焼器の排気筒の構造及び取付状況
			燃焼器の排気筒を構成する各部の接続部並びに排気筒及び排気扇の接続部の取付状況

			燃焼器と直接接続する排気扇と燃焼器との取付状況
			密閉燃焼式の燃焼器の給排気部（排気に係るものに限る。）を構成する各部の接続部並びに給排気部及び燃焼器のケーシングの接続部の取付状況
			燃焼器の排気筒に接続する排気扇が停止した場合に燃焼器へのガスの供給を自動的に遮断する装置の位置
			建物区分のうち特定地下街等又は特定地下室等に設置する燃焼器とガス栓との接続状況
		消費機器の使用材料表	燃焼器の排気筒に用いる材料の種別
			燃焼器の排気筒に接続する排気扇に用いる材料の種別
			密閉燃焼式の燃焼器の給排気部（排気に係るものに限る。）に用いる材料の種別
(十三)	水道法（昭和三十二年法律第百七十七号）第十六条の規定が適用される給水装置	給水装置の構造詳細図	水道法第十六条に規定する給水装置（以下この項において単に「給水装置」という。）の構造
		給水装置の使用材料表	給水装置の材質
(十四)	下水道法（昭和三十三年法律第七十九号）第十条第一項の規定が適用される排水設備	配置図	下水道法第十条第一項に規定する排水設備（以下この項において単に「排水設備」という。）の位置
		排水設備の構造詳細図	排水設備の構造
(十五)	下水道法第二十五条の二の規定が適用される排水設備	配置図	下水道法第二十五条の二に規定する排水設備（以下この項において単に「排水設備」という。）の配置
		下水道法第二十五条の二の条例の規定に適合することの確認に必要な図書	当該条例で定められた基準に係る排水設備に関する事項
(十六)	下水道法第三十条第一項の規定が適用される排水施設	配置図	下水道法第三十条第一項に規定する排水施設（以下この項において単に「排水施設」という。）の位置
		排水施設の構造詳細図	排水施設の構造
(十七)	液化石油ガスの保安の確保及び取引の適正化に関する法律（昭和四十二年法律第百四十九号）第三十八条の二の規定が適用される供給設備及び消費設備	配置図	液化石油ガスの保安の確保及び取引の適正化に関する法律施行規則（平成九年通商産業省令第十一号）第十八条第一号に規定する貯蔵設備及び同条第三号に規定する貯槽並びに同令第一条第二項第六号に規定する第一種保安物件及び同項第七号に規定する第二種保安物件の位置
			供給管の配置
		供給設備の仕様書	貯蔵設備の貯蔵能力
			貯蔵設備、気化装置及び調整器が供給しうる液化石油ガスの数量
			一般消費者等の液化石油ガスの最大消費数量
		供給設備の構造詳細図	貯蔵設備の構造
			バルブ、集合装置、気化装置、供給管及びガス栓の構造
		供給設備の使用材料表	貯蔵設備に用いる材料の種別
		消費設備の構造詳細図	消費設備の構造
(十八)	浄化槽法（昭和五十八年法律第四十三号）第三条の二第一項の規定が適用される浄化槽	配置図	浄化槽法第三条の二第一項に規定する浄化槽からの放流水の放流先又は放流方法
(十九)	特定都市河川浸水被害対策法（平成十五年法律第七十七号）第十条の規定が適用される排水設備	配置図	特定都市河川浸水被害対策法第十条に規定する排水設備（以下この項において単に「排水設備」という。）の配置
		特定都市河川浸水被害対策法第十条の条例の規定に適合することの確認に必要な図書	当該条例で定められた基準に係る排水設備に関する事項

二

	(い)	(ろ)
(一)	法第三十一条第二項の認定を受けたものとする構造の屎尿浄化槽	法第三十一条第二項に係る認定書の写し
(二)	令第二十条の二第一号ニの認定を受けたものとする構造の換気設備	令第二十条の二第一号ニに係る認定書の写し
(三)	令第二十条の三第二項第一号ロの認定を受けたものとする構造の換気設備	令第二十条の三第二項第一号ロに係る認定書の写し
(四)	令第二十条の八第一項第一号ロ(1)の認定を受けたものとする構造の居室内の空気を浄化して供給する方式を用いる機械換気設備	令第二十条の八第一項第一号ロ(1)に係る認定書の写し

(五)	令第二十条の八第一項第一号ハの認定を受けたものとする構造の中央管理方式の空気調和設備	令第二十条の八第一項第一号ハに係る認定書の写し
(六)	令第二十九条の認定を受けたものとする構造のくみ取便所	令第二十九条に係る認定書の写し
(七)	令第三十条第一項の認定を受けたものとする構造の特殊建築物及び特定区域の便所	令第三十条第一項に係る認定書の写し
(八)	令第三十五条第一項の認定を受けたものとする構造の合併処理浄化槽	令第三十五条第一項に係る認定書の写し
(九)	令第百十五条第一項第三号ロに規定する認定を受けたものとする構造の煙突	令第百十五条第一項第三号ロに係る認定書の写し
(十)	令第百二十六条の五第二号の認定を受けたものとする構造の非常用の照明装置	令第百二十六条の五第二号に係る認定書の写し
(十一)	令第百二十九条の二の四第一項第三号ただし書の認定を受けたものとする構造の昇降機の昇降路内に設ける配管設備	令第百二十九条の二の四第一項第三号ただし書に係る認定書の写し
(十二)	令第百二十九条の二の四第一項第七号ハの認定を受けたものとする構造の防火区画等を貫通する管	令第百二十九条の二の四第一項第七号ハに係る認定書の写し
(十三)	令第百二十九条の二の四第二項第三号の認定を受けたものとする構造の飲料水の配管設備	令第百二十九条の二の四第二項第三号に係る認定書の写し
(十四)	令第百二十九条の二の六第三号の認定を受けたものとする構造の冷却塔設備	令第百二十九条の二の六第三号に係る認定書の写し
(十五)	令第百二十九条の四第一項第三号の認定を受けたものとする構造のかご及び主要な支持部分を有するエレベーター	令第百二十九条の四第一項第三号に係る認定書の写し
(十六)	令第百二十九条の八第二項の認定を受けたものとする構造の制御器を有するエレベーター	令第百二十九条の八第二項に係る認定書の写し
(十七)	令第百二十九条の十第二項の認定を受けたものとする構造の制動装置を有するエレベーター	令第百二十九条の十第二項に係る認定書の写し
(十八)	令第百二十九条の十第四項の認定を受けたものとする構造の安全装置を有するエレベーター	令第百二十九条の十第四項に係る認定書の写し
(十九)	令第百二十九条の十二第一項第六号の認定を受けたものとする構造のエスカレーター	令第百二十九条の十二第一項第六号に係る認定書の写し
(二十)	令第百二十九条の十二第二項において準用する令第百二十九条の四第一項第三号の認定を受けたものとする構造の踏段及び主要な支持部分を有するエスカレーター	令第百二十九条の十二第二項において準用する令第百二十九条の四第一項第三号に係る認定書の写し
(二十一)	令第百二十九条の十二第五項の認定を受けたものとする構造の制動装置を有するエスカレーター	令第百二十九条の十二第五項に係る認定書の写し
(二十二)	令第百二十九条の十三の三第十三項の認定を受けたものとする構造の昇降路又は乗降ロビーを有する非常用エレベーター	令第百二十九条の十三の三第十三項に係る認定書の写し
(二十三)	令第百二十九条の十五第一号の認定を受けたものとする構造の避雷設備	令第百二十九条の十五第一号に係る認定書の写し

5　第一項又は前項の規定にかかわらず、次の各号に掲げる建築物の計画に係る確認の申請書にあつては、それぞれ当該各号に定めるところによるものとする。

一　法第六条の四第一項第二号に掲げる建築物　法第六十八条の十第一項の認定を受けた型式（以下「認定型式」という。）の認定書の写し（その認定型式が令第百三十六条の二の十一第一号イに掲げる規定に適合するものであることの認定を受けたものである場合にあつては、当該認定型式の認定書の写し及び申請に係る建築物が当該認定型式に適合する建築物の部分を有するものであることを確認するために必要な図書及び書類として国土交通大臣が定めるもの）を添えたものにあつては、次の表一の(い)欄に掲げる建築物の区分に応じ、同表の(ろ)欄に掲げる図書についてはこれを添えることを要しない。

二　法第六条の四第一項第三号に掲げる建築物　次の表二の(い)欄に掲げる建築物の区分に応じ、同表の(ろ)欄に掲げる図書についてはこれを添えることを要せず、同表の(は)欄に掲げる図書については同表の(に)欄に掲げる事項を明示することを要しない。

三　法第六十八条の二十第一項に規定する認証型式部材等（第三条第四項第二号を除き、以下単に「認証型式部材等」という。）を有する建築物　認証型式部材等に係る認証書の写しを添えたものにあつては、次の表一の(い)欄に掲げる建築物の区分に応じ、同表の(ろ)欄及び(は)欄に掲げる図書についてはこれらを添えることを要せず、同表の(に)欄に掲げる図書については同表の(ほ)欄に掲げる事項を明示することを要しない。

一

	(い)	(ろ)	(は)	(に)	(ほ)
(一)	令第百三十六条の二の十一第一号に掲げる建築物の部分（同号イに掲げる規定に適合するものであることの認定を受けたものに限る。）を有する建築物	第一項の表一から表五までに掲げる図書（表五の(二)項にあつては、令第六十二条の八ただし書に係るものを除く。）	第一項の表一の(は)項に掲げる図書及び同項の表二の(ろ)欄に掲げる図書のうち令第百三十六条の二の十一第一号イに掲げる規定が適用される建築物の部分に係る図書	第一項の表一の(い)項に掲げる図書のうち各階平面図	壁及び筋かいの位置及び種類、通し柱の位置並びに延焼のおそれのある部分の外壁の位置及び構造
				第一項の表一の(ろ)項に掲げる図書のうち二面以上の立面図	延焼のおそれのある部分の外壁及び軒裏の構造
				第一項の表一の(ろ)項に掲げる図書のうち二面以上の断面図	各階の床及び天井の高さ
(二)	令第百三十六条の二の十一第一号に掲げる建築物の部分（同号ロに掲げる規定に適合する	第一項の表三から表五まで及び前項の表二（(一)項及び(八)項を除く。）に掲げる図書	第一項の表一の(は)項に掲げる図書及び同項の表二の(ろ)欄に掲げる図書のうち令第百三十六	第一項の表一の(い)項に掲げる図書のうち各階平面図	壁及び筋かいの位置及び種類、通し柱の位置並びに延焼のおそれのある部分の外壁の位置

	ものであることの認定を受けたものに限る。）を有する建築物	（第一項の表五の(二)項にあつては令第六十二条の八ただし書に係るものを、前項の表二の(十三)項にあつては給水タンク及び貯水タンクその他これらに類するもの（屋上又は屋内にあるものを除く。）に係るものを除く。）	条の二の十一第一号ロに掲げる規定が適用される建築物の部分に係る図書		及び構造
			前項の表一に掲げる図書（改良便槽、屎尿浄化槽及び合併処理浄化槽並びに給水タンク及び貯水タンクその他これらに類するもの（屋上又は屋内にあるものを除く。）に係るものを除く。）	第一項の表一の(ろ)項に掲げる図書のうち二面以上の立面図	延焼のおそれのある部分の外壁及び軒裏の構造
				第一項の表一の(ろ)項に掲げる図書のうち二面以上の断面図	各階の床及び天井の高さ
(三)	防火設備を有する建築物	第一項の表四の(四)項、(二十四)項、(二十五)項及び(七)項の(ろ)欄に掲げる図書	第一項の表二の(ろ)欄に掲げる図書のうち令第百三十六条の二の十一第二号の表の(一)項に掲げる規定が適用される建築物に係る図書（防火設備に係るものに限り、各階平面図を除く。）	第一項の表一の(ろ)項に掲げる図書のうち二面以上の立面図	開口部の構造
(四)	換気設備を有する建築物	第一項の表四の(七)項の(ろ)欄に掲げる図書及び前項の表二の(四)項の(ろ)欄に掲げる図書	前項の表一の(ろ)欄に掲げる図書のうち令第百三十六条の二の十一第二号の表の(二)項に掲げる規定が適用される換気設備に係る図書（各階平面図を除く。）		
(五)	屎尿浄化槽又は合併処理浄化槽を有する建築物	第一項の表四の(七)項の(ろ)欄及び前項の表二の(八)項の(ろ)欄に掲げる図書	前項の表一の(ろ)欄に掲げる図書のうち令第百三十六条の二の十一第二号の表の(三)項又は(四)項に掲げる規定が適用される屎尿浄化槽又は合併処理浄化槽に係る図書（各階平面図を除く。）		
(六)	非常用の照明装置を有する建築物	第一項の表四の(七)項の(ろ)欄及び前項の表二の(十)項の(ろ)欄に掲げる図書	前項の表一の(ろ)欄に掲げる図書のうち令第百三十六条の二の十一第二号の表の(五)項に掲げる規定が適用される非常用の照明装置に係る図書（各階平面図を除く。）		
(七)	給水タンク又は貯水タンクを有する建築物	第一項の表四の(七)項の(ろ)欄及び前項の表二の(十三)項の(ろ)欄に掲げる図書	前項の表一の(ろ)欄に掲げる図書のうち令第百三十六条の二の十一第二号の表の(六)項に掲げる規定が適用される給水タンク又は貯水タンクに係る図書（各階平面図を除く。）		
(八)	冷却塔設備を有する建築物	第一項の表四の(七)項の(ろ)欄及び前項の表二の(十四)項の(ろ)欄に掲げる図書	前項の表一の(ろ)欄に掲げる図書のうち令第百三十六条の二の十一第二号の(七)項に掲げる規定が適用される冷却塔設備に係る図書（各階平面図を除く。）		
(九)	エレベーターの部分で昇降路及	第一項の表四の(七)項の(ろ)欄に掲げ	前項の表一の(ろ)欄に掲げる図書の	前項の表一の(十)項の(ろ)欄に掲げる	昇降路の構造以外の事項

	び機械室以外のものを有する建築物	る図書、前項の表一の(十)項に掲げるエレベーター強度検証法により検証をした際の計算書並びに前項の表二の(十五)項、(十六)項、(十七)項及び(十八)項の(ろ)欄に掲げる図書	うち令第百三十六条の二の十一第二号の(八)項に掲げる規定が適用されるエレベーターの部分で昇降路及び機械室以外のものに係る図書（各階平面図及び前項の表一の(十)項の(ろ)欄に掲げるエレベーターの構造詳細図を除く。）	エレベーターの構造詳細図	
(十)	エスカレーターを有する建築物	第一項の表四の(十七)項の(ろ)欄に掲げる図書、前項の表一の(十)項に掲げるエスカレーター強度検証法により検証をした際の計算書並びに前項の表二の(二十)項及び(二十一)項の(ろ)欄に掲げる図書	前項の表一の(ろ)欄に掲げる図書のうち令第百三十六条の二の十一第二号の(九)項に掲げる規定が適用されるエスカレーターに係る図書（各階平面図を除く。）		
(十一)	避雷設備を有する建築物	第一項の表四の(十七)項の(ろ)欄及び前項の表二の(二十二)項の(ろ)欄に掲げる図書	前項の表一の(六)項の(ろ)欄に掲げる図書のうち令第百三十六条の二の十一第二号の(十)項に掲げる規定が適用される避雷設備に係る図書（各階平面図を除く。）		

二

(い)	(ろ)	(は)	(に)
令第十条第三号に掲げる一戸建ての住宅	第一項の表一に掲げる図書のうち付近見取図、配置図及び各階平面図以外の図書 第一項の表二及び表五並びに第四項の表一に掲げる図書のうち令第十条第三号イからハまでに定める規定に係る図書	第一項の表一の(い)項に掲げる図書のうち各階平面図	筋かいの位置及び種類、通し柱の位置並びに延焼のおそれのある部分の外壁の構造
令第十条第四号に掲げる建築物	第一項の表一に掲げる図書のうち付近見取図、配置図及び各階平面図以外の図書 第一項の表二及び表五並びに第四項の表一に掲げる図書のうち令第十条第四号イからハまでに定める規定に係る図書	第一項の表一の(い)項に掲げる図書のうち各階平面図	筋かいの位置及び種類並びに通し柱の位置

6　第一項の表一及び表二並びに第四項の表一の各項に掲げる図書に明示すべき事項をこれらの表に掲げる図書のうち他の図書に明示してその図書を第一項又は第四項の申請書に添える場合においては、第一項又は第四項の規定にかかわらず、当該各項に掲げる図書に明示することを要しない。この場合において、当該各項に掲げる図書に明示すべきすべての事項を当該他の図書に明示したときは、当該各項に掲げる図書を第一項又は第四項の申請書に添えることを要しない。

7　特定行政庁は、申請に係る建築物が法第三十九条第二項、第四十条、第四十三条第三項、第四十三条の二、第四十九条から第五十条まで、第六十八条の二第一項若しくは第六十八条の九第一項の規定に基づく条例（法第八十七条第二項又は第三項においてこれらの規定に基づく条例の規定を準用する場合を含む。）又は第六十八条の九第二項の規定に基づく条例の規定に適合するものであることについての確認をするために特に必要があると認める場合においては、規則で、第一項又は第四項の規定に定めるもののほか、申請書に添えるべき図書について必要な規定を設けることができる。

8　前各項の規定にかかわらず、確認を受けた建築物の計画の変更の場合における確認の申請書並びにその添付図書及び添付書類は、前各項に規定する申請書並びにその添付図書及び添付書類並びに当該計画の変更に係る直前の確認に要した図書及び書類（変更に係る部分に限る。）とする。ただし、当該直前の確認を受けた建築主事等に対して申請を行う場合においては、変更に係る部分の申請書（第一面が別記第四号様式によるものをいう。）並びにその添付図書及び添付書類とする。

9　申請に係る建築物の計画が全体計画認定又は全体計画変更認定を受けたものである場合において、前各項の規定により申請書に添えるべき図書及び書類と当該建築物が受けた全体計画認定又は全体計画変更認定に要した図書及び書類の内容が同一であるときは、申請書にその旨を記載した上で、当該申請書に添えるべき図書及び書類のうち当該内容が同一であるものについては、申請書の正本一通及び副本一通に添えることを要しない。

10　前各項の規定にかかわらず、増築又は改築後において、増築又は改築に係る部分とそれ以外の部分とがエキスパンションジョイントその他の相互に応力を伝えない構造方法のみで接するものとなる建築物の計画のうち、増築又は改築に係る部分以外の部分の計画が増築又は改築後においても令第八十一条第二項又は第三項に規定する基準に適合することが明らかなものとして国土交通大臣が定めるもの（以下この項及び第三条の七第四項において「構造計算基準に適合する部分の計画」という。）に係る確認の申請において、当該申請に係る建築物の直前の確認に要した図書及び書類（確認を受けた建築物の計画の変更に係る確認を受けた場合にあつては当該確認に要した図書及び書類を含む。次項において「直前の確認に要した図書及び書類」という。）並びに当該建築物に係る検査済証の写しを確認の申請書に添えた場合にあつては、第一項第一号ロ(2)に掲げる図書及び書類（構造計算基準に適合する部分の計画に係るものに限る。）を添えることを要しない。

11　前項の規定による申請を当該申請に係る建築物の直前の確認（確認を受けた建築物の計画の変更に係る確認を受けた場合にあつては当該確認）を受けた建築主事等に対して行う場合においては、当該建築主事等が直前の確認に要した図書及び書類を有していないことその他の理由により提出を求める場合を除き、当該図書及び書類を添えることを要しない。

（建築主事等による留意事項の通知）

第一条の四　建築主事等は、法第六条第一項の規定による確認の申請を受けた場合において、申請に係る建築物の計画について都道府県知事又は指定構造計算適合性判定機関が構造計算適合性判定を行うに当たつて留意すべき事項があると認めるときは、当該計画について構造計算適合性判定の申請を受けた都道府県知事又は指定構造計算適合性判定機関に対し、当該事項の内容を通知するものとする。

（確認済証等の様式等）

第二条　法第六条第四項（法第八十七条第一項において準用する場合を含む。）の規定による確認済証の交付は、別記第五号様式による確認済証に第一条の三の申請書の副本一通並びにその添付図書及び添付書類、第三条の十二に規定する図書及び書類並びに建築物のエネルギー消費性能の向上等に関する法律施行規則（平成二十八年国土交通省令第五号）第六条に規定する書類（建築物のエネルギー消費性能の向上等に関する法律（平成二十七年法律第五十三号）第十二条第六項に規定する適合判定通知書又はその写し、同規則第六条第一号に規定する認定書の写し、同条第二号に規定する通知書又はその写し及び同条第三号に規定する通知書又はその写しを除く。第四項、第三条の四第一項及び同条第二項第一号において同じ。）を添えて行うものとする。

2　法第六条第六項の国土交通省令で定める場合は、次のいずれかに該当する場合とする。

一　申請に係る建築物の計画が特定増改築構造計算基準（令第八十一条第二項に規定する基準に従つた構造計算で、法第二十条第一項第二号イに規定する方法によるものによつて確かめられる安全性を有することに係る部分に限る。）に適合するかどうかの審査をする場合

二　申請に係る建築物（法第六条第一項第二号又は第三号に掲げる建築物に限る。）の計画が令第八十一条第二項又は第三項に規定する基準に従つた構造計算で、法第二十条第一項第二号イ又は第三号イに規定するプログラムによるものによつて確かめられる安全性を有するかどうかを審査する場合において、第一条の三第一項第一号ロ(2)ただし書の規定による電磁的記録媒体の提出がなかつた場合

三　申請に係る建築物（法第六条第一項第二号又は第三号に掲げる建築物を除く。）の計画が令第八十一条第二項又は第三項に規定する基準に従つた構造計算で、法第二十条第一項第二号イ又は第三号イに規定するプログラムによるものによつて確かめられる安全性を有するかどうかを審査する場合

四　申請に係る建築物の計画が令第八十一条第三項に規定する基準に従つた構造計算で、法第二十条第一項第三号イに規定する方法によるものによつて確かめられる安全性を有するかどうかを審査する場合

五　法第六条第四項の期間の末日の三日前までに法第六条の三第七項に規定する適合判定通知書（以下単に「適合判定通知書」という。）若しくはその写し又は建築物のエネルギー消費性能の向上等に関する法律第十二条第六項に規定する適合判定通知書若しくはその写し（建築物のエネルギー消費性能の向上等に関する法律施行規則第六条第一号に掲げる場合にあつては同号に規定する認定書の写し、同条第二号に掲げる場合にあつては同号に規定する通知書又はその写し、同条第三号に掲げる場合にあつては同号に規定する通知書又はその写し。第四項、第三条の四第二項第一号及び第六条の三第二項第十一号において同じ。）の提出がなかつた場合

3　法第六条第六項の規定による同条第四項の期間を延長する旨及びその延長する期間並びにその期間を延長する理由を記載した通知書の交付は、別記第五号の二様式により行うものとする。

4　法第六条第七項（法第八十七条第一項において準用する場合を含む。次項において同じ。）の規定による適合しないことを認めた旨及びその理由を記載した通知書の交付は、別記第六号様式による通知書に第一条の三の申請書の副本一通並びにその添付図書及び添付書類、適合判定通知書又はその写し、第三条の十二に規定する図書及び書類、建築物のエネルギー消費性能の向上等に関する法律第十二条第六項に規定する適合判定通知書又はその写し並びに建築物のエネルギー消費性能の向上等に関する法律施行規則第六条に規定する書類を添えて行うものとする。

5　法第六条第七項の規定による適合するかどうかを決定することができない旨及びその理由を記載した通知書の交付は、別記第七号様式により行うものとする。

第二条　法第六条第四項（法第八十七条第一項において準用する場合を含む。）の規定による確認済証の交付は、別記第五号様式による確認済証に第一条の三の申請書の副本一通並びにその添付図書及び添付書類、第三条の十二に規定する図書及び書類並びに建築物のエネルギー消費性能の向上等に関する法律施行規則第八条に規定する書類（建築物のエネルギー消費性能の向上等に関する法律第十一条第六項に規定する適合判定通知書又はその写し、同令第八条第一号に規定する認定書の写し、同条第二号に規定する通知書又はその写し及び同条第三号に規定する通知書又はその写しを除く。第四項、第三条の四第一項及び同条第二項第一号において同じ。）を添えて行うものとする。

2　法第六条第六項の国土交通省令で定める場合は、次のいずれかに該当する場合とする。

一　［略］

二　申請に係る建築物（法第六条第一項第二号に掲げる建築物に限る。）の計画が令第八十一条第二項又は第三項に規定する基準に従つた構造計算で、法第二十条第一項第二号イ又は第三号イに規定するプログラムによるものによつて確かめられる安全性を有するかどうかを審査する場合において、第一条の三第一項第一号ロ(2)ただし書の規定による電磁的記録媒体の提出がなかつた場合

三　申請に係る建築物（法第六条第一項第二号に掲げる建築物を除く。）の計画が令第八十一条第二項又は第三項に規定する基準に従つた構造計算で、法第二十条第一項第二号イ又は第三号イに規定するプログラムによるものによつて確かめられる安全性を有するかどうかを審査する場合

四　［略］

五　法第六条第四項の期間の末日の三日前までに法第六条の三第七項に規定する適合判定通知書（以下「適合判定通知書」という。）若しくはその写し又は建築物のエネルギー消費性能の向上等に関する法律第十一条第六項に規定する適合判定通知書若しくはその写し（建築物のエネルギー消費性能の向上等に関する法律施行規則第八条第一号に掲げる場合にあつては同号に規定する認定書の写し、同条第二号に掲げる場合にあつては同号に規定する通知書又はその写し、同条第三号に掲げる場合にあつては同号に規定する通知書又はその写し。第四項、第三条の四第二項第一号及び第六条の三第二項第十一号において同じ。）の提出がなかつた場合

3　［略］

4　法第六条第七項（法第八十七条第一項において準用する場合を含む。次項において同じ。）の規定による適合しないことを認めた旨及びその理由を記載した通知書の交付は、別記第六号様式による通知書に第一条の三の申請書の副本一通並びにその添付図書及び添付書類、適合判定通知書又はその写し、第三条の十二に規定する図書及び書類、建築物のエネルギー消費性能の向上等に関する法律第十一条第六項に規定する適合判定通知書又はその写し並びに建築物のエネルギー消費性能の向上等に関する法律施行規則第八条に規定する書類を添えて行うものとする。

5　［略］

（建築設備に関する確認申請書及び確認済証の様式）

第二条の二　法第八十七条の四において準用する法第六条第一項の規定による確認の申請書は、次の各号に掲げる図書及び書類とする。

一　別記第八号様式（昇降機用）又は同様式（昇降機以外の建築設備用）による正本一通及び副本一通に、それぞれ、次に掲げる図書及び書類を添えたもの（正本に添える図書にあつては、当該図書の設計者の氏名が記載されたものに限る。）

イ　次の表の各項に掲げる図書

ロ　申請に係る建築設備が次の(1)から(4)までに掲げる建築設備である場合にあつては、それぞれ当該(1)から(4)までに定める図書及び書類

(1)　第一条の三第四項の表一の各項の(い)欄に掲げる建築設備　当該各項の(ろ)欄に掲げる図書

(2)　第一条の三第四項の表二の各項の(い)欄に掲げる建築設備　当該各項の(ろ)欄に掲げる書類（建築主事等が、当該書類を有していないこ

とその他の理由により、提出を求める場合に限る。）

(3) 法第三十七条の規定が適用される建築設備　第一条の三第一項の表二の(十八)項の(ろ)欄に掲げる図書

(4) 法第三十七条第二号の認定を受けたものとする建築材料を用いる建築設備　法第三十七条第二号に係る認定書の写し

二 代理者によつて確認の申請を行う場合にあつては、委任状又はその写し

図書の種類	明示すべき事項
付近見取図	方位、道路及び目標となる地物
配置図	縮尺及び方位
	敷地境界線、敷地内における建築物の位置及び申請に係る建築設備を含む建築物と他の建築物との別
	擁壁の設置その他安全上適当な措置
	土地の高低、敷地と敷地の接する道の境界部分との高低差及び申請に係る建築物の各部分の高さ
	敷地の接する道路の位置、幅員及び種類
	下水管、下水溝又はためますその他これに類する施設の位置及び排出又は処理経路
各階平面図	縮尺及び方位
	間取、各室の用途及び床面積
	壁及び筋かいの位置及び種類
	通し柱及び開口部の位置
	延焼のおそれのある部分の外壁の位置及び構造

2 前項の規定にかかわらず、次の各号に掲げる建築設備の計画に係る確認の申請書にあつては、それぞれ当該各号に定めるところによるものとする。

一 認定型式に適合する建築設備　認定型式の認定書の写しを添えたものにあつては、次の表の(い)欄に掲げる建築設備の区分に応じ、同表の(ろ)欄に掲げる図書についてはこれを添えることを要しない。

二 認証型式部材等を有する建築設備　認証型式部材等に係る認証書の写しを添えたものにあつては、次の表の(い)欄に掲げる建築設備の区分に応じ、同表の(ろ)欄及び(は)欄に掲げる図書についてはこれらを添えることを要せず、同表の(に)欄に掲げる図書については同表の(ほ)欄に掲げる事項を明示することを要しない。

	(い)	(ろ)	(は)	(に)	(ほ)
(一)	換気設備	第一条の三第四項の表二の(四)項の(ろ)欄に掲げる図書及び前項第一号ロ(4)に掲げる書類	第一条の三第四項の表一の(ろ)欄に掲げる図書のうち令第百三十六条の二の十一第二号の(二)項に掲げる規定が適用される換気設備に係る図書（各階平面図を除く。）		
(二)	非常用の照明装置	第一条の三第四項の表二の(十)項の(ろ)欄に掲げる図書及び第一項第一号ロ(4)に掲げる書類	第一条の三第四項の表一の(ろ)欄に掲げる図書のうち令第百三十六条の二の十一第二号の(五)項に掲げる規定が適用される非常用の照明装置に係る図書（各階平面図を除く。）		
(三)	給水タンク又は貯水タンク	第一条の三第四項の表二の(十三)項の(ろ)欄に掲げる図書及び前項第一号ロ(4)に掲げる書類	第一条の三第四項の表一の(ろ)欄に掲げる図書のうち令第百三十六条の二の十一第二号の(六)項に掲げる規定が適用される給水タンク又は貯水タンクに係る図書（各階平面図を除く。）		
(四)	冷却塔設備	第一条の三第四項の表二の(十四)項の(ろ)欄に掲げる図書及び前項第一号ロ(4)に掲げる書類	第一条の三第四項の表一の(ろ)欄に掲げる図書のうち令第百三十六条の二の十一第二号の(七)項に掲げる規定が適用される冷却塔設備に係る図書（各階平面図を除く。）		
(五)	エレベーターの部分で昇降路及び機械室以外のもの	第一条の三第四項の表一の(十)項に掲げるエレベーター強度検証法により検証をした際の計算書、同項の表二の(十五)項、(十六)項、(十七)項及び(十八)項の(ろ)欄に掲げる図書並びに前項第一号ロ(4)に掲げる書類	第一条の三第四項の表一の(ろ)欄に掲げる図書のうち令第百三十六条の二の十一第二号の(八)項に掲げる規定が適用されるエレベーターの部分で昇降路及び機械室以外のものに係るものに係る図書（各階平	第一条の三第四項の表一の(十)項の(ろ)欄に掲げるエレベーターの構造詳細図	昇降路の構造以外の事項

	(六)	(七)
	エスカレーター	避雷設備
	第一条の三第四項の表一の(十)項に掲げるエスカレーターの強度検証法により検証をした際の計算書、同項の表二の(二十)項及び(二十一)項の(ろ)欄に掲げる図書並びに前項第一号ロ(4)に掲げる書類	第一条の三第四項の表二の(二十二)項の(ろ)欄に掲げる図書及び前項第一号ロ(4)に掲げる書類
面図及び第一条の三第四項の表一の(十)項の(ろ)欄に掲げるエレベーターの構造詳細図を除く。)	第一条の三第四項の表一の(ろ)欄に掲げる図書のうち令第百三十六条の二の十一第二号の(九)項に掲げる規定が適用されるエスカレーターに係る図書(各階平面図を除く。)	第一条の三第四項の表一の(ろ)欄に掲げる図書のうち令第百三十六条の二の十一第二号の(十)項に掲げる規定が適用される避雷設備に係る図書(各階平面図を除く。)

3　第一項の表一の各項に掲げる図書に明示すべき事項を同表に掲げる図書のうち他の図書に明示してその図書を同項の申請書に添える場合においては、同項の規定にかかわらず、当該各項に掲げる図書に明示することを要しない。この場合において、当該各項に掲げる図書に明示すべきすべての事項を当該他の図書に明示したときは、当該各項に掲げる図書を第一項の申請書に添えることを要しない。

4　特定行政庁は、申請に係る建築設備が法第三十九条第二項、第四十条、第四十三条第三項、第四十三条の二、第四十九条から第五十条まで、第六十八条の二第一項若しくは第六十八条の九第一項の規定に基づく条例（これらの規定に基づく条例の規定を法第八十七条第二項又は第三項において準用する場合を含む。）又は第六十八条の九第二項の規定に基づく条例の規定に適合するものであることについての確認をするために特に必要があると認める場合においては、規則で、第一項の規定に定めるもののほか、申請書に添えるべき図書について必要な規定を設けることができる。

5　前各項の規定にかかわらず、確認を受けた建築設備の計画の変更の場合における確認の申請書並びにその添付図書及び添付書類は、前各項に規定する申請書並びにその添付図書及び添付書類並びに当該計画の変更に係る直前の確認に要した図書及び書類（変更に係る部分に限る。）とする。ただし、当該直前の確認を受けた建築主事等に対して申請を行う場合においては、変更に係る部分の申請書（第一面が別記第九号様式によるものをいう。）並びにその添付図書及び添付書類とする。

6　前条第一項、第四項又は第五項の規定は、法第八十七条の四において準用する法第六条第四項又は第七項の規定による交付について準用する。

（工作物に関する確認申請書及び確認済証等の様式）

第三条　法第八十八条第一項において準用する法第六条第一項の規定による確認の申請書は、次の各号に掲げる図書及び書類とする。

一　別記第十号様式（令第百三十八条第二項第一号に掲げるもの（以下「観光用エレベーター等」という。）にあつては、別記第八号様式（昇降機用））による正本一通及び副本一通に、それぞれ、次に掲げる図書及び書類を添えたもの（正本に添える図書にあつては、当該図書の設計者の氏名が記載されたものに限る。）

イ　次の表一の各項に掲げる図書

ロ　申請に係る工作物が次の(1)及び(2)に掲げる工作物である場合にあつては、それぞれ当該(1)及び(2)に定める図書及び書類

(1)　次の表二の各項の(い)欄に掲げる工作物　当該各項の(ろ)欄に掲げる図書

(2)　次の表三の各項の(い)欄に掲げる工作物　当該各項の(ろ)欄に掲げる書類（建築主事等が、当該書類を有していないことその他の理由により、提出を求める場合に限る。）

二　代理者によつて確認の申請を行う場合にあつては、委任状又はその写し

一

図書の種類	明示すべき事項
付近見取図	方位、道路及び目標となる地物
配置図	縮尺及び方位
	敷地境界線、申請に係る工作物の位置並びに申請に係る工作物と他の建築物及び工作物との別
	土地の高低及び申請に係る工作物の各部分の高さ
平面図又は横断面図	縮尺
	主要部分の材料の種別及び寸法
側面図又は縦断面図	縮尺
	工作物の高さ
	主要部分の材料の種別及び寸法
構造詳細図	縮尺
	主要部分の材料の種別及び寸法
構造計算書	応力算定及び断面算定（遊戯施設以外の工作物にあつては、令第百三十九条第一項第三号又は第四号ロ（令第百四十条第二項、令第百四十一条第二項又は令第百四十三条第二項において準用する場合を含む。）の認定を受けたものを除き、遊戯施設にあつては、工作物のかご、車両その他人を乗せる部分（以下この表、表二の(六)項並びに表三の(三)項、(九)項及び(十)項において「客席部分」という。）及びこれを支え、又は吊る構造上主要な部分（以下この表、表二の(六)項並びに表三の(三)項及び(九)項において「主要な支持部分」という。）のうち摩損又は疲労破壊が生ずるおそれのある部分以外の部分に係るもの（令第百四十四条第一項第一号ロ又はハ(2)の認定を受けたものを除く。）並びに屋外に設ける工作物の客席部分及び主要な支持部分のうち摩損又は疲労破壊が生ずるおそれのある部分で風圧に対する安全性を確かめたものに限る。）

二

	(い)	(ろ)	
		図書の種類	明示すべき事項
(一)	令第百三十九条の規定が適用される工作物	配置図	煙突等の位置、寸法及び構造方法
		平面図又は横断面図	煙突等の各部の位置及び構造方法並びに材料の種別、寸法及び平面形状 近接又は接合する建築物又は工作物の位置、寸法及び構造方法 構造耐力上主要な部分である部材（接合部を含む。）の位置、寸法及び構造方法並びに材料の種別
		側面図又は縦断面図	煙突等の各部の高さ及び構造方法並びに材料の種別、寸法及び立面形状 近接又は接合する建築物又は工作物の位置、寸法及び構造方法 構造耐力上主要な部分である部材（接合部を含む。）の位置、寸法及び構造方法並びに材料の種別及び寸法
		構造詳細図	構造耐力上主要な部分である接合部並びに継手及び仕口並びに溶接の構造方法 鉄筋の配置、径、継手及び定着の方法 鉄筋及び鉄骨に対するコンクリートのかぶり厚さ 管の接合方法、支枠及び支線の緊結
		基礎伏図	基礎の配置、構造方法及び寸法並びに材料の種別及び寸法
		敷地断面図及び基礎・地盤説明書	支持地盤の種別及び位置 基礎の底部又は基礎ぐいの先端の位置 基礎の底部に作用する荷重の数値及びその算出根拠
		使用構造材料一覧表	構造耐力上主要な部分に用いる材料の種別 くいに用いるさび止め又は防腐措置
		施工方法等計画書	打撃、圧力又は振動により設けられる基礎ぐいの打撃力等に対する構造耐力上の安全性を確保するための措置 コンクリートの強度試験方法、調合及び養生方法 コンクリートの型枠の取外し時期及び方法
		令第三十八条第三項若しくは第四項、令第三十九条第二項、令第六十六条、令第六十七条第二項、令第六十九条、令第七十三条第二項ただし書、同条第三項ただし書、令第七十九条第二項、令第七十九条の三第二項、令第八十条の二又は令第百三十九条第一項第四号イの規定に適合することの確認に必要な図書	令第三十八条第三項に規定する構造方法への適合性審査に必要な事項 令第三十八条第四項の構造計算の結果及びその算出方法 令第三十九条第二項に規定する構造方法への適合性審査に必要な事項 令第六十六条に規定する構造方法への適合性審査に必要な事項 令第六十七条第二項に規定する構造方法への適合性審査に必要な事項 令第六十九条の構造計算の結果及びその算出方法 令第七十三条第二項ただし書に規定する構造方法への適合性審査に必要な事項 令第七十三条第三項ただし書の構造計算の結果及びその算出方法 令第七十九条第二項に規定する構造方法への適合性審査に必要な事項 令第七十九条の三第二項に規定する構造方法への適合性審査に必要な事項 令第八十条の二に規定する構造方法への適合性審査に必要な事項 令第百三十九条第一項第四号イの構造計算の結果及びその算出方法
(二)	令第百四十条の規定が適用される工作物	配置図	鉄筋コンクリート造等の柱の位置、構造方法及び寸法
		平面図又は横断面図	鉄筋コンクリート造等の柱の各部の位置及び構造方法並びに材料の種別、寸法及び平面形状 近接又は接合する建築物又は工作物の位置、構造方法及び寸法 構造耐力上主要な部分である部材（接合部を含む。）の位

		置、寸法及び構造方法並びに材料の種別
	側面図又は縦断面図	鉄筋コンクリート造等の柱の各部の高さ及び構造方法並びに材料の種別、寸法及び立面形状
		近接又は接合する建築物又は工作物の位置、寸法及び構造方法
		構造耐力上主要な部分である部材（接合部を含む。）の位置、寸法及び構造方法並びに材料の種別及び寸法
	構造詳細図	構造耐力上主要な部分である接合部並びに継手及び仕口並びに溶接の構造方法
		鉄筋の配置、径、継手及び定着の方法
		鉄筋及び鉄骨に対するコンクリートのかぶり厚さ
		管の接合方法、支枠及び支線の緊結
	基礎伏図	基礎の配置、構造方法及び寸法並びに材料の種別及び寸法
	敷地断面図及び基礎・地盤説明書	支持地盤の種別及び位置
		基礎の底部又は基礎ぐいの先端の位置
		基礎の底部に作用する荷重の数値及びその算出根拠
	使用構造材料一覧表	構造耐力上主要な部分に用いる材料の種別
	施工方法等計画書	打撃、圧力又は振動により設けられる基礎ぐいの打撃力等
		に対する構造耐力上の安全性を確保するための措置
		コンクリートの強度試験方法、調合及び養生方法
		コンクリートの型枠の取外し時期及び方法
	令第三十八条第三項若しくは第四項、令第三十九条第二項、令第四十条ただし書、令第四十七条第一項、令第六十六条、令第六十七条第二項、令第六十九条、令第七十三条第二項ただし書、同条第三項ただし書、令第七十九条第二項、令第七十九条の三第二項又は令第百三十九条第一項第四号イの規定に適合することの確認に必要な図書	令第三十八条第三項に規定する構造方法への適合性審査に必要な事項
		令第三十八条第四項の構造計算の結果及びその算出方法
		令第三十九条第二項に規定する構造方法への適合性審査に必要な事項
		令第四十条ただし書に規定する用途又は規模への適合性審査に必要な事項
		令第四十七条第一項に規定する構造方法への適合性審査に必要な事項
		令第六十六条に規定する構造方法への適合性審査に必要な事項
		令第六十七条第二項に規定する構造方法への適合性審査に必要な事項
		令第六十九条の構造計算の結果及びその算出方法
		令第七十三条第二項ただし書に規定する構造方法への適合性審査に必要な事項
		令第七十三条第三項ただし書の構造計算の結果及びその算出方法
		令第七十九条第二項に規定する構造方法への適合性審査に必要な事項
		令第七十九条の三第二項に規定する構造方法への適合性審査に必要な事項
		令第百三十九条第一項第四号イの構造計算の結果及びその算出方法
㈢ 令第百四十一条の規定が適用される工作物	配置図	広告塔又は高架水槽等の各部の位置、構造方法及び寸法
	平面図又は横断面図	広告塔又は高架水槽等の各部の位置及び構造方法並びに材料の種別、寸法及び平面形状
		近接又は接合する建築物又は工作物の位置、寸法及び構造方法
		構造耐力上主要な部分である部材（接合部を含む。）の位置、寸法及び構造方法並びに材料の種別
	側面図又は縦断面図	広告塔又は高架水槽等の各部の高さ及び構造方法並びに材料の種別、寸法及び立面形状
		近接又は接合する建築物又は工作物の位置、寸法及び構造方法
		構造耐力上主要な部分である部材（接合部を含む。）の位置、寸法及び構造方法並びに材料の種別及び寸法
	構造詳細図	構造耐力上主要な部分である接合部並びに継手及び仕口並びに溶接の構造方法

	図書の種類	明示すべき事項
		鉄筋の配置、径、継手及び定着の方法
		鉄筋及び鉄骨に対するコンクリートのかぶり厚さ
	基礎伏図	基礎の配置、構造方法及び寸法並びに材料の種別及び寸法
	敷地断面図及び基礎・地盤説明書	支持地盤の種別及び位置
		基礎の底部又は基礎ぐいの先端の位置
		基礎の底部に作用する荷重の数値及びその算出根拠
	使用構造材料一覧表	構造耐力上主要な部分に用いる材料の種別
	施工方法等計画書	打撃、圧力又は振動により設けられる基礎ぐいの打撃力等に対する構造耐力上の安全性を確保するための措置
		コンクリートの強度試験方法、調合及び養生方法
		コンクリートの型枠の取外し時期及び方法
	令第三十八条第三項若しくは第四項、令第三十九条第二項、令第四十条ただし書、令第四十二条第一項第二号、同条第一項第三号、令第四十七条第一項、令第六十六条、令第六十七条第二項、令第六十九条、令第七十条、令第七十三条第二項ただし書、同条第三項ただし書、令第七十七条第四号及び第六号、同条第五号ただし書、令第七十七条の二第一項ただし書、令第七十九条第二項、令第七十九条の三第二項、令第八十条の二又は令第百三十九条第一項第四号イの規定に適合することの確認に必要な図書	令第三十八条第三項に規定する構造方法への適合性審査に必要な事項
		令第三十八条第四項の構造計算の結果及びその算出方法
		令第三十九条第二項に規定する構造方法への適合性審査に必要な事項
		令第四十条ただし書に規定する用途又は規模への適合性審査に必要な事項
		令第四十二条第一項第二号に規定する基準への適合性審査に必要な事項
		令第四十二条第一項第三号に規定する構造方法への適合性審査に必要な事項
		令第四十二条第一項第三号に規定する方法による検証内容
		令第四十七条第一項に規定する構造方法への適合性審査に必要な事項
		令第六十六条に規定する構造方法への適合性審査に必要な事項
		令第六十七条第二項に規定する構造方法への適合性審査に必要な事項
		令第六十九条の構造計算の結果及びその算出方法
		令第七十条に規定する構造方法への適合性審査に必要な事項
		令第七十条に規定する一の柱のみ火熱による耐力の低下によつて建築物全体が容易に倒壊するおそれがある場合として国土交通大臣が定める場合に該当することを確認するために必要な事項
		令第七十三条第二項ただし書に規定する構造方法への適合性審査に必要な事項
		令第七十三条第三項ただし書の構造計算の結果及びその算出方法
		令第七十七条第四号及び第六号に規定する基準への適合性審査に必要な事項
		令第七十七条第五号ただし書の構造計算の結果及びその算出方法
		令第七十七条の二第一項ただし書の構造計算の結果及びその算出方法
		令第七十九条第二項に規定する構造方法への適合性審査に必要な事項
		令第七十九条の三第二項に規定する構造方法への適合性審査に必要な事項
		令第八十条の二に規定する構造方法への適合性審査に必要な事項
		令第百三十九条第一項第四号イの構造計算の結果及びその算出方法
(四) 令第百四十二条の規定が適用される工作物	配置図	擁壁の各部の位置、寸法及び構造方法
	平面図又は横断面図	がけ及び擁壁の位置及び構造方法並びに材料の種別、寸法及び平面形状
		近接又は接合する建築物又は工作物の位置、寸法及び構造方法
		構造耐力上主要な部分である部材（接合部を含む。）の位置、寸法及び構造方法並びに材料の種別

	側面図又は縦断面図	鉄筋コンクリート造等の柱の各部の高さ及び構造方法並びに材料の種別、寸法及び立面形状
		近接又は接合する建築物又は工作物の位置、寸法及び構造方法
		構造耐力上主要な部分である部材（接合部を含む。）の位置、寸法及び構造方法並びに材料の種別及び寸法
	構造詳細図	構造耐力上主要な部分である接合部並びに継手及び仕口並びに溶接の構造方法
		鉄筋の配置、径、継手及び定着の方法
		鉄筋及び鉄骨に対するコンクリートのかぶり厚さ
	基礎伏図	基礎の配置、構造方法及び寸法並びに材料の種別及び寸法
	敷地断面図及び基礎・地盤説明書	支持地盤の種別及び位置
		基礎の底部又は基礎ぐいの先端の位置
		基礎の底部に作用する荷重の数値及びその算出根拠
	使用構造材料一覧表	構造耐力上主要な部分に用いる材料の種別
	施工方法等計画書	打撃、圧力又は振動により設けられる基礎ぐいの打撃力等に対する構造耐力上の安全性を確保するための措置
		コンクリートの強度試験方法、調合及び養生方法
		コンクリートの型枠の取外し時期及び方法
	令第三十八条第三項若しくは第四項、令第三十九条第二項、令第七十九条第二項、令第八十条の二又は令第百四十二条第一項第五号の規定に適合することの確認に必要な図書	令第三十八条第三項に規定する構造方法への適合性審査に必要な事項
		令第三十八条第四項の構造計算の結果及びその算出方法
		令第三十九条第二項に規定する構造方法への適合性審査に必要な事項
		令第七十九条第二項に規定する構造方法への適合性審査に必要な事項
		令第八十条の二に規定する構造方法への適合性審査に必要な事項
		令第百四十二条第一項第五号の構造計算の結果及びその算出方法
(五) 令第百四十三条の規定が適用される乗用エレベーター及びエスカレーター（この項において「乗用エレベーター等」という。）	配置図	乗用エレベーター等の位置、構造方法及び寸法
	平面図又は横断面図	乗用エレベーター等の各部の位置及び構造方法並びに材料の種別、寸法及び平面形状
		近接又は接合する建築物の位置、寸法及び構造方法
		構造耐力上主要な部分である部材（接合部を含む。）の位置、寸法及び構造方法並びに材料の種別
	側面図又は縦断面図	乗用エレベーター等の各部の高さ及び構造方法並びに材料の種別、寸法及び立面形状
		近接又は接合する建築物の位置、寸法及び構造方法
		構造耐力上主要な部分である部材（接合部を含む。）の位置、寸法及び構造方法並びに材料の種別及び寸法
	構造詳細図	構造耐力上主要な部分である接合部並びに継手及び仕口並びに溶接の構造方法
		鉄筋の配置、径、継手及び定着の方法
		鉄筋及び鉄骨に対するコンクリートのかぶり厚さ
		管の接合方法、支枠及び支線の緊結
	基礎伏図	基礎の配置、構造方法及び寸法並びに材料の種別及び寸法
	敷地断面図及び基礎・地盤説明書	支持地盤の種別及び位置
		基礎の底部又は基礎ぐいの先端の位置
		基礎の底部に作用する荷重の数値及びその算出根拠
	使用構造材料一覧表	構造耐力上主要な部分に用いる材料の種別
	施工方法等計画書	打撃、圧力又は振動により設けられる基礎ぐいの打撃力等に対する構造耐力上の安全性を確保するための措置
		コンクリートの強度試験方法、調合及び養生方法
		コンクリートの型枠の取外し時期及び方法

	令第三十八条第三項若しくは第四項、令第三十九条第二項、令第六十六条、令第六十七条第二項、令第六十九条、令第七十三条第二項ただし書、同条第三項ただし書、令第七十七条第五号ただし書、令第七十九条第二項、令第七十九条の三第二項、令第八十条の二又は令第百三十九条第一項第四号イの規定に適合することの確認に必要な図書	令第三十八条第三項に規定する構造方法への適合性審査に必要な事項
		令第三十八条第四項の構造計算の結果及びその算出方法
		令第三十九条第二項に規定する構造方法への適合性審査に必要な事項
		令第六十六条に規定する構造方法への適合性審査に必要な事項
		令第六十七条第二項に規定する構造方法への適合性審査に必要な事項
		令第六十九条の構造計算の結果及びその算出方法
		令第七十三条第二項ただし書に規定する構造方法への適合性審査に必要な事項
		令第七十三条第三項ただし書の構造計算の結果及びその算出方法
		令第七十七条第五号ただし書の構造計算の結果及びその算出方法
		令第七十九条第二項に規定する構造方法への適合性審査に必要な事項
		令第七十九条の三第二項に規定する構造方法への適合性審査に必要な事項
		令第八十条の二に規定する構造方法への適合性審査に必要な事項
		令第百三十九条第一項第四号イの構造計算の結果及びその算出方法
令第百二十九条の三第一項第一号及び第二項第一号並びに令第百二十九条の四から令第百二十九条の十までの規定が適用されるエレベーター	平面図	エレベーターの機械室に設ける換気上有効な開口部又は換気設備の位置
		エレベーターの機械室の出入口の構造
		エレベーターの機械室に通ずる階段の構造
		エレベーター昇降路の壁又は囲いの全部又は一部を有さない部分の構造
	床面積求積図	エレベーターの機械室の床面積及び昇降路の水平投影面積の求積に必要な建築物の各部分の寸法及び算式
	エレベーターの仕様書	エレベーターの用途及び積載量並びに最大定員
		昇降行程
		エレベーターのかごの定格速度
		保守点検の内容
	エレベーターの構造詳細図	エレベーターのかごの構造
		エレベーターの主要な支持部分の位置及び構造
		エレベーターの釣合おもりの構造
		エレベーターのかご及び昇降路の壁又は囲い及び出入口の戸の位置及び構造
		非常の場合においてかご内の人を安全にかご外に救出することができる開口部の位置及び構造
		エレベーターの駆動装置及び制御器の位置及び取付方法
		エレベーターの制御器の構造
		エレベーターの安全装置の位置及び構造
		エレベーターの用途及び積載量並びに最大定員を明示した標識の意匠及び当該標識を掲示する位置
	エレベーターのかご、昇降路及び機械室の断面図	出入口の床先とかごの床先との水平距離及びかごの床先と昇降路の壁との水平距離
		エレベーターの昇降路内の突出物の種別、位置及び構造
		エレベーターの機械室の床面から天井又ははりの下端までの垂直距離
		エレベーターの機械室に通ずる階段の構造
	エレベーター強度検証法により検証した際の計算書	固定荷重及び積載荷重によって主要な支持部分等に生ずる力
		主要な支持部分等の断面に生ずる常時及び安全装置作動時の各応力度
		主要な支持部分等の材料の破壊強度を安全率で除して求めた許容応力度
		独立してかごを支え、又は吊ることができる部分の材料の

区分	図書の種類	明示すべき事項
		破断強度を限界安全率で除して求めた限界の許容応力度
	エレベーターの荷重を算出した際の計算書	エレベーターの各部の固定荷重
		エレベーターのかごの積載荷重及びその算出方法
		エレベーターのかごの床面積
	令第百四十三条第二項において準用する令第百二十九条の四第三項第六号又は第七号の規定に適合することの確認に必要な図書	令第百四十三条第二項において準用する令第百二十九条の四第三項第六号の構造計算の結果及びその算出方法
		令第百四十三条第二項において準用する令第百二十九条の四第三項第七号の構造計算の結果及びその算出方法
	エレベーターの使用材料表	エレベーターのかご及び昇降路の壁又は囲い及び出入口の戸（構造上軽微な部分を除く。）に用いる材料の種別
		エレベーターの機械室の出入口に用いる材料
令第百二十九条の三第一項第二号及び第二項第二号並びに令第百二十九条の十二の規定が適用されるエスカレーター	各階平面図	エスカレーターの位置
	エスカレーターの仕様書	エスカレーターの勾配及び揚程
		エスカレーターの踏段の定格速度
		保守点検の内容
	エスカレーターの構造詳細図	通常の使用状態において人又は物が挟まれ、又は障害物に衝突することがないようにするための措置
		エスカレーターの踏段の構造
		エスカレーターの取付け部分の構造方法
		エスカレーターの主要な支持部分の位置及び構造
		エスカレーターの制動装置の構造
		昇降口において踏段の昇降を停止させることができる装置の構造
	エスカレーターの断面図	エスカレーターの踏段の両側に設ける手すりの構造
		エスカレーターの踏段の幅及び踏段の端から当該踏段の端の側にある手すりの上端部及び中心までの水平距離
	エスカレーター強度検証法により検証した際の計算書	固定荷重及び積載荷重によつて主要な支持部分等に生ずる力
		主要な支持部分等の断面に生ずる常時及び安全装置作動時の各応力度
		主要な支持部分等の材料の破壊強度を安全率で除して求めた許容応力度
		独立して踏段を支え、又は吊ることができる部分の材料の破断強度を限界安全率で除して求めた限界の許容応力度
	エスカレーターの荷重を算出した際の計算書	エスカレーターの各部の固定荷重
		エスカレーターの踏段の積載荷重及びその算出方法
		エスカレーターの踏段面の水平投影面積
(六) 令第百四十四条の規定が適用される遊戯施設	平面図又は横断面図	運転開始及び運転終了を知らせる装置の位置
		非常止め装置が作動した場合に、客席にいる人を安全に救出することができる位置へ客席部分を移動するための手動運転装置又は客席にいる人を安全に救出することができる通路その他の施設の位置
		安全柵の位置及び構造並びに安全柵の出入口の戸の構造
		遊戯施設の運転室の位置
		遊戯施設の使用の制限に関する事項を掲示する位置
		遊戯施設の客席部分及び主要な支持部分の位置
		遊戯施設の客席部分の周囲の状況
		遊戯施設の駆動装置の位置
	側面図又は縦断面図	遊戯施設の客席部分及び主要な支持部分の構造
		遊戯施設の客席部分の周囲の状況
		遊戯施設の駆動装置の位置
	遊戯施設の仕様書	遊戯施設の種類
		客席部分の定常走行速度及び勾配若しくは平均勾配又は定常円周速度及び傾斜角度
		遊戯施設の使用の制限に関する事項
		遊戯施設の客席部分の数

	遊戯施設の客席部分及び主要な支持部分に関する事項
	遊戯施設の駆動装置及び非常止め装置に関する事項
	遊戯施設の運転室に関する事項
遊戯施設の構造詳細図	遊戯施設の客席部分及び主要な支持部分の位置及び構造
	遊戯施設の釣合おもりの構造
	遊戯施設の駆動装置の位置及び構造
	令第百四十四条第一項第四号に規定する非常止め装置の位置及び構造
	遊戯施設の乗降部分の構造又は乗降部分における客席部分に対する乗降部分の床に対する速度
遊戯施設の客席部分の構造詳細図	軌条又は索条の位置及び構造
	定員を明示した標識の位置
	遊戯施設の非常止め装置の位置及び構造
	客席部分にいる人が客席部分から落下し、又は飛び出すことを防止するために講じた措置
遊戯施設強度検証法により検証した際の計算書	固定荷重及び積載荷重によつて主要な支持部分等に生ずる力
	主要な支持部分等の断面に生ずる常時及び安全措置作動時の各応力度
	主要な支持部分等の材料の破壊強度を安全率で除して求めた許容応力度
	独立して客席部分を支え、又は吊ることができる部分の材料の破断強度を限界安全率で除して求めた限界の許容応力度
	主索の規格及び直径並びに端部の緊結方法
	綱車又は巻胴の直径
	令第百四十四条第二項において準用する令第百二十九条の四第三項第六号の構造計算の結果及びその算出方法
令第百四十四条第二項において準用する令第百二十九条の四第三項第六号又は第七号の規定に適合することの確認に必要な図書	令第百四十四条第二項において準用する令第百二十九条の四第三項第七号の構造計算の結果及びその算出方法
遊戯施設の使用材料表	遊戯施設の客席部分及び主要な支持部分に用いる材料の種別及び厚さ

三

		(い)	(ろ)
(一)	乗用エレベーターで観光のためのもの	かご及び主要な支持部分の構造を令第百四十三条第二項において準用する令第百二十九条の四第一項第三号の認定を受けたものとするもの	令第百四十三条第二項において準用する令第百二十九条の四第一項第三号の認定に係る認定書の写し
		制御器の構造を令第百四十三条第二項において準用する令第百二十九条の八第二項の認定を受けたものとするもの	令第百四十三条第二項において準用する令第百二十九条の八第二項の認定に係る認定書の写し
		制動装置の構造を令第百四十三条第二項において準用する令第百二十九条の十第二項の認定を受けたものとするもの	令第百四十三条第二項において準用する令第百二十九条の十第二項の認定に係る認定書の写し
		安全装置の構造を令第百四十三条第二項において準用する令第百二十九条の十第四項の認定を受けたものとするもの	令第百四十三条第二項において準用する令第百二十九条の十第四項の認定に係る認定書の写し
(二)	エスカレーターで観光のためのもの	踏段及び主要な支持部分の構造を令第百四十三条第二項において準用する令第百二十九条の十二第二項において準用する令第百二十九条の四第一項第三号の認定を受けたものとするもの	令第百四十三条第二項において準用する令第百二十九条の十二第二項において準用する令第百二十九条の四第一項第三号の認定に係る認定書の写し
		構造を令第百四十三条第二項において準用する令第百二十九条の十二第一項第六号の認定を受けたものとするもの	令第百四十三条第二項において準用する令第百二十九条の十二第一項第六号の認定に係る認定書の写し
		制御装置の構造を令第百四十三条第二項において準用する令第百二十九条の十二第五項の認定を受けたものとするもの	令第百四十三条第二項において準用する令第百二十九条の十二第五項の認定に係る認定書の写し
(三)	遊戯施設	客席部分及び主要な支持部分のうち摩損又は疲労破壊が生ずるおそれのある部分の構造を令第百四十四条第二項において準用する令第百二十九条の四第一項第三号の認定を受けたものとするもの	令第百四十四条第二項において準用する令第百二十九条の四第一項第三号の認定に係る認定書の写し
		客席部分の構造を令第百四十四条第一項第三号イの認定を受けたものとするもの	令第百四十四条第一項第三号イの認定に係る認定書の写し

	非常止め装置の構造を令第百四十四条第一項第五号の認定を受けたものとするもの	令第百四十四条第一項第五号の認定に係る認定書の写し
(四)	令第百三十九条第一項第三号又は第四号ロの認定を受けたものとする構造方法を用いる煙突等	令第百三十九条第一項第三号又は第四号ロに係る認定書の写し
(五)	令第百三十九条第一項第三号又は第四号ロの規定を準用する令第百四十条第二項の認定を受けたものとする構造方法を用いる鉄筋コンクリート造の柱等	令第百三十九条第一項第三号又は第四号ロの規定を準用する令第百四十条第二項に係る認定書の写し
(六)	令第百三十九条第一項第三号又は第四号ロの規定を準用する令第百四十一条第二項の認定を受けたものとする構造方法を用いる広告塔又は高架水槽等	令第百三十九条第一項第三号又は第四号ロの規定を準用する令第百四十一条第二項に係る認定書の写し
(七)	令第百三十九条第一項第三号又は第四号ロの規定を準用する令第百四十三条第二項の認定を受けたものとする構造方法を用いる乗用エレベーター又はエスカレーター	令第百三十九条第一項第三号又は第四号ロの規定を準用する令第百四十三条第二項に係る認定書の写し
(八)	令第百四十四条第一項第一号ロ又はハ(2)の認定を受けたものとする構造方法を用いる遊戯施設	令第百四十四条第一項第一号ロ又はハ(2)に係る認定書の写し
(九)	令第百四十四条第二項において読み替えて準用する令第百二十九条の四第一項第三号の認定を受けたものとする構造の客席部分及び主要な支持部分を有する遊戯施設	令第百四十四条第二項において読み替えて準用する令第百二十九条の四第一項第三号に係る認定書の写し
(十)	令第百四十四条第一項第三号イの認定を受けたものとする構造の客席部分を有する遊戯施設	令第百四十四条第一項第三号イに係る認定書の写し
(十一)	令第百四十四条第一項第五号の認定を受けたものとする構造の非常止め装置を設ける遊戯施設	令第百四十四条第一項第五号に係る認定書の写し
(十二)	指定建築材料ごとに国土交通大臣が定める安全上、防火上又は衛生上必要な品質に関する技術的基準に適合するものとしなければならない工作物で、法第八十八条第一項において準用する法第三十七条第二号の認定を受けたものを用いるもの	法第八十八条第一項において準用する法第三十七条第二号の認定に係る認定書の写し
(十三)	法第八十八条第一項において準用する法第三十八条の認定を受けたものとする特殊の構造方法又は建築材料を用いる工作物	法第八十八条第一項において準用する法第三十八条に係る認定書の写し

2　法第八十八条第二項において準用する法第六条第一項の規定による確認の申請書は、次の各号に掲げる図書及び書類とする。

一　別記第十一号様式による正本一通及び副本一通に、それぞれ、次に掲げる図書を添えたもの（正本に添える図書にあつては、当該図書の設計者の氏名が記載されたものに限る。）

イ　次の表の各項に掲げる図書

ロ　申請に係る工作物が、法第八十八条第二項の規定により第一項の表二の(二十一)項、(二十二)項又は(六十一)項の(い)欄に掲げる規定が準用される工作物である場合にあつては、それぞれ当該各項の(ろ)欄に掲げる図書

二　別記第十二号様式による築造計画概要書

三　代理者によつて確認の申請を行う場合にあつては、委任状又はその写し

図書の種類	明示すべき事項
付近見取図	方位、道路及び目標となる地物
配置図	縮尺及び方位
	敷地境界線、敷地内における工作物の位置及び申請に係る工作物と他の工作物との別（申請に係る工作物が令第百三十八条第四項第二号ハからチまでに掲げるものである場合においては、当該工作物と建築物との別を含む。）
平面図又は横断面図	縮尺
	主要部分の寸法
側面図又は縦断面図	縮尺
	工作物の高さ
	主要部分の寸法

3　工作物に関する確認申請（法第八十八条第二項において準用する法第六条第一項の規定による確認の申請を除く。以下この項において同じ。）を建築物に関する確認申請と併せてする場合における確認の申請書は、次の各号に掲げる図書及び書類とする。この場合においては、第一号の正本に工作物に関する確認申請を建築物に関する確認申請と併せてする旨を記載しなければならない。

一　別記第二号様式による正本一通及び副本一通に、それぞれ、次に掲げる図書及び書類を添えたもの（正本に添える図書にあつては、当該図書の設計者の氏名が記載されたものに限る。）。

一　別記第二号様式による正本一通及び副本一通に、それぞれ、次に掲げる図書及び書類を添えたもの（正本に添える図書にあつては、当該図書の設計者の氏名が記載されたものに限る。）

イ　第一条の三第一項から第四項までに規定する図書及び書類

ロ　別記第十号様式中の「工作物の概要の欄」又は別記第八号様式（昇降機用）中の「昇降機の概要の欄」に記載すべき事項を記載した書類

ハ　第一項第一号イに掲げる図書（付近見取図又は配置図に明示すべき事項を第一条の三第一項の付近見取図又は配置図に明示した場合においては、付近見取図又は配置図を除く。）

ニ　申請に係る工作物が第一項第一号ロ(1)及び(2)に掲げる工作物である場合にあつては、それぞれ当該(1)又は(2)に定める図書及び書類

二　別記第三号様式による建築計画概要書

三　代理者によつて確認の申請を行う場合にあつては、委任状又はその写し

四　申請に係る建築物が建築士により構造計算によつてその安全性を確かめられたものである場合にあつては、証明書の写し

4　第一項及び前項の規定にかかわらず、次の各号に掲げる工作物の計画に係る確認の申請書にあつては、それぞれ当該各号に定めるところによるものとする。

一　法第八十八条第一項において準用する法第六条の四第一項第二号に掲げる工作物　法第八十八条第一項において準用する法第六十八条の十第一項の認定を受けた型式の認定書の写しを添えたものにあつては、次の表の(い)欄に掲げる工作物の区分に応じ、同表の(ろ)欄に掲げる図書についてはこれを添えることを要しない。

二　法第八十八条第一項において準用する法第六十八条の二十第一項に規定する認証型式部材等（この号において単に「認証型式部材等」という。）を有する工作物　認証型式部材等に係る認証書の写しを添えたものにあつては、次の表の(い)欄に掲げる工作物の区分に応じ、同表の(ろ)欄及び(は)欄に掲げる図書についてはこれらを添えることを要せず、同表の(に)欄に掲げる図書については同表の(ほ)欄に掲げる事項を明示することを要しな

い。

	(い)	(ろ)	(は)	(に)	(ほ)
(一)	令第百四十四条の二の表の(一)項に掲げる工作物の部分を有する工作物	第一項の表一に掲げる図書のうち構造計算書（昇降路及び機械室以外のエレベーターの部分に係るものに限る。）、同項の表二の(五)項の(ろ)欄に掲げる図書のうちエレベーター強度検証法により検証した際の計算書並びに同項の表三の(一)項の(ろ)欄及び(十一)項の(ろ)欄に掲げる図書	第一項の表一に掲げる図書のうち構造詳細図（昇降路及び機械室以外のエレベーターの部分に係るものに限る。）	第一項の表一に掲げる図書のうち平面図又は横断面図	昇降路及び機械室以外のエレベーターの部分に係る主要部分の材料の種別及び寸法
				第一項の表一に掲げる図書のうち側面図又は縦断面図	昇降路及び機械室以外のエレベーターの部分に係る主要部分の材料の種別及び寸法
(二)	令第百四十四条の二の表の(二)項に掲げる工作物の部分を有する工作物	第一項の表一に掲げる図書のうち構造計算書（トラス又ははりを支える部分以外のエスカレーターの部分に係るものに限る。）、同項の表二の(五)項の(ろ)欄に掲げる図書のうちエスカレーター強度検証法により検証した際の計算書並びに同項の表三の(二)項の(ろ)欄及び(十一)項の(ろ)欄に掲げる図書（令第百四十三条第二項において準用する令第百二十九条の十二第一項第六号の認定に係る認定書の写しを除く。）	第一項の表一に掲げる図書のうち構造詳細図（トラス又ははりを支える部分以外のエスカレーターの部分に係るものに限る。）	第一項の表一に掲げる図書のうち平面図又は横断面図	トラス又ははりを支える部分以外のエスカレーターの部分に係る主要部分の材料の種別及び寸法
				第一項の表一に掲げる図書のうち側面図又は縦断面図	トラス又ははりを支える部分以外のエスカレーターの部分に係る主要部分の材料の種別及び寸法
(三)	令第百四十四条の二の表の(三)項に掲げる工作物の部分を有する工作物	第一項の表一に掲げる図書のうち構造計算書、同項の表二の(六)項の(ろ)欄に掲げる図書のうち遊戯施設強度検証法により検証した際の計算書並びに同項の表三の(三)項の(ろ)欄及び(十一)項の(ろ)欄に掲げる図書	第一項の表一に掲げる図書のうち構造詳細図（遊戯施設のうち、かご、車両その他人を乗せる部分及びこれを支え、又は吊る構造上主要な部分並びに非常止め装置の部分（以下この項において「かご等」という。）に係るものに限る。）	第一項の表一に掲げる図書のうち平面図又は横断面図	遊戯施設のかご等の主要部分の材料の種別及び寸法
				第一項の表一に掲げる図書のうち側面図又は縦断面図	遊戯施設のかご等の主要部分の材料の種別及び寸法

5　申請に係る工作物が都市計画法第四条第十一項に規定する特定工作物である場合においては、第一項から第三項までの規定に定めるもののほか、その計画が同法第二十九条第一項若しくは第二項、第三十五条の二第一項、第四十二条又は第四十三条第一項の規定に適合していることを証する書面を申請書に添えなければならない。

6　特定行政庁は、申請に係る工作物が法第八十八条第一項において準用する法第四十条又は法第八十八条第二項において準用する法第四十九条から第五十条まで若しくは第六十八条の二第一項の規定に基づく条例（これらの規定に基づく条例の規定を法第八十八条第二項において準用する法第八十七条第二項又は第三項において準用する場合を含む。）の規定に適合するものであることについての確認をするために特に必要があると認める場合においては、規則で、第一項から第三項までの規定に定めるもののほか、申請書に添えるべき図書について必要な規定を設けることができる。

7　前各項の規定にかかわらず、確認を受けた工作物の計画の変更の場合における確認の申請書並びにその添付図書及び添付書類は、前各項に規定する申請書並びにその添付図書及び添付書類並びに当該計画の変更に係る直前の確認に要した図書及び書類（変更に係る部分に限る。）とする。ただし、当該直前の確認を受けた建築主事等に対して申請を行う場合においては、変更に係る部分の申請書（第一項の規定による確認の申請書にあつては第一面が別記第十三号様式に、第二項の規定による確認の申請書にあつては第一面が別記第十四号様式によるもの）並びにその添付図書及び添付書類とする。

8　第二条第一項、第四項又は第五項の規定は、法第八十八条第一項又は第二項において準用する法第六条第四項又は第七項の規定による交付について準用する。

（計画の変更に係る確認を要しない軽微な変更）

第三条の二　法第六条第一項（法第八十七条第一項において準用する場合を含む。）の国土交通省令で定める軽微な変更は、次に掲げるものであつて、変更後も建築物の計画が建築基準関係規定に適合することが明らかなものとする。

一　敷地に接する道路の幅員及び敷地が道路に接する部分の長さの変更（都市計画区域内、準都市計画区域内及び法第六十八条の九第一項の規定に基づく条例により建築物又はその敷地と道路との関係が定められた区域内にあつては敷地に接する道路の幅員が大きくなる場合（敷地境界線が変更されない場合に限る。）及び変更後の敷地が道路に接する部分の長さが二メートル（条例で規定する場合にあつてはその長さ）以上である場合に限る。）

二　敷地面積が増加する場合の敷地面積及び敷地境界線の変更（当該敷地境界線の変更により変更前の敷地の一部が除かれる場合を除く。）

三　建築物の高さが減少する場合における建築物の高さの変更（建築物の高さの最低限度が定められている区域内の建築物に係るものを除く。）

四　建築物の階数が減少する場合における建築物の階数の変更

五　建築面積が減少する場合における建築面積の変更（都市計画区域内、準都市計画区域内及び法第六十八条の九第一項の規定に基づく条例により日影による中高層の建築物の高さの制限が定められた区域内において当該建築物の外壁が隣地境界線又は同一の敷地内の他の建築物若しくは当該建築物の他の部分から後退しない場合及び建築物の建築面積の最低限度が定められている区域内の建築物に係るものを除く。）

六　床面積の合計が減少する場合における床面積の変更（都市計画区域内、準都市計画区域内及び法第六十八条の九第一項の規定に基づく条例の適用を受ける区域内の建築物に係るものにあつては次のイ又はロに掲げるものを除く。）

イ　当該変更により建築物の延べ面積が増加するもの

ロ　建築物の容積率の最低限度が定められている区域内の建築物に係る

もの

七　用途の変更（令第百三十七条の十八で指定する類似の用途相互間におけるものに限る。）

八　構造耐力上主要な部分である基礎ぐい、間柱、床版、屋根版又は横架材（小ばりその他これに類するものに限る。）の位置の変更（変更に係る部材及び当該部材に接する部材以外に応力度の変更がない場合であつて、変更に係る部材及び当該部材に接する部材が令第八十二条各号に規定する構造計算によつて確かめられる安全性を有するものに限る。）

九　構造耐力上主要な部分である部材の材料又は構造の変更（変更後の建築材料が変更前の建築材料と異なる変更及び強度又は耐力が減少する変更を除き、第十二号の表の上欄に掲げる材料又は構造を変更する場合にあつては、同表の下欄に掲げる材料又は構造とする変更に限る。）

十　構造耐力上主要な部分以外の部分であつて、屋根ふき材、内装材（天井を除く。）、外装材、帳壁その他これらに類する建築物の部分、広告塔、装飾塔その他建築物の屋外に取り付けるもの若しくは当該取付け部分、壁又は手すり若しくは手すり壁の材料若しくは構造の変更（第十二号の表の上欄に掲げる材料又は構造を変更する場合にあつては、同表の下欄に掲げる材料又は構造とする変更に限る。）又は位置の変更（間仕切壁にあつては、主要構造部であるもの及び防火上主要なものを除く。）

九　構造耐力上主要な部分である部材の材料又は構造の変更（変更後の建築材料が変更前の建築材料と異なる変更及び強度又は耐力が減少する変更を除き、第十三号の表の上欄に掲げる材料又は構造を変更する場合にあつては、同表の下欄に掲げる材料又は構造とする変更に限る。）

十　特定木造建築物の構造耐力上主要な部分である部材の材料若しくは構造の変更（変更後の建築材料（令第四十六条第三項の床組又は小屋ばり組に用いるもの及び同条第四項の壁又は筋かいに用いるものを除く。以下この号において同じ。）が変更前の建築材料と異なる変更及び前号に掲げる変更を除き、第十三号の表の上欄に掲げる材料又は構造を変更する場合にあつては、同表の下欄に掲げる材料又は構造とする変更に限る。）又は位置の変更（第八号に掲げる変更を除く。）

十一　構造耐力上主要な部分以外の部分であつて、屋根ふき材、内装材（天井を除く。）、外装材、帳壁その他これらに類する建築物の部分、広告塔、装飾塔その他建築物の屋外に取り付けるもの若しくは当該取付け部分、壁又は手すり若しくは手すり壁の材料若しくは構造の変更（第十三号の表の上欄に掲げる材料又は構造を変更する場合にあつては、同表の下欄に掲げる材料又は構造とする変更に限る。）又は位置の変更（間仕切壁にあつては、主要構造部であるもの及び防火上主要なものを除く。）

十一　構造耐力上主要な部分以外の部分である天井の材料若しくは構造の変更（次号の表の上欄に掲げる材料又は構造を変更する場合にあつては同表の下欄に掲げる材料又は構造とする変更に限り、特定天井にあつては変更後の建築材料が変更前の建築材料と異なる変更又は強度若しくは耐力が減少する変更を除き、特定天井以外の天井にあつては特定天井とする変更を除く。）又は位置の変更（特定天井以外の天井にあつては、特定天井とする変更を除く。）

十二　建築物の材料又は構造において、次の表の上欄に掲げる材料又は構造を同表の下欄に掲げる材料又は構造とする変更（第九号から前号までに係る部分の変更を除く。）

不燃材料	不燃材料
準不燃材料	不燃材料又は準不燃材料
難燃材料	不燃材料、準不燃材料又は難燃材料
耐火構造	耐火構造
準耐火構造	耐火構造又は準耐火構造（変更後の構造における加熱開始後構造耐力上支障のある変形、溶融、破壊その他の損傷を生じない時間、加熱面以外の面（屋内に面するものに限る。）の温度が可燃物燃焼温度以上に上昇しない時間及び屋外に火炎を出す原因となる亀裂その他の損傷を生じない時間が、それぞれ変更前の構造における加熱開始後構造耐力上支障のある変形、溶融、破壊その他の損傷を生じない時間、加熱面以外の面（屋内に面するものに限る。）の温度が可燃物燃焼温度以上に上昇しない時間及び屋外に火炎を出す原因となる亀裂その他の損傷を生じない時間以上である場合に限る。）
防火構造	耐火構造、準耐火構造又は防火構造
令第百九条の三第一号の技術的基準に適合する構造	耐火構造、準耐火構造又は令第百九条の三第一号の技術的基準に適合する構造
令第百九条の三第二号ハの技術的基準に適合する構造	耐火構造、準耐火構造又は令第百九条の三第二号ハの技術的基準に適合する構造
令第百十五条の二第一項第四号の技術的基準に適合する構造	耐火構造、準耐火構造又は令第百十五条の二第一項第四号の技術的基準に適合する構造
令第百九条の十の技術的基準に適合する構造	耐火構造、準耐火構造、防火構造又は令第百九条の十の技術的基準に適合する構造
令第百三十六条の二の二の技術的基準に適合する構造	令第百三十六条の二の二の技術的基準に適合する構造
令第百九条の九の技術的基準に適合する構造	令第百三十六条の二の二の技術的基準に適合する構造又は令第百九条の九の技術的基準に適合する構造
特定防火設備	特定防火設備
令第百十四条第五項において準用する令第百十二条第二十一項の技術的基準に適合する防火設備	特定防火設備又は令第百十四条第五項において準用する令第百十二条第二十一項の技術的基準に適合する防火設備
令第百九条の二の技術的基準に適合する防火設備	特定防火設備、令第百十四条第五項において準用する令第百十二条第二十一項の技術的基準に適合する防火設備又は令第百九条の二の技術的基準に適合する防火設備
令第百十条の三の技術的基準に適合する防火設備	特定防火設備、令第百十四条第五項において準用する令第百十二条第二十一項の技術的基準に適合する防火設備、令第百九条の二の技術的基準に適合する防火設備又は令第百十条の三の技術的基準に適合する防火設備
令第百三十六条の二第三号イの技術的基準に適合する防火設備又は令第百三十七条の十第一号ロ(4)の技術的基準に適合する防火設備	特定防火設備、令第百十四条第五項において準用する令第百十二条第二十一項の技術的基準に適合する防火設備、令第百九条の二の技術的基準に適合する防火設備、令第百十条の三の技術的基準に適合する防火設備、令第百三十六条の二第三号イの技術的基準に適合する防火設備又は令第百三十七条の十第一号ロ(4)の技術的基準に適合する防火設備
第二種ホルムアルデヒド発散建築材料	第一種ホルムアルデヒド発散建築材料以外の建築材料

第三種ホルムアルデヒド発散建築材料	第一種ホルムアルデヒド発散建築材料及び第二種ホルムアルデヒド発散建築材料以外の建築材料
第一種ホルムアルデヒド発散建築材料、第二種ホルムアルデヒド発散建築材料及び第三種ホルムアルデヒド発散建築材料以外の建築材料	第一種ホルムアルデヒド発散建築材料、第二種ホルムアルデヒド発散建築材料及び第三種ホルムアルデヒド発散建築材料以外の建築材料

十三　井戸の位置の変更（くみ取便所の便槽との間の距離が短くなる変更を除く。）

十四　開口部の位置及び大きさの変更（次のイ又はロに掲げるものを除く。）

イ　令第百十七条の規定により令第五章第二節の規定の適用を受ける建築物の開口部に係る変更で次の(1)及び(2)に掲げるもの

(1)　当該変更により令第百二十条第一項又は令第百二十五条第一項の歩行距離が長くなるもの

(2)　令第百二十三条第一項の屋内に設ける避難階段、同条第二項の屋外に設ける避難階段又は同条第三項の特別避難階段に係る開口部に係るもの

ロ　令第百二十六条の六の非常用の進入口に係る変更で、進入口の間隔、幅、高さ及び下端の床面からの高さ並びに進入口に設けるバルコニーに係る令第百二十六条の七第二号、第三号及び第五号に規定する値の範囲を超えることとなるもの

十五　建築設備の材料、位置又は能力の変更（性能が低下する材料の変更及び能力が減少する変更を除く。）

十六　前各号に掲げるもののほか、安全上、防火上及び避難上の危険の度並びに衛生上及び市街地の環境の保全上の有害の度に著しい変更を及ぼさないものとして国土交通大臣が定めるもの

十一号から十六号は、十二号から十七号に繰り下げられます。

2　法第八十七条の四において準用する法第六条第一項の軽微な変更は、次に掲げるものであつて、変更後も建築設備の計画が建築基準関係規定に適合することが明らかなものとする。

一　第一条の三第四項の表一の㈦項の昇降機の構造詳細図並びに同表の㈩項のエレベーターの構造詳細図、エスカレーターの断面図及び小荷物専用昇降機の構造詳細図における構造又は材料並びに同表の昇降機以外の建築設備の構造詳細図における主要な部分の構造又は材料において、耐火構造又は不燃材料を他の耐火構造又は不燃材料とする変更

二　建築設備の材料、位置又は能力の変更（性能が低下する材料の変更及び能力が減少する変更を除く。）

三　前二号に掲げるもののほか、安全上、防火上及び避難上の危険の度並びに衛生上及び市街地の環境の保全上の有害の度に著しい変更を及ぼさないものとして国土交通大臣が定めるもの

3　法第八十八条第一項において準用する法第六条第一項の軽微な変更は、次に掲げるものであつて、変更後も工作物の計画が建築基準関係規定に適合することが明らかなものとする。

一　第三条第一項の表一の配置図における当該工作物の位置の変更

二　構造耐力上主要な部分である基礎ぐい、間柱、床版、屋根版又は横架材（小ばりその他これに類するものに限る。）の位置の変更（変更に係る部材及び当該部材に接する部材以外に応力度の変更がない場合であつて、変更に係る部材及び当該部材に接する部材が令第八十二条各号に規定する構造計算によつて確かめられる安全性を有するものに限る。）

三　構造耐力上主要な部分である部材の材料又は構造の変更（変更後の建築材料が変更前の建築材料と異なる変更及び強度又は耐力が減少する変更を除き、第一項第十二号の表の上欄に掲げる材料又は構造を変更する場合にあつては、同表の下欄に掲げる材料又は構造とする変更に限る。）

四　構造耐力上主要な部分以外の部分であつて、屋根ふき材、内装材、外装材、帳壁その他これらに類する工作物の部分、広告塔、装飾塔その他工作物の屋外に取り付けるものの材料若しくは構造の変更（第一項第十二号の表の上欄に掲げる材料又は構造を変更する場合にあつては、同表の下欄に掲げる材料又は構造とする変更に限る。）又は位置の変更

三　構造耐力上主要な部分である部材の材料又は構造の変更（変更後の建築材料が変更前の建築材料と異なる変更及び強度又は耐力が減少する変更を除き、第一項第十三号の表の上欄に掲げる材料又は構造を変更する場合にあつては、同表の下欄に掲げる材料又は構造とする変更に限る。）

四　構造耐力上主要な部分以外の部分であつて、屋根ふき材、内装材、外装材、帳壁その他これらに類する工作物の部分、広告塔、装飾塔その他工作物の屋外に取り付けるものの材料若しくは構造の変更（第一項第十三号の表の上欄に掲げる材料又は構造を変更する場合にあつては、同表の下欄に掲げる材料又は構造とする変更に限る。）又は位置の変更

五　観光用エレベーター等の構造耐力上主要な部分以外の部分（前号に係る部分を除く。）の材料、位置又は能力の変更（性能が低下する材料の変更及び能力が減少する変更を除く。）

六　前各号に掲げるもののほか、安全上、防火上及び避難上の危険の度並びに衛生上及び市街地の環境の保全上の有害の度に著しい変更を及ぼさないものとして国土交通大臣が定めるもの

4　法第八十八条第二項において準用する法第六条第一項の軽微な変更は、次に掲げるものであつて、変更後も工作物の計画が建築基準関係規定に適合することが明らかなものとする。

一　築造面積が減少する場合における当該面積の変更

二　高さが減少する場合における当該高さの変更

三　前二号に掲げるもののほか、安全上、防火上及び避難上の危険の度並びに衛生上及び市街地の環境の保全上の有害の度に著しい変更を及ぼさないものとして国土交通大臣が定めるもの

（指定確認検査機関に対する確認の申請等）

第三条の三　第一条の三（第七項及び第九項を除く。）の規定は、法第六条の二第一項（法第八十七条第一項において準用する場合を含む。）の規定による確認の申請について、第一条の四の規定は法第六条の二第一項の規定による確認の申請を受けた場合について準用する。この場合において、第一条の三第一項第一号ロ(3)中「建築主事又は建築副主事（以下「建築主事等」という。）」とあり、並びに同条第四項第一号ハ(2)、第八項及び第十一項並びに第一条の四中「建築主事等」とあるのは、「指定確認検査機関」と読み替えるものとする。

2　第二条の二（第四項及び第六項を除く。）の規定は、法第八十七条の四において準用する法第六条の二第一項の規定による確認の申請について準用する。この場合において、第二条の二第一項第一号ロ(2)及び第五項中「建築主事等」とあるのは、「指定確認検査機関」と読み替えるものとする。

3　第三条（第六項及び第八項を除く。）の規定は、法第八十八条第一項又は第二項において準用する法第六条の二第一項の規定による確認の申請について準用する。この場合において、第三条第一項第一号ロ(2)及び第七項中「建築主事等」とあるのは、「指定確認検査機関」と読み替えるものとする。

4　第一条の三第七項、第二条の二第四項又は第三条第六項の規定に基づき特定行政庁が規則で法第六条第一項（法第八十七条第一項、法第八十七条の四又は法第八十八条第一項若しくは第二項において準用する場合を含む。）の申請書に添えるべき図書を定めた場合にあつては、前各項の規定による確認の申請書に当該図書を添えるものとする。

（指定確認検査機関が交付する確認済証等の様式等）

第三条の四　法第六条の二第一項（法第八十七条第一項、法第八十七条の四又は法第八十八条第一項若しくは第二項において準用する場合を含む。次条において同じ。）の規定による確認済証の交付は、別記第十五号様式による確認済証に、前条において準用する第一条の三、第二条の二又は第三条の申請書の副本一通並びにその添付図書及び添付書類、第三条の十二に規定する図書及び書類並びに建築物のエネルギー消費性能の向上等に関する法律施行規則第六条に規定する書類を添えて行わなければならない。

2　法第六条の二第四項（法第八十七条第一項、法第八十七条の四又は法第八十八条第一項若しくは第二項において準用する場合を含む。次条第一項において同じ。）の規定による通知書の交付は、次の各号に掲げる通知書の区分に応じ、それぞれ当該各号に定めるところによるものとする。

一　申請に係る建築物の計画が建築基準関係規定に適合しないことを認めた旨及びその理由を記載した通知書　別記第十五号の二様式による通知書に、前条において準用する第一条の三、第二条の二又は第三条の申請

書の副本一通並びにその添付図書及び添付書類、適合判定通知書又はその写し、第三条の十二に規定する図書及び書類、建築物のエネルギー消費性能の向上等に関する法律第十二条第六項に規定する適合判定通知書又はその写し並びに建築物のエネルギー消費性能の向上等に関する法律施行規則第六条に規定する書類を添えて行う。

第三条の四　法第六条の二第一項（法第八十七条第一項、法第八十七条の四又は法第八十八条第一項若しくは第二項において準用する場合を含む。次条において同じ。）の規定による確認済証の交付は、別記第十五号様式による確認済証に、前条において準用する第一条の三、第二条の二又は第三条の申請書の副本一通並びにその添付図書及び添付書類、第三条の十二に規定する図書及び書類並びに建築物のエネルギー消費性能の向上等に関する法律施行規則第八条に規定する書類を添えて行わなければならない。

2　法第六条の二第四項（法第八十七条第一項、法第八十七条の四又は法第八十八条第一項若しくは第二項において準用する場合を含む。次条第一項において同じ。）の規定による通知書の交付は、次の各号に掲げる通知書の区分に応じ、当該各号に定めるところによるものとする。

一　申請に係る建築物の計画が建築基準関係規定に適合しないことを認めた旨及びその理由を記載した通知書　別記第十五号の二様式による通知書に、前条において準用する第一条の三、第二条の二又は第三条の申請書の副本一通並びにその添付図書及び添付書類、適合判定通知書又はその写し、第三条の十二に規定する図書及び書類、建築物のエネルギー消費性能の向上等に関する法律第十一条第六項に規定する適合判定通知書又はその写し並びに建築物のエネルギー消費性能の向上等に関する法律施行規則第八条に規定する書類を添えて行う。

二　申請に係る建築物の計画が申請の内容によつては建築基準関係規定に適合するかどうかを決定することができない旨及びその理由を記載した通知書　別記第十五号の三様式による通知書により行う。

3　前二項に規定する図書及び書類の交付については、電子情報処理組織（指定確認検査機関の使用に係る電子計算機と交付を受ける者の使用に係る入出力装置とを電気通信回線で接続した電子情報処理組織をいう。第三条の十一、第三条の二十二（第六条の十、第六条の十二、第六条の十四及び第六条の十六において準用する場合を含む。）及び第十一条の二の二を除き、以下同じ。）の使用又は電磁的記録媒体の交付によることができる。

（確認審査報告書）

第三条の五　法第六条の二第五項（法第八十七条第一項、法第八十七条の四又は法第八十八条第一項若しくは第二項において準用する場合を含む。以下この条において同じ。）の国土交通省令で定める期間は、法第六条の二第一項の確認済証又は同条第四項の通知書の交付の日から七日以内とする。

2　法第六条の二第五項に規定する確認審査報告書は、別記第十六号様式による。

3　法第六条の二第五項の国土交通省令で定める書類（法第六条の二第一項の確認済証の交付をした場合に限る。）は、次の各号に掲げる書類とする。

一　次のイからニまでに掲げる区分に応じ、それぞれ当該イからニまでに定める書類

イ　建築物　別記第二号様式の第四面から第六面までによる書類並びに別記第三号様式による建築計画概要書

ロ　建築設備　別記第八号様式の第二面による書類

ハ　法第八十八条第一項に規定する工作物　別記第十号様式（観光用エレベーター等にあつては、別記第八号様式（昇降機用））の第二面による書類

ニ　法第八十八条第二項に規定する工作物　別記第十二号様式による築造計画概要書

二　法第十八条の三第一項に規定する確認審査等に関する指針（以下単に「確認審査等に関する指針」という。）に従つて法第六条の二第一項の規定による確認のための審査を行つたことを証する書類として国土交通大臣が定める様式によるもの

三　適合判定通知書又はその写し

4　前項各号に定める書類が、電子計算機に備えられたファイル又は電磁的記録媒体に記録され、必要に応じ特定行政庁において電子計算機その他の機器を用いて明確に紙面に表示されるときは、当該ファイル又は電磁的記録媒体をもつて同項各号の書類に代えることができる。

（適合しないと認める旨の通知書の様式）

第三条の六　法第六条の二第六項（法第八十七条第一項、法第八十七条の四又は法第八十八条第一項若しくは第二項において準用する場合を含む。）の規定による適合しないと認める旨の通知書の様式は、別記第十七号様式及び別記第十八号様式による。

（構造計算適合性判定の申請書の様式）

第三条の七　法第六条の三第一項の規定による構造計算適合性判定の申請書は、次の各号に掲げる図書及び書類とする。

一　別記第十八号の二様式による正本一通及び副本一通に、それぞれ、次に掲げる図書及び書類を添えたもの（正本に添える図書にあつては、当該図書の設計者の氏名が記載されたものに限る。）

イ　第一条の三第一項の表一の各項に掲げる図書（同条第一項第一号イの認定を受けた構造の建築物又はその部分に係る場合で当該認定に係る認定書の写しを添えたものにおいては同号イに規定する国土交通大臣の指定した図書を除く。）

ロ　申請に係る建築物が次の(1)から(3)までに掲げる建築物である場合にあつては、それぞれ当該(1)から(3)までに定める図書及び書類

(1)　次の(i)及び(ii)に掲げる建築物　それぞれ当該(i)及び(ii)に定める図書及び書類

(i)　第一条の三第一項の表二の(一)項の(い)欄に掲げる建築物並びに同条第一項の表五の(二)項及び(三)項の(い)欄に掲げる建築物　それぞれ同条第一項の表二の(一)項の(ろ)欄に掲げる図書並びに同条第一項の表五の(二)項の(ろ)欄に掲げる計算書及び同表の(三)項の(ろ)欄に掲げる図書（同条第一項第一号ロ(1)の認定を受けた構造の建築物又はその部分に係る場合で当該認定に係る認定書の写しを添えたものにおいては同号ロ(1)に規定する国土交通大臣が指定した図書及び計算書、同号ロ(2)の認定を受けた構造の建築物又はその部分に係る場合においては同項の表五の(二)項の(ろ)欄に掲げる計算書を除く。）

(ii)　第一条の三第一項の表二の(六十二)項の(い)欄に掲げる建築物（令第百三十七条の二の規定が適用される建築物に限る。）　同項の(ろ)欄に掲げる図書（同条の規定が適用される建築物に係るものに限る。）

(2)　次の(i)及び(ii)に掲げる建築物　それぞれ当該(i)及び(ii)に定める図書（第一条の三第一項第一号ロ(2)の認定を受けた構造の建築物又はその部分に係る場合においては、当該認定に係る認定書の写し及び同号ロ(2)に規定する国土交通大臣が指定した構造計算の計算書）。ただし、(i)及び(ii)に掲げる建築物について法第二十条第一項第二号イ及び第三号イの認定を受けたプログラムによる構造計算によつて安全性を確かめた場合は、当該認定に係る認定書の写し、第一条の三第一項第一号ロ(2)ただし書の規定による電磁的記録媒体及び同号ロ(2)ただし書に規定する国土交通大臣が指定した図書をもつて代えることができる。

(i)　第一条の三第一項の表三の各項の(い)欄上段（(二)項にあつては(い)欄）に掲げる建築物　当該各項の(ろ)欄に掲げる構造計算書

(ii)　令第八十一条第二項第一号イ若しくはロ又は同項第二号イ又は同条第三項に規定する国土交通大臣が定める基準に従つた構造計算により安全性を確かめた建築物　第一条の三第一項第一号ロ(2)(ii)に規定する国土交通大臣が定める構造計算書に準ずる図書

(3)　第一条の三第一項の表四の(七)項、(七十)項、(三十四)項から(四十二)項まで、(七十四)項及び(七十五)項の(い)欄に掲げる建築物　当該各項に掲げる書類（都道府県知事が、当該書類を有していないことその他の理由により、提出を求める場合に限る。）

(3)　第一条の三第一項の表四の(七)項、(七十)項、(三十四)項から(四十三)項まで、(七十六)項及び(七十七)項の(い)欄に掲げる建築物　当該各項に掲げる書類（都道府県知事が、当該書類を有していないことその他の理由により、提出を求める場合に限る。）

二　別記第三号様式による建築計画概要書

三　代理者によつて構造計算適合性判定の申請を行う場合にあつては、委任状又はその写し

四　申請に係る建築物が建築士により構造計算によつてその安全性を確かめられたものである場合にあつては、証明書の写し

2　前項第一号イ及びロ(1)に掲げる図書に明示すべき事項をこれらの図書の

うち他の図書に明示してその図書を同項の申請書に添える場合においては、同項の規定にかかわらず、同号イ及びロ(1)に掲げる図書に明示することを要しない。この場合において、同号イ及びロ(1)に掲げる図書に明示すべき全ての事項を当該他の図書に明示したときは、同号イ及びロ(1)に掲げる図書を同項の申請書に添えることを要しない。

3　前二項の規定にかかわらず、構造計算適合性判定（特定構造計算基準又は特定増改築構造計算基準に適合する旨の判定に限る。）を受けた建築物の計画の変更の場合における構造計算適合性判定の申請書並びにその添付図書及び添付書類は、前二項に規定する申請書並びにその添付図書及び添付書類並びに当該計画の変更に係る直前の構造計算適合性判定に要した図書及び書類（変更に係る部分に限る。）とする。ただし、当該直前の構造計算適合性判定を受けた都道府県知事に対して申請を行う場合においては、変更に係る部分の申請書（第一面が別記第十八号の三様式によるものをいう。）並びにその添付図書及び添付書類とする。

4　前各項の規定にかかわらず、第一条の三第十項に規定する建築物の計画に係る構造計算適合性判定の申請を行う場合にあつては、前各項に規定する申請書並びにその添付図書及び添付書類（構造計算基準に適合する部分の計画に係るものに限る。）を提出することを要しない。

（都道府県知事による留意事項の通知）

第三条の八　都道府県知事は、法第六条の三第一項の規定による構造計算適合性判定の申請を受けた場合において、申請に係る建築物の計画について建築主事等又は指定確認検査機関が法第六条第四項に規定する審査又は法第六条の二第一項の規定による確認のための審査を行うに当たつて留意すべき事項があると認めるときは、当該計画について法第六条第一項又は法第六条の二第一項の規定による確認の申請を受けた建築主事等又は指定確認検査機関に対し、当該事項の内容を通知するものとする。

（適合判定通知書等の様式等）

第三条の九　法第六条の三第四項の規定による通知書の交付は、次の各号に掲げる場合に応じ、それぞれ当該各号に定めるものに第三条の七の申請書の副本一通並びにその添付図書及び添付書類を添えて行うものとする。

一　建築物の計画が特定構造計算基準又は特定増改築構造計算基準に適合するものであると判定された場合　別記第十八号の四様式による適合判定通知書

二　建築物の計画が特定構造計算基準又は特定増改築構造計算基準に適合しないものであると判定された場合　別記第十八号の五様式による通知書

2　法第六条の三第五項の国土交通省令で定める場合は、次のいずれかに該当する場合とする。

一　申請に係る建築物の計画が特定増改築構造計算基準（令第八十一条第二項に規定する基準に従つた構造計算で、法第二十条第一項第二号イに規定する方法によるものによつて確かめられる安全性を有することに係る部分に限る。）に適合するかどうかの判定の申請を受けた場合

二　申請に係る建築物の計画が令第八十一条第二項又は第三項に規定する基準に従つた構造計算で、法第二十条第一項第二号イ又は第三号イに規定するプログラムによるものによつて確かめられる安全性を有するかどうかの判定の申請を受けた場合において、第一条の三第一項第一号ロ(2)ただし書の規定による電磁的記録媒体の提出がなかつた場合

三　法第二十条第一項第二号イに規定するプログラムにより令第八十一条第二項に規定する基準に従つた構造計算を行う場合に用いた構造設計の条件が適切なものであるかどうかその他の事項について構造計算適合性判定に関する事務に従事する者相互間で意見が異なる場合

3　法第六条の三第五項の規定による同条第四項の期間を延長する旨及びその延長する期間並びにその期間を延長する理由を記載した通知書の交付は、別記第十八号の六様式により行うものとする。

4　法第六条の三第六項の規定による適合するかどうかを決定することができない旨及びその理由を記載した通知書の交付は、別記第十八号の七様式により行うものとする。

（指定構造計算適合性判定機関に対する構造計算適合性判定の申請等）

第三条の一〇　第三条の七の規定は、法第十八条の二第四項において読み替えて適用する法第六条の三第一項の規定による構造計算適合性判定の申請について、第三条の八の規定は法第十八条の二第四項において読み替えて適用する法第六条の三第一項の規定による構造計算適合性判定の申請を受けた場合について準用する。この場合において、第三条の七第一項第一号ロ(3)及び第三項並びに第三条の八中「都道府県知事」とあるのは、「指定構造計算適合性判定機関」と読み替えるものとする。

（指定構造計算適合性判定機関が交付する適合判定通知書等の様式等）

第三条の一一　法第十八条の二第四項において読み替えて適用する法第六条の三第四項の規定による通知書の交付は、次の各号に掲げる場合に応じ、それぞれ当該各号に定めるものに、前条において準用する第三条の七の申請書の副本一通並びにその添付図書及び添付書類を添えて行わなければならない。

一　建築物の計画が特定構造計算基準又は特定増改築構造計算基準に適合するものであると判定された場合　別記第十八号の八様式による適合判定通知書

二　建築物の計画が特定構造計算基準又は特定増改築構造計算基準に適合しないものであると判定された場合　別記第十八号の九様式による通知書

2　法第十八条の二第四項において読み替えて適用する法第六条の三第五項の国土交通省令で定める場合は、次のいずれかに該当する場合とする。

一　申請に係る建築物の計画が特定増改築構造計算基準（令第八十一条第二項に規定する基準に従つた構造計算で、法第二十条第一項第二号イに規定する方法によるものによつて確かめられる安全性を有することに係る部分に限る。）に適合するかどうかの判定の申請を受けた場合

二　申請に係る建築物の計画が令第八十一条第二項又は第三項に規定する基準に従つた構造計算で、法第二十条第一項第二号イ又は第三号イに規定するプログラムによるものによつて確かめられる安全性を有するかどうかの判定の申請を受けた場合において、第一条の三第一項第一号ロ(2)ただし書の規定による電磁的記録媒体の提出がなかつた場合

三　法第二十条第一項第二号イに規定するプログラムにより令第八十一条第二項に規定する基準に従つた構造計算を行う場合に用いた構造設計の条件が適切なものであるかどうかその他の事項について構造計算適合性判定員相互間で意見が異なる場合

3　法第十八条の二第四項において読み替えて適用する法第六条の三第五項の規定による同条第四項の期間を延長する旨及びその延長する期間並びにその期間を延長する理由を記載した通知書の交付は、別記第十八号の十様式により行うものとする。

4　法第十八条の二第四項において読み替えて適用する法第六条の三第六項の規定による適合するかどうかを決定することができない旨及びその理由を記載した通知書の交付は、別記第十八号の十一様式により行うものとする。

5　第一項及び前二項に規定する図書及び書類の交付については、電子情報処理組織（指定構造計算適合性判定機関の使用に係る電子計算機と交付を受ける者の使用に係る入出力装置とを電気通信回線で接続した電子情報処理組織をいう。）の使用又は電磁的記録媒体の交付によることができる。

（適合判定通知書又はその写しの提出）

第三条の一二　法第六条の三第七項の規定による適合判定通知書又はその写しの提出は、第三条の七第一項第一号ロ(1)及び(2)に定める図書及び書類を添えて行うものとする。

（構造計算に関する高度の専門的知識及び技術を有する者等）

第三条の一三　法第六条の三第一項ただし書の国土交通省令で定める要件は、次の各号のいずれかに該当する者（以下「特定建築基準適合判定資格者」という。）であることとする。

第三条の一三　法第六条の三第一項ただし書の国土交通省令で定める要件は、次の各号のいずれか（同項第二号に掲げる確認審査にあつては、第二号）に該当する者（以下「特定建築基準適合判定資格者」という。）であることとする。

一　建築士法第十条の三第四項に規定する構造設計一級建築士

二　法第七十七条の六十六第一項の登録を受けている者（以下「構造計算適合判定資格者」という。）

三　構造計算に関する高度の専門的知識及び技術を習得させるための講習であつて、次条から第三条の十六までの規定により国土交通大臣の登録を受けたもの（以下「登録特定建築基準適合判定資格者講習」という。）を修了した者

四　前三号に掲げる者のほか国土交通大臣が定める者

2　特定行政庁及び指定確認検査機関は、その指揮監督の下にある建築主事

等及び確認検査員又は副確認検査員が特定建築基準適合判定資格者として法第六条の三第一項ただし書の規定による審査を行う場合にあつては、その旨をウェブサイトへの掲載その他の適切な方法により公表するものとする。

（特定建築基準適合判定資格者講習の登録の申請）

第三条の一四　前条第一項第三号の登録は、登録特定建築基準適合判定資格者講習の実施に関する事務（以下「登録特定建築基準適合判定資格者講習事務」という。）を行おうとする者の申請により行う。

2　前条第一項第三号の登録を受けようとする者は、次に掲げる事項を記載した申請書を国土交通大臣に提出しなければならない。

一　前条第一項第三号の登録を受けようとする者の氏名又は名称及び住所並びに法人にあつては、その代表者の氏名

二　登録特定建築基準適合判定資格者講習事務を行おうとする事務所の名称及び所在地

三　登録特定建築基準適合判定資格者講習事務を開始しようとする年月日

3　前項の申請書には、次に掲げる書類を添付しなければならない。

一　個人である場合においては、次に掲げる書類

イ　住民票の抄本若しくは個人番号カード（行政手続における特定の個人を識別するための番号の利用等に関する法律（平成二十五年法律第二十七号）第二条第七項に規定する個人番号カードをいう。第六条の十七第二項第一号において同じ。）の写し又はこれらに類するものであつて氏名及び住所を証明する書類

ロ　登録申請者の略歴を記載した書類

二　法人である場合においては、次に掲げる書類

イ　定款及び登記事項証明書

ロ　株主名簿又は社員名簿の写し

ハ　申請に係る意思の決定を証する書類

ニ　役員（持分会社（会社法（平成十七年法律第八十六号）第五百七十五条第一項に規定する持分会社をいう。）にあつては、業務を執行する社員をいう。以下同じ。）の氏名及び略歴を記載した書類

三　講師が第三条の十六第一項第二号イからハまでのいずれかに該当する者であることを証する書類

四　登録特定建築基準適合判定資格者講習の受講資格を記載した書類その他の登録特定建築基準適合判定資格者講習事務の実施の方法に関する計画を記載した書類

五　登録特定建築基準適合判定資格者講習事務以外の業務を行おうとするときは、その業務の種類及び概要を記載した書類

六　前条第一項第三号の登録を受けようとする者が次条各号のいずれにも該当しない者であることを誓約する書面

七　その他参考となる事項を記載した書類

（欠格事項）

第三条の一五　次の各号のいずれかに該当する者が行う講習は、第三条の十三第一項第三号の登録を受けることができない。

一　建築基準法令の規定により罰金以上の刑に処せられ、その執行を終わり、又は執行を受けることがなくなつた日から起算して二年を経過しない者

二　第三条の二十五の規定により第三条の十三第一項第三号の登録を取り消され、その取消しの日から起算して二年を経過しない者

三　法人であつて、登録特定建築基準適合判定資格者講習事務を行う役員のうちに前二号のいずれかに該当する者があるもの

（登録の要件等）

第三条の一六　国土交通大臣は、第三条の十四の規定による登録の申請が次に掲げる要件の全てに適合しているときは、その登録をしなければならない。

一　第三条の十八第三号イからハまでに掲げる科目について講習が行われること。

二　次のいずれかに該当する者が講師として登録特定建築基準適合判定資格者講習事務に従事するものであること。

イ　学校教育法（昭和二十二年法律第二十六号）による大学若しくはこれに相当する外国の学校において建築物の構造に関する科目を担当する教授若しくは准教授の職にあり、若しくはこれらの職にあつた者又は建築物の構造に関する科目の研究により博士の学位を授与された者

ロ　建築物の構造に関する分野の試験研究機関において試験研究の業務に従事し、又は従事した経験を有する者で、かつ、当該分野について高度の専門的知識を有する者

ハ　イ又はロに掲げる者と同等以上の知識及び経験を有する者

三　指定確認検査機関又は指定構造計算適合性判定機関に支配されているものとして次のいずれかに該当するものでないこと。

イ　第三条の十四の規定により登録を申請した者（以下この号において「登録申請者」という。）が株式会社である場合にあつては、指定確認検査機関又は指定構造計算適合性判定機関がその親法人（会社法第八百七十九条第一項に規定する親法人をいう。以下同じ。）であること。

ロ　登録申請者の役員に占める指定確認検査機関又は指定構造計算適合性判定機関の役員又は職員（過去二年間に当該指定確認検査機関又は指定構造計算適合性判定機関の役員又は職員であつた者を含む。ハにおいて同じ。）の割合が二分の一を超えていること。

ハ　登録申請者（法人にあつては、その代表権を有する役員）が指定確認検査機関又は指定構造計算適合性判定機関の役員又は職員であること。

2　第三条の十三第一項第三号の登録は、登録特定建築基準適合判定資格者講習登録簿に次に掲げる事項を記載してするものとする。

一　登録年月日及び登録番号

二　登録特定建築基準適合判定資格者講習事務を行う者（以下「登録特定建築基準適合判定資格者講習実施機関」という。）の氏名又は名称及び住所並びに法人にあつては、その代表者の氏名

三　登録特定建築基準適合判定資格者講習事務を行う事務所の名称及び所在地

四　登録特定建築基準適合判定資格者講習事務を開始する年月日

（登録の更新）

第三条の一七　第三条の十三第一項第三号の登録は、五年ごとにその更新を受けなければ、その期間の経過によつて、その効力を失う。

2　前三条の規定は、前項の登録の更新について準用する。

（登録特定建築基準適合判定資格者講習事務の実施に係る義務）

第三条の一八　登録特定建築基準適合判定資格者講習実施機関は、公正に、かつ、第三条の十六第一項第一号及び第二号に掲げる要件並びに次に掲げる基準に適合する方法により登録特定建築基準適合判定資格者講習事務を行わなければならない。

一　建築基準適合判定資格者であることを受講資格とすること。

二　登録特定建築基準適合判定資格者講習は、講義及び修了考査により行うこと。

三　講義は、次に掲げる科目についてそれぞれ次に定める時間以上行うこと。

イ　木造の建築物の構造計算に係る審査方法　四十分

ロ　鉄骨造の建築物の構造計算に係る審査方法　四十分

ハ　鉄筋コンクリート造の建築物の構造計算に係る審査方法　四十分

四　講義は、前号イからハまでに掲げる科目に応じ、国土交通大臣が定める事項を含む適切な内容の教材を用いて行うこと。

五　講師は、講義の内容に関する受講者の質問に対し、講義中に適切に応答すること。

六　修了考査は、講義の終了後に行い、特定建築基準適合判定資格者として必要な知識及び技能を修得したかどうかを判定できるものであること。

七　登録特定建築基準適合判定資格者講習を実施する日時、場所その他の登録特定建築基準適合判定資格者講習の実施に関し必要な事項を公示すること。

八　不正な受講を防止するための措置を講じること。

九　終了した修了考査の問題及び当該修了考査の合格基準を公表すること。

十　修了考査に合格した者に対し、別記第十八号の十二様式による修了証明書（第三条の二十第八号並びに第三条の二十六第一項第五号及び第四項第四号において「修了証明書」という。）を交付すること。

（登録事項の変更の届出）

第三条の一九　登録特定建築基準適合判定資格者講習実施機関は、第三条の十六第二項第二号から第四号までに掲げる事項を変更しようとするときは、変更しようとする日の二週間前までに、その旨を国土交通大臣に届け出なければならない。

（登録特定建築基準適合判定資格者講習事務規程）

第三条の二〇　登録特定建築基準適合判定資格者講習実施機関は、次に掲げる事項を記載した登録特定建築基準適合判定資格者講習事務（以下この条において単に「講習事務」という。）に関する規程を定め、講習事務の開始前に、国土交通大臣に届け出なければならない。これを変更しようとするときも、同様とする。

一　講習事務を行う時間及び休日に関する事項
二　講習事務を行う事務所及び登録特定建築基準適合判定資格者講習（以下この条及び第三条の二十六第一項において単に「講習」という。）の実施場所に関する事項
三　講習の受講の申込みに関する事項
四　講習の受講手数料の額及び収納の方法に関する事項
五　講習の日程、公示方法その他の講習の実施の方法に関する事項
六　修了考査の問題の作成及び修了考査の合否判定の方法に関する事項
七　終了した講習の修了考査の問題及び当該修了考査の合格基準の公表に関する事項
八　修了証明書の交付及び再交付に関する事項
九　講習事務に関する秘密の保持に関する事項
十　講習事務に関する公正の確保に関する事項
十一　不正受講者の処分に関する事項
十二　第三条の二十六第一項の帳簿その他の講習事務に関する書類の管理に関する事項
十三　その他講習事務に関し必要な事項

（登録特定建築基準適合判定資格者講習事務の休廃止）

第三条の二一　登録特定建築基準適合判定資格者講習実施機関は、登録特定建築基準適合判定資格者講習事務の全部又は一部を休止し、又は廃止しようとするときは、あらかじめ、次に掲げる事項を記載した届出書を国土交通大臣に提出しなければならない。

一　休止し、又は廃止しようとする登録特定建築基準適合判定資格者講習の範囲
二　休止し、又は廃止しようとする年月日及び休止しようとする場合にあつては、その期間
三　休止又は廃止の理由

（財務諸表等の備付け及び閲覧等）

第三条の二二　登録特定建築基準適合判定資格者講習実施機関は、毎事業年度経過後三月以内に、その事業年度の財産目録、貸借対照表及び損益計算書又は収支計算書並びに事業報告書（その作成に代えて電磁的記録の作成がされている場合における当該電磁的記録を含む。次項において「財務諸表等」という。）を作成し、五年間事務所に備えて置かなければならない。

2　登録特定建築基準適合判定資格者講習を受講しようとする者その他の利害関係人は、登録特定建築基準適合判定資格者講習実施機関の業務時間内は、いつでも、次に掲げる請求をすることができる。ただし、第二号又は第四号の請求をするには、登録特定建築基準適合判定資格者講習実施機関の定めた費用を支払わなければならない。

一　財務諸表等が書面をもつて作成されているときは、当該書面の閲覧又は謄写の請求
二　前号の書面の謄本又は抄本の請求
三　財務諸表等が電磁的記録をもつて作成されているときは、当該電磁的記録に記録された事項を紙面又は出力装置の映像面に表示したものの閲覧又は謄写の請求
四　前号の電磁的記録に記録された事項を電磁的方法であつて、次に掲げるもののうち登録特定建築基準適合判定資格者講習実施機関が定めるものにより提供することの請求又は当該事項を記載した書面の交付の請求
イ　送信者の使用に係る電子計算機と受信者の使用に係る電子計算機とを電気通信回線で接続した電子情報処理組織を使用する方法であつて、当該電気通信回線を通じて情報が送信され、受信者の使用に係る電子計算機に備えられたファイルに当該情報が記録されるもの
ロ　電磁的記録媒体をもつて調製するファイルに情報を記録したものを交付する方法

3　前項第四号イ又はロに掲げる方法は、受信者がファイルへの記録を出力することによる書面を作成することができるものでなければならない。

（適合命令）

第三条の二三　国土交通大臣は、登録特定建築基準適合判定資格者講習実施機関が第三条の十六第一項各号のいずれかに適合しなくなつたと認めるときは、その登録特定建築基準適合判定資格者講習実施機関に対し、これらの規定に適合するため必要な措置をとるべきことを命ずることができる。

（改善命令）

第三条の二四　国土交通大臣は、登録特定建築基準適合判定資格者講習実施機関が第三条の十八の規定に違反していると認めるときは、その登録特定建築基準適合判定資格者講習実施機関に対し、同条の規定による登録特定建築基準適合判定資格者講習を行うべきこと又は登録特定建築基準適合判定資格者講習事務の方法その他の業務の方法の改善に関し必要な措置をとるべきことを命ずることができる。

（登録の取消し等）

第三条の二五　国土交通大臣は、登録特定建築基準適合判定資格者講習実施機関が次の各号のいずれかに該当するときは、当該登録特定建築基準適合判定資格者講習実施機関が行う講習の登録を取り消し、又は期間を定めて登録特定建築基準適合判定資格者講習事務の全部又は一部の停止を命ずることができる。

一　第三条の十五第一号又は第三号に該当するに至つたとき。
二　第三条の十九から第三条の二十一まで、第三条の二十二第一項又は次条の規定に違反したとき。
三　正当な理由がないのに第三条の二十二第二項各号の規定による請求を拒んだとき。
四　前二条の規定による命令に違反したとき。
五　第三条の二十七の規定による報告を求められて、報告をせず、又は虚偽の報告をしたとき。
六　不正の手段により第三条の十三第一項第三号の登録を受けたとき。

（帳簿の記載等）

第三条の二六　登録特定建築基準適合判定資格者講習実施機関は、次に掲げる事項を記載した帳簿を備えなければならない。

一　講習の実施年月日
二　講習の実施場所
三　講義を行つた講師の氏名並びに講義において担当した科目及びその時間
四　受講者の氏名、生年月日及び住所
五　講習を修了した者にあつては、前号に掲げる事項のほか、修了証明書の交付の年月日及び証明書番号

2　前項各号に掲げる事項が、電子計算機に備えられたファイル又は電磁的記録媒体に記録され、必要に応じ登録特定建築基準適合判定資格者講習実施機関において電子計算機その他の機器を用いて明確に紙面に表示されるときは、当該記録をもつて同項に規定する帳簿への記載に代えることができる。

3　登録特定建築基準適合判定資格者講習実施機関は、第一項に規定する帳簿（前項の規定による記録が行われた同項のファイル又は電磁的記録媒体を含む。）を、登録特定建築基準適合判定資格者講習事務の全部を廃止するまで保存しなければならない。

4　登録特定建築基準適合判定資格者講習実施機関は、次に掲げる書類を備え、登録特定建築基準適合判定資格者講習を実施した日から三年間保存しなければならない。

一　登録特定建築基準適合判定資格者講習の受講申込書及び添付書類
二　講義に用いた教材
三　終了した修了考査の問題及び答案用紙
四　修了証明書の写し

（報告の徴収）

第三条の二七　国土交通大臣は、登録特定建築基準適合判定資格者講習事務の適切な実施を確保するため必要があると認めるときは、登録特定建築基準適合判定資格者講習実施機関に対し、登録特定建築基準適合判定資格者講習事務の状況に関し必要な報告を求めることができる。

（公示）

第三条の二八　国土交通大臣は、次に掲げる場合には、その旨を官報に公示しなければならない。

一　第三条の十三第一項第三号の登録をしたとき。
二　第三条の十九の規定による届出があつたとき。
三　第三条の二十一の規定による届出があつたとき。
四　第三条の二十五の規定により第三条の十三第一項第三号の登録を取り消し、又は登録特定建築基準適合判定資格者講習事務の停止を命じたと

き。

（完了検査申請書の様式）

第四条　法第七条第一項（法第八十七条の四又は法第八十八条第一項若しくは第二項において準用する場合を含む。次項において同じ。）の規定による検査の申請書（次項及び第四条の四において「完了検査申請書」という。）は、別記第十九号様式に、次に掲げる図書及び書類を添えたものとする。

一　当該建築物の計画に係る確認に要した図書及び書類（確認を受けた建築物の計画の変更に係る確認を受けた場合にあつては当該確認に要した図書及び書類を含む。第四条の八第一項第一号並びに第四条の十六第一項及び第二項において同じ。）

二　法第七条の五の適用を受けようとする場合にあつては屋根の小屋組の工事終了時、構造耐力上主要な軸組若しくは耐力壁の工事終了時、基礎の配筋（鉄筋コンクリート造の基礎の場合に限る。）の工事終了時その他特定行政庁が必要と認めて指定する工程の終了時における当該建築物に係る構造耐力上主要な部分の軸組、仕口その他の接合部、鉄筋部分等を写した写真（特定工程に係る建築物にあつては直前の中間検査後に行われた工事に係るものに限る。）

三　都市緑地法第四十三条第一項の認定を受けた場合にあつては当該認定に係る認定書の写し

四　建築物のエネルギー消費性能の向上等に関する法律第十一条第一項の規定が適用される場合にあつては、同法第十二条第一項の建築物エネルギー消費性能適合性判定に要した図書及び書類（同条第二項の規定による判定を受けた場合にあつては当該判定に要した図書及び書類を含み、次のイからハまでに掲げる場合にあつてはそれぞれイからハまでに定めるものとする。）

イ　建築物のエネルギー消費性能の向上等に関する法律施行規則第六条第一号に掲げる場合　建築物のエネルギー消費性能の向上等に関する法律第二十三条第一項の規定による認定に要した図書及び書類

ロ　建築物のエネルギー消費性能の向上等に関する法律施行規則第六条第二号に掲げる場合　建築物のエネルギー消費性能の向上等に関する法律第三十四条第一項の規定による認定に要した図書及び書類（同法第三十六条第一項の規定による認定を受けた場合にあつては当該認定に要した図書及び書類を含む。）

ハ　建築物のエネルギー消費性能の向上等に関する法律施行規則第六条第三号に掲げる場合　都市の低炭素化の促進に関する法律第十条第一項又は同法第五十四条第一項の規定による認定に要した図書及び書類（同法第十一条第一項又は同法第五十五条第一項の規定による認定を受けた場合にあつては当該認定に要した図書及び書類を含む。）

四　建築物のエネルギー消費性能の向上等に関する法律第十条第一項の規定が適用される場合にあつては、次のイからホまでに掲げる場合の区分に応じ、当該イからホまでに定める図書及び書類

イ　建築物のエネルギー消費性能の向上等に関する法律第十一条第一項（同法第十四条第二項において読み替えて適用する場合を含む。）の建築物エネルギー消費性能適合性判定を受けた場合　当該建築物エネルギー消費性能適合性判定に要した図書及び書類（同法第十一条第二項（同法第十四条第二項において読み替えて適用する場合を含む。）の規定による判定を受けた場合にあつては当該判定に要した図書及び書類を含む。）

ロ　建築物のエネルギー消費性能の向上等に関する法律施行規則第二条第一項第二号の規定が適用される場合　住宅の品質確保の促進等に関する法律施行規則（平成十二年建設省令第二十号）第三条第一項に規定する設計住宅性能評価に要した図書及び書類（建築物のエネルギー消費性能（建築物のエネルギー消費性能の向上等に関する法律第二条第一項第二号に規定するエネルギー消費性能をいう。以下同じ。）に係るものに限る。）

ハ　建築物のエネルギー消費性能の向上等に関する法律施行規則第二条第一項第二号、第三条第四項又は第四条第二項の規定が適用される場合であつて、住宅の品質確保の促進等に関する法律施行規則第一条第三号に規定する建設住宅性能評価のための検査を受けた場合　同令第六条第七項に規定する検査報告書又はその写し

ニ　建築物のエネルギー消費性能の向上等に関する法律施行規則第二条第一項第三号の規定が適用される場合　長期優良住宅の普及の促進に関する法律（平成二十年法律第八十七号）第六条第一項の認定（同法第八条第一項の変更の認定を含む。）又は住宅の品質確保の促進等に関する法律（平成十一年法律第八十一号）第六条の二第一項の確認に要した図書及び書類（建築物のエネルギー消費性能に係るものに限る。）

ホ　次の(1)から(3)までに掲げる場合　当該(1)から(3)までに定める図書及び書類

(1)　建築物のエネルギー消費性能の向上等に関する法律施行規則第八条第一号に掲げる場合　建築物のエネルギー消費性能の向上等に関する法律第十六条第三項の規定による認定に要した図書及び書類

(2)　建築物のエネルギー消費性能の向上等に関する法律施行規則第八条第二号に掲げる場合　建築物のエネルギー消費性能の向上等に関する法律第三十条第一項の規定による認定に要した図書及び書類（同法第三十一条第一項の規定による認定を受けた場合にあつては当該認定に要した図書及び書類を含む。）

(3)　建築物のエネルギー消費性能の向上等に関する法律施行規則第八条第三号に掲げる場合　都市の低炭素化の促進に関する法律第十条第一項又は同法第五十四条第一項の規定による認定に要した図書及び書類（同法第十一条第一項又は同法第五十五条第一項の規定による認定を受けた場合にあつては当該認定に要した図書及び書類を含む。）

五　直前の確認又は中間検査を受けた日以降において申請に係る計画について第三条の二に該当する軽微な変更が生じた場合にあつては、当該変更の内容を記載した書類

六　その他特定行政庁が工事監理の状況を把握するため特に必要があると認めて規則で定める書類

七　代理者によつて検査の申請を行う場合にあつては、委任状又はその写し

2　法第七条第一項の規定による申請を当該申請に係る建築物の直前の確認（確認を受けた建築物の計画の変更に係る確認を受けた場合にあつては当該確認。第四条の八第二項並びに第四条の十六第一項及び第二項において「直前の確認」という。）を受けた建築主事等に対して行う場合の完了検査申請書にあつては、前項第一号に掲げる図書及び書類の添付を要しない。

（用途変更に関する工事完了届の様式等）

第四条の二　法第八十七条第一項において読み替えて準用する法第七条第一項の規定による届出は、別記第二十号様式によるものとする。

2　前項の規定による届出は、法第八十七条第一項において準用する法第六条第一項の規定による工事が完了した日から四日以内に建築主事等に到達するように、しなければならない。ただし、届出をしなかつたことについて災害その他の事由によるやむを得ない理由があるときは、この限りでない。

（申請できないやむを得ない理由）

第四条の三　法第七条第二項ただし書（法第八十七条の四又は法第八十八条第一項若しくは第二項において準用する場合を含む。）及び法第七条の三第二項ただし書（法第八十七条の四又は法第八十八条第一項において準用する場合を含む。）の国土交通省令で定めるやむを得ない理由は、災害その他の事由とする。

（検査済証を交付できない旨の通知）

第四条の三の二　法第七条第四項に規定する検査実施者は、同項（法第八十七条の四又は法第八十八条第一項若しくは第二項において準用する場合を含む。）の規定による検査をした場合において、検査済証を交付できないと認めたときは、当該建築主に対して、その旨及びその理由を通知しなければならない。

2　前項の規定による交付できない旨及びその理由の通知は、別記第二十号の二様式による。

（検査済証の様式）

第四条の四　法第七条第五項（法第八十七条の四又は法第八十八条第一項若しくは第二項において準用する場合を含む。）の規定による検査済証の交付は、別記第二十一号様式による検査済証に、第四条第一項第一号又は第四号に掲げる図書及び書類の提出を受けた場合にあつては当該図書及び書類を添えて行うものとする。ただし、同条第二項の規定に基づき完了検査

申請書に同条第一項第一号の図書及び書類の添付を要しない場合にあつては、当該図書及び書類の添付を要しない。

（指定確認検査機関に対する完了検査の申請）

第四条の四の二　第四条の規定は、法第七条の二第一項（法第八十七条の四又は法第八十八条第一項若しくは第二項において準用する場合を含む。第四条の五の二第一項及び第四条の七第三項第二号において同じ。）の規定による検査の申請について準用する。この場合において、第四条第二項中「建築主事等」とあるのは、「指定確認検査機関」と読み替えるものとする。

（完了検査引受証及び完了検査引受通知書の様式）

第四条の五　法第七条の二第三項（法第八十七条の四又は法第八十八条第一項若しくは第二項において準用する場合を含む。次項において同じ。）の検査の引受けを行つた旨を証する書面の様式は、別記第二十二号様式による。

2　法第七条の二第三項の規定による検査の引受けを行つた旨の通知の様式は、別記第二十三号様式による。

3　前項の通知は、法第七条の二第一項（法第八十七条の四又は法第八十八条第一項若しくは第二項において準用する場合を含む。第四条の七において同じ。）の検査の引受けを行つた日から七日以内で、かつ、当該検査の引受けに係る工事が完了した日から四日が経過する日までに、建築主事等に到達するように、しなければならない。

（検査済証を交付できない旨の通知）

第四条の五の二　指定確認検査機関は、法第七条の二第一項の規定による検査をした場合において、検査済証を交付できないと認めたときは、当該建築主に対して、その旨及びその理由を通知しなければならない。

2　前項の規定による交付できない旨及びその理由の通知は、別記第二十三号の二様式による。

（指定確認検査機関が交付する検査済証の様式）

第四条の六　法第七条の二第五項（法第八十七条の四又は法第八十八条第一項若しくは第二項において準用する場合を含む。次項において同じ。）に規定する検査済証の様式は、別記第二十四号様式による。

2　指定確認検査機関が第四条の四の二において準用する第四条第一項第一号又は第四号に掲げる図書及び書類の提出を受けた場合における法第七条の二第五項の検査済証の交付は、当該図書及び書類を添えて行わなければならない。

3　前項に規定する図書及び書類の交付については、電子情報処理組織の使用又は電磁的記録媒体の交付によることができる。

（完了検査報告書）

第四条の七　法第七条の二第六項（法第八十七条の四又は法第八十八条第一項若しくは第二項において準用する場合を含む。以下この条において同じ。）の国土交通省令で定める期間は、法第七条の二第五項（法第八十七条の四又は法第八十八条第一項若しくは第二項において準用する場合を含む。）の検査済証の交付の日又は第四条の五の二第一項の規定による通知をした日から七日以内とする。

2　法第七条の二第六項に規定する完了検査報告書は、別記第二十五号様式による。

3　法第七条の二第六項の国土交通省令で定める書類は、次に掲げる書類とする。

一　別記第十九号様式の第二面から第四面までによる書類

二　確認審査等に関する指針に従つて法第七条の二第一項の規定による検査を行つたことを証する書類として国土交通大臣が定める様式によるもの

4　前項各号に定める書類が、電子計算機に備えられたファイル又は電磁的記録媒体に記録され、必要に応じ特定行政庁において電子計算機その他の機器を用いて明確に紙面に表示されるときは、当該ファイル又は電磁的記録媒体をもつて同項各号の書類に代えることができる。

（中間検査申請書の様式）

第四条の八　法第七条の三第一項（法第八十七条の四又は法第八十八条第一項において準用する場合を含む。次項において同じ。）の規定による検査の申請書（次項及び第四条の十において「中間検査申請書」という。）は、別記第二十六号様式に、次に掲げる図書及び書類を添えたものとする。

一　当該建築物の計画に係る確認に要した図書及び書類

二　法第七条の五の適用を受けようとする場合にあつては屋根の小屋組の工事終了時、構造耐力上主要な軸組若しくは耐力壁の工事終了時、基礎の配筋（鉄筋コンクリート造の基礎の場合に限る。）の工事終了時その他特定行政庁が必要と認めて指定する工程の終了時における当該建築物に係る構造耐力上主要な部分の軸組、仕口その他の接合部、鉄筋部分等を写した写真（既に中間検査を受けている建築物にあつては直前の中間検査後に行われた工事に係るものに限る。）

三　直前の確認又は中間検査を受けた日以降において申請に係る計画について第三条の二に該当する軽微な変更が生じた場合にあつては、当該変更の内容を記載した書類

四　その他特定行政庁が工事監理の状況を把握するため特に必要があると認めて規則で定める書類

五　代理者によつて検査の申請を行う場合にあつては、委任状又はその写し

2　法第七条の三第一項の規定による申請を当該申請に係る建築物の直前の確認を受けた建築主事等に対して行う場合の中間検査申請書にあつては、前項第一号に掲げる図書及び書類の添付を要しない。

（中間検査合格証を交付できない旨の通知）

第四条の九　検査実施者は、法第七条の三第四項（法第八十七条の四又は法第八十八条第一項において準用する場合を含む。）の規定による検査をした場合において、中間検査合格証を交付できないと認めたときは、当該建築主に対して、その旨及びその理由を通知しなければならない。

2　前項の規定による交付できない旨及びその理由の通知は、別記第二十七号様式によるものとする。

（中間検査合格証の様式）

第四条の一〇　法第七条の三第五項（法第八十七条の四又は法第八十八条第一項において準用する場合を含む。）の規定による中間検査合格証の交付は、別記第二十八号様式による中間検査合格証に、第四条の八第一項第一号に掲げる図書及び書類を求めた場合にあつては当該図書及び書類を添えて行うものとする。ただし、第四条の八第二項の規定に基づき中間検査申請書に同号の図書及び書類の添付を要しない場合にあつては、当該図書及び書類の添付を要しない。

（特定工程の指定に関する事項）

第四条の一一　特定行政庁は、法第七条の三第一項第二号及び第六項（これらの規定を法第八十七条の四又は法第八十八条第一項において準用する場合を含む。）の規定により特定工程及び特定工程後の工程を指定しようとする場合においては、当該指定をしようとする特定工程に係る中間検査を開始する日の三十日前までに、次に掲げる事項を公示しなければならない。

一　中間検査を行う区域を限る場合にあつては、当該区域

二　中間検査を行う期間を限る場合にあつては、当該期間

三　中間検査を行う建築物の構造、用途又は規模を限る場合にあつては、当該構造、用途又は規模

四　指定する特定工程

五　指定する特定工程後の工程

六　その他特定行政庁が必要と認める事項

（指定確認検査機関に対する中間検査の申請）

第四条の一一の二　第四条の八の規定は、法第七条の四第一項（法第八十七条の四又は法第八十八条第一項において準用する場合を含む。第四条の十二の二第一項及び第四条の十四第三項第二号において同じ。）の規定による検査の申請について準用する。この場合において、第四条の八第二項中「建築主事等」とあるのは、「指定確認検査機関」と読み替えるものとする。

（中間検査引受証及び中間検査引受通知書の様式）

第四条の一二　法第七条の四第二項（法第八十七条の四又は法第八十八条第一項において準用する場合を含む。次項において同じ。）の検査の引受けを行つた旨を証する書面の様式は、別記第二十九号様式による。

2　法第七条の四第二項の規定による検査の引受けを行つた旨の通知の様式は、別記第三十号様式による。

3　前項の通知は、法第七条の四第一項（法第八十七条の四又は法第八十八条第一項において準用する場合を含む。第四条の十四において同じ。）の検査の引受けを行つた日から七日以内で、かつ、当該検査の引受けに係る工事が完了した日から四日が経過する日までに、建築主事等に到達するように、しなければならない。

（中間検査合格証を交付できない旨の通知）

第四条の一二の二　指定確認検査機関は、法第七条の四第一項の規定による検査をした場合において、中間検査合格証を交付できないと認めたときは、

当該建築主に対して、その旨及びその理由を通知しなければならない。

2 前項の規定による交付できない旨及びその理由の通知は、別記第三十号の二様式による。

（指定確認検査機関が交付する中間検査合格証の様式）

第四条の一三 法第七条の四第三項（法第八十七条の四又は法第八十八条第一項において準用する場合を含む。次項において同じ。）に規定する中間検査合格証の様式は、別記第三十一号様式による。

2 指定確認検査機関が当該建築物の計画に係る図書及び書類（確認に要したものに限る。）を求めた場合における法第七条の四第三項の中間検査合格証の交付は、当該図書及び書類を添えて行わなければならない。

3 前項に規定する図書及び書類の交付については、電子情報処理組織の使用又は電磁的記録媒体の交付によることができる。

（中間検査報告書）

第四条の一四 法第七条の四第六項（法第八十七条の四又は法第八十八条第一項において準用する場合を含む。以下この条において同じ。）の国土交通省令で定める期間は、法第七条の四第三項（法第八十七条の四又は法第八十八条第一項において準用する場合を含む。）の中間検査合格証の交付の日又は第四条の十二の二第一項の規定による通知をした日から七日以内とする。

2 法第七条の四第六項に規定する中間検査報告書は、別記第三十二号様式による。

3 法第七条の四第六項の国土交通省令で定める書類は、次に掲げる書類とする。

一 別記第二十六号様式の第二面から第四面までによる書類

二 確認審査等に関する指針に従つて法第七条の四第一項の規定による検査を行つたことを証する書類として国土交通大臣が定める様式によるもの

4 前項各号に定める書類が、電子計算機に備えられたファイル又は電磁的記録媒体に記録され、必要に応じ特定行政庁において電子計算機その他の機器を用いて明確に紙面に表示されるときは、当該ファイル又は電磁的記録媒体をもつて同項各号の書類に代えることができる。

（建築物に関する検査の特例）

第四条の一五 法第七条の五に規定する建築物の建築の工事であることの確認は、次の各号に掲げる場合の区分に応じ、当該各号に定めるところにより行うものとする。

一 法第七条又は法第七条の三の規定を適用する場合 第四条第一項又は第四条の八第一項の申請書並びにその添付図書及び添付書類を審査し、必要に応じ、法第十二条第五項の規定による報告を求める。

二 法第七条の二又は法第七条の四の規定を適用する場合 第四条の四の二において準用する第四条第一項第一号に規定する図書及び書類並びに同項第二号に規定する写真並びに第四条の十一の二において準用する第四条の八第一項第一号に規定する図書及び書類並びに同項第二号に規定する写真を審査し、特に必要があるときは、法第七十七条の三十二第一項の規定により照会する。

（仮使用の認定の申請等）

第四条の一六 法第七条の六第一項第一号（法第八十七条の四又は法第八十八条第一項若しくは第二項において準用する場合を含む。以下この条において同じ。）の規定により特定行政庁の仮使用の認定を受けようとする者は、別記第三十三号様式による仮使用認定申請書の正本及び副本に、それぞれ、当該認定の申請に係る建築物の計画に係る確認に要した図書及び書類（当該申請に係る建築物の直前の確認を受けた建築主事等を置く市町村の長又は都道府県知事たる特定行政庁に対して申請を行う場合においては、当該特定行政庁の指揮監督下にある建築主事等が当該図書及び書類を有していないことその他の理由により、提出を求める場合に限る。）並びに次の表の(い)項及び(は)項に掲げる図書（令第百三十八条に規定する工作物（同条第二項第一号に掲げるものを除く。以下この項において「昇降機以外の工作物」という。）を仮使用する場合にあつては(ろ)項及び(は)項に掲げる図書、昇降機以外の工作物と建築物又は建築物及び建築設備とを併せて仮使用する場合にあつては(い)項から(は)項までに掲げる図書。次項において同じ。）その他特定行政庁が必要と認める図書及び書類を添えて、建築主事等（当該認定の申請に係る建築物又は建築物の部分が大規模建築物又はその部分に該当する場合にあつては、建築主事）を経由して特定行政庁に提出するものとする。ただし、令第百四十七条の二に規定する建築物に係る仮使用をする場合にあつては、(は)項に掲げる図書に代えて第十一条の二第一項の表に掲げる工事計画書及び安全計画書を提出しなければならない。

	図書の種類	明示すべき事項
(い)	各階平面図	縮尺、方位、間取、各室の用途、新築又は避難施設等に関する工事に係る建築物又は建築物の部分及び申請に係る仮使用の部分
(ろ)	配置図	縮尺、方位、工作物の位置及び申請に係る仮使用の部分
(は)	安全計画書	工事中において安全上、防火上又は避難上講ずる措置の概要

2 法第七条の六第一項第二号（法第八十七条の四又は法第八十八条第一項若しくは第二項において準用する場合を含む。以下同じ。）の規定により建築主事等又は指定確認検査機関の仮使用の認定を受けようとする者は、別記第三十四号様式による仮使用認定申請書の正本及び副本に、それぞれ、当該認定の申請に係る建築物の計画に係る確認に要した図書及び書類（当該申請に係る建築物の直前の確認を受けた建築主事等又は指定確認検査機関に対して申請を行う場合においては、当該建築主事等又は指定確認検査機関が当該図書及び書類を有していないことその他の理由により、提出を求める場合に限る。）並びに前項の表の(い)項及び(は)項に掲げる図書その他の仮使用の認定をするために必要な図書及び書類として国土交通大臣が定めるものを添えて、建築主事等又は指定確認検査機関に提出するものとする。ただし、令第百四十七条の二に規定する建築物に係る仮使用をする場合にあつては、(は)項に掲げる図書に代えて第十一条の二第一項の表に掲げる工事計画書及び安全計画書を提出しなければならない。

3 増築、改築、移転、大規模の修繕又は大規模の模様替の工事で避難施設等に関する工事を含むもの（国土交通大臣が定めるものを除く。次項において「増築等の工事」という。）に係る建築物又は建築物の部分を使用し、又は使用させようとする者は、法第七条第一項の規定による申請が受理される前又は指定確認検査機関が法第七条の二第一項の規定による検査の引受けを行う前においては、特定行政庁に仮使用の認定を申請しなければならない。

4 増築等の工事の着手の時から当該増築等の工事に係る建築物又は建築物の部分を使用し、又は使用させようとする者が、前項の規定による仮使用の認定の申請を行おうとする場合においては、法第六条第一項の規定による確認の申請と同時に（法第六条の二第一項の確認を受けようとする者にあつては、指定確認検査機関が当該確認を引き受けた後遅滞なく）行わなければならない。ただし、特定行政庁がやむを得ない事情があると認めたときは、この限りでない。

5 特定行政庁、建築主事等又は指定確認検査機関は、法第七条の六第一項第一号又は第二号の規定による仮使用の認定をしたときは、別記第三十五号様式、別記第三十五号の二様式又は別記第三十五号の三様式による仮使用認定通知書に第一項又は第二項の仮使用認定申請書の副本を添えて、申請者に通知（指定確認検査機関が通知する場合にあつては、電子情報処理組織の使用又は電磁的記録媒体の交付を含む。）するものとする。

（仮使用認定報告書）

第四条の一六の二 法第七条の六第三項（法第八十七条の四又は法第八十八条第一項若しくは第二項において準用する場合を含む。以下この条において同じ。）の国土交通省令で定める期間は、前条第五項の規定による通知をした日から七日以内とする。

2 法第七条の六第三項に規定する仮使用認定報告書は、別記第三十五号の四様式による。

3 法第七条の六第三項の国土交通省令で定める書類は、次の各号に掲げる書類とする。

一 別記第三十四号様式の第二面による書類

二 法第七条の六第一項第二号に規定する国土交通大臣が定める基準に従つて認定を行つたことを証する書類として国土交通大臣が定める様式によるもの

4 前項各号に定める書類が、電子計算機に備えられたファイル又は電磁的記録媒体に記録され、必要に応じ特定行政庁において電子計算機その他の機器を用いて明確に紙面に表示されるときは、当該ファイル又は電磁的記録媒体をもつて同項各号の書類に代えることができる。

（適合しないと認める旨の通知書の様式）

第四条の一六の三　法第七条の六第四項（法第八十七条の四又は法第八十八条第一項若しくは第二項において準用する場合を含む。）の規定による適合しないと認める旨の通知書の様式は、別記第三十五号の五様式及び別記第三十六号様式による。

（違反建築物の公告の方法）

第四条の一七　法第九条第十三項（法第十条第二項、法第八十八条第一項から第三項まで又は法第九十条の二第二項において準用する場合を含む。）の規定により国土交通省令で定める方法は、公報への掲載その他特定行政庁が定める方法とする。

第四条の一八　削除

（違反建築物の設計者等の通知）

第四条の一九　法第九条の三第一項（法第八十八条第一項から第三項まで又は法第九十条第三項において準用する場合を含む。以下この条において同じ。）の規定により国土交通省令で定める事項は、次の各号に掲げるものとする。

一　法第九条第一項又は第十項の規定による命令（以下この条において「命令」という。）に係る建築物又は工作物の概要

二　前号の建築物又は工作物の設計者等に係る違反事実の概要

三　命令をするまでの経過及び命令後に特定行政庁の講じた措置

四　前各号に掲げる事項のほか、参考となるべき事項

２　法第九条の三第一項の規定による通知は、当該通知に係る者について建築士法、建設業法（昭和二十四年法律第百号）、浄化槽法又は宅地建物取引業法（昭和二十七年法律第百七十六号）による免許、許可、認定又は登録をした国土交通大臣又は都道府県知事にするものとする。

３　前項の規定による通知は、文書をもつて行なうものとし、当該通知には命令書の写しを添えるものとする。

（建築物の定期報告）

第五条　法第十二条第一項の規定による報告の時期は、建築物の用途、構造、延べ面積等に応じて、おおむね六月から三年までの間隔をおいて特定行政庁が定める時期（次のいずれかに該当する場合においては、その直後の時期を除く。）とする。

一　法第十二条第一項の安全上、防火上又は衛生上特に重要であるものとして政令で定める建築物について、建築主が法第七条第五項又は法第七条の二第五項の規定による検査済証（新築又は改築（一部の改築を除く。）に係るものに限る。）の交付を受けた場合

二　法第十二条第一項の規定により特定行政庁が指定する建築物について、建築主が法第七条第五項又は法第七条の二第五項の規定による検査済証（当該指定があつた日以後の新築又は改築（一部の改築を除く。）に係るものに限る。）の交付を受けた場合

２　法第十二条第一項の規定による調査は、建築物の敷地、構造及び建築設備の状況について安全上、防火上又は衛生上支障がないことを確認するために十分なものとして行うものとし、当該調査の項目、方法及び結果の判定基準は国土交通大臣の定めるところによるものとする。

３　法第十二条第一項の規定による報告は、別記第三十六号の二様式による報告書及び別記第三十六号の三様式による定期調査報告概要書に国土交通大臣が定める調査結果表を添えてするものとする。ただし、特定行政庁が規則により別記第三十六号の二様式、別記第三十六号の三様式又は国土交通大臣が定める調査結果表に定める事項その他の事項を記載する報告書の様式又は調査結果表を定めた場合にあつては、当該様式による報告書又は当該調査結果表によるものとする。

４　法第十二条第一項の規定による報告は、前項の報告書及び調査結果表に、特定行政庁が建築物の敷地、構造及び建築設備の状況を把握するため必要があると認めて規則で定める書類を添えて行わなければならない。

（国の機関の長等による建築物の点検）

第五条の二　法第十二条第二項の点検（次項において単に「点検」という。）は、建築物の敷地及び構造の状況について安全上、防火上又は衛生上支障がないことを確認するために十分なものとして三年以内ごとに行うものとし、当該点検の項目、方法及び結果の判定基準は国土交通大臣の定めるところによるものとする。

２　法第十八条第十八項の規定による検査済証の交付を受けた日以後最初の点検については、前項の規定にかかわらず、当該検査済証の交付を受けた日から起算して六年以内に行うものとする。

（建築設備等の定期報告）

第六条　法第十二条第三項の規定による報告の時期は、建築設備又は防火設備（以下「建築設備等」という。）の種類、用途、構造等に応じて、おおむね六月から一年まで（ただし、国土交通大臣が定める検査の項目については、一年から三年まで）の間隔をおいて特定行政庁が定める時期（次のいずれかに該当する場合においては、その直後の時期を除く。）とする。

一　法第十二条第三項の安全上、防火上又は衛生上特に重要であるものとして政令で定める特定建築設備等について、設置者が法第七条第五項（法第八十七条の四において準用する場合を含む。以下この項において同じ。）又は法第七条の二第五項（法第八十七条の四において準用する場合を含む。以下この項において同じ。）の規定による検査済証の交付を受けた場合

二　法第十二条第三項の規定により特定行政庁が指定する特定建築設備等について、設置者が法第七条第五項又は法第七条の二第五項の規定による検査済証（当該指定があつた日以後の設置に係るものに限る。）の交付を受けた場合

２　法第十二条第三項の規定による検査は、建築設備等の状況について安全上、防火上又は衛生上支障がないことを確認するために十分なものとして行うものとし、当該検査の項目、事項、方法及び結果の判定基準は国土交通大臣の定めるところによるものとする。

３　法第十二条第三項の規定による報告は、昇降機にあつては別記第三十六号の四様式による報告書及び別記第三十六号の五様式による定期検査報告概要書に、建築設備（昇降機を除く。）にあつては別記第三十六号の六様式による報告書及び別記第三十六号の七様式による定期検査報告概要書に、防火設備にあつては別記第三十六号の八様式による報告書及び別記第三十六号の九様式による定期検査報告概要書に、それぞれ国土交通大臣が定める検査結果表を添えてするものとする。ただし、特定行政庁が規則により別記第三十六号の四様式、別記第三十六号の五様式、別記第三十六号の六様式、別記第三十六号の七様式、別記第三十六号の八様式、別記第三十六号の九様式又は国土交通大臣が定める検査結果表その他の事項を記載する報告書の様式又は検査結果表を定めた場合にあつては、当該様式による報告書又は当該検査結果表によるものとする。

４　法第十二条第三項の規定による報告は、前項の報告書及び調査結果表に、特定行政庁が建築設備等の状況を把握するために必要と認めて規則で定める書類を添えて行わなければならない。

（国の機関の長等による建築設備等の点検）

第六条の二　法第十二条第四項の点検（次項において単に「点検」という。）は、建築設備等の状況について安全上、防火上又は衛生上支障がないことを確認するために十分なものとして一年（ただし、国土交通大臣が定める点検の項目については三年）以内ごとに行うものとし、当該点検の項目、事項、方法及び結果の判定基準は国土交通大臣の定めるところによるものとする。

２　法第十八条第十八項（法第八十七条の四において準用する場合を含む。）の規定による検査済証の交付を受けた日以後最初の点検については、前項の規定にかかわらず、当該検査済証の交付を受けた日から起算して二年（ただし、国土交通大臣が定める点検の項目については六年）以内に行うものとする。

（工作物の定期報告）

第六条の二の二　法第八十八条第一項及び第三項において準用する法第十二条第一項及び第三項の規定による報告の時期は、法第六十四条に規定する工作物（高さ四メートルを超えるものに限る。以下「看板等」という。）又は法第八十八条第一項に規定する昇降機等（以下単に「昇降機等」という。）（次項及び次条第一項においてこれらを総称して単に「工作物」という。）の種類、用途、構造等に応じて、おおむね六月から一年まで（ただし、国土交通大臣が定める検査の項目については、一年から三年まで）の間隔をおいて特定行政庁が定める時期（次のいずれかに該当する場合においては、その直後の時期を除く。）とする。

一　法第八十八条第一項において準用する法第十二条第一項及び第三項の政令で定める昇降機等について、築造主が法第七条第五項又は法第七条の二第五項の規定による検査済証（新築又は改築（一部の改築を除く。）に係るものに限る。）の交付を受けた場合

二　法第八十八条第一項及び第三項において準用する法第十二条第一項及び第三項の規定により特定行政庁が指定する工作物について、築造主が法第七条第五項又は法第七条の二第五項の規定による検査済証（当該指定があつた日以後の新築又は改築（一部の改築を除く。）に係るものに限る。）の交付を受けた場合

２　法第八十八条第一項及び第三項において準用する法第十二条第一項及び第三項の規定による調査及び検査は、工作物の状況について安全上、防火上又は衛生上支障がないことを確認するために十分なものとして行うものとし、当該調査及び検査の項目、事項、方法及び結果の判定基準は国土交通大臣の定めるところによるものとする。

３　法第八十八条第一項及び第三項において準用する法第十二条第一項及び第三項の規定による報告は、看板等にあつては別記第三十六号の六様式による報告書及び別記第三十六号の七様式による定期検査報告概要書に、観光用エレベーター等にあつては別記第三十六号の四様式による報告書及び別記第三十六号の五様式による定期検査報告概要書に、令第百三十八条第二項第二号又は第三号に掲げる遊戯施設（以下単に「遊戯施設」という。）にあつては別記第三十六号の十様式による報告書及び別記第三十六号の十一様式による定期検査報告概要書に、それぞれ国土交通大臣が定める検査結果表を添えてするものとする。ただし、特定行政庁が規則により別記第三十六号の四様式、別記第三十六号の五様式、別記第三十六号の六様式、別記第三十六号の七様式、別記第三十六号の十様式、別記第三十六号の十一様式又は国土交通大臣が定める検査結果表その他の事項を記載する報告書の様式又は検査結果表を定めた場合にあつては、当該様式による報告書又は当該検査結果表によるものとする。

４　法第八十八条第一項及び第三項において準用する法第十二条第一項及び第三項の規定による報告は、前項の報告書及び調査結果表に、特定行政庁が工作物の状況を把握するために必要と認めて規則で定める書類を添えて行わなければならない。

（国の機関の長等による工作物の点検）

第六条の二の三　法第八十八条第一項及び第三項において準用する法第十二条第二項及び第四項の点検（次項において単に「点検」という。）は、工作物の状況について安全上、防火上又は衛生上支障がないことを確認するために十分なものとして一年（ただし、国土交通大臣が定める点検の項目については三年）以内ごとに行うものとし、当該点検の項目、事項、方法及び結果の判定基準は国土交通大臣の定めるところによるものとする。

２　法第八十八条第一項及び第三項において準用する法第十八条第十八項の規定による検査済証の交付を受けた日以後最初の点検については、前項の規定にかかわらず、当該検査済証の交付を受けた日から起算して二年（ただし、国土交通大臣が定める点検の項目については六年）以内に行うものとする。

（台帳の記載事項等）

第六条の三　法第十二条第八項（法第八十八条第一項から第三項までにおいて準用する場合を含む。以下この条において同じ。）に規定する台帳は、次の各号に掲げる台帳の種類ごとに、それぞれ当該各号に定める事項を記載しなければならない。

一　建築物に係る台帳　次のイ及びロに掲げる事項

イ　別記第三号様式による建築計画概要書（第三面を除く。）、別記第三十六号の三様式による定期調査報告概要書、別記第三十七号様式による建築基準法令による処分等の概要書（以下この項及び第十一条の三第一項第五号において「処分等概要書」という。）及び別記第六十七号の四様式による全体計画概要書（以下単に「全体計画概要書」という。）に記載すべき事項

ロ　第一条の三の申請書及び第八条の二第一項において準用する第一条の三の規定による通知書の受付年月日、指定確認検査機関から確認審査報告書の提出を受けた年月日その他特定行政庁が必要と認める事項

二　建築設備に係る台帳　次のイ及びロに掲げる事項

イ　別記第八号様式による申請書の第二面、別記第三十六号の五様式による定期検査報告概要書（観光用エレベーター等に係るものを除く。）、別記第三十六号の七様式による定期検査報告概要書（看板等に係るものを除く。）及び処分等概要書並びに別記第四十二号の七様式による通知書の第二面に記載すべき事項

ロ　第二条の二の申請書及び第八条の二第五項において準用する第二条の二の規定による通知書の受付年月日、指定確認検査機関から確認審査報告書の提出を受けた年月日その他特定行政庁が必要と認める事項

三　防火設備に係る台帳　別記第三十六号の九様式による定期検査報告概要書その他特定行政庁が必要と認める事項

四　工作物に係る台帳　次のイからニまでに掲げる事項

イ　法第八十八条第一項に規定する工作物にあつては、別記第十号様式（観光用エレベーター等にあつては、別記第八号様式（昇降機用））による申請書の第二面及び別記第四十二号の九様式（観光用エレベーター等にあつては、別記第四十二号の七様式（昇降機用））による通知書の第二面に記載すべき事項

ロ　法第八十八条第二項に規定する工作物にあつては、別記第十一号様式による申請書の第二面及び別記第四十二号の十一様式による通知書の第二面に記載すべき事項

ハ　別記第三十六号の五様式による定期検査報告概要書（観光用エレベーター等に係るものに限る。）、別記第三十六号の七様式による定期検査報告概要書（看板等に係るものに限る。）及び別記第三十六号の十一様式による定期検査報告概要書並びに処分等概要書に記載すべき事項

ニ　第三条の申請書及び第八条の二第六項において準用する第三条の規定による通知書の受付年月日、指定確認検査機関から確認審査報告書の提出を受けた年月日その他特定行政庁が必要と認める事項

２　法第十二条第八項の国土交通省令で定める書類は、次に掲げるものとする。

一　第一条の三（第八条の二第一項において準用する場合を含む。）に規定する図書及び書類（別記第三号様式による建築計画概要書を除く。）

二　第二条の二（第八条の二第五項において準用する場合を含む。）に規定する図書及び書類

三　第三条（第八条の二第六項において準用する場合を含む。）に規定する図書及び書類（別記第三号様式による建築計画概要書及び別記第十二号様式による築造計画概要書を除く。）

四　第四条第一項（第八条の二第十三項において準用する場合を含む。）に規定する図書及び書類

五　第四条の二第一項（第八条の二第十四項において準用する場合を含む。）に規定する書類

六　第四条の八第一項（第八条の二第十七項において準用する場合を含む。）に規定する図書及び書類

> 四　第四条第一項（第八条の二第十四項において準用する場合を含む。）に規定する図書及び書類
>
> 五　第四条の二第一項（第八条の二第十五項において準用する場合を含む。）に規定する書類
>
> 六　第四条の八第一項（第八条の二第十八項において準用する場合を含む。）に規定する図書及び書類

七　第五条第三項に規定する書類

八　第六条第三項に規定する書類

九　第六条の二の二第三項に規定する書類

十　適合判定通知書又はその写し

十一　建築物のエネルギー消費性能の向上等に関する法律第十二条第六項に規定する適合判定通知書又はその写し

> 十一　建築物のエネルギー消費性能の向上等に関する法律第十一条第六項に規定する適合判定通知書又はその写し

３　第一項各号に掲げる事項又は前項各号に定める書類が、電子計算機に備えられたファイル又は電磁的記録媒体に記録され、必要に応じ特定行政庁において電子計算機その他の機器を用いて明確に紙面に表示されるときは、当該記録をもつて法第十二条第八項に規定する台帳への記載又は同項に規定する書類の保存に代えることができる。

４　法第十二条第八項に規定する台帳（第二項に規定する書類を除き、前項の規定による記録が行われた同項のファイル又は電磁的記録媒体を含む。）は、当該建築物又は工作物が滅失し、又は除却されるまで、保存しなければならない。

５　第二項に規定する書類（第三項の規定による記録が行われた同項のファイル又は電磁的記録媒体を含む。）は、次の各号の書類の区分に応じ、それぞれ当該各号に定める期間保存しなければならない。

一　第二項第一号から第六号まで、第十号及び第十一号の図書及び書類　当該建築物、建築設備又は工作物に係る確認済証（計画の変更に係るものを除く。）の交付の日から起算して十五年間

二　第二項第七号から第九号までの書類　特定行政庁が定める期間

6　指定確認検査機関から台帳に記載すべき事項に係る報告を受けた場合においては、速やかに台帳を作成し、又は更新しなければならない。

（都道府県知事による台帳の記載等）

第六条の四　都道府県知事は、構造計算適合性判定に関する台帳を整備し、かつ、当該台帳（第三条の七の申請書及び第八条の二第七項において準用する第三条の七（第三条の十において準用する場合を除く。）の通知書（以下この条において「申請書等」という。）を含む。）を保存しなければならない。

2　前項に規定する台帳は、次の各号に定める事項を記載しなければならない。

一　別記第十八号の二様式による申請書の第二面及び第三面並びに別記第四十二号の十二の二様式による通知書の第二面及び第三面に記載すべき事項

二　申請書等の受付年月日

三　構造計算適合性判定の結果

四　構造計算適合性判定の結果を記載した通知書の番号及びこれを交付した年月日その他都道府県知事が必要と認める事項

3　申請書等又は前項に規定する事項が、電子計算機に備えられたファイル又は電磁的記録媒体に記録され、必要に応じ都道府県において電子計算機その他の機器を用いて明確に紙面に表示されるときは、当該記録をもつて申請書等の保存又は第一項に規定する台帳への記載に代えることができる。

4　第一項に規定する台帳（申請書等を除き、前項の規定による記録が行われた同項のファイル又は電磁的記録媒体を含む。）は、当該建築物が滅失し、又は除却されるまで、保存しなければならない。

5　申請書等（第三項の規定による記録が行われた同項のファイル又は電磁的記録媒体を含む。）は、法第六条の三第四項又は法第十八条第七項の規定による通知書の交付の日から起算して十五年間保存しなければならない。

（建築物調査員資格者証等の種類）

第六条の五　法第十二条第一項（法第八十八条第一項において準用する場合を含む。次条において同じ。）に規定する建築物調査員資格者証の種類は、特定建築物調査員資格者証及び昇降機等検査員資格者証とする。

2　法第十二条第三項（法第八十八条第一項において準用する場合を含む。次条において同じ。）に規定する建築設備等検査員資格者証の種類は、建築設備検査員資格者証、防火設備検査員資格者証及び昇降機等検査員資格者証とする。

（建築物等の種類等）

第六条の六　建築物調査員が法第十二条第一項の調査及び同条第二項（法第八十八条第一項において準用する場合を含む。）の点検（以下「調査等」という。）を行うことができる建築物及び昇降機等並びに建築設備等検査員が法第十二条第三項の検査及び同条第四項（法第八十八条第一項において準用する場合を含む。）の点検（以下「検査等」という。）を行うことができる建築設備等及び昇降機等の種類は、次の表の(い)欄に掲げる建築物調査員資格者証及び建築設備等検査員資格者証（以下この条において「建築物調査員資格者証等」という。）の種類に応じ、それぞれ同表の(ろ)欄に掲げる建築物、建築設備等及び昇降機等の種類とし、法第十二条の二第一項第一号及び法第十二条の三第三項第一号（これらの規定を法第八十八条第一項において準用する場合を含む。）の国土交通省令で定める講習は、同表の(い)欄に掲げる建築物調査員資格者証等の種類に応じ、それぞれ同表(は)欄に掲げる講習とする。

	(い) 建築物調査員資格者証等の種類	(ろ) 建築物、建築設備等及び昇降機等の種類	(は) 講習
(一)	特定建築物調査員資格者証	特定建築物	特定建築物調査員（特定建築物調査員資格者証の交付を受けている者をいう。以下同じ。）として必要な知識及び技能を修得させるための講習であつて、次条、第六条の八及び第六条の十において準用する第三条の十四（第一項を除く。）から第三条の十六（第一項を除く。）までの規定により国土交通大臣の登録を受けたもの（以下「登録特定建築物調査員講習」という。）
(二)	建築設備検査員資格者証	建築設備（昇降機を除く。以下この表において同じ。）及び防火設備（建築設備についての法第十二条第三項の検査及び同条第四項の点検（以下この表において「検査等」という。）と併せて検査等を一体的に行うことが合理的であるものとして国土交通大臣が定めたものに限る。）	建築設備検査員資格者証の交付を受けている者（以下「建築設備検査員」という。）として必要な知識及び技能を修得させるための講習であつて、第六条の十一並びに第六条の十二において準用する第三条の十四（第一項を除く。）から第三条の十六（第一項を除く。）まで及び第六条の八の規定により国土交通大臣の登録を受けたもの（以下「登録建築設備検査員講習」という。）
(三)	防火設備検査員資格者証	防火設備（(二)項の(ろ)欄に規定する国土交通大臣が定めたものを除く。）	防火設備検査員資格者証の交付を受けている者（以下「防火設備検査員」という。）として必要な知識及び技能を修得させるための講習であつて、第六条の十三並びに第六条の十四において準用する第三条の十四（第一項を除く。）から第三条の十六（第一項を除く。）まで及び第六条の八の規定により国土交通大臣の登録を受けたもの（以下「登録防火設備検査員講習」という。）
(四)	昇降機等検査員資格者証	昇降機（観光用エレベーター等を含む。）及び遊戯施設	昇降機等検査員資格者証の交付を受けている者（以下「昇降機等検査員」という。）として必要な知識及び技能を修得させるための講習であつて、第六条の十五並びに第六条の十六において準用する第三条の十四（第一項を除く。）から第三条の十六（第一項を除く。）まで及び第六条の八の規定により国土交通大臣の登録を受けたもの（以下「登録昇降機等検査員講習」という。）

（特定建築物調査員講習の登録の申請）

第六条の七　前条の表の(一)項の(は)欄の登録は、登録特定建築物調査員講習の

実施に関する事務（以下「登録特定建築物調査員講習事務」という。）を行おうとする者の申請により行う。

（登録の要件）

第六条の八　国土交通大臣は、前条の規定による登録の申請が次に掲げる要件の全てに適合しているときは、その登録をしなければならない。

一　次条第四号の表の上欄に掲げる科目について講習が行われるものであること。

二　次のいずれかに該当する者が講師として登録特定建築物調査員講習事務に従事するものであること。

イ　建築基準適合判定資格者

ロ　特定建築物調査員

ハ　学校教育法による大学若しくはこれに相当する外国の学校において建築学その他の登録特定建築物調査員講習事務に関する科目を担当する教授若しくは准教授の職にあり、若しくはこれらの職にあつた者又は建築学その他の登録特定建築物調査員講習事務に関する科目の研究により博士の学位を授与された者

ニ　建築行政に関する実務の経験を有する者

ホ　イからニまでに掲げる者と同等以上の知識及び経験を有する者

三　法第十二条第一項又は第三項（これらの規定を法第八十八条第一項において準用する場合を含む。）の規定に基づく調査又は検査を業として行つている者（以下「調査検査業者」という。）に支配されているものとして次のいずれかに該当するものでないこと。

イ　前条の規定により登録を申請した者（以下この号において「登録申請者」という。）が株式会社である場合にあつては、調査検査業者がその親法人であること。

ロ　登録申請者の役員に占める調査検査業者の役員又は職員（過去二年間に当該調査検査業者の役員又は職員であつた者を含む。）の割合が二分の一を超えていること。

ハ　登録申請者（法人にあつては、その代表権を有する役員）が調査検査業者の役員又は職員（過去二年間に当該調査検査業者の役員又は職員であつた者を含む。）であること。

（登録特定建築物調査員講習事務の実施に係る義務）

第六条の九　登録特定建築物調査員講習事務を行う者（以下「登録特定建築物調査員講習実施機関」という。）は、公正に、かつ、前条第一号及び第二号に掲げる要件並びに次に掲げる基準に適合する方法により登録特定建築物調査員講習事務を行わなければならない。

一　建築に関する知識及び経験を有する者として国土交通大臣が定める者であることを受講資格とすること。

二　登録特定建築物調査員講習を毎年一回以上行うこと。

三　登録特定建築物調査員講習は、講義及び修了考査により行うこと。

四　講義は、次の表の上欄に掲げる科目について、それぞれ同表の下欄に掲げる時間以上行うこと。

科目	時間
特定建築物定期調査制度総論	一時間
建築学概論	五時間
建築基準法令の構成と概要	一時間
特殊建築物等の維持保全	一時間
建築構造	四時間
防火・避難	六時間
その他の事故防止	一時間
特定建築物調査業務基準	四時間

五　講義は、前号の表の上欄に掲げる科目に応じ、国土交通大臣が定める事項を含む適切な内容の教材を用いて行うこと。

六　講師は、講義の内容に関する受講者の質問に対し、講義中に適切に応答すること。

七　修了考査は、講義の終了後に行い、特定建築物調査員として必要な知識及び技能を修得したかどうかを判定できるものであること。

八　登録特定建築物調査員講習を実施する日時、場所その他の登録特定建築物調査員講習の実施に関し必要な事項を公示すること。

九　講義を受講した者と同等以上の知識を有する者として国土交通大臣が定める者については、申請により、第四号の表の上欄に掲げる科目のうち国土交通大臣が定めるものを免除すること。

十　不正な受講を防止するための措置を講じること。

十一　終了した修了考査の問題及び当該修了考査の合格基準を公表すること。

十二　修了考査に合格した者に対し、別記第三十七号の二様式による修了証明書を交付すること。

（準用）

第六条の一〇　第三条の十四から第三条の二十八まで（第三条の十四第一項、第三条の十六第一項及び第三条の十八を除く。）の規定は、第六条の六の表の(一)項の(は)欄の登録及びその更新、登録特定建築物調査員講習、登録特定建築物調査員講習事務並びに登録特定建築物調査員講習実施機関について準用する。この場合において、第三条の十四第三項第三号中「第三条の十六第一項第二号イからハまで」とあるのは「第六条の八第二号イからホまで」と、第三条の十七第二項中「前三条」とあるのは「第六条の七、第六条の八並びに第六条の十において読み替えて準用する第三条の十四（第一項を除く。）から第三条の十六（第一項を除く。）まで」と、第三条の二十第八号並びに第三条の二十六第一項第五号及び第四項第四号中「修了証明書」とあるのは「第六条の九第十二号に規定する修了証明書」と、第三条の二十三中「第三条の十六第一項各号」とあるのは「第六条の八各号」と、第三条の二十四中「第三条の十八」とあるのは「第六条の九」と読み替えるものとする。

（建築設備検査員講習の登録の申請）

第六条の一一　第六条の六の表の(二)項の(は)欄の登録は、登録建築設備検査員講習の実施に関する事務（以下「登録建築設備検査員講習事務」という。）を行おうとする者の申請により行う。

（準用）

第六条の一二　第三条の十四から第三条の二十八まで（第三条の十四第一項、第三条の十六第一項及び第三条の十八を除く。）、第六条の八及び第六条の九の規定は、第六条の六の表の(二)項の(は)欄の登録及びその更新、登録建築設備検査員講習、登録建築設備検査員講習事務並びに登録建築設備検査員講習実施機関（登録建築設備検査員講習事務を行う者をいう。）について準用する。この場合において、第三条の十四第三項第三号中「第三条の十六第一項第二号イからハまで」とあるのは「第六条の十二において読み替えて準用する第六条の八第二号イからホまで」と、第三条の十七第二項中「前三条」とあるのは「第六条の十一並びに第六条の十二において読み替えて準用する第三条の十四（第一項を除く。）から第三条の十六（第一項を除く。）まで及び第六条の八」と、第三条の二十第八号並びに第三条の二十六第一項第五号及び第四項第四号中「修了証明書」とあるのは「第六条の十二において読み替えて準用する第六条の九第十二号に規定する修了証明書」と、第三条の二十三中「第三条の十六第一項各号」とあるのは「第六条の十二において読み替えて準用する第六条の八各号」と、第三条の二十四中「第三条の十八」とあるのは「第六条の十二において読み替えて準用する第六条の九」と、第六条の八中「前条」とあるのは「第六条の十一」と、同条第一号中「次条第四号の表」とあり、第六条の九第四号中「次の表」とあり、同条第五号中「前号の表」とあり、及び同条第九号中「第四号の表」とあるのは「第六条の十二の表」と、第六条の八第二号ロ及び第六条の九第七号中「特定建築物調査員」とあるのは「建築設備検査員」と、同条第十二号中「別記第三十七号の二様式」とあるのは「別記第三十七号の三様式」と読み替えるものとする。

科目	時間
建築設備定期検査制度総論	一時間
建築学概論	二時間
建築設備に関する建築基準法令	三時間三十分
建築設備に関する維持保全	一時間三十分

建築設備の耐震規制、設計指針	一時間三十分
換気、空気調和設備	四時間三十分
排煙設備	二時間
電気設備	二時間三十分
給排水衛生設備	二時間三十分
建築設備定期検査業務基準	二時間三十分

（防火設備検査員講習の登録の申請）

第六条の一三　第六条の六の表の㈢項の㈩欄の登録は、登録防火設備検査員講習の実施に関する事務（以下「登録防火設備検査員講習事務」という。）を行おうとする者の申請により行う。

（準用）

第六条の一四　第三条の十四から第三条の二十八まで（第三条の十四第一項、第三条の十六第一項及び第三条の十八を除く。）、第六条の八及び第六条の九の規定は、第六条の六の表の㈢項の㈩欄の登録及びその更新、登録防火設備検査員講習、登録防火設備検査員講習事務並びに登録防火設備検査員講習実施機関（登録防火設備検査員講習事務を行う者をいう。）について準用する。この場合において、第三条の十四第三項第三号中「第三条の十六第一項第二号イからハまで」とあるのは「第六条の十四において読み替えて準用する第六条の八第二号イからホまで」と、第三条の十七第二項中「前三条」とあるのは「第六条の十三並びに第六条の十四において読み替えて準用する第三条の十四（第一項を除く。）から第三条の十六（第一項を除く。）まで及び第六条の八」と、第三条の二十第八号並びに第三条の二十六第一項第五号及び第四項第四号中「修了証明書」とあるのは「第六条の十四において読み替えて準用する第六条の九第十二号に規定する修了証明書」と、第三条の二十三中「第三条の十六第一項各号」とあるのは「第六条の十四において読み替えて準用する第六条の八各号」と、第三条の二十四中「第三条の十八」とあるのは「第六条の十四において読み替えて準用する第六条の九」と、第三条の二十六第一項第三号及び第四項第二号中「講義」とあるのは「学科講習及び実技講習」と、第六条の八中「前条」とあるのは「第六条の十三」と、同条第一号中「次条第四号の表の上欄」とあり、第六条の九第五号中「前号の表の上欄」とあり、及び同条第九号中「第四号の表の上欄」とあるのは「第六条の十四の表の中欄」と、第六条の八第二号ロ及び第六条の九第七号中「特定建築物調査員」とあるのは「防火設備検査員」と、同条第三号中「講義」とあるのは「講習（学科講習及び実技講習をいう。以下この条において同じ。）」と、同条第四号から第六号まで及び第九号中「講義」とあるのは「講習」と、同条第四号中「次の表の上欄」とあるのは「第六条の十四の表の上欄の講習に区分して行うこととし、同表の中欄」と、同条第七号中「講義」とあるのは「学科講習」と、同条第十二号中「修了考査に合格した者」とあるのは「講習を修了した者」と、「別記第三十七号の二様式」とあるのは「別記第三十七号の四様式」と読み替えるものとする。

講習区分	科目	時間
学科講習	防火設備定期検査制度総論	一時間
	建築学概論	二時間
	防火設備に関する建築基準法令	一時間
	防火設備に関する維持保全	一時間
	防火設備概論	三時間
	防火設備定期検査業務基準	二時間
実技講習	防火設備検査方法	三時間

（昇降機等検査員講習の登録の申請）

第六条の一五　第六条の六の表の㈣項の㈩欄の登録は、登録昇降機等検査員講習の実施に関する事務（以下「登録昇降機等検査員講習事務」という。）を行おうとする者の申請により行う。

（準用）

第六条の一六　第三条の十四から第三条の二十八まで（第三条の十四第一項、第三条の十六第一項及び第三条の十八を除く。）、第六条の八及び第六条の九の規定は、第六条の六の表の㈣項の㈩欄の登録及びその更新、登録昇降機等検査員講習、登録昇降機等検査員講習事務並びに登録昇降機等検査員講習実施機関（登録昇降機等検査員講習事務を行う者をいう。）について準用する。この場合において、第三条の十四第三項第三号中「第三条の十六第一項第二号イからハまで」とあるのは「第六条の十六において読み替えて準用する第六条の八第二号イからホまで」と、第三条の十七第二項中「前三条」とあるのは「第六条の十五並びに第六条の十六において読み替えて準用する第三条の十四（第一項を除く。）から第三条の十六（第一項を除く。）まで及び第六条の八」と、第三条の二十第八号並びに第三条の二十六第一項第五号及び第四項第四号中「修了証明書」とあるのは「第六条の十六において読み替えて準用する第六条の九第十二号に規定する修了証明書」と、第三条の二十三中「第三条の十六第一項各号」とあるのは「第六条の十六において読み替えて準用する第六条の八各号」と、第三条の二十四中「第三条の十八」とあるのは「第六条の十六において読み替えて準用する第六条の九」と、第六条の八中「前条」とあるのは「第六条の十五」と、同条第一号中「次条第四号の表」とあり、第六条の九第四号中「次の表」とあり、同条第五号中「前号の表」とあり、及び同条第九号中「第四号の表」とあるのは「第六条の十六の表」と、第六条の八第二号ロ及び第六条の九第七号中「特定建築物調査員」とあるのは「昇降機等検査員」と、同条第十二号中「別記第三十七号の二様式」とあるのは「別記第三十七号の五様式」と読み替えるものとする。

科目	時間
昇降機・遊戯施設定期検査制度総論	一時間
建築学概論	二時間
昇降機・遊戯施設に関する電気工学	二時間
昇降機・遊戯施設に関する機械工学	二時間
昇降機・遊戯施設に関する建築基準法令	五時間
昇降機・遊戯施設に関する維持保全	一時間
昇降機概論	三時間
遊戯施設概論	三十分
昇降機・遊戯施設の検査標準	四時間

（心身の故障により調査等の業務を適正に行うことができない者）

第六条の一六の二　法第十二条の二第二項第四号の国土交通省令で定める者は、精神の機能の障害により調査等の業務を適正に行うに当たつて必要な認知、判断及び意思疎通を適切に行うことができない者とする。

（治療等の考慮）

第六条の一六の三　国土交通大臣は、特定建築物調査員資格者証の交付を申請した者が前条に規定する者に該当すると認める場合において、当該者に特定建築物調査員資格者証を交付するかどうかを決定するときは、当該者が現に受けている治療等により障害の程度が軽減している状況を考慮しなければならない。

（特定建築物調査員資格者証の交付の申請）

第六条の一七　法第十二条の二第一項の規定によつて特定建築物調査員資格者証の交付を受けようとする者は、別記第三十七号の六様式による交付申請書を国土交通大臣に提出しなければならない。

2　前項の交付申請書には、次に掲げる書類を添付しなければならない。

一　住民票の写し若しくは個人番号カードの写し又はこれらに類するものであつて氏名及び生年月日を証明する書類

二　第六条の九第十二号に規定する修了証明書又は法第十二条の二第一項第二号の規定による認定を受けた者であることを証する書類

三　その他参考となる事項を記載した書類

3　第一項の特定建築物調査員資格者証の交付の申請は、修了証明書の交付を受けた日又は法第十二条の二第一項第二号の規定による認定を受けた日から三月以内に行わなければならない。

（特定建築物調査員資格者証の条件）

第六条の一八　国土交通大臣は、建築物の調査等の適正な実施を確保するため必要な限度において、特定建築物調査員資格者証に、当該資格者証の交付を受ける者の建築物の調査等に関する知識又は経験に応じ、その者が調査等を行うことができる建築物の範囲を限定し、その他建築物の調査等について必要な条件を付し、及びこれを変更することができる。

（特定建築物調査員資格者証の交付）

第六条の一九　国土交通大臣は、第六条の十七の規定による申請があつた場合においては、別記第三十七号の七様式による特定建築物調査員資格者証を交付する。

（特定建築物調査員資格者証の再交付）

第六条の二〇　特定建築物調査員は、氏名に変更を生じた場合又は特定建築物調査員資格者証を汚損し、若しくは失つた場合においては、遅滞なく、別記第三十七号の八様式による特定建築物調査員資格者証再交付申請書に、汚損した場合にあつてはその特定建築物調査員資格者証を添え、これを国土交通大臣に提出しなければならない。

2　国土交通大臣は、前項の規定による申請があつた場合においては、申請者に特定建築物調査員資格者証を再交付する。

3　特定建築物調査員は、第一項の規定によつて特定建築物調査員資格者証の再交付を申請した後、失つた特定建築物調査員資格者証を発見した場合においては、発見した日から十日以内に、これを国土交通大臣に返納しなければならない。

（心身の故障により認知等を適切に行うことができない状態となつた場合の届出）

第六条の二〇の二　特定建築物調査員又はその法定代理人若しくは同居の親族は、当該特定建築物調査員が精神の機能の障害を有することにより認知、判断及び意思疎通を適切に行うことができない状態となつたときは、別記第三十七号の八の二様式による届出書に、病名、障害の程度、病因、病後の経過、治癒の見込みその他参考となる所見を記載した医師の診断書を添え、これを国土交通大臣に提出しなければならない。

（特定建築物調査員資格者証の返納の命令等）

第六条の二一　法第十二条の二第三項の規定による特定建築物調査員資格者証の返納の命令は、別記第三十七号の九様式による返納命令書を交付して行うものとする。

2　前項の規定による返納命令書の交付を受けた者は、その交付の日から十日以内に、特定建築物調査員資格者証を国土交通大臣に返納しなければならない。

3　特定建築物調査員が死亡し、又は失踪の宣告を受けたときは、戸籍法（昭和二十二年法律第二百二十四号）による死亡又は失踪宣告の届出義務者は、遅滞なくその特定建築物調査員資格者証を国土交通大臣に返納しなければならない。

（建築設備検査員資格者証の交付の申請）

第六条の二二　法第十二条の三第三項の規定によつて建築設備検査員資格者証の交付を受けようとする者は、別記第三十七号の十様式による交付申請書を国土交通大臣に提出しなければならない。

（準用）

第六条の二三　第六条の十六の二、第六条の十六の三、第六条の十七第二項及び第三項並びに第六条の十八から第六条の二十一までの規定は、建築設備検査員資格者証について準用する。この場合において、次の表の上欄に掲げる規定中同表の中欄に掲げる字句は、それぞれ同表の下欄に掲げる字句に読み替えるものとする。

第六条の十六の二	第十二条の二第二項第四号	第十二条の三第四項において読み替えて準用する法第十二条の二第二項第四号
	調査等	検査等
第六条の十七第二項	前項	第六条の二十二
第六条の十七第二項第二号	第六条の九第十二号	第六条の十二において読み替えて準用する第六条の九第十二号
第六条の十七第二項第二号及び第三項	第十二条の二第一項第二号	第十二条の三第三項第二号
第六条の十七第三項	第一項	第六条の二十二
第六条の十八	建築物の	建築設備の
	調査等	検査等
第六条の十九	第六条の十七	第六条の二十二並びに第六条の二十三において読み替えて準用する第六条の十七第二項及び第三項
	別記第三十七号の七様式	別記第三十七号の十一様式
第六条の二十第一項	別記第三十七号の八様式	別記第三十七号の十二様式
第六条の二十の二	別記第三十七号の八の二様式	別記第三十七号の十二の二様式
第六条の二十一第一項	第十二条の二第三項	第十二条の三第四項において読み替えて準用する法第十二条の二第三項
	別記第三十七号の九様式	別記第三十七号の十三様式

（防火設備検査員資格者証の交付の申請）

第六条の二四　法第十二条の三第三項の規定によつて防火設備検査員資格者証の交付を受けようとする者は、別記第三十七号の十四様式による交付申請書を国土交通大臣に提出しなければならない。

（準用）

第六条の二五　第六条の十六の二、第六条の十六の三、第六条の十七第二項及び第三項並びに第六条の十八から第六条の二十一までの規定は、防火設備検査員資格者証について準用する。この場合において、次の表の上欄に掲げる規定中同表の中欄に掲げる字句は、それぞれ同表の下欄に掲げる字句に読み替えるものとする。

第六条の十六の二	第十二条の二第二項第四号	第十二条の三第四項において読み替えて準用する法第十二条の二第二項第四号
	調査等	検査等
第六条の十七第二項	前項	第六条の二十四
第六条の十七第二項第二号	第六条の九第十二号	第六条の十四において読み替えて準用する第六条の九第十二号
第六条の十七第二項第二号及び第三項	第十二条の二第一項第二号	第十二条の三第三項第二号
第六条の十七第三項	第一項	第六条の二十四
第六条の十八	建築物の	防火設備の
	調査等	検査等
第六条の十九	第六条の十七	第六条の二十四並びに第六条の二十五において読み替えて準用する

		第六条の十七第二項及び第三項
	別記第三十七号の七様式	別記第三十七号の十五様式
第六条の二十第一項	別記第三十七号の八様式	別記第三十七号の十六様式
第六条の二十の二	別記第三十七号の八の二様式	別記第三十七号の十六の二様式
第六条の二十一第一項	第十二条の二第三項	第十二条の三第四項において読み替えて準用する法第十二条の二第三項
	別記第三十七号の九様式	別記第三十七号の十七様式

（昇降機等検査員資格者証の交付の申請）

第六条の二十六　法第十二条の三第三項（法第八十八条第一項において準用する場合を含む。）及び法第八十八条第一項において準用する法第十二条の二第一項の規定によつて昇降機等検査員資格者証の交付を受けようとする者は、別記第三十七号の十八様式による交付申請書を国土交通大臣に提出しなければならない。

（準用）

第六条の二十七　第六条の十六の二、第六条の十六の三、第六条の十七第二項及び第三項並びに第六条の十八から第六条の二十一までの規定は、昇降機等検査員資格者証について準用する。この場合において、次の表の上欄に掲げる規定中同表の中欄に掲げる字句は、それぞれ同表の下欄に掲げる字句に読み替えるものとする。

第六条の十六の二	第十二条の二第二項第四号	第十二条の三第四項（法第八十八条第一項において準用する場合を含む。）において読み替えて準用する法第十二条の二第二項第四号及び法第八十八条第一項において準用する法第十二条の二第二項第四号
	調査等	調査等及び検査等
第六条の十七第二項	前項	第六条の二十六
第六条の十七第二項第二号	第六条の九第十二号	第六条の十六において読み替えて準用する第六条の九第十二号
第六条の十七第二項第二号及び第三項	第十二条の二第一項第二号	第十二条の三第三項第二号（法第八十八条第一項において準用する場合を含む。）及び法第八十八条第一項において準用する法第十二条の二第一項第二号
第六条の十七第三項	第一項	第六条の二十六
第六条の十八	建築物の	昇降機等の
	調査等	調査等及び検査等
第六条の十九	第六条の十七	第六条の二十六並びに第六条の二十七において読み替えて準用する第六条の十七第二項及び第三項
	別記第三十七号の七様式	別記第三十七号の十九様式
第六条の二十第一項	別記第三十七号の八様式	別記第三十七号の二十様式
第六条の二十の二	別記第三十七号の八の二様式	別記第三十七号の二十の二様式
第六条の二十一第一項	第十二条の二第三項	第十二条の三第四項（法第八十八条第一項において準用する場合を含む。）において読み替えて準用する法第十二条の二第三項及び法第八十八条第一項において準用する法第十二条の二第三項
	別記第三十七号の九様式	別記第三十七号の二十一様式

（身分証明書の様式）

第七条　法第十三条第一項（法第八十八条第一項から第三項までにおいて準用する場合を含む。次項において同じ。）の規定により建築主事等又は特定行政庁の命令若しくは建築主事等の委任を受けた当該市町村若しくは都道府県の職員が携帯する身分証明書の様式は、別記第三十八号様式による。

2　法第十三条第一項の規定により建築監視員が携帯する身分証明書の様式は、別記第三十九号様式による。

（建築工事届及び建築物除却届）

第八条　法第十五条第一項の規定による建築物を建築しようとする旨の届出及び同項の規定による建築物を除却しようとする旨の届出は、それぞれ別記第四十号様式及び別記第四十一号様式による。

2　既存の建築物を除却し、引き続き、当該敷地内において建築物を建築しようとする場合においては、建築物を建築しようとする旨の届出及び建築物を除却しようとする旨の届出は、前項の規定にかかわらず、合わせて別記第四十号様式による。

3　前二項の届出は、当該建築物の計画について法第六条第一項の規定により建築主事等の確認を受け、又は法第十八条第二項の規定により建築主事等に工事の計画を通知しなければならない場合においては、当該確認申請又は通知と同時に（法第六条の二第一項の確認済証の交付を受けた場合においては、遅滞なく）行わなければならない。

4　法第十五条第二項の届出は、同項各号に規定する申請と同時に行わなければならないものとする。

（国の機関の長等による建築主事等に対する通知等）

第八条の二　第一条の三の規定は、法第十八条第二項（法第八十七条第一項において準用する場合を含む。）の規定による通知について準用する。

2　第一条の四の規定は、法第十八条第二項の規定による通知を受けた場合について準用する。

3　第二条第一項及び第三項から第五項までの規定は、法第十八条第三項（法第八十七条第一項、法第八十七条の四又は法第八十八条第一項若しくは第二項において準用する場合を含む。）の規定による確認済証の交付並びに法第十八条第十三項及び第十四項（法第八十七条第一項、法第八十七条の四又は法第八十八条第一項若しくは第二項において準用する場合を含む。）の規定による通知書の交付について準用する。

4　第二条第二項の規定は、法第十八条第十三項の国土交通省令で定める場合について準用する。

5　第二条の二（第六項を除く。）の規定は、法第八十七条の四において準用する法第十八条第二項の規定による通知について準用する。

6　第三条（第八項を除く。）の規定は、法第八十八条第一項又は第二項において準用する法第十八条第二項の規定による通知について準用する。

7　第三条の七（第三条の十において準用する場合を含む。第二十一項において同じ。）の規定は、法第十八条第四項の規定による通知について準用する。

8　第三条の八（第三条の十において準用する場合を含む。第二十一項において同じ。）の規定は、法第十八条第四項の規定による通知を受けた場合について準用する。

9　第三条の九第一項、第三項及び第四項の規定は、法第十八条第七項から第九項までの規定による通知書の交付について準用する。

10　第三条の九第二項の規定は、法第十八条第八項の国土交通省令で定める場合について準用する。

11　第三条の十一の規定は、法第十八条の二第四項において読み替えて適用する法第十八条第七項から第九項までの規定による通知書の交付について準用する。

12　第三条の十二の規定は、法第十八条第十項の規定による適合判定通知書又はその写しの提出について準用する。

13　第三条の十三の規定は、法第十八条第四項ただし書の国土交通省令で定める要件について準用する。

13　第四条の規定は、法第十八条第十六項（法第八十七条の四又は法第八十八条第一項若しくは第二項において準用する場合を含む。）の規定による通知について準用する。

14　第四条の二の規定は、法第八十七条第一項において準用する法第十八条第十六項の規定による通知について準用する。

15　第四条の三の二の規定は、法第十八条第十七項（法第八十七条の四又は法第八十八条第一項若しくは第二項において準用する場合を含む。）の規定による検査をした場合について準用する。

16　第四条の四の規定は、法第十八条第十八項（法第八十七条の四又は法第八十八条第一項若しくは第二項において準用する場合を含む。）の規定による検査済証の交付について準用する。

17　第四条の八の規定は、法第十八条第十九項（法第八十七条の四又は法第八十八条第一項において準用する場合を含む。）の規定による通知について準用する。

18　第四条の九の規定は、法第十八条第二十項（法第八十七条の四又は法第八十八条第一項において準用する場合を含む。）の規定による検査をした場合について準用する。

19　第四条の十の規定は、法第十八条第二十一項（法第八十七条の四又は法第八十八条第一項において準用する場合を含む。）の規定による中間検査合格証の交付について準用する。

20　第四条の十六の規定は、法第十八条第二十四項第一号又は第二号（法第八十七条の四又は法第八十八条第一項若しくは第二項において準用する場合を含む。）の規定による仮使用の認定について準用する。

13項から20項は、14項から21項に繰り下げられます。

21　前各項の場合において、次の表の上欄に掲げる規定中同表の中欄に掲げる字句は、それぞれ同表の下欄に掲げる字句に読み替えるものとする。

規定	読み替えられる字句	読み替える字句
第一条の三第一項第一号及び第四項第一号並びに第三条第三項第一号	別記第二号様式	別記第四十二号様式
第一条の三第八項	別記第四号様式	別記第四十二号の二様式
第二条第一項	別記第五号様式	別記第四十二号の三様式
	建築物のエネルギー消費性能の向上等に関する法律施行規則（平成二十八年国土交通省令第五号）第六条	建築物のエネルギー消費性能の向上等に関する法律施行規則（平成二十八年国土交通省令第五号）第七条第五項において準用する同規則第六条
	建築物のエネルギー消費性能の向上等に関する法律（平成二十七年法律第五十三号）第十二条第六項	建築物のエネルギー消費性能の向上等に関する法律（平成二十七年法律第五十三号）第十三条第七項
第二条第二項第五号	建築物のエネルギー消費性能の向上等に関する法律第十二条第六項	建築物のエネルギー消費性能の向上等に関する法律第十三条第七項
第二条第三項	別記第五号の二様式	別記第四十二号の四様式
第二条第四項	別記第六号様式	別記第四十二号の五様式
	建築物のエネルギー消費性能の向上等に関する法律第十二条第六項	建築物のエネルギー消費性能の向上等に関する法律第十三条第七項
	建築物のエネルギー消費性能の向上等に関する法律施行規則第六条	建築物のエネルギー消費性能の向上等に関する法律施行規則第七条第五項において準用する同規則第六条
第二条第五項	別記第七号様式	別記第四十二号の六様式
第一条の三第四項第一号ロ、第二条の二第一項第一号並びに第三条第一項第一号及び第三項第一号ロ	別記第八号様式	別記第四十二号の七様式
第二条の二第五項	別記第九号様式	別記第四十二号の八様式
第三条第一項第一号及び第三項第一号ロ	別記第十号様式	別記第四十二号の九様式
第三条第二項第一号	別記第十一号様式	別記第四十二号の十様式
第三条第七項	別記第十三号様式	別記第四十二号の十一様式
	別記第十四号様式	別記第四十二号の十二様式
第三条の七第一項第一号	別記第十八号の二様式	別記第四十二号の十二の二様式
第三条の七第三項	別記第十八号の三様式	別記第四十二号の十二の三様式
第三条の九第一項第一号	別記第十八号の四様式	別記第四十二号の十二の四様式
第三条の九第一項第二号	別記第十八号の五様式	別記第四十二号の十二の五様式

第三条の九第三項	別記第十八号の六様式	別記第四十二号の十二の六様式
第三条の九第四項	別記第十八号の七様式	別記第四十二号の十二の七様式
第三条の十一第一項第一号	別記第十八号の八様式	別記第四十二号の十二の八様式
第三条の十一第一項第二号	別記第十八号の九様式	別記第四十二号の十二の九様式
第三条の十一第三項	別記第十八号の十様式	別記第四十二号の十二の十様式
第三条の十一第四項	別記第十八号の十一様式	別記第四十二号の十二の十一様式
第四条第一項	別記第十九号様式	別記第四十二号の十三様式
	同法第十二条第一項	同法第十三条第二項
	同条第二項	同条第三項
第四条の二第一項	別記第二十号様式	別記第四十二号の十四様式
第四条の三の二第二項	別記第二十号の二様式	別記第四十二号の十五様式
第四条の四	別記第二十一号様式	別記第四十二号の十六様式
第四条の八第一項	別記第二十六号様式	別記第四十二号の十七様式
第四条の九第二項	別記第二十七号様式	別記第四十二号の十八様式
第四条の十	別記第二十八号様式	別記第四十二号の十九様式
第四条の十六第一項	別記第三十三号様式	別記第四十二号の二十様式
第四条の十六第二項	別記第三十四号様式	別記第四十二号の二十一様式
第四条の十六第五項	別記第三十五号様式	別記第四十二号の二十二様式
	別記第三十五号の二様式	別記第四十二号の二十三様式

22　前各項の場合において、次の表の上欄に掲げる規定中同表の中欄に掲げる字句は、それぞれ同表の下欄に掲げる字句に読み替えるものとする。

第一条の三第一項第一号及び第四項第一号並びに第三条第三項第一号	別記第二号様式	別記第四十二号様式
第一条の三第一項の表二の(八十五の三)項	同法第十一条第一項又は第二項	同法第十二条第二項又は第三項
〔略〕		
第二条第一項	〔略〕	
	建築物のエネルギー消費性能の向上等に関する法律施行規則第八条	建築物のエネルギー消費性能の向上等に関する法律施行規則第九条第五項において読み替えて準用する同令第八条
	建築物のエネルギー消費性能の向上等に関する法律第十一条第六項	建築物のエネルギー消費性能の向上等に関する法律第十二条第七項
第二条第二項第五号	建築物のエネルギー消費性能の向上等に関する法律第十一条第六項	建築物のエネルギー消費性能の向上等に関する法律第十二条第七項
〔略〕		
第二条第四項	〔略〕	
	建築物のエネルギー消費性能の向上等に関する法律第十一条第六項	建築物のエネルギー消費性能の向上等に関する法律第十二条第七項
	建築物のエネルギー消費性能の向上等に関する法律施行規則第八条	建築物のエネルギー消費性能の向上等に関する法律施行規則第九条第五項において読み替えて準用する同令第八条
〔略〕		
第三条の十一第四項	別記第十八号の十一様式	別記第四十二号の十二の十一様式
第三条の十三第二項	特定行政庁及び指定確認検査機関	特定行政庁
	建築主事等及び確認検査員又は副確認検査員	建築主事等
第四条第一項	別記第十九号様式	別記第四十二号の十三様式
第四条第一項第四号	建築物のエネルギー消費性能の向上等に関する法律第十一条第一項	建築物のエネルギー消費性能の向上等に関する法律第十二条第二項

同法第十二条第三項	建築物のエネルギー消費性能の向上等に関する法律施行規則第二条第一項第二号又は同令第九条第一項において読み替えて準用する同令第三条第四項若しくは第四条第二項
同法第十一条第二項	建築物のエネルギー消費性能の向上等に関する法律施行規則第二条第一項第二号、第三条第四項又は第四条第二項
（略）	

（枠組壁工法を用いた建築物等の構造方法）

第八条の三　構造耐力上主要な部分である壁及び床版に、枠組壁工法（木材を使用した枠組に構造用合板その他これに類するものを打ち付けることにより、壁及び床版を設ける工法をいう。以下同じ。）により設けられるものを用いる場合における当該壁及び床版の構造は、国土交通大臣が定める技術的基準に適合するもので、国土交通大臣が定めた構造方法を用いるもの又は国土交通大臣の認定を受けたものとしなければならない。

（主要構造部のうち防火上及び避難上支障がない部分の位置等の表示）

第八条の四　令第百八条の三各号のいずれにも該当する部分を有する建築物については、その出入口その他の見やすい場所に、当該部分の位置その他必要な事項を表示しなければならない。

（道路の位置の指定の申請）

第九条　法第四十二条第一項第五号に規定する道路の位置の指定を受けようとする者は、申請書正副二通に、それぞれ次の表に掲げる図面及び指定を受けようとする道路の敷地となる土地（以下この条において「土地」という。）の所有者及びその土地又はその土地にある建築物若しくは工作物に関して権利を有する者並びに当該道を令第百四十四条の四第一項及び第二項に規定する基準に適合するように管理する者の承諾書を添えて特定行政庁に提出するものとする。

図面の種類	明示すべき事項
附近見取図	方位、道路及び目標となる地物
地籍図	縮尺、方位、指定を受けようとする道路の位置、延長及び幅員、土地の境界、地番、地目、土地の所有者及びその土地又はその土地にある建築物若しくは工作物に関して権利を有する者の氏名、土地内にある建築物、工作物、道路及び水路の位置並びに土地の高低その他形上特記すべき事項

（指定道路等の公告及び通知）

第一〇条　特定行政庁は、法第四十二条第一項第四号若しくは第五号、第二項若しくは第四項又は法第六十八条の七第一項の規定による指定をしたときは、速やかに、次の各号に掲げる事項を公告しなければならない。

一　指定に係る道路（以下この項及び次条において「指定道路」という。）の種類

二　指定の年月日

三　指定道路の位置

四　指定道路の延長及び幅員

2　特定行政庁は、法第四十二条第三項の規定による水平距離の指定（以下この項及び次条において「水平距離指定」という。）をしたときは、速やかに、次の各号に掲げる事項を公告しなければならない。

一　水平距離指定の年月日

二　水平距離指定に係る道路の部分の位置

三　水平距離指定に係る道路の部分の延長

四　水平距離

3　特定行政庁は、前条の申請に基づいて道路の位置を指定した場合においては、速やかに、その旨を申請者に通知するものとする。

（指定道路図及び指定道路調書）

第一〇条の二　特定行政庁は、指定道路に関する図面（以下この条及び第十一条の三第一項第七号において「指定道路図」という。）及び調書（以下この条及び第十一条の三第一項第八号において「指定道路調書」という。）を作成し、これらを保存するときは、次の各号に定めるところによるものとする。

一　指定道路図は、少なくとも指定道路の種類及び位置を、付近の地形及び方位を表示した縮尺二千五百分の一以上の平面図に記載して作成すること。この場合において、できる限り一葉の図面に表示すること。

二　指定道路調書は、指定道路ごとに作成すること。

三　指定道路調書には、少なくとも前条第一項各号に掲げる事項を記載するものとし、その様式は、別記第四十二号の二十四様式とすること。

四　特定行政庁は、第九条の申請に基づいて道路の位置を指定した場合においては、申請者の氏名を指定道路調書に記載すること。

五　特定行政庁は、水平距離指定をした場合においては、水平距離指定に係る道路の部分の位置を指定道路図に、前条第二項各号に掲げる事項を指定道路調書に記載すること。

2　指定道路図又は指定道路調書に記載すべき事項が、電子計算機に備えられたファイル又は電磁的記録媒体に記録され、必要に応じ特定行政庁において電子計算機その他の機器を用いて明確に紙面に表示されるときは、当該記録をもつてそれぞれ指定道路図又は指定道路調書への記載に代えることができる。

（敷地と道路との関係の特例の基準）

第一〇条の三　法第四十三条第二項第一号の国土交通省令で定める道の基準は、次の各号のいずれかに掲げるものとする。

一　農道その他これに類する公共の用に供する道であること。

二　令第百四十四条の四第一項各号に掲げる基準に適合する道であること。

2　令第百四十四条の四第二項及び第三項の規定は、前項第二号に掲げる基準について準用する。

3　法第四十三条第二項第一号の国土交通省令で定める建築物（その用途又は規模の特殊性により同条第三項の条例で制限が付加されているものを除く。）の用途及び規模に関する基準は、次のとおりとする。

一　次のイ及びロに掲げる道の区分に応じ、当該イ及びロに掲げる用途であること。

イ　第一項第一号に規定する道　法別表第一(い)欄(一)項に掲げる用途以外の用途

ロ　第一項第二号に規定する道　一戸建ての住宅、長屋又は法別表第二(い)項第二号に掲げる用途

二　延べ面積（同一敷地内に二以上の建築物がある場合にあつては、その延べ面積の合計）が五百平方メートル以内であること。

4　法第四十三条第二項第二号の国土交通省令で定める基準は、次の各号のいずれかに掲げるものとする。

一　その敷地の周囲に公園、緑地、広場等広い空地を有する建築物であること。

二　その敷地が農道その他これに類する公共の用に供する道（幅員四メートル以上のものに限る。）に二メートル以上接する建築物であること。

三　その敷地が、その建築物の用途、規模、位置及び構造に応じ、避難及び通行の安全等の目的を達するために十分な幅員を有する通路であつて、道路に通ずるものに有効に接する建築物であること。

（許可申請書及び許可通知書の様式）

第一〇条の四　法第四十三条第二項第二号、法第四十四条第一項第二号若しくは第四号、法第四十七条ただし書、法第四十八条第一項ただし書、第二項ただし書、第三項ただし書、第四項ただし書、第五項ただし書、第六項ただし書、第七項ただし書、第八項ただし書、第九項ただし書、第十項ただし書、第十一項ただし書、第十二項ただし書、第十三項ただし書若しくは第十四項ただし書（法第八十七条第二項又は第三項において準用する場合を含む。）、法第五十一条ただし書（法第八十七条第二項又は第三項において準用する場合を含む。）、法第五十二条第十項、第十一項若しくは第十四項、法第五十三条第四項、第五項若しくは第六項第三号、法第五十三条の二第一項第三号若しくは第四号（法第五十七条の五第三項において準用する場合を含む。）、法第五十五条第三項若しくは第四項各号、法第五十六

条の二第一項ただし書、法第五十七条の四第一項ただし書、法第五十八条第二項、法第五十九条第一項第三号若しくは第四項、法第五十九条の二第一項、法第六十条の二第一項第三号、法第六十条の二の二第一項第二号若しくは第三項ただし書、法第六十条の三第一項第三号若しくは第二項ただし書、法第六十七条第三項第二号、第五項第二号若しくは第九項第二号、法第六十八条第一項第二号、第二項第二号若しくは第三項第二号、法第六十八条の三第四項、法第六十八条の五の三第二項、法第六十八条の七第五項、法第八十五条第三項、第六項若しくは第七項又は法第八十七条の三第三項、第六項若しくは第七項の規定（以下この条において「許可関係規定」という。）による許可を申請しようとする者は、別記第四十三号様式（法第八十五条第三項、第六項若しくは第七項又は法第八十七条の三第三項、第六項若しくは第七項の規定による許可の申請にあつては別記第四十四号様式）による申請書の正本及び副本に、それぞれ、特定行政庁が規則で定める図書又は書面を添えて、特定行政庁に提出するものとする。

2　特定行政庁は、許可関係規定による許可をしたときは、別記第四十五号様式による通知書に、前項の申請書の副本及びその添付図書を添えて、申請者に通知するものとする。

3　特定行政庁は、許可関係規定による許可をしないときは、別記第四十六号様式による通知書に、第一項の申請書の副本及びその添付図書を添えて、申請者に通知するものとする。

4　法第八十八条第二項において準用する法第四十八条第一項ただし書、第二項ただし書、第三項ただし書、第四項ただし書、第五項ただし書、第六項ただし書、第七項ただし書、第八項ただし書、第九項ただし書、第十項ただし書、第十一項ただし書、第十二項ただし書、第十三項ただし書若しくは第十四項ただし書、法第五十一条ただし書又は法第八十七条第二項若しくは第三項中法第四十八条第一項ただし書、第二項ただし書、第三項ただし書、第四項ただし書、第五項ただし書、第六項ただし書、第七項ただし書、第八項ただし書、第九項ただし書、第十項ただし書、第十一項ただし書、第十二項ただし書、第十三項ただし書若しくは第十四項ただし書若しくは法第五十一条ただし書に関する部分の規定（次項において「工作物許可関係規定」という。）による許可を申請しようとする者は、別記第四十七号様式による申請書の正本及び副本に、それぞれ、特定行政庁が規則で定める図書又は書面を添えて、特定行政庁に提出するものとする。

5　第二項及び第三項の規定は、工作物許可関係規定の許可に関する通知について準用する。

（認定申請書及び認定通知書の様式）

第一〇条の四の二　法第四十三条第二項第一号、法第四十四条第一項第三号、法第五十二条第六項第三号、法第五十五条第二項、法第五十七条第一項、法第六十八条第五項、法第六十八条の三第一項から第三項まで若しくは第七項、法第六十八条の四、法第六十八条の五の二、法第六十八条の五の五第一項若しくは第二項、法第六十八条の五の六、法第八十六条の六第二項、令第百三十一条の二第二項若しくは第三項、令第百三十七条の十二第六項若しくは第七項又は令第百三十七条の十六第二号の規定（以下この条において「認定関係規定」という。）による認定を申請しようとする者は、別記第四十八号様式による申請書の正本及び副本に、それぞれ、特定行政庁が規則で定める図書又は書面を添えて、特定行政庁に提出するものとする。

2　法第四十三条第二項第一号の規定による認定の申請をしようとする場合（当該認定に係る道が第十条の三第一項第一号に掲げる基準に適合する場合を除く。）においては、前項に定めるもののほか、申請者その他の関係者が当該道を将来にわたつて通行することについての、当該道の敷地となる土地の所有者及びその土地に関して権利を有する者並びに当該道を同条第一項第二号及び同条第二項において準用する令第百四十四条の四第二項に規定する基準に適合するように管理する者の承諾書を申請書に添えるものとする。

3　特定行政庁は、認定関係規定による認定をしたときは、別記第四十九号様式による通知書に、第一項の申請書の副本及びその添付図書を添えて、申請者に通知するものとする。

4　特定行政庁は、認定関係規定による認定をしないときは、別記第四十九号の二様式による通知書に、第一項の申請書の副本及びその添付図書を添えて、申請者に通知するものとする。

（住居の環境の悪化を防止するために必要な措置）

第一〇条の四の三　法第四十八条第十六項第二号の国土交通省令で定める措置は、次の表の上欄に掲げる建築物に対応して、それぞれ同表の下欄に掲げるものとする。

建築物	措置
一　令第百三十条第二項第一号に掲げる建築物	イ　敷地は、幅員九メートル以上の道路に接するものとすること。 ロ　店舗の用途に供する部分の床面積は、二百平方メートル以内とすること。 ハ　敷地内には、専ら、貨物の運送の用に供する自動車（以下この条において「貨物自動車」という。）の駐車及び貨物の積卸しの用に供する駐車施設を設けること。 ニ　排気口は、道路（法第四十二条第二項の規定により道路とみなされるものを除く。次号ヘ及び第三号ルにおいて同じ。）に面するものとすること。ただし、排気口から当該排気口が面する隣地境界線までの水平距離が四メートル以上ある場合においては、この限りでない。 ホ　生鮮食料品の加工の用に供する場所は、建築物及びその敷地内に設けないこと。 ヘ　専ら喫煙の用に供させるための器具及び設備は、建築物及びその敷地内に設けないこと。 ト　道路の見通しに支障を及ぼすおそれがある塀、柵その他これらに類するものは、敷地内に設けないこと。 チ　商品を陳列し、又は販売する場所は、屋外に設けないこと。 リ　ごみ置場は、屋外に設けないこと。ただし、ごみを容器に密閉し、かつ、施錠して保管する場合においては、この限りでない。 ヌ　電気冷蔵庫若しくは電気冷凍庫又は冷暖房設備の室外機を設ける場合においては、当該室外機の騒音の大きさを国土交通大臣が定める方法により計算した値以下とすること。 ル　午後十時から午前六時までの間において営業を営む場合においては、次に掲げる措置を講じること。 (1)　隣地境界線に沿つて車両の灯火の光を遮る壁その他これに類するものを設けること。 (2)　店舗内には、テーブル、椅子その他の客に飲食をさせるための設備を設けること。ただし、飲食料品以外の商品のみを販売する店舗については、この限りでない。 (3)　隣地境界線上の鉛直面の内側の照度は、五ルクス以下とすること。 (4)　屋外広告物の輝度は、四百カンデラ毎平方メートル以下とすること。 (5)　屋外における照明の射光の範囲は、光源を含む鉛直面から左右それぞれ七十度までの範囲とすること。
二　令第百三十条第二項第二号に掲げる建築物	イ　調理業務の用に供する部分の床面積は、五百平方メートル以内とすること。 ロ　貨物自動車の交通の用に供する敷地内の通路は、幼児、児童又は生徒の通行の用に供する敷地内の通路と交差しないものとすること。 ハ　作業場は、臭気を除去する装置を設けることその他の臭気の発散を防止するために必要な措置を講じること。 ニ　敷地内には、専ら貨物自動車の駐車及び貨物の積卸しの用に供する駐車施設を設けること。 ホ　敷地の貨物自動車の出入口の周辺には、見通しを確保するための空地及びガードレールを設けることその他幼児、児童又は生徒の通行の安全上必要な措

	置を講じること。 ヘ　排気口は、道路に面するものとすること。ただし、排気口から当該排気口が面する隣地境界線までの水平距離が四メートル以上ある場合においては、この限りでない。 ト　ごみ置場は、屋外に設けないこと。ただし、ごみを容器に密閉し、かつ、施錠して保管する場合においては、この限りでない。 チ　道路の見通しに支障を及ぼすおそれがある塀、柵その他これらに類するものは、ホの出入口の周辺に設けないこと。 リ　電気冷蔵庫若しくは電気冷凍庫又は冷暖房設備の室外機を設ける場合においては、騒音を防止するために必要なものとして国土交通大臣が定める措置を講じること。 ヌ　食品を保管する倉庫その他の設備を設ける場合においては、臭気が当該設備から漏れない構造のものとすること。 ル　ボイラーを設ける場合においては、遮音上有効な機能を有する専用室に設けること。ただし、ボイラーの周囲に当該専用室と遮音上同等以上の効果のある遮音壁を設ける場合においては、この限りでない。
三　令第百三十条第二項第三号に掲げる建築物	イ　敷地は、幅員十六メートル以上の道路に接するものとすること。 ロ　作業場の床面積は、次の(1)又は(2)に掲げる地域の区分に応じ、それぞれ(1)又は(2)に定める面積以内とすること。 (1)　第一種住居地域及び第二種住居地域　百五十平方メートル (2)　準住居地域　三百平方メートル ハ　敷地の自動車の主要な出入口は、イの道路に接するものとし、かつ、その幅は、八メートル以上とすること。 ニ　作業場の主要な出入口は、イの道路に面するものとすること。 ホ　ニの出入口が設けられている外壁以外の外壁は、次に掲げるものとすること。 (1)　遮音上有効な機能を有するものとすること。 (2)　開口部を設けないこと。ただし、換気又は採光に必要な最小限度の面積のものとし、かつ、防音上有効な措置を講じたものとする場合においては、この限りでない。 ヘ　油水分離装置を設けること。 ト　産業廃棄物の保管の用に供する専用室を設けること。 チ　敷地内には、専ら貨物自動車の駐車及び貨物の積卸しの用に供する駐車施設を設けること。 リ　ハの出入口の周辺には、見通しを確保するための空地を設けることその他歩行者の通行の安全上必要な措置を講じること。 ヌ　ニの出入口を道路から離して設けることその他騒音を防止するために必要な措置を講じること。 ル　排気口は、道路に面するものとすること。ただし、排気口から当該排気口が面する隣地境界線までの水平距離が四メートル以上ある場合においては、この限りでない。 ヲ　作業場以外の場所は、作業の用に供しないものとすること。 ワ　作業場は、板金作業及び塗装作業の用に供しないものとすること。 カ　冷暖房設備の室外機を設ける場合においては、騒音を防止するために必要なものとして国土交通大臣が定める措置を講じること。 ヨ　空気圧縮機を設ける場合においては、騒音を防止するために必要なものとして国土交通大臣が定める措置を講じること。 タ　午後六時から午前八時までの間においては、騒音を発する機械を稼働させないこと。 レ　午後十時から午前六時までの間において営業を営む場合においては、次に掲げる措置を講じること。 (1)　隣地境界線上の鉛直面の内側の照度は、十ルクス以下とすること。 (2)　屋外における照明の射光の範囲は、光源を含む鉛直面から左右それぞれ七十度までの範囲とすること。

2　地方公共団体は、その地方の気候若しくは風土の特殊性又は土地の状況により必要と認める場合においては、条例で、区域を限り、前項に規定する措置と異なる措置を定めることができる。

3　地方公共団体は、前項の規定により第一項に規定する措置を緩和する場合においては、あらかじめ、国土交通大臣の承認を得なければならない。

（容積率の算定の基礎となる延べ面積に床面積を算入しない機械室等に設置される給湯設備その他の建築設備）

第一〇条の四の四　法第五十二条第六項第三号の国土交通省令で定める建築設備は、建築物のエネルギー消費性能（建築物のエネルギー消費性能の向上等に関する法律第二条第一項第二号に規定するエネルギー消費性能をいう。第十条の四の六第一項及び第十条の四の九第一項において同じ。）の向上に資するものとして国土交通大臣が定める給湯設備とする。

> **第一〇条の四の四**　法第五十二条第六項第三号の国土交通省令で定める建築設備は、建築物のエネルギー消費性能の向上に資するものとして国土交通大臣が定める給湯設備とする。

（市街地の環境を害するおそれがない機械室等の基準）

第一〇条の四の五　法第五十二条第六項第三号の国土交通省令で定める基準は、次に掲げるものとする。

一　その敷地が幅員八メートル以上の道路に接する建築物に設けられるものであること。

二　その敷地面積が千平方メートル以上の建築物に設けられるものであること。

三　当該建築物の部分の床面積の合計を居住部分（住宅にあつては住戸をいい、老人ホーム等にあつては入居者ごとの専用部分をいう。）の数の合計で除して得た面積が二平方メートル以下であること。

四　当該建築物の部分の床面積の合計が建築物の延べ面積の五十分の一以下であること。

（容積率の制限の緩和を受ける構造上やむを得ない建築物）

第一〇条の四の六　法第五十二条第十四項第三号の国土交通省令で定める建築物は、次に掲げる工事を行う建築物で当該工事によりその容積率が法第五十二条第一項から第九項までの規定による限度を超えるものとする。

一　建築物のエネルギー消費性能の向上のため必要な外壁を通しての熱の損失の防止のための工事

二　建築物のエネルギー消費性能の向上のため必要な軒又はひさしを外壁その他の屋外に面する建築物の部分に設ける工事

三　再生可能エネルギー源（法第五十五条第三項に規定する再生可能エネルギー源をいう。第十条の四の九第一項第一号及び第二号において同じ。）の利用に資する設備を外壁に設ける工事

2　前項の工事は、その目的を達成するために必要な最小限度のものでなければならない。

（建蔽率の制限の緩和に当たり建築物から除かれる建築設備）

第一〇条の四の七　令第百三十五条の二十一第一号の国土交通省令で定める建築設備は、かごの構造が壁又は囲いを設けている昇降機以外の建築設備とする。

（建蔽率の制限の緩和を受ける構造上やむを得ない建築物）

第一〇条の四の八　法第五十三条第五項第四号の国土交通省令で定める建築物は、第十条の四の六第一項各号に掲げる工事を行う建築物で当該工事によりその建蔽率が法第五十三条第一項から第三項までの規定による限度を

超えるものとする。

2　前項の工事は、その目的を達成するために必要な最小限度のものでなければならない。

（第一種低層住居専用地域等内における建築物の高さの制限の緩和を受ける構造上やむを得ない建築物）

第一〇条の四の九　法第五十五条第三項の国土交通省令で定める建築物は、次に掲げる工事を行う建築物で当該工事によりその高さが法第五十五条第一項及び第二項の規定による限度を超えるものとする。

一　屋根を再生可能エネルギー源の利用に資する設備として使用するための工事

二　再生可能エネルギー源の利用に資する設備を屋根に設ける工事

三　建築物のエネルギー消費性能の向上のため必要な屋根を通しての熱の損失の防止のための工事

四　建築物のエネルギー消費性能の向上のため必要な空気調和設備その他の建築設備を屋根に設ける工事（第二号に掲げるものを除く。）

2　前項の工事は、その目的を達成するために必要な最小限度のものでなければならない。

（特例容積率の限度の指定の申請等）

第一〇条の四の一〇　法第五十七条の二第一項の指定（以下この条において「指定」という。）の申請をしようとする者は、別記第四十九号の三様式による申請書の正本及び副本に、それぞれ、次に掲げる図書又は書面を添えて、特定行政庁に提出するものとする。

一　指定の申請に係る敷地（以下この条において「申請敷地」という。）ごとに次に掲げる図書

図書の種類	明示すべき事項
付近見取図	方位、道路及び目標となる地物
配置図	縮尺、方位、敷地境界線並びに敷地の接する道路の位置及び幅員

二　申請敷地ごとに別記第四十九号の四様式による計画書

三　指定の申請をしようとする者以外に申請敷地について令第百三十五条の二十三に規定する利害関係を有する者がある場合においては、これらの者の同意を得たことを証する書面

四　前三号に定めるもののほか、特定行政庁が規則で定めるもの

2　特定行政庁は、指定をしたときは、別記第四十九号の五様式による通知書に、前項の申請書の副本及びその添付図書を添えて、申請者に通知するものとする。

3　特定行政庁は、指定をしないときは、別記第四十九号の六様式による通知書に、第一項の申請書の副本及びその添付図書を添えて、申請者に通知するものとする。

（特例容積率の限度の指定に関する公告事項等）

第一〇条の四の一一　法第五十七条の二第四項の国土交通省令で定める公告事項は、公告に係る特例容積率の限度等を縦覧に供する場所とする。

2　法第五十七条の二第四項の国土交通省令で定める縦覧事項は、前条第一項第二号の計画書に記載すべき事項とする。

（特例容積率の限度の指定に係る公告の方法）

第一〇条の四の一二　法第五十七条の二第四項の規定による公告は、公報への掲載その他特定行政庁が定める方法により行うものとする。

（指定の取消しの申請等）

第一〇条の四の一三　法第五十七条の三第二項の指定の取消し（以下この条において「取消し」という。）の申請をしようとする者は、別記第四十九号の七様式による申請書の正本及び副本に、それぞれ、次に掲げる図書又は書面を添えて、特定行政庁に提出するものとする。

一　取消しの申請に係る敷地（以下「取消対象敷地」という。）ごとに、次の表に掲げる図書

図書の種類	明示すべき事項
配置図	縮尺、方位、敷地境界線並びに敷地の接する道路の位置及び幅員

二　取消対象敷地について所有権及び借地権（法第五十七条の二第一項に規定する借地権をいう。以下同じ。）を有する者全員の合意を証する書面及び令第百三十五条の二十四に規定する利害関係を有する者の同意を得たことを証する書面

三　前二号に定めるもののほか、特定行政庁が規則で定めるもの

2　特定行政庁は、取消しをしたときは、別記第四十九号の八様式による通知書に、前項の申請書の副本及びその添付図書を添えて、申請者に通知するものとする。

3　特定行政庁は、取消しをしないときは、別記第五十号様式による通知書に、第一項の申請書の副本及びその添付図書を添えて、申請者に通知するものとする。

（指定の取消しに係る公告の方法）

第一〇条の四の一四　第十条の四の十二の規定は、法第五十七条の三第三項の規定による公告について準用する。

（高度地区内における建築物の高さの制限の緩和を受ける構造上やむを得ない建築物）

第一〇条の四の一五　法第五十八条第二項の国土交通省令で定める建築物は、第十条の四の九第一項各号に掲げる工事を行う建築物で当該工事によりその高さが法第五十八条第一項の都市計画において定められた最高限度を超えるものとする。

2　前項の工事は、その目的を達成するために必要な最小限度のものでなければならない。

第一〇条の五　削除

（型式適合認定の申請）

第一〇条の五の二　法第六十八条の十第一項（法第八十八条第一項において準用する場合を含む。）の規定による認定（以下「型式適合認定」という。）のうち、令第百三十六条の二の十一第一号に規定する建築物の部分に係るものの申請をしようとする者は、別記第五十号の二様式による型式適合認定申請書（以下単に「型式適合認定申請書」という。）に次に掲げる図書を添えて、これを国土交通大臣又は指定認定機関（以下「指定認定機関等」という。）に提出するものとする。

一　建築物の部分の概要を記載した図書

二　建築物の部分の平面図、立面図、断面図及び構造詳細図

三　建築物の部分に関し、令第三章第八節の構造計算をしたものにあつては当該構造計算書、令第百八条の四第一項第一号若しくは第四項、令第百二十八条の七第一項、令第百二十九条第一項又は令第百二十九条の二第一項の規定による検証をしたものにあつては当該検証の計算書

四　建築物の部分に関し、法第六十八条の二十五第一項（法第八十八条第一項において準用する場合を含む。）の規定による構造方法等の認定（以下「構造方法等の認定」という。）又は法第三十八条（法第六十六条、法第六十七条の二及び法第八十八条第一項において準用する場合を含む。）の規定による認定（以下「特殊構造方法等認定」という。）を受けた場合にあつては、当該認定書の写し

五　前各号に掲げるもののほか、建築物の部分が令第百三十六条の二の十一第一号に掲げる一連の規定に適合することについて審査をするために必要な事項を記載した図書

2　型式適合認定のうち令第百三十六条の二の十一第二号の表の建築物の部分の欄の各項に掲げるものに係るものの申請をしようとする者は、型式適合認定申請書に次に掲げる図書を添えて、指定認定機関等に提出するものとする。

一　前項各号（第三号を除く。）に掲げる図書

二　当該建築物の部分に係る一連の規定に基づき検証をしたものにあつては、当該検証の計算書

3　型式適合認定のうち令第百四十四条の二の表の工作物の部分の欄の各項に掲げるものに係るものの申請をしようとする者は、型式適合認定申請書に次に掲げる図書を添えて、指定認定機関等に提出するものとする。

一　第一項各号（第三号を除く。）に掲げる図書

二　当該工作物の部分に係る一連の規定に基づき構造計算又は検証をしたものにあつては、当該構造計算書又は当該検証の計算書

（型式適合認定に係る認定書の通知等）

第一〇条の五の三　指定認定機関等は、型式適合認定をしたときは、別記第五十号の三様式による型式適合認定書（以下単に「型式適合認定書」という。）をもつて申請者に通知するとともに、次に掲げる事項を公示するものとする。

一　認定を受けた者の氏名又は名称
二　認定を受けた型式に係る建築物の部分又は工作物の部分の種類
三　認定番号
四　認定年月日
2　指定認定機関等は、型式適合認定をしないときは、別記第五十号の四様式による通知書をもつて申請者に通知するものとする。

（型式部材等）

第一〇条の五の四　法第六十八条の十一第一項（法第八十八条第一項において準用する場合を含む。以下同じ。）の国土交通省令で定める型式部材等は、次に掲げるものとする。
一　令第百三十六条の二の十一第一号に規定する門、塀、改良便槽、屎尿浄化槽及び合併処理浄化槽並びに給水タンク及び貯水タンクその他これらに類するもの（屋上又は屋内にあるものを除く。）以外の建築物の部分（次号において「建築物の部分」という。）で、当該建築物の部分（建築設備を除く。以下この号において同じ。）に用いられる材料の種類、形状、寸法及び品質並びに構造方法が標準化されており、かつ、当該建築物の部分の工場において製造される部分の工程の合計がすべての製造及び施工の工程の三分の二以上であるもの
二　建築物の部分で、当該建築物の部分に用いられる材料の種類、形状、寸法及び品質並びに構造方法が標準化されており、かつ、当該建築物の部分の工場において製造される部分の工程の合計がすべての製造及び施工の工程の三分の二以上であるもの（前号に掲げるものを除く。）
三　令第百三十六条の二の十一第二号の表の各項に掲げる建築物の部分又は令第百四十四条の二の表の各項に掲げる工作物の部分で、当該建築物の部分又は工作物の部分に用いられる材料の種類、形状、寸法及び品質並びに構造方法が標準化されており、かつ、据付工事に係る工程以外の工程が工場において行われるもの

（型式部材等製造者の認証の申請）

第一〇条の五の五　法第六十八条の十一第一項又は法第六十八条の二十二第一項（法第八十八条第一項において準用する場合を含む。以下同じ。）の規定による認証（以下「型式部材等製造者の認証」という。）の申請をしようとする者は、別記第五十号の五様式による型式部材等製造者認証申請書に製造をする型式部材等に係る型式適合認定書の写しを添えて、指定認定機関等に提出するものとする。

（型式部材等製造者認証申請書の記載事項）

第一〇条の五の六　法第六十八条の十一第二項（法第六十八条の二十二第二項（法第八十八条第一項において準用する場合を含む。以下同じ。）及び法第八十八条第一項において準用する場合を含む。）の国土交通省令で定める申請書に記載すべき事項は、次に掲げるものとする。
一　認証を申請しようとする者の氏名又は名称及び住所又は主たる事務所の所在地
二　型式部材等の種類
三　型式部材等に係る型式適合認定の認定番号及び適合する一連の規定の別
四　工場その他の事業場（以下「工場等」という。）の名称及び所在地
五　技術的生産条件に関する事項
2　前項第五号の事項には、法第六十八条の十三第二号（法第六十八条の二十二第二項及び法第八十八条第一項において準用する場合を含む。第十条の五の九において同じ。）の技術的基準に適合していることを証するものとして、次に掲げる事項（第十条の五の四第三号に掲げる型式部材等に係る申請書にあつては、第二号ヲに掲げるものを除く。）を記載するものとする。
一　申請に係る工場等に関する事項
イ　沿革
ロ　経営指針（品質管理に関する事項を含むものとする。）
ハ　配置図
ニ　従業員数
ホ　組織図（全社的なものを含み、かつ、品質管理推進責任者の位置付けを明確にすること。）
ヘ　就業者に対する教育訓練等の概要
二　申請に係る型式部材等の生産に関する事項
イ　当該型式部材等又はそれと類似のものに関する製造経歴
ロ　生産設備能力及び今後の生産計画
ハ　社内規格一覧表
ニ　製品の品質特性及び品質管理の概要（保管に関するものを含む。）
ホ　主要資材の名称、製造業者の氏名又は名称及び品質並びに品質確保の方法（保管に関するものを含む。）の概要
ヘ　製造工程の概要図
ト　工程中における品質管理の概要
チ　主要製造設備及びその管理の概要
リ　主要検査設備及びその管理の概要
ヌ　外注状況及び外注管理（製造若しくは検査又は設備の管理の一部を外部に行わせている場合における当該発注に係る管理をいう。以下同じ。）の概要
ル　苦情処理の概要
ヲ　監査の対象、監査の時期、監査事項その他監査の実施の概要
三　申請に係る型式部材等に法第六十八条の十九第一項（法第六十八条の二十二第二項及び法第八十八条第一項において準用する場合を含む。第十条の五の十五において同じ。）の特別な表示を付する場合にあつては、その表示方式に関する事項
四　申請に係る型式部材等に係る品質管理推進責任者に関する事項
イ　氏名及び職名
ロ　申請に係る型式部材等の製造に必要な技術に関する実務経験
ハ　品質管理に関する実務経験及び専門知識の修得状況
3　前項の規定にかかわらず、製造設備、検査設備、検査方法、品質管理方法その他品質保持に必要な技術的生産条件が、日本産業規格Q九〇〇一の規定に適合していることを証する書面を添付する場合にあつては、前項第一号ロ及びヘに掲げる事項を記載することを要しない。

（認証書の通知等）

第一〇条の五の七　指定認定機関等は、型式部材等製造者の認証をしたときは、別記第五十号の六様式による型式部材等製造者認証書をもつて申請者に通知するとともに、次に掲げる事項を公示するものとする。
一　認証を受けた者の氏名又は名称
二　型式部材等の種類
三　認証番号
四　認証年月日
2　指定認定機関等は、型式部材等製造者の認証をしないときは、別記第五十号の七様式による通知書をもつて、申請者に通知するものとする。

（型式適合認定を受けることが必要な型式部材等の型式）

第一〇条の五の八　法第六十八条の十三第一号（法第六十八条の二十二第二項及び法第八十八条第一項において準用する場合を含む。）の国土交通省令で定める型式部材等の型式は、第十条の五の四各号に掲げる建築物の部分又は工作物の部分の型式とする。

（品質保持に必要な生産条件）

第一〇条の五の九　法第六十八条の十三第二号の国土交通省令で定める技術的基準は、次のとおりとする。
一　別表第一の(い)欄に掲げる型式部材等の区分に応じ、それぞれ同表の(ろ)欄に掲げる製造設備を用いて製造されていること。
二　別表第一の(い)欄に掲げる型式部材等の区分に応じ、それぞれ同表の(は)欄に掲げる検査が同表の(に)欄に掲げる検査設備を用いて適切に行われていること。
三　製造設備が製造される型式部材等の品質及び性能を確保するために必要な精度及び性能を有していること。
四　検査設備が検査を行うために必要な精度及び性能を有していること。
五　次に掲げる方法（第十条の五の四第三号に掲げる型式部材等にあつては、イ(1)(vii)に係るものに限る。）、ト及びチ（監査に関する記録に係るものに限る。）に掲げるものを除く。）により品質管理が行われていること。
イ　社内規格が次のとおり適切に整備されていること。
(1)　次に掲げる事項について社内規格が具体的かつ体系的に整備されていること。
(i)　製品の品質、検査及び保管に関する事項
(ii)　資材の品質、検査及び保管に関する事項
(iii)　工程ごとの管理項目及びその管理方法、品質特性及びその検査方法並びに作業方法に関する事項
(iv)　製造設備及び検査設備の管理に関する事項

(v) 外注管理に関する事項
(vi) 苦情処理に関する事項
(vii) 監査に関する事項
(2) 社内規格が適切に見直されており、かつ、就業者に十分周知されていること。
ロ 製品及び資材の検査及び保管が社内規格に基づいて適切に行われていること。
ハ 工程の管理が次のとおり適切に行われていること。
(1) 製造及び検査が工程ごとに社内規格に基づいて適切に行われているとともに、作業記録、検査記録又は管理図を用いる等必要な方法によりこれらの工程が適切に管理されていること。
(2) 工程において発生した不良品又は不合格ロットの処置、工程に生じた異常に対する処置及び再発防止対策が適切に行われていること。
(3) 作業の条件及び環境が適切に維持されていること。
ニ 製造設備及び検査設備について、点検、検査、校正、保守等が社内規格に基づいて適切に行われており、これらの設備の精度及び性能が適正に維持されていること。
ホ 外注管理が社内規格に基づいて適切に行われていること。
ヘ 苦情処理が社内規格に基づいて適切に行われているとともに、苦情の要因となつた事項の改善が図られていること。
ト 監査が社内規格に基づいて適切に行われていること。
チ 製品の管理、資材の管理、工程の管理、設備の管理、外注管理、苦情処理、監査等に関する記録が必要な期間保存されており、かつ、品質管理の推進に有効に活用されていること。
六 その他品質保持に必要な技術的生産条件を次のとおり満たしていること。
イ 次に掲げる方法により品質管理の組織的な運営が図られていること。
(1) 品質管理の推進が工場等の経営指針として確立されており、品質管理が計画的に実施されていること。
(2) 工場等における品質管理を適切に行うため、各組織の責任及び権限が明確に定められているとともに、品質管理推進責任者を中心として各組織間の有機的な連携がとられており、かつ、品質管理を推進する上での問題点が把握され、その解決のために適切な措置がとられていること。
(3) 工場等における品質管理を推進するために必要な教育訓練が就業者に対して計画的に行われており、また、工程の一部を外部の者に行わせている場合においては、その者に対し品質管理の推進に係る技術的指導が適切に行われていること。
ロ 工場等において、品質管理推進責任者を選任し、次に掲げる職務を行わせていること。
(1) 品質管理に関する計画の立案及び推進
(2) 社内規格の制定、改正等についての統括
(3) 製品の品質水準の評価
(4) 各工程における品質管理の実施に関する指導及び助言並びに部門間の調整
(5) 工程に生じた異常、苦情等に関する処置及びその対策に関する指導及び助言
(6) 就業者に対する品質管理に関する教育訓練の推進
(7) 外注管理に関する指導及び助言
2 前項の規定にかかわらず、製品の品質保証の確保及び国際取引の円滑化に資すると認められる場合は、次に定める基準によることができる。
一 製造設備、検査設備、検査方法、品質管理方法その他品質保持に必要な技術的生産条件が、日本産業規格Q九〇〇一の規定に適合していること。
二 前項第一号から第四号まで及び第六号ロの基準に適合していること。
三 製造をする型式部材等の型式に従つて社内規格が具体的かつ体系的に整備されており、かつ、製品について型式に適合することの検査及び保管が、社内規格に基づいて適切に行われていること。

（届出を要しない軽微な変更）
第一〇条の五の一〇 法第六十八条の十六（法第六十八条の二十二第二項及び法第八十八条第一項において準用する場合を含む。次条において同じ。）の国土交通省令で定める軽微な変更は、第十条の五の六第二項第一号イ及びニに掲げる事項とする。

（認証型式部材等製造者等に係る変更の届出）
第一〇条の五の一一 認証型式部材等製造者（法第六十八条の十一第一項の認証を受けた者をいう。以下同じ。）又は認証外国型式部材等製造者（法第六十八条の二十二第二項に規定する認証外国型式部材等製造者をいう。第十条の五の十三において同じ。）（以下これらを総称して「認証型式部材等製造者等」という。）は、法第六十八条の十六の規定により第十条の五の六第一項及び第二項に掲げる事項に変更（型式部材等の種類の変更、工場等の移転による所在地の変更その他の当該認証の効力が失われることとなる変更及び前条に規定する変更を除く。）があつたときは、別記第五十号の八様式による認証型式部材等製造者等変更届出書を国土交通大臣に提出しなければならない。

（認証型式部材等製造者等に係る製造の廃止の届出）
第一〇条の五の一二 認証型式部材等製造者等は、法第六十八条の十七第一項（法第六十八条の二十二第二項及び法第八十八条第一項において準用する場合を含む。）の規定により当該認証に係る型式部材等の製造の事業を廃止しようとするときは、別記第五十号の九様式による製造事業廃止届出書を国土交通大臣に提出しなければならない。

（型式適合義務が免除される場合）
第一〇条の五の一三 法第六十八条の十八第一項（法第六十八条の二十二第二項及び法第八十八条第一項において準用する場合を含む。）の国土交通省令で定める場合は、次に掲げるものとする。
一 輸出（認証外国型式部材等製造者にあつては、本邦への輸出を除く。）のため当該型式部材等の製造をする場合
二 試験的に当該型式部材等の製造をする場合
三 建築物並びに法第八十八条第一項及び第二項に掲げる工作物以外の工作物に設けるため当該型式部材等の製造をする場合

（検査方法等）
第一〇条の五の一四 法第六十八条の十八第二項（法第六十八条の二十二第二項及び法第八十八条第一項において準用する場合を含む。）の国土交通省令で定める検査並びにその検査記録の作成及び保存は、次に掲げるところにより行うものとする。
一 別表第一の(い)欄に掲げる型式部材等の区分に応じ、それぞれ同表の(に)欄に掲げる検査設備を用いて同表の(は)欄に掲げる検査を行うこと。
二 製造される型式部材等が法第六十八条の十三（法第六十八条の二十二第二項及び法第八十八条第一項において準用する場合を含む。）に掲げる基準に適合することを確認できる検査手順書を作成し、それを確実に履行すること。
三 検査手順書に定めるすべての事項を終了し、製造される型式部材等がその認証に係る型式に適合することを確認するまで型式部材等を出荷しないこと。
四 認証型式部材等（認証型式部材等製造者等が製造をするその認証に係る型式部材等をいう。）ごとに次に掲げる事項を記載した検査記録簿を作成すること。
イ 検査を行つた型式部材等の概要
ロ 検査を行つた年月日及び場所
ハ 検査を実施した者の氏名
ニ 検査を行つた型式部材等の数量
ホ 検査の方法
ヘ 検査の結果
五 前号の検査記録簿（次項の規定による記録が行われた同項のファイル又は電磁的記録媒体を含む。）は、当該型式部材等の製造をした工場等の所在地において、記載の日から起算して五年以上保存すること。
2 前項第四号に掲げる事項が、電子計算機に備えられたファイル又は電磁的記録媒体に記録され、必要に応じ電子計算機その他の機器を用いて明確に紙面に表示されるときは、当該記録をもつて同号の検査記録簿に代えることができる。

（特別な表示）
第一〇条の五の一五 法第六十八条の十九第一項の国土交通省令で定める方式による特別な表示は、別記第五十号の十様式に定める表示とし、認証型式部材等製造者等がその認証に係る型式部材等の見やすい箇所に付するものとする。

（認証型式部材等に関する検査の特例）
第一〇条の五の一六　法第六十八条の二十第二項（法第六十八条の二十二第二項及び法第八十八条第一項において準用する場合を含む。）の確認は、次の各号に掲げる区分に応じ、それぞれ当該各号に定めるところにより行うものとする。
一　法第七条第四項、法第七条の三第四項又は法第十八条第十七項若しくは第二十項の規定による検査　第四条第一項又は第四条の八第一項の申請書並びにその添付図書及び添付書類を審査し、必要に応じ、法第十二条第五項の規定による報告を求める。
二　法第七条の二第一項又は法第七条の四第一項の規定による検査　第四条の四の二において準用する第四条第一項第一号に規定する図書及び書類並びに同項第二号に規定する写真並びに第四条の十一の二において準用する第四条の八第一項第一号に規定する図書及び書類並びに同項第二号に規定する写真を審査し、特に必要があるときは、法第七十七条の三十二第一項の規定により照会する。

（認証の取消しに係る公示）
第一〇条の五の一七　国土交通大臣は、法第六十八条の二十一第一項及び第二項並びに法第六十八条の二十三第一項及び第二項の規定により認証を取り消したときは、次に掲げる事項を公示しなければならない。
一　認証を取り消した型式部材等製造者の氏名又は名称
二　認証の取消しに係る型式部材等の種類
三　認証番号
四　認証を取り消した年月日

（旅費の額）
第一〇条の五の一八　令第百三十六条の二の十三の旅費の額に相当する額（以下「旅費相当額」という。）は、国家公務員等の旅費に関する法律（昭和二十五年法律第百十四号。以下「旅費法」という。）の規定により支給すべきこととなる旅費の額とする。この場合において、当該検査又は試験のためその地に出張する職員は、一般職の職員の給与等に関する法律（昭和二十五年法律第九十五号）第六条第一項第一号イに規定する行政職俸給表㈠による職務の級が六級である者であるものとしてその旅費の額を計算するものとする。

（在勤官署の所在地）
第一〇条の五の一九　旅費相当額を計算する場合において、当該検査又は試験のためその地に出張する職員の旅費法第二条第一項第六号の在勤官署の所在地は、東京都千代田区霞が関二丁目一番三号とする。

（旅費の額の計算に係る細目）
第一〇条の五の二〇　旅費法第六条第一項の支度料は、旅費相当額に算入しない。
2　検査又は試験を実施する日数は、当該検査又は試験に係る工場等ごとに三日として旅費相当額を計算する。
3　旅費法第六条第一項の旅行雑費は、一万円として旅費相当額を計算する。
4　国土交通大臣が、旅費法第四十六条第一項の規定により、実費を超えることとなる部分又は必要としない部分の旅費を支給しないときは、当該部分に相当する額は、旅費相当額に算入しない。

（構造方法等の認定の申請）
第一〇条の五の二一　構造方法等の認定の申請をしようとする者は、別記第五十号の十一様式による申請書に次に掲げる図書を添えて、国土交通大臣に提出するものとする。
一　構造方法、建築材料又はプログラム（以下「構造方法等」という。）の概要を記載した図書
二　平面図、立面図、断面図及び構造詳細図
三　前二号に掲げるもののほか、構造計算書、実験の結果、検査の方法その他の構造方法等を評価するために必要な事項を記載した図書
2　国土交通大臣は、前項各号に掲げる図書のみでは評価が困難と認める場合にあつては、当該構造方法等の実物又は試験体その他これらに類するもの（次項及び第十一条の二の三第二項第一号において「実物等」という。）の提出を求めることができる。
3　前二項の規定にかかわらず、法第七十七条の五十六第二項に規定する指定性能評価機関（以下単に「指定性能評価機関」という。）又は法第七十七条の五十七第二項に規定する承認性能評価機関（以下単に「承認性能評価機関」という。）が作成した当該申請に係る構造方法等の性能に関する評価書を第一項の申請書に添える場合にあつては、同項各号に掲げる図書及び実物等を添えることを要しない。

（構造方法等の認定書の通知等）
第一〇条の五の二二　国土交通大臣は、構造方法等の認定をしたときは、別記第五十号の十二様式による認定書をもつて申請者に通知するとともに、次に掲げる事項を記載した帳簿を作成し、一般の閲覧に供するものとする。
一　認定を受けた者の氏名又は名称及び住所
二　認定を受けた構造方法等の名称
三　認定番号
四　認定年月日
五　認定に係る性能評価を行つた指定性能評価機関又は承認性能評価機関の名称（国土交通大臣が性能評価を行つた場合にあつては、その旨）
2　国土交通大臣は、構造方法等の認定をしないときは、別記第五十号の十三様式による通知書をもつて申請者に通知するものとする。

（特殊構造方法等認定の申請）
第一〇条の五の二三　特殊構造方法等認定の申請をしようとする者は、別記第五十号の十四様式による申請書に次に掲げる図書を添えて、国土交通大臣に提出するものとする。
一　構造方法又は建築材料の概要を記載した図書
二　平面図、立面図、断面図及び構造詳細図
三　前二号に掲げるもののほか、構造計算書、実験の結果、検査の方法その他の構造方法又は建築材料が法第二章、法第三章第五節並びに法第六十七条第一項及び第二項の規定並びにこれらに基づく命令の規定に適合するものと同等以上の効力があるかどうかを審査するために必要な事項を記載した図書
2　国土交通大臣は、前項各号に掲げる図書のみでは前項第三号の規定による審査が困難と認める場合にあつては、当該構造方法又は建築材料の実物又は試験体その他これらに類するものの提出を求めることができる。

（特殊構造方法等認定書の通知等）
第一〇条の五の二四　国土交通大臣は、特殊構造方法等認定をしたときは、別記第五十号の十五様式による認定書をもつて申請者に通知するとともに、次に掲げる事項を記載した帳簿を作成し、一般の閲覧に供するものとする。
一　認定を受けた者の氏名又は名称及び住所
二　認定を受けた構造方法又は建築材料の名称及び内容
三　認定番号
四　認定年月日
2　国土交通大臣は、特殊構造方法等認定をしないときは、別記第五十号の十六様式による通知書をもつて申請者に通知するものとする。

（建築協定区域隣接地に関する基準）
第一〇条の六　法第七十三条第一項第三号の国土交通省令で定める基準は、次に掲げるものとする。
一　建築協定区域隣接地の区域は、その境界が明確に定められていなければならない。
二　建築協定区域隣接地の区域は、建築協定区域との一体性を有する土地の区域でなければならない。

（建築基準適合判定資格者の登録資格）
第一〇条の六の二　法第七十七条の五十八第一項の国土交通省令で定める業務は、次のとおりとする。
一　建築審査会の委員として行う業務
二　学校教育法による大学（短期大学を除く。）の学部、専攻科又は大学院において教授又は准教授として建築に関する教育又は研究を行う業務
三　建築物の敷地、構造及び建築設備の安全上、防火上又は衛生上の観点からする審査又は検査の業務（法第七十七条の十八第一項の確認検査の業務（以下この号及び第十条の九の二において「確認検査の業務」という。）を除く。）であつて、確認検査の業務と同等以上の知識及び能力を要するものとして国土交通大臣が定めるもの

（建築基準適合判定資格者の登録の申請）
第一〇条の七　法第七十七条の五十八第一項の規定によつて建築基準適合判定資格者の登録を受けようとする者は、別記第五十一号様式による登録申請書に、本籍の記載のある住民票の写しその他参考となる事項を記載した書類を添え、これを国土交通大臣に提出しなければならない。

（登録）
第一〇条の八　国土交通大臣は、前条の規定による申請（一級建築基準適合

判定資格者検定に合格した者の申請に限る。）があつた場合においては、登録申請書の記載事項を審査し、申請者が建築基準適合判定資格者となる資格を有すると認めたときは、法第七十七条の五十八第二項の一級建築基準適合判定資格者登録簿（以下「一級登録簿」という。）に登録し、かつ、申請者に別記第五十二号様式による一級建築基準適合判定資格者登録証（以下「一級登録証」という。）を交付する。

2　国土交通大臣は、前条の規定による申請（二級建築基準適合判定資格者検定に合格した者の申請に限る。）があつた場合においては、登録申請書の記載事項を審査し、申請者が建築基準適合判定資格者となる資格を有すると認めたときは、法第七十七条の五十八第二項の二級建築基準適合判定資格者登録簿（以下「二級登録簿」という。）に登録し、かつ、申請者に別記第五十二号の二様式による二級建築基準適合判定資格者登録証（以下「二級登録証」という。）を交付する。

3　国土交通大臣は、前二項の場合において、申請者が建築基準適合判定資格者となる資格を有しないと認めたときは、理由を付し、登録申請書を申請者に返却する。

（登録事項）

第一〇条の九　法第七十七条の五十八第二項に規定する国土交通省令で定める事項は、次のとおりとする。

一　登録番号及び登録年月日

二　本籍地の都道府県名（日本の国籍を有しない者にあつては、その者の有する国籍名。第十条の十及び第十条の十五の五第二号において同じ。）、氏名、生年月日、住所及び性別

三　建築基準適合判定資格者検定の合格の年月及び合格通知番号又は建築主事の資格検定の合格の年月及び合格証書番号

四　勤務先の名称及び所在地

五　法第七十七条の六十二第一項に規定する登録の消除及び同条第二項の規定による禁止又は登録の消除の処分を受けた場合においては、その旨及びその年月日

（心身の故障により確認検査の業務を適正に行うことができない者）

第一〇条の九の二　法第七十七条の五十九の二の国土交通省令で定める者は、精神の機能の障害により確認検査の業務を適正に行うに当たつて必要な認知、判断及び意思疎通を適切に行うことができない者とする。

（治療等の考慮）

第一〇条の九の三　国土交通大臣は、建築基準適合判定資格者の登録を申請した者が前条に規定する者に該当すると認める場合において、当該者に建築基準適合判定資格者の登録を行うかどうかを決定するときは、当該者が現に受けている治療等により障害の程度が軽減している状況を考慮しなければならない。

（変更の登録）

第一〇条の一〇　法第七十七条の六十に規定する国土交通省令で定める事項は、次のとおりとする。

一　本籍地の都道府県名、氏名及び住所

二　勤務先の名称及び所在地

2　法第七十七条の六十の規定によつて登録の変更を申請しようとする者は、その変更を生じた日から三十日以内に、別記第五十三号様式による変更登録申請書に、一級登録証又は二級登録証及び本籍地の都道府県名の変更を申請する場合にあつては戸籍謄本若しくは戸籍抄本又は本籍の記載のある住民票の写しを、氏名の変更を申請する場合にあつては戸籍謄本又は戸籍抄本を添え、これを国土交通大臣に提出しなければならない。

3　国土交通大臣は、法第七十七条の六十の規定による申請があつた場合においては、一級登録簿又は二級登録簿を訂正し、かつ、本籍地の都道府県名又は氏名の変更に係る申請にあつては一級登録証又は二級登録証を書き換えて、申請者に交付する。

（登録証の再交付）

第一〇条の一一　建築基準適合判定資格者は、一級登録証又は二級登録証を汚損し、又は失つた場合においては、遅滞なく、別記第五十四号様式による登録証再交付申請書に、汚損した場合にあつてはその一級登録証又は二級登録証を添え、これを国土交通大臣に提出しなければならない。

2　国土交通大臣は、前項の規定による申請があつた場合においては、申請者に一級登録証又は二級登録証を再交付する。

3　建築基準適合判定資格者は、第一項の規定によつて一級登録証又は二級登録証の再交付を申請した後、失つた一級登録証又は二級登録証を発見した場合においては、発見した日から十日以内に、これを国土交通大臣に返納しなければならない。

（心身の故障により確認検査の業務を適正に行うことができない場合）

第一〇条の一一の二　法第七十七条の六十一第三号の国土交通省令で定める場合は、建築基準適合判定資格者が精神の機能の障害を有することにより認知、判断及び意思疎通を適切に行うことができない状態となつた場合とする。

（死亡等の届出）

第一〇条の一二　法第七十七条の六十一の規定により、次の各号に掲げる者は、それぞれ当該各号に定める様式に、第一号の場合においては一級登録証又は二級登録証及び戸籍謄本又は戸籍抄本を、第二号から第四号までの場合においては一級登録証又は二級登録証を、第五号の場合においては病名、障害の程度、病因、病後の経過、治癒の見込みその他参考となる所見を記載した医師の診断書を添え、これを届け出なければならない。

一　法第七十七条の六十一第一号の相続人　別記第五十五号様式

二　法第七十七条の六十一第二号の建築基準適合判定資格者本人のうち法第七十七条の五十九第二号に該当するもの　別記第五十六号様式

三　法第七十七条の六十一第二号の建築基準適合判定資格者本人のうち法第七十七条の五十九第五号に該当するもの　別記第五十七号様式

四　法第七十七条の六十一第二号の建築基準適合判定資格者本人のうち法第七十七条の五十九第六号に該当するもの　別記第五十八号様式

五　法第七十七条の六十一第三号の建築基準適合判定資格者本人又はその法定代理人若しくは同居の親族　別記第五十九号様式

（登録の消除の申請及び登録証の返納）

第一〇条の一三　建築基準適合判定資格者は、登録の消除を申請する場合においては、別記第六十号様式による登録消除申請書に、一級登録証又は二級登録証を添え、これを国土交通大臣に提出しなければならない。

2　建築基準適合判定資格者が法第七十七条の六十二第一項（第一号及び第二号に係る部分を除く。）又は第二項の規定によつて登録を消除された場合においては、当該建築基準適合判定資格者（法第七十七条の六十一第一号に該当する事実が判明したときにあつては相続人、同条（第三号に係る部分に限る。）の規定による届出があつたとき及び同条第三号に該当する事実が判明したときにあつては当該建築基準適合判定資格者又はその法定代理人若しくは同居の親族）は、消除の通知を受けた日から十日以内に、一級登録証又は二級登録証を国土交通大臣に返納しなければならない。

（登録の消除）

第一〇条の一四　国土交通大臣は、登録を消除した場合においては、一級登録簿又は二級登録簿に消除の事由及びその年月日を記載する。

2　国土交通大臣は、前項の規定によつて登録を消除した名簿を、消除した日から五年間保存する。

（登録証の領置）

第一〇条の一五　国土交通大臣は、法第七十七条の六十二第二項の規定によつて建築基準適合判定資格者に業務を行うことを禁止した場合においては、当該建築基準適合判定資格者に対して、一級登録証又は二級登録証の提出を求め、かつ、処分期間満了までこれを領置することができる。

（処分の公告）

第一〇条の一五の二　法第七十七条の六十二第三項の規定による公告は、次に掲げる事項について、官報で行うものとする。

一　処分をした年月日

二　処分を受けた建築基準適合判定資格者の氏名及び登録番号

三　処分の内容

四　処分の原因となつた事実

（構造計算適合判定資格者の登録を受けることができる者）

第一〇条の一五の三　法第七十七条の六十六第一項の国土交通省令で定める者は、次の各号のいずれかに該当する者とする。

一　学校教育法に基づく大学又はこれに相当する外国の学校において建築物の構造に関する科目を担当する教授若しくは准教授の職にあり、又はあつた者

二　建築物の構造に関する分野の試験研究機関において試験研究の業務に従事し、又は従事した経験を有する者で、かつ、当該分野について高度の専門的知識を有する者

三　国土交通大臣が前二号に掲げる者と同等以上の知識及び経験を有すると認める者

（構造計算適合判定資格者の登録の申請）

第一〇条の一五の四　法第七十七条の六十六第一項の規定によつて構造計算適合判定資格者の登録を受けようとする者は、別記第六十号の二様式による登録申請書を国土交通大臣に提出しなければならない。

2　前項の登録申請書には、次に掲げる書類を添付しなければならない。

一　本籍の記載のある住民票の写し

二　前条第一号若しくは第二号に該当する者であることを証する書類又は同条第三号の規定による認定を受けた者であることを証する書類

三　その他参考となる事項を記載した書類

（登録事項）

第一〇条の一五の五　法第七十七条の六十六第二項において準用する法第七十七条の五十八第二項に規定する国土交通省令で定める事項は、次のとおりとする。

一　登録番号及び登録年月日

二　本籍地の都道府県名、氏名、生年月日、住所及び性別

三　構造計算適合判定資格者検定に合格した者である場合においては、合格の年月及び合格通知番号

四　第十条の十五の三第一号又は第二号に該当する者である場合においては、その旨

五　第十条の十五の三第三号の規定による認定を受けた者である場合においては、当該認定の内容及び年月日

六　勤務先の名称及び所在地

七　法第七十七条の六十六第二項において読み替えて準用する法第七十七条の六十二第一項に規定する登録の消除及び法第七十七条の六十六第二項において読み替えて準用する法第七十七条の六十二第二項の規定による禁止又は登録の消除の処分を受けた場合においては、その旨及びその年月日

（準用）

第一〇条の一五の六　第十条の八第一項及び第三項並びに第十条の九の二から第十条の十五の二までの規定は、構造計算適合判定資格者の登録及びその変更について準用する。この場合において、次の表の上欄に掲げる規定中同表の中欄に掲げる字句は、それぞれ同表の下欄に掲げる字句に読み替えるものとする。

第十条の八第一項	前条の規定による申請（一級建築基準適合判定資格者検定に合格して前条の登録を受けようとする者の申請に限る。）	第十条の十五の四の規定による申請
	別記第五十二号様式	別記第六十号の三様式
第十条の八第三項	前二項	第一項
第十条の九の二	確認検査	構造計算適合性判定
第十条の十第二項	別記第五十三号様式	別記第六十号の四様式
第十条の十一第一項	別記第五十四号様式	別記第六十号の五様式
第十条の十一の二	確認検査	構造計算適合性判定
第十条の十二第一号	別記第五十五号様式	別記第六十号の六様式
第十条の十二第二号	別記第五十六号様式	別記第六十号の七様式
第十条の十二第三号	別記第五十七号様式	別記第六十号の八様式
第十条の十二第四号	別記第五十八号様式	別記第六十号の九様式
第十条の十二第五号	別記第五十九号様式	別記第六十号の十様式
第十条の十三第一項	別記第六十号様式	別記第六十号の十一様式

（委員の任期の基準）

第一〇条の一五の七　法第八十三条の国土交通省令で定める基準は、次に掲げるものとする。

一　委員の任期は、二年とすること。ただし、補欠の委員の任期は、前任者の残任期間とすること。

二　委員は、再任されることができること。

三　委員は、任期が満了した場合においては、後任の委員が任命されるまでその職務を行うこと。

（公益上特に必要な用途）

第一〇条の一五の八　法第八十五条第八項及び第八十七条の三第八項の国土交通省令で定める用途は、次の各号に掲げる用途とする。

一　官公署

二　病院又は診療所

三　学校

四　児童福祉施設等（令第十九条第一項に規定する児童福祉施設等をいう。）

五　災害救助法（昭和二十二年法律第百十八号）に基づき地方公共団体が被災者に供与する応急仮設住宅

六　前各号に掲げるもののほか、被災者の日常生活上の必要性の程度においてこれらに類する用途

（一の敷地とみなすこと等による制限の緩和に係る認定又は許可の申請等）

第一〇条の一六　法第八十六条第一項又は第二項の規定による認定の申請をする者は、別記第六十一号様式による申請書の正本及び副本に、同条第三項又は第四項の規定による許可の申請をする者は、別記第六十一号の二様式による申請書の正本及び副本に、それぞれ、次に掲げる図書又は書面を添えて、特定行政庁に提出するものとする。

一　次の表の(い)項に掲げる図書及び法第五十二条第八項の規定の適用によりその容積率が同項の規定の適用がないとした場合における同条第一項及び第七項の規定による限度を超えるものである建築物については同表の(ろ)項に掲げる図書、同条第九項の規定の適用によりその容積率が同項の規定の適用がないとした場合における同条第一項、第二項及び第七項の規定による限度を超えるものである建築物については同表の(は)項に掲げる図書、法第五十六条第七項の規定の適用により同項第一号に掲げる規定が適用されない建築物については同表の(に)項に掲げる図書、同条第七項の規定の適用により同項第二号に掲げる規定が適用されない建築物については同表の(ほ)項に掲げる図書、同条第七項の規定の適用により同項第三号に掲げる規定が適用されない建築物については同表の(へ)項に掲げる図書、法第五十六条の二第一項の規定により日影による高さの制限を受ける建築物については同表の(と)項に掲げる図書。ただし、同表の(い)項に掲げる付近見取図、配置図又は各階平面図は、同表の(ろ)項若しくは(は)項に掲げる図書、同表の(に)項に掲げる道路高さ制限適合建築物の配置図、同表の(ほ)項に掲げる隣地高さ制限適合建築物の配置図、同表の(へ)項に掲げる北側高さ制限適合建築物の配置図又は同表の(と)項に掲げる日影図と、同表の(い)項に掲げる二面以上の立面図又は断面図は、同表の(に)項に掲げる道路高さ制限適合建築物の二面以上の立面図、同表の(ほ)項に掲げる隣地高さ制限適合建築物の二面以上の立面図又は同表の(へ)項に掲げる北側高さ制限適合建築物の二面以上の立面図と、それぞれ併せて作成することができる。

	図書の種類	明示すべき事項
	付近見取図	方位、道路及び目標となる地物
		法第八十六条第一項若しくは第二項又は法第八十六条の二第一項の規定による認定の申請に係る土地の区域（以下「申請区域」という。）
		縮尺及び方位
		申請区域の境界線
		申請区域内の建築物の敷地境界線、用途、延べ面積、位置及び構造並びに申請に係る建築物と申請区域内の他の建築物との別（法第八十六条第一項又は第三項の規定による認定又

	図書の種類	明示すべき事項
(い)	配置図	は許可（一の建築物の建築等に係るものに限る。）の申請をする場合を除く。）
		申請区域内の建築物に附属する自動車車庫の用途に供する工作物の築造面積及び位置
		土地の高低
		申請区域内の建築物の各部分の高さ
		申請区域の接する道路の位置、幅員及び種類
		申請区域内に設ける通路の位置、延長及び幅員
	各階平面図	縮尺及び方位
		外壁の開口部の位置及び構造
		申請区域内の建築物が一の敷地内にあるものとみなされた場合における延焼のおそれのある部分の外壁の構造
	二面以上の立面図	縮尺
		開口部の位置及び構造
		申請区域内の建築物が一の敷地内にあるものとみなされた場合における延焼のおそれのある部分の外壁及び軒裏の構造
	断面図（法第八十六条第一項又は第三項の規定により二以上の構えを成す建築物の建築等に係る認定又は許可の申請をする場合にあつては、隣接する二以上の建築物を含む断面図）	縮尺
		地盤面
		開口部の位置
		軒の高さ及び建築物の高さ
		建築物間の距離（法第八十六条第一項又は第三項の規定による認定又は許可（一の建築物の建築等に係るものに限る。）の申請をする場合を除く。）
	地盤面算定表	建築物が周囲の地面と接する各位置の高さ
		地盤面を算定するための算式
(ろ)	道路に接して有効な部分の配置図	申請区域の境界線
		申請区域内における法第五十二条第八項第二号に規定する空地の面積及び位置
		道路に接して有効な部分の面積及び位置
		申請区域内における工作物の位置
		申請区域の接する道路の位置
		令第百三十五条の十七第三項の表(い)欄各項に掲げる地域の境界線
(は)	特定道路の配置図	申請区域の境界線
		申請区域の接する前面道路及び当該前面道路が接続する特定道路の位置及び幅員
		当該特定道路から申請区域が接する前面道路の部分の直近の端までの延長
	道路高さ制限適合建築物の配置図	縮尺
		申請区域の境界線
		申請区域内における申請に係る建築物及び道路高さ制限適合建築物の位置
		申請区域内における擁壁の位置
		土地の高低
		申請区域の接する道路の位置、幅員及び種類
		申請区域の接する前面道路の路面の中心からの申請に係る建築物及び道路高さ制限適合建築物の各部分の高さ
		申請に係る建築物及び道路高さ制限適合建築物の申請区域の接する前面道路の境界線からの後退距離
		道路制限勾（こう）配が異なる地域等の境界線
		令第百三十二条又は令第百三十四条第二項に規定する区域の境界線
(に)		申請区域内の建築物が一の敷地内にあるものとみなされた場合における令第百三十五条の九に規定する位置及び当該位置の間の距離
		申請区域内の申請に係る建築物及び申請区域内の道路高さ制限適合建築物について申請区域内の建築物が一の敷地内にあるものとみなされた場合における令第百三十五条の九に規定する位置ごとに算定した天空率
	道路高さ制限適合建築物の二面以上の立面図	縮尺
		申請区域の接する前面道路の路面の中心の高さ
		申請区域の接する前面道路の路面の中心からの申請に係る建築物及び道路高さ制限適合建築物の各部分の高さ
		令第百三十五条の二第二項の規定により特定行政庁が規則で定める高さ
		申請区域内における擁壁の位置
		土地の高低
		申請区域内の建築物が一の敷地内にあるものとみなされた場合における令第百三十五条の九に規定する位置からの申請に係る建築物及び道路高さ制限適合建築物の各部分の高さ
	道路高さ制限近接点における水平投影位置確認表	申請区域の接する前面道路の路面の中心からの申請に係る建築物及び道路高さ制限適合建築物の各部分の高さ
		道路高さ制限近接点から申請に係る建築物及び道路高さ制限適合建築物の各部分までの水平距離、仰角及び方位角
	道路高さ制限近接点における申請に係る建築物及び道路高さ制限適合建築物の天空図	水平投影面
		天空率

	図書の種類	明示すべき事項
	道路高さ制限近接点における天空率算定表	申請に係る建築物及び道路高さ制限適合建築物の天空率を算定するための算式
(ほ)	隣地高さ制限適合建築物の配置図	縮尺
		申請区域の境界線
		申請区域内における申請に係る建築物及び隣地高さ制限適合建築物の位置
		申請区域内における擁壁の位置
		土地の高低
		申請区域の接する道路の位置、幅員及び種類
		申請区域内の建築物が一の敷地内にあるものとみなされた場合における地盤面からの申請に係る建築物及び隣地高さ制限適合建築物の各部分の高さ
		法第五十六条第一項第二号に規定する水平距離のうち最小のものに相当する距離
		令第百三十五条の七第一項第二号に規定する隣地高さ制限適合建築物の隣地境界線からの後退距離
		隣地制限勾配が異なる地域等の境界線
		申請区域内の建築物が一の敷地内にあるものとみなされた場合における高低差区分区域の境界線
		申請区域内の建築物が一の敷地内にあるものとみなされた場合における令第百三十五条の十に規定する位置及び当該位置の間の距離
		申請に係る建築物及び隣地高さ制限適合建築物について申請区域内の建築物が一の敷地内にあるものとみなされた場合における令第百三十五条の十に規定する位置ごとに算定した天空率
	隣地高さ制限適合建築物の二面以上の立面図	縮尺
		申請区域内の建築物が一の敷地内にあるものとみなされた場合における地盤面
		申請区域内の建築物が一の敷地内にあるものとみなされた場合における地盤面からの申請に係る建築物及び隣地高さ制限適合建築物の各部分の高さ
		令第百三十五条の三第二項の規定により特定行政庁が規則に定める高さ
		申請区域内における擁壁の位置
		土地の高低
		申請区域内の建築物が一の敷地内にあるものとみなされた場合における高低差区分区域の境界線
		申請区域内の建築物が一の敷地内にあるものとみなされた場合における令第百三十五条の十に規定する位置からの申請に係る建築物及び隣地高さ制限適合建築物の各部分の高さ
	隣地高さ制限近接点における水平投影位置確認表	申請に係る建築物及び隣地高さ制限適合建築物の各部分の高さ
		隣地高さ制限近接点から申請に係る建築物及び隣地高さ制限適合建築物の各部分までの水平距離、仰角及び方位角
	隣地高さ制限近接点における申請に係る建築物及び隣地高さ制限適合建築物の天空図	水平投影面
		天空率
	隣地高さ制限近接点における天空率算定表	申請に係る建築物及び隣地高さ制限適合建築物の天空率を算定するための算式
(へ)	北側高さ制限適合建築物の配置図	縮尺
		申請区域境界線
		申請区域内における申請に係る建築物及び北側高さ制限適合建築物の位置
		申請区域内における擁壁の位置
		土地の高低
		申請区域の接する道路の位置、幅員及び種類
		申請区域内の建築物が一の敷地内にあるものとみなされた場合における地盤面からの申請に係る建築物及び北側高さ制限適合建築物の各部分の高さ
		北側制限高さが異なる地域の境界線
		申請区域内の建築物が一の敷地内にあるものとみなされた場合における高低差区分区域の境界線
		申請区域内の建築物が一の敷地内にあるものとみなされた場合における令第百三十五条の十一に規定する位置及び当該位置の間の距離
		申請に係る建築物及び北側高さ制限適合建築物について申請区域内の建築物が一の敷地内にあるものとみなされた場合における令第百三十五条の十一に規定する位置ごとに算定した天空率
	北側高さ制限適合建築物の二面以上の立面図	縮尺
		申請区域内の建築物が一の敷地内にあるものとみなされた場合における地盤面
		申請区域内の建築物が一の敷地内にあるものとみなされた場合における地盤面からの申請に係る建築物及び北側高さ制限適合建築物の各部分の高さ
		令第百三十五条の四第二項の規定により特定行政庁が規則に定める高さ

		申請区域内における擁壁の位置
		土地の高低
		申請区域内の建築物が一の敷地内にあるものとみなされた場合における令第百三十五条の十一に規定する位置からの申請に係る建築物及び北側高さ制限適合建築物の高さ
	北側高さ制限近接点における水平投影位置確認表	申請に係る建築物及び北側高さ制限適合建築物の各部分の高さ
		北側高さ制限近接点から申請に係る建築物及び北側高さ制限適合建築物の各部分までの水平距離、仰角及び方位角
	北側高さ制限近接点における申請に係る建築物及び北側高さ制限適合建築物の天空図	水平投影面
		天空率
	北側高さ制限近接点における天空率算定表	申請に係る建築物及び北側高さ制限適合建築物の天空率を算定するための算式
	配置図	軒の高さ
		申請区域内の建築物が一の敷地内にあるものとみなされた場合における地盤面の異なる区域の境界線
		申請区域の接する道路、水面、線路敷その他これらに類するものの位置及び幅員
		縮尺及び方位
		申請区域の境界線
		法第五十六条の二第一項の対象区域の境界線
		法別表第四(い)欄の各項に掲げる地域又は区域の境界線
		高層住居誘導地区又は都市再生特別地区の境界線
(と)	日影図	日影時間の異なる区域の境界線
		申請区域の接する道路、水面、線路敷その他これらに類するものの位置及び幅員
		申請区域内における建築物の位置
		申請区域内の建築物が一の敷地内にあるものとみなされた場合における平均地盤面からの当該建築物の各部分の高さ
		申請区域内の建築物が一の敷地内にあるものとみなされた場合における測定線
		申請区域内の建築物が一の敷地内にあるものとみなされた場合における当該建築物が冬至日の真太陽時による午前八時から三十分ごとに午後四時まで（道の区域内にあつては、午前九時から三十分ごとに午後三時まで）の各時刻に水平面に生じさせる日影の形状
		申請区域内の建築物が一の敷地内にあるものとみなされた場合における当該建築物が冬至日の真太陽時による午前八時から午後四時まで（道の区域内にあつては、午前九時から午後三時まで）の間に測定線上の主要な点に生じさせる日影時間
		申請区域内の建築物が一の敷地内にあるものとみなされた場合における当該建築物が冬至日の真太陽時による午前八時から午後四時まで（道の区域内にあつては、午前九時から午後三時まで）の間に水平面に生じさせる日影の等時間日影線
		申請区域内に建築等をする建築物で法第五十六条の二第一項の規定による対象区域内にあるものが、当該申請区域内の他の建築物であつて同項の規定による対象区域内にあるものの居住の用に供する部分（その部分が、当該建築等をする建築物に係る法別表第四(い)欄の各項に掲げる地域又は区域に対応する同表(は)欄の各項に掲げる平均地盤面からの高さより低い場合においては、同項に掲げる平均地盤面からの高さの部分）に生じさせる日影の形状及び等時間日影線
		土地の高低
	日影形状算定表	申請区域内の建築物が一の敷地内にあるものとみなされた場合における平均地盤面からの当該建築物の各部分の高さ及び日影の形状を算定するための算式
	二面以上の断面図	申請区域内の建築物が一の敷地内にあるものとみなされた場合における平均地盤面
		申請区域内の建築物が一の敷地内にあるものとみなされた場合における地盤面及び平均地盤面からの建築物の各部分の高さ
		隣地又はこれに連接する土地で日影が生ずるものの地盤面又は平均地表面
	平均地盤面算定表	申請区域内の建築物が周囲の地面と接する各位置の高さ及び申請区域内の建築物が一の敷地内にあるものとみなされた場合における平均地盤面を算定するための算式

二　第十条の十八の計画書

三　法第八十六条第一項若しくは第二項の規定による認定の申請をする者又は同条第三項若しくは第四項の規定による許可の申請をする者以外に同条第六項に規定する対象区域（以下「対象区域」という。）内の土地について所有権又は借地権を有する者がある場合においては、これらの者の同意を得たことを証する書面

四　前三号に定めるもののほか、特定行政庁が規則で定めるもの

2　法第八十六条の二第一項の規定による認定の申請をする者は、別記第六十一号様式による申請書の正本及び副本に、同条第三項の規定による許可の申請をする者は、別記第六十一号の二様式による申請書の正本及び副本に、それぞれ、次に掲げる図書又は書面を添えて、特定行政庁に提出するものとする。

一　前項第一号の表の(い)項に掲げる図書及び法第五十二条第八項の規定の適用によりその容積率が同項の規定の適用がないとした場合における同条第一項及び第七項の規定による限度を超えるものである建築物については同表の(ろ)項に掲げる図書、同条第九項の規定の適用によりその容積率が同項の規定の適用がないとした場合における同条第一項、第二項及び第七項の規定による限度を超えるものである建築物については同表の(は)項に掲げる図書、法第五十六条第七項の規定の適用により同項第一号

に掲げる規定が適用されない建築物については同表の(に)項に掲げる図書、同条第七項の規定の適用により同項第二号に掲げる規定が適用されない建築物については同表の(ほ)項に掲げる図書、同条第七項の規定の適用により同項第三号に掲げる規定が適用されない建築物については同表の(へ)項に掲げる図書、法第五十六条の二第一項の規定により日影による高さの制限を受ける建築物については同表の(と)項に掲げる図書。ただし、これらの図書は併せて作成することができる。

二　法第八十六条の二第一項の規定による認定の申請をする者以外に公告認定対象区域内にある土地について所有権又は借地権を有する者がある場合又は同条第三項の規定による許可の申請をする者以外に公告許可対象区域内にある土地について所有権又は借地権を有する者がある場合においては、これらの者に対する当該申請に係る建築物の計画に関する説明のために講じた措置を記載した書面

三　前二号に定めるもののほか、特定行政庁が規則で定めるもの

3　法第八十六条の二第二項の規定による許可の申請をする者は、別記第六十一号の二様式による申請書の正本及び副本に、それぞれ、次に掲げる図書又は書面を添えて、特定行政庁に提出するものとする。

一　第一項第一号の表の(い)項に掲げる図書及び法第五十二条第八項の規定の適用によりその容積率が同項の規定の適用がないとした場合における同条第一項及び第七項の規定による限度を超えるものである建築物については同表の(ろ)項に掲げる図書、同条第九項の規定の適用によりその容積率が同項の規定の適用がないとした場合における同条第一項、第二項及び第七項の規定による限度を超えるものである建築物については同表の(は)項に掲げる図書、法第五十六条第七項の規定の適用により同項第一号に掲げる規定が適用されない建築物については同表の(に)項に掲げる図書、同条第七項の規定の適用により同項第二号に掲げる規定が適用されない建築物については同表の(ほ)項に掲げる図書、同条第七項の規定の適用により同項第三号に掲げる規定が適用されない建築物については同表の(へ)項に掲げる図書、法第五十六条の二第一項の規定により日影による高さの制限を受ける建築物については同表の(と)項に掲げる図書。ただし、これらの図書は併せて作成することができる。

二　法第八十六条の二第二項の規定による許可の申請をする者以外に公告認定対象区域内にある土地について所有権又は借地権を有する者がある場合においては、これらの者の同意を得たことを証する書面

三　前二号に定めるもののほか、特定行政庁が規則で定めるもの

4　特定行政庁は、法第八十六条第一項若しくは第二項又は法第八十六条の二第一項の規定による認定（次項において「認定」という。）をしたときは、別記第六十二号様式による通知書に、法第八十六条第三項若しくは第四項又は法第八十六条の二第二項若しくは第三項の規定による許可（次項において「許可」という。）をしたときは、別記第六十二号の二様式による通知書に、第一項又は前項の申請書の副本及びその添付図書を添えて、申請者に通知するものとする。

5　特定行政庁は、認定をしないときは、別記第六十三号様式による通知書に、許可をしないときは、別記第六十三号の二様式による通知書に、第一項、第二項又は第三項の申請書の副本及びその添付図書を添えて、申請者に通知するものとする。

（一定の一団の土地の区域内の現に存する建築物を前提として総合的見地からする設計の基準）

第一〇条の一七　法第八十六条第二項及び同条第四項の国土交通省令で定める基準は、次に掲げるものとする。

一　対象区域内の各建築物の用途、規模、位置及び構造に応じ、当該各建築物の避難及び通行の安全の目的を達するために十分な幅員を有する通路であつて、道路に通ずるものを設けること。

二　対象区域内の各建築物の外壁の開口部の位置及び構造は、当該各建築物間の距離に応じ、防火上適切な措置が講じられること。

三　対象区域内の各建築物の各部分の高さに応じ、当該対象区域内に採光及び通風上有効な空地等を確保すること。

四　対象区域内に建築する建築物の高さは、当該対象区域内の他の各建築物の居住の用に供する部分に対し、当該建築物が存する区域における法第五十六条の二の規定による制限を勘案し、これと同程度に日影となる部分を生じさせることのないものとすること。

（対象区域内の建築物の位置及び構造に関する計画）

第一〇条の一八　法第八十六条第六項の規定による対象区域内の建築物の位置及び構造に関する計画は、同条第一項又は第二項に規定する認定の申請をする者は別記第六十四号様式による計画書に、同条第三項又は第四項に規定する許可の申請をする者は別記第六十四号の二様式による計画書に記載するものとする。

（一の敷地とみなすこと等による制限の緩和の認定又は許可に関する公告事項等）

第一〇条の一九　法第八十六条第八項の国土交通省令で定める公告事項は、公告に係る対象区域等を縦覧に供する場所とする。

2　法第八十六条第八項の国土交通省令で定める縦覧事項は、前条の計画書に記載すべき事項とする。

（一の敷地とみなすこと等による制限の緩和の認定又は許可に係る公告の方法）

第一〇条の二〇　法第八十六条第八項及び法第八十六条の二第六項の規定による公告は、公報への掲載その他特定行政庁が定める方法により行うものとする。

（認定又は許可の取消しの申請等）

第一〇条の二一　法第八十六条の五第二項の規定による認定の取消し（以下この条において「認定の取消し」という。）の申請をしようとする者は、別記第六十五号様式による申請書の正本及び副本に、同条第三項の規定による許可の取消し（以下この条において「許可の取消し」という。）の申請をしようとする者は、別記第六十五号の二様式による申請書の正本及び副本に、それぞれ、次に掲げる図書又は書面を添えて、特定行政庁に提出するものとする。

一　次の表の(い)項に掲げる図書並びに取消しの申請に係る法第八十六条第十項に規定する公告対象区域（以下「取消対象区域」という。）内の建築物について同表の(ろ)項に掲げる図書及び法第五十二条第八項の規定によりその容積率が同項の適用がないとした場合における同条第一項及び第七項の規定による限度を超えるものである建築物については同表の(は)項に掲げる図書、同条第九項の規定の適用によりその容積率が同項の規定の適用がないとした場合における同条第一項、第二項及び第七項の規定による限度を超えるものである建築物については同表の(に)項に掲げる図書、法第五十六条第七項の規定の適用により同項第一号に掲げる規定が適用されない建築物については同表の(ほ)項に掲げる図書、同条第七項の規定の適用により同項第二号に掲げる規定が適用されない建築物については同表の(へ)項に掲げる図書、法第五十六条第七項の規定の適用により同項第三号に掲げる規定が適用されない建築物については同表の(と)項に掲げる図書、法第五十六条の二第一項の規定により日影による高さの制限を受ける建築物については同表の(ち)項に掲げる図書。ただし、同表の(い)項に掲げる配置図又は同表の(ろ)項に掲げる各階平面図は、同表の(は)項に掲げる道路に接して有効な部分の配置図、同表の(に)項に掲げる特定道路の配置図、同表の(ほ)項に掲げる道路高さ制限適合建築物の配置図、同表の(へ)項に掲げる隣地高さ制限適合建築物の配置図、同表の(と)項に掲げる北側高さ制限適合建築物の配置図又は同表の(ち)項に掲げる配置図若しくは日影図と、同表の(ろ)項に掲げる二面以上の立面図又は二面以上の断面図は、同表の(ほ)項に掲げる道路高さ制限適合建築物の二面以上の立面図、同表の(へ)項に掲げる隣地高さ制限適合建築物の二面以上の立面図又は同表の(と)項に掲げる北側高さ制限適合建築物の二面以上の立面図と、それぞれ併せて作成することができる。

	図書の種類	明示すべき事項
(い)	配置図	縮尺及び方位
		取消対象区域の境界線
		取消対象区域内の各建築物の敷地境界線及び位置
		取消対象区域内の各建築物に附属する自動車車庫の用途に供する工作物の築造面積及び位置

		土地の高低 取消対象区域内の各建築物の各部分の高さ 取消対象区域内の各建築物の敷地の接する道路の位置及び幅員
(ろ)	各階平面図	縮尺及び方位 外壁の開口部の位置及び構造 法第八十六条の五第二項の規定により法第八十六条第一項若しくは第二項又は法第八十六条の二第一項の規定による認定が取り消された場合における延焼のおそれのある部分の外壁の構造
	二面以上の立面図	縮尺 開口部の位置及び構造 法第八十六条の五第二項の規定により法第八十六条第一項若しくは第二項又は法第八十六条の二第一項の規定による認定が取り消された場合における延焼のおそれのある部分の外壁及び軒裏の構造
	二面以上の断面図	縮尺 地盤面 軒及びひさしの出 軒の高さ及び建築物の高さ
	地盤面算定表	建築物が周囲の地面と接する各位置の高さ 地盤面を算定するための算式
		縮尺及び方位 敷地境界線 法第五十二条第八項第二号に規定する空地の面積及び位置
(は)	道路に接して有効な部分の配置図	道路に接して有効な部分の面積及び位置 敷地内における工作物の位置 敷地の接する道路の位置 令第百三十五条の十七第三項の表(い)欄各項に掲げる地域の境界線
(に)	特定道路の配置図	敷地境界線 前面道路及び当該前面道路が接続する特定道路の位置及び幅員 当該特定道路から敷地が接する前面道路の部分の直近の端までの延長
	道路高さ制限適合建築物の配置図	縮尺 敷地境界線 敷地内における申請に係る建築物及び道路高さ制限適合建築物の位置 擁壁の位置 土地の高低 敷地の接する道路の位置、幅員及び種類 前面道路の路面の中心からの申請に係る建築物及び道路高さ制限適合建築物の各部分の高さ 申請に係る建築物及び道路高さ制限適合建築物の前面道路の境界線からの後退距離 道路制限勾配が異なる地域等の境界線 令第百三十二条又は第百三十四条第二項に規定する区域の境界線 令第百三十五条の九に規定する位置及び当該位置の間の距離 申請に係る建築物及び道路高さ制限適合建築物について令第百三十五条の九に規定する位置ごとに算定した天空率
(ほ)	道路高さ制限適合建築物の二面以上の立面図	縮尺 前面道路の路面の中心の高さ 前面道路の路面の中心からの申請に係る建築物及び道路高さ制限適合建築物の各部分の高さ 令第百三十五条の二第二項の規定により特定行政庁が規則で定める高さ 擁壁の位置 土地の高低 令第百三十五条の九に規定する位置からの申請に係る建築物及び道路高さ制限適合建築物の各部分の高さ
	道路高さ制限近接点における水平投影位置確認表	前面道路の路面の中心からの申請に係る建築物及び道路高さ制限適合建築物の各部分の高さ 道路高さ制限近接点から申請に係る建築物及び道路高さ制限適合建築物の各部分までの水平距離、仰角及び方位角
	道路高さ制限近接点における申請に係る建築物及び道路高さ制限適合建築物の天空図	水平投影面 天空率
	道路高さ制限近接点における天空率算定表	申請に係る建築物及び道路高さ制限適合建築物の天空率を算定するための算式
		縮尺 敷地境界線 敷地内における申請に係る建築物及び隣地高さ制限適合建築物の位置

(へ)

隣地高さ制限適合建築物の配置図	擁壁の位置
	土地の高低
	敷地の接する道路の位置、幅員及び種類
	地盤面からの申請に係る建築物及び隣地高さ制限適合建築物の各部分の高さ
	法第五十六条第一項第二号に規定する水平距離のうち最小のものに相当する距離
	令第百三十五条の七第一項第二号に規定する隣地高さ制限適合建築物の隣地境界線からの後退距離
	隣地制限勾配が異なる地域等の境界線
	高低差区分区域の境界線
	令第百三十五条の十に規定する位置及び当該位置の間の距離
	申請に係る建築物及び隣地高さ制限適合建築物について令第百三十五条の十に規定する位置ごとに算定した天空率
	縮尺
隣地高さ制限適合建築物の二面以上の立面図	地盤面
	地盤面からの申請に係る建築物及び隣地高さ制限適合建築物の各部分の高さ
	令第百三十五条の三第二項の規定により特定行政庁が規則に定める高さ
	擁壁の位置
	土地の高低
	高低差区分区域の境界線
	令第百三十五条の十に規定する位置からの申請に係る建築物及び隣地高さ制限適合建築物の各部分の高さ
隣地高さ制限近接点における水平投影位置確認表	申請に係る建築物及び隣地高さ制限適合建築物の各部分の高さ
	隣地高さ制限近接点から申請に係る建築物及び隣地高さ制限適合建築物の各部分までの水平距離、仰角及び方位角
隣地高さ制限近接点における申請に係る建築物及び隣地高さ制限適合建築物の天空図	水平投影面
	天空率
隣地高さ制限近接点における天空率算定表	申請に係る建築物及び隣地高さ制限適合建築物の天空率を算定するための算式
北側高さ制限適合建築物の配置図	縮尺
	敷地境界線
	敷地内における申請に係る建築物及び北側高さ制限適合建築物の位置
	擁壁の位置
	土地の高低
	敷地の接する道路の位置、幅員及び種類
	地盤面からの申請に係る建築物及び北側高さ制限適合建築物の各部分の高さ
	北側制限高さが異なる地域の境界線
	高低差区分区域の境界線
	令第百三十五条の十一に規定する位置及び当該位置の間の距離
	申請に係る建築物及び北側高さ制限適合建築物について令第百三十五条の十一に規定する位置ごとに算定した天空率
	縮尺

(と)

北側高さ制限適合建築物の二面以上の立面図	地盤面
	地盤面からの申請に係る建築物及び北側高さ制限適合建築物の各部分の高さ
	令第百三十五条の四第二項の規定により特定行政庁が規則に定める高さ
	擁壁の位置
	土地の高低
	令第百三十五条の十一に規定する位置からの申請に係る建築物及び北側高さ制限適合建築物の各部分の高さ
北側高さ制限近接点における水平投影位置確認表	申請に係る建築物及び北側高さ制限適合建築物の各部分の高さ
	北側高さ制限近接点から申請に係る建築物及び北側高さ制限適合建築物の各部分までの水平距離、仰角及び方位角
北側高さ制限近接点における申請に係る建築物及び北側高さ制限適合建築物の天空図	水平投影面
	天空率
北側高さ制限近接点における天空率算定表	申請に係る建築物及び北側高さ制限適合建築物の天空率を算定するための算式
配置図	軒の高さ
	地盤面の異なる区域の境界線
	敷地の接する道路、水面、線路敷その他これらに類するものの位置及び幅員
	縮尺及び方位
	敷地境界線
	法第五十六条の二第一項の対象区域の境界線

(ち)	日影図	法別表第四(い)欄の各項に掲げる地域又は区域の境界線
		高層住居誘導地区又は都市再生特別地区の境界線
		日影時間の異なる区域の境界線
		敷地の接する道路、水面、線路敷その他これらに類するものの位置及び幅員
		敷地内における建築物の位置
		平均地盤面からの建築物の各部分の高さ
		測定線
		建築物が冬至日の真太陽時による午前八時から三十分ごとに午後四時まで（道の区域内にあつては、午前九時から三十分ごとに午後三時まで）の各時刻に水平面に生じさせる日影の形状
		建築物が冬至日の真太陽時による午前八時から午後四時まで（道の区域内にあつては、午前九時から午後三時まで）の間に測定線上の主要な点に生じさせる日影時間
		建築物が冬至日の真太陽時による午前八時から午後四時まで（道の区域内にあつては、午前九時から午後三時まで）の間に水平面に生じさせる日影の等時間日影線
		土地の高低
	日影形状算定表	申請区域内の建築物が一の敷地内にあるものとみなされた場合における平均地盤面からの当該建築物の各部分の高さ及び日影の形状を算定するための算式
	二面以上の断面図	平均地盤面
		地盤面及び平均地盤面からの建築物の各部分の高さ
		隣地又はこれに連接する土地で日影が生ずるものの地盤面又は平均地表面
	平均地盤面算定表	建築物が周囲の地面と接する各位置の高さ及び平均地盤面を算定するための算式

二　取消対象区域内の土地について所有権又は借地権を有する者全員の合意を証する書面

三　前二号に定めるもののほか、特定行政庁が規則で定めるもの

2　特定行政庁は、認定の取消しをしたときは、別記第六十六号様式による通知書に、前項の申請書の副本及びその添付図書を添えて、申請者に通知するものとする。

3　特定行政庁は、取消しをしないときは、別記第六十七号の二様式による通知書に、第一項の申請書の副本及びその添付図書を添えて、申請者に通知するものとする。

（認定の取消しに係る公告の方法）

第一〇条の二十二　第十条の二十の規定は、法第八十六条の五第四項の規定による公告について準用する。

（認定の取消しに係る公告）

第一〇条の二十二の二　特定行政庁は、法第八十六条第一項若しくは第二項又は法第八十六条の二第一項の規定による認定を取り消したとき（法第八十六条の五第二項の規定による認定の取消しをしたときを除く。第三項において同じ。）は、遅滞なく、その旨を公告しなければならない。

2　第十条の二十の規定は、前項の規定による公告について準用する。

3　法第八十六条第一項若しくは第二項又は法第八十六条の二第一項の規定による認定を取り消したときは、第一項の規定による公告によつて、その効力を生ずる。

（許可の取消しに係る公告）

第一〇条の二十二の三　特定行政庁は、法第八十六条第三項若しくは第四項又は法第八十六条の二第二項若しくは第三項の規定による許可を取り消したとき（法第八十六条の五第三項の規定による許可の取消しをしたときを除く。第三項において同じ。）は、遅滞なく、その旨を公告しなければならない。

2　第十条の二十の規定は、前項の規定による公告について準用する。

3　法第八十六条第三項若しくは第四項又は法第八十六条の二第二項若しくは第三項の規定による許可を取り消したときは、第一項の規定による公告によつて、その効力を生ずる。

（全体計画認定の申請等）

第一〇条の二十三　全体計画認定の申請をしようとする者は、次の各号に掲げる図書及び書類を特定行政庁に提出するものとする。ただし、第一条の三第一項の表一の(い)項に掲げる配置図又は各階平面図は、同条第一項の表二の(二十三)項の(ろ)欄に掲げる道路に接して有効な部分の配置図若しくは特定道路の配置図、同表の(二十八)項の(ろ)欄に掲げる道路高さ制限適合建築物の配置図、隣地高さ制限適合建築物の配置図若しくは北側高さ制限適合建築物の配置図又は同表の(二十九)項の(ろ)欄に掲げる日影図と、同条第一項の表一の(ろ)項に掲げる二面以上の立面図又は二面以上の断面図は、同条第一項の表二の(二十八)項の(ろ)欄に掲げる道路高さ制限適合建築物の二面以上の立面図、隣地高さ制限適合建築物の二面以上の立面図若しくは北側高さ制限適合建築物の二面以上の立面図又は同表の(四十五)項の(ろ)欄に掲げる防災都市計画施設に面する方向の立面図と、それぞれ併せて作成することができる。

一　別記第六十七号の三様式による申請書（以下この条及び次条において単に「申請書」という。）の正本及び副本に、それぞれ、次に掲げる図書及び書類で、全体計画に係るそれぞれの工事ごとに作成したものを添えたもの（正本に添える図書にあつては、当該図書の設計者の氏名が記載されたものに限る。）

イ　第一条の三第一項の表一の各項に掲げる図書（同条第一項第一号イの認定を受けた構造の建築物又はその部分に係る場合で当該認定に係る認定書の写しを添えたものにおいては同号イに規定する国土交通大臣の指定した図書を除く。）

ロ　申請に係る建築物が第一条の三第一項第一号ロ(1)から(3)までに掲げる建築物である場合にあつては、それぞれ当該(1)から(3)までに定める図書及び書類

ハ　申請に係る建築物が法第三条第二項（法第八十六条の九第一項において準用する場合を含む。）の規定により法又はこれに基づく命令若しくは条例の規定の適用を受けないものであることを示す書面

二　全体計画概要書

2　申請に係る全体計画に建築設備に係る部分が含まれる場合においては、申請書は、次の各号に掲げる図書及び書類とする。

一　別記第六十七号の三様式による正本及び副本に、それぞれ、次に掲げる図書及び書類で、全体計画に係るそれぞれの工事ごとに作成したものを添えたもの（正本に添える図書にあつては、当該図書の設計者の氏名が記載されたものに限る。）

イ　前項第一号イからハまでに掲げる図書及び書類

ロ　申請に係る全体計画に法第八十七条の四の昇降機に係る部分が含まれる場合又は法第六条第一項第一号から第三号までに掲げる建築物の全体計画に令第百四十六条第一項第三号に掲げる建築設備に係る部分が含まれる場合にあつては、別記第八号様式中の「昇降機の概要の欄」又は「建築設備の概要の欄」に記載すべき事項を記載した書類

ハ　申請に係る全体計画に含まれる建築設備が第一条の三第四項第一号ハ(1)及び(2)に掲げる建築設備である場合にあつては、それぞれ当該(1)及び(2)に定める図書及び書類

ロ　申請に係る全体計画に法第八十七条の四の昇降機に係る部分が含まれる場合又は法第六条第一項第一号又は第二号に掲げる建築物の全体計画に令第百四十六条第一項第三号に掲げる建築設備に係る部分が含まれる場合にあつては、別記第八号様式中の「昇降機の概要の欄」又は「建築設備の概要の欄」に記載すべき事項を記載した書類

ハ　申請に係る全体計画に含まれる建築設備が第一条の三第四項第一号ハ(1)及び(2)に掲げる建築設備である場合にあつては、当該(1)及び(2)に定める図書及び書類

二　全体計画概要書

3　第一項及び前項の規定にかかわらず、次の各号に掲げる建築物の全体計画に係る申請書にあつては、それぞれ当該各号に定めるところによるものとする。

一　法第六条の四第一項第二号に掲げる建築物　認定型式の認定書の写し（その認定型式が令第百三十六条の二の十一第一号イに掲げる規定に適合するものであることの認定を受けたものである場合にあつては、当該認定型式の認定書の写し及び第一条の三第五項第一号に規定する国土交通大臣が定める図書及び書類）を添えたものにあつては、同項の表一の(い)欄に掲げる建築物の区分に応じ、同表の(ろ)欄に掲げる図書についてはこれを添えることを要しない。

二　法第六条の四第一項第三号に掲げる建築物　第一条の三第五項の表二の(い)欄に掲げる建築物の区分に応じ、同表の(ろ)欄に掲げる図書についてはこれを添えることを要せず、同表の(は)欄に掲げる図書については同表の(に)欄に掲げる事項を明示することを要しない。

三　認証型式部材等を有する建築物　認証型式部材等に係る認証書の写しを添えたものにあつては、第一条の三第五項の表一の(い)欄に掲げる建築物の区分に応じ、同表の(ろ)欄及び(は)欄に掲げる図書についてはこれらを添えることを要せず、同表の(に)欄に掲げる図書については同表の(ほ)欄に掲げる事項を明示することを要しない。

4　第一条の三第一項の表一の各項に掲げる図書に明示すべき事項を同表に掲げる図書のうち他の図書に明示してその図書を第一項又は第二項の申請書に添える場合においては、第一項又は第二項の規定にかかわらず、当該各項に掲げる図書に明示することを要しない。この場合において、当該各項に掲げる図書に明示すべきすべての事項を当該他の図書に明示したときは、当該各項に掲げる図書を第一項又は第二項の申請書に添えることを要しない。

5　特定行政庁は、申請に係る建築物が法第三十九条第二項、第四十条、第四十三条第三項、第四十三条の二、第四十九条から第五十条まで、第六十八条の二第一項若しくは第六十八条の九第一項の規定に基づく条例（法第八十七条第二項又は第三項においてこれらの規定に基づく条例の規定を準用する場合を含む。）又は第六十八条の九第二項の規定に基づく条例の規定に適合するものであることについての確認をするために特に必要があると認める場合においては、規則で、第一項又は第二項の規定に定めるもののほか、申請書に添えるべき図書について必要な規定を設けることができる。

6　前各項に規定する図書及び書類のほか、特定行政庁が全体計画の内容を把握するため又は申請に係る建築物の安全性を確かめるために特に必要があると認めて規則で定める図書及び書類を申請書に添えなければならない。

7　前各項の規定により申請書に添えるべき図書及び書類のうち二以上の図書及び書類の内容が同一である場合においては、申請書にその旨を記載した上で、これらの図書及び書類のうちいずれかの図書及び書類を申請書に添付し、他の図書及び書類の添付を省略することができる。

8　特定行政庁は、全体計画認定をしたときは、別記第六十七号の五様式による通知書に、当該全体計画認定に係る申請書の副本及びその添付図書及び添付書類を添えて、申請者に通知するものとする。

9　特定行政庁は、全体計画認定をしないときは、別記第六十七号の六様式による通知書に、当該通知に係る申請書の副本及びその添付図書及び添付書類を添えて、申請者に通知するものとする。

（全体計画認定の変更の申請等）

第一〇条の二四　全体計画変更認定の申請をしようとする者は、申請書の正本及び副本並びに全体計画概要書に前条第一項から第七項までの規定による添付図書及び添付書類のうち変更に係るものを添えて、特定行政庁に提出するものとする。

2　前条第八項及び第九項の規定は、全体計画認定の変更の場合について準用する。この場合において、同条第八項及び第九項中「全体計画認定」とあるのは「全体計画変更認定」と、「添付図書及び添付書類」とあるのは「添付図書及び添付書類（変更に係るものに限る。）」と読み替えるものとする。

（全体計画の変更に係る認定を要しない軽微な変更）

第一〇条の二五　法第八十六条の八第三項（法第八十七条の二第二項において準用する場合を含む。）の国土交通省令で定める軽微な変更は、次に掲げるものとする。

一　第三条の二第一項各号に掲げる変更であつて、変更後も全体計画に係る建築物の計画が建築基準関係規定に適合することが明らかなもの

二　全体計画認定を受けた全体計画に係る工事の実施時期の変更のうち、工事の着手又は完了の予定年月日の三月以内の変更

（工事現場の確認の表示の様式）

第一一条　法第八十九条第一項（法第八十七条の四又は法第八十八条第一項若しくは第二項において準用する場合を含む。）の規定による工事現場における確認の表示の様式は、別記第六十八号様式による。

（安全上の措置等に関する計画届の様式）

第一一条の二　法第九十条の三（法第八十七条の四において準用する場合を含む。）の規定による建築物の安全上、防火上又は避難上の措置に関する計画の届出（安全上の措置等に関する計画届）をしようとする建築主は、別記第六十九号様式による届出書に次の表に掲げる図書を添えて特定行政庁に提出するものとする。当該計画を変更した場合も同様とする。

図書の種類	明示すべき事項
付近見取図	方位、道路及び目標となる地物
配置図	縮尺、方位、敷地境界線、敷地内における建築物の位置並びに敷地の接する道路の位置及び幅員
工事着手前の各階平面図	縮尺、方位、間取、各室の用途、壁の位置及び種類並びに開口部及び防火設備の位置
工事計画書	工事により機能の確保に支障を生ずる避難施設等の種類、箇所及び工事期間、工事に伴う火気の種類、使用場所及び使用期間、工事に使用する資材及び機械器具の種類、量並びに集積、設置等の場所、方法及び期間、工事に係る部分の区画の方法並びに工事に係る部分の工事完了後の状況
安全計画書	工事の施工中における使用部分及びその用途並びに工事により機能の確保に支障を生ずる避難施設等に係る代替措置の概要、使用する火気、資材及び機械器具の管理の方法その他安全上、防火上又は避難上講ずる措置の内容

2　法第七条の六第一項第一号又は第二号の規定による仮使用の認定を受けた者が前項の届出をする場合においては、同項の規定にかかわらず、同項の表に掲げる図書を添えることを要しない。

（手数料の納付の方法）

第一一条の二の二　法第九十七条の四第一項及び第二項の手数料の納付は、次の各号に掲げる場合の区分に応じ、それぞれ当該各号に定めるところにより行うものとする。

一　国に納める場合　当該手数料の金額に相当する額の収入印紙をもつて納める。ただし、印紙をもつて納め難い事由があるときは、現金をもつてすることができる。

二　指定認定機関又は承認認定機関に納める場合　法第七十七条の四十五第一項（法第七十七条の五十四第二項において準用する場合を含む。）に規定する認定等業務規程で定めるところにより納める。

三　指定性能評価機関又は承認性能評価機関に納める場合　法第七十七条の五十六第二項及び法第七十七条の五十七第二項において準用する法第七十七条の四十五第一項の性能評価の業務に関する規程で定めるところ

により納める。

（手数料の額）

第一一条の二の三　法第九十七条の四第一項の国土交通省令で定める手数料の額は、次の各号に掲げる処分の区分に応じ、当該各号に定める額とする。

一　構造方法等の認定　申請一件につき、二万円に、別表第二の(い)欄に掲げる区分に応じ、それぞれ同表の(ろ)欄に掲げる額を加算した額。ただし、法第六十八条の二十五第五項及び第七項の規定により申請する場合にあつては、二万円とする。

二　特殊構造方法等認定　申請一件につき、二百十二万円

三　型式適合認定　申請一件につき、別表第三の(い)欄に掲げる区分に応じ、それぞれ同表の(ろ)欄に掲げる額

四　法第六十八条の十一第一項の認証又はその更新　申請に係る工場等一件につき、四十九万円

五　法第六十八条の二十二第一項の認証又はその更新　申請に係る工場等一件につき、三十九万円に、職員二人が同条第二項（法第八十八条第一項において準用する場合を含む。）において準用する法第六十八条の十三に掲げる基準に適合するかどうかを審査するため、当該審査に係る工場等の所在地に出張するとした場合に旅費法の規定により支給すべきこととなる旅費の額に相当する額を加算した額。この場合において、その旅費の額の計算に関し必要な細目は、第十条の五の十八から第十条の五の二十までの規定を準用する。

2　前項各号の規定にかかわらず、次の各号に掲げる場合の手数料は、当該各号に定める額とする。

一　構造方法等の認定のための審査に当たつて実物等の提出を受けて試験その他の方法により評価を行うことが困難であることその他の理由により申請者が工場等において行う試験又は工場等における指定建築材料の製造、検査若しくは品質管理を目視その他適切な方法により確認する必要がある場合として国土交通大臣が定める場合　申請一件につき、前項第一号本文に定める額に、当該目視その他適切な方法による確認を行うために必要な費用として国土交通大臣が定める額を加算した額（ただし、法第六十八条の二十五第五項及び第七項の規定により申請する場合にあつては、二万円）

二　既に構造方法等の認定のための審査に当たつて行われた評価に係る試験の結果を用いることにより、新たな試験を要しないこととなる評価に基づいて行われる認定を受けようとする場合　次のイからハまでに掲げる場合の区分に応じ、当該イからハまでに定める額（ただし、法第六十八条の二十五第五項及び第七項の規定により申請する場合にあつては、二万円）

イ　法第二条第九号の二ロ、法第二十七条第一項（防火設備に関するものに限る。）若しくは法第六十一条第一項（防火設備に関するものに限る。）又は令第一条第五号若しくは第六号、令第二十条の七第二項から第四項まで、令第百十二条第一項若しくは第十二項ただし書、令第百十四条第五項若しくは令第百三十七条の十第一号ロ(4)の規定に基づく認定の場合　三十五万円

ロ　令第四十六条第四項の表一の(八)項又は第八条の三の規定に基づく認定の場合　百三十九万円

ロ　令第四十六条第四項の規定に基づく認定の場合（令第四十五条第一項又は第二項の規定に基づく認定を併せて受けようとする場合を含む。）又は第八条の三の規定に基づく認定の場合　百三十九万円

ハ　建築基準法に基づく指定建築基準適合判定資格者検定機関等に関する省令（平成十一年建設省令第十三号。第五項第一号において「機関省令」という。）第六十三条第四号に掲げる認定のうち、イ又はロの認定以外の認定の場合　四十六万円

三　既に構造方法等の認定を受けた構造方法等の軽微な変更であつて、国土交通大臣が安全上、防火上及び衛生上支障がないと認めるものの認定を受けようとする場合　次のイ又はロに掲げる場合の区分に応じ、当該イ又はロに定める額（ただし、法第六十八条の二十五第五項及び第七項の規定により申請する場合にあつては、二万円）

イ　法第二十条第一項第一号の規定に基づく認定の場合　二万円に、別表第二(い)欄に掲げる区分に応じ、それぞれ同表の(ろ)欄に掲げる額の三分の一の額を加算した額（その額に千円未満の端数があるときは、これを切り捨てるものとする。）

ロ　イに掲げる場合以外の場合　二万円に、別表第二(い)欄に掲げる区分に応じ、それぞれ同表の(ろ)欄に掲げる額の十分の一の額を加算した額

四　既に特殊構造方法等認定を受けた構造方法又は建築材料の軽微な変更であつて、国土交通大臣が安全上、防火上及び衛生上支障がないと認めるものの認定を受けようとする場合　五十七万円

五　既に特殊構造方法等認定を受けた構造方法又は建築材料に係る第十条の五の二十三第一項の申請書又は同項各号に掲げる図書の記載事項の形式的な変更の認定を受けようとする場合　二万円

六　次の表の各項に掲げる規定のうち、既に型式適合認定（建築物の部分で、門、塀、改良便槽、屎尿浄化槽及び合併処理浄化槽並びに給水タンク及び貯水タンクその他これらに類するもの（屋上又は屋内にあるものを除く。）以外のものに関する認定に限る。）を受けた型式について、認定を受けようとする場合　次のイからへまでに掲げる場合の区分に応じ、当該イからへまでに定める額

イ　次の表の(一)項に掲げる規定に係る変更をしようとする場合　別表第三(い)欄に掲げる区分に応じ、それぞれ同表の(ろ)欄に掲げる額の五分の三

ロ　次の表の(二)項に掲げる規定に係る変更をしようとする場合　別表第三(い)欄に掲げる区分に応じ、それぞれ同表の(ろ)欄に掲げる額の四分の一

ハ　次の表の(三)項に掲げる規定に係る変更をしようとする場合　別表第三(い)欄に掲げる区分に応じ、それぞれ同表の(ろ)欄に掲げる額の四分の一

ニ　次の表の(一)項及び(二)項に掲げる規定に係る変更をしようとする場合（イ又はロに掲げる場合を除く。）　別表第三(い)欄に掲げる区分に応じ、それぞれ同表の(ろ)欄に掲げる額の五分の四

ホ　次の表の(一)項及び(三)項に掲げる規定に係る変更をしようとする場合（イ又はハに掲げる場合を除く。）　別表第三(い)欄に掲げる区分に応じ、それぞれ同表の(ろ)欄に掲げる額の五分の四

へ　次の表の(二)項及び(三)項に掲げる規定に係る変更をしようとする場合（ロ又はハに掲げる場合を除く。）　別表第三(い)欄に掲げる区分に応じ、それぞれ同表の(ろ)欄に掲げる額の二十分の九

(一)	(二)	(三)
法第二十条（第一項第一号後段、第二号イ後段及び第三号イ後段に係る部分に限る。）及び令第三章（令第五十二条第一項、令第六十一条、令第六十二条の八、令第七十四条第二項、令第七十五条、令第七十六条及び令第八十条の三を除き、令第八十条の二にあつては国土交通大臣が定めた安全上必要な技術的基準のうちその指定する基準に係る部分に限る。）の規定	法第二十一条から法第二十三条まで、法第二十五条から法第二十七条まで、法第三十五条の二、法第三十五条の三、法第三章第五節（法第六十一条第一項中門及び塀に係る部分、法第六十四条並びに法第六十六条を除く。）、法第六十七条第一項（門及び塀に係る部分を除く。）及び法第八十四条の二並びに令第四章、令第五章（第六節を除く。）、令第五章の二、令第五章の三、令第七章の二（令第百三十六条の二第五号を除く。）及び令第七章の九の規定	法第二十八条（第一項を除く。）、法第二十八条の二から法第三十条まで、法第三十一条第一項、法第三十三条及び法第三十四条並びに令第二章（令第十九条、令第二十条及び令第三十一条から令第三十五条までを除く。）及び令第五章の四（令第百二十九条の二の三第三項第三号を除き、令第百二十九条の二の四第二項第六号にあつては国土交通大臣が定めた構造方法のうちその指定する構造方法に係る部分に限る。）の規定

七　既に型式部材等製造者の認証を受けた者が、当該認証に係る技術的生産条件で製造をする別の型式部材等につき新たに型式部材等製造者の認証を受けようとする場合　申請一件につき二万六千円

八　同時に行われる申請において、一の技術的生産条件で製造をする二以上の型式の型式部材等につき認証を受けようとする場合　二万六千円に申請件数から一を減じた数を乗じた額及び前項第四号又は第五号に規定する額（申請に係る工場等の件数を一として算定したものとする。次号において同じ。）の合計額

九　一の申請において、一の技術的生産条件で二以上の工場等において認証を受けようとする場合　二万六千円に申請に係る工場等の件数から一を減じた数を乗じた額及び前項第四号又は第五号に規定する額の合計額

3　法第九十七条の四第二項の国土交通省令で定める手数料のうち指定認定機関又は指定性能評価機関が行う処分又は性能評価（以下この条において「処分等」という。）に係るものの額は、次の各号に掲げる処分等の区分に応じ、当該各号に定める額とする。

一　型式適合認定　申請一件につき、第一項第三号に掲げる額

二　法第六十八条の十一第一項の認証又はその更新　申請に係る工場等一件につき、第一項第四号に掲げる額

三　法第六十八条の二十二第一項の認証又はその更新　申請に係る工場等一件につき、三十九万円に、指定認定機関の主たる事務所の所在地より当該申請に係る工場等の所在地に出張するとした場合に第一項第五号の規定に準じて算出した旅費の額に相当する額を加算した額

四　性能評価　別表第二の(い)欄に掲げる区分に応じ、それぞれ同表の(ろ)欄に掲げる額

4　第二項（第一号から第四号までを除く。）の規定は、前項第一号から第三号までに掲げる処分の申請に係る手数料の額について準用する。

5　第三項第四号の規定にかかわらず、次の各号に掲げる場合の手数料は、当該各号に定める額とする。

一　機関省令第六十三条第五号の規定による審査に基づく性能評価を受ける場合　申請一件につき、別表第二の(い)欄に掲げる区分に応じ、それぞれ同表の(ろ)欄に掲げる額に、第二項第一号に規定する国土交通大臣が定める額を加算した額

二　既に構造方法等の認定のための審査に当たつて行われた性能評価に係る試験の結果を用いることにより、新たな試験を要しないこととなる性能評価を受ける場合　申請一件につき、次のイからハまでに掲げる性能評価の区分に応じ、当該イからハまでに定める額

イ　第二項第二号イに掲げる認定に係る性能評価　三十三万円

ロ　第二項第二号ロに掲げる認定に係る性能評価　百三十七万円

ハ　第二項第二号ハに掲げる認定に係る性能評価　四十四万円

三　既に構造方法等の認定を受けた構造方法等の軽微な変更であつて、国土交通大臣が安全上、防火上及び衛生上支障がないと認めるものの認定を受けようとする場合に係る性能評価を受ける場合　次のイ又はロに掲げる性能評価の区分に応じ、当該イ又はロに定める額

イ　第二項第三号イに掲げる認定に係る性能評価　別表第二(い)欄に掲げる区分に応じ、それぞれ同表の(ろ)欄に掲げる額の三分の一（その額に千円未満の端数があるときは、これを切り捨てるものとする。）

ロ　第二項第三号ロに掲げる認定に係る性能評価　別表第二(い)欄に掲げる区分に応じ、それぞれ同表の(ろ)欄に掲げる額の十分の一

6　指定性能評価機関が、自らが行う性能評価に係る手数料の額について、次項各号に掲げる基準に適合するものとして国土交通大臣の認可を受けたときは、当該性能評価に係る手数料の額は、第三項第四号及び前項の規定にかかわらず、その認可を受けた額とする。

7　法第九十七条の四第二項の国土交通省令で定める手数料のうち承認認定機関又は承認性能評価機関が行う処分等に係るものの額は、次に掲げる基準に適合するものとして国土交通大臣の認可を受けた額とする。

一　手数料の額が当該処分等の業務の適正な実施に要する費用の額を超えないこと。

二　特定の者に対して不当な差別的取扱いをするものではないこと。

8　承認認定機関、指定性能評価機関又は承認性能評価機関は、前二項の認可を受けようとするときは、次に掲げる事項を記載した申請書を国土交通大臣に提出しなければならない。手数料の額の変更の認可を受けようとするときも、同様とする。

一　認可を受けようとする手数料の額（業務の区分ごとに定めたものとする。次号において同じ。）

二　審査一件当たりに要する人件費、事務費その他の経費の額

三　旅費（鉄道費、船賃、航空賃及び車賃をいう。）、日当及び宿泊料の額

四　その他必要な事項

（書類の閲覧等）

第一一条の三　法第九十三条の二（法第八十八条第二項において準用する場合を含む。）の国土交通省令で定める書類は、次の各号に掲げるものとする。ただし、それぞれの書類に記載すべき事項が特定行政庁の使用に係る電子計算機に備えられたファイル又は電磁的記録媒体に記録され、必要に応じ特定行政庁において電子計算機その他の機器を用いて明確に紙面に表示されるときは、当該記録をもつてこれらの図書とみなす。

一　別記第三号様式による建築計画概要書

二　別記第十二号様式による築造計画概要書

三　別記第三十六号の三様式による定期調査報告概要書

四　別記第三十六号の五様式、別記第三十六号の七様式、別記第三十六号の九様式及び別記第三十六号の十一様式による定期検査報告概要書

五　処分等概要書

六　全体計画概要書

七　指定道路図

八　指定道路調書

2　特定行政庁は、前項の書類（同項第七号及び第八号の書類を除く。）を当該建築物が滅失し、又は除却されるまで、閲覧に供さなければならない。

3　特定行政庁は、第一項の書類を閲覧に供するため、閲覧に関する規程を定めてこれを告示しなければならない。

（映像等の送受信による通話の方法による口頭審査）

第一一条の四　令第百四十七条の四において準用する行政不服審査法施行令（平成二十七年政令第三百九十一号）第八条に規定する方法によつて口頭審査の期日に審理を行う場合には、審理関係人（行政不服審査法（平成二十六年法律第六十八号）第二十八条に規定する審理関係人をいう。以下この条において同じ。）の意見を聴いて、当該審理に必要な装置が設置された場所であつて審査庁（同法第九条第一項に規定する審査庁をいう。）が相当と認める場所を、審理関係人ごとに指定して行う。

（権限の委任）

第一二条　法（第六条の二第一項（第八十七条第一項、第八十七条の四又は第八十八条第一項若しくは第二項において準用する場合を含む。）、第七条の二第一項（第八十七条の四又は第八十八条第一項若しくは第二項において準用する場合を含む。）、第十八条の二第一項並びに第四章の二第二節及び第三節を除く。）、令及びこの省令に規定する国土交通大臣の権限のうち、次に掲げるものは、地方整備局長及び北海道開発局長に委任する。ただし、第五号から第八号までに掲げる権限については、国土交通大臣が自ら行うことを妨げない。

一　法第九条の三第一項の規定による通知を受理し、及び同条第二項の規定により通知すること（国土交通大臣が講じた免許又は許可の取消し、業務の停止の処分その他必要な措置に係るものを除く。）。

二　法第十二条の二第一項（法第八十八条第一項において準用する場合を含む。）及び法第十二条の三第三項（法第八十八条第一項において準用する場合を含む。）の規定による交付をすること。

三　法第十二条の二第一項第二号（法第八十八条第一項において準用する場合を含む。）及び法第十二条の三第三項第二号（法第八十八条第一項において準用する場合を含む。）の規定による認定をすること。

四　法第十二条の二第三項（法第十二条の三第四項（法第八十八条第一項において準用する場合を含む。）又は法第八十八条第一項において準用する場合を含む。）の規定により返納を命ずること。

五　法第十四条第一項の規定による助言又は援助をし、及び同条第二項の規定により必要な勧告、助言若しくは援助をし、又は必要な参考資料を提供すること。

六　法第十五条の二の規定により必要な報告若しくは物件の提出を求め、又はその職員に立入検査、試験若しくは質問させること。

七　法第十六条の規定により必要な報告又は統計の資料の提出を求めること。

八　法第十七条第二項、第四項（同条第十一項において準用する場合を含む。）及び第九項の規定により指示すること。

九　法第四十九条第二項の規定による承認をすること。

十　法第六十八条の二第五項の規定による承認をすること。

十一　法第四章の三に規定する権限

十二　法第八十五条の三の規定による承認をすること。

十三　令第百四十四条の四第三項（第十条の三第二項において準用する場合を含む。）の規定による承認をすること。

十四　第六条の十八（第六条の二十三、第六条の二十五及び第六条の二十七において読み替えて準用する場合を含む。）の規定により範囲を限定し、条件を付し、及びこれを変更すること。

十五　第六条の二十（第六条の二十三、第六条の二十五及び第六条の二十七において読み替えて準用する場合を含む。）の規定による再交付をすること。

十六　第六条の二十の二（第六条の二十三、第六条の二十五及び第六条の二十七において読み替えて準用する場合を含む。）の規定による届出を受理すること。

十七　第六条の二十一第三項（第六条の二十三、第六条の二十五及び第六条の二十七において準用する場合を含む。）の規定による受納をすること。

附　則

この省令は、昭和二十五年十一月二十三日から施行する。

附　則〔略〕〔昭和二六・八・一〇建設省令二六〕

附　則〔昭和二九・六・一建設省令一八〕

1　この省令は、公布の日から施行する。但し、第一条第一項の改正に関する規定は、昭和二十九年七月一日から施行する。

2　改正前の別記第八号様式に改正後の別記第八号様式（一般用）による所要の記入事項を記載した届出は、第六条の規定の適用については、当分の間、これを改正後の別記第八号様式（一般用）によるものとみなす。

附　則〔昭和三〇・五・一〇建設省令一二〕

1　この省令は、昭和三十年六月一日から施行する。

2　この省令施行の日以後における届出は、当分の間改正前の別記第八号様式（一般用）、第八号様式（木造一戸建住宅）及び第九号様式にそれぞれ改正後の記入事項を加筆記入したものをもつて行うことができるものとする。

附　則〔略〕〔昭和三一・二・二建設省令一〕

附　則〔略〕〔昭和三一・八・二三建設省令二七〕

附　則〔略〕〔昭和三三・四・二一建設省令一四〕

附　則〔略〕〔昭和三四・一二・二三建設省令三四〕

附　則〔略〕〔昭和三八・一二・二八建設省令二六〕

附　則〔略〕〔昭和三九・一・一四建設省令一〕

附　則〔略〕〔昭和四一・三・三一建設省令一二〕

附　則〔略〕〔昭和四四・六・一四建設省令四二〕

附　則〔抄〕〔昭和四五・一二・二三建設省令二七〕

（施行期日）

1　この省令は、建築基準法の一部を改正する法律（昭和四十五年法律第百九号。以下「改正法」という。）の施行の日（昭和四十六年一月一日）から施行する。

（用途地域等に関する経過措置）

2　改正法附則第十三項の規定による改正前の都市計画法（昭和四十三年法律第百号。以下「改正前の都市計画法」という。）の規定による都市計画区域でこの省令の施行の際現に存するものの内の建築物、建築物の敷地又は建築物若しくはその敷地の部分については、この省令の施行の日から起算して三年を経過する日（その日前に同項の規定による改正後の都市計画法第二章の規定により、当該都市計画区域について用途地域に関する都市計画が決定されたときは、同法第二十条第一項（同法第二十二条第一項において読み替える場合を含む。）の規定による告示があつた日。附則第四項において同じ。）までの間は、この省令による改正後の建築基準法施行規則第一条第六項の規定は、適用せず、この省令による改正前の建築基準法施行規則第一条第六項の規定は、なおその効力を有する。

附　則〔略〕〔昭和五〇・三・一八建設省令三〕

附　則〔略〕〔昭和五〇・一二・二三建設省令二〇〕

附　則〔略〕〔昭和五二・一〇・二六建設省令九〕

附　則〔略〕〔昭和五五・一〇・二五建設省令一二〕

附　則〔略〕〔昭和五六・一二・一八建設省令一九〕

附　則〔昭和五九・三・二九建設省令二〕

1　この省令は、昭和五十九年四月一日から施行する。

2　この省令による改正前の別記第六号様式による届出書は、昭和五十九年六月三十日までの間は、この省令による改正後の別記第六号様式による届出書とみなす。

附　則〔抄〕〔昭和六二・一一・一六建設省令二五〕

（施行期日）

1　この省令は、建築基準法の一部を改正する法律（昭和六十二年法律第六十六号。以下「改正法」という。）の施行の日（昭和六十二年十一月十六日）から施行する。

（改正法の施行前に確認等の通知をした総合的設計による同一敷地内建築物に関する公告事項）

2　改正法附則第二条第一項の建設省令で定める事項は、この省令による改正後の建築基準法施行規則第十条の二に規定する事項とする。

附　則〔略〕〔平成元・一一・二一建設省令一七〕

附　則〔略〕〔平成二・一一・一九建設省令一〇〕

附　則〔略〕〔平成五・一・二六建設省令一〕

附　則〔略〕〔平成五・六・二二建設省令八〕

附　則〔略〕〔平成七・五・二四建設省令一五〕

附　則〔略〕〔平成七・一二・二五建設省令二八〕

附　則〔略〕〔平成九・八・二九建設省令一三〕

附　則〔略〕〔平成九・一一・六建設省令一六〕

附　則〔略〕〔平成一一・四・二六建設省令一四〕

附　則〔略〕〔平成一二・一・三一建設省令一〇〕

附　則〔平成一二・三・三一建設省令一九〕

1　この省令は、平成十二年四月一日から施行する。

2　この省令の施行の際現にあるこの省令による改正前の様式による用紙については、当分の間、これを取り繕って使用することができる。

附　則〔抄〕〔平成一二・五・三一建設省令二六〕

改正　平成一二・一一建令四一

（施行期日）

第一条　この省令は、平成十二年六月一日から施行する。

（手数料に関する経過措置）

第二条　建築基準法の一部を改正する法律（平成十年法律第百号）による改正前の法第三十八条の規定に基づき建設大臣の認定を受けた建築物に用いる建築材料又は構造方法で構造方法等の認定を受けるもののうち、国土交通大臣の認めたものについては、第十一条の二の三第一項第一号の規定にかかわらず、手数料は徴収しない。

附　則〔略〕〔平成一二・一一・二〇建設省令四一〕

附　則〔略〕〔平成一三・三・三〇国土交通省令七二〕

附　則〔略〕〔平成一三・三・三〇国土交通省令七四〕

附　則〔略〕〔平成一三・五・一六国土交通省令九〇〕

附　則〔略〕〔平成一三・九・一四国土交通省令一二八〕

附　則〔略〕〔平成一四・五・三一国土交通省令六六〕

附　則〔略〕〔平成一四・一二・二七国土交通省令一二〇〕

附　則〔略〕〔平成一五・二・七国土交通省令一〇〕

附　則〔略〕〔平成一五・三・一〇国土交通省令一六〕

（施行期日）

第一条　この省令は、建築基準法等の一部を改正する法律の一部の施行の日（平成十五年七月一日）から施行する。ただし、第一条中第五条第二項、第六条第二項及び第十一条の三の改正規定並びに別記第三十六号様式の次に三様式を加える改正規定並びに別記第八十四号様式の次に三様式を加える改正規定は、平成十五年九月一日から施行する。

（定期報告に関する経過措置）

第二条　この省令による改正後の第五条第二項及び第六条第二項の規定に関わらず、法第十二条第一項及び第二項に基づく報告については、平成十六年三月三十一日までの間は、なお従前の例によることができる。

附　則〔略〕〔平成一五・一二・一八国土交通省令一一六〕

附　則〔抄〕〔平成一六・五・二七国土交通省令六七〕

（施行期日）

第一条　この省令は、平成十六年十月一日から施行する。ただし、次の各号に掲げる規定は、当該各号に掲げる日から施行する。

一　第二条中建築基準法施行規則第十条の五の六第三項及び第十条の五の九第二項第一号の改正規定〔中略〕　公布の日

二　〔略〕

（建築基準法施行規則の一部改正に伴う経過措置）

第三条　第二条の規定による改正後の建築基準法施行規則（以下この条において「新建築基準法施行規則」という。）第四条の二十第一項第二号の登録、同条第二項第二号の登録又は同条第三項第二号の登録を受けようとする者は、第二条の規定の施行前においても、その申請を行うことができる。新建築基準法施行規則第四条の二十七（新建築基準法施行規則第四条の三十七又は第四条の三十九において準用する場合を含む。）の規定による登録調査資格者講習事務規程その他の規程の届出についても、同様とする。

2　第二条の規定の施行の際現に同条の規定による改正前の建築基準法施行規則（以下この条において「旧建築基準法施行規則」という。）第四条の二十第一項第二号の指定、同条第四項第二号の指定又は同条第七項第二号の指定を受けている講習は、第二条の規定の施行の日から起算して六月を経過する日までの間は、それぞれ新建築基準法施行規則第四条の二十第一項第二号の登録、同条第二項第二号の登録又は同条第三項第二号の登録を受けている講習とみなす。

3　第二条の規定の施行前に旧建築基準法施行規則第四条の二十第一項第二号の指定、同条第四項第二号の指定又は同条第七項第二号の指定を受けた講習を修了した者は、それぞれ新建築基準法施行規則第四条の二十第一項第二号の登録、同条第二項第二号の登録又は同条第三項第二号の登録を受けた講習を修了した者とみなす。

附　則〔略〕〔平成一六・六・一八国土交通省令七〇〕

附　則〔平成一六・一二・一五国土交通省令九九〕

（施行期日）

1　この省令は、都市緑地保全法等の一部を改正する法律（平成十六年法律第百九号）の施行の日（平成十六年十二月十七日）から施行する。

（経過措置）

2　この省令の施行の際現にあるこの省令による改正前の都市緑地保全法施行規則、都市公園法施行規則、都市計画法施行規則、幹線道路の沿道の整備に関する法律施行規則及び密集市街地における防災街区の整備の促進に関する法律施行規則の様式による用紙については、当分の間、これを取り繕って使用することができる。

附　則〔略〕〔平成一六・一二・一五国土交通省令一〇一〕

附　則〔略〕〔平成一七・三・七国土交通省令一二〕

附　則〔抄〕〔平成一七・三・二九国土交通省令二四〕

（施行期日）

1　この省令は、行政事件訴訟法の一部を改正する法律の施行の日（平成十七年四月一日）から施行する。

（経過措置）

3　この省令の施行の際現にあるこの省令による改正前の様式による用紙については、当分の間、これを取り繕って使用することができる。

附　則〔略〕〔平成一七・五・二五国土交通省令五八〕

附　則〔抄〕〔平成一七・五・二七国土交通省令五九〕

（施行期日）

第一条　この省令は、建築物の安全性及び市街地の防災機能の確保等を図るための建築基準法等の一部を改正する法律の施行の日（平成十七年六月一日）から施行する。

（建築基準法施行規則の一部改正に伴う経過措置）

第二条　第一条の規定の施行の日前三年以内に建築基準法（昭和二十五年法律第二百一号。以下「法」という。）第十八条第七項（法第八十八条第一項において準用する場合を含む。）の規定による検査済証の交付を受けていない場合における最初の点検（第一条の規定による改正後の建築基準法施行規則（以下この条において「新基準法規則」という。）第五条の二第一項に規定する点検をいう。）については、新基準法規則第五条の二第二項の規定にかかわらず、第一条の規定の施行の日から起算して三年以内に行うものとする。

2　第一条の規定の施行の日前一年以内に法第十八条第七項（法第八十七条の二又は法第八十八条第一項において準用する場合を含む。）の規定による検査済証の交付を受けていない場合における最初の点検（新基準法規則第六条の二第一項に規定する点検をいう。）については、新基準法規則第六条の二第二項の規定にかかわらず、第一条の規定の施行の日から起算して一年以内に行うものとする。

3　第一条の規定の施行の際現にある同条の規定による改正前の様式による用紙は、当分の間、これを取り繕って使用することができる。

附　則〔抄〕〔平成一八・三・二九国土交通省令一七〕

改正　平成二〇・一二国交令九七

1　この省令は、公布の日から施行する。

2　この省令の施行前に財団法人全国建設研修センター（昭和三十七年四月七日に財団法人全国建設研修センターという名称で設立された法人をいう。）が行った建築指導科（監視員）研修を修了した者は、建築基準法施行令第十四条第三号の規定による建築の実務に関し技術上の責任のある地位にあった建築士で国土交通大臣が同条第一号又は第二号に該当する者と同等以上の建築行政に関する知識及び能力を有すると認めたものとみなす。

附　則〔平成一八・四・二八国土交通省令五八〕

（施行期日）

第一条　この省令は、会社法の施行の日（平成十八年五月一日）から施行する。

（経過措置）

第二条　この省令の施行の際現にあるこの省令による改正前の様式又は書式による申請書その他の文書は、この省令による改正後のそれぞれの様式又は書式にかかわらず、当分の間、なおこれを使用することができる。

第三条　この省令の施行前にしたこの省令による改正前の省令の規定による処分、手続、その他の行為は、この省令による改正後の省令（以下「新令」という。）の規定の適用については、新令の相当規定によってしたものとみなす。

附　則〔略〕〔平成一八・五・三〇国土交通省令六七〕

附　則〔略〕〔平成一八・九・二七国土交通省令九〇〕

附　則〔略〕〔平成一八・九・二九国土交通省令九六〕

附　則〔略〕〔平成一九・三・一六国土交通省令一三〕

附　則〔略〕〔平成一九・三・二八国土交通省令二〇〕

附　則〔平成一九・三・三〇国土交通省令二七〕

（施行期日）

1　この省令は、平成十九年四月一日から施行する。

（助教授の在職に関する経過措置）

2　この省令の規定による改正後の次に掲げる省令の規定の適用については、この省令の施行前における助教授としての在職は、准教授としての在職とみなす。

一～三〔略〕

四　建築基準法施行規則第四条の二十三

五～十四〔略〕

附　則〔抄〕〔平成一九・六・一九国土交通省令六六〕

（施行期日）

第一条　この省令は、建築物の安全性の確保を図るための建築基準法等の一部を改正する法律（以下「改正法」という。）の施行の日（平成十九年六月二十日）から施行する。ただし、次の各号に掲げる規定は、当該各号に定める日から施行する。

一　第一条中建築基準法施行規則別記第六十八号様式〔中略〕の改正規定　平成十九年十二月二十日

二　第一条中建築基準法施行規則第十条の改正規定、同令第十条の二を同令第十条の二の二とする改正規定、同令第十条の次に一条を加える改正規定、同令第十一条の四第一項の改正規定（同項に第七号及び第八号を加える部分に限る。）及び同条第二項の改正規定　平成二十二年四月一日

（建築基準法施行規則の一部改正に伴う経過措置）

第二条　第一条の規定による改正後の建築基準法施行規則（以下この条において「新基準法規則」という。）第一条の三から第三条まで、第三条の三から第三条の六まで及び第八条の二第一項から第七項までの規定並びに新基準法規則別記第二号様式から第十八号様式まで及び第四十二号様式から第四十二号の十二様式までは、この省令の施行の日（以下「施行日」という。）以後に改正法第一条の規定による改正後の建築基準法（以下「新基準法」という。）第六条第一項若しくは第六条の二第一項（これらの規定を新基準法第八十七条第一項、第八十七条の二又は第八十八条第一項若しくは第二項において準用する場合を含む。）の規定による確認の申請又は新基準法第十八条第二項（新基準法第八十七条第一項、第八十七条の二又は第八十八条第一項若しくは第二項において準用する場合を含む。）の規定による通知がされた建築物、建築設備又は工作物について適用し、施行日前に改正法第一条の規定による改正前の建築基準法（以下「旧基準法」という。）第六条第一項若しくは第六条の二第一項（これらの規定を旧基準法第八十七条第一項、第八十七条の二又は第八十八条第一項若しくは第二項において準用する場合を含む。）の規定による確認の申請又は旧基準法第十八条第二項（旧基準法第八十七条第一項、第八十七条の二又は第八十八条第一項若しくは第二項において準用する場合を含む。）の規定による通知がされた建築物、建築設備又は工作物については、なお従前の例に

よる。

2　新基準法規則第四条、第四条の三の二、第四条の四の二、第四条の五の二、第四条の七並びに第八条の二第八項、第十項及び第十一項の規定並びに新基準法規則第十九号様式、第二十号の二様式、第二十三号の二様式、第二十五号様式、第二十六号様式、第四十二号の十三様式、第四十二号の十五様式及び第四十二号の十六様式は、施行日以後に新基準法第七条第一項若しくは第七条の二第一項（これらの規定を新基準法第八十七条の二又は第八十八条第一項若しくは第二項において準用する場合を含む。）の規定による検査の申請又は新基準法第十八条第十四項（新基準法第八十七条の二又は第八十八条第一項若しくは第二項において準用する場合を含む。）の規定による通知がされた建築物、建築設備又は工作物について適用し、施行日前に旧基準法第七条第一項若しくは第七条の二第一項（これらの規定を旧基準法第八十七条の二又は第八十八条第一項若しくは第二項において準用する場合を含む。）の規定による検査の申請又は旧基準法第十八条第五項（旧基準法第八十七条の二又は第八十八条第一項若しくは第二項において準用する場合を含む。）の規定による通知がされた建築物、建築設備又は工作物については、なお従前の例による。

3　新基準法規則第四条の八、第四条の十一の二、第四条の十二の二、第四条の十四、第八条の二第十二項から第十四項までの規定並びに新基準法規則、新基準法規則第二十七号様式、第三十号の二様式、第三十二号及び第四十二号の十七様式から第四十二号の十九様式までは、施行日以後に新基準法第七条の三第一項若しくは第七条の四第一項（これらの規定を新基準法第八十七条の二又は第八十八条第一項において準用する場合を含む。）の規定による検査の申請又は新基準法第十八条第十七項（新基準法第八十七条の二又は第八十八条第一項において準用する場合を含む。）の規定による通知がされた建築物、建築設備又は工作物について適用し、施行日前に旧基準法第七条の三第一項若しくは第七条の四第一項（これらの規定を旧基準法第八十七条の二又は第八十八条第一項において準用する場合を含む。）の規定による検査の申請又は旧基準法第十八条第八項（旧基準法第八十七条の二又は第八十八条第一項において準用する場合を含む。）の規定による通知がされた建築物、建築設備又は工作物については、なお従前の例による。

4　第一条の規定による改正前の建築基準法施行規則（以下この条において「旧基準法規則」という。）第一条の三第一項本文の規定による国土交通大臣の認定（旧基準法第六条第一項第二号及び第三号に掲げる建築物に係るものに限る。）を受けた構造の建築物又はその部分は、新基準法規則第一条の三第一項第一号イ及びロ(1)の規定による国土交通大臣の認定を受けているものとみなす。

5　旧基準法規則第一条の三第一項本文の規定による国土交通大臣の認定（同項の表二の㈠項及び㈡項の(い)欄に該当する建築物に係るものに限る。）を受けた構造の建築物又はその部分のうち、国土交通大臣の認めたものは、新基準法規則第一条の三第一項の表三の各項の規定による国土交通大臣の認定を受けているものとみなす。

6　旧基準法規則第一条の三第一項本文の規定による国土交通大臣の認定（同項の表二の㈠項及び㈡項並びに表三の㈠項の(い)欄に該当する建築物に係るものに限る。）を受けた構造の建築物又はその部分で新基準法規則第一条の三第一項第一号ロ(2)の規定による認定を受けるもののうち、国土交通大臣の認めたものは、新基準法規則第十一条の二の三第一項第一号の規定にかかわらず、手数料は徴収しない。

7　新基準法規則第十条の規定は、前条第二号に規定する日前に行なわれた指定については、適用しない。

8　この省令の施行の際現に旧基準法第六十八条の十第一項の規定による認定を受けている型式に対する次の各号に掲げる規定の適用については、施行日から起算して一年を経過する日までの間は、それぞれ当該各号に定めるところによるものとする。

一　新基準法規則第十一条の二の三第二項第三号（同号イに掲げる場合に該当する場合に限り、同条第四項において準用する場合を含む。）同号イ中「五分の三」とあるのは、「十分の一」とする。

二　新基準法規則第十一条の二の三第二項第三号（同号ニに掲げる場合で国土交通大臣が認めるものに該当する場合に限り、同条第四項において準用する場合を含む。）同号ニ中「五分の四」とあるのは、「十分の一」とする。

9　この省令の施行の際現に旧基準法第六十八条の十一第一項の規定による認証を受けている者（前項の規定の適用を受ける型式部材等（同条第一項に規定する型式部材等をいう。）の製造又は新築をする者に限る。）に対する新基準法規則第十一条の二の三第二項第四号（同条第四項において準用する場合を含む。）の規定の適用については、施行日から起算して一年を経過する日までの間は、同号中「二万五千円」とあるのは、「二千五百円」とする。

附　則〔略〕〔平成一九・九・二八国土交通省令八四施行〕

附　則〔略〕〔平成一九・一一・一四国土交通省令八八施行〕

附　則〔平成二〇・二・一八国土交通省令七〕

（施行期日）

1　この省令は、平成二十年四月一日から施行する。

（建築基準法施行規則の一部改正に伴う経過措置）

2　この省令は、この省令の施行日前に建築基準法第十二条第一項の調査又は第三項の検査を開始した者については、なお従前の例による。

附　則〔平成二〇・三・三一国土交通省令一三〕

（施行期日）

1　この省令は、平成二十年四月一日から施行する。

（経過措置）

2　施行日前に開始した建築基準法第十二条第二項又は第四項の規定による点検については、なお従前の例による。

附　則〔略〕〔平成二〇・五・二七国土交通省令三六施行〕

附　則〔略〕〔平成二〇・一〇・三一国土交通省令八九〕

附　則〔略〕〔平成二〇・一一・二八国土交通省令九五〕

附　則〔略〕〔平成二〇・一二・一国土交通省令九七施行〕

附　則〔略〕〔平成二一・五・一九国土交通省令三七施行〕

附　則〔略〕〔平成二二・三・二九国土交通省令七〕

附　則〔略〕〔平成二三・四・二七国土交通省令三七〕

附　則〔略〕〔平成二四・二・九国土交通省令八〕

附　則〔略〕〔平成二四・九・二〇国土交通省令七六施行〕

附　則〔略〕〔平成二五・五・三〇国土交通省令四九〕

附　則〔略〕〔平成二五・七・一二国土交通省令六一〕

附　則〔略〕〔平成二六・四・一国土交通省令四三〕

附　則〔略〕〔平成二六・六・二七国土交通省令五八〕

附　則〔略〕〔平成二六・七・二五国土交通省令六七〕

附　則〔略〕〔平成二六・八・二二国土交通省令七一〕

附　則〔平成二七・一・二九国土交通省令五〕

（施行期日）

第一条　この省令は、建築基準法の一部を改正する法律（平成二十六年法律第五十四号。以下「改正法」という。）の施行の日（平成二十七年六月一日。以下「施行日」という。）から施行する。

（経過措置）

第二条　施行日前に改正法の規定による改正前の建築基準法（以下「旧法」という。）第六条第一項若しくは第六条の二第一項の規定による確認の申請又は旧法第十八条第二項の規定による通知がされた建築物については、第一条の規定による改正後の建築基準法施行規則（以下「新施行規則」という。）第一条の四、第六条の四及び第八条の二第二項の規定は、適用しない。

2　新施行規則第二条から第三条まで、第三条の四、第三条の五及び第八条の二（第二項を除く。）の規定並びに新施行規則別記第五号様式、第十五号様式、第十六号様式及び第四十二号の三様式並びに第二条の規定による改正後の建築基準法に基づく指定建築基準適合判定資格者検定機関等に関する省令（以下「新機関省令」という。）第三十一条の十及び第三十一条の十一の規定は、施行日以後に改正法の規定による改正後の建築基準法（以下「新法」という。）第六条第一項若しくは第六条の二第一項の規定による確認の申請又は新法第十八条第二項の規定による通知がされた建築物について適用し、施行日前に旧法第六条第一項若しくは第六条の二第一項の規定による確認の申請又は旧法第十八条第二項の規定による通知がされた建築物については、なお従前の例による。

3　〔略〕

4　施行日前にした行為に対する罰則の適用については、なお従前の例による。

附　則〔抄〕〔平成二七・二・一〇国土交通省令八〕

（施行期日）

第一条　この省令は、建築士法の一部を改正する法律の施行の日（平成二十七年六月二十五日。以下「施行日」という。）から施行する。〔以下略〕

（建築基準法施行規則の一部改正に伴う経過措置）

第三条　第二条の規定による改正後の建築基準法施行規則別記第六十八号書式は、施行日以後に建築基準法第六条第一項若しくは第六条の二第一項（これらの規定を同法第八十七条の二又は第八十八条第一項若しくは第二項において準用する場合を含む。以下この条において同じ。）の規定による確認の申請又は同法第十八条第二項（同法第八十七条の二又は第八十八条第一項若しくは第二項において準用する場合を含む。以下この条において同じ。）の規定による通知がされた建築物、建築設備又は工作物について適用し、施行日前に同法第六条第一項若しくは第六条の二第一項の規定による確認の申請又は同法第十八条第二項の規定による通知がされた建築物、建築設備又は工作物については、なお従前の例による。

附　則〔略〕〔平成二七・三・一七国土交通省令一三〕

附　則〔略〕〔平成二七・七・一七国土交通省令五四〕

附　則〔略〕〔平成二七・九・二五国土交通省令七一〕

附　則〔平成二七・一二・一国土交通省令八一〕

（施行期日）

1　この省令は、平成二十七年十二月三十一日から施行する。

（経過措置）

2　この省令の施行前に建築基準法第七十七条の五十六第二項に規定する指定性能評価機関又は同法第七十七条の五十七第二項に規定する承認性能評価機関に対してされた性能評価の申請については、なお従前の例による。

附　則〔略〕〔平成二八・一・一八国土交通省令四〕

附　則〔抄〕〔平成二八・二・二九国土交通省令一〇〕

（施行期日）

第一条　この省令は、建築基準法の一部を改正する法律（平成二十六年法律第五十四号。以下「改正法」という。）附則第一条第三号に掲げる規定の施行の日（平成二十八年六月一日。以下「施行日」という。）から施行する。ただし、次条第一項の規定は、公布の日から施行する。

（建築基準法施行規則の一部改正に伴う経過措置）

第二条　第一条の規定による改正後の建築基準法施行規則（以下この条において「新施行規則」という。）第六条の六の表の㈢項の㈲欄の登録を受けようとする者は、施行日前においても、その申請を行うことができる。新施行規則第六条の十四において読み替えて準用する第三条の二十の規定による登録防火設備検査員講習事務規程の届出についても、同様とする。

2　第一条の規定の施行の際現に同条の規定による改正前の建築基準法施行規則（以下この条において「旧施行規則」という。）第四条の二十第一項第二号の登録、同条第二項第二号の登録又は同条第三項第二号の登録を受けている講習は、それぞれ新施行規則第六条の六の表の㈠項の㈲欄の登録、同表の㈣項の㈲欄の登録又は同表の㈡項の㈲欄の登録を受けている講習とみなす。

3　施行日前に旧施行規則第四条の二十第一項第二号の登録、同条第二項第二号の登録又は同条第三項第二号の登録を受けた講習を修了した者は、それぞれ新施行規則第六条の六の表の㈠項の㈲欄の登録、同表の㈣項の㈲欄の登録又は同表の㈡項の㈲欄の登録を受けた講習を修了した者とみなす。

4　小荷物専用昇降機及び防火設備（第一条の規定の施行の際現に存するもの又は施行日から平成二十九年五月三十一日までの間に建築基準法第七条第五項又は同法第七条の二第五項（いずれも同法第八十七条の二において準用する場合を含む。）の規定による検査済証の交付を受けたものに限る。）に関する同法第十二条第三項の規定による報告に対する新施行規則第六条第一項の規定の適用については、平成三十一年五月三十一日までの間は、同項中「おおむね六月から一年まで（ただし、国土交通大臣が定める検査の項目については、一年から三年まで）の間隔をおいて特定行政庁が定める時期（次のいずれかに該当する場合においては、その直後の時期を除く。）」とあるのは、「平成二十八年六月一日から平成三十一年五月三十一日までの間で特定行政庁が定める時期」とする。

5　第一条の規定の施行の際現に存する防火設備に関する建築基準法第十二条第四項の点検に対する新施行規則第六条の二第一項の規定の適用については、平成三十一年五月三十一日までの間は、同項中「一年（ただし、国土交通大臣が定める検査の項目については、三年）以内ごと」とあるのは、「平成三十一年五月三十一日までの間」とし、同条第二項の規定は、適用しない。

6　新施行規則第十二条の規定の適用については、施行日から平成二十九年五月三十一日までの間は、同条ただし書中「第五号」とあるのは「第二号」と、「第八号まで」とあるのは「第八号まで、第十四号及び第十五号」と、別記第三十七号の六様式から別記第三十七号の二十一様式まで中

「地方整備局長
北海道開発局長」　とあるのは　「国土交通大臣
地方整備局長
北海道開発局長」　とする。

7　第一条の規定の施行の際現にある同条の規定による改正前の様式による用紙は、当分の間、これを取り繕って使用することができる。

附　則〔略〕〔平成二八・三・三一国土交通省令二三〕

附　則〔略〕〔平成二八・八・二九国土交通省令六一〕

附　則〔略〕〔平成二八・一〇・三国土交通省令七二施行〕

附　則〔略〕〔平成二八・一一・三〇国土交通省令八〇〕

附　則〔略〕〔平成二九・三・三一国土交通省令一九〕

附　則〔略〕〔平成二九・八・二国土交通省令四九〕

附　則〔略〕〔平成三〇・七・一一国土交通省令五八〕

附　則〔略〕〔平成三〇・九・一二国土交通省令六九〕

附　則〔令和元・六・二〇国土交通省令一五〕

（施行期日）

第一条　この省令は、建築基準法の一部を改正する法律の施行の日（令和元年六月二十五日）から施行する。

（経過措置）

第二条　この省令の施行の際現にある第一条の規定による改正前の様式による用紙は、当分の間、これを取り繕って使用することができる。

2・3〔略〕

附　則〔略〕〔令和元・六・二八国土交通省令二〇〕

附　則〔略〕〔令和元・九・一三国土交通省令三四抄〕

附　則〔令和元・一〇・一国土交通省令三七〕

（施行期日）

第一条　この省令は、令和二年四月一日から施行する。ただし、建築基準法施行規則第十一条の二の三、別表第二及び別表第三の改正規定並びに次条の規定は、公布の日から施行する。

（準備行為）

第二条　建築基準法施行規則第十条の五の五に規定する型式部材等製造者の認証（次条において単に「型式部材等製造者の認証」という。）及びこれに関し必要な手続その他の行為は、この省令の施行の日前においても、この省令による改正後の建築基準法施行規則第十条の五の六第二項及び第十条の五の九第一項の規定の例により行うことができる。

（経過措置）

第三条　この省令の施行の日前にされた型式部材等製造者の認証の申請（前条の規定に基づくこの省令による改正後の建築基準法施行規則第十条の五の六第二項の規定の例による申請を除く。）であって、この省令の施行の際、認証をするかどうかの処分がなされていないものについての処分については、なお従前の例による。

附　則〔略〕〔令和元・一二・一六国土交通省令四七抄〕

附　則〔令和二・三・六国土交通省令一三〕

（施行期日）

第一条　この省令は、建築基準法施行令の一部を改正する政令の施行の日（令和二年四月一日）から施行する。

（経過措置）

第二条　この省令の施行の際現にある第一条の規定による改正前の様式による用紙は、当分の間、これを取り繕って使用することができる。

2　この省令の施行の際現に第二条の規定による改正前の建築基準法に基づく指定建築基準適合判定資格者検定機関等に関する省令第五十九条第十三号又は第十七号に掲げる区分に従い建築基準法第六十八条の二十五第三項の規定による指定を受けている者は、第二条の規定による改正後の建築基準法に基づく指定建築基準適合判定資格者検定機関等に関する省令第五十九条第十三号又は第十七号に掲げる区分に従い同項の規定による指定を受けた者とみなす。

附　則〔略〕〔令和二・九・四国土交通省令七四〕

附　則〔略〕〔令和二・九・四国土交通省令七五〕

附　則〔略〕〔令和二・一二・二三国土交通省令九八〕

附　則〔略〕〔令和三・三・三一国土交通省令二七〕

附　則〔略〕〔令和三・七・一国土交通省令四六〕

附　則〔略〕〔令和三・八・三一国土交通省令五三〕

附　則〔略〕〔令和三・一〇・二二国土交通省令六八施行〕

附　則〔略〕〔令和三・一〇・二九国土交通省令六九〕

附　則〔略〕〔令和四・一・一八国土交通省令四〕

附　則〔略〕〔令和四・二・二八国土交通省令七〕

附　則〔令和四・五・二七国土交通省令四八〕

（施行期日）

第一条　この省令は、地域の自主性及び自立性を高めるための改革の推進を図るための関係法律の整備に関する法律附則第一条第二号に掲げる規定の施行の日（令和四年五月三十一日）から施行する。

（経過措置）

第二条　この省令の施行の際現にあるこの省令による改正前の様式による用紙は、当分の間、これを取り繕って使用することができる。

第三条　法第八十五条第八項及び第八十七条の三第八項の国土交通省令で定める用途は、この省令による改正後の建築基準法施行規則第十条の十五の八各号に掲げるもののほか、当分の間、地域の自主性及び自立性を高めるための改革の推進を図るための関係法律の整備に関する法律（令和四年法律第四十四号）附則第十三条の規定による改正前の東日本大震災復興特別区域法（平成二十三年法律第百二十二号）第四条第九項の認定（同法第六条第一項の規定による変更の認定を含む。）を受けた復興推進計画に定められた応急仮設建築物活用事業に係る応急仮設建築物の用途とする。

附　則〔略〕〔令和四・一一・一六国土交通省令九〇〕

附　則〔令和四・一二・二三国土交通省令九二〕

（施行期日）

第一条　この省令は、脱炭素社会の実現に資するための建築物のエネルギー消費性能の向上に関する法律等の一部を改正する法律附則第一条第三号に掲げる規定の施行の日（令和五年四月一日）から施行する。

（経過措置）

第二条　この省令の施行の際現にある第二条から第六条までの規定による改正前の様式による用紙は、当分の間、これを取り繕って使用することができる。

附　則〔令和五・二・二八国土交通省令五〕

（施行期日）

第一条　この省令は、建築基準法施行令の一部を改正する政令（以下「改正令」という。）の施行の日（令和五年四月一日。以下「施行日」という。）から施行する。

（経過措置）

第二条　改正令の施行の際現に存する建築物（令和二年四月一日から施行日の前日までの間に建築基準法（昭和二十五年法律第二百一号。以下この項及び次項において「法」という。）第十八条第十八項の規定による検査済証の交付を受けたものを除く。）で改正令の施行により新たに法第十二条第一項に規定する特定建築物に含まれることとなるものについての施行日以後最初の点検（同条第二項の点検をいう。）については、建築基準法施行規則第五条の二第二項の規定にかかわらず、施行日から令和八年三月三十一日までの間に行うものとする。

2　建築設備等（改正令の施行の際現に存するもの又は施行日から令和六年三月三十一日までの間に法第十八条第十八項の規定による検査済証の交付を受けたものに限る。）で改正令の施行により新たに法第十二条第三項に規定する特定建築設備等に含まれることとなるものについての施行日以後最初の点検（同条第四項の点検をいう。）については、建築基準法施行規則第六条の二第二項の規定にかかわらず、施行日から令和八年三月三十一日までの間に行うものとする。

3　この省令の施行の際現にあるこの省令による改正前の様式による用紙は、当分の間、これを取り繕って使用することができる。

附　則〔略〕〔令和五・三・三一国土交通省令三〇〕

附　則〔略〕〔令和五・一一・一二国土交通省令九三〕

附　則〔令和五・一二・一四国土交通省令九五〕

（施行期日）

第一条　この省令は、脱炭素社会の実現に資するための建築物のエネルギー消費性能の向上に関する法律等の一部を改正する法律附則第一条第四号に掲げる規定の施行の日（令和六年四月一日）から施行する。

（経過措置）

第二条　この省令の施行の際現にある第一条の規定による改正前の様式による用紙は、当分の間、これを取り繕って使用することができる。

2　〔略〕

附　則〔令和五・一二・二八国土交通省令九八施行〕

附　則〔抄〕〔令和六・一・二九国土交通省令五〕

（施行期日）

第一条　この省令は、公布の日から施行する。

（経過措置）

第二条　この省令の施行の際現にあるこの省令による改正前の様式による用紙は、当分の間、これを取り繕って使用することができる。

2　この省令の施行前に交付した改正前のそれぞれの省令の規定による修了証明書及び修了証は、改正後のそれぞれの省令の規定による修了証明書及び修了証とみなす。

3　この省令による改正後の建築基準法施行規則第三条の二十六第四項（第六条の十、第六条の十二、第六条の十四及び第六条の十六において準用する場合を含む。）〔中略〕の規定は、この省令の施行日以後にその修了証明書又は修了証を交付する講習に係る書類について適用する。ただし、令和七年三月三十一日までにその修了証明書又は修了証を交付する講習に係る書類については、なお従前の例によることができる。

附　則〔令和六・三・八国土交通省令一八〕

（施行期日）

第一条　この省令は、地域の自主性及び自立性を高めるための改革の推進を図るための関係法律の整備に関する法律附則第一条第三号に掲げる規定の施行の日（令和六年四月一日）から施行する。

（経過措置）

第二条　この省令の施行の際現にある第一条〔中略〕の規定による改正前の様式による用紙は、当分の間、これを取り繕って使用することができる。

2　この省令の施行前に交付した第一条の規定による改正前の建築基準法施行規則別記第三十八号様式及び別記第三十九号様式による身分証明書並びに同令別記第五十二号様式による登録証は、それぞれ同条の規定による改正後の建築基準法施行規則別記第三十八号様式及び別記第三十九号様式による身分証明書並びに同令別記第五十二号様式による一級登録証とみなす。

附　則〔令和六・三・一五国土交通省令二一〕

（施行期日）

この省令は、令和七年一月一日から施行する。ただし、第一条（建築基準法施行規則第十一条の二の三第一項第四号の改正規定、同条第二項第一号の改正規定、同項第二号イの改正規定（「第百三十七条の十第四号」を「第百三十七条の十第一号ロ(4)」に改める部分に限る。）、同項第五号の表の㈡項の改正規定、同条第三項第二号の改正規定、同令別表第二の主要構造部の全部に関する法第二十一条第一項の認定に係る評価の項の改正規定（「主要構造部」を「特定主要構造部」に改める部分に限る。）、同表の主要構造部の一部に関する法第二十一条第一項の認定に係る評価の項の改正規定（「主要構造部」を「特定主要構造部」に改める部分に限る。）、同表の法第二十一条第二項第二号の認定に係る評価の項の改正規定（「第二十一条第二項第二号」を「第二十一条第二項」に改める部分に限る。）、同表の主要構造部の全部に関する法第二十七条第一項の認定に係る評価の項の改正規定（「主要構造部」を「特定主要構造部」に改める部分に限る。）、同表の主要構造部の一部に関する法第二十七条第一項の認定に係る評価の項の改正規定（「主要構造部」を「特定主要構造部」に改める部分に限る。）、同表の壁、柱、床その他の建築物の部分に関する法第六十一条の認定に係る評価の項の改正規定（「第六十一条」を「第六十一条第一項」に改める部分に限る。）、同表の防火設備に関する法第六十一条の認定に係る評価の項の改正規定（「第六十一条」を「第六十一条第一項」に改める部分に限る。）、同表の令第七十九条の三第二項の認定に係る評価の項の次に床、壁又は防火設備で区画された建築物の部分に関する令第百八条の三第一号の認定に係る評価の項及び床、壁又は防火設備に関する令第百八条の三第一号の認定に係る評価の項を加える改正規定、同表の令第百八条の三第一項第二号の認定に係る評価の項の改正規定（「第百八条の三第一項第二号」を「第百八条の四第一項第二号」に改める部分に限る。）、同表の令第百八条の三第四項の認定に係る評価の項の改正規定（「第百八条の三第四項」を「第百八条の四第四項」に改める部分に限る。）、同表の令第百九条の三第二号ハの認定に係る評価の項の次に建築物の部分に関する令第百九条の八の認定に係る評価の項及び防火設備に関する令第百九条の八の認定に係る評価の項を加える改正規定、同表の令第百二十八条の六第一項の認定に係る評価の項の改正規定（「第百二十八条の六第一項」を「第百二十八条の七第一項」に改める部分に限る。）、同表の令第百二十九条の十五第一号の認定に係る評価の項の次に令第百三十七条の二の二第一項第一号ロの認定に係る評価の項から令第百三十七条の十第一号イ(2)の認定に係る評価の項までを加える改正規定、同表の令第百三十七条の十第四号の認定に係る評価の項の改正規定（「第百三十七条の十第四号」を「第百三十七条の十第一号ロ(4)」に改める部分に限る。）、同項の次に令第百三十七条の十一第一号イ(2)の認定に係る評価の項を加える改正規定並びに同表の備考の改正規定に限る。）及び第二条の規定は、脱炭素社会の実現に資するための建築物のエネルギー消費性能の向上に関する法律等の一部を改正する法律附則第一条第四号に掲げる規定の施行の日（令和六年四月一日）から施行する。

附　則〔略〕〔令和六・三・二九国土交通省令二六〕

附　則〔抄〕〔令和六・六・二八国土交通省令六八〕

（施行期日）

第一条　この省令は、脱炭素社会の実現に資するための建築物のエネルギー消費性能の向上に関する法律等の一部を改正する法律（附則第五条第三項において「改正法」という。）の施行の日（令和七年四月一日）から施行する。ただし、次の各号に掲げる規定は、当該各号に定める日から施行する。

一　〔略〕

二　第四条の規定　令和八年四月一日

（建築基準法施行規則の一部改正に伴う経過措置）

第三条　この省令の施行の際現にある第三条及び第四条の規定による改正前の様式による用紙は、当分の間、これを取り繕って使用することができる。

別表第一（第十条の五の九、第十条の五の十四関係）

	(い)型式部材等	(ろ)製造設備	(は)検査		(に)検査設備
(一)	令第百三十六条の二の十一第一号に掲げる建築物の部分のうち構造耐力上主要な部分を鉄骨造としたもの	一　切断等加工設備 二　溶接設備 三　接合設備 四　塗装設備（外注する場合を除く。）	受入検査	一　資材等の品質検査 資材等が所定の品質であることを納品書又は検査・試験証明書等の書類により検査する。	
				二　資材等の外観検査及び寸法検査 資材等に欠陥がないことを検査するとともに、資材等が所定の寸法であることを測定により検査する。	限度見本等 寸法測定器具
			工程内検査	一　フレーム等の外観検査及び寸法検査 フレーム等に欠陥がないことを検査するとともに、フレーム等が所定の寸法であることを測定により検査する。	限度見本等 寸法測定器具
				二　溶接部の外観検査及び強度検査 溶接部に欠陥がないことを検査するとともに、溶接部が所定の溶接強度を有することを定期的に試験により検査する。	引張試験機（引張試験を外注する場合を除く。） 曲げ試験機（曲げ試験を外注する場合を除く。）
			最終検査	一　製品の外観検査及び寸法検査 製品に欠陥がないことを検査するとともに、製品が所定の寸法であることを測定により検査する。	限度見本等 寸法測定器具
(二)	令第百三十六条の二の十一第一号に掲げる建築物の部分のうち構造耐力上主要な部分を木造としたもの	一　切断等加工設備 二　接合設備	受入検査	一　資材等の品質検査 資材等が所定の品質であることを納品書又は検査・試験証明書等の書類により検査する。	
				二　資材等の外観検査及び寸法検査 資材等に欠陥がないことを検査するとともに、資材等が所定の寸法であることを測定により検査する。	限度見本等 寸法測定器具
			工程内検査	一　木材、合板等の切削、切断、穴開加工後の寸法検査 加工後の木材、合板等が所定の寸法で	寸法測定器具

区分	建築物の部分等	製造設備	検査	検査内容	検査設備
				あることを測定により検査する。	
				二　木枠組の外観検査 木枠組に欠陥がないことを検査する。	限度見本等
				三　接着時の圧締圧力検査（接着剤を使用する場合に限る。） 圧締圧力が所定の量であることを測定により検査する。	圧締圧力測定機器
				四　圧締接着剤のはみ出し状態検査（接着剤を使用する場合に限る。） 圧締接着剤のはみ出し状態が許容範囲内であることを検査する。	限度見本等
			最終検査	一　製品の外観検査及び寸法検査 製品に欠陥がないことを検査するとともに、製品が所定の寸法であることを測定により検査する。	限度見本等 寸法測定器具
(三)	令第百三十六条の二の十一第一号に掲げる建築物の部分のうち構造耐力上主要な部分を鉄筋コンクリート造としたもの	一　部材（型枠）製造設備 二　鉄筋加工組立設備	受入検査	一　資材等の品質検査 資材等が所定の品質であることを納品書又は検査・試験証明書等の書類により検査する。	
				二　資材等の外観検査及び寸法検査 資材等に欠陥がないことを検査するとともに、資材等が所定の寸法であることを測定により検査する。	限度見本等 寸法測定器具
			工程内検査	一　型枠の寸法検査 型枠が所定の寸法であることを測定により検査する。	寸法測定器具
				二　配筋の配筋量及び寸法検査 配筋が所定の配筋量及び寸法であることを配筋図等の書類及び測定により検査する。	寸法測定器具
				三　供試体の圧縮強度検査 採取した供試体が所定の圧縮強度を有することを定期的に試験により検査する。	圧縮試験機（圧縮強度試験を外注する場合を除く。）
			最終検査	一　製品の外観検査及び寸法検査 製品に欠陥がないことを検査するとともに、製品が所定の寸法であることを測	限度見本等 寸法測定器具
				定により検査する。	
(四)	令第百三十六条の二の十一第一号に掲げる建築物の部分のうち構造耐力上主要な部分を鉄骨造、鉄筋コンクリート造又は木造以外のものとしたもの	一　切断等加工設備 二　組立設備	受入検査	一　資材等の品質検査 資材等が所定の品質であることを納品書又は検査・試験証明書等の書類により検査する。	
				二　資材等の外観検査及び寸法検査 資材等に欠陥がないことを検査するとともに、資材等が所定の寸法であることを測定により検査する。	限度見本等 寸法測定器具
			工程内検査	一　加工部材等の寸法検査 加工部材等が所定の寸法であることを測定により検査する。	寸法測定器具
			最終検査	一　製品の外観検査及び寸法検査 製品に欠陥がないことを検査するとともに、製品が所定の寸法であることを測定により検査する。	限度見本等 寸法測定器具
(五)	防火設備	一　切断等加工設備 二　溶接設備 三　組立設備 四　塗装設備（外注する場合を除く。）	受入検査	一　資材等の品質検査 資材等が所定の品質であることを納品書又は検査・試験証明書等の書類により検査する。	
				二　資材等の外観検査及び寸法検査 資材等に欠陥がないことを検査するとともに、資材等が所定の寸法であることを測定により検査する。	限度見本等 寸法測定器具
			工程内検査	一　外観検査及び寸法検査 欠陥がないことを検査するとともに、所定の寸法であることを測定により検査する。	限度見本等 寸法測定器具
			最終検査	一　製品の外観検査及び寸法検査 製品に欠陥がないことを検査するとともに、製品が所定の寸法であることを測定により検査する。	限度見本等 寸法測定器具
				二　製品の作動検査 製品が所定の作動をすることを検査する。	作動検査機器

番号	設備	製造設備	検査区分	検査内容	検査機器
(六)	換気設備	一　部品加工設備（外注する場合を除く。） 二　塗装設備（外注する場合を除く。） 三　組立設備	受入検査	一　資材等の品質検査 資材等が所定の品質であることを納品書又は検査・試験証明書等の書類により検査する。	
				二　資材等の外観検査及び寸法検査 資材等に欠陥がないことを検査するとともに、資材等が所定の寸法であることを測定により検査する。	限度見本等 寸法測定器具
			工程内検査	一　外観検査及び寸法検査 欠陥がないことを検査するとともに、所定の寸法であることを測定により検査する。	限度見本等 寸法測定器具
			最終検査	一　製品の外観検査及び寸法検査 製品に欠陥がないことを検査するとともに、製品が所定の寸法であることを測定により検査する。	限度見本等 寸法測定器具
				二　製品の作動調査 製品が所定の作動をすることを検査する。	作動検査機器
(七)	屎尿浄化槽又は合併処理浄化槽	一　成形設備 二　部品加工設備 三　組立設備	受入検査	一　資材等の品質検査 資材等が所定の品質であることを納品書又は検査・試験証明書等の書類により検査する。	
				二　資材等の外観検査及び寸法検査 資材等に欠陥がないことを検査するとともに、資材等が所定の寸法であることを測定により検査する。	限度見本等 寸法測定器具
			工程内検査	一　重量検査 所定の重量を有することを測定により検査する。	重量測定器具
				二　寸法検査 所定の寸法であることを測定により検査する。	寸法測定器具
				三　硬度検査 所定の硬度を有することを測定により検査する。	硬度測定器具
			最終検査	一　製品の外観検査及び寸法検査 製品に欠陥がないことを検査するとともに、製品が所定の寸法であることを測定により検査する。	限度見本等 寸法測定器具
				二　製品の漏水検査 製品からの漏水がないことを試験により検査する。	漏水検査設備
(八)	非常用の照明装置	一　板金加工設備（外注する場合を除く。） 二　塗装設備（外注する場合を除く。） 三　組立設備	受入検査	一　資材等の品質検査 資材等が所定の品質であることを納品書又は検査・試験証明書等の書類及び測定により検査する。	電気特性測定機器
				二　資材等の外観検査及び寸法検査 資材等に欠陥がないことを検査するとともに、資材等が所定の寸法であることを測定により検査する。	寸法測定器具
			工程内検査	一　外観検査及び寸法検査 欠陥がないことを検査するとともに、所定の寸法であることを測定により検査する。	寸法測定器具
			最終検査	一　製品の外観検査及び寸法検査 製品に欠陥がないことを検査するとともに、製品が所定の寸法であることを測定により検査する。	寸法測定器具
				二　製品の作動検査 製品が所定の作動をすることを検査又は測定により検査する。	照度測定機器等
(九)	給水タンク又は貯水タンク	一　成形設備 二　部品加工設備 三　組立設備	受入検査	一　資材等の品質検査 資材等が所定の品質であることを納品書又は検査・試験証明書等の書類により検査する。	
				二　資材等の外観検査及び寸法検査 資材等に欠陥がないことを検査するとともに、資材等が所定の寸法であることを測定により検査する。	限度見本等 寸法測定器具
			工程内検査	一　外観検査及び寸法検査 欠陥がないことを検査するとともに、	限度見本等 寸法測定器具

				所定の寸法であることを測定により検査する。	
			最終検査	一　製品の外観検査及び寸法検査 製品に欠陥がないことを検査するとともに、製品が所定の寸法であることを測定により検査する。	限度見本等 寸法測定器具
（十）	冷却塔設備	一　成形設備 二　部品加工設備 三　組立設備	受入検査	一　資材等の品質検査 資材等が所定の品質であることを納品書又は検査・試験証明書等の書類により検査する。	
				二　資材等の外観検査及び寸法検査 資材等に欠陥がないことを検査するとともに、資材等が所定の寸法であることを測定により検査する。	限度見本等 寸法測定器具
			工程内検査	一　外観検査及び寸法検査 欠陥がないことを検査するとともに、所定の寸法であることを測定により検査する。	限度見本等 寸法測定器具
			最終検査	一　製品の外観検査及び寸法検査 製品に欠陥がないことを検査するとともに、製品が所定の寸法であることを測定により検査する。	限度見本等 寸法測定器具
（十一）	エレベーター（昇降路及び機械室の部分を除く。）及び乗用エレベーターで観光のためのもの（一般交通の用に供するものを除く。）の部分で昇降路及び機械室以外のもの	一　製缶板金加工設備 二　溶接設備 三　機械加工設備 四　組立設備	受入検査	一　資材等の品質検査 資材等が所定の品質であることを納品書又は検査・試験証明書等の書類により検査する。	
				二　資材等の外観検査及び寸法検査 資材等に欠陥がないことを検査するとともに、資材等が所定の寸法であることを測定により検査する。	寸法測定器具
			工程内検査	一　主要部品の外観検査及び寸法検査 主要部品に欠陥がないことを検査するとともに、主要部品が所定の寸法を有することを測定により検査する。	寸法測定器具
				二　主要部品の溶接部の外観検査 主要部品の溶接部に欠陥がないことを検査する。	
			最終検査	一　製品の外観検査及び寸法検査 製品に欠陥がないことを検査するとともに、製品が所定の寸法であることを測定により検査する。	寸法測定器具
				二　調速機、ブレーキ、油圧エレベーターの油圧ユニット等の作動状況検査 調速機、ブレーキ、油圧エレベーターの油圧ユニット等が所定の作動をすることを検査する。	速度測定機器
				三　制御器等の絶縁検査 制御器等が所定の絶縁性能を有することを試験により検査する。	電気計測機器
（十二）	エスカレーター及びエスカレーターで観光のためのもの（一般交通の用に供するものを除く。）の部分でトラス又ははりを支える部分以外のもの	一　製缶板金加工設備 二　溶接設備 三　機械加工設備 四　組立設備	受入検査	一　資材等の品質検査 資材等が所定の品質であることを納品書又は検査・試験証明書等の書類により検査する。	
				二　資材等の外観検査及び寸法検査 資材等に欠陥がないことを検査するとともに、資材等が所定の寸法であることを測定により検査する。	寸法測定器具
			工程内検査	一　主要部品の外観検査及び寸法検査 主要部品に欠陥がないことを検査するとともに、主要部品が所定の寸法を有することを測定により検査する。	寸法測定器具 角度測定器具
				二　主要部品の溶接部の外観検査 主要部品の溶接部に欠陥がないことを検査する。	
			最終検査	一　製品の外観検査及び寸法検査 製品に欠陥がないことを検査するとともに、製品が所定の寸法であることを測定により検査する。	寸法測定器具
				二　ブレーキ等の作動状況検査 ブレーキ等が所定の作動をすることを検査する。	速度測定機器

(十三)	避雷設備	一 成形設備 二 部品加工設備 三 組立設備	受入検査	一 資材等の品質検査 資材等が所定の品質であることを納品書又は検査・試験証明書等の書類により検査する。	
				二 資材等の外観検査及び寸法検査 資材等に欠陥がないことを検査するとともに、資材等が所定の寸法であることを測定により検査する。	限度見本等 寸法測定器具
			工程内検査	一 外観検査及び寸法検査 欠陥がないことを検査するとともに、所定の寸法であることを測定により検査する。	限度見本等 寸法測定器具
			最終検査	一 製品の外観検査及び寸法検査 製品に欠陥がないことを検査するとともに、製品が所定の寸法であることを測定により検査する。	限度見本等 寸法測定器具
(十四)	ウォーターシュート、コースターその他これらに類する高架の遊戯施設又はメリーゴーラウンド、観覧車、オクトパス、飛行塔その他これらに類する回転運動をする遊戯施設で原動機を使用するものの部分のうち、かご、車両その他人を乗せる部分及びこれを支え、又はつる構造上主要な部分並びに非常止め装置の部分	一 製缶板金加工設備 二 溶接設備 三 機械加工設備 四 組立設備	受入検査	一 資材等の品質検査 資材等が所定の品質であることを納品書又は検査・試験証明書等の書類により検査する。	
				二 資材等の外観検査及び寸法検査 資材等に欠陥がないことを検査するとともに、資材等が所定の寸法であることを測定により検査する。	寸法測定器具
			工程内検査	一 主要部品の外観検査及び寸法検査 主要部品に欠陥がないことを検査するとともに、主要部品が所定の寸法を有することを測定により検査する。	寸法測定器具
				二 主要部品の溶接部の外観検査 主要部品の溶接部に欠陥がないことを検査する。	
			最終検査	一 製品の外観検査及び寸法検査 製品に欠陥がないことを検査するとともに、製品が所定の寸法であることを測定により検査する。	寸法測定器具

別表第二（第十一条の二の三関係）

	(い)	(ろ)
法第二条第七号の認定に係る評価	非耐力壁について三十分間の耐火性能を有することを確かめる場合	百五十五万円
	非耐力壁について一時間の耐火性能を有することを確かめる場合	百六十二万円
	耐力壁について一時間の耐火性能を有することを確かめる場合	二百十五万円
	耐力壁について一・五時間の耐火性能を有することを確かめる場合	二百十九万円
	耐力壁について二時間の耐火性能を有することを確かめる場合	二百二十四万円
	柱について一時間の耐火性能を有することを確かめる場合	二百六十八万円
	柱について一・五時間の耐火性能を有することを確かめる場合	二百八十万円
	柱について二時間の耐火性能を有することを確かめる場合	二百九十万円
	柱について二・五時間の耐火性能を有することを確かめる場合	三百万円
	柱について三時間の耐火性能を有することを確かめる場合	三百十万円
	床又ははりについて一時間の耐火性能を有することを確かめる場合	二百五十四万円
	床又ははりについて一・五時間の耐火性能を有することを確かめる場合	二百六十三万円
	床又ははりについて二時間の耐火性能を有することを確かめる場合	二百七十二万円
	はりについて二・五時間の耐火性能を有することを確かめる場合	二百八十一万円
	はりについて三時間の耐火性能を有することを確かめる場合	二百九十万円
	屋根又は階段について三十分間の耐火性能を有することを確かめる場合	百九十二万円
	非耐力壁について三十分間の準耐火性能を有することを確かめる場合	百五十二万円
	非耐力壁について四十五分間の準耐火性能を有することを確かめる場合	百六十二万円
	耐力壁について三十分間の準耐火性能を有することを確かめる場合	二百六万円
	耐力壁について四十五分間の準耐火性能を有することを確かめる場合	二百十五万円

法第二条第七号の二の認定に係る評価	柱について四十五分間の準耐火性能を有することを確かめる場合	二百六十四万円
	床又ははりについて四十五分間の準耐火性能を有することを確かめる場合	二百十三万円
	屋根について三十分間の準耐火性能を有することを確かめる場合	百九十二万円
	軒裏について三十分間の準耐火性能を有することを確かめる場合	百五十二万円
	軒裏について四十五分間の準耐火性能を有することを確かめる場合	百六十二万円
	階段について三十分間の準耐火性能を有することを確かめる場合	百九十二万円
法第二条第八号の認定に係る評価	非耐力壁について三十分間の防火性能を有することを確かめる場合	百六十二万円
	耐力壁について三十分間の防火性能を有することを確かめる場合	百七十九万円
	軒裏について三十分間の防火性能を有することを確かめる場合	百六十二万円
法第二条第九号の認定に係る評価	建築物の外部の仕上げに用いるものその他令第百八条の二第三号に掲げる要件を満たしていることを試験により確認する必要がないものとして国土交通大臣が定めるもの（以下この表において「ガス有害性試験不要材料」という。）について二十分間の不燃性能を有することを確かめる場合	五十二万円
	ガス有害性試験不要材料以外の建築材料について二十分間の不燃性能を有することを確かめる場合	九十一万円
法第二条第九号の二ロの認定に係る評価		百五十二万円
法第二十条第一項第一号の認定に係る評価	床面積の合計が五百平方メートル以内のもの	百二万円
	床面積の合計が五百平方メートルを超え、三千平方メートル以内のもの	百十五万円
	床面積の合計が三千平方メートルを超え、一万平方メートル以内のもの	百六十万円
	床面積の合計が一万平方メートルを超え、五万平方メートル以内のもの	百六十九万円
	床面積の合計が五万平方メートルを超え、十万平方メートル以内のもの	二百二十六万円
	床面積の合計が十万平方メートルを超え、二十万平方メートル以内のもの	二百五十九万円
	床面積の合計が二十万平方メートルを超えるもの	三百二十四万円
	特定天井について安全性を有することを確かめる場合	百四十三万円
法第二十条第一項第二号イ及び第三号イの認定に係る評価（構造の種別ごと）		百九十九万円
特定主要構造部の全部に関する法第二十一条第一項の認定に係る評価	床面積の合計が五百平方メートル以内のもの	百十五万円
	床面積の合計が五百平方メートルを超え、三千平方メートル以内のもの	百二十九万円
	床面積の合計が三千平方メートルを超え、一万平方メートル以内のもの	百四十七万円
	床面積の合計が一万平方メートルを超え、五万平方メートル以内のもの	百六十四万円
	床面積の合計が五万平方メートルを超え、十万平方メートル以内のもの	二百四万円
	床面積の合計が十万平方メートルを超え、二十万平方メートル以内のもの	二百二十万円
	床面積の合計が二十万平方メートルを超えるもの	二百五十万円
	非耐力壁について加熱開始後通常火災終了時間が経過するまでの間、加熱面以外の面の温度が可燃物燃焼温度以上に上昇しないものであること等を確かめる場合	通常火災終了時間（単位　分）に二千百円を乗じた額に百八十六万円を加算した額
	非耐力壁について加熱開始後三十分間、加熱面以外の面の温度が可燃物燃焼温度以上に上昇しないものであること等を確かめる場合	百五十二万円
	耐力壁について加熱開始後通常火災終了時間が経過するまでの間、構造耐力上支障のある変形等を生じないものであること等を確かめる場合	通常火災終了時間（単位　分）に二千百円を乗じた額に二百十万円を加算した額
	柱について加熱開始後通常火災終了時間が経過するまでの間、構造耐力上支障のある変形等を生じないものであることを確かめる場合	通常火災終了時間（単位　分）に二千二百円を乗じた額に二百

特定主要構造部の一部に関する法第二十一条第一項の認定に係る評価		六十六万円を加算した額
	床又ははりについて加熱開始後通常火災終了時間が経過するまでの間、構造耐力上支障のある変形等を生じないものであること等を確かめる場合	通常火災終了時間（単位　分）に二千円を乗じた額に二百五十四万円を加算した額
	屋根について加熱開始後三十分間、構造耐力上支障のある変形等を生じないものであること等を確かめる場合	二百三十一万円
	軒裏について加熱開始後通常火災終了時間が経過するまでの間、加熱面以外の面の温度が可燃物燃焼温度以上に上昇しないものであることを確かめる場合	通常火災終了時間（単位　分）に二千百円を乗じた額に百八十八万円を加算した額
	軒裏について加熱開始後三十分間、加熱面以外の面の温度が可燃物燃焼温度以上に上昇しないものであることを確かめる場合	百五十二万円
	階段について加熱開始後三十分間、構造耐力上支障のある変形等を生じないものであることを確かめる場合	百九十二万円
法第二十一条第二項の認定に係る評価	床面積の合計が三千平方メートルを超え、一万平方メートル以内のもの	百四十七万円
	床面積の合計が一万平方メートルを超え、五万平方メートル以内のもの	百六十四万円
	床面積の合計が五万平方メートルを超え、十万平方メートル以内のもの	二百四万円
	床面積の合計が十万平方メートルを超え、二十万平方メートル以内のもの	二百二十万円
	床面積の合計が二十万平方メートルを超えるもの	二百五十万円
法第二十二条第一項の認定に係る評価		九十万円
法第二十三条の認定に係る評価	非耐力壁について二十分間の準防火性能を有することを確かめる場合	百六十二万円
	耐力壁について二十分間の準防火性能を有することを確かめる場合	百七十九万円

特定主要構造部の全部に関する法第二十七条第一項の認定に係る評価	床面積の合計が五百平方メートル以内のもの	百十五万円
	床面積の合計が五百平方メートルを超え、三千平方メートル以内のもの	百二十九万円
	床面積の合計が三千平方メートルを超え、一万平方メートル以内のもの	百四十七万円
	床面積の合計が一万平方メートルを超え、五万平方メートル以内のもの	百六十四万円
	床面積の合計が五万平方メートルを超えるもの	二百四万円
特定主要構造部の一部に関する法第二十七条第一項の認定に係る評価	非耐力壁について加熱開始後特定避難時間が経過するまでの間、加熱面以外の面の温度が可燃物燃焼温度以上に上昇しないものであること等を確かめる場合	特定避難時間（単位　分）に二千百円を乗じた額に百八十六万円を加算した額
	非耐力壁について加熱開始後三十分間、加熱面以外の面の温度が可燃物燃焼温度以上に上昇しないものであること等を確かめる場合	百五十二万円
	耐力壁について加熱開始後特定避難時間が経過するまでの間、構造耐力上支障のある変形等を生じないものであること等を確かめる場合	特定避難時間（単位　分）に二千百円を乗じた額に二百十万円を加算した額
	柱について加熱開始後特定避難時間が経過するまでの間、構造耐力上支障のある変形等を生じないものであることを確かめる場合	特定避難時間（単位　分）に二千二百円を乗じた額に二百六十六万円を加算した額
	床又ははりについて加熱開始後特定避難時間が経過するまでの間、構造耐力上支障のある変形等を生じないものであること等を確かめる場合	特定避難時間（単位　分）に二千円を乗じた額に二百四十万円を加算した額
	屋根について加熱開始後三十分間、構造耐力上支障のある変形等を生じないものであること等を確かめる場合	二百三十一万円

	軒裏について加熱開始後特定避難時間が経過するまでの間、加熱面以外の面の温度が可燃物燃焼温度以上に上昇しないものであることを確かめる場合	特定避難時間（単位　分）に二千百円を乗じた額に百八十八万円を加算した額
	軒裏について加熱開始後三十分間、加熱面以外の面の温度が可燃物燃焼温度以上に上昇しないものであることを確かめる場合	百五十二万円
	階段について加熱開始後三十分間、構造耐力上支障のある変形等を生じないものであることを確かめる場合	百九十二万円
防火設備に関する法第二十七条第一項の認定に係る評価		百五十二万円
法第三十条第一項第一号の認定に係る評価		百三十五万円
法第三十条第二項の認定に係る評価		百三十五万円
法第三十一条第二項の認定に係る評価		四十六万円
法第三十七条第二号の認定に係る評価	コンクリート又は膜材料	六十六万円
	木質系材料	二百七十四万円
	鋼材、免震材料その他の建築材料	二百十八万円
壁、柱、床その他の建築物の部分に関する法第六十一条第一項の認定に係る評価	床面積の合計が五百平方メートル以内のもの	百十五万円
	床面積の合計が五百平方メートルを超え、三千平方メートル以内のもの	百二十九万円
	床面積の合計が三千平方メートルを超え、一万平方メートル以内のもの	百四十七万円
	床面積の合計が一万平方メートルを超え、五万平方メートル以内のもの	百六十四万円
	床面積の合計が五万平方メートルを超えるもの	二百四万円
	二十分間以下の遮炎性能を有することを確かめる場合	百五十二万円
	二十分間を超え三十分間以下の遮炎性能を有することを確かめる場合	百五十四万円
	三十分間を超え四十分間以下の遮炎性能を有することを確かめる場合	百五十六万円
防火設備に関する法第六十一条第一項の認定に係る評価	四十分間を超え五十分間以下の遮炎性能を有することを確かめる場合	百五十七万円
	五十分間を超え六十分間以下の遮炎性能を有することを確かめる場合	百五十九万円
	六十分間を超え七十五分間以下の遮炎性能を有することを確かめる場合	百六十万円
	七十五分間を超え九十分間以下の遮炎性能を有することを確かめる場合	百六十四万円
	九十分間を超え百五分間以下の遮炎性能を有することを確かめる場合	百六十七万円
	百五分間を超え百二十分間以下の遮炎性能を有することを確かめる場合	百六十八万円
法第六十二条の認定に係る評価		九十万円
令第一条第五号の認定に係る評価	ガス有害性試験不要材料について十分間の不燃性能を有することを確かめる場合	五十二万円
	ガス有害性試験不要材料以外の建築材料について十分間の不燃性能を有することを確かめる場合	九十一万円
令第一条第六号の認定に係る評価	ガス有害性試験不要材料について五分間の不燃性能を有することを確かめる場合	五十二万円
	ガス有害性試験不要材料以外の建築材料について五分間の不燃性能を有することを確かめる場合	九十一万円
令第二十条の二第一号ニの認定に係る評価		四十六万円
令第二十条の三第二項第一号ロの認定に係る評価		四十六万円
令第二十条の七第一項第二号の表の認定に係る評価（令第二十条の八第二項の認定に係る評価を併せて行う場合を除く。）		四十六万円
令第二十条の七第二項の認定に係る評価		六十六万円
令第二十条の七第三項の認定に係る評価		六十六万円
令第二十条の七第四項の認定に係る評価		六十六万円
令第二十条の八第一項第一号ロ(1)の認定に係る評価		四十六万円

令第二十条の八第一項第一号ハの認定に係る評価		四十六万円
令第二十条の八第二項の認定に係る評価（令第二十条の七第一項第二号の表の認定に係る評価を併せて行う場合を除く。）		四十六万円
令第二十条の七第一項第二号の表の認定及び令第二十条の八第二項の認定に係る評価		四十六万円
令第二十条の九の認定に係る評価		四十六万円
令第二十二条の認定に係る評価		四十六万円
令第二十二条の二第二号ロの認定に係る評価		四十六万円
令第二十九条の認定に係る評価		四十六万円
令第三十条第一項の認定に係る評価		四十六万円
令第三十五条第一項の認定に係る評価		九十二万円
令第三十九条第三項の認定に係る評価		百四十三万円
令第四十六条第四項の表一の(八)項の認定に係る評価 令第四十六条第四項の認定に係る評価（令第四十五条第一項又は第二項の認定に係る評価を併せて行う場合を含む。）		二百七十万円
令第六十七条第一項の認定に係る評価		百四十四万円
令第六十七条第二項の認定に係る評価		百四十四万円
令第六十八条第三項の認定に係る評価		百四十四万円
令第七十条の認定に係る評価		二百五十万円
令第七十九条第二項の認定に係る評価		四十六万円
令第七十九条の三第二項の認定に係る評価		四十六万円
床、壁又は防火設備で区画された建築物の部分に関する令第百八条の三第一号の認定に係る評価	床面積の合計が五百平方メートル以内のもの	百十五万円
	床面積の合計が五百平方メートルを超え、三千平方メートル以内のもの	百二十九万円
	床面積の合計が三千平方メートルを超え、一万平方メートル以内のもの	百四十七万円
	床面積の合計が一万平方メートルを超え、五万平方メートル以内のもの	百六十四万円
	床面積の合計が五万平方メートルを超え、十万平方メートル以内のもの	二百四万円
	床面積の合計が十万平方メートルを超え、二十万平方メートル以内のもの	二百二十万円
	床面積の合計が二十万平方メートルを超えるもの	二百五十万円
	床について加熱開始後一時間、構造耐力上支障のある変形等を生じないものであること等を確かめる場合	二百五十四万円
	床について加熱開始後一・五時間、構造耐力上支障のある変形等を生じないものであること等を確かめる場合	二百六十三万円
	床について加熱開始後二時間、構造耐力上支障のある変形等を生じないものであること等を確かめる場合	二百七十二万円
	床について加熱開始後二・五時間、構造耐力上支障のある変形等を生じないものであること等を確かめる場合	二百八十一万円
	床について加熱開始後三時間、構造耐力上支障のある変形等を生じないものであること等を確かめる場合	二百九十万円
	非耐力壁について加熱開始後三十分間、加熱面以外の面の温度が可燃物燃焼温度以上に上昇しないものであること等を確かめる場合	百五十五万円
	非耐力壁について加熱開始後一時間、加熱面以外の面の温度が可燃物燃焼温度以上に上昇しないものであること等を確かめる場合	百六十二万円
	非耐力壁について加熱開始後一・五時間、加熱面以外の面の温度が可燃物燃焼温度以上に上昇しないものであること等を確かめる場合	百六十九万円
	非耐力壁について加熱開始後二時間、加熱面以外の面の温度が可燃物燃焼温度以上に上昇しないものであること等を確かめる場合	百七十六万円
	非耐力壁について加熱開始後二・五時間、加熱面以外の面の温度が可燃物燃焼温度以上に上昇しないものであること等を確かめる場合	百八十三万円
	非耐力壁について加熱開始後三時間、加熱面以外の面の温度が可燃物燃焼温度以上に上昇しないものであること等を確かめる場合	百九十万円
	耐力壁について加熱開始後一時間、構造耐力上支障のある変形等を生じないものであること等を確かめる場合	二百十五万円
	耐力壁について加熱開始後一・五時間、構造耐力上支障のある変形等を生じないものであること等を確かめる場合	二百十九万円

床、壁又は防火設備に関する令第百八条の三第一号の認定に係る評価	耐力壁について加熱開始後二時間、構造耐力上支障のある変形等を生じないものであること等を確かめる場合	二百二十四万円
	耐力壁について加熱開始後二・五時間、構造耐力上支障のある変形等を生じないものであること等を確かめる場合	二百二十九万円
	耐力壁について加熱開始後三時間、構造耐力上支障のある変形等を生じないものであること等を確かめる場合	二百三十四万円
	防火設備について加熱開始後二十分以下の時間が経過するまでの間、加熱面以外の面の温度が可燃物燃焼温度等以上に上昇しないものであること等を確かめる場合	百九十八万円
	防火設備について加熱開始後二十分を超え三十分以下の時間が経過するまでの間、加熱面以外の面の温度が可燃物燃焼温度等以上に上昇しないものであること等を確かめる場合	二百万円
	防火設備について加熱開始後三十分を超え四十分以下の時間が経過するまでの間、加熱面以外の面の温度が可燃物燃焼温度等以上に上昇しないものであること等を確かめる場合	二百二万円
	防火設備について加熱開始後四十分を超え五十分以下の時間が経過するまでの間、加熱面以外の面の温度が可燃物燃焼温度等以上に上昇しないものであること等を確かめる場合	二百三万円
	防火設備について加熱開始後五十分を超え六十分以下の時間が経過するまでの間、加熱面以外の面の温度が可燃物燃焼温度等以上に上昇しないものであること等を確かめる場合	二百五万円
	防火設備について加熱開始後六十分を超え七十五分以下の時間が経過するまでの間、加熱面以外の面の温度が可燃物燃焼温度等以上に上昇しないものであること等を確かめる場合	二百六万円
	防火設備について加熱開始後七十五分を超え九十分以下の時間が経過するまでの間、加熱面以外の面の温度が可燃物燃焼温度等以上に上昇しないものであること等を確かめる場合	二百十万円
	防火設備について加熱開始後九十分を超え百五分以下の時間が経過するまでの間、加熱面以外の面の温度が可燃物燃焼温度等以上に上昇しないものであること等を確かめる場合	二百十三万円
	防火設備について加熱開始後百五分を超え百二十分以下の時間が経過するまでの間、加熱面以外の面の温度が可燃物燃焼温度等以上に上昇しないものであること等を確かめる場合	二百十四万円
	防火設備について加熱開始後百二十分を超え百五十分以下の時間が経過するまでの間、加熱面以外の面の温度が可燃物燃焼温度等以上に上昇しないものであること等を確かめる場合	二百十九万円
	防火設備について加熱開始後百五十分を超え百八十分以下の時間が経過するまでの間、加熱面以外の面の温度が可燃物燃焼温度等以上に上昇しないものであること等を確かめる場合	二百二十四万円
令第百八条の四第一項第二号の認定に係る評価	床面積の合計が五百平方メートル以内のもの	百十五万円
	床面積の合計が五百平方メートルを超え、三千平方メートル以内のもの	百二十九万円
	床面積の合計が三千平方メートルを超え、一万平方メートル以内のもの	百四十七万円
	床面積の合計が一万平方メートルを超え、五万平方メートル以内のもの	百六十四万円
	床面積の合計が五万平方メートルを超え、十万平方メートル以内のもの	二百四万円
	床面積の合計が十万平方メートルを超え、二十万平方メートル以内のもの	二百二十万円
	床面積の合計が二十万平方メートルを超えるもの	二百五十万円
令第百八条の四第四項の認定に係る評価	床面積の合計が五百平方メートル以内のもの	三十四万円
	床面積の合計が五百平方メートルを超え、三千平方メートル以内のもの	五十四万円
	床面積の合計が三千平方メートルを超え、一万平方メートル以内のもの	七十三万円
	床面積の合計が一万平方メートルを超え、五万平方メートル以内のもの	九十四万円
	床面積の合計が五万平方メートルを超えるもの	百十四万円
令第百九条の三第一号の認定に係る評価		百九十二万円
令第百九条の三第二号ハの認定に係る評価		百九十二万円
	床面積の合計が五百平方メートル以内のもの	百十五万円

建築物の部分に関する令第百九条の八の認定に係る評価	床面積の合計が五百平方メートルを超え、三千平方メートル以内のもの	百二十九万円
	床面積の合計が三千平方メートルを超え、一万平方メートル以内のもの	百四十七万円
	床面積の合計が一万平方メートルを超え、五万平方メートル以内のもの	百六十四万円
	床面積の合計が五万平方メートルを超え、十万平方メートル以内のもの	二百四万円
	床面積の合計が十万平方メートルを超え、二十万平方メートル以内のもの	二百二十万円
	床面積の合計が二十万平方メートルを超えるもの	二百五十万円
防火設備に関する令第百九条の八の認定に係る評価	加熱開始後二十分以下の時間が経過するまでの間、加熱面以外の面の温度が可燃物燃焼温度等以上に上昇しないものであること等を確かめる場合	百九十八万円
	加熱開始後二十分を超え三十分以下の時間が経過するまでの間、加熱面以外の面の温度が可燃物燃焼温度等以上に上昇しないものであること等を確かめる場合	二百万円
	加熱開始後三十分を超え四十分以下の時間が経過するまでの間、加熱面以外の面の温度が可燃物燃焼温度等以上に上昇しないものであること等を確かめる場合	二百二万円
	加熱開始後四十分を超え五十分以下の時間が経過するまでの間、加熱面以外の面の温度が可燃物燃焼温度等以上に上昇しないものであること等を確かめる場合	二百三万円
	加熱開始後五十分を超え六十分以下の時間が経過するまでの間、加熱面以外の面の温度が可燃物燃焼温度等以上に上昇しないものであること等を確かめる場合	二百五万円
	加熱開始後六十分を超え七十五分以下の時間が経過するまでの間、加熱面以外の面の温度が可燃物燃焼温度等以上に上昇しないものであること等を確かめる場合	二百六万円
	加熱開始後七十五分を超え九十分以下の時間が経過するまでの間、加熱面以外の面の温度が可燃物燃焼温度等以上に上昇しないものであること等を確かめる場合	二百十万円
	加熱開始後九十分を超え百五分以下の時間が経過するまでの間、加熱面以外の面の温度が可燃物燃焼温度等以上に上昇しないものであること等を確かめる場合	二百十三万円
	加熱開始後百五分を超え百二十分以下の時間が経過するまでの間、加熱面以外の面の温度が可燃物燃焼温度等以上に上昇しないものであること等を確かめる場合	二百十四万円
	加熱開始後百二十分を超え百五十分以下の時間が経過するまでの間、加熱面以外の面の温度が可燃物燃焼温度等以上に上昇しないものであること等を確かめる場合	二百十九万円
	加熱開始後百五十分を超え百八十分以下の時間が経過するまでの間、加熱面以外の面の温度が可燃物燃焼温度等以上に上昇しないものであること等を確かめる場合	二百二十四万円
令第百十二条第一項の認定に係る評価		百五十九万円
令第百十二条第二項の認定に係る評価	非耐力壁について加熱開始後一時間、加熱面以外の面の温度が可燃物燃焼温度以上に上昇しないものであること等を確かめる場合	百七十四万円
	耐力壁について加熱開始後一時間、構造耐力上支障のある変形等を生じないものであること等を確かめる場合	百九十四万円
	柱について加熱開始後一時間、構造耐力上支障のある変形等を生じないものであることを確かめる場合	二百九十万円
	床又ははりについて加熱開始後一時間、構造耐力上支障のある変形等を生じないものであること等を確かめる場合	二百二十七万円
	軒裏について加熱開始後一時間、加熱面以外の面の温度が可燃物燃焼温度以上に上昇しないものであることを確かめる場合	百七十四万円
令第百十二条第三項の認定に係る評価	床面積の合計が五百平方メートル以内のもの	三十四万円
	床面積の合計が五百平方メートルを超え、三千平方メートル以内のもの	五十四万円
	床面積の合計が三千平方メートルを超え、一万平方メートル以内のもの	七十三万円
	床面積の合計が一万平方メートルを超え、五万平方メートル以内のもの	九十四万円
	床面積の合計が五万平方メートルを超えるもの	百十四万円

令第百十二条第四項第一号の認定に係る評価		二百二十七万円
令第百十二条第十二項ただし書の認定に係る評価		百五十二万円
令第百十二条第十九項第一号の認定に係る評価		四十六万円
令第百十二条第十九項第二号の認定に係る評価		四十六万円
令第百十二条第二十一項の認定に係る評価		四十六万円
令第百十四条第五項の認定に係る評価		百五十七万円
令第百十五条第一項第三号ロの認定に係る評価		四十六万円
令第百十五条の二第一項第四号の認定に係る評価		百九十二万円
令第百二十三条第三項第二号の認定に係る評価（令第百二十九条の十三の三第十三項の認定に係る評価を併せて行う場合を除く。）	外気に向かつて開くことのできる窓又は最上部を直接外気に開放する排煙風道を設けるもの	七十万円
	排煙機を設けるもの	七十七万円
	右に掲げるもの以外のもの	百十八万円
令第百二十六条の二第二項第一号の認定に係る評価		四十六万円
令第百二十六条の五第二号の認定に係る評価		四十六万円
令第百二十六条の六第三号の認定に係る評価	床面積の合計が五百平方メートル以内のもの	八十七万円
	床面積の合計が五百平方メートルを超え、三千平方メートル以内のもの	百二万円
	床面積の合計が三千平方メートルを超え、一万平方メートル以内のもの	百四十四万円
	床面積の合計が一万平方メートルを超え、五万平方メートル以内のもの	百五十七万円
	床面積の合計が五万平方メートルを超えるもの	百九十三万円
	床面積の合計が五百平方メートル以内のもの	八十七万円
	床面積の合計が五百平方メートルを超え、三千平方メートル以内のもの	百二万円
	床面積の合計が三千平方メートルを超え、一万平方メートル以内のもの	百四十四万円
令第百二十八条の七第一項の認定に係る評価	床面積の合計が一万平方メートルを超え、五万平方メートル以内のもの	百五十七万円
	床面積の合計が五万平方メートルを超え、十万平方メートル以内のもの	百九十三万円
	床面積の合計が十万平方メートルを超え、二十万平方メートル以内のもの	二百二十万円
	床面積の合計が二十万平方メートルを超えるもの	二百五十万円
令第百二十九条第一項の認定に係る評価	床面積の合計が五百平方メートル以内のもの	八十七万円
	床面積の合計が五百平方メートルを超え、三千平方メートル以内のもの	百二万円
	床面積の合計が三千平方メートルを超え、一万平方メートル以内のもの	百四十四万円
	床面積の合計が一万平方メートルを超え、五万平方メートル以内のもの	百五十七万円
	床面積の合計が五万平方メートルを超え、十万平方メートル以内のもの	百九十三万円
	床面積の合計が十万平方メートルを超え、二十万平方メートル以内のもの	二百二十万円
	床面積の合計が二十万平方メートルを超えるもの	二百五十万円
令第百二十九条の二第一項の認定に係る評価	床面積の合計が五百平方メートル以内のもの	八十七万円
	床面積の合計が五百平方メートルを超え、三千平方メートル以内のもの	百二万円
	床面積の合計が三千平方メートルを超え、一万平方メートル以内のもの	百四十四万円
	床面積の合計が一万平方メートルを超え、五万平方メートル以内のもの	百五十七万円
	床面積の合計が五万平方メートルを超え、十万平方メートル以内のもの	百九十三万円
	床面積の合計が十万平方メートルを超え、二十万平方メートル以内のもの	二百二十万円

	床面積の合計が二十万平方メートルを超えるもの	二百五十万円
令第百二十九条の二の四第一項第三号ただし書の認定に係る評価		四十六万円
令第百二十九条の二の四第一項第七号ハの認定に係る評価	加熱開始後二十分間、き裂その他の損傷を生じないものであることを確かめる場合	百八十八万円
	加熱開始後四十五分間、き裂その他の損傷を生じないものであることを確かめる場合	百九十一万円
	加熱開始後一時間、き裂その他の損傷を生じないものであることを確かめる場合	百九十四万円
令第百二十九条の二の四第二項第三号の認定に係る評価		四十六万円
令第百二十九条の二の六第三号の認定に係る評価		四十六万円
令第百二十九条の四第一項第三号（令第百四十四条第二項において読み替えて準用する場合を含む。）の認定に係る評価		百三十八万円
令第百二十九条の八第二項の認定に係る評価		百十二万円
令第百二十九条の十第二項の認定に係る評価		百三十六万円
令第百二十九条の十第四項の認定に係る評価	令第百二十九条の十第三項第一号に掲げる安全装置の機能を確保することができるものであることを確かめる場合	百四十四万円
	令第百二十九条の十第三項第二号に掲げる安全装置の機能を確保することができるものであることを確かめる場合	百十二万円
令第百二十九条の十二第一項第六号の認定に係る評価		百四十四万円
令第百二十九条の十二第二項の認定に係る評価		百三十八万円
令第百二十九条の十二第五項の認定に係る評価		百三十六万円
令第百二十九条の十三の二第三号の認定に係る評価		四十六万円
令第百二十九条の十三の三第十三項の認定に係る評価（令第百二十三条第三項第二号の認定に係る評価を併せて行う場合を除く。）	外気に向かつて開くことのできる窓又は最上部を直接外気に開放する排煙風道を設けるもの	七十万円
	排煙機を設けるもの	七十七万円
	右に掲げるもの以外のもの	百十八万円
令第百二十三条第三項第二号の認定及び令第百二十九条の十三の三第十三項の認定に係る評価	外気に向かつて開くことのできる窓又は最上部を直接外気に開放する排煙風道を設けるもの	七十万円
	排煙機を設けるもの	七十七万円
	右に掲げるもの以外のもの	百十八万円
令第百二十九条の十五第一号の認定に係る評価		四十六万円
令第百三十七条の二の二第一項第一号ロの認定に係る評価	床面積の合計が五百平方メートル以内のもの	百十五万円
	床面積の合計が五百平方メートルを超え、三千平方メートル以内のもの	百二十九万円
	床面積の合計が三千平方メートルを超え、一万平方メートル以内のもの	百四十七万円
	床面積の合計が一万平方メートルを超え、五万平方メートル以内のもの	百六十四万円
	床面積の合計が五万平方メートルを超え、十万平方メートル以内のもの	二百四万円
	床面積の合計が十万平方メートルを超え、二十万平方メートル以内のもの	二百二十万円
	床面積の合計が二十万平方メートルを超えるもの	二百五十万円
令第百三十七条の二の二第二項第一号ロの認定に係る評価	床面積の合計が三千平方メートルを超え、一万平方メートル以内のもの	百四十七万円
	床面積の合計が一万平方メートルを超え、五万平方メートル以内のもの	百六十四万円
	床面積の合計が五万平方メートルを超え、十万平方メートル以内のもの	二百四万円
	床面積の合計が十万平方メートルを超え、二十万平方メートル以内のもの	二百二十万円
	床面積の合計が二十万平方メートルを超えるもの	二百五十万円
令第百三十七条の二の四第一号ロの認定に係る評価	非耐力壁について二十分間の準防火性能等を有することを確かめる場合	百六十二万円
	耐力壁について二十分間の準防火性能等を有することを確かめる場合	百七十九万円
	床面積の合計が五百平方メートル以内のもの	百十五万円

	床面積の合計が五百平方メートルを超え、三千平方メートル以内のもの	百二十九万円
令第百三十七条の四第一号ロの認定に係る評価	床面積の合計が三千平方メートルを超え、一万平方メートル以内のもの	百四十七万円
	床面積の合計が一万平方メートルを超え、五万平方メートル以内のもの	百六十四万円
	床面積の合計が五万平方メートルを超えるもの	二百四万円
令第百三十七条の十第一号イ(2)の認定に係る評価	床面積の合計が五百平方メートル以内のもの	百十五万円
	床面積の合計が五百平方メートルを超え、三千平方メートル以内のもの	百二十九万円
	床面積の合計が三千平方メートルを超え、一万平方メートル以内のもの	百四十七万円
	床面積の合計が一万平方メートルを超え、五万平方メートル以内のもの	百六十四万円
	床面積の合計が五万平方メートルを超えるもの	二百四万円
令第百三十七条の十第一号ロ(4)の認定に係る評価		百五十二万円
令第百三十七条の十一第一号イ(2)の認定に係る評価	床面積の合計が五百平方メートル以内のもの	百十五万円
	床面積の合計が五百平方メートルを超え、三千平方メートル以内のもの	百二十九万円
	床面積の合計が三千平方メートルを超え、一万平方メートル以内のもの	百四十七万円
	床面積の合計が一万平方メートルを超え、五万平方メートル以内のもの	百六十四万円
	床面積の合計が五万平方メートルを超えるもの	二百四万円
令第百三十九条第一項第三号又は第四号ロ（これらの規定を令第百四十条第二項、令第百四十一条第二項又は令第百四十三条第二項において準用する場合を含む。）の認定に係る評価		百十五万円
令第百四十条第一項第一号ロ又はハ(2)の認定に係る評価		百十五万円
令第百四十四条第一項第三号イの認定に係る評価		八十一万円
令第百四十四条第一項第五号の認定に係る評価		百四十八万円
令第百四十五条第一項第二号の認定に係る評価		四十六万円
建築物の全部に関する第一条の三第一項第一号イ並びにロ(1)及び(2)並びに同項の表三の各項の認定に係る評価	床面積の合計が五百平方メートル以内のもの	三百三十八万円
	床面積の合計が五百平方メートルを超え、三千平方メートル以内のもの	三百六十六万円
	床面積の合計が三千平方メートルを超え、一万平方メートル以内のもの	四百十四万円
	床面積の合計が一万平方メートルを超え、五万平方メートル以内のもの	四百六十八万円
	床面積の合計が五万平方メートルを超えるもの	五百十万円
基礎杭に関する第一条の三第一項第一号イ並びにロ(1)及び(2)並びに同項の表三の各項の認定に係る評価		百八十四万円
鉄骨の接合部に関する第一条の三第一項第一号イ並びにロ(1)及び(2)並びに同項の表三の各項の認定に係る評価	床面積の合計が五百平方メートル以内のもの	三十四万円
	床面積の合計が五百平方メートルを超え、三千平方メートル以内のもの	四十七万円
	床面積の合計が三千平方メートルを超え、一万平方メートル以内のもの	六十万円
	床面積の合計が一万平方メートルを超え、五万平方メートル以内のもの	九十四万円
	床面積の合計が五万平方メートルを超えるもの	百三十三万円
第八条の三の認定に係る評価		二百七十万円

（備考）

一　法第二十条第一項第一号、令第百八条の四第一項第二号及び第四項、令第百二十八条の七第一項、令第百二十九条第一項、令第百二十九条の二第一項並びに第一条の三第一項第一号イ並びにロ(1)及び(2)並びに同項の表三の各項の認定に係る評価のうち、既に評価を受けた構造方法等の計画の変更に係る評価にあつては、床面積の合計は当該変更に係る部分について算定するものとする。

二　特定主要構造部の一部に関する法第二十一条第一項の認定及び特定主要構造部の一部に関する法第二十七条第一項の認定に係る評価にあつては、その算定した額に千円未満の端数があるときは、その端数は切り捨てるものとする。

別表第三（第十一条の二の三関係）

(い)		(ろ)
令第百三十六条の二の十一第一号に掲げる建築物の部分	床面積の合計が三十平方メートル以内のもの	三万二千円
	床面積の合計が三十平方メートルを超え、百平方メートル以内のもの	四万五千円
	床面積の合計が百平方メートルを超え、二百平方メートル以内のもの	六万二千円
	床面積の合計が二百平方メートルを超え、五百平方メートル以内のもの	七万八千円
	床面積の合計が五百平方メートルを超え、千平方メートル以内のもの	十万円
	床面積の合計が千平方メートルを超え、二千平方メートル以内のもの	十四万円
	床面積の合計が二千平方メートルを超え、一万平方メートル以内のもの	三十五万円
	床面積の合計が一万平方メートルを超え、五万平方メートル以内のもの	五十七万円
	床面積の合計が五万平方メートルを超えるもの	百十二万円
防火設備		五万千円
換気設備		五万千円
屎尿浄化槽又は合併処理浄化槽		五万千円
非常用の照明装置		五万千円
給水タンク又は貯水タンク		五万千円
冷却塔設備		五万千円
エレベーターの部分で昇降路及び機械室以外のもの		七万七千円
エスカレーター		七万七千円
避雷設備		五万千円
乗用エレベーターで観光のためのもの（一般交通の用に供するものを除く。）の部分で、昇降路及び機械室以外のもの		七万七千円
エスカレーターで観光のためのもの（一般交通の用に供するものを除く。）の部分で、トラス又ははりを支える部分以外のもの		七万七千円
ウォーターシュート、コースターその他これらに類する高架の遊戯施設又はメリーゴーラウンド、観覧車、オクトパス、飛行塔その他これらに類する回転運動をする遊戯施設で原動機を使用するものの部分のうち、かご、車両その他人を乗せる部分及びこれを支え、又はつる構造上主要な部分並びに非常止め装置の部分		七万七千円

別記様式・別紙〔略〕

○建築基準法に基づく指定建築基準適合判定資格者検定機関等に関する省令

〔平成一一・四・二六　建設省令一三〕

改正　平成一二・一建令一〇、三建令一九、五建令二五、一一建令四一、平成一三・三国交令七二、国交令七四、五国交令九〇、九国交令一二八、平成一四・一二国交令一二〇、平成一五・三国交令一六、一二国交令一一六、平成一六・一二国交令九九、平成一七・三国交令一二、五国交令五八、国交令五九、平成一八・四国交令五八、九国交令九〇、国交令九六、平成一九・三国交令一三、国交令二七、六国交令六六、平成二〇・一一国交令九五、一二国交令九七、平成二五・七国交令六一、九国交令七六、平成二七・一国交令五、一二国交令八一、平成二八・二国交令一〇、一一国交令八〇、平成三〇・九国交令六九、令和元・五国交令一、六国交令一五、国交令二〇、九国交令三四、令和二・三国交令一三、令和三・八国交令五三、令和五・一二国交令九五、国交令九八、令和六・一国交令二、三国交令一八、国交令二一

注　□の部分は、令和六年六月二八日国土交通省令第六八号により改正され、令和七年四月一日から施行

目次

第一章　総則（第一条）
第二章　指定建築基準適合判定資格者検定機関（第二条—第十三条）
第二章の二　指定構造計算適合判定資格者検定機関（第十三条の二・第十三条の三）
第三章　指定確認検査機関（第十四条—第三十一条の二）
第三章の二　指定構造計算適合性判定機関（第三十一条の三—第三十一条の十五）
第四章　指定認定機関（第三十二条—第四十六条の二）
第五章　承認認定機関（第四十七条—第五十七条）
第六章　指定性能評価機関（第五十八条—第七十一条の二）
第七章　承認性能評価機関（第七十二条—第七十九条）
第八章　雑則（第八十条）
附則

第一章　総則

（用語）

第一条　この規則において使用する用語は、建築基準法（以下「法」という。）において使用する用語の例による。

第二章　指定建築基準適合判定資格者検定機関

（指定建築基準適合判定資格者検定機関に係る指定の申請）

第二条　法第五条の二第一項に規定する指定を受けようとする者は、次に掲げる事項を記載した申請書を国土交通大臣に提出しなければならない。

一　名称及び住所
二　建築基準適合判定資格者検定事務を行おうとする事務所の名称及び所在地
三　建築基準適合判定資格者検定事務を開始しようとする年月日

2　前項の申請書には、次に掲げる書類を添えなければならない。

一　定款及び登記事項証明書
二　申請の日の属する事業年度の前事業年度における財産目録及び貸借対照表。ただし、申請の日の属する事業年度に設立された法人にあっては、その設立時における財産目録とする。
三　申請の日の属する事業年度及び翌事業年度における事業計画書及び収支予算書
四　申請に係る意思の決定を証する書類
五　役員の氏名及び略歴を記載した書類
六　組織及び運営に関する事項を記載した書類
七　建築基準適合判定資格者検定事務を行おうとする事務所ごとの検定用設備の概要及び整備計画を記載した書類
八　現に行っている業務の概要を記載した書類
九　建築基準適合判定資格者検定事務の実施の方法に関する計画を記載した書類
十　法第七十七条の七第一項に規定する建築基準適合判定資格者検定委員の選任に関する事項を記載した書類
十一　法第七十七条の三第四号イ又はロの規定に関する役員の誓約書
十二　その他参考となる事項を記載した書類

（指定建築基準適合判定資格者検定機関に係る名称等の変更の届出）

第三条　指定建築基準適合判定資格者検定機関は、法第七十七条の五第二項の規定による届出をしようとするときは、次に掲げる事項を記載した届出書を国土交通大臣に提出しなければならない。

一　変更後の指定建築基準適合判定資格者検定機関の名称若しくは住所又は建築基準適合判定資格者検定事務を行う事務所の所在地
二　変更しようとする年月日
三　変更の理由

（役員の選任及び解任の認可の申請）

第四条　指定建築基準適合判定資格者検定機関は、法第七十七条の六第一項の規定により認可を受けようとするときは、次に掲げる事項を記載した申請書を国土交通大臣に提出しなければならない。

一　役員として選任しようとする者又は解任しようとする役員の氏名
二　選任又は解任の理由
三　選任の場合にあっては、その者の略歴

2　前項の場合において、選任の認可を受けようとするときは、同項の申請書に、当該選任に係る者の就任承諾書及び法第七十七条の三第四号イ又はロの規定に関する誓約書を添えなければならない。

（建築基準適合判定資格者検定委員の選任及び解任）

第五条　指定建築基準適合判定資格者検定機関は、法第七十七条の七第三項の規定による届出をしようとするときは、遅滞なく次に掲げる事項を記載した届出書を国土交通大臣に提出しなければならない。

一　建築基準適合判定資格者検定委員の氏名
二　選任又は解任の理由
三　選任の場合にあっては、その者の略歴

（建築基準適合判定資格者検定事務規程の記載事項）

第六条　法第七十七条の九第二項に規定する建築基準適合判定資格者検定事務規程で定めるべき事項は、次のとおりとする。

一　建築基準適合判定資格者検定事務を行う時間及び休日に関する事項
二　建築基準適合判定資格者検定事務を行う事務所及び検定地に関する事項
三　建築基準適合判定資格者検定事務の実施の方法に関する事項
四　受検手数料の収納の方法に関する事項
五　建築基準適合判定資格者検定委員の選任及び解任に関する事項
六　建築基準適合判定資格者検定事務に関する秘密の保持に関する事項
七　建築基準適合判定資格者検定事務に関する帳簿及び書類の管理に関する事項
八　その他建築基準適合判定資格者検定事務の実施に関し必要な事項

（建築基準適合判定資格者検定事務規程の認可の申請）

第七条　指定建築基準適合判定資格者検定機関は、法第七十七条の九第一項前段の規定により認可を受けようとするときは、申請書に、当該認可に係る建築基準適合判定資格者検定事務規程を添え、これを国土交通大臣に提出しなければならない。

2　指定建築基準適合判定資格者検定機関は、法第七十七条の九第一項後段の規定により認可を受けようとするときは、次に掲げる事項を記載した申請書を国土交通大臣に提出しなければならない。

一　変更しようとする事項
二　変更しようとする年月日
三　変更の理由

（事業計画等の認可の申請）

第八条　指定建築基準適合判定資格者検定機関は、法第七十七条の十第一項前段の規定により認可を受けようとするときは、申請書に、当該認可に係る事業計画書及び収支予算書を添え、これを国土交通大臣に提出しなければならない。

2　指定建築基準適合判定資格者検定機関は、法第七十七条の十第一項後段の規定により認可を受けようとするときは、次に掲げる事項を記載した申請書を国土交通大臣に提出しなければならない。
一　変更しようとする事項
二　変更しようとする年月日
三　変更の理由

（帳簿）
第九条　法第七十七条の十一に規定する国土交通省令で定める建築基準適合判定資格者検定事務に関する事項は、次のとおりとする。
一　一級建築基準適合判定資格者検定又は二級建築基準適合判定資格者検定の別
二　検定年月日
三　検定地
四　受検者の受検番号、氏名、生年月日及び合否の別
五　合格年月日
2　前項各号に掲げる事項が、電子計算機（入出力装置を含む。以下同じ。）に備えられたファイル又は電磁的記録媒体（電子的方式、磁気的方式その他人の知覚によっては認識することができない方式で作られる記録であって、電子計算機による情報処理の用に供されるものに係る記録媒体をいう。以下同じ。）に記録され、必要に応じ指定建築基準適合判定資格者検定機関において電子計算機その他の機器を用いて明確に紙面に表示されるときは、当該記録をもって法第七十七条の十一に規定する帳簿への記載に代えることができる。
3　法第七十七条の十一に規定する帳簿（前項の規定による記録が行われた同項のファイル又は電磁的記録媒体を含む。）は、第十二条の規定による引継ぎを完了するまで保存しなければならない。

（建築基準適合判定資格者検定事務の実施結果の報告）
第一〇条　指定建築基準適合判定資格者検定機関は、建築基準適合判定資格者検定を実施したときは、遅滞なく次に掲げる事項を記載した報告書を国土交通大臣に提出しなければならない。
一　一級建築基準適合判定資格者検定又は二級建築基準適合判定資格者検定の別
二　検定年月日
三　検定地
四　受検者数
五　合格者数
六　合格年月日
2　前項の報告書には、合格者の受検番号、氏名及び生年月日を記載した合格者一覧表を添えなければならない。

（建築基準適合判定資格者検定事務の休廃止の許可）
第一一条　指定建築基準適合判定資格者検定機関は、法第七十七条の十四第一項の規定により許可を受けようとするときは、次に掲げる事項を記載した申請書を国土交通大臣に提出しなければならない。
一　休止し、又は廃止しようとする建築基準適合判定資格者検定事務の範囲
二　休止し、又は廃止しようとする年月日及び休止しようとする場合にあっては、その期間
三　休止又は廃止の理由

（建築基準適合判定資格者検定事務等の引継ぎ）
第一二条　指定建築基準適合判定資格者検定機関（国土交通大臣が法第七十七条の十五第一項又は第二項の規定により指定建築基準適合判定資格者検定機関の指定を取り消した場合にあっては、当該指定建築基準適合判定資格者検定機関であった者）は、法第七十七条の十六第三項に規定する場合には、次に掲げる事項を行わなければならない。
一　建築基準適合判定資格者検定事務を国土交通大臣に引き継ぐこと。
二　建築基準適合判定資格者検定事務に関する帳簿及び書類を国土交通大臣に引き継ぐこと。
三　その他国土交通大臣が必要と認める事項

（公示）
第一三条　法第七十七条の五第一項及び第三項、法第七十七条の十四第三項、法第七十七条の十五第三項並びに法第七十七条の十六第二項の規定による公示は、官報で告示することによって行う。

第二章の二　指定構造計算適合判定資格者検定機関

（指定構造計算適合判定資格者検定機関に係る指定の申請）
第一三条の二　法第五条の五第一項に規定する指定を受けようとする者は、次に掲げる事項を記載した申請書を国土交通大臣に提出しなければならない。
一　名称及び住所
二　構造計算適合判定資格者検定事務を行おうとする事務所の名称及び所在地
三　構造計算適合判定資格者検定事務を開始しようとする年月日

（準用）
第一三条の三　第二条第二項の規定は法第五条の五第一項に規定する指定の申請に、第三条から第十三条までの規定は指定構造計算適合判定資格者検定機関について準用する。

第三章　指定確認検査機関

（指定確認検査機関に係る指定の申請）
第一四条　法第七十七条の十八第一項の規定による指定を受けようとする者は、二以上の都道府県の区域において確認検査の業務を行おうとする場合にあっては国土交通大臣に、一の都道府県の区域において確認検査の業務を行おうとする場合にあっては当該都道府県知事に、別記第一号様式の指定確認検査機関指定申請書に次に掲げる書類を添えて、これを提出しなければならない。
一　定款及び登記事項証明書
二　申請の日の属する事業年度の前事業年度における財産目録及び貸借対照表。ただし、申請の日の属する事業年度に設立された法人にあっては、その設立時における財産目録とする。
三　申請の日の属する事業年度及び翌事業年度における事業計画書及び収支予算書で確認検査の業務に係る事項と他の業務に係る事項とを区分したもの
四　申請に係る意思の決定を証する書類
五　申請者が法人である場合においては、役員又は第十八条に規定する構成員の氏名及び略歴（構成員が法人である場合は、その法人の名称）を記載した書類
六　組織及び運営に関する事項を記載した書類
七　事務所の所在地を記載した書類
八　申請者（法人である場合においてはその役員）が法第七十七条の十九第一号及び第二号に該当しない旨の市町村（特別区を含む。以下同じ。）の長の証明書
八の二　申請者（法人である場合においてはその役員）が法第七十七条の十九第九号に該当しない者であることを誓約する書類
九　申請者が法人である場合においては、発行済株式総数の百分の五以上の株式を有する株主又は出資の総額の百分の五以上に相当する出資をしている者の氏名又は名称、住所及びその有する株式の数又はその者のなした出資の価額を記載した書類
十　別記第二号様式による確認検査の業務の予定件数を記載した書類
十の二　別記第二号の二様式による過去二十事業年度以内において確認検査を行った件数を記載した書類
十一　確認検査員又は副確認検査員の氏名及び略歴を記載した書類並びに当該確認検査員又は副確認検査員が建築基準適合判定資格者であることを証する書類
十二　現に行っている業務の概要を記載した書類
十三　確認検査の業務の実施に関する計画を記載した書類
十四　申請者の親会社等について、前各号（第三号、第四号、第十号から第十一号まで及び前号を除く。）に掲げる書類（この場合において、第五号及び第八号から第九号までの規定中「申請者」とあるのは「申請者の親会社等」と読み替えるものとする。）
十五　申請者が確認検査の業務を実施するに当たり第三者に損害を加えた場合において、その損害の賠償に関し当該申請者が負うべき第十七条第一項に規定する民事上の責任の履行を確保するために必要な金額を担保するための保険契約の締結その他の措置を講じている場合にあっては、当該措置の内容を証する書類

十六　その他参考となる事項を記載した書類

（指定確認検査機関に係る指定区分）

第一五条　法第七十七条の十八第二項の国土交通省令で定める確認検査の業務の区分は、次に掲げるものとする。

一　床面積の合計が五百平方メートル以内の建築物（当該建築物の計画に含まれる建築基準法施行令（昭和二十五年政令第三百三十八号。以下「令」という。）第百四十六条第一項各号に掲げる建築設備を含む。以下この条において同じ。）の建築確認を行う者としての指定

二　床面積の合計が五百平方メートル以内の建築物の完了検査及び中間検査を行う者としての指定

二の二　床面積の合計が五百平方メートル以内の建築物の仮使用認定（法第七条の六第一項第二号（法第八十七条の四又は法第八十八条第一項若しくは第二項において準用する場合を含む。）の規定による仮使用の認定をいう。以下同じ。）を行う者としての指定

三　床面積の合計が五百平方メートルを超え、二千平方メートル以内の建築物の建築確認を行う者としての指定

四　床面積の合計が五百平方メートルを超え、二千平方メートル以内の建築物の完了検査及び中間検査を行う者としての指定

四の二　床面積の合計が五百平方メートルを超え、二千平方メートル以内の建築物の仮使用認定を行う者としての指定

一　床面積の合計が三百平方メートル以内の建築物（当該建築物の計画に含まれる建築基準法施行令（昭和二十五年政令第三百三十八号。以下「令」という。）第百四十六条第一項各号に掲げる建築設備を含む。以下この条において同じ。）の建築確認を行う者としての指定

二　床面積の合計が三百平方メートル以内の建築物の完了検査及び中間検査を行う者としての指定

二の二　床面積の合計が三百平方メートル以内の建築物の仮使用認定（法第七条の六第一項第二号（法第八十七条の四又は法第八十八条第一項若しくは第二項において準用する場合を含む。）の規定による仮使用の認定をいう。以下同じ。）を行う者としての指定

三　床面積の合計が三百平方メートルを超え、二千平方メートル以内の建築物の建築確認を行う者としての指定

四　床面積の合計が三百平方メートルを超え、二千平方メートル以内の建築物の完了検査及び中間検査を行う者としての指定

四の二　床面積の合計が三百平方メートルを超え、二千平方メートル以内の建築物の仮使用認定を行う者としての指定

五　床面積の合計が二千平方メートルを超え、一万平方メートル以内の建築物の建築確認を行う者としての指定

六　床面積の合計が二千平方メートルを超え、一万平方メートル以内の建築物の完了検査及び中間検査を行う者としての指定

六の二　床面積の合計が二千平方メートルを超え、一万平方メートル以内の建築物の仮使用認定を行う者としての指定

七　床面積の合計が一万平方メートルを超える建築物の建築確認を行う者としての指定

八　床面積の合計が一万平方メートルを超える建築物の完了検査及び中間検査を行う者としての指定

八の二　床面積の合計が一万平方メートルを超える建築物の仮使用認定を行う者としての指定

九　小荷物専用昇降機以外の建築設備（建築物の計画に含まれるものを除く。次号において同じ。）の建築確認を行う者としての指定

十　小荷物専用昇降機以外の建築設備の完了検査及び中間検査を行う者としての指定

十一　小荷物専用昇降機（建築物の計画に含まれるものを除く。次号において同じ。）の建築確認を行う者としての指定

十二　小荷物専用昇降機の完了検査及び中間検査を行う者としての指定

十三　工作物の建築確認を行う者としての指定

十四　工作物の完了検査及び中間検査を行う者としての指定

十四の二　工作物の仮使用認定を行う者としての指定

（心身の故障により確認検査の業務を適正に行うことができない者）

第一五条の二　法第七十七条の十九第九号の国土交通省令で定める者は、精神の機能の障害により確認検査の業務を適正に行うに当たって必要な認知、判断及び意思疎通を適切に行うことができない者とする。

（確認検査員又は副確認検査員の数）

第一六条　法第七十七条の二十第一号の国土交通省令で定める数は、その事業年度において確認検査を行おうとする件数を、次の表の(い)欄に掲げる建築物、建築設備及び工作物の別並びに(ろ)欄に掲げる建築確認、完了検査、中間検査及び仮使用認定の別に応じて区分し、当該区分した件数をそれぞれ同表の(は)欄に掲げる値で除して得た数を合計したもの（一未満の端数は切り上げる。）とする。ただし、当該合計した数が二未満であるときは、二とする。

(い)	(ろ)	(は)
第十五条第一号から第二号の二までの建築物（法第六条第一項第四号に掲げる建築物及び法第六十八条の十第一項の認定（令第百三十六条の二の十一第一号に係る認定に限る。以下この条において同じ。）を受けた型式に適合する建築物の部分を有する建築物に限る。）	建築確認	二千六百
	完了検査	八百六十
	中間検査	八百六十
	仮使用認定	八百六十
第十五条第一号から第二号の二までの建築物（法第六条第一項第四号に掲げる建築物及び法第六十八条の十第一項の認定を受けた型式に適合する建築物の部分を有する建築物を除く。）	建築確認	五百九十
	完了検査	七百二十
	中間検査	七百八十
	仮使用認定	七百二十
第十五条第三号から第四号の二までの建築物	建築確認	三百六十
	完了検査	五百十
	中間検査	六百八十
	仮使用認定	五百十
第十五条第五号から第六号の二までの建築物	建築確認	二百三十
	完了検査	三百二十
	中間検査	四百五十
	仮使用認定	三百二十
第十五条第七号から第八号の二までの建築物	建築確認	二百
	完了検査	二百三十
	中間検査	三百四十
	仮使用認定	二百三十
第十五条第九号及び第十号の建築設備	建築確認	千三百
	完了検査	七百八十
	中間検査	二千二百
第十五条第十一号及び第十二号の小荷物専用昇降機	建築確認	二千六百
	完了検査	千
	中間検査	三千五百
第十五条第十三号から第十四号の二までの工作物	建築確認	千九百
	完了検査	千

区分	事項	金額
	中間検査	三千三百
	仮使用認定	千
第十五条第一号から第二号の二までの建築物（法第六条第一項第三号に掲げる建築物及び法第六十八条の十第一項の認定（令第百三十六条の二の十一第一号に係る認定に限る。以下この条において同じ。）を受けた型式に適合する建築物の部分を有する建築物に限る。）	〔略〕	
	完了検査（遠隔から検査を行う場合に限る。）	二千六百
	完了検査（実地に検査を行う場合に限る。）	八百六十
	中間検査（遠隔から検査を行う場合に限る。）	二千六百
	中間検査（実地に検査を行う場合に限る。）	八百六十
	仮使用認定（遠隔から検査を行う場合に限る。）	二千六百
	仮使用認定（実地に検査を行う場合に限る。）	八百六十
第十五条第一号から第二号の二までの建築物（法第六条第一項第三号に掲げる建築物及び法第六十八条の十第一項の認定を受けた型式に適合する建築物の部分を有する建築物を除く。）	建築確認	千三百
	完了検査（遠隔から検査を行う場合に限る。）	千六百
	完了検査（実地に検査を行う場合に限る。）	七百二十
	中間検査（遠隔から検査を行う場合に限る。）	二千
	中間検査（実地に検査を行う場合に限る。）	七百八十
	仮使用認定（遠隔から検査を行う場合に限る。）	千六百
	仮使用認定（実地に検査を行う場合に限る。）	七百二十
第十五条第三号から第四号の二までの建築物	〔略〕	
	完了検査（遠隔から検査を行う場合に限る。）	八百五十
	完了検査（実地に検査を行う場合に限る。）	五百十
	中間検査（遠隔から検査を行う場合に限る。）	千五百
	中間検査（実地に検査を行う場合に限る。）	六百八十
	仮使用認定（遠隔から検査を行う場合に限る。）	八百五十
	仮使用認定（実地に検査を行う場合に限る。）	五百十
第十五条第五号から第六号の二までの建築物	〔略〕	
	完了検査（遠隔から検査を行う場合に限る。）	四百三十
	完了検査	三百二十

第十五条第七号から第八号の二までの建築物		
	（実地に検査を行う場合に限る。）	
	中間検査（遠隔から検査を行う場合に限る。）	六百九十
	中間検査（実地に検査を行う場合に限る。）	四百五十
	仮使用認定（遠隔から検査を行う場合に限る。）	四百三十
	仮使用認定（実地に検査を行う場合に限る。）	三百二十
〔略〕		
	完了検査（遠隔から検査を行う場合に限る。）	二百八十
	完了検査（実地に検査を行う場合に限る。）	二百三十

〔略〕		
	中間検査（遠隔から検査を行う場合に限る。）	四百六十
	中間検査（実地に検査を行う場合に限る。）	三百四十
	仮使用認定（遠隔から検査を行う場合に限る。）	二百八十
	仮使用認定（実地に検査を行う場合に限る。）	二百三十

（指定確認検査機関の有する財産の評価額）

第一七条 法第七十七条の二十第三号の国土交通省令で定める額は、その者が確認検査の業務を実施するに当たり第三者に損害を加えた場合において、その損害の賠償に関し当該その者が負うべき国家賠償法（昭和二十二年法律第百二十五号）による責任その他の民事上の責任（同法の規定により当該確認検査に係る建築物又は工作物について法第六条第一項（法第八十七条第一項、法第八十七条の四又は法第八十八条第一項若しくは第二項において準用する場合を含む。）の規定による確認をする権限を有する建築主事又は建築副主事が置かれた市町村又は都道府県（第三十一条において「所轄特定行政庁」という。）が当該損害の賠償の責めに任ずる場合における求償に応ずる責任を含む。）の履行を確保するために必要な額として次に掲げるもののうちいずれか高い額とする。

一 三千万円。ただし、次のイ又はロのいずれかに該当する場合にあっては、それぞれ当該イ又はロに定める額とする。

イ 第十五条第五号から第六号の二までのいずれかの指定を受けようとする場合（ロに該当する場合を除く。） 一億円

ロ 第十五条第七号から第八号の二までのいずれかの指定を受けようとする場合 三億円

二 その事業年度において確認検査を行おうとする件数と当該事業年度の前事業年度から起算して過去二十事業年度以内において行った確認検査の件数の合計数を、次の表の(い)欄に掲げる建築物、建築設備及び工作物の別に応じて区分し、当該区分した件数にそれぞれ同表の(ろ)欄に掲げる額を乗じて得た額を合計した額

(い)	(ろ)
第十五条第一号から第二号の二までの建築物、同条第九号から第十二号までの建築設備及び同条第十三号から第十四号の二までの工作物	二百円
第十五条第三号から第四号の二までの建築物	六百円
第十五条第五号から第六号の二までの建築物	二千円
第十五条第七号から第八号の二までの建築物	九千円

2 法第七十七条の二十第三号の財産の評価額（第四項において「財産の評価額」という。）は、次に掲げる額の合計額とする。

一 その事業年度の前事業年度における貸借対照表に計上された資産（創業費その他の繰延資産及びのれんを除く。以下同じ。）の総額から当該貸借対照表に計上された負債の総額を控除した額

二 その者が確認検査の業務を実施するに当たり第三者に損害を加えた場合において、その損害の賠償に関し当該その者が負うべき前項に規定する民事上の責任の履行に必要な金額を担保するための保険契約を締結している場合にあっては、その契約の内容を証する書類に記載された保険金額

3 前項第一号の資産又は負債の価額は、資産又は負債の評価額が貸借対照表に計上された価額と異なることが明確であるときは、その評価額によって計算するものとする。

4 第二項の規定にかかわらず、前二項の規定により算定される額に増減があったことが明確であるときは、当該増減後の額を財産の評価額とするものとする。

（指定確認検査機関に係る構成員の構成）

第一八条 法第七十七条の二十第五号の国土交通省令で定める構成員は、次の各号に掲げる法人の種類ごとに、それぞれ当該各号に掲げるものとする。

一 一般社団法人又は一般財団法人 社員又は評議員

二 会社法（平成十七年法律第八十六号）第五百七十五条第一項の持分会社 社員

三 会社法第二条第一号の株式会社 株主

四　中小企業等協同組合法（昭和二十四年法律第百八十一号）第三条の事業協同組合、事業協同小組合及び企業組合　組合員
五　中小企業等協同組合法第三条の協同組合連合会　直接又は間接にこれらを構成する者
六　その他の法人　当該法人に応じて前各号に掲げる者に類するもの

（指定確認検査機関に係る名称等の変更の届出）

第一九条　指定確認検査機関は、法第七十七条の二十一第二項の規定によりその名称若しくは住所又は確認検査の業務を行う事務所の所在地を変更しようとするときは、別記第三号様式の指定確認検査機関変更届出書を、その指定をした国土交通大臣又は都道府県知事（以下この章において「国土交通大臣等」という。）に提出しなければならない。

（指定確認検査機関の業務区域の変更に係る認可の申請）

第二〇条　指定確認検査機関は、法第七十七条の二十二第一項の規定により業務区域の増加に係る認可の申請をしようとするときは、別記第四号様式の指定確認検査機関業務区域増加認可申請書に第十四条第一号から第五号まで、第七号、第十号、第十号の二、第十三号、第十五号及び第十六号に掲げる書類を添えて、これを国土交通大臣等に提出しなければならない。

（指定確認検査機関の業務区域の変更の届出）

第二一条　指定確認検査機関は、法第七十七条の二十二第二項の規定により業務区域の減少の届出をしようとするときは、別記第五号様式の指定確認検査機関業務区域減少届出書を国土交通大臣等に提出しなければならない。

（指定換えの手続）

第二二条　国土交通大臣若しくは地方整備局長又は都道府県知事は、指定確認検査機関が次の各号のいずれかに該当して引き続き確認検査の業務を行おうとする場合において、法第七十七条の十八第一項に規定する指定をしたときは、遅滞なく、その旨を、従前の指定をした都道府県知事又は国土交通大臣若しくは地方整備局長に通知するものとする。
一　国土交通大臣又は地方整備局長の指定を受けた者が一の都道府県の区域内において確認検査の業務を行おうとするとき。
二　都道府県知事の指定を受けた者が二以上の都道府県の区域内において確認検査の業務を行おうとするとき。

2　国土交通大臣又は地方整備局長は、指定確認検査機関が次の各号のいずれかに該当して引き続き確認検査の業務を行おうとする場合において、法第七十七条の十八第一項に規定する指定をしたときは、遅滞なく、その旨を、従前の指定をした地方整備局長又は国土交通大臣に通知するものとする。
一　国土交通大臣の指定を受けた者が一の地方整備局の管轄区域内であって二以上の都府県の区域内において確認検査の業務を行おうとするとき。
二　地方整備局長の指定を受けた者が二以上の地方整備局又は北海道開発局の管轄区域内において確認検査の業務を行おうとするとき。

3　従前の指定をした都道府県知事又は国土交通大臣若しくは地方整備局長は、前二項の通知を受けた場合においては、その従前の指定を取り消し、その旨を公示しなければならない。

（指定確認検査機関に係る指定の更新）

第二三条　第十四条から第十八条までの規定は、法第七十七条の二十三第一項の規定により指定確認検査機関が指定の更新を受けようとする場合について準用する。この場合において、第十六条及び第十七条第一項第二号中「その事業年度において確認検査を行おうとする件数」とあるのは、「指定の申請の日の属する事業年度の前事業年度において行った確認検査の件数」と読み替えるものとする。

（確認検査員又は副確認検査員の選任及び解任の届出）

第二四条　指定確認検査機関は、法第七十七条の二十四第四項の規定によりその確認検査員又は副確認検査員の選任又は解任を届け出ようとするときは、別記第六号様式の指定確認検査機関確認検査員選任等届出書を国土交通大臣等に提出しなければならない。

（確認検査業務規程の認可の申請）

第二五条　指定確認検査機関は、法第七十七条の二十七第一項前段の規定により確認検査業務規程の認可を受けようとするときは、別記第七号様式の指定確認検査機関確認検査業務規程認可申請書に当該認可に係る確認検査業務規程を添えて、これを国土交通大臣等に提出しなければならない。

2　指定確認検査機関は、法第七十七条の二十七第一項後段の規定により確認検査業務規程の変更の認可を受けようとするときは、別記第八号様式の指定確認検査機関確認検査業務規程変更認可申請書に当該変更の明細を記載した書面を添えて、これを国土交通大臣等に提出しなければならない。

（確認検査業務規程の記載事項）

第二六条　法第七十七条の二十七第二項の国土交通省令で定める事項は、次のとおりとする。
一　確認検査の業務を行う時間及び休日に関する事項
二　事務所の所在地及びその事務所が確認検査の業務を行う区域に関する事項
三　確認検査の業務の範囲に関する事項
四　確認検査の業務の実施方法に関する事項
五　確認検査に係る手数料の収納の方法に関する事項
六　確認検査員又は副確認検査員の選任及び解任に関する事項
七　確認検査の業務に関する秘密の保持に関する事項
八　確認検査員又は副確認検査員の配置に関する事項
九　確認検査を行う際に携帯する身分証及びその携帯に関する事項
十　確認検査の業務の実施体制に関する事項
十一　確認検査の業務の公正かつ適確な実施を確保するための措置に関する事項
十二　法第七十七条の二十九の二各号に掲げる書類の備置き及び閲覧に関する事項
十三　その他確認検査の業務の実施に関し必要な事項

（掲示等の記載事項等）

第二七条　法第七十七条の二十八の規定による国土交通省令で定める事項は、次のとおりとする。
一　指定の番号
二　指定の有効期間
三　機関の名称
四　代表者氏名
五　主たる事務所の住所及び電話番号
六　取り扱う建築物等
七　実施する業務の態様

2　法第七十七条の二十八の規定により指定確認検査機関が行う掲示及び公衆の閲覧は別記第九号様式によるものとする。

3　法第七十七条の二十八の規定による公衆の閲覧は、指定確認検査機関のウェブサイトへの掲載により行うものとする。

（帳簿）

第二八条　法第七十七条の二十九第一項の確認検査の業務に関する事項で国土交通省令で定めるものは、次のとおりとする。
一　次のイからニまでに掲げる区分に応じ、それぞれイからニまでに定める事項
イ　建築物　建築基準法施行規則（昭和二十五年建設省令第四十号。以下「施行規則」という。）別記第三号様式の建築計画概要書（第三面を除く。）に記載すべき事項
ロ　建築設備　施行規則別記第八号様式による申請書の第二面に記載すべき事項
ハ　法第八十八条第一項に規定する工作物　施行規則別記第十号様式（令第百三十八条第二項第一号に掲げる工作物にあっては、施行規則別記第八号様式（昇降機用））による申請書の第二面に記載すべき事項
ニ　法第八十八条第二項に規定する工作物　施行規則別記第十一号様式による申請書の第二面に記載すべき事項
二　法第六条の二第一項（法第八十七条第一項、法第八十七条の四又は法第八十八条第一項若しくは第二項において準用する場合を含む。）の規定による確認の引受けを行った年月日、法第七条の二第三項（法第八十七条の四又は法第八十八条第一項若しくは第二項において準用する場合を含む。次号において同じ。）及び法第七条の四第二項（法第八十七条の四又は法第八十八条第一項において準用する場合を含む。次号において同じ。）に規定する書面を交付した年月日並びに仮使用認定の引受けを行った年月日
三　法第七条の二第三項及び法第七条の四第二項の通知を行った年月日
四　法第七条の二第一項（法第八十七条の四又は法第八十八条第一項若しくは第二項において準用する場合を含む。）及び法第七条の四第一項（法第八十七条の四又は法第八十八条第一項において準用する場合を含む。）

の検査を行った年月日

五　当該建築物等に係る確認検査を実施した確認検査員又は副確認検査員の氏名

六　当該指定確認検査機関（次号において「機関」という。）が行った確認検査の結果

七　機関が交付した確認済証、検査済証、中間検査合格証及び施行規則別記第三十五号の三様式の仮使用認定通知書の番号並びにこれらを交付した年月日

八　当該建築物等に係る確認検査の業務に関する手数料の額

九　法第六条の二第五項（法第八十七条第一項、法第八十七条の四又は法第八十八条第一項若しくは第二項において準用する場合を含む。次条第三項において同じ。）、法第七条の二第六項（法第八十七条の四又は法第八十八条第一項若しくは第二項において準用する場合を含む。）、法第七条の四第六項（法第八十七条の四又は法第八十八条第一項において準用する場合を含む。）及び法第七条の六第三項（法第八十七条の四又は法第八十八条第一項若しくは第二項において準用する場合を含む。）の規定による報告を行った年月日

2　前項各号に掲げる事項が、電子計算機に備えられたファイル又は電磁的記録媒体に記録され、必要に応じ指定確認検査機関において電子計算機その他の機器を用いて明確に紙面に表示されるときは、当該記録をもって法第七十七条の二十九第一項に規定する帳簿への記載に代えることができる。

3　法第七十七条の二十九第一項に規定する帳簿（前項の規定による記録が行われた同項のファイル又は電磁的記録媒体を含む。）は、第三十一条の規定による引継ぎを完了するまで保存しなければならない。

（図書の保存）

第二九条　法第七十七条の二十九第二項の確認検査の業務に関する書類で国土交通省令で定めるものは、施行規則第三条の三において準用する施行規則第一条の三、施行規則第二条の二及び施行規則第三条、施行規則第四条の四の二において準用する施行規則第四条、施行規則第四条の十一の二において準用する施行規則第四条の八並びに施行規則第四条の十六第二項に規定する図書及び書類、施行規則第三条の五第三項第二号、施行規則第四条の七第三項第二号、施行規則第四条の十四第三項第二号及び施行規則第四条の十六の二第三項第二号に掲げる書類、法第六条の三第七項に規定する適合判定通知書又はその写し並びに建築物のエネルギー消費性能の向上等に関する法律（平成二十七年法律第五十三号）第十二条第六項に規定する適合判定通知書又はその写し（建築物のエネルギー消費性能の向上等に関する法律施行規則（平成二十八年国土交通省令第五号）第六条第一号に掲げる場合にあっては同号に規定する認定書の写し、同条第二号に掲げる場合にあっては同号に規定する通知書又はその写し、同条第三号に掲げる場合にあっては同号に規定する通知書又はその写し。）とする。

第二九条　法第七十七条の二十九第二項の確認検査の業務に関する書類で国土交通省令で定めるものは、施行規則第三条の三において準用する施行規則第一条の三、施行規則第二条の二及び施行規則第三条、施行規則第四条の四の二において準用する施行規則第四条、施行規則第四条の十一の二において準用する施行規則第四条の八並びに施行規則第四条の十六第二項に規定する図書及び書類、施行規則第三条の五第三項第二号、施行規則第四条の七第三項第二号、施行規則第四条の十四第三項第二号及び施行規則第四条の十六の二第三項第二号に掲げる書類、法第六条の三第七項に規定する適合判定通知書又はその写し並びに建築物のエネルギー消費性能の向上等に関する法律（平成二十七年法律第五十三号）第十一条第六項に規定する適合判定通知書又はその写し（建築物のエネルギー消費性能の向上等に関する法律施行規則（平成二十八年国土交通省令第五号）第八条第一号に掲げる場合にあっては同号に規定する認定書の写し、同条第二号に掲げる場合にあっては同号に規定する通知書又はその写し、同条第三号に掲げる場合にあっては同号に規定する通知書又はその写し。）とする。

2　前項の図書及び書類が、電子計算機に備えられたファイル又は電磁的記録媒体に記録され、必要に応じ指定確認検査機関において電子計算機その他の機器を用いて明確に紙面に表示されるときは、当該ファイル又は電磁的記録媒体をもって同項の図書及び書類に代えることができる。

3　法第七十七条の二十九第二項に規定する書類（前項の規定による記録が行われた同項のファイル又は電磁的記録媒体を含む。）は、当該建築物又は工作物に係る法第六条第一項又は法第六条の二第一項の規定による確認済証（計画の変更に係るものを除く。）の交付の日から十五年間保存しなければならない。

（書類の閲覧等）

第二九条の二　法第七十七条の二十九の二第四号の国土交通省令で定める書類は、次の各号に掲げるものとする。

一　定款及び登記事項証明書

二　財産目録、貸借対照表及び正味財産増減計算書又は損益計算書

三　法人である場合にあっては、役員及び構成員の氏名及び略歴を記載した書類

四　法人である場合にあっては、発行済株式総数の百分の五以上の株式を有する株主又は出資の総額の百分の五以上に相当する出資をしている者の氏名又は名称及びその有する株式の数又はその者のなした出資の価額を記載した書類

五　法人であって、その者の親会社等が指定構造計算適合性判定機関である場合にあっては、当該親会社等の名称及び住所を記載した書類

2　指定確認検査機関は、法第七十七条の二十九の二第一号及び前項第二号に定める書類を、事業年度ごとに当該事業年度経過後三月以内に作成し、遅滞なく確認検査の業務を行う事務所ごとに備え置くものとする。

3　指定確認検査機関は、法第七十七条の二十九の二第二号及び第三号並びに第一項第一号及び第三号から第五号までに定める書類に記載した事項に変更を生じたときは、遅滞なく、当該書類の記載を変更しなければならない。

4　法第七十七条の二十九の二各号の書類が、電子計算機に備えられたファイル又は電磁的記録媒体に記録され、必要に応じ確認検査の業務を行う事務所において電子計算機その他の機器を用いて明確に紙面に表示されるときは、当該ファイル又は電磁的記録媒体をもって同条各号の書類に代えることができる。この場合における同条の規定による閲覧は、当該ファイル又は電磁的記録媒体に記録されている事項を紙面又は入出力装置の映像面に表示する方法で行うものとする。

5　指定確認検査機関は、第二項の書類（前項の規定による記録が行われた同項のファイル又は電磁的記録媒体を含む。）を、当該書類を備え置いた日から起算して五年を経過する日までの間当該確認検査の業務を行う事務所に備え置くものとする。

6　指定確認検査機関は、法第七十七条の二十九の二各号の書類（第四項の規定による記録が行われた同項のファイル又は電磁的記録媒体を含む。）を閲覧に供するため、閲覧に関する規則を定め、確認検査の業務を行う事務所における備付けその他の適当な方法により公にしておかなければならない。

（監督命令に係る公示の方法）

第二九条の三　法第七十七条の三十第二項の規定による公示は、次に掲げる事項について、国土交通大臣にあっては官報で、都道府県知事にあっては当該都道府県の公報又はウェブサイトへの掲載その他の適切な方法で行うものとする。

一　監督命令をした年月日

二　監督命令を受けた指定確認検査機関の名称及び事務所の所在地並びにその者が法人である場合にあっては代表者の氏名

三　監督命令の内容

四　監督命令の原因となった事実

（特定行政庁による報告）

第二九条の四　法第七十七条の三十一第三項の規定による報告は、次に掲げる事項について、文書をもって行うものとする。

一　立入検査を行った指定確認検査機関の名称及び事務所の所在地

二　立入検査を行った年月日

三　法第七十七条の三十一第三項に規定する事実の概要及び当該事実を証する資料

四　その他特定行政庁が必要と認めること

（指定確認検査機関に係る業務の休廃止の届出）

第三〇条　指定確認検査機関は、法第七十七条の三十四第一項の規定により確認検査の業務の全部又は一部を休止し、又は廃止しようとするときは、別記第十号様式の指定確認検査機関業務休廃止届出書を国土交通大臣等に

提出しなければならない。

2　指定確認検査機関は、前項の規定による提出をしたときは、当該指定確認検査機関業務休廃止届出書の写しを、その業務区域を所轄する特定行政庁（都道府県知事にあっては、その指定をした都道府県知事を除く。）に送付しなければならない。

（処分の公示）

第三〇条の二　法第七十七条の三十五第三項の規定による公示は、次に掲げる事項について、国土交通大臣にあっては官報で、都道府県知事にあっては当該都道府県の公報又はウェブサイトへの掲載その他の適切な方法で行うものとする。

一　処分をした年月日

二　処分を受けた指定確認検査機関の名称及び事務所の所在地並びにその者が法人である場合にあっては代表者の氏名

三　処分の内容

四　処分の原因となった事実

（確認検査の業務の引継ぎ）

第三一条　指定確認検査機関（国土交通大臣等が法第七十七条の三十五第一項又は第二項の規定により指定確認検査機関の指定を取り消した場合にあっては、当該指定確認検査機関であった者。次項において同じ。）は、法第七十七条の三十四第一項の規定により確認検査の業務の全部を廃止したとき又は法第七十七条の三十五第一項又は第二項の規定により指定を取り消されたときは、次に掲げる事項を行わなければならない。

一　確認検査の業務を、所轄特定行政庁に引き継ぐこと。

二　法第七十七条の二十九第一項の帳簿を国土交通大臣等に、同条第二項の書類を所轄特定行政庁に引き継ぐこと。

三　その他国土交通大臣等又は所轄特定行政庁が必要と認める事項

2　指定確認検査機関は、前項第二号の規定により書類を引き継ごうとするときは、あらかじめ、引継ぎの方法、時期その他の事項について、所轄特定行政庁に協議しなければならない。

（指定確認検査機関）

第三一条の二　指定確認検査機関（国土交通大臣の指定に係るものに限る。）の名称及び住所、指定区分（当該指定確認検査機関が確認検査員を選任しないものである場合にあっては、指定区分及びその旨）、業務区域、確認検査の業務を行う事務所の所在地並びに確認検査の業務の開始の日は、国土交通大臣が官報で告示する。

第三章の二　指定構造計算適合性判定機関

（指定構造計算適合性判定機関に係る指定の申請）

第三一条の三　法第七十七条の三十五の二第一項の規定による指定を受けようとする者は、二以上の都道府県の区域において構造計算適合性判定の業務を行おうとする場合にあっては国土交通大臣に、一の都道府県の区域において構造計算適合性判定の業務を行おうとする場合にあっては当該都道府県知事に、別記第十号の二様式の指定構造計算適合性判定機関指定申請書に次に掲げる書類を添えて、これを提出しなければならない。

一　定款及び登記事項証明書

二　申請の日の属する事業年度の前事業年度における財産目録及び貸借対照表。ただし、申請の日の属する事業年度に設立された法人にあっては、その設立時における財産目録とする。

三　申請の日の属する事業年度及び翌事業年度における事業計画書及び収支予算書で構造計算適合性判定の業務に係る事項と他の業務に係る事項とを区分したもの

四　申請に係る意思の決定を証する書類

五　申請者が法人である場合においては、役員又は第十八条に規定する構成員の氏名及び略歴（構成員が法人である場合は、その法人の名称）を記載した書類

六　組織及び運営に関する事項を記載した書類

七　事務所の所在地を記載した書類

八　申請者（法人である場合においてはその役員）が法第七十七条の三十五の三第一号及び第二号に該当しない旨の市町村の長の証明書

九　申請者（法人である場合においてはその役員）が法第七十七条の三十五の三第九号に該当しない者であることを誓約する書類

十　申請者が法人である場合においては、発行済株式総数の百分の五以上の株式を有する株主又は出資の総額の百分の五以上に相当する出資をしている者の氏名又は名称、住所及びその有する株式の数又はその者のなした出資の価額を記載した書類

十の二　別記第十号の二の二様式による構造計算適合性判定の業務の予定件数を記載した書類

十の三　別記第十号の二の三様式による過去二十事業年度以内において構造計算適合性判定を行った件数を記載した書類

十一　構造計算適合性判定員の氏名及び略歴を記載した書類並びに当該構造計算適合性判定員が構造計算適合判定資格者であることを証する書類

十二　現に行っている業務の概要を記載した書類

十三　構造計算適合性判定の業務の実施に関する計画を記載した書類

十四　申請者の親会社等について、前各号（第三号、第四号、第十号の二から第十一号まで及び前号を除く。）に掲げる書類（この場合において、第五号及び第八号から第十号までの規定中「申請者」とあるのは「申請者の親会社等」と読み替えるものとする。）

十四の二　申請者が構造計算適合性判定の業務を実施するに当たり第三者に損害を加えた場合において、その損害の賠償に関し当該申請者が負うべき第三十一条の三の四第一項に規定する民事上の責任の履行を確保するために必要な金額を担保するための保険契約の締結その他の措置を講じている場合にあっては、当該措置の内容を証する書類

十五　その他参考となる事項を記載した書類

（心身の故障により構造計算適合性判定の業務を適正に行うことができない者）

第三一条の三の二　法第七十七条の三十五の三第九号の国土交通省令で定める者は、精神の機能の障害により構造計算適合性判定の業務を適正に行うに当たって必要な認知、判断及び意思疎通を適切に行うことができない者とする。

（構造計算適合性判定員の数）

第三一条の三の三　法第七十七条の三十五の四第一号の国土交通省令で定める数は、常勤換算方法で、構造計算適合性判定の件数（その事業年度において構造計算適合性判定を行おうとする件数を、次の表の(い)欄に掲げる構造計算適合性判定の別並びに(ろ)欄に掲げる建築物の別に応じて区分した件数をいう。）をそれぞれ同表の(は)欄に掲げる値で除して得た数を合計したもの（一未満の端数は切り上げる。）とする。ただし、当該合計した数が二未満であるときは、二とする。

(い)	(ろ)	(は)
特定構造計算基準又は特定増改築構造計算基準（法第二十条第一項第二号イ又は第三号イに規定するプログラムによる構造計算によって確かめられる安全性を有することに係る部分に限る。）に適合するかどうかの判定	床面積の合計が千平方メートル以内の建築物	四百八十
	床面積の合計が千平方メートルを超え、二千平方メートル以内の建築物	三百二十
	床面積の合計が二千平方メートルを超え、一万平方メートル以内の建築物	二百七十
	床面積の合計が一万平方メートルを超え、五万平方メートル以内の建築物	百九十
	床面積の合計が五万平方メートルを超える建築物	九十
特定構造計算基準又は特定増改築構造計算基準（法第二十条第一項第二号イに規定する方法による構造計算によって確かめられる安全性を有することに係る部分に限る。）に適合するかどうかの判定	床面積の合計が千平方メートル以内の建築物	二百四十
	床面積の合計が千平方メートルを超え、二千平方メートル以内の建築物	百六十
	床面積の合計が二千平方メートルを超え、一万平	百三十

方メートル以内の建築物	
床面積の合計が一万平方メートルを超え、五万平方メートル以内の建築物	九十
床面積の合計が五万平方メートルを超える建築物	四十

2　前項の常勤換算方法とは、指定構造計算適合性判定機関の構造計算適合性判定員（職員である者に限る。以下この項において同じ。）のそれぞれの勤務延べ時間数の総数を常勤の構造計算適合性判定員が勤務する時間数で除することにより常勤の構造計算適合性判定員の数に換算する方法をいう。

（指定構造計算適合性判定機関の有する財産の評価額）

第三十一条の三の四　法第七十七条の三十五の四第三号の国土交通省令で定める額は、その者が構造計算適合性判定の業務を実施するに当たり第三者に損害を加えた場合において、その損害の賠償に関し当該その者が負うべき国家賠償法による責任その他の民事上の責任（同法の規定により当該構造計算適合性判定に係る建築物について法第六条の三第一項の規定による構造計算適合性判定を行う権限を有する都道府県知事が統括する都道府県が当該損害の賠償の責めに任ずる場合における求償に応ずる責任を含む。）の履行を確保するために必要な額として次に掲げるもののうちいずれか高い額とする。

一　千五百万円。ただし、次のイ又はロのいずれかに該当する場合にあっては、それぞれ当該イ又はロに定める額とする。

イ　床面積の合計が二千平方メートルを超え、一万平方メートル以内の建築物に係る構造計算適合性判定を行おうとする場合（ロに該当する場合を除く。）　五千万円

ロ　床面積の合計が一万平方メートルを超える建築物に係る構造計算適合性判定を行おうとする場合　一億五千万円

二　その事業年度において構造計算適合性判定を行おうとする件数と当該事業年度の前事業年度から起算して過去二十事業年度以内において行った構造計算適合性判定の件数の合計数を、次の表の(い)欄に掲げる建築物の別に応じて区分し、当該区分した件数にそれぞれ同表の(ろ)欄に掲げる額を乗じて得た額を合計した額

(い)	(ろ)
床面積の合計が五百平方メートル以内の建築物	百円
床面積の合計が五百平方メートルを超え、二千平方メートル以内の建築物	三百円
床面積の合計が二千平方メートルを超え、一万平方メートル以内の建築物	千円
床面積の合計が一万平方メートルを超える建築物	四千五百円

2　第十七条第二項から第四項までの規定は、法第七十七条の三十五の四第三号の財産の評価額について準用する。この場合において、第十七条第二項第二号中「確認検査」とあるのは、「構造計算適合性判定」と読み替えるものとする。

（指定構造計算適合性判定機関に係る名称等の変更の届出）

第三十一条の四　指定構造計算適合性判定機関は、法第七十七条の三十五の五第二項の規定によりその名称又は住所を変更しようとするときは、別記第十号の三様式の指定構造計算適合性判定機関名称等変更届出書を、その指定した国土交通大臣又は都道府県知事（以下この章において「国土交通大臣等」という。）に提出しなければならない。

（指定構造計算適合性判定機関の業務区域の変更に係る認可の申請）

第三十一条の四の二　指定構造計算適合性判定機関は、法第七十七条の三十五の六第一項の規定により業務区域の増加又は減少に係る認可の申請をしようとするときは、別記第十号の三の二様式の指定構造計算適合性判定機関業務区域変更認可申請書に第三十一条の三第一号から第五号まで、第七号、第十号の二、第十号の三、第十三号、第十四号の二及び第十五号に掲げる書類を添えて、これを国土交通大臣等に提出しなければならない。

（指定構造計算適合性判定機関に係る指定の更新）

第三十一条の五　第三十一条の三から第三十一条の三の四までの規定は、法第七十七条の三十五の七第一項の規定により指定構造計算適合性判定機関が指定の更新を受けようとする場合について準用する。この場合において、第三十一条の三の三第一項及び第三十一条の三の四第一項第二号中「その事業年度において構造計算適合性判定を行おうとする件数」とあるのは、「指定の申請の日の属する事業年度の前事業年度において行った構造計算適合性判定の件数」と読み替えるものとする。

（委任都道府県知事に対する指定構造計算適合性判定機関に係る名称等の変更の届出）

第三十一条の六　国土交通大臣の指定に係る指定構造計算適合性判定機関は、法第七十七条の三十五の八第二項の規定によりその名称又は住所を変更しようとするときは、別記第十号の三様式の指定構造計算適合性判定機関名称等変更届出書を委任都道府県知事に、構造計算適合性判定の業務を行う事務所の所在地を変更しようとするときは、別記第十号の三の三様式の指定構造計算適合性判定機関事務所所在地変更届出書を関係委任都道府県知事に、提出しなければならない。

2　都道府県知事の指定に係る指定構造計算適合性判定機関は、法第七十七条の三十五の八第三項の規定により構造計算適合性判定の業務を行う事務所の所在地を変更しようとするときは、別記第十号の三の三様式の指定構造計算適合性判定機関事務所所在地変更届出書を、委任都道府県知事に提出しなければならない。

（構造計算適合性判定員の選任及び解任の届出）

第三十一条の七　指定構造計算適合性判定機関は、法第七十七条の三十五の九第三項の規定によりその構造計算適合性判定員の選任又は解任を届け出ようとするときは、別記第十号の四様式の指定構造計算適合性判定機関構造計算適合性判定員選任等届出書を国土交通大臣等に提出しなければならない。

2　指定構造計算適合性判定機関は、前項の規定による提出をしたときは、遅滞なく、その指定構造計算適合性判定機関構造計算適合性判定員選任等届出書の写しを、関係委任都道府県知事（その指定をした都道府県知事を除く。）に送付しなければならない。

（構造計算適合性判定業務規程の認可の申請）

第三十一条の八　指定構造計算適合性判定機関は、法第七十七条の三十五の十二第一項前段の規定により構造計算適合性判定業務規程の認可を受けようとするときは、別記第十号の五様式の指定構造計算適合性判定機関構造計算適合性判定業務規程認可申請書に当該認可に係る構造計算適合性判定業務規程を添えて、これを国土交通大臣等に提出しなければならない。

2　指定構造計算適合性判定機関は、法第七十七条の三十五の十二第一項後段の規定により構造計算適合性判定業務規程の変更の認可を受けようとするときは、別記第十号の六様式の指定構造計算適合性判定機関構造計算適合性判定業務規程変更認可申請書に当該変更の明細を記載した書面を添えて、これを国土交通大臣等に提出しなければならない。

3　指定構造計算適合性判定機関は、法第七十七条の三十五の十二第一項の認可を受けたときは、遅滞なく、その構造計算適合性判定業務規程を関係委任都道府県知事（その指定をした都道府県知事を除く。）に送付しなければならない。

（構造計算適合性判定業務規程の記載事項）

第三十一条の九　法第七十七条の三十五の十二第二項の国土交通省令で定める事項は、次のとおりとする。

一　構造計算適合性判定の業務を行う時間及び休日に関する事項

二　事務所の所在地及びその事務所が構造計算適合性判定の業務を行う区域に関する事項

三　構造計算適合性判定の業務の範囲に関する事項

四　構造計算適合性判定の業務の実施方法に関する事項

五　構造計算適合性判定に係る手数料の収納の方法に関する事項

六　構造計算適合性判定員の選任及び解任に関する事項

七　構造計算適合性判定の業務に関する秘密の保持に関する事項

八　構造計算適合性判定員の配置に関する事項

九　構造計算適合性判定の業務の実施体制に関する事項

十　構造計算適合性判定の業務の公正かつ適確な実施を確保するための措置に関する事項

十一　法第七十七条の三十五の十五各号に掲げる書類の備置き及び閲覧に関する事項
十二　その他構造計算適合性判定の業務の実施に関し必要な事項

（**掲示等の記載事項等**）
第三一条の九の二　法第七十七条の三十五の十三の規定による国土交通省令で定める事項は、次のとおりとする。
一　指定の番号
二　指定の有効期間
三　機関の名称
四　代表者氏名
五　主たる事務所の住所及び電話番号
六　委任都道府県知事
七　取り扱う建築物
2　法第七十七条の三十五の十三の規定により指定構造計算適合性判定機関が行う掲示及び公衆の閲覧は別記第十号の六の二様式によるものとする。
3　法第七十七条の三十五の十三の規定による公衆の閲覧は、指定構造計算適合性判定機関のウェブサイトへの掲載により行うものとする。

（**帳簿**）
第三一条の一〇　法第七十七条の三十五の十四第一項の構造計算適合性判定の業務に関する事項で国土交通省令で定めるものは、次のとおりとする。
一　別記第十八号の二様式による申請書の第二面及び第三面並びに別記第四十二号の十二の二様式による通知書の第二面及び第三面に記載すべき事項
二　法第十八条の二第四項において読み替えて適用する法第六条の三第一項の規定による構造計算適合性判定の申請を受理した年月日及び法第十八条の二第四項において読み替えて適用する法第十八条第四項の規定による通知を受けた年月日
三　構造計算適合性判定を実施した構造計算適合性判定員の氏名
四　構造計算適合性判定の結果
五　構造計算適合性判定の結果を記載した通知書の番号及びこれを交付した年月日
六　構造計算適合性判定の業務に関する手数料の額
2　前項各号に掲げる事項が、電子計算機に備えられたファイル又は電磁的記録媒体に記録され、必要に応じ指定構造計算適合性判定機関において電子計算機その他の機器を用いて明確に紙面に表示されるときは、当該記録をもって法第七十七条の三十五の十四第一項に規定する帳簿への記載に代えることができる。
3　法第七十七条の三十五の十四第一項に規定する帳簿（前項の規定による記録が行われた同項のファイル又は電磁的記録媒体を含む。）は、第三十一条の十四の規定による引継ぎを完了するまで保存しなければならない。

（**図書の保存**）
第三一条の一一　法第七十七条の三十五の十四第二項の構造計算適合性判定の業務に関する書類で国土交通省令で定めるものは、施行規則第三条の十において準用する施行規則第三条の七（施行規則第八条の二第七項において準用する場合を含む。）に規定する図書及び書類とする。
2　前項の図書及び書類が、電子計算機に備えられたファイル又は電磁的記録媒体に記録され、必要に応じ指定構造計算適合性判定機関において電子計算機その他の機器を用いて明確に紙面に表示されるときは、当該ファイル又は電磁的記録媒体をもって同項の図書及び書類に代えることができる。
3　法第七十七条の三十五の十四第二項に規定する書類（前項の規定による記録が行われた同項のファイル又は電磁的記録媒体を含む。）は、法第十八条の二第四項の規定により読み替えて適用する法第六条の三第四項又は法第十八条第七項の規定による通知書の交付の日から十五年間保存しなければならない。

（**書類の閲覧等**）
第三一条の一一の二　法第七十七条の三十五の十五第四号の国土交通省令で定める書類は、次の各号に掲げるものとする。
一　定款及び登記事項証明書
二　財産目録、貸借対照表及び正味財産増減計算書又は損益計算書
三　法人である場合にあっては、役員及び構成員の氏名及び略歴を記載した書類
四　法人である場合にあっては、発行済株式総数の百分の五以上の株式を有する株主又は出資の総額の百分の五以上に相当する出資をしている者の氏名又は名称及びその有する株式の数又はその者のなした出資の価額を記載した書類
五　法人であって、その者の親会社等が指定確認検査機関である場合にあっては、当該親会社等の名称及び住所を記載した書類
2　指定構造計算適合性判定機関は、法第七十七条の三十五の十五第一号及び前項第二号に定める書類を、事業年度ごとに当該事業年度経過後三月以内に作成し、遅滞なく構造計算適合性判定の業務を行う事務所ごとに備え置くものとする。
3　指定構造計算適合性判定機関は、法第七十七条の三十五の十五第二号及び第三号並びに第一項第一号及び第三号から第五号までに定める書類に記載した事項に変更を生じたときは、遅滞なく、当該書類の記載を変更しなければならない。
4　法第七十七条の三十五の十五各号の書類が、電子計算機に備えられたファイル又は電磁的記録媒体に記録され、必要に応じ構造計算適合性判定の業務を行う事務所において電子計算機その他の機器を用いて明確に紙面に表示されるときは、当該ファイル又は電磁的記録媒体をもって同条各号の書類に代えることができる。この場合における同条の規定による閲覧は、当該ファイル又は電磁的記録媒体に記録されている事項を紙面又は入出力装置の映像面に表示する方法で行うものとする。
5　指定構造計算適合性判定機関は、第二項の書類（前項の規定による記録が行われた同項のファイル又は電磁的記録媒体を含む。）を、当該書類を備え置いた日から起算して五年を経過する日までの間当該構造計算適合性判定の業務を行う事務所に備え置くものとする。
6　指定構造計算適合性判定機関は、法第七十七条の三十五の十五各号の書類（第四項の規定による記録が行われた同項のファイル又は電磁的記録媒体を含む。）を閲覧に供するため、閲覧に関する規則を定め、構造計算適合性判定の業務を行う事務所における備付けその他の適当な方法により公にしておかなければならない。

（**監督命令に係る公示の方法**）
第三一条の一一の三　法第七十七条の三十五の十六第二項の規定による公示は、次に掲げる事項について、国土交通大臣にあっては官報で、都道府県知事にあっては当該都道府県の公報又はウェブサイトへの掲載その他の適切な方法で行うものとする。
一　監督命令をした年月日
二　監督命令を受けた指定構造計算適合性判定機関の名称及び事務所の所在地並びにその者が法人である場合にあっては代表者の氏名
三　監督命令の内容
四　監督命令の原因となった事実

（**委任都道府県知事による報告**）
第三一条の一一の四　法第七十七条の三十五の十七第二項の規定による報告は、次に掲げる事項について、文書をもって行うものとする。
一　立入検査を行った指定構造計算適合性判定機関の名称及び事務所の所在地
二　立入検査を行った年月日
三　法第七十七条の三十五の十七第一項に規定する事実の概要及び当該事実を証する資料
四　その他委任都道府県知事が必要と認めること

（**指定構造計算適合性判定機関に係る業務の休廃止の許可の申請**）
第三一条の一二　指定構造計算適合性判定機関は、法第七十七条の三十五の十八第一項の規定により構造計算適合性判定の業務の全部又は一部を休止し、又は廃止しようとするときは、別記第十号の七様式の指定構造計算適合性判定機関業務休廃止許可申請書を国土交通大臣等に提出しなければならない。

（**処分の公示**）
第三一条の一三　法第七十七条の三十五の十九第三項の規定による公示は、次に掲げる事項について、国土交通大臣にあっては官報で、都道府県知事にあっては都道府県の公報又はウェブサイトへの掲載その他の適切な方法で行うものとする。
一　処分をした年月日
二　処分を受けた指定構造計算適合性判定機関の名称及び事務所の所在地並びにその者が法人である場合にあっては代表者の氏名
三　処分の内容

四　処分の原因となった事実

（構造計算適合性判定の業務の引継ぎ）

第三十一条の十四　指定構造計算適合性判定機関（国土交通大臣等が法第七十七条の三十五の十九第一項又は第二項の規定により指定構造計算適合性判定機関の指定を取り消した場合にあっては、当該指定構造計算適合性判定機関であった者）は、法第七十七条の三十五の二十一第三項に規定する場合には、次に掲げる事項を行わなければならない。

一　構造計算適合性判定の業務を、委任都道府県知事に引き継ぐこと。

二　法第七十七条の三十五の十四第一項の帳簿を国土交通大臣等に、同条第二項の書類を委任都道府県知事に引き継ぐこと。

三　その他国土交通大臣等又は委任都道府県知事が必要と認める事項

2　指定構造計算適合性判定機関は、前項第二号の規定により書類を引き継ごうとするときは、あらかじめ、引継ぎの方法、時期その他の事項について、委任都道府県知事に協議しなければならない。

（準用）

第三十一条の十五　第二十二条の規定は、法第七十七条の三十五の二第一項に規定する指定をしたときについて準用する。

第四章　指定認定機関

（指定認定機関に係る指定の申請）

第三十二条　法第七十七条の三十六第一項の規定による指定を受けようとする者は、別記第十一号様式の指定認定機関指定申請書に次に掲げる書類を添えて、これを国土交通大臣に提出しなければならない。

一　定款及び登記事項証明書

二　申請の日の属する事業年度の前事業年度における財産目録及び貸借対照表。ただし、申請の日の属する事業年度に設立された法人にあっては、その設立時における財産目録とする。

三　申請の日の属する事業年度及び翌事業年度における事業計画書及び収支予算書で認定等の業務に係る事項と他の業務に係る事項とを区分したもの

四　申請に係る意思の決定を証する書類

五　申請者が法人である場合においては、役員又は第十八条に規定する構成員の氏名及び略歴（構成員が法人である場合は、その法人の名称）を記載した書類

六　組織及び運営に関する事項を記載した書類

七　事務所の所在地を記載した書類

八　申請者（法人である場合においてはその役員）が法第七十七条の三十七第一号及び第二号に該当しない旨の市町村の長の証明書

九　申請者（法人である場合においてはその役員）が法第七十七条の三十七第五号に該当しない者であることを誓約する書類

十　申請者が法人である場合においては、発行済株式総数の百分の五以上の株式を有する株主又は出資の総額の百分の五以上に相当する出資をしている者の氏名又は名称、住所及びその有する株式の数又はその者のなした出資の価額を記載した書類

十一　認定員の氏名及び略歴を記載した書類

十二　現に行っている業務の概要を記載した書類

十三　認定等の業務の実施に関する計画を記載した書類

十四　その他参考となる事項を記載した書類

（指定認定機関に係る指定の区分）

第三十三条　法第七十七条の三十六第二項の国土交通省令で定める区分は、行おうとする処分について次に掲げるものとする。

一　型式適合認定を行う者としての指定

二　型式部材等に係る法第六十八条の十一第一項の規定による認証及び法第六十八条の十四第一項の規定による認証の更新並びに法第六十八条の十一第三項の規定による公示を行う者としての指定

三　型式部材等に係る法第六十八条の二十二第一項の規定による認証及び法第六十八条の二十二第二項において準用する法第六十八条の十四第一項の規定による認証の更新並びに法第六十八条の二十二第二項において準用する法第六十八条の十一第三項の規定による公示を行う者としての指定

2　前項各号に掲げる指定の申請は、次に掲げる建築物の部分又は工作物の部分の区分を明らかにして行うものとする。

一　令第百三十六条の二の十一第一号に掲げる建築物の部分

二　防火設備

二の二　換気設備

三　屎尿浄化槽又は合併処理浄化槽

四　非常用の照明装置

五　給水タンク又は貯水タンク

六　冷却塔設備

七　エレベーターの部分で昇降路及び機械室以外のもの

八　エスカレーター

九　避雷設備

十　乗用エレベーターで観光のためのもの（一般交通の用に供するものを除く。）の部分で、昇降路及び機械室以外のもの

十一　エスカレーターで観光のためのもの（一般交通の用に供するものを除く。）の部分で、トラス又ははりを支える部分以外のもの

十二　ウォーターシュート、コースターその他これらに類する高架の遊戯施設又はメリーゴーラウンド、観覧車、オクトパス、飛行塔その他これらに類する回転運動をする遊戯施設で原動機を使用するものの部分のうち、かご、車両その他人を乗せる部分及びこれを支え、又は吊る構造上主要な部分並びに非常止め装置の部分

（心身の故障により認定等の業務を適正に行うことができない者）

第三十三条の二　法第七十七条の三十七第五号の国土交通省令で定める者は、精神の機能の障害により認定等の業務を適正に行うに当たって必要な認知、判断及び意思疎通を適切に行うことができない者とする。

（指定認定機関に係る名称等の変更の届出）

第三十四条　指定認定機関は、法第七十七条の三十九第二項の規定によりその名称若しくは住所又は認定等の業務を行う事務所の所在地を変更しようとするときは、別記第十二号様式の指定認定機関変更届出書を国土交通大臣に提出しなければならない。

（指定認定機関の業務区域の変更に係る許可の申請）

第三十五条　指定認定機関は、法第七十七条の四十第一項の規定により業務区域の増加又は減少に係る許可の申請をしようとするときは、別記第十三号様式の指定認定機関業務区域変更許可申請書に第三十二条第一号から第五号まで、第七号、第十三号及び第十四号に掲げる書類を添えて、これを国土交通大臣に提出しなければならない。

（指定認定機関に係る指定の更新）

第三十六条　法第七十七条の四十一第一項の規定により、指定認定機関が指定の更新を受けようとする場合は、第三十二条及び第三十三条の規定を準用する。

（認定等の方法）

第三十七条　法第七十七条の四十二第一項の国土交通省令で定める方法は、次の各号に掲げる処分の区分に応じ、それぞれ当該各号に定めるものとする。

一　型式適合認定　次に定める方法に従い、認定員二名以上によって行うこと。

イ　施行規則第十条の五の二に規定する型式適合認定申請書及びその添付図書をもって、当該申請に係る建築物の部分又は工作物の部分ごとに、それぞれ令第百三十六条の二の十一各号又は令第百四十四条の二に掲げる一連の規定に適合しているかどうかについて審査を行うこと。

ロ　審査を行うに際し、書類の記載事項に疑義があり、提出された書類のみでは令第百三十六条の二の十一各号又は令第百四十四条の二に掲げる一連の規定に適合しているかどうかの判断ができないと認めるときは、追加の書類を求めて審査を行うこと。

二　型式部材等製造者の認証（法第六十八条の十一第一項（法第八十八条第一項において準用する場合を含む。以下同じ。）又は法第六十八条の二十二第一項（法第八十八条第一項において準用する場合を含む。以下同じ。）の規定による認証及び法第六十八条の十四第一項（法第六十八条の二十二第二項（法第八十八条第一項において準用する場合を含む。以下同じ。）及び法第八十八条第一項において準用する場合を含む。以下同じ。）の規定による認証の更新をいう。以下同じ。）　次に定める方法に従い、認定員二名以上によって行うこと。

イ　施行規則第十条の五の五に規定する型式部材等製造者認証申請書及びその添付図書をもって行うこと。

ロ　審査を行うに際し、書類の記載事項に疑義があり、提出された書類

のみでは法第六十八条の十三各号に掲げる基準に適合しているかどうかの判断ができないと認めるときは、追加の書類を求めて審査を行うこと。

ハ　施行規則第十一条の二の三第二項各号に掲げる場合を除き、当該申請に係る工場その他の事業場（以下この章において「工場等」という。）において実地に行うこと。

（認定員の要件）

第三八条　法第七十七条の四十二第二項の国土交通省令で定める要件は、次の各号に掲げる場合に応じ、それぞれ当該各号に該当する者であることとする。

一　型式適合認定を行う場合　次のイからニまでのいずれかに該当する者

イ　学校教育法に基づく大学又はこれに相当する外国の学校において建築学、機械工学、電気工学、衛生工学その他の認定等の業務に関する科目を担当する教授若しくは准教授の職にあり、又はあった者

ロ　建築、機械、電気若しくは衛生その他の認定等の業務に関する分野の試験研究機関において試験研究の業務に従事し、又は従事した経験を有する者で、かつ、これらの分野について高度の専門的知識を有する者

ハ　一級建築基準適合判定資格者検定に合格した者で、かつ、建築物の敷地、構造及び建築設備の安全上、防火上又は衛生上の観点からする審査又は検査に係る部門の責任者としてこれらの業務に関して三年以上の実務の経験を有する者

ニ　国土交通大臣がイからハまでに掲げる者と同等以上の知識及び経験を有すると認める者

二　型式部材等製造者の認証を行う場合　次のイからハまでのいずれかに該当する者

イ　前号イからハまでのいずれかに該当する者

ロ　建築材料又は建築物の部分の製造、検査又は品質管理（工場等で行われるものに限る。）に係る部門の責任者としてこれらの業務に関して五年以上の実務の経験を有する者

ハ　国土交通大臣がイ又はロに掲げる者と同等以上の知識及び経験を有すると認める者

（認定員の選任及び解任の届出）

第三九条　指定認定機関は、法第七十七条の四十二第三項の規定によりその認定員の選任又は解任を届け出ようとするときは、別記第十四号様式の指定認定機関認定員選任等届出書を国土交通大臣に提出しなければならない。

（認定等業務規程の認可の申請）

第四〇条　指定認定機関は、法第七十七条の四十五第一項前段の規定により認定等業務規程の認可を受けようとするときは、別記第十五号様式の指定認定機関認定等業務規程認可申請書に当該認可に係る認定等業務規程を添えて、これを国土交通大臣に提出しなければならない。

２　指定認定機関は、法第七十七条の四十五第一項後段の規定により認定等業務規程の変更の認可を受けようとするときは、別記第十六号様式の指定認定機関認定等業務規程変更認可申請書に当該変更の明細を記載した書面を添えて、これを国土交通大臣に提出しなければならない。

（認定等業務規程の記載事項）

第四一条　法第七十七条の四十五第二項の国土交通省令で定める事項は、次のとおりとする。

一　認定等の業務を行う時間及び休日に関する事項

二　事務所の所在地及びその事務所が認定等の業務を行う区域に関する事項

三　認定等の業務の範囲に関する事項

四　認定等の業務の実施方法に関する事項

五　認定等に係る手数料の収納の方法に関する事項

六　認定員の選任及び解任に関する事項

七　認定等の業務に関する秘密の保持に関する事項

八　認定等の業務の実施体制に関する事項

九　認定等の業務の公正かつ適確な実施を確保するための措置に関する事項

十　その他認定等の業務の実施に関し必要な事項

（指定認定機関による認定等の報告）

第四二条　指定認定機関は、法第六十八条の二十四第一項に規定する認定等を行ったときは、遅滞なく、次の各号に掲げる場合の区分に応じ、それぞれ当該各号に定める方法により、国土交通大臣に報告しなければならない。

一　型式適合認定を行った場合　別記第十七号様式による報告書に型式適合認定書の写しを添えて行う。

二　法第六十八条の二十四第一項の認証を行った場合　別記第十八号様式による報告書に型式部材等製造者認証書の写しを添えて行う。

三　法第六十八条の二十四第一項の認証の更新を行った場合　別記第十九号様式による報告書に型式部材等製造者認証書の写しを添えて行う。

（帳簿）

第四三条　法第七十七条の四十七第一項の認定等の業務に関する事項で国土交通省令で定めるものは、次のとおりとする。

一　認定等を申請した者の氏名又は名称及び住所又は主たる事務所の所在地

二　認定等の対象となるものの概要として次に定めるもの

イ　型式適合認定にあっては、認定の申請に係る建築物の部分又は工作物の部分の種類、名称、構造、材料その他の概要

ロ　型式部材等製造者の認証にあっては、認証の申請に係る工場等の名称、所在地その他の概要及び製造をする型式部材等に係る型式適合認定番号その他の概要

三　認定等の申請を受けた年月日

四　型式部材等製造者の認証にあっては、実地検査を行った年月日

五　型式適合認定にあっては審査を行った認定員の氏名、型式部材等製造者の認証にあっては実地検査又は審査を行った認定員の氏名

六　審査の結果（認定等をしない場合にあっては、その理由を含む。）

七　認定番号又は認証番号及び型式適合認定書又は型式部材等製造者認証書を通知した年月日（認定等をしない場合にあっては、その旨を通知した年月日）

八　法第七十七条の四十六第一項の規定による報告を行った年月日

九　認定等に係る公示の番号及び公示を行った年月日

２　前項各号に掲げる事項が、電子計算機に備えられたファイル又は電磁的記録媒体に記録され、必要に応じ指定認定機関において電子計算機その他の機器を用いて明確に紙面に表示されるときは、当該記録をもって法第七十七条の四十七第一項に規定する帳簿への記載に代えることができる。

３　法第七十七条の四十七第一項に規定する帳簿（前項の規定による記録が行われた同項のファイル又は電磁的記録媒体を含む。）は、第四十六条の規定による引継ぎを完了するまで保存しなければならない。

（図書の保存）

第四四条　法第七十七条の四十七第二項の認定等の業務に関する書類で国土交通省令で定めるものは、次の各号に掲げる認定等の業務の区分に応じ、それぞれ当該各号に定める図書とする。

一　型式適合認定　施行規則第十条の五の二第一項に規定する型式適合認定申請書及びその添付図書並びに型式適合認定書の写しその他審査の結果を記載した図書

二　型式部材等製造者の認証　施行規則第十条の五の五に規定する型式部材等製造者認証申請書及びその添付図書並びに型式部材等製造者認証書の写しその他審査の結果を記載した図書

２　前項各号の図書が、電子計算機に備えられたファイル又は電磁的記録媒体に記録され、必要に応じ指定認定機関において電子計算機その他の機器を用いて明確に紙面に表示されるときは、当該ファイル又は電磁的記録媒体をもって同項各号の図書に代えることができる。

３　法第七十七条の四十七第二項に規定する書類（前項の規定による記録が行われた同項のファイル又は電磁的記録媒体を含む。）は、当該認定又は認証が取り消された場合を除き、型式適合認定の業務に係るものにあっては第四十六条の規定による引継ぎ（型式適合認定の業務に係る部分に限る。）を完了するまで、型式部材等製造者の認証の業務に係るものにあっては五年間保存しなければならない。

（指定認定機関に係る業務の休廃止の許可の申請）

第四五条　指定認定機関は、法第七十七条の五十第一項の規定により認定等の業務の全部又は一部を休止し、又は廃止しようとするときは、別記第二十号様式の指定認定機関業務休廃止許可申請書を国土交通大臣に提出しなければならない。

（処分の公示）

第四五条の二　法第七十七条の五十一第三項の規定による公示は、次に掲げ

る事項について、官報で行うものとする。
一　処分をした年月日
二　処分を受けた指定認定機関の名称及び事務所の所在地並びにその者が法人である場合にあっては代表者の氏名
三　処分の内容
四　処分の原因となった事実

（認定等の業務の引継ぎ）
第四六条　指定認定機関（国土交通大臣が法第七十七条の五十一第一項又は第二項の規定により指定認定機関の指定を取り消した場合にあっては、当該指定認定機関であった者）は、法第七十七条の五十二第三項に規定する場合には、次に掲げる事項を行わなければならない。
一　認定等の業務を国土交通大臣に引き継ぐこと。
二　認定等の業務に関する帳簿及び書類を国土交通大臣に引き継ぐこと。
三　その他国土交通大臣が必要と認める事項

（指定認定機関）
第四六条の二　指定認定機関の名称及び住所、指定の区分、業務区域、認定等の業務を行う事務所の所在地並びに認定等の業務の開始の日は、国土交通大臣が官報で告示する。

第五章　承認認定機関

（承認認定機関に係る承認の申請）
第四七条　法第七十七条の五十四第一項の規定による承認を受けようとする者は、別記第二十一号様式の承認認定機関承認申請書に次に掲げる書類を添えて、これを国土交通大臣に提出しなければならない。
一　定款及び登記事項証明書又はこれらに準ずるもの
二　申請の日の属する事業年度の前事業年度における財産目録及び貸借対照表その他経理的基礎を有することを明らかにする書類（以下この号及び第七十二条第二号において「財産目録等」という。）。ただし、申請の日の属する事業年度に設立された法人にあっては、その設立時における財産目録とする。
三　申請者（法人である場合においてはその役員）が法第七十七条の三十七第一号及び第二号に該当しない旨を明らかにする書類
四　第三十二条第三号から第七号まで及び第九号から第十四号までに掲げる書類

（承認認定機関に係る名称等の変更の届出）
第四八条　承認認定機関は、法第七十七条の五十四第二項において準用する法第七十七条の三十九第二項の規定によりその名称若しくは住所又は認定等の業務を行う事務所の所在地を変更しようとするときは、別記第二十二号様式の承認認定機関変更届出書を国土交通大臣に提出しなければならない。

（承認認定機関の業務区域の変更に係る認可の申請）
第四九条　承認認定機関は、法第七十七条の五十四第二項において準用する法第七十七条の二十二第一項の規定により業務区域の増加に係る認可の申請をしようとするときは、別記第二十三号様式の承認認定機関業務区域増加認可申請書に第三十二条第三号から第五号まで、第七号、第十三号及び第十四号並びに第四十七条第一号及び第二号に掲げる書類を添えて、これを国土交通大臣に提出しなければならない。

（承認認定機関の業務区域の変更の届出）
第五〇条　承認認定機関は、法第七十七条の五十四第二項において準用する法第七十七条の二十二第二項の規定により業務区域の減少の届出をしようとするときは、別記第二十四号様式の承認認定機関業務区域減少届出書を国土交通大臣に提出しなければならない。

（認定員の選任及び解任の届出）
第五一条　承認認定機関は、法第七十七条の五十四第二項において準用する法第七十七条の四十二第三項の規定によりその認定員の選任又は解任を届け出ようとするときは、別記第二十五号様式の承認認定機関認定員選任等届出書を国土交通大臣に提出しなければならない。

（認定等業務規程の認可の申請）
第五二条　承認認定機関は、法第七十七条の五十四第二項において準用する法第七十七条の四十五第一項前段の規定により認定等業務規程の認可を受けようとするときは、別記第二十六号様式の承認認定機関認定等業務規程認可申請書に当該認可に係る認定等業務規程を添えて、これを国土交通大臣に提出しなければならない。
２　承認認定機関は、法第七十七条の五十四第二項において準用する法第七十七条の四十五第一項後段の規定により認定等業務規程の変更の認可を受けようとするときは、別記第二十七号様式の承認認定機関認定等業務規程変更認可申請書に当該変更の明細を記載した書面を添えて、これを国土交通大臣に提出しなければならない。

（承認認定機関に係る業務の休廃止の届出）
第五三条　承認認定機関は、法第七十七条の五十四第二項において準用する法第七十七条の三十四第一項の規定により認定等の業務の全部又は一部を休止し、又は廃止しようとするときは、別記第二十八号様式の承認認定機関業務休廃止届出書を国土交通大臣に提出しなければならない。

（旅費の額）
第五四条　令第百三十六条の二の十三の旅費の額に相当する額（以下「旅費相当額」という。）は、国家公務員等の旅費に関する法律（昭和二十五年法律第百十四号。以下「旅費法」という。）の規定により支給すべきこととなる旅費の額とする。この場合において、当該検査のためその地に出張する職員は、一般職の職員の給与等に関する法律（昭和二十五年法律第九十五号）第六条第一項第一号イに規定する行政職俸給表(一)による職務の級が六級である者であるものとしてその旅費の額を計算するものとする。

（在勤官署の所在地）
第五五条　旅費相当額を計算する場合において、当該検査のため、その地に出張する職員の旅費法第二条第一項第六号の在勤官署の所在地は、東京都千代田区霞が関二丁目一番三号とする。

（旅費の額の計算に係る細目）
第五六条　旅費法第六条第一項の支度料は、旅費相当額に算入しない。
２　検査を実施する日数は、当該検査に係る事務所ごとに三日として旅費相当額を計算する。
３　旅費法第六条第一項の旅行雑費は、一万円として旅費相当額を計算する。
４　国土交通大臣が、旅費法第四十六条第一項の規定により、実費を超えることとなる部分又は必要としない部分の旅費を支給しないときは、当該部分に相当する額は、旅費相当額に算入しない。

（準用）
第五七条　第三十三条の規定は法第七十七条の五十四第一項の規定による承認の申請に、第三十三条の二及び第三十六条の規定は法第六十八条の二十四第三項の規定による承認に、第三十七条、第三十八条及び第四十一条から第四十四条までの規定は承認認定機関について準用する。

第六章　指定性能評価機関

（指定性能評価機関に係る指定の申請）
第五八条　法第七十七条の五十六第一項の規定による指定を受けようとする者は、別記第二十九号様式の指定性能評価機関指定申請書に次に掲げる書類を添えて、これを国土交通大臣に提出しなければならない。
一　定款及び登記事項証明書
二　申請の日の属する事業年度の前事業年度における財産目録及び貸借対照表。ただし、申請の日の属する事業年度に設立された法人にあっては、その設立時における財産目録とする。
三　申請の日の属する事業年度及び翌事業年度における事業計画書及び収支予算書で性能評価の業務に係る事項と他の業務に係る事項とを区分したもの
四　申請に係る意思の決定を証する書類
五　申請者が法人である場合においては、役員又は第十八条に規定する構成員の氏名及び略歴（構成員が法人である場合は、その法人の名称）を記載した書類
六　組織及び運営に関する事項を記載した書類
七　事務所の所在地を記載した書類
八　申請者（法人である場合においてはその役員）が法第七十七条の三十七第一号及び第二号に該当しない旨の市町村の長の証明書
九　申請者（法人である場合においてはその役員）が法第七十七条の三十七第五号に該当しない者であることを誓約する書類
十　申請者が法人である場合においては、発行済株式総数の百分の五以上の株式を有する株主又は出資の総額の百分の五以上に相当する出資をしている者の氏名又は名称、住所及びその有する株式の数又はその者のな

した出資の価額を記載した書類

十一　審査に用いる試験装置その他の設備の概要及び整備計画を記載した書類

十二　評価員の氏名及び略歴を記載した書類

十三　現に行っている業務の概要を記載した書類

十四　性能評価の業務の実施に関する計画を記載した書類

十五　その他参考となる事項を記載した書類

（心身の故障により性能評価の業務を適正に行うことができない者）

第五八条の二　法第七十七条の五十六第二項において準用する法第七十七条の三十七第五号の国土交通省令で定める者は、精神の機能の障害により性能評価の業務を適正に行うに当たって必要な認知、判断及び意思疎通を適切に行うことができない者とする。

（指定性能評価機関に係る指定の区分）

第五九条　法第七十七条の五十六第二項において準用する法第七十七条の三十六第二項の国土交通省令で定める区分は、次に掲げるものとする。

一　法第二条第七号から第九号まで及び第九号の二ロ、法第二十一条第一項（特定主要構造部の一部に関するものに限る。）、法第二十七条第一項（特定主要構造部の一部又は防火設備に関するものに限る。）、法第六十一条第一項（防火設備に関するものに限る。）、令第七十条、令第百八条の三第一号（床、壁又は防火設備に関するものに限る。）、令第百九条の三第一号及び第二号ハ、令第百九条の八（防火設備に関するものに限る。）、令第百十二条第一項、第二項、第四項第一号及び第十二項ただし書、令第百十四条第五項、令第百十五条の二第一項第四号、令第百二十九条の二の四第一項第七号ハ、令第百三十七条の二の四第一号ロ並びに令第百三十七条の十第一号ロ(4)の認定に係る性能評価を行う者としての指定

二　法第二条第九号並びに令第一条第五号及び第六号の認定に係る性能評価を行う者としての指定

二の二　法第二十条第一項第一号の認定に係る性能評価を行う者としての指定

二の三　法第二十条第一項第二号イ及び第三号イの認定に係る性能評価を行う者としての指定

二の四　法第二十一条第一項（特定主要構造部の全部に関するものに限る。）の認定に係る性能評価を行う者としての指定

二の五　法第二十一条第二項の認定に係る性能評価を行う者としての指定

三　法第二十二条第一項及び法第六十二条の認定に係る性能評価を行う者としての指定

三の二　法第二十七条第一項（特定主要構造部の全部に関するものに限る。）の認定に係る性能評価を行う者としての指定

四　法第三十条第一項第一号及び第二項の認定に係る性能評価を行う者としての指定

五　法第三十一条第二項、令第二十九条、令第三十条第一項及び令第三十五条第一項の認定に係る性能評価を行う者としての指定

六　法第三十七条第二号の認定に係る性能評価を行う者としての指定

六の二　法第六十一条第一項（建築物の部分に関するものに限る。）の認定に係る性能評価を行う者としての指定

七　令第二十条の二第一号ニの認定に係る性能評価を行う者としての指定

八　令第二十条の三第二項第一号ロの認定に係る性能評価を行う者としての指定

八の二　令第二十条の七第一項第二号の表及び令第二十条の八第二項の認定に係る性能評価を行う者としての指定

八の三　令第二十条の七第二項から第四項までの認定に係る性能評価を行う者としての指定

八の四　令第二十条の八第一項第一号ロ(1)の認定に係る性能評価を行う者としての指定

八の五　令第二十条の八第一項第一号ハの認定に係る性能評価を行う者としての指定

八の六　令第二十条の九の認定に係る性能評価を行う者としての指定

九　令第二十二条の認定に係る性能評価を行う者としての指定

十　令第二十二条の二第二号ロの認定に係る性能評価を行う者としての指定

十の二　令第三十九条第三項の認定に係る性能評価を行う者としての指定

十一　令第四十六条第四項の表一の(八)項の認定に係る性能評価を行う者としての指定

十一　令第四十五条第一項及び第二項並びに令第四十六条第四項の認定に係る性能評価を行う者としての指定

十二　令第六十七条第一項の認定に係る性能評価を行う者としての指定

十二の二　令第六十七条第二項の認定に係る性能評価を行う者としての指定

十二の三　令第六十八条第三項の認定に係る性能評価を行う者としての指定

十二の四　令第七十九条第二項及び令第七十九条の三第二項の認定に係る性能評価を行う者としての指定

十三　令第百八条の三第一号（建築物の部分に関するものに限る。）の認定に係る性能評価を行う者としての指定

十四　令第百八条の四第一項第二号及び第四項並びに令第百十二条第三項の認定に係る性能評価を行う者としての指定

十五　令第百九条の八（建築物の部分に関するものに限る。）の認定に係る性能評価を行う者としての指定

十六　令第百十二条第十九項各号及び第二十一項、令第百二十六条の二第二項第一号、令第百二十九条の十三の二第三号並びに令第百四十五条第一項第二号の認定に係る性能評価を行う者としての指定

十七　令第百十五条第一項第三号ロの認定に係る性能評価を行う者としての指定

十八　令第百二十三条第三項第二号及び令第百二十九条の十三の三第十三項の認定に係る性能評価を行う者としての指定

十九　令第百二十六条の五第二号の認定に係る性能評価を行う者としての指定

二十　令第百二十六条の六第三号の認定に係る性能評価を行う者としての指定

二十一　令第百二十八条の七第一項、令第百二十九条第一項及び令第百二十九条の二第一項の認定に係る性能評価を行う者としての指定

二十二　令第百二十九条の二の四第一項第三号ただし書の認定に係る性能評価を行う者としての指定

二十三　令第百二十九条の二の四第二項第三号の認定に係る性能評価を行う者としての指定

二十四　令第百二十九条の二の六第三号の認定に係る性能評価を行う者としての指定

二十五　令第百二十九条の四第一項第三号、令第百二十九条の八第二項、令第百二十九条の十第二項及び第四項並びに令第百二十九条の十二第一項第六号、第二項及び第五項の認定に係る性能評価を行う者としての指定

二十六　令第百二十九条の十五第一号の認定に係る性能評価を行う者としての指定

二十七　令第百三十七条の二の二第一項第一号ロの認定に係る性能評価を行う者としての指定

二十八　令第百三十七条の二の三第二項第一号ロの認定に係る性能評価を行う者としての指定

二十九　令第百三十七条の四第一号ロの認定に係る性能評価を行う者としての指定

三十　令第百三十七条の十第一号イ(2)の認定に係る性能評価を行う者としての指定

三十一　令第百三十七条の十一第一号イ(2)の認定に係る性能評価を行う者としての指定

三十二　令第百三十九条第一項第三号及び第四号ロの認定に係る性能評価を行う者としての指定

三十三　令第百四十条第二項において準用する令第百三十九条第一項第三号及び第四号ロの認定に係る性能評価を行う者としての指定

三十四　令第百四十一条第二項において準用する令第百三十九条第一項第三号及び第四号ロの認定に係る性能評価を行う者としての指定

三十五　令第百四十三条第二項において準用する令第百三十九条第一項第三号及び第四号ロの認定に係る性能評価を行う者としての指定

三十六　令第百四十四条第一項第一号ロ及びハ(2)の認定に係る性能評価を行う者としての指定

三十七　令第百四十四条第一項第三号イ及び第五号の認定に係る性能評価を行う者としての指定並びに同条第二

項において読み替えて準用する令第百二十九条の四第一項第三号の認定に係る性能評価を行う者としての指定

三十八　施行規則第一条の三第一項第一号イ並びにロ(1)及び(2)並びに同項の表三の各項の認定に係る性能評価を行う者としての指定

三十九　施行規則第八条の三の認定に係る性能評価を行う者としての指定

（指定性能評価機関に係る名称等の変更の届出）

第六〇条　指定性能評価機関は、法第七十七条の五十六第二項において準用する法第七十七条の三十九第二項の規定によりその名称若しくは住所又は性能評価の業務を行う事務所の所在地を変更しようとするときは、別記第三十号様式の指定性能評価機関変更届出書を国土交通大臣に提出しなければならない。

（指定性能評価機関の業務区域の変更に係る許可の申請）

第六一条　指定性能評価機関は、法第七十七条の五十六第二項において準用する法第七十七条の四十第一項の規定により業務区域の増加又は減少に係る許可の申請をしようとするときは、別記第三十一号様式の指定性能評価機関業務区域変更許可申請書に第五十八条第一号から第五号まで、第七号、第十一号、第十四号及び第十五号に掲げる書類を添えて、これを国土交通大臣に提出しなければならない。

（指定性能評価機関に係る指定の更新）

第六二条　法第七十七条の五十六第二項において準用する法第七十七条の四十一第一項の規定により、指定性能評価機関が指定の更新を受けようとする場合は、第五十八条及び第五十九条の規定を準用する。

（性能評価の方法）

第六三条　法第七十七条の五十六第二項において準用する法第七十七条の四十二第一項の国土交通省令で定める方法は、次の各号に定める方法に従い、評価員二名以上によって行うこととする。

一　施行規則第十条の五の二十一第一項各号に掲げる図書をもって行うこと。

二　審査を行うに際し、書類の記載事項に疑義があり、提出された書類のみでは性能評価を行うことが困難であると認めるときは、追加の書類を求めて審査を行うこと。

三　前二号の書類のみでは性能評価を行うことが困難であると認めるときは、第五号の規定により審査を行う場合を除き、申請者にその旨を通知し、当該構造方法、建築材料又はプログラム（次条第二号ロにおいて「構造方法等」という。）の実物又は試験体その他これらに類するものの提出を受け、当該性能評価を行うことが困難であると認める事項について試験その他の方法により審査を行うこと。

四　次に掲げる認定に係る性能評価を行うに当たっては、当該認定の区分に応じ、それぞれ次のイからトまでに掲げる試験方法により性能評価を行うこと。

イ　法第二条第七号から第八号まで、法第二十一条第一項（特定主要構造部の一部に関するものに限る。）、法第二十三条若しくは法第二十七条第一項（特定主要構造部の一部に関するものに限る。）又は令第七十条、令第百八条の三第一号（床又は壁に関するものに限る。）、令第百九条の三第一号若しくは第二号ハ、令第百十二条第二項若しくは第四項第一号、令第百十五条の二第一項第四号若しくは令第百三十七条の二の四第一項第一号ロの規定に基づく認定　次に掲げる基準に適合する試験方法

(1) 実際のものと同一の構造方法及び寸法の試験体を用いるものであること。ただし、実際のものの性能を適切に評価できる場合においては、異なる寸法とすることができる。

(2) 通常の火災による火熱を適切に再現することができる加熱炉を用い、通常の火災による火熱を適切に再現した加熱により行うものであること。

(3) 試験体（自重、積載荷重又は積雪荷重を支えるものに限る。）に当該試験体の長期に生ずる力に対する許容応力度（以下「長期許容応力度」という。）に相当する力が生じた状態で行うものであること。ただし、当該試験に係る構造に長期許容応力度に相当する力が生じないことが明らかな場合又はその他の方法により試験体の長期許容応力度に相当する力が生じた状態における性能を評価できる場合においてはこの限りでない。

(4) 当該認定に係る技術的基準に適合することについて適切に判定を行うことができるものであること。

ロ　法第二条第九号又は令第一条第五号若しくは第六号の規定に基づく認定　次に掲げる建築材料の区分に応じ、それぞれ次に定める試験方法

(1) 施行規則別表第二の法第二条第九号の認定に係る評価の項の(い)欄に規定するガス有害性試験不要材料　令第百八条の二第一号及び第二号に掲げる要件を満たしていることを確かめるための基準として次に掲げる基準に適合するもの

(i) 実際のものと同一の材料及び寸法の試験体を用いるものであること。ただし、実際のものの性能を適切に評価できる場合には異なる寸法とすることができる。

(ii) 通常の火災による火熱を適切に再現することができる装置を用い、通常の火災による火熱を適切に再現した加熱により行うものであること。

(iii) 当該認定に係る技術的基準に適合することについて発熱量及びその他の数値により適切に判定を行うことができるものであること。

(2) 施行規則別表第二の法第二条第九号の認定に係る評価の項の(い)欄に規定するガス有害性試験不要材料以外の建築材料　令第百八条の二第一号から第三号までに掲げる要件を満たしていることを確かめるための基準として次に掲げる基準に適合するもの

(i) (1)(i)及び(ii)に掲げる基準に適合するものであること。

(ii) 当該認定に係る技術的基準に適合することについて発熱量、有毒性に関する数値及びその他の数値により適切に判定を行うことができるものであること。

ハ　法第二条第九号の二ロ、法第二十七条第一項（防火設備に関するものに限る。）若しくは法第六十一条第一項（防火設備に関するものに限る。）又は令第百八条の三第一号（防火設備に関するものに限る。）、令第百九条の八（防火設備に関するものに限る。）、令第百十二条第一項若しくは第十二項ただし書、令第百十四条第五項、令第百二十九条の二の四第一項第七号ハ若しくは令第百三十七条の十第一号ロ(4)の規定に基づく認定　次に掲げる基準に適合する試験方法

(1) 実際のものと同一の構造方法及び寸法の試験体を用いるものであること。ただし、実際のものの性能を適切に評価できる場合には異なる寸法とすることができる。

(2) 通常の火災による火熱を適切に再現することができる加熱炉を用い、通常の火災による火熱を適切に再現した加熱により行うものであること。

(3) 当該認定に係る技術的基準に適合することについて適切に判定を行うことができるものであること。

ニ　法第二十二条第一項又は法第六十二条の規定に基づく認定　次に掲げる基準に適合する試験方法

(1) 実際のものと同一の構造方法及び寸法の試験体を用いるものであること。ただし、実際のものの性能を適切に評価できる場合においては、異なる寸法とすることができる。

(2) 通常の火災による火の粉及び市街地における通常の火災による火の粉を適切に再現することができる装置を用い、通常の火災による火の粉（法第六十二条の規定に基づく認定の評価を行う場合にあっては、市街地における通常の火災による火の粉）を適切に再現した試験により行うものであること。

(3) 当該認定に係る技術的基準に適合することについて適切に判定を行うことができるものであること。

ホ　法第三十条第一項第一号又は第二項の規定に基づく認定　次に掲げる基準に適合する試験方法

(1) 実際のものと同一の構造方法及び寸法の試験体を用いるものであること。ただし、実際のものの性能を適切に評価できる場合においては、異なる寸法とすることができる。

(2) 試験開口部をはさむ二つの室を用い、一方の室の音源から令第二十二条の三の表の上欄に掲げる振動数の音を発し、もう一方の室で音圧レベルを測定するものであること。

(3) 当該認定に係る技術的基準に適合することについて適切に判定を行うことができるものであること。

ヘ　令第二十条の七第二項から第四項までの規定に基づく認定　次に掲げる基準に適合する試験方法

（1）実際のものと同一の建築材料及び寸法の試験体を用いるものであること。ただし、実際のものの性能を適切に評価できる場合においては、異なる寸法とすることができる。

（2）温度及び湿度を調節できる装置を用い、夏季における温度及び湿度を適切に再現した試験により行うものであること。ただし、夏季における建築材料からのホルムアルデヒドの発散を適切に再現する場合においては、異なる温度及び湿度により行うことができる。

（3）当該認定に係る技術的基準に適合することについて適切に判定を行うことができるものであること。

ト　令第四十六条第四項の表一の(八)項又は施行規則第八条の三の規定に基づく認定　次に掲げる基準に適合する試験方法

ト　令第四十五条第一項若しくは第二項若しくは令第四十六条第四項又は施行規則第八条の三の規定に基づく認定　次に掲げる基準に適合する試験方法

（1）実際のものと同一の構造方法及び寸法の試験体を用いるものであること。ただし、実際のものの性能を適切に評価できる場合においては、異なる寸法とすることができる。

（2）変位及び加力速度を調整できる装置を用い、繰り返しせん断変形を適切に再現した加力により行うものであること。

（3）当該認定に係る技術的基準に適合することについて、変位及び耐力により適切に判定を行うことができるものであること。

五　施行規則第十一条の二の三第二項第一号に規定する場合においては、申請者が工場その他の事業場（以下この章において「工場等」という。）において行う試験又は工場等における指定建築材料の製造、検査若しくは品質管理を目視その他適切な方法により確認し、その結果を記載した書類等により審査を行うこと。

（評価員の要件）

第六四条　法第七十七条の五十六第二項において準用する法第七十七条の四十二第二項の国土交通省令で定める要件は、次の各号に掲げる場合に応じ、当該各号に該当する者であることとする。

一　前条各号に定める方法による審査を行う場合　次のイからハまでのいずれかに該当する者

イ　学校教育法に基づく大学又はこれに相当する外国の学校において建築学、機械工学、電気工学、衛生工学その他の性能評価の業務に関する科目を担当する教授若しくは准教授の職にあり、又はあった者

ロ　建築、機械、電気若しくは衛生その他の性能評価の業務に関する分野の試験研究機関において試験研究の業務に従事し、又は従事した経験を有する者で、かつ、これらの分野について高度の専門的知識を有する者

ハ　国土交通大臣がイ又はロに掲げる者と同等以上の知識及び経験を有すると認める者

二　前条第五号の規定による試験の確認を行う場合　次のイからハまでのいずれかに該当する者

イ　前号イ又はロのいずれかに該当する者

ロ　構造方法等の性能に関する試験の実施、記録、報告等に係る部門の責任者としてこれらの業務に関して五年以上の実務の経験を有する者

ハ　国土交通大臣がイ又はロに掲げる者と同等以上の知識及び経験を有すると認める者

三　前条第五号の規定による製造、検査又は品質管理の確認を行う場合　次のイからハまでのいずれかに該当する者

イ　第一号イ又はロのいずれかに該当する者

ロ　指定建築材料の製造、検査又は品質管理（工場等で行われるものに限る。）に係る部門の責任者としてこれらの業務に関して五年以上の実務の経験を有する者

ハ　国土交通大臣がイ又はロに掲げる者と同等以上の知識及び経験を有すると認める者

（評価員の選任及び解任の届出）

第六五条　指定性能評価機関は、法第七十七条の五十六第二項において準用する法第七十七条の四十二第三項の規定によりその評価員の選任又は解任を届け出ようとするときは、別記第三十二号様式の指定性能評価機関評価員選任等届出書を国土交通大臣に提出しなければならない。

（性能評価業務規程の認可の申請）

第六六条　指定性能評価機関は、法第七十七条の五十六第二項において準用する法第七十七条の四十五第一項前段の規定により性能評価の業務に関する規程（以下この章において「性能評価業務規程」という。）の認可を受けようとするときは、別記第三十三号様式の指定性能評価機関性能評価業務規程認可申請書に当該認可に係る性能評価業務規程を添えて、これを国土交通大臣に提出しなければならない。

2　指定性能評価機関は、法第七十七条の五十六第二項において準用する法第七十七条の四十五第一項後段の規定により性能評価業務規程の変更の認可を受けようとするときは、別記第三十四号様式の指定性能評価機関性能評価業務規程変更認可申請書に当該変更の明細を記載した書面を添えて、これを国土交通大臣に提出しなければならない。

（性能評価業務規程の記載事項）

第六七条　法第七十七条の五十六第二項において準用する法第七十七条の四十五第二項の国土交通省令で定める事項は、次のとおりとする。

一　性能評価の業務を行う時間及び休日に関する事項

二　事務所の所在地及びその事務所が性能評価の業務を行う区域に関する事項

三　性能評価の業務の範囲に関する事項

四　性能評価の業務の実施方法に関する事項

五　性能評価に係る手数料の収納の方法に関する事項

六　評価員の選任及び解任に関する事項

七　性能評価の業務に関する秘密の保持に関する事項

八　性能評価の業務の実施体制に関する事項

九　性能評価の業務の公正かつ適確な実施を確保するための措置に関する事項

十　その他性能評価の業務の実施に関し必要な事項

（帳簿）

第六八条　法第七十七条の五十六第二項において準用する法第七十七条の四十七第一項の性能評価の業務に関する事項で国土交通省令で定めるものは、次のとおりとする。

一　性能評価を申請した者の氏名又は名称及び住所又は主たる事務所の所在地

二　性能評価の申請に係る構造方法、建築材料又はプログラムの種類、名称、構造、材料その他の概要

三　性能評価の申請を受けた年月日

四　第六十三条第五号の規定により審査を行った場合においては、工場等の名称、所在地その他の概要並びに同号の規定による確認を行った年月日及び評価員の氏名

五　審査を行った評価員の氏名

六　性能評価書の交付を行った年月日

2　前項各号に掲げる事項が、電子計算機に備えられたファイル又は電磁的記録媒体に記録され、必要に応じ指定性能評価機関において電子計算機その他の機器を用いて明確に紙面に表示されるときは、当該記録をもって法第七十七条の五十六第二項において準用する法第七十七条の四十七第一項に規定する帳簿への記載に代えることができる。

3　法第七十七条の五十六第二項において準用する法第七十七条の四十七第一項に規定する帳簿（前項の規定による記録が行われた同項のファイル又は電磁的記録媒体を含む。）は、第七十一条の規定による引継ぎを完了するまで保存しなければならない。

（図書の保存）

第六九条　法第七十七条の五十六第二項において準用する法第七十七条の四十七第二項の性能評価の業務に関する書類で国土交通省令で定めるものは、施行規則第十条の五の二十一第一項各号に掲げる図書及び性能評価書の写しその他審査の結果を記載した図書とする。

2　前項の図書が、電子計算機に備えられたファイル又は電磁的記録媒体に記録され、必要に応じ指定性能評価機関において電子計算機その他の機器を用いて明確に紙面に表示されるときは、当該ファイル又は電磁的記録媒体をもって同項の図書に代えることができる。

3　法第七十七条の五十六第二項に規定する書類（前項の規定による記録が行われた同項のファイル又は電磁的記録媒体を含む。）は、第七十一条の規定による引継ぎを完了するまで保存しなければならない。

（指定性能評価機関に係る業務の休廃止の許可の申請）

第七〇条　指定性能評価機関は、法第七十七条の五十六第二項において準用する法第七十七条の五十第一項の規定により性能評価の業務の全部又は一部を休止し、又は廃止しようとするときは、別記第三十五号様式の指定性能評価機関業務休廃止許可申請書を国土交通大臣に提出しなければならない。

（処分の公示）
第七〇条の二　法第七十七条の五十六第二項において準用する法第七十七条の五十一第三項の規定による公示は、次に掲げる事項について、官報で行うものとする。
一　処分をした年月日
二　処分を受けた指定性能評価機関の名称及び事務所の所在地並びにその者が法人である場合にあっては代表者の氏名
三　処分の内容
四　処分の原因となった事実

（性能評価の業務の引継ぎ）
第七一条　指定性能評価機関（国土交通大臣が法第七十七条の五十六第二項において準用する法第七十七条の五十一第一項又は第二項の規定により指定性能評価機関の指定を取り消した場合にあっては、当該指定性能評価機関であった者）は、法第七十七条の五十六第二項において準用する法第七十七条の五十二第三項に規定する場合には、次に掲げる事項を行わなければならない。
一　性能評価の業務を国土交通大臣に引き継ぐこと。
二　性能評価の業務に関する帳簿及び書類を国土交通大臣に引き継ぐこと。
三　その他国土交通大臣が必要と認める事項

（指定性能評価機関）
第七一条の二　指定性能評価機関の名称及び住所、指定の区分、業務区域、性能評価の業務を行う事務所の所在地並びに性能評価の業務の開始の日は、国土交通大臣が官報で告示する。

第七章　承認性能評価機関

（承認性能評価機関に係る承認の申請）
第七二条　法第七十七条の五十七第一項の規定による承認を受けようとする者は、別記第三十六号様式の承認性能評価機関承認申請書に次に掲げる書類を添えて、これを国土交通大臣に提出しなければならない。
一　定款及び登記事項証明書又はこれらに準ずるもの
二　申請の日の属する事業年度の前事業年度における財産目録等。ただし、申請の日の属する事業年度に設立された法人にあっては、その設立時における財産目録等とする。
三　申請者（法人である場合においてはその役員）が法第七十七条の三十七第一号及び第二号に該当しない旨を明らかにする書類
四　第五十八条第三号から第七号まで及び第九号から第十五号までに掲げる書類

（承認性能評価機関に係る名称等の変更の届出）
第七三条　承認性能評価機関は、法第七十七条の五十七第二項において準用する法第七十七条の三十九第二項の規定によりその名称若しくは住所又は性能評価の業務を行う事務所の所在地を変更しようとするときは、別記第三十七号様式の承認性能評価機関変更届出書を国土交通大臣に提出しなければならない。

（承認性能評価機関の業務区域の変更に係る認可の申請）
第七四条　承認性能評価機関は、法第七十七条の五十七第二項において準用する法第七十七条の二十二第一項の規定により業務区域の増加に係る認可の申請をしようとするときは、別記第三十八号様式の承認性能評価機関業務区域増加認可申請書に第五十八条第三号から第五号まで、第七号、第十一号、第十四号及び第十五号並びに第七十二条第一号及び第二号に掲げる書類を添えて、これを国土交通大臣に提出しなければならない。

（承認性能評価機関の業務区域の変更の届出）
第七五条　承認性能評価機関は、法第七十七条の五十七第二項において準用する法第七十七条の二十二第二項の規定により業務区域の減少の届出をしようとするときは、別記第三十九号様式の承認性能評価機関業務区域減少届出書を国土交通大臣に提出しなければならない。

（評価員の選任及び解任の届出）
第七六条　承認性能評価機関は、法第七十七条の五十七第二項において準用する法第七十七条の四十二第三項の規定によりその評価員の選任又は解任を届け出ようとするときは、別記第四十号様式の承認性能評価機関評価員選任等届出書を国土交通大臣に提出しなければならない。

（性能評価業務規程の認可の申請）
第七七条　承認性能評価機関は、法第七十七条の五十七第二項において準用する法第七十七条の四十五第一項前段の規定により性能評価の業務に関する規程（以下この章において「性能評価業務規程」という。）の認可を受けようとするときは、別記第四十一号様式の承認性能評価機関性能評価業務規程認可申請書に当該認可に係る性能評価業務規程を添えて、これを国土交通大臣に提出しなければならない。
2　指定性能評価機関は、法第七十七条の五十七第二項において準用する法第七十七条の四十五第一項後段の規定により性能評価業務規程の変更の認可を受けようとするときは、別記第四十二号様式の承認性能評価機関性能評価業務規程変更認可申請書に当該変更の明細を記載した書面を添えて、これを国土交通大臣に提出しなければならない。

（承認性能評価機関に係る業務の休廃止の届出）
第七八条　承認性能評価機関は、法第七十七条の五十七第二項において準用する法第七十七条の三十四第一項の規定により性能評価の業務の全部又は一部を休止し、又は廃止しようとするときは、別記第四十三号様式の承認性能評価機関業務休廃止届出書を国土交通大臣に提出しなければならない。

（準用）
第七九条　第五十九条の規定は法第七十七条の五十七第一項の規定による承認の申請に、第五十八条の二及び第六十二条の規定は法第六十八条の二十五第六項の規定による承認に、第六十三条、第六十四条及び第六十七条から第六十九条までの規定は承認性能評価機関に、第五十四条から第五十六条までの規定は法第七十七条の五十七第二項において準用する法第七十七条の四十九第一項の検査について準用する。

第八章　雑則

（権限の委任）
第八〇条　法第六条の二第一項（法第八十七条第一項、法第八十七条の四又は法第八十八条第一項若しくは第二項において準用する場合を含む。）、法第七条の二第一項（法第八十七条の四又は法第八十八条第一項若しくは第二項において準用する場合を含む。）及び法第四章の二第二節並びに第三十一条に規定する国土交通大臣の権限のうち、その確認検査の業務を一の地方整備局の管轄区域内のみにおいて行う指定確認検査機関に関するものは、当該地方整備局長に委任する。
2　法第十八条の二第一項及び法第四章の二第三節並びに第三十一条の十四に規定する国土交通大臣の権限のうち、その構造計算適合性判定の業務を一の地方整備局の管轄区域内のみにおいて行う指定構造計算適合性判定機関に関するものは、当該地方整備局長に委任する。

附　則
この省令は、建築基準法の一部を改正する法律の一部の施行の日（平成十一年五月一日）から施行する。

附　則〔略〕〔平成一二・一・三一建設省令一〇〕
1　この省令は、平成十二年四月一日から施行する。
2　この省令の施行の際現にあるこの省令による改正前の様式による用紙については、当分の間、これを取り繕って使用することができる。

附　則〔略〕〔平成一二・五・三一建設省令二五〕
附　則〔略〕〔平成一二・一一・二〇建設省令四一〕
附　則〔略〕〔平成一三・三・三〇国土交通省令七二〕
附　則〔略〕〔平成一三・三・三〇国土交通省令七四〕
附　則〔略〕〔平成一三・五・一六国土交通省令九〇〕
附　則〔略〕〔平成一三・九・一四国土交通省令一二八〕
附　則〔略〕〔平成一四・一二・二七国土交通省令一二〇〕
附　則〔略〕〔平成一五・三・一〇国土交通省令一六〕
附　則〔略〕〔平成一五・一二・一八国土交通省令一一六〕
附　則〔略〕〔平成一六・一二・一五国土交通省令九九〕
附　則〔略〕〔平成一七・三・七国土交通省令一二〕

附　則〔略〕〔平成一七・五・二五国土交通省令五八〕

附　則〔略〕〔平成一七・五・二七国土交通省令五九〕

附　則〔略〕〔平成一八・四・二八国土交通省令五八〕

附　則〔略〕〔平成一八・九・二七国土交通省令九〇〕

附　則〔略〕〔平成一八・九・二九国土交通省令九六〕

附　則〔略〕〔平成一九・三・一六国土交通省令一三〕

附　則〔平成一九・三・三〇国土交通省令二七〕

（施行期日）

1　この省令は、平成十九年四月一日から施行する。

（助教授の在職に関する経過措置）

2　この省令の規定による改正後の次に掲げる省令の規定の適用については、この省令の施行前における助教授としての在職は、准教授としての在職とみなす。

一～十一　〔略〕

十二　建築基準法に基づく指定資格検定機関等に関する省令第三十八条及び第六十四条

十三・十四　〔略〕

附　則〔抄〕〔平成一九・六・一九国土交通省令六六〕

（施行期日）

第一条　この省令は、建築物の安全性の確保を図るための建築基準法等の一部を改正する法律（以下「改正法」という。）の施行の日（平成十九年六月二十日）から施行する。〔以下略〕

（建築基準法に基づく指定資格検定機関等に関する省令の一部改正に伴う経過措置）

第三条　この省令の施行の際現に旧基準法第六条の二第一項（旧基準法第八十七条第一項、第八十七条の二又は第八十八条第一項若しくは第二項において準用する場合を含む。次項において同じ。）又は第七条の二第一項（旧基準法第八十七条の二又は第八十八条第一項若しくは第二項において準用する場合を含む。次項において同じ。）の規定による指定を受けている者が新基準法第七十七条の二十三第一項の規定により指定の更新を受けようとする場合については、施行日から起算して一年を経過する日までの間は、第二条の規定による改正後の建築基準法に基づく指定資格検定機関等に関する省令（以下この条において「新機関省令」という。）第二十三条において読み替えて準用する新機関省令第十六条及び第十七条第一項の規定にかかわらず、次の各号に掲げる数及び額は、それぞれ当該各号に定めるところによる。

一　新基準法第七十七条の二十第一号の国土交通省令で定める数　第二条の規定による改正前の建築基準法に基づく指定資格検定機関等に関する省令（以下この条において「旧機関省令」という。）第十六条の例による。

二　新基準法第七十七条の二十第三号の国土交通省令で定める額　次のイからハまでに掲げる場合に応じ、その者が確認検査の業務を実施するに当たり第三者に損害を加えた場合において、その損害の賠償に関し当該その者が負うべき国家賠償法（昭和二十二年法律第百二十五号）による責任その他の民事上の責任（同法の規定により当該確認検査に係る建築物又は工作物について新基準法第六条第一項（新基準法第八十七条第一項、第八十七条の二又は第八十八条第一項若しくは第二項において準用する場合を含む。）の規定による確認をする権限を有する建築主事が置かれた市町村又は都道府県が当該損害の賠償の責めに任ずる場合における求償に応ずる責任を含む。）の履行を確保するために必要な額としてそれぞれ当該イからハまでに定める額とする。

イ　新機関省令第十五条各号のいずれかの指定を受けようとする場合（ロ又はハに該当する場合を除く。）　三千万円

ロ　新機関省令第十五条第五号又は第六号のいずれかの指定を受けようとする場合（ハに該当する場合を除く。）　五千万円

ハ　新機関省令第十五条第七号又は第八号のいずれかの指定を受けようとする場合　一億円

2　この省令の施行の際現に旧基準法第六条の二第一項又は第七条の二第一項の規定による指定を受けている者に関する新機関省令第十七条の規定の適用については、施行日から起算して二十年を経過する日までの間は、同条第一項第二号中「当該事業年度の前事業年度から起算して過去二十事業年度以内において」とあるのは「建築物の安全性の確保を図るための建築基準法等の一部を改正する法律（平成十八年法律第九十二号）の施行の日（平成十九年六月二十日）から当該事業年度の開始の日の前日までの間に」とする。

3　施行日前五年以内に旧基準法第六条第一項又は第六条の二第一項（これらの規定を旧基準法第八十七条第一項、第八十七条の二又は第八十八条第一項若しくは第二項において準用する場合を含む。）の規定による確認済証（計画の変更に係るものを除く。）の交付を受けた建築物、建築設備又は工作物に係る旧機関省令第二十九条第一項に規定する書類（同条第二項の規定による記録が行われた同項のファイル又は磁気ディスクを含む。）で、この省令の施行の際現に同条第三項の定めるところにより保存しているものは、当該確認済証の交付の日から十五年間保存しなければならない。

4　この省令の施行の際現に旧機関省令第五十九条第二十三号に掲げる区分に従い旧基準法第六十八条の二十六第三項の規定による指定を受けている者は、新機関省令第五十九条第二十三号に掲げる区分に従い新基準法第六十八条の二十六第三項の規定による指定を受けた者とみなす。

附　則〔平成二〇・一一・二八国土交通省令九五〕

（施行期日）

1　この省令は、平成二十一年九月二十八日から施行する。

（経過措置）

2　この省令の施行の際現に第二条の規定による改正前の建築基準法に基づく指定資格検定機関等に関する省令第五十九条第二十号に掲げる区分に従い建築基準法第六十八条の二十六第三項の規定による指定を受けている者については、当該指定の有効期間の経過する日までの間は、なお従前の例による。

附　則〔略〕〔平成二〇・一二・一国土交通省令九七施行〕

附　則〔平成二五・七・一二国土交通省令六一〕

（施行期日）

1　この省令は、平成二十六年四月一日から施行する。

（経過措置）

2　この省令の施行の際現に第二条の規定による改正前の建築基準法に基づく指定資格検定機関等に関する省令第五十九条第二十号に掲げる区分に従い建築基準法第六十八条の二十六第三項の規定による指定を受けている者については、当該指定の有効期間の経過する日までの間は、なお従前の例による。

附　則〔略〕〔平成二五・九・一三国土交通省令七六〕

附　則〔平成二七・一・一九国土交通省令五〕

（施行期日）

第一条　この省令は、建築基準法の一部を改正する法律（平成二十六年法律第五十四号。以下「改正法」という。）の施行の日（平成二十七年六月一日。以下「施行日」という。）から施行する。

（経過措置）

第二条　1　〔略〕

2　新施行規則第二条から第三条まで、第三条の四、第三条の五及び第八条の二（第二項を除く。）の規定並びに新施行規則別記第五号様式、第十五号様式、第十六号様式及び第四十二号の三様式並びに第二条の規定による改正後の建築基準法に基づく指定建築基準適合判定資格者検定機関等に関する省令（以下「新機関省令」という。）第三十一条の十及び第三十一条の十一の規定は、施行日以後に改正法の規定による改正後の建築基準法（以下「新法」という。）第六条第一項若しくは第六条の二第一項の規定による確認の申請又は新法第十八条第二項の規定による通知がされた建築物について適用し、施行日前に旧法第六条第一項若しくは第六条の二第一項の規定による確認の申請又は旧法第十八条第二項の規定による通知がされた建築物については、なお従前の例による。

3　この省令の施行の際現に第二条の規定による改正前の建築基準法に基づく指定資格検定機関等に関する省令第五十九条第一号に掲げる区分に従い旧法第六十八条の二十六第三項の規定による指定を受けている者は、新機関省令第五十九条第一号に掲げる区分に従い新法第六十八条の二十五第三項の規定による指定を受けた者とみなす。

4　施行日前にした行為に対する罰則の適用については、なお従前の例による。

附　則〔平成二七・一二・一国土交通省令八一〕

（施行期日）

1　この省令は、平成二十七年十二月三十一日から施行する。

（経過措置）

2　この省令の施行前に建築基準法第七十七条の五十六第二項に規定する指定性能評価機関又は同法第七十七条の五十七第二項に規定する承認性能評

価機関に対してされた性能評価の申請については、なお従前の例による。

附　則〔抄〕〔平成二八・二・二九国土交通省令一〇〕

（施行期日）

第一条　この省令は、建築基準法の一部を改正する法律（平成二十六年法律第五十四号。以下「改正法」という。）附則第一条第三号に掲げる規定の施行の日（平成二十八年六月一日。以下「施行日」という。）から施行する。

〔以下略〕

（建築基準法に基づく指定建築基準適合判定資格者検定機関等に関する省令の一部改正に伴う経過措置）

第三条　第二条の規定の施行の際現に同条の規定による改正前の建築基準法に基づく指定建築基準適合判定資格者検定機関等に関する省令（次項において「旧機関省令」という。）第五十九条第一号に掲げる区分に従い建築基準法第六十八条の二十五第三項の規定による指定を受けている者は、施行日に第二条の規定による改正後の建築基準法に基づく指定建築基準適合判定資格者検定機関等に関する省令（次項において「新機関省令」という。）第五十九条第一号に掲げる区分に従い建築基準法第六十八条の二十五第三項の規定による指定を受けた者とみなす。

2　第二条の規定の施行の際現に旧機関省令第五十九条第三号の二に掲げる区分に従い建築基準法第六十八条の二十五第三項の規定による指定を受けている者は、施行日に新機関省令第五十九条第一号及び第三号の二に掲げる区分に従い建築基準法第六十八条の二十五第三項の規定による指定を受けた者とみなす。

附　則〔略〕〔平成二八・一一・三〇国土交通省令八〇〕

附　則〔略〕〔平成三〇・九・一二国土交通省令六九〕

附　則〔令和元・六・二〇国土交通省令一五〕

（施行期日）

第一条　この省令は、建築基準法の一部を改正する法律の施行の日（令和元年六月二十五日）から施行する。

（経過措置）

第二条　1　〔略〕

2　この省令の施行の際現に第三条の規定による改正前の建築基準法に基づく指定建築基準適合判定資格者検定機関等に関する省令（次項において「旧機関省令」という。）第五十九条第一号、第四号又は第十四号に掲げる区分に従い建築基準法第六十八条の二十五第三項の規定による指定を受けている者は、それぞれ施行日に第三条の規定による改正後の建築基準法に基づく指定建築基準適合判定資格者検定機関等に関する省令（次項において「新機関省令」という。）第五十九条第一号、第四号又は第十四号に掲げる区分に従い同項の規定による指定を受けた者とみなす。

3　この省令の施行の際現に旧機関省令第五十九条第三号の二に掲げる区分に従い建築基準法第六十八条の二十五第三項の規定による指定を受けている者は、施行日に新機関省令第五十九条第一号及び第三号の二に掲げる区分に従い同項の規定による指定を受けた者とみなす。

附　則〔略〕〔令和元・九・一三国土交通省令三四〕

附　則〔令和二・三・六国土交通省令一三〕

（施行期日）

第一条　この省令は、建築基準法施行令の一部を改正する政令の施行の日（令和二年四月一日）から施行する。

（経過措置）

第二条　1　〔略〕

2　この省令の施行の際現に第二条の規定による改正前の建築基準法に基づく指定建築基準適合判定資格者検定機関等に関する省令第五十九条第十三号又は第十七号に掲げる区分に従い建築基準法第六十八条の二十五第三項の規定による指定を受けている者は、第二条の規定による改正後の建築基準法に基づく指定建築基準適合判定資格者検定機関等に関する省令第五十九条第十三号又は第十七号に掲げる区分に従い同項の規定による指定を受けた者とみなす。

附　則〔略〕〔令和三・八・三一国土交通省令五三〕

附　則〔抄〕〔令和五・一一・一四国土交通省令九五〕

（施行期日）

第一条　この省令は、脱炭素社会の実現に資するための建築物のエネルギー消費性能の向上に関する法律等の一部を改正する法律附則第一条第四号に掲げる規定の施行の日（令和六年四月一日）から施行する。

（経過措置）

第二条　1　〔略〕

2　この省令の施行の際現に第三条の規定による改正前の建築基準法に基づく指定建築基準適合判定資格者検定機関等に関する省令第五十九条第一号、第二号の四、第二号の五又は第三号の二に掲げる区分に従い建築基準法第六十八条の二十五第三項の規定による指定を受けている者は、第三条の規定による改正後の建築基準法に基づく指定建築基準適合判定資格者検定機関等に関する省令第五十九条第一号、第二号の四、第二号の五又は第三号の二に掲げる区分に従い同項の規定による指定を受けた者とみなす。

附　則〔略〕〔令和五・一二・二八国土交通省令九八施行〕

附　則〔略〕〔令和六・一・一九国土交通省令二〕

附　則〔略〕〔令和六・三・八国土交通省令一八〕

附　則〔略〕〔令和六・三・一五国土交通省令二一〕

附　則〔抄〕〔令和六・六・二八国土交通省令六八〕

（施行期日）

第一条　この省令は、脱炭素社会の実現に資するための建築物のエネルギー消費性能の向上に関する法律等の一部を改正する法律（附則第五条第三項において「改正法」という。）の施行の日（令和七年四月一日）から施行する。ただし、次の各号に掲げる規定は、当該各号に定める日から施行する。

一　〔前略〕附則第六条の規定　公布の日

二　〔略〕

（建築基準法に基づく指定建築基準適合判定資格者検定機関等に関する省令の一部改正に伴う経過措置）

第五条　この省令の施行の際現にある第六条の規定による改正前の様式による用紙は、当分の間、これを取り繕って使用することができる。

2　第六条の規定による改正後の建築基準法に基づく指定建築基準適合判定資格者検定機関等に関する省令（以下この条及び次条において「新機関省令」という。）第十四条第十号の二（新機関省令第二十三条において準用する場合を含む。）及び第十七条第一項第二号（新機関省令第二十三条において読み替えて準用する場合を含む。）の規定は、この省令の施行の日以後に開始する事業年度について適用し、同日前に開始した事業年度については、なお従前の例による。

3　この省令の施行の際現に第六条の規定による改正前の建築基準法に基づく指定建築基準適合判定資格者検定機関等に関する省令（次項において「旧機関省令」という。）第十五条第一号から第四号の二までに掲げる区分に従い改正法第四条の規定による改正前の建築基準法（以下この項において「旧建築基準法」という。）第六条の二第一項（旧建築基準法第八十七条第一項、第八十七条の四又は第八十八条第一項若しくは第二項において準用する場合を含む。）又は第七条の二第一項（旧建築基準法第八十七条の四又は第八十八条第一項若しくは第二項において準用する場合を含む。）の規定による指定を受けている者に係る指定区分については、当該指定の有効期間の経過する日までの間は、なお従前の例による。

4　この省令の施行の際現に旧機関省令第五十九条第十一号に掲げる区分に従い建築基準法第六十八条の二十五第三項の規定による指定を受けている者は、新機関省令第五十九条第十一号に掲げる区分に従い同項の規定による指定を受けた者とみなす。

（建築基準法に基づく指定建築基準適合判定資格者検定機関等に関する省令の一部改正に伴う準備行為）

第六条　新機関省令第十四条に規定する指定確認検査機関の指定、新機関省令第二十三条に規定する指定確認検査機関の指定の更新、新機関省令第二十五条第一項に規定する確認検査業務規程の認可及び同条第二項に規定する確認検査業務規程の変更の認可並びにこれらに関し必要な手続その他の行為は、この省令の施行の日前においても、新機関省令の規定の例により行うことができる。

別記様式〔略〕

○建築士法 〔昭和二五・五・二四 法律二〇二〕

改正 昭和二六・六法一七八、法一九五、昭和二八・八法二一〇、昭和三〇・八法一七三、昭和三二・五法一一四、昭和三四・四法一五六、昭和三六・六法一四五、昭和四〇・九法一四二、昭和四二・六法三六、昭和五三・五法三八、法五四、昭和五七・七法六九、昭和五八・五法四四、昭和五九・五法四七、昭和六二・六法六六、平成五・一一法八九、平成九・六法九五、平成一〇・六法一〇一、平成一一・七法八七、法一〇二、一二法一五一、法一六〇、平成一二・一一法一二六、平成一四・五法四五、平成一六・六法七六、一二法一四七、平成一八・六法五〇、法九二、一二法一一四、平成二三・六法六一、平成二五・六法四四、平成二六・六法五四、法六九、法九二、平成二九・五法四一、平成三〇・一二法九三、令和元・六法二六、法三七、令三・五法三七、法四四

注 ［　］の部分は、令和四年六月一七日法律第六九号により改正され、令和七年四月一日から施行

目次

第一章　総則（第一条―第三条の三）
第二章　免許等（第四条―第十一条）
第三章　試験（第十二条―第十七条）
第四章　業務（第十八条―第二十二条の三）
第四章の二　設計受託契約等（第二十二条の三の二―第二十二条の三の四）
第五章　建築士会及び建築士会連合会（第二十二条の四）
第六章　建築士事務所（第二十三条―第二十七条）
第七章　建築士事務所協会及び建築士事務所協会連合会（第二十七条の二―第二十七条の五）
第八章　建築士審査会（第二十八条―第三十三条）
第九章　雑則（第三十四条―第三十六条）
第十章　罰則（第三十七条―第四十三条）
附則

第一章　総則

（目的）

第一条　この法律は、建築物の設計、工事監理等を行う技術者の資格を定めて、その業務の適正をはかり、もつて建築物の質の向上に寄与させることを目的とする。

（定義）

第二条　この法律で「建築士」とは、一級建築士、二級建築士及び木造建築士をいう。

2　この法律で「一級建築士」とは、国土交通大臣の免許を受け、一級建築士の名称を用いて、建築物に関し、設計、工事監理その他の業務を行う者をいう。

3　この法律で「二級建築士」とは、都道府県知事の免許を受け、二級建築士の名称を用いて、建築物に関し、設計、工事監理その他の業務を行う者をいう。

4　この法律で「木造建築士」とは、都道府県知事の免許を受け、木造建築士の名称を用いて、木造の建築物に関し、設計、工事監理その他の業務を行う者をいう。

5　この法律で「建築設備士」とは、建築設備に関する知識及び技能につき国土交通大臣が定める資格を有する者をいう。

6　この法律で「設計図書」とは建築物の建築工事の実施のために必要な図面（現寸図その他これに類するものを除く。）及び仕様書を、「設計」とはその者の責任において設計図書を作成することをいう。

7　この法律で「構造設計」とは基礎伏図、構造計算書その他の建築物の構造に関する設計図書で国土交通省令で定めるもの（以下「構造設計図書」という。）の設計を、「設備設計」とは建築設備（建築基準法（昭和二十五年法律第二百一号）第二条第三号に規定する建築設備をいう。以下同じ。）の各階平面図及び構造詳細図その他の建築設備に関する設計図書で国土交通省令で定めるもの（以下「設備設計図書」という。）の設計をいう。

8　この法律で「工事監理」とは、その者の責任において、工事を設計図書と照合し、それが設計図書のとおりに実施されているかいないかを確認することをいう。

9　この法律で「大規模の修繕」又は「大規模の模様替」とは、それぞれ建築基準法第二条第十四号又は第十五号に規定するものをいう。

10　この法律で「延べ面積」、「高さ」、「軒の高さ」又は「階数」とは、それぞれ建築基準法第九十二条の規定により定められた算定方法によるものをいう。

10　この法律で「延べ面積」、「高さ」又は「階数」とは、それぞれ建築基準法第九十二条の規定により定められた算定方法によるものをいう。

（職責）

第二条の二　建築士は、常に品位を保持し、業務に関する法令及び実務に精通して、建築物の質の向上に寄与するように、公正かつ誠実にその業務を行わなければならない。

（一級建築士でなければできない設計又は工事監理）

第三条　左の各号に掲げる建築物（建築基準法第八十五条第一項又は第二項に規定する応急仮設建築物を除く。以下この章中同様とする。）を新築する場合においては、一級建築士でなければ、その設計又は工事監理をしてはならない。

一　学校、病院、劇場、映画館、観覧場、公会堂、集会場（オーデイトリアムを有しないものを除く。）又は百貨店の用途に供する建築物で、延べ面積が五百平方メートルをこえるもの

二　木造の建築物又は建築物の部分で、高さが十三メートル又は軒の高さが九メートルを超えるもの

三　鉄筋コンクリート造、鉄骨造、石造、れん瓦造、コンクリートブロツク造若しくは無筋コンクリート造の建築物又は建築物の部分で、延べ面積が三百平方メートル、高さが十三メートル又は軒の高さが九メートルをこえるもの

四　延べ面積が千平方メートルをこえ、且つ、階数が二以上の建築物

第三条　次に掲げる建築物（建築基準法第八十五条第一項又は第二項に規定する応急仮設建築物を除く。以下この章において同じ。）を新築する場合においては、一級建築士でなければ、その設計又は工事監理をしてはならない。

一　学校、病院、劇場、映画館、観覧場、公会堂、集会場（オーディトリアムを有しないものを除く。）又は百貨店の用途に供する建築物で、延べ面積が五百平方メートルを超えるもの

二　木造の建築物又は建築物の部分で、高さが十六メートルを超えるもの又は地階を除く階数が四以上であるもの

三　鉄筋コンクリート造、鉄骨造、石造、れんが造、コンクリートブロック造又は無筋コンクリート造の建築物又は建築物の部分で、延べ面積が三百平方メートルを超えるもの、高さが十六メートルを超えるもの又は地階を除く階数が四以上であるもの

四　延べ面積が千平方メートルを超え、かつ、階数が二以上である建築物

2　建築物を増築し、改築し、又は建築物の大規模の修繕若しくは大規模の模様替をする場合においては、当該増築、改築、修繕又は模様替に係る部分を新築するものとみなして前項の規定を適用する。

（一級建築士又は二級建築士でなければできない設計又は工事監理）

第三条の二　前条第一項各号に掲げる建築物以外の建築物で、次の各号に掲げるものを新築する場合においては、一級建築士又は二級建築士でなければ、その設計又は工事監理をしてはならない。

一　前条第一項第三号に掲げる構造の建築物又は建築物の部分で、延べ面積が三十平方メートルを超えるもの

二　延べ面積が百平方メートル（木造の建築物にあつては、三百平方メートル）を超え、又は階数が三以上の建築物

2　前条第二項の規定は、前項の場合に準用する。

3　都道府県は、土地の状況により必要と認める場合においては、第一項の規定にかかわらず、条例で、区域又は建築物の用途を限り、同項各号に規定する延べ面積（木造の建築物に係るものを除く。）を別に定めることが

できる。

（一級建築士、二級建築士又は木造建築士でなければできない設計又は工事監理）

第三条の三　前条第一項第二号に掲げる建築物以外の木造の建築物で、延べ面積が百平方メートルを超えるものを新築する場合においては、一級建築士、二級建築士又は木造建築士でなければ、その設計又は工事監理をしてはならない。

２　第三条第二項及び前条第三項の規定は、前項の場合に準用する。この場合において、同条第三項中「同項各号に規定する延べ面積（木造の建築物に係るものを除く。）」とあるのは、「次条第一項に規定する延べ面積」と読み替えるものとする。

第二章　免許等

（建築士の免許）

第四条　一級建築士になろうとする者は、国土交通大臣の免許を受けなければならない。

２　一級建築士の免許は、国土交通大臣の行う一級建築士試験に合格した者であつて、次の各号のいずれかに該当する者でなければ、受けることができない。

一　学校教育法（昭和二十二年法律第二十六号）による大学（短期大学を除く。）又は旧大学令（大正七年勅令第三百八十八号）による大学において、国土交通大臣の指定する建築に関する科目を修めて卒業した者であつて、その卒業後建築に関する実務として国土交通省令で定めるもの（以下「建築実務」という。）の経験を二年以上有する者

二　学校教育法による短期大学（修業年限が三年であるものに限り、同法による専門職大学の三年の前期課程を含む。）において、国土交通大臣の指定する建築に関する科目を修めて卒業した者（同法による専門職大学の前期課程にあつては、修了した者。以下この号及び次号において同じ。）（夜間において授業を行う課程等であつて国土交通大臣の指定するものを修めて卒業した者を除く。）であつて、その卒業後（同法による専門職大学の前期課程にあつては、修了後。同号において同じ。）建築実務の経験を三年以上有する者

三　学校教育法による短期大学（同法による専門職大学の前期課程を含む。）若しくは高等専門学校又は旧専門学校令（明治三十六年勅令第六十一号）による専門学校において、国土交通大臣の指定する建築に関する科目を修めて卒業した者であつて、その卒業後建築実務の経験を四年以上有する者（前号に掲げる者を除く。）

四　二級建築士として設計その他の国土交通省令で定める実務の経験を四年以上有する者

五　国土交通大臣が前各号に掲げる者と同等以上の知識及び技能を有すると認める者

３　二級建築士又は木造建築士になろうとする者は、都道府県知事の免許を受けなければならない。

４　二級建築士又は木造建築士の免許は、それぞれその免許を受けようとする都道府県知事の行う二級建築士試験又は木造建築士試験に合格した者であつて、次の各号のいずれかに該当する者でなければ、受けることができない。

一　学校教育法による大学若しくは高等専門学校、旧大学令による大学又は旧専門学校令による専門学校において、国土交通大臣の指定する建築に関する科目を修めて卒業した者（当該科目を修めて同法による専門職大学の前期課程を修了した者を含む。）

二　学校教育法による高等学校若しくは中等教育学校又は旧中等学校令（昭和十八年勅令第三十六号）による中等学校において、国土交通大臣の指定する建築に関する科目を修めて卒業した者であつて、その卒業後建築実務の経験を二年以上有する者

三　都道府県知事が前二号に掲げる者と同等以上の知識及び技能を有すると認める者

四　建築実務の経験を七年以上有する者

５　外国の建築士免許を受けた者で、一級建築士になろうとする者にあつては国土交通大臣が、二級建築士又は木造建築士になろうとする者にあつては都道府県知事が、それぞれ一級建築士又は二級建築士若しくは木造建築士と同等以上の資格を有すると認めるものは、第二項又は前項の規定にかかわらず、一級建築士又は二級建築士若しくは木造建築士の免許を受けることができる。

（免許の登録）

第五条　一級建築士、二級建築士又は木造建築士の免許は、それぞれ一級建築士名簿、二級建築士名簿又は木造建築士名簿に登録することによつて行う。

２　国土交通大臣又は都道府県知事は、一級建築士又は二級建築士若しくは木造建築士の免許を与えたときは、それぞれ一級建築士免許証又は二級建築士免許証若しくは木造建築士免許証を交付する。

３　一級建築士、二級建築士又は木造建築士は、一級建築士免許証、二級建築士免許証又は木造建築士免許証に記載された事項等に変更があつたときは、一級建築士にあつては国土交通大臣に、二級建築士又は木造建築士にあつては免許を受けた都道府県知事に対し、一級建築士免許証、二級建築士免許証又は木造建築士免許証の書換え交付を申請することができる。

４　一級建築士、二級建築士又は木造建築士は、第九条第一項若しくは第二項又は第十条第一項の規定によりその免許を取り消されたときは、速やかに、一級建築士にあつては一級建築士免許証を国土交通大臣に、二級建築士又は木造建築士にあつては二級建築士免許証又は木造建築士免許証をその交付を受けた都道府県知事に返納しなければならない。

５　一級建築士の免許を受けようとする者は、登録免許税法（昭和四十二年法律第三十五号）の定めるところにより登録免許税を国に納付しなければならない。

６　一級建築士免許証の書換え交付又は再交付を受けようとする者は、実費を勘案して政令で定める額の手数料を国に納付しなければならない。

（住所等の届出）

第五条の二　一級建築士、二級建築士又は木造建築士は、一級建築士免許証、二級建築士免許証又は木造建築士免許証の交付の日から三十日以内に、住所その他の国土交通省令で定める事項を、一級建築士にあつては国土交通大臣に、二級建築士又は木造建築士にあつては免許を受けた都道府県知事及び住所地の都道府県知事に届け出なければならない。

２　一級建築士、二級建築士又は木造建築士は、前項の国土交通省令で定める事項に変更があつたときは、その日から三十日以内に、その旨を、一級建築士にあつては国土交通大臣に、二級建築士又は木造建築士にあつては免許を受けた都道府県知事及び住所地の都道府県知事（都道府県の区域を異にして住所を変更したときは、変更前の住所地の都道府県知事）に届け出なければならない。

３　前項に規定するもののほか、都道府県の区域を異にして住所を変更した二級建築士又は木造建築士は、同項の期間内に第一項の国土交通省令で定める事項を変更後の住所地の都道府県知事に届け出なければならない。

（名簿）

第六条　一級建築士名簿は国土交通省に、二級建築士名簿及び木造建築士名簿は都道府県に、これを備える。

２　国土交通大臣は一級建築士名簿を、都道府県知事は二級建築士名簿及び木造建築士名簿を、それぞれ一般の閲覧に供しなければならない。

（絶対的欠格事由）

第七条　次の各号のいずれかに該当する者には、一級建築士、二級建築士又は木造建築士の免許を与えない。

一　未成年者

二　禁錮以上の刑に処せられ、その刑の執行を終わり、又は執行を受けることがなくなつた日から五年を経過しない者

三　この法律の規定に違反して、又は建築物の建築に関し罪を犯して罰金の刑に処せられ、その刑の執行を終わり、又は執行を受けることがなくなつた日から五年を経過しない者

四　第九条第一項第四号又は第十条第一項の規定により免許を取り消され、その取消しの日から起算して五年を経過しない者

五　第十条第一項の規定による業務の停止の処分を受け、その停止の期間中に第九条第一項第一号の規定によりその免許が取り消され、まだその期間が経過しない者

（相対的欠格事由）

第八条　次の各号のいずれかに該当する者には、一級建築士、二級建築士又は木造建築士の免許を与えないことができる。

一　禁錮以上の刑に処せられた者（前条第二号に該当する者を除く。）

二　この法律の規定に違反して、又は建築物の建築に関し罪を犯して罰金

の刑に処せられた者（前条第三号に該当する者を除く。）
三　心身の故障により一級建築士、二級建築士又は木造建築士の業務を適正に行うことができない者として国土交通省令で定めるもの

（建築士の死亡等の届出）

第八条の二　一級建築士、二級建築士又は木造建築士が次の各号に掲げる場合のいずれかに該当することとなつたときは、当該各号に定める者は、その日（第一号の場合にあつては、その事実を知つた日）から三十日以内に、その旨を、一級建築士にあつては国土交通大臣に、二級建築士又は木造建築士にあつては免許を受けた都道府県知事に届け出なければならない。

一　死亡したとき　その相続人
二　第七条第二号又は第三号に該当するに至つたとき　本人
三　心身の故障により一級建築士、二級建築士又は木造建築士の業務を適正に行うことができない場合に該当するものとして国土交通省令で定める場合に該当するに至つたとき　本人又はその法定代理人若しくは同居の親族

（免許の取消し）

第九条　国土交通大臣又は都道府県知事は、その免許を受けた一級建築士又は二級建築士若しくは木造建築士が次の各号のいずれかに該当する場合においては、当該一級建築士又は二級建築士若しくは木造建築士の免許を取り消さなければならない。

一　本人から免許の取消しの申請があつたとき。
二　前条（第三号に係る部分を除く。次号において同じ。）の規定による届出があつたとき。
三　前条の規定による届出がなくて同条第一号又は第二号に掲げる場合に該当する事実が判明したとき。
四　虚偽又は不正の事実に基づいて免許を受けたことが判明したとき。
五　第十三条の二第一項又は第二項の規定により一級建築士試験、二級建築士試験又は木造建築士試験の合格の決定を取り消されたとき。

2　国土交通大臣又は都道府県知事は、その免許を受けた一級建築士又は二級建築士若しくは木造建築士が次の各号のいずれかに該当する場合においては、当該一級建築士又は二級建築士若しくは木造建築士の免許を取り消すことができる。

一　前条（第三号に係る部分に限る。次号において同じ。）の規定による届出があつたとき。
二　前条の規定による届出がなくて同条第三号に掲げる場合に該当する事実が判明したとき。

3　国土交通大臣又は都道府県知事は、前二項の規定により免許を取り消したときは、国土交通省令で定めるところにより、その旨を公告しなければならない。

（懲戒）

第一〇条　国土交通大臣又は都道府県知事は、その免許を受けた一級建築士又は二級建築士若しくは木造建築士が次の各号のいずれかに該当する場合においては、当該一級建築士又は二級建築士若しくは木造建築士に対し、戒告し、若しくは一年以内の期間を定めて業務の停止を命じ、又はその免許を取り消すことができる。

一　この法律若しくは建築物の建築に関する他の法律又はこれらに基づく命令若しくは条例の規定に違反したとき。
二　業務に関して不誠実な行為をしたとき。

2　国土交通大臣又は都道府県知事は、前項の規定により業務の停止を命じようとするときは、行政手続法（平成五年法律第八十八号）第十三条第一項の規定による意見陳述のための手続の区分にかかわらず、聴聞を行わなければならない。

3　第一項の規定による処分に係る聴聞の主宰者は、必要があると認めるときは、参考人の出頭を求め、その意見を聴かなければならない。

4　国土交通大臣又は都道府県知事は、第一項の規定により、業務の停止を命じ、又は免許を取り消そうとするときは、それぞれ中央建築士審査会又は都道府県建築士審査会の同意を得なければならない。

5　国土交通大臣又は都道府県知事は、第一項の規定による処分をしたときは、国土交通省令で定めるところにより、その旨を公告しなければならない。

6　国土交通大臣又は都道府県知事は、第三項の規定により出頭を求めた参考人に対して、政令の定めるところにより、旅費、日当その他の費用を支給しなければならない。

（報告、検査等）

第一〇条の二　国土交通大臣は、建築士の業務の適正な実施を確保するため必要があると認めるときは、一級建築士に対しその業務に関し必要な報告を求め、又はその職員に、建築士事務所その他業務に関係のある場所に立ち入り、図書その他の物件を検査させ、若しくは関係者に質問させることができる。

2　都道府県知事は、建築士の業務の適正な実施を確保するため必要があると認めるときは、二級建築士若しくは木造建築士に対しその業務に関し必要な報告を求め、又はその職員に、建築士事務所その他業務に関係のある場所に立ち入り、図書その他の物件を検査させ、若しくは関係者に質問させることができる。

3　前二項の規定により立入検査をする職員は、その身分を示す証明書を携帯し、関係者に提示しなければならない。

4　第一項及び第二項の規定による立入検査の権限は、犯罪捜査のために認められたものと解釈してはならない。

（構造設計一級建築士証及び設備設計一級建築士証の交付等）

第一〇条の三　次の各号のいずれかに該当する一級建築士は、国土交通大臣に対し、構造設計一級建築士証の交付を申請することができる。

一　一級建築士として五年以上構造設計の業務に従事した後、第十条の二十二から第十条の二十五までの規定の定めるところにより国土交通大臣の登録を受けた者（以下この章において「登録講習機関」という。）が行う講習（別表第一㈠の項講習の欄に掲げる講習に限る。）の課程をその申請前一年以内に修了した一級建築士
二　国土交通大臣が、構造設計に関し前号に掲げる一級建築士と同等以上の知識及び技能を有すると認める一級建築士

2　次の各号のいずれかに該当する一級建築士は、国土交通大臣に対し、設備設計一級建築士証の交付を申請することができる。

一　一級建築士として五年以上設備設計の業務に従事した後、登録講習機関が行う講習（別表第一㈡の項講習の欄に掲げる講習に限る。）の課程をその申請前一年以内に修了した一級建築士
二　国土交通大臣が、設備設計に関し前号に掲げる一級建築士と同等以上の知識及び技能を有すると認める一級建築士

3　国土交通大臣は、前二項の規定による構造設計一級建築士証又は設備設計一級建築士証の交付の申請があつたときは、遅滞なく、その交付をしなければならない。

4　構造設計一級建築士証又は設備設計一級建築士証の交付を受けた一級建築士（以下それぞれ「構造設計一級建築士」又は「設備設計一級建築士」という。）は、構造設計一級建築士証又は設備設計一級建築士証に記載された事項等に変更があつたときは、国土交通大臣に対し、構造設計一級建築士証又は設備設計一級建築士証の書換え交付を申請することができる。

5　構造設計一級建築士又は設備設計一級建築士は、第九条第一項若しくは第二項又は第十条第一項の規定によりその免許を取り消されたときは、速やかに、構造設計一級建築士証又は設備設計一級建築士証を国土交通大臣に返納しなければならない。

6　構造設計一級建築士証又は設備設計一級建築士証の交付、書換え交付又は再交付を受けようとする一級建築士は、実費を勘案して政令で定める額の手数料を国に納付しなければならない。

（中央指定登録機関の指定）

第一〇条の四　国土交通大臣は、その指定する者（以下「中央指定登録機関」という。）に、一級建築士の登録の実施に関する事務、一級建築士名簿を一般の閲覧に供する事務並びに構造設計一級建築士証及び設備設計一級建築士証の交付の実施に関する事務（以下「一級建築士登録等事務」という。）を行わせることができる。

2　中央指定登録機関の指定は、一級建築士登録等事務を行おうとする者の申請により行う。

（指定の基準）

第一〇条の五　国土交通大臣は、他に中央指定登録機関の指定を受けた者がなく、かつ、前条第二項の申請が次に掲げる基準に適合していると認めるときでなければ、中央指定登録機関の指定をしてはならない。

一　職員、設備、事務の実施の方法その他の事項についての一級建築士登録等事務の実施に関する計画が、一級建築士登録等事務の適正かつ確実な実施のために適切なものであること。
二　前号の一級建築士登録等事務の実施に関する計画の適正かつ確実な実

施に必要な経理的及び技術的な基礎を有するものであること。

三　一級建築士登録等事務以外の業務を行つている場合には、その業務を行うことによつて一級建築士登録等事務の公正な実施に支障を及ぼすおそれがないものであること。

2　国土交通大臣は、前条第二項の申請をした者が、次の各号のいずれかに該当するときは、中央指定登録機関の指定をしてはならない。

一　一般社団法人又は一般財団法人以外の者であること。

二　この法律の規定に違反して、刑に処せられ、その執行を終わり、又は執行を受けることがなくなつた日から起算して二年を経過しない者であること。

三　第十条の十六第一項又は第二項の規定により指定を取り消され、その取消しの日から起算して二年を経過しない者であること。

四　その役員のうちに、次のいずれかに該当する者があること。

イ　第二号に該当する者

ロ　第十条の七第二項の規定による命令により解任され、その解任の日から起算して二年を経過しない者

（指定の公示等）

第一〇条の六　国土交通大臣は、中央指定登録機関の指定をしたときは、中央指定登録機関の名称及び住所、一級建築士登録等事務を行う事務所の所在地並びに一級建築士登録等事務の開始の日を公示しなければならない。

2　中央指定登録機関は、その名称若しくは住所又は一級建築士登録等事務を行う事務所の所在地を変更しようとするときは、変更しようとする日の二週間前までに、その旨を国土交通大臣に届け出なければならない。

3　国土交通大臣は、前項の規定による届出があつたときは、その旨を公示しなければならない。

（役員の選任及び解任）

第一〇条の七　中央指定登録機関の役員の選任及び解任は、国土交通大臣の認可を受けなければ、その効力を生じない。

2　国土交通大臣は、中央指定登録機関の役員が、この法律（この法律に基づく命令又は処分を含む。）若しくは第十条の九第一項に規定する登録等事務規程に違反する行為をしたとき、又は一級建築士登録等事務に関し著しく不適当な行為をしたときは、中央指定登録機関に対し、その役員を解任すべきことを命ずることができる。

（秘密保持義務等）

第一〇条の八　中央指定登録機関の役員若しくは職員又はこれらの職にあつた者は、一級建築士登録等事務に関して知り得た秘密を漏らしてはならない。

2　一級建築士登録等事務に従事する中央指定登録機関の役員及び職員は、刑法（明治四十年法律第四十五号）その他の罰則の適用については、法令により公務に従事する職員とみなす。

（登録等事務規程）

第一〇条の九　中央指定登録機関は、一級建築士登録等事務の開始前に、一級建築士登録等事務に関する規程（以下この章において「登録等事務規程」という。）を定め、国土交通大臣の認可を受けなければならない。これを変更しようとするときも、同様とする。

2　一級建築士登録等事務の実施の方法その他の登録等事務規程で定めるべき事項は、国土交通省令で定める。

3　国土交通大臣は、第一項の認可をした登録等事務規程が一級建築士登録等事務の適正かつ確実な実施上不適当となつたと認めるときは、中央指定登録機関に対し、その登録等事務規程を変更すべきことを命ずることができる。

（事業計画等）

第一〇条の一〇　中央指定登録機関は、事業年度ごとに、その事業年度の事業計画及び収支予算を作成し、毎事業年度開始前に（指定を受けた日の属する事業年度にあつては、その指定を受けた後遅滞なく）、国土交通大臣の認可を受けなければならない。これを変更しようとするときも、同様とする。

2　中央指定登録機関は、事業年度ごとに、その事業年度の事業報告書及び収支決算書を作成し、毎事業年度経過後三月以内に国土交通大臣に提出しなければならない。

（帳簿の備付け等）

第一〇条の一一　中央指定登録機関は、国土交通省令で定めるところにより、一級建築士登録等事務に関する事項で国土交通省令で定めるものを記載した帳簿を備え付け、これを保存しなければならない。

（監督命令）

第一〇条の一二　国土交通大臣は、一級建築士登録等事務の適正かつ確実な実施を確保するため必要があると認めるときは、中央指定登録機関に対し、一級建築士登録等事務に関し監督上必要な命令をすることができる。

（報告、検査等）

第一〇条の一三　国土交通大臣は、一級建築士登録等事務の適正かつ確実な実施を確保するため必要があると認めるときは、中央指定登録機関に対し一級建築士登録等事務に関し必要な報告を求め、又はその職員に、中央指定登録機関の事務所に立ち入り、一級建築士登録等事務の状況若しくは設備、帳簿、書類その他の物件を検査させ、若しくは関係者に質問させることができる。

2　第十条の二第三項及び第四項の規定は、前項の規定による立入検査について準用する。

（照会）

第一〇条の一四　中央指定登録機関は、一級建築士登録等事務の適正な実施のため必要な事項について、国土交通大臣に照会することができる。この場合において、国土交通大臣は、中央指定登録機関に対して、照会に係る事項の通知その他必要な措置を講ずるものとする。

（一級建築士登録等事務の休廃止等）

第一〇条の一五　中央指定登録機関は、国土交通大臣の許可を受けなければ、一級建築士登録等事務の全部又は一部を休止し、又は廃止してはならない。

2　国土交通大臣が前項の規定により一級建築士登録等事務の全部の廃止を許可したときは、当該許可に係る指定は、その効力を失う。

3　国土交通大臣は、第一項の許可をしたときは、その旨を公示しなければならない。

（指定の取消し等）

第一〇条の一六　国土交通大臣は、中央指定登録機関が第十条の五第二項各号（第三号を除く。）のいずれかに該当するに至つたときは、その指定を取り消さなければならない。

2　国土交通大臣は、中央指定登録機関が次の各号のいずれかに該当するときは、その指定を取り消し、又は期間を定めて一級建築士登録等事務の全部若しくは一部の停止を命ずることができる。

一　第十条の五第一項各号に掲げる基準に適合しなくなつたと認めるとき。

二　第十条の六第二項、第十条の十、第十条の十一又は前条第一項の規定に違反したとき。

三　第十条の七第二項、第十条の九第三項又は第十条の十二の規定による命令に違反したとき。

四　第十条の九第一項の認可を受けた登録等事務規程によらないで一級建築士登録等事務を行つたとき。

五　その役員が一級建築士登録等事務に関し著しく不適当な行為をしたとき。

六　不正な手段により中央指定登録機関の指定を受けたとき。

3　国土交通大臣は、前二項の規定により指定を取り消し、又は前項の規定により一級建築士登録等事務の全部若しくは一部の停止を命じたときは、その旨を公示しなければならない。

（国土交通大臣による一級建築士登録等事務の実施等）

第一〇条の一七　国土交通大臣は、中央指定登録機関の指定をしたときは、一級建築士登録等事務を行わないものとする。

2　国土交通大臣は、中央指定登録機関が次の各号のいずれかに該当するときは、前項の規定にかかわらず、一級建築士登録等事務の全部又は一部を自ら行うものとする。

一　第十条の十五第一項の規定により一級建築士登録等事務の全部又は一部を休止したとき。

二　前条第二項の規定により一級建築士登録等事務の全部又は一部の停止を命じられたとき。

三　天災その他の事由により一級建築士登録等事務の全部又は一部を実施することが困難となつた場合において国土交通大臣が必要があると認めるとき。

3　国土交通大臣は、前項の規定により一級建築士登録等事務を行い、又は同項の規定により行つている一級建築士登録等事務を行わないこととしようとするときは、あらかじめ、その旨を公示しなければならない。

4　国土交通大臣が、第二項の規定により一級建築士登録等事務を行うこととし、第十条の十五第一項の規定により一級建築士登録等事務の廃止を許可し、又は前条第一項若しくは第二項の規定により指定を取り消した場合における一級建築士登録等事務の引継ぎその他の必要な事項は、国土交通省令で定める。

（審査請求）

第一〇条の一八　中央指定登録機関が行う一級建築士登録等事務に係る処分又はその不作為について不服がある者は、国土交通大臣に対し、審査請求をすることができる。この場合において、国土交通大臣は、行政不服審査法（平成二十六年法律第六十八号）第二十五条第二項及び第三項、第四十六条第一項及び第二項、第四十七条並びに第四十九条第三項の規定の適用については、中央指定登録機関の上級行政庁とみなす。

（中央指定登録機関が一級建築士登録等事務を行う場合における規定の適用等）

第一〇条の一九　中央指定登録機関が一級建築士登録等事務を行う場合における第五条第二項から第四項まで及び第六項、第五条の二第一項、第六条並びに第十条の三の規定の適用については、これらの規定（第五条第二項、第五条の二第一項並びに第十条の三第一項各号及び第二項第二号を除く。）中「一級建築士免許証」とあるのは「一級建築士免許証明書」と、「国土交通大臣」とあり、及び「国土交通省」とあるのは「中央指定登録機関」と、「国に」とあるのは「中央指定登録機関に」と、第五条第二項中「国土交通大臣」とあるのは「中央指定登録機関（第十条の四第一項に規定する中央指定登録機関をいう。以下同じ。）」と、「一級建築士又は」とあるのは「前項の規定により一級建築士名簿に登録をし、又は」と、同項及び第五条の二第一項中「一級建築士免許証」とあるのは「一級建築士免許証明書」とする。

2　中央指定登録機関が一級建築士登録等事務を行う場合において、第五条第一項の規定による登録を受けようとする者は、実費を勘案して政令で定める額の手数料を中央指定登録機関に納付しなければならない。

3　第一項の規定により読み替えて適用する第五条第六項及び第十条の三第六項の規定並びに前項の規定により中央指定登録機関に納められた手数料は、中央指定登録機関の収入とする。

（都道府県指定登録機関）

第一〇条の二〇　都道府県知事は、その指定する者（以下「都道府県指定登録機関」という。）に、二級建築士及び木造建築士の登録の実施に関する事務並びに二級建築士名簿及び木造建築士名簿を一般の閲覧に供する事務（以下「二級建築士等登録事務」という。）を行わせることができる。

2　都道府県指定登録機関の指定は、二級建築士等登録事務を行おうとする者の申請により行う。

3　第十条の五から第十条の十八までの規定は、都道府県指定登録機関について準用する。この場合において、これらの規定（第十条の五第一項第一号を除く。）中「国土交通大臣」とあるのは「都道府県知事」と、「一級建築士登録等事務」とあるのは「二級建築士等登録事務」と、「登録等事務規程」とあるのは「登録事務規程」と、第十条の五第一項中「他に」とあるのは「当該都道府県の区域において他に」と、同条中「前条第二項」とあるのは「第十条の二十第二項」と、同項第一号中「一級建築士登録等事務の実施」とあるのは「二級建築士等登録事務（第十条の二十第一項に規定する二級建築士等登録事務をいう。以下同じ。）の実施」と、「、一級建築士登録等事務」とあるのは「、二級建築士等登録事務」と、第十条の七第二項中「命令」とあるのは「命令、規則」と読み替えるものとする。

（都道府県指定登録機関が二級建築士等登録事務を行う場合における規定の適用等）

第一〇条の二一　都道府県指定登録機関が二級建築士等登録事務を行う場合における第五条第二項から第四項まで、第五条の二第一項及び第六条の規定の適用については、これらの規定（第五条第二項及び第五条の二第一項を除く。）中「都道府県知事」とあるのは「都道府県指定登録機関」と、第五条第二項中「都道府県知事」とあるのは「都道府県指定登録機関（第十条の二十第一項に規定する都道府県指定登録機関をいう。以下同じ。）」と、「二級建築士又は木造建築士の免許を与えた」とあるのは「二級建築士の免許を与え、又は前項の規定により二級建築士名簿若しくは木造建築士名簿に登録をした」と、同項、同条第三項及び第四項並びに第五条の二第一項中「二級建築士免許証」とあるのは「二級建築士免許証明書」と、「木造建築士免許証」とあるのは「木造建築士免許証明書」と、第六条第一項中「都道府県」とあるのは「都道府県指定登録機関」とする。

2　都道府県は、地方自治法（昭和二十二年法律第六十七号）第二百二十七条の規定に基づき二級建築士若しくは木造建築士の登録又は二級建築士免許証若しくは木造建築士免許証の書換え交付若しくは再交付に係る手数料を徴収する場合においては、前条の規定により都道府県指定登録機関が行う二級建築士若しくは木造建築士の登録又は二級建築士免許証明書若しくは木造建築士免許証明書の書換え交付若しくは再交付を受けようとする者に、条例で定めるところにより、当該手数料を当該都道府県指定登録機関に納めさせ、その収入とすることができる。

（構造設計一級建築士講習又は設備設計一級建築士講習の講習機関の登録）

第一〇条の二二　第十条の三第一項第一号の登録（第十一条を除き、以下この章において単に「登録」という。）は、別表第一の各項の講習の欄に掲げる講習の区分ごとに、これらの講習の実施に関する事務（以下この章において「講習事務」という。）を行おうとする者の申請により行う。

（欠格条項）

第一〇条の二三　次の各号のいずれかに該当する者は、登録を受けることができない。

一　未成年者

二　破産手続開始の決定を受けて復権を得ない者

三　禁錮以上の刑に処せられ、又はこの法律の規定により刑に処せられ、その執行を終わり、又は執行を受けることがなくなつた日から起算して二年を経過しない者

四　第十条の三十六第一項又は第二項の規定により登録を取り消され、その取消しの日から起算して二年を経過しない者

五　心身の故障により講習事務を適正に行うことができない者として国土交通省令で定めるもの

六　法人であつて、その役員のうちに前各号のいずれかに該当する者があるもの

（登録基準等）

第一〇条の二四　国土交通大臣は、登録の申請をした者（第二号において「登録申請者」という。）が次に掲げる基準のすべてに適合しているときは、その登録をしなければならない。この場合において、登録に関して必要な手続は、国土交通省令で定める。

一　別表第一の各項の講習の欄に掲げる講習の区分に応じ、当該各項の科目の欄に掲げる科目について、それぞれ当該各項の講師の欄に掲げる者のいずれかに該当する者が講師として従事する講習事務を行うものであること。

二　登録申請者が、業として、設計、工事監理、建築物の販売若しくはその代理若しくは媒介又は建築物の建築工事の請負を行う者（以下この号において「建築関連事業者」という。）でなく、かつ、建築関連事業者に支配されているものとして次のいずれかに該当するものでないこと。

イ　登録申請者が株式会社である場合にあつては、建築関連事業者がその総株主（株主総会において決議をすることができる事項の全部につき議決権を行使することができない株主を除く。）の議決権の過半数を有するものであること。

ロ　登録申請者の役員（持分会社（会社法（平成十七年法律第八十六号）第五百七十五条第一項に規定する持分会社をいう。）にあつては、業務を執行する社員）に占める建築関連事業者の役員又は職員（過去二年間に建築関連事業者の役員又は職員であつた者を含む。）の割合が二分の一を超えていること。

ハ　登録申請者（法人にあつては、その代表権を有する役員）が、建築関連事業者の役員又は職員（過去二年間に建築関連事業者の役員又は職員であつた者を含む。）であること。

三　債務超過の状態にないこと。

2　登録は、登録講習機関登録簿に次に掲げる事項を記載してするものとする。

一　登録年月日及び登録番号

二　登録講習機関の氏名又は名称及び住所並びに法人にあつては、その代表者の氏名

三　登録の区分

四　登録講習機関が講習事務を行う事務所の所在地

五　前各号に掲げるもののほか、登録講習機関に関する事項で国土交通省令

令で定めるもの

（登録の公示等）

第一〇条の二五　国土交通大臣は、登録をしたときは、前条第二項第二号から第四号までに掲げる事項その他国土交通省令で定める事項を公示しなければならない。

2　登録講習機関は、前条第二項第二号、第四号又は第五号に掲げる事項を変更しようとするときは、変更しようとする日の二週間前までに、その旨を国土交通大臣に届け出なければならない。

3　国土交通大臣は、前項の規定による届出があつたときは、その旨を公示しなければならない。

（登録の更新）

第一〇条の二六　登録は、五年以上十年以内において政令で定める期間ごとにその更新を受けなければ、その期間の経過によつて、その効力を失う。

2　第十条の二十二から第十条の二十四までの規定は、前項の登録の更新の場合について準用する。

（承継）

第一〇条の二七　登録講習機関が当該登録に係る事業の全部を譲渡し、又は登録講習機関について相続、合併若しくは分割（当該登録に係る事業の全部を承継させるものに限る。）があつたときは、その事業の全部を譲り受けた者又は相続人（相続人が二人以上ある場合において、その全員の同意により当該事業を承継すべき相続人を選定したときは、その者。以下この項において同じ。）、合併後存続する法人若しくは合併により設立した法人若しくは分割によりその事業の全部を承継した法人は、その登録講習機関の地位を承継する。ただし、当該事業の全部を譲り受けた者又は相続人、合併後存続する法人若しくは合併により設立した法人若しくは分割により当該事業の全部を承継した法人が第十条の二十三各号のいずれかに該当するときは、この限りでない。

2　前項の規定により登録講習機関の地位を承継した者は、遅滞なく、国土交通省令で定めるところにより、その旨を国土交通大臣に届け出なければならない。

（講習事務の実施に係る義務）

第一〇条の二八　登録講習機関は、公正に、かつ、国土交通省令で定める基準に適合する方法により講習事務を行わなければならない。

（講習事務規程）

第一〇条の二九　登録講習機関は、講習事務に関する規程（以下この章において「講習事務規程」という。）を定め、講習事務の開始前に、国土交通大臣に届け出なければならない。これを変更しようとするときも、同様とする。

2　講習事務規程には、講習事務の実施の方法、講習事務に関する料金その他の国土交通省令で定める事項を定めておかなければならない。

（財務諸表等の備付け及び閲覧等）

第一〇条の三〇　登録講習機関は、毎事業年度経過後三月以内に、その事業年度の財産目録、貸借対照表及び損益計算書又は収支計算書並びに事業報告書（その作成に代えて電磁的記録（電子的方式、磁気的方式その他人の知覚によつては認識することができない方式で作られる記録であつて、電子計算機による情報処理の用に供されるものをいう。以下この条において同じ。）の作成がされている場合における当該電磁的記録を含む。以下「財務諸表等」という。）を作成し、五年間事務所に備えて置かなければならない。

2　利害関係人は、登録講習機関の業務時間内は、いつでも、次に掲げる請求をすることができる。ただし、第二号又は第四号の請求をするには、登録講習機関の定めた費用を支払わなければならない。

一　財務諸表等が書面をもつて作成されているときは、当該書面の閲覧又は謄写の請求

二　前号の書面の謄本又は抄本の請求

三　財務諸表等が電磁的記録をもつて作成されているときは、当該電磁的記録に記録された事項を国土交通省令で定める方法により表示したものの閲覧又は謄写の請求

四　前号の電磁的記録に記録された事項を電磁的方法であつて国土交通省令で定めるものにより提供することの請求又は当該事項を記載した書面の交付の請求

（帳簿の備付け等）

第一〇条の三一　登録講習機関は、国土交通省令で定めるところにより、講習事務に関する事項で国土交通省令で定めるものを記載した帳簿を備え付け、これを保存しなければならない。

（適合命令）

第一〇条の三二　国土交通大臣は、登録講習機関が第十条の二十四第一項各号のいずれかに適合しなくなつたと認めるときは、その登録講習機関に対し、これらの規定に適合するため必要な措置をとるべきことを命ずることができる。

（改善命令）

第一〇条の三三　国土交通大臣は、登録講習機関が第十条の二十八の規定に違反していると認めるときは、その登録講習機関に対し、同条の規定による講習事務を行うべきこと又は講習事務の方法その他の事務の方法の改善に関し必要な措置をとるべきことを命ずることができる。

（報告、検査等）

第一〇条の三四　国土交通大臣は、講習事務の適正な実施を確保するため必要があると認めるときは、登録講習機関に対し講習事務若しくは経理の状況に関し必要な報告を求め、又はその職員に、登録講習機関の事務所に立ち入り、講習事務の状況若しくは設備、帳簿、書類その他の物件を検査させ、若しくは関係者に質問させることができる。

2　第十条の二第三項及び第四項の規定は、前項の規定による立入検査について準用する。

（講習事務の休廃止等）

第一〇条の三五　登録講習機関は、講習事務の全部又は一部を休止し、又は廃止しようとするときは、国土交通省令で定めるところにより、あらかじめ、その旨を国土交通大臣に届け出なければならない。

2　前項の規定により講習事務の全部を廃止しようとする届出があつたときは、当該届出に係る登録は、その効力を失う。

3　国土交通大臣は、第一項の規定による届出があつたときは、その旨を公示しなければならない。

（登録の取消し等）

第一〇条の三六　国土交通大臣は、登録講習機関が第十条の二十三各号（第一号及び第四号を除く。）のいずれかに該当するに至つたときは、その登録を取り消さなければならない。

2　国土交通大臣は、登録講習機関が次の各号のいずれかに該当するときは、その登録を取り消し、又は期間を定めて講習事務の全部若しくは一部の停止を命ずることができる。

一　第十条の二十五第二項、第十条の二十七第二項、第十条の三十第一項、第十条の三十一又は前条第一項の規定に違反したとき。

二　第十条の二十九第一項の規定による届出のあつた講習事務規程によらないで講習事務を行つたとき。

三　正当な理由がないのに第十条の三十第二項各号の請求を拒んだとき。

四　第十条の三十二又は第十条の三十三の規定による命令に違反したとき。

五　講習事務に関し著しく不適当な行為をしたとき、又はその事務に従事する者若しくは法人にあつてはその役員が、講習事務に関し著しく不適当な行為をしたとき。

六　不正な手段により登録を受けたとき。

3　国土交通大臣は、前二項の規定により登録を取り消し、又は前項の規定により講習事務の全部若しくは一部の停止を命じたときは、その旨を公示しなければならない。

（国土交通大臣による講習事務の実施）

第一〇条の三七　国土交通大臣は、次の各号のいずれかに該当するときその他必要があると認めるときは、講習事務の全部又は一部を自ら行うことができる。

一　登録を受ける者がいないとき。

二　第十条の三十五第一項の規定による講習事務の全部又は一部の休止又は廃止の届出があつたとき。

三　前条第一項若しくは第二項の規定により登録を取り消し、又は同項の規定により講習事務の全部若しくは一部の停止を命じたとき。

四　登録講習機関が天災その他の事由により講習事務の全部又は一部を実施することが困難となつたとき。

2　国土交通大臣は、前項の規定により講習事務を行い、又は同項の規定により行つている講習事務を行わないこととしようとするときは、あらかじめ、その旨を公示しなければならない。

3　国土交通大臣が第一項の規定により講習事務を行うこととした場合における講習事務の引継ぎその他の必要な事項は、国土交通省令で定める。

（手数料）

第一〇条の三八　前条第一項の規定により国土交通大臣が行う講習を受けようとする者は、実費を勘案して政令で定める額の手数料を国に納めなければならない。

（国土交通省令及び都道府県の規則への委任）

第一一条　この章に規定するもののほか、一級建築士の免許の申請、登録の訂正及び抹消並びに住所等の届出、一級建築士免許証及び一級建築士免許証明書の交付、書換え交付、再交付及び返納その他一級建築士の免許に関して必要な事項並びに第十条の三第一項第一号の登録、同号及び同条第二項第一号の講習、登録講習機関その他構造設計一級建築士証及び設備設計一級建築士証の交付、書換え交付、再交付及び返納に関して必要な事項は、国土交通省令で定める。

2　この章に規定するもののほか、二級建築士及び木造建築士の免許の申請、登録の訂正及び抹消並びに住所等の届出、二級建築士免許証及び木造建築士免許証並びに二級建築士免許証明書及び木造建築士免許証明書の交付、書換え交付、再交付及び返納その他二級建築士及び木造建築士の免許に関して必要な事項は、都道府県の規則で定める。

第三章　試験

（試験の内容）

第一二条　一級建築士試験及び二級建築士試験は、設計及び工事監理に必要な知識及び技能について行う。

2　木造建築士試験は、小規模の木造の建築物に関する設計及び工事監理に必要な知識及び技能について行う。

（試験の施行）

第一三条　一級建築士試験、二級建築士試験又は木造建築士試験は、毎年少なくとも一回、一級建築士試験にあつては国土交通大臣が、二級建築士試験及び木造建築士試験にあつては都道府県知事が行う。

（合格の取消し等）

第一三条の二　国土交通大臣は不正の手段によつて一級建築士試験を受け、又は受けようとした者に対して、都道府県知事は不正の手段によつて二級建築士試験又は木造建築士試験を受け、又は受けようとした者に対して、合格の決定を取り消し、又は当該受けようとした試験を受けることを禁止することができる。

2　第十五条の二第一項に規定する中央指定試験機関にあつては前項に規定する国土交通大臣の職権を、第十五条の六第一項に規定する都道府県指定試験機関にあつては前項に規定する都道府県知事の職権を行うことができる。

3　国土交通大臣又は都道府県知事は、前二項の規定による処分を受けた者に対し、三年以内の期間を定めて一級建築士試験又は二級建築士試験若しくは木造建築士試験を受けることができないものとすることができる。

（一級建築士試験の受験資格）

第一四条　一級建築士試験は、次の各号のいずれかに該当する者でなければ、受けることができない。

一　学校教育法による大学若しくは高等専門学校、旧大学令による大学又は旧専門学校令による専門学校において、国土交通大臣の指定する建築に関する科目を修めて卒業した者（当該科目を修めて同法による専門職大学の前期課程を修了した者を含む。）

二　二級建築士

三　国土交通大臣が前二号に掲げる者と同等以上の知識及び技能を有すると認める者

（二級建築士試験及び木造建築士試験の受験資格）

第一五条　二級建築士試験及び木造建築士試験は、次の各号のいずれかに該当する者でなければ、受けることができない。

一　学校教育法による大学、高等専門学校、高等学校若しくは中等教育学校、旧大学令による大学、旧専門学校令による専門学校又は旧中等学校令による中等学校において、国土交通大臣の指定する建築に関する科目を修めて卒業した者（当該科目を修めて同法による専門職大学の前期課程を修了した者を含む。）

二　都道府県知事が前号に掲げる者と同等以上の知識及び技能を有すると認める者

三　建築実務の経験を七年以上有する者

（中央指定試験機関の指定）

第一五条の二　国土交通大臣は、その指定する者（以下「中央指定試験機関」という。）に、一級建築士試験の実施に関する事務（以下「一級建築士試験事務」という。）を行わせることができる。

2　中央指定試験機関の指定は、一級建築士試験事務を行おうとする者の申請により行う。

3　国土交通大臣は、中央指定試験機関の指定をしようとするときは、あらかじめ、中央建築士審査会の意見を聴かなければならない。

（試験委員）

第一五条の三　中央指定試験機関は、試験の問題の作成及び採点を試験委員に行わせなければならない。

2　前項の試験委員は、建築士のうちから選任しなければならない。この場合において、やむを得ない理由があるときは、学識経験のある者のうちから、選任することができる。ただし、その数は、同項の試験委員の半数を超えてはならない。

3　中央指定試験機関は、第一項の試験委員を選任し、又は解任したときは、遅滞なくその旨を国土交通大臣に届け出なければならない。

（不正行為の禁止）

第一五条の四　前条第一項の試験委員は、試験の問題の作成及び採点に当たつて、厳正を保持し不正の行為のないようにしなければならない。

（準用）

第一五条の五　第十条の五から第十条の十三まで及び第十条の十五から第十条の十八までの規定は、中央指定試験機関について準用する。この場合において、これらの規定（第十条の七第一項を除く。）中「一級建築士登録等事務」とあるのは「一級建築士試験事務」と、「役員」とあるのは「役員（第十五条の三第一項の試験委員を含む。）」と、「登録等事務規程」とあるのは「試験事務規程」と、第十条の五中「前条第二項」とあるのは「第十五条の二第二項」と、同条第一項第一号中「一級建築士登録等事務の実施」とあるのは「一級建築士試験事務（第十五条の二第一項に規定する一級建築士試験事務をいう。以下同じ。）の実施」と、「、一級建築士登録等事務」とあるのは「、一級建築士試験事務」と、第十条の十六第二項第二号中「又は」とあるのは「若しくは」と、「規定」とあるのは「規定又は第十五条の三の規定」と読み替えるものとする。

2　第十五条の二第三項の規定は、前項において読み替えて準用する第十条の九第一項若しくは第三項又は第十条の十六第二項の規定による認可、命令又は処分をしようとするときについて準用する。

（都道府県指定試験機関）

第一五条の六　都道府県知事は、その指定する者（以下「都道府県指定試験機関」という。）に、二級建築士試験及び木造建築士試験の実施に関する事務（以下「二級建築士等試験事務」という。）を行わせることができる。

2　都道府県指定試験機関の指定は、二級建築士等試験事務を行おうとする者の申請により行う。

3　第十条の五から第十条の十三まで、第十条の十五から第十条の十八まで、第十五条の二第三項、第十五条の三、第十五条の四及び前条第二項の規定は、都道府県指定試験機関について準用する。この場合において、これらの規定（第十条の五第一項第一号及び第二項第四号並びに第十条の七第一項を除く。）中「国土交通大臣」とあるのは「都道府県知事」と、「一級建築士登録等事務」とあるのは「二級建築士等試験事務」と、「役員」とあるのは「役員（第十五条の六第三項において準用する第十五条の三第一項の試験委員を含む。）」と、「登録等事務規程」とあるのは「試験事務規程」と、第十条の五第一項中「他に」とあるのは「当該都道府県の区域において他に」と、同条中「前条第二項」とあるのは「第十五条の六第二項」と、同項第一号中「一級建築士登録等事務の実施」とあるのは「二級建築士等試験事務（第十五条の六第一項に規定する二級建築士等試験事務をいう。以下同じ。）の実施」と、「、一級建築士登録等事務」とあるのは「、二級建築士等試験事務」と、第十条の七第一項中「国土交通大臣」とあるのは「都道府県知事」と、同条第二項中「命令」とあるのは「命令、規則」と、第十条の十六第二項第二号中「又は」とあるのは「若しくは」と、「規定」とあるのは「規定又は第十五条の六第三項において準用する第十五条の三の規定」と、第十五条の二第三項中「中央建築士審査会」とあるのは「都道府県建築士審査会」と、前条第二項中「前項」とあるのは「次条第三項」と読み替えるものとする。

（受験手数料）

第一六条　一級建築士試験を受けようとする者は国（中央指定試験機関が行う試験を受けようとする者にあつては、中央指定試験機関）に、政令の定めるところにより、実費を勘案して政令で定める額の受験手数料を納付しなければならない。

２　前項の規定により中央指定試験機関に納められた手数料は、中央指定試験機関の収入とする。

３　都道府県は、地方自治法第二百二十七条の規定に基づき二級建築士試験又は木造建築士試験に係る手数料を徴収する場合においては、前条の規定により都道府県指定試験機関が行う二級建築士試験又は木造建築士試験を受けようとする者に、条例で定めるところにより、当該手数料を当該都道府県指定試験機関に納めさせ、その収入とすることができる。

（国土交通省令及び都道府県の規則への委任）

第一七条　この章に規定するもののほか、一級建築士試験の科目、受験手続その他一級建築士試験に関して必要な事項並びに二級建築士試験及び木造建築士試験の基準は、国土交通省令で定める。

２　この章に規定するもののほか、二級建築士試験及び木造建築士試験の科目、受験手続その他二級建築士試験及び木造建築士試験に関して必要な事項は、都道府県の規則で定める。

第四章　業務

（設計及び工事監理）

第一八条　建築士は、設計を行う場合においては、設計に係る建築物が法令又は条例の定める建築物に関する基準に適合するようにしなければならない。

２　建築士は、設計を行う場合においては、設計の委託者に対し、設計の内容に関して適切な説明を行うように努めなければならない。

３　建築士は、工事監理を行う場合において、工事が設計図書のとおりに実施されていないと認めるときは、直ちに、工事施工者に対して、その旨を指摘し、当該工事を設計図書のとおりに実施するよう求め、当該工事施工者がこれに従わないときは、その旨を建築主に報告しなければならない。

４　建築士は、延べ面積が二千平方メートルを超える建築物の建築設備に係る設計又は工事監理を行う場合においては、建築設備士の意見を聴くよう努めなければならない。ただし、設備設計一級建築士が設計を行う場合には、設計に関しては、この限りでない。

（設計の変更）

第一九条　一級建築士、二級建築士又は木造建築士は、他の一級建築士、二級建築士又は木造建築士の設計した設計図書の一部を変更しようとするときは、当該一級建築士、二級建築士又は木造建築士の承諾を求めなければならない。ただし、承諾を求めることのできない事由があるとき、又は承諾が得られなかつたときは、自己の責任において、その設計図書の一部を変更することができる。

（建築士免許証等の提示）

第一九条の二　一級建築士、二級建築士又は木造建築士は、第二十三条第一項に規定する設計等の委託者（委託しようとする者を含む。）から請求があつたときは、一級建築士免許証、二級建築士免許証若しくは木造建築士免許証又は一級建築士免許証明書、二級建築士免許証明書若しくは木造建築士免許証明書を提示しなければならない。

（業務に必要な表示行為）

第二〇条　一級建築士、二級建築士又は木造建築士は、設計を行つた場合においては、その設計図書に一級建築士、二級建築士又は木造建築士である旨の表示をして記名しなければならない。設計図書の一部を変更した場合も同様とする。

２　一級建築士、二級建築士又は木造建築士は、構造計算によつて建築物の安全性を確かめた場合においては、遅滞なく、国土交通省令で定めるところにより、その旨の証明書を設計の委託者に交付しなければならない。ただし、次条第一項又は第二項の規定の適用がある場合は、この限りでない。

３　建築士は、工事監理を終了したときは、直ちに、国土交通省令で定めるところにより、その結果を文書で建築主に報告しなければならない。

４　建築士は、前項の規定による文書での報告に代えて、政令で定めるところにより、当該建築主の承諾を得て、当該結果を電子情報処理組織を使用する方法その他の情報通信の技術を利用する方法であつて国土交通省令で定めるものにより報告することができる。この場合において、当該建築士は、当該文書での報告をしたものとみなす。

５　建築士は、大規模の建築物その他の建築物の建築設備に係る設計又は工事監理を行う場合において、建築設備士の意見を聴いたときは、第一項の規定による設計図書又は第三項の規定による報告書（前項前段に規定する方法により報告が行われた場合にあつては、当該報告の内容）において、その旨を明らかにしなければならない。

（構造設計に関する特例）

第二〇条の二　構造設計一級建築士は、第三条第一項に規定する建築物のうち建築基準法第二十条第一項第一号又は第二号に掲げる建築物に該当するものの構造設計を行つた場合においては、前条第一項の規定によるほか、その構造設計図書に構造設計一級建築士である旨の表示をしなければならない。構造設計図書の一部を変更した場合も同様とする。

２　構造設計一級建築士以外の一級建築士は、前項の建築物の構造設計を行つた場合においては、国土交通省令で定めるところにより、構造設計一級建築士に当該構造設計に係る建築物が建築基準法第二十条（第一項第一号又は第二号に係る部分に限る。）の規定及びこれに基づく命令の規定（以下「構造関係規定」という。）に適合するかどうかの確認を求めなければならない。構造設計図書の一部を変更した場合も同様とする。

３　構造設計一級建築士は、前項の規定により確認を求められた場合において、当該建築物が構造関係規定に適合することを確認したとき又は適合することを確認できないときは、当該構造設計図書にその旨を記載するとともに、構造設計一級建築士である旨の表示をして記名しなければならない。

４　構造設計一級建築士は、第二項の規定により確認を求めた一級建築士から請求があつたときは、構造設計一級建築士証を提示しなければならない。

（設備設計に関する特例）

第二〇条の三　設備設計一級建築士は、階数が三以上で床面積の合計が五千平方メートルを超える建築物の設備設計を行つた場合においては、第二十条第一項の規定によるほか、その設備設計図書に設備設計一級建築士である旨の表示をしなければならない。設備設計図書の一部を変更した場合も同様とする。

２　設備設計一級建築士以外の一級建築士は、前項の建築物の設備設計を行つた場合においては、国土交通省令で定めるところにより、設備設計一級建築士に当該設備設計に係る建築物が建築基準法第二十八条第三項、第二十八条の二第三号（換気設備に係る部分に限る。）、第三十二条から第三十四条まで、第三十五条（消火栓、スプリンクラー、貯水槽その他の消火設備、排煙設備及び非常用の照明装置に係る部分に限る。）及び第三十六条（消火設備、避雷設備及び給水、排水その他の配管設備の設置及び構造並びに煙突及び昇降機の構造に係る部分に限る。）の規定並びにこれらに基づく命令の規定（以下「設備関係規定」という。）に適合するかどうかの確認を求めなければならない。設備設計図書の一部を変更した場合も同様とする。

３　設備設計一級建築士は、前項の規定により確認を求められた場合において、当該建築物が設備関係規定に適合することを確認したとき又は適合することを確認できないときは、当該設備設計図書にその旨を記載するとともに、設備設計一級建築士である旨の表示をして記名しなければならない。

４　設備設計一級建築士は、第二項の規定により確認を求めた一級建築士から請求があつたときは、設備設計一級建築士証を提示しなければならない。

（その他の業務）

第二一条　建築士は、設計（第二十条の二第二項又は前条第二項の確認を含む。第二十二条及び第二十三条第一項において同じ。）及び工事監理を行うほか、建築工事契約に関する事務、建築工事の指導監督、建築物に関する調査又は鑑定及び建築物の建築に関する法令又は条例の規定に基づく手続の代理その他の業務（木造建築士にあつては、木造の建築物に関する業務に限る。）を行うことができる。ただし、他の法律においてその業務を行うことが制限されている事項については、この限りでない。

（非建築士等に対する名義貸しの禁止）

第二一条の二　建築士は、次の各号のいずれかに該当する者に自己の名義を利用させてはならない。

一　第三条第一項（同条第二項の規定により適用される場合を含む。第二十六条第二項第六号から第八号までにおいて同じ。）、第三条の二第一項（同条第二項において準用する第三条第二項の規定により適用される場合を含む。第二十六条第二項第六号から第八号までにおいて同じ。）、第三条の三第一項（同条第二項において準用する第三条第二項の規定により適用される場合を含む。第二十六条第二項第八号において同じ。）又は第三十四条の規定に違反する者

二　第三条の二第三項（第三条の三第二項において読み替えて準用する場合を含む。）の規定に基づく条例の規定に違反する者

（違反行為の指示等の禁止）

第二十一条の三　建築士は、建築基準法の定める建築物に関する基準に適合しない建築物の建築その他のこの法律若しくは建築物の建築に関する他の法律又はこれらに基づく命令若しくは条例の規定に違反する行為について指示をし、相談に応じ、その他これらに類する行為をしてはならない。

（信用失墜行為の禁止）

第二十一条の四　建築士は、建築士の信用又は品位を害するような行為をしてはならない。

（知識及び技能の維持向上）

第二十二条　建築士は、設計及び工事監理に必要な知識及び技能の維持向上に努めなければならない。

2　国土交通大臣及び都道府県知事は、設計及び工事監理に必要な知識及び技能の維持向上を図るため、必要な情報及び資料の提供その他の措置を講ずるものとする。

（定期講習）

第二十二条の二　次の各号に掲げる建築士は、三年以上五年以内において国土交通省令で定める期間ごとに、次条第一項の規定及び同条第二項において準用する第十条の二十三から第十条の二十五までの規定の定めるところにより国土交通大臣の登録を受けた者（次条において「登録講習機関」という。）が行う当該各号に定める講習を受けなければならない。

一　一級建築士（第二十三条第一項の建築士事務所に属するものに限る。）　別表第二㈠の項講習の欄に掲げる講習

二　二級建築士（第二十三条第一項の建築士事務所に属するものに限る。）　別表第二㈡の項講習の欄に掲げる講習

三　木造建築士（第二十三条第一項の建築士事務所に属するものに限る。）　別表第二㈢の項講習の欄に掲げる講習

四　構造設計一級建築士　別表第二㈣の項講習の欄に掲げる講習

五　設備設計一級建築士　別表第二㈤の項講習の欄に掲げる講習

（定期講習の講習機関の登録）

第二十二条の三　前条の登録は、別表第二の各項の講習の欄に掲げる講習の区分ごとに、これらの講習の実施に関する事務を行おうとする者の申請により行う。

2　第十条の二十三、第十条の二十四、第十条の二十五第一項及び第十条の二十六の規定は前条の登録に、第十条の二十五第二項及び第三項並びに第十条の二十七から第十条の三十八までの規定は登録講習機関について準用する。この場合において、第十条の二十三第五号中「講習事務」とあるのは「第二十二条の二の講習の実施に関する事務（以下「講習事務」という。）」と、第十条の二十四第一項第一号中「別表第一の各項の講習の欄」とあるのは「別表第二の各項の講習の欄」と読み替えるものとする。

3　前条の登録及び講習並びに登録講習機関に関して必要な事項は、国土交通省令で定める。

第四章の二　設計受託契約等

（設計受託契約等の原則）

第二十二条の三の二　設計又は工事監理の委託を受けることを内容とする契約（以下それぞれ「設計受託契約」又は「工事監理受託契約」という。）の当事者は、各々の対等な立場における合意に基づいて公正な契約を締結し、信義に従つて誠実にこれを履行しなければならない。

（延べ面積が三百平方メートルを超える建築物に係る契約の内容）

第二十二条の三の三　延べ面積が三百平方メートルを超える建築物の新築に係る設計受託契約又は工事監理受託契約の当事者は、前条の趣旨に従つて、契約の締結に際して次に掲げる事項を書面に記載し、署名又は記名押印をして相互に交付しなければならない。

一　設計受託契約にあつては、作成する設計図書の種類

二　工事監理受託契約にあつては、工事と設計図書との照合の方法及び工事監理の実施の状況に関する報告の方法

三　当該設計又は工事監理に従事することとなる建築士の氏名及びその者の一級建築士、二級建築士又は木造建築士の別並びにその者が構造設計一級建築士又は設備設計一級建築士である場合にあつては、その旨

四　報酬の額及び支払の時期

五　契約の解除に関する事項

六　前各号に掲げるもののほか、国土交通省令で定める事項

2　延べ面積が三百平方メートルを超える建築物の新築に係る設計受託契約又は工事監理受託契約の当事者は、設計受託契約又は工事監理受託契約の内容で前項各号に掲げる事項に該当するものを変更するときは、その変更の内容を書面に記載し、署名又は記名押印をして相互に交付しなければならない。

3　建築物を増築し、改築し、又は建築物の大規模の修繕若しくは大規模の模様替をする場合においては、当該増築、改築、修繕又は模様替に係る部分の新築とみなして前二項の規定を適用する。

4　設計受託契約又は工事監理受託契約の当事者は、第一項又は第二項の規定による書面の交付に代えて、政令で定めるところにより、当該契約の相手方の承諾を得て、当該書面に記載すべき事項を電子情報処理組織を使用する方法その他の情報通信の技術を利用する方法であつて国土交通省令で定めるものにより提供することができる。この場合において、当該設計受託契約又は工事監理受託契約の当事者は、当該書面を交付したものとみなす。

5　設計受託契約又は工事監理受託契約の当事者が、第一項の規定により書面を相互に交付した場合（前項の規定により書面を交付したものとみなされる場合を含む。）には、第二十四条の八第一項の規定は、適用しない。

（適正な委託代金）

第二十二条の三の四　設計受託契約又は工事監理受託契約を締結しようとする者は、第二十五条に規定する報酬の基準に準拠した委託代金で設計受託契約又は工事監理受託契約を締結するよう努めなければならない。

第五章　建築士会及び建築士会連合会

第二十二条の四　その名称中に建築士会という文字を用いる一般社団法人（次項に規定するものを除く。）は、建築士の品位の保持及びその業務の進歩改善に資するため、建築士に対する建築技術に関する研修並びに社員の指導及び連絡に関する事務を行うことを目的とし、かつ、建築士を社員とする旨の定款の定めがあるものでなければならない。

2　その名称中に建築士会連合会という文字を用いる一般社団法人は、建築士の品位の保持及びその業務の進歩改善に資するため、建築士に対する建築技術に関する研修並びに社員の指導及び連絡に関する事務を行うことを目的とし、かつ、前項に規定する一般社団法人（以下この条において「建築士会」という。）を社員とする旨の定款の定めがあるものでなければならない。

3　前二項に規定する定款の定めは、これを変更することができない。

4　建築士会及び第二項に規定する一般社団法人（以下この条において「建築士会連合会」という。）は、成立したときは、成立の日から二週間以内に、登記事項証明書及び定款の写しを添えて、その旨を、建築士会にあつてはその主たる事務所の所在地を管轄する都道府県知事に、建築士会連合会にあつては国土交通大臣に届け出なければならない。

5　建築士会及び建築士会連合会は、建築士に対し、その業務に必要な知識及び技能の向上を図るための建築技術に関する研修を実施しなければならない。

6　国土交通大臣は建築士会連合会に対して、建築士会の主たる事務所の所在地を管轄する都道府県知事は当該建築士会に対して、建築士の品位の保持及びその業務の進歩改善に資するため、必要な事項に関して報告を求め、又は必要な指導、助言及び勧告をすることができる。

第六章　建築士事務所

（登録）

第二十三条　一級建築士、二級建築士若しくは木造建築士又はこれらの者を使用する者は、他人の求めに応じ報酬を得て、設計、工事監理、建築工事契

約に関する事務、建築工事の指導監督、建築物に関する調査若しくは鑑定又は建築物の建築に関する法令若しくは条例の規定に基づく手続の代理（木造建築士又は木造建築士を使用する者（木造建築士のほかに、一級建築士又は二級建築士を使用する者を除く。）にあつては、木造の建築物に関する業務に限る。以下「設計等」という。）を業として行おうとするときは、一級建築士事務所、二級建築士事務所又は木造建築士事務所を定めて、その建築士事務所について、都道府県知事の登録を受けなければならない。

2　前項の登録の有効期間は、登録の日から起算して五年とする。

3　第一項の登録の有効期間の満了後、引き続き、他人の求めに応じ報酬を得て、設計等を業として行おうとする者は、その建築士事務所について更新の登録を受けなければならない。

（登録の申請）

第二十三条の二　前条第一項又は第三項の規定により建築士事務所について登録を受けようとする者（以下「登録申請者」という。）は、次に掲げる事項を記載した登録申請書をその建築士事務所の所在地を管轄する都道府県知事に提出しなければならない。

一　建築士事務所の名称及び所在地

二　一級建築士事務所、二級建築士事務所又は木造建築士事務所の別

三　登録申請者が個人である場合はその氏名、法人である場合はその名称及び役員（業務を執行する社員、取締役、執行役又はこれらに準ずる者をいう。以下この章において同じ。）の氏名

四　第二十四条第二項に規定する管理建築士の氏名及びその者の一級建築士、二級建築士又は木造建築士の別

五　建築士事務所に属する建築士の氏名及びその者の一級建築士、二級建築士又は木造建築士の別

六　前各号に掲げるもののほか、国土交通省令で定める事項

（登録の実施）

第二十三条の三　都道府県知事は、前条の規定による登録の申請があつた場合においては、次条の規定により登録を拒否する場合を除くほか、遅滞なく、前条各号に掲げる事項及び登録年月日、登録番号その他国土交通省令で定める事項を一級建築士事務所登録簿、二級建築士事務所登録簿又は木造建築士事務所登録簿（以下「登録簿」という。）に登録しなければならない。

2　都道府県知事は、前項の規定による登録をした場合においては、直ちにその旨を当該登録申請者に通知しなければならない。

（登録の拒否）

第二十三条の四　都道府県知事は、登録申請者が次の各号のいずれかに該当する場合又は登録申請書に重要な事項についての虚偽の記載があり、若しくは重要な事実の記載が欠けている場合においては、その登録を拒否しなければならない。

一　破産手続開始の決定を受けて復権を得ない者

二　第七条第二号から第四号までのいずれかに該当する者

三　第二十六条第一項又は第二項の規定により建築士事務所について登録を取り消され、その取消しの日から起算して五年を経過しない者（当該登録を取り消された者が法人である場合においては、その取消しの原因となつた事実があつた日以前一年内にその法人の役員であつた者でその取消しの日から起算して五年を経過しないもの）

四　第二十六条第二項の規定により建築士事務所の閉鎖の命令を受け、その閉鎖の期間が経過しない者（当該命令を受けた者が法人である場合においては、当該命令の原因となつた事実があつた日以前一年内にその法人の役員であつた者でその閉鎖の期間が経過しないもの）

五　暴力団員による不当な行為の防止等に関する法律（平成三年法律第七十七号）第二条第六号に規定する暴力団員又は同号に規定する暴力団員でなくなつた日から五年を経過しない者（第九号において「暴力団員等」という。）

六　心身の故障により建築士事務所の業務を適正に行うことができない者として国土交通省令で定めるもの

七　営業に関し成年者と同一の行為能力を有しない未成年者でその法定代理人（法定代理人が法人である場合においては、その役員を含む。）が前各号のいずれかに該当するもの

八　法人でその役員のうちに第一号から第六号までのいずれかに該当する者のあるもの

九　暴力団員等がその事業活動を支配する者

十　建築士事務所について第二十四条第一項及び第二項に規定する要件を欠く者

2　都道府県知事は、登録申請者が次の各号のいずれかに該当する場合は、その登録を拒否することができる。

一　第八条第一号又は第二号のいずれかに該当する者

二　営業に関し成年者と同一の行為能力を有しない未成年者でその法定代理人（法定代理人が法人である場合においては、その役員を含む。）が前号に該当するもの

三　法人でその役員のうちに第一号に該当する者のあるもの

3　都道府県知事は、前二項の規定により登録を拒否した場合においては、遅滞なく、その理由を記載した文書をもつて、その旨を当該登録申請者に通知しなければならない。

（変更の届出）

第二十三条の五　第二十三条の三第一項の規定により建築士事務所について登録を受けた者（以下「建築士事務所の開設者」という。）は、第二十三条の二第一号、第三号、第四号又は第六号に掲げる事項について変更があつたときは、二週間以内に、その旨を当該都道府県知事に届け出なければならない。

2　建築士事務所の開設者は、第二十三条の二第五号に掲げる事項について変更があつたときは、三月以内に、その旨を当該都道府県知事に届け出なければならない。

3　第二十三条の三第一項及び前条の規定は、前二項の規定による変更の届出があつた場合に準用する。

（設計等の業務に関する報告書）

第二十三条の六　建築士事務所の開設者は、国土交通省令で定めるところにより、事業年度ごとに、次に掲げる事項を記載した設計等の業務に関する報告書を作成し、毎事業年度経過後三月以内に当該建築士事務所に係る登録をした都道府県知事に提出しなければならない。

一　当該事業年度における当該建築士事務所の業務の実績の概要

二　当該建築士事務所に属する建築士の氏名

三　前号の建築士の当該事業年度における業務の実績（当該建築士事務所におけるものに限る。）

四　前三号に掲げるもののほか、国土交通省令で定める事項

（廃業等の届出）

第二十三条の七　建築士事務所の開設者が次の各号に掲げる場合のいずれかに該当することとなつたときは、当該各号に定める者は、その日（第二号の場合にあつては、その事実を知つた日）から三十日以内に、その旨を当該建築士事務所に係る登録をした都道府県知事に届け出なければならない。

一　その登録に係る建築士事務所の業務を廃止したとき　建築士事務所の開設者であつた者

二　死亡したとき　その相続人

三　破産手続開始の決定があつたとき　その破産管財人

四　法人が合併により解散したとき　その法人を代表する役員であつた者

五　法人が破産手続開始の決定又は合併以外の事由により解散したとき　その清算人

（登録の抹消）

第二十三条の八　都道府県知事は、次の各号のいずれかに該当する場合においては、登録簿につき、当該建築士事務所に係る登録を抹消しなければならない。

一　前条の規定による届出があつたとき。

二　第二十三条第一項の登録の有効期間の満了の際更新の登録の申請がなかつたとき。

三　第二十六条第一項又は第二項の規定により登録を取り消したとき。

2　第二十三条の三第二項の規定は、前項の規定により登録を抹消した場合に準用する。

（登録簿等の閲覧）

第二十三条の九　都道府県知事は、次に掲げる書類を一般の閲覧に供しなければならない。

一　登録簿

二　第二十三条の六の規定により提出された設計等の業務に関する報告書

三　その他建築士事務所に関する書類で国土交通省令で定めるもの

（無登録業務の禁止）

第二十三条の一〇　建築士は、第二十三条の三第一項の規定による登録を受け

ないで、他人の求めに応じ報酬を得て、設計等を業として行つてはならない。

2　何人も、第二十三条の三第一項の規定による登録を受けないで、建築士を使用して、他人の求めに応じ報酬を得て、設計等を業として行つてはならない。

（建築士事務所の管理）

第二四条　建築士事務所の開設者は、一級建築士事務所、二級建築士事務所又は木造建築士事務所ごとに、それぞれ当該一級建築士事務所、二級建築士事務所又は木造建築士事務所を管理する専任の一級建築士、二級建築士又は木造建築士を置かなければならない。

2　前項の規定により置かれる建築士事務所を管理する建築士（以下「管理建築士」という。）は、建築士として三年以上の設計その他の国土交通省令で定める業務に従事した後、第二十六条の五第一項の規定及び同条第二項において準用する第十条の二十三から第十条の二十五までの規定の定めるところにより国土交通大臣の登録を受けた者（以下この章において「登録講習機関」という。）が行う別表第三講習の欄に掲げる講習の課程を修了した建築士でなければならない。

3　管理建築士は、その建築士事務所の業務に係る次に掲げる技術的事項を総括するものとする。

一　受託可能な業務の量及び難易並びに業務の内容に応じて必要となる期間の設定

二　受託しようとする業務を担当させる建築士その他の技術者の選定及び配置

三　他の建築士事務所との提携及び提携先に行わせる業務の範囲の案の作成

四　建築士事務所に属する建築士その他の技術者の監督及びその業務遂行の適正の確保

4　管理建築士は、その者と建築士事務所の開設者とが異なる場合においては、建築士事務所の開設者に対し、前項各号に掲げる技術的事項に関し、その建築士事務所の業務が円滑かつ適切に行われるよう必要な意見を述べるものとする。

5　建築士事務所の開設者は、前項の規定による管理建築士の意見を尊重しなければならない。

（名義貸しの禁止）

第二四条の二　建築士事務所の開設者は、自己の名義をもつて、他人に建築士事務所の業務を営ませてはならない。

（再委託の制限）

第二四条の三　建築士事務所の開設者は、委託者の許諾を得た場合においても、委託を受けた設計又は工事監理の業務を建築士事務所の開設者以外の者に委託してはならない。

2　建築士事務所の開設者は、委託者の許諾を得た場合においても、委託を受けた設計又は工事監理（いずれも延べ面積が三百平方メートルを超える建築物の新築工事に係るものに限る。）の業務を、それぞれ一括して他の建築士事務所の開設者に委託してはならない。

（帳簿の備付け等及び図書の保存）

第二四条の四　建築士事務所の開設者は、国土交通省令で定めるところにより、その建築士事務所の業務に関する事項で国土交通省令で定めるものを記載した帳簿を備え付け、これを保存しなければならない。

2　前項に定めるもののほか、建築士事務所の開設者は、国土交通省令で定めるところにより、その建築士事務所の業務に関する図書で国土交通省令で定めるものを保存しなければならない。

（標識の掲示）

第二四条の五　建築士事務所の開設者は、その建築士事務所において、公衆の見やすい場所に国土交通省令で定める標識を掲げなければならない。

（書類の閲覧）

第二四条の六　建築士事務所の開設者は、国土交通省令で定めるところにより、次に掲げる書類を、当該建築士事務所に備え置き、設計等を委託しようとする者の求めに応じ、閲覧させなければならない。

一　当該建築士事務所の業務の実績を記載した書類

二　当該建築士事務所に属する建築士の氏名及び業務の実績を記載した書類

三　設計等の業務に関し生じた損害を賠償するために必要な金額を担保するための保険契約の締結その他の措置を講じている場合にあつては、その内容を記載した書類

四　その他建築士事務所の業務及び財務に関する書類で国土交通省令で定めるもの

（重要事項の説明等）

第二四条の七　建築士事務所の開設者は、設計受託契約又は工事監理受託契約を建築主と締結しようとするときは、あらかじめ、当該建築主に対し、管理建築士その他の当該建築士事務所に属する建築士（次項及び第三項において「管理建築士等」という。）をして、設計受託契約又は工事監理受託契約の内容及びその履行に関する次に掲げる事項について、これらの事項を記載した書面を交付して説明をさせなければならない。

一　設計受託契約にあつては、作成する設計図書の種類

二　工事監理受託契約にあつては、工事と設計図書との照合の方法及び工事監理の実施の状況に関する報告の方法

三　当該設計又は工事監理に従事することとなる建築士の氏名及びその者の一級建築士、二級建築士又は木造建築士の別並びにその者が構造設計一級建築士又は設備設計一級建築士である場合にあつては、その旨

四　報酬の額及び支払の時期

五　契約の解除に関する事項

六　前各号に掲げるもののほか、国土交通省令で定める事項

2　管理建築士等は、前項の説明をするときは、当該建築主に対し、一級建築士免許証、二級建築士免許証若しくは木造建築士免許証又は一級建築士免許証明書、二級建築士免許証明書若しくは木造建築士免許証明書を提示しなければならない。

3　管理建築士等は、第一項の規定による書面の交付に代えて、政令で定めるところにより、当該建築主の承諾を得て、当該書面に記載すべき事項を電子情報処理組織を使用する方法その他の情報通信の技術を利用する方法であつて国土交通省令で定めるものにより提供することができる。この場合において、当該管理建築士等は、当該書面を交付したものとみなす。

（書面の交付）

第二四条の八　建築士事務所の開設者は、設計受託契約又は工事監理受託契約を締結したときは、遅滞なく、国土交通省令で定めるところにより、次に掲げる事項を記載した書面を当該委託者に交付しなければならない。

一　第二十二条の三の三第一項各号に掲げる事項

二　前号に掲げるもののほか、設計受託契約又は工事監理受託契約の内容及びその履行に関する事項で国土交通省令で定めるもの

2　建築士事務所の開設者は、前項の規定による書面の交付に代えて、政令で定めるところにより、当該委託者の承諾を得て、当該書面に記載すべき事項を電子情報処理組織を使用する方法その他の情報通信の技術を利用する方法であつて国土交通省令で定めるものにより提供することができる。この場合において、当該建築士事務所の開設者は、当該書面を交付したものとみなす。

（保険契約の締結等）

第二四条の九　建築士事務所の開設者は、設計等の業務に関し生じた損害を賠償するために必要な金額を担保するための保険契約の締結その他の措置を講ずるよう努めなければならない。

（業務の報酬）

第二五条　国土交通大臣は、中央建築士審査会の同意を得て、建築士事務所の開設者がその業務に関して請求することのできる報酬の基準を定めることができる。

（監督処分）

第二六条　都道府県知事は、建築士事務所の開設者が次の各号のいずれかに該当する場合においては、当該建築士事務所の登録を取り消さなければならない。

一　虚偽又は不正の事実に基づいて第二十三条の三第一項の規定による登録を受けたとき。

二　第二十三条の四第一項第一号、第二号、第五号、第六号、第七号（同号に規定する未成年者でその法定代理人（法定代理人が法人である場合においては、その役員を含む。）が同項第四号に該当するものに係る部分を除く。）、第八号（法人でその役員のうちに同項第四号に該当する者のあるものに係る部分を除く。）、第九号又は第十号のいずれかに該当するに至つたとき。

三　第二十三条の七の規定による届出がなくて同条各号に掲げる場合のいずれかに該当する事実が判明したとき。

2　都道府県知事は、建築士事務所につき次の各号のいずれかに該当する事実がある場合においては、当該建築士事務所の開設者に対し、戒告し、若しくは一年以内の期間を定めて当該建築士事務所の閉鎖を命じ、又は当該建築士事務所の登録を取り消すことができる。

一　建築士事務所の開設者が第二十二条の三の三第一項から第四項まで又は第二十四条の二から第二十四条の八までの規定のいずれかに違反したとき。

二　建築士事務所の開設者が第二十三条の四第二項各号のいずれかに該当するに至つたとき。

三　建築士事務所の開設者が第二十三条の五第一項又は第二項の規定による変更の届出をせず、又は虚偽の届出をしたとき。

四　管理建築士が第十条第一項の規定による処分を受けたとき。

五　建築士事務所に属する建築士が、その属する建築士事務所の業務として行つた行為を理由として、第十条第一項の規定による処分を受けたとき。

六　管理建築士である二級建築士又は木造建築士が、第三条第一項若しくは第三条の二第一項の規定又は同条第三項の規定に基づく条例の規定に違反して、建築物の設計又は工事監理をしたとき。

七　建築士事務所に属する二級建築士又は木造建築士が、その属する建築士事務所の業務として、第三条第一項若しくは第三条の二第一項の規定又は同条第三項の規定に基づく条例の規定に違反して、建築物の設計又は工事監理をしたとき。

八　建築士事務所に属する者で建築士でないものが、その属する建築士事務所の業務として、第三条第一項、第三条の二第一項若しくは第三条の三第一項の規定又は第三条の二第三項（第三条の三第二項において読み替えて準用する場合を含む。）の規定に基づく条例の規定に違反して、建築物の設計又は工事監理をしたとき。

九　建築士事務所の開設者又は管理建築士がこの法律の規定に基づく都道府県知事の処分に違反したとき。

十　前各号に掲げるもののほか、建築士事務所の開設者がその建築士事務所の業務に関し不正な行為をしたとき。

3　都道府県知事は、前項の規定により建築士事務所の閉鎖を命じようとするときは、行政手続法第十三条第一項の規定による意見陳述のための手続の区分にかかわらず、聴聞を行わなければならない。

4　第十条第三項、第四項及び第六項の規定は都道府県知事が第一項若しくは第二項の規定により建築士事務所の登録を取り消し、又は同項の規定により建築士事務所の閉鎖を命ずる場合について、同条第五項の規定は都道府県知事が第一項又は第二項の規定による処分をした場合について、それぞれ準用する。

（報告及び検査）

第二六条の二　都道府県知事は、第十条の二第二項に定めるもののほか、この法律の施行に関し必要があると認めるときは、建築士事務所の開設者若しくは管理建築士に対し、必要な報告を求め、又は当該職員をして建築士事務所に立ち入り、図書その他の物件を検査させることができる。

2　第十条の二第三項及び第四項の規定は、前項の規定による立入検査について準用する。

（指定事務所登録機関の指定）

第二六条の三　都道府県知事は、その指定する者（以下「指定事務所登録機関」という。）に、建築士事務所の登録の実施に関する事務並びに登録簿及び第二十三条の九第三号に掲げる書類（国土交通省令で定める書類に限る。）を一般の閲覧に供する事務（以下「事務所登録等事務」という。）を行わせることができる。

2　指定事務所登録機関の指定は、事務所登録等事務を行おうとする者の申請により行う。

3　第十条の五から第十条の十八までの規定は、指定事務所登録機関について準用する。この場合において、これらの規定（第十条の五第一項第一号を除く。）中「国土交通大臣」とあるのは「都道府県知事」と、「一級建築士登録等事務」とあるのは「事務所登録等事務」と、第十条の五第一項中「他に」とあるのは「当該都道府県の区域において他に」と、同条中「前条第二項」とあるのは「第二十六条の三第二項」と、同項第一号中「一級建築士登録等事務の実施」とあるのは「事務所登録等事務（第二十六条の三第一項に規定する事務所登録等事務をいう。以下同じ。）の実施」と、「、一級建築士登録等事務」とあるのは「、事務所登録等事務」と読み替えるものとする。

（指定事務所登録機関が事務所登録等事務を行う場合における規定の適用等）

第二六条の四　指定事務所登録機関が事務所登録等事務を行う場合における第二十三条第一項、第二十三条の二から第二十三条の四まで、第二十三条の五第一項及び第二項、第二十三条の七、第二十三条の八第一項並びに第二十三条の九の規定の適用については、これらの規定（第二十三条第一項、第二十三条の二及び第二十三条の九を除く。）中「都道府県知事」とあるのは「指定事務所登録機関」と、第二十三条第一項中「都道府県知事」とあるのは「指定事務所登録機関（第二十六条の三第一項に規定する指定事務所登録機関をいう。以下同じ。）」と、第二十三条の二中「都道府県知事」とあるのは「都道府県知事の第二十六条の三第一項の指定を受けた者」と、第二十三条の八第一項第三号中「登録」とあるのは「都道府県知事が登録」と、第二十三条の九中「次に掲げる書類」とあるのは「次に掲げる書類（登録簿及び第二十六条の三第一項の国土交通省令で定める書類を除く。）」とする。

2　都道府県は、地方自治法第二百二十七条の規定に基づき建築士事務所の登録に係る手数料を徴収する場合においては、前条の規定により指定事務所登録機関が行う建築士事務所の登録を受けようとする者に、条例で定めるところにより、当該手数料を当該指定事務所登録機関に納めさせ、その収入とすることができる。

（管理建築士講習の講習機関の登録）

第二六条の五　第二十四条第二項の登録（次条において単に「登録」という。）は、同条第二項の講習の実施に関する事務を行おうとする者の申請により行う。

2　第十条の二十三、第十条の二十四、第十条の二十五第一項及び第十条の二十六の規定は登録に、第十条の二十五第二項及び第三項並びに第十条の二十七から第十条の三十八までの規定は登録講習機関について準用する。この場合において、第十条の二十三第五号中「講習事務」とあるのは「第二十四条第二項の講習の実施に関する事務（以下「講習事務」という。）」と、第十条の二十四第一項第一号中「別表第一の各項の講習の欄」とあるのは「別表第三講習の欄」と、同条第二項中「次に掲げる事項」とあるのは「次に掲げる事項（登録の区分に関する事項を除く。）」と読み替えるものとする。

（国土交通省令への委任）

第二七条　この章に規定するもののほか、建築士事務所の登録、第二十四条第二項の登録及び講習並びに登録講習機関に関して必要な事項は、国土交通省令で定める。

第七章　建築士事務所協会及び建築士事務所協会連合会

（建築士事務所協会及び建築士事務所協会連合会）

第二七条の二　その名称中に建築士事務所協会という文字を用いる一般社団法人（次項に規定するものを除く。）は、建築士事務所の業務の適正な運営及び建築士事務所の開設者に設計等を委託する建築主（以下単に「建築主」という。）の利益の保護を図ることを目的とし、かつ、建築士事務所の開設者を社員（以下この章において「協会会員」という。）とする旨の定款の定めがあるものでなければならない。

2　その名称中に建築士事務所協会連合会という文字を用いる一般社団法人は、建築士事務所の業務の適正な運営及び建築主の利益の保護を図ることを目的とし、かつ、建築士事務所協会を社員（第六項において「連合会会員」という。）とする旨の定款の定めがあるものでなければならない。

3　第一項に規定する一般社団法人（以下「建築士事務所協会」という。）及び前項に規定する一般社団法人（以下「建築士事務所協会連合会」という。）は、その目的を達成するため、次に掲げる業務を行う。

一　建築士事務所の業務に関し、設計等の業務に係る契約の内容の適正化その他建築主の利益の保護を図るため必要な建築士事務所の開設者に対する指導、勧告その他の業務

二　建築士事務所の業務に対する建築主その他の関係者からの苦情の解決

三　建築士事務所の開設者に対する建築士事務所の業務の運営に関する研修及び建築士事務所に属する建築士に対する設計等の業務に関する研修

四　前三号に掲げるもののほか、その目的を達成するために必要な業務

4 第一項及び第二項に規定する定款の定めは、これを変更することができない。

5 建築士事務所協会及び建築士事務所協会連合会は、成立したときは、成立の日から二週間以内に、登記事項証明書及び定款の写しを添えて、その旨を、建築士事務所協会にあつてはその主たる事務所の所在地を管轄する都道府県知事に、建築士事務所協会連合会にあつては国土交通大臣に届け出なければならない。

6 建築士事務所協会は協会会員の名簿を、建築士事務所協会連合会は連合会会員の名簿を、それぞれ一般の閲覧に供しなければならない。

7 建築士事務所協会及び建築士事務所協会連合会は、建築士事務所の業務の適正化を図るための建築士事務所の開設者に対する建築士事務所の業務の運営に関する研修及び建築士事務所に属する建築士に対する設計等の業務に関する研修を実施しなければならない。

8 国土交通大臣は建築士事務所協会連合会に対して、建築士事務所協会の主たる事務所の所在地を管轄する都道府県知事は当該建築士事務所協会に対して、建築士事務所の業務の適正な運営及び建築主の利益の保護を図るため、必要な事項に関して報告を求め、又は必要な指導、助言及び勧告をすることができる。

（加入）

第二十七条の三 建築士事務所協会は、建築士事務所の開設者が建築士事務所協会に加入しようとするときは、正当な理由がないのに、その加入を拒み、又はその加入につき不当な条件を付してはならない。

（名称の使用の制限）

第二十七条の四 建築士事務所協会及び建築士事務所協会連合会でない者は、その名称中に建築士事務所協会又は建築士事務所協会連合会という文字を用いてはならない。

2 協会会員でない者は、その名称中に建築士事務所協会会員という文字を用いてはならない。

（苦情の解決）

第二十七条の五 建築士事務所協会は、建築主その他の関係者から建築士事務所の業務に関する苦情について解決の申出があつたときは、その相談に応じ、申出人に必要な助言をし、その苦情に係る事情を調査するとともに、当該建築士事務所の開設者に対しその苦情の内容を通知してその迅速な処理を求めなければならない。

2 建築士事務所協会は、前項の申出に係る苦情の解決について必要があると認めるときは、当該建築士事務所の開設者に対し、文書若しくは口頭による説明を求め、又は資料の提出を求めることができる。

3 協会会員は、建築士事務所協会から前項の規定による求めがあつたときは、正当な理由がないのに、これを拒んではならない。

第八章　建築士審査会

（建築士審査会）

第二十八条 一級建築士試験、二級建築士試験又は木造建築士試験に関する事務（中央指定試験機関又は都道府県指定試験機関が行う事務を除く。）をつかさどらせるとともに、この法律によりその権限に属させられた事項を処理させるため、国土交通省に中央建築士審査会を、都道府県に都道府県建築士審査会を置く。

（建築士審査会の組織）

第二十九条 中央建築士審査会及び都道府県建築士審査会は、委員をもつて組織し、中央建築士審査会の委員の定数は、十人以内とする。

2 中央指定試験機関又は都道府県指定試験機関が一級建築士試験事務又は二級建築士等試験事務を行う場合を除き、試験の問題の作成及び採点を行わせるため、一級建築士試験にあつては中央建築士審査会に、二級建築士試験又は木造建築士試験にあつては都道府県建築士審査会に、それぞれ試験委員を置く。

3 委員及び前項の試験委員は、建築士のうちから、中央建築士審査会にあつては国土交通大臣が、都道府県建築士審査会にあつては都道府県知事が任命する。この場合において、やむを得ない理由があるときは、学識経験のある者のうちから、任命することができる。ただし、その数は、それぞれ委員又は同項の試験委員の半数を超えてはならない。

（委員の任期）

第三〇条 委員の任期は、二年（都道府県建築士審査会の委員にあつては、その任期を二年を超え三年以下の期間で都道府県が条例で定めるときは、当該条例で定める期間）とする。ただし、補欠の委員の任期は、前任者の残任期間とする。

2 前項の委員は、再任されることができる。

3 前条第二項の試験委員は、その者の任命に係る試験の問題の作成及び採点が終了したときは、解任されるものとする。

（会長）

第三一条 中央建築士審査会及び都道府県建築士審査会にそれぞれ会長を置き、委員の互選によつて定める。

2 会長は、会務を総理する。

3 会長に事故のあるときは、委員のうちからあらかじめ互選された者が、その職務を代理する。

（不正行為の禁止）

第三二条 委員又は第二十九条第二項の試験委員は、その事務の施行に当たつて、厳正を保持し不正の行為のないようにしなければならない。

（政令への委任）

第三三条 この章に規定するもののほか、中央建築士審査会及び都道府県建築士審査会に関して必要な事項は、政令で定める。

第九章　雑則

（名称の使用禁止）

第三四条 建築士でない者は、建築士又はこれに紛らわしい名称を用いてはならない。

2 二級建築士は、一級建築士又はこれに紛らわしい名称を用いてはならない。

3 木造建築士は、一級建築士若しくは二級建築士又はこれらに紛らわしい名称を用いてはならない。

（権限の委任）

第三五条 この法律に規定する国土交通大臣の権限は、国土交通省令で定めるところにより、その一部を地方整備局長又は北海道開発局長に委任することができる。

（経過措置）

第三六条 この法律の規定に基づき命令を制定し、又は改廃する場合においては、その命令で、その制定又は改廃に伴い合理的に必要と判断される範囲内において、所要の経過措置（罰則に関する経過措置を含む。）を定めることができる。

第十章　罰則

第三七条 次の各号のいずれかに該当するときは、その違反行為をした者は、一年以下の懲役又は百万円以下の罰金に処する。

一 一級建築士、二級建築士又は木造建築士の免許を受けないで、それぞれその業務を行う目的で一級建築士、二級建築士又は木造建築士の名称を用いたとき。

二 虚偽又は不正の事実に基づいて一級建築士、二級建築士又は木造建築士の免許を受けたとき。

三 第三条第一項（同条第二項の規定により適用される場合を含む。）、第三条の二第一項（同条第二項において準用する第三条第二項の規定により適用される場合を含む。）若しくは第三条の三第一項（同条第二項において準用する第三条第二項の規定により適用される場合を含む。）の規定又は第三条の二第三項（第三条の三第二項において読み替えて準用する場合を含む。）の規定に基づく条例の規定に違反して、建築物の設計又は工事監理をしたとき。

四 第十条第一項の規定による業務停止命令に違反したとき。

五 第十条の三十六第二項（第二十二条の三第二項及び第二十六条の五第二項において準用する場合を含む。）の規定による講習事務（第十条の二十二に規定する講習事務、第二十二条の三第二項において読み替えて準用する第十条の二十三第五号に規定する講習事務及び第二十六条の五第二項において読み替えて準用する第十条の二十三第五号に規定する講習事務をいう。第四十条第八号において同じ。）の停止の命令に違反したとき。

六　第二十条第二項の規定に違反して、構造計算によつて建築物の安全性を確かめた場合でないのに、同項の証明書を交付したとき。

七　第二十一条の二の規定に違反したとき。

八　虚偽又は不正の事実に基づいて第二十三条の三第一項の規定による登録を受けたとき。

九　第二十三条の十第一項又は第二項の規定に違反したとき。

十　第二十四条第一項の規定に違反したとき。

十一　第二十四条の二の規定に違反して、他人に建築士事務所の業務を営ませたとき。

十二　第二十六条第二項の規定による建築士事務所の閉鎖命令に違反したとき。

十三　第三十二条の規定に違反して、事前に試験問題を漏らし、又は不正の採点をしたとき。

第三八条　次の各号のいずれかに該当する者は、一年以下の懲役又は百万円以下の罰金に処する。

一　第十条の八第一項（第十条の二十第三項、第十五条の五第一項、第十五条の六第三項及び第二十六条の三第三項において読み替えて準用する場合を含む。）の規定に違反した者

二　第十五条の四（第十五条の六第三項において準用する場合を含む。）の規定に違反して、不正の採点をした者

第三九条　第十条の十六第二項（第十条の二十第三項、第十五条の五第一項、第十五条の六第三項及び第二十六条の三第三項において読み替えて準用する場合を含む。）の規定による一級建築士登録等事務、二級建築士等登録事務、一級建築士試験事務、二級建築士等試験事務又は事務所登録等事務の停止の命令に違反したときは、その違反行為をした中央指定登録機関、都道府県指定登録機関、中央指定試験機関、都道府県指定試験機関又は指定事務所登録機関の役員又は職員（第四十一条において「中央指定登録機関等の役員等」という。）は、一年以下の懲役又は百万円以下の罰金に処する。

第四〇条　次の各号のいずれかに該当するときは、その違反行為をした者は、三十万円以下の罰金に処する。

一　第十条の二第一項又は第二項の規定による報告をせず、又は虚偽の報告をしたとき。

二　第十条の二第一項又は第二項の規定による検査を拒み、妨げ、又は忌避したとき。

三　第十条の二第一項又は第二項の規定による質問に対して答弁せず、又は虚偽の答弁をしたとき。

四　第十条の三十一（第二十二条の三第二項及び第二十六条の五第二項において準用する場合を含む。）の規定に違反して、帳簿を備え付けず、帳簿に記載せず、若しくは帳簿に虚偽の記載をし、又は帳簿を保存しなかつたとき。

五　第十条の三十四第一項（第二十二条の三第二項及び第二十六条の五第二項において準用する場合を含む。以下この条において同じ。）の規定による報告をせず、又は虚偽の報告をしたとき。

六　第十条の三十四第一項の規定による検査を拒み、妨げ、又は忌避したとき。

七　第十条の三十四第一項の規定による質問に対して答弁せず、又は虚偽の答弁をしたとき。

八　第十条の三十五第一項（第二十二条の三第二項及び第二十六条の五第二項において準用する場合を含む。）の規定による届出をしないで講習事務の全部を廃止し、又は虚偽の届出をしたとき。

九　第二十三条の五第一項又は第二項の規定による変更の届出をせず、又は虚偽の届出をしたとき。

十　第二十三条の六の規定に違反して、設計等の業務に関する報告書を提出せず、又は虚偽の記載をして設計等の業務に関する報告書を提出したとき。

十一　第二十四条の四第一項の規定に違反して、帳簿を備え付けず、帳簿に記載せず、若しくは帳簿に虚偽の記載をし、又は帳簿を保存しなかつたとき。

十二　第二十四条の四第二項の規定に違反して、図書を保存しなかつたとき。

十三　第二十四条の五の規定に違反して、標識を掲げなかつたとき。

十四　第二十四条の六の規定に違反して、書類を備え置かず、若しくは設計等を委託しようとする者の求めに応じて閲覧させず、又は虚偽の記載のある書類を備え置き、若しくは設計等を委託しようとする者に閲覧させたとき。

十五　第二十四条の八第一項の規定に違反して、書面を交付せず、又は虚偽の記載のある書面を交付したとき。

十六　第二十六条の二第一項の規定による報告をせず、若しくは虚偽の報告をし、又は同項の規定による立入り若しくは検査を拒み、妨げ、若しくは忌避したとき。

十七　第二十七条の四第二項の規定に違反して、その名称中に建築士事務所協会会員という文字を用いたとき。

十八　第三十四条の規定に違反したとき（第三十七条第一号に該当する場合を除く。）。

第四一条　次の各号のいずれかに該当するときは、その違反行為をした中央指定登録機関等の役員等は、三十万円以下の罰金に処する。

一　第十条の十一（第十条の二十第三項、第十五条の五第一項、第十五条の六第三項及び第二十六条の三第三項において読み替えて準用する場合を含む。）の規定に違反して、帳簿を備え付けず、帳簿に記載せず、若しくは帳簿に虚偽の記載をし、又は帳簿を保存しなかつたとき。

二　第十条の十三第一項（第十条の二十第三項、第十五条の五第一項、第十五条の六第三項及び第二十六条の三第三項において読み替えて準用する場合を含む。以下この条において同じ。）の規定による報告をせず、又は虚偽の報告をしたとき。

三　第十条の十三第一項の規定による検査を拒み、妨げ、又は忌避したとき。

四　第十条の十三第一項の規定による質問に対して答弁せず、又は虚偽の答弁をしたとき。

五　第十条の十五第一項（第十条の二十第三項、第十五条の五第一項、第十五条の六第三項及び第二十六条の三第三項において読み替えて準用する場合を含む。）の許可を受けないで一級建築士登録等事務、二級建築士等登録事務、一級建築士試験事務、二級建築士等試験事務又は事務所登録等事務の全部を廃止したとき。

第四二条　法人の代表者又は法人若しくは人の代理人、使用人その他の従業者が、その法人又は人の業務に関し、第三十七条（第十三号を除く。）又は第四十条の違反行為をしたときは、その行為者を罰するほか、その法人又は人に対しても各本条の罰金刑を科する。

第四三条　次の各号のいずれかに該当する者は、十万円以下の過料に処する。

一　第五条第四項（第十条の十九第一項及び第十条の二十一第一項の規定により読み替えて適用される場合を含む。）、第八条の二（第三号を除く。）、第十条の三第五項（第十条の十九第一項の規定により読み替えて適用される場合を含む。）、第二十三条の七（第二十六条の四第一項の規定により読み替えて適用される場合を含む。）又は第二十四条の七第二項の規定に違反した者

二　第十条の二十七第二項（第二十二条の三第二項及び第二十六条の五第二項において準用する場合を含む。）の規定による届出をせず、又は虚偽の届出をした者

三　第十条の三十第一項（第二十二条の三第二項及び第二十六条の五第二項において準用する場合を含む。）の規定に違反して、財務諸表等を備えて置かず、財務諸表等に記載すべき事項を記載せず、若しくは虚偽の記載をし、又は正当な理由がないのに第十条の三十第二項各号（第二十二条の三第二項及び第二十六条の五第二項において準用する場合を含む。）の請求を拒んだ者

四　第二十七条の四第一項の規定に違反して、その名称中に建築士事務所協会又は建築士事務所協会連合会という文字を用いた者

附　則

この法律は、昭和二十五年七月一日から施行する。但し、第二十二条及び第五章の規定は、昭和二十六年七月一日から施行する。

附　則〔略〕〔昭和二六・六・四法律一九五〕

附　則〔略〕〔昭和二八・八・一四法律二一〇〕

附　則〔昭和三〇・八・二二法律一七三〕

1　この法律は、公布の日から起算して六箇月をこえない期間内において政令で定める日から施行する。

〔昭和三〇政三三七により、昭和三一・二・一から施行〕

2　この法律施行の際現に改正前の建築士法第二十三条第一項の規定による届出をして一級建築士事務所又は二級建築士事務所を開設している者は、改正後の同法の規定の適用については、この法律施行の日から六十日間を限り、改正後の同法第二十三条の三第一項の規定によりその建築士事務所について登録を受けた者とみなす。その者が、当該期間内に改正後の同法第二十三条の二第一項の規定によりその建築士事務所について登録の申請をした場合において当該期間を経過したときは、その申請に対する処分のある日まで、また同様とする。

3　この法律施行前にした行為に対する罰則の適用については、なお従前の例による。

附　則〔略〕〔昭和三三・五・二〇法律一一四〕

附　則〔略〕〔昭和三六・六・一七法律一四五〕

附　則〔略〕〔昭和四二・六・一二法律三六〕

附　則〔抄〕〔昭和五三・五・二三法律五四〕

（施行期日）

1　この法律は、公布の日から施行する。〔以下略〕

13　この法律の施行前に第三十一条の規定による改正前の建築士法第五条第四項の規定によりされた最近の届出は、第三十一条の規定による改正後の建築士法（以下「新建築士法」という。）第五条の二第一項の規定による届出とみなす。

14　前項の規定により新建築士法第五条の二第一項の規定による届出とみなされた届出をした一級建築士又は二級建築士は、当該届出に係る事項で同項の建設省令で定める事項に相当するものにこの法律の施行の日の前日までの間に変更があつたときは、この法律の施行の日から三十日以内に、一級建築士にあつては同条第二項の規定の例により建設大臣に、二級建築士にあつては同項及び同条第三項の規定の例により都道府県知事に届け出なければならない。

15　昭和五十三年一月一日からこの法律の施行の日の前日までの間に免許証の交付を受けた一級建築士又は二級建築士（昭和五十二年十二月三十一日までに免許を受けた一級建築士又は二級建築士を除く。）は、この法律の施行の日から三十日以内に、新建築士法第五条の二第一項の規定の例により、それぞれ建設大臣又は都道府県知事に届け出なければならない。

附　則〔略〕〔昭和五七・七・二三法律六九〕

附　則〔抄〕〔昭和五八・五・二〇法律四四〕

（施行期日）

1　この法律は、公布の日から起算して一年を超えない範囲内において政令で定める日から施行する。

〔昭和五八政一三九により、昭和五九・四・一から施行。ただし、改正法第一条中建築士法（昭和二十五年法律第二百二号）第十五条の次に十六条を加える改正規定（第十五条の十七に係る部分を除く。）、同法第二十八条の改正規定（中央指定試験機関に係る部分に限る。）、同法第二十九条第二項及び第三項並びに第三十三条の改正規定（中央建築士審査会の試験委員に係る部分に限る。）、同法第三十五条の次に三条を加える改正規定（第三十五条の二及び第三十五条の三中中央指定試験機関に係る部分に限る。）並びに同法第三十六条の次に一条を加える改正規定（中央指定試験機関に係る部分に限る。）〔中略〕は、昭和五八・一二・一から施行〕

（木造建築士の名称使用に関する経過措置）

2　この法律の施行の際現に木造建築士又はこれに紛らわしい名称を用いている者については、改正後の建築士法第三十四条の二第一項の規定は、この法律の施行後六月間は、適用しない。

（懲戒及び監督処分に関する経過措置）

3　この法律の施行の際現に改正前の建築士法第四条の免許を受けている者に対する免許の取消しその他の懲戒処分又は同法第二十三条第一項の登録を受けている者に対する登録の取消しその他の監督処分に関しては、この法律の施行前に生じた事由については、なお従前の例による。

（罰則に関する経過措置）

4　この法律の施行前にした行為に対する罰則の適用については、なお従前の例による。

附　則〔略〕〔昭和五九・五・二五法律四七〕

附　則〔略〕〔昭和六二・六・五法律六六〕

附　則〔抄〕〔平成五・一一・一二法律八九〕

（施行期日）

第一条　この法律は、行政手続法（平成五年法律第八十八号）の施行の日（平成六・一〇・一）から施行する。

（諮問等がされた不利益処分に関する経過措置）

第二条　この法律の施行前に法令に基づき審議会その他の合議制の機関に対し行政手続法第十三条に規定する聴聞又は弁明の機会の付与の手続その他の意見陳述のための手続に相当する手続を執るべきことの諮問その他の求めがされた場合においては、当該諮問その他の求めに係る不利益処分の手続に関しては、この法律による改正後の関係法律の規定にかかわらず、なお従前の例による。

（罰則に関する経過措置）

第一三条　この法律の施行前にした行為に対する罰則の適用については、なお従前の例による。

（聴聞に関する規定の整理に伴う経過措置）

第一四条　この法律の施行前に法律の規定により行われた聴聞、聴問若しくは聴聞会（不利益処分に係るものを除く。）又はこれらのための手続は、この法律による改正後の関係法律の相当規定により行われたものとみなす。

（政令への委任）

第一五条　附則第二条から前条までに定めるもののほか、この法律の施行に関して必要な経過措置は、政令で定める。

附　則〔平成九・六・二〇法律九五〕

（施行期日）

1　この法律は、公布の日から起算して一年を超えない範囲内において政令で定める日から施行する。

〔平成一〇政一七五により、平成一〇・六・一九から施行〕

（書面の交付に関する経過措置）

2　この法律による改正後の建築士法第二十四条の五の規定は、この法律の施行前に建築士事務所の開設者が受けた設計又は工事監理の委託については、適用しない。

附　則〔略〕〔平成一〇・六・一二法律一〇一〕

附　則〔抄〕〔平成一一・七・一六法律八七〕

（施行期日）

第一条　この法律は、平成十二年四月一日から施行する。ただし、次の各号に掲げる規定は、当該各号に定める日から施行する。

一　〔前略〕附則〔中略〕第百六十条、第百六十三条、第百六十四条並びに第二百二条の規定　公布の日

二～六　〔略〕

（国等の事務）

第一五九条　この法律による改正前のそれぞれの法律に規定するもののほか、この法律の施行前において、地方公共団体の機関が法律又はこれに基づく政令により管理し又は執行する国、他の地方公共団体その他公共団体の事務（附則第百六十一条において「国等の事務」という。）は、この法律の施行後は、地方公共団体が法律又はこれに基づく政令により当該地方公共団体の事務として処理するものとする。

（処分、申請等に関する経過措置）

第一六〇条　この法律（附則第一条各号に掲げる規定については、当該各規定。以下この条及び附則第百六十三条において同じ。）の施行前に改正前のそれぞれの法律の規定によりされた許可等の処分その他の行為（以下この条において「処分等の行為」という。）又はこの法律の施行の際現に改正前のそれぞれの法律の規定によりされている許可等の申請その他の行為（以下この条において「申請等の行為」という。）で、この法律の施行の日においてこれらの行為に係る行政事務を行うべき者が異なることとなるものは、附則第二条から前条までの規定又は改正後のそれぞれの法律（これに基づく命令を含む。）の経過措置に関する規定に定めるものを除き、この法律の施行の日以後における改正後のそれぞれの法律の適用については、改正後のそれぞれの法律の相当規定によりされた処分等の行為又は申請等の行為とみなす。

2　この法律の施行前に改正前のそれぞれの法律の規定により国又は地方公

共団体の機関に対し報告、届出、提出その他の手続をしなければならない事項で、この法律の施行の日前にその手続がされていないものについては、この法律及びこれに基づく政令に別段の定めがあるもののほか、これを、改正後のそれぞれの法律の相当規定により国又は地方公共団体の相当の機関に対して報告、届出、提出その他の手続をしなければならない事項についてその手続がされていないものとみなして、この法律による改正後のそれぞれの法律の規定を適用する。

（不服申立てに関する経過措置）

第一六一条　施行日前にされた国等の事務に係る処分であって、当該処分をした行政庁（以下この条において「処分庁」という。）に施行日前に行政不服審査法に規定する上級行政庁（以下この条において「上級行政庁」という。）があったものについての同法による不服申立てについては、施行日以後においても、当該処分庁に引き続き上級行政庁があるものとみなして、行政不服審査法の規定を適用する。この場合において、当該処分庁の上級行政庁とみなされる行政庁は、施行日前に当該処分庁の上級行政庁であった行政庁とする。

２　前項の場合において、上級行政庁とみなされる行政庁が地方公共団体の機関であるときは、当該機関が行政不服審査法の規定により処理することとされる事務は、新地方自治法第二条第九項第一号に規定する第一号法定受託事務とする。

（手数料に関する経過措置）

第一六二条　施行日前においてこの法律による改正前のそれぞれの法律（これに基づく命令を含む。）の規定により納付すべきであった手数料については、この法律及びこれに基づく政令に別段の定めがあるもののほか、なお従前の例による。

（罰則に関する経過措置）

第一六三条　この法律の施行前にした行為に対する罰則の適用については、なお従前の例による。

（その他の経過措置の政令への委任）

第一六四条　この附則に規定するもののほか、この法律の施行に伴い必要な経過措置（罰則に関する経過措置を含む。）は、政令で定める。

２　〔略〕

附　則　〔抄〕〔平成一一・七・一六法律一〇二〕

（施行期日）

第一条　この法律は、内閣法の一部を改正する法律（平成十一年法律第八十八号）の施行の日〔平成一三・一・六〕から施行する。ただし、次の各号に掲げる規定は、当該各号に定める日から施行する。

一　〔略〕

二　附則〔中略〕第三十条の規定　公布の日

（建築士法の一部改正に伴う経過措置）

第二二条　この法律の施行の際現に従前の建設省の中央建築士審査会の委員又は試験委員である者は、それぞれこの法律の施行の日に、第百四十七条の規定による改正後の建築士法（以下この条において「新建築士法」という。）第二十九条第三項の規定により、国土交通省の中央建築士審査会の委員又は試験委員として任命されたものとみなす。この場合において、その任命されたものとみなされる委員の任期は、新建築士法第三十条第一項の規定にかかわらず、同日における従前の建設省の中央建築士審査会の委員としての任期の残任期間と同一の期間とする。

２　この法律の施行の際現に従前の建設省の中央建築士審査会の会長である者は、この法律の施行の日に、新建築士法第三十一条第一項の規定により、国土交通省の中央建築士審査会の会長に定められたものとみなす。

（別に定める経過措置）

第三〇条　第二条から前条までに規定するもののほか、この法律の施行に伴い必要となる経過措置は、別に法律で定める。

附　則　〔抄〕〔平成一一・一二・八法律一五一〕

（施行期日）

第一条　この法律は、平成十二年四月一日から施行する。〔以下略〕

（経過措置）

第三条　民法の一部を改正する法律（平成十一年法律第百四十九号）附則第三条第三項の規定により従前の例によることとされる準禁治産者及びその保佐人に関するこの法律による改正規定の適用については、〔中略〕なお従前の例による。〔以下略〕

第四条　この法律の施行前にした行為に対する罰則の適用については、なお従前の例による。

附　則　〔略〕〔平成一一・一二・二二法律一六〇〕

附　則　〔抄〕〔平成一二・一一・二七法律一二六〕

（施行期日）

第一条　この法律は、公布の日から起算して五月を超えない範囲内において政令で定める日から施行する。〔以下略〕

〔平成一三政三により、平成一三・四・一から施行〕

（罰則に関する経過措置）

第二条　この法律の施行前にした行為に対する罰則の適用については、なお従前の例による。

附　則　〔略〕〔平成一四・五・二九法律四五〕

附　則　〔抄〕〔平成一六・六・二法律七六〕

（施行期日）

第一条　この法律は、破産法〔中略〕の施行の日〔平成一七・一・一〕から施行する。〔以下略〕

（罰則の適用等に関する経過措置）

第一二条１〜４　〔略〕

５　施行日前にされた破産の宣告、再生手続開始の決定、再生手続開始の決定又は外国倒産処理手続の承認の決定に係る届出、通知又は報告の義務に関するこの法律による改正前の〔中略〕建築士法〔中略〕の規定並びにこれらの規定に係る罰則の適用については、なお従前の例による。

附　則　〔略〕〔平成一六・一二・一法律一四七〕

附　則　〔平成一八・六・二法律五〇〕

この法律は、一般社団・財団法人法の施行の日〔平成二〇・一二・一〕から施行する。〔以下略〕

改正　平成一八・一二法一一四、平成二三・六法七四

一般社団法人及び一般財団法人に関する法律及び公益社団法人及び公益財団法人の認定等に関する法律の施行に伴う関係法律の整備等に関する法律〔抄〕

〔平成一八・六・二法律五〇〕

（建築士法の一部改正に伴う経過措置）

第四〇四条　第四十条第一項の規定により存続する一般社団法人であってその名称中に建築士会又は建築士会連合会という文字を用いるものの定款に前条の規定による改正後の建築士法第二十二条の四第一項又は第二項に規定する内容の定めがない場合においては、この定めがあるものとみなす。

（罰則に関する経過措置）

第四五七条　施行日前にした行為及びこの法律の規定によりなお従前の例によることとされる場合における施行日以後にした行為に対する罰則の適用については、なお従前の例による。

（政令への委任）

第四五八条　この法律に定めるもののほか、この法律の規定による法律の廃止又は改正に伴い必要な経過措置は、政令で定める。

附　則　〔抄〕〔平成一八・六・二一法律九二〕

（施行期日）

第一条　この法律は、公布の日から起算して一年を超えない範囲内において政令で定める日から施行する。〔以下略〕

〔平成一九政四八により、平成一九・六・二〇から施行〕

（建築士法の一部改正に伴う経過措置）

第四条　この法律の施行の際現に第二条の規定による改正前の建築士法（以下「旧建築士法」という。）第四条の免許を受けている者は第二条の規定による改正後の建築士法（以下「新建築士法」という。）第四条の免許を受けた者と、旧建築士法第二十三条第一項の登録を受けている者は新建築士法第二十三条第一項の登録を受けた者とみなす。

２　この法律の施行の際現に旧建築士法第四条の免許を受けている者に対する新建築士法第九条第一項若しくは第十条第一項の規定による免許の取消しその他の監督上の処分又はこの法律の施行の際現に旧建築士法第二十三条第一項の登録を受けている者に対する新建築士法第二十六条第一項若しくは第二項の規定による登録の取消しその他の監督上の処分に関しては、この法律の施行前に生じた事由については、なお従前の例による。

３　この法律の施行前にされた旧建築士法第九条、第十条第一項又は第二十六条第一項若しくは第二項の規定による処分については、新建築士法第九条第二項又は第十条第五項（新建築士法第二十六条第四項において準用す

る場合を含む。）の規定は、適用しない。

4　新建築士法第二十三条の六の規定は、この法律の施行の日以後に開始する事業年度に係る設計等の業務に関する報告書について適用する。

附　則〔抄〕〔平成一八・一二・二〇法律一一四〕

（施行期日）

第一条　この法律は、公布の日から起算して二年を超えない範囲内において政令で定める日から施行する。ただし、次の各号に掲げる規定は、当該各号に定める日から施行する。

〔平成二〇政一八五により、平成二〇・一一・二八から施行〕

一　〔略〕

二　次条の規定　公布の日から起算して一年六月を超えない範囲内において政令で定める日

〔平成二〇政一八五により、平成二〇・五・二八から施行〕

三　第三条の規定　公布の日から起算して二年六月を超えない範囲内において政令で定める日

〔平成二〇政二九一により、平成二一・一・五から施行〕

（施行前の準備）

第二条　第一条の規定による改正後の建築士法（以下「新建築士法」という。）第十条の二第一項第一号、第二十二条の二又は第二十四条第二項の登録を受けようとする者は、この法律の施行の日（以下「施行日」という。）前においても、その申請を行うことができる。新建築士法第十条の二十九第一項（新建築士法第二十二条の三第二項及び第二十六条の五第二項において準用する場合を含む。）の規定による講習事務規程の届出についても、同様とする。

2　新建築士法第十条の四第一項の指定及びこれに関し必要な手続その他の行為は、施行日前においても、同条第二項並びに新建築士法第十条の五、第十条の六第一項並びに第十条の九第一項及び第二項の規定の例により行うことができる。

3　新建築士法第十条の二十第一項の指定及びこれに関し必要な手続その他の行為は、施行日前においても、同条第二項の規定並びに同条第三項において読み替えて準用する新建築士法第十条の五、第十条の六第一項並びに第十条の九第一項及び第二項の規定の例により行うことができる。

（建築士法の一部改正に伴う経過措置）

第三条　施行日前にその課程を修了した講習であって、新建築士法第十条の二第一項第一号若しくは第二項第一号又は第二十四条第二項の講習に相当するものとして国土交通大臣が定めるものは、それぞれ新建築士法第十条の二第一項第一号若しくは第二項第一号又は第二十四条第二項の講習とみなす。

2　新建築士法第十四条第一号から第三号までの規定による一級建築士試験の受験資格並びに新建築士法第十五条第二号の規定による二級建築士試験及び木造建築士試験の受験資格については、施行日前に第一条の規定による改正前の建築士法（以下「旧建築士法」という。）第十四条第一号から第二号まで又は第十五条第二号に規定する課程を修めて卒業した者はそれぞれ新建築士法第十四条第一号から第三号まで又は第十五条第二号に規定する科目を修めて卒業した者と、その者が有する当該課程を修めて卒業した後の施行日前における建築に関する実務の経験はそれぞれこれらの規定に規定する建築実務の経験とみなす。

3　新建築士法第十四条第一号から第三号までの規定による一級建築士試験の受験資格並びに新建築士法第十五条第二号の規定による二級建築士試験及び木造建築士試験の受験資格については、施行日前から引き続き旧建築士法第十四条第一号から第二号まで又は第十五条第二号に規定する課程に在学する者（施行日前に当該課程に在学し、施行日以後に再び当該課程に在学することとなった者のうち、国土交通大臣が定める者を含む。）で施行日以後に当該課程を修めて卒業したものは、それぞれ新建築士法第十四条第一号から第三号まで又は第十五条第二号に規定する科目を修めて卒業した者とみなす。

4　新建築士法第十四条第四号の規定による一級建築士試験の受験資格については、施行日前における二級建築士としての実務の経験は、同号に規定する実務の経験とみなす。

5　新建築士法第十四条第五号の規定による一級建築士試験の受験資格並びに新建築士法第十五条第三号の規定による二級建築士試験及び木造建築士試験の受験資格については、この法律の施行の際現に旧建築士法第十四条第四号の規定による国土交通大臣の認定又は旧建築士法第十五条第三号の規定による都道府県知事の認定を受けている者は、それぞれ新建築士法第十四条第五号の規定による国土交通大臣の認定又は新建築士法第十五条第三号の規定による都道府県知事の認定を受けた者とみなす。

6　新建築士法第十五条第一号の規定による二級建築士試験及び木造建築士試験の受験資格については、次に掲げる者は、新建築士法第十五条第一号に規定する建築に関する科目を修めて卒業した者とみなす。

一　施行日前に旧建築士法第十五条第一号に規定する正規の建築に関する課程を修めて卒業した者

二　施行日前に旧建築士法第十五条第一号に規定する正規の土木に関する課程を修めて卒業した者で当該課程を修めて卒業した後の新建築士法第十四条第一号に規定する建築実務の経験（当該課程を修めて卒業した後の施行日前における建築に関する実務の経験を含む。）を一年以上有するもの

三　施行日前から引き続き旧建築士法第十五条第一号に規定する正規の建築に関する課程に在学する者（施行日前に当該課程に在学し、施行日以後に再び当該課程に在学することとなった者のうち、国土交通大臣が定める者を含む。）で施行日以後に当該課程を修めて卒業したもの

四　施行日前から引き続き旧建築士法第十五条第一号に規定する正規の土木に関する課程に在学する者（施行日前に当該課程に在学し、施行日以後に再び当該課程に在学することとなった者のうち、国土交通大臣が定める者を含む。）で施行日以後に当該課程を修めて卒業したもののうち、当該課程を修めて卒業した後の新建築士法第十四条第一号に規定する建築実務の経験を一年以上有する者

7　新建築士法第十五条第四号の規定による二級建築士試験及び木造建築士試験の受験資格については、施行日前における建築に関する実務の経験は、同号に規定する建築実務の経験とみなす。

8　この法律の施行の際現に旧建築士法第十五条の二第一項又は第十五条の十七第一項の指定を受けている者（以下「旧指定試験機関」という。）は、それぞれ新建築士法第十五条の二第一項又は第十五条の六第一項の指定を受けた者とみなす。

9　施行日前に旧建築士法第十五条の四第一項若しくは第三項又は第十五条の十四第四項（これらの規定を旧建築士法第十五条の十七第五項において読み替えて準用する場合を含む。）の規定によりされた公示で、この法律の施行の際現に効力を有するものは、新建築士法第十五条の五第一項又は第十五条の六第三項において準用する新建築士法第十条の六第一項若しくは第三項又は第十条の十六第三項の規定によりされた公示とみなす。

10　施行日前に、旧建築士法又はこれに基づく命令若しくは規則により旧指定試験機関に対して行い、又は旧指定試験機関が行った処分、手続その他の行為は、新建築士法又はこれに基づく命令若しくは規則中の相当する規定によって新建築士法第十五条の二第一項に規定する中央指定試験機関又は新建築士法第十五条の六第一項に規定する都道府県指定試験機関（以下この項において「新指定試験機関」という。）に対して行い、又は新指定試験機関が行った処分、手続その他の行為とみなす。

11　この法律の施行の際現に旧指定試験機関の役員（旧建築士法第十五条の六第一項（旧建築士法第十五条の十七第五項において準用する場合を含む。）の試験委員を含む。）である者が施行日前にした旧建築士法第十五条の五第二項（旧建築士法第十五条の六第四項（旧建築士法第十五条の十七第五項において準用する場合を含む。）に該当する行為は、新建築士法第十五条の五第一項又は第十五条の六第三項において読み替えて準用する新建築士法第十条の七第二項に該当する行為とみなして、同項の規定を適用する。

12　新建築士法第二十条の二及び第二十条の三の規定は、施行日から起算して六月を超えない範囲内において政令で定める日〔平成二一・五・二七〕（以下「適用開始日」という。）以後に新建築士法第二条第六項に規定する構造設計又は設備設計を行った場合について適用する。

13　この法律の施行の際現に旧建築士法第二十四条第一項の規定により置かれている建築士事務所を管理する建築士については、新建築士法第二十四条第二項の規定は、当該建築士事務所に引き続き建築士事務所を管理する建築士として置かれる場合に限り、施行日から起算して三年を経過する日までの間、適用しない。

14　新建築士法第二十四条の三の規定は、施行日前に建築士事務所の開設者が委託を受けた設計又は工事監理の業務については、適用しない。

15　施行日前に締結された設計又は工事監理の委託を受けることを内容とす

る契約については、新建築士法第二十四条の八及び第二十六条第二項第三号の規定にかかわらず、なお従前の例による。

16　この法律の施行の際現に旧建築士法第二十三条第一項の登録を受けている者に対する新建築士法第二十六条第一項又は第二項の規定による登録の取消しその他の監督上の処分に関しては、施行日前に生じた事由については、なお従前の例による。

17　附則第一条第三号に掲げる規定の施行の際現にその名称中に建築士事務所協会又は建築士事務所協会連合会という文字を用いている一般社団法人に関する第二条の規定による改正後の建築士法第二十七条の二第五項の規定の適用については、同項中「成立したときは、成立の日」とあるのは、「建築士法等の一部を改正する法律（平成十八年法律第百十四号）附則第一条第三号に掲げる規定の施行の日」とする。

（罰則に関する経過措置）

第六条　この法律（附則第一条第三号に掲げる規定については、当該規定）の施行前にした行為に対する罰則の適用については、なお従前の例による。

（政令への委任）

第七条　附則第二条から前条までに定めるもののほか、この法律の施行に関して必要な経過措置（罰則に関する経過措置を含む。）は、政令で定める。

（検討）

第八条　政府は、この法律の施行後五年を経過した場合において、第一条から第四条までの規定による改正後の規定の施行の状況について検討を加え、必要があると認めるときは、その結果に基づいて必要な措置を講ずるものとする。

附　則〔略〕〔平成二三・六・三法律六一〕

附　則〔略〕〔平成二三・六・二四法律七四〕

附　則〔略〕〔平成二五・六・一四法律四四〕

附　則〔略〕〔平成二六・六・四法律五四〕

附　則〔略〕〔平成二六・六・一三法律六九〕

附　則〔抄〕〔平成二六・六・二七法律九二〕

（施行期日）

第一条　この法律は、公布の日から起算して一年を超えない範囲内において政令で定める日から施行する。

〔平成二七政一二一により、平成二七・六・二五から施行〕

（経過措置）

第二条　この法律による改正後の建築士法（以下「新法」という。）第二十二条の三の三の規定は、この法律の施行の日（以下「施行日」という。）前に締結された契約の当事者については、適用しない。

第三条　建築士事務所の開設者（この法律の施行の際現にこの法律による改正前の建築士法第二十三条第一項の規定による登録を受けていた者に限る。第三項において「既登録者」という。）は、施行日から起算して一年以内に新法第二十三条の二の規定による更新の登録の申請をする場合を除き、施行日から起算して一年以内に、同条第五号に掲げる事項を、当該都道府県知事に届け出なければならない。

2　新法第二十三条の三第一項及び第二十三条の四の規定は、前項の規定による届出があった場合に準用する。

3　新法第二十三条の五第二項の規定は、既登録者については、第一項に規定する更新の登録の申請又は同項の規定による届出があった時から適用する。

4　第一項の規定による届出をせず、又は虚偽の届出をした者は、三十万円以下の罰金に処する。

5　法人の代表者又は法人若しくは人の代理人、使用人その他の従業者が、その法人又は人の業務に関し、前項の違反行為をしたときは、その行為者を罰するほか、その法人又は人に対しても同項の刑を科する。

第四条　新法第二十四条の三第二項の規定は、施行日前に建築士事務所の開設者が委託を受けた設計又は工事監理の業務については、適用しない。

第五条　都道府県知事は、建築士事務所の開設者が附則第三条第一項の規定による届出をせず、又は虚偽の届出をしたときは、当該建築士事務所の開設者に対し、戒告し、若しくは一年以内の期間を定めて当該建築士事務所の閉鎖を命じ、又は当該建築士事務所の登録を取り消すことができる。

2　都道府県知事は、前項の規定により建築士事務所の閉鎖を命じようとするときは、行政手続法（平成五年法律第八十八号）第十三条第一項の規定による意見陳述のための手続の区分にかかわらず、聴聞を行わなければならない。

3　新法第十条第三項、第四項及び第六項の規定は都道府県知事が第一項の規定により建築士事務所の登録を取り消し、又は建築士事務所の閉鎖を命ずる場合について、同条第五項の規定は都道府県知事が第一項の規定による処分をした場合について、それぞれ準用する。

（政令への委任）

第六条　この附則に定めるもののほか、この法律の施行に関して必要な経過措置（罰則に関する経過措置を含む。）は、政令で定める。

附　則〔抄〕〔平成二九・五・三一法律四一〕

（施行期日）

第一条　この法律は、平成三十一年四月一日から施行する。ただし、次条及び附則第四十八条の規定は、公布の日から施行する。

（政令への委任）

第四八条　この附則に規定するもののほか、この法律の施行に関し必要な経過措置は、政令で定める。

附　則〔抄〕〔平成三〇・一二・一四法律九三〕

（施行期日）

第一条　この法律は、公布の日から起算して二年を超えない範囲内において政令で定める日から施行する。

〔令和元政九五により、令和二・三・一から施行〕

（経過措置）

第二条　建築士法等の一部を改正する法律（平成十八年法律第百十四号）の施行の日（以下この条において「平成十八年改正法施行日」という。）前に同法第一条の規定による改正前の建築士法（以下この条において「平成十八年旧建築士法」という。）第十四条第一号から第二号まで又は第十五条第二号に規定する課程に在学した者であって、当該課程を修めて卒業しているものは、それぞれこの法律による改正後の建築士法（以下この条において「新法」という。）第四条第二項第一号から第三号まで又は同条第四項第二号に規定する科目を修めて卒業した者とみなし、その者が有する当該課程を修めて卒業した後の平成十八年改正法施行日前における建築に関する実務の経験は、それぞれこれらの規定に規定する建築実務の経験とみなす。

2　平成十八年改正法施行日前に平成十八年旧建築士法第十四条第一号から第二号まで又は第十五条第二号に規定する課程に在学した者であって、当該課程を修めて卒業しているものは、それぞれ新法第十四条第一号又は新法第十五条第一号に規定する科目を修めて卒業した者とみなす。

3　この法律の施行の際現に平成十八年旧建築士法第十四条第四号の規定による国土交通大臣の認定を受けている者は新法第四条第二項第五号及び第十四条第三号の規定による国土交通大臣の認定を受けた者と、この法律の施行の際現に平成十八年旧建築士法第十五条第三号の規定による都道府県知事の認定を受けている者は新法第四条第四項第三号及び第十五条第二号の規定による都道府県知事の認定を受けた者とみなす。

4　平成十八年改正法施行日前に平成十八年旧建築士法第十五条第一号に規定する正規の建築に関する課程に在学した者であって、当該課程を修めて卒業しているものは、新法第四条第四項第一号及び第十五条第一号に規定する建築に関する科目を修めて卒業した者とみなす。

5　平成十八年改正法施行日前に平成十八年旧建築士法第十五条第一号に規定する正規の土木に関する課程に在学した者であって、当該課程を修めて卒業しているもののうち、当該課程を修めて卒業した後の新法第四条第二項第一号に規定する建築実務の経験（当該課程を修めて卒業した後の平成十八年改正法施行日前における建築に関する実務の経験を含む。）を一年以上有する者は、新法第四条第四項第一号に規定する建築に関する科目を修めて卒業した者とみなす。

6　平成十八年改正法施行日前に平成十八年旧建築士法第十五条第一号に規定する正規の土木に関する課程に在学した者であって、当該課程を修めて卒業しているものは、新法第十五条第一号に規定する建築に関する科目を修めて卒業した者とみなす。

7　平成十八年改正法施行日前における二級建築士としての実務の経験は新法第四条第二項第四号に規定する実務の経験と、平成十八年改正法施行日前における建築に関する実務の経験は新法第四条第四項第四号及び第十五条第三号に規定する建築実務の経験とみなす。

（政令への委任）

第三条　前条に定めるもののほか、この法律の施行に関し必要な経過措置（罰則に関する経過措置を含む。）は、政令で定める。

附 則〔略〕〔令和元・六・七法律二六施行〕

附 則〔抄〕〔令和元・六・一四法律三七〕

（施行期日）

第一条 この法律は、公布の日から起算して三月を経過した日から施行する。ただし、次の各号に掲げる規定は、当該各号に定める日から施行する。

一 〔前略〕次条並びに附則第三条及び第六条の規定 公布の日

二 〔略〕

三 〔前略〕第百四十六条（建築士法第十条の二十三、第十条の三十六第一項、第二十二条の三第二項、第二十六条の五第二項及び第三十八条第五号の改正規定を除く。）の規定 令和元年十二月一日

四 〔略〕

（行政庁の行為等に関する経過措置）

第二条 この法律（前条各号に掲げる規定にあっては、当該規定。以下この条及び次条において同じ。）の施行の日前に、この法律による改正前の法律又はこれに基づく命令の規定（欠格条項その他の権利の制限に係る措置を定めるものに限る。）に基づき行われた行政庁の処分その他の行為及び当該規定により生じた失職の効力については、なお従前の例による。

（罰則に関する経過措置）

第三条 この法律の施行前にした行為に対する罰則の適用については、なお従前の例による。

（検討）

第七条 政府は、会社法（平成十七年法律第八十六号）及び一般社団法人及び一般財団法人に関する法律（平成十八年法律第四十八号）における法人の役員の資格を成年被後見人又は被保佐人であることを理由に制限する旨の規定について、この法律の公布後一年以内を目途として検討を加え、その結果に基づき、当該規定の削除その他の必要な法制上の措置を講ずるものとする。

附 則〔抄〕〔令和三・五・一九法律三七〕

（施行期日）

第一条 この法律は、令和三年九月一日から施行する。ただし、次の各号に掲げる規定は、当該各号に定める日から施行する。

一 〔前略〕附則〔中略〕第七十一条から第七十三条までの規定 公布の日

二～十 〔略〕

（罰則に関する経過措置）

第七十一条 この法律（附則第一条各号に掲げる規定にあっては、当該規定。以下この条において同じ。）の施行前にした行為及びこの附則の規定によりなお従前の例によることとされる場合におけるこの法律の施行後にした行為に対する罰則の適用については、なお従前の例による。

（政令への委任）

第七十二条 この附則に定めるもののほか、この法律の施行に関し必要な経過措置（罰則に関する経過措置を含む。）は、政令で定める。

（検討）

第七十三条 政府は、行政機関等に係る申請、届出、処分の通知その他の手続において、個人の氏名を平仮名又は片仮名で表記したものを利用して当該個人を識別できるようにするため、個人の氏名を平仮名又は片仮名で表記したものを戸籍の記載事項とすることを含め、この法律の公布後一年以内を目途としてその具体的な方策について検討を加え、その結果に基づいて必要な措置を講ずるものとする。

附 則〔抄〕〔令和三・五・二六法律四四〕

（施行期日）

第一条 この法律は、公布の日から起算して三月を経過した日から施行する。ただし、次の各号に掲げる規定は、当該各号に定める日から施行する。

一 〔前略〕附則第四条の規定 公布の日

二～五 〔略〕

（政令への委任）

第四条 前条に規定するもののほか、この法律の施行に関し必要な経過措置は、政令で定める。

附 則〔抄〕〔令和四・六・一七法律六九〕

（施行期日）

第一条 この法律は、公布の日から起算して三年を超えない範囲内において政令で定める日から施行する。ただし、次の各号に掲げる規定は、当該各号に定める日から施行する。

一 附則第五条の規定 公布の日

二・三 〔略〕

四 〔前略〕附則第四条〔中略〕の規定 公布の日から起算して二年を超えない範囲内において政令で定める日

〔令和五政二七九により、令和六・四・一から施行〕

（罰則の適用に関する経過措置）

第四条 この法律（附則第一条第四号に掲げる規定にあっては、当該規定）の施行前にした行為及び附則第二条の規定によりなお従前の例によることとされる場合におけるこの法律の施行後にした行為に対する罰則の適用については、なお従前の例による。

（政令への委任）

第五条 前三条に定めるもののほか、この法律の施行に関し必要な経過措置（罰則に関する経過措置を含む。）は、政令で定める。

（検討）

第六条 政府は、この法律の施行後五年を目途として、この法律による改正後のそれぞれの法律の規定について、その施行の状況等を勘案して検討を加え、必要があると認めるときは、その結果に基づいて所要の措置を講ずるものとする。

別表第一（第十条の三、第十条の二十二、第十条の二十四関係）

	講習	科目	講師
(一)	構造設計一級建築士講習	イ 構造関係規定に関する科目	(1) 学校教育法による大学（以下「大学」という。）において行政法学を担当する教授若しくは准教授の職にあり、又はこれらの職にあつた者 (2) (1)に掲げる者と同等以上の知識及び経験を有する者
		ロ 建築物の構造に関する科目	(1) 大学において建築学を担当する教授若しくは准教授の職にあり、又はこれらの職にあつた者 (2) (1)に掲げる者と同等以上の知識及び経験を有する者
(二)	設備設計一級建築士講習	イ 設備関係規定に関する科目	(1) 大学において行政法学を担当する教授若しくは准教授の職にあり、又はこれらの職にあつた者 (2) (1)に掲げる者と同等以上の知識及び経験を有する者
		ロ 建築設備に関する科目	(1) 大学において建築学を担当する教授若しくは准教授の職にあり、又はこれらの職にあつた者 (2) (1)に掲げる者と同等以上の知識及び経験を有する者

別表第二（第二十二条の二、第二十二条の三関係）

	講習	科目	講師
(一)	一級建築士定期講習	イ 建築物の建築に関する法令に関する科目	(1) 大学において行政法学を担当する教授若しくは准教授の職にあり、又はこれらの職にあつた者 (2) (1)に掲げる者と同等以上の知識及び経験を有する者

	ロ 設計及び工事監理に関する科目	(1) 大学において建築学を担当する教授若しくは准教授の職にあり、又はこれらの職にあつた者 (2) (1)に掲げる者と同等以上の知識及び経験を有する者
(二) 二級建築士定期講習	イ 建築物の建築に関する法令に関する科目	(1) 大学において行政法学を担当する教授若しくは准教授の職にあり、又はこれらの職にあつた者 (2) (1)に掲げる者と同等以上の知識及び経験を有する者
	ロ 建築物（第三条に規定する建築物を除く。）の設計及び工事監理に関する科目	(1) 大学において建築学を担当する教授若しくは准教授の職にあり、又はこれらの職にあつた者 (2) (1)に掲げる者と同等以上の知識及び経験を有する者
(三) 木造建築士定期講習	イ 木造の建築物の建築に関する法令に関する科目	(1) 大学において行政法学を担当する教授若しくは准教授の職にあり、又はこれらの職にあつた者 (2) (1)に掲げる者と同等以上の知識及び経験を有する者
	ロ 木造の建築物（第三条及び第三条の二に規定する建築物を除く。）の設計及び工事監理に関する科目	(1) 大学において建築学を担当する教授若しくは准教授の職にあり、又はこれらの職にあつた者 (2) (1)に掲げる者と同等以上の知識及び経験を有する者
(四) 構造設計一級建築士定期講習	イ 構造関係規定に関する科目	(1) 大学において行政法学を担当する教授若しくは准教授の職にあり、又はこれらの職にあつた者 (2) (1)に掲げる者と同等以上の知識及び経験を有する者
	ロ 構造設計に関する科目	(1) 大学において建築学を担当する教授若しくは准教授の職にあり、又はこれらの職にあつた者 (2) (1)に掲げる者と同等以上の知識及び経験を有する者
(五) 設備設計一級建築士定期講習	イ 設備関係規定に関する科目	(1) 大学において行政法学を担当する教授若しくは准教授の職にあり、又はこれらの職にあつた者 (2) (1)に掲げる者と同等以上の知識及び経験を有する者
	ロ 設備設計に関する科目	(1) 大学において建築学を担当する教授若しくは准教授の職にあり、又はこれらの職にあつた者 (2) (1)に掲げる者と同等以上の知識及び経験を有する者

別表第三（第二十四条、第二十六条の五関係）

講習	科目	講師
管理建築士講習	イ この法律その他関係法令に関する科目	(1) 大学において行政法学を担当する教授若しくは准教授の職にあり、又はこれらの職にあつた者 (2) (1)に掲げる者と同等以上の知識及び経験を有する者
	ロ 建築物の品質確保に関する科目	(1) 管理建築士として三年以上の実務の経験を有する管理建築士 (2) (1)に掲げる者と同等以上の知識及び経験を有する者

〇建築士法施行令〔昭和二五・六・二二 政令二〇一〕

改正 昭和二七・三政六〇、昭和二八・五政八六、八政一九三、昭和三〇・一二政三三八、昭和三九・四政一〇六、昭和四〇・一政一一、九政二九九、昭和四二・六政一六二、昭和五一・一政一一、昭和五三・五政二〇六、昭和五七・七政二〇三、昭和五八・一一政二四〇、昭和五九・六政二三一、昭和六二・三政五七、一二政四〇四、平成元・三政七二、平成三・三政二五、平成六・三政六九、九政三〇三、平成九・三政七四、平成一一・一一政三五二、平成一二・三政一二二、六政三一二、平成一三・一政四九、平成一五・八政三七五、平成一六・三政五四、平成一九・三政四九、平成二〇・五政一八六、平成二五・一一政三一二、平成二七・一政一三、令和元・九政九六、令和三・六政一八二、八政二二四

（一級建築士免許証又は一級建築士免許証明書の書換え交付等の手数料）

第一条 建築士法（以下「法」という。）第五条第六項（法第十条の十九第一項の規定により読み替えて適用する場合を含む。）の政令で定める額は、五千九百円とする。

（構造設計一級建築士証又は設備設計一級建築士証の交付等の手数料）

第二条 法第十条の三第六項（法第十条の十九第一項の規定により読み替えて適用する場合を含む。）の政令で定める額は、次の各号に掲げる一級建築士の区分に応じ、それぞれ当該各号に定める額とする。

一 構造設計一級建築士証又は設備設計一級建築士証の交付を受けようとする一級建築士 一万四千三百円

二 構造設計一級建築士証又は設備設計一級建築士証の書換え交付又は再交付を受けようとする一級建築士 五千九百円

（中央指定登録機関による一級建築士の登録手数料）

第三条 法第十条の十九第二項の政令で定める額は、二万八千四百円とする。

（一級建築士の受験手数料）

第四条 法第十六条第一項の政令で定める額は、一万七千円とする。

2 受験手数料は、これを納付した者が試験を受けなかつた場合においても、返還しない。

3 中央指定試験機関に納付する受験手数料の納付の方法は、法第十五条の五第一項において読み替えて準用する法第十条の九第一項に規定する試験事務規程の定めるところによる。

（参考人に支給する費用）

第五条 法第十条第六項に規定する旅費、日当その他の費用の額は、次の各号に掲げる参考人の区分に応じ、それぞれ当該各号に定める額とする。

一　国土交通大臣の求めに応じて出席した参考人　政府職員に支給する旅費、日当その他の費用の額の範囲内において、国土交通大臣が財務大臣と協議して定める額

二　都道府県知事の求めに応じて出席した参考人　都道府県が条例で定める額

（**登録講習機関の登録の有効期間**）

第六条　法第十条の二十六第一項（法第二十二条の三第二項及び第二十六条の五第二項において準用する場合を含む。）の政令で定める期間は、五年とする。

（**法第二十条第四項の規定による承諾に関する手続等**）

第七条　法第二十条第四項の規定による承諾は、建築士が、国土交通省令で定めるところにより、あらかじめ、当該承諾に係る建築主に対し電磁的方法（同項に規定する方法をいう。以下この条において同じ。）による報告に用いる電磁的方法の種類及び内容を示した上で、当該建築主から書面又は電子情報処理組織を使用する方法その他の情報通信の技術を利用する方法であつて国土交通省令で定めるもの（次項において「書面等」という。）によつて得るものとする。

2　建築士は、前項の承諾を得た場合であつても、当該承諾に係る建築主から書面等により電磁的方法による報告を受けない旨の申出があつたときは、当該電磁的方法による報告をしてはならない。ただし、当該申出の後に当該建築主から再び同項の承諾を得た場合は、この限りでない。

（**法第二十二条の三の三第四項の規定による承諾等に関する手続等**）

第八条　法第二十二条の三の三第四項の規定による承諾については、前条の規定を準用する。この場合において、同条中「建築士」とあるのは「設計受託契約又は工事監理受託契約の当事者」と、「建築主」とあるのは「契約の相手方」と、「報告」とあるのは「提供」と読み替えるものとする。

2　法第二十四条の七第三項の規定による承諾については、前条の規定を準用する。この場合において、同条中「建築士」とあるのは「管理建築士等」と、「報告」とあるのは「提供」と読み替えるものとする。

3　法第二十四条の八第二項の規定による承諾については、前条の規定を準用する。この場合において、同条中「建築士」とあるのは「建築士事務所の開設者」と、「建築主」とあるのは「委託者」と、「報告」とあるのは「提供」と読み替えるものとする。

（**建築士審査会の委員等の勤務**）

第九条　中央建築士審査会及び都道府県建築士審査会（次条及び第十三条において「建築士審査会」と総称する。）の委員及び試験委員は、非常勤とする。

（**建築士審査会の議事**）

第一〇条　建築士審査会は、委員の半数以上が出席しなければ、会議を開くことができない。

2　建築士審査会の議事は、出席委員の過半数で決し、可否同数の場合は、会長の決するところによる。

（**試験委員**）

第一一条　中央建築士審査会の試験委員は、十人以上三十人以内とし、都道府県建築士審査会の試験委員は、五人以上とする。

2　中央建築士審査会及び都道府県建築士審査会の試験委員は、それぞれ一級建築士試験又は二級建築士試験若しくは木造建築士試験の科目について専門的な知識及び技能を有し、かつ、試験委員としてふさわしい者のうちから任命するものとする。

（**中央建築士審査会の庶務**）

第一二条　中央建築士審査会の庶務は、国土交通省住宅局建築指導課において処理する。

（**建築士審査会の運営**）

第一三条　法又はこの政令に定めるもののほか、建築士審査会の運営に関し必要な事項は、建築士審査会が定める。

附　則

この政令は、昭和二十五年七月一日から施行する。

附　則〔略〕〔昭和二七・三・三一政令六〇〕

附　則〔略〕〔昭和二八・八・一四政令一九三〕

附　則〔略〕〔昭和三〇・一二・二九政令三三八〕

附　則〔略〕〔昭和四〇・一・二八政令一一〕

附　則〔昭和四二・六・三〇政令一六二〕

1　この政令は、昭和四十二年八月一日から施行する。

2　登録免許税法別表第一の第二十三号㈢、㈥及び㈦、第三十一号、第四十三号並びに第四十六号に掲げる登録の申請書を同法の公布の日前に当該登録の事務をつかさどる官署に提出した者が昭和四十二年十二月三十一日までに当該申請書に係る登録を受ける場合における当該登録に係る手数料については、なお従前の例による。

附　則〔略〕〔昭和五一・一・二七政令一二〕

附　則〔略〕〔昭和五三・五・三〇政令二〇六〕

附　則〔略〕〔昭和五八・一一・二九政令二四〇〕

附　則〔略〕〔昭和五九・六・二九政令二三一〕

附　則〔略〕〔昭和六二・三・二五政令五七〕

附　則〔略〕〔昭和六二・一二・二二政令四〇四〕

附　則〔略〕〔平成元・三・二八政令七二〕

附　則〔略〕〔平成三・三・一三政令二五〕

附　則〔略〕〔平成六・三・二四政令六九〕

附　則〔略〕〔平成六・九・一九政令三〇三〕

附　則〔略〕〔平成九・三・二六政令七四〕

附　則〔略〕〔平成一一・一一・一〇政令三五二〕

附　則〔略〕〔平成一二・三・二九政令一二二〕

附　則〔略〕〔平成一二・六・七政令三一二〕

附　則〔平成一三・一・四政令四〕

（**施行期日**）

1　この政令は、書面の交付等に関する情報通信の技術の利用のための関係法律の整備に関する法律の施行の日（平成十三年四月一日）から施行する。ただし、第十条中社会福祉法施行令第十五条の改正規定（「第百二十三条」を「第百二十四条」に改める部分に限る。）は、平成十三年一月六日から施行する。

（**罰則に関する経過措置**）

2　この政令の施行前にした行為に対する罰則の適用については、なお従前の例による。

附　則〔略〕〔平成一五・八・二九政令三七五〕

附　則〔略〕〔平成一六・三・二四政令五四〕

附　則〔略〕〔平成一九・三・一六政令四九〕

附　則〔平成二〇・五・二三政令一八六〕

（**施行期日**）

第一条　この政令は、建築士法等の一部を改正する法律の施行の日（平成二十年十一月二十八日）から施行する。

（**建築士法施行令の一部改正に伴う経過措置**）

第二条　第一条の規定による改正後の建築士法施行令第四条の規定は、平成二十一年において行われる一級建築士試験から適用し、平成二十年において行われる一級建築士試験については、なお従前の例による。

（**罰則に関する経過措置**）

第三条　この政令の施行前にした行為に対する罰則の適用については、なお従前の例による。

（**建築士法の構造設計及び設備設計に関する特例に関する規定の適用開始日**）

第四条　建築士法等の一部を改正する法律附則第三条第二項の政令で定める日は、平成二十一年五月二十七日とする。

附　則〔略〕〔平成二五・一一・一五政令三一二〕

附　則〔略〕〔平成二七・一・二一政令一三〕

附　則〔抄〕〔令和元・九・一一政令九六〕

（**施行期日**）

1　この政令は、建築士法の一部を改正する法律の施行の日（令和二年三月一日）から施行する。

（**経過措置**）

2　建築士法第五条第一項の規定による一級建築士の登録を受けようとする者であつて、この政令の施行の日（次項において「施行日」という。）前に国土交通大臣の行う一級建築士試験に合格したもの（第二条の規定による改正後の沖縄の復帰に伴う建設省関係法令の適用の特別措置等に関する政令（同項において「新沖縄特別措置令」という。）第百条の規定により一級建築士の免許を受けることができる者を含む。）に対する第一条の規定による改正後の建築士法施行令第三条の規定の適用については、同条中「一万九千二百円」とあるのは、「二万八千四百円」とする。

附　則〔略〕〔令和三・六・二五政令一八二〕

附　則〔令和三・八・四政令二二四〕

この政令は、令和三年九月一日から施行する。

○建築士法施行規則〔昭和二五・一〇・三一 建設省令三八〕

改正　昭和二七・四建令九、昭和二八・八建令一七、昭和二九・三建令五、昭和三〇・五建令一四、昭和三一・二建令一、昭和三四・五建令一一、昭和四二・八建令二〇、昭和四三・三建令八、昭和五三・五建令九、昭和五七・八建令一一、昭和五八・一二建令二〇、平成元・三建令三、平成六・二建令四、平成一〇・五建令九、平成一二・一建令一〇、二建令一一、三建令一九、一一建令四一、平成一三・三国交令四二、国交令七二、一〇国交令一三五、平成一五・六国交令七三、平成一六・五国交令六七、平成一七・三国交令一二、平成一八・三国交令一七、四国交令五八、平成一九・三国交令二七、六国交令六六、平成二〇・四国交令二八、五国交令三七、七国交令六一、一〇国交令八九、一二国交令九七、平成二一・五国交令三七、平成二四・三国交令二七、平成二五・四国交令二一、九国交令七六、平成二七・一国交令五、二国交令八、平成三〇・一〇国交令七八、令和元・五国交令一、九国交令三四、一一国交令四二、令和二・九国交令七五、一二国交令九八、令和三・七国交令四六、八国交令五三、一〇国交令六八、一二国交令七八、令和四・二国交令七、令和五・九国交令七五、一二国交令九八、令和六・二国交令一二、三国交令二六

注　□の部分は、令和六年六月三日国土交通省令第六三号及び令和六年六月二八日国土交通省令第六八号により改正され、令和七年四月一日から施行

目次

第一章　総則（第一条）
第一章の二　免許（第一条の二―第九条の七）
第二章　試験（第十条―第十七条の十四）
第二章の二　構造計算によつて建築物の安全性を確かめた旨の証明書等（第十七条の十四の二―第十七条の十七の三）
第二章の三　建築設備士（第十七条の十八―第十七条の三十五）
第二章の四　定期講習（第十七条の三十六・第十七条の三十七）
第二章の五　設計受託契約等（第十七条の三十八―第十七条の四十）
第三章　建築士事務所（第十八条―第二十二条の六）
第四章　雑則（第二十三条・第二十四条）
附則

第一章　総則

（構造設計図書及び設備設計図書）

第一条　建築士法（以下「法」という。）第二条第七項の国土交通省令で定める建築物の構造に関する設計図書は、次に掲げる図書（建築基準法（昭和二十五年法律第二百一号）第六十八条の十第一項の規定により、建築基準法施行令（昭和二十五年政令第三百三十八号）第百三十六条の二の十一第一号で定める一連の規定に適合するものであることの認定を受けた型式による建築物の部分を有する建築物に係るものを除く。）とする。

一　建築基準法施行規則（昭和二十五年建設省令第四十号）第一条の三第一項の表二の第㈠項の(い)欄に掲げる建築物の区分に応じそれぞれ同表の第㈠項の(ろ)欄に掲げる図書及び同条第四項の表一の各項の(い)欄に掲げる建築設備の区分に応じそれぞれ当該各項の(ろ)欄に掲げる図書（いずれも構造関係規定に係るものに限る。）

二　建築基準法第二十条第一項第一号の認定に係る構造方法を用いる建築物にあつては、建築基準法施行規則第十条の五の二十一第一項各号に掲げる図書

三　建築基準法施行規則第一条の三第一項の表三の各項の(い)欄に掲げる建築物にあつては、その区分に応じそれぞれ当該各項の(ろ)欄に掲げる構造計算書

四　建築基準法施行令第八十一条第二項第一号イ若しくはロ又は同項第二号イに規定する国土交通大臣が定める基準に従つた構造計算により安全性を確かめた建築物にあつては、建築基準法施行規則第一条の三第一項の表三の各項の(ろ)欄に掲げる構造計算書に準ずるものとして国土交通大臣が定めるもの

2　法第二条第七項に規定する国土交通省令で定める建築設備に関する設計図書は、建築基準法施行規則第一条の三第四項の表一の各項の(い)欄に掲げる建築設備の区分に応じそれぞれ当該各項の(ろ)欄に掲げる図書（設備関係規定が適用される建築設備に係るものに限る。）とする。

第一章の二　免許

（実務の経験の内容）

第一条の二　法第四条第二項第一号及び第四号の国土交通省令で定める建築に関する実務は、次に掲げるものとする。

一　建築物の設計（法第二十一条に規定する設計をいう。第二十条の四第一項第一号において同じ。）に関する実務

二　建築物の工事監理に関する実務

三　建築工事の指導監督に関する実務

四　建築士事務所の業務として行う建築物に関する調査又は評価に関する実務

五　次に掲げる工事の施工の技術上の管理に関する実務

イ　建築一式工事（建設業法（昭和二十四年法律第百号）別表第一に掲げる建築一式工事をいう。）

ロ　大工工事（建設業法別表第一に掲げる大工工事をいう。）

ハ　建築設備（建築基準法第二条第三号に規定する建築設備をいう。）の設置工事

六　建築基準法第十八条の三第一項に規定する確認審査等に関する実務

七　前各号の実務に準ずるものとして国土交通大臣が定める実務

2　第一項各号に掲げる実務の経験には、単なる写図工若しくは労務者としての経験又は単なる庶務、会計その他これらに類する事務に関する経験を含まないものとする。

3　第一項各号に掲げる実務に従事したそれぞれの期間は通算することができる。

（心身の故障により一級建築士、二級建築士又は木造建築士の業務を適正に行うことができない者）

第一条の三　法第八条第三号の国土交通省令で定める者は、精神の機能の障害により一級建築士、二級建築士又は木造建築士の業務を適正に行うに当たつて必要な認知、判断及び意思疎通を適切に行うことができない者とする。

（治療等の考慮）

第一条の四　国土交通大臣又は都道府県知事は、一級建築士又は二級建築士若しくは木造建築士の免許を申請した者が前条に規定する者に該当すると認める場合において、当該者に免許を与えるかどうかを決定するときは、当該者が現に受けている治療等により障害の程度が軽減している状況を考慮しなければならない。

（免許の申請）

第一条の五　法第四条第一項の規定により一級建築士の免許を受けようとする者は、第一号書式による免許申請書に、次に掲げる書類（その書類を得られない正当な事由がある場合においては、これに代わる適当な書類）を添え、これを国土交通大臣に提出しなければならない。ただし、第十五条第一項の規定により同項第一号に掲げる書類を国土交通大臣に提出した場合又は同条第二項の規定により当該書類を中央指定試験機関に提出した場合で、当該書類に記載された内容と第一号書式による免許申請書に記載された内容が同一であるときは、第三号に掲げる書類を添えることを要しない。

一　本籍の記載のある住民票の写しその他参考となる事項を記載した書類

二　国土交通大臣又は中央指定試験機関が交付した一級建築士試験に合格したことを証する書類

三　次のイからニまでのいずれかに掲げる書類

イ　法第四条第二項第一号、第二号又は第三号に該当する者にあつては、当該各号に掲げる学校を卒業したことを証する証明書

ロ　法第四条第二項第四号に該当する者にあつては、二級建築士であつた期間を証する都道府県知事の証明書

ハ　国土交通大臣が別に定める法第四条第二項第五号に該当する者の基準に適合する者にあつては、その基準に適合することを証するに足る

書類

二　法第四条第二項第五号に該当する者のうち、ハに掲げる者以外の者にあつては、法第四条第二項第一号から第四号までに掲げる者と同等以上の知識及び技能を有することを証する書類

四　第一号の二書式による実務の経験を記載した書類（以下この号において「実務経歴書」という。）及び第一号の三書式による使用者その他これに準ずる者が実務経歴書の内容が事実と相違しないことを確認したことを証する書類

2　法第四条第五項の規定により一級建築士の免許を受けようとする者は、第一号書式による免許申請書に、前項第一号に掲げる書類（その書類を得られない正当な事由がある場合においては、これに代わる適当な書類）及び外国の建築士免許証の写しを添え、これを国土交通大臣に提出しなければならない。

3　前二項の免許申請書には、申請前六月以内に撮影した無帽、正面、無背景の縦の長さ四・五センチメートル、横の長さ三・五センチメートルの写真でその裏面に氏名及び撮影年月日を記入したもの（以下「一級建築士免許用写真」という。）を貼付しなければならない。

（免許）

第二条　国土交通大臣は、前条の規定による申請があつた場合においては、免許申請書の記載事項を審査し、申請者が一級建築士となる資格を有すると認めたときは、法第五条第一項の一級建築士名簿（以下「名簿」という。）に登録し、かつ、申請者に第二号書式による一級建築士免許証を交付する。

2　国土交通大臣は、前項の場合において、申請者が一級建築士となる資格を有しないと認めたときは、理由を付し、免許申請書を申請者に返却する。

（登録事項）

第三条　名簿に登録する事項は、次のとおりとする。

一　登録番号及び登録年月日

二　氏名、生年月日及び性別

二　氏名

三　一級建築士試験合格の年月及び合格証書番号（外国の建築士免許を受けた者にあつては、その免許の名称、免許者名及び免許の年月日）

四　法第十条第一項の規定による戒告、業務停止又は免許の取消しの処分及びこれらの処分を受けた年月日

五　法第十条の三第一項第一号若しくは同条第二項第一号又は法第二十四条第二項に規定する講習の課程を修了した者にあつては、当該講習を修了した年月日及び当該講習の修了証の番号

六　法第二十二条の二に定める講習を受けた年月日及び当該講習の修了証の番号

七　第九条の三第三項の規定により構造設計一級建築士証若しくは設備設計一級建築士証の交付を受けた者にあつては、当該建築士証の番号及び当該建築士証の交付を受けた年月日

八　構造設計一級建築士証若しくは設備設計一級建築士証の返納を行つた者にあつては、当該建築士証の返納を行つた年月日

（登録事項の変更）

第四条　一級建築士は、前条第二号に掲げる登録事項に変更を生じた場合においては、その変更を生じた日から三十日以内に、その旨を、国土交通大臣に届け出なければならない。

2　国土交通大臣は、前項の届出があつた場合においては、名簿を訂正する。

（免許証の書換え交付）

第四条の二　一級建築士は、前条第一項の規定による届出をする場合において、一級建築士免許証（以下「免許証」という。）又は一級建築士免許証明書（以下「免許証明書」という。）に記載された事項に変更があつたときは、免許証の書換え交付を申請しなければならない。

2　前項及び法第五条第三項の規定により免許証の書換え交付を申請しようとする者は、一級建築士免許証用写真を貼付した免許証書換え交付申請書に免許証又は免許証明書を添え、これを国土交通大臣に提出しなければならない。

3　国土交通大臣は、前項の規定による申請があつた場合においては、免許証を書き換えて、申請者に交付する。

（免許証の再交付）

第五条　一級建築士は、免許証又は免許証明書を汚損し又は失つた場合においては、遅滞なく、一級建築士免許証用写真を貼付した免許証再交付申請書にその事由を記載し、汚損した場合にあつてはその免許証又は免許証明書を添え、これを国土交通大臣に提出しなければならない。

2　国土交通大臣は、前項の規定による申請があつた場合においては、申請者に免許証を再交付する。

3　一級建築士は、第一項の規定により免許証の再交付を申請した後、失つた免許証又は免許証明書を発見した場合においては、発見した日から十日以内に、これを国土交通大臣に返納しなければならない。

（心身の故障により一級建築士、二級建築士又は木造建築士の業務を適正に行うことができない場合）

第五条の二　法第八条の二第三号の国土交通省令で定める場合は、一級建築士、二級建築士又は木造建築士が精神の機能の障害を有することにより認知、判断及び意思疎通を適切に行うことができない状態となつた場合とする。

（免許の取消しの申請及び免許証等の返納）

第六条　一級建築士は、法第八条の二（第二号に該当する場合に限る。）の規定による届出をする場合においては、届出書に、免許証又は免許証明書を添え、これを国土交通大臣に提出しなければならない。

2　一級建築士又はその法定代理人若しくは同居の親族は、法第八条の二（第三号に係る部分に限る。）の規定による届出をする場合においては、届出書に、病名、障害の程度、病因、病後の経過、治癒の見込みその他参考となる所見を記載した医師の診断書を添え、これを国土交通大臣に提出しなければならない。

3　一級建築士は、法第九条第一項第一号の規定による免許の取消しを申請する場合においては、免許取消申請書に、免許証又は免許証明書を添え、これを国土交通大臣に提出しなければならない。

4　一級建築士が失踪の宣告を受けた場合においては、戸籍法（昭和二十二年法律第二百二十四号）による失踪の届出義務者は、失踪の宣告の日から三十日以内に、その旨を国土交通大臣に届け出なければならない。

5　一級建築士が法第九条第一項（第一号及び第二号を除き、第三号にあつては法第八条の二第二号に掲げる場合に該当する場合に限る。）若しくは第二項又は法第十条第一項の規定により免許を取り消された場合においては、当該一級建築士（法第九条第二項の規定により免許を取り消された場合においては、当該一級建築士又はその法定代理人若しくは同居の親族）は、取消しの通知を受けた日から十日以内に、免許証又は免許証明書を国土交通大臣に返納しなければならない。

（免許の取消しの公告）

第六条の二　法第九条第三項の規定による公告は、次に掲げる事項について、国土交通大臣にあつては官報又はウェブサイトへの掲載その他の適切な方法で、都道府県知事にあつては当該都道府県の公報又はウェブサイトへの掲載その他の適切な方法で行うものとする。

一　免許の取消しをした年月日

二　免許の取消しを受けた建築士の氏名、その者の一級建築士、二級建築士又は木造建築士の別及びその者の登録番号

三　免許の取消しの理由

（処分の公告）

第六条の三　法第十条第五項の規定による公告は、次に掲げる事項について、国土交通大臣にあつては官報又はウェブサイトへの掲載その他の適切な方法で、都道府県知事にあつては当該都道府県の公報又はウェブサイトへの掲載その他の適切な方法で行うものとする。

一　処分をした年月日

二　処分を受けた建築士の氏名、その者の一級建築士、二級建築士又は木造建築士の別及びその者の登録番号

三　処分の内容

四　処分の原因となつた事実

（登録の抹消）

第七条　国土交通大臣は、免許を取り消した場合又は第六条第四項の届出があつた場合においては、登録を抹消し、その名簿に抹消の事由及び年月日を記載する。

2　国土交通大臣は、前項の規定により登録を抹消した名簿を、抹消した日から五年間保存する。

（住所等の届出）

第八条　法第五条の二第一項に規定する国土交通省令で定める事項は、次に掲げるものとする。

一　登録番号及び登録年月日
二　本籍、住所、氏名、生年月日及び性別
三　建築に関する業務に従事する者にあつては、その業務の種別並びに勤務先の名称（建築士事務所にあつては、その名称及び開設者の氏名）及び所在地

2　法第五条の二第一項の規定による届出は、一級建築士にあつては、第三号書式によらなければならない。

（免許証等の領置）

第九条　国土交通大臣は、法第十条第一項の規定により一級建築士に業務の停止を命じた場合においては、当該一級建築士に対して、免許証又は免許証明書の提出を求め、かつ、処分期間満了までこれを領置することができる。

（一級建築士名簿の閲覧）

第九条の二　国土交通大臣は、法第六条第二項の規定により一級建築士名簿を一般の閲覧に供するため、閲覧規則を定めてこれを告示しなければならない。

（構造設計一級建築士証及び設備設計一級建築士証）

第九条の三　法第十条の三第一項又は同条第二項の規定により、構造設計一級建築士証又は設備設計一級建築士証の交付を申請しようとする者は、第三号の二書式による交付申請書に、次に掲げる書類を添え、これを国土交通大臣に提出しなければならない。
一　法第十条の三第一項第一号又は同条第二項第一号に該当する者にあつては、建築士法に基づく中央指定登録機関等に関する省令（平成二十年国土交通省令第三十七号）第二十八条第十二号に規定する修了証
二　法第十条の三第一項第二号又は同条第二項第二号に該当する者にあつては、同条第一項第一号又は同条第二項第一号に掲げる一級建築士と同等以上の知識及び技能を有することを証する書類

2　前項の交付申請書には、一級建築士免許証用写真を貼付しなければならない。

3　国土交通大臣は、第一項の規定による申請があつた場合においては、交付申請書の記載事項を審査し、申請者が構造設計一級建築士又は設備設計一級建築士となる資格を有すると認めたときは、申請者に第三号の三書式による構造設計一級建築士証又は第三号の四書式による設備設計一級建築士証を交付する。

4　国土交通大臣は、前項の審査の結果、申請者が構造設計一級建築士又は設備設計一級建築士となる資格を有しないと認めたときは、理由を付し、交付申請書を申請者に返却する。

（構造設計一級建築士証及び設備設計一級建築士証の書換え交付）

第九条の四　構造設計一級建築士又は設備設計一級建築士は、第四条第一項の規定による届出をする場合において、構造設計一級建築士証又は設備設計一級建築士証に記載された事項に変更があつたときは、当該構造設計一級建築士証又は設備設計一級建築士証の書換え交付を申請しなければならない。

2　前項及び法第十条の三第四項の規定により構造設計一級建築士証又は設備設計一級建築士証の書換え交付を申請しようとする者は、一級建築士免許証用写真を貼付した建築士証書換え交付申請書に構造設計一級建築士証又は設備設計一級建築士証を添え、これを国土交通大臣に提出しなければならない。

3　国土交通大臣は、前項の規定による申請があつた場合においては、構造設計一級建築士証又は設備設計一級建築士証を書き換えて、申請者に交付する。

（構造設計一級建築士証及び設備設計一級建築士証の再交付）

第九条の五　構造設計一級建築士又は設備設計一級建築士は、構造設計一級建築士証又は設備設計一級建築士証を汚損し又は失つた場合においては、遅滞なく、一級建築士免許証用写真を貼付した建築士証再交付申請書にその事由を記載し、汚損した場合にあつてはその構造設計一級建築士証又は設備設計一級建築士証を添え、これを国土交通大臣に提出しなければならない。

2　国土交通大臣は、前項の規定による申請があつた場合においては、申請者に構造設計一級建築士証又は設備設計一級建築士証を再交付する。

3　構造設計一級建築士又は設備設計一級建築士は、第一項の規定により構造設計一級建築士証又は設備設計一級建築士証の再交付を申請した後、失つた構造設計一級建築士証又は設備設計一級建築士証を発見した場合においては、発見した日から十日以内に、これを国土交通大臣に返納しなければならない。

（構造設計一級建築士証及び設備設計一級建築士証の領置）

第九条の六　国土交通大臣は、法第十条第一項の規定により構造設計一級建築士又は設備設計一級建築士である一級建築士に業務の停止を命じた場合においては、当該一級建築士に対して、構造設計一級建築士証又は設備設計一級建築士証の提出を求め、かつ、処分期間満了までこれを領置することができる。

（規定の適用）

第九条の七　中央指定登録機関が法第十条の四第一項に規定する一級建築士登録等事務を行う場合における第一条の四、第一条の五第一項及び第二項、第二条、第四条から第五条まで、第六条第五項、第七条並びに第九条の二から第九条の五までの規定の適用については、これらの規定（第一条の五第一項及び第二項を除く。）中「国土交通大臣」とあるのは「中央指定登録機関」と、第一条の五第一項及び第二項中「これを国土交通大臣」とあるのは「これを中央指定登録機関」と、第二条第一項中「第二号書式による一級建築士免許証」とあるのは「一級建築士免許証明書」と、第四条の二の見出し及び同条第三項並びに第五条の見出し及び同条第二項中「免許証」とあるのは「免許証明書」と、第四条の二第一項中「免許証の書換え交付」とあるのは「免許証明書の書換え交付」と、同条第二項中「法第五条第三項の規定により免許証」とあるのは「法第十条の十九第一項の規定により読み替えて適用される法第五条第三項の規定により免許証明書」と、第五条第三項中「免許証の再交付」とあるのは「免許証明書の再交付」と、第七条第一項中「免許を取り消した場合又は第六条第四項の届出があつた場合」とあるのは「国土交通大臣が免許を取り消した場合又は建築士法に基づく中央指定登録機関等に関する省令第十二条第一項の規定により第六条第四項の規定による届出に係る事項を記載した書類の交付を受けた場合」と、第九条の二中「法第六条第二項」とあるのは「法第十条の十九第一項の規定により読み替えて適用される法第六条第二項」と、「告示」とあるのは「公示」と、第九条の三第一項中「法第十条の三第一項又は同条第二項」とあるのは「法第十条の十九第一項の規定により読み替えて適用される法第十条の三第一項又は同条第二項」と、同条第三項中「第三号の三書式による構造設計一級建築士証又は第三号の四書式による設備設計一級建築士証」とあるのは「構造設計一級建築士証又は設備設計一級建築士証」と、第九条の四第二項中「法第十条の三第四項」とあるのは「法第十条の十九第一項の規定により読み替えて適用される法第十条の三第四項」とする。

第二章　試験

第一〇条　削除

（一級建築士試験の方法）

第一一条　一級建築士試験は、学科及び設計製図について、筆記試験により行う。

2　設計製図の試験は、学科の試験に合格した者に限り、受けることができる。

3　前項に規定する学科の試験は、建築計画、環境工学、建築設備（設備機器の概要を含む。）、構造力学、建築一般構造、建築材料、建築施工、建築積算、建築法規等に関する必要な知識について行う。

第一二条　学科の試験に合格した者については、学科の試験に合格した一級建築士試験（以下この条において「学科合格試験」という。）に引き続いて行われる次の四回の一級建築士試験のうち二回（学科合格試験の設計製図の試験を受けなかつた場合においては、三回）の一級建築士試験に限り、学科の試験を免除する。

（二級建築士試験の基準）

第一三条　二級建築士試験は、学校教育法（昭和二十二年法律第二十六号）による高等学校における正規の建築に関する課程において修得する程度の基本的知識並びにこれを用いて通常の木造の建築物及び簡単な鉄筋コンクリート造、鉄骨造、れん瓦造、石造及びコンクリートブロック造の建築物の設計及び工事監理を行う能力を判定することに基準を置くものとする。

2　前項の基準によつて試験すべき事項を例示すると、おおむね次のとおりである。
一　各種の用途に供する建築物の設計製図及びこれに関する仕様書の作成

二　建築物の用途に応ずる敷地の選定に関すること
三　各種の用途に供する建築物の間取りその他建築物の平面計画に関すること
四　建築物の採光、換気及び照明に関すること
五　簡易な建築設備の概要に関すること
六　各種建築材料の性質、判別及び使用方法に関すること
七　通常の木造の建築物の基礎、軸組、小屋組、床、壁、屋根、造作等各部の構造に関すること
八　簡単な鉄筋コンクリート造、鉄骨造、れん瓦造、石造又はコンクリートブロック造の建築物の構法の原理の概要並びにこれらの建築物の各部の構造に関すること
九　建築物の防腐、防火、耐震、耐風構法に関すること
十　普通のトラスの解法、簡単なラーメンに生ずる応力の概要又は普通のはり、柱等の部材の断面の決定に関すること
十一　建築工事現場の管理（工事現場の災害防止を含む。）に関すること
十二　建築工事の請負契約書、工費見積書又は工程表に関すること
十三　普通に使用される建築工事用機械器具の種類及び性能に関すること
十四　建築物各部の施工の指導監督及び検査に関すること
十五　建築物の敷地の平面測量又は高低測量に関すること
十六　法及び建築基準法並びにこれらの関係法令に関すること

（木造建築士試験の基準）

第一三条の二　木造建築士試験は、学校教育法による高等学校における正規の建築に関する課程において修得する程度の小規模の木造の建築物の建築に関する基本的知識並びにこれを用いて小規模の木造の建築物の設計及び工事監理を行う能力を判定することに基準を置くものとする。

2　前項の基準によつて試験すべき事項を例示すると、おおむね次のとおりである。

一　小規模の木造の建築物に関する前条第二項第一号から第七号まで、第九号及び第十一号から第十六号までに掲げる事項
二　小規模の木造の建築物の鉄筋コンクリート造、コンクリートブロック造等の部分の構造に関すること
三　小規模の木造の建築物の普通の筋かい、たる木、すみ木等の部材の形状の決定に関すること
四　小規模の木造の建築物の普通のはり、柱等の部材の断面の決定に関すること

（試験期日等の公告）

第一四条　一級建築士試験を施行する期日、場所その他試験の施行に関して必要な事項は、国土交通大臣があらかじめ官報で公告する。

（受験申込書）

第一五条　一級建築士試験（中央指定試験機関が一級建築士試験事務を行うものを除く。）を受けようとする者は、受験申込書に、次に掲げる書類を添え、これを国土交通大臣に提出しなければならない。

一　次のイからニまでのいずれかに掲げる書類
イ　法第十四条第一号に該当する者にあつては、同号に掲げる学校を卒業したことを証する証明書（その証明書を得られない正当な事由がある場合においては、これに代わる適当な書類）
ロ　法第十四条第二号に該当する者にあつては、二級建築士であつた期間を証する都道府県知事の証明書
ハ　国土交通大臣が別に定める法第十四条第三号に該当する者の基準に適合する者にあつては、その基準に適合することを証するに足る書類
ニ　法第十四条第三号に該当する者のうち、ハに掲げる者以外の者にあつては、法第十四条第一号又は第二号に掲げる者と同等以上の知識及び技能を有することを証する書類
二　申請前六月以内に、脱帽して正面から撮影した写真で、縦四・五センチメートル、横三・五センチメートルのもの

2　中央指定試験機関が一級建築士試験事務を行う一級建築士試験を受けようとする者は、受験申込書に、前項に掲げる書類を添え、中央指定試験機関の定めるところにより、これを中央指定試験機関に提出しなければならない。

（合格公告及び通知）

第一六条　国土交通大臣又は中央指定試験機関は、一級建築士試験に合格した者の受験番号を公告し、本人に合格した旨を通知する。

2　国土交通大臣又は中央指定試験機関は、学科の試験に合格した者にその旨を通知する。

（受験者の不正行為に対する措置に関する報告書）

第一七条　中央指定試験機関は、法第十三条の二第一項の規定により同条第一項に規定する国土交通大臣の職権を行つたときは、遅滞なく次に掲げる事項を記載した報告書を国土交通大臣に提出しなければならない。

一　不正行為者の氏名、住所及び生年月日
二　不正行為に係る試験の年月日及び試験地
三　不正行為の事実
四　処分の内容及び年月日
五　その他参考事項

第一七条の二から第一七条の一四まで　削除

第二章の二　構造計算によつて建築物の安全性を確かめた旨の証明書等

（構造計算によつて建築物の安全性を確かめた旨の証明書）

第一七条の一四の二　法第二十条第二項の規定による交付は、第四号書式により行うものとする。

（工事監理報告書）

第一七条の一五　法第二十条第三項の規定による報告は、第四号の二書式による工事監理報告書を提出して行うものとする。

（工事監理報告に係る情報通信の技術を利用する方法）

第一七条の一六　法第二十条第四項の国土交通省令で定める方法は、次に掲げるものとする。

一　電子情報処理組織を使用する方法のうちイ又はロに掲げるもの
イ　建築士の使用に係る電子計算機と建築主の使用に係る電子計算機とを接続する電気通信回線を通じて送信し、受信者の使用に係る電子計算機に備えられたファイルに記録する方法
ロ　建築士の使用に係る電子計算機に備えられたファイルに記録された結果を電気通信回線を通じて建築主の閲覧に供し、当該建築主の使用に係る電子計算機に備えられたファイルに当該結果を記録する方法
二　電磁的記録媒体（電磁的記録（電子的方式、磁気的方式その他人の知覚によつては認識することができない方式で作られる記録であつて、電子計算機による情報処理の用に供されるものをいう。第十七条の二十七において同じ。）に係る記録媒体をいう。以下同じ。）をもつて調製するファイルに結果を記録したものを交付する方法

2　前項各号に掲げる方法は、次に掲げる基準に適合するものでなければならない。

一　建築主がファイルへの記録を出力することにより書面を作成することができるものであること。
二　ファイルに記録された結果について、改変を防止するための措置を講じていること。
三　前項第一号ロに掲げる方法にあつては、結果を建築士の使用に係る電子計算機に備えられたファイルに記録する旨又は記録した旨を建築主に対し通知するものであること。ただし、当該建築主が当該結果を閲覧していたことを確認したときはこの限りではない。

3　第一項第一号の「電子情報処理組織」とは、建築士の使用に係る電子計算機と、建築主の使用に係る電子計算機とを電気通信回線で接続した電子情報処理組織をいう。

（工事監理報告に係る電磁的方法の種類及び方法）

第一七条の一七　建築士法施行令（昭和二十五年政令第二百一号。以下「令」という。）第七条第一項の規定により示すべき電磁的方法の種類及び内容は、次に掲げる事項とする。

一　前条第一項各号に規定する方法のうち建築士が使用するもの
二　ファイルへの記録の方式

（工事監理報告に係る情報通信の技術を利用した承諾の取得）

第一七条の一七の二　令第七条第一項の国土交通省令で定める方法は、次に掲げるものとする。

一　電子情報処理組織を使用する方法のうちイ又はロに掲げるもの
イ　建築主の使用に係る電子計算機から電気通信回線を通じて建築士の使用に係る電子計算機に令第七条第一項の承諾又は同条第二項の申出（以下この項において「承諾等」という。）をする旨を送信し、当該電子計算機に備えられたファイルに記録する方法

ロ　建築士の使用に係る電子計算機に備えられたファイルに記録された前条に規定する電磁的方法の種類及び内容を電気通信回線を通じて建築主の閲覧に供し、当該電子計算機に備えられたファイルに承諾等をする旨を記録する方法

二　電磁的記録媒体をもつて調製するファイルに承諾等をする旨を記録したものを交付する方法

2　前項各号に掲げる方法は、建築士がファイルへの記録を出力することにより書面を作成することができるものでなければならない。

3　第一項第一号の「電子情報処理組織」とは、建築士の使用に係る電子計算機と、建築主の使用に係る電子計算機とを電気通信回線で接続した電子情報処理組織をいう。

（構造設計一級建築士への法適合確認）

第一七条の一七の二　法第二十条の二第二項の規定による確認は、次に掲げる図書及び書類の審査により行うものとする。

一　建築基準法施行規則第一条の三第一項の表一の各項に掲げる図書

二　構造設計図書

三　建築基準法第二十条第一項第二号イの認定を受けたプログラムによる構造計算によつて安全性を確かめた場合にあつては、当該認定に係る認定書の写し、当該プログラムによる構造計算を行うときに電子計算機（入出力装置を含む。）に入力した構造設計の条件並びに構造計算の過程及び結果に係る情報を記録した電子計算機に備えられたファイル又は電磁的記録媒体

四　建築基準法施行規則第一条の三第一項の表四の各項の(い)欄に掲げる建築物の区分に応じそれぞれ当該各項の(ろ)欄に掲げる書類及び同条第四項の表二の各項の(い)欄に掲げる建築設備の区分に応じそれぞれ当該各項の(ろ)欄に掲げる書類（いずれも構造関係規定に係るものに限る。）

2　法第二十条の二第二項の確認を受けた建築物の構造設計図書の変更の場合における確認は、前項に掲げる図書及び書類のうち変更に係るものの審査により行うものとする。

（設備設計一級建築士への法適合確認）

第一七条の一七の三　法第二十条の三第二項の規定による確認は、次に掲げる図書及び書類の審査により行うものとする。

一　建築基準法施行規則第二条の二第一項の表に掲げる図書

二　設備設計図書

三　建築基準法施行規則第一条の三第四項の表二の各項の(い)欄に掲げる建築設備の区分に応じそれぞれ当該各項の(ろ)欄に掲げる書類（設備関係規定に係るものに限る。）

2　法第二十条の三第二項の確認を受けた建築物の設備設計図書の変更の場合における確認は、前項に掲げる図書及び書類のうち変更に係るものの審査により行うものとする。

第二章の三　建築設備士

（建築設備士）

第一七条の一八　建築設備士は、国土交通大臣が定める要件を満たし、かつ、次のいずれかに該当する者とする。

一　次に掲げる要件のいずれにも該当する者

イ　建築設備士として必要な知識を有するかどうかを判定するための学科の試験であつて、次条から第十七条の二十一までの規定により国土交通大臣の登録を受けたもの（以下「登録学科試験」という。）に合格した者

ロ　建築設備士として必要な知識及び技能を有するかどうかを判定するための設計製図の試験であつて、次条から第十七条の二十一までの規定により国土交通大臣の登録を受けたもの（以下「登録設計製図試験」という。）に合格した者

二　前号に掲げる者のほか国土交通大臣が定める者

（登録の申請）

第一七条の一九　前条第一号イ又はロの登録は、登録学科試験又は登録設計製図試験の実施に関する事務（以下「登録試験事務」という。）を行おうとする者の申請により行う。

2　前条第一号イ又はロの登録を受けようとする者（以下この章において「登録申請者」という。）は、次に掲げる事項を記載した申請書を国土交通大臣に提出しなければならない。

一　登録申請者の氏名又は名称及び住所並びに法人にあつては、その代表者の氏名

二　登録試験事務を行おうとする事務所の名称及び所在地

三　受けようとする登録の別（前条第一号イの登録又は同号ロの登録の別をいう。）

四　登録試験事務を開始しようとする年月日

五　試験委員（第十七条の二十一第一項第二号に規定する合議制の機関を構成する者をいう。以下同じ。）となるべき者の氏名及び略歴並びに同号イからハまでのいずれかに該当する者にあつては、その旨

3　前項の申請書には、次に掲げる書類を添付しなければならない。

一　個人である場合においては、次に掲げる書類

イ　住民票の抄本若しくは個人番号カード（行政手続における特定の個人を識別するための番号の利用等に関する法律（平成二十五年法律第二十七号）第二条第七項に規定する個人番号カードをいう。）の写し又はこれらに類するものであつて氏名及び住所を証明する書類

ロ　登録申請者の略歴を記載した書類

二　法人である場合においては、次に掲げる書類

イ　定款及び登記事項証明書

ロ　株主名簿又は社員名簿の写し

ハ　申請に係る意思の決定を証する書類

ニ　役員（持分会社（会社法（平成十七年法律第八十六号）第五百七十五条第一項に規定する持分会社をいう。）にあつては、業務を執行する社員をいう。以下この章において同じ。）の氏名及び略歴を記載した書類

三　試験委員のうち、第十七条の二十一第一項第二号イからハまでのいずれかに該当する者にあつては、その資格等を有することを証する書類

四　登録試験事務以外の業務を行おうとするときは、その業務の種類及び概要を記載した書類

五　登録申請者が次条各号のいずれにも該当しない者であることを誓約する書面

六　その他参考となる事項を記載した書類

（欠格条項）

第一七条の二〇　次の各号のいずれかに該当する者が行う試験は、第十七条の十八第一号イ又はロの登録を受けることができない。

一　法の規定に違反し、罰金以上の刑に処せられ、その執行を終わり、又は執行を受けることがなくなつた日から起算して二年を経過しない者

二　第十七条の三十の規定により第十七条の十八第一号イ又はロの登録を取り消され、その取消しの日から起算して二年を経過しない者

三　法人であつて、登録試験事務を行う役員のうちに前二号のいずれかに該当する者があるもの

（登録の要件等）

第一七条の二一　国土交通大臣は、第十七条の十九の規定による登録の申請が次に掲げる要件のすべてに適合しているときは、その登録をしなければならない。

一　第十七条の十八第一号イの登録を受けようとする場合にあつては第十七条の二十三第一号の表(一)項(い)欄に掲げる科目について学科の試験が、第十七条の十八第一号ロの登録を受けようとする場合にあつては同表(二)項(い)欄に掲げる科目について設計製図の試験が行われるものであること。

二　次のいずれかに該当する者を二名以上含む十名以上によつて構成される合議制の機関により試験問題の作成及び合否判定が行われるものであること。

イ　建築設備士

ロ　学校教育法による大学若しくはこれに相当する外国の学校において建築学、機械工学、電気工学、衛生工学その他の登録試験事務に関する科目を担当する教授若しくは准教授の職にあり、若しくはこれらの職にあつた者又は建築学、機械工学、電気工学、衛生工学その他の登録試験事務に関する科目の研究により博士の学位を授与された者

ハ　イ又はロに掲げる者と同等以上の能力を有する者

三　建築士事務所の開設者に支配されているものとして次のいずれかに該当するものでないこと。

イ　登録申請者が株式会社である場合にあつては、建築士事務所の開設者が当該株式会社の総株主の議決権の二分の一を超える議決権を保有している者（当該建築士事務所の開設者が法人である場合にあつては、その親法人（会社法第八百七十九条第一項に規定する親法人をいう。））であること。

ロ　登録申請者の役員に占める建築士事務所の開設者の役員又は職員（過去二年間に当該建築士事務所の開設者の役員又は職員であつた者を含む。）の割合が二分の一を超えていること。

ハ　登録申請者（法人にあつては、その代表権を有する役員）が建築士事務所の開設者（法人にあつては、その役員又は職員（過去二年間に当該建築士事務所の開設者の役員又は職員であつた者を含む。））であること。

2　第十七条の十八第一号イ又はロの登録は、登録試験登録簿に次に掲げる事項を記載してするものとする。

一　登録年月日及び登録番号

二　登録試験事務を行う者（以下「登録試験実施機関」という。）の氏名又は名称及び住所並びに法人にあつては、その代表者の氏名

三　登録試験事務を行う事務所の名称及び所在地

四　登録試験事務を開始する年月日

（登録の更新）

第十七条の二十二　第十七条の十八第一号イ又はロの登録は、五年ごとにその更新を受けなければ、その期間の経過によつて、その効力を失う。

2　前三条の規定は、前項の登録の更新について準用する。

（登録試験事務の実施に係る義務）

第十七条の二十三　登録試験実施機関は、公正に、かつ、第十七条の二十一第一項第一号及び第二号に掲げる要件並びに次に掲げる基準に適合する方法により登録試験事務を行わなければならない。

一　登録学科試験にあつては次の表(一)項(い)欄に掲げる科目に応じ、それぞれ同項(ろ)欄に掲げる内容について、同項(は)欄に掲げる時間を標準として、登録設計製図試験にあつては同表(二)項(い)欄に掲げる科目に応じ、それぞれ同項(ろ)欄に掲げる内容について、同項(は)欄に掲げる時間を標準として試験を行うこと。

	(い) 科目	(ろ) 内容	(は) 時間
(一)	一　建築一般知識に関する科目	建築計画、環境工学、構造力学、建築一般構造、建築材料及び建築施工に関する事項	
	二　建築法規に関する科目	建築士法、建築基準法その他の関係法規に関する事項	六時間
	三　建築設備に関する科目	建築設備設計計画及び建築設備施工に関する事項	
(二)	一　建築設備基本計画に関する科目	建築設備に係る基本計画の作成に関する事項	五時間三十分
	二　建築設備基本設計製図に関する科目	空気調和設備及び換気設備、給水設備及び排水設備又は電気設備のうち受験者の選択する一つの建築設備に係る設計製図の作成に関する事項	

二　登録学科試験又は登録設計製図試験（以下この章において「試験」という。）を実施する日時、場所その他試験の実施に関し必要な事項を公示すること。

三　試験に関する不正行為を防止するための措置を講じること。

四　終了した試験の問題及び当該試験の合格基準を公表すること。

五　試験に合格した者に対し、合格証書及び第四号の三書式による合格証明書（以下単に「合格証明書」という。）を交付すること。

六　試験に備えるための講義、講習、公開模擬学力試験その他の学力の教授に関する業務を行わないこと。

（登録事項の変更の届出）

第十七条の二十四　登録試験実施機関は、第十七条の二十一第二項第二号から第四号までに掲げる事項を変更しようとするときは、変更しようとする日の二週間前までに、その旨を国土交通大臣に届け出なければならない。

（登録試験事務規程）

第十七条の二十五　登録試験実施機関は、次に掲げる事項を記載した登録試験事務に関する規程を定め、登録試験事務の開始前に、国土交通大臣に届け出なければならない。これを変更しようとするときも、同様とする。

一　登録試験事務を行う時間及び休日に関する事項

二　登録試験事務を行う事務所及び試験地に関する事項

三　試験の日程、公示方法その他の登録試験事務の実施の方法に関する事項

四　試験の受験の申込みに関する事項

五　試験の受験手数料の額及び収納の方法に関する事項

六　試験委員の選任及び解任に関する事項

七　試験の問題の作成及び試験の合否判定の方法に関する事項

八　終了した試験の問題及び当該試験の合格基準の公表に関する事項

九　試験の合格証書及び合格証明書の交付並びに合格証明書の再交付に関する事項

十　登録試験事務に関する秘密の保持に関する事項

十一　登録試験事務に関する公正の確保に関する事項

十二　不正受験者の処分に関する事項

十三　第十七条の三十一第三項の帳簿その他の登録試験事務に関する書類の管理に関する事項

十四　その他登録試験事務に関し必要な事項

（登録試験事務の休廃止）

第十七条の二十六　登録試験実施機関は、登録試験事務の全部又は一部を休止し、又は廃止しようとするときは、あらかじめ、次に掲げる事項を記載した届出書を国土交通大臣に提出しなければならない。

一　休止し、又は廃止しようとする登録試験事務の範囲

二　休止し、又は廃止しようとする年月日及び休止しようとする場合にあつては、その期間

三　休止又は廃止の理由

（財務諸表等の備付け及び閲覧等）

第十七条の二十七　登録試験実施機関は、毎事業年度経過後三月以内に、その事業年度の財産目録、貸借対照表及び損益計算書又は収支計算書並びに事業報告書（その作成に代えて電磁的記録の作成がされている場合における当該電磁的記録を含む。次項において「財務諸表等」という。）を作成し、五年間事務所に備えて置かなければならない。

2　試験を受験しようとする者その他の利害関係人は、登録試験実施機関の業務時間内は、いつでも、次に掲げる請求をすることができる。ただし、第二号又は第四号の請求をするには、登録試験実施機関の定めた費用を支払わなければならない。

一　財務諸表等が書面をもつて作成されているときは、当該書面の閲覧又は謄写の請求

二　前号の書面の謄本又は抄本の請求

三　財務諸表等が電磁的記録をもつて作成されているときは、当該電磁的記録に記録された事項を紙面又は出力装置の映像面に表示したものの閲覧又は謄写の請求

四　前号の電磁的記録に記録された事項を電磁的方法であつて、次に掲げるもののうち登録試験実施機関が定めるものにより提供することの請求又は当該事項を記載した書面の交付の請求

イ　送信者の使用に係る電子計算機と受信者の使用に係る電子計算機とを電気通信回線で接続した電子情報処理組織を使用する方法であつて、当該電気通信回線を通じて情報が送信され、受信者の使用に係る電子計算機に備えられたファイルに当該情報が記録されるもの

ロ　電磁的記録媒体をもつて調製するファイルに情報を記録したものを交付する方法

3　前項第四号イ又はロに掲げる方法は、受信者がファイルへの記録を出力することによる書面を作成することができるものでなければならない。

（適合命令）

第十七条の二十八　国土交通大臣は、登録試験実施機関が第十七条の二十一第一項の規定に適合しなくなつたと認めるときは、その登録試験実施機関に

対し、同項の規定に適合するため必要な措置をとるべきことを命ずることができる。

（改善命令）

第一七条の二九　国土交通大臣は、登録試験実施機関が第十七条の二十三の規定に違反していると認めるときは、その登録試験実施機関に対し、同条の規定による登録試験事務を行うべきこと又は登録試験事務の方法その他の業務の方法の改善に関し必要な措置をとるべきことを命ずることができる。

（登録の取消し等）

第一七条の三〇　国土交通大臣は、登録試験実施機関が次の各号のいずれかに該当するときは、当該登録試験実施機関が行う試験の登録を取り消し、又は期間を定めて登録試験事務の全部若しくは一部の停止を命じることができる。

一　第十七条の二十第一号又は第三号に該当するに至つたとき。

二　第十七条の二十四から第十七条の二十六まで、第十七条の二十七第一項又は次条の規定に違反したとき。

三　正当な理由がないのに第十七条の二十七第二項各号の規定による請求を拒んだとき。

四　前二条の規定による命令に違反したとき。

五　第十七条の三十三の規定による報告を求められて、報告をせず、又は虚偽の報告をしたとき。

六　不正の手段により第十七条の十八第一号イ又はロの登録を受けたとき。

（帳簿の記載等）

第一七条の三一　登録試験実施機関は、次に掲げる事項を記載した帳簿を備えなければならない。

一　試験年月日

二　試験地

三　受験者の受験番号、氏名、生年月日及び合否の別

四　合格年月日

2　前項各号に掲げる事項が、電子計算機に備えられたファイル又は電磁的記録媒体に記録され、必要に応じ登録試験実施機関において電子計算機その他の機器を用いて明確に紙面に表示されるときは、当該記録をもつて同項に規定する帳簿への記載に代えることができる。

3　登録試験実施機関は、第一項に規定する帳簿（前項の規定による記録が行われた同項のファイル又は電磁的記録媒体を含む。）を、登録試験事務の全部を廃止するまで保存しなければならない。

4　登録試験実施機関は、次に掲げる書類を備え、試験を実施した日から三年間保存しなければならない。

一　試験の受験申込書及び添付書類

二　終了した試験の問題及び答案用紙

（国土交通大臣による試験の実施等）

第一七条の三二　国土交通大臣は、試験を行う者がいないとき、第十七条の二十六の規定による登録試験事務の全部又は一部の休止又は廃止の届出があつたとき、第十七条の三十の規定により第十七条の十八第一号イ若しくはロの登録を取り消し、又は登録試験実施機関に対し登録試験事務の全部若しくは一部の停止を命じたとき、又は登録試験実施機関が天災その他の事由により登録試験事務の全部又は一部を実施することが困難となつたとき、その他必要があると認めるときは、登録試験事務の全部又は一部を自ら行うことができる。

2　国土交通大臣が前項の規定により登録試験事務の全部又は一部を自ら行う場合には、登録試験実施機関は、次に掲げる事項を行わなければならない。

一　登録試験事務を国土交通大臣に引き継ぐこと。

二　前条第三項の帳簿その他の登録試験事務に関する書類を国土交通大臣に引き継ぐこと。

三　その他国土交通大臣が必要と認める事項

（報告の徴収）

第一七条の三三　国土交通大臣は、登録試験事務の適切な実施を確保するため必要があると認めるときは、登録試験実施機関に対し、登録試験事務の状況に関し必要な報告を求めることができる。

（公示）

第一七条の三四　国土交通大臣は、次に掲げる場合には、その旨を官報に公示しなければならない。

一　第十七条の十八第一号イ又はロの登録をしたとき。

二　第十七条の二十四の規定による届出があつたとき。

三　第十七条の二十六の規定による届出があつたとき。

四　第十七条の三十の規定により第十七条の十八第一号イ又はロの登録を取り消し、又は登録試験事務の停止を命じたとき。

五　第十七条の三十二の規定により登録試験事務の全部若しくは一部を自ら行うこととするとき、又は自ら行つていた登録試験事務の全部若しくは一部を行わないこととするとき。

（登録）

第一七条の三五　建築設備士として業務を行う者は、建築設備士を対象とする登録であつて、建築設備士の資格を有することを証明するものとして国土交通大臣が指定するものを受けることができる。

2　前項の規定による登録の指定は、次に掲げる基準に適合すると認められる者が実施する登録について行う。

一　職員、登録の実施の方法その他の事項についての登録の実施に関する計画が登録の適正かつ確実な実施のために適切なものであること。

二　前号の登録の実施に関する計画を適正かつ確実に実施するに足りる経理的基礎及び技術的能力があること。

三　登録以外の業務を行つている場合には、その業務を行うことによつて登録が不公正になるおそれがないこと。

3　第一項の規定による指定を受けた登録を実施する者の名称及び主たる事務所の所在地並びに登録の名称は、次のとおりとする。

登録を実施する者		登録の名称
名称	主たる事務所の所在地	
一般社団法人建築設備技術者協会	東京都港区赤坂二丁目二十一番三号	建築設備士登録

第二章の四　定期講習

（定期講習の受講期間）

第一七条の三六　法第二十二条の二の国土交通省令で定める期間は、法第二十二条の二各号に掲げる建築士が同条各号に規定する講習のうち直近のものを受けた日の属する年度の翌年度の開始の日から起算して三年とする。

第一七条の三七　次の表の上欄に掲げる講習について、同表の中欄に掲げる一級建築士は、前条の規定にかかわらず、それぞれ同表の下欄に定めるところにより講習を受けなければならない。

一　一級建築士定期講習	イ　一級建築士試験に合格した日の属する年度の翌年度の開始の日から起算して三年以内に建築士事務所に所属した一級建築士であつて、一級建築士定期講習を受けたことがない者	当該建築士試験に合格した日の属する年度の翌年度の開始の日から起算して三年以内
	ロ　一級建築士試験に合格した日の属する年度の翌年度の開始の日から起算して三年を超えた日以降に建築士事務所に所属した一級建築士であつて、一級建築士定期講習を受けたことがない者	遅滞なく
	ハ　一級建築士であつて、建築士事務所に所属しなくなつた後、当該者が受けた一級建築士定期講習のうち直近のものを受けた日の属する年度の翌年度の開始の日から起算して三年を超えた日以降に建築士事務所に所属した者	遅滞なく

二 構造設計一級建築士定期講習	法第十条の三第一項の構造設計一級建築士証の交付を受けた者であつて、構造設計一級建築士定期講習を受けたことがない者	法第十条の三第一項第一号に規定する講習を修了した日の属する年度の翌年度の開始の日から起算して三年以内
三 設備設計一級建築士定期講習	法第十条の三第二項の設備設計一級建築士証の交付を受けた者であつて、設備設計一級建築士定期講習を受けたことがない者	法第十条の三第二項第一号に規定する講習を修了した日の属する年度の翌年度の開始の日から起算して三年以内

2　前項の規定（表第二号及び第三号を除く。）は、二級建築士について準用する。この場合において、同項中「一級建築士」とあるのは「二級建築士」と読み替えるものとする。

3　第一項の規定（表第二号及び第三号を除く。）は、木造建築士について準用する。この場合において、同項中「一級建築士」とあるのは「木造建築士」と読み替えるものとする。

4　法第二十二条の二の規定により同条第二号又は第三号に掲げる講習を受けなければならない建築士であつて、同条第一号に掲げる講習を受けた者は、同条第二号又は第三号に掲げる講習を受けたものとみなす。

5　法第二十二条の二の規定により同条第三号に掲げる講習を受けなければならない建築士（第四項に掲げる者を除く。）であつて、同条第二号に掲げる講習を受けた者は、同条第三号に掲げる講習を受けたものとみなす。

第二章の五　設計受託契約等

（延べ面積が三百平方メートルを超える建築物に係る契約の内容）

第一七条の三八　法第二十二条の三の三第一項第六号に規定する国土交通省令で定める事項は、次に掲げるものとする。

一　建築士事務所の名称及び所在地並びに当該建築士事務所の一級建築士事務所、二級建築士事務所又は木造建築士事務所の別

二　建築士事務所の開設者の氏名（当該建築士事務所の開設者が法人である場合にあつては、当該開設者の名称及びその代表者の氏名）

三　設計受託契約又は工事監理受託契約の対象となる建築物の概要

四　業務に従事することとなる建築士の登録番号

五　業務に従事することとなる建築設備士がいる場合にあつては、その氏名

六　設計又は工事監理の一部を委託する場合にあつては、当該委託に係る設計又は工事監理の概要並びに受託者の氏名又は名称及び当該受託者に係る建築士事務所の名称及び所在地

七　設計又は工事監理の実施の期間

八　第三号から第六号までに掲げるもののほか、設計又は工事監理の種類、内容及び方法

（延べ面積が三百平方メートルを超える建築物に係る契約に係る書面の交付に係る情報通信の技術を利用する方法）

第一七条の三九　法第二十二条の三の三第四項の国土交通省令で定める方法は、次に掲げるものとする。

一　電子情報処理組織を使用する方法のうちイ又はロに掲げるもの

イ　設計受託契約又は工事監理受託契約の当事者の使用に係る電子計算機と契約の相手方の使用に係る電子計算機とを接続する電気通信回線を通じて送信し、受信者の使用に係る電子計算機に備えられたファイルに記録する方法

ロ　設計受託契約又は工事監理受託契約の当事者の使用に係る電子計算機に備えられたファイルに記録された書面に記載すべき事項を電気通信回線を通じて契約の相手方の閲覧に供し、当該契約の相手方の使用に係る電子計算機に備えられたファイルに当該書面に記載すべき事項を記録する方法

二　電磁的記録媒体をもつて調製するファイルに書面に記載すべき事項を記録したものを交付する方法

2　前項各号に掲げる方法は、次に掲げる基準に適合するものでなければならない。

一　契約の相手方がファイルへの記録を出力することにより書面を作成することができるものであること。

二　ファイルに記録された書面に記載すべき事項について、改変が行われていないかどうかを確認することができる措置を講じていること。

三　前項第一号ロに掲げる措置にあつては、書面に記載すべき事項を設計受託契約又は工事監理受託契約の当事者の使用に係る電子計算機に備えられたファイルに記録する旨又は記録した旨を契約の相手方に対し通知するものであること。ただし、当該契約の相手方が当該書面に記載すべき事項を閲覧していたことを確認したときはこの限りではない。

3　第一項第一号の「電子情報処理組織」とは、設計受託契約又は工事監理受託契約の当事者の使用に係る電子計算機と、契約の相手方の使用に係る電子計算機とを電気通信回線で接続した電子情報処理組織をいう。

（延べ面積が三百平方メートルを超える建築物に係る契約に係る書面の交付に係る電磁的方法の種類及び方法）

第一七条の四〇　令第八条第一項の規定により示すべき電磁的方法の種類及び内容は、次に掲げる事項とする。

一　前条第一項各号に規定する方法のうち設計受託契約又は工事監理受託契約の当事者が使用するもの

二　ファイルへの記録の方式

（延べ面積が三百平方メートルを超える建築物に係る契約に係る書面の交付に係る情報通信の技術を利用した承諾の取得）

第一七条の四一　令第八条第一項において準用する令第七条第一項の国土交通省令で定める方法は、次に掲げるものとする。

一　電子情報処理組織を使用する方法のうちイ又はロに掲げるもの

イ　契約の相手方の使用に係る電子計算機から電気通信回線を通じて設計受託契約又は工事監理受託契約の当事者の使用に係る電子計算機に令第八条第一項において準用する令第七条第一項の承諾又は令第八条第一項において準用する令第七条第二項の申出（以下この項において「承諾等」という。）をする旨を送信し、当該電子計算機に備えられたファイルに記録する方法

ロ　設計受託契約又は工事監理受託契約の当事者の使用に係る電子計算機に備えられたファイルに記録された前条に規定する電磁的方法の種類及び内容を電気通信回線を通じて契約の相手方の閲覧に供し、当該電子計算機に備えられたファイルに承諾等をする旨を記録する方法

二　電磁的記録媒体をもつて調製するファイルに承諾等をする旨を記録したものを交付する方法

2　前項各号に掲げる方法は、設計受託契約又は工事監理受託契約の当事者がファイルへの記録を出力することにより書面を作成することができるものでなければならない。

3　第一項第一号の「電子情報処理組織」とは、設計受託契約又は工事監理受託契約の当事者の使用に係る電子計算機と、契約の相手方の使用に係る電子計算機とを電気通信回線で接続した電子情報処理組織をいう。

第三章　建築士事務所

（更新の登録の申請）

第一八条　法第二十三条第三項の規定により更新の登録を受けようとする者は、有効期間満了の日前三十日までに登録申請書を提出しなければならない。

（添付書類）

第一九条　法第二十三条第一項又は第三項の規定により建築士事務所について登録を受けようとする者（以下「登録申請者」という。）は、法第二十三条の二の登録申請書の正本及び副本にそれぞれ次に掲げる書類を添付しなければならない。

一　建築士事務所が行つた業務の概要を記載した書類

二　登録申請者（法人である場合には、その代表者をいう。以下この号において同じ。）及び建築士事務所を管理する建築士（以下「管理建築士」という。）の略歴を記載した書類（登録申請者が管理建築士を兼ねているときは、登録申請者の略歴を記載した書類とする。）

三　管理建築士が受講した法第二十四条第二項に規定する講習の修了証の

写し

四　法第二十三条の四第一項各号及び第二項各号に関する登録申請者の誓約書

五　登録申請者が法人である場合には、定款及び登記事項証明書

（登録申請書等の書式）

第二〇条　登録申請書及び前条の添付書類（同条第四号に掲げる書類を除く。）は、それぞれ第五号書式及び第六号書式によらなければならない。

（登録事項）

第二〇条の二　法第二十三条の三第一項に規定する国土交通省令で定める事項は、法第二十六条第一項又は第二項の規定による取消し、戒告又は閉鎖の処分（当該処分を受けた日から五年を経過したものを除く。）及びこれらを受けた年月日並びに建築士事務所に属する建築士の登録番号とする。

2　都道府県知事は、法第二十六条第二項の規定による戒告又は閉鎖の処分をした後において、法第二十三条の三第一項の規定による登録をしたときは、当該処分及びこれらを受けた年月日を法第二十三条の三第一項に規定する登録簿（次項において単に「登録簿」という。）に登録しなければならない。

3　指定事務所登録機関が法第二十六条の三第一項に規定する事務所登録等事務を行う場合において、建築士法に基づく中央指定登録機関等に関する省令第二十一条に規定する通知を受けたときは、同条第三号に掲げる事項を登録簿に登録しなければならない。

（心身の故障により建築士事務所の業務を適正に行うことができない者）

第二〇条の二の二　法第二十三条の四第六号の国土交通省令で定める者は、精神の機能の障害により建築士事務所の業務を適正に行うに当たつて必要な認知、判断及び意思疎通を適切に行うことができない者とする。

（設計等の業務に関する報告書）

第二〇条の三　法第二十三条の六第四号に規定する国土交通省令で定める事項は、次のとおりとする。

一　当該建築士事務所に属する建築士の一級建築士、二級建築士又は木造建築士の別、その者の登録番号及びその者が受けた法第二十二条の二第一号から第三号までに定める講習のうち直近のものを受けた年月日並びにその者が管理建築士である場合にあつては、その旨

二　当該建築士事務所に属する一級建築士が構造設計一級建築士又は設備設計一級建築士である場合にあつては、その旨、その者の構造設計一級建築士証又は設備設計一級建築士証の交付番号並びにその者が受けた法第二十二条の二第四号及び第五号に定める講習のうちそれぞれ直近のものを受けた年月日

三　当該事業年度において法第二十四条第四項の規定により意見が述べられたときは、当該意見の概要

2　法第二十三条の六に規定する設計等の業務に関する報告書は、第六号の二書式によるものとする。

3　法第二十三条の六各号に掲げる事項が、電子計算機に備えられたファイル又は電磁的記録媒体に記録され、必要に応じ電子計算機その他の機器を用いて明確に紙面に表示されるときは、当該記録をもつて同条に規定する設計等の業務に関する報告書への記載に代えることができる。

4　都道府県知事は、法第二十三条の六に規定する設計等の業務に関する報告書（前項の規定による記録が行われた同項のファイル又は電磁的記録媒体を含む。）を、その提出を受けた日から起算して五年間保存しなければならない。

（管理建築士の業務要件）

第二〇条の四　法第二十四条第二項の国土交通省令で定める業務は、次に掲げるものとする。

一　建築物の設計に関する業務

二　建築物の工事監理に関する業務

三　建築工事契約に関する事務に関する業務

四　建築工事の指導監督に関する業務

五　建築物に関する調査又は鑑定に関する業務

六　建築物の建築に関する法令又は条例の規定に基づく手続の代理に関する業務

2　前項各号に掲げる業務に従事したそれぞれの期間は通算することができる。

（帳簿の備付け等及び図書の保存）

第二一条　法第二十四条の四第一項に規定する国土交通省令で定める事項は、次のとおりとする。

一　契約の年月日

二　契約の相手方の氏名又は名称

三　業務の種類及びその概要

四　業務の終了の年月日

五　報酬の額

六　業務に従事した建築士及び建築設備士の氏名

七　業務の一部を委託した場合にあつては、当該委託に係る業務の概要並びに受託者の氏名又は名称及び住所

八　法第二十四条第四項の規定により意見が述べられたときは、当該意見の概要

2　前項各号に掲げる事項が、電子計算機に備えられたファイル又は電磁的記録媒体に記録され、必要に応じ当該建築士事務所において電子計算機その他の機器を用いて明確に紙面に表示されるときは、当該記録をもつて法第二十四条の四第一項に規定する帳簿への記載に代えることができる。

3　建築士事務所の開設者は、法第二十四条の四第一項に規定する帳簿（前項の規定による記録が行われた同項のファイル又は電磁的記録媒体を含む。）を各事業年度の末日をもつて閉鎖するものとし、当該閉鎖をした日の翌日から起算して十五年間当該帳簿（前項の規定による記録が行われた同項のファイル又は電磁的記録媒体を含む。）を保存しなければならない。

4　法第二十四条の四第二項に規定する建築士事務所の業務に関する図書で国土交通省令で定めるものは、建築士事務所に属する建築士が建築士事務所の業務として作成した図書（第三号ロ及び第四号ロにあつては、受領した図書）のうち次に掲げるものとする。

4　法第二十四条の四第二項に規定する建築士事務所の業務に関する図書で国土交通省令で定めるものは、建築士事務所に属する建築士が建築士事務所の業務として作成した図書（第三号ロにあつては、受領した図書）のうち次に掲げるものとする。

一　設計図書のうち次に掲げるもの

イ　配置図、各階平面図、二面以上の立面図、二面以上の断面図、基礎伏図、各階床伏図、小屋伏図及び構造詳細図

ロ　当該設計が建築基準法第六条第一項に規定する建築基準法令の規定に定めるところによる構造計算により安全性を確かめた建築物の設計である場合にあつては、当該構造計算に係る図書

ハ　当該設計が建築基準法施行令第四十六条第四項又は同令第四十七条第一項の規定の適用を受ける建築物の設計である場合にあつては当該各項の規定に、同令第八十条の二又は建築基準法施行規則第八条の三の規定の適用を受ける建築物の設計である場合にあつては当該各条の技術的基準のうち国土交通大臣が定めるものに、それぞれ適合することを確認できる図書（イ及びロに掲げるものを除く。）

二　工事監理報告書

三　建築物のエネルギー消費性能の向上等に関する法律（平成二十七年法律第五十三号）第二十七条第一項に規定する小規模建築物の建築に係る設計を行つた場合にあつては、次のイ又はロに掲げる場合の区分に応じ、それぞれイ又はロに定める図書

イ　建築物のエネルギー消費性能の向上等に関する法律第二十七条第一項の規定による評価及び説明を行つた場合　同項に規定する書面

ロ　建築物のエネルギー消費性能の向上等に関する法律第二十七条第二項の意思の表明があつた場合　建築物のエネルギー消費性能の向上等に関する法律施行規則（平成二十八年国土交通省令第五号）第二十一条の四に規定する書面

三号は、削られます。

四　建築物のエネルギー消費性能の向上等に関する法律第六十七条の五第一項に規定する計画作成市町村の条例で定める用途に供する建築物の建築で当該条例で定める規模以上のものに係る設計を行つた場合にあつては、次のイ又はロに掲げる場合の区分に応じ、それぞれイ又はロに定める図書

イ　建築物のエネルギー消費性能の向上等に関する法律第六十七条の五第一項の規定による説明を行つた場合　同項に規定する書面

ロ　建築物のエネルギー消費性能の向上等に関する法律第六十七条の五第二項の意思の表明があつた場合　建築物のエネルギー消費性能の向

上等に関する法律施行規則第八十条の五に規定する書面

三　建築物のエネルギー消費性能の向上等に関する法律（平成二十七年法律第五十三号）第六十三条第一項に規定する計画作成市町村の条例で定める用途に供する建築物の建築で当該条例で定める規模以上のものに係る設計を行つた場合にあつては、次のイ又はロに掲げる場合の区分に応じ、それぞれイ又はロに定める図書

イ　建築物のエネルギー消費性能の向上等に関する法律第六十三条第一項の規定による説明を行つた場合　同項に規定する書面

ロ　建築物のエネルギー消費性能の向上等に関する法律第六十三条第二項の意思の表明があつた場合　建築物のエネルギー消費性能の向上等に関する法律施行規則第七十九条に規定する書面

5　建築士事務所の開設者は、法第二十四条の四第二項に規定する図書を作成した日（前項第三号ロ及び第四号ロに規定する図書にあつては、受領した日）から起算して十五年間当該図書を保存しなければならない。

5　建築士事務所の開設者は、法第二十四条の四第二項に規定する図書を作成した日（前項第三号ロに規定する図書にあつては、受領した日）から起算して十五年間当該図書を保存しなければならない。

（標識の書式）

第二十二条　法第二十四条の五の規定により建築士事務所の開設者が掲げる標識は、第七号書式によるものとする。

（書類の閲覧）

第二十二条の二　法第二十四条の六第四号に規定する建築士事務所の業務及び財務に関する書類で国土交通省令で定めるものは、次に掲げる事項を記載した書類とする。

一　建築士事務所の名称及び所在地、当該建築士事務所の開設者の氏名（当該建築士事務所の開設者が法人である場合にあつては、当該開設者の名称及びその代表者の氏名）、当該建築士事務所の一級建築士事務所、二級建築士事務所又は木造建築士事務所の別並びに当該建築士事務所の登録番号及び登録の有効期間

二　建築士事務所に属する建築士の氏名、その者の一級建築士、二級建築士又は木造建築士の別、その者の登録番号及びその者が受けた法第二十二条の二第一号から第三号までに定める講習のうち直近のものを受けた年月日並びにその者が管理建築士である場合にあつては、その旨

三　建築士事務所に属する一級建築士が構造設計一級建築士又は設備設計一級建築士である場合にあつては、その旨、その者の構造設計一級建築士証又は設備設計一級建築士証の交付番号並びにその者が受けた法第二十二条の二第四号及び第五号に定める講習のうちそれぞれ直近のものを受けた年月日

2　建築士事務所の開設者は、法第二十四条の六第一号及び第二号に定める書類並びに前項各号に掲げる事項を記載した書類を、第七号の二書式により、事業年度ごとに当該事業年度経過後三月以内に作成し、遅滞なく建築士事務所ごとに備え置くものとする。

3　建築士事務所の開設者は、法第二十四条の六第三号に規定する措置を講じたときは、同号に定める書類を、遅滞なく作成し、建築士事務所ごとに備え置くものとする。当該措置の内容を変更したときも、同様とする。

4　前二項の書類に記載すべき事項が、電子計算機に備えられたファイル又は電磁的記録媒体に記録され、必要に応じ当該建築士事務所において電子計算機その他の機器を用いて明確に紙面に表示されるときは、当該記録をもつて法第二十四条の六に規定する書類に代えることができる。この場合における法第二十四条の六の規定による閲覧は、当該ファイル又は電磁的記録媒体に記録されている事項を紙面又は入出力装置の映像面に表示する方法で行うものとする。

5　建築士事務所の開設者は、第二項の書類（前項の規定による記録が行われた同項のファイル又は電磁的記録媒体を含む。）を、当該書類を備え置いた日から起算して三年を経過する日までの間、当該建築士事務所に備え置くものとする。

（重要事項説明）

第二十二条の二の二　法第二十四条の七第一項第六号に規定する国土交通省令で定める事項は、第十七条の三十八第一号から第六号までに掲げる事項とする。

（重要事項説明に係る書面の交付に係る情報通信の技術を利用する方法）

第二十二条の二の三　法第二十四条の七第三項の国土交通省令で定める方法は、次に掲げるものとする。

一　電子情報処理組織を使用する方法のうちイ又はロに掲げるもの

イ　管理建築士等の使用に係る電子計算機と建築主の使用に係る電子計算機とを接続する電気通信回線を通じて送信し、受信者の使用に係る電子計算機に備えられたファイルに記録する方法

ロ　管理建築士等の使用に係る電子計算機に備えられたファイルに記録された書面に記載すべき事項を電気通信回線を通じて建築主の閲覧に供し、当該建築主の使用に係る電子計算機に備えられたファイルに当該書面に記載すべき事項を記録する方法

二　電磁的記録媒体をもつて調製するファイルに書面に記載すべき事項を記録したものを交付する方法

2　前項各号に掲げる方法は、次に掲げる基準に適合するものでなければならない。

一　建築主がファイルへの記録を出力することによる書面を作成することができるものであること。

二　ファイルに記録された書面に記載すべき事項について、改変を防止するための措置を講じていること。

三　前項第一号ロに掲げる措置にあつては、書面に記載すべき事項を管理建築士等の使用に係る電子計算機に備えられたファイルに記録する旨又は記録した旨を建築主に対し通知するものであること。ただし、当該建築主が当該書面に記載すべき事項を閲覧していたことを確認したときはこの限りではない。

3　第一項第一号の「電子情報処理組織」とは、管理建築士等の使用に係る電子計算機と、建築主の使用に係る電子計算機とを電気通信回線で接続した電子情報処理組織をいう。

（重要事項説明に係る書面の交付に係る電磁的方法の種類及び方法）

第二十二条の二の四　令第八条第二項において準用する令第七条第一項の規定により示すべき電磁的方法の種類及び内容は、次に掲げる事項とする。

一　前条第一項各号に規定する方法のうち管理建築士等が使用するもの

二　ファイルへの記録の方式

（重要事項説明に係る書面の交付に係る情報通信の技術を利用した承諾の取得）

第二十二条の二の五　令第八条第二項において準用する令第七条第一項の国土交通省令で定める方法は、次に掲げるものとする。

一　電子情報処理組織を使用する方法のうちイ又はロに掲げるもの

イ　建築主の使用に係る電子計算機から電気通信回線を通じて管理建築士等の使用に係る電子計算機に令第八条第二項において準用する令第七条第一項の承諾又は令第八条第二項において準用する令第七条第二項の申出（以下この項において「承諾等」という。）をする旨を送信し、当該電子計算機に備えられたファイルに記録する方法

ロ　管理建築士等の使用に係る電子計算機に備えられたファイルに記録された前条に規定する電磁的方法の種類及び内容を電気通信回線を通じて建築主の閲覧に供し、当該電子計算機に備えられたファイルに承諾等をする旨を記録する方法

二　電磁的記録媒体をもつて調製するファイルに承諾等をする旨を記録したものを交付する方法

2　前項各号に掲げる方法は、管理建築士等がファイルへの記録を出力することにより書面を作成することができるものでなければならない。

3　第一項第一号の「電子情報処理組織」とは、管理建築士等の使用に係る電子計算機と、建築主の使用に係る電子計算機とを電気通信回線で接続した電子情報処理組織をいう。

（書面の交付）

第二十二条の三　法第二十四条の八第一項第二号に規定する国土交通省令で定める事項は、次のとおりとする。

一　契約の年月日

二　契約の相手方の氏名又は名称

2　建築士事務所の開設者は、法第二十四条の八第一項に規定する書面を作成したときは、当該書面に記名押印又は署名をしなければならない。

（書面の交付に係る情報通信の技術を利用する方法）

第二十二条の四　法第二十四条の八第二項の国土交通省令で定める方法は、次に掲げるものとする。

一　電子情報処理組織を使用する方法のうちイ又はロに掲げるもの

イ　建築士事務所の開設者の使用に係る電子計算機と委託者の使用に係る電子計算機とを接続する電気通信回線を通じて送信し、受信者の使用に係る電子計算機に備えられたファイルに記録する方法

ロ　建築士事務所の開設者の使用に係る電子計算機に備えられたファイルに記録された書面に記載すべき事項を電気通信回線を通じて委託者の閲覧に供し、当該委託者の使用に係る電子計算機に備えられたファイルに当該書面に記載すべき事項を記録する方法

二　電磁的記録媒体をもつて調製するファイルに書面に記載すべき事項を記録したものを交付する方法

2　前項各号に掲げる方法は、次に掲げる基準に適合するものでなければならない。

一　委託者がファイルへの記録を出力することにより書面を作成することができるものであること。

二　ファイルに記録された書面に記載すべき事項について、改変が行われていないかどうかを確認することができる措置を講じていること。

三　前項第一号ロに掲げる措置にあつては、書面に記載すべき事項を建築士事務所の開設者の使用に係る電子計算機に備えられたファイルに記録する旨又は記録した旨を委託者に対し通知するものであること。ただし、当該委託者が当該書面に記載すべき事項を閲覧していたことを確認したときはこの限りではない。

3　第一項第一号の「電子情報処理組織」とは、建築士事務所の開設者の使用に係る電子計算機と、委託者の使用に係る電子計算機とを電気通信回線で接続した電子情報処理組織をいう。

（書面の交付に係る電磁的方法の種類及び方法）

第二二条の五　令第八条第三項において準用する令第七条第一項の規定により示すべき電磁的方法の種類及び内容は、次に掲げる事項とする。

一　前条第一項各号に規定する方法のうち建築士事務所の開設者が使用するもの

二　ファイルへの記録の方式

（書面の交付に係る情報通信の技術を利用した承諾の取得）

第二二条の五の二　令第八条第三項において準用する令第七条第一項の国土交通省令で定める方法は、次に掲げるものとする。

一　電子情報処理組織を使用する方法のうちイ又はロに掲げるもの

イ　委託者の使用に係る電子計算機から電気通信回線を通じて建築士事務所の開設者の使用に係る電子計算機に令第八条第三項において準用する令第七条第一項の承諾又は令第八条第三項において準用する令第七条第二項の申出（以下この項において「承諾等」という。）をする旨を送信し、当該電子計算機に備えられたファイルに記録する方法

ロ　建築士事務所の開設者の使用に係る電子計算機に備えられたファイルに記録された前条に規定する電磁的方法の種類及び内容を電気通信回線を通じて委託者の閲覧に供し、当該電子計算機に備えられたファイルに承諾等をする旨を記録する方法

二　電磁的記録媒体をもつて調製するファイルに承諾等をする旨を記録したものを交付する方法

2　前項各号に掲げる方法は、建築士事務所の開設者がファイルへの記録を出力することにより書面を作成することができるものでなければならない。

3　第一項第一号の「電子情報処理組織」とは、建築士事務所の開設者の使用に係る電子計算機と、委託者の使用に係る電子計算機とを電気通信回線で接続した電子情報処理組織をいう。

（監督処分の公告）

第二二条の六　法第二十六条第四項において準用する法第十条第五項の規定による公告は、次に掲げる事項について、都道府県の公報又はウェブサイトへの掲載その他の適切な方法で行うものとする。

一　監督処分をした年月日

二　監督処分を受けた建築士事務所の名称及び所在地、当該建築士事務所の開設者の氏名（当該建築士事務所の開設者が法人である場合にあつては、当該開設者の名称及びその代表者の氏名）、当該建築士事務所の一級建築士事務所、二級建築士事務所又は木造建築士事務所の別並びに当該建築士事務所の登録番号

三　監督処分の内容

四　監督処分の原因となつた事実

第四章　雑則

（立入検査をする職員の証明書の書式）

第二三条　法第十条の二第三項（法第二十六条の二第二項において準用する場合を含む。）に規定する証明書（国の職員が携帯するものを除く。）は、第八号書式によるものとする。

（権限の委任）

第二四条　法及びこの省令に規定する国土交通大臣の権限のうち、次に掲げるものは、地方整備局長及び北海道開発局長に委任する。ただし、第四号に掲げる権限については、国土交通大臣が自ら行うことを妨げない。

一　法第五条第二項の規定により一級建築士免許証を交付すること。

二　法第五条の二第一項又は第二項の規定による届出を受理すること。

二の二　法第八条の二の規定による届出（同条第二号に掲げる場合に該当する場合の届出にあつては、第六条第一項の規定による免許証の提出を含む。）を受理すること。

三　法第十条第一項の規定により戒告を与え、同条第二項の規定により聴聞を行い、同条第三項の規定により参考人の意見を聴き、及び同条第五項の規定により公告（同条第一項の規定により戒告を与えたときに係るものに限る。）すること。

四　法第十条の二第一項の規定により必要な報告を求め、立入検査させ、又は関係者に質問させること。

五　法第十条の三第三項の規定により構造設計一級建築士証又は設備設計一級建築士証を交付し、及び同条第五項の規定による受納をすること。

六　第一条の五第一項又は第二項の規定による免許の申請を受理すること。

七　第二条第二項の規定により免許申請書を返却すること。

八　第四条第一項の規定による届出を受理すること。

九　第四条の二第二項の規定による免許証の書換え交付の申請を受理し、及び同条第三項の規定により交付すること。

十　第五条第一項の規定による免許証の再交付の申請を受理し、同条第二項の規定により再交付し、及び同条第三項の規定による受納をすること。

十一　第六条第三項の規定による免許取消しの申請を受理し、同条第四項の規定による届出を受理し、及び同条第五項の規定による受納をすること。

十二　第九条の規定により免許証の提出を求め、かつ、これを領置すること。

十三　第九条の三第一項の規定による交付の申請を受理し、及び同条第四項の規定により交付申請書を返却すること。

十四　第九条の四第二項の規定による構造設計一級建築士証又は設備設計一級建築士証の書換え交付の申請を受理し、及び同条第三項の規定により交付すること。

十五　第九条の五第一項の規定による建築士証の再交付の申請を受理し、同条第二項の規定により再交付し、及び同条第三項の規定による受納をすること。

十六　第九条の六の規定により構造設計一級建築士証又は設備設計一級建築士証の提出を求め、かつ、これを領置すること。

附　則

1　この省令は、昭和二十五年十一月一日から施行する。

2　昭和二十七年十二月三十一日までに行われる一級建築士試験において、同時に三科目又は四科目に合格点を得た者については、第十一条第二項の規定にかかわらず、昭和二十九年十二月三十一日までに行われる一級建築士試験を受ける場合に限り、当該科目及び当該試験の後に合格点を得た科目の試験を免除する。

附　則〔略〕〔昭和二八・八・一四建設省令一七〕

附　則〔略〕〔昭和三一・二・二建設省令二〕

附　則〔昭和三四・五・一五建設省令一一〕

（施行期日）

1　この省令は、公布の日から施行する。

（経過規定）

2　この省令による改正後の建築士法施行規則第十一条第二項及び第十六条第二項の規定は、この省令の施行の日以後に行われる一級建築士試験において合格点を得た科目について適用する。

3　昭和三十三年に行われた一級建築士試験において三科目又は四科目に合

格点を得た者については、この省令の施行の日以後最初に行われる一級建築士試験及びこれに引き続いて行われる次の三回の一級建築士試験に限り、昭和三十二年に行われた一級建築士試験において三科目又は四科目に合格点を得た者でこの省令による改正前の建築士法施行規則第十一条第二項ただし書に該当するものについては、この省令の施行の日以後最初に行われる一級建築士試験及びこれに引き続いて行われる次の二回の一級建築士試験に限り、それぞれその合格点を得た科目の試験を免除する。

附　則〔昭和四三・三・一三建設省令八〕

（施行期日）

1　この省令は、公布の日から施行する。

（経過規定）

2　この省令による改正前の建築士法施行規則第十一条及び第十二条の規定に基づく一級建築士試験で昭和四十二年以前に行なわれたものにおいて合格点を得た科目を有する者で、当該科目につき試験の免除を受けられるものについては、この省令による改正後の建築士法施行規則の規定にかかわらず、この省令の施行の日後なお従前の例により引き続き四回の一級建築士試験を行なう。ただし、当該者がこの省令による改正後の建築士法施行規則の規定に基づく一級建築士試験を受験することを妨げない。

附　則〔略〕〔昭和五八・一二・一二建設省令二〇〕

附　則〔略〕〔平成一〇・五・二〇建設省令九〕

附　則〔略〕〔平成一一・一・三一建設省令一〇〕

附　則〔平成一一・三・三一建設省令一九〕

1　この省令は、平成十一年四月一日から施行する。

2　この省令の施行の際現にあるこの省令による改正前の様式による用紙については、当分の間、これを取り繕って使用することができる。

附　則〔抄〕〔平成一二・一一・二〇建設省令四一〕

（施行期日）

1　この省令は、内閣法の一部を改正する法律（平成十一年法律第八十八号）の施行の日（平成十三年一月六日）から施行する。

中央省庁等改革のための関係建設省令の整備に関する省令〔抄〕

〔平成一二・一一・二〇建設省令四一〕

改正　平成二〇・一〇国交令八九

（権限の委任に関する経過措置）

第九〇条　この省令の規定による改正後のそれぞれの省令の権限の委任に関する規定のうち、次に掲げる規定は、この省令の施行の際現に法令の規定により建設大臣に対して承認、認定その他の処分又は協議の申請がされているものについては、適用しない。

一　建築士法施行規則第二十四条第一号及び第五号から第九号までの規定

二～五〔略〕

附　則〔略〕〔平成一三・三・二六国土交通省令四二〕

附　則〔略〕〔平成一三・三・三〇国土交通省令七二〕

附　則〔抄〕〔平成一六・五・二七国土交通省令六七〕

（施行期日）

第一条　この省令は、平成十六年十月一日から施行する。〔以下略〕

（建築士法施行規則の一部改正に伴う経過措置）

第二条　第一条の規定による改正後の建築士法施行規則第十七条の二十五の規定による登録を受けようとする者は、第一条の規定の施行前においても、その申請を行うことができる。新建築士法施行規則（以下この条において「新建築士法施行規則」という。）第十七条の十八第一号イ又はロの登録試験事務規程の届出についても、同様とする。

2　第一条の規定の施行の際現に同条の規定による改正前の建築士法施行規則（以下この条において「旧建築士法施行規則」という。）第十七条の十八第一項第一号の指定を受けている試験は、第一条の規定の施行の日から起算して六月を経過する日までの間は、新建築士法施行規則第十七条の十八第一号イ及びロの登録を受けている試験とみなす。

3　第一条の規定の施行前に旧建築士法施行規則第十七条の十八第一項第一号の指定を受けた試験に合格した者は、新建築士法施行規則第十七条の十八第一号イ及びロの登録を受けた試験に合格した者とみなす。

附　則〔略〕〔平成一七・三・七国土交通省令一二〕

附　則〔抄〕〔平成一八・三・二九国土交通省令一七〕

改正　平成二〇・一二国交令九七

1　この省令は、公布の日から施行する。

2　この省令の施行前に財団法人全国建設研修センター（昭和三十七年四月七日に財団法人全国建設研修センターという名称で設立された法人をいう。）が行った建築指導科（監視員）研修を修了した者は、建築基準法施行令第十四条第三号の規定による建築の実務に関し技術上の責任のある地位にあった建築士で国土交通大臣が同条第一号又は第二号に該当する者と同等以上の建築行政に関する知識及び能力を有すると認めたものとみなす。

附　則〔略〕〔平成一八・四・二八国土交通省令五八〕

附　則〔平成一九・三・三〇国土交通省令二七〕

（施行期日）

1　この省令は、平成十九年四月一日から施行する。

（助教授の在職に関する経過措置）

2　この省令の規定による改正後の次に掲げる省令の規定の適用については、この省令の施行前における助教授としての在職は、准教授としての在職とみなす。

一・二〔略〕

三　建築士法施行規則第十七条の二十一

四～十四〔略〕

附　則〔抄〕〔平成一九・六・一九国土交通省令六六〕

（施行期日）

第一条　この省令は、建築物の安全性の確保を図るための建築基準法等の一部を改正する法律（以下「改正法」という。）の施行の日（平成十九年六月二十日）から施行する。ただし、次の各号に掲げる規定は、当該各号に定める日から施行する。

一　（前略）第三条中建築士法施行規則第七号書式の改正規定　平成十九年十二月二十日

二　〔略〕

（建築士法施行規則の一部改正に伴う経過措置）

第四条　施行日前五年以内に閉鎖された改正法第二条の規定による改正前の建築士法（次項において「旧建築士法」という。）第二十四条の二第一項に規定する帳簿（第三条の規定による改正前の建築士法施行規則（以下この条において「旧建築士法規則」という。）第二十一条第二項の規定による記録が行われた同項のファイル又は磁気ディスク等を含む。）で、この省令の施行の際現に旧建築士法規則第二十一条第三項の定めるところにより保存しているものは、当該閉鎖をした日の翌日から起算して十五年間保存しなければならない。

2　施行日前五年以内に作成された旧建築士法第二十四条の二第二項に規定する図書で、この省令の施行の際現に旧建築士法規則第二十一条第四項の定めるところにより保存しているものは、当該作成した日から起算して十五年間保存しなければならない。

附　則〔略〕〔平成二〇・五・二八国土交通省令三七〕

附　則〔平成二〇・七・一一国土交通省令六一〕

改正　平成二〇・一〇国交令八九

（施行期日）

第一条　この省令は、建築士法等の一部を改正する法律の施行の日（平成二十年十一月二十八日）から施行する。

（経過措置）

第二条　この省令の施行の日（以下「施行日」という。）において一級建築士試験に合格しており、施行日において現に建築士事務所に所属している一級建築士及び施行日から平成二十四年三月三十一日までに建築士事務所に所属した一級建築士で、一級建築士定期講習を受けたことがない者は、平成二十四年三月三十一日までに一級建築士定期講習を受けなければならない。

2　前項の規定は、施行日において二級建築士試験に合格している者について準用する。この場合において、同項中「一級建築士」とあるのは「二級建築士」と読み替えるものとする。

3　第一項の規定は、施行日において木造建築士試験に合格している者について準用する。この場合において、同項中「一級建築士」とあるのは「木造建築士」と読み替えるものとする。

4　前三項の場合において、第十七条の三十七第一項（表第二号及び第三号を除き、同条第二項及び同条第三項において準用する場合を含む。）の規定は、適用しない。

附　則〔抄〕〔平成二〇・一〇・三一国土交通省令八九〕

（施行期日）

第一条　この省令は、建築士法等の一部を改正する法律（平成十八年法律第百十四号）の施行の日（平成二十年十一月二十八日）から施行する。ただし、次の各号に掲げる規定は、当該各号に定める日から施行する。

一　第二条及び附則第六条の規定　平成二十一年一月五日

二　〔略〕

（経過措置）

第二条　この省令による改正前の第二号書式（以下「旧書式」という。）による一級建築士証は、この省令による改正後の第二号書式（以下「新書式」という。）にかかわらず、当分の間、なおこれを使用することができる。

第三条　この省令の施行の際現に旧書式による一級建築士証の交付を受けている一級建築士は、新書式による一級建築士証の交付を申請することができる。この場合において、当該交付の申請は、第四条第二項の一級建築士証の書換え交付の申請とみなす。

第四条　この省令の施行の際現に建築士法等の一部を改正する法律の規定による改正前の建築士法第二十四条第一項の規定により置かれている建築士事務所を管理する建築士が、当該建築士事務所に引き続き建築士事務所を管理する建築士として置かれる場合にあつては、平成二十三年十一月二十七日までの間は、この省令による改正後の第十九条第四号の規定は、適用しない。

附　則〔略〕〔平成二〇・一二・一国土交通省令九七施行〕

附　則〔略〕〔平成二五・四・一国土交通省令二一〕

附　則〔略〕〔平成二五・九・一三国土交通省令七六〕

附　則〔略〕〔平成二七・一・二九国土交通省令五〕

附　則〔抄〕〔平成二七・二・一〇国土交通省令八〕

（施行期日）

第一条　この省令は、建築士法の一部を改正する法律の施行の日（平成二十七年六月二十五日。以下「施行日」という。）から施行する。ただし、第一条中第二十条の四の改正規定は、平成二十八年六月二十五日から施行する。

（建築士法施行規則の一部改正に伴う経過措置）

第二条　第一条の規定による改正前の建築士法施行規則第二十条の四の規定の適用については、施行日から平成二十八年六月二十五日までの間は、同条中「第十九条第二号に掲げる書類」とあるのは、「建築士法施行規則及び建築基準法施行規則の一部を改正する省令（平成二十七年国土交通省令第八号）による改正前の建築士法施行規則第十九条第二号の規定により提出した添付書類」とする。

附　則〔略〕〔平成三〇・一〇・四国土交通省令七八〕

附　則〔略〕〔令和元・九・一三国土交通省令三四〕

附　則〔令和元・一一・一国土交通省令四二〕

（施行期日）

第一条　この省令は、建築士法の一部を改正する法律の施行の日（令和二年三月一日）から施行する。ただし、第一条中建築士法施行規則第六条の二の改正規定は、公布の日から起算して一月を経過した日から施行する。

（経過措置）

第二条　前条の規定による施行前に行われた一級建築士試験に合格した者に対するこの省令による改正前の建築士法施行規則第一条の四第一項の規定の適用については、なお従前の例による。

２　この省令の施行の日前に行われた直近二回の一級建築士試験のうちいずれかの一級建築士試験の学科の試験に合格した者に対するこの省令による改正後の建築士法施行規則第十二条の規定の適用については、なお従前の例による。

附　則〔略〕〔令和二・九・四国土交通省令七五〕

附　則〔略〕〔令和二・一二・二三国土交通省令九八〕

附　則〔略〕〔令和三・七・一国土交通省令四六〕

附　則〔略〕〔令和三・八・三一国土交通省令五三〕

附　則〔略〕〔令和三・一〇・二二国土交通省令六八〕

附　則〔略〕〔令和三・一二・一六国土交通省令七八施行〕

附　則〔略〕〔令和四・二・二八国土交通省令七〕

附　則〔略〕〔令和五・九・二五国土交通省令七五〕

附　則〔略〕〔令和五・一二・二八国土交通省令九八施行〕

附　則〔略〕〔令和六・二・一九国土交通省令一二施行〕

附　則〔略〕〔令和六・三・二九国土交通省令二六〕

附　則〔略〕〔令和六・六・三国土交通省令六三〕

附　則〔抄〕〔令和六・六・二八国土交通省令六八〕

（施行期日）

第一条　この省令は、脱炭素社会の実現に資するための建築物のエネルギー消費性能の向上に関する法律等の一部を改正する法律（附則第五条第三項において「改正法」という。）の施行の日（令和七年四月一日）から施行する。〔以下略〕

（建築士法施行規則の一部改正に伴う経過措置）

第四条　第五条の規定による改正前の建築士法施行規則第二十一条第四項第三号イ及びロに定める図書で、この省令の施行の際現に同項の定めるところにより保存しているものは、当該図書を作成した日（同号ロに定める図書にあつては、受領した日）から起算して十五年間保存しなければならない。

様式　〔略〕

○建築物の耐震改修の促進に関する法律

〔平成七・一〇・二七　法律一二三〕

改正　平成八・三法二一、平成九・三法二六、平成一一・一二法一六〇、平成一七・七法八二、一一法一二〇、平成一八・六法五〇、平成二三・八法一〇五、平成二五・五法二〇、平成二六・六法五四、平成三〇・六法六七、令和五・六法五八

目次

第一章　総則（第一条―第三条）
第二章　基本方針及び都道府県耐震改修促進計画等（第四条―第六条）
第三章　建築物の所有者が講ずべき措置（第七条―第十六条）
第四章　建築物の耐震改修の計画の認定（第十七条―第二十一条）
第五章　建築物の地震に対する安全性に係る認定等（第二十二条―第二十四条）
第六章　区分所有建築物の耐震改修の必要性に係る認定等（第二十五条―第二十七条）
第七章　建築物の耐震改修に係る特例（第二十八条―第三十一条）
第八章　耐震改修支援センター（第三十二条―第四十二条）
第九章　罰則（第四十三条―第四十六条）
附則

第一章　総則

（目的）

第一条　この法律は、地震による建築物の倒壊等の被害から国民の生命、身体及び財産を保護するため、建築物の耐震改修の促進のための措置を講ずることにより建築物の地震に対する安全性の向上を図り、もつて公共の福祉の確保に資することを目的とする。

（定義）

第二条　この法律において「耐震診断」とは、地震に対する安全性を評価することをいう。

２　この法律において「耐震改修」とは、地震に対する安全性の向上を目的として、増築、改築、修繕、模様替若しくは一部の除却又は敷地の整備をすることをいう。

３　この法律において「所管行政庁」とは、建築基準法（昭和二十五年法律第二百一号）の規定により建築主事又は建築副主事を置く市町村又は特別

区の区域については当該市町村又は特別区の長をいい、その他の市町村又は特別区の区域については都道府県知事をいう。ただし、同法第九十七条の二第一項若しくは第二項又は第九十七条の三第一項若しくは第二項の規定により建築主事又は建築副主事を置く市町村又は特別区の区域内の政令で定める建築物については、都道府県知事とする。

（国、地方公共団体及び国民の努力義務）

第三条　国は、建築物の耐震診断及び耐震改修の促進に資する技術に関する研究開発を促進するため、当該技術に関する情報の収集及び提供その他必要な措置を講ずるよう努めるものとする。

2　国及び地方公共団体は、建築物の耐震診断及び耐震改修の促進を図るため、資金の融通又はあっせん、資料の提供その他の措置を講ずるよう努めるものとする。

3　国及び地方公共団体は、建築物の耐震診断及び耐震改修の促進に関する国民の理解と協力を得るため、建築物の地震に対する安全性の向上に関する啓発及び知識の普及に努めるものとする。

4　国民は、建築物の地震に対する安全性を確保するとともに、その向上を図るよう努めるものとする。

第二章　基本方針及び都道府県耐震改修促進計画等

（基本方針）

第四条　国土交通大臣は、建築物の耐震診断及び耐震改修の促進を図るための基本的な方針（以下「基本方針」という。）を定めなければならない。

2　基本方針においては、次に掲げる事項を定めるものとする。

一　建築物の耐震診断及び耐震改修の促進に関する基本的な事項

二　建築物の耐震診断及び耐震改修の実施に関する目標の設定に関する事項

三　建築物の耐震診断及び耐震改修の実施について技術上の指針となるべき事項

四　建築物の地震に対する安全性の向上に関する啓発及び知識の普及に関する基本的な事項

五　次条第一項に規定する都道府県耐震改修促進計画の策定に関する基本的な事項その他建築物の耐震診断及び耐震改修の促進に関する重要事項

3　国土交通大臣は、基本方針を定め、又はこれを変更したときは、遅滞なく、これを公表しなければならない。

（都道府県耐震改修促進計画）

第五条　都道府県は、基本方針に基づき、当該都道府県の区域内の建築物の耐震診断及び耐震改修の促進を図るための計画（以下「都道府県耐震改修促進計画」という。）を定めるものとする。

2　都道府県耐震改修促進計画においては、次に掲げる事項を定めるものとする。

一　当該都道府県の区域内の建築物の耐震診断及び耐震改修の実施に関する目標

二　当該都道府県の区域内の建築物の耐震診断及び耐震改修の促進を図るための施策に関する事項

三　建築物の地震に対する安全性の向上に関する啓発及び知識の普及に関する事項

四　建築基準法第十条第一項から第三項までの規定による勧告又は命令その他建築物の地震に対する安全性を確保し、又はその向上を図るための措置の実施についての所管行政庁との連携に関する事項

五　その他当該都道府県の区域内の建築物の耐震診断及び耐震改修の促進に関し必要な事項

3　都道府県は、次の各号に掲げる場合には、前項第二号に掲げる事項に、当該各号に定める事項を記載することができる。

一　病院、官公署その他大規模な地震が発生した場合においてその利用を確保することが公益上必要な建築物で政令で定めるものであって、既存耐震不適格建築物（地震に対する安全性に係る建築基準法又はこれに基づく命令若しくは条例の規定（以下「耐震関係規定」という。）に適合しない建築物で同法第三条第二項の規定の適用を受けているものをいう。以下同じ。）であるもの（その地震に対する安全性が明らかでないものとして政令で定める建築物（以下「耐震不明建築物」という。）に限る。）について、耐震診断を行わせ、及び耐震改修の促進を図ることが必要と認められる場合　当該建築物に関する事項及び当該建築物に係る耐震診断の結果の報告の期限に関する事項

二　建築物が地震によって倒壊した場合においてその敷地に接する道路（相当数の建築物が集合し、又は集合することが確実と見込まれる地域を通過する道路その他国土交通省令で定める道路（以下「建築物集合地域通過道路等」という。）に限る。）の通行を妨げ、市町村の区域を越える相当多数の者の円滑な避難を困難とすることを防止するため、当該道路にその敷地が接する通行障害既存耐震不適格建築物（地震によって倒壊した場合においてその敷地に接する道路の通行を妨げ、多数の者の円滑な避難を困難とするおそれがあるものとして政令で定める建築物（第十四条第三号において「通行障害建築物」という。）であって既存耐震不適格建築物であるものをいう。以下同じ。）について、耐震診断を行わせ、又はその促進を図り、及び耐震改修の促進を図ることが必要と認められる場合　当該通行障害既存耐震不適格建築物の敷地に接する道路に関する事項及び当該通行障害既存耐震不適格建築物（耐震不明建築物であるものに限る。）に係る耐震診断の結果の報告の期限に関する事項

三　建築物が地震によって倒壊した場合においてその敷地に接する道路（建築物集合地域通過道路等を除く。）の通行を妨げ、市町村の区域を越える相当多数の者の円滑な避難を困難とすることを防止するため、当該道路にその敷地が接する通行障害既存耐震不適格建築物の耐震診断及び耐震改修の促進を図ることが必要と認められる場合　当該通行障害既存耐震不適格建築物の敷地に接する道路に関する事項

四　特定優良賃貸住宅の供給の促進に関する法律（平成五年法律第五十二号。以下「特定優良賃貸住宅法」という。）第三条第四号に規定する資格を有する入居者をその全部又は一部について確保することができない特定優良賃貸住宅（特定優良賃貸住宅法第六条に規定する特定優良賃貸住宅をいう。以下同じ。）を活用し、第十九条に規定する計画認定建築物である住宅の耐震改修の実施に伴い仮住居を必要とする者（特定優良賃貸住宅法第三条第四号に規定する資格を有する者を除く。以下「特定入居者」という。）に対する仮住居を提供することが必要と認められる場合　特定優良賃貸住宅の特定入居者に対する賃貸に関する事項

五　前項第一号の目標を達成するため、当該都道府県の区域内において独立行政法人都市再生機構（以下「機構」という。）又は地方住宅供給公社（以下「公社」という。）による建築物の耐震診断及び耐震改修の実施が必要と認められる場合　機構又は公社による建築物の耐震診断及び耐震改修の実施に関する事項

4　都道府県は、都道府県耐震改修促進計画に前項第一号に定める事項を記載しようとするときは、当該事項について、あらかじめ、当該建築物の所有者（所有者以外に権原に基づきその建築物を使用する者があるときは、その者及び所有者）の意見を聴かなければならない。

5　都道府県は、都道府県耐震改修促進計画に第三項第五号に定める事項を記載しようとするときは、当該事項について、あらかじめ、機構又は当該公社の同意を得なければならない。

6　都道府県は、都道府県耐震改修促進計画を定めたときは、遅滞なく、これを公表するとともに、当該都道府県の区域内の市町村にその写しを送付しなければならない。

7　第三項から前項までの規定は、都道府県耐震改修促進計画の変更について準用する。

（市町村耐震改修促進計画）

第六条　市町村は、都道府県耐震改修促進計画に基づき、当該市町村の区域内の建築物の耐震診断及び耐震改修の促進を図るための計画（以下「市町村耐震改修促進計画」という。）を定めるよう努めるものとする。

2　市町村耐震改修促進計画においては、おおむね次に掲げる事項を定めるものとする。

一　当該市町村の区域内の建築物の耐震診断及び耐震改修の実施に関する目標

二　当該市町村の区域内の建築物の耐震診断及び耐震改修の促進を図るための施策に関する事項

三　建築物の地震に対する安全性の向上に関する啓発及び知識の普及に関する事項

四　建築基準法第十条第一項から第三項までの規定による勧告又は命令その他建築物の地震に対する安全性を確保し、又はその向上を図るための措置の実施についての所管行政庁との連携に関する事項

五　その他当該市町村の区域内の建築物の耐震診断及び耐震改修の促進に

関し必要な事項

3　市町村は、次の各号に掲げる場合には、前項第二号に掲げる事項に、当該各号に定める事項を記載することができる。

一　建築物が地震によって倒壊した場合においてその敷地に接する道路（建築物集合地域通過道路等に限る。）の通行を妨げ、当該市町村の区域における多数の者の円滑な避難を困難とすることを防止するため、当該道路にその敷地が接する通行障害既存耐震不適格建築物について、耐震診断を行わせ、又はその促進を図り、及び耐震改修の促進を図ることが必要と認められる場合　当該通行障害既存耐震不適格建築物の敷地に接する道路に関する事項及び当該通行障害既存耐震不適格建築物（耐震不明建築物であるものに限る。）に係る耐震診断の結果の報告の期限に関する事項

二　建築物が地震によって倒壊した場合においてその敷地に接する道路（建築物集合地域通過道路等を除く。）の通行を妨げ、当該市町村の区域における多数の者の円滑な避難を困難とすることを防止するため、当該道路にその敷地が接する通行障害既存耐震不適格建築物の耐震診断及び耐震改修の促進を図ることが必要と認められる場合　当該通行障害既存耐震不適格建築物の敷地に接する道路に関する事項

4　市町村は、市町村耐震改修促進計画を定めたときは、遅滞なく、これを公表しなければならない。

5　前二項の規定は、市町村耐震改修促進計画の変更について準用する。

第三章　建築物の所有者が講ずべき措置

（要安全確認計画記載建築物の所有者の耐震診断の義務）

第七条　次に掲げる建築物（以下「要安全確認計画記載建築物」という。）の所有者は、当該要安全確認計画記載建築物について、国土交通省令で定めるところにより、耐震診断を行い、その結果を、次の各号に掲げる建築物の区分に応じ、それぞれ当該各号に定める期限までに所管行政庁に報告しなければならない。

一　第五条第三項第一号の規定により都道府県耐震改修促進計画に記載された建築物　同号の規定により都道府県耐震改修促進計画に記載された期限

二　その敷地が第五条第三項第二号の規定により都道府県耐震改修促進計画に記載された道路に接する通行障害既存耐震不適格建築物（耐震不明建築物であるものに限る。）　同号の規定により都道府県耐震改修促進計画に記載された期限

三　その敷地が前条第三項第一号の規定により市町村耐震改修促進計画に記載された道路に接する通行障害既存耐震不適格建築物（耐震不明建築物であるものに限り、前号に掲げる建築物であるものを除く。）　同項第一号の規定により市町村耐震改修促進計画に記載された期限

（要安全確認計画記載建築物に係る報告命令等）

第八条　所管行政庁は、要安全確認計画記載建築物の所有者が前条の規定による報告をせず、又は虚偽の報告をしたときは、当該所有者に対し、相当の期限を定めて、その報告を行い、又はその報告の内容を是正すべきことを命ずることができる。

2　所管行政庁は、前項の規定による命令をしたときは、国土交通省令で定めるところにより、その旨を公表しなければならない。

3　所管行政庁は、第一項の規定により報告を命じようとする場合において、過失がなくて当該報告を命ずべき者を確知することができず、かつ、これを放置することが著しく公益に反すると認められるときは、その者の負担において、耐震診断を自ら行い、又はその命じた者若しくは委任した者に行わせることができる。この場合においては、相当の期限を定めて、当該報告をすべき旨及びその期限までに当該報告をしないときは、所管行政庁又はその命じた者若しくは委任した者が耐震診断を行うべき旨を、あらかじめ、公告しなければならない。

（耐震診断の結果の公表）

第九条　所管行政庁は、第七条の規定による報告を受けたときは、国土交通省令で定めるところにより、当該報告の内容を公表しなければならない。前条第三項の規定により耐震診断を行い、又は行わせたときも、同様とする。

（通行障害既存耐震不適格建築物の耐震診断に要する費用の負担）

第一〇条　都道府県は、第七条第二号に掲げる建築物の所有者から申請があったときは、国土交通省令で定めるところにより、同条の規定により行われた耐震診断の実施に要する費用を負担しなければならない。

2　市町村は、第七条第三号に掲げる建築物の所有者から申請があったときは、国土交通省令で定めるところにより、同条の規定により行われた耐震診断の実施に要する費用を負担しなければならない。

（要安全確認計画記載建築物の所有者の耐震改修の努力）

第一一条　要安全確認計画記載建築物の所有者は、耐震診断の結果、地震に対する安全性の向上を図る必要があると認められるときは、当該要安全確認計画記載建築物について耐震改修を行うよう努めなければならない。

（要安全確認計画記載建築物の耐震改修に係る指導及び助言並びに指示等）

第一二条　所管行政庁は、要安全確認計画記載建築物の耐震改修の適確な実施を確保するため必要があると認めるときは、要安全確認計画記載建築物の所有者に対し、基本方針のうち第四条第二項第三号の技術上の指針となるべき事項（以下「技術指針事項」という。）を勘案して、要安全確認計画記載建築物の耐震改修について必要な指導及び助言をすることができる。

2　所管行政庁は、要安全確認計画記載建築物について必要な耐震改修が行われていないと認めるときは、要安全確認計画記載建築物の所有者に対し、技術指針事項を勘案して、必要な指示をすることができる。

3　所管行政庁は、前項の規定による指示を受けた要安全確認計画記載建築物の所有者が、正当な理由がなく、その指示に従わなかったときは、その旨を公表することができる。

（要安全確認計画記載建築物に係る報告、検査等）

第一三条　所管行政庁は、第八条第一項並びに前条第二項及び第三項の規定の施行に必要な限度において、政令で定めるところにより、要安全確認計画記載建築物の所有者に対し、要安全確認計画記載建築物の地震に対する安全性に係る事項（第七条の規定による報告の対象となる事項を除く。）に関し報告させ、又はその職員に、要安全確認計画記載建築物、要安全確認計画記載建築物の敷地若しくは要安全確認計画記載建築物の工事現場に立ち入り、要安全確認計画記載建築物、要安全確認計画記載建築物の建築設備、建築材料、書類その他の物件を検査させることができる。ただし、住居に立ち入る場合においては、あらかじめ、その居住者の承諾を得なければならない。

2　前項の規定により立入検査をする職員は、その身分を示す証明書を携帯し、関係者に提示しなければならない。

3　第一項の規定による立入検査の権限は、犯罪捜査のために認められたものと解釈してはならない。

（特定既存耐震不適格建築物の所有者の努力）

第一四条　次に掲げる建築物であって既存耐震不適格建築物であるもの（要安全確認計画記載建築物であるものを除く。以下「特定既存耐震不適格建築物」という。）の所有者は、当該特定既存耐震不適格建築物について耐震診断を行い、その結果、地震に対する安全性の向上を図る必要があると認められるときは、当該特定既存耐震不適格建築物について耐震改修を行うよう努めなければならない。

一　学校、体育館、病院、劇場、観覧場、集会場、展示場、百貨店、事務所、老人ホームその他多数の者が利用する建築物で政令で定めるものであって政令で定める規模以上のもの

二　火薬類、石油類その他政令で定める危険物であって政令で定める数量以上のものの貯蔵場又は処理場の用途に供する建築物

三　その敷地が第五条第三項第二号若しくは第三号の規定により都道府県耐震改修促進計画に記載された道路又は第六条第三項の規定により市町村耐震改修促進計画に記載された道路に接する通行障害建築物

（特定既存耐震不適格建築物に係る指導及び助言並びに指示等）

第一五条　所管行政庁は、特定既存耐震不適格建築物の耐震診断及び耐震改修の適確な実施を確保するため必要があると認めるときは、特定既存耐震不適格建築物の所有者に対し、技術指針事項を勘案して、特定既存耐震不適格建築物の耐震診断及び耐震改修について必要な指導及び助言をすることができる。

2　所管行政庁は、次に掲げる特定既存耐震不適格建築物（第一号から第三号までに掲げる特定既存耐震不適格建築物にあっては、地震に対する安全性の向上を図ることが特に必要なものとして政令で定めるものであって政令で定める規模以上のものに限る。）について必要な耐震診断又は耐震改修が行われていないと認めるときは、特定既存耐震不適格建築物の所有者

に対し、技術指針事項を勘案して、必要な指示をすることができる。

一　病院、劇場、観覧場、集会場、展示場、百貨店その他不特定かつ多数の者が利用する特定既存耐震不適格建築物

二　小学校、老人ホームその他地震の際の避難確保上特に配慮を要する者が主として利用する特定既存耐震不適格建築物

三　前条第二号に掲げる建築物である特定既存耐震不適格建築物

四　前条第三号に掲げる建築物である特定既存耐震不適格建築物

3　所管行政庁は、前項の規定による指示を受けた特定既存耐震不適格建築物の所有者が、正当な理由がなく、その指示に従わなかったときは、その旨を公表することができる。

4　所管行政庁は、前二項の規定の施行に必要な限度において、政令で定めるところにより、特定既存耐震不適格建築物の所有者に対し、特定既存耐震不適格建築物の地震に対する安全性に係る事項に関し報告させ、又はその職員に、特定既存耐震不適格建築物、特定既存耐震不適格建築物の敷地若しくは特定既存耐震不適格建築物の工事現場に立ち入り、特定既存耐震不適格建築物、特定既存耐震不適格建築物の敷地、建築設備、建築材料、書類その他の物件を検査させることができる。

5　第十三条第一項ただし書、第二項及び第三項の規定は、前項の規定による立入検査について準用する。

（一定の既存耐震不適格建築物の所有者の努力等）

第十六条　要安全確認計画記載建築物及び特定既存耐震不適格建築物以外の既存耐震不適格建築物の所有者は、当該既存耐震不適格建築物について耐震診断を行い、必要に応じ、当該既存耐震不適格建築物について耐震改修を行うよう努めなければならない。

2　所管行政庁は、前項の既存耐震不適格建築物の耐震診断及び耐震改修の適確な実施を確保するため必要があると認めるときは、当該既存耐震不適格建築物の所有者に対し、技術指針事項を勘案して、当該既存耐震不適格建築物の耐震診断及び耐震改修について必要な指導及び助言をすることができる。

第四章　建築物の耐震改修の計画の認定

（計画の認定）

第十七条　建築物の耐震改修をしようとする者は、国土交通省令で定めるところにより、建築物の耐震改修の計画を作成し、所管行政庁の認定を申請することができる。

2　前項の計画には、次に掲げる事項を記載しなければならない。

一　建築物の位置

二　建築物の階数、延べ面積、構造方法及び用途

三　建築物の耐震改修の事業の内容

四　建築物の耐震改修の事業に関する資金計画

五　その他国土交通省令で定める事項

3　所管行政庁は、第一項の申請があった場合において、建築物の耐震改修の計画が次に掲げる基準に適合すると認めるときは、その旨の認定（以下この章において「計画の認定」という。）をすることができる。

一　建築物の耐震改修の事業の内容が耐震関係規定又は地震に対する安全上これに準ずるものとして国土交通大臣が定める基準に適合していること。

二　前項第四号の資金計画が建築物の耐震改修の事業を確実に遂行するため適切なものであること。

三　第一項の申請に係る建築物、建築物の敷地又は建築物若しくはその敷地の部分が耐震関係規定及び耐震関係規定以外の建築基準法又はこれに基づく命令若しくは条例の規定に適合せず、かつ、同法第三条第二項の規定の適用を受けているものである場合において、当該建築物又は建築物の部分の増築、改築、大規模の修繕（同法第二条第十四号に規定する大規模の修繕をいう。）又は大規模の模様替（同条第十五号に規定する大規模の模様替をいう。）をしようとするものであり、かつ、当該工事後も、引き続き、当該建築物、建築物の敷地又は建築物若しくはその敷地の部分が耐震関係規定以外の同法又はこれに基づく命令若しくは条例の規定に適合しないこととなるものであるときは、前二号に掲げる基準のほか、次に掲げる基準に適合していること。

イ　当該工事が地震に対する安全性の向上を図るため必要と認められるものであり、かつ、当該工事後も、引き続き、当該建築物、建築物の敷地又は建築物若しくはその敷地の部分が耐震関係規定以外の建築基準法又はこれに基づく命令若しくは条例の規定に適合しないこととなることがやむを得ないと認められるものであること。

ロ　工事の計画（二以上の工事に分けて耐震改修の工事を行う場合にあっては、それぞれの工事の計画。第五号ロ及び第六号ロにおいて同じ。）に係る建築物及び建築物の敷地について、交通上の支障の度、安全上、防火上及び避難上の危険の度並びに衛生上及び市街地の環境の保全上の有害の度が高くならないものであること。

四　第一項の申請に係る建築物が既存耐震不適格建築物である耐火建築物（建築基準法第二条第九号の二に規定する耐火建築物をいう。）である場合において、当該建築物について柱若しくは壁を設け、又は柱若しくははりの模様替をすることにより当該建築物が同法第二十七条第二項の規定に適合しないこととなるものであるときは、第一号及び第二号に掲げる基準のほか、次に掲げる基準に適合していること。

イ　当該工事が地震に対する安全性の向上を図るため必要と認められるものであり、かつ、当該工事により、当該建築物が建築基準法第二十七条第二項の規定に適合しないこととなることがやむを得ないと認められるものであること。

ロ　次に掲げる基準に適合し、防火上及び避難上支障がないと認められるものであること。

(1)　工事の計画に係る柱、壁又ははりの構造が国土交通省令で定める防火上の基準に適合していること。

(2)　工事の計画に係る柱、壁又ははりに係る火災が発生した場合の通報の方法が国土交通省令で定める防火上の基準に適合していること。

五　第一項の申請に係る建築物が既存耐震不適格建築物である場合において、当該建築物について増築をすることにより当該建築物が建築物の容積率（延べ面積の敷地面積に対する割合をいう。）に係る建築基準法又はこれに基づく命令若しくは条例の規定（イ及び第八項において「容積率関係規定」という。）に適合しないこととなるものであるときは、第一号及び第二号に掲げる基準のほか、次に掲げる基準に適合していること。

イ　当該工事が地震に対する安全性の向上を図るため必要と認められるものであり、かつ、当該工事により、当該建築物が容積率関係規定に適合しないこととなることがやむを得ないと認められるものであること。

ロ　工事の計画に係る建築物について、交通上、安全上、防火上及び衛生上支障がないと認められるものであること。

六　第一項の申請に係る建築物が既存耐震不適格建築物である場合において、当該建築物について増築をすることにより当該建築物が建築物の建蔽率（建築面積の敷地面積に対する割合をいう。）に係る建築基準法又はこれに基づく命令若しくは条例の規定（イ及び第九項において「建蔽率関係規定」という。）に適合しないこととなるものであるときは、第一号及び第二号に掲げる基準のほか、次に掲げる基準に適合していること。

イ　当該工事が地震に対する安全性の向上を図るため必要と認められるものであり、かつ、当該工事により、当該建築物が建蔽率関係規定に適合しないこととなることがやむを得ないと認められるものであること。

ロ　工事の計画に係る建築物について、交通上、安全上、防火上及び衛生上支障がないと認められるものであること。

4　第一項の申請に係る建築物の耐震改修の計画が建築基準法第六条第一項の規定による確認又は同法第十八条第二項の規定による通知を要するものである場合において、計画の認定をしようとするときは、所管行政庁は、あらかじめ、建築主事又は建築副主事の同意を得なければならない。

5　建築基準法第九十三条の規定は所管行政庁が同法第六条第一項の規定による確認又は同法第十八条第二項の規定による通知を要する建築物の耐震改修の計画について計画の認定をしようとする場合について、同法第九十三条の二の規定は所管行政庁が同法第六条第一項の規定による確認を要する建築物の耐震改修の計画について計画の認定をしようとする場合について準用する。

6　所管行政庁が計画の認定をしたときは、次に掲げる建築物、建築物の敷地又は建築物若しくはその敷地の部分（以下この項において「建築物等」

という。）については、建築基準法第三条第三項第三号及び第四号の規定にかかわらず、同条第二項の規定を適用する。

一　耐震関係規定に適合せず、かつ、建築基準法第三条第二項の規定の適用を受けている建築物等であって、第三項第一号の国土交通大臣が定める基準に適合しているものとして計画の認定を受けたもの

二　計画の認定に係る第三項第三号の建築物等

7　所管行政庁が計画の認定をしたときは、計画の認定に係る第三項第四号の建築物については、建築基準法第二十七条第二項の規定は、適用しない。

8　所管行政庁が計画の認定をしたときは、計画の認定に係る第三項第五号の建築物については、容積率関係規定は、適用しない。

9　所管行政庁が計画の認定をしたときは、計画の認定に係る第三項第六号の建築物については、建蔽率関係規定は、適用しない。

10　第一項の申請に係る建築物の耐震改修の計画が建築基準法第六条第一項の規定による確認又は同法第十八条第二項の規定による通知を要するものである場合において、所管行政庁が計画の認定をしたときは、同法第六条第一項又は第十八条第三項の規定による確認済証の交付があったものとみなす。この場合において、所管行政庁は、その旨を建築主事又は建築副主事に通知するものとする。

（計画の変更）

第一八条　計画の認定を受けた者（第二十八条第一項及び第三項を除き、以下「認定事業者」という。）は、当該計画の認定を受けた計画の変更（国土交通省令で定める軽微な変更を除く。）をしようとするときは、所管行政庁の認定を受けなければならない。

2　前条の規定は、前項の場合について準用する。

（計画認定建築物に係る報告の徴収）

第一九条　所管行政庁は、認定事業者に対し、計画の認定を受けた計画（前条第一項の規定による変更の認定があったときは、その変更後のもの。次条において同じ。）に係る建築物（以下「計画認定建築物」という。）の耐震改修の状況について報告を求めることができる。

（改善命令）

第二〇条　所管行政庁は、認定事業者が計画の認定を受けた計画に従って計画認定建築物の耐震改修を行っていないと認めるときは、当該認定事業者に対し、相当の期限を定めて、その改善に必要な措置をとるべきことを命ずることができる。

（計画の認定の取消し）

第二一条　所管行政庁は、認定事業者が前条の規定による処分に違反したときは、計画の認定を取り消すことができる。

第五章　建築物の地震に対する安全性に係る認定等

（建築物の地震に対する安全性に係る認定）

第二二条　建築物の所有者は、国土交通省令で定めるところにより、所管行政庁に対し、当該建築物について地震に対する安全性に係る基準に適合している旨の認定を申請することができる。

2　所管行政庁は、前項の申請があった場合において、当該申請に係る建築物が耐震関係規定又は地震に対する安全上これに準ずるものとして国土交通大臣が定める基準に適合していると認めるときは、その旨の認定をすることができる。

3　前項の認定を受けた者は、同項の認定を受けた建築物（以下「基準適合認定建築物」という。）、その敷地又はその利用に関する広告その他の国土交通省令で定めるもの（次項において「広告等」という。）に、国土交通省令で定めるところにより、当該基準適合認定建築物が前項の認定を受けている旨の表示を付することができる。

4　何人も、前項の規定による場合を除くほか、建築物、その敷地又はその利用に関する広告等に、同項の表示又はこれと紛らわしい表示を付してはならない。

（基準適合認定建築物に係る認定の取消し）

第二三条　所管行政庁は、基準適合認定建築物が前条第二項の基準に適合しなくなったと認めるときは、同項の認定を取り消すことができる。

（基準適合認定建築物に係る報告、検査等）

第二四条　所管行政庁は、前条の規定の施行に必要な限度において、政令で定めるところにより、第二十二条第二項の認定を受けた者に対し、基準適合認定建築物の地震に対する安全性に係る事項に関し報告させ、又はその職員に、基準適合認定建築物、基準適合認定建築物の敷地若しくは基準適合認定建築物の工事現場に立ち入り、基準適合認定建築物、基準適合認定建築物の敷地、建築設備、建築材料、書類その他の物件を検査させることができる。

2　第十三条第一項ただし書、第二項及び第三項の規定は、前項の規定による立入検査について準用する。

第六章　区分所有建築物の耐震改修の必要性に係る認定等

（区分所有建築物の耐震改修の必要性に係る認定）

第二五条　耐震診断が行われた区分所有建築物（二以上の区分所有者（建物の区分所有等に関する法律（昭和三十七年法律第六十九号）第二条第二項に規定する区分所有者をいう。以下同じ。）が存する建築物をいう。以下同じ。）の管理者等（同法第二十五条第一項の規定により選任された管理者（管理者がないときは、同法第三十四条の規定による集会において指定された区分所有者）又は同法第四十九条第一項の規定により置かれた理事をいう。）は、国土交通省令で定めるところにより、所管行政庁に対し、当該区分所有建築物について耐震改修を行う必要がある旨の認定を申請することができる。

2　所管行政庁は、前項の申請があった場合において、当該申請に係る区分所有建築物が地震に対する安全上耐震関係規定に準ずるものとして国土交通大臣が定める基準に適合していないと認めるときは、その旨の認定をすることができる。

3　前項の認定を受けた区分所有建築物（以下「要耐震改修認定建築物」という。）の耐震改修が建物の区分所有等に関する法律第十七条第一項に規定する共用部分の変更に該当する場合における同項の規定の適用については、同項中「区分所有者及び議決権の各四分の三以上の多数による集会の決議」とあるのは「集会の決議」とし、同項ただし書の規定は、適用しない。

（要耐震改修認定建築物の区分所有者の耐震改修の努力）

第二六条　要耐震改修認定建築物の区分所有者は、当該要耐震改修認定建築物について耐震改修を行うよう努めなければならない。

（要耐震改修認定建築物の耐震改修に係る指導及び助言並びに指示等）

第二七条　所管行政庁は、要耐震改修認定建築物の区分所有者に対し、技術指針事項を勘案して、要耐震改修認定建築物の耐震改修について必要な指導及び助言をすることができる。

2　所管行政庁は、要耐震改修認定建築物について必要な耐震改修が行われていないと認めるときは、要耐震改修認定建築物の区分所有者に対し、技術指針事項を勘案して、必要な指示をすることができる。

3　所管行政庁は、前項の規定による指示を受けた要耐震改修認定建築物の区分所有者が、正当な理由がなく、その指示に従わなかったときは、その旨を公表することができる。

4　所管行政庁は、前二項の規定の施行に必要な限度において、政令で定めるところにより、要耐震改修認定建築物の区分所有者に対し、要耐震改修認定建築物の地震に対する安全性に係る事項に関し報告させ、又はその職員に、要耐震改修認定建築物、要耐震改修認定建築物の敷地若しくは要耐震改修認定建築物の工事現場に立ち入り、要耐震改修認定建築物、要耐震改修認定建築物の敷地、建築設備、建築材料、書類その他の物件を検査させることができる。

5　第十三条第一項ただし書、第二項及び第三項の規定は、前項の規定による立入検査について準用する。

第七章　建築物の耐震改修に係る特例

（特定優良賃貸住宅の入居者の資格に係る認定の基準の特例）

第二八条　第五条第三項第四号の規定により都道府県耐震改修促進計画に特定優良賃貸住宅の特定入居者に対する賃貸に関する事項を記載した都道府県の区域内において、特定優良賃貸住宅法第五条第一項に規定する認定事業者は、特定優良賃貸住宅の全部又は一部について特定優良賃貸住宅法第三条第四号に規定する資格を有する入居者を国土交通省令で定める期間以上確保することができないときは、特定優良賃貸住宅法の規定にかかわらず、都道府県知事（市の区域内にあっては、当該市の長。第三項において同じ。）の承認を受けて、その全部又は一部を特定入居者に賃貸すること

ができる。

２　前項の規定により特定優良賃貸住宅の全部又は一部を賃貸する場合においては、当該賃借を、借地借家法（平成三年法律第九十号）第三十八条第一項の規定による建物の賃貸借（国土交通省令で定める期間を上回らない期間を定めたものに限る。）としなければならない。

３　特定優良賃貸住宅法第五条第一項に規定する認定事業者が第一項の規定による都道府県知事の承認を受けた場合における特定優良賃貸住宅法第十一条第一項の規定の適用については、同項中「処分」とあるのは、「処分又は建築物の耐震改修の促進に関する法律（平成七年法律第百二十三号）第二十八条第二項の規定」とする。

（機構の業務の特例）

第二九条　第五条第三項第五号の規定により都道府県耐震改修促進計画に機構による建築物の耐震診断及び耐震改修の実施に関する事項を記載した都道府県の区域内において、機構は、独立行政法人都市再生機構法（平成十五年法律第百号）第十一条に規定する業務のほか、委託に基づき、政令で定める建築物（同条第三項第二号の住宅又は同項第四号の施設であるものに限る。）の耐震診断及び耐震改修の業務を行うことができる。

（公社の業務の特例）

第三〇条　第五条第三項第五号の規定により都道府県耐震改修促進計画に公社による建築物の耐震診断及び耐震改修の実施に関する事項を記載した都道府県の区域内において、公社は、地方住宅供給公社法（昭和四十年法律第百二十四号）第二十一条に規定する業務のほか、委託により、住宅の耐震診断及び耐震改修並びに市街地において自ら又は委託により行った住宅の建設と一体として建設した商店、事務所等の用に供する建築物及び集団住宅の存する団地の居住者の利便に供する建築物の耐震診断及び耐震改修の業務を行うことができる。

２　前項の規定により公社の業務が行われる場合には、地方住宅供給公社法第四十九条第三号中「第二十一条に規定する業務」とあるのは、「第二十一条に規定する業務及び建築物の耐震改修の促進に関する法律（平成七年法律第百二十三号）第三十条第一項に規定する業務」とする。

（独立行政法人住宅金融支援機構の資金の貸付けについての配慮）

第三一条　独立行政法人住宅金融支援機構は、法令及びその事業計画の範囲内において、計画認定建築物である住宅の耐震改修が円滑に行われるよう、必要な資金の貸付けについて配慮するものとする。

第八章　耐震改修支援センター

（耐震改修支援センター）

第三二条　国土交通大臣は、建築物の耐震診断及び耐震改修の実施を支援することを目的とする一般社団法人又は一般財団法人その他営利を目的としない法人であって、第三十四条に規定する業務（以下「支援業務」という。）に関し次に掲げる基準に適合すると認められるものを、その申請により、耐震改修支援センター（以下「センター」という。）として指定することができる。

一　職員、支援業務の実施の方法その他の事項についての支援業務の実施に関する計画が、支援業務の適確な実施のために適切なものであること。

二　前号の支援業務の実施に関する計画を適確に実施するに足りる経理的及び技術的な基礎を有するものであること。

三　役員又は職員の構成が、支援業務の公正な実施に支障を及ぼすおそれがないものであること。

四　支援業務以外の業務を行っている場合には、その業務を行うことによって支援業務の公正な実施に支障を及ぼすおそれがないものであること。

五　前各号に定めるもののほか、支援業務を公正かつ適確に行うことができるものであること。

（指定の公示等）

第三三条　国土交通大臣は、前条の規定による指定（以下単に「指定」という。）をしたときは、センターの名称及び住所並びに支援業務を行う事務所の所在地を公示しなければならない。

２　センターは、その名称若しくは住所又は支援業務を行う事務所の所在地を変更しようとするときは、変更しようとする日の二週間前までに、その旨を国土交通大臣に届け出なければならない。

３　国土交通大臣は、前項の規定による届出があったときは、その旨を公示しなければならない。

（業務）

第三四条　センターは、次に掲げる業務を行うものとする。

一　認定事業者が行う計画認定建築物である要安全確認計画記載建築物及び特定既存耐震不適格建築物の耐震改修に必要な資金の貸付けを行った国土交通省令で定める金融機関の要請に基づき、当該貸付けに係る債務の保証をすること。

二　建築物の耐震診断及び耐震改修に関する情報及び資料の収集、整理及び提供を行うこと。

三　建築物の耐震診断及び耐震改修に関する調査及び研究を行うこと。

四　前三号に掲げる業務に附帯する業務を行うこと。

（業務の委託）

第三五条　センターは、国土交通大臣の認可を受けて、前条第一号に掲げる業務（以下「債務保証業務」という。）のうち債務の保証の決定以外の業務の全部又は一部を金融機関その他の者に委託することができる。

２　金融機関は、他の法律の規定にかかわらず、前項の規定による委託を受け、当該業務を行うことができる。

（債務保証業務規程）

第三六条　センターは、債務保証業務に関する規程（以下「債務保証業務規程」という。）を定め、国土交通大臣の認可を受けなければならない。これを変更しようとするときも、同様とする。

２　債務保証業務規程で定めるべき事項は、国土交通省令で定める。

３　国土交通大臣は、第一項の認可をした債務保証業務規程が債務保証業務の公正かつ適確な実施上不適当となったと認めるときは、その債務保証業務規程を変更すべきことを命ずることができる。

（事業計画等）

第三七条　センターは、毎事業年度、国土交通省令で定めるところにより、支援業務に係る事業計画及び収支予算を作成し、当該事業年度の開始前に（指定を受けた日の属する事業年度にあっては、その指定を受けた後遅滞なく）、国土交通大臣の認可を受けなければならない。これを変更しようとするときも、同様とする。

２　センターは、毎事業年度、国土交通省令で定めるところにより、支援業務に係る事業報告書及び収支決算書を作成し、当該事業年度経過後三月以内に、国土交通大臣に提出しなければならない。

（区分経理）

第三八条　センターは、国土交通省令で定めるところにより、次に掲げる業務ごとに経理を区分して整理しなければならない。

一　債務保証業務及びこれに附帯する業務

二　第三十四条第二号及び第三号に掲げる業務並びにこれらに附帯する業務

（帳簿の備付け等）

第三九条　センターは、国土交通省令で定めるところにより、支援業務に関する事項で国土交通省令で定めるものを記載した帳簿を備え付け、これを保存しなければならない。

２　前項に定めるもののほか、センターは、国土交通省令で定めるところにより、支援業務に関する書類で国土交通省令で定めるものを保存しなければならない。

（監督命令）

第四〇条　国土交通大臣は、支援業務の公正かつ適確な実施を確保するため必要があると認めるときは、センターに対し、支援業務に関し監督上必要な命令をすることができる。

（センターに係る報告、検査等）

第四一条　国土交通大臣は、支援業務の公正かつ適確な実施を確保するため必要があると認めるときは、センターに対し支援業務若しくは資産の状況に関し必要な報告を求め、又はその職員に、センターの事務所に立ち入り、支援業務の状況若しくは帳簿、書類その他の物件を検査させ、若しくは関係者に質問させることができる。

２　前項の規定により立入検査をする職員は、その身分を示す証明書を携帯し、関係者に提示しなければならない。

３　第一項の規定による立入検査の権限は、犯罪捜査のために認められたものと解釈してはならない。

（指定の取消し等）

第四二条　国土交通大臣は、センターが次の各号のいずれかに該当するときは、その指定を取り消すことができる。

一　第三十三条第二項又は第三十七条から第三十九条までの規定のいずれかに違反したとき。

二　第三十六条第一項の認可を受けた債務保証業務規程によらないで債務保証業務を行ったとき。

三　第三十六条第三項又は第四十条の規定による命令に違反したとき。

四　第三十二条各号に掲げる基準に適合していないと認めるとき。

五　センター又はその役員が、支援業務に関し著しく不適当な行為をしたとき。

六　不正な手段により指定を受けたとき。

2　国土交通大臣は、前項の規定により指定を取り消したときは、その旨を公示しなければならない。

第九章　罰則

第四三条　第八条第一項の規定による命令に違反した者は、百万円以下の罰金に処する。

第四四条　第十三条第一項、第十五条第四項又は第二十七条第四項の規定による報告をせず、若しくは虚偽の報告をし、又はこれらの規定による検査を拒み、妨げ、若しくは忌避した者は、五十万円以下の罰金に処する。

第四五条　次の各号のいずれかに該当する者は、三十万円以下の罰金に処する。

一　第十九条、第二十四条第一項又は第四十一条第一項の規定による報告をせず、又は虚偽の報告をした者

二　第二十二条第四項の規定に違反して、表示を付した者

三　第二十四条第一項又は第四十一条第一項の規定による検査を拒み、妨げ、又は忌避した者

四　第三十九条第一項の規定に違反して、帳簿を備え付けず、帳簿に記載せず、若しくは帳簿に虚偽の記載をし、又は帳簿を保存しなかった者

五　第三十九条第二項の規定に違反した者

六　第四十一条第一項の規定による質問に対して答弁せず、又は虚偽の答弁をした者

第四六条　法人の代表者又は法人若しくは人の代理人、使用人その他の従業者が、その法人又は人の業務に関し、前三条の違反行為をしたときは、行為者を罰するほか、その法人又は人に対しても各本条の刑を科する。

附　則　〔抄〕

（施行期日）

第一条　この法律は、公布の日から起算して三月を超えない範囲内において政令で定める日から施行する。

〔平成七政四二八により、平成七・一二・二五から施行〕

（機構の業務の特例に係る委託契約を締結する期限）

第二条　第二十九条の規定により機構が委託に基づき行う業務は、当該委託に係る契約が平成二十七年十二月三十一日までに締結される場合に限り行うことができる。

（要緊急安全確認大規模建築物の所有者の義務等）

第三条　次に掲げる既存耐震不適格建築物であって、その地震に対する安全性を緊急に確かめる必要がある大規模なものとして政令で定めるもの（要安全確認計画記載建築物であって当該要安全確認計画記載建築物に係る第七条各号に定める期限が平成二十七年十二月三十日以前であるものを除く。以下この条において「要緊急安全確認大規模建築物」という。）の所有者は、当該要緊急安全確認大規模建築物について、国土交通省令で定めるところにより、耐震診断を行い、その結果を同月三十一日までに所管行政庁に報告しなければならない。

一　病院、劇場、観覧場、集会場、展示場、百貨店その他不特定かつ多数の者が利用する既存耐震不適格建築物

二　小学校、老人ホームその他地震の際の避難確保上特に配慮を要する者が主として利用する既存耐震不適格建築物

三　第十四条第二号に掲げる建築物である既存耐震不適格建築物

2　第七条から第十三条までの規定は要安全確認計画記載建築物である要緊急安全確認大規模建築物であるものについて、第十四条及び第十五条の規定は要緊急安全確認大規模建築物については、適用しない。

3　第八条、第九条及び第十一条から第十三条までの規定は、要緊急安全確認大規模建築物について準用する。この場合において、第八条第一項中「前条」とあり、並びに第九条及び第十三条第一項中「第七条」とあるのは「附則第三条第一項」と、第九条中「前条第三項」とあるのは「同条第三項において準用する前条第三項」と、第十三条第一項中「第八条第一項」とあるのは「附則第三条第三項において準用する第八条第一項」と読み替えるものとする。

4　前項において準用する第八条第一項の規定による命令に違反した者は、百万円以下の罰金に処する。

5　第三項において準用する第十三条第一項の規定による報告をせず、若しくは虚偽の報告をし、又は同項の規定による検査を拒み、妨げ、若しくは忌避した者は、五十万円以下の罰金に処する。

6　法人の代表者又は法人若しくは人の代理人、使用人その他の従業者が、その法人又は人の業務に関し、前二項の違反行為をしたときは、行為者を罰するほか、その法人又は人に対しても当該各項の刑を科する。

附　則　〔略〕〔平成八・三・三一法律二一〕

附　則　〔抄〕〔平成九・三・三一法律二六〕

（施行期日）

1　この法律は、平成九年四月一日から施行する。〔以下略〕

（経過措置）

2　住宅金融公庫の貸付金の利率及び償還期間に関しては、〔中略〕第四条の規定による改正後の建築物の耐震改修の促進に関する法律第十条の規定は、住宅金融公庫が平成九年四月一日以後に資金の貸付けの申込みを受理したものから適用するものとし、住宅金融公庫が同日前に資金の貸付けの申込みを受理したものについては、なお従前の例による。

附　則　〔略〕〔平成一一・一二・二二法律一六〇〕

附　則　〔略〕〔平成一七・七・六法律八二〕

附　則　〔抄〕〔平成一七・一一・七法律一二〇〕

（施行期日）

第一条　この法律は、公布の日から起算して三月を超えない範囲内において政令で定める日から施行する。

〔平成一八政七により、平成一八・一・二六から施行〕

（処分、手続等に関する経過措置）

第二条　この法律による改正前の建築物の耐震改修の促進に関する法律（次項において「旧法」という。）の規定によってした処分、手続その他の行為であって、この法律による改正後の建築物の耐震改修の促進に関する法律（以下「新法」という。）の規定に相当の規定があるものは、これらの規定によってした処分、手続その他の行為とみなす。

2　新法第八条及び第九条の規定は、この法律の施行後に新法第八条第一項又は第九条第一項の規定により申請があった認定の手続について適用し、この法律の施行前に旧法第五条第一項又は第六条第一項の規定により申請があった認定の手続については、なお従前の例による。

（罰則に関する経過措置）

第三条　この法律の施行前にした行為に対する罰則の適用については、なお従前の例による。

（政令への委任）

第四条　前二条に定めるもののほか、この法律の施行に関して必要な経過措置は、政令で定める。

（検討）

第五条　政府は、この法律の施行後五年を経過した場合において、新法の施行の状況について検討を加え、必要があると認めるときは、その結果に基づいて所要の措置を講ずるものとする。

附　則　〔略〕〔平成一八・六・二法律五〇〕

附　則　〔抄〕〔平成二三・八・三〇法律一〇五〕

（施行期日）

第一条　この法律は、公布の日から施行する。〔以下略〕

（罰則に関する経過措置）

第八一条　この法律（附則第一条各号に掲げる規定にあっては、当該規定。以下この条において同じ。）の施行前にした行為及びこの附則の規定によりなお従前の例によることとされる場合におけるこの法律の施行後にした行為に対する罰則の適用については、なお従前の例による。

（政令への委任）

第八二条　この附則に規定するもののほか、この法律の施行に関し必要な経過措置（罰則に関する経過措置を含む。）は、政令で定める。

附　則　〔抄〕〔平成二五・五・二九法律二〇〕

（施行期日）

第一条　この法律は、公布の日から起算して六月を超えない範囲内において政令で定める日から施行する。

〔平成二五政二九三により、平成二五・一一・二五から施行〕

（処分、手続等に関する経過措置）

第二条　この法律による改正前の建築物の耐震改修の促進に関する法律の規定によってした処分、手続その他の行為であって、この法律による改正後の建築物の耐震改修の促進に関する法律（附則第四条において「新法」という。）の規定に相当の規定があるものは、これらの規定によってした処分、手続その他の行為とみなす。

（政令への委任）

第三条　前条に定めるもののほか、この法律の施行に関して必要な経過措置は、政令で定める。

（検討）

第四条　政府は、この法律の施行後五年を経過した場合において、新法の施行の状況について検討を加え、必要があると認めるときは、その結果に基づいて所要の措置を講ずるものとする。

附　則〔略〕〔平成二六・六・四法律五四〕

附　則〔略〕〔平成三〇・六・二七法律六七〕

附　則〔抄〕〔令和五・六・一六法律五八〕

（施行期日）

第一条　この法律〔中略〕は、当該各号に定める日〔令和六・四・一〕から施行する。

○建築物の耐震改修の促進に関する法律施行令

〔平成七・一二・二二 政令四二九〕

改正　平成八・三政八七、平成九・八政二七四、平成一一・一政五、一〇政三一二、一一政三五二、平成一六・六政二一〇、平成一八・一政八、九政三二〇、平成一九・三政五五、八政二三五、平成二五・一〇政二九四、平成二六・一二政四一二、平成二七・一政一一、一二政四二一、平成二八・二政四三、平成二九・三政四〇、平成三〇・一一政三二三、令和五・九政二九三

注　［　　］の部分は、令和六年四月一九日政令第一七二号により改正され、令和七年四月一日から施行

（都道府県知事が所管行政庁となる建築物）

第一条　建築物の耐震改修の促進に関する法律（以下「法」という。）第二条第三項ただし書の政令で定める建築物のうち建築基準法（昭和二十五年法律第二百一号）第九十七条の二第一項又は第二項の規定により建築主事又は建築副主事を置く市町村の区域内のものは、同法第六条第一項第四号に掲げる建築物（その新築、改築、増築、移転又は用途の変更に関して、法律並びにこれに基づく命令及び条例の規定により都道府県知事の許可を必要とするものを除く。）以外の建築物とする。

［**第一条**　建築物の耐震改修の促進に関する法律（以下「法」という。）第二条第三項ただし書の政令で定める建築物のうち建築基準法（昭和二十五年法律第二百一号）第九十七条の二第一項又は第二項の規定により建築主事又は建築副主事を置く市町村の区域内のものは、建築基準法施行令（昭和二十五年政令第三百三十八号）第百四十八条第一項第一号又は第二号に掲げる建築物（その新築、改築、増築、移転又は用途の変更に関して、法律並びにこれに基づく命令及び条例の規定により都道府県知事の許可を必要とするものを除く。）以外の建築物とする。］

2　法第二条第三項ただし書の政令で定める建築物のうち建築基準法第九十七条の三第一項又は第二項の規定により建築主事又は建築副主事を置く特別区の区域内のものは、次に掲げる建築物（第二号に掲げる建築物にあっては、地方自治法（昭和二十二年法律第六十七号）第二百五十二条の十七の二第一項の規定により同号に規定する処分に関する事務を特別区が処理することとされた場合における当該建築物を除く。）とする。

一　延べ面積（建築基準法施行令（昭和二十五年政令第三百三十八号）第二条第一項第四号に規定する延べ面積をいう。）が一万平方メートルを超える建築物

［一　延べ面積（建築基準法施行令第二条第一項第四号に規定する延べ面積をいう。）が一万平方メートルを超える建築物］

二　その新築、改築、増築、移転又は用途の変更に関して、建築基準法第五十一条（同法第八十七条第二項及び第三項において準用する場合を含む。）（市町村都市計画審議会が置かれている特別区にあっては、卸売市場、と畜場及び産業廃棄物処理施設に係る部分に限る。）並びに同法以外の法律並びにこれに基づく命令及び条例の規定により都知事の許可を必要とする建築物

（都道府県耐震改修促進計画に記載することができる公益上必要な建築物）

第二条　法第五条第三項第一号の政令で定める公益上必要な建築物は、次に掲げる施設である建築物とする。

一　診療所

二　電気通信事業法（昭和五十九年法律第八十六号）第二条第四号に規定する電気通信事業の用に供する施設

三　電気事業法（昭和三十九年法律第百七十号）第二条第一項第十六号に規定する電気事業の用に供する施設

四　ガス事業法（昭和二十九年法律第五十一号）第二条第十一項に規定するガス事業の用に供する施設

五　液化石油ガスの保安の確保及び取引の適正化に関する法律（昭和四十二年法律第百四十九号）第二条第三項に規定する液化石油ガス販売事業の用に供する施設

六　水道法（昭和三十二年法律第百七十七号）第三条第二項に規定する水道事業又は同条第四項に規定する水道用水供給事業の用に供する施設

七　下水道法（昭和三十三年法律第七十九号）第二条第三号に規定する公共下水道又は同条第四号に規定する流域下水道の用に供する施設

八　熱供給事業法（昭和四十七年法律第八十八号）第二条第二項に規定する熱供給事業の用に供する施設

九　火葬場

十　汚物処理場

十一　廃棄物の処理及び清掃に関する法律施行令（昭和四十六年政令第三百号。次号において「廃棄物処理法施行令」という。）第五条第一項に規定するごみ処理施設

十二　廃棄物処理法施行令第七条第一号から第十三号の二までに掲げる産業廃棄物の処理施設（工場その他の建築物に附属するもので、当該建築物において生じた廃棄物のみの処理を行うものを除く。）

十三　鉄道事業法（昭和六十一年法律第九十二号）第二条第一項に規定する鉄道事業の用に供する施設

十四　軌道法（大正十年法律第七十六号）第一条第一項に規定する軌道の用に供する施設

十五　道路運送法（昭和二十六年法律第百八十三号）第三条第一号イに規定する一般乗合旅客自動車運送事業の用に供する施設

十六　貨物自動車運送事業法（平成元年法律第八十三号）第二条第二項に規定する一般貨物自動車運送事業の用に供する施設
十七　自動車ターミナル法（昭和三十四年法律第百三十六号）第二条第八項に規定する自動車ターミナル事業の用に供する施設
十八　港湾法（昭和二十五年法律第二百十八号）第二条第五項に規定する港湾施設
十九　空港法（昭和三十一年法律第八十号）第二条に規定する空港の用に供する施設
二十　放送法（昭和二十五年法律第百三十二号）第二条第二号に規定する基幹放送の用に供する施設
二十一　工業用水道事業法（昭和三十三年法律第八十四号）第二条第四項に規定する工業用水道事業の用に供する施設
二十二　災害対策基本法（昭和三十六年法律第二百二十三号）第二条第十号に規定する地域防災計画において災害応急対策に必要な施設として定められたものその他これに準ずるものとして国土交通省令で定めるもの

（耐震不明建築物の要件）

第三条　法第五条第三項第一号の政令で定めるその地震に対する安全性が明らかでない建築物は、昭和五十六年五月三十一日以前に新築の工事に着手したものとする。ただし、同年六月一日以後に増築、改築、大規模の修繕又は大規模の模様替の工事（次に掲げるものを除く。）に着手し、建築基準法第七条第五項、第七条の二第五項又は第十八条第十八項の規定による検査済証の交付（以下この条において単に「検査済証の交付」という。）を受けたもの（建築基準法施行令第百三十七条の十四第一号に定める建築物の部分（以下この条において「独立部分」という。）が二以上ある建築物にあっては、当該二以上の独立部分の全部について同日以後にこれらの工事に着手し、検査済証の交付を受けたものに限る。）を除く。
一　建築基準法第八十六条の八第一項の規定による認定を受けた全体計画に係る二以上の工事のうち最後の工事以外の増築、改築、大規模の修繕又は大規模の模様替の工事
二　建築基準法施行令第百三十七条の二第三号に掲げる範囲内の増築又は改築の工事であって、増築又は改築後の建築物の構造方法が同号イに適合するもの
三　建築基準法施行令第百三十七条の十二第一項に規定する範囲内の大規模の修繕又は大規模の模様替の工事

（通行障害建築物の要件）

第四条　法第五条第三項第二号の政令で定める建築物は、次に掲げるものとする。
一　そのいずれかの部分の高さが、当該部分から前面道路の境界線までの水平距離に、次のイ又はロに掲げる場合の区分に応じ、それぞれ当該イ又はロに定める距離（これによることが不適当である場合として国土交通省令で定める場合においては、当該前面道路の幅員が十二メートル以下のときは六メートルを超える範囲において、当該前面道路の幅員が十二メートルを超えるときは六メートル以上の範囲において、国土交通省令で定める距離）を加えた数値を超える建築物（次号に掲げるものを除く。）
イ　当該前面道路の幅員が十二メートル以下の場合　六メートル
ロ　当該前面道路の幅員が十二メートルを超える場合　当該前面道路の幅員の二分の一に相当する距離
二　その前面道路に面する部分の長さが二十五メートル（これによることが不適当である場合として国土交通省令で定める場合においては、八メートル以上二十五メートル未満の範囲において国土交通省令で定める長さ）を超え、かつ、その前面道路に面する部分のいずれかの高さが、当該部分から当該前面道路の境界線までの水平距離に当該前面道路の幅員の二分の一に相当する距離（これによることが不適当である場合として国土交通省令で定める場合においては、二メートル以上の範囲において国土交通省令で定める距離）を加えた数値を二・五で除して得た数値を超える組積造の塀であって、建物（土地に定着する工作物のうち屋根及び柱又は壁を有するもの（これに類する構造のものを含む。）をいう。）に附属するもの

（要安全確認計画記載建築物に係る報告及び立入検査）

第五条　所管行政庁は、法第十三条第一項の規定により、要安全確認計画記載建築物の所有者に対し、当該要安全確認計画記載建築物につき、当該要安全確認計画記載建築物の設計及び施工並びに構造の状況に係る事項のうち地震に対する安全性に係るもの並びに当該要安全確認計画記載建築物の耐震診断及び耐震改修の状況（法第七条の規定による報告の対象となる事項を除く。）に関し報告させることができる。
2　所管行政庁は、法第十三条第一項の規定により、その職員に、要安全確認計画記載建築物、要安全確認計画記載建築物の敷地又は要安全確認計画記載建築物の工事現場に立ち入り、当該要安全確認計画記載建築物並びに当該要安全確認計画記載建築物の敷地、建築設備、建築材料及び設計図書その他の関係書類を検査させることができる。

（多数の者が利用する特定既存耐震不適格建築物の要件）

第六条　法第十四条第一号の政令で定める建築物は、次に掲げるものとする。
一　ボーリング場、スケート場、水泳場その他これらに類する運動施設
二　診療所
三　映画館又は演芸場
四　公会堂
五　卸売市場又はマーケットその他の物品販売業を営む店舗
六　ホテル又は旅館
七　賃貸住宅（共同住宅に限る。）、寄宿舎又は下宿
八　老人短期入所施設、保育所、福祉ホームその他これらに類するもの
九　老人福祉センター、児童厚生施設、身体障害者福祉センターその他これらに類するもの
十　博物館、美術館又は図書館
十一　遊技場
十二　公衆浴場
十三　飲食店、キャバレー、料理店、ナイトクラブ、ダンスホールその他これらに類するもの
十四　理髪店、質屋、貸衣装屋、銀行その他これらに類するサービス業を営む店舗
十五　工場
十六　車両の停車場又は船舶若しくは航空機の発着場を構成する建築物で旅客の乗降又は待合いの用に供するもの
十七　自動車車庫その他の自動車又は自転車の停留又は駐車のための施設
十八　保健所、税務署その他これらに類する公益上必要な建築物
2　法第十四条第一号の政令で定める規模は、次の各号に掲げる建築物の区分に応じ、それぞれ当該各号に定める階数及び床面積の合計（当該各号に掲げる建築物の用途に供する部分の床面積の合計をいう。以下この項において同じ。）とする。
一　幼稚園、幼保連携型認定こども園又は保育所　階数二及び床面積の合計五百平方メートル
二　小学校、中学校、義務教育学校、中等教育学校の前期課程若しくは特別支援学校（以下「小学校等」という。）、老人ホーム又は前項第八号若しくは第九号に掲げる建築物（保育所を除く。）　階数二及び床面積の合計千平方メートル
三　学校（幼稚園、小学校等及び幼保連携型認定こども園を除く。）、病院、劇場、観覧場、集会場、展示場、百貨店、事務所又は前項第一号から第七号まで若しくは第十号から第十八号までに掲げる建築物　階数三及び床面積の合計千平方メートル
四　体育館　階数一及び床面積の合計千平方メートル
3　前項各号のうち二以上の号に掲げる建築物の用途を兼ねる場合における法第十四条第一号の政令で定める規模は、同項の規定にかかわらず、同項各号に掲げる建築物の区分に応じ、それぞれ当該各号に定める階数及び床面積の合計に相当するものとして国土交通省令で定める階数及び床面積の合計とする。

（危険物の貯蔵場等の用途に供する特定既存耐震不適格建築物の要件）

第七条　法第十四条第二号の政令で定める危険物は、次に掲げるものとする。
一　消防法（昭和二十三年法律第百八十六号）第二条第七項に規定する危険物（石油類を除く。）
二　危険物の規制に関する政令（昭和三十四年政令第三百六号）別表第四備考第六号に規定する可燃性固体類又は同表備考第八号に規定する可燃性液体類
三　マッチ
四　可燃性のガス（次号及び第六号に掲げるものを除く。）
五　圧縮ガス
六　液化ガス
七　毒物及び劇物取締法（昭和二十五年法律第三百三号）第二条第一項に規定する毒物又は同条第二項に規定する劇物（液体又は気体のものに限る。）

2　法第十四条第二号の政令で定める数量は、次の各号に掲げる危険物の区分に応じ、それぞれ当該各号に定める数量（第六号及び第七号に掲げる危険物にあつては、温度が零度で圧力が一気圧の状態における数量とする。）とする。

一　火薬類　次に掲げる火薬類の区分に応じ、それぞれに定める数量

イ　火薬　十トン

ロ　爆薬　五トン

ハ　工業雷管若しくは電気雷管又は信号雷管　五十万個

ニ　銃用雷管　五百万個

ホ　実包若しくは空包、信管若しくは火管又は電気導火線　五万個

ヘ　導爆線又は導火線　五百キロメートル

ト　信号炎管若しくは信号火箭又は煙火　二トン

チ　その他の火薬又は爆薬を使用した火工品　当該火工品の原料となる火薬又は爆薬の区分に応じ、それぞれイ又はロに定める数量

二　消防法第二条第七項に規定する危険物　危険物の規制に関する政令別表第三の類別の欄に掲げる類、品名の欄に掲げる品名及び性質の欄に掲げる性状に応じ、それぞれ同表の指定数量の欄に定める数量の十倍の数量

三　危険物の規制に関する政令別表第四備考第六号に規定する可燃性固体類　三十トン

四　危険物の規制に関する政令別表第四備考第八号に規定する可燃性液体類　二十立方メートル

五　マッチ　三百マッチトン

六　可燃性のガス（次号及び第八号に掲げるものを除く。）　二万立方メートル

七　圧縮ガス　二十万立方メートル

八　液化ガス　二千トン

九　毒物及び劇物取締法第二条第一項に規定する毒物（液体又は気体のものに限る。）　二十トン

十　毒物及び劇物取締法第二条第二項に規定する劇物（液体又は気体のものに限る。）　二百トン

3　前項各号に掲げる危険物の二種類以上を貯蔵し、又は処理しようとする場合においては、同項各号に定める数量は、貯蔵し、又は処理しようとする同項各号に掲げる危険物の数量の数値をそれぞれ当該各号に定める数量の数値で除し、それらの商を加えた数値が一である場合の数量とする。

（所管行政庁による指示の対象となる特定既存耐震不適格建築物の要件）

第八条　法第十五条第二項の政令で定める特定既存耐震不適格建築物は、次に掲げる建築物である特定既存耐震不適格建築物とする。

一　体育館（一般公共の用に供されるものに限る。）、ボーリング場、スケート場、水泳場その他これらに類する運動施設

二　病院又は診療所

三　劇場、観覧場、映画館又は演芸場

四　集会場又は公会堂

五　展示場

六　百貨店、マーケットその他の物品販売業を営む店舗

七　ホテル又は旅館

八　老人福祉センター、児童厚生施設、身体障害者福祉センターその他これらに類するもの

九　博物館、美術館又は図書館

十　遊技場

十一　公衆浴場

十二　飲食店、キャバレー、料理店、ナイトクラブ、ダンスホールその他これらに類するもの

十三　理髪店、質屋、貸衣装屋、銀行その他これらに類するサービス業を営む店舗

十四　車両の停車場又は船舶若しくは航空機の発着場を構成する建築物で旅客の乗降又は待合いの用に供するもの

十五　自動車車庫その他の自動車又は自転車の停留又は駐車のための施設で、一般公共の用に供されるもの

十六　保健所、税務署その他これらに類する公益上必要な建築物

十七　幼稚園、小学校等又は幼保連携型認定こども園

十八　老人ホーム、老人短期入所施設、保育所、福祉ホームその他これらに類するもの

十九　法第十四条第二号に掲げる建築物

2　法第十五条第二項の政令で定める規模は、次の各号に掲げる建築物の区分に応じ、それぞれ当該各号に定める床面積の合計（当該各号に掲げる建築物の用途に供する部分の床面積の合計をいう。以下この項において同じ。）とする。

一　前項第一号から第十六号まで又は第十八号に掲げる建築物（保育所を除く。）　床面積の合計二千平方メートル

二　幼稚園、幼保連携型認定こども園又は保育所　床面積の合計七百五十平方メートル

三　小学校等　床面積の合計千五百平方メートル

四　前項第十九号に掲げる建築物　床面積の合計五百平方メートル

3　前項第一号から第三号までのうち二以上の号に掲げる建築物の用途を兼ねる場合における法第十五条第二項の政令で定める規模は、前項の規定にかかわらず、同項第一号から第三号までに掲げる建築物の区分に応じ、それぞれ同項第一号から第三号までに定める床面積の合計に相当するものとして国土交通省令で定める床面積の合計とする。

（特定既存耐震不適格建築物に係る報告及び立入検査）

第九条　所管行政庁は、法第十五条第四項の規定により、前条第一項の特定既存耐震不適格建築物で同条第二項に規定する規模以上のもの及び法第十五条第二項第四号に掲げる特定既存耐震不適格建築物の所有者に対し、これらの特定既存耐震不適格建築物につき、当該特定既存耐震不適格建築物の設計及び施工並びに構造の状況に係る事項のうち地震に対する安全性に係るもの並びに当該特定既存耐震不適格建築物の耐震診断及び耐震改修の状況に関し報告させることができる。

2　所管行政庁は、法第十五条第四項の規定により、その職員に、前条第一項の特定既存耐震不適格建築物で同条第二項に規定する規模以上のもの及び法第十五条第二項第四号に掲げる特定既存耐震不適格建築物、これらの特定既存耐震不適格建築物の敷地又はこれらの特定既存耐震不適格建築物の工事現場に立ち入り、当該特定既存耐震不適格建築物並びに当該特定既存耐震不適格建築物の敷地、建築設備、建築材料及び設計図書その他の関係書類を検査させることができる。

（基準適合認定建築物に係る報告及び立入検査）

第一〇条　所管行政庁は、法第二十四条第一項の規定により、法第二十二条第二項の認定を受けた者に対し、当該認定に係る基準適合認定建築物につき、当該基準適合認定建築物の設計及び施工並びに構造の状況に係る事項のうち地震に対する安全性に係るもの並びに当該基準適合認定建築物の耐震診断の状況に関し報告させることができる。

2　所管行政庁は、法第二十四条第一項の規定により、その職員に、基準適合認定建築物、基準適合認定建築物の敷地又は基準適合認定建築物の工事現場に立ち入り、当該基準適合認定建築物並びに当該基準適合認定建築物の敷地、建築設備、建築材料及び設計図書その他の関係書類を検査させることができる。

（要耐震改修認定建築物に係る報告及び立入検査）

第一一条　所管行政庁は、法第二十七条第四項の規定により、要耐震改修認定建築物の区分所有者に対し、当該要耐震改修認定建築物につき、当該要耐震改修認定建築物の設計及び施工並びに構造の状況に係る事項のうち地震に対する安全性に係るもの並びに当該要耐震改修認定建築物の耐震診断及び耐震改修の状況に関し報告させることができる。

2　所管行政庁は、法第二十七条第四項の規定により、その職員に、要耐震改修認定建築物、要耐震改修認定建築物の敷地又は要耐震改修認定建築物の工事現場に立ち入り、当該要耐震改修認定建築物並びに当該要耐震改修認定建築物の敷地、建築設備、建築材料及び設計図書その他の関係書類を検査させることができる。

（独立行政法人都市再生機構の業務の特例の対象となる建築物）

第一二条　法第二十九条の政令で定める建築物は、独立行政法人都市再生機構法（平成十五年法律第百号）第十一条第三項第二号の住宅（共同住宅又は長屋に限る。）又は同項第四号の施設である建築物とする。

附　則

（施行期日）

第一条　この政令は、法の施行の日（平成七年十二月二十五日）から施行する。

（地震に対する安全性を緊急に確かめる必要がある大規模な既存耐震不適格建築物の要件）

第二条　法附則第三条第一項の政令で定める既存耐震不適格建築物は、次の各号に掲げる要件のいずれにも該当するものとする。

一　第八条第一項各号に掲げる建築物であること。ただし、同項第十九号に掲げる建築物（地震による当該建築物の倒壊により当該建築物の敷地外に被害を及ぼすおそれが大きいものとして国土交通大臣が定める危険物を貯蔵し、又は処理しようとするものに限る。）にあっては、その外壁又はこれに代わる柱の面から敷地境界線までの距離が、当該危険物の区分に応じ、国土交通大臣が定める距離以下のものに限る。

二　次のイからヘまでに掲げる建築物の区分に応じ、それぞれ当該イからヘまでに定める階数及び床面積の合計（当該イからヘまでに掲げる建築物の用途に供する部分の床面積の合計をいう。以下この項において同じ。）以上のものであること。

イ　第八条第一項第一号から第七号まで又は第九号から第十六号までに掲げる建築物（体育館（一般公共の用に供されるものに限る。ロにおいて同じ。）を除く。）　階数三及び床面積の合計五千平方メートル

ロ　体育館　階数一及び床面積の合計五千平方メートル

ハ　第八条第一項第八号又は第十八号に掲げる建築物（保育所を除く。）　階数二及び床面積の合計五千平方メートル

ニ　幼稚園、幼保連携型認定こども園又は保育所　階数二及び床面積の合計千五百平方メートル

ホ　小学校等　階数二及び床面積の合計三千平方メートル

ヘ　第八条第一項第十九号に掲げる建築物　階数一及び床面積の合計五千平方メートル

三　第三条に規定する建築物であること。

2　前項第二号イからホまでのうち二以上に掲げる建築物の用途を兼ねる場合における法附則第三条第一項の政令で定める既存耐震不適格建築物は、同項の規定にかかわらず、同項第一号及び第三号に掲げる要件のほか、同項第二号イからホまでに掲げる建築物の区分に応じ、それぞれ同号イからホまでに定める階数及び床面積の合計以上のものであることに相当するものとして国土交通省令で定める要件に該当するものとする。

（要緊急安全確認大規模建築物に係る報告及び立入検査）

第三条　第五条の規定は、要緊急安全確認大規模建築物について準用する。この場合において、同条中「法第十三条第一項」とあるのは「法附則第三条第三項において準用する法第十三条第一項」と、同条第一項中「法第七条」とあるのは「法附則第三条第一項」と読み替えるものとする。

附則〔略〕〔平成八・三・三一政令八七〕

附則〔略〕〔平成九・八・二九政令二七四〕

附則〔略〕〔平成一一・一・一三政令五〕

附則〔抄〕〔平成一一・一〇・一政令三一二〕

（施行期日）

第一条　この政令は、地方自治法等の一部を改正する法律（平成十年法律第五十四号。以下「法」という。）の施行の日（平成十二年四月一日。以下「施行日」という。）から施行する。〔以下略〕

（許認可等に関する経過措置）

第一三条　施行日前に法による改正前のそれぞれの法律若しくはこの政令による改正前のそれぞれの政令の規定により都知事その他の都の機関が行った許可等の処分その他の行為（以下この条において「処分等の行為」という。）又は施行日前に法による改正前のそれぞれの法律若しくはこの政令による改正前のそれぞれの政令の規定によりこれらの機関に対してされた許可等の申請その他の行為（以下この条において「申請等の行為」という。）で、施行日において特別区の区長その他の機関がこれらの行為に係る行政事務を行うこととなるものは、別段の定めがあるもののほか、施行日以後における法による改正後のそれぞれの法律又はこの政令による改正後のそれぞれの政令の適用については、法による改正後のそれぞれの法律若しくはこの政令による改正後のそれぞれの政令の相当規定によりされた処分等の行為又は申請等の行為とみなす。

2　施行日前に法による改正前のそれぞれの法律又はこの政令による改正前のそれぞれの政令の規定により都知事その他の機関に対し報告、届出その他の手続をしなければならない事項で、施行日前にその手続がされていないものについては、別段の定めがあるもののほか、これを、法による改正後のそれぞれの法律又はこの政令による改正後の政令の相当規定により特別区の区長その他の相当の機関に対して報告、届出その他の手続をしなければならない事項についてその手続がされていないものとみなして、法による改正後のそれぞれの法律又はこの政令による改正後のそれぞれの政令の規定を適用する。

附則〔略〕〔平成一一・一一・一〇政令三五二〕

附則〔略〕〔平成一六・六・二三政令二一〇〕

附則〔略〕〔平成一八・一・二五政令八〕

附則〔略〕〔平成一八・九・二六政令三二〇〕

附則〔略〕〔平成一九・三・二二政令五五〕

附則〔略〕〔平成一九・八・三政令二三五〕

附則〔略〕〔平成二五・一〇・九政令二九四〕

附則〔略〕〔平成二六・一二・二四政令四一二〕

附則〔略〕〔平成二七・一・二一政令一一〕

附則〔略〕〔平成二七・一二・一六政令四二一〕

附則〔略〕〔平成二八・二・一七政令四三〕

附則〔略〕〔平成二九・三・二三政令四〇〕

附則〔略〕〔平成三〇・一一・三〇政令三二三〕

附則〔略〕〔令和五・九・二九政令二九三〕

附則〔令和六・四・一九政令一七二〕

（施行期日）

1　この政令は、脱炭素社会の実現に資するための建築物のエネルギー消費性能の向上に関する法律等の一部を改正する法律の施行の日（令和七年四月一日）から施行する。

（罰則に関する経過措置）

2　この政令の施行前にした行為に対する罰則の適用については、なお従前の例による。

○建築物の耐震改修の促進に関する法律施行規則〔平成七・一二・二五　建設省令二八〕

改正　平成九・一一建令一六、平成一一・四建令一四、平成一二・一建令一〇、一二建令一一、五建令二六、一一建令四一、平成一四・一二国交令一二〇、平成一五・三国交令一六、一二国交令一一六、平成一七・五国交令五九、平成一八・一国交令二、九国交令九六、平成一九・三国交令二〇、六国交令六七、平成二五・一〇国交令八七、平成二七・一国交令五、平成三〇・一一国交令八六、令和元・五国交令一、令和二・三国交令二二、一二国交令九八、令和三・八国交令五三、一〇国交令六八、令和五・一二国交令九五、国交令九八、令和六・一国交令五、三国交令二六

（令第二条第二十二号の国土交通省令で定める建築物）

第一条　建築物の耐震改修の促進に関する法律施行令（以下「令」という。）第二条第二十二号の国土交通省令で定める建築物は、国又は地方公共団体が大規模な地震が発生した場合においてその利用を確保することが公益上必要な建築物として防災に関する計画等に定めたものとする。

（法第五条第三項第二号の国土交通省令で定める道路）

第二条　建築物の耐震改修の促進に関する法律（以下「法」という。）第五条第三項第二号の国土交通省令で定める道路は、都道府県が同項の規定により同条第三項第二号に掲げる事項に同条第三項第二号に定める事項を記載しようとする場合にあっては当該都道府県知事が、市町村が法第六条第三項の規定により同条第二項第二号に掲げる事項に同条第三項第一号に掲げる事項を記載しようとする場合にあっては当該市町村長が避難場所と連絡する道路その他の地震が発生した場合においてその通行を確保することが必要な道路として認めるものとする。

（令第四条第一号及び第二号の国土交通省令で定める場合）

第三条　令第四条第一号及び第二号の国土交通省令で定める場合は、地形、道路の構造その他の状況により令第四条各号に定める距離又は長さによることが不適当である場合として、知事等（その敷地が都道府県計画道路沿道建築物（以下この条において「都道府県計画道路」という。）にあっては都道府県知事をいい、その敷地が市町村耐震改修促進計画に係る道路に接する建築物（都道府県計画道路沿道建築物を除く。）にあっては市町村長をいう。次条及び第四条の二において同じ。）が規則で定める場合とする。

（令第四条第一号の国土交通省令で定める距離）

第四条　令第四条第一号の国土交通省令で定める距離は、前条の規則で定め

る場合において、前面道路の幅員が十二メートル以下のときは六メートルを超える範囲において、当該幅員が十二メートルを超えるときは六メートル以上の範囲において、知事等が規則で定める距離とする。

（令第四条第二号の国土交通省令で定める長さ及び距離）

第四条の二　令第四条第二号の国土交通省令で定める長さは、第三条の規則で定める場合において、八メートル以上二十五メートル未満の範囲において知事等が規則で定める長さとする。

2　令第四条第二号の国土交通省令で定める距離は、第三条の規則で定める場合において、二メートル以上の範囲において知事等が規則で定める距離とする。

（要安全確認計画記載建築物の耐震診断及びその結果の報告）

第五条　法第七条の規定により行う耐震診断は、次の各号のいずれかに掲げる者に行わせるものとする。

一　一級建築士（建築士法（昭和二十五年法律第二百二号）第二条第二項に規定する一級建築士をいう。第八条第一項第一号において同じ。）、二級建築士（同法第二条第三項に規定する二級建築士をいう。第八条第一項第一号において同じ。）又は木造建築士（同法第二条第四項に規定する木造建築士をいう。第八条第一項第一号において同じ。）（国土交通大臣が定める要件を満たす者に限る。）であり、かつ、耐震診断を行う者として必要な知識及び技能を修得させるための講習であって、次条から第八条までの規定により国土交通大臣の登録を受けたもの（木造の構造部分を有する建築物の耐震診断にあっては木造耐震診断資格者講習、鉄骨造の構造部分を有する建築物の耐震診断にあっては鉄骨造耐震診断資格者講習、鉄筋コンクリート造の構造部分を有する建築物の耐震診断にあっては鉄筋コンクリート造耐震診断資格者講習、鉄骨鉄筋コンクリート造の構造部分を有する建築物の耐震診断にあっては鉄骨鉄筋コンクリート造耐震診断資格者講習、木造、鉄骨造、鉄筋コンクリート造及び鉄骨鉄筋コンクリート造以外の構造部分を有する建築物にあっては鉄筋コンクリート造耐震診断資格者講習又は鉄骨鉄筋コンクリート造耐震診断資格者講習に限る。以下「登録資格者講習」という。）を修了した者（建築士法第三条第一項、第三条の二第一項若しくは第三条の三第一項に規定する建築物又は同法第三条の二第三項（同法第三条の三第二項において準用する場合を含む。）の規定に基づく条例に規定する建築物について耐震診断を行わせる場合にあっては、それぞれ当該各条に規定する建築士に限る。以下「耐震診断資格者」という。）

二　前号に掲げる者のほか国土交通大臣が定める者

2　前項の耐震診断は、技術指針事項（法第十二条第一項に規定する技術指針事項をいう。）に適合したものでなければならない。

3　法第七条の規定による報告は、別記第一号様式による報告書を提出して行うものとする。ただし、所管行政庁が規則により別記第一号様式に定める事項その他の事項を記載する報告書の様式を定めた場合にあっては、当該様式による報告書によるものとする。

4　法第七条の規定による報告は、前項の報告書に、耐震診断の結果を所管行政庁が適切であると認めた者が証する書類その他の耐震診断の結果を証明するものとして所管行政庁が規則で定める書類を添えて行わなければならない。

（耐震診断資格者講習の登録の申請）

第六条　前条第一項第一号の登録は、登録資格者講習の実施に関する事務（以下「講習事務」という。）を行おうとする者の申請により行う。

2　前条第一項第一号の登録を受けようとする者は、次に掲げる事項を記載した申請書を国土交通大臣に提出しなければならない。

一　前条第一項第一号の登録を受けようとする者の氏名又は名称及び住所並びに法人にあっては、その代表者の氏名

二　講習事務を行おうとする事務所の名称及び所在地

三　講習事務を開始しようとする年月日

3　前項の申請書には、次に掲げる書類を添付しなければならない。

一　個人である場合においては、次に掲げる書類

イ　住民票の抄本若しくは個人番号カード（行政手続における特定の個人を識別するための番号の利用等に関する法律（平成二十五年法律第二十七号）第二条第七項に規定する個人番号カードをいう。）の写し又はこれらに類するものであって氏名及び住所を証明する書類

ロ　登録申請者の略歴を記載した書類

二　法人である場合においては、次に掲げる書類

イ　定款及び登記事項証明書

ロ　株主名簿又は社員名簿の写し

ハ　申請に係る意思の決定を証する書類

ニ　役員（持分会社（会社法（平成十七年法律第八十六号）第五百七十五条第一項に規定する持分会社をいう。）にあっては、業務を執行する社員をいう。以下同じ。）の氏名及び略歴を記載した書類

三　講師が第八条第一項第三号イからハまでのいずれかに該当する者であることを証する書類

四　登録資格者講習の受講資格を記載した書類、講習の種類ごとの科目の実施に関する計画その他の講習事務の実施の方法に関する計画（第八条第一項第四号において「実施計画」という。）を記載した書類

五　講習事務以外の業務を行おうとするときは、その業務の種類及び概要を記載した書類

六　前条第一項第一号の登録を受けようとする者が次条各号のいずれにも該当しない者であることを誓約する書面

七　その他参考となる事項を記載した書類

（欠格事項）

第七条　次の各号のいずれかに該当する者が行う講習は、第五条第一項第一号の登録を受けることができない。

一　法又は建築基準法（昭和二十五年法律第二百一号）第六条第一項に規定する建築基準法令の規定により罰金以上の刑に処せられ、その執行を終わり、又は執行を受けることがなくなった日から起算して二年を経過しない者

二　第十七条の規定により第五条第一項第一号の登録を取り消され、その取消しの日から起算して二年を経過しない者

三　法人であって、講習事務を行う役員のうちに前二号のいずれかに該当する者があるもの

（登録の要件等）

第八条　国土交通大臣は、第六条第一項の規定による登録の申請が次に掲げる要件の全てに適合しているときは、その登録をしなければならない。

一　一級建築士、二級建築士又は木造建築士であることを受講資格とすること。

二　第十条第三号の表の上欄に掲げる講習の種類の全てについて、同欄に掲げる区分に応じて同表の中欄に掲げる科目について講習が行われること。

三　次のいずれかに該当する者が講師として講習事務に従事するものであること。

イ　学校教育法（昭和二十二年法律第二十六号）による大学若しくはこれに相当する外国の学校において建築物の構造に関する科目その他の講習事務に関する科目を担当する教授若しくは准教授の職にあり、若しくはこれらの職にあった者又は建築物の構造に関する科目その他の講習事務に関する科目の研究により博士の学位を授与された者

ロ　建築物の構造に関する分野その他の講習事務に関する分野の試験研究機関において試験研究の業務に従事し、又は従事した経験を有する者で、かつ、当該分野について高度の専門的知識を有する者

ハ　イ又はロに掲げる者と同等以上の知識及び経験を有する者

四　実施計画が第十条の規定に違反しないこと。

五　耐震診断を業として行っている者（以下この号において「耐震診断業者」という。）に支配されているものとして次のいずれかに該当するものでないこと。

イ　第六条第一項の規定により登録を申請した者（以下この号において「登録申請者」という。）が株式会社である場合にあっては、耐震診断業者がその親法人（会社法第八百七十九条第一項に規定する親法人をいう。）であること。

ロ　登録申請者の役員に占める耐震診断業者の役員又は職員（過去二年間に当該耐震診断業者の役員又は職員であった者を含む。ハにおいて同じ。）の割合が二分の一を超えていること。

ハ　登録申請者（法人にあっては、その代表権を有する役員）が耐震診断業者の役員又は職員であること。

2　第五条第一項第一号の登録は、耐震診断資格者登録簿に次に掲げる事項を記載してするものとする。

一　登録年月日及び登録番号

二　講習事務を行う者（以下「講習実施機関」という。）の氏名又は名称

及び住所並びに法人にあっては、その代表者の氏名
三　講習事務を行う事務所の名称及び所在地
四　講習事務を開始する年月日
３　国土交通大臣は、耐震診断資格者登録簿を一般の閲覧に供しなければならない。

（登録の更新）

第九条　第五条第一項第一号の登録は、五年ごとにその更新を受けなければ、その期間の経過によって、その効力を失う。
２　前三条の規定は、前項の登録の更新について準用する。

（講習事務の実施に係る義務）

第一〇条　講習実施機関は、公正に、かつ、第八条第一項第一号から第三号までに掲げる要件並びに次に掲げる基準に適合する方法により講習事務を行わなければならない。
一　登録資格者講習を毎年一回以上行うこと。
二　登録資格者講習は、講義により行うこと。
三　講義は、次の表の上欄に掲げる講習の種類の全てについて、同欄に掲げる区分に応じて同表の中欄に掲げる科目について行い、かつ、各科目ごとに同表の下欄に掲げる時間以上行うこと。

講習の種類	科目	時間
木造耐震診断資格者講習	建築物の耐震診断総論	一時間
	木造の建築物の耐震診断の方法	二時間三〇分
	例題演習	一時間
鉄骨造耐震診断資格者講習	建築物の耐震診断総論	一時間
	鉄骨造の建築物の耐震診断の方法	三時間
	例題演習	二時間
鉄筋コンクリート造耐震診断資格者講習	建築物の耐震診断総論	一時間
	鉄筋コンクリート造の建築物の耐震診断の方法	三時間
	例題演習	二時間
鉄骨鉄筋コンクリート造耐震診断資格者講習	建築物の耐震診断総論	一時間
	鉄骨鉄筋コンクリート造の建築物の耐震診断の方法	三時間
	例題演習	二時間

四　講義は、前号の表の中欄に掲げる科目に応じ、国土交通大臣が定める事項を含む適切な内容の教材を用いて行うこと。
五　講師は、講義の内容に関する受講者の質問に対し、講義中に適切に応答すること。
六　登録資格者講習を実施する日時、場所その他の登録資格者講習の実施に関し必要な事項を公示すること。
七　講義を受講した者と同等以上の知識を有する者として国土交通大臣が定める者については、申請により、第三号の表の中欄に掲げる科目のうち国土交通大臣が定めるものを免除すること。
八　不正な受講を防止するための措置を講じること。
九　登録資格者講習の課程を修了した者に対し、別記第二号様式による修了証明書（以下「修了証明書」という。）を交付すること。

（登録事項の変更の届出）

第一一条　講習実施機関は、第八条第二項第二号から第四号までに掲げる事項を変更しようとするときは、変更しようとする日の二週間前までに、その旨を国土交通大臣に届け出なければならない。
２　国土交通大臣は、前項の規定による届出を受けたときは、第十七条の規定により登録を取り消す場合を除き、当該変更があった事項を耐震診断資格者登録簿に記載して、変更の登録をしなければならない。

（講習事務規程）

第一二条　講習実施機関は、次に掲げる事項を記載した講習事務に関する規程を定め、講習事務の開始前に、国土交通大臣に届け出なければならない。これを変更しようとするときも、同様とする。
一　講習事務を行う時間及び休日に関する事項
二　講習事務を行う事務所及び登録資格者講習の実施場所に関する事項
三　登録資格者講習の受講の申込みに関する事項
四　登録資格者講習の受講手数料の額及び収納の方法に関する事項
五　登録資格者講習の日程、公示方法その他の登録資格者講習の実施の方法に関する事項
六　修了証明書の交付及び再交付に関する事項
七　講習事務に関する秘密の保持に関する事項
八　講習事務に関する公正の確保に関する事項
九　不正受講者の処分に関する事項
十　第十八条第三項の帳簿その他の講習事務に関する書類の管理に関する事項
十一　その他講習事務に関し必要な事項

（講習事務の休廃止）

第一三条　講習実施機関は、講習事務の全部又は一部を休止し、又は廃止しようとするときは、あらかじめ、次に掲げる事項を記載した届出書を国土交通大臣に提出しなければならない。
一　休止し、又は廃止しようとする登録資格者講習の範囲
二　休止し、又は廃止しようとする年月日及び休止しようとする場合にあっては、その期間
三　休止又は廃止の理由

（財務諸表等の備付け及び閲覧等）

第一四条　講習実施機関は、毎事業年度経過後三月以内に、その事業年度の財産目録、貸借対照表及び損益計算書又は収支計算書並びに事業報告書（その作成に代えて電磁的記録（電子的方式、磁気的方式その他の人の知覚によっては認識することができない方式で作られる記録であって、電子計算機による情報処理の用に供されるものをいう。以下この条において同じ。）の作成がされている場合における当該電磁的記録を含む。次項において「財務諸表等」という。）を作成し、五年間事務所に備えて置かなければならない。
２　登録資格者講習を受講しようとする者その他の利害関係人は、講習実施機関の業務時間内は、いつでも、次に掲げる請求をすることができる。ただし、第二号又は第四号に掲げる請求をするには、講習実施機関の定めた費用を支払わなければならない。
一　財務諸表等が書面をもって作成されているときは、当該書面の閲覧又は謄写の請求
二　前号の書面の謄本又は抄本の請求
三　財務諸表等が電磁的記録をもって作成されているときは、当該電磁的記録に記録された事項を紙面又は出力装置の映像面に表示したものの閲覧又は謄写の請求
四　前号の電磁的記録に記録された事項を電磁的方法であって、次に掲げるもののうち講習実施機関が定めるものにより提供することの請求又は当該事項を記載した書面の交付の請求
イ　送信者の使用に係る電子計算機と受信者の使用に係る電子計算機とを電気通信回線で接続した電子情報処理組織を使用する方法であって、当該電気通信回線を通じて情報が送信され、受信者の使用に係る電子計算機に備えられたファイルに当該情報が記録されるもの
ロ　電磁的記録媒体（電磁的記録に係る記録媒体をいう。以下同じ。）をもって調製するファイルに情報を記録したものを交付する方法
３　前項第四号イ又はロに掲げる方法は、受信者がファイルへの記録を出力することによる書面を作成することができるものでなければならない。

（適合命令）

第一五条　国土交通大臣は、講習実施機関が第八条第一項各号のいずれかに適合しなくなったと認めるときは、その講習実施機関に対し、これらの規定に適合するため必要な措置をとるべきことを命ずることができる。

（改善命令）

第一六条　国土交通大臣は、講習実施機関が第十条の規定に違反していると認めるときは、その講習実施機関に対し、同条の規定による講習事務を行うべきこと又は講習事務の方法その他の業務の方法の改善に関し必要な措

置をとるべきことを命ずることができる。

（登録の取消し等）

第一七条 国土交通大臣は、講習実施機関が次の各号のいずれかに該当するときは、当該講習実施機関が行う講習の登録を取り消し、又は期間を定めて講習事務の全部又は一部の停止を命ずることができる。

一 第七条第一号又は第三号に該当するに至ったとき。
二 第十一条から第十三条まで、第十四条第一項又は次条第一項、第三項若しくは第四項の規定に違反したとき。
三 正当な理由がないのに第十四条第二項各号に掲げる請求を拒んだとき。
四 前二条の規定による命令に違反したとき。
五 第十九条の規定による報告を求められて、報告をせず、又は虚偽の報告をしたとき。
六 不正の手段により第五条第一項第一号の登録を受けたとき。

（帳簿の記載等）

第一八条 講習実施機関は、次に掲げる事項を記載した帳簿を備えなければならない。

一 登録資格者講習の実施年月日
二 登録資格者講習の実施場所
三 講義を行った講師の氏名並びに当該講師が講義において担当した科目及びその時間
四 受講者の氏名、生年月日及び住所
五 修了証明書の交付の年月日及び証明書番号

2 前項各号に掲げる事項が、電子計算機に備えられたファイル又は電磁的記録媒体に記録され、必要に応じ講習実施機関において電子計算機その他の機器を用いて明確に紙面に表示されるときは、当該記録をもって同項に規定する帳簿への記載に代えることができる。

3 講習実施機関は、第一項に規定する帳簿（前項の規定による記録が行われた同項のファイル又は電磁的記録媒体を含む。）を、講習事務の全部を廃止するまで保存しなければならない。

4 講習実施機関は、次に掲げる書類を備え、登録資格者講習を実施した日から三年間保存しなければならない。

一 登録資格者講習の受講申込書及び添付書類
二 講義に用いた教材
三 修了証明書の写し

（報告の徴収）

第一九条 国土交通大臣は、講習事務の適切な実施を確保するため必要があると認めるときは、講習実施機関に対し、講習事務の状況に関し必要な報告を求めることができる。

（公示）

第二〇条 国土交通大臣は、次に掲げる場合には、その旨を公示しなければならない。

一 第五条第一項第一号の登録をしたとき。
二 第十一条第一項の規定による届出があったとき。
三 第十三条の規定による届出があったとき。
四 第十七条の規定により第五条第一項第一号の登録を取り消し、又は講習事務の停止を命じたとき。

（法第八条第二項の規定による公表の方法）

第二一条 法第八条第二項の規定による公表は、次に掲げる事項を明示して、インターネットの利用その他の適切な方法により行わなければならない。

一 法第八条第一項の規定による命令に係る要安全確認計画記載建築物の所有者の氏名又は名称及び法人にあってはその代表者の氏名
二 前号の要安全確認計画記載建築物の位置、用途その他当該要安全確認計画記載建築物の概要
三 第一号の命令をした年月日及びその内容

（法第九条の規定による公表の方法）

第二二条 法第九条の規定による公表は、法第七条の規定による報告について、次に掲げる事項を、同条各号に掲げる建築物の区分に応じ、当該各号に定める期限が同一である要安全確認計画記載建築物ごとに一覧できるよう取りまとめ、インターネットの利用その他の適切な方法により行わなければならない。

一 要安全確認計画記載建築物の位置、用途その他当該要安全確認計画記載建築物の概要
二 前号の要安全確認計画記載建築物の耐震診断の結果に関する事項のうち国土交通大臣が定める事項

（通行障害既存耐震不適格建築物の耐震診断に要する費用の負担）

第二三条 法第十条第一項の規定により都道府県が負担する費用の額は、法第七条第二号に掲げる建築物の耐震診断の実施に要する標準的な費用として国土交通大臣が定める額から国又は市町村の補助に相当する額を除いた額を限度とする。

2 法第十条第二項の規定により市町村が負担する費用の額は、法第七条第三号に掲げる建築物の耐震診断の実施に要する標準的な費用として国土交通大臣が定める額から国又は都道府県の補助に相当する額を除いた額を限度とする。

（身分証明書の様式）

第二四条 法第十三条第二項の規定により立入検査をする職員の携帯する身分証明書の様式は、別記第三号様式によるものとする。

（令第六条第三項の規定による階数及び床面積の合計）

第二五条 令第六条第三項の規定による同条第二項各号に定める階数は、同項各号のうち当該建築物が該当する二以上の号に定める階数のうち最小のものとし、同条第三項の規定による同条第二項各号に定める床面積の合計は、当該二以上の号に掲げる建築物の用途に供する部分の床面積の合計の数値をそれぞれ当該二以上の号に定める床面積の合計の数値で除し、それらの商を加えた数値が一である場合の床面積の合計とする。

（令第八条第三項の規定による床面積の合計）

第二六条 令第八条第三項の規定による同条第二項第一号から第三号までに定める床面積の合計は、これらの号のうち当該建築物が該当する二以上の号に掲げる建築物の用途に供する部分の床面積の合計の数値をそれぞれ当該二以上の号に定める床面積の合計の数値で除し、それらの商を加えた数値が一である場合の床面積の合計とする。

（身分証明書の様式）

第二七条 法第十五条第五項において準用する法第十三条第二項の規定により立入検査をする職員の携帯する身分証明書の様式は、別記第四号様式によるものとする。

（計画の認定の申請）

第二八条 法第五条第三項第一号の耐震関係規定（第三十三条第一項において「耐震関係規定」という。）に適合するものとして法第十七条第三項の計画の認定を受けようとする建築物の耐震改修の計画について同条第一項の規定により認定の申請をしようとする者は、別記第五号様式による申請書の正本及び副本に、それぞれ、次の表の(い)項及び(ろ)項に掲げる図書を添えて、これらを所管行政庁に提出するものとする。

	図書の種類	明示すべき事項
(い)	付近見取図	方位、道路及び目標となる地物
	配置図	縮尺及び方位
		敷地境界線、敷地内における建築物の位置及び申請に係る建築物と他の建築物との別
		擁壁の位置その他安全上適当な措置
		土地の高低、敷地と敷地の接する道の境界部分との高低差及び申請に係る建築物の各部分の高さ
		敷地の接する道路の位置、幅員及び種類
		下水管、下水溝又はためますその他これらに類する施設の位置及び排出経路又は処理経路
		縮尺及び方位
		間取、各室の用途及び床面積
		壁及び筋かいの位置及び種類
		通し柱及び開口部の位置
		延焼のおそれのある部分の外壁の位置及び構造

	各階平面図	申請に係る建築物が建築基準法第三条第二項の規定により同法第二十八条の二（同条第一号及び第二号に掲げる基準に係る部分に限る。）の規定の適用を受けない建築物である場合であって、当該建築物について、増築、改築、大規模の修繕又は大規模の模様替をしようとするときにあっては、当該増築等に係る部分以外の部分について行う建築基準法施行令（昭和二十五年政令第三百三十八号）第百三十七条の四の二第三号に規定する措置
	基礎伏図	縮尺並びに構造耐力上主要な部分（建築基準法施行令第一条第三号に規定する構造耐力上主要な部分をいう。以下同じ。）の材料の種別及び寸法
	各階床伏図	
	小屋伏図	
	構造詳細図	
(ろ)	構造計算書	一　建築基準法施行令第八十一条第二項第一号イに規定する保有水平耐力計算により安全性を確かめた建築物の場合 建築基準法施行規則（昭和二十五年建設省令第四十号）第一条の三第一項の表三の(一)項に掲げる構造計算書に明示すべき事項 二　建築基準法施行令第八十一条第二項第一号ロに規定する限界耐力計算により安全性を確かめた建築物の場合 建築基準法施行規則第一条の三第一項の表三の(二)項に掲げる構造計算書に明示すべき事項 三　建築基準法施行令第八十一条第二項第二号イに規定する許容応力度等計算により安全性を確かめた建築物の場合 建築基準法施行規則第一条の三第一項の表三の(三)項に掲げる構造計算書に明示すべき事項 四　建築基準法施行令第八十一条第三項に規定する同令第八十二条各号及び同令第八十二条の四に定めるところによる構造計算により安全性を確かめた建築物 建築基準法施行規則第一条の三第一項の表三の(四)項に掲げる構造計算書に明示すべき事項

2　法第十七条第三項第一号の国土交通大臣が定める基準に適合するものとして同項の計画の認定を受けようとする建築物の耐震改修の計画について同条第一項の規定により認定の申請をしようとする者は、木造の建築物又は木造と木造以外の構造とを併用する建築物については別記第五号様式による正本及び副本に、木造の構造部分を有しない建築物については別記第六号様式による申請書の正本及び副本に、それぞれ、次の表の上欄に掲げる建築物等の区分に応じて同表の下欄に掲げる事項を明示した構造計算書及び当該計画が法第十七条第三項第一号の国土交通大臣が定める基準に適合していることを所管行政庁が適切であると認めた者が証する書類その他の当該計画が当該基準に適合していることを証するものとして所管行政庁が規則で定める書類を添えて、これらを所管行政庁に提出するものとする。

建築物等	明示すべき事項
木造の建築物又は木造と木造以外の構造とを併用する建築物の木造の構造部分	各階の張り間方向及びけた行方向の壁を設け又は筋かいを入れた軸組の水平力に対する耐力及び靱性並びに配置並びに地震力、建築物の形状及び地盤の種類を考慮して行った各階の当該方向の耐震性能の水準に係る構造計算
木造の構造部分を有しない建築物又は木造と木造以外の構造とを併用する建築物の木造以外の構造部分	各階の保有水平耐力及び各階の靱性、各階の形状特性、地震の地域における特性並びに建築物の振動特性を考慮して行った各階の耐震性能の水準に係る構造計算並びに各階の保有水平耐力、各階の形状特性、当該階が支える固定荷重と積載荷重との和（建築基準法施行令第八十六条第二項ただし書の多雪区域においては、更に積雪荷重を加えたもの）、地震の地域における特性、建築物の振動特性、地震層せん断力係数の建築物の高さ方向の分布及び建築物の構造方法を考慮して行った各階の保有水平耐力の水準に係る構造計算

3　法第十七条第三項第三号に掲げる基準に適合するものとして同項の計画の認定を受けようとする建築物の耐震改修の計画について同条第一項の規定により認定の申請をしようとする者は、第一項又は前項の認定の申請書の正本及び副本並びに別記第七号様式の正本及び副本に、それぞれ、建築基準法施行規則第一条の三第一項第一号イ及びロに掲げる図書及び書類を、同条第七項の規定に基づき特定行政庁（建築基準法第二条第三十五号に規定する特定行政庁をいう。以下第五項及び第六項において同じ。）が規則で同法第六条第一項の申請書に添えるべき図書を定めた場合においては当該図書を添えて、これらを所管行政庁に提出するものとする。

4　法第十七条第三項第四号に掲げる基準に適合するものとして同項の計画の認定を受けようとする建築物の耐震改修の計画について同条第一項の規定により認定の申請をしようとする者は、第一項又は第二項の認定の申請書の正本及び副本並びに別記第八号様式による正本及び副本に、それぞれ、次の表に掲げる図書を添えて、これらを所管行政庁に提出するものとする。

図書の種類	明示すべき事項
各階平面図	工事の計画に係る柱、壁又ははり及び第六条第二項に掲げる装置の位置
構造詳細図	工事の計画に係る柱、壁又ははりの構造及び材料の種別
構造計算書	応力算定及び断面算定

5　法第十七条第三項第五号に掲げる基準に適合するものとして同項の計画の認定を受けようとする建築物の耐震改修の計画について同条第一項の規定により認定の申請をしようとする者は、第一項又は第二項の認定の申請書の正本及び副本並びに別記第九号様式による正本及び副本に、それぞれ、建築基準法施行規則第一条の三第一項第一号イ及びロに掲げる図書及び書類を、同条第七項の規定に基づき特定行政庁が規則で同法第六条第一項の申請書に添えるべき図書を定めた場合においては当該図書を添えて、これらを所管行政庁に提出するものとする。

6　法第十七条第三項第六号に掲げる基準に適合するものとして同項の計画の認定を受けようとする建築物の耐震改修の計画について同条第一項の規定により認定の申請をしようとする者は、第一項又は第二項の認定の申請書の正本及び副本並びに別記第十号様式による正本及び副本に、それぞれ、建築基準法施行規則第一条の三第一項第一号イ及びロに掲げる図書及び書類を、同条第七項の規定に基づき特定行政庁が規則で同法第六条第一項の申請書に添えるべき図書を定めた場合においては当該図書を添えて、これらを所管行政庁に提出するものとする。

7　法第十七条第十項の規定により建築基準法第六条第一項又は第十八条第三項の規定による確認済証の交付があったものとみなされるものとして法第十七条第三項の計画の認定を受けようとする建築物の耐震改修の計画について同条第一項の規定により認定の申請をしようとする者は、第一項又は第二項の申請書の正本及び副本に、建築基準法第六条第一項の規定による確認の申請書又は同法第十八条第二項の規定による通知に要する通知書を添えて、これらを所管行政庁に提出するものとする。

8　前七項に規定する図書は併せて作成することができる。

9　高さが六十メートルを超える建築物に係る法第十七条第三項の計画の認定の申請書にあっては、第一項の表の(ろ)項の規定にかかわらず、同項に掲げる図書のうち構造計算書は、添えることを要しない。この場合においては、建築基準法第二十条第一項第一号の認定に係る認定書の写しを添えるものとする。

10　第三項の認定の申請書にあっては、建築基準法第二十条第一項第一号の認定に係る認定書の写しを添えた場合には、建築基準法施行規則第一条の三第一項の表一の(は)項及び同項の表三の(ろ)欄に掲げる構造計算書を添えることを要しない。

11　所管行政庁は、前十項の規定にかかわらず、規則で、前十項に掲げる図書の一部を添えることを要しない旨を規定することができる。

（計画の記載事項）

第二九条　法第十七条第二項第五号の国土交通省令で定める事項は、建築物の建築面積及び耐震改修の事業の実施時期とする。

（認定通知書の様式）

第三〇条　所管行政庁は、法第十七条第三項の規定により計画の認定をしたときは、速やかに、その旨を申請者に通知するものとする。

2　前項の通知は、別記第十一号様式による通知書に第二十八条の申請書の副本を添えて行うものとする。

（法第十七条第三項第四号の国土交通省令で定める防火上の基準）

第三一条　法第十七条第三項第四号ロ(1)の国土交通省令で定める防火上の基準は、次のとおりとする。

一　工事の計画に係る柱、壁又ははりが建築基準法施行令第一条第五号に規定する準不燃材料で造られ、又は覆われていること。

二　次のイからハまでに定めるところにより行う構造計算によって構造耐力上安全であることが確かめられた構造であること。

イ　建築基準法施行令第三章第八節第二款に規定する荷重及び外力によって構造耐力上主要な部分（工事により新たに設けられる柱及び耐力壁を除く。）に長期に生ずる力を計算すること。

ロ　イの構造耐力上主要な部分の断面に生ずる長期の応力度を建築基準法施行令第八十二条第二号の表の長期に生ずる力の項に掲げる式によって計算すること。ただし、構造耐力上主要な部分のうち模様替を行う柱又ははりについては、当該模様替が行われる前のものとして、同項に掲げる式により、当該模様替が行われる前の当該柱又ははりの断面に生ずる長期の応力度を計算すること。

ハ　ロによって計算した長期の応力度が、建築基準法施行令第三章第八節第三款の規定による長期に生ずる力に対する許容応力度を超えないことを確かめること。

2　法第十七条第三項第四号ロ(2)の国土交通省令で定める防火上の基準は、工事の計画に係る柱、壁又ははりに係る火災の発生を有効に感知し、かつ、工事の計画に係る建築物を常時管理する者が居る場所に報知することができる装置が設けられていることとする。

（法第十八条第一項の国土交通省令で定める軽微な変更）

第三二条　法第十八条第一項の国土交通省令で定める軽微な変更は、計画の認定を受けた計画に係る耐震改修の事業の実施時期の変更のうち、事業の着手又は完了の予定年月日の三月以内の変更とする。

（建築物の地震に対する安全性に係る認定の申請）

第三三条　耐震関係規定に適合するものとして法第二十二条第二項の認定を受けようとする建築物について同条第一項の規定により認定の申請をしようとする者は、別記第十二号様式による申請書の正本及び副本に、それぞれ、次の各号のいずれかに掲げる図書及び当該建築物が耐震関係規定に適合していることを証する書類として所管行政庁が規則で定めるものを添えて、これらを所管行政庁に提出するものとする。

一　第二十八条第一項の表の(ろ)項に掲げる図書及び次の表に掲げる図書

図書の種類	明示すべき事項
付近見取図	方位、道路及び目標となる地物
配置図	縮尺及び方位
	敷地境界線、敷地内における建築物の位置及び申請に係る建築物と他の建築物との別
	擁壁の位置その他安全上適当な措置
	土地の高低、敷地と敷地の接する道の境界部分との高低差及び申請に係る建築物の各部分の高さ
各階平面図	縮尺及び方位
	壁及び筋かいの位置及び種類
	通し柱及び開口部の位置
基礎伏図 各階床伏図 小屋伏図 構造詳細図	縮尺並びに構造耐力上主要な部分（建築基準法施行令第一条第三号に規定する構造耐力上主要な部分をいう。以下同じ。）の材料の種別及び寸法

二　国土交通大臣が定める書類

2　法第二十二条第二項の国土交通大臣が定める基準に適合するものとして同項の認定を受けようとする建築物について同条第一項の規定により認定の申請をしようとする者は、次の各号のいずれかに掲げる方法により、これをしなければならない。

一　木造の建築物又は木造と木造以外の構造とを併用する建築物については別記第十三号様式による申請書の正本及び副本並びに別記第六号様式による正本及び副本に、木造の構造部分を有しない建築物については別記第十三号様式による正本及び副本に、それぞれ、第二十八条第二項の表の上欄に掲げる建築物等の区分に応じて同表の下欄に掲げる事項を明示した構造計算書及び当該建築物が法第二十二条第二項の国土交通大臣が定める基準に適合していることを所管行政庁が適切であると認めた者が証する書類その他の当該建築物が当該基準に適合していることを証するものとして所管行政庁が規則で定める書類を添えて、これらを所管行政庁に提出すること。

二　別記第十二号様式による申請書の正本及び副本に、それぞれ、国土交通大臣が定める書類及び当該申請に係る建築物が法第二十二条第二項の国土交通大臣が定める基準に適合していることを証する書類として所管行政庁が規則で定めるものを添えて、これらを所管行政庁に提出すること。

3　所管行政庁は、前二項の規定にかかわらず、規則で、前二項に掲げる図書の一部を添えることを要しない旨を規定することができる。

（認定通知書の様式）

第三四条　所管行政庁は、法第二十二条第二項の規定により認定をしたときは、速やかに、その旨を申請者に通知するものとする。

2　前項の通知は、別記第十四号様式による通知書に前条の申請書の副本を添えて行うものとする。

（表示等）

第三五条　法第二十二条第三項の国土交通省令で定めるものは、次のとおりとする。

一　広告

二　契約に係る書類

三　その他国土交通大臣が定めるもの

2　法第二十二条第三項に規定する表示は、別記第十五号様式により行うものとする。

（身分証明書の様式）

第三六条　法第二十四条第二項において準用する法第十三条第二項の規定により立入検査をする職員の携帯する身分証明書の様式は、別記第十六号様式によるものとする。

（区分所有建築物の耐震改修の必要性に係る認定の申請）

第三七条　法第二十五条第二項の認定を受けようとする区分所有建築物について同条第一項の規定により認定の申請をしようとする者は、木造の建築物又は木造と木造以外の構造とを併用する建築物については別記第十七号様式による正本及び副本並びに別記第六号様式による正本及び副本に、木造の構造部分を有しない建築物については別記第十七号様式による申請書の正本及び副本に、それぞれ、次に掲げる図書又は書類を添えて、これらを所管行政庁に提出するものとする。

一　建物の区分所有等に関する法律（昭和三十七年法律第六十九号）第十八条第一項（同法第六十六条において準用する場合を含む。）の規定により当該認定の申請を決議した集会の議事録の写し（同法第十八条第二項の規定により規約で別段の定めをした場合にあっては、当該規約の写し及びその定めるところにより当該認定の申請をすることを証する書類）

二　第二十八条第二項の表の上欄に掲げる建築物等の区分に応じて同表の下欄に掲げる事項を明示した構造計算書

三　当該区分所有建築物が法第二十五条第二項の国土交通大臣が定める基準に適合していないことを所管行政庁が適切であると認める者が証する書類その他の当該区分所有建築物が当該基準に適合していないことを証

するものとして所管行政庁が規則で定める書類

2　所管行政庁は、前項の規定にかかわらず、規則で、前項第二号に掲げる構造計算書を添えることを要しない旨を規定することができる。

（認定通知書の様式）

第三八条　所管行政庁は、法第二十五条第二項の規定により認定をしたときは、速やかに、その旨を申請者に通知するものとする。

2　前項の通知は、別記第十八号様式による通知書に前条の申請書の副本を添えて行うものとする。

（身分証明書の様式）

第三九条　法第二十七条第五項において準用する法第十三条第二項の規定により立入検査をする職員の携帯する身分証明書の様式は、別記第十九号様式によるものとする。

（特定優良賃貸住宅の入居者の資格に係る認定の基準の特例を受けるための特定優良賃貸住宅の入居者を確保することができない期間）

第四〇条　法第二十八条第一項の国土交通省令で定める期間は、三月とする。

（特定優良賃貸住宅の入居者の資格に係る認定の基準の特例に係る特定優良賃貸住宅の賃貸借の期間）

第四一条　法第二十八条第二項の国土交通省令で定める期間は、二年とする。

（法第三十四条第一号の国土交通省令で定める金融機関）

第四二条　法第三十四条第一号の国土交通省令で定める金融機関は、独立行政法人住宅金融支援機構、沖縄振興開発金融公庫、銀行、保険会社、信用金庫、信用金庫連合会、労働金庫、信用協同組合、信用協同組合連合会、農業協同組合法（昭和二十二年法律第百三十二号）第十条第一項第二号及び第三号の事業を併せ行う農業協同組合及び農業協同組合連合会並びに水産業協同組合法（昭和二十三年法律第二百四十二号）第十一条第一項第三号及び第四号の事業を併せ行う漁業協同組合並びに同法第八十七条第一項第三号及び第四号の事業を併せ行う漁業協同組合連合会とする。

（債務保証業務規程で定めるべき事項）

第四三条　法第三十六条第二項の国土交通省令で定める事項は、次に掲げるものとする。

一　被保証人の資格
二　保証の範囲
三　保証の金額の合計額の最高限度
四　一被保証人についての保証の金額の最高限度
五　保証契約の締結及び変更に関する事項
六　保証料に関する事項その他被保証人の守るべき条件に関する事項
七　保証債務の弁済に関する事項
八　求償権の行使方法及び償却に関する事項
九　業務の委託に関する事項

（事業計画等の認可の申請）

第四四条　耐震改修支援センター（以下「センター」という。）は、法第三十七条第一項前段の規定により支援業務に係る事業計画及び収支予算の認可を受けようとするときは、申請書に次に掲げる書類を添え、国土交通大臣に提出しなければならない。

一　前事業年度の予定貸借対照表
二　当該事業年度の予定貸借対照表
三　前二号に掲げるもののほか、支援業務に係る収支予算の参考となる書類

（事業計画等の変更の認可の申請）

第四五条　センターは、法第三十七条第一項後段の規定により支援業務に係る事業計画又は収支予算の変更の認可を受けようとするときは、変更しようとする事項及びその理由を記載した申請書を国土交通大臣に提出しなければならない。この場合において、収支予算の変更が前条第二号又は第三号に掲げる書類の変更を伴うときは、当該変更後の書類を添付しなければならない。

（事業報告書等の提出）

第四六条　センターは、法第三十七条第二項の規定により支援業務に係る事業報告書及び収支決算書を提出するときは、財産目録及び貸借対照表を添付しなければならない。

（区分経理の方法）

第四七条　センターは、法第三十八条各号に掲げる業務ごとに経理を区分し、それぞれ勘定を設けて整理しなければならない。

2　センターは、法第三十八条第一号及び第二号に掲げる業務の双方に関連する収入及び費用については、適正な基準によりそれぞれの業務に配分して経理しなければならない。

（帳簿）

第四八条　法第三十九条第一項の支援業務に関する事項で国土交通省令で定めるものは、次に掲げるものとする。

一　法第三十四条第一号に掲げる債務の保証（以下「債務の保証」という。）の相手方の氏名及び住所
二　債務の保証を行った年月日
三　債務の保証の内容
四　その他債務の保証に関し必要な事項

2　前項各号に掲げる事項が、電子計算機に備えられたファイル又は電磁的記録媒体に記録され、必要に応じセンターにおいて電子計算機その他の機器を用いて明確に紙面に表示されるときは、当該記録をもって法第三十九条第一項の帳簿（次項において単に「帳簿」という。）への記載に代えることができる。

3　センターは、帳簿（前項の規定による記録が行われた同項のファイル又は電磁的記録媒体を含む。）を、債務保証業務の全部を廃止するまで保存しなければならない。

（書類の保存）

第四九条　法第三十九条第二項の支援業務に関する書類で国土交通省令で定めるものは、次に掲げるもの又はこれらの写しとする。

一　債務の保証の申請に係る書類
二　保証契約に係る書類
三　弁済に係る書類
四　求償に係る書類

2　前項に掲げる書類が、電子計算機に備えられたファイル又は電磁的記録媒体に記録され、必要に応じセンターにおいて電子計算機その他の機器を用いて明確に紙面に表示されるときは、当該ファイル又は電磁的記録媒体をもって前項の書類に代えることができる。

3　センターは、第一項の書類（前項の規定による記録が行われた同項のファイル又は電磁的記録媒体を含む。）を、債務保証業務の全部を廃止するまで保存しなければならない。

附　則

（施行期日）

第一条　この省令は、法の施行の日（平成七年十二月二十五日）から施行する。

（令附則第二条第二項の国土交通省令で定める要件）

第二条　令附則第二条第二項の国土交通省令で定める要件は、同条第一項第二号イからホまでのうち当該建築物が該当する二以上の同号イからホまでに定める階数のうち最小のもの以上であり、かつ、同号イからホまでに掲げる建築物の用途に供する部分の床面積の合計の数値をそれぞれ当該二以上の同号イからホまでに定める床面積の合計の数値で除し、それらの商を加えた数値が一である場合の床面積の合計以上であることとする。

（準用）

第三条　第五条第一項及び第二項の規定は、法附則第三条第一項の規定により行う耐震診断について、第五条第三項及び第四項の規定は、法附則第三条第一項の規定による報告について、第二十一条の規定は法附則第三条第三項において準用する法第八条第二項の規定による公表について、第二十二条の規定は法附則第三条第三項において準用する法第九条の規定による公表について準用する。この場合において、第五条第三項中「別記第一号様式」とあるのは「別記第二十一号様式」と、第二十一条第一号中「法第八条第一項」とあるのは「法附則第三条第三項において準用する法第八条第一項」と、同号及び同条第二号並びに第二十二条第一号及び第二号中「要安全確認計画記載建築物」とあるのは「要緊急安全確認大規模建築物」と、同条中「法第七条」とあるのは「法附則第三条第一項」と、「同条各号に掲げる建築物の区分に応じ、それぞれ当該各号に定める期限が同一である要安全確認計画記載建築物」とあるのは「要緊急安全確認大規模建築物の用途」と読み替えるものとする。

（身分証明書の様式）

第四条　法附則第三条第三項において準用する法第十三条第二項の規定により立入検査をする職員の携帯する身分証明書の様式は、別記第二十二号様式によるものとする。

附則〔略〕〔平成九・一一・六建設省令一六〕
附則〔略〕〔平成一一・四・二六建設省令一四〕
附則〔略〕〔平成一二・一・三一建設省令一〇〕
附則〔略〕〔平成一二・五・三一建設省令二六〕
附則〔略〕〔平成一二・一一・二〇建設省令四一〕
附則〔略〕〔平成一四・一二・二七国土交通省令一二〇〕
附則〔略〕〔平成一五・三・一〇国土交通省令一六〕
附則〔略〕〔平成一五・一二・一八国土交通省令一一六〕
附則〔略〕〔平成一七・五・二七国土交通省令五九〕
附則〔略〕〔平成一八・一・二五国土交通省令二〕
附則〔略〕〔平成一八・九・二九国土交通省令九六〕
附則〔略〕〔平成一九・三・二八国土交通省令二〇〕
附則〔略〕〔平成一九・六・一九国土交通省令六七〕
附則〔抄〕〔平成二五・一〇・九国土交通省令八七〕

（施行期日）
第一条　この省令は、建築物の耐震改修の促進に関する法律の一部を改正する法律の施行の日（平成二十五年十一月二十五日）から施行する。

（建築物の耐震改修の促進に関する法律施行規則の一部改正に伴う経過措置）
第二条　この省令の施行前に要安全確認計画記載建築物又は要緊急安全確認大規模建築物の所有者が耐震診断を行わせた場合には、第五条第一項（附則第三条において準用する場合を含む。）の規定の適用については、当該要安全確認計画記載建築物又は要緊急安全確認大規模建築物の所有者が第五条第一項各号に掲げる者に耐震診断を行わせたものとみなす。

附則〔略〕〔平成二七・一・二九国土交通省令五〕
附則〔略〕〔平成三〇・一一・三〇国土交通省令八六〕
附則〔略〕〔令和二・一二・二三国土交通省令九八〕
附則〔略〕〔令和三・八・三一国土交通省令五三〕
附則〔略〕〔令和三・一〇・二二国土交通省令六八〕
附則〔略〕〔令和五・一二・一四国土交通省令九五〕
附則〔略〕〔令和五・一二・二八国土交通省令九八施行〕
附則〔略〕〔令和六・一・二九国土交通省令五施行〕
附則〔抄〕〔令和六・三・二九国土交通省令二六〕

（施行期日）
第一条　この省令は、令和六年四月一日から施行する。〔以下略〕
様式〔略〕

○官公庁施設の建設等に関する法律

〔昭和二六・六・一　法律一八一〕

改正　昭和二七・七法二六八、昭和三一・四法七一、昭和三四・四法一五六、昭和四一・六法九八、昭和四三・六法一〇一、平成一一・一二法一六〇、平成一六・六法六七、平成一八・一二法一一八、平成二四・三法一五、平成二六・六法五四、平成二八・五法四七、令和四・五法四四

（目的）
第一条　この法律は、国家機関の建築物の位置、構造、営繕及び保全並びに一団地の官公庁施設等について規定して、その災害を防除し、公衆の利便と公務の能率増進とを図ることを目的とする。

（用語の定義）
第二条　この法律において「営繕」とは、建築物の建築、修繕又は模様替をいう。
2　この法律において「庁舎」とは、国家機関がその事務を処理するために使用する建築物をいい、学校、病院及び工場、刑務所その他の収容施設並びに自衛隊の部隊及び機関が使用する建築物を除くものとする。
3　この法律において「合同庁舎」とは、二以上の各省各庁の長が使用する庁舎をいう。
4　この法律において「一団地の官公庁施設」とは、都市計画法（昭和四十三年法律第百号）の規定による都市計画において定められた一団地の国家機関又は地方公共団体の建築物及びこれらに附帯する通路その他の施設（以下「附帯施設」という。）をいう。
5　この法律において「各省各庁の長」とは、衆議院議長、参議院議長、最高裁判所長官、会計検査院長並びに内閣総理大臣及び各省大臣をいう。
6　この法律において「建築物」、「建築設備」、「耐火建築物」、「防火構造」、「不燃材料」、「建築」及び「特定行政庁」の意義は、それぞれ建築基準法（昭和二十五年法律第二百一号）第二条に定めるところによる。

（建築基準法との関係）
第三条　国家機関の建築物については、この法律で定めるものの外、建築基準法の定めるところによる。

（建築方針）
第四条　庁舎は、国民の公共施設として、親しみやすく、便利で、且つ、安全なものでなければならない。

（庁舎の位置）
第五条　庁舎は、それぞれの用途に応じて、公衆の利便と公務の能率上適当な場所に建築しなければならない。
2　各省各庁の長は、その所管の庁舎について、前項の目的を達するため、他の各省各庁の長の所管に属する国有の土地を敷地に供することを相当と認めるときは、その旨を当該各省各庁の長及び財務大臣に申し出ることができる。この場合において当該各省各庁の長及び財務大臣は、その土地を敷地に供するよう協力しなければならない。
3　各省各庁の長は、その所管の庁舎について、第一項の目的を達するため、国有以外の土地を敷地に供することを相当と認めるときは、その旨をその土地の所在地の市町村の長に申し出ることができる。この場合において当該市町村の長は、その敷地の取得又は借受のあつ旋に努めなければならない。

（一団地の官公庁施設）
第五条の二　一団地の官公庁施設に属する国家機関又は地方公共団体の建築物（建築設備を除く。以下この条において同じ。）の建築及びこれらの附帯施設の建設は、当該一団地の官公庁施設に係る都市計画に基いて行わなければならない。
2　前項に規定する建築物を建築するときは、第七条第一項の規定の適用がある場合のほか、当該建築物を耐火建築物とするように努めなければならない。

（庁舎の合同建築）
第六条　庁舎は、土地を高度に利用し、建築経費を節減し、あわせて公衆の利便と公務の能率増進とを図るために、特に支障がない限りは、合同して建築しなければならない。

（庁舎の構造）
第七条　左の各号の一に該当する庁舎を建築するときは、これを耐火建築物としなければならない。
一　都市計画法第八条第一項第五号の準防火地域内で延べ面積が三百平方メートルをこえる庁舎
二　延べ面積が千平方メートルをこえる庁舎
2　前項に掲げる以外の庁舎を建築するときは、その外壁及び軒裏を防火構造とし、その屋根を不燃材料で造り、又はふかなければならない。
3　都市計画法第八条第一項第五号の防火地域又は準防火地域以外の地に庁舎を建築する場合において、その周囲に公園、広場、道路その他の空地又は防火上有効な施設があつて、特定行政庁が延焼のおそれがないと認めるときは、前二項の規定によらないことができる。
4　建築基準法第八十五条第二項に規定する建築物に該当する庁舎については、前三項の規定にかかわらず、同条第二項から第五項まで及び第八項の規定の適用があるものとする。

（保安上又は防火上危険である庁舎に対する措置）
第八条　国土交通大臣は、庁舎が建築基準法又はこれに基く命令若しくは条例、又は前条第一項若しくは第二項の規定に適合せず、且つ、保安上又は防火上危険であると認める場合においては、各省各庁の長に対して、方法

及び期間を定めて、改築、移築、修繕、模様替その他必要な措置をすることを勧告することができる。

2　各省各庁の長は、前項の規定による勧告を受けたときは、遅滞なく、国土交通大臣に対して、これに対する措置の方針を通知し、且つ、その措置をしたときはその結果を通知しなければならない。

（営繕計画書）

第九条　各省各庁の長は、毎会計年度、その所掌に係る国家機関の建築物の営繕及びその附帯施設の建設に関する計画書（以下「営繕計画書」という。）を前年度の七月三十一日までに財務大臣及び国土交通大臣に送付しなければならない。但し、一件につき総額百万円をこえない修繕又は模様替については、この限りでない。

2　前項の営繕計画書には、当該建築物及びその附帯施設の位置、規模、構造、工期及び工事費を記載するものとする。

3　第一項の規定により営繕計画書の送付を受けたときは、国土交通大臣は、これに関する意見書を八月二十日までに当該各省各庁の長及び財務大臣に送付しなければならない。

（国土交通大臣の行う営繕等）

第一〇条　国費の支弁に属する次に掲げる営繕及び建設並びに土地又は借地権の取得は、国土交通大臣が行うものとする。

一　一団地の官公庁施設に属する国家機関の建築物の営繕及びその附帯施設の建設（第三号イ、ロ及びヘに掲げるものを除く。）

二　合同庁舎の営繕及びその附帯施設の建設（第三号イ、ロ及びヘに掲げるものを除く。）

三　前二号に掲げるもの並びに国土交通大臣の所管に属する建築物の営繕及びその附帯施設の建設のほか、次に掲げるもの以外の建築物の営繕又は附帯施設の建設

イ　衆議院議長又は参議院議長の所管に属する議事堂の営繕及びその附帯施設の建設

ロ　特別会計（東日本大震災復興特別会計を除く。）に係る建築物の営繕及びその附帯施設の建設

ハ　受刑者を使用して実施する刑務所その他の収容施設の営繕及びその附帯施設の建設

ニ　復旧整備のための学校の営繕及びその附帯施設の建設

ホ　防衛省の特殊な建築物の営繕及びその附帯施設の建設

ヘ　建築物の営繕及びその附帯施設の建設で、一件につき総額二百万円を超えないもの

四　第一号又は第二号に掲げる建築物の営繕及びその附帯施設の建設並びに国土交通大臣の所管に属する建築物の営繕及びその附帯施設の建設に必要な土地又は借地権の取得

2　前項の規定にかかわらず、特別の事情により国土交通大臣以外の各省各庁の長が行うことを適当とする建築物の営繕若しくは附帯施設の建設又は土地若しくは借地権の取得については、当該各省各庁の長が国土交通大臣と協議してこれを行うことができる。

（国家機関の建築物等の保全）

第一一条　各省各庁の長は、その所管に属する建築物及びその附帯施設を、適正に保全しなければならない。

（国家機関の建築物の点検）

第一二条　各省各庁の長は、その所管に属する建築物（建築基準法第十二条第二項本文に規定するものを除く。次項において同じ。）で政令で定めるものの敷地及び構造について、国土交通省令で定めるところにより、定期に、一級建築士若しくは二級建築士又は同条第一項に規定する建築物調査員に、損傷、腐食その他の劣化の状況の点検をさせなければならない。

2　各省各庁の長は、その所管に属する建築物で前項の政令で定めるものの昇降機以外の建築設備について、国土交通省令で定めるところにより、定期に、一級建築士若しくは二級建築士又は建築基準法第十二条第三項に規定する建築設備等検査員に、損傷、腐食その他の劣化の状況の点検をさせなければならない。

（国家機関の建築物に関する勧告等）

第一三条　国土交通大臣は、国家機関の建築物及びその附帯施設の位置、規模及び構造並びに保全について基準を定め、その実施に関し関係国家機関に対して、勧告することができる。

2　国土交通大臣は、関係国家機関に対して、国家機関の建築物の営繕及びその附帯施設の建設並びにこれらの保全に関して必要な報告又は資料の提出を求めることができる。

3　国土交通大臣は、国家機関の建築物及びその附帯施設の保全の適正を図るため、必要があると認めるときは、部下の職員をして、実地について指導させることができる。

（権限の委任）

第一四条　この法律に規定する国土交通大臣の権限は、国土交通省令で定めるところにより、その一部を地方整備局長又は北海道開発局長に委任することができる。

附　則〔抄〕

（施行期日）

1　この法律は、公布の日から起算して三月をこえない期間内において政令で定める日から施行する。但し、第七条の規定は、昭和二十七年四月一日から施行する。

〔昭和二六政二〇九により、昭和二六・六・一五から施行〕

附　則〔抄〕〔昭和三一・四・一四法律七一〕

（施行期日）

1　この法律は、公布の日から施行する。

（経過規定）

2　昭和三十一年度以前の予算に係る国家機関の建築物の営繕又はその附帯施設の建設で、この法律の施行の際現に各省各庁の長がこれらの工事を行つているものについては、第九条の二第一項の改正規定にかかわらず、なお従前の例による。

附　則〔略〕〔昭和三四・四・二四法律一五六〕

附　則〔略〕〔昭和四一・六・三〇法律九八〕

附　則〔略〕〔昭和四三・六・一五法律一〇一〕

附　則〔略〕〔平成一一・一二・二二法律一六〇〕

附　則〔略〕〔平成一六・六・二法律六七〕

附　則〔略〕〔平成一八・一二・二二法律一一八〕

附　則〔略〕〔平成二四・三・三一法律一五〕

附　則〔略〕〔平成二六・六・四法律五四〕

附　則〔略〕〔平成二八・五・二〇法律四七〕

附　則〔抄〕〔令和四・五・二〇法律四四〕

（施行期日）

第一条　この法律〔中略〕は、当該各号に定める日〔令和四・五・三一〕から施行する。

〇官公庁施設の建設等に関する法律第十二条第一項の規定によりその敷地及び構造に係る劣化の状況の点検を要する建築物を定める政令

〔平成一七・五・二七
政令一九三〕

改正　令和元・六政三〇

官公庁施設の建設等に関する法律第十二条第一項の政令で定める建築物は、事務所その他これに類する用途に供する建築物（建築基準法（昭和二十五年法律第二百一号）第八十五条第二項に規定する建築物及び災害があった場合において建築物の用途を変更して同法第八十七条の三第二項に規定する公益的建築物として使用するときにおける当該公益的建築物を除く。）のうち、次の各号のいずれかに該当するものとする。

一　階数が三以上である建築物

二　延べ面積が二百平方メートルを超える建築物

附　則

この政令は、建築物の安全性及び市街地の防災機能の確保等を図るための建築基準法等の一部を改正する法律（平成十六年法律第六十七号）の施行の日（平成十七年六月一日）から施行する。

附　則〔抄〕〔令和元・六・一九政令三〇〕

（施行期日）

第一条　この政令は、建築基準法の一部を改正する法律の施行の日（令和元年六月二十五日）から施行する。〔以下略〕

〇官公庁施設の建設等に関する法律施行規則

〔平成一二・一一・二
建設省令三八〕

改正　平成一六・四国交令三九、平成一七・五国交令五九、平成二〇・一一国交令九四、平成二七・一国交令五、平成二八・二国交令一〇、令和元・六国交令一五

（定期点検）

第一条　官公庁施設の建設等に関する法律（以下「法」という。）第十二条第一項の点検は、建築物の敷地及び構造の状況について安全上、防火上又は衛生上支障がないことを確認するために十分なものとして三年以内ごとに行うものとし、当該点検の項目、方法及び結果の判定基準は国土交通大臣の定めるところによるものとする。

2　建築基準法（昭和二十五年法律第二百一号）第十八条第十八項の規定による検査済証の交付を受けた日以後最初の法第十二条第一項の点検については、前項の規定にかかわらず、当該検査済証の交付を受けた日から起算して六年以内に行うものとする。

第二条　法第十二条第二項の点検は、建築設備の状況について安全上、防火上又は衛生上支障がないことを確認するために十分なものとして一年以内ごとに行うものとし、当該点検の項目、事項、方法及び結果の判定基準は国土交通大臣の定めるところによるものとする。

2　建築基準法第十八条第十八項（同法第八十七条の四において準用する場合を含む。）の規定による検査済証の交付を受けた日以後最初の法第十二条第二項の点検については、前項の規定にかかわらず、当該検査済証の交付を受けた日から起算して二年以内に行うものとする。

（権限の委任）

第三条　法に規定する国土交通大臣の権限のうち、次に掲げるもの（国家機関の建築物のうち特に重要なものとして国土交通大臣が定めるものに係るものを除く。）は、地方整備局長及び北海道開発局長に委任する。ただし、第二号に掲げる権限については、国土交通大臣が自ら行うことを妨げない。

一　法第八条第一項の規定により勧告すること。

二　法第十三条第一項の規定により勧告し、同条第二項の規定により必要な報告又は資料の提出を求めること。

三　法第十三条第三項の規定により指導させること。

附　則

この省令は、内閣法の一部を改正する法律（平成十一年法律第八十八号）の施行の日（平成十三年一月六日）から施行する。

附　則〔略〕〔平成一六・四・一国土交通省令三九施行〕

附　則〔抄〕〔平成一七・五・二七国土交通省令五九〕

（施行期日）

第一条　この省令は、建築物の安全性及び市街地の防災機能の確保等を図るための建築基準法等の一部を改正する法律（平成十六年法律第六十七号）の施行の日（平成十七年六月一日）から施行する。

（官公庁施設の建設等に関する法律第十三条の規定により地方整備局長又は北海道開発局長に委任する権限を定める省令の一部改正に伴う経過措置）

第三条　第二条の規定の施行の日前三年以内に法第十八条第七項の規定による検査済証の交付を受けていない場合における最初の点検（第二条の規定による改正後の官公庁施設の建設等に関する法律施行規則（以下この条において「新官公庁施設法規則」という。）第一条第一項に規定する点検をいう。）については、新官公庁施設法規則第一条第一項の規定にかかわらず、第二条の規定の施行の日から起算して三年以内に行うものとする。

2　第二条の規定の施行の日前一年以内に法第十八条第七項（法第八十七条の二において準用する場合を含む。）の規定による検査済証の交付を受けていない場合における最初の点検（新官公庁施設法規則第二条第一項に規定する点検をいう。）については、新官公庁施設法規則第二条第一項の規定にかかわらず、第二条の規定の施行の日から起算して一年以内に行うものとする。

附　則〔平成二〇・一一・一七国土交通省令九四〕

（施行期日）

1　この省令は、公布の日から施行する。

（経過措置）

2　この省令の施行日前に開始した官公庁施設の建設等に関する法律第十二条第一項及び第二項の規定による点検については、なお従前の例による。

附　則〔略〕〔平成二七・一・二九国土交通省令五〕

附　則〔略〕〔平成二八・二・二九国土交通省令一〇〕

附　則〔抄〕〔令和元・六・二〇国土交通省令一五〕

（施行期日）

第一条　この省令は、建築基準法の一部を改正する法律の施行の日（令和元年六月二十五日）から施行する。

○建築物のエネルギー消費性能の向上等に関する法律〔平成二七・七・八 法律五三〕

改正　令和元・五法四、六法三七、令和四・五法四六、六法六九、令和五・六法五八、令和六・六法五三

注　令和四年六月一七日法律第六九号の改正の一部は、令和七年四月一日から施行。なお、条文が大幅に改正されることから、使用上の便を図るため、末尾に（参考）として改正後の条文を掲載いたしました。

目次

第一章　総則（第一条・第二条）
第二章　基本方針等（第三条―第十条）
第三章　建築主が講ずべき措置等
　第一節　特定建築物の建築主の基準適合義務等（第十一条―第十八条）
　第二節　一定規模以上の建築物のエネルギー消費性能の確保に関するその他の措置（第十九条―第二十二条）
　第三節　特殊の構造又は設備を用いる建築物の認定等（第二十三条―第二十六条）
　第四節　小規模建築物のエネルギー消費性能に係る評価及び説明（第二十七条）
　第五節　分譲型一戸建て規格住宅及び分譲型規格共同住宅等に係る措置（第二十八条―第三十条）
　第六節　請負型一戸建て規格住宅及び請負型規格共同住宅等に係る措置（第三十一条―第三十三条）
第三章の二　販売事業者等による建築物の販売等に係る措置（第三十三条の二・第三十三条の三）
第四章　建築物エネルギー消費性能向上計画の認定等（第三十四条―第四十条）
第五章　建築物のエネルギー消費性能に係る認定等（第四十一条―第四十三条）
第六章　登録建築物エネルギー消費性能判定機関等
　第一節　登録建築物エネルギー消費性能判定機関（第四十四条―第六十条）
　第二節　登録建築物エネルギー消費性能評価機関（第六十一条―第六十七条）
第六章の二　建築物再生可能エネルギー利用促進区域における措置（第六十七条の二―第六十七条の六）
第七章　雑則（第六十八条―第七十一条）
第八章　罰則（第七十二条―第七十九条）
附則

第一章　総則

（目的）

第一条　この法律は、社会経済情勢の変化に伴い建築物におけるエネルギーの消費量が著しく増加していることに鑑み、建築物のエネルギー消費性能の向上及び建築物への再生可能エネルギー利用設備の設置の促進（以下「建築物のエネルギー消費性能の向上等」という。）に関する基本的な方針の策定について定めるとともに、一定規模以上の建築物の建築物エネルギー消費性能基準への適合性を確保するための措置、建築物エネルギー消費性能向上計画の認定その他の措置を講ずることにより、エネルギーの使用の合理化及び非化石エネルギーへの転換等に関する法律（昭和五十四年法律第四十九号）と相まって、建築物のエネルギー消費性能の向上等を図り、もって国民経済の健全な発展と国民生活の安定向上に寄与することを目的とする。

（定義等）

第二条　この法律において、次の各号に掲げる用語の意義は、それぞれ当該各号に定めるところによる。

一　建築物　建築基準法（昭和二十五年法律第二百一号）第二条第一号に規定する建築物をいう。

二　エネルギー消費性能　建築物の一定の条件での使用に際し消費されるエネルギー（エネルギーの使用の合理化及び非化石エネルギーへの転換等に関する法律第二条第一項に規定するエネルギーをいい、建築物に設ける空気調和設備その他の政令で定める建築設備（第六条第二項及び第三十四条第三項において「空気調和設備等」という。）において消費されるものに限る。）の量を基礎として評価される性能をいう。

三　建築物エネルギー消費性能基準　建築物の備えるべきエネルギー消費性能の確保のために必要な建築物の構造及び設備に関する経済産業省令・国土交通省令で定める基準をいう。

四　建築主等　建築主（建築物に関する工事の請負契約の注文者又は請負契約によらないで自らその工事をする者をいう。以下同じ。）又は建築物の所有者、管理者若しくは占有者をいう。

五　所管行政庁　建築基準法の規定により建築主事又は建築副主事を置く市町村の区域については市町村長をいい、その他の市町村の区域については都道府県知事をいう。ただし、同法第九十七条の二第一項若しくは第二項又は第九十七条の三第一項若しくは第二項の規定により建築主事又は建築副主事を置く市町村の区域内の政令で定める建築物については、都道府県知事とする。

2　地方公共団体は、その地方の自然的社会的条件の特殊性により、建築物エネルギー消費性能基準のみによっては建築物のエネルギー消費性能の確保を図ることが困難であると認める場合においては、条例で、建築物エネルギー消費性能基準に必要な事項を付加することができる。

第二章　基本方針等

（基本方針）

第三条　国土交通大臣は、建築物のエネルギー消費性能の向上等に関する基本的な方針（以下この条、第三十五条第一項第二号及び第六十七条の二第一項において「基本方針」という。）を定めなければならない。

2　基本方針においては、次に掲げる事項を定めるものとする。

一　建築物のエネルギー消費性能の向上等の意義及び目標に関する事項

二　建築物のエネルギー消費性能の向上等のための施策に関する基本的な事項

三　建築物のエネルギー消費性能の向上等のために建築主等が講ずべき措置に関する基本的な事項

四　第六十七条の二第一項に規定する促進計画に関する基本的な事項

五　前各号に掲げるもののほか、建築物のエネルギー消費性能の向上等に関する重要事項

3　基本方針は、エネルギーの使用の合理化及び非化石エネルギーへの転換等に関する法律第三条第一項に規定する基本方針との調和が保たれたものでなければならない。

4　国土交通大臣は、基本方針を定めようとするときは、経済産業大臣に協議しなければならない。

5　国土交通大臣は、基本方針を定めたときは、遅滞なく、これを公表しなければならない。

6　前三項の規定は、基本方針の変更について準用する。

（国の責務）

第四条　国は、建築物のエネルギー消費性能の向上等に関する施策を総合的に策定し、及び実施する責務を有する。

2　国は、地方公共団体が建築物のエネルギー消費性能の向上等に関する施策を円滑に実施することができるよう、地方公共団体に対し、助言その他の必要な援助を行うよう努めなければならない。

3　国は、建築物のエネルギー消費性能の向上等を図るために必要な財政上、金融上及び税制上の措置を講ずるよう努めなければならない。

4　国は、建築物のエネルギー消費性能の向上等に関する研究、技術の開発及び普及、人材の育成その他の建築物のエネルギー消費性能の向上等を図るために必要な措置を講ずるよう努めなければならない。

5　国は、教育活動、広報活動その他の活動を通じて、建築物のエネルギー消費性能の向上等に関する国民の理解を深めるとともに、その実施に関する国民の協力を求めるよう努めなければならない。

（地方公共団体の責務）

第五条　地方公共団体は、建築物のエネルギー消費性能の向上等に関し、国の施策に準じて施策を講ずるとともに、その地方公共団体の区域の実情に応じた施策を策定し、及び実施する責務を有する。

（建築主等の努力）

第六条　建築主（次章第一節若しくは第二節又は附則第三条の規定が適用される者を除く。）は、その建築（建築物の新築、増築又は改築をいう。以下同じ。）をしようとする建築物について、建築物エネルギー消費性能基準（第二条第二項の条例で付加した事項を含む。第二十九条及び第三十二条第二項を除き、以下同じ。）に適合させるために必要な措置を講ずるよう努めなければならない。

2　建築主は、その修繕等（建築物の修繕若しくは模様替、建築物への空気調和設備等の設置又は建築物に設けた空気調和設備等の改修をいう。第三十四条第一項及び第六十七条の四において同じ。）をしようとする建築物について、建築物の所有者、管理者又は占有者は、その所有し、管理し、又は占有する建築物について、エネルギー消費性能の向上を図るよう努めなければならない。

第七条　削除

（建築物に係る指導及び助言）

第八条　所管行政庁は、建築物のエネルギー消費性能の確保のため必要があると認めるときは、建築主等に対し、建築物エネルギー消費性能基準を勘案して、建築物の設計、施工及び維持保全に係る事項について必要な指導及び助言をすることができる。

（建築物の設計等に係る指導及び助言）

第九条　国土交通大臣は、建築物エネルギー消費性能基準に適合する建築物の建築が行われることを確保するため特に必要があると認めるときは、建築物の設計又は施工を行う事業者に対し、建築物エネルギー消費性能基準を勘案して、建築物のエネルギー消費性能の向上及び建築物のエネルギー消費性能の表示について必要な指導及び助言をすることができる。

（建築材料に係る指導及び助言）

第一〇条　経済産業大臣は、建築物エネルギー消費性能基準に適合する建築物の建築が行われることを確保するため特に必要があると認めるときは、建築物の直接外気に接する屋根、壁又は床（これらに設ける窓その他の開口部を含む。）を通しての熱の損失の防止の用に供される建築材料の製造、加工又は輸入を行う事業者に対し、建築物エネルギー消費性能基準を勘案して、当該建築材料の断熱性に係る品質の向上及び当該品質の表示について必要な指導及び助言をすることができる。

第三章　建築主が講ずべき措置等

第一節　特定建築物の建築主の基準適合義務等

（特定建築物の建築主の基準適合義務）

第一一条　建築主は、特定建築行為（特定建築物（居住のために継続的に使用する室その他の政令で定める建築物の部分（以下「住宅部分」という。）以外の建築物の部分（以下「非住宅部分」という。）の規模がエネルギー消費性能の確保を特に図る必要があるものとして政令で定める規模以上である建築物をいう。以下同じ。）の新築若しくは増築若しくは改築（非住宅部分の増築又は改築の規模が政令で定める規模以上であるものに限る。）又は特定建築物以外の建築物の増築（非住宅部分の増築の規模が政令で定める規模以上であるものであって、当該建築物が増築後において特定建築物となる場合に限る。）をいう。以下同じ。）をしようとするときは、当該特定建築物（非住宅部分に限る。）を建築物エネルギー消費性能基準に適合させなければならない。

2　前項の規定は、建築基準法第六条第一項に規定する建築基準関係規定とみなす。

（建築物エネルギー消費性能適合性判定）

第一二条　建築主は、特定建築行為をしようとするときは、その工事に着手する前に、建築物エネルギー消費性能確保計画（特定建築行為に係る特定建築物のエネルギー消費性能の確保のための構造及び設備に関する計画をいう。以下同じ。）を提出して所管行政庁の建築物エネルギー消費性能適合性判定（建築物エネルギー消費性能確保計画（非住宅部分に係る部分に限る。第五項及び第六項において同じ。）が建築物エネルギー消費性能基準に適合するかどうかの判定をいう。以下同じ。）を受けなければならない。

2　建築主は、前項の建築物エネルギー消費性能適合性判定を受けた建築物エネルギー消費性能確保計画の変更（国土交通省令で定める軽微な変更を除く。）をして特定建築行為をしようとするときは、その工事に着手する前に、その変更後の建築物エネルギー消費性能確保計画を所管行政庁に提出しなければならない。この場合において、当該変更が非住宅部分に係る部分の変更を含むものであるときは、所管行政庁の建築物エネルギー消費性能適合性判定を受けなければならない。

3　所管行政庁は、前二項の規定による建築物エネルギー消費性能確保計画の提出を受けた場合においては、その提出を受けた日から十四日以内に、当該提出に係る建築物エネルギー消費性能適合性判定の結果を記載した通知書を当該提出者に交付しなければならない。

4　所管行政庁は、前項の場合において、同項の期間内に当該提出者に同項の通知書を交付することができない合理的な理由があるときは、二十八日の範囲内において、同項の期間を延長することができる。この場合においては、その旨及びその延長する期間並びにその期間を延長する理由を記載した通知書を同項の期間内に当該提出者に交付しなければならない。

5　所管行政庁は、第三項の場合において、建築物エネルギー消費性能確保計画の記載によっては当該建築物エネルギー消費性能確保計画が建築物エネルギー消費性能基準に適合するかどうかを決定することができない正当な理由があるときは、その旨及びその理由を記載した通知書を同項の期間（前項の規定によりその期間を延長した場合にあっては、当該延長後の期間）内に当該提出者に交付しなければならない。

6　建築主は、第三項の規定により交付を受けた通知書が適合判定通知書（当該建築物エネルギー消費性能確保計画が建築物エネルギー消費性能基準に適合するものであると判定された旨が記載された通知書をいう。以下同じ。）である場合においては、当該特定建築行為に係る建築基準法第六条第一項又は第六条の二第一項の規定による確認をする建築主事若しくは建築副主事又は指定確認検査機関（同法第七十七条の二十一第一項に規定する指定確認検査機関をいう。以下同じ。）に、当該適合判定通知書又はその写しを提出しなければならない。ただし、当該特定建築行為に係る建築物の計画（同法第六条第一項又は第六条の二第一項の規定による確認の申請に係る建築物の計画をいう。次項及び第八項において同じ。）について同法第六条第七項又は第六条の二第四項の通知書の交付を受けた場合は、この限りでない。

7　建築主は、前項の場合において、特定建築行為に係る建築物の計画が建築基準法第六条第一項の規定による建築主事又は建築副主事の確認に係るものであるときは、同条第四項の期間（同条第六項の規定によりその期間が延長された場合にあっては、当該延長後の期間）の末日の三日前までに、前項の適合判定通知書又はその写しを当該建築主事又は建築副主事に提出しなければならない。

8　建築主事又は建築副主事は、建築基準法第六条第一項の規定による確認の申請書を受理した場合において、指定確認検査機関は、同法第六条の二第一項の規定による確認の申請を受けた場合において、建築物の計画が特定建築行為に係るものであるときは、建築主から第六項の適合判定通知書又はその写しの提出を受けた場合に限り、同法第六条第一項又は第六条の二第一項の規定による確認をすることができる。

9　建築物エネルギー消費性能確保計画に関する書類及び第三項から第五項までの通知書の様式は、国土交通省令で定める。

（国等に対する建築物エネルギー消費性能適合性判定に関する手続の特例）

第一三条　国、都道府県又は建築主事若しくは建築副主事を置く市町村（以下「国等」という。）の機関の長が行う特定建築行為については、前条の規定は、適用しない。この場合においては、次項から第九項までの規定に定めるところによる。

2　国等の機関の長は、特定建築行為をしようとするときは、その工事に着手する前に、建築物エネルギー消費性能確保計画を所管行政庁に通知し、建築物エネルギー消費性能適合性判定を求めなければならない。

3　国等の機関の長は、前項の建築物エネルギー消費性能適合性判定を受けた建築物エネルギー消費性能確保計画の変更（国土交通省令で定める軽微な変更を除く。）をして特定建築行為をしようとするときは、その工事に着手する前に、その変更後の建築物エネルギー消費性能確保計画を所管行政庁に通知しなければならない。この場合において、当該変更が非住宅部分に係る部分の変更を含むものであるときは、所管行政庁の建築物エネルギー消費性能適合性判定を求めなければならない。

4　所管行政庁は、前二項の規定による通知を受けた場合においては、その通知を受けた日から十四日以内に、当該通知に係る建築物エネルギー消費性能適合性判定の結果を記載した通知書を当該通知をした国等の機関の長に交付しなければならない。

5　所管行政庁は、前項の場合において、同項の期間内に当該通知をした国等の機関の長に同項の通知書を交付することができない合理的な理由があるときは、二十八日の範囲内において、同項の期間を延長することができる。この場合においては、その旨及びその延長する期間並びにその期間を延長する理由を記載した通知書を同項の期間内に当該通知をした国等の機関の長に交付しなければならない。

6　所管行政庁は、第四項の場合において、第二項又は第三項の規定による通知の記載によっては当該建築物エネルギー消費性能確保計画（非住宅部分に係る部分に限る。）が建築物エネルギー消費性能基準に適合するかどうかを決定することができない正当な理由があるときは、その旨及びその理由を記載した通知書を第四項の期間（前項の規定によりその期間を延長した場合にあっては、当該延長後の期間）内に当該通知をした国等の機関の長に交付しなければならない。

7　国等の機関の長は、第四項の規定により交付を受けた通知書が適合判定通知書である場合においては、当該特定建築行為に係る建築基準法第十八条第三項又は第四項の規定による審査をする建築主事若しくは建築副主事又は指定確認検査機関に、当該適合判定通知書又はその写しを提出しなければならない。ただし、当該特定建築行為に係る建築物の計画（同条第二項又は第四項の規定による通知に係る建築物の計画をいう。第九項において同じ。）について同条第十五項又は第十六項の通知書の交付を受けた場合は、この限りでない。

8　前項の場合において、同項の規定による適合判定通知書又はその写しの建築主事又は建築副主事への提出は、建築基準法第十八条第三項の期間（同条第十四項の規定によりその期間が延長された場合にあっては、当該延長後の期間）の末日の三日前までにしなければならない。

9　建築主事若しくは建築副主事又は指定確認検査機関は、建築基準法第十八条第三項又は第四項の場合において、建築物の計画が特定建築行為に係るものであるときは、当該通知をした国等の機関の長から第七項の適合判定通知書又はその写しの提出を受けた場合に限り、同条第三項又は第四項の確認済証を交付することができる。

（特定建築物に係る基準適合命令等）

第一四条　所管行政庁は、第十一条第一項の規定に違反している事実があると認めるときは、建築主に対し、相当の期限を定めて、当該違反を是正するために必要な措置をとるべきことを命ずることができる。

2　国等の建築物については、前項の規定は、適用しない。この場合において、所管行政庁は、当該建築物が第十一条第一項の規定に違反している事実があると認めるときは、直ちに、その旨を当該建築物に係る国等の機関の長に通知し、前項に規定する措置をとるべきことを要請しなければならない。

（登録建築物エネルギー消費性能判定機関による建築物エネルギー消費性能適合性判定の実施）

第一五条　所管行政庁は、第四十四条から第四十七条までの規定の定めるところにより国土交通大臣の登録を受けた者（以下「登録建築物エネルギー消費性能判定機関」という。）に、第十二条第一項及び第二項並びに第十三条第二項及び第三項の建築物エネルギー消費性能適合性判定の全部又は一部を行わせることができる。

2　登録建築物エネルギー消費性能判定機関が建築物エネルギー消費性能適合性判定を行う場合における第十二条第一項から第五項まで及び第十三条第二項から第六項までの規定の適用については、これらの規定中「所管行政庁」とあるのは、「第十五条第一項の登録を受けた者」とする。

3　登録建築物エネルギー消費性能判定機関は、第十二条第一項若しくは第二項の規定による建築物エネルギー消費性能確保計画（住宅部分の規模が政令で定める規模以上である建築物の新築又は住宅部分の規模が政令で定める規模以上である増築若しくは改築に係るものに限る。以下同じ。）の提出又は第十三条第二項若しくは第三項の規定による建築物エネルギー消費性能確保計画の通知を受けた場合においては、遅滞なく、当該建築物エネルギー消費性能確保計画の写しを所管行政庁に送付しなければならない。

（住宅部分に係る指示等）

第一六条　所管行政庁は、第十二条第一項若しくは第二項の規定による建築物エネルギー消費性能確保計画の提出又は前条第三項の規定による建築物エネルギー消費性能確保計画の写しの送付を受けた場合において、当該建築物エネルギー消費性能確保計画（住宅部分に係る部分に限る。）が建築物エネルギー消費性能基準に適合せず、当該特定建築物のエネルギー消費性能の確保のため必要があると認めるときは、その工事の着手の日の前日までの間に限り、その提出者（同項の規定による建築物エネルギー消費性能確保計画の写しの送付を受けた場合にあっては、当該建築物エネルギー消費性能確保計画の提出者）に対し、当該建築物エネルギー消費性能確保計画の変更その他必要な措置をとるべきことを指示することができる。

2　所管行政庁は、前項の規定による指示を受けた者が、正当な理由がなくてその指示に係る措置をとらなかったときは、その者に対し、相当の期限を定めて、その指示に係る措置をとるべきことを命ずることができる。

3　所管行政庁は、第十三条第二項若しくは第三項の規定による建築物エネルギー消費性能確保計画の通知又は前条第三項の規定による建築物エネルギー消費性能確保計画の写しの送付を受けた場合において、当該建築物エネルギー消費性能確保計画（住宅部分に係る部分に限る。）が建築物エネルギー消費性能基準に適合せず、当該特定建築物のエネルギー消費性能の確保のため必要があると認めるときは、その必要な限度において、当該国等の機関の長に対し、当該特定建築物のエネルギー消費性能の確保のためとるべき措置について協議を求めることができる。

（特定建築物に係る報告、検査等）

第一七条　所管行政庁は、第十四条又は前条の規定の施行に必要な限度において、建築主等に対し、特定建築物の建築物エネルギー消費性能基準への適合に関する事項に関し報告させ、又はその職員に、特定建築物若しくはその工事現場に立ち入り、特定建築物、建築設備、建築材料、書類その他の物件を検査させることができる。ただし、住居に立ち入る場合においては、あらかじめ、その居住者の承諾を得なければならない。

2　前項の規定により立入検査をする職員は、その身分を示す証明書を携帯し、関係者に提示しなければならない。

3　第一項の規定による立入検査の権限は、犯罪捜査のために認められたものと解釈してはならない。

（適用除外）

第一八条　この節の規定は、次の各号のいずれかに該当する建築物については、適用しない。

一　居室を有しないこと又は高い開放性を有することにより空気調和設備を設ける必要がないものとして政令で定める用途に供する建築物

二　法令又は条例の定める現状変更の規制及び保存のための措置その他の措置がとられていることにより建築物エネルギー消費性能基準に適合させることが困難なものとして政令で定める建築物

三　仮設の建築物であって政令で定めるもの

第二節　一定規模以上の建築物のエネルギー消費性能の確保に関するその他の措置

（建築物の建築に関する届出等）

第一九条　建築主は、次に掲げる行為をしようとするときは、その工事に着手する日の二十一日前までに、国土交通省令で定めるところにより、当該行為に係る建築物のエネルギー消費性能の確保のための構造及び設備に関する計画を所管行政庁に届け出なければならない。その変更（国土交通省令で定める軽微な変更を除く。）をしようとするときも、同様とする。

一　特定建築物以外の建築物であってエネルギー消費性能の確保を図る必要があるものとして政令で定める規模以上のものの新築

二　建築物の増築又は改築であってエネルギー消費性能の確保を図る必要があるものとして政令で定める規模以上のもの（特定建築行為に該当するものを除く。）

2　所管行政庁は、前項の規定による届出があった場合において、その届出に係る計画が建築物エネルギー消費性能基準に適合せず、当該建築物のエネルギー消費性能の確保のため必要があると認めるときは、その届出を受理した日から二十一日以内に限り、その届出をした者に対し、その届出に係る計画の変更その他必要な措置をとるべきことを指示することができる。

３　所管行政庁は、前項の規定による指示を受けた者が、正当な理由がなくてその指示に係る措置をとらなかったときは、その者に対し、相当の期限を定めて、その指示に係る措置をとるべきことを命ずることができる。

４　建築主は、第一項の規定による届出に併せて、建築物エネルギー消費性能基準への適合性に関する審査であって第十二条第一項の建築物エネルギー消費性能適合性判定に準ずるものとして国土交通省令で定めるものの結果を記載した書面を提出することができる。この場合において、第一項及び第二項の規定の適用については、第一項中「二十一日前」とあるのは「三日以上二十一日未満の範囲内で国土交通省令で定める日数前」と、第二項中「二十一日以内」とあるのは「前項の国土交通省令で定める日数以内」とする。

（国等に対する特例）

第二〇条　国等の機関の長が行う前条第一項各号に掲げる行為については、同条の規定は、適用しない。この場合においては、次項及び第三項の規定に定めるところによる。

２　国等の機関の長は、前条第一項各号に掲げる行為をしようとするときは、あらかじめ、当該行為に係る建築物のエネルギー消費性能の確保のための構造及び設備に関する計画を所管行政庁に通知しなければならない。その変更（国土交通省令で定める軽微な変更を除く。）をしようとするときも、同様とする。

３　所管行政庁は、前項の規定による通知があった場合において、その通知に係る計画が建築物エネルギー消費性能基準に適合せず、当該建築物のエネルギー消費性能の確保のため必要があると認めるときは、その必要な限度において、当該国等の機関の長に対し、当該建築物のエネルギー消費性能の確保のためとるべき措置について協議を求めることができる。

（建築物に係る報告、検査等）

第二一条　所管行政庁は、第十九条第二項及び第三項並びに前条第三項の規定の施行に必要な限度において、建築主等に対し、建築物の建築物エネルギー消費性能基準への適合に関する事項に関し報告させ、又はその職員に、建築物若しくはその工事現場に立ち入り、建築物、建築設備、建築材料、書類その他の物件を検査させることができる。

２　第十七条第一項ただし書、第二項及び第三項の規定は、前項の規定による立入検査について準用する。

（適用除外）

第二二条　この節の規定は、第十八条各号のいずれかに該当する建築物については、適用しない。

第三節　特殊の構造又は設備を用いる建築物の認定等

（特殊の構造又は設備を用いる建築物の認定）

第二三条　国土交通大臣は、建築主の申請により、特殊の構造又は設備を用いて建築が行われる建築物が建築物エネルギー消費性能基準に適合する建築物と同等以上のエネルギー消費性能を有するものである旨の認定をすることができる。

２　前項の申請をしようとする者は、国土交通省令で定めるところにより、国土交通省令で定める事項を記載した申請書を提出して、これを行わなければならない。

３　国土交通大臣は、第一項の認定をしたときは、遅滞なく、その旨を当該認定を受けた建築物の建築が行われる場所を管轄する所管行政庁に通知するものとする。

（審査のための評価）

第二四条　国土交通大臣は、前条第一項の認定のための審査に当たっては、審査に係る特殊の構造又は設備を用いる建築物のエネルギー消費性能に関する評価（第二十七条を除き、以下単に「評価」という。）であって、第六十一条から第六十三条までの規定の定めるところにより国土交通大臣の登録を受けた者（以下「登録建築物エネルギー消費性能評価機関」という。）が行うものに基づきこれを行うものとする。

２　前条第一項の申請をしようとする者は、登録建築物エネルギー消費性能評価機関が作成した当該申請に係る特殊の構造又は設備を用いる建築物のエネルギー消費性能に関する評価書を同条第二項の申請書に添えて、これをしなければならない。この場合において、国土交通大臣は、当該評価書に基づき同条第一項の認定のための審査を行うものとする。

（認定を受けた特殊の構造又は設備を用いる建築物に関する特例）

第二五条　特殊の構造又は設備を用いて建築物の建築をしようとする者が当該建築物について第二十三条第一項の認定を受けたときは、当該建築物の建築のうち第十二条第一項の建築物エネルギー消費性能適合性判定を受けなければならないものについては、同条第三項の規定により適合判定通知書の交付を受けたものとみなして、同条第六項から第八項までの規定を適用する。

２　特殊の構造又は設備を用いて建築物の建築をしようとする者が当該建築物について第二十三条第一項の認定を受けたときは、当該建築物の建築のうち第十九条第一項の規定による届出をしなければならないものについては、同項の規定による届出をしたものとみなす。この場合においては、同条第二項及び第三項の規定は、適用しない。

（手数料）

第二六条　第二十三条第一項の申請をしようとする者は、国土交通省令で定めるところにより、実費を勘案して国土交通省令で定める額の手数料を国に納めなければならない。

第四節　小規模建築物のエネルギー消費性能に係る評価及び説明

第二七条　建築士は、小規模建築物（特定建築物及び第十九条第一項第一号に規定する建築物以外の建築物（第十八条各号のいずれかに該当するものを除く。）をいう。以下この条において同じ。）の建築（特定建築行為又は第十九条第一項第二号に掲げる行為に該当するもの及びエネルギー消費性能に及ぼす影響が少ないものとして政令で定める規模以下のものを除く。次項において同じ。）に係る設計を行うときは、国土交通省令で定めるところにより当該小規模建築物の建築物エネルギー消費性能基準への適合性について評価を行うとともに、当該設計の委託をした建築主に対し、当該評価の結果（当該小規模建築物が建築物エネルギー消費性能基準に適合していない場合にあっては、当該小規模建築物のエネルギー消費性能の確保のためとるべき措置を含む。）について、国土交通省令で定める事項を記載した書面を交付して説明しなければならない。

２　前項の規定は、小規模建築物の建築に係る設計の委託をした建築主から同項の規定による評価及び説明を要しない旨の意思の表明があった場合については、適用しない。

第五節　分譲型一戸建て規格住宅及び分譲型規格共同住宅等に係る措置

（特定一戸建て住宅建築主及び特定共同住宅等建築主の努力）

第二八条　特定一戸建て住宅建築主（自らが定めた一戸建ての住宅の構造及び設備に関する規格に基づき一戸建ての住宅を新築し、これを分譲することを業として行う建築主であって、その一年間に新築する当該規格に基づく一戸建ての住宅（以下この項及び次条第一項において「分譲型一戸建て規格住宅」という。）の戸数が政令で定める数以上であるものをいう。同項において同じ。）は、第六条に定めるもののほか、その新築する分譲型一戸建て規格住宅を同項に規定する基準に適合させるよう努めなければならない。

２　特定共同住宅等建築主（自らが定めた共同住宅等（共同住宅又は長屋をいう。以下この項及び第三十一条第二項において同じ。）の構造及び設備に関する規格に基づき共同住宅等を新築し、これを分譲することを業として行う建築主であって、その一年間に新築する当該規格に基づく共同住宅等（以下この項及び次条第一項において「分譲型規格共同住宅等」という。）の住戸の数が政令で定める数以上であるものをいう。同項において同じ。）は、第六条に定めるもののほか、その新築する分譲型規格共同住宅等を同項に規定する基準に適合させるよう努めなければならない。

（分譲型一戸建て規格住宅等のエネルギー消費性能の一層の向上に関する基準）

第二九条　経済産業大臣及び国土交通大臣は、経済産業省令・国土交通省令で、分譲型一戸建て規格住宅又は分譲型規格共同住宅等（以下この条及び次条において「分譲型一戸建て規格住宅等」という。）ごとに、特定一戸建て住宅建築主又は特定共同住宅等建築主（次項及び同条において「特定一戸建て住宅建築主等」という。）の新築する分譲型一戸建て規格住宅等のエネルギー消費性能の一層の向上（建築物エネルギー消費性能基準に適合する建築物において確保されるエネルギー消費性能を超えるエネルギー消費性能を当該建築物において確保することをいう。以下同じ。）のために必要な住宅の構造及び設備に関する基準を定めなければならない。

2　前項に規定する基準は、特定一戸建て住宅建築主等の新築する分譲型一戸建て規格住宅等のうちエネルギー消費性能が最も優れているものの当該エネルギー消費性能、分譲型一戸建て規格住宅等に関する技術開発の将来の見通しその他の事情を勘案して、建築物エネルギー消費性能基準に必要な事項を付加して定めるものとし、これらの事情の変動に応じて必要な改定をするものとする。

（特定一戸建て住宅建築主等に対する勧告及び命令等）

第三〇条　国土交通大臣は、特定一戸建て住宅建築主等の新築する分譲型一戸建て規格住宅等につき、前条第一項に規定する基準に照らしてエネルギー消費性能の一層の向上を相当程度行う必要があると認めるときは、当該特定一戸建て住宅建築主等に対し、その目標を示して、その新築する分譲型一戸建て規格住宅等のエネルギー消費性能の一層の向上を図るべき旨の勧告をすることができる。

2　国土交通大臣は、前項の勧告を受けた特定一戸建て住宅建築主等がその勧告に従わなかったときは、その旨を公表することができる。

3　国土交通大臣は、第一項の勧告を受けた特定一戸建て住宅建築主等が、正当な理由がなくてその勧告に係る措置をとらなかった場合において、前条第一項に規定する基準に照らして特定一戸建て住宅建築主等が行うべきその新築する分譲型一戸建て規格住宅等のエネルギー消費性能の一層の向上を著しく害すると認めるときは、社会資本整備審議会の意見を聴いて、当該特定一戸建て住宅建築主等に対し、相当の期限を定めて、その勧告に係る措置をとるべきことを命ずることができる。

4　国土交通大臣は、前三項の規定の施行に必要な限度において、特定一戸建て住宅建築主等に対し、その新築する分譲型一戸建て規格住宅等に係る業務の状況に関し報告させ、又はその職員に、特定一戸建て住宅建築主等の事務所その他の事業場若しくは特定一戸建て住宅建築主等の新築する分譲型一戸建て規格住宅等若しくはその工事現場に立ち入り、特定一戸建て住宅建築主等の新築する分譲型一戸建て規格住宅等、帳簿、書類その他の物件を検査させることができる。

5　第十七条第二項及び第三項の規定は、前項の規定による立入検査について準用する。

第六節　請負型一戸建て規格住宅及び請負型規格共同住宅等に係る措置

（特定一戸建て住宅建設工事業者及び特定共同住宅等建設工事業者の努力）

第三一条　特定一戸建て住宅建設工事業者（自らが定めた一戸建ての住宅の構造及び設備に関する規格に基づき一戸建ての住宅を新たに建設する工事を業として請け負う者であって、その一年間に新たに建設する当該規格に基づく一戸建ての住宅（以下この項及び次条第一項において「請負型一戸建て規格住宅」という。）の戸数が政令で定める数以上であるものをいう。同項において同じ。）は、その新たに建設する請負型一戸建て規格住宅を同項に規定する基準に適合させるよう努めなければならない。

2　特定共同住宅等建設工事業者（自らが定めた共同住宅等の構造及び設備に関する規格に基づき共同住宅等を新たに建設する工事を業として請け負う者であって、その一年間に新たに建設する当該規格に基づく共同住宅等（以下この項及び次条第一項において「請負型規格共同住宅等」という。）の住戸の数が政令で定める数以上であるものをいう。同項において同じ。）は、その新たに建設する請負型規格共同住宅等を同項に規定する基準に適合させるよう努めなければならない。

（請負型一戸建て規格住宅等のエネルギー消費性能の一層の向上に関する基準）

第三二条　経済産業大臣及び国土交通大臣は、経済産業省令・国土交通省令で、請負型一戸建て規格住宅又は請負型規格共同住宅等（以下この条及び次条において「請負型一戸建て規格住宅等」という。）ごとに、特定一戸建て住宅建設工事業者又は特定共同住宅等建設工事業者（次項及び同条において「特定一戸建て住宅建設工事業者等」という。）の新たに建設する請負型一戸建て規格住宅等のエネルギー消費性能の一層の向上のために必要な住宅の構造及び設備に関する基準を定めなければならない。

2　前項に規定する基準は、特定一戸建て住宅建設工事業者等の新たに建設する請負型一戸建て規格住宅等のうちエネルギー消費性能が最も優れているものの当該エネルギー消費性能、請負型一戸建て規格住宅等に関する技術開発の将来の見通しその他の事情を勘案して、建築物エネルギー消費性能基準に必要な事項を付加して定めるものとし、これらの事情の変動に応じて必要な改定をするものとする。

（特定一戸建て住宅建設工事業者等に対する勧告及び命令等）

第三三条　国土交通大臣は、特定一戸建て住宅建設工事業者等の新たに建設する請負型一戸建て規格住宅等につき、前条第一項に規定する基準に照らしてエネルギー消費性能の一層の向上を相当程度行う必要があると認めるときは、当該特定一戸建て住宅建設工事業者等に対し、その目標を示して、その新たに建設する請負型一戸建て規格住宅等のエネルギー消費性能の一層の向上を図るべき旨の勧告をすることができる。

2　国土交通大臣は、前項の勧告を受けた特定一戸建て住宅建設工事業者等がその勧告に従わなかったときは、その旨を公表することができる。

3　国土交通大臣は、第一項の勧告を受けた特定一戸建て住宅建設工事業者等が、正当な理由がなくてその勧告に係る措置をとらなかった場合において、前条第一項に規定する基準に照らして特定一戸建て住宅建設工事業者等が行うべきその新たに建設する請負型一戸建て規格住宅等のエネルギー消費性能の一層の向上を著しく害すると認めるときは、社会資本整備審議会の意見を聴いて、当該特定一戸建て住宅建設工事業者等に対し、相当の期限を定めて、その勧告に係る措置をとるべきことを命ずることができる。

4　国土交通大臣は、前三項の規定の施行に必要な限度において、特定一戸建て住宅建設工事業者等に対し、その新たに建設する請負型一戸建て規格住宅等に係る業務の状況に関し報告させ、又はその職員に、特定一戸建て住宅建設工事業者等の事務所その他の事業場若しくは特定一戸建て住宅建設工事業者等の新たに建設する請負型一戸建て規格住宅等若しくはその工事現場に立ち入り、特定一戸建て住宅建設工事業者等の新たに建設する請負型一戸建て規格住宅等、帳簿、書類その他の物件を検査させることができる。

5　第十七条第二項及び第三項の規定は、前項の規定による立入検査について準用する。

第三章の二　販売事業者等による建築物の販売等に係る措置

（販売事業者等の表示）

第三三条の二　建築物の販売又は賃貸（以下この項並びに次条第一項及び第四項において「販売等」という。）を行う事業者（次項及び同条において「販売事業者等」という。）は、その販売等を行う建築物について、エネルギー消費性能を表示するよう努めなければならない。

2　国土交通大臣は、前項の規定による建築物のエネルギー消費性能の表示について、次に掲げる事項を定め、これを告示するものとする。

一　建築物のエネルギー消費性能に関し販売事業者等が表示すべき事項

二　表示の方法その他建築物のエネルギー消費性能の表示に際して販売事業者等が遵守すべき事項

（販売事業者等に対する勧告及び命令等）

第三三条の三　国土交通大臣は、販売事業者等が、その販売等を行う建築物について前条第二項の規定により告示されたところに従ってエネルギー消費性能の表示をしていないと認めるときは、当該販売事業者等に対し、その告示されたところに従ってエネルギー消費性能に関する表示をすべき旨の勧告をすることができる。

2　国土交通大臣は、前項の勧告を受けた販売事業者等がその勧告に従わなかったときは、その旨を公表することができる。

3　国土交通大臣は、第一項の勧告を受けた販売事業者等が、正当な理由がなくてその勧告に係る措置をとらなかった場合において、建築物のエネルギー消費性能の向上を著しく害すると認めるときは、社会資本整備審議会の意見を聴いて、当該販売事業者等に対し、その勧告に係る措置をとるべきことを命ずることができる。

4　国土交通大臣は、前三項の規定の施行に必要な限度において、販売事業者等に対し、その販売等を行う建築物に係る業務の状況に関し報告させ、又はその職員に、販売事業者等の事務所その他の事業場若しくは販売事業者等の販売等を行う建築物に立ち入り、販売事業者等の販売等を行う建築物、帳簿、書類その他の物件を検査させることができる。

5　第十七条第二項及び第三項の規定は、前項の規定による立入検査について準用する。

第四章　建築物エネルギー消費性能向上計画の認定等

（建築物エネルギー消費性能向上計画の認定）

第三四条　建築主等は、エネルギー消費性能の一層の向上に資する建築物の新築又はエネルギー消費性能の一層の向上のための建築物の増築、改築若しくは修繕等（以下「エネルギー消費性能の一層の向上のための建築物の新築等」という。）をしようとするときは、国土交通省令で定めるところにより、エネルギー消費性能の一層の向上のための建築物の新築等に関する計画（以下「建築物エネルギー消費性能向上計画」という。）を作成し、所管行政庁の認定を申請することができる。

2　建築物エネルギー消費性能向上計画には、次に掲げる事項を記載しなければならない。

一　建築物の位置

二　建築物の延べ面積、構造、設備及び用途並びに敷地面積

三　エネルギー消費性能の一層の向上のための建築物の新築等に係る資金計画

四　その他国土交通省令で定める事項

3　建築主等は、第一項の規定による認定の申請に係る建築物（以下「申請建築物」という。）以外の建築物（以下「他の建築物」という。）のエネルギー消費性能の一層の向上にも資するよう、当該申請建築物に自他供給型熱源機器等（申請建築物及び他の建築物に熱又は電気を供給するための熱源機器等（熱源機器、発電機その他の熱又は電気を発生させ、これを建築物に供給するための国土交通省令で定める機器であって空気調和設備等を構成するものをいう。以下この項において同じ。）をいう。）を設置しようとするとき（当該他の建築物に熱源機器等（エネルギー消費性能に及ぼす影響が少ないものとして国土交通省令で定めるものを除く。）が設置されているとき又は設置されることとなるときを除く。）は、建築物エネルギー消費性能向上計画に、前項各号に掲げる事項のほか、次に掲げる事項を記載することができる。

一　他の建築物の位置

二　他の建築物の延べ面積、構造、設備及び用途並びに敷地面積

三　その他国土交通省令で定める事項

4　建築主等は、次に掲げる場合においては、第一項の規定による認定の申請をすることができない。

一　当該申請をしようとする建築物エネルギー消費性能向上計画に係る申請建築物が他の建築物エネルギー消費性能向上計画に他の建築物として記載されているとき。

二　当該申請をしようとする建築物エネルギー消費性能向上計画に係る他の建築物が他の建築物エネルギー消費性能向上計画に他の建築物として記載されているとき（当該申請をしようとする建築物エネルギー消費性能向上計画に係る申請建築物が当該他の建築物エネルギー消費性能向上計画に係る申請建築物と同一であるときを除く。）。

（建築物エネルギー消費性能向上計画の認定基準等）

第三五条　所管行政庁は、前条第一項の規定による認定の申請があった場合において、当該申請に係る建築物エネルギー消費性能向上計画が次に掲げる基準に適合すると認めるときは、その認定をすることができる。

一　申請建築物のエネルギー消費性能が建築物エネルギー消費性能誘導基準（建築物のエネルギー消費性能の一層の向上の促進のために誘導すべき経済産業省令・国土交通省令で定める基準をいう。第四号及び第四十条第一項において同じ。）に適合するものであること。

二　建築物エネルギー消費性能向上計画に記載された事項が基本方針に照らして適切なものであること。

三　前条第二項第三号の資金計画がエネルギー消費性能の一層の向上のための建築物の新築等を確実に遂行するため適切なものであること。

四　建築物エネルギー消費性能向上計画に前条第三項各号に掲げる事項が記載されている場合にあっては、当該建築物エネルギー消費性能向上計画に係る他の建築物のエネルギー消費性能が建築物エネルギー消費性能誘導基準に適合するものであること。

2　前条第一項の規定による認定の申請をする者は、所管行政庁に対し、当該所管行政庁が当該申請に係る建築物エネルギー消費性能向上計画（他の建築物に係る部分を除く。以下この条において同じ。）を建築主事又は建築副主事に通知し、当該建築物エネルギー消費性能向上計画が建築基準法第六条第一項に規定する建築基準関係規定に適合するかどうかの審査を受けるよう申し出ることができる。この場合においては、当該申請に併せて、同項の規定による確認の申請書を提出しなければならない。

3　前項の規定による申出を受けた所管行政庁は、速やかに、当該申出に係る建築物エネルギー消費性能向上計画を建築主事又は建築副主事に通知しなければならない。

4　建築基準法第十八条第三項及び第十五項の規定は、建築主事又は建築副主事が前項の規定による通知を受けた場合について準用する。

5　所管行政庁が、前項において準用する建築基準法第十八条第三項の規定による確認済証の交付を受けた場合において、第一項の認定をしたときは、当該認定を受けた建築物エネルギー消費性能向上計画は、同法第六条第一項の確認済証の交付があったものとみなす。

6　所管行政庁は、第四項において準用する建築基準法第十八条第十五項の規定による通知書の交付を受けた場合においては、第一項の認定をしてはならない。

7　建築基準法第十二条第八項及び第九項並びに第九十三条から第九十三条の三までの規定は、第四項において準用する同法第十八条第三項及び第十五項の規定による確認済証及び通知書の交付について準用する。

8　エネルギー消費性能の一層の向上のための建築物の新築等をしようとする者がその建築物エネルギー消費性能向上計画について第一項の認定を受けたときは、当該エネルギー消費性能の一層の向上のための建築物の新築等のうち、第十二条第一項の建築物エネルギー消費性能適合性判定を受けなければならないものについては、第二項の規定による申出があった場合及び第二条第二項の条例が定められている場合を除き、第十二条第三項の規定により適合判定通知書の交付を受けたものとみなして、同条第六項から第八項までの規定を適用する。

9　エネルギー消費性能の一層の向上のための建築物の新築等をしようとする者がその建築物エネルギー消費性能向上計画について第一項の認定を受けたときは、当該エネルギー消費性能の一層の向上のための建築物の新築等のうち、第十九条第一項の規定による届出をしなければならないものについては、第二条第二項の条例が定められている場合を除き、第十九条第一項の規定による届出をしたものとみなす。この場合においては、同条第二項及び第三項の規定は、適用しない。

（建築物エネルギー消費性能向上計画の変更）

第三六条　前条第一項の認定を受けた者（以下「認定建築主」という。）は、当該認定を受けた建築物エネルギー消費性能向上計画の変更（国土交通省令で定める軽微な変更を除く。）をしようとするときは、国土交通省令で定めるところにより、所管行政庁の認定を受けなければならない。

2　前条の規定は、前項の認定について準用する。

（認定建築主に対する報告の徴収）

第三七条　所管行政庁は、認定建築主に対し、第三十五条第一項の認定を受けた建築物エネルギー消費性能向上計画（変更があったときは、その変更後のもの。以下「認定建築物エネルギー消費性能向上計画」という。）に基づくエネルギー消費性能の一層の向上のための建築物の新築等の状況に関し報告を求めることができる。

（認定建築主に対する改善命令）

第三八条　所管行政庁は、認定建築主が認定建築物エネルギー消費性能向上計画に従ってエネルギー消費性能の一層の向上のための建築物の新築等を行っていないと認めるときは、当該認定建築主に対し、相当の期限を定めて、その改善に必要な措置をとるべきことを命ずることができる。

（建築物エネルギー消費性能向上計画の認定の取消し）

第三九条　所管行政庁は、認定建築主が前条の規定による命令に違反したときは、第三十五条第一項の認定を取り消すことができる。

（認定建築物エネルギー消費性能向上計画に係る建築物の容積率の特例）

第四〇条　建築基準法第五十二条第一項、第二項、第七項、第十二項及び第十四項、第五十七条の二第三項第二号、第五十七条の三第二項、第五十九条第一項、第五十九条の二第一項、第六十条第一項、第六十条の二第一項及び第四項、第六十八条の三第一項、第六十八条の四、第六十八条の五（第二号イを除く。）、第六十八条の五の二（第二号イを除く。）、

第六十八条の五の三第一項（第一号ロを除く。）、第六十八条の五の四（第一号ロを除く。）、第六十八条の五の五第一項第一号ロ、第六十八条の八、第六十八条の九第一項、第八十六条第三項及び第四項、第八十六条の二第二項及び第三項、第八十六条の五第三項並びに第八十六条の六第一項に規定する建築物の容積率（同法第五十九条第一項、第六十条の二第一項及び第六十八条の九第一項に規定するものについては、これらの規定に規定する建築物の容積率の最高限度に係る場合に限る。）の算定の基礎となる延べ面積には、同法第五十二条第三項及び第六項に定めるもののほか、認定建築物エネルギー消費性能向上計画に係る建築物の床面積のうち、建築物エネルギー消費性能誘導基準に適合させるための措置をとることにより通常の建築物の床面積を超えることとなる場合における政令で定める床面積は、算入しないものとする。

2　認定建築物エネルギー消費性能向上計画に第三十四条第三項各号に掲げる事項が記載されている場合における前項の規定の適用については、同項中「建築物の床面積のうち、」とあるのは、「申請建築物の床面積のうち、当該認定建築物エネルギー消費性能向上計画に係る申請建築物及び他の建築物を」とする。

第五章　建築物のエネルギー消費性能に係る認定等

（建築物のエネルギー消費性能に係る認定）

第四十一条　建築物の所有者は、国土交通省令で定めるところにより、所管行政庁に対し、当該建築物について建築物エネルギー消費性能基準に適合している旨の認定を申請することができる。

2　所管行政庁は、前項の規定による認定の申請があった場合において、当該申請に係る建築物が建築物エネルギー消費性能基準に適合していると認めるときは、その旨の認定をすることができる。

3　前項の認定を受けた者は、当該認定を受けた建築物（以下「基準適合認定建築物」という。）、その敷地又はその利用に関する広告その他の国土交通省令で定めるもの（次項において「広告等」という。）に、国土交通省令で定めるところにより、当該基準適合認定建築物が当該認定を受けている旨の表示を付することができる。

4　何人も、前項の規定による場合を除くほか、建築物、その敷地又はその利用に関する広告等に、同項の表示又はこれと紛らわしい表示を付してはならない。

（基準適合認定建築物に係る認定の取消し）

第四十二条　所管行政庁は、基準適合認定建築物が建築物エネルギー消費性能基準に適合しなくなったと認めるときは、前条第二項の認定を取り消すことができる。

（基準適合認定建築物に係る報告、検査等）

第四十三条　所管行政庁は、前条の規定の施行に必要な限度において、第四十一条第二項の認定を受けた者に対し、基準適合認定建築物の建築物エネルギー消費性能基準への適合に関する事項に関し報告させ、又はその職員に、基準適合認定建築物若しくはその工事現場に立ち入り、基準適合認定建築物、建築設備、建築材料、書類その他の物件を検査させることができる。

2　第十七条第一項ただし書、第二項及び第三項の規定は、前項の規定による立入検査について準用する。

第六章　登録建築物エネルギー消費性能判定機関等

第一節　登録建築物エネルギー消費性能判定機関

（登録）

第四十四条　第十五条第一項の登録（以下この節において単に「登録」という。）は、国土交通省令で定めるところにより、建築物エネルギー消費性能適合性判定の業務（以下「判定の業務」という。）を行おうとする者の申請により行う。

（欠格条項）

第四十五条　次の各号のいずれかに該当する者は、登録を受けることができない。

一　未成年者

二　破産手続開始の決定を受けて復権を得ない者

三　禁錮以上の刑に処せられ、又はこの法律の規定により刑に処せられ、その執行を終わり、又は執行を受けることがなくなった日から起算して二年を経過しない者

四　第六十条第一項又は第二項の規定により登録を取り消され、その取消しの日から起算して二年を経過しない者

五　心身の故障により判定の業務を適正に行うことができない者として国土交通省令で定めるもの

六　法人であって、その役員のうちに前各号のいずれかに該当する者があるもの

（登録基準等）

第四十六条　国土交通大臣は、登録の申請をした者（以下この項において「登録申請者」という。）が次に掲げる基準の全てに適合しているときは、その登録をしなければならない。

一　第五十条の適合性判定員が建築物エネルギー消費性能適合性判定を実施し、その数が次のいずれにも適合するものであること。

イ　次の(1)から(5)までに掲げる特定建築物の区分に応じ、それぞれ(1)から(5)までに定める数（その数が二未満であるときは、二）以上であること。

(1)　床面積の合計が千平方メートル未満の特定建築物　建築物エネルギー消費性能適合性判定を行う特定建築物の棟数を六百二十で除した数

(2)　床面積の合計が千平方メートル以上二千平方メートル未満の特定建築物　建築物エネルギー消費性能適合性判定を行う特定建築物の棟数を四百二十で除した数

(3)　床面積の合計が二千平方メートル以上一万平方メートル未満の特定建築物　建築物エネルギー消費性能適合性判定を行う特定建築物の棟数を三百五十で除した数

(4)　床面積の合計が一万平方メートル以上五万平方メートル未満の特定建築物　建築物エネルギー消費性能適合性判定を行う特定建築物の棟数を二百五十で除した数

(5)　床面積の合計が五万平方メートル以上の特定建築物　建築物エネルギー消費性能適合性判定を行う特定建築物の棟数を百二十で除した数

ロ　イ(1)から(5)までに掲げる特定建築物の区分の二以上にわたる特定建築物について建築物エネルギー消費性能適合性判定を行う場合にあっては、第五十条の適合性判定員の総数が、それらの区分に応じそれぞれイ(1)から(5)までに定める数を合計した数（その数が二未満であるときは、二）以上であること。

二　登録申請者が、業として、建築物を設計し若しくは販売し、建築物の販売を代理し若しくは媒介し、又は建築物の建設工事を請け負う者（以下この号及び第六十三条第一項第二号において「建築物関連事業者」という。）に支配されているものとして次のいずれかに該当するものでないこと。

イ　登録申請者が株式会社である場合にあっては、建築物関連事業者がその親法人（会社法（平成十七年法律第八十六号）第八百七十九条第一項に規定する親法人をいう。第六十三条第一項第二号イにおいて同じ。）であること。

ロ　登録申請者の役員（持分会社（会社法第五百七十五条第一項に規定する持分会社をいう。第六十三条第一項第二号ロにおいて同じ。）にあっては、業務を執行する社員）に占める建築物関連事業者の役員又は職員（過去二年間に当該建築物関連事業者の役員又は職員であった者を含む。）の割合が二分の一を超えていること。

ハ　登録申請者（法人にあっては、その代表権を有する役員）が、建築物関連事業者の役員又は職員（過去二年間に当該建築物関連事業者の役員又は職員であった者を含む。）であること。

三　判定の業務を適正に行うために判定の業務を行う部門に専任の管理者が置かれていること。

四　債務超過の状態にないこと。

2　登録は、登録建築物エネルギー消費性能判定機関登録簿に次に掲げる事項を記載してするものとする。

一　登録年月日及び登録番号

二　登録建築物エネルギー消費性能判定機関の氏名又は名称及び住所並びに法人にあっては、その代表者の氏名

三　登録建築物エネルギー消費性能判定機関が判定の業務を行う事務所の所在地

四　第五十条の適合性判定員の氏名
五　前各号に掲げるもののほか、国土交通省令で定める事項

（登録の公示等）

第四七条　国土交通大臣は、登録をしたときは、前条第二項第二号から第四号までに掲げる事項その他国土交通省令で定める事項を公示しなければならない。

2　登録建築物エネルギー消費性能判定機関は、前条第二項第二号から第五号までに掲げる事項を変更しようとするときは、変更しようとする日の二週間前までに、その旨を国土交通大臣に届け出なければならない。

3　国土交通大臣は、前項の規定による届出があったときは、その旨を公示しなければならない。

（登録の更新）

第四八条　登録は、五年以上十年以内において政令で定める期間ごとにその更新を受けなければ、その期間の経過によって、その効力を失う。

2　第四十四条から第四十六条までの規定は、前項の登録の更新の場合について準用する。

（承継）

第四九条　登録建築物エネルギー消費性能判定機関が当該登録に係る事業の全部を譲渡し、又は登録建築物エネルギー消費性能判定機関について相続、合併若しくは分割（当該登録に係る事業の全部を承継させるものに限る。）があったときは、その事業の全部を譲り受けた者又は相続人（相続人が二人以上ある場合において、その全員の同意により当該事業を承継すべき相続人を選定したときは、その者。以下この項において同じ。）、合併後存続する法人若しくは合併により設立した法人若しくは分割によりその事業の全部を承継した法人は、その登録建築物エネルギー消費性能判定機関の地位を承継する。ただし、当該事業の全部を譲り受けた者又は相続人、合併後存続する法人若しくは合併により設立した法人若しくは分割により当該事業の全部を承継した法人が第四十五条各号のいずれかに該当するときは、この限りでない。

2　前項の規定により登録建築物エネルギー消費性能判定機関の地位を承継した者は、遅滞なく、国土交通省令で定めるところにより、その旨を国土交通大臣に届け出なければならない。

（適合性判定員）

第五〇条　登録建築物エネルギー消費性能判定機関は、建築に関する専門的知識及び技術を有する者として国土交通省令で定める要件を備えるもののうちから適合性判定員を選任しなければならない。

（秘密保持義務）

第五一条　登録建築物エネルギー消費性能判定機関（その者が法人である場合にあっては、その役員）及びその職員（適合性判定員を含む。）並びにこれらの者であった者は、判定の業務に関して知り得た秘密を漏らし、又は盗用してはならない。

（判定の業務の義務）

第五二条　登録建築物エネルギー消費性能判定機関は、判定の業務を行うべきことを求められたときは、正当な理由がある場合を除き、遅滞なく、判定の業務を行わなければならない。

2　登録建築物エネルギー消費性能判定機関は、公正に、かつ、国土交通省令で定める基準に適合する方法により判定の業務を行わなければならない。

（判定業務規程）

第五三条　登録建築物エネルギー消費性能判定機関は、判定の業務に関する規程（以下「判定業務規程」という。）を定め、判定の業務の開始前に、国土交通大臣に届け出なければならない。これを変更しようとするときも、同様とする。

2　判定業務規程には、判定の業務の実施の方法、判定の業務に関する料金その他の国土交通省令で定める事項を定めておかなければならない。

3　国土交通大臣は、第一項の規定による届出のあった判定業務規程が、この節の規定に従って判定の業務を公正かつ適確に実施する上で不適当であり、又は不適当となったと認めるときは、その判定業務規程を変更すべきことを命ずることができる。

（財務諸表等の備付け及び閲覧等）

第五四条　登録建築物エネルギー消費性能判定機関は、毎事業年度経過後三月以内に、その事業年度の財産目録、貸借対照表及び損益計算書又は収支計算書並びに事業報告書（その作成に代えて電磁的記録（電子的方式、磁気的方式その他の人の知覚によっては認識することができない方式で作られる記録であって、電子計算機による情報処理の用に供されるものをいう。以下この条において同じ。）の作成がされている場合における当該電磁的記録を含む。次項及び第七十九条第二号において「財務諸表等」という。）を作成し、五年間事務所に備えて置かなければならない。

2　利害関係人は、登録建築物エネルギー消費性能判定機関の業務時間内は、いつでも、次に掲げる請求をすることができる。ただし、第二号又は第四号の請求をするには、登録建築物エネルギー消費性能判定機関の定めた費用を支払わなければならない。

一　財務諸表等が書面をもって作成されているときは、当該書面の閲覧又は謄写の請求
二　前号の書面の謄本又は抄本の請求
三　財務諸表等が電磁的記録をもって作成されているときは、当該電磁的記録に記録された事項を国土交通省令で定める方法により表示したものの閲覧又は謄写の請求
四　前号の電磁的記録に記録された事項を電磁的方法であって国土交通省令で定めるものにより提供することの請求又は当該事項を記載した書面の交付の請求

（帳簿の備付け等）

第五五条　登録建築物エネルギー消費性能判定機関は、国土交通省令で定めるところにより、判定の業務に関する事項で国土交通省令で定めるものを記載した帳簿を備え付け、これを保存しなければならない。

2　前項に定めるもののほか、登録建築物エネルギー消費性能判定機関は、国土交通省令で定めるところにより、判定の業務に関する書類で国土交通省令で定めるものを保存しなければならない。

（適合命令）

第五六条　国土交通大臣は、登録建築物エネルギー消費性能判定機関が第四十六条第一項各号のいずれかに適合しなくなったと認めるときは、その登録建築物エネルギー消費性能判定機関に対し、これらの規定に適合するため必要な措置をとるべきことを命ずることができる。

（改善命令）

第五七条　国土交通大臣は、登録建築物エネルギー消費性能判定機関が第五十二条の規定に違反していると認めるときは、その登録建築物エネルギー消費性能判定機関に対し、判定の業務を行うべきこと又は判定の業務の方法その他の業務の方法の改善に関し必要な措置をとるべきことを命ずることができる。

（報告、検査等）

第五八条　国土交通大臣は、判定の業務の公正かつ適確な実施を確保するため必要があると認めるときは、登録建築物エネルギー消費性能判定機関に対し判定の業務若しくは経理の状況に関し必要な報告を求め、又はその職員に、登録建築物エネルギー消費性能判定機関の事務所に立ち入り、判定の業務の状況若しくは設備、帳簿、書類その他の物件を検査させ、若しくは関係者に質問させることができる。

2　第十七条第二項及び第三項の規定は、前項の規定による立入検査について準用する。

（判定の業務の休廃止等）

第五九条　登録建築物エネルギー消費性能判定機関は、判定の業務の全部又は一部を休止し、又は廃止しようとするときは、国土交通省令で定めるところにより、あらかじめ、その旨を国土交通大臣に届け出なければならない。

2　前項の規定により判定の業務の全部を廃止しようとする届出があったときは、当該届出に係る登録は、その効力を失う。

3　国土交通大臣は、第一項の規定による届出があったときは、その旨を公示しなければならない。

（登録の取消し等）

第六〇条　国土交通大臣は、登録建築物エネルギー消費性能判定機関が第四十五条各号（第四号を除く。）のいずれかに該当するに至ったときは、その登録を取り消さなければならない。

2　国土交通大臣は、登録建築物エネルギー消費性能判定機関が次の各号のいずれかに該当するときは、その登録を取り消し、又は期間を定めて判定の業務の全部若しくは一部の停止を命ずることができる。

一　第四十七条第二項、第四十九条第二項、第五十四条第一項、第五十五条又は前条第一項の規定に違反したとき。
二　第五十三条第一項の規定による届出のあった判定業務規程によらないで判定の業務を行ったとき。

三　正当な理由がないのに第五十四条第二項各号の請求を拒んだとき。
四　第五十三条第三項、第五十六条又は第五十七条の規定による命令に違反したとき。
五　判定の業務に関し著しく不適当な行為をしたとき、又はその業務に従事する適合性判定員若しくは法人にあってはその役員が、判定の業務に関し著しく不適当な行為をしたとき。
六　不正な手段により登録を受けたとき。
3　国土交通大臣は、前二項の規定により登録を取り消し、又は前項の規定により判定の業務の全部若しくは一部の停止を命じたときは、その旨を公示しなければならない。

第二節　登録建築物エネルギー消費性能評価機関

（登録）
第六十一条　第二十四条第一項の登録（以下この節において単に「登録」という。）は、国土交通省令で定めるところにより、第二十三条第一項の認定のための審査に必要な評価の業務を行おうとする者の申請により行う。
2　第四十七条第一項及び第四十八条の規定は登録について、第四十七条第二項及び第三項、第四十九条並びに第五十一条から第五十九条までの規定は登録建築物エネルギー消費性能評価機関について、それぞれ準用する。この場合において、次の表の上欄に掲げる規定中同表の中欄に掲げる字句は、それぞれ同表の下欄に掲げる字句に読み替えるものとする。

第四十七条第一項及び第二項	前条第二項第二号	第六十三条第二項第二号
第四十八条第二項	第四十四条から第四十六条まで	第六十一条第一項、第六十二条及び第六十三条
第四十九条第一項ただし書	第四十五条各号	第六十二条各号
第五十一条	適合性判定員	第六十四条の評価員
第五十一条から第五十三条まで、第五十七条、第五十八条第一項、第五十九条第一項及び第二項	判定の業務	評価の業務
第五十三条	判定業務規程	評価業務規程
第五十六条	第四十六条第一項各号	第六十三条第一項各号

（欠格条項）
第六十二条　次の各号のいずれかに該当する者は、登録を受けることができない。
一　第四十五条第一号から第三号までに掲げる者
二　第六十五条第一項又は第二項の規定により登録を取り消され、その取消しの日から起算して二年を経過しない者
三　心身の故障により評価の業務を適正に行うことができない者として国土交通省令で定めるもの
四　法人であって、その役員のうちに前三号のいずれかに該当する者があるもの

（登録基準等）
第六十三条　国土交通大臣は、登録の申請をした者（以下この項において「登録申請者」という。）が次に掲げる基準の全てに適合しているときは、その登録をしなければならない。
一　次条の評価員が評価を実施し、その数が三以上であること。
二　登録申請者が、建築物関連事業者に支配されているものとして次のいずれかに該当するものでないこと。
イ　登録申請者が株式会社である場合にあっては、建築物関連事業者がその親法人であること。
ロ　登録申請者の役員（持分会社にあっては、業務を執行する社員）に占める建築物関連事業者の役員又は職員（過去二年間に当該建築物関連事業者の役員又は職員であった者を含む。）の割合が二分の一を超えていること。
ハ　登録申請者（法人にあっては、その代表権を有する役員）が、建築物関連事業者の役員又は職員（過去二年間に当該建築物関連事業者の役員又は職員であった者を含む。）であること。
三　評価の業務を適正に行うために評価の業務を行う部門に専任の管理者が置かれていること。
四　債務超過の状態にないこと。
2　登録は、登録建築物エネルギー消費性能評価機関登録簿に次に掲げる事項を記載してするものとする。
一　登録年月日及び登録番号
二　登録建築物エネルギー消費性能評価機関の氏名又は名称及び住所並びに法人にあっては、その代表者の氏名
三　登録建築物エネルギー消費性能評価機関が評価の業務を行う事務所の所在地
四　次条の評価員の氏名
五　前各号に掲げるもののほか、国土交通省令で定める事項

（評価員）
第六十四条　登録建築物エネルギー消費性能評価機関は、次に掲げる者のうちから評価員を選任しなければならない。
一　学校教育法（昭和二十二年法律第二十六号）に基づく大学において建築学、機械工学、電気工学若しくは衛生工学を担当する教授若しくは准教授の職にあり、又はこれらの職にあった者
二　建築、機械、電気又は衛生に関する分野の試験研究機関において十年以上試験研究の業務に従事した経験を有する者
三　前二号に掲げる者と同等以上の知識及び経験を有する者

（登録の取消し等）
第六十五条　国土交通大臣は、登録建築物エネルギー消費性能評価機関が第六十二条第一号、第三号又は第四号に該当するに至ったときは、その登録を取り消さなければならない。
2　国土交通大臣は、登録建築物エネルギー消費性能評価機関が次の各号のいずれかに該当するときは、その登録を取り消し、又は期間を定めて評価の業務の全部若しくは一部の停止を命ずることができる。
一　第六十一条第二項において準用する第四十七条第二項、第四十九条第二項、第五十四条第一項、第五十五条又は第五十九条第一項の規定に違反したとき。
二　第六十一条第二項において読み替えて準用する第五十三条第一項の規定による届出のあった評価業務規程によらないで評価の業務を行ったとき。
三　正当な理由がないのに第六十一条第二項において準用する第五十四条第二項各号の請求を拒んだとき。
四　第六十一条第二項において準用する第五十三条第三項、第五十六条又は第五十七条の規定による命令に違反したとき。
五　評価の業務に関し著しく不適当な行為をしたとき、又はその業務に従事する評価員若しくは法人にあってはその役員が、評価の業務に関し著しく不適当な行為をしたとき。
六　不正な手段により登録を受けたとき。
3　第六十条第三項の規定は、前二項の規定による登録の取消し又は前項の規定による評価の業務の停止について準用する。

（国土交通大臣による評価の実施）
第六十六条　国土交通大臣は、次の各号のいずれかに該当するときその他必要があると認めるときは、評価の業務の全部又は一部を自ら行うことができる。
一　登録を受ける者がいないとき。
二　第六十一条第二項において読み替えて準用する第五十九条第一項の規定により登録建築物エネルギー消費性能評価機関から評価の業務の全部又は一部の休止又は廃止の届出があったとき。
三　前条第一項若しくは第二項の規定により登録を取り消し、又は同項の規定により評価の業務の全部若しくは一部の停止を命じたとき。
四　登録建築物エネルギー消費性能評価機関が天災その他の事由により評価の業務の全部又は一部を実施することが困難となったとき。
2　国土交通大臣は、前項の規定により評価の業務を行い、又は同項の規定により行っている評価の業務を行わないこととしようとするときは、あら

かじめ、その旨を公示しなければならない。

3　国土交通大臣が第一項の規定により評価の業務を行うこととした場合における評価の業務の引継ぎその他の必要な事項は、国土交通省令で定める。

（**手数料**）

第六七条　前条第一項の規定により国土交通大臣が行う評価の申請をしようとする者は、国土交通省令で定めるところにより、実費を勘案して国土交通省令で定める額の手数料を国に納めなければならない。

第六章の二　建築物再生可能エネルギー利用促進区域における措置

（**建築物再生可能エネルギー利用促進区域**）

第六七条の二　市町村は、基本方針に基づき、当該市町村の区域内の一定の区域であって、建築物への再生可能エネルギー利用設備（再生可能エネルギー電気の利用の促進に関する特別措置法（平成二十三年法律第百八号）第二条第二項に規定する再生可能エネルギー発電設備その他の再生可能エネルギー源（太陽光、風力その他非化石エネルギー源のうち、エネルギー源として永続的に利用することができると認められるものをいう。）の利用に資する設備として国土交通省令で定めるものをいう。以下同じ。）の設置の促進を図ることが必要であると認められるもの（以下「建築物再生可能エネルギー利用促進区域」という。）について、建築物への再生可能エネルギー利用設備の設置の促進に関する計画（以下この条、次条及び第六十七条の六において「促進計画」という。）を作成することができる。

2　促進計画には、次に掲げる事項について定めるものとする。

一　建築物再生可能エネルギー利用促進区域の位置及び区域

二　建築物再生可能エネルギー利用促進区域において建築物への設置を促進する再生可能エネルギー利用設備の種類に関する事項

三　建築物再生可能エネルギー利用促進区域内において再生可能エネルギー利用設備を設置する建築物について建築基準法第五十二条第十四項、第五十三条第五項、第五十五条第三項又は第五十八条第二項の規定（第五項及び第六十七条の六において「特例対象規定」という。）の適用を受けるための要件に関する事項

3　促進計画には、前項各号に掲げる事項のほか、建築物への再生可能エネルギー利用設備の設置に関する啓発及び知識の普及に関する事項その他建築物再生可能エネルギー利用促進区域内における建築物への再生可能エネルギー利用設備の設置の促進に関し必要な事項を定めるよう努めるものとする。

4　市町村は、促進計画を作成するときは、あらかじめ、当該建築物再生可能エネルギー利用促進区域内の住民の意見を反映させるために必要な措置を講ずるものとする。

5　市町村は、促進計画を作成するときは、あらかじめ、これに定めようとする第二項第三号に掲げる事項について、当該建築物再生可能エネルギー利用促進区域内の建築物について特例対象規定による許可の権限を有する特定行政庁（建築基準法第二条第三十五号に規定する特定行政庁をいう。）と協議をしなければならない。

6　市町村は、促進計画を定めたときは、遅滞なく、これを公表しなければならない。

7　前三項の規定は、促進計画の変更について準用する。

（**建築物再生可能エネルギー利用促進区域内の建築物の建築主等への支援**）

第六七条の三　促進計画を作成した市町村（第六十七条の五第一項において「計画作成市町村」という。）は、建築物への再生可能エネルギー利用設備の設置を促進するため、建築物再生可能エネルギー利用促進区域内の建築物の建築主等に対し、情報の提供、助言その他の必要な支援を行うよう努めるものとする。

（**建築物再生可能エネルギー利用促進区域内の建築主の努力**）

第六七条の四　建築物再生可能エネルギー利用促進区域内においては、建築主は、その建築又は修繕等をしようとする建築物について、再生可能エネルギー利用設備を設置するよう努めなければならない。

（**建築物再生可能エネルギー利用促進区域内の建築物に設置することができる再生可能エネルギー利用設備に係る説明**）

第六七条の五　建築士は、建築物再生可能エネルギー利用促進区域内において、計画作成市町村の条例で定める用途に供する建築物の建築で当該条例で定める規模以上のものに係る設計を行うときは、当該設計の委託をした建築主に対し、当該設計に係る建築物に設置することができる再生可能エネルギー利用設備について、国土交通省令で定める事項を記載した書面を交付して説明しなければならない。

2　前項の規定は、同項に規定する設計の委託をした建築主から同項の規定による説明を要しない旨の意思の表明があった場合については、適用しない。

3　建築士は、第一項の規定による書面の交付に代えて、国土交通省令で定めるところにより、当該建築主の承諾を得て、当該書面に記載すべき事項を電磁的方法（電子情報処理組織を使用する方法その他の情報通信の技術を利用する方法であって国土交通省令で定めるものをいう。）により提供することができる。この場合において、当該建築士は、当該書面を交付したものとみなす。

（**建築基準法の特例**）

第六七条の六　促進計画が第六十七条の二第六項（同条第七項において準用する場合を含む。）の規定により公表されたときは、当該公表の日以後は、建築物再生可能エネルギー利用促進区域内の建築物に対する特例対象規定の適用については、建築基準法第五十二条第十四項第三号中「定めるもの」とあるのは「定めるもの又は同法第六十七条の二第六項（同条第七項において準用する場合を含む。）の規定により公表された同条第一項に規定する促進計画に定められた同条第二項第三号に掲げる事項（次条第五項第四号、第五十五条第三項及び第五十八条第二項において「特例適用要件」という。）に適合する建築物」と、同法第五十三条第五項第四号、第五十五条第三項及び第五十八条第二項中「定めるもの」とあるのは「定めるもの又は特例適用要件に適合する建築物」とする。

第七章　雑則

（**審査請求**）

第六八条　この法律の規定による登録建築物エネルギー消費性能判定機関又は登録建築物エネルギー消費性能評価機関の行う処分又はその不作為については、国土交通大臣に対し、審査請求をすることができる。この場合において、国土交通大臣は、行政不服審査法（平成二十六年法律第六十八号）第二十五条第二項及び第三項、第四十六条第一項及び第二項、第四十七条並びに第四十九条第三項の規定の適用については、登録建築物エネルギー消費性能判定機関又は登録建築物エネルギー消費性能評価機関の上級行政庁とみなす。

（**権限の委任**）

第六九条　この法律に規定する国土交通大臣の権限は、国土交通省令で定めるところにより、その一部を地方整備局長又は北海道開発局長に委任することができる。

（**国土交通省令への委任**）

第七〇条　この法律に定めるもののほか、この法律の実施のため必要な事項は、国土交通省令で定める。

（**経過措置**）

第七一条　この法律に基づき命令を制定し、又は改廃する場合においては、その命令で、その制定又は改廃に伴い合理的に必要と判断される範囲内において、所要の経過措置（罰則に関する経過措置を含む。）を定めることができる。

第八章　罰則

第七二条　第五十一条（第六十一条第二項において準用する場合を含む。）の規定に違反して、その職務に関して知り得た秘密を漏らし、又は盗用した者は、一年以下の懲役又は百万円以下の罰金に処する。

2　第六十条第二項又は第六十五条第二項の規定による判定の業務又は評価の業務の停止の命令に違反したときは、その違反行為をした者は、一年以下の懲役又は百万円以下の罰金に処する。

第七三条　第十四条第一項の規定による命令に違反したときは、その違反行為をした者は、三百万円以下の罰金に処する。

第七四条　第十六条第二項、第十九条第三項、第三十条第三項、第三十三条第三項又は第三十三条の三第三項の規定による命令に違反したときは、その違反行為をした者は、百万円以下の罰金に処する。

第七五条　次の各号のいずれかに該当する場合には、その違反行為をした者

は、五十万円以下の罰金に処する。

一　第十七条第一項、第二十一条第一項、第三十条第四項、第三十三条第四項、第三十三条の三第四項若しくは第四十三条第一項の規定による報告をせず、若しくは虚偽の報告をし、又はこれらの規定による検査を拒み、妨げ、若しくは忌避したとき。

二　第十九条第一項（同条第四項の規定により読み替えて適用する場合を含む。）の規定による届出をしないで、又は虚偽の届出をして、同条第一項各号に掲げる行為をしたとき。

三　第五十八条第一項（第六十一条第二項において準用する場合を含む。以下この号において同じ。）の規定による報告をせず、若しくは虚偽の報告をし、又は第五十八条第一項の規定による検査を拒み、妨げ、若しくは忌避し、若しくは同項の規定による質問に対して答弁をせず、若しくは虚偽の答弁をしたとき。

第七十六条　次の各号のいずれかに該当する場合には、その違反行為をした者は、三十万円以下の罰金に処する。

一　第四十一条第四項の規定に違反して、表示を付したとき。

二　第五十五条第一項（第六十一条第二項において準用する場合を含む。）の規定に違反して帳簿を備え付けず、帳簿に記載せず、若しくは帳簿に虚偽の記載をし、又は帳簿を保存しなかったとき。

三　第五十五条第二項（第六十一条第二項において準用する場合を含む。）の規定に違反したとき。

四　第五十九条第一項（第六十一条第二項において準用する場合を含む。）の規定による届出をしないで業務の全部を廃止し、又は虚偽の届出をしたとき。

第七十七条　第三十七条の規定による報告をせず、又は虚偽の報告をしたときは、その違反行為をした者は、二十万円以下の罰金に処する。

第七十八条　法人の代表者又は法人若しくは人の代理人、使用人その他の従業者が、その法人又は人の業務に関し、第七十二条第二項又は第七十三条から前条までの違反行為をしたときは、行為者を罰するほか、その法人又は人に対して各本条の罰金刑を科する。

第七十九条　次の各号のいずれかに該当する者は、二十万円以下の過料に処する。

一　第四十九条第二項（第六十一条第二項において準用する場合を含む。）の規定による届出をせず、又は虚偽の届出をした者

二　第五十四条第一項（第六十一条第二項において準用する場合を含む。）の規定に違反して財務諸表等を備えて置かず、財務諸表等に記載すべき事項を記載せず、若しくは虚偽の記載をし、又は正当な理由がないのに第五十四条第二項各号（第六十一条第二項において準用する場合を含む。）の請求を拒んだ者

附　則〔抄〕

（施行期日）

第一条　この法律は、公布の日から起算して一年を超えない範囲内において政令で定める日から施行する。ただし、次の各号に掲げる規定は、当該各号に定める日から施行する。

〔平成二八政七により、平成二八・四・一から施行〕

一　附則第十条の規定　公布の日

二　第八条から第十条まで、第三章、第三十条第八項及び第九項、第六章、第六十三条、第六十四条、第六十七条から第六十九条まで、第七十条第一号（第三十八条第一項に係る部分を除く。）、第七十条第二号及び第三号、第七十一条（第一号を除く。）、第七十三条（第六十七条第二号、第六十八条、第六十九条、第七十条第一号（第三十八条第一項に係る部分を除く。）、第七十条第二号及び第三号並びに第七十一条（第一号を除く。）に係る部分に限る。）並びに第七十四条並びに次条並びに附則第三条及び第五条から第九条までの規定　公布の日から起算して二年を超えない範囲内において政令で定める日

〔平成二八政三六三により、平成二九・四・一から施行〕

（経過措置）

第二条　第三章第一節の規定は、前条第二号に掲げる規定の施行の日（以下「一部施行日」という。）以後に建築基準法第六条第一項若しくは第六条の二第一項の規定による確認の申請又は同法第十八条第二項の規定による通知がされた特定建築物について適用する。

2　第三章第二節の規定は、一部施行日から起算して二十一日を経過した日以後にその工事に着手する第十九条第一項各号に掲げる行為について適用する。

第三条　附則第一条第二号に掲げる規定の施行の際現に存する建築物について行う特定増改築（特定建築行為に該当する増築又は改築のうち、当該増築又は改築に係る部分（非住宅部分に限る。）の床面積の合計の当該増築又は改築後の特定建築物（非住宅部分に限る。）の延べ面積に対する割合が政令で定める範囲内であるものをいう。以下この条において同じ。）については、当分の間、第三章第一節の規定は、適用しない。

2　建築主は、前項の特定増改築（一部施行日から起算して二十一日を経過した日以後にその工事に着手するものに限る。）をしようとするときは、その工事に着手する日の二十一日前までに、国土交通省令で定めるところにより、当該特定増改築に係る特定建築物のエネルギー消費性能の確保のための構造及び設備に関する計画を所管行政庁に届け出なければならない。その変更（国土交通省令で定める軽微な変更を除く。）をしようとするときも、同様とする。

3　所管行政庁は、前項の規定による届出があった場合において、その届出に係る計画が建築物エネルギー消費性能基準に適合せず、当該特定建築物のエネルギー消費性能の確保のため必要があると認めるときは、その届出を受理した日から二十一日以内に限り、その届出をした者に対し、その届出に係る計画の変更その他必要な措置をとるべきことを指示することができる。

4　所管行政庁は、前項の規定による指示を受けた者が、正当な理由がなくてその指示に係る措置をとらなかったときは、その者に対し、相当の期限を定めて、その指示に係る措置をとるべきことを命ずることができる。

5　建築主は、第二項の規定による届出に併せて、建築物エネルギー消費性能基準への適合性に関する審査であって第十二条第一項の建築物エネルギー消費性能適合性判定に準ずるものとして国土交通省令で定めるものの結果を記載した書面を提出することができる。この場合において、第二項及び第三項の規定の適用については、第二項中「二十一日前」とあるのは「三日以上二十一日未満の範囲内で国土交通省令で定める日数前」と、第三項中「二十一日以内」とあるのは「前項の国土交通省令で定める日数以内」とする。

6　特殊の構造又は設備を用いて第一項の建築物の特定増改築をしようとする者が当該建築物について第二十三条第一項の認定を受けたときは、当該特定増改築のうち第二項の規定による届出をしなければならないものについては、同項の規定による届出をしたものとみなす。この場合においては、第三項及び第四項の規定は、適用しない。

7　国等の機関の長が行う第一項の特定増改築については、第二項から前項までの規定は、適用しない。この場合においては、次項及び第九項の規定に定めるところによる。

8　国等の機関の長は、第一項の特定増改築をしようとするときは、あらかじめ、当該特定増改築に係る特定建築物のエネルギー消費性能の確保のための構造及び設備に関する計画を所管行政庁に通知しなければならない。その変更（国土交通省令で定める軽微な変更を除く。）をしようとするときも、同様とする。

9　所管行政庁は、前項の規定による通知があった場合において、その通知に係る計画が建築物エネルギー消費性能基準に適合せず、当該特定建築物のエネルギー消費性能の確保のため必要があると認めるときは、その必要な限度において、当該国等の機関の長に対し、当該特定建築物のエネルギー消費性能の確保のためとるべき措置について協議を求めることができる。

10　所管行政庁は、第三項、第四項及び前項の規定の施行に必要な限度において、建築主等に対し、特定増改築に係る特定建築物の建築物エネルギー消費性能基準への適合に関する事項に関し報告させ、又はその職員に、特定増改築に係る特定建築物若しくはその工事現場に立ち入り、特定増改築に係る特定建築物、建築設備、建築材料、書類その他の物件を検査させることができる。

11　第十七条第一項ただし書、第二項及び第三項の規定は、前項の規定による立入検査について準用する。

12　第二項から前項までの規定は、第十八条各号のいずれかに該当する建築物については、適用しない。

13　第四項の規定による命令に違反した者は、百万円以下の罰金に処する。

14　次の各号のいずれかに該当する者は、五十万円以下の罰金に処する。

一　第二項（第五項の規定により読み替えて適用する場合を含む。）の規定による届出をしないで、又は虚偽の届出をして、特定増改築をした者

二　第十項の規定による報告をせず、若しくは虚偽の報告をし、又は同項の規定による検査を拒み、妨げ、若しくは忌避した者

15　法人の代表者又は法人若しくは人の代理人、使用人その他の従業者が、その法人又は人の業務に関し、前二項の違反行為をしたときは、行為者を罰するほか、その法人又は人に対して各本項の刑を科する。

（準備行為）

第四条　第十五条第一項又は第二十四条第一項の登録を受けようとする者は、一部施行日前においても、その申請を行うことができる。第四十八条第一項（第五十六条第二項において準用する場合を含む。）の規定による判定業務規程又は評価業務規程の届出についても、同様とする。

（エネルギーの使用の合理化等に関する法律の一部改正に伴う経過措置）

第七条　一部施行日前に前条の規定による改正前のエネルギーの使用の合理化等に関する法律（以下この条において「旧エネルギー使用合理化法」という。）第七十五条第一項の規定による届出をした第一種特定建築主等に対する当該届出に係る指示、公表及び命令並びにこれらの指示、公表及び命令に係る報告及び立入検査については、なお従前の例による。この場合において、当該届出に係る新築、改築又は増築であって特定建築行為又は第十九条第一項各号に掲げる行為に該当するものについては、第三章第一節及び第二節並びに附則第三条の規定は、適用しない。

2　一部施行日前に旧エネルギー使用合理化法第七十五条の二第一項の規定による届出をした第二種特定建築主に対する当該届出に係る同条第二項の勧告並びに当該勧告に係る報告及び立入検査については、なお従前の例による。この場合において、当該届出に係る新築、改築又は増築であって特定建築行為又は第十九条第一項各号に掲げる行為に該当するものについては、第三章第一節及び第二節並びに附則第三条の規定は、適用しない。

3　一部施行日前に旧エネルギー使用合理化法第七十六条の六第一項の規定によりされた勧告は、第二十八条第一項の規定によりされた勧告とみなす。

（罰則の適用に関する経過措置）

第九条　附則第一条第二号に掲げる規定の施行前にした行為及び附則第七条の規定によりなお従前の例によることとされる場合における同号に掲げる規定の施行後にした行為に対する罰則の適用については、なお従前の例による。

（政令への委任）

第一〇条　この附則に定めるもののほか、この法律の施行に関し必要な経過措置は、政令で定める。

（検討）

第一一条　政府は、この法律の施行後三年を経過した場合において、建築物の建築物エネルギー消費性能基準への適合の状況、建築物のエネルギー消費性能に関する技術開発の状況その他この法律の施行の状況等を勘案し、建築物のエネルギー消費性能の向上に関する制度全般について検討を加え、必要があると認めるときは、その結果に基づいて所要の措置を講ずるものとする。

附　則　〔抄〕〔令和元・五・一七法律四〕

（施行期日）

第一条　この法律は、公布の日から起算して六月を超えない範囲内において政令で定める日から施行する。ただし、次の各号に掲げる規定は、当該各号に定める日から施行する。

〔令和元政一四九により、令和元・一一・一六から施行〕

一　附則第五条の規定　公布の日

二　第二条並びに附則第三条及び第七条の規定　公布の日から起算して二年を超えない範囲内において政令で定める日

〔令和二政二六五により、令和三・四・一から施行〕

（経過措置）

第二条　第一条の規定による改正後の建築物のエネルギー消費性能の向上に関する法律（次項において「新法」という。）第十九条第四項の規定は、この法律の施行の日（次項において「施行日」という。）から起算して二十一日を経過した日以後にその工事に着手する建築物のエネルギー消費性能の向上に関する法律第十九条第一項各号に掲げる行為について適用し、同日前にその工事に着手する同項各号に掲げる行為については、なお従前の例による。

2　新法附則第三条第五項の規定は、施行日から起算して二十一日を経過した日以後にその工事に着手する特定増改築（建築物のエネルギー消費性能の向上に関する法律附則第三条第一項に規定する特定増改築をいい、同法附則第一条第二号に掲げる規定の施行の際現に存する建築物について行うものに限る。以下この項において同じ。）について適用し、同日前にその工事に着手する特定増改築については、なお従前の例による。

第三条　第二条の規定による改正後の建築物のエネルギー消費性能の向上に関する法律（以下この条において「第二号新法」という。）第十一条第一項に規定する特定建築行為に該当する行為のうち第二条の規定による改正前の建築物のエネルギー消費性能の向上に関する法律（以下この条において「第二号旧法」という。）第十一条第一項に規定する特定建築行為に該当しないもの（次項において「新特定建築行為」という。）については、第二号新法第三章第一節の規定は、附則第一条第二号に掲げる規定の施行の日（以下この条において「第二号施行日」という。）以後に建築基準法（昭和二十五年法律第二百一号）第六条第一項若しくは第六条の二第一項の規定による確認の申請又は同法第十八条第二項の規定による通知（次項において「確認申請等」という。）がされたもの（第二号施行日前に第二号旧法第十九条第一項の規定による届出又は第二号旧法第二十条第二項の規定による通知（次項において「届出等」という。）がされたものを除く。）について適用する。

2　第二号施行日前に確認申請等がされた新特定建築行為（第二号施行日前に届出等がされたものを除く。）については、第二号新法第十九条第一項各号に掲げる行為とみなして、第二号新法第三章第二節の規定（これらの規定に係る罰則を含む。）を適用する。

3　第二号施行日前に第二号旧法第十九条第一項の規定による届出をした建築主に対する当該届出に係る指示及び命令並びに当該指示及び命令に係る報告及び立入検査については、なお従前の例による。

4　第二号施行日前に第二号旧法第二十条第二項の規定による通知をした国等（建築物のエネルギー消費性能の向上に関する法律第十三条第一項に規定する国等をいう。）の機関の長に対する当該通知に係る協議の求め並びに当該協議の求めに係る報告及び立入検査については、なお従前の例による。

5　第二号新法第二十七条の規定は、第二号施行日以後に建築士が委託を受けた同条第一項に規定する小規模建築物の建築に係る設計について適用する。

（罰則に関する経過措置）

第四条　この法律（附則第一条第二号に掲げる規定にあっては、当該規定。以下この条において同じ。）の施行前にした行為及びこの附則の規定によりなお従前の例によることとされる場合におけるこの法律の施行後にした行為に対する罰則の適用については、なお従前の例による。

（政令への委任）

第五条　前三条に定めるもののほか、この法律の施行に関し必要な経過措置は、政令で定める。

（検討）

第六条　政府は、この法律の施行後五年を経過した場合において、この法律による改正後の建築物のエネルギー消費性能の向上に関する法律の施行の状況について検討を加え、必要があると認めるときは、その結果に基づいて必要な措置を講ずるものとする。

附　則　〔抄〕〔令和元・六・一四法律三七〕

（施行期日）

第一条　この法律は、公布の日から起算して三月を経過した日から施行する。ただし、次の各号に掲げる規定は、当該各号に定める日から施行する。

一　〔前略〕次条並びに附則第三条及び第六条の規定　公布の日

二～四　〔略〕

（行政庁の行為等に関する経過措置）

第二条　この法律（前条各号に掲げる規定にあっては、当該規定。以下この条及び次条において同じ。）の施行の日前に、この法律による改正前の法律又はこれに基づく命令の規定（欠格条項その他の権利の制限に係る措置を定めるものに限る。）に基づき行われた行政庁の処分その他の行為及び当該規定により生じた失職の効力については、なお従前の例による。

（罰則に関する経過措置）

第三条　この法律の施行前にした行為に対する罰則の適用については、なお従前の例による。

（検討）

第七条　政府は、会社法（平成十七年法律第八十六号）及び一般社団法人及び一般財団法人に関する法律（平成十八年法律第四十八号）における法人

の役員の資格を成年被後見人又は被保佐人であることを理由に制限する旨の規定について、この法律の公布後一年以内を目途として検討を加え、その結果に基づき、当該規定の削除その他の必要な法制上の措置を講ずるものとする。

附　則〔抄〕〔令和四・五・二〇法律四六〕

（**施行期日**）

第一条　この法律は、令和五年四月一日から施行する。ただし、次の各号に掲げる規定は、当該各号に定める日から施行する。

一　附則第三十二条の規定　公布の日

二・三　〔略〕

（**政令への委任**）

第三二条　この附則に規定するもののほか、この法律の施行に伴い必要な経過措置（罰則に関する経過措置を含む。）は、政令で定める。

附　則〔抄〕〔令和四・六・一七法律六九〕

（**施行期日**）

第一条　この法律は、公布の日から起算して三年を超えない範囲内において政令で定める日から施行する。ただし、次の各号に掲げる規定は、当該各号に定める日から施行する。

〔令和六政一七一により、令和七・四・一から施行〕

一　附則第五条の規定　公布の日

二　〔略〕

三　第一条（建築物のエネルギー消費性能の向上に関する法律の題名の改正規定、同法の目次の改正規定（「特定建築主の新築する分譲型一戸建て規格住宅」を「分譲型一戸建て規格住宅及び分譲型規格共同住宅等」に、「特定建設工事業者の新たに建設する請負型規格住宅」を「請負型一戸建て規格住宅及び請負型規格共同住宅等」に改める部分を除く。）、同法第一条の改正規定、同法第三条の改正規定、同法第四条の改正規定、同法第五条の改正規定、同法第六条第二項の改正規定、同法第七条の改正規定、同法第三章の次に一章を加える改正規定、同法第六章の次に一章を加える改正規定、同法第七十二条の改正規定、同法第七十三条の改正規定、同法第七十四条の改正規定、同法第七十五条の改正規定、同法第七十六条の改正規定、同法第七十七条の改正規定及び同法第七十八条の改正規定を除く。）〔中略〕の規定　公布の日から起算して一年を超えない範囲内において政令で定める日

〔令和四政三五〇により、令和五・四・一から施行〕

四　第一条（建築物のエネルギー消費性能の向上に関する法律の題名の改正規定、同法の目次の改正規定（「特定建築主の新築する分譲型一戸建て規格住宅」を「分譲型一戸建て規格住宅及び分譲型規格共同住宅等」に、「特定建設工事業者の新たに建設する請負型規格住宅」を「請負型一戸建て規格住宅及び請負型規格共同住宅等」に改める部分を除く。）、同法第一条の改正規定、同法第三条の改正規定、同法第四条の改正規定、同法第五条の改正規定、同法第六条第二項の改正規定、同法第七条の改正規定、同法第三章の次に一章を加える改正規定、同法第六章の次に一章を加える改正規定、同法第七十二条の改正規定、同法第七十三条の改正規定、同法第七十四条の改正規定、同法第七十五条の改正規定、同法第七十六条の改正規定、同法第七十七条の改正規定及び同法第七十八条の改正規定に限る。）〔中略〕の規定並びに附則第四条〔中略〕の規定　公布の日から起算して二年を超えない範囲内において政令で定める日

〔令和五政二七九により、令和六・四・一から施行〕

（**建築物のエネルギー消費性能の向上等に関する法律の一部改正に伴う経過措置**）

第二条　第二条の規定による改正後の建築物のエネルギー消費性能の向上等に関する法律第十条から第十三条まで及び第十五条の規定は、この法律の施行の日（以下この条、次条及び附則第十三条において「施行日」という。）以後にその工事に着手する建築物の建築について適用し、施行日前にその工事に着手した建築物の建築に関して当該建築物のエネルギー消費性能の向上のために第二条の規定による改正前の建築物のエネルギー消費性能の向上等に関する法律に規定する建築主、国等の機関の長及び所管行政庁が講ずべき措置については、なお従前の例による。

（**罰則の適用に関する経過措置**）

第四条　この法律（附則第一条第四号に掲げる規定にあっては、当該規定）の施行前にした行為及び附則第二条の規定によりなお従前の例によることとされる場合におけるこの法律の施行後にした行為に対する罰則の適用については、なお従前の例による。

（**政令への委任**）

第五条　前三条に定めるもののほか、この法律の施行に関し必要な経過措置（罰則に関する経過措置を含む。）は、政令で定める。

（**検討**）

第六条　政府は、この法律の施行後五年を目途として、この法律による改正後のそれぞれの法律の規定について、その施行の状況等を勘案して検討を加え、必要があると認めるときは、その結果に基づいて所要の措置を講ずるものとする。

（**調整規定**）

第一三条　施行日が刑法等の一部を改正する法律の施行に伴う関係法律の整理等に関する法律の施行の日前である場合には、同法第四百十八条のうち、建築物のエネルギー消費性能の向上等に関する法律第四十五条第三号の改正規定中「第四十五条第三号」とあるのは「第三十七条第三号」と、同法第七十二条の改正規定中「第七十二条」とあるのは「第六十九条」とする。

附　則〔略〕〔令和五・六・一六法律五八〕

附　則〔抄〕〔令和六・六・一九法律五三〕

（**施行期日**）

第一条　この法律〔中略〕は、当該各号に定める日〔公布の日から起算して六月を超えない範囲内において政令で定める日〕から施行する。

（参考）　令和七年四月一日から施行

○建築物のエネルギー消費性能の向上等に関する法律

〔平成二七・七・八　法律五三〕

改正　令和元・五法四、六法三七、令和四・五法四六、六法六九、令和五・六法五八、令和六・六法五三

目次

第一章　総則（第一条・第二条）
第二章　基本方針等（第三条―第九条）
第三章　建築主が講ずべき措置等
　第一節　建築主の基準適合義務等（第十条―第二十条）
　第二節　分譲型一戸建て規格住宅及び分譲型規格共同住宅等に係る措置（第二十一条―第二十三条）
　第三節　請負型一戸建て規格住宅及び請負型規格共同住宅等に係る措置（第二十四条―第二十六条）
第四章　販売事業者等による建築物の販売等に係る措置（第二十七条・第二十八条）
第五章　建築物エネルギー消費性能向上計画の認定等（第二十九条―第三十五条）
第六章　登録建築物エネルギー消費性能判定機関等
　第一節　登録建築物エネルギー消費性能判定機関（第三十六条―第五十二条）
　第二節　登録建築物エネルギー消費性能評価機関（第五十三条―第五十九条）
第七章　建築物再生可能エネルギー利用促進区域における措置（第六十条―第六十四条）
第八章　雑則（第六十五条―第六十八条）
第九章　罰則（第六十九条―第七十六条）
附則

第一章　総則

（**目的**）

第一条　この法律は、社会経済情勢の変化に伴い建築物におけるエネルギーの消費量が著しく増加していることに鑑み、建築物のエネルギー消費性能の向上及び建築物への再生可能エネルギー利用設備の設置の促進（以下「建築物のエネルギー消費性能の向上等」という。）に関する基本的な方針の策定について定めるとともに、建築物の建築物エネルギー消費性能基準への適合性を確保するための措置、建築物エネルギー消費性能向上計画の認定その他の措置を講ずることにより、エネルギーの使用の合理化及び非化

石エネルギーへの転換等に関する法律（昭和五十四年法律第四十九号）と相まって、建築物のエネルギー消費性能の向上等を図り、もって国民経済の健全な発展と国民生活の安定向上に寄与することを目的とする。

（定義等）

第二条　この法律において、次の各号に掲げる用語の意義は、当該各号に定めるところによる。

一　建築物　建築基準法（昭和二十五年法律第二百一号）第二条第一号に規定する建築物をいう。

二　エネルギー消費性能　建築物の一定の条件での使用に際し消費されるエネルギー（エネルギーの使用の合理化及び非化石エネルギーへの転換等に関する法律第二条第一項に規定するエネルギーをいい、建築物に設ける空気調和設備その他の政令で定める建築設備（第六条第二項及び第二十九条第三項において「空気調和設備等」という。）において消費されるものに限る。）の量を基礎として評価される性能をいう。

三　建築物エネルギー消費性能基準　建築物の備えるべきエネルギー消費性能の確保のために必要な建築物の構造及び設備に関する経済産業省令・国土交通省令で定める基準をいう。

四　建築主等　建築主（建築物に関する工事の請負契約の注文者又は請負契約によらないで自らその工事をする者をいう。以下同じ。）又は建築物の所有者、管理者若しくは占有者をいう。

五　所管行政庁　建築基準法の規定により建築主事又は建築副主事を置く市町村の区域については市町村長をいい、その他の市町村の区域については都道府県知事をいう。ただし、同法第九十七条の二第一項若しくは第二項又は第九十七条の三第一項若しくは第二項の規定により建築主事又は建築副主事を置く市町村の区域内の政令で定める建築物については、都道府県知事とする。

2　地方公共団体は、その地方の自然的社会的条件の特殊性により、建築物エネルギー消費性能基準のみによっては建築物のエネルギー消費性能の確保を図ることが困難であると認める場合においては、条例で、建築物エネルギー消費性能基準に必要な事項を付加することができる。

第二章　基本方針等

（基本方針）

第三条　国土交通大臣は、建築物のエネルギー消費性能の向上等に関する基本的な方針（以下この条、第三十条第一項第二号及び第六十条第一項において「基本方針」という。）を定めなければならない。

2　基本方針においては、次に掲げる事項を定めるものとする。

一　建築物のエネルギー消費性能の向上等の意義及び目標に関する事項

二　建築物のエネルギー消費性能の向上等のための施策に関する基本的な事項

三　建築物のエネルギー消費性能の向上等のために建築主等が講ずべき措置に関する基本的な事項

四　第六十条第一項に規定する促進計画に関する基本的な事項

五　前各号に掲げるもののほか、建築物のエネルギー消費性能の向上等に関する重要事項

3　基本方針は、エネルギーの使用の合理化及び非化石エネルギーへの転換等に関する法律第三条第一項に規定する基本方針との調和が保たれたものでなければならない。

4　国土交通大臣は、基本方針を定めようとするときは、経済産業大臣に協議しなければならない。

5　国土交通大臣は、基本方針を定めたときは、遅滞なく、これを公表しなければならない。

6　前三項の規定は、基本方針の変更について準用する。

（国の責務）

第四条　国は、建築物のエネルギー消費性能の向上等に関する施策を総合的に策定し、及び実施する責務を有する。

2　国は、地方公共団体が建築物のエネルギー消費性能の向上等に関する施策を円滑に実施することができるよう、地方公共団体に対し、助言その他の必要な援助を行うよう努めなければならない。

3　国は、建築物のエネルギー消費性能の向上等を図るために必要な財政上、金融上及び税制上の措置を講ずるよう努めなければならない。

4　国は、建築物のエネルギー消費性能の向上等に関する研究、技術の開発及び普及、人材の育成その他の建築物のエネルギー消費性能の向上等を図るために必要な措置を講ずるよう努めなければならない。

5　国は、教育活動、広報活動その他の活動を通じて、建築物のエネルギー消費性能の向上等に関する国民の理解を深めるとともに、その実施に関する国民の協力を求めるよう努めなければならない。

（地方公共団体の責務）

第五条　地方公共団体は、建築物のエネルギー消費性能の向上等に関し、国の施策に準じて施策を講ずるとともに、その地方公共団体の区域の実情に応じた施策を策定し、及び実施する責務を有する。

（建築主等及び建築士の努力）

第六条　建築主は、その建築（建築物の新築、増築又は改築をいう。以下同じ。）をしようとする建築物について、エネルギー消費性能の一層の向上（建築物エネルギー消費性能基準（第二条第二項の条例で付加した事項を含む。次章第一節において同じ。）に適合する建築物において確保されるエネルギー消費性能を超えるエネルギー消費性能を当該建築物において確保することをいう。）を図るよう努めなければならない。

2　建築主は、その修繕等（建築物の修繕若しくは模様替、建築物への空気調和設備等の設置又は建築物に設けた空気調和設備等の改修をいう。次項、第二十九条第一項及び第六十二条において同じ。）をしようとする建築物について、建築物の所有者、管理者又は占有者は、その所有し、管理し、又は占有する建築物について、エネルギー消費性能の向上を図るよう努めなければならない。

3　建築士は、建築物の建築又は修繕等に係る設計を行うときは、国土交通省令で定めるところにより、当該設計の委託をした建築主に対し、当該設計に係る建築物のエネルギー消費性能その他建築物のエネルギー消費性能の向上に資する事項について説明するよう努めなければならない。

（建築物に係る指導及び助言）

第七条　所管行政庁は、建築物のエネルギー消費性能の向上のため必要があると認めるときは、建築主等に対し、建築物の設計、施工及び維持保全に係る事項について必要な指導及び助言をすることができる。

（建築物の設計等に係る指導及び助言）

第八条　国土交通大臣は、建築物のエネルギー消費性能の向上のため特に必要があると認めるときは、建築物の設計又は施工を行う事業者に対し、建築物のエネルギー消費性能の向上及び建築物のエネルギー消費性能の表示について必要な指導及び助言をすることができる。

（建築材料に係る指導及び助言）

第九条　経済産業大臣は、建築物のエネルギー消費性能の向上のため特に必要があると認めるときは、建築物の直接外気に接する屋根、壁又は床（これらに設ける窓その他の開口部を含む。）を通しての熱の損失の防止の用に供される建築材料の製造、加工又は輸入を行う事業者に対し、当該建築材料の断熱性に係る品質の向上及び当該品質の表示について必要な指導及び助言をすることができる。

第三章　建築主が講ずべき措置等

第一節　建築主の基準適合義務等

（建築主の基準適合義務）

第一〇条　建築主は、建築物の建築（エネルギー消費性能に及ぼす影響が少ないものとして政令で定める規模以下のものを除く。）をしようとするときは、当該建築物（増築又は改築をする場合にあっては、当該増築又は改築をする建築物の部分）を建築物エネルギー消費性能基準に適合させなければならない。

2　前項の規定は、建築基準法第六条第一項に規定する建築基準関係規定とみなす。ただし、同法第六条の四第一項第三号に掲げる建築物の建築をする場合における同法第六条第一項、第四項若しくは第七項若しくは第六条の二第一項、第四項若しくは第六項の規定又は同法第十八条第三項、第四項、第十五項、第十六項若しくは第十九項の規定の適用及び同法第七条の五に規定する同号に掲げる建築物の建築の工事をする場合における同法第七条第四項若しくは第五項、第七条の二第一項、第五項若しくは第七項、第七条の三第四項、第五項若しくは第七項の規定又は同法第十八条第二十一項から第二十三項まで、第二十六項、第二十九項、第三十項、第三十二項、第三十四項若しくは第三十七項の規定の適用については、この限りでない。

（建築物エネルギー消費性能適合性判定）

第一一条　建築主は、前条第一項の規定により建築物エネルギー消費性能基準に適合させなければならない建築物の建築（建築基準法第六条の四第一項第三号に掲げる建築物の建築に該当するものを除く。以下この項並びに次条第一項及び第二項において「特定建築行為」という。）であって、同法第六条第一項の規定による確認を要するもの（以下この条において「要確認特定建築行為」という。）をしようとするときは、その工事に着手する前に、建築物エネルギー消費性能確保計画（特定建築行為に係る建築物（増築又は改築をする場合にあっては、当該増築又は改築をする建築物の部分）のエネルギー消費性能の確保のための構造及び設備に関する計画をいう。以下この条及び次条において同じ。）を提出して所管行政庁の建築物エネルギー消費性能適合性判定（建築物エネルギー消費性能確保計画が建築物エネルギー消費性能基準に適合するかどうかの判定をいう。以下同じ。）を受けなければならない。ただし、要確認特定建築行為が、建築物エネルギー消費性能適合性判定を行うことが比較的容易なものとして国土交通省令で定める特定建築行為である場合は、この限りでない。

2　建築主は、前項の建築物エネルギー消費性能適合性判定を受けた建築物エネルギー消費性能確保計画の変更（国土交通省令で定める軽微な変更を除く。）をして要確認特定建築行為をしようとするときは、その工事に着手する前に、その変更後の建築物エネルギー消費性能確保計画を提出して所管行政庁の建築物エネルギー消費性能適合性判定を受けなければならない。この場合には、同項ただし書の規定を準用する。

3　所管行政庁は、前二項の規定による建築物エネルギー消費性能確保計画の提出を受けた場合においては、その提出を受けた日から十四日以内に、当該提出に係る建築物エネルギー消費性能適合性判定の結果を記載した通知書を当該提出者に交付しなければならない。

4　所管行政庁は、前項の場合において、同項の期間内に当該提出者に同項の通知書を交付することができない合理的な理由があるときは、二十八日の範囲内において、同項の期間を延長することができる。この場合においては、その旨及びその延長する期間並びにその期間を延長する理由を記載した通知書を同項の期間内に当該提出者に交付しなければならない。

5　所管行政庁は、第三項の場合において、建築物エネルギー消費性能確保計画の記載によっては当該建築物エネルギー消費性能確保計画が建築物エネルギー消費性能基準に適合するかどうかを決定することができない正当な理由があるときは、その旨及びその理由を記載した通知書を同項の期間（前項の規定によりその期間を延長した場合にあっては、当該延長後の期間）内に当該提出者に交付しなければならない。

6　建築主は、第三項の規定により交付を受けた通知書が適合判定通知書（当該建築物エネルギー消費性能確保計画が建築物エネルギー消費性能基準に適合するものであると判定された旨が記載された通知書をいう。以下同じ。）である場合においては、当該要確認特定建築行為に係る建築基準法第六条第一項又は第六条の二第一項の規定による確認をする建築主事若しくは建築副主事又は指定確認検査機関（同法第七十七条の二十一第一項に規定する指定確認検査機関をいう。以下同じ。）に、当該適合判定通知書又はその写しを提出しなければならない。ただし、当該要確認特定建築行為に係る建築物の計画（同法第六条第一項又は第六条の二第一項の規定による確認の申請に係る建築物の計画をいう。次項及び第八項において同じ。）について同法第六条第七項又は第六条の二第四項の通知書の交付を受けた場合は、この限りでない。

7　前項の場合において、要確認特定建築行為に係る建築物の計画が建築基準法第六条第一項の規定による建築主事又は建築副主事の確認に係るものであるときは、前項の規定による適合判定通知書又はその写しの提出は、同条第四項の期間（同条第六項の規定によりその期間が延長された場合にあっては、当該延長後の期間）の末日の三日前までにしなければならない。

8　建築主事又は建築副主事は、建築基準法第六条第一項の規定による確認の申請書を受理した場合において、指定確認検査機関は、同法第六条の二第一項の規定による確認の申請を受けた場合において、建築物の計画が要確認特定建築行為（第一項ただし書に規定する国土交通省令で定める特定建築行為であるものを除く。）に係るものであるときは、建築主から第六項の適合判定通知書又はその写しの提出を受けた場合に限り、同法第六条第一項又は第六条の二第一項の規定による確認をすることができる。

9　建築物エネルギー消費性能確保計画に関する書類及び第三項から第五項までの通知書の様式は、国土交通省令で定める。

（国等に対する建築物エネルギー消費性能適合性判定に関する手続の特例）

第一二条　国、都道府県又は建築主事若しくは建築副主事を置く市町村（以下この条及び次条第二項において「国等」という。）の機関の長が行う特定建築行為については、前条の規定は、適用しない。この場合においては、次項から第九項までの規定に定めるところによる。

2　国等の機関の長は、特定建築行為であって、建築基準法第十八条第二項の規定による通知を要するもの（以下この条において「要通知特定建築行為」という。）をしようとするときは、その工事に着手する前に、建築物エネルギー消費性能確保計画を所管行政庁に通知し、建築物エネルギー消費性能適合性判定を求めなければならない。ただし、要通知特定建築行為が、建築物エネルギー消費性能適合性判定を行うことが比較的容易なものとして国土交通省令で定める特定建築行為である場合は、この限りでない。

3　国等の機関の長は、前項の建築物エネルギー消費性能適合性判定を受けた建築物エネルギー消費性能確保計画の変更（国土交通省令で定める軽微な変更を除く。）をして要通知特定建築行為をしようとするときは、その工事に着手する前に、その変更後の建築物エネルギー消費性能確保計画を所管行政庁に通知し、建築物エネルギー消費性能適合性判定を求めなければならない。この場合には、同項ただし書の規定を準用する。

4　所管行政庁は、前二項の規定による通知を受けた場合においては、その通知を受けた日から十四日以内に、当該通知に係る建築物エネルギー消費性能適合性判定の結果を記載した通知書を当該通知をした国等の機関の長に交付しなければならない。

5　所管行政庁は、前項の場合において、同項の期間内に当該通知をした国等の機関の長に同項の通知書を交付することができない合理的な理由があるときは、二十八日の範囲内において、同項の期間を延長することができる。この場合においては、その旨及びその延長する期間並びにその期間を延長する理由を記載した通知書を同項の期間内に当該通知をした国等の機関の長に交付しなければならない。

6　所管行政庁は、第四項の場合において、第二項又は第三項の規定による通知の記載によっては当該建築物エネルギー消費性能確保計画が建築物エネルギー消費性能基準に適合するかどうかを決定することができない正当な理由があるときは、その旨及びその理由を記載した通知書を第四項の期間（前項の規定によりその期間を延長した場合にあっては、当該延長後の期間）内に当該通知をした国等の機関の長に交付しなければならない。

7　国等の機関の長は、第四項の規定により交付を受けた通知書が適合判定通知書である場合においては、当該要通知特定建築行為に係る建築基準法第十八条第三項又は第四項の規定による審査をする建築主事若しくは建築副主事又は指定確認検査機関に、当該適合判定通知書又はその写しを提出しなければならない。ただし、当該要通知特定建築行為に係る建築物の計画（同条第二項又は第四項の規定による通知に係る建築物の計画をいう。第九項において同じ。）について同条第十五項又は第十六項の通知書の交付を受けた場合は、この限りでない。

8　前項の場合において、同項の規定による適合判定通知書又はその写しの建築主事又は建築副主事への提出は、建築基準法第十八条第三項の期間（同条第十四項の規定によりその期間が延長された場合にあっては、当該延長後の期間）の末日の三日前までにしなければならない。

9　建築主事若しくは建築副主事又は指定確認検査機関は、建築基準法第十八条第三項又は第四項の場合において、建築物の計画が要通知特定建築行為であるもの（第二項ただし書に規定する国土交通省令で定める特定建築行為であるものを除く。）に係るものであるときは、当該通知をした国等の機関の長から第七項の適合判定通知書又はその写しの提出を受けた場合に限り、同条第三項又は第四項の確認済証を交付することができる。

（基準適合命令等）

第一三条　所管行政庁は、第十条第一項の規定に違反している事実があると認めるときは、建築主に対し、相当の期限を定めて、当該違反を是正するために必要な措置をとるべきことを命ずることができる。

2　国等の建築物については、前項の規定は、適用しない。この場合において、所管行政庁は、当該建築物が第十条第一項の規定に違反している事実があると認めるときは、直ちに、その旨を当該建築物に係る国等の機関の長に通知し、前項に規定する措置をとるべきことを要請しなければならない。

（登録建築物エネルギー消費性能判定機関による建築物エネルギー消費性能適合性判定の実施）

第一四条　所管行政庁は、第三十六条から第三十九条までの規定の定めるところにより国土交通大臣の登録を受けた者（以下「登録建築物エネルギー消費性能判定機関」という。）に、第十一条第一項及び第二項並びに第十二条第二項及び第三項の建築物エネルギー消費性能適合性判定の全部又は一部を行わせることができる。

2　登録建築物エネルギー消費性能判定機関が建築物エネルギー消費性能適合性判定を行う場合における第十一条第一項から第五項まで及び第十二条第二項から第六項までの規定の適用については、これらの規定中「所管行政庁」とあるのは「第十四条第一項の登録を受けた者」と、第十一条第二項及び第十二条第三項中「同項ただし書」とあるのは「前項ただし書」とする。

（報告、検査等）

第一五条　所管行政庁は、第十三条の規定の施行に必要な限度において、建築主等に対し、第十条第一項の規定により建築物エネルギー消費性能基準に適合させなければならない建築物の建築物エネルギー消費性能基準への適合に関する事項に関し報告させ、又はその職員に、当該建築物若しくはその工事現場に立ち入り、当該建築物、建築設備、建築材料、書類その他の物件を検査させることができる。ただし、住居に立ち入る場合においては、あらかじめ、その居住者の承諾を得なければならない。

2　前項の規定により立入検査をする職員は、その身分を示す証明書を携帯し、関係者に提示しなければならない。

3　第一項の規定による立入検査の権限は、犯罪捜査のために認められたものと解釈してはならない。

（特殊の構造又は設備を用いる建築物の認定）

第一六条　建築主は、第十条第一項の規定により建築物エネルギー消費性能基準に適合させなければならない建築物の建築をしようとする場合において、当該建築物が特殊の構造又は設備を用いるため建築物エネルギー消費性能基準に適合させることが困難なものであるときは、国土交通大臣に対し、当該建築物が建築物エネルギー消費性能基準に適合する建築物と同等以上のエネルギー消費性能を有するものである旨の認定を申請することができる。

2　前項の規定による申請をしようとする者は、国土交通省令で定めるところにより、国土交通省令で定める事項を記載した申請書を提出して、これを行わなければならない。

3　国土交通大臣は、第一項の規定による申請があった場合において、当該申請に係る建築物が建築物エネルギー消費性能基準に適合する建築物と同等以上のエネルギー消費性能を有するものであると認めるときは、その旨の認定をすることができる。

4　国土交通大臣は、前項の認定をしたときは、遅滞なく、その旨を当該認定を受けた建築物の建築が行われる場所を管轄する所管行政庁に通知するものとする。

（審査のための評価）

第一七条　国土交通大臣は、前条第三項の認定のための審査に当たっては、審査に係る特殊の構造又は設備を用いる建築物のエネルギー消費性能に関する評価（以下「評価」という。）であって、第五十三条から第五十五条までの規定の定めるところにより国土交通大臣の登録を受けた者（以下「登録建築物エネルギー消費性能評価機関」という。）が行うものに基づきこれを行うものとする。

2　前条第一項の規定による申請をしようとする者は、登録建築物エネルギー消費性能評価機関が作成した当該申請に係る特殊の構造又は設備を用いる建築物のエネルギー消費性能に関する評価書を同条第二項の申請書に添えて、これをしなければならない。この場合において、国土交通大臣は、当該評価書に基づき同条第三項の認定のための審査を行うものとする。

（認定を受けた特殊の構造又は設備を用いる建築物に関する特例）

第一八条　第十六条第三項の認定を受けた建築物は、建築物エネルギー消費性能基準に適合するものとみなす。

2　第十六条第一項の特殊の構造又は設備を用いて建築物の建築をしようとする者が当該建築物について同条第三項の認定を受けたときは、当該建築物の建築のうち第十一条第一項の建築物エネルギー消費性能適合性判定を受けなければならないものについては、同条第三項の規定により適合判定通知書の交付を受けたものとみなして、同条第六項から第八項までの規定を適用する。

（手数料）

第一九条　第十六条第一項の規定による申請をしようとする者は、国土交通省令で定めるところにより、実費を勘案して国土交通省令で定める額の手数料を国に納めなければならない。

（適用除外）

第二〇条　この節の規定は、次の各号のいずれかに該当する建築物については、適用しない。

一　居室を有しないこと又は高い開放性を有することにより空気調和設備を設ける必要がないものとして政令で定める用途に供する建築物

二　法令又は条例の定める現状変更の規制及び保存のための措置その他の措置がとられていることにより建築物エネルギー消費性能基準に適合させることが困難なものとして政令で定める建築物

三　仮設の建築物であって政令で定めるもの

第二節　分譲型一戸建て規格住宅及び分譲型規格共同住宅等に係る措置

（特定一戸建て住宅建築主及び特定共同住宅等建築主の努力）

第二一条　特定一戸建て住宅建築主（自らが定めた一戸建ての住宅の構造及び設備に関する規格に基づき一戸建ての住宅を新築し、これを分譲することを業として行う建築主であって、その一年間に新築する当該規格に基づく一戸建ての住宅（以下この項及び次条第一項において「分譲型一戸建て規格住宅」という。）の戸数が政令で定める数以上であるものをいう。同項において同じ。）は、第六条第一項及び第二項に定めるもののほか、その新築する分譲型一戸建て規格住宅を次条第一項に規定する基準に適合させるよう努めなければならない。

2　特定共同住宅等建築主（自らが定めた共同住宅等（共同住宅又は長屋をいう。以下この項及び第二十四条第二項において同じ。）の構造及び設備に関する規格に基づき共同住宅等を新築し、これを分譲することを業として行う建築主であって、その一年間に新築する当該規格に基づく共同住宅等（以下この項及び次条第一項において「分譲型規格共同住宅等」という。）の住戸の数が政令で定める数以上であるものをいう。同項において同じ。）は、第六条第一項及び第二項に定めるもののほか、その新築する分譲型規格共同住宅等を次条第一項に規定する基準に適合させるよう努めなければならない。

（分譲型一戸建て規格住宅等のエネルギー消費性能の一層の向上に関する基準）

第二二条　経済産業大臣及び国土交通大臣は、経済産業省令・国土交通省令で、分譲型一戸建て規格住宅又は分譲型規格共同住宅等（以下この条及び次条において「分譲型一戸建て規格住宅等」という。）ごとに、特定一戸建て住宅建築主又は特定共同住宅等建築主（次項及び同条において「特定一戸建て住宅建築主等」という。）の新築する分譲型一戸建て規格住宅等のエネルギー消費性能の一層の向上（建築物エネルギー消費性能基準に適合する建築物において確保されるエネルギー消費性能を超えるエネルギー消費性能を当該建築物において確保することをいう。以下同じ。）のために必要な住宅の構造及び設備に関する基準を定めなければならない。

2　前項に規定する基準は、特定一戸建て住宅建築主等の新築する分譲型一戸建て規格住宅等のうちエネルギー消費性能が最も優れているものの当該エネルギー消費性能、分譲型一戸建て規格住宅等に関する技術開発の将来の見通しその他の事情を勘案して、建築物エネルギー消費性能基準に必要な事項を付加して定めるものとし、これらの事情の変動に応じて必要な改定をするものとする。

（特定一戸建て住宅建築主等に対する勧告及び命令等）

第二三条　国土交通大臣は、特定一戸建て住宅建築主等の新築する分譲型一戸建て規格住宅等につき、前条第一項に規定する基準に照らしてエネルギー消費性能の一層の向上を相当程度行う必要があると認めるときは、当該特定一戸建て住宅建築主等に対し、その目標を示して、その新築する分譲型一戸建て規格住宅等のエネルギー消費性能の一層の向上を図るべき旨の勧告をすることができる。

2　国土交通大臣は、前項の勧告を受けた特定一戸建て住宅建築主等がその勧告に従わなかったときは、その旨を公表することができる。

3　国土交通大臣は、第一項の勧告を受けた特定一戸建て住宅建築主等が、正当な理由がなくてその勧告に係る措置をとらなかった場合において、前条第一項に規定する基準に照らして特定一戸建て住宅建築主等が行うべきその新築する分譲型一戸建て規格住宅等のエネルギー消費性能の一層の向上を著しく害すると認めるときは、社会資本整備審議会の意見を聴いて、当該特定一戸建て住宅建築主等に対し、相当の期限を定めて、その勧告に係る措置をとるべきことを命ずることができる。

4　国土交通大臣は、前三項の規定の施行に必要な限度において、特定一戸建て住宅建築主等に対し、その新築する分譲型一戸建て規格住宅等に係る業務の状況に関し報告させ、又はその職員に、特定一戸建て住宅建築主等の事務所その他の事業場若しくは特定一戸建て住宅建築主等の新築する分譲型一戸建て規格住宅等若しくはその工事現場に立ち入り、特定一戸建て住宅建築主等の新築する分譲型一戸建て規格住宅等、帳簿、書類その他の物件を検査させることができる。

5　第十五条第二項及び第三項の規定は、前項の規定による立入検査について準用する。

第三節　請負型一戸建て規格住宅及び請負型規格共同住宅等に係る措置

（特定一戸建て住宅建設工事業者及び特定共同住宅等建設工事業者の努力）

第二四条　特定一戸建て住宅建設工事業者（自らが定めた一戸建ての住宅の構造及び設備に関する規格に基づき一戸建ての住宅を新たに建設する工事を業として請け負う者であって、その一年間に新たに建設する当該規格に基づく一戸建ての住宅（以下この項及び次条第一項において「請負型一戸建て規格住宅」という。）の戸数が政令で定める数以上であるものをいう。同項において同じ。）は、その新たに建設する請負型一戸建て規格住宅を同項に規定する基準に適合させるよう努めなければならない。

2　特定共同住宅等建設工事業者（自らが定めた共同住宅等の構造及び設備に関する規格に基づき共同住宅等を新たに建設する工事を業として請け負う者であって、その一年間に新たに建設する当該規格に基づく共同住宅等（以下この項及び次条第一項において「請負型規格共同住宅等」という。）の住戸の数が政令で定める数以上であるものをいう。同項において同じ。）は、その新たに建設する請負型規格共同住宅等を同項に規定する基準に適合させるよう努めなければならない。

（請負型一戸建て規格住宅等のエネルギー消費性能の一層の向上に関する基準）

第二五条　経済産業大臣及び国土交通大臣は、経済産業省令・国土交通省令で、請負型一戸建て規格住宅又は請負型規格共同住宅等（以下この条及び次条において「請負型一戸建て規格住宅等」という。）ごとに、特定一戸建て住宅建設工事業者又は特定共同住宅等建設工事業者（次項及び同条において「特定一戸建て住宅建設工事業者等」という。）の新たに建設する請負型一戸建て規格住宅等のエネルギー消費性能の一層の向上のために必要な住宅の構造及び設備に関する基準を定めなければならない。

2　前項に規定する基準は、特定一戸建て住宅建設工事業者等の新たに建設する請負型一戸建て規格住宅等のうちエネルギー消費性能が最も優れているものの当該エネルギー消費性能、請負型一戸建て規格住宅等に関する技術開発の将来の見通しその他の事情を勘案して、建築物エネルギー消費性能基準に必要な事項を付加して定めるものとし、これらの事情の変動に応じて必要な改定をするものとする。

（特定一戸建て住宅建設工事業者等に対する勧告及び命令等）

第二六条　国土交通大臣は、特定一戸建て住宅建設工事業者等の新たに建設する請負型一戸建て規格住宅等につき、前条第一項に規定する基準に照らしてエネルギー消費性能の一層の向上を相当程度行う必要があると認めるときは、当該特定一戸建て住宅建設工事業者等に対し、その目標を示して、その新たに建設する請負型一戸建て規格住宅等のエネルギー消費性能の一層の向上を図るべき旨の勧告をすることができる。

2　国土交通大臣は、前項の勧告を受けた特定一戸建て住宅建設工事業者等がその勧告に従わなかったときは、その旨を公表することができる。

3　国土交通大臣は、第一項の勧告を受けた特定一戸建て住宅建設工事業者等が、正当な理由がなくてその勧告に係る措置をとらなかった場合において、前条第一項に規定する基準に照らして特定一戸建て住宅建設工事業者等が行うべきその新たに建設する請負型一戸建て規格住宅等のエネルギー消費性能の一層の向上を著しく害すると認めるときは、社会資本整備審議会の意見を聴いて、当該特定一戸建て住宅建設工事業者等に対し、相当の期限を定めて、その勧告に係る措置をとるべきことを命ずることができる。

4　国土交通大臣は、前三項の規定の施行に必要な限度において、特定一戸建て住宅建設工事業者等に対し、その新たに建設する請負型一戸建て規格住宅等に係る業務の状況に関し報告させ、又はその職員に、特定一戸建て住宅建設工事業者等の事務所その他の事業場若しくは特定一戸建て住宅建設工事業者等の新たに建設する請負型一戸建て規格住宅等若しくはその工事現場に立ち入り、特定一戸建て住宅建設工事業者等の新たに建設する請負型一戸建て規格住宅等、帳簿、書類その他の物件を検査させることができる。

5　第十五条第二項及び第三項の規定は、前項の規定による立入検査について準用する。

第四章　販売事業者等による建築物の販売等に係る措置

（販売事業者等の表示）

第二七条　建築物の販売又は賃貸（以下この項並びに次条第一項及び第四項において「販売等」という。）を行う事業者（次項及び同条において「販売事業者等」という。）は、その販売等を行う建築物について、エネルギー消費性能を表示するよう努めなければならない。

2　国土交通大臣は、前項の規定による建築物のエネルギー消費性能の表示について、次に掲げる事項を定め、これを告示するものとする。

一　建築物のエネルギー消費性能に関し販売事業者等が表示すべき事項

二　表示の方法その他建築物のエネルギー消費性能の表示に際して販売事業者等が遵守すべき事項

（販売事業者等に対する勧告及び命令等）

第二八条　国土交通大臣は、販売事業者等が、その販売等を行う建築物について前条第二項の規定により告示されたところに従ってエネルギー消費性能の表示をしていないと認めるときは、当該販売事業者等に対し、その販売等を行う建築物について、その告示されたところに従ってエネルギー消費性能に関する表示をすべき旨の勧告をすることができる。

2　国土交通大臣は、前項の勧告を受けた販売事業者等がその勧告に従わなかったときは、その旨を公表することができる。

3　国土交通大臣は、第一項の勧告を受けた販売事業者等が、正当な理由がなくてその勧告に係る措置をとらなかった場合において、建築物のエネルギー消費性能の向上を著しく害すると認めるときは、社会資本整備審議会の意見を聴いて、当該販売事業者等に対し、その勧告に係る措置をとるべきことを命ずることができる。

4　国土交通大臣は、前三項の規定の施行に必要な限度において、販売事業者等に対し、その販売等を行う建築物に係る業務の状況に関し報告させ、又はその職員に、販売事業者等の事務所その他の事業場若しくは販売事業者等の販売等を行う建築物に立ち入り、販売事業者等の販売等を行う建築物、帳簿、書類その他の物件を検査させることができる。

5　第十五条第二項及び第三項の規定は、前項の規定による立入検査について準用する。

第五章　建築物エネルギー消費性能向上計画の認定等

（建築物エネルギー消費性能向上計画の認定）

第二九条　建築主等は、エネルギー消費性能の一層の向上に資する建築物の新築又はエネルギー消費性能の一層の向上のための建築物の増築、改築若しくは修繕等（以下「エネルギー消費性能の一層の向上のための建築物の新築等」という。）をしようとするときは、国土交通省令で定めるところにより、エネルギー消費性能の一層の向上のための建築物の新築等に関する計画（以下「建築物エネルギー消費性能向上計画」という。）を作成し、所管行政庁の認定を申請することができる。

2　建築物エネルギー消費性能向上計画には、次に掲げる事項を記載しなければならない。

一　建築物の位置

二　建築物の延べ面積、構造、設備及び用途並びに敷地面積

三　エネルギー消費性能の一層の向上のための建築物の新築等に係る資金計画

四　その他国土交通省令で定める事項

3　建築主等は、第一項の規定による認定の申請に係る建築物（以下「申請

建築物」という。）以外の建築物（以下「他の建築物」という。）のエネルギー消費性能の一層の向上にも資するよう、当該申請建築物に自他供給型熱源機器等（申請建築物及び他の建築物に熱又は電気を供給するための熱源機器等（熱源機器、発電機その他の熱又は電気を発生させ、これを建築物に供給するための国土交通省令で定める機器であって空気調和設備等を構成するものをいう。以下この項において同じ。）をいう。）を設置しようとするとき（当該他の建築物に熱源機器等（エネルギー消費性能に及ぼす影響が少ないものとして国土交通省令で定めるものを除く。）が設置されているとき又は設置されることとなるときを除く。）は、建築物エネルギー消費性能向上計画に、前項各号に掲げる事項のほか、次に掲げる事項を記載することができる。

一　他の建築物の位置

二　他の建築物の延べ面積、構造、設備及び用途並びに敷地面積

三　その他国土交通省令で定める事項

4　建築主等は、次に掲げる場合においては、第一項の規定による認定の申請をすることができない。

一　当該申請をしようとする建築物エネルギー消費性能向上計画に係る申請建築物が他の建築物エネルギー消費性能向上計画に他の建築物として記載されているとき。

二　当該申請をしようとする建築物エネルギー消費性能向上計画に係る他の建築物が他の建築物エネルギー消費性能向上計画に他の建築物として記載されているとき（当該申請をしようとする建築物エネルギー消費性能向上計画に係る申請建築物が当該他の建築物エネルギー消費性能向上計画に係る申請建築物と同一であるときを除く。）。

（建築物エネルギー消費性能向上計画の認定基準等）

第三〇条　所管行政庁は、前条第一項の規定による認定の申請があった場合において、当該申請に係る建築物エネルギー消費性能向上計画が次に掲げる基準に適合すると認めるときは、その認定をすることができる。

一　申請建築物のエネルギー消費性能が建築物エネルギー消費性能誘導基準（建築物のエネルギー消費性能の一層の向上の促進のために誘導すべき経済産業省令・国土交通省令で定める基準をいう。第四号及び第三十五条第一項において同じ。）に適合するものであること。

二　建築物エネルギー消費性能向上計画に記載された事項が基本方針に照らして適切なものであること。

三　前条第二項第三号の資金計画がエネルギー消費性能の一層の向上のための建築物の新築等を確実に遂行するため適切なものであること。

四　建築物エネルギー消費性能向上計画に前条第三項各号に掲げる事項が記載されている場合にあっては、当該建築物エネルギー消費性能向上計画に係る他の建築物のエネルギー消費性能が建築物エネルギー消費性能誘導基準に適合するものであること。

2　前条第一項の規定による認定の申請をする者は、所管行政庁に対し、当該所管行政庁が当該申請に係る建築物エネルギー消費性能向上計画（他の建築物に係る部分を除く。以下この条において同じ。）を建築主事又は建築副主事に通知し、当該建築物エネルギー消費性能向上計画が建築基準法第六条第一項に規定する建築基準関係規定に適合するかどうかの審査を受けるよう申し出ることができる。この場合においては、当該申請に併せて、同項の規定による確認の申請書を提出しなければならない。

3　前項の規定による申出を受けた所管行政庁は、速やかに、当該申出に係る建築物エネルギー消費性能向上計画を建築主事又は建築副主事に通知しなければならない。

4　建築基準法第十八条第三項及び第十五項の規定は、建築主事又は建築副主事が前項の規定による通知を受けた場合について準用する。

5　所管行政庁が、前項において準用する建築基準法第十八条第三項の規定による確認済証の交付を受けた場合において、第一項の認定をしたときは、当該認定を受けた建築物エネルギー消費性能向上計画は、同法第六条第一項の確認済証の交付があったものとみなす。

6　所管行政庁は、第四項において準用する建築基準法第十八条第十五項の規定による通知書の交付を受けた場合においては、第一項の認定をしてはならない。

7　建築基準法第十二条第八項及び第九項並びに第九十三条から第九十三条の三までの規定は、第四項において準用する同法第十八条第三項及び第十五項の規定による確認済証及び通知書の交付について準用する。

8　エネルギー消費性能の一層の向上のための建築物の新築等をしようとする者がその建築物エネルギー消費性能向上計画について第一項の認定を受けたときは、当該エネルギー消費性能の一層の向上のための建築物の新築等のうち、第十一条第一項の建築物エネルギー消費性能適合性判定を受けなければならないものについては、第二項の規定による申出があった場合及び第二条第二項の条例が定められている場合を除き、第十一条第三項の規定により適合判定通知書の交付を受けたものとみなして、同条第六項から第八項までの規定を適用する。

（建築物エネルギー消費性能向上計画の変更）

第三一条　前条第一項の認定を受けた者（次条から第三十四条までにおいて「認定建築主」という。）は、当該認定を受けた建築物エネルギー消費性能向上計画の変更（国土交通省令で定める軽微な変更を除く。）をしようとするときは、国土交通省令で定めるところにより、所管行政庁の認定を受けなければならない。

2　前条の規定は、前項の認定について準用する。

（認定建築主に対する報告の徴収）

第三二条　所管行政庁は、認定建築主に対し、第三十条第一項の認定を受けた建築物エネルギー消費性能向上計画（変更があったときは、その変更後のもの。次条及び第三十五条において「認定建築物エネルギー消費性能向上計画」という。）に基づくエネルギー消費性能の一層の向上のための建築物の新築等の状況に関し報告を求めることができる。

（認定建築主に対する改善命令）

第三三条　所管行政庁は、認定建築主が認定建築物エネルギー消費性能向上計画に従ってエネルギー消費性能の一層の向上のための建築物の新築等を行っていないと認めるときは、当該認定建築主に対し、相当の期限を定めて、その改善に必要な措置をとるべきことを命ずることができる。

（建築物エネルギー消費性能向上計画の認定の取消し）

第三四条　所管行政庁は、認定建築主が前条の規定による命令に違反したときは、第三十条第一項の認定を取り消すことができる。

（認定建築物エネルギー消費性能向上計画に係る建築物の容積率の特例）

第三五条　建築基準法第五十二条第一項、第二項、第七項、第十二項及び第十四項、第五十七条の二第三項第二号、第五十七条の三第二項、第五十九条第一項及び第三項、第五十九条の二第一項、第六十条第一項、第六十条の二第一項及び第四項、第六十八条の三第一項、第六十八条の四、第六十八条の五（第二号イを除く。）、第六十八条の五の二（第二号イを除く。）、第六十八条の五の三第一項（第一号ロを除く。）、第六十八条の五の四（第一号ロを除く。）、第六十八条の五の五第一項第一号ロ、第六十八条の八、第六十八条の九第一項、第八十六条第三項及び第四項、第八十六条の二第二項及び第三項、第八十六条の五第三項並びに第八十六条の六第一項に規定する建築物の容積率（同法第五十九条第一項、第六十条の二第一項及び第六十八条の九第一項に規定するものについては、これらの規定に規定する建築物の容積率の最高限度に係る場合に限る。）の算定の基礎となる延べ面積には、同法第五十二条第三項及び第六項に定めるもののほか、認定建築物エネルギー消費性能向上計画に係る建築物の床面積のうち、建築物エネルギー消費性能誘導基準に適合させるための措置をとることにより通常の建築物の床面積を超えることとなる場合における政令で定める床面積は、算入しないものとする。

2　認定建築物エネルギー消費性能向上計画に第二十九条第三項各号に掲げる事項が記載されている場合における前項の規定の適用については、同項中「建築物の床面積のうち、」とあるのは、「申請建築物の床面積のうち、当該認定建築物エネルギー消費性能向上計画に係る申請建築物及び他の建築物を」とする。

第六章　登録建築物エネルギー消費性能判定機関等

第一節　登録建築物エネルギー消費性能判定機関

（登録）

第三六条　第十四条第一項の登録（以下この節において「登録」という。）は、国土交通省令で定めるところにより、建築物エネルギー消費性能適合性判定の業務（以下「判定の業務」という。）を行おうとする者の申請により行う。

（欠格条項）

第三七条　次の各号のいずれかに該当する者は、登録を受けることができない。

一　未成年者
二　破産手続開始の決定を受けて復権を得ない者
三　禁錮以上の刑に処せられ、又はこの法律の規定により刑に処せられ、その執行を終わり、又は執行を受けることがなくなった日から起算して二年を経過しない者
四　第五十二条第一項又は第二項の規定により登録を取り消され、その取消しの日から起算して二年を経過しない者
五　心身の故障により判定の業務を適正に行うことができない者として国土交通省令で定めるもの
六　法人であって、その役員のうちに前各号のいずれかに該当する者があるもの

（登録基準等）
第三八条　国土交通大臣は、登録の申請をした者（以下この項において「登録申請者」という。）が次に掲げる基準の全てに適合しているときは、その登録をしなければならない。
一　第四十二条の適合性判定員が建築物エネルギー消費性能適合性判定を実施し、その数が次のいずれにも適合するものであること。
イ　次の(1)から(6)までに掲げる建築物の区分に応じ、それぞれ(1)から(6)までに定める数（その数が二未満であるときは、二）以上であること。
(1)　床面積の合計が三百平方メートル未満の建築物　建築物エネルギー消費性能適合性判定を行う建築物の棟数を八百二十で除した数
(2)　床面積の合計が三百平方メートル以上千平方メートル未満の建築物　建築物エネルギー消費性能適合性判定を行う建築物の棟数を六百二十で除した数
(3)　床面積の合計が千平方メートル以上二千平方メートル未満の建築物　建築物エネルギー消費性能適合性判定を行う建築物の棟数を四百二十で除した数
(4)　床面積の合計が二千平方メートル以上一万平方メートル未満の建築物　建築物エネルギー消費性能適合性判定を行う建築物の棟数を三百五十で除した数
(5)　床面積の合計が一万平方メートル以上五万平方メートル未満の建築物　建築物エネルギー消費性能適合性判定を行う建築物の棟数を二百五十で除した数
(6)　床面積の合計が五万平方メートル以上の建築物　建築物エネルギー消費性能適合性判定を行う建築物の棟数を百二十で除した数
ロ　イ(1)から(6)までに掲げる建築物の区分の二以上にわたる建築物について建築物エネルギー消費性能適合性判定を行う場合にあっては、第四十二条の適合性判定員の総数が、それらの区分に応じそれぞれイ(1)から(6)までに定める数を合計した数（その数が二未満であるときは、二）以上であること。
二　登録申請者が、業として、建築物を設計し若しくは販売し、建築物の販売を代理し若しくは媒介し、又は建築物の建設工事を請け負う者（以下この号及び第五十五条第一項第二号において「建築物関連事業者」という。）に支配されているものとして次のいずれかに該当するものでないこと。
イ　登録申請者が株式会社である場合にあっては、建築物関連事業者がその親法人（会社法（平成十七年法律第八十六号）第八百七十九条第一項に規定する親法人をいう。第五十五条第一項第二号イにおいて同じ。）であること。
ロ　登録申請者の役員（持分会社（会社法第五百七十五条第一項に規定する持分会社をいう。第五十五条第一項第二号ロにおいて同じ。）にあっては、業務を執行する社員）に占める建築物関連事業者の役員又は職員（過去二年間に当該建築物関連事業者の役員又は職員であった者を含む。）の割合が二分の一を超えていること。
ハ　登録申請者（法人にあっては、その代表権を有する役員）が、建築物関連事業者の役員又は職員（過去二年間に当該建築物関連事業者の役員又は職員であった者を含む。）であること。
三　判定の業務を適正に行うために判定の業務を行う部門に専任の管理者が置かれていること。
四　債務超過の状態にないこと。
2　登録は、登録建築物エネルギー消費性能判定機関登録簿に次に掲げる事項を記載してするものとする。
一　登録年月日及び登録番号
二　登録建築物エネルギー消費性能判定機関の氏名又は名称及び住所並びに法人にあっては、その代表者の氏名
三　登録建築物エネルギー消費性能判定機関が判定の業務を行う事務所の所在地
四　第四十二条の適合性判定員の氏名
五　前各号に掲げるもののほか、国土交通省令で定める事項

（登録の公示等）
第三九条　国土交通大臣は、登録をしたときは、前条第二項第二号から第四号までに掲げる事項その他国土交通省令で定める事項を公示しなければならない。
2　登録建築物エネルギー消費性能判定機関は、前条第二項第二号から第五号までに掲げる事項を変更しようとするときは、変更しようとする日の二週間前までに、その旨を国土交通大臣に届け出なければならない。
3　国土交通大臣は、前項の規定による届出があったときは、その旨を公示しなければならない。

（登録の更新）
第四〇条　登録は、五年以上十年以内において政令で定める期間ごとにその更新を受けなければ、その期間の経過によって、その効力を失う。
2　第三十六条から第三十八条までの規定は、前項の登録の更新の場合について準用する。

（承継）
第四一条　登録建築物エネルギー消費性能判定機関が当該登録に係る事業の全部を譲渡し、又は登録建築物エネルギー消費性能判定機関について相続、合併若しくは分割（当該登録に係る事業の全部を承継させるものに限る。）があったときは、その事業の全部を譲り受けた者又は相続人（相続人が二人以上ある場合において、その全員の同意により当該事業を承継すべき相続人を選定したときは、その者。以下この項において同じ。）、合併後存続する法人若しくは合併により設立した法人若しくは分割によりその事業の全部を承継した法人は、その登録建築物エネルギー消費性能判定機関の地位を承継する。ただし、当該事業の全部を譲り受けた者又は相続人、合併後存続する法人若しくは合併により設立した法人若しくは分割により当該事業の全部を承継した法人が第三十七条各号のいずれかに該当するときは、この限りでない。
2　前項の規定により登録建築物エネルギー消費性能判定機関の地位を承継した者は、遅滞なく、国土交通省令で定めるところにより、その旨を国土交通大臣に届け出なければならない。

（適合性判定員）
第四二条　登録建築物エネルギー消費性能判定機関は、建築に関する専門的知識及び技術を有する者として国土交通省令で定める要件を備えるもののうちから適合性判定員を選任しなければならない。

（秘密保持義務）
第四三条　登録建築物エネルギー消費性能判定機関（その者が法人である場合にあっては、その役員）及びその職員（適合性判定員を含む。）並びにこれらの者であった者は、判定の業務に関して知り得た秘密を漏らし、又は盗用してはならない。

（判定の業務の義務）
第四四条　登録建築物エネルギー消費性能判定機関は、判定の業務を行うべきことを求められたときは、正当な理由がある場合を除き、遅滞なく、判定の業務を行わなければならない。
2　登録建築物エネルギー消費性能判定機関は、公正に、かつ、国土交通省令で定める基準に適合する方法により判定の業務を行わなければならない。

（判定業務規程）
第四五条　登録建築物エネルギー消費性能判定機関は、判定の業務に関する規程（以下「判定業務規程」という。）を定め、判定の業務の開始前に、国土交通大臣に届け出なければならない。
2　判定業務規程には、判定の業務の実施の方法、判定の業務に関する料金その他の国土交通省令で定める事項を定めておかなければならない。
3　登録建築物エネルギー消費性能判定機関は、判定業務規程を変更するときは、当該変更に係る判定の業務の開始の日までに、変更後の判定業務規程を国土交通大臣に届け出なければならない。
4　国土交通大臣は、第一項又は前項の規定による届出のあった判定業務規程が、この節の規定に従って判定の業務を公正かつ適確に実施する上で不

適当であり、又は不適当となったと認めるときは、その判定業務規程を変更すべきことを命ずることができる。

（財務諸表等の備付け及び閲覧等）

第四六条　登録建築物エネルギー消費性能判定機関は、毎事業年度経過後三月以内に、その事業年度の財産目録、貸借対照表及び損益計算書又は収支計算書並びに事業報告書（その作成に代えて電磁的記録（電子的方式、磁気的方式その他の人の知覚によっては認識することができない方式で作られる記録であって、電子計算機による情報処理の用に供されるものをいう。以下この条において同じ。）の作成がされている場合における当該電磁的記録を含む。次項第一号及び第三号並びに第七十六条第二号において「財務諸表等」という。）を作成し、五年間事務所に備えて置かなければならない。

２　利害関係人は、登録建築物エネルギー消費性能判定機関の業務時間内は、いつでも、次に掲げる請求をすることができる。ただし、第二号又は第四号の請求をするには、登録建築物エネルギー消費性能判定機関の定めた費用を支払わなければならない。

一　財務諸表等が書面をもって作成されているときは、当該書面の閲覧又は謄写の請求

二　前号の書面の謄本又は抄本の請求

三　財務諸表等が電磁的記録をもって作成されているときは、当該電磁的記録に記録された事項を国土交通省令で定める方法により表示したものの閲覧又は謄写の請求

四　前号の電磁的記録に記録された事項を電磁的方法であって国土交通省令で定めるものにより提供することの請求又は当該事項を記載した書面の交付の請求

（帳簿の備付け等）

第四七条　登録建築物エネルギー消費性能判定機関は、国土交通省令で定めるところにより、判定の業務に関する事項で国土交通省令で定めるものを記載した帳簿を備え付け、これを保存しなければならない。

２　前項に定めるもののほか、登録建築物エネルギー消費性能判定機関は、国土交通省令で定めるところにより、判定の業務に関する書類で国土交通省令で定めるものを保存しなければならない。

（適合命令）

第四八条　国土交通大臣は、登録建築物エネルギー消費性能判定機関が第三十八条第一項各号のいずれかに適合しなくなったと認めるときは、その登録建築物エネルギー消費性能判定機関に対し、これらの規定に適合するため必要な措置をとるべきことを命ずることができる。

（改善命令）

第四九条　国土交通大臣は、登録建築物エネルギー消費性能判定機関が第四十四条の規定に違反していると認めるときは、その登録建築物エネルギー消費性能判定機関に対し、判定の業務を行うべきこと又は判定の業務の方法その他の業務の方法の改善に関し必要な措置をとるべきことを命ずることができる。

（報告、検査等）

第五〇条　国土交通大臣は、判定の業務の公正かつ適確な実施を確保するため必要があると認めるときは、登録建築物エネルギー消費性能判定機関に対し判定の業務若しくは経理の状況に関し必要な報告を求め、又はその職員に、登録建築物エネルギー消費性能判定機関の事務所に立ち入り、判定の業務の状況若しくは設備、帳簿、書類その他の物件を検査させ、若しくは関係者に質問させることができる。

２　第十五条第二項及び第三項の規定は、前項の規定による立入検査について準用する。

（判定の業務の休廃止等）

第五一条　登録建築物エネルギー消費性能判定機関は、判定の業務の全部又は一部を休止し、又は廃止しようとするときは、国土交通省令で定めるところにより、その旨を国土交通大臣に届け出なければならない。

２　前項の規定により判定の業務の全部を廃止しようとする届出があったときは、当該届出に係る登録は、その効力を失う。

３　国土交通大臣は、第一項の規定による届出があったときは、その旨を公示しなければならない。

（登録の取消し等）

第五二条　国土交通大臣は、登録建築物エネルギー消費性能判定機関が第三十七条各号（第四号を除く。）のいずれかに該当するに至ったときは、その登録を取り消さなければならない。

２　国土交通大臣は、登録建築物エネルギー消費性能判定機関が次の各号のいずれかに該当するときは、その登録を取り消し、又は期間を定めて判定の業務の全部若しくは一部の停止を命ずることができる。

一　第三十九条第二項、第四十一条第二項、第四十六条第一項、第四十七条又は前条第一項の規定に違反したとき。

二　第四十五条第一項又は第三項の規定による届出のあった判定業務規程によらないで判定の業務を行ったとき。

三　正当な理由がないのに第四十六条第二項各号の請求を拒んだとき。

四　第四十五条第四項、第四十八条又は第四十九条の規定による命令に違反したとき。

五　判定の業務に関し著しく不適当な行為をしたとき、又はその業務に従事する適合性判定員若しくは法人にあってはその役員が、判定の業務に関し著しく不適当な行為をしたとき。

六　不正な手段により登録を受けたとき。

３　国土交通大臣は、前二項の規定により登録を取り消し、又は前項の規定により判定の業務の全部若しくは一部の停止を命じたときは、その旨を公示しなければならない。

第二節　登録建築物エネルギー消費性能評価機関

（登録）

第五三条　第十七条第一項の登録（以下この節において「登録」という。）は、国土交通省令で定めるところにより、第十六条第三項の認定のための審査に必要な評価の業務を行おうとする者の申請により行う。

２　第三十九条第一項及び第四十条の規定は登録について、第三十九条第二項及び第三項、第四十一条並びに第四十三条から第五十一条までの規定は登録建築物エネルギー消費性能評価機関について、それぞれ準用する。この場合において、次の表の上欄に掲げる規定中同表の中欄に掲げる字句は、それぞれ同表の下欄に掲げる字句に読み替えるものとする。

第三十九条第一項及び第二項	前条第二項第二号	第五十五条第二項第二号
第四十条第二項	第三十六条から第三十八条まで	第五十三条第一項、第五十四条及び第五十五条
第四十一条第一項ただし書	第三十七条各号	第五十四条各号
第四十三条	適合性判定員	第五十六条の評価員
第四十三条から第四十五条まで、第四十七条、第四十九条、第五十条第一項、第五十一条第一項及び第二項	判定の業務	評価の業務
第四十五条	判定業務規程	評価業務規程
第四十八条	第三十八条第一項各号	第五十五条第一項各号

（欠格条項）

第五四条　次の各号のいずれかに該当する者は、登録を受けることができない。

一　第三十七条第一号から第三号までに掲げる者

二　第五十七条第一項又は第二項の規定により登録を取り消され、その取消しの日から起算して二年を経過しない者

三　心身の故障により評価の業務を適正に行うことができない者として国土交通省令で定めるもの

四　法人であって、その役員のうちに前三号のいずれかに該当する者があるもの

（登録基準等）

第五五条　国土交通大臣は、登録の申請をした者（以下この項において「登

録申請者」という。）が次に掲げる基準の全てに適合しているときは、その登録をしなければならない。
一　次条の評価員が評価を実施し、その数が三以上であること。
二　登録申請者が、建築物関連事業者に支配されているものとして次のいずれかに該当するものでないこと。
イ　登録申請者が株式会社である場合にあっては、建築物関連事業者がその親法人であること。
ロ　登録申請者の役員（持分会社にあっては、業務を執行する社員）に占める建築物関連事業者の役員又は職員（過去二年間に当該建築物関連事業者の役員又は職員であった者を含む。）の割合が二分の一を超えていること。
ハ　登録申請者（法人にあっては、その代表権を有する役員）が、建築物関連事業者の役員又は職員（過去二年間に当該建築物関連事業者の役員又は職員であった者を含む。）であること。
三　評価の業務を適正に行うために評価の業務を行う部門に専任の管理者が置かれていること。
四　債務超過の状態にないこと。
2　登録は、登録建築物エネルギー消費性能評価機関登録簿に次に掲げる事項を記載してするものとする。
一　登録年月日及び登録番号
二　登録建築物エネルギー消費性能評価機関の氏名又は名称及び住所並びに法人にあっては、その代表者の氏名
三　登録建築物エネルギー消費性能評価機関が評価の業務を行う事務所の所在地
四　次条の評価員の氏名
五　前各号に掲げるもののほか、国土交通省令で定める事項

（評価員）
第五六条　登録建築物エネルギー消費性能評価機関は、次に掲げる者のうちから評価員を選任しなければならない。
一　学校教育法（昭和二十二年法律第二十六号）に基づく大学において建築学、機械工学、電気工学若しくは衛生工学を担当する教授若しくは准教授の職にあり、又はこれらの職にあった者
二　建築、機械、電気又は衛生に関する分野の試験研究機関において十年以上試験研究の業務に従事した経験を有する者
三　前二号に掲げる者と同等以上の知識及び経験を有する者

（登録の取消し等）
第五七条　国土交通大臣は、登録建築物エネルギー消費性能評価機関が第五十四条第一号、第三号又は第四号に該当するに至ったときは、その登録を取り消さなければならない。
2　国土交通大臣は、登録建築物エネルギー消費性能評価機関が次の各号のいずれかに該当するときは、その登録を取り消し、又は期間を定めて評価の業務の全部若しくは一部の停止を命ずることができる。
一　第五十三条第二項において準用する第三十九条第二項、第四十一条第二項、第四十六条第一項、第四十七条又は第五十一条第一項の規定に違反したとき。
二　第五十三条第二項において読み替えて準用する第四十五条第一項又は第三項の規定による届出のあった評価業務規程によらないで評価の業務を行ったとき。
三　正当な理由がないのに第五十三条第二項において準用する第四十六条第二項各号の請求を拒んだとき。
四　第五十三条第二項において準用する第四十五条第四項、第四十八条又は第四十九条の規定による命令に違反したとき。
五　評価の業務に関し著しく不適当な行為をしたとき、又はその業務に従事する評価員若しくは法人にあってはその役員が、評価の業務に関し著しく不適当な行為をしたとき。
六　不正な手段により登録を受けたとき。
3　第五十二条第三項の規定は、前二項の規定による登録の取消し又は前項の規定による評価の業務の停止について準用する。

（国土交通大臣による評価の実施）
第五八条　国土交通大臣は、次の各号のいずれかに該当するときその他必要があると認めるときは、評価の業務の全部又は一部を自ら行うことができる。
一　登録を受ける者がいないとき。
二　第五十三条第二項において読み替えて準用する第五十一条第一項の規定により登録建築物エネルギー消費性能評価機関から評価の業務の全部又は一部の休止又は廃止の届出があったとき。
三　前条第一項若しくは第二項の規定により登録を取り消し、又は同項の規定により評価の業務の全部若しくは一部の停止を命じたとき。
四　登録建築物エネルギー消費性能評価機関が天災その他の事由により評価の業務の全部又は一部を実施することが困難となったとき。
2　国土交通大臣は、前項の規定により評価の業務を行い、又は同項の規定により行っている評価の業務を行わないこととするときは、あらかじめ、その旨を公示しなければならない。
3　国土交通大臣が第一項の規定により評価の業務を行うこととした場合における評価の業務の引継ぎその他の必要な事項は、国土交通省令で定める。

（手数料）
第五九条　前条第一項の規定により国土交通大臣が行う評価の申請をしようとする者は、国土交通省令で定めるところにより、実費を勘案して国土交通省令で定める額の手数料を国に納めなければならない。

第七章　建築物再生可能エネルギー利用促進区域における措置

（建築物再生可能エネルギー利用促進区域）
第六〇条　市町村は、基本方針に基づき、当該市町村の区域内の一定の区域であって、建築物への再生可能エネルギー利用設備（再生可能エネルギー電気の利用の促進に関する特別措置法（平成二十三年法律第百八号）第二条第二項に規定する再生可能エネルギー発電設備その他の再生可能エネルギー源（太陽光、風力その他非化石エネルギー源のうち、エネルギー源として永続的に利用することができると認められるものをいう。以下同じ。）の利用に資する設備として国土交通省令で定めるものをいう。以下同じ。）の設置の促進を図ることが必要であると認められるもの（以下「建築物再生可能エネルギー利用促進区域」という。）について、建築物への再生可能エネルギー利用設備の設置の促進に関する計画（以下この条、次条及び第六十四条において「促進計画」という。）を作成することができる。
2　促進計画には、次に掲げる事項について定めるものとする。
一　建築物再生可能エネルギー利用促進区域の位置及び区域
二　建築物再生可能エネルギー利用促進区域において建築物への設置を促進する再生可能エネルギー利用設備の種類に関する事項
三　建築物再生可能エネルギー利用促進区域内において再生可能エネルギー利用設備を設置する建築物について建築基準法第五十二条第十四項、第五十三条第五項、第五十五条第三項又は第五十八条第二項の規定（第五項及び第六十四条において「特例対象規定」という。）の適用を受けるための要件に関する事項
3　促進計画には、前項各号に掲げる事項のほか、建築物への再生可能エネルギー利用設備の設置に関する啓発及び知識の普及に関する事項その他建築物再生可能エネルギー利用促進区域内における建築物への再生可能エネルギー利用設備の設置の促進に関し必要な事項を定めるよう努めるものとする。
4　市町村は、促進計画を作成するときは、あらかじめ、当該建築物再生可能エネルギー利用促進区域内の住民の意見を反映させるために必要な措置を講ずるものとする。
5　市町村は、促進計画を作成するときは、あらかじめ、これに定めようとする第二項第三号に掲げる事項について、当該建築物再生可能エネルギー利用促進区域内の建築物について特例対象規定による許可の権限を有する特定行政庁（建築基準法第二条第三十五号に規定する特定行政庁をいう。）と協議をしなければならない。
6　市町村は、促進計画を定めたときは、遅滞なく、これを公表しなければならない。
7　前三項の規定は、促進計画の変更について準用する。

（建築物再生可能エネルギー利用促進区域内の建築物の建築主等への支援）
第六一条　促進計画を作成した市町村（第六十三条第一項において「計画作成市町村」という。）は、建築物への再生可能エネルギー利用設備の設置を促進するため、建築物再生可能エネルギー利用促進区域内の建築物の建築主等に対し、情報の提供、助言その他の必要な支援を行うよう努めるものとする。

（建築物再生可能エネルギー利用促進区域内の建築主の努力）

第六二条　建築物再生可能エネルギー利用促進区域内においては、建築主は、その建築又は修繕等をしようとする建築物について、再生可能エネルギー利用設備を設置するよう努めなければならない。

（建築物再生可能エネルギー利用促進区域内の建築物に設置することができる再生可能エネルギー利用設備に係る説明）

第六三条　建築士は、建築物再生可能エネルギー利用促進区域内において、計画作成市町村の条例で定める用途に供する建築物の建築で当該条例で定める規模以上のものに係る設計を行うときは、当該設計の委託をした建築主に対し、当該設計に係る建築物に設置することができる再生可能エネルギー利用設備について、国土交通省令で定める事項を記載した書面を交付して説明しなければならない。

2　前項の規定は、同項に規定する設計の委託をした建築主から同項の規定による説明を要しない旨の意思の表明があった場合については、適用しない。

3　建築士は、第一項の規定による書面の交付に代えて、国土交通省令で定めるところにより、当該建築主の承諾を得て、当該書面に記載すべき事項を電磁的方法（電子情報処理組織を使用する方法その他の情報通信の技術を利用する方法であって国土交通省令で定めるものをいう。）により提供することができる。この場合において、当該建築士は、当該書面を交付したものとみなす。

（建築基準法の特例）

第六四条　促進計画が第六十条第六項（同条第七項において準用する場合を含む。）の規定により公表されたときは、当該公表の日以後は、建築物再生可能エネルギー利用促進区域内の建築物に対する特例対象規定の適用については、建築基準法第五十二条第十四項第三号中「定めるもの」とあるのは「定めるもの又は同法第六十条第六項（同条第七項において準用する場合を含む。）の規定により公表された同条第一項に規定する促進計画に定められた同条第二項第三号に掲げる事項（次条第五項第四号、第五十五条第三項及び第五十八条第二項において「特例適用要件」という。）に適合する建築物」と、同法第五十三条第五項第四号、第五十五条第三項及び第五十八条第二項中「定めるもの」とあるのは「定めるもの又は特例適用要件に適合する建築物」とする。

第八章　雑則

（審査請求）

第六五条　この法律の規定による登録建築物エネルギー消費性能判定機関又は登録建築物エネルギー消費性能評価機関の行う処分又はその不作為については、国土交通大臣に対し、審査請求をすることができる。この場合において、国土交通大臣は、行政不服審査法（平成二十六年法律第六十八号）第二十五条第二項及び第三項、第四十六条第一項及び第二項、第四十七条並びに第四十九条第三項の規定の適用については、登録建築物エネルギー消費性能判定機関又は登録建築物エネルギー消費性能評価機関の上級行政庁とみなす。

（権限の委任）

第六六条　この法律に規定する国土交通大臣の権限は、国土交通省令で定めるところにより、その一部を地方整備局長又は北海道開発局長に委任することができる。

（国土交通省令への委任）

第六七条　この法律に定めるもののほか、この法律の実施のため必要な事項は、国土交通省令で定める。

（経過措置）

第六八条　この法律に基づき命令を制定し、又は改廃する場合においては、その命令で、その制定又は改廃に伴い合理的に必要と判断される範囲内において、所要の経過措置（罰則に関する経過措置を含む。）を定めることができる。

第九章　罰則

第六九条　第四十三条（第五十三条第二項において準用する場合を含む。）の規定に違反して、その職務に関して知り得た秘密を漏らし、又は盗用した者は、一年以下の懲役又は百万円以下の罰金に処する。

2　第五十二条第二項又は第五十七条第二項の規定による判定の業務又は評価の業務の停止の命令に違反したときは、その違反行為をした者は、一年以下の懲役又は百万円以下の罰金に処する。

第七〇条　第十三条第一項の規定による命令に違反したときは、その違反行為をした者は、三百万円以下の罰金に処する。

第七一条　第二十三条第三項、第二十六条第三項又は第二十八条第三項の規定による命令に違反したときは、その違反行為をした者は、百万円以下の罰金に処する。

第七二条　次の各号のいずれかに該当する場合には、その違反行為をした者は、五十万円以下の罰金に処する。

一　第十五条第一項、第二十三条第四項、第二十六条第四項若しくは第二十八条第四項の規定による報告をせず、若しくは虚偽の報告をし、又はこれらの規定による検査を拒み、妨げ、若しくは忌避したとき。

二　第五十条第一項（第五十三条第二項において準用する場合を含む。以下この号において同じ。）の規定による報告をせず、若しくは虚偽の報告をし、又は第五十条第一項の規定による検査を拒み、妨げ、若しくは忌避し、若しくは同項の規定による質問に対して答弁をせず、若しくは虚偽の答弁をしたとき。

第七三条　次の各号のいずれかに該当する場合には、その違反行為をした者は、三十万円以下の罰金に処する。

一　第四十七条第一項（第五十三条第二項において準用する場合を含む。）の規定に違反して帳簿を備え付けず、帳簿に記載せず、若しくは帳簿に虚偽の記載をし、又は帳簿を保存しなかったとき。

二　第四十七条第二項（第五十三条第二項において準用する場合を含む。）の規定に違反したとき。

三　第五十一条第一項（第五十三条第二項において準用する場合を含む。）の規定による届出をしないで業務の全部を廃止し、又は虚偽の届出をしたとき。

第七四条　第三十二条の規定による報告をせず、又は虚偽の報告をしたときは、その違反行為をした者は、二十万円以下の罰金に処する。

第七五条　法人の代表者又は法人若しくは人の代理人、使用人その他の従業者が、その法人又は人の業務に関し、第六十九条第二項又は第七十条から前条までの違反行為をしたときは、行為者を罰するほか、その法人又は人に対して各本条の罰金刑を科する。

第七六条　次の各号のいずれかに該当する者は、二十万円以下の過料に処する。

一　第四十一条第二項（第五十三条第二項において準用する場合を含む。）の規定による届出をせず、又は虚偽の届出をした者

二　第四十六条第一項（第五十三条第二項において準用する場合を含む。）の規定に違反して財務諸表等を備えて置かず、財務諸表等に記載すべき事項を記載せず、若しくは虚偽の記載をし、又は正当な理由がないのに第四十六条第二項各号（第五十三条第二項において準用する場合を含む。）の請求を拒んだ者

附　則〔抄〕

（施行期日）

第一条　この法律は、公布の日から起算して一年を超えない範囲内において政令で定める日から施行する。ただし、次の各号に掲げる規定は、当該各号に定める日から施行する。

〔平成二八政七により、平成二八・四・一から施行〕

一　附則第十条の規定　公布の日

二　第八条から第十条まで、第三章、第三十条第八項及び第九項、第六章、第六十三条、第六十四条、第六十七条から第六十九条まで、第七十条第一号（第三十八条第一項に係る部分を除く。）、第七十条第二号及び第三号、第七十一条（第一号を除く。）、第七十三条（第六十七条第二号、第六十八条、第六十九条、第七十条第一号（第三十八条第一項に係る部分を除く。）、第七十条第二号及び第三号並びに第七十一条（第一号を除く。）に係る部分に限る。）並びに第七十四条並びに次条並びに附則第三条及び第五条から第九条までの規定　公布の日から起算して二年を超えない範囲内において政令で定める日

〔平成二八政三六三により、平成二九・四・一から施行〕

（エネルギーの使用の合理化等に関する法律の一部改正に伴う経過措置）

第七条　一部施行日前に前条の規定による改正前のエネルギーの使用の合理化等に関する法律（以下この条において「旧エネルギー使用合理化法」と

いう。）第七十五条第一項の規定による届出をした第一種特定建築主等に対する当該届出に係る指示、公表及び命令並びにこれらの指示、公表及び命令に係る報告及び立入検査については、なお従前の例による。この場合において、当該届出に係る新築、改築又は増築であって特定建築行為又は第十九条第一項各号に掲げる行為に該当するものについては、第三章第一節及び第二節並びに附則第三条の規定は、適用しない。

2　一部施行日前に旧エネルギー使用合理化法第七十五条の二第一項の規定による届出をした第二種特定建築主に対する当該届出に係る同条第二項の勧告並びに当該勧告に係る報告及び立入検査については、なお従前の例による。この場合において、当該届出に係る新築、改築又は増築であって特定建築行為又は第十九条第一項各号に掲げる行為に該当するものについては、第三章第一節及び第二節並びに附則第三条の規定は、適用しない。

3　一部施行日前に旧エネルギー使用合理化法第七十六条の六第一項の規定によりされた勧告は、第二十八条第一項の規定によりされた勧告とみなす。

（罰則の適用に関する経過措置）

第九条　附則第一条第二号に掲げる規定の施行前にした行為及び附則第七条の規定によりなお従前の例によることとされる場合における同号に掲げる規定の施行後にした行為に対する罰則の適用については、なお従前の例による。

（政令への委任）

第一〇条　この附則に定めるもののほか、この法律の施行に関し必要な経過措置は、政令で定める。

（検討）

第一一条　政府は、この法律の施行後三年を経過した場合において、建築物の建築物エネルギー消費性能基準への適合の状況、建築物のエネルギー消費性能に関する技術開発の状況その他この法律の施行の状況等を勘案し、建築物のエネルギー消費性能の向上に関する制度全般について検討を加え、必要があると認めるときは、その結果に基づいて所要の措置を講ずるものとする。

附　則　〔抄〕〔令和元・五・一七法律四〕

（施行期日）

第一条　この法律は、公布の日から起算して六月を超えない範囲内において政令で定める日から施行する。ただし、次の各号に掲げる規定は、当該各号に定める日から施行する。

〔令和元政一四九により、令和元・一一・一六から施行〕

一　附則第五条の規定　公布の日

二　第二条並びに附則第三条及び第七条の規定　公布の日から起算して二年を超えない範囲内において政令で定める日

〔令和二政二六五により、令和三・四・一から施行〕

（経過措置）

第二条　第一条の規定による改正後の建築物のエネルギー消費性能の向上に関する法律（次項において「新法」という。）第十九条第四項の規定は、この法律の施行の日（次項において「施行日」という。）から起算して二十一日を経過した日以後にその工事に着手する建築物のエネルギー消費性能の向上に関する法律第十九条第一項各号に掲げる行為について適用し、同日前にその工事に着手する同項各号に掲げる行為については、なお従前の例による。

2　新法附則第三条第五項の規定は、施行日から起算して二十一日を経過した日以後にその工事に着手する特定増改築（建築物のエネルギー消費性能の向上に関する法律附則第三条第一項に規定する特定増改築をいい、同法附則第一条第二号に掲げる規定の施行の際現に存する建築物について行うものに限る。以下この項において同じ。）について適用し、同日前にその工事に着手する特定増改築については、なお従前の例による。

第三条　第二条の規定による改正後の建築物のエネルギー消費性能の向上に関する法律（以下この条において「第二号新法」という。）第十一条第一項に規定する特定建築行為に該当する行為のうち第二条の規定による改正前の建築物のエネルギー消費性能の向上に関する法律（以下この条において「第二号旧法」という。）第十一条第一項に規定する特定建築行為に該当しないもの（次項において「新特定建築行為」という。）については、第二号新法第三章第一節の規定は、附則第一条第二号に掲げる規定の施行の日（以下この条において「第二号施行日」という。）以後に建築基準法（昭和二十五年法律第二百一号）第六条第一項若しくは第六条の二第一項の規定による確認の申請又は同法第十八条第二項の規定による通知（次項において「確認申請等」という。）がされたもの（第二号施行日前に第二号旧法第十九条第一項の規定による届出又は第二号旧法第二十条第二項の規定による通知（次項において「届出等」という。）がされたものを除く。）について適用する。

2　第二号施行日前に確認申請等がされた新特定建築行為（第二号施行日前に届出等がされたものを除く。）については、第二号新法第十九条第一項各号に掲げる行為とみなして、第二号新法第三章第二節の規定（これらの規定に係る罰則を含む。）を適用する。

3　第二号施行日前に第二号旧法第十九条第一項の規定による届出をした建築主に対する当該届出に係る指示及び命令並びに当該指示及び命令に係る報告及び立入検査については、なお従前の例による。

4　第二号施行日前に第二号旧法第二十条第二項の規定による通知をした国等（建築物のエネルギー消費性能の向上に関する法律第十三条第一項に規定する国等をいう。）の機関の長に対する当該通知に係る協議の求め並びに当該協議の求めに係る報告及び立入検査については、なお従前の例による。

5　第二号新法第二十七条の規定は、第二号施行日以後に建築士が委託を受けた同条第一項に規定する小規模建築物の建築に係る設計について適用する。

（罰則に関する経過措置）

第四条　この法律（附則第一条第二号に掲げる規定にあっては、当該規定。以下この条において同じ。）の施行前にした行為及びこの附則の規定によりなお従前の例によることとされる場合におけるこの法律の施行後にした行為に対する罰則の適用については、なお従前の例による。

（政令への委任）

第五条　前三条に定めるもののほか、この法律の施行に関し必要な経過措置は、政令で定める。

（検討）

第六条　政府は、この法律の施行後五年を経過した場合において、この法律による改正後の建築物のエネルギー消費性能の向上に関する法律の施行の状況について検討を加え、必要があると認めるときは、その結果に基づいて必要な措置を講ずるものとする。

附　則　〔抄〕〔令和元・六・一四法律三七〕

（施行期日）

第一条　この法律は、公布の日から起算して三月を経過した日から施行する。ただし、次の各号に掲げる規定は、当該各号に定める日から施行する。

一　〔前略〕次条並びに附則第三条及び第六条の規定　公布の日

二～四　〔略〕

（行政庁の行為等に関する経過措置）

第二条　この法律（前条各号に掲げる規定にあっては、当該規定。以下この条及び次条において同じ。）の施行の日前に、この法律による改正前の法律又はこれに基づく命令の規定（欠格条項その他の権利の制限に係る措置を定めるものに限る。）に基づき行われた行政庁の処分その他の行為及び当該規定により生じた失職の効力については、なお従前の例による。

（罰則に関する経過措置）

第三条　この法律の施行前にした行為に対する罰則の適用については、なお従前の例による。

（検討）

第七条　政府は、会社法（平成十七年法律第八十六号）及び一般社団法人及び一般財団法人に関する法律（平成十八年法律第四十八号）における法人の役員の資格を成年被後見人又は被保佐人であることを理由に制限する旨の規定について、この法律の公布後一年以内を目途として検討を加え、その結果に基づき、当該規定の削除その他の必要な法制上の措置を講ずるものとする。

附　則　〔抄〕〔令和四・五・二〇法律四六〕

（施行期日）

第一条　この法律は、令和五年四月一日から施行する。ただし、次の各号に掲げる規定は、当該各号に定める日から施行する。

一　附則第三十二条の規定　公布の日

二・三　〔略〕

（政令への委任）

第三二条　この附則に規定するもののほか、この法律の施行に伴い必要な経過措置（罰則に関する経過措置を含む。）は、政令で定める。

附　則〔抄〕〔令和四・六・一七法律六九〕

（施行期日）

第一条　この法律は、公布の日から起算して三年を超えない範囲内において政令で定める日から施行する。ただし、次の各号に掲げる規定は、当該各号に定める日から施行する。

〔令和六政一七一により、令和七・四・一から施行〕

一　附則第五条の規定　公布の日

二　〔略〕

三　第一条（建築物のエネルギー消費性能の向上に関する法律の題名の改正規定、同法の目次の改正規定（「特定建築主の新築する分譲型一戸建て規格住宅」を「分譲型一戸建て規格住宅及び分譲型規格共同住宅等」に、「特定建設工事業者の新たに建設する請負型規格住宅」を「請負型一戸建て規格住宅及び請負型規格共同住宅等」に改める部分を除く。）、同法第一条の改正規定、同法第三条の改正規定、同法第四条の改正規定、同法第五条の改正規定、同法第六条第二項の改正規定、同法第七条の改正規定、同法第三章の次に一章を加える改正規定、同法第六章の次に一章を加える改正規定、同法第七十二条の改正規定、同法第七十三条の改正規定、同法第七十四条の改正規定、同法第七十五条の改正規定、同法第七十六条の改正規定、同法第七十七条の改正規定及び同法第七十八条の改正規定を除く。）〔中略〕の規定　公布の日から起算して一年を超えない範囲内において政令で定める日

〔令和四政三五〇により、令和五・四・一から施行〕

四　第一条（建築物のエネルギー消費性能の向上に関する法律の題名の改正規定、同法の目次の改正規定（「特定建築主の新築する分譲型一戸建て規格住宅」を「分譲型一戸建て規格住宅及び分譲型規格共同住宅等」に、「特定建設工事業者の新たに建設する請負型規格住宅」を「請負型一戸建て規格住宅及び請負型規格共同住宅等」に改める部分を除く。）、同法第一条の改正規定、同法第三条の改正規定、同法第四条の改正規定、同法第五条の改正規定、同法第六条第二項の改正規定、同法第七条の改正規定、同法第三章の次に一章を加える改正規定、同法第六章の次に一章を加える改正規定、同法第七十二条の改正規定、同法第七十三条の改正規定、同法第七十四条の改正規定、同法第七十五条の改正規定、同法第七十六条の改正規定、同法第七十七条の改正規定及び同法第七十八条の改正規定に限る。）〔中略〕の規定並びに附則第四条〔中略〕の規定　公布の日から起算して二年を超えない範囲内において政令で定める日

〔令和五政二七九により、令和六・四・一から施行〕

（建築物のエネルギー消費性能の向上等に関する法律の一部改正に伴う経過措置）

第二条　第二条の規定による改正後の建築物のエネルギー消費性能の向上等に関する法律第十条から第十三条まで及び第十五条の規定は、この法律の施行の日（以下この条、次条及び附則第十三条において「施行日」という。）以後にその工事に着手する建築物の建築について適用し、施行日前にその工事に着手した建築物の建築に関して当該建築物のエネルギー消費性能の向上のために第二条の規定による改正前の建築物のエネルギー消費性能の向上等に関する法律に規定する建築主、国等の機関の長及び所管行政庁が講ずべき措置については、なお従前の例による。

（罰則の適用に関する経過措置）

第四条　この法律（附則第一条第四号に掲げる規定にあっては、当該規定）の施行前にした行為及び附則第二条の規定によりなお従前の例によることとされる場合におけるこの法律の施行後にした行為に対する罰則の適用については、なお従前の例による。

（政令への委任）

第五条　前三条に定めるもののほか、この法律の施行に関し必要な経過措置（罰則に関する経過措置を含む。）は、政令で定める。

（検討）

第六条　政府は、この法律の施行後五年を目途として、この法律による改正後のそれぞれの法律の規定について、その施行の状況等を勘案して検討を加え、必要があると認めるときは、その結果に基づいて所要の措置を講ずるものとする。

（調整規定）

第一三条　施行日が刑法等の一部を改正する法律の施行に伴う関係法律の整理等に関する法律の施行の日前である場合には、同法第四百十八条のうち、建築物のエネルギー消費性能の向上等に関する法律第四十五条第三号の改正規定中「第四十五条第三号」とあるのは「第三十七条第三号」と、同法第七十二条の改正規定中「第七十二条」とあるのは「第六十九条」とする。

附　則〔略〕〔令和五・六・一六法律五八〕

附　則〔抄〕〔令和六・六・一九法律五三〕

（施行期日）

第一条　この法律〔中略〕は、当該各号に定める日〔公布の日から起算して六月を超えない範囲内において政令で定める日〕から施行する。

○建築物のエネルギー消費性能の向上等に関する法律施行令

〔平成二八・一・一五　政令八〕

改正　平成二八・一一政三六四、平成三〇・九政二五五、令和元・一二政一五〇、令和二・九政二六六、令和四・五政二〇三、一一政三五一、令和五・九政二八〇、政二九三

注　［　］の部分は、令和六年四月一九日政令第一七二号により改正され、令和七年四月一日から施行

（空気調和設備等）

第一条　建築物のエネルギー消費性能の向上等に関する法律（平成二十七年法律第五十三号。以下「法」という。）第二条第一項第二号の政令で定める建築設備は、次に掲げるものとする。

一　空気調和設備その他の機械換気設備

二　照明設備

三　給湯設備

四　昇降機

（都道府県知事が所管行政庁となる建築物）

第二条　法第二条第一項第五号ただし書の政令で定める建築物のうち建築基準法（昭和二十五年法律第二百一号）第九十七条の二第一項又は第二項の規定により建築主事又は建築副主事を置く市町村の区域内のものは、同法第六条第一項第四号に掲げる建築物（その新築、改築、増築、移転又は用途の変更に関して、法律並びにこれに基づく命令及び条例の規定により都道府県知事の許可を必要とするものを除く。）以外の建築物とする。

第二条　法第二条第一項第五号ただし書の政令で定める建築物のうち建築基準法（昭和二十五年法律第二百一号）第九十七条の二第一項又は第二項の規定により建築主事又は建築副主事を置く市町村の区域内のものは、建築基準法施行令（昭和二十五年政令第三百三十八号）第百四十八条第一項第一号又は第二号に掲げる建築物（その新築、改築、増築、移転又は用途の変更に関して、法律並びにこれに基づく命令及び条例の規定により都道府県知事の許可を必要とするものを除く。）以外の建築物とする。

2　法第二条第一項第五号ただし書の政令で定める建築物のうち建築基準法第九十七条の三第一項又は第二項の規定により建築主事又は建築副主事を置く特別区の区域内のものは、次に掲げる建築物（第二号に掲げる建築物

にあっては、地方自治法（昭和二十二年法律第六十七号）第二百五十二条の十七の二第一項の規定により同号に規定する処分に関する事務を特別区が処理することとされた場合における当該建築物を除く。）とする。

一　延べ面積（建築基準法施行令（昭和二十五年政令第三百三十八号）第二条第一項第四号の延べ面積をいう。第十一条第一項において同じ。）が一万平方メートルを超える建築物

一　延べ面積（建築基準法施行令第二条第一項第四号の延べ面積をいう。第七条第一項において同じ。）が一万平方メートルを超える建築物

二　その新築、改築、増築、移転又は用途の変更に関して、建築基準法第五十一条（同法第八十七条第二項及び第三項において準用する場合を含み、市町村都市計画審議会が置かれている特別区にあっては、卸売市場、と畜場及び産業廃棄物処理施設に係る部分に限る。）の規定又は同法以外の法律若しくはこれに基づく命令若しくは条例の規定により都知事の許可を必要とする建築物

（住宅部分）

第三条　法第十一条第一項の政令で定める建築物の部分は、次に掲げるものとする。

一　居間、食事室、寝室その他の居住のために継続的に使用する室（当該室との間に区画となる間仕切壁又は戸（ふすま、障子その他これらに類するものを除く。次条第一項において同じ。）がなく当該室と一体とみなされる台所、洗面所、物置その他これらに類する建築物の部分を含む。）

二　台所、浴室、便所、洗面所、廊下、玄関、階段、物置その他これらに類する建築物の部分であって、居住者の専用に供するもの（前号に規定する台所、洗面所、物置その他これらに類する建築物の部分を除く。）

三　集会室、娯楽室、浴室、便所、洗面所、廊下、玄関、階段、昇降機、倉庫、自動車車庫、自転車駐車場、管理人室、機械室その他これらに類する建築物の部分であって、居住者の共用に供するもの（居住者以外の者が主として利用していると認められるものとして国土交通大臣が定めるものを除く。）

（エネルギー消費性能に及ぼす影響が少ない建築物の建築の規模）

第三条　法第十条第一項の政令で定める規模は、建築物の建築に係る部分の床面積（内部に間仕切壁又は戸（ふすま、障子その他これらに類するものを除く。）を有しない階又はその一部であって常時外気に開放された開口部を有するもののうち、当該開口部の面積の合計が当該階又はその一部の床面積の二十分の一以上であるものの床面積を除く。）の合計が十平方メートルであることとする。

（特定建築物の非住宅部分の規模等）

第四条　法第十一条第一項のエネルギー消費性能の確保を特に図る必要があるものとして政令で定める規模は、床面積（内部に間仕切壁又は戸を有しない階又はその一部であって、その床面積に対する常時外気に開放された開口部の面積の合計の割合が二十分の一以上であるものの床面積を除く。第十一条第一項を除き、以下同じ。）の合計が三百平方メートルであることとする。

2　法第十一条第一項の政令で定める特定建築物の非住宅部分の増築又は改築の規模は、当該増築又は改築に係る部分の床面積の合計が三百平方メートルであることとする。

3　法第十一条第一項の政令で定める特定建築物以外の建築物の非住宅部分の増築の規模は、当該増築に係る部分の床面積の合計が三百平方メートルであることとする。

（所管行政庁への建築物エネルギー消費性能確保計画の写しの送付の対象となる建築物の住宅部分の規模等）

第五条　法第十五条第三項の政令で定める建築物の住宅部分の規模は、床面積の合計が三百平方メートルであることとする。

2　法第十五条第三項の政令で定める増築又は改築に係る住宅部分の規模は、当該増築又は改築に係る部分の床面積の合計が三百平方メートルであることとする。

第四条及び第五条は、削られます。

（適用除外）

第六条　法第十八条第一号の政令で定める用途は、次に掲げるものとする。

第四条　法第二十条第一号の政令で定める用途は、次に掲げるものとする。

一　自動車車庫、自転車駐車場、畜舎、堆肥舎、公共用歩廊その他これらに類する用途

二　観覧場、スケート場、水泳場、スポーツの練習場、神社、寺院その他これらに類する用途（壁を有しないことその他の高い開放性を有するものとして国土交通大臣が定めるものに限る。）

2　法第十八条第二号の政令で定める建築物は、次に掲げるものとする。

2　法第二十条第二号の政令で定める建築物は、次に掲げるものとする。

一　文化財保護法（昭和二十五年法律第二百十四号）の規定により国宝、重要文化財、重要有形民俗文化財、特別史跡名勝天然記念物又は史跡名勝天然記念物として指定され、又は仮指定された建築物

二　文化財保護法第百四十三条第一項又は第二項の伝統的建造物群保存地区内における同法第二条第一項第六号に規定する伝統的建造物群を構成している建築物

三　旧重要美術品等の保存に関する法律（昭和八年法律第四十三号）の規定により重要美術品等として認定された建築物

四　文化財保護法第百八十二条第二項の条例その他の条例の定めるところにより現状変更の規制及び保存のための措置が講じられている建築物であって、建築物エネルギー消費性能基準に適合させることが困難なものとして所管行政庁が認めたもの

五　第一号、第三号又は前号に掲げる建築物であったものの原形を再現する建築物であって、建築物エネルギー消費性能基準に適合させることが困難なものとして所管行政庁が認めたもの

六　景観法（平成十六年法律第百十号）第十九条第一項の規定により景観重要建造物として指定された建築物

3　法第十八条第三号の政令で定める仮設の建築物は、次に掲げるものとする。

3　法第二十条第三号の政令で定める仮設の建築物は、次に掲げるものとする。

一　建築基準法第八十五条第一項又は第二項に規定する応急仮設建築物であって、その建築物の工事を完了した後三月以内であるもの又は同条第三項の許可を受けたもの

二　建築基準法第八十五条第二項に規定する事務所、下小屋、材料置場その他これらに類する仮設建築物

三　建築基準法第八十五条第六項又は第七項の規定による許可を受けた建築物

（所管行政庁への届出の対象となる建築物の建築の規模）

第七条　法第十九条第一項第一号の政令で定める規模は、床面積の合計が三百平方メートルであることとする。

2　法第十九条第一項第二号の政令で定める規模は、増築又は改築に係る部分の床面積の合計が三百平方メートルであることとする。

（エネルギー消費性能に及ぼす影響が少ない小規模建築物の建築の規模）

第八条　法第二十七条第一項の政令で定める小規模建築物の建築の規模は、当該建築に係る部分の床面積の合計が十平方メートルであることとする。

第七条及び第八条は、削られます。

（特定一戸建て住宅建築主等の新築する分譲型一戸建て規格住宅の戸数等）

第九条　法第二十八条第一項の政令で定める数は、百五十戸とする。

2　法第二十八条第二項の政令で定める数は、千戸とする。

（特定一戸建て住宅建設工事業者等の新たに建設する請負型一戸建て規格住宅の戸数等）

第一〇条　法第三十一条第一項の政令で定める数は、三百戸とする。

2　法第三十一条第二項の政令で定める数は、千戸とする。

（認定建築物エネルギー消費性能向上計画に係る建築物の容積率の特例に係る床面積）

第一一条　法第四十条第一項の政令で定める床面積は、認定建築物エネルギー消費性能向上計画に係る建築物の床面積のうち通常の建築物の床面積を超えることとなるものとして国土交通大臣が定めるもの（当該床面積が当該建築物の延べ面積の十分の一を超える場合においては、当該建築物の延べ面積の十分の一）とする。

2　法第四十条第二項の規定により同条第一項の規定を読み替えて適用する

場合における前項の規定の適用については、同項中「建築物の床面積のうち」とあるのは「申請建築物の床面積のうち」と、「建築物の延べ面積」とあるのは「認定建築物エネルギー消費性能向上計画に係る申請建築物及び他の建築物の延べ面積の合計」とする。

（登録建築物エネルギー消費性能判定機関等の登録の有効期間）

第二条 法第四十八条第一項（法第六十一条第二項において準用する場合を含む。）の政令で定める期間は、五年とする。

（特定一戸建て住宅建築主等の新築する分譲型一戸建て規格住宅の戸数等）

第五条 法第二十一条第一項の政令で定める数は、百五十戸とする。

2 法第二十一条第二項の政令で定める数は、千戸とする。

（特定一戸建て住宅建設工事業者等の新たに建設する請負型一戸建て規格住宅の戸数等）

第六条 法第二十四条第一項の政令で定める数は、三百戸とする。

2 法第二十四条第二項の政令で定める数は、千戸とする。

（認定建築物エネルギー消費性能向上計画に係る建築物の容積率の特例に係る床面積）

第七条 法第三十五条第一項の政令で定める床面積は、認定建築物エネルギー消費性能向上計画に係る建築物の床面積のうち通常の建築物の床面積を超えることとなるものとして国土交通大臣が定めるもの（当該床面積が当該建築物の延べ面積の十分の一を超える場合においては、当該建築物の延べ面積の十分の一）とする。

2 法第三十五条第二項の規定により同条第一項の規定を読み替えて適用する場合における前項の規定の適用については、同項中「建築物の床面積のうち」とあるのは「申請建築物の床面積のうち」と、「建築物の延べ面積」とあるのは「認定建築物エネルギー消費性能向上計画に係る申請建築物及び他の建築物の延べ面積の合計」とする。

（登録建築物エネルギー消費性能判定機関等の登録の有効期間）

第八条 法第四十条第一項（法第五十三条第二項において準用する場合を含む。）の政令で定める期間は、五年とする。

附　則

（施行期日）

第一条 この政令は、法の施行の日（平成二十八年四月一日）から施行する。

（特定増改築の範囲）

第二条 法附則第三条第一項の政令で定める範囲は、二分の一を超えないこととする。

この政令は、法の施行の日（平成二十八年四月一日）から施行する。

附　則〔略〕〔平成二八・一一・三〇政令三六四〕

附　則〔平成三〇・九・一二政令二五五〕

（施行期日）

1 この政令は、建築基準法の一部を改正する法律附則第一条第二号に掲げる規定の施行の日（平成三十年九月二十五日）から施行する。

（罰則に関する経過措置）

2 この政令の施行前にした行為に対する罰則の適用については、なお従前の例による。

附　則〔略〕〔令和元・一一・七政令一五〇〕

附　則〔略〕〔令和二・九・四政令二六六〕

附　則〔略〕〔令和四・五・二七政令二〇三〕

附　則〔令和四・一一・一六政令三五一〕

（施行期日）

1 この政令は、脱炭素社会の実現に資するための建築物のエネルギー消費性能の向上に関する法律等の一部を改正する法律附則第一条第三号に掲げる規定の施行の日（令和五年四月一日）から施行する。

（罰則に関する経過措置）

2 この政令の施行前にした行為に対する罰則の適用については、なお従前の例による。

附　則〔令和五・九・一三政令二八〇〕

（施行期日）

1 この政令は、脱炭素社会の実現に資するための建築物のエネルギー消費性能の向上に関する法律等の一部を改正する法律附則第一条第四号に掲げる規定の施行の日（令和六年四月一日）から施行する。

（罰則に関する経過措置）

2 この政令の施行前にした行為に対する罰則の適用については、なお従前の例による。

附　則〔略〕〔令和五・九・二九政令二九三〕

附　則〔令和六・四・一九政令一七二〕

（施行期日）

1 この政令は、脱炭素社会の実現に資するための建築物のエネルギー消費性能の向上に関する法律等の一部を改正する法律の施行の日（令和七年四月一日）から施行する。

（罰則に関する経過措置）

2 この政令の施行前にした行為に対する罰則の適用については、なお従前の例による。

○建築物のエネルギー消費性能の向上等に関する法律施行規則

〔平成二八・一・二九 国土交通省令五〕

改正 平成二八・一一国交令八〇、一二経産・国交令五、令和元・五国交令一、六国交令二〇、九国交令三四、一一国交令四三、一二国交令四七、令和二・九国交令七五、一二国交令九八、令和三・八国交令五三、一〇国交令六八、令和四・九国交令六七、一一国交令七八、一二国交令九二、令和五・九国交令七五、令和六・一国交令五、三国交令一八、国交令二六、六国交令六八

注 令和六年六月二八日国土交通省令第六八号の改正の一部は、令和七年四月一日から施行。なお、条文が大幅に改正されることから、使用上の便を図るため、末尾に（参考）として改正後の条文を掲載いたしました。

目次

第一章 建築主が講ずべき措置等
第一節 特定建築物の建築主の基準適合義務等（第一条—第十一条）
第二節 一定規模以上の建築物のエネルギー消費性能の確保に関するその他の措置（第十二条—第十五条）
第三節 特殊の構造又は設備を用いる建築物の認定等（第十六条—第二十一条）
第四節 小規模建築物のエネルギー消費性能に係る評価及び説明（第二十一条の二—第二十一条の四）
第五節 削除
第二章 建築物エネルギー消費性能向上計画の認定等（第二十三条—第二十九条）
第三章 建築物のエネルギー消費性能に係る認定等（第三十条—第三十三条）
第四章 登録建築物エネルギー消費性能判定機関等
第一節 登録建築物エネルギー消費性能判定機関（第三十四条—第六十四条）
第二節 登録建築物エネルギー消費性能評価機関（第六十五条—第八十条）
第四章の二 建築物再生可能エネルギー利用促進区域における措置（第八十条の二—第八十条の七）
第五章 雑則（第八十一条—第八十二条）
附則

第一章　建築主が講ずべき措置等

第一節　特定建築物の建築主の基準適合義務等

（建築物エネルギー消費性能確保計画に関する書類の様式）

第一条　建築物のエネルギー消費性能の向上等に関する法律（平成二十七年法律第五十三号。以下「法」という。）第十二条第一項（法第十五条第二項において読み替えて適用する場合を含む。）の規定により提出する建築物エネルギー消費性能確保計画に関する書類は、別記様式第一による計画書の正本及び副本に、それぞれ次の表の(い)項及び(ろ)項に掲げる図書（当該建築物エネルギー消費性能確保計画に住戸が含まれる場合においては、当該住戸については、同表の(ろ)項に掲げる図書に代えて同表の(は)項に掲げる図書）その他所管行政庁が必要と認める図書を添えたもの（正本に添える図書にあっては、当該図書の設計者の氏名の記載があるものに限る。）とする。

	図書の種類		明示すべき事項
(い)	設計内容説明書		建築物のエネルギー消費性能が建築物エネルギー消費性能基準に適合するものであることの説明
	付近見取図		方位、道路及び目標となる地物
	配置図		縮尺及び方位 敷地境界線、敷地内における建築物の位置及び申請に係る建築物と他の建築物との別 空気調和設備等及び空気調和設備等以外のエネルギー消費性能の確保に資する建築設備（以下この表及び第十二条第一項の表において「エネルギー消費性能確保設備」という。）の位置
	仕様書（仕上げ表を含む。）		部材の種別及び寸法 エネルギー消費性能確保設備の種別
	各階平面図		縮尺及び方位 間取り、各室の名称、用途及び寸法並びに天井の高さ 壁の位置及び種類 開口部の位置及び構造 エネルギー消費性能確保設備の位置
	床面積求積図		床面積の求積に必要な建築物の各部分の寸法及び算式
	用途別床面積表		用途別の床面積
	立面図		縮尺 外壁及び開口部の位置 エネルギー消費性能確保設備の位置
	断面図又は矩計図		縮尺 建築物の高さ 外壁及び屋根の構造 軒の高さ並びに軒及びひさしの出 小屋裏の構造 各階の天井の高さ及び構造 床の高さ及び構造並びに床下及び基礎の構造
	各部詳細図		縮尺 外壁、開口部、床、屋根その他断熱性を有する部分の材料の種別及び寸法
	各種計算書		建築物のエネルギー消費性能に係る計算その他の計算を要する場合における当該計算の内容
(ろ)	機器表	空気調和設備	熱源機、ポンプ、空気調和機その他の機器の種別、仕様及び数
		空気調和設備以外の機械換気設備	給気機、排気機その他これらに類する設備の種別、仕様及び数
		照明設備	照明設備の種別、仕様及び数
		給湯設備	給湯器の種別、仕様及び数 太陽熱を給湯に利用するための設備の種別、仕様及び数 節湯器具の種別及び数
		空気調和設備等以外のエネル	空気調和設備等以外のエネルギー消費性能の確保に資する建築設備の種別、仕様及び数

	ギー消費性能の確保に資する建築設備	
仕様書	昇降機	昇降機の種別、数、積載量、定格速度及び速度制御方法
系統図	空気調和設備	空気調和設備の位置及び連結先
	空気調和設備以外の機械換気設備	空気調和設備以外の機械換気設備の位置及び連結先
	給湯設備	給湯設備の位置及び連結先
	空気調和設備等以外のエネルギー消費性能の確保に資する建築設備	空気調和設備等以外のエネルギー消費性能の確保に資する建築設備の位置及び連結先
各階平面図	空気調和設備	縮尺
		空気調和設備の有効範囲
		熱源機、ポンプ、空気調和機その他の機器の位置
	空気調和設備以外の機械換気設備	縮尺
		給気機、排気機その他これらに類する設備の位置
	照明設備	縮尺
		照明設備の位置
	給湯設備	縮尺
		給湯設備の位置
		配管に講じた保温のための措置
		節湯器具の位置
	昇降機	縮尺
		位置
	空気調和設備等以外のエネルギー消費性能の確保に資する建築設備	縮尺
		位置
制御図	空気調和設備	空気調和設備の制御方法
	空気調和設備以外の機械換気設備	空気調和設備以外の機械換気設備の制御方法
	照明設備	照明設備の制御方法
	給湯設備	給湯設備の制御方法
	空気調和設備等以外のエネルギー消費性能の確保に資する建築設備	空気調和設備等以外のエネルギー消費性能の確保に資する建築設備の制御方法
(は)		
機器表	空気調和設備	空気調和設備の種別、位置、仕様、数及び制御方法
	空気調和設備以外の機械換気設備	空気調和設備以外の機械換気設備の種別、位置、仕様、数及び制御方法
	照明設備	照明設備の種別、位置、仕様、数及び制御方法
	給湯設備	給湯器の種別、位置、仕様、数及び制御方法
		太陽熱を給湯に利用するための設備の種別、位置、仕様、数及び制御方法
		節湯器具の種別、位置及び数
	空気調和設備等以外のエネルギー消費性能の確保に資する建築設備	空気調和設備等以外のエネルギー消費性能の確保に資する建築設備の種別、位置、仕様、数及び制御方法

2　前項の表の各項に掲げる図書に明示すべき事項を同項に規定する図書のうち他の図書に明示する場合には、同項の規定にかかわらず、当該事項を当該各項に掲げる図書に明示することを要しない。この場合において、当該各項に掲げる図書に明示すべき全ての事項を当該他の図書に明示したときは、当該各項に掲げる図書を同項の計画書に添えることを要しない。

3　第一項に規定する所管行政庁が必要と認める図書を添付する場合には、同項の規定にかかわらず、同項の表に掲げる図書のうち所管行政庁が不要と認めるものを同項の計画書に添えることを要しない。

4　法第十五条第二項において読み替えて適用する法第十二条第一項の規定により登録建築物エネルギー消費性能判定機関に建築物エネルギー消費性能確保計画（住宅部分の規模が建築物のエネルギー消費性能の向上等に関する法律施行令（平成二十八年政令第八号。次条において「令」という。）第五条第一項に定める規模以上である建築物の新築又は住宅部分の規模が同条第二項に定める規模以上である増築若しくは改築に係るものに限る。）を提出する場合には、第一項に規定する書類のほか、別記様式第一による計画書の正本の写し及びその添付図書の写しを提出しなければならない。

（変更の場合の建築物エネルギー消費性能確保計画に関する書類の様式）

第二条　法第十二条第二項（法第十五条第二項において読み替えて適用する場合を含む。）の規定により提出する変更後の建築物エネルギー消費性能確保計画に関する書類は、別記様式第二による計画書の正本及び副本に、それぞれ前条第一項に規定する図書を添えたもの及び当該計画の変更に係る直前の建築物エネルギー消費性能適合性判定に要した書類（変更に係る部分に限る。）とする。ただし、当該直前の建築物エネルギー消費性能適合性判定を受けた所管行政庁又は登録建築物エネルギー消費性能判定機関に対して提出を行う場合においては、別記様式第二による計画書の正本及び副本に、それぞれ同項に規定する図書（変更に係る部分に限る。）を添えたものとする。

2　法第十五条第二項において読み替えて適用する法第十二条第二項の規定により登録建築物エネルギー消費性能判定機関に変更後の建築物エネルギー消費性能確保計画（住宅部分の規模が令第五条第一項に定める規模以上である建築物の新築又は住宅部分の規模が同条第二項に定める規模以上である増築若しくは改築に係るものに限る。）を提出する場合には、前項に規定する書類のほか、別記様式第二による計画書の正本の写し及びその添付図書の写しを提出しなければならない。

（建築物エネルギー消費性能確保計画の軽微な変更）

第三条　法第十二条第二項の国土交通省令で定める軽微な変更は、建築物のエネルギー消費性能を向上させる変更その他の変更後も建築物エネルギー消費性能確保計画が建築物エネルギー消費性能基準に適合することが明らかな変更とする。

（所管行政庁が交付する適合判定通知書等の様式等）

第四条　法第十二条第三項の規定による通知書の交付は、次の各号に掲げる場合に応じ、それぞれ当該各号に定めるものに第一条第一項又は第二条第一項の計画書の副本及びその添付図書（非住宅部分に限る。）を添えて行うものとする。

一　建築物エネルギー消費性能確保計画（非住宅部分に係る部分に限る。次号及び次条第一項において同じ。）が建築物エネルギー消費性能基準に適合するものであると判定された場合　別記様式第三による適合判定通知書

二　建築物エネルギー消費性能確保計画が建築物エネルギー消費性能基準に適合しないものであると判定された場合　別記様式第四による通知書

2　法第十二条第四項の規定により同条第三項の期間を延長する旨及びその延長する期間並びにその期間を延長する理由を記載した通知書の交付は、別記様式第五により行うものとする。

3　法第十二条第五項の規定による適合するかどうかを決定することができない旨及びその理由を記載した通知書の交付は、別記様式第六により行うものとする。

（登録建築物エネルギー消費性能判定機関が交付する適合判定通知書等の様式等）

第五条　法第十五条第二項において読み替えて適用する法第十二条第三項の規定による通知書の交付は、次の各号に掲げる場合に応じ、それぞれ当該各号に定めるものに、第一条第一項又は第二条第一項の計画書の副本及びその添付図書（非住宅部分に限る。）を添えて行わなければならない。

一　建築物エネルギー消費性能確保計画が建築物エネルギー消費性能基準に適合するものであると判定された場合　別記様式第七による適合判定通知書

二　建築物エネルギー消費性能確保計画が建築物エネルギー消費性能基準に適合しないものであると判定された場合　別記様式第八による通知書

2　法第十五条第二項において読み替えて適用する法第十二条第四項の規定による同条第三項の期間を延長する旨及びその延長する期間並びにその期間を延長する理由を記載した通知書の交付は、別記様式第九により行うものとする。

3　法第十五条第二項において読み替えて適用する法第十二条第五項の規定による適合するかどうかを決定することができない旨及びその理由を記載した通知書の交付は、別記様式第十により行うものとする。

4　前三項に規定する図書及び書類の交付については、登録建築物エネルギー消費性能判定機関の使用に係る電子計算機（入出力装置を含む。以下同じ。）と交付を受ける者の使用に係る電子計算機とを電気通信回線で接続した電子情報処理組織の使用又は磁気ディスク（これに準ずる方法により一定の事項を確実に記録しておくことができる物を含む。以下同じ。）の交付によることができる。

（適合判定通知書又はその写しの提出）

第六条　法第十二条第六項の規定による適合判定通知書又はその写しの提出は、当該適合判定通知書又はその写しに第一条第一項若しくは第二条第一項の計画書の副本又はその写しを添えて行うものとする。ただし、次の各号に掲げる場合にあっては、それぞれ当該各号に定める書類の提出をもって法第十二条第六項に規定する適合判定通知書又はその写しを提出したものとみなす。

一　法第二十五条第一項の規定により適合判定通知書の交付を受けたものとみなして、法第十二条第六項の規定を適用する場合　第十八条第一項の認定書の写し

二　法第三十五条第八項の規定により適合判定通知書の交付を受けたものとみなして、法第十二条第六項の規定を適用する場合　第二十五条第二項（第二十八条において読み替えて準用する場合を含む。）の通知書又はその写し及び第二十三条第一項若しくは第二十七条の申請書の副本又はその写し

三　都市の低炭素化の促進に関する法律（平成二十四年法律第八十四号）第十条第九項又は同法第五十四条第八項の規定により、適合判定通知書の交付を受けたものとみなして、法第十二条第六項の規定を適用する場合　都市の低炭素化の促進に関する法律施行規則（平成二十四年国土交通省令第八十六号）第五条第二項（同規則第八条において読み替えて準用する場合を含む。）の通知書若しくはその写し及び同規則第三条若しくは同規則第七条の申請書の副本若しくはその写し又は同規則第四十三条第二項（同規則第四十六条において読み替えて準用する場合を含む。）の通知書若しくはその写し及び同規則第四十一条第一項若しくは同規則第四十五条の申請書の副本若しくはその写し

（国等に対する建築物エネルギー消費性能適合性判定に関する手続の特例）

第七条　第一条及び第二条の規定は、法第十三条第二項及び第三項（これらの規定を法第十五条第二項において読み替えて適用する場合を含む。）の規定による通知について準用する。この場合において、第一条中「別記様式第一」とあるのは「別記様式第十一」と、「計画書」とあるのは「通知書」と、第二条中「別記様式第二」とあるのは「別記様式第十二」と、「計画書」とあるのは「通知書」と読み替えるものとする。

2　第三条の規定は、法第十三条第三項（法第十五条第二項において読み替えて適用する場合を含む。）の国土交通省令で定める軽微な変更について準用する。

3　第四条の規定は、法第十三条第四項から第六項までの規定による通知書の交付について準用する。この場合において、第四条第一項中「第一条第一項又は第二条第一項」とあるのは「第七条第一項において読み替えて準用する第一条第一項又は第二条第一項」と、「計画書」とあるのは「通知書」と、同項第一号中「別記様式第三」とあるのは「別記様式第十三」と、同項第二号中「別記様式第四」とあるのは「別記様式第十四」と、同条第二項中「別記様式第五」とあるのは「別記様式第十五」と、同条第三項中「別記様式第六」とあるのは「別記様式第十六」と読み替えるものとする。

4　第五条の規定は、法第十五条第二項において読み替えて適用する法第十三条第四項から第六項までの規定による通知書の交付について準用する。この場合において、第五条第一項中「第一条第一項又は第二条第一項」と

あるのは「第七条第一項において読み替えて準用する第一条第一項又は第二条第一項」と、「計画書」とあるのは「通知書」と、同項第一号中「別記様式第七」とあるのは「別記様式第十七」と、同項第二号中「別記様式第八」とあるのは「別記様式第十八」と、同条第二項中「別記様式第九」とあるのは「別記様式第十九」と、同条第三項中「別記様式第十」とあるのは「別記様式第二十」と読み替えるものとする。

5 前条の規定は、法第十三条第七項の規定による適合判定通知書又はその写しの提出について準用する。この場合において、前条中「第一条第一項若しくは第二条第一項」とあるのは、「第七条第一項において読み替えて準用する第一条第一項若しくは第二条第一項」と、「計画書」とあるのは「通知書」と読み替えるものとする。

（委任の公示）

第八条 法第十五条第一項の規定により登録建築物エネルギー消費性能判定機関に建築物エネルギー消費性能適合性判定の全部又は一部を行わせることとした所管行政庁（次条において「委任所管行政庁」という。）は、登録建築物エネルギー消費性能判定機関に行わせることとした建築物エネルギー消費性能適合性判定の業務（以下「判定の業務」という。）及び登録建築物エネルギー消費性能判定機関の当該判定の業務の開始の日を公示しなければならない。

（建築物エネルギー消費性能適合性判定の委任の解除）

第九条 委任所管行政庁は、登録建築物エネルギー消費性能判定機関に建築物エネルギー消費性能適合性判定の全部又は一部を行わせないこととするときは、委任の解除の日の六月前までに、その旨及び解除の日付を公示しなければならない。

（立入検査の証明書）

第一〇条 法第十七条第二項の立入検査をする職員の身分を示す証明書は、別記様式第二十一によるものとする。

（軽微な変更に関する証明書の交付）

第一一条 建築基準法（昭和二十五年法律第二百一号）第七条第五項、同法第七条の二第五項又は同法第十八条第十八項の規定による検査済証の交付を受けようとする者は、その計画の変更が第三条（第七条第二項において読み替えて準用する場合を含む。）の軽微な変更に該当していることを証する書面の交付を所管行政庁又は登録建築物エネルギー消費性能判定機関に求めることができる。

第二節 一定規模以上の建築物のエネルギー消費性能の確保に関するその他の措置

（建築物の建築に関する届出）

第一二条 法第十九条第一項前段の規定により届出をしようとする者は、別記様式第二十二による届出書の正本及び副本に、それぞれ次の表の(い)項及び(ろ)項に掲げる図書（同条第一項前段の建築物のエネルギー消費性能の確保のための構造及び設備に関する計画に住戸が含まれる場合においては、当該住戸については、同表の(ろ)項に掲げる図書に代えて同表の(は)項に掲げる図書）その他所管行政庁が必要と認める図書を添えて、これらを所管行政庁に提出しなければならない。

	図書の種類		明示すべき事項
(い)	付近見取図		方位、道路及び目標となる地物
	配置図		縮尺及び方位
			敷地境界線、敷地内における建築物の位置及び届出に係る建築物と他の建築物との別
			エネルギー消費性能確保設備の位置
	仕様書（仕上げ表を含む。）		部材の種別及び寸法
			エネルギー消費性能確保設備の種別
	各階平面図		縮尺及び方位
			間取り、各室の名称、用途及び寸法並びに天井の高さ
			壁の位置及び種類
			開口部の位置及び構造
			エネルギー消費性能確保設備の位置
	床面積求積図		床面積の求積に必要な建築物の各部分の寸法及び算式
	用途別床面積表		用途別の床面積
	立面図		縮尺
			外壁及び開口部の位置
			エネルギー消費性能確保設備の位置
	断面図又は矩計図		縮尺
			建築物の高さ
			外壁及び屋根の構造
			軒の高さ並びに軒及びひさしの出
			小屋裏の構造
			各階の天井の高さ及び構造
			床の高さ及び構造並びに床下及び基礎の構造
	各部詳細図		縮尺
			外壁、開口部、床、屋根その他断熱性を有する部分の材料の種別及び寸法
	各種計算書		建築物のエネルギー消費性能に係る計算その他の計算を要する場合における当該計算の内容
(ろ)	機器表	空気調和設備	熱源機、ポンプ、空気調和機その他の機器の種別、仕様及び数
		空気調和設備以外の機械換気設備	給気機、排気機その他これらに類する設備の種別、仕様及び数

	照明設備	照明設備の種別、仕様及び数
	給湯設備	給湯器の種別、仕様及び数
		太陽熱を給湯に利用するための設備の種別、仕様及び数
		節湯器具の種別及び数
	空気調和設備等以外のエネルギー消費性能の確保に資する建築設備	空気調和設備等以外のエネルギー消費性能の確保に資する建築設備の種別、仕様及び数
仕様書	昇降機	昇降機の種別、数、積載量、定格速度及び速度制御方法
系統図	空気調和設備	空気調和設備の位置及び連結先
	空気調和設備以外の機械換気設備	空気調和設備以外の機械換気設備の位置及び連結先
	給湯設備	給湯設備の位置及び連結先
	空気調和設備等以外のエネルギー消費性能の確保に資する建築設備	空気調和設備等以外のエネルギー消費性能の確保に資する建築設備の位置及び連結先
各階平面図	空気調和設備	縮尺
		空気調和設備の有効範囲
		熱源機、ポンプ、空気調和機その他の機器の位置
	空気調和設備以外の機械換気設備	縮尺
		給気機、排気機その他これらに類する設備の位置
	照明設備	縮尺
		照明設備の位置
	給湯設備	縮尺
		給湯設備の位置
		配管に講じた保温のための措置
		節湯器具の位置
	昇降機	縮尺
		位置
	空気調和設備等以外のエネルギー消費性能の確保に資する建築設備	縮尺
		位置
制御図	空気調和設備	空気調和設備の制御方法
	空気調和設備以外の機械換気設備	空気調和設備以外の機械換気設備の制御方法
	照明設備	照明設備の制御方法
	給湯設備	給湯設備の制御方法
	空気調和設備等以外のエネルギー消費性能の確保に資する建築設備	空気調和設備等以外のエネルギー消費性能の確保に資する建築設備の制御方法
(は)		
機器表	空気調和設備	空気調和設備の種別、位置、仕様、数及び制御方法
	空気調和設備以外の機械換気設備	空気調和設備以外の機械換気設備の種別、位置、仕様、数及び制御方法
	照明設備	照明設備の種別、位置、仕様、数及び制御方法
	給湯設備	給湯器の種別、位置、仕様、数及び制御方法
		太陽熱を給湯に利用するための設備の種別、位置、仕様、数及び制御方法
		節湯器具の種別、位置及び数
	空気調和設備等以外のエネルギー消費性能の確保に資する建築設備	空気調和設備等以外のエネルギー消費性能の確保に資する建築設備の種別、位置、仕様、数及び制御方法

2　第一条第二項の規定は、法第十九条第一項前段の規定による届出について準用する。

3　法第十九条第一項後段の規定による変更の届出をしようとする者は、別記様式第二十三による届出書の正本及び副本に、それぞれ第一項に掲げる図書のうち変更に係るものを添えて、これを所管行政庁に提出しなければならない。

4　第一項に規定する所管行政庁が必要と認める図書を添付する場合には、同項の規定にかかわらず、同項に規定する図書のうち所管行政庁が不要と認めるものを同項の届出書に添えることを要しない。

（建築物のエネルギー消費性能の確保のための構造及び設備に関する計画の軽微な変更）

第十三条　法第十九条第一項の国土交通省令で定める軽微な変更は、建築物のエネルギー消費性能を向上させる変更その他の変更後も建築物のエネルギー消費性能の確保のための構造及び設備に関する計画が建築物エネルギー消費性能基準に適合することが明らかな変更とする。

（建築物の建築に関する届出に係る特例）

第十三条の二　法第十九条第四項の国土交通省令で定めるものは、登録建築物エネルギー消費性能判定機関又は住宅の品質確保の促進等に関する法律（平成十一年法律第八十一号）第五条第一項に規定する登録住宅性能評価機関が行う建築物のエネルギー消費性能に関する評価（法第十九条第一項前段の規定による届出に係る建築物が建築物エネルギー消費性能基準に適合する建築物と同等以上のエネルギー消費性能を有するものである旨の評価に限る。次条第三項において単に「評価」という。）とする。

2　法第十九条第四項において読み替えて適用する同条第一項の国土交通省令で定める日数は、三日とする。

3　法第十九条第四項において読み替えて適用する同条第一項前段の規定により届出をしようとする者は、第十二条第一項の規定にかかわらず、別記様式第二十二による届出書の正本及び副本に、それぞれ次の表に掲げる図書その他所管行政庁が必要と認める図書を添えて、これらを所管行政庁に提出しなければならない。

図書の種類	明示すべき事項
付近見取図	方位、道路及び目標となる地物
配置図	縮尺及び方位
	敷地境界線、敷地内における建築物の位置及び届出に係る建築物と他の建築物との別
各階平面図	縮尺及び方位
	間取り、各室の名称、用途及び寸法並びに天井の高さ
	壁の位置及び種類
	開口部の位置及び構造
床面積求積図	床面積の求積に必要な建築物の各部分の寸法及び算式
用途別床面積表	用途別の床面積
立面図	縮尺
	外壁及び開口部の位置
断面図又は矩計図	縮尺
	建築物の高さ
	外壁及び屋根の構造
	軒の高さ並びに軒及びひさしの出
	小屋裏の構造
	各階の天井の高さ及び構造
	床の高さ及び構造並びに床下及び基礎の構造

4　第一条第二項の規定は、法第十九条第四項において読み替えて適用する同条第一項前段の規定による届出について準用する。

5　第十二条第三項の規定は、法第十九条第四項において読み替えて適用する同条第一項後段の規定による変更の届出について適用する。

6　第十二条第四項の規定は、第三項に規定する所管行政庁が必要と認める図書を添付する場合について適用する。

（建築物の建築に関する届出等に係る国等に対する特例）

第十四条　第十二条の規定は、法第二十条第二項の規定による通知について準用する。この場合において、第十二条第一項中「届出をしようとする者」は「通知をしようとする国等の機関の長」と、「別記様式第二十二」とあるのは「別記様式第二十四」と、「届出書」とあるのは「通知書」と、同条第三項中「変更の届出をしようとする者」は「変更の通知をしようとする国等の機関の長」と、「別記様式第二十三」とあるのは「別記様式第二十五」と、「届出書」とあるのは「通知書」と、同条第四項中「届出書」とあるのは「通知書」と読み替えるものとする。

2　第十三条の規定は、法第二十条第二項の国土交通省令で定める軽微な変更について準用する。

3　法第二十条第三項の規定により通知をしようとする国等の機関の長は、評価の結果を記載した書面を提出することができる。この場合において、第一項の規定にかかわらず、別記様式第二十四による届出書の正本及び副本に、それぞれ前条第三項の表に掲げる図書その他所管行政庁が必要と認める図書を添えて、これらを所管行政庁に提出しなければならない。

（立入検査の証明書）

第十五条　法第二十一条第二項において準用する法第十七条第二項の立入検査をする職員の身分を示す証明書は、別記様式第二十六によるものとする。

第三節　特殊の構造又は設備を用いる建築物の認定等

（特殊の構造又は設備を用いる建築物の認定の申請）

第十六条　法第二十三条第一項の申請をしようとする者は、別記様式第二十七による申請書に第二十条第一項の評価書を添えて、これを国土交通大臣に提出しなければならない。

（申請書の記載事項）

第十七条　法第二十三条第二項の国土交通省令で定める事項は、次に掲げるものとする。

一　法第二十三条第一項の申請をしようとする者の氏名又は名称及び住所並びに法人にあっては、その代表者の氏名

二　特殊の構造又は設備を用いる建築物の名称及び所在地

三　特殊の構造又は設備を用いる建築物の概要

（認定書の交付等）

第十八条　国土交通大臣は、法第二十三条第一項の認定をしたときは、別記様式第二十八による認定書を申請者に交付しなければならない。

2　国土交通大臣は、法第二十三条第一項の認定をしないときは、別記様式第二十九による通知書を申請者に交付しなければならない。

（評価の申請）

第十九条　法第二十四条第一項の評価（次節を除き、以下単に「評価」という。）の申請をしようとする者は、別記様式第三十による申請書に次に掲げる書類を添えて、これを登録建築物エネルギー消費性能評価機関に提出しなければならない。

一　特殊の構造又は設備を用いる建築物の概要を記載した書類

二　前号に掲げるもののほか、平面図、立面図、断面図及び実験の結果その他の評価を実施するために必要な事項を記載した図書

（評価書の交付等）

第二〇条　登録建築物エネルギー消費性能評価機関は、評価を行ったときは、別記様式第三十一による評価書（以下単に「評価書」という。）を申請者に交付しなければならない。

2　評価書の交付を受けた者は、評価書を滅失し、汚損し、又は破損したときは、評価書の再交付を申請することができる。

3　評価書の交付については、登録建築物エネルギー消費性能評価機関の使用に係る電子計算機と交付を受ける者の使用に係る電子計算機とを電気通信回線で接続した電子情報処理組織の使用又は磁気ディスクの交付によることができる。

（特殊の構造又は設備を用いる建築物の認定の手数料）

第二一条　法第二十六条の規定による手数料の納付は、当該手数料の金額に相当する額の収入印紙をもって行うものとする。ただし、印紙をもって納め難い事由があるときは、現金をもってすることができる。

2　法第二十六条の国土交通省令で定める手数料の額は、申請一件につき二万円とする。

第四節　小規模建築物のエネルギー消費性能に係る評価及び説明

（小規模建築物のエネルギー消費性能に係る評価及び説明）

第二一条の二　法第二十七条第一項の規定により小規模建築物の建築物エネルギー消費性能基準への適合性について評価及び説明を行おうとする建築士は、当該小規模建築物の工事が着手される前に、当該評価及び説明を行わなければならない。

（書面の記載事項）

第二一条の三　法第二十七条第一項の国土交通省令で定める事項は、次に掲げるものとする。

一　法第二十七条第一項の規定による説明の年月日

二　説明の相手方の氏名又は名称及び法人にあっては、その代表者の氏名

三　小規模建築物の所在地

四　小規模建築物が建築物エネルギー消費性能基準に適合するか否かの別

五　小規模建築物が建築物エネルギー消費性能基準に適合していない場合にあっては、当該小規模建築物のエネルギー消費性能の確保のためとるべき措置

六　小規模建築物の建築に係る設計を行った建築士の氏名、その者の一級建築士、二級建築士又は木造建築士の別及びその者の登録番号

七　建築士の属する建築士事務所の名称及び所在地並びに当該建築士事務所の一級建築士事務所、二級建築士事務所又は木造建築士事務所の別

（評価及び説明を要しない旨の意思の表明）

第二一条の四　法第二十七条第二項の意思の表明（以下この条において単に「意思の表明」という。）は、小規模建築物の建築に係る設計を行う建築士（第四号において単に「建築士」という。）に次に掲げる事項を記載した書面を提出することによって行うものとする。

一　意思の表明の年月日

二　意思の表明を行った建築主の氏名又は名称及び法人にあっては、その代表者の氏名

三　法第二十七条第一項の規定による評価及び説明を要しない小規模建築物の所在地

四　建築士の氏名、その者の一級建築士、二級建築士又は木造建築士の別及びその者の登録番号

第五節　削除

第二二条　削除

第二章　建築物エネルギー消費性能向上計画の認定等

（建築物エネルギー消費性能向上計画の認定の申請）

第二三条　法第三十四条第一項の規定により建築物エネルギー消費性能向上計画の認定の申請をしようとする者は、別記様式第三十三による申請書の正本及び副本に、それぞれ次の表の(い)項及び(ろ)項に掲げる図書その他所管行政庁が必要と認める図書（法第十二条第一項の建築物エネルギー消費性能適合性判定を受けなければならない場合の正本に添える図書にあっては、当該図書の設計者の氏名の記載があるものに限る。）を添えて、これらを所管行政庁に提出しなければならない。ただし、当該建築物エネルギー消費性能向上計画に住戸が含まれる場合においては、当該住戸については、同表の(ろ)項に掲げる図書に代えて同表の(は)項に掲げる図書を提出しなければならない。

	図書の種類	明示すべき事項
(い)	設計内容説明書	建築物のエネルギー消費性能が法第三十五条第一項第一号に掲げる基準に適合するものであることの説明
	付近見取図	方位、道路及び目標となる地物
	配置図	縮尺及び方位 敷地境界線、敷地内における建築物の位置及び申請に係る建築物と他の建築物との別 空気調和設備等及び空気調和設備等以外のエネルギー消費性能の一層の向上に資する建築設備（以下この表において「エネルギー消費性能向上設備」という。）の位置
	仕様書（仕上げ表を含む。）	部材の種別及び寸法 エネルギー消費性能向上設備の種別
	各階平面図	縮尺及び方位 間取り、各室の名称、用途及び寸法並びに天井の高さ 壁の位置及び種類 開口部の位置及び構造 エネルギー消費性能向上設備の位置
	床面積求積図	床面積の求積に必要な建築物の各部分の寸法及び算式
	用途別床面積表	用途別の床面積
	立面図	縮尺 外壁及び開口部の位置 エネルギー消費性能向上設備の位置

断面図又は矩計図		縮尺
		建築物の高さ
		外壁及び屋根の構造
		軒の高さ並びに軒及びひさしの出
		小屋裏の構造
		各階の天井の高さ及び構造
		床の高さ及び構造並びに床下及び基礎の構造
各部詳細図		縮尺
		外壁、開口部、床、屋根その他断熱性を有する部分の材料の種別及び寸法
各種計算書		建築物のエネルギー消費性能に係る計算その他の計算を要する場合における当該計算の内容
(ろ)		
機器表	空気調和設備	熱源機、ポンプ、空気調和機その他の機器の種別、仕様及び数
	空気調和設備以外の機械換気設備	給気機、排気機その他これらに類する設備の種別、仕様及び数
	照明設備	照明設備の種別、仕様及び数
	給湯設備	給湯器の種別、仕様及び数
		太陽熱を給湯に利用するための設備の種別、仕様及び数
		節湯器具の種別及び数
	空気調和設備等以外のエネルギー消費性能の一層の向上に資する建築設備	空気調和設備等以外のエネルギー消費性能の一層の向上に資する建築設備の種別、仕様及び数
仕様書	昇降機	昇降機の種別、数、積載量、定格速度及び速度制御方法
系統図	空気調和設備	空気調和設備の位置及び連結先
	空気調和設備以外の機械換気設備	空気調和設備以外の機械換気設備の位置及び連結先
	給湯設備	給湯設備の位置及び連結先
	空気調和設備等以外のエネルギー消費性能の一層の向上に資する建築設備	空気調和設備等以外のエネルギー消費性能の一層の向上に資する建築設備の位置及び連結先
各階平面図	空気調和設備	縮尺
		空気調和設備の有効範囲
		熱源機、ポンプ、空気調和機その他の機器の位置
	空気調和設備以外の機械換気設備	縮尺
		給気機、排気機その他これらに類する設備の位置
	照明設備	縮尺
		照明設備の位置
	給湯設備	縮尺
		給湯設備の位置
		配管に講じた保温のための措置
		節湯器具の位置
	昇降機	縮尺
		位置
	空気調和設備等以外のエネルギー消費性能の一層の向上に資する建築設備	縮尺
		位置
制御図	空気調和設備	空気調和設備の制御方法
	空気調和設備以外の機械換気設備	空気調和設備以外の機械換気設備の制御方法
	照明設備	照明設備の制御方法

(は)	機器表
給湯設備	給湯設備の制御方法
空気調和設備等以外のエネルギー消費性能の一層の向上に資する建築設備	空気調和設備等以外のエネルギー消費性能の一層の向上に資する建築設備の制御方法
空気調和設備	空気調和設備の種別、位置、仕様、数及び制御方法
空気調和設備以外の機械換気設備	空気調和設備以外の機械換気設備の種別、位置、仕様、数及び制御方法

照明設備	照明設備の種別、位置、仕様、数及び制御方法
給湯設備	給湯器の種別、位置、仕様、数及び制御方法
	太陽熱を給湯に利用するための設備の種別、位置、仕様、数及び制御方法
	節湯器具の種別、位置及び数
空気調和設備等以外のエネルギー消費性能の一層の向上に資する建築設備	空気調和設備等以外のエネルギー消費性能の一層の向上に資する建築設備の種別、位置、仕様、数及び制御方法

2　前項の表の各項に掲げる図書に明示すべき事項を同項に規定する図書のうち他の図書に明示する場合には、同項の規定にかかわらず、当該事項を当該各項に掲げる図書に明示することを要しない。この場合において、当該各項に掲げる図書に明示すべき全ての事項を当該他の図書に明示したときは、当該各項に掲げる図書を同項の申請書に添えることを要しない。

3　第一項に規定する所管行政庁が必要と認める図書を添付する場合には、同項の規定にかかわらず、同項の表に掲げる図書のうち所管行政庁が不要と認めるものを同項の申請書に添えることを要しない。

（建築物エネルギー消費性能向上計画の記載事項）

第二四条　法第三十四条第二項第四号の国土交通省令で定める事項は、エネルギー消費性能の一層の向上のための建築物の新築等に関する工事の着手予定時期及び完了予定時期とする。

（熱源機器等）

第二四条の二　法第三十四条第三項の国土交通省令で定める機器は、次に掲げるものとする。

一　熱源機器

二　発電機

三　太陽光、風力その他の再生可能エネルギー源から熱又は電気を得るために用いられる機器

2　法第三十四条第三項の国土交通省令で定めるものは、次に掲げるものとする。

一　前項各号に掲げる機器のうち一の居室のみに係る空気調和設備等を構成するもの

二　前項各号に掲げる機器のうち申請建築物から他の建築物に供給される熱又は電気の供給量を超えない範囲内の供給量の熱又は電気を発生させ、これを供給するもの

（自他供給型熱源機器等の設置に関して建築物エネルギー消費性能向上計画に記載すべき事項等）

第二四条の三　法第三十四条第三項第三号の国土交通省令で定める事項は、申請建築物に設置される自他供給型熱源機器等から他の建築物に熱又は電気を供給するために必要な導管の配置の状況とする。

2　法第三十四条第三項の規定により同項各号に掲げる事項を記載した建築物エネルギー消費性能向上計画について同条第一項の規定により認定の申請をしようとする者は、第二十三条第一項に規定する図書のほか、次に掲げる図書を添えて、これらを所管行政庁に提出しなければならない。

一　他の建築物に関する第二十三条第一項の表に掲げる図書その他所管行政庁が必要と認める図書

二　申請建築物に設置される自他供給型熱源機器等から他の建築物に熱又は電気を供給するために必要な導管の配置の状況を記載した図面

三　申請建築物に設置される自他供給型熱源機器等から他の建築物に熱又は電気を供給することに関する当該他の建築物の建築主等の同意を証する書面

（建築物エネルギー消費性能向上計画の認定の通知）

第二五条　所管行政庁は、法第三十五条第一項の認定をしたときは、速やかに、その旨（同条第五項の場合においては、同条第四項において準用する建築基準法第十八条第三項の規定による確認済証の交付を受けた旨を含む。）を申請者に通知するものとする。

2　前項の通知は、別記様式第三十四による通知書に第二十三条第一項の申請書の副本（法第三十五条第五項の場合にあっては、第二十三条第一項の申請書の副本及び前項の確認済証に添えられた建築基準法施行規則（昭和二十五年建設省令第四十号）第一条の三の申請書の副本）及びその添付図書を添えて行うものとする。

（建築物エネルギー消費性能向上計画の軽微な変更）

第二六条　法第三十六条第一項の国土交通省令で定める軽微な変更は、次に掲げるものとする。

一　エネルギー消費性能の一層の向上のための建築物の新築等に関する工事の着手予定時期又は完了予定時期の六月以内の変更

二　前号に掲げるもののほか、建築物のエネルギー消費性能を一層向上させる変更その他の変更後も建築物エネルギー消費性能向上計画が法第三十五条第一項各号に掲げる基準に適合することが明らかな変更（同条第二項の規定により建築基準関係規定に適合するかどうかの審査を受けるよう申し出た場合には、建築基準法第六条第一項（同法第八十七条第一項において準用する場合を含む。）に規定する軽微な変更であるものに限る。）

（建築物エネルギー消費性能向上計画の変更の認定の申請）

第二七条　法第三十六条第一項の変更の認定の申請をしようとする者は、別記様式第三十五による申請書の正本及び副本に、それぞれ第二十三条第一項に規定する図書（法第三十四条第三項の規定により建築物エネルギー消費性能向上計画に同項各号に掲げる事項を記載した場合にあっては、第二十四条の三第二項各号に掲げる図書を含む。）のうち変更に係るものを添えて、これらを所管行政庁に提出しなければならない。この場合において、第二十三条第一項の表中「法第三十五条第一項第一号」とあるのは、「法第三十六条第二項において準用する法第三十五条第一項第一号」とする。

（建築物エネルギー消費性能向上計画の変更の認定の通知）

第二八条　第二十五条の規定は、法第三十六条第一項の変更の認定について準用する。この場合において、第二十五条第一項中「同条第五項」とあるのは「法第三十六条第二項において準用する法第三十五条第五項」と、「同条第四項」とあるのは「法第三十六条第二項において準用する法第三十五条第四項」と、同条第二項中「別記様式第三十四」とあるのは「別記様式第三十六」と、「法第三十五条第五項」とあるのは「法第三十六条第二項において準用する法第三十五条第五項」と読み替えるものとする。

（軽微な変更に関する証明書の交付）

第二九条　法第十二条第一項の建築物エネルギー消費性能適合性判定を受けなければならない建築物の建築に係る建築基準法第七条第五項、同法第七

条の二第五項又は同法第十八条第十八項の規定による検査済証の交付を受けようとする者は、その計画の変更が第二十六条の軽微な変更に該当していることを証する書面の交付を所管行政庁に求めることができる。

第三章　建築物のエネルギー消費性能に係る認定等

（**建築物のエネルギー消費性能に係る認定の申請**）

第三〇条　法第四十一条第一項の規定により建築物エネルギー消費性能基準に適合している旨の認定の申請をしようとする者は、別記様式第三十七による申請書の正本及び副本に、それぞれ第一条第一項の表の(い)項及び(ろ)項に掲げる図書その他所管行政庁が必要と認める図書を添えて、これらを所管行政庁に提出しなければならない。ただし、当該建築物に住戸が含まれる場合においては、当該住戸については、同表の(ろ)項に掲げる図書に代えて同表の(は)項に掲げる図書を提出しなければならない。

2　第一条第一項の表の各項に掲げる図書に明示すべき事項を前項に規定する図書のうち他の図書に明示する場合には、同項の規定にかかわらず、当該事項を当該各項に掲げる図書に明示することを要しない。この場合において、当該各項に掲げる図書に明示すべき全ての事項を当該他の図書に明示したときは、当該各項に掲げる図書を同項の申請書に添えることを要しない。

3　第一項に規定する所管行政庁が必要と認める図書を添付する場合には、同項の規定にかかわらず、第一条第一項の表に掲げる図書のうち所管行政庁が不要と認めるものを第一項の申請書に添えることを要しない。

（**建築物のエネルギー消費性能に係る認定の通知**）

第三一条　所管行政庁は、法第四十一条第二項の認定をしたときは、速やかに、その旨を申請者に通知するものとする。

2　前項の通知は、別記様式第三十八による通知書に前条第一項の申請書の副本及びその添付図書を添えて行うものとする。

（**表示等**）

第三二条　法第四十一条第三項の国土交通省令で定めるものは、次に掲げるものとする。

一　広告

二　契約に係る書類

三　その他国土交通大臣が定めるもの

2　法第四十一条第三項の表示は、別記様式第三十九により行うものとする。

（**立入検査の証明書**）

第三三条　法第四十三条第二項において準用する法第十七条第二項の立入検査をする職員の身分を示す証明書は、別記様式第四十によるものとする。

第四章　登録建築物エネルギー消費性能判定機関等

第一節　登録建築物エネルギー消費性能判定機関

（**登録建築物エネルギー消費性能判定機関に係る登録の申請**）

第三四条　法第四十四条に規定する登録を受けようとする者は、別記様式第四十一による申請書に次に掲げる書類を添えて、これを国土交通大臣に提出しなければならない。

一　定款及び登記事項証明書

二　申請の日の属する事業年度の前事業年度における財産目録及び貸借対照表。ただし、申請の日の属する事業年度に設立された法人にあっては、その設立時における財産目録とする。

三　申請に係る意思の決定を証する書類

四　申請者（法人にあっては、その役員（持分会社（会社法（平成十七年法律第八十六号）第五百七十五条第一項に規定する持分会社をいう。）にあっては、業務を執行する社員。以下同じ。））の氏名及び略歴（申請者が建築物関連事業者（法第四十六条第一項第二号に規定する建築物関連事業者をいう。以下この号において同じ。）の役員又は職員（過去二年間に当該建築物関連事業者の役員又は職員であった者を含む。）である場合にあっては、その旨を含む。第六十五条第四号において同じ。）を記載した書類

五　主要な株主の構成を記載した書類

六　組織及び運営に関する事項（判定の業務以外の業務を行っている場合にあっては、当該業務の種類及び概要を含む。）を記載した書類

七　申請者が法第四十五条第一号及び第二号に掲げる者に該当しない旨の市町村の長の証明書

八　申請者が法第四十五条第三号から第六号までに該当しない旨を誓約する書面

九　別記様式第四十二による判定の業務の計画棟数を記載した書類

十　判定の業務を行う部門の専任の管理者の氏名及び略歴を記載した書類

十一　適合性判定員となるべき者の氏名及び略歴を記載した書類並びに当該者が第四十条各号のいずれかに該当する者であることを証する書類

十二　その他参考となる事項を記載した書類

（**心身の故障により判定の業務を適正に行うことができない者**）

第三四条の二　法第四十五条第五号の国土交通省令で定める者は、精神の機能の障害により判定の業務を適正に行うに当たって必要な認知、判断及び意思疎通を適切に行うことができない者とする。

（**登録建築物エネルギー消費性能判定機関登録簿の記載事項**）

第三五条　法第四十六条第二項第五号の国土交通省令で定める事項は、次に掲げるものとする。

一　登録建築物エネルギー消費性能判定機関が法人である場合は、役員の氏名

二　判定の業務を行う部門の専任の管理者の氏名

三　登録建築物エネルギー消費性能判定機関が判定の業務を行う区域

（**公示事項**）

第三六条　法第四十七条第一項の国土交通省令で定める事項は、前条各号に掲げる事項とする。

（**登録建築物エネルギー消費性能判定機関に係る事項の変更の届出**）

第三七条　登録建築物エネルギー消費性能判定機関は、法第四十七条第二項の規定により法第四十六条第二項第二号から第五号までに掲げる事項を変更をしようとするときは、別記様式第四十三による届出書に第三十四条各号に掲げる書類のうち変更に係るものを添えて、これを国土交通大臣に提出しなければならない。同条ただし書の規定は、この場合について準用する。

（**登録建築物エネルギー消費性能判定機関に係る登録の更新**）

第三八条　登録建築物エネルギー消費性能判定機関は、法第四十八条第一項の登録の更新を受けようとするときは、別記様式第四十四による申請書に第三十四条各号に掲げる書類を添えて、これを国土交通大臣に提出しなければならない。同条ただし書の規定は、この場合について準用する。

2　第三十五条の規定は、登録建築物エネルギー消費性能判定機関が登録の更新を行う場合について準用する。

（**承継の届出**）

第三九条　法第四十九条第二項の規定による登録建築物エネルギー消費性能判定機関の地位の承継の届出をしようとする者は、別記様式第四十五による届出書に次に掲げる書類を添えて、これを国土交通大臣に提出しなければならない。

一　法第四十九条第一項の規定により登録建築物エネルギー消費性能判定機関の事業の全部を譲り受けて登録建築物エネルギー消費性能判定機関の地位を承継した者にあっては、別記様式第四十六による事業譲渡証明書及び事業の全部の譲渡しがあったことを証する書面

二　法第四十九条第一項の規定により登録建築物エネルギー消費性能判定機関の地位を承継した相続人であって、二以上の相続人の全員の同意により選定された者にあっては、別記様式第四十七による事業相続同意証明書及び戸籍謄本

三　法第四十九条第一項の規定により登録建築物エネルギー消費性能判定機関の地位を承継した相続人であって、前号の相続人以外の者にあっては、別記様式第四十八による事業相続証明書及び戸籍謄本

四　法第四十九条第一項の規定により合併によって登録建築物エネルギー消費性能判定機関の地位を承継した法人にあっては、その法人の登記事項証明書

五　法第四十九条第一項の規定により分割によって登録建築物エネルギー消費性能判定機関の地位を承継した法人にあっては、別記様式第四十九による事業承継証明書、事業の全部の承継があったことを証する書面及びその法人の登記事項証明書

（**適合性判定員の要件**）

第四〇条　法第五十条の国土交通省令で定める要件は、次の各号のいずれかに該当する者であることとする。

一　次の表の上欄に掲げる建築物エネルギー消費性能適合性判定を行う建

築物の区分に応じ、それぞれ同表の下欄に掲げる者のいずれかに該当する者であり、かつ、適合性判定員に必要な建築に関する専門的知識及び技術を習得させるための講習であって、次条から第四十三条までの規定により国土交通大臣の登録を受けたもの（以下「登録適合性判定員講習」という。）を修了した者。ただし、住宅の品質確保の促進等に関する法律第十三条の評価員である者にあっては、住宅に限って建築物エネルギー消費性能適合性判定を行う場合は、登録適合性判定員講習を修了することを要しない。

建築物エネルギー消費性能適合性判定を行う建築物	適合性判定員
建築士法（昭和二十五年法律第二百二号）第三条第一項各号に掲げる建築物	一　建築基準法第五条第三項の一級建築基準適合判定資格者検定に合格した者で、同法第七十七条の五十八第一項に規定する業務に関して二年以上の実務の経験を有するもの 二　建築士法第二条第二項に規定する一級建築士 三　建築士法第二条第五項に規定する建築設備士 四　前三号に掲げる者と同等以上の知識及び経験を有する者
建築士法第三条の二第一項各号に掲げる建築物（前項の上欄に掲げる建築物を除く。）	一　前項の下欄に掲げる者 二　建築基準法第五条第四項の二級建築基準適合判定資格者検定に合格した者で、同法第七十七条の五十八第一項に規定する業務に関して二年以上の実務の経験を有するもの 三　建築士法第二条第三項に規定する二級建築士 四　前三号に掲げる者と同等以上の知識及び経験を有する者
前二項の上欄に掲げる建築物以外の建築物	一　前二項の下欄に掲げる者 二　建築士法第二条第四項に規定する木造建築士 三　前二号に掲げる者と同等以上の知識及び経験を有する者

二　前号に掲げる者のほか、国土交通大臣が定める者

（適合性判定員講習の登録の申請）

第四一条　前条第一号の登録は、登録適合性判定員講習の実施に関する事務（以下「講習事務」という。）を行おうとする者の申請により行う。

2　前条第一号の登録を受けようとする者は、次に掲げる事項を記載した申請書を国土交通大臣に提出しなければならない。

一　前条第一号の登録を受けようとする者の氏名又は名称及び住所並びに法人にあっては、その代表者の氏名

二　講習事務を行おうとする事務所の名称及び所在地

三　講習事務を開始しようとする年月日

3　前項の申請書には、次に掲げる書類を添付しなければならない。

一　個人である場合においては、次に掲げる書類

イ　住民票の抄本若しくは個人番号カード（行政手続における特定の個人を識別するための番号の利用等に関する法律（平成二十五年法律第二十七号）第二条第七項に規定する個人番号カードをいう。）の写し又はこれらに類するものであって氏名及び住所を証明する書類

ロ　申請者の略歴（申請者が登録建築物エネルギー消費性能判定機関の役員又は職員（過去二年間に当該建築物エネルギー消費性能判定機関の役員又は職員であった者を含む。次号ニ並びに第四十三条第一項第三号ロ及びハにおいて同じ。）である場合にあっては、その旨を含む。）を記載した書類

二　法人である場合においては、次に掲げる書類

イ　定款及び登記事項証明書

ロ　株主名簿又は社員名簿の写し

ハ　申請に係る意思の決定を証する書類

ニ　役員の氏名及び略歴（役員が登録建築物エネルギー消費性能判定機関の役員又は職員である場合にあっては、その旨を含む。）を記載した書類

三　講師が第四十三条第一項第二号イ又はロのいずれかに該当する者であることを証する書類

四　登録適合性判定員講習の受講資格を記載した書類その他の講習事務の実施の方法に関する計画を記載した書類

五　講習事務以外の業務を行おうとするときは、その業務の種類及び概要を記載した書類

六　前条第一号の登録を受けようとする者が次条各号のいずれにも該当しない者であることを誓約する書面

七　その他参考となる事項を記載した書類

（欠格事項）

第四二条　次の各号のいずれかに該当する者が行う講習は、第四十条第一号の登録を受けることができない。

一　法の規定により罰金以上の刑に処せられ、その執行を終わり、又は執行を受けることがなくなった日から起算して二年を経過しない者

二　第五十二条の規定により第四十条第一号の登録を取り消され、その取消しの日から起算して二年を経過しない者

三　法人であって、講習事務を行う役員のうちに前二号のいずれかに該当する者があるもの

（登録の要件等）

第四三条　国土交通大臣は、第四十一条第一項の登録の申請が次に掲げる要件の全てに適合しているときは、その登録をしなければならない。

一　第四十五条第三号イからハまでに掲げる科目について講習が行われること。

二　次のいずれかに該当する者が講師として講習事務に従事するものであること。

イ　適合性判定員（第四十条第一号の表の建築士法（昭和二十五年法律第二百二号）第三条第一項各号に掲げる建築物の項の下欄に掲げる者のいずれかに該当する者（登録適合性判定員講習を修了していない者を除く。）又は同条第二号に掲げる者に限る。）として三年以上の実務の経験を有する者

ロ　イに掲げる者と同等以上の知識及び経験を有する者

三　登録建築物エネルギー消費性能判定機関に支配されているものとして次のいずれかに該当するものでないこと。

イ　第四十一条第一項の規定により登録を申請した者（以下この号において「登録申請者」という。）が株式会社である場合にあっては、登録建築物エネルギー消費性能判定機関がその親法人（会社法第八百七十九条第一項に規定する親法人をいう。）であること。

ロ　登録申請者の役員に占める登録建築物エネルギー消費性能判定機関の役員又は職員の割合が二分の一を超えていること。

ハ　登録申請者（法人にあっては、その代表権を有する役員）が登録建築物エネルギー消費性能判定機関の役員又は職員であること。

2　第四十条第一号の登録は、登録適合性判定員講習登録簿に次に掲げる事項を記載してするものとする。

一　登録年月日及び登録番号

二　講習事務を行う者（以下「講習実施機関」という。）の氏名又は名称及び住所並びに法人にあっては、その代表者の氏名

三　講習事務を行う事務所の名称及び所在地

四　講習事務を開始する年月日

（登録の更新）

第四四条　第四十条第一号の登録は、五年ごとにその更新を受けなければ、その期間の経過によって、その効力を失う。

2　前三条の規定は、前項の登録の更新の場合について準用する。

（講習事務の実施に係る義務）

第四五条　講習実施機関は、公正に、かつ、第四十三条第一項第一号及び第二号に掲げる要件並びに次に掲げる基準に適合する方法により講習事務を行わなければならない。

一　第四十条第一号の表の下欄に掲げる者のいずれかに該当する者であることを受講資格とすること。

二　登録適合性判定員講習は、講義及び修了考査により行うこと。
三　講義は、次に掲げる科目についてそれぞれ次に定める時間以上行うこと。
イ　法の概要　六十分
ロ　建築物エネルギー消費性能適合性判定の方法　百五十分
ハ　例題演習　六十分
四　講義は、前号イからハまでに掲げる科目に応じ、国土交通大臣が定める事項を含む適切な内容の教材を用いて行うこと。
五　講師は、講義の内容に関する受講者の質問に対し、講義中に適切に応答すること。
六　修了考査は、講義の終了後に行い、適合性判定員に必要な建築に関する専門的知識及び技術を修得したかどうかを判定できるものであること。
七　登録適合性判定員講習を実施する日時、場所その他の登録適合性判定員講習の実施に関し必要な事項を公示すること。
八　不正な受講を防止するための措置を講じること。
九　終了した修了考査の問題及び当該修了考査の合格基準を公表すること。
十　修了考査に合格した者に対し、別記様式第五十による修了証明書（第四十七条第八号並びに第五十三条第一項第五号及び第四項第四号において「修了証明書」という。）を交付すること。

（登録事項の変更の届出）

第四六条　講習実施機関は、第四十三条第二項第二号から第四号までに掲げる事項を変更しようとするときは、変更しようとする日の二週間前までに、その旨を国土交通大臣に届け出なければならない。

（講習事務規程）

第四七条　講習実施機関は、次に掲げる事項を記載した講習事務に関する規程を定め、講習事務の開始前に、国土交通大臣に届け出なければならない。これを変更しようとするときも、同様とする。
一　講習事務を行う時間及び休日に関する事項
二　講習事務を行う事務所の所在地及び登録適合性判定員講習の実施場所に関する事項
三　登録適合性判定員講習の受講の申込みに関する事項
四　登録適合性判定員講習に関する料金及びその収納の方法に関する事項
五　登録適合性判定員講習の日程、公示方法その他の登録適合性判定員講習の実施の方法に関する事項
六　修了考査の問題の作成及び修了考査の合否判定の方法に関する事項
七　終了した登録適合性判定員講習の修了考査の問題及び当該修了考査の合格基準の公表に関する事項
八　修了証明書の交付及び再交付に関する事項
九　講習事務に関する秘密の保持に関する事項
十　財務諸表等（法第五十四条第一項に規定する財務諸表等をいう。以下同じ。）の備付け及び財務諸表等に係る第四十九条第二項各号の請求の受付に関する事項
十一　第五十三条第一項の帳簿その他の講習事務に関する書類の管理に関する事項
十二　講習事務に関する公正の確保に関する事項
十三　不正受講者の処分に関する事項
十四　その他講習事務に関し必要な事項

（講習事務の休廃止）

第四八条　講習実施機関は、講習事務の全部又は一部を休止し、又は廃止しようとするときは、あらかじめ、次に掲げる事項を記載した届出書を国土交通大臣に提出しなければならない。
一　休止し、又は廃止しようとする登録適合性判定員講習の範囲
二　休止し、又は廃止しようとする年月日及び休止しようとする場合にあっては、その期間
三　休止又は廃止の理由

（財務諸表等の備付け及び閲覧等）

第四九条　講習実施機関は、毎事業年度経過後三月以内に、その事業年度の財務諸表等を作成し、五年間事務所に備えて置かなければならない。
2　登録適合性判定員講習を受講しようとする者その他の利害関係人は、講習実施機関の業務時間内は、いつでも、次に掲げる請求をすることができる。ただし、第二号又は第四号の請求をするには、講習実施機関の定めた費用を支払わなければならない。
一　財務諸表等が書面をもって作成されているときは、当該書面の閲覧又は謄写の請求
二　前号の書面の謄本又は抄本の請求
三　財務諸表等が電磁的記録（法第五十四条第一項に規定する電磁的記録をいう。以下同じ。）をもって作成されているときは、当該電磁的記録に記録された事項を紙面又は出力装置の映像面に表示したものの閲覧又は謄写の請求
四　前号の電磁的記録に記録された事項を電磁的方法であって、次に掲げるもののうち講習実施機関が定めるものにより提供することの請求又は当該事項を記載した書面の交付の請求
イ　講習実施機関の使用に係る電子計算機と当該請求をした者（以下この条において「請求者」という。）の使用に係る電子計算機とを電気通信回線で接続した電子情報処理組織を使用する方法であって、当該電気通信回線を通じて情報が送信され、請求者の使用に係る電子計算機に備えられたファイルに当該情報が記録されるもの
ロ　磁気ディスクをもって調製するファイルに情報を記録したものを請求者に交付する方法
3　前項第四号イ又はロに掲げる方法は、請求者がファイルへの記録を出力することによる書面を作成することができるものでなければならない。

（適合命令）

第五〇条　国土交通大臣は、講習実施機関が第四十三条第一項各号のいずれかに適合しなくなったと認めるときは、その講習実施機関に対し、これらの規定に適合するため必要な措置をとるべきことを命ずることができる。

（改善命令）

第五一条　国土交通大臣は、講習実施機関が第四十五条の規定に違反していると認めるときは、その講習実施機関に対し、同条の規定による講習事務を行うべきこと又は講習事務の方法その他の業務の方法の改善に関し必要な措置をとるべきことを命ずることができる。

（登録の取消し等）

第五二条　国土交通大臣は、講習実施機関が次の各号のいずれかに該当するときは、当該講習実施機関に係る第四十条第一号の登録を取り消し、又は期間を定めて講習事務の全部若しくは一部の停止を命ずることができる。
一　第四十二条第一号又は第三号に該当するに至ったとき。
二　第四十六条から第四十八条まで、第四十九条第一項又は次条の規定に違反したとき。
三　正当な理由がないのに第四十九条第二項各号の請求を拒んだとき。
四　前二条の規定による命令に違反したとき。
五　第五十四条の規定による報告をせず、又は虚偽の報告をしたとき。
六　不正な手段により第四十条第一号の登録を受けたとき。

（帳簿の備付け等）

第五三条　講習実施機関は、次に掲げる事項を記載した帳簿を備えなければならない。
一　登録適合性判定員講習の実施年月日
二　登録適合性判定員講習の実施場所
三　講義を行った講師の氏名並びに講義において担当した科目及びその時間
四　受講者の氏名、生年月日及び住所
五　登録適合性判定員講習を修了した者にあっては、前号に掲げる事項のほか、修了証明書の交付の年月日及び証明書番号
2　前項各号に掲げる事項が、電子計算機に備えられたファイル又は磁気ディスクに記録され、必要に応じ講習実施機関において電子計算機その他の機器を用いて明確に紙面に表示されるときは、当該記録をもって同項の帳簿への記載に代えることができる。
3　講習実施機関は、第一項の帳簿（前項の規定による記録が行われた同項のファイル又は磁気ディスクを含む。）を、講習事務の全部を廃止するまで保存しなければならない。
4　講習実施機関は、次に掲げる書類を備え、登録適合性判定員講習を実施した日から三年間保存しなければならない。
一　登録適合性判定員講習の受講申込書及びその添付書類
二　講義に用いた教材
三　終了した修了考査の問題及び答案用紙
四　修了証明書の写し

（報告の徴収）

第五四条　国土交通大臣は、講習事務の適切な実施を確保するため必要があると認めるときは、講習実施機関に対し、講習事務の状況に関し必要な報告を求めることができる。

（公示）

第五五条　国土交通大臣は、次に掲げる場合には、その旨を公示しなければならない。

一　第四十条第一号の登録をしたとき。

二　第四十六条の規定による届出があったとき。

三　第四十八条の規定による届出があったとき。

四　第五十二条の規定により第四十条第一号の登録を取り消し、又は講習事務の停止を命じたとき。

（判定の業務の実施基準）

第五六条　法第五十二条第二項の国土交通省令で定める基準は、次に掲げるとおりとする。

一　建築物エネルギー消費性能適合性判定は、適合性判定員（第四十条第一号に定める者にあっては、同号の表の上欄に掲げる建築物エネルギー消費性能適合性判定を行う建築物（登録適合性判定員講習を修了していない者にあっては、住宅に限る。）の区分に応じ、それぞれ同表の下欄に掲げる者のいずれかに該当する者に限る。）が、建築物エネルギー消費性能確保計画に関する書類をもって行うこと。

二　登録建築物エネルギー消費性能判定機関が建築物エネルギー消費性能確保計画の提出を自ら行った場合その他の場合であって、判定の業務の公正な実施に支障を及ぼすおそれがあるものとして国土交通大臣が定める場合においては、建築物エネルギー消費性能適合性判定を行わないこと。

三　判定の業務を行う部門の専任の管理者は、登録建築物エネルギー消費性能判定機関の役員又は当該部門を管理する上で必要な権限を有する者であること。

四　登録建築物エネルギー消費性能判定機関は、適合性判定員の資質の向上のために、その研修の機会を確保すること。

五　判定の業務に関し支払うことのある損害賠償のため保険契約を締結していること。

（判定業務規程）

第五七条　登録建築物エネルギー消費性能判定機関は、法第五十三条第一項前段の規定による判定業務規程の届出をしようとするときは、別記様式第五十一による届出書を国土交通大臣に提出しなければならない。

2　登録建築物エネルギー消費性能判定機関は、法第五十三条第一項後段の規定による判定業務規程の変更の届出をしようとするときは、別記様式第五十二による届出書を国土交通大臣に提出しなければならない。

3　法第五十三条第二項の国土交通省令で定める事項は、次に掲げるものとする。

一　判定の業務を行う時間及び休日に関する事項

二　事務所の所在地及びその事務所が判定の業務を行う区域に関する事項

三　建築物エネルギー消費性能適合性判定を行う建築物エネルギー消費性能確保計画に係る特定建築物の区分その他判定の業務の範囲に関する事項

四　判定の業務の実施の方法に関する事項

五　判定の業務に関する料金及びその収納の方法に関する事項

六　適合性判定員の選任及び解任に関する事項

七　判定の業務に関する秘密の保持に関する事項

八　適合性判定員の配置及び教育に関する事項

九　判定の業務の実施及び管理の体制に関する事項

十　財務諸表等の備付け及び財務諸表等に係る法第五十四条第二項各号の請求の受付に関する事項

十一　法第五十五条第一項の帳簿その他の判定の業務に関する書類の管理に関する事項

十二　判定の業務に関する公正の確保に関する事項

十三　その他判定の業務の実施に関し必要な事項

4　登録建築物エネルギー消費性能判定機関は、判定業務規程を判定の業務を行うすべての事務所で業務時間内に公衆に閲覧させるとともに、インターネットを利用して閲覧に供する方法により公表するものとする。

（電磁的記録に記録された事項を表示する方法）

第五八条　法第五十四条第二項第三号の国土交通省令で定める方法は、当該電磁的記録に記録された事項を紙面又は出力装置の映像面に表示する方法とする。

（電磁的記録に記録された事項を提供するための電磁的方法）

第五九条　法第五十四条第二項第四号の国土交通省令で定める電磁的方法は、次に掲げるもののうち、登録建築物エネルギー消費性能判定機関が定めるものとする。

一　登録建築物エネルギー消費性能判定機関の使用に係る電子計算機と法第五十四条第二項第四号に掲げる請求をした者（以下この条において「請求者」という。）の使用に係る電子計算機とを電気通信回線で接続した電子情報処理組織を使用する方法であって、当該電気通信回線を通じて情報が送信され、請求者の使用に係る電子計算機に備えられたファイルに当該情報が記録されるもの

二　磁気ディスクをもって調製するファイルに情報を記録したものを請求者に交付する方法

2　前項各号に掲げる方法は、請求者がファイルへの記録を出力することによる書面を作成できるものでなければならない。

（帳簿）

第六〇条　法第五十五条第一項の判定の業務に関する事項で国土交通省令で定めるものは、次に掲げるものとする。

一　別記様式第一による計画書の第二面及び第三面、別記様式第二による計画書の第二面及び第三面、別記様式第十一による通知書の第二面及び第三面並びに別記様式第十二による通知書の第二面及び第三面に記載すべき事項

二　法第十五条第二項において読み替えて適用する法第十二条第一項又は第二項の規定による建築物エネルギー消費性能確保計画の提出を受けた年月日及び法第十五条第二項において読み替えて適用する法第十三条第二項又は第三項の規定による通知を受けた年月日

三　建築物エネルギー消費性能適合性判定を実施した適合性判定員の氏名

四　建築物エネルギー消費性能適合性判定の結果

五　建築物エネルギー消費性能適合性判定の結果を記載した通知書の番号及びこれを交付した年月日

六　判定の業務に関する料金の額

2　前項各号に掲げる事項が、電子計算機に備えられたファイル又は磁気ディスクに記録され、必要に応じ登録建築物エネルギー消費性能判定機関において電子計算機その他の機器を用いて明確に紙面に表示されるときは、当該記録をもって法第五十五条第一項の帳簿（次項において単に「帳簿」という。）への記載に代えることができる。

3　登録建築物エネルギー消費性能判定機関は、帳簿（前項の規定による記録が行われた同項のファイル又は磁気ディスクを含む。）を、判定の業務の全部を廃止するまで保存しなければならない。

（書類の保存）

第六一条　法第五十五条第二項の判定の業務に関する書類で国土交通省令で定めるものは、第一条第一項及び第二条第一項に規定する書類（非住宅部分に限る。）とする。

2　前項の書類が、電子計算機に備えられたファイル又は磁気ディスクに記録され、必要に応じ登録建築物エネルギー消費性能判定機関において電子計算機その他の機器を用いて明確に紙面に表示されるときは、当該ファイル又は磁気ディスクをもって同項の書類に代えることができる。

3　登録建築物エネルギー消費性能判定機関は、第一項の書類（前項の規定による記録が行われた同項のファイル又は磁気ディスクを含む。第六十四条第一項第二号において単に「書類」という。）を、法第十五条第二項において読み替えて適用する法第十二条第三項又は法第十三条第四項の規定による通知書を交付した日から十五年間、保存しなければならない。

第六二条　削除

（判定の業務の休廃止の届出）

第六三条　登録建築物エネルギー消費性能判定機関は、法第五十九条第一項の規定により判定の業務の全部又は一部を休止し、又は廃止しようとするときは、別記様式第五十四による届出書を国土交通大臣に提出しなければならない。

（判定の業務の引継ぎ等）

第六四条　登録建築物エネルギー消費性能判定機関（国土交通大臣が法第六十条第一項又は第二項の規定により登録建築物エネルギー消費性能判定機

関の登録を取り消した場合にあっては、当該登録建築物エネルギー消費性能判定機関であった者。次項において同じ。）は、法第五十九条第一項の規定により判定の業務の全部を廃止したとき又は法第六十条第一項又は第二項の規定により登録を取り消されたときは、次に掲げる事項を行わなければならない。
一　判定の業務を、その業務区域を所轄する所管行政庁（以下「所轄所管行政庁」という。）に引き継ぐこと。
二　法第五十五条第一項の帳簿を国土交通大臣に、同条第二項の書類を所轄所管行政庁に引き継ぐこと。
三　その他国土交通大臣又は所轄所管行政庁が必要と認める事項
２　登録建築物エネルギー消費性能判定機関は、前項第二号の規定により書類を引き継ごうとするときは、あらかじめ、引継ぎの方法、時期その他の事項について、所轄所管行政庁に協議しなければならない。

第二節　登録建築物エネルギー消費性能評価機関

（登録建築物エネルギー消費性能評価機関に係る登録の申請）
第六五条　法第六十一条第一項に規定する登録を受けようとする者は、別記様式第五十五による申請書に次に掲げる書類を添えて、これを国土交通大臣に提出しなければならない。
一　定款及び登記事項証明書
二　申請の日の属する事業年度の前事業年度における財産目録及び貸借対照表。ただし、申請の日の属する事業年度に設立された法人にあっては、その設立時における財産目録とする。
三　申請に係る意思の決定を証する書類
四　申請者（法人にあっては、その役員）の氏名及び略歴を記載した書類
五　主要な株主の構成を記載した書類
六　組織及び運営に関する事項（法第二十四条第一項の評価の業務以外の業務を行っている場合にあっては、当該業務の種類及び概要を含む。）を記載した書類
七　申請者が法第四十五条第一号及び第二号に掲げる者に該当しない旨の市町村の長の証明書
八　申請者が法第四十五条第三号及び法第六十二条第二号から第四号までに該当しない旨を誓約する書面
九　評価の業務を行う部門の専任の管理者の氏名及び略歴を記載した書類
十　評価員となるべき者の氏名及び略歴を記載した書類並びに当該者が法第六十四条各号のいずれかに該当する者であることを証する書類
十一　その他参考となる事項を記載した書類

（心身の故障により評価の業務を適正に行うことができない者）
第六五条の二　法第六十二条第三号の国土交通省令で定める者は、精神の機能の障害により評価の業務を適正に行うに当たって必要な認知、判断及び意思疎通を適切に行うことができない者とする。

（登録建築物エネルギー消費性能評価機関登録簿の記載事項）
第六六条　法第六十三条第二項第五号の国土交通省令で定める事項は、次に掲げるものとする。
一　登録建築物エネルギー消費性能評価機関が法人である場合は、役員の氏名
二　評価の業務を行う部門の専任の管理者の氏名
三　登録建築物エネルギー消費性能評価機関が評価の業務を行う区域

（公示事項）
第六七条　法第六十一条第二項において読み替えて準用する法第四十七条第一項の国土交通省令で定める事項は、前条各号に掲げる事項とする。

（登録建築物エネルギー消費性能評価機関に係る事項の変更の届出）
第六八条　登録建築物エネルギー消費性能評価機関は、法第六十一条第二項において読み替えて準用する法第四十七条第二項の規定により法第六十三条第二項第二号から第五号までに掲げる事項を変更しようとするときは、別記様式第五十六による届出書に第六十五条各号に掲げる書類のうち変更に係るものを添えて、これを国土交通大臣に提出しなければならない。同条ただし書の規定は、この場合について準用する。

（登録建築物エネルギー消費性能評価機関に係る登録の更新）
第六九条　登録建築物エネルギー消費性能評価機関は、法第六十一条第二項において準用する法第四十八条第一項の登録の更新を受けようとするときは、別記様式第五十七による申請書に第六十五条各号に掲げる書類を添えて、これを国土交通大臣に提出しなければならない。同条ただし書の規定は、この場合について準用する。
２　第六十六条の規定は、登録建築物エネルギー消費性能評価機関が登録の更新を行う場合について準用する。

（承継の届出）
第七〇条　法第六十一条第二項において準用する法第四十九条第二項の規定による登録建築物エネルギー消費性能評価機関の地位の承継の届出をしようとする者は、別記様式第五十八による届出書に次に掲げる書類を添えて、これを国土交通大臣に提出しなければならない。
一　法第六十一条第二項において準用する法第四十九条第一項の規定により登録建築物エネルギー消費性能評価機関の事業の全部を譲り受けて登録建築物エネルギー消費性能評価機関の地位を承継した者にあっては、別記様式第五十九による事業譲渡証明書及び事業の全部の譲渡しがあったことを証する書面
二　法第六十一条第二項において準用する法第四十九条第一項の規定により登録建築物エネルギー消費性能評価機関の地位を承継した相続人であって、二以上の相続人の全員の同意により選定された者にあっては、別記様式第六十による事業相続同意証明書及び戸籍謄本
三　法第六十一条第二項において準用する法第四十九条第一項の規定により登録建築物エネルギー消費性能評価機関の地位を承継した相続人であって、前号の相続人以外の者にあっては、別記様式第六十一による事業相続証明書及び戸籍謄本
四　法第六十一条第二項において準用する法第四十九条第一項の規定により合併によって登録建築物エネルギー消費性能評価機関の地位を承継した法人にあっては、その法人の登記事項証明書
五　法第六十一条第二項において準用する法第四十九条第一項の規定により分割によって登録建築物エネルギー消費性能評価機関の地位を承継した法人にあっては、別記様式第六十二による事業承継証明書、事業の全部の承継があったことを証する書面及びその法人の登記事項証明書

（評価の業務の実施基準）
第七一条　法第六十一条第二項において読み替えて準用する法第五十二条第二項の国土交通省令で定める基準は、次に掲げるとおりとする。
一　評価は、評価の申請に係る書類をもって行うこと。
二　登録建築物エネルギー消費性能評価機関が評価の申請を自ら行った場合その他の場合であって、評価の業務の公正な実施に支障を及ぼすおそれがあるものとして国土交通大臣が定める場合においては、評価を行わないこと。
三　評価の業務を行う部門の専任の管理者は、登録建築物エネルギー消費性能評価機関の役員又は当該部門を管理する上で必要な権限を有する者であること。
四　登録建築物エネルギー消費性能評価機関は、評価員の資質の向上のために、その研修の機会を確保すること。
五　評価の業務に関し支払うことのある損害賠償のため保険契約を締結していること。

（評価業務規程）
第七二条　登録建築物エネルギー消費性能評価機関は、法第六十一条第二項において読み替えて準用する法第五十三条第一項前段の規定による評価業務規程の届出をしようとするときは、別記様式第六十三による届出書を国土交通大臣に提出しなければならない。
２　登録建築物エネルギー消費性能評価機関は、法第六十一条第二項において準用する法第五十三条第一項後段の規定による評価業務規程の変更の届出をしようとするときは、別記様式第六十四による届出書を国土交通大臣に提出しなければならない。
３　法第六十一条第二項において読み替えて準用する法第五十三条第二項の国土交通省令で定める事項は、次に掲げるものとする。
一　評価の業務を行う時間及び休日に関する事項
二　事務所の所在地及びその事務所が評価の業務を行う区域に関する事項
三　評価を行う建築物の種類その他評価の業務の範囲に関する事項
四　評価の業務の実施の方法に関する事項
五　評価の業務に関する料金及びその収納の方法に関する事項
六　評価員の選任及び解任に関する事項
七　評価の業務に関する秘密の保持に関する事項
八　評価員の配置及び教育に関する事項

九　評価の業務の実施及び管理の体制に関する事項
十　財務諸表等の備付け及び財務諸表等に係る法第六十一条第二項において準用する法第五十四条第二項各号の請求の受付に関する事項
十一　法第六十一条第二項において読み替えて準用する法第五十五条第一項の帳簿その他の評価の業務に関する書類の管理に関する事項
十二　評価の業務に関する公正の確保に関する事項
十三　その他評価の業務の実施に関し必要な事項
4　登録建築物エネルギー消費性能評価機関は、評価業務規程を評価の業務を行うすべての事務所で業務時間内に公衆に閲覧させるとともに、インターネットを利用して閲覧に供する方法により公表するものとする。

（電磁的記録に記録された事項を表示する方法）
第七三条　法第六十一条第二項において準用する法第五十四条第二項第三号の国土交通省令で定める方法は、当該電磁的記録に記録された事項を紙面又は出力装置の映像面に表示する方法とする。

（電磁的記録に記録された事項を提供するための電磁的方法）
第七四条　法第六十一条第二項において準用する法第五十四条第二項第四号の国土交通省令で定める電磁的方法は、次に掲げるもののうち、登録建築物エネルギー消費性能評価機関が定めるものとする。
一　登録建築物エネルギー消費性能評価機関の使用に係る電子計算機と法第六十一条第二項において準用する法第五十四条第二項第四号に掲げる請求をした者（以下この条において「請求者」という。）の使用に係る電子計算機とを電気通信回線で接続した電子情報処理組織を使用する方法であって、当該電気通信回線を通じて情報が送信され、請求者の使用に係る電子計算機に備えられたファイルに当該情報が記録されるもの
二　磁気ディスクをもって調製するファイルに情報を記録したものを請求者に交付する方法
2　前項各号に掲げる方法は、請求者がファイルへの記録を出力することによる書面を作成できるものでなければならない。

（帳簿）
第七五条　法第六十一条第二項において読み替えて準用する法第五十五条第一項の評価の業務に関する事項で国土交通省令で定めるものは、次に掲げるものとする。
一　評価を申請した者の氏名又は名称及び住所並びに法人にあっては、その代表者の氏名
二　評価の申請に係る建築物の名称
三　評価の申請に係る建築物に用いる特殊な構造及び設備の概要
四　評価の申請を受けた年月日
五　評価を実施した評価員の氏名
六　評価の結果
七　評価書の番号及びこれを交付した年月日
八　評価の業務に関する料金の額
2　前項各号に掲げる事項が、電子計算機に備えられたファイル又は磁気ディスクに記録され、必要に応じ登録建築物エネルギー消費性能評価機関において電子計算機その他の機器を用いて明確に紙面に表示されるときは、当該記録をもって法第六十一条第二項において読み替えて準用する法第五十五条第一項の帳簿（次項において単に「帳簿」という。）への記載に代えることができる。
3　登録建築物エネルギー消費性能評価機関は、帳簿（前項の規定による記録が行われた同項のファイル又は磁気ディスクを含む。第七十九条第二号において同じ。）を、同号に掲げる行為が完了するまで保存しなければならない。

（書類の保存）
第七六条　法第六十一条第二項において読み替えて準用する法第五十五条第二項の評価の業務に関する書類で国土交通省令で定めるものは、第七十九条の申請書及びその添付書類並びに評価書の写しその他の審査の結果を記載した書類とする。
2　前項の書類が、電子計算機に備えられたファイル又は磁気ディスクに記録され、必要に応じ登録建築物エネルギー消費性能評価機関において電子計算機その他の機器を用いて明確に紙面に表示されるときは、当該ファイル又は磁気ディスクをもって同項の書類に代えることができる。
3　登録建築物エネルギー消費性能評価機関は、第一項の書類（前項の規定による記録が行われた同項のファイル又は磁気ディスクを含む。第七十九条第二号において単に「書類」という。）を、同号に掲げる行為が完了するまで保存しなければならない。

第七七条　削除

（評価の業務の休廃止の届出）
第七八条　登録建築物エネルギー消費性能評価機関は、法第六十一条第二項において読み替えて準用する法第五十九条第一項の規定により評価の業務の全部又は一部を休止し、又は廃止しようとするときは、別記様式第六十六による届出書を国土交通大臣に提出しなければならない。

（評価の業務の引継ぎ）
第七九条　登録建築物エネルギー消費性能評価機関（国土交通大臣が法第六十五条第一項又は第二項の規定により登録建築物エネルギー消費性能評価機関の登録を取り消した場合にあっては、当該登録建築物エネルギー消費性能評価機関であった者）は、法第六十六条第三項に規定する場合には、次に掲げる事項を行わなければならない。
一　評価の業務を国土交通大臣に引き継ぐこと。
二　評価の業務に関する帳簿及び書類を国土交通大臣に引き継ぐこと。
三　その他国土交通大臣が必要と認める事項

（国土交通大臣が行う評価の手数料）
第八〇条　法第六十七条の規定による手数料の納付は、当該手数料の金額に相当する額の収入印紙をもって行うものとする。ただし、印紙をもって納め難い事由があるときは、現金をもってすることができる。
2　法第六十七条の国土交通省令で定める手数料の額は、申請一件につき百六十四万円とする。ただし、既に法第六十六条の国土交通大臣の評価を受けた特殊の構造又は設備を用いる建築物の軽微な変更について、評価を受けようとする場合の手数料の額は、申請一件につき四十一万円とする。

第四章の二　建築物再生可能エネルギー利用促進区域における措置

（再生可能エネルギー利用設備）
第八〇条の二　法第六十七条の二第一項の国土交通省令で定める設備は、次に掲げるものとする。
一　次に掲げる再生可能エネルギー源を電気に変換する設備及びその付属設備
イ　太陽光
ロ　風力
ハ　水力
ニ　地熱
ホ　バイオマス（動植物に由来する有機物であってエネルギー源として利用することができるもの（原油、石油ガス、可燃性天然ガス及び石炭並びにこれらから製造される製品を除く。）をいう。次号において同じ。）
二　次に掲げる再生可能エネルギー源を熱として利用するための設備又はバイオマスを熱源とする熱を利用するための設備
イ　地熱
ロ　太陽熱
ハ　雪又は氷を熱源とする熱その他の自然界に存する熱（大気中の熱並びにイ及びロに掲げるものを除く。）

（建築物再生可能エネルギー利用促進区域内の建築物に設置することができる再生可能エネルギー利用設備に係る説明）
第八〇条の三　法第六十七条の五第一項の規定により当該建築物に設置することができる再生可能エネルギー利用設備について説明を行おうとする建築士は、当該建築物の工事が着手される前に、当該説明を行わなければならない。

（書面の記載事項）
第八〇条の四　法第六十七条の五第一項の国土交通省令で定める事項は、次に掲げるものとする。
一　法第六十七条の五第一項の規定による説明の年月日
二　説明の相手方の氏名又は名称及び法人にあっては、その代表者の氏名
三　当該建築物の所在地
四　当該建築物に設置することができる再生可能エネルギー利用設備の種類及び規模
五　当該建築物の建築に係る設計を行った建築士の氏名、その者の一級建築士、二級建築士又は木造建築士の別及びその者の登録番号

六　当該建築士の属する建築士事務所の名称及び所在地並びに当該建築士事務所の一級建築士事務所、二級建築士事務所又は木造建築士事務所の別

（説明を要しない旨の意思の表明）

第八〇条の五　法第六十七条の五第二項の意思の表明（以下この条において単に「意思の表明」という。）は、当該建築物の建築に係る設計を行う建築士に次に掲げる事項を記載した書面を提出することによって行うものとする。

一　意思の表明の年月日

二　意思の表明を行った建築主の氏名又は名称及び法人にあっては、その代表者の氏名

三　法第六十七条の五第一項の規定による説明を要しない建築物の所在地

四　当該建築士の氏名、その者の一級建築士、二級建築士又は木造建築士の別及びその者の登録番号

（書面に記載すべき事項の電磁的方法による提供の承諾等）

第八〇条の六　建築士は、法第六十七条の五第三項の規定により同項に規定する事項を提供しようとするときは、あらかじめ、当該建築主に対し、その用いる次に掲げる電磁的方法（同項に規定する電磁的方法をいう。以下この条において同じ。）の種類及び内容を示し、書面又は電磁的方法による承諾を得なければならない。

一　次条第一項各号に掲げる方法のうち当該建築士が用いるもの

二　ファイルへの記録の方式

2　前項の規定による承諾を得た建築士は、当該建築主から書面又は電磁的方法により電磁的方法による提供を受けない旨の申出があったときは、当該建築主に対し、法第六十七条の五第三項に規定する事項の提供を電磁的方法によってしてはならない。ただし、当該建築主が再び前項の規定による承諾をした場合は、この限りでない。

（電磁的方法）

第八〇条の七　法第六十七条の五第三項の国土交通省令で定める方法は、次に掲げる方法とする。

一　電子情報処理組織を使用する方法のうちイ又はロに掲げるもの

イ　建築士の使用に係る電子計算機と建築主の使用に係る電子計算機とを接続する電気通信回線を通じて送信し、受信者の使用に係る電子計算機に備えられたファイルに記録する方法

ロ　建築士の使用に係る電子計算機に備えられたファイルに記録された書面に記載すべき事項を電気通信回線を通じて建築主の閲覧に供し、当該建築主の使用に係る電子計算機に備えられたファイルに当該事項を記録する方法（法第六十七条の五第三項に規定する方法による提供を受ける旨の承諾又は受けない旨の申出をする場合にあっては、建築士の使用に係る電子計算機に備えられたファイルにその旨を記録する方法）

二　磁気ディスクをもって調製するファイルに書面に記載すべき事項を記録したものを交付する方法

2　前項各号に掲げる方法は、建築主がファイルへの記録を出力することにより書面を作成することができるものでなければならない。

3　第一項第一号の「電子情報処理組織」とは、建築士の使用に係る電子計算機と、建築主の使用に係る電子計算機とを電気通信回線で接続した電子情報処理組織をいう。

第五章　雑則

（磁気ディスクによる手続）

第八一条　次の各号に掲げる計画書、通知書、届出書若しくは申請書又はその添付図書のうち所管行政庁が認める書類については、当該書類に代えて、所管行政庁が定める方法により当該書類に明示すべき事項を記録した磁気ディスクであって、所管行政庁が定めるものによることができる。

一　別記様式第一又は別記様式第二による計画書

二　別記様式第十一又は別記様式第十二による通知書

三　別記様式第二十二又は別記様式第二十三による届出書

四　別記様式第二十四又は別記様式第二十五による通知書

五　別記様式第三十三による申請書

六　別記様式第三十五による申請書

七　別記様式第三十七による申請書

2　次の各号に掲げる計画書若しくは通知書又はその添付図書のうち登録建築物エネルギー消費性能判定機関が認める書類については、当該書類に代えて、当該書類に明示すべき事項を記録した磁気ディスクで登録建築物エネルギー消費性能判定機関が定めるものによることができる。ただし、法第十五条第三項の規定により登録建築物エネルギー消費性能判定機関が建築物エネルギー消費性能確保計画の写しを所管行政庁に提出する場合にあっては、前項の規定により所管行政庁が認める書類に限り、当該書類に代えて、所管行政庁が定める方法により当該書類に明示すべき事項を記録した磁気ディスクであって、所管行政庁が定めるものによることができる。

一　別記様式第一又は別記様式第二による計画書

二　別記様式第十一又は別記様式第十二による通知書

（権限の委任）

第八二条　法第六章第一節に規定する国土交通大臣の権限のうち、その判定の業務を一の地方整備局又は北海道開発局の管轄区域内のみにおいて行う登録建築物エネルギー消費性能判定機関に関するものは、当該地方整備局長及び北海道開発局長に委任する。ただし、法第五十三条第三項、法第五十六条、法第五十七条、法第五十八条第一項及び法第六十条に規定する権限については、国土交通大臣が自ら行うことを妨げない。

附　則

（施行期日）

第一条　この省令は、法の施行の日（平成二十八年四月一日）から施行する。ただし、第十一条から第三十二条までの規定は、法附則第一条第二号に掲げる規定の施行の日から施行する。

（特定増改築に関する届出）

第二条　第十二条の規定は、法附則第三条第二項の規定による届出について準用する。この場合において、第十二条第一項中「建築物」とあるのは、「特定建築物」と読み替えるものとする。

2　法附則第三条第二項の国土交通省令で定める軽微な変更は、特定建築物のエネルギー消費性能を向上させる変更その他の変更後の特定増改築に係る特定建築物のエネルギー消費性能の確保のための構造及び設備に関する計画が建築物エネルギー消費性能基準に適合することが明らかな変更とする。

3　第十三条の二の規定は、法附則第三条第五項において読み替えて適用する同条第二項の規定による届出について準用する。この場合において、第十三条の二第一項中「建築物」とあるのは、「特定建築物」と読み替えるものとする。

4　第十二条の規定は、法附則第三条第八項の規定による通知について準用する。この場合において、第十二条第一項中「届出をしようとする者」とあるのは「通知をしようとする国等の機関の長」と、「別記様式第二十二」とあるのは「別記様式第二十四」と、「届出書」とあるのは「通知書」と、「建築物」とあるのは「特定建築物」と、同条第三項中「変更の届出をしようとする者」とあるのは「変更の通知をしようとする国等の機関の長」と、「別記様式第二十三」とあるのは「別記様式第二十五」と、「届出書」とあるのは「通知書」と、同条第四項中「届出書」とあるのは「通知書」と読み替えるものとする。

5　第十三条の規定は、法附則第三条第八項の国土交通省令で定める軽微な変更について準用する。この場合において第十三条中「建築物の」とあるのは「特定建築物の」と読み替えるものとする。

6　第十五条の規定は、法附則第三条第十一項において準用する法第十七条第二項の立入検査について準用する。

附　則〔略〕〔平成二八・一一・三〇国土交通省令八〇〕

附　則〔略〕〔令和元・九・一三国土交通省令三四〕

附　則〔略〕〔令和元・一一・七国土交通省令四三〕

附　則〔略〕〔令和元・一二・一六国土交通省令四七〕

附　則〔略〕〔令和二・九・四国土交通省令七五〕

附　則〔略〕〔令和二・一二・二三国土交通省令九八〕

附　則〔略〕〔令和三・八・三一国土交通省令五三〕

附　則〔略〕〔令和三・一〇・二二国土交通省令六八〕

附　則〔略〕〔令和四・九・一六国土交通省令六七〕

附　則〔略〕〔令和四・一一・七国土交通省令七八〕

附　則〔略〕〔令和四・一二・二三国土交通省令九二〕

附　則〔略〕〔令和五・九・二五国土交通省令七五〕

附　則〔略〕〔令和六・一・二九国土交通省令五施行〕

附　則〔略〕〔令和六・三・八国土交通省令一八〕

附　則〔略〕〔令和六・三・二九国土交通省令二六〕

附　則〔抄〕〔令和六・六・二八国土交通省令六八〕

（施行期日）

第一条　この省令は、脱炭素社会の実現に資するための建築物のエネルギー消費性能の向上に関する法律等の一部を改正する法律（附則第五条第三項において「改正法」という。）の施行の日（令和七年四月一日）から施行する。ただし、次の各号に掲げる規定は、当該各号に定める日から施行する。

一　第一条〔中略〕の規定　公布の日

二　〔略〕

（建築物のエネルギー消費性能の向上等に関する法律施行規則の一部改正に伴う経過措置）

第二条　この省令の施行の際現にある第一条及び第二条の規定による改正前の様式による用紙は、当分の間、これを取り繕って使用することができる。

別記様式　〔略〕

〔参考〕　令和七年四月一日から施行

○建築物のエネルギー消費性能の向上等に関する法律施行規則

〔平成二八・一・二九　国土交通省令五〕

改正　平成二八・一一国交令八〇、一二経産・国交令五、令和元・五国交令一、六国交令二〇、九国交令三四、一一国交令四三、一二国交令四七、令和二・九国交令七五、一二国交令九八、令和三・八国交令五三、一〇国交令六八、令和四・九国交令六七、一一国交令七八、一二国交令九二、令和五・九国交令七五、令和六・一国交令五、三国交令一八、国交令二六、六国交令六八

目次

第一章　建築士の努力義務（第一条）
第二章　建築主の基準適合義務等（第二条―第十九条）
第三章　建築物エネルギー消費性能向上計画の認定等（第二十条―第二十八条）
第四章　登録建築物エネルギー消費性能判定機関等
　第一節　登録建築物エネルギー消費性能判定機関（第二十九条―第五十九条）
　第二節　登録建築物エネルギー消費性能評価機関（第六十条―第七十五条）
第五章　建築物再生可能エネルギー利用促進区域における措置（第七十六条―第八十一条）
第六章　雑則（第八十二条・第八十三条）
附則

第一章　建築士の努力義務

第一条　建築物のエネルギー消費性能の向上等に関する法律（平成二十七年法律第五十三号。以下「法」という。）第六条第三項の規定により当該建築物のエネルギー消費性能その他建築物のエネルギー消費性能の向上に資する事項について説明を行おうとする建築士は、当該建築物の工事が着手される前に、当該説明を行うよう努めなければならない。

第二章　建築主の基準適合義務等

（建築物エネルギー消費性能適合性判定を行うことが比較的容易な特定建築行為）

第二条　法第十一条第一項ただし書の国土交通省令で定める特定建築行為及び法第十二条第一項ただし書の国土交通省令で定める特定建築行為は、次に掲げる建築行為のいずれかに該当するものとする。

一　住宅（複合建築物（建築物エネルギー消費性能基準等を定める省令（平成二十八年経済産業省・国土交通省令第一号。以下「基準省令」という。）第一条第一項第一号に規定する複合建築物をいう。）の住宅部分（同条第二項に規定する住宅部分をいう。）のみの増築又は改築をする場合における当該住宅部分を含む。以下この号において同じ。）の建築であって、当該住宅（増築又は改築をする場合にあっては、当該増築又は改築をする住宅の部分）を次に掲げる基準のいずれかに適合させるもの

イ　基準省令第一条第一項第二号イ(2)の外壁、窓等を通しての熱の損失の防止に関する国土交通大臣が定める基準及び同号ロ(2)の一次エネルギー消費量に関する国土交通大臣が定める基準（同号イただし書の国土交通大臣が定める基準に適合する住宅（ロにおいて「気候風土適応住宅」という。）にあっては、同号ロ(2)の一次エネルギー消費量に関する国土交通大臣が定める基準に限る。）

ロ　基準省令第十条第二号イ(2)の外壁、窓等を通しての熱の損失の防止に関する国土交通大臣が定める基準及び同号ロ(2)の一次エネルギー消費量に関する国土交通大臣が定める基準（気候風土適応住宅にあっては、同号ロ(2)の一次エネルギー消費量に関する国土交通大臣が定める基準に限る。）

二　住宅の品質確保の促進等に関する法律施行規則（平成十二年建設省令第二十号）第三条第一項に規定する設計住宅性能評価（以下この号及び次条第四項において「設計住宅性能評価」といい、特定建築行為に係る住宅が建築物エネルギー消費性能基準に適合する住宅と同等以上のエネルギー消費性能を有するものである旨の設計住宅性能評価に限る。）を受けた住宅の新築

三　長期優良住宅の普及の促進に関する法律（平成二十年法律第八十七号）第六条第一項の認定（同法第八条第一項の変更の認定を含む。）又は住宅の品質確保の促進等に関する法律（平成十一年法律第八十一号）第六条の二第一項の確認（次条第四項において「確認」という。）を受けた住宅の新築

2　法第十一条第二項後段において準用する同条第一項ただし書の国土交通省令で定める特定建築行為及び法第十二条第三項後段において準用する同条第二項ただし書の国土交通省令で定める特定建築行為は、前項第一号に掲げる建築行為に該当するものとする。

（建築物エネルギー消費性能確保計画に関する書類の様式）

第三条　法第十一条第一項（法第十四条第二項において読み替えて適用する場合を含む。）の規定により提出する建築物エネルギー消費性能確保計画に関する書類は、別記様式第一による計画書の正本及び副本に、それぞれ次の表の(い)項及び(ろ)項に掲げる図書（当該建築物エネルギー消費性能確保計画に住戸が含まれる場合においては、当該住戸については、同表の(ろ)項

に掲げる図書に代えて同表の(は)項に掲げる図書）その他所管行政庁が必要と認める図書を添えたもの（正本に添える図書にあっては、当該図書の設計者の氏名の記載があるものに限る。）とする。

	図書の種類		明示すべき事項
(い)	設計内容説明書		建築物（増築又は改築をする場合にあっては、当該増築又は改築をする建築物の部分。以下この表において同じ。）のエネルギー消費性能が建築物エネルギー消費性能基準に適合するものであることの説明
	付近見取図		方位、道路及び目標となる地物
	配置図		縮尺及び方位
			敷地境界線、敷地内における建築物の位置及び申請に係る建築物と他の建築物との別
			空気調和設備等及び空気調和設備等以外のエネルギー消費性能の確保に資する建築設備（以下この表及び第十二条第一項の表において「エネルギー消費性能確保設備」という。）の位置
	仕様書（仕上げ表を含む。）		部材の種別及び寸法
			エネルギー消費性能確保設備の種別
	各階平面図		縮尺及び方位
			間取り、各室の名称、用途及び寸法並びに天井の高さ
			壁の位置及び種類
			開口部の位置及び構造
			エネルギー消費性能確保設備の位置
	床面積求積図		床面積の求積に必要な建築物の各部分の寸法及び算式
	用途別床面積表		用途別の床面積
	立面図		縮尺
			外壁及び開口部の位置
			エネルギー消費性能確保設備の位置
	断面図又は矩計図		縮尺
			建築物の高さ
			外壁及び屋根の構造
			軒の高さ並びに軒及びひさしの出
			小屋裏の構造
			各階の天井の高さ及び構造
			床の高さ及び構造並びに床下及び基礎の構造
	各部詳細図		縮尺
			外壁、開口部、床、屋根その他断熱性を有する部分の材料の種別及び寸法
	各種計算書		建築物のエネルギー消費性能に係る計算その他の計算を要する場合における当該計算の内容
(ろ)	機器表	空気調和設備	熱源機、ポンプ、空気調和機その他の機器の種別、仕様及び数
		空気調和設備以外の機械換気設備	給気機、排気機その他これらに類する設備の種別、仕様及び数
		照明設備	照明設備の種別、仕様及び数
		給湯設備	給湯器の種別、仕様及び数
			太陽熱を給湯に利用するための設備の種別、仕様及び数
			節湯器具の種別及び数
		空気調和設備等以外のエネルギー消費性能の確保に資する建築設備	空気調和設備等以外のエネルギー消費性能の確保に資する建築設備の種別、仕様及び数

仕様書	昇降機	昇降機の種別、数、積載量、定格速度及び速度制御方法
系統図	空気調和設備	空気調和設備の位置及び連結先
	空気調和設備以外の機械換気設備	空気調和設備以外の機械換気設備の位置及び連結先
	給湯設備	給湯設備の位置及び連結先
	空気調和設備等以外のエネルギー消費性能の確保に資する建築設備	空気調和設備等以外のエネルギー消費性能の確保に資する建築設備の位置及び連結先
各階平面図	空気調和設備	縮尺
		空気調和設備の有効範囲
		熱源機、ポンプ、空気調和機その他の機器の位置
	空気調和設備以外の機械換気設備	縮尺
		給気機、排気機その他これらに類する設備の位置
	照明設備	縮尺
		照明設備の位置
	給湯設備	縮尺
		給湯設備の位置
		配管に講じた保温のための措置
		節湯器具の位置
	昇降機	縮尺
		位置
	空気調和設備等以外のエネルギー消費性能の確保に資する建築設備	縮尺
		位置
制御図	空気調和設備	空気調和設備の制御方法
	空気調和設備以外の機械換気設備	空気調和設備以外の機械換気設備の制御方法
	照明設備	照明設備の制御方法
	給湯設備	給湯設備の制御方法
	空気調和設備等以外のエネルギー消費性能の確保に資する建築設備	空気調和設備等以外のエネルギー消費性能の確保に資する建築設備の制御方法
(は) 機器表	空気調和設備	空気調和設備の種別、位置、仕様、数及び制御方法
	空気調和設備以外の機械換気設備	空気調和設備以外の機械換気設備の種別、位置、仕様、数及び制御方法
	照明設備	照明設備の種別、位置、仕様、数及び制御方法
	給湯設備	給湯器の種別、位置、仕様、数及び制御方法
		太陽熱を給湯に利用するための設備の種別、位置、仕様、数及び制御方法
		節湯器具の種別、位置及び数
	空気調和設備等以外のエネルギー消費性能の確保に資する建築設備	空気調和設備等以外のエネルギー消費性能の確保に資する建築設備の種別、位置、仕様、数及び制御方法

2　前項の表の各項に掲げる図書に明示すべき事項を同項に規定する図書のうち他の図書に明示する場合には、同項の規定にかかわらず、当該事項を当該各項に掲げる図書に明示することを要しない。この場合において、当該各項に掲げる図書に明示すべき全ての事項を当該他の図書に明示したときは、当該各項に掲げる図書を同項の計画書に添えることを要しない。

3　第一項に規定する所管行政庁が必要と認める図書を添付する場合には、同項の規定にかかわらず、同項の表に掲げる図書のうち所管行政庁が不要と認めるものを同項の計画書に添えることを要しない。

4　登録建築物エネルギー消費性能判定機関であって登録住宅性能評価機関（住宅の品質確保の促進等に関する法律第五条第一項に規定する登録住宅性能評価機関をいう。次条第二項において同じ。）であるものに対し、特定建築行為（住宅の新築に限る。以下この項及び次条第二項において同じ。）に係る住宅について設計住宅性能評価（住宅の品質確保の促進等に関する法律施行規則第三条第一項に規定する変更設計住宅性能評価（次条第二項において「変更設計住宅性能評価」という。）を除く。）の申請又は確認（同令第七条の二第一項に規定する変更確認（次条第二項において「変更確認」という。）を除く。）の求めをした場合（当該住宅の設計者の氏名の記載がある設計評価申請添付図書（同令第三条第一項に規定する設計評価申請添付図書をいう。以下この項及び次条第二項において同じ。）又は確認申請添付図書（同令第七条の二第一項に規定する確認申請書の添付図書をいう。以下この項及び次条第二項において同じ。）を提出した場合に限る。）において、法第十四条第二項において読み替えて適用する法第十一条第一項の規定により、当該登録建築物エネルギー消費性能判定機関に当該特定建築行為に係る建築物エネルギー消費性能確保計画を提出するときは、第一項の規定にかかわらず、同項の表の各項に掲げる図書を同項の計画書に添えることを要しない。この場合において、当該登録住宅性能評価機関に提出した当該設計評価申請添付図書又は当該確認申請添付図書のうち建築物のエネルギー消費性能に係るものは、当該計画書の添付図書とみなす。

（変更の場合の建築物エネルギー消費性能確保計画に関する書類の様式）

第四条　法第十一条第二項（法第十四条第二項において読み替えて適用する場合を含む。）の規定により提出する変更後の建築物エネルギー消費性能確保計画に関する書類は、別記様式第二による計画書の正本及び副本に、それぞれ前条第一項に規定する図書を添えたもの及び当該計画の変更に係る直前の建築物エネルギー消費性能適合性判定に要した書類（変更に係る部分に限る。）とする。ただし、当該直前の建築物エネルギー消費性能適合性判定を受けた所管行政庁又は登録建築物エネルギー消費性能判定機関に対して提出を行う場合においては、別記様式第二による計画書の正本及び副本に、それぞれ同項に規定する図書（変更に係る部分に限る。）を添えたものとする。

2　登録建築物エネルギー消費性能判定機関であって登録住宅性能評価機関であるもの（前条第四項の規定により提出した建築物エネルギー消費性能確保計画の変更に係る直前の建築物エネルギー消費性能適合性判定を受けたものに限る。）に対し、特定建築行為に係る住宅について変更設計住宅性能評価の申請又は変更確認の求めをした場合（当該住宅の設計者の氏名の記載がある設計評価申請添付図書又は確認申請添付図書を提出した場合に限る。）において、法第十四条第二項において読み替えて適用する法第十一条第二項の規定により、当該登録建築物エネルギー消費性能判定機関に当該特定建築行為に係る変更後の建築物エネルギー消費性能確保計画を提出するときは、前項の規定にかかわらず、前条第一項の表の各項に掲げる図書（変更に係る部分に限る。）を前項の計画書に添えることを要しない。この場合において、当該登録住宅性能評価機関に提出した当該設計評価申請添付図書又は当該確認申請添付図書のうち建築物のエネルギー消費性能に係るものは、当該計画書の添付図書とみなす。

（建築物エネルギー消費性能確保計画の軽微な変更）

第五条　法第十一条第二項（法第十四条第二項において読み替えて適用する場合を含む。）の国土交通省令で定める軽微な変更は、建築物のエネルギー消費性能を向上させる変更その他の変更後も建築物エネルギー消費性能確保計画が建築物エネルギー消費性能基準に適合することが明らかな変更とする。

（所管行政庁が交付する適合判定通知書等の様式等）

第六条　法第十一条第三項の規定による通知書の交付は、次の各号に掲げる場合に応じ、当該各号に定めるものに第三条第一項又は第四条第一項の計画書の副本及びその添付図書（第三条第四項後段又は第四条第二項後段の規定により当該添付図書とみなされるものを除く。）を添えて行うものとする。

一　建築物エネルギー消費性能確保計画が建築物エネルギー消費性能基準に適合するものであると判定された場合　別記様式第三による適合判定通知書

二　建築物エネルギー消費性能確保計画が建築物エネルギー消費性能基準に適合しないものであると判定された場合　別記様式第四による通知書

2　法第十一条第四項の規定による同条第三項の期間を延長する旨及びその延長する期間並びにその期間を延長する理由を記載した通知書の交付は、別記様式第五により行うものとする。

3　法第十一条第五項の規定による適合するかどうかを決定することができない旨及びその理由を記載した通知書の交付は、別記様式第六により行うものとする。

（登録建築物エネルギー消費性能判定機関が交付する適合判定通知書等の様式等）

第七条　法第十四条第二項において読み替えて適用する法第十一条第三項の規定による通知書の交付は、次の各号に掲げる場合に応じ、当該各号に定めるものに、第三条第一項又は第四条第一項の計画書の副本及びその添付図書（第三条第四項後段又は第四条第二項後段の規定により当該添付図書とみなされるものを除く。）を添えて行わなければならない。

一　建築物エネルギー消費性能確保計画が建築物エネルギー消費性能基準に適合するものであると判定された場合　別記様式第七による適合判定通知書

二　建築物エネルギー消費性能確保計画が建築物エネルギー消費性能基準に適合しないものであると判定された場合　別記様式第八による通知書

2　法第十四条第二項において読み替えて適用する法第十一条第四項の規定による同条第三項の期間を延長する旨及びその延長する期間並びにその期間を延長する理由を記載した通知書の交付は、別記様式第九により行うものとする。

3　法第十四条第二項において読み替えて適用する法第十一条第五項の規定による適合するかどうかを決定することができない旨及びその理由を記載した通知書の交付は、別記様式第十により行うものとする。

4　前三項に規定する図書及び書類の交付については、登録建築物エネルギー消費性能判定機関の使用に係る電子計算機（入出力装置を含む。以下同じ。）と交付を受ける者の使用に係る電子計算機とを電気通信回線で接続した電子情報処理組織の使用又は磁気ディスク（これに準ずる方法により一定の事項を確実に記録しておくことができる物を含む。以下同じ。）の交付によることができる。

（適合判定通知書又はその写しの提出）

第八条　法第十一条第六項の規定による適合判定通知書又はその写しの提出は、当該適合判定通知書又はその写しに第三条第一項若しくは第四条第一項の計画書の副本又はその写しを添えて行うものとする。ただし、次の各号に掲げる場合にあっては、当該各号に定める書類の提出をもって法第十一条第六項に規定する適合判定通知書又はその写しを提出したものとみなす。

一　法第十八条第二項の規定により適合判定通知書の交付を受けたものとみなして、法第十一条第六項の規定を適用する場合　第十六条第一項の認定書の写し

二　法第三十条第八項の規定により適合判定通知書の交付を受けたものとみなして、法第十一条第六項の規定を適用する場合　第二十四条第二項（第二十七条において読み替えて準用する場合を含む。）の通知書又はその写し及び第二十条第一項若しくは第二十六条の申請書の副本又はその写し

三　都市の低炭素化の促進に関する法律（平成二十四年法律第八十四号）第十条第九項又は同法第五十四条第八項の規定により、適合判定通知書の交付を受けたものとみなして、法第十一条第六項の規定を適用する場合　都市の低炭素化の促進に関する法律施行規則（平成二十四年国土交

通省令第八十六号）第五条第二項（同令第八条において読み替えて準用する場合を含む。）の通知書若しくはその写し及び同令第三条若しくは同令第七条の申請書の副本若しくはその写し又は同令第四十三条第二項（同令第四十六条において読み替えて準用する場合を含む。）の通知書若しくはその写し及び同令第四十一条第一項若しくは同令第四十五条の申請書の副本若しくはその写し

（**国等に対する建築物エネルギー消費性能適合性判定に関する手続の特例**）

第九条　第三条及び第四条の規定は、法第十二条第二項及び第三項（これらの規定を法第十四条第二項において読み替えて適用する場合を含む。）の規定による通知について準用する。この場合において、第三条第一項中「別記様式第一」とあるのは「別記様式第十一」と、同条中「計画書」とあるのは「通知書」と、第四条第一項中「別記様式第二」とあるのは「別記様式第十二」と、同条中「計画書」とあるのは「通知書」と読み替えるものとする。

2　第五条の規定は、法第十二条第三項（法第十四条第二項において読み替えて適用する場合を含む。）の国土交通省令で定める軽微な変更について準用する。

3　第六条の規定は、法第十二条第四項から第六項までの規定による通知書の交付について準用する。この場合において、第六条第一項中「第三条第一項又は第四条第一項」とあるのは「第九条第一項において読み替えて準用する第三条第一項又は第四条第一項」と、「計画書」とあるのは「通知書」と、「第三条第四項後段又は第四条第二項後段」とあるのは「第九条第一項において読み替えて準用する第三条第四項後段又は第四条第二項後段」と、同項第一号中「別記様式第三」とあるのは「別記様式第十三」と、同項第二号中「別記様式第四」とあるのは「別記様式第十四」と、同条第二項中「別記様式第五」とあるのは「別記様式第十五」と、同条第三項中「別記様式第六」とあるのは「別記様式第十六」と読み替えるものとする。

4　第七条の規定は、法第十四条第二項において読み替えて適用する法第十二条第四項から第六項までの規定による通知書の交付について準用する。この場合において、第七条第一項中「第三条第一項又は第四条第一項」とあるのは「第九条第一項において読み替えて準用する第三条第一項又は第四条第一項」と、「計画書」とあるのは「通知書」と、「第三条第四項後段又は第四条第二項後段」とあるのは「第九条第一項において読み替えて準用する第三条第四項後段又は第四条第二項後段」と、同項第一号中「別記様式第七」とあるのは「別記様式第十七」と、同項第二号中「別記様式第八」とあるのは「別記様式第十八」と、同条第二項中「別記様式第九」とあるのは「別記様式第十九」と、同条第三項中「別記様式第十」とあるのは「別記様式第二十」と読み替えるものとする。

5　前条の規定は、法第十二条第七項の規定による適合判定通知書又はその写しの提出について準用する。この場合において、前条中「第三条第一項若しくは第四条第一項」とあるのは、「第九条第一項において読み替えて準用する第三条第一項若しくは第四条第一項」と、「計画書」とあるのは「通知書」と読み替えるものとする。

（**委任の公示**）

第一〇条　法第十四条第一項の規定により登録建築物エネルギー消費性能判定機関に建築物エネルギー消費性能適合性判定の全部又は一部を行わせることとした所管行政庁（次条において「委任所管行政庁」という。）は、登録建築物エネルギー消費性能判定機関に行わせることとした建築物エネルギー消費性能適合性判定の業務（以下「判定の業務」という。）及び登録建築物エネルギー消費性能判定機関の当該判定の業務の開始の日を公示しなければならない。

（**建築物エネルギー消費性能適合性判定の委任の解除**）

第一一条　委任所管行政庁は、登録建築物エネルギー消費性能判定機関に建築物エネルギー消費性能適合性判定の全部又は一部を行わせないこととするときは、委任の解除の日の六月前までに、その旨及び解除の日付を公示しなければならない。

（**立入検査の証明書**）

第一二条　法第十五条第二項の立入検査をする職員の身分を示す証明書は、別記様式第二十一によるものとする。

（**軽微な変更に関する証明書の交付**）

第一三条　建築基準法（昭和二十五年法律第二百一号）第七条第五項、同法第七条の二第五項又は同法第十八条第十八項の規定による検査済証の交付を受けようとする者は、その計画の変更が第五条（第九条第二項において準用する場合を含む。）の軽微な変更に該当していることを証する書面の交付を所管行政庁又は登録建築物エネルギー消費性能判定機関に求めることができる。

（**特殊の構造又は設備を用いる建築物の認定の申請**）

第一四条　法第十六条第一項の申請をしようとする者は、別記様式第二十二による申請書に第十八条第一項の評価書を添えて、これを国土交通大臣に提出しなければならない。

（**申請書の記載事項**）

第一五条　法第十六条第二項の国土交通省令で定める事項は、次に掲げるものとする。

一　法第十六条第一項の申請をしようとする者の氏名又は名称及び住所並びに法人にあっては、その代表者の氏名

二　特殊の構造又は設備を用いる建築物の名称及び所在地

三　特殊の構造又は設備を用いる建築物の概要

（**認定書の交付等**）

第一六条　国土交通大臣は、法第十六条第三項の認定をしたときは、別記様式第二十三による認定書を申請者に交付しなければならない。

2　国土交通大臣は、法第十六条第三項の認定をしないときは、別記様式第二十四による通知書を申請者に交付しなければならない。

（**評価の申請**）

第一七条　法第十七条第一項の評価（以下「評価」という。）の申請をしようとする者は、別記様式第二十五による申請書に次に掲げる書類を添えて、これを登録建築物エネルギー消費性能評価機関に提出しなければならない。

一　特殊の構造又は設備を用いる建築物の概要を記載した書類

二　前号に掲げるもののほか、平面図、立面図、断面図及び実験の結果その他の評価を実施するために必要な事項を記載した図書

（**評価書の交付等**）

第一八条　登録建築物エネルギー消費性能評価機関は、評価を行ったときは、別記様式第二十六による評価書（以下「評価書」という。）を申請者に交付しなければならない。

2　評価書の交付を受けた者は、評価書を滅失し、汚損し、又は破損したときは、評価書の再交付を申請することができる。

3　評価書の交付については、登録建築物エネルギー消費性能評価機関の使用に係る電子計算機と交付を受ける者の使用に係る電子計算機とを電気通信回線で接続した電子情報処理組織の使用又は磁気ディスクの交付によることができる。

（**特殊の構造又は設備を用いる建築物の認定の手数料**）

第一九条　法第十九条の規定による手数料の納付は、当該手数料の金額に相当する額の収入印紙をもって行うものとする。ただし、印紙をもって納め難い事由があるときは、現金をもってすることができる。

2　法第十九条の国土交通省令で定める手数料の額は、申請一件につき二万円とする。

第三章　建築物エネルギー消費性能向上計画の認定等

（**建築物エネルギー消費性能向上計画の認定の申請**）

第二〇条　法第二十九条第一項の規定により建築物エネルギー消費性能向上計画の認定の申請をしようとする者は、別記様式第二十七による申請書の正本及び副本に、それぞれ次の表の(い)項及び(ろ)項に掲げる図書（当該建築物エネルギー消費性能向上計画に住戸が含まれる場合においては、当該住戸については、同表の(ろ)項に掲げる図書に代えて同表の(は)項に掲げる図書）その他所管行政庁が必要と認める図書（法第十一条第一項の建築物エネルギー消費性能適合性判定を受けなければならない場合の正本に添える図書にあっては、当該図書の設計者の氏名の記載があるものに限る。）を添えて、これらを所管行政庁に提出しなければならない。

図書の種類		明示すべき事項
(い)		
設計内容説明書		建築物のエネルギー消費性能が法第三十条第一項第一号に掲げる基準に適合するものであることの説明
付近見取図		方位、道路及び目標となる地物
配置図		縮尺及び方位
		敷地境界線、敷地内における建築物の位置及び申請に係る建築物と他の建築物との別
		空気調和設備等及び空気調和設備等以外のエネルギー消費性能の一層の向上に資する建築設備（以下この表において「エネルギー消費性能向上設備」という。）の位置
仕様書（仕上げ表を含む。）		部材の種別及び寸法
		エネルギー消費性能向上設備の種別
各階平面図		縮尺及び方位
		間取り、各室の名称、用途及び寸法並びに天井の高さ
		壁の位置及び種類
		開口部の位置及び構造
		エネルギー消費性能向上設備の位置
床面積求積図		床面積の求積に必要な建築物の各部分の寸法及び算式
用途別床面積表		用途別の床面積
立面図		縮尺
		外壁及び開口部の位置
		エネルギー消費性能向上設備の位置
断面図又は矩計図		縮尺
		建築物の高さ
		外壁及び屋根の構造
		軒の高さ並びに軒及びひさしの出
		小屋裏の構造
		各階の天井の高さ及び構造
		床の高さ及び構造並びに床下及び基礎の構造
各部詳細図		縮尺
		外壁、開口部、床、屋根その他断熱性を有する部分の材料の種別及び寸法
各種計算書		建築物のエネルギー消費性能に係る計算その他の計算を要する場合における当該計算の内容
(ろ)		
機器表	空気調和設備	熱源機、ポンプ、空気調和機その他の機器の種別、仕様及び数
	空気調和設備以外の機械換気設備	給気機、排気機その他これらに類する設備の種別、仕様及び数
	照明設備	照明設備の種別、仕様及び数
	給湯設備	給湯器の種別、仕様及び数
		太陽熱を給湯に利用するための設備の種別、仕様及び数
		節湯器具の種別及び数
	空気調和設備等以外のエネルギー消費性能の一層の向上に資する建築設備	空気調和設備等以外のエネルギー消費性能の一層の向上に資する建築設備の種別、仕様及び数
仕様書	昇降機	昇降機の種別、数、積載量、定格速度及び速度制御方法

系統図	空気調和設備	空気調和設備の位置及び連結先
	空気調和設備以外の機械換気設備	空気調和設備以外の機械換気設備の位置及び連結先
	給湯設備	給湯設備の位置及び連結先
	空気調和設備等以外のエネルギー消費性能の一層の向上に資する建築設備	空気調和設備等以外のエネルギー消費性能の一層の向上に資する建築設備の位置及び連結先
各階平面図	空気調和設備	縮尺
		空気調和設備の有効範囲
		熱源機、ポンプ、空気調和機その他の機器の位置
	空気調和設備以外の機械換気設備	縮尺
		給気機、排気機その他これらに類する設備の位置
	照明設備	縮尺
		照明設備の位置
	給湯設備	縮尺
		給湯設備の位置
		配管に講じた保温のための措置
		節湯器具の位置
	昇降機	縮尺
		位置
	空気調和設備等以外のエネルギー消費性能の一層の向上に資する建築設備	縮尺
		位置
制御図	空気調和設備	空気調和設備の制御方法
	空気調和設備以外の機械換気設備	空気調和設備以外の機械換気設備の制御方法
	照明設備	照明設備の制御方法
	給湯設備	給湯設備の制御方法
	空気調和設備等以外のエネルギー消費性能の一層の向上に資する建築設備	空気調和設備等以外のエネルギー消費性能の一層の向上に資する建築設備の制御方法
(は)		
機器表	空気調和設備	空気調和設備の種別、位置、仕様、数及び制御方法
	空気調和設備以外の機械換気設備	空気調和設備以外の機械換気設備の種別、位置、仕様、数及び制御方法
	照明設備	照明設備の種別、位置、仕様、数及び制御方法
	給湯設備	給湯器の種別、位置、仕様、数及び制御方法
		太陽熱を給湯に利用するための設備の種別、位置、仕様、数及び制御方法
		節湯器具の種別、位置及び数
	空気調和設備等以外のエネルギー消費性能の一層の向上に資する建築設備	空気調和設備等以外のエネルギー消費性能の一層の向上に資する建築設備の種別、位置、仕様、数及び制御方法

2　前項の表の各項に掲げる図書に明示すべき事項を同項に規定する図書のうち他の図書に明示する場合には、同項の規定にかかわらず、当該事項を当該各項に掲げる図書に明示することを要しない。この場合において、当該各項に掲げる図書に明示すべき全ての事項を当該他の図書に明示したときは、当該各項に掲げる図書を同項の申請書に添えることを要しない。

3　第一項に規定する所管行政庁が必要と認める図書を添付する場合には、同項の規定にかかわらず、同項の表に掲げる図書のうち所管行政庁が不要と認めるものを同項の申請書に添えることを要しない。

（建築物エネルギー消費性能向上計画の記載事項）

第二一条　法第二十九条第二項第四号の国土交通省令で定める事項は、エネルギー消費性能の一層の向上のための建築物の新築等に関する工事の着手予定時期及び完了予定時期とする。

（熱源機器等）

第二二条　法第二十九条第三項の国土交通省令で定める機器は、次に掲げるものとする。

一　熱源機器

二　発電機

三　太陽光、風力その他の再生可能エネルギー源から熱又は電気を得るために用いられる機器

2　法第二十九条第三項の国土交通省令で定めるものは、次に掲げるものとする。

一　前項各号に掲げる機器のうち一の居室のみに係る空気調和設備等を構成するもの

二　前項各号に掲げる機器のうち申請建築物から他の建築物に供給される熱又は電気の供給量を超えない範囲内の供給量の熱又は電気を発生させ、これを供給するもの

（自他供給型熱源機器等の設置に関して建築物エネルギー消費性能向上計画に記載すべき事項等）

第二三条　法第二十九条第三項第三号の国土交通省令で定める事項は、申請建築物に設置される自他供給型熱源機器等から他の建築物に熱又は電気を供給するために必要な導管の配置の状況とする。

2　法第二十九条第三項の規定により同項各号に掲げる事項を記載した建築物エネルギー消費性能向上計画について同条第一項の規定により認定の申請をしようとする者は、第二十条第一項に規定する図書のほか、次に掲げる図書を添えて、これらを所管行政庁に提出しなければならない。

一　他の建築物に関する第二十条第一項の表に掲げる図書その他所管行政庁が必要と認める図書

二　申請建築物に設置される自他供給型熱源機器等から他の建築物に熱又は電気を供給するために必要な導管の配置の状況を記載した図面

三　申請建築物に設置される自他供給型熱源機器等から他の建築物に熱又は電気を供給することに関する当該他の建築物の建築主等の同意を証する書面

（建築物エネルギー消費性能向上計画の認定の通知）

第二四条　所管行政庁は、法第三十条第一項の認定をしたときは、速やかに、その旨（同条第五項の場合においては、同条第四項において準用する建築基準法第十八条第三項の規定による確認済証の交付を受けた旨を含む。）を申請者に通知するものとする。

2　前項の通知は、別記様式第二十八による通知書に第二十条第一項の申請書の副本（法第三十条第五項の場合にあっては、第二十条第一項の申請書の副本及び前項の確認済証に添えられた建築基準法施行規則（昭和二十五年建設省令第四十号）第一条の三の申請書の副本）及びその添付図書を添えて行うものとする。

（建築物エネルギー消費性能向上計画の軽微な変更）

第二五条　法第三十一条第一項の国土交通省令で定める軽微な変更は、次に掲げるものとする。

一　エネルギー消費性能の一層の向上のための建築物の新築等に関する工事の着手予定時期又は完了予定時期の六月以内の変更

二　前号に掲げるもののほか、建築物のエネルギー消費性能を一層向上させる変更その他の変更後も建築物エネルギー消費性能向上計画が法第三十条第一項各号に掲げる基準に適合することが明らかな変更（同条第二項の規定により建築基準関係規定に適合するかどうかの審査を受けるよう申し出た場合には、建築基準法第六条第一項（同法第八十七条第一項において準用する場合を含む。）に規定する軽微な変更であるものに限る。）

（建築物エネルギー消費性能向上計画の変更の認定の申請）

第二六条　法第三十一条第一項の変更の認定の申請をしようとする者は、別記様式第二十九による申請書の正本及び副本に、それぞれ第二十条第一項に規定する図書（法第二十九条第三項の規定により建築物エネルギー消費性能向上計画に同項各号に掲げる事項を記載した場合にあっては、第二十三条第二項各号に掲げる図書を含む。）のうち変更に係るものを添えて、これらを所管行政庁に提出しなければならない。この場合において、第二十条第一項の表中「法第三十条第一項第一号」とあるのは、「法第三十一条第二項において準用する法第三十条第一項第一号」とする。

（建築物エネルギー消費性能向上計画の変更の認定の通知）

第二七条　第二十四条の規定は、法第三十一条第一項の変更の認定について準用する。この場合において、第二十四条第一項中「同条第五項」とあるのは「法第三十一条第二項において準用する法第三十条第五項」と、「同条第四項」とあるのは「法第三十一条第二項において準用する法第三十条第四項」と、同条第二項中「別記様式第二十八」とあるのは「別記様式第三十」と、「法第三十条第五項」とあるのは「法第三十一条第二項において準用する法第三十条第五項」と読み替えるものとする。

（軽微な変更に関する証明書の交付）

第二八条　法第十一条第一項の建築物エネルギー消費性能適合性判定を受けなければならない建築物の建築に係る建築基準法第七条第五項、同法第七条の二第五項又は同法第十八条第十八項の規定による検査済証の交付を受けようとする者は、その計画の変更が第二十五条の軽微な変更に該当していることを証する書面の交付を所管行政庁に求めることができる。

第四章　登録建築物エネルギー消費性能判定機関等

第一節　登録建築物エネルギー消費性能判定機関

（登録建築物エネルギー消費性能判定機関に係る登録の申請）

第二九条　法第三十六条に規定する登録を受けようとする者は、別記様式第三十一による申請書に次に掲げる書類を添えて、これを国土交通大臣に提出しなければならない。

一　定款及び登記事項証明書

二　申請の日の属する事業年度の前事業年度における財産目録及び貸借対照表。ただし、申請の日の属する事業年度に設立された法人にあっては、その設立時における財産目録とする。

三　申請に係る意思の決定を証する書類

四　申請者（法人にあっては、その役員（持分会社（会社法（平成十七年法律第八十六号）第五百七十五条第一項に規定する持分会社をいう。）にあっては、業務を執行する社員。以下同じ。）の氏名及び略歴（申請者が建築物関連事業者（法第三十八条第一項第二号に規定する建築物関連事業者をいう。以下この号において同じ。）の役員又は職員（過去二年間に当該建築物関連事業者の役員又は職員であった者を含む。）である場合にあっては、その旨を含む。第六十条第四号において同じ。）を記載した書類

五　主要な株主の構成を記載した書類

六　組織及び運営に関する事項（判定の業務以外の業務を行っている場合にあっては、当該業務の種類及び概要を含む。）を記載した書類

七　申請者が法第三十七条第一号及び第二号に掲げる者に該当しない旨の市町村の長の証明書

八　申請者が法第三十七条第三号から第六号までに該当しない旨を誓約する書面

九　別記様式第三十二による判定の業務の計画棟数を記載した書類

十　判定の業務を行う部門の専任の管理者の氏名及び略歴を記載した書類

十一　適合性判定員となるべき者の氏名及び略歴を記載した書類並びに当該者が第三十六条各号のいずれかに該当する者であることを証する書類

十二　その他参考となる事項を記載した書類

（心身の故障により判定の業務を適正に行うことができない者）

第三〇条　法第三十七条第五号の国土交通省令で定める者は、精神の機能の障害により判定の業務を適正に行うに当たって必要な認知、判断及び意思疎通を適切に行うことができない者とする。

（登録建築物エネルギー消費性能判定機関登録簿の記載事項）

第三一条　法第三十八条第二項第五号の国土交通省令で定める事項は、次に

掲げるものとする。

一　登録建築物エネルギー消費性能判定機関が法人である場合は、役員の氏名

二　判定の業務を行う部門の専任の管理者の氏名

三　登録建築物エネルギー消費性能判定機関が判定の業務を行う区域

（公示事項）

第三十二条　法第三十九条第一項の国土交通省令で定める事項は、前条各号に掲げる事項とする。

（登録建築物エネルギー消費性能判定機関に係る事項の変更の届出）

第三十三条　登録建築物エネルギー消費性能判定機関は、法第三十九条第二項の規定により法第三十八条第二項第二号から第五号までに掲げる事項を変更しようとするときは、別記様式第三十三による届出書に第二十九条各号に掲げる書類のうち変更に係るものを添えて、これを国土交通大臣に提出しなければならない。同条第二号ただし書の規定は、この場合について準用する。

（登録建築物エネルギー消費性能判定機関に係る登録の更新）

第三十四条　登録建築物エネルギー消費性能判定機関は、法第四十条第一項の登録の更新を受けようとするときは、別記様式第三十四による申請書に第二十九条各号に掲げる書類を添えて、これを国土交通大臣に提出しなければならない。同条第二号ただし書の規定は、この場合について準用する。

2　第三十条及び第三十一条の規定は、登録建築物エネルギー消費性能判定機関が登録の更新を行う場合について準用する。

（承継の届出）

第三十五条　法第四十一条第二項の規定による登録建築物エネルギー消費性能判定機関の地位の承継の届出をしようとする者は、別記様式第三十五による届出書に次に掲げる書類を添えて、これを国土交通大臣に提出しなければならない。

一　法第四十一条第一項の規定により登録建築物エネルギー消費性能判定機関の事業の全部を譲り受けて登録建築物エネルギー消費性能判定機関の地位を承継した者にあっては、別記様式第三十六による事業譲渡証明書及び事業の全部の譲渡しがあったことを証する書面

二　法第四十一条第一項の規定により登録建築物エネルギー消費性能判定機関の地位を承継した相続人であって、二以上の相続人の全員の同意により選定された者にあっては、別記様式第三十七による事業相続同意証明書及び戸籍謄本

三　法第四十一条第一項の規定により登録建築物エネルギー消費性能判定機関の地位を承継した相続人であって、前号の相続人以外の者にあっては、別記様式第三十八による事業相続証明書及び戸籍謄本

四　法第四十一条第一項の規定により合併によって登録建築物エネルギー消費性能判定機関の地位を承継した法人にあっては、その法人の登記事項証明書

五　法第四十一条第一項の規定により分割によって登録建築物エネルギー消費性能判定機関の地位を承継した法人にあっては、別記様式第三十九による事業承継証明書、事業の全部の承継があったことを証する書面及びその法人の登記事項証明書

（適合性判定員の要件）

第三十六条　法第四十二条の国土交通省令で定める要件は、次の各号のいずれかに該当する者であることとする。

一　次の表の上欄に掲げる建築物エネルギー消費性能適合性判定を行う建築物の区分に応じ、それぞれ同表の下欄に掲げる者のいずれかに該当する者であり、かつ、適合性判定員に必要な建築に関する専門的知識及び技術を習得させるための講習であって、次条から第三十九条までの規定により国土交通大臣の登録を受けたもの（以下「登録適合性判定員講習」という。）を修了した者。ただし、住宅の品質確保の促進等に関する法律第十三条の評価員である者にあっては、住宅に限って建築物エネルギー消費性能適合性判定を行う場合は、登録適合性判定員講習を修了することを要しない。

建築物エネルギー消費性能適合性判定を行う建築物	適合性判定員
建築士法（昭和二十五年法律第二百二号）第三条第一項各号に掲げる建築物	一　建築基準法第五条第三項の一級建築基準適合判定資格者検定に合格した者で、同法第七十七条の五十八第一項に規定する業務に関して二年以上の実務の経験を有するもの 二　建築士法第二条第二項に規定する一級建築士 三　建築士法第二条第五項に規定する建築設備士 四　前三号に掲げる者と同等以上の知識及び経験を有する者
建築士法第三条の二第一項各号に掲げる建築物（前項の上欄に掲げる建築物を除く。）	一　前項の下欄に掲げる者 二　建築基準法第五条第四項の二級建築基準適合判定資格者検定に合格した者で、同法第七十七条の五十八第一項に規定する業務に関して二年以上の実務の経験を有するもの 三　建築士法第二条第三項に規定する二級建築士 四　前三号に掲げる者と同等以上の知識及び経験を有する者
前二項の上欄に掲げる建築物以外の建築物	一　前二項の下欄に掲げる者 二　建築士法第二条第四項に規定する木造建築士 三　前二号に掲げる者と同等以上の知識及び経験を有する者

二　前号に掲げる者のほか、国土交通大臣が定める者

（適合性判定員講習の登録の申請）

第三十七条　前条第一号の登録は、登録適合性判定員講習の実施に関する事務（以下「講習事務」という。）を行おうとする者の申請により行う。

2　前条第一号の登録を受けようとする者は、次に掲げる事項を記載した申請書を国土交通大臣に提出しなければならない。

一　前条第一号の登録を受けようとする者の氏名又は名称及び住所並びに法人にあっては、その代表者の氏名

二　講習事務を行おうとする事務所の名称及び所在地

三　講習事務を開始しようとする年月日

3　前項の申請書には、次に掲げる書類を添付しなければならない。

一　個人である場合においては、次に掲げる書類

イ　住民票の抄本若しくは個人番号カード（行政手続における特定の個人を識別するための番号の利用等に関する法律（平成二十五年法律第二十七号）第二条第七項に規定する個人番号カードをいう。）の写し又はこれらに類するものであって氏名及び住所を証明する書類

ロ　申請者の略歴（申請者が登録建築物エネルギー消費性能判定機関の役員又は職員（過去二年間に当該建築物エネルギー消費性能判定機関の役員又は職員であった者を含む。次号ニ並びに第三十九条第一項第三号ロ及びハにおいて同じ。）である場合にあっては、その旨を含む。）を記載した書類

二　法人である場合においては、次に掲げる書類

イ　定款及び登記事項証明書

ロ　株主名簿又は社員名簿の写し

ハ　申請に係る意思の決定を証する書類

ニ　役員の氏名及び略歴（役員が登録建築物エネルギー消費性能判定機関の役員又は職員である場合にあっては、その旨を含む。）を記載した書類

三　講師が第三十九条第一項第二号イ又はロのいずれかに該当する者であることを証する書類

四　登録適合性判定員講習の受講資格を記載した書類その他の講習事務の実施の方法に関する計画を記載した書類

五　講習事務以外の業務を行おうとするときは、その業務の種類及び概要を記載した書類

六　前条第一号の登録を受けようとする者が次条各号のいずれにも該当しない者であることを誓約する書面

七　その他参考となる事項を記載した書類

（欠格事項）

第三八条　次の各号のいずれかに該当する者が行う講習は、第三十六条第一号の登録を受けることができない。
一　法の規定により罰金以上の刑に処せられ、その執行を終わり、又は執行を受けることがなくなった日から起算して二年を経過しない者
二　第四十八条の規定により第三十六条第一号の登録を取り消され、その取消しの日から起算して二年を経過しない者
三　法人であって、講習事務を行う役員のうちに前二号のいずれかに該当する者があるもの

（登録の要件等）
第三九条　国土交通大臣は、第三十七条第一項の登録の申請が次に掲げる要件の全てに適合しているときは、その登録をしなければならない。
一　第四十一条第三号イからハまでに掲げる科目について講習が行われること。
二　次のいずれかに該当する者が講師として講習事務に従事するものであること。
イ　適合性判定員（第三十六条第一号の表の建築士法（昭和二十五年法律第二百二号）第三条第一項各号に掲げる建築物の項の下欄に掲げる者のいずれかに該当する者（登録適合性判定員講習を修了していない者を除く。）又は同条第二号に掲げる者に限る。）として三年以上の実務の経験を有する者
ロ　イに掲げる者と同等以上の知識及び経験を有する者
三　登録建築物エネルギー消費性能判定機関に支配されているものとして次のいずれかに該当するものでないこと。
イ　第三十七条第一項の規定により登録を申請した者（以下この号において「登録申請者」という。）が株式会社である場合にあっては、登録建築物エネルギー消費性能判定機関がその親法人（会社法第八百七十九条第一項に規定する親法人をいう。）であること。
ロ　登録申請者の役員に占める登録建築物エネルギー消費性能判定機関の役員又は職員の割合が二分の一を超えていること。
ハ　登録申請者（法人にあっては、その代表権を有する役員）が登録建築物エネルギー消費性能判定機関の役員又は職員であること。
2　第三十六条第一号の登録は、登録適合性判定員講習登録簿に次に掲げる事項を記載してするものとする。
一　登録年月日及び登録番号
二　講習事務を行う者（以下「講習実施機関」という。）の氏名又は名称及び住所並びに法人にあっては、その代表者の氏名
三　講習事務を行う事務所の名称及び所在地
四　講習事務を開始する年月日

（登録の更新）
第四〇条　第三十六条第一号の登録は、五年ごとにその更新を受けなければ、その期間の経過によって、その効力を失う。
2　前三条の規定は、前項の登録の更新の場合について準用する。

（講習事務の実施に係る義務）
第四一条　講習実施機関は、公正に、かつ、第三十九条第一項第一号及び第二号に掲げる要件並びに次に掲げる基準に適合する方法により講習事務を行わなければならない。
一　第三十六条第一号の表の下欄に掲げる者のいずれかに該当する者であることを受講資格とすること。
二　登録適合性判定員講習は、講義及び修了考査により行うこと。
三　講義は、次に掲げる科目についてそれぞれ次に定める時間以上行うこと。
イ　法の概要　六十分
ロ　建築物エネルギー消費性能適合性判定の方法　百五十分
ハ　例題演習　六十分
四　講義は、前号イからハまでに掲げる科目に応じ、国土交通大臣が定める事項を含む適切な内容の教材を用いて行うこと。
五　講師は、講義の内容に関する受講者の質問に対し、講義中に適切に応答すること。
六　修了考査は、講義の終了後に行い、適合性判定員に必要な建築に関する専門的知識及び技術を修得したかどうかを判定できるものであること。
七　登録適合性判定員講習を実施する日時、場所その他の登録適合性判定員講習の実施に関し必要な事項を公示すること。
八　不正な受講を防止するための措置を講じること。
九　終了した修了考査の問題及び当該修了考査の合格基準を公表すること。
十　修了考査に合格した者に対し、別記様式第四十による修了証明書（第四十三条第八号並びに第四十九条第一項第五号及び第四項第四号において「修了証明書」という。）を交付すること。

（登録事項の変更の届出）
第四二条　講習実施機関は、第三十九条第二項第二号から第四号までに掲げる事項を変更しようとするときは、変更しようとする日の二週間前までに、その旨を国土交通大臣に届け出なければならない。

（講習事務規程）
第四三条　講習実施機関は、次に掲げる事項を記載した講習事務に関する規程を定め、講習事務の開始前に、国土交通大臣に届け出なければならない。これを変更しようとするときも、同様とする。
一　講習事務を行う時間及び休日に関する事項
二　講習事務を行う事務所の所在地及び登録適合性判定員講習の実施場所に関する事項
三　登録適合性判定員講習の受講の申込みに関する事項
四　登録適合性判定員講習に関する料金及びその収納の方法に関する事項
五　登録適合性判定員講習の日程、公示方法その他の登録適合性判定員講習の実施の方法に関する事項
六　修了考査の問題の作成及び修了考査の合否判定の方法に関する事項
七　終了した登録適合性判定員講習の修了考査の問題及び当該修了考査の合格基準の公表に関する事項
八　修了証明書の交付及び再交付に関する事項
九　講習事務に関する秘密の保持に関する事項
十　財務諸表等（法第四十六条第一項に規定する財務諸表等をいう。以下同じ。）の備付け及び財務諸表等に係る第四十五条第二項各号の請求の受付に関する事項
十一　第四十九条第一項の帳簿その他の講習事務に関する書類の管理に関する事項
十二　講習事務に関する公正の確保に関する事項
十三　不正受講者の処分に関する事項
十四　その他講習事務に関し必要な事項

（講習事務の休廃止）
第四四条　講習実施機関は、講習事務の全部又は一部を休止し、又は廃止しようとするときは、あらかじめ、次に掲げる事項を記載した届出書を国土交通大臣に提出しなければならない。
一　休止し、又は廃止しようとする登録適合性判定員講習の範囲
二　休止し、又は廃止しようとする年月日及び休止しようとする場合にあっては、その期間
三　休止又は廃止の理由

（財務諸表等の備付け及び閲覧等）
第四五条　講習実施機関は、毎事業年度経過後三月以内に、その事業年度の財務諸表等を作成し、五年間事務所に備えて置かなければならない。
2　登録適合性判定員講習を受講しようとする者その他の利害関係人は、講習実施機関の業務時間内は、いつでも、次に掲げる請求をすることができる。ただし、第二号又は第四号の請求をするには、講習実施機関の定めた費用を支払わなければならない。
一　財務諸表等が書面をもって作成されているときは、当該書面の閲覧又は謄写の請求
二　前号の書面の謄本又は抄本の請求
三　財務諸表等が電磁的記録（法第四十六条第一項に規定する電磁的記録をいう。以下同じ。）をもって作成されているときは、当該電磁的記録に記録された事項を紙面又は出力装置の映像面に表示したものの閲覧又は謄写の請求
四　前号の電磁的記録に記録された事項を電磁的方法であって、次に掲げるもののうち講習実施機関が定めるものにより提供することの請求又は当該事項を記載した書面の交付の請求
イ　講習実施機関の使用に係る電子計算機と当該請求をした者（以下この条において「請求者」という。）の使用に係る電子計算機とを電気通信回線で接続した電子情報処理組織を使用する方法であって、当該電気通信回線を通じて情報が送信され、請求者の使用に係る電子計算

機に備えられたファイルに当該情報が記録されるもの
ロ　磁気ディスクをもって調製するファイルに情報を記録したものを請求者に交付する方法
3　前項第四号イ又はロに掲げる方法は、請求者がファイルへの記録を出力することによる書面を作成することができるものでなければならない。

（適合命令）
第四六条　国土交通大臣は、講習実施機関が第三十九条第一項各号のいずれかに適合しなくなったと認めるときは、その講習実施機関に対し、これらの規定に適合するため必要な措置をとるべきことを命ずることができる。

（改善命令）
第四七条　国土交通大臣は、講習実施機関が第四十一条の規定に違反していると認めるときは、その講習実施機関に対し、同条の規定による講習事務を行うべきこと又は講習事務の方法その他の業務の方法の改善に関し必要な措置をとるべきことを命ずることができる。

（登録の取消し等）
第四八条　国土交通大臣は、講習実施機関が次の各号のいずれかに該当するときは、当該講習実施機関に係る第三十六条第一項の登録を取り消し、又は期間を定めて講習事務の全部若しくは一部の停止を命ずることができる。
一　第三十八条第一号又は第三号に該当するに至ったとき。
二　第四十二条から第四十四条まで、第四十五条第一項又は次条の規定に違反したとき。
三　正当な理由がないのに第四十五条第二項各号の請求を拒んだとき。
四　前二条の規定による命令に違反したとき。
五　第五十条の規定による報告をせず、又は虚偽の報告をしたとき。
六　不正な手段により第三十六条第一号の登録を受けたとき。

（帳簿の備付け等）
第四九条　講習実施機関は、次に掲げる事項を記載した帳簿を備えなければならない。
一　登録適合性判定員講習の実施年月日
二　登録適合性判定員講習の実施場所
三　講義を行った講師の氏名並びに講義において担当した科目及びその時間
四　受講者の氏名、生年月日及び住所
五　登録適合性判定員講習を修了した者にあっては、前号に掲げる事項のほか、修了証明書の交付の年月日及び証明書番号
2　前項各号に掲げる事項が、電子計算機に備えられたファイル又は磁気ディスクに記録され、必要に応じ講習実施機関において電子計算機その他の機器を用いて明確に紙面に表示されるときは、当該記録をもって同項の帳簿への記載に代えることができる。
3　講習実施機関は、第一項の帳簿（前項の規定による記録が行われた同項のファイル又は磁気ディスクを含む。）を、講習事務の全部を廃止するまで保存しなければならない。
4　講習実施機関は、次に掲げる書類を備え、登録適合性判定員講習を実施した日から三年間保存しなければならない。
一　登録適合性判定員講習の受講申込書及びその添付書類
二　講義に用いた教材
三　終了した修了考査の問題及び答案用紙
四　修了証明書の写し

（報告の徴収）
第五〇条　国土交通大臣は、講習事務の適切な実施を確保するため必要があると認めるときは、講習実施機関に対し、講習事務の状況に関し必要な報告を求めることができる。

（公示）
第五一条　国土交通大臣は、次に掲げる場合には、その旨を公示しなければならない。
一　第三十六条第一号の登録をしたとき。
二　第四十二条の規定による届出があったとき。
三　第四十四条の規定による届出があったとき。
四　第四十八条の規定により第三十六条第一号の登録を取り消し、又は講習事務の停止を命じたとき。

（判定の業務の実施基準）
第五二条　法第四十四条第二項の国土交通省令で定める基準は、次に掲げるとおりとする。
一　建築物エネルギー消費性能適合性判定は、適合性判定員（第三十六条第一号に定める者にあっては、同号の表の上欄に掲げる建築物エネルギー消費性能適合性判定を行う建築物（登録適合性判定員講習を修了していない者にあっては、住宅に限る。）の区分に応じ、それぞれ同表の下欄に掲げる者のいずれかに該当する者に限る。）が、建築物エネルギー消費性能確保計画に関する書類をもって行うこと。
二　登録建築物エネルギー消費性能判定機関が建築物エネルギー消費性能確保計画の提出を自ら行った場合その他の場合であって、判定の業務の公正な実施に支障を及ぼすおそれがあるものとして国土交通大臣が定める場合においては、建築物エネルギー消費性能適合性判定を行わないこと。
三　判定の業務を行う部門の専任の管理者は、登録建築物エネルギー消費性能判定機関の役員又は当該部門を管理する上で必要な権限を有する者であること。
四　登録建築物エネルギー消費性能判定機関は、適合性判定員の資質の向上のために、その研修の機会を確保すること。
五　判定の業務に関し支払うことのある損害賠償のため保険契約を締結していること。

（判定業務規程）
第五三条　登録建築物エネルギー消費性能判定機関は、法第四十五条第一項の規定による判定業務規程の届出をしようとするときは、別記様式第四十一による届出書を国土交通大臣に提出しなければならない。
2　法第四十五条第二項の国土交通省令で定める事項は、次に掲げるものとする。
一　判定の業務を行う時間及び休日に関する事項
二　事務所の所在地及びその事務所が判定の業務を行う区域に関する事項
三　建築物エネルギー消費性能適合性判定を行う建築物エネルギー消費性能確保計画に係る建築物の区分その他判定の業務の範囲に関する事項
四　判定の業務の実施の方法に関する事項
五　判定の業務に関する料金及びその収納の方法に関する事項
六　適合性判定員の選任及び解任に関する事項
七　判定の業務に関する秘密の保持に関する事項
八　適合性判定員の配置及び教育に関する事項
九　判定の業務の実施及び管理の体制に関する事項
十　財務諸表等の備付け及び財務諸表等に係る法第四十六条第二項各号の請求の受付に関する事項
十一　法第四十七条第一項の帳簿その他の判定の業務に関する書類の管理に関する事項
十二　判定の業務に関する公正の確保に関する事項
十三　その他判定の業務の実施に関し必要な事項
3　登録建築物エネルギー消費性能判定機関は、法第四十五条第三項の規定による判定業務規程の変更の届出をしようとするときは、別記様式第四十二による届出書を国土交通大臣に提出しなければならない。
4　登録建築物エネルギー消費性能判定機関は、判定業務規程を判定の業務を行う全ての事務所で業務時間内に公衆に閲覧させるとともに、インターネットを利用して閲覧に供する方法により公表するものとする。

（電磁的記録に記録された事項を表示する方法）
第五四条　法第四十六条第二項第三号の国土交通省令で定める方法は、当該電磁的記録に記録された事項を紙面又は出力装置の映像面に表示する方法とする。

（電磁的記録に記録された事項を提供するための電磁的方法）
第五五条　法第四十六条第二項第四号の国土交通省令で定める電磁的方法は、次に掲げるもののうち、登録建築物エネルギー消費性能判定機関が定めるものとする。
一　登録建築物エネルギー消費性能判定機関の使用に係る電子計算機と法第四十六条第二項第四号に掲げる請求をした者（以下この条において「請求者」という。）の使用に係る電子計算機とを電気通信回線で接続した電子情報処理組織を使用する方法であって、当該電気通信回線を通じて情報が送信され、請求者の使用に係る電子計算機に備えられたファイルに当該情報が記録されるもの
二　磁気ディスクをもって調製するファイルに情報を記録したものを請求者に交付する方法

2　前項各号に掲げる方法は、請求者がファイルへの記録を出力することによる書面を作成できるものでなければならない。

（帳簿）

第五六条　法第四十七条第一項の判定の業務に関する事項で国土交通省令で定めるものは、次に掲げるものとする。

一　別記様式第一による計画書の第二面及び第三面、別記様式第二による計画書の第二面及び第三面、別記様式第十一による通知書の第二面及び第三面並びに別記様式第十二による通知書の第二面及び第三面に記載すべき事項

二　法第十四条第二項において読み替えて適用する法第十一条第一項又は第二項の規定による建築物エネルギー消費性能確保計画の提出を受けた年月日及び法第十四条第二項において読み替えて適用する法第十二条第二項又は第三項の規定による通知を受けた年月日

三　建築物エネルギー消費性能適合性判定を実施した適合性判定員の氏名

四　建築物エネルギー消費性能適合性判定の結果

五　建築物エネルギー消費性能適合性判定の結果を記載した通知書の番号及びこれを交付した年月日

六　判定の業務に関する料金の額

2　前項各号に掲げる事項が、電子計算機に備えられたファイル又は磁気ディスクに記録され、必要に応じ登録建築物エネルギー消費性能判定機関において電子計算機その他の機器を用いて明確に紙面に表示されるときは、当該記録をもって法第四十七条第一項の帳簿（次項及び第五十九条第一項第二号において「帳簿」という。）への記載に代えることができる。

3　登録建築物エネルギー消費性能判定機関は、帳簿（前項の規定による記録が行われた同項のファイル又は磁気ディスクを含む。第五十九条第一項第二号において同じ。）を、判定の業務の全部を廃止するまで保存しなければならない。

（書類の保存）

第五七条　法第四十七条第二項の判定の業務に関する書類で国土交通省令で定めるものは、第三条第一項及び第四条第一項（これらの規定を第九条第一項において読み替えて準用する場合を含む。）に規定する書類（第三条第四項後段又は第四条第二項後段（これらの規定を第九条第一項において読み替えて準用する場合を含む。）の規定により当該書類とみなされるものを含む。）とする。

2　前項の書類が、電子計算機に備えられたファイル又は磁気ディスクに記録され、必要に応じ登録建築物エネルギー消費性能判定機関において電子計算機その他の機器を用いて明確に紙面に表示されるときは、当該ファイル又は磁気ディスクをもって同項の書類に代えることができる。

3　登録建築物エネルギー消費性能判定機関は、第一項の書類（前項の規定による記録が行われた同項のファイル又は磁気ディスクを含む。第五十九条第一項第二号において「書類」という。）を、法第十四条第二項において読み替えて適用する法第十一条第三項又は法第十二条第四項の規定による通知書を交付した日から十五年間、保存しなければならない。

（判定の業務の休廃止の届出）

第五八条　登録建築物エネルギー消費性能判定機関は、法第五十一条第一項の規定により判定の業務の全部又は一部を休止し、又は廃止しようとするときは、別記様式第四十三による届出書を国土交通大臣に提出しなければならない。

（判定の業務の引継ぎ等）

第五九条　登録建築物エネルギー消費性能判定機関（国土交通大臣が法第五十二条第一項又は第二項の規定により登録建築物エネルギー消費性能判定機関の登録を取り消した場合にあっては、当該登録建築物エネルギー消費性能判定機関であった者。次項において同じ。）は、法第五十一条第一項の規定により判定の業務の全部を廃止したとき又は法第五十二条第一項又は第二項の規定により登録を取り消されたときは、次に掲げる事項を行わなければならない。

一　判定の業務を、その業務区域を所轄する所管行政庁（以下「所轄所管行政庁」という。）に引き継ぐこと。

二　帳簿を国土交通大臣に、書類を所轄所管行政庁に引き継ぐこと。

三　その他国土交通大臣又は所轄所管行政庁が必要と認める事項

2　登録建築物エネルギー消費性能判定機関は、前項第二号の規定により書類を引き継ごうとするときは、あらかじめ、引継ぎの方法、時期その他の事項について、所轄所管行政庁に協議しなければならない。

第二節　登録建築物エネルギー消費性能評価機関

（登録建築物エネルギー消費性能評価機関に係る登録の申請）

第六〇条　法第五十三条第一項に規定する登録を受けようとする者は、別記様式第四十四による申請書に次に掲げる書類を添えて、これを国土交通大臣に提出しなければならない。

一　定款及び登記事項証明書

二　申請の日の属する事業年度の前事業年度における財産目録及び貸借対照表。ただし、申請の日の属する事業年度に設立された法人にあっては、その設立時における財産目録とする。

三　申請に係る意思の決定を証する書類

四　申請者（法人にあっては、その役員）の氏名及び略歴を記載した書類

五　主要な株主の構成を記載した書類

六　組織及び運営に関する事項（法第十七条第一項の評価の業務以外の業務を行っている場合にあっては、当該業務の種類及び概要を含む。）を記載した書類

七　申請者が法第三十七条第一号及び第二号に掲げる者に該当しない旨の市町村の長の証明書

八　申請者が法第三十七条第三号及び法第五十四条第二号から第四号までに該当しない旨を誓約する書面

九　評価の業務を行う部門の専任の管理者の氏名及び略歴を記載した書類

十　評価員となるべき者の氏名及び略歴を記載した書類並びに当該者が法第五十六条各号のいずれかに該当する者であることを証する書類

十一　その他参考となる事項を記載した書類

（心身の故障により評価の業務を適正に行うことができない者）

第六一条　法第五十四条第三号の国土交通省令で定める者は、精神の機能の障害により評価の業務を適正に行うに当たって必要な認知、判断及び意思疎通を適切に行うことができない者とする。

（登録建築物エネルギー消費性能評価機関登録簿の記載事項）

第六二条　法第五十五条第二項第五号の国土交通省令で定める事項は、次に掲げるものとする。

一　登録建築物エネルギー消費性能評価機関が法人である場合は、役員の氏名

二　評価の業務を行う部門の専任の管理者の氏名

三　登録建築物エネルギー消費性能評価機関が評価の業務を行う区域

（公示事項）

第六三条　法第五十三条第二項において読み替えて準用する法第三十九条第一項の国土交通省令で定める事項は、前条各号に掲げる事項とする。

（登録建築物エネルギー消費性能評価機関に係る事項の変更の届出）

第六四条　登録建築物エネルギー消費性能評価機関は、法第五十三条第二項において読み替えて準用する法第三十九条第二項の規定により法第五十五条第二項第二号から第五号までに掲げる事項を変更しようとするときは、別記様式第四十五による届出書に第六十条各号に掲げる書類のうち変更に係るものを添えて、これを国土交通大臣に提出しなければならない。同条第二号ただし書の規定は、この場合について準用する。

（登録建築物エネルギー消費性能評価機関に係る登録の更新）

第六五条　登録建築物エネルギー消費性能評価機関は、法第五十三条第二項において準用する法第四十条第一項の登録の更新を受けようとするときは、別記様式第四十六による申請書に第六十条各号に掲げる書類を添えて、これを国土交通大臣に提出しなければならない。同条第二号ただし書の規定は、この場合について準用する。

2　第六十一条及び第六十二条の規定は、登録建築物エネルギー消費性能評価機関が登録の更新を行う場合について準用する。

（承継の届出）

第六六条　法第五十三条第二項において準用する法第四十一条第二項の規定による登録建築物エネルギー消費性能評価機関の地位の承継の届出をしようとする者は、別記様式第四十七による届出書に次に掲げる書類を添えて、これを国土交通大臣に提出しなければならない。

一　法第五十三条第二項において準用する法第四十一条第一項の規定により登録建築物エネルギー消費性能評価機関の事業の全部を譲り受けて登録建築物エネルギー消費性能評価機関の地位を承継した者にあっては、別記様式第四十八による事業譲渡証明書及び事業の全部の譲渡しがあっ

たことを証する書面
二　法第五十三条第二項において準用する法第四十一条第一項の規定により登録建築物エネルギー消費性能評価機関の地位を承継した相続人であって、二以上の相続人の全員の同意により選定された者にあっては、別記様式第四十九による事業相続同意証明書及び戸籍謄本
三　法第五十三条第二項において準用する法第四十一条第一項の規定により登録建築物エネルギー消費性能評価機関の地位を承継した相続人であって、前号の相続人以外の者にあっては、別記様式第五十による事業相続証明書及び戸籍謄本
四　法第五十三条第二項において準用する法第四十一条第一項の規定により合併によって登録建築物エネルギー消費性能評価機関の地位を承継した法人にあっては、その法人の登記事項証明書
五　法第五十三条第二項において準用する法第四十一条第一項の規定により分割によって登録建築物エネルギー消費性能評価機関の地位を承継した法人にあっては、別記様式第五十一による事業承継証明書、事業の全部の承継があったことを証する書面及びその法人の登記事項証明書

（評価の業務の実施基準）

第六七条　法第五十三条第二項において読み替えて準用する法第四十四条第二項の国土交通省令で定める基準は、次に掲げるとおりとする。
一　評価は、評価の申請に係る書類をもって行うこと。
二　登録建築物エネルギー消費性能評価機関が評価の申請を自ら行った場合その他の場合であって、評価の業務の公正な実施に支障を及ぼすおそれがあるものとして国土交通大臣が定める場合においては、評価を行わないこと。
三　評価の業務を行う部門の専任の管理者は、登録建築物エネルギー消費性能評価機関の役員又は当該部門を管理する上で必要な権限を有する者であること。
四　登録建築物エネルギー消費性能評価機関は、評価員の資質の向上のために、その研修の機会を確保すること。
五　評価の業務に関し支払うことのある損害賠償のため保険契約を締結していること。

（評価業務規程）

第六八条　登録建築物エネルギー消費性能評価機関は、法第五十三条第二項において読み替えて準用する法第四十五条第一項の規定による評価業務規程の届出をしようとするときは、別記様式第五十二による届出書を国土交通大臣に提出しなければならない。
2　法第五十三条第二項において読み替えて準用する法第四十五条第二項の国土交通省令で定める事項は、次に掲げるものとする。
一　評価の業務を行う時間及び休日に関する事項
二　事務所の所在地及びその事務所が評価の業務を行う区域に関する事項
三　評価を行う建築物の種類その他評価の業務の範囲に関する事項
四　評価の業務の実施の方法に関する事項
五　評価の業務に関する料金及びその収納の方法に関する事項
六　評価員の選任及び解任に関する事項
七　評価の業務に関する秘密の保持に関する事項
八　評価員の配置及び教育に関する事項
九　評価の業務の実施及び管理の体制に関する事項
十　財務諸表等の備付け及び財務諸表等に係る法第五十三条第二項において準用する法第四十六条第二項各号の請求の受付に関する事項
十一　法第五十三条第二項において読み替えて準用する法第四十七条第一項の帳簿その他の評価の業務に関する書類の管理に関する事項
十二　評価の業務に関する公正の確保に関する事項
十三　その他評価の業務の実施に関し必要な事項
3　登録建築物エネルギー消費性能評価機関は、法第五十三条第二項において読み替えて準用する法第四十五条第三項の規定による評価業務規程の変更の届出をしようとするときは、別記様式第五十三による届出書を国土交通大臣に提出しなければならない。
4　登録建築物エネルギー消費性能評価機関は、評価業務規程を評価の業務を行う全ての事務所で業務時間内に公衆に閲覧させるとともに、インターネットを利用して閲覧に供する方法により公表するものとする。

（電磁的記録に記録された事項を表示する方法）

第六九条　法第五十三条第二項において準用する法第四十六条第二項第三号の国土交通省令で定める方法は、当該電磁的記録に記録された事項を紙面又は出力装置の映像面に表示する方法とする。

（電磁的記録に記録された事項を提供するための電磁的方法）

第七〇条　法第五十三条第二項において準用する法第四十六条第二項第四号の国土交通省令で定める電磁的方法は、次に掲げるもののうち、登録建築物エネルギー消費性能評価機関が定めるものとする。
一　登録建築物エネルギー消費性能評価機関の使用に係る電子計算機と法第五十三条第二項において準用する法第四十六条第二項第四号に掲げる請求をした者（以下この条において「請求者」という。）の使用に係る電子計算機とを電気通信回線で接続した電子情報処理組織を使用する方法であって、当該電気通信回線を通じて情報が送信され、請求者の使用に係る電子計算機に備えられたファイルに当該情報が記録されるもの
二　磁気ディスクをもって調製するファイルに情報を記録したものを請求者に交付する方法
2　前項各号に掲げる方法は、請求者がファイルへの記録を出力することによる書面を作成できるものでなければならない。

（帳簿）

第七一条　法第五十三条第二項において読み替えて準用する法第四十七条第一項の評価の業務に関する事項で国土交通省令で定めるものは、次に掲げるものとする。
一　評価を申請した者の氏名又は名称及び住所並びに法人にあっては、その代表者の氏名
二　評価の申請に係る建築物の名称
三　評価の申請に係る建築物に用いる特殊な構造及び設備の概要
四　評価の申請を受けた年月日
五　評価を実施した評価員の氏名
六　評価の結果
七　評価書の番号及びこれを交付した年月日
八　評価の業務に関する料金の額
2　前項各号に掲げる事項が、電子計算機に備えられたファイル又は磁気ディスクに記録され、必要に応じ登録建築物エネルギー消費性能評価機関において電子計算機その他の機器を用いて明確に紙面に表示されるときは、当該記録をもって法第五十三条第二項において読み替えて準用する法第四十七条第一項の帳簿（次項及び第七十四条第二号において「帳簿」という。）への記載に代えることができる。
3　登録建築物エネルギー消費性能評価機関は、帳簿（前項の規定による記録が行われた同項のファイル又は磁気ディスクを含む。第七十四条第二号において同じ。）を、同号に掲げる行為が完了するまで保存しなければならない。

（書類の保存）

第七二条　法第五十三条第二項において読み替えて準用する法第四十七条第二項の評価の業務に関する書類で国土交通省令で定めるものは、第十七条の申請書及びその添付書類並びに評価書の写しその他の審査の結果を記載した書類とする。
2　前項の書類が、電子計算機に備えられたファイル又は磁気ディスクに記録され、必要に応じ登録建築物エネルギー消費性能評価機関において電子計算機その他の機器を用いて明確に紙面に表示されるときは、当該ファイル又は磁気ディスクをもって同項の書類に代えることができる。
3　登録建築物エネルギー消費性能評価機関は、第一項の書類（前項の規定による記録が行われた同項のファイル又は磁気ディスクを含む。第七十四条第二号において「書類」という。）を、同号に掲げる行為が完了するまで保存しなければならない。

（評価の業務の休廃止の届出）

第七三条　登録建築物エネルギー消費性能評価機関は、法第五十三条第二項において読み替えて準用する法第五十一条第一項の規定により評価の業務の全部又は一部を休止し、又は廃止しようとするときは、別記様式第五十四による届出書を国土交通大臣に提出しなければならない。

（評価の業務の引継ぎ）

第七四条　登録建築物エネルギー消費性能評価機関（国土交通大臣が法第五十七条第一項又は第二項の規定により登録建築物エネルギー消費性能評価機関の登録を取り消した場合にあっては、当該登録建築物エネルギー消費性能評価機関であった者）は、法第五十八条第三項に規定する場合には、次に掲げる事項を行わなければならない。
一　評価の業務を国土交通大臣に引き継ぐこと。

二　帳簿及び書類を国土交通大臣に引き継ぐこと。
三　その他国土交通大臣が必要と認める事項

（国土交通大臣が行う評価の手数料）

第七五条　法第五十九条の規定による手数料の納付は、当該手数料の金額に相当する額の収入印紙をもって行うものとする。ただし、印紙をもって納め難い事由があるときは、現金をもってすることができる。

2　法第五十九条の国土交通省令で定める手数料の額は、申請一件につき百六十四万円とする。ただし、既に法第五十八条第一項の国土交通大臣の評価を受けた特殊の構造又は設備を用いる建築物に係る軽微な変更があった場合において、当該軽微な変更後の特殊の構造又は設備を用いる建築物について評価を受けようとするときの手数料の額は、申請一件につき四十一万円とする。

第五章　建築物再生可能エネルギー利用促進区域における措置

（再生可能エネルギー利用設備）

第七六条　法第六十条第一項の国土交通省令で定める設備は、次に掲げるものとする。

一　次に掲げる再生可能エネルギー源を電気に変換する設備及びその付属設備
　イ　太陽光
　ロ　風力
　ハ　水力
　ニ　地熱
　ホ　バイオマス（動植物に由来する有機物であってエネルギー源として利用することができるもの（原油、石油ガス、可燃性天然ガス及び石炭並びにこれらから製造される製品を除く。）をいう。次号において同じ。）
二　次に掲げる再生可能エネルギー源を熱として利用するための設備又はバイオマスを熱源とする熱を利用するための設備
　イ　地熱
　ロ　太陽熱
　ハ　雪又は氷を熱源とする熱その他の自然界に存する熱（大気中の熱並びにイ及びロに掲げるものを除く。）

（建築物再生可能エネルギー利用促進区域内の建築物に設置することができる再生可能エネルギー利用設備に係る説明）

第七七条　法第六十三条第一項の規定により当該建築物に設置することができる再生可能エネルギー利用設備について説明を行おうとする建築士は、当該建築物の工事が着手される前に、当該説明を行わなければならない。

（書面の記載事項）

第七八条　法第六十三条第一項の国土交通省令で定める事項は、次に掲げるものとする。

一　法第六十三条第一項の規定による説明の年月日
二　説明の相手方の氏名又は名称及び法人にあっては、その代表者の氏名
三　当該建築物の所在地
四　当該建築物に設置することができる再生可能エネルギー利用設備の種類及び規模
五　当該建築物の建築に係る設計を行った建築士の氏名、その者の一級建築士、二級建築士又は木造建築士の別及びその者の登録番号
六　当該建築士の属する建築士事務所の名称及び所在地並びに当該建築士事務所の一級建築士事務所、二級建築士事務所又は木造建築士事務所の別

（説明を要しない旨の意思の表明）

第七九条　法第六十三条第二項の意思の表明（以下この条において「意思の表明」という。）は、当該建築物の建築に係る設計を行う建築士に次に掲げる事項を記載した書面を提出することによって行うものとする。

一　意思の表明の年月日
二　意思の表明を行った建築主の氏名又は名称及び法人にあっては、その代表者の氏名
三　法第六十三条第一項の規定による説明を要しない建築物の所在地
四　当該建築士の氏名、その者の一級建築士、二級建築士又は木造建築士の別及びその者の登録番号

（書面に記載すべき事項の電磁的方法による提供の承諾等）

第八〇条　建築士は、法第六十三条第三項の規定により同項に規定する事項を提供しようとするときは、あらかじめ、当該建築主に対し、その用いる次に掲げる電磁的方法（同項に規定する電磁的方法をいう。以下この条において同じ。）の種類及び内容を示し、書面又は電磁的方法による承諾を得なければならない。

一　次条第一項各号に掲げる方法のうち当該建築士が用いるもの
二　ファイルへの記録の方式

2　前項の規定による承諾を得た建築士は、当該建築主から書面又は電磁的方法により電磁的方法による提供を受けない旨の申出があったときは、当該建築主に対し、法第六十三条第三項に規定する事項の提供を電磁的方法によってしてはならない。ただし、当該建築主が再び前項の規定による承諾をした場合は、この限りでない。

（電磁的方法）

第八一条　法第六十三条第三項の国土交通省令で定める方法は、次に掲げる方法とする。

一　電子情報処理組織を使用する方法のうちイ又はロに掲げるもの
　イ　建築士の使用に係る電子計算機と建築主の使用に係る電子計算機とを接続する電気通信回線を通じて送信し、受信者の使用に係る電子計算機に備えられたファイルに記録する方法
　ロ　建築士の使用に係る電子計算機に備えられたファイルに記録された書面に記載すべき事項を電気通信回線を通じて建築主の閲覧に供し、当該建築主の使用に係る電子計算機に備えられたファイルに当該事項を記録する方法（法第六十三条第三項に規定する方法による提供を受ける旨の承諾又は受けない旨の申出をする場合にあっては、建築士の使用に係る電子計算機に備えられたファイルにその旨を記録する方法）
二　磁気ディスクをもって調製するファイルに書面に記載すべき事項を記録したものを交付する方法

2　前項各号に掲げる方法は、建築主がファイルへの記録を出力することにより書面を作成することができるものでなければならない。

3　第一項第一号の「電子情報処理組織」とは、建築士の使用に係る電子計算機と、建築主の使用に係る電子計算機とを電気通信回線で接続した電子情報処理組織をいう。

第六章　雑則

（磁気ディスクによる手続）

第八二条　次の各号に掲げる計画書、通知書若しくは申請書又はその添付図書のうち所管行政庁が認める書類については、当該書類に代えて、所管行政庁が定める方法により当該書類に明示すべき事項を記録した磁気ディスクであって、所管行政庁が定めるものによることができる。

一　別記様式第一又は別記様式第二による計画書
二　別記様式第十一又は別記様式第十二による通知書
三　別記様式第二十七による申請書
四　別記様式第二十九による申請書

2　次の各号に掲げる計画書若しくは通知書又はその添付図書のうち登録建築物エネルギー消費性能判定機関が認める書類については、当該書類に代えて、当該書類に明示すべき事項を記録した磁気ディスクの提出のうち登録建築物エネルギー消費性能判定機関が定めるものによることができる。

一　別記様式第一又は別記様式第二による計画書
二　別記様式第十一又は別記様式第十二による通知書

（権限の委任）

第八三条　法第六章第一節に規定する国土交通大臣の権限のうち、その判定の業務を一の地方整備局又は北海道開発局の管轄区域内のみにおいて行う登録建築物エネルギー消費性能判定機関に関するものは、当該地方整備局長及び北海道開発局長に委任する。ただし、法第四十五条第四項、法第四十八条、法第四十九条、法第五十条第一項及び法第五十二条に規定する権限については、国土交通大臣が自ら行うことを妨げない。

附　則

この省令は、法の施行の日（平成二十八年四月一日）から施行する。ただし、第十一条から第三十二条までの規定は、法附則第一条第二号に掲げる規定の施行の日から施行する。

附則〔略〕〔平成二八・一一・三〇国土交通省令八〇〕
附則〔略〕〔令和元・九・一三国土交通省令三四〕
附則〔略〕〔令和元・一一・七国土交通省令四三〕
附則〔略〕〔令和元・一二・一六国土交通省令四七〕
附則〔略〕〔令和二・九・四国土交通省令七五〕
附則〔略〕〔令和二・一二・二三国土交通省令九八〕
附則〔略〕〔令和三・八・三一国土交通省令五三〕
附則〔略〕〔令和三・一〇・二二国土交通省令六八〕
附則〔略〕〔令和四・九・一六国土交通省令六七〕
附則〔略〕〔令和四・一一・七国土交通省令七八〕
附則〔略〕〔令和四・一二・二三国土交通省令九二〕
附則〔略〕〔令和五・九・二五国土交通省令七五〕
附則〔略〕〔令和六・一・二九国土交通省令五施行〕
附則〔略〕〔令和六・三・八国土交通省令一八〕
附則〔略〕〔令和六・三・二九国土交通省令二六〕
附則〔抄〕〔令和六・六・二八国土交通省令六八〕

（施行期日）

第一条　この省令は、脱炭素社会の実現に資するための建築物のエネルギー消費性能の向上に関する法律等の一部を改正する法律（附則第五条第三項において「改正法」という。）の施行の日（令和七年四月一日）から施行する。ただし、次の各号に掲げる規定は、当該各号に定める日から施行する。

一　第一条〔中略〕の規定　公布の日

二　〔略〕

（建築物のエネルギー消費性能の向上等に関する法律施行規則の一部改正に伴う経過措置）

第二条　この省令の施行の際現にある第一条及び第二条の規定による改正前の様式による用紙は、当分の間、これを取り繕って使用することができる。

別記様式　〔略〕

○建築物エネルギー消費性能基準等を定める省令

〔平成二八・一・二九　経済産業・国土交通省令一〕

改正　平成二八・一二経産・国交令五、令和元・一一経産・国交令三、令和二・九経産・国交令二、令和四・八経産・国交令一、一一経産・国交令二、一二経産・国交令三、令和五・三経産・国交令一、九経産・国交令二

注　┆　┆の部分は、令和六年六月二八日経済産業省・国土交通省令第一号により改正され、令和七年四月一日から施行

目次

第一章　建築物エネルギー消費性能基準（第一条―第七条）
第二章　特定一戸建て住宅建築主等の新築する分譲型一戸建て規格住宅等のエネルギー消費性能の一層の向上のために必要な住宅の構造及び設備に関する基準（第八条・第九条）
第二章の二　特定一戸建て住宅建設工事業者等の新たに建設する請負型一戸建て規格住宅等のエネルギー消費性能の一層の向上のために必要な住宅の構造及び設備に関する基準（第九条の二・第九条の三）
第三章　建築物エネルギー消費性能誘導基準（第十条―第十六条）
附則

第一章　建築物エネルギー消費性能基準

（建築物エネルギー消費性能基準）

第一条　建築物のエネルギー消費性能の向上等に関する法律（平成二十七年法律第五十三号。以下「法」という。）第二条第一項第三号の経済産業省令・国土交通省令で定める基準は、次の各号に掲げる建築物の区分に応じ、それぞれ当該各号に定める基準とする。

一　非住宅部分（法第十一条第一項に規定する非住宅部分をいう。以下同じ。）を有する建築物（複合建築物（非住宅部分及び住宅部分（同項に規定する住宅部分をいう。以下同じ。）を有する建築物をいう。以下同じ。）を除く。第十条第一号において「非住宅建築物」という。）　次のイ又はロのいずれかに適合するものであること。ただし、国土交通大臣がエネルギー消費性能を適切に評価できる方法と認める方法によって非住宅部分が備えるべきエネルギー消費性能を有することが確かめられた場合においては、この限りでない。

イ　非住宅部分の設計一次エネルギー消費量（実際の設計仕様の条件を基に算定した一次エネルギー消費量（一年間に消費するエネルギー（エネルギーの使用の合理化及び非化石エネルギーへの転換等に関する法律（昭和五十四年法律第四十九号）第二条第一項に規定するエネルギーをいう。以下同じ。）の量を熱量に換算したものをいう。以下同じ。）であって、建築物のエネルギー消費性能が建築物エネルギー消費性能基準に適合するかどうかの判定に用いるものをいう。以下同じ。）が、非住宅部分の基準一次エネルギー消費量（床面積、設備等の条件により定まる基準となる一次エネルギー消費量をいう。以下同じ。）を超えないこと。ただし、非住宅部分を二以上の用途に供する場合にあっては、各用途に供する当該非住宅部分ごとに算出した設計一次エネルギー消費量を合計した数値が、各用途に供する当該非住宅部分ごとに算出した基準一次エネルギー消費量を合計した数値を超えないこと。

ロ　非住宅部分の用途と同一の用途の一次エネルギー消費量モデル建築物（国土交通大臣が用途に応じて一次エネルギー消費量の算出に用いるべき標準的な建築物であると認めるものをいう。以下同じ。）の設計一次エネルギー消費量が、当該一次エネルギー消費量モデル建築物の基準一次エネルギー消費量を超えないこと。ただし、非住宅部分を二以上の用途に供する場合にあっては、当該非住宅部分の各用途と同一の用途の一次エネルギー消費量モデル建築物ごとに算出した設計一次エネルギー消費量を合計した数値が、当該非住宅部分の各用途と同一の用途の一次エネルギー消費量モデル建築物ごとに算出した基準一次エネルギー消費量を合計した数値を超えないこと。

二　住宅部分を有する建築物（複合建築物を除く。以下「住宅」という。）　次のイ及びロに適合するものであること。ただし、国土交通大臣がエネルギー消費性能を適切に評価できる方法と認める方法によって住宅部分が備えるべきエネルギー消費性能を有することが確かめられた場合においては、この限りでない。

イ　次の(1)から(3)までのいずれかに適合すること。

(1)　国土交通大臣が定める方法により算出した単位住戸（住宅部分の一の住戸をいう。以下同じ。）の外皮平均熱貫流率（単位住戸の内外の温度差一度当たりの総熱損失量（換気による熱損失量を除く。）を外皮（外気等（外気又は外気に通じる床裏、小屋裏、天井裏その他これらに類する建築物の部分をいう。）に接する天井（小屋裏又は天井裏が外気に通じていない場合にあっては、屋根）、壁、床及び開口部並びに当該単位住戸以外の建築物の部分に接する部分をいう。以下(1)において同じ。）の面積で除した数値をいう。以下同じ。）及び冷房期（一年間のうち一日の最高気温が二十三度以上となる全ての期間をいう。以下同じ。）の平均日射熱取得率（日射量に対する室内に侵入する日射量の割合を外皮の面積により加重平均した数値をいう。以下同じ。）が、次の表の上欄に掲げる地域の区分に応じ、それぞれ同表の中欄及び下欄に掲げる数値以下であること。

地域の区分	外皮平均熱貫流率（単位　一平方メートル一度につきワット）	冷房期の平均日射熱取得率
一	〇・四六	―
二	〇・四六	―
三	〇・五六	―
四	〇・七五	―
五	〇・八七	三・〇
六	〇・八七	二・八
七	〇・八七	二・七
八	―	六・七

(2)　(1)の国土交通大臣が定める方法により算出した外皮性能モデル住宅（国土交通大臣が構造に応じて外皮平均熱貫流率及び冷房期の平均日射熱取得率の算出に用いるべき標準的な住宅であると認めるものをいう。）の単位住戸の外皮平均熱貫流率及び冷房期の平均日射熱取得率が、(1)の表の上欄に掲げる地域の区分に応じ、それぞれ同表の中欄及び下欄に掲げる数値以下であること。

(3)　住宅部分が外壁、窓等を通しての熱の損失の防止に関する国土交通大臣が定める基準に適合すること。

ロ　次の(1)から(3)までのいずれかに適合すること。

(1)　住宅部分の設計一次エネルギー消費量が、住宅部分の基準一次エネルギー消費量を超えないこと。

(2)　住宅部分の一次エネルギー消費量モデル住宅（国土交通大臣が設備に応じて住宅部分の一次エネルギー消費量の算出に用いるべき標準的な住宅であると認めるものをいう。以下同じ。）の設計一次エネルギー消費量が、当該一次エネルギー消費量モデル住宅の基準一次エネルギー消費量を超えないこと。

(3)　住宅部分が一次エネルギー消費量に関する国土交通大臣が定める基準に適合すること。

三　複合建築物　次のイ又はロのいずれか（法第十一条第一項に規定する特定建築行為（法附則第三条第一項に規定する特定増改築を除く。）に係る建築物にあっては、イ）に適合するものであること。

イ　非住宅部分が第一号に定める基準に適合し、かつ、住宅部分が前号に定める基準に適合すること。

ロ　次の(1)及び(2)に適合すること。

(1)　複合建築物の設計一次エネルギー消費量が、複合建築物の基準一次エネルギー消費量を超えないこと。

(2)　住宅部分が前号イ(1)に適合すること。

2　前項第二号イ(1)の地域の区分は、国土交通大臣が別に定めるものとする。

第一条　建築物のエネルギー消費性能の向上等に関する法律（平成二十七年法律第五十三号。以下「法」という。）第二条第一項第三号の経済産業省令・国土交通省令で定める基準は、次の各号に掲げる建築物の区分に応じ、それぞれ当該各号に定める基準とする。

一　非住宅部分（住宅部分以外の建築物の部分をいう。以下同じ。）を有する建築物（複合建築物（非住宅部分及び住宅部分を有する建築物をいう。以下同じ。）を除く。第十条第一号において「非住宅建築物」という。）　次のイ又はロのいずれかに適合するものであること。ただし、国土交通大臣がエネルギー消費性能を適切に評価できる方法と認める方法によって非住宅部分（増築又は改築をする場合にあっては、当該増築又は改築をする非住宅部分。以下この号において同じ。）が備えるべきエネルギー消費性能を有することが確かめられた場合においては、この限りでない。

イ　非住宅部分の設計一次エネルギー消費量（実際の設計仕様の条件を基に算定した一次エネルギー消費量（一年間に消費するエネルギー（エネルギーの使用の合理化及び非化石エネルギーへの転換等に関する法律（昭和五十四年法律第四十九号）第二条第一項に規定するエネルギーをいう。以下同じ。）の量を熱量に換算したものをいう。以下同じ。）であって、建築物（増築又は改築をする場合にあっては、当該増築又は改築をする建築物の部分）のエネルギー消費性能が建築物エネルギー消費性能基準に適合するかどうかの判定に用いるものをいう。以下同じ。）が、非住宅部分の基準一次エネルギー消費量（床面積、設備等の条件により定まる基準となる一次エネルギー消費量をいう。以下同じ。）を超えないこと。ただし、非住宅部分を二以上の用途に供する場合にあっては、各用途に供する当該非住宅部分ごとに算出した設計一次エネルギー消費量を合計した数値が、各用途に供する当該非住宅部分ごとに算出した基準一次エネルギー消費量を合計した数値を超えないこと。

ロ　非住宅部分の用途と同一の用途の一次エネルギー消費量モデル建築物（国土交通大臣が用途に応じて一次エネルギー消費量の算出に用いるべき標準的な建築物であると認めるものをいい、非住宅部分の増築又は改築をする場合にあっては、当該増築又は改築をする非住宅部分と同一の部分に限る。以下このロにおいて同じ。）の設計一次エネルギー消費量が、当該一次エネルギー消費量モデル建築物の基準一次エネルギー消費量を超えないこと。ただし、非住宅部分を二以上の用途に供する場合にあっては、当該非住宅部分の各用途と同一の用途の一次エネルギー消費量モデル建築物ごとに算出した設計一次エネルギー消費量を合計した数値が、当該非住宅部分の各用途と同一の用途の一次エネルギー消費量モデル建築物ごとに算出した基準一次エネルギー消費量を合計した数値を超えないこと。

二　住宅部分を有する建築物（複合建築物を除く。以下「住宅」という。）　次のイ及びロに適合するものであること。ただし、国土交通大臣がエネルギー消費性能を適切に評価できる方法と認める方法によって住宅部分（増築又は改築をする場合にあっては、当該増築又は改築をする住宅部分。イ(2)及びロにおいて同じ。）が備えるべきエネルギー消費性能を有することが確かめられた場合においては、この限りでない。

イ　次の(1)又は(2)のいずれか（住宅部分の増築又は改築をする場合にあっては、(2)）に適合すること。ただし、地域の気候及び風土に応じた住宅であることにより(1)及び(2)に適合させることが困難なものとして国土交通大臣が定める基準に適合するものについては、この限りではない。

(1)　〔略〕

(2)　住宅部分が外壁、窓等を通しての熱の損失の防止に関する国土交通大臣が定める基準に適合すること。

ロ　次の(1)又は(2)のいずれかに適合すること。

(1)　〔略〕

(2)　住宅部分が一次エネルギー消費量に関する国土交通大臣が定める基準に適合すること。

三　複合建築物　次のイ又はロのいずれか（複合建築物の増築又は改築をする場合にあっては、イ）に適合するものであること。ただし、国土交通大臣がエネルギー消費性能を適切に評価できる方法と認める方法によって複合建築物（増築又は改築をする場合にあっては、当該増築又は改築をする複合建築物の部分）が備えるべきエネルギー消費性能を有することが確かめられた場合においては、この限りでない。

イ・ロ　〔略〕

2　前項の住宅部分（以下「住宅部分」という。）は、次に掲げる建築物の部分とする。

一　居間、食事室、寝室その他の居住のために継続的に使用する室（当該室との間に区画となる間仕切壁又は戸（ふすま、障子その他これらに類するものを除く。）がなく当該室と一体とみなされる台所、洗面所、物置その他これらに類する建築物の部分を含む。）

二　台所、浴室、便所、洗面所、廊下、玄関、階段、物置その他これらに類する建築物の部分であって、居住者の専用に供するもの（前号に規定する台所、洗面所、物置その他これらに類する建築物の部分を除く。）

三　集会室、娯楽室、浴室、便所、洗面所、廊下、玄関、階段、昇降機、倉庫、自動車車庫、自転車駐車場、管理人室、機械室その他これらに類する建築物の部分であって、居住者の共用に供するもの（居住者以外の者が主として利用していると認められるものとして国土交通大臣が定めるものを除く。）

3　第一項第二号イ(1)の地域の区分は、国土交通大臣が別に定めるものとする。

（非住宅部分に係る設計一次エネルギー消費量）

第二条　前条第一項第一号イの非住宅部分の設計一次エネルギー消費量及び同号ロの一次エネルギー消費量モデル建築物の設計一次エネルギー消費量は、次の式により算出した数値（その数値に小数点以下一位未満の端数があるときは、これを切り上げる。）とする。

$$E_T = (E_{AC} + E_V + E_L + E_W + E_{EV} - E_S + E_M) \times 10^{-3}$$

この式において、E_T、E_{AC}、E_V、E_L、E_W、E_{EV}、E_S及びE_Mは、それぞれ次の数値を表すものとする。

E_T　設計一次エネルギー消費量（単位　一年につきギガジュール）

E_{AC}　空気調和設備の設計一次エネルギー消費量（単位　一年につきメガジュール）

E_V　空気調和設備以外の機械換気設備の設計一次エネルギー消費量（単位　一年につきメガジュール）

E_L　照明設備の設計一次エネルギー消費量（単位　一年につきメガジュール）

E_W　給湯設備の設計一次エネルギー消費量（単位　一年につきメガジュール）

E_{EV}　昇降機の設計一次エネルギー消費量（単位　一年につきメガジュール）

E_S　エネルギーの効率的利用を図ることのできる設備（以下「エネルギー利用効率化設備」という。）による設計一次エネルギー消費量の削減量（単位　一年につきメガジュール）

E_M　その他一次エネルギー消費量（単位　一年につきメガジュール）

2　前項の空気調和設備の設計一次エネルギー消費量、空気調和設備以外の機械換気設備の設計一次エネルギー消費量、照明設備の設計一次エネルギー消費量、給湯設備の設計一次エネルギー消費量、昇降機の設計一次エネルギー消費量、エネルギー利用効率化設備による設計一次エネルギー消費量の削減量及びその他一次エネルギー消費量は、国土交通大臣が定める方法により算出するものとする。

（非住宅部分に係る基準一次エネルギー消費量）

第三条　第一条第一項第一号イの非住宅部分の基準一次エネルギー消費量及び同号ロの一次エネルギー消費量モデル建築物の基準一次エネルギー消費量は、次の式により算出した数値（その数値に小数点以下一位未満の端数があるときは、これを切り上げる。）とする。

$$E_{ST} = \{(E_{SAC} + E_{SV} + E_{SL} + E_{SW} + E_{SEV}) \times B + E_M\} \times 10^{-3}$$

この式において、E_{ST}、E_{SAC}、E_{SV}、E_{SL}、E_{SW}、E_{SEV}、B及びE_Mは、それぞれ次の数値を表すものとする。

E_{ST}　基準一次エネルギー消費量（単位　一年につきギガジュール）

E_{SAC}　空気調和設備の基準一次エネルギー消費量（単位　一年につきメガジュール）

E_{SV}　空気調和設備以外の機械換気設備の基準一次エネルギー消費量（単位　一年につきメガジュール）

E_{SL}　照明設備の基準一次エネルギー消費量（単位　一年につきメガジュール）

E_{SW}　給湯設備の基準一次エネルギー消費量（単位　一年につきメガジュール）

E_{SEV}　昇降機の基準一次エネルギー消費量（単位　一年につきメガジュール）

B　規模及び用途に応じて別表第一に掲げる非住宅部分の基準一次エネルギー消費量の水準を示す係数

E_M　その他一次エネルギー消費量（単位　一年につきメガジュール）

2　前項の空気調和設備の基準一次エネルギー消費量、空気調和設備以外の機械換気設備の基準一次エネルギー消費量、照明設備の基準一次エネルギー消費量、給湯設備の基準一次エネルギー消費量、昇降機の基準一次エネルギー消費量及びその他一次エネルギー消費量は、国土交通大臣が定める方法により算出するものとする。

（住宅部分の設計一次エネルギー消費量）

第四条　第一条第一項第二号ロ(1)の住宅部分の設計一次エネルギー消費量（住宅部分の単位住戸の数が一である場合に限る。）及び同号ロ(2)の一次エネルギー消費量モデル住宅の設計一次エネルギー消費量（住宅部分の単位住戸の数が一である場合に限る。）並びに第三項各号の単位住戸の設計一次エネルギー消費量は、次の式により算出した数値（その数値に小数点以下一位未満の端数があるときは、これを切り上げる。）とする。

第四条　第一条第一項第二号ロ(1)の住宅部分の設計一次エネルギー消費量（住宅部分の単位住戸の数が一である場合に限る。）及び第三項各号の単位住戸の設計一次エネルギー消費量は、次の式により算出した数値（その数値に小数点以下一位未満の端数があるときは、これを切り上げる。）とする。

$$E_T = (E_H + E_C + E_V + E_L + E_W - E_S + E_M) \times 10^{-3}$$

この式において、E_T、E_H、E_C、E_V、E_L、E_W、E_S及びE_Mは、それぞれ次の数値を表すものとする。

E_T　設計一次エネルギー消費量（単位　一年につきギガジュール）

E_H　暖房設備の設計一次エネルギー消費量（単位　一年につきメガジュール）

E_C　冷房設備の設計一次エネルギー消費量（単位　一年につきメガジュール）

E_V　機械換気設備の設計一次エネルギー消費量（単位　一年につきメガジュール）

E_L　照明設備の設計一次エネルギー消費量（単位　一年につきメガジュール）

E_W　給湯設備（排熱利用設備を含む。次項において同じ。）の設計一次エネルギー消費量（単位　一年につきメガジュール）

E_S　エネルギー利用効率化設備による設計一次エネルギー消費量の削減量（単位　一年につきメガジュール）

E_M　その他一次エネルギー消費量（単位　一年につきメガジュール）

2　前項の暖房設備の設計一次エネルギー消費量、冷房設備の設計一次エネルギー消費量、機械換気設備の設計一次エネルギー消費量、照明設備の設計一次エネルギー消費量、給湯設備の設計一次エネルギー消費量、エネルギー利用効率化設備による設計一次エネルギー消費量の削減量及びその他一次エネルギー消費量は、国土交通大臣が定める方法により算出するものとする。

3　第一条第一項第二号ロ(1)の住宅部分の設計一次エネルギー消費量（住宅部分の単位住戸の数が一である場合を除く。以下この項において同じ。）及び同号ロ(2)の一次エネルギー消費量モデル住宅の設計一次エネルギー消費量は、次の各号のいずれかの数値とする。

3　第一条第一項第二号ロ(1)の住宅部分の設計一次エネルギー消費量（住宅部分の単位住戸の数が一である場合を除く。以下この項において同じ。）は、次の各号のいずれかの数値とする。

一　単位住戸の設計一次エネルギー消費量の合計と共用部分（住宅部分のうち単位住戸以外の部分をいう。以下同じ。）の設計一次エネルギー消費量とを合計した数値

二　単位住戸の設計一次エネルギー消費量を合計した数値

4　第二条第一項及び第二項の規定は、前項第一号の共用部分の設計一次エネルギー消費量について準用する。

（住宅部分の基準一次エネルギー消費量）

第五条　第一条第一項第二号ロ(1)の住宅部分の基準一次エネルギー消費量（住宅部分の単位住戸の数が一である場合に限る。）及び同号ロ(2)の一次エネルギー消費量モデル住宅の基準一次エネルギー消費量（住宅部分の単位住戸の数が一である場合に限る。）並びに第三項各号の単位住戸の基準一次エネルギー消費量は、次の式により算出した数値（その数値に小数点以下一位未満の端数があるときは、これを切り上げる。）とする。

第五条　第一条第一項第二号ロ(1)の住宅部分の基準一次エネルギー消費量（住宅部分の単位住戸の数が一である場合に限る。）及び第三項各号の単位住戸の基準一次エネルギー消費量は、次の式により算出した数値（その数値に小数点以下一位未満の端数があるときは、これを切り上げる。）とする。

$$E_{ST}=(E_{SH}+E_{SC}+E_{SV}+E_{SL}+E_{SW}+E_{M})\times 10^{-3}$$

この式において、E_{ST}、E_{SH}、E_{SC}、E_{SV}、E_{SL}、E_{SW}及びE_{M}は、それぞれ次の数値を表すものとする。

E_{ST}　基準一次エネルギー消費量（単位　一年につきギガジュール）

E_{SH}　暖房設備の基準一次エネルギー消費量（単位　一年につきメガジュール）

E_{SC}　冷房設備の基準一次エネルギー消費量（単位　一年につきメガジュール）

E_{SV}　機械換気設備の基準一次エネルギー消費量（単位　一年につきメガジュール）

E_{SL}　照明設備の基準一次エネルギー消費量（単位　一年につきメガジュール）

E_{SW}　給湯設備の基準一次エネルギー消費量（単位　一年につきメガジュール）

E_{M}　その他一次エネルギー消費量（単位　一年につきメガジュール）

2　前項の暖房設備の基準一次エネルギー消費量、冷房設備の基準一次エネルギー消費量、機械換気設備の基準一次エネルギー消費量、照明設備の基準一次エネルギー消費量、給湯設備の基準一次エネルギー消費量及びその他一次エネルギー消費量は、国土交通大臣が定める方法により算出するものとする。

3　第一条第一項第二号ロ(1)の住宅部分の基準一次エネルギー消費量（住宅部分の単位住戸の数が一である場合を除く。以下この項において同じ。）及び同号ロ(2)の一次エネルギー消費量モデル住宅の基準一次エネルギー消費量は、次の各号に掲げる住宅の区分に応じ、それぞれ当該各号に定めるとおりとする。

3　第一条第一項第二号ロ(1)の住宅部分の基準一次エネルギー消費量（住宅部分の単位住戸の数が一である場合を除く。以下この項において同じ。）は、次の各号に掲げる住宅の区分に応じ、それぞれ当該各号に定めるとおりとする。

一　住宅部分の設計一次エネルギー消費量を前条第三項第一号の数値とした住宅　単位住戸の基準一次エネルギー消費量の合計と共用部分の基準一次エネルギー消費量とを合計した数値

二　住宅部分の設計一次エネルギー消費量を前条第三項第二号の数値とした住宅　単位住戸の基準一次エネルギー消費量と前項第一号の共用部分の基準一次エネルギー消費量を合計した数値

4　第三条第一項及び第二項の規定は、前項第一号の共用部分の基準一次エネルギー消費量について準用する。

（複合建築物の設計一次エネルギー消費量）

第六条　第一条第一項第三号ロ(1)の複合建築物の設計一次エネルギー消費量は、第二条第一項の規定により算出した非住宅部分の設計一次エネルギー消費量と第四条第一項又は第三項の規定により算出した住宅部分の設計一次エネルギー消費量とを合計した数値とする。

（複合建築物の基準一次エネルギー消費量）

第七条　第一条第一項第三号ロ(1)の複合建築物の基準一次エネルギー消費量は、第三条第一項の規定により算出した非住宅部分の基準一次エネルギー消費量と第五条第一項又は第三項の規定により算出した住宅部分の基準一次エネルギー消費量とを合計した数値とする。

第二章　特定一戸建て住宅建築主等の新築する分譲型一戸建て規格住宅等のエネルギー消費性能の一層の向上のために必要な住宅の構造及び設備に関する基準

（特定一戸建て住宅建築主等の新築する分譲型一戸建て規格住宅等のエネルギー消費性能の一層の向上のために必要な住宅の構造及び設備に関する基準）

第八条　特定一戸建て住宅建築主の新築する分譲型一戸建て規格住宅に係る法第二十九条第一項の経済産業省令・国土交通省令で定める基準は、次の各号に定める基準とする。ただし、国土交通大臣がエネルギー消費性能を適切に評価できる方法と認める方法によって特定一戸建て住宅建築主の新築する分譲型一戸建て規格住宅が備えるべきエネルギー消費性能を有することが確かめられた場合においては、この限りでない。

第八条　特定一戸建て住宅建築主の新築する分譲型一戸建て規格住宅に係る法第二十二条第一項の経済産業省令・国土交通省令で定める基準は、次の各号に定める基準とする。ただし、国土交通大臣がエネルギー消費性能を適切に評価できる方法と認める方法によって特定一戸建て住宅建築主の新築する分譲型一戸建て規格住宅が備えるべきエネルギー消費性能を有することが確かめられた場合においては、この限りでない。

一　特定一戸建て住宅建築主が令和二年度以降に新築する分譲型一戸建て規格住宅が、第一条第一項第二号イ(1)に適合するものであること。

二　特定一戸建て住宅建築主が令和二年度以降の各年度に新築する分譲型一戸建て規格住宅に係る第一条第一項第二号ロ(1)の住宅部分の設計一次エネルギー消費量の合計が、当該年度に新築する分譲型一戸建て規格住宅の特定一戸建て住宅建築主基準一次エネルギー消費量（床面積、設備等の条件により定まる特定一戸建て住宅建築主の新築する分譲型一戸建て規格住宅に係る基準となる一次エネルギー消費量をいう。次条第一項において同じ。）の合計を超えないこと。

2　特定共同住宅等建築主の新築する分譲型規格共同住宅等に係る法第二十九条第一項の経済産業省令・国土交通省令で定める基準は、次の各号に定める基準とする。ただし、国土交通大臣がエネルギー消費性能を適切に評価できる方法と認める方法によって特定共同住宅等建築主の新築する分譲型規格共同住宅等が備えるべきエネルギー消費性能を有することが確かめられた場合においては、この限りでない。

2　特定共同住宅等建築主の新築する分譲型規格共同住宅等に係る法第二十二条第一項の経済産業省令・国土交通省令で定める基準は、次の各号に定める基準とする。ただし、国土交通大臣がエネルギー消費性能を適切に評価できる方法と認める方法によって特定共同住宅等建築主の新築する分譲型規格共同住宅等が備えるべきエネルギー消費性能を有することが確かめられた場合においては、この限りでない。

一　特定共同住宅等建築主が令和八年度以降に新築する分譲型規格共同住宅等が、第十条第二号イ(1)に適合するものであること。

二　特定共同住宅等建築主が令和八年度以降の各年度に新築する分譲型規格共同住宅等に係る第一条第一項第二号ロ(1)の住宅部分の設計一次エネルギー消費量の合計が、当該年度に新築する分譲型規格共同住宅等の特定共同住宅等建築主基準一次エネルギー消費量（床面積、設備等の条件により定まる特定共同住宅等建築主の新築する分譲型規格共同住宅等に係る基準となる一次エネルギー消費量をいう。以下同じ。）の合計を超えないこと。

（特定一戸建て住宅建築主基準一次エネルギー消費量等）

第九条　前条第一項第二号の特定一戸建て住宅建築主基準一次エネルギー消費量は、次の式により算出した数値（その数値に小数点以下一位未満の端数があるときは、これを切り上げる。第三項において同じ。）とする。

$$E_{ST}=\{(E_{SH}+E_{SC}+E_{SV}+E_{SL}+E_{SW})\times 0.85+E_{M}\}\times 10^{-3}$$

本条において、E_{ST}、E_{SH}、E_{SC}、E_{SV}、E_{SL}、E_{SW}及びE_{M}は、それぞれ次の数値を表すものとする。

E_{ST}　特定一戸建て住宅建築主基準一次エネルギー消費量（特定共同住宅等建築主基準一次エネルギー消費量を算出する場合にあっては、特定共同住宅等建築主基準一次エネルギー消費量）（単位　一年につきギガジュール）

E_{SH}　第五条第一項の暖房設備の基準一次エネルギー消費量（単位　一年につきメガジュール）

E_{SC}　第五条第一項の冷房設備の基準一次エネルギー消費量（単位　一年につきメガジュール）

E_{SV}　第五条第一項の機械換気設備の基準一次エネルギー消費量（単位　一年につきメガジュール）

E_{SL}　第五条第一項の照明設備の基準一次エネルギー消費量（単位　一年につきメガジュール）
E_{SW}　第五条第一項の給湯設備の基準一次エネルギー消費量（単位　一年につきメガジュール）
E_{M}　第五条第一項のその他一次エネルギー消費量（単位　一年につきメガジュール）

2　前条第二項第二号の特定共同住宅等建築主基準一次エネルギー消費量は、次の各号に掲げる長屋又は共同住宅（以下「共同住宅等」という。）の区分に応じ、それぞれ当該各号に定めるとおりとする。

一　住宅部分の設計一次エネルギー消費量を第四条第三項第一号の数値とした共同住宅等　単位住戸の特定共同住宅等建築主基準一次エネルギー消費量の合計と共用部分の特定共同住宅等建築主基準一次エネルギー消費量とを合計した数値

二　住宅部分の設計一次エネルギー消費量を第四条第三項第二号の数値とした共同住宅等　単位住戸の特定共同住宅等建築主基準一次エネルギー消費量を合計した数値

3　前項第一号及び第二号の単位住戸の特定共同住宅等建築主基準一次エネルギー消費量は、次の式により算出した数値とする。

$E_{ST}=\{(E_{SH}+E_{SC}+E_{SV}+E_{SL}+E_{SW})\times0.8+E_{M}\}\times10^{-3}$

4　第三条第一項及び第二項の規定は、第二項第一号の共用部分の特定共同住宅等建築主基準一次エネルギー消費量について準用する。この場合において、同条第一項中「$E_{ST}=\{(E_{SAC}+E_{SV}+E_{SL}+E_{SW}+E_{SEV})\times B+E_{M}\}\times10^{-3}$」とあるのは「$E_{ST}=\{(E_{SAC}+E_{SV}+E_{SL}+E_{SW}+E_{SEV})\times0.8+E_{M}\}\times10^{-3}$」とする。

第二章の二　特定一戸建て住宅建設工事業者等の新たに建設する請負型一戸建て規格住宅等のエネルギー消費性能の一層の向上のために必要な住宅の構造及び設備に関する基準

（特定一戸建て住宅建設工事業者等の新たに建設する請負型一戸建て規格住宅等のエネルギー消費性能の一層の向上のために必要な住宅の構造及び設備に関する基準）

第九条の二　特定一戸建て住宅建設工事業者の新たに建設する請負型一戸建て規格住宅に係る法第三十二条第一項の経済産業省令・国土交通省令で定める基準は、次の各号に定める基準とする。ただし、国土交通大臣がエネルギー消費性能を適切に評価できる方法と認める方法によって特定一戸建て住宅建設工事業者の新たに建設する請負型一戸建て規格住宅が備えるべきエネルギー消費性能を有することが確かめられた場合においては、この限りでない。

> **第九条の二**　特定一戸建て住宅建設工事業者の新たに建設する請負型一戸建て規格住宅に係る法第二十五条第一項の経済産業省令・国土交通省令で定める基準は、次の各号に定める基準とする。ただし、国土交通大臣がエネルギー消費性能を適切に評価できる方法と認める方法によって特定一戸建て住宅建設工事業者の新たに建設する請負型一戸建て規格住宅が備えるべきエネルギー消費性能を有することが確かめられた場合においては、この限りでない。

一　特定一戸建て住宅建設工事業者が令和六年度以降に新たに建設する請負型一戸建て規格住宅が、第一条第一項第二号イ(1)に適合するものであること。

二　特定一戸建て住宅建設工事業者が令和六年度以降の各年度に新たに建設する請負型一戸建て規格住宅に係る第一条第一項第二号ロ(1)の住宅部分の設計一次エネルギー消費量の合計が、当該年度に新たに建設する請負型一戸建て規格住宅の特定一戸建て住宅建設工事業者基準一次エネルギー消費量（床面積、設備等の条件により定まる特定一戸建て住宅建設工事業者の新たに建設する請負型一戸建て規格住宅に係る基準となる一次エネルギー消費量をいう。次条第一項において同じ。）の合計を超えないこと。

2　特定共同住宅等建設工事業者の新たに建設する請負型規格共同住宅等に係る法第三十二条第一項の経済産業省令・国土交通省令で定める基準は、次の各号に定める基準とする。ただし、国土交通大臣がエネルギー消費性能を適切に評価できる方法と認める方法によって特定共同住宅等建設工事業者の新たに建設する請負型規格共同住宅等が備えるべきエネルギー消費性能を有することが確かめられた場合においては、この限りでない。

> 2　特定共同住宅等建設工事業者の新たに建設する請負型規格共同住宅等に係る法第二十五条第一項の経済産業省令・国土交通省令で定める基準は、次の各号に定める基準とする。ただし、国土交通大臣がエネルギー消費性能を適切に評価できる方法と認める方法によって特定共同住宅等建設工事業者の新たに建設する請負型規格共同住宅等が備えるべきエネルギー消費性能を有することが確かめられた場合においては、この限りでない。

一　特定共同住宅等建設工事業者が令和六年度以降に新たに建設する請負型規格共同住宅等が、第一条第一項第二号イ(1)に適合するものであること。

二　特定共同住宅等建設工事業者が令和六年度以降の各年度に新たに建設する請負型規格共同住宅等に係る第一条第一項第二号ロ(1)の住宅部分の設計一次エネルギー消費量の合計が、当該年度に新たに建設する請負型規格共同住宅等の特定共同住宅等建設工事業者基準一次エネルギー消費量（床面積、設備等の条件により定まる特定共同住宅等建設工事業者の新たに建設する請負型規格共同住宅等に係る基準となる一次エネルギー消費量をいう。以下同じ。）の合計を超えないこと。

（特定一戸建て住宅建設工事業者基準一次エネルギー消費量等）

第九条の三　前条第一項第二号の特定一戸建て住宅建設工事業者基準一次エネルギー消費量は、次の各号に掲げる住宅の区分に応じ、それぞれ当該各号に定めるとおりとする。

一　請負型一戸建て規格住宅（次号に掲げるものを除く。）　次の式により算出した数値（その数値に小数点以下一位未満の端数があるときは、これを切り上げる。次号及び第三項において同じ。）

$E_{ST}=\{(E_{SH}+E_{SC}+E_{SV}+E_{SL}+E_{SW})\times0.8+E_{M}\}\times10^{-3}$

本条において、E_{ST}、E_{SH}、E_{SC}、E_{SV}、E_{SL}、E_{SW}及びE_{M}は、それぞれ次の数値を表すものとする。

E_{ST}　特定一戸建て住宅建設工事業者基準一次エネルギー消費量（特定共同住宅等建設工事業者基準一次エネルギー消費量を算出する場合にあっては、特定共同住宅等建設工事業者基準一次エネルギー消費量）（単位　一年につきギガジュール）
E_{SH}　第五条第一項の暖房設備の基準一次エネルギー消費量（単位　一年につきメガジュール）
E_{SC}　第五条第一項の冷房設備の基準一次エネルギー消費量（単位　一年につきメガジュール）
E_{SV}　第五条第一項の機械換気設備の基準一次エネルギー消費量（単位　一年につきメガジュール）
E_{SL}　第五条第一項の照明設備の基準一次エネルギー消費量（単位　一年につきメガジュール）
E_{SW}　第五条第一項の給湯設備の基準一次エネルギー消費量（単位　一年につきメガジュール）
E_{M}　第五条第一項のその他一次エネルギー消費量（単位　一年につきメガジュール）

二　特定一戸建て住宅建設工事業者が経済産業大臣及び国土交通大臣が定める年度以降に新たに建設する請負型一戸建て規格住宅　次の式により算出した数値

$E_{ST}=\{(E_{SH}+E_{SC}+E_{SV}+E_{SL}+E_{SW})\times0.75+E_{M}\}\times10^{-3}$

2　前条第二項第二号の特定共同住宅等建設工事業者基準一次エネルギー消費量は、次の各号に掲げる共同住宅等の区分に応じ、それぞれ当該各号に定めるとおりとする。

一　住宅部分の設計一次エネルギー消費量を第四条第三項第一号の数値とした共同住宅等　単位住戸の特定共同住宅等建設工事業者基準一次エネルギー消費量の合計と共用部分の特定共同住宅等建設工事業者基準一次エネルギー消費量とを合計した数値

二　住宅部分の設計一次エネルギー消費量を第四条第三項第二号の数値とした共同住宅等　単位住戸の特定共同住宅等建設工事業者基準一次エネルギー消費量を合計した数値

3 前項第一号及び第二号の単位住戸の特定共同住宅等建設工事業者基準一次エネルギー消費量は、次の式により算出した数値とする。

$$E_{ST}=\{(E_{SH}+E_{SC}+E_{SV}+E_{SL}+E_{SW})\times 0.9+E_{M}\}\times 10^{-3}$$

4 第三条第一項及び第二項の規定は、第二項第一号の共用部分の特定共同住宅等建設工事業者基準一次エネルギー消費量について準用する。この場合において、同条第一項中「$E_{ST}=\{(E_{SAC}+E_{SV}+E_{SL}+E_{SW}+E_{SEV})\times B+E_{M}\}\times 10^{-3}$」とあるのは「$E_{ST}=\{(E_{SAC}+E_{SV}+E_{SL}+E_{SW}+E_{SEV})\times 0.9+E_{M}\}\times 10^{-3}$」とする。

第三章　建築物エネルギー消費性能誘導基準

（建築物エネルギー消費性能誘導基準）

第一〇条 法第三十五条第一項第一号の経済産業省令・国土交通省令で定める基準は、次の各号に掲げる建築物の区分に応じ、それぞれ当該各号に定める基準とする。

> **第一〇条** 法第三十条第一項第一号の経済産業省令・国土交通省令で定める基準は、次の各号に掲げる建築物の区分に応じ、それぞれ当該各号に定める基準とする。

一 非住宅建築物 次のイ及びロ（非住宅部分の全部を工場、畜舎、自動車車庫、自転車駐車場、倉庫、観覧場、卸売市場、火葬場その他エネルギーの使用の状況に関してこれらに類するもの（イ(1)、別表第一及び別表第三において「工場等」という。）の用途に供する場合にあっては、ロ）に適合するものであること。ただし、国土交通大臣がエネルギー消費性能を適切に評価できる方法と認める方法によって非住宅部分が建築物のエネルギー消費性能の一層の向上の促進のために誘導すべきエネルギー消費性能を有することが確かめられた場合においては、この限りでない。

イ 次の(1)又は(2)のいずれかに適合すること。

(1) 国土交通大臣が定める方法により算出した非住宅部分（工場等の用途に供する部分を除く。以下(1)及び(2)において同じ。）の屋内周囲空間（各階の外気に接する壁の中心線から水平距離が五メートル以内の屋内の空間、屋根の直下階の屋内の空間及び外気に接する床の直上の屋内の空間をいう。以下(1)及び(2)において同じ。）の年間熱負荷（一年間の暖房負荷及び冷房負荷の合計をいう。以下(1)及び(2)において同じ。）を屋内周囲空間の床面積の合計で除した数値が、用途及び第一条第一項第二号イ(1)の地域の区分（以下単に「地域の区分」という。）に応じて別表第二に掲げる数値以下であること。ただし、非住宅部分を二以上の用途に供する場合にあっては、当該非住宅部分の各用途の屋内周囲空間の年間熱負荷の合計を各用途の屋内周囲空間の床面積の合計で除して得た数値が、用途及び地域の区分に応じた別表第二に掲げる数値を各用途の屋内周囲空間の床面積により加重平均した数値以下であること。

(2) 非住宅部分の形状に応じた年間熱負荷モデル建築物（非住宅部分の形状を単純化した建築物であって、屋内周囲空間の年間熱負荷の算出に用いるべきものとして国土交通大臣が認めるものをいう。以下(2)において同じ。）について、国土交通大臣が定める方法により算出した屋内周囲空間の年間熱負荷を屋内周囲空間の床面積の合計で除した数値が、用途及び地域の区分に応じて別表第二に掲げる数値以下であること。ただし、非住宅部分を二以上の用途に供する場合にあっては、当該非住宅部分に係る年間熱負荷モデル建築物の各用途の屋内周囲空間の年間熱負荷の合計を各用途の屋内周囲空間の床面積の合計で除して得た数値が、用途及び地域の区分に応じた別表第二に掲げる数値を各用途の屋内周囲空間の床面積により加重平均した数値以下であること。

ロ 次の(1)又は(2)のいずれかに適合すること。

(1) 非住宅部分の誘導設計一次エネルギー消費量（実際の設計仕様の条件を基に算定した一次エネルギー消費量であって、建築物のエネルギー消費性能が建築物エネルギー消費性能誘導基準に適合するかどうかの審査に用いるものをいう。以下同じ。）が、非住宅部分の誘導基準一次エネルギー消費量（床面積、設備等の条件により定まる建築物エネルギー消費性能誘導基準となる一次エネルギー消費量をいう。以下同じ。）を超えないこと。ただし、非住宅部分を二以上の用途に供する場合にあっては、各用途に供する当該非住宅部分ごとに算出した誘導設計一次エネルギー消費量を合計した数値が、各用途に供する当該非住宅部分ごとに算出した誘導基準一次エネルギー消費量を合計した数値を超えないこと。

(2) 非住宅部分の用途と同一の用途の一次エネルギー消費量モデル建築物の誘導設計一次エネルギー消費量が、当該一次エネルギー消費量モデル建築物の誘導基準一次エネルギー消費量を超えないこと。ただし、非住宅部分を二以上の用途に供する場合にあっては、当該非住宅部分の各用途と同一の用途の一次エネルギー消費量モデル建築物ごとに算出した誘導設計一次エネルギー消費量を合計した数値が、当該非住宅部分の各用途と同一の用途の一次エネルギー消費量モデル建築物ごとに算出した誘導基準一次エネルギー消費量を合計した数値を超えないこと。

二 住宅 次のイ及びロに適合するものであること。ただし、国土交通大臣がエネルギー消費性能を適切に評価できる方法と認める方法によって住宅部分が建築物のエネルギー消費性能の一層の向上の促進のために誘導すべきエネルギー消費性能を有することが確かめられた場合においては、この限りでない。

イ 次の(1)又は(2)のいずれかに適合すること。

(1) 第一条第一項第二号イ(1)の国土交通大臣が定める方法により算出した単位住戸の外皮平均熱貫流率及び冷房期の平均日射熱取得率が、次の表の上欄に掲げる地域の区分に応じ、それぞれ同表の中欄及び下欄に掲げる数値以下であること。

地域の区分	外皮平均熱貫流率（単位　一平方メートル一度につきワット）	冷房期の平均日射熱取得率
一	〇・四〇	—
二	〇・四〇	—
三	〇・五〇	—
四	〇・六〇	—
五	〇・六〇	三・〇
六	〇・六〇	二・八
七	〇・六〇	二・七
八	—	六・七

(2) 住宅部分が外壁、窓等を通しての熱の損失の防止に関する国土交通大臣が定める基準に適合すること。

ロ 次の(1)又は(2)のいずれかに適合すること。

(1) 住宅部分の誘導設計一次エネルギー消費量が、住宅部分の誘導基準一次エネルギー消費量を超えないこと。

(2) 住宅部分が一次エネルギー消費量に関する国土交通大臣が定める基準に適合すること。

三 複合建築物 次のイ又はロのいずれかに適合するものであること。

イ 非住宅部分が第一号に定める基準に適合し、かつ、住宅部分が前号に定める基準に適合すること。

ロ 次の(1)から(3)までに適合すること。

(1) 非住宅部分が第一条第一項第一号イに定める基準に適合し、かつ、住宅部分が同項第二号ロ(1)に適合すること。

(2) 複合建築物の誘導設計一次エネルギー消費量が、複合建築物の誘導基準一次エネルギー消費量を超えないこと。

(3) 非住宅部分が第一号イに定める基準に適合し、かつ、住宅部分が前号イに適合すること。

（非住宅部分に係る誘導設計一次エネルギー消費量）

第一一条 前条第一号ロ(1)の非住宅部分の誘導設計一次エネルギー消費量及び同号ロ(2)の一次エネルギー消費量モデル建築物の誘導設計一次エネルギー消費量は、次の式により算出した数値（その数値に小数点以下一位未満の端数があるときは、これを切り上げる。）とする。

$$E_{T}=(E_{AC}+E_{V}+E_{L}+E_{W}+E_{EV}-E_{S}+E_{M})\times10^{-3}$$

この式において、E_{T}、E_{AC}、E_{V}、E_{L}、E_{W}、E_{EV}、E_{S}及びE_{M}は、それぞれ次の数値を表すものとする。

E_{T}　誘導設計一次エネルギー消費量（単位　一年につきギガジュール）

E_{AC}　第二条第一項の空気調和設備の設計一次エネルギー消費量（単位　一年につきメガジュール）

E_{V}　第二条第一項の空気調和設備以外の機械換気設備の設計一次エネルギー消費量（単位　一年につきメガジュール）

E_{L}　第二条第一項の照明設備の設計一次エネルギー消費量（単位　一年につきメガジュール）

E_{W}　第二条第一項の給湯設備の設計一次エネルギー消費量（単位　一年につきメガジュール）

E_{EV}　第二条第一項の昇降機の設計一次エネルギー消費量（単位　一年につきメガジュール）

E_{S}　エネルギー利用効率化設備（コージェネレーション設備に限る。次項並びに第十三条第一項及び第二項において同じ。）による誘導設計一次エネルギー消費量の削減量（単位　一年につきメガジュール）

E_{M}　第二条第一項のその他一次エネルギー消費量（単位　一年につきメガジュール）

2　前項のエネルギー利用効率化設備による誘導設計一次エネルギー消費量の削減量は、国土交通大臣が定める方法により算出するものとする。

（非住宅部分に係る誘導基準一次エネルギー消費量）

第一二条　第十条第一号ロ(1)の非住宅部分の誘導基準一次エネルギー消費量及び同号ロ(2)の一次エネルギー消費量モデル建築物の誘導基準一次エネルギー消費量は、次の式により算出した数値（その数値に小数点以下一位未満の端数があるときは、これを切り上げる。）とする。

$$E_{ST}=\{(E_{SAC}+E_{SV}+E_{SL}+E_{SW}+E_{SEV})\times B+E_{M}\}\times10^{-3}$$

この式において、E_{ST}、E_{SAC}、E_{SV}、E_{SL}、E_{SW}、E_{SEV}、B及びE_{M}はそれぞれ次の数値を表すものとする。

E_{ST}　誘導基準一次エネルギー消費量（単位　一年につきギガジュール）

E_{SAC}　第三条第一項の空気調和設備の基準一次エネルギー消費量（単位　一年につきメガジュール）

E_{SV}　第三条第一項の空気調和設備以外の機械換気設備の基準一次エネルギー消費量（単位　一年につきメガジュール）

E_{SL}　第三条第一項の照明設備の基準一次エネルギー消費量（単位　一年につきメガジュール）

E_{SW}　第三条第一項の給湯設備の基準一次エネルギー消費量（単位　一年につきメガジュール）

E_{SEV}　第三条第一項の昇降機の基準一次エネルギー消費量（単位　一年につきメガジュール）

B　用途に応じて別表第三に掲げる非住宅部分の誘導基準一次エネルギー消費量の水準を示す係数

E_{M}　第三条第一項のその他一次エネルギー消費量（単位　一年につきメガジュール）

（住宅部分の誘導設計一次エネルギー消費量）

第一三条　第十条第二号ロ(1)の住宅部分の誘導設計一次エネルギー消費量（住宅部分の単位住戸の数が一である場合に限る。）及び第三項各号の単位住戸の誘導設計一次エネルギー消費量は、次の式により算出した数値（その数値に小数点以下一位未満の端数があるときは、これを切り上げる。）とする。

$$E_{T}=(E_{H}+E_{C}+E_{V}+E_{L}+E_{W}-E_{S}+E_{M})\times10^{-3}$$

この式において、E_{T}、E_{H}、E_{C}、E_{V}、E_{L}、E_{W}、E_{S}及びE_{M}は、それぞれ次の数値を表すものとする。

E_{T}　誘導設計一次エネルギー消費量（単位　一年につきギガジュール）

E_{H}　第四条第一項の暖房設備の設計一次エネルギー消費量（単位　一年につきメガジュール）

E_{C}　第四条第一項の冷房設備の設計一次エネルギー消費量（単位　一年につきメガジュール）

E_{V}　第四条第一項の機械換気設備の設計一次エネルギー消費量（単位　一年につきメガジュール）

E_{L}　第四条第一項の照明設備の設計一次エネルギー消費量（単位　一年につきメガジュール）

E_{W}　第四条第一項の給湯設備の設計一次エネルギー消費量（単位　一年につきメガジュール）

E_{S}　エネルギー利用効率化設備による誘導設計一次エネルギー消費量の削減量（単位　一年につきメガジュール）

E_{M}　第四条第一項のその他一次エネルギー消費量（単位　一年につきメガジュール）

2　前項のエネルギー利用効率化設備による誘導設計一次エネルギー消費量の削減量は、国土交通大臣が定める方法により算出するものとする。

3　第十条第二号ロ(1)の住宅部分の誘導設計一次エネルギー消費量（住宅部分の単位住戸の数が一である場合を除く。以下この項において同じ。）は、次の各号のいずれかの数値とする。

一　単位住戸の誘導設計一次エネルギー消費量の合計と共用部分の誘導設計一次エネルギー消費量とを合計した数値

二　単位住戸の誘導設計一次エネルギー消費量を合計した数値

4　第十一条第一項及び第二項の規定は、前項第一号の共用部分の誘導設計一次エネルギー消費量について準用する。

（住宅部分の誘導基準一次エネルギー消費量）

第一四条　第十条第二号ロ(1)の住宅部分の誘導基準一次エネルギー消費量（住宅部分の単位住戸の数が一である場合に限る。）及び次項の単位住戸の誘導基準一次エネルギー消費量は、次の式により算出した数値（その数値に小数点以下一位未満の端数があるときは、これを切り上げる。）とする。

$$E_{ST}=\{(E_{SH}+E_{SC}+E_{SV}+E_{SL}+E_{SW})\times0.8+E_{M}\}\times10^{-3}$$

この式において、E_{ST}、E_{SH}、E_{SC}、E_{SV}、E_{SL}、E_{SW}及びE_{M}は、それぞれ次の数値を表すものとする。

E_{ST}　誘導基準一次エネルギー消費量（単位　一年につきギガジュール）

E_{SH}　第五条第一項の暖房設備の基準一次エネルギー消費量（単位　一年につきメガジュール）

E_{SC}　第五条第一項の冷房設備の基準一次エネルギー消費量（単位　一年につきメガジュール）

E_{SV}　第五条第一項の機械換気設備の基準一次エネルギー消費量（単位　一年につきメガジュール）

E_{SL}　第五条第一項の照明設備の基準一次エネルギー消費量（単位　一年につきメガジュール）

E_{SW}　第五条第一項の給湯設備の基準一次エネルギー消費量（単位　一年につきメガジュール）

E_{M}　第五条第一項のその他一次エネルギー消費量（単位　一年につきメガジュール）

2　第十条第二号ロ(1)の住宅部分の誘導基準一次エネルギー消費量（住宅部分の単位住戸の数が一である場合を除く。以下この項において同じ。）は、次の各号に掲げる住宅の区分に応じ、それぞれ当該各号に定めるとおりとする。

一　住宅部分の誘導設計一次エネルギー消費量を前条第三項第一号の数値とした住宅　単位住戸の誘導基準一次エネルギー消費量の合計と共用部分の誘導基準一次エネルギー消費量とを合計した数値

二　住宅部分の誘導設計一次エネルギー消費量を前条第三項第二号の数値とした住宅　単位住戸の誘導基準一次エネルギー消費量を合計した数値

3　第十二条の規定は、前項第一号の共用部分の誘導基準一次エネルギー消費量について準用する。この場合において、同条中「$E_{ST}=\{(E_{SAC}+E_{SV}+E_{SL}+E_{SW}+E_{SEV})\times B+E_{M}\}\times10^{-3}$」とあるのは「$E_{ST}=\{(E_{SAC}+E_{SV}+E_{SL}+E_{SW}+E_{SEV})\times0.8+E_{M}\}\times10^{-3}$」とする。

（複合建築物の誘導設計一次エネルギー消費量）

第一五条　第十条第三号ロ(2)の複合建築物の誘導設計一次エネルギー消費量は、第十一条第一項の規定により算出した非住宅部分の誘導設計一次エネルギー消費量と第十三条第一項又は第三項の規定により算出した住宅部分の誘導設計一次エネルギー消費量を合計した数値とする。

（複合建築物の誘導基準一次エネルギー消費量）

第一六条　第十条第三号ロ(2)の複合建築物の誘導基準一次エネルギー消費量

は、第十二条の規定により算出した非住宅部分の誘導基準一次エネルギー消費量と第十四条第一項又は第二項の規定により算出した住宅部分の誘導基準一次エネルギー消費量とを合計した数値とする。

附　則

（**施行期日**）

第一条　この省令は、法の施行の日（平成二十八年四月一日）から施行する。

（**経過措置**）

第二条　法第十九条第一項の規定による届出に係る住宅又は法第二十七条第一項の規定による評価及び説明に係る住宅であって、地域の気候及び風土に応じた住宅であることにより第一条第一項第二号イに適合させることが困難であるものとして国土交通大臣が定める基準に適合するものについて、同号の規定を適用する場合においては、当分の間、同号イの規定は、適用しない。

第三条　この省令の施行の際現に存する建築物（令和四年十月一日以後にする法第三十四条第一項の認定の申請に係るものを除く。次項並びに次条第二項及び第三項において同じ。）の非住宅部分について、第三条及び第十二条の規定を適用する場合においては、当分の間、第三条第一項中「$E_{ST}=\{(E_{SAC}+E_{SV}+E_{SL}+E_{SW}+E_{SEV})\times B+E_M\}\times 10^{-3}$」とあるのは「$E_{ST}=\{(E_{SAC}+E_{SV}+E_{SL}+E_{SW}+E_{SEV})\times 1.1+E_M\}\times 10^{-3}$」と、第十二条中「$E_{ST}=\{(E_{SAC}+E_{SV}+E_{SL}+E_{SW}+E_{SEV})\times B+E_M\}\times 10^{-3}$」とあるのは「$E_{ST}=(E_{SAC}+E_{SV}+E_{SL}+E_{SW}+E_{SEV}+E_M)\times 10^{-3}$」とする。

2　この省令の施行の際現に存する建築物の非住宅部分について、第十条第一号の規定を適用する場合においては、当分の間、同号イの規定は、適用しない。

第四条　この省令の施行の際現に存する建築物の住宅部分について、第一条第一項第二号の規定を適用する場合においては、同号ロ(1)に適合する場合に限り、当分の間、同号イの規定は、適用しない。

2　この省令の施行の際現に存する建築物の住宅部分について、第五条及び第十四条の規定を適用する場合においては、当分の間、第五条第一項中「$E_{ST}=(E_{SH}+E_{SC}+E_{SV}+E_{SL}+E_{SW}+E_M)\times 10^{-3}$」とあるのは「$E_{ST}=\{(E_{SH}+E_{SC}+E_{SV}+E_{SL}+E_{SW})\times 1.1+E_M\}\times 10^{-3}$」と、同条第四項中「準用する。」とあるのは「準用する。この場合において、同条第一項中「$E_{ST}=(E_{SAC}+E_{SV}+E_{SL}+E_{SW}+E_{SEV}+E_M)\times 10^{-3}$」とあるのは、「$E_{ST}=\{(E_{SAC}+E_{SV}+E_{SL}+E_{SW}+E_{SEV})\times 1.1+E_M\}\times 10^{-3}$」とする。」と、第十四条第一項中「$E_{ST}=\{(E_{SH}+E_{SC}+E_{SV}+E_{SL}+E_{SW})\times 0.8+E_M\}\times 10^{-3}$」とあるのは「$E_{ST}=(E_{SH}+E_{SC}+E_{SV}+E_{SL}+E_{SW}+E_M)\times 10^{-3}$」と、同条第三項中「$E_{ST}=\{(E_{SAC}+E_{SV}+E_{SL}+E_{SW}+E_{SEV})\times 0.8+E_M\}\times 10^{-3}$」とあるのは「$E_{ST}=(E_{SAC}+E_{SV}+E_{SL}+E_{SW}+E_{SEV}+E_M)\times 10^{-3}$」とする。

3　この省令の施行の際現に存する建築物の住宅部分について、第十条第二号の規定を適用する場合においては、当分の間、同号イの規定は、適用しない。

（**経過措置**）

第二条　この省令の施行の際現に存する建築物（令和四年十月一日以後にする法第二十九条第一項の認定の申請に係るものを除く。次項及び次条において同じ。）の非住宅部分について、第十二条の規定を適用する場合においては、当分の間、同条中「$E_{ST}=\{(E_{SAC}+E_{SV}+E_{SL}+E_{SW}+E_{SEV})\times B+E_M\}\times 10^{-3}$」とあるのは、「$E_{ST}=(E_{SAC}+E_{SV}+E_{SL}+E_{SW}+E_{SEV}+E_M)\times 10^{-3}$」とする。

2　この省令の施行の際現に存する建築物の非住宅部分について、第十条第一号の規定を適用する場合においては、当分の間、同号イの規定は、適用しない。

第三条　この省令の施行の際現に存する建築物の住宅部分について、第十四条の規定を適用する場合においては、当分の間、同条第一項中「$E_{ST}=\{(E_{SH}+E_{SC}+E_{SV}+E_{SL}+E_{SW})\times 0.8+E_M\}\times 10^{-3}$」とあるのは「$E_{ST}=(E_{SH}+E_{SC}+E_{SV}+E_{SL}+E_{SW}+E_M)\times 10^{-3}$」と、同条第三項中「$E_{ST}=\{(E_{SAC}+E_{SV}+E_{SL}+E_{SW}+E_{SEV})\times 0.8+E_M\}\times 10^{-3}$」とあるのは「$E_{ST}=(E_{SAC}+E_{SV}+E_{SL}+E_{SW}+E_{SEV}+E_M)\times 10^{-3}$」とする。

2　この省令の施行の際現に存する建築物の住宅部分について、第十条第二号の規定を適用する場合においては、当分の間、同号イの規定は、適用しない。

附　則〔略〕〔平成二八・一二・二二経済産業・国土交通省令五〕

附　則〔令和元・一一・七経済産業・国土交通省令三〕

（**施行期日**）

1　この省令は、建築物のエネルギー消費性能の向上に関する法律の一部を改正する法律の施行の日（令和元年十一月十六日）から施行する。ただし、第二条の規定は、令和二年四月一日から施行する。

（**経過措置**）

2　この省令の施行の日前にこの省令による改正前の建築物エネルギー消費性能基準等を定める省令（以下「旧省令」という。）附則第二条の規定により所管行政庁が旧省令第一条第一項第二号イに適合させることが困難であると認めた住宅に対する同号イの適用については、なお従前の例による。

附　則〔略〕〔令和二・九・四経済産業・国土交通省令二〕

附　則〔令和四・八・一六経済産業・国土交通省令一〕

改正　令和五・九経産・国交令二

注　┆　┆の部分は、令和六年六月二八日経済産業省・国土交通省令第一号により改正され、令和七年四月一日から施行

（**施行期日**）

1　この省令は、令和四年十月一日から施行する。

（**経過措置**）

2　建築物のエネルギー消費性能の向上等に関する法律（平成二十七年法律第五十三号。以下この項において「法」という。）第三十四条第一項の認定（法第三十六条第一項の変更の認定を含む。）の申請であって、この省令の施行の際現に存する建築物（この省令の施行の日（以下「施行日」という。）以後にする法第三十四条第一項の認定の申請に係るもの（次項及び第四項において「施行日以後認定申請建築物」という。）を除く。）に係る認定については、この省令による改正後の建築物エネルギー消費性能基準等を定める省令の規定にかかわらず、当分の間、なお従前の例による。

2　建築物のエネルギー消費性能の向上等に関する法律（平成二十七年法律第五十三号。以下この項において「法」という。）第二十九条第一項の認定（法第三十一条第一項の変更の認定を含む。）の申請であって、この省令の施行の際現に存する建築物（この省令の施行の日（以下「施行日」という。）以後にする法第二十九条第一項の認定の申請に係るもの（次項及び第四項において「施行日以後認定申請建築物」という。）を除く。）に係る認定については、この省令による改正後の建築物エネルギー消費性能基準等を定める省令の規定にかかわらず、当分の間、なお従前の例による。

3　この省令の施行の際現に存する施行日以後認定申請建築物の非住宅部分（当該非住宅部分のうち増築、改築又は修繕等をする部分が、一次エネルギー消費量に関する国土交通大臣が定める基準に適合するものに限る。）について、第十条第一号及び第十二条の規定を適用する場合においては、当分の間、同号イの規定は適用しないものとし、同号ロ中「超えないこと」とあるのは「下回ること」と、第十二条中「$E_{ST}=\{(E_{SAC}+E_{SV}+E_{SL}+E_{SW}+E_{SEV})\times B+E_M\}\times 10^{-3}$」とあるのは「$E_{ST}=(E_{SAC}+E_{SV}+E_{SL}+E_{SW}+E_{SEV}+E_M)\times 10^{-3}$」とする。

4　この省令の施行の際現に存する施行日以後認定申請建築物の住宅部分（当該住宅部分のうち増築、改築又は修繕等をする部分が、外壁、窓等を通じての熱の損失の防止及び一次エネルギー消費量に関する国土交通大臣が定める基準に適合するものに限る。）について、第十条第二号及び第十四条の規定を適用する場合においては、当分の間、同号イの表一の項及び二の項中「〇・四〇」とあるのは「〇・四六」と、同表三の項中「〇・五〇」とあるのは「〇・五六」と、同表四の項中「〇・六〇」とあるのは「〇・七五」と、同表五の項から七の項までの規定中「〇・六〇」とあるのは「〇・八七」と、同号ロ中「超えないこと」とあるのは「下回ること」と、第十四条第一項中「$E_{ST}=\{(E_{SH}+E_{SC}+E_{SV}+E_{SL}+E_{SW})\times 0.8+E_M\}\times 10^{-3}$」とあるのは「$E_{ST}=(E_{SH}+E_{SC}+E_{SV}+E_{SL}+E_{SW}+E_M)\times 10^{-3}$」と、同条第三項中「$E_{ST}=\{(E_{SAC}+E_{SV}+E_{SL}+E_{SW}+E_{SEV})\times 0.8+E_M\}\times 10^{-3}$」とあるのは「$E_{ST}=(E_{SAC}+E_{SV}+E_{SL}+E_{SW}+E_{SEV}+E_M)\times 10^{-3}$」とする。

5　施行日前にされた脱炭素社会の実現に資するための建築物のエネルギー消費性能の向上に関する法律等の一部を改正する法律（令和四年法律第六十九号）第一条の規定による改正前の建築物のエネルギー消費性能の向上に関する法律（次項において「旧法」という。）第三十四条第一項の認定

の申請（この省令の施行の際現に存する建築物に係るものを除く。）であって、この省令の施行の際、まだその認定をするかどうかの処分がされていないものについての認定の処分については、なお従前の例による。

6　施行日以後に前項の規定によりなお従前の例によることとされる旧法第三十五条第一項の認定を受ける建築物エネルギー消費性能向上計画の変更については、この省令による改正後の建築物エネルギー消費性能基準等を定める省令の規定にかかわらず、なお従前の例による。

附　則〔令和四・一一・七経済産業・国土交通省令二〕

改正　令和五・九経産・国交令二

注　□の部分は、令和六年六月二八日経済産業省・国土交通省令第一号により改正され、令和七年四月一日から施行

（**施行期日**）

1　この省令は、公布の日から施行する。

（**経過措置**）

2　この省令の施行前に脱炭素社会の実現に資するための建築物のエネルギー消費性能の向上に関する法律等の一部を改正する法律（令和四年法律第六十九号）第一条の規定による改正前の建築物のエネルギー消費性能の向上に関する法律第十二条第一項若しくは第二項（これらの規定を同法第十五条第二項の規定により読み替えて適用する場合を含む。）の建築物エネルギー消費性能確保計画の提出、同法第十三条第二項若しくは第三項（これらの規定を同法第十五条第二項の規定により読み替えて適用する場合を含む。）の建築物エネルギー消費性能確保計画の通知、同法第十九条第一項の届出、同法第二十条第二項の通知、同法第二十三条第一項若しくは第四十一条第一項の認定の申請又は同法第二十七条第一項の評価を行う建築士への建築物に係る設計の委託がされた建築物に係る建築物のエネルギー消費性能の向上等に関する法律（平成二十七年法律第五十三号）第二条第一項第三号の建築物エネルギー消費性能基準については、なお従前の例による。

この省令は、公布の日から施行する。

附　則〔令和四・一二・七経済産業・国土交通省令三〕

改正　令和五・三経産・国交令一、九経産・国交令二

注　□の部分は、令和六年六月二八日経済産業省・国土交通省令第一号により改正され、令和七年四月一日から施行

（**施行期日**）

1　この省令は、脱炭素社会の実現に資するための建築物のエネルギー消費性能の向上に関する法律等の一部を改正する法律附則第一条第三号に掲げる規定の施行の日（令和五年四月一日）から施行する。ただし、第二条の規定は、令和六年四月一日から施行する。

（**経過措置**）

2　第二条の規定の施行の際現に存する建築物（建築物エネルギー消費性能基準等を定める省令の施行の際現に存するものを除く。）の非住宅部分について、同条の規定による改正後の建築物エネルギー消費性能基準等を定める省令第三条の規定を適用する場合においては、当分の間、同条第一項中「$E_{ST} = \{(E_{SAC} + E_{SV} + E_{SL} + E_{SW} + E_{SEV}) \times B + E_M\} \times 10^{-3}$」とあるのは「$E_{ST} = (E_{SAC} + E_{SV} + E_{SL} + E_{SW} + E_{SEV} + E_M) \times 10^{-3}$」とする。

3　第二条の規定の施行前に脱炭素社会の実現に資するための建築物のエネルギー消費性能の向上に関する法律等の一部を改正する法律第一条の規定による改正前の建築物のエネルギー消費性能の向上に関する法律第十二条第一項若しくは第二項（これらの規定を同法第十五条第二項の規定により読み替えて適用する場合を含む。）の規定による建築物エネルギー消費性能確保計画の提出、同法第十三条第二項若しくは第三項（これらの規定を同法第十五条第二項の規定により読み替えて適用する場合を含む。）の規定による建築物エネルギー消費性能確保計画の通知、同法第十九条第一項の規定による届出、同法第二十条第二項の規定による通知又は同法第二十三条第一項若しくは第四十一条第一項の規定による認定の申請がされた建築物（第二条の規定の施行の際現に存するものを除く。）に係る建築物のエネルギー消費性能の向上等に関する法律（平成二十七年法律第五十三号）第二条第一項第三号の建築物エネルギー消費性能基準については、なお従前の例による。

（**経過措置**）

2　第二条の規定の施行前に脱炭素社会の実現に資するための建築物のエネルギー消費性能の向上に関する法律第一条の規定による改正前の建築物のエネルギー消費性能の向上に関する法律第十二条第一項若しくは第二項（これらの規定を同法第十五条第二項の規定により読み替えて適用する場合を含む。）の規定による建築物エネルギー消費性能確保計画の提出、同法第十三条第二項若しくは第三項（これらの規定を同法第十五条第二項の規定により読み替えて適用する場合を含む。）の規定による建築物エネルギー消費性能確保計画の通知、同法第十九条第一項の規定による届出、同法第二十条第二項の規定による通知又は同法第二十三条第一項若しくは第四十一条第一項の規定による認定の申請がされた建築物（第二条の規定の施行の際現に存するものを除く。）に係る建築物のエネルギー消費性能の向上等に関する法律（平成二十七年法律第五十三号）第二条第一項第三号の建築物エネルギー消費性能基準については、なお従前の例による。

附　則〔略〕〔令和五・三・三一経済産業・国土交通省令一〕

附　則〔略〕〔令和五・九・二五経済産業・国土交通省令二〕

附　則〔令和六・六・二八経済産業・国土交通省令一〕

この省令は、脱炭素社会の実現に資するための建築物のエネルギー消費性能の向上に関する法律等の一部を改正する法律の施行の日（令和七年四月一日）から施行する。

別表第一（第三条関係）

	規模	用途	非住宅部分の基準一次エネルギー消費量の水準を示す係数
(1)	新築、増築又は改築後の非住宅部分の床面積（建築物のエネルギー消費性能の向上等に関する法律施行令（平成二十八年政令第八号）第四条第一項に規定する床面積をいう。以下この表において同じ。）の合計が二千平方メートル以上であること。 〔非住宅部分の床面積（建築物のエネルギー消費性能の向上等に関する法律施行令（平成二十八年政令第八号）第三条に規定する床面積（非住宅部分の増築又は改築をする場合にあっては、当該増築又は改築に係る部分の床面積）をいう。以下この表において同じ。）の合計が二千平方メートル以上であること。〕	事務所等	0.8
(2)		ホテル等	0.8
(3)		病院等	0.85
(4)		百貨店等	0.8
(5)		学校等	0.8
(6)		飲食店等	0.85
(7)		集会所等	0.85
(8)		工場等	0.75
(9)	新築、増築又は改築後の非住宅部分の床面積の合計が二千平方メートル未満であること。 〔非住宅部分の床面積の合計が二千平方メートル未満であること。〕		1.0

備考
1 「事務所等」とは、事務所、官公署その他エネルギーの使用の状況に関してこれらに類するものをいう。別表第二及び別表第三において同じ。
2 「ホテル等」とは、ホテル、旅館その他エネルギーの使用の状況に関してこれらに類するものをいう。別表第二及び別表第三において同じ。
3 「病院等」とは、病院、老人ホーム、福祉ホームその他エネルギーの使用の状況に関してこれらに類するものをいう。別表第二及び別表第三において同じ。
4 「百貨店等」とは、百貨店、マーケットその他エネルギーの使用の状況に関してこれらに類するものをいう。別表第二及び別表第三において同じ。
5 「学校等」とは、小学校、中学校、義務教育学校、高等学校、大学、高等専門学校、専修学校、各種学校その他エネルギーの使用の状況に関してこれらに類するものをいう。別表第二及び別表第三において同じ。
6 「飲食店等」とは、飲食店、食堂、喫茶店、キャバレーその他エネルギーの使用の状況に関してこれらに類するものをいう。別表第二及び別表第三において同じ。
7 「集会所等」とは、図書館等、体育館等及び映画館等をいう。別表第二及び別表第三において同じ。
8 「図書館等」とは、図書館、博物館その他エネルギーの使用の状況に関してこれらに類するものをいい、「体育館等」とは、体育館、公会堂、集会場、ボーリング場、劇場、アスレチック場、スケート場、公衆浴場、競馬場又は競輪場、社寺その他エネルギーの使用の状況に関してこれらに類するものをいい、「映画館等」とは、映画館、カラオケボックス、ぱちんこ屋その他エネルギーの使用の状況に関してこれらに類するものをいう。別表第二において同じ。

別表第二（第十条関係）

	用途		地域の区分							
			1	2	3	4	5	6	7	8
(1)	事務所等		480	480	480	470	470	470	450	570
(2)	ホテル等	客室部	650	650	650	500	500	500	510	670
		宴会場部	990	990	990	1260	1260	1260	1470	2220
(3)	病院等	病室部	900	900	900	830	830	830	800	980
		非病室部	460	460	460	450	450	450	440	650
(4)	百貨店等		640	640	640	720	720	720	810	1290
(5)	学校等		420	420	420	470	470	470	500	630
(6)	飲食店等		710	710	710	820	820	820	900	1430
(7)	集会所等	図書館等	590	590	590	580	580	580	550	650
		体育館等	790	790	790	910	910	910	910	1000
		映画館等	1490	1490	1490	1510	1510	1510	1510	2090

備考　単位は1平方メートル1年につきメガジュールとする。

別表第三（第十二条関係）

用途	非住宅部分の誘導基準一次エネルギー消費量の水準を示す係数
(1) 事務所等	0.6
(2) ホテル等	0.7
(3) 病院等	0.7
(4) 百貨店等	0.7
(5) 学校等	0.6
(6) 飲食店等	0.7
(7) 集会所等	0.7
(8) 工場等	0.6

○浄化槽法

〔昭和五八・五・一八
法律四三〕

改正　昭和六二・六法六三、昭和六三・五法四九、平成二・六法六一、平成三・一〇法九五、平成五・一一法八九、平成六・七法八四、平成九・五法五〇、平成一〇・五法五四、平成一一・七法八七、一二法一六〇、平成一二・六法一〇六、平成一三・六法七四、平成一四・五法四五、七法八五、平成一五・六法九三、法九六、平成一六・六法七六、一二法一四七、平成一七・四法三三、五法四七、平成一八・三法一〇、六法五〇、法九二、平成二〇・五法四〇、平成二三・五法三七、六法六一、平成二五・六法四四、平成二六・六法五五、法六九、令和元・六法三〇、法四〇、令和五・六法五八

目次

第一章　総則（第一条―第四条）
第二章　浄化槽の設置（第五条―第七条の二）
第三章　浄化槽の保守点検及び浄化槽の清掃等（第八条―第十二条の三）
第三章の二　浄化槽処理促進区域
　第一節　浄化槽処理促進区域の指定（第十二条の四）
　第二節　公共浄化槽（第十二条の五―第十二条の十七）
第四章　浄化槽の型式の認定（第十三条―第二十条）
第五章　浄化槽工事業に係る登録（第二十一条―第三十四条）
第六章　浄化槽清掃業の許可（第三十五条―第四十一条）
第七章　浄化槽設備士（第四十二条―第四十四条）
第八章　浄化槽管理士（第四十五条―第四十七条）
第九章　条例による浄化槽の保守点検を業とする者の登録制度（第四十八条）
第十章　雑則（第四十九条―第五十八条）
第十一章　罰則（第五十九条―第六十八条）
附則

第一章　総則

（目的）

第一条　この法律は、浄化槽の設置、保守点検、清掃及び製造について規制するとともに、浄化槽工事業者の登録制度及び浄化槽清掃業の許可制度を整備し、浄化槽設備士及び浄化槽管理士の資格を定めること等により、公共用水域等の水質の保全等の観点から浄化槽によるし尿及び雑排水の適正な処理を図り、もつて生活環境の保全及び公衆衛生の向上に寄与することを目的とする。

（定義）

第二条　この法律において、次の各号に掲げる用語の意義は、それぞれ当該各号に定めるところによる。

一　浄化槽　便所と連結してし尿及びこれと併せて雑排水（工場廃水、雨水その他の特殊な排水を除く。以下同じ。）を処理し、下水道法（昭和三十三年法律第七十九号）第二条第六号に規定する終末処理場を有する公共下水道（以下「終末処理下水道」という。）以外に放流するための設備又は施設であつて、同法に規定する公共下水道及び流域下水道並びに廃棄物の処理及び清掃に関する法律（昭和四十五年法律第百三十七号）第六条第一項の規定により定められた計画に従つて市町村が設置したし尿処理施設以外のものをいう。

一の二　公共浄化槽　第十二条の四第一項の規定により指定された浄化槽処理促進区域内に存する浄化槽のうち、第十二条の五第一項の設置計画に基づき設置された浄化槽であつて市町村が管理するもの及び第十二条の六の規定により市町村が管理する浄化槽をいう。

二　浄化槽工事　浄化槽を設置し、又はその構造若しくは規模の変更をする工事をいう。

三　浄化槽の保守点検　浄化槽の点検、調整又はこれらに伴う修理をする作業をいう。

四　浄化槽の清掃　浄化槽内に生じた汚泥、スカム等の引出し、その引出し後の槽内の汚泥等の調整並びにこれらに伴う単位装置及び附属機器類の洗浄、掃除等を行う作業をいう。

五　浄化槽製造業者　第十三条第一項又は第二項の認定を受けて当該認定に係る型式の浄化槽を製造する事業を営む者をいう。

六　浄化槽工事業　浄化槽工事を行う事業をいう。

七　浄化槽工事業者　第二十一条第一項又は第三項の登録を受けて浄化槽工事業を営む者をいう。

八　浄化槽清掃業　浄化槽の清掃を行う事業をいう。

九　浄化槽清掃業者　第三十五条第一項の許可を受けて浄化槽清掃業を営む者をいう。

十　浄化槽設備士　浄化槽工事を実地に監督する者として第四十二条第一項の浄化槽設備士免状の交付を受けている者をいう。

十一　浄化槽管理士　浄化槽管理士の名称を用いて浄化槽の保守点検の業務に従事する者として第四十五条第一項の浄化槽管理士免状の交付を受けている者をいう。

十二　特定行政庁　建築基準法（昭和二十五年法律第二百一号）第二条第三十五号本文に規定する特定行政庁をいう。ただし、同法第九十七条の二第一項若しくは第二項の市町村又は特別区の区域については、当該浄化槽に係る建築物の審査を行うべき建築主事若しくは建築副主事を置く市町村若しくは特別区の長又は都道府県知事をいう。

（浄化槽によるし尿処理等）

第三条　何人も、終末処理下水道又は廃棄物の処理及び清掃に関する法律第八条に基づくし尿処理施設で処理する場合を除き、浄化槽で処理した後でなければ、し尿を公共用水域等に放流してはならない。

2　何人も、浄化槽で処理した後でなければ、浄化槽をし尿の処理のために使用する者が排出する雑排水を公共用水域等に放流してはならない。

3　浄化槽を使用する者は、浄化槽の機能を正常に維持するための浄化槽の使用に関する環境省令で定める準則を遵守しなければならない。

第三条の二　何人も、便所と連結してし尿を処理し、終末処理下水道以外に放流するための設備又は施設として、浄化槽以外のもの（下水道法に規定する公共下水道及び流域下水道並びに廃棄物の処理及び清掃に関する法律第六条第一項の規定により定められた計画に従つて市町村が設置したし尿処理施設を除く。）を設置してはならない。ただし、下水道法第四条第一項の事業計画において定められた同法第五条第一項第五号に規定する予定処理区域内の者が排出するし尿のみを処理する設備又は施設については、この限りでない。

2　前項ただし書に規定する設備又は施設は、この法律の規定（前条第二項、前項及び第五十一条の規定を除く。）の適用については、浄化槽とみなす。

（浄化槽に関する基準等）

第四条　環境大臣は、浄化槽から公共用水域等に放流される水の水質について、環境省令で、技術上の基準を定めなければならない。

2　浄化槽の構造基準に関しては、建築基準法並びにこれに基づく命令及び条例で定めるところによる。

3　前項の構造基準は、これにより第一項の技術上の基準が確保されるものとして定められなければならない。

4　国土交通大臣は、浄化槽の構造基準を定め、又は変更しようとする場合には、あらかじめ、環境大臣に協議しなければならない。

5　浄化槽工事の技術上の基準は、国土交通省令・環境省令で定める。

6　都道府県は、地域の特性、水域の状態等により、前項の技術上の基準のみによつては生活環境の保全及び公衆衛生上の支障を防止し難いと認めるときは、条例で、同項の技術上の基準について特別の定めをすることができる。

7　浄化槽の保守点検の技術上の基準は、環境省令で定める。

8　浄化槽の清掃の技術上の基準は、環境省令で定める。

第二章　浄化槽の設置

（設置等の届出、勧告及び変更命令）

第五条　浄化槽を設置し、又はその構造若しくは規模の変更（国土交通省令・環境省令で定める軽微な変更を除く。第七条第一項、第十二条の四第二項において同じ。）をしようとする者は、国土交通省令・環境省令で定めるところにより、その旨を都道府県知事（保健所を設置する市又は特別区に

あつては、市長又は区長とする。第五項、第七条第一項、第十二条の四第二項、第五章、第四十八条第四項、第四十九条第一項及び第五十七条を除き、以下同じ。）及び当該都道府県知事を経由して特定行政庁に届け出なければならない。ただし、当該浄化槽に関し、建築基準法第六条第一項（同法第八十七条第一項において準用する場合を含む。）の規定による建築主事若しくは建築副主事の確認を申請すべきとき、又は同法第十八条第二項（同法第八十七条第一項において準用する場合を含む。）の規定により建築主事若しくは建築副主事に通知すべきときは、この限りでない。

２　都道府県知事は、前項の届出を受理した場合において、当該届出に係る浄化槽の設置又は変更の計画について、その保守点検及び清掃その他生活環境の保全及び公衆衛生上の観点から改善の必要があると認めるときは、同項の届出が受理された日から二十一日（第十三条第一項又は第二項の規定により認定を受けた型式に係る浄化槽にあつては、十日）以内に限り、その届出をした者に対し、必要な勧告をすることができる。ただし、次項の特定行政庁の権限に係るものについては、この限りでない。

３　特定行政庁は、第一項の届出を受理した場合において、当該届出に係る浄化槽の設置又は変更の計画が浄化槽の構造に関する建築基準法並びにこれに基づく命令及び条例の規定に適合しないと認めるときは、前項の期間内に限り、その届出をした者に対し、当該届出に係る浄化槽の設置又は変更の計画の変更又は廃止を命ずることができる。

４　第一項の届出をした者は、第二項の期間を経過した後でなければ、当該届出に係る浄化槽工事に着手してはならない。ただし、当該届出の内容が相当であると認める旨の都道府県知事及び特定行政庁の通知を受けた後においては、この限りでない。

５　第一項の規定により保健所を設置する市又は特別区が処理することとされている事務（都道府県知事に対する届出の経由に係るものに限る。）は、地方自治法（昭和二十二年法律第六十七号）第二条第九項第二号に規定する第二号法定受託事務とする。

（浄化槽工事の施工）

第六条　浄化槽工事は、浄化槽工事の技術上の基準に従つて行わなければならない。

（設置後等の水質検査）

第七条　新たに設置され、又はその構造若しくは規模の変更をされた浄化槽については、環境省令で定める期間内に、環境省令で定めるところにより、当該浄化槽の所有者、占有者その他の者で当該浄化槽の管理について権原を有するもの（以下「浄化槽管理者」という。）は、都道府県知事が第五十七条第一項の規定により指定する者（以下「指定検査機関」という。）の行う水質に関する検査を受けなければならない。

２　指定検査機関は、前項の水質に関する検査を実施したときは、環境省令で定めるところにより、遅滞なく、環境省令で定める事項を都道府県知事に報告しなければならない。

（設置後等の水質検査についての勧告及び命令等）

第七条の二　都道府県知事は、前条第一項の規定の施行に関し必要があると認めるときは、浄化槽管理者に対し、同項の水質に関する検査を受けることを確保するために必要な指導及び助言をすることができる。

２　都道府県知事は、浄化槽管理者が前条第一項の規定を遵守していないと認める場合において、生活環境の保全及び公衆衛生上必要があると認めるときは、当該浄化槽管理者に対し、相当の期限を定めて、同項の水質に関する検査を受けるべき旨の勧告をすることができる。

３　都道府県知事は、前項の規定による勧告を受けた浄化槽管理者が、正当な理由がなくてその勧告に係る措置をとらなかつたときは、当該浄化槽管理者に対し、相当の期限を定めて、その勧告に係る措置をとるべきことを命ずることができる。

第三章　浄化槽の保守点検及び浄化槽の清掃等

（保守点検）

第八条　浄化槽の保守点検は、浄化槽の保守点検の技術上の基準に従つて行わなければならない。

（清掃）

第九条　浄化槽の清掃は、浄化槽の清掃の技術上の基準に従つて行わなければならない。

（浄化槽管理者の義務）

第一〇条　浄化槽管理者は、環境省令で定めるところにより、毎年一回（環境省令で定める場合にあつては、環境省令で定める回数）、浄化槽の保守点検及び浄化槽の清掃をしなければならない。ただし、第十一条の二第一項の規定による使用の休止の届出に係る浄化槽（使用が再開されたものを除く。）については、この限りでない。

２　政令で定める規模の浄化槽の浄化槽管理者は、当該浄化槽の保守点検及び清掃に関する技術上の業務を担当させるため、環境省令で定める資格を有する技術管理者（以下「技術管理者」という。）を置かなければならない。ただし、自ら技術管理者として管理する浄化槽については、この限りでない。

３　浄化槽管理者は、浄化槽の保守点検を、第四十八条第一項の規定により条例で浄化槽の保守点検を業とする者の登録制度が設けられている場合には当該登録を受けた者に、若しくは当該登録制度が設けられていない場合には浄化槽管理士に、又は浄化槽の清掃を浄化槽清掃業者に委託することができる。

第一〇条の二　浄化槽管理者は、当該浄化槽の使用開始の日（当該浄化槽が第十二条の五第一項の設置計画に基づき設置された公共浄化槽である場合にあつては、当該公共浄化槽について第十二条の十一の規定による最初の届出があつた日）から三十日以内に、環境省令で定める事項を記載した報告書を都道府県知事に提出しなければならない。

２　前条第二項に規定する政令で定める規模の浄化槽の浄化槽管理者は、技術管理者を変更したときは、変更の日から三十日以内に、環境省令で定める事項を記載した報告書を都道府県知事に提出しなければならない。

３　浄化槽管理者に変更があつたときは、新たに浄化槽管理者になつた者は、変更の日から三十日以内に、環境省令で定める事項を記載した報告書を都道府県知事に提出しなければならない。

（定期検査）

第一一条　浄化槽管理者は、環境省令で定めるところにより、毎年一回（環境省令で定める浄化槽については、環境省令で定める回数）、指定検査機関の行う水質に関する検査を受けなければならない。ただし、次条第一項の規定による使用の休止の届出に係る浄化槽（使用が再開されたものを除く。）については、この限りでない。

２　第七条第二項の規定は、前項本文の水質に関する検査について準用する。

（使用の休止の届出等）

第一一条の二　浄化槽管理者は、当該浄化槽の使用の休止に当たつて当該浄化槽の清掃をしたときは、環境省令で定めるところにより、当該浄化槽の使用の休止について都道府県知事に届け出ることができる。

２　浄化槽管理者は、前項の規定による使用の休止の届出に係る浄化槽の使用を再開したとき又は当該浄化槽の使用が再開されていることを知つたときは、環境省令で定めるところにより、当該浄化槽の使用を再開した日又は当該浄化槽の使用が再開されていることを知つた日から三十日以内に、その旨を都道府県知事に届け出なければならない。

（廃止の届出）

第一一条の三　浄化槽管理者は、当該浄化槽の使用を廃止したときは、環境省令で定めるところにより、その日から三十日以内に、その旨を都道府県知事に届け出なければならない。

（保守点検又は清掃についての改善命令等）

第一二条　都道府県知事は、生活環境の保全及び公衆衛生上必要があると認めるときは、浄化槽管理者、浄化槽管理者から委託を受けた浄化槽の保守点検を業とする者、浄化槽管理士若しくは浄化槽清掃業者又は技術管理者に対し、浄化槽の保守点検又は浄化槽の清掃について、必要な助言、指導又は勧告をすることができる。

２　都道府県知事は、浄化槽の保守点検の技術上の基準又は浄化槽の清掃の技術上の基準に従つて浄化槽の保守点検又は浄化槽の清掃が行われていないと認めるときは、当該浄化槽管理者、当該浄化槽管理者から委託を受けた浄化槽の保守点検を業とする者、浄化槽管理士若しくは浄化槽清掃業者又は当該技術管理者に対し、浄化槽の保守点検又は浄化槽の清掃について必要な改善措置を命じ、又は当該浄化槽管理者に対し、十日以内の期間を定めて当該浄化槽の使用の停止を命ずることができる。

（定期検査についての勧告及び命令等）

第一二条の二　都道府県知事は、第十一条第一項の規定の施行に関し必要があると認めるときは、浄化槽管理者に対し、同項本文の水質に関する検査を受けることを確保するために必要な指導及び助言をすることができる。

2　都道府県知事は、浄化槽管理者が第十一条第一項の規定を遵守していないと認める場合において、生活環境の保全及び公衆衛生上必要があると認めるときは、当該浄化槽管理者に対し、相当の期限を定めて、同項本文の水質に関する検査を受けるべき旨の勧告をすることができる。

3　都道府県知事は、前項の規定による勧告を受けた浄化槽管理者が、正当な理由がなくてその勧告に係る措置をとらなかつたときは、当該浄化槽管理者に対し、相当の期限を定めて、その勧告に係る措置をとるべきことを命ずることができる。

（環境大臣の責務）

第十二条の三　環境大臣は、都道府県知事に対して、第十一条第一項本文の水質に関する検査に関する事務その他この章に規定する事務の実施に関し必要な助言、情報の提供その他の支援を行うように努めなければならない。

第三章の二　浄化槽処理促進区域

第一節　浄化槽処理促進区域の指定

第十二条の四　市町村は、当該市町村の区域（下水道法第二条第八号に規定する処理区域及び同法第五条第一項第五号に規定する予定処理区域を除く。）のうち自然的経済的社会的諸条件からみて浄化槽によるし尿及び雑排水（以下「汚水」という。）の適正な処理を特に促進する必要があると認められる区域を、浄化槽処理促進区域として指定することができる。

2　市町村は、前項の規定により浄化槽処理促進区域を指定しようとするときは、あらかじめ、都道府県知事に協議しなければならない。

3　市町村は、第一項の規定による指定をしたときは、環境省令で定めるところにより、その旨を公告しなければならない。

4　前二項の規定は、浄化槽処理促進区域の変更又は廃止について準用する。

第二節　公共浄化槽

（設置等）

第十二条の五　市町村は、浄化槽処理促進区域内に存する建築物（国又は地方公共団体が所有する建築物を除く。）に居住する者の日常生活に伴い生ずる汚水を処理するために浄化槽を設置しようとするときは、国土交通省令・環境省令で定めるところにより、浄化槽の設置に関する計画（以下「設置計画」という。）を作成するものとする。

2　設置計画においては、次に掲げる事項を定めるものとする。

一　前項に規定する浄化槽ごとに、設置場所、種類、規模及び能力

二　前項に規定する浄化槽ごとに、設置の予定年月日

三　その他国土交通省令・環境省令で定める事項

3　市町村は、設置計画を作成しようとするときは、環境省令で定めるところにより、あらかじめ、第一項に規定する浄化槽ごとに、当該浄化槽を設置することについて、当該浄化槽が設置される土地の所有者及び当該浄化槽で汚水を処理させる建築物の所有者の同意を得なければならない。

4　市町村は、設置計画を作成しようとする場合において、国土交通省令・環境省令で定めるところにより、あらかじめ、都道府県知事及び特定行政庁に協議し、その同意を得たときは、当該同意の日において、第一項に規定する浄化槽の設置について、第五条第一項の規定による届出及び同条第四項ただし書に規定する通知があつたものとみなす。

5　前二項の規定は、設置計画の変更について準用する。

第十二条の六　市町村は、浄化槽処理促進区域内に存する浄化槽であつて地方公共団体以外の者が所有するものについて、環境省令で定めるところにより、自ら管理することができる。

（設置の完了の通知等）

第十二条の七　市町村は、設置計画に基づき浄化槽の設置が完了したときは、当該浄化槽で汚水を処理させることとなる建築物の所有者に対し、その旨を通知しなければならない。

2　前項の規定による通知は、公告をもつてこれに代えることができる。

（排水設備の設置等）

第十二条の八　第十二条の五第三項の規定による同意をした建築物の所有者及びその相続人その他の一般承継人は、前条第一項の規定による通知を受けたとき又は同条第二項の規定による公告があつたときは、遅滞なく、当該建築物の汚水を公共浄化槽に流入させるために必要な汚水管その他の排水施設（以下「排水設備」という。）を設置しなければならない。この場合において、当該建築物にくみ取便所が設けられているときは、遅滞なく、そのくみ取便所を水洗便所（汚水管が公共浄化槽に連結されたものに限る。以下同じ。）に改造しなければならない。

2　前項の規定により設置された排水設備の改築又は修繕は、同項の規定によりこれを設置すべき者が行うものとし、その清掃その他の維持は、当該建築物の占有者が行うものとする。

3　市町村は、第一項の規定に違反している者に対し、相当の期限を定めて、排水設備を設置し、又はくみ取便所を水洗便所に改造すべきことを命ずることができる。ただし、当該建築物が近く除却され又は移転される予定のものである場合、必要な資金の調達が困難な事情がある場合等相当の理由があると認められる場合は、この限りでない。

4　市町村は、第一項の規定により排水設備を設置し、又はくみ取便所を水洗便所に改造しようとする者に対し、必要な資金の融通又はそのあつせん、その設置又は改造に関し利害関係を有する者との間に紛争が生じた場合における和解の仲介その他の援助に努めるものとする。

5　国は、市町村が前項の資金の融通を行う場合には、これに必要な資金の融通又はそのあつせんに努めるものとする。

（排水設備の設置等に関する受忍義務等）

第十二条の九　前条第一項の規定により排水設備を設置しなければならない者は、他人の土地又は排水設備を使用しなければ汚水を公共浄化槽に流入させることが困難であるときは、他人の土地に排水設備を設置し、又は他人の排水設備を使用することができる。この場合においては、他人の土地又は排水設備にとつて最も損害の少ない場所又は箇所及び方法を選ばなければならない。

2　前項の規定により他人の排水設備を使用する者は、その利益を受ける割合に応じて、その設置、改築、修繕及び維持に要する費用を負担しなければならない。

3　第一項の規定により他人の土地に排水設備を設置することができる者又は前条第二項の規定により当該排水設備の維持をしなければならない者は、当該排水設備の設置、改築若しくは修繕又は維持をするためやむを得ない必要があるときは、他人の土地を使用することができる。この場合においては、あらかじめ、その旨を当該土地の占有者に告げなければならない。

4　前項の規定により他人の土地を使用した者は、当該使用により他人に損失を与えた場合においては、その者に対し、通常生ずべき損失を補償しなければならない。

（排水設備の設置の承認）

第十二条の一〇　汚水を公共浄化槽に流入させるために必要な排水設備を第十二条の五第三項の規定による同意に係る建築物以外の建築物に設置しようとする者は、環境省令で定めるところにより、あらかじめ、市町村の承認を受けなければならない。

2　前二条の規定は、前項の規定により承認を受けた者について準用する。

（使用の開始の届出）

第十二条の一一　汚水を公共浄化槽に流入させるために必要な排水設備が設置されている建築物の占有者は、当該建築物に係る公共浄化槽の使用を開始したときは、環境省令で定めるところにより、当該公共浄化槽の使用を開始した日から三十日以内に、その旨を市町村に届け出なければならない。

（排水設備等の検査）

第十二条の一二　市町村は、公共浄化槽の機能及び構造を保全し、又は公共浄化槽から公共用水域等に放流される水の水質を第四条第一項の技術上の基準に適合させるために必要な限度において、その職員をして他人の土地又は建物に立ち入り、排水設備その他の物件を検査させることができる。ただし、住居に立ち入る場合においては、あらかじめ、その居住者の承諾を得なければならない。

2　前項の場合には、当該職員は、その身分を示す証明書を携帯し、かつ、関係者の請求があるときは、これを提示しなければならない。

3　第一項の権限は、犯罪捜査のために認められたものと解釈してはならない。

（使用制限）

第十二条の一三　市町村は、公共浄化槽に関する工事を施工する場合その他やむを得ない理由がある場合には、当該公共浄化槽の使用を一時制限することができる。

2　市町村は、前項の規定により公共浄化槽の使用を制限しようとするとき

は、使用を制限しようとする期間及び時間制限をする場合にあつてはその時間をあらかじめ関係者に周知させる措置を講じなければならない。

（料金）

第一二条の一四　市町村は、条例で定めるところにより、公共浄化槽の使用に係る料金を徴収することができる。

２　前項の料金は、次の原則によつて定めなければならない。

一　汚水の量及び水質その他使用者の使用の態様に応じて妥当なものであること。

二　能率的な管理の下における適正な原価を超えないものであること。

三　定率又は定額をもつて明確に定められていること。

四　特定の使用者に対し不当な差別的取扱いをするものでないこと。

（他人の土地の立入り）

第一二条の一五　市町村又はその命じた者若しくは委任した者は、公共浄化槽に関する調査、測量若しくは工事又は公共浄化槽の管理のためやむを得ない必要があるときは、他人の土地に立ち入ることができる。

２　前項の規定により他人の土地に立ち入ろうとするときは、あらかじめ、当該土地の占有者にその旨を通知しなければならない。ただし、あらかじめ通知することが困難であるときは、この限りでない。

３　第一項の規定により宅地又は垣、柵等で囲まれた土地に立ち入ろうとするときは、立入りの際、あらかじめ、その旨を当該土地の占有者に告げなければならない。

４　日出前及び日没後においては、占有者の承諾があつた場合を除き、前項に規定する土地に立ち入つてはならない。

５　第一項の規定により他人の土地に立ち入ろうとする者は、その身分を示す証明書を携帯し、関係者の請求があつたときは、これを提示しなければならない。

６　土地の占有者又は所有者は、正当な理由がない限り、第一項の規定による立入りを拒み、又は妨げてはならない。

７　市町村は、第一項の規定による立入りによつて損失を受けた者に対し、通常生ずべき損失を補償しなければならない。

（排水設備の使用の廃止）

第一二条の一六　汚水を公共浄化槽に流入させるために必要な排水設備が設置されている建築物の所有者は、当該排水設備の使用を廃止してはならない。ただし、当該建築物を撤去する場合その他環境省令で定める場合は、この限りでない。

２　前項本文の建築物の所有者は、同項ただし書に規定する場合において、排水設備の使用を廃止しようとするときは、あらかじめ、環境省令で定めるところにより、その旨を市町村に届け出なければならない。

（条例で規定する事項）

第一二条の一七　この法律又はこの法律に基づく命令で定めるもののほか、公共浄化槽の設置及び管理に関し必要な事項は、市町村の条例で定める。

第四章　浄化槽の型式の認定

（認定）

第一三条　浄化槽を工場において製造しようとする者は、製造しようとする浄化槽の型式について、国土交通大臣の認定を受けなければならない。ただし、試験的に製造する場合においては、この限りでない。

２　外国の工場において本邦に輸出される浄化槽を製造しようとする者は、製造しようとする浄化槽の型式について、国土交通大臣の認定を受けることができる。

（認定の申請）

第一四条　前条第一項又は第二項の認定を受けようとする者は、国土交通大臣に、次の事項を記載した申請書を提出しなければならない。

一　氏名又は名称及び住所並びに法人にあつては、その代表者の氏名

二　工場の所在地

三　その他国土交通省令で定める事項

２　前項の申請書には、構造図、仕様書、計算書その他の国土交通省令で定める図書を添付しなければならない。

３　浄化槽製造業者は、第一項各号の事項を変更したときは、速やかに国土交通大臣に届け出なければならない。

（認定の基準）

第一五条　国土交通大臣は、第十三条第一項又は第二項の認定の申請に係る型式の浄化槽が建築基準法及びこれに基づく命令で定める浄化槽の構造基準に適合すると認めるときは、認定をしなければならない。

（認定の更新）

第一六条　第十三条第一項又は第二項の認定は、五年ごとにその更新を受けなければ、その期間の経過によつて、その効力を失う。

（認定の表示等）

第一七条　浄化槽製造業者は、当該認定に係る型式の浄化槽（第十三条第二項の認定に係る型式の浄化槽にあつては、本邦に輸出されるものに限る。）を販売する時までに、これに国土交通省令で定める方式による表示を付さなければならない。

２　何人も、前項に規定する場合を除くほか、浄化槽に同項の表示又はこれに紛らわしい表示を付してはならない。

３　浄化槽を輸入しようとする者は、第十三条第二項の認定に係る型式の浄化槽であつて第一項の表示を付したものでなければ、輸入してはならない。

（認定の取消し）

第一八条　国土交通大臣は、第十五条に規定する浄化槽の構造基準が変更され、既に第十三条第一項又は第二項の認定を受けた浄化槽が当該変更後の浄化槽の構造基準に適合しないと認めるときは、当該認定を取り消さなければならない。

２　国土交通大臣は、第十三条第一項の認定を受けた浄化槽製造業者が、不正の手段により同項の認定を受けたとき、同項の認定を受けた型式と異なる浄化槽を製造したとき（試験的に製造したときを除く。）、又は前条第一項の規定に違反したときは、当該認定を取り消すことができる。

３　国土交通大臣は、第十三条第二項の認定を受けた浄化槽製造業者が、不正の手段により同項の認定を受けたとき、第十四条第三項の規定による届出をせず、若しくは虚偽の届出をしたとき、前条第一項の規定に違反したとき、又は第五十三条第一項の規定による報告をせず、若しくは虚偽の報告をしたときは、当該認定を取り消すことができる。

（環境大臣に対する通知等）

第一九条　国土交通大臣は、第十三条第一項若しくは第二項の認定、第十六条の認定の更新又は前条第一項、第二項若しくは第三項の認定の取消しをしたときは、その旨を環境大臣に通知するとともに、官報に公示しなければならない。

（国土交通省令への委任）

第二〇条　この章に定めるもののほか、認定の更新その他浄化槽の型式の認定に関し必要な事項は、国土交通省令で定める。

第五章　浄化槽工事業に係る登録

（登録）

第二一条　浄化槽工事業を営もうとする者は、当該業を行おうとする区域を管轄する都道府県知事の登録を受けなければならない。

２　前項の登録の有効期間は、五年とする。

３　前項の有効期間の満了後引き続き浄化槽工事業を営もうとする者は、更新の登録を受けなければならない。

４　更新の登録の申請があつた場合において、第二項の有効期間の満了の日までにその申請に対する登録又は登録の拒否の処分がなされないときは、従前の登録は、同項の有効期間の満了後もその処分がなされるまでの間は、なおその効力を有する。

５　前項の場合において、更新の登録がなされたときは、その登録の有効期間は、従前の登録の有効期間の満了の日の翌日から起算するものとする。

（登録の申請）

第二二条　前条第一項又は第三項の登録を受けようとする者（以下「工事業登録申請者」という。）は、次の事項を記載した申請書を都道府県知事に提出しなければならない。

一　氏名又は名称及び住所並びに法人にあつては、その代表者の氏名

二　営業所の名称及び所在地

三　法人にあつては、その役員（業務を執行する社員、取締役、執行役又はこれらに準ずる者をいい、相談役、顧問その他いかなる名称を有する者であるかを問わず、法人に対し業務を執行する社員、取締役、執行役又はこれらに準ずる者と同等以上の支配力を有するものと認められる者を含む。第二十四条第一項において同じ。）の氏名

四　第二十九条第一項に規定する浄化槽設備士の氏名及びその者が交付を受けた浄化槽設備士免状の交付番号

2　前項の申請書には、工事業登録申請者が第二十四条第一項各号に該当しない者であることを誓約する書面その他の国土交通省令で定める書類を添付しなければならない。

（登録の実施、浄化槽工事業者登録簿の謄本の交付等）

第二三条　都道府県知事は、前条の規定による申請書の提出があつたときは、次条第一項の規定により登録を拒否する場合を除くほか、遅滞なく、前条第一項各号に掲げる事項並びに登録の年月日及び登録番号を浄化槽工事業者登録簿に登録しなければならない。

2　都道府県知事は、前項の規定による登録をした場合においては、直ちにその旨を当該工事業登録申請者に通知しなければならない。

3　何人も、都道府県知事に対し、その登録をした浄化槽工事業者に関する浄化槽工事業者登録簿の謄本の交付又は閲覧を請求することができる。

（登録の拒否）

第二四条　都道府県知事は、工事業登録申請者が次の各号のいずれかに該当する者であるとき、又は申請書若しくはその添付書類の重要な事項について虚偽の記載があり、若しくは重要な事実の記載が欠けているときは、その登録を拒否しなければならない。

一　この法律又はこの法律に基づく処分に違反して罰金以上の刑に処せられ、その執行を終わり、又は執行を受けることがなくなつた日から二年を経過しない者

二　第三十二条第二項の規定により登録を取り消され、その処分のあつた日から二年を経過しない者

三　浄化槽工事業者で法人であるものが第三十二条第二項の規定により登録を取り消された場合において、その処分のあつた日前三十日以内にその浄化槽工事業者の役員であつた者でその処分のあつた日から二年を経過しないもの

四　第三十二条第二項の規定により事業の停止を命ぜられ、その停止の期間が経過しない者

五　暴力団員による不当な行為の防止等に関する法律（平成三年法律第七十七号）第二条第六号に規定する暴力団員又は同号に規定する暴力団員でなくなつた日から五年を経過しない者（第九号において「暴力団員等」という。）

六　浄化槽工事業に係る営業に関し成年者と同一の行為能力を有しない未成年者でその法定代理人が前各号又は次号のいずれかに該当するもの

七　法人でその役員のうちに前各号のいずれかに該当する者があるもの

八　第二十九条第一項に規定する要件を欠く者

九　暴力団員等がその事業活動を支配する者

2　都道府県知事は、前項の規定により登録を拒否したときは、その理由を示して、直ちにその旨を工事業登録申請者に通知しなければならない。

（変更の届出）

第二五条　浄化槽工事業者は、第二十二条第一項各号に掲げる事項に変更があつたときは、変更の日から三十日以内に、その旨を都道府県知事に届け出なければならない。

2　第二十二条第二項の規定は前項の規定による届出に、第二十三条第一項及び第二項並びに前条の規定は前項の規定による届出があつた場合に準用する。

（廃業等の届出）

第二六条　浄化槽工事業者が、次の各号のいずれかに該当することとなつた場合においては、当該各号に掲げる者は、三十日以内に、その旨を都道府県知事に届け出なければならない。

一　死亡した場合　その相続人

二　法人が合併により消滅した場合　その役員（業務を執行する社員、取締役、執行役又はこれらに準ずる者をいう。以下同じ。）であつた者

三　法人が破産手続開始の決定により解散した場合　その破産管財人

四　法人が合併又は破産手続開始の決定以外の事由により解散した場合　その清算人

五　浄化槽工事業を廃止した場合　浄化槽工事業者であつた個人又は浄化槽工事業者であつた法人の役員

（登録の抹消）

第二七条　都道府県知事は、前条の規定による届出があつた場合（同条の規定による届出がなくて同条各号の一に該当する事実が判明した場合を含む。）又は登録がその効力を失つた場合は、浄化槽工事業者登録簿につき、当該浄化槽工事業者の登録を抹消しなければならない。

2　第二十四条第二項の規定は、前項の規定により登録を抹消した場合に準用する。

（登録の抹消の場合における浄化槽工事の措置）

第二八条　前条の規定により浄化槽工事業者が登録を抹消された場合においては、浄化槽工事業者であつた者又はその一般承継人は、登録の抹消前に締結された請負契約に係る浄化槽工事を引き続いて施工することができる。この場合において、当該浄化槽工事業者であつた者又はその一般承継人は登録の抹消の後、遅滞なく、その旨を当該浄化槽工事の注文者に通知しなければならない。

2　都道府県知事は、前項の規定にかかわらず、公益上必要があると認めるときは、当該浄化槽工事の施工の差止めを命ずることができる。

3　第一項の規定による浄化槽工事を引き続いて施工する者は、当該浄化槽工事を完成する目的の範囲内においては、なお浄化槽工事業者とみなす。

4　浄化槽工事の注文者は、第一項の規定による通知を受けた日から三十日以内に限り、その浄化槽工事の請負契約を解除することができる。

（浄化槽設備士の設置等）

第二九条　浄化槽工事業者は、営業所ごとに、浄化槽設備士を置かなければならない。

2　浄化槽工事業者は、前項の規定に抵触する営業所が生じたときは、二週間以内に同項の規定に適合させるため必要な措置をとらなければならない。

3　浄化槽工事業者は、浄化槽工事を行うときは、これを浄化槽設備士に実地に監督させ、又はその資格を有する浄化槽工事業者が自ら実地に監督しなければならない。ただし、これらの者が自ら浄化槽工事を行う場合は、この限りでない。

4　浄化槽設備士は、その職務を行うときは、国土交通省令で定める浄化槽設備士証を携帯していなければならない。

（標識の掲示）

第三〇条　浄化槽工事業者は、国土交通省令で定めるところにより、その営業所及び浄化槽工事の現場ごとに、その見やすい場所に、氏名又は名称、登録番号その他の国土交通省令で定める事項を記載した標識を掲げなければならない。

（帳簿の備付け等）

第三一条　浄化槽工事業者は、国土交通省令で定めるところにより、その営業所ごとに帳簿を備え、その業務に関し国土交通省令で定める事項を記載し、これを保存しなければならない。

（指示、登録の取消し、事業の停止等）

第三二条　都道府県知事は、浄化槽工事について、生活環境の保全及び公衆衛生上必要があると認めるときは、当該浄化槽工事業者に対し、必要な指示をすることができる。

2　都道府県知事は、浄化槽工事業者が次の各号のいずれかに該当するときは、その登録を取り消し、又は六月以内の期間を定めてその事業の全部若しくは一部の停止を命ずることができる。

一　不正の手段により第二十一条第一項又は第三項の登録を受けたとき。

二　第二十四条第一項第一号、第三号又は第五号から第九号までのいずれかに該当することとなつたとき。

三　第二十五条第一項の規定による届出をせず、又は虚偽の届出をしたとき。

四　前項の指示に従わず、情状特に重いとき。

3　第二十四条第二項の規定は、前項の規定による処分をした場合に準用する。

（建設業者に関する特例）

第三三条　第二十一条から第二十八条まで及び前条の規定は、建設業法（昭和二十四年法律第百号）第二条第三項に規定する建設業者であつて同法別表第一下欄に掲げる土木工事業、建築工事業又は管工事業の許可を受けているものには、適用しない。

2　前項に規定する者であつて浄化槽工事業を営むものについては、同項に掲げる規定を除き、第二十一条第一項の登録を受けた浄化槽工事業者とみなしてこの法律の規定を適用する。

3　第一項に規定する者は、浄化槽工事業を開始したときは、国土交通省令で定めるところにより、遅滞なく、その旨を都道府県知事に届け出なければ

ばならない。その届出に係る事項について変更があつたとき又は浄化槽工事業を廃止したときも同様とする。

4 浄化槽工事業者が第一項に規定する建設業者となつたときは、その者に係る第二十一条第一項又は第三項の登録は、その効力を失う。

（国土交通省令への委任等）

第三四条 この章に定めるもののほか、浄化槽工事業者登録簿の様式その他浄化槽工事業者の登録に関し必要な事項については、国土交通省令で定める。

2 国土交通大臣は、この章の国土交通省令を定め、又は変更しようとする場合には、あらかじめ、環境大臣に協議しなければならない。

第六章 浄化槽清掃業の許可

（許可）

第三五条 浄化槽清掃業を営もうとする者は、当該業を行おうとする区域を管轄する市町村長の許可を受けなければならない。

2 前項の許可には、期限を付し、又は生活環境の保全及び公衆衛生上必要な条件を付することができる。

3 第一項の許可を受けようとする者（以下「清掃業許可申請者」という。）は、環境省令で定める申請書及び添付書類を市町村長に提出しなければならない。

4 市町村長は、第一項の許可又は不許可の処分をした場合には、直ちにその旨を清掃業許可申請者に通知しなければならない。

（許可の基準）

第三六条 市町村長は、前条第一項の許可の申請が次の各号のいずれにも適合していると認めるときでなければ、同項の許可をしてはならない。

一 その事業の用に供する施設及び清掃業許可申請者の能力が環境省令で定める技術上の基準に適合するものであること。

二 清掃業許可申請者が次のいずれにも該当しないこと。

イ この法律又はこの法律に基づく処分に違反して罰金以上の刑に処せられ、その執行を終わり、又は執行を受けることがなくなつた日から二年を経過しない者

ロ 第四十一条第二項の規定により許可を取り消され、その取消しの日から二年を経過しない者

ハ 浄化槽清掃業者で法人であるものが第四十一条第二項の規定により許可を取り消された場合において、その処分のあつた日前三十日以内にその浄化槽清掃業者の役員であつた者でその処分のあつた日から二年を経過しないもの

ニ 第四十一条第二項の規定により事業の停止を命ぜられ、その停止の期間が経過しない者

ホ その業務に関し不正又は不誠実な行為をするおそれがあると認めるに足りる相当の理由がある者

ヘ 廃棄物の処理及び清掃に関する法律第七条第一項若しくは第六項の規定、第七条の二第一項の規定若しくは同法第十六条の規定（一般廃棄物に係るものに限る。）又は同法第七条の三の規定による命令に違反して罰金以上の刑に処せられ、その執行を終わり、又は執行を受けることがなくなつた日から二年を経過しない者

ト 廃棄物の処理及び清掃に関する法律第七条の四の規定により許可を取り消され、その取消しの日から二年を経過しない者

チ 廃棄物の処理及び清掃に関する法律第七条第一項又は第六項の許可を受けて一般廃棄物の収集、運搬又は処分を業として行う者（以下「一般廃棄物処理業者」という。）で法人であるものが同法第七条の四の規定により許可を取り消された場合において、その処分のあつた日前三十日以内にその一般廃棄物処理業者の役員であつた者でその処分のあつた日から二年を経過しないもの

リ 浄化槽清掃業に係る営業に関し成年者と同一の行為能力を有しない未成年者でその法定代理人がイからチまで又はヌのいずれかに該当するもの

ヌ 法人でその役員のうちにイからリまでのいずれかに該当する者があるもの

（変更の届出）

第三七条 浄化槽清掃業者は、環境省令で定めるところにより、第三十五条第三項の申請書及び添付書類の記載事項に変更があつたときは、変更の日から三十日以内に、その旨を市町村長に届け出なければならない。

（廃業等の届出）

第三八条 浄化槽清掃業者が、次の各号のいずれかに該当することとなつた場合においては、当該各号に掲げる者は、三十日以内に、その旨を市町村長に届け出なければならない。

一 死亡した場合 その相続人

二 法人が合併により消滅した場合 その役員であつた者

三 法人が破産手続開始の決定により解散した場合 その破産管財人

四 法人が合併又は破産手続開始の決定以外の事由により解散した場合 その清算人

五 浄化槽清掃業を廃止した場合 浄化槽清掃業者であつた個人又は浄化槽清掃業者であつた法人の役員

（標識の掲示）

第三九条 浄化槽清掃業者は、環境省令で定めるところにより、その営業所ごとに、その見やすい場所に、氏名又は名称その他の環境省令で定める事項を記載した標識を掲げなければならない。

（帳簿の備付け等）

第四〇条 浄化槽清掃業者は、環境省令で定めるところにより、その営業所ごとに帳簿を備え、その業務に関し環境省令で定める事項を記載し、これを保存しなければならない。

（指示、許可の取消し、事業の停止等）

第四一条 市町村長は、浄化槽の清掃について、生活環境の保全及び公衆衛生上必要があると認めるときは、当該浄化槽清掃業者に対し、必要な指示をすることができる。

2 市町村長は、浄化槽清掃業者の事業の用に供する施設若しくは浄化槽清掃業者の能力が第三十六条第一号の基準に適合しなくなつたとき、又は浄化槽清掃業者が次の各号の一に該当するときは、その許可を取り消し、又は六月以内の期間を定めてその事業の全部若しくは一部の停止を命ずることができる。

一 第十二条第二項の命令に違反したとき。

二 不正の手段により第三十五条第一項の許可を受けたとき。

三 第三十六条第二号イ、ハ又はホからヌまでのいずれかに該当することとなつたとき。

四 第三十七条の規定による届出をせず、又は虚偽の届出をしたとき。

五 前項の指示に従わず、情状特に重いとき。

3 第三十五条第四項の規定は、前項の規定による処分をした場合に準用する。

第七章 浄化槽設備士

（浄化槽設備士免状）

第四二条 浄化槽設備士免状は、次の各号のいずれかに該当する者に対し、国土交通大臣が交付する。

一 浄化槽設備士試験に合格した者

二 建設業法第二十七条に基づく管工事施工管理に係る技術検定（第二次検定に限る。）に合格した後、国土交通大臣及び環境大臣の指定する者（以下この章において「指定講習機関」という。）が国土交通省令・環境省令で定めるところにより行う浄化槽工事に関して必要な知識及び技能に関する講習（以下この章において「講習」という。）の課程を修了した者

2 国土交通大臣は、次の各号の一に該当する者に対しては、浄化槽設備士免状の交付を行わないことができる。

一 次項の規定により浄化槽設備士免状の返納を命ぜられ、その日から一年を経過しない者

二 この法律又はこの法律に基づく処分に違反して罰金以上の刑に処せられ、その執行を終わり、又は執行を受けることがなくなつた日から二年を経過しない者

3 国土交通大臣は、浄化槽設備士がこの法律又はこの法律に基づく処分に違反したときは、その浄化槽設備士免状の返納を命ずることができる。

4 浄化槽設備士免状の交付、再交付、書換え及び返納に関し必要な事項は、国土交通省令で定める。

（浄化槽設備士試験）

第四三条 浄化槽設備士試験は、浄化槽工事に関して必要な知識及び技能に

ついて行う。
２　浄化槽設備士試験は、国土交通大臣が行う。
３　浄化槽設備士試験の実施に関する事務を行わせるため、国土交通省に浄化槽設備士試験委員を置く。ただし、次項の規定により指定された者に当該事務の全部を行わせることとした場合は、この限りでない。
４　国土交通大臣は、国土交通大臣及び環境大臣の指定する者（以下この章において「指定試験機関」という。）に、浄化槽設備士試験の実施に関する事務（以下この章において「試験事務」という。）の全部又は一部を行わせることができる。
５　浄化槽設備士試験委員その他浄化槽設備士試験の実施に関する事務をつかさどる者は、その事務の施行に当たつて厳正を保持し、不正の行為がないようにしなければならない。
６　国土交通大臣は、浄化槽設備士試験に関して不正の行為があつた場合には、その不正行為に関係のある者に対しては、その受験を停止させ、又はその試験を無効とすることができる。
７　国土交通大臣は、前項の規定による処分を受けた者に対し、期間を定めて浄化槽設備士試験を受けることができないものとすることができる。

（指定試験機関の指定）
第四三条の二　指定試験機関の指定は、主務省令で定めるところにより、試験事務を行おうとする者の申請により行う。
２　主務大臣は、他に前条第四項の規定により指定を受けた者がなく、かつ、前項の申請が次の要件を満たしていると認めるときでなければ、指定試験機関の指定をしてはならない。
一　職員、設備、試験事務の実施の方法その他の事項についての試験事務の実施に関する計画が試験事務の適正かつ確実な実施のために適切なものであること。
二　前号の試験事務の実施に関する計画の適正かつ確実な実施に必要な経理的及び技術的な基礎を有するものであること。
３　主務大臣は、第一項の申請が、次の各号のいずれかに該当するときは、指定試験機関の指定をしてはならない。
一　申請者が、一般社団法人又は一般財団法人以外の者であること。
二　申請者がその行う試験事務以外の業務により試験事務を公正に実施することができないおそれがあること。
三　申請者が、第四十三条の十二の規定により指定を取り消され、その取消しの日から起算して二年を経過しない者であること。
四　申請者の役員のうちに、次のいずれかに該当する者があること。
イ　この法律に違反して、刑に処せられ、その執行を終わり、又は執行を受けることがなくなつた日から起算して二年を経過しない者
ロ　次条第二項の命令により解任され、その解任の日から起算して二年を経過しない者

（指定試験機関の役員の選任及び解任）
第四三条の三　指定試験機関の役員の選任及び解任は、主務大臣の認可を受けなければ、その効力を生じない。
２　主務大臣は、指定試験機関の役員が、この法律（この法律に基づく命令又は処分を含む。）若しくは第四十三条の五第一項に規定する試験事務規程に違反する行為をしたとき、又は試験事務に関し著しく不適当な行為をしたときは、指定試験機関に対し、当該役員の解任を命ずることができる。

（事業計画の認可等）
第四三条の四　指定試験機関は、毎事業年度、事業計画及び収支予算を作成し、当該事業年度の開始前に（第四十三条第四項の規定による指定を受けた日の属する事業年度にあつては、その指定を受けた後遅滞なく）、主務大臣の認可を受けなければならない。これを変更しようとするときも、同様とする。
２　指定試験機関は、毎事業年度の経過後三月以内に、その事業年度の事業報告書及び収支決算書を作成し、主務大臣に提出しなければならない。

（試験事務規程）
第四三条の五　指定試験機関は、試験事務の開始前に、試験事務の実施に関する規程（以下この章において「試験事務規程」という。）を定め、主務大臣の認可を受けなければならない。これを変更しようとするときも、同様とする。
２　試験事務規程で定めるべき事項は、主務省令で定める。
３　主務大臣は、第一項の認可をした試験事務規程が試験事務の適正かつ確実な実施上不適当となつたと認めるときは、指定試験機関に対し、これを変更すべきことを命ずることができる。

（指定試験機関の浄化槽設備士試験委員）
第四三条の六　指定試験機関は、浄化槽設備士試験の問題の作成及び採点を浄化槽設備士試験委員（以下この条及び第四十三条の八第一項において「試験委員」という。）に行わせなければならない。
２　指定試験機関は、試験委員を選任しようとするときは、主務省令で定める要件を備える者のうちから選任しなければならない。
３　指定試験機関は、試験委員を選任したときは、主務省令で定めるところにより、主務大臣にその旨を届け出なければならない。試験委員に変更があつたときも、同様とする。
４　第四十三条の三第二項の規定は、試験委員の解任について準用する。

（受験の停止等）
第四三条の七　指定試験機関が試験事務を行う場合において、指定試験機関は、浄化槽設備士試験に関して不正の行為があつたときは、その不正行為に関係のある者に対しては、その受験を停止させることができる。
２　前項に定めるもののほか、指定試験機関が試験事務を行う場合における第四十三条第六項及び第七項の規定の適用については、同条第六項中「その受験を停止させ、又はその試験」とあるのは「その試験」と、同条第七項中「前項」とあるのは「前項又は第四十三条の七第一項」とする。

（秘密保持義務等）
第四三条の八　指定試験機関の役員若しくは職員（試験委員を含む。次項において同じ。）又はこれらの職にあつた者は、試験事務に関して知り得た秘密を漏らしてはならない。
２　試験事務に従事する指定試験機関の役員又は職員は、刑法（明治四十年法律第四十五号）その他の罰則の適用については、法令により公務に従事する職員とみなす。

（帳簿の備付け等）
第四三条の九　指定試験機関は、主務省令で定めるところにより、帳簿を備え付け、これに試験事務に関する事項で主務省令で定めるものを記載し、及びこれを保存しなければならない。

（監督命令）
第四三条の一〇　主務大臣は、この法律を施行するため必要があると認めるときは、指定試験機関に対し、試験事務に関し監督上必要な命令をすることができる。

（試験事務の休廃止）
第四三条の一一　指定試験機関は、主務大臣の許可を受けなければ、試験事務の全部又は一部を休止し、又は廃止してはならない。

（指定の取消し等）
第四三条の一二　主務大臣は、指定試験機関が第四十三条の二第三項各号（第三号を除く。）のいずれかに該当するに至つたときは、その指定を取り消さなければならない。
２　主務大臣は、指定試験機関が次の各号のいずれかに該当するに至つたときは、その指定を取り消し、又は期間を定めて試験事務の全部若しくは一部の停止を命ずることができる。
一　第四十三条の二第二項各号の要件を満たさなくなつたと認められるとき。
二　第四十三条の三第二項（第四十三条の六第四項において準用する場合を含む。）、第四十三条の五第三項又は第四十三条の十の規定による命令に違反したとき。
三　第四十三条の四、第四十三条の六第一項から第三項まで又は前条の規定に違反したとき。
四　第四十三条の五第一項の認可を受けた試験事務規程によらないで試験事務を行つたとき。
五　次条第一項の条件に違反したとき。

（指定等の条件）
第四三条の一三　第四十三条第四項、第四十三条の三第一項、第四十三条の四第一項、第四十三条の五第一項又は第四十三条の十一の規定による指定、認可又は許可には、条件を付し、及びこれを変更することができる。
２　前項の条件は、当該指定、認可又は許可に係る事項の確実な実施を図るため必要な最小限度のものに限り、かつ、当該指定、認可又は許可を受ける者に不当な義務を課することとなるものであつてはならない。

（指定試験機関がした処分等に係る審査請求）
第四三条の一四　指定試験機関が行う試験事務に係る処分又はその不作為に

ついては、主務大臣に対し、審査請求をすることができる。この場合において、主務大臣は、行政不服審査法（平成二十六年法律第六十八号）第二十五条第二項及び第三項、第四十六条第一項及び第二項、第四十七条並びに第四十九条第三項の規定の適用については、指定試験機関の上級行政庁とみなす。

（国土交通大臣による試験事務の実施）

第四三条の一五　国土交通大臣は、指定試験機関の指定をしたときは、試験事務を行わないものとする。

2　国土交通大臣は、指定試験機関が第四十三条の十一の規定による許可を受けて試験事務の全部若しくは一部を休止したとき、第四十三条の十二第二項の規定により指定試験機関に対し試験事務の全部若しくは一部の停止を命じたとき、又は指定試験機関が天災その他の事由により試験事務の全部若しくは一部を実施することが困難となつた場合において必要があると認めるときは、試験事務の全部又は一部を自ら行うものとする。

（公示）

第四三条の一六　主務大臣は、次の場合には、その旨を官報に公示しなければならない。

一　第四十三条第四項の規定による指定をしたとき。

二　第四十三条の十一の規定による許可をしたとき。

三　第四十三条の十二の規定により指定を取り消し、又は試験事務の全部若しくは一部の停止を命じたとき。

四　前条第二項の規定により試験事務の全部若しくは一部を国土交通大臣が行うこととするとき、又は国土交通大臣が行つていた試験事務の全部若しくは一部を行わないこととするとき。

（主務省令への委任）

第四三条の一七　第四十三条から前条までに規定するもののほか、浄化槽設備士試験の試験科目、受験手続その他浄化槽設備士試験の実施に関し必要な事項並びに指定試験機関及びその行う試験事務に関し必要な事項は、主務省令で定める。

（指定講習機関の指定）

第四三条の一八　指定講習機関の指定は、主務省令で定めるところにより、講習を行おうとする者の申請により行う。

2　主務大臣は、前項の申請が次の要件を満たしていると認めるときでなければ、指定講習機関の指定をしてはならない。

一　職員、設備、講習の実施の方法その他の事項についての講習の実施に関する計画が講習の適正かつ確実な実施のために適切なものであること。

二　前号の講習の実施に関する計画の適正かつ確実な実施に必要な経理的及び技術的な基礎を有するものであること。

3　主務大臣は、第一項の申請が、次の各号のいずれかに該当するときは、指定講習機関の指定をしてはならない。

一　申請者が、一般社団法人又は一般財団法人以外の者であること。

二　申請者がその行う講習に関する業務（以下この章において「講習業務」という。）以外の業務により講習業務を公正に実施することができないおそれがあること。

三　申請者が、第四十三条の二十五の規定により指定を取り消され、その取消しの日から起算して二年を経過しない者であること。

四　申請者の役員のうちに、この法律に違反して、刑に処せられ、その執行を終わり、又は執行を受けることがなくなつた日から起算して二年を経過しない者があること。

（事業計画の認可等）

第四三条の一九　指定講習機関は、毎事業年度、事業計画及び収支予算を作成し、当該事業年度の開始前に（第四十二条第一項第二号の規定による指定を受けた日の属する事業年度にあつては、その指定を受けた後遅滞なく）、主務大臣の認可を受けなければならない。これを変更しようとするときも、同様とする。

2　指定講習機関は、毎事業年度の経過後三月以内に、その事業年度の事業報告書及び収支決算書を作成し、主務大臣に提出しなければならない。

（講習業務規程）

第四三条の二〇　指定講習機関は、講習業務の開始前に、講習業務の実施に関する規程（以下この章において「講習業務規程」という。）を定め、主務大臣の認可を受けなければならない。これを変更しようとするときも、同様とする。

2　講習業務規程で定めるべき事項は、主務省令で定める。

3　主務大臣は、第一項の認可をした講習業務規程が講習業務の適正かつ確実な実施上不適当となつたと認めるときは、指定講習機関に対し、これを変更すべきことを命ずることができる。

（役員及び職員の地位）

第四三条の二一　講習業務に従事する指定講習機関の役員又は職員は、刑法その他の罰則の適用については、法令により公務に従事する職員とみなす。

（帳簿の備付け等）

第四三条の二二　指定講習機関は、主務省令で定めるところにより、帳簿を備え付け、これに講習業務に関する事項で主務省令で定めるものを記載し、及びこれを保存しなければならない。

（監督命令）

第四三条の二三　主務大臣は、この法律を施行するため必要があると認めるときは、指定講習機関に対し、講習業務に関し監督上必要な命令をすることができる。

（講習業務の休廃止）

第四三条の二四　指定講習機関は、主務大臣の許可を受けなければ、講習業務の全部又は一部を休止し、又は廃止してはならない。

（指定の取消し等）

第四三条の二五　主務大臣は、指定講習機関が第四十三条の十八第三項各号（第三号を除く。）のいずれかに該当するに至つたときは、その指定を取り消さなければならない。

2　主務大臣は、指定講習機関が次の各号のいずれかに該当するに至つたときは、その指定を取り消し、又は期間を定めて講習業務の全部若しくは一部の停止を命ずることができる。

一　第四十三条の十八第二項各号の要件を満たさなくなつたと認められるとき。

二　第四十三条の十九又は前条の規定に違反したとき。

三　第四十三条の二十第一項の認可を受けた講習業務規程によらないで講習業務を行つたとき。

四　第四十三条の二十第三項又は第四十三条の二十三の規定による命令に違反したとき。

五　次条第一項の条件に違反したとき。

（指定等の条件）

第四三条の二六　第四十二条第一項第二号、第四十三条の十九第一項、第四十三条の二十第一項又は第四十三条の二十四の規定による指定、認可又は許可には、条件を付し、及びこれを変更することができる。

2　前項の条件は、当該指定、認可又は許可に係る事項の確実な実施を図るため必要な最小限度のものに限り、かつ、当該指定、認可又は許可を受ける者に不当な義務を課することとなるものであつてはならない。

（公示）

第四三条の二七　主務大臣は、次の場合には、その旨を官報に公示しなければならない。

一　第四十二条第一項第二号の規定による指定をしたとき。

二　第四十三条の二十四の規定による許可をしたとき。

三　第四十三条の二十五の規定により指定を取り消し、又は講習業務の全部若しくは一部の停止を命じたとき。

（主務大臣等）

第四三条の二八　この章における主務大臣は、国土交通大臣及び環境大臣とする。ただし、第四十三条の五第一項及び第三項、第四十三条の六第三項、第四十三条の十一並びに第四十三条の十四に規定する主務大臣は、国土交通大臣とする。

2　この章における主務省令は、国土交通省令・環境省令とする。ただし、第四十三条の五第二項、第四十三条の六第二項及び第三項、第四十三条の九並びに第四十三条の十七に規定する主務省令は、国土交通省令とする。

3　国土交通大臣は、前項ただし書に規定する国土交通省令を定め、又は変更しようとする場合には、あらかじめ、環境大臣に協議しなければならない。

（名称の使用制限）

第四四条　浄化槽設備士でなければ、浄化槽設備士又はこれに紛らわしい名称を用いてはならない。

第八章　浄化槽管理士

（浄化槽管理士免状）

第四五条　浄化槽管理士免状は、次の各号のいずれかに該当する者に対し、環境大臣が交付する。

一　浄化槽管理士試験に合格した者

二　環境大臣の指定する者（以下この章において「指定講習機関」という。）が環境省令で定めるところにより行う浄化槽の保守点検に関して必要な知識及び技能に関する講習（以下この章において「講習」という。）の課程を修了した者

2　環境大臣は、次の各号の一に該当する者に対しては、浄化槽管理士免状の交付を行わないことができる。

一　次項の規定により浄化槽管理士免状の返納を命ぜられ、その日から一年を経過しない者

二　この法律又はこの法律に基づく処分に違反して罰金以上の刑に処せられ、その執行を終わり、又は執行を受けることがなくなつた日から二年を経過しない者

3　環境大臣は、浄化槽管理士がこの法律又はこの法律に基づく処分に違反したときは、その浄化槽管理士免状の返納を命ずることができる。

4　浄化槽管理士免状の交付、再交付、書換え及び返納に関し必要な事項は、環境省令で定める。

（浄化槽管理士試験）

第四六条　浄化槽管理士試験は、浄化槽の保守点検に関して必要な知識及び技能について行う。

2　浄化槽管理士試験は、環境大臣が行う。

3　浄化槽管理士試験の実施に関する事務を行わせるため、環境省に浄化槽管理士試験委員を置く。ただし、次項の規定により指定された者に当該事務の全部を行わせることとした場合は、この限りでない。

4　環境大臣は、その指定する者（以下この章において「指定試験機関」という。）に、浄化槽管理士試験の実施に関する事務（以下この章において「試験事務」という。）の全部又は一部を行わせることができる。

5　浄化槽管理士試験委員その他浄化槽管理士試験の実施に関する事務をつかさどる者は、その事務の施行に当たつて厳正を保持し、不正の行為がないようにしなければならない。

6　環境大臣は、浄化槽管理士試験に関して不正の行為があつた場合には、その不正行為に関係のある者に対しては、その受験を停止させ、又はその試験を無効とすることができる。

7　環境大臣は、前項の規定による処分を受けた者に対し、期間を定めて浄化槽管理士試験を受けることができないものとすることができる。

（準用）

第四六条の二　第四十三条の二の規定は第四十六条第四項の規定による指定について、第四十三条の三から第四十三条の十七までの規定は指定試験機関について、第四十三条の十八の規定は第四十五条第一項第二号の規定による指定講習機関について準用する。この場合において、第四十三条の六の見出し中「浄化槽設備士試験委員」とあるのは「浄化槽管理士試験委員」と、同条第一項中「浄化槽設備士試験」とあるのは「浄化槽管理士試験」と、「浄化槽設備士試験委員」とあるのは「浄化槽管理士試験委員」と、第四十三条の七第一項中「浄化槽設備士試験」とあるのは「浄化槽管理士試験」と、第四十三条の十五及び第四十三条の十六第四号中「国土交通大臣」とあるのは「環境大臣」と、第四十三条の十七中「浄化槽設備士試験」とあるのは「浄化槽管理士試験」と読み替えるほか、必要な技術的読替えは、政令で定める。

（主務大臣等）

第四六条の三　前条において準用する第四十三条の二から第四十三条の二十七までに規定する主務大臣は、環境大臣とする。

2　前条において準用する第四十三条の二から第四十三条の二十二までに規定する主務省令は、環境省令とする。

（名称の使用制限）

第四七条　浄化槽管理士でなければ、浄化槽管理士又はこれに紛らわしい名称を用いてはならない。

第九章　条例による浄化槽の保守点検を業とする者の登録制度

第四八条　都道府県（保健所を設置する市又は特別区にあつては、市又は特別区とする。）は、条例で、浄化槽の保守点検を業とする者について、都道府県知事の登録を受けなければ浄化槽の保守点検を業としてはならないとする制度を設けることができる。

2　前項の条例には、登録の要件、登録の取消し等登録制度を設ける上で必要とされる事項を定めるほか、次の各号に掲げる事項を定めるものとする。

一　五年以内の登録の有効期間に関する事項

二　備えるべき器具に関する事項

三　浄化槽管理士の設置及び浄化槽管理士に対する研修の機会の確保に関する事項

四　浄化槽清掃業者との連絡に関する事項

五　保守点検の業務を行おうとする区域を記載した書面の提出等に関する事項

3　第一項の登録を受けた浄化槽の保守点検を業とする者は、浄化槽管理士の資格を有する者を浄化槽の保守点検の業務に従事させなければならない。

4　市町村長（保健所を設置する市及び特別区の長を除く。）は、第一項の登録を受けた浄化槽の保守点検を業とする者の業務に関し、違法又は不適正な事実があると認めるときは、都道府県知事に対し、必要な措置をとるべきことを申し出ることができる。

第十章　雑則

（浄化槽台帳の作成）

第四九条　都道府県知事は当該都道府県の区域（保健所を設置する市及び特別区の区域を除く。）に存する浄化槽ごとに、保健所を設置する市又は特別区の長は当該市又は特別区の区域に存する浄化槽ごとに、次に掲げる事項を記載した浄化槽台帳を作成するものとする。

一　その浄化槽の存する土地の所在及び地番並びに浄化槽管理者の氏名又は名称

二　第七条第一項及び第十一条第一項本文の水質に関する検査の実施状況

三　その他環境省令で定める事項

2　都道府県知事は、浄化槽台帳の作成のため必要があると認めるときは、関係地方公共団体の長その他の者に対し、浄化槽に関する情報の提供を求めることができる。

3　前二項に規定するもののほか、浄化槽台帳に関し必要な事項は、環境省令で定める。

（手数料）

第五〇条　次に掲げる者は、政令で定めるところにより、手数料を国（第四十三条第四項又は第四十六条第四項に規定する指定試験機関に試験の実施に関する事務の全部を行わせる場合にあつては、当該指定試験機関。次項において「指定試験機関」という。）に納付しなければならない。

一　第十六条の認定の更新を受けようとする者

二　浄化槽設備士免状の交付、再交付又は書換えを受けようとする者

三　浄化槽設備士試験を受けようとする者

四　浄化槽管理士免状の交付、再交付又は書換えを受けようとする者

五　浄化槽管理士試験を受けようとする者

2　前項の規定により指定試験機関に納付された手数料は、指定試験機関の収入とする。

（浄化槽の設置の援助）

第五一条　国又は地方公共団体は、浄化槽の設置について、必要があると認める場合には、所要の援助その他必要な措置を講ずるように努めるものとする。

（市町村し尿処理施設の利用）

第五二条　市町村は、当該市町村の区域内で収集された浄化槽内に生じた汚泥、スカム等について、当該市町村のし尿処理施設で処理するように努めなければならない。

（報告徴収、立入検査等）

第五三条　当該行政庁は、この法律の施行に必要な限度において、次に掲げる者に、その管理する浄化槽の保守点検若しくは浄化槽の清掃又は業務に

関し報告させることができる。

一　浄化槽管理者

二　浄化槽製造業者

三　浄化槽工事業者

四　浄化槽清掃業者

五　第十条第三項の規定により委託を受けた浄化槽の保守点検を業とする者又は浄化槽管理士

六　指定検査機関

七　第四十二条第一項第二号又は第四十五条第一項第二号に規定する指定講習機関

八　第四十三条第四項又は第四十六条第四項に規定する指定試験機関

2　当該行政庁は、この法律を施行するため特に必要があると認めるときは、その職員に、前項各号に掲げる者の事務所若しくは事業場又は浄化槽のある土地若しくは建物に立ち入り、帳簿書類その他の物件を検査させ、又は関係者に質問させることができる。ただし、住居に立ち入る場合においては、あらかじめ、その居住者の承諾を得なければならない。

3　前項の場合には、当該職員は、その身分を示す証明書を携帯し、かつ、関係者の請求があるときは、これを提示しなければならない。

4　第二項の権限は、犯罪捜査のために認められたものと解釈してはならない。

（協議会）

第五四条　都道府県及び市町村は、浄化槽管理者に対する支援、公共浄化槽の設置等、浄化槽台帳の作成その他の都道府県又は市町村の区域における浄化槽による汚水の適正な処理の促進に関し必要な協議を行うため、環境省令で定めるところにより、当該都道府県又は市町村、関係地方公共団体及び浄化槽管理者、浄化槽工事業者、浄化槽清掃業者、第四十八条第一項の登録を受けた浄化槽の保守点検を業とする者、指定検査機関その他の当該都道府県又は市町村が必要と認める者により構成される協議会（次項及び第三項において単に「協議会」という。）を組織することができる。

2　協議会において協議が調つた事項については、協議会の構成員は、その協議の結果を尊重しなければならない。

3　前二項に定めるもののほか、協議会の組織及び運営に関し必要な事項は、協議会が定める。

（聴聞の方法の特例）

第五五条　次に掲げる処分に係る聴聞の期日における審理は、公開により行わなければならない。

一　第十八条第一項、第二項又は第三項の規定による認定の取消し

二　第三十二条第二項の規定による浄化槽工事業者の登録の取消し

三　第四十一条第二項の規定による浄化槽清掃業者の許可の取消し

四　第四十二条第三項の規定による浄化槽設備士免状の返納命令

五　第四十三条の十二（第四十六条の二において準用する場合を含む。）の規定による指定試験機関の指定の取消し

六　第四十三条の二十五（第四十六条の二において準用する場合を含む。）の規定による指定講習機関の指定の取消し

七　第四十五条第三項の規定による浄化槽管理士免状の返納命令

（権限の委任）

第五六条　この法律に規定する国土交通大臣の権限は、国土交通省令で定めるところにより、その一部を地方整備局長又は北海道開発局長に委任することができる。

2　この法律に規定する環境大臣の権限は、環境省令で定めるところにより、その一部を地方環境事務所長に委任することができる。

（指定検査機関）

第五七条　都道府県知事は、当該都道府県の区域において第七条第一項及び第十一条第一項本文の水質に関する検査の業務を行う者を指定する。

2　都道府県知事は、前項の指定をしたときは、環境省令で定める事項を公示しなければならない。

3　第一項の指定の手続その他指定検査機関に関し必要な事項は、環境省令で定める。

（経過措置）

第五八条　この法律の規定に基づき、命令を制定し、又は改廃する場合においては、その命令で、その制定又は改廃に伴い合理的に必要と判断される範囲内において、所要の経過措置（罰則に関する経過措置を含む。）を定めることができる。

第十一章　罰則

第五九条　次の各号のいずれかに該当する者は、一年以下の懲役又は百五十万円以下の罰金に処する。

一　第十三条第一項の規定に違反して認定を受けた型式の浄化槽以外の浄化槽を製造した者

二　第十七条第三項の規定に違反して浄化槽を輸入した者

三　第二十一条第一項又は第三項の登録を受けないで浄化槽工事業を営んだ者

四　不正の手段により第二十一条第一項又は第三項の登録を受けた者

五　第三十二条第二項又は第四十一条第二項の規定による命令に違反した者

六　第三十五条第一項の許可を受けないで浄化槽清掃業を営んだ者

七　不正の手段により第三十五条第一項の許可を受けた者

第六〇条　第四十三条の八第一項（第四十六条の二において準用する場合を含む。）の規定に違反して、試験事務（第四十三条第四項又は第四十六条第四項に規定する試験事務をいう。以下同じ。）に関して知り得た秘密を漏らした者は、一年以下の懲役又は百万円以下の罰金に処する。

第六一条　第四十三条の十二第二項又は第四十三条の二十五第二項（これらの規定を第四十六条の二において準用する場合を含む。）の規定による試験事務又は講習業務（第四十三条の十八第三項第二号（第四十六条の二において準用する場合を含む。）に規定する講習業務をいう。以下同じ。）の停止命令に違反したときは、その違反行為をした指定試験機関又は指定講習機関の役員又は職員は、一年以下の懲役又は百万円以下の罰金に処する。

第六二条　第十二条第二項の規定による命令に違反した者は、六月以下の懲役又は百万円以下の罰金に処する。

第六三条　次の各号のいずれかに該当する者は、三月以下の懲役又は五十万円以下の罰金に処する。

一　第五条第一項の規定による届出をせず、又は虚偽の届出をした者

二　第五条第三項の規定による命令に違反した者

第六四条　次の各号のいずれかに該当する者は、三十万円以下の罰金に処する。

一　第五条第四項の規定に違反して浄化槽工事を施工した者

二　第十条第二項の規定に違反して技術管理者を置かなかつた者

三　第十二条の八第三項（第十二条の十第二項において準用する場合を含む。）の規定による命令に違反した者

四　第十二条の十第一項の規定に違反して承認を受けないで排水設備を設置した者

五　第十二条の十二第一項の規定による検査を拒み、妨げ、又は忌避した者

六　第十二条の十五第六項の規定に違反して土地の立入りを拒み、又は妨げた者

七　第十二条の十六第一項の規定に違反して排水設備の使用を廃止した者

八　第十七条第一項の規定に違反して表示を付さなかつた者

九　第二十七条第二項の規定に違反して表示を付した者

十　第二十九条第二項の規定に違反して措置をとらなかつた者

十一　第二十九条第三項の規定に違反して浄化槽工事を行つた者

十二　第三十一条又は第四十条の規定に違反して帳簿を備えず、帳簿に記載せず、若しくは虚偽の記載をし、又は帳簿を保存しなかつた者

十三　第四十三条第五項又は第四十六条第五項の規定に違反して故意に不正の採点をした者

十四　第四十四条又は第四十七条の規定に違反した者

十五　第五十三条第一項（第七号又は第八号に係る部分を除く。）の規定による報告をせず、又は虚偽の報告をした者

十六　第五十三条第二項（同条第一項第七号又は第八号に掲げる者に係る部分を除く。以下この号において同じ。）の規定による検査を拒み、妨げ、若しくは忌避し、又は同条第二項の規定による質問に対して答弁をせず、若しくは虚偽の答弁をした者

第六五条　次の各号のいずれかに該当するときは、その違反行為をした指定試験機関又は指定講習機関の役員及び職員は、三十万円以下の罰金に処する。

一　第四十三条の九又は第四十三条の二十二（これらの規定を第四十六条

の二において準用する場合を含む。）の規定に違反して帳簿を備えず、帳簿に記載せず、若しくは虚偽の記載をし、又は帳簿を保存しなかつたとき。

二　第四十三条の十一又は第四十三条の二十四（これらの規定を第四十六条の二において準用する場合を含む。）の許可を受けないで試験事務又は講習業務の全部を廃止したとき。

三　第五十三条第一項（第七号又は第八号に係る部分に限る。）の規定による報告をせず、又は虚偽の報告をしたとき。

四　第五十三条第二項（同条第一項第七号又は第八号に掲げる者に係る部分に限る。以下この号において同じ。）の規定による検査を拒み、妨げ、若しくは忌避し、又は同条第二項の規定による質問に対して答弁せず、若しくは虚偽の答弁をしたとき。

第六六条　法人の代表者又は法人若しくは人の代理人、使用人その他の従業者が、その法人又は人の業務に関し、第五十九条、第六十二条、第六十三条及び第六十四条（第十三号を除く。）の違反行為をしたときは、行為者を罰するほか、その法人又は人に対しても、各本条の罰金刑を科する。

第六六条の二　第七条の二第三項又は第十二条の二第三項の規定による命令に違反した者は、三十万円以下の過料に処する。

第六七条　次の各号のいずれかに該当する者は、二十万円以下の過料に処する。

一　第十四条第三項、第二十五条第一項、第二十六条、第三十三条第三項、第三十七条又は第三十八条の規定による届出をせず、又は虚偽の届出をした者

二　第二十八条第一項後段の規定による通知をしなかつた者

三　第三十条又は第三十九条の規定に違反して標識を掲げない者

四　正当な理由がないのに、第四十二条第三項又は第四十五条第三項の規定による命令に違反して浄化槽設備士免状又は浄化槽管理士免状を返納しなかつた者

第六八条　次の各号のいずれかに該当する者は、五万円以下の過料に処する。

一　第十一条の二第一項の規定による届出をする場合において虚偽の届出をした者

二　第十一条の二第二項、第十一条の三、第十二条の十一又は第十二条の十六第二項の規定による届出をせず、又は虚偽の届出をした者

附　則〔抄〕

（**施行期日**）

第一条　この法律は、昭和六十年十月一日から施行する。ただし、第四十二条、第四十三条、第四十五条、第四十六条、第五十条（同条第一項第一号を除く。）、第五十三条（同条第一項第六号から第九号までに掲げる者に係る部分に限る。）、第六十二条第八号及び第六十三条の規定並びに附則第七条、附則第八条及び附則第十条第一項から第四項までの規定は、公布の日から起算して六月を超えない範囲内において政令で定める日から施行する。

〔昭和五八政二二八により、昭和五八・一一・一七から施行〕

（**浄化槽の設置等の届出及び水質検査に係る経過措置**）

第二条　この法律の施行の際現に附則第十二条の規定による改正前の廃棄物の処理及び清掃に関する法律（以下「旧廃掃法」という。）第八条第一項の規定により届出がされている浄化槽の設置又はその構造若しくは規模の変更については、第五条の規定は、適用しない。

2　前項の浄化槽又はこの法律の施行の際現に、浄化槽の設置若しくはその構造若しくは規模の変更につき、建築基準法第六条第一項（同法第八十七条第一項において準用する場合を含む。）の規定による建築主事の確認若しくは同法第十八条第四項（同法第八十七条第一項において準用する場合を含む。）の規定による建築主事の通知を受けている浄化槽で、これらの浄化槽工事がこの法律の施行後六月以内に完了したものについては、第七条の規定は、適用しない。

（**浄化槽工事業に係る経過措置**）

第三条　この法律の施行の際現に浄化槽工事業を営んでいる者は、この法律の施行の日から三月間は、第二十一条第一項の登録を受けないでも引き続き浄化槽工事業を営むことができる。

（**建設業者に関する特例に係る経過措置**）

第四条　この法律の施行の際第三十三条第一項に規定する者で現に浄化槽工事業を行つているものに係る同条第三項の規定の適用については、同項中「浄化槽工事業を開始したときは」とあるのは「この法律の施行の日から起算して六十日以内に」と、「その旨を」とあるのは「浄化槽工事業を行つている旨を」とする。

（**従前のし尿浄化槽清掃業の許可の効力等**）

第五条　この法律の施行前に旧廃掃法の規定によつてなされたし尿浄化槽清掃業の許可又は許可の申請は、この法律の相当規定によつてなされた浄化槽清掃業の許可又は許可の申請とみなす。

第六条　前条に規定する場合のほか、この法律の施行前に旧廃掃法の規定によつてした処分、手続その他の行為は、この法律中にこれに相当する規定があるときは、この法律の相当規定によつてしたものとみなす。

（**浄化槽設備士免状の特例**）

第七条　国土交通大臣は、この法律の施行の際厚生大臣及び建設大臣が定める者の行う浄化槽の工事に関する講習会等の課程を修了している者で、現に浄化槽工事の業務に従事しており、かつ、建設省令で定めるところにより厚生大臣及び建設大臣が指定する浄化槽工事に関する講習会の課程を昭和六十二年六月三十日までに修了したものに対して、浄化槽設備士免状を交付することができる。

（**浄化槽管理士免状の特例**）

第八条　環境大臣は、この法律の施行の際厚生大臣が定める者の行う浄化槽の管理技術に関する講習会等の課程を修了している者で、現に浄化槽の保守点検の業務に従事しており、かつ、厚生大臣が指定する浄化槽の保守点検に関する講習会の課程を昭和六十二年六月三十日までに修了したものに対して、浄化槽管理士免状を交付することができる。

（**浄化槽設備士又は浄化槽管理士の名称使用に関する経過措置**）

第九条　この法律の施行の際現に浄化槽設備士若しくは浄化槽管理士又はこれらに紛らわしい名称を用いている者については、第四十四条又は第四十七条の規定は、この法律の施行後六月間は、適用しない。

（**浄化槽の型式の認定の特例**）

第一〇条　浄化槽を工場において製造しようとする者又は外国の工場において本邦に輸出される浄化槽を製造しようとする者は、昭和六十年九月三十日までに申請して、製造しようとする浄化槽の型式について、建設大臣の認定を受けることができる。

2　建設大臣は、前項の認定の申請に係る型式の浄化槽が建築基準法及びこれに基づく命令で定める浄化槽の構造基準に適合すると認めるときは、同項の期日まで認定をすることができる。

3　前二項に定めるもののほか、認定の申請、認定の表示、認定の取消し、厚生大臣に対する通知その他浄化槽の型式の認定に関し必要な事項は、建設省令で定める。

4　第一項の認定を受けようとする者は、政令で定めるところにより、手数料を国に納付しなければならない。

5　第一項の期日までに前各項の規定によつてした認定、手続その他の行為は、この法律（この条を除く。）の相当規定によつてしたものとみなす。

（**特定既存単独処理浄化槽に対する措置**）

第一一条　都道府県知事は、既存単独処理浄化槽（浄化槽法の一部を改正する法律（平成十二年法律第百六号）附則第二条に規定する既存単独処理浄化槽をいう。）であつて、第十一条第二項の規定において準用する第七条第二項の規定による報告その他の情報から判断してそのまま放置すれば生活環境の保全及び公衆衛生上重大な支障が生ずるおそれのある状態にあると認められるもの（以下「特定既存単独処理浄化槽」という。）に係る浄化槽管理者に対し、当該特定既存単独処理浄化槽に関し、除却その他生活環境の保全及び公衆衛生上必要な措置をとるよう助言又は指導をすることができる。

2　都道府県知事は、前項の規定による助言又は指導をした場合において、なお当該特定既存単独処理浄化槽の状態が改善されないと認めるときは、当該助言又は指導を受けた者に対し、相当の期限を定めて、除却その他生活環境の保全及び公衆衛生上必要な措置をとることを勧告することができる。

3　都道府県知事は、前項の規定による勧告を受けた者が正当な理由がなくてその勧告に係る措置をとらなかつた場合において、特に必要があると認めるときは、その者に対し、相当の期限を定めて、その勧告に係る措置をとることを命ずることができる。

4　前三項に定めるもののほか、特定既存単独処理浄化槽に対する措置に関し必要な事項は、環境省令で定める。

5　第三項の命令に違反した者は、三十万円以下の罰金に処する。

6　法人の代表者又は法人若しくは人の代理人、使用人その他の従業者が、その法人又は人の業務に関し、前項の違反行為をしたときは、行為者を罰するほか、その法人又は人に対しても、同項の刑を科する。

（罰則に関する経過措置）

第一四条　この法律の施行前にした行為に対する罰則の適用については、なお従前の例による。

附　則〔略〕〔昭和五八・一二・二法律七八〕

附　則〔略〕〔昭和六二・六・二法律六三〕

附　則〔略〕〔昭和六三・五・二〇法律四九〕

附　則〔略〕〔平成二・六・二九法律六一〕

附　則〔略〕〔平成三・一〇・五法律九五〕

附　則〔抄〕〔平成五・一一・一二法律八九〕

（施行期日）

第一条　この法律は、行政手続法（平成五年法律第八十八号）の施行の日〔平成六・一〇・一〕から施行する。

（諮問等がされた不利益処分に関する経過措置）

第二条　この法律の施行前に法令に基づき審議会その他の合議制の機関に対し行政手続法第十三条に規定する聴聞又は弁明の機会の付与の手続その他の意見陳述のための手続に相当する手続を執るべきことの諮問その他の求めがされた場合においては、当該諮問その他の求めに係る不利益処分の手続に関しては、この法律による改正後の関係法律の規定にかかわらず、なお従前の例による。

（罰則に関する経過措置）

第一三条　この法律の施行前にした行為に対する罰則の適用については、なお従前の例による。

（聴聞に関する規定の整理に伴う経過措置）

第一四条　この法律の施行前に法律の規定により行われた聴聞、聴問若しくは聴聞会（不利益処分に係るものを除く。）又はこれらのための手続は、この法律による改正後の関係法律の相当規定により行われたものとみなす。

（政令への委任）

第一五条　附則第二条から前条までに定めるもののほか、この法律の施行に関して必要な経過措置は、政令で定める。

附　則〔抄〕〔平成六・七・一法律八四〕

（施行期日）

第一条　この法律は、公布の日から施行する。〔以下略〕

（その他の処分、申請等に係る経過措置）

第一三条　この法律（附則第一条ただし書に規定する規定については、当該規定。以下この条及び次条において同じ。）の施行前に改正前のそれぞれの法律の規定によりされた許可等の処分その他の行為（以下この条において「処分等の行為」という。）又はこの法律の施行の際現に改正前のそれぞれの法律の規定によりされている許可等の申請その他の行為（以下この条において「申請等の行為」という。）に対するこの法律の施行の日以後における改正後のそれぞれの法律の適用については、附則第五条から第十条までの規定又は改正後のそれぞれの法律（これに基づく命令を含む。）の経過措置に関する規定に定めるものを除き、改正後のそれぞれの法律の相当規定によりされた処分等の行為又は申請等の行為とみなす。

（罰則に関する経過措置）

第一四条　この法律の施行前にした行為及びこの法律の附則において従前の例によることとされる場合におけるこの法律の施行後にした行為に対する罰則の適用については、なお従前の例による。

（その他の経過措置の政令への委任）

第一五条　この附則に規定するもののほか、この法律の施行に伴い必要な経過措置は政令で定める。

附　則〔略〕〔平成九・五・九法律五〇〕

附　則〔抄〕〔平成一〇・五・八法律五四〕

（施行期日）

第一条　この法律は、平成十二年四月一日から施行する。ただし、〔中略〕附則第七条及び第九条の規定は、公布の日から施行する。

（職員の引継ぎに関する事項の政令への委任）

第七条　施行日の前日において現に都又は都知事若しくは都の委員会その他の機関が処理し、又は管理し、及び執行している事務で施行日以後法律又はこれに基づく政令により特別区又は特別区の区長若しくは特別区の委員会その他の機関が処理し、又は管理し、及び執行することとなるものに従事している都の職員の特別区への引継ぎに関して必要な事項は、政令で定める。

（罰則に関する経過措置）

第八条　この法律の施行前にした行為及びこの法律の附則において従前の例によることとされる場合におけるこの法律の施行後にした行為に対する罰則の適用については、なお従前の例による。

（政令への委任）

第九条　附則第二条から前条までに定めるもののほか、この法律の施行のため必要な経過措置は、政令で定める。

附　則〔抄〕〔平成一一・七・一六法律八七〕

（施行期日）

第一条　この法律は、平成十二年四月一日から施行する。ただし、次の各号に掲げる規定は、当該各号に定める日から施行する。

一　〔前略〕附則〔中略〕第百六十条、第百六十三条、第百六十四条並びに第二百二条の規定　公布の日

二～六　〔略〕

（浄化槽法の一部改正に伴う経過措置）

第一四七条　施行日前にされた行政庁の処分に係る第四百四十九条の規定による改正前の浄化槽法第五十六条の規定に基づく再審査請求については、なお従前の例による。

（国等の事務）

第一五九条　この法律による改正前のそれぞれの法律に規定するもののほか、この法律の施行前において、地方公共団体の機関が法律又はこれに基づく政令により管理し又は執行する国、他の地方公共団体その他公共団体の事務（附則第百六十一条において「国等の事務」という。）は、この法律の施行後は、地方公共団体が法律又はこれに基づく政令により当該地方公共団体の事務として処理するものとする。

（処分、申請等に関する経過措置）

第一六〇条　この法律（附則第一条各号に掲げる規定については、当該各規定。以下この条及び附則第百六十三条において同じ。）の施行前に改正前のそれぞれの法律の規定によりされた許可等の処分その他の行為（以下この条において「処分等の行為」という。）又はこの法律の施行の際現に改正前のそれぞれの法律の規定によりされている許可等の申請その他の行為（以下この条において「申請等の行為」という。）で、この法律の施行の日においてこれらの行為に係る行政事務を行うべき者が異なることとなるものは、附則第二条から前条までの規定又は改正後のそれぞれの法律（これに基づく命令を含む。）の経過措置に関する規定に定めるものを除き、この法律の施行の日以後における改正後のそれぞれの法律の適用については、改正後のそれぞれの法律の相当規定によりされた処分等の行為又は申請等の行為とみなす。

2　この法律の施行前に改正前のそれぞれの法律の規定により国又は地方公共団体の機関に対し報告、届出、提出その他の手続をしなければならない事項で、この法律の施行の日前にその手続がされていないものについては、この法律及びこれに基づく政令に別段の定めがあるもののほか、これを、改正後のそれぞれの法律の相当規定により国又は地方公共団体の相当の機関に対して報告、届出、提出その他の手続をしなければならない事項についてその手続がされていないものとみなして、この法律による改正後のそれぞれの法律の規定を適用する。

（不服申立てに関する経過措置）

第一六一条　施行日前にされた国等の事務に係る処分であって、当該処分をした行政庁（以下この条において「処分庁」という。）に施行日前に行政不服審査法に規定する上級行政庁（以下この条において「上級行政庁」という。）があったものについての同法による不服申立てについては、施行日以後においても、当該処分庁に引き続き上級行政庁があるものとみなして、行政不服審査法の規定を適用する。この場合において、当該処分庁の上級行政庁とみなされる行政庁は、施行日前に当該処分庁の上級行政庁であった行政庁とする。

2　前項の場合において、上級行政庁とみなされる行政庁が地方公共団体の機関であるときは、当該機関が行政不服審査法の規定により処理することとされる事務は、新地方自治法第二条第九項第一号に規定する第一号法定受託事務とする。

（手数料に関する経過措置）

第一六二条　施行日前においてこの法律による改正前のそれぞれの法律（これに基づく命令を含む。）の規定により納付すべきであった手数料については、この法律及びこれに基づく政令に別段の定めがあるもののほか、なお従前の例による。

（罰則に関する経過措置）

第一六三条　この法律の施行前にした行為に対する罰則の適用については、なお従前の例による。

（その他の経過措置の政令への委任）

第一六四条　この附則に規定するもののほか、この法律の施行に伴い必要な経過措置（罰則に関する経過措置を含む。）は、政令で定める。

２　〔略〕

附　則〔略〕〔平成一一・一二・二二法律一六〇〕

附　則〔抄〕〔平成一二・六・二法律一〇六〕

改正　令和元・六法四〇

（施行期日）

第一条　この法律は、平成十三年四月一日から施行する。

（既存単独処理浄化槽に係る経過措置等）

第二条　この法律による改正前の浄化槽法第二条第一号に規定する浄化槽（し尿のみを処理するものに限る。）であってこの法律の施行の際現に設置され、若しくは設置の工事が行われているもの又は現に建築の工事が行われている建築物に設置されるもの（以下「既存単独処理浄化槽」という。）は、この法律による改正後の浄化槽法（以下「新法」という。）の規定（第三条第二項及び第十二条の六の規定を除く。）の適用については、新法第二条第一号に規定する浄化槽とみなす。

第三条　既存単独処理浄化槽（新法第三条の二第一項ただし書に規定する設備又は施設に該当するものを除く。）を使用する者は、新法第二条第一号に規定する雑排水が公共用水域等に放流される前に処理されるようにするため、同号に規定する浄化槽の設置等に努めなければならない。

（罰則に関する経過措置）

第四条　この法律の施行前にした行為に対する罰則の適用については、なお従前の例による。

附　則〔平成一三・六・二七法律七四〕

（施行期日）

第一条　この法律は、平成十三年十月一日から施行する。

（指定試験機関等に関する経過措置）

第二条　この法律の施行の際現に次の各号のいずれかに該当する者は、それぞれ当該各号に定める者とみなす。

一　この法律による改正前の浄化漕法（以下「旧法」という。）第四十二条第一項第二号に規定する国土交通大臣及び環境大臣が認定した講習会を行う者　この法律による改正後の浄化漕法（以下「新法」という。）第四十二条第一項第二号の規定による指定を受けた者

二　旧法第四十三条第四項の規定による指定を受けている者　新法第四十三条第四項の規定による指定を受けた者

三　旧法第四十五条第一項第二号に規定する環境大臣が認定した講習会を行う者　新法第四十五条第一項第二号の規定による指定を受けた者

四　旧法第四十六条第四項の規定による指定を受けている者　新法第四十六条第四項の規定による指定を受けた者

（罰則に関する経過措置）

第三条　この法律の施行前にした行為に対する罰則の適用については、なお従前の例による。

（政令への委任）

第四条　前二条に規定するもののほか、この法律の施行に伴い必要な経過措置（罰則に関する経過措置を含む。）は、政令で定める。

附　則〔略〕〔平成一四・五・二九法律四五〕

附　則〔略〕〔平成一四・七・一二法律八五〕

附　則〔略〕〔平成一五・六・一八法律九三〕

附　則〔略〕〔平成一五・六・一八法律九六〕

附　則〔抄〕〔平成一六・六・二法律七六〕

（施行期日）

第一条　この法律は、破産法（中略）の施行の日〔平成一七・一・一〕から施行する。〔以下略〕

（罰則の適用等に関する経過措置）

第一二条１　〔略〕

２～４　〔略〕

５　施行日前にされた破産の宣告、再生手続開始の決定、更生手続開始の決定又は外国倒産処理手続の承認の決定に係る届出、通知又は報告の義務に関するこの法律による改正前の（中略）浄化槽法（中略）の規定並びにこれらの規定に係る罰則の適用については、なお従前の例による。

附　則〔略〕〔平成一六・一二・一法律一四七〕

附　則〔抄〕〔平成一七・四・二七法律三三〕

（施行期日）

第一条　この法律は、平成十七年十月一日から施行する。

（経過措置）

第二四条　この法律による改正後のそれぞれの法律の規定に基づき命令を制定し、又は改廃する場合においては、その命令で、その制定又は改廃に伴い合理的に必要と判断される範囲内において、所要の経過措置（罰則に関する経過措置を含む。）を定めることができる。

附　則〔平成一七・五・二〇法律四七〕

（施行期日）

第一条　この法律は、平成十八年二月一日から施行する。ただし、第七条の改正規定（「環境大臣又は」を削る部分に限る。）並びに第五十七条第一項及び第二項の改正規定は、公布の日から施行する。

（設置後等の水質検査に関する経過措置）

第二条　この法律の施行の際現にこの法律による改正前の浄化槽法第五条第一項の規定による届出がされている浄化槽又はこの法律の施行の際現に浄化槽の設置若しくはその構造若しくは規模の変更につき建築基準法（昭和二十五年法律第二百一号）第六条第一項若しくは第十八条第三項（これらの規定を同法第八十七条第一項において準用する場合を含む。）の規定による確認済証の交付を受けている浄化槽についてのこの法律による改正後の浄化槽法（以下「新法」という。）第七条第一項の規定により水質に関する検査を受けなければならない期間については、同項の規定にかかわらず、なお従前の例による。

（罰則に関する経過措置）

第三条　この法律の施行前にした行為に対する罰則の適用については、なお従前の例による。

（検討）

第四条　政府は、この法律の施行後五年を経過した場合において、新法の施行の状況を勘案し、必要があると認めるときは、新法の規定について検討を加え、その結果に基づいて必要な措置を講ずるものとする。

附　則〔略〕〔平成一八・三・三一法律一〇〕

附　則〔略〕〔平成一八・六・二法律五〇〕

附　則〔略〕〔平成一八・六・二一法律九二〕

附　則〔略〕〔平成二〇・五・二三法律四〇〕

附　則〔略〕〔平成二三・五・二法律三七〕

附　則〔略〕〔平成二三・六・三法律六一〕

附　則〔略〕〔平成二五・六・一四法律四四施行〕

附　則〔抄〕〔平成二六・六・四法律五五〕

（施行期日）

第一条　この法律は、公布の日から起算して一年を超えない範囲内において政令で定める日から施行する。ただし、次の各号に掲げる規定は、当該各号に定める日から施行する。

〔平成二六政三〇七により、平成二七・四・一から施行〕

一　〔前略〕附則第七条の規定　公布の日

二　〔略〕

（浄化槽法の一部改正に伴う経過措置）

第五条　第三条の規定による改正後の浄化槽法（以下この条において「新浄化槽法」という。）第二十五条第一項の規定は、新浄化槽法第二十二条第一項各号に掲げる事項の変更であってこの法律の施行後にあるものについて適用し、この法律の施行前にあった当該事項の変更については、なお従前の例による。

（政令への委任）

第七条　附則第二条から前条までに定めるもののほか、この法律の施行に関し必要な経過措置（罰則に関する経過措置を含む。）は、政令で定める。

（検討）

第八条　政府は、この法律の施行後五年を経過した場合において、第一条から第四条までの規定による改正後の規定の施行の状況について検討を加

え、必要があると認めるときは、その結果に基づいて所要の措置を講ずるものとする。

附　則〔略〕〔平成二六・六・一三法律六九〕

附　則〔略〕〔令和元・六・一二法律三〇〕

附　則〔抄〕〔令和元・六・一九法律四〇〕

（施行期日）

第一条　この法律は、公布の日から起算して一年を超えない範囲内において政令で定める日から施行する。ただし、附則第三条の規定は、公布の日から施行する。

〔令和元政一〇六により、令和二・四・一から施行〕

（みなし公共浄化槽）

第二条　この法律による改正後の浄化槽法（以下「新法」という。）第十二条の四第一項の規定により指定された浄化槽処理促進区域内に存する新法第二条第一号に規定する浄化槽（以下この条において単に「浄化槽」という。）のうち、新法第二条第一号の二に規定する公共浄化槽（以下この条において単に「公共浄化槽」という。）以外の浄化槽であって当該浄化槽処理促進区域内に存する建築物（国又は地方公共団体が所有する建築物を除く。）に居住する者の日常生活に伴い生ずるし尿及び雑排水を処理するために市町村が管理しているものは、新法第十二条の十から第十二条の十七までの規定の適用については、公共浄化槽とみなす。

（準備行為）

第三条　市町村は、新法第十二条の四第一項の規定により浄化槽処理促進区域を指定しようとするときは、この法律の施行前においても、同条第二項の規定の例により、都道府県知事に協議することができる。

附　則〔抄〕〔令和五・六・一六法律五八〕

（施行期日）

第一条　この法律〔中略〕は、当該各号に定める日〔令和六・四・一〕から施行する。

○借地借家法〔平成三・一〇・四 法律九〇〕

改正　平成八・六法一一〇、平成一一・一二法一五三、平成一九・一二法一三二、平成二三・五法五三、平成二九・六法四五、令和三・五法三七、令和四・五法四八

注1　令和四年五月二五日法律第四八号の改正の一部は、公布の日から起算して四年を超えない範囲内において政令で定める日から施行のため、改正を加えてありません。

注2　令和五年六月一四日法律第五三号の改正は、公布の日から起算して五年を超えない範囲内において政令で定める日から施行のため、改正を加えてありません。

目次

第一章　総則（第一条・第二条）
第二章　借地
第一節　借地権の存続期間等（第三条―第九条）
第二節　借地権の効力（第十条―第十六条）
第三節　借地条件の変更等（第十七条―第二十一条）
第四節　定期借地権等（第二十二条―第二十五条）
第三章　借家
第一節　建物賃貸借契約の更新等（第二十六条―第三十条）
第二節　建物賃貸借の効力（第三十一条―第三十七条）
第三節　定期建物賃貸借等（第三十八条―第四十条）
第四章　借地条件の変更等の裁判手続（第四十一条―第六十一条）
附則

第一章　総則

（趣旨）

第一条　この法律は、建物の所有を目的とする地上権及び土地の賃借権の存続期間、効力等並びに建物の賃貸借の契約の更新、効力等に関し特別の定めをするとともに、借地条件の変更等の裁判手続に関し必要な事項を定めるものとする。

（定義）

第二条　この法律において、次の各号に掲げる用語の意義は、当該各号に定めるところによる。

一　借地権　建物の所有を目的とする地上権又は土地の賃借権をいう。

二　借地権者　借地権を有する者をいう。

三　借地権設定者　借地権者に対して借地権を設定している者をいう。

四　転借地権　建物の所有を目的とする土地の賃借権で借地権者が設定しているものをいう。

五　転借地権者　転借地権を有する者をいう。

第二章　借地

第一節　借地権の存続期間等

（借地権の存続期間）

第三条　借地権の存続期間は、三十年とする。ただし、契約でこれより長い期間を定めたときは、その期間とする。

（借地権の更新後の期間）

第四条　当事者が借地契約を更新する場合においては、その期間は、更新の日から十年（借地権の設定後の最初の更新にあっては、二十年）とする。ただし、当事者がこれより長い期間を定めたときは、その期間とする。

（借地契約の更新請求等）

第五条　借地権の存続期間が満了する場合において、借地権者が契約の更新を請求したときは、建物がある場合に限り、前条の規定によるもののほか、従前の契約と同一の条件で契約を更新したものとみなす。ただし、借地権設定者が遅滞なく異議を述べたときは、この限りでない。

2　借地権の存続期間が満了した後、借地権者が土地の使用を継続するときも、建物がある場合に限り、前項と同様とする。

3　転借地権が設定されている場合においては、転借地権者がする土地の使用の継続を借地権者がする土地の使用の継続とみなして、借地権者と借地権設定者との間について前項の規定を適用する。

（借地契約の更新拒絶の要件）

第六条　前条の異議は、借地権設定者及び借地権者（転借地権者を含む。以下この条において同じ。）が土地の使用を必要とする事情のほか、借地に関する従前の経過及び土地の利用状況並びに借地権設定者が土地の明渡しの条件として又は土地の明渡しと引換えに借地権者に対して財産上の給付をする旨の申出をした場合におけるその申出を考慮して、正当の事由があると認められる場合でなければ、述べることができない。

（建物の再築による借地権の期間の延長）

第七条　借地権の存続期間が満了する前に建物の滅失（借地権者又は転借地権者による取壊しを含む。以下同じ。）があった場合において、借地権者が残存期間を超えて存続すべき建物を築造したときは、その建物を築造するにつき借地権設定者の承諾がある場合に限り、借地権は、承諾があった日又は建物が築造された日のいずれか早い日から二十年間存続する。ただし、残存期間がこれより長いとき、又は当事者がこれより長い期間を定めたときは、その期間による。

2　借地権者が借地権設定者に対し残存期間を超えて存続すべき建物を新たに築造する旨を通知した場合において、借地権設定者がその通知を受けた後二月以内に異議を述べなかったときは、その建物を築造するにつき前項

の借地権設定者の承諾があったものとみなす。ただし、契約の更新の後（同項の規定により借地権の存続期間が延長された場合にあっては、借地権の当初の存続期間が満了すべき日の後。次条及び第十八条において同じ。）に通知があった場合においては、この限りでない。

3　転借地権が設定されている場合においては、転借地権者がする建物の築造を借地権者がする建物の築造とみなして、借地権者と借地権設定者との間について第一項の規定を適用する。

（借地契約の更新後の建物の滅失による解約等）

第八条　契約の更新の後に建物の滅失があった場合においては、借地権者は、地上権の放棄又は土地の賃貸借の解約の申入れをすることができる。

2　前項に規定する場合において、借地権者が借地権設定者の承諾を得ないで残存期間を超えて存続すべき建物を築造したときは、借地権設定者は、地上権の消滅の請求又は土地の賃貸借の解約の申入れをすることができる。

3　前二項の場合においては、借地権は、地上権の放棄若しくは消滅の請求又は土地の賃貸借の解約の申入れがあった日から三月を経過することによって消滅する。

4　第一項に規定する地上権の放棄又は土地の賃貸借の解約の申入れをする権利は、第二項に規定する地上権の消滅の請求又は土地の賃貸借の解約の申入れをする権利を制限する場合に限り、制限することができる。

5　転借地権が設定されている場合においては、転借地権者がする建物の築造を借地権者がする建物の築造とみなして、借地権者と借地権設定者との間について第二項の規定を適用する。

（強行規定）

第九条　この節の規定に反する特約で借地権者に不利なものは、無効とする。

第二節　借地権の効力

（借地権の対抗力）

第一〇条　借地権は、その登記がなくても、土地の上に借地権者が登記されている建物を所有するときは、これをもって第三者に対抗することができる。

2　前項の場合において、建物の滅失があっても、借地権者が、その建物を特定するために必要な事項、その滅失があった日及び建物を新たに築造する旨を土地の上の見やすい場所に掲示するときは、借地権は、なお同項の効力を有する。ただし、建物の滅失があった日から二年を経過した後にあっては、その前に建物を新たに築造し、かつ、その建物につき登記した場合に限る。

（地代等増減請求権）

第一一条　地代又は土地の借賃（以下この条及び次条において「地代等」という。）が、土地に対する租税その他の公課の増減により、土地の価格の上昇若しくは低下その他の経済事情の変動により、又は近傍類似の土地の地代等に比較して不相当となったときは、契約の条件にかかわらず、当事者は、将来に向かって地代等の額の増減を請求することができる。ただし、一定の期間地代等を増額しない旨の特約がある場合には、その定めに従う。

2　地代等の増額について当事者間に協議が調わないときは、その請求を受けた者は、増額を正当とする裁判が確定するまでは、相当と認める額の地代等を支払うことをもって足りる。ただし、その裁判が確定した場合において、既に支払った額に不足があるときは、その不足額に年一割の割合による支払期後の利息を付してこれを支払わなければならない。

3　地代等の減額について当事者間に協議が調わないときは、その請求を受けた者は、減額を正当とする裁判が確定するまでは、相当と認める額の地代等の支払を請求することができる。ただし、その裁判が確定した場合において、既に支払を受けた額が正当とされた地代等の額を超えるときは、その超過額に年一割の割合による受領の時からの利息を付してこれを返還しなければならない。

（借地権設定者の先取特権）

第一二条　借地権設定者は、弁済期の到来した最後の二年分の地代等について、借地権者がその土地において所有する建物の上に先取特権を有する。

2　前項の先取特権は、地上権又は土地の賃貸借の登記をすることによって、その効力を保存する。

3　第一項の先取特権は、他の権利に対して優先する効力を有する。ただし、共益費用、不動産保存及び不動産工事の先取特権並びに地上権又は土地の賃貸借の登記より前に登記された質権及び抵当権には後れる。

4　前三項の規定は、転借地権者がその土地において所有する建物について準用する。

（建物買取請求権）

第一三条　借地権の存続期間が満了した場合において、契約の更新がないときは、借地権者は、借地権設定者に対し、建物その他借地権者が権原により土地に附属させた物を時価で買い取るべきことを請求することができる。

2　前項の場合において、建物が借地権の存続期間が満了する前に借地権設定者の承諾を得ないで残存期間を超えて存続すべきものとして新たに築造されたものであるときは、裁判所は、借地権設定者の請求により、代金の全部又は一部の支払につき相当の期限を許与することができる。

3　前二項の規定は、借地権の存続期間が満了した場合における転借地権者と借地権設定者との間について準用する。

（第三者の建物買取請求権）

第一四条　第三者が賃借権の目的である土地の上の建物その他借地権者が権原によって土地に附属させた物を取得した場合において、借地権設定者が賃借権の譲渡又は転貸を承諾しないときは、その第三者は、借地権設定者に対し、建物その他借地権者が権原によって土地に附属させた物を時価で買い取るべきことを請求することができる。

（自己借地権）

第一五条　借地権を設定する場合においては、他の者と共に有することとなるときに限り、借地権設定者が自らその借地権を有することを妨げない。

2　借地権が借地権設定者に帰した場合であっても、他の者と共にその借地権を有するときは、その借地権は、消滅しない。

（強行規定）

第一六条　第十条、第十三条及び第十四条の規定に反する特約で借地権者又は転借地権者に不利なものは、無効とする。

第三節　借地条件の変更等

（借地条件の変更及び増改築の許可）

第一七条　建物の種類、構造、規模又は用途を制限する旨の借地条件がある場合において、法令による土地利用の規制の変更、付近の土地の利用状況の変化その他の事情の変更により現に借地権を設定するにおいてはその借地条件と異なる建物の所有を目的とすることが相当であるにもかかわらず、借地条件の変更につき当事者間に協議が調わないときは、裁判所は、当事者の申立てにより、その借地条件を変更することができる。

2　増改築を制限する旨の借地条件がある場合において、土地の通常の利用上相当とすべき増改築につき当事者間に協議が調わないときは、裁判所は、借地権者の申立てにより、その増改築についての借地権設定者の承諾に代わる許可を与えることができる。

3　裁判所は、前二項の裁判をする場合において、当事者間の利益の衡平を図るため必要があるときは、他の借地条件を変更し、財産上の給付を命じ、その他相当の処分をすることができる。

4　裁判所は、前三項の裁判をするには、借地権の残存期間、土地の状況、借地に関する従前の経過その他一切の事情を考慮しなければならない。

5　転借地権が設定されている場合において、必要があるときは、裁判所は、転借地権者の申立てにより、転借地権とともに借地権につき第一項から第三項までの裁判をすることができる。

6　裁判所は、特に必要がないと認める場合を除き、第一項から第三項まで又は前項の裁判をする前に鑑定委員会の意見を聴かなければならない。

（借地契約の更新後の建物の再築の許可）

第一八条　契約の更新の後において、借地権者が残存期間を超えて存続すべき建物を新たに築造することにつきやむを得ない事情があるにもかかわらず、借地権設定者がその建物の築造を承諾しないときは、借地権設定者が地上権の消滅の請求又は土地の賃貸借の解約の申入れをすることができない旨を定めた場合を除き、裁判所は、借地権者の申立てにより、借地権設定者の承諾に代わる許可を与えることができる。この場合において、当事者間の利益の衡平を図るため必要があるときは、延長すべき借地権の期間として第七条第一項の規定による期間と異なる期間を定め、他の借地条件を変更し、財産上の給付を命じ、その他相当の処分をすることができる。

2　裁判所は、前項の裁判をするには、建物の状況、建物の滅失があった場合には滅失に至った事情、借地に関する従前の経過、借地権設定者及び借地権者（転借地権者を含む。）が土地の使用を必要とする事情その他一切の事情を考慮しなければならない。

3　前条第五項及び第六項の規定は、第一項の裁判をする場合に準用する。

（土地の賃借権の譲渡又は転貸の許可）

第一九条　借地権者が賃借権の目的である土地の上の建物を第三者に譲渡しようとする場合において、その第三者が賃借権を取得し、又は転借をしても借地権設定者に不利となるおそれがないにもかかわらず、借地権設定者がその賃借権の譲渡又は転貸を承諾しないときは、裁判所は、借地権者の申立てにより、借地権設定者の承諾に代わる許可を与えることができる。この場合において、当事者間の利益の衡平を図るため必要があるときは、賃借権の譲渡若しくは転貸を条件とする借地条件の変更を命じ、又はその許可を財産上の給付に係らしめることができる。

2　裁判所は、前項の裁判をするには、賃借権の残存期間、借地に関する従前の経過、賃借権の譲渡又は転貸を必要とする事情その他一切の事情を考慮しなければならない。

3　第一項の申立てがあった場合において、裁判所が定める期間内に借地権設定者が自ら建物の譲渡及び賃借権の譲渡又は転貸を受ける旨の申立てをしたときは、裁判所は、同項の規定にかかわらず、相当の対価及び転貸の条件を定めて、これを命ずることができる。この裁判においては、当事者双方に対し、その義務を同時に履行すべきことを命ずることができる。

4　前項の申立ては、第一項の申立てが取り下げられたとき、又は不適法として却下されたときは、その効力を失う。

5　第三項の裁判があった後は、第一項又は第三項の申立ては、当事者の合意がある場合でなければ取り下げることができない。

6　裁判所は、特に必要がないと認める場合を除き、第一項又は第三項の裁判をする前に鑑定委員会の意見を聴かなければならない。

7　前各項の規定は、転借地権が設定されている場合における転借地権者と借地権設定者との間について準用する。ただし、借地権設定者が第三項の申立てをするには、借地権者の承諾を得なければならない。

（建物競売等の場合における土地の賃借権の譲渡の許可）

第二〇条　第三者が賃借権の目的である土地の上の建物を競売又は公売により取得した場合において、その第三者が賃借権を取得しても借地権設定者に不利となるおそれがないにもかかわらず、借地権設定者がその賃借権の譲渡を承諾しないときは、裁判所は、その第三者の申立てにより、借地権設定者の承諾に代わる許可を与えることができる。この場合において、当事者間の利益の衡平を図るため必要があるときは、借地条件を変更し、又は財産上の給付を命ずることができる。

2　前条第二項から第六項までの規定は、前項の申立てがあった場合に準用する。

3　第一項の申立ては、建物の代金を支払った後二月以内に限り、することができる。

4　民事調停法（昭和二十六年法律第二百二十二号）第十九条の規定は、同条に規定する期間内に第一項の申立てをした場合に準用する。

5　前各項の規定は、転借地権者から競売又は公売により建物を取得した第三者と借地権設定者との間について準用する。ただし、借地権設定者が第二項において準用する前条第三項の申立てをするには、借地権者の承諾を得なければならない。

（強行規定）

第二一条　第十七条から第十九条までの規定に反する特約で借地権者又は転借地権者に不利なものは、無効とする。

第四節　定期借地権等

（定期借地権）

第二二条　存続期間を五十年以上として借地権を設定する場合においては、第九条及び第十六条の規定にかかわらず、契約の更新（更新の請求及び土地の使用の継続によるものを含む。次条第一項において同じ。）及び建物の築造による存続期間の延長がなく、並びに第十三条の規定による買取りの請求をしないこととする旨を定めることができる。この場合においては、その特約は、公正証書による等書面によってしなければならない。

2　前項前段の特約がその内容を記録した電磁的記録（電子的方式、磁気的方式その他人の知覚によっては認識することができない方式で作られる記録であって、電子計算機による情報処理の用に供されるものをいう。第三十八条第二項及び第三十九条第三項において同じ。）によってされたときは、その特約は、書面によってされたものとみなして、前項後段の規定を適用する。

（事業用定期借地権等）

第二三条　専ら事業の用に供する建物（居住の用に供するものを除く。次項において同じ。）の所有を目的とし、かつ、存続期間を三十年以上五十年未満として借地権を設定する場合においては、第九条及び第十六条の規定にかかわらず、契約の更新及び建物の築造による存続期間の延長がなく、並びに第十三条の規定による買取りの請求をしないこととする旨を定めることができる。

2　専ら事業の用に供する建物の所有を目的とし、かつ、存続期間を十年以上三十年未満として借地権を設定する場合には、第三条から第八条まで、第十三条及び第十八条の規定は、適用しない。

3　前二項に規定する借地権の設定を目的とする契約は、公正証書によってしなければならない。

（建物譲渡特約付借地権）

第二四条　借地権を設定する場合（前条第二項に規定する借地権を設定する場合を除く。）においては、第九条の規定にかかわらず、借地権を消滅させるため、その設定後三十年以上を経過した日に借地権の目的である土地の上の建物を借地権設定者に相当の対価で譲渡する旨を定めることができる。

2　前項の特約により借地権が消滅した場合において、その借地権者又は建物の賃借人でその消滅後建物の使用を継続しているものが請求をしたときは、請求の時にその建物につきその借地権者又は建物の賃借人と借地権設定者との間で期間の定めのない賃貸借（借地権者が請求をした場合において、借地権の残存期間があるときは、その残存期間を存続期間とする賃貸借）がされたものとみなす。この場合において、建物の借賃は、当事者の請求により、裁判所が定める。

3　第一項の特約がある場合において、借地権者又は建物の賃借人と借地権設定者との間でその建物につき第三十八条第一項の規定による賃貸借契約をしたときは、前項の規定にかかわらず、その定めに従う。

（一時使用目的の借地権）

第二五条　第三条から第八条まで、第十三条、第十七条、第十八条及び第二十二条から前条までの規定は、臨時設備の設置その他一時使用のために借地権を設定したことが明らかな場合には、適用しない。

第三章　借家

第一節　建物賃貸借契約の更新等

（建物賃貸借契約の更新等）

第二六条　建物の賃貸借について期間の定めがある場合において、当事者が期間の満了の一年前から六月前までの間に相手方に対して更新をしない旨の通知又は条件を変更しなければ更新をしない旨の通知をしなかったときは、従前の契約と同一の条件で契約を更新したものとみなす。ただし、その期間は、定めがないものとする。

2　前項の通知をした場合であっても、建物の賃貸借の期間が満了した後建物の賃借人が使用を継続する場合において、建物の賃貸人が遅滞なく異議を述べなかったときも、同項と同様とする。

3　建物の転貸借がされている場合においては、建物の転借人がする建物の使用の継続を建物の賃借人がする建物の使用の継続とみなして、建物の賃借人と賃貸人との間について前項の規定を適用する。

（解約による建物賃貸借の終了）

第二七条　建物の賃貸人が賃貸借の解約の申入れをした場合においては、建物の賃貸借は、解約の申入れの日から六月を経過することによって終了する。

2　前条第二項及び第三項の規定は、建物の賃貸借が解約の申入れによって終了した場合に準用する。

（建物賃貸借契約の更新拒絶等の要件）

第二八条　建物の賃貸人による第二十六条第一項の通知又は建物の賃貸借の解約の申入れは、建物の賃貸人及び賃借人（転借人を含む。以下この条において同じ。）が建物の使用を必要とする事情のほか、建物の賃貸借に関する従前の経過、建物の利用状況及び建物の現況並びに建物の賃貸人が建物の明渡しの条件として又は建物の明渡しと引換えに建物の賃借人に対して財産上の給付をする旨の申出をした場合におけるその申出を考慮して、正当の事由があると認められる場合でなければ、することができない。

（建物賃貸借の期間）

第二九条　期間を一年未満とする建物の賃貸借は、期間の定めがない建物の賃貸借とみなす。

2　民法（明治二十九年法律第八十九号）第六百四条の規定は、建物の賃貸借については、適用しない。

（強行規定）

第三〇条　この節の規定に反する特約で建物の賃借人に不利なものは、無効とする。

第二節　建物賃貸借の効力

（建物賃貸借の対抗力）

第三一条　建物の賃貸借は、その登記がなくても、建物の引渡しがあったときは、その後その建物について物権を取得した者に対し、その効力を生ずる。

（借賃増減請求権）

第三二条　建物の借賃が、土地若しくは建物に対する租税その他の負担の増減により、土地若しくは建物の価格の上昇若しくは低下その他の経済事情の変動により、又は近傍同種の建物の借賃に比較して不相当となったときは、契約の条件にかかわらず、当事者は、将来に向かって建物の借賃の額の増減を請求することができる。ただし、一定の期間建物の借賃を増額しない旨の特約がある場合には、その定めに従う。

2　建物の借賃の増額について当事者間に協議が調わないときは、その請求を受けた者は、増額を正当とする裁判が確定するまでは、相当と認める額の建物の借賃を支払うことをもって足りる。ただし、その裁判が確定した場合において、既に支払った額に不足があるときは、その不足額に年一割の割合による支払期後の利息を付してこれを支払わなければならない。

3　建物の借賃の減額について当事者間に協議が調わないときは、その請求を受けた者は、減額を正当とする裁判が確定するまでは、相当と認める額の建物の借賃の支払を請求することができる。ただし、その裁判が確定した場合において、既に支払を受けた額が正当とされた建物の借賃の額を超えるときは、その超過額に年一割の割合による受領の時からの利息を付してこれを返還しなければならない。

（造作買取請求権）

第三三条　建物の賃貸人の同意を得て建物に付加した畳、建具その他の造作がある場合には、建物の賃借人は、建物の賃貸借が期間の満了又は解約の申入れによって終了するときに、建物の賃貸人に対し、その造作を時価で買い取るべきことを請求することができる。建物の賃貸人から買い受けた造作についても、同様とする。

2　前項の規定は、建物の賃貸借が期間の満了又は解約の申入れによって終了する場合における建物の転借人と賃貸人との間について準用する。

（建物賃貸借終了の場合における転借人の保護）

第三四条　建物の転貸借がされている場合において、建物の賃貸借が期間の満了又は解約の申入れによって終了するときは、建物の賃貸人は、建物の転借人にその旨の通知をしなければ、その終了を建物の転借人に対抗することができない。

2　建物の賃貸人が前項の通知をしたときは、建物の転貸借は、その通知がされた日から六月を経過することによって終了する。

（借地上の建物の賃借人の保護）

第三五条　借地権の目的である土地の上の建物につき賃貸借がされている場合において、借地権の存続期間の満了によって建物の賃借人が土地を明け渡すべきときは、建物の賃借人が借地権の存続期間が満了することをその一年前までに知らなかった場合に限り、裁判所は、建物の賃借人の請求により、建物の賃借人がこれを知った日から一年を超えない範囲内において、土地の明渡しにつき相当の期限を許与することができる。

2　前項の規定により裁判所が期限の許与をしたときは、建物の賃貸借は、その期限が到来することによって終了する。

（居住用建物の賃貸借の承継）

第三六条　居住の用に供する建物の賃借人が相続人なしに死亡した場合において、その当時婚姻又は縁組の届出をしていないが、建物の賃借人と事実上夫婦又は養親子と同様の関係にあった同居者があるときは、その同居者は、建物の賃借人の権利義務を承継する。ただし、相続人なしに死亡したことを知った後一月以内に建物の賃貸人に反対の意思を表示したときは、この限りでない。

2　前項本文の場合においては、建物の賃貸借関係に基づき生じた債権又は債務は、同項の規定により建物の賃借人の権利義務を承継した者に帰属する。

（強行規定）

第三七条　第三十一条、第三十四条及び第三十五条の規定に反する特約で建物の賃借人又は転借人に不利なものは、無効とする。

第三節　定期建物賃貸借等

（定期建物賃貸借）

第三八条　期間の定めがある建物の賃貸借をする場合においては、公正証書による等書面によって契約をするときに限り、第三十条の規定にかかわらず、契約の更新がないこととする旨を定めることができる。この場合には、第二十九条第一項の規定を適用しない。

2　前項の規定による建物の賃貸借の契約がその内容を記録した電磁的記録によってされたときは、その契約は、書面によってされたものとみなして、同項の規定を適用する。

3　第一項の規定による建物の賃貸借をしようとするときは、建物の賃貸人は、あらかじめ、建物の賃借人に対し、同項の規定による建物の賃貸借は契約の更新がなく、期間の満了により当該建物の賃貸借は終了することについて、その旨を記載した書面を交付して説明しなければならない。

4　建物の賃貸人は、前項の規定による書面の交付に代えて、政令で定めるところにより、建物の賃借人の承諾を得て、当該書面に記載すべき事項を電磁的方法（電子情報処理組織を使用する方法その他の情報通信の技術を利用する方法であって法務省令で定めるものをいう。）により提供することができる。この場合において、当該建物の賃貸人は、当該書面を交付したものとみなす。

5　建物の賃貸人が第三項の規定による説明をしなかったときは、契約の更新がないこととする旨の定めは、無効とする。

6　第一項の規定による建物の賃貸借において、期間が一年以上である場合には、建物の賃貸人は、期間の満了の一年前から六月前までの間（以下この項において「通知期間」という。）に建物の賃借人に対し期間の満了により建物の賃貸借が終了する旨の通知をしなければ、その終了を建物の賃借人に対抗することができない。ただし、建物の賃貸人が通知期間の経過後建物の賃借人に対しその旨の通知をした場合においては、その通知の日から六月を経過した後は、この限りでない。

7　第一項の規定による居住の用に供する建物の賃貸借（床面積（建物の一部分を賃貸借の目的とする場合にあっては、当該一部分の床面積）が二百平方メートル未満の建物に係るものに限る。）において、転勤、療養、親族の介護その他のやむを得ない事情により、建物の賃借人が建物を自己の生活の本拠として使用することが困難となったときは、建物の賃借人は、建物の賃貸借の解約の申入れをすることができる。この場合においては、建物の賃貸借は、解約の申入れの日から一月を経過することによって終了する。

8　前二項の規定に反する特約で建物の賃借人に不利なものは、無効とする。

9　第三十二条の規定は、第一項の規定による建物の賃貸借において、借賃の改定に係る特約がある場合には、適用しない。

（取壊し予定の建物の賃貸借）

第三九条　法令又は契約により一定の期間を経過した後に建物を取り壊すべきことが明らかな場合において、建物の賃貸借をするときは、第三十条の規定にかかわらず、建物を取り壊すこととなる時に賃貸借が終了する旨を定めることができる。

2　前項の特約は、同項の建物を取り壊すべき事由を記載した書面によってしなければならない。

3　第一項の特約がその内容及び前項に規定する事由を記録した電磁的記録によってされたときは、その特約は、同項の書面によってされたものとみなして、同項の規定を適用する。

（一時使用目的の建物の賃貸借）

第四〇条　この章の規定は、一時使用のために建物の賃貸借をしたことが明らかな場合には、適用しない。

第四章　借地条件の変更等の裁判手続

（管轄裁判所）

第四一条　第十七条第一項、第二項若しくは第五項（第十八条第三項において準用する場合を含む。）、第十八条第一項、第十九条第一項（同条第七項において準用する場合を含む。）若しくは第三項（同条第七項及び第二十条第二項（同条第五項において準用する場合を含む。）において準用する場合を含む。）又は第二十条第一項（同条第五項において準用する場合を含む。）に規定する事件は、借地権の目的である土地の所在地を管轄する地方裁判所が管轄する。ただし、当事者の合意があるときは、その所在地を管轄する簡易裁判所が管轄することを妨げない。

（非訟事件手続法の適用除外及び最高裁判所規則）

第四二条　前条の事件については、非訟事件手続法（平成二十三年法律第五十一号）第二十七条、第四十条、第四十二条の二及び第六十三条第一項後段の規定は、適用しない。

２　この法律に定めるもののほか、前条の事件に関し必要な事項は、最高裁判所規則で定める。

（強制参加）

第四三条　裁判所は、当事者の申立てにより、当事者となる資格を有する者を第四十一条の事件の手続に参加させることができる。

２　前項の申立ては、その趣旨及び理由を記載した書面でしなければならない。

３　第一項の申立てを却下する裁判に対しては、即時抗告をすることができる。

（手続代理人の資格）

第四四条　法令により裁判上の行為をすることができる代理人のほか、弁護士でなければ手続代理人となることができない。ただし、簡易裁判所においては、その許可を得て、弁護士でない者を手続代理人とすることができる。

２　前項ただし書の許可は、いつでも取り消すことができる。

（手続代理人の代理権の範囲）

第四五条　手続代理人は、委任を受けた事件について、非訟事件手続法第二十三条第一項に定める事項のほか、第十九条第三項（同条第七項及び第二十条第二項（同条第五項において準用する場合を含む。）において準用する場合を含む。次項において同じ。）の申立てに関する手続行為（次項に規定するものを除く。）をすることができる。

２　手続代理人は、非訟事件手続法第二十三条第二項各号に掲げる事項のほか、第十九条第三項の申立てについては、特別の委任を受けなければならない。

（事件の記録の閲覧等）

第四六条　当事者及び利害関係を疎明した第三者は、裁判所書記官に対し、第四十一条の事件の記録の閲覧若しくは謄写、その正本、謄本若しくは抄本の交付又は同条の事件に関する事項の証明書の交付を請求することができる。

２　民事訴訟法（平成八年法律第百九号）第九十一条第四項及び第五項の規定は、前項の記録について準用する。

（鑑定委員会）

第四七条　鑑定委員会は、三人以上の委員で組織する。

２　鑑定委員は、次に掲げる者の中から、事件ごとに、裁判所が指定する。ただし、特に必要があるときは、それ以外の者の中から指定することを妨げない。

一　地方裁判所が特別の知識経験を有する者その他適当な者の中から毎年あらかじめ選任した者

二　当事者が合意によって選定した者

３　鑑定委員には、最高裁判所規則で定める旅費、日当及び宿泊料を支給する。

（手続の中止）

第四八条　裁判所は、借地権の目的である土地に関する権利関係について訴訟その他の事件が係属するときは、その事件が終了するまで、第四十一条の事件の手続を中止することができる。

（不適法な申立ての却下）

第四九条　申立てが不適法でその不備を補正することができないときは、裁判所は、審問期日を経ないで、申立てを却下することができる。

（申立書の送達）

第五〇条　裁判所は、前条の場合を除き、第四十一条の事件の申立書を相手方に送達しなければならない。

２　非訟事件手続法第四十三条第四項から第六項までの規定は、申立書の送達をすることができない場合（申立書の送達に必要な費用を予納しない場合を含む。）について準用する。

（審問期日）

第五一条　裁判所は、審問期日を開き、当事者の陳述を聴かなければならない。

２　当事者は、他の当事者の審問に立ち会うことができる。

（呼出費用の予納がない場合の申立ての却下）

第五二条　裁判所は、民事訴訟費用等に関する法律（昭和四十六年法律第四十号）の規定に従い当事者に対する期日の呼出しに必要な費用の予納を相当の期間を定めて申立人に命じた場合において、その予納がないときは、申立てを却下することができる。

（事実の調査の通知）

第五三条　裁判所は、事実の調査をしたときは、特に必要がないと認める場合を除き、その旨を当事者及び利害関係参加人に通知しなければならない。

（審理の終結）

第五四条　裁判所は、審理を終結するときは、審問期日においてその旨を宣言しなければならない。

（裁判書の送達及び効力の発生）

第五五条　第十七条第一項から第三項まで若しくは第五項（第十八条第三項において準用する場合を含む。）、第十八条第一項、第十九条第一項（同条第七項において準用する場合を含む。）若しくは第三項（同条第七項及び第二十条第二項（同条第五項において準用する場合を含む。）において準用する場合を含む。）又は第二十条第一項（同条第五項において準用する場合を含む。）の規定による裁判があったときは、その裁判書を当事者に送達しなければならない。

２　前項の裁判は、確定しなければその効力を生じない。

（理由の付記）

第五六条　前条第一項の裁判には、理由を付さなければならない。

（裁判の効力が及ぶ者の範囲）

第五七条　第五十五条第一項の裁判は、当事者又は最終の審問期日の後裁判の確定前の承継人に対し、その効力を有する。

（給付を命ずる裁判の効力）

第五八条　第十七条第三項若しくは第五項（第十八条第三項において準用する場合を含む。）、第十八条第一項、第十九条第三項（同条第七項及び第二十条第二項（同条第五項において準用する場合を含む。）において準用する場合を含む。）又は第二十条第一項（同条第五項において準用する場合を含む。）の規定による裁判で給付を命ずるものは、強制執行に関しては、裁判上の和解と同一の効力を有する。

（譲渡又は転貸の許可の裁判の失効）

第五九条　第十九条第一項（同条第七項において準用する場合を含む。）の規定による裁判は、その効力を生じた後六月以内に借地権者が建物の譲渡をしないときは、その効力を失う。ただし、この期間は、その裁判において伸長し、又は短縮することができる。

（第一審の手続の規定の準用）

第六〇条　第四十九条、第五十条及び第五十二条の規定は、第五十五条第一項の裁判に対する即時抗告があった場合について準用する。

（当事者に対する住所、氏名等の秘匿）

第六一条　第四十一条の事件の手続における申立てその他の申述については、民事訴訟法第一編第八章の規定を準用する。この場合において、同法第百三十三条第一項中「当事者」とあるのは「当事者又は利害関係参加人（非訟事件手続法（平成二十三年法律第五十一号）第二十一条第五項に規定する利害関係参加人をいう。第百三十三条の四第一項、第二項及び第七項において同じ。）」と、同法第百三十三条の二第二項中「訴訟記録等（訴訟記録又は第百三十二条の四第一項の処分の申立てに係る事件の記録をいう。第百三十三条の四第一項及び第二項において同じ。）」とあるのは「借地借家法第四十一条の事件の記録」と、同法第百三十三条の四第一項中「者は、訴訟記録等」とあるのは「当事者若しくは利害関係参加人又は利害関係を疎明した第三者は、借地借家法第四十一条の事件の記録」と、同条第二項中「当事者」とあるのは「当事者又は利害関係参加人」と、「訴訟記録等」とあるのは「借地借家法第四十一条の事件の記録」と、同条第七項中「当事者」とあるのは「当事者若しくは利害関係参加人」と読み替えるものとする。

附　則〔抄〕

（施行期日）
第一条　この法律は、公布の日から起算して一年を超えない範囲内において政令で定める日から施行する。
〔平成四政二五により平成四・八・一から施行〕

（建物保護に関する法律等の廃止）
第二条　次に掲げる法律は、廃止する。
一　建物保護に関する法律（明治四十二年法律第四十号）
二　借地法（大正十年法律第四十九号）
三　借家法（大正十年法律第五十号）

（旧借地法の効力に関する経過措置）
第三条　接収不動産に関する借地借家臨時処理法（昭和三十一年法律第百三十八号）第九条第二項の規定の適用については、前条の規定による廃止前の借地法は、この法律の施行後も、なおその効力を有する。

（経過措置の原則）
第四条　この法律の規定は、この附則に特別の定めがある場合を除き、この法律の施行前に生じた事項にも適用する。ただし、附則第二条の規定による廃止前の建物保護に関する法律、借地法及び借家法の規定により生じた効力を妨げない。

（借地上の建物の朽廃に関する経過措置）
第五条　この法律の施行前に設定された借地権について、その借地権の目的である土地の上の建物の朽廃による消滅に関しては、なお従前の例による。

（借地契約の更新に関する経過措置）
第六条　この法律の施行前に設定された借地権に係る契約の更新に関しては、なお従前の例による。

（建物の再築による借地権の期間の延長に関する経過措置）
第七条　この法律の施行前に設定された借地権について、その借地権の目的である土地の上の建物の滅失後の建物の築造による借地権の期間の延長に関しては、なお従前の例による。
2　第八条の規定は、この法律の施行前に設定された借地権については、適用しない。

（借地権の対抗力に関する経過措置）
第八条　第十条第二項の規定は、この法律の施行前に借地権の目的である土地の上の建物の滅失があった場合には、適用しない。

（建物買取請求権に関する経過措置）
第九条　第十三条第二項の規定は、この法律の施行前に設定された借地権については、適用しない。
2　第十三条第三項の規定は、この法律の施行前に設定された転借地権については、適用しない。

（借地条件の変更の裁判に関する経過措置）
第一〇条　この法律の施行前にした申立てに係る借地条件の変更の事件については、なお従前の例による。

（借地契約の更新後の建物の再築の許可の裁判に関する経過措置）
第一一条　第十八条の規定は、この法律の施行前に設定された借地権については、適用しない。

（建物賃貸借契約の更新拒絶等に関する経過措置）
第一二条　この法律の施行前にされた建物の賃貸借契約の更新の拒絶の通知及び解約の申入れに関しては、なお従前の例による。

（造作買取請求権に関する経過措置）
第一三条　第三十三条第二項の規定は、この法律の施行前にされた建物の転貸借については、適用しない。

（借地上の建物の賃借人の保護に関する経過措置）
第一四条　第三十五条の規定は、この法律の施行前又は施行後一年以内に借地権の存続期間が満了する場合には、適用しない。

附　則〔平成八・六・二六法律一一〇〕

この法律は、新民訴法の施行の日〔平成一〇・一・一〕から施行する。
〔以下略〕

民事訴訟法の施行に伴う関係法律の整備等に関する法律〔抄〕〔平成八・六・二六 法律一一〇〕

（借地借家法の一部改正に伴う経過措置）
第五三条　前条の規定の施行前に同条の規定による改正前の借地借家法第五十四条において準用する旧民訴法第百四条第一項の申立てがあった場合には、当該申立てに係る費用の額を定める手続については、なお従前の例による。

附　則〔平成一一・一二・一五法律一五三〕

（施行期日）
第一条　この法律は、公布の日から施行する。ただし、第五条、次条及び附則第三条の規定は、平成十二年三月一日から施行する。

（借地借家法の一部改正に伴う経過措置）
第二条　第五条の規定の施行前にされた建物の賃貸借契約の更新に関しては、なお従前の例による。
2　第五条の規定の施行前にされた建物の賃貸借契約であって同条の規定による改正前の借地借家法（以下「旧法」という。）第三十八条第一項の定めがあるものについての賃借権の設定又は賃借物の転貸の登記に関しては、なお従前の例による。
第三条　第五条の規定の施行前にされた居住の用に供する建物の賃貸借（旧法第三十八条第一項の規定による賃貸借を除く。）の当事者が、その賃貸借を合意により終了させ、引き続き新たに同一の建物を目的とする賃貸借をする場合には、当分の間、第五条の規定による改正後の借地借家法第三十八条の規定は、適用しない。

（検討）
第四条　国は、この法律の施行後四年を目途として、居住の用に供する建物の賃貸借の在り方について見直しを行うとともに、この法律の施行の状況について検討を加え、その結果に基づいて必要な措置を講ずるものとする。

附　則〔抄〕〔平成一九・一二・二一法律一三二〕

（施行期日）
第一条　この法律は、平成二十年一月一日から施行する。

（経過措置）
第二条　この法律の施行前に設定された借地権（転借地権を含む。）については、なお従前の例による。

附　則〔平成二三・五・二五法律五三〕

この法律は、新非訟事件手続法（平成二十三年法律第五十一号）の施行の日〔平成二五・一・一〕から施行する。

非訟事件手続法及び家事事件手続法の施行に伴う関係法律の整備等に関する法律〔抄〕〔平成二三・五・二五 法律五三〕

（借地借家法の一部改正に伴う経過措置）
第一一八条　この法律の施行前に申し立てられた借地借家法第四十一条の事件の手続については、なお従前の例による。
2　この法律の施行前に借地借家法第十九条第一項の申立てがあった場合における同条第三項の申立てに係る事件の手続については、なお従前の例による。

（罰則に関する経過措置）
第一六八条　第六条又は第七条に規定するもののほか、この法律の施行前にした行為及びこの法律の他の規定によりなお従前の例によることとされる場合におけるこの法律の施行後にした行為に対する罰則の適用については、なお従前の例による。

（政令への委任）
第一六九条　この法律に定めるもののほか、この法律の規定による法律の廃止又は改正に伴い必要な経過措置は、政令で定める。

附　則〔平成二九・六・二法律四五〕

この法律は、民法改正法の施行の日〔令和二・四・一〕から施行する。ただし、〔中略〕第三百六十二条の規定は、公布の日から施行する。

民法の一部を改正する法律の施行に伴う関係法律の整備等に関する法律〔抄〕〔平成二九・六・二 法律四五〕

（借地借家法の一部改正に伴う経過措置）
第二六条　施行日前に前条の規定による改正前の借地借家法（次項において

「旧借地借家法」という。）第十条第一項又は第二項の規定により第三者に対抗することができる借地権の目的である土地の売買契約が締結された場合におけるその契約に係る契約の解除及び損害賠償の請求については、なお従前の例による。

2　施行日前に旧借地借家法第三十一条第一項の規定により効力を有する賃貸借の目的である建物の売買契約が締結された場合におけるその契約に係る契約の解除及び損害賠償の請求については、なお従前の例による。

（**罰則に関する経過措置**）

第三六一条　施行日前にした行為及びこの法律の規定によりなお従前の例によることとされる場合における施行日以後にした行為に対する罰則の適用については、なお従前の例による。

（**政令への委任**）

第三六二条　この法律に定めるもののほか、この法律の施行に伴い必要な経過措置は、政令で定める。

附　則〔抄〕〔令和三・五・一九法律三七〕

（**施行期日**）

第一条　この法律〔中略〕は、当該各号に定める日から施行する。

一　〔前略〕附則〔中略〕第七十一条から第七十三条までの規定　公布の日

二・三　〔略〕

四　〔前略〕第三十五条〔中略〕、附則第三条、第五条〔中略〕の規定　公布の日から起算して一年を超えない範囲内において、各規定につき、政令で定める日

〔令和三政二九一により、令和四・四・一から施行〕

五～十　〔略〕

（**第三十五条の規定の施行に伴う経過措置**）

第五条　第三十五条の規定による改正後の借地借家法（以下この条において「新借地借家法」という。）第二十二条第二項の規定は、第三十五条の規定の施行の日以後にされる新借地借家法第二十二条第一項前段の特約について適用する。

2　新借地借家法第三十八条第二項の規定は、第三十五条の規定の施行の日以後にされる新借地借家法第三十八条第一項の規定による建物の賃貸借の契約について適用する。

3　新借地借家法第三十九条第三項の規定は、第三十五条の規定の施行の日以後にされる新借地借家法第三十九条第一項の特約について適用する。

（**罰則に関する経過措置**）

第七一条　この法律（附則第一条各号に掲げる規定にあっては、当該規定。以下この条において同じ。）の施行前にした行為及びこの附則の規定によりなお従前の例によることとされる場合におけるこの法律の施行後にした行為に対する罰則の適用については、なお従前の例による。

（**政令への委任**）

第七二条　この附則に定めるもののほか、この法律の施行に関し必要な経過措置（罰則に関する経過措置を含む。）は、政令で定める。

（**検討**）

第七三条　政府は、行政機関等に係る申請、届出、処分の通知その他の手続において、個人の氏名を平仮名又は片仮名で表記したものを利用して当該個人を識別できるようにするため、個人の氏名を平仮名又は片仮名で表記したものを戸籍の記載事項とすることを含め、この法律の公布後一年以内を目途としてその具体的な方策について検討を加え、その結果に基づいて必要な措置を講ずるものとする。

附　則〔抄〕〔令和四・五・二五法律四八〕

（**施行期日**）

第一条　この法律は、公布の日から起算して四年を超えない範囲内において政令で定める日から施行する。ただし、次の各号に掲げる規定は、当該各号に定める日から施行する。

一　〔前略〕附則第百二十五条の規定　公布の日

二　〔前略〕附則第七十三条の規定〔中略〕　公布の日から起算して九月を超えない範囲内において政令で定める日

〔令和四政三八四により、令和五・二・二〇から施行〕

三～五　〔略〕

（**政令への委任**）

第一二五条　この附則に定めるもののほか、この法律の施行に関し必要な経過措置は、政令で定める。

（**検討**）

第一二六条　政府は、この法律の施行後五年を経過した場合において、この法律による改正後の民事訴訟法その他の法律の規定の施行の状況について検討を加え、必要があると認めるときは、その結果に基づいて所要の措置を講ずるものとする。

○借地借家法施行令

〔令和四・五・二　政令一八七〕

1　借地借家法第三十八条第四項の規定による承諾は、建物の賃貸人が、法務省令で定めるところにより、あらかじめ、当該承諾に係る建物の賃借人に対し同項の規定による電磁的方法による提供に用いる電磁的方法の種類及び内容を示した上で、当該建物の賃借人から書面又は電子情報処理組織を使用する方法その他の情報通信の技術を利用する方法であって法務省令で定めるもの（次項において「書面等」という。）によって得るものとする。

2　建物の賃貸人は、前項の承諾を得た場合であっても、当該承諾に係る建物の賃借人から書面等により借地借家法第三十八条第四項の規定による電磁的方法による提供を受けない旨の申出があったときは、当該電磁的方法による提供をしてはならない。ただし、当該申出の後に当該建物の賃借人から再び前項の承諾を得た場合は、この限りでない。

附　則

この政令は、デジタル社会の形成を図るための関係法律の整備に関する法律（令和三年法律第三十七号）第三十五条の規定の施行の日（令和四年五月十八日）から施行する。

○借地借家法施行規則〔令和四・五・一八 法務省令二九〕

（電磁的方法）

第一条　借地借家法第三十八条第四項に規定する電子情報処理組織を使用する方法その他の情報通信の技術を利用する方法であって法務省令で定めるものは、次に掲げる方法とする。

一　電子情報処理組織を使用する方法のうちイ又はロに掲げるもの

イ　送信者の使用に係る電子計算機と受信者の使用に係る電子計算機とを接続する電気通信回線を通じて送信し、受信者の使用に係る電子計算機に備えられたファイルに記録する方法

ロ　送信者の使用に係る電子計算機に備えられたファイルに記録された情報の内容を電気通信回線を通じて情報の提供を受ける者の閲覧に供し、当該情報の提供を受ける者の使用に係る電子計算機に備えられたファイルに当該情報を記録する方法

二　磁気ディスクその他これに準ずる方法により一定の情報を確実に記録しておくことができる物をもって調製するファイルに情報を記録したものを交付する方法

2　前項各号に掲げる方法は、受信者がファイルへの記録を出力することにより書面を作成することができるものでなければならない。

（借地借家法施行令に係る電磁的方法）

第二条　借地借家法施行令第一項の規定により示すべき電磁的方法の種類及び内容は、次に掲げるものとする。

一　次に掲げる方法のうち、送信者が使用するもの

イ　電子情報処理組織を使用する方法のうち次に掲げるもの

(1)　送信者の使用に係る電子計算機と受信者の使用に係る電子計算機とを接続する電気通信回線を通じて送信し、受信者の使用に係る電子計算機に備えられたファイルに記録する方法

(2)　送信者の使用に係る電子計算機に備えられたファイルに記録された情報の内容を電気通信回線を通じて情報の提供を受ける者の閲覧に供し、当該情報の提供を受ける者の使用に係る電子計算機に備えられたファイルに当該情報を記録する方法

ロ　磁気ディスクその他これに準ずる方法により一定の情報を確実に記録しておくことができる物をもって調製するファイルに情報を記録したものを交付する方法

二　ファイルへの記録の方式

（情報通信の技術を利用する方法）

第三条　借地借家法施行令第一項に規定する電子情報処理組織を使用する方法その他の情報通信の技術を利用する方法であって法務省令で定めるものは、次に掲げる方法とする。

一　電子情報処理組織を使用する方法のうちイ又はロに掲げるもの

イ　送信者の使用に係る電子計算機と受信者の使用に係る電子計算機とを接続する電気通信回線を通じて送信し、受信者の使用に係る電子計算機に備えられたファイルに記録する方法

ロ　送信者の使用に係る電子計算機に備えられたファイルに記録された情報の内容を電気通信回線を通じて情報の提供を受ける者の閲覧に供し、当該情報の提供を受ける者の使用に係る電子計算機に備えられたファイルに当該情報を記録する方法

二　磁気ディスクその他これに準ずる方法により一定の情報を確実に記録しておくことができる物をもって調製するファイルに情報を記録したものを交付する方法

2　前項各号に掲げる方法は、受信者がファイルへの記録を出力することにより書面を作成することができるものでなければならない。

附　則

この省令は、デジタル社会の形成を図るための関係法律の整備に関する法律第三十五条の規定の施行の日（令和四年五月十八日）から施行する。

○空家等対策の推進に関する特別措置法〔平成二六・一一・二七 法律一二七〕

改正　令和五・六法五〇

目次

第一章　総則（第一条―第八条）
第二章　空家等の調査（第九条―第十一条）
第三章　空家等の適切な管理に係る措置（第十二条―第十四条）
第四章　空家等の活用に係る措置（第十五条―第二十一条）
第五章　特定空家等に対する措置（第二十二条）
第六章　空家等管理活用支援法人（第二十三条―第二十八条）
第七章　雑則（第二十九条）
第八章　罰則（第三十条）
附則

第一章　総則

（目的）

第一条　この法律は、適切な管理が行われていない空家等が防災、衛生、景観等の地域住民の生活環境に深刻な影響を及ぼしていることに鑑み、地域住民の生命、身体又は財産を保護するとともに、その生活環境の保全を図り、あわせて空家等の活用を促進するため、空家等に関する施策に関し、国による基本指針の策定、市町村（特別区を含む。第十条第二項を除き、以下同じ。）による空家等対策計画の作成その他の空家等に関する施策を推進するために必要な事項を定めることにより、空家等に関する施策を総合的かつ計画的に推進し、もって公共の福祉の増進と地域の振興に寄与することを目的とする。

（定義）

第二条　この法律において「空家等」とは、建築物又はこれに附属する工作物であって居住その他の使用がなされていないことが常態であるもの及びその敷地（立木その他の土地に定着する物を含む。第十四条第二項において同じ。）をいう。ただし、国又は地方公共団体が所有し、又は管理するものを除く。

2　この法律において「特定空家等」とは、そのまま放置すれば倒壊等著しく保安上危険となるおそれのある状態又は著しく衛生上有害となるおそれのある状態、適切な管理が行われていないことにより著しく景観を損なっ

ている状態その他周辺の生活環境の保全を図るために放置することが不適切である状態にあると認められる空家等をいう。

（**国の責務**）

第三条　国は、空家等に関する施策を総合的に策定し、及び実施する責務を有する。

２　国は、地方公共団体その他の者が行う空家等に関する取組のために必要となる情報の収集及び提供その他の支援を行うよう努めなければならない。

３　国は、広報活動、啓発活動その他の活動を通じて、空家等の適切な管理及びその活用の促進に関し、国民の理解を深めるよう努めなければならない。

（**地方公共団体の責務**）

第四条　市町村は、第七条第一項に規定する空家等対策計画の作成及びこれに基づく空家等に関する対策の実施その他の空家等に関して必要な措置を適切に講ずるよう努めなければならない。

２　都道府県は、第七条第一項に規定する空家等対策計画の作成及び変更並びに実施その他空家等に関しこの法律に基づき市町村が講ずる措置について、当該市町村に対する情報の提供及び技術的な助言、市町村相互間の連絡調整その他必要な援助を行うよう努めなければならない。

（**空家等の所有者等の責務**）

第五条　空家等の所有者又は管理者（以下「所有者等」という。）は、周辺の生活環境に悪影響を及ぼさないよう、空家等の適切な管理に努めるとともに、国又は地方公共団体が実施する空家等に関する施策に協力するよう努めなければならない。

（**基本指針**）

第六条　国土交通大臣及び総務大臣は、空家等に関する施策を総合的かつ計画的に実施するための基本的な指針（以下「基本指針」という。）を定めるものとする。

２　基本指針においては、次に掲げる事項を定めるものとする。

一　空家等に関する施策の実施に関する基本的な事項

二　次条第一項に規定する空家等対策計画に関する事項

三　所有者等による空家等の適切な管理について指針となるべき事項

四　その他空家等に関する施策を総合的かつ計画的に実施するために必要な事項

３　国土交通大臣及び総務大臣は、基本指針を定め、又はこれを変更するときは、あらかじめ、関係行政機関の長に協議するものとする。

４　国土交通大臣及び総務大臣は、基本指針を定め、又はこれを変更したときは、遅滞なく、これを公表しなければならない。

（**空家等対策計画**）

第七条　市町村は、その区域内で空家等に関する対策を総合的かつ計画的に実施するため、基本指針に即して、空家等に関する対策についての計画（以下「空家等対策計画」という。）を定めることができる。

２　空家等対策計画においては、次に掲げる事項を定めるものとする。

一　空家等に関する対策の対象とする地区及び対象とする空家等の種類その他の空家等に関する対策に関する基本的な方針

二　計画期間

三　空家等の調査に関する事項

四　所有者等による空家等の適切な管理の促進に関する事項

五　空家等及び除却した空家等に係る跡地（以下「空家等の跡地」という。）の活用の促進に関する事項

六　特定空家等に対する措置（第二十二条第一項の規定による助言若しくは指導、同条第二項の規定による勧告、同条第三項の規定による命令又は同条第九項から第十一項までの規定による代執行をいう。以下同じ。）その他の特定空家等への対処に関する事項

七　住民等からの空家等に関する相談への対応に関する事項

八　空家等に関する対策の実施体制に関する事項

九　その他空家等に関する対策の実施に関し必要な事項

３　前項第五号に掲げる事項には、次に掲げる区域内の区域であって、当該区域内の空家等の数及びその分布の状況、その活用の状況その他の状況からみて当該区域における経済的社会的活動の促進のために当該区域内の空家等及び空家等の跡地の活用が必要となると認められる区域（以下「空家等活用促進区域」という。）並びに当該空家等活用促進区域における空家等及び空家等の跡地の活用の促進を図るための指針（以下「空家等活用促進指針」という。）に関する事項を定めることができる。

一　中心市街地の活性化に関する法律（平成十年法律第九十二号）第二条に規定する中心市街地

二　地域再生法（平成十七年法律第二十四号）第五条第四項第八号に規定する地域再生拠点

三　地域再生法第五条第四項第十一号に規定する地域住宅団地再生区域

四　地域における歴史的風致の維持及び向上に関する法律（平成二十年法律第四十号）第二条第二項に規定する重点区域

五　前各号に掲げるもののほか、市町村における経済的社会的活動の拠点としての機能を有する区域として国土交通省令・総務省令で定める区域

４　空家等活用促進指針には、おおむね次に掲げる事項を定めるものとする。

一　空家等活用促進区域における空家等及び空家等の跡地の活用に関する基本的な事項

二　空家等活用促進区域における経済的社会的活動の促進のために活用することが必要な空家等の種類及び当該空家等について誘導すべき用途（第十六条第一項及び第十八条において「誘導用途」という。）に関する事項

三　前二号に掲げるもののほか、空家等活用促進区域における空家等及び空家等の跡地の活用を通じた経済的社会的活動の促進に関し必要な事項

５　空家等活用促進指針には、前項各号に掲げる事項のほか、特例適用建築物（空家等活用促進区域内の空家等に該当する建築物（建築基準法（昭和二十五年法律第二百一号）第二条第一号に規定する建築物をいう。以下この項及び第九項において同じ。）又は空家等の跡地に新築する建築物をいう。次項及び第十項において同じ。）について第十七条第一項の規定により読み替えて適用する同法第四十三条第二項（第一号に係る部分に限る。次項において同じ。）の規定又は第十七条第二項の規定により読み替えて適用する同法第四十八条第一項から第十三項まで（これらの規定を同法第八十七条第二項又は第三項において準用する場合を含む。第九項において同じ。）の規定のただし書の規定の適用を受けるための要件に関する事項を定めることができる。

６　前項の第十七条第一項の規定により読み替えて適用する建築基準法第四十三条第二項の規定の適用を受けるための要件（第九項及び第十七条第一項において「敷地特例適用要件」という。）は、特例適用建築物（その敷地が幅員一・八メートル以上四メートル未満の道（同法第四十三条第一項に規定する道路に該当するものを除く。）に二メートル以上接するものに限る。）について、避難及び通行の安全上支障がなく、かつ、空家等活用促進区域内における経済的社会的活動の促進及び市街地の環境の整備改善に資するものとして国土交通省令で定める基準を参酌して定めるものとする。

７　市町村は、第三項に規定する事項を定めるときは、あらかじめ、当該空家等活用促進区域内の住民の意見を反映させるために必要な措置を講ずるものとする。

８　市町村（地方自治法（昭和二十二年法律第六十七号）第二百五十二条の十九第一項の指定都市及び同法第二百五十二条の二十二第一項の中核市を除く。）は、第三項に規定する事項を定める場合において、市街化調整区域（都市計画法（昭和四十三年法律第百号）第七条第一項に規定する市街化調整区域をいう。第十八条第一項において同じ。）の区域を含む空家等活用促進区域を定めるときは、あらかじめ、当該空家等活用促進区域の区域及び空家等活用促進指針に定める事項について、都道府県知事と協議をしなければならない。

９　市町村は、空家等活用促進指針に敷地特例適用要件に関する事項又は第五項の第十七条第二項の規定により読み替えて適用する建築基準法第四十八条第一項から第十三項までの規定のただし書の規定の適用を受けるための要件（以下「用途特例適用要件」という。）に関する事項を記載するときは、あらかじめ、当該事項について、当該空家等活用促進区域内の建築物について建築基準法第四十三条第二項第一号の規定による認定又は同法第四十八条第一項から第十三項まで（これらの規定を同法第八十七条第二項又は第三項において準用する場合を含む。第十七条第二項において同じ。）の規定のただし書の規定による許可の権限を有する特定行政庁（同法第二条第三十五号に規定する特定行政庁をいう。以下この項及び次項において同じ。）と協議をしなければならない。この場合において、用途特例適用要件に関する事項については、当該特定行政庁の同意を得なければならない。

10 前項の規定により用途特例適用要件に関する事項について協議を受けた特定行政庁は、特例適用建築物を用途特例適用要件に適合する用途に供することが空家等活用促進区域における経済的社会的活動の促進のためにやむを得ないものであると認めるときは、同項の同意をすることができる。
11 空家等対策計画（第三項に規定する事項が定められたものに限る。第十六条第一項及び第十八条第一項において同じ。）は、都市計画法第六条の二の都市計画区域の整備、開発及び保全の方針及び同法第十八条の二の市町村の都市計画に関する基本的な方針との調和が保たれたものでなければならない。
12 市町村は、空家等対策計画を定めたときは、遅滞なく、これを公表しなければならない。
13 市町村は、都道府県知事に対し、空家等対策計画の作成及び実施に関し、情報の提供、技術的な助言その他必要な援助を求めることができる。
14 第七項から前項までの規定は、空家等対策計画の変更について準用する。

（協議会）

第八条 市町村は、空家等対策計画の作成及び変更並びに実施に関する協議を行うための協議会（以下この条において「協議会」という。）を組織することができる。
2 協議会は、市町村長（特別区の区長を含む。以下同じ。）のほか、地域住民、市町村の議会の議員、法務、不動産、建築、福祉、文化等に関する学識経験者その他の市町村長が必要と認める者をもって構成する。
3 前二項に定めるもののほか、協議会の運営に関し必要な事項は、協議会が定める。

第二章 空家等の調査

（立入調査等）

第九条 市町村長は、当該市町村の区域内にある空家等の所在及び当該空家等の所有者等を把握するための調査その他空家等に関しこの法律の施行のために必要な調査を行うことができる。
2 市町村長は、第二十二条第一項から第三項までの規定の施行に必要な限度において、空家等の所有者等に対し、当該空家等に関する事項に関し報告させ、又はその職員若しくはその委任した者に、空家等と認められる場所に立ち入って調査をさせることができる。
3 市町村長は、前項の規定により当該職員又はその委任した者を空家等と認められる場所に立ち入らせようとするときは、その五日前までに、当該空家等の所有者等にその旨を通知しなければならない。ただし、当該所有者等に対し通知することが困難であるときは、この限りでない。
4 第二項の規定により空家等と認められる場所に立ち入ろうとする者は、その身分を示す証明書を携帯し、関係者の請求があったときは、これを提示しなければならない。
5 第二項の規定による立入調査の権限は、犯罪捜査のために認められたものと解釈してはならない。

（空家等の所有者等に関する情報の利用等）

第一〇条 市町村長は、固定資産税の課税その他の事務のために利用する目的で保有する情報であって氏名その他の空家等の所有者等に関するものについては、この法律の施行のために必要な限度において、その保有に当たって特定された利用の目的以外の目的のために内部で利用することができる。
2 都知事は、固定資産税の課税その他の事務で市町村が処理するものとされているもののうち特別区の存する区域においては都が処理するものとされているもののために利用する目的で都が保有する情報であって、特別区の区域内にある空家等の所有者等に関するものについて、当該特別区の区長から提供を求められたときは、この法律の施行のために必要な限度において、速やかに当該情報の提供を行うものとする。
3 前二項に定めるもののほか、市町村長は、この法律の施行のために必要があるときは、関係する地方公共団体の長、空家等に工作物を設置している者その他の者に対して、空家等の所有者等の把握に関し必要な情報の提供を求めることができる。

（空家等に関するデータベースの整備等）

第一一条 市町村は、空家等（建築物を販売し、又は賃貸する事業を行う者が販売し、又は賃貸するために所有し、又は管理するもの（周辺の生活環境に悪影響を及ぼさないよう適切に管理されているものに限る。）を除く。以下この条、次条及び第十五条において同じ。）に関するデータベースの整備その他空家等に関する正確な情報を把握するために必要な措置を講ずるよう努めるものとする。

第三章 空家等の適切な管理に係る措置

（所有者等による空家等の適切な管理の促進）

第一二条 市町村は、所有者等による空家等の適切な管理を促進するため、これらの者に対し、情報の提供、助言その他必要な援助を行うよう努めるものとする。

（適切な管理が行われていない空家等の所有者等に対する措置）

第一三条 市町村長は、空家等が適切な管理が行われていないことによりそのまま放置すれば特定空家等に該当することとなるおそれのある状態にあると認めるときは、当該状態にあると認められる空家等（以下「管理不全空家等」という。）の所有者等に対し、基本指針（第六条第二項第三号に掲げる事項に係る部分に限る。）に即し、当該管理不全空家等が特定空家等に該当することとなることを防止するために必要な措置をとるよう指導をすることができる。
2 市町村長は、前項の規定による指導をした場合において、なお当該管理不全空家等の状態が改善されず、そのまま放置すれば特定空家等に該当することとなるおそれが大きいと認めるときは、当該指導をした者に対し、修繕、立木竹の伐採その他の当該管理不全空家等が特定空家等に該当することとなることを防止するために必要な具体的な措置について勧告することができる。

（空家等の管理に関する民法の特例）

第一四条 市町村長は、空家等につき、その適切な管理のため特に必要があると認めるときは、家庭裁判所に対し、民法（明治二十九年法律第八十九号）第二十五条第一項の規定による命令又は同法第九百五十二条第一項の規定による相続財産の清算人の選任の請求をすることができる。
2 市町村長は、空家等（敷地を除く。）につき、その適切な管理のため特に必要があると認めるときは、地方裁判所に対し、民法第二百六十四条の八第一項の規定による命令の請求をすることができる。
3 市町村長は、管理不全空家等又は特定空家等につき、その適切な管理のため特に必要があると認めるときは、地方裁判所に対し、民法第二百六十四条の九第一項又は第二百六十四条の十四第一項の規定による命令の請求をすることができる。

第四章 空家等の活用に係る措置

（空家等及び空家等の跡地の活用等）

第一五条 市町村は、空家等及び空家等の跡地（土地を販売し、又は賃貸する事業を行う者が販売し、又は賃貸するために所有し、又は管理するものを除く。）に関する情報の提供その他これらの活用のために必要な対策を講ずるよう努めるものとする。

（空家等の活用に関する計画作成市町村の要請等）

第一六条 空家等対策計画を作成した市町村（以下「計画作成市町村」という。）の長は、空家等活用促進区域内の空家等（第七条第四項第二号に規定する空家等の種類に該当するものに限る。以下この条において同じ。）について、当該空家等活用促進区域内の経済的社会的活動の促進のために必要があると認めるときは、当該空家等の所有者等に対し、当該空家等について空家等活用促進指針に定められた誘導用途に供するために必要な措置を講ずることを要請することができる。
2 計画作成市町村の長は、前項の規定による要請をした場合において、必要があると認めるときは、その要請を受けた空家等の所有者等に対し、当該空家等に関する権利の処分についてのあっせんその他の必要な措置を講ずるよう努めるものとする。

（建築基準法の特例）

第一七条 空家等対策計画（敷地特例適用要件に関する事項が定められたものに限る。）が第七条第十二項（同条第十四項において準用する場合を含む。）の規定により公表されたときは、当該公表の日以後は、同条第六項に規定する特例適用建築物に対する建築基準法第四十三条第二項第一号の規定の適用については、同号中「、利用者」とあるのは「利用者」と、「適合するもので」とあるのは「適合するもの又は空家等対策の推進に関する特別措置法（平成二十六年法律第百二十七号）第七条第十二項（同条第十四項において準用する場合を含む。）の規定により公表された同条第一項に規定する空家等対策計画に定められた同条第六項に規定する敷地特例適用要件に適合する同項に規定する特例適用建築物で」とする。

2　空家等対策計画（用途特例適用要件に関する事項が定められたものに限る。）が第七条第十二項（同条第十四項において準用する場合を含む。）の規定により公表されたときは、当該公表の日以後は、同条第五項に規定する特例適用建築物に対する建築基準法第四十八条第一項から第十三項までの規定のただし書の規定の適用については、同条第一項から第十一項まで及び第十三項の規定のただし書の規定中「特定行政庁が」とあるのは「特定行政庁が、」と、「認め、」とあるのは「認めて許可した場合」と、同条第一項ただし書中「公益上やむを得ない」とあるのは「空家等対策の推進に関する特別措置法（平成二十六年法律第百二十七号）第七条第十二項（同条第十四項において準用する場合を含む。）の規定により公表された同条第一項に規定する空家等対策計画に定められた同条第九項に規定する用途特例適用要件（以下この条において「特例適用要件」という。）に適合すると認めて許可した場合その他公益上やむを得ない」と、同条第二項から第十一項まで及び第十三項の規定のただし書の規定中「公益上やむを得ない」とあるのは「特例適用要件に適合すると認めて許可した場合その他公益上やむを得ない」と、同条第十二項ただし書中「特定行政庁が」とあるのは「特定行政庁が、特例適用要件に適合すると認めて許可した場合その他」とする。

（空家等の活用の促進についての配慮）

第一八条　都道府県知事は、第七条第十二項（同条第十四項において準用する場合を含む。）の規定により公表された空家等対策計画に記載された空家等活用促進区域（市街化調整区域に該当する区域に限る。）内の空家等に該当する建築物（都市計画法第四条第十項に規定する建築物をいう。以下この項において同じ。）について、当該建築物を誘導用途に供するため同法第四十二条第一項ただし書又は第四十三条第一項の許可（いずれも当該建築物の用途の変更に係るものに限る。）を求められたときは、第七条第八項の協議の結果を踏まえ、当該建築物の誘導用途としての活用の促進が図られるよう適切な配慮をするものとする。

2　前項に定めるもののほか、国の行政機関の長又は都道府県知事は、同項に規定する空家等対策計画に記載された空家等活用促進区域内の空家等について、当該空家等を誘導用途に供するため農地法（昭和二十七年法律第二百二十九号）その他の法律の規定による許可その他の処分を求められたときは、当該空家等の活用の促進が図られるよう適切な配慮をするものとする。

（地方住宅供給公社の業務の特例）

第一九条　地方住宅供給公社は、地方住宅供給公社法（昭和四十年法律第百二十四号）第二十一条に規定する業務のほか、空家等活用促進区域内において、計画作成市町村からの委託に基づき、空家等の活用のために行う改修、当該改修後の空家等の賃貸その他の空家等の活用に関する業務を行うことができる。

2　前項の規定により地方住宅供給公社が同項に規定する業務を行う場合における地方住宅供給公社法第四十九条の規定の適用については、同条第三号中「第二十一条に規定する業務」とあるのは、「第二十一条に規定する業務及び空家等対策の推進に関する特別措置法（平成二十六年法律第百二十七号）第十九条第一項に規定する業務」とする。

（独立行政法人都市再生機構の行う調査等業務）

第二〇条　独立行政法人都市再生機構は、独立行政法人都市再生機構法（平成十五年法律第百号）第十一条第一項に規定する業務のほか、計画作成市町村からの委託に基づき、空家等活用促進区域内における空家等及び空家等の跡地の活用により地域における経済的社会的活動の促進を図るために必要な調査、調整及び技術の提供の業務を行うことができる。

（独立行政法人住宅金融支援機構の行う援助）

第二一条　独立行政法人住宅金融支援機構は、独立行政法人住宅金融支援機構法（平成十七年法律第八十二号）第十三条第一項に規定する業務のほか、市町村又は第二十三条第一項に規定する空家等管理活用支援法人からの委託に基づき、空家等及び空家等の跡地の活用の促進に必要な資金の融通に関する情報の提供その他の援助を行うことができる。

第五章　特定空家等に対する措置

第二二条　市町村長は、特定空家等の所有者等に対し、当該特定空家等に関し、除却、修繕、立木竹の伐採その他周辺の生活環境の保全を図るために必要な措置（そのまま放置すれば倒壊等著しく保安上危険となるおそれのある状態又は著しく衛生上有害となるおそれのある状態にない特定空家等については、建築物の除却を除く。次項において同じ。）をとるよう助言又は指導をすることができる。

2　市町村長は、前項の規定による助言又は指導をした場合において、なお当該特定空家等の状態が改善されないと認めるときは、当該助言又は指導を受けた者に対し、相当の猶予期限を付けて、除却、修繕、立木竹の伐採その他周辺の生活環境の保全を図るために必要な措置をとることを勧告することができる。

3　市町村長は、前項の規定による勧告を受けた者が正当な理由がなくてその勧告に係る措置をとらなかった場合において、特に必要があると認めるときは、その者に対し、相当の猶予期限を付けて、その勧告に係る措置をとることを命ずることができる。

4　市町村長は、前項の措置を命じようとする場合においては、あらかじめ、その措置を命じようとする者に対し、その命じようとする措置及びその事由並びに意見書の提出先及び提出期限を記載した通知書を交付して、その措置を命じようとする者又はその代理人に意見書及び自己に有利な証拠を提出する機会を与えなければならない。

5　前項の通知書の交付を受けた者は、その交付を受けた日から五日以内に、市町村長に対し、意見書の提出に代えて公開による意見の聴取を行うことを請求することができる。

6　市町村長は、前項の規定による意見の聴取の請求があった場合においては、第三項の措置を命じようとする者又はその代理人の出頭を求めて、公開による意見の聴取を行わなければならない。

7　市町村長は、前項の規定による意見の聴取を行う場合においては、第三項の規定によって命じようとする措置並びに意見の聴取の期日及び場所を、期日の三日前までに、前項に規定する者に通知するとともに、これを公告しなければならない。

8　第六項に規定する者は、意見の聴取に際して、証人を出席させ、かつ、自己に有利な証拠を提出することができる。

9　市町村長は、第三項の規定により必要な措置を命じた場合において、その措置を命ぜられた者がその措置を履行しないとき、履行しても十分でないとき又は履行しても同項の期限までに完了する見込みがないときは、行政代執行法（昭和二十三年法律第四十三号）の定めるところに従い、自ら義務者のなすべき行為をし、又は第三者をしてこれをさせることができる。

10　第三項の規定により必要な措置を命じようとする場合において、過失がなくてその措置を命ぜられるべき者（以下この項及び次項において「命令対象者」という。）を確知することができないとき（過失がなくて第一項の助言若しくは指導又は第二項の勧告が行われるべき者を確知することができないため第三項に定める手続により命令を行うことができないときを含む。）は、市町村長は、当該命令対象者の負担において、その措置を自ら行い、又はその命じた者若しくは委任した者（以下この項及び次項において「措置実施者」という。）にその措置を行わせることができる。この場合においては、市町村長は、その定めた期限内に命令対象者においてその措置を行うべき旨及びその期限までにその措置を行わないときは市町村長又は措置実施者がその措置を行い、当該措置に要した費用を徴収する旨を、あらかじめ公告しなければならない。

11　市町村長は、災害その他非常の場合において、特定空家等が保安上著しく危険な状態にある等当該特定空家等に関し緊急に除却、修繕、立木竹の伐採その他周辺の生活環境の保全を図るために必要な措置をとる必要があると認めるときで、第三項から第八項までの規定により当該措置をとることを命ずるいとまがないときは、これらの規定にかかわらず、当該特定空家等に係る命令対象者の負担において、その措置を自ら行い、又は措置実施者に行わせることができる。

12　前二項の規定により負担させる費用の徴収については、行政代執行法第五条及び第六条の規定を準用する。

13　市町村長は、第三項の規定による命令をした場合においては、標識の設置その他国土交通省令・総務省令で定める方法により、その旨を公示しなければならない。

14　前項の標識は、第三項の規定による命令に係る特定空家等に設置することができる。この場合においては、当該特定空家等の所有者等は、当該標識の設置を拒み、又は妨げてはならない。

15　第三項の規定による命令については、行政手続法（平成五年法律第八十八号）第三章（第十二条及び第十四条を除く。）の規定は、適用しない。

16　国土交通大臣及び総務大臣は、特定空家等に対する措置に関し、その適切な実施を図るために必要な指針を定めることができる。

17　前各項に定めるもののほか、特定空家等に対する措置に関し必要な事項は、国土交通省令・総務省令で定める。

第六章　空家等管理活用支援法人

（空家等管理活用支援法人の指定）

第二十三条　市町村長は、特定非営利活動促進法（平成十年法律第七号）第二条第二項に規定する特定非営利活動法人、一般社団法人若しくは一般財団法人又は空家等の管理若しくは活用を図る活動を行うことを目的とする会社であって、次条各号に掲げる業務を適正かつ確実に行うことができると認められるものを、その申請により、空家等管理活用支援法人（以下「支援法人」という。）として指定することができる。

2　市町村長は、前項の規定による指定をしたときは、当該支援法人の名称又は商号、住所及び事務所又は営業所の所在地を公示しなければならない。

3　支援法人は、その名称若しくは商号、住所又は事務所若しくは営業所の所在地を変更するときは、あらかじめ、その旨を市町村長に届け出なければならない。

4　市町村長は、前項の規定による届出があったときは、当該届出に係る事項を公示しなければならない。

（支援法人の業務）

第二十四条　支援法人は、次に掲げる業務を行うものとする。

一　空家等の所有者等その他空家等の管理又は活用を行おうとする者に対し、当該空家等の管理又は活用の方法に関する情報の提供又は相談その他の当該空家等の適切な管理又はその活用を図るために必要な援助を行うこと。

二　委託に基づき、定期的な空家等の状態の確認、空家等の活用のために行う改修その他の空家等の管理又は活用のため必要な事業又は事務を行うこと。

三　委託に基づき、空家等の所有者等の探索を行うこと。

四　空家等の管理又は活用に関する調査研究を行うこと。

五　空家等の管理又は活用に関する普及啓発を行うこと。

六　前各号に掲げるもののほか、空家等の管理又は活用を図るために必要な事業又は事務を行うこと。

（監督等）

第二十五条　市町村長は、前条各号に掲げる業務の適正かつ確実な実施を確保するため必要があると認めるときは、支援法人に対し、その業務に関し報告をさせることができる。

2　市町村長は、支援法人が前条各号に掲げる業務を適正かつ確実に実施していないと認めるときは、支援法人に対し、その業務の運営の改善に関し必要な措置を講ずべきことを命ずることができる。

3　市町村長は、支援法人が前項の規定による命令に違反したときは、第二十三条第一項の規定による指定を取り消すことができる。

4　市町村長は、前項の規定により指定を取り消したときは、その旨を公示しなければならない。

（情報の提供等）

第二十六条　国及び地方公共団体は、支援法人に対し、その業務の実施に関し必要な情報の提供又は指導若しくは助言をするものとする。

2　市町村長は、支援法人からその業務の遂行のため空家等の所有者等を知る必要があるとして、空家等の所有者等に関する情報（以下この項及び次項において「所有者等関連情報」という。）の提供の求めがあったときは、当該空家等の所有者等の探索に必要な限度で、当該支援法人に対し、所有者等関連情報を提供するものとする。

3　前項の場合において、市町村長は、支援法人に対し所有者等関連情報を提供するときは、あらかじめ、当該所有者等関連情報を提供することについて本人（当該所有者等関連情報によって識別される特定の個人をいう。）の同意を得なければならない。

4　前項の同意は、その所在が判明している者に対して求めれば足りる。

（支援法人による空家等対策計画の作成等の提案）

第二十七条　支援法人は、その業務を行うために必要があると認めるときは、市町村に対し、国土交通省令・総務省令で定めるところにより、空家等対策計画の作成又は変更をすることを提案することができる。この場合においては、基本指針に即して、当該提案に係る空家等対策計画の素案を作成して、これを提示しなければならない。

2　前項の規定による提案を受けた市町村は、当該提案に基づき空家等対策計画の作成又は変更をするか否かについて、遅滞なく、当該提案をした支援法人に通知するものとする。この場合において、空家等対策計画の作成又は変更をしないこととするときは、その理由を明らかにしなければならない。

（市町村長への要請）

第二十八条　支援法人は、空家等、管理不全空家等又は特定空家等につき、その適切な管理のため特に必要があると認めるときは、市町村長に対し、第十四条各項の規定による請求をするよう要請することができる。

2　市町村長は、前項の規定による要請があった場合において、必要があると認めるときは、第十四条各項の規定による請求をするものとする。

3　市町村長は、第一項の規定による要請があった場合において、第十四条各項の規定による請求をする必要がないと判断したときは、遅滞なく、その旨及びその理由を、当該要請をした支援法人に通知するものとする。

第七章　雑則

第二十九条　国及び都道府県は、市町村が行う空家等対策計画に基づく空家等に関する対策の適切かつ円滑な実施に資するため、空家等に関する対策の実施に要する費用に対する補助、地方交付税制度の拡充その他の必要な財政上の措置を講ずるものとする。

2　国及び地方公共団体は、前項に定めるもののほか、市町村が行う空家等対策計画に基づく空家等に関する対策の適切かつ円滑な実施に資するため、必要な税制上の措置その他の措置を講ずるものとする。

第八章　罰則

第三十条　第二十二条第三項の規定による市町村長の命令に違反した者は、五十万円以下の過料に処する。

2　第九条第二項の規定による報告をせず、若しくは虚偽の報告をし、又は同項の規定による立入調査を拒み、妨げ、若しくは忌避した者は、二十万円以下の過料に処する。

附　則

（施行期日）

1　この法律は、公布の日から起算して三月を超えない範囲内において政令で定める日から施行する。ただし、第九条第二項から第五項まで、第十四条及び第十六条の規定は、公布の日から起算して六月を超えない範囲内において政令で定める日から施行する。

〔平成二七政五〇により、平成二七・二・二六から施行。ただし書の規定は、平成二七政五〇により、平成二七・五・二六から施行〕

（検討）

2　政府は、この法律の施行後五年を経過した場合において、この法律の施行の状況を勘案し、必要があると認めるときは、この法律の規定について検討を加え、その結果に基づいて所要の措置を講ずるものとする。

附　則〔抄〕〔令和五・六・一四法律五〇〕

（施行期日）

第一条　この法律は、公布の日から起算して六月を超えない範囲内において政令で定める日から施行する。ただし、附則第三条の規定は、公布の日から施行する。

〔令和五政三三一により、令和五・一二・一三から施行〕

（経過措置）

第二条　地方自治法の一部を改正する法律（平成二十六年法律第四十二号）附則第二条に規定する施行時特例市に対するこの法律による改正後の空家等対策の推進に関する特別措置法（以下この条において「新法」という。）第七条第八項及び第十八条第一項の規定の適用については、新法第七条第八項中「及同法」とあるのは「、同法」と、「中核市」とあるのは「中核市及び地方自治法の一部を改正する法律（平成二十六年法律第四十二号）附則第二条に規定する施行時特例市」とする。

２　新法第二十二条第十項及び第十二項（同条第十項に係る部分に限る。）の規定は、この法律の施行の日（以下この条及び附則第六条において「施行日」という。）以後に新法第二十二条第十項後段の規定による公告を行う場合について適用し、施行日前にこの法律による改正前の空家等対策の推進に関する特別措置法（次項において「旧法」という。）第十四条第十項後段の規定による公告を行った場合については、なお従前の例による。

３　新法第二十二条第十一項及び第十二項（同条第十一項に係る部分に限る。）の規定は、施行日以後に同条第二項の規定による勧告を行う場合について適用し、施行日前に旧法第十四条第二項の規定による勧告を行った場合については、なお従前の例による。

（政令への委任）

第三条　前条に定めるもののほか、この法律の施行に関し必要な経過措置（罰則に関する経過措置を含む。）は、政令で定める。

（検討）

第四条　政府は、この法律の施行後五年を目途として、この法律による改正後の規定について、その施行の状況等を勘案して検討を加え、必要があると認めるときは、その結果に基づいて所要の措置を講ずるものとする。

○空家等対策の推進に関する特別措置法施行規則

〔平成二七・四・二二　総務・国土交通省令一〕

改正　令和五・一二総務・国交令一

（経済的社会的活動の拠点としての機能を有する区域）

第一条　空家等対策の推進に関する特別措置法（以下「法」という。）第七条第三項第五号の国土交通省令・総務省令で定める区域は、次の各号に掲げるものとする。

一　地域再生法（平成十七年法律第二十四号）第五条第四項第七号に規定する商店街活性化促進区域

二　地域再生法第五条第四項第十二号に規定する農村地域等移住促進区域

三　観光圏の整備による観光旅客の来訪及び滞在の促進に関する法律（平成二十年法律第三十九号）第二条第二項に規定する滞在促進地区

四　前各号に掲げるもののほか、地域における住民の生活、産業の振興又は文化の向上の拠点であって、生活環境の整備、経済基盤の強化又は就業の機会の創出を図ることが必要であると市町村（特別区を含む。以下同じ。）が認める区域

（公示の方法）

第二条　法第二十二条第十三項の国土交通省令・総務省令で定める方法は、市町村の公報への掲載、インターネットの利用その他の適切な方法とする。

（空家等対策計画の作成等の提案）

第三条　法第二十七条第一項の規定により空家等対策計画の作成又は変更の提案を行おうとする空家等管理活用支援法人は、その名称又は商号及び主たる事務所の所在地を記載した提案書に当該提案に係る空家等対策計画の素案を添えて、市町村に提出しなければならない。

附　則

この省令は、空家等対策の推進に関する特別措置法附則第一項ただし書に規定する規定の施行の日（平成二十七年五月二十六日）から施行する。

附　則〔令和五・一二・一二総務・国土交通省令一〕

この省令は、空家等対策の推進に関する特別措置法の一部を改正する法律の施行の日（令和五年十二月十三日）から施行する。

○空家等対策の推進に関する特別措置法第七条第六項に規定する敷地特例適用要件に関する基準を定める省令

〔令和五・一二・一二　国土交通省令九四〕

（趣旨）

第一条　この省令は、空家等対策の推進に関する特別措置法（以下「法」という。）第七条第六項に規定する敷地特例適用要件（第四条において「敷地特例適用要件」という。）に関する事項を同条第三項に規定する空家等活用促進指針に定めるに当たって参酌すべき基準を定めるものとする。

（敷地と道との関係）

第二条　法第七条第五項に規定する特例適用建築物（以下「特例適用建築物」という。）の敷地は、将来の幅員が四メートル以上となることが見込まれる道であって、次の各号に掲げる基準に適合するものに接しなければならない。

一　当該道をその中心線からの水平距離二メートルの線その他当該道の幅員が四メートル以上となる線まで拡幅することについて、拡幅後の当該道の敷地となる土地の所有者及びその土地又はその土地にある建築物若しくは工作物に関して権利を有する者の同意を得たものであること。

二　法第十七条第一項の規定により読み替えて適用する建築基準法（昭和二十五年法律第二百一号）第四十三条第二項第一号の規定による認定の申請をしようとする者その他の関係者が拡幅後の当該道を将来にわたって通行することについて、拡幅後の当該道の敷地となる土地の所有者及びその土地に関して権利を有する者の承諾を得たものであること。

（構造）

第三条　特例適用建築物は、建築物の耐震改修の促進に関する法律（平成七年法律第百二十三号）第十七条第三項第一号に掲げる基準に適合するものでなければならない。

第四条　法第七条第三項の規定により同条第一項に規定する空家等対策計画に定めようとする空家等活用促進区域のうち都市計画法（昭和四十三年法律第百号）第八条第一項第五号に掲げる防火地域又は準防火地域その他の市街地における火災の危険を防除する必要がある区域として敷地特例適用要件に定める区域（第六条において「防火地域等」という。）における構造に関する基準は、前条及び次条に規定するもののほか、特例適用建築物が建築基準法第五十三条第三項第一号イに規定する耐火建築物等又は同号

ロに規定する準耐火建築物等であることとする。

第五条　特例適用建築物は、その敷地に接する道を建築基準法第四十二条に規定する道路とみなし、拡幅後の当該道の境界線をその道路の境界線とみなして適用する同法第四十四条第一項、第五十二条第二項及び第五十六条第一項第一号の規定に適合するものでなければならない。

（用途）

第六条　次の各号に掲げる区域における用途に関する基準は、特例適用建築物が当該各号に定める用途に供する建築物であることとする。

一　防火地域等　一戸建て住宅

二　防火地域等以外の区域　一戸建て住宅又は建築基準法別表第二(い)項第二号に掲げる用途

（規模）

第七条　特例適用建築物は、地階を除く階数が二以下であるものでなければならない。

附　則

この省令は、空家等対策の推進に関する特別措置法の一部を改正する法律（令和五年法律第五十号）の施行の日（令和五年十二月十三日）から施行する。

●災害・防災関係細目次●

○災害対策基本法（昭三六法二二三）……二二〇三
第一章　総則……二二〇三
第二章　防災に関する組織……二二〇五
第三章　防災計画……二二〇九
第四章　災害予防……二二一一
第五章　災害応急対策……二二一三
第六章　災害復旧……二二二三
第七章　被災者の援護を図るための措置……二二二三
第八章　財政金融措置……二二二三
第九章　災害緊急事態……二二二四
第十章　雑則……二二二六
第十一章　罰則……二二二六
○災害対策基本法施行令（昭三七政二八八）……二二二九
第一章　総則……二二三〇
第二章　中央防災会議……二二三〇
第三章　地方防災会議……二二三〇
第四章　災害時における職員の派遣……二二三〇
第五章　政令で定める計画……二二三二
第五章の二　災害予防……二二三二
第六章　災害応急対策……二二三三
第七章　災害復旧……二二三五
第八章　財政金融措置……二二三六
第九章　雑則……二二三七
○災害対策基本法施行規則（昭三七総令五二）……二二三九
○公共土木施設災害復旧事業費国庫負担法（昭二六法九七）……二二四三
○公共土木施設災害復旧事業費国庫負担法施行令（昭二六政一〇七）……二二四六
○公共土木施設災害復旧事業費国庫負担法施行規則（平一二運・建令一四）……二二四九
○激甚災害に対処するための特別の財政援助等に関する法律（昭三七法一五〇）……二二五〇
第一章　総則……二二五一
第二章　公共土木施設災害復旧事業等に関する特別の財政援助……二二五一
第三章　農林水産業に関する特別の助成……二二五二
第四章　中小企業に関する特別の助成……二二五三
第五章　その他の特別の財政援助及び助成……二二五三
○激甚災害に対処するための特別の財政援助等に関する法律施行令（昭三七政四〇三）……二二五八
第一章　公共土木施設災害復旧事業等に関する特別の財政援助……二二五八
第二章　農林水産業に関する特別の助成……二二六〇
第三章　中小企業に関する特別の助成……二二六二
第四章　その他の特別の財政援助及び助成……二二六二
○大規模な災害の被災地における借地借家に関する特別措置法（平二五法六一）……二二六六
○被災市街地復興特別措置法（平七法一四）……二二六八
第一章　総則……二二六八
第二章　被災市街地復興推進地域……二二六九
第三章　市街地開発事業等に関する特例……二二七〇
第四章　住宅の供給等に関する特例……二二七二
第五章　雑則……二二七二
第六章　罰則……二二七二
○被災市街地復興特別措置法施行令（平七政三六）……二二七四
○被災市街地復興特別措置法施行規則（平七建令二）……二二七四
○大規模災害からの復興に関する法律（平二五法五五）……二二七六
第一章　総則……二二七六
第二章　復興対策本部及び復興基本方針等……二二七六
第三章　復興のための特別の措置……二二七七
第四章　雑則……二二九〇
第五章　罰則……二二九〇
○東日本大震災復興特別区域法〔抄〕（平二三法一二二）……二二九一
○福島復興再生特別措置法（平二四法二五）……二三〇六
第一章　総則……二三〇七
第二章　福島復興再生計画等……二三〇七
第三章　避難解除等区域の復興及び再生のための特別の措置等……二三一〇
第四章　放射線による健康上の不安の解消その他の安心して暮らすことのできる生活環境の実現のための措置……二三二五
第五章　原子力災害からの産業の復興及び再生のための特別の措置……二三二六
第六章　新たな産業の創出等に寄与する取組の重点的な推進のための特別の措置……二三三〇
第七章　新産業創出等研究開発基本計画……二三三三
第八章　福島国際研究教育機構……二三三三
第九章　福島の復興及び再生に関する施策の推進のために必要な措置……二三三八
第十章　原子力災害からの福島復興再生協議会……二三三九
第十一章　雑則……二三三九
第十二章　罰則……二三三九
○津波防災地域づくりに関する法律（平二三法一二三）……二三四三
第一章　総則……二三四三
第二章　基本指針等……二三四三
第三章　津波浸水想定の設定等……二三四三
第四章　推進計画の作成等……二三四四
第五章　推進計画区域における特別の措置……二三四五
第六章　一団地の津波防災拠点市街地形成施設に関する都市計画……二三四五
第七章　津波防護施設等……二三四六
第八章　津波災害警戒区域……二三四九
第九章　津波災害特別警戒区域……二三五〇
第十章　雑則……二三五三
第十一章　罰則……二三五三
○津波防災地域づくりに関する法律施行令（平二三政四二六）……二三五四
○津波防災地域づくりに関する法律施行規則（平二三国交令九九）……二三五六
第一章　津波浸水想定の設定等……二三五六
第二章　推進計画区域における特別の措置……二三五六
第三章　津波防護施設等……二三五七
第四章　津波災害警戒区域……二三五九
第五章　津波災害特別警戒区域……二三五九
第六章　雑則……二三六三

○災害対策基本法〔昭和三六・一一・一五　法律二二三〕

改正　昭和三七・四法六八、法七三、五法一〇九、昭和四三・五法五一、昭和四四・六法三八、昭和四八・七法六一、昭和四九・六法七一、昭和五一・六法四七、昭和五三・四法二九、六法七三、昭和五五・五法六三、昭和五七・七法六六、昭和五八・一二法七八、法八〇、昭和五九・八法七一、一二法八七、昭和六一・一二法九三、法一〇九、平成元・六法五五、平成二・六法五〇、平成七・六法一一〇、一二法一三二、平成九・六法九八、平成一一・五法五四、七法八七、法一〇二、一二法一六〇、法二二〇、平成一二・五法九八、法九九、平成一四・七法九〇、法九八、平成一五・三法二一、五法五三、六法九二、七法一一九、平成一六・四法三六、平成一七・三法七、五法三七、七法八九、一〇法一〇二、平成一八・六法五三、法六八、一二法一一八、平成一九・三法二二、平成二二・一二法六五、平成二三・五法三七、八法一〇五、一二法一二四、平成二四・六法四一、平成二五・六法三五、法四四、法五四、平成二六・六法六七、一一法一一四、平成二七・五法二二、七法五二、法五八、九法六六、平成二八・五法四七、平成三〇・六法六六、令和三・五法三〇、法三六、令和五・五法三四、六法五八

目次

第一章　総則（第一条―第十条）
第二章　防災に関する組織
　第一節　中央防災会議（第十一条―第十三条）
　第二節　地方防災会議（第十四条―第二十三条の二）
　第三節　特定災害対策本部、非常災害対策本部及び緊急災害対策本部（第二十三条の三―第二十八条の六）
　第四節　災害時における職員の派遣（第二十九条―第三十三条）
第三章　防災計画（第三十四条―第四十五条）
第四章　災害予防
　第一節　通則（第四十六条―第四十九条の三）
　第二節　指定緊急避難場所及び指定避難所の指定等（第四十九条の四―第四十九条の九）
　第三節　避難行動要支援者名簿及び個別避難計画の作成等（第四十九条の十―第四十九条の十七）
第五章　災害応急対策
　第一節　通則（第五十条―第五十三条）
　第二節　警報の伝達等（第五十四条―第五十七条）
　第三節　事前措置及び避難（第五十八条―第六十一条の八）
　第四節　応急措置等（第六十二条―第八十六条の五）
　第五節　被災者の保護
　　第一款　生活環境の整備（第八十六条の六・第八十六条の七）
　　第二款　広域一時滞在（第八十六条の八―第八十六条の十三）
　　第三款　被災者の運送（第八十六条の十四）
　　第四款　安否情報の提供等（第八十六条の十五）
　第六節　物資等の供給及び運送（第八十六条の十六―第八十六条の十八）
第六章　災害復旧（第八十七条―第九十条）
第七章　被災者の援護を図るための措置（第九十条の二―第九十条の四）
第八章　財政金融措置（第九十一条―第百四条）
第九章　災害緊急事態（第百五条―第百九条の二）
第十章　雑則（第百十条―第百十二条）
第十一章　罰則（第百十三条―第百十七条）
附則

第一章　総則

（目的）

第一条　この法律は、国土並びに国民の生命、身体及び財産を災害から保護するため、防災に関し、基本理念を定め、国、地方公共団体及びその他の公共機関を通じて必要な体制を確立し、責任の所在を明確にするとともに、防災計画の作成、災害予防、災害応急対策、災害復旧及び防災に関する財政金融措置その他必要な災害対策の基本を定めることにより、総合的かつ計画的な防災行政の整備及び推進を図り、もつて社会の秩序の維持と公共の福祉の確保に資することを目的とする。

（定義）

第二条　この法律において、次の各号に掲げる用語の意義は、それぞれ当該各号に定めるところによる。

一　災害　暴風、竜巻、豪雨、豪雪、洪水、崖崩れ、土石流、高潮、地震、津波、噴火、地滑りその他の異常な自然現象又は大規模な火事若しくは爆発その他その及ぼす被害の程度においてこれらに類する政令で定める原因により生ずる被害をいう。

二　防災　災害を未然に防止し、災害が発生した場合における被害の拡大を防ぎ、及び災害の復旧を図ることをいう。

三　指定行政機関　次に掲げる機関で内閣総理大臣が指定するものをいう。

イ　内閣府、宮内庁並びに内閣府設置法（平成十一年法律第八十九号）第四十九条第一項及び第二項に規定する機関、デジタル庁並びに国家行政組織法（昭和二十三年法律第百二十号）第三条第二項に規定する機関

ロ　内閣府設置法第三十七条及び第五十四条並びに宮内庁法（昭和二十二年法律第七十号）第十六条第一項並びに国家行政組織法第八条に規定する機関

ハ　内閣府設置法第三十九条及び第五十五条並びに宮内庁法第十六条第二項並びに国家行政組織法第八条の二に規定する機関

ニ　内閣府設置法第四十条及び第五十六条並びに国家行政組織法第八条の三に規定する機関

四　指定地方行政機関　指定行政機関の地方支分部局（内閣府設置法第四十三条及び第五十七条（宮内庁法第十八条第一項において準用する場合を含む。）並びに宮内庁法第十七条第一項並びに国家行政組織法第九条の地方支分部局をいう。）その他の国の地方行政機関で、内閣総理大臣が指定するものをいう。

五　指定公共機関　独立行政法人（独立行政法人通則法（平成十一年法律第百三号）第二条第一項に規定する独立行政法人をいう。）、日本銀行、日本赤十字社、日本放送協会その他の公共的機関及び電気、ガス、輸送、通信その他の公益的事業を営む法人で、内閣総理大臣が指定するものをいう。

六　指定地方公共機関　地方独立行政法人（地方独立行政法人法（平成十五年法律第百十八号）第二条第一項に規定する地方独立行政法人をいう。）及び港湾法（昭和二十五年法律第二百十八号）第四条第一項の港務局（第八十二条第一項において「港務局」という。）、土地改良法（昭和二十四年法律第百九十五号）第五条第一項の土地改良区その他の公共的施設の管理者並びに都道府県の地域において電気、ガス、輸送、通信その他の公益的事業を営む法人で、当該都道府県の知事が指定するものをいう。

七　防災計画　防災基本計画及び防災業務計画並びに地域防災計画をいう。

八　防災基本計画　中央防災会議が作成する防災に関する基本的な計画をいう。

九　防災業務計画　指定行政機関の長（当該指定行政機関が内閣府設置法第四十九条第一項若しくは第二項若しくは国家行政組織法第三条第二項の委員会若しくは第三号ロに掲げる機関又は同号ニに掲げる機関のうち合議制のものである場合にあつては、当該指定行政機関。第十二条第八項、第二十五条第六項第二号、第二十八条第二項、第二十八条の三第六項第三号及び第二十八条の六第二項を除き、以下同じ。）又は指定公共機関（指定行政機関の長又は指定地方行政機関の長又は指定地方公共機関）が防災基本計画に基づきその所掌事務又は業務について作成する防災に関する計画をいう。

十　地域防災計画　一定地域に係る防災に関する計画で、次に掲げるものをいう。

イ　都道府県地域防災計画　都道府県の地域につき、当該都道府県の都道府県防災会議が作成するもの

ロ　市町村地域防災計画　市町村の地域につき、当該市町村の市町村防災会議又は市町村長が作成するもの

ハ　都道府県相互間地域防災計画　二以上の都道府県の区域の全部又は一部にわたる地域につき、都道府県防災会議の協議会が作成するもの

ニ　市町村相互間地域防災計画　二以上の市町村の区域の全部又は一部にわたる地域につき、市町村防災会議の協議会が作成するもの

（基本理念）

第二条の二　災害対策は、次に掲げる事項を基本理念として行われるものとする。

一　我が国の自然的特性に鑑み、人口、産業その他の社会経済情勢の変化を踏まえ、災害の発生を常に想定するとともに、災害が発生した場合における被害の最小化及びその迅速な回復を図ること。

二　国、地方公共団体及びその他の公共機関の適切な役割分担及び相互の連携協力を確保するとともに、これと併せて、住民一人一人が自ら行う防災活動及び自主防災組織（住民の隣保協同の精神に基づく自発的な防災組織をいう。以下同じ。）その他の地域における多様な主体が自発的に行う防災活動を促進すること。

三　災害に備えるための措置を適切に組み合わせて一体的に講ずること並びに科学的知見及び過去の災害から得られた教訓を踏まえて絶えず改善を図ること。

四　災害の発生直後その他必要な情報を収集することが困難なときであつても、できる限り的確に災害の状況を把握し、これに基づき人材、物資その他の必要な資源を適切に配分することにより、人の生命及び身体を最も優先して保護すること。

五　被災者による主体的な取組を阻害することのないよう配慮しつつ、被災者の年齢、性別、障害の有無その他の被災者の事情を踏まえ、その時期に応じて適切に被災者を援護すること。

六　災害が発生したときは、速やかに、施設の復旧及び被災者の援護を図り、災害からの復興を図ること。

（国の責務）

第三条　国は、前条の基本理念（以下「基本理念」という。）にのつとり、国土並びに国民の生命、身体及び財産を災害から保護する使命を有することに鑑み、組織及び機能の全てを挙げて防災に関し万全の措置を講ずる責務を有する。

2　国は、前項の責務を遂行するため、災害予防、災害応急対策及び災害復旧の基本となるべき計画を作成し、及び法令に基づきこれを実施するとともに、地方公共団体、指定公共機関、指定地方公共機関等が処理する防災に関する事務又は業務の実施の推進とその総合調整を行ない、及び災害に係る経費負担の適正化を図らなければならない。

3　指定行政機関及び指定地方行政機関は、その所掌事務を遂行するにあたつては、第一項に規定する国の責務が十分に果たされることとなるように、相互に協力しなければならない。

4　指定行政機関の長及び指定地方行政機関の長は、この法律の規定による都道府県及び市町村の地域防災計画の作成及び実施が円滑に行なわれるように、その所掌事務について、当該都道府県又は市町村に対し、勧告し、指導し、助言し、その他適切な措置をとらなければならない。

（都道府県の責務）

第四条　都道府県は、基本理念にのつとり、当該都道府県の地域並びに当該都道府県の住民の生命、身体及び財産を災害から保護するため、関係機関及び他の地方公共団体の協力を得て、当該都道府県の地域に係る防災に関する計画を作成し、及び法令に基づきこれを実施するとともに、その区域内の市町村及び指定地方公共機関が処理する防災に関する事務又は業務の実施を助け、かつ、その総合調整を行う責務を有する。

2　都道府県の機関は、その所掌事務を遂行するにあたつては、前項に規定する都道府県の責務が十分に果たされることとなるように、相互に協力しなければならない。

（市町村の責務）

第五条　市町村は、基本理念にのつとり、基礎的な地方公共団体として、当該市町村の地域並びに当該市町村の住民の生命、身体及び財産を災害から保護するため、関係機関及び他の地方公共団体の協力を得て、当該市町村の地域に係る防災に関する計画を作成し、及び法令に基づきこれを実施する責務を有する。

2　市町村長は、前項の責務を遂行するため、消防機関、水防団その他の組織の整備並びに当該市町村の区域内の公共的団体その他の防災に関する組織及び自主防災組織の充実を図るほか、住民の自発的な防災活動の促進を図り、市町村の有する全ての機能を十分に発揮するように努めなければならない。

3　消防機関、水防団その他市町村の機関は、その所掌事務を遂行するにあたつては、第一項に規定する市町村の責務が十分に果たされることとなるように、相互に協力しなければならない。

（地方公共団体相互の協力）

第五条の二　地方公共団体は、第四条第一項及び前条第一項に規定する責務を十分に果たすため必要があるときは、相互に協力するように努めなければならない。

（国及び地方公共団体とボランティアとの連携）

第五条の三　国及び地方公共団体は、ボランティアによる防災活動が災害時において果たす役割の重要性に鑑み、その自主性を尊重しつつ、ボランティアとの連携に努めなければならない。

（指定公共機関及び指定地方公共機関の責務）

第六条　指定公共機関及び指定地方公共機関は、基本理念にのつとり、その業務に係る防災に関する計画を作成し、及び法令に基づきこれを実施するとともに、この法律の規定による国、都道府県及び市町村の防災計画の作成及び実施が円滑に行われるように、その業務について、当該都道府県又は市町村に対し、協力する責務を有する。

2　指定公共機関及び指定地方公共機関は、その業務の公共性又は公益性にかんがみ、それぞれその業務を通じて防災に寄与しなければならない。

（住民等の責務）

第七条　地方公共団体の区域内の公共的団体、防災上重要な施設の管理者その他法令の規定による防災に関する責務を有する者は、基本理念にのつとり、法令又は地域防災計画の定めるところにより、誠実にその責務を果たさなければならない。

2　災害応急対策又は災害復旧に必要な物資若しくは資材又は役務の供給又は提供を業とする者は、基本理念にのつとり、災害時においてもこれらの事業活動を継続的に実施するとともに、当該事業活動に関し、国又は地方公共団体が実施する防災に関する施策に協力するように努めなければならない。

3　前二項に規定するもののほか、地方公共団体の住民は、基本理念にのつとり、食品、飲料水その他の生活必需物資の備蓄その他の自ら災害に備えるための手段を講ずるとともに、防災訓練その他の自発的な防災活動への参加、過去の災害から得られた教訓の伝承その他の取組により防災に寄与するように努めなければならない。

（施策における防災上の配慮等）

第八条　国及び地方公共団体は、その施策が、直接的なものであると間接的なものであるとを問わず、一体として国土並びに国民の生命、身体及び財産の災害をなくすることに寄与することとなるように意を用いなければならない。

2　国及び地方公共団体は、災害の発生を予防し、又は災害の拡大を防止するため、特に次に掲げる事項の実施に努めなければならない。

一　災害及び災害の防止に関する科学的研究とその成果の実現に関する事項

二　治山、治水その他の国土の保全に関する事項

三　建物の不燃堅牢化その他都市の防災構造の改善に関する事項

四　交通、情報通信等の都市機能の集積に対応する防災対策に関する事項

五　防災上必要な気象、地象及び水象の観測、予報、情報その他の業務に関する施設及び組織並びに防災上必要な通信に関する施設及び組織の整備に関する事項

六　災害の予報及び警報の改善に関する事項

七　地震予知情報（大規模地震対策特別措置法（昭和五十三年法律第七十三号）第二条第三号の地震予知情報をいう。）を周知させるための方法の改善に関する事項

八　気象観測網の充実についての国際的協力に関する事項

九　台風に対する人為的調節その他防災上必要な研究、観測及び情報交換についての国際的協力に関する事項

十　火山現象等による長期的災害に対する対策に関する事項

十一　水防、消防、救助その他災害応急措置に関する施設及び組織の整備に関する事項

十二　地方公共団体の相互応援、第六十一条の四第三項に規定する広域避難及び第八十六条の八第一項に規定する広域一時滞在に関する協定並びに民間の団体の協力の確保に関する協定の締結に関する事項
十三　自主防災組織の育成、ボランティアによる防災活動の環境の整備、過去の災害から得られた教訓を伝承する活動の支援その他国民の自発的な防災活動の促進に関する事項
十四　被災者の心身の健康の確保、居住の場所の確保その他被災者の保護に関する事項
十五　高齢者、障害者、乳幼児その他の特に配慮を要する者（以下「要配慮者」という。）に対する防災上必要な措置に関する事項
十六　海外からの防災に関する支援の受入れに関する事項
十七　被災者に対する的確な情報提供及び被災者からの相談に関する事項
十八　防災上必要な教育及び訓練に関する事項
十九　防災思想の普及に関する事項

（政府の措置及び国会に対する報告）

第九条　政府は、この法律の目的を達成するため必要な法制上、財政上及び金融上の措置を講じなければならない。
2　政府は、毎年、政令で定めるところにより、防災に関する計画及び防災に関してとつた措置の概況を国会に報告しなければならない。

（他の法律との関係）

第一〇条　防災に関する事務の処理については、他の法律に特別の定めがある場合を除くほか、この法律の定めるところによる。

第二章　防災に関する組織

第一節　中央防災会議

（中央防災会議の設置及び所掌事務）

第一一条　内閣府に、中央防災会議を置く。
2　中央防災会議は、次に掲げる事務をつかさどる。
一　防災基本計画を作成し、及びその実施を推進すること。
二　内閣総理大臣又は内閣府設置法第九条の二に規定する特命担当大臣（以下「防災担当大臣」という。）の諮問に応じて防災に関する重要事項を審議すること。
三　前号に規定する重要事項に関し、内閣総理大臣又は防災担当大臣に意見を述べること。
四　前三号に掲げるもののほか、法令の規定によりその権限に属する事務
3　内閣総理大臣は、次に掲げる事項については、中央防災会議に諮問しなければならない。
一　防災の基本方針
二　防災に関する施策の総合調整で重要なもの
三　非常災害又は第二十三条の三第一項に規定する特定災害に際し一時的に必要とする緊急措置の大綱
四　災害緊急事態の布告
五　その他内閣総理大臣が必要と認める防災に関する重要事項

（中央防災会議の組織）

第一二条　中央防災会議は、会長及び委員をもつて組織する。
2　会長は、内閣総理大臣をもつて充てる。
3　会長は、会務を総理する。
4　会長に事故があるときは、あらかじめその指名する委員がその職務を代理する。
5　委員は、次に掲げる者をもつて充てる。
一　防災担当大臣
二　防災担当大臣以外の国務大臣、内閣危機管理監、指定公共機関の代表者及び学識経験のある者のうちから、内閣総理大臣が任命する者
6　中央防災会議に、専門の事項を調査させるため、専門委員を置くことができる。
7　専門委員は、関係行政機関及び指定公共機関の職員並びに学識経験のある者のうちから、内閣総理大臣が任命する。
8　中央防災会議に、幹事を置き、内閣官房の職員又は指定行政機関の長（国務大臣を除く。）若しくはその職員のうちから、内閣総理大臣が任命する。
9　幹事は、中央防災会議の所掌事務について、会長及び委員を助ける。
10　前各項に定めるもののほか、中央防災会議の組織及び運営に関し必要な事項は、政令で定める。

（関係行政機関等に対する協力要求等）

第一三条　中央防災会議は、その所掌事務に関し、関係行政機関の長及び関係地方行政機関の長、地方公共団体の長その他の執行機関、指定公共機関及び指定地方公共機関並びにその他の関係者に対し、資料の提出、意見の表明その他必要な協力を求めることができる。
2　中央防災会議は、その所掌事務の遂行について、地方防災会議（都道府県防災会議又は市町村防災会議をいう。以下同じ。）又は地方防災会議の協議会（都道府県防災会議の協議会又は市町村防災会議の協議会をいう。以下同じ。）に対し、必要な勧告をすることができる。

第二節　地方防災会議

（都道府県防災会議の設置及び所掌事務）

第一四条　都道府県に、都道府県防災会議を置く。
2　都道府県防災会議は、次に掲げる事務をつかさどる。
一　都道府県地域防災計画を作成し、及びその実施を推進すること。
二　都道府県知事の諮問に応じて当該都道府県の地域に係る防災に関する重要事項を審議すること。
三　前号に規定する重要事項に関し、都道府県知事に意見を述べること。
四　当該都道府県の地域に係る災害が発生した場合において、当該災害に係る災害復旧に関し、当該都道府県並びに関係指定地方行政機関、関係市町村、関係指定公共機関及び関係指定地方公共機関相互間の連絡調整を図ること。
五　前各号に掲げるもののほか、法律又はこれに基づく政令によりその権限に属する事務

（都道府県防災会議の組織）

第一五条　都道府県防災会議は、会長及び委員をもつて組織する。
2　会長は、当該都道府県の知事をもつて充てる。
3　会長は、会務を総理する。
4　会長に事故があるときは、あらかじめその指名する委員がその職務を代理する。
5　委員は、次に掲げる者をもつて充てる。
一　当該都道府県の区域の全部又は一部を管轄する指定地方行政機関の長又はその指名する職員
二　当該都道府県を警備区域とする陸上自衛隊の方面総監又はその指名する部隊若しくは機関の長
三　当該都道府県の教育委員会の教育長
四　警視総監又は当該道府県の道府県警察本部長
五　当該都道府県の知事がその部内の職員のうちから指名する者
六　当該都道府県の区域内の市町村の市町村長及び消防機関の長のうちから当該都道府県の知事が任命する者
七　当該都道府県の地域において業務を行う指定公共機関又は指定地方公共機関の役員又は職員のうちから当該都道府県の知事が任命する者
八　自主防災組織を構成する者又は学識経験のある者のうちから当該都道府県の知事が任命する者
6　都道府県防災会議に、専門の事項を調査させるため、専門委員を置くことができる。
7　専門委員は、関係地方行政機関の職員、当該都道府県の職員、当該都道府県の区域内の市町村の職員、関係指定公共機関の職員、関係指定地方公共機関の職員及び学識経験のある者のうちから、当該都道府県の知事が任命する。
8　前各項に定めるもののほか、都道府県防災会議の組織及び運営に関し必要な事項は、政令で定める基準に従い、当該都道府県の条例で定める。

（市町村防災会議）

第一六条　市町村に、当該市町村の地域に係る地域防災計画を作成し、及びその実施を推進するほか、市町村長の諮問に応じて当該市町村の地域に係る防災に関する重要事項を審議するため、市町村防災会議を置く。
2　前項に規定するもののほか、市町村は、協議により規約を定め、共同して市町村防災会議を設置することができる。
3　市町村は、前項の規定により市町村防災会議を共同して設置したときその他市町村防災会議を設置することが不適当又は困難であるときは、第一項の規定にかかわらず、市町村防災会議を設置しないことができる。
4　市町村は、前項の規定により市町村防災会議を設置しないこととしたと

き（第二項の規定により市町村防災会議を共同して設置したときを除く。）は、速やかにその旨を都道府県知事に報告しなければならない。

5　都道府県知事は、前項の規定による報告を受けたときは、都道府県防災会議の意見を聴くものとし、必要があると認めるときは、当該市町村に対し、必要な助言又は勧告をすることができる。

6　市町村防災会議の組織及び所掌事務は、都道府県防災会議の組織及び所掌事務の例に準じて、当該市町村の条例（第二項の規定により設置された市町村防災会議にあつては、規約）で定める。

（地方防災会議の協議会）

第一七条　都道府県相互の間又は市町村相互の間において、当該都道府県又は市町村の区域の全部又は一部にわたり都道府県相互間地域防災計画又は市町村相互間地域防災計画を作成することが必要かつ効果的であると認めるときは、当該都道府県又は市町村は、協議により規約を定め、都道府県防災会議の協議会又は市町村防災会議の協議会を設置することができる。

2　前項の規定により協議会を設置したときは、都道府県防災会議の協議会にあつては内閣総理大臣に、市町村防災会議の協議会にあつては都道府県知事にそれぞれ届け出なければならない。

第一八条及び第一九条　削除

（政令への委任）

第二〇条　第十七条に規定するもののほか、地方防災会議の協議会に関し必要な事項は、政令で定める。

（関係行政機関等に対する協力要求）

第二一条　都道府県防災会議及び市町村防災会議（地方防災会議の協議会を含む。以下次条において「地方防災会議等」という。）は、その所掌事務を遂行するため必要があると認めるときは、関係行政機関の長及び関係地方行政機関の長、地方公共団体の長その他の執行機関、指定公共機関及び指定地方公共機関並びにその他の関係者に対し、資料又は情報の提供、意見の表明その他必要な協力を求めることができる。

（地方防災会議等相互の関係）

第二二条　地方防災会議等は、それぞれその所掌事務の遂行について相互に協力しなければならない。

2　都道府県防災会議は、その所掌事務の遂行について、市町村防災会議に対し、必要な勧告をすることができる。

（都道府県災害対策本部）

第二三条　都道府県の地域について災害が発生し、又は災害が発生するおそれがある場合において、防災の推進を図るため必要があると認めるときは、都道府県知事は、都道府県地域防災計画の定めるところにより、都道府県災害対策本部を設置することができる。

2　都道府県災害対策本部の長は、都道府県災害対策本部長とし、都道府県知事をもつて充てる。

3　都道府県災害対策本部に、都道府県災害対策副本部長、都道府県災害対策本部員その他の職員を置き、当該都道府県の職員のうちから、当該都道府県の知事が任命する。

4　都道府県災害対策本部は、都道府県地域防災計画の定めるところにより、次に掲げる事務を行う。

一　当該都道府県の地域に係る災害に関する情報を収集すること。

二　当該都道府県の地域に係る災害予防及び災害応急対策を的確かつ迅速に実施するための方針を作成し、並びに当該方針に沿つて災害予防及び災害応急対策を実施すること。

三　当該都道府県の地域に係る災害予防及び災害応急対策に関し、当該都道府県並びに関係指定地方行政機関、関係地方公共団体、関係指定公共機関及び関係指定地方公共機関相互間の連絡調整を図ること。

5　都道府県知事は、都道府県地域防災計画の定めるところにより、都道府県災害対策本部に、災害地にあつて当該都道府県災害対策本部の事務の一部を行う組織として、都道府県現地災害対策本部を置くことができる。

6　都道府県災害対策本部長は、当該都道府県警察又は当該都道府県の教育委員会に対し、当該都道府県の地域に係る災害予防又は災害応急対策を実施するため必要な限度において、必要な指示をすることができる。

7　都道府県災害対策本部長は、当該都道府県の地域に係る災害予防又は災害応急対策を的確かつ迅速に実施するため必要があると認めるときは、関係行政機関の長及び関係地方行政機関の長、地方公共団体の長その他の執行機関、指定公共機関及び指定地方公共機関並びにその他の関係者に対し、資料又は情報の提供、意見の表明その他必要な協力を求めることができる。

8　前各項に規定するもののほか、都道府県災害対策本部に関し必要な事項は、都道府県の条例で定める。

（市町村災害対策本部）

第二三条の二　市町村の地域について災害が発生し、又は災害が発生するおそれがある場合において、防災の推進を図るため必要があると認めるときは、市町村長は、市町村地域防災計画の定めるところにより、市町村災害対策本部を設置することができる。

2　市町村災害対策本部の長は、市町村災害対策本部長とし、市町村長をもつて充てる。

3　市町村災害対策本部に、市町村災害対策副本部長、市町村災害対策本部員その他の職員を置き、当該市町村の職員又は当該市町村の区域を管轄する消防長若しくはその指名する消防吏員のうちから、当該市町村の市町村長が任命する。

4　市町村災害対策本部は、市町村地域防災計画の定めるところにより、次に掲げる事務を行う。この場合において、市町村災害対策本部は、必要に応じ、関係指定地方行政機関、関係地方公共団体、関係指定公共機関及び関係指定地方公共機関との連携の確保に努めなければならない。

一　当該市町村の地域に係る災害に関する情報を収集すること。

二　当該市町村の地域に係る災害予防及び災害応急対策を的確かつ迅速に実施するための方針を作成し、並びに当該方針に沿つて災害予防及び災害応急対策を実施すること。

5　市町村長は、市町村地域防災計画の定めるところにより、市町村災害対策本部に、災害地にあつて当該市町村災害対策本部の事務の一部を行う組織として、市町村現地災害対策本部を置くことができる。

6　市町村災害対策本部長は、当該市町村の教育委員会に対し、当該市町村の地域に係る災害予防又は災害応急対策を実施するため必要な限度において、必要な指示をすることができる。

7　前条第七項の規定は、市町村災害対策本部長について準用する。この場合において、同項中「当該都道府県の」とあるのは、「当該市町村の」と読み替えるものとする。

8　前各項に規定するもののほか、市町村災害対策本部に関し必要な事項は、市町村の条例で定める。

第三節　特定災害対策本部、非常災害対策本部及び緊急災害対策本部

（特定災害対策本部の設置）

第二三条の三　災害（その規模が非常災害に該当するに至らないと認められるものに限る。以下この項において同じ。）が発生し、又は発生するおそれがある場合において、当該災害が、人の生命又は身体に急迫した危険を生じさせ、かつ、当該災害に係る地域の状況その他の事情を勘案して当該災害に係る災害応急対策を推進するため特別の必要があると認めるもの（以下「特定災害」という。）であるときは、内閣総理大臣は、内閣府設置法第四十条第二項の規定にかかわらず、臨時に内閣府に特定災害対策本部を設置することができる。

2　内閣総理大臣は、特定災害対策本部を置いたときは当該本部の名称、所管区域並びに設置の場所及び期間を、当該本部を廃止したときはその旨を、直ちに、告示しなければならない。

（特定災害対策本部の組織）

第二三条の四　特定災害対策本部の長は、特定災害対策本部長とし、防災担当大臣その他の国務大臣をもつて充てる。

2　特定災害対策本部長は、特定災害対策本部の事務を総括し、所部の職員を指揮監督する。

3　特定災害対策本部に、特定災害対策副本部長、特定災害対策本部員その他の職員を置く。

4　特定災害対策副本部長は、特定災害対策本部長を助け、特定災害対策本部長に事故があるときは、その職務を代理する。特定災害対策副本部長が二人以上置かれている場合にあつては、あらかじめ特定災害対策本部長が定めた順序で、その職務を代理する。

5　特定災害対策本部員その他の職員は、内閣官房若しくは内閣府その他の指定行政機関の職員又は指定地方行政機関の長若しくはその職員のうちから、内閣総理大臣が任命する。

6　特定災害対策本部に、当該特定災害対策本部の所管区域にあつて当該特

定災害対策本部長の定めるところにより当該特定災害対策本部の事務の一部を行う組織として、特定災害現地対策本部を置くことができる。この場合においては、地方自治法（昭和二十二年法律第六十七号）第百五十六条第四項の規定は、適用しない。

7　内閣総理大臣は、前項の規定により特定災害現地対策本部を置いたときは、これを国会に報告しなければならない。

8　前条第二項の規定は、特定災害現地対策本部について準用する。

9　特定災害現地対策本部に、特定災害現地対策本部長及び特定災害現地対策本部員その他の職員を置く。

10　特定災害現地対策本部長は、特定災害対策本部長の命を受け、特定災害現地対策本部の事務を掌理する。

11　特定災害現地対策本部長及び特定災害現地対策本部員その他の職員は、特定災害対策副本部長、特定災害対策本部員その他の職員のうちから、特定災害対策本部長が指名する者をもつて充てる。

（特定災害対策本部の所掌事務）

第二十三条の五　特定災害対策本部は、次に掲げる事務をつかさどる。

一　災害応急対策を的確かつ迅速に実施するための方針の作成に関すること。

二　所管区域において指定行政機関の長、指定地方行政機関の長、地方公共団体の長その他の執行機関、指定公共機関及び指定地方公共機関が防災計画に基づいて実施する災害応急対策の総合調整に関すること。

三　特定災害に際し必要な緊急の措置の実施に関すること。

四　第二十三条の七の規定により特定災害対策本部長の権限に属する事務

五　前各号に掲げるもののほか、法令の規定によりその権限に属する事務

（指定行政機関の長の権限の委任）

第二十三条の六　指定行政機関の長は、特定災害対策本部が設置されたときは、災害応急対策に必要な権限の全部又は一部を当該特定災害対策本部員である当該指定行政機関の職員又は当該指定地方行政機関の長若しくはその職員に委任することができる。

2　指定行政機関の長は、前項の規定による委任をしたときは、直ちに、その旨を告示しなければならない。

（特定災害対策本部長の権限）

第二十三条の七　特定災害対策本部長は、前条の規定により権限を委任された職員の当該特定災害対策本部の所管区域における権限の行使について調整をすることができる。

2　特定災害対策本部長は、当該特定災害対策本部の所管区域における災害応急対策を的確かつ迅速に実施するため特に必要があると認めるときは、その必要な限度において、関係指定地方行政機関の長、地方公共団体の長その他の執行機関並びに指定公共機関及び指定地方公共機関に対し、必要な指示をすることができる。

3　特定災害対策本部長は、当該特定災害対策本部の所管区域における災害応急対策を的確かつ迅速に実施するため必要があると認めるときは、関係行政機関の長及び関係地方行政機関の長、地方公共団体の長その他の執行機関、指定公共機関並びにその他の関係者に対し、資料又は情報の提供、意見の表明その他必要な協力を求めることができる。

4　特定災害対策本部長は、特定災害現地対策本部が置かれたときは、前三項の規定による権限の一部を特定災害現地対策本部長に委任することができる。

5　特定災害対策本部長は、前項の規定による委任をしたときは、直ちに、その旨を告示しなければならない。

（非常災害対策本部の設置）

第二十四条　非常災害が発生し、又は発生するおそれがある場合において、当該災害の規模その他の状況により当該災害に係る災害応急対策を推進するため特別の必要があると認めるときは、内閣総理大臣は、内閣府設置法第四十条第二項の規定にかかわらず、臨時に内閣府に非常災害対策本部を設置することができる。

2　第二十三条の三第二項の規定は、非常災害対策本部について準用する。

3　第一項の規定により非常災害対策本部が設置された場合において、当該災害に係る特定災害対策本部が既に設置されているときは、当該特定災害対策本部は廃止されるものとし、非常災害対策本部が当該特定災害対策本部の所掌事務を承継するものとする。

（非常災害対策本部の組織）

第二十五条　非常災害対策本部の長は、非常災害対策本部長とし、内閣総理大臣（内閣総理大臣に事故があるときは、そのあらかじめ指名する国務大臣）をもつて充てる。

2　非常災害対策本部長は、非常災害対策本部の事務を総括し、所部の職員を指揮監督する。

3　非常災害対策本部に、非常災害対策副本部長、非常災害対策本部員その他の職員を置く。

4　非常災害対策副本部長は、内閣官房長官、防災担当大臣その他の国務大臣をもつて充てる。

5　非常災害対策副本部長は、非常災害対策本部長を助け、非常災害対策本部長に事故があるときは、その職務を代理する。非常災害対策副本部長が二人以上置かれている場合にあつては、あらかじめ非常災害対策本部長が定めた順序で、その職務を代理する。

6　非常災害対策本部員は、次に掲げる者をもつて充てる。

一　非常災害対策本部長及び非常災害対策副本部長以外の国務大臣のうちから、内閣総理大臣が任命する者

二　副大臣、内閣危機管理監又は国務大臣以外の指定行政機関の長のうちから、内閣総理大臣が任命する者

7　非常災害対策副本部長及び非常災害対策本部員以外の非常災害対策本部の職員は、内閣官房若しくは内閣府その他の指定行政機関の職員又は指定地方行政機関の長若しくはその職員のうちから、内閣総理大臣が任命する。

8　非常災害対策本部に、当該非常災害対策本部の所管区域にあつて当該非常災害対策本部長の定めるところにより当該非常災害対策本部の事務の一部を行う組織として、非常災害現地対策本部を置くことができる。

9　第二十三条の四第六項後段、第七項及び第八項の規定は、非常災害現地対策本部について準用する。

10　非常災害現地対策本部に、非常災害現地対策本部長及び非常災害現地対策本部員その他の職員を置く。

11　非常災害現地対策本部長は、非常災害対策本部長の命を受け、非常災害現地対策本部の事務を掌理する。

12　非常災害現地対策本部長及び非常災害現地対策本部員その他の職員は、非常災害対策副本部長、非常災害対策本部員その他の職員のうちから、非常災害対策本部長が指名する者をもつて充てる。

（非常災害対策本部の所掌事務）

第二十六条　非常災害対策本部は、次に掲げる事務をつかさどる。

一　災害応急対策を的確かつ迅速に実施するための方針の作成に関すること。

二　所管区域において指定行政機関の長、指定地方行政機関の長、地方公共団体の長その他の執行機関、指定公共機関及び指定地方公共機関が防災計画に基づいて実施する災害応急対策の総合調整に関すること。

三　非常災害に際し必要な緊急の措置の実施に関すること。

四　第二十八条の規定により非常災害対策本部長の権限に属する事務

五　前各号に掲げるもののほか、法令の規定によりその権限に属する事務

（指定行政機関の長の権限の委任）

第二十七条　指定行政機関の長は、非常災害対策本部が設置されたときは、災害応急対策に必要な権限の全部又は一部を当該非常災害対策本部の職員である当該指定行政機関の職員又は当該指定地方行政機関の長若しくはその職員に委任することができる。

2　指定行政機関の長は、前項の規定による委任をしたときは、直ちに、その旨を告示しなければならない。

（非常災害対策本部長の権限）

第二十八条　非常災害対策本部長は、前条の規定により権限を委任された職員の当該非常災害対策本部の所管区域における権限の行使について調整をすることができる。

2　非常災害対策本部長は、当該非常災害対策本部の所管区域における災害応急対策を的確かつ迅速に実施するため特に必要があると認めるときは、その必要な限度において、関係指定行政機関の長及び関係指定地方行政機関の長並びに前条の規定により権限を委任された当該指定行政機関の職員及び当該指定地方行政機関の職員、地方公共団体の長その他の執行機関並びに指定公共機関及び指定地方公共機関に対し、必要な指示をすることができる。

3　非常災害対策本部長は、当該非常災害対策本部の所管区域における災害応急対策を的確かつ迅速に実施するため必要があると認めるときは、関係行政機関の長及び関係地方行政機関の長、地方公共団体の長その他の執行

機関、指定公共機関及び指定地方公共機関並びにその他の関係者に対し、資料又は情報の提供、意見の表明その他必要な協力を求めることができる。

4 非常災害対策本部長は、前三項の規定による権限の全部又は一部を非常災害対策副本部長に委任することができる。

5 非常災害対策本部長は、非常災害現地対策本部が置かれたときは、第一項から第三項までの規定による権限（第二項の規定による関係指定行政機関の長に対する指示を除く。）の一部を非常災害現地対策本部長に委任することができる。

6 非常災害対策本部長は、前二項の規定による委任をしたときは、直ちに、その旨を告示しなければならない。

（緊急災害対策本部の設置）

第二八条の二 著しく異常かつ激甚な非常災害が発生し、又は発生するおそれがある場合において、当該災害に係る災害応急対策を推進するため特別の必要があると認めるときは、内閣総理大臣は、内閣府設置法第四十条第二項の規定にかかわらず、閣議にかけて、臨時に内閣府に緊急災害対策本部を設置することができる。

2 第二十三条の三第二項の規定は、緊急災害対策本部について準用する。

3 第一項の規定により緊急災害対策本部が設置された場合において、当該災害に係る特定災害対策本部又は非常災害対策本部が既に設置されているときは、当該特定災害対策本部又は非常災害対策本部は廃止されるものとし、緊急災害対策本部が当該特定災害対策本部又は非常災害対策本部の所掌事務を承継するものとする。

（緊急災害対策本部の組織）

第二八条の三 緊急災害対策本部の長は、緊急災害対策本部長とし、内閣総理大臣（内閣総理大臣に事故があるときは、そのあらかじめ指名する国務大臣）をもつて充てる。

2 緊急災害対策本部長は、緊急災害対策本部の事務を総括し、所部の職員を指揮監督する。

3 緊急災害対策本部に、緊急災害対策副本部長、緊急災害対策本部員その他の職員を置く。

4 緊急災害対策副本部長は、内閣官房長官、防災担当大臣その他の国務大臣をもつて充てる。

5 緊急災害対策副本部長は、緊急災害対策本部長を助け、緊急災害対策本部長に事故があるときは、その職務を代理する。緊急災害対策副本部長が二人以上置かれている場合にあつては、あらかじめ緊急災害対策本部長が定めた順序で、その職務を代理する。

6 緊急災害対策本部員は、次に掲げる者をもつて充てる。

一 緊急災害対策本部長及び緊急災害対策副本部長以外のすべての国務大臣

二 内閣危機管理監

三 副大臣又は国務大臣以外の指定行政機関の長のうちから、内閣総理大臣が任命する者

7 緊急災害対策副本部長及び緊急災害対策本部員以外の緊急災害対策本部の職員は、内閣官房若しくは内閣府その他の指定行政機関の職員又は指定地方行政機関の長若しくはその職員のうちから、内閣総理大臣が任命する。

8 緊急災害対策本部に、当該緊急災害対策本部の所管区域にあつて当該緊急災害対策本部長の定めるところにより当該緊急災害対策本部の事務の一部を行う組織として、閣議にかけて、緊急災害現地対策本部を置くことができる。

9 第二十三条の四第六項後段、第七項及び第八項の規定は、緊急災害現地対策本部について準用する。

10 緊急災害現地対策本部に、緊急災害現地対策本部長及び緊急災害現地対策本部員その他の職員を置く。

11 緊急災害現地対策本部長は、緊急災害対策本部長の命を受け、緊急災害現地対策本部の事務を掌理する。

12 緊急災害現地対策本部長及び緊急災害現地対策本部員その他の職員は、緊急災害対策副本部長、緊急災害対策本部員その他の職員のうちから、緊急災害対策本部長が指名する者をもつて充てる。

（緊急災害対策本部の所掌事務）

第二八条の四 緊急災害対策本部は、次に掲げる事務をつかさどる。

一 災害応急対策を的確かつ迅速に実施するための方針の作成に関すること。

二 所管区域において指定行政機関の長、指定地方行政機関の長、地方公共団体の長その他の執行機関、指定公共機関及び指定地方公共機関が防災計画に基づいて実施する災害応急対策の総合調整に関すること。

三 非常災害に際し必要な緊急の措置の実施に関すること。

四 第二十八条の六の規定により緊急災害対策本部長の権限に属する事務

五 前各号に掲げるもののほか、法令の規定によりその権限に属する事務

（指定行政機関の長の権限の委任）

第二八条の五 指定行政機関の長は、緊急災害対策本部が設置されたときは、災害応急対策に必要な権限の全部又は一部を当該緊急災害対策本部の職員である当該指定行政機関の職員又は当該指定地方行政機関の長若しくはその職員に委任することができる。

2 指定行政機関の長は、前項の規定による委任をしたときは、直ちに、その旨を告示しなければならない。

（緊急災害対策本部長の権限）

第二八条の六 緊急災害対策本部長は、前条の規定により権限を委任された職員の当該緊急災害対策本部の所管区域における権限の行使について調整をすることができる。

2 緊急災害対策本部長は、当該緊急災害対策本部の所管区域における災害応急対策を的確かつ迅速に実施するため特に必要があると認めるときは、その必要な限度において、関係指定行政機関の長及び関係指定地方行政機関の長並びに前条の規定により権限を委任された当該指定行政機関の職員及び当該指定地方行政機関の職員、地方公共団体の長その他の執行機関並びに指定公共機関及び指定地方公共機関に対し、必要な指示をすることができる。

3 緊急災害対策本部長は、当該緊急災害対策本部の所管区域における災害応急対策を的確かつ迅速に実施するため必要があると認めるときは、関係行政機関の長及び関係地方行政機関の長、地方公共団体の長その他の執行機関、指定公共機関及び指定地方公共機関並びにその他の関係者に対し、資料又は情報の提供、意見の表明その他必要な協力を求めることができる。

4 緊急災害対策本部長は、前三項の規定による権限の全部又は一部を緊急災害対策副本部長に委任することができる。

5 緊急災害対策本部長は、緊急災害現地対策本部が置かれたときは、第一項から第三項までの規定による権限（第二項の規定による関係指定行政機関の長に対する指示を除く。）の一部を緊急災害現地対策本部長に委任することができる。

6 緊急災害対策本部長は、前二項の規定による委任をしたときは、直ちに、その旨を告示しなければならない。

第四節 災害時における職員の派遣

（職員の派遣の要請）

第二九条 都道府県知事又は都道府県の委員会若しくは委員（以下「都道府県知事等」という。）は、災害応急対策又は災害復旧のため必要があるときは、政令で定めるところにより、指定行政機関の長、指定地方行政機関の長又は指定公共機関（独立行政法人通則法第二条第四項に規定する行政執行法人に限る。以下この節において同じ。）に対し、当該指定行政機関、指定地方行政機関又は指定公共機関の職員の派遣を要請することができる。

2 市町村長又は市町村の委員会若しくは委員（以下「市町村長等」という。）は、災害応急対策又は災害復旧のため必要があるときは、政令で定めるところにより、指定地方行政機関の長又は指定公共機関（その業務の内容その他の事情を勘案して市町村の地域に係る災害応急対策又は災害復旧に特に寄与するものとしてそれぞれ地域を限つて内閣総理大臣が指定するものに限る。次条において「特定公共機関」という。）に対し、当該指定地方行政機関又は特定公共機関の職員の派遣を要請することができる。

3 都道府県又は市町村の委員会又は委員は、前二項の規定により職員の派遣を要請しようとするときは、あらかじめ、当該都道府県の知事又は当該市町村の市町村長に協議しなければならない。

（職員の派遣のあつせん）

第三〇条 都道府県知事等又は市町村長等は、災害応急対策又は災害復旧のため必要があるときは、政令で定めるところにより、内閣総理大臣又は都道府県知事に対し、それぞれ、指定行政機関、指定地方行政機関若しくは指定公共機関又は指定地方行政機関若しくは特定公共機関の職員の派遣についてあつせんを求めることができる。

２　都道府県知事等又は市町村長等は、災害応急対策又は災害復旧のため必要があるときは、政令で定めるところにより、内閣総理大臣又は都道府県知事に対し、それぞれ、地方自治法第二百五十二条の十七の規定による職員の派遣について、又は同条の規定による職員の派遣若しくは地方独立行政法人法第百二十四条第一項の規定による職員（指定地方公共機関である同法第二条第二項に規定する特定地方独立行政法人（次条において「特定地方公共機関」という。）の職員に限る。）の派遣についてあつせんを求めることができる。

３　前条第三項の規定は、前二項の規定によりあつせんを求めようとする場合について準用する。

（職員の派遣義務）

第三十一条　指定行政機関の長及び指定地方行政機関の長、都道府県知事等及び市町村長等並びに指定公共機関及び特定地方公共機関は、前二条の規定による要請又はあつせんがあつたときは、その所掌事務又は業務の遂行に著しい支障のない限り、適任と認める職員を派遣しなければならない。

（派遣職員の身分取扱い）

第三十二条　都道府県又は市町村は、前条又は他の法律の規定により災害応急対策又は災害復旧のため派遣された職員に対し、政令で定めるところにより、災害派遣手当を支給することができる。

２　前項に規定するもののほか、前条の規定により指定行政機関、指定地方行政機関又は指定公共機関から派遣された職員の身分取扱いに関し必要な事項は、政令で定める。

（派遣職員に関する資料の提出等）

第三十三条　指定行政機関の長若しくは指定地方行政機関の長、都道府県知事又は指定公共機関は、内閣総理大臣に対し、第三十一条の規定による職員の派遣が円滑に行われるよう、定期的に、災害応急対策又は災害復旧に必要な技術、知識又は経験を有する職員の職種別現員数及びこれらの者の技術、知識又は経験の程度を記載した資料を提出するとともに、当該資料を相互に交換しなければならない。

第三章　防災計画

（防災基本計画の作成及び公表等）

第三十四条　中央防災会議は、防災基本計画を作成するとともに、災害及び災害の防止に関する科学的研究の成果並びに発生した災害の状況及びこれに対して行なわれた災害応急対策の効果を勘案して毎年防災基本計画に検討を加え、必要があると認めるときは、これを修正しなければならない。

２　中央防災会議は、前項の規定により防災基本計画を作成し、又は修正したときは、すみやかにこれを内閣総理大臣に報告し、並びに指定行政機関の長、都道府県知事及び指定公共機関に通知するとともに、その要旨を公表しなければならない。

第三十五条　防災基本計画は、次の各号に掲げる事項について定めるものとする。

一　防災に関する総合的かつ長期的な計画
二　防災業務計画及び地域防災計画において重点をおくべき事項
三　前各号に掲げるもののほか、防災業務計画及び地域防災計画の作成の基準となるべき事項で、中央防災会議が必要と認めるもの

２　防災基本計画には、次に掲げる事項に関する資料を添付しなければならない。

一　国土の現況及び気象の概況
二　防災上必要な施設及び設備の整備の概況
三　防災業務に従事する人員の状況
四　防災上必要な物資の需給の状況
五　防災上必要な運輸又は通信の状況
六　前各号に掲げるもののほか、防災に関し中央防災会議が必要と認める事項

（指定行政機関の防災業務計画）

第三十六条　指定行政機関の長は、防災基本計画に基づき、その所掌事務に関し、防災業務計画を作成し、及び毎年防災業務計画に検討を加え、必要があると認めるときは、これを修正しなければならない。

２　指定行政機関の長は、前項の規定により防災業務計画を作成し、又は修正したときは、すみやかにこれを内閣総理大臣に報告し、並びに都道府県知事及び関係指定公共機関に通知するとともに、その要旨を公表しなければならない。

３　第二十一条の規定は、指定行政機関の長が第一項の規定により防災業務計画を作成し、又は修正する場合について準用する。

第三十七条　防災業務計画は、次に掲げる事項について定めるものとする。

一　所掌事務について、防災に関しとるべき措置
二　前号に掲げるもののほか、所掌事務に関し地域防災計画の作成の基準となるべき事項

２　指定行政機関の長は、防災業務計画の作成及び実施にあたつては、他の指定行政機関の長が作成する防災業務計画との間に調整を図り、防災業務計画が一体的かつ有機的に作成され、及び実施されるように努めなければならない。

（他の法令に基づく計画との関係）

第三十八条　指定行政機関の長が他の法令の規定に基づいて作成する次に掲げる防災に関連する計画の防災に関する部分は、防災基本計画及び防災業務計画と矛盾し、又は抵触するものであつてはならない。

一　国土形成計画法（昭和二十五年法律第二百五号）第二条第一項に規定する国土形成計画
二　森林法（昭和二十六年法律第二百四十九号）第四条第一項に規定する全国森林計画及び同条第五項に規定する森林整備保全事業計画
三　特殊土壌地帯災害防除及び振興臨時措置法（昭和二十七年法律第九十六号）第三条第一項に規定する災害防除に関する事業計画

四　保安林整備臨時措置法（昭和二十九年法律第八十四号）第二条第一項に規定する保安林整備計画
五　首都圏整備法（昭和三十一年法律第八十三号）第二条第二項に規定する首都圏整備計画
六　特定多目的ダム法（昭和三十二年法律第三十五号）第四条第一項に規定する多目的ダムの建設に関する基本計画
七　台風常襲地帯における災害の防除に関する特別措置法（昭和三十三年法律第七十二号）第二条第二項に規定する災害防除事業五箇年計画
八　豪雪地帯対策特別措置法（昭和三十七年法律第七十三号）第三条第一項に規定する豪雪地帯対策基本計画
九　近畿圏整備法（昭和三十八年法律第百二十九号）第二条第二項に規定する近畿圏整備計画
十　中部圏開発整備法（昭和四十一年法律第百二号）第二条第二項に規定する中部圏開発整備計画
十一　海洋汚染等及び海上災害の防止に関する法律（昭和四十五年法律第百三十六号）第四十三条の五第一項に規定する排出油等の防除に関する計画
十二　社会資本整備重点計画法（平成十五年法律第二十号）第二条第一項に規定する社会資本整備重点計画
十三　前各号に掲げるもののほか、政令で定める計画

（指定公共機関の防災業務計画）

第三十九条　指定公共機関は、防災基本計画に基づき、その業務に関し、防災業務計画を作成し、及び毎年防災業務計画に検討を加え、必要があると認めるときは、これを修正しなければならない。

２　指定公共機関は、前項の規定により防災業務計画を作成し、又は修正したときは、速やかに当該指定公共機関を所管する大臣を経由して内閣総理大臣に報告し、及び関係都道府県知事に通知するとともに、その要旨を公表しなければならない。

３　第二十一条の規定は、指定公共機関が第一項の規定により防災業務計画を作成し、又は修正する場合について準用する。

（都道府県地域防災計画）

第四〇条　都道府県防災会議は、防災基本計画に基づき、当該都道府県の地域に係る都道府県地域防災計画を作成し、及び毎年都道府県地域防災計画に検討を加え、必要があると認めるときは、これを修正しなければならない。この場合において、当該都道府県地域防災計画は、防災業務計画に抵触するものであつてはならない。

２　都道府県地域防災計画は、おおむね次に掲げる事項について定めるものとする。

一　当該都道府県の地域に係る防災に関し、当該都道府県の区域の全部又は一部を管轄する指定地方行政機関、当該都道府県、当該都道府県の区域内の市町村、指定公共機関、指定地方公共機関及び当該都道府県の区域内の公共的団体その他防災上重要な施設の管理者（次項において「管

轄指定地方行政機関等」という。）の処理すべき事務又は業務の大綱

二　当該都道府県の地域に係る防災施設の新設又は改良、防災のための調査研究、教育及び訓練その他の災害予防、情報の収集及び伝達、災害に関する予報又は警報の発令及び伝達、避難、消火、水防、救難、救助、衛生その他の災害応急対策並びに災害復旧に関する事項別の計画

三　当該都道府県の地域に係る災害に関する前号に掲げる措置に要する労務、施設、設備、物資、資金等の整備、備蓄、調達、配分、輸送、通信等に関する計画

3　都道府県防災会議は、都道府県地域防災計画を定めるに当たつては、災害が発生し、又は発生するおそれがある場合において管轄指定地方行政機関等が円滑に他の者の応援を受け、又は他の者を応援することができるよう配慮するものとする。

4　都道府県防災会議は、第一項の規定により都道府県地域防災計画を作成し、又は修正したときは、速やかにこれを内閣総理大臣に報告するとともに、その要旨を公表しなければならない。

5　内閣総理大臣は、前項の規定により都道府県地域防災計画について報告を受けたときは、中央防災会議の意見を聴くものとし、必要があると認めるときは、当該都道府県防災会議に対し、必要な助言又は勧告をすることができる。

第四一条　都道府県が他の法令の規定に基づいて作成し、又は協議する次に掲げる防災に関する計画又は防災に関連する計画の防災に関する部分は、防災基本計画、防災業務計画又は都道府県地域防災計画と矛盾し、又は抵触するものであつてはならない。

一　水防法（昭和二十四年法律第百九十三号）第七条第一項及び第六項に規定する都道府県の水防計画並びに同法第三十三条第一項に規定する指定管理団体の水防計画

二　離島振興法（昭和二十八年法律第七十二号）第四条第一項に規定する離島振興計画

三　海岸法（昭和三十一年法律第百一号）第二条の三第一項の海岸保全基本計画

四　地すべり等防止法（昭和三十三年法律第三十号）第九条に規定する地すべり防止工事に関する基本計画

五　活動火山対策特別措置法（昭和四十八年法律第六十一号）第十四条第一項に規定する避難施設緊急整備計画並びに同法第十九条第一項に規定する防災営農施設整備計画、同条第二項に規定する防災林業経営施設整備計画及び同条第三項に規定する防災漁業経営施設整備計画

六　地震防災対策強化地域における地震対策緊急整備事業に係る国の財政上の特別措置に関する法律（昭和五十五年法律第六十三号）第二条第一項に規定する地震対策緊急整備事業計画

七　半島振興法（昭和六十年法律第六十三号）第三条第一項に規定する半島振興計画

八　前各号に掲げるもののほか、政令で定める計画

（**市町村地域防災計画**）

第四二条　市町村防災会議（市町村防災会議を設置しない市町村にあつては、当該市町村の市町村長。以下この条において同じ。）は、防災基本計画に基づき、当該市町村の地域に係る市町村地域防災計画を作成し、及び毎年市町村地域防災計画に検討を加え、必要があると認めるときは、これを修正しなければならない。この場合において、当該市町村地域防災計画は、防災業務計画又は当該市町村を包括する都道府県の都道府県地域防災計画に抵触するものであつてはならない。

2　市町村地域防災計画は、おおむね次に掲げる事項について定めるものとする。

一　当該市町村の地域に係る防災に関し、当該市町村及び当該市町村の区域内の公共的団体その他防災上重要な施設の管理者（第四項において「当該市町村等」という。）の処理すべき事務又は業務の大綱

二　当該市町村の地域に係る防災施設の新設又は改良、防災のための調査研究、教育及び訓練その他の災害予防、情報の収集及び伝達、災害に関する予報又は警報の発令及び伝達、避難、消火、水防、救難、救助、衛生その他の災害応急対策並びに災害復旧に関する事項別の計画

三　当該市町村の地域に係る災害に関する前号に掲げる措置に要する労務、施設、設備、物資、資金等の整備、備蓄、調達、配分、輸送、通信等に関する計画

3　市町村地域防災計画は、前項各号に掲げるもののほか、市町村内の一定の地区内の居住者及び当該地区に事業所を有する事業者（以下この項及び次条において「地区居住者等」という。）が共同して行う防災訓練、地区居住者等による防災活動に必要な物資及び資材の備蓄、災害が発生した場合における地区居住者等の相互の支援その他の当該地区における防災活動に関する計画（同条において「地区防災計画」という。）について定めることができる。

4　市町村防災会議は、市町村地域防災計画を定めるに当たつては、災害が発生し、又は発生するおそれがある場合において当該市町村等が円滑に他の者の応援を受け、又は他の者を応援することができるよう配慮するものとする。

5　市町村防災会議は、第一項の規定により市町村地域防災計画を作成し、又は修正したときは、速やかにこれを都道府県知事に報告するとともに、その要旨を公表しなければならない。

6　都道府県知事は、前項の規定により市町村地域防災計画について報告を受けたときは、都道府県防災会議の意見を聴くものとし、必要があると認めるときは、当該市町村防災会議に対し、必要な助言又は勧告をすることができる。

7　第二十一条の規定は、市町村長が第一項の規定により市町村地域防災計画を作成し、又は修正する場合について準用する。

第四二条の二　地区居住者等は、共同して、市町村防災会議に対し、市町村地域防災計画に地区防災計画を定めることを提案することができる。この場合においては、当該提案に係る地区防災計画の素案を添えなければならない。

2　前項の規定による提案（以下この条において「計画提案」という。）は、当該計画提案に係る地区防災計画の素案の内容が、市町村地域防災計画に抵触するものでない場合に、内閣府令で定めるところにより行うものとする。

3　市町村防災会議は、計画提案が行われたときは、遅滞なく、当該計画提案を踏まえて市町村地域防災計画に地区防災計画を定める必要があるかどうかを判断し、その必要があると認めるときは、市町村地域防災計画に地区防災計画を定めなければならない。

4　市町村防災会議は、前項の規定により同項の判断をした結果、計画提案を踏まえて市町村地域防災計画に地区防災計画を定める必要がないと決定したときは、遅滞なく、その旨及びその理由を、当該計画提案をした地区居住者等に通知しなければならない。

5　市町村地域防災計画に地区防災計画が定められた場合においては、当該地区防災計画に係る地区居住者等は、当該地区防災計画に従い、防災活動を実施するように努めなければならない。

（**都道府県相互間地域防災計画**）

第四三条　都道府県防災会議の協議会は、防災基本計画に基づき、当該地域に係る都道府県相互間地域防災計画を作成し、及び毎年都道府県相互間地域防災計画に検討を加え、必要があると認めるときは、これを修正しなければならない。この場合において、当該都道府県相互間地域防災計画は、防災業務計画に抵触するものであつてはならない。

2　都道府県相互間地域防災計画は、第四十条第二項各号に掲げる事項の全部又は一部について定めるものとする。

3　第四十条第三項から第五項までの規定は、都道府県相互間地域防災計画について準用する。この場合において、これらの規定中「都道府県防災会議」とあるのは、「都道府県防災会議の協議会」と読み替えるものとする。

（**市町村相互間地域防災計画**）

第四四条　市町村防災会議の協議会は、防災基本計画に基づき、当該地域に係る市町村相互間地域防災計画を作成し、及び毎年市町村相互間地域防災計画に検討を加え、必要があると認めるときは、これを修正しなければならない。この場合において、当該市町村相互間地域防災計画は、防災業務計画又は当該市町村を包括する都道府県の都道府県地域防災計画に抵触するものであつてはならない。

2　市町村相互間地域防災計画は、第四十二条第二項各号に掲げる事項の全部又は一部について定めるものとする。

3　第四十二条第四項から第六項までの規定は、市町村相互間地域防災計画について準用する。この場合において、これらの規定中「市町村防災会議」とあるのは、「市町村防災会議の協議会」と読み替えるものとする。

（**地域防災計画の実施の推進のための要請等**）

第四五条　地方防災会議の会長又は地方防災会議の協議会の代表者は、地域

防災計画の的確かつ円滑な実施を推進するため必要があると認めるときは、都道府県防災会議又はその協議会にあつては当該都道府県の区域の全部又は一部を管轄する指定地方行政機関の長、当該都道府県及びその区域内の市町村の長その他の執行機関、指定地方公共機関、公共的団体並びに防災上重要な施設の管理者その他の関係者に対し、市町村防災会議又はその協議会にあつては当該市町村の長その他の執行機関及び当該市町村の区域内の公共的団体並びに防災上重要な施設の管理者その他の関係者に対し、これらの者が当該防災計画に基づき処理すべき事務又は業務について、それぞれ、必要な要請、勧告又は指示をすることができる。

2　地方防災会議の会長又は地方防災会議の協議会の代表者は、都道府県防災会議又はその協議会にあつては当該都道府県の区域の全部又は一部を管轄する指定地方行政機関の長、当該都道府県及びその区域内の市町村の長その他の執行機関、指定地方公共機関、公共的団体並びに防災上重要な施設の管理者その他の関係者に対し、市町村防災会議又はその協議会にあつては当該市町村の長その他の執行機関及び当該市町村の区域内の公共的団体並びに防災上重要な施設の管理者その他の関係者に対し、それぞれ、地域防災計画の実施状況について、報告又は資料の提出を求めることができる。

第四章　災害予防

第一節　通則

（災害予防及びその実施責任）

第四六条　災害予防は、次に掲げる事項について、災害の発生又は拡大を未然に防止するために行うものとする。

一　防災に関する組織の整備に関する事項
二　防災に関する教育及び訓練に関する事項
三　防災に関する物資及び資材の備蓄、整備及び点検に関する事項
四　防災に関する施設及び設備の整備及び点検に関する事項
五　災害が発生し、又は発生するおそれがある場合における相互応援の円滑な実施及び民間の団体の協力の確保のためにあらかじめ講ずべき措置に関する事項
六　要配慮者の生命又は身体を災害から保護するためにあらかじめ講ずべき措置に関する事項
七　前各号に掲げるもののほか、災害が発生した場合における災害応急対策の実施の支障となるべき状態等の改善に関する事項

2　指定行政機関の長及び指定地方行政機関の長、地方公共団体の長その他の執行機関、指定公共機関及び指定地方公共機関その他法令の規定により災害予防の実施について責任を有する者は、法令又は防災計画の定めるところにより、災害予防を実施しなければならない。

（防災に関する組織の整備義務）

第四七条　指定行政機関の長及び指定地方行政機関の長、地方公共団体の長その他の執行機関、指定公共機関及び指定地方公共機関、公共的団体並びに防災上重要な施設の管理者（以下この章において「災害予防責任者」という。）は、法令又は防災計画の定めるところにより、それぞれ、その所掌事務又は業務について、災害を予測し、予報し、又は災害に関する情報を迅速に伝達するため必要な組織を整備するとともに、絶えずその改善に努めなければならない。

2　前項に規定するもののほか、災害予防責任者は、法令又は防災計画の定めるところにより、それぞれ、防災業務計画又は地域防災計画を的確かつ円滑に実施するため、防災に関する組織を整備するとともに、防災に関する事務又は業務に従事する職員の配置及び服務の基準を定めなければならない。

（防災教育の実施）

第四七条の二　災害予防責任者は、法令又は防災計画の定めるところにより、それぞれ又は他の災害予防責任者と共同して、その所掌事務又は業務について、防災教育の実施に努めなければならない。

2　災害予防責任者は、前項の防災教育を行おうとするときは、教育機関その他の関係のある公私の団体に協力を求めることができる。

（防災訓練義務）

第四八条　災害予防責任者は、法令又は防災計画の定めるところにより、それぞれ又は他の災害予防責任者と共同して、防災訓練を行なわなければならない。

2　都道府県公安委員会は、前項の防災訓練の効果的な実施を図るため特に必要があると認めるときは、政令で定めるところにより、当該防災訓練の実施に必要な限度で、区域又は道路の区間を指定して、歩行者又は車両の道路における通行を禁止し、又は制限することができる。

3　災害予防責任者の属する機関の職員その他の従業員又は災害予防責任者の使用人その他の従業者は、防災計画及び災害予防責任者の定めるところにより、第一項の防災訓練に参加しなければならない。

4　災害予防責任者は、第一項の防災訓練を行おうとするときは、住民その他関係のある公私の団体に協力を求めることができる。

（防災に必要な物資及び資材の備蓄等の義務）

第四九条　災害予防責任者は、法令又は防災計画の定めるところにより、その所掌事務又は業務に係る災害応急対策又は災害復旧に必要な物資及び資材を備蓄し、整備し、若しくは点検し、又はその管理に属する防災に関する施設及び設備を整備し、若しくは点検しなければならない。

（円滑な相互応援の実施のために必要な措置）

第四九条の二　災害予防責任者は、法令又は防災計画の定めるところにより、その所掌事務又は業務について、災害応急対策又は災害復旧の実施に際し他の者の応援を受け、又は他の者を応援することを必要とする事態に備え、相互応援に関する協定の締結、共同防災訓練の実施その他円滑に他の者の応援を受け、又は他の者を応援するために必要な措置を講ずるよう努めなければならない。

（物資供給事業者等の協力を得るために必要な措置）

第四九条の三　災害予防責任者は、法令又は防災計画の定めるところにより、その所掌事務又は業務について、災害応急対策又は災害復旧の実施に際し物資供給事業者等（災害応急対策又は災害復旧に必要な物資若しくは資材又は役務の供給又は提供を業とする者その他災害応急対策又は災害復旧に関する活動を行う民間の団体をいう。以下この条において同じ。）の協力を得ることを必要とする事態に備え、協定の締結その他円滑に物資供給事業者等の協力を得るために必要な措置を講ずるよう努めなければならない。

第二節　指定緊急避難場所及び指定避難所の指定等

（指定緊急避難場所の指定）

第四九条の四　市町村長は、防災施設の整備の状況、地形、地質その他の状況を総合的に勘案し、必要があると認めるときは、災害が発生し、又は発生するおそれがある場合における円滑かつ迅速な避難のための立退きの確保を図るため、政令で定める基準に適合する施設又は場所を、洪水、津波その他の政令で定める異常な現象の種類ごとに、指定緊急避難場所として指定しなければならない。

2　市町村長は、前項の規定により指定緊急避難場所を指定しようとするときは、当該指定緊急避難場所の管理者（当該市町村を除く。次条において同じ。）の同意を得なければならない。

3　市町村長は、第一項の規定による指定をしたときは、その旨を、都道府県知事に通知するとともに、公示しなければならない。

（指定緊急避難場所に関する届出）

第四九条の五　指定緊急避難場所の管理者は、当該指定緊急避難場所を廃止し、又は改築その他の事由により当該指定緊急避難場所の現状に政令で定める重要な変更を加えようとするときは、内閣府令で定めるところにより市町村長に届け出なければならない。

（指定の取消し）

第四九条の六　市町村長は、当該指定緊急避難場所が廃止され、又は第四十九条の四第一項の政令で定める基準に適合しなくなつたと認めるときは、同項の規定による指定を取り消すものとする。

2　市町村長は、前項の規定により第四十九条の四第一項の規定による指定を取り消したときは、その旨を、都道府県知事に通知するとともに、公示しなければならない。

（指定避難所の指定）

第四九条の七　市町村長は、想定される災害の状況、人口の状況その他の状況を勘案し、災害が発生した場合における適切な避難所（避難のための立退きを行つた居住者、滞在者その他の者（以下「居住者等」という。）を避難のために必要な間滞在させ、又は自ら居住の場所を確保することが困難な被災した住民（以下「被災住民」という。）その他の被災者を一時的

に滞在させるための施設をいう。以下同じ。）の確保を図るため、政令で定める基準に適合する公共施設その他の施設を指定避難所として指定しなければならない。

２　第四十九条の四第二項及び第三項並びに前二条の規定は、指定避難所について準用する。この場合において、第四十九条の四第二項中「前項」とあり、及び同条第三項中「第一項」とあるのは「第四十九条の七第一項」と、前条中「第四十九条の四第一項」とあるのは「次条第一項」と読み替えるものとする。

３　都道府県知事は、前項において準用する第四十九条の四第三項又は前条第二項の規定による通知を受けたときは、その旨を内閣総理大臣に報告しなければならない。

（指定緊急避難場所と指定避難所との関係）

第四九条の八　指定緊急避難場所と指定避難所とは、相互に兼ねることができる。

（居住者等に対する周知のための措置）

第四九条の九　市町村長は、居住者等の円滑な避難のための立退きに資するよう、内閣府令で定めるところにより、災害に関する情報の伝達方法、指定緊急避難場所及び避難路その他の避難経路に関する事項その他円滑な避難のための立退きを確保する上で必要な事項を居住者等に周知させるため、これらの事項を記載した印刷物の配布その他の必要な措置を講ずるよう努めなければならない。

第三節　避難行動要支援者名簿及び個別避難計画の作成等

（避難行動要支援者名簿の作成）

第四九条の一〇　市町村長は、当該市町村に居住する要配慮者のうち、災害が発生し、又は災害が発生するおそれがある場合に自ら避難することが困難な者であつて、その円滑かつ迅速な避難の確保を図るため特に支援を要するもの（以下「避難行動要支援者」という。）の把握に努めるとともに、地域防災計画の定めるところにより、避難行動要支援者について避難の支援、安否の確認その他の避難行動要支援者の生命又は身体を災害から保護するために必要な措置（以下「避難支援等」という。）を実施するための基礎とする名簿（以下この条及び次条第一項において「避難行動要支援者名簿」という。）を作成しておかなければならない。

２　避難行動要支援者名簿には、避難行動要支援者に関する次に掲げる事項を記載し、又は記録するものとする。

一　氏名
二　生年月日
三　性別
四　住所又は居所
五　電話番号その他の連絡先
六　避難支援等を必要とする事由
七　前各号に掲げるもののほか、避難支援等の実施に関し市町村長が必要と認める事項

３　市町村長は、第一項の規定による避難行動要支援者名簿の作成に必要な限度で、その保有する要配慮者の氏名その他の要配慮者に関する情報を、その保有に当たつて特定された利用の目的以外の目的のために内部で利用することができる。

４　市町村長は、第一項の規定による避難行動要支援者名簿の作成のため必要があると認めるときは、関係都道府県知事その他の者に対して、要配慮者に関する情報の提供を求めることができる。

（名簿情報の利用及び提供）

第四九条の一一　市町村長は、避難支援等の実施に必要な限度で、前条第一項の規定により作成した避難行動要支援者名簿に記載し、又は記録された情報（以下「名簿情報」という。）を、その保有に当たつて特定された利用の目的以外の目的のために内部で利用することができる。

２　市町村長は、災害の発生に備え、避難支援等の実施に必要な限度で、地域防災計画の定めるところにより、消防機関、都道府県警察、民生委員法（昭和二十三年法律第百九十八号）に定める民生委員、社会福祉法（昭和二十六年法律第四十五号）第百九条第一項に規定する市町村社会福祉協議会、自主防災組織その他の避難支援等の実施に携わる関係者（次項、第四十九条の十四第三項第一号及び第四十九条の十五において「避難支援等関係者」という。）に対し、名簿情報を提供するものとする。ただし、当該市町村の条例に特別の定めがある場合を除き、名簿情報を提供することについて本人（当該名簿情報によつて識別される特定の個人をいう。次項において同じ。）の同意が得られない場合は、この限りでない。

３　市町村長は、災害が発生し、又は発生するおそれがある場合において、避難行動要支援者の生命又は身体を災害から保護するために特に必要があると認めるときは、避難支援等の実施に必要な限度で、避難支援等関係者その他の者に対し、名簿情報を提供することができる。この場合においては、名簿情報を提供することについて本人の同意を得ることを要しない。

（名簿情報を提供する場合における配慮）

第四九条の一二　市町村長は、前条第二項又は第三項の規定により名簿情報を提供するときは、地域防災計画の定めるところにより、名簿情報の提供を受ける者に対して名簿情報の漏えいの防止のために必要な措置を講ずるよう求めることその他の当該名簿情報に係る避難行動要支援者及び第三者の権利利益を保護するために必要な措置を講ずるよう努めなければならない。

（秘密保持義務）

第四九条の一三　第四十九条の十一第二項若しくは第三項の規定により名簿情報の提供を受けた者（その者が法人である場合にあつては、その役員）若しくはその職員その他の当該名簿情報を利用して避難支援等の実施に携わる者又はこれらの者であつた者は、正当な理由がなく、当該名簿情報に係る避難行動要支援者に関して知り得た秘密を漏らしてはならない。

（個別避難計画の作成）

第四九条の一四　市町村長は、地域防災計画の定めるところにより、名簿情報に係る避難行動要支援者ごとに、当該避難行動要支援者について避難支援等を実施するための計画（以下「個別避難計画」という。）を作成するよう努めなければならない。ただし、個別避難計画を作成することについて当該避難行動要支援者の同意が得られない場合は、この限りでない。

２　市町村長は、前項ただし書に規定する同意を得ようとするときは、当該同意に係る避難行動要支援者に対し次条第二項又は第三項の規定による同条第一項に規定する個別避難計画情報の提供に係る事項について説明しなければならない。

３　個別避難計画には、第四十九条の十第二項第一号から第六号までに掲げる事項のほか、避難行動要支援者に関する次に掲げる事項を記載し、又は記録するものとする。

一　避難支援等実施者（避難支援等関係者のうち当該個別避難計画に係る避難行動要支援者について避難支援等を実施する者をいう。次条第二項において同じ。）の氏名又は名称、住所又は居所及び電話番号その他の連絡先
二　避難施設その他の避難場所及び避難路その他の避難経路に関する事項
三　前二号に掲げるもののほか、避難支援等の実施に関し市町村長が必要と認める事項

４　市町村長は、第一項の規定による個別避難計画の作成に必要な限度で、その保有する避難行動要支援者の氏名その他の避難行動要支援者に関する情報を、その保有に当たつて特定された利用の目的以外の目的のために内部で利用することができる。

５　市町村長は、第一項の規定による個別避難計画の作成のため必要があると認めるときは、関係都道府県知事その他の者に対して、避難行動要支援者に関する情報の提供を求めることができる。

（個別避難計画情報の利用及び提供）

第四九条の一五　市町村長は、避難支援等の実施に必要な限度で、前条第一項の規定により作成した個別避難計画に記載し、又は記録された情報（以下「個別避難計画情報」という。）を、その保有に当たつて特定された利用の目的以外の目的のために内部で利用することができる。

２　市町村長は、災害の発生に備え、避難支援等の実施に必要な限度で、地域防災計画の定めるところにより、避難支援等関係者に対し、個別避難計画情報を提供するものとする。ただし、当該市町村の条例に特別の定めがある場合を除き、個別避難計画情報を提供することについて当該個別避難計画情報に係る避難行動要支援者及び避難支援等実施者（次項、次条及び第四十九条の十七において「避難行動要支援者等」という。）の同意が得られない場合は、この限りでない。

３　市町村長は、災害が発生し、又は発生するおそれがある場合において、避難行動要支援者の生命又は身体を災害から保護するために特に必要があ

ると認めるときは、避難支援等の実施に必要な限度で、避難支援等関係者その他の者に対し、個別避難計画情報を提供することができる。この場合においては、個別避難計画情報を提供することについて当該個別避難計画情報に係る避難行動要支援者等の同意を得ることを要しない。

4　前二項に定めるもののほか、市町村長は、個別避難計画情報に係る避難行動要支援者以外の避難行動要支援者について避難支援等が円滑かつ迅速に実施されるよう、避難支援等関係者に対する必要な情報の提供その他の必要な配慮をするものとする。

（個別避難計画情報を提供する場合における配慮）

第四九条の一六　市町村長は、前条第二項又は第三項の規定により個別避難計画情報を提供するときは、地域防災計画の定めるところにより、個別避難計画情報の提供を受ける者に対して個別避難計画情報の漏えいの防止のために必要な措置を講ずるよう求めることその他の当該個別避難計画情報に係る避難行動要支援者等及び第三者の権利利益を保護するために必要な措置を講ずるよう努めなければならない。

（秘密保持義務）

第四九条の一七　第四十九条の十五第二項若しくは第三項の規定により個別避難計画情報の提供を受けた者（その者が法人である場合にあつては、その役員）若しくはその職員その他の当該個別避難計画情報を利用して避難支援等の実施に携わる者又はこれらの者であつた者は、正当な理由がなく、当該個別避難計画情報に係る避難行動要支援者等に関して知り得た秘密を漏らしてはならない。

第五章　災害応急対策

第一節　通則

（災害応急対策及びその実施責任）

第五〇条　災害応急対策は、次に掲げる事項について、災害が発生し、又は発生するおそれがある場合に災害の発生を防御し、又は応急的救助を行う等災害の拡大を防止するために行うものとする。

一　警報の発令及び伝達並びに避難の勧告又は指示に関する事項
二　消防、水防その他の応急措置に関する事項
三　被災者の救難、救助その他保護に関する事項
四　災害を受けた児童及び生徒の応急の教育に関する事項
五　施設及び設備の応急の復旧に関する事項
六　廃棄物の処理及び清掃、防疫その他の生活環境の保全及び公衆衛生に関する事項
七　犯罪の予防、交通の規制その他災害地における社会秩序の維持に関する事項
八　緊急輸送の確保に関する事項
九　前各号に掲げるもののほか、災害の発生の防御又は拡大の防止のための措置に関する事項

2　指定行政機関の長及び指定地方行政機関の長、地方公共団体の長その他の執行機関、指定公共機関及び指定地方公共機関その他法令の規定により災害応急対策の実施の責任を有する者は、法令又は防災計画の定めるところにより、災害応急対策に従事する者の安全の確保に十分に配慮して、災害応急対策を実施しなければならない。

（情報の収集及び伝達等）

第五一条　指定行政機関の長及び指定地方行政機関の長、地方公共団体の長その他の執行機関、指定公共機関及び指定地方公共機関、公共的団体並びに防災上重要な施設の管理者（以下「災害応急対策責任者」という。）は、法令又は防災計画の定めるところにより、災害に関する情報の収集及び伝達に努めなければならない。

2　災害応急対策責任者は、前項の災害に関する情報の収集及び伝達に当たつては、地理空間情報（地理空間情報活用推進基本法（平成十九年法律第六十三号）第二条第一項に規定する地理空間情報をいう。）の活用に努めなければならない。

3　災害応急対策責任者は、災害に関する情報を共有し、相互に連携して災害応急対策の実施に努めなければならない。

（国民に対する周知）

第五一条の二　内閣総理大臣は、非常災害又は特定災害が発生し、又は発生するおそれがある場合において、避難のため緊急の必要があると認めるときは、法令又は防災計画の定めるところにより、予想される災害の事態及びこれに対してとるべき措置について、国民に対し周知させる措置をとらなければならない。

（防災信号）

第五二条　市町村長が災害に関する警報の発令及び伝達、警告並びに避難の指示のため使用する防災に関する信号の種類、内容及び様式又は方法については、他の法令に特別の定めがある場合を除くほか、内閣府令で定める。

2　何人も、みだりに前項の信号又はこれに類似する信号を使用してはならない。

（被害状況等の報告）

第五三条　市町村は、当該市町村の区域内に災害が発生したときは、政令で定めるところにより、速やかに、当該災害の状況及びこれに対して執られた措置の概要を都道府県（都道府県に報告ができない場合にあつては、内閣総理大臣）に報告しなければならない。

2　都道府県は、当該都道府県の区域内に災害が発生したときは、政令で定めるところにより、速やかに、当該災害の状況及びこれに対して執られた措置の概要を内閣総理大臣に報告しなければならない。

3　指定公共機関の代表者は、その業務に係る災害が発生したときは、政令で定めるところにより、すみやかに、当該災害の状況及びこれに対してとられた措置の概要を内閣総理大臣に報告しなければならない。

4　指定行政機関の長は、その所掌事務に係る災害が発生したときは、政令で定めるところにより、すみやかに、当該災害の状況及びこれに対してとられた措置の概要を内閣総理大臣に報告しなければならない。

5　第一項から前項までの規定による報告に係る災害が非常災害又は特定災害であると認められるときは、市町村、都道府県、指定公共機関の代表者又は指定行政機関の長は、当該災害の規模の把握のため必要な情報の収集に特に意を用いなければならない。

6　市町村の区域内に災害が発生した場合において、当該災害の発生により当該市町村が第一項の規定による報告を行うことができなくなつたときは、都道府県は、当該災害に関する情報の収集に特に意を用いなければならない。

7　都道府県の区域内に災害が発生した場合において、当該災害の発生により当該都道府県が第二項の規定による報告を行うことができなくなつたときは、指定行政機関の長は、その所掌事務に係る災害に関する情報の収集に特に意を用いなければならない。

8　内閣総理大臣は、第一項から第四項までの規定による報告を受けたときは、当該報告に係る事項を中央防災会議に通報するものとする。

第二節　警報の伝達等

（発見者の通報義務等）

第五四条　災害が発生するおそれがある異常な現象を発見した者は、遅滞なく、その旨を市町村長又は警察官若しくは海上保安官に通報しなければならない。

2　何人も、前項の通報が最も迅速に到達するように協力しなければならない。

3　第一項の通報を受けた警察官又は海上保安官は、その旨をすみやかに市町村長に通報しなければならない。

4　第一項又は前項の通報を受けた市町村長は、地域防災計画の定めるところにより、その旨を気象庁その他の関係機関に通報しなければならない。

（都道府県知事の通知等）

第五五条　都道府県知事は、法令の規定により、気象庁その他の国の機関から災害に関する予報若しくは警報の通知を受けたとき、又は自ら災害に関する警報をしたときは、法令又は地域防災計画の定めるところにより、予想される災害の事態及びこれに対してとるべき措置について、関係指定地方行政機関の長、指定地方公共機関、市町村長その他の関係者に対し、必要な通知又は要請をするものとする。

（市町村長の警報の伝達及び警告）

第五六条　市町村長は、法令の規定により災害に関する予報若しくは警報の通知を受けたとき、自ら災害に関する予報若しくは警報を知つたとき、法令の規定により自ら災害に関する警報をしたとき、又は前条の通知を受けたときは、地域防災計画の定めるところにより、当該予報若しくは警報又は通知に係る事項を関係機関及び住民その他関係のある公私の団体に伝達

しなければならない。この場合において、必要があると認めるときは、市町村長は、住民その他関係のある公私の団体に対し、予想される災害の事態及びこれに対してとるべき避難のための立退きの準備その他の措置について、必要な通知又は警告をすることができる。

２　市町村長は、前項の規定により必要な通知又は警告をするに当たつては、要配慮者に対して、その円滑かつ迅速な避難の確保が図られるよう必要な情報の提供その他の必要な配慮をするものとする。

（警報の伝達等のための通信設備の優先利用等）

第五七条　前二条の規定による通知、要請、伝達又は警告が緊急を要するものである場合において、その通信のため特別の必要があるときは、都道府県知事又は市町村長は、他の法律に特別の定めがある場合を除くほか、政令で定めるところにより、電気通信事業法（昭和五十九年法律第八十六号）第二条第五号に規定する電気通信事業者がその事業の用に供する電気通信設備を優先的に利用し、若しくは有線電気通信法（昭和二十八年法律第九十六号）第三条第四項第四号に掲げる者が設置する有線電気通信設備若しくは無線設備を使用し、又は放送法（昭和二十五年法律第百三十二号）第二条第二十三号に規定する基幹放送事業者に放送を行うことを求め、若しくはインターネットを利用した情報の提供に関する事業活動であつて政令で定めるものを行う者にインターネットを利用した情報の提供を行うことを求めることができる。

第三節　事前措置及び避難

（市町村長の出動命令等）

第五八条　市町村長は、災害が発生するおそれがあるときは、法令又は市町村地域防災計画の定めるところにより、消防機関若しくは水防団に出動の準備をさせ、若しくは出動を命じ、又は消防吏員（当該市町村の職員である者を除く。）、警察官若しくは海上保安官の出動を求める等災害応急対策責任者に対し、応急措置の実施に必要な準備をすることを要請し、若しくは求めなければならない。

（市町村長の事前措置等）

第五九条　市町村長は、災害が発生するおそれがあるときは、災害が発生した場合においてその災害を拡大させるおそれがあると認められる設備又は物件の占有者、所有者又は管理者に対し、災害の拡大を防止するため必要な限度において、当該設備又は物件の除去、保安その他必要な措置をとることを指示することができる。

２　警察署長又は政令で定める管区海上保安本部の事務所の長（以下この項、第六十四条及び第六十六条において「警察署長等」という。）は、市町村長から要求があつたときは、前項に規定する指示を行なうことができる。この場合において、同項に規定する指示を行なつたときは、警察署長等は、直ちに、その旨を市町村長に通知しなければならない。

（市町村長の避難の指示等）

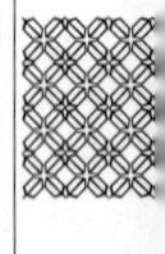

第六〇条　災害が発生し、又は発生するおそれがある場合において、人の生命又は身体を災害から保護し、その他災害の拡大を防止するため特に必要があると認めるときは、市町村長は、必要と認める地域の必要と認める居住者等に対し、避難のための立退きを指示することができる。

２　前項の規定により避難のための立退きを指示する場合において、必要があると認めるときは、市町村長は、その立退き先として指定緊急避難場所その他の避難場所を指示することができる。

３　災害が発生し、又はまさに発生しようとしている場合において、避難のための立退きを行うことによりかえつて人の生命又は身体に危険が及ぶおそれがあり、かつ、事態に照らし緊急を要すると認めるときは、市町村長は、必要と認める地域の必要と認める居住者等に対し、高所への移動、近傍の堅固な建物への退避、屋内の屋外に面する開口部から離れた場所での待避その他の緊急に安全を確保するための措置（以下「緊急安全確保措置」という。）を指示することができる。

４　市町村長は、第一項の規定により避難のための立退きを指示し、若しくは立退き先を指示し、又は前項の規定により緊急安全確保措置を指示したときは、速やかに、その旨を都道府県知事に報告しなければならない。

５　市町村長は、避難の必要がなくなつたときは、直ちに、その旨を公示しなければならない。前項の規定は、この場合について準用する。

６　都道府県知事は、当該都道府県の地域に係る災害が発生した場合において、当該災害の発生により市町村がその全部又は大部分の事務を行うことができなくなつたときは、当該市町村の市町村長が第一項から第三項まで及び前項前段の規定により実施すべき措置の全部又は一部を当該市町村長に代わつて実施しなければならない。

７　都道府県知事は、前項の規定により市町村長の事務の代行を開始し、又は終了したときは、その旨を公示しなければならない。

８　第六項の規定による都道府県知事の代行に関し必要な事項は、政令で定める。

（警察官等の避難の指示）

第六一条　前条第一項又は第三項の場合において、市町村長が同条第一項に規定する避難のための立退き若しくは緊急安全確保措置を指示することができないと認めるとき、又は市町村長から要求があつたときは、警察官又は海上保安官は、必要と認める地域の必要と認める居住者等に対し、避難のための立退き又は緊急安全確保措置を指示することができる。

２　前条第二項の規定は、警察官又は海上保安官が前項の規定により避難のための立退きを指示する場合について準用する。

３　警察官又は海上保安官は、第一項の規定により避難のための立退き又は緊急安全確保措置を指示したときは、直ちに、その旨を市町村長に通知しなければならない。

４　前条第四項及び第五項の規定は、前項の通知を受けた市町村長について準用する。

（指定行政機関の長等による助言）

第六一条の二　市町村長は、第六十条第一項の規定により避難のための立退きを指示し、又は同条第三項の規定により緊急安全確保措置を指示しようとする場合において、必要があると認めるときは、指定行政機関の長若しくは指定地方行政機関の長又は都道府県知事に対し、当該指示に関する事項について、助言を求めることができる。この場合において、助言を求められた指定行政機関の長若しくは指定地方行政機関の長又は都道府県知事は、その所掌事務に関し、必要な助言をするものとする。

（避難の指示のための通信設備の優先利用等）

第六一条の三　第五十七条の規定は、市町村長が第六十条第一項の規定により避難のための立退きを指示し、又は同条第三項の規定により緊急安全確保措置を指示する場合（同条第六項の規定により都道府県知事が市町村長の事務を代行する場合を含む。）について準用する。

（広域避難の協議等）

第六一条の四　市町村長は、当該市町村の地域に係る災害が発生するおそれがある場合において、予想される災害の事態に照らし、第六十条第一項に規定する避難のための立退きを指示した場合におけるその立退き先を当該市町村内の指定緊急避難場所その他の避難場所とすることが困難であり、かつ、居住者等の生命又は身体を災害から保護するため当該居住者等を一定期間他の市町村の区域に滞在させる必要があると認めるときは、当該居住者等の受入れについて、同一都道府県内の他の市町村の市町村長に協議することができる。

２　市町村長は、前項の規定による協議をするときは、あらかじめ、その旨を都道府県知事に報告しなければならない。ただし、あらかじめ報告することが困難なときは、協議の開始の後、遅滞なく、報告することをもつて足りる。

３　第一項の場合において、協議を受けた市町村長（以下この条において「協議先市町村長」という。）は、同項の居住者等（以下「要避難者」という。）を受け入れないことについて正当な理由がある場合を除き、要避難者を受け入れるものとする。この場合において、協議先市町村長は、同項の規定による滞在（以下「広域避難」という。）の用に供するため、受け入れた要避難者に対し指定緊急避難場所その他の避難場所を提供しなければならない。

４　前項の場合において、協議先市町村長は、当該市町村の区域において要避難者を受け入れるべき避難場所を決定し、直ちに、その内容を当該避難場所を管理する者その他の内閣府令で定める者に通知しなければならない。

５　協議先市町村長は、前項の規定による決定をしたときは、速やかに、その内容を第一項の規定により協議した市町村長（以下この条において「協議元市町村長」という。）に通知しなければならない。

６　協議元市町村長は、前項の規定による通知を受けたときは、速やかに、その内容を公示し、及び内閣府令で定める者に通知するとともに、都道府県知事に報告しなければならない。

7　協議元市町村長は、広域避難の必要がなくなつたと認めるときは、速やかに、その旨を協議先市町村長及び前項の内閣府令で定める者に通知し、並びに公示するとともに、都道府県知事に報告しなければならない。

8　協議先市町村長は、前項の規定による通知を受けたときは、速やかに、その旨を第四項の内閣府令で定める者に通知しなければならない。

（都道府県外広域避難の協議等）

第六十一条の五　前条第一項に規定する場合において、市町村長は、要避難者を一定期間他の都道府県内の市町村の区域に滞在させる必要があると認めるときは、都道府県知事に対し、当該他の都道府県の知事と当該要避難者の受入れについて協議することを求めることができる。

2　前項の規定による要求があつたときは、都道府県知事は、要避難者の受入れについて、当該他の都道府県の知事に協議しなければならない。

3　都道府県知事は、前項の規定による協議をするときは、あらかじめ、その旨を内閣総理大臣に報告しなければならない。ただし、あらかじめ報告することが困難なときは、協議の開始の後、遅滞なく、報告することをもつて足りる。

4　第二項の場合において、協議を受けた都道府県知事（以下この条において「協議先都道府県知事」という。）は、要避難者の受入れについて、関係市町村長と協議しなければならない。

5　前項の場合において、協議を受けた市町村長（以下この条において「都道府県外協議先市町村長」という。）は、要避難者を受け入れないことについて正当な理由がある場合を除き、要避難者を受け入れるものとする。この場合において、都道府県外協議先市町村長は、第一項の規定による滞在（以下「都道府県外広域避難」という。）の用に供するため、受け入れた要避難者に対し指定緊急避難場所その他の避難場所を提供しなければならない。

6　前項の場合において、都道府県外協議先市町村長は、当該市町村の区域において要避難者を受け入れるべき避難場所を決定し、直ちに、その内容を当該避難場所を管理する者その他の内閣府令で定める者に通知しなければならない。

7　都道府県外協議先市町村長は、前項の規定による決定をしたときは、速やかに、その内容を協議先都道府県知事に報告しなければならない。

8　協議先都道府県知事は、前項の規定による報告を受けたときは、速やかに、その内容を第二項の規定により協議した都道府県知事（以下この条において「協議元都道府県知事」という。）に通知しなければならない。

9　協議元都道府県知事は、前項の規定による通知を受けたときは、速やかに、その内容を第一項の規定により協議することを求めた市町村長（以下この条において「協議元市町村長」という。）に通知するとともに、内閣総理大臣に報告しなければならない。

10　協議元市町村長は、前項の規定による通知を受けたときは、速やかに、その内容を公示するとともに、内閣府令で定める者に通知しなければならない。

11　協議元市町村長は、都道府県外広域避難の必要がなくなつたと認めるときは、速やかに、その旨を協議元都道府県知事に報告し、及び公示するとともに、前項の内閣府令で定める者に通知しなければならない。

12　協議元都道府県知事は、前項の規定による報告を受けたときは、速やかに、その旨を協議先都道府県知事に通知するとともに、内閣総理大臣に報告しなければならない。

13　協議先都道府県知事は、前項の規定による通知を受けたときは、速やかに、その旨を都道府県外協議先市町村長に通知しなければならない。

14　都道府県外協議先市町村長は、前項の規定による通知を受けたときは、速やかに、その旨を第六項の内閣府令で定める者に通知しなければならない。

（市町村長による都道府県外広域避難の協議等）

第六十一条の六　前条第一項に規定する場合において、市町村長は、事態に照らし緊急を要すると認めるときは、要避難者の受入れについて、他の都道府県内の市町村の市町村長に協議することができる。

2　市町村長は、前項の規定による協議をするときは、あらかじめ、その旨を都道府県知事に報告しなければならない。ただし、あらかじめ報告することが困難なときは、協議の開始の後、遅滞なく、報告することをもつて足りる。

3　前項の規定による報告を受けた都道府県知事は、速やかに、その内容を内閣総理大臣に報告しなければならない。

4　第一項の場合において、協議を受けた市町村長（以下この条において「都道府県外協議先市町村長」という。）は、同項の要避難者を受け入れないことについて正当な理由がある場合を除き、要避難者を受け入れるものとする。この場合において、都道府県外協議先市町村長は、都道府県外広域避難の用に供するため、受け入れた要避難者に対し指定緊急避難場所その他の避難場所を提供しなければならない。

5　前項の場合において、都道府県外協議先市町村長は、当該市町村の区域において要避難者を受け入れるべき避難場所を決定し、直ちに、その内容を当該避難場所を管理する者その他の内閣府令で定める者に通知しなければならない。

6　都道府県外協議先市町村長は、前項の規定による決定をしたときは、速やかに、その内容を第一項の規定により協議した市町村長（以下この条において「協議元市町村長」という。）に通知するとともに、都道府県知事に報告しなければならない。

7　協議元市町村長は、前項の規定による通知を受けたときは、速やかに、その内容を公示し、及び内閣府令で定める者に通知するとともに、都道府県知事に報告しなければならない。

8　前項の規定による報告を受けた都道府県知事は、速やかに、その内容を内閣総理大臣に報告しなければならない。

9　協議元市町村長は、都道府県外広域避難の必要がなくなつたと認めるときは、速やかに、その旨を都道府県外協議先市町村長及び第七項の内閣府令で定める者に通知し、並びに公示するとともに、都道府県知事に報告しなければならない。

10　都道府県外協議先市町村長は、前項の規定による通知を受けたときは、速やかに、その旨を第五項の内閣府令で定める者に通知するとともに、都道府県知事に報告しなければならない。

11　第九項の規定による報告を受けた都道府県知事は、速やかに、その内容を内閣総理大臣に報告しなければならない。

（都道府県知事及び内閣総理大臣による助言）

第六十一条の七　都道府県知事は、市町村長から求められたときは、第六十一条の四第一項の規定による協議の相手方その他広域避難に関する事項について助言をしなければならない。

2　内閣総理大臣は、都道府県知事から求められたときは、第六十一条の五第二項の規定による協議の相手方その他都道府県外広域避難に関する事項について助言をしなければならない。

（居住者等の運送）

第六十一条の八　都道府県知事は、都道府県の地域に係る災害が発生するおそれがある場合であつて、居住者等の生命又は身体を当該災害から保護するため緊急の必要があると認めるときは、運送事業者である指定公共機関又は指定地方公共機関に対し、運送すべき人並びに運送すべき場所及び期日を示して、居住者等の運送を要請することができる。

2　指定公共機関又は指定地方公共機関が正当な理由がないのに前項の規定による要請に応じないときは、都道府県知事は、居住者等の生命又は身体を災害から保護するため特に必要があると認めるときに限り、当該指定公共機関又は指定地方公共機関に対し、居住者等の運送を行うべきことを指示することができる。この場合においては、運送すべき人並びに運送すべき場所及び期日を書面で示さなければならない。

第四節　応急措置等

（市町村の応急措置）

第六十二条　市町村長は、当該市町村の地域に係る災害が発生し、又はまさに発生しようとしているときは、法令又は地域防災計画の定めるところにより、消防、水防、救助その他災害の発生を防禦し、又は災害の拡大を防止するために必要な応急措置（以下「応急措置」という。）をすみやかに実施しなければならない。

2　市町村の委員会又は委員、市町村の区域内の公共的団体及び防災上重要な施設の管理者その他法令の規定により応急措置の実施の責任を有する者は、当該市町村の地域に係る災害が発生し、又はまさに発生しようとしているときは、地域防災計画の定めるところにより、市町村長の所轄の下にその所掌事務若しくは所掌業務に係る応急措置を実施し、又は市町村長の実施する応急措置に協力しなければならない。

（市町村長の警戒区域設定権等）

第六三条　災害が発生し、又はまさに発生しようとしている場合において、人の生命又は身体に対する危険を防止するため特に必要があると認めるときは、市町村長は、警戒区域を設定し、災害応急対策に従事する者以外の者に対して当該区域への立入りを制限し、若しくは禁止し、又は当該区域からの退去を命ずることができる。

２　前項の場合において、市町村長若しくはその委任を受けて同項に規定する市町村長の職権を行なう市町村の職員が現場にいないとき、又はこれらの者から要求があつたときは、警察官又は海上保安官は、同項に規定する市町村長の職権を行なうことができる。この場合において、同項に規定する市町村長の職権を行なつたときは、警察官又は海上保安官は、直ちに、その旨を市町村長に通知しなければならない。

３　第一項の規定は、市町村長その他同項に規定する市町村長の職権を行うことができる者がその場にいない場合に限り、自衛隊法（昭和二十九年法律第百六十五号）第八十三条第二項の規定により派遣を命ぜられた同法第八条に規定する部隊等の自衛官（以下「災害派遣を命ぜられた部隊等の自衛官」という。）の職務の執行について準用する。この場合において、第一項に規定する措置をとつたときは、当該災害派遣を命ぜられた部隊等の自衛官は、直ちに、その旨を市町村長に通知しなければならない。

４　第六十一条の二の規定は、第一項の規定により警戒区域を設定しようとする場合について準用する。

（応急公用負担等）

第六四条　市町村長は、当該市町村の地域に係る災害が発生し、又はまさに発生しようとしている場合において、応急措置を実施するため緊急の必要があると認めるときは、政令で定めるところにより、当該市町村の区域内の他人の土地、建物その他の工作物を一時使用し、又は土石、竹木その他の物件を使用し、若しくは収用することができる。

２　市町村長は、当該市町村の地域に係る災害が発生し、又はまさに発生しようとしている場合において、応急措置を実施するため緊急の必要があると認めるときは、現場の災害を受けた工作物又は物件で当該応急措置の実施の支障となるもの（以下この条において「工作物等」という。）の除去その他必要な措置をとることができる。この場合において、工作物等を除去したときは、市町村長は、当該工作物等を保管しなければならない。

３　市町村長は、前項後段の規定により工作物等を保管したときは、当該工作物等の占有者、所有者その他当該工作物等について権原を有する者（以下この条において「占有者等」という。）に対し当該工作物等を返還するため、政令で定めるところにより、政令で定める事項を公示しなければならない。

４　市町村長は、第二項後段の規定により保管した工作物等が滅失し、若しくは破損するおそれがあるとき、又はその保管に不相当な費用若しくは手数を要するときは、政令で定めるところにより、当該工作物等を売却し、その売却した代金を保管することができる。

５　前三項に規定する工作物等の保管、売却、公示等に要した費用は、当該工作物等の返還を受けるべき占有者等の負担とし、その費用の徴収については、行政代執行法（昭和二十三年法律第四十三号）第五条及び第六条の規定を準用する。

６　第三項に規定する公示の日から起算して六月を経過してもなお第二項後段の規定により保管した工作物等（第四項の規定により売却した代金を含む。以下この項において同じ。）を返還することができないときは、当該工作物等の所有権は、当該市町村長の統轄する市町村に帰属する。

７　前条第二項の規定は、第一項及び第二項前段の場合について準用する。

８　第一項及び第二項前段の規定は、市町村長その他第一項又は第二項前段に規定する市町村長の職権を行うことができる者がその場にいない場合に限り、災害派遣を命ぜられた部隊等の自衛官の職務の執行について準用する。この場合において、第一項又は第二項前段に規定する措置をとつたときは、当該災害派遣を命ぜられた部隊等の自衛官は、直ちに、その旨を市町村長に通知しなければならない。

９　警察官、海上保安官又は災害派遣を命ぜられた部隊等の自衛官は、第七項において準用する前条第二項又は前項において準用する第二項前段の規定により工作物等を除去したときは、当該工作物等を当該工作物等が設置されていた場所を管轄する警察署長等又は内閣府令で定める自衛隊法第八条に規定する部隊等の長（以下この条において「自衛隊の部隊等の長」という。）に差し出さなければならない。この場合において、警察署長等又は自衛隊の部隊等の長は、当該工作物等を保管しなければならない。

10　前項の規定により警察署長等又は自衛隊の部隊等の長が行う工作物等の保管については、第三項から第六項までの規定の例によるものとする。ただし、第三項の規定の例により公示した日から起算して六月を経過してもなお返還することができない工作物等の所有権は、警察署長が保管する工作物等にあつては当該警察署の属する都道府県に、政令で定める管区海上保安本部の事務所の長又は自衛隊の部隊等の長が保管する工作物等にあつては国に、それぞれ帰属するものとする。

第六五条　市町村長は、当該市町村の地域に係る災害が発生し、又はまさに発生しようとしている場合において、応急措置を実施するため緊急の必要があると認めるときは、当該市町村の区域内の住民又は当該応急措置を実施すべき現場にある者を当該応急措置の業務に従事させることができる。

２　第六十三条第二項の規定は、前項の場合について準用する。

３　第一項の規定は、市町村長その他同項に規定する市町村長の職権を行うことができる者がその場にいない場合に限り、災害派遣を命ぜられた部隊等の自衛官の職務の執行について準用する。この場合において、同項に規定する措置をとつたときは、当該災害派遣を命ぜられた部隊等の自衛官は、直ちに、その旨を市町村長に通知しなければならない。

（災害時における漂流物等の処理の特例）

第六六条　災害が発生した場合において、水難救護法（明治三十二年法律第九十五号）第二十九条第一項に規定する漂流物又は沈没品を取り除いたときは、警察署長等は、同項の規定にかかわらず、当該物件を保管することができる。

２　水難救護法第二章の規定は、警察署長等が前項の規定により漂流物又は沈没品を保管した場合について準用する。

（他の市町村長等に対する応援の要求）

第六七条　市町村長等は、当該市町村の地域に係る災害が発生し、又は発生するおそれがある場合において、災害応急対策を実施するため必要があると認めるときは、他の市町村の市町村長等に対し、応援を求めることができる。この場合において、応急措置を実施するための応援を求められた市町村長等は、正当な理由がない限り、応援を拒んではならない。

２　前項の応援に従事する者は、災害応急対策の実施については、当該応援を求めた市町村長等の指揮の下に行動するものとする。

（都道府県知事等に対する応援の要求等）

第六八条　市町村長等は、当該市町村の地域に係る災害が発生し、又は発生するおそれがある場合において、災害応急対策を実施するため必要があると認めるときは、都道府県知事等に対し、応援を求め、又は災害応急対策の実施を要請することができる。この場合において、応援を求められ、又は災害応急対策の実施を要請された都道府県知事等は、正当な理由がない限り、応援又は災害応急対策の実施を拒んではならない。

（災害派遣の要請の要求等）

第六八条の二　市町村長は、当該市町村の地域に係る災害が発生し、又はまさに発生しようとしている場合において、応急措置を実施するため必要があると認めるときは、都道府県知事に対し、自衛隊法第八十三条第一項の規定による要請（次項において「要請」という。）をするよう求めることができる。この場合において、市町村長は、その旨及び当該市町村の地域に係る災害の状況を防衛大臣又はその指定する者に通知することができる。

２　市町村長は、前項の要求ができない場合には、その旨及び当該市町村の地域に係る災害の状況を防衛大臣又はその指定する者に通知することができる。この場合において、当該通知を受けた防衛大臣又はその指定する者は、その事態に照らし特に緊急を要し、要請を待ついとまがないと認められるときは、人命又は財産の保護のため、要請を待たないで、自衛隊法第八条に規定する部隊等を派遣することができる。

３　市町村長は、前二項の通知をしたときは、速やかに、その旨を都道府県知事に通知しなければならない。

（災害時における事務の委託の手続の特例）

第六九条　市町村は、当該市町村の地域に係る災害が発生した場合において、応急措置を実施するため必要があると認めるときは、地方自治法第二百五十二条の十四及び第二百五十二条の十五の規定にかかわらず、政令で定めるところにより、その事務又は市町村長等の権限に属する事務の一部を他の地方公共団体に委託して、当該地方公共団体の長その他の執行機関にこれを管理し、及び執行させることができる。

（都道府県の応急措置）

第七〇条　都道府県知事は、当該都道府県の地域に係る災害が発生し、又はまさに発生しようとしているときは、法令又は地域防災計画の定めるところにより、その所掌事務に係る応急措置をすみやかに実施しなければならない。この場合において、都道府県知事は、その区域内の市町村の実施する応急措置が的確かつ円滑に行なわれることとなるように努めなければならない。

2　都道府県の委員会又は委員は、当該都道府県の地域に係る災害が発生し、又はまさに発生しようとしているときは、法令又は地域防災計画の定めるところにより、都道府県知事の所轄の下にその所掌事務に係る応急措置を実施しなければならない。

3　第一項の場合において、応急措置を実施するため、又はその区域内の市町村の実施する応急措置が的確かつ円滑に行われるようにするため必要があると認めるときは、都道府県知事は、指定行政機関の長若しくは指定地方行政機関の長又は当該都道府県の他の執行機関、指定公共機関若しくは指定地方公共機関に対し、応急措置の実施を要請し、又は求めることができる。この場合において、応急措置の実施を要請された指定行政機関の長又は指定地方行政機関の長は、正当な理由がない限り、応急措置の実施を拒んではならない。

（都道府県知事の従事命令等）

第七一条　都道府県知事は、当該都道府県の地域に係る災害が発生した場合において、第五十条第一項第四号から第九号までに掲げる事項について応急措置を実施するため特に必要があると認めるときは、災害救助法（昭和二十二年法律第百十八号）第七条から第十条までの規定の例により、従事命令、協力命令若しくは保管命令を発し、施設、土地、家屋若しくは物資を管理し、使用し、若しくは収用し、又はその職員に施設、土地、家屋若しくは物資の所在する場所若しくは物資を保管させる場所に立ち入り検査をさせ、若しくは物資を保管させた者から必要な報告を取ることができる。

2　前項の規定による都道府県知事の権限に属する事務は、政令で定めるところにより、その一部を市町村長が行うこととすることができる。

（都道府県知事の指示等）

第七二条　都道府県知事は、当該都道府県の区域内の市町村の実施する応急措置が的確かつ円滑に行なわれるようにするため特に必要があると認めるときは、市町村長に対し、応急措置の実施について必要な指示をし、又は他の市町村長を応援すべきことを指示することができる。

2　都道府県知事は、当該都道府県の区域内の市町村の実施する災害応急対策（応急措置を除く。以下この項において同じ。）が的確かつ円滑に行われるようにするため特に必要があると認めるときは、市町村長に対し、災害応急対策の実施を求め、又は他の市町村長を応援することを求めることができる。

3　前二項の規定による都道府県知事の指示又は要求に係る応援に従事する者は、災害応急対策の実施については、当該応援を受ける市町村長の指揮の下に行動するものとする。

（都道府県知事による応急措置の代行）

第七三条　都道府県知事は、当該都道府県の地域に係る災害が発生した場合において、当該災害の発生により市町村がその全部又は大部分の事務を行うことができなくなつたときは、当該市町村の市町村長が第六十三条第一項、第六十四条第一項及び第二項並びに第六十五条第一項の規定により実施すべき応急措置の全部又は一部を当該市町村長に代わつて実施しなければならない。

2　都道府県知事は、前項の規定により市町村長の事務の代行を開始し、又は終了したときは、その旨を公示しなければならない。

3　第一項の規定による都道府県知事の代行に関し必要な事項は、政令で定める。

（都道府県知事等に対する応援の要求）

第七四条　都道府県知事等は、当該都道府県の地域に係る災害が発生し、又は発生するおそれがある場合において、災害応急対策を実施するため必要があると認めるときは、他の都道府県の都道府県知事等に対し、応援を求めることができる。この場合において、応急措置を実施するための応援を求められた都道府県知事等は、正当な理由がない限り、応援を拒んではならない。

2　前項の応援に従事する者は、災害応急対策の実施については、当該応援を求めた都道府県知事等の指揮の下に行動するものとする。この場合において、警察官にあつては、当該応援を求めた都道府県の公安委員会の管理の下にその職権を行うものとする。

（都道府県知事による応援の要求）

第七四条の二　都道府県知事は、当該都道府県の地域に係る災害が発生し、又は発生するおそれがある場合において、第七十二条第一項の規定による指示又は同条第二項の規定による要求のみによつては当該都道府県の区域内の市町村の実施する災害応急対策に係る応援が円滑に実施されないと認めるときは、他の都道府県の都道府県知事に対し、当該災害が発生し又は発生するおそれがある市町村の市町村長（次項及び次条において「災害発生市町村長」という。）を応援することを求めることができる。

2　前項の規定による要求を受けた都道府県知事は、当該要求に応じ応援をする場合において、災害発生市町村長の実施する災害応急対策が的確かつ円滑に行われるようにするため特に必要があると認めるときは、当該都道府県の区域内の市町村の市町村長に対し、当該災害発生市町村長を応援することを求めることができる。

3　前二項の規定による都道府県知事の要求に係る応援に従事する者は、災害応急対策の実施については、当該応援を受ける市町村長の指揮の下に行動するものとする。

（内閣総理大臣による応援の要求等）

第七四条の三　都道府県知事は、当該都道府県の地域に係る災害が発生し、又は発生するおそれがある場合において、第七十二条第一項の規定による指示又は同条第二項、第七十四条第一項若しくは前条第一項の規定による要求のみによつては災害応急対策に係る応援が円滑に実施されないと認めるときは、内閣総理大臣に対し、他の都道府県の知事に対し当該災害が発生し又は発生するおそれがある都道府県の知事（以下この条において「災害発生都道府県知事」という。）又は災害発生市町村長を応援することを求めるよう求めることができる。

2　内閣総理大臣は、前項の規定による要求があつた場合において、災害発生都道府県知事及び災害発生市町村長の実施する災害応急対策が的確かつ円滑に行われるようにするため特に必要があると認めるときは、当該災害発生都道府県知事以外の都道府県知事に対し、当該災害発生都道府県知事又は当該災害発生市町村長を応援することを求めることができる。

3　内閣総理大臣は、災害が発生し、又は発生するおそれがある場合であつて、災害発生都道府県知事及び災害発生市町村長の実施する災害応急対策が的確かつ円滑に行われるようにするため特に必要があると認める場合において、その事態に照らし特に緊急を要し、第一項の規定による要求を待ついとまがないと認められるときは、当該要求を待たないで、当該災害発生都道府県知事以外の都道府県知事に対し、当該災害発生都道府県知事又は当該災害発生市町村長を応援することを求めることができる。この場合において、内閣総理大臣は、当該災害発生都道府県知事に対し、速やかにその旨を通知するものとする。

4　災害発生都道府県知事以外の都道府県知事は、前二項の規定による内閣総理大臣の要求に応じ応援をする場合において、災害発生市町村長の実施する災害応急対策が的確かつ円滑に行われるようにするため特に必要があると認めるときは、当該都道府県の区域内の市町村の市町村長に対し、当該災害発生市町村長を応援することを求めることができる。

5　第二項又は第三項の規定による内閣総理大臣の要求に係る応援に従事する者は、災害応急対策の実施については、当該応援を受ける都道府県知事の指揮の下に行動するものとする。

6　第四項の規定による都道府県知事の要求に係る応援に従事する者は、災害応急対策の実施については、当該応援を受ける市町村長の指揮の下に行動するものとする。

（指定行政機関の長等に対する応援の要求等）

第七四条の四　第七十条第三項に規定するもののほか、都道府県知事は、当該都道府県の地域に係る災害が発生し、又は発生するおそれがある場合において、災害応急対策を実施するため必要があると認めるときは、指定行政機関の長又は指定地方行政機関の長に対し、応援を求め、又は災害応急対策の実施を要請することができる。この場合において、応援を求められ、又は災害応急対策の実施を要請された指定行政機関の長又は指定地方行政機関の長は、正当な理由がない限り、応援又は災害応急対策の実施を拒んではならない。

（災害時における事務の委託の手続の特例）

第七五条　都道府県は、当該都道府県の地域に係る災害が発生した場合において、応急措置を実施するため必要があると認めるときは、地方自治法第二百五十二条の十四及び第二百五十二条の十五の規定にかかわらず、政令で定めるところにより、その事務又は都道府県知事等の権限に属する事務の一部を他の都道府県に委託して、当該都道府県の都道府県知事等にこれを管理し、及び執行させることができる。

（災害時における交通の規制等）

第七六条　都道府県公安委員会は、当該都道府県又はこれに隣接し若しくは近接する都道府県の地域に係る災害が発生し、又はまさに発生しようとしている場合において、災害応急対策が的確かつ円滑に行われるようにするため緊急の必要があると認めるときは、政令で定めるところにより、道路の区間（災害が発生し、又はまさに発生しようとしている場所及びこれらの周辺の地域にあつては、区域又は道路の区間）を指定して、緊急通行車両（道路交通法（昭和三十五年法律第百五号）第三十九条第一項の緊急自動車その他の車両で災害応急対策の的確かつ円滑な実施のためその通行を確保することが特に必要なものとして政令で定めるものをいう。以下同じ。）以外の車両の道路における通行を禁止し、又は制限することができる。

2　前項の規定による通行の禁止又は制限（以下「通行禁止等」という。）が行われたときは、当該通行禁止等を行つた都道府県公安委員会及び当該都道府県公安委員会と管轄区域が隣接し又は近接する都道府県公安委員会は、直ちに、それぞれの都道府県の区域内に在る者に対し、通行禁止等に係る区域又は道路の区間（次条第四項及び第七十六条の三第一項において「通行禁止区域等」という。）その他必要な事項を周知させる措置をとらなければならない。

第七六条の二　道路の区間に係る通行禁止等が行われたときは、当該道路の区間に在る通行禁止等の対象とされる車両の運転者は、速やかに、当該車両を当該道路の区間以外の場所へ移動しなければならない。この場合において、当該車両を速やかに当該道路の区間以外の場所へ移動することが困難なときは、当該車両をできる限り道路の左側端に沿つて駐車する等緊急通行車両の通行の妨害とならない方法により駐車しなければならない。

2　区域に係る通行禁止等が行われたときは、当該区域に在る通行禁止等の対象とされる車両の運転者は、速やかに、当該車両を道路外の場所へ移動しなければならない。この場合において、当該車両を速やかに道路外の場所へ移動することが困難なときは、当該車両をできる限り道路の左側端に沿つて駐車する等緊急通行車両の通行の妨害とならない方法により駐車しなければならない。

3　前二項の規定による駐車については、道路交通法第三章第九節及び第七十五条の八の規定は、適用しない。

4　第一項及び第二項の規定にかかわらず、通行禁止区域等に在る車両の運転者は、警察官の指示を受けたときは、その指示に従つて車両を移動し、又は駐車しなければならない。

5　第一項、第二項又は前項の規定による車両の移動又は駐車については、前条第一項の規定による車両の通行の禁止及び制限は、適用しない。

第七六条の三　警察官は、通行禁止区域等において、車両その他の物件が緊急通行車両の通行の妨害となることにより災害応急対策の実施に著しい支障が生じるおそれがあると認めるときは、当該車両その他の物件の占有者、所有者又は管理者に対し、当該車両その他の物件を付近の道路外の場所へ移動することその他当該通行禁止区域等における緊急通行車両の円滑な通行を確保するため必要な措置をとることを命ずることができる。

2　前項の場合において、同項の規定による措置をとることを命ぜられた者が当該措置をとらないとき又はその命令の相手方が現場にいないために当該措置をとることを命ずることができないときは、警察官は、自ら当該措置をとることができる。この場合において、警察官は、当該措置をとるためやむを得ない限度において、当該措置に係る車両その他の物件を破損することができる。

3　前二項の規定は、警察官がその場にいない場合に限り、災害派遣を命ぜられた部隊等の自衛官の職務の執行について準用する。この場合において、第一項中「緊急通行車両の通行」とあるのは「自衛隊用緊急通行車両（自衛隊の使用する緊急通行車両で災害応急対策の実施のため運転中のものをいう。以下この項において同じ。）の通行」と、「緊急通行車両の円滑な通行」とあるのは「自衛隊用緊急通行車両の円滑な通行」と読み替えるものとする。

4　第一項及び第二項の規定は、警察官がその場にいない場合に限り、消防吏員の職務の執行について準用する。この場合において、第一項中「緊急通行車両の通行」とあるのは「消防用緊急通行車両（消防機関の使用する緊急通行車両で災害応急対策の実施のため運転中のものをいう。以下この項において同じ。）の通行」と、「緊急通行車両の円滑な通行」とあるのは「消防用緊急通行車両の円滑な通行」と読み替えるものとする。

5　第一項（前二項において準用する場合を含む。）の規定による命令に従つて行う措置及び第二項（前二項において準用する場合を含む。）の規定により行う措置については、第七十六条第一項の規定による車両の通行の禁止及び制限並びに前条第一項、第二項及び第四項の規定は、適用しない。

6　災害派遣を命ぜられた部隊等の自衛官又は消防吏員は、第三項若しくは第四項において準用する第一項の規定による命令をし、又は第三項若しくは第四項において準用する第二項の規定による措置をとつたときは、直ちに、その旨を、当該命令をし、又は措置をとつた場所を管轄する警察署長に通知しなければならない。

第七六条の四　都道府県公安委員会は、通行禁止等を行うため必要があると認めるときは、道路管理者等に対し、当該通行禁止等を行おうとする道路の区間において、第七十六条の六第一項の規定による指定若しくは命令をし、又は同条第三項若しくは第四項の規定による措置をとるべきことを要請することができる。

2　前項の「道路管理者等」とは、道路管理者（高速自動車国道法（昭和三十二年法律第七十九号）第四条第一項に規定する高速自動車国道にあつては国土交通大臣、その他の道路にあつては道路法（昭和二十七年法律第百八十号）第十八条第一項に規定する道路管理者をいう。以下同じ。）、港湾管理者（港湾法第二条第一項に規定する港湾管理者をいい、同条第五項第四号の道路（同条第六項の規定により同号の道路とみなされたものを含む。）を管理している者に限る。第七十六条の七第二項において同じ。）又は漁港管理者（漁港及び漁場の整備等に関する法律（昭和二十五年法律第百三十七号）第二十五条の規定により決定された地方公共団体をいい、同法第三条第二号イの道路（同法第六十六条第一項又は第三項の規定により同号イの道路とみなされたものを含む。）を管理している者に限る。第七十六条の七第三項において同じ。）をいう。

3　会社管理高速道路（道路整備特別措置法（昭和三十一年法律第七号）第二条第四項に規定する会社（第七十六条の六第六項及び第七項において「会社」という。）が同法第四条の規定により維持、修繕及び災害復旧を行う高速道路（高速道路株式会社法（平成十六年法律第九十九号）第二条第二項に規定する高速道路をいう。）をいう。第七十六条の六において同じ。）の区間について第一項の規定による要請をする場合における同項の規定の適用については、同項中「道路管理者等」とあるのは「独立行政法人日本高速道路保有・債務返済機構（以下この項において「機構」という。）」と、「第七十六条の六第一項」とあるのは「第七十六条の六第五項の規定により会社管理高速道路の道路管理者に代わつて機構が行う同条第一項」とする。

4　公社管理道路（地方道路公社（地方道路公社法（昭和四十五年法律第八十二号）第一条の地方道路公社をいう。以下同じ。）が道路整備特別措置法第十四条の規定により維持、修繕及び災害復旧を行い、又は同法第十五条第一項の許可を受けて維持、修繕及び災害復旧を行う道路をいう。第七十六条の六第八項及び第九項において同じ。）の区間について第一項の規定による要請をする場合における同項の規定の適用については、同項中「道路管理者等」とあるのは「地方道路公社（第四項に規定する地方道路公社をいう。以下この項において同じ。）」と、「第七十六条の六第一項」とあるのは「第七十六条の六第八項の規定により公社管理道路の道路管理者に代わつて地方道路公社が行う同条第一項」とする。

第七六条の五　国家公安委員会は、災害応急対策が的確かつ円滑に行われるようにするため特に必要があると認めるときは、政令で定めるところにより、関係都道府県公安委員会に対し、通行禁止等に関する事項について指示することができる。

（災害時における車両の移動等）

第七六条の六　第七十六条の四第二項に規定する道路管理者等（以下この条において「道路管理者等」という。）は、その管理する道路の存する都道府県又はこれに隣接し若しくは近接する都道府県の地域に係る災害が発生した場合において、道路における車両の通行が停止し、又は著しく停滞し、車両その他の物件が緊急通行車両の通行の妨害となることにより災害応急対策の実施に著しい支障が生じるおそれがあり、かつ、緊急通行車両の通行を確保するため緊急の必要があると認めるときは、政令で定めるところにより、その管理する道路についてその区間を指定して、当該車両その他

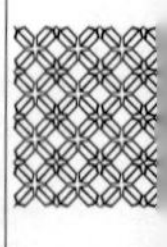

の物件の占有者、所有者又は管理者（第三項第三号において「車両等の占有者等」という。）に対し、当該車両その他の物件を付近の道路外の場所へ移動することその他当該指定をした道路の区間における緊急通行車両の通行を確保するため必要な措置をとることを命ずることができる。

2　道路管理者等は、前項の規定による指定をしたときは、直ちに、当該指定をした道路の区間（以下この項において「指定道路区間」という。）内に在る者に対し、当該指定道路区間を周知させる措置をとらなければならない。

3　次に掲げる場合においては、道路管理者等は、自ら第一項の規定による措置をとることができる。この場合において、道路管理者等は、当該措置をとるためやむを得ない限度において、当該措置に係る車両その他の物件を破損することができる。

一　第一項の規定による措置をとることを命ぜられた者が、当該措置をとらない場合

二　道路管理者等が、第一項の規定による命令の相手方が現場にいないために同項の規定による措置をとることを命ずることができない場合

三　道路管理者等が、道路の状況その他の事情により車両等の占有者等に第一項の規定による措置をとらせることができないと認めて同項の規定による命令をしないこととした場合

4　道路管理者等は、第一項又は前項の規定による措置をとるためやむを得ない必要があるときは、その必要な限度において、他人の土地を一時使用し、又は竹木その他の障害物を処分することができる。

5　独立行政法人日本高速道路保有・債務返済機構（以下「機構」という。）は、会社管理高速道路の道路管理者に代わつて、第一項から前項までの規定による権限を行うものとする。

6　機構は、前項の規定により会社管理高速道路の道路管理者に代わつてその権限を行つた場合においては、遅滞なく、その旨を会社に通知しなければならない。

7　機構は、第五項の規定により会社管理高速道路の道路管理者に代わつて行う権限に係る事務の一部を会社に委託しようとするときは、その委託する事務の円滑かつ効率的な実施を確保するため、あらかじめ、会社と協議し、当該委託する事務の内容及びこれに要する費用の負担の方法を定めておかなければならない。

8　地方道路公社は、公社管理道路の道路管理者に代わつて、第一項から第四項までの規定による権限を行うものとする。

9　第五項の規定により機構が会社管理高速道路の道路管理者に代わつて行う権限は、道路整備特別措置法第二十五条第一項の規定により公告する料金の徴収期間の満了の日までに限り行うことができるものとする。前項の規定により地方道路公社が公社管理道路の道路管理者に代わつて行う権限についても、同様とする。

第七六条の七　国土交通大臣は道路法第十三条第一項に規定する指定区間外の国道（同法第三条第二号に掲げる一般国道をいう。）、都道府県道（同法第三条第三号に掲げる都道府県道をいう。）及び市町村道（同法第三条第四号に掲げる市町村道をいう。以下この項において同じ。）に関し、都道府県知事は地方自治法第二百五十二条の十九第一項に規定する指定都市の市道以外の市町村道に関し、緊急通行車両の通行を確保し、災害応急対策が的確かつ円滑に行われるようにするため特に必要があると認めるときは、政令で定めるところにより、それぞれ当該道路の道路管理者に対し、前条第一項の規定による指定若しくは命令をし、又は同条第三項若しくは第四項の規定による措置をとるべきことを指示することができる。

2　国土交通大臣は、港湾管理者が管理する道路に関し、緊急通行車両の通行を確保し、災害応急対策が的確かつ円滑に行われるようにするため特に必要があると認めるときは、政令で定めるところにより、当該港湾管理者に対し、前条第一項の規定による指定若しくは命令をし、又は同条第三項若しくは第四項の規定による措置をとるべきことを指示することができる。

3　農林水産大臣は、漁港管理者が管理する道路に関し、緊急通行車両の通行を確保し、災害応急対策が的確かつ円滑に行われるようにするため特に必要があると認めるときは、政令で定めるところにより、当該漁港管理者に対し、前条第一項の規定による指定若しくは命令をし、又は同条第三項若しくは第四項の規定による措置をとるべきことを指示することができる。

第七六条の八　第七十六条の六に規定する道路管理者である国土交通大臣の権限並びに前条第一項及び第二項に規定する国土交通大臣の権限は、政令で定めるところにより、その全部又は一部を地方整備局長又は北海道開発局長に委任することができる。

（指定行政機関の長等の応急措置）

第七七条　指定行政機関の長及び指定地方行政機関の長は、災害が発生し、又はまさに発生しようとしているときは、法令又は防災計画の定めるところにより、その所掌事務に係る応急措置をすみやかに実施するとともに、都道府県及び市町村の実施する応急措置が的確かつ円滑に行なわれるようにするため、必要な施策を講じなければならない。

2　前項の場合において、応急措置を実施するため必要があると認めるときは、指定行政機関の長及び指定地方行政機関の長は、都道府県知事、市町村長又は指定公共機関若しくは指定地方公共機関に対し、応急措置の実施を要請し、又は指示することができる。

（指定行政機関の長等の収用等）

第七八条　災害が発生した場合において、第五十条第一項第四号から第九号までに掲げる事項について応急措置を実施するため特に必要があると認めるときは、指定行政機関の長及び指定地方行政機関の長は、防災業務計画の定めるところにより、当該応急措置の実施に必要な物資の生産、集荷、販売、配給、保管若しくは輸送を業とする者に対し、その取り扱う物資の保管を命じ、又は当該応急措置の実施に必要な物資を収用することができる。

2　指定行政機関の長及び指定地方行政機関の長は、前項の規定により物資の保管を命じ、又は物資を収用するため必要があると認めるときは、その職員に物資を保管させる場所又は物資の所在する場所に立ち入り検査をさせることができる。

3　指定行政機関の長及び指定地方行政機関の長は、第一項の規定により物資を保管させた者から、必要な報告を取り、又はその職員に当該物資を保管させてある場所に立ち入り検査をさせることができる。

（指定行政機関の長等による応急措置の代行）

第七八条の二　指定行政機関の長又は指定地方行政機関の長は、災害の発生により市町村及び当該市町村を包括する都道府県がその全部又は大部分の事務を行うことができなくなつたときは、法令又は防災計画の定めるところにより、当該市町村の市町村長が第六十四条第一項及び第二項並びに第六十五条第一項の規定により実施すべき応急措置の全部又は一部を当該市町村長に代わつて実施しなければならない。

2　指定行政機関の長又は指定地方行政機関の長は、前項の規定により市町村長の事務の代行を開始し、又は終了したときは、その旨を公示しなければならない。

3　第一項の規定による指定行政機関の長又は指定地方行政機関の長の代行に関し必要な事項は、政令で定める。

（通信設備の優先使用権）

第七九条　災害が発生した場合において、その応急措置の実施に必要な通信のため緊急かつ特別の必要があるときは、指定行政機関の長若しくは指定地方行政機関の長又は都道府県知事若しくは市町村長は、他の法律に特別の定めがある場合を除くほか、電気通信事業法第二条第五号に規定する電気通信事業者がその事業の用に供する電気通信設備を優先的に利用し、又は有線電気通信法第三条第四項第四号に掲げる者が設置する有線電気通信設備若しくは無線設備を使用することができる。

（指定公共機関等の応急措置）

第八〇条　指定公共機関及び指定地方公共機関は、災害が発生し、又はまさに発生しようとしているときは、法令又は防災計画の定めるところにより、その所掌業務に係る応急措置をすみやかに実施するとともに、指定行政機関の長、都道府県知事等及び市町村長等の実施する応急措置が的確かつ円滑に行なわれるようにするため、必要な措置を講じなければならない。

2　指定公共機関及び指定地方公共機関は、その所掌業務に係る応急措置を実施するため特に必要があると認めるときは、法令又は防災計画の定めるところにより、指定行政機関の長若しくは指定地方行政機関の長又は都道府県知事若しくは市町村長に対し、労務、施設、設備又は物資の確保について応援を求めることができる。この場合において、応援を求められた指定行政機関の長若しくは指定地方行政機関の長又は都道府県知事若しくは市町村長は、正当な理由がない限り応援を拒んではならない。

（公用令書の交付）

第八一条　第七十一条又は第七十八条第一項の規定による処分については、

都道府県知事若しくは市町村長又は指定行政機関の長若しくは指定地方行政機関の長は、それぞれ公用令書を交付して行なわなければならない。

2　前項の公用令書には、次の各号に掲げる事項を記載しなければならない。

一　公用令書の交付を受ける者の氏名及び住所（法人にあつては、その名称及び主たる事務所の所在地）

二　当該処分の根拠となつた法律の規定

三　従事命令にあつては従事すべき業務、場所及び期間、保管命令にあつては保管すべき物資の種類、数量、保管場所及び期間、施設等の管理、使用又は収用にあつては管理、使用又は収用する施設等の所在する場所及び当該処分に係る期間又は期日

3　前二項に規定するもののほか、公用令書の様式その他公用令書について必要な事項は、政令で定める。

（損失補償等）

第八二条　国又は地方公共団体（港務局を含む。）は、第六十四条第一項（同条第八項において準用する場合を含む。）、同条第七項において同条第一項の場合について準用する第六十三条第二項、第七十一条、第七十六条の三第二項後段（同条第三項及び第四項において準用する場合を含む。）、第七十六条の六第三項後段若しくは第四項又は第七十八条第一項の規定による処分が行われたときは、それぞれ、当該処分により通常生ずべき損失を補償しなければならない。

2　機構又は地方道路公社は、第七十六条の六第五項又は第八項の規定により同条第三項後段又は第四項の規定による処分が行われたときは、前項の規定にかかわらず、それぞれ、当該処分により通常生ずべき損失を補償しなければならない。

3　都道府県は、第七十一条の規定による従事命令により応急措置の業務に従事した者に対して、政令で定める基準に従い、その実費を弁償しなければならない。

（立入りの要件）

第八三条　第七十一条の規定により都道府県若しくは市町村の職員が立ち入る場合又は第七十八条第二項若しくは第三項の規定により指定行政機関若しくは指定地方行政機関の職員が立ち入る場合においては、当該職員は、あらかじめ、その旨をその場所の管理者に通知しなければならない。

2　前項の場合においては、その職員は、その身分を示す証票を携帯し、かつ、関係人の請求があるときは、これを提示しなければならない。

（応急措置の業務に従事した者に対する損害補償）

第八四条　市町村長又は警察官、海上保安官若しくは災害派遣を命ぜられた部隊等の自衛官が、第六十五条第一項（同条第三項において準用する場合を含む。）の規定又は同条第二項において準用する第六十三条第二項の規定により、当該市町村の区域内の住民又は応急措置を実施すべき現場にある者を応急措置の業務に従事させた場合において、当該業務に従事した者がそのため死亡し、負傷し、若しくは疾病にかかり、又は障害の状態となつたときは、当該市町村は、政令で定める基準に従い、条例で定めるところにより、その者又はその者の遺族若しくは被扶養者がこれらの原因によつて受ける損害を補償しなければならない。

2　都道府県は、第七十一条の規定による従事命令により応急措置の業務に従事した者がそのため死亡し、負傷し、若しくは疾病にかかり、又は障害の状態となつたときは、政令で定める基準に従い、条例で定めるところにより、その者又はその者の遺族若しくは被扶養者がこれらの原因によつて受ける損害を補償しなければならない。

（被災者の公的徴収金の減免等）

第八五条　国は、別に法律で定めるところにより、被災者の国税その他国の徴収金について、軽減若しくは免除又は徴収猶予その他必要な措置をとることができる。

2　地方公共団体は、別に法律で定めるところにより、又は当該地方公共団体の条例で定めるところにより、被災者の地方税その他地方公共団体の徴収金について、軽減若しくは免除又は徴収猶予その他必要な措置をとることができる。

（国有財産等の貸付け等の特例）

第八六条　国は、災害が発生した場合における応急措置を実施するため必要があると認める場合において、国有財産又は国有の物品を貸し付け、又は使用させるときは、別に法律で定めるところにより、その貸付け又は使用の対価を無償とし、若しくは時価より低く定めることができる。

2　地方公共団体は、災害が発生した場合における応急措置を実施するため必要があると認める場合において、その所有に属する財産又は物品を貸し付け、又は使用させるときは、別に法律で定めるところにより、その貸付け又は使用の対価を無償とし、若しくは時価より低く定めることができる。

（避難所等に関する特例）

第八六条の二　著しく異常かつ激甚な非常災害であつて、当該災害に係る避難所又は応急仮設住宅（以下この条において「避難所等」という。）が著しく不足し、被災者に対して住居を迅速に提供することが特に必要と認められるものが発生した場合には、当該災害を政令で指定するものとする。

2　前項の規定による指定があつたときは、政令で定める区域及び期間において地方公共団体の長が設置する避難所等については、消防法（昭和二十三年法律第百八十六号）第十七条の規定は、適用しない。

3　地方公共団体の長は、前項の規定にかかわらず、消防法に準拠して、同項に規定する避難所等についての消防の用に供する設備、消防用水及び消火活動上必要な施設の設置及び維持に関する基準を定め、その他当該避難所等における災害を防止し、及び公共の安全を確保するため必要な措置を講じなければならない。

（臨時の医療施設に関する特例）

第八六条の三　著しく異常かつ激甚な非常災害であつて、当該災害に係る臨時の医療施設（被災者に対する医療の提供を行うための臨時の施設をいう。以下この条において同じ。）が著しく不足し、被災者に対して医療を迅速に提供することが特に必要と認められるものが発生した場合には、当該災害を政令で指定するものとする。

2　前項の規定による指定があつたときは、政令で定める区域及び期間において地方公共団体の長が開設する臨時の医療施設については、医療法（昭和二十三年法律第二百五号）第四章の規定は、適用しない。

3　前条第二項及び第三項の規定は、第一項の規定による指定があつた場合において、前項に規定する臨時の医療施設について準用する。

（埋葬及び火葬の特例）

第八六条の四　著しく異常かつ激甚な非常災害であつて、当該災害により埋葬又は火葬を円滑に行うことが困難となつたため、公衆衛生上の危害の発生を防止するため緊急の必要があると認められるものが発生した場合には、当該災害を政令で指定するものとする。

2　厚生労働大臣は、前項の規定による指定があつたときは、政令で定めるところにより、厚生労働大臣の定める期間に限り、墓地、埋葬等に関する法律（昭和二十三年法律第四十八号）第五条及び第十四条に規定する手続の特例を定めることができる。

（廃棄物処理の特例）

第八六条の五　著しく異常かつ激甚な非常災害であつて、当該災害による生活環境の悪化を防止することが特に必要と認められるものが発生した場合には、当該災害を政令で指定するものとする。

2　環境大臣は、前項の規定による指定があつたときは、その指定を受けた災害により生じた廃棄物（廃棄物の処理及び清掃に関する法律（昭和四十五年法律第百三十七号。以下この条において「廃棄物処理法」という。）第二条第一項に規定する廃棄物をいう。以下この条において同じ。）（以下この条において「指定災害廃棄物」という。）の円滑かつ迅速な処理を図るため、廃棄物処理法第五条の二第一項に規定する基本方針にのつとり、指定災害廃棄物の処理に関する基本的な指針（以下この条において「処理指針」という。）を定め、これを公表するものとする。

3　処理指針には、次に掲げる事項を定めるものとする。

一　指定災害廃棄物の処理の基本的な方向

二　指定災害廃棄物の処理についての国、地方公共団体、事業者その他の関係者の適切な役割分担及び相互の連携協力の確保に関する事項

三　前二号に掲げるもののほか、指定災害廃棄物の円滑かつ迅速な処理の確保に関し必要な事項

4　環境大臣は、第一項の規定による指定があつたときは、期間を限り、廃棄物の処理を迅速に行わなければならない地域を廃棄物処理特例地域として指定することができる。

5　環境大臣は、前項の規定により廃棄物処理特例地域を指定したときは、廃棄物処理特例地域において適用する廃棄物の収集、運搬及び処分（再生を含む。以下この条において同じ。）に関する基準並びに廃棄物の収集、運搬又は処分を市町村以外の者に委託する場合の基準を定めるものとする。この場合において、これらの基準（以下この条において「廃棄物処理特例基準」という。）は、廃棄物処理法第六条の二第二項及び第三項、第

十二条第一項並びに第十二条の二第一項に規定する基準とみなす。

6　廃棄物処理特例地域において地方公共団体の委託を受けて廃棄物の収集、運搬又は処分を業として行う者は、廃棄物処理法第七条第一項若しくは第六項、第十四条第一項若しくは第六項又は第十四条の四第一項若しくは第六項の規定にかかわらず、これらの規定による許可を受けないで、当該委託に係る廃棄物の収集、運搬又は処分を業として行うことができる。

7　前項の場合において、地方公共団体の長は、同項の規定により廃棄物の収集、運搬又は処分を業として行う者により廃棄物処理特例基準に適合しない廃棄物の収集、運搬又は処分が行われたときは、その者に対し、期限を定めて、当該廃棄物の収集、運搬又は処分の方法の変更その他必要な措置を講ずべきことを指示することができる。

8　環境大臣は、第四項の規定により廃棄物処理特例地域を指定し、又は第五項の規定により廃棄物処理特例基準を定めたときは、その旨を公示しなければならない。

9　環境大臣は、廃棄物処理特例地域内の市町村の長から要請があり、かつ、次に掲げる事項を勘案して指定災害廃棄物を円滑かつ迅速に処理するため必要があると認めるときは、その事務の遂行に支障のない範囲内で、処理指針に基づき、当該市町村に代わつて自ら当該市町村の指定災害廃棄物の収集、運搬及び処分を行うことができる。

一　当該市町村における指定災害廃棄物の処理の実施体制

二　当該指定災害廃棄物の処理に関する専門的な知識及び技術の必要性

三　当該指定災害廃棄物の広域的な処理の重要性

10　第六項及び第七項の規定は、前項の規定により指定災害廃棄物の収集、運搬又は処分を行う環境大臣が当該収集、運搬又は処分を他の者に委託する場合について準用する。この場合において、第六項中「若しくは第六項、第十四条第一項若しくは第六項又は第十四条の四第一項若しくは」とあるのは、「又は」と読み替えるものとする。

11　第九項の規定により指定災害廃棄物の収集、運搬又は処分を行つた環境大臣については、廃棄物処理法第十九条の四第一項の規定は、適用しない。

12　第九項の規定により環境大臣が行う指定災害廃棄物の収集、運搬及び処分に要する費用は、国の負担とする。この場合において、同項の市町村は、当該費用の額から、自ら当該指定災害廃棄物の収集、運搬及び処分を行うこととした場合に国が当該市町村に交付すべき補助金の額に相当する額を控除した額を負担する。

13　国は、前項後段の規定により市町村が負担する費用について、必要な財政上の措置を講ずるよう努めるものとする。

第五節　被災者の保護

第一款　生活環境の整備

（避難所における生活環境の整備等）

第八六条の六　災害応急対策責任者は、災害が発生したときは、法令又は防災計画の定めるところにより、遅滞なく、避難所を供与するとともに、当該避難所に係る必要な安全性及び良好な居住性の確保、当該避難所における食糧、衣料、医薬品その他の生活関連物資の配布及び保健医療サービスの提供その他避難所に滞在する被災者の生活環境の整備に必要な措置を講ずるよう努めなければならない。

（避難所以外の場所に滞在する被災者についての配慮）

第八六条の七　災害応急対策責任者は、やむを得ない理由により避難所に滞在することができない被災者に対しても、必要な生活関連物資の配布、保健医療サービスの提供、情報の提供その他これらの者の生活環境の整備に必要な措置を講ずるよう努めなければならない。

第二款　広域一時滞在

（広域一時滞在の協議等）

第八六条の八　市町村長は、当該市町村の地域に係る災害が発生し、被災住民の生命若しくは身体を災害から保護し、又は居住の場所を確保することが困難な場合において、当該被災住民について同一都道府県内の他の市町村の区域における一時的な滞在（以下「広域一時滞在」という。）の必要があると認めるときは、当該被災住民の受入れについて、当該他の市町村の市町村長に協議することができる。

2　市町村長は、前項の規定により協議しようとするときは、あらかじめ、その旨を都道府県知事に報告しなければならない。ただし、あらかじめ報告することが困難なときは、協議の開始の後、遅滞なく、報告することをもつて足りる。

3　第一項の場合において、協議を受けた市町村長（以下この条において「協議先市町村長」という。）は、被災住民を受け入れないことについて正当な理由がある場合を除き、被災住民を受け入れるものとする。この場合において、協議先市町村長は、広域一時滞在の用に供するため、受け入れた被災住民に対し避難所を提供しなければならない。

4　第一項の場合において、協議先市町村長は、当該市町村の区域において被災住民を受け入れるべき避難所を決定し、直ちに、その内容を当該避難所を管理する者その他の内閣府令で定める者に通知しなければならない。

5　協議先市町村長は、前項の規定による決定をしたときは、速やかに、その内容を第一項の規定により協議した市町村長（以下この条において「協議元市町村長」という。）に通知しなければならない。

6　協議元市町村長は、前項の規定による通知を受けたときは、速やかに、その内容を公示し、及び内閣府令で定める者に通知するとともに、都道府県知事に報告しなければならない。

7　第一項の場合において、協議元市町村長は、広域一時滞在の必要がなくなつたと認めるときは、速やかに、その旨を協議先市町村長及び前項の内閣府令で定める者に通知し、並びに公示するとともに、都道府県知事に報告しなければならない。

8　協議先市町村長は、前項の規定による通知を受けたときは、速やかに、その旨を第四項の内閣府令で定める者に通知しなければならない。

（都道府県外広域一時滞在の協議等）

第八六条の九　市町村長は、前条第一項に規定する場合において、都道府県知事と協議を行い、被災住民について他の都道府県の区域における一時的な滞在（以下「都道府県外広域一時滞在」という。）の必要があると認めるときは、都道府県知事に対し、当該他の都道府県の知事と当該被災住民の受入れについて協議することを求めることができる。

2　前項の規定による要求があつたときは、都道府県知事は、被災住民の受入れについて、当該他の都道府県の知事に協議しなければならない。

3　都道府県知事は、前項の規定により協議しようとするときは、あらかじめ、その旨を内閣総理大臣に報告しなければならない。ただし、あらかじめ報告することが困難なときは、協議の開始の後、遅滞なく、報告することをもつて足りる。

4　第二項の場合において、協議を受けた都道府県知事（以下この条において「協議先都道府県知事」という。）は、被災住民の受入れについて、関係市町村長と協議しなければならない。

5　前項の場合において、協議を受けた市町村長（以下この条において「都道府県外協議先市町村長」という。）は、被災住民を受け入れないことについて正当な理由がある場合を除き、被災住民を受け入れるものとする。この場合において、都道府県外協議先市町村長は、都道府県外広域一時滞在の用に供するため、受け入れた被災住民に対し避難所を提供しなければならない。

6　第四項の場合において、都道府県外協議先市町村長は、当該市町村の区域において被災住民を受け入れるべき避難所を決定し、直ちに、その内容を当該避難所を管理する者その他の内閣府令で定める者に通知しなければならない。

7　都道府県外協議先市町村長は、前項の規定による決定をしたときは、速やかに、その内容を協議先都道府県知事に報告しなければならない。

8　協議先都道府県知事は、前項の規定による報告を受けたときは、速やかに、その内容を第二項の規定により協議した都道府県知事（以下この条において「協議元都道府県知事」という。）に通知しなければならない。

9　協議元都道府県知事は、前項の規定による通知を受けたときは、速やかに、その内容を第一項の規定により協議することを求めた市町村長（以下この条において「都道府県外協議元市町村長」という。）に通知するとともに、内閣総理大臣に報告しなければならない。

10　都道府県外協議元市町村長は、前項の規定による通知を受けたときは、速やかに、その内容を公示するとともに、内閣府令で定める者に通知しなければならない。

11　第一項の場合において、都道府県外協議元市町村長は、都道府県外広域一時滞在の必要がなくなつたと認めるときは、速やかに、その旨を協議元都道府県知事に報告し、及び公示するとともに、前項の内閣府令で定める者に通知しなければならない。

12　協議元都道府県知事は、前項の規定による報告を受けたときは、速やかに、その旨を協議先都道府県知事に通知するとともに、内閣総理大臣に報告しなければならない。

13　協議先都道府県知事は、前項の規定による通知を受けたときは、速やかに、その旨を都道府県外協議先市町村長に通知しなければならない。

14　都道府県外協議先市町村長は、前項の規定による通知を受けたときは、速やかに、その旨を第六項の内閣府令で定める者に通知しなければならない。

（都道府県知事による広域一時滞在の協議等の代行）

第八六条の一〇　都道府県知事は、当該都道府県の地域に係る災害が発生し、当該災害の発生により市町村がその全部又は大部分の事務を行うことができなくなつた場合であつて、被災住民の生命若しくは身体を災害から保護し、又は居住の場所を確保することが困難な場合において、当該被災住民について広域一時滞在の必要があると認めるときは、当該市町村の市町村長が第八十六条の八第一項及び第五項から第七項までの規定により実施すべき措置（同条第六項及び第七項の規定による報告を除く。）の全部又は一部を当該市町村長に代わつて実施しなければならない。

2　都道府県知事は、前項の規定により市町村長の事務の代行を開始し、又は終了したときは、その旨を公示しなければならない。

3　第一項の規定による都道府県知事の代行に関し必要な事項は、政令で定める。

（都道府県外広域一時滞在の協議等の特例）

第八六条の一一　都道府県知事は、当該都道府県の地域に係る災害が発生し、当該災害の発生により市町村がその全部又は大部分の事務を行うことができなくなつた場合であつて、被災住民の生命若しくは身体を災害から保護し、又は居住の場所を確保することが困難な場合において、当該被災住民について都道府県外広域一時滞在の必要があると認めるときは、第八十六条の九第一項の規定による要求がない場合であつても、同条第二項の規定による協議をすることができる。この場合において、同条第九項中「第一項の規定により協議することを求めた市町村長（以下この条において「都道府県外協議元市町村長」という。）」とあるのは「公示し、及び内閣府令で定める者」と、同条第十一項中「第一項」とあるのは「第八十六条の十一前段」と、「都道府県外協議元市町村長」とあるのは「協議元都道府県知事」と、「協議元都道府県知事に報告し、及び」とあるのは「協議先都道府県知事及び同条後段の規定により読み替えて適用する第九項の内閣府令で定める者に通知し、並びに」と、「前項の内閣府令で定める者に通知しなければ」とあるのは「内閣総理大臣に報告しなければ」と、同条第十三項中「前項」とあるのは「第八十六条の十一後段の規定により読み替えて適用する第十一項」とし、同条第十項及び第十二項の規定は、適用しない。

（都道府県知事及び内閣総理大臣による助言）

第八六条の一二　都道府県知事は、市町村長から求められたときは、第八十六条の八第一項の規定による協議の相手方その他広域一時滞在に関する事項について助言をしなければならない。

2　内閣総理大臣は、都道府県知事から求められたときは、第八十六条の九第二項の規定による協議の相手方その他都道府県外広域一時滞在に関する事項又は広域一時滞在に関する事項について助言をしなければならない。

（内閣総理大臣による広域一時滞在の協議等の代行）

第八六条の一三　内閣総理大臣は、災害の発生により市町村及び当該市町村を包括する都道府県がその全部又は大部分の事務を行うことができなくなつた場合であつて、被災住民の生命若しくは身体を災害から保護し、又は居住の場所を確保することが困難な場合において、当該被災住民について広域一時滞在又は都道府県外広域一時滞在の必要があると認めるときは、当該市町村の市町村長が第八十六条の八第一項及び第五項から第七項までの規定により実施すべき措置の全部若しくは一部を当該市町村長に代わつて実施し、又は当該都道府県の知事が第八十六条の十一前段並びに第八十六条の九第八項並びに第八十六条の十一後段の規定により読み替えて適用する第八十六条の九第九項及び第十一項の規定により実施すべき措置（第八十六条の十一後段の規定により読み替えて適用する第八十六条の九第九項及び第十一項の規定による報告を除く。）の全部若しくは一部を当該都道府県知事に代わつて実施しなければならない。

2　内閣総理大臣は、前項の規定により市町村長又は都道府県知事の事務の代行を開始し、又は終了したときは、その旨を告示しなければならない。

3　第一項の規定による内閣総理大臣の代行に関し必要な事項は、政令で定める。

第三款　被災者の運送

第八六条の一四　都道府県知事は、被災者の保護の実施のため緊急の必要があると認めるときは、運送事業者である指定公共機関又は指定地方公共機関に対し、運送すべき人並びに運送すべき場所及び期日を示して、被災者の運送を要請することができる。

2　指定公共機関又は指定地方公共機関が正当な理由がないのに前項の規定による要請に応じないときは、都道府県知事は、被災者の保護の実施のため特に必要があると認めるときに限り、当該指定公共機関又は指定地方公共機関に対し、被災者の運送を行うべきことを指示することができる。この場合においては、同項の事項を書面で示さなければならない。

第四款　安否情報の提供等

第八六条の一五　都道府県知事又は市町村長は、当該都道府県又は市町村の地域に係る災害が発生した場合において、内閣府令で定めるところにより、当該災害の被災者の安否に関する情報（次項において「安否情報」という。）について照会があつたときは、回答することができる。

2　都道府県知事又は市町村長は、前項の規定により安否情報を回答するときは、当該安否情報に係る被災者又は第三者の権利利益を不当に侵害することのないよう配慮するものとする。

3　都道府県知事又は市町村長は、第一項の規定による回答を適切に行い、又は当該回答の適切な実施に備えるために必要な限度で、その保有する被災者の氏名その他の被災者に関する情報を、その保有に当たつて特定された利用の目的以外の目的のために内部で利用することができる。

4　都道府県知事又は市町村長は、第一項の規定による回答を適切に行い、又は当該回答の適切な実施に備えるため必要があると認めるときは、関係地方公共団体の長、消防機関、都道府県警察その他の者に対して、被災者に関する情報の提供を求めることができる。

第六節　物資等の供給及び運送

（物資又は資材の供給の要請等）

第八六条の一六　都道府県知事又は市町村長は、当該都道府県又は市町村の地域に係る災害が発生し、又は災害が発生するおそれがある場合において、当該災害応急対策の実施に当たつて、その備蓄する物資又は資材が不足し、当該災害応急対策を的確かつ迅速に実施することが困難であると認めるときは、都道府県知事にあつては指定行政機関の長又は指定地方行政機関の長に対し、市町村長にあつては都道府県知事に対し、それぞれ必要な物資又は資材の供給について必要な措置を講ずるよう要請し、又は求めることができる。

2　指定行政機関の長若しくは指定地方行政機関の長又は都道府県知事は、都道府県又は市町村の地域に係る災害が発生し、又は災害が発生するおそれがある場合であつて、当該都道府県の知事又は当該市町村の市町村長が災害応急対策を実施するに当たつて、その備蓄する物資又は資材が不足し、当該災害応急対策を的確かつ迅速に実施することが困難であると認める場合において、その事態に照らし緊急を要し、前項の規定による要請又は要求を待ついとまがないと認められるときは、当該要請又は要求を待たないで、必要な物資又は資材の供給について必要な措置を講ずることができる。

（備蓄物資等の供給に関する相互協力）

第八六条の一七　指定行政機関の長及び指定地方行政機関の長、地方公共団体の長その他の執行機関、指定公共機関及び指定地方公共機関、公共的団体並びに防災上重要な施設の管理者は、災害が発生し、又は災害が発生するおそれがある場合において、その備蓄する物資又は資材の供給に関し、相互に協力するよう努めなければならない。

（災害応急対策必要物資の運送）

第八六条の一八　指定行政機関の長若しくは指定地方行政機関の長又は都道府県知事は、災害応急対策の実施のため緊急の必要があると認めるときは、指定行政機関の長及び指定地方行政機関の長にあつては運送事業者である指定公共機関に対し、都道府県知事にあつては運送事業者である指定公共機関又は指定地方公共機関に対し、運送すべき物資又は資材並びに運送すべき場所及び期日を示して、当該災害応急対策の実施に必要な物資又は資材（次項において「災害応急対策必要物資」という。）の運送を要請することができる。

２　指定公共機関又は指定地方公共機関が正当な理由がないのに前項の規定による要請に応じないときは、指定行政機関の長若しくは指定地方行政機関の長又は都道府県知事は、災害応急対策の実施のため特に必要があると認めるときに限り、当該指定公共機関又は指定地方公共機関に対し、災害応急対策必要物資の運送を行うべきことを指示することができる。この場合においては、同項の事項を書面で示さなければならない。

第六章　災害復旧

（災害復旧の実施責任）

第八十七条　指定行政機関の長及び指定地方行政機関の長、地方公共団体の長その他の執行機関、指定公共機関及び指定地方公共機関その他法令の規定により災害復旧の実施について責任を有する者は、法令又は防災計画の定めるところにより、災害復旧を実施しなければならない。

（災害復旧事業費の決定）

第八十八条　国がその費用の全部又は一部を負担し、又は補助する災害復旧事業について当該事業に関する主務大臣が行う災害復旧事業費の決定は、都道府県知事の報告その他地方公共団体が提出する資料及び実地調査の結果等に基づき、適正かつ速やかにしなければならない。

２　前項の規定による災害復旧事業費を決定するに当たつては、当該事業に関する主務大臣は、再度災害の防止のため災害復旧事業と併せて施行することを必要とする施設の新設又は改良に関する事業が円滑に実施されるように十分の配慮をしなければならない。

（防災会議への報告）

第八十九条　災害復旧事業に関する主務大臣は、災害復旧事業費の決定を行つたとき、又は災害復旧事業の実施に関する基準を定めたときは、政令で定めるところにより、それらの概要を中央防災会議に報告しなければならない。

（国の負担金又は補助金の早期交付等）

第九十条　国は、地方公共団体又はその機関が実施する災害復旧事業の円滑な施行を図るため必要があると認めるときは、地方交付税の早期交付を行なうほか、政令で定めるところにより、当該災害復旧事業に係る国の負担金若しくは補助金を早期に交付し、又は所要の資金を融通し、若しくは融通のあつせんをするものとする。

第七章　被災者の援護を図るための措置

（罹災証明書の交付）

第九十条の二　市町村長は、当該市町村の地域に係る災害が発生した場合において、当該災害の被災者から申請があつたときは、遅滞なく、住家の被害その他当該市町村長が定める種類の被害の状況を調査し、当該災害による被害の程度を証明する書面（第四項において「罹災証明書」という。）を交付しなければならない。

２　市町村長は、前項の規定による調査に必要な限度で、その保有する被災者の住家に関する情報を、その保有に当たつて特定された利用の目的以外の目的のために内部で利用することができる。

３　特別区の区長は、第一項の規定による調査のため必要があると認めるときは、都知事に対して、被災者の住家に関する情報の提供を求めることができる。

４　市町村長は、災害の発生に備え、罹災証明書の交付に必要な業務の実施体制の確保を図るため、第一項の規定による調査について専門的な知識及び経験を有する職員の育成、当該市町村と他の地方公共団体又は民間の団体との連携の確保その他必要な措置を講ずるよう努めなければならない。

（被災者台帳の作成）

第九十条の三　市町村長は、当該市町村の地域に係る災害が発生した場合において、当該災害の被災者の援護を総合的かつ効率的に実施するため必要があると認めるときは、被災者の援護を実施するための基礎とする台帳（以下この条及び次条第一項において「被災者台帳」という。）を作成することができる。

２　被災者台帳には、被災者に関する次に掲げる事項を記載し、又は記録するものとする。

一　氏名
二　生年月日
三　性別
四　住所又は居所
五　住家の被害その他市町村長が定める種類の被害の状況
六　援護の実施の状況
七　要配慮者であるときは、その旨及び要配慮者に該当する事由
八　前各号に掲げるもののほか、内閣府令で定める事項

３　市町村長は、第一項の規定による被災者台帳の作成に必要な限度で、その保有する被災者の氏名その他の被災者に関する情報を、その保有に当たつて特定された利用の目的以外の目的のために内部で利用することができる。

４　市町村長は、第一項の規定による被災者台帳の作成のため必要があると認めるときは、関係地方公共団体の長その他の者に対して、被災者に関する情報の提供を求めることができる。

（台帳情報の利用及び提供）

第九十条の四　市町村長は、次の各号のいずれかに該当すると認めるときは、前条第一項の規定により作成した被災者台帳に記載し、又は記録された情報（以下この条において「台帳情報」という。）を、その保有に当たつて特定された利用の目的以外の目的のために自ら利用し、又は提供することができる。

一　本人（台帳情報によつて識別される特定の個人をいう。以下この号において同じ。）の同意があるとき、又は本人に提供するとき。
二　市町村が被災者に対する援護の実施に必要な限度で台帳情報を内部で利用するとき。
三　他の地方公共団体に台帳情報を提供する場合において、台帳情報の提供を受ける者が、被災者に対する援護の実施に必要な限度で提供に係る台帳情報を利用するとき。

２　前項（第一号又は第三号に係る部分に限る。）の規定による台帳情報の提供に関し必要な事項は、内閣府令で定める。

第八章　財政金融措置

（災害予防等に要する費用の負担）

第九十一条　法令に特別の定めがある場合又は予算の範囲内において特別の措置を講じている場合を除くほか、災害予防及び災害応急対策に要する費用その他この法律の施行に要する費用は、その実施の責めに任ずる者が負担するものとする。

（指定行政機関の長等又は他の地方公共団体の長等の応援を受けた場合の災害応急対策に要する費用の負担）

第九十二条　第六十七条第一項、第六十八条、第七十四条第一項又は第七十四条の四の規定により指定行政機関の長若しくは指定地方行政機関の長又は他の地方公共団体の長若しくは委員会若しくは委員（以下この条において「地方公共団体の長等」という。）の応援を受けた地方公共団体の長等の属する地方公共団体は、当該応援に要した費用を負担しなければならない。

２　前項の場合において、当該応援を受けた地方公共団体の長等の属する地方公共団体が当該費用を支弁するいとまがないときは、当該地方公共団体は、国又は当該応援をする他の地方公共団体の長等の属する地方公共団体に対し、当該費用の一時繰替え支弁を求めることができる。

（市町村が実施する応急措置に要する経費の都道府県の負担）

第九十三条　第七十二条第一項の規定による都道府県知事の指示に基づいて市町村長が実施した応急措置のために要した費用及び応援のために要した費用のうち、当該指示又は応援を受けた市町村長の統轄する市町村に負担させることが困難又は不適当なもので政令で定めるものについては、次条の規定により国がその一部を負担する費用を除き、政令で定めるところにより、当該都道府県知事の統轄する都道府県がその全部又は一部を負担する。

２　前項の場合においては、都道府県は、当該市町村に対し、前項の費用を一時繰替え支弁させることができる。

（災害応急対策に要する費用に対する国の負担又は補助）

第九十四条　災害応急対策に要する費用は、別に法令で定めるところにより、又は予算の範囲内において、国がその全部又は一部を負担し、又は補助することができる。

第九十五条　前条に定めるもののほか、第二十三条の七第二項の規定による特

定災害対策本部長の指示、第二十八条第二項の規定による非常災害対策本部長の指示又は第二十八条の六第二項の規定による緊急災害対策本部長の指示に基づいて、地方公共団体の長が実施した応急措置のために要した費用のうち、当該地方公共団体に負担させることが困難又は不適当なもので政令で定めるものについては、政令で定めるところにより、国は、その全部又は一部を補助することができる。

（災害復旧事業費等に対する国の負担及び補助）

第九六条 災害復旧事業その他災害に関連して行なわれる事業に要する費用は、別に法令で定めるところにより、又は予算の範囲内において、国がその全部又は一部を負担し、又は補助することができる。

（激甚災害の応急措置及び災害復旧に関する経費の負担区分等）

第九七条 政府は、著しく激甚である災害（以下「激甚災害」という。）が発生したときは、別に法律で定めるところにより、応急措置及び災害復旧が迅速かつ適切に行なわれるよう措置するとともに、激甚災害を受けた地方公共団体等の経費の負担の適正を図るため、又は被災者の災害復興の意欲を振作するため、必要な施策を講ずるものとする。

第九八条 前条に規定する法律は、できる限り激甚災害の発生のつどこれを制定することを避け、また、災害に伴う国の負担に係る制度の合理化を図り、激甚災害に対する前条の施策が円滑に講ぜられるようなものでなければならない。

第九九条 第九十七条に規定する法律は、次の各号に掲げる事項について規定するものとする。

一 激甚災害のための施策として、特別の財政援助及び助成措置を必要とする場合の基準

二 激甚災害の復旧事業その他当該災害に関連して行なわれる事業が適切に実施されるための地方公共団体に対する国の特別の財政援助

三 激甚災害の発生に伴う被災者に対する特別の助成

（災害に対処するための国の財政上の措置）

第一〇〇条 政府は、災害が発生した場合において、国の円滑な財政運営をそこなうことなく災害に対処するため、必要な財政上の措置を講ずるように努めなければならない。

2 政府は、前項の目的を達成するため、予備費又は国庫債務負担行為（財政法（昭和二十二年法律第三十四号）第十五条第二項に規定する国庫債務負担行為をいう。）の計上等の措置について、十分な配慮をするものとする。

（地方公共団体の災害対策基金）

第一〇一条 地方公共団体は、別に法令で定めるところにより、災害対策に要する臨時的経費に充てるため、災害対策基金を積み立てなければならない。

（起債の特例）

第一〇二条 次の各号に掲げる場合においては、政令で定める地方公共団体は、政令で定める災害の発生した日の属する年度及びその翌年度以降の年度で政令で定める年度に限り、地方財政法（昭和二十三年法律第百九号）第五条の規定にかかわらず、地方債をもつてその財源とすることができる。

一 地方税、使用料、手数料その他の徴収金で総務省令で定めるものの当該災害のための減免で、その程度及び範囲が被害の状況に照らし相当と認められるものによつて生ずる財政収入の不足を補う場合

二 災害予防、災害応急対策又は災害復旧で総務省令で定めるものに通常要する費用で、当該地方公共団体の負担に属するものの財源とする場合

2 前項の地方債は、国が、その資金事情の許す限り、財政融資資金をもつて引き受けるものとする。

3 第一項の規定による地方債を財政融資資金で引き受けた場合における当該地方債の利息の定率、償還の方法その他地方債に関し必要な事項は、政令で定める。

（国の補助を伴わない災害復旧事業に対する措置）

第一〇三条 国及び地方公共団体は、激甚災害の復旧事業費のうち、国の補助を伴わないものについての当該地方公共団体等の負担が著しく過重であると認めるときは、別に法律で定めるところにより、当該復旧事業費の財源に充てるため特別の措置を講ずることができる。

（災害融資）

第一〇四条 政府関係金融機関その他これに準ずる政令で定める金融機関は、政令で定める災害が発生したときは、災害に関する特別な金融を行ない、償還期限又はすえ置き期間の延長、旧債の借換え、必要がある場合における利率の低減等実情に応じ適切な措置をとるように努めるものとする。

第九章 災害緊急事態

（災害緊急事態の布告）

第一〇五条 非常災害が発生し、かつ、当該災害が国の経済及び公共の福祉に重大な影響を及ぼすべき異常かつ激甚なものである場合において、当該災害に係る災害応急対策を推進し、国の経済の秩序を維持し、その他当該災害に係る重要な課題に対応するため特別の必要があると認めるときは、内閣総理大臣は、閣議にかけて、関係地域の全部又は一部について災害緊急事態の布告を発することができる。

2 前項の布告には、その区域、布告を必要とする事態の概要及び布告の効力を発する日時を明示しなければならない。

（国会の承認及び布告の廃止）

第一〇六条 内閣総理大臣は、前条の規定により災害緊急事態の布告を発したときは、これを発した日から二十日以内に国会に付議して、その布告を発したことについて承認を求めなければならない。ただし、国会が閉会中の場合又は衆議院が解散されている場合は、その後最初に召集される国会において、すみやかに、その承認を求めなければならない。

2 内閣総理大臣は、前項の場合において不承認の議決があつたとき、国会が災害緊急事態の布告の廃止を議決したとき、又は当該布告の必要がなくなつたときは、すみやかに、当該布告を廃止しなければならない。

（災害緊急事態における緊急災害対策本部の設置）

第一〇七条 内閣総理大臣は、第百五条の規定による災害緊急事態の布告があつたときは、当該災害に係る緊急災害対策本部が既に設置されている場合を除き、第二十八条の二の規定により、緊急災害対策本部を設置するものとする。

（対処基本方針）

第一〇八条 政府は、第百五条の規定による災害緊急事態の布告があつたときは、災害緊急事態への対処に関する基本的な方針（以下この条において「対処基本方針」という。）を定めるものとする。

2 対処基本方針に定める事項は、次のとおりとする。

一 災害緊急事態への対処に関する全般的な方針

二 災害応急対策に関する重要事項

三 国の経済の秩序の維持に関する重要事項

四 前二号に掲げる事項のほか、当該災害に係る重要な課題への対応に関する重要事項

五 前三号に掲げる事項に係る事務を的確に遂行するための政府の体制に関する重要事項

3 内閣総理大臣は、対処基本方針の案を作成し、閣議の決定を求めなければならない。

4 内閣総理大臣は、前項の閣議の決定があつたときは、直ちに、対処基本方針を告示しなければならない。

5 内閣総理大臣は、災害緊急事態への対処に当たり、対処基本方針に基づいて、内閣を代表して行政各部を指揮監督する。

6 第三項及び第四項の規定は、対処基本方針の変更について準用する。

7 対処基本方針は、第百六条第二項の規定により災害緊急事態の布告が廃止された時に、その効力を失う。

8 内閣総理大臣は、前項の規定により対処基本方針がその効力を失つたときは、直ちに、その旨を告示しなければならない。

（情報の公表）

第一〇八条の二 内閣総理大臣は、第百五条の規定による災害緊急事態の布告に係る災害について、当該災害の状況、これに対してとられた措置の概要その他の当該災害に関する情報を新聞、放送、インターネットその他適切な方法により公表しなければならない。

（国民への協力の要求）

第一〇八条の三 内閣総理大臣は、第百五条の規定による災害緊急事態の布告があつたときは、国民に対し、必要な範囲において、国民生活との関連性が高い物資又は国民経済上重要な物資をみだりに購入しないことその他の必要な協力を求めることができる。

2 国民は、前項の規定により協力を求められたときは、これに応ずるよう

努めなければならない。

（災害緊急事態の布告に伴う特例）

第一〇八条の四　第百五条の規定による災害緊急事態の布告があつたときは、第八十六条の二第一項、第八十六条の三第一項、第八十六条の四第一項及び第八十六条の五第一項の規定により当該災害を指定する政令が定められたものとみなして、第八十六条の二第二項及び第三項、第八十六条の三第二項及び第三項、第八十六条の四第二項並びに第八十六条の五第二項から第十三項までの規定を適用する。この場合において、第八十六条の二第二項及び第八十六条の三第二項中「政令で定める区域及び期間」とあるのは、「当該災害に係る緊急災害対策本部の所管区域及び当該災害に係る災害緊急事態の布告が発せられた時から当該緊急災害対策本部が定める日までの間」とする。

２　第百五条の規定による災害緊急事態の布告が発せられる前に第八十六条の二第一項、第八十六条の三第一項、第八十六条の四第一項又は第八十六条の五第一項のいずれかの規定により当該災害を指定する政令が定められたときは、前項（当該政令に係る部分に限る。）の規定は、適用しない。

第一〇八条の五　第百五条の規定による災害緊急事態の布告があつたときは、特定非常災害の被害者の権利利益の保全等を図るための特別措置に関する法律（平成八年法律第八十五号。以下この条において「特定非常災害法」という。）第二条の規定により、当該災害を特定非常災害として指定し、当該災害が発生した日を特定非常災害発生日として定め、及び当該特定非常災害に対し適用すべき措置として特定非常災害法第三条から第六条までに規定する措置を指定する政令が定められたものとみなして、特定非常災害法第三条から第六条まで（特定非常災害法第四条第一項を除く。）の規定を適用する。この場合において、次の表の上欄に掲げる特定非常災害法の規定中同表の中欄に掲げる字句は、それぞれ同表の下欄に掲げる字句とする。

第三条第一項	超えない範囲内において政令で定める	経過する
第三条第四項	延長期日が定められた	災害対策基本法（昭和三十六年法律第二百二十三号）第百五条の規定による災害緊急事態の布告があった
第四条第二項	免責期限が定められた	災害対策基本法第百五条の規定による災害緊急事態の布告があった
	免責期限が到来する	特定非常災害発生日から起算して四月を経過する
	到来する特定義務	到来する特定義務（特定非常災害発生日以後に法令に規定されている履行期限が到来する義務をいう。以下同じ。）
	責任	その不履行に係る行政上及び刑事上の責任（過料に係るものを含む。）
第四条第三項	免責期限が定められた	災害対策基本法第百五条の規定による災害緊急事態の布告があった
	前二項	前項
	免責期限が到来する	特定非常災害発生日から起算して四月を経過する
	前項	同項
第四条第四項	前三項	前二項
第五条第一項	第二条第一項又は第二項の政令でこの条に定める措置を指定するものの施行の	災害対策基本法第百五条の規定による災害緊急事態の布告があった
	超えない範囲内において政令で定める	経過する
第五条第五項	同項に規定する政令で定める	同日後二年を経過する
第六条	政令で定めるもの	法務大臣が告示するもの
	超えない範囲内において政令で定める	経過する
	当該政令で定める	特定非常災害発生日から起算して一年を経過する

２　第百五条の規定による災害緊急事態の布告が発せられる前に特定非常災害法第二条第一項の規定により当該災害を特定非常災害として指定する政令が定められたときは、前項の規定は、適用しない。

（緊急措置）

第一〇九条　災害緊急事態に際し国の経済の秩序を維持し、及び公共の福祉を確保するため緊急の必要がある場合において、国会が閉会中又は衆議院が解散中であり、かつ、臨時会の召集を決定し、又は参議院の緊急集会を求めてその措置をまついとまがないときは、内閣は、次の各号に掲げる事項について必要な措置をとるため、政令を制定することができる。

一　その供給が特に不足している生活必需物資の配給又は譲渡若しくは引渡しの制限若しくは禁止

二　災害応急対策若しくは災害復旧又は国民生活の安定のため必要な物の価格又は役務その他の給付の対価の最高額の決定

三　金銭債務の支払（賃金、災害補償の給付金その他の労働関係に基づく金銭債務の支払及びその支払のためにする銀行その他の金融機関の預金等の支払を除く。）の延期及び権利の保存期間の延長

２　前項の規定により制定される政令には、その政令の規定に違反した者に対して二年以下の懲役若しくは禁錮、十万円以下の罰金、拘留、科料若しくは没収の刑を科し、又はこれを併科する旨の規定、法人の代表者又は法人若しくは人の代理人、使用人その他の従業者がその法人又は人の業務に関してその政令の違反行為をした場合に、その行為者を罰するほか、その法人又は人に対して各本条の罰金、科料又は没収の刑を科する旨の規定及び没収すべき物件の全部又は一部を没収することができない場合にその価額を追徴する旨の規定を設けることができる。

３　内閣は、第一項の規定により政令を制定した場合において、その必要がなくなつたときは、直ちに、これを廃止しなければならない。

４　内閣は、第一項の規定により政令を制定したときは、直ちに、国会の臨時会の召集を決定し、又は参議院の緊急集会を求め、かつ、そのとつた措置をなお継続すべき場合には、その政令に代わる法律が制定される措置をとり、その他の場合には、その政令を制定したことについて承認を求めなければならない。

５　第一項の規定により制定された政令は、既に廃止され、又はその有効期間が終了したものを除き、前項の国会の臨時会又は参議院の緊急集会においてその政令に代わる法律が制定されたときは、その法律の施行と同時に、その臨時会又は緊急集会においてその法律が制定されないこととなつたときは、制定されないこととなつた時に、その効力を失う。

６　前項の場合を除くほか、第一項の規定により制定された政令は、既に廃止され、又はその有効期間が終了したものを除き、第四項の国会の臨時会が開かれた日から起算して二十日を経過した時若しくはその臨時会の会期が終了した時のいずれか早い時に、又は同項の参議院の緊急集会が開かれた日から起算して十日を経過した時若しくはその緊急集会が終了した時のいずれか早い時にその効力を失う。

７　内閣は、前二項の規定により政令がその効力を失つたときは、直ちに、その旨を告示しなければならない。

８　第一項の規定により制定された政令に罰則が設けられたときは、その政

令が効力を有する間に行なわれた行為に対する罰則の適用については、その政令が廃止され、若しくはその有効期間が終了し、又は第五項若しくは第六項の規定によりその効力を失つた後においても、なお従前の例による。

第一〇九条の二　災害緊急事態に際し法律の規定によつては被災者の救助に係る海外からの支援を緊急かつ円滑に受け入れることができない場合において、国会が閉会中又は衆議院が解散中であり、かつ、臨時会の召集を決定し、又は参議院の緊急集会を求めてその措置を待ついとまがないときは、内閣は、当該受入れについて必要な措置をとるため、政令を制定することができる。

2　前条第三項から第七項までの規定は、前項の場合について準用する。

第十章　雑則

（特別区についてのこの法律の適用）

第一一〇条　この法律の適用については、特別区は、市とみなす。

（防災功労者表彰）

第一一一条　内閣総理大臣及び各省大臣は、防災に従事した者で、防災に関し著しい功労があると認められるものに対し、それぞれ内閣府令、デジタル庁令又は省令で定めるところにより、表彰を行うことができる。

（政令への委任）

第一一二条　この法律に特別の定めがあるものを除くほか、この法律の実施のための手続その他この法律の施行に関し必要な事項は、政令で定める。

第十一章　罰則

（罰則）

第一一三条　次の各号のいずれかに該当する場合には、当該違反行為をした者は、六月以下の懲役又は三十万円以下の罰金に処する。

一　第七十一条第一項の規定による都道府県知事（同条第二項の規定により権限に属する事務の一部を行う市町村長を含む。）の従事命令、協力命令又は保管命令に従わなかつたとき。

二　第七十八条第一項の規定による指定行政機関の長又は指定地方行政機関の長（第二十三条の六第一項、第二十七条第一項又は第二十八条の五第一項の規定により権限の委任を受けた職員を含む。）の保管命令に従わなかつたとき。

第一一四条　第七十六条第一項の規定による都道府県公安委員会の禁止又は制限に従わなかつた車両の運転者は、三月以下の懲役又は二十万円以下の罰金に処する。

第一一五条　次の各号のいずれかに該当する場合には、当該違反行為をした者は、二十万円以下の罰金に処する。

一　第七十一条第一項（同条第二項の規定により権限に属する事務の一部を行う場合を含む。以下この条において同じ。）、第七十八条第二項（第二十三条の六第一項、第二十七条第一項又は第二十八条の五第一項の規定により権限に属する事務の一部を行う場合を含む。）又は第七十八条第三項（第二十三条の六第一項、第二十七条第一項又は第二十八条の五第一項の規定により権限に属する事務の一部を行う場合を含む。以下この条において同じ。）の規定による立入検査を拒み、妨げ、又は忌避したとき。

二　第七十一条第一項又は第七十八条第三項の規定による報告をせず、又は虚偽の報告をしたとき。

第一一六条　次の各号のいずれかに該当する者は、十万円以下の罰金又は拘留に処する。

一　第五十二条第一項の規定に基づく内閣府令によつて定められた防災に関する信号をみだりに使用し、又はこれと類似する信号を使用した者

二　第六十三条第一項の規定による市町村長（第七十三条第一項の規定により市町村長の事務を代行する都道府県知事を含む。）の、第六十三条第二項の規定による警察官若しくは海上保安官の又は同条第三項において準用する同条第一項の規定による災害派遣を命ぜられた部隊等の自衛官の禁止若しくは制限又は退去命令に従わなかつた者

第一一七条　法人の代表者又は法人若しくは人の代理人、使用人その他の従業者が、その法人又は人の業務に関し、第百十三条又は第百十五条の違反行為をしたときは、行為者を罰するほか、その法人又は人に対しても、各本条の罰金刑を科する。

附　則

この法律は、公布の日から起算して一年をこえない範囲内において政令で定める日から施行する。

〔昭和三七政二八七により、昭和三七・七・一〇から施行〕

附　則〔昭和三七・五・八法律一〇九〕

1　この法律は、災害対策基本法の施行の日から施行する。〔以下略〕

2　この法律の施行前にした行為に対する罰則の適用については、なお従前の例による。

附　則〔略〕〔昭和四三・五・一七法律五一〕

附　則〔略〕〔昭和四四・六・三法律三八〕

附　則〔略〕〔昭和四九・六・一法律七一〕

附　則〔略〕〔昭和五一・六・一法律四七〕

附　則〔略〕〔昭和五三・六・一五法律七三〕

附　則〔略〕〔昭和五七・七・一六法律六六〕

附　則〔昭和五八・一二・二法律七八〕

1　この法律〔中略〕は、昭和五十九年七月一日から施行する。

2　この法律の施行の日の前日において法律の規定により置かれている機関等で、この法律の施行の日以後は国家行政組織法又はこの法律による改正後の関係法律の規定に基づく政令（以下「関係政令」という。）の規定により置かれることとなるものに関し必要となる経過措置その他この法律の施行に伴う関係政令の制定又は改廃に関し必要となる経過措置は、政令で定めることができる。

附　則〔略〕〔昭和五八・一二・二法律八〇〕

附　則〔略〕〔昭和五九・八・一〇法律七一〕

附　則〔略〕〔昭和五九・一二・二五法律八七〕

附　則〔略〕〔昭和六一・一二・四法律九三〕

附　則〔略〕〔昭和六一・一二・二六法律一〇九〕

附　則〔略〕〔平成元・六・二八法律五五〕

附　則〔略〕〔平成二・六・二七法律五〇〕

附　則〔略〕〔平成七・六・一六法律一一〇〕

附　則〔略〕〔平成七・一二・八法律一三二〕

附　則〔略〕〔平成九・六・二〇法律九八〕

附　則〔略〕〔平成一一・五・二八法律五四〕

附　則〔抄〕〔平成一一・七・一六法律八七〕

（施行期日）

第一条　この法律は、平成十二年四月一日から施行する。ただし、次の各号に掲げる規定は、当該各号に定める日から施行する。

一　〔前略〕附則〔中略〕第百六十条、第百六十三条、第百六十四条並びに第二百二条の規定　公布の日

二～六　〔略〕

（災害対策基本法の一部改正に伴う経過措置）

第三一条　施行日前に第六十六条の規定による改正前の災害対策基本法（以下この条において「旧災害対策基本法」という。）第十六条第三項の規定によりされた承認又はこの法律の施行の際現に同項の規定によりされている承認の申請は、それぞれ第六十六条の規定による改正後の災害対策基本法（以下この条において「新災害対策基本法」という。）第十六条第四項の規定により市町村防災会議を設置しないことについてされた協議又は当該協議の申出とみなす。

2　施行日前に旧災害対策基本法第四十三条第一項の規定により作成された指定地域都道府県防災計画若しくは旧災害対策基本法第四十四条第一項の規定により作成された指定地域市町村防災計画又はこの法律の施行の際現に旧災害対策基本法第四十三条第三項において準用する旧災害対策基本法第四十条第三項若しくは旧災害対策基本法第四十二条第三項の規定によりされている協議の申出は、それぞれ新災害対策基本法第四十三条第一項の規定により作成された都道府県相互間地域防災計画若しくは新災害対策基本法第四十四条第一項の規定により作成された市町村相互間地域防災計画又は新災害対策基本法第四十三条第三項において準用する新災害対策基本法第四十条第三項若しくは新災害対策基本法第四十四条第三項において準用する新災害対策基本法第四十二条第三項の規定によりされた協議の申出とみなす。

3　この法律の施行の際現に旧災害対策基本法第七十一条第二項の規定により都道府県知事の権限の一部を委任されて市町村長が行っている事務は、新災害対策基本法第七十一条第二項の規定により市町村長が行うこととさ

れた事務とみなす。

（国等の事務）

第一五九条　この法律による改正前のそれぞれの法律に規定するもののほか、この法律の施行前において、地方公共団体の機関が法律又はこれに基づく政令により管理し又は執行する国、他の地方公共団体その他公共団体の事務（附則第百六十一条において「国等の事務」という。）は、この法律の施行後は、地方公共団体が法律又はこれに基づく政令により当該地方公共団体の事務として処理するものとする。

（処分、申請等に関する経過措置）

第一六〇条　この法律（附則第一条各号に掲げる規定については、当該各規定。以下この条及び附則第百六十三条において同じ。）の施行前に改正前のそれぞれの法律の規定によりされた許可等の処分その他の行為（以下この条において「処分等の行為」という。）又はこの法律の施行の際現に改正前のそれぞれの法律の規定によりされている許可等の申請その他の行為（以下この条において「申請等の行為」という。）で、この法律の施行の日においてこれらの行為に係る行政事務を行うべき者が異なることとなるものは、附則第二条から前条までの規定又は改正後のそれぞれの法律（これに基づく命令を含む。）の経過措置に関する規定に定めるものを除き、この法律の施行の日以後における改正後のそれぞれの法律の適用については、改正後のそれぞれの法律の相当規定によりされた処分等の行為又は申請等の行為とみなす。

２　この法律の施行前に改正前のそれぞれの法律の規定により国又は地方公共団体の機関に対し報告、届出、提出その他の手続をしなければならない事項で、この法律の施行の日前にその手続がされていないものについては、この法律及びこれに基づく政令に別段の定めがあるもののほか、これを、改正後のそれぞれの法律の相当規定により国又は地方公共団体の相当の機関に対して報告、届出、提出その他の手続をしなければならない事項についてその手続がされていないものとみなして、この法律による改正後のそれぞれの法律の規定を適用する。

（不服申立てに関する経過措置）

第一六一条　施行日前にされた国等の事務に係る処分であって、当該処分をした行政庁（以下この条において「処分庁」という。）に施行日前に行政不服審査法に規定する上級行政庁（以下この条において「上級行政庁」という。）があったものについての同法による不服申立てについては、施行日以後においても、当該処分庁に引き続き上級行政庁があるものとみなして、行政不服審査法の規定を適用する。この場合において、当該処分庁の上級行政庁とみなされる行政庁は、施行日前に当該処分庁の上級行政庁であった行政庁とする。

２　前項の場合において、上級行政庁とみなされる行政庁が地方公共団体の機関であるときは、当該機関が行政不服審査法の規定により処理することとされる事務は、新地方自治法第二条第九項第一号に規定する第一号法定受託事務とする。

（手数料に関する経過措置）

第一六二条　施行日前においてこの法律による改正前のそれぞれの法律（これに基づく命令を含む。）の規定により納付すべきであった手数料については、この法律及びこれに基づく政令に別段の定めがあるもののほか、なお従前の例による。

（罰則に関する経過措置）

第一六三条　この法律の施行前にした行為に対する罰則の適用については、なお従前の例による。

（その他の経過措置の政令への委任）

第一六四条　この附則に規定するもののほか、この法律の施行に伴い必要な経過措置（罰則に関する経過措置を含む。）は、政令で定める。

２　〔略〕

附　則〔略〕〔平成一一・七・一六法律一〇二〕

附　則〔略〕〔平成一一・一二・二二法律一六〇〕

附　則〔抄〕〔平成一一・一二・二二法律二二〇〕

（施行期日）

第一条　この法律（中略）は、平成十三年一月六日から施行する。〔以下略〕

（政令への委任）

第四条　前二条に定めるもののほか、この法律の施行に関し必要な事項は、政令で定める。

附　則〔略〕〔平成一二・五・三一法律九八〕

附　則〔略〕〔平成一二・五・三一法律九九〕

附　則〔略〕〔平成一四・七・一九法律九〇〕

附　則〔抄〕〔平成一四・七・三一法律九八〕

（施行期日）

第一条　この法律は、公社法〔日本郵政公社法〕の施行の日〔平成一五・四・一〕から施行する。ただし、次の各号に掲げる規定は、当該各号に定める日から施行する。

一　〔前略〕附則〔中略〕第三十九条の規定　公布の日

二　〔略〕

（罰則に関する経過措置）

第三八条　施行日前にした行為並びにこの法律の規定によりなお従前の例によることとされる場合及びこの附則の規定によりなおその効力を有することとされる場合における施行日以後にした行為に対する罰則の適用については、なお従前の例による。

（その他の経過措置の政令への委任）

第三九条　この法律に規定するもののほか、公社法及びこの法律の施行に関し必要な経過措置（罰則に関する経過措置を含む。）は、政令で定める。

附　則〔略〕〔平成一五・三・三一法律二一〕

附　則〔略〕〔平成一五・五・三〇法律五三〕

附　則〔略〕〔平成一五・六・一八法律九二〕

附　則〔略〕〔平成一五・七・一六法律一一九〕

附　則〔略〕〔平成一六・四・二一法律三六〕

附　則〔略〕〔平成一七・三・三〇法律七〕

附　則〔略〕〔平成一七・五・二法律三七〕

附　則〔略〕〔平成一七・七・二九法律八九〕

附　則〔略〕〔平成一七・一〇・二一法律一〇二〕

附　則〔略〕〔平成一八・六・七法律五三〕

附　則〔略〕〔平成一八・六・一四法律六八〕

附　則〔略〕〔平成一八・一二・二二法律一一八〕

附　則〔略〕〔平成一九・三・三一法律二一施行〕

附　則〔略〕〔平成二二・一二・三法律六五〕

附　則〔抄〕〔平成二三・五・二法律三七〕

（施行期日）

第一条　この法律は、公布の日から施行する。〔以下略〕

（災害対策基本法の一部改正に伴う経過措置）

第二条　この法律の施行の際現に第一条の規定による改正前の災害対策基本法第四十条第三項（同法第四十三条第三項において準用する場合を含む。）の規定によりされている協議の申出は、第一条の規定による改正後の災害対策基本法第四十条第三項（同法第四十三条第三項において準用する場合を含む。）の規定によりされた報告とみなす。

（罰則に関する経過措置）

第二三条　この法律（附則第一条各号に掲げる規定にあっては、当該規定）の施行前にした行為に対する罰則の適用については、なお従前の例による。

（政令への委任）

第二四条　附則第二条から前条まで及び附則第三十六条に規定するもののほか、この法律の施行に関し必要な経過措置は、政令で定める。

附　則〔抄〕〔平成二三・八・三〇法律一〇五〕

（施行期日）

第一条　この法律は、公布の日から施行する。〔以下略〕

（災害対策基本法の一部改正に伴う経過措置）

第一一条　この法律の施行の際現に第一条の規定による改正前の災害対策基本法（次項において「旧災害対策基本法」という。）第十六条第四項の規定によりされている協議の申出は、第一条の規定による改正後の災害対策基本法（次項において「新災害対策基本法」という。）第十六条第四項の規定によりされた報告とみなす。

２　この法律の施行の際現に旧災害対策基本法第四十二条第三項（旧災害対策基本法第四十四条第三項において準用する場合を含む。）の規定によりされている協議の申出は、新災害対策基本法第四十二条第三項（新災害対策基本法第四十四条第三項において準用する場合を含む。）の規定によりされた報告とみなす。

（罰則に関する経過措置）

第八一条　この法律（附則第一条各号に掲げる規定にあっては、当該規定。以下この条において同じ。）の施行前にした行為及びこの附則の規定によりなお従前の例によることとされる場合におけるこの法律の施行後にした行為に対する罰則の適用については、なお従前の例による。

（政令への委任）

第八二条　この附則に規定するもののほか、この法律の施行に関し必要な経過措置（罰則に関する経過措置を含む。）は、政令で定める。

附　則〔略〕〔平成二三・一二・一四法律一二四〕

附　則〔抄〕〔平成二四・六・二七法律四一〕

（施行期日）

第一条　この法律は、公布の日から施行する。〔以下略〕

（検討）

第二条　政府は、東日本大震災（平成二十三年三月十一日に発生した東北地方太平洋沖地震及びこれに伴う原子力発電所の事故による災害をいう。以下この条において同じ。）から得られた教訓を今後に生かすため、東日本大震災に対してとられた措置の実施の状況を引き続き検証し、防災上の配慮を要する者に係る個人情報の取扱いの在り方、災害からの復興の枠組み等を含め、防災に関する制度の在り方について所要の法改正を含む全般的な検討を加え、その結果に基づいて、速やかに必要な措置を講ずるものとする。

（政令への委任）

第八条　この法律の施行に関し必要な経過措置は、政令で定める。

附　則〔略〕〔平成二五・六・一二法律三五〕

附　則〔略〕〔平成二五・六・一四法律四四〕

附　則〔抄〕〔平成二五・六・二一法律五四〕

（施行期日）

第一条　この法律は、公布の日から施行する。ただし、次の各号に掲げる規定は、当該各号に定める日から施行する。

一　第二条（災害対策基本法目次の改正規定（「第三款　被災者の運送（第八十六条の十四）」を

「第三款　被災者の運送（第八十六条の十四）
第四款　安否情報の提供等（第八十六条の十五）」

に、「第八十六条の十五―第八十六条の十七」を「第八十六条の十六―第八十六条の十八」に改め、「第九十条の二」の下に「―第九十条の四」を加える部分に限る。）、同法第七十一条第一項の改正規定、同法第五章第六節中第八十六条の十七を第八十六条の十八とし、第八十六条の十六を第八十六条の十七とし、第八十六条の十五を第八十六条の十六とする改正規定、同法第五章第五節に一款を加える改正規定及び同法第七章中第九十条の二の次に二条を加える改正規定に限る。）〔中略〕の規定　公布の日から起算して六月を超えない範囲内において政令で定める日

〔平成二五政二八四により、平成二五・一〇・一から施行〕

二　第二条（前号に掲げる改正規定を除く。）〔中略〕の規定　公布の日から起算して一年を超えない範囲内において政令で定める日

〔平成二五政二八四により、平成二六・四・一から施行〕

三〜五〔略〕

（検討）

第二条　政府は、この法律の施行後適当な時期において、第一条及び第二条の規定による改正後の規定の施行の状況について検討を加え、必要があると認めるときは、その結果に基づいて必要な措置を講ずるものとする。

（災害対策基本法の一部改正に伴う経過措置）

第三条　第一条の規定による改正後の災害対策基本法（附則第五条において「新災害対策基本法」という。）第百二条の規定は、平成二十五年四月一日以後に発生した同条第一項に規定する災害について適用する。

（政令への委任）

第二二条　この附則に定めるもののほか、この法律の施行に関し必要な経過措置は、政令で定める。

附　則〔略〕〔平成二六・六・一三法律六七〕

附　則〔略〕〔平成二六・一一・二一法律一一四〕

附　則〔略〕〔平成二七・五・二〇法律二二〕

附　則〔略〕〔平成二七・七・八法律五二〕

附　則〔略〕〔平成二七・七・一七法律五八〕

附　則〔略〕〔平成二七・九・一一法律六六〕

附　則〔抄〕〔平成二八・五・二〇法律四七〕

（施行期日）

第一条　この法律〔中略〕は、当該各号に定める日から施行する。

一　第一条〔中略〕の規定並びに次条並びに附則第四条第一項及び第二項、第六条から第十条まで〔中略〕の規定　公布の日

二・三〔略〕

（処分、申請等に関する経過措置）

第七条　この法律（附則第一条各号に掲げる規定については、当該各規定。以下この条及び次条において同じ。）の施行の日前にこの法律による改正前のそれぞれの法律の規定によりされた承認等の処分その他の行為（以下この項において「処分等の行為」という。）又はこの法律の施行の際現にこの法律による改正前のそれぞれの法律の規定によりされている承認等の申請その他の行為（以下この項において「申請等の行為」という。）で、この法律の施行の日においてこれらの行為に係る行政事務を行うべき者が異なることとなるものは、この附則又は附則第九条の規定に基づく政令に定めるものを除き、この法律の施行の日以後におけるこの法律による改正後のそれぞれの法律の適用については、この法律による改正後のそれぞれの法律の相当規定によりされた処分等の行為又は申請等の行為とみなす。

2　この法律の施行の日前にこの法律による改正前のそれぞれの法律の規定により国又は地方公共団体の機関に対し、届出その他の手続をしなければならない事項で、この法律の施行の日前にその手続がされていないものについては、この附則又は附則第九条の規定に基づく政令に定めるもののほか、これを、この法律による改正後のそれぞれの法律の相当規定により国又は地方公共団体の相当の機関に対して届出その他の手続をしなければならない事項についてその手続がされていないものとみなして、この法律による改正後のそれぞれの法律の規定を適用する。

（罰則に関する経過措置）

第八条　この法律の施行前にした行為及びこの附則の規定によりなお従前の例によることとされる場合におけるこの法律の施行後にした行為に対する罰則の適用については、なお従前の例による。

（政令への委任）

第九条　この附則に定めるもののほか、この法律の施行に関し必要な経過措置（罰則に関する経過措置を含む。）は、政令で定める。

（検討）

第一〇条　政府は、附則第一条第一号に掲げる規定の施行後適当な時期において、第一条の規定による改正後の災害対策基本法の規定の施行の状況について検討を加え、必要があると認めるときは、その結果に基づいて必要な措置を講ずるものとする。

附　則〔抄〕〔平成三〇・六・二七法律六七施行〕

（施行期日）

第一条　この法律〔中略〕は、当該各号に定める日から施行する。

一　第一条〔中略〕の規定並びに附則第十一条から第十三条まで〔中略〕の規定　公布の日

二〜五〔略〕

（処分、申請等に関する経過措置）

第一一条　この法律（附則第一条各号に掲げる規定については、当該各規定。以下この条及び次条において同じ。）の施行の日前にこの法律による改正前のそれぞれの法律の規定によりされた認定等の処分その他の行為（以下この項において「処分等の行為」という。）又はこの法律の施行の際現にこの法律による改正前のそれぞれの法律の規定によりされている認定等の申請その他の行為（以下この項において「申請等の行為」という。）で、この法律の施行の日においてこれらの行為に係る行政事務を行うべき者が異なることとなるものは、附則第二条から前条までの規定又は附則第十三条の規定に基づく政令に定めるものを除き、この法律の施行の日以後におけるこの法律による改正後のそれぞれの法律の適用については、この法律による改正後のそれぞれの法律の相当規定によりされた処分等の行為又は申請等の行為とみなす。

2　この法律の施行の日前にこの法律による改正前のそれぞれの法律の規定により国又は地方公共団体の機関に対し、報告、届出その他の手続をしなければならない事項で、この法律の施行の日前にその手続がされていないものについては、附則第二条から前条までの規定又は附則第十三条の規定に基づく政令に定めるもののほか、これを、この法律による改正後のそれぞれの法律の相当規定により国又は地方公共団体の相当の機関に対して報告、届出その他の手続をしなければならない事項についてその手続がされていないものとみなして、この法律による改正後のそれぞれの法律の規定を適用する。

（罰則に関する経過措置）

第一二条　この法律の施行前にした行為に対する罰則の適用については、なお従前の例による。

（政令への委任）

第一三条　附則第二条から前条までに規定するもののほか、この法律の施行に関し必要な経過措置（罰則に関する経過措置を含む。）は、政令で定める。

附　則〔抄〕〔令和三・五・一〇法律三〇〕

（施行期日）

第一条　この法律は、公布の日から起算して一月を超えない範囲内において政令で定める日から施行する。ただし、次の各号に掲げる規定は、当該各号に定める日から施行する。

〔令和三政一五二により、令和三・五・二〇から施行〕

一　附則第三条の規定　公布の日

二　〔略〕

（災害対策基本法の一部改正に伴う経過措置）

第二条　この法律の施行の際現に第一条の規定による改正前の災害対策基本法（次項並びに附則第八条及び第十五条において「旧災害対策基本法」という。）第二十四条第一項の規定により設置されている非常災害対策本部に関する組織、指定行政機関の長の権限の委任及び非常災害対策本部長の権限については、なお従前の例による。

2　この法律の施行の際現に旧災害対策基本法第六十条第一項、第三項若しくは第六項又は第六十一条第一項の規定によりされている避難のための立退きの勧告若しくは指示又は屋内での待避等の安全確保措置の指示については、なお従前の例による。

（政令への委任）

第三条　この附則に定めるもののほか、この法律の施行に関し必要な経過措置（罰則に関する経過措置を含む。）は、政令で定める。

（検討）

第四条　政府は、この法律の施行後適当な時期において、この法律による改正後のそれぞれの法律の規定について、その施行の状況等を勘案して検討を加え、必要があると認めるときは、その結果に基づいて必要な措置を講ずるものとする。

附　則〔抄〕〔令和三・五・一九法律三六〕

（施行期日）

第一条　この法律は、令和三年九月一日から施行する。ただし、附則第六十条の規定は、公布の日から施行する。

（政令への委任）

第六〇条　附則第十五条、第十六条、第五十一条及び前三条に定めるもののほか、この法律の施行に関し必要な経過措置（罰則に関する経過措置を含む。）は、政令で定める。

附　則〔略〕〔令和五・五・二六法律三四〕

附　則〔抄〕〔令和五・六・一六法律五八〕

（施行期日）

第一条　この法律は、公布の日から施行する。〔以下略〕

（政令への委任）

第五条　前三条に規定するもののほか、この法律の施行に関し必要な経過措置は、政令で定める。

○災害対策基本法施行令

〔昭和三七・七・九　政令二八八〕

改正　昭和三七・八政三三七、九政三八七、一〇政四〇三、昭和三八・四政一二九、昭和四一・六政一八二、昭和四三・三政二九、昭和四五・六政一七七、昭和四七・五政一八五、昭和四九・四政九七、六政二〇三、政二二五、昭和五〇・八政二四五、昭和五一・八政二一八、昭和五二・五政一五〇、昭和五三・一二政三八五、昭和五五・六政一七四、昭和五八・五政一〇五、昭和五九・三政三五、昭和六〇・三政三一、一二政三一七、昭和六一・三政五五、昭和六二・三政五四、平成元・九政二九一、平成二・九政二九〇、平成三・一政六、九政二八八、平成六・六政一八一、七政二五一、一一政三七三、平成七・八政三一九、平成八・一政一〇、平成九・三政八四、政八八、六政二一七、一二政三四九、政三五一、政三八一、平成一一・九政二六二、政二八五、一〇政三四六、平成一二・二政三〇、三政一〇二、政一七三、六政三〇三、政三二六、政三六一、一二政五五三、平成一三・一二政四三五、平成一四・三政六〇、政一〇二、一二政三八五、平成一五・三政一二九、政一六三、九政四四三、一二政四七二、政四八三、平成一六・三政七一、政九六、一〇政三三一、平成一七・一政九、三政九四、政九五、六政一九五、一二政三七五、平成一八・二政一四、三政二九、政九〇、政一二〇、政一四九、一二政三八一、政三八二、平成一九・一政三、三政五七、政六八、八政二三五、一一政三四九、平成二〇・三政六七、四政一五三、五政一八〇、七政二二六、政二三七、一〇政三二四、平成二一・三政五七、政一〇〇、政一〇二、五政一四二、八政二〇六、平成二二・三政四六、平成二三・三政二二三、六政一八一、平成二四・二政二七、三政九七、政一一〇、六政一七一、平成二五・五政一五八、六政一八七、九政二八五、平成二六・三政一三三、政一三四、五政一九五、一一成三六六、平成二七・五政二三九、六政二五六、九政三四四、平成二八・三政九三、五政二二五、平成二九・三政五七、政一一九、平成三〇・一二政三五九、平成三一・三政八七、政八八、令和二・三政六一、九政二七五、一〇政三〇〇、令和三・五政一五三、令和五・五政一八〇、一〇政三〇四、令和六・三政七五

目次

第一章　総則（第一条・第二条）
第二章　中央防災会議（第三条―第六条）
第三章　地方防災会議（第七条―第十四条）

第四章　災害時における職員の派遣（第十五条―第十九条）
第五章　政令で定める計画（第二十条）
第五章の二　災害予防（第二十条の二―第二十条の七）
第六章　災害応急対策（第二十一条―第三十六条の四）
第七章　災害復旧（第三十七条・第三十八条）
第八章　財政金融措置（第三十九条―第四十五条）
第九章　雑則（第四十六条）
附則

第一章　総則

（政令で定める原因）
第一条　災害対策基本法（以下「法」という。）第二条第一号の政令で定める原因は、放射性物質の大量の放出、多数の者の遭難を伴う船舶の沈没その他の大規模な事故とする。

（国会に対する報告）
第二条　法第九条第一項の規定による防災に関する計画の報告は、毎会計年度において実施すべき防災に関する計画について、国会法（昭和二十二年法律第七十九号）第二条の規定により当該会計年度の四月一日の属する年の一月中に召集されることが常例とされる国会の常会において、これを行うものとする。
2　法第九条第二項の規定による防災に関して採つた措置の概況の報告は、毎会計年度において採つた措置について、国会法第二条の規定により当該会計年度の三月三十一日の属する年の翌年の一月中に召集されることが常例とされる国会の常会において、これを行うものとする。

第二章　中央防災会議

（中央防災会議の委員及び専門委員）
第三条　中央防災会議の委員（以下この条及び次条において「委員」という。）の定数は、二十七人以内とする。
2　学識経験のある者のうちから任命される委員の任期は、二年とする。ただし、補欠の委員の任期は、その前任者の残任期間とする。
3　前項の委員は、再任されることができる。
4　中央防災会議の専門委員（以下この条及び次条において「専門委員」という。）は、その者の任命に係る当該専門の事項に関する調査が終了したときは、解任されるものとする。
5　委員及び専門委員は、非常勤とする。

（中央防災会議の専門調査会）
第四条　中央防災会議は、その議決により、専門調査会を置くことができる。
2　専門調査会に属すべき者は、専門委員のうちから、会長が指名する。ただし、会長は、必要があると認める場合は、専門調査会に属すべき者として委員を指名することができる。
3　専門調査会は、その設置に係る調査が終了したときは、廃止されるものとする。

（中央防災会議の庶務）
第五条　中央防災会議の庶務は、内閣府本府に置かれる政策統括官が処理する。

（中央防災会議の議事の手続等）
第六条　前三条に定めるもののほか、中央防災会議の議事の手続その他中央防災会議の運営に関し必要な事項は、会長が中央防災会議に諮つて定める。

第三章　地方防災会議

（都道府県防災会議の組織及び運営の基準）
第七条　法第十五条第八項の政令で定める基準は、次の各号に掲げるとおりとする。
一　都道府県防災会議に、幹事を置くものとする。
二　幹事は、都道府県防災会議の委員の属する機関の職員のうちから、当該都道府県の知事が任命するものとする。
三　幹事は、都道府県防災会議の所掌事務について、委員及び専門委員を補佐するものとする。
四　都道府県防災会議は、その定めるところにより、部会を置くことができるものとする。
五　部会に属すべき委員及び専門委員は、会長が指名するものとする。
六　部会に部会長を置き、会長の指名する委員がこれに当たるものとする。
七　部会長は、部会の事務を掌理するものとする。
八　部会長に事故があるときは、部会に属する委員のうちから部会長があらかじめ指名する者がその職務を代理するものとする。
九　前各号に定めるもののほか、都道府県防災会議の議事その他都道府県防災会議の運営に関し必要な事項は、会長が都道府県防災会議にはかつて定めるものとする。

第八条　削除

（地方防災会議の協議会の組織及び運営）
第九条　都道府県防災会議の協議会は、会長及び委員をもつて組織する。
2　会長は、関係都道府県防災会議の会長又は委員のうちから当該関係都道府県が協議により定める者をもつて充てる。
3　会長は、会務を総理する。
4　会長に事故があるときは、あらかじめその指名する委員がその職務を代理する。
5　委員は、関係都道府県防災会議の会長又は委員のうちから当該関係都道府県の知事が当該都道府県防災会議の協議会の規約の定めるところにより指名する者をもつて充てる。
6　前各項に定めるもののほか、都道府県防災会議の協議会の組織及び運営に関し必要な事項は、当該都道府県防災会議の協議会の規約で定める。
7　前各項の規定は、市町村防災会議の協議会の組織について準用する。

（法第十七条第一項の地方防災会議の協議会の規約事項）
第一〇条　法第十七条第一項の地方防災会議の協議会の規約には、次の各号に掲げる事項について規定を設けなければならない。
一　地方防災会議の協議会の名称
二　地方防災会議の協議会を設置する都道府県又は市町村
三　都道府県相互間地域防災計画又は市町村相互間地域防災計画に係る地域
四　地方防災会議の協議会の組織
五　地方防災会議の協議会の経費の支弁の方法

（法第十七条第一項の規定による地方防災会議の協議会の設置等の公示）
第一一条　都道府県又は市町村は、法第十七条第一項の規定により地方防災会議の協議会を設置したときは、その旨及び当該協議会の規約を公示しなければならない。

（法第十七条第一項の地方防災会議の協議会の規約の変更等）
第一二条　法第十七条第一項の規定により地方防災会議の協議会を設置した都道府県又は市町村は、当該協議会の規約を変更し、又は当該協議会を廃止しようとするときは、協議によりこれを行なわなければならない。
2　法第十七条第一項の規定により地方防災会議の協議会を設置した都道府県又は市町村は、当該協議会の規約を変更し、又は当該協議会を廃止したときは、都道府県防災会議の協議会にあつては内閣総理大臣に、市町村防災会議の協議会にあつては都道府県知事にそれぞれ届け出なければならない。
3　前条の規定は、法第十七条第一項の規定により地方防災会議の協議会を設置した都道府県又は市町村が当該協議会の規約を変更し、又は当該協議会を廃止した場合について準用する。

第一三条及び第一四条　削除

第四章　災害時における職員の派遣

（職員の派遣の要請手続）
第一五条　都道府県知事若しくは都道府県の委員会若しくは委員（以下「都道府県知事等」という。）又は市町村長若しくは市町村の委員会若しくは委員（以下「市町村長等」という。）は、法第二十九条第一項又は第二項の規定により指定行政機関、指定地方行政機関又は指定公共機関（同条第一項に規定する指定公共機関をいう。以下この章において同じ。）の職員の派遣を要請しようとするときは、次の各号に掲げる事項を記載した文書をもつてこれをしなければならない。
一　派遣を要請する理由
二　派遣を要請する職員の職種別人員数
三　派遣を必要とする期間

四　派遣される職員の給与その他の勤務条件
五　前各号に掲げるもののほか、職員の派遣について必要な事項

（職員の派遣のあつせんの要求手続）
第一六条　都道府県知事等又は市町村長等は、法第三十条第一項又は第二項の規定により内閣総理大臣又は都道府県知事に対し職員の派遣についてあつせんを求めようとするときは、次の各号に掲げる事項を記載した文書をもつてこれをしなければならない。
一　派遣のあつせんを求める理由
二　派遣のあつせんを求める職員の職種別人員数
三　派遣を必要とする期間
四　派遣される職員の給与その他の勤務条件
五　前各号に掲げるもののほか、職員の派遣のあつせんについて必要な事項

（派遣職員の身分等）
第一七条　法第三十一条の規定により指定行政機関、指定地方行政機関又は指定公共機関から派遣される職員（以下この条及び次条において「派遣職員」という。）は、派遣を受けた都道府県又は市町村の職員の身分を併せ有することとなるものとする。
2　派遣職員は、派遣を受けた都道府県又は市町村の職員の定数の外に置くものとする。
3　派遣職員の任用については、地方公務員法（昭和二十五年法律第二百六十一号）第十七条の二第一項及び第二項並びに第十八条から第二十二条の三までの規定は、適用しない。
4　派遣を受けた都道府県又は市町村の都道府県知事等又は市町村長等は、地方公務員法第二十八条第一項又は第二項の規定にかかわらず、派遣職員をその意に反して降任し、休職し、又は免職することができない。
5　派遣を受けた都道府県又は市町村の都道府県知事等又は市町村長等は、地方公務員法第二十九条第一項の規定にかかわらず、派遣職員に対し懲戒処分として戒告、減給、停職又は免職の処分をすることができない。
6　派遣職員に対する国家公務員法（昭和二十二年法律第百二十号）第七十八条第一号及び第八十二条第一項第二号並びに自衛隊法（昭和二十九年法律第百六十五号）第四十二条第一号及び第四十六条第一項第一号の規定の適用については、派遣を受けた都道府県又は市町村の職員としての職務を国又は指定公共機関の職員としての職務とみなす。
7　派遣職員に対する国家公務員法第八十二条第一項第一号の規定の適用については、同号中「この法律若しくは国家公務員倫理法又はこれらの法律に基づく命令（国家公務員倫理法第五条第三項の規定に基づく訓令及び同条第四項の規定に基づく規則を含む。）」とあるのは「この法律若しくは国家公務員倫理法若しくはこれらの法律に基づく命令（国家公務員倫理法第五条第三項の規定に基づく訓令及び同条第四項の規定に基づく規則を含む。）又は地方公務員法（昭和二十五年法律第二百六十一号）若しくは同法第五十七条に規定する特例を定めた法律若しくはこれらに基づく条例、派遣を受けた都道府県若しくは市町村の規則若しくは当該都道府県若しくは市町村の機関の定める規程」とし、派遣職員に対する自衛隊法第四十六条第一項第三号の規定の適用については、同号中「この法律若しくは自衛隊員倫理法（平成十一年法律第百三十号）又はこれらの法律に基づく命令」とあるのは「この法律若しくは自衛隊員倫理法（平成十一年法律第百三十号）若しくはこれらの法律に基づく命令又は地方公務員法（昭和二十五年法律第二百六十一号）若しくは同法第五十七条に規定する特例を定めた法律若しくはこれらに基づく条例、派遣を受けた都道府県若しくは市町村の規則若しくは当該都道府県若しくは市町村の機関の定める規程」とする。
8　派遣職員は、派遣の期間が終了したとき、又は派遣をした指定行政機関、指定地方行政機関若しくは指定公共機関の職員の身分を失つたときは、同時に派遣を受けた都道府県又は市町村の職員の身分を失うものとする。

（派遣職員の給与等）
第一八条　派遣職員は、一般職の職員の給与に関する法律（昭和二十五年法律第九十五号）第十二条第一項の通勤手当、同法第十二条の二第一項及び第三項の単身赴任手当、同法第十二条の三第一項の在宅勤務等手当、同法第十三条第一項の特殊勤務手当、同法第十六条第一項の超過勤務手当、同法第十七条の休日給、同法第十八条の夜勤手当、同法第十九条の二第一項及び第二項の宿日直手当、同法第十九条の三第一項の管理職員特別勤務手当並びに国家公務員等の旅費に関する法律（昭和二十五年法律第百十四号）第三条第一項の旅費又は国若しくは指定公共機関の職員に対して支給されるべきこれらに相当するものの支給を受けることができない。
2　派遣職員は、地方自治法（昭和二十二年法律第六十七号）第二百四条第一項の給料、同条第二項の扶養手当、地域手当、住居手当、初任給調整手当、特地勤務手当（これに準ずる手当を含む。）、管理職手当、期末手当、勤勉手当、寒冷地手当及び退職手当、地方公務員法第四十三条第一項の共済制度による給付並びに同法第四十五条第一項の公務災害補償又は派遣を受けた都道府県若しくは市町村の職員に対して支給されるべきこれらに相当するものの支給を受けることができない。
3　派遣職員に対する次に掲げる規定（指定公共機関からの派遣職員にあつては、第六号及び第七号に掲げる規定）の適用については、派遣を受けた都道府県又は市町村の職員としての勤務を国又は指定公共機関の職員としての勤務とみなす。
一　一般職の職員の給与に関する法律第八条第六項から第八項まで（防衛省の職員の給与等に関する法律（昭和二十七年法律第二百六十六号）第五条第二項において準用する場合を含む。）、第十五条及び第十九条の七第一項
二　人事院規則九―七（俸給等の支給）第七条
三　防衛省の職員の給与等に関する法律第十一条第二項、第十六条第二項、第十七条第一項、第十八条第三項及び第十八条の二第一項
四　防衛省の職員の給与等に関する法律施行令（昭和二十七年政令第三百六十八号）第八条の三第四項
五　国家公務員の寒冷地手当に関する法律（昭和二十四年法律第二百号）第一条及び第五条
六　国家公務員退職手当法（昭和二十八年法律第百八十二号）第二条第一項、第六条の四第一項及び第七条第四項
七　国家公務員共済組合法（昭和三十三年法律第百二十八号）第二条第一項
4　派遣職員に対する次に掲げる規定（指定公共機関からの派遣職員にあつては、第一号、第三号及び第五号に掲げる規定）の適用については、派遣を受けた都道府県又は市町村の公務を国又は指定公共機関の公務とみなす。
一　国家公務員災害補償法（昭和二十六年法律第百九十一号）第十条、第十二条、第十二条の二第一項、第十三条第一項及び第八項、第十五条、第十八条並びに第二十二条第一項及び第二項
二　防衛省の職員の給与等に関する法律第二十七条第一項において準用する前号に掲げる規定
三　国家公務員退職手当法第五条第一項第四号
四　防衛省の職員の給与等に関する法律第二十八条第三項
五　国家公務員共済組合法第八十三条第一項、第二項及び第四項、第八十五条第二項並びに第八十九条第一項
5　派遣職員の国家公務員災害補償法第四条第一項（防衛省の職員の給与等に関する法律第二十七条第一項において準用する場合を含む。）の給与及び国家公務員共済組合法第二条第一項第五号の報酬については、派遣を受けた都道府県又は市町村が法令の規定により当該派遣職員に対し支給した通勤手当、単身赴任手当、在宅勤務等手当、特殊勤務手当、時間外勤務手当、休日勤務手当、夜間勤務手当、宿日直手当及び管理職員特別勤務手当又はこれらに相当するものを、国が法令の規定により当該派遣職員に対し支給し、又は指定公共機関が当該派遣職員に対し支給した通勤手当、単身赴任手当、在宅勤務等手当、特殊勤務手当、超過勤務手当、休日給、夜勤手当、宿日直手当及び管理職員特別勤務手当又はこれらに相当するものとみなす。
6　派遣職員の地方自治法第二百四条第二項のへき地手当（これに準ずる手当を含む。）、時間外勤務手当、夜間勤務手当、休日勤務手当及び農林漁業普及指導手当又は派遣を受けた都道府県若しくは市町村の職員に対して支給されるこれらに相当するものの支給額の算定の基礎となる給与については、国が法令の規定により当該派遣職員に対し支給し、又は指定公共機関が当該派遣職員に対し支給する俸給（俸給の調整額を含む。）、扶養手当及び地域手当又はこれらに相当するものを、派遣を受けた都道府県若しくは市町村が法令の規定により当該派遣職員に対し支給すべき給料、扶養手当及び地域手当又はこれらに相当するものとみなす。
7　派遣職員に対する一般職の職員の給与に関する法律第十一条の三から第十一条の七までの地域手当、同法第十三条の二第一項の特地勤務手当、同法第十四条第一項及び第二項の特地勤務手当に準ずる手当並びに国家公務

員の寒冷地手当に関する法律第一条の寒冷地手当又はこれらに相当するものの支給については、国の職員としての勤務に係る地域の支給地域の区分又は官署の級別区分に応じ、これを行うものとする。

８　国又は指定公共機関が派遣職員に対して支給した一般職の職員の給与に関する法律第五条第一項の俸給、同法第十条の二第一項の俸給の特別調整額、同法第十条の三第一項の本府省業務調整手当、同法第十条の四第一項及び第二項の初任給調整手当、同法第十条の五第一項の専門スタッフ職調整手当、同法第十一条第一項の扶養手当、同法第十一条の三から第十一条の七までの地域手当、同法第十一条の八第一項及び第三項の広域異動手当、同法第十一条の九第一項の研究員調整手当、同法第十一条の十第一項の住居手当、同法第十三条の二第一項の特地勤務手当、同法第十四条第一項及び第二項の特地勤務手当に準ずる手当、同法第十九条の四第一項の期末手当並びに同法第十九条の七第一項の勤勉手当の支給額、国家公務員の寒冷地手当に関する法律第一条の寒冷地手当の支給額並びに国家公務員災害補償法第九条各号に規定する公務災害補償に要する費用又はこれらに相当するもの並びに国又は指定公共機関が負担した国家公務員共済組合法第九十九条第二項第一号から第三号までに規定する負担金及び厚生年金保険法（昭和二十九年法律第百十五号）第八十二条第一項の保険料のうち派遣職員に係る額については、派遣を受けた都道府県又は市町村がこれを負担するものとする。

（災害派遣手当）

第一九条　法第三十二条第一項の災害派遣手当は、災害応急対策又は災害復旧のため派遣された職員が住所又は居所を離れて派遣を受けた都道府県又は市町村の区域に滞在することを要する場合に限り、総務大臣が定める基準に従い、当該都道府県又は市町村の条例で定める額を支給するものとする。

第五章　政令で定める計画

（政令で定める計画）

第二〇条　法第三十八条第十三号の政令で定める計画は、次に掲げるものとする。

一　北海道開発法（昭和二十五年法律第百二十六号）第二条第一項に規定する北海道総合開発計画

二　漁港及び漁場の整備等に関する法律（昭和二十五年法律第百三十七号）第六条の三第一項に規定する漁港漁場整備長期計画並びに同法第十九条第一項及び第十九条の三第一項に規定する特定漁港漁場整備事業計画

２　法第四十一条第八号の政令で定める計画は、次に掲げるものとする。

一　漁港及び漁場の整備等に関する法律第十七条第一項に規定する特定漁港漁場整備事業計画

二　奄美群島振興開発特別措置法（昭和二十九年法律第百八十九号）第五条第一項に規定する奄美群島振興開発計画

三　小笠原諸島振興開発特別措置法（昭和四十四年法律第七十九号）第六条第一項に規定する小笠原諸島振興開発計画

四　沖縄振興特別措置法（平成十四年法律第十四号）第四条第一項に規定する沖縄振興計画

第五章の二　災害予防

（防災訓練のための交通の禁止又は制限の手続）

第二〇条の二　都道府県公安委員会（以下「公安委員会」という。）は、法第四十八条第二項の規定により歩行者又は車両の道路における通行を禁止し、又は制限するときは、その禁止又は制限の対象、区域等（区域又は道路の区間をいう。第四項及び第三十二条において同じ。）及び期間を記載した内閣府令で定める様式の標示を内閣府令で定める場所に設置してこれを行わなければならない。ただし、標示を設置して行うことが困難であると認めるときは、公安委員会の管理に属する都道府県警察の警察官の現場における指示により、これを行うことができる。

２　前項の規定による交通の禁止又は制限を行う場合において、必要があると認めるときは、公安委員会は、適当な回り道を明示して一般の交通に支障のないようにしなければならない。

３　公安委員会は、法第四十八条第二項の規定により歩行者又は車両の道路における通行を禁止し、又は制限するときは、あらかじめ当該道路の管理者の意見を聴かなければならない。

４　公安委員会は、法第四十八条第二項の規定により歩行者又は車両の道路における通行を禁止し、又は制限するときは、あらかじめ関係公安委員会に禁止又は制限の対象、区域等及び期間を通知しなければならない。

５　公安委員会は、法第四十八条第二項の規定により歩行者又は車両の道路における通行を禁止し、又は制限しようとする場合において、必要があると認めるときは、あらかじめその禁止又は制限に関する広報を行わなければならない。

（指定緊急避難場所の基準）

第二〇条の三　法第四十九条の四第一項の政令で定める基準は、次のとおりとする。

一　災害が発生し、又は発生するおそれがある場合において居住者、滞在者その他の者（次号ロ及び第二十条の六第一号において「居住者等」という。）に開放されることその他その管理の方法が内閣府令で定める基準に適合するものであること。

二　次条に規定する種類の異常な現象（地震を除く。）が発生した場合において人の生命又は身体に危険が及ぶおそれがないと認められる土地の区域（第二十条の五において「安全区域」という。）内にあるものであること。ただし、次に掲げる基準に適合する施設については、この限りでない。

イ　当該異常な現象に対して安全な構造のものとして内閣府令で定める技術的基準に適合するものであること。

ロ　洪水、高潮、津波その他これらに類する異常な現象の種類で次条第七号の内閣府令で定めるもの（以下このロにおいて「洪水等」という。）が発生し、又は発生するおそれがある場合に使用する施設にあつては、想定される洪水等の水位以上の高さに居住者等の受入れの用に供すべき屋上その他の部分（以下このロ及び第二十条の五において「居住者等受入用部分」という。）が配置され、かつ、当該居住者等受入用部分までの避難上有効な階段その他の経路があること。

三　地震が発生し、又は発生するおそれがある場合に使用する施設又は場所にあつては、次に掲げる基準のいずれかに適合するものであること。

イ　当該施設が地震に対して安全な構造のものとして内閣府令で定める技術的基準に適合するものであること。

ロ　当該場所又はその周辺に地震が発生した場合において人の生命又は身体に危険を及ぼすおそれのある建築物、工作物その他の物がないこと。

（政令で定める異常な現象の種類）

第二〇条の四　法第四十九条の四第一項の政令で定める異常な現象の種類は、次に掲げるものとする。

一　洪水

二　崖崩れ、土石流及び地滑り

三　高潮

四　地震

五　津波

六　大規模な火事

七　前各号に掲げるもののほか、内閣府令で定める異常な現象の種類

（指定緊急避難場所の重要な変更）

第二〇条の五　法第四十九条の五の政令で定める重要な変更は、次に掲げるものとする。

一　指定緊急避難場所（安全区域外にある第二十条の三第二号ロに規定する施設であるものにあつては、居住者等受入用部分）の総面積の十分の一以上の面積の増減を伴う変更

二　指定緊急避難場所（地震が発生し、又は発生するおそれがある場合に使用するものを除く。）であつて安全区域外にあるものにあつては、次に掲げる変更

イ　改築又は増築による当該指定緊急避難場所の構造耐力上主要な部分（建築基準法施行令（昭和二十五年政令第三百三十八号）第一条第三号に規定する構造耐力上主要な部分をいう。次号において同じ。）の変更

ロ　当該指定緊急避難場所（第二十条の三第二号ロに規定する施設であるものに限る。）の居住者等受入用部分までの避難上有効な階段その他の経路の廃止

三　地震が発生し、又は発生するおそれがある場合に使用する指定緊急避

難場所（施設であるものに限る。）にあつては、改築又は増築による当該指定緊急避難場所の構造耐力上主要な部分の変更

（指定避難所の基準）

第二〇条の六　法第四十九条の七第一項の政令で定める基準は、次のとおりとする。

一　避難のための立退きを行つた居住者等又は被災者（次号及び次条において「被災者等」という。）を滞在させるために必要かつ適切な規模のものであること。

二　速やかに、被災者等を受け入れ、又は生活関連物資を被災者等に配布することが可能な構造又は設備を有するものであること。

三　想定される災害による影響が比較的少ない場所にあるものであること。

四　車両その他の運搬手段による輸送が比較的容易な場所にあるものであること。

五　主として高齢者、障害者、乳幼児その他の特に配慮を要する者（以下この号において「要配慮者」という。）を滞在させることが想定されるものにあつては、要配慮者の円滑な利用の確保、要配慮者が相談し、又は助言その他の支援を受けることができる体制の整備その他の要配慮者の良好な生活環境の確保に資する事項について内閣府令で定める基準に適合するものであること。

（指定避難所の重要な変更）

第二〇条の七　法第四十九条の七第二項において準用する法第四十九条の五の政令で定める重要な変更は、指定避難所の被災者等の滞在の用に供すべき部分の総面積の十分の一以上の面積の増減を伴う変更とする。

第六章　災害応急対策

（被害状況等の報告）

第二一条　法第五十三条第一項から第四項までに規定する災害の状況及びこれに対してとられた措置の概要の報告は、災害が発生した時から当該災害に対する応急措置が完了するまでの間、次の各号に掲げる事項について、内閣府令で定めるところにより、行なうものとする。

一　災害の原因

二　災害が発生した日時

三　災害が発生した場所又は地域

四　被害の程度

五　災害に対しとられた措置

六　その他必要な事項

（通信設備の優先利用等）

第二二条　都道府県知事又は市町村長は、法第五十七条（法第六十一条の三において準用する場合を含む。次条において同じ。）の規定により電気通信設備を優先的に利用し、若しくは有線電気通信設備若しくは無線設備を使用し、又は基幹放送事業者に放送を行うことを求め、若しくは次条に規定する事業活動を行う者にインターネットを利用した情報の提供を行うことを求めるときは、あらかじめ電気通信役務を提供する者、有線電気通信法（昭和二十八年法律第九十六号）第三条第四項第四号に掲げる者、放送法（昭和二十五年法律第百三十二号）第二条第二十三号に規定する基幹放送事業者又は次条に規定する事業活動を行う者と協議して定めた手続により、これを行わなければならない。

（政令で定める事業活動）

第二二条の二　法第五十七条の政令で定める事業活動は、情報通信業に属する事業のうちインターネットの利用者が容易に検索することができるように体系的に構成された情報の提供をインターネットを利用して行うものに係る事業活動とする。

（政令で定める管区海上保安本部の事務所）

第二三条　法第五十九条第二項及び第六十四条第十項の政令で定める管区海上保安本部の事務所は、その管轄区域及び所掌事務を勘案して内閣府令で定める事務所とする。

（都道府県知事による避難の指示等の代行の手続）

第二三条の二　法第六十条第六項の規定による市町村長の事務の代行をした都道府県知事は、当該市町村がその大部分の事務を行うことができることとなつたと認めるときは、速やかに、当該代行に係る事務を当該市町村長に引き継がなければならない。

2　前項に規定するもののほか、都道府県知事は、法第六十条第六項の規定による市町村長の事務の代行を終了したときは、速やかに、その旨及び代行した措置を当該市町村長に通知しなければならない。

（応急公用負担の手続）

第二四条　市町村長又は警察官、海上保安官若しくは自衛隊法第八十三条第二項の規定により派遣を命ぜられた同法第八条に規定する部隊等の自衛官は、法第六十四条第一項（同条第八項において準用する場合を含む。）又は同条第七項において準用する法第六十三条第二項の規定により他人の土地、建物その他の工作物を一時使用し、又は土石、竹木その他の物件を使用し、若しくは収用したときは、速やかに、当該土地、建物その他の工作物又は土石、竹木その他の物件（以下この条において「土地建物等」という。）の占有者、所有者その他当該土地建物等について権原を有する者（以下この条において「占有者等」という。）に対し、当該土地建物等の名称又は種類、形状、数量、所在した場所、当該処分に係る期間又は期日その他必要な事項（以下この条において「名称又は種類等」という。）を通知しなければならない。この場合において、当該土地建物等の占有者等の氏名及び住所を知ることができないときは、当該土地建物等の名称又は種類等を、当該市町村の事務所又は当該土地建物等の所在した場所を管轄する警察署若しくは管区海上保安本部の事務所で内閣府令で定めるもの若しくは当該土地建物等の所在した場所の直近にある自衛隊法第八条に規定する部隊等の長（内閣府令で定める者に限る。）の勤務官署に掲示しなければならない。

（工作物等を保管した場合の公示事項）

第二五条　法第六十四条第三項の政令で定める事項は、次の各号に掲げるものとする。

一　保管した工作物又は物件（以下この条から第二十七条まで及び第三十条において「工作物等」という。）の名称又は種類、形状及び数量

二　保管した工作物等の所在した場所及びその工作物等を除去した日時

三　その工作物等の保管を始めた日時及び保管の場所

四　前各号に掲げるもののほか、保管した工作物等を返還するため必要と認められる事項

（工作物等を保管した場合の公示の方法）

第二六条　法第六十四条第三項の規定による公示は、次の各号に掲げる方法により行なわなければならない。

一　前条各号に掲げる事項を、保管を始めた日から起算して十四日間、当該市町村の事務所に掲示すること。

二　前号の公示の期間が満了しても、なおその工作物等の占有者、所有者その他その工作物等について権原を有する者の氏名及び住所を知ることができないときは、その公示の要旨を市町村の公報又は新聞紙に掲載すること。

2　市町村長は、前項に規定する方法による公示を行なうとともに、保管工作物等一覧簿を当該市町村の事務所に備え付け、かつ、これをいつでも関係者に自由に閲覧させなければならない。

（保管した工作物等を売却する場合の手続）

第二七条　法第六十四条第四項の規定による保管した工作物等の売却は、競争入札に付して行なわなければならない。ただし、次の各号のいずれかに該当するものについては、随意契約により売却することができる。

一　すみやかに売却しなければ価値が著しく減少するおそれのある工作物等

二　競争入札に付しても入札者がない工作物等

三　前二号に掲げるもののほか、競争入札に付することが適当でないと認められる工作物等

2　市町村長は、前項本文の規定による競争入札のうち一般競争入札に付そうとするときは、その入札期日の前日から起算して少なくとも五日前までに、工作物等の名称又は種類、形状、数量その他必要な事項を公示しなければならない。

3　市町村長は、第一項本文の規定による競争入札のうち指名競争入札に付そうとするときは、なるべく三人以上の入札者を指定し、かつ、それらの者に工作物等の名称又は種類、形状、数量その他必要な事項をあらかじめ通知しなければならない。

4　市町村長は、第一項ただし書の規定による随意契約によろうとするときは、なるべく二人以上の者から見積書を徴さなければならない。

（災害時における市町村等の事務の委託の手続）

第二八条　法第六十九条の規定により市町村の事務又は市町村長等の権限に属する事務の一部を他の地方公共団体に委託するときは、関係地方公共団体は、協議により次の各号に掲げる事項を定めてこれを行なわなければならない。

一　委託する市町村の事務又は市町村長等の権限に属する事務（以下この項において「委託事務」という。）の範囲並びに委託事務の管理及び執行の方法

二　委託事務に要する経費の支弁の方法

三　前各号に掲げるもののほか、委託事務に関し必要な事項

2　関係地方公共団体は、その委託に係る事務を変更し、又はその事務の委託を廃止しようとするときは、前項の規定の例により、協議してこれを行なわなければならない。

3　関係地方公共団体は、事務を委託し、又はその委託に係る事務を変更し、若しくはその事務の委託を廃止したときは、その旨及び事務を委託し、又はその委託に係る事務を変更した場合にあつては第一項各号に掲げる事項を公示するとともに、都道府県にあつては総務大臣に、市町村にあつては都道府県知事にそれぞれ届け出なければならない。

4　関係地方公共団体の長は、第一項の事務の委託又は第二項の委託に係る事務の変更若しくは事務の委託の廃止があつたときは、すみやかに、その旨を議会に報告しなければならない。

（市町村長が事務を行うこととする必要がある場合の措置等）

第二九条　都道府県知事は、法第七十一条第二項の規定によりその権限に属する事務の一部を市町村長が行うこととする必要があると認めるときは、当該事務及び当該事務を行うこととする期間を市町村長に通知するものとする。この場合においては、当該市町村長は、当該期間において当該事務を行わなければならない。

2　都道府県知事は、前項前段の規定による通知をしたときは、直ちに、その旨を公示しなければならない。

（都道府県知事による応急措置の代行）

第三〇条　都道府県知事は、法第七十三条第一項の規定により市町村長に代わつて法第六十四条第二項前段の規定による工作物等の除去その他必要な措置をとつた場合において、工作物等を除去したときは、同条第三項から第五項までの規定の例により、当該工作物等を保管しなければならない。

2　法第七十三条第一項の規定による市町村長の事務の代行をした都道府県知事は、当該市町村がその大部分の事務を行うことができることとなつたと認めるときは、速やかに、当該代行に係る事務を当該市町村長に引き継がなければならない。

3　前項に規定するもののほか、都道府県知事は、法第七十三条第一項の規定による市町村長の事務の代行を終了したときは、すみやかに、その旨及び代行した応急措置を当該市町村長に通知しなければならない。

（災害時における都道府県等の事務の委託の手続）

第三一条　法第七十五条の規定により都道府県の事務又は都道府県知事等の権限に属する事務の一部を他の都道府県に委託するときは、関係都道府県は、協議により次の各号に掲げる事項を定めてこれを行なわなければならない。

一　委託する都道府県の事務又は都道府県知事等の権限に属する事務（以下この項において「委託事務」という。）の範囲並びに委託事務の管理及び執行の方法

二　委託事務に要する経費の支弁の方法

三　前各号に掲げるもののほか、委託事務に関し必要な事項

2　関係都道府県は、その委託に係る事務を変更し、又はその事務の委託を廃止しようとするときは、前項の規定の例により、協議してこれを行なわなければならない。

3　関係都道府県は、事務を委託し、又はその委託に係る事務を変更し、若しくはその事務の委託を廃止したときは、その旨及び事務を委託し、又はその委託に係る事務を変更した場合にあつては第一項各号に掲げる事項を公示するとともに、総務大臣に届け出なければならない。

4　関係都道府県の知事は、第一項の事務の委託又は第二項の委託に係る事務の変更若しくは事務の委託の廃止があつたときは、すみやかに、その旨を議会に報告しなければならない。

（災害時における交通の規制の手続等）

第三二条　公安委員会は、法第七十六条第一項の規定により緊急通行車両以外の車両の道路における通行を禁止し、又は制限するときは、その禁止又は制限の対象、区域等及び期間（期間を定めないときは、禁止又は制限の始期とする。以下この条において同じ。）を記載した内閣府令で定める様式の標示を内閣府令で定める場所に設置してこれを行わなければならない。ただし、緊急を要するため標示を設置するいとまがないとき、又は標示を設置して行うことが困難であると認めるときは、公安委員会の管理に属する都道府県警察の警察官の現場における指示により、これを行うことができる。

2　公安委員会は、法第七十六条第一項の規定により緊急通行車両以外の車両の通行を禁止し、又は制限しようとするときは、あらかじめ、当該道路の管理者に禁止又は制限の対象、区域等、期間及び理由を通知しなければならない。緊急を要する場合で、あらかじめ、当該道路の管理者に通知するいとまがなかつたときは、事後において、速やかにこれらの事項を通知しなければならない。

3　公安委員会は、法第七十六条第一項の規定により緊急通行車両以外の車両の通行を禁止し、又は制限したときは、速やかに、関係公安委員会に禁止又は制限の対象、区域等、期間及び理由を通知しなければならない。

第三二条の二　法第七十六条第一項の政令で定める車両は、次に掲げるもの（第二号に掲げる車両にあつては、次条第四項の規定により当該車両についての同条第一項の確認に係る標章が掲示されているものに限る。）とする。

一　道路交通法（昭和三十五年法律第百五号）第三十九条第一項の緊急自動車

二　災害応急対策に従事する者又は災害応急対策に必要な物資の緊急輸送その他の災害応急対策を実施するため運転中の車両（前号に該当するものを除く。）

第三三条　都道府県知事又は公安委員会は、前条第二号に掲げる車両については、当該車両の使用者の申出により、当該車両が同号の災害応急対策を実施するための車両として使用されるものであることの確認を行うものとする。

2　前項の規定にかかわらず、法第五十条第二項の規定により災害応急対策を実施しなければならない者の車両に係る前項の確認については、当該車両の使用者の申出により、災害が発生し、又は正に発生しようとしている時より前においても行うことができる。

3　第一項の確認をしたときは、都道府県知事又は公安委員会は、当該車両の使用者に対し、内閣府令で定める様式の標章及び証明書を交付するものとする。

4　前項の標章を掲示するときは、当該車両の前面の見やすい箇所にこれをするものとし、同項の証明書を当該車両に備え付けるものとする。

5　大規模地震対策特別措置法（昭和五十三年法律第七十三号）第九条の警戒宣言に係る地震が発生した場合には、大規模地震対策特別措置法施行令（昭和五十三年政令第三百八十五号）第十二条第一項の規定による確認は第一項の規定による確認と、同条第三項の規定により交付された標章及び証明書は第三項の規定により交付された標章及び証明書とみなす。

第三三条の二　法第七十六条の五の規定による国家公安委員会の指示は、関係公安委員会による通行禁止等（法第七十六条第二項に規定する通行禁止等をいう。以下この条において同じ。）が斉一に行われていないことその他関係公安委員会による通行禁止等が適切に行われていないか、又は適切でない通行禁止等が行われようとしているため、災害応急対策が的確かつ円滑に行われていないとき、又は行われないおそれがあるときに行うものとする。

（災害時における車両の移動等の手続等）

第三三条の三　道路管理者等は、法第七十六条の六第一項の規定により道路の区間を指定しようとするときは、あらかじめ、当該地域を管轄する公安委員会に当該指定をしようとする道路の区間及びその理由を通知しなければならない。緊急を要する場合で、あらかじめ、当該公安委員会に通知するいとまがなかつたときは、事後において、速やかにこれらの事項を通知しなければならない。

2　法第七十六条の六第一項の規定による命令は、書面又は口頭でするものとする。

第三三条の四　法第七十六条の七第一項の規定による国土交通大臣若しくは都道府県知事の指示、同条第二項の規定による国土交通大臣の指示又は同条第三項の規定による農林水産大臣の指示は、広域の見地から緊急通行車両の通行を確保すべき道路について関係道路管理者等による法第七十六条

の六第一項の規定による指定が行われていないことその他関係道路管理者等による同項の規定による指定若しくは命令若しくは同条第三項若しくは第四項の規定による措置（以下この条において「指定等」という。）が適切に行われていないか、又は適切でない指定等が行われようとしているため、災害応急対策が的確かつ円滑に行われていないとき、又は行われないおそれがあるときに行うものとする。

第三三条の五　法第七十六条の六第一項から第四項までに規定する道路管理者である国土交通大臣の権限並びに法第七十六条の七第一項及び第二項に規定する国土交通大臣の権限は、地方整備局長又は北海道開発局長に委任する。ただし、同条第一項及び第二項に規定する権限は、国土交通大臣が自ら行うことを妨げない。

２　第三十三条の三第一項に規定する道路管理者である国土交通大臣の権限は、地方整備局長又は北海道開発局長に委任する。

（指定行政機関の長等による応急措置の代行）

第三三条の六　指定行政機関の長又は指定地方行政機関の長は、法第七十八条の二第一項の規定により市町村長に代わつて法第六十四条第二項前段の規定による工作物等の除去その他必要な措置をとつた場合において、工作物等を除去したときは、同条第三項から第五項までの規定の例により、当該工作物等を保管しなければならない。

２　法第七十八条の二第一項の規定による市町村長の事務の代行をした指定行政機関の長又は指定地方行政機関の長は、当該市町村がその大部分の事務を行うことができることとなつたと認めるときは、速やかに、当該代行に係る事務を当該市町村長に引き継がなければならない。

３　前項に規定するもののほか、指定行政機関の長又は指定地方行政機関の長は、法第七十八条の二第一項の規定による市町村長の事務の代行を終了したときは、速やかに、その旨及び代行した応急措置を当該市町村長及び当該市町村を包括する都道府県の知事に通知しなければならない。

（公用変更令書等）

第三四条　都道府県知事若しくは市町村長又は指定行政機関の長若しくは指定地方行政機関の長は、法第八十一条第一項の規定により公用令書を交付した後当該公用令書に係る処分を変更し、又は取り消したときは、すみやかに、公用変更令書又は公用取消令書を交付しなければならない。

２　公用令書、公用変更令書及び公用取消令書の様式は、内閣府令で定める。

（実費弁償の基準）

第三五条　法第八十二条第三項の政令で定める基準は、次の各号に掲げるとおりとする。

一　災害救助法施行令（昭和二十二年政令第二百二十五号）第四条第一号から第四号までに掲げる医師その他の者（以下この条において「医師等」という。）に対しては、応急措置の業務（以下この条において「業務」という。）に従事した時間に応じ、手当を支給するものとする。

二　前号の手当の支給額は、当該業務に係る従事命令を発した都道府県知事の統轄する都道府県の常勤の職員で当該業務に従事した医師等に相当するものの給与を考慮して定めるものとする。

三　医師等が、一日につき八時間を超えて業務に従事したときは、第一号の規定にかかわらず、その八時間を超える時間につき割増手当を、業務に従事するため一時その住所又は居所を離れて旅行するときは、旅費を、それぞれ支給するものとする。

四　前号の割増手当又は旅費の支給額は、第一号の手当の支給額を基礎とし、当該業務に係る従事命令を発した都道府県知事の統轄する都道府県の常勤の職員で当該業務に従事した医師等に相当するものに支給される時間外勤務手当又は旅費の算定の例に準じて算定するものとする。

五　災害救助法施行令第四条第五号から第十号までに掲げる業者及びその従業者に対する実費弁償は、当該業務に従事するため通常要する費用を当該業者に支給して行うものとする。

（損害補償の基準）

第三六条　法第八十四条第一項に規定する損害補償の基準は、非常勤消防団員等に係る損害補償の基準を定める政令（昭和三十一年政令第三百三十五号）中消防法（昭和二十三年法律第百八十六号）第二十五条第一項若しくは第二項（これらの規定を同法第三十六条第八項において準用する場合を含む。）若しくは第二十九条第五項（同法第三十条の二及び第三十六条第八項において準用する場合を含む。）の規定により消防作業に従事した者、同法第三十五条の十第一項の規定により救急業務に協力した者又は水防法（昭和二十四年法律第百九十三号）第二十四条の規定により水防に従事した者に係る損害補償の規定の定めるとおりとする。

２　法第八十四条第二項に規定する損害補償の基準は、災害救助法施行令中扶助金に係る規定の定めるとおりとする。

（埋葬及び火葬の手続の特例）

第三六条の二　厚生労働大臣は、法第八十六条の四の規定により墓地、埋葬等に関する法律（昭和二十三年法律第四十八号。以下この条において「墓地埋葬法」という。）第五条及び第十四条に規定する手続の特例を定めるときは、その対象となる地域を指定するものとする。

２　厚生労働大臣は、その定める期間内に前項の規定により指定した地域において死亡した者の死体に係る墓地埋葬法第五条第一項の規定による埋葬又は火葬の許可について、同条第二項に規定する市町村長のほか、当該死体の現に存する地の市町村長その他の市町村長がこれを行うものとすることができる。

３　厚生労働大臣は、第一項の規定により指定した地域において公衆衛生上の危害の発生を防止するため特に緊急の必要があると認めるときは、前項に規定する死体の埋葬又は火葬を行おうとする者について、厚生労働大臣が定める墓地又は火葬場において当該埋葬又は火葬を行うときに限り、墓地埋葬法第五条第一項の規定にかかわらず、同項の規定による許可を要しないものとすることができる。

４　厚生労働大臣は、前項の場合における墓地埋葬法第十四条に規定する手続については、次に定めるところにより、特例を定めるものとする。

一　墓地埋葬法第十四条に規定する埋葬許可証又は火葬許可証に代わるべき書類として、死亡診断書、死体検案書その他当該死体に係る死亡の事実を証する書類を定めること。

二　前項に規定する墓地又は火葬場の管理者は、前号の書類を受理したときは、市町村長に対し、当該書類に記載された事項の確認を求めなければならず、当該市町村長がその確認をした後でなければ、埋葬をさせ、又は火葬を行つてはならないものとすること。

三　墓地又は納骨堂の管理者は、第一号の書類であつて、火葬場の管理者が墓地埋葬法第十六条第二項に規定する事項を記載したものを受理したときは、焼骨の埋蔵をさせ、又は焼骨の収蔵をすることができるものとすること。

（都道府県知事による広域一時滞在の協議等の代行の手続）

第三六条の三　法第八十六条の十第一項の規定による市町村長の事務の代行をした都道府県知事は、当該市町村がその大部分の事務を行うことができることとなつたと認めるときは、速やかに、当該代行に係る事務を当該市町村長に引き継がなければならない。

２　前項に規定するもののほか、都道府県知事は、法第八十六条の十第一項の規定による市町村長の事務の代行を終了したときは、速やかに、その旨及び代行した措置を当該市町村長に通知しなければならない。

（内閣総理大臣による広域一時滞在の協議等の代行の手続）

第三六条の四　内閣総理大臣は、法第八十六条の十三第一項の規定による市町村長の事務の代行をした場合において、当該市町村がその大部分の事務を行うことができることとなつたと認めるときは当該市町村長に、当該市町村を包括する都道府県がその大部分の事務を行うことができることとなつたと認めるとき（当該市町村がその大部分の事務を行うことができることとなつたと認めるときを除く。）は当該都道府県の知事に、速やかに、当該代行に係る事務を引き継がなければならない。

２　前項に規定するもののほか、内閣総理大臣は、法第八十六条の十三第一項の規定による市町村長の事務の代行を終了したときは、速やかに、その旨及び代行した措置を当該市町村長及び当該市町村を包括する都道府県の知事に通知しなければならない。

３　内閣総理大臣は、法第八十六条の十三第一項の規定による都道府県知事の事務の代行をした場合において、当該都道府県がその大部分の事務を行うことができることとなつたと認めるときは、速やかに、当該代行に係る事務を当該都道府県知事に引き継がなければならない。

４　前項に規定するもののほか、内閣総理大臣は、法第八十六条の十三第一項の規定による都道府県知事の事務の代行を終了したときは、速やかに、その旨及び代行した措置を当該都道府県知事及び当該措置に係る市町村長に通知しなければならない。

第七章　災害復旧

（防災会議への報告）
第三七条　法第八十九条に規定する災害復旧事業費の概要及び災害復旧事業の実施に関する基準の概要の報告は、災害復旧事業費の決定を行なつた日又は災害復旧事業の実施に関する基準を定めた日から二十日以内に、内閣府令で定める様式の文書により行なうものとする。

（国の負担金又は補助金の早期交付等）
第三八条　国は、法第九十条の規定により、地方公共団体又はその機関が実施する災害復旧事業に係る国の負担金又は補助金を早期に交付しようとするときは、当該災害復旧事業の進捗状況、当該災害復旧事業に要する経費の支出時期及び当該地方公共団体の資金の状況等を勘案してこれを行なうものとする。

第八章　財政金融措置

（政令で定める費用）
第三九条　法第九十三条第一項の政令で定める費用は、次の各号に掲げるものとする。
一　市町村長が当該市町村の区域内で実施した応急措置又は他の市町村の区域内で実施した応援のうち、主として当該市町村以外の市町村又は当該他の市町村以外の市町村（当該市町村を除く。）の利害に関係がある応急措置又は応援のために通常要する費用で、当該市町村又は当該他の市町村に負担させることが不適当と認められるもの
二　激甚災害に対処するための特別の財政援助等に関する法律（昭和三十七年法律第百五十号）第二条第一項に規定する政令で指定された激甚災害（以下「激甚災害」という。）のため全部又は大部分の事務を行なうことができなくなつた法第七十三条第一項の市町村の市町村長が実施した応急措置又は当該市町村に対して他の市町村の市町村長が実施した応援のために通常要する費用で、当該市町村に負担させることが困難と認められるもの

（都道府県の負担）
第四〇条　法第七十二条第一項の規定により指示した都道府県知事の統轄する都道府県は、前条第一号に掲げる費用のうち、市町村長が当該市町村の区域内で実施した応急措置のために要する費用についてはその三分の二を、市町村長が他の市町村の区域内で実施した応援のために要した費用及び前条第二号に掲げる費用についてはその全部をそれぞれ負担するものとする。

（政令で定める費用）
第四一条　法第九十五条の政令で定める費用は、次の各号に掲げる費用で、国が別に法令で定めるところにより、又は予算の範囲内においてその一部を負担し、又は補助することとしているもの以外のものとする。
一　地方公共団体の長が実施した応急措置のうち、主として当該地方公共団体の長の統轄する地方公共団体以外の地方公共団体の利害に関係がある応急措置のために通常要する費用で、当該地方公共団体に負担させることが不適当と認められるもの
二　激甚災害のため全部又は大部分の事務を行なうことができなくなつた法第七十三条第一項の市町村の市町村長が実施した応急措置のため通常要する費用で、当該市町村に負担させることが困難と認められるもの

（国の補助）
第四二条　国は、前条各号に掲げる費用については、特定災害対策本部長の指示又は非常災害対策本部長の指示に係る応急措置の内容その他の事情を勘案し、予算の範囲内において、その全部又は一部を補助することができる。

（政令で定める地方公共団体等）
第四三条　法第百二条第一項の政令で定める地方公共団体は、次の各号のいずれかに該当する地方公共団体で、同項第一号の徴収金の減免の額と同項第二号の災害予防、災害応急対策又は災害復旧に通常要する費用の額との合計額が、都道府県及び地方自治法第二百五十二条の十九第一項の市（以下この項において「指定都市」という。）にあつては一千万円、指定都市以外の市で人口（官報で公示された最近の国勢調査又はこれに準ずる人口調査の結果による人口によるものとし、当該公示の人口調査期日以後において市町村の廃置分合又は境界変更があつた場合には、地方自治法施行令（昭和二十二年政令第十六号）第百七十七条の規定により都道府県知事の公示した人口によるものとする。以下この項において同じ。）三十万人以上のものにあつては五百万円、人口三十万人未満十万人以上の市にあつては三百万円、人口十万人未満五万人以上の市にあつては百五十万円、その他の市及び町村にあつては八十万円を超えるものとする。
一　その年の一月一日から十二月三十一日までに発生した災害につき、公共土木施設災害復旧事業費国庫負担法（昭和二十六年法律第九十七号）第七条の規定により決定された事業費で激甚災害のため当該地方公共団体が施行する事業に係るもの又は国が施行し、当該地方公共団体がその費用の一部を負担する事業に係るもの、公立学校施設災害復旧費国庫負担法（昭和二十八年法律第二百四十七号）第三条の規定により国が負担する事業費で激甚災害のため当該地方公共団体が施行する事業に係るもの及び農林水産業施設災害復旧事業費国庫補助の暫定措置に関する法律（昭和二十五年法律第百六十九号）第三条の規定により国が補助する事業費で激甚災害のため当該地方公共団体の区域内で施行される事業に係るものの合計額が、当該地方公共団体の標準税収入額に相当する額を超える地方公共団体
二　その年の一月一日から十二月三十一日までに発生した激甚災害につき、災害救助法（昭和二十二年法律第百十八号）第四条第一項から第三項までに規定する救助が行われた市町村であつて、当該市町村の区域における救助に要した費用のうち都道府県（同法第二条の二第一項に規定する救助実施市の区域にあつては、当該救助実施市）が支弁したものが当該市町村の標準税収入額の百分の一に相当する額を超えるもの
2　前項の標準税収入額は、道府県にあつては、地方交付税法（昭和二十五年法律第二百十一号）第十条第三項本文の規定により総務大臣が決定した当該年度（災害の発生した日の属する会計年度をいう。）の普通交付税の額（同項ただし書の規定により総務大臣が当該額を変更した場合には、当該変更後の額とする。）の算定に用いられた基準財政収入額（同法第十四条の規定により算定した基準財政収入額から当該基準財政収入額の算定基礎となつた地方揮発油譲与税、石油ガス譲与税、自動車重量譲与税、航空機燃料譲与税及び森林環境譲与税に係る額を控除した額とする。）の七十五分の百に相当する額並びに当該基準財政収入額の算定基礎となつた地方揮発油譲与税、石油ガス譲与税及び自動車重量譲与税に係る額の合算額とし、市町村にあつては、当該普通交付税の額の算定に用いられた基準財政収入額（同法第十四条の規定により算定した基準財政収入額から当該基準財政収入額の算定基礎となつた事業所税、軽油引取税交付金、地方揮発油譲与税、特別とん譲与税、石油ガス譲与税、自動車重量譲与税、航空機燃料譲与税及び森林環境譲与税に係る額を控除した額とする。）の七十五分の百に相当する額並びに当該基準財政収入額の算定基礎となつた地方揮発油譲与税及び自動車重量譲与税に係る額の合算額とし、都及び特別区にあつては、これらに準ずるものとして総務省令で定める額とする。
3　著しく異常かつ激甚な非常災害が発生した場合における法第百二条第一項の政令で定める地方公共団体は、第一項の規定にかかわらず、当該災害によりその財政運営に特に著しい支障が生じ、又は生ずるおそれがあるものとして総務大臣が指定する地方公共団体とする。
4　第一項及び前項の地方公共団体は、総務大臣が告示する。
5　法第百二条第一項の規定による地方債を財政融資資金で引き受けた場合における当該地方債の利息の定率は、当該地方債を発行した年度における財政融資資金の引受けに係る地方財政法（昭和二十三年法律第百九号）第五条第四号の規定によつて起こした地方債の利息の定率によるものとする。
6　法第百二条第一項の規定による地方債を財政融資資金で引き受けた場合における当該地方債の償還方法は、当該地方債を発行した年度以降四年以内の半年賦（うち一年以内の据置期間を含む。）によるものとする。

（政令で定める災害）
第四四条　法第百二条第一項及び第百四条の政令で定める災害は、激甚災害とする。

（政令で定める金融機関）
第四五条　法第百四条の政令で定める金融機関は、次に掲げるものとする。
一　地方公共団体金融機構
二　株式会社日本政策投資銀行
三　農林中央金庫

四　株式会社商工組合中央金庫

第九章　雑則

（内閣府令への委任）

第四六条　この政令に規定するもののほか、この政令の実施のための手続その他必要な事項は、内閣府令で定める。

附　則

1　この政令は、法施行の日（昭和三十七年七月十日）から施行する。

2　復興庁が廃止されるまでの間における第三条第一項の規定の適用については、同項中「二十七人」とあるのは、「二十八人」とする。

3　国際博覧会推進本部が置かれている間における第三条第一項の規定の適用については、前項の規定にかかわらず、同条第一項中「二十七人」とあるのは、「二十九人」とする。

4　東京オリンピック競技大会・東京パラリンピック競技大会推進本部が置かれている間における第三条第一項の規定の適用については、前二項の規定にかかわらず、同条第一項中「二十七人」とあるのは、「三十人」とする。

5　当分の間、第四十三条第一項の標準税収入額の算定に係る同条第二項の規定の適用については、同項中「）の算定に用いられた基準財政収入額（同法第十四条の規定により算定した基準財政収入額」とあるのは「）の算定に用いられた基準財政収入額（同法附則第七条の二第一項及び第七条の三第一項の規定の適用がないものとした場合における同法第十四条の規定により算定した基準財政収入額に当該基準財政収入額の算定基礎となつた分離課税所得割交付金（地方税法（昭和二十五年法律第二百二十六号）附則第七条の四の規定により指定都市に対し交付するものとされる分離課税に係る所得割に係る交付金をいう。以下この項において同じ。）に係る額を加算した額」と、「地方揮発油譲与税、石油ガス譲与税、自動車重量譲与税、航空機燃料譲与税及び森林環境譲与税」とあるのは「地方揮発油譲与税、石油ガス譲与税、自動車重量譲与税、航空機燃料譲与税、森林環境譲与税及び交通安全対策特別交付金」と、「とし、市町村」とあるのは「から当該基準財政収入額の算定基礎となつた分離課税所得割交付金に係る額を控除した額とし、市町村」と、「額の算定に用いられた基準財政収入額（」とあるのは「額の算定に用いられた基準財政収入額（地方交付税法附則第七条の二第二項及び第七条の三第二項の規定の適用がないものとした場合における」と、「特別とん譲与税、石油ガス譲与税、自動車重量譲与税、航空機燃料譲与税及び森林環境譲与税」とあるのは「特別とん譲与税、石油ガス譲与税、自動車重量譲与税、航空機燃料譲与税、森林環境譲与税、交通安全対策特別交付金及び分離課税所得割交付金」と、「及び自動車重量譲与税」とあるのは「、自動車重量譲与税及び分離課税所得割交付金」とする。

6　平成二十九年度及び平成三十年度における第四十三条第一項の標準税収入額の算定に係る前項の規定により読み替えられた同条第二項の規定の適用については、同項中「同じ。）」とあるのは「同じ。）及び道府県民税所得割臨時交付金（地方税法及び航空機燃料譲与税法の一部を改正する法律（平成二十九年法律第二号）附則第五条第七項の規定により指定都市に対し交付するものとされる道府県民税の所得割に係る交付金をいう。以下この項において同じ。）」と、「なつた分離課税所得割交付金に」とあるのは「なつた分離課税所得割交付金及び道府県民税所得割臨時交付金に」と、「及び分離課税所得割交付金」とあるのは「、分離課税所得割交付金及び道府県民税所得割臨時交付金」とする。

附　則〔略〕（昭和三七・九・二九政令三八七）

附　則〔略〕（昭和三七・一〇・一〇政令四〇三）

附　則〔略〕（昭和四七・五・一三政令一八五）

附　則〔略〕（昭和四九・六・一〇政令二〇三）

附　則〔略〕（昭和四九・六・二六政令二二五）

附　則〔略〕（昭和五〇・八・一政令二四五）

附　則〔略〕（昭和五一・八・一四政令二一八）

附　則〔略〕（昭和五三・一二・一二政令三八五）

附　則〔略〕（昭和五九・三・一七政令三五）

附　則〔略〕（昭和六〇・一二・二一政令三一七）

附　則〔略〕（昭和六〇・三・一五政令三一）

附　則〔略〕（昭和六一・三・二八政令五五）

附　則〔略〕（昭和六二・三・二〇政令五四）

附　則〔略〕（平成元・九・二九政令二九一）

附　則〔略〕（平成二・九・二八政令二九〇）

附　則〔略〕（平成三・一・二五政令六）

附　則〔略〕（平成六・七・二七政令二五一）

附　則〔略〕（平成六・一一・二八政令三七三）

附　則〔略〕（平成七・八・二五政令三一九）

附　則〔略〕（平成八・一・二四政令一〇）

附　則〔略〕（平成九・三・二八政令八四）

附　則（平成九・三・二八政令八八）

（施行期日）

1　この政令は、平成九年四月一日から施行する。

（経過措置）

2　一般職の職員の給与に関する法律等の一部を改正する法律附則第十四項及び第十五項の規定により暫定筑波研究学園都市移転手当が支給される間におけるこの政令による改正後の災害対策基本法施行令第十八条第八項の適用については、同項中「勤勉手当の支給額」とあるのは、「勤勉手当の支給額、一般職の職員の給与に関する法律等の一部を改正する法律（平成八年法律第百十二号）附則第十四項及び第十五項の暫定筑波研究学園都市移転手当の支給額」とする。

附　則〔略〕（平成九・六・二四政令二一七）

附　則〔略〕（平成九・一二・五政令三四九）

附　則〔略〕（平成九・一二・一〇政令三五一）

附　則〔略〕（平成九・一二・二五政令三八一）

附　則〔略〕（平成一一・九・三政令二六二）

附　則〔略〕（平成一一・九・二九政令二八五）

附　則〔抄〕（平成一一・一〇・二九政令三四六）

（施行期日）

1　この政令は、平成十二年四月一日から施行する。

（災害対策基本法施行令の一部改正に伴う経過措置）

2　この政令の施行の日（以下「施行日」という。）前に第六条の規定による改正前の災害対策基本法施行令第二十九条第二項の規定により都道府県知事がした公示は、第六条の規定による改正後の災害対策基本法施行令第二十九条第二項の規定により都道府県知事がした公示とみなす。

附　則〔略〕（平成一二・二・一四政令三〇）

附　則〔略〕（平成一二・三・二八政令一〇二）

附　則〔略〕（平成一二・三・三一政令一七三）

附　則〔抄〕（平成一二・六・七政令三〇三）

（施行期日）

第一条　この政令は、内閣法の一部を改正する法律の施行の日（平成十三年一月六日）から施行する。ただし、〔中略〕附則第七条から第九条までの規定は、公布の日から施行する。

（中央防災会議の委員に関する経過措置）

第八条　この政令の施行の日の前日において中央防災会議の委員（学識経験のある者のうちから任命されたものに限る。）である者の任期は、第十二条の規定による改正前の災害対策基本法施行令第三条第二項の規定にかかわらず、その日に満了する。

附　則〔略〕（平成一二・六・七政令三二六）

附　則〔略〕（平成一二・六・二三政令三六一）

附　則〔略〕（平成一二・一二・二七政令五五三）

附　則〔略〕（平成一四・三・二五政令六〇）

附　則〔略〕（平成一四・三・三一政令一〇二）

附　則〔略〕（平成一四・一二・一八政令三八五）

附　則〔抄〕（平成一五・三・三一政令一二九）

（施行期日）

第一条　この政令は、公布の日から施行する。

（災害対策基本法施行令の一部改正に伴う経過措置）

第五条　第三条の規定による改正後の災害対策基本法施行令第四十三条第二項の規定は、平成十五年度以後の年度における同条第一項に規定する標準税収入額の算定について適用し、平成十四年度における同項に規定する標準税収入額の算定については、なお従前の例による。

附　則〔略〕（平成一五・三・三一政令一六三）

附　則〔略〕（平成一五・九・二五政令四四三）

附　則〔略〕（平成一五・一二・三政令四七二）

附　則（略）〔平成一五・一二・三政令四八三〕

附　則（略）〔平成一六・三・二六政令七一〕

附　則（略）〔平成一六・三・三一政令九六〕

附　則（略）〔平成一七・一・二六政令九〕

附　則（略）〔平成一七・三・三一政令九四〕

附　則（抄）〔平成一七・三・三一政令九五〕

（施行期日）

第一条　この政令は、公布の日から施行する。

（災害対策基本法施行令の一部改正に伴う経過措置）

第四条　第二条の規定による改正後の災害対策基本法施行令第四十三条第二項の規定は、平成十七年度以後の年度における同条第一項に規定する標準税収入額の算定について適用し、平成十六年度における同項に規定する標準税収入額の算定については、なお従前の例による。

附　則（略）〔平成一七・六・一政令一九五〕

附　則〔平成一七・一二・二一政令三七五〕

（施行期日）

1　この政令は、総合的な国土の形成を図るための国土総合開発法等の一部を改正する等の法律の施行の日（平成十七年十二月二十二日）から施行する。

（災害対策基本法施行令の一部改正に伴う経過措置）

2　総合的な国土の形成を図るための国土総合開発法等の一部を改正する等の法律附則第六条の規定により同条の表の下欄に掲げる法律の規定がなおその効力を有することとされる場合における第八条の規定による改正前の災害対策基本法施行令第二十条第一項第三号から第七号までに掲げる計画については、なお従前の例による。

附　則（抄）〔平成一八・二・一政令一四〕

（施行期日）

第一条　この政令は、平成十八年四月一日から施行する。

（災害対策基本法施行令の一部改正に伴う経過措置）

第四条　一般職の職員の給与に関する法律等の一部を改正する法律（以下「法」という。）附則第十九条第一項の規定により調整手当を支給する普通地方公共団体に派遣される派遣職員に係る第二十条の規定による改正後の災害対策基本法施行令第十八条第二項及び第六項の規定の適用については、同条第二項中「地域手当」とあるのは「調整手当」と、同条第六項中「給料、扶養手当及び地域手当」とあるのは「給料、扶養手当及び調整手当」とする。

附　則（略）〔平成一八・三・三政令二九〕

附　則（略）〔平成一八・三・二九政令九〇〕

附　則（抄）〔平成一八・三・三一政令一二〇〕

（施行期日）

第一条　この政令は、平成十八年四月一日から施行する。

（災害対策基本法施行令の一部改正に伴う経過措置）

第四条　第五条の規定による改正後の災害対策基本法施行令第四十三条第二項及び附則第四項の規定は、平成十八年度以後の年度における同条第一項に規定する標準税収入額の算定について適用し、平成十七年度における同項に規定する標準税収入額の算定については、なお従前の例による。

附　則（略）〔平成一八・三・三一政令一四九〕

附　則（抄）〔平成一八・一二・一五政令三八一〕

（施行期日）

第一条　この政令は、平成十九年四月一日から施行する。

（災害対策基本法施行令の一部改正に伴う経過措置）

第五条　第五条の規定による改正後の災害対策基本法施行令第四十三条第二項の規定は、平成十九年度以後の年度における同項に規定する標準税収入額の算定について適用し、平成十八年度以前の年度における同項に規定する標準税収入額の算定については、なお従前の例による。

附　則（略）〔平成一九・一・四政令三〕

附　則（略）〔平成一九・三・二二政令五七〕

附　則（略）〔平成一九・三・二八政令六八〕

附　則（抄）〔平成一九・八・三政令二三五〕

改正　平成一九・九政二九二

（施行期日）

第一条　この政令は、平成十九年十月一日から施行する。〔以下略〕

（災害対策基本法施行令の一部改正に伴う経過措置）

第二十六条　施行日前に災害対策基本法（昭和三十六年法律第二百二十三号）第百二条第一項の規定による地方債を整備法第二条の規定による廃止前の日本郵政公社法（平成十四年法律第九十七号。以下「旧公社法」という。）第二十四条第三項第四号に規定する郵便貯金資金又は同項第五号に規定する簡易生命保険資金で引き受けた場合における当該地方債の利息の定率及び償還方法については、なお従前の例による。

（罰則に関する経過措置）

第四十一条　この政令の施行前にした行為に対する罰則の適用については、なお従前の例による。

附　則（略）〔平成一九・九・二〇政令二九二施行〕

附　則（略）〔平成一九・一一・三〇政令三四九〕

附　則（略）〔平成二〇・三・二六政令六七〕

附　則（抄）〔平成二〇・四・三〇政令一五三〕

（施行期日）

第一条　この政令は、公布の日から施行する。

（災害対策基本法施行令の一部改正に伴う経過措置）

第二条　第二条の規定による改正後の災害対策基本法施行令第四十三条第二項の規定は、平成二十年度以後の年度における同項に規定する標準税収入額の算定について適用し、平成十九年度以前の年度における同項の標準税収入額の算定については、なお従前の例による。

附　則（略）〔平成二〇・五・二一政令一八〇〕

附　則（略）〔平成二〇・七・一六政令二二六〕

附　則（略）〔平成二〇・七・二五政令二三七〕

附　則（略）〔平成二〇・一〇・二二政令三二四施行〕

附　則（略）〔平成二一・三・二七政令五七〕

附　則（抄）〔平成二一・三・三一政令一〇〇〕

（施行期日）

第一条　この政令は、平成二十一年四月一日から施行する。〔以下略〕

（災害対策基本法施行令の一部改正に伴う経過措置）

第一五条　前条の規定による改正後の災害対策基本法施行令（次項において「新災害対策基本法施行令」という。）第四十三条第二項の規定は、平成二十一年度以後の年度における同条第一項に規定する標準税収入額の算定について適用し、平成二十年度以前の年度における同項に規定する標準税収入額の算定については、なお従前の例による。

2　平成二十一年度における新災害対策基本法施行令第四十三条第二項の規定の適用については、同項中「石油ガス譲与税、航空機燃料譲与税及び交通安全対策特別交付金」とあるのは「石油ガス譲与税、航空機燃料譲与税、交通安全対策特別交付金、地方税法等の一部を改正する法律（平成二十一年法律第九号）第一条の規定による改正前の地方税法（昭和二十五年法律第二百二十六号。以下この項において「旧地方税法」という。）の規定による自動車取得税及び軽油引取税並びに地方道路譲与税」と、「自動車重量譲与税、航空機燃料譲与税及び交通安全対策特別交付金」とあるのは「自動車重量譲与税、航空機燃料譲与税、交通安全対策特別交付金、旧地方税法の規定による自動車取得税交付金及び軽油引取税交付金並びに地方道路譲与税」とする。

附　則（略）〔平成二一・三・三一政令一〇二〕

附　則（略）〔平成二一・五・二九政令一四二施行〕

附　則（略）〔平成二一・八・一四政令二〇六〕

附　則（抄）〔平成二二・三・三一政令四六〕

（施行期日）

第一条　この政令は、平成二十二年四月一日から施行する。

（災害対策基本法施行令の一部改正に伴う経過措置）

第三条　第二条の規定による改正後の災害対策基本法施行令第四十三条第二項の規定は平成二十二年度以後の年度における標準税収入額の算定について適用し、平成二十一年度以前の年度における標準税収入額の算定については、なお従前の例による。

附　則（略）〔平成二三・三・一六政令二三施行〕

附　則（略）〔平成二三・六・二四政令一八一〕

附　則（略）〔平成二四・二・一〇政令二七施行〕

附　則（略）〔平成二四・三・三一政令九七〕

附　則（抄）〔平成二四・三・三一政令一一〇〕

（施行期日）

第一条　この政令は、平成二十四年四月一日から施行する。〔以下略〕

（災害対策基本法施行令の一部改正に伴う経過措置）

第二条　第二条の規定による改正後の災害対策基本法施行令第四十三条第二項の規定は、平成二十四年度以後の年度における同項に規定する標準税収入額の算定について適用し、平成二十三年度以前の年度における第二条の規定による改正前の同令第四十三条第二項に規定する標準税収入額の算定については、なお従前の例による。

附　則〔略〕〔平成二四・六・二七政令一七一施行〕

附　則〔略〕〔平成二五・五・二四政令一五八〕

附　則〔略〕〔平成二五・六・二一政令一八七施行〕

附　則〔略〕〔平成二五・九・二六政令二八五〕

附　則〔抄〕〔平成二六・三・三一政令一三三〕

（施行期日）

1　この政令は、平成二十六年四月一日から施行する。

（災害対策基本法施行令の一部改正に伴う経過措置）

2　第三条の規定による改正後の災害対策基本法施行令第四十三条第二項の規定は、平成二十六年度以後の年度における同項に規定する標準税収入額の算定について適用し、平成二十五年度以前の年度における第三条の規定による改正前の同令第四十三条第二項に規定する標準税収入額の算定については、なお従前の例による。

附　則〔略〕〔平成二六・三・三一政令一三四〕

附　則〔略〕〔平成二六・五・二九政令一九五〕

附　則〔略〕〔平成二六・一一・二一政令三六六施行〕

附　則〔略〕〔平成二七・五・二二政令二三九施行〕

附　則〔略〕〔平成二七・六・二四政令二五六〕

附　則〔略〕〔平成二七・九・三〇政令三四四〕

附　則〔略〕〔平成二八・三・三〇政令九三〕

附　則〔略〕〔平成二八・五・二〇政令二二五施行〕

附　則〔略〕〔平成二九・三・二九政令五七〕

附　則〔略〕

附　則〔略〕〔平成三〇・一一・二八政令三五九〕

附　則〔抄〕〔平成三一・三・二九政令八七〕

（施行期日）

第一条　この政令は、平成三十一年四月一日から施行する。〔以下略〕

（災害対策基本法施行令の一部改正に伴う経過措置）

第二条　平成三十年度以前の年度における第六条の規定による改正前の災害対策基本法施行令第四十三条第二項に規定する標準税収入額の算定については、第六条の規定による改正後の災害対策基本法施行令第四十三条及び附則第五項の規定にかかわらず、なお従前の例による。

附　則〔抄〕〔平成三一・三・二九政令八八〕

（施行期日）

第一条　この政令は、平成三十一年四月一日から施行する。

（災害対策基本法施行令の一部改正に伴う経過措置）

第四条　第三条の規定による改正後の災害対策基本法施行令第四十三条第二項及び附則第五項の規定は、平成三十一年度以後の年度における同条第二項に規定する標準税収入額の算定について適用する。

附　則〔略〕〔令和二・三・二七政令六一〕

附　則〔略〕〔令和二・九・一一政令二七五〕

附　則〔略〕〔令和二・一〇・二政令三〇〇〕

附　則〔略〕〔令和三・五・一〇政令一五三〕

附　則〔略〕〔令和五・五・一七政令一八〇〕

附　則〔略〕〔令和五・一〇・一八政令三〇四〕

附　則〔令和六・三・二九政令七五〕

この政令は、令和六年四月一日から施行する。

○災害対策基本法施行規則

〔昭和三七・九・二一総理府令五二〕

改正　昭和三八・七総令三七、平成七・八総令三九、平成八・一総令一、平成一一・二総令七、平成一二・八総令一〇三、平成一六・七内府令六四、平成一八・三内府令一三、平成二四・六内府令四二、平成二五・四内府令一六、六内府令三九、一〇内府令六六、平成二七・一一内府令六九、平成二八・一内府令一、平成二九・六内府令三四、令和元・六内府令一五、令和三・五内府令三〇、令和五・五内府令四七

（地区居住者等による提案）

第一条　災害対策基本法（昭和三十六年法律第二百二十三号。以下「法」という。）第四十二条の二第二項の規定により共同して計画提案を行おうとする者は、その全員の氏名及び住所（法人にあつては、その名称及び主たる事務所の所在地）を記載した提案書に次に掲げる図書を添えて、これらを市町村防災会議に提出しなければならない。

一　地区防災計画の素案

二　計画提案を行うことができる者であることを証する書類

（防災訓練のための交通の禁止又は制限に係る標示の様式等）

第一条の二　災害対策基本法施行令（昭和三十七年政令第二百八十八号。以下「令」という。）第二十条の二第一項の標示の様式は、別記様式第一のとおりとする。

2　令第二十条の二第一項の規定により標示を設置する場所は、歩行者又は車両の道路における通行を禁止し、又は制限しようとする区域又は道路の区間の前面及びその区域又は道路の区間内の必要な地点における道路の中央又は左側の路端（歩道と車道の区別のある道路にあつては、歩道の車道側）とする。

（令第二十条の三第一号の内閣府令で定める基準）

第一条の三　令第二十条の三第一号の内閣府令で定める基準は、居住者、滞在者その他の者（第一条の八第二号において「居住者等」という。）の受入れの用に供すべき屋上その他の部分（安全区域（令第二十条の三第二号に規定する安全区域をいう。）外にある同号ロに規定する施設である指定緊急避難場所にあつては、当該部分及び当該部分までの避難上有効な階段その他の経路）について、物品の設置又は地震による落下、転倒若しくは移動その他の事由により避難上の支障を生じさせないものであることとする。

（令第二十条の三第二号イの内閣府令で定める技術的基準）

第一条の四　令第二十条の三第二号イの内閣府令で定める技術的基準は、当

該異常な現象により生ずる水圧、波力、振動、衝撃その他の予想される事由により当該施設に作用する力によつて損壊、転倒、滑動又は沈下その他構造耐力上支障のある事態を生じない構造のものであること（当該異常な現象が津波である場合にあつては、次条に規定する技術的基準に適合するものであることを含む。）とする。

（令第二十条の三第三号イの内閣府令で定める技術的基準）

第一条の五　令第二十条の三第三号イの内閣府令で定める技術的基準は、地震に対する安全性に係る建築基準法（昭和二十五年法律第二百一号）並びにこれに基づく命令及び条例の規定に適合するものであることとする。

（令第二十条の四の内閣府令で定める異常な現象の種類）

第一条の六　令第二十条の四の内閣府令で定める異常な現象の種類は、一時的に大量の降雨が生じた場合において下水道その他の排水施設又は河川その他の公共の水域に当該雨水を排水できないことによる浸水及び火砕流、溶岩流、噴石その他噴火に伴い発生する火山現象とする。

（変更の届出）

第一条の七　法第四十九条の五（法第四十九条の七第二項において準用する場合を含む。）の規定による変更の届出は、当該変更の内容を記載した届出書を提出して行うものとする。

（指定避難所の公示）

第一条の七の二　法第四十九条の七第二項の規定により準用する法第四十九条の四第三項の規定により令第二十条の六第一号から第四号までに定める基準に適合する指定避難所（同条第一号から第五号までに定める基準に適合するものを除く。以下この項において「指定一般避難所」という。）を指定したときは、当該指定一般避難所の名称及び所在地その他市町村長が必要と認める事項を公示するものとする。

2　前項に定めるもののほか、法第四十九条の七第二項の規定により準用する法第四十九条の四第三項の規定により令第二十条の六第一号から第五号までに定める基準に適合する指定避難所（以下この項において「指定福祉避難所」という。）を指定したときは、当該指定福祉避難所の名称、所在地及び当該指定福祉避難所に受け入れる被災者等を特定する場合にはその旨その他市町村長が必要と認める事項を公示するものとする。

（災害に関する情報の伝達方法等を居住者等に周知させるための必要な措置）

第一条の八　法第四十九条の九の居住者等に周知させるための必要な措置は、次に掲げるものとする。

一　異常な現象が発生した場合において人の生命又は身体に危険が及ぶおそれがあると認められる土地の区域を表示した図面に法第四十九条の九に規定する事項を記載したもの（電子的方式、磁気的方式その他人の知覚によつては認識することができない方式で作られる記録を含む。）を、印刷物の配布その他の適切な方法により、各世帯に提供すること。

二　前号の図面に表示した事項及び記載した事項に掲げる情報を、インターネットの利用その他の適切な方法により、居住者等がその提供を受けることができる状態に置くこと。

（令第二十条の六の内閣府令で定める基準）

第一条の九　令第二十条の六の内閣府令で定める基準は、次のとおりとする。

一　高齢者、障害者、乳幼児その他の特に配慮を要する者（以下この条において「要配慮者」という。）の円滑な利用を確保するための措置が講じられていること。

二　災害が発生した場合において要配慮者が相談し、又は助言その他の支援を受けることができる体制が整備されること。

三　災害が発生した場合において主として要配慮者を滞在させるために必要な居室が可能な限り確保されること。

（被害状況等の報告）

第二条　令第二十一条の規定による災害の状況及びこれに対してとられた措置の概要の報告は、災害の発生及びその経過に応じて逐次行うものとし、当該災害に対する応急措置が完了した後二十日以内に最終の報告を行うものとする。

2　令第二十一条第四号に規定する被害の程度に関する報告は、法第五十三条第一項及び第二項の規定により市町村及び都道府県が行うものにあつては別表第一に掲げる事項について、同条第三項の規定により指定公共機関の代表者が行うものにあつては被害の概算額について、同条第四項の規定により指定行政機関の長が行うものにあつては別表第二に掲げる事項のうちその所掌事務に係るものについて行うものとする。

（令第二十三条の内閣府令で定める管区海上保安本部の事務所）

第二条の二　令第二十三条の管区海上保安本部の事務所は、海上保安監部、海上保安部、海上保安航空基地及び海上保安署とする。

（法第六十一条の四第四項の内閣府令で定める者等）

第二条の三　法第六十一条の四第四項の内閣府令で定める者は、同項の要避難者を受け入れるべき避難場所を管理する者並びに関係指定地方行政機関の長、関係指定公共機関及び関係指定地方公共機関、関係公共的団体その他同項の協議先市町村長が必要と認める者とする。

2　法第六十一条の四第六項の内閣府令で定める者は、同項の協議元市町村長の統轄する市町村の区域において協議元市町村長が同項の通知を受けた時に現に要避難者を受け入れている避難場所を管理する者並びに関係指定地方行政機関の長、関係指定公共機関及び関係指定地方公共機関、関係公共的団体その他協議元市町村長が必要と認める者とする。

3　第一項の規定は、法第六十一条の五第六項及び第六十一条の六第五項の内閣府令で定める者について準用する。この場合において、第一項中「協議先市町村長」とあるのは、「都道府県外協議先市町村長」と読み替えるものとする。

4　第二項の規定は、法第六十一条の五第十項及び第六十一条の六第七項の内閣府令で定める者について準用する。

（令第二十四条の内閣府令で定める管区海上保安本部の事務所）

第二条の四　令第二十四条の管区海上保安本部の事務所は、海上保安監部、海上保安部、海上保安航空基地又は海上保安署とする。

（令第二十四条の内閣府令で定める部隊等の長）

第三条　令第二十四条の自衛隊法（昭和二十九年法律第百六十五号）第八条に規定する部隊等の長は、次に掲げる者とする。

一　方面総監

二　師団長

三　旅団長

四　駐屯地司令の職にある自衛隊法第八条に規定する部隊等（第十二号において「部隊等」という。）の長

五　航空群司令（航空方面隊司令部の所在地に所在する航空群の長を除く。）

六　地方総監

七　基地隊司令

八　航空隊司令（航空群司令部又は地方総監部の所在地に所在する航空隊の長を除く。）

九　教育航空群司令

十　航空総隊司令官

十一　航空方面隊司令官

十二　基地司令の職にある部隊等の長（駐屯地の所在地に所在する基地又は航空総隊司令部若しくは航空方面隊司令部の所在する基地の基地司令の職にある部隊等の長を除く。）

（法第六十四条第九項の内閣府令で定める部隊等の長）

第四条　法第六十四条第九項の自衛隊法第八条に規定する部隊等の長は、前条各号に掲げる者のうち、その勤務官署が法第六十四条第八項において準用する同条第二項前段の規定により除去された同項に規定する工作物等が設置されていた場所の直近にあるものとする。

（災害時における交通の規制に係る標示の様式等）

第五条　令第三十二条第一項の標示の様式は、別記様式第二のとおりとする。

2　令第三十二条第一項の規定により標示を設置する場所は、緊急通行車両以外の車両の道路における通行を禁止し、又は制限しようとする区域又は道路の区間の前面及びその区域又は道路の区間内の必要な地点における道路の中央又は左側の路端（歩道と車道の区別のある道路にあつては、歩道の車道側）とする。

（緊急通行車両についての確認に係る申出の手続）

第六条　令第三十三条第一項又は第二項の申出は、別記様式第三の申出書を提出して行うものとする。

2　前項の申出書には、次に掲げる書類を添付しなければならない。ただし、やむを得ない事由があるときは、この限りでない。

一　申出に係る車両の自動車検査証（道路運送車両法（昭和二十六年法律第百八十五号）第六十条第一項の自動車検査証をいう。）又は軽自動車届出済証（同法第三条の軽自動車の使用者が同法第九十七条の三第一項の規定により届け出たことを証する書類をいう。）の写し

二　申出に係る車両が、令第三十二条の二第二号の災害応急対策を実施するための車両として使用されるものであることを確かめるに足りる書類

三　令第三十三条第二項の申出である場合にあつては、当該申出に係る車両が、法第五十条第二項の規定により災害応急対策を実施しなければならない者の車両であることを確かめるに足りる書類

（緊急通行車両についての確認に係る標章の様式等）

第六条の二　令第三十三条第三項の標章（次条において「標章」という。）の様式は、別記様式第四のとおりとする。

2　令第三十三条第三項の証明書（次条において「証明書」という。）の様式は、別記様式第五のとおりとする。

（標章等の記載事項の変更の届出）

第六条の三　標章及び証明書（以下この条、次条及び第六条の五において「標章等」という。）の交付を受けた車両の使用者は、当該標章等の記載事項に変更を生じたときは、速やかにその旨を交付を受けた都道府県知事又は都道府県公安委員会（以下「公安委員会」という。）に届け出て、標章等の書換え交付を受けなければならない。

2　前項の規定による届出は、別記様式第六の届出書及び変更した事項を確かめるに足りる書類を提出して行うものとする。

（標章等の再交付の申出）

第六条の四　標章等の交付を受けた車両の使用者は、当該標章等を亡失し、滅失し、汚損し、又は破損したときは、速やかにその旨を交付を受けた都道府県知事又は公安委員会に申し出て、標章等の再交付を受けなければならない。

2　前項の規定による申出は、別記様式第七の申出書を提出して行うものとする。

（標章等の返納）

第六条の五　標章等の交付を受けた車両の使用者は、次の各号のいずれかに該当することとなつたときは、速やかに、当該標章等（第三号の場合にあつては、発見し、又は回復した標章等）を交付を受けた都道府県知事又は公安委員会に返納しなければならない。

一　当該車両が災害応急対策を実施するための車両として使用されるものでなくなつたとき。

二　標章等の有効期限が到来したとき。

三　標章等の再交付を受けた場合において、亡失した標章等を発見し、又は回復したとき。

（公用令書等の様式）

第七条　令第三十四条第二項の公用令書、公用変更令書及び公用取消令書の様式は、それぞれ別記様式第八から別記様式第十まで、別記様式第十一及び別記様式第十二のとおりとする。

（身分を示す証票）

第八条　法第八十三条第二項に規定する身分を示す証票は、その職員の所属する都道府県若しくは市町村又は指定行政機関若しくは指定地方行政機関において発行する身分証明書とする。

（法第八十六条の八第四項の内閣府令で定める者等）

第八条の二　法第八十六条の八第四項の内閣府令で定める者は、同項の被災住民を受け入れるべき避難所を管理する者並びに関係指定地方行政機関の長、関係指定公共機関及び関係指定地方公共機関、関係公共的団体その他同項の協議先市町村長が必要と認める者とする。

2　法第八十六条の八第六項の内閣府令で定める者は、同項の協議元市町村長の統轄する市町村の区域において協議元市町村長が同項の通知を受けた時に現に被災住民を受け入れている避難所を管理する者並びに関係指定地方行政機関の長、関係指定公共機関及び関係指定地方公共機関、関係公共的団体その他協議元市町村長が必要と認める者とする。

3　第一項の規定は、法第八十六条の九第六項の内閣府令で定める者について準用する。この場合において、第一項中「協議先市町村長」とあるのは、「都道府県外協議先市町村長」と読み替えるものとする。

4　第二項の規定は、法第八十六条の九第十項の内閣府令で定める者について準用する。この場合において、第二項中「協議元市町村長」とあるのは、「都道府県外協議元市町村長」と読み替えるものとする。

5　法第八十六条の十一後段の規定により読み替えて適用する法第八十六条の九第九項の内閣府令で定める者は、法第八十六条の十一前段の災害の発生によりその全部又は大部分の事務を行うことができなくなつた市町村の市町村長及び当該市町村の区域において同条後段の規定により読み替えて適用する法第八十六条の九第九項の協議元都道府県知事が同項の通知を受けた時に現に被災住民を受け入れている避難所を管理する者並びに関係指定地方行政機関の長、関係指定公共機関及び関係指定地方公共機関、関係公共的団体その他協議元都道府県知事が必要と認める者とする。

（安否情報の提供等）

第八条の三　法第八十六条の十五第一項の規定により安否情報について照会をしようとする者（以下この条において「照会者」という。）は、都道府県知事又は市町村長に対し、次の各号に掲げる事項を明らかにして行わなければならない。

一　照会者の氏名、住所（法人その他の団体にあつてはその名称、代表者の氏名及び主たる事務所の所在地）その他の照会者を特定するために必要な事項

二　照会に係る被災者の氏名、住所又は居所、生年月日及び性別

三　照会をする理由

2　照会者は、前項の規定により明らかにした同項第一号に掲げる事項が記載されている運転免許証、健康保険の被保険者証、行政手続における特定の個人を識別するための番号の利用等に関する法律（平成二十五年法律第二十七号）第二条第七項に規定する個人番号カード、出入国管理及び難民認定法（昭和二十六年政令第三百十九号）第十九条の三に規定する在留カード、日本国との平和条約に基づき日本の国籍を離脱した者等の出入国管理に関する特例法（平成三年法律第七十一号）第七条第一項に規定する特別永住者証明書その他法律又はこれに基づく命令の規定により交付された書類であつて当該照会者が本人であることを確認するに足りるものを提示し、又は提出しなければならない。ただし、照会者が遠隔の地に居住している場合その他この方法によることができない場合においては、都道府県知事又は市町村長が適当と認める方法によることができる。

3　第一項の照会を受けた都道府県知事又は市町村長は、次の各号に掲げる場合の区分に応じて、当該各号に定める情報を提供することができる。ただし、当該照会が不当な目的によるものと認めるとき又は照会に対する回答により知り得た事項が不当な目的に使用されるおそれがあると認めるときは、この限りでない。

一　照会者が当該照会に係る被災者の同居の親族（婚姻の届出をしないが事実上婚姻関係と同様の事情にある者その他婚姻の予約者を含む。）である場合　照会に係る被災者の居所、負傷若しくは疾病の状況又は連絡先その他安否の確認に必要と認められる情報

二　照会者が当該照会に係る被災者の親族（前号に掲げる者を除く。）又は職場の関係者その他の関係者である場合　照会に係る被災者の負傷又は疾病の状況

三　照会者が当該照会に係る被災者の知人その他の当該被災者の安否情報を必要とすることが相当であると認められる者である場合　照会に係る被災者について保有している安否情報の有無

4　前項の規定にかかわらず、第一項の照会を受けた都道府県知事又は市町村長は、当該照会に係る被災者が照会に際しその提供について同意をしている安否情報については、その同意の範囲内で、又は公益上特に必要があると認めるときは、必要と認める限度において、当該被災者に係る安否情報を提供することができる。

（被災者台帳の作成）

第八条の四　法第九十条の三第一項の規定による被災者台帳の作成は、被災者生活再建支援法（平成十年法律第六十六号）第四条第二項の規定により市町村長が行うこととされた同法第三条第一項の被災者生活再建支援金の支給に係る被災世帯主からの申請その他の市町村長に対して行われる手続により得た情報その他の情報に基づき行うことができる。

（被災者台帳に記載又は記録する事項）

第八条の五　法第九十条の三第二項第八号の内閣府令で定める事項は、次に掲げる事項とする。

一　電話番号その他の連絡先

二　世帯の構成

三　罹災証明書の交付の状況

四　市町村長が台帳情報を当該市町村以外の者に提供することに被災者本人が同意している場合には、その提供先

五　前号に定める提供先に台帳情報を提供した場合には、その旨及びその日時

六　被災者台帳の作成に当たつて行政手続における特定の個人を識別する

ための番号の利用等に関する法律（平成二十五年法律第二十七号）第二条第五項に規定する個人番号を利用する場合には、当該被災者に係る個人番号

七　前各号に掲げるもののほか、被災者の援護の実施に関し市町村長が必要と認める事項

（台帳情報の提供に関し必要な事項）

第八条の六　法第九十条の四第一項第一号又は第三号の規定により台帳情報の提供を受けようとする者（以下この条において「申請者」という。）は、次の各号に掲げる事項を記載した申請書を当該台帳情報を保有する市町村長に提出しなければならない。

一　申請者の氏名及び住所又は居所（法人その他の団体にあつてはその名称、代表者の氏名及び主たる事務所の所在地）

二　申請に係る被災者を特定するために必要な情報

三　提供を受けようとする台帳情報の範囲

四　提供を受けようとする台帳情報に申請者以外の者に係るものが含まれる場合には、その使用目的

五　前各号に掲げるもののほか、台帳情報の提供に関し市町村長が必要と認める事項

2　市町村長は、前項の申請があつた場合において、当該申請が不当な目的によるものと認めるとき又は申請者が台帳情報の提供を受けることにより知り得た情報が不当な目的に使用されるおそれがあると認めるときを除き、申請者に対し、当該申請に係る台帳情報（ただし、前条第六号に掲げる事項を除く。）を提供することができる。

3　法第九十条の四第一項（第一号又は第三号に係る部分に限る。）の規定により市町村長が提供する台帳情報には、前条第六号に掲げる事項を含まないものとする。

（防災会議への報告の様式）

第九条　令第三十七条に規定する災害復旧事業費の概要及び災害復旧事業の実施に関する基準の概要の報告の様式は、別記様式第十三及び別記様式第十四のとおりとする。

附則〔略〕〔昭和三七・九・二一総理府令五二施行〕

附則〔略〕〔昭和三八・七・一二総理府令三七〕

附則〔略〕〔平成七・八・二五総理府令三九〕

附則〔略〕〔平成八・一・二四総理府令二〕

附則〔略〕〔平成一一・二・二六総理府令七〕

附則〔略〕〔平成一二・八・一四総理府令一〇三〕

附則〔略〕〔平成一六・七・一四内閣府令六四〕

附則〔略〕〔平成一八・三・二三内閣府令一三〕

附則〔略〕〔平成二四・六・二七内閣府令四二施行〕

附則〔略〕〔平成二五・四・一内閣府令二六施行〕

附則〔略〕〔平成二五・六・二一内閣府令三九〕

附則〔略〕〔平成二五・一〇・一内閣府令六六〕

附則〔平成二七・一一・三〇内閣府令六九〕

（施行期日）

1　この府令は、行政手続における特定の個人を識別するための番号の利用等に関する法律（次項において「番号利用法」という。）附則第一条第四号に掲げる規定の施行の日（平成二十八年一月一日）から施行する。

（経過措置）

2　行政手続における特定の個人を識別するための番号の利用等に関する法律の施行に伴う関係法律の整備等に関する法律（以下この項において「番号利用法整備法」という。）第十九条の規定による改正前の住民基本台帳法（昭和四十二年法律第八十一号。以下この項において「旧住民基本台帳法」という。）第三十条の四十四第三項の規定により交付された同条第一項に規定する住民基本台帳カードは、番号利用法整備法第二十条第一項の規定によりなお従前の例によることとされた旧住民基本台帳法第三十条の四十四第九項の規定によりその効力を失う時までの間は、番号利用法第二条第七項に規定する個人番号カードとみなして、この府令による改正後の災害対策基本法施行規則の規定を適用する。

附則〔略〕〔平成二八・一・二九内閣府令一〕

附則〔略〕〔平成二九・六・三〇内閣府令三四〕

附則〔令和三・五・一〇内閣府令三〇〕

1　この府令は、災害対策基本法等の一部を改正する法律の施行の日（令和三年五月二十日）から施行する。

2　この府令の施行の際現に災害対策基本法第四十九条の七第一項の規定により災害対策基本法施行令第二十条の六第一号から第四号までに定める基準に適合する指定避難所（同条第一号から第五号までに定める基準に適合するものを除く。）として指定されているものについては、改正後の災害対策基本法施行規則第一条の七の二第一項に規定する指定一般避難所として同法第四十九条の七第二項の規定により準用する同法第四十九条の四第三項の規定による公示をされているものとみなす。

附則〔令和五・五・一七内閣府令四七〕

（施行期日）

1　この府令は、災害対策基本法施行令等の一部を改正する政令（令和五年政令第百八十号）の施行の日（令和五年九月一日）から施行する。

（経過措置）

2　この府令の施行の際現にあるこの府令による改正前の様式により使用されている書類は、この府令による改正後の様式によるものとみなす。

別表第一

一　人的被害に関する事項

イ　死者の数

ロ　行方不明者の数

ハ　重傷者の数

ニ　軽傷者の数

二　住家の被害に関する事項

イ　全壊（全流失・全埋没・全焼失を含む。）棟数並びにこれに居住していた者の人員及び世帯数

ロ　半壊（半流失・半埋没・半焼失を含む。）棟数並びにこれに居住していた者の人員及び世帯数

ハ　一部破損棟数並びにこれに居住している者の人員及び世帯数

ニ　床上浸水棟数並びにこれに居住している者の人員及び世帯数

ホ　床下浸水棟数並びにこれに居住している者の人員及び世帯数

三　非住家の被害に関する事項

全壊又は半壊（流失・埋没・焼失を含む。）棟数

四　田畑の被害に関する事項

イ　田の流失又は埋没面積並びに冠水面積

ロ　畑の流失又は埋没面積並びに冠水面積

五　その他の被害に関する事項

イ　道路決壊箇所数

ロ　橋梁流失箇所数

ハ　堤防決壊箇所数

ニ　鉄道不通箇所数

ホ　被害船舶数

ヘ　その他の被害

六　り災者に関する事項

り災世帯数及び人員

七　被害額に関する事項

指定公共機関の代表者及び指定行政機関の長が報告すべき被害以外の物的被害の概算額

別表第二

一　激甚災害に対処するための特別の財政援助等に関する法律（昭和三十七年法律第百五十号）第三条第一項第一号及び第三号から第十号までの各号中に規定する施設、第七条各号に掲げる施設並びに第十四条、第十六条第一項及び第十七条第一項中に規定する施設にかかる被害の概算額

二　農林水産業施設災害復旧事業費国庫補助の暫定措置に関する法律（昭和二十五年法律第百六十九号）の規定の適用を受ける施設にかかる被害の概算額

三　前二号に掲げるものを除くほか、法令又は予算により、その災害復旧事業費につき国が負担し、若しくは補助する施設（国有財産法（昭和二十三年法律第七十三号）第三条第二項に規定する公用財産、皇室用財産及び森林経営用財産であるものを除く。）に係る被害の概算額

四　農作物、林産物、畜産物（家畜・家きんを含む。）蚕繭及び水産物の被害の概算額

別記様式〔略〕

○公共土木施設災害復旧事業費国庫負担法〔昭和二六・三・三一 法律九七〕

改正　昭和二七・六法二〇九、七法二六二、昭和二九・五法一〇一、昭和三〇・八法一一八、昭和三二・六法一四八、昭和五九・四法一九、平成一〇・四法四〇、平成一一・七法八七、一二法一六〇、平成三一・三法四、令和五・五法三六

（目的）

第一条　この法律は、公共土木施設の災害復旧事業費について、地方公共団体の財政力に適応するように国の負担を定めて、災害の速やかな復旧を図り、もつて公共の福祉を確保することを目的とする。

（定義）

第二条　この法律において「災害」とは、暴風、こう水、高潮、地震その他の異常な天然現象に因り生ずる災害をいう。

2　この法律において「災害復旧事業」とは、災害に因つて必要を生じた事業で、災害にかかつた施設を原形に復旧する（原形に復旧することが不可能な場合において当該施設の従前の効用を復旧するための施設をすることを含む。以下同じ。）ことを目的とするものをいう。

3　災害に因つて必要を生じた事業で、災害にかかつた施設を原形に復旧することが著しく困難又は不適当な場合においてこれに代るべき必要な施設をすることを目的とするものは、この法律の適用については、災害復旧事業とみなす。

4　この法律において「標準税収入」とは、地方公共団体（地方公共団体の組合を除く。以下この条、第四条及び第四条の二において同じ。）が地方税法（昭和二十五年法律第二百二十六号）に定める当該地方公共団体の普通税（法定外普通税を除く。）について同法第一条第一項第五号にいう標準税率（標準税率の定めのない地方税については、同法に定める税率とする。）をもつて、地方交付税法（昭和二十五年法律第二百十一号）で定める方法により算定した地方税の収入見込額（都道府県にあつては、当該収入見込額に同法で定める方法により算定した当該都道府県の特別法人事業譲与税の収入見込額を加算した額）をいう。

（国庫負担）

第三条　国は、法令により地方公共団体（港湾法（昭和二十五年法律第二百十八号）に基づく港務局を含む。次条、第四条の二及び第六条第一項を除き、以下同じ。）又はその機関の維持管理に属する次に掲げる施設のうち政令で定める公共土木施設に関する災害の災害復旧事業で、当該地方公共団体又はその機関が施行するものについては、その事業費の一部を負担する。

一　河川
二　海岸
三　砂防設備
四　林地荒廃防止施設
五　地すべり防止施設
六　急傾斜地崩壊防止施設
七　道路
八　港湾
九　漁港
十　水道
十一　下水道
十二　公園

（国庫負担率）

第四条　前条の規定により地方公共団体に対し国が費用の一部を負担する場合における当該災害復旧事業費に対する国の負担率は、当該地方公共団体について、その年の一月一日から十二月三十一日までに発生した災害につき、第七条の規定により決定された災害復旧事業費の総額を左の各号に定める額に区分して逓次に当該各号に定める率を乗じて算定した額の当該災害復旧事業費の総額に対する率による。この場合において、その率は、小数点以下三位まで算出するものとし、四位以下は、四捨五入するものとする。

一　当該地方公共団体の当該年度（災害の発生した年の四月一日の属する会計年度をいう。以下本条及び第八条の二において同じ。）の標準税収入の二分の一に相当する額までの額については、三分の二
二　当該地方公共団体の当該年度の標準税収入の二分の一をこえ二倍に達するまでの額に相当する額については、四分の三
三　当該地方公共団体の当該年度の標準税収入の二倍をこえる額に相当する額については、四分の四

2　前項の災害復旧事業費の総額には、前条各号に掲げる施設に関する災害復旧事業で、国が施行するもの（北海道における災害復旧事業で国がその費用の全額を負担するものを除く。）の事業費（二以上の地方公共団体がそれぞれ事業費の一部を負担する場合においては、それぞれの団体について、その負担割合に応じその負担に係る事業の事業費をあん分した額）及び地方公共団体の組合又は港務局の施行するものの事業費で、組合又は港務局を組織するそれぞれの地方公共団体の負担すべきものを含むものとする。

3　地方公共団体の組合又は港務局の行う災害復旧事業の事業費に対して国が前条の規定により費用の一部を負担する場合における当該事業費に対する国の負担率は、当該組合又は港務局を組織する地方公共団体が当該組合の規約又は港務局の定款で災害復旧事業費の分担について定めた割合を、第一項の規定により算定した当該地方公共団体に対する国の負担率に乗じたものの和とする。

（連年災害における国庫負担率の特例）

第四条の二　その年の十二月三十一日までの三年間に発生した災害について第七条の規定により決定された災害復旧事業費の総額がその三年間の各四月一日の属する会計年度の標準税収入の合計額をこえる地方公共団体について、その年の一月一日から十二月三十一日までに発生した災害に係る災害復旧事業費に対する国の負担率を定める場合においては、前条第一項第二号中「二倍」とあるのは「標準税収入」と、同項第三号中「標準税収入の二倍」とあるのは「標準税収入」と読み替えて、同条の規定を適用するものとする。

（直轄事業に対する地方公共団体の負担率）

第五条　第三条各号に掲げる施設について国が施行する災害復旧事業で、地方公共団体がその費用の一部を負担するものについての当該地方公共団体の負担の割合は、他の法令の規定にかかわらず、当該地方公共団体又はその機関が施行する災害復旧事業で国が施行する当該災害復旧事業の原因となつた災害と同年に発生した災害に係るものに対し第四条（前条の規定により読み替えて適用する場合を含む。以下同じ。）の規定により国が負担すべき割合を除いた割合によるものとする。

（適用除外）

第六条　この法律は、次に掲げる災害復旧事業については適用しない。

一　一箇所の工事の費用が、都道府県又は地方自治法（昭和二十二年法律第六十七号）第二百五十二条の十九第一項の市（以下「指定市」という。）（都道府県又は指定市が加入している地方公共団体の組合及び港務局であつて都道府県又は指定市がその組織に加わつているものを含む。）に係るものにあつては百二十万円に、市（指定市を除く。以下同じ。）町村（市町村の組合及び市町村のみで組織している港務局を含む。以下同じ。）に係るものにあつては六十万円に満たないもの
二　工事の費用に比してその効果の著しく小さいもの
三　維持工事とみるべきもの
四　明らかに設計の不備又は工事施行の粗漏に基因して生じたものと認められる災害に係るもの
五　甚だしく維持管理の義務を怠つたことに基因して生じたものと認められる災害に係るもの
六　河川、港湾及び漁港の埋そくに係るもの。ただし、維持上又は公益上特に必要と認められるものを除く。
七　天然の河岸及び海岸の欠壊に係るもの。ただし、維持上又は公益上特に必要と認められるものを除く。

八　災害復旧事業以外の事業の工事施行中に生じた災害に係るもの
九　直高一メートル未満の小堤、幅員二メートル未満の道路その他主務大臣の定める小規模な施設に係るもの

２　前項第一号の場合において、一の施設について災害にかかつた箇所が百メートル以内の間隔で連続しているものに係る工事並びに橋、水制、床止めその他これらに類する施設について災害にかかつた箇所が百メートルを超える間隔で連続しているものに係る工事及びこれらの施設の二以上にわたる工事で当該工事を分離して施行することが当該施設の効用上困難又は不適当なものは、一箇所の工事とみなす。ただし、当該工事を施行する地方公共団体が二以上あるものについては、この限りでない。

（**災害復旧事業費の決定**）

第七条　第三条の規定により国がその費用の一部を負担する災害復旧事業及び第五条に規定する国が施行する災害復旧事業の事業費は、地方公共団体の提出する資料、実地調査の結果等を勘案して主務大臣が決定する。

（**国庫負担金の交付方法**）

第八条　国は、前条の規定により災害復旧事業費を決定したときは、当該地方公共団体に対し、当該災害復旧事業が施行される各年度において、第四条の規定による国の負担率により負担金を交付する。

２　前項の場合において、国は、第四条の規定による国の負担率が決定する前でも、予算の範囲内において、当該年度において施行される災害復旧事業の事業費の三分の二に相当する額を下らない額により、負担金を概算交付することができる。

３　国は、前項の規定により負担金を概算交付した場合において、第四条の規定による国の負担率が決定したときは、当該年度内に、その年度中に施行された当該災害復旧事業の事業費に対応する負担金との差額を交付する。但し、その負担金を交付するための支出予算額がその交付すべき差額に対し不足するときは、その不足額を翌年度において交付するものとする。

（**緊要な災害復旧事業に対する政府の措置**）

第八条の二　政府は、第三条の規定により国がその費用の一部を負担する災害復旧事業のうち緊要なものとして政令で定めるものについては、これを施行する地方公共団体又は地方公共団体の機関が当該年度及びこれに続く二箇年度以内に完了することができるように、財政の許す範囲内において、当該災害復旧事業に係る国の負担金の交付につき必要な措置を講ずるものとする。

（**災害復旧事業の監督**）

第九条　主務大臣は、災害復旧事業につきこの法律により国の負担金の交付を受ける地方公共団体に対して、当該災害復旧事業を適正に実施させるため、必要な検査を行い、又は報告を求めることができる。この場合において、災害の拡大を防止するため緊急の必要があると認められるときは、事業の施行に関し必要な指示をすることができる。

２　前項に規定する主務大臣の権限に属する事務（市町村に対するものに限る。）の一部は、政令で定めるところにより、当該市町村の存する都道府県を統轄する都道府県知事が行うこととすることができる。

（**災害復旧事業費の精算**）

第一〇条　国の負担金の交付を受けた地方公共団体が負担金に係る災害復旧事業を施行したときは、遅滞なく、その事業費を精算して主務大臣の成功認定を受けなければならない。

（**負担金の還付**）

第一一条　国の負担金の交付を受ける地方公共団体が、負担金に係る災害復旧事業を施行せず、又は負担金をその目的に反して使用したときは、主務大臣は、負担金のうちその施行しない災害復旧事業に係る部分を交付せず、若しくは返還させ、又は交付の目的に反して使用した部分の負担金を返還させることができる。

２　前項の規定により負担金の返還を命ぜられた地方公共団体は、その返還を命ぜられた金額を、遅滞なく、国に返還しなければならない。

３　第九条第二項の規定は、第一項に規定する主務大臣の権限について準用する。

（**剰余金の処分**）

第一二条　地方公共団体は、国の負担金の交付を受けた災害復旧事業の事業費に剰余を生じたときは、遅滞なく、当該剰余金に第四条の規定による国の負担率を乗じた額を国に返還しなければならない。

２　前項の場合において、地方公共団体は、政令で定めるところにより、当該剰余金を災害復旧事業に使用することができる。

（**市町村の災害復旧事業費**）

第一三条　国が市町村に対して交付する災害復旧事業費の負担金の額の算定、交付及び還付並びに災害復旧事業の成功認定に関する事務は、政令で定めるところにより都道府県知事が行う。

２　国は、政令で定めるところにより、都道府県知事が前項の規定による事務を行うために必要な経費を都道府県に交付しなければならない。

（**主務大臣**）

第一四条　この法律において主務大臣は、第三条各号に掲げる施設の主務大臣とする。

（**権限の委任**）

第一五条　この法律に規定する主務大臣の権限は、政令で定めるところにより、その一部を地方支分部局の長に委任することができる。

（**事務の区分**）

第一六条　第十三条第一項の規定により都道府県が処理することとされている事務は、地方自治法第二条第九項第一号に規定する第一号法定受託事務とする。

（**実施規定**）

第一七条　この法律の実施のための手続その他その執行について必要な事項は、政令で定める。

附　則〔抄〕

１　この法律は、昭和二十六年四月一日から施行する。

２　左の法律は、廃止する。

都道府県災害土木費国庫負担ニ関スル法律（明治四十四年法律第十五号）

昭和二十五年度における災害復旧事業費国庫負担の特例に関する法律（昭和二十五年法律第百八十九号）

３　北海道における地方公共団体に対して第三条の規定により国がその費用の一部を負担する場合における当該災害復旧事業費に対する国の負担率は、当分の間、第四条の規定によつて算定した率が五分の四に満たない場合においては、同条の規定にかかわらず、五分の四とする。

４　この法律（第五条及び第六条を除く。）の規定は、第三条各号に掲げる施設について地方公共団体又はその機関が施行する災害復旧事業で昭和二十五年以前の災害に因るもののうち、主務大臣による事業費の決定があつて、国の負担金の全部又は一部の交付をまだ受けていないものについて準用する。この場合において、第四条第一項中「第七条の規定により決定された災害復旧事業費の総額」とあるのは「主務大臣が決定した災害復旧事業費の総額（昭和二十三年一月一日から同年十二月三十一日までに発生した災害については、当該災害復旧事業費の総額に政令で定める率を乗じて補正した額）」と、同条同項第一号中「当該年度（災害の発生した年の四月一日の属する会計年度）」とあり、又は同条同項第二号若しくは第三号中「当該年度」とあるのは「昭和二十五年度」と読み替えるものとする。

５　第五条の規定は、第三条各号に掲げる施設について昭和二十六年度以降において国がその全部又は一部を施行する災害復旧事業で昭和二十五年以前の災害に因るものについての地方公共団体の費用の負担の割合について準用する。

附　則〔昭和二七・六・二五法律二〇九〕

１　この法律は、公布の日から施行し、昭和二十七年一月一日以降発生した災害に関し適用する。

２　公共土木施設災害復旧事業費国庫負担法第四条の改正規定は、同法第三条各号に掲げる施設について地方公共団体（港湾法（昭和二十五年法律第二百十八号）に基く港務局を含む。）又はその機関が施行する災害復旧事業であつて昭和二十六年中又は昭和二十五年以前に発生した災害に因るもののうち、主務大臣による事業費の決定があつて国の負担金の全部又は一部の交付を昭和二十七年三月三十一日現在において受けていなかつたものについて、適用し、又は準用する。

附　則〔略〕〔昭和二七・七・三一法律二六二〕

附　則〔略〕〔昭和二九・五・一五法律一〇二〕

附　則〔略〕〔昭和三〇・八・一法律一一八〕

附　則〔昭和三一・六・一二法律一四八〕

１　この法律は、地方自治法の一部を改正する法律（昭和三十一年法律第百四十七号）の施行の日〔昭和三一・九・一〕から施行する。

２　この法律の施行の際海区漁業調整委員会の委員又は農業委員会の委員の職にある者の兼業禁止及びこの法律の施行に伴う都道府県又は都道府県知事若しくは都道府県の委員会その他の機関が処理し、又は管理し、及び執

行している事務の地方自治法第二百五十二条の十九第一項の指定都市（以下「指定都市」という。）又は指定都市の市長若しくは委員会その他の機関への引継に関し必要な経過措置は、それぞれ地方自治法の一部を改正する法律（昭和三十一年法律第百四十七号）附則第四項及び第九項から第十五項までに定めるところによる。

附　則〔抄〕〔昭和五九・四・二七法律一九〕

（施行期日）

1　この法律は、公布の日から施行する。

（経過措置）

2　改正後の第三条の規定は、この法律の施行の日（以下「施行日」という。）以後に発生した災害に係る災害復旧事業について適用する。

3　施行日前に発生した災害の災害復旧事業に係る一箇所の工事の費用の最低額及びその工事の範囲については、改正後の第六条の規定にかかわらず、なお従前の例による。

附　則〔抄〕〔平成一〇・四・一七法律四〇〕

（施行期日）

第一条　この法律は、公布の日から施行する。

（経過措置）

第二条　改正後の第三条の規定は、この法律の施行の日（以下「施行日」という。）以後に発生した災害の災害復旧事業について適用する。

第三条　施行日前に発生した災害の災害復旧事業に係る一箇所の工事の費用の最低額及びその工事の範囲については、改正後の第六条の規定にかかわらず、なお従前の例による。

附　則〔抄〕〔平成一一・七・一六法律八七〕

（施行期日）

第一条　この法律は、平成十二年四月一日から施行する。ただし、次の各号に掲げる規定は、当該各号に定める日から施行する。

一　〔前略〕附則〔中略〕第百六十条、第百六十三条、第百六十四条並びに第二百二条の規定　公布の日

二～六　〔略〕

（国等の事務）

第百五十九条　この法律による改正前のそれぞれの法律に規定するもののほか、この法律の施行前において、地方公共団体の機関が法律又はこれに基づく政令により管理し又は執行する国、他の地方公共団体その他公共団体の事務（附則第百六十一条において「国等の事務」という。）は、この法律の施行後は、地方公共団体が法律又はこれに基づく政令により当該地方公共団体の事務として処理するものとする。

（処分、申請等に関する経過措置）

第百六十条　この法律（附則第一条各号に掲げる規定については、当該各規定。以下この条及び附則第百六十三条において同じ。）の施行前に改正前のそれぞれの法律の規定によりされた許可等の処分その他の行為（以下この条において「処分等の行為」という。）又はこの法律の施行の際現に改正前のそれぞれの法律の規定によりされている許可等の申請その他の行為（以下この条において「申請等の行為」という。）で、この法律の施行の日においてこれらの行為に係る行政事務を行うべき者が異なることとなるものは、附則第二条から前条までの規定又は改正後のそれぞれの法律（これに基づく命令を含む。）の経過措置に関する規定に定めるものを除き、この法律の施行の日以後における改正後のそれぞれの法律の適用については、改正後のそれぞれの法律の相当規定によりされた処分等の行為又は申請等の行為とみなす。

2　この法律の施行前に改正前のそれぞれの法律の規定により国又は地方公共団体の機関に対し報告、届出、提出その他の手続をしなければならない事項で、この法律の施行の日前にその手続がされていないものについては、この法律及びこれに基づく政令に別段の定めがあるもののほか、これを、改正後のそれぞれの法律の相当規定により国又は地方公共団体の相当の機関に対して報告、届出、提出その他の手続をしなければならない事項についてその手続がされていないものとみなして、この法律による改正後のそれぞれの法律の規定を適用する。

（不服申立てに関する経過措置）

第百六十一条　施行日前にされた国等の事務に係る処分であって、当該処分をした行政庁（以下この条において「処分庁」という。）に施行日前に行政不服審査法に規定する上級行政庁（以下この条において「上級行政庁」という。）があったものについての同法による不服申立てについては、施行日以後においても、当該処分庁に引き続き上級行政庁があるものとみなして、行政不服審査法の規定を適用する。この場合において、当該処分庁の上級行政庁とみなされる行政庁は、施行日前に当該処分庁の上級行政庁であった行政庁とする。

2　前項の場合において、上級行政庁とみなされる行政庁が地方公共団体の機関であるときは、当該機関が行政不服審査法の規定により処理することとされる事務は、新地方自治法第二条第九項第一号に規定する第一号法定受託事務とする。

（手数料に関する経過措置）

第百六十二条　施行日前においてこの法律による改正前のそれぞれの法律（これに基づく命令を含む。）の規定により納付すべきであった手数料については、この法律及びこれに基づく政令に別段の定めがあるもののほか、なお従前の例による。

（罰則に関する経過措置）

第百六十三条　この法律の施行前にした行為に対する罰則の適用については、なお従前の例による。

（その他の経過措置の政令への委任）

第百六十四条　この附則に規定するもののほか、この法律の施行に伴い必要な経過措置（罰則に関する経過措置を含む。）は、政令で定める。

2　〔略〕

附　則〔略〕〔平成一一・一二・二二法律一六〇〕

附　則〔略〕〔平成三一・三・二九法律四〕

附　則〔抄〕〔令和五・五・二六法律三六〕

（施行期日）

第一条　この法律は、令和六年四月一日から施行する。ただし、附則第六条の規定は、公布の日から施行する。

（処分等に関する経過措置）

第二条　この法律の施行前にこの法律による改正前のそれぞれの法律（これに基づく命令を含む。以下この条及び次条において「旧法令」という。）の規定により従前の国の機関がした許可、認可、指定その他の処分又は通知その他の行為は、法令に別段の定めがあるもののほか、この法律の施行後は、この法律による改正後のそれぞれの法律（これに基づく命令を含む。以下この条及び次条において「新法令」という。）の相当規定により相当の国の機関がした許可、認可、指定その他の処分又は通知その他の行為とみなす。

2　この法律の施行の際現に旧法令の規定により従前の国の機関に対してされている申請、届出その他の行為は、法令に別段の定めがあるもののほか、この法律の施行後は、新法令の相当規定により相当の国の機関に対してされた申請、届出その他の行為とみなす。

3　この法律の施行前に旧法令の規定により従前の国の機関に対して申請、届出その他の手続をしなければならない事項で、この法律の施行の日前にその手続がされていないものについては、法令に別段の定めがあるもののほか、この法律の施行後は、これを、新法令の相当規定により相当の国の機関に対してその手続がされていないものとみなして、新法令の規定を適用する。

（命令の効力に関する経過措置）

第三条　旧法令の規定により発せられた国家行政組織法（昭和二十三年法律第百二十号）第十二条第一項の省令は、法令に別段の定めがあるもののほか、この法律の施行後は、新法令の相当規定に基づいて発せられた相当の内閣府設置法（平成十一年法律第八十九号）第七条第三項の内閣府令又は国家行政組織法第十二条第一項の省令としての効力を有するものとする。

（公共土木施設災害復旧事業費国庫負担法の一部改正に伴う経過措置）

第四条　第五条の規定による改正後の公共土木施設災害復旧事業費国庫負担法第三条の規定は、この法律の施行の日以後に発生した災害の災害復旧事業について適用する。

（政令への委任）

第六条　附則第二条から前条までに定めるもののほか、この法律の施行に関し必要な経過措置（罰則に関する経過措置を含む。）は、政令で定める。

○公共土木施設災害復旧事業費国庫負担法施行令

〔昭和二六・四・一六
政令一〇七〕

改正　昭和二七・六政二〇五、一二政四七九、昭和三〇・八政一七七、昭和三一・八政二六五、昭和三八・八政三〇九、昭和四〇・二政一四、昭和五九・四政一一九、平成七・六政二三八、平成八・四政一〇三、平成一〇・四政一六一、平成一一・一一政三五二、平成一二・六政三一二、平成一四・三政六〇、平成一五・三政一六三、平成一六・一二政三九六、平成二〇・六政一九四、平成二二・三政七八、平成二五・二政二八、令和五・一〇政三〇四、令和六・三政一〇二

（公共土木施設）

第一条　公共土木施設災害復旧事業費国庫負担法（以下「法」という。）第三条に規定する政令で定める公共土木施設は、次の各号に掲げるものについて、それぞれ当該各号に定めるものとする。

一　河川　河川法（昭和三十九年法律第百六十七号）が適用され、若しくは準用される河川若しくはその他の河川又はこれらのものの維持管理上必要な堤防、護岸、水制、床止めその他の施設若しくは沿岸を保全するために防護することを必要とする河岸。ただし、砂防法（明治三十年法律第二十九号）第三条ノ二の規定によつて同法が準用される天然の河岸を除く。

二　海岸　国土を保全するために防護することを必要とする海岸又はこれに設置する堤防、護岸、突堤その他海岸を防護するための施設

三　砂防設備　砂防法第一条に規定する砂防設備、同法第三条の規定によつて同法が準用される砂防のための施設又は同法第三条ノ二の規定によつて同法が準用される天然の河岸

四　林地荒廃防止施設　山林砂防施設（立木を除く。）又は海岸砂防施設（防潮堤を含み、立木を除く。）

五　地すべり防止施設　地すべり等防止法（昭和三十三年法律第三十号）第二条第三項に規定する地すべり防止施設

六　急傾斜地崩壊防止施設　急傾斜地の崩壊による災害の防止に関する法律（昭和四十四年法律第五十七号）第二条第二項に規定する急傾斜地崩壊防止施設

七　道路　道路法（昭和二十七年法律第百八十号）第二条第一項に規定する道路（道路の附属物については、主務大臣の指定するものに限る。）

八　港湾　港湾法（昭和二十五年法律第二百十八号）第二条第五項に規定する水域施設、外郭施設、係留施設、廃棄物埋立護岸若しくは港湾の利用及び管理上重要な臨港交通施設又は同法第五十五条の三の二第一項に規定する港湾広域防災施設

九　漁港　漁港及び漁場の整備等に関する法律（昭和二十五年法律第百三十七号）第三条に規定する基本施設又は漁港の利用及び管理上重要な輸送施設

十　水道　水道法（昭和三十二年法律第百七十七号）第三条第八項に規定する水道施設（同条第二項に規定する水道事業又は同条第四項に規定する水道用水供給事業に係るものに限る。）又は一般の需要に応じて、給水人口が五十人以上百人以下である水道（同条第一項に規定する水道をいう。）により水を供給する事業に係る取水施設、貯水施設、導水施設、浄水施設、送水施設若しくは配水施設

十一　下水道　下水道法（昭和三十三年法律第七十九号）第二条第三号に規定する公共下水道、同条第四号に規定する流域下水道又は同条第五号に規定する都市下水路

十二　公園　都市公園法施行令（昭和三十一年政令第二百九十号）第三十一条各号に掲げる施設（主務大臣の指定するものを除く。）で、都市公園法（昭和三十一年法律第七十九号）第二条第一項に規定する都市公園又は社会資本整備重点計画法施行令（平成十五年政令第百六十二号）第二条第二号に掲げる公園若しくは緑地でその設置に要する費用の一部を国が補助するものに設けられたもの

（災害復旧事業費の負担所属）

第二条　法第四条又は法第五条の規定による災害復旧事業費に対する国又は地方公共団体（港湾法に基く港務局を含む。以下同じ。）の負担の割合は、災害の発生後その事業費を負担すべき者に異動を生じた場合においても、当該復旧事業については、変更しないものとする。

（災害復旧工事の施行中又は着手前に災害が生じた場合の措置）

第三条　法第七条の規定によつて事業費が決定された災害復旧事業に係る施設について、その工事の施行中又は着手前において、更に法の適用を受ける災害が生じた場合において、その災害が前に生じた災害と発生の年を同じくするときは、未施行又は未着手の工事は、新たに生じた災害による災害復旧事業にあわせて一の災害復旧事業として施行するものとする。

2　前項の場合において、新たに生じた災害が前の災害と発生の年を異にするときは、新たに生じた災害の災害復旧事業費に対する法第四条又は法第五条の規定による国又は地方公共団体の費用の負担の割合は、未施行又は未着手の工事の事業費に相当する額を当該災害復旧事業費から控除して算定するものとする。

（災害復旧事業費の範囲）

第四条　法第三条の規定により国がその費用の一部を負担する災害復旧事業の事業費は、当該災害復旧事業の工事のため直接必要な本工事費、附帯工事費、用地費、補償費、機械器具費及び工事雑費の合計額（以下「工事費」という。）並びに事務費とする。

2　前項に規定する工事費には、主務大臣が特別の事情があると認める応急工事費、応急工事に使用した材料で復旧工事に使用できるものに要した費用及び仮締切、瀬替その他復旧工事に必要な仮設工事に要する費用を含むものとする。

3　第一項に規定する事務費は、地方公共団体ごとに工事費の総額を次の各号に定める額に区分して逓次に当該各号に定める率を乗じて定める。

一　三億円以下の金額　百分の四・五

二　三億円を超え五億円以下の金額　百分の三・五

三　五億円を超え十億円以下の金額　百分の二・五

四　十億円を超え三十億円以下の金額　百分の二

五　三十億円を超える金額　百分の一・五

4　第一項に規定する工事費を同項に規定する事務費に流用した場合においては、法第十一条の規定の適用については、負担金を交付の目的に反して使用したものとする。

（災害報告）

第五条　第一条に規定する公共土木施設について災害が生じた場合においては、その公共土木施設が市（地方自治法（昭和二十二年法律第六十七号）第二百五十二条の十九第一項の指定都市（以下「指定都市」という。）を除く。以下同じ。）町村（市町村の組合及び市町村のみで組織している港務局を含む。以下同じ。）の維持管理に属するものにあつては市町村長（市町村の組合にあつては当該組合の管理者又は長（同法第二百八十七条の三第二項（同法第二百九十一条の十三において準用する場合を含む。以下この項において同じ。）の規定により管理者又は長に代えて理事会を置く組合にあつては、理事会）、市町村のみで組織している港務局にあつては当該港務局の長。以下同じ。）が都道府県知事に、都道府県又は指定都市（都道府県又は指定都市が加入している地方公共団体の組合及び港務局であつて都道府県又は指定都市がその組織に加わつているものを含む。）の維持管理に属するものにあつては都道府県知事又は指定都市の長（都道府県又は指定都市が加入している地方公共団体の組合にあつては当該組合の管理者又は長（同法第二百八十七条の三第二項の規定により管理者又は長に代えて理事会を置く組合にあつては、理事会）、都道府県又は指定都市がその組織に加わつている港務局にあつては当該港務局の長。以下同じ。）が主務大臣に、主務省令で定める様式により、遅滞なく、その状況を報告しなければならない。

2　都道府県知事は、前項の規定によつて市町村長から報告を受け取つたときは、これを取りまとめて、遅滞なく、主務大臣に報告しなければならな

い。

（国庫負担申請）

第六条　地方公共団体の長は、法第七条の規定による災害復旧事業の事業費の決定を受けようとするときは、災害復旧事業の目論見書及び設計書を添附して、その旨を主務大臣に申請しなければならない。

２　地方公共団体の長は、前項の規定によつて災害復旧事業費の決定を申請しようとするときは、あらかじめ当該災害復旧事業の設計単価及び歩掛について主務大臣に協議し、その同意を得なければならない。ただし、市町村長が、都道府県知事が主務大臣の同意を得た設計単価及び歩掛で当該市町村を含む地域に係る最新のものを用いて災害復旧事業費の決定を申請しようとするときは、この限りでない。

３　前二項の規定によつて市町村長が主務大臣に書類を提出しようとする場合においては、都道府県知事を経由しなければならない。

（災害復旧事業費の決定通知）

第六条の二　主務大臣は、法第七条の規定によつて災害復旧事業の事業費を決定したときは、遅滞なく、これを当該災害復旧事業を施行する都道府県知事若しくは指定都市の長又は当該災害復旧事業を施行する市町村を管轄する都道府県知事に通知するものとする。

２　都道府県知事は、前項の規定による通知を受けたときは、市町村の災害復旧事業に係るものについては、遅滞なく、これを当該市町村長に通知しなければならない。

（国庫負担金の額の算出方法）

第六条の三　法第八条第一項の規定により国が地方公共団体に対して交付する負担金の額は、法第七条の規定により決定された災害復旧事業の事業費のうち各年度において施行される災害復旧事業に係るものから当該各年度における工事雑費及び事務費を除いた額に法第四条の規定による国の負担率を乗じて得た額とする。

（国庫負担金の額の通知）

第六条の四　主務大臣は、法第八条の規定によつて国の負担金を交付しようとするときは、あらかじめその額を当該災害復旧事業を施行する都道府県知事若しくは指定都市の長又は当該災害復旧事業を施行する市町村を管轄する都道府県知事に通知するものとする。

２　第六条の二第二項の規定は、前項の規定による通知を受けた都道府県知事について準用する。

（設計の変更又は事業の廃止）

第七条　国が地方公共団体に対して負担金を交付しようとする場合においては、主務大臣は、当該負担金に係る災害復旧事業の工事の施行に際し法第七条の規定による災害復旧事業の事業費の決定の基礎となつた設計（施行箇所を含む。）の変更（軽微な変更を除く。）をしようとするときは、あらかじめ主務大臣に協議し、その同意を得なければならない旨の条件を付するものとする。

２　地方公共団体の長は、前項の規定に基づき付された条件に従い、設計の変更について協議の申出をしようとするときは、設計書を添付してしなければならない。

３　地方公共団体の長は、国が交付した負担金に係る災害復旧事業を廃止した場合においては、遅滞なく、その旨を主務大臣に報告しなければならない。

４　第六条第三項の規定は前二項の場合に準用する。この場合において、「前二項」とあるのは、「第七条第二項及び第三項」と読み替えるものとする。

５　主務大臣は、第一項の規定に基づく条件に従い協議の申出を受けた設計の変更が水勢若しくは地形の変動その他の事由に基づきやむを得ないと認める場合又は当該施設に関する改良工事と併せて施行することが適当であると認める場合においては、同意をしなければならない。

（緊要な災害復旧事業）

第七条の二　法第八条の二に規定する政令で定める緊要な災害復旧事業は、次のとおりとする。

一　第一条第一号の公共土木施設について、次に掲げる災害のいずれかによつて必要を生じた事業
イ　破堤
ロ　堤防の欠壊で破堤のおそれがあるもの
ハ　河川法第三条第一項に規定する河川の堤防の脚部の深掘れで根固めをする必要があるもの
ニ　河川の埋塞で流水のそ通を著しく阻害するもの
ホ　護岸、床止め、水門、樋門、樋管又は天然の河岸の全壊又は欠壊で、これを放置するときは、著しい被害を生ずるおそれがあるもの

二　第一条第二号の公共土木施設について、次に掲げる災害のいずれかによつて必要を生じた事業
イ　破堤
ロ　堤防の欠壊で破堤のおそれがあるもの
ハ　堤防の前面の砂浜における土砂の流失で根固めをする必要があるもの
ニ　護岸、水門、樋門、樋管又は天然の海岸の全壊又は欠壊で、これを放置するときは、著しい被害を生ずるおそれがあるもの

三　第一条第三号の公共土木施設について、次に掲げる災害のいずれかによつて必要を生じた事業
イ　堰堤、床止め、護岸、堤防、山腹工又は天然の河岸の全壊又は欠壊で、これを放置するときは、著しい被害を生ずるおそれがあるもの
ロ　流路工若しくは床止めの埋塞又は天然の河岸の埋没で、これを放置するときは、著しい被害を生ずるおそれがあるもの

四　第一条第四号の公共土木施設について、堰堤、谷止め、床止め、防潮堤、護岸又は山腹工の全壊又は欠壊で、これを放置するときは、著しい被害を生ずるおそれがあるものによつて必要を生じた事業

五　第一条第五号の公共土木施設について、当該施設の全壊若しくは欠壊、埋塞又は埋没で、これを放置するときは、著しい被害を生ずるおそれがあるものによつて必要を生じた事業

六　第一条第六号の公共土木施設について、擁壁、法面保護工、排水施設、杭、柵、アンカー工、雪崩防止工又は落石防止工の全壊又は欠壊で、これを放置するときは、著しい被害を生ずるおそれがあるものによつて必要を生じた事業

七　第一条第七号の公共土木施設について、次に掲げる災害のいずれかによつて必要を生じた事業
イ　幅員三メートル以上の道路の埋没又は欠壊（軽微なものを除く。）
ロ　幅員三メートル未満の道路の埋没又は欠壊でこれによつて当該道路による交通が不可能又は著しく困難であるもの（う回道路による交通が著しく困難でない場合を除く。）
ハ　道路の埋没又は欠壊で、これを放置するときは、著しい被害を生ずるおそれがあるもの

八　第一条第八号の公共土木施設について、次に掲げる災害のいずれかによつて必要を生じた事業
イ　係留施設の破壊で船舶の係留又は荷役に重大な支障を与えているもの
ロ　臨港交通施設の破壊でこれによつて当該臨港交通施設による輸送が不可能又は著しく困難であるもの（他の施設による輸送が著しく困難でない場合を除く。）
ハ　港湾の埋塞で船舶の航行又は停泊に重大な支障を与えているもの
ニ　外郭施設の破壊で、これを放置するときは、著しい被害を生ずるおそれがあるもの
ホ　廃棄物埋立護岸の破壊で、これを放置するときは、著しい被害を生ずるおそれがあるもの

九　第一条第九号の公共土木施設について、次に掲げる災害のいずれかによつて必要を生じた事業
イ　係留施設の破壊で漁船の係留又は荷役に重大な支障を与えているもの
ロ　輸送施設の破壊でこれによつて当該輸送施設による輸送が不可能又は著しく困難であるもの（他の施設による輸送が著しく困難でない場合を除く。）
ハ　漁港の埋塞で漁船の出入又は停泊に重大な支障を与えているもの
ニ　外郭施設の破壊で、これを放置するときは、著しい被害を生ずるおそれがあるもの

十　第一条第十号の公共土木施設について、次に掲げる災害のいずれかによつて必要を生じた事業
イ　取水施設、貯水施設又は導水施設の破壊又は埋塞で原水の供給を著しく阻害するもの
ロ　浄水施設の破壊又は埋塞で浄水を得るのに重大な支障を与えるもの
ハ　送水施設又は配水施設の破壊又は埋塞で浄水の供給を著しく阻害す

るもの

十一　第一条第十一号の公共土木施設について、次に掲げる災害のいずれか一によつて必要を生じた事業

イ　排水施設又はこれを補完する施設の破壊又は埋塞で下水の排除を著しく阻害するもの

ロ　処理施設又はこれを補完する施設の破壊又は埋塞で下水の処理に重大な支障を与えるもの

十二　第一条第十二号の公共土木施設について、当該施設の全壊若しくは欠壊又は埋没で、これを放置するときは、著しい被害を生ずるおそれがあるものによつて必要を生じた事業

（市町村災害復旧事業の監督）

第八条　法第九条第二項（法第十一条第三項において準用する場合を含む。）の規定により都道府県知事が行うこととされる事務は、法第九条第一項及び法第十一条第一項に規定する事務（主務大臣が特に指定する災害復旧事業に係るものを除く。）とする。

2　都道府県知事は、前項の規定に基き、災害復旧事業の施行に関し重要な事項について指示をしたとき、又は法第十一条第一項に規定する処分をしたときは、遅滞なく、その旨を主務大臣に報告しなければならない。

（剰余金の処分）

第九条　地方公共団体は、法第十二条第一項に規定する剰余金を同条第二項の規定によつて、次の各号の一に掲げる災害復旧事業の工事につき使用することができる。

一　災害復旧事業の工事中に生じた災害により当該施設に関して必要を生じた工事

二　水勢又は地形の変動に基づく設計の変更により費用の増加を来した工事

三　前二号に掲げるもののほか、やむを得ない事由により費用の増加を来した工事で主務大臣が定めるもの

（残存物件）

第一〇条　災害復旧事業を完了した場合において、地方公共団体が当該事業の事業費で購入した材料その他の物件が残存するときは、取得価格を基礎としてこれらの物を主務大臣の定める方法によつて金銭に換算した価額は、法第十二条第一項に規定する剰余金に算入するものとする。

（成功認定の申請）

第一一条　国の負担金の交付を受けた地方公共団体が当該負担金に係る災害復旧事業を完了したときは、当該地方公共団体の長は、当該災害復旧事業を完了した日の属する年度経過後、遅滞なく、成功表を添附して、主務大臣にその事業の成功の認定を申請しなければならない。

（都道府県知事の事務）

第一二条　都道府県知事は、法第十三条第一項の規定によつて、国が市町村に対して交付する災害復旧事業費の負担金の額の算定、交付及び還付並びに災害復旧事業の成功認定に関して、次の各号に掲げる事務を行わなければならない。

一　法第四条の規定により災害復旧事業費の国の負担金の率を算定すること。

二　各年度における国庫負担金を交付し、又はその還付を命ずること。

三　災害復旧事業の成功認定に関して検査を行い、成功認定をすること。

四　第六条の規定による申請を整理して、遅滞なく、主務大臣に送付すること。

五　第七条の規定による協議の申出に意見を付して主務大臣に送付すること。

2　都道府県知事は、前項第一号から第三号までに掲げる事務を行つたときは、遅滞なく、その旨を主務大臣に報告しなければならない。

3　法第十三条第二項の規定により国が都道府県に交付する経費は、毎年度その年度中に施行する当該都道府県の区域内に存する市町村の災害復旧事業費の総額の百分の二に相当する額以内とする。

4　都道府県知事は、第一項第一号の規定によつて災害復旧事業費の国の負担金の率を算定したときは、遅滞なく、市町村長に通知しなければならない。

（書類の整備）

第一三条　災害復旧事業を施行する地方公共団体は、主務省令で定めるところにより、必要な帳簿その他の書類を整備しなければならない。

（主務省令）

第一四条　この政令において主務省令は、法第十四条に規定する主務大臣が発する命令とする。

（権限の委任）

第一五条　法第九条第一項に規定する主務大臣の権限のうち農林水産大臣の権限で、第一条第二号（海岸法（昭和三十一年法律第百一号）第四十条第一項第三号及び第四号に規定する海岸保全区域に関するもの並びに同法第三十七条の三第二項の規定により当該海岸保全区域の海岸管理者が管理する一般公共海岸区域に関するものに限る。）及び第五号（地すべり等防止法第五十一条第一項第三号イに規定する地すべり地域に関するものに限る。）に規定する公共土木施設に係るものは、地方農政局長に委任する。ただし、農林水産大臣が自らその権限を行うことを妨げない。

2　法第七条に規定する主務大臣の権限のうち国土交通大臣の権限（工事費の決定で国土交通省令で定めるものに限る。）で、第一条第一号、第二号（港湾法第二条第三項に規定する港湾区域、同法第三十七条第一項に規定する港湾隣接地域及び同法第五十六条第一項の規定により都道府県知事が公告した水域並びに海岸法第五条第四項及び第三十七条の三第二項の規定により港湾管理者の長が管理する区域に関するものを除く。）、第三号、第五号から第七号まで及び第十号から第十二号までに規定する公共土木施設に係るものは、地方整備局長及び北海道開発局長に委任する。

（事務の区分）

第一六条　第五条第二項、第六条第三項（第七条第四項において準用する場合を含む。）、第六条の二第二項（第六条の四第二項において準用する場合を含む。）、第八条並びに第十二条第一項（同項第五号の規定中意見を付する事務に関する部分を除く。）、同条第二項及び第四項の規定により都道府県が処理することとされている事務は、地方自治法第二条第九項第一号に規定する第一号法定受託事務とする。

（実施規定）

第一七条　この政令に定めるものの外、第六条に規定する目論見書及び設計書、第十一条に規定する成功表の様式その他この政令の施行について必要な事項は、主務省令で定める。

附　則

1　この政令は、公布の日から施行し、昭和二十六年四月一日から適用する。

2　左の勅令及び政令は、廃止する。

災害土木費国庫補助規程（明治四十四年勅令第百九十九号）

昭和二十五年度における災害復旧事業費国庫負担の特例に関する法律の施行に関する政令（昭和二十五年政令第百四十二号）

3　法附則第四項の規定によつて昭和二十三年一月一日から同年十二月三十一日までに生じた災害に係る災害復旧事業費の総額に乗ずべき補正率は、百分の百四十九とする。

附　則〔略〕〔昭和二七・一二・四政令四七九〕

附　則〔略〕〔昭和三〇・八・一三政令一七七〕

附　則〔略〕〔昭和三一・八・一一政令二六五〕

附　則〔略〕〔昭和三八・八・二二政令三〇九〕

附　則〔略〕〔昭和四〇・二・一一政令一四〕

附　則〔昭和五九・四・二七政令一一九〕

1　この政令は、公布の日から施行する。

2　第一条の規定による改正後の公共土木施設災害復旧事業費国庫負担法施行令第一条第八号の規定は、この政令の施行の日以後に発生した災害に係る災害復旧事業について適用する。

附　則〔略〕〔平成七・六・一四政令二三八〕

附　則〔平成八・四・一〇政令一〇三〕

（施行期日）

1　この政令は、公布の日から施行する。

（経過措置）

2　改正後の第四条第三項の規定は、平成八年一月一日以後に発生した災害に係る災害復旧事業の事務費について適用し、同日前に発生した災害に係る災害復旧事業の事務費については、なお従前の例による。

附　則〔平成一〇・四・一七政令一六一〕

（施行期日）

第一条　この政令は、公布の日から施行する。

（経過措置）

第二条　第一条の規定による改正後の公共土木施設災害復旧事業費国庫負担法施行令第四条第三項の規定は、平成十年一月一日以後に発生した災害の

災害復旧事業の事務費について適用し、同日前に発生した災害の災害復旧事業の事務費については、なお従前の例による。

附　則〔抄〕〔平成一一・一一・一〇政令三五二〕

（施行期日）

第一条　この政令は、平成十二年四月一日から施行する。

（公共土木施設災害復旧事業費国庫負担法施行令の一部改正に伴う経過措置）

第三条　この政令の施行の日（以下「施行日」という。）前に第六条の規定による改正前の公共土木施設災害復旧事業費国庫負担法施行令（以下この条において「旧負担法施行令」という。）第六条第二項本文又は第七条第五項の規定によりされた承認は、第六条の規定による改正後の公共土木施設災害復旧事業費国庫負担法施行令（以下この条において「新負担法施行令」という。）第六条第二項本文又は第七条第五項の規定によりされた同意とみなす。

2　この政令の施行の際現に旧負担法施行令第六条第二項本文又は第七条第二項の規定によりされている承認の申請は、新負担法施行令第六条第二項本文又は第七条第二項の規定によりされた協議の申出とみなす。

3　施行日前に旧負担法施行令第七条第一項の規定により付された主務大臣の承認を受けなければならない旨の条件は、新負担法施行令第七条第一項の規定により付された主務大臣に協議し、その同意を得なければならない旨の条件とみなす。

附　則〔略〕〔平成一二・六・七政令三一二〕

附　則〔略〕〔平成一四・三・二五政令六〇〕

附　則〔略〕〔平成一五・三・三一政令一六三〕

附　則〔略〕〔平成一六・一二・一五政令三九六〕

附　則〔略〕〔平成二〇・六・一三政令一九四施行〕

附　則〔抄〕〔平成二二・三・三一政令七八〕

（施行期日）

第一条　この政令は、平成二十二年四月一日から施行する。

（経過措置）

第四条　第三条、第八条、第十条、第十一条及び第十三条の規定による改正後の次に掲げる政令の規定は、平成二十二年度以降の年度の予算に係る国の負担又は補助について適用し、平成二十一年度以前の年度の歳出予算に係る国の負担又は補助で平成二十二年度以降の年度に繰り越されたものについては、なお従前の例による。

一　公共土木施設災害復旧事業費国庫負担法施行令第六条の三

二〜六　〔略〕

附　則〔略〕〔平成二五・二・六政令二八〕

附　則〔略〕〔令和五・一〇・一八政令三〇四〕

附　則〔抄〕〔令和六・三・二九政令一〇二〕

（施行期日）

第一条　この政令は、令和六年四月一日から施行する。〔以下略〕

○公共土木施設災害復旧事業費国庫負担法施行規則〔平成一二・一二・一五　運輸・建設省令一四〕

改正　平成一三・四国交令八四、平成二二・四国交令一八、平成二四・一国交令三、平成二五・二国交令三、令和二・一一国交令九〇、令和三・八国交令五三、令和六・四国交令五一

（道路の附属物）

第一条　公共土木施設災害復旧事業費国庫負担法施行令（以下「令」という。）第一条第七号に規定する主務大臣の指定する道路の附属物は、次のとおりとする。

一　道路法（昭和二十七年法律第百八十号）第二条第二項第一号に規定する道路上の柵又は駒止め

二　道路法第二条第二項第二号に規定する街灯

三　道路法第二条第二項第三号に規定する道路標識

四　道路法第二条第二項第四号に規定する道路情報管理施設

五　道路法第二条第二項第六号に規定する道路の維持又は修繕に用いる機械、器具又は材料の常置場

六　道路法第二条第二項第七号に規定する自動車駐車場又は自転車駐車場

七　道路法第二条第二項第九号に規定する共同溝又は電線共同溝

八　道路法施行令（昭和二十七年政令第四百七十九号）第三十四条の三第一号に規定する道路の防雪又は防砂のための施設

（公園の施設）

第二条　令第一条第十二号に規定する主務大臣の指定する施設は、植栽及び生け垣とする。

（小規模な施設）

第三条　公共土木施設災害復旧事業費国庫負担法（以下「法」という。）第六条第一項第九号の規定による小規模な施設に係る災害復旧事業は、次のとおりとする。

一　けい流における直高二メートル未満の石垣又は板さく類のみに係る災害復旧事業

二　道路の路面又は側こうのみに係る災害復旧事業

三　車馬の交通に著しい妨げのない道路上の崩土のたい積に係る災害復旧事業

（災害状況報告の様式）

第四条　令第一条に規定する河川、海岸、砂防設備、地すべり防止施設、急傾斜地崩壊防止施設、道路、港湾、水道、下水道及び公園について災害が生じた場合における令第五条第一項の主務省令で定める様式は、別記様式第一のとおりとする。

（国庫負担申請）

第五条　令第六条第一項の目論見書及び設計書の様式は、それぞれ別記様式第二及び第三のとおりとする。

2　前項の設計書には、平面図及び横断面図その他の必要な書類を添付しなければならない。

（災害復旧事業費の決定）

第六条　法第七条の規定による災害復旧事業の事業費は、それぞれの事業費ごとに千円を単位として決定するものとする。

（国の負担率の通知）

第七条　法第四条の規定によって災害復旧事業費に対する国の負担率を算定したときは、国土交通大臣は、遅滞なく、都道府県知事（地方自治法（昭和二十二年法律第六十七号）第二百五十二条の十九第一項の指定都市（以下この条において単に「指定都市」という。）の長、都道府県又は指定都市が加入している地方公共団体の組合の管理者又は長（同法第二百八十七条の三第二項（同法第二百九十一条の十三において準用する場合を含む。）の規定により管理者又は長に代えて理事会を置く組合にあっては、理事会）及び都道府県又は指定都市が組織に加わっている港湾法（昭和二十五年法律第二百十八号）に基づく港務局の長を含む。）に通知しなければならない。

（国庫負担金交付の申請）

第八条　法第八条の規定による国の負担金の交付の申請は、当該地方公共団体（港務局を含む。以下同じ。）において、令第六条の四の規定による通知に基づいて、当該事業費に関し議会（港務局にあっては、当該港務局を組織する地方公共団体の議会）の議決のあった予算書の関係部分の写しを添付してしなければならない。

（設計の変更）

第九条　令第七条第二項の設計書の様式は、別記様式第四のとおりとする。

2　前項の設計書には、平面図及び横断面図その他の必要な書類を添付しなければならない。

（事業の廃止）

第一〇条　法第七条の規定により国土交通大臣が事業費を決定してから法第八条第一項及び第二項の規定により負担金を交付するまでの間に災害復旧事業を廃止したときは、地方公共団体の長は、別記様式第五によりその都度国土交通大臣に報告しなければならない。

2　令第七条第三項の規定による廃止の報告は、別記様式第五の報告書を国土交通大臣に提出してするものとする。

（残存物件の換算方法）

第一一条　令第十条の規定による残存物件の換算は、材料については取得価額により行い、その他の物件については取得価額に別に定める残存価額率を乗じて行うものとする。

（成功認定の申請）

第一二条　令第十一条の規定による災害復旧事業の成功認定の申請は、別記様式第六の成功表を添付してしなければならない。

（工事台帳等の整理）

第一三条　地方公共団体は、国の負担金の交付を受けて災害復旧事業を施行するときは、当該災害復旧事業に関し、工事台帳並びに機械台帳、経理簿及び備品台帳等を整備して必要な事項を記載しなければならない。

（会計事務の整理）

第一四条　国の負担金の交付を受けて災害復旧事業を施行する地方公共団体は、当該災害復旧事業の事業費に関する会計について、災害の発生した年ごとに区別して整理しなければならない。

（権限の委任）

第一五条　令第十五条第二項の国土交通省令で定める工事費の決定は、地方公共団体又はその機関が施行する災害復旧事業に係るものであつて一箇所の工事の費用がおおむね二千万円未満のものとする。ただし、次に掲げる工事費の決定を除く。

一　災害復旧事業の施行のみでは再度災害の防止に十分な効果が期待できないと認められるためこれと合併して公共土木施設の新設又は改良に関する事業の施行が必要となる当該災害復旧事業に係るもの

二　一箇所の工事の費用がおおむね二千万円以上の災害復旧事業に係る工事費の決定又は前号に掲げる災害復旧事業の工事費の決定と併せて行うことが適当と認められるもの

三　二以上の地方支分部局の管轄区域にわたり発生した災害に係る災害復旧事業の工事費の決定で当該管轄区域の境界周辺の地域におけるものを一体として行うことが適当と認められるもの

四　実地調査の結果等により、地方整備局長又は北海道開発局長がその決定を一時留保したもの

五　法第七条の規定により事業費が決定された災害復旧事業（令第三条に規定するものを除く。）について、水勢又は地形の変動その他の事由に基づき再度行うもの

六　前各号に掲げるもののほか、特殊な災害に係るもの、緊急に工事費の決定を要するものその他国土交通大臣が自ら行うことが必要と認められるもの

附　則

（施行期日）

1　この省令は、内閣法の一部を改正する法律（平成十一年法律第八十八号）の施行の日（平成十三年一月六日）から施行する。

（関係省令の廃止）

2　次に掲げる省令は、廃止する。

一　公共土木施設災害復旧事業費国庫負担法施行規則（昭和二十六年運輸省令第四十六号）

二　公共土木施設災害復旧事業費国庫負担法施行規則（昭和二十六年建設省令第十号）

附　則〔平成一三・四・二国土交通省令八四〕

（施行期日）

1　この省令は、公布の日から施行する。

（経過措置）

2　改正後の規定は、この省令の施行の日以後に発生した災害に係る災害復旧事業について適用し、同日前に発生した災害に係る災害復旧事業については、なお従前の例による。

附　則〔略〕〔平成二二・四・一国土交通省令一八〕

附　則〔略〕〔平成二五・二・六国土交通省令三〕

附　則〔略〕〔令和二・一一・二〇国土交通省令九〇〕

附　則〔略〕〔令和三・八・三一国土交通省令五三〕

附　則〔略〕〔令和六・四・一国土交通省令五一施行〕

別記様式〔略〕

○激甚災害に対処するための特別の財政援助等に関する法律

〔昭和三七・九・六
法律一五〇〕

改正　昭和三八・三法七一、七法一三三、八法一六二、昭和三九・七法一二九、一二法一八四、昭和四〇・五法五三、六法一〇八、昭和四一・三法二七、昭和四二・六法四三、七法五六、法九八、昭和四四・六法四一、一二法八三、法八五、昭和四五・五法六九、昭和四六・一法一五、昭和四七・一二法一三一、昭和四八・七法四六、昭和四九・一二法一一七、昭和五〇・七法六〇、法六一、一〇法六九、昭和五三・七法八七、一〇法九七、昭和五五・六法八〇、昭和五六・四法二一、六法七九、昭和五七・五法四五、法五〇、八法八七、昭和五九・四法一九、五法二八、七法五四、昭和六一・五法五〇、昭和六三・三法一四、平成二・六法五〇、法五八、平成五・五法四八、一一法八九、平成六・六法四九、法五七、七法八四、平成八・五法五五、平成一〇・三法二二、四法四〇、九法一一〇、一〇法一一四、平成一一・七法八七、一二法一六〇、法二二二、平成一二・五法五九、法九八、法九九、平成一三・一二法一四六、平成一四・七法九八、一一法一〇九、法一一九、平成一五・四法三一、平成一七・七法八二、一〇法一〇二、一一法一二三、平成一九・四法三〇、五法五八、六法七〇、平成二二・一二法七一、平成二三・八法一〇五、平成二四・六法五一、八法六七、平成二五・六法五七、平成二六・四法二八、平成二七・五法二二、法二九、平成二八・三法一七、五法四七、令和四・五法五二

注　[　]の部分は、令和四年一二月一六日法律第一〇四号により改正され、公布の日から起算して三年を超えない範囲内において政令で定める日から施行

目次

第一章　総則（第一条・第二条）
第二章　公共土木施設災害復旧事業等に関する特別の財政援助（第三条・第四条）
第三章　農林水産業に関する特別の助成（第五条―第十一条の二）
第四章　中小企業に関する特別の助成（第十二条―第十五条）
第五章　その他の特別の財政援助及び助成（第十六条―第二十五条）
附則

第一章　総則

（趣旨）

第一条　この法律は、災害対策基本法（昭和三十六年法律第二百二十三号）に規定する著しく激甚である災害が発生した場合における国の地方公共団体に対する特別の財政援助又は被災者に対する特別の助成措置について規定するものとする。

（激甚災害及びこれに対し適用すべき措置の指定）

第二条　国民経済に著しい影響を及ぼし、かつ、当該災害による地方財政の負担を緩和し、又は被災者に対する特別の助成を行なうことが特に必要と認められる災害が発生した場合には、当該災害を激甚災害として政令で指定するものとする。

２　前項の指定を行なう場合には、次章以下に定める措置のうち、当該激甚災害に対して適用すべき措置を当該政令で指定しなければならない。

３　前二項の政令の制定又は改正の立案については、内閣総理大臣は、あらかじめ中央防災会議の意見をきかなければならない。

第二章　公共土木施設災害復旧事業等に関する特別の財政援助

（特別の財政援助及びその対象となる事業）

第三条　国は、激甚災害に係る次に掲げる事業で、政令で定める基準に該当する都道府県又は市町村（以下「特定地方公共団体」という。）がその費用の全部又は一部を負担するものについて、当該特定地方公共団体の負担を軽減するため、交付金を交付し、又は当該特定地方公共団体の国に対する負担金を減少するものとする。

一　公共土木施設災害復旧事業費国庫負担法（昭和二十六年法律第九十七号）の規定の適用を受ける公共土木施設の災害復旧事業

二　前号の災害復旧事業の施行のみでは再度災害の防止に十分な効果が期待できないと認められるためこれと合併して行う公共土木施設災害復旧事業費国庫負担法第三条に掲げる施設で政令で定めるものの新設又は改良に関する事業

三　公立学校施設災害復旧費国庫負担法（昭和二十八年法律第二百四十七号）の規定の適用を受ける公立学校（地方独立行政法人法（平成十五年法律第百十八号）第六十八条第一項に規定する公立大学法人が設置する学校を含む。第二十四条第一項において同じ。）の施設の災害復旧事業

四　公営住宅法（昭和二十六年法律第百九十三号）第八条第三項の規定の適用を受ける公営住宅又は共同施設の建設又は補修に関する事業

五　生活保護法（昭和二十五年法律第百四十四号）第四十条又は第四十一条の規定により設置された保護施設の災害復旧事業

六　児童福祉法（昭和二十二年法律第百六十四号）第三十五条第二項から第四項までの規定により設置された児童福祉施設の災害復旧事業

六の二　就学前の子どもに関する教育、保育等の総合的な提供の推進に関する法律（平成十八年法律第七十七号）第十二条若しくは就学前の子どもに関する教育、保育等の総合的な提供の推進に関する法律の一部を改正する法律（平成二十四年法律第六十六号。以下この号において「認定こども園法一部改正法」という。）附則第四条第一項の規定により設置された幼保連携型認定こども園（国（国立大学法人法（平成十五年法律第百十二号）第二条第一項に規定する国立大学法人を含む。）が設置したものを除く。）又は認定こども園法一部改正法附則第三条第二項に規定するみなし幼保連携型認定こども園の災害復旧事業

六の三　老人福祉法（昭和三十八年法律第百三十三号）第十五条の規定により設置された養護老人ホーム及び特別養護老人ホームの災害復旧事業

七　身体障害者福祉法（昭和二十四年法律第二百八十三号）第二十八条第一項又は第二項の規定により都道府県又は市町村が設置した身体障害者社会参加支援施設の災害復旧事業

八　障害者の日常生活及び社会生活を総合的に支援するための法律（平成十七年法律第百二十三号）第七十九条第一項若しくは第二項又は第八十三条第二項若しくは第三項の規定により都道府県又は市町村が設置した障害者支援施設、地域活動支援センター、福祉ホーム又は障害福祉サービス（同法第五条第七項に規定する生活介護、同条第十二項に規定する自立訓練、同条第十三項に規定する就労移行支援又は同条第十四項に規定する就労継続支援に限る。）の事業の用に供する施設の災害復旧事業

八　障害者の日常生活及び社会生活を総合的に支援するための法律（平成十七年法律第百二十三号）第七十九条第一項若しくは第二項又は第八十三条第二項若しくは第三項の規定により都道府県又は市町村が設置した障害者支援施設、地域活動支援センター、福祉ホーム又は障害福祉サービス（同法第五条第七項に規定する生活介護、同条第十二項に規定する自立訓練、同条第十四項に規定する就労移行支援又は同条第十五項に規定する就労継続支援に限る。）の事業の用に供する施設の災害復旧事業

九　困難な問題を抱える女性への支援に関する法律（令和四年法律第五十二号）第十二条第一項の規定により都道府県が設置した女性自立支援施設（市町村又は社会福祉法人が設置した女性自立支援施設で都道府県から同項に規定する自立支援の委託を受けているものを含む。）の災害復旧事業

十　感染症の予防及び感染症の患者に対する医療に関する法律（平成十年法律第百十四号）に規定する感染症指定医療機関の災害復旧事業

十一　激甚災害のための感染症の予防及び感染症の患者に対する医療に関する法律第五十八条の規定による都道府県、保健所を設置する市又は特別区の支弁及び同法第五十七条第四号の規定による東京都の支弁に係る感染症予防事業

十一の二　子ども・子育て支援法（平成二十四年法律第六十五号）第二十七条第一項の規定により確認された私立の学校教育法（昭和二十二年法律第二十六号）第一条に規定する幼稚園（第十七条第一項において「特定私立幼稚園」という。）の災害復旧事業

十二　激甚災害に伴い発生した土砂等の流入、崩壊等により河川、道路、公園その他の施設で政令で定めるものの区域内に堆積した政令で定める程度に達する異常に多量の泥土、砂礫、岩石、樹木等（以下「堆積土砂」という。）の排除事業で地方公共団体又はその機関が施行するもの（他の法令に国の負担若しくは補助に関し別段の定めがあるもの又は国がその費用の一部を負担し、若しくは補助する災害復旧事業に付随して行うものを除く。）

十三　激甚災害に伴い発生した前号に規定する区域外の堆積土砂であつて、市町村長が指定した場所に集積されたもの又は市町村長がこれを放置することが公益上重大な支障があると認めたものについて、市町村が行う排除事業（他の法令に国の負担又は補助に関し別段の定めがあるものを除く。）

十四　激甚災害の発生に伴い浸入した水で浸入状態が政令で定める程度に達するもの（以下「湛水」という。）の排除事業で地方公共団体が施行するもの

２　前項第六号に掲げる児童福祉施設の激甚災害に係る災害復旧事業については、児童福祉法第五十六条の二第一項第一号に該当しないもの（地方公共団体が設置したものを除く。）が同項第一号に該当する場合には、当該施設については、同条及び同法第五十六条の三の規定を準用する。

（特別財政援助額等）

第四条　前条の規定により国が交付し、又は減少する金額の特定地方公共団体ごとの総額（以下この条において「特別財政援助額」という。）は、特定地方公共団体である都道府県にあつては、政令で定めるところにより算出した同条第一項各号に掲げる事業ごとの都道府県の負担額を合算した額を次の各号に定める額に区分して順次に当該各号に定める率を乗じて算定した額を合算した金額とする。

一　激甚災害が発生した年の四月一日の属する会計年度における当該都道府県の標準税収入（公共土木施設災害復旧事業費国庫負担法第二条第四項に規定する標準税収入をいい、以下この項において「標準税収入」という。）の百分の十をこえ、百分の五十までに相当する額については、百分の五十

二　前号に規定する標準税収入の百分の五十をこえ、百分の百までに相当する額については、百分の五十五

三　第一号に規定する標準税収入の百分の百をこえ、百分の二百までに相当する額については、百分の六十

四　第一号に規定する標準税収入の百分の二百をこえ、百分の四百までに相当する額については、百分の七十

五　第一号に規定する標準税収入の百分の四百をこえ、百分の六百までに相当する額については、百分の八十

六　第一号に規定する標準税収入の百分の六百をこえる額に相当する額については、百分の九十

2　特定地方公共団体である市町村に係る特別財政援助額の算定方法は、前項に規定する算定方法に準じて政令で定める。

3　前二項の特別財政援助額は、政令で定めるところにより、前条第一項各号に掲げる事業ごとの特定地方公共団体の負担額に応じ当該各事業ごとに区分して交付するものとする。この場合において、事業ごとに区分して交付される交付金は、当該事業についての負担又は補助に係る法令の規定の適用については、当該法令の規定による負担金又は補助金とみなす。

4　前条第一項第十二号から第十四号までに掲げる事業に係る前項による交付金の交付の事務は、政令で定める区分に従つて農林水産大臣又は国土交通大臣が行なう。

5　激甚災害に係る前条第一項第五号から第六号の三まで及び第九号に掲げる事業のうち地方公共団体以外の者が設置した施設に係る事業並びに同項第十一号の二に掲げる事業については、国は、政令で定めるところにより、これらの事業に係る施設の設置者に交付すべきものとして、当該施設の災害復旧事業費の十二分の一に相当する額を当該施設の所在する都道府県又は指定都市若しくは中核市に交付するものとする。

6　第一項から第三項までの規定により国が交付等を行なう特別財政援助額の交付等の時期その他当該特別財政援助額の交付等に関し必要な事項は、政令で定める。

第三章　農林水産業に関する特別の助成

（農地等の災害復旧事業等に係る補助の特別措置）

第五条　激甚災害を受けた政令で定める地域における当該激甚災害に係る農地、農業用施設若しくは林道の災害復旧事業（農林水産業施設災害復旧事業費国庫補助の暫定措置に関する法律（昭和二十五年法律第百六十九号。以下「暫定措置法」という。）の適用を受ける災害復旧事業をいう。以下この条において同じ。）又は当該農業用施設若しくは林道の災害復旧事業に係る災害関連事業（当該災害復旧事業の施行のみでは再度災害の防止に十分な効果が期待できないと認められるため、これと合併して行なう必要がある農業用施設又は林道の新設又は改良に関する事業をいう。以下この条において同じ。）については、国は、都道府県に対し、災害復旧事業にあつては暫定措置法第三条第一項の規定による補助、災害関連事業にあつては通常の補助のほか、予算の範囲内において、次に掲げる経費を補助することができる。

一　都道府県が行なう災害復旧事業又は災害関連事業に要する経費の一部

二　都道府県以外の者の行なう災害復旧事業又は災害関連事業につき、都道府県が当該事業を自ら行なうものとした場合においてこの条の規定により補助を受けるべき額を下らない額による補助をする場合におけるその補助に要する経費（その額をこえて補助する場合には、そのこえる部分の補助に要する経費を除いた経費）の全部

2　前項第一号の規定により国が行なう補助の額は、当該災害復旧事業又は当該災害関連事業に要する経費の額（災害復旧事業にあつては暫定措置法第三条第一項の規定による補助、災害関連事業にあつては通常の補助の額に相当する部分の額を除く。）のうち政令で定める額に相当する部分の額を政令で定めるところにより区分し、その区分された部分の額にそれぞれ十分の九の範囲内において政令で定める率を乗じて得た額を合算した額とする。

3　前二項の規定により国が補助する額の交付に関し必要な事項は、政令で定める。

（農林水産業共同利用施設災害復旧事業費の補助の特例）

第六条　激甚災害を受けた暫定措置法第二条第四項に規定する共同利用施設のうち、政令で定める地域内の施設については、暫定措置法第二条第六項及び第七項中「四十万円」とあるのは「十三万円」と、同法第三条第二項第五号中「十分の二」とあるのは「十分の四（当該事業費のうち政令で定める額に相当する部分については、十分の九）」とし、その他の地域内の施設については、同号中「十分の二」とあるのは、「十分の三（当該事業費のうち政令で定める額に相当する部分については、十分の五）」とする。

（開拓者等の施設の災害復旧事業に対する補助）

第七条　国は、激甚災害を受けた政令で定める地域において、当該激甚災害を受けた次に掲げる施設（暫定措置法第二条第一項に規定する農業用施設又は同条第四項に規定する共同利用施設に該当するものを除く。）の災害復旧事業であつて施設ごとの工事の費用が十三万円以上のものに要する経費につき、都道府県が十分の九（第三号に掲げる施設については、十分の九の範囲内で政令で定める率。以下この条において同じ。）を下らない率による補助をする場合には、予算の範囲内において、当該都道府県に対し、その補助に要する経費（都道府県が十分の九を超える率による補助をする場合には、その超える部分の補助に要する経費を除いた経費）の全部を補助することができる。

一　開拓者の住宅、農舎その他政令で定める施設

二　開拓者の共同利用に供する施設で政令で定めるもの

三　水産動植物の養殖施設で政令で定めるもの

（天災による被害農林漁業者等に対する資金の融通に関する暫定措置の特例）

第八条　天災による被害農林漁業者等に対する資金の融通に関する暫定措置法（昭和三十年法律第百三十六号。以下「天災融資法」という。）第二条第一項の規定による天災が激甚災害として指定された場合における政令で定める都道府県の区域に係る当該天災についての同法の適用については、同法第二条第四項第一号中「二百万円（北海道にあつては三百五十万円、政令で定める資金として貸し付けられる場合は五百万円、政令で定める法人に貸し付けられる場合は二千五百万円、漁具の購入資金として貸し付けられる場合は五千万円）」とあるのは「二百五十万円（北海道にあつては四百万円、政令で定める資金として貸し付けられる場合は六百万円、政令で定める法人に貸し付けられる場合は二千五百万円、漁具の購入資金として貸し付けられる場合は五千万円）」とし、同項第二号中「六年」とあるのは「六年（政令で定める資金については七年）」とする。

2　天災融資法第二条第三項の規定による天災が激甚災害として指定された場合における政令で定める都道府県の区域に係る当該天災についての同法の適用については、同法第二条第八項中「二千五百万円（連合会に貸し付けられる場合は五千万円）」とあるのは、「五千万円（連合会に貸し付けられる場合は七千五百万円）以内で政令で定める額」とする。

（森林組合等の行なう堆積土砂の排除事業に対する補助）

第九条　国は、激甚災害を受けた政令で定める区域において森林組合その他政令で定める者が施行する政令で定める林業用施設に係る堆積土砂の排除事業の事業費につき、都道府県が三分の二を下らない率による補助をする場合には、予算の範囲内において、当該都道府県に対し、その補助に要する経費（都道府県が三分の二をこえる率による補助をする場合には、そのこえる部分の補助に要する経費を除いた経費）の全部を補助することができる。

（土地改良区等の行なう湛水排除事業に対する補助）

第一〇条　国は、激甚災害を受けた政令で定める区域において土地改良区又は土地改良区連合が政令で定めるところにより湛水の排除事業を施行する場合において、その事業費につき、都道府県が十分の九を下らない率による補助をするときは、予算の範囲内において、当該都道府県に対し、その補助に要する経費（都道府県が十分の九をこえる率による補助をする場合には、そのこえる部分の補助に要する経費を除いた経費）の全部を補助することができる。

（共同利用小型漁船の建造費の補助）

第一一条　国は、激甚災害に係る小型漁船の被害が著しい政令で定める都道府県が、漁業協同組合の必要とする共同利用小型漁船建造費につき、当該漁業協同組合に対し、三分の二を下らない率による補助をする場合には、予算の範囲内において、当該都道府県に対し、その補助に要する経費（都道府県が三分の二をこえる率による補助をする場合には、そのこえる部分の補助に要する経費を除いた経費）の二分の一を補助することができる。

2　前項の共同利用小型漁船建造費とは、政令で定める要件に該当する漁業協同組合が、政令で定める小型漁船で激甚災害を受けたもの（沈没、滅失その他政令で定める著しい被害を受けたものに限る。）を激甚災害の発生の際に所有し、かつ、その営む漁業の用に供していた組合員の共同利用に供するため、政令で定めるところにより小型の漁船を建造するために要する経費をいうものとする。

（森林災害復旧事業に対する補助）

第一一条の二　国は、激甚災害を受けた政令で定める地域における森林災害復旧事業につき、予算の範囲内において、都道府県に対し、次に掲げる経費を補助することができる。

一　都道府県が行う森林災害復旧事業に要する経費の二分の一
二　都道府県以外のものが行う森林災害復旧事業につき、都道府県が三分の二を下らない率による補助をする場合におけるその補助に要する経費（都道府県が三分の二を超える率による補助をする場合には、その超える部分の補助に要する経費を除いた経費）の四分の三

2　前項の森林災害復旧事業とは、都道府県、市町村、森林組合その他政令で定めるものが政令で定めるところにより当該激甚災害を受けた森林を復旧するために行う当該激甚災害を受けた樹木（当該激甚災害を受けた樹木以外の樹木であつて当該激甚災害を受けた樹木の伐採跡地における造林の障害となるものを含む。以下「被害木等」という。）の伐採及び搬出並びに被害木等の伐採跡地における造林、当該激甚災害により倒伏した造林に係る樹木の引起こし又はこれらの作業を行うために必要な作業路の開設の事業であつて政令で定める基準に該当するものをいうものとする。

第四章　中小企業に関する特別の助成

（中小企業信用保険法による災害関係保証の特例）

第一二条　中小企業信用保険法（昭和二十五年法律第二百六十四号）第三条第一項に規定する普通保険（以下この条において「普通保険」という。）、同法第三条の二第一項に規定する無担保保険又は同法第三条の三第一項に規定する特別小口保険の保険関係であつて、災害関係保証（政令で定める日までに行われた次の各号に掲げる者の事業（第二号に掲げる者にあつては、その直接又は間接の構成員たる第一号に掲げる者の事業）の再建に必要な資金に係る同法第三条第一項、第三条の二第一項又は第三条の三第一項に規定する債務の保証をいう。以下この条において同じ。）を受けた当該各号に掲げる者に係るものについての同法第三条第一項、第三条の二第一項及び第三項並びに第三条の三第一項及び第二項の規定の適用については、同法第三条第一項中「保険価額の合計額が」とあるのは「激甚災害に対処するための特別の財政援助等に関する法律第十二条第一項に規定する災害関係保証（以下この条、次条及び第三条の三において「災害関係保証」という。）に係る保険関係の保険価額の合計額とその他の保険関係の保険価額の合計額とがそれぞれ」と、同法第三条の二第一項及び第三条の三第一項中「保険価額の合計額が」とあるのは「災害関係保証に係る保険関係の保険価額の合計額とその他の保険関係の保険価額の合計額とがそれぞれ」と、同法第三条の二第三項及び第三条の三第二項中「当該借入金の額のうち」とあるのは「災害関係保証及びその他の保証ごとに、それぞれ当該借入金の額のうち」と、「当該債務者」とあるのは「災害関係保証及びその他の保証ごとに、当該債務者」とする。
一　政令で定める地域内に事業所を有し、かつ、激甚災害を受けた中小企業者、協業組合及び中小企業等協同組合その他の主として中小規模の事業者を直接又は間接の構成員とする団体
二　中小企業等協同組合その他の主として中小規模の事業者を直接又は間接の構成員とする団体であつて、その直接又は間接の構成員のうちに前号に掲げる者を含むもの

2　普通保険の保険関係であつて、災害関係保証に係るものについての中小企業信用保険法第三条第二項及び同法第五条の規定の適用については、同法第三条第二項中「百分の七十」とあり、及び同法第五条中「百分の七十（無担保保険、特別小口保険、流動資産担保保険、公害防止保険、エネルギー対策保険、海外投資関係保険、新事業開拓保険、事業再生保険及び特定社債保険にあつては、百分の八十）」とあるのは、「百分の八十」とする。

第一三条　削除

（事業協同組合等の施設の災害復旧事業に対する補助）

第一四条　国は、都道府県が、激甚災害を受けた事業協同組合、事業協同小組合若しくは協同組合連合会、協業組合又は商工組合若しくは商工組合連合会の倉庫、生産施設、加工施設その他共同施設であつて政令で定めるものの災害復旧事業に要する経費につき四分の三を下らない率により補助する場合には、当該都道府県に対し、予算の範囲内において、当該補助に要する経費（都道府県が四分の三をこえる率による補助をする場合には、そのこえる部分の補助に要する経費を除いた経費）の三分の二を補助することができる。

第一五条　削除

第五章　その他の特別の財政援助及び助成

（公立社会教育施設災害復旧事業に対する補助）

第一六条　国は、激甚災害を受けた公立の公民館、図書館、体育館その他の社会教育（社会教育法（昭和二十四年法律第二百七号）第二条に規定する社会教育をいう。）に関する施設であつて政令で定めるものの建物、建物以外の工作物、土地及び設備（以下次項及び次条において「建物等」という。）の災害の復旧に要する本工事費、附帯工事費（買収その他これに準ずる方法により建物を取得する場合にあつては、買収費）及び設備費（以下次項及び次条において「工事費」と総称する。）並びに事務費について、政令で定めるところにより、予算の範囲内において、その三分の二を補助することができる。

2　前項に規定する工事費は、当該施設の建物等を原形に復旧する（原形に復旧することが不可能な場合において当該建物等の従前の効用を復旧するための施設をすること及び原形に復旧することが著しく困難であるか又は不適当である場合において当該建物等に代わるべき必要な施設をすることを含む。）ものとして算定するものとする。この場合において、設備費の算定については、政令で定める基準によるものとする。

3　国は、政令で定めるところにより、都道府県の教育委員会が文部科学大臣の権限に属する第一項の補助の実施に関する事務を行なうために必要な経費を都道府県に交付するものとする。

（私立学校施設災害復旧事業に対する補助）

第一七条　国は、激甚災害を受けた特定私立幼稚園以外の私立の学校（学校教育法第一条に規定する学校をいう。以下同じ。）の用に供される建物等であつて政令で定めるものの災害の復旧に要する工事費及び事務費について、当該私立の学校の設置者に対し、政令で定めるところにより、予算の範囲内において、その二分の一を補助することができる。

2　前条第二項及び第三項の規定は、前項の規定により国が補助する場合について準用する。この場合において、同条第二項中「当該施設の建物等」とあるのは「当該私立の学校の用に供される建物等」と、同条第三項中「都道府県の教育委員会」とあるのは「都道府県知事」とそれぞれ読み替えるものとする。

3　私立学校振興助成法（昭和五十年法律第六十一号）第十二条から第十三条まで並びにこれらの規定に係る同法附則第二条第一項及び第二項の規定は、第一項の規定により国が補助する場合について準用する。

第一八条　削除

（市町村が施行する感染症予防事業に関する負担の特例）

第一九条　特定地方公共団体である市町村が激甚災害のための感染症予防事業に関して行つた感染症の予防及び感染症の患者に対する医療に関する法律第五十七条の支弁については、同法第五十九条中「三分の二」とあるのは「全額」と、同法第六十一条第三項中「二分の一」とあるのは「三分の二」と読み替えて、それぞれ同法第五十九条又は第六十一条第三項の規定を適用する。

（母子及び父子並びに寡婦福祉法による国の貸付けの特例）

第二〇条　特定地方公共団体である都道府県（指定都市及び中核市を含む。以下この条において同じ。）に対し、国が母子及び父子並びに寡婦福祉法（昭和三十九年法律第百二十九号）によつて貸し付ける金額は、激甚災害を受けた会計年度（以下この条において「被災年度」という。）及びその翌年度に限り、同法第三十七条第一項の規定にかかわらず、同項の規定によつて貸し付けるものとされる金額と、当該都道府県が当該災害による被害を受けた者（以下この条において「被災者」という。）に対する貸付金の財源として特別会計に繰り入れる金額との合計額に相当する金額とする。

2　前項の都道府県が被災年度の翌年度の末日までに被災者に対し貸し付けた金額が、当該都道府県が被災年度及びその翌年度において被災者に対する貸付金の財源として特別会計に繰り入れた金額の四倍に相当する金額に満たないこととなつた場合には、当該都道府県は、被災年度の翌翌年度において、その満たない額の八分の一に相当する金額を特別会計に繰り入れ、又はその満たない額の四分の一に相当する金額を国に償還しなければならない。

3　前項の規定により都道府県が特別会計に繰り入れなければならない金額については、母子及び父子並びに寡婦福祉法第三十七条第一項の規定は、適用しない。

4　第一項の都道府県であつて第二項の規定により特別会計への繰入れを行つたものについての母子及び父子並びに寡婦福祉法第三十七条第二項及び第六項の規定の適用については、同条第二項第二号及び第六項第二号中「福

社資金貸付金の財源として特別会計に繰り入れた金額」とあるのは、「福祉資金貸付金の財源として特別会計に繰り入れた金額（激甚災害に対処するための特別の財政援助等に関する法律第二十条第二項の規定により特別会計に繰り入れた金額を含む。）」とする。

5　第一項の都道府県であつて第二項の規定により国への償還を行つたものについての母子及び父子並びに寡婦福祉法第三十六条第二項並びに第三十七条第二項、第四項及び第六項の規定の適用については、同法第三十六条第二項中「同条第二項及び第四項」とあるのは「同条第二項及び第四項並びに激甚災害に対処するための特別の財政援助等に関する法律（以下「激甚災害法」という。）第二十条第二項」と、「同条第五項」とあるのは「次条第五項」と、同法第三十七条第二項第一号中「この項及び第四項」とあるのは「この項及び第四項並びに激甚災害法第二十条第二項」と、同条第四項中「第二項」とあるのは「第二項及び激甚災害法第二十条第二項」と、同条第六項第一号中「第二項及び第四項」とあるのは「第二項及び第四項並びに激甚災害法第二十条第二項」とする。

（水防資材費の補助の特例）

第二一条　激甚災害であつて政令で定める地域に発生したものに関し、都道府県又は水防法（昭和二十四年法律第百九十三号）第二条第二項に規定する水防管理団体が水防のため使用した資材に関する費用で政令で定めるものについては、国は、予算の範囲内において、その費用の三分の二を補助することができる。

（罹災者公営住宅建設等事業に対する補助の特例）

第二二条　国は、地方公共団体が激甚災害を受けた政令で定める地域にあつた住宅であつて当該激甚災害により滅失したものにその災害の当時居住していた者に賃貸するため公営住宅の建設等（公営住宅法第二条第五号に規定する公営住宅の建設等をいう。）をする場合には、同法第八条第一項の規定にかかわらず、予算の範囲内において、当該公営住宅の建設等に要する費用（同法第七条第一項の公営住宅の建設等に要する費用をいう。次項において同じ。）の四分の三を補助することができる。ただし、当該災害により滅失した住宅の戸数の五割に相当する戸数（当該激甚災害により滅失した住宅にその災害の当時居住していた者に転貸するため事業主体が借り上げる公営住宅であつて同法第十七条第三項の規定による国の補助に係るものがある場合にあつては、その戸数を控除した戸数）を超える分については、この限りでない。

2　前項の規定による公営住宅の建設等に要する費用についての国の補助金額の算定については、公営住宅法第七条第三項及び第四項の規定を準用する。

第二三条　削除

（小災害債に係る元利償還金の基準財政需要額への算入等）

第二四条　激甚災害を受けた地方公共団体が政令で定める地域において施行する当該災害によつて必要を生じた公共土木施設及び公立学校の施設に係る災害復旧事業のうち、公共土木施設に係るものについては、一箇所の工事の費用が都道府県及び指定都市にあつては八十万円以上百二十万円未満、その他の市町村にあつては三十万円以上六十万円未満のもの、公立学校の施設に係るものについては、一学校ごとの工事の費用が十万円を超えるもの（公立学校施設災害復旧費国庫負担法第三条の規定による国の負担のないものに限る。）の費用に充てるため発行について同意又は許可を得た地方債（発行について地方財政法（昭和二十三年法律第百九号）第五条の三第六項の規定による届出がされた地方債のうち同条第一項の規定による協議を受けたならば同意をすることとなると認められるものを含む。次項において同じ。）に係る元利償還に要する経費は、地方交付税法（昭和二十五年法律第二百十一号）の定めるところにより、当該地方公共団体に対して交付すべき地方交付税の額の算定に用いる基準財政需要額に算入するものとする。

2　激甚災害を受けた地域で農地その他の農林水産業施設に係る被害の著しいものを包括する市町村のうち政令で定めるもの（以下この項において「被災市町村」という。）が施行する農地、農業用施設又は林道に係る災害復旧事業のうち、一箇所の工事の費用が十三万円以上四十万円未満のものの事業費に充てるため、農地に係るものにあつては当該事業費の百分の五十、農業用施設又は林道に係るものにあつては当該事業費の百分の六十五に相当する額の範囲内（被災市町村の区域のうち政令で定めるところにより特に被害の著しい地域とされる地域にあつては、当該事業費のうち政令で定める部分については百分の九十の範囲内において政令で定める率に相当する額の範囲内）で発行について同意又は許可を得た地方債に係る元利償還に要する経費は、地方交付税法の定めるところにより、当該市町村に対して交付すべき地方交付税の額の算定に用いる基準財政需要額に算入するものとする。

3　前二項の地方債は、国が、その資金事情の許す限り、財政融資資金をもつて引き受けるものとする。

4　第一項又は第二項に規定する地方債を財政融資資金で引き受けた場合における当該地方債の利息の定率及び償還の方法に関し必要な事項は、政令で定める。

（雇用保険法による求職者給付の支給に関する特例）

第二五条　激甚災害を受けた政令で定める地域にある雇用保険法（昭和四十九年法律第百十六号）第五条第一項に規定する適用事業に雇用されている労働者（同法第三十七条の二第一項に規定する高年齢被保険者、同法第三十八条第一項に規定する短期雇用特例被保険者及び同法第四十三条第一項に規定する日雇労働被保険者（第五項及び第七項において「高年齢被保険者等」という。）を除く。）が、当該事業の事業所が災害を受けたため、やむを得ず、事業を休止し、又は廃止したことにより休業するに至り、労働の意思及び能力を有するにもかかわらず、就労することができず、かつ、賃金を受けることができない状態にあるときは、同法の規定の適用については、失業しているものとみなして基本手当を支給することができる。ただし、災害の状況を考慮して、地域ごとに政令で定める日（以下この条において「指定期日」という。）までの間に限る。

2　前項の規定による基本手当の支給を受けるには、当該休業について厚生労働省令の定めるところにより厚生労働大臣の確認を受けなければならない。

3　前項の確認があつた場合における雇用保険法（第七条を除く。）の規定の適用については、その者は、当該休業の最初の日の前日において離職したものとみなす。この場合において、同法第十三条第二項中「該当する者」とあるのは「該当する者又は激甚災害に対処するための特別の財政援助等に関する法律第二十五条第三項の規定により離職したものとみなされた者（いずれも」と、同法第二十三条第二項中「受給資格者（」とあるのは「受給資格者又は激甚災害に対処するための特別の財政援助等に関する法律第二十五条第三項の規定により離職したものとみなされた者で第十三条第一項（同条第二項において読み替えて適用する場合を含む。）の規定により基本手当の支給を受けることができる資格を有するもの（いずれも」とする。

4　第一項の規定による基本手当の支給については、雇用保険法第十条の三、第十五条、第二十一条、第三十条及び第三十一条の規定の適用について厚生労働省令で特別の定めをすることができる。

5　第一項に規定する政令で定める地域にある雇用保険法第五条第一項に規定する適用事業に雇用されている労働者で、同法第三十七条の二第一項に規定する高年齢被保険者又は同法第三十八条第一項に規定する短期雇用特例被保険者に該当するものについては、その者を高年齢被保険者等以外の被保険者とみなして、前各項の規定により基本手当を支給するものとする。この場合において、第一項の規定において適用される同法第十七条第四項第二号ニ中「三十歳未満」とあるのは「三十歳未満又は六十五歳以上」と、同法第二十二条第二項第一号中「四十五歳以上六十五歳未満」とあるのは「四十五歳以上」と、同法第二十三条第一項第一号中「六十歳以上六十五歳未満」とあるのは「六十歳以上」とする。

6　第二項の確認を受けた者（指定期日までの間において従前の事業主との雇用関係が終了した者を除く。）は、雇用保険法の規定の適用については、指定期日の翌日に従前の事業所に雇用されたものとみなす。ただし、指定期日までに従前の事業所に再び就業し、又は従前の事業主の他の事業所に就業するに至つた者は、就業の最初の日に雇用されたものとみなす。

7　第五項の規定により高年齢被保険者等以外の被保険者とみなされた者と従前の事業主との雇用関係が終了した場合（新たに雇用保険法の規定による受給資格、高年齢受給資格又は特例受給資格を取得した場合を除く。）には、その雇用関係が終了した日後におけるその者に関する同法第三章の規定の適用については、厚生労働省令で特別の定めをすることができる。

8　第二項の確認に関する処分については、雇用保険法第六章及び第八十一条の規定を準用する。

附　則

この法律は、公布の日から施行し、昭和三十七年四月一日以後に発生した災害について適用する。

附　則〔略〕〔昭和三八・三・三一法律七一〕

附　則〔略〕〔昭和三八・七・一一法律一三三〕

附　則〔抄〕〔昭和三八・八・一法律一六二〕

（施行期日）

第一条　この法律は、公布の日から施行する。〔以下略〕

（激甚災害時における特例に関する暫定措置）

第一三条　この法律の施行の日から第二十条の二の改正規定が施行されるまでの間において激甚災害に対処するための特別の財政援助等に関する法律第二十五条第二項の確認を受けた後、同条第五項の規定により従前の事業主に雇用されたものとみなされるに至つた者に対する失業保険法の規定の適用については、新法第二十条の二第二項及び第三項の規定の例によりその者の当該災害に伴う休業の直前の被保険者として雇用された期間及びその者の当該休業に引き続く被保険者として雇用された期間を通算した期間、その者は、引き続き従前の事業主に被保険者として雇用されたものとみなす。激甚災害に対処するための特別の財政援助等に関する法律第二十五条第一項の激甚災害を受けた政令で定める地域において被保険者として雇用されていた事業所が、災害を受けたため、やむを得ず、事業を休止し、又は廃止したことにより離職した者であつて、当該離職について命令の定めるところにより公共職業安定所の確認を受けた後、同項ただし書の指定期日までに従前の事業主に雇用されるに至つたものについても、同様とする。

2　前項後段の確認に関する処分については、失業保険法第四十条から第四十二条までの規定を準用する。

附　則〔略〕〔昭和三九・一二・二四法律一八四〕

附　則〔抄〕〔昭和四〇・六・二法律一〇八〕

1　この法律は、公布の日から施行し、（中略）同日以後に激甚災害に対処するための特別の財政援助等に関する法律（昭和三十七年法律第百五十号。以下「激甚災害法」という。）第二条第二項の規定により同法第八条第一項に規定する措置が指定された災害につき適用する。

2　この法律の施行の日の前日までに天災融資法第二条第一項の規定による指定又は開拓営農振興臨時措置法第五条の二第一項の規定による指定のあつた天災又は異常な天災現象及び同日までに激甚災害法第二条第二項の規定により同法第八条第一項に規定する措置が指定された災害であつて、昭和三十九年七月一日以後に発生したものについては、前項の規定にかかわらず、この法律の施行の日から、それぞれ、改正後の天災融資法第二条第四項第一号及び第二号、改正後の開拓営農振興臨時措置法第五条の二第二項並びに改正後の激甚災害法第八条第一項の規定を適用する。

附　則〔略〕〔昭和四一・三・三一法律二七〕

附　則〔略〕〔昭和四一・六・二六法律四三〕

附　則〔略〕〔昭和四二・七・一三法律五六〕

附　則〔略〕〔昭和四二・七・二九法律九八〕

附　則〔略〕〔昭和四四・一二・九法律八三〕

附　則〔略〕〔昭和四四・一二・九法律八五〕

附　則〔略〕〔昭和四五・五・一八法律六九〕

附　則〔略〕〔昭和四六・一一・二九法律一一五〕

附　則〔略〕〔昭和四七・一二・八法律一三一〕

附　則〔略〕〔昭和四九・一二・二八法律一一七〕

附　則〔略〕〔昭和五〇・七・一一法律六〇〕

附　則〔略〕〔昭和五〇・七・一一法律六一〕

附　則〔昭和五〇・一〇・二七法律六九〕

1　この法律は、公布の日から施行する。

2　この法律の施行前に天災による被害農林漁業者等に対する資金の融通に関する暫定措置法第二条第一項又は第三項の規定による指定のあつた天災及びこの法律の施行前に激甚災害に対処するための特別の財政援助等に関する法律第二条第二項の規定により同法第八条第一項若しくは第二項又は第十五条に規定する措置が指定された災害に関しては、なお従前の例による。

附　則〔略〕〔昭和五三・七・五法律八七〕

附　則〔略〕〔昭和五三・一〇・二七法律九七〕

附　則〔略〕〔昭和五六・四・一〇法律二一〕

附　則〔略〕〔昭和五六・六・一一法律七九〕

附　則〔抄〕〔昭和五七・五・一三法律四五〕

改正　平成一一・七法八七

1　この法律は、公布の日から施行する。

4　第三条の規定による改正後の激甚災害に対処するための特別の財政援助等に関する法律第二十四条の規定は、この法律の施行の日以後に発行について同意又は許可を得た地方債について適用し、同日前に発行を許可された地方債については、なお従前の例による。

5　平成十七年度までの間、前項の規定の適用については、同項中「発行について同意又は許可を得た」とあるのは、「発行を許可された」とする。

附　則〔略〕〔昭和五七・八・三一法律八七〕

附　則〔抄〕〔昭和五九・四・二七法律一九〕

（施行期日）

1　この法律は、公布の日から施行する。

（激甚災害に対処するための特別の財政援助等に関する法律の一部改正に伴う経過措置）

8　施行日前に発生した災害の災害復旧事業については、前項の規定による改正後の激甚災害に対処するための特別の財政援助等に関する法律第二十四条第一項の規定にかかわらず、なお従前の例による。

附　則〔略〕〔昭和五九・五・一一法律二八〕

附　則〔略〕〔昭和五九・七・一三法律五四〕

附　則〔略〕〔昭和五九・一二・二五法律八七〕

附　則〔略〕〔昭和六三・三・三一法律一四〕

附　則〔略〕〔平成二・六・二七法律五〇〕

附　則〔略〕〔平成二・六・二九法律五八〕

附　則〔略〕〔平成五・五・二一法律四八〕

附　則〔抄〕〔平成五・一一・一二法律八九〕

（施行期日）

第一条　この法律は、行政手続法（平成五年法律第八十八号）の施行の日（平成六・一〇・一）から施行する。

（諮問等がされた不利益処分に関する経過措置）

第二条　この法律の施行前に法令に基づき審議会その他の合議制の機関に対し行政手続法第十三条に規定する聴聞又は弁明の機会の付与の手続その他の意見陳述のための手続に相当する手続を執るべきことの諮問その他の求めがされた場合においては、当該諮問その他の求めに係る不利益処分の手続に関しては、この法律による改正後の関係法律の規定にかかわらず、なお従前の例による。

（激甚災害に対処するための特別の財政援助等に関する法律の一部改正に伴う経過措置）

第三条　第二十三条の規定の施行前に、同条の規定による改正前の激甚災害に対処するための特別の財政援助等に関する法律第十七条第三項において準用する私立学校振興助成法第十三条第一項の規定による通知がされた場合においては、当該通知に係る収容定員を超える入学又は入園に関して是正を命ずる措置の手続に関しては、第二十三条の規定による改正後の激甚災害に対処するための特別の財政援助等に関する法律の規定にかかわらず、なお従前の例による。

（罰則に関する経過措置）

第一三条　この法律の施行前にした行為に対する罰則の適用については、なお従前の例による。

（聴聞に関する規定の整理に伴う経過措置）

第一四条　この法律の施行前に法律の規定により行われた聴聞、聴問若しくは聴聞会（不利益処分に係るものを除く。）又はこれらのための手続は、この法律による改正後の関係法律の相当規定により行われたものとみなす。

（政令への委任）

第一五条　附則第二条から前条までに定めるもののほか、この法律の施行に関して必要な経過措置は、政令で定める。

附　則〔略〕〔平成六・六・二九法律四九〕

附　則〔抄〕〔平成六・六・二九法律五七〕

（施行期日）

第一条　この法律は、平成七年四月一日から施行する。〔以下略〕

（激甚災害に対処するための特別の財政援助等に関する法律の一部改正に伴う経過措置）

第二九条　施行日前に激甚災害に対処するための特別の財政援助等に関する法律第二十五条第五項の規定により基本手当の支給を受けることができることとされた者に係る基本手当の日額及び所定給付日数については、なお従前の例による。

（その他の経過措置の政令への委任）

第三一条　この附則に規定するもののほか、この法律の施行に伴い必要な経過措置は、政令で定める。

附　則〔略〕〔平成六・七・一法律八四〕

附　則〔抄〕〔平成八・五・三一法律五五〕

（施行期日）

1　この法律は、公布の日から起算して三月を超えない範囲内で政令で定める日から施行する。〔以下略〕

〔平成八政二四七により、平成八・八・三〇から施行〕

（激甚災害に対処するための特別の財政援助等に関する法律の一部改正に伴う経過措置）

15　この法律による改正後の激甚災害に対処するための特別の財政援助等に関する法律第二十二条第一項の規定は、平成八年度以降の年度の予算に係る国の補助（平成七年度以前の年度の国庫債務負担行為に基づき平成八年度以降の年度に支出すべきものとされたものを除く。）について適用し、平成七年度以前の年度の国庫債務負担行為に基づき平成八年度以降の年度に支出すべきものとされた国の補助及び平成七年度以前の年度の歳出予算に係る国の補助で平成八年度以降の年度に繰り越されたものについては、なお従前の例による。

附　則〔略〕〔平成一〇・三・三一法律二二〕

附　則〔抄〕〔平成一〇・四・一七法律四〇〕

（施行期日）

第一条　この法律は、公布の日から施行する。

（激甚災害に対処するための特別の財政援助等に関する法律の一部改正に伴う経過措置）

第五条　施行日前に発生した災害の災害復旧事業については、前条の規定による改正後の激甚災害に対処するための特別の財政援助等に関する法律第二十四条第一項の規定にかかわらず、なお従前の例による。

附　則〔略〕〔平成一〇・九・二八法律一一〇〕

附　則〔抄〕〔平成一〇・一〇・二法律一一四〕

（施行期日）

第一条　この法律は、平成十一年四月一日から施行する。〔以下略〕

（激甚災害に対処するための特別の財政援助等に関する法律の一部改正に伴う経過措置）

第二八条　施行日前に行われた前条の規定による改正前の激甚災害に対処するための特別の財政援助等に関する法律第三条第一項第十号及び第十一号並びに第十九条に規定する事業については、なお従前の例による。

附　則〔抄〕〔平成一一・七・一六法律八七〕

（施行期日）

第一条　この法律は、平成十二年四月一日から施行する。ただし、次の各号に掲げる規定は、当該各号に定める日から施行する。

一　〔前略〕附則〔中略〕第百六十条、第百六十三条、第百六十四条並びに第二百二条の規定　公布の日

二〜六　〔略〕

（国等の事務）

第一五九条　この法律による改正前のそれぞれの法律に規定するもののほか、この法律の施行前において、地方公共団体の機関が法律又はこれに基づく政令により管理し又は執行する国、他の地方公共団体その他公共団体の事務（附則第百六十一条において「国等の事務」という。）は、この法律の施行後は、地方公共団体が法律又はこれに基づく政令により当該地方公共団体の事務として処理するものとする。

（処分、申請等に関する経過措置）

第一六〇条　この法律（附則第一条各号に掲げる規定については、当該各規定。以下この条及び附則第百六十三条において同じ。）の施行前に改正前のそれぞれの法律の規定によりされた許可等の処分その他の行為（以下この条において「処分等の行為」という。）又はこの法律の施行の際現に改正前のそれぞれの法律の規定によりされている許可等の申請その他の行為（以下この条において「申請等の行為」という。）で、この法律の施行の日においてこれらの行為に係る行政事務を行うべき者が異なることとなるものは、附則第二条から前条までの規定又は改正後のそれぞれの法律（これに基づく命令を含む。）の経過措置に関する規定に定めるものを除き、この法律の施行の日以後における改正後のそれぞれの法律の適用については、改正後のそれぞれの法律の相当規定によりされた処分等の行為又は申請等の行為とみなす。

2　この法律の施行前に改正前のそれぞれの法律の規定により国又は地方公共団体の機関に対し報告、届出、提出その他の手続をしなければならない事項で、この法律の施行の日前にその手続がされていないものについては、この法律及びこれに基づく政令に別段の定めがあるもののほか、これを、改正後のそれぞれの法律の相当規定により国又は地方公共団体の相当の機関に対して報告、届出、提出その他の手続をしなければならない事項についてその手続がされていないものとみなして、この法律による改正後のそれぞれの法律の規定を適用する。

（不服申立てに関する経過措置）

第一六一条　施行日前にされた国等の事務に係る処分であって、当該処分をした行政庁（以下この条において「処分庁」という。）に施行日前に行政不服審査法に規定する上級行政庁（以下この条において「上級行政庁」という。）があったものについての同法による不服申立てについては、施行日以後においても、当該処分庁に引き続き上級行政庁があるものとみなして、行政不服審査法の規定を適用する。この場合において、当該処分庁の上級行政庁とみなされる行政庁は、施行日前に当該処分庁の上級行政庁であった行政庁とする。

2　前項の場合において、上級行政庁とみなされる行政庁が地方公共団体の機関であるときは、当該機関が行政不服審査法の規定により処理することとされる事務は、新地方自治法第二条第九項第一号に規定する第一号法定受託事務とする。

（手数料に関する経過措置）

第一六二条　施行日前においてこの法律による改正前のそれぞれの法律（これに基づく命令を含む。）の規定により納付すべきであった手数料については、この法律及びこれに基づく政令に別段の定めがあるもののほか、なお従前の例による。

（罰則に関する経過措置）

第一六三条　この法律の施行前にした行為に対する罰則の適用については、なお従前の例による。

（その他の経過措置の政令への委任）

第一六四条　この附則に規定するもののほか、この法律の施行に伴い必要な経過措置（罰則に関する経過措置を含む。）は、政令で定める。

2　〔略〕

附　則〔略〕〔平成一一・一二・二二法律一六〇〕

附　則〔略〕〔平成一一・一二・二二法律二二二〕

附　則〔抄〕〔平成一二・五・一二法律五九〕

（施行期日）

第一条　この法律は、平成十三年四月一日から施行する。〔以下略〕

（激甚災害に対処するための特別の財政援助等に関する法律の一部改正に伴う経過措置）

第二七条　施行日前に激甚災害に対処するための特別の財政援助等に関する法律第二十五条第一項又は第五項の規定により基本手当の支給を受けることができることとされた者に係る基本手当の日額並びに雇用保険法第二十条の規定による期間及び日数並びに同法第二十二条第一項に規定する所定給付日数については、なお従前の例による。

（その他の経過措置の政令への委任）

第四一条　この附則に規定するもののほか、この法律の施行に伴い必要な経過措置は、政令で定める。

附　則〔略〕〔平成一二・五・三一法律九八〕

附　則〔略〕〔平成一二・五・三一法律九九〕

附　則〔略〕〔平成一三・一二・七法律一四六〕

附　則〔略〕〔平成一四・二・八法律一〕

附　則〔略〕〔平成一四・七・三一法律九八〕

附　則〔略〕〔平成一四・一一法律一〇九〕

附　則〔略〕〔平成一四・一一・二九法律一一九〕

附　則〔抄〕〔平成一五・四・三〇法律三一〕

（施行期日）

第一条　この法律は、平成十五年五月一日から施行する。

（激甚災害に対処するための特別の財政援助等に関する法律の一部改正に伴う経過措置）

第三一条　施行日前に激甚災害に対処するための特別の財政援助等に関する法律第二十五条第一項又は第五項の規定により基本手当の支給を受けることができることとされた者に係る基本手当の日額及び新雇用保険法第二十二条第一項に規定する所定給付日数については、なお従前の例による。

附　則〔略〕〔平成一七・七・六法律八二〕

附　則〔略〕〔平成一七・一〇・二一法律一〇二〕

附　則〔抄〕〔平成一七・一一・七法律一二三〕

（施行期日）

第一条　この法律は、平成十八年四月一日から施行する。ただし、次の各号に掲げる規定は、当該各号に定める日から施行する。

一　附則〔略〕第百二十二条の規定　公布の日

二　〔前略〕附則〔中略〕第八十五条から第九十条まで〔中略〕の規定　平成十八年十月一日

三　〔略〕

（激甚災害に対処するための特別の財政援助等に関する法律の一部改正に伴う経過措置）

第八七条　附則第四十一条第一項又は第五十八条第一項の規定によりなお従前の例により運営をすることができることとされた附則第四十一条第一項に規定する身体障害者更生援護施設又は附則第五十八条第一項に規定する知的障害者援護施設（附則第五十二条の規定による改正前の知的障害者福祉法第二十一条の八に規定する知的障害者通勤寮を除く。）は、障害者支援施設とみなして、前条の規定による改正後の激甚災害に対処するための特別の財政援助等に関する法律第三条第一項の規定を適用する。

（罰則の適用に関する経過措置）

第一二二条　この法律の施行前にした行為及びこの附則の規定によりなお従前の例によることとされる場合におけるこの法律の施行後にした行為に対する罰則の適用については、なお従前の例による。

（その他の経過措置の政令への委任）

第一二三条　この附則に規定するもののほか、この法律の施行に伴い必要な経過措置は、政令で定める。

附　則〔抄〕〔平成一九・四・二三法律三〇〕

改正　平成一九・七法一〇九

（施行期日）

第一条　この法律〔中略〕は、当該各号に定める日〔平成一九・一〇・一〕から施行する。

（激甚災害に対処するための特別の財政援助等に関する法律の一部改正に伴う経過措置）

第七五条　附則第一条第一号の二に掲げる規定の施行の日前に前条の規定による改正前の激甚災害に対処するための特別の財政援助等に関する法律第二十五条第三項の規定により離職したものとみなされた者に係る基本手当の受給資格については、なお従前の例による。

附　則〔抄〕〔平成一九・五・二五法律五八〕

（施行期日）

第一条　この法律は、平成二十年十月一日から施行する。〔以下略〕

（激甚災害に対処するための特別の財政援助等に関する法律の一部改正に伴う経過措置）

第五条　商工組合中央金庫が第二十五条の規定による改正前の激甚災害に対処するための特別の財政援助等に関する法律第十五条第一項の規定に基づき貸し付けた資金に係る貸付けの利率その他の事項については、なお従前の例による。

（罰則に関する経過措置）

第八条　この法律の施行前にした行為に対する罰則の適用については、なお従前の例による。

（政令への委任）

第九条　附則第二条から前条までに定めるもののほか、この法律の施行に関し必要な経過措置は、政令で定める。

附　則〔略〕〔平成一九・六・一法律七〇〕

附　則〔略〕〔平成一九・七・六法律一〇九施行〕

附　則〔略〕〔平成二二・一二・一〇法律七一〕

附　則〔略〕〔平成二三・八・三〇法律一〇五〕

附　則〔略〕〔平成二四・六・二七法律五一〕

附　則〔略〕〔平成二四・八・二二法律六七〕

附　則〔抄〕〔平成二五・六・二一法律五七〕

（施行期日）

第一条　この法律〔中略〕は、当該各号に定める日〔平成二七・三・三一〕から施行する。

（激甚災害に対処するための特別の財政援助等に関する法律の一部改正に伴う経過措置）

第九条　前条の規定による改正前の激甚災害に対処するための特別の財政援助等に関する法律（以下この条において「旧激甚災害法」という。）第十三条第一項の適用を受けた旧助成法第三条第一項の小規模企業者等設備導入資金貸付事業に係る貸付金であって旧設備資金貸付事業又は旧設備貸与事業に係るものの償還期間の延長並びに旧激甚災害法第十三条第二項の適用を受けた旧設備資金貸付事業に係る貸付金の償還期間及び旧設備貸与事業に係る対価の支払期間の延長については、なお従前の例による。

附　則〔略〕〔平成二六・四・二三法律二八〕

附　則〔略〕〔平成二七・五・二〇法律二二〕

附　則〔略〕〔平成二七・五・二七法律二九〕

附　則〔略〕〔平成二八・五・二〇法律四七〕

附　則〔抄〕〔令和四・五・二五法律五二〕

（施行期日）

第一条　この法律は、令和六年四月一日から施行する。ただし、次の各号に掲げる規定は、当該各号に定める日から施行する。

一　〔前略〕附則〔中略〕第三十八条の規定　公布の日

二～四　〔略〕

（政令への委任）

第三八条　この附則に定めるもののほか、この法律の施行に関し必要な経過措置は、政令で定める。

附　則〔抄〕〔令和四・一二・一六法律一〇四〕

（施行期日）

第一条　この法律〔中略〕は、当該各号に定める日〔公布の日から起算して三年を超えない範囲内において政令で定める日〕から施行する。

○激甚災害に対処するための特別の財政援助等に関する法律施行令

〔昭和三七・一〇・一〇〕
〔政令四〇三〕

改正　昭和三八・七政二四七、政二七一、昭和三九・七政二四四、昭和四〇・二政一四、昭和四一・四政一一九、昭和四二・九政二九八、昭和四四・六政一五八、昭和四六・一一政三六〇、昭和四七・八政三一四、一二政四一七、昭和五〇・三政二六、一〇政三〇六、政三一〇、昭和五三・七政二八二、政二八六、一〇政三五九、昭和五六・四政一三一、昭和五七・五政一三七、八政二三七、昭和五九・四政一一九、五政一二九、政一四九、一一政三一五、昭和六一・四政一一六、六政二〇三、一二政四一〇、昭和六三・九政二七〇、平成二・一一政三二五、平成三・一政六、平成五・一一政三五二、平成六・一二政三九八、平成七・六政二三八、平成一〇・三政一〇二、四政一六一、一〇政三五一、一二政四二一、平成一一・一〇政三四六、平成一二・三政一二一、政一三二、六政三〇三、政三六一、一二政五五三、平成一四・四政一四二、一二政三八五、平成一五・一〇政四五九、平成一六・四政一四四、平成一七・四政一四三、平成一九・二政三二、三政四四、政五五、八政二三五、平成二〇・五政一七五、九政二九七、平成二二・四政一二三、平成二四・一政一九、平成二五・二政二八、平成二七・一政三〇、三政一一〇、政一一九、七政二七三、一一政四二一、平成二八・一一政三五三、令和五・四政一六三、五政一九二

目次

第一章　公共土木施設災害復旧事業等に関する特別の財政援助（第一条―第十三条）
第二章　農林水産業に関する特別の助成（第十四条―第二十三条の二）
第三章　中小企業に関する特別の助成（第二十四条―第三十二条）
第四章　その他の特別の財政援助及び助成（第三十三条―第四十八条）
附則

第一章　公共土木施設災害復旧事業等に関する特別の財政援助

（特定地方公共団体の基準等）

第一条　激甚災害に対処するための特別の財政援助等に関する法律（以下「法」という。）第三条第一項の政令で定める基準に該当する都道府県又は市町村は、その年に発生した激甚災害（法第二条第一項の規定により激甚災害として指定され、かつ、同条第二項の規定により当該事項に係る法の規定の適用が指定された災害をいう。以下同じ。）に係る法第三条第一項各号に掲げる事業ごとの当該都道府県又は市町村の負担額を合算した額の当該激甚災害が発生した年の四月一日の属する会計年度における当該都道府県又は市町村の標準税収入（法第四条第一項第一号の標準税収入をいう。以下同じ。）に対する割合が都道府県にあつては百分の十、市町村にあつては百分の五を超えるものとする。

2　前項の都道府県又は市町村は、同項の事業に関する主務大臣が告示する。

（政令で定める公共土木施設）

第二条　法第三条第一項第二号の政令で定める施設は、公共土木施設災害復旧事業費国庫負担法施行令（昭和二十六年政令第百七号）第一条各号に掲げる公共土木施設で、法第三条第一項第二号に掲げる事業に係る国の負担割合が三分の二未満のものとする。

（堆積土砂に関する施設等の範囲）

第三条　法第三条第一項第十二号の政令で定める施設は、次の各号に掲げる施設（当該施設に係る堆積した泥土、砂礫、岩石、樹木等の排除が当該施設の維持又は修繕に属する事業として当該事業に関する主務大臣が認めるものを除く。）とする。

一　河川法（昭和三十九年法律第百六十七号）第三条第一項に規定する河川

二　道路法（昭和二十七年法律第百八十号）、都市計画法（昭和四十三年法律第百号）、土地区画整理法（昭和二十九年法律第百十九号）又は大都市地域における住宅及び住宅地の供給の促進に関する特別措置法（昭和五十年法律第六十七号）による道路

三　都市公園法（昭和三十一年法律第七十九号）による都市公園その他地方公共団体が設置し、及び管理する公園及び緑地（自然公園法（昭和三十二年法律第百六十一号）による自然公園を除く。）

四　下水道法（昭和三十三年法律第七十九号）による公共下水道（終末処理場を除く。）及び都市下水路

五　地方公共団体又はその機関が管理する運河（これに附属する公共施設を含む。）、溝渠及び広場

六　地方公共団体が維持管理する貯木場及び木材流送路（以下次条、第十一条及び第二十一条において「林業用施設」という。）

七　漁業法（昭和二十四年法律第二百六十七号）による漁業権の設定されている水域（以下次条及び第十一条において「漁場」という。）

（堆積の程度）

第四条　法第三条第一項第十二号の政令で定める程度は、次の各号のいずれかに掲げる程度とする。

一　一の市町村の前条各号に掲げる施設の区域内及び当該施設の区域外において、激甚災害に伴い発生した土砂等の流入、崩壊等により堆積した泥土、砂礫、岩石、樹木等（以下この条及び第二十一条において「堆積泥土等」という。）のうち、他の法令に国の負担又は補助に関し別段の定めがある排除事業の対象となる堆積泥土等、国がその費用の一部を負担し、又は補助する災害復旧事業に附随して行う排除事業の対象となる堆積泥土等並びに林業用施設及び漁場の区域内の堆積泥土等を除いた堆積泥土等（以下「特定堆積泥土等」という。）の量が三万立方メートル以上であること。

二　一の市町村の前条各号に掲げる施設の区域内及び当該施設の区域外において、二千立方メートル以上の一団をなす特定堆積泥土等又は五十メートル以内の間隔で連続する特定堆積泥土等でその量が二千立方メートル以上であるものについて当該市町村が施行する排除事業の事業費の合計額が、当該激甚災害が発生した年の四月一日の属する会計年度における当該市町村の標準税収入の十分の一に相当する額を超えること。

三　一の林業用施設の区域において、堆積泥土等の量が一万立方メートル以上であること。

四　一の市町村の地先の漁場の区域において、樹木を除く堆積泥土等の量が五万立方メートル以上であり、かつ、平均の堆積高が二十センチメートル以上であること、又は堆積泥土等である樹木が千本以上であり、かつ、一平方キロメートル当たり二百本以上であること。

（浸水状態の程度）

第五条　法第三条第一項第十四号の政令で定める程度は、激甚災害に伴う破堤又は溢流により浸水した一団の地域につき、浸水面積が引き続き一週間以上にわたり三十ヘクタール以上であることとする。

（市町村の特別財政援助額の算定方法）

第六条　特定地方公共団体（法第三条第一項に規定する特定地方公共団体をいう。以下同じ。）である市町村に係る法第四条第一項に規定する特別財政援助額（以下「特別財政援助額」という。）は、法第三条第一項各号に掲げる事業ごとの市町村の負担額を合算した額を次の各号に定める額に区分して順次に当該各号に定める率を乗じて算定した額を合算した金額とする。

一　激甚災害が発生した年の四月一日の属する会計年度における当該市町村の標準税収入の百分の五をこえ、百分の十までに相当する額について

は、百分の六十

二　前号に規定する標準税収入の百分の十をこえ、百分の百までに相当する額については、百分の七十

三　第一号に規定する標準税収入の百分の百をこえ、百分の二百までに相当する額については、百分の七十五

四　第一号に規定する標準税収入の百分の二百をこえ、百分の四百までに相当する額については、百分の八十

五　第一号に規定する標準税収入の百分の四百をこえる額については、百分の九十

（事業ごとの地方公共団体の負担額）

第七条　法第四条第一項に規定する法第三条第一項各号に掲げる事業ごとの都道府県の負担額又は前条に規定する法第三条第一項各号に掲げる事業ごとの市町村の負担額は、その年に発生した激甚災害について、次に定めるところにより算出した金額を合算した金額とする。

一　都道府県若しくは市町村又はその機関が施行する事業（児童福祉法（昭和二十二年法律第百六十四号）第四十条に規定する児童厚生施設及び同法第四十四条の二に規定する児童家庭支援センター並びに感染症の予防及び感染症の患者に対する医療に関する法律（平成十年法律第百十四号）第六条第十八項に規定する結核指定医療機関（以下この条及び第十二条において「児童厚生施設等」という。）に係る事業を除く。）で国が費用の一部を負担し、又は補助するものについては、法令の規定又は当該事業に関する主務大臣の定めるところにより当該主務大臣が激甚災害の発生後遅滞なく算定した事業費の額（法令の規定により当該費用に充てる収入金があるときは、その収入金の額を当該事業費の額から控除した額とし、以下「査定事業費の額」という。）から国が負担し、又は補助する額を控除した金額

二　都道府県若しくは市町村の組合若しくは港務局（港湾法（昭和二十五年法律第二百十八号）に基づく港務局をいう。以下同じ。）又は当該組合の管理者若しくは長（地方自治法（昭和二十二年法律第六十七号）第二百八十七条の三第二項（同法第二百九十一条の十三において準用する場合を含む。）の規定により管理者又は長に代えて理事会を置く組合にあつては、理事会）若しくは港務局の長が施行する事業で国が費用の一部を負担し、又は補助するものについては、査定事業費の額に対する当該組合の規約又は港務局の定款で定められた分担割合による当該都道府県又は市町村の分担額からその分担額に対応する国の負担額又は補助額を控除した金額

三　国が施行する事業で都道府県又は市町村が費用の一部を負担するものについては、査定事業費の額について当該都道府県又は市町村が負担する金額

四　国が施行する事業で第二号に規定する組合又は港務局が費用の一部を負担するものについては、査定事業費の額に対する同号に規定する分担割合による当該都道府県又は市町村の分担額

五　市町村（市町村の組合を含む。）が施行する事業で国及び都道府県がそれぞれ費用の一部を負担するものについては、都道府県にあつては査定事業費の額について当該都道府県が負担する金額、市町村にあつては査定事業費の額から国及び都道府県が負担する額を控除した金額（市町村の組合を組織する市町村にあつては、当該組合が施行する事業に係る査定事業費の額に対する当該組合の規約で定められた分担割合による当該市町村の分担額からその分担額に対応する国及び都道府県の負担額を控除した金額）

六　市町村（市町村の組合を含む。）又は社会福祉法人その他の地方公共団体以外の者が施行する事業（児童厚生施設等に係る事業を除く。）で都道府県（地方自治法第二百五十二条の十九第一項の指定都市及び同法第二百五十二条の二十二第一項の中核市を含む。以下この号及び第九条第四項において同じ。）が費用の一部を負担し、又は補助し、国が当該都道府県の負担し、又は補助する金額の一部を負担し、又は補助するものについては、都道府県にあつては査定事業費の額について都道府県が負担し、又は補助する金額から国が当該都道府県に対して負担し、又は補助する金額を控除した金額、市町村にあつては査定事業費の額から都道府県が負担し、又は補助する額を控除した金額（市町村の組合を組織する市町村にあつては、当該組合が施行する事業に係る査定事業費の額に対する当該組合の規約で定められた分担割合による市町村の分担額から当該市町村の分担額に対応する都道府県の負担額又は補助額を控除した金額）

七　都道府県又は市町村が施行する事業でその事業費につき国が費用を負担しないもの（児童厚生施設等に係る事業を除く。）については、査定事業費の額

2　法第三条第一項第五号から第十号まで及び第十一号の二に掲げる災害復旧事業に係る前項の査定事業費には、一の施設についてその復旧に要する費用の額が六十万円（児童福祉法第三十九条第一項に規定する保育所、就学前の子どもに関する教育、保育等の総合的な提供の推進に関する法律（平成十八年法律第七十七号）第十二条又は就学前の子どもに関する教育、保育等の総合的な提供の推進に関する法律の一部を改正する法律（平成二十四年法律第六十六号。以下この項において「認定こども園法一部改正法」という。）附則第四条第一項の規定により設置された幼保連携型認定こども園（国（国立大学法人法（平成十五年法律第百十二号）第二条第一項に規定する国立大学法人を含む。）が設置したものを除く。）及び認定こども園法一部改正法附則第三条第二項に規定するみなし幼保連携型認定こども園（第十二条第一項第一号において「幼保連携型認定こども園等」という。）、感染症の予防及び感染症の患者に対する医療に関する法律第六条第十二項に規定する感染症指定医療機関（同条第十八項に規定する結核指定医療機関を除く。）並びに子ども・子育て支援法（平成二十四年法律第六十五号）第二十七条第一項の規定により確認された私立の学校教育法（昭和二十二年法律第二十六号）第一条に規定する幼稚園（第十二条第一項第一号において「特定私立幼稚園」という。）については、三十万円）未満のものは、算入しないものとする。

（特別財政援助額の事業別の交付等の方法）

第八条　国は、特定地方公共団体に係る特別財政援助額を次の算式により法第三条第一項各号に掲げる事業ごとに分割し、その分割した特別財政援助額（以下「事業別財政援助額」という。）の当該各事業に係る査定事業費の額等に対する割合を、次項から第四項まで又は次条に定めるところにより、これらの事業に係る国の負担割合に加算して、交付金を交付し、又は負担金を減少するものとする。

$$\text{特定地方公共団体に係る特別財政援助額} \times \frac{\text{法第3条第1項各号に掲げる事業ごとの特定地方公共団体の負担額}}{\text{法第3条第1項各号に掲げる事業ごとの特定地方公共団体の負担額の合算額}}$$

2　前条第一項第一号又は第二号に掲げる事業については、事業別財政援助額の査定事業費の額に対する割合をこれらの事業に係る国の負担割合に加算し、同項第三号又は第四号に掲げる事業については、事業別財政援助額の査定事業費の額に対する割合をこれらの事業に係る特定地方公共団体の負担割合から減少するものとする。

3　公共土木施設災害復旧事業費国庫負担法（昭和二十六年法律第九十七号）の規定の適用を受ける公共土木施設の災害復旧事業については、これらの事業を一の事業とみなして第一項の規定を適用するものとし、当該一の事業としての事業別財政援助額の前条第一項第一号又は第三号に該当する事業に係る査定事業費の額及び同項第二号又は第四号に該当する事業に係る特定地方公共団体の分担額の総額に対する割合（同項第二号又は第四号に該当する事業にあつては、その割合に当該組合の規約又は港務局の定款で定める特定地方公共団体の分担割合を乗じて得た割合）を前項に規定する事業別財政援助額の査定事業費の額に対する割合とみなして同項の規定を適用するものとする。

4　前条第一項第七号に掲げる事業については、事業別財政援助額の査定事業費の額に対する割合をその事業に係る交付金の割合とする。

第九条　第七条第一項第五号に掲げる事業については、国の負担割合にあつては、市町村の事業別財政援助額及び都道府県の事業別財政援助額を合算した額の査定事業費の額に対する割合を当該負担割合に加算するものとし、特定地方公共団体である都道府県の負担割合にあつては、当該事業に関する主務大臣の定めるところにより、当該都道府県の事業別財政援助額の査定事業費の額に対する割合を当該負担割合から減少するものとする。

2　市町村（市町村の組合を含む。）が施行する第七条第一項第六号に掲げる事業については、当該事業を施行する市町村又は当該事業を施行する市町村の組合を組織する市町村が特定地方公共団体である場合においては、当該事業に関する主務大臣の定めるところにより、当該市町村の事業別財政援助額の査定事業費の額に対する割合を当該事業に係る都道府県の負担割合に加算するものとする。

3　前項の規定により都道府県が特定地方公共団体である市町村又はその組

織する組合に対して事業別財政援助額を交付する場合における当該都道府県が負担し、又は補助する金額に対する国の負担割合は、国が他の法令の規定により都道府県に交付する負担金又は補助金の額に市町村の事業別財政援助額（当該都道府県が特定地方公共団体である場合には、更に、都道府県の事業別財政援助額を加算した金額）を合算した金額の同項の規定により都道府県が負担し、又は補助する金額に対する割合とする。

4　前項に規定するもののほか、特定地方公共団体である都道府県が費用の一部を負担し、又は補助する第七条第一項第六号に掲げる事業については、都道府県の事業別財政援助額の当該都道府県が負担し、又は補助する金額に対する割合をそれぞれの事業に係る国の負担割合に加算するものとする。

（事業別財政援助額等に係る割合の算定）

第一〇条　前二条の規定により算定する事業別財政援助額の査定事業費の額等に対する割合は、小数点以下三位まで算出するものとし、四位以下は、四捨五入するものとする。

（排土排水事業に係る主務大臣の区分）

第一一条　法第四条第四項の政令で定める区分は、法第三条第一項第十二号に掲げる事業（林業用施設及び漁場に係るものを除く。）、同項第十三号に掲げる事業及び同項第十四号に掲げる事業でその地域が主として市街地である一団の浸水地域に係るものにあつては、国土交通大臣、同項第十二号に掲げる事業（林業用施設及び漁場に係るものに限る。）及び同項第十四号に掲げる事業で国土交通大臣の所掌に属するもの以外のものにあつては、農林水産大臣とする。

（地方公共団体以外の保護施設等の設置者に対する補助）

第一二条　法第三条第一項第五号から第六号の三まで、第九号又は第十一号の二に掲げる事業について、法第四条第五項の規定により、国が、当該施設の設置者に交付すべきものとして、当該施設の災害復旧事業費の十二分の一に相当する額（以下この条において「特別交付額」という。）を当該施設の所在する都道府県又は地方自治法第二百五十二条の十九第一項の指定都市（以下この条及び第四十三条において「指定都市」という。）若しくは同法第二百五十二条の二十二第一項の中核市（以下この条において「中核市」という。）に交付する場合は、都道府県又は指定都市若しくは中核市の区域（都道府県にあつては、当該都道府県の区域内にある指定都市及び中核市の区域を除く。）内にある法第三条第一項第五号から第六号の三まで、第九号又は第十一号の二に掲げる事業ごとの施設について、それぞれ次の要件に該当する場合とする。

一　当該区域における生活保護法（昭和二十五年法律第百四十四号）第四十条若しくは第四十一条の規定により設置された保護施設（以下この号において「保護施設」という。）、児童福祉法第三十五条第二項から第四項までの規定により設置された児童福祉施設（児童厚生施設等を除く。以下この号において「児童福祉施設」という。）、幼保連携型認定こども園等、老人福祉法（昭和三十八年法律第百三十三号）第十五条の規定により設置された養護老人ホーム若しくは特別養護老人ホーム（以下この号において「老人ホーム」という。）、困難な問題を抱える女性への支援に関する法律（令和四年法律第五十二号）第十二条第一項の規定により都道府県が設置した女性自立支援施設（市町村又は社会福祉法人が設置した女性自立支援施設で都道府県から同項に規定する自立支援の委託を受けているものを含む。以下この号において「女性自立支援施設」という。）又は特定私立幼稚園の数に対する激甚災害を受けた保護施設、児童福祉施設、幼保連携型認定こども園等、老人ホーム、女性自立支援施設又は特定私立幼稚園（その復旧に要する費用の額が、児童福祉法第三十九条第一項に規定する保育所、幼保連携型認定こども園等及び特定私立幼稚園にあつては三十万円未満、その他の施設にあつては六十万円未満のものを除く。以下この条において「被災保護施設、被災児童福祉施設、被災幼保連携型認定こども園等、被災老人ホーム、被災女性自立支援施設又は被災特定私立幼稚園」という。）の数の割合が十分の一以上であること。

二　当該区域における被災保護施設、被災児童福祉施設、被災幼保連携型認定こども園等、被災老人ホーム、被災女性自立支援施設又は被災特定私立幼稚園の復旧に要する費用の一施設当たりの平均額が八十万円以上であること。

2　特別交付額の交付を受けた都道府県又は指定都市若しくは中核市は、地方公共団体以外の者が設置した被災保護施設、被災児童福祉施設、被災幼保連携型認定こども園等、被災老人ホーム、被災女性自立支援施設又は被災特定私立幼稚園ごとに都道府県又は指定都市若しくは中核市が負担し、又は補助する額に当該施設に対する特別交付額を加えた額を、当該施設の設置者に交付しなければならない。

（事業別財政援助額に係る国の交付金の交付等）

第一三条　第八条又は第九条の規定による事業別財政援助額に係る交付金は、毎会計年度において交付する法第三条第一項各号に掲げる事業に係る負担金若しくは補助金の額又は当該事業の実施状況等に応じて、当該年度内に交付するものとする。ただし、特別の理由によりやむを得ない事情があると認められる場合においては、翌年度以降において交付することができるものとする。

2　この章に定めるもののほか、法第四条の規定による特別財政援助額の交付等に関し必要な事項は、法第三条第一項各号に掲げる事業に関する主務大臣が定める。

第二章　農林水産業に関する特別の助成

（農地等の災害復旧事業等に係る補助の特別措置の対象となる地域）

第一四条　法第五条第一項の政令で定める地域は、農地及び農業用施設の災害復旧事業（法第五条第一項に規定する災害復旧事業をいう。以下この条及び次条から第十九条までにおいて同じ。）並びに農業用施設の災害関連事業（法第五条第一項に規定する災害関連事業をいう。以下この条及び次条から第十八条までにおいて同じ。）に係るものにあつては第一号、林道の災害復旧事業及び災害関連事業に係るものにあつては第二号に掲げる区域とする。

一　その市町村の区域内にある農地又はその区域内にある農地が受益する農業用施設について、その年に発生した激甚災害に係る災害復旧事業及び災害関連事業に要する経費の額から、当該経費につき農林水産業施設災害復旧事業費国庫補助の暫定措置に関する法律（昭和二十五年法律第百六十九号。以下「暫定措置法」という。）第三条第一項の規定により国が補助する額又は通常国が補助する額を差し引いて得た額（以下この条及び次条から第十七条までにおいて「通常補助控除額」という。）の総額が、その市町村の区域内にある農地につき耕作の事業を行なう者で当該激甚災害を受けたものの総数を二万円に乗じて得た額をこえる市町村の区域

二　その市町村の区域内にある林道について、その年に発生した激甚災害に係る林道の災害復旧事業及び災害関連事業の通常補助控除額の総額が、当該災害復旧事業及び災害関連事業に係る林道のその市町村の区域内における総延長のメートル数を百八十円に乗じて得た額をこえる市町村の区域

2　前項の区域は、農林水産大臣が告示する。

（農地等の災害復旧事業等に係る補助の特別措置の対象となる額）

第一五条　法第五条第二項の政令で定める額は、農地及び農業用施設の災害復旧事業並びに農業用施設の災害関連事業に係るものにあつては第一号、林道の災害復旧事業及び災害関連事業に係るものにあつては第二号に掲げる額とする。

一　市町村ごとに、その区域内にある農地又はその区域内にある農地が受益する農業用施設について、その年に発生した激甚災害に係る災害復旧事業及び災害関連事業に係る通常補助控除額の総額が、その区域内にある農地につき耕作の事業を行なう者で当該激甚災害を受けたものの総数を一万円に乗じて得た額をこえる場合において、そのこえる部分の額を当該農地と農業用施設の災害復旧事業及び農業用施設の災害関連事業に係るそれぞれの通常補助控除額に応じてあん分した額

二　市町村ごとに、その区域内にある林道について、その年に発生した激甚災害に係る災害復旧事業及び災害関連事業に係る通常補助控除額の総額が、当該災害復旧事業及び災害関連事業に係る林道のその市町村の区域内における総延長のメートル数を百十円に乗じて得た額をこえる場合において、そのこえる部分の額を奥地幹線林道とその他の林道の災害復旧事業及び災害関連事業に係るそれぞれの通常補助控除額に応じてあん分した額

（農地等の災害復旧事業等に係る補助の特別措置の対象となる額の区分）

第一六条　前条各号に掲げる額に相当する部分の額は、次の各号に掲げる事

業ごとに、当該各号に掲げる額に区分するものとする。
一　農地及び農業用施設の災害復旧事業並びに農業用施設の災害関連事業
イ　市町村ごとに、その区域内にある農地又はその区域内にある農地が受益する農業用施設（以下この号において「農地等」という。）について、その年に発生した激甚災害に係る通常補助控除額の総額（以下この条において「市町村別通常補助控除総額」という。）のうち当該市町村の区域内にある農地につき耕作の事業を行なう者で当該激甚災害を受けた者の総数を一万円に乗じて得た額をこえ二万円を乗じて得た額までの部分の額を、当該農地と農業用施設の災害復旧事業及び農業用施設の災害関連事業に係るそれぞれの通常補助控除額に応じてあん分した額
ロ　市町村ごとに、農地等について、市町村別通常補助控除総額のうち当該市町村の区域内にある農地につき耕作の事業を行なう者で当該激甚災害を受けたものの総数を二万円に乗じて得た額をこえ六万円を乗じて得た額までの部分の額を、当該農地と農業用施設の災害復旧事業及び農業用施設の災害関連事業に係るそれぞれの通常補助控除額に応じてあん分した額
ハ　市町村ごとに、農地等について、市町村別通常補助控除総額のうち当該市町村の区域内にある農地につき耕作の事業を行なう者で当該激甚災害を受けたものの総数を六万円に乗じて得た額をこえる部分の額を、当該農地と農業用施設の災害復旧事業及び農業用施設の災害関連事業に係るそれぞれの通常補助控除額に応じてあん分した額
二　林道の災害復旧事業及び災害関連事業
イ　市町村ごとに、その区域内にある奥地幹線林道又はその他の林道（以下この号において「奥地幹線林道等」という。）について、市町村別通常補助控除総額のうち当該災害復旧事業及び災害関連事業に係る林道のその市町村の区域内における総延長のメートル数を百十円に乗じて得た額をこえ二百円に乗じて得た額までの部分の額を、当該奥地幹線林道とその他の林道の災害復旧事業及び災害関連事業に係るそれぞれの通常補助控除額に応じてあん分した額
ロ　市町村ごとに、奥地幹線林道等について、市町村別通常補助控除総額のうち当該災害復旧事業及び災害関連事業に係る林道のその市町村の区域内における総延長のメートル数を二百円に乗じて得た額をこえ五百円に乗じて得た額までの部分の額を、当該奥地幹線林道とその他の林道の災害復旧事業及び災害関連事業に係るそれぞれの通常補助控除額に応じてあん分した額
ハ　市町村ごとに、奥地幹線林道等について、市町村別通常補助控除総額のうち当該災害復旧事業及び災害関連事業に係る林道のその市町村の区域内における総延長のメートル数を五百円に乗じて得た額をこえる部分の額を、当該奥地幹線林道とその他の林道の災害復旧事業及び災害関連事業に係るそれぞれの通常補助控除額に応じてあん分した額

（農地等の災害復旧事業等に係る特別補助の率）

第一七条　法第五条第二項の政令で定める率は、次のとおりとする。
一　農地及び農業用施設の災害復旧事業並びに農業用施設の災害関連事業に係るもの
イ　前条第一号イに規定する額については、十分の七
ロ　前条第一号ロに規定する額については、十分の八
ハ　前条第一号ハに規定する額については、十分の九
二　林道の災害復旧事業及び災害関連事業に係るもの
イ　前条第二号イに規定する額については、十分の七
ロ　前条第二号ロに規定する額については、十分の八
ハ　前条第二号ハに規定する額については、十分の九

（農地等の災害復旧事業等に係る補助金の交付等）

第一八条　法第五条第一項の規定により国が補助する額のうち農地、農業用施設又は林道の災害復旧事業に係るものの交付については、その額を暫定措置法第三条第一項の規定による補助金とみなして同法の規定を適用する。この場合において、補助を受けようとする都道府県は、農林水産省令で定めるところにより、特別措置適用申請書を農林水産大臣に提出しなければならない。
2　法第五条第一項の規定により国が補助する額のうち農業用施設又は林道の災害関連事業に係るものは、通常の補助とあわせて、農林水産大臣の定めるところにより交付する。

（農林水産業共同利用施設災害復旧事業費の補助の特例の対象となる地域等）

第一九条　法第六条の政令で定める地域は、第一号及び第二号に掲げる区域並びに農業協同組合、農業協同組合連合会又は農林水産業施設災害復旧事業費国庫補助の暫定措置に関する法律施行令（昭和二十五年政令第百五十二号）第一条の二第一号に掲げる者、同条第二号に掲げる者で農業の振興を主たる目的とするもの若しくは同条第三号に掲げる者が所有する共同利用施設（同号に掲げる者が所有するものにあつては、農業に係るものに限る。）に係るものにあつては第三号、森林組合、生産森林組合、森林組合連合会又は同条第二号に掲げる者で林業の振興を主たる目的とするもの若しくは同条第三号に掲げる者が所有する共同利用施設（同号に掲げる者が所有するものにあつては、林業に係るものに限る。）に係るものにあつては第四号、水産業協同組合又は同条第二号に掲げる者で水産業の振興を主たる目的とするもの若しくは同条第三号に掲げる者が所有する共同利用施設（同号に掲げる者が所有するものにあつては、水産業に係るものに限る。）に係るものにあつては第五号に掲げる区域とする。
一　第十四条第一項第一号に掲げる区域
二　法第三条第一項第十四号又は法第十条の規定により国がその費用を補助する湛水の排除事業に係る地域に農地の存する市町村の区域（当該市町村の区域内の当該地域に係る農地の面積が当該市町村の区域内の農地の面積に比して著しく狭少と認められる場合にあつては、当該市町村の区域のうち当該地域を含む部分で農林水産大臣の定めるものに限る。）
三　その市町村の区域内において農業を営む者のうち激甚災害に係る天災による被害農林漁業者等に対する資金の融通に関する暫定措置法（昭和三十年法律第百三十六号。以下この項において「天災融資法」という。）第二条第二項に規定する特別被害農業者の総数が、その市町村の区域内において農業を営む者のうち当該激甚災害に係る同条第一項に規定する被害農業者の総数の百分の三十を超える市町村の区域
四　その市町村の区域内において林業を営む者のうち激甚災害に係る天災融資法第二条第二項に規定する特別被害林業者の総数が、その市町村の区域内において林業を営む者のうち当該激甚災害に係る同条第一項に規定する被害林業者の総数の百分の三十を超える市町村の区域
五　その市町村の区域内に住所を有する漁業者のうち激甚災害に係る天災融資法第二条第二項に規定する特別被害漁業者の総数が、その市町村の区域内に住所を有する漁業者のうち当該激甚災害に係る同条第一項に規定する被害漁業者の総数の百分の三十を超える市町村の区域
2　前項の区域は、農林水産大臣が告示する。
3　法第六条の規定により読み替えられる暫定措置法第三条第二項第五号の政令で定める額は、激甚災害を受けた共同利用施設についての災害復旧事業の事業費が四十万円を超える場合において、その超える部分の額とする。

（開拓者等の施設災害復旧事業に対する補助の対象となる地域等）

第二〇条　法第七条第一号又は第二号に掲げる施設についての同条の政令で定める地域は、その市町村の区域内にある開拓者の住宅で激甚災害により損壊したもの（全壊したものその他半壊程度以上に損壊したものに限る。）の数が十戸又はその市町村の区域内にある開拓者の住宅の数の百分の十を超える市町村の区域とする。
2　法第七条第三号に掲げる施設についての同条の政令で定める地域は、別に政令で定める水産動植物の養殖施設の種類ごとに、次の各号のいずれかに該当する市町村又は市町村の地先水面の区域とする。
一　被災養殖施設（その市町村又はその市町村の地先水面において激甚災害の発生の際に養殖の用に供されていた養殖施設で当該激甚災害を受けたものをいう。次号において同じ。）の面積又は数が、当該激甚災害の発生の際にその市町村又はその市町村の地先水面において養殖の用に供されていた養殖施設の面積又は数の百分の二十を超える市町村又は市町村の地先水面
二　被災養殖施設に係る被害額の合計が二千万円を超える市町村又は市町村の地先水面
3　前二項の区域は、農林水産大臣が告示する。

（森林組合等の行なう堆積土砂の排除事業に対する補助の対象となる区域等）

第二一条　法第九条の政令で定める区域は、一の林業用施設の区域において、堆積泥土等の量が一万立方メートル以上である林業用施設の区域とする。
2　前項の区域は、農林水産大臣が告示する。

3 法第九条の政令で定める者は、生産森林組合、森林組合連合会及び中小企業等協同組合とする。

4 法第九条の政令で定める林業用施設は、森林組合又は前項に規定する者の維持管理している貯木場及び木材流送路とする。

（土地改良区等の行なう湛水排除事業に対する補助の対象となる区域等）

第二二条 法第十条の政令で定める区域は、激甚災害に伴う破堤又は溢流により浸水した一団の地域につき、浸水面積が引き続き一週間以上にわたり三十ヘクタール以上である区域とする。

2 前項の区域は、農林水産大臣が告示する。

3 国が法第十条の規定により補助を行なうことができる場合は、土地改良区又は土地改良区連合が、第一項の区域のうち、浸水面積について農林水産大臣が財務大臣と協議して定める一定割合以上の面積が土地改良区の地区である区域について、湛水の排除事業を施行する場合とする。

（共同利用小型漁船の建造費の補助の対象となる都道府県等）

第二三条 法第十一条第一項の政令で定める都道府県は、次の各号の要件のすべてをみたすものとして農林水産大臣が指定する都道府県とする。

一 激甚災害を受けた第三項に規定する小型漁船（沈没し、若しくは滅失し、又は第四項に規定する著しい被害を受けたものに限る。以下この条において「被害小型漁船」という。）で、当該激甚災害を受けた際に、その都道府県の区域内に住所を有する漁業者が所有し、かつ、その営む漁業の用に供していたものの隻数が百隻をこえること。

二 その都道府県の区域の一部をその地区とする漁業協同組合の総数に対するその都道府県の区域の一部をその地区とする被害漁業協同組合（その組合員につきその組合員が当該激甚災害を受けた際に所有し、かつ、その営む漁業の用に供していた被害小型漁船（以下この条において「組合員所有被害小型漁船」という。）がある漁業協同組合をいう。）の数の割合が百分の十をこえること。

2 法第十一条第二項の政令で定める要件に該当する漁業協同組合は、組合員所有被害小型漁船の隻数が十隻をこえる漁業協同組合又はその組合員が激甚災害の発生の際に所有し、かつ、その営む漁業の用に供していた次項に規定する小型漁船の総隻数に対する組合員所有被害小型漁船の隻数の割合が百分の二十をこえる漁業協同組合とする。

3 法第十一条第二項の政令で定める小型漁船は、無動力漁船及び総トン数五トン以下の動力漁船とする。

4 法第十一条第二項の政令で定める著しい被害は、修繕することができないか、又は修繕することが著しく困難な程度の損壊とする。

5 法第十一条第二項の小型の漁船を建造するために要する経費は、同項に規定する漁業協同組合が組合員所有被害小型漁船の隻数及び合計総トン数の範囲内における隻数及び合計計画総トン数の小型の漁船を建造するために要する経費に限るものとする。

（森林災害復旧事業に対する補助の対象となる地域等）

第二三条の二 法第十一条の二第一項の政令で定める地域は、その市町村の区域内にある森林で激甚災害を受けたものに係る被害額が千五百万円（当該激甚災害が暴風雨によるものである場合には、四千五百万円）以上であり、かつ、当該森林で復旧を要するものの面積が九十ヘクタール（当該激甚災害が暴風雨によるものである場合には、四十ヘクタール）以上である市町村の区域とする。

2 前項の区域は、農林水産大臣が告示する。

3 法第十一条の二第二項の政令で定めるものは、森林法施行令（昭和二十六年政令第二百七十六号）第十一条第三号から第五号まで及び第八号に掲げる者並びに造林の事業を行う営利を目的としない法人で農林水産大臣が定めるものとする。

4 法第十一条の二第二項の事業は、被害木等の伐採及び搬出（当該作業を行うために必要な作業路の開設を含む。）にあつては激甚災害の発生した会計年度（以下「災害発生年度」という。）及びこれに続く三箇年度以内、被害木等の伐採跡地における造林（当該作業を行うために必要な作業路の開設を含む。）にあつては災害発生年度及びこれに続く四箇年度以内、倒伏した造林木の引起こし（当該作業を行うために必要な作業路の開設を含む。）にあつては災害発生年度及び翌年度内に施行するものとする。

5 法第十一条の二第二項の政令で定める基準は、次のとおりとする。

一 激甚災害を受けた人工林（植栽又は播種によつて育成された森林をいう。）の区域のうち、地形その他の自然的条件及び林道の開設その他の林業生産の基盤の整備の状況からみて当該事業を一体として行うことが必要と認められるおおむね五ヘクタール以上の区域について行うものであること。

二 激甚災害を受けた森林の復旧に関し、当該森林に係る公益的機能、被害の態様等に応じて農林水産大臣が定める森林施業に関する基準その他の技術的基準に適合するものであること。

第三章 中小企業に関する特別の助成

（中小企業信用保険法による災害関係保証の特例）

第二四条 法第十二条第一項の政令で定める日は、激甚災害の指定があつた日から起算して六月をこえない範囲内において、経済産業大臣が財務大臣と協議して定める日とする。

第二五条 法第十二条第一項第一号の政令で定める地域は、激甚災害により災害救助法施行令（昭和二十二年政令第二百二十五号）第一条第一項第一号から第三号までのいずれかに該当する被害が発生した市町村（特別区を含む。）の区域（地方自治法第二百五十二条の十九第一項の指定都市にあつては、当該市の区域又は当該市の区若しくは総合区の区域とする。次条及び第二十七条において「激甚災害による被災区域」という。）とする。

第二六条 削除

（事業協同組合等の施設の災害復旧事業に対する補助の対象となる施設）

第二七条 法第十四条の倉庫、生産施設、加工施設その他共同施設（以下この条において単に「共同施設」という。）であつて政令で定めるものは、激甚災害による被災区域のうち、事業協同組合、事業協同小組合若しくは協同組合連合会、協業組合又は商工組合若しくは商工組合連合会（以下この条において「事業協同組合等」といい、その施設の災害復旧に要する経費が三十万円未満であるものを除く。）の当該激甚災害を受けた施設でその市町村の区域内にあるものの復旧に要する経費の総額を、当該事業協同組合等の数で除して得た額が百五十万円以上の市町村の区域内にある次の各号に該当する共同施設とする。

一 その施設の災害復旧事業に要する経費が三十万円以上の事業協同組合等の共同施設のうち、倉庫、生産施設、加工施設、検査施設、共同作業場及び原材料置場（当該事業協同組合等の運営上経済効果の小さいもの及び当該施設の規模又は能力が当該施設を利用する事業協同組合等の構成員（協同組合連合会及び商工組合連合会にあつては、その会員たる組合の組合員を含む。以下この条において「利用構成員」という。）の規模又は利用量に比して著しく大であるものを除く。以下この条において「被害共同施設」という。）

二 次のいずれかに掲げる事業協同組合等の被害共同施設

イ その施設の災害復旧事業に要する経費の総額を利用構成員（協業組合にあつては、組合員）の数で除して得た額が十万円以上の事業協同組合等の被害共同施設

ロ 利用構成員のうち、激甚災害による被災区域内に事業所を有し、かつ、当該激甚災害により当該区域内にある事業所又は主要な事業用資産について全壊、流失、半壊、床上浸水その他これらに準ずる損害を受けたものの数が利用構成員の総数の百分の三十を超える事業協同組合等の被害共同施設

第二八条から第三二条まで 削除

第四章 その他の特別の財政援助及び助成

（公立社会教育施設災害復旧事業に対する補助）

第三三条 法第十六条第一項の政令で定める施設は、法第三条第一項の特定地方公共団体である都道府県又は市町村（当該市町村が加入している市町村の組合を含む。）が設置する公民館、図書館、体育館、運動場、水泳プールその他文部科学大臣が財務大臣と協議して定める施設（以下次条、第三十五条及び別表第一において「公立社会教育施設」という。）とする。

第三四条 法第十六条第一項の規定による国の補助は、公立社会教育施設の建物等（同項に規定する建物等をいう。以下第三十六条において同じ。）のうち、その災害の復旧に要する経費（以下この条、次条、第三十七条及び第三十八条において「復旧事業費」という。）の額が一の公立社会教育

施設ごとに六十万円以上のものについて行うものとする。ただし、明らかに設計の不備若しくは工事施行の粗漏に基づいて生じたと認められる被害に係るもの又は著しく維持管理の義務を怠つたことに基づいて生じたと認められる被害に係るものについては、補助を行わないものとする。

2　法第十六条第一項の規定により国が補助する公立社会教育施設の復旧事業費のうち事務費の額は、法第十六条第一項に規定する工事費（以下第三十六条及び第三十七条において同じ。）に百分の一を乗じて算定した額とする。

3　公立社会教育施設の復旧事業費のうち設備費の額は、別表第一上欄に掲げる公立社会教育施設の種類に応じて同表下欄に掲げる建物一坪当たりの基準額に、当該施設の別表第二上欄に掲げる建物の被害の程度の区分に応じて同表下欄に掲げる割合及び災害を受けた建物の面積を乗じて算定するものとする。

4　前項の場合において、当該建物の被害の程度に比して設備の被害の程度が著しく大きかつたことその他特別の理由により、当該算定方法によることが著しく不適当であると認められるときは、文部科学大臣は、財務大臣と協議して当該設備費の額を算定することができる。

（都道府県の事務費）

第三五条　法第十六条第三項の規定により国が都道府県に交付する経費は、当該都道府県の区域内に存する市町村が当該年度中に行なう公立社会教育施設の災害の復旧に係る復旧事業費の総額、当該災害の復旧を行なう市町村の分布状況等を考慮して、文部科学大臣が交付する。

（私立学校施設災害復旧事業に対する補助）

第三六条　法第十七条第一項の政令で定める建物等は、激甚災害を受けた一の私立の学校の用に供される建物等の復旧に要する工事費の額を被災時における当該私立の学校の幼児、児童、生徒又は学生（以下次条並びに別表第三及び別表第四において「児童等」という。）の数で除して得た額が七百五十円以上のものとする。

第三七条　法第十七条第一項の規定による国の補助は、被災私立学校施設（同項に規定する被災私立学校施設をいう。以下この条及び次条において同じ。）のうち、その災害の復旧に要する一の私立の学校当たりの工事費の額が、幼稚園にあつては六十万円以上、特別支援学校にあつては九十万円以上、小学校（義務教育学校の前期課程を含む。）及び中学校（義務教育学校の後期課程及び中等教育学校の前期課程を含む。）にあつては百五十万円以上、高等学校（中等教育学校の後期課程を含む。）にあつては二百十万円以上、短期大学にあつては二百四十万円以上、大学（短期大学を除く。）にあつては三百万円以上であるものについてそれぞれ行うものとする。ただし、明らかに設計の不備若しくは工事施行の粗漏に基づいて生じたと認められる被害に係るもの又は著しく維持管理の義務を怠つたことに基づいて生じたと認められる被害に係るものについては、補助を行わないものとする。

2　法第十七条第一項の規定により国が補助する被災私立学校施設の復旧事業費のうち事務費の額は、工事費に百分の一を乗じて算定した額とする。

3　被災私立学校施設の復旧事業費のうち設備費の額は、別表第三上欄に掲げる学校の種類に応じて同表下欄に掲げる児童等一人当たりの基準額に被災時における当該学校の児童等の数（別表第四に定めるところにより、補正を行なうものとする。）を乗じて得た額に、当該学校の別表第二上欄に掲げる建物の被害の程度の区分に応じて同表下欄に掲げる割合及び災害を受けた建物の同表上欄に掲げる区分による被害の程度ごとの面積の当該学校の建物の全面積に対する割合を乗じて算定するものとする。

4　第三十四条第四項の規定は、前項の場合について準用する。

（都道府県の事務費）

第三八条　法第十七条第二項において準用する同法第十六条第三項の規定により国が都道府県に交付する経費は、当該都道府県の区域内に私立の学校を設置する学校法人又は学校法人以外の私立の学校の設置者が当該年度中に行なう被災私立学校施設の復旧事業費の総額、当該災害の復旧に係る私立の学校の分布状況等を考慮して、文部科学大臣が交付する。

（水防資材に関する補助の特例の対象となる地域）

第三九条　法第二十一条の政令で定める地域は、次の各号のいずれかに該当する区域とする。

一　法第二十一条の規定により都道府県に対し補助する場合にあつては、激甚災害に関し当該都道府県が水防のため使用した次条第二項の資材の取得に要した費用が百九十万円を超える都道府県の区域

二　法第二十一条の規定により水防法（昭和二十四年法律第百九十三号）第二条第二項に規定する水防管理団体（以下この号及び次条において「水防管理団体」という。）に対し補助する場合にあつては、激甚災害に関し当該水防管理団体が水防のため使用した次条第二項の資材の取得に要した費用が三十五万円を超える水防管理団体の区域

2　前項の区域は、国土交通大臣が告示する。

（水防資材の費用）

第四〇条　法第二十一条の政令で定める費用は、激甚災害に関し水防のため使用した資材の取得に要した費用のうち、都道府県にあつては百九十万円を超える部分、水防管理団体にあつては三十五万円を超える部分とする。

2　前項の資材は、俵、かます、布袋類、畳、むしろ、縄、竹、生木、丸太、くい、板類、鉄線、くぎ、かすがい、蛇籠（じゃかご）、置石及び土砂とする。ただし、水防の用途に再使用し、又は他の用途に使用することができるもの及び公共土木施設災害復旧事業費国庫負担法施行令第四条の規定により災害復旧事業の事業費に含まれる費用に係るものを除く。

（罹災者公営住宅建設事業に対する補助の対象となる地域）

第四一条　法第二十二条第一項の政令で定める地域は、その市町村の区域内にある住宅で激甚災害により滅失したものの戸数が百戸以上又はその市町村の区域内にある住宅の戸数の一割以上である市町村の区域とする。

2　前項の区域は、国土交通大臣が告示する。

第四二条　削除

（公共土木施設等の小災害債の対象となる事業の施行地域）

第四三条　法第二十四条第一項の政令で定める地域は、次の各号のいずれかに該当する地方公共団体の区域とする。

一　次に掲げる事業費の合計額が、当該地方公共団体の標準税収入に相当する額を超える地方公共団体であつて、その年に発生した法第三条第一項の規定の適用に係る激甚災害のため当該地方公共団体が施行する公共土木施設に係る災害復旧事業で一箇所の工事の費用が都道府県及び指定都市にあつては八十万円以上百二十万円未満、その他の市町村にあつては三十万円以上六十万円未満のもの（以下「公共土木施設小災害復旧事業」という。）及び当該激甚災害のため当該地方公共団体が施行する公立学校（地方独立行政法人法（平成十五年法律第百十八号）第六十八条第一項に規定する公立大学法人が設置する学校を含む。）の施設に係る災害復旧事業で一学校ごとの費用が十万円を超えるもの（公立学校施設災害復旧費国庫負担法（昭和二十八年法律第二百四十七号）第三条の規定による国の負担のないものに限る。以下「公立学校施設小災害復旧事業」という。）の事業費に充てるため発行について同意又は許可を得た地方債（発行について地方財政法（昭和二十三年法律第百九号）第五条の三第六項の規定による届出がされた地方債のうち同条第一項の規定による協議を受けたならば同意をすることとなると認められるものを含む。次条第一項及び第四十五条第一項において同じ。）の合計額が限度額（都道府県及び指定都市にあつては八百万円、指定都市以外の市で人口三十万人以上のものにあつては四百万円、人口三十万人未満十万人以上の市にあつては二百五十万円、人口十万人未満五万人以上の市にあつては百五十万円、その他の市及び町村にあつては八十万円とする。以下同じ。）を超える地方公共団体

イ　公共土木施設災害復旧事業費国庫負担法第七条の規定により決定された事業費で、その年に発生した法第三条第一項の規定の適用に係る激甚災害のため当該地方公共団体が施行する事業に係るもの又は国が施行し、当該地方公共団体がその費用の一部を負担する事業に係るもの

ロ　公立学校施設災害復旧費国庫負担法第三条の規定により国が負担する事業費で、その年に発生した法第三条第一項の規定の適用に係る激甚災害のため当該地方公共団体が施行する事業に係るもの

ハ　暫定措置法第三条の規定により国が補助する事業費で、その年に発生した法第五条の規定の適用に係る激甚災害のため当該地方公共団体の区域内で施行される事業に係るもの

二　法第二十四条第一項の規定を公共土木施設小災害復旧事業の事業費に充てるため発行について同意又は許可を得た特定地方公共団体の地方債（発行について地方財政法第五条の三第六項の規定による届出がされた特定地方公共団体の地方債のうち同条第一項の規定による協議を受けたならば同意をすることとなると認められるものを含む。以下この項において同じ。）に適用する場合にあつては、その年に発生した法第三条第

一項の規定の適用に係る激甚災害に関し発行について同意又は許可を得た特定地方公共団体の地方債の額が限度額を超える地方公共団体（前号に該当する地方公共団体を除く。）

三　法第二十四条第一項の規定を公立学校施設小災害復旧事業の事業費に充てるため発行について同意又は許可を得た特定地方公共団体の地方債に適用する場合にあつては、その年に発生した法第三条第一項の規定の適用に係る激甚災害に関し発行について同意又は許可を得た特定地方公共団体の地方債の額が限度額を超える地方公共団体（前二号に該当する地方公共団体を除く。）

2　前項の地域は、総務大臣が告示する。

（農地等の小災害債の対象となる事業の施行市町村）

第四四条　法第二十四条第二項の政令で定める市町村は、その年に発生した法第五条の規定の適用に係る激甚災害のため当該市町村の区域内で施行される農地、農業用施設又は林道に係る災害復旧事業で暫定措置法第三条の規定によりその事業費を国が補助するもの及び同法第二条第六項に規定する災害復旧事業（同条第七項に規定する災害復旧事業とみなされるものを含む。）に相当する農地、農業用施設又は林道に係る災害復旧事業で一箇所の工事の費用が十三万円以上四十万円未満のもの（以下「農林業施設小災害復旧事業」という。）の事業費の合計額が八百万円を超える市町村であつて、当該激甚災害のため市町村が施行する農林業施設小災害復旧事業の事業費に充てるため、法第二十四条第二項に規定する額の範囲内で発行について同意又は許可を得た地方債の合計額が限度額を超えるものとする。

2　前項の市町村は、総務大臣が告示する。

（特に被害の著しい地域及びその地域における農地等の小災害債の起債割合等）

第四五条　法第二十四条第二項に規定する特に被害の著しい地域とされる地域は、同項の規定を農地及び農業用施設に係る農林業施設小災害復旧事業の事業費に充てるため発行について同意又は許可を得た地方債に適用する場合にあつては、第十四条第一項第一号に掲げる地域とし、法第二十四条第二項の規定を林道に係る農林業施設小災害復旧事業の事業費に充てるため発行について同意又は許可を得た地方債に適用する場合にあつては、第十四条第一項第二号に掲げる地域とする。

2　前項の地域は、総務大臣が告示する。

3　法第二十四条第二項の政令で定める部分は、第一項の地域において施行される農地、農業用施設又は林道に係るそれぞれの農林業施設小災害復旧事業の事業費のうち五分の三に相当する部分とし、同項の政令で定める率は百分の九十とする。

（公共土木施設、農地及び農業用施設等小災害復旧事業費の範囲）

第四六条　公共土木施設小災害復旧事業、公立学校施設小災害復旧事業又は農林業施設小災害復旧事業に係る事業費は、工事費及び事務雑費とする。

（地方債の利息の定率及び償還方法）

第四七条　法第二十四条第一項及び第二項の地方債を財政融資資金で引き受けた場合における当該地方債の利息の定率は、当該地方債を発行した年度における財政融資資金の引受けに係る地方財政法第五条第四号の規定によつて起こした地方債の利息の定率によるものとする。

2　法第二十四条第一項の地方債を財政融資資金で引き受けた場合における当該地方債の償還方法は、激甚災害が発生した年の四月一日の属する会計年度の翌年度以降十年以内の年賦（うち二年以内の据置期間を含む。）によるものとし、同条第二項の地方債を財政融資資金で引き受けた場合における当該地方債の償還方法は、激甚災害が発生した年の四月一日の属する会計年度の翌年度以降四年以内の年賦（うち一年以内の据置期間を含む。）によるものとする。

（雇用保険法による求職者給付の支給に関する特例）

第四八条　第二十五条の規定は、法第二十五条第一項本文の政令で定める地域について準用する。

附　則

この政令は、公布の日から施行し、昭和三十七年四月一日以後に発生した災害について適用する。

附　則〔略〕〔昭和三八・七・一一政令二四七〕

附　則〔略〕〔昭和三九・七・一一政令二四四〕

附　則〔略〕〔昭和四〇・二・一一政令一四〕

附　則〔略〕〔昭和四二・九・一八政令二九八〕

附　則〔略〕〔昭和四四・六・一三政令一五八〕

附　則〔昭和四六・一二・二九政令三六〇〕

1　この政令は、公布の日から施行する。

2　この政令の施行前に激甚災害に対処するための特別の財政援助等に関する法律第二条第二項の規定により同法第十二条、第十三条又は第十五条に規定する措置が指定された災害に関しては、なお従前の例による。

附　則〔昭和四七・八・一七政令三一四〕

1　この政令は、公布の日から施行する。

2　この政令の施行前に激甚災害に対処するための特別の財政援助等に関する法律第二条第二項の規定により同法第二十二条に規定する措置が指定された災害に関しては、なお従前の例による。

附　則〔略〕〔昭和四七・一二・八政令四一七〕

附　則〔略〕〔昭和五〇・三・一〇政令二六〕

附　則〔略〕〔昭和五〇・一〇・二四政令三〇六〕

附　則〔略〕〔昭和五三・七・五政令二八二〕

附　則〔略〕〔昭和五三・七・一一政令二八六〕

附　則〔略〕〔昭和五三・一〇・二七政令二五九〕

附　則〔略〕〔昭和五六・四・一七政令一三一〕

附　則〔略〕〔昭和五七・五・一三政令一三七〕

附　則〔略〕〔昭和五七・八・三一政令二三七〕

附　則〔略〕〔昭和五九・四・二七政令一一九〕

附　則〔略〕〔昭和五九・五・一八政令一四九〕

附　則〔昭和五九・一一・二政令三二五〕

1　この政令は、公布の日から施行する。

2　改正後の激甚災害に対処するための特別の財政援助等に関する法律施行令の規定は、この政令の施行の日以後に発生した災害について適用し、同日前に発生した災害については、なお従前の例による。

附　則〔略〕〔昭和六三・九・一三政令二七〇〕

附　則〔略〕〔平成二・一一・九政令三二五〕

附　則〔略〕〔平成三・一・二五政令六〕

附　則〔略〕〔平成五・一一・八政令三五二〕

附　則〔略〕〔平成六・一二・二一政令三九八〕

附　則〔略〕〔平成七・六・一四政令二三八〕

附　則〔平成一〇・三・三一政令一〇二〕

1　この政令は、公布の日から施行する。

2　改正後の激甚災害に対処するための特別の財政援助等に関する法律施行令の規定は、この政令の施行の日以後に発生した災害について適用し、同日前に発生した災害については、なお従前の例による。

附　則〔略〕〔平成一〇・四・一七政令一六一〕

附　則〔略〕〔平成一〇・一〇・三〇政令三五一〕

附　則〔略〕〔平成一〇・一二・二八政令四二一〕

附　則〔略〕〔平成一一・一〇・二九政令三四六〕

附　則〔略〕〔平成一二・三・二九政令一二一〕

附　則〔略〕〔平成一二・三・二九政令一三二〕

附　則〔略〕〔平成一二・六・七政令三〇三〕

附　則〔略〕〔平成一二・六・二三政令三六一〕

附　則〔略〕〔平成一二・一二・二七政令五五三〕

附　則〔略〕〔平成一四・四・一政令一四二〕

附　則〔略〕〔平成一四・一二・一八政令三八五〕

附　則〔略〕〔平成一五・一〇・二二政令四五九〕

附　則〔略〕〔平成一六・四・一政令一四四〕

附　則〔略〕〔平成一七・四・一政令一四三〕

附　則〔略〕〔平成一九・二・二三政令三一〕

附　則〔略〕〔平成一九・三・九政令四四〕

附　則〔略〕〔平成一九・三・二二政令五五〕

附　則〔抄〕〔平成一九・八・三政令二三五〕

改正　平成一九・九政二九二

（施行期日）

第一条　この政令は、平成十九年十月一日から施行する。〔以下略〕

（激甚災害に対処するための特別の財政援助等に関する法律施行令の一部改正に伴う経過措置）

第二八条　施行日前に激甚災害に対処するための特別の財政援助等に関する法律（昭和三十七年法律第百五十号）第二十四条第一項及び第二項の地方債を旧公社法第二十四条第三項第四号に規定する郵便貯金資金又は同項第五号に規定する簡易生命保険資金で引き受けた場合における当該地方債の利息の定率及び償還方法については、なお従前の例による。

附則〔略〕〔平成一九・九・一〇政令二九二施行〕
附則〔略〕〔平成二〇・五・二〇政令一七五〕
附則〔略〕〔平成二〇・九・一九政令二九七〕
附則〔略〕〔平成二二・四・二三政令一二三〕
附則〔略〕〔平成二四・一・二七政令一九〕
附則〔略〕〔平成二五・二・六政令二八〕
附則〔略〕〔平成二七・一・三〇政令三〇〕
附則〔略〕〔平成二七・三・二七政令一一〇〕
附則〔略〕〔平成二七・三・三一政令一二九〕
附則〔略〕〔平成二七・七・一七政令二七三〕
附則〔略〕〔平成二七・一二・一六政令四二一〕
附則〔略〕〔平成二八・一一・二四政令三五三〕
附則〔略〕〔令和五・四・七政令一六三〕
附則〔抄〕〔令和五・五・二六政令一九二〕

（施行期日）
1　この政令は、令和六年四月一日から施行する。〔以下略〕

別表第一

公立社会教育施設の種類		建物一坪当たりの基準額
公民館		三、五〇〇円
図書館	都道府県が設置するもの	二五、〇〇〇円
	市が設置するもの	二〇、〇〇〇円
	町村が設置するもの	一一、〇〇〇円
体育館		三、〇〇〇円
文部科学大臣が財務大臣と協議して定める施設		文部科学大臣が財務大臣と協議して定める金額

別表第二

建物の被害の程度の区分	設備費の基準額に乗ずべき割合
流失の場合	十分の十
全壊又は全焼の場合	十分の九
各階につき床上二メートル以上の浸水の場合	十分の八
各階につき床上一・二メートル以上二メートル未満の浸水の場合	十分の七
土砂崩壊による半壊の場合	十分の五
各階につき床上〇・七メートル以上一・二メートル未満の浸水の場合及び半壊（土砂崩壊による半壊を除く。）又は半焼の場合	十分の三
各階につき床上〇・三メートル以上〇・七メートル未満の浸水の場合及び土砂崩壊による大破の場合	十分の一

別表第三（第三十七条関係）

学校の種類		児童等一人当たりの基準額
幼稚園		四、〇〇〇円
小学校（義務教育学校の前期課程を含む。）		五、五〇〇円
中学校（義務教育学校の後期課程及び中等教育学校の前期課程を含む。）		七、五〇〇円
視覚障害者である幼児、児童又は生徒に対する教育（以下この表において「視覚障害教育」という。）を専ら行う特別支援学校		一三、五〇〇円
聴覚障害者、知的障害者、肢体不自由者又は病弱者（身体虚弱者を含む。）である幼児、児童又は生徒に対する教育（以下この表において「聴覚障害等教育」という。）を専ら行う特別支援学校		一四、五〇〇円
視覚障害教育及び聴覚障害等教育を行う特別支援学校		一三、五〇〇円以上一四、五〇〇円以下の範囲内で、文部科学大臣が財務大臣と協議して定める額
高等学校（中等教育学校の後期課程を含む。）	普通科及び商業に関する学科	九、五〇〇円
	農業に関する学科	一三、五〇〇円
	水産に関する学科	一八、五〇〇円
	工業に関する学科	二八、〇〇〇円
	家庭に関する学科	一〇、五〇〇円
大学		学部に応じ、実習、実験その他の教育を行うのに必要と認められる設備の基準額で、文部科学大臣が財務大臣と協議して定めたもの

別表第四（第三十七条関係）

学校の種類	児童等の数	児童等の数の補正の方法
小学校（義務教育学校の前期課程を含む。）	五十人以下	50人×1.95
	五十一人から百人まで	児童等の数×1.95
	百一人から三百人まで	100人×1.95＋（児童等の数－100人）×0.90
	三百一人から六百人まで	300人×1.25＋（児童等の数－300人）×0.75
	六百一人から千二百人まで	600人×1.00＋（児童等の数－600人）×0.56
	千二百一人以上	1,200人×0.78＋（児童等の数－1,200人）×0.52
中学校（義務教育学校の後期課程及び中等教育学校の前期課程を含む。）	五十人以下	50人×1.72
	五十一人から百人まで	児童等の数×1.72
	百一人から二百五十人まで	100人×1.72＋（児童等の数－100人）×0.95
	二百五十一人から四百五十人まで	250人×1.26＋（児童等の数－250人）×0.67
	四百五十一人から九百人まで	450人×1.00＋（児童等の数－450人）×0.56
	九百一人以上	900人×0.78＋（児童等の数－900人）×0.42
特別支援学校	三十人以下	30人×1.20
	三十一人から六十人まで	児童等の数×1.20
	六十一人から百二十人まで	60人×1.20＋（児童等の数－60人）×0.80
	百二十一人から百八十人まで	120人×1.00＋（児童等の数－120人）×0.70
	百八十一人以上	180人×0.90＋（児童等の数－180人）×0.50
高等学校（中等教育学校の後期課程を含む。）	五十人以下	50人×3.18
	五十一人から百人まで	児童等の数×3.18
	百一人から四百人まで	100人×3.18＋（児童等の数－100人）×0.84
	四百一人から八百人まで	400人×1.41＋（児童等の数－400人）×0.59
	八百一人から千六百人まで	800人×1.00＋（児童等の数－800人）×0.42
	千六百一人以上	1,600人×0.71＋（児童等の数－1,600人）×0.37

○大規模な災害の被災地における借地借家に関する特別措置法

〔平成二五・六・二六　法律六一〕

改正　平成二九・六法四五、令和三・五法三七

注　令和五年六月一四日法律第五三号の改正は、公布の日から起算して五年を超えない範囲内において政令で定める日から施行のため、改正を加えてありません。

（趣旨）

第一条　この法律は、大規模な災害の被災地において、当該災害により借地上の建物が滅失した場合における借地権者の保護等を図るための借地借家に関する特別措置を定めるものとする。

（特定大規模災害及びこれに対して適用すべき措置等の指定）

第二条　大規模な火災、震災その他の災害であって、その被災地において借地権者（借地借家法（平成三年法律第九十号）第二条第二号に規定する借地権者をいう。以下同じ。）の保護その他の借地借家に関する配慮をすることが特に必要と認められるものが発生した場合には、当該災害を特定大規模災害として政令で指定するものとする。

2　前項の政令においては、次条から第五条まで、第七条及び第八条に規定する措置のうち当該特定大規模災害に対し適用すべき措置並びにこれを適用する地区を指定しなければならない。当該指定の後、新たに次条から第五条まで、第七条及び第八条に規定する措置を適用する必要が生じたときは、適用すべき措置及びこれを適用する地区を政令で追加して指定するものとする。

（借地契約の解約等の特例）

第三条　特定大規模災害により借地権（借地借家法第二条第一号に規定する借地権をいう。以下同じ。）の目的である土地の上の建物が滅失した場合（同法第八条第一項の場合を除く。）においては、前条第一項の政令の施行の日から起算して一年を経過する日までの間は、借地権者は、地上権の放棄又は土地の賃貸借の解約の申入れをすることができる。

2　前項の場合においては、借地権は、地上権の放棄又は土地の賃貸借の解約の申入れがあった日から三月を経過することによって消滅する。

（借地権の対抗力の特例）

第四条　借地借家法第十条第一項の場合において、建物の滅失があっても、その滅失が特定大規模災害によるものであるときは、第二条第一項の政令の施行の日から起算して六月を経過する日までの間は、借地権は、なお同

法第十条第一項の効力を有する。

2　前項に規定する場合において、借地権者が、その建物を特定するために必要な事項及び建物を新たに築造する旨を土地の上の見やすい場所に掲示するときも、借地権は、なお借地借家法第十条第一項の効力を有する。ただし、第二条第一項の政令の施行の日から起算して三年を経過した後にあっては、その前に建物を新たに築造し、かつ、その建物につき登記した場合に限る。

（土地の賃借権の譲渡又は転貸の許可の特例）

第五条　特定大規模災害により借地権の目的である土地の上の建物が滅失した場合において、借地権者がその土地の賃借権を第三者に譲渡し、又はその土地を第三者に転貸しようとする場合であって、その第三者が賃借権を取得し、又は転借をしても借地権設定者（借地借家法第二条第三号に規定する借地権設定者をいう。以下この項及び第四項において同じ。）に不利となるおそれがないにもかかわらず、借地権設定者がその賃借権の譲渡又は転貸を承諾しないときは、裁判所は、借地権者の申立てにより、借地権設定者の承諾に代わる許可を与えることができる。この場合において、当事者間の利益の衡平を図るため必要があるときは、賃借権の譲渡若しくは転貸を条件とする借地条件の変更を命じ、又はその許可を財産上の給付に係らしめることができる。

2　借地借家法第十九条第二項から第六項までの規定は前項の申立てがあった場合について、同法第四章の規定は同項に規定する事件及びこの項において準用する同条第三項に規定する事件の裁判手続について、それぞれ準用する。この場合において、同法第十九条第三項中「建物の譲渡及び賃借権」とあるのは「賃借権」と、同法第五十九条中「建物の譲渡」とあるのは「賃借権の譲渡又は転貸」と読み替えるものとする。

3　第一項の申立ては、第二条第一項の政令の施行の日から起算して一年以内に限り、することができる。

4　前三項の規定は、転借地権（借地借家法第二条第四号に規定する転借地権をいう。）が設定されている場合における転借地権者（同条第五号に規定する転借地権者をいう。次条において同じ。）と借地権設定者との間について準用する。ただし、借地権設定者が第二項において準用する同法第十九条第三項の申立てをするには、借地権者の承諾を得なければならない。

（強行規定）

第六条　前三条の規定に反する特約で借地権者又は転借地権者に不利なものは、無効とする。

（被災地短期借地権）

第七条　第二条第一項の政令の施行の日から起算して二年を経過する日までの間に、同条第二項の規定により指定された地区に所在する土地について借地権を設定する場合においては、借地借家法第九条の規定にかかわらず、存続期間を五年以下とし、かつ、契約の更新（更新の請求及び土地の使用の継続によるものを含む。）及び建物の築造による存続期間の延長がないこととする旨を定めることができる。

2　前項に規定する場合において、同項の定めがある借地権を設定するときは、借地借家法第十三条、第十七条及び第二十五条の規定は、適用しない。

3　第一項の定めがある借地権の設定を目的とする契約は、公正証書による等書面によってしなければならない。

4　第一項の定めがある借地権の設定を目的とする契約がその内容を記録した電磁的記録（電子的方式、磁気的方式その他人の知覚によっては認識することができない方式で作られる記録であって、電子計算機による情報処理の用に供されるものをいう。）によってされたときは、その契約は、書面によってされたものとみなして、前項の規定を適用する。

（従前の賃借人に対する通知）

第八条　特定大規模災害により賃借権の目的である建物（以下この条において「旧建物」という。）が滅失した場合において、旧建物の滅失の当時における旧建物の賃貸人（以下この条において「従前の賃貸人」という。）が旧建物の敷地であった土地の上に当該滅失の直前の用途と同一の用途に供される建物を新たに築造し、又は築造しようとする場合であって、第二条第一項の政令の施行の日から起算して三年を経過する日までの間にその建物について賃貸借契約の締結の勧誘をしようとするときは、従前の賃貸人は、当該滅失の当時旧建物を自ら使用していた賃借人（転借人を含み、一時使用のための賃借をしていた者を除く。）のうち知れている者に対し、遅滞なくその旨を通知しなければならない。

附　則　〔抄〕

（施行期日）

第一条　この法律は、公布の日から起算して三月を超えない範囲内において政令で定める日から施行する。

〔平成二五政二七〇により、平成二五・九・二五から施行〕

（罹災都市借地借家臨時処理法等の廃止）

第二条　次に掲げる法律は、廃止する。

一　罹災都市借地借家臨時処理法（昭和二十一年法律第十三号）

二　罹災都市借地借家臨時処理法第二十五条の二の災害及び同条の規定を適用する地区を定める法律（昭和二十二年法律第百六十号）

三　罹災都市借地借家臨時処理法第二十五条の二の災害及び同条の規定を適用する地区を定める法律（昭和二十三年法律第二百二十七号）

四　罹災都市借地借家臨時処理法第二十五条の二の災害及び同条の規定を適用する地区を定める法律（昭和二十四年法律第五十一号）

五　罹災都市借地借家臨時処理法第二十五条の二の災害及び同条の規定を適用する地区を定める法律（昭和二十五年法律第百四十六号）

六　罹災都市借地借家臨時処理法第二十五条の二の災害及び同条の規定を適用する地区を定める法律（昭和二十五年法律第二百二十四号）

七　罹災都市借地借家臨時処理法第二十五条の二の災害及び同条の規定を適用する地区を定める法律（昭和二十七年法律第一号）

八　罹災都市借地借家臨時処理法第二十五条の二の災害及び同条の規定を適用する地区を定める法律（昭和二十七年法律第百三十九号）

九　罹災都市借地借家臨時処理法第二十五条の二の災害及び同条の規定を適用する地区を定める法律（昭和三十年法律第百八十一号）

十　罹災都市借地借家臨時処理法第二十五条の二の災害及び同条の規定を適用する地区を定める法律（昭和三十年法律第百九十二号）

十一　罹災都市借地借家臨時処理法第二十五条の二の災害及び同条の規定を適用する地区を定める法律（昭和三十一年法律第七十号）

（旧罹災都市借地借家臨時処理法の効力に関する経過措置）

第三条　接収不動産に関する借地借家臨時処理法（昭和三十一年法律第百三十八号）第二十条の規定の適用については、前条の規定による廃止前の罹災都市借地借家臨時処理法（次条において「旧罹災都市借地借家臨時処理法」という。）第十九条から第二十二条までの規定は、この法律の施行後も、なおその効力を有する。

（罹災都市借地借家臨時処理法の廃止に伴う経過措置）

第四条　この法律の施行前にした申出に係る旧罹災都市借地借家臨時処理法第二条（旧罹災都市借地借家臨時処理法第九条、第二十五条の二及び第三十二条第一項において準用する場合を含む。）及び第十四条（旧罹災都市借地借家臨時処理法第二十五条の二において準用する場合を含む。）の規定による賃借権の設定並びに当該設定があった賃借権に関する法律関係については、なお従前の例による。

2　この法律の施行前にした申出に係る旧罹災都市借地借家臨時処理法第三条（旧罹災都市借地借家臨時処理法第九条、第二十五条の二及び第三十二条第一項において準用する場合を含む。）の規定による借地権の譲渡及び当該譲渡があった借地権に関する法律関係については、なお従前の例による。

3　この法律の施行前に旧罹災都市借地借家臨時処理法第十条（旧罹災都市借地借家臨時処理法第二十五条の二において準用する場合を含む。）の規定により第三者に対抗することができることとされた借地権の第三者に対する効力については、なお従前の例による。

4　この法律の施行前に旧罹災都市借地借家臨時処理法第二十五条の二において準用する旧罹災都市借地借家臨時処理法第十一条の規定により延長された借地権の存続期間については、なお従前の例による。

5　この法律の施行前に旧罹災都市借地借家臨時処理法第二十五条の二において準用する旧罹災都市借地借家臨時処理法第十二条及び旧罹災都市借地借家臨時処理法第二十五条の二において準用する旧罹災都市借地借家臨時処理法第十三条において準用する旧罹災都市借地借家臨時処理法第十二条の規定によりされた催告については、なお従前の例による。

6　この法律の施行前にした申立てに係る旧罹災都市借地借家臨時処理法第十七条（旧罹災都市借地借家臨時処理法第二十五条の二において準用する場合を含む。）に規定する事件については、なお従前の例による。

（政令への委任）

第五条　前三条に規定するもののほか、この法律の施行に関し必要な経過措置は、政令で定める。

附　則〔平成二九・六・二法律四五〕

この法律は、民法改正法の施行の日〔令和二年四月一日〕から施行する。ただし〔中略〕第三百六十二条の規定は、公布の日から施行する。

民法の一部を改正する法律の施行に伴う関係法律の整備等に関する法律〔抄〕〔平成二九・六・二法律四五〕

（大規模な災害の被災地における借地借家に関する特別措置法の一部改正に伴う経過措置）

第五九条　施行日前に前条の規定による改正前の大規模な災害の被災地における借地借家に関する特別措置法第四条第一項又は第二項の規定により第三者に対抗することができる借地権の目的である土地の売買契約が締結された場合におけるその契約に係る契約の解除及び損害賠償の請求については、なお従前の例による。

（罰則に関する経過措置）

第三六一条　施行日前にした行為及びこの法律の規定によりなお従前の例によることとされる場合における施行日以後にした行為に対する罰則の適用については、なお従前の例による。

（政令への委任）

第三六二条　この法律に定めるもののほか、この法律の施行に伴い必要な経過措置は、政令で定める。

附　則〔抄〕〔令和三・五・一九法律三七〕

（施行期日）

第一条　この法律〔中略〕は、当該各号に定める日から施行する。

一　〔前略〕附則〔中略〕第七十一条から第七十三条までの規定　公布の日

二・三　〔略〕

四　〔前略〕第五十八条並びに次条、附則〔中略〕第十三条〔中略〕の規定　公布の日から起算して一年を超えない範囲内において、各規定につき、政令で定める日

〔令和四政一八〇により、令和四・五・一八から施行〕

五～十　〔略〕

（第五十八条の規定の施行に伴う経過措置）

第一三条　第五十八条の規定による改正後の大規模な災害の被災地における借地借家に関する特別措置法第七条第四項の規定は、第五十八条の規定の施行の日以後にされる同条の規定による改正後の大規模な災害の被災地における借地借家に関する特別措置法第七条第一項の定めがある借地権の設定を目的とする契約について適用する。

（罰則に関する経過措置）

第七一条　この法律（附則第一条各号に掲げる規定にあっては、当該規定。以下この条において同じ。）の施行前にした行為及びこの附則の規定によりなお従前の例によることとされる場合におけるこの法律の施行後にした行為に対する罰則の適用については、なお従前の例による。

（政令への委任）

第七二条　この附則に定めるもののほか、この法律の施行に関し必要な経過措置（罰則に関する経過措置を含む。）は、政令で定める。

（検討）

第七三条　政府は、行政機関等に係る申請、届出、処分の通知その他の手続において、個人の氏名を平仮名又は片仮名で表記したものを利用して当該個人を識別できるようにするため、個人の氏名を平仮名又は片仮名で表記したものを戸籍の記載事項とすることを含め、この法律の公布後一年以内を目途としてその具体的な方策について検討を加え、その結果に基づいて必要な措置を講ずるものとする。

○被災市街地復興特別措置法

〔平成七・二・二六法律一四〕

改正　平成八・五法四八、法五五、平成九・五法五〇、平成一〇・六法八六、平成一一・三法二五、六法七六、七法八七、一二法一六〇、平成一四・三法一一、七法八五、平成一五・六法一〇〇、平成一六・六法一〇二、平成一七・四法三四、六法七八、平成二〇・五法四〇、平成二三・五法三七、八法一〇五

目次

第一章　総則（第一条―第四条）
第二章　被災市街地復興推進地域（第五条―第九条）
第三章　市街地開発事業等に関する特例（第十条―第二十条）
第四章　住宅の供給等に関する特例（第二十一条―第二十三条）
第五章　雑則（第二十四条―第二十六条）
第六章　罰則（第二十七条・第二十八条）
附則

第一章　総則

（目的）

第一条　この法律は、大規模な火災、震災その他の災害を受けた市街地についてその緊急かつ健全な復興を図るため、被災市街地復興推進地域及び被災市街地復興推進地域内における市街地の計画的な整備改善並びに市街地の復興に必要な住宅の供給について必要な事項を定める等特別の措置を講ずることにより、迅速に良好な市街地の形成と都市機能の更新を図り、もって公共の福祉の増進に寄与することを目的とする。

（定義）

第二条　この法律において次の各号に掲げる用語の意義は、それぞれ当該各号に定めるところによる。

一　市街地開発事業　都市計画法（昭和四十三年法律第百号）第四条第七項に規定する市街地開発事業をいう。

二　土地区画整理事業　土地区画整理法（昭和二十九年法律第百十九号）による土地区画整理事業をいう。

三　市街地再開発事業　都市再開発法（昭和四十四年法律第三十八号）による市街地再開発事業をいう。

四　借地権　借地借家法（平成三年法律第九十号）第二条第一号に規定す

る借地権をいう。

五　公営住宅等　地方公共団体、地方住宅供給公社その他公法上の法人で政令で定めるものが自ら居住するため住宅を必要とする者に対し賃貸し、又は譲渡する目的で建設する住宅をいう。

（国及び地方公共団体の責務）

第三条　国及び地方公共団体は、大規模な火災、震災その他の災害が発生した場合において、これらの災害を受けた市街地の緊急かつ健全な復興を図るため、土地区画整理事業、市街地再開発事業その他の市街地開発事業の施行、道路、公園等の公共の用に供する施設の整備、建築物の不燃堅牢化その他都市の防災構造の改善に関する事業の実施等による当該市街地の整備改善及び公営住宅等の供給に関する事業の実施等による当該市街地の復興に必要な住宅の供給のため必要な措置を講ずるよう努めなければならない。

2　国及び地方公共団体は、前項に定めるもののほか、同項の災害を受けた市街地の整備改善に関する事業及び当該市街地の復興に必要な住宅の供給に関する事業を促進するため、これらの事業を実施する者に対し、必要な助言、指導その他の援助を行うよう努めなければならない。

（施策における配慮）

第四条　国及び地方公共団体は、この法律に規定する大規模な火災、震災その他の災害を受けた市街地の緊急かつ健全な復興を図るための施策の策定及び実施に当たっては、地域における創意工夫を尊重し、並びに住民の生活の安定及び福祉の向上並びに地域経済の活性化に配慮するとともに、地域住民、民間事業者等の理解と協力を得るよう努めなければならない。

第二章　被災市街地復興推進地域

（被災市街地復興推進地域に関する都市計画）

第五条　都市計画法第五条の規定により指定された都市計画区域内における市街地の土地の区域で次に掲げる要件に該当するものについては、都市計画に被災市街地復興推進地域を定めることができる。

一　大規模な火災、震災その他の災害により当該区域内において相当数の建築物が滅失したこと。

二　公共の用に供する施設の整備の状況、土地利用の動向等からみて不良な街区の環境が形成されるおそれがあること。

三　当該区域の緊急かつ健全な復興を図るため、土地区画整理事業、市街地再開発事業その他建築物若しくは建築敷地の整備又はこれらと併せて整備されるべき公共の用に供する施設の整備に関する事業を実施する必要があること。

2　被災市街地復興推進地域に関する都市計画においては、都市計画法第十条の四第二項に定める事項のほか、第七条の規定による制限が行われる期間の満了の日を定めるものとするとともに、緊急かつ健全な復興を図るための市街地の整備改善の方針（以下「緊急復興方針」という。）を定めるよう努めるものとする。

3　前項の日は、第一項第一号の災害の発生した日から起算して二年以内の日としなければならない。

（市町村の責務等）

第六条　市町村は、被災市街地復興推進地域における市街地の緊急かつ健全な復興を図るため、緊急復興方針に従い、できる限り速やかに、都市計画法第十二条の四第一項第一号に掲げる地区計画その他の都市計画の決定、土地区画整理事業、市街地再開発事業その他の市街地開発事業の施行、市街地の緊急かつ健全な復興に関連して必要となる公共の用に供する施設の整備その他の必要な措置を講じなければならない。

2　被災市街地復興推進地域内の都市計画法第十二条第二項の規定により土地区画整理事業について都市計画に定められた施行区域の土地については、市町村が当該土地区画整理事業を施行するものとする。ただし、当該土地について土地区画整理法第三条第一項から第三項まで又は第五項の規定により土地区画整理事業が施行される場合は、この限りでない。

3　前項本文の場合において、都道府県は、当該市町村と協議の上、当該土地区画整理事業を施行することができる。当該土地区画整理事業が独立行政法人都市再生機構（以下「機構」という。）又は地方住宅供給公社が施行することのできるものであるときは、これらの者についても、同様とする。

4　被災市街地復興推進地域内の都市計画法第十二条第二項の規定により市街地再開発事業について都市計画に定められた施行区域の土地については、市町村が当該市街地再開発事業を施行するものとする。ただし、当該土地について都市再開発法第二条の二第一項から第三項までの規定により第一種市街地再開発事業が施行される場合は、この限りでない。

5　前項本文の場合において、都道府県は、当該市町村と協議の上、当該市街地再開発事業を施行することができる。当該市街地再開発事業が機構又は地方住宅供給公社が施行することのできるものであるときは、これらの者についても、同様とする。

6　被災市街地復興推進地域のうち建築物及び建築敷地の整備並びに公共の用に供する施設の整備を一体として行うべき土地の区域としてふさわしい相当規模の一団の土地（国又は地方公共団体の所有する土地で公共の用に供する施設の用に供されているものを除く。）について所有権又は借地権（臨時設備その他一時使用のため設定されたことが明らかなものを除く。）を有する者は、その全員の合意により、当該被災市街地復興推進地域の緊急復興方針に定められた内容に従ってその土地の区域における建築物及び建築敷地の整備並びに公共の用に供する施設の整備に関する事項を内容とする協定を締結した場合においては、当該協定に基づく計画的な土地利用を促進するために必要な措置を講ずべきことを市町村に対し要請することができる。

（建築行為等の制限等）

第七条　被災市街地復興推進地域内において、第五条第二項の規定により当該被災市街地復興推進地域に関する都市計画に定められた日までに、土地の形質の変更又は建築物の新築、改築若しくは増築をしようとする者は、国土交通省令で定めるところにより、都道府県知事（市の区域内にあっては、当該市の長。以下「都道府県知事等」という。）の許可を受けなければならない。ただし、次に掲げる行為については、この限りでない。

一　通常の管理行為、軽易な行為その他の行為で政令で定めるもの

二　非常災害（第五条第一項第一号の災害を含む。）のため必要な応急措置として行う行為

三　都市計画事業の施行として行う行為又はこれに準ずる行為として政令で定める行為

2　都道府県知事等は、次に掲げる行為について前項の規定による許可の申請があった場合においては、その許可をしなければならない。

一　土地の形質の変更で次のいずれかに該当するもの

イ　被災市街地復興推進地域に関する都市計画に適合する〇・五ヘクタール以上の規模の土地の形質の変更で、当該被災市街地復興推進地域の他の部分についての市街地開発事業の施行その他市街地の整備改善のため必要な措置の実施を困難にしないもの

ロ　次号ロに規定する建築物又は自己の業務の用に供する工作物（建築物を除く。）の新築、改築又は増築の用に供する目的で行う土地の形質の変更で、その規模が政令で定める規模未満のもの

ハ　次条第四項の規定により買い取らない旨の通知があった土地における同条第三項第二号に該当する土地の形質の変更

二　建築物の新築、改築又は増築で次のいずれかに該当するもの

イ　前項の許可（前号ハに掲げる行為についての許可を除く。）を受けて土地の形質の変更が行われた土地の区域内において行う建築物の新築、改築又は増築

ロ　自己の居住の用に供する住宅又は自己の業務の用に供する建築物（住宅を除く。）で次に掲げる要件に該当するものの新築、改築又は増築

(1)　階数が二以下で、かつ、地階を有しないこと。

(2)　主要構造部（建築基準法（昭和二十五年法律第二百一号）第二条第五号に規定する主要構造部をいう。）が木造、鉄骨造、コンクリートブロック造その他これらに類する構造であること。

(3)　容易に移転し、又は除却することができること。

(4)　敷地の規模が政令で定める規模未満であること。

ハ　次条第四項の規定により買い取らない旨の通知があった土地における同条第三項第一号に該当する建築物の新築、改築又は増築

3　第一項の規定は、次の各号に掲げる告示、公告等があった日後は、それぞれ当該各号に定める区域又は地区内においては、適用しない。

一　都市計画法第四条第五項に規定する都市施設又は市街地開発事業に関する都市計画についての同法第二十条第一項（同法第二十一条第二項において準用する場合を含む。）の規定による告示（以下この号から第五

号までにおいて単に「告示」という。）　当該告示に係る都市施設の区域又は市街地開発事業の施行区域

二　都市計画法第十二条の四第一項第一号に掲げる地区計画に関する都市計画についての告示　当該告示に係る地区計画の区域のうち、同法第十二条の五第二項第一号に掲げる地区整備計画が定められた区域

三　都市計画法第十二条の四第一項第四号に掲げる沿道地区計画に関する都市計画についての告示　当該告示に係る沿道地区計画の区域のうち、幹線道路の沿道の整備に関する法律（昭和五十五年法律第三十四号）第九条第二項第一号に掲げる沿道地区整備計画が定められた区域

四　土地区画整理法第七十六条第一項第一号から第三号までに掲げる公告　当該公告に係る同法第二条第四項に規定する施行地区

五　都市再開発法第六十条第二項第一号に掲げる公告　当該公告に係る同法第二条第三号に規定する施行地区

六　市街地開発事業に準ずる事業として国土交通省令で定めるものの実施に必要とされる認可その他の処分についての公告、告示等で国土交通省令で定めるもの　当該公告、告示等に係る区域

4　第一項の許可には、緊急かつ健全な復興を図るための市街地の整備改善を推進するために必要な条件を付けることができる。この場合において、その条件は、当該許可を受けた者に不当な義務を課するものであってはならない。

5　都道府県知事等は、第一項の規定に違反した者又は前項の規定により付けた条件に違反した者があるときは、これらの者又はこれらの者から当該土地若しくは建築物その他の工作物についての権利を承継した者に対して、相当の期限を定めて、緊急かつ健全な復興を図るための市街地の整備改善を推進するために必要な限度において、当該土地の原状回復又は当該建築物その他の工作物の移転若しくは除却を命ずることができる。

6　前項の規定により土地の原状回復又は建築物その他の工作物の移転若しくは除却を命じようとする場合において、過失がなくてその原状回復又は移転若しくは除却を命ずべき者を確知することができないときは、都道府県知事等は、それらの者の負担において、その措置を自ら行い、又はその命じた者若しくは委任した者にこれを行わせることができる。この場合においては、相当の期限を定めて、これを原状回復し、又は移転し、若しくは除却しないときは、都道府県知事等又はその命じた者若しくは委任した者が、原状回復し、又は移転し、若しくは除却すべき旨及びその期限までに原状回復し、又は移転し、若しくは除却する旨を公告しなければならない。

7　前項の規定により土地を原状回復し、又は建築物その他の工作物を移転し、若しくは除却しようとする者は、その身分を示す証明書を携帯し、関係人の請求があったときは、これを提示しなければならない。

（**土地の買取り等**）

第八条　都道府県、市町村その他政令で定める者は、都道府県知事等に対し、第三項の規定による土地の買取りの申出の相手方として定めるべきことを申し出ることができる。

2　都道府県知事等は、前項の規定による申出に基づき、次項の規定による土地の買取りの申出の相手方を定めるときは、国土交通省令で定めるところにより、その旨を公告しなければならない。

3　都道府県知事等（前項の規定により土地の買取りの申出の相手方として公告された者があるときは、その者）は、被災市街地復興推進地域内の土地の所有者から、次に掲げる行為について前条第一項の許可がされないときはその土地の利用に著しい支障を生ずることとなることを理由として、当該土地を買い取るべき旨の申出があったときは、特別の事情がない限り、当該土地を時価で買い取るものとする。

一　前条第二項第二号ロ(1)から(3)までに掲げる要件に該当する建築物の新築、改築又は増築

二　前号に規定する建築物の新築、改築又は増築の用に供する目的で行う土地の形質の変更

4　前項の申出を受けた者は、遅滞なく、当該土地を買い取る旨又は買い取らない旨を当該土地の所有者に通知しなければならない。

5　第二項の規定により土地の買取りの申出の相手方として公告された者は、前項の規定により土地を買い取らない旨の通知をしたときは、直ちに、その旨を都道府県知事等に通知しなければならない。

6　第三項の規定により土地を買い取った者は、当該土地が公営住宅等、公共の用に供する施設その他被災市街地復興推進地域の住民等の共同の福祉又は利便のために必要な施設の用に供されるように努めなければならない。

第九条　削除

第三章　市街地開発事業等に関する特例

（**被災市街地復興土地区画整理事業**）

第一〇条　被災市街地復興推進地域内の都市計画法第十二条第二項の規定により土地区画整理事業について都市計画に定められた施行区域の土地についての土地区画整理事業（以下「被災市街地復興土地区画整理事業」という。）については、土地区画整理法及び次条から第十八条までに定めるところによる。

（**復興共同住宅区**）

第一一条　住宅不足の著しい被災市街地復興推進地域において施行される被災市街地復興土地区画整理事業の事業計画においては、国土交通省令で定めるところにより、当該被災市街地復興推進地域の復興に必要な共同住宅の用に供すべき土地の区域（以下「復興共同住宅区」という。）を定めることができる。

2　復興共同住宅区は、土地の利用上共同住宅が集団的に建設されることが望ましい位置に定め、その面積は、共同住宅の用に供される見込みを考慮して相当と認められる規模としなければならない。

（**復興共同住宅区への換地の申出等**）

第一二条　前条第一項の規定により事業計画において復興共同住宅区が定められたときは、施行地区（土地区画整理法第二条第四項に規定する施行地区をいう。以下この条、次条及び第十五条から第十七条までにおいて同じ。）内の宅地（同法第二条第六項に規定する宅地をいう。以下この条から第十七条までにおいて同じ。）でその地積が共同住宅を建設するのに必要な地積の換地を定めることができるものとして規準、規約、定款又は施行規程で定める規模（次条において「指定規模」という。）のものの所有者は、次の各号に掲げる場合の区分に応じ、それぞれ当該各号に定める公告があった日から起算して六十日以内に、被災市街地復興土地区画整理事業を施行する者（以下この条、次条及び第十五条から第十七条までにおいて「施行者」という。）に対し、国土交通省令で定めるところにより、換地計画において当該宅地についての換地を復興共同住宅区内に定めるべき旨の申出をすることができる。ただし、当該申出に係る宅地について共同住宅の所有を目的とする借地権を有する者があるときは、当該申出についてその者の同意がなければならない。

一　事業計画が定められた場合　土地区画整理法第七十六条第一項各号に掲げる公告（事業計画の変更の公告又は事業計画の変更についての認可の公告を除く。）

二　事業計画の変更により新たに復興共同住宅区が定められた場合　当該事業計画の変更の公告又は当該事業計画の変更についての認可の公告

三　事業計画の変更により従前の施行地区外の土地が新たに施行地区に編入されたことに伴い復興共同住宅区の面積が拡張された場合　当該事業計画の変更の公告又は当該事業計画の変更についての認可の公告

2　施行者は、前項の規定による申出があった場合において、当該申出に係る宅地が次に掲げる要件に該当すると認めるときは、遅滞なく、当該申出に係る宅地を、換地計画においてその宅地についての換地を復興共同住宅区内に定められるべき宅地として指定し、当該申出に係る宅地が次に掲げる要件に該当しないと認めるときは、当該申出に応じない旨を決定しなければならない。

一　建築物（住宅を除く。）その他の工作物（容易に移転し、又は除却することができるもので国土交通省令で定めるものを除く。）が存しないこと。

二　地上権、永小作権、賃借権その他の当該宅地を使用し、又は収益することができる権利（共同住宅の所有を目的とする借地権及び地役権を除く。）が存しないこと。

3　施行者は、前項の規定による指定又は決定をしたときは、遅滞なく、第一項の規定による申出をした者に対し、その旨を通知しなければならない。

4　施行者は、第二項の規定による指定をしたときは、遅滞なく、その旨を公告しなければならない。

5　施行者が土地区画整理法第十四条第一項の規定により設立された土地区画整理組合である場合においては、最初の役員が選挙され、又は選任されるまでの間は、第一項の規定による申出は、同条第一項の規定による認可

を受けた者が受理するものとする。

（宅地の共有化）

第一三条　第十一条第一項の規定により事業計画において復興共同住宅区が定められたときは、施行地区内の宅地でその地積が指定規模に満たないものの所有者は、前条第一項の期間内に、施行者に対し、換地計画において当該宅地について換地を定めないで復興共同住宅区内の土地の共有持分を与えるように定めるべき旨の申出をすることができる。ただし、当該申出に係る宅地に他人の権利（建築物その他の工作物を使用し、又は収益することができる権利に限る。）の目的となっている建築物その他の工作物が存するときは、当該申出についてその者の同意がなければならない。

2　前項の規定による申出は、国土交通省令で定めるところにより、当該宅地の地積の合計が指定規模となるように、数人共同してしなければならない。

3　施行者は、第一項の規定による申出があった場合において、当該申出の手続が前項の規定に違反しておらず、かつ、当該申出に係る宅地が次に掲げる要件に該当すると認めるときは、遅滞なく、当該申出に係る各宅地を、換地計画において換地を定めないで復興共同住宅区内の土地の共有持分を与えるように定められるべき宅地として指定し、当該申出の手続が同項の規定に違反していると認めるとき、又は当該申出に係る宅地が次に掲げる要件に該当しないと認めるときは、遅滞なく、当該申出に応じない旨を決定しなければならない。前条第三項及び第四項の規定は、この場合について準用する。

一　建築物（住宅を除く。）その他の工作物（容易に移転し、又は除却することができるもので国土交通省令で定めるものを除く。）が存しないこと。

二　地上権、永小作権、賃借権その他の当該宅地を使用し、又は収益することができる権利（地役権を除く。）が存しないこと。

4　前条第五項の規定は、第一項の規定による申出について準用する。

（復興共同住宅区への換地等）

第一四条　第十二条第二項の規定により指定された宅地については、換地計画において換地を復興共同住宅区内に定めなければならない。

2　前条第三項の規定により指定された宅地については、換地計画において、換地を定めないで、復興共同住宅区内の土地の共有持分を与えるように定めなければならない。

3　前項の規定により換地を定めないで復興共同住宅区内の土地の共有持分を与える場合における清算については、土地区画整理法第九十四条中「又はその宅地について存する権利の目的である宅地若しくはその部分及び換地若しくは換地について定める権利の目的となるべき宅地若しくはその部分又は第八十九条の四若しくは第九十一条第三項の規定により共有となるべきものとして定める土地」とあるのは、「及び被災市街地復興特別措置法第十四条第二項の規定により数人の共有となるべきものとして定める土地」とする。

4　第二項の規定により換地計画において復興共同住宅区内の土地の共有持分が与えられるように定められた宅地の所有者は、土地区画整理法第百三条第四項の規定による公告があった日の翌日において、換地計画において定められたところにより、その土地の共有持分を取得するものとする。土地区画整理法第百四条第六項後段の規定は、この場合について準用する。

（清算金に代わる住宅等の給付）

第一五条　施行者（土地区画整理法第三条第四項若しくは第五項、第三条の二又は第三条の三の規定による施行者に限る。以下この条から第十七条までにおいて同じ。）は、施行地区内の宅地の所有者がその宅地の一部について換地を定めないことについて同法第九十条の規定による申出又は同意をした場合において、その者が当該申出又は同意に併せて、当該宅地について交付されるべき清算金に代えて、当該宅地についての換地に施行者が建設する住宅（自己の居住の用に供するものに限る。以下この条及び次条において同じ。）を与えられるべき旨を申し出たときは、換地計画において、当該宅地について換地を定めるほか、当該住宅を与えるように定めることができる。ただし、当該宅地について所有権以外の権利（地役権を除く。）又は処分の制限があるときは、この限りでない。

2　施行者は、施行地区内の宅地の所有者がその宅地の全部について換地を定めないことについて土地区画整理法第九十条の規定による申出又は同意をした場合において、その者が当該申出又は同意に併せて、当該宅地について交付されるべき清算金に代えて、次条第一項の規定により施行者が建設又は取得をする住宅等（住宅及びその敷地又は建物の区分所有等に関する法律（昭和三十七年法律第六十九号）第二条第一項に規定する区分所有権の目的たる建築物の部分で住宅の用途に供するもの（同条第四項に規定する共用部分の共有持分を含む。）及びその建築物の敷地に関する権利をいう。以下この条及び次条において同じ。）を与えられるべき旨を申し出たときは、換地計画において、当該宅地について当該住宅等を与えるように定めることができる。ただし、当該宅地について先取特権、質権若しくは抵当権又は仮登記、買戻しの特約その他権利の消滅に関する事項の定めの登記若しくは処分の制限の登記に係る権利（次項において「先取特権等」という。）があるときは、この限りでない。

3　施行者は、土地区画整理法第九十条の規定により換地を定めない宅地又はその部分について借地権を有する者がある場合において、その者が同条後段の規定による同意に併せて、当該借地権について交付されるべき清算金に代えて、次条第一項の規定により施行者が建設又は取得をする住宅等を与えられるべき旨を申し出たときは、換地計画において、当該借地権について当該住宅等を与えるように定めることができる。ただし、当該借地権について先取特権等があるときは、この限りでない。

4　前三項の規定により住宅又は住宅等を与える場合における清算については、土地区画整理法第九十四条後段中「前条第一項、第二項、第四項又は第五項の規定により建築物の一部及びその建築物の存する土地の共有持分」とあるのは「被災市街地復興特別措置法第十五条第一項から第三項までの規定により住宅又は住宅及びその敷地若しくは建物の区分所有等に関する法律（昭和三十七年法律第六十九号）第二条第一項に規定する区分所有権の目的たる建築物の部分で住宅の用途に供するもの（同条第四項に規定する共用部分の共有持分を含む。）及びその建築物の敷地に関する権利」と、「当該建築物の一部及びその建築物の存する土地」とあるのは「当該住宅又は建築物の部分で住宅の用途に供するもの及び当該住宅又は建築物の敷地」とする。

5　第一項から第三項までの規定により換地計画において住宅又は住宅等が与えられるように定められた宅地の所有者又は借地権者は、土地区画整理法第百三条第四項の公告があった日の翌日において、換地計画に定められたところにより、その住宅又は住宅等を取得するものとする。

6　土地区画整理法第百八条第二項の規定は、前項の規定により住宅又は住宅等を取得させる場合について準用する。

7　施行者は、第二項又は第三項の規定により住宅等を与えるように定める換地計画を定め、又は変更したときは、当該住宅等の所在地を管轄する登記所に、国土交通省令で定める事項を届け出なければならない。

（施行地区外における住宅の建設等）

第一六条　施行者は、土地区画整理法第二条第一項の事業として、施行地区外において、前条第二項又は第三項の規定により住宅等を与えられるべき旨の申出をした者のために必要な住宅等の建設又は取得（住宅又は住宅の用途に供する建築物を建設するために必要な土地を取得し、又はその土地を宅地に造成することを含む。）を行うことができる。この場合においては、同法第二条第四項中「土地区画整理事業を施行する土地」とあるのは「土地区画整理事業を施行する土地（被災市街地復興特別措置法（平成七年法律第十四号）第十六条第一項前段に規定する住宅等の建設又は取得を行う土地を除く。）」とする。

2　前項の場合における同項前段に規定する住宅等の建設又は取得に関する事業についての土地区画整理法第百七条第二項から第四項までの規定の適用については、土地区画整理法第百七条第二項及び第三項中「土地及び建物」とあり、及び同条第四項中「土地及びその土地に存する建物」とあるのは、「土地及び建物並びに被災市街地復興特別措置法第十六条第一項の規定により施行者が建設又は取得をした住宅等」とする。

3　施行者が第一項の規定により施行地区外において住宅等の建設又は取得を行う場合においては、当該住宅等の建設又は取得に関する事業については、土地区画整理法第七十二条、第七十三条、第七十九条、第八十一条及び第八十二条の規定は、適用しない。

（公営住宅等及び居住者の共同の福祉又は利便のため必要な施設の用地）

第一七条　土地区画整理法第三条第四項若しくは第五項、第三条の二又は第三条の三の規定により施行する被災市街地復興土地区画整理事業の換地計画においては、次に掲げる施設の用に供するため、一定の土地を換地として定めないで、その土地を保留地として定めることができる。この場合においては、当該保留地の地積について、施行地区内の宅地について所有権、地上権、永小作権、賃借権その他の宅地を使用し、又は収益することができる権利を有するすべての者の同意を得なければならない。

一　公営住宅等

二　第五条第一項第一号に規定する災害を受けた市街地に居住する者の共同の福祉又は利便のため必要な施設で国、地方公共団体その他政令で定める者が設置するもの（土地区画整理法第二条第五項に規定する公共施設を除く。）

2　土地区画整理法第百四条第十一項及び第百八条第一項の規定は、前項の規定により換地計画において定められた保留地について準用する。

3　施行者は、第一項の規定により換地計画において定められた保留地を処分したときは、土地区画整理法第百三条第四項の規定による公告があった日における従前の宅地について所有権、地上権、永小作権、賃借権その他の宅地を使用し、又は収益することができる権利を有する者に対して、政令で定める基準に従い、当該保留地の対価に相当する金額を交付しなければならない。同法第百九条第二項の規定は、この場合について準用する。

（土地区画整理法の準用等）

第一八条　土地区画整理法第八十五条第五項の規定は、第十二条から前条までの規定による処分及び決定について準用する。

2　被災市街地復興土地区画整理事業に関する土地区画整理法第百二十三条から第百二十六条まで、第百二十七条の二、第百二十九条、第百四十四条及び第百四十五条の規定の適用については、第十二条から前条までの規定は、同法の規定とみなす。

（被災市街地復興推進地域内における第二種市街地再開発事業の施行区域の特例）

第一九条　被災市街地復興推進地域内の土地の区域については、当該区域が都市再開発法第三条の二第二号イ又はロに掲げる条件に該当しないものであっても、これを同号に掲げる条件に該当する土地の区域とみなして、同法の規定を適用する。

（都市計画施設の区域内における建築の規制の特例）

第二〇条　被災市街地復興推進地域内の都市計画施設の区域内において行われる建築物の建築についての都市計画法第五十五条第一項の規定の適用については、同項中「区域内の土地でその指定したものの区域」とあるのは、「区域」とする。

第四章　住宅の供給等に関する特例

（公営住宅及び改良住宅の入居者資格の特例）

第二一条　第五条第一項第一号の災害により相当数の住宅が滅失した市町村で滅失した住宅の戸数その他の住宅の被害の程度について国土交通省令で定める基準に適合するもの（以下「住宅被災市町村」という。）の区域内において当該災害により滅失した住宅に居住していた者及び住宅被災市町村の区域内において実施される都市計画法第四条第十五項に規定する都市計画事業その他国土交通省令で定める市街地の整備改善及び住宅の供給に関する事業の実施に伴い移転が必要となった者については、当該災害の発生した日から起算して三年を経過する日までの間は、公営住宅法（昭和二十六年法律第百九十三号）第二十三条第二号（住宅地区改良法（昭和三十五年法律第八十四号）第二十九条第一項において準用する場合を含む。）に掲げる条件を具備する者を公営住宅法第二十三条各号（住宅地区改良法第二十九条第一項において準用する場合を含む。）に掲げる条件を具備する者とみなす。

（独立行政法人都市再生機構法の特例）

第二二条　機構は、独立行政法人都市再生機構法（平成十五年法律第百号。以下この条において「機構法」という。）第十一条第一項に規定する業務のほか、住宅被災市町村の復興に必要な住宅の供給等を図るため、当該住宅被災市町村の区域内において、委託に基づき、同条第三項各号の業務を行うことができる。

2　機構が、機構法第十一条第一項第七号の業務を行う場合において、その業務が被災市街地復興土地区画整理事業、被災市街地復興推進地域内において行われる市街地再開発事業又は住宅被災市町村の区域内において行われる国土交通省令で定める戸数以上の賃貸住宅の建設と併せて整備されるべき公共の用に供する施設に係る機構法第十八条第一項各号に定める工事であるときは、当該工事に係る施設の管理者の同意を得て、その管理者に代わって、当該工事を施行することができる。この場合には、機構法第十八条第二項から第五項まで及び第十九条から第二十四条までの規定を準用する。

3　前項の規定により機構の業務が行われる場合には、機構法第四十条第二項中「第二十条第四項」とあるのは、「第二十条第四項（被災市街地復興特別措置法第二十二条第二項後段において準用する場合を含む。）」とする。

（地方住宅供給公社法の特例）

第二三条　地方住宅供給公社（次項において「公社」という。）は、地方住宅供給公社法（昭和四十年法律第百二十四号。次項において「公社法」という。）第二十一条に規定する業務のほか、住宅被災市町村の復興に必要な住宅の供給等を図るため、当該住宅被災市町村の区域内において、委託により、住宅の建設及び賃貸その他の管理並びに市街地において自ら又は委託により行う住宅の建設と一体として建設することが適当である商店、事務所等の用に供する施設及び集団住宅の存する団地の居住者の利便に供する施設の建設及び賃貸その他の管理の業務を行うことができる。

2　前項の規定により公社の業務が行われる場合には、公社法第四十九条第三号中「第二十一条に規定する業務」とあるのは、「第二十一条に規定する業務及び被災市街地復興特別措置法（平成七年法律第十四号）第二十三条第一項に規定する業務」とする。

第五章　雑則

（監視区域の指定）

第二四条　都道府県知事又は地方自治法（昭和二十二年法律第六十七号）第二百五十二条の十九第一項の指定都市の長は、被災市街地復興推進地域のうち、地価が急激に上昇し、又は上昇するおそれがあり、これによって適正かつ合理的な土地利用の確保が困難となるおそれがあると認められる区域を国土利用計画法（昭和四十九年法律第九十二号）第二十七条の六第一項の規定により監視区域として指定するよう努めるものとする。

（政令への委任）

第二五条　この法律に定めるもののほか、この法律の実施のため必要な事項は、政令で定める。

（経過措置）

第二六条　この法律の規定に基づき政令又は国土交通省令を制定し、又は改廃する場合においては、それぞれ、政令又は国土交通省令で、その制定又は改廃に伴い合理的に必要と判断される範囲内において、所要の経過措置を定めることができる。

第六章　罰則

第二七条　第七条第五項の規定による命令に違反して、土地の原状回復をせず、又は建築物その他の工作物を移転せず、若しくは除却しなかった者は、六月以下の懲役又は二十万円以下の罰金に処する。

第二八条　法人の代表者又は法人若しくは人の代理人、使用人その他の従業者がその法人又は人の業務又は財産に関して前条に規定する違反行為をしたときは、行為者を罰するほか、その法人又は人に対して同条の罰金刑を科する。

附　則〔抄〕

（施行期日）

第一条　この法律は、公布の日から施行する。

（中核市に関する経過措置）

第二条　地方自治法の一部を改正する法律（平成六年法律第四十八号）中地方自治法第二編第十二章の改正規定が施行されるまでの間においては、第九条の見出し中「大都市等」とあるのは「大都市」と、同条中「（以下この条及び第二十四条において「指定都市」という。）及び同法第二百五十二条の二十二第一項の中核市（以下この条において「中核市」という。）」とあるのは「（以下この条及び第二十四条において「指定都市」という。）」と、「指定都市又は中核市（以下この条において「指定都市等」という。）」とあり、及び「指定都市等の」とあるのは「指定都市の」とする。

附　則〔略〕〔平成八・五・二四法律四八〕

附　則〔略〕〔平成八・五・三一法律五五〕

附　則〔略〕〔平成九・五・九法律五〇〕

附　則〔略〕〔平成一〇・六・一二法律八六〕

附　則〔略〕〔平成一一・三・三一法律二五〕

附　則〔略〕〔平成一一・六・一六法律七六〕

附　則〔抄〕〔平成一一・七・一六法律八七〕

（施行期日）

第一条　この法律は、平成十二年四月一日から施行する。ただし、次の各号に掲げる規定は、当該各号に定める日から施行する。

一　〔前略〕附則〔中略〕第百六十条、第百六十三条、第百六十四条並びに第二百二条の規定　公布の日

二～六　〔略〕

（国等の事務）

第一五九条　この法律による改正前のそれぞれの法律に規定するもののほか、この法律の施行前において、地方公共団体の機関が法律又はこれに基づく政令により管理し又は執行する国、他の地方公共団体その他公共団体の事務（附則第百六十一条において「国等の事務」という。）は、この法律の施行後は、地方公共団体が法律又はこれに基づく政令により当該地方公共団体の事務として処理するものとする。

（処分、申請等に関する経過措置）

第一六〇条　この法律（附則第一条各号に掲げる規定については、当該各規定。以下この条及び附則第百六十三条において同じ。）の施行前に改正前のそれぞれの法律の規定によりされた許可等の処分その他の行為（以下この条において「処分等の行為」という。）又はこの法律の施行の際現に改正前のそれぞれの法律の規定によりされている許可等の申請その他の行為（以下この条において「申請等の行為」という。）で、この法律の施行の日においてこれらの行為に係る行政事務を行うべき者が異なることとなるものは、附則第二条から前条までの規定又は改正後のそれぞれの法律（これに基づく命令を含む。）の経過措置に関する規定に定めるものを除き、この法律の施行の日以後における改正後のそれぞれの法律の適用については、改正後のそれぞれの法律の相当規定によりされた処分等の行為又は申請等の行為とみなす。

2　この法律の施行前に改正前のそれぞれの法律の規定により国又は地方公共団体の機関に対し報告、届出、提出その他の手続をしなければならない事項で、この法律の施行の日前にその手続がされていないものについては、この法律及びこれに基づく政令に別段の定めがあるもののほか、これを、改正後のそれぞれの法律の相当規定により国又は地方公共団体の相当の機関に対して報告、届出、提出その他の手続をしなければならない事項についてその手続がされていないものとみなして、この法律による改正後のそれぞれの法律の規定を適用する。

（不服申立てに関する経過措置）

第一六一条　施行日前にされた国等の事務に係る処分であって、当該処分をした行政庁（以下この条において「処分庁」という。）に施行日前に行政不服審査法に規定する上級行政庁（以下この条において「上級行政庁」という。）があったものについての同法による不服申立てについては、施行日以後においても、当該処分庁に引き続き上級行政庁があるものとみなして、行政不服審査法の規定を適用する。この場合において、当該処分庁の上級行政庁とみなされる行政庁は、施行日前に当該処分庁の上級行政庁であった行政庁とする。

2　前項の場合において、上級行政庁とみなされる行政庁が地方公共団体の機関であるときは、当該機関が行政不服審査法の規定により処理することとされる事務は、新地方自治法第二条第九項第一号に規定する第一号法定受託事務とする。

（手数料に関する経過措置）

第一六二条　施行日前においてこの法律による改正前のそれぞれの法律（これに基づく命令を含む。）の規定により納付すべきであった手数料については、この法律及びこれに基づく政令に別段の定めがあるもののほか、なお従前の例による。

（罰則に関する経過措置）

第一六三条　この法律の施行前にした行為に対する罰則の適用については、なお従前の例による。

（その他の経過措置の政令への委任）

第一六四条　この附則に規定するもののほか、この法律の施行に伴い必要な経過措置（罰則に関する経過措置を含む。）は、政令で定める。

2　〔略〕

附　則〔略〕〔平成一一・一二・二二法律一六〇〕

附　則〔略〕〔平成一四・三・三一法律一一〕

附　則〔抄〕〔平成一四・七・一二法律八五〕

（施行期日）

第一条　この法律は、公布の日から起算して六月を超えない範囲内において政令で定める日から施行する。〔以下略〕

〔平成一四政三三〇により、平成一五・一・一から施行〕

（罰則に関する経過措置）

第五条　この法律の施行前にした行為に対する罰則の適用については、なお従前の例による。

附　則〔略〕〔平成一五・六・二〇法律一〇〇〕

附　則〔略〕〔平成一六・六・九法律一〇二〕

附　則〔略〕〔平成一七・四・二七法律三四〕

附　則〔抄〕〔平成一七・六・二九法律七八〕

（施行期日）

第一条　この法律は、公布の日から施行する。〔以下略〕

（罰則に関する経過措置）

第一六条　この法律（附則第一条ただし書に規定する規定については、当該規定。以下この条において同じ。）の施行前にした行為及びこの附則の規定によりなお従前の例によることとされる場合におけるこの法律の施行後にした行為に対する罰則の適用については、なお従前の例による。

（政令への委任）

第一七条　この附則に規定するもののほか、この法律の施行に伴い必要な経過措置は、政令で定める。

附　則〔略〕〔平成二〇・五・二三法律四〇〕

附　則〔略〕〔平成二三・五・二法律三七〕

附　則〔抄〕〔平成二三・八・三〇法律一〇五〕

（施行期日）

第一条　この法律は、公布の日から施行する。ただし、次の各号に掲げる規定は、当該各号に定める日から施行する。

一　〔略〕

二　〔前略〕第百四十六条（被災市街地復興特別措置法第五条及び第七条第三項の改正規定を除く。）〔中略〕の規定並びに附則〔中略〕第六十一条から第六十九条まで〔中略〕の規定　平成二十四年四月一日

三～六　〔略〕

（被災市街地復興特別措置法の一部改正に伴う経過措置）

第六六条　第百四十六条の規定（被災市街地復興特別措置法第五条及び第七条第三項の改正規定を除く。以下この条において同じ。）の施行の際現に効力を有する第百四十六条の規定による改正前の被災市街地復興特別措置法（以下この条において「旧被災市街地復興特別措置法」という。）第七条第一項若しくは第四項から第六項まで若しくは第八条第二項の規定により都道府県知事が行った許可その他の行為又は現に旧被災市街地復興特別措置法第七条第一項若しくは第八条第一項若しくは第五項の規定により都道府県知事に対して行っている許可の申請その他の行為で、第百四十六条の規定による改正後の被災市街地復興特別措置法（次項において「新被災市街地復興特別措置法」という。）第七条第一項若しくは第四項から第六項まで又は第八条第一項、第二項若しくは第五項の規定により市長が行うこととなる事務に係るものは、それぞれこれらの規定により当該市長が行った許可その他の行為又は当該市長に対して行った許可の申請その他の行為とみなす。

2　第百四十六条の規定の施行前に都道府県知事がした旧被災市街地復興特別措置法第七条第一項の許可の申請についての不許可の処分に係る土地の買取りの手続については、前項及び新被災市街地復興特別措置法第八条第一項から第三項までの規定にかかわらず、なお従前の例による。

（罰則に関する経過措置）

第八一条　この法律（附則第一条各号に掲げる規定にあっては、当該規定。以下この条において同じ。）の施行前にした行為及びこの附則の規定によりなお従前の例によることとされる場合におけるこの法律の施行後にした行為に対する罰則の適用については、なお従前の例による。

（政令への委任）

第八二条　この附則に規定するもののほか、この法律の施行に関し必要な経過措置（罰則に関する経過措置を含む。）は、政令で定める。

○被災市街地復興特別措置法施行令

〔平成七・二・二六 政令三六〕

改正 平成一一・八政二五六、九政二七六、平成一二・六政三一二、平成一六・四政一六〇、五政一八一、平成一七・一〇政三二二

（公営住宅等を建設する公法上の法人）

第一条 被災市街地復興特別措置法（以下「法」という。）第二条第五号の政令で定める公法上の法人は、日本勤労者住宅協会とする。

（被災市街地復興推進地域内における都道府県知事の許可を要しない行為）

第二条 法第七条第一項第一号の政令で定める行為は、次に掲げるものとする。

一 法令又はこれに基づく処分による義務の履行として行う土地の形質の変更

二 既存の建築物の敷地内において行う車庫、物置その他これらに類する附属建築物（階数が二以下で、かつ、地階を有しない木造のものに限る。）の新築、改築又は増築

三 既存の建築物又は工作物の管理のために必要な土地の形質の変更

四 現に農林漁業を営む者のために行う土地の形質の変更又は物置、作業小屋その他これらに類する建築物（階数が二以下で、かつ、地階を有しない木造のものに限る。）の新築、改築若しくは増築（新築若しくは改築に係る部分の床面積又は増築後の床面積の合計が九十平方メートル以下であるものに限る。）

第三条 法第七条第一項第三号の政令で定める行為は、国、都道府県若しくは市町村（都の特別区を含む。）又は当該都市施設を管理することとなる者が都市施設に関する都市計画に適合して行う行為とする。

（法第七条第二項第一号ロの政令で定める規模等）

第四条 法第七条第二項第一号ロ及び第二号ロ(4)の政令で定める規模は、三百平方メートルとする。

（被災市街地復興推進地域内における土地の買取りの申出の相手方となる者）

第五条 法第八条第一項の政令で定める者は、独立行政法人都市再生機構、独立行政法人中小企業基盤整備機構、地方住宅供給公社及び土地開発公社とする。

（縦覧手続等を省略することができる被災市街地復興土地区画整理事業の事業計画の修正又は変更）

第六条 被災市街地復興土地区画整理事業の事業計画の修正又は変更のうち、土地区画整理法（昭和二十九年法律第百十九号）第五十五条第六項（同条第十三項において準用する場合を含む。）若しくは第七十一条の三第十項（同条第十五項において準用する場合を含む。）の政令で定める軽微な修正又は同法第三十九条第二項、第五十一条の十第二項、第五十五条第十三項若しくは第七十一条の三第十五項の政令で定める軽微な変更は、土地区画整理法施行令（昭和三十年政令第四十七号）第四条第一項に規定するもののほか、法第十二条第一項又は第十三条第一項の規定による申出が少なかったことに伴う復興共同住宅区の縮小で、縮小された面積の合計が当初事業計画において定めようとし、又は定めた復興共同住宅区の面積からその十分の一以上を減ずることとならないものとする。

（保留地において居住者の共同の福祉又は利便のため必要な施設を設置する者）

第七条 法第十七条第一項第二号の政令で定める者は、国（国の全額出資に係る法人を含む。）又は地方公共団体が資本金、基本金その他これらに準ずるものの二分の一以上を出資している法人とする。

（地方公共団体等が建設する住宅等の用地として処分された保留地の対価に相当する金額の交付基準）

第八条 法第十七条第三項の規定により交付すべき額は、処分された保留地の対価に相当する金額を被災市街地復興土地区画整理事業の施行前の宅地の価額の総額で除して得た数値を土地区画整理法第百三条第四項の規定による公告があった日における従前の宅地又はその宅地について存した地上権、永小作権、賃借権その他の宅地を使用し、若しくは収益することができる権利の被災市街地復興土地区画整理事業の施行前の価額に乗じて得た額とする。

（国土交通省令への委任）

第九条 この政令に定めるもののほか、法及びこの政令の実施のため必要な手続その他の事項は、国土交通省令で定める。

附 則 〔抄〕

（施行期日）

第一条 この政令は、法の施行の日（平成七年二月二十六日）から施行する。

附 則〔略〕〔平成一一・八・一八政令二五六〕

附 則〔略〕〔平成一一・九・二〇政令二七六〕

附 則〔略〕〔平成一二・六・七政令三一二〕

附 則〔略〕〔平成一六・四・九政令一六〇〕

附 則〔略〕〔平成一六・五・二六政令一八一〕

附 則〔平成一七・一〇・二一政令三二二〕

この政令は、民間事業者の能力を活用した市街地の整備を推進するための都市再生特別措置法等の一部を改正する法律の施行の日（平成十七年十月二十四日）から施行する。

○被災市街地復興特別措置法施行規則

〔平成七・二・二六 建設省令二〕

改正 平成一〇・八建令三二、平成一一・九建令四一、平成一二・一建令九、建令一〇、一一建令四一、平成一四・五国交令六五、一二国交令一二〇、平成一六・六国交令七〇、平成一七・六国交令六六、平成二四・三国交令一一、令和二・一二国交令九八

（認可申請書の添付書類）

第一条 被災市街地復興特別措置法（以下「法」という。）第六条第三項の規定により被災市街地復興土地区画整理事業を施行しようとする都道府県、独立行政法人都市再生機構又は地方住宅供給公社は、土地区画整理法第五十二条第一項又は第七十一条の二第一項の認可を申請しようとするときは、認可申請書に法第六条第三項の規定による協議の上であることを証する書類を添付しなければならない。

2 法第六条第五項の規定により市街地再開発事業を施行しようとする都道府県、独立行政法人都市再生機構又は地方住宅供給公社は、都市再開発法第五十一条第一項又は第五十八条第一項の認可を申請しようとするときは、認可申請書に法第六条第五項の規定による協議の上であることを証する書類を添付しなければならない。

（建築行為等の許可の申請）

第二条 法第七条第一項の規定による許可の申請は、別記様式第一の申請書を提出してするものとする。

2 前項の申請書には、次に掲げる図書を添付しなければならない。ただし、都道府県知事等が、これらの図書を得ることができない正当な理由があると認める場合においては、この限りでない。

一 土地の形質の変更にあっては、次に掲げる図書

イ 当該行為を行う土地の区域を表示する図面で縮尺二千五百分の一以上のもの

ロ 設計図で縮尺千分の一以上のもの（法第七条第二項第一号イに該当する行為に限る。）

二 建築物の新築、改築又は増築にあっては、次に掲げる図書

イ 敷地内における建築物の位置を表示する図面で縮尺五百分の一以上のもの

ロ 二面以上の建築物の断面図で縮尺二百分の一以上のもの（法第七条第二項第二号ロ又はハに該当する行為に限る。）

3 前項第一号ロの設計図は、土地の形質の変更後における公共の用に供す

る施設の位置及び形状を、当該土地の形質の変更により新設し、又は変更される部分と既設のもので変更されない部分とに区別して表示したものでなければならない。

（市街地開発事業に準ずる事業）

第三条　法第七条第三項第六号の国土交通省令で定める事業は、住宅地区改良法（昭和三十五年法律第八十四号）による住宅地区改良事業とし、同号の国土交通省令で定める公告、告示等は、住宅地区改良法第八条第一項に規定する告示とする。

（法第七条第六項の規定による公告の内容等の掲示）

第四条　都道府県知事等は、法第七条第六項の規定による公告をしたときは、その公告の内容その他必要な事項を、当該公告の日から十日間当該公告に係る措置を行おうとする土地の付近その他の適当な場所に掲示しなければならない。

（土地の買取りの申出の相手方の公告）

第五条　法第八条第二項の規定による公告は、次に掲げる事項について都道府県知事等の定める方法で行うものとする。

一　当該被災市街地復興推進地域の名称
二　土地の買取りの申出の相手方の名称及び住所
三　当該相手方に対し申出をすべき土地の区域

２　前項第三号の土地の区域の表示は、土地に関し権利を有する者が自己の権利に係る土地が当該区域に含まれるかどうかを容易に判断することができるものでなければならない。

（復興共同住宅区を定める場合の地方公共団体施行に関する認可申請手続）

第六条　土地区画整理法第五十二条第一項又は第五十五条第十二項の認可を申請しようとする者は、法第十一条第一項の規定により事業計画において復興共同住宅区を定めようとするときは、認可申請書に、土地区画整理法施行規則（昭和三十年建設省令第五号）第三条の二各号に掲げる事項のほか、復興共同住宅区の位置及び面積を記載しなければならない。

（復興共同住宅区に関する図書）

第七条　復興共同住宅区は、設計説明書及び設計図を作成して定めなければならない。

２　前項の設計説明書には復興共同住宅区の面積を記載し、前項の設計図は縮尺千二百分の一以上とするものとする。

３　第一項の設計図及び土地区画整理法施行規則第六条第一項の設計図は、併せて一葉の図面とするものとする。

（復興共同住宅区への換地の申出）

第八条　法第十二条第一項の規定による申出は、別記様式第二の申出書を提出してするものとする。

２　前項の申出書には、法第十二条第一項ただし書の規定による同意を得たことを証する書類を添付しなければならない。

（復興共同住宅区内に換地を定められるべき宅地の指定につき支障とならない工作物）

第九条　法第十二条第二項第一号の国土交通省令で定める工作物は、仮設の工作物とする。

（宅地の共有化の申出）

第一〇条　法第十三条第一項の規定による申出は、別記様式第三の申出書を提出してするものとする。

２　前項の申出書には、法第十三条第一項ただし書の規定による同意を得たことを証する書類を添付しなければならない。

（復興共同住宅区内の土地の共有持分を与えるように定められるべき宅地の指定につき支障とならない工作物）

第一一条　法第十三条第三項第一号の国土交通省令で定める工作物は、仮設の工作物とする。

（登記所への届出事項）

第一二条　施行者が法第十五条第七項の規定により登記所に届け出なければならない事項は、次に掲げるものとする。

一　法第十五条第二項又は第三項の規定により換地計画において与えるように定められた住宅等の所在の郡、市、区、町村、字及び地番並びに家屋番号
二　換地処分の予定時期

（換地計画で法第十七条第一項の規定による保留地を定める場合の認可申請手続）

第一三条　法第十七条第一項の規定により、換地計画において、一定の土地を換地として定めないで、その土地を保留地として定めようとする場合において、土地区画整理法第八十六条第一項後段又は第九十七条第一項の認可を申請しようとするときは、認可申請書に法第十七条第一項後段の規定による同意を得たことを証する書類を添付しなければならない。

（換地設計）

第一四条　被災市街地復興土地区画整理事業にあっては、土地区画整理法施行規則第十二条第一項に規定する換地図は、同条第二項各号に掲げるもののほか、次に掲げる土地の位置及び形状を表示し、被災市街地復興土地区画整理事業の施行後における町又は字の区域及び各筆の土地ごとの予定地番を記入したものでなければならない。

一　法第十四条第二項の規定により換地計画において復興共同住宅区内の土地の共有持分を与えるように定める場合におけるその土地
二　法第十五条第一項の規定により換地計画において住宅を与えるように定める場合におけるその住宅の存する土地
三　法第十五条第二項及び第三項の規定により換地計画において住宅及びその敷地を与えるように定める場合におけるその住宅並びに建物の区分所有等に関する法律（昭和三十七年法律第六十九号）第二条第一項に規定する区分所有権の目的たる建築物の部分で住宅の用に供するもの（同条第四項に規定する共用部分の共有持分を含む。）及びその建築物の敷地に関する権利を与えるように定める場合におけるその建築物の敷地である土地

（各筆換地明細等）

第一五条　被災市街地復興土地区画整理事業にあっては、土地区画整理法施行規則別記様式第六(一)の「記事」欄には、同様式備考6によるもののほか、従前の土地又は換地処分後の土地につき、次に掲げる場合に、それぞれの旨を記載するものとする。

一　法第十四条第一項の規定により換地を定める場合
二　法第十五条第一項の規定により住宅を与える場合
三　法第十七条第一項の規定により保留地として定める場合

２　法第十四条第二項の宅地に係る土地区画整理法第八十七条第一項第四号に掲げる事項は、土地区画整理法施行規則第十三条の規定にかかわらず、別記様式第四により定めるものとする。

３　法第十五条第一項から第三項までの住宅又は住宅等に係る土地区画整理法第八十七条第一項第四号に掲げる事項は、土地区画整理法施行規則第十三条の規定にかかわらず、別記様式第五により定めるものとする。

（各筆各権利別清算金明細）

第一六条　被災市街地復興土地区画整理事業にあっては、土地区画整理法施行規則別記様式第七(一)の「記事」欄には、同様式の備考8の規定によるもののほか、従前の土地又は換地処分後の土地につき、前条第一項各号に掲げる場合に、それぞれその旨を記載するものとする。

２　法第十四条第二項の宅地に係る土地区画整理法第八十七条第一項第三号に掲げる事項は、土地区画整理法施行規則第十四条の規定にかかわらず、別記様式第六により定めるものとする。

３　法第十五条第一項から第三項までの住宅又は住宅等に係る土地区画整理法第八十七条第一項第三号に掲げる事項は、土地区画整理法施行規則第十四条の規定にかかわらず、別記様式第七により定めるものとする。

（住宅の被害の程度についての基準）

第一七条　法第二十一条の住宅の被害の程度について国土交通省令で定める基準は、当該市町村の区域内における法第五条第一項第一号の災害により滅失した住宅の戸数が百戸以上又はその区域内にある住宅の戸数の一割以上であり、かつ、当該市町村の区域を包括する都道府県及び当該都道府県に隣接する都道府県の区域内における同号の災害により滅失した住宅の戸数がおおむね四千戸（当該市町村の区域内における同号の災害により滅失した住宅の戸数が二百戸以上である場合にあってはおおむね二千戸、当該市町村の区域内における同号の災害により滅失した住宅の戸数が四百戸以上又はその区域内にある住宅の戸数の二割以上である場合にあってはおおむね千二百戸）以上であることとする。

（市街地の整備改善及び住宅の供給に関する事業）

第一八条　法第二十一条の国土交通省令で定める市街地の整備改善及び住宅の供給に関する事業は、次に掲げるものとする。

一　都市計画法（昭和四十三年法律第百号）第四条第七項に規定する市街地開発事業
二　住宅地区改良法による住宅地区改良事業

三　法第二条第五号に規定する公営住宅等の建設に関する事業
四　特定優良賃貸住宅の供給の促進に関する法律（平成五年法律第五十二号）による賃貸住宅の建設の事業その他国又は地方公共団体の補助を受けて実施される賃貸住宅の建設の事業で当該賃貸住宅の戸数が五十戸以上であるもの
五　国又は地方公共団体の補助を受けて実施される住宅市街地の開発整備に関する事業（第一号及び第二号に掲げるものを除く。）で当該事業に係る施行地区の面積が二千平方メートル以上であるもの

（法第二十二条第二項の国土交通省令で定める戸数）
第一九条　法第二十二条第二項の国土交通省令で定める戸数は、百戸とする。

附　則〔抄〕

（施行期日）
1　この省令は、法の施行の日（平成七年二月二六日）から施行する。

附　則〔略〕〔平成一〇・八・七建設省令三三施行〕
附　則〔略〕〔平成一一・九・二七建設省令四一〕
附　則〔略〕〔平成一二・一・一七建設省令九施行〕
附　則〔略〕〔平成一二・一・三一建設省令一〇〕
附　則〔略〕〔平成一二・一一・二〇建設省令四一〕
附　則〔略〕〔平成一四・五・三一国土交通省令六五〕
附　則〔略〕〔平成一四・一二・二七国土交通省令一二〇〕
附　則〔略〕〔平成一六・六・一八国土交通省令七〇〕
附　則〔略〕〔平成一七・六・一国土交通省令六六〕
附　則〔略〕〔平成二四・三・五国土交通省令一一〕
附　則〔略〕〔令和二・一二・二三国土交通省令九八〕
別記様式〔略〕

〇大規模災害からの復興に関する法律

〔平成二五・六・二一 法律五五〕

改正　平成二六・五法三二、平成二七・六法五〇、九法六三、平成二八・五法四七、平成二九・四法二五、五法三九、六法四五、平成三〇・五法二三、令和二・六法四一、令和三・五法三一、令和五・五法三四

目次

第一章　総則（第一条―第三条）
第二章　復興対策本部及び復興基本方針等
第一節　復興対策本部（第四条―第七条）
第二節　復興基本方針等（第八条・第九条）
第三章　復興のための特別の措置
第一節　復興計画に係る特別の措置
第一款　復興計画の作成等（第十条―第二十条）
第二款　復興一体事業（第二十一条―第二十七条）
第三款　復興計画の実施に係る特別の措置（第二十八条―第三十八条）
第四款　雑則（第三十九条・第四十条）
第二節　都市計画の特例（第四十一条・第四十二条）
第三節　災害復旧事業等に係る工事の国等による代行（第四十三条―第五十二条）
第四章　雑則（第五十三条―第五十九条）
第五章　罰則（第六十条―第六十二条）
附則

第一章　総則

（目的）
第一条　この法律は、大規模な災害を受けた地域の円滑かつ迅速な復興を図るため、その基本理念、政府による復興対策本部の設置及び復興基本方針の策定並びに復興のための特別の措置について定めることにより、大規模な災害からの復興に向けた取組の推進を図り、もって住民が安心して豊かな生活を営むことができる地域社会の実現に寄与することを目的とする。

（定義）
第二条　この法律において、次の各号に掲げる用語の意義は、それぞれ当該各号に定めるところによる。
一　特定大規模災害　著しく異常かつ激甚な非常災害であって、当該非常災害に係る災害対策基本法（昭和三十六年法律第二百二十三号）第二十八条の二第一項に規定する緊急災害対策本部が設置されたものをいう。
二　復興基本方針　政府が定める特定大規模災害からの復興のための施策に関する基本的な方針であって、第八条の規定により定められたものをいう。
三　復興計画　市町村が作成する特定大規模災害を受けた地域の円滑かつ迅速な復興を図るための市街地の整備に関する事業、農業生産の基盤の整備に関する事業その他の事業の実施を通じた当該地域の復興に関する計画であって、第十条の規定により作成されたものをいう。
四　都市計画　都市計画法（昭和四十三年法律第百号）第四条第一項に規定する都市計画をいう。
五　特定公共施設　道路、公園、下水道その他政令で定める公共の用に供する施設をいう。
六　公益的施設　教育施設、医療施設、官公庁施設、購買施設その他の施設で、地域住民の共同の福祉又は利便のために必要なものをいう。
七　特定業務施設　事務所、事業所その他の業務施設で、特定大規模災害を受けた区域（当該区域に隣接し、又は近接する区域を含む。）の基幹的な産業の復興、当該区域内の地域における雇用機会の創出及び良好な市街地の形成に寄与するもののうち、公益的施設以外のものをいう。
八　一団地の復興拠点市街地形成施設　前号に規定する区域内の地域住民の生活及び地域経済の再建のための拠点となる市街地を形成する一団地の住宅施設、特定業務施設又は公益的施設及び特定公共施設をいう。
九　特定大規模災害等　特定大規模災害その他著しく異常かつ激甚な非常災害として政令で指定する災害をいう。
十　災害復旧事業　公共土木施設災害復旧事業費国庫負担法（昭和二十六年法律第九十七号）の規定の適用を受ける災害復旧事業をいう。

（基本理念）
第三条　大規模な災害からの復興は、国と地方公共団体とが適切な役割分担の下に地域住民の意向を尊重しつつ協同して、当該災害を受けた地域における生活の再建及び経済の復興を図るとともに、災害に対して将来にわたって安全な地域づくりを円滑かつ迅速に推進することを基本理念として行うものとする。

第二章　復興対策本部及び復興基本方針等

第一節　復興対策本部

（復興対策本部の設置）
第四条　特定大規模災害が発生した場合において、当該特定大規模災害からの復興を推進するため特別の必要があると認めるときは、内閣総理大臣は、

内閣府設置法（平成十一年法律第八十九号）第四十条第二項の規定にかかわらず、閣議にかけて、臨時に内閣府に復興対策本部（以下「本部」という。）を設置することができる。

2 内閣総理大臣は、本部を置いたときは当該本部の名称、所管区域並びに設置の場所及び期間を、当該本部を廃止したときはその旨を、直ちに、告示しなければならない。

（本部の組織）

第五条 本部の長は、復興対策本部長（以下「本部長」という。）とし、内閣総理大臣（内閣総理大臣に事故があるときは、そのあらかじめ指名する国務大臣）をもって充てる。

2 本部長は、本部の事務を総括し、所部の職員を指揮監督する。

3 本部に、復興対策副本部長（以下「副本部長」という。）、復興対策本部員（以下「本部員」という。）その他の職員を置く。

4 副本部長は、国務大臣をもって充てる。

5 副本部長は、本部長を助け、本部長に事故があるときは、その職務を代理する。副本部長が二人以上置かれている場合にあっては、あらかじめ本部長が定めた順序で、その職務を代理する。

6 本部員は、次に掲げる者をもって充てる。

一 本部長及び副本部長以外の全ての国務大臣

二 副大臣若しくは大臣政務官又は国務大臣以外の関係行政機関の長のうちから、内閣総理大臣が任命する者

7 副本部長及び本部員以外の本部の職員は、関係行政機関の長又は職員のうちから、内閣総理大臣が任命する。

8 本部に、当該本部の所管区域にあって当該本部長の定めるところにより当該本部の事務の一部を行う組織として、閣議にかけて、復興現地対策本部を置くことができる。この場合においては、地方自治法（昭和二十二年法律第六十七号）第百五十六条第四項の規定は、適用しない。

9 内閣総理大臣は、前項の規定により復興現地対策本部を置いたときは、これを国会に報告しなければならない。

10 前条第二項の規定は、復興現地対策本部について準用する。

11 復興現地対策本部に、復興現地対策本部長及び復興現地対策本部員その他の職員を置く。

12 復興現地対策本部長は、本部長の命を受け、復興現地対策本部の事務を掌理する。

13 復興現地対策本部長及び復興現地対策本部員その他の復興現地対策本部の職員は、副本部長、本部員その他の本部の職員のうちから、本部長が指名する者をもって充てる。

（本部の所掌事務）

第六条 本部は、次に掲げる事務をつかさどる。

一 復興基本方針の案の作成に関すること。

二 所管区域において関係行政機関の長及び関係地方行政機関の長並びに地方公共団体の長その他の執行機関が実施する特定大規模災害からの復興のための施策の総合調整に関すること。

三 復興基本方針に基づく施策の実施の推進に関すること。

四 前三号に掲げるもののほか、法令の規定によりその権限に属する事務

2 本部は、復興基本方針の案を作成しようとするときは、あらかじめ、次条第一項に規定する復興対策委員会の意見を聴かなければならない。

（復興対策委員会の設置等）

第七条 本部に、復興対策委員会を置く。

2 復興対策委員会は、次に掲げる事務をつかさどる。

一 本部長の諮問に応じて、特定大規模災害からの復興に関する重要事項を調査審議し、及びこれに関し必要と認める事項を本部長に建議すること。

二 特定大規模災害からの復興のための施策の実施状況を調査審議し、必要があると認める場合に本部長に意見を述べること。

3 復興対策委員会は、委員長及び委員二十五人以内をもって組織する。

4 委員長及び委員は、関係地方公共団体の長又は優れた識見を有する者のうちから、内閣総理大臣が任命する。

第二節 復興基本方針等

（復興基本方針）

第八条 政府は、特定大規模災害が発生した場合において、当該特定大規模災害からの復興を推進するため特別の必要があると認めるときは、第三条の基本理念にのっとり、復興基本方針を定めなければならない。

2 復興基本方針には、次に掲げる事項を定めるものとする。

一 特定大規模災害からの復興の意義及び目標に関する事項

二 特定大規模災害からの復興のために政府が実施すべき施策に関する基本的な方針

三 特定大規模災害を受けた地域における人口の現状及び将来の見通し、土地利用の基本的方向その他当該特定大規模災害からの復興に関して基本となるべき事項

四 特定大規模災害からの復興のための施策に係る国と地方公共団体との適切な役割分担及び相互の連携協力の確保に関する事項

五 前各号に掲げるもののほか、特定大規模災害からの復興に関し必要な事項

3 内閣総理大臣は、本部が作成した復興基本方針の案について、閣議の決定を求めなければならない。

4 内閣総理大臣は、前項の規定による閣議の決定があったときは、遅滞なく、復興基本方針を公表しなければならない。

5 政府は、情勢の推移により必要が生じた場合には、復興基本方針を変更しなければならない。

6 第三項及び第四項の規定は、前項の規定による復興基本方針の変更について準用する。

（都道府県復興方針）

第九条 特定大規模災害を受けた都道府県の知事は、復興基本方針に即して、当該都道府県の区域に係る当該特定大規模災害からの復興のための施策に関する方針（以下「都道府県復興方針」という。）を定めることができる。

2 都道府県復興方針には、おおむね次に掲げる事項を定めるものとする。

一 特定大規模災害からの復興の目標に関する事項

二 特定大規模災害からの復興のために当該都道府県が実施すべき施策に関する方針

三 当該都道府県における人口の現状及び将来の見通し、土地利用の基本的方向その他当該特定大規模災害からの復興に関して基本となるべき事項

四 前三号に掲げるもののほか、特定大規模災害からの復興に関し必要な事項

3 都道府県知事は、都道府県復興方針に他の地方公共団体と関係がある事項を定めようとするときは、当該事項について、あらかじめ、当該他の地方公共団体の長の意見を聴かなければならない。

4 都道府県知事は、都道府県復興方針を定めたときは、遅滞なく、これを公表するとともに、関係市町村長に通知し、かつ、内閣総理大臣に報告しなければならない。

5 内閣総理大臣は、前項の規定により報告を受けた都道府県復興方針について、必要があると認めるときは、当該都道府県知事に対し、必要な助言又は勧告をすることができる。

6 都道府県知事は、都道府県復興方針の策定のため必要があると認めるときは、関係行政機関の長、関係地方公共団体の長又は関係のある公私の団体に対し、資料の提出その他必要な協力を求めることができる。

7 第三項から前項までの規定は、都道府県復興方針の変更について準用する。

第三章 復興のための特別の措置

第一節 復興計画に係る特別の措置

第一款 復興計画の作成等

（復興計画）

第一〇条 次の各号に掲げる地域のいずれかに該当する地域をその区域とする市町村（以下「特定被災市町村」という。）は、復興基本方針（当該特定被災市町村を包括する都道府県（以下「特定被災都道府県」という。）が都道府県復興方針を定めた場合にあっては、復興基本方針及び当該都道府県復興方針）に即して、内閣府令で定めるところにより、単独で又は特定被災都道府県と共同して、復興計画を作成することができる。

一 特定大規模災害により土地利用の状況が相当程度変化した地域又はこれに隣接し、若しくは近接する地域

二　特定大規模災害の影響により多数の住民が避難し、若しくは住所を移転することを余儀なくされた地域又はこれに隣接し、若しくは近接する地域（前号に掲げる地域を除く。）
三　前二号に掲げる地域と自然、経済、社会、文化その他の地域の特性において密接な関係が認められる地域であって、前二号に掲げる地域の住民の生活の再建を図るための整備を図ることが適切であると認められる地域
四　前三号に掲げる地域のほか、特定大規模災害を受けた地域であって、市街地の円滑かつ迅速な復興を図ることが必要であると認められる地域

2　復興計画には、次に掲げる事項を記載するものとする。
一　復興計画の区域（以下「計画区域」という。）
二　復興計画の目標
三　当該特定被災市町村における人口の現状及び将来の見通し、計画区域における土地利用に関する基本方針（土地の用途の概要その他内閣府令で定める事項を記載したものをいう。以下「土地利用方針」という。）その他当該特定大規模災害からの復興に関して基本となるべき事項
四　第二号の目標を達成するために必要な次に掲げる事業（以下「復興整備事業」という。）に係る実施主体、実施区域その他の内閣府令で定める事項
イ　市街地開発事業（都市計画法第四条第七項に規定する市街地開発事業をいう。）
ロ　土地改良事業（土地改良法（昭和二十四年法律第百九十五号）第二条第二項に規定する土地改良事業（同項第一号から第三号まで及び第七号に掲げる事業に限る。）をいう。以下同じ。）
ハ　復興一体事業（第二十一条第一項に規定する復興一体事業をいう。第十五条において同じ。）
ニ　集団移転促進事業（防災のための集団移転促進事業に係る国の財政上の特別措置等に関する法律（昭和四十七年法律第百三十二号。以下「集団移転促進法」という。）第二条第二項に規定する集団移転促進事業をいう。以下同じ。）
ホ　住宅地区改良事業（住宅地区改良法（昭和三十五年法律第八十四号）第二条第一項に規定する住宅地区改良事業をいう。以下同じ。）
ヘ　都市計画法第十一条第一項各号に掲げる施設の整備に関する事業
ト　小規模団地住宅施設整備事業（一団地における五戸以上五十戸未満の集団住宅及びこれらに附帯する通路その他の施設の整備に関する事業をいう。第十八条の二において同じ。）
チ　津波防護施設（津波防災地域づくりに関する法律（平成二十三年法律第百二十三号）第二条第十項に規定する津波防護施設をいう。）の整備に関する事業
リ　漁港漁場整備事業（漁港及び漁場の整備等に関する法律（昭和二十五年法律第百三十七号）第四条第一項に規定する漁港漁場整備事業をいう。以下同じ。）
ヌ　保安施設事業（森林法（昭和二十六年法律第二百四十九号）第四十一条第三項に規定する保安施設事業をいう。）
ル　液状化対策事業（地盤の液状化により被害を受けた市街地の土地において再度災害を防止し、又は軽減するために施行する事業をいう。）
ヲ　造成宅地滑動崩落対策事業（地盤の滑動又は崩落により被害を受けた造成宅地（宅地造成に関する工事が施行された宅地をいう。）において、再度災害を防止するために施行する事業をいう。）
ワ　地籍調査事業（地籍調査（国土調査法（昭和二十六年法律第百八十号）第二条第五項に規定する地籍調査をいう。以下同じ。）を行う事業をいう。）
カ　イからワまでに掲げるもののほか、住宅施設、水産物加工施設その他の地域の円滑かつ迅速な復興を図るために必要となる施設の整備に関する事業
五　復興整備事業と一体となってその効果を増大させるために必要な事業又は事務その他の地域住民の生活及び地域経済の再建に資する事業又は事務に関する事項
六　復興計画の期間
七　その他復興整備事業の実施に関し必要な事項

3　前項第四号に掲げる事項には、特定被災市町村（当該特定被災市町村が特定被災都道府県と共同して復興計画を作成する場合（以下「共同作成の場合」という。）にあっては、当該特定被災市町村及び特定被災都道府県。以下「特定被災市町村等」という。）が実施する事業に係るものを記載するほか、必要に応じ、特定被災市町村等以外の者が実施する事業に係るものを記載することができる。

4　特定被災市町村等は、復興計画に当該特定被災市町村等以外の者が実施する復興整備事業に係る事項を記載しようとするときは、当該事項について、あらかじめ、その者の同意を得なければならない。

5　特定被災市町村等は、復興計画を作成しようとするときは、あらかじめ、公聴会の開催その他の住民の意見を反映させるために必要な措置を講ずるものとする。

6　特定被災市町村等は、復興計画を作成したときは、遅滞なく、これを公表しなければならない。

7　前三項の規定は、復興計画の変更（内閣府令で定める軽微な変更を除く。）について準用する。

（復興協議会）

第十一条　特定被災市町村等は、復興計画及びその実施に関し必要な事項について協議（第四項各号に掲げる協議を含む。）を行うため、復興協議会（以下「協議会」という。）を組織することができる。

2　協議会は、次に掲げる者をもって構成する。
一　特定被災市町村の長（以下「特定被災市町村長」という。）
二　特定被災都道府県の知事（以下「特定被災都道府県知事」という。）

3　特定被災市町村等は、必要があると認めるときは、前項各号に掲げる者のほか、協議会に、次に掲げる者を構成員として加えることができる。
一　国の関係行政機関の長
二　その他特定被災市町村等が必要と認める者

4　特定被災市町村等は、次の各号に掲げる協議を行う場合には、当該各号に定める者を協議会の構成員として加えるものとする。ただし、やむを得ない事由によりそれらの者を構成員として加えることが困難な場合又は第十六号に掲げる協議にあっては農業委員会等に関する法律（昭和二十六年法律第八十八号）第四十二条第一項の規定による都道府県知事の指定がされていない場合は、この限りでない。
一　次条第一項第一号に定める事項に係る同条第二項の協議　国土の利用及び土地利用に関し学識経験を有する者並びに国土交通大臣
二　次条第一項第二号に定める事項に係る同条第二項の協議　都市計画に関し学識経験を有する者その他の国土交通省令で定める者及び国土交通大臣
三　次条第一項第三号に定める事項（都道府県が定める都市計画（都市計画法第十八条第三項に規定する都市計画に限る。）に係るものに限る。）に係る次条第二項の協議　国土交通大臣
四　次条第一項第五号に定める事項に係る同条第二項の協議　当該事項に関し密接な関係を有する者として農林水産省令で定める者
五　次条第一項第六号に定める事項に係る同条第二項の協議　森林（森林法第二条第一項に規定する森林をいう。以下同じ。）及び林業に関し学識経験を有する者、特定被災市町村等を管轄する森林管理局長並びに農林水産大臣
六　次条第一項第七号に定める事項（森林法第二十六条の二第四項各号のいずれかに該当する保安林（同法第二十五条の二第一項又は第二項の規定により指定された保安林をいう。以下同じ。）の解除に係るものに限る。）に係る次条第二項の協議　農林水産大臣
七　次条第一項第八号に定める事項（一級河川（河川法（昭和三十九年法律第百六十七号）第四条第一項に規定する一級河川をいう。次条第三項第十一号及び第五十一条第一項において同じ。）の河川区域（同法第六条第一項に規定する河川区域をいう。同号において同じ。）に係るものに限る。）に係る次条第二項の協議　国土交通大臣
八　第十三条第一項の協議　農林水産大臣
九　第十三条第五項第一号に掲げる事項に係る同項の協議　国土交通大臣
十　第十三条第五項第二号に掲げる事項に係る同項の協議　環境大臣
十一　第十三条第四項第三号に掲げる事項（都市計画法第五十九条第六項に規定する公共の用に供する施設を管理する者の意見の聴取を要する場合における認可又は承認に関する事項に限る。）に係る第十三条第五項又は第七項の協議　当該公共の用に供する施設を管理する者
十二　第十三条第四項第三号に掲げる事項（都市計画法第五十九条第六項に規定する土地改良事業計画による事業を行う者の意見の聴取を要する場合における認可又は承認に関する事項に限る。）に係る第十三条第五

項又は第七項の協議　当該土地改良事業計画による事業を行う者

十三　第十三条第四項第一号に掲げる事項（都市計画法第三十二条第一項の同意を要する場合における許可に関する事項に限る。）に係る第十三条第七項の協議　同法第三十二条第一項に規定する公共施設の管理者（以下「公共施設管理者」という。）

十四　第十三条第四項第一号に掲げる事項（都市計画法第三十二条第二項の協議を要する場合における許可に関する事項に限る。）に係る第十三条第七項の協議　同法第三十二条第二項に規定する公共施設を管理することとなる者その他同項の政令で定める者

十五　第十三条第四項第四号に掲げる事項に係る同条第七項の協議　農業委員会（農業委員会等に関する法律第三条第一項ただし書又は第五項の規定により農業委員会を置かない市町村にあっては、市町村長。第十三条第八項第五号において同じ。）その他当該事項に関し密接な関係を有する者として農林水産省令で定める者

十六　第十三条第四項第五号に掲げる事項に係る同条第七項の協議　農業委員会等に関する法律第四十三条第一項に規定する都道府県機構（第十三条第八項第六号において単に「都道府県機構」という。）

十七　第十三条第四項第六号に掲げる事項に係る同条第七項の協議　森林及び林業に関し学識経験を有する者

十八　第十六条第四項の規定による会議における協議　土地改良法第八十七条の二第六項に規定する土地改良施設の管理者

十九　第十七条第三項の協議　国土交通大臣

二十　第十八条第三項の協議　国土交通大臣

二十一　第十八条第九項の規定による会議における協議　住宅地区改良法第七条各号に掲げる者及び国土交通大臣

二十二　第十九条第二項の規定による会議における協議　農林水産大臣

二十三　第二十条第二項の協議　国土交通大臣

5　第一項の協議を行うための会議（以下単に「会議」という。）は、特定被災市町村長及び特定被災都道府県知事並びに前二項の規定により加わった者又はこれらの指名する職員をもって構成する。

6　協議会は、会議において協議を行うため必要があると認めるときは、国の行政機関の長、特定被災市町村長及び特定被災都道府県知事その他の執行機関に対して、資料の提供、意見の表明、説明その他必要な協力を求めることができる。

7　特定被災市町村等は、第一項の規定により協議会を組織したときは、遅滞なく、内閣府令で定めるところにより、その旨を公表しなければならない。

8　協議会の構成員は、この法律によりその権限に属させられた協議又は同意を行うに当たっては、復興整備事業の円滑な実施が図られるよう適切な配慮をするものとする。

9　前各項に定めるもののほか、協議会の組織及び運営に関し必要な事項は、協議会が定める。

（土地利用基本計画の変更等に関する特例）

第十二条　第十条第二項第四号に掲げる事項には、復興整備事業の実施に関連して行う次の各号に掲げる変更、指定、廃止、決定、解除又は指定の取消し（第九項において「土地利用基本計画の変更等」という。）に係る当該各号に定める事項を記載することができる。ただし、第一号から第四号まで及び第六号から第八号までに定める事項（第三号に定める事項にあっては都道府県が定める都市計画の決定又は変更に係るものに限り、第八号に定める事項にあっては漁港及び漁場の整備等に関する法律第六条第二項に規定する漁港区域（同条第一項又は第二項の規定により指定された漁港の区域をいう。同号及び第三項第十号において同じ。）の指定、変更又は指定の取消しに係るものに限る。）については、共同作成の場合に限り、記載することができる。

一　土地利用基本計画（国土利用計画法（昭和四十九年法律第九十二号）第九条第一項に規定する土地利用基本計画をいう。）の変更　当該変更に係る同条第二項各号に掲げる地域及び同条第三項に規定する土地利用の調整等に関する事項

二　都市計画区域（都市計画法第四条第二項に規定する都市計画区域であって、同法第五条第四項に規定する都市計画区域を除く。以下この号において同じ。）の指定、変更又は廃止　当該指定、変更又は廃止に係る都市計画区域の名称及び区域

三　都市計画（国土交通大臣が定める都市計画を除く。以下この条において同じ。）の決定又は変更　当該決定又は変更に係る都市計画に定めるべき事項

四　農業振興地域（農業振興地域の整備に関する法律（昭和四十四年法律第五十八号）第六条第一項に規定する農業振興地域をいう。以下この号において同じ。）の変更　当該変更に係る農業振興地域の区域

五　農用地利用計画（農業振興地域の整備に関する法律第八条第四項に規定する農用地利用計画をいう。）の変更　当該変更に係る農用地区域（同条第二項第一号に規定する農用地区域をいう。以下同じ。）及びその区域内にある土地の農業上の用途区分

六　地域森林計画区域（森林法第五条第一項の規定によりたてられた地域森林計画の対象とする森林の区域をいう。）の変更　当該変更に係る森林の区域

七　保安林の指定又は解除　その保安林の所在場所及び指定の目的並びに保安林の指定に係る事項を記載しようとする場合にあっては指定施業要件（森林法第三十三条第一項に規定する指定施業要件をいう。）

八　漁港区域の指定、変更又は指定の取消し　当該指定、変更又は指定の取消しに係る漁港の名称及び区域

2　特定被災市町村等は、協議会が組織されている場合において、復興計画に前項各号に定める事項を記載しようとするときは、当該事項について、農林水産省令・国土交通省令で定めるところにより、会議における協議をするとともに、同項各号に定める事項が次の各号に掲げる事項であるときは、それぞれ当該各号に定める者の同意を得なければならない。ただし、内閣府令で定める理由により会議における協議が困難な場合（以下単に「会議における協議が困難な場合」という。）は、この限りでない。

一　前項第二号に定める事項　国土交通大臣

二　前項第三号に定める事項（都道府県が定める都市計画（都市計画法第十八条第三項に規定する都市計画に限る。）の決定又は変更に係るものに限る。）　国土交通大臣

三　前項第五号に定める事項　特定被災都道府県知事（共同作成の場合を除く。）

四　前項第七号に定める事項（森林法第二十六条の二第四項第一号に該当する保安林又は同項第二号に該当する保安林（同法第二十五条第一項第一号から第三号までに掲げる目的を達成するため指定されたものに限る。次項第八号において同じ。）の解除に係るものに限る。）　農林水産大臣

3　特定被災市町村等は、協議会が組織されていない場合又は会議における協議が困難な場合において、復興計画に次の各号に掲げる事項を記載しようとするときは、当該事項について、内閣府令・農林水産省令・国土交通省令で定めるところにより、あらかじめ、それぞれ当該各号に定める手続を経なければならない。

一　第一項第一号に定める事項　国土利用計画法第三十八条第一項に規定する審議会等の意見を聴くこと及び内閣総理大臣を経由して国土交通大臣の意見を聴くこと。

二　第一項第二号に定める事項　都道府県都市計画審議会の意見を聴くこと及び内閣総理大臣を経由して国土交通大臣に協議をし、その同意を得ること。

三　第一項第三号に定める事項（都道府県が定める都市計画（都市計画法第十八条第三項に規定する都市計画に限る。）の決定又は変更に係るものに限る。）　内閣総理大臣を経由して国土交通大臣に協議をし、その同意を得ること。

四　第一項第三号に定める事項（市町村が定める都市計画（都市計画法第十九条第三項に規定する都市計画に限る。）の決定又は変更に係るものに限る。）　特定被災都道府県知事に協議をすること（共同作成の場合を除く。）。

五　第一項第五号に定める事項　特定被災都道府県知事の同意を得ること（共同作成の場合を除く。）及び当該事項に関し密接な関係を有する者として農林水産省令で定める者の意見を聴くこと。

六　第一項第六号に定める事項　都道府県森林審議会及び特定被災市町村等を管轄する森林管理局長の意見を聴くこと並びに内閣総理大臣を経由して農林水産大臣に協議をすること。

七　第一項第七号に定める事項（海岸保全区域（海岸法（昭和三十一年法律第百一号）第三条の規定により指定された海岸保全区域をいう。以下同じ。）内の森林を保安林として指定する場合に限る。）　当該海岸保全

区域を管理する海岸管理者（同法第二条第三項に規定する海岸管理者をいう。以下同じ。）に協議をすること。

八　第一項第七号に定める事項（森林法第二十六条の二第四項第一号に該当する保安林又は同項第二号に該当する保安林の解除に係るものに限る。）　内閣総理大臣を経由して農林水産大臣に協議をし、その同意を得ること。

九　第一項第七号に定める事項（森林法第二十六条の二第四項第二号に該当する保安林（同法第二十五条第一項第四号から第十一号までに掲げる目的を達成するため指定されたものに限る。）の解除に係るものに限る。）　内閣総理大臣を経由して農林水産大臣に協議をすること。

十　第一項第八号に定める事項（漁港及び漁場の整備等に関する法律第六条第一項に規定する漁港区域に係るものに限る。）　特定被災都道府県の意見を聴くこと（共同作成の場合を除く。）。

十一　第一項第八号に定める事項（河川法第三条第一項に規定する河川に係る河川区域に係るもの又は海岸保全区域に係るものに限る。）　当該河川を管理する河川管理者（同法第七条（同法第百条第一項において準用する場合を含む。）に規定する河川管理者（同法第九条第二項又は第五項の規定により都道府県知事又は指定都市（地方自治法第二百五十二条の十九第一項に規定する指定都市をいう。第三十九条において同じ。）の長が指定区間（河川法第九条第二項に規定する指定区間をいう。第五十一条第一項において同じ。）内の一級河川の管理の一部を行う場合にあっては、当該都道府県知事又は当該指定都市の長）をいう。以下同じ。）又は当該海岸保全区域を管理する海岸管理者に協議をすること。

4　特定被災市町村等は、復興計画に第一項第三号又は第五号から第七号までのいずれかに定める事項を記載しようとするときは、当該事項について、農林水産省令・国土交通省令で定めるところにより、あらかじめ、その旨を公告し、当該事項の案を、当該事項を復興計画に記載しようとする理由を記載した書面を添えて、当該公告の日から二週間公衆の縦覧に供しなければならない。

5　前項の規定による公告があったときは、特定被災市町村の住民及び利害関係人は、同項の縦覧期間満了の日までに、縦覧に供された当該事項の案について、特定被災市町村等に、意見書を提出することができる。

6　特定被災市町村等は、前項の規定により提出された意見書（第一項第六号に掲げる事項に係るものに限る。）の要旨を、第二項の協議をするときは協議会に、第三項に規定する手続（同項第六号に定める手続に限る。）を経るときは都道府県森林審議会に、それぞれ提出しなければならない。

7　特定被災市町村等は、復興計画に第一項第三号に定める事項を記載しようとするときは、国土交通省令で定めるところにより、あらかじめ、次の各号に掲げる事項ごとに、それぞれ当該各号に定める者に第五項の規定により提出された意見書（当該事項に係るものに限る。）の要旨を提出し、当該事項について、それぞれ当該各号に定める者に付議し、その議を経なければならない。

一　第一項第三号に定める事項（都道府県が定める都市計画の決定又は変更に係るものに限る。）　都道府県都市計画審議会

二　第一項第三号に定める事項（市町村が定める都市計画の決定又は変更に係るものに限る。）　市町村都市計画審議会（当該特定被災市町村に市町村都市計画審議会が置かれていないときは、特定被災都道府県の都道府県都市計画審議会。第十八条第五項第一号において同じ。）

8　復興計画に第一項第三号に定める事項を記載しようとするときの手続については、この法律に定めるもののほか、都市計画法（同法第十六条第一項並びに第十七条第一項及び第二項、第十八条第一項から第三項まで並びに第十九条第一項及び第二項（これらの規定を同法第二十一条第二項において準用する場合を含む。）を除く。）その他の法令の規定による都市計画の決定又は変更に係る手続の例による。

9　第一項各号に定める事項が記載された復興計画が第十条第六項の規定により公表されたときは、当該公表の日に当該事項に係る土地利用基本計画の変更等がされたものとみなす。

（復興整備事業に係る許認可等の特例）

第一三条　特定被災市町村等は、協議会が組織されている場合において、復興計画に、当該土地利用方針に沿って復興整備事業を実施した場合には計画区域において四ヘクタールを超える農地（耕作（農地法（昭和二十七年法律第二百二十九号）第四十三条第一項の規定により耕作に該当するものとみなされる農作物の栽培を含む。）の目的に供される土地をいう。以下同じ。）を農地以外のものにすることとなることが明らかである土地利用方針を記載しようとするときは、当該土地利用方針について、農林水産省令で定めるところにより、会議における協議をするとともに、農林水産大臣の同意を得なければならない。ただし、会議における協議が困難な場合は、この限りでない。

2　特定被災市町村等は、協議会が組織されていない場合又は会議における協議が困難な場合において、前項に規定する土地利用方針を記載しようとするときは、当該土地利用方針について、内閣府令・農林水産省令で定めるところにより、あらかじめ、内閣総理大臣を経由して農林水産大臣に協議をし、その同意を得なければならない。

3　農林水産大臣は、前二項の協議に係る土地利用方針が次に掲げる要件に該当するものであると認めるときは、これらの規定の同意をするものとする。

一　第十条第一項第一号に掲げる地域をその区域とする特定被災市町村等が作成する復興計画に係るものであること。

二　特定被災市町村の復興のため必要かつ適当であると認められること。

三　特定被災市町村の農業の健全な発展に支障を及ぼすおそれがないと認められること。

4　第十条第二項第四号に掲げる事項には、復興整備事業の実施に係る次に掲げる事項（復興計画に第一項に規定する土地利用方針を記載する場合にあっては、第四号に掲げる事項を除く。）を記載することができる。

一　都市計画法第二十九条第一項又は第二項の許可に関する事項

二　都市計画法第四十三条第一項の許可に関する事項

三　都市計画法第五十九条第一項から第四項までの認可又は承認に関する事項

四　農地法第四条第一項又は第五条第一項の許可に関する事項

五　農業振興地域の整備に関する法律第十五条の二第一項の許可に関する事項

六　森林法第十条の二第一項の許可に関する事項

七　森林法第三十四条第一項又は第二項の許可に関する事項

八　自然公園法（昭和三十二年法律第百六十一号）第二十条第三項の許可又は同法第三十三条第一項の届出に関する事項

九　漁港及び漁場の整備等に関する法律第三十九条第一項の許可に関する事項（特定被災都道府県が管理する漁港に係るものに限る。）

十　港湾法（昭和二十五年法律第二百十八号）第三十七条第一項の許可若しくは同条第三項の規定により読み替えて適用する同条第一項の協議又は同法第三十八条の二第一項の規定による届出若しくは同条第九項の規定による通知に関する事項（特定被災都道府県が管理する港湾に係るものに限る。）

5　特定被災市町村等は、協議会が組織されている場合において、復興計画に次の各号に掲げる事項を記載しようとするときは、当該事項について、国土交通省令・環境省令で定めるところにより、会議における協議をするとともに、それぞれ当該各号に定める者の同意を得なければならない。ただし、会議における協議が困難な場合は、この限りでない。

一　前項第三号に掲げる事項（都市計画法第五十九条第一項から第三項までの国土交通大臣の認可又は承認に関する事項に限る。）　国土交通大臣

二　前項第八号に掲げる事項（国立公園（自然公園法第二条第二号に規定する国立公園をいう。）に係る許可又は届出に関する事項に限る。）　環境大臣

6　特定被災市町村等は、協議会が組織されていない場合又は会議における協議が困難な場合において、復興計画に前項各号に掲げる事項を記載しようとするときは、当該事項について、内閣府令・国土交通省令・環境省令で定めるところにより、あらかじめ、内閣総理大臣を経由して、それぞれ同項各号に定める者に協議をし、その同意を得なければならない。この場合において、同項第一号に掲げる事項が第八項第三号又は第四号に掲げる事項であるときは、あらかじめ、それぞれ当該各号に定める者に協議をしなければならない。

7　特定被災市町村等は、協議会が組織されている場合において、復興計画に第四項各号に掲げる事項（第五項各号に掲げる事項を除く。）を記載しようとするときは、当該事項について、農林水産省令・国土交通省令・環境省令で定めるところにより、会議における協議をするとともに、特定被災都道府県知事（次項第一号に掲げる事項にあっては、特定被災都道府県知事及び公共施設管理者）の同意を得なければならない。ただし、会議に

おける協議が困難な場合は、この限りでない。

8 特定被災市町村等は、協議会が組織されていない場合又は会議における協議が困難な場合において、復興計画に前項に規定する事項を記載しようとするときは、当該事項について、農林水産省令・国土交通省令・環境省令で定めるところにより、あらかじめ、特定被災都道府県知事（次の各号に掲げる事項にあっては、特定被災都道府県知事及びそれぞれ当該各号に定める者）に協議をし、特定被災都道府県知事（第一号に掲げる事項にあっては、特定被災都道府県知事及び公共施設管理者）の同意を得なければならない。ただし、第六号に掲げる事項にあっては、農業委員会等に関する法律第四十二条第一項の規定による都道府県知事の指定がされていない場合における同号に定める者への協議については、この限りでない。

一 第四項第一号に掲げる事項（都市計画法第三十二条第一項の同意を要する場合における許可に関する事項に限る。） 公共施設管理者

二 第四項第一号に掲げる事項（都市計画法第三十二条第二項の協議を要する場合における許可に関する事項に限る。） 同条第二項に規定する公共施設を管理することとなる者その他同項の政令で定める者

三 第四項第三号に掲げる事項（都市計画法第五十九条第六項に規定する公共の用に供する施設を管理する者の意見の聴取を要する場合における認可又は承認に関する事項に限る。） 当該公共の用に供する施設を管理する者

四 第四項第三号に掲げる事項（都市計画法第五十九条第六項に規定する土地改良事業計画による事業を行う者の意見の聴取を要する場合における認可又は承認に関する事項に限る。） 当該土地改良事業計画による事業を行う者

五 第四項第四号に掲げる事項 農業委員会その他当該事項に関し密接な関係を有する者として農林水産省令で定める者

六 第四項第五号に掲げる事項 都道府県機構

七 第四項第六号に掲げる事項 都道府県森林審議会

9 共同作成の場合において特定被災市町村が復興計画に第七項に規定する事項を記載しようとするとき、特定被災市町村が都市計画法第二十九条第一項に規定する指定都市等である場合において復興計画に第四項第一号若しくは第二号に掲げる事項を記載しようとするとき、又は特定被災市町村等が公共施設管理者である場合において復興計画に同項第一号に掲げる事項を記載しようとするときは、これらの事項について前二項の同意を得ることを要しない。

10 特定被災都道府県知事は、第七項又は第八項の協議に係る第四項第一号に掲げる事項が都市計画法第三十三条（当該事項が市街化調整区域（同法第七条第一項に規定する市街化調整区域をいう。以下同じ。）内において行う開発行為（同法第四条第十二項に規定する開発行為をいう。）に係る許可に関する事項である場合においては、同法第三十三条及び第三十四条）に規定する基準に適合するものであると認めるときは、第七項又は第八項の同意をするものとする。

11 特定被災都道府県知事は、第七項又は第八項の協議に係る第四項第二号に掲げる事項が都市計画法第三十三条及び第三十四条に規定する基準の例に準じて国土交通省令で定める基準に適合するものであると認めるときは、第七項又は第八項の同意をするものとする。

12 特定被災都道府県知事は、第七項又は第八項の協議に係る第四項第一号又は第二号に掲げる事項に係る復興整備事業が、第十条第一項第一号若しくは第二号に掲げる地域の円滑かつ迅速な復興又はこれらの地域の住民の生活の再建を図るため同項第一号から第三号までに掲げる地域内の市街化調整区域において実施することが必要であると認められる場合においては、前二項の規定にかかわらず、第四項第一号に掲げる事項にあっては都市計画法第三十三条に規定する基準に、同項第二号に掲げる事項にあっては当該基準の例に準じて国土交通省令で定める基準に適合するものであると認めるときは、第七項又は第八項の同意をするものとする。

13 前三項の規定は、特定被災市町村等が、第九項の規定により同意を得ないで復興計画に第四項第一号又は第二号に掲げる事項を記載する場合について準用する。この場合において、前三項中「第七項又は第八項の同意をするものとする」とあるのは、「復興計画に記載することができる」と読み替えるものとする。

14 特定被災都道府県知事は、第七項又は第八項の協議に係る第四項第四号又は第五号に掲げる事項が次に掲げる要件に該当するものであると認めるときは、第七項又は第八項の同意をするものとする。

一 第十条第一項第一号に掲げる地域をその区域とする特定被災市町村等が作成する復興計画に係るものであること。

二 特定被災市町村の復興のため必要かつ適当であると認められること。

三 特定被災市町村の農業の健全な発展に支障を及ぼすおそれがないと認められること。

第一四条 前条第一項又は第二項の同意を得た土地利用方針に係る復興整備事業に関する事項（当該復興整備事業を実施するため、農地を農地以外のものにし、又は農地を農地以外のものにするため当該農地について所有権若しくは使用及び収益を目的とする権利を取得するに当たり、農地法第四条第一項又は第五条第一項の許可を受けなければならないものに係るものに限る。）が記載された復興計画が第十条第六項の規定により公表されたときは、当該公表の日に当該復興整備事業に係る同法第四条第一項又は第五条第一項の規定により許可を受けるべき者に対するこれらの許可があったものとみなす。

2 次の表の上欄に掲げる事項が記載された復興計画が第十条第六項の規定により公表されたときは、当該公表の日に当該事項に係る復興整備事業の実施主体に対する同表の下欄に掲げる許可、認可又は承認があったものとみなす。

上欄	下欄
前条第四項第一号に掲げる事項	都市計画法第二十九条第一項又は第二項の許可
前条第四項第二号に掲げる事項	都市計画法第四十三条第一項の許可
前条第四項第三号に掲げる事項	都市計画法第五十九条第一項から第四項までの認可又は承認
前条第四項第五号に掲げる事項	農業振興地域の整備に関する法律第十五条の二第一項の許可
前条第四項第六号に掲げる事項	森林法第十条の二第一項の許可
前条第四項第七号に掲げる事項	森林法第三十四条第一項又は第二項の許可
前条第四項第八号に掲げる事項（自然公園法第二十条第三項の許可に係るものに限る。）	自然公園法第二十条第三項の許可
前条第四項第九号に掲げる事項	漁港及び漁場の整備等に関する法律第三十九条第一項の許可
前条第四項第十号に掲げる事項（港湾法第三十七条第一項の許可に係るものに限る。）	港湾法第三十七条第一項の許可

3 前条第四項第四号に掲げる事項が記載された復興計画が第十条第六項の規定により公表されたときは、当該公表の日に当該事項に係る農地法第四条第一項又は第五条第一項の規定により許可を受けるべき者に対するこれらの許可があったものとみなす。

4 前条第四項第八号に掲げる事項（自然公園法第三十三条第一項の届出に係るものに限る。）が記載された復興計画が第十条第六項の規定により公表されたときは、当該事項に係る復興整備事業については、同法第三十三条第一項及び第二項の規定は、適用しない。

5 前条第四項第十号に掲げる事項（港湾法第三十七条第三項の規定により読み替えて適用する同条第一項の協議に係るものに限る。）が記載された復興計画が第十条第六項の規定により公表されたときは、同法第三十七条第三項の規定により読み替えて適用する同条第一項の協議があったものとみなす。

6 前条第四項第十号に掲げる事項（港湾法第三十八条の二第一項の規定による届出又は同条第九項の規定による通知に係るものに限る。）が記載された復興計画が第十条第六項の規定により公表されたときは、同法第三十八条の二第一項の規定による届出又は同条第九項の規定による通知があったものとみなす。

（土地区画整理事業等の特例）

第一五条　第十条第二項第四号イ又はハに掲げる事項には、同条第一項第一号から第三号までに掲げる地域内の市街化調整区域をその施行地区（土地区画整理法（昭和二十九年法律第百十九号）第二条第四項に規定する施行地区又は第二十一条第二項第一号に規定する施行地区をいう。）に含む土地区画整理事業（同法第二条第一項に規定する土地区画整理事業をいう。以下同じ。）又は復興一体事業に関する事項を記載することができる。

2　前項の規定により復興計画に記載された土地区画整理事業（土地区画整理法第三条第四項の規定により施行するものに限る。）又は復興一体事業に係る都市計画法第十三条第一項第十三号の規定の適用については、同号中「市街地開発事業は、市街化区域又は区域区分が定められていない都市計画区域内において」とあるのは、「大規模災害からの復興に関する法律（平成二十五年法律第五十五号）第十五条第一項の規定により同法第十条第一項に規定する復興計画に記載された土地区画整理事業又は同法第二十一条第一項に規定する復興一体事業に係る土地区画整理事業は」とする。

（土地改良事業の特例）

第一六条　特定被災都道府県は、復興計画に記載された土地改良事業（政令で定める要件に適合するものに限る。以下この条において同じ。）を行うことができる。

2　前項の規定により行う土地改良事業は、土地改良法第八十七条の二第一項の規定により行うことができる同項第二号に掲げる土地改良事業とみなす。この場合において、同条第十項及び同法第八十八条第二項の規定の適用については、同法第八十七条の二第十項中「第五条第六項及び第七項、第七条第三項」とあるのは「第五条第四項から第七項まで、第七条第三項及び第四項」と、「同条第五項」とあるのは「同条第四項」と、同法第八十八条第二項中「第八十五条第一項、第八十五条の二第一項若しくは第八十五条の三第六項の規定による申請に基づいて行う農用地造成事業等」とあるのは「農用地造成事業等」と、「これらの規定による申請に基づいて行う土地改良事業」とあるのは「土地改良事業」とする。

3　共同作成の場合には、第十条第二項第四号ロに掲げる事項に、特定被災都道府県が復興整備事業として行う土地改良事業に関する事項（土地改良法第五条第四項から第七項まで、第七条第三項及び第四項、第八条第二項及び第三項、第八十七条第三項及び第四項並びに第八十七条の二第三項から第五項までの規定に準じて記載するものに限る。）を記載することができる。

4　特定被災市町村等は、復興計画に前項に規定する土地改良事業に関する事項を記載しようとするときは、当該事項について、農林水産省令で定めるところにより、協議会が組織されている場合（会議における協議が困難な場合を除く。）にあっては会議における協議をし、協議会が組織されていない場合又は会議における協議が困難な場合にあっては、あらかじめ、土地改良法第八十七条の二第六項に規定する土地改良施設の管理者に協議をしなければならない。

5　第三項に規定する土地改良事業に関する事項が記載された復興計画が第十条第六項の規定により公表されたときは、当該公表の日に当該事項に係る土地改良法第八十七条の二第一項の土地改良事業計画が定められたものとみなす。

（集団移転促進事業の特例）

第一七条　特定被災都道府県は、特定被災市町村から特定集団移転促進事業（復興計画に記載された集団移転促進事業をいう。以下この条において同じ。）に係る集団移転促進事業計画（集団移転促進法第三条第一項に規定する集団移転促進事業計画をいう。以下この条において同じ。）を定めることが困難である旨の申出を受けた場合においては、当該申出に係る集団移転促進事業計画を定めることができる。この場合における集団移転促進法第三条第一項、第四項及び第七項並びに第四条（見出しを含む。）の規定の適用については、これらの規定中「市町村」とあるのは「都道府県」と、集団移転促進法第三条第一項中「集団移転促進事業を実施しようとするときは、」とあるのは「大規模災害からの復興に関する法律（平成二十五年法律第五十五号）第十七条第一項の規定により同項の申出に係る」と、「定めなければならない。この場合においては」とあるのは「定める場合においては」と、同条第四項中「第一項後段」とあるのは「第一項」と、「都道府県知事を経由して、集団移転促進事業計画を」とあるのは「集団移転促進事業計画を」と、「当該都道府県知事は、当該集団移転促進事業計画についてその意見を国土交通大臣に申し出ることができる」とあるのは「当該都道府県は、当該集団移転促進事業計画について、あらかじめ、関係市町村の意見を聴かなければならない」と、同条第七項中「都道府県知事を経由して、国土交通大臣に」とあるのは「国土交通大臣に」とし、同条第八項の規定は、適用しない。

2　第十条第二項第四号ニに掲げる事項には、集団移転促進事業に関する事項（集団移転促進法第三条第二項各号に掲げる事項を併せて記載するものに限る。）を記載することができる。

3　特定被災市町村等は、協議会が組織されている場合において、復興計画に前項に規定する集団移転促進事業に関する事項を記載しようとするときは、当該事項について、国土交通省令で定めるところにより、会議における協議をするとともに、国土交通大臣の同意を得なければならない。ただし、会議における協議が困難な場合は、この限りでない。

4　特定被災市町村等は、協議会が組織されていない場合又は会議における協議が困難な場合において、復興計画に第二項に規定する集団移転促進事業に関する事項を記載しようとするときは、当該事項について、内閣府令・国土交通省令で定めるところにより、あらかじめ、内閣総理大臣を経由して国土交通大臣に協議をし、その同意を得なければならない。

5　前項の規定により特定被災市町村が第二項に規定する集団移転促進事業に関する事項について国土交通大臣に協議をしようとするときは、あらかじめ、当該事項を特定被災都道府県知事に通知しなければならない。この場合において、通知を受けた特定被災都道府県知事は、当該事項を復興計画に記載することについて、その意見を国土交通大臣に申し出ることができる。

6　国土交通大臣は、第三項又は第四項の同意をしようとするときは、あらかじめ、関係行政機関の長に協議をしなければならない。

7　第二項に規定する集団移転促進事業に関する事項が記載された復興計画が第十条第六項の規定により公表されたときは、当該公表の日に当該事項に係る集団移転促進事業計画が集団移転促進法第三条第一項の規定により同項の同意を得て定められたものとみなす。

8　前各項に定めるもののほか、特定集団移転促進事業の実施に関し必要な事項は、政令で定める。

（住宅地区改良事業の特例）

第一八条　第十条第二項第四号ホに掲げる事項には、住宅地区改良法第四条第二項の申出に係る地区（以下「申出地区」という。）に関する事項を記載することができる。

2　申出地区に関する事項のうち、特定被災都道府県が実施主体となる住宅地区改良事業に関する事項については、共同作成の場合に限り、記載することができるものとする。

3　特定被災市町村等は、協議会が組織されている場合において、復興計画に第一項に規定する申出地区に関する事項を記載しようとするときは、当該事項について、国土交通省令で定めるところにより、会議における協議をするとともに、国土交通大臣の同意を得なければならない。ただし、会議における協議が困難な場合には、この限りでない。

4　特定被災市町村等は、協議会が組織されていない場合又は会議における協議が困難な場合において、復興計画に第一項に規定する申出地区に関する事項を記載しようとするときは、当該事項について、内閣府令・国土交通省令で定めるところにより、あらかじめ、内閣総理大臣を経由して国土交通大臣に協議をし、その同意を得なければならない。

5　特定被災市町村等は、復興計画に次の各号に掲げる事項を記載しようとするときは、当該事項について、国土交通省令で定めるところにより、あらかじめ、それぞれ当該各号に定める手続を経なければならない。

一　都市計画区域（都市計画法第四条第二項に規定する都市計画区域をいう。次号において同じ。）内において市町村が施行する住宅地区改良事業に係る申出地区に関する事項　市町村都市計画審議会の議を経ること。

二　都市計画区域内において都道府県が施行する住宅地区改良事業に係る申出地区に関する事項　都道府県都市計画審議会の議を経ること。

6　国土交通大臣は、第三項又は第四項の同意をしようとするときは、あらかじめ、厚生労働大臣に協議をしなければならない。

7　第一項に規定する申出地区に関する事項が記載された復興計画が第十条第六項の規定により公表されたときは、当該公表の日に当該事項に係る住宅地区改良法第四条第一項の規定による改良地区の指定があったものとみなす。

8　第十条第二項第四号ホに掲げる事項には、住宅地区改良事業に関する事項（住宅地区改良法第六条第二項各号及び第三項各号に掲げる事項を併せて記載するものに限る。）を記載することができる。ただし、特定被災都道府県が実施主体となる住宅地区改良事業に関する事項については、共同作成の場合に限り、記載することができる。

9　特定被災市町村等は、復興計画に前項に規定する住宅地区改良事業に関する事項を記載しようとするときは、当該事項について、協議会が組織されている場合（会議における協議が困難な場合を除く。）にあっては、国土交通省令で定めるところにより、会議における協議をし、協議会が組織されていない場合又は会議における協議が困難な場合にあっては、内閣府令・国土交通省令で定めるところにより、あらかじめ、住宅地区改良法第七条各号に掲げる者に協議をし、及び内閣総理大臣を経由して国土交通大臣に協議をしなければならない。

10　第八項に規定する住宅地区改良事業に関する事項が記載された復興計画が第十条第六項の規定により公表されたときは、当該公表の日に当該事項に係る住宅地区改良法第五条第一項の事業計画が定められたものとみなす。

（小規模団地住宅施設整備事業の特例）

第一八条の二　復興計画に記載された小規模団地住宅施設整備事業に係る一団地における集団住宅及びこれらに附帯する通路その他の施設については、都市計画法第十一条第一項第八号に規定する一団地の住宅施設とみなす。

（漁港漁場整備事業の特例）

第一九条　第十条第二項第四号リに掲げる事項には、漁港漁場整備事業に関する事項（農林水産省令で定める要件に該当する漁港漁場整備事業（漁港及び漁場の整備等に関する法律第十九条の三第一項に規定する特定第三種漁港に係るものを除く。）に係るものであり、かつ、同法第十七条第二項に規定する事項を併せて記載するものに限る。）を記載することができる。

2　特定被災市町村等は、復興計画に前項に規定する漁港漁場整備事業に関する事項を記載しようとするときは、当該事項について、協議会が組織されている場合（会議における協議が困難な場合を除く。）にあっては、農林水産省令で定めるところにより、会議における協議をするとともに、農林水産大臣の同意を得、協議会が組織されていない場合又は会議における協議が困難な場合にあっては、内閣府令・農林水産省令で定めるところにより、あらかじめ、内閣総理大臣を経由して農林水産大臣に協議をし、その同意を得なければならない。

3　特定被災市町村は、前項の規定により第一項に規定する漁港漁場整備事業に関する事項について農林水産大臣に協議をしようとするときは、あらかじめ、特定被災都道府県知事に協議をしなければならない。

4　第一項に規定する漁港漁場整備事業に関する事項が記載された復興計画が第十条第六項の規定により公表されたときは、当該公表の日に当該事項に係る漁港及び漁場の整備等に関する法律第十七条第一項の特定漁港漁場整備事業計画が定められ、かつ、当該計画について、同項の規定による届出及び公表がされたものとみなす。この場合において、同条第七項から第九項までの規定は、適用しない。

（地籍調査事業の特例）

第二〇条　第十条第二項第四号ワに掲げる事項には、国土交通省が行う地籍調査（国土調査法第六条の三第二項の規定により同項の事業計画に定められるものに限る。以下同じ。）に関する事項を記載することができる。

2　特定被災市町村等は、協議会が組織されている場合において、復興計画に前項に規定する国土交通省が行う地籍調査に関する事項を記載しようとするときは、当該事項について、国土交通省令で定めるところにより、会議における協議をするとともに、国土交通大臣の同意を得なければならない。ただし、会議における協議が困難な場合は、この限りでない。

3　特定被災市町村等は、協議会が組織されていない場合又は会議における協議が困難な場合において、復興計画に第一項に規定する国土交通省が行う地籍調査に関する事項を記載しようとするときは、当該事項について、内閣府令・国土交通省令で定めるところにより、あらかじめ、内閣総理大臣を経由して国土交通大臣に協議をし、その同意を得なければならない。

4　特定被災市町村は、前二項の規定により、第一項に規定する国土交通省が行う地籍調査に関する事項について、会議における協議をし、又は国土交通大臣に協議をしようとするときは、あらかじめ、特定被災都道府県知事に協議をし、その同意を得なければならない。

5　国土交通大臣は、第二項又は第三項の協議に係る地籍調査が次に掲げる要件に該当し、かつ、当該地籍調査を行うことがその事務の遂行に支障がないと認めるときは、第二項又は第三項の同意をするものとする。

一　特定被災市町村等の復興の円滑かつ迅速な推進を図るために必要であると認められること。

二　特定被災市町村等における地籍調査の実施体制その他の地域の実情を勘案して特定被災市町村等が行うことが困難であると認められること。

6　第一項に規定する国土交通省が行う地籍調査に関する事項が記載された復興計画が第十条第六項の規定により公表されたときは、国土交通省が当該地籍調査を行うものとする。この場合における国土調査法第三条第二項、第七条及び第四章から第六章までの規定の適用については、国土交通省が行う地籍調査を同法第二条第一項に規定する国土調査とみなし、同法第六条の三第四項、第六条の四、第三十二条及び第三十二条の二の規定の適用については、同法第六条の三第四項中「第九条の二第二項」とあるのは「第九条の二第二項及び大規模災害からの復興に関する法律（平成二十五年法律第五十五号）第二十条第八項」と、同法第六条の四中「都道府県、市町村又は土地改良区等」とあり、同法第三十二条中「地方公共団体（第十条第二項の規定により地籍調査の実施を委託された法人が地籍調査を実施する場合にあっては、当該法人）又は土地改良区等」とあり、及び同法第三十二条の二第一項中「地方公共団体又は土地改良区等」とあるのは「国土交通省」と、同法第六条の四第二項中「作成して、都道府県にあっては国土交通大臣に、市町村又は土地改良区等にあっては都道府県知事に届け出なければ」とあるのは「作成しなければ」とする。

7　前項に規定する復興計画の区域をその区域に含む特定被災都道府県が国土調査法第六条の三第二項の規定により定める事業計画は、当該復興計画に適合するものでなければならない。

8　第六項の規定により国土交通省が行う地籍調査に要する経費は、国の負担とする。この場合において、同項に規定する復興計画の区域をその区域に含む特定被災都道府県及び特定被災市町村は、政令で定めるところにより、それぞれ当該経費の四分の一を負担する。

第二款　復興一体事業

（事業計画の認定）

第二一条　復興計画に記載された復興一体事業（計画区域内の土地の区域であって特定大規模災害により土地利用の状況が相当程度変化した地域又はこれに隣接し、若しくは近接する地域において、市町村が次に掲げる事業を一体的に施行する事業をいう。以下同じ。）を施行しようとする特定被災市町村は、復興一体事業についての事業計画（以下単に「事業計画」という。）を作成し、農林水産省令・国土交通省令で定めるところにより、これを特定被災都道府県知事に提出して、その事業計画が適当である旨の認定を受けることができる。この場合において、特定被災市町村は、あらかじめ、当該復興一体事業に係る土地区画整理法第五十二条第一項の施行規程を定めなければならない。

一　土地区画整理事業

二　農業用用排水施設、農業用道路その他農用地（農業振興地域の整備に関する法律第三条第一号に規定する農用地をいう。次号及び第二十五条第一項において同じ。）の保全又は利用上必要な施設（第二十四条において「農業用用排水施設等」という。）の新設、管理又は変更

三　客土、暗渠排水その他の農用地の改良又は保全のため必要な事業

2　事業計画には、農林水産省令・国土交通省令で定めるところにより、次に掲げる事項を記載しなければならない。

一　施行地区（施行地区を工区に分ける場合においては、施行地区及び工区。以下この条及び第二十六条において同じ。）

二　復興一体事業の概要

三　事業施行期間

四　資金計画

3　再度災害を防止し、又は軽減することを目的とする復興一体事業の事業計画においては、施行地区内の再度災害の防止又は軽減を図るための措置が講じられた又は講じられる土地の区域における住宅及び公益的施設の建設を促進するため特別な必要があると認められる場合には、農林水産省令・国土交通省令で定めるところにより、当該土地の区域であって、住宅及び公益的施設の用に供すべきもの（以下「復興住宅等建設区」という。）を定めることができる。

4　復興住宅等建設区は、施行地区において再度災害を防止し、又は軽減し、

かつ、住宅及び公益的施設の建設を促進する上で効果的であると認められる位置に定め、その面積は、住宅及び公益的施設が建設される見込みを考慮して相当と認められる規模としなければならない。

5　事業計画においては、環境の整備改善を図り、交通の安全を確保し、災害の発生を防止し、その他健全な市街地を造成するために必要な公共施設（土地区画整理法第二条第五項に規定する公共施設をいう。次項において同じ。）及び宅地（同条第六項に規定する宅地をいう。以下同じ。）に関する計画が適正に定められていなければならない。

6　事業計画は、公共施設その他の施設又は土地区画整理事業に関する都市計画が定められている場合においては、その都市計画に適合して定めなければならない。

7　事業計画の作成について必要な技術的基準は、農林水産省令・国土交通省令で定める。

8　土地区画整理法第五十五条第一項から第六項までの規定は事業計画を作成しようとする場合について、同法第百三十六条の規定は事業計画について第一項の認定をする場合について準用する。

9　特定被災都道府県知事は、第一項の認定をしたときは、遅滞なく、その旨を当該特定被災市町村に通知しなければならない。

10　特定被災市町村が前項の規定による通知を受けた場合においては、特定被災市町村長は、遅滞なく、農林水産省令・国土交通省令で定めるところにより、当該特定被災市町村の名称、事業施行期間、施行地区その他農林水産省令・国土交通省令で定める事項を公告しなければならない。

11　第一項及び第七項から前項までの規定は、第一項の認定を受けた事業計画（この項において準用する第一項の規定による変更の認定があったときは、その変更後のもの。以下「認定事業計画」という。）を変更しようとする場合（農林水産省令・国土交通省令で定める軽微な変更をしようとする場合を除く。）について準用する。

（土地区画整理法の準用）

第二十二条　土地区画整理法第百二十七条（第七号に係る部分に限る。）の規定は、前条第八項（同条第十一項において準用する場合を含む。）において準用する同法第五十五条第四項の規定による通知について準用する。

（土地区画整理事業の認可等の特例）

第二十三条　認定事業計画に係る復興一体事業については、第二十一条第一項の認定を土地区画整理法第五十二条第一項の認可と、当該認定事業計画を同項の規定により定められた事業計画と、第二十一条第十項の規定による公告を同法第五十五条第九項の規定による公告とみなして、同法の規定を適用する。

（農業用用排水施設等の管理）

第二十四条　特定被災市町村は、認定事業計画に係る第二十一条第一項第二号（農業用用排水施設等の管理に係る部分を除く。）又は第三号に掲げる事業の工事が完了した場合において、その事業によって生じた農業用用排水施設等があるときは、その施設を管理しなければならない。

（特定被災都道府県の技術的援助）

第二十五条　特定被災市町村は、認定事業計画に係る第二十一条第一項第二号又は第三号に掲げる事業の工事につき、特定被災都道府県に農用地の改良、開発、保全又は集団化に関し専門的知識を有する職員の必要な援助を求めることができる。

2　特定被災都道府県は、正当の事由がある場合を除いて、前項の規定による請求を拒んではならない。

（復興住宅等建設区への換地の申出等）

第二十六条　第二十一条第三項の規定により認定事業計画において復興住宅等建設区が定められたときは、認定事業計画に記載された施行地区内の住宅又は公益的施設の用に供する宅地の所有者で当該宅地についての換地に住宅又は公益的施設を建設しようとするものは、特定被災市町村に対し、農林水産省令・国土交通省令で定めるところにより、土地区画整理法第八十六条第一項の換地計画（第四項及び次条において単に「換地計画」という。）において当該宅地についての換地を復興住宅等建設区内に定めるべき旨の申出をすることができる。

2　前項の申出に係る宅地について住宅又は公益的施設の所有を目的とする借地権を有する者があるときは、当該申出についてその者の同意がなければならない。

3　第一項の申出は、次に掲げる場合の区分に応じ、当該各号に定める公告があった日から起算して六十日以内に行わなければならない。

一　認定事業計画が定められた場合　第二十一条第十項の規定による公告

二　認定事業計画の変更により新たに復興住宅等建設区が定められた場合　第二十一条第十一項において準用する同条第十項の規定による公告

三　認定事業計画の変更により従前の施行地区外の土地が新たに施行地区に編入されたことに伴い復興住宅等建設区の面積が拡張された場合　第二十一条第十一項において準用する同条第十項の規定による公告

4　特定被災市町村は、第一項の申出があった場合には、遅滞なく、当該申出が次に掲げる要件に該当すると認めるときは、当該申出に係る宅地を、換地計画においてその宅地についての換地を復興住宅等建設区内に定められるべき宅地として指定し、当該申出が次に掲げる要件に該当しないと認めるときは、当該申出に応じない旨を決定しなければならない。

一　当該申出に係る宅地に建築物その他の工作物（住宅及び公益的施設並びに容易に移転し、又は除却することができる工作物で農林水産省令・国土交通省令で定めるものを除く。）が存しないこと。

二　当該申出に係る宅地に地上権、永小作権、賃借権その他の当該宅地を使用し、又は収益することができる権利（住宅又は公益的施設の所有を目的とする借地権及び地役権を除く。）が存しないこと。

5　特定被災市町村は、前項の規定による指定又は決定をしたときは、遅滞なく、第一項の申出をした者に対し、その旨を通知しなければならない。

6　特定被災市町村は、第四項の規定による指定をしたときは、遅滞なく、その旨を公告しなければならない。

（復興住宅等建設区への換地）

第二十七条　前条第四項の規定により指定された宅地については、換地計画において換地を復興住宅等建設区内に定めなければならない。

第三款　復興計画の実施に係る特別の措置

（届出対象区域内における建築等の届出等）

第二十八条　特定被災市町村は、計画区域のうち、復興整備事業の実施区域の全部又は一部の区域を、届出対象区域として指定することができる。

2　特定被災市町村は、前項の規定による指定をするときは、内閣府令で定めるところにより、その旨及びその区域を公示しなければならない。

3　第一項の規定による指定は、前項の規定による公示によってその効力を生ずる。

4　届出対象区域内において、土地の区画形質の変更、建築物その他の工作物の新築、改築又は増築その他政令で定める行為をしようとする者は、当該行為に着手する日の三十日前までに、内閣府令で定めるところにより、行為の種類、場所、設計又は施行方法、着手予定日その他内閣府令で定める事項を特定被災市町村長に届け出なければならない。ただし、次に掲げる行為については、この限りでない。

一　通常の管理行為、軽易な行為その他の行為で政令で定めるもの

二　非常災害のため必要な応急措置として行う行為

三　国又は地方公共団体が行う行為

四　復興整備事業の施行として行う行為

5　前項の規定による届出をした者は、その届出に係る事項のうち内閣府令で定める事項を変更しようとするときは、当該事項の変更に係る行為に着手する日の三十日前までに、内閣府令で定めるところにより、その旨を特定被災市町村長に届け出なければならない。

6　特定被災市町村長は、前二項の規定による届出があった場合において、その届出に係る行為が復興整備事業の実施に支障となるおそれがあると認めるときは、その届出をした者に対し、その届出に係る行為に関し設計の変更その他の必要な措置をとることを勧告することができる。

7　特定被災市町村長は、前項の規定による勧告をした場合において、必要があると認めるときは、その勧告を受けた者に対し、土地に関する権利の処分についてのあっせんその他の必要な措置を講ずるよう努めなければならない。

（復興計画のための土地の立入り等）

第二十九条　特定被災市町村等は、復興計画の作成又は変更のため他人の占有する土地に立ち入って測量又は調査を行う必要があるときは、その必要の限度において、他人の占有する土地に、自ら立ち入り、又はその命じた者若しくは委任した者に立ち入らせることができる。

2　前項の規定により他人の占有する土地に立ち入ろうとする者は、立ち入ろうとする日の三日前までに、その旨を当該土地の占有者に通知しなければならない。

３　第一項の規定により建築物が存し、又は垣、柵その他の工作物で囲まれた他人の占有する土地に立ち入ろうとするときは、その立ち入ろうとする者は、立入りの際、あらかじめ、その旨を当該土地の占有者に告げなければならない。

４　日出前及び日没後においては、土地の占有者の承諾があった場合を除き、前項に規定する土地に立ち入ってはならない。

５　土地の占有者は、正当な理由がない限り、第一項の規定による立入りを拒み、又は妨げてはならない。

（復興計画のための障害物の伐除及び土地の試掘等）

第三〇条　前条第一項の規定により他人の占有する土地に立ち入って測量又は調査を行う者は、その測量又は調査を行うに当たり、やむを得ない必要があって、障害となる植物若しくは垣、柵その他の工作物（以下「障害物」という。）を伐除しようとする場合又は当該土地に試掘若しくはボーリング若しくはこれらに伴う障害物の伐除（以下「試掘等」という。）を行おうとする場合において、当該障害物又は当該土地の所有者及び占有者の同意を得ることができないときは、当該障害物の所在地を管轄する特定被災市町村長の許可を受けて当該障害物を伐除し、又は当該土地の所在地を管轄する特定被災都道府県知事の許可を受けて当該土地に試掘等を行うことができる。この場合において、特定被災市町村長が許可を与えようとするときは障害物の所有者及び占有者に、特定被災都道府県知事が許可を与えようとするときは土地又は障害物の所有者及び占有者に、あらかじめ、意見を述べる機会を与えなければならない。

２　前項の規定により障害物を伐除しようとする者又は土地に試掘等を行おうとする者は、伐除しようとする日又は試掘等を行おうとする日の三日前までに、その旨を当該障害物又は当該土地若しくは障害物の所有者及び占有者に通知しなければならない。

３　第一項の規定により障害物を伐除しようとする場合（土地の試掘又はボーリングに伴う障害物の伐除をしようとする場合を除く。）において、当該障害物の所有者及び占有者がその場所にいないためその同意を得ることが困難であり、かつ、その現状を著しく損傷しないときは、特定被災市町村等又はその命じた者若しくは委任した者は、前二項の規定にかかわらず、当該障害物の所在地を管轄する特定被災市町村長の許可を受けて、直ちに、当該障害物を伐除することができる。この場合においては、当該障害物を伐除した後、遅滞なく、その旨をその所有者及び占有者に通知しなければならない。

（復興整備事業のための土地の立入り等）

第三一条　第十条第六項の規定により公表された復興計画に記載された復興整備事業（同条第二項第四号ル、ヲ又はカに掲げる事業にあっては、実施主体が国、都道府県又は市町村であるものに限る。以下この条、次条及び第三十五条において単に「復興整備事業」という。）の実施主体（以下この条及び第三十三条から第三十五条までにおいて単に「実施主体」という。）は、復興整備事業の実施の準備又は実施のため他人の占有する土地に立ち入って測量又は調査を行う必要があるときは、その必要の限度において、他人の占有する土地に、自ら立ち入り、又はその命じた者若しくは委任した者に立ち入らせることができる。ただし、国、都道府県又は市町村以外の実施主体にあっては、あらかじめ、特定被災市町村長の許可を受けた場合に限る。

２　第二十九条第二項から第五項までの規定は、前項の規定による復興整備事業のための土地の立入りについて準用する。

（復興整備事業のための障害物の伐除及び土地の試掘等）

第三二条　前条第一項の規定により他人の占有する土地に立ち入って測量又は調査を行う者は、その測量又は調査を行うに当たり、やむを得ない必要があって、障害物を伐除しようとする場合又は当該土地に試掘等を行おうとする場合において、当該障害物又は当該土地の所有者及び占有者の同意を得ることができないときは、当該障害物の所在地を管轄する特定被災市町村長の許可を受けて当該障害物を伐除し、又は当該土地の所在地を管轄する特定被災都道府県知事の許可を受けて当該土地に試掘等を行うことができる。この場合において、特定被災市町村長が許可を与えようとするときは障害物の所有者及び占有者に、特定被災都道府県知事が許可を与えようとするときは土地又は障害物の所有者及び占有者に、あらかじめ、意見を述べる機会を与えなければならない。

２　第三十条第二項及び第三項の規定は、前項の規定による復興整備事業のための障害物の伐除及び土地の試掘等について準用する。

（証明書等の携帯）

第三三条　第二十九条第一項又は第三十一条第一項の規定により他人の占有する土地に立ち入ろうとする者は、その身分を示す証明書（国、都道府県又は市町村以外の実施主体にあっては、その身分を示す証明書及び特定被災市町村長の許可証）を携帯しなければならない。

２　第三十条第一項又は前条第一項の規定により障害物を伐除しようとする者又は土地に試掘等を行おうとする者は、その身分を示す証明書及び特定被災市町村長又は特定被災都道府県知事の許可証を携帯しなければならない。

３　前二項に規定する証明書又は許可証は、関係人の請求があったときは、これを提示しなければならない。

（土地の立入り等に伴う損失の補償）

第三四条　特定被災市町村等は、第二十九条第一項又は第三十条第一項若しくは第三項の規定による行為により他人に損失を与えたときは、その損失を受けた者に対して、通常生ずべき損失を補償しなければならない。

２　実施主体は、第三十一条第一項、第三十二条第一項又は同条第二項において準用する第三十条第三項の規定による行為により他人に損失を与えたときは、その損失を受けた者に対して、通常生ずべき損失を補償しなければならない。

３　前二項の規定による損失の補償については、損失を与えた者と損失を受けた者とが協議しなければならない。

４　前項の規定による協議が成立しないときは、損失を与えた者又は損失を受けた者は、政令で定めるところにより、収用委員会に土地収用法（昭和二十六年法律第二百十九号）第九十四条第二項の規定による裁決を申請することができる。

（資料の提出その他の協力）

第三五条　復興計画を作成若しくは変更しようとする特定被災市町村等又は実施主体（国、都道府県又は市町村に限る。）は、復興計画の作成若しくは変更又は復興整備事業の実施の準備若しくは実施（以下「復興計画の作成等」という。）のため必要がある場合においては、関係行政機関の長、関係地方公共団体の長又は関係のある公私の団体に対し、資料の提出その他必要な協力を求めることができる。

（不動産登記法の特例）

第三六条　第十条第六項の規定により公表された復興計画に記載された復興整備事業（土地収用法第二十六条第一項、公共用地の取得に関する特別措置法（昭和三十六年法律第百五十号）第十条第一項又は都市計画法第六十二条第一項の規定により告示された事業に限る。以下この項において単に「復興整備事業」という。）の実施主体は、不動産登記法（平成十六年法律第百二十三号）第百三十一条第一項の規定にかかわらず、同法第百二十五条に規定する筆界特定登記官に対し、一筆の土地（復興整備事業の実施区域として定められた土地の区域内にその全部又は一部が所在する土地に限る。）とこれに隣接する他の土地との筆界（同法第百二十三条第一号に規定する筆界をいう。）について、同法第百二十三条第二号に規定する筆界特定の申請をすることができる。

２　前項の申請は、対象土地（不動産登記法第百二十三条第三号に規定する対象土地をいう。）の所有権登記名義人等（同条第五号に規定する所有権登記名義人等をいう。）の承諾がある場合に限り、することができる。ただし、当該所有権登記名義人等のうちにその所在が判明しない者がある場合は、その者の承諾を得ることを要しない。

（土地収用法の特例）

第三六条の二　第十条第六項の規定により公表された復興計画に記載された復興整備事業についての土地収用法第十七条第三項、第二十七条第一項第二号並びに第百二十三条第一項及び第二項（これらの規定を同法第百三十八条第一項において準用する場合を含む。）の規定の適用については、同法第十七条第三項及び第二十七条第一項第二号中「三月」とあるのは「二月」と、同法第百二十三条第一項中「防止すること」とあるのは「防止し、又は大規模な災害からの復興を円滑かつ迅速に推進すること」と、同条第二項中「六月」とあるのは「一年」とする。

第三六条の三　前条に規定する復興整備事業の実施主体は、土地収用法第三十九条第一項（同法第百三十八条第一項において準用する場合を含む。）の規定によって収用委員会の裁決を申請しようとするときは、同法第四十条第一項（同法第百三十八条第一項において準用する場合を含む。以下この項において同じ。）の規定にかかわらず、同法第四十条第一項第二号の書類については、同号イ、ハ及びヘに掲げる事項並びに登記簿に現れた土地所有者及び関係人の氏名及び住所を記載すれば足りるものとし、同項第三号に掲げる書類は、その添付を省略することができる。この場合においては、同法第四十四条第一項の規定は、適用しない。

2　土地収用法第四十四条第二項、第四十五条及び第四十五条の二（これらの規定を同法第百三十八条第一項において準用する場合を含む。）の規定は、前項の規定により添付書類の一部を省略して裁決を申請した場合について準用する。この場合において、同法第四十四条第二項中「前項」とあり、同法第四十五条第一項中「前条第一項」とあり、及び同法第四十五条の二中「第四十四条第一項」とあるのは、「大規模災害からの復興に関する法律（平成二十五年法律第五十五号）第三十六条の三第一項」と読み替えるものとする。

第三十六条の四　収用委員会は、第三十六条の二に規定する復興整備事業について、土地収用法第四十七条の二第三項（同法第百三十八条第一項において準用する場合を含む。）の規定による明渡裁決の申立てがあったときは、できる限り六月以内に明渡裁決又は同法第四十七条（同法第百三十八条第一項において準用する場合を含む。）の規定による却下の裁決をするよう努めるものとする。

（民法の特例）

第三十六条の五　第三十六条の二に規定する復興整備事業についての土地収用法第百二十三条第四項（同法第百三十八条第一項において準用する場合を含む。）の規定による損失補償額の払渡しについての民法（明治二十九年法律第八十九号）第四百九十四条第二項ただし書の規定の適用については、同項ただし書中「過失」とあるのは、「重大な過失」とする。

（独立行政法人都市再生機構法の特例）

第三十七条　独立行政法人都市再生機構は、独立行政法人都市再生機構法（平成十五年法律第百号）第十一条第一項に規定する業務のほか、委託に基づき、同条第三項各号の業務（第十条第六項の規定により公表された復興計画に記載された復興整備事業に係るものに限る。）を行うことができる。

（農業振興地域の整備に関する法律の特例）

第三十八条　特定被災市町村は、農用地等（農業振興地域の整備に関する法律第三条に規定する農用地等をいう。）以外の用途に供することを目的として農用地区域内の土地を農用地区域から除外するために行う農用地区域の変更をしようとする場合において、当該変更に係る土地が復興計画に記載された第十条第二項第四号ロ又はハに掲げる事業の施行された区域内にあるときは、同法第十三条第二項各号に掲げる要件を満たすほか、当該土地に係る当該復興計画の期間が満了した土地である場合に限り、当該変更をすることができる。

第四款　雑則

（監視区域の指定）

第三十九条　特定被災都道府県知事又は特定被災市町村である指定都市の長は、計画区域のうち、地価が急激に上昇し、又は上昇するおそれがあり、これによって適正かつ合理的な土地利用の確保が困難となるおそれがあると認められる区域を国土利用計画法第二十七条の六第一項の規定により監視区域として指定するよう努めるものとする。

（権限の委任）

第四〇条　この節に規定する厚生労働大臣、農林水産大臣、国土交通大臣又は環境大臣の権限は、政令で定めるところにより、地方支分部局の長に委任することができる。

第二節　都市計画の特例

（一団地の復興拠点市街地形成施設に関する都市計画）

第四一条　次に掲げる条件のいずれにも該当する特定大規模災害を受けた区域（当該区域に隣接し、又は近接する区域を含む。）であって、円滑かつ迅速な復興を図るために当該区域内の地域住民の生活及び地域経済の再建のための拠点となる市街地を形成することが必要であると認められるものについては、都市計画に一団地の復興拠点市街地形成施設を定めることができる。

一　円滑かつ迅速な復興を図るために当該区域内の地域住民の生活及び地域経済の再建のための拠点として一体的に整備される自然的経済的社会的条件を備えていること。

二　当該区域内の土地の大部分が建築物（特定大規模災害により損傷した建築物を除く。）の敷地として利用されていないこと。

2　一団地の復興拠点市街地形成施設に関する都市計画においては、次に掲げる事項を定めるものとする。

一　住宅施設、特定業務施設又は公益的施設及び特定公共施設の位置及び規模

二　建築物の高さの最高限度若しくは最低限度、建築物の延べ面積の敷地面積に対する割合の最高限度若しくは最低限度又は建築物の建築面積の敷地面積に対する割合の最高限度

3　一団地の復興拠点市街地形成施設に関する都市計画は、次に掲げるところに従って定めなければならない。

一　前項第一号に規定する施設は、当該区域内の地域住民の生活及び地域経済の再建のための拠点としての機能が確保されるよう、必要な位置に適切な規模で配置すること。

二　前項第二号に掲げる事項は、再度災害を防止し、又は軽減することが可能となるよう定めること。

（都市計画法の特例）

第四二条　国土交通大臣は、特定大規模災害等を受けた都道府県（以下「被災都道府県」という。）の知事から要請があり、かつ、当該被災都道府県における都市計画に係る事務の実施体制その他の地域の実情を勘案して必要があると認めるときは、その事務の遂行に支障のない範囲内で、当該被災都道府県に代わって自ら当該被災都道府県の区域の円滑かつ迅速な復興を図るために必要な都市計画の決定又は変更のため必要な措置をとることができる。

2　特定大規模災害等を受けた市町村（以下「被災市町村」という。）を包括する都道府県は、当該被災市町村の長から要請があり、かつ、当該被災市町村における都市計画に係る事務の実施体制その他の地域の実情を勘案して必要があると認めるときは、その事務の遂行に支障のない範囲内で、当該被災市町村に代わって自ら次に掲げる都市計画の決定又は変更のため必要な措置をとることができる。

一　前条第一項の規定による一団地の復興拠点市街地形成施設に関する都市計画

二　被災市街地復興特別措置法（平成七年法律第十四号）第五条第一項の規定による被災市街地復興推進地域に関する都市計画

三　前二号に掲げるもののほか、当該被災市町村の区域の円滑かつ迅速な復興を図るために必要な都市計画

3　国土交通大臣は、前項の要請を受けた都道府県の知事から同項の必要な措置をとることが困難である旨の申出があり、かつ、同項の都道府県における都市計画に係る事務の実施体制その他の地域の実情を勘案して必要があると認めるときは、その事務の遂行に支障のない範囲内で、同項の被災市町村に代わって自ら当該必要な措置をとることができる。

4　第一項の規定により被災都道府県に代わって自ら都市計画の決定又は変更のため必要な措置をとる国土交通大臣は、都市計画法の規定の適用については、都道府県とみなす。この場合において、同法第十八条第一項及び第二項中「都道府県都市計画審議会」とあるのは、「社会資本整備審議会」とするほか、必要な技術的読替えは、政令で定める。

5　第二項の規定により被災市町村に代わって自ら都市計画の決定又は変更のため必要な措置をとる都道府県は、都市計画法の規定の適用については、市町村とみなす。この場合において、同法第十九条第一項中「市町村都市計画審議会（当該市町村に市町村都市計画審議会が置かれていないときは、当該市町村の存する都道府県の都道府県都市計画審議会）」とあり、及び同条第二項中「市町村都市計画審議会又は都道府県都市計画審議会」とあるのは、「都道府県都市計画審議会」とするほか、必要な技術的読替えは、政令で定める。

6　第三項の規定により被災市町村に代わって自ら都市計画の決定又は変更のため必要な措置をとる国土交通大臣は、都市計画法の規定の適用については、市町村とみなす。この場合において、同法第十九条第一項中「市町村都市計画審議会（当該市町村に市町村都市計画審議会が置かれていないときは、当該市町村の存する都道府県の都道府県都市計画審議会）」とあり、及び同条第二項中「市町村都市計画審議会又は都道府県都市計画審議会」とあるのは、「社会資本整備審議会」とするほか、必要な技術的読替えは、政令で定める。

第三節　災害復旧事業等に係る工事の国等による代行

（漁港及び漁場の整備等に関する法律の特例）

第四三条　農林水産大臣は、漁港管理者（漁港及び漁場の整備等に関する法律第二十五条の規定により決定された地方公共団体をいう。以下同じ。）である被災都道府県の知事から要請があり、かつ、当該被災都道府県における公共土木施設の災害復旧事業に係る工事の実施体制その他の地域の実情を勘案して特定大規模災害等からの円滑かつ迅速な復興のため必要があると認めるときは、その事務の遂行に支障のない範囲内で、当該被災都道府県に代わって自ら同法第三条に規定する漁港施設であって政令で定めるものの当該特定大規模災害等によって必要を生じた次に掲げる事業に係る工事（以下「特定災害復旧等漁港工事」という。）を施行することができる。

一　災害復旧事業

二　災害復旧事業の施行のみでは再度災害の防止に十分な効果が期待できないと認められるため、これと合併して行う新設又は改良に関する事業

2　被災市町村を包括する都道府県は、漁港管理者である当該被災市町村の長から要請があり、かつ、当該被災市町村における公共土木施設の災害復旧事業に係る工事の実施体制その他の地域の実情を勘案して特定大規模災害等からの円滑かつ迅速な復興のため必要があると認めるときは、その事務の遂行に支障のない範囲内で、当該被災市町村に代わって自ら特定災害復旧等漁港工事を施行することができる。

3　農林水産大臣は、第一項の規定により特定災害復旧等漁港工事を施行する場合においては、政令で定めるところにより、同項の被災都道府県に代わってその権限を行うものとする。

4　第二項の都道府県は、同項の規定により特定災害復旧等漁港工事を施行する場合においては、政令で定めるところにより、同項の被災市町村に代わってその権限を行うものとする。

5　第一項の規定により農林水産大臣が施行する特定災害復旧等漁港工事に要する費用は、国の負担とする。この場合において、同項の被災都道府県は、当該費用の額から、自ら当該特定災害復旧等漁港工事を施行することとした場合に国が当該被災都道府県に交付すべき負担金又は補助金の額に相当する額を控除した額を負担する。

6　第二項の規定により都道府県が施行する特定災害復旧等漁港工事については、当該都道府県の費用をもってこれを施行する。この場合において、国は同項の被災市町村が自ら当該特定災害復旧等漁港工事を施行することとした場合に国が当該被災市町村に交付すべき負担金又は補助金の額に相当する額を負担し、又は当該都道府県に補助し、当該被災市町村は当該費用の額から国が当該都道府県に交付する負担金又は補助金の額を控除した額を負担する。

7　第三項又は第四項の規定により漁港管理者に代わってその権限を行う農林水産大臣又は都道府県は、漁港及び漁場の整備等に関する法律第九章の規定の適用については、漁港管理者とみなす。

（砂防法の特例）

第四四条　国土交通大臣は、被災都道府県の知事から要請があり、かつ、当該被災都道府県における公共土木施設の災害復旧事業に係る工事の実施体制その他の地域の実情を勘案して特定大規模災害等からの円滑かつ迅速な復興のため必要があると認めるときは、その事務の遂行に支障のない範囲内で、当該被災都道府県の知事に代わって自ら当該特定大規模災害等によって必要を生じた次に掲げる事業に係る砂防法（明治三十年法律第二十九号）第一条に規定する砂防工事（以下「特定災害復旧等砂防工事」という。）を施行することができる。

一　災害復旧事業

二　災害復旧事業の施行のみでは再度災害の防止に十分な効果が期待できないと認められるためこれと合併して行う新設又は改良に関する事業その他災害復旧事業以外の事業であって、再度災害を防止するため土砂の崩壊その他の危険な状況に対処して特に緊急に施行すべきもの

2　国土交通大臣は、前項の規定により特定災害復旧等砂防工事を施行する場合においては、政令で定めるところにより、同項の被災都道府県の知事に代わってその権限を行うものとする。

3　第一項の規定により国土交通大臣が施行する特定災害復旧等砂防工事に要する費用は、国の負担とする。この場合において、同項の被災都道府県は、政令で定めるところにより、当該費用の額から、当該被災都道府県の知事が自ら当該特定災害復旧等砂防工事を施行することとした場合に国が当該被災都道府県に交付すべき負担金又は補助金の額に相当する額を控除した額を負担する。

4　この条に規定する国土交通大臣の権限は、国土交通省令で定めるところにより、その全部又は一部を地方整備局長又は北海道開発局長に委任することができる。

（港湾法の特例）

第四五条　国土交通大臣は、被災都道府県若しくは被災市町村（以下「被災地方公共団体」という。）であって港湾管理者（港湾法第二条第一項に規定する港湾管理者をいう。以下同じ。）であるもの（港務局であって、被災地方公共団体がその組織に加わっているものを含む。以下「港湾管理被災地方公共団体」という。）の長又は被災地方公共団体が加入している地方公共団体の組合（港湾管理者であるものに限る。）の管理者若しくは長（地方自治法第二百八十七条の三第二項（同法第二百九十一条の十三において準用する場合を含む。）の規定により管理者又は長に代えて理事会を置く組合にあっては、理事会。以下同じ。）から要請があり、かつ、当該港湾管理被災地方公共団体又は当該組合における公共土木施設の災害復旧事業に係る工事の実施体制その他の地域の実情を勘案して特定大規模災害等からの円滑かつ迅速な復興のため必要があると認めるときは、その事務の遂行に支障のない範囲内で、当該港湾管理被災地方公共団体又は当該組合に代わって自ら当該港湾管理被災地方公共団体又は当該組合が管理する港湾法第二条第五項に規定する港湾施設（同法第五十四条第一項の規定による管理の委託に係るものを除く。）の当該特定大規模災害等によって必要を生じた次に掲げる事業に係る同法第二条第七項に規定する港湾工事（以下「特定災害復旧等港湾工事」という。）を施行することができる。

一　災害復旧事業

二　災害復旧事業の施行のみでは再度災害の防止に十分な効果が期待できないと認められるため、これと合併して行う新設又は改良に関する事業

2　被災市町村を包括する都道府県は、港湾管理者である当該被災市町村（港務局であって、当該被災市町村がその組織に加わっているものを含む。以下「港湾管理被災市町村」という。）の長又は当該被災市町村が加入している地方公共団体の組合（港湾管理者であるものに限る。）の管理者若しくは長から要請があり、かつ、当該港湾管理被災市町村又は当該組合における公共土木施設の災害復旧事業に係る工事の実施体制その他の地域の実情を勘案して特定大規模災害等からの円滑かつ迅速な復興のため必要があると認めるときは、その事務の遂行に支障のない範囲内で、当該港湾管理被災市町村又は当該組合に代わって自ら当該港湾管理被災市町村又は当該組合が管理する港湾法第二条第五項に規定する港湾施設の特定災害復旧等港湾工事を施行することができる。

3　第一項の規定により国土交通大臣が施行する特定災害復旧等港湾工事に要する費用は、国の負担とする。この場合において、同項の港湾管理被災地方公共団体又は同項の組合は、政令で定めるところにより、当該費用の額から、自ら当該特定災害復旧等港湾工事を施行することとした場合に国が当該港湾管理被災地方公共団体又は当該組合に交付すべき負担金又は補助金の額に相当する額を控除した額を負担する。

4　第二項の規定により都道府県が施行する特定災害復旧等港湾工事については、当該都道府県の費用をもってこれを施行する。この場合において、国は、政令で定めるところにより、同項の港湾管理被災市町村又は同項の組合が自ら当該特定災害復旧等港湾工事を施行することとした場合に国が当該港湾管理被災市町村又は当該組合に交付すべき負担金又は補助金の額に相当する額を負担し、又は当該都道府県に補助し、当該港湾管理被災市町村又は当該組合は、政令で定めるところにより、当該費用の額から国が当該都道府県に交付する負担金又は補助金の額を控除した額を負担する。

（道路法の特例）

第四六条　国土交通大臣は、道路管理者（道路法（昭和二十七年法律第百八十号）第十八条第一項に規定する道路管理者をいう。以下同じ。）である被災地方公共団体の長から要請があり、かつ、当該被災地方公共団体における公共土木施設の災害復旧事業に係る工事の実施体制その他の地域の実情を勘案して特定大規模災害等からの円滑かつ迅速な復興のため必要があると認めるときは、その事務の遂行に支障のない範囲内で、当該被災地方公共団体に代わって自ら当該被災地方公共団体が管理する国道（同法第三条第二号に掲げる一般国道をいう。）、都道府県道（同条第三号に掲げる都

道府県道をいう。）又は市町村道（同条第四号に掲げる市町村道をいう。次項において同じ。）の当該特定大規模災害等によって必要を生じた次に掲げる事業に係る工事（以下「特定災害復旧等道路工事」という。）を施行することができる。

一　災害復旧事業

二　災害復旧事業の施行のみでは再度災害の防止に十分な効果が期待できないと認められるため、これと合併して行う新設又は改良に関する事業

2　被災市町村を包括する都道府県は、道路管理者である当該被災市町村の長から要請があり、かつ、当該被災市町村における公共土木施設の災害復旧事業に係る工事の実施体制その他の地域の実情を勘案して特定大規模災害等からの円滑かつ迅速な復興のため必要があると認めるときは、その事務の遂行に支障のない範囲内で、当該被災市町村に代わって自ら市町村道の特定災害復旧等道路工事を施行することができる。

3　国土交通大臣は、第一項の規定により特定災害復旧等道路工事を施行する場合においては、政令で定めるところにより、同項の被災地方公共団体に代わってその権限を行うものとする。

4　第二項の都道府県は、同項の規定により特定災害復旧等道路工事を施行する場合においては、政令で定めるところにより、同項の被災市町村に代わってその権限を行うものとする。

5　第一項の規定により国土交通大臣が施行する特定災害復旧等道路工事に要する費用は、国の負担とする。この場合において、同項の被災地方公共団体は、政令で定めるところにより、当該費用の額から、自ら当該特定災害復旧等道路工事を施行することとした場合に国が当該被災地方公共団体に交付すべき負担金又は補助金の額に相当する額を控除した額を負担する。

6　第二項の規定により都道府県が施行する特定災害復旧等道路工事については、当該都道府県の費用をもってこれを施行する。この場合において、国は、政令で定めるところにより、同項の被災市町村が自ら当該特定災害復旧等道路工事を施行することとした場合に国が当該被災市町村に交付すべき負担金又は補助金の額に相当する額を負担し、又は当該都道府県に補助し、当該被災市町村は、政令で定めるところにより、当該費用の額から国が当該都道府県に交付する負担金又は補助金の額を控除した額を負担する。

7　この条に規定する国土交通大臣の権限は、政令で定めるところにより、その全部又は一部を地方整備局長又は北海道開発局長に委任することができる。

8　第三項又は第四項の規定により道路管理者に代わってその権限を行う国土交通大臣又は都道府県は、道路法第八章の規定の適用については、道路管理者とみなす。

（空港法の特例）

第四七条　国土交通大臣は、空港管理者（空港法（昭和三十一年法律第八十号）第三条第三項に規定する空港管理者をいう。以下同じ。）である被災地方公共団体の長から要請があり、かつ、当該被災地方公共団体における災害復旧工事（同法第九条第一項に規定する災害復旧工事をいう。以下同じ。）の実施体制その他の地域の実情を勘案して特定大規模災害等からの円滑かつ迅速な復興のため必要があると認めるときは、その事務の遂行に支障のない範囲内で、当該被災地方公共団体に代わって自ら地方管理空港（同法第五条第一項に規定する地方管理空港をいう。次項において同じ。）の当該特定大規模災害等によって必要を生じた次に掲げる工事（以下「特定災害復旧等空港工事」という。）を施行することができる。

一　災害復旧工事

二　災害復旧工事の施行のみでは再度災害の防止に十分な効果が期待できないと認められるため、これと合併して行う新設又は改良に関する事業に係る工事

2　被災市町村を包括する都道府県は、空港管理者である当該被災市町村の長から要請があり、かつ、当該被災市町村における災害復旧工事の実施体制その他の地域の実情を勘案して特定大規模災害等からの円滑かつ迅速な復興のため必要があると認めるときは、その事務の遂行に支障のない範囲内で、当該被災市町村に代わって自ら地方管理空港の特定災害復旧等空港工事を施行することができる。

3　第一項の規定により国土交通大臣が施行する特定災害復旧等空港工事に要する費用は、国の負担とする。この場合において、同項の被災地方公共団体は、当該費用の額から、自ら当該特定災害復旧等空港工事を施行することとした場合に国が当該特定被災地方公共団体に交付すべき負担金又は補助金の額に相当する額を控除した額を負担する。

4　第二項の規定により都道府県が施行する特定災害復旧等空港工事については、当該都道府県の費用をもってこれを施行する。この場合において、国は同項の被災市町村が自ら当該特定災害復旧等空港工事を施行することとした場合に国が当該被災市町村に交付すべき負担金又は補助金の額に相当する額を負担し、又は当該都道府県に補助し、当該被災市町村は当該費用の額から国が当該都道府県に交付する負担金又は補助金の額を控除した額を負担する。

（海岸法の特例）

第四八条　主務大臣（海岸法第四十条に規定する主務大臣をいう。以下この条において同じ。）は、海岸管理者である被災地方公共団体（港務局であって、被災地方公共団体がその組織に加わっているものを含む。以下「海岸管理被災地方公共団体」という。）の長又は被災地方公共団体が加入している地方公共団体の組合（海岸管理者であるものに限る。）の管理者若しくは長から要請があり、かつ、当該海岸管理被災地方公共団体又は当該組合における公共土木施設の災害復旧事業に係る工事の実施体制その他の地域の実情を勘案して特定大規模災害等からの円滑かつ迅速な復興のため必要があると認めるときは、その事務の遂行に支障のない範囲内で、当該海岸管理被災地方公共団体の長又は当該組合の管理者若しくは長に代わって自ら海岸保全施設（同法第二条第一項に規定する海岸保全施設をいう。）の当該特定大規模災害等によって必要を生じた次に掲げる事業に係る工事（以下「特定災害復旧等海岸工事」という。）を施行することができる。

一　災害復旧事業

二　災害復旧事業の施行のみでは再度災害の防止に十分な効果が期待できないと認められるため、これと合併して行う新設又は改良に関する事業

2　被災市町村を包括する都道府県の知事は、海岸管理者である当該被災市町村（港務局であって、当該被災市町村がその組織に加わっているものを含む。以下「海岸管理被災市町村」という。）の長又は当該被災市町村が加入している地方公共団体の組合（海岸管理者であるものに限る。）の管理者若しくは長から要請があり、かつ、当該海岸管理被災市町村又は当該組合における公共土木施設の災害復旧事業に係る工事の実施体制その他の地域の実情を勘案して特定大規模災害等からの円滑かつ迅速な復興のため必要があると認めるときは、その事務の遂行に支障のない範囲内で、当該海岸管理被災市町村の長又は当該組合の管理者若しくは長に代わって自ら特定災害復旧等海岸工事を施行することができる。

3　主務大臣は、第一項の規定により特定災害復旧等海岸工事を施行する場合においては、政令で定めるところにより、同項の海岸管理被災地方公共団体の長又は同項の組合の管理者若しくは長に代わってその権限を行うものとする。

4　第二項の都道府県の知事は、同項の規定により特定災害復旧等海岸工事を施行する場合においては、政令で定めるところにより、同項の海岸管理被災市町村の長又は同項の組合の管理者若しくは長に代わってその権限を行うものとする。

5　第一項の規定により主務大臣が施行する特定災害復旧等海岸工事に要する費用は、国の負担とする。この場合において、同項の海岸管理被災地方公共団体又は同項の組合は、政令で定めるところにより、当該費用の額から、当該海岸管理被災地方公共団体の長又は当該組合の管理者若しくは長が自ら当該特定災害復旧等海岸工事を施行することとした場合に国が当該海岸管理被災地方公共団体又は当該組合に交付すべき負担金又は補助金の額に相当する額を控除した額を負担する。

6　第二項の規定により都道府県知事が施行する特定災害復旧等海岸工事については、当該都道府県の費用をもってこれを施行する。この場合において、国は、政令で定めるところにより、同項の海岸管理被災市町村の長又は同項の組合の管理者若しくは長が自ら当該特定災害復旧等海岸工事を施行することとした場合に国が同項の海岸管理被災市町村又は同項の組合に交付すべき負担金又は補助金の額に相当する額を負担し、又は当該都道府県に補助し、当該海岸管理被災市町村又は当該組合は、政令で定めるところにより、当該費用の額から国が当該都道府県に交付する負担金又は補助金の額を控除した額を負担する。

7　この条に規定する主務大臣の権限は、政令で定めるところにより、その全部又は一部を地方支分部局の長に委任することができる。

8　第二項及び第四項の規定により都道府県が処理することとされている事

務（同項の規定により都道府県が処理することとされているものにあっては、政令で定めるものに限る。）は、地方自治法第二条第九項第一号に規定する第一号法定受託事務とする。

9　第三項又は第四項の規定により海岸管理者に代わってその権限を行う主務大臣又は都道府県知事は、海岸法第五章の規定の適用については、海岸管理者とみなす。

（地すべり等防止法の特例）

第四九条　主務大臣（地すべり等防止法（昭和三十三年法律第三十号）第五十一条第一項に規定する主務大臣をいう。以下この条において同じ。）は、被災都道府県の知事から要請があり、かつ、当該被災都道府県における公共土木施設の災害復旧事業に係る工事の実施体制その他の地域の実情を勘案して特定大規模災害等からの円滑かつ迅速な復興のため必要があると認めるときは、その事務の遂行に支障のない範囲内で、当該被災都道府県の知事に代わって自ら当該特定大規模災害等によって必要を生じた次に掲げる事業に係る同法第二条第四項に規定する地すべり防止工事（以下「特定災害復旧等地すべり防止工事」という。）を施行することができる。

一　災害復旧事業

二　災害復旧事業の施行のみでは再度災害の防止に十分な効果が期待できないと認められるためこれと合併して行う新設又は改良に関する事業その他災害復旧事業以外の事業であって、再度災害を防止するため土砂の崩壊その他の危険な状況に対処して特に緊急に施行すべきもの

2　主務大臣は、前項の規定により特定災害復旧等地すべり防止工事を施行する場合においては、政令で定めるところにより、同項の被災都道府県の知事に代わってその権限を行うものとする。

3　第一項の規定により主務大臣が施行する特定災害復旧等地すべり防止工事に要する費用は、国の負担とする。この場合において、同項の被災都道府県は、政令で定めるところにより、当該費用の額から、当該被災都道府県の知事が自ら当該特定災害復旧等地すべり防止工事を施行することとした場合に国が当該被災都道府県に交付すべき負担金又は補助金の額に相当する額を控除した額を負担する。

4　この条に規定する主務大臣の権限は、政令で定めるところにより、その全部又は一部を地方支分部局の長に委任することができる。

5　第二項の規定により都道府県知事に代わってその権限を行う主務大臣は、地すべり等防止法第六章の規定の適用については、都道府県知事とみなす。

（下水道法の特例）

第五〇条　被災市町村を包括する都道府県は、公共下水道管理者（下水道法（昭和三十三年法律第七十九号）第四条第一項に規定する公共下水道管理者をいう。以下同じ。）又は都市下水路管理者（同法第二十七条第一項に規定する都市下水路管理者をいう。第五項において同じ。）である当該被災市町村の長から要請があり、かつ、当該被災市町村における公共土木施設の災害復旧事業に係る工事の実施体制その他の地域の実情を勘案して特定大規模災害等からの円滑かつ迅速な復興のため必要があると認めるときは、その事務の遂行に支障のない範囲内で、当該被災市町村に代わって自ら当該被災市町村が管理する公共下水道（同法第二条第三号に規定する公共下水道をいう。第三項において同じ。）又は都市下水路（同条第五号に規定する都市下水路をいう。）の当該特定大規模災害等によって必要を生じた災害復旧事業に係る工事（以下「特定災害復旧下水道工事」という。）を施行することができる。

2　前項の都道府県は、同項の規定により特定災害復旧下水道工事を施行する場合においては、政令で定めるところにより、同項の被災市町村に代わってその権限を行うものとする。

3　第一項の規定により都道府県が特定災害復旧下水道工事（公共下水道に係るものに限る。）を施行する場合においては、当該都道府県を公共下水道管理者とみなす。

4　第一項の規定により都道府県が施行する特定災害復旧下水道工事についての下水道法第二十二条第一項の規定の適用については、当該都道府県の費用をもってこれを施行する。この場合において、国は同項の被災市町村が自ら当該特定災害復旧下水道工事を施行することとした場合に国が当該被災市町村に交付すべき負担金又は補助金の額に相当する額を負担し、又は当該都道府県に補助し、当該被災市町村は当該費用の額から国が当該都道府県に交付する負担金又は補助金の額を控除した額を負担する。

5　第二項の規定により公共下水道管理者又は都市下水路管理者に代わってその権限を行う都道府県は、下水道法第五章の規定の適用については、公共下水道管理者又は都市下水路管理者とみなす。

（河川法の特例）

第五一条　国土交通大臣は、被災地方公共団体の長から要請があり、かつ、当該被災地方公共団体における公共土木施設の災害復旧事業に係る工事の実施体制その他の地域の実情を勘案して特定大規模災害等からの円滑かつ迅速な復興のため必要があると認めるときは、その事務の遂行に支障のない範囲内で、当該被災地方公共団体の長に代わって自ら指定区間内の一級河川、二級河川（河川法第五条第一項に規定する二級河川をいう。第八項において同じ。）又は準用河川（同法第百条第一項に規定する準用河川をいう。以下同じ。）の当該特定大規模災害等によって必要を生じた次に掲げる事業に係る工事（以下「特定災害復旧等河川工事」という。）を施行することができる。

一　災害復旧事業

二　災害復旧事業の施行のみでは再度災害の防止に十分な効果が期待できないと認められるため、これと合併して行う新設又は改良に関する事業

2　被災市町村を包括する都道府県の知事は、当該被災市町村の長から要請があり、かつ、当該被災市町村における公共土木施設の災害復旧事業に係る工事の実施体制その他の地域の実情を勘案して特定大規模災害等からの円滑かつ迅速な復興のため必要があると認めるときは、その事務の遂行に支障のない範囲内で、当該被災市町村の長に代わって自ら準用河川の特定災害復旧等河川工事を施行することができる。

3　国土交通大臣は、第一項の規定により特定災害復旧等河川工事を施行する場合においては、政令で定めるところにより、同項の被災地方公共団体の長に代わってその権限を行うものとする。

4　第二項の都道府県の知事は、同項の規定により特定災害復旧等河川工事を施行する場合においては、政令で定めるところにより、同項の被災市町村の長に代わってその権限を行うものとする。

5　第一項の規定により国土交通大臣が施行する特定災害復旧等河川工事に要する費用は、国の負担とする。この場合において、同項の被災地方公共団体は、政令で定めるところにより、当該費用の額から、当該被災地方公共団体の長が自ら当該特定災害復旧等河川工事を施行することとした場合に国が当該被災地方公共団体に交付すべき負担金又は補助金の額に相当する額を控除した額を負担する。

6　第二項の規定により都道府県知事が施行する特定災害復旧等河川工事については、当該都道府県の費用をもってこれを施行する。この場合において、国は、政令で定めるところにより、同項の被災市町村の長が自ら当該特定災害復旧等河川工事を施行することとした場合に国が当該被災市町村に交付すべき負担金又は補助金の額に相当する額を負担し、又は当該都道府県に補助し、当該被災市町村は、政令で定めるところにより、当該費用の額から国が当該都道府県に交付する負担金又は補助金の額を控除した額を負担する。

7　この条に規定する国土交通大臣の権限は、政令で定めるところにより、その全部又は一部を地方整備局長又は北海道開発局長に委任することができる。

8　第三項の規定により二級河川若しくは準用河川の河川管理者に代わってその権限を行う国土交通大臣又は第四項の規定により準用河川の河川管理者に代わってその権限を行う都道府県知事は、河川法第七章（同法第百条第一項において準用する場合を含む。）の規定の適用については、河川管理者とみなす。

（急傾斜地の崩壊による災害の防止に関する法律の特例）

第五二条　国土交通大臣は、被災都道府県の知事から要請があり、かつ、当該被災都道府県における公共土木施設の災害復旧事業に係る工事の実施体制その他の地域の実情を勘案して特定大規模災害等からの円滑かつ迅速な復興のため必要があると認めるときは、その事務の遂行に支障のない範囲内で、当該被災都道府県に代わって自ら当該特定大規模災害等によって必要を生じた次に掲げる事業に係る急傾斜地の崩壊による災害の防止に関する法律（昭和四十四年法律第五十七号）第二条第三項に規定する急傾斜地崩壊防止工事（以下「特定災害復旧等急傾斜地崩壊防止工事」という。）を施行することができる。

一　災害復旧事業

二　災害復旧事業の施行のみでは再度災害の防止に十分な効果が期待できないと認められるためこれと合併して行う新設又は改良に関する事業そ

の他災害復旧事業以外の事業であって、再度災害を防止するため土砂の崩壊その他の危険な状況に対処して特に緊急に施行すべきもの

2　国土交通大臣は、前項の規定により特定災害復旧等急傾斜地崩壊防止工事を施行する場合においては、政令で定めるところにより、同項の被災都道府県の知事に代わってその権限を行うものとする。

3　急傾斜地の崩壊による災害の防止に関する法律第十三条第二項の規定は、国土交通大臣が第一項の規定により特定災害復旧等急傾斜地崩壊防止工事を施行する場合については、適用しない。

4　第一項の規定により国土交通大臣が施行する特定災害復旧等急傾斜地崩壊防止工事に要する費用は、国の負担とする。この場合において、同項の被災都道府県は、政令で定めるところにより、当該費用の額から、自ら当該特定災害復旧等急傾斜地崩壊防止工事を施行することとした場合に国が当該被災都道府県に交付すべき負担金又は補助金の額に相当する額を控除した額を負担する。

5　この条に規定する国土交通大臣の権限は、国土交通省令で定めるところにより、その全部又は一部を地方整備局長又は北海道開発局長に委任することができる。

6　第二項の規定により都道府県知事に代わってその権限を行う国土交通大臣は、急傾斜地の崩壊による災害の防止に関する法律第五章の規定の適用については、都道府県知事とみなす。

第四章　雑則

（職員の派遣の要請）

第五三条　都道府県知事又は都道府県の委員会若しくは委員（以下「都道府県知事等」という。）は、復興計画の作成等のため必要があるときは、政令で定めるところにより、関係行政機関の長又は関係地方行政機関の長に対し、当該関係行政機関又は当該関係地方行政機関の職員の派遣を要請することができる。

2　市町村長又は市町村の委員会若しくは委員（以下「市町村長等」という。）は、復興計画の作成等のため必要があるときは、政令で定めるところにより、関係地方行政機関の長に対し、当該関係地方行政機関の職員の派遣を要請することができる。

3　都道府県又は市町村の委員会又は委員は、前二項の規定により職員の派遣を要請しようとするときは、あらかじめ、当該都道府県の知事又は当該市町村の市町村長に協議しなければならない。

（職員の派遣のあっせん）

第五四条　都道府県知事等又は市町村長等は、復興計画の作成等のため必要があるときは、政令で定めるところにより、内閣総理大臣又は都道府県知事に対し、それぞれ、関係行政機関又は関係地方行政機関の職員の派遣についてあっせんを求めることができる。

2　都道府県知事等又は市町村長等は、復興計画の作成等のため必要があるときは、政令で定めるところにより、内閣総理大臣又は都道府県知事に対し、地方自治法第二百五十二条の十七の規定による職員の派遣についてあっせんを求めることができる。

3　前条第三項の規定は、前二項の規定によりあっせんを求めようとする場合について準用する。

（職員の派遣の配慮）

第五五条　関係行政機関の長及び関係地方行政機関の長並びに都道府県知事等及び市町村長等は、前二条の規定による要請又はあっせんがあったときは、その所掌事務又は業務の遂行に著しい支障のない限り、適任と認める職員を派遣するよう努めるものとする。

（派遣職員の身分取扱い）

第五六条　都道府県又は市町村は、前条又は他の法律の規定により復興計画の作成等のため派遣された職員に対し、政令で定めるところにより、災害派遣手当を支給することができる。

2　前項に規定するもののほか、前条の規定により関係行政機関から派遣された職員の身分取扱いに関し必要な事項は、政令で定める。

（財政上の措置等）

第五七条　国は、第三条の基本理念にのっとり、特定大規模災害が発生した場合において、当該特定大規模災害からの円滑かつ迅速な復興のため特別の必要があると認めるときは、当該特定大規模災害の規模その他の状況を踏まえ、当該特定大規模災害の発生時における国及び地方公共団体の財政状況を勘案しつつ、別に法律で定めるところにより、当該特定大規模災害からの復興のための財政上の措置その他の措置を速やかに講ずるものとする。

（政令への委任）

第五八条　この法律に定めるもののほか、この法律の実施に関し必要な事項は、政令で定める。

（経過措置）

第五九条　この法律の規定に基づき命令を制定し、又は改廃する場合においては、その命令で、その制定又は改廃に伴い合理的に必要と判断される範囲内において、所要の経過措置（罰則に関する経過措置を含む。）を定めることができる。

第五章　罰則

第六〇条　次の各号のいずれかに該当する者は、五十万円以下の罰金に処する。

一　第二十九条第五項（第三十一条第二項において準用する場合を含む。）の規定に違反して、第二十九条第一項又は第三十一条第一項の規定による土地の立入りを拒み、又は妨げた者

二　第三十条第一項に規定する場合において、特定被災市町村長の許可を受けないで障害物を伐除した者又は特定被災都道府県知事の許可を受けないで土地に試掘等を行った者

三　第三十一条第一項に規定する場合において、特定被災市町村長の許可を受けないで、土地に立ち入り、又は立ち入らせた者

四　第三十二条第一項に規定する場合において、特定被災市町村長の許可を受けないで障害物を伐除した者又は特定被災都道府県知事の許可を受けないで土地に試掘等を行った者

第六一条　第二十八条第四項又は第五項の規定に違反して、届出をしないで、又は虚偽の届出をして、同条第四項本文又は第五項に規定する行為をした者は、三十万円以下の罰金に処する。

第六二条　法人の代表者又は法人若しくは人の代理人、使用人その他の従業者が、その法人又は人の業務に関し、前二条の違反行為をしたときは、行為者を罰するほか、その法人又は人に対して各本条の刑を科する。

附　則〔抄〕

（施行期日）

第一条　この法律は、公布の日から施行する。ただし、第三章、第五十三条から第五十六条まで及び第五章並びに附則第五条から第十一条までの規定は、公布の日から起算して二月を超えない範囲内において政令で定める日から施行する。

〔平成二五政二三六により、平成二五・八・二〇から施行〕

（経過措置）

第二条　この法律の規定は、平成二十五年四月十二日以後に発生した災害について適用する。

（政令への委任）

第三条　前条に定めるもののほか、この法律の施行に関し必要な経過措置は、政令で定める。

（検討）

第四条　政府は、この法律の施行後適当な時期において、この法律の施行の状況を勘案し、必要があると認めるときは、この法律の規定について検討を加え、その結果に基づいて所要の措置を講ずるものとする。

（特定地方管理空港に係る空港法の特例）

第五条　国土交通大臣は、当分の間、空港管理者である被災地方公共団体の長から要請があり、かつ、当該被災地方公共団体における災害復旧工事の実施体制その他の地域の実情を勘案して特定大規模災害等からの円滑かつ迅速な復興のため必要があると認めるときは、その事務の遂行に支障のない範囲内で、当該被災地方公共団体に代わって自ら特定地方管理空港（空港整備法及び航空法の一部を改正する法律（平成二十年法律第七十五号）附則第三条第一項に規定する特定地方管理空港をいう。次項において同じ。）の特定災害復旧等空港工事を施行することができる。

2　被災市町村を包括する都道府県は、当分の間、空港管理者である当該被災市町村の長から要請があり、かつ、当該被災市町村における災害復旧工事の実施体制その他の地域の実情を勘案して特定大規模災害等からの円滑かつ迅速な復興のため必要があると認めるときは、その事務の遂行に支障

のない範囲内で、当該被災市町村に代わって自ら特定地方管理空港の特定災害復旧等空港工事を施行することができる。

3　第四十七条第三項の規定は第一項の場合について、同条第四項の規定は前項の場合について、それぞれ準用する。

附　則〔抄〕〔平成二六・五・一法律三二〕

（施行期日）

第一条　この法律は、公布の日から施行する。

（大規模災害からの復興に関する法律の一部改正に伴う経過措置）

第四条　前条の規定による改正後の大規模災害からの復興に関する法律（以下「新大規模災害復興法」という。）第三十六条の二（土地収用法第百二十三条第一項及び第二項に係る部分を除く。）の規定は、この法律の施行前に土地収用法第十八条の規定による事業認定申請書を受理した復興整備事業については、適用しない。

2　新大規模災害復興法第三十六条の二（土地収用法第百二十三条第二項に係る部分に限る。）の規定は、この法律の施行前に土地収用法第百二十三条第一項の規定により使用の許可があった復興整備事業については、適用しない。

附　則〔略〕〔平成二七・六・二六法律五〇〕

附　則〔抄〕〔平成二七・九・四法律六三〕

（施行期日）

第一条　この法律は、平成二十八年四月一日から施行する。ただし、次の各号に掲げる規定は、当該各号に定める日から施行する。

一　附則第二十八条、〔中略〕第百十五条の規定　公布の日（以下「公布日」という。）

二・三　〔略〕

（大規模災害からの復興に関する法律の一部改正に伴う経過措置）

第一〇三条　施行日前に前条の規定による改正前の大規模災害からの復興に関する法律第十三条第七項又は第八項の規定によりされた協議は、前条の規定による改正後の大規模災害からの復興に関する法律第十三条第七項又は第八項の規定によりされた協議とみなす。

（罰則に関する経過措置）

第一一四条　この法律の施行前にした行為並びにこの附則の規定によりなお従前の例によることとされる場合及びこの附則の規定によりなおその効力を有することとされる場合におけるこの法律の施行後にした行為に対する罰則の適用については、なお従前の例による。

（政令への委任）

第一一五条　この附則に定めるもののほか、この法律の施行に関し必要な経過措置（罰則に関する経過措置を含む。）は、政令で定める。

附　則〔略〕〔平成二八・五・二〇法律四七〕

附　則〔略〕〔平成二九・四・二六法律二五施行〕

附　則〔略〕〔平成二九・五・二六法律三九〕

附　則〔平成二九・六・二法律四五〕

この法律は、民法改正法の施行の日〔令和二年四月一日〕から施行する。ただし、〔中略〕第三百六十二条の規定は、公布の日から施行する。

民法の一部を改正する法律の施行に伴う関係法律の整備等に関する法律〔抄〕〔平成二九・六・二　法律四五〕

（大規模災害からの復興に関する法律の一部改正に伴う経過措置）

第六五条　施行日前に前条の規定による改正前の大規模災害からの復興に関する法律第三十六条の五に規定する損失補償額の払渡しの義務が生じた場合におけるその損失補償額の供託については、なお従前の例による。

（罰則に関する経過措置）

第三六一条　施行日前にした行為及びこの法律の規定によりなお従前の例によることとされる場合における施行日以後にした行為に対する罰則の適用については、なお従前の例による。

（政令への委任）

第三六二条　この法律に定めるもののほか、この法律の施行に伴い必要な経過措置は、政令で定める。

附　則〔略〕〔平成三〇・五・一八法律二三〕

附　則〔略〕〔令和二・六・一〇法律四一施行〕

附　則〔略〕〔令和三・五・一〇法律三一〕

附　則〔抄〕〔令和五・五・二六法律三四〕

（施行期日）

第一条　この法律は、公布の日から起算して一年を超えない範囲内において政令で定める日〔令和六・四・一〕から施行する。〔以下略〕

○東日本大震災復興特別区域法〔抄〕

〔平成二三・一二・一四　法律一二二〕

改正　平成二三・五法三七、八法九三、法一〇五、一二法一二五、平成二四・六法四七、九法七三、平成二五・六法三五、法五三、法五五、法六〇、平成二六・四法一二、五法三二、平成二七・六法五〇、九法六三、平成二八・五法四七、平成二九・四法二五、五法二六、法三九、六法四五、法四七、平成三〇・五法二三、一二法九五、令和二・六法四一、法四六、令和三・三法一一、五法三一、法三六、令和四・五法四四、令和五・五法三四、令和六・三法八

第一章　総則

（目的）

第一条　この法律は、東日本大震災からの復興が、国と地方公共団体との適切な役割分担及び相互の連携協力が確保され、かつ、被災地域の住民の意向が尊重され、地域における創意工夫を生かして行われるべきものであることに鑑み、東日本大震災復興基本法（平成二十三年法律第七十六号）第十条の規定の趣旨にのっとり、復興特別区域基本方針、復興推進計画の認定及び特別の措置、復興整備計画の実施に係る特別の措置等について定めることにより、東日本大震災からの復興に向けた取組の推進を図り、もって同法第二条の基本理念に則した東日本大震災からの復興の円滑かつ迅速な推進と活力ある日本の再生に資することを目的とする。

（定義）

第二条　この法律において「東日本大震災」とは、平成二十三年三月十一日に発生した東北地方太平洋沖地震及びこれに伴う原子力発電所の事故による災害をいう。

2　この法律において「復興特別区域」とは、第四条第一項に規定する復興推進計画（次項において単に「復興推進計画」という。）の区域及び第四十六条第一項に規定する復興整備計画の区域をいう。

3　この法律において「復興推進事業」とは、次に掲げる事業をいう。

一　別表に掲げる事業で、第三章第二節第一款の規定による規制の特例措置の適用を受けるもの

二　次に掲げる事業であって個人事業者又は法人により行われるもの

イ　産業集積の形成及び活性化を図ることを通じて東日本大震災により

多数の被災者が離職を余儀なくされ、又は生産活動の基盤に著しい被害を受けた地域における雇用機会の確保に寄与する事業（ロに掲げるものを除く。）

ロ　イに規定する地域において建築物の建築及び賃貸をする事業であって産業集積の形成及び活性化に寄与するもの

ハ　東日本大震災により相当数の住宅が滅失した地域において賃貸住宅の供給を行う事業であって居住の安定の確保に寄与するもの

二　農林水産業、社会福祉、環境の保全その他の分野における各般の課題の解決を図ることを通じて復興推進計画の区域における東日本大震災からの復興の円滑かつ迅速な推進に資する経済的社会的効果を及ぼすものとして政令で定める事業

三　復興推進計画の区域における雇用機会の創出その他の東日本大震災からの復興の円滑かつ迅速な推進に資する経済的社会的効果を及ぼすものとして内閣府令で定める事業のうち復興推進計画の目標を達成する上で中核となるものを行うのに必要な資金を貸し付ける事業（第四十四条第一項において「復興特区支援貸付事業」という。）であって銀行その他の内閣府令で定める金融機関（同項において単に「金融機関」という。）により行われるもの

四　復興推進計画の区域における東日本大震災からの復興の円滑かつ迅速な推進に資する事業（第一号に掲げる事業又は当該事業と併せて実施する事業に限る。）の活動の基盤を充実するため、補助金等交付財産（補助金等に係る予算の執行の適正化に関する法律（昭和三十年法律第百七十九号）第二十二条に規定する財産をいう。）を当該補助金等交付財産に充てられた補助金等（同法第二条第一項に規定する補助金等をいう。）の交付の目的以外の目的に使用し、譲渡し、交換し、貸し付け、又は担保に供することにより行う事業

4　この法律において「規制の特例措置」とは、法律により規定された規制についての第十五条、第十六条、第十八条、第十九条、第二十一条から第二十八条まで及び第三十三条に規定する法律の特例に関する措置並びに政令又は主務省令（以下この項において「政令等」という。）により規定された規制についての第三十五条の規定による政令若しくは内閣府令（告示を含む。）・主務省令（第八十七条ただし書に規定する規制にあっては、主務省令。第三十五条及び第三十六条において「内閣府令・主務省令」という。）又は第三十六条の規定による条例で規定する政令等の特例に関する措置をいい、これらの措置の適用を受ける場合において当該規制の趣旨に照らし地方公共団体がこれらの措置と併せて実施し又はその実施を促進することが必要となる措置を含むものとする。

5　この法律において「改良住宅」とは、住宅地区改良法（昭和三十五年法律第八十四号）第二条第六項に規定する改良住宅をいう。

6　この法律において「農地」とは、耕作（農地法（昭和二十七年法律第二百二十九号）第四十三条第一項の規定により耕作に該当するものとみなされる農作物の栽培を含む。第二十四条第一項第一号において同じ。）の目的に供される土地をいう。

7　この法律において「海岸保全区域」とは、海岸法（昭和三十一年法律第百一号）第三条の規定により指定された海岸保全区域をいう。

8　この法律において「森林」とは、森林法（昭和二十六年法律第二百四十九号）第二条第一項に規定する森林をいう。

9　この法律において「農用地区域」とは、農業振興地域の整備に関する法律（昭和四十四年法律第五十八号）第八条第二項第一号に規定する農用地区域をいう。

10　この法律において「一級河川」とは、河川法（昭和三十九年法律第百六十七号）第四条第一項に規定する一級河川をいう。

11　この法律において「土地改良事業」とは、土地改良法（昭和二十四年法律第百九十五号）第二条第二項に規定する土地改良事業（同項第一号から第三号まで及び第七号に掲げる事業に限る。）をいう。

12　この法律において「集団移転促進事業」とは、防災のための集団移転促進事業に係る国の財政上の特別措置等に関する法律（昭和四十七年法律第百三十二号。第五十三条において「集団移転促進法」という。）第二条第二項に規定する集団移転促進事業をいう。

13　この法律において「漁港漁場整備事業」とは、漁港及び漁場の整備等に関する法律（昭和二十五年法律第百三十七号）第四条第一項に規定する漁港漁場整備事業をいう。

14　この法律において「土地区画整理事業」とは、土地区画整理法（昭和二十九年法律第百十九号）第二条第一項に規定する土地区画整理事業をいう。

第二章　復興特別区域基本方針

第三条　政府は、東日本大震災復興基本法第二条の基本理念にのっとり、かつ、同法第三条に規定する東日本大震災復興基本方針に基づき、復興特別区域における復興推進事業及び第四十六条第二項第四号に規定する復興整備事業の実施による東日本大震災からの復興の円滑かつ迅速な推進（次項において「復興特別区域における復興の円滑かつ迅速な推進」という。）に関する基本的な方針（以下「復興特別区域基本方針」という。）を定めなければならない。

2　復興特別区域基本方針には、次に掲げる事項を定めるものとする。

一　復興特別区域における復興の円滑かつ迅速な推進の意義に関する事項

二　復興特別区域における復興の円滑かつ迅速な推進のために政府が着実に実施すべき地方公共団体に対する支援その他の施策に関する基本的な方針

三　次条第一項に規定する復興推進計画の同条第九項の認定に関する基本的な事項

四　復興特別区域における復興の円滑かつ迅速な推進に関し政府が講ずべき措置についての計画

五　前各号に掲げるもののほか、復興特別区域における復興の円滑かつ迅速な推進に関し必要な事項

3　内閣総理大臣は、復興特別区域基本方針の案を作成し、閣議の決定を求めなければならない。

4　内閣総理大臣は、前項の規定による閣議の決定があったときは、遅滞なく、復興特別区域基本方針を公表しなければならない。

5　政府は、情勢の推移により必要が生じた場合には、復興特別区域基本方針を変更しなければならない。

6　第三項及び第四項の規定は、前項の規定による復興特別区域基本方針の変更について準用する。

第三章　復興推進計画に係る特別の措置

第一節　復興推進計画の認定等

（復興推進計画の認定）

第四条　その全部又は一部の区域が東日本大震災からの復興に向けた取組を重点的に推進する必要があると認められる区域として政令で定めるものである地方公共団体（以下「特定地方公共団体」という。）は、単独で又は共同して、復興特別区域基本方針に即して、当該特定地方公共団体に係る当該政令で定める区域内の区域について、内閣府令で定めるところにより、復興推進事業の実施又はその実施の促進その他の復興に向けた取組による東日本大震災からの復興の円滑かつ迅速な推進（以下この節において「復興推進事業の実施等による復興の円滑かつ迅速な推進」という。）を図るための計画（以下「復興推進計画」という。）を作成し、内閣総理大臣の認定を申請することができる。

2　復興推進計画には、次に掲げる事項を定めるものとする。

一　復興推進計画の区域

二　復興推進計画の目標

三　前号の目標を達成するために推進しようとする取組の内容

四　第一号の区域内において次に掲げる区域を定める場合にあっては、当該区域

イ　第二号の目標を達成するために産業集積の形成及び活性化の取組を推進すべき区域（以下「復興産業集積区域」という。）

ロ　第二号の目標を達成するために居住の安定の確保及び居住者の利便の増進の取組を推進すべき区域（以下「復興居住区域」という。）

ハ　イ及びロに掲げるもののほか、第二号の目標を達成するために社会福祉、環境の保全その他の分野における地域の課題の解決を図る取組を推進すべき区域（第十五条第一項及び第十六条第一項において「復興特定区域」という。）

五　第二号の目標を達成するために実施し又はその実施を促進しようとする復興推進事業の内容及び実施主体に関する事項

六　前号に規定する復興推進事業ごとの次節の規定による特別の措置の内容

七　前各号に掲げるもののほか、第五号に規定する復興推進事業に関する事項その他復興推進事業の実施等による復興の円滑かつ迅速な推進に関し必要な事項

3　特定地方公共団体は、復興推進計画を作成しようとするときは、関係地方公共団体及び前項第五号に規定する実施主体（以下この章において単に「実施主体」という。）の意見を聴かなければならない。

4　次に掲げる者は、特定地方公共団体に対して、第一項の規定による申請（以下この節において単に「申請」という。）をすることについての提案をすることができる。
一　当該提案に係る区域において復興推進事業を実施しようとする者
二　前号に掲げる者のほか、当該提案に係る区域における復興推進事業の実施に関し密接な関係を有する者

5　前項の提案を受けた特定地方公共団体は、当該提案に基づき申請をするか否かについて、遅滞なく、当該提案をした者に通知しなければならない。この場合において、申請をしないこととするときは、その理由を明らかにしなければならない。

6　特定地方公共団体は、復興推進計画を作成しようとする場合において、第十三条第一項の復興推進協議会（以下この項、第十一条第一項及び第十二条第四項第二号において「地域協議会」という。）が組織されているときは、当該復興推進計画に定める事項について当該地域協議会における協議をしなければならない。

7　申請には、次に掲げる事項を記載した書面を添付しなければならない。
一　第三項の規定により聴いた関係地方公共団体及び実施主体の意見の概要
二　第四項の提案を踏まえた申請をする場合にあっては、当該提案の概要
三　前項の規定による協議をした場合にあっては、当該協議の概要

8　特定地方公共団体は、申請に当たっては、当該申請に係る復興推進計画の区域において実施し、又はその実施を促進しようとする復興推進事業及びこれに関連する事業に関する規制について規定する法律及び法律に基づく命令（告示を含む。）の規定の解釈について、関係行政機関の長（当該行政機関が合議制の機関である場合にあっては、当該行政機関。以下同じ。）に対し、その確認を求めることができる。この場合において、当該確認を求められた関係行政機関の長は、当該特定地方公共団体に対し、速やかに回答しなければならない。

9　内閣総理大臣は、申請があった復興推進計画が次に掲げる基準に適合すると認めるときは、その認定をするものとする。
一　復興特別区域基本方針に適合するものであること。
二　当該復興推進計画の実施が当該復興推進計画の区域における復興の円滑かつ迅速な推進と当該復興推進計画の区域の活力の再生に寄与するものであると認められること。
三　円滑かつ確実に実施されると見込まれるものであること。

10　内閣総理大臣は、前項の認定（以下この条から第六条までにおいて単に「認定」という。）をしようとするときは、復興推進計画に定められた復興推進事業に関する事項について、当該復興推進事業に係る関係行政機関の長（以下この章において単に「関係行政機関の長」という。）の同意を得なければならない。

11　内閣総理大臣は、認定をしたときは、遅滞なく、その旨を公示しなければならない。

（**認定に関する処理期間**）

第五条　内閣総理大臣は、申請を受理した日から三月以内において速やかに、認定に関する処分を行わなければならない。

2　関係行政機関の長は、内閣総理大臣が前項の処理期間中に認定に関する処分を行うことができるよう、速やかに、前条第十項の同意について同意又は不同意の旨を通知しなければならない。

（**認定復興推進計画の変更**）

第六条　認定を受けた特定地方公共団体は、認定を受けた復興推進計画（以下「認定復興推進計画」という。）の変更（内閣府令で定める軽微な変更を除く。）をしようとするときは、内閣総理大臣の認定を受けなければならない。

2　第四条第三項から第十一項まで及び前条の規定は、前項の認定復興推進計画の変更について準用する。

（**報告の徴収**）

第七条　内閣総理大臣は、第四条第九項の認定（前条第一項の変更の認定を含む。以下この章において単に「認定」という。）を受けた特定地方公共団体（以下「認定地方公共団体」という。）に対し、認定復興推進計画（認定復興推進計画の変更があったときは、その変更後のもの。以下同じ。）の実施の状況について報告を求めることができる。

2　関係行政機関の長は、認定地方公共団体に対し、認定復興推進計画に定められた復興推進事業の実施の状況について報告を求めることができる。

（**措置の要求**）

第八条　内閣総理大臣は、認定復興推進計画の適正な実施のため必要があると認めるときは、認定地方公共団体に対し、当該認定復興推進計画の実施に関し必要な措置を講ずることを求めることができる。

2　関係行政機関の長は、認定復興推進計画に定められた復興推進事業の適正な実施のため必要があると認めるときは、認定地方公共団体に対し、当該復興推進事業の実施に関し必要な措置を講ずることを求めることができる。

（**認定の取消し**）

第九条　内閣総理大臣は、認定復興推進計画が第四条第九項各号のいずれかに適合しなくなったと認めるときは、その認定を取り消すことができる。この場合において、内閣総理大臣は、あらかじめ関係行政機関の長にその旨を通知しなければならない。

2　関係行政機関の長は、内閣総理大臣に対し、前項の規定による認定の取消しに関し必要と認める意見を申し出ることができる。

3　第四条第十一項の規定は、第一項の規定による認定復興推進計画の認定の取消しについて準用する。

（**認定地方公共団体への援助等**）

第一〇条　内閣総理大臣及び関係行政機関の長は、認定地方公共団体に対し、認定復興推進計画の円滑かつ確実な実施に関し必要な情報の提供、助言その他の援助を行うように努めなければならない。

2　関係行政機関の長及び関係地方公共団体の長その他の執行機関は、認定復興推進計画に係る復興推進事業の実施に関し、法令の規定による許可その他の処分を求められたときは、当該復興推進事業が円滑かつ迅速に実施されるよう、適切な配慮をするものとする。

3　前二項に定めるもののほか、内閣総理大臣、関係行政機関の長、認定地方公共団体、関係地方公共団体及び実施主体は、認定復興推進計画の円滑かつ確実な実施が促進されるよう、相互に連携を図りながら協力しなければならない。

（**新たな規制の特例措置等に関する提案及び復興特別意見書の提出**）

第一一条　申請をしようとする特定地方公共団体（地域協議会を組織するものに限る。）又は認定地方公共団体（以下この条及び次条において「認定地方公共団体等」という。）は、内閣総理大臣に対して、新たな規制の特例措置その他の特別の措置（次項及び第八項並びに次条第一項において「新たな規制の特例措置等」という。）の整備その他の申請に係る復興推進計画の区域における復興推進事業の実施等による復興の円滑かつ迅速な推進に関し政府が講ずべき新たな措置に関する提案（以下この条において単に「提案」という。）をすることができる。

2　復興推進計画の区域において新たな規制の特例措置等の適用を受けて事業を実施しようとする者は、認定地方公共団体等に対して、当該新たな規制の特例措置等の整備について提案をするよう要請することができる。

3　前項の規定による要請を受けた認定地方公共団体等は、当該要請に基づき提案をするか否かについて、遅滞なく、当該要請をした者に通知しなければならない。この場合において、当該提案をしないこととするときは、その理由を明らかにしなければならない。

4　内閣総理大臣は、提案がされた場合において、関係行政機関の長の意見を聴いて、当該提案を踏まえた新たな措置を講ずる必要があると認めるときは、遅滞なく、復興特別区域基本方針の変更の案を作成し、閣議の決定を求めなければならない。

5　内閣総理大臣は、前項の規定による閣議の決定があったときは、遅滞なく、復興特別区域基本方針を公表しなければならない。

6　内閣総理大臣は、提案がされた場合において、関係行政機関の長の意見を聴いて、当該提案を踏まえた新たな措置を講ずる必要がないと認めるときは、その旨及びその理由を当該提案をした認定地方公共団体等に通知しなければならない。

7　内閣総理大臣は、提案がされた場合において、次条第一項に規定する協議会（当該提案をした認定地方公共団体等を構成員とするものに限る。）が組織されているときは、第四項の規定により閣議の決定を求め、又は前項の規定により通知する前に、当該提案について当該協議会における協議

をしなければならない。

8　認定地方公共団体等は、新たな規制の特例措置等の整備その他の申請に係る復興推進計画の区域における復興推進事業の実施等による復興の円滑かつ迅速な推進に関する措置について、国会に対して意見書（次項において「復興特別意見書」という。）を提出することができる。

9　国会は、復興特別意見書の提出を受けた場合において、当該復興特別意見書に係る措置の円滑かつ確実な実施のために必要があると認めるときは、所要の法制上の措置を講ずるものとする。

（国と地方の協議会）

第一二条　内閣総理大臣、国務大臣のうちから内閣総理大臣の指定する者及び認定地方公共団体等の長（以下この条において「内閣総理大臣等」という。）は、都道県の区域ごとに、復興推進計画の区域において当該認定地方公共団体等が推進しようとする取組、当該取組を推進するために必要な新たな規制の特例措置等の整備その他の復興推進事業の実施等による復興の円滑かつ迅速な推進に関する施策の推進に関し必要な協議を行うための協議会（以下この条において単に「協議会」という。）を組織することができる。

2　認定地方公共団体等の長は、協議会が組織されていないときは、内閣総理大臣に対して、協議会を組織するよう要請することができる。

3　前項の規定による要請を受けた内閣総理大臣は、正当な理由がある場合を除き、当該要請に応じなければならない。

4　内閣総理大臣等は、必要と認めるときは、協議して、協議会に、次に掲げる者を構成員として加えることができる。

一　地方公共団体の長その他の執行機関（第一項の認定地方公共団体等の長を除く。）

二　当該都道県内の特定地方公共団体が組織した地域協議会を代表する者（地域協議会が二以上ある場合にあっては、各地域協議会を代表する者）

三　当該都道県の区域内において復興推進事業を実施し、又は実施すると見込まれる者

四　その他当該都道県の区域内における復興推進事業の実施に関し密接な関係を有する者

5　第一項の協議を行うための会議（以下この条において単に「会議」という。）は、内閣総理大臣等及び前項の規定により加わった者又はこれらの指名する者をもって構成する。

6　協議会は、会議において協議を行うため必要があると認めるときは、国の行政機関の長及び地方公共団体の長その他の執行機関に対して、資料の提供、意見の表明、説明その他必要な協力を求めることができる。

7　協議会は、会議において協議を行うため特に必要があると認めるときは、前項に規定する者以外の者に対しても、必要な協力を依頼することができる。

8　会議において協議が調った事項については、協議会の構成員は、その協議の結果を尊重しなければならない。この場合において、認定地方公共団体等の講ずる措置の円滑かつ確実な実施のために必要があるときは、内閣総理大臣等（認定地方公共団体等の長を除く。）は、速やかに、所要の法制上の措置その他の措置を講じなければならないものとする。

9　協議会の庶務は、内閣府において処理する。

10　内閣総理大臣は、会議における協議の経過及び内容を、適時に（会議において協議が調わなかった場合には、遅滞なく）、かつ、適切な方法で、国会に報告するものとする。

11　前条第九項の規定は、国会が前項の報告を受けた場合について準用する。

12　前各項に定めるもののほか、協議会の運営に関し必要な事項は、協議会が定める。

（復興推進協議会）

第一三条　特定地方公共団体は、第四条第一項の規定により作成しようとする復興推進計画並びに認定復興推進計画及びその実施に関し必要な事項について協議するため、復興推進協議会（以下この条及び次節において「地域協議会」という。）を組織することができる。

2　地域協議会は、次に掲げる者をもって構成する。

一　前項の特定地方公共団体

二　復興推進事業を実施し、又は実施すると見込まれる者

3　第一項の規定により地域協議会を組織する特定地方公共団体は、必要があると認めるときは、前項各号に掲げる者のほか、地域協議会に、次に掲げる者を構成員として加えることができる。

一　当該特定地方公共団体が作成しようとする復興推進計画又は認定復興推進計画及びその実施に関し密接な関係を有する者

二　その他当該特定地方公共団体が必要と認める者

4　特定地方公共団体は、前項の規定により地域協議会の構成員を加えるに当たっては、地域協議会の構成員の構成が、当該特定地方公共団体が作成しようとする復興推進計画又は認定復興推進計画及びその実施に関する多様な意見が適切に反映されるものとなるよう配慮しなければならない。

5　次に掲げる者は、地域協議会が組織されていない場合にあっては、特定地方公共団体に対して、地域協議会を組織するよう要請することができる。

一　復興推進事業を実施し、又は実施しようとする者

二　前号に掲げる者のほか、当該特定地方公共団体が作成しようとする復興推進計画又は認定復興推進計画及びその実施に関し密接な関係を有する者

6　前項の規定による要請を受けた特定地方公共団体は、正当な理由がある場合を除き、当該要請に応じなければならない。

7　特定地方公共団体は、第一項の規定により地域協議会を組織したときは、遅滞なく、内閣府令で定めるところにより、その旨を公表しなければならない。

8　第五項各号に掲げる者であって地域協議会の構成員でないものは、第一項の規定により地域協議会を組織する特定地方公共団体に対して、自己を地域協議会の構成員として加えるよう申し出ることができる。

9　前項の規定による申出を受けた特定地方公共団体は、正当な理由がある場合を除き、当該申出に応じなければならない。

10　第一項の協議を行うための会議において協議が調った事項については、地域協議会の構成員は、その協議の結果を尊重しなければならない。

11　前各項に定めるもののほか、地域協議会の運営に関し必要な事項は、地域協議会が定める。

第二節　認定復興推進計画に基づく事業に対する特別の措置

第一款　規制の特例措置

（建築基準法の特例）

第一五条　特定地方公共団体が、第四条第二項第五号に規定する復興推進事業として、復興建築物整備事業（復興産業集積区域、復興居住区域又は復興特定区域の区域内において復興の円滑かつ迅速な推進のために必要な建築物の整備を促進する事業をいう。次項及び別表の二の項において同じ。）を定めた復興推進計画について、内閣総理大臣の認定を申請し、その認定を受けたときは、当該認定の日以後は、当該復興推進計画に定められたこれらの区域内の建築物に対する建築基準法（昭和二十五年法律第二百一号）第四十八条第一項から第十三項まで（これらの規定を同法第八十七条第二項又は第三項において準用する場合を含む。）の規定の適用については、同法第四十八条第一項ただし書中「特定行政庁が」とあるのは「特定行政庁が、東日本大震災復興特別区域法（平成二十三年法律第百二十二号）第十五条第一項の認定を受けた同項に規定する復興推進計画に定められた同条第二項に規定する基本方針（以下この条において「認定計画基本方針」という。）に適合すると認めて許可した場合その他」と、同項から同条第十一項まで及び同条第十三項の規定のただし書の規定中「認め、」とあるのは「認めて許可した場合」と、同条第二項から第十三項までの規定のただし書の規定中「特定行政庁が」とあるのは「特定行政庁が、認定計画基本方針に適合すると認めて許可した場合その他」とする。

2　前項の復興推進計画には、第四条第二項第七号に掲げる事項として、当該復興推進計画において定められた復興建築物整備事業に係る建築物の整備に関する基本方針を定めるものとする。この場合において、当該基本方針は、当該区域内の用途地域（建築基準法第四十八条第十四項に規定する用途地域をいう。）の指定の目的に反することのないよう定めなければならない。

第一六条　特定地方公共団体が、第四条第二項第五号に規定する復興推進事業として、特別用途地区復興建築物整備事業（建築基準法第四十九条第二項の規定に基づく条例で同法第四十八条第一項から第十三項までの規定による制限を緩和することにより、復興産業集積区域、復興居住区域又は復興特定区域の区域内の特別用途地区（都市計画法（昭和四十三年法律第百号）第八条第一項第二号に掲げる特別用途地区をいう。次項において同じ。）内において、復興の円滑かつ迅速な推進のために必要な建築物の整備を促

進する事業をいう。次項及び別表の三の項において同じ。）を定めた復興推進計画について、内閣総理大臣の認定を申請し、その認定を受けたときは、当該認定の日以後は、当該認定を受けた特定地方公共団体については、当該認定を建築基準法第四十九条第二項の承認とみなして、同項の規定を適用する。

２　前項の復興推進計画には、第四条第二項第七号に掲げる事項として、当該特別用途地区復興建築物整備事業に係る特別用途地区について建築基準法第四十九条第二項の規定に基づく条例で定めようとする同法第四十八条第一項から第十三項までの規定による制限の緩和の内容を定めるものとする。

第一七条　削除

（公営住宅法等の特例）

第一九条　特定地方公共団体が、第四条第二項第五号に規定する復興推進事業として、罹災者公営住宅等供給事業（復興推進計画の区域内において次に掲げる全ての事業を行う事業をいう。以下同じ。）を定めた復興推進計画について、内閣総理大臣の認定を申請し、その認定を受けたときは、当該認定の日以後は、当該罹災者公営住宅等供給事業については、第二十一条の規定を適用する。

一　公営住宅法（昭和二十六年法律第百九十三号）第八条第一項又は激甚災害に対処するための特別の財政援助等に関する法律（昭和三十七年法律第百五十号）第二十二条第一項の規定による国の補助を受けて公営住宅法第二条第五号に規定する公営住宅の建設等をする事業

二　当該復興推進計画の区域内において東日本大震災により滅失した住宅に居住していた者又は当該復興推進計画の区域内において実施される都市計画事業その他国土交通省令で定める事業の実施に伴い移転が必要になった者に、公営住宅又は改良住宅を賃貸する事業

２　前項の復興推進計画には、第四条第二項第七号に掲げる事項として、前項第一号に掲げる事業の期間を定めるものとする。

第二一条　第十九条第一項の認定を受けた復興推進計画に定められた罹災者公営住宅等供給事業に係る公営住宅若しくは当該公営住宅に係る公営住宅法第二条第九号に規定する共同施設又は改良住宅（次条において「公営住宅等」という。）に対する同法第四十四条第一項及び第二項（これらの規定を住宅地区改良法第二十九条第一項において準用する場合を含む。以下この条において同じ。）並びに公営住宅法附則第十五項の規定の適用については、同法第四十四条第一項中「四分の一」とあるのは「六分の一」と、同条第二項中「公営住宅の整備若しくは共同施設の整備又はこれらの修繕若しくは改良に要する費用に」とあるのは「公営住宅の整備若しくは共同施設の整備若しくはこれらの修繕若しくは改良に要する費用又は地域における多様な需要に応じた公的賃貸住宅等の整備等に関する特別措置法（平成十七年法律第七十九号）第六条の地域住宅計画に基づく事業若しくは事務の実施に要する費用に」と、同法附則第十五項中「その耐用年限の四分の一を経過した場合においては」とあるのは「その耐用年限の六分の一を経過した場合において特別の事由のあるとき、又は耐用年限の四分の一を経過した場合においては」とする。

第二二条　特定地方公共団体が、第四条第二項第五号に規定する復興推進事業として、復興推進公営住宅等管理等事業（復興推進計画の区域内において公営住宅等の適切な管理及び処分による東日本大震災からの復興の円滑かつ迅速な推進を図るために実施される次に掲げる事業をいう。以下この項及び別表の七の項において同じ。）を定めた復興推進計画について、内閣総理大臣の認定を申請し、その認定を受けたときは、当該認定を受けた復興推進公営住宅等管理等事業については、当該認定の日において、次の各号に掲げる区分に応じ、それぞれ当該各号に定める規定による国土交通大臣の承認を受けたものとみなす。

一　公営住宅法第四十四条第三項（住宅地区改良法第二十九条第一項において準用する場合を含む。以下この号において同じ。）に基づき、東日本大震災により被害を受けた公営住宅等の用途を廃止する事業　公営住宅法第四十四条第三項

二　公営住宅法第四十五条第一項に基づき、同項に規定する社会福祉法人等に公営住宅を住宅として使用させる事業　同項

三　公営住宅法第四十六条第一項（住宅地区改良法第二十九条第一項において準用する場合を含む。以下この号において同じ。）に基づき、公営住宅等を他の地方公共団体に譲渡する事業　公営住宅法第四十六条第一項

２　国土交通大臣は、前項（第一号又は第三号に係る部分に限る。）の認定の申請に係る第四条第十項（第六条第二項において準用する場合を含む。）の同意を求められたときは、厚生労働大臣に協議しなければならない。

３　特定地方公共団体である市町村（特別区を含む。以下同じ。）は、第一項の認定を受けたときは、その旨を当該市町村の存する都道府県の知事に通知するものとする。

第四章　復興整備計画等に係る特別の措置

第一節　復興整備計画の作成等

（復興整備計画）

第四六条　第四条第一項の政令で定める区域内の次の各号に掲げる地域のいずれかに該当する地域であって、市街地の整備に関する事業、農業生産の基盤の整備に関する事業その他の地域の円滑かつ迅速な復興を図るための事業を実施する必要がある地域をその区域とする市町村（以下「被災関連市町村」という。）は、内閣府令で定めるところにより、単独で又は当該被災関連市町村の存する都道府県（以下「被災関連都道府県」という。）と共同して、当該事業の実施を通じた地域の整備に関する計画（以下「復興整備計画」という。）を作成することができる。

一　東日本大震災による被害により土地利用の状況が相当程度変化した地域又はこれに隣接し、若しくは近接する地域

二　東日本大震災の影響により多数の住民が避難し、若しくは住所を移転することを余儀なくされた地域又はこれに隣接し、若しくは近接する地域（前号に掲げる地域を除く。）

三　前二号に掲げる地域と自然、経済、社会、文化等において密接な関係が認められる地域であって、前二号に掲げる地域の住民の生活の再建を図るための整備を図ることが適切であると認められる地域

四　前三号に掲げる地域のほか、東日本大震災による被害を受けた地域であって、市街地の円滑かつ迅速な復興を図ることが必要であると認められる地域

２　復興整備計画には、次に掲げる事項を記載するものとする。

一　復興整備計画の区域（以下「計画区域」という。）

二　復興整備計画の目標

三　計画区域における土地利用に関する基本方針（土地の用途の概要その他内閣府令で定める事項を記載したものをいう。第四十九条及び第五十条第一項において「土地利用方針」という。）

四　第二号の目標を達成するために必要な次に掲げる事業（以下「復興整備事業」という。）に係る実施主体、実施区域その他の内閣府令で定める事項

イ　市街地開発事業（都市計画法第四条第七項に規定する市街地開発事業をいう。）

ロ　土地改良事業

ハ　復興一体事業（第五十七条第一項に規定する復興一体事業をいう。第五十一条において同じ。）

ニ　集団移転促進事業

ホ　住宅地区改良事業（住宅地区改良法第二条第一項に規定する住宅地区改良事業をいう。第五十四条において同じ。）

ヘ　都市計画法第十一条第一項各号に掲げる施設の整備に関する事業

ト　小規模団地住宅施設整備事業（一団地における五戸以上五十戸未満の集団住宅及びこれらに附帯する通路その他の施設の整備に関する事業をいう。第五十四条の二において同じ。）

チ　津波防護施設（津波防災地域づくりに関する法律（平成二十三年法律第百二十三号）第二条第十項に規定する津波防護施設をいう。第七十六条第一項において同じ。）の整備に関する事業

リ　漁港漁場整備事業

ヌ　保安施設事業（森林法第四十一条第三項に規定する保安施設事業をいう。）

ル　液状化対策事業（地盤の液状化により被害を受けた市街地の土地において再度災害を防止し、又は軽減するために施行する事業をいう。）

ヲ　造成宅地滑動崩落対策事業（地盤の滑動又は崩落により被害を受けた造成宅地（宅地造成に関する工事が施行された宅地をいう。）において、再度災害を防止するために施行する事業をいう。）

ワ　地籍調査事業（地籍調査（国土調査法（昭和二十六年法律第百八十号）第二条第五項に規定する地籍調査をいう。第五十六条第一項にお

いて同じ。）を行う事業をいう。）

カ　イからワまでに掲げるもののほか、住宅施設、水産物加工施設その他の地域の円滑かつ迅速な復興を図るために必要となる施設の整備に関する事業

五　復興整備計画の期間

六　その他復興整備事業の実施に関し必要な事項

3　前項第四号に掲げる事項には、被災関連市町村（当該被災関連市町村が被災関連都道県と共同して復興整備計画を作成する場合（以下「共同作成の場合」という。）にあっては、当該被災関連市町村及び被災関連都道県。以下「被災関連市町村等」という。）が実施する事業に係るものを記載するほか、必要に応じ、被災関連市町村等以外の者が実施する事業に係るものを記載することができる。

4　被災関連市町村等は、復興整備計画に当該被災関連市町村等以外の者が実施する復興整備事業に係る事項を記載しようとするときは、当該事項について、あらかじめ、その者の同意を得なければならない。

5　被災関連市町村等は、復興整備計画を作成しようとするときは、あらかじめ、公聴会の開催等住民の意見を反映させるために必要な措置を講ずるものとする。

6　被災関連市町村等は、復興整備計画を作成したときは、遅滞なく、これを公表しなければならない。

7　前三項の規定は、復興整備計画の変更（内閣府令で定める軽微な変更を除く。）について準用する。

（復興整備協議会）

第四七条　被災関連市町村等は、復興整備計画及びその実施に関し必要な事項について協議（第四項各号に掲げる協議を含む。）を行うため、復興整備協議会（以下「協議会」という。）を組織することができる。

2　協議会は、次に掲げる者をもって構成する。

一　被災関連市町村の長（以下「被災関連市町村長」という。）

二　被災関連都道県の知事（以下「被災関連都道県知事」という。）

3　被災関連市町村等は、必要があると認めるときは、前項各号に掲げる者のほか、協議会に、次に掲げる者を構成員として加えることができる。

一　国の関係行政機関の長

二　復興整備計画及びその実施に関し密接な関係を有する者

三　その他被災関連市町村等が必要と認める者

4　被災関連市町村等は、次の各号に掲げる協議を行う場合には、当該各号に定める者を協議会の構成員として加えるものとする。ただし、やむを得ない事由によりそれらの者を構成員として加えることが困難な場合又は第十六号に掲げる協議にあっては農業委員会等に関する法律第四十二条第一項の規定による都道府県知事の指定がされていない場合は、この限りでない。

一　次条第一項第一号に定める事項に係る同条第二項の協議　国土の利用及び土地利用に関し学識経験を有する者並びに国土交通大臣

二　次条第一項第二号に定める事項に係る同条第二項の協議　都市計画（都市計画法第四条第一項に規定する都市計画をいう。以下同じ。）に関し学識経験を有する者その他の国土交通省令で定める者及び国土交通大臣

三　次条第一項第三号に定める事項（都道府県が定める都市計画（都市計画法第十八条第三項に規定する都市計画に限る。）に係るものに限る。）に係る次条第二項の協議　国土交通大臣

四　次条第一項第五号に定める事項に係る同条第二項の協議　当該事項に関し密接な関係を有する者として農林水産省令で定める者

五　次条第一項第六号に定める事項に係る同条第二項の協議　森林及び林業に関し学識経験を有する者、被災関連市町村等を管轄する森林管理局長並びに農林水産大臣

六　次条第一項第七号に定める事項（森林法第二十六条の二第四項各号のいずれかに該当する保安林（同法第二十五条の二第一項又は第二項の規定により指定された保安林をいう。次において同じ。）の解除に係るものに限る。）に係る次条第二項の協議　農林水産大臣

七　次条第一項第八号に定める事項（河川法第六条第一項に規定する河川区域（一級河川に係るものに限る。）に係るものに限る。）に係る次条第二項の協議　国土交通大臣

八　第四十九条第一項の協議　農林水産大臣

九　第四十九条第五項第一号に掲げる事項に係る同項の協議　国土交通大臣

十　第四十九条第五項第二号に掲げる事項に係る同項の協議　環境大臣

十一　第四十九条第四項第三号に掲げる事項（都市計画法第五十九条第六項に規定する公共の用に供する施設を管理する者の意見の聴取を要する場合における認可又は承認に関する事項に限る。）に係る第四十九条第五項又は第七項の協議　当該公共の用に供する施設を管理する者

十二　第四十九条第四項第三号に掲げる事項（都市計画法第五十九条第六項に規定する土地改良事業計画による事業を行う者の意見の聴取を要する場合における認可又は承認に関する事項に限る。）に係る第四十九条第五項又は第七項の協議　当該土地改良事業計画による事業を行う者

十三　第四十九条第四項第一号に掲げる事項（都市計画法第三十二条第一項の同意を要する場合における許可に関する事項に限る。）に係る第四十九条第七項の協議　同法第三十二条第一項に規定する公共施設の管理者（第四十九条において「公共施設管理者」という。）

十四　第四十九条第四項第一号に掲げる事項（都市計画法第三十二条第二項の協議を要する場合における許可に関する事項に限る。）に係る第四十九条第七項の協議　同法第三十二条第二項に規定する公共施設を管理することとなる者その他同項の政令で定める者

十五　第四十九条第四項第四号に掲げる事項に係る同条第七項の協議　農業委員会その他当該事項に関し密接な関係を有する者として農林水産省令で定める者

十六　第四十九条第四項第五号に掲げる事項に係る同条第七項の協議　農業委員会等に関する法律第四十三条第一項に規定する都道府県機構（第四十九条第八項第六号において単に「都道府県機構」という。）

十七　第四十九条第四項第六号に掲げる事項に係る同条第七項の協議　森林及び林業に関し学識経験を有する者

十八　第五十二条第四項の規定による会議における協議　土地改良法第八十七条の二第六項に規定する土地改良施設の管理者

十九　第五十三条第四項の協議　国土交通大臣

二十　第五十四条第三項の協議　国土交通大臣

二十一　第五十四条第九項の規定による会議における協議　住宅地区改良法第七条各号に掲げる者及び国土交通大臣

二十二　第五十五条第二項の規定による会議における協議　農林水産大臣

二十三　第五十六条第二項の協議　国土交通大臣

5　第一項の協議を行うための会議（以下この節において単に「会議」という。）は、被災関連市町村長及び被災関連都道県知事並びに前二項の規定により加わった者又はこれらの指名する職員をもって構成する。

6　協議会は、会議において協議を行うため必要があると認めるときは、国の行政機関の長、被災関連市町村長及び被災関連都道県知事その他の執行機関に対して、資料の提供、意見の表明、説明その他必要な協力を求めることができる。

7　被災関連市町村等は、第一項の規定により協議会を組織したときは、遅滞なく、内閣府令で定めるところにより、その旨を公表しなければならない。

8　協議会の構成員は、この法律によりその権限に属させられた協議又は同意を行うに当たっては、復興整備事業の円滑な実施が図られるよう適切な配慮をするものとする。

9　前各項に定めるもののほか、協議会の組織及び運営に関し必要な事項は、協議会が定める。

（土地利用基本計画の変更等に関する特例）

第四八条　第四十六条第二項第四号に掲げる事項には、復興整備事業の実施に関連して行う次の各号に掲げる変更、指定、廃止、決定、解除又は指定の取消し（第九項において「土地利用基本計画の変更等」という。）に係る当該各号に定める事項を記載することができる。ただし、第一号から第四号まで及び第六号から第八号までに定める事項（第三号に定める事項にあっては都道府県が定める都市計画の決定又は変更に係るものに限り、第八号に定める事項にあっては漁港及び漁場の整備等に関する法律第六条第二項に規定する漁港区域（同条第一項又は第二項の規定により指定された漁港の区域をいう。以下この条において同じ。）の指定、変更又は指定の取消しに係るものに限る。）については、共同作成の場合に限り、記載することができる。

一　土地利用基本計画（国土利用計画法（昭和四十九年法律第九十二号）第九条第一項に規定する土地利用基本計画をいう。）の変更　当該変更に係る同条第二項各号に掲げる地域及び同条第三項に規定する土地利用

の調整等に関する事項

二　都市計画区域（都市計画法第四条第二項に規定する都市計画区域であって、同法第五条第四項に規定する都市計画区域を除く。以下この号において同じ。）の指定、変更又は廃止　当該指定、変更又は廃止に係る都市計画区域の名称及び区域

三　都市計画（国土交通大臣が定める都市計画を除く。以下この条において同じ。）の決定又は変更　当該決定又は変更に係る都市計画に定めるべき事項

四　農業振興地域（農業振興地域の整備に関する法律第六条第一項に規定する農業振興地域をいう。以下この号において同じ。）の変更　当該変更に係る農業振興地域の区域

五　農用地利用計画（農業振興地域の整備に関する法律第八条第四項に規定する農用地利用計画をいう。）の変更　当該変更に係る農用地区域及びその区域内にある土地の農業上の用途区分

六　地域森林計画区域（森林法第五条第一項の規定によりたてられた地域森林計画の対象とする森林の区域をいう。）の変更　当該変更に係る森林の区域

七　保安林の指定又は解除　その保安林の所在場所及び指定の目的並びに保安林の指定に係る事項を記載しようとする場合にあっては指定施業要件（森林法第三十三条第一項に規定する指定施業要件をいう。）

八　漁港区域の指定、変更又は指定の取消し　当該指定、変更又は指定の取消しに係る漁港の名称及び区域

2　被災関連市町村等は、協議会が組織されている場合において、復興整備計画に前項各号に定める事項を記載しようとするときは、当該事項について、農林水産省令・国土交通省令で定めるところにより、会議における協議をするとともに、同項各号に定める事項が次の各号に掲げる事項であるときは、それぞれ当該各号に定める者の同意を得なければならない。ただし、内閣府令で定める理由により会議における協議が困難な場合（以下単に「会議における協議が困難な場合」という。）は、この限りでない。

一　前項第二号に定める事項　国土交通大臣

二　前項第三号に定める事項（都道府県が定める都市計画（都市計画法第十八条第三項に規定する都市計画に限る。）の決定又は変更に係るものに限る。）　国土交通大臣

三　前項第五号に定める事項　被災関連都道県知事（共同作成の場合を除く。）

四　前項第七号に定める事項（森林法第二十六条の二第四項第一号に該当する保安林又は同項第二号に該当する保安林（同法第二十五条第一項第一号から第三号までに掲げる目的を達成するため指定されたものに限る。次項第八号において同じ。）の解除に係るものに限る。）　農林水産大臣

3　被災関連市町村等は、協議会が組織されていない場合又は会議における協議が困難な場合において、復興整備計画に次の各号に掲げる事項を記載しようとするときは、当該事項について、内閣府令・農林水産省令・国土交通省令で定めるところにより、あらかじめ、それぞれ当該各号に定める手続を経なければならない。

一　第一項第一号に定める事項　国土利用計画法第三十八条第一項に規定する審議会等の意見を聴くこと及び内閣総理大臣を経由して国土交通大臣の意見を聴くこと。

二　第一項第二号に定める事項　都道府県都市計画審議会の意見を聴くこと及び内閣総理大臣を経由して国土交通大臣に協議をし、その同意を得ること。

三　第一項第三号に定める事項（都道府県が定める都市計画（都市計画法第十八条第三項に規定する都市計画に限る。）の決定又は変更に係るものに限る。）　内閣総理大臣を経由して国土交通大臣に協議をし、その同意を得ること。

四　第一項第三号に定める事項（市町村が定める都市計画（都市計画法第十九条第三項に規定する都市計画に限る。）の決定又は変更に係るものに限る。）　被災関連都道県知事に協議をすること（共同作成の場合を除く。）。

五　第一項第五号に定める事項　被災関連都道県知事の同意を得ること（共同作成の場合を除く。）及び当該事項に関し密接な関係を有する者として農林水産省令で定める者の意見を聴くこと。

六　第一項第六号に定める事項　都道府県森林審議会及び被災関連市町村等を管轄する森林管理局長の意見を聴くこと並びに内閣総理大臣を経由して農林水産大臣に協議をすること。

七　第一項第七号に定める事項（海岸保全区域内の森林を保安林として指定する場合に限る。）　当該海岸保全区域を管理する海岸管理者（海岸法第二条第三項に規定する海岸管理者をいう。第十一号において同じ。）に協議をすること。

八　第一項第七号に定める事項（森林法第二十六条の二第四項第一号に該当する保安林又は同項第二号に該当する保安林の解除に係るものに限る。）　内閣総理大臣を経由して農林水産大臣に協議をし、その同意を得ること。

九　第一項第七号に定める事項（森林法第二十六条の二第四項第二号に該当する保安林（同法第二十五条第一項第四号から第十一号までに掲げる目的を達成するため指定されたものに限る。）の解除に係るものに限る。）　内閣総理大臣を経由して農林水産大臣に協議をすること。

十　第一項第八号に定める事項（漁港及び漁場の整備等に関する法律第六条第一項に規定する漁港区域に係るものに限る。）　被災関連都道県の意見を聴くこと（共同作成の場合を除く。）。

十一　第一項第八号に定める事項（河川法第三条第一項に規定する河川に係る同法第六条第一項に規定する河川区域に係るもの又は海岸保全区域に係るものに限る。）　当該河川を管理する同法第七条（同法第百条第一項において準用する場合を含む。）に規定する河川管理者（同法第九条第二項又は第五項の規定により都道県知事又は指定都市（地方自治法（昭和二十二年法律第六十七号）第二百五十二条の十九第一項の指定都市をいう。以下この号及び第八十五条において同じ。）の長が河川法第九条第二項に規定する指定区間内の一級河川の管理の一部を行う場合にあっては、当該都道県知事又は当該指定都市の長）又は当該海岸保全区域を管理する海岸管理者に協議をすること。

4　被災関連市町村等は、復興整備計画に第一項第三号又は第五号から第七号までのいずれかに定める事項を記載しようとするときは、当該事項について、農林水産省令・国土交通省令で定めるところにより、あらかじめ、その旨を公告し、当該事項の案を、当該事項を復興整備計画に記載しようとする理由を記載した書面を添えて、当該公告の日から二週間公衆の縦覧に供しなければならない。

5　前項の規定による公告があったときは、被災関連市町村の住民及び利害関係人は、同項の縦覧期間満了の日までに、縦覧に供された当該事項の案について、被災関連市町村等に、意見書を提出することができる。

6　被災関連市町村等は、前項の規定により提出された意見書（第一項第六号に掲げる事項に係るものに限る。）の要旨を、第二項の協議をするときは協議会に、第三項に規定する手続（同項第六号に定める手続に限る。）を経るときは都道府県森林審議会に、それぞれ提出しなければならない。

7　被災関連市町村等は、復興整備計画に第一項第三号に定める事項を記載しようとするときは、国土交通省令で定めるところにより、あらかじめ、次の各号に掲げる事項ごとに、それぞれ当該各号に定める者に第五項の規定により提出された意見書（当該事項に係るものに限る。）の要旨を提出し、当該事項について、それぞれ当該各号に定める者に付議し、その議を経なければならない。

一　第一項第三号に定める事項（都道府県が定める都市計画の決定又は変更に係るものに限る。）　都道府県都市計画審議会

二　第一項第三号に定める事項（市町村が定める都市計画の決定又は変更に係るものに限る。）　市町村都市計画審議会（当該被災関連市町村に市町村都市計画審議会が置かれていないときは、被災関連都道県の都道府県都市計画審議会。第五十四条第五項第一号において同じ。）

8　復興整備計画に第一項第三号に定める事項を記載しようとするときの手続については、この法律に定めるもののほか、都市計画法（同法第十六条第一項並びに第十七条第一項及び第二項、第十八条第一項から第三項まで並びに第十九条第一項及び第二項（これらの規定を同法第二十一条第二項において準用する場合を含む。）を除く。）その他の法令の規定による都市計画の決定又は変更に係る手続の例による。

9　第一項各号に定める事項が記載された復興整備計画が第四十六条第六項の規定により公表されたときは、当該公表の日に当該事項に係る土地利用基本計画の変更等がされたものとみなす。

（復興整備事業に係る許認可等の特例）

第四九条　被災関連市町村等は、協議会が組織されている場合において、復

興整備計画に、当該土地利用方針に沿って復興整備事業を実施した場合には計画区域において四ヘクタールを超える農地を農地以外のものにすることとなることが明らかである土地利用方針を記載しようとするときは、当該土地利用方針について、農林水産省令で定めるところにより、会議における協議をするとともに、農林水産大臣の同意を得なければならない。ただし、会議における協議が困難な場合は、この限りでない。

2　被災関連市町村等は、協議会が組織されていない場合又は会議における協議が困難な場合において、前項に規定する土地利用方針を記載しようとするときは、当該土地利用方針について、内閣府令・農林水産省令で定めるところにより、あらかじめ、内閣総理大臣を経由して農林水産大臣に協議をし、その同意を得なければならない。

3　農林水産大臣は、第一項又は前項の協議に係る土地利用方針が次に掲げる要件に該当するものであると認めるときは、これらの規定の同意をするものとする。

一　第四十六条第一項第一号に掲げる地域をその区域とする被災関連市町村等が作成する復興整備計画に係るものであること。

二　被災関連市町村の復興のため必要かつ適当であると認められること。

三　被災関連市町村の農業の健全な発展に支障を及ぼすおそれがないと認められること。

4　第四十六条第二項第四号に掲げる事項には、復興整備事業の実施に係る次に掲げる事項（復興整備計画に第一項に規定する土地利用方針を記載する場合にあっては、第四号に掲げる事項を除く。）を記載することができる。

一　都市計画法第二十九条第一項又は第二項の許可に関する事項

二　都市計画法第四十三条第一項の許可に関する事項

三　都市計画法第五十九条第一項から第四項までの認可又は承認に関する事項

四　農地法第四条第一項又は第五条第一項の許可に関する事項

五　農業振興地域の整備に関する法律第十五条の二第一項の許可に関する事項

六　森林法第十条の二第一項の許可に関する事項

七　森林法第三十四条第一項又は第二項の許可に関する事項

八　自然公園法（昭和三十二年法律第百六十一号）第二十条第三項の許可又は同法第三十三条第一項の届出に関する事項

九　漁港及び漁場の整備等に関する法律第三十九条第一項の許可に関する事項（被災関連都道県が管理する漁港に係るものに限る。）

十　港湾法（昭和二十五年法律第二百十八号）第三十七条第一項の許可若しくは同条第三項の規定により読み替えて適用する同条第一項の協議又は同法第三十八条の二第一項の規定による届出若しくは同条第九項の規定による通知に関する事項（被災関連都道県が管理する港湾に係るものに限る。）

5　被災関連市町村等は、協議会が組織されている場合において、復興整備計画に次の各号に掲げる事項を記載しようとするときは、当該事項について、国土交通省令・環境省令で定めるところにより、会議における協議をするとともに、それぞれ当該各号に定める者の同意を得なければならない。ただし、会議における協議が困難な場合は、この限りでない。

一　前項第三号に掲げる事項（都市計画法第五十九条第一項から第三項までの国土交通大臣の認可又は承認に関する事項に限る。）　国土交通大臣

二　前項第八号に掲げる事項（国立公園（自然公園法第二条第二号に規定する国立公園をいう。）に係る許可又は届出に関する事項に限る。）　環境大臣

6　被災関連市町村等は、協議会が組織されていない場合又は会議における協議が困難な場合において、復興整備計画に前項各号に掲げる事項を記載しようとするときは、当該事項について、内閣府令・国土交通省令・環境省令で定めるところにより、あらかじめ、内閣総理大臣を経由して、それぞれ同項各号に定める者に協議をし、その同意を得なければならない。この場合において、同項第一号に掲げる事項が第八項第三号又は第四号に掲げる事項であるときは、あらかじめ、それぞれ当該各号に定める者に協議をしなければならない。

7　被災関連市町村等は、協議会が組織されている場合において、復興整備計画に第四項各号に掲げる事項（第五項各号に掲げる事項を除く。）を記載しようとするときは、当該事項について、農林水産省令・国土交通省令・環境省令で定めるところにより、会議における協議をするとともに、被災関連都道県知事（次項第一号に掲げる事項にあっては、被災関連都道県知事及び公共施設管理者）の同意を得なければならない。ただし、会議における協議が困難な場合は、この限りでない。

8　被災関連市町村等は、協議会が組織されていない場合又は会議における協議が困難な場合において、復興整備計画に前項に規定する事項を記載しようとするときは、当該事項について、農林水産省令・国土交通省令・環境省令で定めるところにより、あらかじめ、被災関連都道県知事（次の各号に掲げる事項にあっては、被災関連都道県知事及びそれぞれ当該各号に定める者）に協議をし、被災関連都道県知事（第一号に掲げる事項にあっては、被災関連都道県知事及び公共施設管理者）の同意を得なければならない。ただし、第六号に掲げる事項にあっては、農業委員会等に関する法律第四十二条第一項の規定による都道府県知事の指定がされていない場合における同号に定める者への協議については、この限りでない。

一　第四項第一号に掲げる事項（都市計画法第三十二条第一項の同意を要する場合における許可に関する事項に限る。）　公共施設管理者

二　第四項第一号に掲げる事項（都市計画法第三十二条第二項の協議を要する場合における許可に関する事項に限る。）　同法第三十二条第二項に規定する公共施設を管理することとなる者その他同項の政令で定める者

三　第四項第三号に掲げる事項（都市計画法第五十九条第六項に規定する公共の用に供する施設を管理する者の意見の聴取を要する場合における認可又は承認に関する事項に限る。）　当該公共の用に供する施設を管理する者

四　第四項第三号に掲げる事項（都市計画法第五十九条第六項に規定する土地改良事業計画による事業を行う者の意見の聴取を要する場合における認可又は承認に関する事項に限る。）　当該土地改良事業計画による事業を行う者

五　第四項第四号に掲げる事項　農業委員会その他当該事項に関し密接な関係を有する者として農林水産省令で定める者

六　第四項第五号に掲げる事項　都道府県機構

七　第四項第六号に掲げる事項　都道府県森林審議会

9　共同作成の場合において被災関連市町村等が復興整備計画に第七項に規定する事項を記載しようとするとき、被災関連市町村が都市計画法第二十九条第一項に規定する指定都市等である場合において復興整備計画に第四項第一号若しくは第二号に掲げる事項を記載しようとするとき、又は被災関連市町村等が公共施設管理者である場合において復興整備計画に第四項第一号に掲げる事項を記載しようとするときは、これらの事項について第七項又は前項の同意を得ることを要しない。

10　被災関連都道県知事は、第七項又は第八項の協議に係る第四項第一号に掲げる事項が都市計画法第三十三条（当該事項が市街化調整区域（同法第七条第一項に規定する市街化調整区域をいう。以下この条及び第五十一条において同じ。）内において行う開発行為（同法第四条第十二項に規定する開発行為をいう。）に係る許可に関する事項である場合においては、同法第三十三条及び第三十四条）に規定する基準に適合するものであると認めるときは、第七項又は第八項の同意をするものとする。

11　被災関連都道県知事は、第七項又は第八項の協議に係る第四項第二号に掲げる事項が都市計画法第三十三条及び第三十四条に規定する基準の例に準じて国土交通省令で定める基準に適合するものであると認めるときは、第七項又は第八項の同意をするものとする。

12　被災関連都道県知事は、第七項又は第八項の協議に係る第四項第一号又は第二号に掲げる事項に係る復興整備事業が、第四十六条第一項第一号若しくは第二号に掲げる地域の円滑かつ迅速な復興又はこれらの地域の住民の生活の再建を図るため同項第一号から第三号までに掲げる地域内の市街化調整区域において実施することが必要であると認められる場合においては、前二項の規定にかかわらず、第四項第一号に掲げる事項にあっては都市計画法第三十三条に規定する基準に、同項第二号に掲げる事項にあっては当該基準の例に準じて国土交通省令で定める基準に適合するものであると認めるときは、第七項又は第八項の同意をするものとする。

13　前三項の規定は、被災関連市町村等が、第九項の規定により同意を得ないで復興整備計画に第四項第一号又は第二号に掲げる事項を記載する場合について準用する。この場合において、前三項中「第七項又は第八項の同意をするものとする」とあるのは、「復興整備計画に記載することができる」と読み替えるものとする。

14　被災関連都道県知事は、第七項又は第八項の協議に係る第四項第四号又は第五号に掲げる事項が次に掲げる要件に該当するものであると認めると

きは、第七項又は第八項の同意をするものとする。

一　第四十六条第一項第一号に掲げる地域をその区域とする被災関連市町村等が作成する復興整備計画に係るものであること。

二　被災関連市町村の復興のため必要かつ適当であると認められること。

三　被災関連市町村の農業の健全な発展に支障を及ぼすおそれがないと認められること。

第五〇条　前条第一項又は第二項の同意を得た土地利用方針に係る復興整備事業に関する事項（当該復興整備事業を実施するため、農地を農地以外のものにし、又は農地を農地以外のものにするため当該農地について所有権若しくは使用及び収益を目的とする権利を取得するに当たり、農地法第四条第一項又は第五条第一項の許可を受けなければならないものに係るものに限る。）が記載された復興整備計画が第四十六条第六項の規定により公表されたときは、当該公表の日に当該復興整備事業に係る同法第四条第一項又は第五条第一項の規定により許可を受けるべき者に対するこれらの許可があつたものとみなす。

2　次の表の上欄に掲げる事項が記載された復興整備計画が第四十六条第六項の規定により公表されたときは、当該公表の日に当該事項に係る復興整備事業の実施主体に対する同表下欄に掲げる許可、認可又は承認があつたものとみなす。

前条第四項第一号に掲げる事項	都市計画法第二十九条第一項又は第二項の許可
前条第四項第二号に掲げる事項	都市計画法第四十三条第一項の許可
前条第四項第三号に掲げる事項	都市計画法第五十九条第一項から第四項までの認可又は承認
前条第四項第五号に掲げる事項	農業振興地域の整備に関する法律第十五条の二第一項の許可
前条第四項第六号に掲げる事項	森林法第十条の二第一項の許可
前条第四項第七号に掲げる事項	森林法第三十四条第一項又は第二項の許可
前条第四項第八号に掲げる事項（自然公園法第二十条第三項の許可に係るものに限る。）	自然公園法第二十条第三項の許可
前条第四項第九号に掲げる事項	漁港及び漁場の整備等に関する法律第三十九条第一項の許可
前条第四項第十号に掲げる事項（港湾法第三十七条第一項の許可に係るものに限る。）	港湾法第三十七条第一項の許可

3　前条第四項第四号に掲げる事項が記載された復興整備計画が第四十六条第六項の規定により公表されたときは、当該公表の日に当該事項に係る農地法第四条第一項又は第五条第一項の規定により許可を受けるべき者に対するこれらの許可があつたものとみなす。

4　前条第四項第八号に掲げる事項（自然公園法第三十三条第一項の届出に係るものに限る。）が記載された復興整備計画が第四十六条第六項の規定により公表されたときは、当該事項に係る復興整備事業については、同法第三十三条第一項及び第二項の規定は、適用しない。

5　前条第四項第十号に掲げる事項（港湾法第三十七条第三項の規定により読み替えて適用する同条第一項の協議に係るものに限る。）が記載された復興整備計画が第四十六条第六項の規定により公表されたときは、同法第三十七条第三項の規定により読み替えて適用する同条第一項の協議があつたものとみなす。

6　前条第四項第十号に掲げる事項（港湾法第三十八条の二第一項の規定による届出又は同条第九項の規定による通知に係るものに限る。）が記載された復興整備計画が第四十六条第六項の規定により公表されたときは、同法第三十八条の二第一項の規定による届出又は同条第九項の規定による通知があつたものとみなす。

（**土地区画整理事業等の特例**）

第五一条　第四十六条第二項第四号イ又はハに掲げる事項には、同条第一項第一号から第三号までに掲げる地域内の市街化調整区域をその施行地区（土地区画整理法第二条第四項に規定する施行地区又は第五十七条第二項第一号に規定する施行地区をいう。）に含む土地区画整理事業又は復興一体事業に関する事項を記載することができる。

2　前項の規定により復興整備計画に記載された土地区画整理事業（土地区画整理法第三条第四項の規定により施行するものに限る。）又は復興一体事業に係る都市計画法第十三条第一項第十三号の規定の適用については、同号中「市街地開発事業」とあるのは「東日本大震災復興特別区域法（平成二十三年法律第百二十二号）第五十一条第一項の規定により同法第四十六条第一項に規定する復興整備計画に記載された土地区画整理事業又は同法第五十七条第一項に規定する復興一体事業に係る土地区画整理事業」と、「市街化区域又は区域区分が定められていない都市計画区域内において、一体的に開発し、又は整備する必要がある土地の区域」とあるのは「一体的に開発し、又は整備する必要がある土地の区域」とする。

（**土地改良事業の特例**）

第五二条　被災関連都道県は、復興整備計画に記載された土地改良事業（政令で定める要件に適合するものに限る。以下この条において同じ。）を行うことができる。

2　前項の規定により行う土地改良事業は、土地改良法第八十七条の二第一項の規定により行うことができる同項第二号に掲げる土地改良事業とみなす。この場合において、同条第十項及び同法第八十八条第二項の規定の適用については、同法第八十七条の二第十項中「第五条第六項及び第七項、第七条第三項」とあるのは「第五条第四項から第七項まで、第七条第三項及び第四項」と、「同条第五項」とあるのは「同条第四項」と、同法第八十八条第二項中「第八十五条第一項、第八十五条の二第一項若しくは第八十五条の三第六項の規定による申請に基づいて行う農用地造成事業等」とあるのは「農用地造成事業等」と、「これらの規定による申請に基づいて行う土地改良事業」とあるのは「土地改良事業」とする。

3　共同作成の場合には、第四十六条第二項第四号ロに掲げる事項に、被災関連都道県が復興整備事業として行う土地改良事業に関する事項（土地改良法第五条第四項から第七項まで、第七条第三項及び第四項、第八条第二項及び第三項、第八十七条第三項及び第四項並びに第八十七条の二第三項から第五項までの規定に準じて記載するものに限る。）を記載することができる。

4　被災関連市町村等は、復興整備計画に前項に規定する土地改良事業に関する事項を記載しようとするときは、当該事項について、農林水産省令で定めるところにより、協議会が組織されている場合（会議における協議が困難な場合を除く。）にあっては会議における協議をし、協議会が組織されていない場合又は会議における協議が困難な場合にあっては、あらかじめ、土地改良法第八十七条の二第六項に規定する土地改良施設の管理者に協議をしなければならない。

5　第三項に規定する土地改良事業に関する事項が記載された復興整備計画が第四十六条第六項の規定により公表されたときは、当該公表の日に当該事項に係る土地改良法第八十七条の二第一項の土地改良事業計画が定められたものとみなす。

（**集団移転促進事業の特例**）

第五三条　被災関連都道県は、被災関連市町村から特定集団移転促進事業（復興整備計画に記載された集団移転促進事業計画（集団移転促進法第三条第一項に規定する集団移転促進事業計画をいう。以下この条において同じ。）に係る集団移転促進事業をいう。以下この条において同じ。）を定めることが困難である旨の申出を受けた場合においては、当該申出に係る集団移転促進事業計画を定めることができる。この場合における集団移転促進法第三条第一項、第四項及び第七項並びに第四条（見出しを含む。）の規定の適用については、これらの規定中「市町村」とあるのは「都道県」と、集団移転促進法第三条第一項中「集団移転促進事業を実施しようとするときは、」とあるのは「東日本大震災復興特別区域法（平成二十三年法律第百二十二号）第五十三条第一項の規定により同項の申出に係る」と、「定めなければならない。この場合においては」とあるのは「定める場合においては」と、同条第四項中「第一項後段」とあるのは「第一項」と、「都道府県知事を経由して、集団移転促進事業計画を」とあるのは「集団移転促進事業計画を」と、「当該都道府県知事は、当該集団移転促進事業計画についてその意見を国土交通大臣に申し出ることができる」とあるのは「当該都道県は、当該集団移転促進事業計画について、あらかじめ、関係市町村の意見を聴かなければならない」と、同条第七項中「都道府県知事を経由して、国土交通大臣に」とあるのは「国土交通大臣に」とし、同条第八項の規定は、適用しない。

2　特定集団移転促進事業を実施する場合における集団移転促進法第三条第二項第三号及び第八条第一号の規定の適用については、集団移転促進法第三条第二項第三号中「住宅団地（集団移転促進事業に関連して移転が必要と認められる施設であつて、高齢者、障害者、乳幼児、児童、生徒その他の迅速な避難の確保を図るため特に配慮を要する者が利用する施設で政令で定めるものの用に供する土地を含む。以下この項及び第八条において同じ。）の」とあるのは「住宅団地（移転者の住居の移転に関連して必要と認められる医療施設、官公庁施設、購買施設その他の施設で、居住者の共同の福祉又は利便のため必要なものの用に供する土地を含む。以下この項及び第八条において同じ。）の」と、集団移転促進法第八条第一号中「場合を除く」とあるのは「場合であつて、当該譲渡に係る対価の額が当該経費の額以上となる場合を除く」とする。

3　第四十六条第二項第四号ニに掲げる事項には、集団移転促進事業に関する事項（集団移転促進法第三条第二項各号に掲げる事項（前項の規定により読み替えて適用する同条第二項各号に掲げる事項を含む。）を併せて記載するものに限る。）を記載することができる。

4　被災関連市町村等は、協議会が組織されている場合において、復興整備計画に前項に規定する集団移転促進事業に関する事項を記載しようとするときは、当該事項について、国土交通省令で定めるところにより、会議における協議をするとともに、国土交通大臣の同意を得なければならない。ただし、会議における協議が困難な場合は、この限りでない。

5　被災関連市町村等は、協議会が組織されていない場合又は会議における協議が困難な場合において、復興整備計画に第三項に規定する集団移転促進事業に関する事項を記載しようとするときは、当該事項について、内閣府令・国土交通省令で定めるところにより、あらかじめ、内閣総理大臣を経由して国土交通大臣に協議をし、その同意を得なければならない。

6　前項の規定により被災関連市町村が第三項に規定する集団移転促進事業に関する事項について国土交通大臣に協議をしようとするときは、あらかじめ、当該事項を被災関連都道県知事に通知しなければならない。この場合において、通知を受けた被災関連都道県知事は、当該事項を復興整備計画に記載することについて、その意見を国土交通大臣に申し出ることができる。

7　国土交通大臣は、第四項又は第五項の同意をしようとするときは、あらかじめ、関係行政機関の長に協議をしなければならない。

8　第三項に規定する集団移転促進事業に関する事項が記載された復興整備計画が第四十六条第六項の規定により公表されたときは、当該公表の日に当該事項に係る集団移転促進事業計画が集団移転促進法第三条第一項の規定により同項の同意を得て定められたものとみなす。

9　前各項に定めるもののほか、特定集団移転促進事業の実施に関し必要な事項は、政令で定める。

（住宅地区改良事業の特例）

第五四条　第四十六条第二項第四号ホに掲げる事項には、住宅地区改良法第四条第二項の申出に係る地区（以下この条において「申出地区」という。）に関する事項を記載することができる。この場合において、当該事項には、申出地区内において主として居住の用に供される建築物であつたもので、東日本大震災により損壊したため、建築物でなくなつたものが存する区域を含む地区に関する事項を併せて記載することができる。

2　申出地区に関する事項のうち、被災関連都道県が実施主体となる住宅地区改良事業に関する事項については、共同作成の場合に限り、記載することができるものとする。

3　被災関連市町村等は、協議会が組織されている場合において、復興整備計画に第一項に規定する申出地区に関する事項を記載しようとするときは、当該事項について、国土交通省令で定めるところにより、会議における協議をするとともに、国土交通大臣の同意を得なければならない。ただし、会議における協議が困難な場合には、この限りでない。

4　被災関連市町村等は、協議会が組織されていない場合又は会議における協議が困難な場合において、復興整備計画に第一項に規定する申出地区に関する事項を記載しようとするときは、当該事項について、内閣府令・国土交通省令で定めるところにより、あらかじめ、内閣総理大臣を経由して国土交通大臣に協議をし、その同意を得なければならない。

5　被災関連市町村等は、復興整備計画に次の各号に掲げる事項を記載しようとするときは、当該事項について、国土交通省令で定めるところにより、あらかじめ、それぞれ当該各号に定める手続を経なければならない。

一　都市計画区域（都市計画法第四条第二項に規定する都市計画区域をいう。次号において同じ。）内において市町村が施行する住宅地区改良事業に係る申出地区に関する事項　市町村都市計画審議会の議を経ること。

二　都市計画区域内において都道県が施行する住宅地区改良事業に係る申出地区に関する事項　都道府県都市計画審議会の議を経ること。

6　国土交通大臣は、第三項又は第四項の同意をしようとするときは、あらかじめ、厚生労働大臣に協議をしなければならない。

7　第一項に規定する申出地区に関する事項が記載された復興整備計画が第四十六条第六項の規定により公表されたときは、当該公表の日に当該事項に係る住宅地区改良法第四条第一項の規定による改良地区の指定があつたものとみなす。この場合において、当該事項が第一項に規定する建築物であつたものが存する区域を含む地区に関する事項であるときは、当該建築物であつたものを同法第二条第四項に規定する不良住宅とみなして、同法の規定を適用する。

8　第四十六条第二項第四号ホに掲げる事項には、住宅地区改良事業に関する事項（住宅地区改良法第六条第二項各号及び第三項各号に掲げる事項を併せて記載するものに限る。）を記載することができる。ただし、被災関連都道県が実施主体となる住宅地区改良事業に関する事項については、共同作成の場合に限り、記載することができる。

9　被災関連市町村等は、復興整備計画に前項に規定する住宅地区改良事業に関する事項を記載しようとするときは、当該事項について、協議会が組織されている場合（会議における協議が困難な場合を除く。）にあっては、国土交通省令で定めるところにより、会議における協議をし、協議会が組織されていない場合又は会議における協議が困難な場合にあっては、内閣府令・国土交通省令で定めるところにより、あらかじめ、住宅地区改良法第七条各号に掲げる者に協議をし、及び内閣総理大臣を経由して国土交通大臣に協議をしなければならない。

10　第八項に規定する住宅地区改良事業に関する事項が記載された復興整備計画が第四十六条第六項の規定により公表されたときは、当該公表の日に当該事項に係る住宅地区改良法第五条第一項の事業計画が定められたものとみなす。

（小規模団地住宅施設整備事業の特例）

第五四条の二　復興整備計画に記載された小規模団地住宅施設整備事業に係る一団地における集団住宅及びこれらに附帯する通路その他の施設については、都市計画法第十一条第一項第八号に規定する一団地の住宅施設とみなす。

（漁港漁場整備事業の特例）

第五五条　第四十六条第二項第四号リに掲げる事項には、漁港漁場整備事業に関する事項（農林水産省令で定める要件に該当する漁港漁場整備事業（漁港及び漁場の整備等に関する法律第十九条の三第一項に規定する特定第三種漁港に係るものを除く。）に係るものであり、かつ、同法第十七条第二項に規定する事項を併せて記載するものに限る。）を記載することができる。

2　被災関連市町村等は、復興整備計画に前項に規定する漁港漁場整備事業に関する事項を記載しようとするときは、当該事項について、協議会が組織されている場合（会議における協議が困難な場合を除く。）にあっては、農林水産省令で定めるところにより、会議における協議をするとともに、農林水産大臣の同意を得、協議会が組織されていない場合又は会議における協議が困難な場合にあっては、内閣府令・農林水産省令で定めるところにより、あらかじめ、内閣総理大臣を経由して農林水産大臣に協議をし、その同意を得なければならない。

3　被災関連市町村は、前項の規定により第一項に規定する漁港漁場整備事業に関する事項について、農林水産大臣に協議をしようとするときは、あらかじめ、被災関連都道県知事に協議をしなければならない。

4　第一項に規定する漁港漁場整備事業に関する事項が記載された復興整備計画が第四十六条第六項の規定により公表されたときは、当該公表の日に当該事項に係る漁港及び漁場の整備等に関する法律第十七条第一項の特定漁港漁場整備事業計画が定められ、かつ、当該計画について、同項の規定による届出及び公表がされたものとみなす。この場合において、同条第七項から第九項までの規定は、適用しない。

（地籍調査事業の特例）

第五六条　第四十六条第二項第四号ワに掲げる事項には、国土交通省が行う地籍調査（国土調査法第六条の三第二項の規定により同項の事業計画に定められるものに限る。以下この条において同じ。）に関する事項を記載することができる。

2　被災関連市町村等は、協議会が組織されている場合において、復興整備計画に前項に規定する国土交通省が行う地籍調査に関する事項を記載しようとするときは、当該事項について、国土交通省令で定めるところにより、会議における協議をするとともに、国土交通大臣の同意を得なければならない。ただし、会議における協議が困難な場合は、この限りでない。

3　被災関連市町村等は、協議会が組織されていない場合又は会議における協議が困難な場合において、復興整備計画に第一項に規定する国土交通省が行う地籍調査に関する事項を記載しようとするときは、当該事項について、内閣府令・国土交通省令で定めるところにより、あらかじめ、内閣総理大臣を経由して国土交通大臣に協議をし、その同意を得なければならない。

4　被災関連市町村は、前二項の規定により、第一項に規定する国土交通省が行う地籍調査に関する事項について、会議における協議をし、又は国土交通大臣に協議をしようとするときは、あらかじめ、被災関連都道県知事に協議をし、その同意を得なければならない。

5　国土交通大臣は、第二項又は第三項の協議に係る地籍調査が次に掲げる要件に該当し、かつ、当該地籍調査を行うことがその事務の遂行に支障がないと認めるときは、第二項又は第三項の同意をするものとする。

一　被災関連市町村等の復興の円滑かつ迅速な推進を図るために必要であると認められること。

二　被災関連市町村等における地籍調査の実施体制その他の地域の実情を勘案して被災関連市町村等が行うことが困難であると認められること。

6　第一項に規定する国土交通省が行う地籍調査に関する事項が記載された復興整備計画が第四十六条第六項の規定により公表されたときは、国土交通省が当該地籍調査を行うものとする。この場合における国土調査法第三条第二項、第七条及び第四章から第六章までの規定の適用については、国土交通省が行う地籍調査を同法第二条第一項に規定する国土調査とみなし、同法第六条の三第四項、第六条の四、第三十二条及び第三十二条の二の規定の適用については、同法第六条の三第四項中「第九条の二第二項」とあるのは「第九条の二第二項及び東日本大震災復興特別区域法（平成二十三年法律第百二十二号）第五十六条第九項」と、同法第六条の四中「都道府県、市町村又は土地改良区等」とあり、同法第三十二条中「地方公共団体（第十条第二項の規定により地籍調査の実施を委託された法人が地籍調査を実施する場合にあつては、当該法人）又は土地改良区等」とあり、及び同法第三十二条の二第一項中「地方公共団体又は土地改良区等」とあるのは「国土交通省」と、同法第六条の四第二項中「作成して、都道府県にあつては国土交通大臣に、市町村又は土地改良区等にあつては都道府県知事に届け出なければ」とあるのは「作成しなければ」とする。

7　大規模災害からの復興に関する法律（平成二十五年法律第五十五号）第二十条第六項の規定が適用される場合における前項の規定の適用については、同項中「第九条の二第二項及び」とあるのは、「第九条の二第二項、大規模災害からの復興に関する法律（平成二十五年法律第五十五号）第二十条第八項及び」とする。

8　第六項に規定する復興整備計画の区域をその区域に含む被災関連都道県が国土調査法第六条の三第二項の規定により定める事業計画は、当該復興整備計画に適合するものでなければならない。

9　第六項の規定により国土交通省が行う地籍調査に要する経費は、国の負担とする。この場合において、同項に規定する復興整備計画の区域をその区域に含む被災関連都道県及び被災関連市町村は、政令で定めるところにより、それぞれ当該経費の四分の一を負担する。

第二節　復興一体事業

（事業計画の認定）

第五七条　復興整備計画に記載された復興一体事業（計画区域内の土地の区域であって東日本大震災による被害により土地利用の状況が相当程度変化した地域又はこれに隣接し、若しくは近接する地域において、市町村が次に掲げる事業を一体的に施行する事業をいう。以下この条及び第五十九条において同じ。）を施行しようとする被災関連市町村は、復興一体事業についての事業計画（以下単に「事業計画」という。）を作成し、農林水産省令・国土交通省令で定めるところにより、これを被災関連都道県知事に提出して、その事業計画が適当である旨の認定を受けることができる。この場合において、被災関連市町村は、あらかじめ、当該復興一体事業に係る土地区画整理法第五十二条第一項の施行規程を定めなければならない。

一　土地区画整理事業

二　農業用排水施設、農業用道路その他農用地（農業振興地域の整備に関する法律第三条第一号に規定する農用地をいう。次号及び第六十一条において同じ。）の保全又は利用上必要な施設（第六十条において「農業用用排水施設等」という。）の新設、管理又は変更

三　客土、暗渠排水その他の農用地の改良又は保全のため必要な事業

2　事業計画には、農林水産省令・国土交通省令で定めるところにより、次に掲げる事項を記載しなければならない。

一　施行地区（施行地区を工区に分ける場合においては、施行地区及び工区。以下この条及び第六十二条において同じ。）

二　復興一体事業の概要

三　事業施行期間

四　資金計画

3　津波による再度災害を防止し、又は軽減することを目的とする復興一体事業の事業計画においては、施行地区内の津波による再度災害の防止又は軽減を図るための措置が講じられた又は講じられる土地の区域における住宅及び公益的施設（教育施設、医療施設、官公庁施設、購買施設その他の施設で居住者の共同の福祉又は利便のため必要なものをいう。以下この条及び第六十二条において同じ。）の建設を促進するため特別な必要があると認められる場合には、農林水産省令・国土交通省令で定めるところにより、当該土地の区域であって、住宅及び公益的施設の用に供すべきもの（以下この節において「津波復興住宅等建設区」という。）を定めることができる。

4　津波復興住宅等建設区は、施行地区において津波による再度災害を防止し、又は軽減し、かつ、住宅及び公益的施設の建設を促進する上で効果的であると認められる位置に定め、その面積は、住宅及び公益的施設が建設される見込みを考慮して相当と認められる規模としなければならない。

5　事業計画においては、環境の整備改善を図り、交通の安全を確保し、災害の発生を防止し、その他健全な市街地を造成するために必要な公共施設（土地区画整理法第二条第五項に規定する公共施設をいう。次項において同じ。）及び宅地（同条第六項に規定する宅地をいう。第六十二条及び第六十三条において同じ。）に関する計画が適正に定められていなければならない。

6　事業計画は、公共施設その他の施設又は土地区画整理事業に関する都市計画が定められている場合においては、その都市計画に適合して定めなければならない。

7　事業計画の作成について必要な技術的基準は、農林水産省令・国土交通省令で定める。

8　土地区画整理法第五十五条第一項から第六項までの規定は事業計画を作成しようとする場合について、同法第百三十六条の規定は事業計画について第一項の認定をする場合について準用する。

9　被災関連都道県知事は、第一項の認定をしたときは、遅滞なく、その旨を当該被災関連市町村に通知しなければならない。

10　被災関連市町村が前項の通知を受けた場合においては、被災関連市町村長は、遅滞なく、農林水産省令・国土交通省令で定めるところにより、当該被災関連市町村の名称、事業施行期間、施行地区その他農林水産省令・国土交通省令で定める事項を公告しなければならない。

11　第一項及び第七項から前項までの規定は、第一項の認定を受けた事業計画（この項において準用する第一項の規定による変更の認定があったときは、その変更後のもの。第五十九条から第六十二条までにおいて「認定事業計画」という。）を変更しようとする場合（農林水産省令・国土交通省令で定める軽微な変更をしようとする場合を除く。）について準用する。

（土地区画整理法の準用）

第五八条　土地区画整理法第百二十七条第七号の規定は、前条第八項（同条第十一項において準用する場合を含む。）において準用する同法第五十五条第四項の規定による通知について準用する。

（土地区画整理事業の認可等の特例）

第五九条　認定事業計画に係る復興一体事業については、第五十七条第一項の認定を土地区画整理法第五十二条第一項の認可と、当該認定事業計画を同項の規定により定められた事業計画と、第五十七条第十項の規定による公告を同法第五十五条第九項の規定による公告とみなして、同法の規定を適用する。

（農業用用排水施設等の管理）

第六〇条　被災関連市町村は、認定事業計画に係る第五十七条第一項第二号の工事（農業用用排水施設等の管理に係る部分を除く。）又は第三号に掲げる事業の工事が完了した場合において、その事業によって生じた農業用用排水施設等があるときは、その施設を管理しなければならない。

（被災関連都道県の技術的援助）

第六一条　被災関連市町村は、認定事業計画に係る第五十七条第一項第二号又は第三号に掲げる事業の工事につき、被災関連都道県に農用地の改良、開発、保全又は集団化に関し専門的知識を有する職員の必要な援助を求めることができる。

2　被災関連都道県は、正当の事由がある場合を除いて、前項の規定による請求を拒んではならない。

（津波復興住宅等建設区への換地の申出等）

第六二条　第五十七条第三項の規定により認定事業計画において津波復興住宅等建設区が定められたときは、認定事業計画に記載された施行地区内の住宅又は公益的施設の用に供する宅地の所有者で当該宅地についての換地に住宅又は公益的施設を建設しようとするものは、被災関連市町村に対し、農林水産省令・国土交通省令で定めるところにより、土地区画整理法第八十六条第一項の換地計画（第四項及び次条において単に「換地計画」という。）において当該宅地についての換地を津波復興住宅等建設区内に定めるべき旨の申出をすることができる。

2　前項の申出に係る宅地について住宅又は公益的施設の所有を目的とする借地権を有する者があるときは、当該申出についてその者の同意がなければならない。

3　第一項の申出は、次に掲げる場合の区分に応じ、当該各号に定める公告があった日から起算して六十日以内に行わなければならない。

一　認定事業計画が定められた場合　第五十七条第十項の規定による公告

二　認定事業計画の変更により新たに津波復興住宅等建設区が定められた場合　第五十七条第十一項において準用する同条第十項の規定による公告

三　認定事業計画の変更により従前の施行地区外の土地が新たに施行地区に編入されたことに伴い津波復興住宅等建設区の面積が拡張された場合　第五十七条第十一項において準用する同条第十項の規定による公告

4　被災関連市町村は、第一項の申出があった場合には、遅滞なく、当該申出が次に掲げる要件に該当すると認めるときは、当該申出に係る宅地を、換地計画においてその宅地についての換地を津波復興住宅等建設区内に定められるべき宅地として指定し、当該申出が次に掲げる要件に該当しないと認めるときは、当該申出に応じない旨を決定しなければならない。

一　当該申出に係る宅地に建築物その他の工作物（住宅及び公益的施設並びに容易に移転し、又は除却することができる工作物で農林水産省令・国土交通省令で定めるものを除く。）が存しないこと。

二　当該申出に係る宅地に地上権、永小作権、賃借権その他の当該宅地を使用し、又は収益することができる権利（住宅又は公益的施設の所有を目的とする借地権及び地役権を除く。）が存しないこと。

5　被災関連市町村は、前項の規定による指定又は決定をしたときは、遅滞なく、第一項の申出をした者に対し、その旨を通知しなければならない。

6　被災関連市町村は、第四項の規定による指定をしたときは、遅滞なく、その旨を公告しなければならない。

（津波復興住宅等建設区への換地）

第六三条　前条第四項の規定により指定された宅地については、換地計画において換地を津波復興住宅等建設区内に定めなければならない。

第三節　復興整備計画の実施に係る特別の措置

（届出対象区域内における建築等の届出等）

第六四条　被災関連市町村は、計画区域のうち、復興整備事業の実施区域の全部又は一部の区域を、届出対象区域として指定することができる。

2　被災関連市町村は、前項の規定による指定をするときは、内閣府令で定めるところにより、その旨及びその区域を公示しなければならない。

3　第一項の規定による指定は、前項の規定による公示によってその効力を生ずる。

4　届出対象区域内において、土地の区画形質の変更、建築物その他の工作物の新築、改築又は増築その他政令で定める行為をしようとする者は、当該行為に着手する日の三十日前までに、内閣府令で定めるところにより、行為の種類、場所、設計又は施行方法、着手予定日その他内閣府令で定める事項を被災関連市町村長に届け出なければならない。ただし、次に掲げる行為については、この限りでない。

一　通常の管理行為、軽易な行為その他の行為で政令で定めるもの

二　非常災害のため必要な応急措置として行う行為

三　国又は地方公共団体が行う行為

四　復興整備事業の施行として行う行為

5　前項の規定による届出をした者は、その届出に係る事項のうち内閣府令で定める事項を変更しようとするときは、当該事項の変更に係る行為に着手する日の三十日前までに、内閣府令で定めるところにより、その旨を被災関連市町村長に届け出なければならない。

6　被災関連市町村長は、第四項又は前項の規定による届出があった場合において、その届出に係る行為が復興整備事業の実施に支障となるおそれがあると認めるときは、その届出をした者に対し、その届出に係る行為に関し設計の変更その他の必要な措置をとることを勧告することができる。

7　被災関連市町村長は、前項の規定による勧告をした場合において、必要があると認めるときは、その勧告を受けた者に対し、土地に関する権利の処分についてのあっせんその他の必要な措置を講ずるよう努めなければならない。

（復興整備計画のための土地の立入り等）

第六五条　被災関連市町村等は、復興整備計画の作成又は変更のため他人の占有する土地に立ち入って測量又は調査を行う必要があるときは、その必要の限度において、他人の占有する土地に、自ら立ち入り、又はその命じた者若しくは委任した者に立ち入らせることができる。

2　前項の規定により他人の占有する土地に立ち入ろうとする者は、立ち入ろうとする日の三日前までに、その旨を当該土地の占有者に通知しなければならない。

3　第一項の規定により建築物が存し、又は垣、柵等で囲まれた他人の占有する土地に立ち入ろうとするときは、その立ち入ろうとする者は、立入りの際、あらかじめ、その旨を当該土地の占有者に告げなければならない。

4　日出前及び日没後においては、土地の占有者の承諾があった場合を除き、前項に規定する土地に立ち入ってはならない。

5　土地の占有者は、正当な理由がない限り、第一項の規定による立入りを拒み、又は妨げてはならない。

（復興整備計画のための障害物の伐除及び土地の試掘等）

第六六条　前条第一項の規定により他人の占有する土地に立ち入って測量又は調査を行う者は、その測量又は調査を行うに当たり、やむを得ない必要があって、障害となる植物若しくは垣、柵等（以下「障害物」という。）を伐除しようとする場合又は当該土地に試掘若しくはボーリング若しくはこれらに伴う障害物の伐除（以下「試掘等」という。）を行おうとする場合において、当該障害物又は当該土地の所有者及び占有者の同意を得ることができないときは、当該障害物の所在地を管轄する被災関連市町村長の許可を受けて当該障害物を伐除し、又は当該土地の所在地を管轄する被災関連都道県知事の許可を受けて当該土地に試掘等を行うことができる。この場合において、被災関連市町村長が許可を与えようとするときは障害物の所有者及び占有者に、被災関連都道県知事が許可を与えようとするときは土地又は障害物の所有者及び占有者に、あらかじめ、意見を述べる機会を与えなければならない。

2　前項の規定により障害物を伐除しようとする者又は土地に試掘等を行おうとする者は、伐除しようとする日又は試掘等を行おうとする日の三日前までに、その旨を当該障害物又は当該土地若しくは障害物の所有者及び占有者に通知しなければならない。

3　第一項の規定により障害物を伐除しようとする場合（土地の試掘又はボーリングに伴う障害物の伐除をしようとする場合を除く。）において、当該障害物の所有者及び占有者がその場所にいないためその同意を得ることが困難であり、かつ、その現状を著しく損傷しないときは、被災関連市町村等又はその命じた者若しくは委任した者は、前二項の規定にかかわらず、当該障害物の所在地を管轄する被災関連市町村長の許可を受けて、直ちに、当該障害物を伐除することができる。この場合においては、当該障害物を伐除した後、遅滞なく、その旨をその所有者及び占有者に通知しなければならない。

（復興整備事業のための土地の立入り等）

第六七条　第四十六条第六項の規定により公表された復興整備計画に記載された復興整備事業（同条第二項第四号ル、ヲ又はカに掲げる事業にあっては、実施主体が国、都道府県又は市町村であるものに限る。以下この条、次条及び第七十一条において単に「復興整備事業」という。）の実施主体（以下この条及び第六十九条から第七十一条までにおいて単に「実施主体」という。）は、復興整備事業の実施の準備又は実施のため他人の占有する土地に立ち入って測量又は調査を行う必要があるときは、その必要の限度において、他人の占有する土地に、自ら立ち入り、又はその命じた者若しくは委任した者に立ち入らせることができる。ただし、国、都道府県又は市町村以外の実施主体にあっては、あらかじめ、被災関連市町村長の許可を受けた場合に限る。

2　第六十五条第二項から第五項までの規定は、前項の規定による復興整備事業のための土地の立入りについて準用する。

（復興整備事業のための障害物の伐除及び土地の試掘等）

第六八条　前条第一項の規定により他人の占有する土地に立ち入って測量又は調査を行う者は、その測量又は調査を行うに当たり、やむを得ない必要があって、障害物を伐除しようとする場合又は当該土地に試掘等を行おうとする場合において、当該障害物又は当該土地の所有者及び占有者の同意を得ることができないときは、当該障害物の所在地を管轄する被災関連市町村長の許可を受けて当該障害物を伐除し、又は当該土地の所在地を管轄する被災関連都道府県知事の許可を受けて当該土地に試掘等を行うことができる。この場合において、被災関連市町村長が許可を与えようとするときは障害物の所有者及び占有者に、被災関連都道府県知事が許可を与えようとするときは土地又は障害物の所有者及び占有者に、あらかじめ、意見を述べる機会を与えなければならない。

2　第六十六条第二項及び第三項の規定は、前項の規定による復興整備事業のための障害物の伐除及び土地の試掘等について準用する。

（証明書等の携帯）

第六九条　第六十五条第一項又は第六十七条第一項の規定により他人の占有する土地に立ち入ろうとする者は、その身分を示す証明書（国、都道府県又は市町村以外の実施主体にあっては、その身分を示す証明書及び被災関連市町村長の許可証）を携帯しなければならない。

2　第六十六条第一項又は前条第一項の規定により障害物を伐除しようとする者又は土地に試掘等を行おうとする者は、その身分を示す証明書及び被災関連市町村長又は被災関連都道府県知事の許可証を携帯しなければならない。

3　前二項に規定する証明書又は許可証は、関係人の請求があったときは、これを提示しなければならない。

（土地の立入り等に伴う損失の補償）

第七〇条　被災関連市町村等は、第六十五条第一項又は第六十六条第一項若しくは第三項の規定による行為により他人に損失を与えたときは、その損失を受けた者に対して、通常生ずべき損失を補償しなければならない。

2　実施主体は、第六十七条第一項、第六十八条第一項又は同条第二項において準用する第六十六条第三項の規定による行為により他人に損失を与えたときは、その損失を受けた者に対して、通常生ずべき損失を補償しなければならない。

3　前二項の規定による損失の補償については、損失を与えた者と損失を受けた者とが協議しなければならない。

4　前項の規定による協議が成立しないときは、損失を与えた者又は損失を受けた者は、政令で定めるところにより、収用委員会に土地収用法（昭和二十六年法律第二百十九号）第九十四条第二項の規定による裁決を申請することができる。

（資料の提出その他の協力）

第七一条　復興整備計画を作成若しくは変更しようとする被災関連市町村等又は実施主体（国、都道府県又は市町村に限る。）は、復興整備計画の作成若しくは変更又は復興整備事業の実施の準備若しくは実施のため必要がある場合においては、関係行政機関の長、関係地方公共団体の長又は関係のある公私の団体に対し、資料の提出その他必要な協力を求めることができる。

（環境影響評価法の特例）

第七二条　復興整備事業として行われる第四十六条第二項第四号イに掲げる事業（土地区画整理事業に限る。）又は同号ヘ若しくはカに掲げる事業（鉄道事業法による鉄道並びに軌道法（大正十年法律第七十六号）による軌道の建設及び改良の事業に限る。）であって、環境影響評価法（平成九年法律第八十一号）第二条第二項に規定する第一種事業又は同条第三項に規定する第二種事業に該当するもの（同法第五十二条第一項に規定する事業を除く。以下この条において「特定復興整備事業」という。）については、次項から第十九項までに定めるところによる。

2　特定復興整備事業については、環境影響評価法の規定は、適用しない。

3　被災関連市町村等は、復興整備計画に特定復興整備事業に係る事項を記載しようとするときは、国土交通省令・環境省令で定めるところにより、特定環境影響評価（特定復興整備事業の実施が環境に及ぼす影響（当該特定復興整備事業の実施後の土地又は工作物において行われることが予定される事業活動その他の人の活動が当該特定復興整備事業の目的に含まれる場合には、これらの活動に伴って生ずる影響を含む。以下この条において「環境影響」という。）について環境の構成要素に係る項目ごとに調査、予測及び評価を行うとともに、これらを行う過程において当該特定復興整備事業に係る環境の保全のための措置を検討し、この措置が講じられた場合における環境影響を総合的に評価することをいう。以下この条において同じ。）を行わなければならない。

4　被災関連市町村等は、特定環境影響評価を行った後、当該特定環境影響評価に係る調査、予測及び評価の結果、環境の保全のための措置並びに特定復興整備事業に係る環境影響の総合的な評価その他の国土交通省令・環境省令で定める事項を記載した特定復興整備事業特定環境影響評価書（以下この条において「特定評価書」という。）を作成しなければならない。

5　被災関連市町村等は、特定評価書を作成したときは、国土交通省令・環境省令で定めるところにより、特定復興整備事業に係る環境影響を受ける範囲であると認められる地域（以下この条において「関係地域」という。）を管轄する都道府県知事（以下この条において「関係都道府県知事」という。）及び関係地域を管轄する市町村長（以下この条において「関係市町村長」という。）並びに特定復興整備事業の実施に際し認可を行う者（以下この条において単に「認可を行う者」という。）に対し、特定評価書を送付するとともに、特定評価書に係る特定環境影響評価の結果について環境の保全の見地からの意見を求めるため、環境省令で定めるところにより、特定評価書を作成した旨その他環境省令で定める事項を公告し、関係地域内において、特定評価書を公告の日から二週間公衆の縦覧に供しなければならない。

6　関係都道府県知事及び関係市町村長は、前項の規定により特定評価書の送付を受けたときは、環境省令で定める期間内に、被災関連市町村等に対し、特定評価書について環境の保全の見地からの意見を書面により述べるものとする。

7　認可を行う者が国土交通大臣又は地方整備局長若しくは地方運輸局長であるときは、その者は、第五項の規定により特定評価書の送付を受けた後、速やかに、環境省令で定めるところにより、環境大臣に当該特定評価書の写しを送付して意見を求めなければならない。

8　環境大臣は、前項の措置がとられたときは、必要に応じ、環境省令で定める期間内に、国土交通大臣に対し、特定評価書について環境の保全の見地からの意見を書面により述べることができる。

9　認可を行う者は、第五項の規定による送付を受けたときは、必要に応じ、環境省令で定める期間内に、被災関連市町村等に対し、特定評価書について環境の保全の見地からの意見を書面により述べることができる。この場合において、前項の規定による環境大臣の意見があるときは、これを勘案しなければならない。

10　特定評価書について環境の保全の見地からの意見を有する者は、環境省令で定めるところにより、第五項の公告の日から、同項の縦覧期間満了の日までの間に、被災関連市町村等に対し、意見書の提出により、これを述べることができる。

11　被災関連市町村等は、第六項又は第九項の意見が述べられたときはこれを勘案するとともに、前項の意見に配意して特定評価書の記載事項について検討を加え、当該事項の修正を必要とすると認めるときは、国土交通省令・環境省令で定めるところにより、特定評価書について所要の補正をしなければならない。

12　被災関連市町村等は、前項の規定による補正後の特定評価書の送付（補正を必要としないと認めるときは、その旨の通知）を、認可を行う者に対してしなければならない。

13　認可を行う者が国土交通大臣又は地方整備局長若しくは地方運輸局長であるときは、その者は、前項の規定による送付又は通知を受けた後、環境省令で定めるところにより、環境大臣に同項の規定による送付を受けた補正後の特定評価書の写しを送付し、又は同項の規定による通知を受けた旨を通知しなければならない。

14　被災関連市町村等は、第十二項の規定による送付又は通知をしたときは、速やかに、関係都道県知事及び関係市町村長に特定評価書（第十一項の規定による特定評価書の補正をしたときは、当該補正後の特定評価書）及び第九項の書面を送付しなければならない。

15　被災関連市町村等は、第十二項の規定による送付又は通知をしたときは、環境省令で定めるところにより、第十一項の規定による特定評価書の補正をした旨（補正を必要としないと認めるときは、その旨）その他環境省令で定める事項を公告し、関係地域内において、特定評価書（同項の規定による特定評価書の補正をしたときは、当該補正後の特定評価書。以下この条において同じ。）及び第九項の書面を公告の日から二週間公衆の縦覧に供しなければならない。

16　認可を行う者は、当該認可の審査に際し、特定評価書の記載事項及び第九項の書面に基づいて、当該特定復興整備事業につき、環境の保全についての適正な配慮がなされるものであるかどうかを審査しなければならない。

17　前項の場合においては、次の各号に掲げる当該認可の区分に応じ、当該各号に定めるところによる。

一　一定の基準に該当している場合には認可を行うものとする旨の法律の規定であって環境省令で定めるものに係る認可　当該認可を行う者は、当該認可に係る当該規定にかかわらず、当該規定に定める当該基準に関する審査と前項の規定による環境の保全に関する審査の結果を併せて判断するものとし、当該基準に該当している場合であっても、当該判断に基づき、当該認可を拒否する処分を行い、又は当該認可に必要な条件を付することができるものとする。

二　認可を行い又は行わない基準を法律の規定で定めていない認可（当該認可に係る法律の規定で環境省令で定めるものに係るものに限る。）　当該認可を行う者は、特定復興整備事業の実施による利益に関する審査と前項の規定による環境の保全に関する審査の結果を併せて判断するものとし、当該判断に基づき、当該認可を拒否する処分を行い、又は当該認可に必要な条件を付することができるものとする。

18　特定復興整備事業の実施主体は、特定評価書に記載されているところにより、環境の保全についての適正な配慮をして当該特定復興整備事業を実施するようにしなければならない。

19　被災関連市町村等以外の者が特定復興整備事業を実施する場合においては、被災関連市町村等は、特定復興整備事業の実施主体に対し、特定環境影響評価その他の手続を行うための資料の提供その他の必要な協力を求めることができる。

（不動産登記法の特例）

第七三条　第四十六条第六項の規定により公表された復興整備計画に記載された復興整備事業（土地収用法第二十六条第一項、公共用地の取得に関する特別措置法（昭和三十六年法律第百五十号）第十条第一項又は都市計画法第六十二条第一項の規定により告示された事業に限る。以下この項において単に「復興整備事業」という。）の実施主体は、不動産登記法（平成十六年法律第百二十三号）第百三十一条第一項の規定にかかわらず、同法第百二十五条に規定する筆界特定登記官に対し、一筆の土地（復興整備事業の実施区域として定められた土地の区域内にその全部又は一部が所在する土地に限る。）とこれに隣接する他の土地との筆界（同法第百二十三条第一号に規定する筆界をいう。）について、同法第百二十三条第二号に規定する筆界特定の申請をすることができる。

2　前項の申請は、対象土地（不動産登記法第百二十三条第三号に規定する対象土地をいう。）の所有権登記名義人等（同条第五号に規定する所有権登記名義人等をいう。）の承諾がある場合に限り、することができる。ただし、当該所有権登記名義人等のうちにその所在が判明しない者がある場合は、その者の承諾を得ることを要しない。

（土地収用法の特例）

第七三条の二　第四十六条第六項の規定により公表された復興整備計画に記載された復興整備事業についての土地収用法第十七条第三項、第二十七条第一項第二号並びに第百二十三条第一項及び第二項（これらの規定を同法第百三十八条第一項において準用する場合を含む。）の規定の適用については、同法第十七条第三項及び第二十七条第一項第二号中「三月」とあるのは「二月」と、同法第百二十三条第一項中「防止すること」とあるのは「防止し、又は東日本大震災からの復興を円滑かつ迅速に推進すること」と、同条第二項中「六月」とあるのは「一年」とする。

第七三条の三　前条に規定する復興整備事業の実施主体は、土地収用法第三十九条第一項（同法第百三十八条第一項において準用する場合を含む。）の規定によって収用委員会の裁決を申請しようとするときは、同法第四十条第一項（同法第百三十八条第一項において準用する場合を含む。以下この項において同じ。）の規定にかかわらず、同法第四十条第一項第二号の書類については、同号イ、ハ及びヘに掲げる事項並びに登記簿に現れた土地所有者及び関係人の氏名及び住所を記載すれば足りるものとし、同項第三号に掲げる書類は、その添付を省略することができる。この場合においては、同法第四十四条第一項の規定は、適用しない。

2　土地収用法第四十四条第二項、第四十五条及び第四十五条の二（これらの規定を同法第百三十八条第一項において準用する場合を含む。）の規定は、前項の規定により添付書類の一部を省略して裁決を申請した場合について準用する。この場合において、同法第四十四条第二項中「前項」とあり、同法第四十五条第一項中「前条第一項」とあり、及び同法第四十五条の二中「第四十四条第一項」とあるのは、「東日本大震災復興特別区域法（平成二十三年法律第百二十二号）第七十三条の三第一項」と読み替えるものとする。

第七三条の四　収用委員会は、第七十三条の二に規定する復興整備事業について、土地収用法第四十七条の二第三項（同法第百三十八条第一項において準用する場合を含む。）の規定による明渡裁決の申立てがあったときは、できる限り六月以内に明渡裁決又は同法第四十七条（同法第百三十八条第一項において準用する場合を含む。）の規定による却下の裁決をするよう努めるものとする。

（民法の特例）

第七三条の五　第七十三条の二に規定する復興整備事業についての土地収用法第百二十三条第四項（同法第百三十八条第一項において準用する場合を含む。）の規定による損失補償額の払渡しについての民法（明治二十九年法律第八十九号）第四百九十四条第二項ただし書の規定の適用については、同項ただし書中「過失」とあるのは、「重大な過失」とする。

（独立行政法人都市再生機構法の特例）

第七四条　独立行政法人都市再生機構は、独立行政法人都市再生機構法（平成十五年法律第百号）第十一条第一項に規定する業務のほか、委託に基づき、同条第三項各号の業務（第四十六条第六項の規定により公表された復興整備計画に記載された復興整備事業に係るものに限る。）を行うことができる。

（農業振興地域の整備に関する法律の特例）

第七五条　被災関連市町村は、農用地等（農業振興地域の整備に関する法律第三条に規定する農用地等をいう。）以外の用途に供することを目的として農用地区域内の土地を農用地区域から除外するために行う農用地区域の変更をしようとする場合において、当該変更に係る土地が復興整備計画に記載された第四十六条第二項第四号ロ又はハに掲げる事業の施行された区域内にあるときは、同法第十三条第二項各号に掲げる要件を満たすほか、当該土地に係る当該復興整備計画の期間が満了した土地である場合に限り、当該変更をすることができる。

（津波防災地域づくりに関する法律の特例）

第七六条　被災関連市町村のうち平成二十三年三月十一日に発生した東北地方太平洋沖地震の津波による被害を受けた市町村（津波防災地域づくりに関する法律第十条第一項に規定する推進計画を作成した市町村を除く。次項において同じ。）が、復興整備計画において、同法第三条第一項に規定する基本指針に基づき、同法第十条第三項第一号及び第二号に掲げる事項に相当する事項を記載し、かつ、津波による災害を防止し、又は軽減することを目的として実施する第四十六条第二項第四号イ又はハからトまでのいずれかに該当する事業に関する事項及び同号チに掲げる事項を記載した場合においては、当該復興整備計画が同条第六項の規定により公表されたときは、同法第二条第十一項に規定する津波防護施設管理者は、同法第十九条の規定にかかわらず、計画区域内において、当該復興整備計画に即して、津波防護施設の新設又は改良を行うことができる。

2　被災関連市町村のうち平成二十三年三月十一日に発生した東北地方太平洋沖地震の津波による被害を受けた市町村が、復興整備計画において、津波防災地域づくりに関する法律第三条第一項に規定する基本指針に基づき、同法第十条第三項第一号及び第二号に掲げる事項に相当する事項を記載し、かつ、津波による災害を防止し、又は軽減することを目的として実施する第四十六条第二項第四号イ又はハからチまでのいずれかに該当する事業に関する事項を記載した場合においては、当該復興整備計画が同条第六項の規定により公表されたときは、計画区域を同法第十条第二項に規定する推進計画区域とみなして、同法第十五条及び第五十条第一項の規定を適用する。

第五章　雑則

（独立行政法人住宅金融支援機構の資金の貸付け等についての配慮）

第八六条　独立行政法人住宅金融支援機構は、法令及びその事業計画の範囲内において、復興特別区域のうち東日本大震災により相当数の住宅が滅失した区域における住宅の建設、購入又は補修が円滑に行われるよう、必要な資金の貸付け、既往の貸付けの条件の変更その他の措置について配慮するものとする。

（権限の委任）

第八八条　この法律に規定する厚生労働大臣、農林水産大臣、国土交通大臣又は環境大臣の権限は、政令で定めるところにより、地方支分部局の長に委任することができる。

附　則

（施行期日）

第一条　この法律は、公布の日から起算して二月を超えない範囲内において政令で定める日から施行する。ただし、次の各号に掲げる規定は、当該各号に定める日から施行する。

〔平成二三政四〇八により、平成二三・一二・二六から施行〕

一　附則第六条、第八条、第九条及び第十三条の規定　公布の日

二　第四十六条第二項第四号ト及び第七十六条の規定　津波防災地域づくりに関する法律の施行の日又はこの法律の施行の日のいずれか遅い日

〔平成二三・一二・二七〕

三　〔略〕

附　則〔略〕〔平成二三・一二・一六法律一二五〕

附　則〔略〕〔平成二五・六・一二法律三五〕

附　則〔略〕〔平成二五・六・二一法律五五〕

附　則〔略〕〔平成二五・六・二一法律六〇〕

附　則〔抄〕〔平成二六・五・一法律三二〕

（施行期日）

第一条　この法律は、公布の日から施行する。

（経過措置）

第二条　この法律による改正後の東日本大震災復興特別区域法（以下「新法」という。）第七十三条の二（土地収用法（昭和二十六年法律第二百十九号）第百二十三条第一項及び第二項（これらの規定を同法第百三十八条第一項において準用する場合を含む。次項及び附則第四条において同じ。）に係る部分を除く。）の規定は、この法律の施行前に土地収用法第十八条（同法第百三十八条第一項において準用する場合を含む。附則第四条第一項において同じ。）の規定による事業認定申請書を受理した復興整備事業については、適用しない。

2　新法第七十三条の二（土地収用法第百二十三条第二項に係る部分に限る。）の規定は、この法律の施行前に土地収用法第百二十三条第一項の規定により使用の許可があった復興整備事業については、適用しない。

附　則〔略〕〔平成二七・六・二六法律五〇〕

附　則〔抄〕〔平成二七・九・四法律六三〕

（施行期日）

第一条　この法律は、平成二十八年四月一日から施行する。ただし、次の各号に掲げる規定は、当該各号に定める日から施行する。

一　附則〔中略〕第百十五条の規定　公布の日（以下「公布日」という。）

二・三　〔略〕

（東日本大震災復興特別区域法の一部改正に伴う経過措置）

第一〇一条　施行日前に前条の規定による改正前の東日本大震災復興特別区域法第四十九条第七項又は第八項の規定によりされた協議は、前条の規定による改正後の東日本大震災復興特別区域法第四十九条第七項又は第八項の規定によりされた協議とみなす。

（罰則に関する経過措置）

第一一四条　この法律の施行前にした行為並びにこの附則の規定によりなお従前の例によることとされる場合及びこの附則の規定によりなおその効力を有することとされる場合におけるこの法律の施行後にした行為に対する罰則の適用については、なお従前の例による。

（政令への委任）

第一一五条　この附則に定めるもののほか、この法律の施行に関し必要な経過措置（罰則に関する経過措置を含む。）は、政令で定める。

附　則〔略〕〔平成二八・五・二〇法律四七施行〕

附　則〔略〕〔平成二九・四・二六法律二五施行〕

附　則〔略〕〔平成二九・五・一二法律二六〕

附　則〔略〕〔平成二九・五・二六法律三九〕

附　則〔平成二九・六・二法律四五〕

この法律は、民法改正法の施行の日〔令和二年四月一日〕から施行する。ただし〔中略〕第三百六十二条の規定は、公布の日から施行する。

民法の一部を改正する法律の施行に伴う関係法律の整備等に関する法律〔抄〕

〔平成二九・六・二　法律四五〕

（東日本大震災復興特別区域法の一部改正に伴う経過措置）

第一〇五条　施行日前に前条の規定による改正前の東日本大震災復興特別区域法第七十三条の五に規定する損失補償額の払渡しの義務が生じた場合におけるその損失補償額の供託については、なお従前の例による。

（罰則に関する経過措置）

第三六一条　施行日前にした行為及びこの法律の規定によりなお従前の例によることとされる場合における施行日以後にした行為に対する罰則の適用については、なお従前の例による。

（政令への委任）

第三六二条　この法律に定めるもののほか、この法律の施行に伴い必要な経過措置は、政令で定める。

附　則〔略〕〔平成二九・六・二法律四七〕

附　則〔略〕〔平成三〇・五・一八法律二三〕

附　則〔略〕〔平成三〇・一二・一四法律九五〕

附　則〔略〕〔令和二・六・一〇法律四一施行〕

附　則〔抄〕〔令和二・六・一二法律四六〕

改正　令和四・五法四四

（施行期日）

第一条　この法律は、令和三年四月一日から施行する。〔中略〕附則〔中略〕第十九条〔中略〕の規定は、公布の日から施行する。

（検討）

第二条　政府は、この法律の施行後五年以内に、第一条から第三条までの規定による改正後の復興庁設置法、東日本大震災復興特別区域法及び福島復興再生特別措置法の施行の状況について検討を加え、その結果に基づいて必要な措置を講ずるものとする。

（東日本大震災からの復興に関する知見の活用）

第三条　政府は、東日本大震災（平成二十三年三月十一日に発生した東北地方太平洋沖地震及びこれに伴う原子力発電所の事故による災害をいう。以下同じ。）からの復興の一層の推進に当たり、東日本大震災からの復興の進捗状況が被災地域ごとに異なること等に鑑み、復興が進展している地域における取組に係る情報を復興の途上にある地域へ提供するなど、東日本大震災からの復興に関する施策の実施を通じて得られた行政の内外の知見を活用するものとする。

（東日本大震災復興特別区域法の一部改正に伴う経過措置）

第四条　この法律の施行の日（以下「施行日」という。）前に第二条の規定による改正前の東日本大震災復興特別区域法（以下「旧復興特区法」という。）第四条第一項の認定又は旧復興特区法第六条第一項の変更の認定の申請がされた旧復興特区法第四条第一項の復興推進計画であってこの法律の施行の際認定又は変更の認定をするかどうかの処分がされていないものについてのこれらの処分については、なお従前の例による。

2　施行日前に東日本大震災復興特別区域法第四条第九項の認定（同法第六条第一項の規定による変更の認定を含む。）を受けた復興推進計画（第二条の規定による改正後の東日本大震災復興特別区域法第四条第一項に規定する特定地方公共団体に相当する地方公共団体が単独で、又は当該地方公共団体以外の同項に規定する特定地方公共団体に相当する地方公共団体と共同して作成したものを除く。以下この項において同じ。）及び前項の規定に基づきなお従前の例により認定又は変更の認定を受けた復興推進計画に関する報告の徴収、措置の要求、認定の取消し、認定地方公共団体への援助等、新たな規制の特例措置等に関する提案及び復興特別意見書の提出、国と地方の協議会、復興推進協議会、建築基準法（昭和二十五年法律第二百一号）の特例、公営住宅法（昭和二十六年法律第百九十三号）等の特例、工場立地法（昭和三十四年法律第二十四号）及び地域経済牽引事業の促進による地域の成長発展の基盤強化に関する法律（平成十九年法律第四十号）の特例、政令等で規定された規制の特例措置、復興特区支援利子補給金の支給並びに財産の処分の制限に係る承認の手続の特例については、なお従前の例による。

第五条　施行日前に旧復興特区法第四十条第一項の規定による指定を受けた法人に関する事業の実施の状況の報告、指定の取消し及びその旨の公表については、なお従前の例による。

第六条　地方公共団体が、旧復興特区法第四十三条に規定する復興産業集積区域の区域内において同条に規定する事業の用に供する施設又は設備を令和三年三月三十一日以前に新設し、又は増設した者に係る事業税、不動産取得税又は固定資産税について課税免除又は不均一課税をした場合における当該地方公共団体に対して交付すべき特別交付税の算定については、同条の規定は、この法律の施行後も、なおその効力を有する。

第七条　令和二年度以前の年度の予算に係る旧復興特区法第七十八条第二項の交付金の交付、補助金等に係る予算の執行の適正化に関する法律（昭和三十年法律第百七十九号）の特例及び計画の実績に関する評価については、なお従前の例による。

第八条　国は、旧復興特区法第七十七条第一項に規定する特定市町村又は特定都道府県であった公営住宅法第二条第十六号に掲げる事業主体（以下この条及び附則第二十三条第三項において単に「事業主体」という。）がこの法律の施行後に次に掲げる公営住宅（同法第二条第二号に規定する公営住宅をいう。以下同じ。）について同法第十六条第一項本文の規定に基づき家賃を定める場合においては、附則第二十二条の規定による改正後の公営住宅法第十七条第二項及び第三項の規定並びに附則第二十三条第二項の規定にかかわらず、当該事業主体に対し、予算の範囲内において、当該公営住宅の近傍同種の住宅の家賃（公営住宅法第十六条第二項の規定により定められたものをいう。第二号及び附則第二十三条第三項において同じ。）の額から入居者負担基準額（公営住宅法第十七条第五項の規定により定められたものをいう。第二号及び附則第二十三条第三項において同じ。）を控除した額の一部を補助することができる。

一　施行日前に事業主体が東日本大震災により滅失した住宅に平成二十三年三月十一日において居住していた者（次号において「住宅滅失者」という。）に賃貸するため旧復興特区法第七十八条第三項の復興交付金（以下「復興交付金」という。）を充てて建設又は買取りをした公営住宅

二　住宅滅失者である低額所得者に転貸するため借上げをした公営住宅（施行日前に当該公営住宅の近傍同種の住宅の家賃の額から入居者負担基準額を控除した額の全部又は一部に相当する額の復興交付金の交付を受けたものに限る。附則第二十三条第三項において「復興交付金交付借上げ公営住宅」という。）

（その他の経過措置の政令への委任）

第一九条　この附則に規定するもののほか、この法律の施行に関し必要な経過措置は、政令で定める。

附　則〔略〕〔令和三・三・三一法律一一〕

附　則〔略〕〔令和三・五・一〇法律三一〕

附　則〔抄〕〔令和四・五・二〇法律四四〕

（施行期日）

第一条　この法律〔中略〕は、当該各号に定める日から施行する。

一　〔略〕

二　〔前略〕附則第七条から第十六条までの規定　公布の日から起算して一月を超えない範囲内において政令で定める日

〔令和四政二〇二により、令和四・五・三一から施行〕

三　〔略〕

（東日本大震災復興特別区域法の一部改正に伴う経過措置）

第一四条　附則第一条第二号に掲げる規定の施行の際現に前条の規定による改正前の東日本大震災復興特別区域法（次項において「旧復興特区法」という。）第十七条第一項の規定によりされている建築基準法第八十五条第四項の許可の期間の延長は、新基準法第八十五条第五項の規定によりされている許可の期間の延長とみなす。

2　附則第一条第二号に掲げる規定の施行の際現にされている旧復興特区法第十七条第一項の規定による建築基準法第八十五条第四項の許可の期間の延長に係る申請は、新基準法第八十五条第五項の規定による許可の期間の延長に係る申請とみなす。

附　則〔略〕〔令和五・五・二六法律三四〕

附　則〔略〕〔令和六・三・三〇法律八〕

○福島復興再生特別措置法

〔平成二四・三・三一　法律二五〕

改正　平成二四・三法一三、六法四七、平成二五・五法一二、六法五四、平成二六・三法六、四法二二、法三〇、平成二七・五法二〇、法三一、七法五五、法五六、平成二八・五法四七、平成二九・五法三二、法三九、六法五〇、平成三〇・五法三三、令和二・六法四六、法四九、一二法七四、令和三・五法三六、令和四・五法四六、法五四、法五六、令和五・五法三四、六法四九

注1　┊　┊の部分は、令和六年六月一二日法律第四七号により改正され、令和七年四月一日から施行

注2　令和六年六月一二日法律第四七号の改正の一部は、令和八年四月一日から施行のため、改正を加えてありません。

目次

第一章　総則（第一条―第四条）
第二章　福島復興再生計画等（第五条―第七条の二）
第三章　避難解除等区域の復興及び再生のための特別の措置等
第一節　福島復興再生計画に基づく土地改良法等の特例等（第八条―第十七条）
第二節　特定復興再生拠点区域復興再生計画及び特定帰還居住区域復興再生計画並びにこれらに基づく措置
第一款　特定復興再生拠点区域復興再生計画及び特定帰還居住区域復興再生計画（第十七条の二―第十七条の十二）
第二款　土地改良法等の特例等（第十七条の十三―第十七条の二十三）
第三節　農用地利用集積等促進計画及びこれに基づく措置等（第十七条の二十四―第十七条の三十九）
第四節　企業立地促進計画及びこれに基づく措置（第十八条―第二十六条）
第五節　住民の帰還及び移住等の促進を図るための措置
第一款　公営住宅法の特例等（第二十七条―第三十一条）
第二款　一団地の復興再生拠点市街地形成施設に関する都市計画（第三十二条）
第三款　帰還・移住等環境整備事業計画及びこれに基づく措置（第三十三条―第三十五条の三）
第四款　既存の事業所に係る個人事業者等に対する課税の特例等（第三十六条―第三十八条）
第六節　避難指示区域から避難している者の生活の安定を図るための措置

第一款　公営住宅法の特例等（第三十九条―第四十四条）
第二款　生活拠点形成事業計画及びこれに基づく措置（第四十五条―第四十八条）
第七節　公益社団法人福島相双復興推進機構への国の職員の派遣等（第四十八条の二―第四十八条の十三）
第八節　帰還・移住等環境整備推進法人（第四十八条の十四―第四十八条の十八）
第四章　放射線による健康上の不安の解消その他の安心して暮らすことのできる生活環境の実現のための措置（第四十九条―第六十条）
第五章　原子力災害からの産業の復興及び再生のための特別の措置
第一節　福島復興再生計画に基づく商標法等の特例（第六十一条―第七十三条）
第二節　特定事業活動振興計画及びこれに基づく措置（第七十四条―第七十五条の五）
第三節　農林水産業の復興及び再生のための施策等（第七十六条―第八十条）
第六章　新たな産業の創出等に寄与する取組の重点的な推進のための特別の措置
第一節　福島復興再生計画に基づく国有施設の使用等の特例（第八十一条―第八十三条）
第二節　新産業創出等推進事業促進計画及びこれに基づく措置（第八十四条―第八十五条の八）
第三節　新たな産業の創出等に寄与する施策等（第八十六条―第八十九条）
第四節　公益財団法人福島イノベーション・コースト構想推進機構への国の職員の派遣等（第八十九条の二―第八十九条の十三）
第七章　新産業創出等研究開発基本計画（第九十条・第九十一条）
第八章　福島国際研究教育機構
第一節　総則
第一款　通則（第九十二条―第九十六条）
第二款　設立（第九十七条―第九十九条）
第二節　役員及び職員（第百条―第百八条）
第三節　新産業創出等研究開発協議会（第百九条）
第四節　業務運営
第一款　業務（第百十条・第百十一条）
第二款　中期目標等（第百十二条―第百十七条）
第五節　財務及び会計（第百十八条―第百二十二条）
第六節　監督（第百二十三条・第百二十四条）
第七節　雑則（第百二十五条―第百二十八条）
第九章　福島の復興及び再生に関する施策の推進のために必要な措置（第百二十九条―第百三十八条）
第十章　原子力災害からの福島復興再生協議会（第百三十九条）
第十一章　雑則（第百四十条―第百四十四条）
第十二章　罰則（第百四十五条―第百四十八条）
附則

第一章　総則

（目的）

第一条　この法律は、原子力災害により深刻かつ多大な被害を受けた福島の復興及び再生が、その置かれた特殊な諸事情とこれまで原子力政策を推進してきたことに伴う国の社会的な責任を踏まえて行われるべきものであることに鑑み、原子力災害からの福島の復興及び再生の基本となる福島復興再生基本方針の策定、福島復興再生計画の作成及びその内閣総理大臣の認定並びに当該認定を受けた福島復興再生計画に基づく避難解除等区域の復興及び再生並びに原子力災害からの産業の復興及び再生のための特別の措置等について定めることにより、原子力災害からの福島の復興及び再生の推進を図り、もって東日本大震災復興基本法（平成二十三年法律第七十六号）第二条の基本理念に則した東日本大震災からの復興の円滑かつ迅速な推進と活力ある日本の再生に資することを目的とする。

（基本理念）

第二条　原子力災害からの福島の復興及び再生は、原子力災害により多数の住民が避難を余儀なくされたこと、復旧に長期間を要すること、放射性物質による汚染のおそれに起因して住民の健康上の不安が生じていること、これらに伴い安心して暮らし、子どもを生み、育てることができる環境を実現するとともに、社会経済を再生する必要があることその他の福島が直面する緊要な課題について、女性、子ども、障害者等を含めた多様な住民の意見を尊重しつつ解決することにより、地域経済の活性化を促進し、福島の地域社会の絆の維持及び再生を図ることを旨として、行われなければならない。

2　原子力災害からの福島の復興及び再生は、住民一人一人が災害を乗り越えて豊かな人生を送ることができるようにすることを旨として、行われなければならない。

3　原子力災害からの福島の復興及び再生に関する施策は、福島の地方公共団体の自主性及び自立性を尊重しつつ、講ぜられなければならない。

4　原子力災害からの福島の復興及び再生に関する施策は、福島の地域のコミュニティの維持に配慮して講ぜられなければならない。

5　原子力災害からの福島の復興及び再生に関する施策が講ぜられるに当たっては、放射性物質による汚染の状況及び人の健康への影響、原子力災害からの福島の復興及び再生の状況等に関する正確な情報の提供に特に留意されなければならない。

（国の責務）

第三条　国は、前条に規定する基本理念にのっとり、原子力災害からの福島の復興及び再生に関する施策を総合的に策定し、継続的かつ迅速に実施する責務を有する。

（定義）

第四条　この法律において、次の各号に掲げる用語の意義は、それぞれ当該各号に定めるところによる。

一　福島　福島県の区域をいう。

二　原子力発電所の事故　平成二十三年三月十一日に発生した東北地方太平洋沖地震に伴う原子力発電所の事故をいう。

三　原子力災害　原子力発電所の事故による災害をいう。

四　避難解除区域　原子力発電所の事故に関して原子力災害対策特別措置法（平成十一年法律第百五十六号）第十五条第三項又は第二十条第二項の規定により内閣総理大臣又は原子力災害対策本部長（同法第十七条第一項に規定する原子力災害対策本部長をいう。次号において同じ。）が福島の市町村長又は福島県知事に対して行った次に掲げる指示（以下「避難指示」という。）の対象となった区域のうち当該避難指示が全て解除された区域をいう。

イ　原子力災害対策特別措置法第二十七条の六第一項又は同法第二十八条第二項の規定により読み替えて適用される災害対策基本法（昭和三十六年法律第二百二十三号）第六十三条第一項の規定による警戒区域の設定を行うことの指示

ロ　住民に対し避難のための立退きを求める指示を行うことの指示

ハ　住民に対し居住及び事業活動の制限を求める指示を行うことの指示

ニ　住民に対し緊急時の避難のための立退き又は屋内への退避の準備を行うことを求める指示を行うことの指示

ホ　イからニまでに掲げるもののほか、これらに類するものとして政令で定める指示

五　避難解除等区域　避難解除区域及び現に避難指示の対象となっている区域のうち原子力災害対策本部長が福島の市町村長又は福島県知事に対して行った指示において近く当該避難指示が全て解除される見込みであるとされた区域をいう。

第二章　福島復興再生計画等

（福島復興再生基本方針の策定等）

第五条　政府は、第二条に規定する基本理念にのっとり、原子力災害からの福島の復興及び再生に関する施策の総合的な推進を図るための基本的な方針（以下「福島復興再生基本方針」という。）を定めなければならない。

2　福島復興再生基本方針には、次に掲げる事項を定めるものとする。

一　原子力災害からの福島の復興及び再生の意義及び目標に関する事項

二　第七条第一項に規定する福島復興再生計画の同条第十四項の認定に関する基本的な事項

三　避難解除等区域の復興及び再生の推進のために政府が着実に実施すべき施策に関する基本的な事項

四　特定復興再生拠点区域（第十七条の二第一項に規定する特定復興再生

拠点区域をいう。第七条第二項第三号及び第四項において同じ。）及び特定帰還居住区域（第十七条の九第一項に規定する特定帰還居住区域をいう。第七条第二項第四号において同じ。）の復興及び再生の推進のために政府が着実に実施すべき施策に関する基本的な事項

五　第十七条の二第一項に規定する特定復興再生拠点区域復興再生計画の同条第六項の認定及び第十七条の九第一項に規定する特定帰還居住区域復興再生計画の同条第六項の認定に関する基本的な事項

六　放射線による健康上の不安の解消その他の安心して暮らすことのできる生活環境の実現のために政府が着実に実施すべき施策に関する基本的な事項

七　原子力災害からの産業の復興及び再生の推進のために政府が着実に実施すべき施策に関する基本的な事項

八　新たな産業の創出及び産業の国際競争力の強化に寄与する取組その他先導的な施策への取組の重点的な推進のために政府が着実に実施すべき施策に関する基本的な事項

九　関連する東日本大震災（平成二十三年三月十一日に発生した東北地方太平洋沖地震及び原子力発電所の事故による災害をいう。以下同じ。）からの復興の円滑かつ迅速な推進に関する施策との連携に関する基本的な事項

十　前各号に掲げるもののほか、福島の復興及び再生に関する基本的な事項

3　福島復興再生基本方針は、東日本大震災復興特別区域法（平成二十三年法律第百二十二号）第三条第一項に規定する復興特別区域基本方針との調和が保たれたものでなければならない。

4　内閣総理大臣は、福島県知事の意見を聴いて、福島復興再生基本方針の案を作成し、閣議の決定を求めなければならない。

5　福島県知事は、前項の意見を述べようとするときは、あらかじめ、関係市町村長の意見を聴かなければならない。

6　内閣総理大臣は、第四項の規定による閣議の決定があったときは、遅滞なく、福島復興再生基本方針を公表しなければならない。

7　政府は、情勢の推移により必要が生じた場合には、福島復興再生基本方針を速やかに変更しなければならない。

8　第三項から第六項までの規定は、前項の規定による福島復興再生基本方針の変更について準用する。

（福島県知事の提案）

第六条　福島県知事は、福島の復興及び再生に関する施策の推進に関して、内閣総理大臣に対し、福島復興再生基本方針の変更についての提案（以下この条において「変更提案」という。）をすることができる。

2　福島県知事は、変更提案をしようとするときは、あらかじめ、関係市町村長の意見を聴かなければならない。

3　内閣総理大臣は、変更提案がされた場合において、当該変更提案を踏まえた福島復興再生基本方針の変更をする必要があると認めるときは、遅滞なく、福島復興再生基本方針の変更の案を作成し、閣議の決定を求めなければならない。

4　内閣総理大臣は、前項の規定による閣議の決定があったときは、遅滞なく、福島復興再生基本方針を公表しなければならない。

5　内閣総理大臣は、変更提案がされた場合において、当該変更提案を踏まえた福島復興再生基本方針の変更をする必要がないと認めるときは、遅滞なく、その旨及びその理由を福島県知事に通知しなければならない。

（福島復興再生計画の認定）

第七条　福島県知事は、福島復興再生基本方針に即して、復興庁令で定めるところにより、原子力災害からの福島の復興及び再生を推進するための計画（以下「福島復興再生計画」という。）を作成し、内閣総理大臣の認定を申請することができる。

2　福島復興再生計画には、次に掲げる事項を定めるものとする。

一　原子力災害からの福島の復興及び再生の基本的方針に関する事項

二　避難解除等区域の復興及び再生の推進のために実施すべき施策に関する事項

三　特定復興再生拠点区域の復興及び再生の推進のために実施すべき施策に関する事項

四　特定帰還居住区域の復興及び再生の推進のために実施すべき施策に関する事項

五　放射線による健康上の不安の解消その他の安心して暮らすことのできる生活環境の実現のために実施すべき施策に関する事項

六　原子力災害からの産業の復興及び再生の推進を図るために実施すべき施策に関する事項

七　再生可能エネルギー源（太陽光、風力その他非化石エネルギー源のうち、エネルギー源として永続的に利用することができると認められるものをいう。第八十六条において同じ。）の利用、医薬品、医療機器、廃炉等（原子力損害賠償・廃炉等支援機構法（平成二十三年法律第九十四号）第一条に規定する廃炉等をいう。第六項及び第八十六条において同じ。）、ロボット及び農林水産業に関する研究開発を行う拠点の整備を通じた新たな産業の創出及び産業の国際競争力の強化に寄与する取組その他先導的な施策への取組の重点的な推進のために実施すべき施策に関する事項

八　関連する東日本大震災からの復興の円滑かつ迅速な推進に関する施策との連携に関する事項

九　前各号に掲げるもののほか、福島の復興及び再生に関し必要な事項

3　前項第二号に掲げる事項には、次に掲げる事項（第一号から第三号までに掲げる事項にあっては、過去に避難指示の対象となったことがない区域にわたるもの及び現に避難指示（第四条第四号イに掲げる指示であるものを除く。）の対象となっている区域（同条第五号に規定する近く避難指示が全て解除される見込みであるとされた区域を除く。）におけるものであって、避難解除等区域の復興及び再生のために特に必要と認められるものを含む。）を定めることができる。

一　産業の復興及び再生に関する事項

二　道路、港湾、海岸その他の公共施設の整備に関する事項

三　生活環境の整備に関する事項

四　将来的な住民の帰還及び移住等（原子力災害の被災者以外の者の移住及び定住をいう。以下同じ。）を目指す区域における避難指示の解除後の当該区域の復興及び再生に向けた準備のための取組に関する事項

4　第二項第二号及び第三号に掲げる事項には、次に掲げる事項を定めることができる。

一　農用地利用集積等促進事業（農用地（第十七条の二十四第一項に規定する農用地をいう。以下この項並びに第九項第三号及び第四号において同じ。）についての賃借権の設定等（同条第三項に規定する賃借権の設定等をいう。以下この号において同じ。）の促進（これと併せて行う同条第二項第二号から第四号までに掲げる土地についての賃借権の設定等の促進を含む。）による農用地の利用の集積の促進又は農業用施設その他の農林水産業の振興に資する施設であって政令で定めるもの（以下「福島農林水産業振興施設」という。）の整備により、避難解除等区域及び特定復興再生拠点区域における農林水産業の振興を図る事業をいう。以下同じ。）に関する次に掲げる事項

イ　農用地利用集積等促進事業の実施区域

ロ　賃借権の設定等を受ける者の備えるべき要件

ハ　設定され、又は移転される賃借権又は使用貸借による権利の存続期間又は残存期間に関する基準並びに当該権利が賃借権である場合における借賃の算定基準及び支払の方法

ニ　移転される所有権の移転の対価（現物出資に伴い付与される持分又は株式を含む。第十七条の二十五第二項第一号ホにおいて同じ。）の算定基準及び支払（持分又は株式の付与を含む。同号ホにおいて同じ。）の方法

ホ　福島農林水産業振興施設の整備に関する事項

二　農用地効率的利用促進事業（農用地の権利移動に係る市町村の権限について、市町村長及び当該市町村の農業委員会が合意をすることにより、避難解除等区域及び特定復興再生拠点区域において、農用地を効率的に利用する者による地域との調和に配慮した農用地等（第十七条の二十四第二項に規定する農用地等をいう。）についての権利の取得の促進を図る事業をいう。第十七条の三十九第一項において同じ。）の実施区域

5　第二項第六号に掲げる事項には、次に掲げる事項を定めることができる。

一　産業復興再生事業（次に掲げる事業で、第六十四条から第七十三条までの規定による規制の特例措置の適用を受けるものをいう。以下同じ。）の内容及び実施主体に関する事項

イ　商品等需要開拓事業（福島における地域の名称又はその略称を含む商標の使用をし、又は使用をすると見込まれる商品又は役務の需要の開拓を行う事業であって、福島の地域の魅力の増進に資するものをい

う。）
ロ　新品種育成事業（新品種（当該新品種の種苗又は当該種苗を用いることにより得られる収穫物が福島において生産されることが見込まれるものに限る。）の育成をする事業であって、福島の地域の魅力の増進に資するものをいう。）
ハ　地熱資源開発事業（福島において地熱資源が相当程度存在し、又は存在する可能性がある地域であって、地熱資源の開発を重点的に推進する必要があると認められるものにおいて、地熱資源の開発を実施する事業をいう。）
ニ　流通機能向上事業（流通業務施設（トラックターミナル、卸売市場、倉庫又は上屋をいう。以下この二及び第七十一条第二項において同じ。）を中核として、輸送、保管、荷さばき及び流通加工を一体的に行うことによる流通業務の総合化を図る事業又は輸送網の集約、配送の共同化その他の輸送の合理化を行うことによる流通業務の効率化を図る事業（当該事業の用に供する流通業務施設の整備を行う事業を含む。）であって、福島における流通機能の向上に資するものをいう。）
ホ　産業復興再生政令等規制事業（原子力災害による被害を受けた福島の産業の復興及び再生に資する事業であって、政令又は主務省令により規定された規制に係るものをいう。第七十二条において同じ。）
ヘ　産業復興再生地方公共団体事務政令等規制事業（原子力災害による被害を受けた福島の産業の復興及び再生に資する事業であって、政令又は主務省令により規定された規制（福島の地方公共団体の事務に関するものに限る。）に係るものをいう。第七十三条において同じ。）
二　前号に規定する産業復興再生事業ごとの第六十四条から第七十三条までの規定による特別の措置の内容
三　放射性物質による汚染の有無又はその状況が正しく認識されていないことに起因する農林水産物及びその加工品の販売等の不振並びに観光客の数の低迷（第七十四条第一項において「特定風評被害」という。）への対処に関し必要な事項

6　第二項第七号に掲げる事項には、原子力災害による被害が著しい区域であって、廃炉等、ロボット、農林水産業その他復興庁令で定める分野に関する国際的な共同研究開発及び先端的な研究開発を行う拠点の整備、当該拠点の周辺の生活環境の整備、国際的な共同研究開発を行う者その他の者の来訪の促進、産業の国際競争力の強化に寄与する人材の育成及び確保、福島の地方公共団体、福島国際研究教育機構その他の多様な主体相互間の連携の強化その他の取組を推進することにより、産業集積の形成及び活性化を図るべき区域（以下「福島国際研究産業都市区域」という。）を定めることができる。この場合においては、併せて福島国際研究産業都市区域において推進しようとする取組の内容を定めるものとする。

7　前項後段に規定する取組の内容に関する事項には、次に掲げる事項を定めることができる。
一　ロボットに係る新たな製品又は新技術の開発に関する試験研究を行う事業に関する次に掲げる事項
イ　当該事業の内容及び実施主体
ロ　その他当該事業の実施に関し必要な事項
二　重点推進事業（次に掲げる事業で、それぞれ第八十二条又は第八十三条の規定による規制の特例措置の適用を受けるものをいう。以下同じ。）の内容及び実施主体に関する事項
イ　新産業創出等政令等規制事業（福島国際研究産業都市区域における産業集積の形成及び活性化に資する事業であって、政令又は主務省令により規定された規制に係るものをいう。第八十二条において同じ。）
ロ　新産業創出等地方公共団体事務政令等規制事業（福島国際研究産業都市区域における産業集積の形成及び活性化に資する事業であって、政令又は主務省令により規定された規制（福島の地方公共団体の事務に関するものに限る。）に係るものをいう。第八十三条において同じ。）
三　前号に規定する重点推進事業ごとの第八十二条又は第八十三条の規定による特別の措置の内容

8　第五項第一号及び前項第二号の「規制の特例措置」とは、法律により規定された規制についての第六十四条から第七十一条までに規定する法律の特例に関する措置及び政令又は主務省令（以下この項において「政令等」という。）により規定された規制についての第七十二条若しくは第八十二条の規定による政令若しくは復興庁令（告示を含む。）・主務省令（第百四十一条ただし書に規定する規制にあっては、主務省令。以下「復興庁令・主務省令」という。）又は第七十三条若しくは第八十三条の規定による条例で規定する政令等の特例に関する措置をいい、これらの措置の適用を受ける場合において当該規制の趣旨に照らし福島県がこれらの措置と併せて実施し又はその実施を促進することが必要となる措置を含むものとする。

9　福島県知事は、福島復興再生計画を作成しようとするときは、あらかじめ、関係市町村長（福島復興再生計画に次の各号に掲げる事項を定めようとする場合にあっては、関係市町村長及び当該各号に定める者）の意見を聴かなければならない。
一　第二項第六号に掲げる事項　第五項第一号に規定する実施主体（次号、第六十七条第二項及び第三項並びに第七十条第一項を除き、以下「実施主体」という。）
二　第二項第七号に掲げる事項　第七項第一号イ及び第二号に規定する実施主体並びに福島国際研究教育機構
三　第四項第一号に掲げる事項　同号イの実施区域内にある農用地を管轄する農業委員会及び当該区域をその事業実施地域に含む農地中間管理機構（農地中間管理事業の推進に関する法律（平成二十五年法律第百一号）第二条第四項に規定する農地中間管理機構をいう。以下同じ。）
四　第四項第二号に掲げる事項　同号の実施区域内にある農用地を管轄する農業委員会

10　次の各号に掲げる者は、福島県知事に対して、当該各号に定める事項に係る第一項の規定による申請（以下この条、第五章第一節並びに第八十二条及び第八十三条において「申請」という。）をすることについての提案をすることができる。
一　産業復興再生事業を実施しようとする者及びその実施に関し密接な関係を有する者　第二項第六号に掲げる事項
二　重点推進事業を実施しようとする者及びその実施に関し密接な関係を有する者　第二項第七号に掲げる事項

11　前項の提案を受けた福島県知事は、当該提案に基づき申請をするか否かについて、遅滞なく、当該提案をした者に通知しなければならない。この場合において、申請をしないこととするときは、その理由を明らかにしなければならない。

12　申請には、次に掲げる事項を記載した書面を添付しなければならない。
一　第九項の規定により聴いた関係市町村長及び同項各号に定める者の意見の概要
二　第十項の提案を踏まえた申請をする場合にあっては、当該提案の概要

13　福島県知事は、申請に当たっては、当該申請に係る産業復興再生事業又は重点推進事業（第十五項において「産業復興再生事業等」という。）及びこれらに関連する事業に関する規制について規定する法律及び法律に基づく命令（告示を含む。）の規定の解釈について、当該法律及び法律に基づく命令を所管する関係行政機関の長（当該行政機関が合議制の機関である場合にあっては、当該行政機関。以下同じ。）に対し、その確認を求めることができる。この場合において、当該確認を求められた関係行政機関の長は、福島県知事に対し、速やかに回答しなければならない。

14　内閣総理大臣は、申請があった福島復興再生計画が次に掲げる基準に適合すると認めるときは、その認定をするものとする。
一　福島復興再生基本方針に適合するものであること。
二　当該福島復興再生計画の実施が原子力災害からの福島の復興及び再生に寄与するものであると認められること。
三　円滑かつ確実に実施されると見込まれるものであること。

15　内閣総理大臣は、前項の認定をしようとするときは、福島復興再生計画に定められた避難解除等区域復興再生事項（第三項第一号から第三号までに掲げる事項をいう。以下この項において同じ。）、産業復興再生事業等に関する事項又は重点推進事項（第八十一条に規定する措置、第八十六条から第八十八条までに規定する施策又は第八十八条の二に規定する援助に係る事項をいう。以下この項において同じ。）について、当該避難解除等区域復興再生事項、産業復興再生事業等に関する事項又は重点推進事項に係る関係行政機関の長の同意を得なければならない。

16　内閣総理大臣は、第十四項の認定をしたときは、遅滞なく、その旨を公示しなければならない。

（東日本大震災復興特別区域法の準用）

第七条の二　東日本大震災復興特別区域法第五条から第十一条まで（同条第七項を除く。）の規定は、福島復興再生計画について準用する。この場合において、同法第五条中「認定」とあるのは「福島復興再生特別措置法第

七条第十四項の認定」と、同条第二項中「前条第十項」とあるのは「同条第十五項」と、同法第六条第一項中「認定を受けた特定地方公共団体」とあり、同法第七条第一項中「特定地方公共団体（以下「認定地方公共団体」という。）」とあり、同条第二項、同法第八条並びに同法第十条の見出し並びに同条第一項及び第三項中「認定地方公共団体」とあり、同法第十一条第一項中「申請をしようとする特定地方公共団体（地域協議会を組織するものに限る。）又は認定地方公共団体（以下この条及び次条において「認定地方公共団体等」という。）」とあり、同条第二項、第三項及び第八項中「認定地方公共団体等」とあり、並びに同条第六項中「当該提案をした認定地方公共団体等」とあるのは「福島県知事」と、同法第六条第一項中「、認定を受けた」とあるのは「、福島復興再生特別措置法第七条第十四項の認定を受けた」と、同条第二項中「第四条第三項から第十一項まで」とあるのは「福島復興再生特別措置法第七条第九項から第十六項まで」と、同法第七条第一項中「第四条第九項」とあるのは「福島復興再生特別措置法第七条第十四項」と、同条第二項中「復興推進事業」とあるのは「福島復興再生特別措置法第七条第五項第一号に規定する産業復興再生事業（第十一条第一項及び第八項において「産業復興再生事業」という。）、同法第七条第七項第二号に規定する重点推進事業（第十一条第一項及び第八項において「重点推進事業」という。）並びに同法第七条第十五項に規定する避難解除等区域復興再生事項及び重点推進事項に関する取組（次条第二項及び第十条第二項において「産業復興再生事業等」という。）」と、同法第八条第二項及び第十条第二項中「復興推進事業」とあるのは「産業復興再生事業等」と、同法第九条第一項中「第四条第九項各号」とあるのは「福島復興再生特別措置法第七条第十四項各号」と、同条第三項中「第四条第十一項」とあるのは「福島復興再生特別措置法第七条第十六項」と、同法第十一条の見出し及び同条第八項中「復興特別意見書」とあるのは「福島復興再生特別意見書」と、同条第一項中「第八項並びに次条第一項」とあるのは「第八項」と、「復興推進事業」とあるのは「産業復興再生事業及び福島復興再生特別措置法第七条第六項に規定する福島国際研究産業都市区域（第八項において「福島国際研究産業都市区域」という。）における重点推進事業」と、同項及び同条第八項中「申請に係る復興推進計画」とあり、並びに同条第二項中「復興推進計画」とあるのは「福島県」と、同条第四項中「復興特別区域基本方針」とあるのは「福島復興再生特別措置法第五条第一項に規定する福島復興再生基本方針」と、同条第五項中「復興特別区域基本方針」とあるのは「同項の福島復興再生基本方針」と、同条第六項中「通知しなければ」とあるのは「通知するとともに、遅滞なく、かつ、適切な方法で、国会に報告しなければ」と、同条第八項中「復興推進事業」とあるのは「産業復興再生事業及び福島国際研究産業都市区域における重点推進事業」と、同条第九項中「復興特別意見書の提出」とあるのは「第六項の規定による内閣総理大臣の報告又は福島復興再生特別意見書の提出」と、「当該復興特別意見書」とあるのは「当該報告又は福島復興再生特別意見書」と読み替えるものとする。

2　福島県知事は、前項の規定により読み替えて準用する東日本大震災復興特別区域法第十一条第一項の提案及び同条第八項の意見書の提出をしようとするときは、あらかじめ、関係市町村長の意見を聴かなければならない。

第三章　避難解除等区域の復興及び再生のための特別の措置等

第一節　福島復興再生計画に基づく土地改良法等の特例等

（土地改良法等の特例）

第八条　国は、認定福島復興再生計画（第七条第十四項の認定（前条第一項において読み替えて準用する東日本大震災復興特別区域法第六条第一項の変更の認定を含む。）を受けた福島復興再生計画をいう。以下同じ。）（第七条第三項第一号に掲げる事項に係る部分に限る。以下この条において同じ。）に基づいて行う土地改良法（昭和二十四年法律第百九十五号）第二条第二項第一号から第三号まで及び第七号に掲げる土地改良事業（東日本大震災に対処するための土地改良法の特例に関する法律（平成二十三年法律第四十三号。以下「土地改良法特例法」という。）第二条第三項に規定する復旧関連事業及び第三項の規定により国が行うものを除く。）であって、避難解除等区域の復興及び再生のために特に必要があるものとして内閣総理大臣が農林水産大臣の同意を得て指定したものを行うことができる。

2　前項の規定により行う土地改良事業は、土地改良法第八十七条の二第一項の規定により行うことができる同項第二号に掲げる土地改良事業とみなす。この場合において、同条第四項及び第十項並びに同法第八十八条第二項の規定の適用については、同法第八十七条の二第四項中「施設更新事業（当該施設更新事業に係る土地改良施設又は当該土地改良施設と一体となつて機能を発揮する土地改良施設の管理を内容とする第二条第二項第一号の事業を行う土地改良区が存する場合において、当該施設更新事業に係る土地改良施設の有している本来の機能の維持を図ることを目的とし、かつ、」とあるのは「土地改良施設の変更（当該変更に係る土地改良施設又は当該土地改良施設と一体となつて機能を発揮する土地改良施設の管理を内容とする第二条第二項第一号の事業を行う土地改良区が存する場合において、」と、同項第一号中「施設更新事業」とあるのは「土地改良施設の変更」と、同条第十項中「第五条第六項及び第七項、第七条第三項」とあるのは「第五条第四項から第七項まで、第七条第三項及び第四項」と、「同条第五項」とあるのは「同条第四項」と、同法第八十八条第二項中「第八十五条第一項、第八十五条の二第一項若しくは第八十五条の三第六項の規定による申請に基づいて行う農用地造成事業等」とあるのは「農用地造成事業等」と、「これらの規定による申請に基づいて行う土地改良事業」とあるのは「土地改良事業」とする。

3　国は、認定福島復興再生計画に基づいて行う土地改良法第二条第二項第一号から第三号まで及び第七号に掲げる土地改良事業（福島県知事が平成二十三年三月十一日以前に同法第八十七条第一項の規定により土地改良事業計画を定めたものに限る。）であって、福島県における当該土地改良事業の実施体制その他の地域の実情を勘案して、避難解除等区域の復興及び再生のために特に必要があるものとして内閣総理大臣が農林水産大臣の同意を得て指定したものを、自ら行うことができる。この場合においては、当該指定のあった日に、農林水産大臣が同法第八十七条第一項の規定により当該土地改良事業計画を定めたものとみなす。

4　前項の規定による指定は、福島県知事の要請に基づいて行うものとする。

5　第三項の規定により国が土地改良事業を行う場合において、当該土地改良事業に関し福島県が有する権利及び義務の国への承継については、農林水産大臣と福島県知事とが協議して定めるものとする。

6　認定福島復興再生計画に基づいて国が行う次の各号に掲げる土地改良事業についての土地改良法第九十条第一項の規定による負担金の額は、同項の規定にかかわらず、それぞれ当該各号に定める額とする。

一　土地改良法第二条第二項第五号に掲げる土地改良事業（土地改良法特例法第二条第二項に規定する特定災害復旧事業を除く。）　土地改良法特例法第五条第二号又は第三号の規定の例により算定した額

二　前号に掲げる土地改良事業と併せて行う土地改良法第二条第二項第一号に掲げる土地改良事業（同号に規定する土地改良施設の変更に係るものに限る。）　土地改良法特例法第五条第四号の規定の例により算定した額

7　東日本大震災復興特別区域法第五十二条第一項の規定により福島県が行う土地改良事業であって、避難解除等区域において行うものについての同条第二項及び第三項の規定の適用については、同条第二項中「同条第十項及び」とあるのは「同条第四項及び第十項並びに」と、「同法第八十七条の二第十項」とあるのは「同法第八十七条の二第四項中「施設更新事業（当該施設更新事業に係る土地改良施設又は当該土地改良施設と一体となつて機能を発揮する土地改良施設の管理を内容とする第二条第二項第一号の事業を行う土地改良区が存する場合において、当該施設更新事業に係る土地改良施設の有している本来の機能の維持を図ることを目的とし、かつ、」とあるのは「土地改良施設の変更（当該変更に係る土地改良施設又は当該土地改良施設と一体となつて機能を発揮する土地改良施設の管理を内容とする第二条第二項第一号の事業を行う土地改良区が存する場合において、」と、同項第一号中「施設更新事業」とあるのは「土地改良施設の変更」と、同条第十項」と、同条第三項中「第八十七条の二第三項から第五項まで」とあるのは「第八十七条の二第三項及び第五項並びに前項の規定により読み替えて適用する同条第四項」とする。

（漁港及び漁場の整備等に関する法律の特例）

第九条　農林水産大臣は、認定福島復興再生計画（第七条第三項第二号に掲げる事項に係る部分に限る。次条から第十六条までにおいて同じ。）に基

づいて行う漁港及び漁場の整備等に関する法律（昭和二十五年法律第百三十七号）第四条第一項に規定する漁港漁場整備事業（以下この項及び第十七条の十四第一項において「漁港漁場整備事業」という。）（漁港管理者（同法第二十五条の規定により決定された地方公共団体をいう。以下同じ。）である福島県が管理する同法第二条に規定する漁港（第十七条の十四第一項において「漁港」という。）に係る同法第四条第一項第一号に掲げる事業に係るものに限る。）に関する工事（東日本大震災による被害を受けた公共土木施設の災害復旧事業等に係る工事の国等による代行に関する法律（平成二十三年法律第三十三号。以下「震災復旧代行法」という。）第三条第一項各号に掲げる事業に係るものを除く。）であって、福島県における漁港漁場整備事業に関する工事の実施体制その他の地域の実情を勘案して、避難解除等区域の復興及び再生のために特に必要があるものとして内閣総理大臣が農林水産大臣の同意を得て指定したもの（第三項及び第四項において「復興漁港工事」という。）を、自ら施行することができる。

2　前項の規定による指定は、漁港管理者である福島県の要請に基づいて行うものとする。

3　農林水産大臣は、第一項の規定により復興漁港工事を施行する場合においては、政令で定めるところにより、漁港管理者である福島県に代わってその権限を行うものとする。

4　第一項の規定により農林水産大臣が施行する復興漁港工事に要する費用は、国の負担とする。この場合において、福島県は、当該費用の額から、自ら当該復興漁港工事を施行することとした場合に国が福島県に交付すべき負担金又は補助金の額に相当する額を控除した額を負担する。

5　第三項の規定により漁港管理者に代わってその権限を行う農林水産大臣は、漁港及び漁場の整備等に関する法律第九章の規定の適用については、漁港管理者とみなす。

（砂防法の特例）

第一〇条　国土交通大臣は、認定福島復興再生計画に基づいて行う砂防法（明治三十年法律第二十九号）第一条に規定する砂防工事（以下この項及び第十七条の十五第一項において「砂防工事」という。）（震災復旧代行法第四条第一項各号に掲げる事業に係るものを除く。）であって、福島県における砂防工事の実施体制その他の地域の実情を勘案して、避難解除等区域の復興及び再生のために特に必要があるものとして内閣総理大臣が国土交通大臣の同意を得て指定したもの（第三項及び第四項において「復興砂防工事」という。）を、自ら施行することができる。

2　前項の規定による指定は、福島県知事の要請に基づいて行うものとする。

3　国土交通大臣は、第一項の規定により復興砂防工事を施行する場合においては、政令で定めるところにより、福島県知事に代わってその権限を行うものとする。

4　第一項の規定により国土交通大臣が施行する復興砂防工事に要する費用は、国の負担とする。この場合において、福島県は、政令で定めるところにより、当該費用の額から、福島県知事が自ら当該復興砂防工事を施行することとした場合に国が福島県に交付すべき負担金又は補助金の額に相当する額を控除した額を負担する。

（港湾法の特例）

第一一条　国土交通大臣は、認定福島復興再生計画に基づいて行う港湾法（昭和二十五年法律第二百十八号）第二条第七項に規定する港湾工事（以下この項及び第十七条の十六第一項において「港湾工事」という。）のうち同法第二条第五項に規定する港湾施設（港湾管理者（同条第一項に規定する港湾管理者をいう。次項において同じ。）である福島県が管理するものに限る。第十七条の十六第一項において単に「港湾施設」という。）の建設又は改良に係るもの（震災復旧代行法第五条第一項第二号に掲げる事業に係るものを除く。）であって、福島県における港湾工事の実施体制その他の地域の実情を勘案して、避難解除等区域の復興及び再生のために特に必要があるものとして内閣総理大臣が国土交通大臣の同意を得て指定したもの（第三項において「復興港湾工事」という。）を、自ら施行することができる。

2　前項の規定による指定は、港湾管理者である福島県の要請に基づいて行うものとする。

3　第一項の規定により国土交通大臣が施行する復興港湾工事に要する費用は、国の負担とする。この場合において、福島県は、政令で定めるところにより、当該費用の額から、自ら当該復興港湾工事を施行することとした場合に国が福島県に交付すべき負担金又は補助金の額に相当する額を控除した額を負担する。

（道路法の特例）

第一二条　国土交通大臣は、認定福島復興再生計画に基づいて行う都道府県道（道路法（昭和二十七年法律第百八十号）第三条第三号に掲げる都道府県道をいう。第十七条の十七第一項において同じ。）又は市町村道（同法第三条第四号に掲げる市町村道をいう。同項において同じ。）の新設又は改築に関する工事（震災復旧代行法第六条第一項第二号に掲げる事業に係るものを除く。）であって、当該道路の道路管理者（道路法第十八条第一項に規定する道路管理者をいう。第五項及び第十七条の十七第一項において同じ。）である地方公共団体（福島県及び避難解除等区域をその区域に含む市町村に限る。以下この節において同じ。）における道路の新設又は改築に関する工事の実施体制その他の地域の実情を勘案して、避難解除等区域の復興及び再生のために特に必要があるものとして内閣総理大臣が国土交通大臣の同意を得て指定したもの（第三項及び第四項において「復興道路工事」という。）を、自ら施行することができる。

2　前項の規定による指定は、同項の地方公共団体の要請に基づいて行うものとする。

3　国土交通大臣は、第一項の規定により復興道路工事を施行する場合においては、政令で定めるところにより、同項の地方公共団体に代わってその権限を行うものとする。

4　第一項の規定により国土交通大臣が施行する復興道路工事に要する費用は、国の負担とする。この場合において、同項の地方公共団体は、政令で定めるところにより、当該費用の額から、自ら当該復興道路工事を施行することとした場合に国が当該地方公共団体に交付すべき補助金の額に相当する額を控除した額を負担する。

5　第三項の規定により道路管理者に代わってその権限を行う国土交通大臣は、道路法第八章の規定の適用については、道路管理者とみなす。

（海岸法の特例）

第一三条　主務大臣（海岸法（昭和三十一年法律第百一号）第四十条に規定する主務大臣をいう。以下この条及び第十七条の十八第一項において同じ。）は、認定福島復興再生計画に基づいて行う海岸保全施設（同法第二条第一項に規定する海岸保全施設をいう。以下この項及び第十七条の十八第一項において同じ。）の新設又は改良に関する工事（震災復旧代行法第七条第一項第二号に掲げる事業に係るものを除く。）であって、福島県における海岸保全施設の新設又は改良に関する工事の実施体制その他の地域の実情を勘案して、避難解除等区域の復興及び再生のために特に必要があるものとして内閣総理大臣が主務大臣の同意を得て指定したもの（第三項及び第四項において「復興海岸工事」という。）を、自ら施行することができる。

2　前項の規定による指定は、海岸管理者（海岸法第二条第三項に規定する海岸管理者をいう。以下この条及び第六十八条第二項第二号において同じ。）である福島県知事の要請に基づいて行うものとする。

3　主務大臣は、第一項の規定により復興海岸工事を施行する場合においては、政令で定めるところにより、海岸管理者である福島県知事に代わってその権限を行うものとする。

4　第一項の規定により主務大臣が施行する復興海岸工事に要する費用は、国の負担とする。この場合において、福島県は、政令で定めるところにより、当該費用の額から、海岸管理者である福島県知事が自ら当該復興海岸工事を施行することとした場合に国が福島県に交付すべき負担金又は補助金の額に相当する額を控除した額を負担する。

5　第三項の規定により海岸管理者に代わってその権限を行う主務大臣は、海岸法第五章の規定の適用については、海岸管理者とみなす。

（地すべり等防止法の特例）

第一四条　主務大臣（地すべり等防止法（昭和三十三年法律第三十号）第五十一条第一項に規定する主務大臣をいう。以下この条及び第十七条の十九第一項において同じ。）は、認定福島復興再生計画に基づいて行う同法第二条第四項に規定する地すべり防止工事（以下この項及び第十七条の十九第一項において「地すべり防止工事」という。）（震災復旧代行法第八条第一項各号に掲げる事業に係るものを除く。）であって、福島県における地すべり防止工事の実施体制その他の地域の実情を勘案して、避難解除等区域の復興及び再生のために特に必要があるものとして内閣総理大臣が主務大臣の同意を得て指定したもの（第三項及び第四項において「復興地すべり防止工事」という。）を、自ら施行することができる。

2　前項の規定による指定は、福島県知事の要請に基づいて行うものとする。

3　主務大臣は、第一項の規定により復興地すべり防止工事を施行する場合においては、政令で定めるところにより、福島県知事に代わってその権限を行うものとする。

4　第一項の規定により主務大臣が施行する復興地すべり防止工事に要する費用は、国の負担とする。この場合において、福島県は、政令で定めるところにより、当該費用の額から、福島県知事が自ら当該復興地すべり防止工事を施行することとした場合に国が福島県に交付すべき負担金又は補助金の額に相当する額を控除した額を負担する。

5　第三項の規定により福島県知事に代わってその権限を行う主務大臣は、地すべり等防止法第六章の規定の適用については、福島県知事とみなす。

（河川法の特例）

第一五条　国土交通大臣は、認定福島復興再生計画に基づいて行う指定区間（河川法（昭和三十九年法律第百六十七号）第九条第二項に規定する指定区間をいう。第十七条の二十第一項において同じ。）内の一級河川（同法第四条第一項に規定する一級河川をいう。第十七条の二十第一項において同じ。）、二級河川（同法第五条第一項に規定する二級河川をいう。第五項及び第十七条の二十第一項において同じ。）又は準用河川（同法第百条第一項に規定する準用河川をいう。第五項及び第十七条の二十第一項において同じ。）の改良工事（震災復旧代行法第十条第一項第二号に掲げる事業に係るものを除く。）であって、当該河川の改良工事を施行すべき地方公共団体の長が統括する地方公共団体における河川の改良工事の実施体制その他の地域の実情を勘案して、避難解除等区域の復興及び再生のために特に必要があるものとして内閣総理大臣が国土交通大臣の同意を得て指定したもの（第三項及び第四項において「復興河川工事」という。）を、自ら施行することができる。

2　前項の規定による指定は、同項の地方公共団体の長の要請に基づいて行うものとする。

3　国土交通大臣は、第一項の規定により復興河川工事を施行する場合においては、政令で定めるところにより、同項の地方公共団体の長に代わってその権限を行うものとする。

4　第一項の規定により国土交通大臣が施行する復興河川工事に要する費用は、国の負担とする。この場合において、同項の地方公共団体は、政令で定めるところにより、当該費用の額から、当該地方公共団体の長が自ら当該復興河川工事を施行することとした場合に国が当該地方公共団体に交付すべき負担金又は補助金の額に相当する額を控除した額を負担する。

5　第三項の規定により二級河川又は準用河川の河川管理者（河川法第七条（同法第百条第一項において準用する場合を含む。）に規定する河川管理者をいう。以下この項において同じ。）に代わってその権限を行う国土交通大臣は、同法第七章（同法第百条第一項において準用する場合を含む。）の規定の適用については、河川管理者とみなす。

（急傾斜地の崩壊による災害の防止に関する法律の特例）

第一六条　国土交通大臣は、認定福島復興再生計画に基づいて行う急傾斜地の崩壊による災害の防止に関する法律（昭和四十四年法律第五十七号）第二条第三項に規定する急傾斜地崩壊防止工事（以下この項及び第十七条の二十一第一項において「急傾斜地崩壊防止工事」という。）（震災復旧代行法第十一条第一項各号に掲げる事業に係るものを除く。）であって、福島県における急傾斜地崩壊防止工事の実施体制その他の地域の実情を勘案して、避難解除等区域の復興及び再生のために特に必要があるものとして内閣総理大臣が国土交通大臣の同意を得て指定したもの（第三項から第五項までにおいて「復興急傾斜地崩壊防止工事」という。）を、自ら施行することができる。

2　前項の規定による指定は、福島県の要請に基づいて行うものとする。

3　国土交通大臣は、第一項の規定により復興急傾斜地崩壊防止工事を施行する場合においては、政令で定めるところにより、福島県知事に代わってその権限を行うものとする。

4　急傾斜地の崩壊による災害の防止に関する法律第十三条第二項の規定は、国土交通大臣が第一項の規定により復興急傾斜地崩壊防止工事を施行する場合については、適用しない。

5　第一項の規定により国土交通大臣が施行する復興急傾斜地崩壊防止工事に要する費用は、国の負担とする。この場合において、福島県は、政令で定めるところにより、当該費用の額から、自ら当該復興急傾斜地崩壊防止工事を施行することとした場合に国が福島県に交付すべき補助金の額に相当する額を控除した額を負担する。

6　第三項の規定により福島県知事に代わってその権限を行う国土交通大臣は、急傾斜地の崩壊による災害の防止に関する法律第五章の規定の適用については、福島県知事とみなす。

（生活環境整備事業）

第一七条　内閣総理大臣は、認定福島復興再生計画（第七条第三項第三号に掲げる事項に係る部分に限る。）に基づいて行う生活環境整備事業（住民の生活環境の改善に資するために必要となる公共施設又は公益的施設の清掃その他の当該施設の機能を回復するための事業であって、復興庁令で定めるものをいう。次項及び第十七条の二十二第一項において同じ。）を、復興庁令で定めるところにより、当該施設を管理する者の要請に基づいて、行うことができる。

2　前項の規定により内閣総理大臣が行う生活環境整備事業に要する費用は、国の負担とする。

第二節　特定復興再生拠点区域復興再生計画及び特定帰還居住区域復興再生計画並びにこれらに基づく措置

第一款　特定復興再生拠点区域復興再生計画及び特定帰還居住区域復興再生計画

（特定復興再生拠点区域復興再生計画の認定）

第一七条の二　特定避難指示区域市町村（現に避難指示であって第四条第四号ロに掲げる指示であるもの（以下この項及び第十七条の九第一項において「特定避難指示」という。）の対象となっている区域（以下この項、第十七条の九第一項及び第百三十二条において「特定避難指示区域」という。）をその区域に含む市町村をいう。以下同じ。）の長は、福島復興再生基本方針及び認定福島復興再生計画（第七条第二項第三号に掲げる事項に係る部分に限る。第六項第一号において同じ。）に即して、復興庁令で定めるところにより、特定復興再生拠点区域（特定避難指示区域内の区域であって次に掲げる条件のいずれにも該当するもののうち、特定避難指示の解除により住民の帰還及び移住等を目指すものをいう。以下同じ。）の復興及び再生を推進するための計画（以下「特定復興再生拠点区域復興再生計画」という。）を作成し、内閣総理大臣の認定を申請することができる。

一　当該区域における放射線量が、当該特定避難指示区域における放射線量に比して相当程度低く、土壌等の除染等の措置（平成二十三年三月十一日に発生した東北地方太平洋沖地震に伴う原子力発電所の事故により放出された放射性物質による環境の汚染への対処に関する特別措置法（平成二十三年法律第百十号。以下「放射性物質汚染対処特措法」という。）第二条第三項に規定する土壌等の除染等の措置をいい、表土の削り取りその他の適正かつ合理的な方法として復興庁令・環境省令で定めるものにより行うものに限る。以下同じ。）を行うことにより、おおむね五年以内に、特定避難指示の解除に支障がないものとして復興庁令・内閣府令で定める基準以下に低減する見込みが確実であること。

二　当該区域の地形、交通の利便性その他の自然的社会的条件からみて、帰還する住民の生活及び地域経済の再建並びに移住等のための拠点となる区域として適切であると認められること。

三　当該区域の規模及び原子力発電所の事故の発生前の土地利用の状況からみて、計画的かつ効率的に公共施設その他の施設の整備を行うことができると認められること。

2　特定復興再生拠点区域復興再生計画には、次に掲げる事項（第五号から第八号までに掲げる事項にあっては、特定復興再生拠点区域外にわたるものであって、特定復興再生拠点区域の復興及び再生のために特に必要と認められるものを含む。）を記載するものとする。

一　特定復興再生拠点区域の区域

二　特定復興再生拠点区域復興再生計画の意義及び目標

三　特定復興再生拠点区域復興再生計画の期間

四　土地利用に関する基本方針

五　産業の復興及び再生に関する事項

六　道路その他の公共施設の整備に関する事項

七　生活環境の整備に関する事項

八　土壌等の除染等の措置、除去土壌の処理（土壌等の除染等の措置に伴い生じた土壌の収集、運搬、保管及び処分をいい、中間貯蔵・環境安全事業株式会社法（平成十五年法律第四十四号）第二条第三項に規定する最終処分その他の復興庁令・環境省令で定めるものを除く。第十七条の九第二項第七号及び第十七条の二十三において同じ。）及び廃棄物の処理（放射性物質汚染対処特措法第二条第二項に規定する廃棄物の収集、運搬、保管及び処分をいい、当該復興庁令・環境省令で定めるものを除く。同号及び第十七条の二十三において同じ。）に関する事項

九　前各号に掲げるもののほか、特定復興再生拠点区域の復興及び再生に関し特に必要な事項

3　前項第五号から第八号までに掲げる事項には、特定避難指示区域市町村が実施する事業に係るものを記載するほか、必要に応じ、当該特定避難指示区域市町村以外の者が実施する事業に係るものを記載することができる。

4　特定避難指示区域市町村の長は、特定復興再生拠点区域復興再生計画に当該特定避難指示区域市町村以外の者が実施する事業に係る事項を記載しようとするときは、当該事項について、あらかじめ、その者の同意を得なければならない。

5　特定避難指示区域市町村の長は、特定復興再生拠点区域復興再生計画を作成しようとするときは、あらかじめ、福島県知事に協議しなければならない。

6　内閣総理大臣は、第一項の規定による申請があった特定復興再生拠点区域復興再生計画が次に掲げる基準に適合すると認めるときは、その認定をするものとする。

一　福島復興再生基本方針及び認定福島復興再生計画に適合するものであること。

二　当該特定復興再生拠点区域復興再生計画に記載された第二項第一号の区域が第一項各号に掲げる条件のいずれにも該当するものであること。

三　当該特定復興再生拠点区域復興再生計画の実施が特定復興再生拠点区域の復興及び再生の推進に寄与するものであると認められること。

四　円滑かつ確実に実施されると見込まれるものであること。

7　内閣総理大臣は、前項の認定をしようとするときは、特定復興再生拠点区域復興再生計画に記載された特定復興再生拠点区域復興再生事項（第二項第五号から第八号までに掲げる事項をいう。以下同じ。）について、当該特定復興再生拠点区域復興再生事項に係る関係行政機関の長の同意を得なければならない。

8　内閣総理大臣は、第六項の認定をしたときは、遅滞なく、その旨を公示しなければならない。

（認定に関する処理期間）

第一七条の三　内閣総理大臣は、前条第一項の規定による申請を受理した日から三月以内において速やかに、同条第六項の認定に関する処分を行わなければならない。

2　関係行政機関の長は、内閣総理大臣が前項の処理期間中に前条第六項の認定に関する処分を行うことができるよう、速やかに、同条第七項の同意について同意又は不同意の旨を通知しなければならない。

（認定特定復興再生拠点区域復興再生計画の変更）

第一七条の四　第十七条の二第六項の認定を受けた特定避難指示区域市町村の長は、当該認定を受けた特定復興再生拠点区域復興再生計画（以下「認定特定復興再生拠点区域復興再生計画」という。）の変更（復興庁令で定める軽微な変更を除く。）をしようとするときは、内閣総理大臣の認定を受けなければならない。

2　第十七条の二第四項から第八項まで及び前条の規定は、前項の認定特定復興再生拠点区域復興再生計画の変更について準用する。

（報告の徴収）

第一七条の五　内閣総理大臣は、第十七条の二第六項の認定（前条第一項の変更の認定を含む。第十七条の七第一項において同じ。）を受けた特定避難指示区域市町村の長（次項、次条並びに第十七条の八第一項及び第三項において「認定特定避難指示区域市町村長」という。）に対し、認定特定復興再生拠点区域復興再生計画（認定特定復興再生拠点区域復興再生計画の変更があったときは、その変更後のもの。以下同じ。）の実施の状況について報告を求めることができる。

2　関係行政機関の長は、認定特定避難指示区域市町村長に対し、認定特定復興再生拠点区域復興再生計画に記載された特定復興再生拠点区域復興再生事項の実施の状況について報告を求めることができる。

（措置の要求）

第一七条の六　内閣総理大臣は、認定特定復興再生拠点区域復興再生計画の適正な実施のため必要があると認めるときは、認定特定避難指示区域市町村長に対し、当該認定特定復興再生拠点区域復興再生計画の実施に関し必要な措置を講ずることを求めることができる。

2　関係行政機関の長は、認定特定復興再生拠点区域復興再生計画に記載された特定復興再生拠点区域復興再生事項の適正な実施のため必要があると認めるときは、認定特定避難指示区域市町村長に対し、当該特定復興再生拠点区域復興再生事項の実施に関し必要な措置を講ずることを求めることができる。

（認定の取消し）

第一七条の七　内閣総理大臣は、認定特定復興再生拠点区域復興再生計画が第十七条の二第六項各号のいずれかに適合しなくなったと認めるときは、その認定を取り消すことができる。この場合において、内閣総理大臣は、あらかじめ関係行政機関の長にその旨を通知しなければならない。

2　関係行政機関の長は、内閣総理大臣に対し、前項の規定による認定の取消しに関し必要と認める意見を申し出ることができる。

3　第十七条の二第八項の規定は、第一項の規定による認定の取消しについて準用する。

（認定特定避難指示区域市町村長への援助等）

第一七条の八　内閣総理大臣及び関係行政機関の長は、認定特定避難指示区域市町村長に対し、認定特定復興再生拠点区域復興再生計画の円滑かつ確実な実施に関し必要な情報の提供、助言その他の援助を行うように努めなければならない。

2　関係行政機関の長及び関係地方公共団体の長その他の執行機関は、認定特定復興再生拠点区域復興再生計画に係る特定復興再生拠点区域復興再生事項の実施に関し、法令の規定による許可その他の処分を求められたときは、当該特定復興再生拠点区域復興再生事項が円滑かつ迅速に実施されるよう、適切な配慮をするものとする。

3　前二項に定めるもののほか、内閣総理大臣、関係行政機関の長、認定特定避難指示区域市町村長、関係地方公共団体及び認定特定復興再生拠点区域復興再生計画に記載された第十七条の二第四項に規定する事業を実施する者は、認定特定復興再生拠点区域復興再生計画の円滑かつ確実な実施が促進されるよう、相互に連携を図りながら協力しなければならない。

（特定帰還居住区域復興再生計画の認定等）

第一七条の九　第十七条の二第一項に定めるもののほか、特定避難指示区域市町村の長は、福島復興再生基本方針及び認定福島復興再生計画（第七条第二項第四号に掲げる事項に係る部分に限る。第六項第一号において同じ。）に即して、復興庁令で定めるところにより、特定帰還居住区域（特定避難指示区域内の区域（特定復興再生拠点区域その他復興庁令で定める区域を除く。）であって次に掲げる条件のいずれにも該当するもののうち、特定避難指示の解除による住民の帰還及び当該住民の帰還後の生活の再建を目指すものをいう。以下同じ。）の復興及び再生を推進するための計画（以下「特定帰還居住区域復興再生計画」という。）を作成し、内閣総理大臣の認定を申請することができる。

一　当該区域における放射線量を土壌等の除染等の措置を行うことにより特定避難指示の解除に支障がないものとして復興庁令・内閣府令で定める基準以下に低減させることができるものであること。

二　当該区域における原子力発電所の事故の発生前の住民の居住の状況、交通の利便性その他の住民の生活環境からみて、一体的な日常生活圏を構成していたと認められ、かつ、帰還する住民が当該原子力発電所の事故の発生前における住居において生活の再建を図ることができると認められること。

三　当該区域の規模及び原子力発電所の事故の発生前の土地利用の状況からみて、計画的かつ効率的に公共施設その他の帰還する住民の居住の安定の確保に必要な施設の整備を行うことができると認められること。

四　当該特定避難指示区域市町村内の特定復興再生拠点区域（当該特定避難指示区域市町村の長が特定復興再生拠点区域復興再生計画を作成していない場合にあっては、当該特定避難指示区域市町村内の中心の市街地又は主要な集落の地域。以下この号において同じ。）との交通の利便性その他の自然的社会的条件からみて、当該特定復興再生拠点区域と一体的に復興及び再生を推進することができるものであると認められること。

2　特定帰還居住区域復興再生計画には、次に掲げる事項（第四号から第七

号までに掲げる事項にあっては、特定帰還居住区域外にわたるものであって、特定帰還居住区域の復興及び再生のために特に必要と認められるものを含む。）を記載するものとする。

一 特定帰還居住区域の区域
二 特定帰還居住区域復興再生計画の意義及び目標
三 特定帰還居住区域復興再生計画の期間
四 帰還する住民が原子力発電所の事故の発生前に営んでいた事業の再開のための支援に関する事項
五 道路その他の公共施設の整備に関する事項
六 生活環境の整備に関する事項
七 土壌等の除染等の措置、除去土壌の処理及び廃棄物の処理に関する事項
八 前各号に掲げるもののほか、特定帰還居住区域の復興及び再生に関し特に必要な事項

3 前項第四号から第七号までに掲げる事項には、特定避難指示区域市町村が実施する事業に係るものを記載するほか、必要に応じ、当該特定避難指示区域市町村以外の者が実施する事業に係るものを記載することができる。

4 特定避難指示区域市町村の長は、特定帰還居住区域復興再生計画に当該特定避難指示区域市町村以外の者が実施する事業に係る事項を記載しようとするときは、当該事項について、あらかじめ、その者の同意を得なければならない。

5 特定避難指示区域市町村の長は、特定帰還居住区域復興再生計画を作成しようとするときは、あらかじめ、福島県知事に協議しなければならない。

6 内閣総理大臣は、第一項の規定による申請があった特定帰還居住区域復興再生計画が次に掲げる基準に適合すると認めるときは、その認定をするものとする。

一 福島復興再生基本方針及び認定福島復興再生計画に適合するものであること。
二 当該特定帰還居住区域復興再生計画に記載された第二項第一号の区域が第一項各号に掲げる条件のいずれにも該当するものであること。
三 当該特定帰還居住区域復興再生計画の実施が特定帰還居住区域の復興及び再生の推進に寄与するものであると認められること。
四 円滑かつ確実に実施されると見込まれるものであること。

7 内閣総理大臣は、前項の認定をしようとするときは、特定帰還居住区域復興再生計画に記載された特定帰還居住区域復興再生事項（第二項第四号から第七号までに掲げる事項をいう。以下この項において同じ。）について、当該特定帰還居住区域復興再生事項に係る関係行政機関の長の同意を得なければならない。

8 内閣総理大臣は、第六項の認定をしたときは、遅滞なく、その旨を公示しなければならない。

9 第十七条の三から前条までの規定は、特定帰還居住区域復興再生計画について準用する。この場合において、第十七条の三第一項中「前条第一項」とあるのは「第十七条の九第一項」と、同条第二項中「前条第六項」とあり、並びに第十七条の四第一項及び第十七条の五第一項中「第十七条の二第六項」とあるのは「第十七条の九第六項」と、第十七条の四第二項中「第十七条の二第四項から第八項まで」とあるのは「第十七条の九第四項から第八項まで」と、第十七条の五第二項中「特定復興再生拠点区域復興再生事項」とあるのは「特定帰還居住区域復興再生事項（第十七条の九第七項に規定する特定帰還居住区域復興再生事項をいう。次条第二項及び第十七条の八第二項において同じ。）」と、第十七条の六第二項及び前条第二項中「特定復興再生拠点区域復興再生事項」とあるのは「特定帰還居住区域復興再生事項」と、第十七条の七第一項中「第十七条の二第六項各号」とあるのは「第十七条の九第六項各号」と、同条第三項中「第十七条の二第八項」とあるのは「第十七条の九第八項」と、前条第三項中「第十七条の二第四項」とあるのは「次条第四項」と読み替えるものとする。

（帰還・移住等環境整備推進法人による特定復興再生拠点区域復興再生計画等の作成等の提案）

第一七条の一〇 第四十八条の十四第一項の規定により指定された帰還・移住等環境整備推進法人（第十七条の十二及び第五節第三款において「帰還・移住等環境整備推進法人」という。）は、特定避難指示区域市町村の長に対し、復興庁令で定めるところにより、その業務を行うために必要な特定復興再生拠点区域復興再生計画又は特定帰還居住区域復興再生計画（以下この条から第十七条の十二までにおいて「特定復興再生拠点区域復興再生計画等」という。）の作成又は変更をすることを提案することができる。この場合においては、当該提案に係る特定復興再生拠点区域復興再生計画等の素案を添えなければならない。

2 前項の規定による提案（次条及び第十七条の十二において「特定復興再生拠点区域復興再生計画等提案」という。）に係る特定復興再生拠点区域復興再生計画等の素案の内容は、福島復興再生基本方針及び認定福島復興再生計画（第七条第二項第三号又は第四号に掲げる事項に係る部分に限る。）に基づくものでなければならない。

（特定復興再生拠点区域復興再生計画等提案に対する特定避難指示区域市町村の長の判断等）

第一七条の一一 特定避難指示区域市町村の長は、特定復興再生拠点区域復興再生計画等提案が行われたときは、遅滞なく、前条第一項の素案の内容の全部又は一部を実現することとなる特定復興再生拠点区域復興再生計画等の作成又は変更をする必要があるかどうかを判断し、当該特定復興再生拠点区域復興再生計画等の作成又は変更をする必要があると認めるときは、その案を作成しなければならない。

（特定復興再生拠点区域復興再生計画等提案を踏まえた特定復興再生拠点区域復興再生計画等の作成等をしない場合にとるべき措置）

第一七条の一二 特定避難指示区域市町村の長は、前条の規定による特定復興再生拠点区域復興再生計画等の作成又は変更をする必要がないと判断したときは、遅滞なく、その旨及びその理由を、当該特定復興再生拠点区域復興再生計画等提案をした帰還・移住等環境整備推進法人に通知しなければならない。

第二款 土地改良法等の特例等

（土地改良法等の特例）

第一七条の一三 国は、認定特定復興再生拠点区域復興再生計画（第十七条の二第二項第五号に掲げる事項に係る部分に限る。第三項において同じ。）又は認定特定帰還居住区域復興再生計画（第十七条の九第六項の認定（同条第九項において準用する第十七条の四第一項の変更の認定を含む。）を受けた特定帰還居住区域復興再生計画をいう。以下同じ。）（第十七条の九第二項第四号に掲げる事項に係る部分に限る。第三項において同じ。）に基づいて行う土地改良法第二条第二項第一号から第三号まで及び第七号に掲げる土地改良事業（土地改良法特例法第二条第三項に規定する復旧関連事業及び第三項の規定により国が行うものを除く。）であって、認定特定復興再生拠点区域（認定特定復興再生拠点区域復興再生計画に記載された特定復興再生拠点区域をいう。以下同じ。）又は認定特定帰還居住区域（認定特定帰還居住区域復興再生計画に記載された特定帰還居住区域をいう。以下同じ。）の復興及び再生のために特に必要があるものとして内閣総理大臣が農林水産大臣の同意を得て指定したものを行うことができる。

2 前項の規定により行う土地改良事業は、土地改良法第八十七条の二第一項の規定により行うことができる同項第二号に掲げる土地改良事業とみなす。この場合において、同条第四項及び第十項並びに同法第八十八条第二項の規定の適用については、同法第八十七条の二第四項中「施設更新事業（当該施設更新事業に係る土地改良施設又は当該土地改良施設と一体となつて機能を発揮する土地改良施設の管理を内容とする第二条第二項第一号の事業を行う土地改良区が存する場合において、当該施設更新事業に係る土地改良施設の有している本来の機能の維持を図ることを目的とし、かつ、」とあるのは「土地改良施設の変更（当該変更に係る土地改良施設又は当該土地改良施設と一体となつて機能を発揮する土地改良施設の管理を内容とする第二条第二項第一号の事業を行う土地改良区が存する場合において、」と、同項第一号中「施設更新事業」とあるのは「土地改良施設の変更」と、同条第十項中「第五条第六項及び第七項、第七条第三項」とあるのは「第五条第四項から第七項まで、第七条第三項及び第四項」と、「同条第五項」とあるのは「同条第四項」と、同法第八十八条第二項中「第八十五条第一項、第八十五条の二第一項若しくは第八十五条の三第六項の規定による申請に基づいて行う農用地造成事業等」とあるのは「農用地造成事業等」と、「これらの規定による申請に基づいて行う土地改良事業」とあるのは「土地改良事業」とする。

3 国は、認定特定復興再生拠点区域復興再生計画又は認定特定帰還居住区域復興再生計画（第五項において「認定特定復興再生拠点区域復興再生計画等」という。）に基づいて行う土地改良法第二条第二項第一号から第三

号まで及び第七号に掲げる土地改良事業（福島県知事が平成二十三年三月十一日以前に同法第八十七条第一項の規定により土地改良事業計画を定めたものに限る。）であって、福島県における当該土地改良事業の実施体制その他の地域の実情を勘案して、認定特定復興再生拠点区域又は認定特定帰還居住区域（以下「認定特定復興再生拠点区域等」という。）の復興及び再生のために特に必要があるものとして内閣総理大臣が農林水産大臣の同意を得て指定したものを、自ら行うことができる。この場合においては、当該指定のあった日に、農林水産大臣が同法第八十七条第一項の規定により当該土地改良事業計画を定めたものとみなす。

4　第八条第四項及び第五項の規定は、前項の場合について準用する。この場合において、同条第四項中「前項」とあり、及び同条第五項中「第三項」とあるのは、「第十七条の十三第三項」と読み替えるものとする。

5　認定特定復興再生拠点区域復興再生計画等に基づいて国が行う次の各号に掲げる土地改良事業についての土地改良法第九十条第一項の規定による負担金の額は、同項の規定にかかわらず、当該各号に定める額とする。

一　土地改良法第二条第二項第五号に掲げる土地改良事業（土地改良法特例法第二条第二項に規定する特定災害復旧事業を除く。）　土地改良法特例法第五条第二号又は第三号の規定の例により算定した額

二　前号に掲げる土地改良事業と併せて行う土地改良法第二条第二項第一号に掲げる土地改良事業（同号に規定する土地改良施設の変更に係るものに限る。）　土地改良法特例法第五条第四号の規定の例により算定した額

6　東日本大震災復興特別区域法第五十二条第一項の規定により福島県が行う土地改良事業であって、認定特定復興再生拠点区域等において行うものについての同条第二項及び第三項の規定の適用については、同条第二項中「同条第十項及び」とあるのは「同条第四項及び第十項並びに」と、「同法第八十七条の二第十項」とあるのは「同法第八十七条の二第四項中「施設更新事業（当該施設更新事業に係る土地改良施設又は当該土地改良施設と一体となつて機能を発揮する土地改良施設の管理を内容とする第二条第二項第一号の事業を行う土地改良区が存する場合において、当該施設更新事業に係る土地改良施設の有している本来の機能の維持を図ることを目的とし、かつ、」とあるのは「土地改良施設の変更（当該変更に係る土地改良施設又は当該土地改良施設と一体となつて機能を発揮する土地改良施設の管理を内容とする第二条第二項第一号の事業を行う土地改良区が存する場合において、」と、同項第一号中「施設更新事業」とあるのは「土地改良施設の変更」と、同条第十項」と、同条第三項中「第八十七条の二第三項から第五項まで」とあるのは「第八十七条の二第三項及び第五項並びに前項の規定により読み替えて適用する同条第四項」とする。

（漁港及び漁場の整備等に関する法律の特例）

第一七条の一四　農林水産大臣は、認定特定復興再生拠点区域復興再生計画（第十七条の二第二項第六号に掲げる事項に係る部分に限る。次条第一項において同じ。）又は認定特定帰還居住区域復興再生計画（第十七条の九第二項第五号に掲げる事項に係る部分に限る。次条第一項において同じ。）に基づいて行う漁港漁場整備事業（漁港管理者である福島県が管理する漁港に係る漁港及び漁場の整備等に関する法律第四条第一項第一号に掲げる事業に係るものに限る。）に関する工事（震災復旧代行法第三条第一項各号に掲げる事業に係るものを除く。）であって、福島県における漁港漁場整備事業に関する工事の実施体制その他の地域の実情を勘案して、認定特定復興再生拠点区域等の復興及び再生のために特に必要があるものとして内閣総理大臣が農林水産大臣の同意を得て指定したものを、自ら施行することができる。

2　第九条第二項から第五項までの規定は、前項の場合について準用する。この場合において、同条第二項中「前項」とあり、並びに同条第三項及び第四項中「第一項」とあるのは「第十七条の十四第一項」と、同条第三項及び第四項中「復興漁港工事」とあるのは「漁港漁場整備事業に関する工事」と読み替えるものとする。

（砂防法の特例）

第一七条の一五　国土交通大臣は、認定特定復興再生拠点区域復興再生計画又は認定特定帰還居住区域復興再生計画（次条から第十七条の二十一までにおいて「認定特定復興再生拠点区域復興再生計画等」という。）に基づいて行う砂防工事（震災復旧代行法第四条第一項各号に掲げる事業に係るものを除く。）であって、福島県における砂防工事の実施体制その他の地域の実情を勘案して、認定特定復興再生拠点区域等の復興及び再生のために特に必要があるものとして内閣総理大臣が国土交通大臣の同意を得て指定したものを、自ら施行することができる。

2　第十条第二項から第四項までの規定は、前項の場合について準用する。この場合において、同条第二項中「前項」とあり、並びに同条第三項及び第四項中「第一項」とあるのは「第十七条の十五第一項」と、同条第三項及び第四項中「復興砂防工事」とあるのは「砂防工事」と読み替えるものとする。

（港湾法の特例）

第一七条の一六　国土交通大臣は、認定特定復興再生拠点区域復興再生計画等に基づいて行う港湾工事のうち港湾施設の建設又は改良に係るもの（震災復旧代行法第五条第一項第二号に掲げる事業に係るものを除く。）であって、福島県における港湾工事の実施体制その他の地域の実情を勘案して、認定特定復興再生拠点区域等の復興及び再生のために特に必要があるものとして内閣総理大臣が国土交通大臣の同意を得て指定したものを、自ら施行することができる。

2　第十一条第二項及び第三項の規定は、前項の場合について準用する。この場合において、同条第二項中「前項」とあり、及び同条第三項中「第一項」とあるのは「第十七条の十六第一項」と、同項中「復興港湾工事」とあるのは「港湾工事のうち港湾施設の建設又は改良に係るもの」と読み替えるものとする。

（道路法の特例）

第一七条の一七　国土交通大臣は、認定特定復興再生拠点区域復興再生計画等に基づいて行う都道府県道又は市町村道の新設又は改築に関する工事（震災復旧代行法第六条第一項第二号に掲げる事業に係るものを除く。）であって、当該道路の道路管理者である地方公共団体（福島県及び認定特定復興再生拠点区域等をその区域に含む市町村に限る。第十七条の二十第一項において同じ。）における道路の新設又は改築に関する工事の実施体制その他の地域の実情を勘案して、認定特定復興再生拠点区域等の復興及び再生のために特に必要があるものとして内閣総理大臣が国土交通大臣の同意を得て指定したものを、自ら施行することができる。

2　第十二条第二項から第五項までの規定は、前項の場合について準用する。この場合において、同条第二項中「前項」とあり、並びに同条第三項及び第四項中「第一項」とあるのは「第十七条の十七第一項」と、同条第三項及び第四項中「復興道路工事」とあるのは「都道府県道又は市町村道の新設又は改築に関する工事」と読み替えるものとする。

（海岸法の特例）

第一七条の一八　主務大臣は、認定特定復興再生拠点区域復興再生計画等に基づいて行う海岸保全施設の新設又は改良に関する工事（震災復旧代行法第七条第一項第二号に掲げる事業に係るものを除く。）であって、福島県における海岸保全施設の新設又は改良に関する工事の実施体制その他の地域の実情を勘案して、認定特定復興再生拠点区域等の復興及び再生のために特に必要があるものとして内閣総理大臣が主務大臣の同意を得て指定したものを、自ら施行することができる。

2　第十三条第二項から第五項までの規定は、前項の場合について準用する。この場合において、同条第二項中「前項」とあり、並びに同条第三項及び第四項中「第一項」とあるのは「第十七条の十八第一項」と、同条第三項及び第四項中「復興海岸工事」とあるのは「海岸保全施設の新設又は改良に関する工事」と読み替えるものとする。

（地すべり等防止法の特例）

第一七条の一九　主務大臣は、認定特定復興再生拠点区域復興再生計画等に基づいて行う地すべり防止工事（震災復旧代行法第八条第一項各号に掲げる事業に係るものを除く。）であって、福島県における地すべり防止工事の実施体制その他の地域の実情を勘案して、認定特定復興再生拠点区域等の復興及び再生のために特に必要があるものとして内閣総理大臣が主務大臣の同意を得て指定したものを、自ら施行することができる。

2　第十四条第二項から第五項までの規定は、前項の場合について準用する。この場合において、同条第二項中「前項」とあり、並びに同条第三項及び第四項中「第一項」とあるのは「第十七条の十九第一項」と、同条第三項及び第四項中「復興地すべり防止工事」とあるのは「地すべり防止工事」と読み替えるものとする。

（河川法の特例）

第一七条の二〇　国土交通大臣は、認定特定復興再生拠点区域復興再生計画等に基づいて行う指定区間内の一級河川、二級河川又は準用河川の改良工

事（震災復旧代行法第十条第一項第二号に掲げる事業に係るものを除く。）であって、当該河川の改良工事を施行すべき地方公共団体の長が統括する地方公共団体における河川の改良工事の実施体制その他の地域の実情を勘案して、認定特定復興再生拠点区域等の復興及び再生のために特に必要があるものとして内閣総理大臣が国土交通大臣の同意を得て指定したものを、自ら施行することができる。

2　第十五条第二項から第五項までの規定は、前項の場合について準用する。この場合において、同条第二項中「前項」とあり、並びに同条第三項及び第四項中「第一項」とあるのは「第十七条の二十第一項」と、同条第三項及び第四項中「復興河川工事」とあるのは「指定区間内の一級河川、二級河川又は準用河川の改良工事」と読み替えるものとする。

（急傾斜地の崩壊による災害の防止に関する法律の特例）

第十七条の二十一　国土交通大臣は、認定特定復興再生拠点区域復興再生計画等に基づいて行う急傾斜地崩壊防止工事（震災復旧代行法第十一条第一項各号に掲げる事業に係るものを除く。）であって、福島県における急傾斜地崩壊防止工事の実施体制その他の地域の実情を勘案して、認定特定復興再生拠点区域等の復興及び再生のために特に必要があるものとして内閣総理大臣が国土交通大臣の同意を得て指定したものを、自ら施行することができる。

2　第十六条第二項から第六項までの規定は、前項の場合について準用する。この場合において、同条第二項中「前項」とあり、及び同条第三項から第五項までの規定中「第一項」とあるのは「第十七条の二十一第一項」と、同条第三項から第五項までの規定中「復興急傾斜地崩壊防止工事」とあるのは「急傾斜地崩壊防止工事」と読み替えるものとする。

（生活環境整備事業）

第十七条の二十二　内閣総理大臣は、認定特定復興再生拠点区域復興再生計画（第十七条の二第二項第七号に掲げる事項に係る部分に限る。）又は認定特定帰還居住区域復興再生計画（第十七条の九第二項第六号に掲げる事項に係る部分に限る。）に基づいて行う生活環境整備事業を、復興庁令で定めるところにより、当該施設を管理する者の要請に基づいて、行うことができる。

2　第十七条第二項の規定は、前項の場合について準用する。この場合において、同条第二項中「前項」とあるのは、「第十七条の二十二第一項」と読み替えるものとする。

（放射性物質汚染対処特措法の特例）

第十七条の二十三　環境大臣は、放射性物質汚染対処特措法第二十五条第一項に規定する除染特別地域内の認定特定復興再生拠点区域等（放射性物質汚染対処特措法第二十八条第一項に規定する特別地域内除染実施計画が定められている区域を除く。）においては、放射性物質汚染対処特措法第三十条第一項の規定にかかわらず、認定特定復興再生拠点区域復興再生計画（第十七条の二第二項第八号に掲げる事項に係る部分に限る。次項において同じ。）又は認定特定帰還居住区域復興再生計画（第十七条の九第二項第七号に掲げる事項に係る部分に限る。次項において同じ。）に従って、土壌等の除染等の措置及び除去土壌の処理を行うことができる。

2　放射性物質汚染対処特措法第三十条第二項から第七項までの規定は前項の規定により環境大臣が認定特定復興再生拠点区域復興再生計画又は認定特定帰還居住区域復興再生計画（以下この条において「認定特定復興再生拠点区域復興再生計画等」という。）に従って行う土壌等の除染等の措置について、放射性物質汚染対処特措法第四十九条第四項並びに第五十条第四項、第六項及び第七項の規定は前項の規定により環境大臣が認定特定復興再生拠点区域復興再生計画等に従って行う土壌等の除染等の措置及び除去土壌の処理について、それぞれ準用する。この場合において、放射性物質汚染対処特措法第四十九条第四項及び第五十条第四項中「この法律」とあるのは「福島復興再生特別措置法第十七条の二十三第一項の規定」と、放射性物質汚染対処特措法第四十九条第四項中「除染特別地域」とあるのは「認定特定復興再生拠点区域等（同項に規定する認定特定復興再生拠点区域等をいう。以下同じ。）」と、放射性物質汚染対処特措法第五十条第四項中「除染特別地域」とあるのは「認定特定復興再生拠点区域等」と、「除去土壌等」とあるのは「同法第十七条の二第一項第一号に規定する土壌等の除染等の措置に伴い生じた土壌及び廃棄物」と読み替えるほか、必要な技術的読替えは、政令で定める。

3　環境大臣は、放射性物質汚染対処特措法第十一条第一項に規定する汚染廃棄物対策地域内の認定特定復興再生拠点区域等（放射性物質汚染対処特措法第十三条第一項に規定する対策地域内廃棄物処理計画が定められている区域を除く。以下この項において同じ。）においては、放射性物質汚染対処特措法第十五条の規定にかかわらず、認定特定復興再生拠点区域復興再生計画等に従って、廃棄物の処理（認定特定復興再生拠点区域等内廃棄物（認定特定復興再生拠点区域等内の放射性物質汚染対処特措法第二条第二項に規定する廃棄物であって、土壌等の除染等の措置に伴い生じたものその他の環境省令で定めるものをいう。）の収集、運搬、保管及び処分に限る。次項及び第五項において同じ。）を行うことができる。

4　放射性物質汚染対処特措法第四十九条第三項並びに第五十条第三項、第六項及び第七項の規定は、前項の規定により環境大臣が認定特定復興再生拠点区域復興再生計画等に従って行う廃棄物の処理について準用する。この場合において、放射性物質汚染対処特措法第四十九条第三項及び第五十条第三項中「この法律」とあるのは、「福島復興再生特別措置法第十七条の二十三第三項の規定」と読み替えるほか、必要な技術的読替えは、政令で定める。

5　第一項の規定により環境大臣が行う土壌等の除染等の措置及び除去土壌の処理に要する費用並びに第三項の規定により環境大臣が行う廃棄物の処理に要する費用は、国の負担とする。

6　次の各号のいずれかに該当する者は、三十万円以下の罰金に処する。

一　第二項において準用する放射性物質汚染対処特措法第四十九条第四項又は第四項において準用する放射性物質汚染対処特措法第四十九条第三項の規定による報告をせず、又は虚偽の報告をした者

二　第二項において準用する放射性物質汚染対処特措法第五十条第四項又は第四項において準用する放射性物質汚染対処特措法第五十条第三項の規定による立入り、検査又は収去を拒み、妨げ、又は忌避した者

第三節　農用地利用集積等促進計画及びこれに基づく措置等

（定義）

第十七条の二十四　この節において「農用地」とは、農地（耕作（農地法（昭和二十七年法律第二百二十九号）第四十三条第一項の規定により耕作に該当するものとみなされる農作物の栽培を含む。以下同じ。）の目的に供される土地をいう。以下同じ。）及び採草放牧地（農地以外の土地で、主として耕作又は養畜の事業のための採草又は家畜の放牧の目的に供されるものをいう。以下同じ。）をいう。

2　この節において「農用地等」とは、次に掲げる土地をいう。

一　農用地

二　木竹の生育に供され、併せて耕作又は養畜の事業のための採草又は家畜の放牧の目的に供される土地

三　農業用施設の用に供される土地（第一号に掲げる土地を除く。）

四　開発して農用地又は農業用施設の用に供される土地とすることが適当な土地

3　この節において「賃借権の設定等」とは、農業上の利用を目的とする賃借権若しくは使用貸借による権利の設定若しくは移転又は所有権の移転をいう。

（農用地利用集積等促進計画の作成）

第十七条の二十五　福島県知事は、認定福島復興再生計画（第七条第四項第一号に掲げる事項に係る部分に限る。以下この項及び第三項第一号において同じ。）に即して（認定特定復興再生拠点区域復興再生計画が定められているときは、認定福島復興再生計画に即するとともに、認定特定復興再生拠点区域復興再生計画に適合して）、農林水産省令で定めるところにより、農用地利用集積等促進計画を定めることができる。

2　農用地利用集積等促進計画には、当該計画に従って行われる次の各号に掲げる行為の区分に応じ、当該各号に定める事項を定めるものとする。

一　賃借権の設定等　次に掲げる事項

イ　賃借権の設定等を受ける者（第十七条の三十七第一項に規定する場合及び農地中間管理機構が所有権を有する農用地等について賃借権の設定等を行う場合を除き、農地中間管理機構に限る。）の氏名又は名称及び住所

ロ　イに規定する者が賃借権の設定等（その者が賃借権の設定等を受けた後において行う耕作又は養畜の事業に必要な農作業に常時従事すると認められない者（農地法第二条第三項に規定す

る農地所有適格法人をいう。次項第二号において同じ。）、農地中間管理機構、農業協同組合、農業協同組合連合会その他政令で定める者を除く。ヘにおいて同じ。）である場合には、賃借権又は使用貸借による権利の設定に限る。）を受ける土地の所在、地番、地目及び面積

ハ　イに規定する者にロに規定する土地について賃借権の設定等を行う者の氏名又は名称及び住所

ニ　イに規定する者が設定又は移転を受ける権利が賃借権又は使用貸借による権利のいずれであるかの別、当該権利の内容（土地の利用目的を含む。）、始期又は移転の時期、存続期間又は残存期間並びに当該権利が賃借権である場合における借賃並びにその支払の相手方及び方法

ホ　イに規定する者が移転を受ける所有権の移転の後における土地の利用目的並びに当該所有権の移転の時期並びに移転の対価並びにその支払の相手方及び方法

ヘ　イに規定する者が賃借権の設定等を受けた後において行う耕作又は養畜の事業に必要な農作業に常時従事すると認められない者である場合には、その者が賃借権又は使用貸借による権利の設定を受けた後において農用地を適正に利用していないと認められる場合に賃貸借又は使用貸借の解除をする旨の条件

ト　その他農林水産省令で定める事項

二　福島農林水産業振興施設の用に供する土地が農用地である場合において、当該福島農林水産業振興施設の用に供することを目的として、農地である当該土地を農地以外のものにする行為　次に掲げる事項

イ　福島農林水産業振興施設を設置する者の氏名又は名称及び住所

ロ　福島農林水産業振興施設の種類及び規模

ハ　福島農林水産業振興施設の用に供する土地の所在及び面積

ニ　その他農林水産省令で定める事項

三　福島農林水産業振興施設の用に供する土地が農用地である場合において、当該福島農林水産業振興施設の用に供することを目的として、農地である当該土地を農地以外のものにするため又は採草放牧地である当該土地を採草放牧地以外のもの（農地を除く。以下同じ。）にするため、当該土地について所有権又は使用及び収益を目的とする権利を取得する行為（第一号に掲げる行為を除く。）　次に掲げる事項

イ　福島農林水産業振興施設を設置する者の氏名又は名称及び住所

ロ　福島農林水産業振興施設の種類及び規模

ハ　福島農林水産業振興施設の用に供する土地の所在及び面積

ニ　その他農林水産省令で定める事項

3　農用地利用集積等促進計画は、次に掲げる要件に該当するものでなければならない。

一　農用地利用集積等促進計画の内容が認定福島復興再生計画（認定特定復興再生拠点区域復興再生計画が定められているときは、認定福島復興再生計画及び認定特定復興再生拠点区域復興再生計画）に適合するものであること。

二　前項第一号イに規定する者が、賃借権の設定等を受けた後において、次に掲げる要件（農地所有適格法人及び同号ヘに規定する者にあっては、イに掲げる要件）の全てを備えることとなること。ただし、農地中間管理機構が農地中間管理事業（農地中間管理事業の推進に関する法律第二条第三項に規定する農地中間管理事業をいう。）又は農業経営基盤強化促進法（昭和五十五年法律第六十五号）第七条第一号に掲げる事業の実施によって賃借権の設定等を受ける場合、農業協同組合法（昭和二十二年法律第百三十二号）第十一条の五十第一項第一号に掲げる場合において農業協同組合又は農業協同組合連合会が賃借権の設定又は移転を受けるとき、農地所有適格法人の組合員、社員又は株主（農地法第二条第三項第二号イからチまでに掲げる者に限る。）が当該農地所有適格法人に前項第一号ロに規定する土地について賃借権の設定等を行うため賃借権の設定等を受ける場合その他政令で定める場合にあっては、この限りでない。

イ　耕作又は養畜の事業に供すべき農用地（開発して農用地とすることが適当な土地を開発した場合におけるその開発後の農用地を含む。）の全てを効率的に利用して耕作又は養畜の事業を行うと認められること。

ロ　耕作又は養畜の事業に必要な農作業に常時従事すると認められること。

三　前項第一号イに規定する者が同号ヘに規定する者である場合にあっては、次に掲げる要件の全てを満たすこと。

イ　その者が地域の農業における他の農業者との適切な役割分担の下に継続的かつ安定的に農業経営を行うと見込まれること。

ロ　その者が法人である場合にあっては、その法人の業務執行役員等（農地法第三条第三項第三号に規定する業務執行役員等をいう。）のうち一人以上の者がその法人の行う耕作又は養畜の事業に常時従事すると認められること。

四　前項第一号ロに規定する土地ごとに、同号イに規定する者並びに当該土地について所有権、地上権、永小作権、質権、賃借権、使用貸借による権利又はその他の使用及び収益を目的とする権利を有する者の全ての同意が得られていること。ただし、数人の共有に係る土地について賃借権又は使用貸借による権利（その存続期間が四十年を超えないものに限る。）の設定又は移転をする場合における当該土地について所有権を有する者の同意については、当該土地について二分の一を超える共有持分を有する者の同意が得られていれば足りる。

五　第十七条の三十七第一項に規定する場合にあっては、農用地利用集積等促進計画の内容が、農地中間管理事業の推進に関する法律第三条第一項に規定する基本方針及び同法第八条第一項に規定する農地中間管理事業規程に適合するものであること。

六　前項第二号イに規定する者が農地を農地以外のものにする場合にあっては、農地法第四条第六項（第一号に係る部分を除く。）の規定により同条第一項の許可をすることができない場合に該当しないこと。

七　前項第二号イに規定する者が農地法第四条第六項第一号イ又はロに掲げる農地を農地以外のものにする場合にあっては、当該農地に代えて周辺の他の土地を供することにより農用地利用集積等促進事業（福島農林水産業振興施設の整備に係るものに限る。第九号において同じ。）の目的を達成することができると認められないこと。

八　前項第一号イ又は第三号イに規定する者が、農地を農地以外のものにするため又は採草放牧地を採草放牧地以外のものにするため、これらの土地について所有権又は使用及び収益を目的とする権利を取得する場合にあっては、農地法第五条第二項（第一号に係る部分を除く。）の規定により同条第一項の許可をすることができない場合に該当しないこと。

九　前項第一号イ又は第三号イに規定する者が、農地法第五条第二項第一号イ若しくはロに掲げる農地を農地以外のものにするため又は同号イ若しくはロに掲げる採草放牧地を採草放牧地以外のものにするため、これらの土地について所有権又は使用及び収益を目的とする権利を取得する場合にあっては、これらの土地に代えて周辺の他の土地を供することにより農用地利用集積等促進事業の目的を達成することができると認められないこと。

十　福島農林水産業振興施設の用に供する土地が農用地区域（農業振興地域の整備に関する法律（昭和四十四年法律第五十八号）第八条第二項第一号に規定する農用地区域をいう。次項第二号及び第十七条の三十一第一項において同じ。）内の土地である場合にあっては、その周辺の土地の農業上の効率的かつ総合的な利用に支障を及ぼすおそれがないと認められることその他の農林水産省令で定める要件に該当すること。

4　福島県知事は、農用地利用集積等促進計画を定めようとする場合において、当該農用地利用集積等促進計画に定められた第二項第一号ロ、第二号ハ又は第三号ハに規定する土地における福島農林水産業振興施設の整備に係る行為が次の各号に掲げる行為のいずれかに該当するときは、当該農用地利用集積等促進計画について、あらかじめ、それぞれ当該各号に定める者に協議しなければならない。

一　農地を農地以外のものにし、又は農地を農地以外のものにするため若しくは採草放牧地を採草放牧地以外のものにするためこれらの土地について所有権若しくは使用及び収益を目的とする権利を取得する行為（農地法第四条第一項に規定する指定市町村の区域内の土地に係るものに限る。）　当該指定市町村の長

二　農業振興地域の整備に関する法律第十五条の二第一項に規定する開発行為に該当する行為（同項に規定する指定市町村の区域内の土地であって、農用地区域内の土地に係るものに限る。）　当該指定市町村の長

（農用地利用集積等促進計画の公告）

第一七条の二六　福島県知事は、農用地利用集積等促進計画を定めたときは、農林水産省令で定めるところにより、遅滞なく、その旨を、関係市町村及び関係農業委員会に通知するとともに、公告しなければならない。

（公告の効果）

第一七条の二七　前条の規定による公告があったときは、その公告があった農用地利用集積等促進計画の定めるところによって賃借権若しくは使用貸借による権利が設定され、若しくは移転し、又は所有権が移転する。

（計画案の提出等の協力）

第一七条の二八　福島県知事は、農用地利用集積等促進計画を定める場合には、市町村に対し、農用地等の保有及び利用に関する情報の提供その他必要な協力を求めることができる。

2　福島県知事は、前項の場合において必要があると認めるときは、市町村に対し、その区域に存する農用地等について、第十七条の二十五第一項及び第二項の規定の例により、同条第三項各号のいずれにも該当する農用地利用集積等促進計画の案を作成し、福島県知事に提出するよう求めることができる。

3　市町村は、前二項の規定による協力を行う場合において必要があると認めるときは、農業委員会の意見を聴くものとする。

（登記の特例）

第一七条の二九　第十七条の二十六の規定による公告があった農用地利用集積等促進計画に係る土地の登記については、政令で、不動産登記法（平成十六年法律第百二十三号）の特例を定めることができる。

（農地法の特例）

第一七条の三〇　第十七条の二十六の規定による公告があった農用地利用集積等促進計画の定めるところによって賃借権の設定等が行われる場合には、農地法第三条第一項本文の規定は、適用しない。

2　第十七条の二十六の規定による公告があった農用地利用集積等促進計画の定めるところによって設定され、又は移転された賃借権又は使用貸借による権利に係る賃貸借又は使用貸借については、農地法第十七条本文の規定は適用せず、同法第十八条第一項第五号中「農地中間管理事業の推進に関する法律第二十条又は第二十一条第二項」とあるのは、「農地中間管理事業の推進に関する法律第二十条又は第二十一条第二項（これらの規定を福島復興再生特別措置法（平成二十四年法律第二十五号）第十七条の三十六において読み替えて適用する場合を含む。）」と読み替えて、同条の規定を適用する。

3　第十七条の二十六の規定による公告があった農用地利用集積等促進計画に従って福島農林水産業振興施設の用に供することを目的として農地を農地以外のものにする場合には、農地法第四条第一項本文の規定は、適用しない。

4　第十七条の二十六の規定による公告があった農用地利用集積等促進計画に従って福島農林水産業振興施設の用に供することを目的として農地を農地以外のものにするため又は採草放牧地を採草放牧地以外のものにするため、これらの土地について所有権又は使用及び収益を目的とする権利を取得する場合には、農地法第五条第一項本文の規定は、適用しない。

（農業振興地域の整備に関する法律の特例）

第一七条の三一　第十七条の二十六の規定による公告があった農用地利用集積等促進計画に記載された福島農林水産業振興施設の用に供する土地を農用地区域から除外するために行う農用地区域の変更については、農業振興地域の整備に関する法律第十三条第二項の規定は、適用しない。

2　第十七条の二十六の規定による公告があった農用地利用集積等促進計画に従って福島農林水産業振興施設の用に供するために行う行為については、農業振興地域の整備に関する法律第十五条の二第一項の規定は、適用しない。

（不確知共有者の探索）

第一七条の三二　福島県知事は、農用地利用集積等促進計画（存続期間が四十年を超えない賃借権又は使用貸借による権利の設定を農地中間管理機構が受けることを内容とするものに限る。次条及び第十七条の三十四において同じ。）を定める場合において、第十七条の二十五第二項第一号ロに規定する土地のうちに、同条第三項第四号ただし書に規定する土地であってその二分の一以上の共有持分を有する者を確知することができないもの（以下「共有者不明土地」という。）があるときは、相当な努力が払われたと認められるものとして政令で定める方法により、当該共有者不明土地について共有持分を有する者であって確知することができないもの（以下「不確知共有者」という。）の探索を行うものとする。

（共有者不明土地に係る公示）

第一七条の三三　福島県知事は、前条の規定による探索を行ってもなお共有者不明土地について二分の一以上の共有持分を有する者を確知することができないときは、当該共有者不明土地について共有持分を有する者であって知れているものの全ての同意を得て、定めようとする農用地利用集積等促進計画及び次に掲げる事項を公示するものとする。

一　共有者不明土地の所在、地番、地目及び面積

二　共有者不明土地について二分の一以上の共有持分を有する者を確知することができない旨

三　共有者不明土地について、農用地利用集積等促進計画の定めるところによって農地中間管理機構が賃借権又は使用貸借による権利の設定を受ける旨

四　前号に規定する権利の種類、内容、始期、存続期間並びに当該権利が賃借権である場合にあっては、借賃並びにその支払の相手方及び方法

五　不確知共有者は、公示の日から起算して二月以内に、農林水産省令で定めるところにより、その権原を証する書面を添えて福島県知事に申し出て、農用地利用集積等促進計画又は前二号に掲げる事項について異議を述べることができる旨

六　不確知共有者が前号に規定する期間内に異議を述べなかったときは、当該不確知共有者は農用地利用集積等促進計画について同意をしたものとみなす旨

（不確知共有者のみなし同意）

第一七条の三四　不確知共有者が前条第五号に規定する期間内に異議を述べなかったときは、当該不確知共有者は、農用地利用集積等促進計画について同意をしたものとみなす。

（情報提供等）

第一七条の三五　農林水産大臣は、共有者不明土地に関する情報の周知を図るため、福島県その他の関係機関と連携し、第十七条の三十三の規定による公示に係る共有者不明土地に関する情報のインターネットの利用による提供その他の必要な措置を講ずるように努めるものとする。

（農地中間管理事業の推進に関する法律の特例）

第一七条の三六　福島県知事が農用地利用集積等促進事業を行う場合における農地中間管理機構についての農地中間管理事業の推進に関する法律第二十条及び第二十一条の規定の適用については、同法第二十条中「第十八条第七項の規定による公告があった農用地利用集積等促進計画」とあるのは「第十八条第七項の規定による公告があった農用地利用集積等促進計画若しくは福島復興再生特別措置法（平成二十四年法律第二十五号）第十七条の二十六の規定による公告があった農用地利用集積等促進計画」と、「使用貸借、当該」とあるのは「使用貸借、第十八条第七項の規定による公告があった」と、同法第二十一条第一項中「農用地利用集積等促進計画」とあるのは「農用地利用集積等促進計画又は福島復興再生特別措置法第十七条の二十六の規定による公告があった農用地利用集積等促進計画（同法第十七条の三十七第一項に規定するものに限る。）」と、同条第二項中「前項に規定する者」とあるのは「前項（福島復興再生特別措置法第十七条の三十六の規定により読み替えて適用する場合を含む。以下この項において同じ。）に規定する者」とする。

第一七条の三七　農地中間管理機構は、一の農用地利用集積等促進計画において当該農地中間管理機構が賃借権の設定等（所有権の移転を除く。以下この条において同じ。）を受ける農用地等について同時に賃借権の設定等を行う場合には、農地中間管理事業の推進に関する法律第十八条第一項の規定によらず、当該賃借権の設定等を行うことができる。

2　農地中間管理機構は、前項の規定による賃借権の設定等を行うことについての第十七条の二十五第三項第四号の同意をする場合には、農林水産省令で定めるところにより、あらかじめ、利害関係人の意見を聴かなければならない。

3　農地中間管理機構は、前項に規定する同意をしようとするときは、同項の規定により聴取した利害関係人の意見を記載した書類を福島県知事に提出しなければならない。

（農地法の準用）

第一七条の三八　農地法第六条の二の規定は、第十七条の二十六の規定による公告があった農用地利用集積等促進計画の定めるところにより賃借権又は使用貸借による権利の設定又は移転を受けた第十七条の二十五第二項第一号へに規定する者について準用する。この場合において、同法第六条の二第二項中「同号」とあるのは、「福島復興再生特別措置法第十七条の二十五第三項第三号」と読み替えるものとする。

（農用地効率的利用促進事業）

第一七条の三九　福島県知事が、第七条第四項第二号に規定する農用地効率的利用促進事業の実施区域を定めた福島復興再生計画について、内閣総理大臣の認定（同条第十四項の認定をいい、第七条の二第一項において読み替えて準用する東日本大震災復興特別区域法第六条第一項の変更の認定を含む。以下同じ。）を申請し、その認定を受けたときは、当該認定の日以後は、市町村長と当該市町村の農業委員会との間で、実施区域内にある農用地であって当該農業委員会が管轄するものについての農地法第三条第一項本文に掲げる権利の設定又は移転に係る農業委員会の事務（同条又は同法第三条の二の規定により農業委員会が行うこととされている事務に限り、これらの事務に密接な関連のある事務であって、同法その他の法令の規定により農業委員会が行うこととされているもののうち、政令で定めるものを含む。）の全部又は一部（以下この条において「特例分担事務」という。）を当該市町村長が行うことにつき、その適正な実施に支障がなく、かつ、農用地を効率的に利用する者による地域との調和に配慮した農用地等についての権利の取得の促進に資すると認めて、合意がされた場合には、当該市町村長は、同法その他の法令の規定にかかわらず、当該区域において特例分担事務を行うものとする。

2　市町村長は、前項の規定による合意をしたときは、農林水産省令で定めるところにより、遅滞なく、その旨を公告するものとする。当該合意の内容を変更し、又は解除したときも、同様とする。

3　第一項の規定により特例分担事務を行う市町村長は、農林水産省令で定めるところにより、同項の規定による合意の当事者である農業委員会に対し、特例分担事務の処理状況を報告するものとする。

4　第一項の規定により市町村長が特例分担事務を行う場合における農地法第五十条及び第五十八条第一項の規定の適用については、同法第五十条中「、農業委員会」とあるのは「、福島復興再生特別措置法（平成二十四年法律第二十五号）第十七条の三十九第一項の規定により同項に規定する特例分担事務を行う市町村長」と、同項中「処理に関し、農業委員会」とあるのは「うち福島復興再生特別措置法第十七条の三十九第一項の規定により市町村長が行うものの処理に関し、市町村長」とする。

第四節　企業立地促進計画及びこれに基づく措置

（企業立地促進計画の作成等）

第一八条　福島県知事は、認定福島復興再生計画（第七条第二項第二号に掲げる事項に係る部分に限る。）に即して（認定特定復興再生拠点区域復興再生計画が定められているときは、認定福島復興再生計画（同号及び同項第三号に掲げる事項に係る部分に限る。）に即するとともに、認定特定復興再生拠点区域復興再生計画に適合して）、復興庁令で定めるところにより、避難解除等区域復興再生推進事業（雇用機会の確保に寄与する事業その他の避難解除等区域（認定特定復興再生拠点区域復興再生計画が定められているときは、避難解除等区域及び認定特定復興再生拠点区域。第二十条第三項第二号において同じ。）の復興及び再生の推進に資する事業であって、復興庁令で定めるものをいう。以下同じ。）を実施する企業の立地を促進するための計画（以下この条及び次条第一項において「企業立地促進計画」という。）を作成することができる。

2　企業立地促進計画には、次に掲げる事項を記載するものとする。

一　企業立地促進計画の目標及び期間

二　避難解除区域及び現に避難指示であって第四条第四号ハに掲げる指示であるものの対象となっている区域（認定特定復興再生拠点区域復興再生計画が定められているときは、それらの区域及び認定特定復興再生拠点区域。以下「避難解除区域等」という。）内の区域であって、避難解除等区域復興再生推進事業を実施する企業の立地を促進すべき区域（以下「企業立地促進区域」という。）

三　避難解除等区域復興再生推進事業を実施する企業の立地を促進するため企業立地促進区域において実施しようとする措置の内容

四　前三号に掲げるもののほか、企業立地促進計画の実施に関し必要な事項

3　福島県知事は、企業立地促進計画を作成しようとするときは、あらかじめ、関係市町村長の意見を聴かなければならない。

4　福島県知事は、企業立地促進計画を作成したときは、これを公表するよう努めるとともに、内閣総理大臣に提出しなければならない。

5　内閣総理大臣は、前項の規定により企業立地促進計画の提出があった場合においては、その内容を関係行政機関の長に通知しなければならない。

6　内閣総理大臣は、第四項の規定により提出された企業立地促進計画について、必要があると認めるときは、福島県知事に対し、必要な助言又は勧告をすることができる。

7　第三項から前項までの規定は、企業立地促進計画の変更について準用する。

（企業立地促進計画の実施状況の報告等）

第一九条　福島県知事は、前条第四項の規定により提出した企業立地促進計画（その変更について同条第七項において準用する同条第四項の規定による提出があったときは、その変更後のもの。以下「提出企業立地促進計画」という。）の実施状況について、毎年、公表するよう努めるとともに、内閣総理大臣に報告するものとする。

2　内閣総理大臣は、前条第二項第三号の措置が実施されていないと認めるときは、福島県知事に対し、その改善のために必要な助言又は勧告をすることができる。

（避難解除等区域復興再生推進事業実施計画の認定等）

第二〇条　提出企業立地促進計画に定められた企業立地促進区域内において避難解除等区域復興再生推進事業を実施する個人事業者又は法人は、復興庁令で定めるところにより、当該避難解除等区域復興再生推進事業の実施に関する計画（以下この条において「避難解除等区域復興再生推進事業実施計画」という。）を作成し、当該避難解除等区域復興再生推進事業実施計画が適当である旨の福島県知事の認定を申請することができる。

2　避難解除等区域復興再生推進事業実施計画には、次に掲げる事項を記載しなければならない。

一　避難解除等区域復興再生推進事業の目標

二　避難解除等区域復興再生推進事業の内容及び実施期間

三　避難解除等区域復興再生推進事業の実施体制

四　避難解除等区域復興再生推進事業を実施するために必要な資金の額及びその調達方法

3　福島県知事は、第一項の規定による認定の申請があった場合において、その避難解除等区域復興再生推進事業実施計画が次に掲げる基準に適合すると認めるときは、その認定をするものとする。

一　提出企業立地促進計画に適合するものであること。

二　避難解除等区域復興再生推進事業の実施が避難解除等区域への住民の帰還及び移住等の促進その他の避難解除等区域の復興及び再生の推進に寄与するものであると認められること。

三　円滑かつ確実に実施されると見込まれるものであること。

4　前項の認定を受けた者（以下この節において「認定事業者」という。）は、当該認定に係る避難解除等区域復興再生推進事業実施計画（以下「認定避難解除等区域復興再生推進事業実施計画」という。）の変更をしようとするときは、復興庁令で定めるところにより、福島県知事の認定を受けなければならない。

5　第三項の規定は、前項の認定について準用する。

6　福島県知事は、認定事業者が認定避難解除等区域復興再生推進事業実施計画（第四項の規定による変更の認定があったときは、その変更後のもの。以下同じ。）に従って避難解除等区域復興再生推進事業を実施していないと認めるときは、その認定を取り消すことができる。

第二一条　福島県知事は、認定事業者に対し、認定避難解除等区域復興再生推進事業実施計画に係る避難解除等区域復興再生推進事業の適確な実施に必要な指導及び助言を行うことができる。

第二二条　福島県知事は、認定事業者に対し、認定避難解除等区域復興再生推進事業実施計画の実施状況について報告を求めることができる。

（認定事業者に対する課税の特例）

第二三条　提出企業立地促進計画に定められた企業立地促進区域内において認定避難解除等区域復興再生推進事業実施計画に従って避難解除等区域復興再生推進事業の用に供する施設又は設備を新設し、又は増設した認定事業者（第三十六条の規定により福島県知事の確認を受けたものを除く。）が、当該新設又は増設に伴い新たに取得し、又は製作し、若しくは建設した機械及び装置、建物及びその附属設備並びに構築物については、東日本大震災の被災者等に係る国税関係法律の臨時特例に関する法律（平成二十三年法律第二十九号。以下「震災特例法」という。）で定めるところにより、課税の特例の適用があるものとする。

第二四条　認定事業者（第三十七条の規定により福島県知事の確認を受けたものを除く。）が、認定避難解除等区域復興再生推進事業実施計画に従って、原子力災害の被災者である労働者その他の復興庁令で定める労働者を、提出企業立地促進計画に定められた企業立地促進区域内に所在する事業所において雇用している場合には、当該認定事業者に対する所得税及び法人税の課税については、震災特例法で定めるところにより、課税の特例の適用があるものとする。

第二五条　避難指示であって第四条第四号ロ又はハに掲げる指示であるものの対象となった区域内に平成二十三年三月十一日においてその事業所が所在していた認定事業者であって、提出企業立地促進計画に定められた企業立地促進区域内において認定避難解除等区域復興再生推進事業実施計画に従って避難解除等区域復興再生推進事業の用に供する施設又は設備の新設、増設、更新又は修繕（以下この条において「施設の新設等」という。）をするものが、当該施設の新設等に要する費用の支出に充てるための準備金を積み立てた場合には、震災特例法で定めるところにより、課税の特例の適用があるものとする。

（認定事業者に対する地方税の課税免除又は不均一課税に伴う措置）

第二六条　地方税法（昭和二十五年法律第二百二十六号）第六条の規定により、福島県又は市町村（避難解除区域等をその区域に含む市町村に限る。以下この条及び第三十八条において同じ。）が、提出企業立地促進計画に定められた企業立地促進区域内において認定避難解除等区域復興再生推進事業実施計画に従って避難解除等区域復興再生推進事業の用に供する施設又は設備を新設し、又は増設した認定事業者（第三十八条の規定により福島県知事の確認を受けたものを除く。）について、当該事業に対する事業税、当該事業の用に供する建物若しくはその敷地である土地の取得に対する不動産取得税若しくは当該事業の用に供する機械及び装置、建物若しくは構築物若しくはこれらの敷地である土地に対する固定資産税を課さなかった場合又はこれらの地方税に係る不均一の課税をした場合において、これらの措置が総務省令で定める場合に該当するものと認められるときは、福島県又は市町村のこれらの措置による減収額（事業税又は固定資産税に関するこれらの措置による減収額にあっては、これらの措置がされた最初の年度以降五箇年度におけるものに限る。）は、地方交付税法（昭和二十五年法律第二百十一号）の定めるところにより、福島県又は市町村に対して交付すべき特別交付税の算定の基礎に算入するものとする。

第五節　住民の帰還及び移住等の促進を図るための措置

第一款　公営住宅法の特例等

（公営住宅に係る国の補助の特例）

第二七条　公営住宅法（昭和二十六年法律第百九十三号）第二条第十六号に規定する事業主体（以下「事業主体」という。）が、避難指示・解除区域（避難指示区域（現に避難指示であって第四条第四号イからハまでに掲げる指示であるものの対象となっている区域をいう。以下同じ。）及び避難解除区域をいう。第三十一条及び第三十三条第一項において同じ。）に存する住宅に平成二十三年三月十一日において居住していた者であって当該住宅の存した市町村に帰還するもの（以下「特定帰還者」という。）に賃貸又は転貸するため同法第二条第七号に規定する公営住宅の整備をする場合においては、次の表の上欄に掲げる規定中同表の中欄に掲げる字句をそれぞれ同表の下欄に掲げる字句と読み替えて、これらの規定を適用し、同法第八条第一項ただし書及び第十七条第三項ただし書並びに激甚災害に対処するための特別の財政援助等に関する法律（昭和三十七年法律第百五十号。以下「激甚災害法」という。）第二十二条第一項ただし書の規定は、適用しない。

公営住宅法第八条第一項	次の各号の一に該当する場合において、事業主体が災害により滅失した住宅に居住していた	事業主体が特定帰還者（福島復興再生特別措置法（平成二十四年法律第二十五号）第二十七条に規定する特定帰還者をいう。第十七条第三項において同じ。）である
公営住宅法第十七条第三項	同項に規定する政令で定める地域にあつた住宅であつて激甚災害により滅失したものにその災害の当時居住していた	特定帰還者である
激甚災害法第二十二条第一項	激甚災害を受けた政令で定める地域にあつた住宅であつて当該激甚災害により滅失したものにその災害の当時居住していた	特定帰還者（福島復興再生特別措置法（平成二十四年法律第二十五号）第二十七条に規定する特定帰還者をいう。）である

（公営住宅及び改良住宅の入居者資格の特例）

第二八条　特定帰還者については、当分の間、公営住宅法第二十三条第二号（住宅地区改良法（昭和三十五年法律第八十四号）第二十九条第一項において準用する場合を含む。）に掲げる条件を具備する者を公営住宅法第二十三条各号（住宅地区改良法第二十九条第一項において準用する場合を含む。）に掲げる条件を具備する者とみなす。

（特定帰還者向け公営住宅等の処分の特例）

第二九条　第二十七条の規定により読み替えられた公営住宅法第八条第一項若しくは激甚災害法第二十二条第一項の規定による国の補助を受け、又は第三十四条第三項に規定する帰還・移住等環境整備交付金（次項において「帰還・移住等環境整備交付金」という。）を充てて特定帰還者に賃貸するため建設又は買取りをした公営住宅法第二条第二号に規定する公営住宅（当該公営住宅に係る同条第九号に規定する共同施設（以下「共同施設」という。）を含む。）に対する同法第四十四条第一項及び第二項並びに附則第十五項の規定の適用については、同条第一項中「四分の一」とあるのは「六分の一」と、同条第二項中「又はこれらの修繕若しくは改良」とあるのは「若しくはこれらの修繕若しくは改良に要する費用又は地域における多様な需要に応じた公的賃貸住宅等の整備等に関する特別措置法（平成十七年法律第七十九号）第六条の地域住宅計画に基づく事業若しくは事務の実施」と、同法附則第十五項中「その耐用年限の四分の一を経過した場合においては」とあるのは「その耐用年限の六分の一を経過した場合において特別の事由のあるとき、又は耐用年限の四分の一を経過した場合においては」とする。

２　事業主体は、第二十七条の規定により読み替えられた公営住宅法第八条第一項若しくは激甚災害法第二十二条第一項の規定による国の補助を受け、若しくは帰還・移住等環境整備交付金を充てて特定帰還者に賃貸するため建設若しくは買取りをし、又は特定帰還者に転貸するため借上げをした公営住宅法第二条第二号に規定する公営住宅（当該公営住宅に係る共同施設を含む。）について、当該事業主体である地方公共団体の区域内の住宅事情からこれを引き続いて管理する必要がないと認めるときは、同法第四十四条第三項の規定にかかわらず、当該公営住宅の用途を廃止することができる。この場合において、当該事業主体は、当該公営住宅の用途を廃止した日から三十日以内にその旨を国土交通大臣に報告しなければならない。

（独立行政法人都市再生機構法の特例）

第三〇条　独立行政法人都市再生機構は、独立行政法人都市再生機構法（平成十五年法律第百号）第十一条第一項に規定する業務のほか、福島において、福島の地方公共団体からの委託に基づき、同条第三項各号の業務（特定帰還者に対する住宅及び宅地の供給に係るものに限る。）を行うことができる。

（独立行政法人住宅金融支援機構の行う融資）

第三一条　独立行政法人住宅金融支援機構は、独立行政法人住宅金融支援機構法（平成十七年法律第八十二号）第十三条第一項に規定する業務のほか、避難指示・解除区域原子力災害代替建築物（住宅（同法第二条第一項に規定する住宅をいう。第四十三条において同じ。）又は主として住宅部分（同法第二条第二項に規定する住宅部分をいう。第四十三条において同じ。）から成る建築物が避難指示・解除区域内に存する場合におけるこれらの建築物又は建築物の部分に代わるべき建築物又は建築物の部分であって、当該避難指示・解除区域をその区域に含む市町村の区域内に存し、又は存することとなるものをいう。同条において同じ。）の建設又は購入に必要な資金（当該避難指示・解除区域原子力災害代替建築物の建設又は購入に付随する行為で政令で定めるものに必要な資金を含む。）を貸し付けることができる。

第二款　一団地の復興再生拠点市街地形成施設に関する都市計画

第三二条　次に掲げる条件のいずれにも該当する避難解除区域等内の区域であって、円滑かつ迅速な復興及び再生を図るために復興再生拠点市街地（避難解除区域等内の帰還する住民の生活及び地域経済の再建並びに移住等のための拠点となる市街地をいう。以下この項において同じ。）を形成することが必要であると認められるものについては、都市計画に一団地の復興再生拠点市街地形成施設（復興再生拠点市街地を形成する一団地の住宅施設、特定業務施設（事務所、事業所その他の業務施設で、避難解除区域等の基幹的な産業の復興及び再生、当該避難解除区域等内の地域における雇用機会の創出並びに良好な市街地の形成に寄与するもののうち、この項に規定する特定公益的施設以外のものをいう。次項第一号において同じ。）又は特定公益的施設（教育施設、医療施設、官公庁施設、購買施設その他の施設で、地域住民の共同の福祉又は利便のために必要なものをいう。同号において同じ。）及び特定公共施設（道路、公園、下水道その他政令で定める公共の用に供する施設をいう。同号において同じ。）をいう。以下同じ。）を定めることができる。

一　円滑かつ迅速な復興及び再生を図るために当該避難解除区域等内の帰還する住民の生活及び地域経済の再建並びに移住等のための拠点として一体的に整備される自然的経済的社会的条件を備えていること。

二　当該区域内の土地の大部分が建築物（東日本大震災により損傷した建築物及び長期にわたる住民の避難に伴い利用が困難となった建築物を除く。）の敷地として利用されていないこと。

2　一団地の復興再生拠点市街地形成施設に関する都市計画においては、次に掲げる事項を定めるものとする。

一　住宅施設、特定業務施設又は特定公益的施設及び特定公共施設の位置及び規模

二　建築物の高さの最高限度若しくは最低限度、建築物の延べ面積の敷地面積に対する割合の最高限度若しくは最低限度又は建築物の建築面積の敷地面積に対する割合の最高限度

3　一団地の復興再生拠点市街地形成施設に関する都市計画は、次に掲げるところに従って定めなければならない。

一　前項第一号に規定する施設は、当該避難解除区域等内の帰還する住民の生活及び地域経済の再建並びに移住等のための拠点としての機能が確保されるよう、必要な位置に適切な規模で配置すること。

二　認定福島復興再生計画（第七条第二項第二号に掲げる事項に係る部分に限る。）（認定特定復興再生拠点区域復興再生計画が定められているときは、認定福島復興再生計画（同号及び同項第三号に掲げる事項に係る部分に限る。）及び認定特定復興再生拠点区域復興再生計画）に適合するよう定めること。

第三款　帰還・移住等環境整備事業計画及びこれに基づく措置

（帰還・移住等環境整備事業計画の作成等）

第三三条　避難指示・解除区域市町村（避難指示・解除区域をその区域に含む市町村をいう。以下同じ。）若しくは特定市町村（避難指示・解除区域市町村以外の福島の市町村であって、その区域における放射線量その他の事項を勘案して次項第二号トに掲げる事業を実施する必要があるものとして復興庁令で定めるものをいう。以下同じ。）の長若しくは福島県知事は単独で、又は、避難指示・解除区域市町村若しくは特定市町村の長と福島県知事は共同して、認定福島復興再生計画に即して（認定特定復興再生拠点区域復興再生計画又は認定特定帰還居住区域復興再生計画（以下この項及び次条第二項において「認定特定復興再生拠点区域復興再生計画等」という。）が定められているときは、認定福島復興再生計画及び認定特定復興再生拠点区域復興再生計画等に適合して）、住民の帰還及び移住等（特定市町村の区域における事業にあっては、住民の帰還）の促進を図るための環境を整備する事業に関する計画（以下「帰還・移住等環境整備事業計画」という。）を作成することができる。

2　帰還・移住等環境整備事業計画には、次に掲げる事項を記載するものとする。

一　帰還・移住等環境整備事業計画の目標

二　住民の帰還及び移住等の促進を図るための環境を整備する事業であって次に掲げるものに関する事項（特定市町村の区域における事業にあっては、トに掲げる事業に関する事項に限る。）

イ　土地区画整理法（昭和二十九年法律第百十九号）第二条第一項に規定する土地区画整理事業

ロ　一団地の復興再生拠点市街地形成施設の整備に関する事業

ハ　道路法第二条第一項に規定する道路の新設又は改築に関する事業

ニ　公営住宅法第二条第二号に規定する公営住宅（以下「公営住宅」という。）の整備又は管理に関する事業

ホ　土地改良法第二条第二項第一号から第三号まで及び第七号に掲げる土地改良事業

ヘ　義務教育諸学校等の施設費の国庫負担等に関する法律（昭和三十三年法律第八十一号）第十一条第一項に規定する義務教育諸学校等施設の整備に関する事業

ト　放射線量の測定のための機器を用いた住民の被ばく放射線量の評価に関する事業その他住民の健康の増進及び健康上の不安の解消を図るための事業として復興庁令で定めるもの

チ　避難指示・解除区域において来訪及び滞在並びに地域間交流の促進を図るために行う事業、避難指示・解除区域へ移住しようとする者の就業を促進するための事業その他移住等の促進に資するための事業として復興庁令で定めるもの

リ　その他復興庁令で定める事業

三　前号に規定する事業と一体となってその効果を増大させるために必要な事業又は事務に関する事項

四　計画期間

五　前各号に掲げるもののほか、住民の帰還及び移住等の促進を図るための環境の整備（以下「帰還・移住等環境整備」という。）に関し必要な事項

（帰還・移住等環境整備推進法人による帰還・移住等環境整備事業計画の作成等の提案）

第三三条の二　帰還・移住等環境整備推進法人は、避難指示・解除区域市町村の長に対し、復興庁令で定めるところにより、その業務を行うために必要な帰還・移住等環境整備事業計画の作成又は変更をすることを提案することができる。この場合においては、当該提案に係る帰還・移住等環境整備事業計画の素案を添えなければならない。

2　前項の規定による提案（次条及び第三十三条の四において「帰還・移住等環境整備事業計画提案」という。）に係る帰還・移住等環境整備事業計画の素案の内容は、認定福島復興再生計画（認定特定復興再生拠点区域復興再生計画等が定められているときは、認定福島復興再生計画及び認定特定復興再生拠点区域復興再生計画等）に基づくものでなければならない。

（帰還・移住等環境整備事業計画提案に対する避難指示・解除区域市町村の長の判断等）

第三三条の三　避難指示・解除区域市町村の長は、帰還・移住等環境整備事業計画提案が行われたときは、遅滞なく、帰還・移住等環境整備事業計画提案を踏まえた帰還・移住等環境整備事業計画（帰還・移住等環境整備事業計画提案に係る帰還・移住等環境整備事業計画の素案の内容の全部又は一部を実現することとなる帰還・移住等環境整備事業計画をいう。次条において同じ。）の作成又は変更をする必要があるかどうかを判断し、当該帰還・移住等環境整備事業計画の作成又は変更をする必要があると認めるときは、その案を作成しなければならない。

（帰還・移住等環境整備事業計画提案を踏まえた帰還・移住等環境整備事業計画の作成等をしない場合にとるべき措置）

第三三条の四　避難指示・解除区域市町村の長は、帰還・移住等環境整備事業計画提案を踏まえた帰還・移住等環境整備事業計画の作成又は変更をする必要がないと判断したときは、遅滞なく、その旨及びその理由を、当該帰還・移住等環境整備事業計画提案をした帰還・移住等環境整備推進法人に通知しなければならない。

（帰還・移住等環境整備交付金の交付等）

第三四条　避難指示・解除区域市町村、特定市町村又は福島県（以下「避難指示・解除区域市町村等」という。）は、次項の交付金を充てて帰還・移住等環境整備事業計画に基づく事業又は事務（同項及び第三十五条の三第一項において「帰還・移住等環境整備交付金事業等」という。）の実施をしようとするときは、復興庁令で定めるところにより、当該帰還・移住等

環境整備事業計画を内閣総理大臣に提出しなければならない。

２　国は、避難指示・解除区域市町村等に対し、前項の規定により提出された帰還・移住等環境整備事業計画に係る帰還・移住等環境整備交付金事業等の実施に要する経費に充てるため、復興庁令で定めるところにより、予算の範囲内で、交付金を交付することができる。

３　前項の規定による交付金（以下「帰還・移住等環境整備交付金」という。）を充てて行う事業又は事務に要する費用については、土地区画整理法その他の法令の規定に基づく国の負担又は補助は、当該規定にかかわらず、行わないものとする。

４　前三項に定めるもののほか、帰還・移住等環境整備交付金の交付に関し必要な事項は、復興庁令で定める。

（地方公共団体への援助等）

第三五条　内閣総理大臣及び関係行政機関の長は、避難指示・解除区域市町村等に対し、帰還・移住等環境整備交付金を充てて行う事業又は事務の円滑かつ迅速な実施に関し、必要な情報の提供、助言その他の援助を行うように努めなければならない。

２　関係行政機関の長は、帰還・移住等環境整備交付金を充てて行う事業又は事務の実施に関し、避難指示・解除区域市町村等から法令の規定による許可その他の処分を求められたときは、当該事業又は事務が円滑かつ迅速に実施されるよう、適切な配慮をするものとする。

（補助金等に係る予算の執行の適正化に関する法律の特例）

第三五条の二　帰還・移住等環境整備交付金に関しては、補助金等に係る予算の執行の適正化に関する法律（昭和三十年法律第百七十九号）第十四条の規定による実績報告（事業又は事務の廃止に係るものを除く。）は、帰還・移住等環境整備事業計画に掲げる事業又は事務ごとに行うことを要しないものとし、同法第十五条の規定による交付すべき額の確定は、帰還・移住等環境整備事業計画に掲げる事業又は事務に係る交付金として交付すべき額の総額を確定することをもって足りるものとする。

（計画の実績に関する評価）

第三五条の三　帰還・移住等環境整備交付金の交付を受けた避難指示・解除区域市町村等は、復興庁令で定めるところにより、帰還・移住等環境整備事業計画の期間の終了の日の属する年度の翌年度において、帰還・移住等環境整備事業計画に掲げる目標の達成状況及び帰還・移住等環境整備交付金事業等の実施状況に関する調査及び分析を行い、帰還・移住等環境整備事業計画の実績に関する評価を行うものとする。

２　避難指示・解除区域市町村等は、前項の評価を行ったときは、復興庁令で定めるところにより、その内容を公表するものとする。

第四款　既存の事業所に係る個人事業者等に対する課税の特例等

（既存の事業所に係る個人事業者等に対する課税の特例）

第三六条　避難解除区域等内において事業の用に供する施設又は設備を新設し、又は増設した個人事業者又は法人（避難指示の対象となった区域内に平成二十三年三月十一日においてその事業所が所在していたことについて、復興庁令で定めるところにより福島県知事の確認を受けたものに限る。）が、当該新設又は増設に伴い新たに取得し、又は製作し、若しくは建設した機械及び装置、建物及びその附属設備並びに構築物については、震災特例法で定めるところにより、課税の特例の適用があるものとする。

第三七条　個人事業者又は法人（避難指示の対象となった区域内に平成二十三年三月十一日においてその事業所が所在していたことについて、復興庁令で定めるところにより福島県知事の確認を受けたものに限る。）が、原子力災害の被災者である労働者その他の復興庁令で定める労働者を、避難解除区域等内に所在する事業所において雇用している場合には、当該個人事業者又は法人に対する所得税及び法人税の課税については、震災特例法で定めるところにより、課税の特例の適用があるものとする。

（既存の事業所に係る個人事業者等に対する地方税の課税免除又は不均一課税に伴う措置）

第三八条　第二十六条の規定は、地方税法第六条の規定により、福島県又は市町村が、避難解除区域等内において事業の用に供する施設又は設備を新設し、又は増設した個人事業者又は法人（避難指示の対象となった区域内に平成二十三年三月十一日においてその事業所が所在していたことについて、復興庁令で定めるところにより福島県知事の確認を受けたものに限る。）について、当該事業に対する事業税、当該事業の用に供する建物若しくはその敷地である土地の取得に対する不動産取得税若しくは当該事業の用に供する機械及び装置、建物若しくは構築物若しくはこれらの敷地である土地に対する固定資産税を課さなかった場合又はこれらの地方税に係る不均一の課税をした場合において、これらの措置が総務省令で定める場合に該当するものと認められるときに準用する。

第六節　避難指示区域から避難している者の生活の安定を図るための措置

第一款　公営住宅法の特例等

（公営住宅に係る国の補助の特例）

第三九条　事業主体が、避難指示区域に存する住宅に平成二十三年三月十一日において居住していた者（特定帰還者である者を除く。以下「居住制限者」という。）に賃貸又は転貸するため公営住宅法第二条第七号に規定する公営住宅の整備をする場合においては、次の表の上欄に掲げる規定中同表の中欄に掲げる字句をそれぞれ同表の下欄に掲げる字句と読み替えて、これらの規定を適用し、同法第八条第一項ただし書及び第十七条第三項ただし書並びに激甚災害法第二十二条第一項ただし書の規定は、適用しない。

公営住宅法第八条第一項	次の各号の一に該当する場合において、事業主体が災害により滅失した住宅に居住していた	事業主体が第十一条第一項に規定する交付申請書を提出する日において居住制限者（福島復興再生特別措置法（平成二十四年法律第二十五号）第三十九条に規定する居住制限者をいう。第十七条第三項において同じ。）である
公営住宅法第十七条第三項	同項に規定する政令で定める地域にあつた住宅であつて激甚災害により滅失したものにその災害の当時居住していた	居住制限者である
激甚災害法第二十二条第一項	激甚災害を受けた政令で定める地域にあつた住宅であつて当該激甚災害により滅失したものにその災害の当時居住していた	公営住宅法第十一条第一項に規定する交付申請書を提出する日において居住制限者（福島復興再生特別措置法（平成二十四年法律第二十五号）第三十九条に規定する居住制限者をいう。）である

（公営住宅及び改良住宅の入居者資格の特例）

第四〇条　居住制限者については、公営住宅法第二十三条第二号（住宅地区改良法第二十九条第一項において準用する場合を含む。）に掲げる条件を具備する者を公営住宅法第二十三条各号（住宅地区改良法第二十九条第一項において準用する場合を含む。）に掲げる条件を具備する者とみなす。

（居住制限者向け公営住宅等の処分の特例）

第四一条　第三十九条の規定により読み替えられた公営住宅法第八条第一項若しくは激甚災害法第二十二条第一項の規定による国の補助を受け、又は第四十六条第三項に規定する生活拠点形成交付金（次項において「生活拠点形成交付金」という。）を充てて居住制限者に賃貸するため建設又は買取りをした公営住宅（当該公営住宅に係る共同施設を含む。）に対する公営住宅法第四十四条第一項及び第二項並びに附則第十五項の規定の適用については、同条第一項中「四分の一」とあるのは「六分の一」と、同条第二項中「又はこれらの修繕若しくは改良」とあるのは「若しくはこれらの修繕若しくは改良に要する費用又は地域における多様な需要に応じた公的賃貸住宅等の整備等に関する特別措置法（平成十七年法律第七十九号）第六条の地域住宅計画に基づく事業若しくは事務の実施」と、同法附則第十五項中「その耐用年限の四分の一を経過した場合においては」とあるのは「その耐用年限の六分の一を経過した場合において特別の事由のあるとき、又は耐用年限の四分の一を経過した場合においては」とする。

２　事業主体は、第三十九条の規定により読み替えられた公営住宅法第八条第一項若しくは激甚災害法第二十二条第一項の規定による国の補助を受け、若しくは生活拠点形成交付金を充てて居住制限者に賃貸するため建設若しくは買取りをし、又は居住制限者に転貸するため借上げをした公営住宅（当該公営住宅に係る共同施設を含む。）について、当該事業主体である地方公共団体の区域内の住宅事情からこれを引き続いて管理する必要がないと認めるときは、公営住宅法第四十四条第三項の規定にかかわらず、当該公営住宅の用途を廃止することができる。この場合において、当該事業主体は、当該公営住宅の用途を廃止した日から三十日以内にその旨を国土交通大臣に報告しなければならない。

（独立行政法人都市再生機構法の特例）

第四二条　独立行政法人都市再生機構は、独立行政法人都市再生機構法第十一条第一項に規定する業務のほか、福島において、福島の地方公共団体からの委託に基づき、同条第三項各号の業務（居住制限者に対する住宅及び宅地の供給に係るものに限る。）を行うことができる。

（独立行政法人住宅金融支援機構の行う融資）

第四三条　独立行政法人住宅金融支援機構は、独立行政法人住宅金融支援機構法第十三条第一項に規定する業務のほか、原子力災害代替建築物（住宅又は主として住宅部分から成る建築物が避難指示区域内に存する場合におけるこれらの建築物又は建築物の部分に代わるべき建築物又は建築物の部分（避難指示・解除区域原子力災害代替建築物に該当するものを除く。）をいう。）の建設又は購入に必要な資金（当該原子力災害代替建築物の建設又は購入に付随する行為で政令で定めるものに必要な資金を含む。）を貸し付けることができる。

（居住安定協議会）

第四四条　福島県及び避難元市町村（避難指示区域をその区域に含む市町村をいう。以下同じ。）は、原子力災害の影響により避難し、又は住所を移転することを余儀なくされた者（以下この項において「避難者」という。）に賃貸するための公営住宅の供給その他の避難者の居住の安定の確保に関し必要となるべき措置について協議するため、居住安定協議会（以下この条において「協議会」という。）を組織することができる。この場合において、福島県及び避難元市町村は、必要と認めるときは、協議会に福島県及び避難元市町村以外の者で避難者の居住の安定の確保を図るため必要な措置を講ずる者を加えることができる。

2　協議会は、必要があると認めるときは、国の行政機関の長及び地方公共団体の長その他の執行機関に対して、資料の提供、意見の表明、説明その他必要な協力を求めることができる。

3　協議会において協議が調った事項については、協議会の構成員はその協議の結果を尊重しなければならない。

4　前三項に定めるもののほか、協議会の運営に関し必要な事項は、協議会が定める。

第二款　生活拠点形成事業計画及びこれに基づく措置

（生活拠点形成事業計画の作成等）

第四五条　福島県知事及び避難先市町村（多数の居住制限者が居住し、又は居住しようとする市町村をいう。以下この項及び次条第一項において同じ。）の長（避難元市町村その他の地方公共団体が次項第二号から第四号までに規定する事業又は事務を実施しようとする場合にあっては、福島県知事、避難先市町村の長及び当該地方公共団体の長）は、共同して、認定福島復興再生計画に即して、避難先市町村の区域内における公営住宅の整備その他の居住制限者の生活の拠点を形成する事業に関する計画（以下この条及び次条において「生活拠点形成事業計画」という。）を作成することができる。

2　生活拠点形成事業計画には、次に掲げる事項を記載するものとする。

一　生活拠点形成事業計画の目標

二　公営住宅の整備又は管理に関する事業に関する事項

三　居住制限者の生活の拠点を形成する事業（前号に規定するものを除く。）であって次に掲げるものに関する事項

イ　道路法第二条第一項に規定する道路の新設又は改築に関する事業

ロ　義務教育諸学校等の施設費の国庫負担等に関する法律第十一条第一項に規定する義務教育諸学校等施設の整備に関する事業

ハ　その他復興庁令で定める事業

四　前二号に規定する事業と一体となってその効果を増大させるために必要な事業又は事務に関する事項

五　計画期間

六　前各号に掲げるもののほか、居住制限者の生活の拠点の形成に関し必要な事項

3　生活拠点形成事業計画を作成しようとする者は、あらかじめ、避難元市町村の長その他関係地方公共団体の長の意見を聴かなければならない。

4　前項の規定は、生活拠点形成事業計画の変更について準用する。

（生活拠点形成交付金の交付等）

第四六条　福島県、避難先市町村又は避難元市町村その他の地方公共団体（次項において「福島県等」という。）は、同項の交付金を充てて生活拠点形成事業計画に基づく事業又は事務（同項において「生活拠点形成交付金事業等」という。）の実施をしようとするときは、復興庁令で定めるところにより、当該生活拠点形成事業計画を内閣総理大臣に提出しなければならない。

2　国は、福島県等に対し、前項の規定により提出された生活拠点形成事業計画に係る生活拠点形成交付金事業等の実施に要する経費に充てるため、復興庁令で定めるところにより、予算の範囲内で、交付金を交付することができる。

3　前項の規定による交付金（次項及び第四十八条において「生活拠点形成交付金」という。）を充てて行う事業又は事務に要する費用については、公営住宅法その他の法令の規定に基づく国の負担又は補助は、当該規定にかかわらず、行わないものとする。

4　前三項に定めるもののほか、生活拠点形成交付金の交付に関し必要な事項は、復興庁令で定める。

（生活の拠点の形成に当たっての配慮）

第四七条　居住制限者の生活の拠点の形成は、居住制限者が長期にわたり避難を余儀なくされていることを踏まえ、その生活の安定を図ることを旨として、行われなければならない。

（地方公共団体への援助等の規定等の準用）

第四八条　第三十五条から第三十五条の三までの規定は、生活拠点形成交付金について準用する。この場合において、第三十五条第一項中「避難指示・解除区域市町村等」とあるのは「第四十六条第一項に規定する福島県等（以下「福島県等」という。）」と、同条第二項及び第三十五条の三中「避難指示・解除区域市町村等」とあるのは「福島県等」と、第三十五条の二中「）は、帰還・移住等環境整備事業計画」とあるのは「）は、第四十五条第一項に規定する生活拠点形成事業計画（以下「生活拠点形成事業計画」という。）」と、「確定は、帰還・移住等環境整備事業計画」とあるのは「確定は、生活拠点形成事業計画」と、第三十五条の三第一項中「帰還・移住等環境整備事業計画」とあるのは「生活拠点形成事業計画」と、「帰還・移住等環境整備交付金事業等」とあるのは「第四十六条第一項に規定する生活拠点形成交付金事業等」と読み替えるものとする。

第七節　公益社団法人福島相双復興推進機構への国の職員の派遣等

（公益社団法人福島相双復興推進機構による派遣の要請）

第四八条の二　避難指示・解除区域市町村の復興及び再生を推進することを目的とする公益社団法人福島相双復興推進機構（平成二十七年八月十二日に一般社団法人福島相双復興準備機構という名称で設立された法人をいう。以下この節において「機構」という。）は、避難指示・解除区域市町村の復興及び再生の推進に関する業務のうち、特定事業者（避難指示・解除区域市町村の区域内に平成二十三年三月十一日においてその事業所が所在していた個人事業者又は法人をいう。以下この項において同じ。）の経営に関する診断及び助言、特定事業者の事業の再生を図るための方策の企画及び立案、国の行政機関その他の関係機関との連絡調整その他国の事務又は事業との密接な連携の下で実施する必要があるもの（以下この節において「特定業務」という。）を円滑かつ効果的に行うため、国の職員（国家公務員法（昭和二十二年法律第百二十号）第二条に規定する一般職に属する職員（法律により任期を定めて任用される職員、常時勤務を要しない官職を占める職員、独立行政法人通則法（平成十一年法律第百三号）第二条第四項に規定する行政執行法人の職員その他人事院規則で定める職員を除く。）をいう。以下同じ。）を機構の職員として必要とするときは、その必要とする事由を明らかにして、任命権者（国家公務員法第五十五条第一項に規定する任命権者及び法律で別に定められた任命権者並びにその委任を受けた者をいう。以下同じ。）に対し、その派遣を要請することができる。

2　前項の規定による要請の手続は、人事院規則で定める。

（国の職員の派遣）

第四八条の三　任命権者は、前条第一項の規定による要請があった場合において、原子力災害からの福島の復興及び再生の推進その他の国の責務を踏まえ、その要請に係る派遣の必要性、派遣に伴う事務の支障その他の事情を勘案して、国の事務又は事業との密接な連携を確保するために相当と認めるときは、これに応じ、国の職員の同意を得て、機構との間の取決めに基づき、期間を定めて、専ら機構における特定業務を行うものとして当該国の職員を機構に派遣することができる。

2　任命権者は、前項の同意を得るに当たっては、あらかじめ、当該国の職員に同項の取決めの内容及び当該派遣の期間中における給与の支給に関する事項を明示しなければならない。

3　第一項の取決めにおいては、機構における勤務時間、特定業務に係る報酬等（報酬、賃金、給料、俸給、手当、賞与その他いかなる名称であるかを問わず、特定業務の対償として受ける全てのものをいう。第四十八条の五第一項及び第二項において同じ。）その他の勤務条件及び特定業務の内容、派遣の期間、職務への復帰に関する事項その他第一項の規定による派遣の実施に当たって合意しておくべきものとして人事院規則で定める事項を定めるものとする。

4　任命権者は、第一項の取決めの内容を変更しようとするときは、当該国の職員の同意を得なければならない。この場合においては、第二項の規定を準用する。

5　第一項の規定による派遣の期間は、三年を超えることができない。ただし、機構からその期間の延長を希望する旨の申出があり、かつ、特に必要があると認めるときは、任命権者は、当該国の職員の同意を得て、当該派遣の日から引き続き五年を超えない範囲内で、これを延長することができる。

6　第一項の規定により機構において特定業務を行う国の職員は、その派遣の期間中、その同意に係る同項の取決めに定められた内容に従って、機構において特定業務を行うものとする。

7　第一項の規定により派遣された国の職員（以下この節において「派遣職員」という。）は、その派遣の期間中、国の職員としての身分を保有するが、職務に従事しない。

8　第一項の規定による国の職員の特定業務への従事については、国家公務員法第百四条の規定は、適用しない。

（職務への復帰）

第四八条の四　派遣職員は、その派遣の期間が満了したときは、職務に復帰するものとする。

2　任命権者は、派遣職員が機構における職員の地位を失った場合その他の人事院規則で定める場合であって、その派遣を継続することができないか又は適当でないと認めるときは、速やかに、当該派遣職員を職務に復帰させなければならない。

（派遣期間中の給与等）

第四八条の五　任命権者は、機構との間で第四十八条の三第一項の取決めをするに当たっては、同項の規定により派遣される国の職員が機構から受ける特定業務に係る報酬等について、当該国の職員がその派遣前に従事していた職務及び機構において行う特定業務の内容に応じた相当の額が確保されるよう努めなければならない。

2　派遣職員には、その派遣の期間中、給与を支給しない。ただし、機構において特定業務が円滑かつ効果的に行われることを確保するため特に必要があると認められるときは、当該派遣職員には、その派遣の期間中、機構から受ける特定業務に係る報酬等の額に照らして必要と認められる範囲内で、俸給、扶養手当、地域手当、広域異動手当、研究員調整手当、住居手当及び期末手当のそれぞれ百分の百以内を支給することができる。

3　前項ただし書の規定による給与の支給に関し必要な事項は、人事院規則（派遣職員が検察官の俸給等に関する法律（昭和二十三年法律第七十六号）の適用を受ける者である場合にあっては、同法第三条第一項に規定する準則。第八十九条の五第三項において同じ。）で定める。

（国家公務員共済組合法の特例）

第四八条の六　国家公務員共済組合法（昭和三十三年法律第百二十八号。以下「国共済法」という。）第三十九条第二項の規定及び国共済法の短期給付に関する規定（国共済法第六十八条の三の規定を除く。以下この項及び第八十九条の六第一項において同じ。）は、派遣職員には、適用しない。この場合において、国共済法の短期給付に関する規定の適用を受ける職員（国共済法第二条第一項第一号に規定する職員をいう。以下この項及び第八十九条の六第一項において同じ。）が派遣職員となったときは、国共済法の短期給付に関する規定の適用については、そのなった日の前日に退職（国共済法第二条第一項第四号に規定する退職をいう。第八十九条の六第一項において同じ。）をしたものとみなし、派遣職員が国共済法の短期給付に関する規定の適用を受ける職員となったときは、国共済法の短期給付に関する規定の適用については、そのなった日に職員となったものとみなす。

第四八条の六　国家公務員共済組合法（昭和三十三年法律第百二十八号。以下「国共済法」という。）第三十九条第二項の規定及び国共済法の短期給付に関する規定（国共済法第六十八条の四の規定を除く。以下この項及び第八十九条の六第一項において同じ。）は、派遣職員には、適用しない。この場合において、国共済法の短期給付に関する規定の適用を受ける職員（国共済法第二条第一項第一号に規定する職員をいう。以下この項及び第八十九条の六第一項において同じ。）が派遣職員となったときは、国共済法の短期給付に関する規定の適用については、そのなった日の前日に退職（国共済法第二条第一項第四号に規定する退職をいう。第八十九条の六第一項において同じ。）をしたものとみなし、派遣職員が国共済法の短期給付に関する規定の適用を受ける職員となったときは、国共済法の短期給付に関する規定の適用については、そのなった日に職員となったものとみなす。

2　派遣職員に関する国共済法の退職等年金給付に関する規定の適用については、機構における特定業務を公務とみなす。

3　派遣職員は、国共済法第九十八条第一項各号に掲げる福祉事業を利用することができない。

4　派遣職員に関する国共済法の規定の適用については、国共済法第二条第一項第五号及び第六号中「とし、その他の職員」とあるのは「並びにこれらに相当するものとして次条第一項に規定する組合の運営規則で定めるものとし、その他の職員」と、国共済法第九十九条第二項中「次の各号」とあるのは「第三号」と、「当該各号」とあるのは「同号」と、「及び国の負担金」とあるのは「、福島復興再生特別措置法（平成二十四年法律第二十五号）第四十八条の二第一項に規定する機構（以下「機構」という。）の負担金及び国の負担金」と、同項第三号中「国の負担金」とあるのは「機構の負担金及び国の負担金」と、国共済法第百二条第一項中「各省各庁の長（環境大臣を含む。）、行政執行法人又は職員団体」とあり、及び「国、行政執行法人又は職員団体」とあるのは「機構及び国」と、「第九十九条第二項（同条第六項から第八項までの規定により読み替えて適用する場合を含む。）及び第五項（同条第七項及び第八項の規定により読み替えて適用する場合を含む。）」とあるのは「第九十九条第二項及び第五項」と、同条第四項中「第九十九条第二項第三号及び第四号」とあるのは「第九十九条第二項第三号」と、「並びに同条第五項（同条第七項及び第八項の規定により読み替えて適用する場合を含む。以下この項において同じ。）」とあるのは「及び同条第五項」と、「（同条第五項」とあるのは「（同項」と、「国、行政執行法人又は職員団体」とあるのは「機構及び国」とする。

5　前項の場合において機構及び国が同項の規定により読み替えられた国共済法第九十九条第二項及び厚生年金保険法（昭和二十九年法律第百十五号）第八十二条第一項の規定により負担すべき金額その他必要な事項は、政令で定める。

（子ども・子育て支援法の特例）

第四八条の七　派遣職員に関する子ども・子育て支援法（平成二十四年法律第六十五号）の規定の適用については、機構を同法第六十九条第一項第四号に規定する団体とみなす。

（国共済法等の適用関係等についての政令への委任）

第四八条の八　この節に定めるもののほか、派遣職員に関する国共済法、地方公務員等共済組合法（昭和三十七年法律第百五十二号）、子ども・子育て支援法その他これらに類する法律の適用関係の調整を要する場合におけるその適用関係その他必要な事項は、政令で定める。

（一般職の職員の給与に関する法律の特例）

第四八条の九　第四十八条の三第一項の規定による派遣の期間中又はその期間の満了後における当該国の職員に関する一般職の職員の給与に関する法律（昭和二十五年法律第九十五号）第二十三条第一項及び附則第六項の規定の適用については、機構における特定業務（当該特定業務に係る労働者災害補償保険法（昭和二十二年法律第五十号）第七条第二項に規定する通勤（当該特定業務に係る就業の場所を国家公務員災害補償法（昭和二十六年法律第百九十一号）第一条の二第一項第一号及び第二号に規定する勤務場所とみなした場合に同条に規定する通勤に該当するものに限る。次条第一項において同じ。）を含む。）を公務とみなす。

（国家公務員退職手当法の特例）

第四八条の一〇　第四十八条の三第一項の規定による派遣の期間中又はその期間の満了後に当該国の職員が退職した場合における国家公務員退職手当法（昭和二十八年法律第百八十二号）の規定の適用については、機構における特定業務に係る業務上の傷病又は死亡は同法第四条第二項、第五条第一項及び第六条の四第一項に規定する公務上の傷病又は死亡と、当該特定業務に係る労働者災害補償保険法第七条第二項に規定する通勤による傷病は国家公務員退職手当法第四条第二項、第五条第二項及び第六条の四第一項に規定する通勤による傷病とみなす。

2　派遣職員に関する国家公務員退職手当法第六条の四第一項及び第七条第四項の規定の適用については、第四十八条の三第一項の規定による派遣の期間は、同法第六条の四第一項に規定する現実に職務をとることを要しない期間には該当しないものとみなす。

3　前項の規定は、派遣職員が機構から所得税法（昭和四十年法律第三十三号）第三十条第一項に規定する退職手当等（同法第三十一条の規定により退職手当等とみなされるものを含む。第八十九条の十第三項において同じ。）の支払を受けた場合には、適用しない。

4　派遣職員がその派遣の期間中に退職した場合に支給する国家公務員退職手当法の規定による退職手当の算定の基礎となる俸給月額については、部内の他の職員との権衡上必要があると認められるときは、次条第一項の規定の例により、その額を調整することができる。

（派遣後の職務への復帰に伴う措置）

第四八条の一一　派遣職員が職務に復帰した場合におけるその者の職務の級及び号俸については、部内の他の職員との権衡上必要と認められる範囲内において、人事院規則の定めるところにより、必要な調整を行うことができる。

2　前項に定めるもののほか、派遣職員が職務に復帰した場合における任用、給与等に関する処遇については、部内の他の職員との均衡を失することのないよう適切な配慮が加えられなければならない。

（人事院規則への委任）

第四八条の一二　この節に定めるもののほか、機構において国の職員が特定業務を行うための派遣に関し必要な事項は、人事院規則で定める。

（機構の役員及び職員の地位）

第四八条の一三　機構の役員及び職員は、刑法（明治四十年法律第四十五号）その他の罰則の適用については、法令により公務に従事する職員とみなす。

第八節　帰還・移住等環境整備推進法人

（帰還・移住等環境整備推進法人の指定）

第四八条の一四　避難指示・解除区域市町村の長は、特定非営利活動促進法（平成十年法律第七号）第二条第二項に規定する特定非営利活動法人、一般社団法人若しくは一般財団法人又は帰還・移住等環境整備の推進を図る活動を行うことを目的とする会社であって、次条に規定する業務を適正かつ確実に行うことができると認められるものを、その申請により、帰還・移住等環境整備推進法人（以下「推進法人」という。）として指定することができる。

2　避難指示・解除区域市町村の長は、前項の規定による指定をしたときは、当該推進法人の名称、住所及び事務所の所在地を公示しなければならない。

3　推進法人は、その名称、住所又は事務所の所在地を変更しようとするときは、あらかじめ、その旨を避難指示・解除区域市町村の長に届け出なければならない。

4　避難指示・解除区域市町村の長は、前項の規定による届出があったときは、当該届出に係る事項を公示しなければならない。

（推進法人の業務）

第四八条の一五　推進法人は、次に掲げる業務を行うものとする。

一　帰還・移住等環境整備に関する事業を行う者に対し、情報の提供、相談その他の援助を行うこと。

二　次に掲げる事業を行うこと又は当該事業に参加すること。

イ　認定福島復興再生計画に第七条第三項第一号から第三号までに掲げる事項として定められた事業

ロ　認定特定復興再生拠点区域復興再生計画に第十七条の二第二項第五号から第七号までに掲げる事項として記載された事業

ハ　認定特定帰還居住区域復興再生計画に第十七条の九第二項第四号から第六号までに掲げる事項として記載された事業

ニ　帰還・移住等環境整備事業計画に第三十三条第二項第二号又は第三号に掲げる事項として記載された事業

三　前号イからニまでに掲げる事業に有効に利用できる土地で政令で定めるものの取得、管理及び譲渡を行うこと。

四　避難指示区域から避難している者からの委託に基づき、その者が所有する当該避難指示区域内の土地又は建築物その他の工作物の管理を行うこと。

五　帰還・移住等環境整備の推進に関する調査研究を行うこと。

六　帰還・移住等環境整備の推進に関する普及啓発を行うこと。

七　前各号に掲げるもののほか、帰還・移住等環境整備の推進のために必要な業務を行うこと。

（推進法人の業務に係る公有地の拡大の推進に関する法律の特例）

第四八条の一六　公有地の拡大の推進に関する法律（昭和四十七年法律第六十六号）第四条第一項の規定は、推進法人に対し、前条第三号に掲げる業務（同条第二号イからニまでに掲げる事業のうち公共施設の整備に関する事業に係るものに限る。）の用に供させるために同項に規定する土地を有償で譲り渡そうとする者については、適用しない。

（監督等）

第四八条の一七　避難指示・解除区域市町村の長は、第四十八条の十五各号に掲げる業務の適正かつ確実な実施を確保するため必要があると認めるときは、推進法人に対し、その業務に関し報告をさせることができる。

2　避難指示・解除区域市町村の長は、推進法人が第四十八条の十五各号に掲げる業務を適正かつ確実に実施していないと認めるときは、推進法人に対し、その業務の運営の改善に関し必要な措置を講ずべきことを命ずることができる。

3　避難指示・解除区域市町村の長は、推進法人が前項の規定による命令に違反したときは、第四十八条の十四第一項の規定による指定を取り消すことができる。

4　避難指示・解除区域市町村の長は、前項の規定により指定を取り消したときは、その旨を公示しなければならない。

（情報の提供等）

第四八条の一八　国、福島県及び避難指示・解除区域市町村は、推進法人に対し、その業務の実施に関し必要な情報の提供又は指導若しくは助言をするものとする。

第四章　放射線による健康上の不安の解消その他の安心して暮らすことのできる生活環境の実現のための措置

（健康管理調査の実施）

第四九条　福島県は、福島復興再生基本方針及び認定福島復興再生計画（第七条第二項第五号に掲げる事項に係る部分に限る。）に基づき、平成二十三年三月十一日において福島に住所を有していた者その他これに準ずる者に対し、健康管理調査（被ばく放射線量の推計、子どもに対する甲状腺がんに関する検診その他の健康管理を適切に実施するための調査をいう。以下同じ。）を行うことができる。

（特定健康診査等に関する記録の提供）

第五〇条　健康管理調査の対象者が加入している保険者（高齢者の医療の確保に関する法律（昭和五十七年法律第八十号）第七条第二項に規定する保険者（国民健康保険法（昭和三十三年法律第百九十二号）の定めるところにより都道府県が当該都道府県内の市町村とともに行う国民健康保険にあっては、市町村）をいう。）又は後期高齢者医療広域連合（高齢者の医療の確保に関する法律第四十八条に規定する後期高齢者医療広域連合をいう。）は、環境省令で定めるところにより、福島県から求めがあったときは、当該調査対象者の同意を得ている場合において、福島県が保存している当該調査対象者に係る特定健康診査（高齢者の医療の確保に関する法律第十八条第一項に規定する特定健康診査をいう。）又は健康診査（高齢者の医療の確保に関する法律第百二十五条第一項に規定する健康診査をいう。）に関する記録の写しを提供しなければならない。

（健康管理調査の実施に関し必要な措置）

第五十一条　国は、福島県に対し、健康管理調査の実施に関し、技術的な助言、情報の提供その他の必要な措置を講ずるものとする。

（健康増進等を図るための施策の支援）

第五十二条　国は、福島の地方公共団体が行う住民の健康の増進及び健康上の不安の解消を図るための放射線量の測定のための機器を用いた住民の被ばく放射線量の評価その他の取組を支援するため、必要な財政上の措置その他の措置を講ずるものとする。

（農林水産物等の放射能濃度の測定等の実施の支援）

第五十三条　国は、福島の地方公共団体及び事業者が実施する福島で生産された農林水産物及びその加工品（第七十六条及び第七十六条の二において「福島の農林水産物等」という。）並びに鉱工業品の放射能濃度及び放射線量の測定及び評価を支援するため、必要な措置を講ずるものとする。

（除染等の措置等の迅速な実施）

第五十四条　国は、福島の健全な復興を図るため、福島の地方公共団体と連携して、福島における除染等の措置等（放射性物質汚染対処特措法第二十五条第一項に規定する除染等の措置等をいう。第三項及び第五十六条において同じ。）を迅速に実施するものとする。

2　国は、前項の除染等の措置等の実施に当たり、福島の住民が雇用されるよう配慮するものとする。

3　国は、福島の地方公共団体と連携して、除染等の措置等の実施に伴い生じた廃棄物について、熱回収その他の循環的な利用及び処分が適正に行われるように必要な措置を講ずるものとする。

（児童等について放射線による健康上の不安を解消するための措置）

第五十五条　国は、福島の地方公共団体と連携して、福島の学校及び児童福祉施設に在籍する児童、生徒等について、放射線による健康上の不安を解消するため、当該学校及び児童福祉施設の土地及び建物並びに通学路及びその周辺の地域について必要な措置を講ずるとともに、学校給食に係る検査についての支援その他の必要な措置を講ずるものとする。

（放射線の人体への影響等に関する研究及び開発の推進等）

第五十六条　国は、福島の地方公共団体と連携して、放射線の人体への影響及び除染等の措置等について、国内外の知見を踏まえ、調査研究及び技術開発の推進をするとともに、福島において、調査研究及び技術開発を行うための施設及び設備の整備、国内外の研究者の連携の推進、国際会議の誘致の促進その他の必要な措置を講ずるものとする。

（国民の理解の増進）

第五十七条　国は、原子力発電所の事故により放出された放射性物質による汚染のおそれに起因する健康上の不安を解消するため、低線量被ばくによる放射線の人体への影響その他放射線に関する国民の理解を深めるための広報活動、教育活動その他の必要な措置を講ずるものとする。

（教育を受ける機会の確保のための施策）

第五十八条　国は、原子力災害による被害により福島の児童、生徒等が教育を受ける機会が妨げられることのないよう、福島の地方公共団体その他の者が行う学校施設の整備、教職員の配置、就学の援助、自然体験活動の促進、いじめの防止のための対策の実施その他の取組を支援するために必要な施策を講ずるものとする。

（医療及び福祉サービスの確保のための施策）

第五十九条　国は、原子力災害による被害により福島における医療及び保育、介護その他の福祉サービスの提供に支障が生ずることのないよう、福島の地方公共団体が行うこれらの提供体制の整備その他の取組を支援するために必要な施策を講ずるものとする。

（避難指示・解除区域市町村における情報通信機器の活用等による必要な医療の確保）

第五十九条の二　国及び福島県は、避難指示・解除区域市町村の区域において、情報通信機器の活用その他の方法により、必要な医療（薬剤の適正な使用のための情報の提供及び薬学的知見に基づく指導を含む。）の確保が適切に図られるよう、医療法（昭和二十三年法律第二百五号）第六条の十第一項に規定する病院等の管理者、医薬品、医療機器等の品質、有効性及び安全性の確保等に関する法律（昭和三十五年法律第百四十五号）第一条の四に規定する薬局開設者その他の関係者に対し必要な情報の提供、相談、助言その他の援助を行うものとする。

（その他の安心して暮らすことのできる生活環境の実現のための措置）

第六十条　国は、第五十一条から前条までに定めるもののほか、福島において、放射線による健康上の不安の解消その他の安心して暮らすことのできる生活環境の実現を図るために必要な財政上の措置その他の措置を講ずるものとする。

第五章　原子力災害からの産業の復興及び再生のための特別の措置

第一節　福島復興再生計画に基づく商標法等の特例

第六十一条から第六十三条まで　削除

（商標法の特例）

第六十四条　福島県知事が、第七条第五項第一号イに規定する商品等需要開拓事業（以下この条において「商品等需要開拓事業」という。）を定めた福島復興再生計画について、内閣総理大臣の認定を申請し、その認定を受けたときは、当該商品等需要開拓事業については、次項から第六項までの規定を適用する。

2　特許庁長官は、前項の認定を受けた福島復興再生計画に定められた商品等需要開拓事業に係る商品又は役務に係る地域団体商標の商標登録（商標法（昭和三十四年法律第百二十七号）第七条の二第一項に規定する地域団体商標の商標登録をいう。以下この項及び次項において同じ。）について、同法第四十条第一項若しくは第二項又は第四十一条の二第一項若しくは第七項の登録料を納付すべき者が当該商品等需要開拓事業の実施主体であるときは、政令で定めるところにより、当該登録料（前項の実施期間内に地域団体商標の商標登録を受ける場合のもの又は当該実施期間内に地域団体商標に係る商標権の存続期間の更新登録の申請をする場合のものに限る。）を軽減し、又は免除することができる。この場合において、同法第十八条第二項並びに第二十三条第一項及び第二項の規定の適用については、これらの規定中「納付があつたとき」とあるのは、「納付又はその納付の免除があつたとき」とする。

3　特許庁長官は、第一項の認定を受けた福島復興再生計画に定められた商品等需要開拓事業に係る商品又は役務に係る地域団体商標の商標登録について、当該地域団体商標の商標登録を受けようとする者が当該商品等需要開拓事業の実施主体であるときは、政令で定めるところにより、商標法第七十六条第二項の規定により納付すべき商標登録出願の手数料（第一項の実施期間内に商標登録出願をする場合のものに限る。）を軽減し、又は免除することができる。

4　商標法第四十条第一項若しくは第二項又は第四十一条の二第一項若しくは第七項の登録料は、商標権が第二項の規定による登録料の軽減又は免除（以下この項において「減免」という。）を受ける者を含む者の共有に係る場合であって持分の定めがあるときは、同法第四十条第一項若しくは第二項又は第四十一条の二第一項若しくは第七項の規定にかかわらず、各共有者ごとにこれらに規定する登録料の金額（減免を受ける者にあっては、その減免後の金額）にその持分の割合を乗じて得た額を合算して得た額とし、その額を納付しなければならない。

5　商標登録出願により生じた権利が第三項の規定による商標登録出願の手数料の軽減又は免除（以下この項において「減免」という。）を受ける者を含む者の共有に係る場合であって持分の定めがあるときは、これらの者が自己の商標登録出願により生じた権利について商標法第七十六条第二項の規定により納付すべき商標登録出願の手数料は、同項の規定にかかわらず、各共有者ごとに同項に規定する商標登録出願の手数料の金額（減免を受ける者にあっては、その減免後の金額）にその持分の割合を乗じて得た額を合算して得た額とし、その額を納付しなければならない。

6　前二項の規定により算定した登録料又は手数料の金額に十円未満の端数があるときは、その端数は、切り捨てるものとする。

7　第一項の福島復興再生計画には、第七条第五項第一号に掲げる事項として、商品等需要開拓事業ごとに、当該事業の目標及び実施期間を定めるものとする。

（種苗法の特例）

第六十五条　福島県知事が、第七条第五項第一号ロに規定する新品種育成事業（以下この条において「新品種育成事業」という。）を定めた福島復興再生計画について、内閣総理大臣の認定を申請し、その認定を受けたときは、当該新品種育成事業については、次項及び第三項の規定を適用する。

2　農林水産大臣は、前項の認定を受けた福島復興再生計画に定められた新品種育成事業の成果に係る出願品種（種苗法（平成十年法律第八十三号）第三条第二項に規定する出願品種をいい、当該福島復興再生計画に定められた第四項の実施期間の終了日から起算して二年以内に同条第一項第一号に規定する品種登録出願（以下この条において「品種登録出願」という。）がされたものに限る。以下この項において同じ。）に関する品種登録出願について、その出願者が次に掲げる者であって当該新品種育成事業の実施主体であるときは、政令で定めるところにより、同法第六条第一項の規定により納付すべき出願料を軽減し、又は免除することができる。

一　その出願品種の育成（種苗法第三条第一項に規定する育成をいう。次号及び次項において同じ。）をした者

二　その出願品種が種苗法第八条第一項に規定する従業者等（次項第二号において「従業者等」という。）が育成をした同条第一項に規定する職務育成品種（同号において「職務育成品種」という。）であって、契約、勤務規則その他の定めによりあらかじめ同項に規定する使用者等（以下この号及び次項第二号において「使用者等」という。）が品種登録出願をすることが定められている場合において、その品種登録出願をした使用者等

3　農林水産大臣は、第一項の認定を受けた福島復興再生計画に定められた新品種育成事業の成果に係る登録品種（種苗法第二十条第一項に規定する登録品種をいい、当該福島復興再生計画に定められた次項の実施期間の終了日から起算して二年以内に品種登録出願されたものに限る。以下この項において同じ。）について、同法第四十五条第一項の規定による第一年から第六年までの各年分の登録料を納付すべき者が次に掲げる者であって当該新品種育成事業の実施主体であるときは、政令で定めるところにより、登録料を軽減し、又は免除することができる。

一　その登録品種の育成をした者

二　その登録品種が従業者等が育成をした職務育成品種であって、契約、勤務規則その他の定めによりあらかじめ使用者等が品種登録出願をすること又は従業者等がした品種登録出願の出願者の名義を使用者等に変更することが定められている場合において、その品種登録出願をした使用者等又はその従業者等がした品種登録出願の出願者の名義の変更を受けた使用者等

4　第一項の福島復興再生計画には、第七条第五項第一号に掲げる事項として、新品種育成事業ごとに、当該事業の目標及び実施期間を定めるものとする。

5　第一項の規定による認定の申請には、当該申請に係る福島復興再生計画に定めようとする新品種育成事業を実施するために必要な資金の額及びその調達方法を記載した書面を添付しなければならない。

（地熱資源開発事業）

第六六条　福島県知事が、第七条第五項第一号ハに規定する地熱資源開発事業（以下「地熱資源開発事業」という。）を定めた福島復興再生計画について、内閣総理大臣の認定を申請し、その認定を受けたときは、当該認定の日以後は、当該地熱資源開発事業については、次条から第七十条までの規定を適用する。

（地熱資源開発計画）

第六七条　福島県知事は、復興庁令で定めるところにより、前条の認定を受けた福島復興再生計画に定められた地熱資源開発事業に係る地熱資源の開発に関する計画（以下「地熱資源開発計画」という。）を作成することができる。

2　地熱資源開発計画には、次に掲げる事項を記載するものとする。

一　地熱資源開発事業の実施区域

二　地熱資源開発事業の目標

三　地熱資源開発事業の内容、実施主体その他の復興庁令で定める事項

四　地熱資源開発事業の実施期間

五　その他地熱資源開発事業の実施に関し必要な事項

3　福島県知事は、地熱資源開発計画を作成しようとするときは、あらかじめ、前項第三号に規定する実施主体として定めようとする者の同意を得なければならない。

4　福島県知事は、地熱資源開発計画を作成しようとするときは、あらかじめ、関係市町村長の意見を聴くとともに、公聴会の開催その他の住民の意見を反映させるために必要な措置を講ずるものとする。

5　福島県知事は、地熱資源開発計画を作成したときは、遅滞なく、これを公表しなければならない。

6　前三項の規定は、地熱資源開発計画の変更（復興庁令で定める軽微な変更を除く。）について準用する。

（地域森林計画の変更等に関する特例）

第六八条　前条第二項第三号に掲げる事項には、地熱資源開発事業の実施に関連して行う次の各号に掲げる変更、指定又は解除（第六項において「地域森林計画の変更等」という。）に係る当該各号に定める事項を記載することができる。

一　地域森林計画区域（森林法（昭和二十六年法律第二百四十九号）第五条第一項の規定によりたてられた地域森林計画の対象とする森林（同法第二条第一項に規定する森林をいう。以下この号及び次項第二号において同じ。）の区域をいう。）の変更　当該変更に係る森林の区域

二　保安林（森林法第二十五条又は第二十五条の二の規定により指定された保安林をいう。以下この号及び次項において同じ。）の指定又は解除　その保安林の所在場所及び指定の目的並びに保安林の指定に係る事項を記載しようとする場合にあっては指定施業要件（同法第三十三条第一項に規定する指定施業要件をいう。）

2　福島県知事は、地熱資源開発計画に次の各号に掲げる事項を記載しようとするときは、当該事項について、復興庁令・農林水産省令で定めるところにより、あらかじめ、それぞれ当該各号に定める手続を経なければならない。

一　前項第一号に定める事項　福島県に置かれる都道府県森林審議会及び福島県を管轄する森林管理局長の意見を聴くこと並びに内閣総理大臣を経由して農林水産大臣に協議をすること。

二　前項第二号に定める事項（海岸法第三条の規定により指定された海岸保全区域内の森林についての保安林の指定に係るものに限る。）　当該海岸保全区域を管理する海岸管理者に協議をすること。

三　前項第二号に定める事項（森林法第二十五条の規定による保安林の指定、同法第二十六条の規定による保安林の指定の解除又は同法第二十六条の二第四項第一号に該当する保安林若しくは同項第二号に該当する保安林（同法第二十五条第一項第一号から第三号までに掲げる目的を達成するため指定されたものに限る。）の指定の解除に係るものに限る。）　内閣総理大臣を経由して農林水産大臣に協議をし、その同意を得ること。

四　前項第二号に定める事項（森林法第二十六条の二第四項第二号に該当する保安林（同法第二十五条第一項第四号から第十一号までに掲げる目的を達成するため指定されたものに限る。）の指定の解除に係るものに限る。）　内閣総理大臣を経由して農林水産大臣に協議をすること。

3　福島県知事は、地熱資源開発計画に第一項各号のいずれかに定める事項を記載しようとするときは、当該事項について、農林水産省令で定めるところにより、あらかじめ、その旨を公告し、当該事項の案を、当該事項を地熱資源開発計画に記載しようとする理由を記載した書面を添えて、当該公告の日から二週間公衆の縦覧に供しなければならない。

4　前項の規定による公告があったときは、福島の住民及び利害関係人は、同項の縦覧期間満了の日までに、縦覧に供された当該事項の案について、福島県知事に、意見書を提出することができる。

5　福島県知事は、第二項第一号に定める手続を経るときは、前項の規定により提出された意見書（第一項第一号に掲げる事項に係るものに限る。）の要旨を福島県に置かれる都道府県森林審議会に提出しなければならない。

6　第一項各号に定める事項が記載された地熱資源開発計画が前条第五項の規定により公表されたときは、当該公表の日に当該事項に係る地域森林計画の変更等がされたものとみなす。

（地熱資源開発事業に係る許認可等の特例）

第六九条　第六十七条第二項第三号に掲げる事項には、地熱資源開発事業の実施に係る次に掲げる事項を記載することができる。

一　温泉法（昭和二十三年法律第百二十五号）第三条第一項又は第十一条第一項の許可を要する行為に関する事項

二　森林法第十条の二第一項の許可を要する行為に関する事項

三　森林法第三十四条第一項又は第二項の許可を要する行為に関する事項

四　自然公園法（昭和三十二年法律第百六十一号）第十条第六項の規定による協議若しくは認可、同法第二十条第三項の許可（同項第一号又は第四号に係るものに限る。次条第一項において同じ。）又は同法第三十三条第一項の規定による届出を要する行為に関する事項

五　電気事業法（昭和三十九年法律第百七十号）第二条の二若しくは第二十七条の十五の登録、同法第二条の六第一項若しくは第二十七条の十九第一項の変更登録又は同法第二条の六第四項、第九条第二項（同法第二十七条の十二の十三において準用する場合を含む。次項第五号及び次条第三項において同じ。）、第二十七条の十九第四項、第二十七条の二十七第三項若しくは第四項若しくは第四十八条第一項の規定による届出を要する行為に関する事項

六　新エネルギー利用等の促進に関する特別措置法（平成九年法律第三十七号）第八条第一項の認定を要する行為に関する事項

2　福島県知事は、地熱資源開発計画に次の各号に掲げる事項を記載しようとするときは、当該事項について、復興庁令・農林水産省令・経済産業省令・環境省令で定めるところにより、あらかじめ、それぞれ当該各号に定める手続を経なければならない。

一　前項第一号に定める事項　自然環境保全法（昭和四十七年法律第八十五号）第五十一条の規定により置かれる審議会その他の合議制の機関（以下この号において「審議会等」という。）の意見を聴くこと（隣接県における温泉の湧出量、温度又は成分に影響を及ぼすおそれがある許可を要する行為に関する事項にあっては、審議会等の意見を聴くこと及び内閣総理大臣を経由して環境大臣に協議をすること）。

二　前項第二号に定める事項　福島県に置かれる都道府県森林審議会の意見を聴くこと。

三　前項第四号に定める事項（国立公園（自然公園法第二条第二号に規定する国立公園をいう。次号において同じ。）に係る協議を要する行為に関する事項に限る。）　内閣総理大臣を経由して環境大臣に協議をすること。

四　前項第四号に定める事項（国立公園に係る認可、許可又は届出を要する行為に関する事項に限る。）　内閣総理大臣を経由して環境大臣に協議をし、その同意を得ること。

五　前項第五号に定める事項（電気事業法第二条の六第四項、第九条第二項、第二十七条の十九第四項又は第二十七条の二十七第三項若しくは第四項の規定による届出を要する行為に関する事項に限る。）　内閣総理大臣を経由して経済産業大臣に通知すること。

六　前項第五号に定める事項（電気事業法第二条の二若しくは第二十七条の十五の登録、同法第二条の六第一項若しくは第二十七条の十九第一項の変更登録又は同法第四十八条第一項の規定による届出を要する行為に関する事項に限る。）　内閣総理大臣を経由して経済産業大臣に協議をし、その同意を得ること。

七　前項第六号に定める事項　内閣総理大臣を経由して主務大臣（新エネルギー利用等の促進に関する特別措置法第十五条に規定する主務大臣をいう。）に協議をし、その同意を得ること。

第七〇条　次の表の上欄に掲げる事項が記載された地熱資源開発計画が第六十七条第五項の規定により公表されたときは、当該公表の日に当該事項に係る地熱資源開発事業の実施主体に対する同表の下欄に掲げる許可、認可、登録、変更登録又は認定があったものとみなす。

前条第一項第一号に掲げる事項	温泉法第三条第一項又は第十一条第一項の許可
前条第一項第二号に掲げる事項	森林法第十条の二第一項の許可
前条第一項第三号に掲げる事項	森林法第三十四条第一項又は第二項の許可
前条第一項第四号に掲げる事項（自然公園法第十条第六項の認可又は同法第二十条第三項の許可に係るものに限る。）	同法第十条第六項の認可又は同法第二十条第三項の許可
前条第一項第五号に掲げる事項（電気事業法第二条の二若しくは第二十七条の十五の登録又は同法第二条の六第一項若しくは第二十七条の十九第一項の変更登録に係るものに限る。）	同法第二条の二若しくは第二十七条の十五の登録又は同法第二条の六第一項若しくは第二十七条の十九第一項の変更登録
前条第一項第六号に掲げる事項	新エネルギー利用等の促進に関する特別措置法第八条第一項の認定

2　次の各号に掲げる事項が記載された地熱資源開発計画が第六十七条第五項の規定により公表されたときは、当該事項に係る地熱資源開発事業については、当該各号に定める規定は、適用しない。

一　前条第一項第四号に掲げる事項（自然公園法第十条第六項の規定による協議に係るものに限る。）　同法第十条第六項

二　前条第一項第四号に掲げる事項（自然公園法第三十三条第一項の規定による届出に係るものに限る。）　同法第三十三条第一項及び第二項

三　前条第一項第五号に掲げる事項（電気事業法第四十八条第一項の規定による届出に係るものに限る。）　同法第四十八条第一項

3　前条第一項第五号に掲げる事項（電気事業法第二条の六第四項、第九条第二項、第二十七条の十九第四項又は第二十七条の二十七第三項若しくは第四項の規定による届出に係るものに限る。）が記載された地熱資源開発計画が第六十七条第五項の規定により公表されたときは、同法第二条の六第四項、第九条第二項、第二十七条の十九第四項又は第二十七条の二十七第三項若しくは第四項の規定による届出があったものとみなす。

（流通機能向上事業に係る許認可等の特例）

第七一条　福島県知事が、第七条第五項第一号ニに規定する流通機能向上事業（以下この条において「流通機能向上事業」という。）を定めた福島復興再生計画について、同号に掲げる事項として次の表の上欄に掲げる事項のいずれかを定めた場合であって、国土交通省令で定める書類を添付して、内閣総理大臣の認定を申請し、その認定を受けたときは、当該流通機能向上事業のうち、同表の下欄に掲げる登録、変更登録、許可若しくは認可を受け、又は届出をしなければならないものについては、当該認定の日において、これらの登録、変更登録、許可若しくは認可を受け、又は届出をしたものとみなす。

一　倉庫業法（昭和三十一年法律第百二十一号）第三条の登録、同法第七条第一項の変更登録又は同条第三項の規定による届出を要する行為に関する事項	同法第三条の登録、同法第七条第一項の変更登録又は同条第三項の規定による届出
二　貨物利用運送事業法（平成元年法律第八十二号）第三条第一項の登録、同法第七条第一項の変更登録又は同条第三項の規定による届出を要する行為に関する事項	同法第三条第一項の登録、同法第七条第一項の変更登録又は同条第三項の規定による届出
三　貨物利用運送事業法第二十条の許可、同法第二十五条第一項の認可又は同条第三項の規定による届出を要する行為に関する事項	同法第二十条の許可、同法第二十五条第一項の認可又は同条第三項の規定による届出
四　貨物利用運送事業法第三十五条第一項の登録、同法第三十九条第一項の変更登録又は同条第三項の規定による届出を要する行為に関する事項	同法第三十五条第一項の登録、同法第三十九条第一項の変更登録又は同条第三項の規定による届出
五　貨物利用運送事業法第四十五条第一項の許可、同法第四十六条第二項の認可又は同条第四項の規定による届出を要する行為に関する事項	同法第四十五条第一項の許可、同法第四十六条第二項の認可又は同条第四項の規定による届出
六　貨物自動車運送事業法（平成元年法律第八十三号）第三条の許可、同法第九条第一項の認可又は同条第三項の規定による届出を要する行為に関する事項	同法第三条の許可、同法第九条第一項の認可又は同条第三項の規定による届出

2　前項の福島復興再生計画には、第七条第五項第一号に掲げる事項として、流通機能向上事業ごとに、当該事業の目標、流通業務施設の概要及び実施時期を定めるものとする。

3　福島県知事は、第一項の認定を申請しようとするときは、第七条第九項の規定にかかわらず、当該申請に係る福島復興再生計画に定めようとする流通機能向上事業の内容について、当該流通機能向上事業の実施主体として当該福島復興再生計画に定めようとする者の同意を得なければならな

い。

4　国土交通大臣は、第一項の規定による認定の申請に係る第七条第十五項（第七条の二第一項において読み替えて準用する東日本大震災復興特別区域法第六条第二項において準用する場合を含む。以下この条において同じ。）の同意を求められたときは、当該申請に係る福島復興再生計画に定められた流通機能向上事業が次の各号のいずれかに該当するときは、第七条第十五項の同意をしてはならない。

一　第一項の表第一号の上欄に掲げる事項に係る流通機能向上事業の実施主体が、倉庫業法第六条第一項各号のいずれかに該当するとき。

二　第一項の表第二号の上欄に掲げる事項に係る流通機能向上事業の実施主体が、貨物利用運送事業法第六条第一項各号のいずれかに該当するとき。

三　第一項の表第三号の上欄に掲げる事項に係る流通機能向上事業の実施主体が貨物利用運送事業法第二十二条各号のいずれかに該当し、又は当該流通機能向上事業の内容が同法第二十三条各号に掲げる基準に適合していないと認めるとき。

四　第一項の表第四号の上欄に掲げる事項に係る流通機能向上事業の実施主体が、貨物利用運送事業法第三十八条第一項各号のいずれかに該当するとき。

五　第一項の表第六号の上欄に掲げる事項に係る流通機能向上事業の実施主体が貨物自動車運送事業法第五条各号のいずれかに該当し、又は当該流通機能向上事業の内容が同法第六条各号に掲げる基準に適合していないと認めるとき。

5　国土交通大臣は、第一項の規定による認定の申請に係る第七条第十五項の同意を求められたときは、当該申請に係る福島復興再生計画に定められた流通機能向上事業のうち、貨物利用運送事業法第四十五条第一項の許可を受けなければならないものについて、その同意において、国際約束を誠実に履行するとともに、国際貨物運送（同法第六条第一項第五号に規定する国際貨物運送をいう。）に係る第二種貨物利用運送事業（同法第二条第八項に規定する第二種貨物利用運送事業をいう。）の分野において公正な事業活動が行われ、その健全な発達が確保されるよう配慮するものとする。

6　国土交通大臣は、福島県知事及び第一項の規定による認定の申請に係る福島復興再生計画に定められた流通機能向上事業の実施主体に対して、第七条第十五項の同意に必要な情報の提供を求めることができる。

（政令等で規定された規制の特例措置）

第七二条　福島県知事が、産業復興再生事業として産業復興再生政令等規制事業を定めた福島復興再生計画について、内閣総理大臣の認定を申請し、その認定を受けたときは、当該産業復興再生政令等規制事業については、政令により規定された規制に係るものにあっては政令で、主務省令により規定された規制に係るものにあっては復興庁令・主務省令で、それぞれ定めるところにより、第七条第八項に規定する規制の特例措置を適用する。

（地方公共団体の事務に関する規制についての条例による特例措置）

第七三条　福島県知事が、産業復興再生事業として産業復興再生地方公共団体事務政令等規制事業を定めた福島復興再生計画について、内閣総理大臣の認定を申請し、その認定を受けたときは、当該産業復興再生地方公共団体事務政令等規制事業については、政令により規定された規制に係るものにあっては政令で定めるところにより条例で、主務省令により規定された規制に係るものにあっては復興庁令・主務省令で定めるところにより条例で、それぞれ定めるところにより、第七条第八項に規定する規制の特例措置を適用する。

第二節　特定事業活動振興計画及びこれに基づく措置

（特定事業活動振興計画の作成等）

第七四条　福島県知事は、認定福島復興再生計画（第七条第五項第三号に掲げる事項に係る部分に限る。以下この項において同じ。）に即して（認定特定復興再生拠点区域復興再生計画が定められているときは、認定福島復興再生計画に即するとともに、認定特定復興再生拠点区域復興再生計画に適合して）、復興庁令で定めるところにより、福島において特定事業活動（個人事業者又は法人であって復興庁令で定める事業分野に属するものが、特定風評被害がその経営に及ぼす影響に対処するために行う新たな事業の開拓、事業再編による新たな事業の開始又は収益性の低い事業からの撤退、事業再生、設備投資その他の事業活動をいう。以下同じ。）の振興を図るための計画（以下この条及び次条第一項において「特定事業活動振興計画」という。）を作成することができる。

2　特定事業活動振興計画には、次に掲げる事項を記載するものとする。

一　特定事業活動振興計画の目標及び期間

二　特定事業活動の振興を図るため実施しようとする措置の内容

三　前二号に掲げるもののほか、特定事業活動振興計画の実施に関し必要な事項

3　福島県知事は、特定事業活動振興計画を作成したときは、これを公表するよう努めるとともに、内閣総理大臣に提出しなければならない。

4　内閣総理大臣は、前項の規定により特定事業活動振興計画の提出があった場合においては、その内容を関係行政機関の長に通知しなければならない。

5　内閣総理大臣は、第三項の規定により提出された特定事業活動振興計画について、必要があると認めるときは、福島県知事に対し、必要な助言又は勧告をすることができる。

6　前三項の規定は、特定事業活動振興計画の変更について準用する。

（特定事業活動振興計画の実施状況の報告等）

第七五条　福島県知事は、前条第三項の規定により提出した特定事業活動振興計画（その変更について同条第六項において準用する同条第三項の規定による提出があったときは、その変更後のもの。以下「提出特定事業活動振興計画」という。）の実施状況について、毎年、公表するよう努めるとともに、内閣総理大臣に報告するものとする。

2　内閣総理大臣は、前条第二項第二号の措置が実施されていないと認めるときは、福島県知事に対し、その改善のために必要な助言又は勧告をすることができる。

（課税の特例）

第七五条の二　提出特定事業活動振興計画に定められた特定事業活動を実施する個人事業者又は法人（当該特定事業活動を行うことについて適正かつ確実な計画を有すると認められることその他の復興庁令で定める要件に該当するものとして福島県知事が指定するものに限る。以下「指定事業者」という。）であって、当該特定事業活動の用に供する施設又は設備を新設し、又は増設したものが、当該新設又は増設に伴い新たに取得し、又は製作し、若しくは建設した機械及び装置、建物及びその附属設備並びに構築物その他復興庁令で定める減価償却資産については、震災特例法で定めるところにより、課税の特例があるものとする。

第七五条の三　指定事業者が、次に掲げる者を、福島に所在する事業所において雇用している場合には、当該指定事業者に対する所得税及び法人税の課税については、震災特例法で定めるところにより、課税の特例があるものとする。

一　平成二十三年三月十一日において福島に所在する事業者に雇用されていた者

二　平成二十三年三月十一日において福島に居住していた者

（特定事業活動の実施状況の報告等）

第七五条の四　指定事業者は、復興庁令で定めるところにより、その指定に係る特定事業活動の実施の状況を福島県知事に報告しなければならない。

2　福島県知事は、指定事業者が第七十五条の二の復興庁令で定める要件を欠くに至ったと認めるときは、その指定を取り消すことができる。

3　福島県知事は、第七十五条の二の規定による指定をしたとき、又は前項の規定による指定の取消しをしたときは、遅滞なく、その旨を公表しなければならない。

4　指定事業者の指定及びその取消しの手続に関し必要な事項は、復興庁令で定める。

（指定事業者に対する地方税の課税免除又は不均一課税に伴う措置）

第七五条の五　第二十六条の規定は、地方税法第六条の規定により、福島県又は福島の市町村が、提出特定事業活動振興計画に定められた特定事業活動の用に供する施設又は設備を新設し、又は増設した指定事業者について、当該特定事業活動に対する事業税、当該特定事業活動の用に供する建物若しくはその敷地である土地の取得に対する不動産取得税若しくは当該特定事業活動の用に供する機械及び装置、建物若しくは構築物若しくはこれらの敷地である土地に対する固定資産税を課さなかった場合又はこれらの地方税に係る不均一の課税をした場合において、これらの措置が総務省令で定める場合に該当するものと認められるときに準用する。

第三節　農林水産業の復興及び再生のための施策等

（農林水産業の復興及び再生のための施策）

第七六条　国は、原子力災害による被害を受けた福島の農林水産業の復興及び再生を推進するため、福島の地方公共団体が行う福島の農林水産物等の消費の拡大、農林水産業に係る生産基盤の整備、農林水産物の加工及び流通の合理化、地域資源を活用した取組の推進、農林水産業を担うべき人材の育成及び確保、農林水産業に関する研究開発の推進及びその成果の普及その他の取組を支援するために必要な施策を講ずるものとする。

第七六条の二　国は、諸外国における福島の農林水産物等の輸入に関する規制の撤廃又は緩和を推進するため、外国（本邦の域外にある国又は地域をいう。）との交渉その他必要な措置を講ずるものとする。

2　国は、放射性物質による汚染の有無又はその状況が正しく認識されていないことに起因する福島の農林水産物等の輸出の不振に対処するため、海外における福島の農林水産物等の安全性に関する理解の増進並びにその販売を促進するための紹介及び宣伝に必要な措置を講ずるものとする。

（中小企業の復興及び再生のための施策）

第七七条　国は、原子力災害による被害を受けた福島の中小企業の復興及び再生を推進するため、中小企業の振興のために福島の地方公共団体が行う資金の確保、人材の育成、生産若しくは販売又は役務の提供に係る技術の研究開発の促進その他の取組を支援するために必要な施策を講ずるものとする。

（職業指導等の措置）

第七八条　国は、福島の労働者の職業の安定を図るため、職業指導、職業紹介及び職業訓練の実施その他の必要な措置を講ずるものとする。

（商品の販売等の不振の実態を明らかにするための調査等の措置）

第七八条の二　国は、放射性物質による汚染の有無又はその状況が正しく認識されていないことに起因して福島で生産された商品の販売等の不振が生じていることに鑑み、その不振の実態を明らかにするための調査を行い、当該調査に基づき、当該商品の販売等を行う者に対し、指導、助言その他の必要な措置を講ずるものとする。

（観光の振興等を通じた福島の復興及び再生のための施策）

第七九条　国は、観光の振興を通じて原子力災害による被害を受けた福島の復興及び再生を推進するため、福島の地方公共団体が行う国内外からの観光旅客の来訪の促進、福島の観光地の魅力の増進、国内外における福島の宣伝、国際会議の誘致を含めた国際交流の推進その他の取組を支援するために必要な施策を講ずるものとする。

2　独立行政法人国際交流基金は、福島の特性に配慮し、国際文化交流の目的をもって行う人物の派遣及び招へい、国際文化交流を目的とする催しの実施若しくはあっせん又は当該催しへの援助若しくは参加その他の必要な措置を講ずることにより、福島の国際交流の推進に資するよう努めるものとする。

（その他の産業の復興及び再生のための措置）

第八〇条　国は、第七十六条から前条までに定めるもののほか、原子力災害による被害を受けた福島の産業の復興及び再生の推進を図るため、放射性物質による汚染の有無又はその状況が正しく認識されていないことに起因する商品の販売等の不振及び観光客の数の低迷への対処その他の必要な取組に関し、財政上、税制上又は金融上の措置その他の措置を講ずるよう努めるものとする。

第六章　新たな産業の創出等に寄与する取組の重点的な推進のための特別な措置

第一節　福島復興再生計画に基づく国有施設の使用等の特例

（国有施設の使用の特例）

第八一条　国は、政令で定めるところにより、認定福島復興再生計画（第七条第七項第一号に規定する事業に係る部分に限る。）に基づいて同号に規定する事業を行う者に国有の試験研究施設を使用させる場合において、ロボットに係る新たな製品又は新技術の開発の促進を図るため特に必要があると認めるときは、その使用の対価を時価よりも低く定めることができる。

（政令等で規定された規制の特例措置）

第八二条　福島県知事が、重点推進事業として新産業創出等政令等規制事業を定めた福島復興再生計画について、内閣総理大臣の認定を申請し、その認定を受けたときは、当該新産業創出等政令等規制事業については、政令により規定された規制に係るものにあっては政令で、主務省令により規定された規制に係るものにあっては復興庁令・主務省令で、それぞれ定めるところにより、第七条第八項に規定する規制の特例措置を適用する。

（地方公共団体の事務に関する規制についての条例による特例措置）

第八三条　福島県知事が、重点推進事業として新産業創出等地方公共団体事務政令等規制事業を定めた福島復興再生計画について、内閣総理大臣の認定を申請し、その認定を受けたときは、当該新産業創出等地方公共団体事務政令等規制事業については、政令により規定された規制に係るものにあっては政令で定めるところにより条例で、主務省令により規定された規制に係るものにあっては復興庁令・主務省令で定めるところにより条例で、それぞれ定めるところにより、第七条第八項に規定する規制の特例措置を適用する。

第二節　新産業創出等推進事業促進計画及びこれに基づく措置

（新産業創出等推進事業促進計画の作成等）

第八四条　福島県知事は、認定福島復興再生計画（第七条第六項後段に規定する取組の内容に関する事項に係る部分に限る。以下この項において同じ。）に即して（認定特定復興再生拠点区域復興再生計画が定められているときは、認定福島復興再生計画に即するとともに、認定特定復興再生拠点区域復興再生計画に適合して）、復興庁令で定めるところにより、新産業創出等推進事業（新たな産業の創出又は産業の国際競争力の強化の推進に資する事業であって福島国際研究産業都市区域における産業集積の形成及び活性化を図る上で中核となるものとして復興庁令で定めるものをいう。以下同じ。）の実施を促進するための計画（以下この条及び次条第一項において「新産業創出等推進事業促進計画」という。）を作成することができる。

2　新産業創出等推進事業促進計画には、次に掲げる事項を記載するものとする。

一　新産業創出等推進事業促進計画の目標及び期間

二　福島国際研究産業都市区域内の区域であって、新産業創出等推進事業の実施の促進が、産業集積の形成及び活性化を図る上で特に有効であると認められる区域（以下「新産業創出等推進事業促進区域」という。）

三　新産業創出等推進事業の実施を促進するため新産業創出等推進事業促進区域において実施しようとする措置の内容

四　前三号に掲げるもののほか、新産業創出等推進事業促進計画の実施に関し必要な事項

3　福島県知事は、新産業創出等推進事業促進計画を作成しようとするときは、あらかじめ、関係市町村長の意見を聴かなければならない。

4　福島県知事は、新産業創出等推進事業促進計画を作成したときは、これを公表するよう努めるとともに、内閣総理大臣に提出しなければならない。

5　内閣総理大臣は、前項の規定により新産業創出等推進事業促進計画の提出があった場合においては、その内容を関係行政機関の長に通知しなければならない。

6　内閣総理大臣は、第四項の規定により提出された新産業創出等推進事業促進計画について、必要があると認めるときは、福島県知事に対し、必要な助言又は勧告をすることができる。

7　第三項から前項までの規定は、新産業創出等推進事業促進計画の変更について準用する。

（新産業創出等推進事業促進計画の実施状況の報告等）

第八五条　福島県知事は、前条第四項の規定により提出した新産業創出等推進事業促進計画（その変更について同条第七項において準用する同条第四項の規定による提出があったときは、その変更後のもの。以下「提出新産業創出等推進事業促進計画」という。）の実施状況について、毎年、公表するよう努めるとともに、内閣総理大臣に報告するものとする。

2　内閣総理大臣は、前条第二項第三号の措置が実施されていないと認めるときは、福島県知事に対し、その改善のために必要な助言又は勧告をする

ことができる。

（新産業創出等推進事業実施計画の認定等）

第八五条の二　提出新産業創出等推進事業促進計画に定められた新産業創出等推進事業促進区域内において新産業創出等推進事業を実施する個人事業者又は法人は、復興庁令で定めるところにより、新産業創出等推進事業の実施に関する計画（以下この条において「新産業創出等推進事業実施計画」という。）を作成し、当該新産業創出等推進事業実施計画が適当である旨の福島県知事の認定を申請することができる。

２　新産業創出等推進事業実施計画には、次に掲げる事項を記載しなければならない。

一　新産業創出等推進事業実施計画の目標

二　新産業創出等推進事業実施計画の内容及び実施期間

三　新産業創出等推進事業実施計画の実施体制

四　新産業創出等推進事業実施計画を実施するために必要な資金の額及びその調達方法

３　福島県知事は、第一項の規定による認定の申請があった場合において、その新産業創出等推進事業実施計画が次に掲げる基準に適合すると認めるときは、その認定をするものとする。

一　提出新産業創出等推進事業促進計画に適合するものであること。

二　新産業創出等推進事業の実施が、福島国際研究産業都市区域における産業集積の形成及び活性化に寄与するものであると認められること。

三　円滑かつ確実に実施されると見込まれるものであること。

４　前項の認定を受けた者（以下この節において「認定事業者」という。）は、当該認定に係る新産業創出等推進事業実施計画の変更をしようとするときは、復興庁令で定めるところにより、福島県知事の認定を受けなければならない。

５　第三項の規定は、前項の認定について準用する。

６　福島県知事は、認定事業者が第三項の認定を受けた新産業創出等推進事業実施計画（第四項の規定による変更の認定があったときは、その変更後のもの。以下「認定新産業創出等推進事業実施計画」という。）に従って新産業創出等推進事業を実施していないと認めるときは、その認定を取り消すことができる。

第八五条の三　福島県知事は、認定事業者に対し、認定新産業創出等推進事業実施計画に係る新産業創出等推進事業の適確な実施に必要な指導及び助言を行うことができる。

第八五条の四　福島県知事は、認定事業者に対し、認定新産業創出等推進事業実施計画の実施状況について報告を求めることができる。

（認定事業者に対する課税の特例）

第八五条の五　提出新産業創出等推進事業促進計画に定められた新産業創出等推進事業促進区域内において認定新産業創出等推進事業実施計画に従って新産業創出等推進事業の用に供する施設又は設備を新設し、又は増設した認定事業者が、当該新設又は増設に伴い新たに取得し、又は製作し、若しくは建設した機械及び装置、建物及びその附属設備並びに構築物その他復興庁令で定める減価償却資産については、震災特例法で定めるところにより、課税の特例の適用があるものとする。

第八五条の六　認定新産業創出等推進事業実施計画に従って新産業創出等推進事業を実施する認定事業者であって当該新産業創出等推進事業に関連する開発研究を行うものが、提出新産業創出等推進事業促進計画に定められた新産業創出等推進事業促進区域内において、当該開発研究の用に供する減価償却資産を新たに取得し、又は製作し、若しくは建設した場合には、震災特例法で定めるところにより、課税の特例の適用があるものとする。

第八五条の七　認定事業者が、認定新産業創出等推進事業実施計画に従って、原子力災害の被災者である労働者その他の復興庁令で定める労働者を、提出新産業創出等推進事業促進計画に定められた新産業創出等推進事業促進区域内に所在する事業所において雇用している場合には、当該認定事業者に対する所得税及び法人税の課税については、震災特例法で定めるところにより、課税の特例の適用があるものとする。

（認定事業者に対する地方税の課税免除又は不均一課税に伴う措置）

第八五条の八　第二十六条の規定は、地方税法第六条の規定により、福島県又は福島の市町村が、提出新産業創出等推進事業促進計画に定められた新産業創出等推進事業促進区域内において認定新産業創出等推進事業実施計画に従って新産業創出等推進事業の用に供する施設又は設備を新設し、又は増設した認定事業者について、当該新産業創出等推進事業に対する事業税、当該新産業創出等推進事業の用に供する建物若しくはその敷地である土地の取得に対する不動産取得税若しくは当該新産業創出等推進事業の用に供する機械及び装置、建物若しくは構築物若しくはこれらの敷地である土地に対する固定資産税を課さなかった場合又はこれらの地方税に係る不均一の課税をした場合において、これらの措置が総務省令で定める場合に該当するものと認められるときに準用する。

第三節　新たな産業の創出等に寄与する施策等

（研究開発の推進等のための施策）

第八六条　国は、認定福島復興再生計画（第七条第二項第七号に掲げる事項に係る部分に限る。次条において同じ。）の実施を促進するため、再生可能エネルギー源の利用、医薬品、医療機器、廃炉等、ロボット及び農林水産業に関する研究開発その他の先端的な研究開発の推進及びその成果の活用を支援するために必要な施策を講ずるものとする。

（企業の立地の促進等のための施策）

第八七条　国は、認定福島復興再生計画の迅速かつ確実な実施を確保するため、福島県が行う新たな産業の創出等に必要となる企業の立地の促進、高度な知識又は技術を有する人材の育成及び確保その他の取組を支援するために必要な施策を講ずるものとする。

（福島国際研究産業都市区域における取組の促進に係る連携の強化のための施策）

第八八条　国は、福島国際研究産業都市区域における第七条第六項後段に規定する取組を促進するため、福島の地方公共団体相互間の広域的な連携の確保その他の国、地方公共団体、研究機関、事業者、金融機関その他の関係者相互間の連携を強化するために必要な施策を講ずるものとする。

（自動車の自動運転等の有効性の実証を行う事業に対する援助）

第八八条の二　国、福島県及び市町村（福島国際研究産業都市区域をその区域に含む市町村に限る。）は、福島国際研究産業都市区域内において、自動車の自動運転、無人航空機（航空法（昭和二十七年法律第二百三十一号）第二条第二十二項に規定する無人航空機をいう。）の遠隔操作又は自動操縦その他これらに類する高度な産業技術であって技術革新の進展に即応したものの有効性の実証を行う事業活動を集中的に推進するため、福島国際研究産業都市区域内において当該事業活動を行う者に対する道路運送車両法（昭和二十六年法律第百八十五号）、航空法、電波法（昭和二十五年法律第百三十一号）、道路交通法（昭和三十五年法律第百五号）その他の法令の規定に基づく手続に関する情報の提供、相談、助言その他の援助を行うものとする。

（その他の新たな産業の創出等のための措置）

第八九条　国は、第八十一条から第八十三条まで及び第八十六条から前条までに定めるもののほか、福島において新たな産業の創出等に寄与する取組の重点的な推進を図るために必要な財政上の措置、農地法その他の法令の規定による手続の円滑化その他の措置を講ずるよう努めるものとする。

第四節　公益財団法人福島イノベーション・コースト構想推進機構への国の職員の派遣等

（公益財団法人福島イノベーション・コースト構想推進機構による派遣の要請）

第八九条の二　福島国際研究産業都市区域における新たな産業の創出及び産業の国際競争力の強化に寄与する取組を重点的に推進することを目的とする公益財団法人福島イノベーション・コースト構想推進機構（平成二十九年七月二十五日に一般財団法人福島イノベーション・コースト構想推進機構という名称で設立された法人をいう。以下この節において「機構」という。）は、当該取組の推進に関する業務のうち、産業集積の形成及び活性化に資する事業の創出の促進、国、地方公共団体、研究機関、事業者、金融機関その他の関係者相互間の連絡調整及び連携の促進、産業集積の形成及び活性化を図るための方策の企画及び立案その他国の事務又は事業との密接な連携の下で実施する必要があるもの（以下この節において「特定業務」という。）を円滑かつ効果的に行うため、国の職員を機構の職員として必要とするときは、その必要とする事由を明らかにして、任命権者に対し、その派遣を要請することができる。

２　前項の規定による要請の手続は、人事院規則で定める。

（国の職員の派遣）

第八九条の三　任命権者は、前条第一項の規定による要請があった場合において、原子力災害からの福島の復興及び再生の推進その他の国の責務を踏まえ、その要請に係る派遣の必要性、派遣に伴う事務の支障その他の事情を勘案して、国の事務又は事業との密接な連携を確保するために相当と認めるときは、これに応じ、国の職員の同意を得て、機構との間の取決めに基づき、期間を定めて、専ら機構における特定業務を行うものとして当該国の職員を機構に派遣することができる。

2　任命権者は、前項の同意を得るに当たっては、あらかじめ、当該国の職員に同項の取決めの内容及び当該派遣の期間中における給与の支給に関する事項を明示しなければならない。

3　第一項の取決めにおいては、機構における勤務時間、特定業務に係る報酬等（報酬、賃金、給料、俸給、手当、賞与その他いかなる名称であるかを問わず、特定業務の対償として受ける全てのものをいう。第八十九条の五第一項及び第二項において同じ。）その他の勤務条件及び特定業務の内容、派遣の期間、職務への復帰に関する事項その他第一項の規定による派遣の実施に当たって合意しておくべきものとして人事院規則で定める事項を定めるものとする。

4　任命権者は、第一項の取決めの内容を変更しようとするときは、当該国の職員の同意を得なければならない。この場合においては、第二項の規定を準用する。

5　第一項の規定による派遣の期間は、三年を超えることができない。ただし、機構からその期間の延長を希望する旨の申出があり、かつ、特に必要があると認めるときは、任命権者は、当該国の職員の同意を得て、当該派遣の日から引き続き五年を超えない範囲内で、これを延長することができる。

6　第一項の規定により機構において特定業務を行う国の職員は、その派遣の期間中、その同意に係る同項の取決めに定められた内容に従って、機構において特定業務を行うものとする。

7　第一項の規定により派遣された国の職員（以下この節において「派遣職員」という。）は、その派遣の期間中、国の職員としての身分を保有するが、職務に従事しない。

8　第一項の規定による国の職員の特定業務への従事については、国家公務員法第百四条の規定は、適用しない。

（職務への復帰）

第八九条の四　派遣職員は、その派遣の期間が満了したときは、職務に復帰するものとする。

2　任命権者は、派遣職員が機構における職員の地位を失った場合その他の人事院規則で定める場合であって、その派遣を継続することができないか又は適当でないと認めるときは、速やかに、当該派遣職員を職務に復帰させなければならない。

（派遣期間中の給与等）

第八九条の五　任命権者は、機構との間で第八十九条の三第一項の取決めをするに当たっては、同項の規定により派遣される国の職員が機構から受ける特定業務に係る報酬等について、当該国の職員がその派遣前に従事していた職務及び機構において行う特定業務の内容に応じた相当の額が確保されるよう努めなければならない。

2　派遣職員には、その派遣の期間中、給与を支給しない。ただし、機構において特定業務が円滑かつ効果的に行われることを確保するため特に必要があると認められるときは、当該派遣職員には、その派遣の期間中、機構から受ける特定業務に係る報酬等の額に照らして必要と認められる範囲内で、俸給、扶養手当、地域手当、広域異動手当、研究員調整手当、住居手当及び期末手当のそれぞれ百分の百以内を支給することができる。

3　前項ただし書の規定による給与の支給に関し必要な事項は、人事院規則で定める。

（国共済法の特例）

第八九条の六　国共済法第三十九条第二項の規定及び国共済法の短期給付に関する規定は、派遣職員には、適用しない。この場合において、国共済法の短期給付に関する規定の適用を受ける職員が派遣職員となったときは、国共済法の短期給付に関する規定の適用については、そのなった日の前日に退職をしたものとみなし、派遣職員が国共済法の短期給付に関する規定の適用を受ける職員となったときは、国共済法の短期給付に関する規定の適用については、そのなった日に職員となったものとみなす。

2　派遣職員に関する国共済法の退職等年金給付に関する規定の適用については、機構における特定業務を公務とみなす。

3　派遣職員は、国共済法第九十八条第一項各号に掲げる福祉事業を利用することができない。

4　派遣職員に関する国共済法の規定の適用については、国共済法第二条第一項第五号及び第六号中「とし、その他の職員」とあるのは「並びにこれらに相当するものとして次条第一項に規定する組合の運営規則で定めるものとし、その他の職員」と、国共済法第九十九条第二項中「次の各号」とあるのは「第三号」と、「当該各号」とあるのは「同号」と、「及び国の負担金」とあるのは「、福島復興再生特別措置法（平成二十四年法律第二十五号）第八十九条の二第一項に規定する機構（以下「機構」という。）の負担金及び国の負担金」と、同項第三号中「国の負担金」とあるのは「機構の負担金及び国の負担金」と、国共済法第百二条第一項中「各省各庁の長（環境大臣を含む。）、行政執行法人又は職員団体」とあり、及び「国、行政執行法人又は職員団体」とあるのは「機構及び国」と、「第九十九条第二項（同条第六項から第八項までの規定により読み替えて適用する場合を含む。）及び第五項（同条第七項及び第八項の規定により読み替えて適用する場合を含む。）」とあるのは「第九十九条第二項及び第五項」と、同条第四項中「第九十九条第二項第三号及び第四号」とあるのは「第九十九条第二項第三号」と、「並びに同条第五項（同条第七項及び第八項の規定により読み替えて適用する場合を含む。以下この項において同じ。）」とあるのは「及び同条第五項」と、「（同条第五項」とあるのは「（同項」と、「国、行政執行法人又は職員団体」とあるのは「機構及び国」とする。

5　前項の場合において機構及び国が同項の規定により読み替えられた国共済法第九十九条第二項及び厚生年金保険法第八十二条第一項の規定により負担すべき金額その他必要な事項は、政令で定める。

（子ども・子育て支援法の特例）

第八九条の七　派遣職員に関する子ども・子育て支援法の規定の適用については、機構を同法第六十九条第一項第四号に規定する団体とみなす。

（国共済法等の適用関係等についての政令への委任）

第八九条の八　この節に定めるもののほか、派遣職員に関する国共済法、地方公務員等共済組合法、子ども・子育て支援法その他これらに類する法律の適用関係の調整を要する場合におけるその適用関係その他必要な事項は、政令で定める。

（一般職の職員の給与に関する法律の特例）

第八九条の九　第八十九条の三第一項の規定による派遣の期間中又はその期間の満了後における当該国の職員に関する一般職の職員の給与に関する法律第二十三条第一項及び附則第六項の規定の適用については、機構における特定業務（当該特定業務に係る労働者災害補償保険法第七条第二項に規定する通勤（当該特定業務に係る就業の場所を国家公務員災害補償法第一条の二第一項第一号及び第二号に規定する勤務場所とみなした場合に同条に規定する通勤に該当するものに限る。次条第一項において同じ。）を含む。）を公務とみなす。

（国家公務員退職手当法の特例）

第八九条の一〇　第八十九条の三第一項の規定による派遣の期間中又はその期間の満了後に当該国の職員が退職した場合における国家公務員退職手当法の規定の適用については、機構における特定業務に係る業務上の傷病又は死亡は同法第四条第二項、第五条第一項及び第六条の四第一項に規定する公務上の傷病又は死亡と、当該特定業務に係る労働者災害補償保険法第七条第二項に規定する通勤による傷病は国家公務員退職手当法第四条第二項、第五条第二項及び第六条の四第一項に規定する通勤による傷病とみなす。

2　派遣職員に関する国家公務員退職手当法第六条の四第一項及び第七条第四項の規定の適用については、第八十九条の三第一項の規定による派遣の期間は、同法第六条の四第一項に規定する現実に職務をとることを要しない期間には該当しないものとみなす。

3　前項の規定は、派遣職員が機構から所得税法第三十条第一項に規定する退職手当等の支払を受けた場合には、適用しない。

4　派遣職員がその派遣の期間中に退職した場合に支給する国家公務員退職手当法の規定による退職手当の算定の基礎となる俸給月額については、部内の他の職員との権衡上必要があると認められるときは、次条第一項の規定の例により、その額を調整することができる。

（派遣後の職務への復帰に伴う措置）

第八九条の一一　派遣職員が職務に復帰した場合におけるその者の職務の級

及び号俸については、部内の他の職員との権衡上必要と認められる範囲内において、人事院規則の定めるところにより、必要な調整を行うことができる。

2　前項に定めるもののほか、派遣職員が職務に復帰した場合における任用、給与等に関する処遇については、部内の他の職員との均衡を失することのないよう適切な配慮が加えられなければならない。

（人事院規則への委任）

第八九条の一二　この節に定めるもののほか、機構において国の職員が特定業務を行うための派遣に関し必要な事項は、人事院規則で定める。

（機構の役員及び職員の地位）

第八九条の一三　機構の役員及び職員は、刑法その他の罰則の適用については、法令により公務に従事する職員とみなす。

第七章　新産業創出等研究開発基本計画

（新産業創出等研究開発基本計画の策定等）

第九〇条　内閣総理大臣は、福島における新たな産業の創出及び産業の国際競争力の強化に資する研究開発（以下「新産業創出等研究開発」という。）並びにその環境の整備及び成果の普及並びに新産業創出等研究開発に係る人材の育成及び確保に関する施策並びにこれらに関連する施策（以下「新産業創出等研究開発等施策」という。）の総合的かつ計画的な推進を図ることにより、原子力災害からの福島の復興及び再生を推進するため、福島復興再生基本方針に即して、新産業創出等研究開発等施策の推進に関する基本的な計画（以下「新産業創出等研究開発基本計画」という。）を定めるものとする。

2　新産業創出等研究開発基本計画には、次に掲げる事項を定めるものとする。

一　新産業創出等研究開発等施策についての基本的な方針

二　総合的かつ計画的に講ずべき新産業創出等研究開発等施策

三　前二号に掲げるもののほか、新産業創出等研究開発等施策を総合的かつ計画的に推進するために必要な事項

3　前項第二号の新産業創出等研究開発等施策については、当該新産業創出等研究開発等施策の具体的な目標及びその達成の期間を定めるものとする。

4　内閣総理大臣は、新産業創出等研究開発基本計画の作成に当たっては、福島の自然的、経済的及び社会的な特性が最大限に活用されることとなるよう努めるものとする。

5　内閣総理大臣は、新産業創出等研究開発基本計画を定めるときは、あらかじめ、関係行政機関の長に協議するとともに、総合科学技術・イノベーション会議及び福島県知事の意見を聴かなければならない。

6　内閣総理大臣は、新産業創出等研究開発基本計画を定めたときは、遅滞なく、これを公表しなければならない。

7　内閣総理大臣は、新産業創出等研究開発等施策の効果に関する評価を踏まえ、新産業創出等研究開発基本計画の見直しを行い、必要な変更を加えるものとする。

8　第四項から第六項までの規定は、新産業創出等研究開発基本計画の変更について準用する。

（新産業創出等研究開発基本計画における福島国際研究教育機構の位置付け）

第九一条　新産業創出等研究開発基本計画は、福島国際研究教育機構が、新産業創出等研究開発並びにその環境の整備及び成果の普及並びに新産業創出等研究開発に係る人材の育成及び確保において中核的な役割を担うよう定めるものとする。

第八章　福島国際研究教育機構

第一節　総則

第一款　通則

（機構の目的）

第九二条　福島国際研究教育機構（以下「機構」という。）は、原子力災害からの福島の復興及び再生に寄与するため、新産業創出等研究開発基本計画に基づき、新産業創出等研究開発並びにその環境の整備及び成果の普及並びに新産業創出等研究開発に係る人材の育成及び確保等の業務を総合的に行うことを目的とする。

（法人格）

第九三条　機構は、法人とする。

（事務所）

第九四条　機構は、主たる事務所を福島県に置く。

（資本金）

第九五条　機構の資本金は、その設立に際し、政府及び福島の地方公共団体（以下「政府等」という。）が出資する額の合計額とする。

2　機構は、必要があるときは、主務大臣の認可を受けて、その資本金を増加することができる。

3　政府等は、前項の規定により機構がその資本金を増加するときは、機構に出資することができる。

4　政府等は、第一項又は前項の規定により機構に出資するときは、土地、建物その他の土地の定着物又は機械設備（次項において「土地等」という。）を出資の目的とすることができる。

5　前項の規定により出資の目的とする土地等の価額は、出資の日現在における時価を基準として評価委員が評価した価額とする。

6　前項の評価委員その他評価に関し必要な事項は、政令で定める。

（名称の使用制限）

第九六条　機構でない者は、福島国際研究教育機構という名称を用いてはならない。

第二款　設立

（理事長及び監事となるべき者）

第九七条　主務大臣は、機構の長である理事長となるべき者及び監事となるべき者を指名する。

2　前項の規定により指名された理事長となるべき者及び監事となるべき者は、機構の成立の時において、この法律の規定により、それぞれ理事長及び監事に任命されたものとする。

3　第百二条第一項の規定は、第一項の理事長となるべき者の指名について準用する。

（設立委員）

第九八条　主務大臣は、設立委員を命じて、機構の設立に関する事務を処理させる。

2　設立委員は、機構の設立の準備を完了したときは、遅滞なく、その旨を主務大臣に届け出るとともに、その事務を前条第一項の規定により指名された理事長となるべき者に引き継がなければならない。

（機構が承継する国の権利義務）

第九九条　国が有する権利及び義務のうち、第百十条第一項各号に掲げる業務に係るものとして政令で定めるものは、機構の成立の時において機構が承継する。

第二節　役員及び職員

（役員）

第一〇〇条　機構に、役員として、理事長及び監事二人を置く。

2　機構に、役員として、理事二人以内を置くことができる。

（役員の職務及び権限）

第一〇一条　理事長は、機構を代表し、その業務を総理する。

2　理事は、理事長の定めるところにより、理事長を補佐して機構の業務を掌理する。

3　監事は、機構の業務を監査する。この場合において、監事は、主務省令で定めるところにより、監査報告を作成しなければならない。

4　監事は、いつでも、役員（監事を除く。）及び職員に対して事務及び事業の報告を求め、又は機構の業務及び財産の状況の調査をすることができる。

5　監事は、機構がこの法律の規定による認可、承認、認定及び届出に係る書類並びに報告書その他の主務省令で定める書類を主務大臣に提出しようとするときは、これらの書類を調査しなければならない。

6　監事は、その職務を行うため必要があるときは、機構の子法人（機構がその経営を支配している法人として主務省令で定めるものをいう。以下同じ。）に対して事業の報告を求め、又はその子法人の業務及び財産の状況の調査をすることができる。

7　前項の子法人は、正当な理由があるときは、同項の報告又は調査を拒むことができる。
8　監事は、監査の結果に基づき、必要があると認めるときは、理事長又は主務大臣に意見を提出することができる。
9　理事は、理事長の定めるところにより、理事長に事故があるときはその職務を代理し、理事長が欠員のときはその職務を行う。ただし、理事が置かれていないときは、理事長の職務を代理し又はその職務を行う者は、監事とする。
10　前項の規定により理事長の職務を代理し又はその職務を行う監事は、その間、監事の職務を行ってはならない。

（役員の任命）
第一〇二条　理事長は、次に掲げる者のうちから、主務大臣が任命する。
一　機構が行う事務及び事業に関して高度な知識及び経験を有する者
二　前号に掲げる者のほか、機構が行う事務及び事業を適正かつ効率的に運営することができる者
2　監事は、主務大臣が任命する。
3　主務大臣は、前二項の規定により理事長又は監事を任命しようとするときは、必要に応じ、公募（理事長又は監事の職務の内容、勤務条件その他必要な事項を公示して行う候補者の募集をいう。以下この項において同じ。）の活用に努めなければならない。公募によらない場合であっても、透明性を確保しつつ、候補者の推薦の求めその他の適任と認める者を任命するために必要な措置を講ずるよう努めなければならない。
4　理事は、第一項各号に掲げる者のうちから、理事長が任命する。
5　理事長は、前項の規定により理事を任命したときは、遅滞なく、その旨を主務大臣に届け出るとともに、公表しなければならない。

（役員の任期）
第一〇三条　理事長の任期は、任命の日から、当該任命の日を含む機構の第百十二条第一項に規定する中期目標の期間（以下この項及び次項において「中期目標の期間」という。）の末日までとする。ただし、主務大臣は、より適切と認める者を任命するため特に必要があると認めるときは、中期目標の期間の初日以後最初に任命される理事長の任期を、任命の日から、当該初日から三年又は四年を経過する日までとすることができる。
2　前項の規定にかかわらず、主務大臣は、第九十七条第一項の規定により理事長となるべき者としてより適切と認める者を指名するため特に必要があると認めるときは、同条第二項の規定によりその成立の時において任命されたものとされる理事長の任期を、任命の日から、中期目標の期間の初日から三年又は四年を経過する日までとすることができる。
3　前二項の規定にかかわらず、補欠の理事長の任期は、前任者の残任期間とする。
4　監事の任期は、理事長の任期（補欠の理事長の任期を含む。以下この項において同じ。）と対応するものとし、任命の日から、当該対応する理事長の任期の末日を含む事業年度についての財務諸表承認日（第百十八条第一項の規定による同項の財務諸表の承認の日をいう。）までとする。ただし、補欠の監事の任期は、前任者の残任期間とする。
5　理事の任期は、当該理事について理事長が定める期間（その末日が当該理事長の任期の末日以前であるものに限る。）とする。ただし、補欠の理事の任期は、前任者の残任期間とする。
6　役員は、再任されることができる。

（役員の欠格条項）
第一〇四条　政府又は地方公共団体の職員（非常勤の者及び教育公務員又は研究公務員で政令で定めるものを除く。）は、役員となることができない。

（役員の損害賠償責任）
第一〇五条　機構の役員は、その任務を怠ったときは、機構に対し、これによって生じた損害を賠償する責任を負う。
2　前項の責任は、主務大臣の承認がなければ、免除することができない。

（役員及び職員の秘密保持義務）
第一〇六条　機構の役員及び職員は、職務上知ることのできた秘密を漏らしてはならない。その職を退いた後も、同様とする。

（役員及び職員の地位）
第一〇七条　機構の役員及び職員は、刑法その他の罰則の適用については、法令により公務に従事する職員とみなす。

（労働契約法の特例）
第一〇八条　次の各号に掲げる者の当該各号の労働契約に係る労働契約法（平成十九年法律第百二十八号）第十八条第一項の規定の適用については、同項中「五年」とあるのは、「十年」とする。
一　研究者等（新産業創出等研究開発に従事する研究者及び技術者をいう。第三号において同じ。）であって機構との間で期間の定めのある労働契約（以下この条において「有期労働契約」という。）を締結したもの
二　新産業創出等研究開発等（新産業創出等研究開発並びにその環境の整備及び成果の普及をいう。以下この号及び次号並びに第三項において同じ。）に係る企画立案、資金の確保並びに知的財産権の取得及び活用その他の新産業創出等研究開発等に係る運営及び管理に係る業務（専門的な知識及び能力を必要とするものに限る。）に従事する者であって機構との間で有期労働契約を締結したもの
三　機構以外の者が機構との協定その他の契約により機構と共同して行う新産業創出等研究開発等（次号において「共同研究開発等」という。）の業務に専ら従事する研究者等であって機構以外の者との間で有期労働契約を締結したもの
四　共同研究開発等に係る企画立案、資金の確保並びに知的財産権の取得及び活用その他の共同研究開発等に係る運営及び管理に係る業務（専門的な知識及び能力を必要とするものに限る。）に専ら従事する者であって当該共同研究開発等を行う機構以外の者との間で有期労働契約を締結したもの
2　前項第一号及び第二号に掲げる者（大学の学生である者を除く。）のうち大学に在学している間に機構との間で有期労働契約（当該有期労働契約の期間のうちに大学に在学している期間を含むものに限る。）を締結していた者の同項第一号及び第二号の労働契約に係る労働契約法第十八条第一項の規定の適用については、当該大学に在学している期間は、同項に規定する通算契約期間に算入しない。
3　機構は、新産業創出等研究開発等を行うに当たっては、第一項第一号及び第二号に掲げる者について、各人の知識及び能力に応じた適切な処遇の確保、労働条件の改善その他雇用の安定を図るために必要な措置を講ずるよう努めなければならない。

第三節　新産業創出等研究開発協議会

第一〇九条　機構は、新産業創出等研究開発等施策の実施に関し必要な協議を行うため、新産業創出等研究開発協議会（以下この条及び次条第一項第七号において「協議会」という。）を組織するものとする。
2　協議会は、次に掲げる者をもって構成する。
一　機構
二　福島県知事
三　大学その他の研究機関
四　関係行政機関、福島の関係市町村長その他の機構が必要と認める者
3　協議会は、必要があると認めるときは、協議会の構成員以外の関係行政機関並びに原子力災害からの福島の復興及び再生に取り組む事業者その他の関係者（次項において「関係行政機関等」という。）に対し、資料の提出、意見の表明、説明その他の必要な協力を求めることができる。
4　関係行政機関等は、前項の規定に基づき、協議会から資料の提出、意見の表明、説明その他の必要な協力の求めがあった場合には、これに応ずるよう努めなければならない。
5　協議会において協議が調った事項については、協議会の構成員はその協議の結果を尊重しなければならない。
6　前各項に定めるもののほか、協議会の運営に関し必要な事項は、協議会が定める。

第四節　業務運営

第一款　業務

（業務の範囲）
第一一〇条　機構は、第九十二条の目的を達成するため、次に掲げる業務を行う。
一　新産業創出等研究開発及びその環境の整備を行うこと。
二　新産業創出等研究開発の成果を普及し、及びその活用を促進すること。
三　新産業創出等研究開発及びその環境の整備に対する助成を行うこと。
四　機構の施設及び設備を第八十八条の二に規定する事業活動を行う者そ

の他の新産業創出等研究開発に資する活動を行う者の利用に供すること。
五　新産業創出等研究開発に関する研究者及び技術者を養成し、及びその資質の向上を図ること。
六　海外から新産業創出等研究開発に関する研究者を招へいすること。
七　協議会の設置及び運営並びに当該協議会の構成員との連絡調整を行うこと。
八　新産業創出等研究開発に係る内外の情報及び資料の収集、分析及び提供を行うこと。
九　前号に掲げるもののほか、原子力発電所の事故に係る放射線に関する情報の収集、分析及び提供並びに当該放射線に関する国民の理解を深めるための広報活動及び啓発活動を行うこと。
十　新産業創出等研究開発の成果の活用を促進する事業であって政令で定めるものを実施する者に対し、出資並びに人的及び技術的援助を行うこと。
十一　機構以外の者から委託を受け、又はこれと共同して行う新産業創出等研究開発に関する研修その他の機構以外の者との連携による新産業創出等研究開発に関する教育活動を行うこと。
十二　前各号に掲げる業務に附帯する業務を行うこと。
2　機構は、前項第十号に掲げる業務のうち出資に関するものを行おうとするときは、主務大臣の認可を受けなければならない。

（株式又は新株予約権の取得及び保有）
第百十一条　機構は、機構の新産業創出等研究開発の成果を事業活動において活用し、又は活用しようとする者（以下この項において「成果活用事業者」という。）に対し、新産業創出等研究開発の成果の普及及び活用の促進に必要な支援を行うに当たって、当該成果活用事業者の資力その他の事情を勘案し、特に必要と認めてその支援を無償とし、又はその支援の対価を時価よりも低く定めることその他の措置をとる場合において、当該成果活用事業者の発行した株式又は新株予約権を取得することができる。
2　機構は、前項の規定により取得した株式又は新株予約権（その行使により発行され、又は移転された株式を含む。）を保有することができる。

第二款　中期目標等

（中期目標）
第百十二条　主務大臣は、七年間において機構が達成すべき研究開発等業務（第百十条第一項各号に掲げる業務のうち、第百十七条第一項に規定する助成等業務を除いたものをいう。以下同じ。）についての運営に関する目標（以下「中期目標」という。）を定め、これを機構に指示するとともに、公表しなければならない。これを変更したときも、同様とする。
2　中期目標においては、次に掲げる事項について具体的に定めるものとする。
一　新産業創出等研究開発の成果の最大化その他の研究開発等業務の質の向上に関する事項
二　研究開発等業務の運営の効率化に関する事項
三　財務内容の改善に関する事項
四　前三号に掲げるもののほか、研究開発等業務の運営に関する重要事項
3　中期目標は、新産業創出等研究開発基本計画に即するものでなければならない。
4　主務大臣は、中期目標を定め、又は変更するときは、あらかじめ、復興推進委員会及び総合科学技術・イノベーション会議の意見を聴かなければならない。
5　主務大臣は、前項の規定により中期目標に係る意見を聴くときは、あらかじめ、原子力災害からの福島の復興及び再生の推進を図る見地からの福島県知事の意見を聴かなければならない。

（中期計画）
第百十三条　機構は、前条第一項の規定により中期目標の指示を受けたときは、主務省令で定めるところにより、当該中期目標を達成するための計画（以下「中期計画」という。）を作成し、主務大臣の認可を受けなければならない。
2　中期計画においては、次に掲げる事項を定めるものとする。
一　新産業創出等研究開発の成果の最大化その他の研究開発等業務の質の向上に関する目標を達成するためとるべき措置
二　研究開発等業務の運営の効率化に関する目標を達成するためとるべき措置
三　予算（人件費の見積りを含む。）、収支計画及び資金計画
四　短期借入金の限度額
五　不要財産（第百二十五条において準用する独立行政法人通則法第八条第三項に規定する不要財産をいう。以下同じ。）又は不要財産となることが見込まれる財産がある場合には、当該財産の処分に関する計画
六　前号に規定する財産以外の重要な財産を譲渡し、又は担保に供しようとするときは、その計画
七　剰余金の使途
八　前各号に掲げるもののほか、主務省令で定める研究開発等業務の運営に関する事項
3　機構は、第一項の認可を受けた中期計画を変更するときは、あらかじめ、主務省令で定めるところにより、主務大臣の認可を受けなければならない。
4　機構は、第一項又は前項の認可を申請するときは、あらかじめ、原子力災害からの福島の復興及び再生の推進を図る見地からの福島県知事の意見を聴かなければならない。
5　主務大臣は、第一項又は第三項の認可をした中期計画が前条第二項各号に掲げる事項の適正かつ確実な実施上不適当となったと認めるときは、その中期計画を変更すべきことを命ずることができる。
6　機構は、第一項又は第三項の認可を受けたときは、遅滞なく、その中期計画を公表しなければならない。
7　中期計画は、福島復興再生計画との調和が保たれたものでなければならない。

（年度計画）
第百十四条　機構は、毎事業年度の開始前に、前条第一項又は第三項の認可を受けた中期計画に基づき、主務省令で定めるところにより、その事業年度の研究開発等業務の運営に関する計画（次項及び次条第九項において「年度計画」という。）を定め、これを主務大臣に届け出るとともに、公表しなければならない。これを変更したときも、同様とする。
2　機構の最初の事業年度の年度計画については、前項中「毎事業年度の開始前に、前条第一項又は第三項の認可を受けた」とあるのは、「その成立後最初の中期計画について前条第一項の認可を受けた後遅滞なく、その」とする。

（各事業年度に係る研究開発等業務の実績等に関する評価等）
第百十五条　機構は、毎事業年度の終了後、当該事業年度が次の各号に掲げる事業年度のいずれに該当するかに応じ当該各号に定める事項について、主務大臣の評価を受けなければならない。
一　次号及び第三号に掲げる事業年度以外の事業年度　当該事業年度における研究開発等業務の実績
二　中期目標の期間の最後の事業年度の直前の事業年度　当該事業年度における研究開発等業務の実績及び中期目標の期間の終了時に見込まれる中期目標の期間における研究開発等業務の実績
三　中期目標の期間の最後の事業年度　当該事業年度における研究開発等業務の実績及び中期目標の期間における研究開発等業務の実績
2　機構は、前項の規定による評価のほか、中期目標の期間の初日以後最初に任命される理事長の任期が第百三条第一項ただし書の規定により定められた場合又は第九十七条第二項の規定によりその成立の時において任命されたものとされる理事長の任期が第百三条第二項の規定により定められた場合には、それらの理事長（以下この項において「最初の理事長」という。）の任期（補欠の理事長の任期を含む。）の末日を含む事業年度の終了後、当該最初の理事長の任命の日を含む事業年度から当該末日を含む事業年度の事業年度末までの期間における研究開発等業務の実績について、主務大臣の評価を受けなければならない。
3　機構は、第一項の評価を受けようとするときは、主務省令で定めるところにより、各事業年度の終了後三月以内に、同項各号に定める事項及び当該事項について自ら評価を行った結果を明らかにした報告書を主務大臣に提出するとともに、公表しなければならない。
4　機構は、第二項の評価を受けようとするときは、主務省令で定めるところにより、同項に規定する末日を含む事業年度の終了後三月以内に、同項に規定する研究開発等業務の実績及び当該研究開発等業務の実績について自ら評価を行った結果を明らかにした報告書を主務大臣に提出するとともに、公表しなければならない。
5　第一項又は第二項の評価は、第一項各号に定める事項又は第二項に規定

する研究開発等業務の実績について総合的な評定を付して、行わなければならない。この場合において、第一項各号に規定する当該事業年度における中期計画の実施状況の調査及び分析を行い、その結果を考慮して行わなければならない。

6 主務大臣は、第一項又は第二項の評価を行うときは、あらかじめ、復興推進委員会及び総合科学技術・イノベーション会議の意見を聴かなければならない。

7 主務大臣は、第一項又は第二項の評価を行ったときは、遅滞なく、機構及び福島県知事に対して、その評価の結果を通知するとともに、公表しなければならない。

8 福島県知事は、必要があると認めるときは、主務大臣に対し、前項の規定により通知された評価の結果について、原子力災害からの福島の復興及び再生の推進を図る見地からの意見を述べることができる。

9 機構は、第一項又は第二項の評価の結果を、中期計画及び年度計画並びに研究開発等業務の運営の改善に適切に反映させるとともに、毎年度、評価結果の反映状況を公表しなければならない。

（中期目標の期間の終了時の検討）

第一一六条 主務大臣は、前条第一項第二号に規定する中期目標の期間の終了時に見込まれる中期目標の期間における研究開発等業務の実績に関する評価を行ったときは、中期目標の期間の終了時までに、研究開発等業務における個々の研究開発の妥当性及びその継続の必要性並びに研究開発体制の在り方その他の組織及び業務の全般にわたる検討を行い、その結果に基づき、所要の措置を講ずるものとする。

2 主務大臣は、前項の規定による検討を行うに当たっては、復興推進委員会及び総合科学技術・イノベーション会議の意見を聴かなければならない。

3 主務大臣は、前項の規定により意見を聴くときは、あらかじめ、原子力災害からの福島の復興及び再生の推進を図る見地からの福島県知事の意見を聴かなければならない。

4 主務大臣は、第一項の検討の結果及び同項の規定により講ずる措置の内容を公表しなければならない。

（助成等業務実施計画）

第一一七条 機構は、毎事業年度、主務省令で定めるところにより、助成等業務（第百十条第一項第三号、第七号及び第九号に掲げる業務並びにこれらに附帯する業務をいう。）に係る実施計画（以下この条において「助成等業務実施計画」という。）を作成し、当該事業年度の開始前に、主務大臣の認可を受けなければならない。

2 機構は、前項の認可を受けた助成等業務実施計画を変更するときは、あらかじめ、主務省令で定めるところにより、主務大臣の認可を受けなければならない。

3 機構は、前二項の認可を申請するときは、あらかじめ、原子力災害からの福島の復興及び再生の推進を図る見地からの福島県知事の意見を聴かなければならない。

4 機構は、第一項又は第二項の認可を受けたときは、遅滞なく、その助成等業務実施計画を公表しなければならない。

5 助成等業務実施計画は、新産業創出等研究開発基本計画に即するとともに、福島復興再生計画との調和が保たれたものでなければならない。

6 機構の最初の事業年度の助成等業務実施計画については、第一項中「毎事業年度」とあるのは「その成立後遅滞なく」と、「当該事業年度の開始前に、主務大臣」とあるのは「主務大臣」とする。

第五節　財務及び会計

（財務諸表等）

第一一八条 機構は、毎事業年度、貸借対照表、損益計算書、利益の処分又は損失の処理に関する書類その他主務省令で定める書類及びこれらの附属明細書（以下「財務諸表」という。）を作成し、当該事業年度の終了後三月以内に主務大臣に提出し、その承認を受けなければならない。

2 機構は、前項の規定により財務諸表を主務大臣に提出するときは、これに主務省令で定めるところにより作成した当該事業年度の事業報告書及び予算の区分に従い作成した決算報告書並びに財務諸表及び決算報告書に関する監査報告並びに次条第一項に規定する会計監査報告を添付しなければならない。

3 機構は、第一項の規定による主務大臣の承認を受けたときは、遅滞なく、財務諸表を官報に公告し、かつ、財務諸表並びに前項の事業報告書、決算報告書並びに監査報告及び会計監査報告を、主たる事務所に備えて置き、主務省令で定める期間、一般の閲覧に供しなければならない。

4 機構は、財務諸表のうち第一項の附属明細書その他主務省令で定める書類については、前項の規定による公告に代えて、次に掲げる方法のいずれかにより公告することができる。

一 時事に関する事項を掲載する日刊新聞紙に掲載する方法

二 電子公告（電子情報処理組織を使用する方法その他の情報通信の技術を利用する方法であって主務省令で定めるものにより不特定多数の者が公告すべき内容である情報の提供を受けることができる状態に置く措置であって主務省令で定めるものをとることにより行う公告の方法をいう。次項において同じ。）

5 機構が前項の規定により電子公告による公告をする場合には、第三項の主務省令で定める期間、継続して当該公告をしなければならない。

（会計監査人）

第一一九条 機構は、財務諸表、事業報告書（会計に関する部分に限る。）及び決算報告書について、監事の監査のほか、会計監査人の監査を受けなければならない。この場合において、会計監査人は、主務省令で定めるところにより、会計監査報告を作成しなければならない。

2 会計監査人は、主務大臣が選任する。

3 第百五条の規定は、会計監査人について準用する。

（利益及び損失の処理）

第一二〇条 機構は、毎事業年度、損益計算において利益を生じたときは、前事業年度から繰り越した損失を埋め、なお残余があるときは、その残余の額は、積立金として整理しなければならない。ただし、第三項の規定により同項の使途に充てる場合は、この限りでない。

2 機構は、毎事業年度、損益計算において損失を生じたときは、前項の規定による積立金を減額して整理し、なお不足があるときは、その不足額は、繰越欠損金として整理しなければならない。

3 機構は、第一項に規定する残余があるときは、主務大臣の承認を受けて、その残余の額の全部又は一部を第百十三条第一項の認可を受けた中期計画（同条第三項の規定による変更の認可を受けたときは、その変更後のもの。以下同じ。）の同条第二項第七号の剰余金の使途に充てることができる。

（積立金の処分）

第一二一条 機構は、中期目標の期間の最後の事業年度に係る前条第一項又は第二項の規定による整理を行った後、同条第一項の規定による積立金があるときは、その額に相当する金額のうち主務大臣の承認を受けた金額を、当該中期目標の期間の次の中期目標の期間に係る中期計画の定めるところにより、当該次の中期目標の期間における研究開発等業務の財源に充てることができる。

2 機構は、前項に規定する積立金の額に相当する金額から同項の規定による承認を受けた金額を控除してなお残余があるときは、その残余の額を出資者の出資に対しそれぞれの出資額に応じて納付しなければならない。

3 前二項に定めるもののほか、納付金の納付の手続その他積立金の処分に関し必要な事項は、政令で定める。

（政府の補助）

第一二二条 政府は、予算の範囲内において、機構に対し、その業務の財源に充てるために必要な金額の全部又は一部に相当する金額を補助することができる。

第六節　監督

（監督命令）

第一二三条 主務大臣は、中期目標を達成するためその他この法律を施行するため必要があると認めるときは、機構に対して、その業務に関し監督上必要な命令をすることができる。

（報告及び検査）

第一二四条 主務大臣は、この法律を施行するため必要があると認めるときは、機構に対し、その業務並びに資産及び債務の状況に関し報告をさせ、又はその職員に、機構の事務所に立ち入り、業務の状況若しくは帳簿、書類その他の必要な物件を検査させることができる。

2　前項の規定により職員が立入検査をする場合には、その身分を示す証明書を携帯し、関係人にこれを提示しなければならない。

3　第一項の規定による立入検査の権限は、犯罪捜査のために認められたものと解してはならない。

第七節　雑則

（独立行政法人通則法の規定の準用）

第一二五条　独立行政法人通則法第八条第一項及び第三項、第九条、第十一条、第十六条、第十七条、第十九条の二、第二十一条の四、第二十一条の五、第二十三条から第二十五条まで、第二十六条、第二十八条、第三十六条、第三十七条、第三十九条第二項から第五項まで、第三十九条の二、第四十一条から第四十三条まで、第四十五条並びに第四十六条の二から第五十条の十までの規定は、機構について準用する。この場合において、次の表の上欄に掲げる同法の規定中同表の中欄に掲げる字句は、それぞれ同表の下欄に掲げる字句に読み替えるものとする。

読み替えられる独立行政法人通則法の規定	読み替えられる字句	読み替える字句
第八条第三項	主務省令（当該独立行政法人を所管する内閣府又は各省の内閣府令又は省令をいう。ただし、原子力規制委員会が所管する独立行政法人については、原子力規制委員会規則とする。以下同じ。）	福島復興再生特別措置法（平成二十四年法律第二十五号）第百二十七条第二項に規定する主務省令（以下「主務省令」という。）
第十六条	第十四条第一項	福島復興再生特別措置法第九十七条第一項
	前条第二項	同法第九十八条第二項
第十六条、第十九条の二、第二十三条、第二十五条及び第二十六条	法人の長	理事長
第十九条の二、第二十八条第二項、第三十九条の二第一項及び第五十条の四第六項	この法律、個別法	福島復興再生特別措置法
第十九条の二	主務大臣	同法第百二十七条第一項に規定する主務大臣（以下「主務大臣」という。）
第二十三条第一項	前条	福島復興再生特別措置法第百四条
第二十三条第四項	役員	理事
第二十四条	法人の長その他の代表権を有する役員	理事長又は理事
第三十九条第二項第二号	総務省令	主務省令
第三十九条第三項	子法人に	子法人（福島復興再生特別措置法第百一条第六項に規定する子法人をいう。以下同じ。）に
第三十九条第五項第二号及び第三号	第四十条	福島復興再生特別措置法第百十九条第二項
第四十一条第三項第一号	財務諸表	福島復興再生特別措置法第百十八条第一項に規定する財務諸表
第四十二条	財務諸表承認日	福島復興再生特別措置法第百三条第四項に規定する財務諸表承認日
第四十五条第一項	中期目標管理法人の中期計画の第三十条第二項第四号、国立研究開発法人の中長期計画の第三十五条の五第二項第四号又は行政執行法人の事業計画（第三十五条の十第一項の認可を受けた同項の事業計画（同項後段の規定による変更の認可を受けたときは、その変更後のもの）をいう。以下同じ。）の第三十五条の十第三項第四号	福島復興再生特別措置法第百二十条第三項に規定する中期計画（以下「中期計画」という。）の同法第百十三条第二項第四号
第四十五条第四項	個別法に別段の定めがある場合を除くほか、長期借入金	長期借入金
第四十六条の二第一項ただし書及び第二項ただし書並びに第四十六条の三第一項ただし書	中期目標管理法人の中期計画において第三十条第二項第五号の計画を定めた場合、国立研究開発法人の中長期計画において第三十五条の五第二項第五号の計画を定めた場合又は行政執行法人の事業計画において第三十五条の十第三項第五号	中期計画において福島復興再生特別措置法第百十三条第二項第五号
	これらの	その
第四十六条の三第一項	政府以外の者	福島の地方公共団体
第四十六条の三第一項、第三項及び第五項	民間等出資に係る不要財産	地方公共団体出資に係る不要財産
第四十八条ただし書	中期目標管理法人の中期計画において第三十条第二項第六号の計画を定めた場合、国立研究開発法人の中長期計画において第三十五条の五第二項第六号の計画を定めた場合又は行政執行法人の事業計画において第三十五条の十第三項第六号	中期計画において福島復興再生特別措置法第百十三条第二項第六号
	これらの	その
第五十条	この法律	福島復興再生特別措置法
第五十条の二第三項	実績	実績並びに役員のうち世界最高水準の高度の専門的な知識及び経験を活用

		して遂行することが特に必要とされる業務に従事するものについて国際的に卓越した能力を有する人材を確保する必要性
第五十条の四第二項第一号及び第五号、第三項並びに第五項、第五十条の六、第五十条の七第一項、第五十条の八第三項並びに第五十条の九	政令	主務省令
第五十条の四第二項第三号	研究に	福島復興再生特別措置法第九十条第一項に規定する新産業創出等研究開発に
第五十条の四第二項第四号	第三十二条第一項	福島復興再生特別措置法第百十五条第一項
	業務の実績	研究開発等業務の実績
第五十条の四第二項第五号	第三十五条第一項	福島復興再生特別措置法第百十六条第一項
第五十条の四第四項	総務大臣	主務大臣
第五十条の十第三項	並びに職員	、職員
	雇用形態	雇用形態並びに専ら福島復興再生特別措置法第九十条第一項に規定する新産業創出等研究開発に従事する職員のうち世界最高水準の高度の専門的な知識及び経験を活用して遂行することが特に必要とされる業務に従事するものについて国際的に卓越した能力を有する人材を確保する必要性

（財務大臣との協議）

第一二六条　主務大臣は、次に掲げる場合には、財務大臣に協議しなければならない。

一　第百十二条第一項の規定により中期目標を定め、又は変更しようとするとき。

二　第百十三条第一項若しくは第三項又は第百十七条第一項若しくは第二項の規定による認可をしようとするとき。

三　第百二十条第三項又は第百二十一条第一項の規定による承認をしようとするとき。

四　前条において準用する独立行政法人通則法第四十五条第一項ただし書若しくは第二項ただし書、第四十六条の二第一項、第二項若しくは第三項ただし書、第四十六条の三第一項又は第四十八条の規定による認可をしようとするとき。

五　前条において準用する独立行政法人通則法第四十七条第一号又は第二号の規定による指定をしようとするとき。

（主務大臣等）

第一二七条　機構に係るこの法律における主務大臣は、次のとおりとする。

一　役員及び職員並びに財務及び会計その他管理業務に関する事項については、内閣総理大臣

二　第百十条第一項各号に掲げる業務（次号に規定する業務を除く。）に関する事項については、内閣総理大臣、文部科学大臣、厚生労働大臣、農林水産大臣、経済産業大臣、環境大臣及び政令で定める大臣

三　第百十条第一項第七号に掲げる業務及びこれに附帯する業務に関する事項については、内閣総理大臣

2　機構に係るこの法律における主務省令は、主務大臣の発する命令とする。ただし、前項第二号に規定する業務に係る主務省令については、同号に規定する主務大臣が共同で発する命令とする。

（解散）

第一二八条　機構の解散については、別に法律で定める。

第九章　福島の復興及び再生に関する施策の推進のために必要な措置

（生活の安定を図るための措置）

第一二九条　国は、原子力災害からの福島の復興及び再生を推進するため、原子力災害により避難指示区域から避難している者（その避難している地域に住所を移転した者を含む。次条において同じ。）及び避難指示区域に係る避難指示の解除により避難解除区域に再び居住する者について、雇用の安定を図るための措置その他の生活の安定を図るため必要な措置を講ずるものとする。

2　国は、前項の措置を講ずるに当たっては、避難指示区域をその区域に含む市町村の地域の個性及び特色の維持が図られるよう配慮するものとする。

（住民の円滑な帰還及び移住等の促進を図るための措置）

第一三〇条　国は、放射線又は長期にわたる避難により生ずる健康上の不安、帰還後における生活上の不安その他の原子力災害の影響により避難指示区域から避難している者が有する帰還に対する不安を解消するため、福島の地方公共団体が行う相談体制の整備その他の取組を支援するため必要な措置を講ずるものとする。

第一三一条　国は、長期にわたる住民の避難その他の事情により避難指示区域においてイノシシその他の鳥獣による被害が増大していることに鑑み、住民の円滑な帰還及び移住等を促進するため、避難指示区域内における当該被害を防止するため必要な措置を講ずるものとする。

第一三二条　国は、特定避難指示区域市町村によって特定避難指示区域への将来的な住民の帰還及び移住等を促進するための中長期的な構想が策定されているときは、当該構想を勘案して、地域住民の交流の拠点となる施設の機能の回復及び保全その他の当該構想に基づいて当該特定避難指示区域市町村が行う取組を支援するため必要な措置を講ずるものとする。

第一三三条　国は、避難指示・解除区域市町村への住民の円滑な帰還及び移住等の促進並びに避難指示・解除区域市町村における住民の生活の利便性の向上を図るため、持続可能な地域公共交通網を形成するため必要な措置を講ずるものとする。

（保健、医療及び福祉にわたる総合的な措置）

第一三四条　国は、原子力発電所の事故に係る放射線による被ばくに起因する健康被害が将来発生した場合においては、保健、医療及び福祉にわたる措置を総合的に講ずるため必要な法制上又は財政上の措置その他の措置を講ずるものとする。

（再生可能エネルギーの開発等のための財政上の措置）

第一三五条　国は、原子力災害からの福島の復興及び再生に関する国の施策として、再生可能エネルギーの開発及び導入のため必要な財政上の措置、エネルギーの供給源の多様化のため必要な財政上の措置その他の措置を講ずるものとする。

（東日本大震災からの復興のための財政上の措置の活用）

第一三六条　国は、原子力災害からの福島の復興及び再生の円滑かつ迅速な推進を図るため、東日本大震災からの復興のための財政上の措置を、府省横断的かつ効果的に活用するものとする。

2　内閣総理大臣は、前項の東日本大震災からの復興のための財政上の措置の府省横断的かつ効果的な活用に資するため、福島の地方公共団体の要望を踏まえつつ、復興庁設置法（平成二十三年法律第百二十五号）第四条第二項第三号イの規定に基づき、必要な予算を一括して要求し、確保するとともに、原子力災害からの福島の復興及び再生に活用することができる財政上の措置について、政府全体の見地から、情報の提供、相談の実施その他の措置を講ずるものとする。

（住民の健康を守るための基金に係る財政上の措置等）

第一三七条　国は、健康管理調査その他原子力災害から子どもをはじめとす

る住民の健康を守るために必要な事業を実施することを目的として地方自治法（昭和二十二年法律第六十七号）第二百四十一条の基金として福島県が設置する基金について、予算の範囲内において、必要な財政上の措置を講ずるものとする。

2　福島県は、子どもをはじめとする住民が安心して暮らすことのできる生活環境の実現のための事業を行うときは、前項の福島県が設置する基金を活用することができる。

3　国は、第一項に定める措置のほか、福島の地方公共団体が原子力災害からの復興及び再生に関する施策を実施するための財源を確保するため、原子力被害応急対策基金（平成二十三年原子力事故による被害に係る緊急措置に関する法律（平成二十三年法律第九十一号）第十四条第一項の原子力被害応急対策基金をいう。）その他地方自治法第二百四十一条の基金として福島の地方公共団体が設置する原子力災害からの復興及び再生のための基金の更なる活用のため、予算の範囲内において、必要な財政上の措置を講ずることができる。

（復興大臣による適切かつ迅速な勧告）

第一三八条　復興大臣は、福島の置かれた特殊な諸事情に鑑み、この法律に基づく原子力災害からの福島の復興及び再生に関する施策を円滑かつ迅速に実施するため、復興庁設置法第八条第五項の規定により、適切かつ迅速に勧告するものとする。

第十章　原子力災害からの福島復興再生協議会

第一三九条　原子力災害からの福島の復興及び再生の推進に関し必要な協議を行うため、原子力災害からの福島復興再生協議会（以下この条において「協議会」という。）を組織する。

2　協議会は、次に掲げる者をもって構成する。

一　復興大臣及び福島県知事

二　内閣総理大臣及び福島県知事が協議して指名する関係行政機関の長、関係市町村長その他の者

3　協議会に議長を置き、復興大臣をもって充てる。

4　内閣総理大臣は、いつでも協議会に出席し発言することができる。

5　議長は、協議会における協議に資するため、分科会を開催し、特定の事項に関する調査及び検討を行わせることができる。

6　協議会及び分科会は、必要があると認めるときは、国の行政機関の長及び地方公共団体の長その他の執行機関に対して、資料の提供、意見の表明、説明その他必要な協力を求めることができる。

7　協議会において協議が調った事項については、協議会の構成員はその協議の結果を尊重しなければならない。

8　第二項から前項までに定めるもののほか、協議会及び分科会の運営に関し必要な事項は、協議会が定める。

第十一章　雑則

（この法律に基づく措置の費用負担）

第一四〇条　この法律の規定は、この法律に基づき講ぜられる国の措置であって、原子力損害の賠償に関する法律（昭和三十六年法律第百四十七号）第三条第一項の規定により原子力事業者（同法第二条第三項に規定する原子力事業者をいう。）が賠償する責めに任ずべき損害に係るものについて、国が当該原子力事業者に対して、当該措置に要する費用の額に相当する額の限度において求償することを妨げるものではない。

（主務省令）

第一四一条　この法律（第八章を除く。）における主務省令は、当該規制について規定する法律及び法律に基づく命令（人事院規則、公正取引委員会規則、国家公安委員会規則、公害等調整委員会規則、公安審査委員会規則、中央労働委員会規則、運輸安全委員会規則及び原子力規制委員会規則を除く。）を所管する内閣官房、内閣府、デジタル庁、復興庁又は各省の内閣官房令（告示を含む。）、内閣府令（告示を含む。）、デジタル庁令（告示を含む。）、復興庁令（告示を含む。）又は省令（告示を含む。）とする。ただし、人事院、公正取引委員会、国家公安委員会、公害等調整委員会、公安審査委員会、中央労働委員会、運輸安全委員会又は原子力規制委員会の所管に係る規制については、それぞれ人事院規則、公正取引委員会規則、国家公安委員会規則、公害等調整委員会規則、公安審査委員会規則、中央労働委員会規則、運輸安全委員会規則又は原子力規制委員会規則とする。

（権限の委任）

第一四二条　この法律（第八章を除く。）に規定する内閣総理大臣、農林水産大臣、経済産業大臣、国土交通大臣又は環境大臣の権限は、政令で定めるところにより、復興局又は地方支分部局の長に委任することができる。

（命令への委任）

第一四三条　この法律に定めるもののほか、この法律の実施に関し必要な事項は、命令で定める。

（経過措置）

第一四四条　この法律の規定に基づき命令又は条例を制定し、又は改廃する場合においては、それぞれ命令又は条例で、その制定又は改廃に伴い合理的に必要と判断される範囲内において、所要の経過措置（罰則に関する経過措置を含む。）を定めることができる。

第十二章　罰則

第一四五条　第百六条の規定に違反して秘密を漏らした者は、一年以下の懲役又は五十万円以下の罰金に処する。

第一四六条　第百二十四条第一項の規定による報告をせず、若しくは虚偽の報告をし、又は同項の規定による検査を拒み、妨げ、若しくは忌避した場合には、その違反行為をした機構の役員又は職員は、二十万円以下の罰金に処する。

第一四七条　次の各号のいずれかに該当する場合には、その違反行為をした機構の役員は、二十万円以下の過料に処する。

一　第九十五条第二項、第百十条第二項、第百十三条第一項若しくは第三項又は第百十七条第一項若しくは第二項の規定により主務大臣の認可を受けなければならない場合において、その認可を受けなかったとき。

二　第百一条第四項又は第五項の規定による調査を妨げたとき。

三　第百二条第五項又は第百十四条第一項の規定により主務大臣に届出をしなければならない場合において、その届出をせず、又は虚偽の届出をしたとき。

四　第百二条第五項、第百十三条第六項、第百十四条第一項、第百十五条第三項、第四項若しくは第九項又は第百十七条第四項の規定により公表をしなければならない場合において、その公表をせず、又は虚偽の公表をしたとき。

五　第百五条第二項（第百十九条第三項において準用する場合を含む。）、第百十八条第一項、第百二十条第三項又は第百二十一条第一項の規定により主務大臣の承認を受けなければならない場合において、その承認を受けなかったとき。

六　第百十条第一項に規定する業務以外の業務を行ったとき。

七　第百十三条第五項又は第百二十三条の規定による主務大臣の命令に違反したとき。

八　第百十五条第三項又は第四項の規定による報告書の提出をせず、又は報告書に記載すべき事項を記載せず、若しくは虚偽の記載をして報告書を提出したとき。

九　第百十八条第三項の規定に違反して、財務諸表の公告をせず、又は財務諸表、事業報告書、決算報告書、監査報告書若しくは会計監査報告を備え置かず、若しくは閲覧に供しなかったとき。

十　第百二十五条において準用する独立行政法人通則法第九条第一項の規定による政令に違反して登記することを怠ったとき。

十一　第百二十五条において準用する独立行政法人通則法第二十三条第四項、第四十九条、第五十条の二第二項又は第五十条の十第二項の規定により主務大臣に届出をしなければならない場合において、その届出をせず、又は虚偽の届出をしたとき。

十二　第百二十五条において準用する独立行政法人通則法第二十三条第四項、第二十八条第三項、第五十条の二第二項又は第五十条の十第二項の規定により公表をしなければならない場合において、その公表をせず、又は虚偽の公表をしたとき。

十三　第百二十五条において準用する独立行政法人通則法第二十八条第一項、第四十五条第一項ただし書若しくは第二項ただし書、第四十六条の二第一項、第二項若しくは第三項ただし書、第四十六条の三第一項又は第四十八条の規定により主務大臣の認可を受けなければならない場合に

おいて、その認可を受けなかったとき。

十四　第百二十五条において準用する独立行政法人通則法第三十九条第三項の規定による調査を妨げたとき。

十五　第百二十五条において準用する独立行政法人通則法第四十七条の規定に違反して業務上の余裕金を運用したとき。

十六　第百二十五条において準用する独立行政法人通則法第五十条の三の規定により主務大臣の承認を受けなければならない場合において、その承認を受けなかったとき。

十七　第百二十五条において準用する独立行政法人通則法第五十条の八第三項の規定による報告をせず、又は虚偽の報告をしたとき。

2　機構の子法人の役員が第百二条第六項又は第百二十五条において準用する独立行政法人通則法第三十九条第三項の規定による調査を妨げたときは、二十万円以下の過料に処する。

第一四八条　第九十六条の規定に違反した者は、十万円以下の過料に処する。

附　則〔抄〕

（施行期日）

第一条　この法律は、公布の日から施行する。ただし、次の各号に掲げる規定は、当該各号に定める日から施行する。

一　第二十二条、第二十六条、第二十七条、第五章第一節及び第六章並びに附則第三条、第六条、第八条から第十三条まで、第十七条、第二十四条及び第二十六条の規定　公布の日から起算して二月を超えない範囲内において政令で定める日

〔平成二四政一五〇により、平成二四・五・三〇から施行〕

二　第八条第一項から第六項まで及び第九条から第十六条まで並びに附則第七条及び第十六条の規定　公布の日から起算して一年三月を超えない範囲内において政令で定める日

〔平成二五政二〇一により、平成二五・六・三〇から施行〕

三〜七　〔略〕

（検討）

第二条　政府は、この法律の施行後三年以内に、この法律の施行の状況、原子力災害からの福島の復興及び再生の状況等を勘案し、福島の住民の意向に留意しつつ、課税の特例を含め、この法律の規定について検討を加え、必要があると認めるときは、その結果に基づいて速やかに必要な措置を講ずるものとする。

（訓令又は通達に関する措置）

第三条　関係行政機関の長が発する訓令又は通達のうち福島に関するものについては、原子力災害による被害を受けた産業の復興及び再生の推進の必要性に鑑み、この法律の規定に準じて、必要な措置を講ずるものとする。

（調整規定）

第五条　地域の自主性及び自立性を高めるための改革の推進を図るための関係法律の整備に関する法律（平成二十三年法律第三十七号）附則第一条第二号に掲げる規定の施行の日がこの法律の施行の日後となる場合には、同号に掲げる規定の施行の日の前日までの間における第二十一条の規定の適用については、同条中「第二十三条第二号」とあるのは、「第二十三条第三号」とする。

（政令への委任）

第二七条　この法律の施行に関し必要な経過措置は、政令で定める。

附　則〔略〕〔平成二四・三・三一法律一三〕

附　則〔略〕〔平成二四・六・二七法律四七〕

附　則〔略〕〔平成二五・五・一〇法律一二施行〕

附　則〔略〕〔平成二五・六・二一法律五四施行〕

附　則〔略〕〔平成二六・三・三一法律六〕

附　則〔略〕〔平成二六・四・一八法律二二〕

附　則〔略〕〔平成二六・四・二五法律三〇〕

附　則〔略〕〔平成二六・六・一八法律七二〕

附　則〔略〕〔平成二七・五・七法律二〇施行〕

附　則〔略〕〔平成二七・五・二九法律三一〕

附　則〔略〕〔平成二七・七・一〇法律五五〕

附　則〔略〕〔平成二七・七・一五法律五六〕

附　則〔略〕〔平成二八・五・二〇法律四七施行〕

附　則〔略〕〔平成二九・五・一九法律三二施行〕

附　則〔略〕〔平成二九・五・二六法律三九〕

附　則〔抄〕〔平成二九・六・二法律五〇〕

（施行期日）

第一条　この法律は、公布の日から起算して九月を超えない範囲内において政令で定める日から施行する。ただし、次条並びに附則第四条及び第二十四条の規定は、公布の日から施行する。

〔平成二九政二二六により、平成三〇・一・四から施行〕

（奄美群島振興開発特別措置法等の一部改正に伴う経過措置）

第二二条　この法律の施行の際現に次の各号に掲げる認定を受けている当該各号に定める計画については、新通訳案内士法第五十四条第一項に規定する地域通訳案内士育成等計画であって同条第三項の同意を得たものとみなす。

一〜五　〔略〕

六　附則第十六条の規定による改正前の福島復興再生特別措置法（以下この条において「旧福島復興再生特別措置法」という。）第六十一条第九項の認定（旧福島復興再生特別措置法第六十二条第一項において準用する東日本大震災復興特別区域法（平成二十三年法律第百二十二号）第六条第一項の変更の認定を含む。）　旧福島復興再生特別措置法第六十一条第一項に規定する産業復興再生計画（同条第二項第三号イに規定する福島特例通訳案内士育成等事業を定めたものに限る。）

2　この法律の施行の際現に次の各号に掲げる規定において準用する旧通訳案内士法第十八条の規定による当該各号に定める登録を受けている者については、新通訳案内士法第五十七条において準用する新通訳案内士法第十八条の規定による地域通訳案内士の登録を受けた者とみなす。

一〜六　〔略〕

七　旧福島復興再生特別措置法第六十三条第七項　福島特例通訳案内士の登録

3　次の各号に掲げる規定において読み替えて準用する旧通訳案内士法第十九条の規定による当該各号に定める登録簿は、新通訳案内士法第五十七条において読み替えて準用する新通訳案内士法第十九条の規定による地域通訳案内士登録簿とみなす。

一〜六　〔略〕

七　旧福島復興再生特別措置法第六十三条第七項　福島特例通訳案内士登録簿

4　この法律の施行の際現に次の各号に掲げる規定において読み替えて準用する旧通訳案内士法第二十二条の規定により交付されている当該各号に定める登録証は、新通訳案内士法第五十七条において読み替えて準用する新通訳案内士法第二十二条の規定により交付された地域通訳案内士登録証とみなす。

一〜六　〔略〕

七　旧福島復興再生特別措置法第六十三条第七項　福島特例通訳案内士登録証

5　第二項の規定により新通訳案内士法第五十七条において準用する新通訳案内士法第十八条の規定による地域通訳案内士の登録を受けた者とみなされた者について、施行日前に、次に掲げる規定において準用する旧通訳案内士法第三十三条第一項第二号又は第三号の規定による懲戒の処分の理由とされている事実があったときは、新通訳案内士法第五十七条において準用する新通訳案内士法第二十五条第三項の規定による名称の使用の停止の処分又は登録の取消しの理由とされている事実があったものとみなして、同項の規定を適用する。

一〜六　〔略〕

七　旧福島復興再生特別措置法第六十三条第八項

6　次に掲げる規定において準用する旧通訳案内士法第三十三条第一項の規定により業務の停止の処分を受け、この法律の施行の際現に業務の停止の期間中である者については、当該処分を受けた日において新通訳案内士法第五十七条において準用する新通訳案内士法第二十五条第三項の規定により地域通訳案内士の名称の使用の停止の処分を受けた者とみなす。

一〜六　〔略〕

七　旧福島復興再生特別措置法第六十三条第八項

7　前各項に規定するもののほか、この法律の施行前にされた次に掲げる処分その他の行為は、この法律の施行後は、新通訳案内士法の相当規定によりされた処分その他の行為とみなす。

一〜六　〔略〕

七　旧福島復興再生特別措置法第六十三条第一項の規定の適用を受けて旧福島復興再生特別措置法の規定によりされた処分その他の行為

8　前各項に規定するもののほか、この法律の施行の際現にされている次に掲げる申請その他の行為は、この法律の施行後は、新通訳案内士法の相当規定によりされた申請その他の行為とみなす。

一〜六　〔略〕

七　旧福島復興再生特別措置法第六十三条第一項の規定の適用を受けて旧福島復興再生特別措置法の規定によりされている申請その他の行為

（罰則の適用に関する経過措置）

第二三条　この法律の施行前にした行為に対する罰則の適用については、なお従前の例による。

（政令への委任）

第二四条　この附則に定めるもののほか、この法律の施行に関し必要な経過措置は、政令で定める。

附　則〔略〕〔平成三〇・五・三〇法律三三〕

附　則〔抄〕〔令和二・六・一二法律四六〕

（施行期日）

第一条　この法律は、令和三年四月一日から施行する。ただし、第三条中福島復興再生特別措置法第四十八条の二第一項の改正規定、同法第四十八条の三第七項の改正規定、同法第四十八条の五第三項の改正規定、同法第四十八条の六第一項の改正規定、同法第四十八条の八（見出しを含む。）の改正規定、同法第四十八条の十第三項の改正規定、同法第四十八条の十二の改正規定、同法第五十条の改正規定、同法第五十三条の改正規定、同法第五十九条の次に一条を加える改正規定、同法第七十六条の見出しを削り、同条の前に見出しを付する改正規定、同条の改正規定、同条の次に一条を加える改正規定、同法第八十条の改正規定、同法第八十八条の次に一条を加える改正規定並びに同法第六章中第八十九条の次に節名及び十二条を加える改正規定（十二条を加える部分に限る。）〔中略〕並びに附則第九条、第十条、第十八条、第十九条〔中略〕の規定は、公布の日から施行する。

（検討）

第二条　政府は、この法律の施行後五年以内に、第一条から第三条までの規定による改正後の復興庁設置法、東日本大震災復興特別区域法及び福島復興再生特別措置法の施行の状況について検討を加え、その結果に基づいて必要な措置を講ずるものとする。

（東日本大震災からの復興に関する知見の活用）

第三条　政府は、東日本大震災（平成二十三年三月十一日に発生した東北地方太平洋沖地震及びこれに伴う原子力発電所の事故による災害をいう。以下同じ。）からの復興の一層の推進に当たり、東日本大震災からの復興の進捗状況が被災地域ごとに異なること等に鑑み、復興が進展している地域における取組に係る情報を復興の途上にある地域へ提供するなど、東日本大震災からの復興に関する施策の実施を通じて得られた行政の内外の知見を活用するものとする。

（福島復興再生特別措置法の一部改正に伴う準備行為）

第九条　第三条の規定による改正後の福島復興再生特別措置法（以下「新福島特措法」という。）第五条第一項の規定による福島復興再生基本方針（次項において「基本方針」という。）の策定及びこれに関し必要な手続その他の行為は、施行日前においても、同条第一項から第六項までの規定の例により行うことができる。

2　前項の規定により策定された基本方針は、施行日において、新福島特措法第五条第一項の規定により策定された基本方針とみなす。

第一〇条　福島県知事は、新福島特措法第七条第一項の福島復興再生計画の作成のため、施行日前においても、関係市町村長及び同条第九項各号に掲げる者の意見の聴取その他の必要な準備行為をすることができる。

2　新福島特措法第七条第十項各号に掲げる者は、施行日前においても、同項の提案をすることができる。

（福島復興再生特別措置法の一部改正に伴う経過措置）

第一一条　この法律の施行の際現に第三条の規定による改正前の福島復興再生特別措置法（以下「旧福島特措法」という。）第七条第一項の規定により定められている避難解除等区域復興再生計画（施行日前に同条第六項の規定により変更されたときは、その変更後のもの。以下この条において同じ。）又は旧福島特措法第六十一条第九項若しくは第八十一条第六項の認定を受けている産業復興再生計画若しくは重点推進計画（施行日前に旧福島特措法第六十二条第一項又は第八十二条第一項において準用する東日本大震災復興特別区域法第六条第一項の変更の認定があったときは、その変更後のもの。以下この条において同じ。）は、新福島特措法第七条第一項の福島復興再生計画が同条第十四項の認定を受けるまでの間は、なおその効力を有するものとし、次の各号に掲げる計画に関する当該各号に定める措置については、なお従前の例による。

一　避難解除等区域復興再生計画　土地改良法（昭和二十四年法律第百九十五号）等の特例、漁港漁場整備法（昭和二十五年法律第百三十七号）の特例、砂防法（明治三十年法律第二十九号）の特例、港湾法（昭和二十五年法律第二百十八号）の特例、道路法（昭和二十七年法律第百八十号）の特例、海岸法（昭和三十一年法律第百一号）の特例、地すべり等防止法（昭和三十三年法律第三十号）の特例、河川法（昭和三十九年法律第百六十七号）の特例、急傾斜地の崩壊による災害の防止に関する法律（昭和四十四年法律第五十七号）の特例及び生活環境整備事業

二　産業復興再生計画　報告の徴収、措置の要求、認定の取消し、福島県知事への援助等、新たな規制の特例措置等に関する提案及び福島復興再生特別意見書の提出、商標法（昭和三十四年法律第百二十七号）の特例、種苗法（平成十年法律第八十三号）の特例、地域森林計画の変更等に関する特例、地熱資源開発事業に係る許認可等の特例、政令等で規定された規制の特例措置並びに地方公共団体の事務に関する規制についての条例による特例措置

三　重点推進計画　報告の徴収、措置の要求、認定の取消し、福島県知事への援助等及び国有施設の使用の特例

第一二条　この法律の施行の際現に旧福島特措法第十七条の二第六項の認定を受けている特定復興再生拠点区域復興再生計画（施行日前に福島復興再生特別措置法第十七条の三において準用する東日本大震災復興特別区域法第六条第一項の変更の認定があったときは、その変更後のもの）は、新福島特措法第十七条の二第六項の認定を受けた特定復興再生拠点区域復興再生計画とみなす。

第一三条　施行日前に旧福島特措法第十八条第四項の規定により提出された企業立地促進計画は、新福島特措法第十八条第四項の規定により提出された企業立地促進計画とみなす。

2　この法律の施行の際現に旧福島特措法第二十条第三項の認定（同条第四項の変更の認定を含む。）を受けている避難解除等区域復興再生推進事業実施計画又は同条第一項の規定によりされている認定の申請（同条第四項の変更の認定の申請を含む。）は、それぞれ新福島特措法第二十条第三項の認定を受けた避難解除等区域復興再生推進事業実施計画又は同条第一項の規定によりされている認定の申請（同条第四項の変更の認定の申請を含む。）とみなす。

第一四条　この法律の施行の際現に旧福島特措法第三十四条第一項の規定により提出されている帰還環境整備事業計画及びこれに基づき同条第二項の交付金を充てて実施されている同条第一項の帰還環境整備交付金事業等は、新福島特措法第三十四条第一項の規定により提出された帰還・移住等環境整備事業計画及びこれに基づく同項の帰還・移住等環境整備交付金事業等とみなす。

2　令和三年度の予算に係る新福島特措法第三十四条第二項に規定する交付金の交付に係る事業又は事務で、新福島特措法第七条第一項の福島復興再生計画が同条第十四項の認定を受けるまでの間に、新福島特措法第三十三条第一項に規定する住民の帰還及び移住等の促進のため緊急に実施する必要があるものとして内閣総理大臣が福島県知事の意見を聴くとともに関係行政機関の長に協議して決定したものについては、当該事業又は事務を新福島特措法第三十四条第一項の規定により提出された帰還・移住等環境整備事業計画に基づく同項の帰還・移住等環境整備交付金事業等とみなす。

第一五条　施行日前に帰還環境整備交付金（旧福島特措法第三十四条第三項に規定する帰還環境整備交付金をいう。附則第二十三条において同じ。）又は復興交付金を充てて特定帰還者（福島復興再生特別措置法第二十七条に規定する特定帰還者をいう。附則第二十三条第二項において同じ。）又は同法第三十九条に規定する居住制限者（以下この条において「特定帰還者等」という。）に賃貸するため建設若しくは買取りをし、又は特定帰還者等に転貸するため借上げをした公営住宅（当該公営住宅に係る公営住宅法第二条第九号に規定する共同施設を含む。）に関する公営住宅等の処分の特例については、なお従前の例による。

第一六条　施行日前に旧福島特措法第四十六条第一項の規定により提出された生活拠点形成事業計画は、新福島特措法第四十六条第一項の規定により提出された生活拠点形成事業計画とみなす。

第一七条　この法律の施行の際現に旧福島特措法第四十八条の十四第一項の

規定により指定されている帰還環境整備推進法人は、新福島特措法第四十八条の十四第一項の規定により指定された帰還・移住等環境整備推進法人とみなす。

第一八条　附則第一条ただし書に規定する改正規定の施行の日から施行日の前日までの間における福島復興再生特別措置法の規定の適用については、旧福島特措法第八十一条第二項第四号中「以下この号及び第八十八条において」とあるのは「以下」と、同条第七項中「措置又は」とあるのは「措置」と、「施策」とあるのは「施策又は第八十八条の二に規定する援助」とする。

2　附則第一条ただし書に規定する改正規定の施行の日から施行日の前日までの間における福島復興再生特別措置法の規定の適用については、新福島特措法第八十九条の二第一項及び第八十九条の三第七項中「この節」とあるのは、「この章」とする。

（その他の経過措置の政令への委任）

第一九条　この附則に規定するもののほか、この法律の施行に関し必要な経過措置は、政令で定める。

附　則〔略〕〔令和二・六・一二法律四九〕

附　則〔略〕〔令和二・一二・九法律七四〕

附　則〔抄〕〔令和三・五・一九法律三六〕

（施行期日）

第一条　この法律は、令和三年九月一日から施行する。ただし、附則第六十条の規定は、公布の日から施行する。

（政令への委任）

第六〇条　附則第十五条、第十六条、第五十一条及び前三条に定めるもののほか、この法律の施行に関し必要な経過措置（罰則に関する経過措置を含む。）は、政令で定める。

附　則〔抄〕〔令和四・五・二〇法律四六〕

（施行期日）

第一条　この法律〔中略〕は、当該各号に定める日から施行する。

一　附則第三十二条の規定　公布の日

二　〔前略〕附則〔中略〕第二十四条から第二十六条まで〔中略〕の規定　公布の日から起算して六月を超えない範囲内において政令で定める日

〔令和四政三四七により、令和四・一一・一四から施行〕

三　〔略〕

（福島復興再生特別措置法の一部改正に伴う経過措置）

第二六条　前条の規定による改正後の福島復興再生特別措置法第六十九条第二項（第五号に係る部分に限る。）及び第七十条第三項の規定は、附則第五条に規定する経過する日以後に地熱資源開発計画（福島復興再生特別措置法第六十七条第一項に規定する地熱資源開発計画をいう。以下この条において同じ。）に記載される前条の規定による改正後の同法第六十九条第一項第五号に掲げる事項（第二号改正後電気事業法第二十七条の二十七第三項又は第四項の規定による届出に係るものに限る。）について適用し、同日前に地熱資源開発計画に記載される当該事項については、なお従前の例による。

（政令への委任）

第三二条　この附則に規定するもののほか、この法律の施行に伴い必要な経過措置（罰則に関する経過措置を含む。）は、政令で定める。

附　則〔抄〕〔令和四・五・二七法律五四〕

（施行期日）

第一条　この法律は、公布の日から起算して三月を超えない範囲内において政令で定める日から施行する。ただし、附則第三条の規定は、公布の日から施行する。

〔令和四政二一七により、令和四・六・一七から施行〕

（名称の使用制限に関する経過措置）

第二条　この法律の施行の際現に福島国際研究教育機構という名称を使用している者については、この法律による改正後の福島復興再生特別措置法第九十六条の規定は、この法律の施行後六月間は、適用しない。

（政令への委任）

第三条　前条に定めるもののほか、この法律の施行に伴い必要な経過措置は、政令で定める。

（検討）

第四条　政府は、この法律の施行後八年を目途として、原子力災害からの福島の復興及び再生の状況、福島国際研究教育機構における研究開発の実施状況、当該研究開発に従事する研究者等の雇用の状況その他の福島国際研究教育機構の業務の実施状況等を勘案して、この法律による改正後の規定について検討を加え、必要があると認めるときは、その結果に基づいて所要の措置を講ずるものとする。

附　則〔抄〕〔令和四・五・二七法律五六〕

（施行期日）

第一条　この法律は、公布の日から起算して一年を超えない範囲内において政令で定める日から施行する。ただし、附則第二十八条の規定は、公布の日から施行する。

〔令和四政三五五により、令和五・四・一から施行〕

（福島復興再生特別措置法の一部改正に伴う経過措置）

第二五条　前条の規定による改正後の福島復興再生特別措置法第十七条の二十七の規定は、施行日以後にされる公示について適用し、施行日前にされた公示並びに当該公示に係る前条の規定による改正前の福島復興再生特別措置法（次条において「旧福島特措法」という。）第十七条の十九及び第十七条の二十の規定による作成、公告その他の行為については、なお従前の例による。

第二六条　この法律の施行の際現に旧福島特措法第十七条の三十三第一項の規定により同項に規定する特例分担事務（同項第二号に掲げる事務に係るものに限る。）を行っている市町村長は、施行日から起算して二年を経過する日までの間は、なお従前の例により当該特例分担事務を行うことができる。

（政令への委任）

第二八条　この附則に定めるもののほか、この法律の施行に関し必要な経過措置は、政令で定める。

附　則〔略〕〔令和五・五・二六法律三四〕

附　則〔抄〕〔令和五・六・九法律四九〕

（施行期日）

第一条　この法律は、公布の日から施行する。

（政令への委任）

第二条　この法律の施行に関し必要な経過措置は、政令で定める。

附　則〔抄〕〔令和六・六・一二法律四七〕

（施行期日）

第一条　この法律は、令和六年十月一日から施行する。ただし、次の各号に掲げる規定は、当該各号に定める日から施行する。

一　〔前略〕附則第四十六条の規定　この法律の公布の日

二・三　〔略〕

四　次に掲げる規定　令和七年四月一日

イ～ワ　〔略〕

カ　附則第三十四条中福島復興再生特別措置法（平成二十四年法律第二十五号）第四十八条の六第一項の改正規定

ヨ～ツ　〔略〕

五　次に掲げる規定　令和八年四月一日

イ～ワ　〔略〕

カ　附則第三十四条中福島復興再生特別措置法第四十八条の六第四項の改正規定及び同法第八十九条の六第四項の改正規定

ヨ～ネ　〔略〕

六　〔略〕

（罰則に関する経過措置）

第四五条　この法律（附則第一条第四号から第六号までに掲げる規定については、当該規定。以下この条において同じ。）の施行前にした行為及び附則第十三条第一項の規定によりなお従前の例によることとされる場合におけるこの法律の施行後にした行為に対する罰則の適用については、なお従前の例による。

（その他の経過措置の政令への委任）

第四六条　この附則に定めるもののほか、この法律の施行に関し必要な経過措置（罰則に関する経過措置を含む。）は、政令で定める。

○津波防災地域づくりに関する法律

（平成二三・一二・一四 法律一二三）

改正 平成二六・五法四二、平成二九・六法四五、令和三・五法三一、令和五・五法三四、六法五八

目次

第一章 総則（第一条・第二条）
第二章 基本指針等（第三条―第五条）
第三章 津波浸水想定の設定等（第六条―第九条）
第四章 推進計画の作成等（第十条・第十一条）
第五章 推進計画区域における特別の措置
第一節 土地区画整理事業に関する特例（第十二条―第十四条）
第二節 津波からの避難に資する建築物の容積率の特例（第十五条・第十六条）
第六章 一団地の津波防災拠点市街地形成施設に関する都市計画（第十七条）
第七章 津波防護施設等
第一節 津波防護施設の管理（第十八条―第三十七条）
第二節 津波防護施設に関する費用（第三十八条―第四十九条）
第三節 指定津波防護施設（第五十条―第五十二条）
第八章 津波災害警戒区域（第五十三条―第七十一条）
第九章 津波災害特別警戒区域（第七十二条―第九十二条）
第十章 雑則（第九十三条―第九十八条）
第十一章 罰則（第九十九条―第百三条）
附則

第一章 総則

（目的）

第一条 この法律は、津波による災害を防止し、又は軽減する効果が高く、将来にわたって安心して暮らすことのできる安全な地域の整備、利用及び保全（以下「津波防災地域づくり」という。）を総合的に推進することにより、津波による災害から国民の生命、身体及び財産の保護を図るため、国土交通大臣による基本指針の策定、市町村による推進計画の作成、推進計画区域における特別の措置及び一団地の津波防災拠点市街地形成施設に関する都市計画に関する事項について定めるとともに、津波防護施設の管理、津波災害警戒区域における警戒避難体制の整備並びに津波災害特別警戒区域における一定の開発行為及び建築物の建築等の制限に関する措置等について定め、もって公共の福祉の確保及び地域社会の健全な発展に寄与することを目的とする。

（定義）

第二条 この法律において「海岸保全施設」とは、海岸法（昭和三十一年法律第百一号）第二条第一項に規定する海岸保全施設をいう。

2 この法律において「港湾施設」とは、港湾法（昭和二十五年法律第二百十八号）第二条第五項に規定する港湾施設をいう。

3 この法律において「漁港施設」とは、漁港及び漁場の整備等に関する法律（昭和二十五年法律第百三十七号）第三条に規定する漁港施設をいう。

4 この法律において「河川管理施設」とは、河川法（昭和三十九年法律第百六十七号）第三条第二項に規定する河川管理施設をいう。

5 この法律において「海岸管理者」とは、海岸法第二条第三項に規定する海岸管理者をいう。

6 この法律において「港湾管理者」とは、港湾法第二条第一項に規定する港湾管理者をいう。

7 この法律において「漁港管理者」とは、漁港及び漁場の整備等に関する法律第二十五条の規定により決定された地方公共団体をいう。

8 この法律において「河川管理者」とは、河川法第七条に規定する河川管理者をいう。

9 この法律において「保安施設事業」とは、森林法（昭和二十六年法律第二百四十九号）第四十一条第三項に規定する保安施設事業をいう。

10 この法律において「津波防護施設」とは、盛土構造物、閘門その他の政令で定める施設（海岸保全施設、港湾施設、漁港施設及び河川管理施設並びに保安施設事業に係る施設であるものを除く。）であって、第八条第一項に規定する津波浸水想定を踏まえて津波による人的災害を防止し、又は軽減するために都道府県知事又は市町村長が管理するものをいう。

11 この法律において「津波防護施設管理者」とは、第十八条第一項又は第二項の規定により津波防護施設を管理する都道府県知事又は市町村長をいう。

12 この法律において「公共施設」とは、道路、公園、下水道その他政令で定める公共の用に供する施設をいう。

13 この法律において「公益的施設」とは、教育施設、医療施設、官公庁施設、購買施設その他の施設で、居住者の共同の福祉又は利便のために必要なものをいう。

14 この法律において「特定業務施設」とは、事務所、事業所その他の業務施設で、津波による災害の発生のおそれが著しく、かつ、当該災害を防止し、又は軽減する必要性が高いと認められる区域（当該区域に隣接し、又は近接する区域を含む。）の基幹的な産業の振興、当該区域内の地域における雇用機会の創出及び良好な市街地の形成に寄与するもののうち、公益的施設以外のものをいう。

15 この法律において「一団地の津波防災拠点市街地形成施設」とは、前項に規定する区域内の都市機能を津波が発生した場合においても維持するための拠点となる市街地を形成する一団地の住宅施設、特定業務施設又は公益的施設及び公共施設をいう。

第二章 基本指針等

（基本指針）

第三条 国土交通大臣は、津波防災地域づくりの推進に関する基本的な指針（以下「基本指針」という。）を定めなければならない。

2 基本指針においては、次に掲げる事項を定めるものとする。

一 津波防災地域づくりの推進に関する基本的な事項

二 第六条第一項の調査について指針となるべき事項

三 第八条第一項に規定する津波浸水想定の設定について指針となるべき事項

四 第十条第一項に規定する推進計画の作成について指針となるべき事項

五 第五十三条第一項の津波災害警戒区域及び第七十二条第一項の津波災害特別警戒区域の指定について指針となるべき事項

3 国土交通大臣は、基本指針を定めようとするときは、あらかじめ、内閣総理大臣、総務大臣及び農林水産大臣に協議するとともに、社会資本整備審議会の意見を聴かなければならない。

4 国土交通大臣は、基本指針を定めたときは、遅滞なく、これを公表しなければならない。

5 前二項の規定は、基本指針の変更について準用する。

（国及び地方公共団体の責務）

第四条 国及び地方公共団体は、津波による災害の防止又は軽減が効果的に図られるようにするため、津波防災地域づくりに関する施策を、民間の資金、経営能力及び技術的能力の活用に配慮しつつ、地域の実情に応じ適切に組み合わせて一体的に講ずるよう努めなければならない。

（施策における配慮）

第五条 国及び地方公共団体は、この法律に規定する津波防災地域づくりを推進するための施策の策定及び実施に当たっては、地域における創意工夫を尊重し、並びに住民の生活の安定及び福祉の向上並びに地域経済の活性化に配慮するとともに、地域住民、民間事業者等の理解と協力を得るよう努めなければならない。

第三章 津波浸水想定の設定等

（基礎調査）

第六条 都道府県は、基本指針に基づき、第八条第一項に規定する津波浸水想定の設定又は変更のために必要な基礎調査として、津波による災害の発生のおそれがある沿岸の陸域及び海域に関する地形、地質、土地利用の状況その他の事項に関する調査を行うものとする。

2 国土交通大臣は、この法律を施行するため必要があると認めるときは、

都道府県に対し、前項の調査の結果について必要な報告を求めることができる。

3　国土交通大臣は、都道府県による第八条第一項に規定する津波浸水想定の設定又は変更に資する基礎調査として、津波による災害の発生のおそれがある沿岸の陸域及び海域に関する地形、地質その他の事項に関する調査であって広域的な見地から必要とされるものを行うものとする。

4　国土交通大臣は、関係都道府県に対し、前項の調査の結果を通知するものとする。

（基礎調査のための土地の立入り等）

第七条　都道府県知事若しくは国土交通大臣又はこれらの命じた者若しくは委任した者は、前条第一項又は第三項の調査（次条第一項及び第九条において「基礎調査」という。）のためにやむを得ない必要があるときは、その必要な限度において、他人の占有する土地に立ち入り、又は特別の用途のない他人の土地を作業場として一時使用することができる。

2　前項の規定により他人の占有する土地に立ち入ろうとする者は、あらかじめ、その旨を当該土地の占有者に通知しなければならない。ただし、あらかじめ通知することが困難であるときは、この限りでない。

3　第一項の規定により宅地又は垣、柵等で囲まれた他人の占有する土地に立ち入ろうとする場合においては、その立ち入ろうとする者は、立入りの際、あらかじめ、その旨を当該土地の占有者に告げなければならない。

4　日出前及び日没後においては、土地の占有者の承諾があった場合を除き、前項に規定する土地に立ち入ってはならない。

5　第一項の規定により他人の占有する土地に立ち入ろうとする者は、その身分を示す証明書を携帯し、関係人の請求があったときは、これを提示しなければならない。

6　第一項の規定により特別の用途のない他人の土地を作業場として一時使用しようとする者は、あらかじめ、当該土地の占有者及び所有者に通知して、その意見を聴かなければならない。

7　土地の占有者又は所有者は、正当な理由がない限り、第一項の規定による立入り又は一時使用を拒み、又は妨げてはならない。

8　都道府県又は国は、第一項の規定による立入り又は一時使用により損失を受けた者がある場合においては、その者に対して、通常生ずべき損失を補償しなければならない。

9　前項の規定による損失の補償については、都道府県又は国と損失を受けた者とが協議しなければならない。

10　前項の規定による協議が成立しない場合においては、都道府県又は国は、自己の見積もった金額を損失を受けた者に支払わなければならない。この場合において、当該金額について不服のある者は、政令で定めるところにより、補償金の支払を受けた日から三十日以内に、収用委員会に土地収用法（昭和二十六年法律第二百十九号）第九十四条第二項の規定による裁決を申請することができる。

（津波浸水想定）

第八条　都道府県知事は、基本指針に基づき、かつ、基礎調査の結果を踏まえ、津波浸水想定（津波があった場合に想定される浸水の区域及び水深をいう。以下同じ。）を設定するものとする。

2　都道府県知事は、前項の規定により津波浸水想定を設定しようとするときは、国土交通大臣に対し、情報の提供、技術的な助言その他必要な援助を求めることができる。

3　都道府県知事は、第一項の規定により津波浸水想定を設定しようとする場合において、必要があると認めるときは、関係する海岸管理者及び河川管理者の意見を聴くものとする。

4　都道府県知事は、第一項の規定により津波浸水想定を設定したときは、速やかに、これを、国土交通大臣に報告し、かつ、関係市町村長に通知するとともに、公表しなければならない。

5　国土交通大臣は、前項の規定により津波浸水想定の設定について報告を受けたときは、社会資本整備審議会の意見を聴くものとし、必要があると認めるときは、都道府県知事に対し、必要な勧告をすることができる。

6　第二項から前項までの規定は、津波浸水想定の変更について準用する。

（基礎調査に要する費用の補助）

第九条　国は、都道府県に対し、予算の範囲内において、都道府県の行う基礎調査に要する費用の一部を補助することができる。

第四章　推進計画の作成等

（推進計画）

第一〇条　市町村は、基本指針に基づき、かつ、津波浸水想定を踏まえ、単独で又は共同して、当該市町村の区域内について、津波防災地域づくりを総合的に推進するための計画（以下「推進計画」という。）を作成することができる。

2　推進計画においては、推進計画の区域（以下「推進計画区域」という。）を定めるものとする。

3　前項に規定するもののほか、推進計画においては、おおむね次に掲げる事項を定めるものとする。

一　津波防災地域づくりの総合的な推進に関する基本的な方針

二　津波浸水想定に定める浸水の区域（第五十条第一項において「浸水想定区域」という。）における土地の利用及び警戒避難体制の整備に関する事項

三　津波防災地域づくりの推進のために行う事業又は事務に関する事項であって、次に掲げるもの

イ　海岸保全施設、港湾施設、漁港施設及び河川管理施設並びに保安施設事業に係る施設の整備に関する事項

ロ　津波防護施設の整備に関する事項

ハ　一団地の津波防災拠点市街地形成施設の整備に関する事業、土地区画整理法（昭和二十九年法律第百十九号）第二条第一項に規定する土地区画整理事業（以下「土地区画整理事業」という。）、都市再開発法（昭和四十四年法律第三十八号）第二条第一号に規定する市街地再開発事業その他の市街地の整備改善のための事業に関する事項

ニ　避難路、避難施設、公園、緑地、地域防災拠点施設その他の津波の発生時における円滑な避難の確保のための施設の整備及び管理に関する事項

ホ　防災のための集団移転促進事業に係る国の財政上の特別措置等に関する法律（昭和四十七年法律第百三十二号）第二条第二項に規定する集団移転促進事業に関する事項

ヘ　国土調査法（昭和二十六年法律第百八十号）第二条第五項に規定する地籍調査（第九十五条において「地籍調査」という。）の実施に関する事項

ト　津波防災地域づくりの推進のために行う事業に係る民間の資金、経営能力及び技術的能力の活用の促進に関する事項

4　推進計画は、都市計画法（昭和四十三年法律第百号）第十八条の二第一項の市町村の都市計画に関する基本的な方針との調和が保たれたものでなければならない。

5　市町村は、推進計画を作成しようとする場合において、次条第一項に規定する協議会が組織されていないときは、これに定めようとする第三項第二号及び第三号イからヘまでに掲げる事項について都道府県に、これに定めようとする同号イからヘまでに掲げる事項について関係管理者等（関係する海岸管理者、港湾管理者、漁港管理者、河川管理者、保安施設事業を行う農林水産大臣若しくは都道府県又は津波防護施設管理者をいう。以下同じ。）その他同号イからヘまでに規定する事業又は事務を実施すると見込まれる者に、それぞれ協議しなければならない。

6　市町村は、推進計画のうち、第三項第三号イ及びロに掲げる事項については、関係管理者等が作成する案に基づいて定めるものとする。

7　市町村は、必要があると認めるときは、関係管理者等に対し、前項の案の作成に当たり、津波防災地域づくりを総合的に推進する観点から配慮すべき事項を申し出ることができる。

8　前項の規定による申出を受けた関係管理者等は、当該申出を尊重するものとする。

9　市町村は、推進計画を作成したときは、遅滞なく、これを公表するとともに、国土交通大臣、都道府県及び関係管理者等その他第三項第三号イからヘまでに規定する事業又は事務を実施すると見込まれる者に、推進計画を送付しなければならない。

10　国土交通大臣及び都道府県は、前項の規定により推進計画の送付を受けたときは、市町村に対し、必要な助言をすることができる。

11　国土交通大臣は、前項の助言を行うに際し必要と認めるときは、農林水産大臣その他関係行政機関の長に対し、意見を求めることができる。

12　第五項から前項までの規定は、推進計画の変更について準用する。

（協議会）

第一一条　推進計画を作成しようとする市町村は、推進計画の作成に関する協議及び推進計画の実施に係る連絡調整を行うための協議会（以下この条において「協議会」という。）を組織することができる。
２　協議会は、次に掲げる者をもって構成する。
一　推進計画を作成しようとする市町村
二　前号の市町村の区域をその区域に含む都道府県
三　関係管理者等その他前条第三項第三号イからへまでに規定する事業又は事務を実施すると見込まれる者
四　学識経験者その他の当該市町村が必要と認める者
３　第一項の規定により協議会を組織する市町村は、同項に規定する協議を行う旨を前項第二号及び第三号に掲げる者に通知しなければならない。
４　前項の規定による通知を受けた者は、正当な理由がある場合を除き、当該通知に係る協議に応じなければならない。
５　協議会において協議が調った事項については、協議会の構成員はその協議の結果を尊重しなければならない。
６　前各項に定めるもののほか、協議会の運営に関し必要な事項は、協議会が定める。

第五章　推進計画区域における特別の措置

第一節　土地区画整理事業に関する特例

（津波防災住宅等建設区）
第一二条　津波による災害の発生のおそれが著しく、かつ、当該災害を防止し、又は軽減する必要性が高いと認められる区域内の土地を含む土地（推進計画区域内にあるものに限る。）の区域において津波による災害を防止し、又は軽減することを目的とする土地区画整理事業の事業計画においては、施行地区（土地区画整理法第二条第四項に規定する施行地区をいう。以下同じ。）内の津波による災害の防止又は軽減を図るための措置が講じられた又は講じられる土地の区域における住宅及び公益的施設の建設を促進するため特別な必要があると認められる場合には、国土交通省令で定めるところにより、当該土地の区域であって、住宅及び公益的施設の用に供すべきもの（以下「津波防災住宅等建設区」という。）を定めることができる。
２　津波防災住宅等建設区は、施行地区において津波による災害を防止し、又は軽減し、かつ、住宅及び公益的施設の建設を促進する上で効果的であると認められる位置に定め、その面積は、住宅及び公益的施設が建設される見込みを考慮して相当と認められる規模としなければならない。
３　事業計画において津波防災住宅等建設区を定める場合には、当該事業計画は、推進計画に記載された第十条第三項第三号ハに掲げる事項（土地区画整理事業に係る部分に限る。）に適合して定めなければならない。

（津波防災住宅等建設区への換地の申出等）
第一三条　前条第一項の規定により事業計画において津波防災住宅等建設区が定められたときは、施行地区内の住宅又は公益的施設の用に供する宅地（土地区画整理法第二条第六項に規定する宅地をいう。以下同じ。）の所有者で当該宅地についての換地に住宅又は公益的施設を建設しようとするものは、施行者（当該津波防災住宅等建設区に係る土地区画整理事業を施行する者をいう。以下この条において同じ。）に対し、国土交通省令で定めるところにより、同法第八十六条第一項の換地計画（第四項及び次条において「換地計画」という。）において当該宅地についての換地を津波防災住宅等建設区内に定めるべき旨の申出をすることができる。
２　前項の規定による申出に係る宅地について住宅又は公益的施設の所有を目的とする借地権を有する者があるときは、当該申出についてその者の同意がなければならない。
３　第一項の規定による申出は、次の各号に掲げる場合の区分に応じ、当該各号に定める公告があった日から起算して六十日以内に行わなければならない。
一　事業計画が定められた場合　土地区画整理法第七十六条第一項各号に掲げる公告（事業計画の変更の公告又は事業計画の変更についての認可の公告を除く。）
二　事業計画の変更により新たに津波防災住宅等建設区が定められた場合　当該事業計画の変更の公告又は当該事業計画の変更についての認可の公告
三　事業計画の変更により従前の施行地区外の土地が新たに施行地区に編入されたことに伴い津波防災住宅等建設区の面積が拡張された場合　当該事業計画の変更の公告又は当該事業計画の変更についての認可の公告
４　施行者は、第一項の規定による申出があった場合には、遅滞なく、当該申出が次に掲げる要件に該当すると認めるときは、当該申出に係る宅地を、換地計画においてその宅地についての換地を津波防災住宅等建設区内に定められるべき宅地として指定し、当該申出が次に掲げる要件に該当しないと認めるときは、当該申出に応じない旨を決定しなければならない。
一　当該申出に係る宅地に建築物その他の工作物（住宅及び公益的施設並びに容易に移転し、又は除却することができる工作物で国土交通省令で定めるものを除く。）が存しないこと。
二　当該申出に係る宅地に地上権、永小作権、賃借権その他の当該宅地を使用し、又は収益することができる権利（住宅又は公益的施設の所有を目的とする借地権及び地役権を除く。）が存しないこと。
５　施行者は、前項の規定による指定又は決定をしたときは、遅滞なく、第一項の規定による申出をした者に対し、その旨を通知しなければならない。
６　施行者は、第四項の規定による指定をしたときは、遅滞なく、その旨を公告しなければならない。
７　施行者が土地区画整理法第十四条第一項の規定により設立された土地区画整理組合である場合においては、最初の役員が選挙され、又は選任されるまでの間は、第一項の規定による申出は、同条第一項の規定による認可を受けた者が受理するものとする。

（津波防災住宅等建設区への換地）
第一四条　前条第四項の規定により指定された宅地については、換地計画において換地を津波防災住宅等建設区内に定めなければならない。

第二節　津波からの避難に資する建築物の容積率の特例

第一五条　推進計画区域（第五十三条第一項の津波災害警戒区域である区域に限る。）内の第五十六条第一項第一号及び第二号に掲げる基準に適合する建築物については、防災上有効な備蓄倉庫その他これに類する部分で、建築基準法（昭和二十五年法律第二百一号）第二条第三十五号に規定する特定行政庁が交通上、安全上、防火上及び衛生上支障がないと認めるものの床面積は、同法第五十二条第一項、第二項、第七項、第十二項及び第十四項、第五十七条の二第三項第二号、第五十七条の三第二項、第五十九条第一項及び第三項、第五十九条の二第一項、第六十条第一項、第六十条の二第一項及び第四項、第六十八条の三第一項、第六十八条の四、第六十八条の五（第二号イを除く。）、第六十八条の五の二（第二号イを除く。）、第六十八条の五の三第一項（第一号ロを除く。）、第六十八条の五の四（第一号ロを除く。）、第六十八条の五の五第一項第一号ロ、第六十八条の八、第六十八条の九第一項、第八十六条第三項及び第四項、第八十六条の二第二項及び第三項、第八十六条の五第三項並びに第八十六条の六第一項に規定する建築物の容積率（同法第五十九条第一項、第六十条の二第一項及び第六十八条の九第一項に規定するものについては、これらの規定に規定する建築物の容積率の最高限度に係る場合に限る。）の算定の基礎となる延べ面積に算入しない。

第一六条　削除

第六章　一団地の津波防災拠点市街地形成施設に関する都市計画

第一七条　次に掲げる条件のいずれにも該当する第二条第十四項に規定する区域であって、当該区域内の都市機能を津波が発生した場合においても維持するための拠点となる市街地を形成することが必要であると認められるものについては、都市計画に一団地の津波防災拠点市街地形成施設を定めることができる。
一　当該区域内の都市機能を津波が発生した場合においても維持するための拠点として一体的に整備される自然的経済的社会的条件を備えていること。
二　当該区域内の土地の大部分が建築物（津波による災害により建築物が損傷した場合における当該損傷した建築物を除く。）の敷地として利用されていないこと。
２　一団地の津波防災拠点市街地形成施設に関する都市計画においては、次に掲げる事項を定めるものとする。

一　住宅施設、特定業務施設又は公益的施設及び公共施設の位置及び規模

二　建築物の高さの最高限度若しくは最低限度、建築物の延べ面積の敷地面積に対する割合の最高限度若しくは最低限度又は建築物の建築面積の敷地面積に対する割合の最高限度

3　一団地の津波防災拠点市街地形成施設に関する都市計画は、次に掲げるところに従って定めなければならない。

一　前項第一号に規定する施設は、当該区域内の都市機能を津波が発生した場合においても維持するための拠点としての機能が確保されるよう、必要な位置に適切な規模で配置すること。

二　前項第二号に掲げる事項は、当該区域内の都市機能を津波が発生した場合においても維持することが可能となるよう定めること。

三　当該区域が推進計画区域である場合にあっては、推進計画に適合するよう定めること。

第七章　津波防護施設等

第一節　津波防護施設の管理

（津波防護施設の管理）

第一八条　津波防護施設の新設、改良その他の管理は、都道府県知事が行うものとする。

2　前項の規定にかかわらず、市町村長が管理することが適当であると認められる津波防護施設で都道府県知事が指定したものについては、当該津波防護施設の存する市町村の長がその管理を行うものとする。

3　都道府県知事は、前項の規定による指定をしようとするときは、あらかじめ当該市町村長の意見を聴かなければならない。

4　都道府県知事は、第二項の規定により指定をするときは、国土交通省令で定めるところにより、これを公示しなければならない。これを変更するときも、同様とする。

第一九条　津波防護施設の新設又は改良は、推進計画区域内において、推進計画に即して行うものとする。

（境界に係る津波防護施設の管理の特例）

第二〇条　都府県の境界に係る津波防護施設については、関係都府県知事は、協議して別にその管理の方法を定めることができる。

2　前項の規定による協議が成立した場合においては、関係都府県知事は、国土交通省令で定めるところにより、その成立した協議の内容を公示しなければならない。

3　第一項の規定による協議に基づき、一の都府県知事が他の都府県の区域内に存する津波防護施設について管理を行う場合においては、その都府県知事は、政令で定めるところにより、当該他の都府県知事に代わってその権限を行うものとする。

（津波防護施設区域の指定）

第二一条　津波防護施設管理者は、次に掲げる土地の区域を津波防護施設区域として指定するものとする。

一　津波防護施設の敷地である土地の区域

二　前号の土地の区域に隣接する土地の区域であって、当該津波防護施設を保全するため必要なもの

2　前項第二号に掲げる土地の区域についての津波防護施設区域の指定は、当該津波防護施設を保全するため必要な最小限度の土地の区域に限ってするものとする。

3　津波防護施設管理者は、津波防護施設区域を指定するときは、国土交通省令で定めるところにより、その旨を公示しなければならない。これを変更し、又は廃止するときも、同様とする。

4　津波防護施設区域の指定、変更又は廃止は、前項の規定による公示によってその効力を生ずる。

（津波防護施設区域の占用）

第二二条　津波防護施設区域内の土地（津波防護施設管理者以外の者がその権原に基づき管理する土地を除く。）を占用しようとする者は、国土交通省令で定めるところにより、津波防護施設管理者の許可を受けなければならない。

2　津波防護施設管理者は、前項の許可の申請があった場合において、その申請に係る事項が津波防護施設の保全に著しい支障を及ぼすおそれがあると認めるときは、これを許可してはならない。

（津波防護施設区域における行為の制限）

第二三条　津波防護施設区域内の土地において、次に掲げる行為をしようとする者は、国土交通省令で定めるところにより、津波防護施設管理者の許可を受けなければならない。ただし、津波防護施設の保全に支障を及ぼすおそれがないものとして政令で定める行為については、この限りでない。

一　津波防護施設以外の施設又は工作物（以下この章において「他の施設等」という。）の新築又は改築

二　土地の掘削、盛土又は切土

三　前二号に掲げるもののほか、津波防護施設の保全に支障を及ぼすおそれがあるものとして政令で定める行為

2　前条第二項の規定は、前項の許可について準用する。

（経過措置）

第二四条　津波防護施設区域の指定の際現に権原に基づき、第二十二条第一項若しくは前条第一項の規定により許可を要する行為を行っている者又は同項の規定によりその設置について許可を要する他の施設等を設置している者は、従前と同様の条件により、当該行為又は他の施設等の設置について当該規定による許可を受けたものとみなす。同項ただし書若しくは同項第三号の政令又はこれを改廃する政令の施行の際現に権原に基づき、当該政令の施行に伴い新たに許可を要することとなる行為を行い、又は他の施設等を設置している者についても、同様とする。

（許可の特例）

第二五条　国又は地方公共団体が行う事業についての第二十二条第一項及び第二十三条第一項の規定の適用については、国又は地方公共団体と津波防護施設管理者との協議が成立することをもって、これらの規定による許可があったものとみなす。

（占用料）

第二六条　津波防護施設管理者は、国土交通省令で定める基準に従い、第二十二条第一項の許可を受けた者から占用料を徴収することができる。

（監督処分）

第二七条　津波防護施設管理者は、次の各号のいずれかに該当する者に対して、その許可を取り消し、若しくはその条件を変更し、又はその行為の中止、他の施設等の改築、移転若しくは除却、他の施設等により生ずべき津波防護施設の保全上の障害を予防するために必要な施設の設置若しくは原状回復を命ずることができる。

一　第二十二条第一項又は第二十三条第一項の規定に違反した者

二　第二十二条第一項又は第二十三条第一項の許可に付した条件に違反した者

三　偽りその他不正な手段により第二十二条第一項又は第二十三条第一項の許可を受けた者

2　津波防護施設管理者は、次の各号のいずれかに該当する場合においては、第二十二条第一項又は第二十三条第一項の許可を受けた者に対し、前項に規定する処分をし、又は同項に規定する必要な措置を命ずることができる。

一　津波防護施設に関する工事のためやむを得ない必要が生じたとき。

二　津波防護施設の保全上著しい支障が生じたとき。

三　津波防護施設の保全上の理由以外の理由に基づく公益上やむを得ない必要が生じたとき。

3　前二項の規定により必要な措置をとることを命じようとする場合において、過失がなくて当該措置を命ずべき者を確知することができないときは、津波防護施設管理者は、当該措置を自ら行い、又はその命じた者若しくは委任した者にこれを行わせることができる。この場合においては、相当の期限を定めて、当該措置を行うべき旨及びその期限までに当該措置を行わないときは、津波防護施設管理者又はその命じた者若しくは委任した者が当該措置を行う旨を、あらかじめ公告しなければならない。

4　津波防護施設管理者は、前項の規定により他の施設等を除却し、又は除却させたときは、当該他の施設等を保管しなければならない。

5　津波防護施設管理者は、前項の規定により他の施設等を保管したときは、当該他の施設等の所有者、占有者その他当該他の施設等について権原を有する者（第九項において「所有者等」という。）に対し当該他の施設等を返還するため、政令で定めるところにより、政令で定める事項を公示しなければならない。

6　津波防護施設管理者は、第四項の規定により保管した他の施設等が滅失し、若しくは破損するおそれがあるとき、又は前項の規定による公示の日から起算して三月を経過してもなお当該他の施設等を返還することができ

ない場合において、政令で定めるところにより評価した当該他の施設等の価額に比し、その保管に不相当な費用若しくは手数を要するときは、政令で定めるところにより、当該他の施設等を売却し、その売却した代金を保管することができる。

7　津波防護施設管理者は、前項の規定による他の施設等の売却につき買受人がない場合において、同項に規定する価額が著しく低いときは、当該他の施設等を廃棄することができる。

8　第六項の規定により売却した代金は、売却に要した費用に充てることができる。

9　第三項から第六項までに規定する他の施設等の除却、保管、売却、公示その他の措置に要した費用は、当該他の施設等の返還を受けるべき所有者等その他第三項に規定する当該措置を命ずべき者の負担とする。

10　第五項の規定による公示の日から起算して六月を経過してもなお第四項の規定により保管した他の施設等（第六項の規定により売却した代金を含む。以下この項において同じ。）を返還することができないときは、当該他の施設等の所有権は、都道府県知事が保管する他の施設等にあっては当該都道府県知事が統括する都道府県、市町村長が保管する他の施設等にあっては当該市町村長が統括する市町村に帰属する。

（損失補償）

第二十八条　津波防護施設管理者は、前条第二項の規定による処分又は命令により損失を受けた者に対し通常生ずべき損失を補償しなければならない。

2　前項の規定による損失の補償については、津波防護施設管理者と損失を受けた者とが協議しなければならない。

3　前項の規定による協議が成立しない場合においては、津波防護施設管理者は、自己の見積もった金額を損失を受けた者に支払わなければならない。この場合において、当該金額について不服がある者は、政令で定めるところにより、補償金の支払を受けた日から三十日以内に、収用委員会に土地収用法第九十四条第二項の規定による裁決を申請することができる。

4　津波防護施設管理者は、第一項の規定による補償の原因となった損失が前条第二項第三号に該当する場合における同項の規定による処分又は命令によるものであるときは、当該補償金額を当該理由を生じさせた者に負担させることができる。

（技術上の基準）

第二十九条　津波防護施設は、地形、地質、地盤の変動その他の状況を考慮し、自重、水圧及び波力並びに地震の発生、漂流物の衝突その他の事由による振動及び衝撃に対して安全な構造のものでなければならない。

2　前項に定めるもののほか、津波防護施設の形状、構造及び位置について、津波による人的災害の防止又は軽減のため必要とされる技術上の基準は、国土交通省令で定める基準を参酌して都道府県（第十八条第二項の規定により市町村長が津波防護施設を管理する場合にあっては、当該市町村長が統括する市町村）の条例で定める。

（兼用工作物の工事等の協議）

第三十条　津波防護施設と他の施設等とが相互に効用を兼ねる場合においては、津波防護施設管理者及び他の施設等の管理者は、協議して別に管理の方法を定め、当該津波防護施設及び他の施設等の工事、維持又は操作を行うことができる。

2　津波防護施設管理者は、前項の規定による協議に基づき、他の施設等の管理者が津波防護施設の工事、維持又は操作を行う場合においては、国土交通省令で定めるところにより、その旨を公示しなければならない。

（工事原因者の工事の施行等）

第三十一条　津波防護施設管理者は、津波防護施設に関する工事以外の工事（以下この章において「他の工事」という。）又は津波防護施設に関する工事若しくは津波防護施設の維持の必要を生じさせた行為（以下この章において「他の行為」という。）により必要を生じた津波防護施設に関する工事又は津波防護施設の維持を当該他の工事の施行者又は他の行為の行為者に施行させることができる。

2　前項の場合において、他の工事が河川工事（河川法が適用され、又は準用される河川の河川工事をいう。以下同じ。）、道路（道路法（昭和二十七年法律第百八十号）による道路をいう。以下同じ。）に関する工事、地すべり防止工事（地すべり等防止法（昭和三十三年法律第三十号）第二条第四項に規定する地すべり防止工事をいう。以下同じ。）、急傾斜地崩壊防止工事（急傾斜地の崩壊による災害の防止に関する法律（昭和四十四年法律第五十七号）第二条第三項に規定する急傾斜地崩壊防止工事をいう。第四十三条第二項において同じ。）又は海岸保全施設に関する工事であるときは、当該津波防護施設に関する工事については、河川法第十九条、道路法第二十三条第一項、地すべり等防止法第十五条第一項、急傾斜地の崩壊による災害の防止に関する法律第十六条第一項又は海岸法第十七条第一項の規定を適用する。

（附帯工事の施行）

第三十二条　津波防護施設管理者は、津波防護施設に関する工事により必要を生じた他の工事又は津波防護施設に関する工事を施行するため必要を生じた他の工事をその津波防護施設に関する工事と併せて施行することができる。

2　前項の場合において、他の工事が河川工事、道路に関する工事、砂防工事（砂防法（明治三十年法律第二十九号）第一条に規定する砂防工事をいう。第四十四条第二項において同じ。）、地すべり防止工事又は海岸保全施設等（海岸法第八条の二第一項第一号に規定する海岸保全施設等をいう。第四十四条第二項において同じ。）に関する工事であるときは、当該他の工事の施行については、河川法第十八条、道路法第二十二条第一項、砂防法第八条、地すべり等防止法第十四条第一項又は海岸法第十六条第一項の規定を適用する。

（津波防護施設管理者以外の者の行う工事等）

第三十三条　津波防護施設管理者以外の者は、第二十条第一項、第三十条第一項及び第三十一条の規定による場合のほか、あらかじめ、政令で定めるところにより津波防護施設管理者の承認を受けて、津波防護施設に関する工事又は津波防護施設の維持を行うことができる。ただし、政令で定める軽易なものについては、津波防護施設管理者の承認を受けることを要しない。

2　国又は地方公共団体が行う事業についての前項の規定の適用については、国又は地方公共団体と津波防護施設管理者との協議が成立することをもって、同項の規定による承認があったものとみなす。

（津波防護施設区域に関する調査のための土地の立入り等）

第三十四条　津波防護施設管理者又はその命じた者若しくはその委任した者は、津波防護施設区域に関する調査若しくは測量又は津波防護施設に関する工事のためにやむを得ない必要があるときは、その必要な限度において、他人の占有する土地に立ち入り、又は特別の用途のない他人の土地を材料置場若しくは作業場として一時使用することができる。

2　第七条（第一項を除く。）の規定は、前項の規定による立入り及び一時使用について準用する。この場合において、同条第八項から第十項までの規定中「都道府県又は国」とあるのは、「津波防護施設管理者」と読み替えるものとする。

（津波防護施設の新設又は改良に伴う損失補償）

第三十五条　土地収用法第九十三条第一項の規定による場合を除き、津波防護施設管理者が津波防護施設を新設し、又は改良したことにより、当該津波防護施設に面する土地について、通路、溝、垣、柵その他の施設若しくは工作物を新築し、増築し、修繕し、若しくは移転し、又は盛土若しくは切土をするやむを得ない必要があると認められる場合においては、津波防護施設管理者は、これらの工事をすることを必要とする者（以下この条において「損失を受けた者」という。）の請求により、これに要する費用の全部又は一部を補償しなければならない。この場合において、津波防護施設管理者又は損失を受けた者は、補償金の全部又は一部に代えて、津波防護施設管理者が当該工事を施行することを要求することができる。

2　前項の規定による損失の補償は、津波防護施設に関する工事の完了の日から一年を経過した後においては、請求することができない。

3　第一項の規定による損失の補償については、津波防護施設管理者と損失を受けた者とが協議しなければならない。

4　前項の規定による協議が成立しない場合においては、津波防護施設管理者又は損失を受けた者は、政令で定めるところにより、収用委員会に土地収用法第九十四条第二項の規定による裁決を申請することができる。

（津波防護施設台帳）

第三十六条　津波防護施設管理者は、津波防護施設台帳を調製し、これを保管しなければならない。

2　津波防護施設管理者は、津波防護施設台帳の閲覧を求められたときは、正当な理由がなければこれを拒むことができない。

3　津波防護施設台帳の記載事項その他その調製及び保管に関し必要な事項は、国土交通省令で定める。

（許可等の条件）

第三七条　津波防護施設管理者は、第二十二条第一項若しくは第二十三条第一項の許可又は第三十三条第一項の承認には、津波防護施設の保全上必要な条件を付することができる。

第二節　津波防護施設に関する費用

（津波防護施設の管理に要する費用の負担原則）

第三八条　津波防護施設管理者が津波防護施設を管理するために要する費用は、この法律及び他の法律に特別の規定がある場合を除き、当該津波防護施設管理者の属する地方公共団体の負担とする。

（津波防護施設の新設又は改良に要する費用の補助）

第三九条　国は、津波防護施設の新設又は改良に関する工事で政令で定めるものを行う地方公共団体に対し、予算の範囲内において、政令で定めるところにより、当該工事に要する費用の一部を補助することができる。

（境界に係る津波防護施設の管理に要する費用の特例）

第四〇条　都府県の境界に係る津波防護施設について第二十条第一項の規定による協議に基づき関係都府県知事が別に管理の方法を定めた場合においては、当該津波防護施設の管理に要する費用については、関係都府県知事は、協議してその分担すべき金額及び分担の方法を定めることができる。

（市町村の分担金）

第四一条　前三条の規定により都道府県が負担する費用のうち、その工事又は維持が当該都道府県の区域内の市町村を利するものについては、当該工事又は維持による受益の限度において、当該市町村に対し、その工事又は維持に要する費用の一部を負担させることができる。

２　前項の費用について同項の規定により市町村が負担すべき金額は、当該市町村の意見を聴いた上、当該都道府県の議会の議決を経て定めなければならない。

（兼用工作物の費用）

第四二条　津波防護施設が他の施設等の効用を兼ねるときは、当該津波防護施設の管理に要する費用の負担については、津波防護施設管理者と当該他の施設等の管理者とが協議して定めるものとする。

（原因者負担金）

第四三条　津波防護施設管理者は、他の工事又は他の行為により必要を生じた津波防護施設に関する工事又は津波防護施設の維持の費用については、その必要を生じた限度において、他の工事又は他の行為につき費用を負担する者にその全部又は一部を負担させるものとする。

２　前項の場合において、他の工事が河川工事、道路に関する工事、地すべり防止工事、急傾斜地崩壊防止工事又は海岸保全施設に関する工事であるときは、当該津波防護施設に関する工事の費用については、河川法第六十八条、道路法第五十九条第一項及び第三項、地すべり等防止法第三十五条第一項及び第三項、急傾斜地の崩壊による災害の防止に関する法律第二十二条第一項又は海岸法第三十二条第一項及び第三項の規定を適用する。

（附帯工事に要する費用）

第四四条　津波防護施設に関する工事により必要を生じた他の工事又は津波防護施設に関する工事を施行するため必要を生じた他の工事に要する費用は、第二十二条第一項及び第二十三条第一項の許可に付した条件に特別の定めがある場合並びに第二十五条の規定による協議による場合を除き、その必要を生じた限度において、当該津波防護施設に関する工事について費用を負担する者がその全部又は一部を負担するものとする。

２　前項の場合において、他の工事が河川工事、道路に関する工事、砂防工事、地すべり防止工事又は海岸保全施設等に関する工事であるときは、他の工事に要する費用については、河川法第六十七条、道路法第五十八条第一項、砂防法第十六条、地すべり等防止法第三十四条第一項又は海岸法第三十一条第一項の規定を適用する。

３　津波防護施設管理者は、第一項の津波防護施設に関する工事が他の工事又は他の行為のため必要となったものである場合においては、同項の他の工事に要する費用の全部又は一部をその必要を生じた限度において、その原因となった工事又は行為につき費用を負担する者に負担させることができる。

（受益者負担金）

第四五条　津波防護施設管理者は、津波防護施設に関する工事によって著しく利益を受ける者がある場合においては、その利益を受ける限度において、当該工事に要する費用の一部を負担させることができる。

２　前項の場合において、負担金の徴収を受ける者の範囲及びその徴収方法については、都道府県知事が負担させるものにあっては当該都道府県知事が統括する都道府県の条例で、市町村長が負担させるものにあっては当該市町村長が統括する市町村の条例で定める。

（負担金の通知及び納入手続等）

第四六条　第二十七条及び前三条の規定による負担金の額の通知及び納入手続その他負担金に関し必要な事項は、政令で定める。

（強制徴収）

第四七条　第二十六条の規定に基づく占用料並びに第二十七条第九項、第四十二条、第四十三条第一項、第四十四条第三項及び第四十五条第一項の規定に基づく負担金（以下この条及び次条においてこれらを「負担金等」と総称する。）を納付しない者があるときは、津波防護施設管理者は、督促状によって納付すべき期限を指定して督促しなければならない。

２　前項の場合においては、津波防護施設管理者は、国土交通省令で定めるところにより延滞金を徴収することができる。ただし、延滞金は、年十四・五パーセントの割合を乗じて計算した額を超えない範囲内で定めなければならない。

３　第一項の規定による督促を受けた者がその指定する期限までにその納付すべき金額を納付しないときは、津波防護施設管理者は、国税滞納処分の例により、前二項に規定する負担金等及び延滞金を徴収することができる。この場合における負担金等及び延滞金の先取特権の順位は、国税及び地方税に次ぐものとする。

４　延滞金は、負担金等に先立つものとする。

５　負担金等及び延滞金を徴収する権利は、これらを行使することができる時から五年間行使しないときは、時効により消滅する。

（収入の帰属）

第四八条　負担金等及び前条第二項の延滞金は、都道府県知事が負担させるものにあっては当該都道府県知事が統括する都道府県、市町村長が負担させるものにあっては当該市町村長が統括する市町村の収入とする。

（義務履行のために要する費用）

第四九条　前節の規定又は同節の規定に基づく処分による義務を履行するために必要な費用は、同節又はこの節に特別の規定がある場合を除き、当該義務者が負担しなければならない。

第三節　指定津波防護施設

（指定津波防護施設の指定等）

第五〇条　都道府県知事は、浸水想定区域（推進計画区域内のものに限る。以下この項において同じ。）内に存する第二条第十項の政令で定める施設（海岸保全施設、港湾施設、漁港施設、河川管理施設、保安施設事業に係る施設及び津波防護施設であるものを除く。）が、当該浸水想定区域における津波による人的災害を防止し、又は軽減するために有用であると認めるときは、当該施設を指定津波防護施設として指定することができる。

２　都道府県知事は、前項の規定による指定をしようとするときは、あらかじめ、当該指定をしようとする施設が存する市町村の長の意見を聴くとともに、当該施設の所有者の同意を得なければならない。

３　都道府県知事は、第一項の規定による指定をするときは、国土交通省令で定めるところにより、当該指定津波防護施設を公示するとともに、その旨を当該指定津波防護施設が存する市町村の長及び当該指定津波防護施設の所有者に通知しなければならない。

４　第一項の規定による指定は、前項の規定による公示によってその効力を生ずる。

５　前三項の規定は、第一項の規定による指定の解除について準用する。

（標識の設置等）

第五一条　都道府県知事は、前条第一項の規定により指定津波防護施設を指定したときは、国土交通省令で定める基準を参酌して都道府県の条例で定めるところにより、指定津波防護施設又はその敷地である土地の区域内に、それぞれ指定津波防護施設である旨又は指定津波防護施設が当該区域内に存する旨を表示した標識を設けなければならない。

２　指定津波防護施設又はその敷地である土地の所有者、管理者又は占有者は、正当な理由がない限り、前項の標識の設置を拒み、又は妨げてはならない。

３　何人も、第一項の規定により設けられた標識を都道府県知事の承諾を得ないで移転し、若しくは除却し、又は汚損し、若しくは損壊してはならない。

4　都道府県は、第一項の規定による行為により損失を受けた者がある場合においては、その損失を受けた者に対して、通常生ずべき損失を補償しなければならない。

5　前項の規定による損失の補償については、都道府県と損失を受けた者とが協議しなければならない。

6　前項の規定による協議が成立しない場合においては、都道府県又は損失を受けた者は、政令で定めるところにより、収用委員会に土地収用法第九十四条第二項の規定による裁決を申請することができる。

（行為の届出等）

第五二条　指定津波防護施設について、次に掲げる行為をしようとする者は、当該行為に着手する日の三十日前までに、国土交通省令で定めるところにより、行為の種類、場所、設計又は施行方法、着手予定日その他国土交通省令で定める事項を都道府県知事に届け出なければならない。ただし、通常の管理行為、軽易な行為その他の行為で政令で定めるもの及び非常災害のため必要な応急措置として行う行為については、この限りでない。

一　当該指定津波防護施設の敷地である土地の区域における土地の掘削、盛土又は切土その他土地の形状を変更する行為

二　当該指定津波防護施設の改築又は除却

2　都道府県知事は、前項の規定による届出を受けたときは、国土交通省令で定めるところにより、当該届出の内容を、当該指定津波防護施設が存する市町村の長に通知しなければならない。

3　都道府県知事は、第一項の規定による届出があった場合において、当該指定津波防護施設が有する津波による人的災害を防止し、又は軽減する機能の保全のため必要があると認めるときは、当該届出をした者に対して、必要な助言又は勧告をすることができる。

第八章　津波災害警戒区域

（津波災害警戒区域）

第五三条　都道府県知事は、基本指針に基づき、かつ、津波浸水想定を踏まえ、津波が発生した場合には住民その他の者（以下「住民等」という。）の生命又は身体に危害が生ずるおそれがあると認められる土地の区域で、当該区域における津波による人的災害を防止するために警戒避難体制を特に整備すべき土地の区域を、津波災害警戒区域（以下「警戒区域」という。）として指定することができる。

2　前項の規定による指定は、当該指定の区域及び基準水位（津波浸水想定に定める水深に係る水位に建築物等への衝突による津波の水位の上昇を考慮して必要と認められる値を加えて定める水位であって、津波の発生時における避難並びに第七十三条第一項に規定する特定開発行為及び第八十二条に規定する特定建築行為の制限の基準となるべきものをいう。以下同じ。）を明らかにしてするものとする。

3　都道府県知事は、第一項の規定による指定をしようとするときは、あらかじめ、関係市町村長の意見を聴かなければならない。

4　都道府県知事は、第一項の規定による指定をするときは、国土交通省令で定めるところにより、その旨並びに当該指定の区域及び基準水位を公示しなければならない。

5　都道府県知事は、前項の規定による公示をしたときは、速やかに、国土交通省令で定めるところにより、関係市町村長に、同項の規定により公示された事項を記載した図書を送付しなければならない。

6　第二項から前項までの規定は、第一項の規定による指定の変更又は解除について準用する。

（市町村地域防災計画に定めるべき事項等）

第五四条　市町村防災会議（災害対策基本法（昭和三十六年法律第二百二十三号）第十六条第一項の市町村防災会議をいい、これを設置しない市町村にあっては、当該市町村の長とする。以下同じ。）は、前条第一項の規定による警戒区域の指定があったときは、市町村地域防災計画（同法第四十二条第一項の市町村地域防災計画をいう。以下同じ。）において、当該警戒区域ごとに、次に掲げる事項について定めるものとする。

一　人的災害を生ずるおそれがある津波に関する情報の収集及び伝達並びに予報又は警報の発令及び伝達に関する事項

二　避難施設その他の避難場所及び避難路その他の避難経路に関する事項

三　災害対策基本法第四十八条第一項の防災訓練として市町村長が行う津波に係る避難訓練（第七十条において「津波避難訓練」という。）の実施に関する事項

四　警戒区域内に、地下街等（地下街その他地下に設けられた不特定かつ多数の者が利用する施設をいう。第七十一条第一項第一号において同じ。）又は社会福祉施設、学校、医療施設その他の主として防災上の配慮を要する者が利用する施設であって、当該施設の利用者の津波の発生時における円滑かつ迅速な避難を確保する必要があると認められるものがある場合にあっては、これらの施設の名称及び所在地

五　前各号に掲げるもののほか、警戒区域における津波による人的災害を防止するために必要な警戒避難体制に関する事項

2　市町村防災会議は、前項の規定により市町村地域防災計画において同項第四号に掲げる事項を定めるときは、当該市町村地域防災計画において、同号に規定する施設の利用者の津波の発生時における円滑かつ迅速な避難の確保が図られるよう、同項第一号に掲げる事項のうち人的災害を生ずるおそれがある津波に関する情報、予報及び警報の伝達に関する事項を定めるものとする。

（住民等に対する周知のための措置）

第五五条　市町村の長は、市町村地域防災計画に基づき、国土交通省令で定めるところにより、人的災害を生ずるおそれがある津波に関する情報の伝達方法、避難施設その他の避難場所及び避難路その他の避難経路に関する事項その他警戒区域における円滑な警戒避難を確保する上で必要な事項を住民等に周知させるため、これらの事項を記載した印刷物の配布その他の必要な措置を講じなければならない。

（指定避難施設の指定）

第五六条　市町村長は、警戒区域において津波の発生時における円滑かつ迅速な避難の確保を図るため、警戒区域内に存する施設（当該市町村が管理する施設を除く。）であって次に掲げる基準に適合するものを指定避難施設として指定することができる。

一　当該施設が津波に対して安全な構造のものとして国土交通省令で定める技術的基準に適合するものであること。

二　基準水位以上の高さに避難上有効な屋上その他の場所が配置され、かつ、当該場所までの避難上有効な階段その他の経路があること。

三　津波の発生時において当該施設が住民等に開放されることその他当該施設の管理方法が内閣府令・国土交通省令で定める基準に適合するものであること。

2　市町村長は、前項の規定により指定避難施設を指定しようとするときは、当該施設の管理者の同意を得なければならない。

3　建築主事又は建築副主事を置かない市町村の市町村長は、建築物又は建築基準法第八十八条第一項の政令で指定する工作物について第一項の規定による指定をしようとするときは、あらかじめ、都道府県知事に協議しなければならない。

4　市町村長は、第一項の規定による指定をしたときは、その旨を公示しなければならない。

（市町村地域防災計画における指定避難施設に関する事項の記載等）

第五七条　市町村防災会議は、前条第一項の規定により指定避難施設が指定されたときは、当該指定避難施設に関する事項を、第五十四条第一項第二号の避難施設に関する事項として、同項の規定により市町村地域防災計画において定めるものとする。この場合においては、当該市町村地域防災計画において、併せて当該指定避難施設の管理者に対する人的災害を生ずるおそれがある津波に関する情報、予報及び警報の伝達方法を、同項第一号に掲げる事項として定めるものとする。

（指定避難施設に関する届出）

第五八条　指定避難施設の管理者は、当該指定避難施設を廃止し、又は改築その他の事由により当該指定避難施設の現状に政令で定める重要な変更を加えようとするときは、内閣府令・国土交通省令で定めるところにより市町村長に届け出なければならない。

（指定の取消し）

第五九条　市町村長は、当該指定避難施設が廃止され、又は第五十六条第一項各号に掲げる基準に適合しなくなったと認めるときは、同項の規定による指定を取り消すものとする。

2　市町村は、前項の規定により第五十六条第一項の規定による指定を取り消したときは、その旨を公示しなければならない。

（管理協定の締結等）

第六〇条 市町村は、警戒区域において津波の発生時における円滑かつ迅速な避難の確保を図るため、警戒区域内に存する施設（当該市町村が管理する施設を除く。）であって第五十六条第一項第一号及び第二号に掲げる基準に適合するものについて、その避難用部分（津波の発生時における避難の用に供する部分をいう。以下同じ。）を自ら管理する必要があると認めるときは、施設所有者等（当該施設の所有者、その敷地である土地の所有者又は当該土地の使用及び収益を目的とする権利（臨時設備その他一時使用のため設定されたことが明らかなものを除く。次条第一項において同じ。）を有する者をいう。以下同じ。）との間において、管理協定を締結して当該施設の避難用部分の管理を行うことができる。

2 前項の規定による管理協定については、施設所有者等の全員の合意がなければならない。

第六一条 市町村は、警戒区域において津波の発生時における円滑かつ迅速な避難の確保を図るため、警戒区域内において建設が予定されている施設又は建設中の施設であって、第五十六条第一項第一号及び第二号に掲げる基準に適合する見込みのもの（当該市町村が管理することとなる施設を除く。）について、その避難用部分を自ら管理する必要があると認めるときは、施設所有者等となろうとする者（当該施設の敷地である土地の所有者又は当該土地の使用及び収益を目的とする権利を有する者を含む。次項及び第六十八条において「予定施設所有者等」という。）との間において、管理協定を締結して建設後の当該施設の避難用部分の管理を行うことができる。

2 前項の規定による管理協定については、予定施設所有者等の全員の合意がなければならない。

（管理協定の内容）

第六二条 第六十条第一項又は前条第一項の規定による管理協定（以下「管理協定」という。）には、次に掲げる事項を定めるものとする。

一 管理協定の目的となる避難用部分（以下この条及び第六十五条において「協定避難用部分」という。）

二 協定避難用部分の管理の方法に関する事項

三 管理協定の有効期間

四 管理協定に違反した場合の措置

2 管理協定の内容は、次に掲げる基準のいずれにも適合するものでなければならない。

一 協定避難施設（協定避難用部分の属する施設をいう。以下同じ。）の利用を不当に制限するものでないこと。

二 前項第二号から第四号までに掲げる事項について内閣府令・国土交通省令で定める基準に適合するものであること。

（管理協定の縦覧等）

第六三条 市町村は、管理協定を締結しようとするときは、内閣府令・国土交通省令で定めるところにより、その旨を公告し、当該管理協定を当該公告の日から二週間利害関係人の縦覧に供さなければならない。

2 前項の規定による公告があったときは、利害関係人は、同項の縦覧期間満了の日までに、当該管理協定について、市町村に意見書を提出することができる。

第六四条 建築主事又は建築副主事を置かない市町村は、建築物又は建築基準法第八十八条第一項の政令で指定する工作物について管理協定を締結しようとするときは、あらかじめ、都道府県知事に協議しなければならない。

（管理協定の公告等）

第六五条 市町村は、管理協定を締結したときは、内閣府令・国土交通省令で定めるところにより、その旨を公告し、かつ、当該管理協定の写しを当該市町村の事務所に備えて公衆の縦覧に供するとともに、協定避難施設又はその敷地である土地の区域内の見やすい場所に、それぞれ協定避難施設である旨又は協定避難施設が当該区域内に存する旨を明示し、かつ、協定避難用部分の位置を明示しなければならない。

（市町村地域防災計画における協定避難施設に関する事項の記載）

第六六条 市町村防災会議は、当該市町村が管理協定を締結したときは、当該管理協定に係る協定避難施設に関する事項を、第五十四条第一項第二号の避難施設に関する事項として、同項の規定により市町村地域防災計画において定めるものとする。

（管理協定の変更）

第六七条 第六十条第二項、第六十一条第二項、第六十二条第二項、第六十三条及び第六十五条の規定は、管理協定において定めた事項の変更について準用する。この場合において、第六十一条第二項中「予定施設所有者等」とあるのは、「予定施設所有者等（施設の建設後にあっては、施設所有者等）」と読み替えるものとする。

（管理協定の効力）

第六八条 第六十五条（前条において準用する場合を含む。）の規定による公告のあった管理協定は、その公告のあった後において当該管理協定に係る協定避難施設の施設所有者等又は予定施設所有者等となった者に対しても、その効力があるものとする。

（市町村防災会議の協議会が設置されている場合の準用）

第六九条 第五十四条、第五十五条、第五十七条及び第六十六条の規定は、災害対策基本法第十七条第一項の規定により津波による人的災害の防止又は軽減を図るため同項の市町村防災会議の協議会が設置されている場合について準用する。この場合において、第五十四条第一項中「市町村防災会議（災害対策基本法（昭和三十六年法律第二百二十三号）第十六条第一項の市町村防災会議をいい、これを設置しない市町村にあっては、当該市町村の長とする。」とあるのは「市町村防災会議の協議会（災害対策基本法（昭和三十六年法律第二百二十三号）第十七条第一項の市町村防災会議の協議会をいう。」と、「市町村地域防災計画（同法第四十二条第一項の市町村地域防災計画をいう。」とあるのは「市町村相互間地域防災計画（同法第四十四条第一項の市町村相互間地域防災計画をいう。」と、同条第二項、第五十七条及び第六十六条中「市町村防災会議」とあるのは「市町村防災会議の協議会」と、同項、第五十五条、第五十七条及び第六十六条中「市町村地域防災計画」とあるのは「市町村相互間地域防災計画」と読み替えるものとする。

（津波避難訓練への協力）

第七〇条 指定避難施設の管理者は、津波避難訓練が行われるときは、これに協力しなければならない。

（避難確保計画の作成等）

第七一条 次に掲げる施設であって、第五十四条第一項（第六十九条において準用する場合を含む。）の規定により市町村地域防災計画又は災害対策基本法第四十四条第一項の市町村相互間地域防災計画にその名称及び所在地が定められたもの（以下この条において「避難促進施設」という。）の所有者又は管理者は、単独で又は共同して、国土交通省令で定めるところにより、避難訓練その他当該避難促進施設の利用者の津波の発生時における円滑かつ迅速な避難の確保を図るために必要な措置に関する計画（以下この条において「避難確保計画」という。）を作成し、これを市町村長に報告するとともに、公表しなければならない。

一 地下街等

二 社会福祉施設、学校、医療施設その他の主として防災上の配慮を要する者が利用する施設のうち、その利用者の津波の発生時における円滑かつ迅速な避難を確保するための体制を計画的に整備する必要があるものとして政令で定めるもの

2 避難促進施設の所有者又は管理者は、避難確保計画の定めるところにより避難訓練を行うとともに、その結果を市町村長に報告しなければならない。

3 市町村長は、前二項の規定により報告を受けたときは、避難促進施設の所有者又は管理者に対し、当該避難促進施設の利用者の津波の発生時における円滑かつ迅速な避難の確保を図るために必要な助言又は勧告をすることができる。

4 避難促進施設の所有者又は管理者の使用人その他の従業者は、避難確保計画の定めるところにより、第二項の避難訓練に参加しなければならない。

5 避難促進施設の所有者又は管理者は、第二項の避難訓練を行おうとするときは、避難促進施設を利用する者に協力を求めることができる。

第九章 津波災害特別警戒区域

（津波災害特別警戒区域）

第七二条 都道府県知事は、基本指針に基づき、かつ、津波浸水想定を踏まえ、警戒区域のうち、津波が発生した場合には建築物が損壊し、又は浸水し、住民等の生命又は身体に著しい危害が生ずるおそれがあると認められる土地の区域で、一定の開発行為（都市計画法第四条第十二項に規定する開発行為をいう。次条第一項及び第八十条において同じ。）及び一定の建

築物（居室（建築基準法第二条第四号に規定する居室をいう。以下同じ。）を有するものに限る。以下同じ。）の建築（同条第十三号に規定する建築をいう。以下同じ。）又は用途の変更の制限をすべき土地の区域を、津波災害特別警戒区域（以下「特別警戒区域」という。）として指定することができる。

2　前項の規定による指定は、当該指定の区域を明らかにしてするものとする。

3　都道府県知事は、第一項の規定による指定をしようとするときは、あらかじめ、国土交通省令で定めるところにより、その旨を公告し、当該指定の案を、当該指定をしようとする理由を記載した書面を添えて、当該公告から二週間公衆の縦覧に供しなければならない。

4　前項の規定による公告があったときは、住民及び利害関係人は、同項の縦覧期間満了の日までに、縦覧に供された指定の案について、都道府県知事に意見書を提出することができる。

5　都道府県知事は、第一項の規定による指定をしようとするときは、あらかじめ、前項の規定により提出された意見書の写しを添えて、関係市町村長の意見を聴かなければならない。

6　都道府県知事は、第一項の規定による指定をするときは、国土交通省令で定めるところにより、その旨及び当該指定の区域を公示しなければならない。

7　都道府県知事は、前項の規定による公示をしたときは、速やかに、国土交通省令で定めるところにより、関係市町村長に、同項の規定により公示された事項を記載した図書を送付しなければならない。

8　第一項の規定による指定は、第六項の規定による公示によってその効力を生ずる。

9　関係市町村長は、第七項の図書を当該市町村の事務所において、公衆の縦覧に供しなければならない。

10　都道府県知事は、海岸保全施設又は津波防護施設の整備の実施その他の事由により、特別警戒区域の全部又は一部について第一項の規定による指定の事由がなくなったと認めるときは、当該特別警戒区域の全部又は一部について当該指定を解除するものとする。

11　第二項から第九項までの規定は、第一項の規定による指定の変更又は前項の規定による当該指定の解除について準用する。

（特定開発行為の制限）

第七十三条　特別警戒区域内において、政令で定める土地の形質の変更を伴う開発行為で当該開発行為をする土地の区域内において建築が予定されている建築物（以下「予定建築物」という。）の用途が制限用途であるもの（以下「特定開発行為」という。）をしようとする者は、あらかじめ、都道府県知事（地方自治法（昭和二十二年法律第六十七号）第二百五十二条の十九第一項に規定する指定都市（第三項及び第九十四条において「指定都市」という。）又は同法第二百五十二条の二十二第一項に規定する中核市（第三項において「中核市」という。）の区域内にあっては、それぞれの長。以下「都道府県知事等」という。）の許可を受けなければならない。

2　前項の制限用途とは、予定建築物の用途で、次に掲げる用途以外の用途でないものをいう。

一　高齢者、障害者、乳幼児その他の特に防災上の配慮を要する者が利用する社会福祉施設、学校及び医療施設（政令で定めるものに限る。）

二　前号に掲げるもののほか、津波の発生時における利用者の円滑かつ迅速な避難を確保することができないおそれが大きいものとして特別警戒区域内の区域であって市町村の条例で定めるものごとに市町村の条例で定める用途

3　市町村（指定都市及び中核市を除く。）は、前項第二号の条例を定めようとするときは、あらかじめ、都道府県知事と協議し、その同意を得なければならない。

4　第一項の規定は、次に掲げる行為については、適用しない。

一　特定開発行為をする土地の区域（以下「開発区域」という。）が特別警戒区域の内外にわたる場合における、特別警戒区域外においてのみ第一項の制限用途の建築物の建築がされる予定の特定開発行為

二　開発区域が第二項第二号の条例で定める区域の内外にわたる場合における、当該区域外においてのみ第一項の制限用途（同号の条例で定める用途に限る。）の建築物の建築がされる予定の特定開発行為

三　非常災害のために必要な応急措置として行う行為その他の政令で定める行為

（申請の手続）

第七十四条　前条第一項の許可を受けようとする者は、国土交通省令で定めるところにより、次に掲げる事項を記載した申請書を提出しなければならない。

一　開発区域の位置、区域及び規模

二　予定建築物（前条第一項の制限用途のものに限る。）の用途及びその敷地の位置

三　特定開発行為に関する工事の計画

四　その他国土交通省令で定める事項

2　前項の申請書には、国土交通省令で定める図書を添付しなければならない。

（許可の基準）

第七十五条　都道府県知事等は、第七十三条第一項の許可の申請があったときは、特定開発行為に関する工事の計画が、擁壁の設置その他の津波が発生した場合における開発区域内の土地の安全上必要な措置を国土交通省令で定める技術的基準に従い講じるものであり、かつ、その申請の手続がこの法律及びこの法律に基づく命令の規定に違反していないと認めるときは、その許可をしなければならない。

（許可の特例）

第七十六条　国又は地方公共団体が行う特定開発行為については、国又は地方公共団体と都道府県知事等との協議が成立することをもって第七十三条第一項の許可を受けたものとみなす。

2　都市計画法第二十九条第一項又は第二項の許可を受けた特定開発行為は、第七十三条第一項の許可を受けたものとみなす。

（許可又は不許可の通知）

第七十七条　都道府県知事等は、第七十三条第一項の許可の申請があったときは、遅滞なく、許可又は不許可の処分をしなければならない。

2　前項の処分をするには、文書をもって当該申請をした者に通知しなければならない。

（変更の許可等）

第七十八条　第七十三条第一項の許可（この項の規定による許可を含む。）を受けた者は、第七十四条第一項各号に掲げる事項の変更をしようとする場合においては、都道府県知事等の許可を受けなければならない。ただし、変更後の予定建築物の用途が第七十三条第一項の制限用途以外のものであるとき、又は国土交通省令で定める軽微な変更をしようとするときは、この限りでない。

2　前項の許可を受けようとする者は、国土交通省令で定める事項を記載した申請書を都道府県知事等に提出しなければならない。

3　第七十三条第一項の許可を受けた者は、第一項ただし書に該当する変更をしたときは、遅滞なく、その旨を都道府県知事等に届け出なければならない。

4　前三条の規定は、第一項の許可について準用する。

5　第一項の許可又は第三項の規定による届出の場合における次条から第八十一条までの規定の適用については、第一項の許可又は第三項の規定による届出に係る変更後の内容を第七十三条第一項の許可の内容とみなす。

6　第七十六条第二項の規定により第七十三条第一項の許可を受けたものとみなされた特定開発行為に係る都市計画法第三十五条の二第一項の許可又は同条第三項の規定による届出は、当該特定開発行為に係る第一項の許可又は第三項の規定による届出とみなす。

（工事完了の検査等）

第七十九条　第七十三条第一項の許可を受けた者は、当該許可に係る特定開発行為（第七十六条第二項の規定により第七十三条第一項の許可を受けたものとみなされた特定開発行為を除く。）に関する工事の全てを完了したときは、国土交通省令で定めるところにより、その旨を都道府県知事等に届け出なければならない。

2　都道府県知事等は、前項の規定による届出があったときは、遅滞なく、当該工事が第七十五条の国土交通省令で定める技術的基準に適合しているかどうかについて検査し、その検査の結果当該工事が当該技術的基準に適合していると認めたときは、国土交通省令で定める様式の検査済証を当該届出をした者に交付しなければならない。

3　都道府県知事等は、前項の規定により検査済証を交付したときは、遅滞なく、国土交通省令で定めるところにより、当該工事が完了した旨及び当該工事の完了後において当該工事に係る開発区域（特別警戒区域内のもの

に限る。）に地盤の高さが基準水位以上である土地の区域があるときは、その区域を公告しなければならない。

（開発区域の建築制限）

第八〇条　第七十三条第一項の許可を受けた開発区域（特別警戒区域内のものに限る。）内の土地においては、前条第三項の規定による公告又は第七十六条第二項の規定により第七十三条第一項の許可を受けたものとみなされた特定開発行為に係る都市計画法第三十六条第三項の規定による公告があるまでの間は、第七十三条第一項の制限用途の建築物の建築をしてはならない。ただし、開発行為に関する工事用の仮設建築物の建築をするときその他都道府県知事等が支障がないと認めたときは、この限りでない。

（特定開発行為の廃止）

第八一条　第七十三条第一項の許可を受けた者は、当該許可に係る特定開発行為に関する工事を廃止したときは、遅滞なく、国土交通省令で定めるところにより、その旨を都道府県知事等に届け出なければならない。

2　第七十六条第二項の規定により第七十三条第一項の許可を受けたものとみなされた特定開発行為に係る都市計画法第三十八条の規定による届出は、当該特定開発行為に係る前項の規定による届出とみなす。

（特定建築行為の制限）

第八二条　特別警戒区域内において、第七十三条第二項各号に掲げる用途の建築物の建築（既存の建築物の用途を変更して同項各号に掲げる用途の建築物とすることを含む。以下「特定建築行為」という。）をしようとする者は、あらかじめ、都道府県知事等の許可を受けなければならない。ただし、次に掲げる行為については、この限りでない。

一　第七十九条第三項又は都市計画法第三十六条第三項後段の規定により公告されたその地盤の高さが基準水位以上である土地の区域において行う特定建築行為

二　非常災害のために必要な応急措置として行う行為その他の政令で定める行為

（申請の手続）

第八三条　第七十三条第二項第一号に掲げる用途の建築物について前条の許可を受けようとする者は、国土交通省令で定めるところにより、次に掲げる事項を記載した申請書を提出しなければならない。

一　特定建築行為に係る建築物の敷地の位置及び区域

二　特定建築行為に係る建築物の構造方法

三　次条第一項第二号の政令で定める居室の床面の高さ

四　その他国土交通省令で定める事項

2　前項の申請書には、国土交通省令で定める図書を添付しなければならない。

3　第七十三条第二項第二号の条例で定める用途の建築物について前条の許可を受けようとする者は、市町村の条例で定めるところにより、次に掲げる事項を記載した申請書を提出しなければならない。

一　特定建築行為に係る建築物の敷地の位置及び区域

二　特定建築行為に係る建築物の構造方法

三　その他市町村の条例で定める事項

4　前項の申請書には、国土交通省令で定める図書及び市町村の条例で定める図書を添付しなければならない。

5　第七十三条第三項の規定は、前二項の条例を定める場合について準用する。

（許可の基準）

第八四条　都道府県知事等は、第七十三条第二項第一号に掲げる用途の建築物について第八十二条の許可の申請があったときは、当該建築物が次に掲げる基準に適合するものであり、かつ、その申請の手続がこの法律又はこの法律に基づく命令の規定に違反していないと認めるときは、その許可をしなければならない。

一　津波に対して安全な構造のものとして国土交通省令で定める技術的基準に適合するものであること。

二　第七十三条第二項第一号の政令で定める用途ごとに政令で定める居室の床面の高さ（当該居室の構造その他の事由を勘案して都道府県知事等が津波に対して安全であると認める場合にあっては、当該居室の床面の高さに都道府県知事等が当該居室について指定する高さを加えた高さ）が基準水位以上であること。

2　都道府県知事等は、第七十三条第二項第二号の条例で定める用途の建築物について第八十二条の許可の申請があったときは、当該建築物が次に掲げる基準に適合するものであり、かつ、その申請の手続がこの法律若しくはこの法律に基づく命令の規定又は前条第三項若しくは第四項の条例の規定に違反していないと認めるときは、その許可をしなければならない。

一　前項第一号の国土交通省令で定める技術的基準に適合するものであること。

二　次のいずれかに該当するものであることとする基準を参酌して市町村の条例で定める基準に適合するものであること。

イ　居室（共同住宅その他の各戸ごとに利用される建築物にあっては、各戸ごとの居室）の床面の全部又は一部の高さが基準水位以上であること。

ロ　基準水位以上の高さに避難上有効な屋上その他の場所が配置され、かつ、当該場所までの避難上有効な階段その他の経路があること。

3　第七十三条第三項の規定は、前項第二号の条例を定める場合について準用する。

4　建築主事又は建築副主事を置かない市の市長は、第八十二条の許可をしようとするときは、都道府県知事に協議しなければならない。

（許可の特例）

第八五条　国又は地方公共団体が行う特定建築行為については、国又は地方公共団体と都道府県知事等との協議が成立することをもって第八十二条の許可を受けたものとみなす。

（許可証の交付又は不許可の通知）

第八六条　都道府県知事等は、第八十二条の許可の申請があったときは、遅滞なく、許可又は不許可の処分をしなければならない。

2　都道府県知事等は、当該申請をした者に、前項の許可の処分をしたときは許可証を交付し、同項の不許可の処分をしたときは文書をもって通知しなければならない。

3　前項の許可証の交付を受けた後でなければ、特定建築行為に関する工事（根切り工事その他の政令で定める工事を除く。）は、することができない。

4　第二項の許可証の様式は、国土交通省令で定める。

（変更の許可等）

第八七条　第八十二条の許可（この項の規定による許可を含む。）を受けた者は、次に掲げる場合においては、都道府県知事等の許可を受けなければならない。ただし、変更後の建築物が第七十三条第二項各号に掲げる用途の建築物以外のものとなるとき、又は国土交通省令で定める軽微な変更をしようとするときは、この限りでない。

一　第七十三条第二項第一号に掲げる用途の建築物について第八十三条第一項各号に掲げる事項の変更をしようとする場合

二　第七十三条第二項第二号の条例で定める用途の建築物について第八十三条第三項各号に掲げる事項の変更をしようとする場合

2　前項の許可を受けようとする者は、国土交通省令で定める事項（同項第二号に掲げる場合にあっては、市町村の条例で定める事項）を記載した申請書を都道府県知事等に提出しなければならない。

3　第七十三条第三項の規定は、前項の条例を定める場合について準用する。

4　第八十二条の許可を受けた者は、第一項ただし書に該当する変更をしたときは、遅滞なく、その旨を都道府県知事等に届け出なければならない。

5　前三条の規定は、第一項の許可について準用する。

（監督処分）

第八八条　都道府県知事等は、次の各号のいずれかに該当する者に対して、特定開発行為に係る土地又は特定建築行為に係る建築物における津波による人的災害を防止するために必要な限度において、第七十三条第一項、第七十八条第一項、第八十二条若しくは前条第一項の許可を取り消し、若しくはその許可に付した条件を変更し、又は工事その他の行為の停止を命じ、若しくは相当の期限を定めて必要な措置をとることを命ずることができる。

一　第七十三条第一項又は第七十八条第一項の規定に違反して、特定開発行為をした者

二　第八十二条又は前条第一項の規定に違反して、特定建築行為をした者

三　第七十三条第一項、第七十八条第一項、第八十二条又は前条第一項の許可に付した条件に違反した者

四　特別警戒区域で行われる又は行われた特定開発行為（当該特別警戒区域の指定の際当該特別警戒区域内において既に着手している行為を除く。）であって、開発区域内の土地の安全上必要な措置を第七十五条の国土交通省令で定める技術的基準に従って講じていないものに関する工

事の注文主若しくは請負人（請負工事の下請人を含む。）又は請負契約によらないで自らその工事をしている者若しくはした者

五　特別警戒区域で行われる又は行われた特定建築行為（当該特別警戒区域の指定の際当該特別警戒区域内において既に着手している行為を除く。）であって、第八十四条第一項各号に掲げる基準に従って行われていないものに関する工事の注文主若しくは請負人（請負工事の下請人を含む。）又は請負契約によらないで自らその工事をしている者若しくはした者

六　偽りその他不正な手段により第七十三条第一項、第七十八条第一項、第八十二条又は前条第一項の許可を受けた者

2　前項の規定により必要な措置をとることを命じようとする場合において、過失がなくて当該措置を命ずべき者を確知することができないときは、都道府県知事等は、その者の負担において、当該措置を自ら行い、又はその命じた者若しくは委任した者にこれを行わせることができる。この場合においては、相当の期限を定めて、当該措置を行うべき旨及びその期限までに当該措置を行わないときは、都道府県知事等又はその命じた者若しくは委任した者が当該措置を行う旨を、あらかじめ、公告しなければならない。

3　都道府県知事等は、第一項の規定による命令をした場合においては、標識の設置その他国土交通省令で定める方法により、その旨を公示しなければならない。

4　前項の標識は、第一項の規定による命令に係る土地又は建築物若しくは建築物の敷地内に設置することができる。この場合においては、同項の規定による命令に係る土地又は建築物若しくは建築物の敷地の所有者、管理者又は占有者は、当該標識の設置を拒み、又は妨げてはならない。

（立入検査）

第八九条　都道府県知事等又はその命じた者若しくは委任した者は、第七十三条第一項、第七十八条第一項、第七十九条第二項、第八十条、第八十二条、第八十七条第一項又は前条第一項の規定による権限を行うため必要がある場合においては、当該土地に立ち入り、当該土地又は当該土地において行われている特定開発行為若しくは特定建築行為に関する工事の状況を検査することができる。

2　第七条第五項の規定は、前項の場合について準用する。

3　第一項の規定による立入検査の権限は、犯罪捜査のために認められたものと解してはならない。

（報告の徴収等）

第九〇条　都道府県知事等は、第七十三条第一項又は第七十八条第一項の許可を受けた者に対し、当該許可に係る土地若しくは当該許可に係る特定開発行為に関する工事の状況について報告若しくは資料の提出を求め、又は当該土地における津波による人的災害を防止するために必要な助言若しくは勧告をすることができる。

2　都道府県知事等は、第八十二条又は第八十七条第一項の許可を受けた者に対し、当該許可に係る建築物若しくは当該許可に係る特定建築行為に関する工事の状況について報告若しくは資料の提出を求め、又は当該建築物における津波による人的災害を防止するために必要な助言若しくは勧告をすることができる。

（許可の条件）

第九一条　都道府県知事等は、第七十三条第一項又は第七十八条第一項の許可には、特定開発行為に係る土地における津波による人的災害を防止するために必要な条件を付することができる。

2　都道府県知事等は、第八十二条又は第八十七条第一項の許可には、特定建築行為に係る建築物における津波による人的災害を防止するために必要な条件を付することができる。

（移転等の勧告）

第九二条　都道府県知事は、津波が発生した場合には特別警戒区域内に存する建築物が損壊し、又は浸水し、住民等の生命又は身体に著しい危害が生ずるおそれが大きいと認めるときは、当該建築物の所有者、管理者又は占有者に対し、当該建築物の移転その他津波による人的災害を防止し、又は軽減するために必要な措置をとることを勧告することができる。

2　都道府県知事は、前項の規定による勧告をした場合において、必要があると認めるときは、その勧告を受けた者に対し、土地の取得についてのあっせんその他の必要な措置を講ずるよう努めなければならない。

第十章　雑則

（財政上の措置等）

第九三条　国は、津波防災地域づくりの推進に関する施策を実施するために必要な財政上、金融上及び税制上の措置その他の措置を講ずるよう努めるものとする。

（監視区域の指定）

第九四条　都道府県知事又は指定都市の長は、推進計画区域のうち、地価が急激に上昇し、又は上昇するおそれがあり、これによって適正かつ合理的な土地利用の確保が困難となるおそれがあると認められる区域を国土利用計画法（昭和四十九年法律第九十二号）第二十七条の六第一項の規定により監視区域として指定するよう努めるものとする。

（地籍調査の推進）

第九五条　国は、推進計画区域における地籍調査の推進を図るため、地籍調査の推進に資する調査を行うよう努めるものとする。

（権限の委任）

第九六条　この法律に規定する国土交通大臣の権限は、国土交通省令で定めるところにより、その一部を地方整備局長又は北海道開発局長に委任することができる。

（命令への委任）

第九七条　この法律に定めるもののほか、この法律の実施のために必要な事項は、命令で定める。

（経過措置）

第九八条　この法律に基づき命令を制定し、又は改廃する場合においては、その命令で、その制定又は改廃に伴い合理的に必要と判断される範囲内において、所要の経過措置（罰則に関する経過措置を含む。）を定めることができる。

第十一章　罰則

第九九条　次の各号のいずれかに該当する者は、一年以下の懲役又は五十万円以下の罰金に処する。

一　第二十二条第一項の規定に違反して、津波防護施設区域を占用した者

二　第二十三条第一項の規定に違反して、同項各号に掲げる行為をした者

三　第七十三条第一項又は第七十八条第一項の規定に違反して、特定開発行為をした者

四　第八十条の規定に違反して、第七十三条第一項の制限用途の建築物の建築をした者

五　第八十二条又は第八十七条第一項の規定に違反して、特定建築行為をした者

六　第八十八条第一項の規定による都道府県知事等の命令に違反した者

第一〇〇条　次の各号のいずれかに該当する者は、六月以下の懲役又は三十万円以下の罰金に処する。

一　第七条第七項（第三十四条第二項において準用する場合を含む。）の規定に違反して、土地の立入り又は一時使用を拒み、又は妨げた者

二　第八十九条第一項の規定による立入検査を拒み、妨げ、又は忌避した者

第一〇一条　次の各号のいずれかに該当する者は、三十万円以下の罰金に処する。

一　第五十一条第三項の規定に違反した者

二　第五十二条第一項の規定に違反して、届出をしないで、又は虚偽の届出をして、同項各号に掲げる行為をした者

三　第九十条第一項又は第二項の規定による報告又は資料の提出を求められて、報告若しくは資料を提出せず、又は虚偽の報告若しくは資料の提出をした者

第一〇二条　法人の代表者又は法人若しくは人の代理人、使用人その他の従業者が、その法人又は人の業務又は財産に関し、前三条の違反行為をしたときは、行為者を罰するほか、その法人又は人に対しても各本条の罰金刑を科する。

第一〇三条　第五十八条、第七十八条第三項、第八十一条第一項又は第八十七条第四項の規定に違反して、届出をせず、又は虚偽の届出をした者は、二十万円以下の過料に処する。

附　則

この法律は、公布の日から起算して二月を超えない範囲内において政令で定める日から施行する。ただし、第九章、第九十九条（第三号から第六号までに係る部分に限る。）、第百条（第二号に係る部分に限る。）、第百一条（第三号に係る部分に限る。）及び第百三条（第五十八条に係る部分を除く。）の規定は、公布の日から起算して六月を超えない範囲内において政令で定める日から施行する。

〔平成二三政四二五により、平成二三・一二・二七から施行。ただし書の規定は、平成二四政一五七により、平成二四・六・一三から施行〕

附　則〔抄〕〔平成二六・五・三〇法律四二〕

（施行期日）

第一条　この法律〔中略〕は、当該各号に定める日〔平成二七・四・一〕から施行する。

（津波防災地域づくりに関する法律の一部改正に伴う経過措置）

第七五条　施行時特例市に対する前条の規定による改正後の津波防災地域づくりに関する法律第七十三条第一項及び第三項の規定の適用については、同条第一項中「又は同法」とあるのは「、同法」と、「中核市」とあるのは「「中核市」という。）又は地方自治法の一部を改正する法律（平成二十六年法律第四十二号）附則第二条に規定する施行時特例市（第三項において「施行時特例市」と、同条第三項中「及び中核市」とあるのは「、中核市及び施行時特例市」とする。

附　則〔平成二九・六・二法律四五〕

この法律は、民法改正法の施行の日〔令和二年四月一日〕から施行する。ただし、〔中略〕第三百六十二条の規定は、公布の日から施行する。

民法の一部を改正する法律の施行に伴う関係法律の整備等に関する法律〔抄〕〔平成二九・六・二法律四五〕

（罰則に関する経過措置）

第三六一条　施行日前にした行為及びこの法律の規定によりなお従前の例によることとされる場合における施行日以後にした行為に対する罰則の適用については、なお従前の例による。

（政令への委任）

第三六二条　この法律に定めるもののほか、この法律の施行に伴い必要な経過措置は、政令で定める。

附　則〔略〕〔令和三・五・一〇法律三一〕

附　則〔略〕〔令和五・五・二六法律三四〕

附　則〔抄〕〔令和五・六・一六法律五八〕

（施行期日）

第一条　この法律〔中略〕は、当該各号に定める日〔令和六・四・一〕から施行する。

○津波防災地域づくりに関する法律施行令〔平成二三・一二・二六政令四二六〕

改正　平成二四・二政二六、六政一五八、平成二五・一一政三一九、平成二七・一二政四二一、平成二九・三政六三、令和六・三政一六一

（津波防護施設）

第一条　津波防災地域づくりに関する法律（以下「法」という。）第二条第十項の政令で定める施設は、盛土構造物（津波による浸水を防止する機能を有するものに限る。第十五条において同じ。）、護岸、胸壁及び閘門をいう。

（公共施設）

第二条　法第二条第十二項の政令で定める公共の用に供する施設は、広場、緑地、水道、河川及び水路並びに防水、防砂又は防潮の施設とする。

（収用委員会の裁決の申請手続）

第三条　法第七条第十項（法第三十四条第二項において準用する場合を含む。）、第二十八条第三項、第三十五条第四項又は第五十一条第六項の規定により土地収用法（昭和二十六年法律第二百十九号）第九十四条第二項の規定による裁決を申請しようとする者は、国土交通省令で定める様式に従い、同条第三項各号（第三号を除く。）に掲げる事項を記載した裁決申請書を収用委員会に提出しなければならない。

（他の都府県知事の権限の代行）

第四条　法第二十条第三項の規定により一の都府県知事が他の都府県知事に代わって行う権限は、法第七章第一節及び第二節に規定する都府県知事の権限のうち、次に掲げるもの以外のものとする。

一　法第十八条第二項の規定により市町村長が管理することが適当であると認められる津波防護施設を指定し、及び同条第四項の規定により公示すること。

二　法第十八条第三項の規定により市町村長の意見を聴くこと。

三　法第二十一条第一項の規定により津波防護施設区域を指定し、及び同条第三項の規定により公示すること。

四　法第三十六条第一項の規定により津波防護施設台帳を調製し、及びこれを保管すること。

（津波防護施設区域における行為で許可を要しないもの）

第五条　法第二十三条第一項ただし書の政令で定める行為は、次に掲げるもの（第二号から第四号までに掲げる行為で、津波防護施設の敷地から五メートル（津波防護施設の構造又は地形、地質その他の状況により津波防護施設管理者がこれと異なる距離を指定した場合には、当該距離）以内の土地におけるものを除く。）とする。

一　津波防護施設区域（法第二十一条第一項第二号に掲げる土地の区域に限る。次号から第四号までにおいて同じ。）内の土地における耕うん

二　津波防護施設区域内の土地における地表から高さ三メートル以内の盛土（津波防護施設に沿って行う盛土で津波防護施設に沿う部分の長さが二十メートル以上のものを除く。）

三　津波防護施設区域内の土地における地表から深さ一メートル以内の土地の掘削又は切土

四　津波防護施設区域内の土地における施設又は工作物（鉄骨造、コンクリート造、石造、れんが造その他これらに類する構造のもの及び貯水池、水槽、井戸、水路その他これらに類する用途のものを除く。）の新築又は改築

五　前各号に掲げるもののほか、津波防護施設の敷地である土地の区域における施設又は工作物の新築又は改築以外の行為であって、津波防護施設管理者が津波防護施設の保全上影響が少ないと認めて指定したもの

2　津波防護施設管理者は、前項の規定による指定をするときは、国土交通省令で定めるところにより、その旨を公示しなければならない。これを変更し、又は廃止するときも、同様とする。

（津波防護施設区域における制限行為）

第六条　法第二十三条第一項第三号の政令で定める行為は、津波防護施設を損壊するおそれがあると認めて津波防護施設管理者が指定する行為とする。

2　前条第二項の規定は、前項の規定による指定について準用する。

（他の施設等を保管した場合の公示事項）

第七条　法第二十七条第五項の政令で定める事項は、次に掲げるものとする。

一　保管した他の施設等の名称又は種類、形状及び数量

二　保管した他の施設等の放置されていた場所及び当該他の施設等を除却した日時

三　当該他の施設等の保管を始めた日時及び保管の場所

四　前三号に掲げるもののほか、保管した他の施設等を返還するため必要と認められる事項

（他の施設等を保管した場合の公示の方法）

第八条　法第二十七条第五項の規定による公示は、次に掲げる方法により行わなければならない。

一　前条各号に掲げる事項を、保管を始めた日から起算して十四日間、当該津波防護施設管理者の事務所に掲示すること。

二　前号の公示の期間が満了しても、なお当該他の施設等の所有者、占有者その他当該他の施設等について権原を有する者（第十二条において「所有者等」という。）の氏名及び住所を知ることができないときは、前条各号に掲げる事項の要旨を公報又は新聞紙への掲載その他の適切な方法により公表すること。

2　津波防護施設管理者は、前項に規定する方法による公示を行うとともに、国土交通省令で定める様式による保管した他の施設等一覧簿を当該津波防

護施設管理者の事務所に備え付け、かつ、これをいつでも関係者に自由に閲覧させなければならない。

（他の施設等の価額の評価の方法）

第九条　法第二十七条第六項の規定による他の施設等の価額の評価は、当該他の施設等の購入又は製作に要する費用、使用年数、損耗の程度その他当該他の施設等の価額の評価に関する事情を勘案してするものとする。この場合において、津波防護施設管理者は、必要があると認めるときは、他の施設等の価額の評価に関し専門的知識を有する者の意見を聴くことができる。

（保管した他の施設等を売却する場合の手続）

第一〇条　法第二十七条第六項の規定による保管した他の施設等の売却は、競争入札に付して行わなければならない。ただし、競争入札に付しても入札者がない他の施設等その他競争入札に付することが適当でないと認められる他の施設等については、随意契約により売却することができる。

第一一条　津波防護施設管理者は、前条本文の規定による競争入札のうち一般競争入札に付そうとするときは、その入札期日の前日から起算して少なくとも五日前までに、当該他の施設等の名称又は種類、形状、数量その他国土交通省令で定める事項を当該津波防護施設管理者の事務所に掲示し、又はこれに準ずる適当な方法で公示しなければならない。

２　津波防護施設管理者は、前条本文の規定による競争入札のうち指名競争入札に付そうとするときは、なるべく三人以上の入札者を指定し、かつ、それらの者に当該他の施設等の名称又は種類、形状、数量その他国土交通省令で定める事項をあらかじめ通知しなければならない。

３　津波防護施設管理者は、前条ただし書の規定による随意契約によろうとするときは、なるべく二人以上の者から見積書を徴さなければならない。

（他の施設等を返還する場合の手続）

第一二条　津波防護施設管理者は、保管した他の施設等（法第二十七条第六項の規定により売却した代金を含む。）を所有者等に返還するときは、返還を受ける者にその氏名及び住所を証するに足りる書類を提出させる方法その他の方法によってその者が当該他の施設等の返還を受けるべき所有者等であることを証明させ、かつ、国土交通省令で定める様式による受領書と引換えに返還するものとする。

（津波防護施設管理者以外の者の行う工事等の承認申請手続）

第一三条　法第三十三条第一項の承認を受けようとする者は、工事の設計及び実施計画又は維持の実施計画を記載した承認申請書を津波防護施設管理者に提出しなければならない。

（津波防護施設管理者以外の者の行う工事等で承認を要しないもの）

第一四条　法第三十三条第一項ただし書の政令で定める軽易なものは、ごみその他の廃物の除去、草刈りその他これらに類する小規模な維持とする。

（国が費用を補助する工事の範囲及び補助率）

第一五条　法第三十九条の規定により国がその費用を補助することができる工事は、次に掲げる施設であって津波防護施設であるものの新設又は改良に関する工事とし、その補助率は二分の一とする。

一　道路又は鉄道と相互に効用を兼ねる盛土構造物であって、国土交通省令で定める規模以下のもの

二　前号に掲げる施設に設けられる護岸

三　胸壁又は閘門であって、盛土構造物と一体となって機能を発揮するもの

（補助額）

第一六条　国が法第三十九条の規定により補助する金額は、前条各号に掲げる施設であって津波防護施設であるものの新設又は改良に関する工事に要する費用の額（法第四十三条から第四十五条までの規定による負担金があるときは、当該費用の額からこれらの負担金の額を控除した額）に前条に規定する国の補助率を乗じて得た額とする。

（通常の管理行為、軽易な行為その他の行為）

第一七条　法第五十二条第一項ただし書の政令で定める行為は、次に掲げるものとする。

一　法第五十二条第一項第一号に掲げる行為であって、指定津波防護施設の維持管理のためにするもの

二　法第五十二条第一項第一号に掲げる行為であって、仮設の建築物の建築その他これに類する土地の一時的な利用のためにするもの（当該利用に供された後に当該指定津波防護施設の機能が当該行為前の状態に戻されることが確実な場合に限る。）

（指定避難施設の重要な変更）

第一八条　法第五十八条の政令で定める重要な変更は、次に掲げるものとする。

一　改築又は増築による指定避難施設の構造耐力上主要な部分（建築基準法施行令（昭和二十五年政令第三百三十八号）第一条第三号に規定する構造耐力上主要な部分をいう。）の変更

二　指定避難施設の避難上有効な屋上その他の場所として市町村長が指定するものの総面積の十分の一以上の面積の増減を伴う変更

三　前号に規定する場所までの避難上有効な階段その他の経路として市町村長が指定するものの廃止

（避難促進施設）

第一九条　法第七十一条第一項第二号の政令で定める施設は、次に掲げるものとする。

一　老人福祉施設（老人介護支援センターを除く。）、有料老人ホーム、認知症対応型老人共同生活援助事業の用に供する施設、身体障害者社会参加支援施設、障害者支援施設、地域活動支援センター、福祉ホーム、障害福祉サービス事業（生活介護、短期入所、自立訓練、就労移行支援、就労継続支援又は共同生活援助を行う事業に限る。）の用に供する施設、保護施設（医療保護施設及び宿所提供施設を除く。）、児童福祉施設（母子生活支援施設及び児童遊園を除く。）、障害児通所支援事業（児童発達支援又は放課後等デイサービスを行う事業に限る。）の用に供する施設、児童自立生活援助事業の用に供する施設、放課後児童健全育成事業の用に供する施設、子育て短期支援事業の用に供する施設、一時預かり事業の用に供する施設、妊産婦等生活援助事業の用に供する施設、児童育成支援拠点事業の用に供する施設、こども家庭センター、児童相談所その他これらに類する施設

二　幼稚園、小学校、中学校、義務教育学校、高等学校、中等教育学校、特別支援学校、高等専門学校及び専修学校（高等課程を置くものに限る。）

三　病院、診療所及び助産所

（特定開発行為に係る土地の形質の変更）

第二〇条　法第七十三条第一項の政令で定める土地の形質の変更は、次に掲げるものとする。

一　切土であって、当該切土をした土地の部分に高さが二メートルを超える崖（地表面が水平面に対し三十度を超える角度をなす土地で硬岩盤（風化の著しいものを除く。）以外のものをいう。以下この条において同じ。）を生ずることとなるもの

二　盛土であって、当該盛土をした土地の部分に高さが一メートルを超える崖を生ずることとなるもの

三　切土及び盛土を同時にする場合における盛土であって、当該盛土をした土地の部分に高さが一メートル以下の崖を生じ、かつ、当該切土及び盛土をした土地の部分に高さが二メートルを超える崖を生ずることとなるもの

２　前項の規定の適用については、小段その他のものによって上下に分離された崖がある場合において、下層の崖面（崖の地表面をいう。以下この項において同じ。）の下端を含み、かつ、水平面に対し三十度の角度をなす面の上方に上層の崖面の下端があるときは、その上下の崖は一体のものとみなす。

（制限用途）

第二一条　法第七十三条第二項第一号の政令で定める社会福祉施設、学校及び医療施設は、次に掲げるものとする。

一　老人福祉施設（老人介護支援センターを除く。）、有料老人ホーム、認知症対応型老人共同生活援助事業の用に供する施設、身体障害者社会参加支援施設、障害者支援施設、地域活動支援センター、福祉ホーム、障害福祉サービス事業（生活介護、短期入所、自立訓練、就労移行支援、就労継続支援又は共同生活援助を行う事業に限る。）の用に供する施設、保護施設（医療保護施設及び宿所提供施設を除く。）、児童福祉施設（母子生活支援施設、児童厚生施設、児童自立支援施設、児童家庭支援センター及び里親支援センターを除く。）、障害児通所支援事業（児童発達支援又は放課後等デイサービスを行う事業に限る。）の用に供する施設、子育て短期支援事業の用に供する施設、一時預かり事業の用に供する施設、妊産婦等生活援助事業の用に供する施設、こども家庭センター（妊婦、産婦又はじょく婦の収容施設があるものに限る。）その他これらに類する施設

二　幼稚園及び特別支援学校

三　病院、診療所（患者の収容施設があるものに限る。）及び助産所（妊婦、産婦又はじょく婦の収容施設があるものに限る。）

（特定開発行為の制限の適用除外）

第二二条　法第七十三条第四項第三号の政令で定める行為は、次に掲げるものとする。

一　非常災害のために必要な応急措置として行う開発行為（法第七十二条第一項に規定する開発行為をいう。次号において同じ。）

二　仮設の建築物の建築の用に供する目的で行う開発行為

（特定建築行為の制限の適用除外）

第二三条　法第八十二条第二号の政令で定める行為は、次に掲げるものとする。

一　非常災害のために必要な応急措置として行う建築

二　仮設の建築物の建築

三　特定用途（第二十一条各号に掲げる用途をいう。以下この号において同じ。）の既存の建築物（法第七十二条第一項の規定による津波災害特別警戒区域の指定の日以後に建築に着手されたものを除く。）の用途を変更して他の特定用途の建築物とする行為

（居室の床面の高さを基準水位以上の高さにすべき居室）

第二四条　法第八十四条第一項第二号（法第八十七条第五項において準用する場合を含む。）の政令で定める居室は、次の各号に掲げる用途の区分に応じ、当該各号に定める居室（当該用途の建築物に当該居室の利用者の避難上有効なものとして法第七十三条第一項に規定する都道府県知事等が認める他の居室がある場合にあっては、当該他の居室）とする。

一　第二十一条第一号に掲げる用途（次号に掲げるものを除く。）　寝室（入所する者の使用するものに限る。）

二　第二十一条第一号に掲げる用途（通所のみにより利用されるものに限る。）　当該用途の建築物の居室のうちこれらに通う者に対する日常生活に必要な便宜の供与、訓練、保育その他これらに類する目的のために使用されるもの

三　第二十一条第二号に掲げる用途　教室

四　第二十一条第三号に掲げる用途　病室その他これに類する居室

（行為着手の制限の例外となる工事）

第二五条　法第八十六条第三項（法第八十七条第五項において準用する場合を含む。）の政令で定める工事は、根切り工事、山留め工事、ウェル工事、ケーソン工事その他基礎工事とする。

附　則

この政令は、法の施行の日（平成二十三年十二月二十七日）から施行する。

附　則〔略〕〔平成二四・二・三政令二六〕

附　則〔略〕〔平成二四・六・一政令一五八〕

附　則〔略〕〔平成二五・一一・二七政令三一九〕

附　則〔略〕〔平成二七・一二・一六政令四二一〕

附　則〔略〕〔平成二九・三・二九政令六三〕

附　則〔抄〕〔令和六・三・三〇政令一六一〕

（施行期日）

第一条　この政令は、令和六年四月一日から施行する。

○津波防災地域づくりに関する法律施行規則〔平成二三・一二・二六　国土交通省令九九〕

改正　平成二四・六国交令五八、九国交令七六、平成二六・六国交令五八、七国交令六七、平成二七・一国交令五、国交令七、令和元・六国交令二〇、令和二・九国交令七四、一二国交令九八、令和三・七国交令四八、令和四・一二国交令九二、令和五・二国交令五、一二国交令九五

注　［　］の部分は、令和六年六月二八日国土交通省令第六八号により改正され、令和七年四月一日から施行

目次

第一章　津波浸水想定の設定等（第一条）
第二章　推進計画区域における特別の措置
第一節　土地区画整理事業に関する特例（第二条—第五条）
第二節　津波からの避難に資する建築物の容積率の特例（第六条・第七条）
第三章　津波防護施設等
第一節　津波防護施設の管理（第八条—第二十条）
第二節　津波防護施設に関する費用（第二十一条・第二十二条）
第三節　指定津波防護施設（第二十三条—第二十七条）
第四章　津波災害警戒区域（第二十八条—第三十二条）
第五章　津波災害特別警戒区域（第三十三条—第六十一条）
第六章　雑則（第六十二条）
附則

第一章　津波浸水想定の設定等

（損失の補償の裁決申請書の様式）

第一条　津波防災地域づくりに関する法律施行令（以下「令」という。）第三条の規定による裁決申請書の様式は、別記様式第一とし、正本一部及び写し一部を提出するものとする。

第二章　推進計画区域における特別の措置

第一節　土地区画整理事業に関する特例

（津波防災住宅等建設区を定める場合の地方公共団体施行に関する認可申請手続）

第二条　土地区画整理法（昭和二十九年法律第百十九号）第五十二条第一項又は第五十五条第十二項の認可を申請しようとする者は、津波防災地域づくりに関する法律（以下「法」という。）第十二条第一項の規定により事業計画において津波防災住宅等建設区を定めようとするときは、認可申請

書に、土地区画整理法施行規則（昭和三十年建設省令第五号）第三条の二各号に掲げる事項のほか、津波防災住宅等建設区の位置及び面積を記載しなければならない。

（**津波防災住宅等建設区に関する図書**）

第三条　津波防災住宅等建設区は、設計説明書及び設計図を作成して定めなければならない。

2　前項の設計説明書には津波防災住宅等建設区の面積を記載し、前項の設計図は縮尺千二百分の一以上とするものとする。

3　第一項の設計図及び土地区画整理法施行規則第六条第一項の設計図は、併せて一葉の図面とするものとする。

（**津波防災住宅等建設区への換地の申出**）

第四条　法第十三条第一項の申出は、別記様式第二の申出書を提出して行うものとする。

2　前項の申出書には、法第十三条第二項の規定による同意を得たことを証する書類を添付しなければならない。

（**津波防災住宅等建設区内に換地を定められるべき宅地の指定につき支障とならない工作物**）

第五条　法第十三条第四項第一号の国土交通省令で定める工作物は、仮設の工作物とする。

第二節　津波からの避難に資する建築物の容積率の特例

（**認定申請書及び認定通知書の様式**）

第六条　法第十五条の規定による認定を申請しようとする者は、別記様式第三の申請書の正本及び副本に、それぞれ、特定行政庁が規則で定める図書又は書面を添えて、特定行政庁に提出するものとする。

2　特定行政庁は、法第十五条の規定による認定をしたときは、別記様式第四の通知書に、前項の申請書の副本及びその添付図書を添えて、申請者に通知するものとする。

3　特定行政庁は、法第十五条の規定による認定をしないときは、別記様式第五の通知書に、第一項の申請書の副本及びその添付図書を添えて、申請者に通知するものとする。

第七条　削除

第三章　津波防護施設等

第一節　津波防護施設の管理

（**市町村長が管理する津波防護施設の指定の公示**）

第八条　法第十八条第四項の規定による公示は、次に掲げるところにより津波防護施設の位置を明示して、都道府県の公報への掲載、インターネットの利用その他の適切な方法により行うものとする。

一　市町村、大字、字、小字及び地番

二　平面図又は一定の地物、施設、工作物からの距離及び方向

（**関係都府県知事の協議の内容の公示**）

第九条　法第二十条第二項の規定による公示は、次に掲げる事項について、関係都府県の公報への掲載、インターネットの利用その他の適切な方法により行うものとする。

一　津波防護施設の位置及び種類

二　管理を行う都府県知事

三　管理の内容

四　管理の期間

2　前項第一号の津波防護施設の位置は、前条各号に掲げるところにより明示するものとする。

（**津波防護施設区域の指定の公示**）

第一〇条　法第二十一条第三項の規定による公示は、第八条各号に掲げるところにより津波防護施設区域を明示して、都道府県又は市町村の公報への掲載、インターネットの利用その他の適切な方法により行うものとする。

（**津波防護施設区域の占用の許可**）

第一一条　法第二十二条第一項の規定による許可を受けようとする者は、次に掲げる事項を記載した申請書を津波防護施設管理者に提出しなければならない。

一　津波防護施設区域の占用の目的

二　津波防護施設区域の占用の期間

三　津波防護施設区域の占用の場所

（**津波防護施設区域における制限行為の許可**）

第一二条　法第二十三条第一項第一号に該当する行為をしようとするため同項の許可を受けようとする者は、次に掲げる事項を記載した申請書を津波防護施設管理者に提出しなければならない。

一　施設又は工作物を新設又は改築する目的

二　施設又は工作物を新設又は改築する場所

三　新設又は改築する施設又は工作物の構造

四　工事実施の方法

五　工事実施の期間

2　法第二十三条第一項第二号又は第三号に該当する行為をしようとするため同項の許可を受けようとする者は、次に掲げる事項を記載した申請書を津波防護施設管理者に提出しなければならない。

一　行為の目的

二　行為の内容

三　行為の期間

四　行為の場所

五　行為の方法

（**津波防護施設区域における行為の制限に係る指定の公示**）

第一三条　令第五条第二項（令第六条第二項において準用する場合を含む。）の規定による指定の公示は、都道府県又は市町村の公報への掲載、インターネットの利用その他の適切な方法により行うものとする。

（**占用料の基準**）

第一四条　法第二十六条に規定する占用料は、近傍類地の地代等を考慮して定めるものとする。

（**保管した他の施設等一覧簿の様式**）

第一五条　令第八条第二項の国土交通省令で定める様式は、別記様式第六とする。

（**競争入札における掲示事項等**）

第一六条　令第十一条第一項及び第二項の国土交通省令で定める事項は、次に掲げるものとする。

一　当該競争入札の執行を担当する職員の職及び氏名

二　当該競争入札の執行の日時及び場所

三　契約条項の概要

四　その他津波防護施設管理者が必要と認める事項

（**他の施設等の返還に係る受領書の様式**）

第一七条　令第十二条の国土交通省令で定める様式は、別記様式第七とする。

（**津波防護施設の技術上の基準**）

第一八条　盛土構造物に関する法第二十九条第二項の国土交通省令で定める基準は、次に掲げるものとする。

一　型式、天端高、法勾配及び法線は、盛土構造物の背後地の状況等を考慮して、津波浸水想定（法第八条第一項に規定する津波浸水想定をいう。以下同じ。）を設定する際に想定した津波の作用に対して、津波による海水の浸入を防止する機能が確保されるよう定めるものとする。

二　津波浸水想定を設定する際に想定した津波の作用に対して安全な構造とするものとする。

三　天端高は、津波浸水想定に定める水深に係る水位に盛土構造物への衝突による津波の水位の上昇等を考慮して必要と認められる値を加えた値以上とするものとする。

四　盛土構造物の近傍の土地の利用状況により必要がある場合においては、樋門、樋管、陸閘その他排水又は通行のための設備を設けるものとする。

五　津波の作用から盛土構造物を保護するため必要がある場合においては、盛土構造物の表面に護岸を設けるものとする。

2　胸壁に関する法第二十九条第二項の国土交通省令で定める基準は、次に掲げるものとする。

一　型式、天端高及び法線は、胸壁の背後地の状況等を考慮して、津波浸水想定を設定する際に想定した津波の作用に対して、津波による海水の浸入を防止する機能が確保されるよう定めるものとする。

二　津波浸水想定を設定する際に想定した津波の作用に対して安全な構造とするものとする。

三　天端高は、津波浸水想定に定める水深に係る水位に胸壁への衝突によ

る津波の水位の上昇等を考慮して必要と認められる値を加えた値以上とするものとする。

3　閘門に関する法第二十九条第二項の国土交通省令で定める基準は、次に掲げるものとする。

一　型式、閘門のゲートの閉鎖時における上端の高さ及び位置は、閘門の背後地の状況等を考慮して、津波浸水想定を設定する際に想定した津波の作用に対して、津波による海水の浸入を防止する機能が確保されるよう定めるものとする。

二　津波浸水想定を設定する際に想定した津波の作用に対して安全な構造とするものとする。

三　閘門のゲートの閉鎖時における上端の高さは、津波浸水想定に定める水深に係る水位に閘門への衝突による津波の水位の上昇等を考慮して必要と認められる値を加えた値以上とするものとする。

（他の工作物の管理者による津波防護施設の管理の公示）

第一九条　法第三十条第二項の公示は、次に掲げる事項について、都道府県又は市町村の公報への掲載、インターネットの利用その他の適切な方法により行うものとする。

一　津波防護施設の位置及び種類

二　管理を行う者の氏名及び住所（法人にあっては、その名称及び住所並びに代表者の氏名）

三　管理の内容

四　管理の期間

2　前項第一号の津波防護施設の位置は、第八条各号に掲げるところにより明示するものとする。

（津波防護施設台帳）

第二〇条　津波防護施設台帳は、帳簿及び図面をもって組成するものとする。

2　帳簿及び図面は、一の津波防護施設ごとに調製するものとする。

3　帳簿には、津波防護施設につき、少なくとも次に掲げる事項を記載するものとし、その様式は、別記様式第八とする。

一　津波防護施設管理者の名称

二　津波防護施設の位置、種類、構造及び数量

三　津波防護施設区域が指定された年月日

四　津波防護施設区域

五　津波防護施設区域の面積

六　津波防護施設区域の概況

4　図面は、津波防護施設につき、平面図、横断図及び構造図とし、必要がある場合は縦断図を添付し、次の各号により調製するものとする。

一　尺度は、メートルを単位とすること。

二　高さは、東京湾中等潮位を基準とし、小数点以下二位まで示すこと。

三　平面図については、

イ　縮尺は、原則として二千分の一とすること。

ロ　原則として二メートルごとに等高線を記入すること。

ハ　津波防護施設の位置及び種類を記号又は色別をもって表示すること。

ニ　津波防護施設区域は、黄色をもって表示すること。

ホ　イからニまでのほか、少なくとも次に掲げる事項を記載すること。

(イ)　津波防護施設区域の境界線

(ロ)　市町村名、大字名、字名及びその境界線

(ハ)　地形

(ニ)　法第二十三条第一項第一号に規定する他の施設等のうち主要なもの

(ホ)　方位

(ヘ)　縮尺

(ト)　調製年月日

四　横断図については、

イ　津波防護施設、地形その他の状況に応じて調製すること。この場合において、横断測量線を朱色破線をもって平面図に記入すること。

ロ　横縮尺は、原則として五百分の一とし、縦縮尺は、原則として百分の一とすること。

ハ　イ及びロのほか、少なくとも次に掲げる事項を記載すること。

(イ)　津波浸水想定に定める水深に係る水位

(ロ)　津波防護施設の高さ

(ハ)　縮尺

(ニ)　調製年月日

五　構造図については、

イ　各部分の寸法を記入すること。

ロ　調製年月日を記載すること。

5　帳簿及び図面の記載事項に変更があったときは、津波防護施設管理者は、速やかにこれを訂正しなければならない。

第二節　津波防護施設に関する費用

（令第十五条第一号の国土交通省令で定める規模）

第二一条　令第十五条第一号の国土交通省令で定める規模は、おおむね五百メートルとする。

（延滞金）

第二二条　法第四十七条第二項に規定する延滞金は、同条第一項に規定する負担金等の額につき年十・七五パーセントの割合で、納期限の翌日からその負担金等の完納の日又は財産差押えの日の前日までの日数により計算した額とする。

第三節　指定津波防護施設

（指定津波防護施設の指定の公示）

第二三条　法第五十条第三項（同条第五項において準用する場合を含む。）の規定による指定（同条第五項において準用する場合にあっては、指定の解除。以下この項において同じ。）の公示は、次に掲げる事項について、都道府県の公報への掲載、インターネットの利用その他の適切な方法により行うものとする。

一　指定津波防護施設の指定をする旨

二　当該指定津波防護施設の名称及び指定番号

三　当該指定津波防護施設の位置

四　当該指定津波防護施設の高さ

2　前項第三号の指定津波防護施設の位置は、第八条各号に掲げるところにより明示するものとする。

（指定津波防護施設の標識の設置の基準）

第二四条　法第五十一条第一項の国土交通省令で定める基準は、次に掲げるものとする。

一　次に掲げる事項を明示したものであること。

イ　指定津波防護施設の名称及び指定番号

ロ　指定津波防護施設の高さ及び構造の概要

ハ　指定津波防護施設の管理者及びその連絡先

ニ　標識の設置者及びその連絡先

二　指定津波防護施設の周辺に居住し、又は事業を営む者の見やすい場所に設けること。

（指定津波防護施設に関する行為の届出）

第二五条　法第五十二条第一項の規定による届出は、別記様式第九の届出書を提出して行うものとする。

2　法第五十二条第一項各号に掲げる行為の設計又は施行方法は、計画図により定めなければならない。

3　前項の計画図は、次の表の定めるところにより作成したものでなければならない。

図面の種類	明示すべき事項	縮尺	備考
指定津波防護施設の位置図	指定津波防護施設の位置	二千五百分の一以上	
指定津波防護施設の現況図	指定津波防護施設の形状	二千五百分の一以上	平面図、縦断面図及び横断面図により示すこと。
	指定津波防護施設の構造の詳細	五百分の一以上	
法第五十二条第一項各号に	当該行為を行う場所	二千五百分の一以上	

掲げる行為の計画図	当該行為を行った後の指定津波防護施設及びその敷地の形状	二千五百分の一以上	平面図、縦断面図及び横断面図により示すこと。
	当該行為を行った後の指定津波防護施設の構造の詳細	五百分の一以上	

（指定津波防護施設に関する行為の届出書の記載事項）
第二六条　法第五十二条第一項の国土交通省令で定める事項は、同項各号に掲げる行為の完了予定日、当該行為の対象となる指定津波防護施設の名称及び指定番号とする。

（指定津波防護施設に関する行為の届出の内容の通知）
第二七条　法第五十二条第二項の規定による通知は、第二十五条第一項の届出書の写しを添付してするものとする。

第四章　津波災害警戒区域

（津波災害警戒区域の指定の公示）
第二八条　法第五十三条第四項（同条第六項において準用する場合を含む。）の規定による津波災害警戒区域の指定（同条第六項において準用する場合にあっては、指定の変更又は解除。以下この項において同じ。）の公示は、次に掲げる事項について、都道府県の公報への掲載、インターネットの利用その他の適切な方法により行うものとする。
一　津波災害警戒区域の指定をする旨
二　津波災害警戒区域
三　基準水位（法第五十三条第二項に規定する基準水位をいう。以下同じ。）
2　前項第二号の津波災害警戒区域は、次に掲げるところにより明示するものとする。
一　市町村、大字、字、小字及び地番
二　平面図

（都道府県知事の行う津波災害警戒区域の指定の公示に係る図書の送付）
第二九条　法第五十三条第五項（同条第六項において準用する場合を含む。）の規定による送付は、津波災害警戒区域位置図及び津波災害警戒区域区域図により行わなければならない。
2　前項の津波災害警戒区域位置図は、縮尺五万分の一以上とし、津波災害警戒区域の位置を表示した地形図でなければならない。
3　第一項の津波災害警戒区域区域図は、縮尺二千五百分の一以上とし、当該津波災害警戒区域及び基準水位を表示したものでなければならない。

（津波に関する情報の伝達方法等を住民に周知させるための必要な措置）
第三〇条　法第五十五条（法第六十九条において準用する場合を含む。）の住民等に周知させるための必要な措置は、次に掲げるものとする。
一　津波災害警戒区域及び当該区域における基準水位を表示した図面に法第五十五条に規定する事項を記載したもの（電子的方式、磁気的方式その他人の知覚によっては認識することができない方式で作られる記録を含む。）を、印刷物の配布その他の適切な方法により、各世帯に提供すること。
二　前号の図面に表示した事項及び記載した事項に係る情報を、インターネットの利用その他の適切な方法により、住民等がその提供を受けることができる状態に置くこと。

（指定避難施設の技術的基準）
第三一条　建築物その他の工作物である指定避難施設に関する法第五十六条第一項第一号の国土交通省令で定める技術的基準は、次に掲げるものとする。
一　津波浸水想定を設定する際に想定した津波の作用に対して安全なものとして国土交通大臣が定める構造方法を用いるものであること。
二　地震に対する安全性に係る建築基準法（昭和二十五年法律第二百一号）並びにこれに基づく命令及び条例の規定又は地震に対する安全上これらに準ずるものとして国土交通大臣が定める基準に適合するものであること。

（避難確保計画に定めるべき事項）
第三二条　法第七十一条第一項の避難確保計画においては、次に掲げる事項を定めなければならない。
一　津波の発生時における避難促進施設の防災体制に関する事項
二　津波の発生時における避難促進施設の利用者の避難の誘導に関する事項
三　津波の発生時を想定した避難促進施設における避難訓練及び防災教育の実施に関する事項
四　第一号から第三号までに掲げるもののほか、避難促進施設の利用者の津波の発生時の円滑かつ迅速な避難の確保を図るために必要な措置に関する事項

第五章　津波災害特別警戒区域

（津波災害特別警戒区域の指定をしようとする旨の公告）
第三三条　法第七十二条第三項（同条第十一項において準用する場合を含む。）の規定による津波災害特別警戒区域の指定（同条第十一項において準用する場合にあっては、指定の変更又は解除。以下この項及び次条第一項において同じ。）をしようとする旨の公告は、次に掲げる事項について、都道府県の公報への掲載、インターネットの利用その他の適切な方法により行うものとする。
一　津波災害特別警戒区域の指定をしようとする旨
二　津波災害特別警戒区域の指定をしようとする土地の区域
2　前項第二号の土地の区域は、次に掲げるところにより明示するものとする。
一　市町村、大字、字、小字及び地番
二　平面図

（津波災害特別警戒区域の指定の公示）
第三四条　法第七十二条第六項（同条第十一項において準用する場合を含む。）の規定による津波災害特別警戒区域の指定の公示は、次に掲げる事項について、都道府県の公報への掲載、インターネットの利用その他の適切な方法により行うものとする。
一　津波災害特別警戒区域の指定をする旨
二　津波災害特別警戒区域
2　前項第二号の津波災害特別警戒区域は、次に掲げるところにより明示するものとする。
一　市町村、大字、字、小字及び地番
二　平面図

（都道府県知事の行う津波災害特別警戒区域の指定の公示に係る図書の送付）
第三五条　法第七十二条第七項（同条第十一項において準用する場合を含む。）の規定による送付は、津波災害特別警戒区域位置図及び津波災害特別警戒区域区域図により行わなければならない。
2　前項の津波災害特別警戒区域位置図は、縮尺五万分の一以上とし、津波災害特別警戒区域の位置を表示した地形図でなければならない。
3　第一項の津波災害特別警戒区域区域図は、縮尺二千五百分の一以上とし、当該津波災害特別警戒区域を表示したものでなければならない。

（特定開発行為の許可の申請）
第三六条　法第七十三条第一項の許可を受けようとする者は、別記様式第十の特定開発行為許可申請書を都道府県知事等（同項に規定する都道府県知事等をいう。以下同じ。）に提出しなければならない。
2　法第七十四条第一項第三号の特定開発行為に関する工事の計画は、計画説明書及び計画図により定めなければならない。
3　前項の計画説明書は、特定開発行為に関する工事の計画の方針、開発区域（開発区域を工区に分けたときは、開発区域及び工区。次項及び第三十八条第二項から第四項までにおいて同じ。）内の土地の現況及び土地利用計画を記載したものでなければならない。
4　第二項の計画図は、次の表の定めるところにより作成したものでなければならない。

図面の種類	明示すべき事項	縮尺	備考
現況地形図	地形並びに津波災害特別警戒区域、法第七十三条第二項第二号の条例で定める区域及び開発区域の	二千五百分の一以上	等高線は、二メートルの標高差を示すものであること。

	境界		
土地利用計画図	開発区域の境界並びに予定建築物（法第七十三条第一項の制限用途のものに限る。第四十三条第二項第二号において同じ。）の用途及び敷地の形状	千分の一以上	
造成計画平面図	開発区域の境界、切土又は盛土をする土地の部分及び崖（令第二十条第一項第一号に規定する崖をいう。以下同じ。）又は擁壁の位置	千分の一以上	
造成計画断面図	切土又は盛土をする前後の地盤面	千分の一以上	
排水施設設計画平面図	排水施設の位置、種類、材料、形状、内法寸法、勾配、水の流れの方向、吐口の位置及び放流先の名称	五百分の一以上	
崖の断面図	崖の高さ、勾配及び土質（土質の種類が二以上であるときは、それぞれの土質及びその地層の厚さ）、切土又は盛土をする前の地盤面、崖面の保護の方法、崖の上端の周辺の地盤の保護の方法（当該崖の上端が基準水位より高い場合を除く。）並びに崖の崖面の下端周辺の地盤の保護の方法（第四十三条第二項各号のいずれかに該当する場合を除く。）	五十分の一以上	一　切土をした土地の部分に生ずる高さが二メートルを超える崖、盛土をした土地の部分に生ずる高さが一メートルを超える崖又は切土及び盛土を同時にした土地の部分に生ずる高さが二メートルを超える崖について作成すること。 二　擁壁で覆われる崖面については、土質に関する事項は、示すことを要しない。
擁壁の断面図	擁壁の寸法及び勾配、擁壁の材料の種類及び寸法、裏込めコンクリートの寸法、透水層の位置及び寸法、擁壁を設置する前後の地盤面、基礎地盤の土質並びに基礎ぐいの位置、材料及び寸法	五十分の一以上	

（特定開発行為の許可の申請書の記載事項）

第三七条　法第七十四条第一項第四号の国土交通省令で定める事項は、特定開発行為に関する工事の着手予定年月日及び完了予定年月日とする。

（特定開発行為の許可の申請書の添付図書）

第三八条　法第七十四条第二項の国土交通省令で定める図書は、次に掲げるものとする。

一　開発区域位置図

二　開発区域区域図

三　特定開発行為に関する工事の完了後において当該工事に係る開発区域（津波災害特別警戒区域内のものに限る。）に地盤面の高さが基準水位以上となる土地の区域があるときは、その区域の位置を表示した地形図

四　第四十条第三項に該当する場合にあっては、土質試験その他の調査又は試験（以下「土質試験等」という。）に基づく安定計算を記載した安定計算書その他の同項に該当することを証する書類

五　第四十三条第二項各号のいずれかに該当する場合にあっては、土質試験等に基づく安定計算を記載した安定計算書その他の同項各号のいずれかに該当することを証する書類

2　前項第一号の開発区域位置図は、縮尺五万分の一以上とし、開発区域の位置を表示した地形図でなければならない。

3　第一項第二号の開発区域区域図は、縮尺二千五百分の一以上とし、開発区域の区域並びにその区域を明らかに表示するのに必要な範囲内において都道府県界、市町村界、市町村の区域内の町又は字の境界、津波災害特別警戒区域界、法第七十三条第二項第二号の条例で定める区域の区域界並びに土地の地番及び形状を表示したものでなければならない。

4　第一項第三号の地形図は、縮尺千分の一以上とし、開発区域の区域及び当該区域（津波災害特別警戒区域内のものに限る。）のうち地盤面の高さが基準水位以上となる土地の区域並びにこれらの区域を明らかに表示するのに必要な範囲内において都道府県界、市町村界、市町村の区域内の町又は字の境界、津波災害特別警戒区域界、法第七十三条第二項第二号の条例で定める区域の区域界並びに土地の地番及び形状を表示したものでなければならない。

（地盤について講ずる措置に関する技術的基準）

第三九条　法第七十五条（法第七十八条第四項において準用する場合を含む。以下同じ。）の国土交通省令で定める技術的基準のうち地盤について講ずる措置に関するものは、次に掲げるものとする。

一　地盤の沈下又は開発区域外の地盤の隆起が生じないように、土の置換え、水抜きその他の措置を講ずること。

二　特定開発行為によって生ずる崖の上端に続く地盤面には、特別の事情がない限り、その崖の反対方向に雨水その他の地表水が流れるように勾配を付すること。

三　切土をする場合において、切土をした後の地盤に滑りやすい土質の層があるときは、その地盤に滑りが生じないように、地滑り抑止ぐい又はグラウンドアンカーその他の土留（次号において「地滑り抑止ぐい等」という。）の設置、土の置換えその他の措置を講ずること。

四　盛土をする場合には、盛土に雨水その他の地表水又は地下水（第四十四条において「地表水等」という。）の浸透による緩み、沈下、崩壊又は滑りが生じないように、おおむね三十センチメートル以下の厚さの層に分けて土を盛り、かつ、その層の土を盛るごとに、これをローラーその他これに類する建設機械を用いて締め固めるとともに、必要に応じて地滑り抑止ぐい等の設置その他の措置を講ずること。

五　著しく傾斜している土地において盛土をする場合には、盛土をする前の地盤と盛土とが接する面が滑り面とならないように、段切りその他の措置を講ずること。

（擁壁の設置に関する技術的基準）

第四〇条　法第七十五条の国土交通省令で定める技術的基準のうち擁壁の設置に関するものは、特定開発行為によって生ずる崖（切土をした土地の部分に生ずる高さが二メートルを超えるもの、盛土をした土地の部分に生ずる高さが一メートルを超えるもの又は切土及び盛土を同時にした土地の部分に生ずる高さが二メートルを超えるものに限る。第四十三条において同じ。）の崖面を擁壁で覆うこととする。ただし、切土をした土地の部分に生ずることとなる崖又は崖の部分で、次の各号のいずれかに該当するものの崖面については、この限りでない。

一　土質が次の表の上欄に掲げるものに該当し、かつ、土質に応じ勾配が同表の中欄の角度以下のもの

土質	擁壁を要しない勾配の上限	擁壁を要する勾配の下限
軟岩（風化の著しいものを除く。）	六十度	八十度
風化の著しい岩	四十度	五十度
砂利、真砂土、関東ローム、硬質粘土その他これらに類するもの	三十五度	四十五度

二　土質が前号の表の上欄に掲げるものに該当し、かつ、土質に応じ勾配

が同表の中欄の角度を超え同表の下欄の角度以下のもので、その上端から下方に垂直距離五メートル以内の部分。この場合において、前号に該当する崖の部分により上下に分離された崖の部分があるときは、同号に該当する崖の部分は存在せず、その上下の崖の部分は連続しているものとみなす。

2　前項の規定の適用については、小段その他のものによって上下に分離された崖がある場合において、下層の崖面の下端を含み、かつ、水平面に対し三十度の角度をなす面の上方に上層の崖面の下端があるときは、その上下の崖は一体のものとみなす。

3　第一項の規定は、土質試験等に基づき地盤の安定計算をした結果崖の安全を保つために擁壁の設置が必要でないことが確かめられた場合又は災害の防止上支障がないと認められる土地において擁壁の設置に代えて他の措置を講ずる場合には、適用しない。

（擁壁の構造等）

第四一条　前条第一項の規定により設置される擁壁については、次に定めるところによらなければならない。

一　擁壁の構造は、構造計算、実験その他の方法によって次のイからニまでに該当することが確かめられたものであること。

イ　土圧、水圧及び自重（以下この号において「土圧等」という。）によって擁壁が破壊されないこと。

ロ　土圧等によって擁壁が転倒しないこと。

ハ　土圧等によって擁壁の基礎が滑らないこと。

ニ　土圧等によって擁壁が沈下しないこと。

二　擁壁には、その裏面の排水を良くするため、水抜穴を設け、擁壁の裏面で水抜穴の周辺その他必要な場所には、砂利その他の資材を用いて透水層を設けること。ただし、空積造その他擁壁の裏面の水が有効に排水できる構造のものにあっては、この限りでない。

2　特定開発行為によって生ずる崖の崖面を覆う擁壁で高さが二メートルを超えるものについては、建築基準法施行令（昭和二十五年政令第三百三十八号）第百四十二条（同令第七章の八の準用に関する部分を除く。）の規定を準用する。

（崖面について講ずる措置に関する技術的基準）

第四二条　法第七十五条の国土交通省令で定める技術的基準のうち特定開発行為によって生ずる崖の崖面について講ずる措置に関するものは、当該崖の崖面（擁壁で覆われたものを除く。）が風化、津波浸水想定を設定する際に想定した津波による洗掘その他の侵食に対して保護されるように、芝張りその他の措置を講ずることとする。

（崖の上端の周辺の地盤等について講ずる措置に関する技術的基準）

第四三条　法第七十五条の国土交通省令で定める技術的基準のうち特定開発行為によって生ずる崖の上端の周辺の地盤等について講ずる措置に関するものは、当該崖の上端が基準水位より高い場合を除き、当該崖の上端の周辺の地盤が津波浸水想定を設定する際に想定した津波による侵食に対して保護されるように、石張り、芝張り、モルタルの吹付けその他の措置を講ずることとする。

2　法第七十五条の国土交通省令で定める技術的基準のうち特定開発行為によって生ずる崖の崖面の下端の周辺の地盤について講ずる措置に関するものは、次の各号のいずれかに該当する場合を除き、当該崖面の下端の周辺の地盤が津波浸水想定を設定する際に想定した津波による洗掘に対して保護されるように、根固め、根入れその他の措置を講ずることとする。

一　土質試験等に基づき地盤の安定計算をした結果崖の安全を保つために根固め、根入れその他の措置が必要でないことが確かめられた場合

二　津波浸水想定を設定する際に想定した津波による洗掘に起因する地滑りの滑り面の位置に対し、予定建築物の位置が安全であることが確かめられた場合

（排水施設の設置に関する技術的基準）

第四四条　法第七十五条の国土交通省令で定める技術的基準のうち排水施設の設置に関するものは、切土又は盛土をする場合において、地表水等により崖崩れ又は土砂の流出が生ずるおそれがあるときは、その地表水等を排出することができるように、排水施設で次の各号のいずれにも該当するものを設置することとする。

一　堅固で耐久性を有する構造のものであること。

二　陶器、コンクリート、れんがその他の耐水性の材料で造られ、かつ、漏水を最少限度のものとする措置を講ずるものであること。ただし、崖崩れ又は土砂の流出の防止上支障がない場合においては、専ら雨水その他の地表水を排除すべき排水施設は、多孔管その他雨水を地下に浸透させる機能を有するものとすることができる。

三　その管渠の勾配及び断面積が、その排除すべき地表水等を支障なく流下させることができるものであること。

四　専ら雨水その他の地表水を排除すべき排水施設は、その暗渠である構造の部分の次に掲げる箇所に、ます又はマンホールを設けるものであること。

イ　管渠の始まる箇所

ロ　排水の流路の方向又は勾配が著しく変化する箇所（管渠の清掃上支障がない箇所を除く。）

ハ　管渠の内径又は内法幅の百二十倍を超えない範囲内の長さごとの管渠の部分のその清掃上適当な箇所

五　ます又はマンホールに、蓋を設けるものであること。

六　ますの底に、深さが十五センチメートル以上の泥溜めを設けるものであること。

（軽微な変更）

第四五条　法第七十八条第一項ただし書の国土交通省令で定める軽微な変更は、特定開発行為に関する工事の着手予定年月日又は完了予定年月日の変更とする。

（変更の許可の申請書の記載事項）

第四六条　法第七十八条第二項の国土交通省令で定める事項は、次に掲げるものとする。

一　変更に係る事項

二　変更の理由

三　法第七十三条第一項の許可の許可番号

（変更の許可の申請書の添付図書）

第四七条　法第七十八条第二項の申請書には、法第七十四条第二項に規定する図書のうち特定開発行為の変更に伴いその内容が変更されるものを添付しなければならない。この場合においては、第三十八条第二項から第四項までの規定を準用する。

（特定開発行為に関する工事の完了の届出）

第四八条　法第七十九条第一項の規定による届出は、別記様式第十一の工事完了届出書を提出して行うものとする。

（検査済証の様式）

第四九条　法第七十九条第二項の国土交通省令で定める様式は、別記様式第十二とする。

（特定開発行為に関する工事の完了等の公告）

第五〇条　法第七十九条第三項の規定による公告は、開発区域（開発区域を工区に分けたときは、工区。以下この条及び第五十四条第一項において同じ。）に含まれる地域の名称、法第七十三条第一項の許可を受けた者の住所及び氏名並びに開発区域（津波災害特別警戒区域内のものに限る。）のうち地盤面の高さが基準水位以上である土地の区域があるときはその区域を明示して、都道府県、地方自治法（昭和二十二年法律第六十七号）第二百五十二条の十九第一項に規定する指定都市又は同法第二百五十二条の二十二第一項に規定する中核市（第五十四条第三項及び第六十一条において「都道府県等」という。）の公報への掲載、インターネットの利用その他の適切な方法により行うものとする。

（特定開発行為に関する工事の廃止の届出）

第五一条　法第八十一条第一項に規定する特定開発行為に関する工事の廃止の届出は、別記様式第十三の特定開発行為に関する工事の廃止の届出書を提出して行うものとする。

（特定建築行為の許可の申請）

第五二条　法第七十三条第二項第一号に掲げる用途の建築物について法第八十二条の許可を受けようとする者は、別記様式第十四の特定建築行為許可申請書（第五十五条第二号の国土交通大臣が定める基準に適合するものとして法第八十二条の許可を受けようとする場合にあっては、別記様式第十四の特定建築行為許可申請書及び別記様式第十五の建築物状況調書。第五十六条第二項及び第三項において同じ。）の正本及び副本に、それぞれ法第八十三条第二項に規定する図書を添えて、都道府県知事等に提出しなければならない。

（特定建築行為の許可の申請書の記載事項）

第五三条　法第八十三条第一項第四号の国土交通省令で定める事項は、特定

建築行為に係る建築物の敷地における基準水位、特定建築行為に係る建築物の階数、延べ面積、建築面積、用途及び居室の種類並びに特定建築行為に関する工事の内容、着手予定年月日及び完了予定年月日とする。

（特定建築行為の許可の申請書の添付図書）

第五四条　法第八十三条第二項及び第四項の国土交通省令で定める図書は、特定建築物位置図、法第七十九条第二項に規定する検査済証の写し又は都市計画法第三十六条第二項に規定する検査済証の写し（これらに準ずる書面を含み、法第七十三条第一項の許可を受けた開発区域内の土地において特定建築行為を行う場合に限る。）及び次の各号に掲げる場合に応じ当該各号に定めるものとする。

一　次条第二号の地震に対する安全性に係る建築基準法並びにこれに基づく命令及び条例の規定に適合するものとして法第八十二条の許可を受けようとする場合　次の表の(い)項、(ろ)項、(は)項及び(に)項に掲げる図書（エレベーターを設ける建築物にあっては、これらの図書のほか、同表の(へ)項に掲げる図書）

	図書の種類	明示すべき事項
(い)	付近見取図	方位、道路及び目標となる地物
	配置図	縮尺及び方位
		敷地境界線、敷地内における建築物の位置及び申請に係る建築物と他の建築物との別
		擁壁の位置その他安全上適当な措置
		土地の高低、敷地と敷地の接する道の境界部分との高低差及び申請に係る建築物の各部分の高さ
		敷地の接する道路の位置、幅員及び種類
		下水管、下水溝又はためますその他これらに類する施設の位置及び排出経路又は処理経路
	各階平面図	縮尺及び方位
		間取、各室の用途及び床面積
		壁及び筋かいの位置及び種類
		通し柱及び開口部の位置
		延焼のおそれのある部分の外壁の位置及び構造
		申請に係る建築物が建築基準法第三条第二項の規定により同法第二十八条の二（同条第一号及び第二号に掲げる基準に係る部分に限る。）の規定の適用を受けない建築物である場合であって、当該建築物について、増築又は改築をしようとするときにあっては、当該増築又は改築に係る部分以外の部分について行う建築基準法施行令第百三十七条の四の二第三号に規定する措置
(ろ)	基礎伏図 各階床伏図 小屋伏図 構造詳細図	縮尺並びに構造耐力上主要な部分（建築基準法施行令第一条第三号に規定する構造耐力上主要な部分をいう。以下同じ。）の材料の種別及び寸法
(は)	構造計算書	次条第一号の国土交通大臣が定める構造方法に係る構造計算
(に)	構造計算書	一　建築基準法施行令第八十一条第二項第一号イに規定する保有水平耐力計算により安全性を確かめた建築物の場合 建築基準法施行規則（昭和二十五年建設省令第四十号）第一条の三第一項の表三の(一)項に掲げる構造計算書に明示すべき事項 二　建築基準法施行令第八十一条第二項第一号ロに規定する限界耐力計算により安全性を確かめた建築物の場合 建築基準法施行規則第一条の三第一項の表三の(二)項に掲げる構造計算書に明示すべき事項 三　建築基準法施行令第八十一条第二項第二号イに規定する許容応力度等計算により安全性を確かめた建築物の場合 建築基準法施行規則第一条の三第一項の表三の(三)項に掲げる構造計算書に明示すべき事項 四　建築基準法施行令第八十二条各号及び同令第八十二条の四に定めるところによる構造計算により安全性を確かめた建築物 建築基準法施行規則第一条の三第一項の表三の(四)項に掲げる構造計算書に明示すべき事項
(ほ)	構造計算書	各階の保有水平耐力及び各階の靱性、各階の形状特性、地震の地域における特性並びに建築物の振動特性を考慮して行った各階の耐震性能の水準に係る構造計算並びに各階の保有水平耐力、各階の形状特性、当該階が支える固定荷重と積載荷重との和（建築基準法施行令第八十六条第二項ただし書の多雪区域においては、更に積雪荷重を加えたもの）、地震の地域における特性、建築物の振動特性、地震層せん断力係数の建築物の高さ方向の分布及び建築物の構造方法を考慮して行った各階の保有水平耐力の水準に係る構造計算
(へ)	各階平面図	エレベーターの機械室に設ける換気上有効な開口部又は換気設備の位置
		エレベーターの機械室の出入口の構造
		エレベーターの機械室に通ずる階段の構造
		エレベーター昇降路の壁又は囲いの全部又は一部を有さない部分の構造
	構造詳細図	エレベーターのかごの構造
		エレベーターのかご及び昇降路の壁又は囲い及び出入口の戸の位置及び構造
		非常の場合においてかご内の人を安全にかご外に救出することができる開口部の位置及び構造
		エレベーターの駆動装置及び制御器の位置及び取付方法
		エレベーターの制御器の構造
		エレベーターの安全装置の位置及び構造
		乗用エレベーター及び寝台用エレベーターである場合にあっては、エレベーターの用途及び積載量並びに最大定員を明示した標識の意匠及び当該標識を掲示する位置

二　次条第二号の国土交通大臣が定める基準に適合するものとして法第八十二条の許可を受けようとする場合　次のイからホまでに掲げる場合に応じそれぞれイからホまでに定める図書（エレベーターを設ける建築物にあっては、これらの図書のほか、前号の表の(へ)項に掲げる図書）

イ　木造の建築物（ロに規定する建築物を除く。）である場合　前号の表の(い)項、(ろ)項及び(は)項に掲げる図書（同表の(ろ)項に掲げる図書にあっては、各階床伏図、小屋伏図及び構造詳細図を除く。以下この号において同じ。）

ロ　建築基準法第六条第一項第二号に掲げる建築物である場合　前号の表の(い)項、(ろ)項、(は)項及び(に)項に掲げる図書

ロ　建築基準法第六条第一項第一号又は第二号に掲げる建築物のうち、木造の建築物（地階を除く階数が三以上であるもの、延べ面積が三百平方メートルを超えるもの又は高さが十六メートルを超えるものに限る。）である場合　前号の表の(い)項、(ろ)項、(は)項及び(に)項に掲げる図書

ハ　木造と木造以外の構造とを併用する建築物（ニに規定する建築物を除く。）である場合　前号の表の(い)項、(ろ)項、(は)項及び(ほ)項に掲げる図書

ニ　木造と木造以外の構造とを併用する建築物であって木造の構造部分が建築基準法第六条第一項第二号に掲げる建築物に該当するものである場合　前号の表の(い)項、(ろ)項、(は)項、(に)項及び(ほ)項に掲げる図書

ニ　木造と木造以外の構造とを併用する建築物であって木造の構造部分が建築基準法第六条第一項第一号又は第二号に掲げる建築物（地階を除く階数が三以上であるもの、延べ面積が三百平方メートルを超えるもの又は高さが十六メートルを超えるものに限る。）に該当するものである場合　前号の表の(い)項、(ろ)項、(は)項、(に)項及び(ほ)項に掲げる図書

ホ　木造の構造部分を有しない建築物である場合　前号の表の(い)項、(ろ)項、(は)項及び(ほ)項に掲げる図書（同表の(い)項に掲げる図書にあっては、各階平面図を除く。）

2　前項の特定建築物位置図は、縮尺二千五百分の一以上とし、特定建築行為に係る建築物の敷地の位置及び区域を明らかに表示するのに必要な範囲内において都道府県界、市町村界、市町村の区域内の町又は字の境界、津波災害特別警戒区域界、法第七十三条第二項第二号の条例で定める区域の区域界並びに土地の地番及び形状を表示したものでなければならない。

3　都道府県知事等は、都道府県等の規則で、第一項第一号の表に掲げる図書の一部の添付を要しないこととすることができる。

（特定建築行為に係る建築物の技術的基準）

第五五条　法第八十四条第一項第一号（法第八十七条第五項において準用する場合を含む。）の国土交通省令で定める技術的基準は、次に掲げるものとする。

一　津波浸水想定を設定する際に想定した津波の作用に対して安全なものとして国土交通大臣が定める構造方法を用いるものであること。

二　地震に対する安全性に係る建築基準法並びにこれに基づく命令及び条例の規定又は地震に対する安全上これらに準ずるものとして国土交通大臣が定める基準に適合するものであること。

（許可証の様式）

第五六条　法第八十六条第四項の国土交通省令で定める様式は、別記様式第十六とする。

2　都道府県知事等は、法第七十三条第二項第一号に掲げる用途の建築物について法第八十六条第一項の許可の処分をしたときは、同条第二項の許可証に、第五十二条の特定建築行為許可申請書の副本及びその添付図書を添えて、申請者に交付するものとする。

3　都道府県知事等は、法第七十三条第二項第一号に掲げる用途の建築物について法第八十六条第一項の不許可の処分をしたときは、同条第二項の文書に、第五十二条の特定建築行為許可申請書の副本及びその添付図書を添えて、申請者に通知するものとする。

（変更の許可の申請）

第五七条　法第八十七条第一項第一号に掲げる場合において同項の許可を受けようとする者は、同条第二項の申請書の正本及び副本に、それぞれ法第八十三条第二項に規定する図書のうち特定建築行為の変更に伴いその内容が変更されるものを添えて、都道府県知事等に提出しなければならない。この場合においては、第五十四条第二項の規定を準用する。

（軽微な変更）

第五八条　法第八十七条第一項ただし書の国土交通省令で定める軽微な変更は、特定建築行為に関する工事の着手予定年月日又は完了予定年月日の変更とする。

（変更の許可の申請書の記載事項）

第五九条　法第八十七条第二項の国土交通省令で定める事項は、次に掲げるものとする。

一　変更に係る事項

二　変更の理由

三　法第八十二条の許可の許可番号

（変更の許可証の様式等）

第六〇条　法第八十七条第五項において準用する法第八十六条第四項の国土交通省令で定める様式は、別記様式第十七とする。

2　第五十六条第二項又は第三項の規定は、法第七十三条第二項第一号に掲げる用途の建築物に係る法第八十七条第五項において準用する法第八十六条第一項の許可の処分又は不許可の処分について準用する。

（都道府県知事等の命令に関する公示の方法）

第六一条　法第八十八条第三項の国土交通省令で定める方法は、都道府県等の公報への掲載、インターネットの利用その他の適切な方法とする。

第六章　雑則

（権限の委任）

第六二条　法第七条第一項の規定による国土交通大臣の権限は、地方整備局長及び北海道開発局長も行うことができる。

附　則

この省令は、法の施行の日（平成二十三年十二月二十七日）から施行する。

附　則〔略〕〔平成二四・六・一二国土交通省令五八〕

附　則〔略〕〔平成二六・七・二五国土交通省令六七〕

附　則〔略〕〔平成二七・一・二九国土交通省令五〕

附　則〔抄〕〔平成二七・一・三〇国土交通省令七〕

（施行期日）

第一条　この省令は、地方自治法の一部を改正する法律附則第一条第二号に掲げる規定の施行の日（平成二十七年四月一日）から施行する。

（津波防災地域づくりに関する法律施行規則の一部改正に伴う経過措置）

第六条　施行時特例市に対する第五条の規定による改正後の津波防災地域づくりに関する法律施行規則第五十条、別記様式第十二、別記様式第十四、別記様式第十六及び別記様式第十七の規定の適用については、同規則第五十条中「又は同法」とあるのは「、同法」と、「中核市」とあるのは「中核市又は地方自治法の一部を改正する法律（平成二十六年法律第四十二号）附則第二条に規定する施行時特例市」と〔中略〕する。

附　則〔略〕〔令和元・六・二八国土交通省令二〇〕

附　則〔略〕〔令和二・九・四国土交通省令七四〕

附　則〔略〕〔令和二・一二・二三国土交通省令九八〕

附　則〔略〕〔令和三・七・一四国土交通省令四八〕

附　則〔略〕〔令和四・一二・二三国土交通省令九一〕

附　則〔略〕〔令和五・二・二八国土交通省令五〕

附　則〔略〕〔令和五・一二・一四国土交通省令九五〕

附　則〔抄〕〔令和六・六・二八国土交通省令六八〕

（施行期日）

第一条　この省令は、脱炭素社会の実現に資するための建築物のエネルギー消費性能の向上に関する法律等の一部を改正する法律（附則第五条第三項において「改正法」という。）の施行の日（令和七年四月一日）から施行する。〔以下略〕

別記様式　〔略〕

●土地関係細目次●

○土地基本法（平元法八四）……二四〇三
第一章　総則……二四〇三
第二章　土地に関する基本的施策……二四〇三
第三章　土地に関する基本的な方針……二四〇四
第四章　国土審議会の調査審議等……二四〇四
◉**土地収用法**（昭二六法二一九）……二四〇五
第一章　総則……二四〇五
第二章　事業の準備……二四〇九
第二章の二　土地等の取得に関する紛争の処理……二四一〇
第三章　事業の認定等……二四一一
第三章の二　都道府県知事が事業の認定に関する処分を行うに際して意見を聴く審議会等……二四一六
第四章　収用又は使用の手続……二四一六
第五章　収用委員会……二四二一
第六章　損失の補償……二四二四
第七章　収用又は使用の効果……二四二九
第八章　収用又は使用に関する特別手続……二四三二
第九章　手数料及び費用の負担……二四三四
第九章の二　行政手続法の適用除外……二四三五
第十章　審査請求及び訴訟……二四三五
第十一章　雑則……二四三五
第十二章　罰則……二四三七
○土地収用法施行令（昭二六政三四二）……二四四五
○土地収用法第八十八条の二の細目等を定める政令（平一四政二四八）……二四五五
○土地収用法施行規則（昭二六建令三三）……二四五七
○大深度地下の公共的使用に関する特別措置法（平一二法八七）……二四六三
第一章　総則……二四六三
第二章　事業の準備等……二四六四
第三章　使用の認可……二四六四
第四章　事業区域の明渡し等……二四六六
第五章　雑則……二四六七
第六章　罰則……二四六八
○大深度地下の公共的使用に関する特別措置法施行令（平一二政五〇〇）……二四六九
○大深度地下の公共的使用に関する特別措置法施行規則（平一二総令一五七）……二四七一
○所有者不明土地の利用の円滑化等に関する特別措置法（平三〇法四九）……二四七二
第一章　総則……二四七三
第二章　基本方針等……二四七三
第三章　所有者不明土地の利用の円滑化及び管理の適正化のための特別の措置……二四七三
第四章　土地の所有者の効果的な探索のための特別の措置……二四八〇
第五章　所有者不明土地対策計画等……二四八〇
第六章　所有者不明土地利用円滑化等推進法人……二四八一
第七章　雑則……二四八一
第八章　罰則……二四八二
○所有者不明土地の利用の円滑化等に関する特別措置法施行令（平三〇政三〇八）……二四八三
○所有者不明土地の利用の円滑化等に関する特別措置法施行規則（平三〇国交令八三）……二四八六
第一章　総則……二四八六
第二章　所有者不明土地の利用の円滑化及び管理の適正化のための特別の措置……二四八六
第三章　土地の所有者の効果的な探索のための特別の措置……二四九一
第四章　所有者不明土地利用円滑化等推進法人……二四九一
第五章　雑則……二四九一
○測量法（昭二四法一八八）……二四九二
第一章　総則……二四九二
第二章　基本測量……二四九三
第三章　公共測量……二四九四
第四章　基本測量及び公共測量以外の測量……二四九五
第五章　測量士及び測量士補……二四九五
第六章　測量業者……二四九八
第七章　補則……二五〇〇
第八章　罰則……二五〇〇
○測量法施行令（昭二四政三二二）……二五〇五
第一章　総則……二五〇五
第二章　基本測量及び公共測量……二五〇五
第三章　測量士及び測量士補の登録……二五〇五
第四章　試験……二五〇六
第五章　測量業者……二五〇六
○測量法施行規則（昭二四建令一六）……二五〇七
◉**宅地建物取引業法**（昭二七法一七六）……二五一二
第一章　総則……二五一二
第二章　免許……二五一二
第三章　宅地建物取引士……二五一五
第四章　営業保証金……二五二二
第五章　業務……二五二三
第五章の二　宅地建物取引業保証協会……二五三八
第六章　監督……二五四二
第七章　雑則……二五四六
第八章　罰則……二五四七
○宅地建物取引業法施行令（昭三九政三八三）……二五六一
○宅地建物取引業法施行規則（昭三二建令一二）……二五六七
○賃貸住宅の管理業務等の適正化に関する法律（令二法六〇）……二五九三
第一章　総則……二五九三
第二章　賃貸住宅管理業……二五九四
第三章　特定賃貸借契約の適正化のための措置等……二五九五
第四章　雑則……二五九六
第五章　罰則……二五九六
○賃貸住宅の管理業務等の適正化に関する法律施行令（令二政三二三）……二五九八
○賃貸住宅の管理業務等の適正化に関する法律施行規則（令二国交令八三）……二五九八
第一章　総則……二五九八
第二章　賃貸住宅管理業……二五九九
第三章　特定賃貸借契約の適正化のための措置等……二六〇四
第四章　雑則……二六〇四
○不動産特定共同事業法（平六法七七）……二六〇五
第一章　総則……二六〇五
第二章　許可……二六〇六
第三章　業務……二六〇九
第四章　監督……二六一一
第五章　小規模不動産特定共同事業者……二六一二
第六章　特例事業者……二六一四
第七章　適格特例投資家限定事業者……二六一四
第八章　不動産特定共同事業協会……二六一五
第九章　雑則……二六一五
第十章　罰則……二六一七
第十一章　没収に関する手続等の特例……二六一八
○不動産特定共同事業法施行令（平六政四一三）……二六二二
○不動産特定共同事業法施行規則（平七大・建令二）……二六二七

○土地基本法（平成元・一二・二二 法律八四）

改正　平成一一・七法一〇二、一一法一六〇、令和二・三法一二

目次

第一章　総則（第一条―第十一条）
第二章　土地に関する基本的施策（第十二条―第二十条）
第三章　土地に関する基本的な方針（第二十一条）
第四章　国土審議会の調査審議等（第二十二条）
附則

第一章　総則

（目的）

第一条　この法律は、土地についての基本理念を定め、並びに土地所有者等、国、地方公共団体、事業者及び国民の土地についての基本理念に係る責務を明らかにするとともに、土地に関する施策の基本となる事項を定めることにより、土地が有する効用の十分な発揮、現在及び将来における地域の良好な環境の確保並びに災害予防、災害応急対策、災害復旧及び災害からの復興に資する適正な土地の利用及び管理並びにこれらを促進するための土地の取引の円滑化及び適正な地価の形成に関する施策を総合的に推進し、もって地域の活性化及び安全で持続可能な社会の形成を図り、国民生活の安定向上と国民経済の健全な発展に寄与することを目的とする。

（土地についての公共の福祉優先）

第二条　土地は、現在及び将来における国民のための限られた貴重な資源であること、国民の諸活動にとって不可欠の基盤であること、その利用及び管理が他の土地の利用及び管理と密接な関係を有するものであること、その価値が主として人口及び産業の動向、土地の利用及び管理の動向、社会資本の整備状況その他の社会的経済的条件により変動するものであること等公共の利害に関係する特性を有していることに鑑み、土地については、公共の福祉を優先させるものとする。

（適正な利用及び管理等）

第三条　土地は、その所在する地域の自然的、社会的、経済的及び文化的諸条件に応じて適正に利用し、又は管理されるものとする。

2　土地は、その周辺地域の良好な環境の形成を図るとともに当該周辺地域への悪影響を防止する観点から、適正に利用し、又は管理されるものとする。

3　土地は、適正かつ合理的な土地の利用及び管理を図るため策定された土地の利用及び管理に関する計画に従って利用し、又は管理されるものとする。

（円滑な取引等）

第四条　土地は、土地の所有者又は土地を使用収益する権原を有する者（以下「土地所有者等」という。）による適正な利用及び管理を促進する観点から、円滑に取引されるものとする。

2　土地は、投機的取引の対象とされてはならない。

（土地所有者等による適切な負担）

第五条　土地の価値がその所在する地域における第二条に規定する社会的経済的条件の変化により増加する場合には、土地所有者等に対し、その価値の増加に伴う利益に応じて適切な負担が求められるものとする。

2　土地の価値が地域住民その他の土地所有者等以外の者によるまちづくりの推進その他の地域における公共の利益の増進を図る活動により維持され、又は増加する場合には、土地所有者等に対し、その価値の維持又は増加に要する費用に応じて適切な負担が求められるものとする。

（土地所有者等の責務）

第六条　土地所有者等は、第二条から前条までに定める土地についての基本理念（以下「土地についての基本理念」という。）にのっとり、土地の利用及び管理並びに取引を行う責務を有する。

2　土地の所有者は、前項の責務を遂行するに当たっては、その所有する土地に関する登記手続その他の権利関係の明確化のための措置及び当該土地の所有権の境界の明確化のための措置を適切に講ずるように努めなければならない。

3　土地所有者等は、国又は地方公共団体が実施する土地に関する施策に協力しなければならない。

（国及び地方公共団体の責務）

第七条　国及び地方公共団体は、土地についての基本理念にのっとり、土地に関する施策を総合的に策定し、及びこれを実施する責務を有する。

2　国及び地方公共団体は、前項の責務を遂行するに当たっては、土地所有者等による適正な土地の利用及び管理を確保するため必要な措置を講ずるように努めるとともに、地域住民その他の土地所有者等以外の者による当該土地の利用及び管理を補完する取組を推進するため必要な措置を講ずるように努めるものとする。

3　国及び地方公共団体は、広報活動等を通じて、土地についての基本理念に関する国民の理解を深めるよう適切な措置を講じなければならない。

（事業者の責務）

第八条　事業者は、土地の利用及び管理並びに取引（これを支援する行為を含む。）に当たっては、土地についての基本理念に従わなければならない。

2　事業者は、国及び地方公共団体が実施する土地に関する施策に協力しなければならない。

（国民の責務）

第九条　国民は、土地の利用及び管理並びに取引に当たっては、土地についての基本理念を尊重しなければならない。

2　国民は、国及び地方公共団体が実施する土地に関する施策に協力するように努めなければならない。

（法制上の措置等）

第一〇条　政府は、土地に関する施策を実施するため必要な法制上、財政上及び金融上の措置を講じなければならない。

（年次報告等）

第一一条　政府は、毎年、国会に、不動産市場、土地の利用及び管理その他の土地に関する動向及び政府が土地に関して講じた基本的な施策に関する報告を提出しなければならない。

2　政府は、毎年、前項の報告に係る土地に関する動向を考慮して講じようとする基本的な施策を明らかにした文書を作成し、これを国会に提出しなければならない。

3　政府は、前項の講じようとする基本的な施策を明らかにした文書を作成するには、国土審議会の意見を聴かなければならない。

第二章　土地に関する基本的施策

（土地の利用及び管理に関する計画の策定等）

第一二条　国及び地方公共団体は、適正かつ合理的な土地の利用及び管理を図るため、人口及び産業の将来の見通し、土地の利用及び管理の動向その他の自然的、社会的、経済的及び文化的諸条件を勘案し、必要な土地の利用及び管理に関する計画を策定するものとする。

2　前項の場合において、国及び地方公共団体は、地域の特性を考慮して、良好な環境の形成若しくは保全、災害の防止、良好な環境に配慮した土地の高度利用又は土地利用の適正な転換を図るため特に必要があると認めるときは同項の計画を詳細に策定するものとし、地域における社会経済活動の広域的な展開を考慮して特に必要があると認めるときは同項の計画を広域の見地に配慮して策定するものとする。

3　第一項の場合において、国及び地方公共団体は、住民その他の関係者の意見を反映させるものとする。

4　国及び地方公共団体は、第一項に規定する諸条件の変化を勘案して必要があると認めるときは、同項の計画を変更するものとする。

（適正な土地の利用及び管理の確保を図るための措置）

第一三条　国及び地方公共団体は、前条第一項の計画に従って行われる良好な環境の形成又は保全、災害の防止、良好な環境に配慮した土地の高度利用、土地利用の適正な転換その他適正な土地の利用及び管理の確保を図るため、土地の利用又は管理の規制又は誘導に関する措置を適切に講ずるとともに、同項の計画に係る事業の実施及び当該事業の用に供する土地の境界の明確化その他必要な措置を講ずるものとする。

2　国及び地方公共団体は、前項の措置を講ずるに当たっては、公共事業の用に供する土地その他の土地の所有権又は当該土地の利用若しくは管理に

必要な権原の取得に関する措置を講ずるように努めるものとする。

3　国及び地方公共団体は、第一項の措置を講ずるに当たっては、需要に応じた宅地の供給が図られるように努めるものとする。

4　国及び地方公共団体は、第一項の措置を講ずるに当たっては、低未利用土地（居住の用、業務の用その他の用途に供されておらず、又はその利用の程度がその周辺の地域における同一の用途若しくはこれに類する用途に供されている土地の利用の程度に比し著しく劣っていると認められる土地をいう。以下この項において同じ。）に係る情報の提供、低未利用土地の取得の支援等低未利用土地の適正な利用及び管理の促進に努めるものとする。

5　国及び地方公共団体は、第一項の措置を講ずるに当たっては、所有者不明土地（相当な努力を払って探索を行ってもなおその所有者の全部又は一部を確知することができない土地をいう。）の発生の抑制及び解消並びに円滑な利用及び管理の確保が図られるように努めるものとする。

（土地の取引に関する措置）

第一四条　国及び地方公共団体は、円滑な土地の取引に資するため、不動産市場の整備に関する措置その他必要な措置を講ずるものとする。

2　国及び地方公共団体は、土地の投機的取引及び地価の高騰が国民生活に及ぼす弊害を除去し、適正な地価の形成に資するため、土地取引の規制に関する措置その他必要な措置を講ずるものとする。

（社会資本の整備に関連する利益に応じた適切な負担）

第一五条　国及び地方公共団体は、社会資本の整備に関連して土地所有者等が著しく利益を受けることとなる場合において、地域の特性等を勘案して適切であると認めるときは、その利益に応じてその社会資本の整備についての適切な負担を課するための必要な措置を講ずるものとする。

（税制上の措置）

第一六条　国及び地方公共団体は、土地についての基本理念にのっとり、土地に関する施策を踏まえ、税負担の公平の確保を図りつつ、土地に関し、適正な税制上の措置を講ずるものとする。

（公的土地評価の適正化等）

第一七条　国は、適正な地価の形成及び課税の適正化に資するため、土地の正常な価格を公示するとともに、公的土地評価について相互の均衡と適正化が図られるように努めるものとする。

（調査の実施等）

第一八条　国及び地方公共団体は、土地に関する施策の総合的かつ効率的な実施を図るため、地籍、土地の利用及び管理の状況、不動産市場の動向等に関し、調査を実施し、資料を収集する等必要な措置を講ずるものとする。

2　国及び地方公共団体は、土地に関する施策の円滑な実施に資するため、個人の権利利益の保護に配慮しつつ、国民に対し、地籍、土地の利用及び管理の状況、不動産市場の動向等の土地に関する情報を提供するように努めるものとする。

（施策の整合性の確保及び行政組織の整備等）

第一九条　国及び地方公共団体は、土地に関する施策を講ずるにつき、相協力し、その整合性を確保するように努めるものとする。

2　国及び地方公共団体は、土地に関する施策を講ずるにつき、総合的見地に立った行政組織の整備及び行政運営の改善に努めるものとする。

（地方公共団体に対する支援）

第二〇条　国は、地方公共団体が実施する土地に関する施策を支援するため、情報の提供その他必要な措置を講ずるように努めるものとする。

第三章　土地に関する基本的な方針

第二一条　政府は、土地についての基本理念にのっとり、前章に定める土地の利用及び管理、土地の取引、土地の調査並びに土地に関する情報の提供に関する基本的施策その他の土地に関する施策の総合的な推進を図るため、土地に関する基本的な方針（以下この条において「土地基本方針」という。）を定めなければならない。

2　土地基本方針は、次に掲げる事項について定めるものとする。

一　第十二条第一項の計画の策定等に関する基本的事項

二　適正な土地の利用及び管理の確保を図るための措置に関する基本的事項

三　土地の取引に関する措置に関する基本的事項

四　土地に関する調査の実施及び資料の収集に関する措置並びに第十八条第二項に規定する土地に関する情報の提供に関する基本的事項

五　前各号に掲げるもののほか、土地に関する施策の総合的な推進を図るために必要な事項

3　国土交通大臣は、土地基本方針の案を作成し、閣議の決定を求めなければならない。

4　国土交通大臣は、前項の規定により土地基本方針の案を作成しようとするときは、あらかじめ、国民の意見を反映させるために必要な措置を講ずるとともに、国土審議会の意見を聴かなければならない。

5　国土交通大臣は、第三項の閣議の決定があったときは、直ちに、土地基本方針を告示しなければならない。

6　前三項の規定は、土地基本方針の変更について準用する。

第四章　国土審議会の調査審議等

第二二条　国土審議会は、国土交通大臣の諮問に応じ、土地に関する総合的かつ基本的な施策に関する事項及び国土の利用に関する基本的な事項を調査審議する。

2　国土審議会は、前項に規定する事項に関し、国土交通大臣に対し、及び国土交通大臣を通じて関係行政機関の長に対し、意見を申し出ることができる。

3　関係行政機関の長は、土地に関する総合的かつ基本的な施策に関する事項でその所掌に係るもの及び国土の利用に関する基本的な事項でその所掌に係るものについて国土審議会の意見を聴くことができる。

附　則　〔抄〕

（施行期日）

1　この法律は、公布の日から施行する。

附　則　〔抄〕〔平成一一・七・一六法律一〇二〕

（施行期日）

第一条　この法律は、内閣法の一部を改正する法律（平成十一年法律第八十八号）の施行の日〔平成一三・一・六〕から施行する。ただし、次の各号に掲げる規定は、当該各号に定める日から施行する。

一　〔略〕

二　附則〔中略〕第三十条の規定　公布の日

（委員等の任期に関する経過措置）

第二八条　この法律の施行の日の前日において次に掲げる従前の審議会その他の機関の会長、委員その他の職員である者（任期の定めのない者を除く。）の任期は、当該会長、委員その他の職員の任期を定めたそれぞれの法律の規定にかかわらず、その日に満了する。

一～五十六　〔略〕

五十七　土地政策審議会

五十八　〔略〕

（別に定める経過措置）

第三〇条　第二条から前条までに規定するもののほか、この法律の施行に伴い必要となる経過措置は、別に法律で定める。

附　則　〔略〕〔平成一一・一二・二二法律一六〇〕

附　則　〔抄〕〔令和二・三・三一法律一二〕

（施行期日）

1　この法律〔中略〕は、当該各号に定める日から施行する。

一　第一条の規定　公布の日

二・三　〔略〕

◉土地収用法

（昭和二六・六・九　法律二一九）

改正　昭和二七・六法一八一、七法二三一、法二五一、法二八三、八法二九五、法三〇一、昭和二八・七法九八、八法一一四、法一九九、昭和二九・三法五一、四法七二、昭和三〇・七法五三、八法一四一、昭和三一・五法九二、法九四、法一〇一、法一〇三、六法一三一、法一四八、昭和三二・五法一〇六、六法一六一、法一七七、昭和三三・三法三〇、四法七九、法八四、昭和三四・四法一三六、法一四八、昭和三六・六法一一六、一一法二一八、昭和三七・五法一四〇、九法一五二、法一六一、昭和三八・七法一五二、昭和三九・二法三、七法一四一、法一六八、法一七〇、昭和四〇・六法一二四、昭和四一・七法一三二、昭和四二・七法七三、法七四、昭和四三・五法五一、法七三、六法一〇一、昭和四四・六法五〇、七法五七、法六四、昭和四五・四法一三、五法八一、六法一〇九、一二法一三七、法一四一、昭和四六・四法三五、昭和四七・六法五二、法五九、法八五、法一〇五、昭和四九・五法四三、昭和五一・六法六八、昭和五三・四法二七、昭和五四・三法五、昭和五六・五法四八、昭和五八・五法五九、一二法八二、昭和五九・五法二三、八法七一、一二法八七、昭和六〇・六法五六、昭和六一・一二法九三、昭和六三・五法四四、一二法九一、平成元・一二法八三、法九一、平成三・四法四五、平成四・四法二八、六法六七、法八二、平成五・一一法八九、平成六・七法八四、平成七・四法七五、五法八七、平成八・三法二三、五法三九、法五二、六法八二、平成九・五法四五、平成一〇・五法六二、平成一一・五法五〇、六法七〇、法七六、七法八七、法一〇七、一二法一五一、法一六〇、平成一二・三法一六、五法七三、六法一一一、平成一三・六法九二、七法一〇三、平成一四・五法四五、七法九八、法一〇〇、一二法一三〇、法一四五、法一六一、法一八〇、法一八二、法一九一、平成一五・五法五五、六法八一、法九二、法一〇〇、七法一二五、八法一三八、平成一六・六法八四、法一〇二、法一二四、一二法一五五、平成一七・七法八七、一〇法一〇二、平成一八・五法四〇、六法五三、平成二〇・三法八、一二法九三、平成二二・一二法六五、平成二三・三法九、五法三五、法五三、八法一一〇、一二法一二四、平成二四・三法二五、五法三〇、九法七六、平成二五・六法四四、一二法一一一、平成二六・五法四二、六法六七、法六九、法七二、平成二八・一一法七六、平成二九・五法二六、六法四五、令和二・六法四九、令和三・六法六三、令和四・五法四六、令和五・五法三四

注１　［破線枠］の部分は、令和四年六月一七日法律第六八号により改正され、令和七年六月一日から施行

注２　［波線枠］の部分は、令和五年六月七日法律第四七号により改正され、令和七年四月一日から施行

注３　［枠］の部分は、令和五年六月一四日法律第五三号により改正され、公布の日から起算して二年六月を超えない範囲内において政令で定める日から施行

目次

第一章　総則（第一条―第十条の二）
第二章　事業の準備（第十一条―第十五条）
第二章の二　土地等の取得に関する紛争の処理
　第一節　あつせん（第十五条の二―第十五条の六）
　第二節　仲裁（第十五条の七―第十五条の十三）
第三章　事業の認定等
　第一節　事業の認定（第十五条の十四―第三十条の二）
　第二節　収用又は使用の手続の保留（第三十一条―第三十四条の六）
第三章の二　都道府県知事が事業の認定に関する処分を行うに際して意見を聴く審議会等（第三十四条の七）
第四章　収用又は使用の手続
　第一節　調書の作成（第三十五条―第三十八条）
　第二節　裁決手続の開始（第三十九条―第四十六条）
　第三節　補償金の支払請求（第四十六条の二―第四十六条の四）
　第四節　裁決（第四十七条―第五十条）
第五章　収用委員会
　第一節　組織及び権限（第五十一条―第五十九条）
　第二節　会議及び審理（第六十条―第六十七条）
第六章　損失の補償
　第一節　収用又は使用に因る損失の補償（第六十八条―第九十条の四）
　第二節　測量、事業の廃止等に因る損失の補償（第九十一条―第九十四条）
第七章　収用又は使用の効果（第九十五条―第百七条）
第八章　収用又は使用に関する特別手続
　第一節　削除（第百八条―第百十五条）
　第二節　協議の確認（第百十六条―第百二十一条）
　第三節　緊急に施行する必要がある事業のための土地の使用（第百二十二条―第百二十四条）
第九章　手数料及び費用の負担（第百二十五条―第百二十八条）
第九章の二　行政手続法の適用除外（第百二十八条の二）
第十章　審査請求及び訴訟（第百二十九条―第百三十四条）
第十一章　雑則（第百三十五条―第百四十条の二）
第十二章　罰則（第百四十一条―第百四十六条）
附則

第一章　総則

（この法律の目的）

第一条　この法律は、公共の利益となる事業に必要な土地等の収用又は使用に関し、その要件、手続及び効果並びにこれに伴う損失の補償等について規定し、公共の利益の増進と私有財産との調整を図り、もつて国土の適正且つ合理的な利用に寄与することを目的とする。

参照【憲法上の根拠―憲法二九③】【公共の利益となる事業―法三】【土地等―法二・五～七】

（土地の収用又は使用）

第二条　公共の利益となる事業の用に供するため土地を必要とする場合において、その土地を当該事業の用に供することが土地の利用上適正且つ合理的であるときは、この法律の定めるところにより、これを収用し、又は使用することができる。

参照【公共の利益―憲法二九③】【土地―民法八六①・二〇七・二四二】

（土地を収用し、又は使用することができる事業）

第三条　土地を収用し、又は使用することができる公共の利益となる事業は、次の各号のいずれかに該当するものに関する事業でなければならない。

一　道路法（昭和二十七年法律第百八十号）による道路、道路運送法（昭和二十六年法律第百八十三号）による一般自動車道若しくは専用自動車道（同法による一般旅客自動車運送事業又は貨物自動車運送事業法（平成元年法律第八十三号）に

よる一般貨物自動車運送事業の用に供するものに限る。）又は駐車場法（昭和三十二年法律第百六号）による路外駐車場

二　河川法（昭和三十九年法律第百六十七号）が適用され、若しくは準用される河川その他公共の利害に関係のある河川又はこれらの河川に治水若しくは利水の目的をもつて設置する堤防、護岸、ダム、水路、貯水池その他の施設

三　砂防法（明治三十年法律第二十九号）による砂防設備又は同法が準用される砂防のための施設

三の二　国又は都道府県が設置する地すべり等防止法（昭和三十三年法律第三十号）による地すべり防止施設又はぼた山崩壊防止施設

三の三　国又は都道府県が設置する急傾斜地の崩壊による災害の防止に関する法律（昭和四十四年法律第五十七号）による急傾斜地崩壊防止施設

四　運河法（大正二年法律第十六号）による運河の用に供する施設

五　国、地方公共団体、土地改良区（土地改良区連合を含む。以下同じ。）又は独立行政法人エネルギー・金属鉱物資源機構が設置する農業用道路、用水路、排水路、海岸堤防、かんがい用若しくは農作物の災害防止用のため池又は防風林その他これに準ずる施設

六　国、都道府県又は土地改良区が土地改良法（昭和二十四年法律第百九十五号）によつて行う客土事業又は土地改良事業の施行に伴い設置する用排水機若しくは地下水源の利用に関する設備

七　鉄道事業法（昭和六十一年法律第九十二号）による鉄道事業者又は索道事業者がその鉄道事業又は索道事業で一般の需要に応ずるものの用に供する施設

七の二　独立行政法人鉄道建設・運輸施設整備支援機構が設置する鉄道又は軌道の用に供する施設

八　軌道法（大正十年法律第七十六号）による軌道又は同法が準用される無軌条電車の用に供する施設

八の二　石油パイプライン事業法（昭和四十七年法律第百五号）による石油パイプライン事業の用に供する施設

九　道路運送法による一般乗合旅客自動車運送事業（路線を定めて定期に運行する自動車により乗合旅客の運送を行うものに限る。）又は貨物自動車運送事業法による一般貨物自動車運送事業（特別積合せ貨物運送をするものに限る。）の用に供する施設

九の二　自動車ターミナル法（昭和三十四年法律第百三十六号）第三条の許可を受けて経営する自動車ターミナル事業の用に供する施設

十　港湾法（昭和二十五年法律第二百十八号）による港湾施設又は漁港及び漁場の整備等に関する法律（昭和二十五年法律第百三十七号）による漁港施設

十の二　海岸法（昭和三十一年法律第百一号）による海岸保全施設

十の三　津波防災地域づくりに関する法律（平成二十三年法律第百二十三号）による津波防護施設

十一　航路標識法（昭和二十四年法律第九十九号）による航路標識又は水路業務法（昭和二十五年法律第百二号）による水路測量標

十二　航空法（昭和二十七年法律第二百三十一号）による飛行場又は航空保安施設で公共の用に供するもの

十三　気象、海象、地象又は洪水その他これに類する現象の観測又は通報の用に供する施設

十三の二　日本郵便株式会社が日本郵便株式会社法（平成十七年法律第百号）第四条第一項第一号に掲げる業務の用に供する施設

十四　国が電波監視のために設置する無線方位又は電波の質の測定装置

十五　国又は地方公共団体が設置する電気通信設備

十五の二　電気通信事業法（昭和五十九年法律第八十六号）第百二十条第一項に規定する認定電気通信事業者が同項に規定する認定電気通信事業の用に供する施設（同法の規定により土地等を使用することができるものを除く。）

十六　放送法（昭和二十五年法律第百三十二号）による基幹放送事業者又は基幹放送局提供事業者が基幹放送の用に供する放送設備

十七　電気事業法（昭和三十九年法律第百七十号）による一般送配電事業、送電事業、配電事業、特定送配電事業又は発電事業の用に供する電気工作物

十七の二　ガス事業法（昭和二十九年法律第五十一号）によるガス工作物

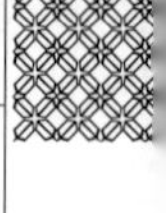

十八　水道法（昭和三十二年法律第百七十七号）による水道事業若しくは水道用水供給事業、工業用水道事業法（昭和三十三年法律第八十四号）による工業用水道事業又は下水道法（昭和三十三年法律第七十九号）による公共下水道、流域下水道若しくは都市下水路の用に供する施設

十九　市町村が消防法（昭和二十三年法律第百八十六号）によつて設置する消防の用に供する施設

二十　都道府県又は水防法（昭和二十四年法律第百九十三号）による水防管理団体が水防の用に供する施設

二十一　学校教育法（昭和二十二年法律第二十六号）第一条に規定する学校又はこれに準ずるその他の教育若しくは学術研究のための施設

二十二　社会教育法（昭和二十四年法律第二百七号）による公民館（同法第四十二条に規定する公民館類似施設を除く。）若しくは博物館又は図書館法（昭和二十五年法律第百十八号）による図書館（同法第二十九条に規定する図書館同種施設を除く。）

二十三　社会福祉法（昭和二十六年法律第四十五号）による社会福祉事業若しくは更生保護事業法（平成七年法律第八十六号）による更生保護事業の用に供する施設又は職業能力開発促進法（昭和四十四年法律第六十四号）による公共職業能力開発施設若しくは職業能力開発総合大学校

二十四　国、地方公共団体、独立行政法人国立病院機構、国立研究開発法人国立がん研究センター、国立研究開発法人国立循環器病研究センター、国立研究開発法人国立精神・神経医療研究センター、国立研究開発法人国立国際医療研究センター、国立研究開発法人国立成育医療研究センター、国立研究開発法人国立長寿医療研究センター、健康保険組合若しくは健康保険組合連合会、国民健康保険組合若しくは国民健康保険団体連合会、国家公務員共済組合若しくは国家公務員共済組合連合会若しくは地方公務員共済組合若しくは全国市町村職員共済組合連合会が設置する病院、療養所、診療所若しくは助産所、地域保健法（昭和二十二年法律第百一号）による保健所若しくは医療法（昭和二十三年法律第二百五号）による公的医療機関又は検疫所

二十四　国、地方公共団体、独立行政法人国立病院機構、国

立研究開発法人国立がん研究センター、国立研究開発法人国立循環器病研究センター、国立研究開発法人国立精神・神経医療研究センター、国立研究開発法人国立成育医療研究センター、国立研究開発法人国立長寿医療研究センター、国立健康危機管理研究機構、健康保険組合若しくは健康保険組合連合会、国民健康保険組合若しくは国民健康保険団体連合会、国家公務員共済組合若しくは国家公務員共済組合連合会若しくは地方公務員共済組合若しくは全国市町村職員共済組合連合会が設置する病院、療養所、診療所若しくは助産所、地域保健法（昭和二十二年法律第百一号）による保健所若しくは医療法（昭和二十三年法律第二百五号）による公的医療機関又は検疫所

二十五　墓地、埋葬等に関する法律（昭和二十三年法律第四十八号）による火葬場

二十六　と畜場法（昭和二十八年法律第百十四号）によると畜場又は化製場等に関する法律（昭和二十三年法律第百四十号）による化製場若しくは死亡獣畜取扱場

二十七　地方公共団体又は廃棄物の処理及び清掃に関する法律（昭和四十五年法律第百三十七号）第十五条の五第一項に規定する廃棄物処理センターが設置する同法による一般廃棄物処理施設、産業廃棄物処理施設その他の廃棄物の処理施設（廃棄物の処分（再生を含む。）に係るものに限る。）及び地方公共団体が設置する公衆便所

二十七の二　国が設置する平成二十三年三月十一日に発生した東北地方太平洋沖地震に伴う原子力発電所の事故により放出された放射性物質による環境の汚染への対処に関する特別措置法（平成二十三年法律第百十号）による汚染廃棄物等の処理施設

二十八　卸売市場法（昭和四十六年法律第三十五号）による中央卸売市場及び地方卸売市場

二十九　自然公園法（昭和三十二年法律第百六十一号）による公園事業

二十九の二　自然環境保全法（昭和四十七年法律第八十五号）による原生自然環境保全地域に関する保全事業及び自然環境保全地域に関する保全事業

三十　国、地方公共団体、独立行政法人都市再生機構又は地方住宅供給公社が都市計画法（昭和四十三年法律第百号）第四条第二項に規定する都市計画区域について同法第二章の規定により定められた第一種低層住居専用地域、第二種低層住居専用地域、第一種中高層住居専用地域、第二種中高層住居専用地域、第一種住居地域、第二種住居地域、準住居地域又は田園住居地域内において、自ら居住するため住宅を必要とする者に対し賃貸し、又は譲渡する目的で行う五十戸以上の一団地の住宅経営

三十一　国又は地方公共団体が設置する庁舎、工場、研究所、試験所その他直接その事務又は事業の用に供する施設

三十二　国又は地方公共団体が設置する公園、緑地、広場、運動場、墓地、市場その他公共の用に供する施設

三十三　国立研究開発法人日本原子力研究開発機構が国立研究開発法人日本原子力研究開発機構法（平成十六年法律第百五十五号）第十七条第一項第一号から第三号までに掲げる業務の用に供する施設

三十四　独立行政法人水資源機構が設置する独立行政法人水資源機構法（平成十四年法律第百八十二号）による水資源開発施設及び愛知豊川用水施設

三十四の二　国立研究開発法人宇宙航空研究開発機構が国立研究開発法人宇宙航空研究開発機構法（平成十四年法律第百六十一号）第十八条第一号から第四号までに掲げる業務の用に供する施設

三十四の三　国立研究開発法人国立がん研究センター、国立研究開発法人国立循環器病研究センター、国立研究開発法人国立精神・神経医療研究センター、国立研究開発法人国立国際医療研究センター、国立研究開発法人国立成育医療研究センター又は国立研究開発法人国立長寿医療研究センターが高度専門医療に関する研究等を行う国立研究開発法人に関する法律（平成二十年法律第九十三号）第十三条第一項第一号、第十四条第一号、第十五条第一号若しくは第三号、第十六条第一号若しくは第三号、第十七条第一号又は第十八条第一号若しくは第二号に掲げる業務の用に供する施設

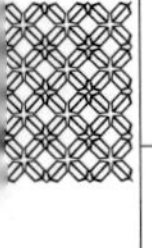

三十四の三　国立研究開発法人国立がん研究センター、国立研究開発法人国立循環器病研究センター、国立研究開発法人国立精神・神経医療研究センター、国立研究開発法人国立成育医療研究センター又は国立研究開発法人国立長寿医療研究センターが高度専門医療に関する研究等を行う国立研究開発法人に関する法律（平成二十年法律第九十三号）第十三条第一項第一号、第十四条第一号、第十五条第一号若しくは第三号、第十六条第一号又は第十七条第一号若しくは第二号に掲げる業務の用に供する施設

三十四の四　国立健康危機管理研究機構が国立健康危機管理研究機構法（令和五年法律第四十六号）第二十三条第一項第一号、第三号、第五号、第六号、第八号から第十号まで又は第十四号に掲げる業務の用に供する施設

三十五　前各号のいずれかに掲げるものに関する事業のために欠くことができない通路、橋、鉄道、軌道、索道、電線路、水路、池井、土石の捨場、材料の置場、職務上常駐を必要とする職員の詰所又は宿舎その他の施設

〔改正・昭和二七法一八一・法二三一・法二五一・法二八三・法二九五・法三〇一・昭和二八法九八・法一一四・昭和二九法五一・法七二・昭和三〇法五三・法一四一・昭和三一法九二・法九四・法一〇一・法一〇三・法一三一・昭和三二法一〇六・法一六一・法一七七・昭和三三法三〇・法七九・法八四・昭和三四法一三六・昭和三六法一一六・法二一八・昭和三七法一五二・昭和三九法三・法一六八・法一七〇・昭和四〇法一二四・昭和四一法一三二・昭和四二法七三・昭和四三法五一・法七三・法一〇一・昭和四四法五〇・法五七・法六四・昭和四五法八一・法一〇九・法一三七・法一四一・昭和四六法三五・昭和四七法五九・法八五・法一〇五・昭和四九法四三・昭和五一法六八・昭和五六法四八・昭和五八法五九・法八二・昭和五九法七一・法八七・昭和六〇法五六・昭和六一法九三・昭和六三法四四・平成元法八三・平成三法四五・平成四法六七・法八二・平成六法八四・平成七法八七・平成八法二三・法三九・法五二・法八二・平成九法四五・平成一〇法六二・平成一一法五〇・法七〇・法七六・平成一二法一六・法七三・法一一一・平成一三法九二・法一〇三・平成一四法九八・法一三〇・法一四五・法一六一・法一八〇・法一八二・法一九一・平成一五法五五・法九二・法一〇〇・法一二五・平成一六法一〇二・法一五五・平成一七法一〇二・平成一八法四〇・平成二〇法八・法九三・平成二二法六五・平成二三法一一〇・法一二四・平成二四法二五・法三〇・法七六・平成二五法一一一・平成二六法四七・法七二・平成二八法七六・平成二九法二六・令和二法四九・令和四法四六・令和五法三四〕

参照【道路法二一・三、道路運送法二⑧・三一、貨物自動車運送事業法二②、駐車場法二、河川法三～六・一〇〇、砂防法一・三・三の二、同施行規程二・二の二、地すべり等防止法二・四、急傾斜地の崩壊による災害の防止に関する法律二②、福島復興再生特別措置法一六、運河法一二、土地改良法二、鉄道事業法二・三・三二、独立行政法人鉄道建設・運輸施設整備支援機構法一三、軌道法一・三一、石油パイプライン事業法二②・③、自動車ターミナル法二⑧、港湾法二⑤・⑥、漁港及び漁場の整備等に関する法律三、海岸法二、津波防災地域づくりに関する法律二⑩、航路標識法一②、水路業務法五、同施行規則一、航空法二⑤、同施行規則一、放送法二、電気事業法二・八・四一、ガス事業法二、水道法三、工業用水道事業法二、下水道法二、消防法一七、同施行令七、水防法二②、社会教育法九・二〇・二一、図書館法二・二九、博物館法二、社会福祉法二、更生保護事業法二、職業能力開発促進法一六・一七・二七、健康保険法八・一八四、国民健康保険法一三・八三、国家公務員共済組合法三・二一、地方公務員等共済組合法三・二七、地域保健法五、医療法一・二・三一、墓地、埋葬等に関する法律二⑦、と畜場法三、化製場等に関する法律一、廃棄物の処理及び清掃に関する法律二・八・一五・二三、平成二十三年三月十一日に発生した東北地方太平洋沖地震に伴う原子力発電所の事故により放出された放射性物質による環境の汚染への対処に関する特別措置法四六・五三、卸売市場法二、自然公園法二、同施行令一、自然環境保全法一六・二四、独立行政法人水資源機構法一二【都市計画事業の場合―都市計画法六九

（収用し、又は使用することができる土地等の制限）

第四条 この法律又は他の法律によつて、土地等を収用し、又は使用することができる事業の用に供している土地等は、特別の必要がなければ、収用し、又は使用することができない。

参照【他の法律―都市計画法六九～七三、土地区画整理法七九、都市再開発法六九、住宅地区改良法一二・一三・一五、測量法一八・一九、鉱業法一〇四・一〇五、採石法三五、森林法五〇、日本国とアメリカ合衆国との間の相互協力及び安全保障条約第六条に基づく施設及び区域並びに日本国における合衆国軍隊の地位に関する協定の実施に伴う土地等の使用等に関する特別措置法三、日本国における国際連合の軍隊の地位に関する協定の実施に伴う土地等の使用及び漁船の操業制限等に関する法律一、下水道法三二、道路運送法六九、漁業法一二〇・一二四、自衛隊法一〇三の二、災害救助法九、砂防法二二、海岸法一八、電気事業法五八、電気通信事業法一二八・一三三・一三四、漁港及び漁場の整備等に関する法律三六①、国土調査法二七、公有水面埋立法一四、地すべり等防止法一六、急傾斜地の崩壊による災害の防止に関する法律一七、河川法二二・八九、道路法六八、水防法二八、水害予防組合法五〇等【土地等―法五～七

（権利の収用又は使用）

第五条 土地を第三条各号の一に規定する事業の用に供するため、その土地にある左の各号に掲げる権利を消滅させ、又は制限することが必要且つ相当である場合においては、この法律の定めるところにより、これらの権利を収用し、又は使用することができる。

一 地上権、永小作権、地役権、採石権、質権、抵当権、使用貸借又は賃貸借による権利その他土地に関する所有権以外の権利

二 鉱業権

三 温泉を利用する権利

2 土地の上にある立木、建物その他土地に定着する物件をその土地とともに第三条各号の一に規定する事業の用に供するため、これらの物件に関する所有権以外の権利を消滅させ、又は制限することが必要且つ相当である場合においては、この法律の定めるところにより、これらの権利を収用し、又は使用することができる。

3 土地、河川の敷地、海底又は流水、海水その他の水を第三条各号の一に規定する事業の用に供するため、これらのもの（当該土地が埋立て又は干拓により造成されるものであるときは、当該埋立て又は干拓に係る河川の敷地又は海底）に関係のある漁業権、入漁権その他河川の敷地、海底又は流水、海水その他の水を利用する権利を消滅させ、又は制限することが必要且つ相当である場合においては、この法律の定めるところにより、これらの権利を収用し、又は使用することができる。

〔改正・昭和三九法一四二〕

参照【この法律の定めるところにより―法一三八【採石権―採石法四【鉱業権―鉱業法五【漁業権・入漁権―漁業法六〇①⑦【水を利用する権利―河川法二三【埋立て又は干拓―公有水面埋立法一①・②

参考規定―鉱業法六四

（立木、建物等の収用又は使用）

第六条 土地の上にある立木、建物その他土地に定着する物件をその土地とともに、第三条各号の一に規定する事業の用に供することが必要且つ相当である場合においては、この法律の定めるところにより、これらの物を収用し、又は使用することができる。

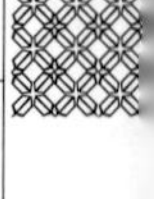

参照【土地に定着する物件―民法八六①・二四二ただし書【この法律の定めるところにより―法一三八【特別法―住宅地区改良法一一①

（土石砂れきの収用）

第七条 土地に属する土石砂れきを第三条各号の一に規定する事業の用に供することが必要且つ相当である場合においては、この法律の定めるところにより、これらの物を収用することができる。

参照【この法律の定めるところにより―法一三八・一三九

（定義等）

第八条 この法律において「起業者」とは、土地、第五条に掲げる権利若しくは第六条に掲げる立木、建物その他土地に定着する物件を収用し、若しくは使用し、又は前条に規定する土石砂れきを収用することを必要とする第三条各号の一に規定する事業を行う者をいう。

2 この法律において「土地所有者」とは、収用又は使用に係る土地の所有者をいう。

3 この法律において「関係人」とは、第二条の規定によつて土地を収用し、又は使用する場合においては当該土地に関して地上権、永小作権、地役権、採石権、質権、抵当権、使用貸借若しくは賃貸借による権利その他所有権以外の権利を有する者及びその土地にある物件に関して所有権その他の権利を有する者を、第五条の規定によつて同条に掲げる権利を収用し、又は使用する場合においては当該権利に関して質権、抵当権、使用貸借若しくは賃貸借による権利その他の権利を有する者を、第六条の規定によつて同条に掲げる立木、建物その他土地に定着する物件を収用し、又は使用する場合においては当該物件に関して所有権以外の権利を有する者を、第七条の規定によつて土石砂れきを収用する場合

において当該土石砂れきの属する土地に関して所有権以外の権利を有する者及びその土地にある物件に関して所有権その他の権利を有する者をいう。ただし、第二十六条第一項（第百三十八条第一項において準用する場合を含む。）の規定による事業の認定の告示があつた後において新たな権利を取得した者は、既存の権利を承継した者を除き、関係人に含まれないものとする。

4　この法律において、土地又は物件に関する所有権以外の権利を有する者には、当該土地若しくは物件又は当該土地若しくは物件に関する所有権以外の権利につき、仮登記上の権利又は既登記の買戻権を有する者、既登記の差押債権者及び既登記の仮差押債権者が含まれるものとする。

5　前項の規定は、鉱業権、漁業権又は入漁権に関する権利を有する者について準用する。この場合において、同項中「仮登記」とあるのは「仮登録」と、「既登記」とあるのは「既登録」と読み替えるものとする。

〔改正・昭和四二法七四〕

参照【都市計画事業の場合―都市計画法七一①】

（起業者の権利義務の承継）

第九条　合併その他の事由に因り事業の承継があつた場合においては、この法律の規定によつて従前の起業者が有していた権利義務は、当該事業を承継した者に移転する。

参照【権利―法一一③・三五・七九・一〇一】【義務―法六八以下・九一～九三・九五～九九・一〇七】

（手続の承継）

第一〇条　起業者、土地所有者又は関係人の変更があつた場合においては、この法律又はこの法律に基く命令の規定によつて従前の起業者、土地所有者又は関係人がした手続その他の行為は、新たに起業者、土地所有者又は関係人となつた者に対しても、その効力を有する。

参照【法八③ただし書・④・⑤・四五の三①】

（取得した土地の管理）

第一〇条の二　起業者は、第二十六条第一項の規定によつて告示された事業の用に供するため取得した土地については、公共の利益に沿うように適正な管理を行なわなければならない。

2　起業者は、前項に規定する土地を、同項に規定する事業の用以外の他の用に供する工作物その他の施設の用に供するために利用し、又は利用させるときは、当該土地の周辺の環境を阻害しないよう配慮しなければならない。

〔追加・昭和四二法七四〕

第二章　事業の準備

（事業の準備のための立入権）

第一一条　第三条各号の一に掲げる事業の準備のために他人の占有する土地に立ち入つて測量又は調査をする必要がある場合においては、起業者は、事業の種類並びに立ち入ろうとする土地の区域及び期間を記載した申請書を当該区域を管轄する都道府県知事に提出して立入の許可を受けなければならない。但し、起業者が国又は地方公共団体であるときは、事業の種類並びに立ち入ろうとする土地の区域及び期間を都道府県知事にあらかじめ通知することをもつて足り、許可を受けることを要しない。

2　都道府県知事は、前項本文の規定によつて立入の許可の申請があつた事業が第三条各号の一に掲げる事業に該当しない場合又は立ち入ろうとする土地の区域及び期間が当該事業の準備のために必要な範囲をこえる場合を除いては、立入を許可するものとする。

3　前項の規定によつて都道府県知事の許可を受けた起業者又は第一項但書の規定によつて都道府県知事に通知をした起業者は、土地に、自ら立ち入り、又は起業者が命じた者若しくは委任した者を立ち入らせることができる。

4　都道府県知事は、第二項の規定による許可をしたとき、又は第一項但書の規定による通知を受けたときは、直ちに、起業者の名称、事業の種類並びに起業者が立ち入ろうとする土地の区域及び期間をその土地の占有者に通知し、又はこれらの事項を公告しなければならない。

〔改正・昭和三九法一四一〕

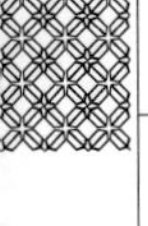

参照【通知―法一三五②、令六】【損失の補償―法九一】【罰則―法一四三1・2・一四五】【土地物件調査権―法三五①】

（立入の通知）

第一二条　前条第三項の規定によつて他人の占有する土地に立ち入ろうとする者は、立ち入ろうとする日の五日前までに、その日時及び場所を市町村長に通知しなければならない。

2　市町村長は、前項の規定による通知を受けたときは、直ちに、その旨を土地の占有者に通知し、又は公告しなければならない。

3　前条第三項の規定によつて宅地又はかき、さく等で囲まれた土地に立ち入ろうとする場合においては、その土地に立ち入ろうとする者は、立入の際あらかじめその旨を占有者に告げなければならない。

4　日出前又は日没後においては、宅地又はかき、さく等で囲まれた土地に立ち入つてはならない。

参照【五日前までに―法一三五①】【通知―法一三五②、令六】【準用―法三五③】

（立入の受忍）

第一三条　土地の占有者は、正当な理由がない限り、第十一条第三項の規定による立入を拒み、又は妨げてはならない。

参照【準用―法三五③】【罰則―法一四三2・一四五】

（障害物の伐除及び土地の試掘等）

第一四条　起業者又はその命を受けた者若しくは委任を受けた者は、第三条各号の一に掲げる事業の準備のために他人の占有する土地に立ち入つて測量又は調査を行うに当り、やむを得ない必要があつて、障害となる植物若しくはかき、さく等（以下「障害物」という。）を伐除しようとする場合又は当該土地に試掘若しくは試すい若しくはこれに伴う障害物の伐除（以下「試掘等」という。）を行おうとする場合において、当該障害物又は当該土地の所有者及び占有者の同意を得ることができないときは、当該障害物の所在地を管轄する市町村長の許可を受けて当該障害物を伐除し、又は当該土地の所在地を管轄する都道府県知事の許可を受けて当該土地に試掘等を行うことができる。この場合において、市町村長が許可を与えようとするときは障害物の所有者及び占有者に、都道府県知事が許可を与えようとするときは土地の所有者及び占有者に、あらかじめ、意見を述べる機会を与えなければならない。

2　前項の規定によつて障害物を伐除しようとする者又は土地に試掘等を行おうとする者は、伐除しようとする日又は試掘等を行おうとする日の三日前までに、当該障害物又は当該土地の所有者及び占有者に通知しなければならない。

3　障害物が山林、原野その他これらに類する土地にあつて、あらかじめ所有者及び占有者の同意を得ることが困難であり、且つ、障害物の現状を著しく損傷しない場合においては、起業者又はその命を受けた者若しくは委任を受けた者は、前二項の規定にかかわらず、当該障害物の所在地を管轄する市町村長の許可を受けて、直ちに、障害物を伐除することができる。この場合においては、障害物を伐除した後、遅滞なく、その旨を所有者及び占有者に通知しなければならない。

4　前項の規定は、第一項の規定による土地の試掘又は試すいに伴う障害物の伐除をする場合には適用しない。

〔改正・昭和二八法一九九〕

参照【三日前までに—法一三五①【通知—法一三五②、令六①ただし書【損失の補償—法九一【罰則—法一四三3・一四五

（証票等の携帯）

第一五条　第十一条第三項の規定によつて他人の占有する土地に立ち入ろうとする者は、その身分を示す証票及び都道府県知事の許可証（起業者が国又は地方公共団体である場合を除く。）を携帯しなければならない。

2　前条の規定によつて障害物を伐除しようとする者又は土地に試掘等を行おうとする者は、その身分を示す証票及び市町村長又は都道府県知事の許可証を携帯しなければならない。

3　前二項に規定する証票又は許可証は、土地又は障害物の所有者、占有者その他の利害関係人の請求があつたときは、示さなければならない。

4　第一項及び第二項に規定する証票及び許可証の様式は、国土交通省令で定める。

〔改正・昭和二八法一九九・昭和三九法一四一・平成一一法一六〇〕

参照【証票及び許可証の様式—規則一【準用—法三五③

第二章の二　土地等の取得に関する紛争の処理

〔追加・昭和二八法一九九、改正・平成一三法一〇三〕

第一節　あつせん

〔追加・平成一三法一〇三〕

（あつせんの申請）

第一五条の二　第三条各号のいずれかに掲げる事業の用に供するための土地等の取得に関する関係当事者間の合意が成立するに至らなかつたときは、関係当事者の双方又は一方は、書面をもつて、当該紛争に係る土地等が所在する都道府県の知事に対して、当該紛争の解決をあつせん委員のあつせんに付することを申請することができる。ただし、当該土地等について、第二十六条第一項（第百三十八条第一項において準用する場合を含む。）の規定による事業の認定の告示があつた後は、この限りでない。

2　都道府県知事は、前項の規定による申請があつた場合においては、当該紛争があつせんを行うに適しないと認められるときを除き、あつせん委員のあつせんに付するものとする。

3　第一項の規定による申請で同一の事業に係るものが二以上の都道府県知事にされた場合において、それぞれの都道府県のあつせん委員のあつせんに付することが適当でないと認められるときは、関係都道府県知事は、協議により、いずれの都道府県のあつせん委員のあつせんに付するかを定めることができる。

〔追加・昭和二八法一九九、改正・昭和四二法七四・平成一三法一〇三〕

参照【あつせんの申請—令一の二【あつせんを行うに適しないと認められるときの通知—令一の三【あつせんに付した旨の通知—令一の四【手数料—法一二五①、令二

類似規定—公害紛争処理法二六、労働関係調整法第二章

（あつせん委員）

第一五条の三　あつせん委員は五人とし、事件ごとに、収用委員会がその委員の中から推薦する者一人及び学識経験を有する者で収用委員会が推薦するものについて、都道府県知事が任命する。

〔追加・昭和二八法一九九、改正・平成一三法一〇三〕

参照【あつせん委員の手当等—自治法二〇三の二【あつせん委員の委員長—令一の五【あつせん案の作成—令一の六

（あつせんの打切り）

第一五条の四　あつせん委員は、あつせん中の紛争に係る土地等について、第二十六条第一項（第百三十八条第一項において準用する場合を含む。）の規定による事業の認定の告示があつた場合には、当該あつせんを打ち切るものとする。

〔追加・昭和二八法一九九、改正・昭和四二法七四・平成一三法一〇三〕

（あつせん委員の報告及び退任）

第一五条の五　あつせん委員は、あつせんが終つたとき、又は前条に規定する場合その他の事由によりあつせんを打ち切つたときには、遅滞なく、その経過及び結果を都道府県知事に報告しなければならない。

2　あつせん委員は、前項の規定による報告をしたときは、当然に退任するものとする。

〔追加・昭和二八法一九九、改正・平成一三法一〇三〕

参照【あつせんの打切りの通知—令一の七

（あつせんの申請の手続等）

第一五条の六　この法律に規定する事項を除き、あつせんの申請の手続その他あつせんに関し必要な事項は、政令で定める。

〔追加・昭和二八法一九九、改正・平成一三法一〇三〕

参照【政令—令一の二〜一の七

第二節　仲裁

〔追加・平成一三法一〇三〕

（仲裁の申請）

第一五条の七　第十五条の二第一項本文に規定する場合において、当該紛争が土地等の取得に際しての対償のみに関するもの

であるときは、関係当事者の双方は、書面をもつて、当該紛争に係る土地等が所在する都道府県の知事に対して、仲裁委員による当該紛争の仲裁（以下単に「仲裁」という。）を申請することができる。ただし、当該土地等について、第二十六条第一項（第百三十八条第一項において準用する場合を含む。）の規定による事業の認定の告示があつた後は、この限りでない。

2　第十五条の二第三項の規定は、前項の場合に準用する。この場合において、同条第三項中「あつせん委員」とあるのは「仲裁委員」と、「あつせん」とあるのは「仲裁」と読み替えるものとする。

3　第一項の規定により仲裁の申請がされた後仲裁判断が行われるまでの間、当該申請に係る土地若しくは物件の所有権その他の権利、第五条に掲げる権利又は第七条に規定する土石砂れきを採取する権利に関しては、起業者又はこれらの権利を有する者は、それぞれ、第三十九条第一項又は第二項（第百三十八条第一項においてこれらの規定を準用する場合を含む。）の規定による申請又は請求をすることができない。

〔追加・平成一三法一〇三〕

（仲裁委員）

第一五条の八　仲裁委員は三人とし、事件ごとに、収用委員会がその委員の中から推薦する者について、都道府県知事が任命する。

〔追加・平成一三法一〇三〕

（資料の提出）

第一五条の九　仲裁委員は、仲裁を行う場合において必要があると認めるときは、当事者の申出により、相手方の所持する当該紛争に係る資料の提出を求めることができる。

〔追加・平成一三法一〇三〕

（立入検査）

第一五条の一〇　仲裁委員は、仲裁を行う場合において必要があると認めるときは、当事者の申出により、相手方の占有する土地その他当該紛争に関係のある場所に立ち入り、当該紛争の原因たる事実関係につき検査をすることができる。

2　前項の規定により検査をする場合においては、仲裁委員の一人をして当該検査を行わせることができる。

〔追加・平成一三法一〇三〕

（仲裁委員の報告及び退任）

第一五条の一一　仲裁委員は、仲裁判断を行つたときには、遅滞なく、その概要を都道府県知事に報告しなければならない。

2　仲裁委員は、前項の規定による報告をしたときは、当然に退任するものとする。

〔追加・平成一三法一〇三〕

（仲裁法の準用）

第一五条の一二　仲裁については、この法律に別段の定めがある場合を除いて、仲裁委員を仲裁人とみなして、仲裁法（平成十五年法律第百三十八号）の規定を準用する。

〔追加・平成一三法一〇三、改正・平成一五法一三八〕

（仲裁の申請の手続等）

第一五条の一三　この法律に定めるもののほか、仲裁の申請の手続、仲裁の手続に要する費用その他仲裁に関し必要な事項は、政令で定める。

〔追加・平成一三法一〇三〕

参照　【政令―令一の七の二～一の七の五

第三章　事業の認定等

〔改正・昭和四二法七四〕

第一節　事業の認定

（事業の説明）

第一五条の一四　起業者は、次条の規定による事業の認定を受けようとするときは、あらかじめ、国土交通省令で定める説明会の開催その他の措置を講じて、事業の目的及び内容について、当該事業の認定について利害関係を有する者に説明しなければならない。

〔追加・平成一三法一〇三〕

参照　【説明会の開催その他の措置―規則一の二・一の三

（事業の認定）

第一六条　起業者は、当該事業又は当該事業の施行により必要を生じた第三条各号の一に該当するものに関する事業（以下「関連事業」という。）のために土地を収用し、又は使用しようとするときは、この節の定めるところに従い、事業の認定を受けなければならない。

〔改正・昭和三九法一四一・昭和四二法七四〕

（事業の認定に関する処分を行う機関）

第一七条　事業が次の各号のいずれかに掲げるものであるときは、国土交通大臣が事業の認定に関する処分を行う。

一　国又は都道府県が起業者である事業

二　事業を施行する土地（以下「起業地」という。）が二以上の都道府県の区域にわたる事業

三　一の都道府県の区域を超え、又は道の区域の全部にわたり利害の影響を及ぼす事業その他の事業で次に掲げるもの

イ　道路整備特別措置法（昭和三十一年法律第七号）第二条第四項に規定する会社が行う同法による高速道路に関する事業

ロ　鉄道事業法による鉄道事業者がその鉄道事業（当該事業に係る路線又はその路線及び当該鉄道事業者若しくは当該鉄道事業者がその路線に係る鉄道線路を譲渡し、若しくは使用させる鉄道事業者が運送を行う上でその路線と密接に関連する他の路線が一の都府県の区域内にとどまるものを除く。）の用に供する施設に関する事業

ハ　港湾法による港湾施設で国際戦略港湾、国際拠点港湾又は重要港湾に係るものに関する事業

ニ　航空法による飛行場又は航空保安施設で公共の用に供するものに関する事業

ホ　電気通信事業法第百二十条第一項に規定する認定電気通信事業者が同項に規定する認定電気通信事業（その業務区域が一の都府県の区域内にとどまるものを除く。）の用に供する施設に関する事業

ヘ　日本放送協会が放送事業の用に供する放送設備に関する事業

ト　電気事業法による一般送配電事業（供給区域が一の都府県の区域内にとどまるものを除く。）、送電事業（供給の相手方たる一般送配電事業者又は配電事業者の供給区域が一の都府県の区域内にとどまるものを除く。）、配電事業（供給区域が一の都府県の区域内にとどまるものを除く。）、特定送配電事業（供給地点が一の都府県の区域内にとどまるものを除く。）又は発電事業（当該事業の用に供する電気工作物と電気的に接続する電線路が一の都府県の区域内に

とどまるものを除く。）の用に供する電気工作物に関する事業

チ　イからトまでに掲げる事業のために欠くことができない通路、橋、鉄道、軌道、索道、電線路、水路、池井、土石の捨場、材料の置場、職務上常駐を必要とする職員の詰所又は宿舎その他の施設に関する事業

四　前三号に掲げる事業に係る関連事業

2　事業が前項各号の一に掲げるもの以外のものであるときは、起業地を管轄する都道府県知事が事業の認定に関する処分を行う。

3　国土交通大臣又は都道府県知事は、次条の規定による事業認定申請書を受理した日から三月以内に、事業の認定に関する処分を行なうように努めなければならない。

〔改正・昭和三二法一〇三・昭和三九法一四一・法一七〇・昭和五九法八七・昭和六一法九三・平成七法七五・平成一一法五〇・法一六〇・平成一五法九二・法一二五、平成一六法一〇二・平成二三法九・平成二六法七二・令和二法四九〕

参照【関連事業―法一六【事業の認定に関する処分を行う機関の特例―法二七

類似規定―公共用地の取得に関する特別措置法四⑤

（事業認定申請書）

第一八条　起業者は、第十六条の規定による事業の認定を受けようとするときは、国土交通省令で定める様式に従い、左に掲げる事項を記載した事業認定申請書を、前条第一項又は第二十七条第一項の場合においては国土交通大臣に、前条第二項の場合においては都道府県知事に提出しなければならない。

一　起業者の名称

二　事業の種類

三　収用又は使用の別を明らかにした起業地

四　事業の認定を申請する理由

2　前項の申請書には、国土交通省令で定める様式に従い、次に掲げる書類を添付しなければならない。

一　事業計画書

二　起業地及び事業計画を表示する図面

三　事業が関連事業に係るものであるときは、起業者が当該関連事業を施行する必要を生じたことを証する書面

四　起業地内に第四条に規定する土地があるときは、その土地に関する調書、図面及び当該土地の管理者の意見書

五　起業地内にある土地の利用について法令の規定による制限があるときは、当該法令の施行について権限を有する行政機関の意見書

六　事業の施行に関して行政機関の免許、許可又は認可等の処分を必要とする場合においては、これらの処分があつたことを証明する書類又は当該行政機関の意見書

七　第十五条の十四の規定に基づき講じた措置の実施状況を記載した書面

3　前項第四号から第六号までに掲げる意見書は、起業者が意見を求めた日から三週間を経過しても、これを得ることができなかつたときは、添附することを要しない。この場合においては、意見書を得ることができなかつた事情を疎明する書面を添附しなければならない。

4　第一項第三号及び第二項第二号に規定する起業地の表示は、土地所有者及び関係人が自己の権利に係る土地が起業地の範囲に含まれることを容易に判断できるものでなければならない。

〔改正・昭和三二法一〇三・昭和三九法一四一・昭和四二法七四・平成一一法一六〇・平成一三法一〇三〕

参照【事業認定申請書の様式―規則二【添附書類の様式―規則三【手数料―法一二五②、令一【法令の規定による制限―法二八の三、道路法九一、河川法二六・二七・五五・五七、海岸法七・八、砂防法四、公有水面埋立法二、地すべり等防止法一八、自然公園法二〇～二二・三三、文化財保護法四三・九三①・一二五、古都における歴史的風土の保存に関する特別措置法八、都市緑地法八・一四、森林法三四、下水道法二九等【行政機関の免許等―道路法七四、河川法七九、鉄道事業法三・八、電気事業法八・四七、水道法六・一〇、下水道法四、道路整備特別措置法三・一〇・一八等【準用―法三二②・三四の二②

（事業認定申請書の欠陥の補正及び却下）

第一九条　前条の規定による事業認定申請書及びその添附書類が同条又は同条に基く国土交通省令に規定する方式を欠くときは、国土交通大臣又は都道府県知事は、相当な期間を定めて、その欠陥を補正させなければならない。第百二十五条の規定による手数料を納めないときも、同様とする。

2　起業者が前項の規定により欠陥の補正を命ぜられたにかかわらず、その定められた期間内に欠陥の補正をしないときは、国土交通大臣又は都道府県知事は、事業認定申請書を却下しなければならない。

〔改正・平成一一法一六〇〕

参照【国土交通省令に規定する方式―規則二・三【準用―法三二②・三四の二②・四一・四七の三⑤・九四④・一一七

（事業の認定の要件）

第二〇条　国土交通大臣又は都道府県知事は、申請に係る事業が左の各号のすべてに該当するときは、事業の認定をすることができる。

一　事業が第三条各号の一に掲げるものに関するものであること。

二　起業者が当該事業を遂行する充分な意思と能力を有する者であること。

三　事業計画が土地の適正且つ合理的な利用に寄与するものであること。

四　土地を収用し、又は使用する公益上の必要があるものであること。

〔改正・平成一一法一六〇〕

参考規定―公共用地の取得に関する特別措置法七、都市計画法六一

（土地の管理者及び関係行政機関の意見の聴取）

第二一条　国土交通大臣又は都道府県知事は、事業の認定に関する処分を行おうとする場合において、第十八条第三項の規定により意見書の添附がなかつたとき、その他必要があると認めるときは、起業地内にある第四条に規定する土地の管理者又は当該事業の施行について関係のある行政機関若しくはその地方支分部局の長の意見を求めなければならない。ただし、土地の管理者については、その管理者を確知することができないとき、その他その意見を求めることができないときは、この限りでない。

2　事業の施行について関係のある行政機関又はその地方支分部局の長は、事業の認定に関する処分について、国土交通大臣又

は都道府県知事に対して意見を述べることができる。
〔改正・昭和三一法一〇三・平成一一法一六〇〕
参照【地方支部局―国家行政組織法九】

（専門的学識及び経験を有する者の意見の聴取）

第二二条　国土交通大臣又は都道府県知事は、事業の認定に関する処分を行おうとする場合において必要があると認めるときは、申請に係る事業の事業計画について専門的学識又は経験を有する者の意見を求めることができる。

〔改正・平成一一法一六〇〕

（公聴会）
第二三条　国土交通大臣又は都道府県知事は、事業の認定に関する処分を行おうとする場合において、当該事業の認定について利害関係を有する者から次条第二項の縦覧期間内に国土交通省令で定めるところにより公聴会を開催すべき旨の請求があつたときその他必要があると認めるときは、公聴会を開いて一般の意見を求めなければならない。
2　前項の規定による公聴会を開こうとするときは、起業者の名称、事業の種類及び起業地並びに公聴会の期日及び場所を一般に公告しなければならない。
3　公聴会の手続に関して必要な事項は、国土交通省令で定める。
〔改正・平成一一法一六〇・平成一三法一〇三〕
参照【公聴会の手続―規則四～一二】

（事業認定申請書の送付及び縦覧）
第二四条　国土交通大臣又は都道府県知事は、事業の認定に関する処分を行おうとするときは、申請に係る事業が第二十条に規定する要件に該当しないことが明らかである場合を除き、起業地が所在する市町村の長に対して事業認定申請書及びその添附書類のうち当該市町村に関係のある部分の写を送付しなければならない。
2　市町村長が前項の書類を受け取つたときは、直ちに、起業者の名称、事業の種類及び起業地を公告し、公告の日から二週間その書類を公衆の縦覧に供しなければならない。
3　国土交通大臣は、第一項の規定による送付をしたときは、直ちに、起業地を管轄する都道府県知事にその旨を通知し、事業認定申請書及びその添附書類の写を送付しなければならない。
4　市町村長が第一項の書類を受け取つた日から二週間を経過しても、第二項の規定による手続を行なわないときは、起業地を管轄する都道府県知事は、起業者の申請により、当該市町村長に代わつてその手続を行なうことができる。
5　前項の規定により、都道府県知事が市町村長に代わつて手続を行なおうとするときは、あらかじめ、その旨を当該市町村長に通知しなければならない。
6　前項の規定による都道府県知事の通知を受けた後においては、市町村長は、当該事件につき、第二項の規定による手続を行なうことができない。
〔改正・昭和三一法一〇三・昭和三九法一四一・平成一一法一六〇〕
参照【通知―法一三五②、令六①】【二週間―法一三五①】【準用―法二六の二③・三四の四③・四二④】

（利害関係人の意見書の提出）
第二五条　前条第二項の規定による公告があつたときは、事業の認定について利害関係を有する者は、同項の縦覧期間内に、都道府県知事に意見書を提出することができる。
2　都道府県知事は、国土交通大臣が認定に関する処分を行おうとする事業について、前項の規定による意見書を受け取つたときは、直ちに、これを国土交通大臣に送付し、前条第二項に規定する期間内に意見書の提出がなかつたときは、その旨を国土交通大臣に報告しなければならない。
〔改正・平成一一法一六〇〕
参照【意見書の提出期間―法一三五①ただし書】

（社会資本整備審議会等の意見の聴取）
第二五条の二　国土交通大臣は、事業の認定に関する処分を行おうとするときは、あらかじめ社会資本整備審議会の意見を聴き、その意見を尊重しなければならない。ただし、第二十四条第二項の縦覧期間内に前条第一項の意見書（国土交通大臣が、事業の認定をしようとする場合にあつては事業の認定をすることについて異議がある旨の意見が記載されたものに限り、事業の認定を拒否しようとする場合にあつては事業の認定をすべき旨の意見が記載されたものに限る。）の提出がなかつた場合においては、この限りでない。
2　都道府県知事は、事業の認定に関する処分を行おうとするときは、あらかじめ第三十四条の七第一項の審議会その他の合議制の機関の意見を聴き、その意見を尊重しなければならない。ただし、第二十四条第二項の縦覧期間内に前条第一項の意見書（都道府県知事が、事業の認定をしようとする場合にあつては事業の認定をすることについて異議がある旨の意見が記載されたものに限り、事業の認定を拒否しようとする場合にあつては事業の認定をすべき旨の意見が記載されたものに限る。）の提出がなかつた場合においては、この限りでない。
〔追加・平成一三法一〇三〕

（事業の認定の告示）
第二六条　国土交通大臣又は都道府県知事は、第二十条の規定によつて事業の認定をしたときは、遅滞なく、その旨を起業者に文書で通知するとともに、起業者の名称、事業の種類、起業地、事業の認定をした理由及び次条の規定による図面の縦覧場所を国土交通大臣にあつては官報で、都道府県知事にあつては都道府県知事が定める方法で告示しなければならない。
2　都道府県知事は、前項の規定による告示をしたときは、直ちに、国土交通大臣にその旨を報告しなければならない。
3　国土交通大臣は、第一項の規定による告示をしたときは、直ちに、関係都道府県知事にその旨を通知しなければならない。
4　事業の認定は、第一項の規定による告示があつた日から、その効力を生ずる。
〔改正・昭和三一法一〇三・昭和四二法七四・平成一一法一六〇・平成一三法一〇三・平成二五法四四〕
参照【通知―法一三五②、令六②】

（起業地を表示する図面の長期縦覧）
第二六条の二　国土交通大臣又は都道府県知事は、第二十条の規定によつて事業の認定をしたときは、直ちに、起業地が所在する市町村の長にその旨を通知しなければならない。
2　市町村長は、前項の通知を受けたときは、直ちに、第二十四条第一項の規定により送付を受けた起業地を表示する図面を、事業の認定が効力を失う日又は第三十条の二において準用する第三十条第二項若しくは第三項の規定による通知を受ける日まで公衆の縦覧に供しなければならない。

3　第二十四条第四項及び第五項の規定は、市町村長が第一項の通知を受けた日から二週間を経過しても前項の規定による手続を行なわない場合に準用する。

〔追加・昭和四二法七四、改正・平成一一法一六〇〕

参照【通知―法一三五②、令一の八・六①【事業の認定が効力を失う日―法二九・三〇④・三四の六【都市計画事業の場合―都市計画法六二

（事業の認定に関する処分を行う機関の特例）

第二七条　起業者は、左の各号の一に該当するときは、国土交通大臣に対して事業の認定を申請することができる。この場合においては、起業者は、その旨を都道府県知事に通知しなければならない。

一　都道府県知事が事業の認定を拒否したとき。

二　都道府県知事が第十八条の規定による事業認定申請書を受理した日から三月を経過しても事業の認定に関する処分を行わないとき。

2　国土交通大臣は、前項第一号の規定による申請を受けたときは、あらかじめ公害等調整委員会の意見を聞いた上で、自ら事業の認定に関する処分を行わなければならない。

3　国土交通大臣は、第一項第二号の規定による申請を受けたときは、あらかじめ都道府県知事の意見を聞いた上で、都道府県知事に対して、相当な期間を定めて、事業の認定に関する処分を行うことを指示することができる。

4　国土交通大臣は、都道府県知事が前項の規定によつて指示された期間内に処分を行わないとき、又は同項の規定によつて処分を行うことを指示することが適当でないと認めるときは、都道府県知事及び起業者にあらかじめ自ら事業の認定に関する処分を行うことを通知した上で、自ら事業の認定に関する処分を行うことができる。

5　前項の規定による国土交通大臣の通知を受けた後においては、都道府県知事は、当該事件につき事業の認定に関する処分を行うことができない。

6　都道府県知事は、第二項又は第四項の規定によつて国土交通大臣が自ら事業の認定に関する処分を行う場合において、既に開かれた公聴会の記録、既に提出された利害関係人の意見書等当該事業の認定に関する処分を行うために必要な書類があるときは、直ちに、これらの書類を国土交通大臣に送付しなければならない。

7　第二項又は第四項の規定によつて国土交通大臣が自ら事業の認定に関する処分を行う場合においては、国土交通大臣は、事業の認定に関する処分を行うための手続その他の行為で都道府県知事が既に行つたものを省略することができる。

〔改正・昭和四七法五二・平成一一法八七・法一六〇〕

参照【期間の計算―法一三五①【通知―法一三五②、令六②

（事業の認定の拒否）

第二八条　国土交通大臣又は都道府県知事は、事業の認定を拒否したときは、遅滞なく、その旨を起業者に文書で通知しなければならない。

〔改正・昭和三七法一六一・平成一一法一六〇〕

参照【通知―法一三五②、令六②

（補償等について周知させるための措置）

第二八条の二　起業者は、第二十六条第一項の規定による事業の認定の告示があつたときは、直ちに、国土交通省令で定めるところにより、土地所有者及び関係人が受けることができる補償その他国土交通省令で定める事項について、土地所有者及び関係人に周知させるため必要な措置を講じなければならない。

〔追加・昭和四二法七四、改正・平成一一法一六〇〕

参照【国土交通省令―規則一三・一三の二【都市計画事業の場合―都市計画法六六

（土地の保全）

第二八条の三　第二十六条第一項の規定による事業の認定の告示があつた後においては、何人も、都道府県知事の許可を受けなければ、起業地について明らかに事業に支障を及ぼすような形質の変更をしてはならない。

2　都道府県知事は、土地の形質の変更について起業者の同意がある場合又は土地の形質の変更が災害の防止その他正当な理由に基づき必要があると認められる場合に限り、前項の規定による許可をするものとする。

〔追加・昭和四二法七四〕

参照【許可と損失補償の制限―法八九【都市計画事業の場合―都市計画法七三【罰則―法一四二・一四五

参考規定―都市計画法五三

（事業の認定の失効）

第二九条　起業者が第二十六条第一項の規定による事業の認定の告示があつた日から一年以内に第三十九条第一項の規定による収用又は使用の裁決の申請をしないときは、事業の認定は、期間満了の日の翌日から将来に向つて、その効力を失う。

2　第二十六条第一項の規定による事業の認定の告示があつた日から四年以内に第四十七条の二第三項の規定による明渡裁決の申立てがないときも、前項と同様とする。この場合において、既にされた裁決手続開始の決定及び権利取得裁決は、取り消されたものとみなす。

〔改正・昭和四二法七四〕

参照【期間の計算―法一三五①【補償との関係―法九二【裁決手続開始の決定―法四五の二【権利取得裁決―法四八【その他の事由による失効―法三〇④【都市計画事業の場合―都市計画法七一①

（事業の廃止又は変更）

第三〇条　第二十六条第一項の規定による事業の認定の告示があつた後、起業者が事業の全部又は一部を廃止し、又は変更したために土地を収用し、又は使用する必要がなくなつたときは、起業者は、遅滞なく、起業地を管轄する都道府県知事にその旨を届け出なければならない。この場合においては、国土交通省令で定めるところにより、その旨を周知させるため必要な措置を講じなければならない。

2　都道府県知事は、前項前段の規定による届出を受け取つたときは、事業の全部又は一部の廃止又は変更があつたことを都道

府県知事が定める方法で告示し、かつ、起業地が所在する市町村の長に通知するとともに、直ちに、その旨を国土交通大臣に報告しなければならない。

3　都道府県知事は、第一項前段の規定による届出がない場合においても、起業者が事業の全部又は一部を廃止し、又は変更したために土地を収用し、又は使用する必要がなくなつたことを知つたときは、前項の規定による告示、通知及び報告をしなければならない。

4　事業の認定は、前二項の規定による告示があつた日から将来に向つて、その効力を失う。

〔改正・昭和四二法七四・平成五法八九・平成一一法一六〇〕

参照　【国土交通省令―規則一三の三】【通知―法一三五②、令六①】【準用―法三〇の二】

（土地等の取得の完了）

第三〇条の二　前条第一項前段、第二項及び第三項の規定は、起業者が起業地内のすべての土地について必要な権利を取得した場合に準用する。ただし、同条第二項及び第三項の規定による告示及び報告は、することを要しない。

〔追加・昭和四二法七四〕

第二節　収用又は使用の手続の保留

〔旧一節を改正し繰下・昭和四二法七四〕

（手続の保留）

第三一条　起業者は、起業地の全部又は一部について、事業の認定後の収用又は使用の手続を保留することができる。

〔改正・昭和二八法一九九・昭和三九法一四一、全改・昭和四二法七四〕

参照　【都市計画事業の場合―都市計画法七二①】

（手続の保留の申立書）

第三二条　起業者は、前条の規定によつて収用又は使用の手続を保留しようとするときは、国土交通省令で定める様式に従い、事業の認定の申請と同時に、その旨及び手続を保留する起業地の範囲を記載した申立書を提出しなければならない。この場合においては、第十八条第二項第二号に掲げる起業地を表示する図面に手続を保留する起業地の範囲を表示しなければならない。

2　第十八条第四項の規定は、前項の規定による起業地の範囲の表示について、第十九条第一項前段及び第二項の規定は、前項の規定による申立書の欠陥の補正について準用する。この場合において、同条第一項前段中「前条」とあるのは「第三十二条第一項」と、「事業認定申請書及びその添附書類」とあるのは「申立書及び図面」と、「同条」とあるのは「同項」と、同条第二項中「事業認定申請書」とあるのは「申立書」と読み替えるものとする。

〔全改・昭和四二法七四、改正・平成一一法一六〇〕

参照　【国土交通省令で定める様式―規則一三の四】

（手続の保留の告示）

第三三条　国土交通大臣又は都道府県知事は、前条第一項の申立てがあつたときは、第二十六条第一項の規定による事業の認定の告示の際、あわせて事業の認定後の収用又は使用の手続が保留される旨及び手続が保留される起業地の範囲を告示しなければならない。

〔全改・昭和四二法七四、改正・平成一一法一六〇〕

（手続開始の申立て）

第三四条　起業者は、収用又は使用の手続を保留した土地について、その手続を開始しようとするときは、第二十六条第一項の規定による事業の認定の告示があつた日から三年以内に、都道府県知事に、収用又は使用の手続を開始する旨を申し立てなければならない。

〔全改・昭和四二法七四〕

参照　【期間―法一三五①】【都市計画事業の場合―都市計画法七三】

（手続開始の申立書）

第三四条の二　起業者は、前条の規定による申立てをしようとするときは、国土交通省令で定める様式に従い、第二十六条第一項及び第三十三条の規定によつて告示された事項並びに収用又は使用の手続を開始しようとする土地を記載した申立書に、当該土地を表示する図面を添附して、これを当該土地を管轄する都道府県知事に提出しなければならない。

2　第十八条第四項の規定は、前項の規定による土地の表示について、第十九条第一項前段及び第二項の規定は、前項の規定による申立書の欠陥の補正について準用する。この場合において、同条第一項前段中「前条」とあるのは「第三十四条の二第一項」と、「事業認定申請書」とあるのは「申立書」と、「同条」とあるのは「同項」と、「国土交通大臣又は都道府県知事」とあるのは「都道府県知事」と、同条第二項中「国土交通大臣又は都道府県知事は、事業認定申請書」とあるのは「都道府県知事は、申立書」と読み替えるものとする。

〔追加・昭和四二法七四、改正・平成一一法一六〇〕

参照　【国土交通省令で定める様式―規則一三の五】

（手続開始の告示）

第三四条の三　都道府県知事は、第三十四条の規定による申立てがあつたときは、遅滞なく、収用又は使用の手続が開始される旨及び第三十四条の四の規定による図面の縦覧場所を、都道府県知事が定める方法で告示しなければならない。

〔追加・昭和四二法七四〕

（図面の縦覧）

第三四条の四　都道府県知事は、第三十四条の規定による申立てがあつたときは、直ちに、当該土地が所在する市町村の長に対して、第三十四条の二第一項の図面を送付しなければならない。

2　市町村長は、前項の図面を受け取つたときは、直ちに、これを第二十六条の二第二項の図面とあわせて公衆の縦覧に供しなければならない。

3　第二十四条第四項及び第五項の規定は、市町村長が第一項の図面を受け取つた日から二週間を経過しても前項の規定による手続を行なわない場合に準用する。

〔追加・昭和四二法七四〕

参照　【期間―法一三五①】【都市計画事業の場合―都市計画法七三】

（手続開始の告示の効果）

第三四条の五　収用又は使用の手続を保留した土地については、

第三十四条の三の規定による手続開始の告示があつた時を第二十六条第一項の規定による事業の認定の告示があつた時とみなして、この法律の規定を適用する。ただし、この章（第二十八条の二及び第二十九条第一項を除く。）、第九十二条第一項、第百条第二項、第百六条第一項、第百十六条第一項及び第百三十条第一項の規定については、この限りでない。

〔追加・昭和四二法七四〕

参照【手続開始の告示の時を事業の認定の告示とみなされる規定―法八③ただし書・一五の二①・一五の四・二八の二・二九①・三五①・三六①・三九①・四六の二①・七一・七二・八九①】

（事業の認定の失効）

第三十四条の六　起業者が、収用又は使用の手続を保留した土地について、第三十四条の期間内に同条の規定による申立てをしないときは、事業の認定は、期間満了の日の翌日から将来に向つて、その効力を失う。

〔追加・昭和四二法七四〕

参照【期間―法一三五①】【都市計画事業の場合―都市計画法七一①】

第三章の二　都道府県知事が事業の認定に関する処分を行うに際して意見を聴く審議会等

〔追加・平成一一法一〇二〕

第三十四条の七　都道府県に、この法律の規定によりその権限に属させられた事項を調査審議するため、審議会その他の合議制の機関（次項において「審議会等」という。）を置く。

2　審議会等の組織及び運営に関し必要な事項は、都道府県の条例で定める。

〔追加・平成一一法一〇二〕

第四章　収用又は使用の手続

〔追加・昭和四二法七四〕

第一節　調書の作成

〔追加・昭和四二法七四〕

（土地物件調査権）

第三十五条　第二十六条第一項の規定による事業の認定の告示があつた後は、起業者又はその命を受けた者若しくは委任を受けた者は、事業の準備のため又は次条第一項の土地調書及び物件調書の作成のために、その土地又はその土地にある工作物に立ち入つて、これを測量し、又はその土地及びその土地若しくは工作物にある物件を調査することができる。

2　前項の規定によつて土地又は工作物に立ち入ろうとする者は、立ち入ろうとする日の三日前までに、その日時及び場所を当該土地又は工作物の占有者に通知しなければならない。

3　第十二条第三項及び第四項、第十三条並びに第十五条第一項、第三項及び第四項の規定は、第一項の場合に準用する。この場合において、第十二条第三項中「前条第三項」とあり、又は第十三条及び第十五条第一項中「第十一条第三項」とあるのは「第三十五条第一項」と、第十二条第三項及び第四項中「又はかき、さく等で囲まれた土地」とあるのは「若しくはかき、さく等で囲まれた土地又は工作物」と、同条第三項、第十三条及び第十五条第一項中「土地」とあり、又は同条第三項中「土地又は障害物」とあるのは「土地又は工作物」と、第十五条第一項中「証票及び都道府県知事の許可証（起業者が国又は地方公共団体である場合を除く。）」とあり、又は同条第三項中「証票又は許可証」と、若しくは第四項中「証票及び許可証」とあるのは「証票」と読み替えるものとする。

〔改正・昭和三九法一四一・昭和四二法七四・平成一一法一〇二〕

参照【工作物―民法二六五・六三五・七一七】【通知―法一三五②、令六①ただし書】【損失の補償―法九一】【都市計画事業の場合―都市計画法七一①】【罰則―法一四三2・一四五】

（土地調書及び物件調書の作成）

第三十六条　第二十六条第一項の規定による事業の認定の告示があつた後、起業者は、土地調書及び物件調書を作成しなければならない。

2　前項の規定により土地調書及び物件調書を作成する場合において、起業者は、自ら土地調書及び物件調書に署名押印し、土地所有者及び関係人（起業者が過失がなくて知ることができない者を除く。以下この節において同じ。）を立ち会わせた上、土地調書及び物件調書に署名押印させなければならない。

3　前項の場合において、土地所有者及び関係人のうち、土地調書及び物件調書の記載事項が真実でない旨の異議を有する者は、その内容を当該調書に附記して署名押印することができる。

4　第二項の場合において、土地所有者及び関係人のうちに、同項の規定による署名押印を拒んだ者、同項の規定による署名押印を求められたにもかかわらず相当の期間内にその責めに帰すべき事由によりこれをしない者又は同項の規定による署名押印をすることができない者があるときは、起業者は、市町村長の立会い及び署名押印を求めなければならない。この場合において、市町村長は、当該市町村の職員を立ち会わせ、署名押印させることができる。

5　前項の場合において、市町村長が署名押印を拒んだときは、都道府県知事は、起業者の申請により、当該都道府県の職員のうちから立会人を指名し、署名押印させなければならない。

6　前二項の規定による立会人は、起業者又は起業者に対し第六十一条第一項第二号又は第三号の規定に該当する関係にある者であつてはならない。

〔改正・昭和三九法一四一・昭和四二法七四・平成一一法一〇二・平成一八法五三〕

参照【調書の効力―法三八】【都市計画事業の場合―都市計画法七一①】

（土地調書及び物件調書の作成手続の特例）

第三十六条の二　起業者は、第一号に掲げる場合にあつては前条第一項の土地調書を、第二号に掲げる場合にあつては同項の物件調書を、それぞれ、同条第二項から第六項までに定める手続に代えて、次項から第七項までに定める手続により作成することができる。

一　収用し、又は使用しようとする一筆の土地の所有者及び当該土地に関して権利を有する関係人（これらの者のうち、起業者が過失がなくて知ることができない者を除き、一人当たりの補償金の見積額が最近三年間の権利取得裁決に係る一人当たりの補償金の平均額に照らして著しく低い額として政令で定める額以下である者に限る。）が、百人を超えると見込まれる場合

二　収用し、又は使用しようとする一筆の土地にある物件に関して権利を有する関係人（起業者が過失がなくて知ることができない者を除き、一人当たりの補償金の見積額が最近三年間の明渡裁決に係る一人当たりの補償金の平均額に照らして著しく低い額として政令で定める額以下である者に限る。）が、百人を超えると見込まれる場合

2　前項の規定により土地調書又は物件調書を作成する場合において、起業者は、自ら土地調書又は物件調書に署名押印した上で、収用し、又は使用しようとする一筆の土地が所在する市町村の長に対し、国土交通省令で定めるところにより、土地調書又は物件調書の写しを添付した申出書を提出しなければならない。

3　市町村長は、前項の申出書を受け取つた場合は、直ちに、起業者の名称、事業の種類及び申出に係る土地又は物件の所在地を公告し、公告の日から一箇月間その書類を公衆の縦覧に供しなければならない。

4　第二十四条第四項から第六項までの規定は、前項の規定による公告及び縦覧について準用する。

5　起業者は、第三項の規定による公告があつたときは、当該公告に係る土地調書又は物件調書に氏名及び住所が記載されている土地所有者及び関係人に対し、同項の規定による公告があつた旨の通知をしなければならない。この場合において、当該通知は、同項の規定による公告の日から一週間以内に発しなければならない。

6　第三項の規定による公告に係る土地調書又は物件調書に記載されている土地所有者及び関係人は、当該土地調書又は物件調書の記載事項が真実でない旨の異議を有するときは、同項の縦覧期間内に、起業者に対し、国土交通省令で定めるところにより、その内容を記載した異議申出書を提出することができる。

7　起業者は、前項の異議申出書を受け取つたときは、第三項の規定による公告に係る土地調書又は物件調書に当該異議申出書を添付しなければならない。

〔追加・平成一三法一〇三〕

参照　【政令で定める額―令一の八の二】【土地調書作成の特例手続等の申出及び物件調書作成の特例手続等の申出の様式―規則一三の六・一三の七】【土地調書等に対する異議の申出及び物件調書等に対する異議の申出の様式―規則一三の八・一三の九】

（土地調書及び物件調書の記載事項）

第三七条　第三十六条第一項の土地調書には、収用し、又は使用しようとする土地について、次に掲げる事項を記載し、実測平面図を添付しなければならない。

一　土地の所在、地番、地目及び地積並びに土地所有者の氏名及び住所

二　収用し、又は使用しようとする土地の面積

三　土地に関して権利を有する関係人の氏名及び住所並びにその権利の種類及び内容

四　調書を作成した年月日

五　その他必要な事項

2　第三十六条第一項の物件調書には、収用し、又は使用しようとする土地にある物件について、次に掲げる事項を記載しなければならない。

一　物件がある土地の所在、地番及び地目

二　物件の種類及び数量並びにその所有者の氏名及び住所

三　物件に関して権利を有する関係人の氏名及び住所並びにその権利の種類及び内容

四　調書を作成した年月日

五　その他必要な事項

3　物件が建物であるときは、前項に掲げる事項の外、建物の種類、構造、床面積等を記載し、実測平面図を添附しなければならない。

4　土地調書及び物件調書の様式は、国土交通省令で定める。

〔改正・平成一一法一六〇・平成一三法一〇三〕

参照　【土地調書及び物件調書の様式―規則一四・一五】【土地の所在、地番、地目―不動産登記法二・三四・三五】【床面積―建築基準法施行令二①3】

（測量等が著しく困難な場合の土地調書及び物件調書の作成）

第三七条の二　起業者は、土地所有者、関係人その他の者が正当な理由がないのに第三十五条第一項の規定による立入りを拒み、又は妨げたため、同項の規定により測量又は調査をすることが著しく困難であるときは、他の方法により知ることができる程度でこれらの調書を作成すれば足りるものとする。この場合においては、これらの調書にその旨を付記しなければならない。

〔追加・昭和三九法一四一、改正・平成一三法一〇三〕

（土地調書及び物件調書の効力）

第三八条　起業者、土地所有者及び関係人は、第三十六条第三項の規定によつて異議を付記した者及び第三十六条の二第六項の規定によつて異議申出書を提出した者がその内容を述べる場合を除き、第三十六条から前条までの規定によつて作成された土地調書及び物件調書の記載事項の真否について異議を述べることができない。ただし、その調書の記載事項が真実に反していることを立証するときは、この限りでない。

〔改正・昭和三九法一四一・平成一三法一〇三〕

第二節　裁決手続の開始

〔追加・昭和四二法七四〕

（収用又は使用の裁決の申請）

第三九条　起業者は、第二十六条第一項の規定による事業の認定の告示があつた日から一年以内に限り、収用し、又は使用しようとする土地が所在する都道府県の収用委員会に収用又は使用の裁決を申請することができる。

2　土地所有者又は土地に関して権利を有する関係人（先取特権を有する者、質権者、抵当権者、差押債権者又は仮差押債権者である関係人を除く。）は、自己の権利に係る土地について、起業者に対し、前項の規定による申請をすべきことを請求することができる。ただし、一団の土地については、当該収用又は使用に因つて残地となるべき部分を除き、分割して請求することができない。

3　前項の規定による請求の手続に関して必要な事項は、国土交

通省令で定める。

〔全改・昭和四二法七四、改正・平成一一法一六〇〕

参照【期間―法一三五①【国土交通省令―規則一五の二【都市計画事業の場合―都市計画法七一①【準用―法四六の二

参考規定―都市計画法六八

（**裁決申請書**）

第四〇条 起業者は、前条の規定によつて収用委員会の裁決を申請しようとするときは、国土交通省令で定める様式に従い、裁決申請書に次に掲げる書類を添付して、これを収用委員会に提出しなければならない。

一 事業計画書並びに起業地及び事業計画を表示する図面

二 市町村別に次に掲げる事項を記載した書類

イ 収用し、又は使用しようとする土地の所在、地番及び地目

ロ 収用し、又は使用しようとする土地の面積（土地が分割されることになる場合においては、その全部の面積を含む。）

ハ 土地を使用しようとする場合においては、その方法及び期間

ニ 土地所有者及び土地に関して権利を有する関係人の氏名及び住所

ホ 土地又は土地に関する所有権以外の権利に対する損失補償の見積及びその内訳

ヘ 権利を取得し、又は消滅させる時期

三 第三十六条第一項の土地調書又はその写し

2 前項第二号ニに掲げる事項に関して起業者が過失がなくて知ることができないものについては、同項の規定による申請書の添附書類に記載することを要しない。

〔改正・昭和三九法一四一、旧四二条を改正し繰上・昭和四二法七四、改正・平成一一法一六〇・平成一三法一〇三〕

参照【裁決申請書の様式―規則一六【添附書類の様式―規則一七【土地の所在、地番及び地目―不動産登記法二二・三四・三五【準用―法四七の三②

（**裁決申請書の欠陥の補正**）

第四一条 第十九条の規定は、前条の規定による裁決申請書及びその添附書類の欠陥の補正について準用する。この場合において、「前条」とあるのは「第四十条」と、「事業認定申請書」とあるのは「裁決申請書」と、「国土交通大臣又は都道府県知事」とあるのは「収用委員会」と読み替えるものとする。

〔旧四三条を改正し繰上・昭和四二法七四、改正・平成一一法一六〇〕

（**裁決申請書の送付及び縦覧**）

第四二条 収用委員会は、第四十条第一項の規定による裁決申請書及びその添附書類を受理したときは、前条において準用する第十九条第二項の規定により裁決申請書を却下する場合を除くの外、市町村別に当該市町村に関係がある部分の写を当該市町村長に送付するとともに、添附書類に記載されている土地所有者及び関係人に裁決の申請があつた旨の通知をしなければならない。

2 市町村長は、前項の書類を受け取つたときは、直ちに、裁決の申請があつた旨及び第四十条第一項第二号イに掲げる事項を公告し、公告の日から二週間その書類を公衆の縦覧に供しなければならない。

3 市町村長は、前項の規定による公告をしたときは、遅滞なく、公告の日を収用委員会に報告しなければならない。

4 第二十四条第四項から第六項までの規定は、市町村長が第一項の書類を受け取つた日から二週間を経過しても第二項の規定による手続を行なわない場合に準用する。この場合において、同条第四項中「起業地」とあるのは、「裁決の申請に係る土地」と読み替えるものとする。

5 都道府県知事は、収用委員会に対して前項の規定により第二項の規定による公衆の縦覧に供しなければならない書類の送付を求めることができる。

6 都道府県知事は、第四項の規定により第二項の規定による公告をしたときは、遅滞なく、公告の日を収用委員会に通知しなければならない。

〔改正・昭和三九法一四一、旧四四条を改正し繰上・昭和四二法七四〕

参照【通知―法一三五②、令六【期間の計算―法一三五①【準用―法四五③・四七の四②

（**土地所有者及び関係人等の意見書の提出**）

第四三条 前条第二項の規定による公告があつたときは、土地所有者及び関係人は、同条の縦覧期間内に、収用委員会に意見書を提出することができる。但し、縦覧期間が経過した後において意見書が提出された場合においても、収用委員会は、相当の理由があると認めるときは、当該意見書を受理することができる。

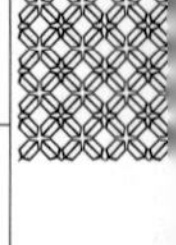

2 前条第二項の規定による公告があつた土地及びこれに関する権利について仮処分をした者その他損失の補償の決定によつて権利を害される虞のある者（以下「準関係人」と総称する。）は、収用委員会の審理が終るまでは、自己の権利が影響を受ける限度において、損失の補償に関して収用委員会に意見書を提出することができる。

3 土地所有者、関係人及び準関係人は、前二項の規定による意見書において、事業の認定に対する不服に関する事項その他の事項であつて、収用委員会の審理と関係がないものを記載することができない。

4 第一項又は第二項の規定による意見書に、前項に規定する収用委員会の審理と関係がない事項が記載されている場合における第六十三条第一項の規定の適用については、初めから当該事項の記載がなかつたものとみなす。

〔旧四五条を改正し繰上・昭和四二法七四、改正・平成一三法一〇三〕

参照【期間の計算―法一三五①【意見書―法四八③・六三①【特例―法六三②【準用―法四七の四②

（**裁決の申請の特例**）

第四四条 第三十六条第一項の土地調書の作成前に第三十九条第二項の規定による請求があつたときは、第四十条第一項の規定にかかわらず、同項第二号の書類については、同号イ、ハ及びヘに掲げる事項並びに登記簿に現われた土地所有者及び関係人の氏名及び住所を記載すれば足りるものとし、同項第三号に掲げる書類は、添付することを要しない。

2 起業者は、前項の規定により添付書類の一部を省略して裁決を申請したときは、第三十六条第一項の土地調書の作成後、速やかに、国土交通省令で定めるところにより、第四十条第一項の規定による添付書類中省略された部分を補充しなければならない。この場合においては、その補充があつたときに、同項の規定による裁決申請書及びその添付書類を収用委員会が受理したものとみなして、前二条の規定を適用する。

〔追加・昭和四二法七四、改正・平成一一法一六〇・平成一三法一〇三〕

参照【特例による申請―規則一七2【国土交通省令―規則一七の二

（裁決申請があつた旨の公告等）

第四五条　前条第一項の規定により添附書類の一部を省略して裁決の申請があつたときは、収用委員会は、第四十一条において準用する第十九条第二項の規定により裁決申請書を却下する場合を除くの外、申請に係る土地が所在する市町村の長並びに添附書類に記載されている土地所有者及び関係人に裁決の申請があつた旨の通知をしなければならない。

２　市町村長は、前項の通知を受けたときは、直ちに、通知に係る土地について裁決の申請があつた旨を二週間公告しなければならない。

３　第四十二条第三項、第四項及び第六項の規定は、前項の規定による公告について準用する。この場合において、同条第四項中「書類を受け取つた」とあるのは、「通知を受けた」と読み替えるものとする。

〔追加・昭和四二法七四〕

参照【通知―法一三五②、令六②・六の二【期間の計算―法一三五①

（裁決手続開始の決定及び裁決手続開始の登記の嘱託）

第四五条の二　収用委員会は、第四十四条第一項の規定により添附書類の一部を省略して裁決の申請があつたときは、前条第二項に規定する公告期間を経過した後、これを省略しないで裁決の申請があつたときは、第四十二条第二項に規定する縦覧期間を経過した後、遅滞なく、国土交通省令で定めるところにより裁決手続の開始を決定してその旨を公告し、かつ、申請に係る土地を管轄する登記所に、その土地及びその土地に関する権利について、収用又は使用の裁決手続の開始の登記（以下単に「裁決手続開始の登記」という。）を嘱託しなければならない。

〔追加・昭和四二法七四、改正・平成一一法一六〇〕

参照【裁決手続開始決定の公告の方法―規則一七の三【裁決手続の開始の決定の通知―令一の九【差押えされている土地等に関する裁決手続開始の登記があつた場合の通知―令一の一四

（裁決手続開始の登記の効果）

第四五条の三　裁決手続開始の登記があつた後において、当該登記に係る権利について仮登記若しくは買戻しの特約の登記をし、当該登記に係る権利を承継し、又は当該登記に係る権利について差押え、仮差押えの執行若しくは仮処分の執行をした者は、当該承継、仮登記上の権利若しくは買戻権又は当該処分を起業者に対抗することができない。ただし、相続人その他の一般承継人及び当該裁決手続開始の登記前に登記された買戻権の行使又は当該裁決手続開始の登記前にされた差押え若しくは仮差押えの執行に係る国税徴収法（昭和三十四年法律第百四十七号）による滞納処分（その例による滞納処分を含むものとし、以下単に「滞納処分」という。）、強制執行若しくは担保権の実行としての競売（その例による競売を含むものとし、以下単に「競売」という。）により権利を取得した者の当該権利の承継については、この限りでない。

２　裁決手続開始の登記前においては、土地が収用され、又は使用されることによる損失の補償を請求する権利については、差押え、仮差押えの執行、譲渡又は質権の設定をすることができない。裁決手続開始の登記後においても、その登記に係る権利で、その登記前に差押え又は仮差押えの執行がされているもの（質権、抵当権その他の権利で、当該差押え又は仮差押えの執行に係る滞納処分、強制執行又は競売によつて消滅すべきものを含む。）に対する損失の補償を請求する権利につき、同様とする。

〔追加・昭和四二法七四、改正・昭和五四法五〕

（審理手続の開始）

第四六条　収用委員会は、第四十二条第二項に規定する縦覧期間を経過した後、遅滞なく、審理を開始しなければならない。

２　収用委員会は、審理を開始する場合においては、起業者、第四十条第一項の規定による裁決申請書の添附書類に記載されている土地所有者及び関係人並びに第四十三条又は第八十七条ただし書の規定によつて意見書を提出した者に、あらかじめ審理の期日及び場所を通知しなければならない。

３　収用委員会は、審理の促進を図り、裁決が遅延することのないように努めなければならない。

〔改正・昭和三九法一四一・昭和四二法七四〕

参照【審理―法六〇②【通知―法一三五②、令六②・六の二

第三節　補償金の支払請求

〔追加・昭和四二法七四〕

（補償金の支払請求）

第四六条の二　土地所有者又は土地に関して権利を有する関係人（先取特権を有する者、質権者、抵当権者、差押債権者又は仮差押債権者である関係人を除く。）は、第二十六条第一項の規定による事業の認定の告示があつた後は、第四十八条第一項の規定による裁決前であつても、起業者に対し、土地又は土地に関する所有権以外の権利に対する補償金（第七十六条第三項の規定によるものを除く。）の支払を請求することができる。第三十九条第二項ただし書及び第三項の規定は、この場合に準用する。

２　前項の規定による請求は、第三十九条第二項の規定による補償金の支払の請求とあわせてしなければならない。ただし、既に、起業者が同条第一項の規定による収用若しくは使用の裁決の申請をし、又は他の土地所有者若しくは関係人が同条第二項の規定による請求をしているときは、この限りでない。

３　裁決手続開始の登記前から差押え又は仮差押えの執行がされている権利（当該差押え又は仮差押えの執行に係る滞納処分、強制執行又は競売によつて消滅すべき権利を含む。）については、第一項の規定による補償金の支払の請求は、することができない。差押え又は仮差押えの執行前に同項の規定による補償金の支払の請求がされた権利について、差押え又は仮差押えの執行後に裁決手続開始の登記がされたときは、同項の規定による補償金の支払の請求は、その効力を失う。

〔追加・昭和四二法七四、改正・昭和五四法五〕

参照【支払請求の手続―規則一七の四【都市計画事業の場合―都市計画法七一①【特例―都市再開発法一一八の四

（残地収用等に係る補償金の支払請求）

第四六条の三　第七十六条第一項又は第八十一条第一項の規定による収用の請求を前提とする前条第一項の規定による補償金の

支払の請求は、あらかじめ、第八十七条の規定によりその収用の請求に必要な手続をした場合に限つてすることができる。
〔追加・昭和四二法七四〕

（見積りによる補償金の支払）

第四六条の四　起業者は、第四十六条の二第一項の規定による補償金の支払の請求を受けたときは、国土交通省令で定めるところにより、二月以内に自己の見積りによる補償金を支払わなければならない。ただし、裁決手続開始の登記がされていないときは、その登記がされた日から一週間以内に支払えば足りる。

2　第九十五条第二項（第四号を除く。）及び第四項後段、第九十九条第一項及び第三項並びに第百四条の規定は、前項の規定によつて支払うべき補償金について準用する。この場合において、第九十五条第二項中「権利取得の時期」とあるのは「第四十六条の四第一項の規定による支払期限」と、第百四条中「が収用され、又は使用された」とあるのは「について第四十六条の二第一項の規定による補償金の支払の請求がされた」と、「その目的物の収用又は使用に因つて」とあるのは「第四十六条の四第一項の規定によつて」と読み替えるものとする。

3　起業者は、前項において準用する第百四条の規定により権利を行なうことができる者に対して、第一項の規定による補償金の支払前にあらかじめ、その支払をする旨を通知しなければならない。

4　第一項の規定による支払期限前に権利取得裁決の裁決書の正本が起業者に送達されたときは、第四十六条の二第一項の規定による補償金の支払の請求は、その効力を失う。
〔追加・昭和四二法七四、改正・平成一一法一六〇・平成二九法四五〕

参照【補償金の支払手続―規則一七の五】【期間の計算―法一三五①】【裁決手続開始の登記―法四五の二】【通知―法一三五②、令六②・六の二】【裁決書の正本の送達―法六六③】

第四節　裁決

〔追加・昭和四二法七四〕

（却下の裁決）

第四七条　収用又は使用の裁決の申請が左の各号の一に該当するときその他この法律の規定に違反するときは、収用委員会は、裁決をもつて申請を却下しなければならない。

一　申請に係る事業が第二十六条第一項の規定によつて告示された事業と異なるとき。

二　申請に係る事業計画が第十八条第二項第一号の規定によつて事業認定申請書に添附された事業計画書に記載された計画と著しく異なるとき。
〔改正・昭和四二法七四〕

参照【この法律の規定―法三〇・三六・三七】【裁決―法六六】【審査請求―法一二九】

（収用又は使用の裁決）

第四七条の二　収用委員会は、前条の規定によつて申請を却下する場合を除くの外、収用又は使用の裁決をしなければならない。

2　収用又は使用の裁決は、権利取得裁決及び明渡裁決とする。

3　明渡裁決は、起業者、土地所有者又は関係人の申立てをまつてするものとする。

4　明渡裁決は、権利取得裁決とあわせて、又は権利取得裁決のあつた後に行なう。ただし、明渡裁決のため必要な審理を権利取得裁決前に行なうことを妨げない。
〔追加・昭和四二法七四〕

参照【権利取得裁決―法四八①】【明渡裁決―法四九①】【明渡裁決の申立てがあつた旨の通知―令一の一〇】

（明渡裁決の申立て等）

第四七条の三　起業者は、明渡裁決の申立てをしようとするとき、又は土地所有者若しくは関係人から明渡裁決の申立てがあつたときは、国土交通省令で定める様式に従い、次に掲げる書類を収用委員会に提出しなければならない。

一　市町村別に次に掲げる事項を記載した書類

イ　土地の所在、地番及び地目

ロ　土地にある物件の種類及び数量（物件が分割されることになる場合においては、その全部の物件の数量を含む。）

ハ　土地所有者及び関係人の氏名及び住所

ニ　第四十条第一項第二号ホに掲げるものを除くその他の損失補償の見積り及びその内訳

ホ　土地若しくは物件の引渡し又は物件の移転の期限

二　第三十六条第一項の物件調書又はその写し

2　第四十条第二項の規定は、前項第一号ハに掲げる事項の記載について準用する。

3　第三十七条の二に規定する場合においては、第一項第一号の書類に記載すべき事項のうちロに掲げる事項については、第三十五条第一項の規定による方法以外の方法により知ることができる程度で記載すれば足りるものとする。この場合においては、その書類にその旨を附記しなければならない。

4　第一項第二号に掲げる書類については、既に作成したこれらの書類の内容が現況と著しく異なると認められるときは、新たにこれを作成して、従前の書類とともに提出しなければならない。

5　第十九条第一項前段の規定は、第一項に規定する書類の欠陥の補正について準用する。この場合において、「前条」とあるのは「第四十七条の三第一項から第四項まで」と、「事業認定申請書及びその添附書類」とあるのは「書類」と、「同条」とあるのは「これらの規定」と、「国土交通大臣又は都道府県知事」とあるのは「収用委員会」と読み替えるものとする。

6　第一項から前項までに定めるものの外、明渡裁決の申立ての手続に関して必要な事項は、国土交通省令で定める。
〔追加・昭和四二法七四、改正・平成一一法一六〇・平成一三法一〇三〕

参照【国土交通省令で定める様式―規則一七の六】【明渡裁決の申立ての手続―規則一七の七】【明渡裁決の申立ての通知―令一の一〇・六②】

（書類の送付及び縦覧）

第四七条の四　収用委員会は、前条第一項の書類を受理したときは、市町村別に当該市町村に関係がある部分の写しを当該市町村長に送付するとともに、その書類に記載されている土地所有者及び関係人に明渡裁決の申立てがあつた旨の通知をしなければならない。

2　第四十二条第二項から第六項まで及び第四十三条の規定は、前項の規定により市町村長が送付を受けた書類の縦覧並びに土地所有者、関係人及び準関係人の意見書の提出について準用する。この場合において、第四十二条第二項中「前項」とあるのは「第四十七条の三第一項」と、「第四十条第一項第二号イ」とあるのは「同項第一号イ」と読み替えるものとする。
〔追加・昭和四二法七四〕

参照【通知―法一三五②、令六②】

（権利取得裁決）

第四八条　権利取得裁決においては、次に掲げる事項について裁決しなければならない。
一　収用する土地の区域又は使用する土地の区域並びに使用の方法及び期間
二　土地又は土地に関する所有権以外の権利に対する損失の補償
三　権利を取得し、又は消滅させる時期（以下「権利取得の時期」という。）
四　その他この法律に規定する事項

2　収用委員会は、前項第一号に掲げる事項については、第四十条第一項の規定による裁決申請書の添附書類によつて起業者が申し立てた範囲内で、且つ、事業に必要な限度において裁決しなければならない。但し、第七十六条第一項又は第八十一条第一項の規定による請求があつた場合においては、その請求の範囲内において裁決することができる。

3　収用委員会は、第一項第二号に掲げる事項については、第四十条第一項の規定による裁決申請書の添附書類並びに第四十三条、第六十三条第二項若しくは第八十七条ただし書の規定による意見書又は第六十五条第一項第一号の規定に基いて提出された意見書によつて起業者、土地所有者、関係人及び準関係人が申し立てた範囲をこえて裁決してはならない。

4　収用委員会は、第一項第二号に掲げる事項については、前項の規定によるのほか、当該補償金を受けるべき土地所有者及び関係人の氏名及び住所を明らかにして裁決しなければならない。ただし、土地所有者又は関係人の氏名又は住所を確知することができないときは、当該事項については、この限りでない。

5　収用委員会は、第一項第二号に掲げる事項については、前二項の規定によるのほか、土地に関する所有権以外の権利に関して争いがある場合において、裁決の時期までにその権利の存否が確定しないときは、当該権利が存するものとして裁決しなければならない。この場合においては、裁決の後に土地に関する所有権以外の権利が存しないことが確定した場合における土地所有者の受けるべき補償金をあわせて裁決しなければならない。
〔改正・昭和三九法一四一・昭和四二法七四〕

参照【裁決―法六六】【収用する土地の区域―法二・七六①・八一①】【使用の方法―法八〇の二・八一・一〇一②・一〇五②】【その他この法律に規定する事項―法七六②・八一③・八二②・八三②・八六②・九〇の三①・九〇の四】【土地又は土地に関する所有権以外の権利に対する損失の補償―法七一・七二・七四②・七六③・八〇の二②・九〇の二】【権利取得の時期―法九五・九六・九八・一〇〇①・一〇一・一〇六①・③】【準用―法四九②】

（明渡裁決）

第四九条　明渡裁決においては、次に掲げる事項について裁決しなければならない。
一　前条第一項第二号に掲げるものを除くその他の損失の補償
二　土地若しくは物件の引渡し又は物件の移転の期限（以下「明渡しの期限」という。）
三　その他この法律に規定する事項

2　前条第三項から第五項までの規定は、前項第一号に掲げる事項について準用する。
〔全改・昭和四二法七四〕

参照【その他の損失の補償―法七三・七五・七七・八〇・八八】【明渡しの期限―法九七・九八・一〇〇②・一〇一の二・一〇二】【その他この法律に規定―法八四②・八五②・八六②】

参考規定―土地区画整理法七七③

（和解）

第五〇条　収用委員会は、審理の途中において、何時でも、起業者、土地所有者及び関係人に和解を勧めることができる。

2　収用し、又は使用しようとする土地の全部又は一部について起業者と土地所有者及び関係人の全員との間に第四十八条第一項各号又は前条第一項各号に掲げるすべての事項に関して和解がととのつた場合において、その和解の内容が第七章の規定に適合するときは、収用委員会は、起業者、土地所有者及び関係人の申請により、和解調書を作成することができる。

3　前項の和解調書には、第四十八条第一項各号又は前条第一項各号に掲げるすべての事項を記載し、収用委員会の会長及び和解調書の作成に加わつた委員並びに起業者、土地所有者及び関係人が、これに署名押印しなければならない。

4　和解調書の正本には、収用委員会の印章を押し、これを起業者、土地所有者及び関係人に送達しなければならない。

5　第三項の規定による和解調書が作成されたときは、この法律の適用については、権利取得裁決又は明渡裁決があつたものとみなす。この場合において、起業者、土地所有者及び関係人は、和解の成立及び内容を争うことができない。
〔改正・昭和四二法七四〕

参照【和解調書の作成―法六〇】【送達―法一三五②、令四】【審査請求―法一二九】

第五章　収用委員会

第一節　組織及び権限

（設置）

第五一条　この法律に基く権限を行うため、都道府県知事の所轄の下に、収用委員会を設置する。

2　収用委員会は、独立してその職権を行う。

参考規定―地方自治法一八〇の五②

（組織及び委員）

第五二条　収用委員会は、委員七人をもつて組織する。

2　収用委員会には、就任の順位を定めて、二人以上の予備委員を置かなければならない。

3 委員及び予備委員は、法律、経済又は行政に関してすぐれた経験と知識を有し、公共の福祉に関し公正な判断をすることができる者のうちから、都道府県の議会の同意を得て、都道府県知事が任命する。

4 委員及び予備委員は、地方公共団体の議会の議員又は地方公共団体の長若しくは常勤の職員若しくは地方公務員法（昭和二十五年法律第二百六十一号）第二十二条の四第一項に規定する短時間勤務の職を占める職員と兼ねることができない。

5 委員及び予備委員の任期が満了し、又は欠員を生じた場合において、都道府県の議会の閉会又は解散のためにその同意を得ることができないときは、都道府県知事は、第三項の規定にかかわらず、都道府県の議会の同意を得ないで委員及び予備委員を任命することができる。

6 前項の場合においては、任命後最初の議会でその承認を得なければならない。この場合において、議会の承認を得ることができないときは、都道府県知事は、その委員及び予備委員を罷免しなければならない。

7 委員及び予備委員は、非常勤とする。ただし、政令で定める都道府県の収用委員会の委員は、政令で定めるところにより、常勤とすることができる。

〔改正・昭和三九法一四一・昭和四二法七四・平成一一法一〇七・令和三法六三〕

参照【委員の身分―地方公務員法三③】【立候補禁止―公職選挙法八九、同施行令九〇②】【秘密を守る義務―法一三七】【収用委員会の常勤委員―令一の一一】

（委員の任期）

第五三条 委員及び予備委員の任期は、三年とする。

2 委員に欠員が生じたときは、予備委員のうち先順位者が、就任するものとする。

3 前項の規定による委員の任期は、前任者の残任期間とする。

4 委員及び予備委員は、再任されることができる。

参照【期間の計算―法一三五①】

（委員の欠格条項）

第五四条 次の各号のいずれかに該当する者は、委員及び予備委員となることができない。

一 破産者で復権を得ない者

二 禁錮以上の刑に処せられ、その執行を終わるまで又はその執行を受けることがなくなるまでの者

二 拘禁刑以上の刑に処せられ、その執行を終わるまで又はその執行を受けることがなくなるまでの者

〔改正・平成一一法一五一〕

（身分保障）

第五五条 委員及び予備委員は、左の各号の一に該当する場合を除いては、在任中その意に反して罷免されることがない。

一 収用委員会の議決により心身の故障のため職務の執行ができないと認められたとき。

二 収用委員会の議決により職務上の義務違反その他委員たるに適しない非行があると認められたとき。

2 委員及び予備委員が前項各号の一に該当するときは、都道府県知事は、その委員及び予備委員を罷免しなければならない。

3 委員及び予備委員が前条各号の一に該当するに至つたときは、当然失職するものとする。

参照【議決―法六〇④】【職務上の義務―法一三七】

（会長）

第五六条 収用委員会に会長を置く。

2 会長は、委員のうちから委員が互選する。

3 会長は、収用委員会を代表し、議事その他の会務を総理する。

4 会長に事故があるときは、委員のうちからあらかじめ互選された者が、その職務を代理する。

（給与）

第五七条 委員及び予備委員は、都道府県の条例で定めるところにより、給与を受ける。

参照【給与―自治法二〇三の二】

（収用委員会の事務の整理）

第五八条 収用委員会の事務を整理させるため、収用委員会に必要な職員を置く。

2 前項の職員は、都道府県知事が当該都道府県の職員のうちから会長の同意を得て任命する。

3 都道府県知事は、第一項の規定にかかわらず、その定める当該都道府県の内部組織において収用委員会の事務を整理させることができる。

〔全改・昭和三九法一四一、改正・平成一五法八一〕

（抗告訴訟等の取扱い）

第五八条の二 収用委員会は、収用委員会の処分（行政事件訴訟法（昭和三十七年法律第百三十九号）第三条第二項に規定する処分をいう。以下この条において同じ。）又は第六十四条の規定により会長若しくは第六十条の二第二項に規定する指名委員がする処分に係る同法第十一条第一項（同法第三十八条第一項（同法第四十三条第二項において準用する場合を含む。）又は同法第四十三条第一項において準用する場合を含む。）の規定による都道府県を被告とする訴訟について、当該都道府県を代表する。

〔追加・平成一六法八四〕

（収用委員会の運営）

第五九条 この法律又はこの法律に基く条例に規定する事項を除くの外、収用委員会の会議その他運営に必要な事項は、収用委員会が定める。

第二節 会議及び審理

（会議及び議決）

第六〇条 収用委員会の会議は、会長が招集する。

2 収用委員会は、会長及び三人以上の委員の出席がなければ、会議を開き、又は議決をすることができない。

3 収用委員会の議事は、出席者の過半数をもつて決する。可否同数のときは、会長の決するところによる。

4 収用委員会が第五十五条第一項各号の規定による議決をする場合においては、前項の規定にかかわらず、本人を除く全員の一致がなければならない。

〔改正・昭和三九法一四一〕

（収用委員会の事務の委任）
第六〇条の二　収用委員会は、必要があると認めるときは、審理又は調査に関する事務（裁決及び決定を除く。）の一部を委員に委任することができる。
2　収用委員会又は前項の規定により委任を受けた委員（以下「指名委員」という。）は、必要があると認めるときは、第六十五条第一項第三号に規定する事務を、収用委員会の事務を整理する職員に行なわせることができる。
〔追加・昭和三九法一四一〕

（委員の除斥）
第六一条　次の各号のいずれかに該当する者は、委員として収用委員会の会議若しくは審理に加わり、又は議決をすることができない。
一　起業者、土地所有者及び関係人
二　起業者、土地所有者及び関係人の配偶者、四親等内の親族、同居の親族、代理人、保佐人及び補助人
三　株式会社、合名会社、合資会社、合同会社その他の法人が起業者、土地所有者及び関係人である場合において、当該株式会社の取締役、執行役及び監査役、当該合名会社の社員、当該合資会社の無限責任社員及び業務を執行する有限責任社員、当該合同会社の業務を執行する社員その他当該法人の理事、監事その他これらに準ずる職務権限を有する者
2　委員のうち一人以上が前項の規定に該当するため委員の数が減少して、会議を開き、審理を行い、又は議決をすることができないときは、予備委員が就任の順位に従つて、会長の指名により臨時に補充されるものとする。
〔改正・昭和三九法一四一・平成一一法一五一・平成一四法四五・平成一七法八七〕

参照　【代理人―法一三六】

（審理の公開）
第六二条　収用委員会の審理は、公開しなければならない。但し、収用委員会は、審理の公正が害される虞があるときその他公益上必要があると認めるときは、公開しないことができる。

（意見を述べる権利等）
第六三条　起業者、土地所有者及び関係人は、第四十条第一項の規定によつて提出された裁決申請書の添附書類又は第四十三条第一項の規定によつて提出し、若しくは受理された意見書に記載された事項については、第六十五条第一項第一号の規定によつて意見書の提出を命ぜられた場合又は第二項に規定する場合を除いては、これを説明する場合に限り、収用委員会の審理において意見書を提出し、又は口頭で意見を述べることができる。
2　起業者、土地所有者及び関係人は、損失の補償に関する事項については、収用委員会の審理において、新たに意見書を提出し、又は口頭で意見を述べることができる。
3　起業者、土地所有者及び関係人は、事業の認定に対する不服に関する事項その他の事項であつて、収用委員会の審理と関係がないものを前二項の規定による意見書に記載し、又は収用委員会の審理と関係がない事項について口頭で意見を述べることができない。
4　起業者、土地所有者及び関係人は、第四十条第一項の規定による裁決申請書の添付書類により、若しくは第四十三条第一項の規定による意見書により申し立てた事項又は第一項若しくは第二項の規定によつて意見書により、若しくは口頭で述べた意見の内容を証明するために、収用委員会に対して資料を提出すること、必要な参考人を審問すること、鑑定人に鑑定を命ずること又は土地若しくは物件を実地に調査することを申し立てることができる。
5　起業者、土地所有者及び関係人は、審理において収用委員会が第六十五条第一項の規定による処分によつて出頭を命じた参考人又は鑑定人を自ら審問することを申し立てることができる。
〔改正・昭和四二法七四・平成一三法一〇三〕

参照　【損失の補償に関する事項―法第六章第一節】【口頭による意見の例外―法八七】

（会長又は指名委員の審理指揮権）
第六四条　収用委員会の審理の手続は、会長又は指名委員が指揮する。
2　会長又は指名委員は、起業者、土地所有者及び関係人が述べる意見、申立、審問その他の行為が既に述べた意見又は申立と重複するとき、裁決の申請に係る事件と関係がない事項にわたるときその他相当でないと認めるときは、これを制限することができる。
3　会長又は指名委員は、収用委員会の公正な審理の進行を妨げる者に対しては、退場を命ずることができる。
〔改正・昭和三九法一四一〕

（審理又は調査のための権限等）
第六五条　収用委員会は、第六十三条第四項の規定による申立てが相当であると認めるとき、又は審理若しくは調査のために必要があると認めるときは、次に掲げる処分をすることができる。
一　起業者、土地所有者若しくは関係人又は参考人に出頭を命じて審問し、又は意見書若しくは資料の提出を命ずること。
二　鑑定人に出頭を命じて鑑定させること。
三　現地について土地又は物件を調査すること。
2　前項第二号の規定によつて鑑定人に土地若しくは建物又はこれらに関する所有権以外の権利の価格を鑑定させるときは、当該鑑定人のうち少なくとも一人は、不動産鑑定士でなければならない。
3　第六十条の二の規定によつて委員又は職員が土地又は物件を実地に調査する場合においては、その身分を示す証票を携帯し、土地又は物件の所有者、占有者その他の利害関係人の請求があつたときは、これを示さなければならない。
4　前項に規定する証票の様式は、国土交通省令で定める。
5　第一項第二号の規定による鑑定人は、第六十一条第一項各号の一に該当する者であつてはならない。
6　第一項の規定による鑑定人又は参考人に対しては、条例で定めるところにより、旅費及び手当を給する。
〔改正・昭和三八法一五二・昭和三九法一四一・平成一一法一六〇・平成一三法一〇三〕

参照　【書類の送達―令四③】【証票の様式―規則一八】【罰則―法一四一1・一四四～一四六】

（代表当事者）
第六五条の二　共同の利益を有する多数の土地所有者又は関係人は、その中から、全員のために収用委員会の審理において当事者となるべき者（以下「代表当事者」という。）を三人以内で選定することができる。
2　代表当事者を選定した土地所有者又は関係人（以下「選定者」

という。）は、その選定を取り消し、又は変更することができる。

3　第一項の規定による選定並びに前項の規定による選定の取消し及び変更は、書面をもつて証明しなければならない。

4　代表当事者は、各自、他の選定者のために、収用委員会の審理に関する一切の行為をすることができる。

5　代表当事者が選定されたときは、代表当事者を除く選定者は、代表当事者を通じてのみ、前項に規定する行為をすることができる。

6　選定者に対する収用委員会の通知その他の行為は、二人以上の代表当事者が選定されている場合においても、一人の代表当事者に対してすれば足りる。

7　収用委員会は、共同の利益を有する土地所有者又は関係人が著しく多数である場合において、審理の円滑な進行のため必要があると認めるときは、当該土地所有者又は関係人に対し、第一項の規定により代表当事者を選定すべきことを勧告することができる。

〔追加・平成一三法一〇三〕

（裁決の会議等）

第六六条　収用委員会の裁決の会議は、公開しない。

2　裁決は、文書によつて行う。裁決書には、その理由及び成立の日を附記し、会長及び会議に加わつた委員は、これに署名押印しなければならない。

3　裁決書の正本には、収用委員会の印章を押し、これを起業者、土地所有者及び関係人に送達しなければならない。

〔改正・昭和四二法七四〕

参照【裁決―法四七・四八・四九・九四・一二四【送達―法一三五②、令四

第六七条　削除〔昭和四二法七四〕

第六章　損失の補償

第一節　収用又は使用に因る損失の補償

（損失を補償すべき者）

第六八条　土地を収用し、又は使用することに因つて土地所有者及び関係人が受ける損失は、起業者が補償しなければならない。

参照【損失補償の制限―法八九

（個別払の原則）

第六九条　損失の補償は、土地所有者及び関係人に、各人別にしなければならない。但し、各人別に見積ることが困難であるときは、この限りでない。

（損失補償の方法）

第七〇条　損失の補償は、金銭をもつてするものとする。但し、替地の提供その他補償の方法について、第八十二条から第八十六条までの規定により収用委員会の裁決があつた場合は、この限りでない。

（土地等に対する補償金の額）

第七一条　収用する土地又はその土地に関する所有権以外の権利に対する補償金の額は、近傍類地の取引価格等を考慮して算定した事業の認定の告示の時における相当な価格に、権利取得裁決の時までの物価の変動に応ずる修正率を乗じて得た額とする。

〔全改・昭和四二法七四、改正・平成一三法一〇三〕

参照【権利取得裁決―法四八①【事業の認定の告示―法二六①【修正率の算定方法―細目政令一六【端数処理―細目政令二六【特例―法二二四①【都市計画事業の場合―都市計画法七一①【準用―法七二・七四②

第七二条　前条の規定は、使用する土地又はその土地に関する所有権以外の権利に対する補償金の額について準用する。この場合において、同条中「近傍類地の取引価格」とあるのは、「その土地及び近傍類地の地代及び借賃」と読み替えるものとする。

〔全改・昭和四二法七四〕

（その他の補償額算定の時期）

第七三条　この節に別段の定めがある場合を除くの外、損失の補償は、明渡裁決の時の価格によつて算定してしなければならない。

〔全改・昭和四二法七四〕

参照【別段の定め―法七一・七二・七四②・七六③・八〇の二・八三②・八六②【明渡裁決―法四九①【端数処理―細目政令二六

（残地補償）

第七四条　同一の土地所有者に属する一団の土地の一部を収用し、又は使用することに因つて、残地の価格が減じ、その他残地に関して損失が生ずるときは、その損失を補償しなければならない。

2　前項の規定による残地又は残地に関する所有権以外の権利に対する補償金の額については、第七十一条及び第七十二条の例による。

〔改正・昭和四二法七四〕

参照【起業利益との関係―法九〇

（工事の費用の補償）

第七五条　同一の土地所有者に属する一団の土地の一部を収用し、又は使用することに因つて、残地に通路、みぞ、かき、さくその他の工作物の新築、改築、増築若しくは修繕又は盛土若しくは切土をする必要が生ずるときは、これに要する費用を補償しなければならない。

参照【工事の代行による補償―法八四【残地以外の土地に関する工事費用の補償―法九三

（残地収用の請求権）

第七六条　同一の土地所有者に属する一団の土地の一部を収用することに因つて、残地を従来利用していた目的に供することが著しく困難となるときは、土地所有者は、その全部の収用を請求することができる。

2　前項の規定によつて収用の請求がされた残地又はその上にある物件に関して権利を有する関係人は、収用委員会に対して、起業者の業務の執行に特別の支障がなく、且つ、他の関係人の権利を害しない限りにおいて、従前の権利の存続を請求することができる。

3　第一項の規定によつて収用の請求がされた土地に関する所有権以外の権利に対しては、第七十一条の規定にかかわらず、近

傍類地の取引価格等を考慮して算定した権利取得裁決の時における相当な価格をもつて補償しなければならない。
〔改正・昭和四二法七四〕

参照 【請求の方法―法八七】【残地収用された土地の買受権―法一〇六①】【権利の取得・消滅等との関係―法一〇一①ただし書】【差押えがある場合の通知―令一の一四

（移転料の補償）
第七七条　収用し、又は使用する土地に物件があるときは、その物件の移転料を補償して、これを移転させなければならない。この場合において、物件が分割されることとなり、その全部を移転しなければ従来利用していた目的に供することが著しく困難となるときは、その所有者は、その物件の全部の移転料を請求することができる。

参照 【移転の代行による補償―法八五】【移転先の宅地の造成の要求―法八六】【請求の方法―法八七】【移転の義務―法一〇二】【関係人の補償―法八八

（移転困難な場合の収用請求権）
第七八条　前条の場合において、物件を移転することが著しく困難であるとき、又は物件を移転することに因つて従来利用していた目的に供することが著しく困難となるときは、その所有者は、その物件の収用を請求することができる。

参照 【請求の方法―法八七】【物件の補償―法八〇】【物件に関して権利を有する関係人の補償―法八八】【差押えがある場合の通知―令一の一四】【特例―流通業務市街地の整備に関する法律三九の四、新住宅市街地開発法三四の四、都市再開発法一一八の二六、首都圏の近郊整備地帯及び都市開発区域の整備に関する法律二六の四等

（移転料多額の場合の収用請求権）
第七九条　第七十七条の場合において、移転料が移転しなければならない物件に相当するものを取得するのに要する価格をこえるときは、起業者は、その物件の収用を請求することができる。

参照 【請求の方法―法八七】【補償―法八〇・八八】【差押えがある場合の通知―令一の一四

（物件の補償）
第八〇条　前二条の規定によつて物件を収用する場合において、収用する物件に対しては、近傍同種の物件の取引価格等を考慮して、相当な価格をもつて補償しなければならない。

参照 【物件の所有者等に対する補償―法八八

（原状回復の困難な使用の補償）
第八〇条の二　土地を使用する場合において、使用の方法が土地の形質を変更し、当該土地を原状に復することを困難にするものであるときは、これによつて生ずる損失をも補償しなければならない。
2　前項の規定による土地又は土地に関する所有権以外の権利に対する補償金の額については、第七十一条の例による。
〔追加・昭和四二法七四〕

参照 【原状回復義務―法一〇五②

（土地の使用に代る収用の請求）
第八一条　土地を使用する場合において、土地の使用が三年以上にわたるとき、土地の使用に因つて土地の形質を変更するとき、又は使用しようとする土地に土地所有者の所有する建物があるときは、土地所有者は、その土地の収用を請求することができる。但し、空間又は地下を使用する場合で、土地の通常の用法を妨げないときは、この限りでない。
2　前項の規定によつて収用の請求がされた土地に関して権利を有する関係人は、収用委員会に対して従前の権利の存続を請求することができる。
3　前項の規定による請求があつた権利については、起業者がその権利の使用の裁決の申請をしたものとみなして、第一項の規定に基づく請求に係る裁決とあわせて裁決するものとする。
〔改正・昭和四二法七四〕

参照 【請求の方法―法八七】【収用の裁決との関係―法四八①・②】【裁決の効果―法一〇一①】【差押えがある場合の通知―令一の一四

（替地による補償）
第八二条　土地所有者又は関係人（先取特権を有する者、質権者、抵当権者及び第八条第四項の規定により関係人に含まれる者を除く。以下この条及び第八十三条において同じ。）は、収用される土地又はその土地に関する所有権以外の権利に対する補償金の全部又は一部に代えて土地又は土地に関する所有権以外の権利（以下「替地」と総称する。）をもつて、損失を補償することを収用委員会に要求することができる。
2　土地所有者又は関係人が起業者の所有する特定の土地を指定して前項の規定による要求をした場合において、収用委員会は、その要求が相当であり、且つ、替地の譲渡が起業者の事業又は業務の執行に支障を及ぼさないと認めるときは、権利取得裁決において替地による損失の補償の裁決をすることができる。
3　土地所有者又は関係人が土地を指定しないで、又は起業者の所有に属しない土地を指定して第一項の規定による要求をした場合において、収用委員会は、その要求が相当であると認めるときは、起業者に対して替地の提供を勧告することができる。
4　前項の規定による勧告に基いて起業者が提供しようとする替地について、土地所有者又は関係人が同意したときは、収用委員会は、替地による損失の補償の裁決をすることができる。
5　第三項の規定による勧告があつた場合において、国又は地方公共団体である起業者は、地方公共団体又は国の所有する土地で、公用又は公共用に供し、又は供するものと決定したもの以外のものであつて、且つ、替地として相当と認めるものがあるときは、その譲渡のあつ旋を収用委員会に申請することができる。
6　前項の規定による申請があつた場合において、収用委員会は、その申請を相当と認めるときは、国又は地方公共団体に対し、替地として相当と認めるものの譲渡を勧告することができる。
7　起業者が提供すべき替地は、土地の地目、地積、土性、水利、権利の内容等を総合的に勘案して、従前の土地又は土地に関する所有権以外の権利に照応するものでなければならない。
〔改正・昭和四二法七四〕

参照 【要求の方法―法八七】【替地の譲渡等の期限―法九五①】【裁決―法四八・六六】【権利取得裁決―法四八①】【期限までに替地の譲渡を行わない場合の効果―法一〇〇①

（耕地の造成）
第八三条　土地所有者又は関係人は、前条第一項の規定による要求をする場合において、収用される土地が耕作を目的とするものであるときは、その要求にあわせて、収用される土地又はその土地に関する所有権以外の権利に対する補償金に代る範囲内において、同条第七項の規定の趣旨により、替地となるべき土地について、起業者が耕地の造成を行うことを収用委員会に要求することができる。
2　収用委員会は、前項の規定による要求が相当であると認めるときは、権利取得裁決において工事の内容及び工事を完了すべき時期を定めて、耕地の造成による損失の補償を替地による損失の補償にあわせて裁決することができる。
3　前項の場合において、起業者が国以外の者であるときは、収用委員会は、必要があると認めるときは、同時に起業者が耕地の造成のための担保を提供しなければならない旨の裁決をすることができる。
4　前項の規定による担保は、収用委員会が相当と認める金銭又は有価証券を供託することによつて、提供するものとする。
5　起業者が工事を完了すべき時期までに工事を完了しないときは、土地所有者又は関係人は、収用委員会の確認を得て前項の規定による担保の全部又は一部を取得する。この場合において、起業者は、収用委員会の確認を得て耕地の造成による損失の補償の義務を免かれるものとする。
6　起業者は、工事を完了したときは、収用委員会の確認を得て第四項の規定による担保を取りもどすことができる。
7　前二項の規定による担保の取得及び取りもどしに関する手続は、国土交通省令で定める。
〔改正・昭和四二法七四・平成一一法一六〇〕

参照【要求の方法－法八七【耕地の造成の期限－法九五⑥【権利取得裁決－法四八【裁決の失効との関係－法一〇〇【担保の供託－法九八【供託の方法－法九九【担保の取得及び取りもどしに関する手続－規則一九～二二

（工事の代行による補償）
第八四条　第七十五条の場合において、起業者、土地所有者又は関係人は、補償金の全部又は一部に代えて、起業者が当該工事を行うことを収用委員会に要求することができる。
2　収用委員会は、前項の規定による要求が相当であると認めるときは、明渡裁決において工事の内容及び工事を完了すべき時期を定めて、工事の代行による損失の補償の裁決をすることができる。
3　前条第三項から第七項までの規定は、前項の場合に準用する。この場合において、同条第三項及び第五項中「耕地の造成」とあるのは、「工事の代行」と読み替えるものとする。
〔改正・昭和四二法七四〕

参照【要求の方法－法八七【明渡裁決－法四九①【工事の代行の期限－法九七②【担保の供託等－法九八～一〇〇

（移転の代行による補償）
第八五条　第七十七条に規定する場合において、起業者又は物件の所有者は、移転料の補償に代えて、起業者が当該物件を移転することを収用委員会に要求することができる。
2　収用委員会は、前項の規定による要求が相当であると認めるときは、明渡裁決において移転の代行による損失の補償の裁決をすることができる。
〔改正・昭和四二法七四〕

参照【要求の方法－法八七【明渡裁決－法四九①【移転の代行の期限－法九七①【裁決の失効との関係－法一〇〇

（宅地の造成）
第八六条　第七十七条の規定により建物を移転しようとする場合において、移転先の土地が宅地以外の土地であるときは、土地所有者又は関係人は、第七十一条、第七十二条、第七十四条、第八十条の二及び第八十八条の規定による損失の補償の一部に代えて、起業者が宅地の造成を行うことを収用委員会に要求することができる。
2　収用委員会は、前項の規定による要求が相当であると認めるときは、権利取得裁決又は明渡裁決において工事の内容を定めて宅地の造成による損失の補償の裁決をすることができる。
〔改正・昭和四二法七四〕

参照【要求の方法－法八七【権利取得裁決－法四八①【明渡裁決－法四九①【宅地の造成の期限－法九五①・九七①【裁決の失効との関係－法一〇〇

（請求、要求の方法）

第八七条　第七十六条第一項及び第二項、第七十七条から第七十九条まで並びに第八十一条第一項及び第二項の規定による請求、第八十二条第一項、第八十三条第一項、第八十四条第一項、第八十五条第一項及び前条第一項の規定による要求は、第四十三条第一項（第四十七条の四第二項において準用する場合を含む。）若しくは第六十三条第二項の規定による意見書又は第六十五条第一項第一号の規定に基いて提出する意見書によつてしなければならない。ただし、第七十六条第一項及び第八十一条第一項の規定による請求は、第四十三条の縦覧期間前においても、その請求に係る意見書を収用委員会に提出することによつてすることができる。

〔改正・昭和四二法七四〕

（通常受ける損失の補償）

第八八条　第七十一条、第七十二条、第七十四条、第七十五条、第七十七条、第八十条及び第八十条の二に規定する損失の補償の外、離作料、営業上の損失、建物の移転による賃貸料の損失その他土地を収用し、又は使用することに因つて土地所有者又は関係人が通常受ける損失は、補償しなければならない。

〔改正・昭和四二法七四〕

（損失の補償に関する細目）

第八八条の二　第七十一条、第七十二条、第七十四条、第七十五条、第七十七条、第八十条、第八十条の二及び前条の規定の適用に関し必要な事項の細目は、政令で定める。

〔追加・平成一三法一〇三〕

参照【政令で定める細目－土地収用法第八十八条の二の細目等を定める政令

（損失補償の制限）
第八九条　土地所有者又は関係人は、第二十六条第一項の規定による事業の認定の告示の後において、土地の形質を変更し、工作物を新築し、改築し、増築し、若しくは大修繕し、又は物件を附加増置したときは、あらかじめこれについて都道府県知事の承認を得た場合を除くの外、これに関する損失の補償を請求することができない。

2　土地の形質の変更、工作物の新築、改築、増築若しくは大修繕又は物件の附加増置がもつぱら補償の増加のみを目的とすると認められるときは、都道府県知事は、前項に規定する承認をしてはならない。

3　土地の形質の変更について、土地所有者又は関係人が第二十八条の三第一項の規定による許可を受けたときは、第一項の規定による承認があつたものとみなす。

〔改正・昭和四二法七四〕

参照【工作物―民法二六五・六三五・七一七【都市計画事業の場合―都市計画法七一①・七三

（起業利益との相殺の禁止）

第九〇条　同一の土地所有者に属する一団の土地の一部を収用し、又は使用する場合において、当該土地を収用し、又は使用する事業の施行に因つて残地の価格が増加し、その他残地に利益が生ずることがあつても、その利益を収用又は使用に因つて生ずる損失と相殺してはならない。

参照【一団の土地の一部―法七四・七五

（補償請求者に関する特例）

第九〇条の二　第四十六条の二第一項の規定による補償金の支払の請求があつた土地又は土地に関する所有権以外の権利については、第七十一条中「権利取得裁決の時」とあるのは、「第四十六条の四第一項の規定による支払期限」とする。

〔追加・昭和四二法七四〕

（差額及び加算金の裁決）

第九〇条の三　第四十六条の二第一項の規定による補償金の支払の請求があつた場合においては、収用委員会は、権利取得裁決において次に掲げる事項について裁決しなければならない。

一　起業者が土地又は土地に関する所有権以外の権利に対する補償金として既に支払つた額を、その支払時期に応じて第七十一条に規定する修正率の例により算定した修正率によつて第四十六条の四第一項の規定による支払期限における価額に修正した額

二　前条の規定により読み替えられた第七十一条の規定によつて算定した補償金の額と前号の額とに過不足があるときは、起業者が支払うべき補償金の残額及びその権利者又は起業者が返還を受けることができる額及びその債務者

三　支払を遅滞した補償金に対する加算金

2　前項第三号に掲げる加算金の額は、第四十六条の四第一項の規定による支払を遅滞した金額について、その支払を遅滞した期間（裁決の時までに支払われなかつた金額については、裁決の時までの期間）の日数につき、次の各号に定めるところにより算定した額とする。

一　遅滞額が前条の規定による補償金の額の二割以上である期間　年十八・二五パーセント

二　遅滞額が前条の規定による補償金の額の二割未満一割以上である期間　年十一パーセント

三　遅滞額が前条の規定による補償金の額の一割未満である期間　年六・二五パーセント

〔追加・昭和四二法七四、改正・昭和四五法一一一・平成一三法一〇三〕

参照【権利取得裁決―法四八①【起業者が返還をうける額に係る債務名義―法一〇四の二【端数処理―令一の一三

（過怠金の裁決）

第九〇条の四　起業者が第三十九条第二項の規定による請求を受けた日から二週間以内に収用又は使用の裁決の申請をしなかつた場合においては、収用委員会は、権利取得裁決において、起業者が、土地所有者及び土地に関する所有権以外の権利を有する関係人に対し、それらの者が受けるべき補償金の額につき年十八・二五パーセントの割合により裁決の申請を怠つた期間の日数に応じて算定した過怠金を支払うべき旨の裁決をしなければならない。

〔追加・昭和四二法七四、改正・昭和四五法一一一〕

参照【権利取得裁決―法四八①【期間の計算―法一三五①【端数処理―令一の一三

第二節　測量、事業の廃止等に因る損失の補償

（測量、調査等に因る損失の補償）

第九一条　第十一条第三項、第十四条又は第三十五条第一項の規定により土地又は工作物に立ち入つて測量し、調査し、障害物を伐除し、又は土地に試掘等を行うことに因つて損失を生じたときは、起業者は、損失を受けた者に対して、これを補償しなければならない。

2　前項の規定による損失の補償は、損失があつたことを知つた日から一年を経過した後においては、請求することができない。

〔改正・昭和二八法一九九〕

参照【請求の手続―法九四【準用―法九二②

（事業の廃止又は変更等に因る損失の補償）

第九二条　第二十六条第一項の規定による事業の認定の告示があつた後、起業者が事業の全部若しくは一部を廃止し、若しくは変更し、第二十九条若しくは第三十四条の六の規定によつて事業の認定が失効し、又は第百条の規定により裁決が失効したことに因つて土地所有者又は関係人が損失を受けたときは、起業者は、これを補償しなければならない。

2　前条第二項の規定は、前項の場合に準用する。

〔改正・昭和四二法七四〕

参照【事業の廃止・変更―法三〇【補償の手続―法九四【都市計画事業の場合―都市計画法七三

（収用し、又は使用する土地以外の土地に関する損失の補償）

第九三条　土地を収用し、又は使用（第百二十二条第一項又は第百二十三条第一項の規定によつて使用する場合を含む。）して、その土地を事業の用に供することにより、当該土地及び残地以外の土地について、通路、溝、垣、さくその他の工作物を新築し、改築し、増築し、若しくは修繕し、又は盛土若しくは切土をする必要があると認められるときは、起業者は、これらの工事をすることを必要とする者の請求により、これに要する費用

の全部又は一部を補償しなければならない。この場合において、起業者又は当該工事をすることを必要とする者は、補償金の全部又は一部に代えて、起業者が当該工事を行うことを要求することができる。

2　前項の規定による損失の補償は、事業に係る工事の完了の日から一年を経過した後においては、請求することができない。

〔改正・平成一三法一〇三〕

参照【請求の手続―法九四】
類似規定―道路法七〇①、河川法二一①、海岸法一九①

（前三条による損失の補償の裁決手続）

第九四条　前三条の規定による損失の補償は、起業者と損失を受けた者（前条第一項に規定する工事をすることを必要とする者を含む。以下この条において同じ。）とが協議して定めなければならない。

2　前項の規定による協議が成立しないときは、起業者又は損失を受けた者は、収用委員会の裁決を申請することができる。

3　前項の規定による裁決を申請しようとする者は、国土交通省令で定める様式に従い、左に掲げる事項を記載した裁決申請書を収用委員会に提出しなければならない。

一　裁決申請者の氏名及び住所
二　相手方の氏名及び住所
三　事業の種類
四　損失の事実
五　損失の補償の見積及びその内訳
六　協議の経過

4　第十九条の規定は、前項の規定による裁決申請書の欠陥の補正について準用する。この場合において、「前条」とあるのは「第九十四条第三項」と、「事業認定申請書」とあるのは「裁決申請書」と、「国土交通大臣又は都道府県知事」とあるのは「収用委員会」と読み替えるものとする。

5　収用委員会は、第三項の規定による裁決申請書を受理したときは、前項において準用する第十九条第二項の規定により裁決申請書を却下する場合を除くの外、第三項の規定による裁決申請者及び裁決申請書に記載されている相手方にあらかじめ審理の期日及び場所を通知した上で、審理を開始しなければならない。

6　第五十条及び第五章第二節（第六十三条第一項を除く。）の規定は、収用委員会が前項の規定によつて審理をする場合に準用する。この場合において、第五十条、第六十一条第一項、第六十三条第二項から第五項まで、第六十四条第二項及び第六十六条第三項中「起業者、土地所有者及び関係人」とあり、及び第五十条第二項中「収用し、又は使用しようとする土地の全部又は一部について起業者と土地所有者及び関係人の全員」とあるのは「裁決申請者及びその相手方」と、同条第二項及び第三項中「第四十八条第一項各号又は前条第一項各号に掲げるすべての事項」とあるのは「損失の補償及び補償をすべき時期」と、同条第五項中「権利取得裁決又は明渡裁決」とあるのは「第九十四条第八項の規定による裁決」と、第六十三条第三項中「前二項」とあるのは「前項」と、同条第四項中「第四十条第一項の規定による裁決申請書の添付書類により、若しくは第四十三条第一項の規定による意見書により申し立てた事項又は第一項若しくは第二項」とあるのは「第九十四条第三項の規定による裁決申請書により申し立てた事項又は第二項」と、第六十五条第一項第一号中「起業者、土地所有者若しくは関係人」とあるのは「裁決申請者若しくはその相手方」と、第六十五条の二第一項、第二項及び第七項中「土地所有者又は関係人」とあるのは「裁決申請者又はその相手方（これらの者のうち起業者である者を除く。）」と読み替えるものとする。

7　収用委員会は、第二項の規定による裁決の申請がこの法律の規定に違反するときは、裁決をもつて申請を却下しなければならない。

8　収用委員会は、前項の規定によつて申請を却下する場合を除くの外、損失の補償及び補償をすべき時期について裁決しなければならない。この場合において、収用委員会は、損失の補償については、裁決申請者及びその相手方が裁決申請書又は第六項において準用する第六十三条第二項の規定による意見書若しくは第六項において準用する第六十五条第一項第一号の規定に基いて提出する意見書によつて申し立てた範囲をこえて裁決してはならない。

9　前項の規定による裁決に対して不服がある者は、第百三十三条第二項の規定にかかわらず、裁決書の正本の送達を受けた日から六十日以内に、損失があつた土地の所在地の裁判所に対して訴えを提起しなければならない。

10　前項の規定による訴えの提起がなかつたときは、第八項の規定によつてされた裁決は、強制執行に関しては、民事執行法（昭和五十四年法律第四号）第二十二条第五号に掲げる債務名義とみなす。

11　前項の規定による債務名義についての執行文の付与は、収用委員会の会長が行う。民事執行法第二十九条後段の執行文及び文書の謄本の送達も、同様とする。

11　前項の規定による債務名義についての執行文の付与は、収用委員会の会長が行う。民事執行法第二十九条後段の送達も、同様とする。

12　前項の規定による執行文付与に関する異議についての裁判は、収用委員会の所在地を管轄する地方裁判所においてする。

〔改正・昭和三七法一四〇・昭和四二法七四・昭和五四法五・平成一一法一六〇・平成一三法一〇三・平成一六法八四〕

参照【裁決申請の様式―規則二三】【裁決―法六六】【土地の所在地の裁判所―民事訴訟法二七、裁判所法二五・三三】【通知―法一三五②、令六②・六の二】【準用―法一二四】【他の法律に基づく本条の裁決―道路法四四⑦・七〇④・七二②・七五⑥・九一④、河川法二一④・二二⑤・五七③・七六②・八九⑨、都市計画法二八③・五二の四②・五二の五③・五七の五・五七の六②・六〇の三②・六八③、景観法二四③・三二②・七〇②、密集市街地における防災街区の整備の促進に関する法律二一八③・二二六③・二三二④、特定都市河川浸水被害対策法三八⑧・七七⑩、特定空港周辺航空機騒音対策特別措置法七③、土地区画整理法七三③・七八③・一〇一④・一一四④・一一六⑤、都市再開発法六三③・八五③・九七④、都市緑地法七⑥・一〇②・一三・一六・二一・二三、生産緑地法六⑥・一二④、首都圏近郊緑地保全法六⑨、古都における歴史的風土の保存に関する特別措置法九③、近畿圏の保全区域の整備に関する法律七⑨、都市公園法二八③、下水道法三二⑩、宅地造成及び特定盛土等規制法八③、建築基準法一一②、住宅地区改良法二三③、海岸法一二の二③・一八⑧・一九④・二一④、新都市基盤整備法九⑤・二〇⑥、地すべり等防止法六⑩・一六②・一七④・二一④・二三④・四五、急傾斜地の崩壊による災害の防止に関する法律五⑩・一七②・一八④、高速自動車国道法一四⑥・一五③、石油パイプライン事業法三四⑦、測量法二〇②、地価公示法二三③、全国新幹線鉄道整備法一一④・一二⑧、土砂災害警戒区域等における土砂災害防止対策

の推進に関する法律五⑩【罰則―法一四一1・一四四～一四六2

第七章　収用又は使用の効果

（権利取得裁決に係る補償の払渡し又は供託等）

第九五条　起業者は、権利取得裁決において定められた権利取得の時期までに、権利取得裁決に係る補償金、加算金及び過怠金（以下「補償金等」という。）の払渡、替地の譲渡及び引渡又は第八十六条第二項の規定に基く宅地の造成をしなければならない。

2　起業者は、次に掲げる場合においては、前項の規定にかかわらず、権利取得の時期までに補償金等を供託することができる。

一　補償金等の提供をした場合において、補償金等を受けるべき者がその受領を拒んだとき。

二　補償金等を受けるべき者が補償金等を受領することができないとき。

三　起業者が補償金等を受けるべき者を確知することができないとき。ただし、起業者に過失があるときは、この限りでない。

四　起業者が収用委員会の裁決した補償金等の額に対して不服があるとき。

五　起業者が差押え又は仮差押えにより補償金等の払渡しを禁じられたとき。

3　前項第四号の場合において補償金等を受けるべき者の請求があるときは、起業者は、自己の見積金額を払い渡し、裁決による補償金等の額との差額を供託しなければならない。

4　起業者は、第四十八条第五項の規定による裁決があつた場合においては、第一項の規定にかかわらず、権利取得の時期までに、その裁決においてあるものとされた権利に係る補償金等（その裁決において併存し得ない二以上の権利があるものとされた場合においては、それらの権利に対する補償金等のうち最高額のもの）を供託しなければならない。裁決手続開始の登記前に仮登記又は買戻しの特約の登記がされた権利に係る補償金等についても、同様とする。

5　起業者は、次に掲げる場合においては、第一項の規定にかかわらず、権利取得の時期までに替地を供託することができる。

一　替地の提供をした場合において、替地を受けるべき者がその受領を拒んだとき。

二　替地を受けるべき者が替地の譲渡又は引渡しを受けることができないとき。

三　起業者が差押え又は仮差押えにより替地の譲渡又は引渡しを禁じられたとき。

6　起業者は、裁決で定められた工事を完了すべき時期までに、権利取得裁決に係る第八十三条第二項の規定に基く耕地の造成をしなければならない。

〔改正・昭和三九法一四一・昭和四二法七四・平成一九法四五〕

参照【権利取得裁決―法四八①【権利取得の時期―法四八①3【加算金―法九〇の三【過怠金―法九〇の四【替地―法八二①【供託の方法―法九九【裁決手続開始の登記―法四五の二【準用―法四六の四②

（差押え又は仮差押えがある場合の措置）

第九六条　裁決手続開始の登記前にされた差押えに係る権利（先取特権、質権、抵当権その他当該差押えによる換価手続において消滅すべき権利を含むものとし、以下この条において、単に「差押えに係る権利」という。）について権利取得裁決又は明渡裁決があつたとき（明渡裁決にあつては、第七十八条又は第七十九条の規定による請求があつた場合に限る。）は、起業者は、前条の規定にかかわらず、権利取得の時期又は明渡しの期限までに、当該差押えに係る権利に対する補償金等を当該差押えによる配当手続を実施すべき機関に払い渡さなければならない。ただし、強制執行若しくは競売による代金の納付又は滞納処分による売却代金の支払があつた後においては、この限りでない。

2　前項の規定により配当手続を実施すべき機関が払渡しを受けた金銭は、配当に関しては、強制執行若しくは競売による代金又は滞納処分による売却代金（使用の裁決に係るときは、それらの一部）とみなし、収用の裁決に係る場合におけるその払渡しを受けた時が強制競売又は競売に係る配当要求の終期の到来前であるときは、その時に配当要求の終期が到来したものとみなす。

3　強制競売若しくは競売に係る売却許可決定後代金の納付前又は滞納処分による売却決定後売却代金の支払前に第一項本文の規定による払渡しがあつたときは、売却許可決定又は売却決定は、その効力を失う。

4　起業者は、収用委員会の裁決した補償金等の額に対して不服があるときは、第一項の規定による払渡しをする際、自己の見積り金額を同項に規定する配当手続を実施すべき機関に通知しなければならない。

5　第一項及び前項の規定は、裁決手続開始の登記前にされた仮差押えの執行に係る権利に対する補償金等の払渡しに準用する。

6　起業者に第一項又は前項に規定する権利に対する補償金等の支払を命ずる判決が確定したときは、その補償金等の支払に関しては、第一項の規定による補償金等の例による。この場合において、起業者が補償金等を配当手続を実施すべき機関に払い渡したときは、補償金等の支払を命ずる判決に基づく給付をしたものとみなす。

7　第一項又は前二項の規定による補償金等の裁判所への払渡し及びその払渡しがあつた場合における強制執行、仮差押えの執行又は競売に関しては、最高裁判所規則で民事執行法又は民事保全法（平成元年法律第九十一号）の特例その他必要な事項を、その補償金等の裁判所以外の配当手続を実施すべき機関への払渡し及びその払渡しがあつた場合における滞納処分に関しては、政令で国税徴収法の特例その他必要な事項を定めることができる。

〔追加・昭和四二法七四、改正・昭和五四法五・平成元法九一〕

参照【裁決手続開始の登記―法四五の二【換価手続において消滅すべき権利―民事執行法五九、国税徴収法一二四①【権利取得裁決―法四八①【権利取得の時期―法四八①3【明渡裁決―法四九①【明渡しの期限―法四九①2【配当手続を実施すべき機関―民事執行法四四、国税徴収法一三一～一三五【仮差押えの執行に係る権利についての配当手続を実施すべき機関―令一の二〇【払渡しの方法―令一の一五、規則二三の二【起業者が不服を通知した場合の措置―令一の一八、規則二三の三【通知―法一三五②、令六①【売却許可決定の確定―民事執行法七八・八二【滞納処分による売却代金の支払―国税徴収法一一五①・③【民事執行法又は民事保全法の特例その他―土地の収用等と強制執行等との調整に関する規則【国税徴収法の特例その他―令一の一六～一の一九

（明渡裁決に係る補償の払渡し又は供託等）

第九七条　起業者は、明渡裁決で定められた明渡しの期限までに、明渡裁決に係る補償金の払渡し、第八十五条第二項の規定に基づく物件の移転の代行又は第八十六条第二項の規定に基づく宅地の造成をしなければならない。

2　第九十五条第二項から第四項まで及び第六項の規定は、前項の場合に準用する。この場合において、同条第二項中「権利取得の時期」とあるのは「明渡しの期限」と、同条第四項中「第四十八条第五項」とあるのは「第四十九条第二項において準用する第四十八条第五項」と、「権利取得の時期」とあるのは「明渡しの期限」と、同条第六項中「権利取得裁決に係る第八十三条第二項の規定に基く耕地の造成」とあるのは「明渡裁決に係る第八十四条第二項の規定に基づく工事の代行」と読み替えるものとする。

〔追加・昭和四二法七四〕

参照【明渡裁決―法四九①】【明渡しの期限―法四九①2】

（担保の供託）

第九八条　権利取得裁決又は明渡裁決に係る第八十三条第四項（第八十四条第三項において準用する場合を含む。以下第九十九条において同じ。）の規定に基く金銭又は有価証券の供託は、権利取得の時期又は明渡しの期限までにしなければならない。

〔旧九六条を改正し繰下・昭和四二法七四〕

参照【権利取得裁決―法四八①】【権利取得の時期―法四八①3】【明渡裁決―法四九①】【明渡しの期限―法四九①2】【供託の不履行―法一〇〇】【供託の方法―法九九】

（供託の方法）

第九九条　第八十三条第四項及び第九十五条第二項から第四項までの規定による金銭又は有価証券の供託は、収用し、又は使用しようとする土地の所在地の供託所にしなければならない。

2　民法（明治二十九年法律第八十九号）第四百九十五条第二項並びに非訟事件手続法（平成二十三年法律第五十一号）第九十四条及び第九十八条の規定は、第九十五条第五項の規定による替地の供託について準用する。

3　起業者は、前二項に規定する供託をしたときは、遅滞なく、その旨を補償金等、替地又は担保を取得すべき者（その供託が第九十五条第四項の規定によるものであるときは、土地所有者及び関係人）に通知しなければならない。

〔改正・昭和三九法一四一、旧九七条を改正し繰下・昭和四二法七四、改正・平成二三法五三〕

参照【通知―法一三五②、令六①】【準用―法四六の四②】

（収用又は使用の裁決の失効）

第一〇〇条　起業者が権利取得裁決において定められた権利取得の時期までに、権利取得裁決に係る補償金等の払渡若しくは供託、替地の譲渡及び引渡若しくは供託、第八十六条第二項の規定に基く宅地の造成の提供又は第八十三条第四項の規定に基く金銭若しくは有価証券の供託をしないときは、権利取得裁決は、その効力を失い、裁決手続開始の決定は、取り消されたものとみなす。

2　起業者が、明渡裁決において定められた明渡しの期限までに、明渡裁決に係る補償金の払渡し若しくは供託、第八十五条第二項の規定に基づく物件の移転の代行の提供、第八十六条第二項の規定に基づく宅地の造成の提供又は第八十四条第三項において準用する第八十三条第四項の規定に基づく金銭若しくは有価証券の供託をしないときは、明渡裁決は、その効力を失う。この場合において、第二十六条第一項の規定による事業の認定の告示があつた日から四年を経過していないときは、その期間経過前に限り、なお明渡裁決の申立てをすることができるものとし、その期間を経過しているときは、裁決手続開始の決定及び権利取得裁決は、取り消されたものとみなす。

〔改正・昭和四二法七四〕

参照【権利取得の時期―法四八①3】【権利取得裁決―法四八①】【裁決手続開始の決定―法四五の二】【明渡しの期限―法四九①2】【明渡裁決―法四九①】【期間の計算―法一三五①】【明渡裁決の申立て―法四七の二③】【都市計画事業の場合―都市計画法七三】

第一〇〇条の二　起業者が、権利取得裁決において定められた権利取得の時期までに払渡しをすべき補償金等の全部を現金又は小切手等（銀行が振り出した小切手その他これと同程度の支払の確実性があるものとして国土交通省令で定める支払手段をいう。次項において同じ。）により書留郵便（国土交通大臣が定める方法によるものに限る。同項において同じ。）又は民間事業者による信書の送達に関する法律（平成十四年法律第九十九号）第二条第六項に規定する一般信書便事業者若しくは同条第九項に規定する特定信書便事業者の提供する同条第二項に規定する信書便の役務のうち書留郵便に準ずるものとして国土交通大臣が定めるもの（次項において「書留郵便等」という。）に付して、当該権利取得の時期から国内において郵便物が配達されるために通常要する期間を勘案して政令で定める一定の期間前までに、補償金等を受けるべき者の住所（国内にあるものに限る。）にあてて発送した場合における前条第一項の規定の適用については、当該補償金等の全部は、当該権利取得の時期までに払い渡されたものとみなす。

2　起業者が、明渡裁決において定められた明渡しの期限までに払渡しをすべき補償金の全部を現金又は小切手等により書留郵便等に付して、当該明渡しの期限から前項の政令で定める一定の期間前までに、補償金を受けるべき者の住所（国内にあるものに限る。）にあてて発送した場合における前条第二項の規定の適用については、当該補償金の全部は、当該明渡しの期限までに払い渡されたものとみなす。

3　第九十四条第十項から第十二項までの規定は、前二項の場合において、権利取得裁決において定められた権利取得の時期又は明渡裁決において定められた明渡しの期限が経過した後に補償金等を受けるべき者がその払渡しを受けていないときに準用する。この場合において、同条第十項中「前項の規定による訴えの提起がなかつたときは、第八項の規定によつてされた裁決」とあるのは、「権利取得裁決又は明渡裁決」と読み替えるものとする。

〔追加・平成一三法一〇三、改正・平成一四法一〇〇・平成一七法一〇二〕

参照【政令で定める一定の期間―令一の二】【国土交通省令で定める支払手段―規則二三の四】

（権利の取得、消滅及び制限）

第一〇一条　土地を収用するときは、権利取得裁決において定められた権利取得の時期において、起業者は、当該土地の所有権を取得し、当該土地に関するその他の権利並びに当該土地又は当該土地に関する所有権以外の権利に係る仮登記上の権利及び買戻権は消滅し、当該土地又は当該土地に関する所有権以外の権利に係る差押え、仮差押えの執行及び仮処分の執行はその効力を失う。但し、第七十六条第二項又は第八十一条第二項の規定に基く請求に係る裁決で存続を認められた権利については、この限りでない。

2　土地を使用するときは、起業者は、権利取得裁決において定められた権利取得の時期において、裁決で定められたところにより、当該土地を使用する権利を取得し、当該土地に関するその他の権利は、使用の期間中は、行使することができない。但し、裁決で認められた方法による当該土地の使用を妨げない権利については、この限りでない。

3　第一項本文の規定は、第七十八条又は第七十九条の規定によつて物件を収用する場合に準用する。この場合において、同項中「権利取得裁決において定められた権利取得の時期」とあるのは、「明渡裁決において定められた明渡しの期限」と読み替えるものとする。

〔改正・昭和四二法七四〕

参照　【権利取得裁決―法四八①】【権利取得の時期―法四八①3】【非常災害等の場合における特例―法一二二・一二三】【土石砂れきを収用する場合の特例―法一三九】【特例―都市再開発法一一八の一一③・一一八の一二③】

（占有の継続）

第一〇一条の二　前条第一項の規定により起業者が土地の所有権を取得した際、同項の規定により失つた権利に基づき当該土地を占有している者及びその承継人は、明渡裁決において定められる明渡しの期限までは、従前の用法に従い、その占有を継続することができる。ただし、第二十八条の三及び第八十九条の規定の適用を妨げない。

〔追加・昭和四二法七四〕

参照　【明渡裁決―法四九①】【明渡しの期限―法四九①2】【土石砂れきを収用する場合の特例―法一三九①】

（土地若しくは物件の引渡し又は物件の移転）

第一〇二条　明渡裁決があつたときは、当該土地又は当該土地にある物件を占有している者は、明渡裁決において定められた明渡しの期限までに、起業者に土地若しくは物件を引き渡し、又は物件を移転しなければならない。

〔全改・昭和四二法七四〕

参照　【明渡裁決―法四九①】【明渡しの期限―法四九①2】【土石砂れきを収用する場合の特例―法一三九①】【引渡し、移転の代行、代執行―法一〇二の二】【罰則―法一四三4・一四五】

（土地若しくは物件の引渡し又は物件の移転の代行及び代執行）

第一〇二条の二　前条の場合において次の各号の一に該当するときは、市町村長は、起業者の請求により、土地若しくは物件を引き渡し、又は物件を移転すべき者に代わつて、土地若しくは物件を引き渡し、又は物件を移転しなければならない。

一　土地若しくは物件を引き渡し、又は物件を移転すべき者がその責めに帰することができない理由に因りその義務を履行することができないとき。

二　起業者が過失がなくて土地若しくは物件を引き渡し、又は物件を移転すべき者を確知することができないとき。

2　前条の場合において、土地若しくは物件を引き渡し、又は物件を移転すべき者がその義務を履行しないとき、履行しても充分でないとき、又は履行しても明渡しの期限までに完了する見込みがないときは、都道府県知事は、起業者の請求により、行政代執行法（昭和二十三年法律第四十三号）の定めるところに従い、自ら義務者のなすべき行為をし、又は第三者をしてこれをさせることができる。物件を移転すべき者が明渡裁決に係る第八十五条第二項の規定に基づく移転の代行の提供の受領を拒んだときも、同様とする。

3　前項前段の場合において、都道府県知事は、義務者及び起業者にあらかじめ通知した上で、当該代執行に要した費用に充てるため、その費用の額の範囲内で、義務者が起業者から受けるべき明渡裁決に係る補償金を義務者に代わつて受けることができる。

4　起業者が前項の規定に基づき補償金の全部又は一部を都道府県知事に支払つた場合においては、この法律の適用については、起業者が都道府県知事に支払つた金額の限度において、起業者が土地所有者又は関係人に明渡裁決に係る補償金を支払つたものとみなす。

5　第二項後段の場合においては、物件の移転に要した費用は、行政代執行法第二条の規定にかかわらず、起業者から徴収するものとし、起業者がその費用を支払つたときは、起業者は、移転の代行による補償をしたものとみなす。

〔追加・昭和四二法七四〕

参照　【代行の場合の費用の徴収―法一一八】【通知―法一三五②、令六②・六の二】

（危険負担）

第一〇三条　権利取得裁決又は明渡裁決があつた後に、収用し、若しくは使用すべき土地又は収用すべき物件が土地所有者又は関係人の責に帰することができない事由に因つて滅失し、又はき損したときは、その滅失又はき損に因る損失は、起業者の負担とする。

〔改正・昭和四二法七四〕

参照　【起業者・土地所有者双方の責に帰すべき事由によるとき―民法四一八・七二二②】

（担保物権と補償金等又は替地）

第一〇四条　先取特権、質権若しくは抵当権の目的物が収用され、又は使用された場合においては、これらの権利は、その目的物の収用又は使用に因つて債務者が受けるべき補償金等又は替地に対しても行うことができる。但し、その払渡又は引渡前に差押をしなければならない。

〔改正・昭和四二法七四〕

参照　【物上代位―民法三〇四・三五〇・三七二】【差押と供託―法九五②・④】【準用―法四六の四②】

（起業者が返還を受ける額に係る債務名義）

第一〇四条の二　第九十四条第十項から第十二項までの規定は、権利取得裁決中第九十条の三第一項第二号に掲げる起業者が返還を受けることができる額に関する部分について、第百三十三条第二項及び第三項の規定による訴えの提起がなかつた場合に準用する。この場合において、第九十四条第十項中「第八項の規定によつてされた裁決」とあるのは、「第九十条の三第一項第二号の規定によつて起業者が返還を受けることができる額についてされた裁決」と読み替えるものとする。

〔追加・昭和四二法七四、改正・平成一六法八四〕

参照　【権利取得裁決―法四八①】【起業者が返還を受けることができる額―法九〇の三①2】

（返還及び原状回復の義務）

第一〇五条　起業者は、土地を使用する場合において、その期間が満了したとき、又は事業の廃止、変更その他の事由に因つて使用する必要がなくなつたときは、遅滞なく、その土地を土地所有者又はその承継人に返還しなければならない。

2　起業者は、前項の場合において、土地所有者の請求があつたときは、土地を原状に復しなければならない。但し、当該土地が第八十条の二第一項の規定によつて補償されたものであるときは、この限りでない。

〔改正・昭和四二法七四〕

参照　【使用の時期―法四八①】

（買受権）

第一〇六条　第二十六条第一項の規定による事業の認定の告示の日から二十年以内に、事業の廃止、変更その他の事由に因つて起業者が収用した土地の全部若しくは一部が不用となつたとき、又は事業の認定の告示の日から十年を経過しても収用した土地の全部を事業の用に供しなかつたときは、権利取得裁決において定められた権利取得の時期に土地所有者であつた者又はその包括承継人（以下「買受権者」と総称する。）は、当該土地が不用となつた時期から五年又は事業の認定の告示の日から二十年のいずれか遅い時期までに、起業者が不用となつた部分の土地又は事業の用に供しなかつた土地及びその土地に関する所有権以外の権利に対して支払つた補償金に相当する金額を当該収用に係る土地の現在の所有者（以下「収用地の現所有者」という。）に提供して、その土地を買い受けることができる。但し、第七十六条第一項の規定によつて収用した残地は、その残地とともに収用された土地でその残地に接続する部分が不用となつたときでなければ買い受けることができない。

2　前項の規定は、第八十二条の規定によつて土地所有者が収用された土地の全部又は一部について替地による損失の補償を受けたときは、適用しない。

3　第一項の場合において、土地の価格が権利取得裁決において定められた権利取得の時期に比して著しく騰貴したときは、収用地の現所有者は、訴をもつて同項の金額の増額を請求することができる。

4　第一項の規定による買受権は、不動産登記法（平成十六年法律第百二十三号）の定めるところに従つて収用の登記がされたときは、第三者に対して対抗することができる。

〔改正・昭和三九法一四一・昭和四二法七四・平成一六法一二四〕

参照　【権利取得裁決―法四八①】【権利取得の時期―法四八①3】【収用の登記―不動産登記法一一八】【買受権の消滅―法一〇七】【期間の計算―法一三五①】

（買受権の消滅）

第一〇七条　前条第一項に規定する不用となつた土地又は事業の用に供しなかつた土地があるときは、起業者（当該土地を収用した事業が関連事業であるときは、当該関連事業を行なう者。以下この項において同じ。）は、遅滞なく、その旨を買受権者に通知しなければならない。但し、起業者が過失がなくて買受権者を確知することができないときは、その土地が存する地方の新聞紙に、通知すべき内容を少くとも一月の期間をおいて三回公告しなければならない。

2　買受権者は、前項の規定による通知を受けた日又は第三回の公告があつた日から六月を経過した後においては、前条第一項の規定にかかわらず、買受権を行使することができない。

〔改正・昭和三九法一四一〕

参照　【通知―法一三五②、令六①】

第八章　収用又は使用に関する特別手続

第一節　削除〔昭和四二法七四〕

第一〇八条から第一一五条まで　削除〔昭和四二法七四〕

第二節　協議の確認

（協議の確認の申請）

第一一六条　起業地の全部又は一部について起業者と土地所有者及び関係人の全員との間に権利を取得し、又は消滅させるための協議が成立したときは、起業者は、第二十六条第一項の規定による事業の認定の告示があつた日以後収用又は使用の裁決の申請前に限り、当該土地所有者及び関係人の同意を得て、当該土地の所在する都道府県の収用委員会に協議の確認を申請することができる。

2　起業者は、前項の規定による申請をしようとするときは、国土交通省令で定める様式に従い、土地所有者及び関係人の同意を得たことを証する書面を添えて、左に掲げる事項を記載した確認申請書を収用委員会に提出しなければならない。

一　協議が成立した土地の所在、地番、地目及び面積
二　前号の土地の土地所有者及び関係人の氏名及び住所
三　協議によつて取得し、又は消滅させる権利の種類及び内容
四　権利を取得し、又は消滅させる時期及び土地若しくは物件の引渡し又は物件の移転の期限
五　対償

〔改正・昭和三九法一四一・昭和四二法七四・平成一一法一六〇〕

参照　【期間の計算―法一三五①】【国土交通省令で定める様式―規則二四・二五】

（確認申請書の欠陥の補正）

第一一七条　第十九条の規定は、前条第二項の規定による確認申請書の欠陥の補正について準用する。この場合において、「前条」とあるのは「第百十六条第二項」と、「事業認定申請書」とあるのは「確認申請書」と、「国土交通大臣又は都道府県知事」

とあるのは「収用委員会」と読み替えるものとする。

〔改正・平成一一法一六〇〕

（協議の確認）

第一一八条　収用委員会は、第百十六条第二項の規定による確認申請書を受理したときは、前条において準用する第十九条第二項の規定により確認申請書を却下する場合を除くの外、市町村別に当該市町村に関係のある部分の写を当該市町村長に送付しなければならない。

2　市町村長は、前項の規定による書類を受け取つたときは、直ちに、確認の申請があつた旨を公告し、公告があつた日から二週間その書類を公衆の縦覧に供しなければならない。

3　市町村長は、前項の規定による公告をしたときは、遅滞なく、公告の日を収用委員会に報告しなければならない。

4　第二項の規定による公告があつたときは、利害関係人は、同項の縦覧期間内に、収用委員会に、協議の成立及び内容について、書面により、異議を申し出ることができる。

5　収用委員会は、第百十六条の規定による協議の確認の申請が法令の規定に違反せず、前項の規定による異議の申出がなく、又は異議の申出があつた場合においてその異議の申出が同項の規定に違反し、若しくは理由のないことが明らかであり、且つ、協議の内容が第七章の規定に適合するときは、第百十六条第二項各号に掲げる事項について確認をしなければならない。

〔改正・昭和三七法一六一〕

参照　【期間の計算―法一三五①】【確認処分の方式及び確認書の送達―法一二〇】

（確認の拒否）

第一一九条　収用委員会は、第百十六条の規定による協議の確認の申請があつた場合において、その申請が前条第五項の規定に該当しないときは、確認を拒否しなければならない。但し、異議の申出が申請に係る土地の一部に関するものであつて、他の部分に影響がないときは、その影響のない部分について、確認をしなければならない。

〔改正・昭和三七法一六一〕

（確認処分の方式及び確認書の送達）

第一二〇条　第六十六条の規定は、第百十八条第五項若しくは前条但書の規定による確認又は前条本文の規定による確認の拒否に準用する。この場合において、「裁決」とあるのは「確認又は確認の拒否」と、「裁決書」とあるのは「確認書及び確認拒否書」と、「起業者、土地所有者及び関係人」とあるのは「起業者、土地所有者、関係人及び第百十八条第四項の規定によつて異議を申し立てた利害関係人」と読み替えるものとする。

〔改正・昭和四二法七四〕

（確認の効果）

第一二一条　第百十八条第五項又は第百十九条但書の規定による確認があつたときは、この法律の適用については、同時に権利取得裁決と明渡裁決があつたものとみなす。この場合において、起業者、土地所有者及び関係人は、協議の成立及び内容を争うことができない。

〔改正・昭和四二法七四〕

参照　【審査請求―法一二九】

第三節　緊急に施行する必要がある事業のための土地の使用

（非常災害の際の土地の使用）

第一二二条　非常災害に際し公共の安全を保持するために第三条各号の一に規定する事業を特に緊急に施行する必要がある場合においては、起業者は、事業の種類、使用しようとする土地の区域並びに使用の方法及び期間について市町村長の許可を受け、直ちに、他人の土地を使用することができる。但し、起業者が国であるときは当該事業の施行について権限を有する行政機関又はその地方支分部局の長が、起業者が都道府県であるときは都道府県知事が、事業の種類、使用しようとする土地の区域並びに使用の方法及び期間を市町村長に通知することをもつて足り、許可を受けることを要しない。

2　前項の規定によつて使用する土地の区域並びに使用の方法及び期間は、公共の安全を保持するために必要且つやむを得ないと認められる範囲をこえてはならない。

3　市町村長は、第一項本文の規定による許可をしたとき、又は同項但書の規定による通知を受けたときは、直ちに、起業者の名称、事業の種類、使用しようとする土地の区域並びに使用の方法及び期間を土地の所有者及び占有者に通知しなければならない。

4　第一項の規定による使用の期間は、許可があつた日（同項但書の場合にあつては、市町村長に通知をした日）から六月をこえることができない。

参照　【非常災害時の土地の使用―災害救助法九、消防法二九、水防法二八、道路法六八、河川法二二、水害予防組合法五〇、漁港及び漁場の整備等に関する法律三六②、土地改良法一二〇等】【地方支分部局―国家行政組織法九】【通知―法一三五②、令六②・六の二】【損失の補償―法一二四】

（緊急に施行する必要がある事業のための土地の使用）

第一二三条　収用委員会は、第三十九条の規定による裁決の申請に係る事業を緊急に施行する必要がある場合で、明渡裁決が遅延することによつて事業の施行が遅延し、その結果、災害を防止することが困難となり、その他公共の利益に著しく支障を及ぼす虞があるときは、起業者の申立により、土地の区域及び使用の方法を定め、起業者に担保を提供させた上で、直ちに、当該土地を使用することを許可することができる。

2　前項の規定による使用の期間は、六月とする。使用の許可の期間の更新は、行うことができない。

3　収用委員会は、第一項の規定による許可をしたときは、直ちに、起業者の名称、事業の種類、使用しようとする土地の区域並びに使用の方法及び期間を土地の所有者及び占有者に通知しなければならない。

4　起業者は、第一項の場合において、土地所有者及び関係人の請求があるときは、自己の見積つた損失補償額を払い渡さなければならない。

5　第一項の規定による使用の許可があつた後、明渡裁決があつたときは当該明渡裁決において定められた明渡しの期限において、第四十七条の規定によつて却下の裁決があつたときはその裁決の時期において、第一項の規定による使用の許可は、第二項の規定にかかわらず、その効力を失う。

6　第八十三条第四項から第七項までの規定は、第一項の規定によつて提供すべき担保並びにその取得及び取りもどしについて準用する。この場合において、同条第四項中「前項」とあるのは「第百二十三条第一項」と、同条第五項及び第六項中「工事を完了」とあるのは「補償の支払を」と、同条第五項中「耕地の造成による損失の補償」とあるのは「損失の補償」と読み替えるものとする。

〔改正・昭和四二法七四〕

参照【通知―法一三五②、令六②・六の二【損失の補償―法一二四

（前二条の使用に因る損失の補償）

第一二四条　起業者は、第百二十二条第一項の規定によつて土地の使用の許可を受け、若しくは市町村長に通知した場合、前条第二項の規定による使用の期間が満了した場合又は同条第五項の規定によつて使用の許可が失効した場合においては、土地を使用することに因つて生ずる損失を第六章第一節（第七十二条、第七十三条、第七十四条第二項、第七十八条、第七十九条、第八十条の二第二項及び第八十一条を除く。）の規定によつて補償しなければならない。この場合において、損失の補償は、使用の時期の価格（土地又は土地に関する所有権以外の権利に対する損失の補償については、その土地及び近傍類地の地代及び借賃等を考慮して算定した使用の時期の価格）によつて算定しなければならない。

2　第九十四条（第六項を除く。）の規定は、前項の場合に準用する。この場合において、同条第一項中「前三条」とあるのは「第百二十四条第一項」と、同条第八項中「第六項」とあるのは「第百二十四条第三項において準用する第六項」と読み替えるものとする。

3　第九十四条第六項の規定は、収用委員会が前項において準用する第九十四条第五項の規定によつて審理をする場合に準用する。この場合において「第九十四条」とあるのは、「第百二十四条第二項において準用する第九十四条」と読み替えるものとする。

〔改正・昭和四二法七四〕

参照【罰則―法一四一1・一四四～一四六2

第九章　手数料及び費用の負担

（手数料）

第一二五条　第十八条の規定によつて国土交通大臣に対して事業の認定を申請する者は、国に実費を勘案して政令で定める額の手数料を納付しなければならない。ただし、その者が国又は都道府県であるときは、この限りでない。

2　都道府県が次に掲げる者から手数料を徴収する場合においては、その額は、第一号又は第四号に掲げる者であるときは実費の範囲内において当該事務の性質を考慮して政令で定める額を、第二号に掲げる者であるときは実費を勘案して政令で定める額を、第三号又は第五号に掲げる者であるときは実費の範囲内において当該事務の性質を考慮して損失補償の見積りの額に応じ政令で定める額を、それぞれ標準として、条例で定めなければならない。

一　第十五条の二第一項又は第十五条の七第一項の規定によつてあつせん又は仲裁に付することを申請する起業者

二　第十八条の規定によつて都道府県知事に対して事業の認定を申請する者

三　第三十九条第一項又は第九十四条第二項（前条第二項において準用する場合を含む。）の規定によつて収用若しくは使用又は損失の補償の裁決を申請する者

四　第百十六条の規定によつて収用委員会の協議の確認を申請する者

五　他の法律の規定によつて収用委員会の裁決を求める者

〔改正・昭和二八法一九九・昭和三一法一〇三・昭和四二法七四・昭和五三法二七・昭和五九法二三、全改・平成一一法八七、改正・平成一一法一六〇・平成一三法一〇三〕

参照【手数料の額及び納入方法―令二【他の法律―測量法二〇、建築基準法一一、道路法七〇、都市公園法二八、海岸法二二の二等

（仲裁の手続に要する費用の負担）

第一二五条の二　仲裁の手続のうち第十五条の七第一項に規定する関係当事者の申出に基づいて行うものに要する費用は、当該申出をした者の負担とする。

〔追加・平成一三法一〇三〕

（鑑定人等の旅費及び手当の負担）

第一二六条　第六十五条第六項（第九十四条第六項又は第百二十四条第三項において準用する第九十四条第六項において準用する場合を含む。）の規定による鑑定人及び参考人の旅費及び手当は、起業者の負担とする。

〔改正・昭和三八法一五二〕

参照【起業者が納入しない場合―自治法二三一の三

（手続費、義務履行費その他の費用の負担、徴収等）

第一二七条　起業者、土地所有者及び関係人がこの法律又はこの法律（第九十六条第七項を除く。）に基く命令に規定する手続その他の行為をし、又は義務を履行するために要する費用は、それぞれの者が自ら負担しなければならない。

〔改正・昭和四二法七四〕

第一二八条　市町村長は、第百二条の二第一項の規定により市町村長が土地若しくは物件を引き渡し、又は物件を移転するに要した費用を、第百二条の規定により土地若しくは物件を引き渡し、又は物件を移転すべき者から徴収するものとする。

2　第百二条の二第三項及び第四項の規定は、市町村長が前項の規定によつて費用を徴収する場合に準用する。この場合において、同条第三項中「前項前段」とあるのは「第百二十八条第一項」と、「当該代執行に要した費用」とあるのは「第一項の規定により市町村長が土地若しくは物件を引き渡し、又は物件を移転するに要した費用」と、同項及び同条第四項中「都道府県知事」とあるのは「市町村長」と読み替えるものとする。

3　市町村長は、第一項に規定する費用を前項において準用する第百二条の二第三項の規定によつて徴収することができないとき、又は徴収することが適当でないと認めるときは、第一項に規定する者に対し、あらかじめ納付すべき金額、納付の期限及び場所を通知して、これを納付させるものとする。

4　市町村長は、前項の規定によつて通知を受けた者が同項の規定によつて通知された期限を経過しても同項の規定により納付すべき金額を完納しないときは、督促状によつて納付すべき期限を指定して督促しなければならない。

5　前項の規定による督促を受けた者がその指定の期限までに第三項の規定により納付すべき金額を納付しないときは、市町村長は、国税滞納処分の例によつて、これを徴収することができる。この場合における徴収金の先取特権の順位は、国税及び地方税に次ぐものとする。

〔改正・昭和三四法一四八・昭和四二法七四〕

参照 【通知―法一三五②、令六②】【国税滞納処分の例―国税徴収法第五章】

第九章の二　行政手続法の適用除外

〔追加・平成五法八九〕

第百二十八条の二　この法律の規定により収用委員会がする処分（第六十四条の規定により会長又は指名委員がする処分を含む。）については、行政手続法（平成五年法律第八十八号）第二章及び第三章の規定は、適用しない。

〔追加・平成五法八九〕

第十章　審査請求及び訴訟

〔改正・昭和三七法一六一・平成二六法六九〕

（収用委員会の裁決についての審査請求）

第百二十九条　収用委員会の裁決に不服がある者は、国土交通大臣に対して審査請求をすることができる。

〔全改・昭和三七法一六一、改正・平成一一法一六〇〕

参照 【審査請求―行政不服審査法二】【収用委員会の裁決―法四七・四八・四九・五〇・一二一】

（審査請求期間）

第百三十条　事業の認定についての審査請求に関する行政不服審査法（平成二十六年法律第六十八号）第十八条第一項本文の期間は、事業の認定の告示があつた日の翌日から起算して三月とする。

2　収用委員会の裁決についての審査請求に関する行政不服審査法第十八条第一項本文の期間は、裁決書の正本の送達を受けた日の翌日から起算して三十日とする。

〔全改・昭和三七法一六一、改正・平成二六法六九〕

（審査請求に対する裁決）

第百三十一条　国土交通大臣の事業の認定に関する処分又は収用委員会の裁決についての審査請求に対する裁決は、公害等調整委員会の意見を聴いた後にしなければならない。

2　国土交通大臣又は都道府県知事は、事業の認定又は収用委員会の裁決についての審査請求があつた場合において、事業の認定又は裁決に至るまでの手続その他の行為に関して違法があつても、それが軽微なものであつて事業の認定又は裁決に影響を及ぼすおそれがないと認めるときは、裁決をもつて当該審査請求を棄却することができる。

〔全改・昭和三七法一六一、改正・昭和四七法五二・平成一一法八七・法一六〇・平成二六法六九〕

参考規定―行政不服審査法四五③

（事業の認定又は収用委員会の裁決の手続の省略）

第百三十一条の二　審査請求に対する裁決により事業の認定又は収用委員会の裁決が取り消された場合において、国土交通大臣若しくは都道府県知事が再び事業の認定に関する処分をしようとするとき、又は収用委員会が再び裁決をしようとするときは、事業の認定又は裁決につき既に行つた手続その他の行為は、法令の規定に違反するものとして当該取消しの理由となつたものを除き、省略することができる。

〔追加・昭和三七法一六一、改正・平成一一法一六〇・平成二六法六九〕

（審査請求の制限）

第百三十二条　次に掲げる処分については、審査請求をすることができない。

一　都道府県知事がした事業の認定の拒否

二　第百二十二条第一項又は第百二十三条第一項の規定による処分

2　収用委員会の裁決についての審査請求においては、損失の補償（第九十条の三の規定による加算金及び第九十条の四の規定による過怠金を含む。次条において同じ。）についての不服をその裁決についての不服の理由とすることができない。

〔追加・昭和三七法一六一、旧一三一条の三を繰下・昭和三七法一四〇、改正・昭和四二法七四・平成二六法六九〕

（訴訟）

第百三十三条　収用委員会の裁決に関する訴え（次項及び第三項に規定する損失の補償に関する訴えを除く。）は、裁決書の正本の送達を受けた日から三月の不変期間内に提起しなければならない。

2　収用委員会の裁決のうち損失の補償に関する訴えは、裁決書の正本の送達を受けた日から六月以内に提起しなければならない。

3　前項の規定による訴えは、これを提起した者が起業者であるときは土地所有者又は関係人を、土地所有者又は関係人であるときは起業者を、それぞれ被告としなければならない。

〔改正・昭和三七法一四〇・平成一六法八四〕

参照 【出訴期間の例外―法九四⑨】【損失の補償に関する訴―行政事件訴訟法四】

第百三十四条　前条第二項及び第三項の規定による訴えの提起は、事業の進行及び土地の収用又は使用を停止しない。

〔改正・平成一六法八四〕

類似規定―行政事件訴訟法二五

第十一章　雑則

（期間の計算、通知及び書類の送達の方法）

第百三十五条　この法律の規定による期間の計算方法は、審査請求及び訴訟の提起の期間の計算方法を除き、民法による。ただし、土曜日及び十二月二十九日から三十一日までの日は、同法第百四十二条の規定によるその他の休日とみなし、申請書、意見書及び異議の申出を郵便又は民間事業者による信書の送達に関する法律第二条第六項に規定する一般信書便事業者若しくは同条第九項に規定する特定信書便事業者の提供する同条第二項に規定する信書便の役務を利用して送付した場合においては、当該送付に要した日数は、期間に算入しない。

2　この法律に規定する通知及び書類の送達の方法に関して必要な事項は、政令で定める。

〔改正・昭和三七法一六一・昭和四二法七四・昭和六三法九一・平成四法一二八・平成一四・法一〇〇・平成二六法六九〕

参照 【民法―民法一三八～一四三】【通知及び書類の送達―令四～六

の二

（代理人）

第一三六条　起業者、土地所有者及び関係人並びに第十五条の二第一項及び第十五条の七第一項に規定する関係当事者は、事業の認定の申請、裁決の申請、意見書の提出等この法律で定める手続その他の行為について弁護士その他適当な者を代理人とすることができる。

2　前項の代理人は、書面をもつて、その権限を証明しなければならない。

3　収用委員会は、審理の円滑な進行のため必要があると認めるときは、政令で定めるところにより、審理の期日に出席することができる代理人の数を制限することができる。

〔改正・昭和二八法一九九・昭和四二法七四・平成一三法一〇三〕

参照　【代理人の数の制限―令六の三】

（秘密を守る義務）

第一三七条　収用委員会の委員及び予備委員並びにあつせん委員及び仲裁委員は、職務上知り得た秘密を漏らしてはならない。これらの者が、その職を退いた後も、同様とする。

〔改正・昭和二八法一九九・昭和四二法七四・平成一三法一〇三〕

参照　【罰則―法一四一・2】

（権利、物件及び土石砂れきの収用又は使用に関する準用規定）

第一三八条　第十条、第三章、第四章、第五章第二節、第六章（第七十六条及び第八十一条を除く。）、第七章（第百六条及び第百七条を除く。）、第八章から第十章まで及び第百三十六条の規定は、第五条に掲げる権利若しくは第六条に掲げる立木、建物その他土地に定着する物件を収用し、又は使用する場合又は第七条に規定する土石砂れきを収用する場合に準用する。ただし、次の各号に掲げる場合においては、第六章及び第七章の規定中それぞれ当該各号に掲げる規定は、準用しない。

一　第五条第一項第一号に掲げる質権若しくは抵当権、同項第二号若しくは第三号若しくは同条第二項若しくは第三項に掲げる権利又は第六条に掲げる立木、建物その他土地に定着する物件を収用し、又は使用する場合　第八十二条及び第八十三条

二　第七条に規定する土地に属する土石砂れきを収用する場合　第七十二条、第八十条の二、第八十二条、第八十三条、第百一条から第百二条の二まで及び第百五条

2　前項において準用するこの法律の規定中「土地所有者」とあるのは、第五条に掲げる権利を収用し、又は使用する場合においては「当該権利者」と、第六条に掲げる立木、建物その他土地に定着する物件を収用し、又は使用する場合においては「当該物件の所有者」と、第七条に規定する土石砂れきを収用する場合においては「当該土石砂れきの属する土地の所有者」と読み替えるものとし、左の各号に掲げる場合においては、当該各号に掲げる前項において準用するこの法律の規定の読替は、それぞれ当該各号に定めるところによる。

一　第五条に掲げる権利を収用し、又は使用する場合　第二十八条の三第一項中「形質の変更」とあり、又は同条第二項中「土地の形質の変更」とあるのは第五条第一項又は第三項に掲げる権利を収用し、又は使用する場合にあつては「当該権利の目的であり、又は当該権利に関係のある土地、河川の敷地、海底又は水の形質の変更」と、同条第二項に掲げる立木、建物その他土地に定着する物件に関する権利を収用し、又は使用する場合にあつては「当該権利の目的である立木、建物その他土地に定着する物件の損壊又は収去」と、第三十七条第一項（第一号及び第二号を除く。）中「土地」とあるのは「権利」と、同項第一号中「土地」とあるのは「権利の目的であり、又は当該権利に関係のある土地、河川の敷地、海底、水又は立木、建物その他の土地に定着する物件」と、同項第二号中「土地の面積」とあるのは「権利の種類及び内容」と、第百一条第一項中「権利取得裁決において定められた権利取得の時期において、起業者は、当該土地の所有権を取得し」とあるのは「権利取得裁決において定められた権利取得の時期において、当該権利は、消滅し、起業者は、当該物件の所有権を取得し」と、同条第二項中「起業者は、権利取得裁決において定められた権利取得の時期において、裁決で定められたところにより、当該土地を使用する権利を取得し」とあるのは「権利取得裁決において定められた権利取得の時期において、裁決で定められたところにより、当該権利は、制限され」と、第百三条中「滅失し、又はき損し」とあるのは「消滅し、又は変更し」と、「滅失又はき損」とあるのは「消滅又は変更」と、第百十六条第一項並びに第二項第三号及び第四号中「取得し、又は制限する」とあるのは「消滅させ、又は制限する」と読み替えるものとする。

二　第六条に掲げる立木、建物その他土地に定着する物件を収用し、又は使用する場合　第二十八条の三中「形質の変更」とあるのは「損壊又は収去」と読み替え、第三十七条第一項第一号から第三号までの規定は、同条第二項第一号から第三号までに規定する字句に読み替えるものとする。

三　第七条に規定する土地に属する土石砂れきを収用する場合　第二十八条の三中「形質の変更」とあるのは「土石砂れきの属する土地の形質の変更」と、第三十七条第一項（第一号及び第二号を除く。）中「土地」とあるのは「土地に属する土石砂れき」と、同項第一号中「土地」とあるのは「土石砂れきの属する土地」と、同項第二号中「土地の面積」とあるのは「土石砂れきの種類及び数量」と読み替えるものとする。

3　前項に規定するものの外、第一項において準用するこの法律の規定に関して必要な技術的読替は、政令で定める。

〔改正・昭和三九法一四一・昭和四二法七四・平成一三法一〇三〕

参照　【必要な技術的読替―令七】【罰則―法一四一～一四六】

（土石砂れきを収用する場合の効果の特例）

第一三九条　第七条の規定によつて土石砂れきを収用する場合においては、起業者は、権利取得裁決において定められた権利取得の時期において、裁決で定められたところにより、当該土石砂れきを採取する権利を取得し、当該土石砂れきの属する土地に関するその他の権利は、その採取に支障を及ぼす限度において、行使することができない。

2　前項の場合においては、土石砂れきの属する土地の所有者及び関係人その他当該土地に関して権利を有する者は、明渡裁決において定められた明渡しの期限までに、当該土地を起業者に引き渡さなければならない。

〔改正・昭和四二法七四〕

参照 【罰則―法一四三5・一四五

（生活再建のための措置）
第一三九条の二 第二十六条第一項（第百三十八条第一項において準用する場合を含む。）の規定によつて告示された事業に必要な土地等を提供することによつて生活の基礎を失うこととなる者は、その受ける対償と相まつて実施されることを必要とする場合においては、次に掲げる生活再建のための措置の実施のあつせんを起業者に申し出ることができる。

一 宅地、開発して農地とすることが適当な土地その他の土地の取得に関すること。

二 住宅、店舗その他の建物の取得に関すること。

三 職業の紹介、指導又は訓練に関すること。

2 起業者は、前項の規定による申出があつた場合においては、事情の許す限り、当該申出に係る措置を講ずるように努めるものとする。

〔追加・平成一三法一〇三〕

（権限の委任）
第一三九条の三 この法律に規定する国土交通大臣の権限は、国土交通省令で定めるところにより、その一部を地方整備局長又は北海道開発局長に委任することができる。

〔追加・平成一一法一六〇、旧一三九条の二を繰下・平成一三法一〇三〕

（事務の区分）
第一三九条の四 この法律の規定により地方公共団体が処理することとされている事務のうち、次の各号に掲げるもの（第十七条第一項各号に掲げる事業又は第二十七条第二項若しくは第四項の規定により国土交通大臣の事業の認定を受けた事業に関するものに限る。）は地方自治法（昭和二十二年法律第六十七号）第二条第九項第一号に規定する第一号法定受託事務と、第二号に掲げるもの（第十七条第二項に規定する事業（第二十七条第二項又は第四項の規定により国土交通大臣の事業の認定を受けた事業を除く。）に関するものに限る。）は同法第二条第九項第二号に規定する第二号法定受託事務とする。

一 都道府県が第十一条第一項及び第四項、第十四条第一項、第十五条の二第二項及び第三項（第十五条の七第二項において準用する場合を含む。）、第十五条の三から第十五条の五まで、第十五条の八から第十五条の十一まで、第十五条の十二において準用する仲裁法、第二十四条第四項及び第五項（第二十六条の二第三項、第三十四条の四第三項、第三十六条の二第四項及び第四十二条第四項（第四十五条第三項及び第四十七条の四第二項において準用する場合を含む。）において準用する場合を含む。）、第二十八条の三第一項、第三十条第二項及び第三項（第三十条の二において準用する場合を含む。）、第二十五条第二項、第三十四条の二第二項において準用する第十九条第一項前段及び第二項、第三十四条の三、第三十四条の四第一項、第三十六条第五項、第四十一条において準用する第十九条、第四十二条第一項、第五項及び第六項（第四十五条第三項及び第四十七条の四第二項においてこれらの規定を準用する場合を含む。）、第四十五条第一項、第四十五条の二、第四十六条第一項及び第二項、第四十七条、第四十七条の二第一項、第四十七条の三第五項において準用する第十九条第一項前段、第四十七条の四第一項、第五十条第一項、第二項及び第四項、第六十五条第一項、第六十五条の二第七項、第六十六条第三項（第百二十条において準用する場合を含む。）、第八十一条第三項、第八十二条第二項から第四項まで及び第六項、第八十三条第二項、第八十三条第三項から第六項まで（第八十四条第三項及び第百二十三条第六項においてこれらの規定を準用する場合を含む。）、第八十四条第二項、第八十五条第二項、第八十六条第二項、第八十九条第一項、第九十条の三第一項、第九十条の四、第百条の二第三項において準用する第九十四条第十一項、第百二条の二第二項及び第三項、第百四条の二において準用する第九十四条第十一項、第百十七条において準用する第十九条、第百十八条第一項及び第五項、第百十九条並びに第百二十三条第一項及び第三項の規定（第百三十八条第一項においてこれらの規定を準用する場合を含む。）により処理することとされている事務

二 市町村が第十二条第二項、第十四条第一項及び第三項、第二十四条第二項、第二十六条の二第二項、第三十四条の四第二項、第三十六条第四項、第三十六条の二第三項、第四十二条第二項及び第三項（第四十五条第三項及び第四十七条の四第二項においてこれらの規定を準用する場合を含む。）、第四十五条第二項、第百二条の二第一項、第百十八条第二項及び第三項、第百二十二条第一項及び第三項、第百二十八条第一項、第百二十八条第二項において準用する第百二条の二第三項並びに第百二十八条第三項及び第四項の規定（第百三十八条第一項においてこれらの規定を準用する場合を含む。）により処理することとされている事務

〔追加・平成一一法八七、旧一三九条の二を改正し繰下・平成一一法一六〇、旧一三九条の三を改正し繰下・平成一三法一〇三、改正・平成一五法一三八〕

（特別区等の特例）
第一四〇条 この法律（第三条を除く。）の規定中市町村又は市町村長に関する規定は、都の特別区の存する区域にあつては特別区又は特別区長に、地方自治法第二百五十二条の十九第一項の指定都市にあつては当該市の区及び総合区又は区長及び総合区長に適用する。

〔改正・昭和三一法一四八・平成一一法八七・平成二三法三五・平成二六法四二〕

参照 【町村組合―自治法二八四～二九三

（政令への委任）
第一四〇条の二 この法律に特に定めるものの外、この法律の実施のため必要な手続その他の事項については、政令で定める。

〔追加・昭和四二法七四〕

第十二章　罰則

第一四一条 次の各号のいずれかに該当する場合は、一年以下の懲役又は五十万円以下の罰金に処する。

第一四一条 次の各号のいずれかに該当する場合は、一年以下の拘禁刑又は五十万円以下の罰金に処する。

一 第六十五条第一項第二号（第九十四条第六項（第百三十八条第一項において準用する場合を含む。）、第百二十四条第三項（第百三十八条第一項において準用する場合を含む。）において準用する第九十四条第六項又は第百三十八条第一項において準用する場合を含む。第百四十六条第一号において同じ。）の規定によつて、収用委員会に出頭を命ぜられた鑑定

人が虚偽の鑑定をしたとき。

二　第百三十七条の規定により秘密を守る義務がある者が、職務上知り得た秘密を漏らしたとき。

〔改正・平成一三法一〇三〕

第一四二条　第二十八条の三第一項（第百三十八条第一項において準用する場合（第六条に掲げる立木、建物その他土地に定着する物件を収用し、若しくは使用し、又は第七条に規定する土石砂れきを収用する場合に限る。）を含む。）の規定に違反した者は、六月以下の懲役又は三十万円以下の罰金に処する。

第一四二条　第二十八条の三第一項（第百三十八条第一項において準用する場合（第六条に掲げる立木、建物その他土地に定着する物件を収用し、若しくは使用し、又は第七条に規定する土石砂れきを収用する場合に限る。）を含む。）の規定に違反した者は、六月以下の拘禁刑又は三十万円以下の罰金に処する。

〔改正・昭和四二法七四・平成一三法一〇三〕

第一四三条　次の各号のいずれかに該当する者は、五十万円以下の罰金に処する。

一　第十一条第一項に規定する場合において、都道府県知事の許可を受けないで土地に立ち入り、又は立ち入らせた起業者

二　第十三条（第三十五条第三項又は第百三十八条第一項において準用する第三十五条第三項において準用する場合を含む。）の規定に違反して第十一条第三項の規定による立入りを拒み、又は妨げた者

三　第十四条第一項に規定する場合において、市町村長の許可を受けないで障害物を伐除した者又は都道府県知事の許可を受けないで土地に試掘等を行つた者

四　第百二条（第百三十八条第一項において準用する場合を含む。）の規定に違反して、土地若しくは物件を引き渡さず、又は物件を移転しない者

五　第百三十九条第二項の規定に違反して、土地を引き渡さない者

〔改正・昭和二八法一九九・昭和四二法七四・平成一三法一〇三〕

第一四四条　第六十五条第一項第三号（第九十四条第六項（第百三十八条第一項において準用する場合を含む。）、第百二十四条第三項（第百三十八条第一項において準用する場合を含む。）において準用する第九十四条第六項又は第百三十八条第一項において準用する場合を含む。）の規定による実地調査を拒み、妨げ、又は忌避した者は、三十万円以下の罰金に処する。

〔改正・平成一三法一〇三〕

第一四五条　法人の代表者又は法人若しくは人の代理人、使用人その他の従業者が、その法人又は人の業務に関し、前三条の違反行為をしたときは、行為者を罰するほか、その法人又は人に対して各本条の罰金刑を科する。

〔改正・平成一三法一〇三〕

第一四六条　次の各号のいずれかに該当する場合は、十万円以下の過料に処する。

一　第六十五条第一項第二号の規定により出頭を命ぜられた鑑定人が、正当の事由がなくて出頭せず、又は鑑定をしないとき。

二　第六十五条第一項第一号（第九十四条第六項（第百三十八条第一項において準用する場合を含む。）、第百二十四条第三項（第百三十八条第一項において準用する場合を含む。）において準用する第九十四条第六項又は第百三十八条第一項において準用する場合を含む。次号において同じ。）の規定により出頭を命ぜられた者が、正当の事由がなくて出頭せず、陳述せず、又は虚偽の陳述をしたとき。

三　第六十五条第一項第一号の規定により資料の提出を命ぜられた者が、正当の事由がなくて資料を提出せず、又は虚偽の資料を提出したとき。

〔改正・平成一三法一〇三〕

参照　【過料―非訟事件手続法一一九～一二二】

附　則

この法律の施行期日は、公布の日から起算して一年をこえない期間内において、政令で定める。

〔昭和二六政三四二により、昭和二六・一二・一から施行〕

附　則〔抄〕〔昭和二七・七・一五法律二三一〕

改正　令和三・六法六五

（施行期日）

第一条　この法律は、公布の日から施行する。〔以下略〕

附　則〔抄〕〔昭和二九・三・三一法律五一〕

1　この法律は、昭和二十九年四月一日から施行する。

20　この法律の施行前にした行為に対する罰則の適用については、なお従前の例による。

附　則〔昭和三一・五・一四法律一〇三〕

（施行期日）

1　この法律は、公布の日から施行する。

（経過規定）

2　この法律による改正後の土地収用法第十七条第一項第三号の規定は、この法律の施行前に都道府県知事に対して認定の申請があつた事業については、適用しない。

3　建設大臣が、この法律による改正前の土地収用法第二十四条第一項の規定により、起業地が所在する市町村の長に対して事業認定申請書及びその添附書類の写を送付したときは、都道府県知事に対する当該事業認定申請書及びその添附書類の写の送付については、この法律による改正後の土地収用法第二十四条第三項及び第二十六条第三項の規定にかかわらず、なお従前の例による。

4　この法律の施行前にした収用委員会に対する裁決の申請に係る手数料の額については、なお従前の例による。

附　則〔昭和三一・六・一二法律一四八〕

1　この法律は、地方自治法の一部を改正する法律（昭和三十一年法律第百四十七号）の施行の日〔昭和三一・九・一〕から施行する。

2　この法律の施行の際海区漁業調整委員会の委員又は農業委員会の委員の職にある者の兼業禁止及びこの法律の施行に伴う都道府県又は都道府県知事若しくは都道府県の委員会その他の機関が処理し、又は管理し、及び執行している事務の地方自治法第二百五十二条の十九第一項の指定都市（以下「指定都市」という。）又は指定都市の市長若しくは委員会その他の機関への引継に関し必要な経過措置は、それぞれ地方自治法の一部を改正する法律（昭和三十一年法律第百四十七号）附則第四項及び第九項から第十五項までに定めるところによる。

附　則〔抄〕〔昭和三四・四・二〇法律一四八〕

（施行期日）

1　この法律は、国税徴収法（昭和三十四年法律第百四十七号）の施行の日〔昭和三五・一・一〕から施行する。

（公課の先取特権の順位の改正に関する経過措置）

7　第二章の規定による改正後の各法令（徴収金の先取特権の順位に係る部分に限る。）の規定は、この法律の施行後に国税徴収法第二条第十二号に規定する強制換価手続による配当手続が開始される場合について適用し、この法律の施行前に当該配当手続が開始されている場合における当該法令の規定に規定する徴収金の先取特権の順位については、なお従前の例による。

附　則〔略〕〔昭和三六・一一・一三法律二二八〕

附　則〔略〕〔昭和三七・九・八法律一五二〕

附　則〔抄〕〔昭和三七・九・一五法律一六一〕

1　この法律は、昭和三十七年十月一日から施行する。

2　この法律による改正後の規定は、この附則に特別の定めがある場合を除き、この法律の施行前にされた行政庁の処分、この法律の施行前にされた申請に係る行政庁の不作為その他この法律の施行前に生じた事項についても適用する。ただし、この法律による改正前の規定によつて生じた効力を妨げない。

3　この法律の施行前に提起された訴願、審査の請求、異議の申立てその他の不服申立て（以下「訴願等」という。）については、この法律の施行後も、なお従前の例による。この法律の施行前にされた訴願等の裁決、決定その他の処分（以下「裁決等」という。）又はこの法律の施行前に提起された訴願等につきこの法律の施行後にされる裁決等にさらに不服がある場合の訴願等についても、同様とする。

4　前項に規定する訴願等で、この法律の施行後は行政不服審査法による不服申立てをすることができることとなる処分に係るものは、同法以外の法律の適用については、行政不服審査法による不服申立てとみなす。

5　第三項の規定によりこの法律の施行後にされる審査の請求、異議の申立てその他の不服申立ての裁決等については、行政不服審査法による不服申立てをすることができない。

6　この法律の施行前にされた行政庁の処分で、この法律による改正前の規定により訴願等をすることができるものとされ、かつ、その提起期間が定められていなかつたものについて、行政不服審査法による不服申立てをすることができる期間は、この法律の施行の日から起算する。

8　この法律の施行前にした行為に対する罰則の適用については、なお従前の例による。

9　前八項に定めるもののほか、この法律の施行に関して必要な経過措置は、政令で定める。

附　則〔略〕〔昭和三八・七・一六法律一五二〕

附　則〔抄〕〔昭和三九・七・三法律一四一〕

（施行期日）

1　この法律は、公布の日から施行する。

（土地収用法の一部改正に伴う経過措置）

2　この法律による改正後の土地収用法第五十二条第四項の規定は、この法律の施行の際現に地方公共団体の議会の議員又は地方公共団体の長若しくは常勤の職員と兼ねている収用委員会の委員又は予備委員については、その任期が満了するまでの間は、適用しない。この場合において、委員の除斥については、同法第六十一条の改正規定にかかわらず、なお従前の例による。

附　則〔略〕〔昭和三九・七・一〇法律一六八〕

附　則〔略〕〔昭和三九・七・一一法律一七〇〕

附　則〔略〕〔昭和四二・七・二〇法律七三〕

附　則〔略〕〔昭和四二・七・二一法律七四〕

附　則〔略〕〔昭和四三・五・一七法律五一〕

附　則〔略〕〔昭和四三・五・二九法律七三〕

附　則〔略〕〔昭和四三・六・一五法律一〇一〕

附　則〔略〕〔昭和四四・六・二三法律五〇〕

附　則〔略〕〔昭和四四・七・一法律五七〕

附　則〔略〕〔昭和四四・七・一八法律六四〕

附　則〔抄〕〔昭和四五・四・一法律一三〕

（施行期日）

第一条　この法律は、公布の日から施行する。

（土地収用法の一部改正に伴う経過措置）

第二条　土地収用法第九十条の三第二項及び第九十条の四（これらの規定を同法第百三十八条第一項において準用する場合を含む。）に規定する加算金又は過怠金でこれらの規定に規定する遅滞した期間又は怠つた期間の初日がこの法律の施行の日（以下「施行日」という。）前にあるものの額の計算については、なお従前の例による。

附　則〔抄〕〔昭和四五・六・一法律一〇九〕

（施行期日）

1　この法律は、公布の日から起算して一年をこえない範囲内において政令で定める日から施行する。

〔昭和四五政二七〇により、昭和四六・一・一から施行〕

17　この法律の施行の際現に改正前の都市計画法第二章の規定による都市計画において定められている用途地域、住居専用地区若しくは工業専用地区又は空地地区若しくは容積地区に関しては、この法律の施行の日から起算して三年を経過する日までの間は、この法律による改正前の次の各号に掲げる法律の規定は、なおその効力を有する。

一・二〔略〕

三　土地収用法

四～九〔略〕

附　則〔略〕〔昭和四五・一二・二五法律一三七〕

附　則〔略〕〔昭和四五・一二・二五法律一四一〕

附　則〔略〕〔昭和四六・四・三法律三五〕

附　則〔略〕〔昭和四七・六・三法律五二〕

附　則〔略〕〔昭和四七・六・二二法律八五〕

附　則〔略〕〔昭和四七・六・二六法律一〇五〕

附　則〔略〕〔昭和四九・五・二法律四三〕

附　則〔略〕〔昭和五一・六・一六法律六八〕

附　則〔略〕〔昭和五四・三・三〇法律五〕

附　則〔略〕〔昭和五六・五・二二法律四八〕

附　則〔略〕〔昭和五八・五・二七法律五九〕

附　則〔略〕〔昭和五八・一二・三法律八二〕

附　則〔略〕〔昭和五九・五・一法律二三〕

附　則〔略〕〔昭和五九・八・一〇法律七一〕

附　則〔略〕〔昭和五九・一二・二五法律八七〕

附　則〔略〕〔昭和六〇・六・八法律五六〕

附　則〔抄〕〔昭和六一・一二・四法律九三〕

（施行期日）

第一条　この法律は、昭和六十二年四月一日から施行する。〔以下略〕

（土地収用法の一部改正に伴う経過措置）

第三八条　この法律の施行前に地方鉄道業者がした事業の認定の申請につきその事業の認定に関する処分を行う機関については、第百五十七条の規定による改正後の土地収用法第十七条第一項及び第二項の規定にかかわらず、なお従前の例による。

（政令への委任）

第四二条　附則第二条から前条までに定めるもののほか、この法律の施行に関し必要な事項は、政令で定める。

附　則〔略〕（昭和六三・五・一七法律四四）

附　則〔略〕（昭和六三・一二・一三法律九一）

附　則〔略〕（平成元・一二・一九法律八三）

附　則〔略〕（平成元・一二・二二法律九一）

附　則〔略〕（平成三・四・二六法律四五）

附　則〔略〕（平成四・四・二法律二八）

附　則〔略〕（平成四・六・三法律六七）

附　則〔抄〕（平成四・六・二六法律八二）

（施行期日）

第一条　この法律は、公布の日から起算して一年を超えない範囲内において政令で定める日から施行する。

（平成五政一六九により、平成五・六・二五から施行）

（屋外広告物法等の一部改正に伴う経過措置）

第一八条　この法律の施行の際現に旧都市計画法の規定により定められている都市計画区域内の用途地域に関しては、この法律の施行の日から起算して三年を経過する日までの間は、この法律による改正前の次に掲げる法律の規定は、なおその効力を有する。

一　〔略〕

二　土地収用法

三～六　〔略〕

附　則〔抄〕（平成五・一一・一二法律八九）

（施行期日）

第一条　この法律は、行政手続法（平成五年法律第八十八号）の施行の日（平成六・一〇・一）から施行する。

（諮問等がされた不利益処分に関する経過措置）

第二条　この法律の施行前に法令に基づき審議会その他の合議制の機関に対し行政手続法第十三条に規定する聴聞又は弁明の機会の付与の手続その他の意見陳述のための手続に相当する手続を執るべきことの諮問その他の求めがされた場合においては、当該諮問その他の求めに係る不利益処分の手続に関しては、この法律による改正後の関係法律の規定にかかわらず、なお従前の例による。

（罰則に関する経過措置）

第一三条　この法律の施行前にした行為に対する罰則の適用については、なお従前の例による。

（聴聞に関する規定の整理に伴う経過措置）

第一四条　この法律の施行前に法律の規定により行われた聴聞、聴問若しくは聴聞会（不利益処分に係るものを除く。）又はこれらのための手続は、この法律による改正後の関係法律の相当規定により行われたものとみなす。

（政令への委任）

第一五条　附則第二条から前条までに定めるもののほか、この法律の施行に関して必要な経過措置は、政令で定める。

附　則〔略〕（平成六・七・一法律八四）

附　則〔略〕（平成七・四・二一法律七五）

附　則〔略〕（平成七・五・八法律八七）

附　則〔略〕（平成八・三・三一法律二三）

附　則〔略〕（平成八・五・一五法律三九）

附　則〔略〕（平成八・五・二九法律五二）

附　則〔略〕（平成八・六・一四法律八二）

附　則〔略〕（平成九・五・九法律四五）

附　則〔略〕（平成一〇・五・二〇法律六二）

附　則〔略〕（平成一一・五・二一法律五〇）

附　則〔略〕（平成一一・六・一一法律七〇）

附　則〔略〕（平成一一・六・一六法律七六）

附　則〔抄〕（平成一一・七・一六法律八七）

（施行期日）

第一条　この法律は、平成十二年四月一日から施行する。ただし、次の各号に掲げる規定は、当該各号に定める日から施行する。

一　〔前略〕附則〔中略〕第百六十条、第百六十三条、第百六十四条並びに第二百二条の規定　公布の日

二～六　〔略〕

（土地収用法の一部改正に伴う経過措置）

第一二八条　施行日前にした第四百十三条の規定による改正前の土地収用法第二十七条第三項の規定による命令は、第四百十三条の規定による改正後の土地収用法第二十七条第三項の規定による指示とみなす。

2　施行日前にした都道府県知事に対する事業の認定の申請並びに収用委員会に対する裁決の申請及び協議の確認の申請に係る手数料の額については、なお従前の例による。

3　施行日前に都道府県知事がした事業の認定についての建設大臣に対する審査請求については、なお従前の例による。

（国等の事務）

第一五九条　この法律による改正前のそれぞれの法律に規定するもののほか、この法律の施行前において、地方公共団体の機関が法律又はこれに基づく政令により管理し又は執行する国、他の地方公共団体その他公共団体の事務（附則第百六十一条において「国等の事務」という。）は、この法律の施行後は、地方公共団体が法律又はこれに基づく政令により当該地方公共団体の事務として処理するものとする。

（処分、申請等に関する経過措置）

第一六〇条　この法律（附則第一条各号に掲げる規定については、当該各規定。以下この条及び附則第百六十三条において同じ。）の施行前に改正前のそれぞれの法律の規定によりされた許可等の処分その他の行為（以下この条において「処分等の行為」という。）又はこの法律の施行の際現に改正前のそれぞれの法律の規定によりされている許可等の申請その他の行為（以下この条において「申請等の行為」という。）で、この法律の施行の日においてこれらの行為に係る行政事務を行うべき者が異なることとなるものは、附則第二条から前条までの規定又は改正後のそれぞれの法律（これに基づく命令を含む。）の経過措置に関する規定に定めるものを除き、この法律の施行の日以後における改正後のそれぞれの法律の適用については、改正後のそれぞれの法律の相当規定によりされた処分等の行為又は申請等の行為とみなす。

2　この法律の施行前に改正前のそれぞれの法律の規定により国又は地方公共団体の機関に対し報告、届出、提出その他の手続をしなければならない事項で、この法律の施行の日前にその手続がされていないものについては、この法律及びこれに基づく政令に別段の定めがあるもののほか、これを、改正後のそれぞれの法律の相当規定により国又は地方公共団体の相当の機関に対して報告、届出、提出その他の手続をしなければならない事項についてその手続がされていないものとみなして、この法律による改正後のそれぞれの法律の規定を適用する。

（不服申立てに関する経過措置）

第一六一条　施行日前にされた国等の事務に係る処分であって、当該処分をした行政庁（以下この条において「処分庁」という。）に施行日前に行政不服審査法に規定する上級行政庁（以下この条において「上級行政庁」という。）があったものについての同法による不服申立てについては、施行日以後においても、当

該処分庁に引き続き上級行政庁があるものとみなして、行政不服審査法の規定を適用する。この場合において、当該処分庁の上級行政庁とみなされる行政庁は、施行日前に当該処分庁の上級行政庁であった行政庁とする。

２　前項の場合において、上級行政庁とみなされる行政庁が地方公共団体の機関であるときは、当該機関が行政不服審査法の規定により処理することとされる事務は、新地方自治法第二条第九項第一号に規定する第一号法定受託事務とする。

（手数料に関する経過措置）

第百六十二条　施行日前においてこの法律による改正前のそれぞれの法律（これに基づく命令を含む。）の規定により納付すべきであった手数料については、この法律及びこれに基づく政令に別段の定めがあるもののほか、なお従前の例による。

（罰則に関する経過措置）

第百六十三条　この法律の施行前にした行為に対する罰則の適用については、なお従前の例による。

（その他の経過措置の政令への委任）

第百六十四条　この附則に規定するもののほか、この法律の施行に伴い必要な経過措置（罰則に関する経過措置を含む。）は、政令で定める。

２　〔略〕

附　則〔略〕〔平成一一・七・二二法律一〇七〕

附　則〔抄〕〔平成一一・一二・八法律一五一〕

（施行期日）

第一条　この法律は、平成十二年四月一日から施行する。〔以下略〕

（経過措置）

第三条　民法の一部を改正する法律（平成十一年法律第百四十九号）附則第三条第三項の規定により従前の例によることとされる準禁治産者及びその保佐人に関するこの法律による改正規定の適用については、次に掲げる改正規定を除き、なお従前の例による。

一～十五　〔略〕

十六　第六十七条中土地収用法第五十四条の改正規定

十七～二十五　〔略〕

第四条　この法律の施行前にした行為に対する罰則の適用については、なお従前の例による。

附　則〔略〕〔平成一一・一二・二二法律一六〇〕

附　則〔抄〕〔平成一二・三・三一法律一六〕

（施行期日）

第一条　この法律〔中略〕は平成十四年三月三十一日〔中略〕から施行する。

（土地収用法の一部改正に伴う経過措置）

第十五条　地方公共団体又は機構が附則第二条の規定によりなおその効力を有することとされる場合及び同条の規定によりなお従前の例によることとされる場合における旧復旧法によって行う客土事業又は復旧工事の施行に伴い設置する用排水機若しくは地下水源の利用に関する設備に関する事業は、土地収用法第三条の土地を収用し、又は使用することができる公共の利益となる事業とみなす。

附　則〔略〕〔平成一二・五・一九法律七三〕

附　則〔略〕〔平成一二・六・七法律一一一〕

附　則〔略〕〔平成一三・六・二九法律九二〕

附　則〔抄〕〔平成一三・七・一一法律一〇三〕

（施行期日）

第一条　この法律は、公布の日から起算して一年を超えない範囲内において政令で定める日から施行する。

〔平成一四政一八三により、平成一四・七・一〇から施行〕

（経過措置）

第二条　この法律による改正後の土地収用法（以下この条及び次条において「新法」という。）第十五条の十四、第十八条第二項第七号、第二十三条第一項、第二十五条の二及び第二十六条第一項の規定は、この法律の施行後に新法第十八条第一項の規定により申請がされた事業の認定の手続について適用し、この法律の施行前にこの法律による改正前の土地収用法（次条において「旧法」という。）第十八条第一項の規定により申請があった事業の認定の手続については、なお従前の例による。

第三条　この法律の施行前にされた旧法第二十条又は第二十六条第一項の規定による事業の認定又は事業の認定の告示及び前条の規定によりなお従前の例によることとされる場合における事業の認定又は事業の認定の告示は、それぞれ、新法第二十条又は第二十六条第一項の規定によりされた事業の認定又は事業の認定の告示とみなす。

第四条　前二条の規定は、土地収用法第五条に掲げる権利若しくは同法第六条に掲げる立木、建物その他土地に定着する物件を収用し、若しくは使用する場合又は同法第七条に規定する土石砂れきを収用する場合に準用する。

第五条　この法律の施行前にした行為に対する罰則の適用については、なお従前の例による。

（検討）

第六条　政府は、公共の利益の増進と私有財産との調整を図りつつ公共の利益となる事業を実施するためには、その事業の施行について利害関係を有する者等の理解を得ることが重要であることにかんがみ、事業に関する情報の公開等その事業の施行についてこれらの者の理解を得るための措置について、総合的な見地から検討を加えるものとする。

附　則〔略〕〔平成一四・五・二九法律四五〕

附　則〔抄〕〔平成一四・七・三一法律九八〕

（施行期日）

第一条　この法律は、公社法（日本郵政公社法）の施行の日〔平成一五・四・一〕から施行する。ただし、次の各号に掲げる規定は、当該各号に定める日から施行する。

一　〔前略〕附則〔中略〕第三十九条の規定　公布の日

二　〔略〕

（罰則に関する経過措置）

第三十八条　施行日前にした行為並びにこの法律の規定によりなお従前の例によることとされる場合及びこの附則の規定によりなおその効力を有することとされる場合における施行日以後にした行為に対する罰則の適用については、なお従前の例による。

（その他の経過措置の政令への委任）

第三十九条　この法律に規定するもののほか、公社法及びこの法律の施行に関し必要な経過措置（罰則に関する経過措置を含む。）は、政令で定める。

附　則〔平成一四・七・三一法律一〇〇〕

（施行期日）

第一条　この法律は、民間事業者による信書の送達に関する法律（平成十四年法律第九十九号）の施行の日〔平成一五・四・一〕から施行する。

（罰則に関する経過措置）

第二条　この法律の施行前にした行為に対する罰則の適用については、なお従前の例による。

（その他の経過措置の政令への委任）

第三条　前条に定めるもののほか、この法律の施行に関し必要な経過措置は、政令で定める。

附　則〔略〕〔平成一四・一二・四法律一三〇〕

附　則〔抄〕〔平成一四・一二・一一法律一四五〕

（施行期日）

第一条　この法律は、平成十五年十月一日から施行する。

（罰則の経過措置）

第三四条　この法律（附則第一条ただし書に規定する規定については、当該規定。以下この条において同じ。）の施行前にした行為及びこの附則の規定によりなお従前の例によることとされる事項に係るこの法律の施行後にした行為に対する罰則の適用については、なお従前の例による。

（政令への委任）

第三五条　この附則に規定するもののほか、機構の設立に伴い必要な経過措置その他この法律の施行に関し必要な経過措置は、政令で定める。

附　則〔略〕〔平成一四・一二・一三法律一六一〕

附　則〔略〕〔平成一四・一二・一八法律一八〇〕

附　則〔略〕〔平成一四・一二・一八法律一八二〕

附　則〔抄〕〔平成一四・一二・二〇法律一九一〕

（施行期日）

第一条　この法律は、平成十五年十月一日〔中略〕から起算して九月を超えない範囲内において政令で定める日から施行する。

〔平成一五政五一五により、平成一六・四・一から施行〕

（政令への委任）

第二七条　附則第二条から第九条まで、附則第十一条から第十三条まで、附則第十五条、附則第十八条、附則第二十一条及び前条に定めるもののほか、機構の設立に伴い必要な経過措置その他この法律の施行に関し必要な経過措置は、政令で定める。

附　則〔略〕〔平成一五・五・三〇法律五五〕

附　則〔略〕〔平成一五・六・一三法律八一〕

附　則〔略〕〔平成一五・六・一八法律九二〕

附　則〔略〕〔平成一五・六・二〇法律一〇〇〕

附　則〔略〕〔平成一五・七・二四法律一二五〕

附　則〔抄〕〔平成一五・八・一法律一三八〕

（施行期日）

第一条　この法律は、公布の日から起算して九月を超えない範囲内において政令で定める日から施行する。

〔平成一五政五四四により、平成一六・三・一から施行〕

（仲裁合意の方式に関する経過措置）

第二条　この法律の施行前に成立した仲裁合意の方式については、なお従前の例による。

附　則〔略〕〔平成一六・六・九法律八四〕

附　則〔抄〕〔平成一六・六・九法律一〇二〕

（施行期日）

第一条　この法律は、平成十八年三月三十一日までの間において政令で定める日から施行する〔以下略〕

〔平成一七政二〇〇により、平成一七・一〇・一から施行〕

（検討）

第二条　政府は、この法律の施行後十年以内に、日本道路公団等民営化関係法の施行の状況について検討を加え、その結果に基づいて必要な措置を講ずるものとする。

附　則〔略〕〔平成一六・六・一八法律一二四〕

附　則〔抄〕〔平成一六・一二・三法律一五五〕

（施行期日）

第一条　この法律は、公布の日から施行する。ただし、附則〔中略〕第十四条〔中略〕の規定は、平成十七年十月一日から施行する。

（政令への委任）

第一三条　この附則に定めるもののほか、機構の設立に伴い必要な経過措置その他この法律の施行に関し必要な経過措置は、政令で定める。

附　則〔平成一七・七・二六法律八七〕

この法律は、会社法の施行の日〔平成一八・五・一〕から施行する。〔以下略〕

会社法の施行に伴う関係法律の整備等に関する法律〔抄〕〔平成一七・七・二六法律八七〕

第十二章　罰則に関する経過措置及び政令への委任

（罰則に関する経過措置）

第五二七条　施行日前にした行為及びこの法律の規定によりなお従前の例によることとされる場合における施行日以後にした行為に対する罰則の適用については、なお従前の例による。

（政令への委任）

第五二八条　この法律に定めるもののほか、この法律の規定による法律の廃止又は改正に伴い必要な経過措置は、政令で定める。

附　則〔抄〕〔平成一七・一〇・二一法律一〇二〕

（施行期日）

第一条　この法律は、郵政民営化法の施行の日（平成一九・一〇・一）から施行する。〔以下略〕

（土地収用法の一部改正に伴う経過措置）

第八六条　この法律の施行前に発行された普通為替証書は、第四十六条の規定による改正後の土地収用法第百条の二第一項及び第二項の規定の適用については、同条第一項に規定する小切手等とみなす。

附　則〔略〕〔平成一八・五・一九法律四〇〕

附　則〔略〕〔平成一八・六・七法律五三〕

附　則〔抄〕〔平成二〇・三・三一法律八〕

（施行期日）

第一条　この法律は、平成二十年四月一日から施行する。〔以下略〕

（土地収用法の一部改正に伴う経過措置）

第一六条　研究所が新研究所法附則第九条第一項又は第十一条第一項に規定する業務の実施により設置する農業用道路、用水路、排水路、海岸堤防、かんがい用若しくは農作物の災害防止用のため池又は防風林その他これに準ずる施設に関する事業は、土地収用法第三条の土地を収用し、又は使用することができる公共の利益となる事業とみなす。

附　則〔略〕〔平成二〇・一二・一九法律九三〕

附　則〔略〕〔平成二二・一二・三法律六五〕

附　則〔略〕〔平成二三・三・三一法律九〕

附　則〔略〕〔平成二三・五・二法律三五〕

附　則〔略〕〔平成二三・五・二五法律五三〕

附　則〔略〕〔平成二三・八・三〇法律一一〇〕

附　則〔略〕〔平成二三・一二・一四法律一二四〕

附　則〔抄〕〔平成二四・三・三一法律二五〕

（施行期日）

第一条　この法律は、公布の日から施行する。ただし、次の各号に掲げる規定は、当該各号に定める日から施行する。

一　〔略〕

二　〔前略〕附則第七条及び第十六条の規定　公布の日から起算して一年三月を超えない範囲内において政令で定める日

〔平成二五政二〇一により、平成二五・六・三〇から施行〕

三～七　〔略〕

（政令への委任）

第二七条　この法律の施行に関し必要な経過措置は、政令で定める。

附　則〔抄〕〔平成二四・五・八法律三〇〕

（施行期日）

第一条　この法律は、公布の日から起算して一年を超えない範囲内において政令で定める日から施行する。ただし、〔中略〕附則第四十六条及び第四十七条の規定は、公布の日から施行する。

〔平成二四政二〇一により、平成二四・一〇・一から施行〕

（罰則に関する経過措置）

第四六条　この法律（附則第一条ただし書に規定する規定にあっては、当該規定）の施行前にした行為及びこの附則の規定によりなお従前の例によることとされる場合におけるこの法律の施行後にした行為に対する罰則の適用については、なお従前の例による。

（その他の経過措置の政令への委任）

第四七条　この附則に定めるもののほか、この法律の施行に関し必要な経過措置（罰則に関する経過措置を含む。）は、政令で定める。

附　則〔略〕〔平成二四・九・五法律七六〕

附　則〔略〕〔平成二五・六・一四法律四四施行〕

附　則〔略〕〔平成二五・一二・一三法律一一二〕

附　則〔略〕〔平成二六・五・三〇法律四二〕

附　則〔略〕〔平成二六・六・一三法律六七〕

附　則〔略〕〔平成二六・六・一三法律六九〕

附　則〔抄〕〔平成二六・六・一八法律七二〕

（施行期日）

第一条　この法律は、公布の日から起算して二年六月を超えない範囲内において政令で定める日から施行する。〔以下略〕

〔平成二七政二六七により、平成二八・四・一から施行〕

（土地収用法の一部改正に伴う経過措置）

第四七条　施行日前に旧一般電気事業者、旧卸電気事業者又は旧特定電気事業者がした事業の認定の申請につきその事業の認定に関する処分を行う機関については、前条の規定による改正後の土地収用法第十七条第一項及び第二項の規定にかかわらず、なお従前の例による。

附　則〔抄〕〔平成二八・一一・一六法律七六〕

（施行期日）

第一条　この法律は、公布の日から起算して二年を超えない範囲内において政令で定める日から施行する。〔以下略〕

〔平成三〇政一六五により、平成三〇・一一・一五から施行〕

附　則〔抄〕〔平成二九・五・一二法律二六〕

（施行期日）

第一条　この法律は、〔中略〕は、当該各号に定める日から施行する。

一　附則第二十五条の規定　公布の日

二　〔前略〕附則第三条第二項、第六条、第七条〔中略〕の規定　公布の日から起算して一年を超えない範囲内において政令で定める日

〔平成二九政一五五により、平成三〇・四・一から施行〕

（政令への委任）

第二五条　この附則に定めるもののほか、この法律の施行に関し必要な経過措置は、政令で定める。

附　則〔平成二九・六・二法律四五〕

この法律は、民法改正法の施行の日〔令和二・四・一〕から施行する。ただし、〔中略〕第三百六十二条の規定は、公布の日から施行する。

民法の一部を改正する法律の施行に伴う関係法律の整備等に関する法律〔抄〕〔平成二九・六・二法律四五〕

（土地収用法の一部改正に伴う経過措置）

第三一四条　施行日前に前条の規定による改正前の土地収用法（以下この条において「旧土地収用法」という。）第四十六条の四第一項（旧土地収用法第百三十八条第一項において準用する場合を含む。）に規定する補償金の支払義務、旧土地収用法第九十五条第一項（旧土地収用法第百三十八条第一項において準用する場合を含む。）に規定する補償金等の払渡し若しくは替地の譲渡及び引渡しの義務又は旧土地収用法第九十七条第一項（旧土地収用法第百三十八条第一項において準用する場合を含む。）に規定する補償金の払渡しの義務が生じた場合におけるこれらの補償金、補償金等又は替地の供託については、なお従前の例による。

（罰則に関する経過措置）

第三六一条　施行日前にした行為及びこの法律の規定によりなお従前の例によることとされる場合における施行日以後にした行為に対する罰則の適用については、なお従前の例による。

（政令への委任）

第三六二条　この法律に定めるもののほか、この法律の施行に伴い必要な経過措置は、政令で定める。

附　則〔略〕〔令和二・六・一二法律四九〕

附　則〔略〕〔令和三・六・一一法律六三〕

附　則〔略〕〔令和三・六・一一法律六五〕

附　則〔抄〕〔令和四・五・二〇法律四六〕

（施行期日）

第一条　この法律は、〔中略〕は、当該各号に定める日から施行する。

一　附則第三十二条の規定　公布の日

二　〔前略〕附則〔中略〕第十五条の規定〔中略〕　公布の日から起算して六月を超えない範囲内において政令で定める日

〔令和四政三四七により、令和四・一一・一四から施行〕

三　〔略〕

（政令への委任）

第三二条　この附則に規定するもののほか、この法律の施行に伴い必要な経過措置（罰則に関する経過措置を含む。）は、政令で定める。

附　則〔抄〕〔令和四・六・一七法律六八〕

（施行期日）

1　この法律は、刑法等一部改正法〔令和四年法律第六十七号〕施行日〔令和七・六・一〕から施行する。ただし、次の各号に掲げる規定は、当該各号に定める日から施行する。

一　第五百九条の規定　公布の日

二　〔略〕

刑法等の一部を改正する法律の施行に伴う関係法律の整理等に関する法律〔抄〕〔令和四・六・一七法律六八〕

（罰則の適用等に関する経過措置）

第四四一条　刑法等の一部を改正する法律（令和四年法律第六十七号。以下「刑法等一部改正法」という。）及びこの法律（以下「刑法等一部改正法等」という。）の施行前にした行為の処

罰については、次章に別段の定めがあるもののほか、なお従前の例による。

2　刑法等一部改正法等の施行後にした行為に対して、他の法律の規定によりなお従前の例によることとされ、なお効力を有することとされ又は改正前若しくは廃止前の法律の規定の例によることとされる罰則を適用する場合において、当該罰則に定める刑（刑法施行法第十九条第一項の規定又は第八十二条の規定による改正後の沖縄の復帰に伴う特別措置に関する法律第二十五条第四項の規定の適用後のものを含む。）に刑法等一部改正法第二条の規定による改正前の刑法（明治四十年法律第四十五号。以下この項において「旧刑法」という。）第十二条に規定する懲役（以下「懲役」という。）、旧刑法第十三条に規定する禁錮（以下「禁錮」という。）又は旧刑法第十六条に規定する拘留（以下「旧拘留」という。）が含まれるときは、当該刑のうち無期の懲役又は禁錮はそれぞれ無期拘禁刑と、有期の懲役又は禁錮はそれぞれその刑と長期及び短期（刑法施行法第二十条の規定の適用後のものを含む。）を同じくする有期拘禁刑と、旧拘留は長期及び短期（刑法施行法第二十条の規定の適用後のものを含む。）を同じくする拘留とする。

（裁判の効力とその執行に関する経過措置）

第四四二条　懲役、禁錮及び旧拘留の確定裁判の効力並びにその執行については、次章に別段の定めがあるもののほか、なお従前の例による。

（人の資格に関する経過措置）

第四四三条　懲役、禁錮又は旧拘留に処せられた者に係る人の資格に関する法令の規定の適用については、無期の懲役又は禁錮に処せられた者はそれぞれ無期拘禁刑に処せられた者と、有期の懲役又は禁錮に処せられた者はそれぞれ刑期を同じくする有期拘禁刑に処せられた者と、旧拘留に処せられた者は拘留に処せられた者とみなす。

2　拘禁刑又は拘留に処せられた者に係る他の法律の規定によりなお従前の例によることとされ、なお効力を有することとされ又は改正前若しくは廃止前の法律の規定の例によることとされる人の資格に関する法令の規定の適用については、無期拘禁刑に処せられた者は無期禁錮に処せられた者と、有期拘禁刑に処せられた者は刑期を同じくする有期禁錮に処せられた者と、拘留に処せられた者は刑期を同じくする旧拘留に処せられた者とみなす。

（経過措置の政令への委任）

第五〇九条　この編に定めるもののほか、刑法等一部改正法等の施行に伴い必要な経過措置は、政令で定める。

附　則〔略〕〔令和五・五・二六法律三四〕

附　則〔抄〕〔令和五・六・七法律四七〕

（施行期日）

第一条　この法律は、国立健康危機管理研究機構法（令和五年法律第四十六号）の施行の日〔令和七・四・一〕（以下「施行日」という。）から施行する。ただし、附則第五条の規定は、公布の日から施行する。

（罰則に関する経過措置）

第四条　この法律の施行前にした行為及び前条の規定によりなお従前の例によることとされる場合におけるこの法律の施行後にした行為に対する罰則の適用については、なお従前の例による。

（政令への委任）

第五条　前三条に定めるもののほか、この法律の施行に関し必要な経過措置は、政令で定める。

附　則〔抄〕〔令和五・六・一四法律五三〕

この法律は、公布の日から起算して五年を超えない範囲内において政令で定める日から施行する。ただし、次の各号に掲げる規定は、当該各号に定める日から施行する。

一　〔前略〕第三百八十八条の規定　公布の日

二　〔前略〕第三十七条の規定〔中略〕並びに第三百八十七条の規定　公布の日から起算して二年六月を超えない範囲内において政令で定める日

三　〔略〕

民事関係手続等における情報通信技術の活用等の推進を図るための関係法律の整備に関する法律〔令和五・六・一四法律五三〕

〔抄〕

（罰則に関する経過措置）

第三八七条　この法律（附則第二号及び第三号に掲げる規定については、当該各規定）の施行前にした行為並びにこの法律の規定によりなお従前の例によることとされる場合及びなおその効力を有することとされる場合におけるこの法律の施行後にした行為に対する罰則の適用については、なお従前の例による。

（政令への委任）

第三八八条　この法律に定めるもののほか、この法律の施行に関し必要な経過措置は、政令で定める。

（検討）

第三八九条　政府は、この法律の施行後五年を経過した場合において、この法律による改正後の民事執行法その他の法律の規定の施行の状況について検討を加え、必要があると認めるときは、その結果に基づいて所要の措置を講ずるものとする。

○土地収用法施行令

〔昭和二六・一〇・二七
政令三四二〕

改正　昭和二八・八政一八二、昭和三一・六政一九三、昭和三七・九政三九一、昭和三九・一政五、一一政三五六、昭和四二・一一政三四五、昭和四九・一二政三八八、昭和五〇・九政二六五、昭和五三・四政一四〇、昭和五五・八政二三一、昭和五九・五政一三九、六政一八二、昭和六〇・九政二六四、昭和六二・三政五七、平成元・三政七二、平成三・三政二五、平成六・三政六九、平成九・三政七四、一一政三三三、平成一一・一一政三五二、平成一二・二政三七、三政一二二、六政三一二、平成一四・五政一八四、七政二四八、一二政三八六、平成一五・一二政五二三、政五四五、平成一六・一〇政三一二、平成一七・三政六〇、令和元・一二政一八三

注　令和六年三月三〇日政令第一五〇号の改正は、令和四年五月二五日から起算して四年を超えない範囲内において政令で定める日から施行のため、改正を加えてありません。

（土地収用法の施行期日）
第一条　土地収用法（以下「法」という。）の施行期日は、昭和二十六年十二月一日とする。

（あつせん申請書）
第一条の二　法第十五条の二第一項の規定によりあつせんの申請をしようとする者は、次に掲げる事項を記載したあつせん申請書の正本一部及びその写し二部を都道府県知事に提出しなければならない。
一　申請者の氏名及び住所
二　相手方の氏名及び住所
三　申請の趣旨
四　事業の種類
五　紛争に係る土地等の所在地、種類及び数量の概数
六　紛争の問題点及び交渉経過の概要
七　その他あつせんを行うに参考となる事項

（あつせんの拒否の通知）
第一条の三　都道府県知事は、法第十五条の二第一項の規定による申請があつた場合において、当該紛争があつせんを行うに適しないと認めたときは、遅滞なく、あつせんに付さない旨を当該あつせんを申請した者に通知しなければならない。

（あつせんに付した旨の通知）
第一条の四　都道府県知事は、法第十五条の二第二項の規定によりあつせん委員のあつせんに付したときは、遅滞なく、その旨並びにあつせんに付した日及びあつせん委員の氏名を、当該あつせんの申請をした者及びその相手方に通知しなければならない。

（委員長）
第一条の五　あつせん委員は、委員長を互選しなければならない。
2　委員長は、あつせん委員の会議を主宰し、あつせん委員を代表する。
3　あつせん委員の会議は、委員長が召集する。
4　委員長に事故があるときは、委員長の指定するあつせん委員がその職務を代理する。

（あつせん案の作成）
第一条の六　あつせん案の作成は、あつせん委員全員の一致により行うものとする。

（あつせんの打切りの通知）
第一条の七　都道府県知事は、法第十五条の五の規定によるあつせんの打切りについての報告を受けたときは、遅滞なく、あつせんが打ち切られた旨を、当該あつせんの申請をした者及びその相手方に通知しなければならない。

（仲裁申請書）
第一条の七の二　法第十五条の七第一項の規定により仲裁の申請をしようとする関係当事者の双方は、共同して、次に掲げる事項を記載した仲裁申請書を作成し、正本一部及び写し一部を都道府県知事に提出しなければならない。
一　申請者の氏名及び住所
二　申請の趣旨
三　事業の種類
四　紛争に係る土地等を特定するに足りる事項
五　前号の土地等の取得に関して関係当事者間において成立した合意（当該土地等の取得に際しての対償に関するものを除く。）の内容
六　紛争に係る交渉経過の概要その他仲裁を行うに参考となる事項
2　仲裁合意を証する書面があるときは、前項の仲裁申請書に当該書面又はその写しを添付しなければならない。

（仲裁委員の氏名の通知）
第一条の七の三　都道府県知事は、法第十五条の八の規定により仲裁委員を任命したときは、遅滞なく、仲裁委員の氏名を当事者に通知しなければならない。

（仲裁の手続の非公開）
第一条の七の四　仲裁委員の行う仲裁の手続は、公開しない。

（仲裁に要する費用の負担）
第一条の七の五　仲裁委員は、法第百二十五条の二に規定する費用の概算額を、同条の規定により当該費用を負担すべき者に予納させるものとする。
2　仲裁委員は、前項の規定により予納を命じた場合においてその予納がないときは、法第百二十五条の二に規定する手続を行わないことができる。
3　法第百二十五条の二に規定する費用のうち次の各号に掲げるものの額は、当該各号に定めるところによる。
一　仲裁委員の旅費　条例で定めるところにより算出した額
二　鑑定人及び参考人の旅費及び手当　条例で定めるところにより算出した額
三　送付に要する費用その他必要な費用（前二号に掲げるものを除く。）実費

（図面の縦覧場所の通知）
第一条の八　国土交通大臣又は都道府県知事は、法第二十六条の二第一項（法第百三十八条第一項において準用する場合を含む。）の規定による通知をするときは、あわせて、法第二十六条第一項（法第百三十八条第一項において準用する場合を含む。以下同じ。）の規定により告示される図面の縦覧場所を通知しなければならない。

（著しく低い補償金の見積額）
第一条の八の二　法第三十六条の二第一項第一号（法第百三十八条第一項において準用する場合を含む。）の政令で定める額は、一万円とする。
2　法第三十六条の二第一項第二号（法第百三十八条第一項において準用する場合を含む。）の政令で定める額は、一万円とする。

（裁決手続開始の決定の通知）
第一条の九　収用委員会は、法第四十五条の二（法第百三十八条第一項において準用する場合を含む。以下同じ。）の規定により裁決手続の開始を決定したときは、直ちに、起業者にその旨を通知しなければならない。

（明渡裁決の申立てがあつた旨の通知）
第一条の一〇　収用委員会は、法第四十七条の二第三項（法第百三十八条第一項において準用する場合を含む。）の規定により土地所有者又は関係人が明渡裁決の申立てをしたときは、その旨を起業者に通知しなければならない。

（収用委員会の常勤委員）
第一条の一一　法第五十二条第七項ただし書の政令で定める都道府県は、東京都、大阪府及び兵庫県とする。

第一条の一二　削除

2　法第五十二条第七項ただし書の規定により常勤とすることができる委員は、各収用委員会につきそれぞれ一名とする。

（加算金等の額に端数が生じた場合の処理）
第一条の一三　法第九十条の三第二項（法第百三十八条第一項において準用する場合を含む。）又は法第九十条の四（法第百三十八条第一項において準用する場合を含む。）の規定により算定した加算金及び過怠金の額に一円未満の端数が生じたときは、これを四捨五入するものとする。

（差押えがある場合の通知）
第一条の一四　収用委員会は、次の各号の一に該当するときは、遅滞なく、その旨を当該差押えに係る配当機関（差押えに係る配当手続を実施すべき機関をいう。以下同じ。）に通知しなければならない。ただし、第二号に該当する場合において、収用し、又は使用しようとする土地、物件又はその他の権利について法第四十五条の二の規定による裁決手続開始の登記又は登録がまだされていないときは、その登記又は登録がされた後、遅滞な

く通知すれば足りる。

一　強制執行、担保権の実行としての競売（その例による競売を含むものとし、以下単に「競売」という。）又は滞納処分（国税徴収法（昭和三十四年法律第百四十七号）による滞納処分及びその例による滞納処分をいう。）による差押えがされている土地、物件又はその他の権利について、法第四十五条の二の規定による裁決手続開始の登記又は登録がされたとき。

二　前号の差押えがされている土地若しくは物件又は同号の差押えがされている権利の目的となつている土地若しくは物件について、法第七十六条第一項、法第七十八条（法第百三十八条第一項において準用する場合を含む。）、法第七十九条（法第百三十八条第一項において準用する場合を含む。）又は法第八十一条第一項の規定による請求があつたとき。

三　前二号の規定により通知した場合において、収用若しくは使用の裁決の申請を却下したとき、収用若しくは使用の手続が裁決に至らないで完結したとき、又は前号の請求を裁決において認めなかつたとき。

四　仮差押えの執行に係る土地、物件又はその他の権利について、法第四十五条の二の規定による裁決手続開始の登記又は登録がされた後強制執行又は競売による差押えがされた場合において、収用若しくは使用の裁決の申請を却下したとき、又は収用若しくは使用の手続が裁決に至らないで完結したとき。

（配当機関への補償金等の払渡し）

第一条の一五　起業者は、法第九十六条第一項（同条第五項（法第百三十八条第一項において準用する場合を含む。）又は法第百三十八条第一項において準用する場合を含む。以下同じ。）の規定により補償金等（法第七十一条、法第七十二条、法第七十四条、法第七十五条、法第七十七条、法第八十条、法第八十条の二、法第八十八条、法第九十条の三第二項又は法第九十条の四（法第百三十八条第一項においてこれらの規定を準用する場合を含む。）の規定により算定した補償金、加算金及び過怠金をいう。以下同じ。）を払い渡すときは、あわせて、国土交通省令で定める様式による補償金等払渡通知書及び裁決書の正本を提出しなければならない。

（補償金等の受領の効果）

第一条の一六　国税徴収法第百十六条第二項の規定は、法第九十六条第一項の規定により裁判所以外の配当機関が補償金等を受領した場合に準用する。

2　第一条の十八第一項の規定により供託すべき補償金等については、同条第二項において準用する国税徴収法施行令（昭和三十四年政令第三百二十九号）第五十条第二項に規定する支払委託書を発送したときに当該補償金等を受領したものとみなして、前項の規定を適用する。

（債権額の確認方法等）

第一条の一七　法第九十六条第一項の規定により裁判所以外の配当機関に補償金等が払い渡された場合においては、国税徴収法第百三十条第一項中「売却決定の日の前日」とあるのは「税務署長が指定した日」と、同条第三項中「売却決定の時」とあるのは「第一項の規定により税務署長が指定した日」と、同法第百三十一条中「換価財産の買受代金の納付の日」とあるのは「前条第一項の規定により指定した日」とする。

2　前項の規定により読み替えられた国税徴収法第百三十条第一項の規定により、又はその例により、日を指定するときは、同法第九十五条第二項及び第九十六条第二項の規定の例により、公告及び催告をしなければならない。

（起業者が不服を通知した場合の補償金等の取扱い等）

第一条の一八　法第九十六条第四項（同条第五項（法第百三十八条第一項において準用する場合を含む。）又は法第百三十八条第一項において準用する場合を含む。以下同じ。）の規定による通知がされた場合においては、裁判所以外の配当機関は、法第九十六条第一項の規定により払い渡された補償金等のうち起業者の見積り金額を超える部分に相当する金銭については、次の各号に掲げるいずれかの事由が生ずるまで、配当を実施せず、配当機関所在地の供託所にこれを供託するものとする。

一　起業者が補償金等の額について法第百三十三条第二項（法第百三十八条第一項において準用する場合を含む。以下同じ。）の規定による訴えを提起したことを証する書面が、法第百三十三条第二項に定める期間の経過後一週間以内に提出されないとき。

二　起業者が提起した前号の訴訟が終了したことを知つたとき。

2　国税徴収法施行令第五十条第二項及び第三項の規定は、前項の規定による供託をした場合において、同項各号に掲げるいずれかの事由が生じたときに準用する。

3　法第九十六条第四項の規定による通知をした起業者は、補償金等の額について、法第百三十三条第二項の訴えを提起しなかつたとき、同項に定める期間内に同項の訴えを提起したとき、又は起業者が提起した同項の訴訟が終了したときは、直ちに、国土交通省令で定めるところにより、配当機関にその旨を通知しなければならない。

（保全差押え等に係る補償金等の取扱い）

第一条の一九　裁判所以外の配当機関は、国税通則法（昭和三十七年法律第六十六号）第三十八条第三項、国税徴収法第百五十九条第一項又は地方税法（昭和二十五年法律第二百二十六号）第十六条の四第一項の規定による差押えに基づき法第九十六条第一項の規定による補償金等の払渡しを受けたときは、当該金銭を配当機関所在地の供託所に供託するものとする。

（仮差押えの執行に係る権利に対する補償金等の払渡し）

第一条の二〇　仮差押えの執行に係る権利に対する補償金等の支払いについての法第九十六条第一項に規定する配当手続を実施すべき機関は、当該権利の強制執行について管轄権を有する裁判所とする。

（補償金等の払渡しのための書留郵便等の発送期限）

第一条の二一　法第百条の二第一項（法第百三十八条第一項において準用する場合を含む。）の政令で定める一定の期間は、十三日とする。

（手数料）

第二条　法第百二十五条第一項（法第百三十八条第一項において準用する場合を含む。）の規定による手数料の額は、一件につき次のとおりとする。

一　法第十七条第一項（法第百三十八条第一項において準用する場合を含む。）の場合　四十四万四千九百円（情報通信技術を活用した行政の推進等に関する法律（平成十四年法律第百五十一号）第六条第一項の規定により同項に規定する電子情報処理組織を使用して申請する場合にあつては、四十四万二千五百円）

二　法第二十七条第一項（法第百三十八条第一項において準用する場合を含む。）の場合　十八万六千六百円

2　法第百二十五条第二項（法第百三十八条第一項において準用する場合を含む。）の政令で定める額は、一件につき次の表のとおりとする。

	納付しなければならない者	金額
一	法第十五条の二の規定によつてあつせんを申請する起業者	九万三千円
二	法第十五条の七の規定によつて仲裁を申請する起業者	十二万六千円
三	法第十八条（法第百三十八条第一項において準用する場合を含む。）の規定によつて都道府県知事に事業の認定を申請する者	十五万八千円
四	法第三十九条第一項（法第百三十八条第一項において準用する場合を含む。）の規定によつて収用又は使用の裁決を申請する者 イ　損失補償の見積額十万円以下の場合	五万六千四百円
	ロ　同　十万円を超え百万円以下の場合	五万六千四百円に損失補償の見積額の十万円を超える部分が五万円に達するごとに五千七百円を加えた金額
	ハ　同　百万円を超え五百万円以下の場合	十五万九千五百円に損失補償の見積額の百万円を超える部分が十万円に達するごとに七千百円を加えた金額
	ニ　同　五百万円を超え二千万円以下の場合	四十四万三千五百円に損失補償の見積額の五百万

		円を超える部分が百万円に達するごとに七千百円を加えた金額
	ホ　同　二千万円を超え一億円以下の場合	五十五万円に損失補償の見積額の二千万円を超える部分が四百万円に達するごとに一万円を加えた金額
	ヘ　同　一億円を超える場合	七十五万円
五	法第九十四条第二項（法第百二十四条第二項（法第百三十八条第一項において準用する場合を含む。）又は法第百三十八条第一項において準用する場合を含む。以下同じ。）の規定によつて損失補償の裁決を申請する者	
	イ　損失補償の見積額　五千円以下の場合	三千円
	ロ　同　五千円を超え五万円以下の場合	三千円に損失補償の見積額の五千円を超える部分が五千円に達するごとに二千六百円を加えた金額
	ハ　同　五万円を超え十万円以下の場合	二万六千四百円に損失補償の見積額の五万円を超える部分が一万円に達するごとに六千円を加えた金額
	ニ　同　十万円を超える場合	損失補償の見積額に応じて四の項ロからヘまでに掲げる場合と同様とする。
六	法第百十六条（法第百三十八条第一項において準用する場合を含む。）の規定によつて収用委員会の協議の確認を申請する者	二万六千円
七	他の法律の規定（八の項に掲げる法律の規定を除く。）によつて収用委員会の裁決を求める者	損失補償の見積額に応じて五の項の場合と同様とする。
八	次に掲げる法律の規定によつて収用委員会の裁決を求める者 イ　都市計画法（昭和四十三年法律第百号）第五十二条の四第二項（同法第五十七条の五及び密集市街地における防災街区の整備の促進に関する法律（平成九年法律第四十九号）第二百八十五条において準用する場合を含む。）及び第六十八条第三項において準用する都市計画法第二十八条第三項 ロ　都市再開発法（昭和四十四年法律第三十八号）第八十五条第一項 ハ　新都市基盤整備法（昭和四十七年法律第八十六号）第九条第五項（同法第二十条第六項において準用する場合を含む。） ニ　生産緑地法（昭和四十九年法律第六十八号）第十二条第四項において準用する同法第六条第六項 ホ　密集市街地における防災街区の整備の促進に関する法律第二百十八条第一項	損失補償の見積額に応じて五の項の場合と同じ方法で算出した金額の二分の一の金額とする。

3　前二項の場合において、同一の起業者が行う同一の事業に関して、法第二条又は法第五条から第七条までの規定のうちいずれか二以上の規定による収用又は使用のために事業の認定の申請、収用又は使用の裁決の申請若しくは協議の確認の申請を一の申請書によつて行う場合又は法第九十四条第二項の規定によつて損失補償の裁決を申請する場合は、それぞれ一件の申請とみなす。

第三条　削除

（書類の送達）

第四条　書類の送達は、収用委員会の庶務を処理する職員が、次のいずれかに掲げる方法により行う。

一　送達すべき書類を送達を受けるべき者に交付する方法

二　送達すべき書類を送達を受けるべき者に書留郵便又は民間事業者による信書の送達に関する法律（平成十四年法律第九十九号）第二条第六項に規定する一般信書便事業者若しくは同条第九項に規定する特定信書便事業者の提供する同条第二項に規定する信書便の役務のうち書留郵便に準ずるものとして国土交通大臣が定めるもの（第三項及び第六条において「書留郵便等」という。）によつて送達する方法

2　民事訴訟法（平成八年法律第百九号）第百二条、第百三条及び第百九条の規定は前項の規定によつて書類の送達を行う場合に、同法第百五条及び第百六条の規定は同項第一号又は第二号（書留郵便によつて送達する方法に係る部分に限る。）の規定によつて書類の送達を行う場合に、同法第百七条の規定はこの項において準用する同法第百六条の規定による送達ができなかつた場合にそれぞれ準用する。この場合において、同法第百二条第一項中「訴訟無能力者」とあるのは「未成年者（独立して法律行為をすることができる場合を除く。）又は成年被後見人」と、同法第百七条第一項中「裁判所書記官」とあるのは「収用委員会の庶務を処理する職員」と、「書留郵便又は民間事業者による信書の送達に関する法律（平成十四年法律第九十九号）第二条第六項に規定する一般信書便事業者若しくは同条第九項に規定する特定信書便事業者の提供する同条第二項に規定する信書便の役務のうち書留郵便に準ずるものとして最高裁判所規則で定めるもの」とあるのは「土地収用法施行令第四条第一項第二号に規定する書留郵便等」と、同法第百九条中「裁判所」とあるのは「収用委員会」と読み替えるものとする。

3　収用委員会の事務を処理する職員は、次の各号に掲げる場合には、当該各号に定める事項を送達を受けた者に通知しなければならない。

一　前項において準用する民事訴訟法第百六条第二項の規定による送達がされた場合　その旨

二　前項において準用する民事訴訟法第百七条第一項の規定による送達がされた場合　その旨及び書留郵便等に付して発送した時に書類の送達があつたものとみなされる旨

4　法第六十五条第一項（法第百三十八条第一項において準用する場合を含む。）の規定による出頭又は資料の提出の命令は、前三項に規定する送達の方法による。

第五条　収用委員会は、送達を受けるべき者の住所、居所その他送達すべき場所を確知することができない場合又は前条第二項の規定によることができない場合においては、公示送達を行うことができる。

2　公示送達は、送達すべき書類を送達を受けるべき者にいつでも交付する旨を都道府県の掲示場に掲示するとともに都道府県の公報に掲載して行うものとする。

3　収用委員会は、必要があると認めるときは、収用し、若しくは使用しようとする土地（法第五条に掲げる権利を収用し、又は使用する場合にあつては当該権利の目的であり、又は当該権利に関係のある土地、河川の敷地、海底、水又は立木、建物その他土地に定着する物件、法第六条に掲げる立木、建物その他土地に定着する物件を収用し、又は使用する場合にあつては立木、建物その他土地に定着する物件、法第七条に規定する土石砂れきを収用する場合にあつては土石砂れきの属する土地）の所在する市町村の長若しくは送達を受けるべき者の住所若しくはその者の最後の住所の属する市町村の長に対して公示送達があつた旨を掲示することを求め、又は公

示送達があつた旨を官報に掲載することができる。

4　市町村長は、前項の求めを受けた日から一週間以内に、当該市町村の掲示場に掲示しなければならない。

5　収用委員会が第二項の規定による掲示及び掲載をしたときは、その掲示を始めた日の翌日から起算して二十日を経過した時に送達があつたものとみなす。

（通知）

第六条　通知は、書面によつてしなければならない。但し、法第十四条第二項及び第三項並びに法第三十五条第二項（法第百三十八条第一項において準用する場合を含む。）の規定による通知は、口頭ですることができる。

2　法第十一条第四項、法第十二条第二項、法第二十六条第一項、法第二十七条第四項（法第百三十八条第一項において準用する場合を含む。）（都道府県知事に通知する場合を除く。）、法第二十八条（法第百三十八条第一項において準用する場合を含む。）、法第四十二条第一項（法第百三十八条第一項において準用する場合を含む。）、法第四十五条第一項（法第百三十八条第一項において準用する場合を含む。以下同じ。）（市町村長に通知する場合を除く。以下同じ。）、法第四十六条第二項（法第百三十八条第一項において準用する場合を含む。以下同じ。）、法第四十六条の四第三項（法第百三十八条第一項において準用する場合を含む。以下同じ。）、法第四十七条の四第一項（法第百三十八条第一項において準用する場合を含む。）、法第九十四条第五項（法第百三十八条第一項において準用する場合を含む。以下同じ。）、法第百二条の二第三項（法第百三十八条第一項において準用する場合を含む。以下同じ。）、法第百二十二条第三項（法第百三十八条第一項において準用する場合を含む。以下同じ。）、法第百二十三条第三項（法第百三十八条第一項において準用する場合を含む。以下同じ。）及び法第百二十八条第三項（法第百三十八条第一項において準用する場合を含む。）並びに第六条の三第二項の規定による通知は、通知すべき者が自ら通知をしない場合においては、次のいずれかに掲げる方法により行う。

一　通知すべき者が命じた職員をして通知を受けるべき者に交付させる方法

二　通知を受けるべき者に書留郵便等によつて送付する方法

3　民事訴訟法第百二条、第百三条及び第百五条の規定は前項の規定によつて通知をする場合に、同法第百五条及び第百六条の規定は同項第一号又は第二号（書留郵便によつて送達する方法に係る部分に限る。）の規定によつて通知をする場合に、同法第百七条の規定はこの項において準用する同法第百六条の規定による通知ができなかつた場合にそれぞれ準用する。この場合において、同法第百二条第一項中「訴訟無能力者」とあるのは「未成年者（独立して法律行為をすることができる場合を除く。）又は成年被後見人」と、同法第百七条第一項中「裁判所書記官」とあるのは「通知すべき者が命じた職員」と、「書留郵便又は民間事業者による信書の送達に関する法律（平成十四年法律第九十九号）第二条第六項に規定する一般信書便事業者若しくは同条第九項に規定する特定信書便事業者の提供する同条第二項に規定する信書便の役務のうち書留郵便に準ずるものとして最高裁判所規則で定めるもの」とあるのは「土地収用法施行令第四条第一項第二号に規定する書留郵便等」と、同法第百九条中「公務員」とあるのは「公務員（起業者の職員を含む。）」と、「裁判所」とあるのは「通知すべき者」と読み替えるものとする。

4　通知すべき者が命じた職員は、次の各号に掲げる場合には、当該各号に定める事項を通知を受けた者に通知しなければならない。

一　前項において準用する民事訴訟法第百六条第二項の規定による通知がされた場合　その旨

二　前項において準用する民事訴訟法第百七条第一項の規定による通知がされた場合　その旨及び書留郵便等に付して発送した時に通知があつたものとみなされる旨

第六条の二　前条第二項から第四項までの規定によるほか、第五条の規定は、法第四十五条第一項、法第四十六条第二項、法第四十六条の四第三項、法第九十四条第五項、法第百二条の二第三項、法第百二十二条第三項及び法第百二十三条第三項の規定により通知をする場合に準用する。この場合において、第五条第一項中「前条第二項」とあるのは「第六条第三項」と、同項から同条第三項までの規定中「公示送達」とあるのは「公示による通知」と読み替えるほか、次の表の第一欄に掲げる規定により通知をする場合については、それぞれ同表の第二欄に掲げる規定中同表の第三欄に掲げる字句は、同表の第四欄に掲げる字句に読み替えるものとする。

法第四十六条の四第三項	第五条第一項	収用委員会は、	収用委員会は、起業者が
		場合においては、	場合においては、起業者の求めにより、その者のために
	第五条第二項	交付する	起業者が交付する
	第五条第三項	収用委員会	起業者
法第百二条の二第三項	第五条第一項、第三項及び第五項	収用委員会	都道府県知事
法第百二十二条第三項	第五条第一項	収用委員会	市町村長
	第五条第二項	都道府県の掲示場に掲示するとともに都道府県の公報に掲載して	市町村の掲示場に掲示して
	第五条第三項	収用委員会	市町村長
		所在する市町村の長若しくは	所在する都道府県の収用委員会に対して公示による通知があつた旨を都道府県の掲示場に掲示するとともに都道府県の公報に掲載することを求め、
	第五条第四項	市町村長は、前項の	前項の求めを受けた収用委員会又は市町村長は、それぞれ、その
		当該市町村	都道府県の掲示場に掲示するとともに都道府県の公報に掲載し、又は当該市町村
	第五条第五項	収用委員会	市町村長
		掲示及び掲載	掲示

（代理人の数の制限）

第六条の三　収用委員会は、審理の期日に出席することができる代理人の数を、起業者、土地所有者又は各関係人について三人までに制限することができる。

2　前項の制限は、起業者、土地所有者又は関係人にあらかじめ通知することによつてその効力を生ずる。

（読替規定）

第七条　法第百三十八条第三項の規定による技術的読替えは、次の表のとおりとする。

一　法第五条に掲げる権利を収用し、又は使用する場合

読み替えるべき規定	読み替えられるべき字句	読み替える字句
第十六条、第十八条第四項、第二十条第四号、第三十条第一項及び第三項、第三十九条第二項本文、第四十条第一項第二号ハ及びニ、第四十五条第二項、第	土地	権利

四十五条の三第二項、第六十八条、第八十八条、第百一条第二項、第百三条、第百五条第一項、第百三十四条		
第十七条第一項第二号、第三十四条、第三十四条の二、第三十四条の四から第三十四条の六まで	土地	区域
第二十条第三号、第三十条の二、第三十七条第二項、第三十九条第一項、第四十三条第二項、第四十五条第一項、第四十七条の三第一項第一号ロ、第五十条第二項、第七十七条、第九十四条第六項、第九十九条第一項、第百五条第二項、第百十六条第一項及び第二項第二号、第百十九条	土地	権利の目的であり、又は当該権利に関係のある土地、河川の敷地、海底、水又は立木、建物その他土地に定着する物件
第三十条の二	必要な権利を取得し	権利を消滅させ、又は制限し
第三十五条第一項、第三十六条第一項から第三項まで、第三十六条の二第一項、第二項及び第五項から第七項まで、第三十七条第一項及び第四項、第三十七条の二、第三十八条、第四十条第一項第三号、第四十四条	土地調書	権利調書
第三十五条第一項	その土地	その権利の目的であり、若しくは当該権利に関係のある土地、河川の敷地、海底、水若しくは立木、建物その他土地に定着する物件
第三十五条第二項、第四十七条の三第一項第一号ホ、第四十九条第一項第二号、第六十三条第四項、第六十五条第一項第三号及び第三項、第百二条、第百二条の二第一項及び第二項、第百十六条第二項第四号、第百二十八条第一項及び第二項	土地	権利の目的であり、若しくは当該権利に関係のある土地、河川の敷地、海底、水若しくは立木、建物その他土地に定着する物件
第三十五条第三項、第九十一条第一項	土地又は工作物	権利の目的であり、若しくは当該権利に関係のある土地、河川の敷地、海底、水若しくは立木、建物その他土地に定着する物件又は工作物
第三十六条の二第一項第一号	一筆の土地の所有者及び当該土地に関して権利を有する関係人	権利の目的である一筆の土地に係る当該権利を有する者及び当該権利に関して権利を有する関係人
第三十六条の二第一項第二号	一筆の土地にある物件に関して権利を有する関係人	権利の目的である一筆の土地にある物件に関して権利を有する関係人
第三十六条の二第二項	一筆の土地	権利の目的である一筆の土地
第三十九条第二項、第七十四条第一項、第七十五条、第九十条	一団の土地	一体として同一目的に供している権利
第三十九条第二項、第七十四条第一項、第九十条	残地	残存する権利
第四十条第一項第二号イ、第四十七条の三第一項第一号イ、第百十六条第二項第一号	土地	権利の目的であり、又は当該権利に関係のある土地、河川の敷地、海底又は水若しくは立木、建物その他土地に定着する物件のある土地
第四十条第一項第二号ロ	土地の面積	権利の種類及び内容
	土地が	権利の目的であり、又は当該権利に関係のある土地、河川の敷地、海底、水又は立木、建物その他土地に定着する物件が
第四十条第一項第二号ホ	土地又は土地に関する所有権以外の権利	権利又はその権利に関する権利
第四十条第一項第二号ヘ、第四十八条第一項第三号	取得し、又は消滅させる	消滅させ、又は制限する
第四十五条の二	申請に係る土地	申請に係る権利の目的であり、又は当該権利に関係のある土地、河川の敷地、海底又は水若しくは立木、建物その他土地に定着する物件のある土地
	登記所	登記所又は登録行政庁
	その土地	その権利
第四十五条の二、第四十五条の三第一項本文、第九十五条第四項	の登記	の登記又は登録
第四十五条の三第一項本文	当該登記	当該登記又は登録
第四十五条の三第一項ただし書及び第二項、第四十六条の二第三項、第四十六条の四第一項、第九十六条第一項及び第五項	登記	登記又は登録
第四十五条の三第一項、第九十五条第四項、第百一条第一項	仮登記	仮登記又は仮登録
第四十六条の二第一項	土地に関して	権利に関して
第四十六条の二第一項、第四十八条第一項第二号、第八十条の二第二項、第八十二条第一項及び第七項、第八十七条の三第一項第一号、第九十条の二、第九十条の三第一項第一号、第百二十四	土地又は土地に関する所有権以外の権利	権利又は権利に関する権利

条第一項		
第四十八条第一項第一号、第百二十二条第一項から第三項まで、第百二十三条第一項及び第三項	土地の区域	権利の種類及び内容
第四十八条第五項、第九十条の四	土地に関する所有権以外の権利	権利に関する権利
第七十一条、第七十二条、第八十二条第一項、第八十三条第一項	土地又はその土地に関する所有権以外の権利	権利又はその権利に関する権利
第七十一条	近傍類地	近傍類地に関する同種の権利
第七十二条	近傍類地の取引価格	近傍類地に関する同種の権利の取引価格
第七十二条、第百二十四条第一項	その土地及び近傍類地の地代	その権利及び近傍類地に関する同種の権利の使用料
第七十四条第二項	残地又は残地に関する所有権以外の権利	残存する権利又は残存する権利に関する権利
第七十五条	残地	残存する権利の目的であり、又は残存する権利に関係のある土地、河川の敷地、海底、水又は立木、建物その他土地に定着する物件
第八十条の二第一項	土地を使用する	権利を使用する
	土地の形質を変更し	(第五条第一項又は第三項に掲げる権利を収用し、又は使用する場合)当該権利の目的であり、又は当該権利に関係のある土地、河川の敷地、海底又は水について、これらの形質を変更し(第五条第二項に掲げる権利を収用し、又は使用する場合)当該権利の目的である立木、建物その他土地に定着する物件について、これらを損壊し、又は収去し
	当該土地	(第五条第一項又は第三項に掲げる権利を収用し、又は使用する場合)当該権利の目的であり、又は当該権利に関係のある土地、河川の敷地、海底又は水(第五条第二項に掲げる権利を収用し、又は使用する場合)当該権利の目的である立木、建物その他土地に定着する物件
第八十二条第二項、第三項及び第五項	土地	土地又は土地に関する権利
第八十三条第一項	土地が	権利が
	替地となるべき土地	替地となるべき権利の目的である土地
第八十九条第一項	土地の形質を変更し	(第五条第一項又は第三項に掲げる権利を収用し、又は使用する場合)当該権利の目的であり、又は当該権利に関係のある土地、河川の敷地、海底又は水について、これらの形質を変更し(第五条第二項に掲げる権利を収用し、又は使用する場合)当該権利の目的である立木、建物その他土地に定着する物件について、これらを損壊し、若しくは収去し
第八十九条第二項	土地の形質の変更	(第五条第一項又は第三項に掲げる権利を収用し、又は使用する場合)当該権利の目的であり、又は当該権利に関係のある土地、河川の敷地、海底又は水について、これらの形質の変更(第五条第二項に掲げる権利を収用し、又は使用する場合)当該権利の目的である立木、建物その他土地に定着する物件について、これらの損壊若しくは収去
第八十九条第三項	土地の形質の変更	(第五条第一項又は第三項に掲げる権利を収用し、又は使用する場合)当該権利の目的であり、又は当該権利に関係のある土地、河川の敷地、海底又は水について、これらの形質の変更(第五条第二項に掲げる権利を収用し、又は使用する場合)当該権利の目的である立木、建物その他土地に定着する物件について、これらの損壊又は収去
第九十条、第百一条第一項、第百二十二条第一項、第百二十三条第一項、第百二十四条第一項	土地を	権利を
第九十三条第一項	土地を収用し	権利を収用し
	その土地	その権利の目的である土地
	土地及び残地	土地及び残存する権利の目

	以外の土地	的である土地以外の土地
第百一条第一項	土地に関するその他	権利に関するその他
	当該土地又は当該土地に関する所有権以外の権利	当該権利又は当該権利に関する権利
第百一条の二	起業者が土地の所有権を取得し	権利が消滅し
	当該土地	土地、河川の敷地、海底、水又は立木、建物その他土地に定着する物件
第百十六条第一項	起業地	起業地（第五条第二項に掲げる権利を収用し、又は使用する場合にあつては、起業地にある立木、建物その他土地に定着する物件）
第百十六条第二項第一号	面積	権利の種類及び内容
第百二十二条第三項、第百二十三条第三項	土地の所有者及び占有者	権利者並びに当該権利の目的である土地の所有者及び占有者
第百二十四条第一項	土地の	権利の

二　法第六条に掲げる立木、建物その他土地に定着する物件を収用し、又は使用する場合

読み替えるべき規定	読み替えられるべき字句	読み替える字句
第十六条、第十八条第四項、第二十条第三号及び第四号、第二十八条の三第二項、第三十条第一項及び第三項、第三十条の二、第三十五条第二項、第三十七条第二項、第三十九条第一項及び第二項、第四十条第一項第二号ロ、ハ、ニ及びホ、第四十三条第二項、第四十五条第一項及び第二項、第四十五条の三第二項、第四十六条の二第一項、第四十七条の三第一項第一号ロ及びホ、第四十八条第一項第二号及び第五項、第四十九条第一項第二号、第五十条第二項、第六十三条第四項、第六十五条第一項第三号及び第三項、第六十八条、第七十一条、第七十四条第一項、第七十五条、第七十七条、第八十条の二第二項、第八十八条、第九十条、第九十条の二、第九十条の三第一項第一号、第九十条の四、第九十四条第六項、第九十九条第一項、第百一条第一項及び第二項、第百一条の二、第百二条、第百二条の二第一項及び第二項、第百三条、第百五条、第百十六条第一項並びに第二項第二号及び第四号、第百十九条、第百二十八条第一項及び第二項、第百三十四条	土地	立木、建物その他土地に定着する物件
第二十八条の三第一項、第百十六条第一項	起業地	立木、建物その他土地に定着する物件
第三十五条第一項、第三十六条第一項から第三項まで、第三十六条の二第一項、第二項及び第五項から第七項まで、第三十七条第一項及び第四項、第三十七条の二、第三十八条、第四十条第一項第三号、第四十四条	土地調書	立木、建物その他土地に定着する物件調書
第三十五条第一項	その土地	その立木、建物その他土地に定着する物件
第三十五条第三項、第九十一条第一項	土地又は工作物	立木、建物その他土地に定着する物件又は工作物
第三十六条の二第一項第一号	収用し、又は使用しようとする一筆の土地の所有者及び当該土地	一筆の土地にある収用し、又は使用しようとする立木、建物その他土地に定着する物件の所有者及びこれらの物
第三十六条の二第一項第二号	収用し、又は使用しようとする一筆の土地	一筆の土地にある収用し、又は使用しようとする立木、建物その他土地に定着する物件
第三十七条第一項	土地について	立木、建物その他土地に定着する物件について
第三十七条第三項	前項	前二項
第三十九条第二項、第七十四条、第七十五条、第九十条	残地	残存する物件
第四十条第一項第二号イ、第四十七条の三第一項第一号イ、第百十六条第二項第一号	土地	立木、建物その他土地に定着する物件がある土地
第四十条第一項第二号ロ	面積	種類及び数量
第四十五条の二	その土地	申請に係る立木、建物その他土地に定着する物件
第四十八条第一項第一号、第百二十二条第一項から第三項まで、第百二十三条第一項及び第三項	土地の区域	立木、建物その他土地に定着する物件の種類及び数量
第七十一条	近傍類地	近傍同種の物件
第七十二条	土地又はその土地	立木、建物その他土地に定着する物件又はその立木、建物その他土地に定着する物件
	近傍類地の取	近傍同種の物件の取引価格

	引価格	
第七十二条、第百二十四条第一項	その土地及び近傍類地の地代	その物件及び近傍同種の物件の使用料
第八十条の二第一項、第百二十二条第一項、第百二十三条第一項、第百二十四条第一項	土地を	立木、建物その他土地に定着する物件を
第八十条の二第一項	土地の形質を変更し	物件の形質を変更し、損壊し、又は収去し
第八十九条第一項	土地の形質を変更し	物件の形質を変更し、損壊し、若しくは収去し
第八十九条第二項	土地の形質の変更	物件の形質の変更、損壊若しくは収去
第八十九条第三項	土地の形質の変更	物件の形質の変更、損壊又は収去
第九十三条第一項	土地を収用し	立木、建物その他土地に定着する物件を収用し
	その土地	これらの物件がある土地
	土地及び残地以外の土地	土地及び残存する物件がある土地以外の土地
第百十六条第二項第一号	面積	当該物件の種類及び数量
第百二十二条第三項、第百二十三条第三項	土地の所有者	立木、建物その他土地に定着する物件の所有者
第百二十四条第一項	土地の	立木、建物その他土地に定着する物件の
	土地又は土地	立木、建物その他土地に定着する物件又は立木、建物その他土地に定着する物件

三　法第七条に規定する土地に属する土石砂れきを収用する場合

読み替えるべき規定	読み替えられるべき字句	読み替える字句
第十六条、第二十条第三号及び第四号、第三十条第一項及び第三項、第四十五条第二項、第四十五条の三第二項、第六十八条、第八十八条、第百三十四条	土地	土地に属する土石砂れき
第三十条の二、第三十五条第二項、第三十七条第二項、第三十九条第一項、第四十条第一項第二号イ、ニ及びホ、第四十三条第二項、第四十五条第一項、第四十五条の二、第四十六条の二第一項、第四十七条の三第一項第一号イ、ロ及びホ、第四十八条第一項第二号及び第五項、第四十九条第一項第二号、第五十条第二項、第六十三条第四項、第六十五条第一項第三号、第二項及び第三項、第七十一条、第七十七条、第八十九条、第九十条の二、第九十条の三第一項第一号、第九十条の四、第九十四条第六項、第九十九条第一項、第百三条、第百十六条第一項並びに第二項第一号、第二号及び第四号、第百十九条	土地	土石砂れきの属する土地
第三十五条第一項、第三十六条第一項から第三項まで、第三十六条の二第一項、第二項及び第五項から第七項まで、第三十七条第一項及び第四項、第三十七条の二、第三十八条、第四十条第一項第三号、第四十四条	土地調書	土石砂れき調書
第三十五条第一項	その土地	その土石砂れきの属する土地
第三十五条第三項、第九十一条第一項	土地又は工作物	土石砂れきの属する土地又は工作物
第三十六条の二第一項及び第二項	一筆の土地	土石砂れきの属する一筆の土地
第三十九条第二項	土地に関して	土石砂れきの属する土地に関して
	土地について	土地に属する土石砂れきについて
	一団の土地	一団の土地に属する土石砂れき
第四十条第一項第二号ロ	土地の面積	土石砂れきの属する土地の区域並びに土石砂れきの種類及び数量
	土地が	土石砂れきの属する土地が
第四十条第一項第二号ハ	土地を使用しようとする場合においては、その方法及び期間	土石砂れきの採取の方法及び期間
第四十条第一項第二号ヘ、第四十八条第一項第三号、第百十六条第一項及び第二項第四号	権利を取得し、又は消滅させる	土石砂れきを採取する権利を取得する
第四十八条第一項第一号	収用する土地の区域又は使用する土地の区域並びに使用の方法及び期間	収用する土石砂れきの属する土地の区域、土石砂れきの種類及び数量並びに採取の方法及び期間
第七十一条	近傍類地	近傍類地に属する土石砂れき
第七十四条第一項、第七十五条、第九十条	土地の一部	土地の一部に属する土石砂れき
第九十条	土地を	土地に属する土石砂れきを
第九十三条第一項	土地を収用し	土地に属する土石砂れきを

		収用し
	その土地を事業の用に供する	その土石砂れきを採取する
	土地及び残地以外の土地	土石砂れきの属する土地及び残地以外の土地
第九十六条第二項	（使用の裁決に係るときは、それらの一部）とみなし、収用の裁決に係る場合における払渡しを受けた時が強制競売又は競売に係る配当要求の終期の到来前であるときは、その時に配当要求の終期が到来したものとみなす	の一部とみなす
第百十六条第一項	起業地	土石砂れきの属する土地
第百十六条第二項第一号	面積	土石砂れきの種類及び数量
第百十六条第二項第三号	取得し、又は消滅させる	取得する
第百二十二条第一項	使用しよう	収用しよう
	土地の区域並びに使用の方法及び期間	土石砂れきの属する土地の区域、土地に属する土石砂れきの種類及び数量並びに採取の方法及び期間
第百二十二条第一項、第百二十三条第一項、第百二十四条第一項	土地を使用	土地に属する土石砂れきを収用
第百二十二条第二項	使用する土地の区域並びに使用の方法及び期間	収用する土石砂れきの属する土地の区域、土地に属する土石砂れきの種類及び数量並びに採取の方法及び期間
第百二十二条第三項、第百二十三条第三項	使用しようとする土地の区域並びに使用の方法及び期間を土地	収用しようとする土石砂れきの属する土地の区域、土地に属する土石砂れきの種類及び数量並びに採取の方法及び期間を土石砂れきの属する土地
第百二十二条第四項、第百二十三条第二項、第百二十四条第一項	使用の期間	採取の期間
第百二十三条第一項	土地の区域及び使用の方法	土地の区域、土地に属する土石砂れきの種類及び数量並びに採取の方法
第百二十三条第二項	使用の許可	収用の許可
第百二十三条第五項	使用	収用
第百二十四条第一項	土地の使用	土地に属する土石砂れきの収用
	使用の許可が	収用の許可が
	使用の時期	収用の時期
	土地又は土地	土石砂れきの属する土地又はその土地
	その土地及び近傍類地の地代及び借賃	近傍類地に属する土石砂れきの取引価格

（権限の委任）

第八条　この政令に規定する国土交通大臣の権限は、国土交通省令で定めるところにより、その一部を地方整備局長又は北海道開発局長に委任することができる。

（事務の区分）

第九条　この政令の規定により地方公共団体が処理することとされている事務のうち、次の各号に掲げるもの（法第十七条第一項各号に掲げる事業又は法第二十七条第二項若しくは第四項の規定により国土交通大臣の事業の認定を受けた事業に関するものに限る。）は地方自治法（昭和二十二年法律第六十七号）第二条第九項第一号に規定する第一号法定受託事務と、第二号に掲げるもの（法第十七条第二項に規定する事業（法第二十七条第二項又は第四項の規定により国土交通大臣の事業の認定を受けた事業を除く。）に関するものに限る。）は同法第二条第九項第二号に規定する第二号法定受託事務とする。

一　都道府県が第一条の三、第一条の四、第一条の六、第一条の七、第一条の七の三、第一条の七の五第一項、第一条の九、第一条の十、第一条の十四、第五条第一項及び第三項並びに第六条の三の規定により処理することとされている事務

二　市町村が第五条第四項の規定により処理することとされている事務

附　則〔抄〕

1　この政令は、昭和二十六年十二月一日から施行する。

2　左に掲げる勅令は、廃止する。

一　土地収用法施行令（明治三十三年勅令第九十九号）

二　土地収用法第六条に基き発する命令の件（明治三十三年勅令第百号）

三　土地収用法第四十六条に依る合同収用審査会に関する件（明治三十三年勅令第百一号）

四　土地収用法第六十九条に依り発する命令の件（明治三十三年勅令第百二号）

五　土地収用法第八十五条第三項に基き発する命令の件（明治三十三年勅令第百三号）

附　則〔略〕（昭和三一・六・一二政令一九三）

附　則〔略〕（昭和三七・九・二九政令三九一）

附　則〔略〕（昭和三九・一・一四政令五）

附　則〔略〕（昭和四二・一一・一五政令三四五）

附　則〔昭和四九・一二・二〇政令三八八〕

1　この政令は、国土利用計画法の施行の日（昭和四十九年十二月二十四日）から施行する。

2　この政令の施行の際現に土地収用法第二十六条第一項（同法第百三十八条第一項において準用する場合を含む。）の規定による事業の認定の告示（都市計画法（昭和四十三年法律第百号）その他の法律の規定により事業の認定の告示とみなされるものを含む。）がなされている場合における物価の変動に応ずる修正率の算定については、第一条の規定による改正後の土地収用法施行令付録の式にかかわらず、なお従前の例による。

附　則〔昭和五〇・九・二政令二六五〕

（施行期日）

1　この政令は、昭和五十年十月一日から施行する。

（経過措置）

2　この政令の施行前にした建設大臣又は都道府県知事に対する事業の認定の申請、収用委員会に対する裁決の申請及び協議の確認の申請並びに建設大臣に対する特定公共事業の認定の申請に係る手数料の額については、な

お従前の例による。

附　則〔昭和五三・四・二五政令一四〇〕

（施行期日）

1　この政令は、昭和五十三年五月一日から施行する。

（経過措置）

2　この政令の施行前にした建設大臣又は都道府県知事に対する事業の認定の申請及び建設大臣に対する特定公共事業の認定の申請に係る手数料の額については、なお従前の例による。

附　則〔略〕〔昭和五五・八・三〇政令二三一〕

附　則〔昭和五九・五・一五政令一三九〕

1　この政令は、各種手数料等の額の改定及び規定の合理化に関する法律の施行の日（昭和五十九年五月二十一日）から施行する。

2　この政令の施行前にした都道府県知事に対するあつ旋の申請、建設大臣又は都道府県知事に対する事業の認定の申請、収用委員会に対する裁決の申請及び協議の確認の申請並びに建設大臣に対する特定公共事業の認定の申請に係る手数料の額については、なお従前の例による。

附　則〔略〕〔昭和五九・六・九政令一八二〕

附　則〔昭和六〇・九・一八政令二六四〕

（施行期日）

1　この政令は、公布の日から起算して二週間を経過した日から施行する。

（経過措置）

2　この政令の施行前に市町村長に対して送付した書類の公示送達及びこの政令の施行前に市町村長に対して送付した書面によつてする通知については、なお従前の例による。

附　則〔昭和六二・三・二五政令五七〕

（施行期日）

1　この政令は、昭和六十二年四月一日から施行する。

（土地収用法施行令及び公共用地の取得に関する特別措置法施行令の一部改正に伴う経過措置）

2　この政令の施行前にした建設大臣又は都道府県知事に対する事業の認定の申請及び建設大臣に対する特定公共事業の認定の申請に係る手数料の額については、なお従前の例による。

附　則〔抄〕〔平成元・三・二八政令七二〕

（施行期日）

1　この政令は、平成元年四月一日から施行する。

（土地収用法施行令及び公共用地の取得に関する特別措置法施行令の一部改正に伴う経過措置）

2　この政令の施行前にした建設大臣に対する事業の認定の申請及び建設大臣に対する特定公共事業の認定の申請に係る手数料の額については、なお従前の例による。

附　則〔抄〕〔平成三・三・一三政令二五〕

（施行期日）

1　この政令は、平成三年四月一日から施行する。

（土地収用法施行令及び公共用地の取得に関する特別措置法施行令の一部改正に伴う経過措置）

2　この政令の施行前にした建設大臣又は都道府県知事に対する事業の認定の申請、収用委員会に対する裁決の申請及び協議の確認の申請並びに建設大臣に対する特定公共事業の認定の申請に係る手数料の額については、なお従前の例による。

附　則〔抄〕〔平成六・三・二四政令六九〕

（施行期日）

1　この政令は、平成六年四月一日から施行する。

（土地収用法施行令及び公共用地の取得に関する特別措置法施行令の一部改正に伴う経過措置）

2　この政令の施行前にした建設大臣又は都道府県知事に対する事業の認定の申請、収用委員会に対する裁決の申請及び協議の確認の申請並びに建設大臣に対する特定公共事業の認定の申請に係る手数料の額については、なお従前の例による。

附　則〔抄〕〔平成九・三・二六政令七四〕

（施行期日）

1　この政令は、平成九年四月一日から施行する。

（土地収用法施行令の一部改正に伴う経過措置）

2　この政令の施行前にした建設大臣に対する事業の認定の申請並びに収用委員会に対する裁決の申請及び協議の確認の申請に係る手数料の額については、第四条の規定による改正後の土地収用法施行令第二条第一項の規定にかかわらず、なお従前の例による。

附　則〔平成九・一二・一九政令三五二〕

この政令は、民事訴訟法の施行の日（平成十年一月一日）から施行する。

民事訴訟法及び民事訴訟法の施行に伴う関係法律の整備等に関する法律の施行に伴う関係政令の整備に関する政令〔抄〕〔平成九・一二・一九政令三五二〕

（土地収用法施行令の一部改正に伴う経過措置）

第八条　前条の規定の施行前に書類の送達又は通知のために郵便が差し出された場合には、当該送達又は通知については、なお従前の例による。

附　則〔略〕〔平成一一・一一・一〇政令三五二〕

附　則〔平成一二・二・一六政令三七〕

（施行期日）

第一条　この政令は、平成十二年四月一日から施行する。

（経過措置）

第二条　民法の一部を改正する法律附則第三条第三項の規定により従前の例によることとされる準禁治産者及びその保佐人に関するこの政令による改正規定の適用については、〔中略〕なお従前の例による。

附　則〔抄〕〔平成一二・三・二九政令一一二〕

（施行期日）

1　この政令は、平成十二年四月一日から施行する。

（土地収用法施行令の一部改正に伴う経過措置）

2　この政令の施行前にした建設大臣に対する事業の認定の申請に係る手数料の額については、第三条の規定による改正後の土地収用法施行令第二条第一項第一号及び第二号の規定にかかわらず、なお従前の例による。

附　則〔略〕〔平成一二・六・七政令三一二〕

附　則〔抄〕〔平成一四・五・二九政令一八四〕

（施行期日）

第一条　この政令は、土地収用法の一部を改正する法律の施行の日（平成十四年七月十日）から施行する。

（土地収用法施行令の一部改正に伴う経過措置）

第二条　この政令の施行前にした国土交通大臣に対する事業の認定の申請に係る手数料の額については、第一条の規定による改正後の土地収用法施行令第二条第一項第一号及び第二号の規定にかかわらず、なお従前の例による。

附　則〔略〕〔平成一四・七・五政令二四八〕

附　則〔略〕〔平成一四・一二・一八政令三八六〕

附　則〔略〕〔平成一五・一二・一七政令五二三〕

附　則〔略〕〔平成一五・一二・二五政令五四五〕

附　則〔略〕〔平成一六・一〇・一五政令三一二〕

附　則〔抄〕〔平成一七・三・二四政令六〇〕

（施行期日）

第一条　この政令は、平成十七年四月一日から施行する。ただし、第一条のうち土地収用法施行令第四条第二項及び第六条第三項の改正規定は、同年五月二日から施行する。

（土地収用法施行令の一部改正に伴う経過措置）

第二条　この政令の施行前にした国土交通大臣に対する事業の認定の申請に係る手数料の額については、第一条の規定による改正後の土地収用法施行令第二条第一項の規定にかかわらず、なお従前の例による。

附　則〔抄〕〔令和元・一二・一三政令一八三〕

（施行期日）

第一条　この政令は、情報通信技術の活用による行政手続等に係る関係者の利便性の向上並びに行政運営の簡素化及び効率化を図るための行政手続等における情報通信の技術の利用に関する法律等の一部を改正する法律（次条において「改正法」という。）の施行の日（令和元年十二月十六日）から施行する。

○土地収用法第八十八条の二の細目等を定める政令

〔平成一四・七・五　政令二四八〕

改正　平成一五・一政一、平成二〇・一〇政三三四、令和元・一二政二〇二

（収用する土地の相当な価格）

第一条　収用する土地についての法第七十一条の相当な価格は、近傍類地の取引事例が収集できるときは、当該取引事例における取引価格に取引が行われた事情、時期等に応じて適正な補正を加えた価格を基準とし、当該近傍類地及び収用する土地に関する次に掲げる事項を総合的に比較考量し、必要に応じて次項各号に掲げる事項をも参考にして、算定するものとする。

一　位置

二　形状

三　環境

四　収益性

五　前各号に掲げるもののほか、一般の取引における価格形成上の諸要素

２　前項の相当な価格は、近傍類地の取引事例が収集できないときは、次に掲げる事項のいずれかを基礎とし、適宜その他の事項を勘案して、算定するものとする。

一　地代、小作料、借賃等の収益から推定される当該土地の価格

二　土地所有者が当該土地の取得及び改良又は保全のため支出した金額

三　当該土地についての固定資産税評価額（地方税法（昭和二十五年法律第二百二十六号）第三百八十一条第一項又は第二項の規定により土地課税台帳又は土地補充課税台帳に登録されている価格をいう。）その他の課税の場合の評価額

３　前二項の規定により相当な価格を算定する場合においては、前二項の規定によるほか、次に定めるところによる。

一　収用する土地に工作物があるときは、当該工作物がないものとして算定する。

二　土地を収用する事業の施行が予定されることによって当該土地の取引価格が低下したものと認められるときは、当該事業の影響がないものとして算定する。

三　収用する土地を一般の取引における通常の利用方法に従って利用するものとして算定する。

（地上権等の目的である土地の相当な価格）

第二条　地上権、永小作権、賃借権、地役権又は使用貸借による権利の目的である土地についての法第七十一条の相当な価格は、当該権利がないものとして前条の規定により算定した当該土地の価格から、次条から第五条までの規定により算定した当該権利の価格を控除して算定するものとする。

（地上権、永小作権及び賃借権の相当な価格）

第三条　地上権、永小作権又は賃借権についての法第七十一条（法第百三十八条第一項において準用する場合を含む。）の相当な価格は、近傍類地に関する同種の権利の取引事例が収集できるときは、当該取引事例における取引価格に取引が行われた事情、時期等に応じて適正な補正を加えた価格を基準とし、当該同種の権利及び補償の対象となる地上権、永小作権又は賃借権に関する次に掲げる事項等を総合的に比較考量して算定するものとする。

一　権利の目的である土地の価格

二　地代、小作料又は借賃、権利金、権利の存続期間その他の契約内容

三　収益性

四　使用の態様

２　前項の相当な価格は、近傍類地に関する同種の権利の取引事例が収集できないときは、補償の対象となる地上権、永小作権又は賃借権に関する同項各号に掲げる事項等を考慮して算定するものとする。

３　第一条第三項第二号及び第三号の規定は、前二項の規定により相当な価格を算定する場合について準用する。

（地役権の相当な価格）

第四条　地役権についての法第七十一条（法第百三十八条第一項において準用する場合を含む。）の相当な価格は、当該権利がない場合における当該権利の目的である土地の価格から当該権利がある場合における当該土地の価格を控除して算定するものとする。

（使用借権の相当な価格）

第五条　使用貸借による権利についての法第七十一条（法第百三十八条第一項において準用する場合を含む。）の相当な価格は、当該権利が賃借権であるものとして第三条の規定により算定した価格に、返還の時期、使用及び収益の目的その他の契約内容、当該権利が設定された事情、使用及び収益の状況等を考慮して適正に定めた割合を乗じて算定するものとする。

（占有権の取扱い）

第六条　占有権についての法第七十一条（法第百三十八条第一項において準用する場合を含む。）の相当な価格は、零とする。

（収用する立木、建物等の相当な価格）

第七条　収用する立木、建物その他土地に定着する物件についての法第八十条（法第百三十八条第一項において準用する場合を含む。）及び法第百三十八条第一項において準用する法第七十一条の相当な価格の算定については、第一条及び第二条の規定の例による。

（収用する土石砂れきの相当な価格）

第八条　収用する土石砂れきについての法第百三十八条第一項において準用する法第七十一条の相当な価格は、近傍類地に属する土石砂れきの取引事例が収集できるときは、当該取引事例における取引価格を基準とし、当該近傍類地に属する土石砂れき及び収用する土石砂れきの品質その他一般の取引における価格形成上の諸要素を総合的に比較考量して算定するものとする。

２　前項の相当な価格は、近傍類地の取引事例が収集できないときは、収用する土石砂れきの品質その他一般の取引における価格形成上の諸要素を考慮して算定するものとする。

（収用する漁業権等の相当な価格）

第九条　収用する漁業権、入漁権その他漁業に関する権利（次条及び第十四条において「漁業権等」という。）についての法第百三十八条第一項において準用する法第七十一条の相当な価格は、当該権利を行使することによって得られる収益（漁業粗収入から漁業経営費（自家労働の評価額を含む。）を控除した額をいう。）から推定される当該権利の価格を基準とし、当該権利に係る水産資源の将来性等を考慮して算定するものとする。

（収用する鉱業権等の相当な価格）

第一〇条　収用する鉱業権、温泉を利用する権利又は河川の敷地若しくは流水、海水その他の水を利用する権利（漁業権等を除く。第十五条において「鉱業権等」という。）についての法第百三十八条第一項において準用する法第七十一条の相当な価格は、当該権利の態様及び収益性、当該権利の取得に関して要した費用、当該権利が譲渡性のあるものである場合においては近傍類地に関する同種の権利の取引価格等を考慮して算定するものとする。

（使用する土地に対する補償）

第一一条　使用する土地についての法第七十二条において準用する法第七十一条の相当な価格は、近傍類地の使用に関する契約の事例が収集できるときは、当該契約における地代又は借賃に、当該契約が締結された事情、時期等及び権利の設定の対価を支払っている場合においてはその額を考慮して適正な補正を加えた額を基準とし、当該近傍類地及び使用する土地の第一条の規定により算定した価格、収益性、使用の態様等を総合的に比較考量して算定するものとする。

２　前項の相当な価格は、近傍類地の使用に関する契約の事例が収集できないときは、使用する土地の第一条の規定により算定した価格、収益性、使用の態様等を考慮して算定するものとする。

（空間又は地下のみを使用する場合の補償）

第一二条　空間又は地下のみを使用する場合における使用する土地についての法第七十二条において準用する法第七十一条の相当な価格は、前条の規定にかかわらず、当該土地について同条の規定により算定した価格に、当該土地の利用が妨げられる程度に応じて適正に定めた割合を乗じて算定するものとする。

２　前項の場合において、当該空間又は地下の使用が長期にわたるときは、同項の規定にかかわらず、第一条の規定により算定した当該土地の価格に、当該土地の利用が妨げられる程度に応じて適正に定めた割合を乗じて算定することができるものとする。

（使用する立木、建物等に対する補償）
第一三条　使用する立木、建物その他土地に定着する物件についての法第百三十八条第一項において準用する法第七十二条において準用する法第七十一条の相当な価格の算定については、第十一条の規定の例による。

（使用する漁業権等に対する補償）
第一四条　使用する漁業権等についての法第百三十八条第一項において準用する法第七十二条において準用する法第七十一条の相当な価格は、当該権利を取得するものとして第九条の規定により算定した額に、当該権利の使用の内容等を考慮して適正に定めた割合を乗じて算定するものとする。

（使用する鉱業権等に対する補償）
第一五条　使用する鉱業権等についての法第百三十八条第一項において準用する法第七十二条において準用する法第七十一条の相当な価格は、当該権利を取得するものとして第十条の規定により算定した額に、当該権利の使用の内容等を考慮して適正に定めた割合を乗じて算定するものとする。

（修正率の算定方法）
第一六条　法第七十一条（法第七十二条（法第百三十八条第一項において準用する場合を含む。）又は法第百三十八条第一項において準用する場合を含む。）の規定による修正率は、総務省統計局が統計法（平成十九年法律第五十三号）第二条第四項に規定する基幹統計である小売物価統計のための調査の結果に基づき作成する消費者物価指数のうち全国総合指数（付録において「全国総合消費者物価指数」という。）及び日本銀行が同法第二十五条の規定により届け出て行う統計調査の結果に基づき作成する企業物価指数のうち投資財指数（付録において単に「投資財指数」という。）を用いて、付録の式により算定するものとする。

（移転料）
第一七条　法第七十七条（法第百三十八条第一項において準用する場合を含む。第三項において同じ。）の物件（立木を除く。次項において同じ。）の移転料は、当該物件を通常妥当と認められる移転先に、通常妥当と認められる移転方法によって移転するのに要する費用とする。
2　物件の移転に伴い建築基準法（昭和二十五年法律第二百一号）その他の法令の規定に基づき必要となる当該物件の改善に要する費用は、前項の費用には含まれないものとする。
3　第二十五条の二の規定による補償をする場合における法第七十七条の規定により建物の所有者に支払う移転料の額は、第一項の費用の額から第二十五条の二の規定により算定した額を控除した額とする。

（立木の移植補償）
第一八条　土地等（土地、法第五条に掲げる権利、法第六条に掲げる立木、建物その他土地に定着する物件及び法第七条に規定する土石砂れきをいう。以下同じ。）の収用又は使用に係る土地に立木がある場合において、これを移植することが相当であると認められるときは、次に掲げる額を補償するものとする。
一　掘起し、運搬、植付けに要する費用その他の移植に通常要する費用
二　枯損による損失額その他の移植に伴い通常生ずる損失額

（用材用の立木の伐採補償）
第一九条　土地等の収用又は使用に係る土地に用材用の立木の集団であって伐期に達していないものがある場合において、これらを伐採することが相当であると認められるときは、次の各号に掲げる区分に応じ、それぞれ当該各号に定める額を補償するものとする。
一　市場における取引の対象となるもの　次のイ及びロに掲げる額の合計額から次のハ及びニに掲げる額の合計額を控除した額
イ　伐期に伐採することが見込まれる立木の伐期における価格についての明渡裁決時における前価（将来の時点における価格を基礎として相当な利率により算定した現在価値をいう。以下同じ。）の額
ロ　明渡裁決時から伐期までの間に発生する収益についての明渡裁決時における前価の額
ハ　明渡裁決時における当該立木の集団の価格に相当する額
ニ　伐期までに要すると見込まれる経費の前価の額
二　人工林であって、前号に掲げるもの以外のもの　明渡裁決時までに要した経費の後価（過去の時点における価格を基礎として相当な利率により算定した現在価値をいう。以下同じ。）の額から、明渡裁決時までの収益の後価の額を控除した額
三　天然林であって、第一号に掲げるもの以外のもの　伐期における当該立木の集団の価格の明渡裁決時における前価の額
2　土地等の収用又は使用に伴い多量の立木を一時に伐採することによって、伐採搬出に通常要する費用が増加し、又は木材価格が低下すると認められるときは、当該増加額又は当該低下額に相当する額を補償するものとする。

（営業の廃止に伴う損失の補償）
第二〇条　土地等の収用又は使用に伴い、営業（農業及び漁業を含む。以下同じ。）の継続が通常不能となるものと認められるときは、次に掲げる額を補償するものとする。
一　独立した資産として取引される慣習のある営業の権利その他の営業に関する無形の資産については、その正常な取引価格
二　機械器具、農具、漁具、商品、仕掛品等の売却損その他資産に関して通常生ずる損失額
三　従業員を解雇するため必要となる解雇予告手当（労働基準法（昭和二十二年法律第四十九号）第二十条の規定により使用者が支払うべき平均賃金をいう。）相当額、転業が相当であり、かつ、従業員を継続して雇用する必要があるものと認められる場合における転業に通常必要とする期間中の休業手当（同法第二十六条の規定により使用者が支払うべき手当をいう。次条第一項第一号において同じ。）相当額その他労働に関して通常生ずる損失額
四　転業に通常必要とする期間中の従前の収益（個人営業の場合においては、従前の所得。次条において同じ。）相当額

（営業の休止等に伴う損失の補償）
第二一条　土地等の収用又は使用に伴い、営業の全部又は一部を通常一時休止する必要があるものと認められるときは、次に掲げる額を補償するものとする。
一　休業を通常必要とする期間中の営業用資産に対する公租公課その他の当該期間中においても発生する固定的な経費及び従業員に対する休業手当相当額
二　休業を通常必要とする期間中の収益の減少額
三　休業することにより、又は営業を行う場所を変更することにより、一時的に顧客を喪失することによって通常生ずる損失額（前号に掲げるものを除く。）
四　営業を行う場所の移転に伴う輸送の際における商品、仕掛品等の減損、移転広告費その他移転に伴い通常生ずる損失額
2　土地等の収用又は使用に伴い、営業を休止することなく仮営業所において営業を継続することが通常必要かつ相当であるものと認められるときは、次に掲げる額を補償するものとする。
一　仮営業所を新たに確保し、かつ、使用するのに通常要する費用
二　仮営業所における営業であることによる収益の減少額
三　営業を行う場所を変更することにより、一時的に顧客を喪失することによって通常生ずる損失額（前号に掲げるものを除く。）
四　前項第四号に掲げる額

（営業の規模の縮小に伴う損失の補償）
第二二条　土地等の収用又は使用に伴い、営業の規模を通常縮小しなければならないものと認められるときは、次に掲げる額を補償するものとする。
一　第二十条第二号及び第三号に掲げる額（営業の規模の縮小に伴い通常生ずるものに限る。）
二　営業の規模の縮小に伴い経営効率が客観的に低下するものと認められるときは、これにより通常生ずる損失額

（農業に関する補償の特例）
第二三条　現に宅地化が予想される農地又は採草放牧地である土地について土地等を収用し、かつ、前三条の規定により農業に関する補償をすべき場合において、補償金として支払うべき土地等の相当な価格が宅地化が予想されないものとした場合の土地等の相当な価格を上回るため、土地等の相当な価格に前三条に規定する額の全部又は一部が含まれているものと認めるのが相当であるときは、前三条の規定にかかわらず、前三条に規定する額から土地等の相当な価格に含まれているものと認められる額を控除した額をもって補償するものとする。

（仮住居に要する費用の補償）
第二四条　土地等の収用又は使用に係る土地にある建物に現に居住する者がある場合において、その者が仮住居を必要とするものと認められるときは、仮住居を新たに確保し、かつ、使用するのに通常要する費用を補償するものとする。

（借家人に対する補償）

第二五条　土地等の収用又は使用に係る土地にある建物の全部又は一部を現に賃借する者がいる場合において、賃借の継続が通常不能となるものと認められるときは、次に掲げる額を補償するものとする。

一　新たに従前の賃借の目的物に照応する物件を賃借するための契約を締結するのに通常要する費用

二　前号の物件における居住又は営業を安定させるために通常必要と認められる期間中の当該物件の通常の賃借料のうち従前の賃借の目的物の賃借料の額を超える部分の額

（配偶者居住権を有する者に対する補償）

第二五条の二　土地等の収用又は使用に係る土地にある建物が配偶者居住権の目的となっている場合において、当該建物の移転に伴い、当該配偶者居住権が消滅するものと認められるときは、当該配偶者居住権がない場合における当該建物の価格から当該配偶者居住権がある場合における当該建物の価格を控除した額を当該配偶者居住権を有する者に対して補償するものとする。

（補償金の額に端数が生じた場合の処理）

第二六条　法第七十一条、第七十二条、第七十四条、第七十五条、第七十七条、第八十条、第八十条の二又は第八十八条（法第百三十八条第一項においてこれらの規定を準用する場合を含む。）の規定により算定した補償金の額に一円未満の端数が生じたときは、これを四捨五入するものとする。

附　則〔抄〕

（施行期日）

1　この政令は、土地収用法の一部を改正する法律（平成十三年法律第百三号）の施行の日（平成十四年七月十日）から施行する。

附　則〔抄〕〔平成一五・一・八政令一〕

（施行期日）

第一条　この政令は、平成十五年一月十七日から施行する。

（土地収用法第八十八条の二の細目等を定める政令の一部改正に伴う経過措置）

第三条　第三条の規定による改正後の土地収用法第八十八条の二の細目等を定める政令第十六条に規定する企業物価指数（以下この条において「企業物価指数」という。）が公表されていない月についての同条及び同令付録の規定の適用については、第三条の規定による改正前の土地収用法第八十八条の二の細目等を定める政令第十六条に規定する卸売物価指数を企業物価指数とみなす。

附　則〔略〕〔平成二〇・一〇・三一政令三三四〕

附　則〔令和元・一二・二五政令二〇二〕

この政令は、民法及び家事事件手続法の一部を改正する法律附則第一条第四号に掲げる規定の施行の日（令和二年四月一日）から施行する。〔以下略〕

付録（第十六条関係）

$$\frac{Pc'}{Pc}\times0.8+\frac{Pi'}{Pi}\times0.2$$

備考

一　Pc、Pc′、Pi及びPi′は、それぞれ次の数値を表すものとする。

Pc　事業の認定の告示がされた日の属する月及びその前後の月の全国総合消費者物価指数の相加平均。ただし、裁決がされる日（法第九十条の二（法第百三十八条第一項において準用する場合を含む。）の規定により法第七十一条の規定を読み替えて適用する場合にあっては、法第四十六条の四第一項（法第百三十八条第一項において準用する場合を含む。）の規定による支払期限。以下同じ。）の前日から起算して二週間前に当たる日においてこれらの月の全国総合消費者物価指数及び投資財指数が公表されていない場合においては、これらの指数が公表されている最近の三箇月の全国総合消費者物価指数の相加平均とする。

Pc′　裁決がされる日の前日から起算して二週間前に当たる日において全国総合消費者物価指数及び投資財指数が公表されている最近の三箇月の全国総合消費者物価指数の相加平均

Pi　事業の認定の告示がされた日の属する月及びその前後の月の投資財指数の相加平均。ただし、裁決がされる日の前日から起算して二週間前に当たる日においてこれらの月の全国総合消費者物価指数及び投資財指数が公表されていない場合においては、これらの指数が公表されている最近の三箇月の投資財指数の相加平均とする。

Pi′　裁決がされる日の前日から起算して二週間前に当たる日において全国総合消費者物価指数及び投資財指数が公表されている最近の三箇月の投資財指数の相加平均

二　各月の全国総合消費者物価指数の基準年が異なる場合又は各月の投資財指数の基準年が異なる場合においては、従前の基準年に基づく月の指数を変更後の基準年である年の従前の基準年に基づく指数で除し、百を乗じて得た数値（その数値に小数点以下一位未満の端数があるときは、これを四捨五入する。）を、当該月の指数とする。

三　$\frac{Pc'}{Pc}$又は$\frac{Pi'}{Pi}$により算出した数値に小数点以下三位未満の端数があるときは、これを四捨五入する。

○土地収用法施行規則

〔昭和二六・一〇・二七　建設省令三三〕

改正　昭和二八・八建令一五、昭和三五・七建令一一、昭和三七・九建令二六、昭和三九・三建令九、昭和四〇・六建令二二、昭和四二・一一建令三四、平成一二・一一建令四一、平成一四・七国交令八五、平成一五・三国交令三七、一〇国交令一〇九、平成一六・三国交令一八、六国交令七〇、平成一七・二国交令六、三国交令一二、国交令二四、六国交令六六、平成一九・四国交令五四、八国交令七五、平成二四・一〇国交令八〇、令和二・一二国交令九八、令和五・九国交令八〇、令和六・一国交令六、三国交令二六

（証票及び許可証の様式）

第一条　土地収用法（以下「法」という。）第十五条第一項（法第三十五条第三項（法第百三十八条第一項において準用する場合を含む。）において準用する場合を含む。）の規定による証票（国土交通省の職員が携帯するものを除く。次項において同じ。）の様式は、別記様式第一とする。

2　法第十五条第二項の規定による証票の様式は、別記様式第二とする。

3　法第十五条第一項の規定による許可証の様式は、別記様式第三とする。

4　法第十五条第二項の規定による許可証の様式は、障害物を伐除しようとする者にあつては別記様式第四、土地に試掘等を行おうとする者にあつては別記様式第四の二とする。

（事業の説明）

第一条の二　法第十五条の十四（法第百三十八条第一項において準用する場合を含む。）の国土交通省令で定める措置は、次に定めるところにより、説明のための会合を開催することとする。

一　会合を開催する場所は、できる限り、事業の認定について利害関係を有する者の参集の便利を考慮して定めること。

二　次に掲げる事項を、遅くとも、会合を開催する日の前日から起算して前八日に当たる日が終わるまでに、事業の施行を予定する土地（河川の敷地、海底又は流水、海水その他の水において事業の施行を予定している場合にあつては、事業の施行を予定する区域。ハにおいて同じ。）の存する地方の新聞紙に公告すること。

イ　起業者の名称及び住所

ロ　事業の種類

ハ　事業の施行を予定する土地の所在

ニ　会合の場所及び日時

三　前号イからニまでに掲げる事項を、事業の施行を予定する土地、河川の敷地、海底、水若しくは立木、建物その他土地に定着する物件又はこ

れらにある物件に関して権利を有する者（起業者がその氏名及び住所を知つているものに限る。）でこれらの権利を提供することについての同意をしていないものに対し、文書をもつて通知すること。

2 前項第三号に規定する通知は、会合を開催する日の前日から起算して前八日に当たる日が終わるまでに発しなければならない。

第一条の三 起業者は、次のいずれかに該当すると認める場合においては、前条第一項の規定による会合を打ち切ることができる。

一 前条第一項第二号の規定により公告された会合を開始する時において、参加する者がないとき。

二 起業者（その職員又は代理人を含む。）若しくは会合に参加する者の身体に危害が加えられ、又はその著しいおそれがあるとき。

三 会合を開催する施設若しくはその設備が破壊され、損傷され、若しくはその使用を困難にする行為がされ、又はその著しいおそれがあるとき。

2 起業者は、前項の規定により会合を打ち切つたときは、当該会合が予定されていた期間中、同項の規定により会合を打ち切つた旨について、その会場又はその付近の適当な場所に掲示するとともに、次に掲げる方法のうち適切な方法により公衆の閲覧に供しなければならない。

一 起業者のウェブサイトへの掲載

二 関係する地方公共団体の協力を得て行う当該地方公共団体のウェブサイトへの掲載

（事業認定申請書の様式）

第二条 法第十八条第一項（法第百三十八条第一項において準用する場合を含む。）の規定による事業認定申請書の様式は、別記様式第五とし、正本一部並びに起業地の存する都道府県及び市町村の数の合計に一を加えた部数の写を提出するものとする。

（事業認定申請書の添付書類の様式）

第三条 法第十八条第二項各号（法第百三十八条第一項において準用する場合を含む。以下同じ。）に掲げる添付書類は、それぞれ次に定めるところによつて作成し、正本一部及び前条の規定による事業認定申請書と同じ部数の写しを提出するものとする。

一 法第十八条第二項第一号の事業計画書は、次に掲げる事項を記載するものとし、その内容を説明する参考書類があるときは、併せて添付するものとする。

イ 事業計画の概要

ロ 事業の開始及び完成の時期

ハ 事業に要する経費及びその財源

ニ 事業の施行を必要とする公益上の理由

ホ 収用又は使用の別を明らかにした事業に必要な土地等の面積、数量等の概数並びにこれらを必要とする理由

ヘ 起業地等を当該事業に用いることが相当であり、又は土地等の適正かつ合理的な利用に寄与することになる理由

二 法第十八条第二項第二号の起業地を表示する図面は、次に定めるところによつて作成し、符号は、国土地理院発行の五万分の一の地形図の図式により、これにないものは適宜のものによるものとする。

イ 縮尺二万五千分の一（二万五千分の一がない場合は五万分の一）の一般図によつて起業地の位置を示すこと。

ロ 縮尺百分の一から三千分の一程度までの間で、起業地を表示するに便利な適宜の縮尺の地形図によつて起業地を収用の部分は薄い黄色で、使用の部分は薄い緑色で着色し、起業地内に物件があるときは、その主要なものを図示すること。収用し、若しくは使用しようとする物件又は収用し、若しくは使用しようとする権利の目的である物件があるときは、これらの物件が存する土地の部分を薄い赤色で着色すること。

三 法第十八条第二項第三号の事業計画を表示する図面は、縮尺百分の一から三千分の一程度までのもので、施設の位置を明らかに図示するものとし、施設の内容を明らかにするに足りる平面図を添付するものとする。

四 法第十八条第二項第四号の起業地内に法第四条に規定する土地がある場合の土地に関する調書の様式は、別記様式第六とし、その土地を表示する図面は、縮尺百分の一から三千分の一程度までのものとする。

五 法第十八条第二項第四号の土地の管理者又は同項第五号若しくは第六号の行政機関の意見は、書面によるものとし、書面による意見が得られないとき、又は意見がないときは、その事実及び理由を明らかにするものとする。

六 法第十八条第二項第七号の法第十五条の十四の規定に基づき講じた措置の実施状況を記載した書面の様式は、別記様式第六の二とし、第一条の二第一項第二号の規定により公告した新聞紙の当該部分の写しを添付するものとする。

（公聴会の開催請求の手続）

第四条 法第二十三条第一項（法第百三十八条第一項において準用する場合を含む。）の規定による請求をしようとする者は、公聴会の開催を請求する旨及び次に掲げる事項を記載した書面を事業の認定に関する処分を行う国土交通大臣又は都道府県知事に提出しなければならない。

一 請求者の氏名及び住所

二 起業者の名称及び事業の種類

（公聴会の開催の手続）

第五条 国土交通大臣又は都道府県知事は、公聴会を開催しようとするときは、あらかじめ、起業者に対し、当該公聴会の期日を通知しなければならない。

2 起業者は、前項の規定による通知を受けた場合において、当該通知に係る公聴会に出席して意見を述べようとするときは、その旨を、当該通知を受けた日から一週間以内に当該通知をした国土交通大臣又は都道府県知事に通知しなければならない。

第六条 法第二十三条第二項（法第百三十八条第一項において準用する場合を含む。）の規定による公告は、起業地の存する地方の新聞紙に、遅くとも、公聴会の期日の前日から起算して前十一日に当たる日が終わるまでにしなければならない。

2 国土交通大臣又は都道府県知事は、前項の公告に併せて、次に掲げる事項を公告しなければならない。

一 前条第二項の規定による通知があつた起業者の名称

二 次条第一項の規定による申出の期限

三 意見を述べることができる時間として、次条第一項の規定による申出一件ごとに割り振ることを予定している時間

四 前三号に定めるもののほか、国土交通大臣又は都道府県知事が必要と認める事項

3 前項第二号の期限は、第一項の公告の日の翌日から起算して八日以後の日を定めなければならない。

第七条 公聴会に出席して意見を述べようとする者（起業者を除く。）は、前条第二項第二号の期限までに、次に掲げる事項を記載した書面により、事業の認定に関する処分を行う国土交通大臣又は都道府県知事に申し出なければならない。

一 氏名及び住所

二 電話番号又は電子メールアドレス（複数の者が共同して申し出る場合にあつては、その代表者（一人に限る。）の氏名及び電話番号又は電子メールアドレス）

三 述べようとする意見の要旨

四 自らの意見の陳述に併せて前条第二項第一号に規定する起業者に対し質問をすることを希望する場合にあつては、その質問の相手方となる起業者の名称及び質問の要旨

2 前項第四号の要旨は、その質問の趣旨及び内容がその記述から明らかとなるように記載しなければならない。

3 複数の者が共同して第一項の規定による申出をした場合においては、次条第一項及び第三項の規定による通知は、第一項第二号の代表者に対してすれば足りる。

第八条 国土交通大臣又は都道府県知事は、第五条第二項の規定による通知をした起業者及び前条第一項の書面（同項各号に規定する事項のいずれかの記載がないものを除く。以下この条から第十一条までにおいて「申出書」という。）を提出した者（次項の場合にあつては、同項後段の規定により国土交通大臣又は都道府県知事が定めた者。第十一条第二項において同じ。）に対し、あらかじめ、公聴会において意見を述べることができる時間及び予定の開始時刻を通知しなければならない。

2 国土交通大臣又は都道府県知事は、前条第一項の規定による申出をした者が多数あることにより、公聴会の期日において、これらの者のすべてに意見を述べさせることができないと認めるときは、意見を述べることができる者を制限することができる。この場合において、国土交通大臣又は都道府県知事は、多様な趣旨の意見を聴取することを旨として、公聴会において意見を述べることができる者を定めるものとする。

3　国土交通大臣又は都道府県知事は、前項の規定による制限によつて公聴会において意見を述べることができないこととなる者に対して、その旨を通知しなければならない。

第九条　国土交通大臣又は都道府県知事は、前条第一項の規定による通知を受けた者が提出した申出書に第七条第一項第四号に規定する事項を記載したものがあるときは、当該記載に係る起業者に対し、日時を指定して、自ら出席し、又はその命じた職員若しくは代理人が出席し、第十一条第三項に規定する答弁をすべき旨を書面により通知しなければならない。この場合において、当該通知書には、当該申出書の写しを添付するものとする。

第一〇条　公聴会は、事業の認定に関する処分を行う国土交通大臣若しくは都道府県知事又はその指名する職員が議長としてこれを主宰する。

2　国土交通大臣又は都道府県知事は、前項の規定によりその職員を議長として指名したときは、第五条から前条まで及び第十一条の三第一項に規定する国土交通大臣又は都道府県知事の権限を議長に行わせることができる。

3　前項に規定する場合において、議長は、その氏名を記載し、かつ、その者の写真を貼付した証明書を、当該公聴会の期間中、携帯しなければならない。

4　国土交通大臣又は都道府県知事は、公聴会の円滑な運営を確保するために必要と認める場合には、その指名する職員（以下この条、第十一条の三及び第十一条の四において「議長補助者」という。）に第十一条の三第二項及び第五項に規定する権限を行わせることができる。

5　議長補助者は、その権限を行使する場合においては、その氏名を記載し、かつ、その者の写真を貼付した証明書を携帯し、関係者から請求があつたときは、これを提示しなければならない。

6　議長又は議長補助者は、必要があると認めるときは、国土交通大臣又は都道府県知事の委託を受けた者にその職務の遂行を補助させることができる。

第一一条　公聴会における発言は、議長の許可を得てしなければならない。

2　公述人（第八条第一項の規定による通知を受けた起業者又はその命じた職員若しくは代理人及び申出書を提出した者をいう。以下同じ。）は、公聴会に出席し、議長が指示する時刻から公述時間（同項の規定による通知に示された意見を述べることができる時間をいい、第四項の場合にあつては、同項の規定による時間をいう。以下同じ。）内において意見を述べることができる。この場合において、その意見は、案件の範囲及び申出書に記載した第七条第一項第三号の要旨の範囲を超えてはならない。

3　公述人のうち、その申出書に第七条第一項第四号に規定する事項を記載したものは、その公述時間内において質問し、その答弁を聴くことができる。この場合において、その質問は、案件の範囲及び当該申出書に記載した同号の要旨の範囲を超えてはならない。

4　議長は、前二項の規定にかかわらず、公述人が第八条第一項の規定による通知に示された意見を述べることができる予定の開始時刻又は第二項の規定により議長が指示することとなるべき時刻のいずれか遅い時刻（以下この項において「予定開始時刻」という。）に遅れて公聴会に出席したときは、同条第一項の規定による通知に示された意見を述べることができる時間から実質遅刻時間（予定開始時刻から当該公述人が公聴会に出席した時刻までの時間をいう。次項において同じ。）を控除した時間を当該公述人の意見を述べることができる時間とすることができる。

5　前項に規定する場合において、実質遅刻時間が第八条第一項の規定による通知に示された意見を述べることができる時間を超えたときは、当該公述人は、第二項及び第三項の規定による意見の陳述及び質問（以下「意見の陳述等」という。）をすることができない。

6　議長は、第二項及び第三項の場合において、公述人等（公述人及び第九条の規定により出席した者をいう。以下同じ。）に対して質疑することができる。

第一一条の二　議長は、公述人等が、前条第二項及び第三項に規定する範囲を超え、若しくはその公述時間以外の時間に発言した場合（同条第一項の許可を得て、及び同条第六項の規定による質疑に対する応答として発言する場合を除く。）又は不穏当な言動をした場合は、その発言を禁止することができる。

2　議長は、公聴会の秩序を維持するために必要があると認めるときは、著しく不穏当な言動をし、前項の規定による禁止に従わず、又は国土交通大臣若しくは都道府県知事が公聴会の秩序を維持する見地から定めた公述人等が遵守すべき事項に違反した公述人等を公聴会の会場から退場させることができる。

3　国土交通大臣又は都道府県知事は、前項に規定する公述人等が遵守すべき事項を定めた場合には、次に掲げる措置をとらなければならない。

一　国土交通省又は当該都道府県のウェブサイトに掲載して公衆の閲覧に供すること。

二　公聴会の期日において、その会場に掲示し、又は公述人等に配付すること。

第一一条の三　国土交通大臣又は都道府県知事は、公聴会における秩序を維持するために必要があると認めるときは、傍聴につき次に掲げる処置をとることができる。

一　傍聴席に相応する数の傍聴券を発行し、その所持者に限り傍聴を許すこと。

二　傍聴人の被服又は所持品を検査させ、危険物その他公聴会の会場において所持するのを相当でないと思料する物の持込みを禁じさせること。

三　前号に規定する処置に従わない者及び公聴会において議長の職務の執行を妨げ又は不当の行状をすることを疑うに足りる顕著な事情が認められる者の公聴会の会場への入場を禁ずること。

2　傍聴人は、公聴会の会場への入場又は退場に際し、議長又は議長補助者の指示に従わなければならない。

3　傍聴人は、公聴会の会場において、次に掲げる事項を守らなければならない。

一　静粛を旨とし、喧騒にわたる行為をしないこと。

二　国土交通大臣又は都道府県知事が公聴会の秩序を維持する見地から定めた傍聴人が遵守すべき事項に従うこと。

4　前条第三項の規定は、国土交通大臣又は都道府県知事が前項第二号に規定する傍聴人が遵守すべき事項を定めた場合について準用する。この場合において、同条第三項第二号中「公述人等」とあるのは、「公述人等及び傍聴人」と読み替えるものとする。

5　議長又は議長補助者は、第三項の規定に違反した傍聴人に対して、その行為の中止を命じ、又は公聴会の会場から退場させることができる。

6　公述人等については、公述人にあつてはその公述時間、第九条の規定により出席した者にあつてはその答弁をしなければならないこととなる公述人の公述時間を除き、傍聴人とみなして第一項（第一号を除く。）から第三項まで及び前項の規定を適用する。

第一一条の四　議長は、次のいずれかに該当すると認める場合においては、公聴会を打ち切ることができる。

一　議長、議長補助者、第十条第六項の規定による委託を受けた者、公述人等若しくは傍聴人の身体に危害が加えられ、又はその著しいおそれがあるとき。

二　公聴会を開催する施設若しくはその設備が破壊され、損傷され、若しくはその使用を困難にする行為がされ、又はその著しいおそれがあるとき。

三　第十一条の二第二項又は前条第五項の規定による退場命令に従わない者が多数いることにより公聴会の運営が困難となつたとき。

2　議長は、前項の規定により公聴会を打ち切つたときは、公聴会が予定されていた期間中、次に掲げる事項について、公聴会の会場又はその付近の適当な場所に掲示するとともに、国土交通大臣の開催する公聴会にあつては国土交通省の、都道府県知事の開催する公聴会にあつては当該都道府県のウェブサイトに掲載して公衆の閲覧に供しなければならない。

一　前項の規定により公聴会を打ち切つた旨

二　次項後段の規定により書面により意見を提出することができる旨

3　公述人は、第一項の規定により公聴会が打ち切られたときは、第十一条第二項及び第三項の規定にかかわらず、当該打切りの後において意見の陳述等をすることができない。この場合において、意見の陳述等ができないこととなつた公述人は、当該打切りの日の翌日から起算して七日以内に、議長に対し、意見の陳述に代えて、その意見を書面により提出することができる。

第一二条　公聴会については、記録を作成しなければならない。

2　前項の規定による記録には、次に掲げる事項を記載し、議長が署名押印しなければならない。

一　案件の内容

二　公聴会の期日及び場所

三　出席した公述人等の氏名及び住所
四　公述人等の意見又は答弁の要旨
五　その他公聴会の経過に関する事項
3　前項第四号の規定にかかわらず、当該公聴会の速記録を添付することをもつて同号に規定する事項の記載に代えることができる。

（補償等についての周知措置）

第一三条　法第二十八条の二（法第百三十八条第一項において準用する場合を含む。以下同じ。）の土地所有者及び関係人に周知させるための必要な措置は、次に掲げるものとする。
一　土地所有者及び関係人が受けることができる補償及び次条各号に掲げる事項（以下「補償等」という。）の内容を記載した書面を、起業地又はその周辺の適当な場所において、これらの者に配布すること。
二　前号の書面を配布する場所及び補償等の内容について、起業地又はその周辺の適当な場所に掲示するとともに、次に掲げる方法のうち適切な方法により公衆の閲覧に供すること。
イ　起業者のウェブサイトへの掲載
ロ　関係する地方公共団体の協力を得て行う当該地方公共団体のウェブサイトへの掲載
2　前項第二号による措置は、法第二十六条の二第二項（法第百三十八条第一項において準用する場合を含む。）の縦覧の終了の日までしなければならない。

（周知措置を講ずべき事項）

第一三条の二　法第二十八条の二の国土交通省令で定める事項は、次に掲げるものとする。
一　法第三十九条第二項（法第百三十八条第一項において準用する場合を含む。以下同じ。）の規定による請求（以下「裁決申請の請求」という。）に関する事項
二　法第四十六条の二第一項（法第百三十八条第一項において準用する場合を含む。以下同じ。）の規定による請求（以下「補償金の支払請求」という。）に関する事項
三　明渡裁決の申立てに関する事項

（事業の廃止又は変更についての周知措置）

第一三条の三　法第三十条第一項（法第百三十八条第一項において準用する場合を含む。）の必要な措置は、当該収用し、又は使用する必要がなくなつた土地等の土地所有者及び関係人への通知並びに次に掲げるいずれかの方法により行うものとする。
一　当該土地等又はその周辺の適当な場所に掲示するとともに、次に掲げる方法のうち適切な方法により公衆の閲覧に供すること。
イ　起業者のウェブサイトへの掲載
ロ　関係する地方公共団体の協力を得て行う当該地方公共団体のウェブサイトへの掲載
二　当該土地等が所在する地方の新聞紙に公告すること。

（手続の保留の申立書等の様式）

第一三条の四　法第三十一条第一項（法第百三十八条第一項において準用する場合を含む。）の規定による手続の保留の申立書の様式は、別記様式第七とする。
2　収用又は使用の手続を保留する起業地の範囲は、法第十八条第二項第二号の起業地を表示する図面に、黒色の斜線をもつて表示するものとする。

（手続開始の申立書等の様式）

第一三条の五　法第三十四条の二第一項（法第百三十八条第一項において準用する場合を含む。以下同じ。）の規定による手続開始の申立書の様式は、別記様式第七の二とする。
2　法第三十四条の二第一項に規定する添附図面は、第三条第二号（イを除く。）の例によつて作成し、正本一部及び収用又は使用の手続を開始しようとする土地が所在する市町村の数に一を加えた部数の写しを提出するものとする。

（土地調書作成の特例手続等の申出）

第一三条の六　法第三十六条の二第一項第一号の規定により土地調書を作成しようとする場合における同条第二項の申出書は、別記様式第七の三によるものとする。
2　法第百三十八条第一項において準用する法第三十六条の二第一項第一号の規定により権利調書又は土石砂れき調書を作成しようとする場合における法第百三十八条第一項において準用する法第三十六条の二第二項の申出書は、別記様式第七の三の例によるものとする。

（物件調書作成の特例手続等の申出）

第一三条の七　法第三十六条の二第一項第二号の規定により物件調書を作成しようとする場合における同条第二項の申出書は、別記様式第七の四によるものとする。
2　法第百三十八条第一項において準用する法第三十六条の二第一項第一号又は第二号の規定により立木、建物その他土地に定着する物件調書又は物件調書を作成しようとする場合における法第百三十八条第一項において準用する法第三十六条の二第二項の申出書は、別記様式第七の四の例によるものとする。

（土地調書等に対する異議の申出）

第一三条の八　法第三十六条の二第三項の規定による公告に係る土地調書についての同条第六項の異議申出書は、別記様式第七の五による土地調書に対する異議申出書とする。
2　法第百三十八条第一項において準用する法第三十六条の二第三項の規定による公告に係る権利調書又は土石砂れき調書についての法第百三十八条第一項において準用する法第三十六条の二第六項の異議申出書は、別記様式第七の五の例によるものとする。

（物件調書等に対する異議の申出）

第一三条の九　法第三十六条の二第三項の規定による公告に係る物件調書についての同条第六項の異議申出書は、別記様式第七の六による物件調書に対する異議申出書とする。
2　法第百三十八条第一項において準用する法第三十六条の二第三項の規定による公告に係る立木、建物その他土地に定着する物件調書又は物件調書についての法第百三十八条第一項において準用する法第三十六条の二第六項の異議申出書は、別記様式第七の六の例によるものとする。

（土地調書等の様式）

第一四条　法第三十七条第一項の規定による土地調書の様式は、別記様式第八とする。
2　法第百三十八条第一項において準用する法第三十七条第一項の権利調書又は土石砂れき調書の様式は、別記様式第八の例による。

（物件調書等の様式）

第一五条　法第三十七条第二項の規定による物件調書の様式は、別記様式第九とする。
2　法第百三十八条第一項において準用する法第三十七条第一項又は第二項の規定による立木、建物その他土地に定着する物件調書又は物件調書の様式は、別記様式第九の例による。

（裁決申請の請求の手続）

第一五条の二　裁決申請の請求をしようとする者は、別記様式第九の二による裁決申請請求書に、当該裁決申請の請求に係る土地等に関して自己が法第三十九条第二項に規定する土地所有者又は関係人であることを証する書面を添附して、これを起業者に提出しなければならない。

（収用又は使用の裁決申請書の様式）

第一六条　法第四十条第一項（法第百三十八条第一項において準用する場合を含む。）の規定による裁決申請書の様式は、別記様式第十とし、正本一部及び申請に係る起業地の存する市町村の数に一を加えた部数の写を提出するものとする。

（裁決申請書の添附書類の様式）

第一七条　法第四十条第一項各号（法第百三十八条第一項において準用する場合を含む。以下同じ。）に掲げる添附書類は、左に規定するところに従つて作成し、正本一部及び前条の規定による裁決申請書と同じ部数の写を提出するものとする。
一　法第四十条第一項第一号の書類の作成に当つては、第三条第一号から第三号までの規定による。
二　同項第二号ニについては、次の各号に定めるところによつて作成するものとする。
イ　起業者が過失がなくて知ることができないものがあるときは、過失がないことを証明しなければならない。
ロ　法第四十四条第一項（法第百三十八条第一項において準用する場合を含む。以下同じ。）の規定により、登記簿に現われた土地所有者及び関係人の氏名及び住所を記載するときは、その旨を明らかにしなければならない。
三　同項第二号ホについては、積算の基礎を明らかにするものとし、法第

八十二条、法第八十三条及び法第八十六条（法第百三十八条第一項においてこれらの規定を準用する場合を含む。）の規定による補償については、金銭に換算した額をあわせて記載するものとする。

（裁決申請書の添附書類の補充の方法等）

第一七条の二　法第四十四条第二項（法第百三十八条第一項において準用する場合を含む。以下同じ。）の規定による補充は、同条第一項の規定により省略された部分の添附書類の全部を提出することによつて行なうものとする。

2　起業者は、法第四十四条第二項の規定による補充をしようとするときは、収用委員会に対し、その旨を、書面により通知しなければならない。

（裁決手続開始の決定の公告の方法）

第一七条の三　法第四十五条の二（法第百三十八条第一項において準用する場合を含む。）の規定による公告は、収用委員会が定める方法によつて行なうものとする。

（補償金の支払請求の手続）

第一七条の四　補償金の支払請求をしようとする者は、別記様式第十の二による補償金支払請求書に、当該補償金の支払請求に係る土地等に関して自己が法第四十六条の二第一項に規定する土地所有者又は関係人であることを証する書面を添附して、これを起業者に提出しなければならない。ただし、裁決申請の請求とあわせて補償金の支払請求をするときは、当該補償金の支払請求に係る土地等に関して自己が同項に規定する土地所有者又は関係人であることを証する書面は添附することを要しない。

（見積りによる補償金の支払の手続）

第一七条の五　起業者は、法第四十六条の四第一項（法第百三十八条第一項において準用する場合を含む。）の規定により自己の見積りによる補償金を支払おうとするときは、次に掲げる事項を記載した書面を支払の相手方に交付しなければならない。

一　支払に係る土地の所在、地番及び地目等
二　支払に係る権利の種類及び内容
三　支払金額及びその積算の基礎

（法第四十七条の三第一項の書類の様式）

第一七条の六　法第四十七条の三第一項各号（法第百三十八条第一項において準用する場合を含む。以下同じ。）に掲げる書類は、次の各号に定めるところによつて作成し、正本一部及び明渡裁決の申立てに係る起業地の存する市町村の数に一を加えた部数の写しを提出するものとする。

一　法第四十七条の三第一項第一号ハについては、第十七条第二号イの規定による。なお、裁決申請書の添附書類に記載したものと異なるものがあるときは、その旨及びその理由を明らかにすること。
二　同項第一号ニについては、積算の基礎を明らかにするものとし、法第八十四条から第八十六条まで（法第百三十八条第一項においてこれらの規定を準用する場合を含む。）の規定による補償については、金銭に換算した額をあわせて記載するものとする。

（明渡裁決の申立ての手続）

第一七条の七　明渡裁決の申立てをしようとする者は、別記様式第十の三の明渡裁決申立書を収用委員会に提出しなければならない。

2　起業者以外の者は、明渡裁決の申立てをしようとするときは、前項の明渡裁決申立書に、当該明渡裁決の申立てに係る土地等について自己が土地所有者又は関係人であることを証する書面を添附しなければならない。

（証票の様式）

第一八条　法第六十五条第三項（法第九十四条第六項（法第百三十八条第一項において準用する場合を含む。）、法第百二十四条第三項（法第百三十八条第一項において準用する場合を含む。）において準用する法第九十四条第六項又は法第百三十八条第一項において準用する場合を含む。）の規定による証票の様式は、別記様式第十一とする。

（担保の取得及び取りもどしの手続）

第一九条　起業者は、法第八十三条第四項（法第八十四条第三項（法第百三十八条第一項において準用する場合を含む。）、法第百二十三条第六項（法第百三十八条第一項において準用する場合を含む。）又は法第百三十八条第一項において準用する場合を含む。以下第二十二条において同じ。）の規定により、金銭又は有価証券を供託したときは、供託物受入の記載ある供託書を、収用委員会に提出しなければならない。

第二〇条　収用委員会は、法第八十三条第五項又は第六項（法第八十四条第三項（法第百三十八条第一項において準用する場合を含む。）、法第百二十三条第六項（法第百三十八条第一項において準用する場合を含む。）又は法第百三十八条第一項においてこれらの規定を準用する場合を含む。以下第二十一条及び第二十二条において同じ。）の規定による確認をしたときは、確認証書を土地所有者、関係人又は起業者に交付しなければならない。

2　前項の確認証書には、左に掲げる事項を記載し、収用委員会の会長が署名押印しなければならない。

一　担保を取得する土地所有者若しくは関係人又は担保を取りもどすことができる起業者の氏名及び住所
二　起業者が、工事を完了すべき時期（補償の支払をなすべき時期）までに工事を完了しなかつた事実（補償の支払をしなかつた事実）及びその程度若しくは工事を完了した事実（補償の支払をした事実）又は補償の義務を免かれた事由
三　土地所有者若しくは関係人が取得する担保の額又は起業者が取りもどすことができる担保の額
四　前条の規定によつて提出された供託書の供託番号

第二一条　法第八十三条第五項の規定によつて、土地所有者又は関係人が担保の全部又は一部を取得し、起業者が補償の義務を免かれることとなる場合においては、収用委員会は、同項前段の規定による確認と同項後段の規定による確認を同時にしなければならない。

第二二条　法第八十三条第五項前段の規定により、土地所有者若しくは関係人が担保の全部を取得した場合又は同条第六項の規定により起業者が担保の全部を取りもどすことができる場合において、同条第四項の規定によつて供託された金銭又は有価証券の払渡を請求するには、供託規則（昭和三十四年法務省令第二号）の手続による外、第二十条の規定による確認証書を供託所に提出しなければならない。

2　法第八十三条第五項前段の規定により、土地所有者又は関係人が担保の一部を取得し、担保の分割払渡をすることとなるときは、収用委員会は、供託規則第三十条第一項に定める書式の支払委託書を供託所に送付しなければならない。この場合においては、法第八十三条第四項の規定によつて供託された金銭又は有価証券の払渡の請求は、土地所有者、関係人又は起業者が、第二十条の規定による確認証書を供託所に提出してするものとする。

（損失の補償の裁決申請書の様式）

第二三条　法第九十四条第三項（法第百二十四条第二項（法第百三十八条第一項において準用する場合を含む。）又は法第百三十八条第一項において準用する場合を含む。）の規定による裁決申請書の様式は、別記様式第十二とし、正本一部及び写一部を提出するものとする。

（補償金等払渡通知書の様式）

第二三条の二　土地収用法施行令（以下「令」という。）第一条の十五の規定による補償金等払渡通知書の様式は、別記様式第十三の二とする。

（令第一条の十八第三項の規定による通知の手続）

第二三条の三　法第九十六条第四項（法第百三十八条第一項において準用する場合を含む。）の規定による通知をした起業者は、法第百三十三条第二項（法第百三十八条第一項において準用する場合を含む。以下同じ。）の訴えを提起した場合又は法第百三十三条第二項の訴訟が終了した場合において、令第一条の十八第三項の規定による通知をするときは、当該通知書に裁判所のその旨を証する書面を添附しなければならない。

（補償金等の払渡しのための書留郵便に付すべき支払手段）

第二三条の四　法第百条の二第一項（法第百三十八条第一項において準用する場合を含む。以下同じ。）の規定による国土交通省令で定める支払手段は、次に掲げるものとする。

一　小切手法（昭和八年法律第五十七号）第五十九条に規定する銀行が同法第五十三条第一項の支払保証をした小切手
二　会計法（昭和二十二年法律第三十五号）第十五条の規定に基づき振り出される小切手
三　地方自治法（昭和二十二年法律第六十七号）第二百三十二条の六第一項の規定に基づき振り出される小切手

（協議の確認申請書の様式）

第二四条　法第百十六条第二項（法第百三十八条第一項において準用する場合を含む。）の規定による確認申請書の様式は、別記様式第十三とし、正本一部及び申請に係る起業地の存する市町村の数に一を加えた部数の写を提出するものとする。

第二五条　同一の起業者が行う同一の事業に関して、法第二条若しくは法第

五条から第七条までの規定のうちいずれか二以上の規定による収用若しくは使用のために、事業の認定の申請、収用若しくは使用の手続の保留の申立て、収用若しくは使用の手続の開始の申立て、収用若しくは使用の裁決の申請、裁決申請の請求、補償金の支払請求、明渡裁決の申立て若しくは協議の確認の申請をする場合又は法第九十四条第二項の規定によつて損失の補償の裁決の申請をする場合は、それぞれ一の申請書、申立書又は請求書によつてすることができる。

（権限の委任）

第二六条　法、令及びこの省令に規定する国土交通大臣の権限のうち、次に掲げるもの以外のものは、地方整備局長及び北海道開発局長に委任する。

一　国、独立行政法人鉄道建設・運輸施設整備支援機構、独立行政法人水資源機構、独立行政法人国立病院機構、独立行政法人都市再生機構、成田国際空港株式会社、東日本高速道路株式会社、首都高速道路株式会社、中日本高速道路株式会社、西日本高速道路株式会社、阪神高速道路株式会社、本州四国連絡高速道路株式会社又は日本郵便株式会社が起業者である事業及び起業地が二以上の地方整備局の管轄区域にわたる事業に関する権限

二　前号に規定する事業以外の事業に関する次に掲げる権限

イ　法第百条の二第一項の規定により書留郵便の方法を定めること。

ロ　法第百条の二第一項及び令第四条第一項第二号の規定により書留郵便に準ずるものを定めること。

ハ　法第百二十九条の規定による審査請求に対して裁決をすること。

ニ　法第百三十一条第一項の規定により公害等調整委員会の意見を聞くこと。

附　則

この省令は、昭和二十六年十二月一日から施行する。

附　則〔略〕〔昭和三七・九・二九建設省令二六〕

附　則〔略〕〔昭和三九・三・二八建設省令九〕

附　則〔抄〕〔昭和四二・一一・三〇建設省令三四〕

（施行期日）

1　この省令は、土地収用法の一部を改正する法律（昭和四十二年法律第七十四号）の施行の日（昭和四十三年一月一日）から施行する。

（経過措置）

2　土地収用法の一部を改正する法律施行法（昭和四十二年法律第七十五号。以下「施行法」という。）第五条（同法第九条において準用する場合を含む。）の場合における法第三十四条の二第一項の規定による申立書の様式については、この省令による改正後の土地収用法施行規則（以下「改正後の施行規則」という。）別記様式第七の二中

「三　起業地
イ　収用の部分
ロ　使用の部分
四　土地収用法第二十六条の二の規定による図面の縦覧場所」

とあるのは

「三　起業地
四　土地収用法の一部を改正する法律施行法第四条の規定により収用又は使用の手続が保留された旨」

とする。

3　施行法第七条第一項（同法第九条において準用する場合を含む。以下同じ。）の場合における法第三十四条の二第一項の規定による申立書の様式については、改正後の施行規則別記様式第七の二中

「三　起業地
イ　収用の部分
ロ　使用の部分
四　土地収用法第二十六条の二の規定による図面の縦覧場所
五　収用又は使用の手続が保留されている起業地」

とあるのは

「三　起業地
四　土地収用法の一部を改正する法律施行法第四条の規定により収用又は使用の手続が保留された旨
五　手続を開始する土地の所在する都道府県の区域内の起業地
イ　収用の部分
ロ　使用の部分」

とする。

4　施行法第七条第一項に規定する起業地を表示する図面は、改正後の施行規則第三条第二号及び第十三条の四第三項の例によつて作成し、正本一部及び当該起業地の存する市町村の数に一を加えた部数の写しを提出するものとする。

附　則〔抄〕〔平成一二・一一・二〇建設省令四一〕

（施行期日）

1　この省令は、内閣法の一部を改正する法律（平成十一年法律第八十八号）の施行の日（平成十三年一月六日）から施行する。

中央省庁等改革のための関係建設省令の整備に関する省令〔抄〕〔平成一二・一一・二〇建設省令四一〕

（権限の委任に関する経過措置）

第九〇条　この省令の規定による改正後のそれぞれの省令の権限の委任に関する規定のうち、次に掲げる規定は、この省令の施行の際現に法令の規定により建設大臣に対して承認、認定その他の処分又は協議の申請がされているものについては、適用しない。

一・二〔略〕

三　土地収用法施行規則第二十六条（土地収用法（昭和二十六年法律第二百十九号）第十八条の規定による申請のあった認定に限る。）

四・五〔略〕

附　則〔略〕〔平成一四・七・九国土交通省令八五〕

附　則〔略〕〔平成一五・三・二八国土交通省令三七〕

附　則〔略〕〔平成一五・一〇・一国土交通省令一〇九〕

附　則〔略〕〔平成一六・三・二二国土交通省令一八〕

附　則〔略〕〔平成一六・六・一八国土交通省令七〇〕

附　則〔略〕〔平成一七・二・一〇国土交通省令六〕

附　則〔平成一七・三・二九国土交通省令二四〕

（施行期日）

1　この省令は、行政事件訴訟法の一部を改正する法律の施行の日（平成十七年四月一日）から施行する。

（経過措置）

2　この省令の施行前にその期間が満了した高等海難審判庁の裁決に対する訴えの出訴期間の計算については、なお従前の例による。

3　この省令の施行の際現にあるこの省令による改正前の様式による用紙については、当分の間、これを取り繕つて使用することができる。

附　則〔略〕〔平成一七・六・一国土交通省令六六〕

附　則〔抄〕〔平成一九・八・三国土交通省令七五〕

（施行期日）

1　この省令は、平成十九年十月一日から施行する。

（土地収用法施行規則の一部改正に伴う経過措置）

2　郵政民営化法等の施行に伴う関係法律の整備等に関する法律（以下「整備法」という。）附則第八条第一項の規定によりなおその効力を有するものとされる定額小為替に係る旧郵便為替法（整備法附則第三条第二号に規定する旧郵便為替法をいう。）第十条に規定する定額小為替証書は、第二条の規定による改正後の土地収用法施行規則第二十三条の四に規定する支払手段とみなす。

附　則〔略〕〔平成二四・一〇・一国土交通省令八〇〕

附　則〔略〕〔令和二・一二・二三国土交通省令九八〕

附　則〔略〕〔令和五・九・二九国土交通省令八〇施行〕

附　則〔略〕〔令和六・一・三一国土交通省令六〕

附　則〔抄〕〔令和六・三・二九国土交通省令二六〕

（施行期日）

第一条　この省令は、令和六年四月一日から施行する。〔以下略〕

別記様式〔略〕

○大深度地下の公共的使用に関する特別措置法

〔平成一二・五・二六
法律八七〕

改正　平成一二・五法九一、平成一三・七法一〇三、平成一四・一二法一三〇、法一八〇、法一八二、平成一五・七法一二五、平成二〇・三法八、平成二三・八法一〇五、平成二五・六法四四、平成二六・五法四二、六法六九、法七二、平成二九・六法四五、令和二・六法四九

目次

第一章　総則（第一条―第八条）
第二章　事業の準備等（第九条）
第三章　使用の認可（第十条―第三十条）
第四章　事業区域の明渡し等（第三十一条―第三十八条）
第五章　雑則（第三十九条―第五十一条）
第六章　罰則（第五十二条―第五十六条）
附則

第一章　総則

（目的）

第一条　この法律は、公共の利益となる事業による大深度地下の使用に関し、その要件、手続等について特別の措置を講ずることにより、当該事業の円滑な遂行と大深度地下の適正かつ合理的な利用を図ることを目的とする。

（定義）

第二条　この法律において「大深度地下」とは、次の各号に掲げる深さのうちいずれか深い方以上の深さの地下をいう。

一　建築物の地下室及びその建設の用に通常供されることがない地下の深さとして政令で定める深さ

二　当該地下の使用をしようとする地点において通常の建築物の基礎ぐいを支持することができる地盤として政令で定めるもののうち最も浅い部分の深さに政令で定める距離を加えた深さ

2　この法律において「事業者」とは、第四条各号に掲げる事業を施行する者であって大深度地下の使用を必要とする者をいう。

3　この法律において「事業区域」とは、大深度地下の一定の範囲における立体的な区域であって第四条各号に掲げる事業を施行する区域をいう。

（対象地域）

第三条　この法律による特別の措置は、人口の集中度、土地利用の状況その他の事情を勘案し、公共の利益となる事業を円滑に遂行するため、大深度地下を使用する社会的経済的必要性が存在する地域として政令で定める地域（以下「対象地域」という。）について講じられるものとする。

（対象事業）

第四条　この法律による特別の措置は、次に掲げる事業について講じられるものとする。

一　道路法（昭和二十七年法律第百八十号）による道路に関する事業

二　河川法（昭和三十九年法律第百六十七号）が適用され、若しくは準用される河川又はこれらの河川に治水若しくは利水の目的をもって設置する水路、貯水池その他の施設に関する事業

三　国、地方公共団体又は土地改良区（土地改良区連合を含む。）が設置する農業用道路、用水路又は排水路に関する事業

四　鉄道事業法（昭和六十一年法律第九十二号）第七条第一項に規定する鉄道事業者（以下単に「鉄道事業者」という。）が一般の需要に応ずる鉄道事業の用に供する施設に関する事業

五　独立行政法人鉄道建設・運輸施設整備支援機構が設置する鉄道又は軌道の用に供する施設に関する事業

六　軌道法（大正十年法律第七十六号）による軌道の用に供する施設に関する事業

七　電気通信事業法（昭和五十九年法律第八十六号）第百二十条第一項に規定する認定電気通信事業者（以下単に「認定電気通信事業者」という。）が同項に規定する認定電気通信事業（以下単に「認定電気通信事業」という。）の用に供する施設に関する事業

八　電気事業法（昭和三十九年法律第百七十号）による一般送配電事業、送電事業、配電事業、特定送配電事業又は発電事業の用に供する電気工作物に関する事業

九　ガス事業法（昭和二十九年法律第五十一号）によるガス工作物に関する事業

十　水道法（昭和三十二年法律第百七十七号）による水道事業若しくは水道用水供給事業、工業用水道事業法（昭和三十三年法律第八十四号）による工業用水道事業又は下水道法（昭和三十三年法律第七十九号）による公共下水道、流域下水道若しくは都市下水路の用に供する施設に関する事業

十一　独立行政法人水資源機構が設置する独立行政法人水資源機構法（平成十四年法律第百八十二号）による水資源開発施設及び愛知豊川用水施設に関する事業

十二　前各号に掲げる事業のほか、土地収用法（昭和二十六年法律第二百十九号）第三条各号に掲げるものに関する事業又は都市計画法（昭和四十三年法律第百号）の規定により土地を使用することができる都市計画事業のうち、大深度地下を使用する必要があるものとして政令で定めるもの

十三　前各号に掲げる事業のために欠くことができない通路、鉄道、軌道、電線路、水路その他の施設に関する事業

（安全の確保及び環境の保全の配慮）

第五条　大深度地下の使用に当たっては、その特性にかんがみ、安全の確保及び環境の保全に特に配慮しなければならない。

（基本方針）

第六条　国は、大深度地下の公共的使用に関する基本方針（以下「基本方針」という。）を定めなければならない。

2　基本方針においては、次に掲げる事項を定めるものとする。

一　大深度地下における公共の利益となる事業の円滑な遂行に関する基本的な事項

二　大深度地下の適正かつ合理的な利用に関する基本的な事項

三　安全の確保、環境の保全その他大深度地下の公共的使用に際し配慮すべき事項

四　前三号に掲げるもののほか、大深度地下の公共的使用に関する重要事項

3　国土交通大臣は、基本方針の案を作成して、閣議の決定を求めなければならない。

4　国土交通大臣は、前項の規定による閣議の決定があったときは、遅滞なく、基本方針を公表しなければならない。

5　前二項の規定は、基本方針の変更について準用する。

（大深度地下使用協議会）

第七条　公共の利益となる事業の円滑な遂行と大深度地下の適正かつ合理的な利用を図るために必要な協議を行うため、対象地域ごとに、政令で定めるところにより、国の関係行政機関及び関係都道府県（以下この条において「国の行政機関等」という。）により、大深度地下使用協議会（以下「協議会」という。）を組織する。

2　前項の協議を行うための会議（第五項において「会議」という。）は、国の行政機関等の長又はその指名する職員をもって構成する。

3　協議会は、必要があると認めるときは、関係市町村及び事業者に対し、資料の提供、意見の開陳、説明その他の必要な協力を求めることができる。

4　協議会は、特に必要があると認めるときは、前項に規定する者以外の者に対しても、必要な協力を依頼することができる。

5　会議において協議が調った事項については、国の行政機関等は、その協議の結果を尊重しなければならない。

6　協議会の庶務は、国土交通省において処理する。

7　前項に定めるもののほか、協議会の運営に関し必要な事項は、協議会が定める。

（情報の提供等）

第八条　国及び都道府県は、公共の利益となる事業の円滑な遂行と大深度地下の適正かつ合理的な利用に資するため、対象地域における地盤の状況、地下の利用状況等に関する情報の収集及び提供その他必要な措置を講ずるよう努めなければならない。

第二章　事業の準備等

（事業の準備のための立入り等及びその損失の補償に関する土地収用法の準用）

第九条　第四条各号に掲げる事業の準備のための土地の立入り、障害物の伐除及び土地の試掘等並びにこれらの行為により生じた損失の補償については、土地収用法第二章並びに第九十一条及び第九十四条の規定を準用する。この場合において、同法第十一条第一項、第三項及び第四項、第十四条第一項及び第三項、第十五条第一項、第九十一条第一項並びに第九十四条第一項及び第二項中「起業者」とあるのは「事業者」と、同法第九十一条第一項中「第十一条第三項、第十四条又は第三十五条第一項」とあるのは「大深度地下の公共的使用に関する特別措置法第九条において準用する第十一条第三項又は第十四条」と、「土地又は工作物」とあるのは「土地」と、同法第九十四条第一項中「前三条」とあるのは「大深度地下の公共的使用に関する特別措置法第九条において準用する第九十一条」と、「損失を受けた者（前条第一項に規定する工事をすることを必要とする者を含む。以下この条において同じ。）」とあるのは「損失を受けた者」と、同条第六項中「起業者である者」とあるのは「事業者である者」と、同条第七項中「この法律」とあるのは「大深度地下の公共的使用に関する特別措置法」と読み替えるものとする。

第三章　使用の認可

（使用の認可）

第一〇条　事業者は、対象地域において、この章の定めるところに従い、使用の認可を受けて、当該事業者が施行する事業のために大深度地下を使用することができる。

（使用の認可に関する処分を行う機関）

第一一条　事業が次の各号のいずれかに該当するものであるときは、国土交通大臣が使用の認可に関する処分を行う。

一　国又は都道府県が事業者である事業

二　事業区域が二以上の都道府県の区域にわたる事業

三　一の都道府県の区域を越え、又は道の区域の全部にわたり利害の影響を及ぼす事業その他の事業で次に掲げるもの

イ　鉄道事業者がその鉄道事業（当該事業に係る路線又はその路線及び当該鉄道事業者若しくは当該鉄道事業者がその路線に係る鉄道線路を譲渡し、若しくは使用させる鉄道事業者が運送を行う上でその路線と密接に関連する他の路線が一の都府県の区域内にとどまるものを除く。）の用に供する施設に関する事業

ロ　認定電気通信事業者が認定電気通信事業（その業務区域が一の都府県の区域内にとどまるものを除く。）の用に供する施設に関する事業

ハ　電気事業法による一般送配電事業（供給区域が一の都府県の区域内にとどまるものを除く。）、送電事業（供給の相手方たる一般送配電事業者又は配電事業者の供給区域が一の都府県の区域内にとどまるものを除く。）、配電事業（供給区域が一の都府県の区域内にとどまるものを除く。）、特定送配電事業（供給地点が一の都府県の区域内にとどまるものを除く。）又は発電事業（当該事業の用に供する電気工作物と電気的に接続する電線路が一の都府県の区域内にとどまるものを除く。）の用に供する電気工作物に関する事業

ニ　イからハまでに掲げる事業のために欠くことができない通路、鉄道、軌道、電線路、水路その他の施設に関する事業

四　前三号に掲げる事業と共同して施行する事業

2　事業が前項各号に掲げるもの以外のものであるときは、事業区域を管轄する都道府県知事が使用の認可に関する処分を行う。

（事前の事業間調整）

第一二条　事業者は、使用の認可を受けようとするときは、あらかじめ、国土交通省令で定めるところにより、次に掲げる事項を記載した事業概要書を作成し、前条第一項の事業にあっては当該事業を所管する大臣（以下「事業所管大臣」という。）に、同条第二項の事業にあっては都道府県知事にこれを送付しなければならない。

一　事業者の名称

二　事業の種類

三　事業区域の概要

四　使用の開始の予定時期及び期間

五　その他国土交通省令で定める事項

2　事業者は、前項の規定により事業概要書を送付したときは、国土交通省令で定めるところにより、事業概要書を作成した旨その他国土交通省令で定める事項を公告するとともに、事業区域が所在する市町村において、当該事業概要書を当該公告の日から起算しておおむね三十日間の期間を定めて、縦覧に供しなければならない。

3　第一項の規定により事業概要書を送付された事業所管大臣又は都道府県知事は、速やかに、事業区域が所在する対象地域に組織されている協議会の構成員にその写しを送付しなければならない。

4　前項の規定により事業概要書の写しを送付された協議会の構成員（第四条各号に掲げる事業を所管する行政機関に限る。以下この項において同じ。）は、同条各号に掲げる事業を施行する者のうち当該協議会の構成員が所管するものに対し、当該事業概要書の内容を周知させるため必要な措置を講じなければならない。

5　第二項の規定による公告をした事業者は、同項の縦覧期間内に、事業区域又はこれに近接する地下において第四条各号に掲げる事業を施行し、又は施行しようとする者から事業の共同化、事業区域の調整その他事業の施行に関し必要な調整の申出があったときは、当該調整に努めなければならない。

6　前項の規定による調整の結果、第二項の規定による公告をした事業者と共同して事業を施行することとなった事業者については、前各項の規定は、適用しない。

（調書の作成）

第一三条　事業者は、使用の認可を受けようとするときは、あらかじめ、事業区域に井戸その他の物件があるかどうかを調査し、当該物件があるときは、次に掲げる事項を記載した調書を作成しなければならない。

一　物件がある土地の所在及び地番

二　物件の種類及び数量並びにその所有者の氏名及び住所

三　物件に関して権利を有する者の氏名及び住所並びにその権利の種類及び内容

四　調書を作成した年月日

五　その他国土交通省令で定める事項

2　前項の調書の様式は、国土交通省令で定める。

（使用認可申請書）

第一四条　事業者は、使用の認可を受けようとするときは、国土交通省令で定めるところにより、次に掲げる事項を記載した使用認可申請書を、第十一条第一項の事業にあっては事業所管大臣を経由して国土交通大臣に、同条第二項の事業にあっては都道府県知事に提出しなければならない。

一　事業者の名称

二　事業の種類

三　事業区域

四　事業により設置する施設又は工作物の耐力

五　使用の開始の予定時期及び期間

2　前項の使用認可申請書には、国土交通省令で定めるところにより、次に掲げる書類を添付しなければならない。

一　使用の認可を申請する理由を記載した書類

二　事業計画書

三　事業区域及び事業計画を表示する図面

四　事業区域が大深度地下にあることを証する書類

五　前条の規定により作成した調書

六　前項第四号の耐力の計算方法を明らかにした書類

七　事業の施行に伴う安全の確保及び環境の保全のための措置を記載した書類

八　事業区域の全部又は一部が、この法律又は他の法律によって土地を使用し、又は収用することができる事業の用に供されているときは、当該事業の用に供する者の意見書

九　事業区域の利用について法令の規定による制限があるときは、当該法令の施行について権限を有する行政機関の意見書

十　事業の施行に関して行政機関の免許、許可、認可等の処分を必要とする場合においては、これらの処分があったことを証する書類又は当該行政機関の意見書

十一　第十二条第五項の規定により調整の申出があったときは、当該調整の経過の要領及びその結果を記載した書類
十二　その他国土交通省令で定める事項
3　第一項の規定により使用認可申請書を提出された事業所管大臣は、遅滞なく、当該使用認可申請書及びその添付書類を検討し、意見を付して、国土交通大臣に送付するものとする。
4　第一項第三号及び第二項第三号に規定する事業区域の表示は、事業区域に係る土地又はこれに定着する物件に関して所有権その他の権利を有する者が、自己の権利に係る土地の地下が事業区域に含まれ、又は自己の権利に係る物件が事業区域にあることを容易に判断できるものでなければならない。
5　第二項第八号から第十号までに掲げる意見書は、事業者が意見を求めた日から三週間を経過してもこれを得ることができなかったときは、添付することを要しない。この場合においては、意見書を得ることができなかった事情を疎明する書類を添付しなければならない。

（使用認可申請書の補正及び却下）
第一五条　前条の規定による使用認可申請書及びその添付書類が同条又は同条に基づく国土交通省令の規定に違反するときは、国土交通大臣又は都道府県知事は、相当の期間を定めて、その補正を求めなければならない。使用の認可の申請に際し、第三十九条の規定による手数料を納めないとき又は地方自治法（昭和二十二年法律第六十七号）第二百二十七条の規定により手数料を徴収する場合において当該手数料を納めないときも、同様とする。
2　事業者が前項の規定により補正を求められたにかかわらず、その定められた期間内に補正をしないときは、国土交通大臣又は都道府県知事は、使用認可申請書を却下しなければならない。

（使用の認可の要件）
第一六条　国土交通大臣又は都道府県知事は、申請に係る事業が次に掲げる要件のすべてに該当するときは、使用の認可をすることができる。
一　事業が第四条各号に掲げるものであること。
二　事業が対象地域における大深度地下で施行されるものであること。
三　事業の円滑な遂行のため大深度地下を使用する公益上の必要があるものであること。
四　事業者が当該事業を遂行する十分な意思と能力を有する者であること。
五　事業計画が基本方針に適合するものであること。
六　事業により設置する施設又は工作物が、事業区域に係る土地に通常の建築物が建築されてもその構造に支障がないものとして政令で定める耐力以上の耐力を有するものであること。
七　事業の施行に伴い、事業区域にある井戸その他の物件の移転又は除却が必要となるときは、その移転又は除却が困難又は不適当でないと認められること。

（使用の認可の条件）
第一七条　使用の認可には、条件を付し、及びこれを変更することができる。
2　前項の条件は、使用の認可の趣旨に照らして、又は使用の認可に係る事項の確実な実施を図るため必要最小限のものでなければならない。

（関係行政機関の意見の聴取等）
第一八条　国土交通大臣又は都道府県知事は、使用の認可に関する処分を行おうとする場合において、第十四条第五項の規定により意見書の添付がなかったときその他必要があると認めるときは、同条第二項第八号の事業の用に供する者又は申請に係る事業の施行について関係のある行政機関の意見を求めなければならない。ただし、同号の事業の用に供する者については、その者を確知することができないときその他その意見を求めることができないときは、この限りでない。
2　申請に係る事業の施行について関係のある行政機関は、使用の認可に関する処分について、国土交通大臣又は都道府県知事に対して意見を述べることができる。

（説明会の開催等）
第一九条　国土交通大臣又は都道府県知事は、使用の認可に関する処分を行おうとする場合において必要があると認めるときは、申請に係る事業者に対し、事業区域に係る土地及びその付近地の住民に、説明会の開催等使用認可申請書及びその添付書類の内容を周知させるため必要な措置を講ずるよう求めることができる。

（使用の認可の手続に関する土地収用法の準用）
第二〇条　国土交通大臣又は都道府県知事が使用の認可に関する処分を行おうとする場合の手続については、前二条に規定するもののほか、土地収用法第二十二条から第二十五条までの規定を準用する。この場合において、同法第二十二条、第二十三条第一項、第二十四条第一項及び第二十五条第一項中「事業の認定」とあり、並びに同条第二項中「認定」とあるのは「使用の認可」と、同法第二十三条第一項中「場合において、当該事業の認定について利害関係を有する者から次条第二項の縦覧期間内に国土交通省令で定めるところにより公聴会を開催すべき旨の請求があつたときその他」とあるのは「場合において」と、同条第二項並びに同法第二十四条第二項及び第四項中「起業者」とあるのは「事業者」と、同法第二十三条第二項及び第二十四条第一項から第四項までの規定中「起業地」とあるのは「事業区域」と、同条第一項中「第二十条」とあるのは「大深度地下の公共的使用に関する特別措置法第十六条」と、同項及び同条第三項中「事業認定申請書」とあるのは「使用認可申請書」と読み替えるものとする。

（使用の認可の告示等）
第二一条　国土交通大臣又は都道府県知事は、第十六条の規定によって使用の認可をしたときは、遅滞なく、その旨を当該使用の認可を受けた事業者（以下「認可事業者」という。）に文書で通知するとともに、次に掲げる事項をそれぞれ官報又は当該都道府県の公報で告示しなければならない。
一　認可事業者の名称
二　事業の種類
三　事業区域
四　事業により設置する施設又は工作物の耐力
五　使用の期間
2　国土交通大臣は、前項の規定による告示をしたときは、直ちに、関係都道府県知事にその旨を通知するとともに、事業区域を表示する図面の写しを送付しなければならない。
3　都道府県知事は、第一項の規定による告示をしたときは、直ちに、国土交通大臣にその旨を報告しなければならない。
4　使用の認可は、第一項の規定による告示があった日から、その効力を生ずる。

（事業区域を表示する図面の長期縦覧）
第二二条　国土交通大臣又は都道府県知事は、第十六条の規定によって使用の認可をしたときは、直ちに、事業区域が所在する市町村の長にその旨を通知しなければならない。
2　市町村長は、前項の通知を受けたときは、直ちに、第二十条において準用する土地収用法第二十四条第一項の規定により送付を受けた事業区域を表示する図面を、第二十九条第四項において準用する第二十八条第六項又は第三十条第三項若しくは第四項（事業区域の全部の使用が廃止された場合に限る。）の規定による通知を受ける日まで公衆の縦覧に供しなければならない。
3　土地収用法第二十四条第四項及び第五項の規定は、市町村長が第一項の通知を受けた日から二週間を経過しても前項の規定による手続を行わない場合に準用する。この場合において、同条第四項中「起業地」とあるのは「事業区域」と、「起業者」とあるのは「事業者」と読み替えるものとする。

（登録簿）
第二三条　都道府県知事は、その管轄区域における大深度地下の使用の認可に関する登録簿（次項において単に「登録簿」という。）を調製し、公衆の閲覧に供するとともに、請求があったときはその写しを交付しなければならない。
2　登録簿の調製、閲覧その他登録簿に関し必要な事項は、国土交通省令で定める。

（使用の認可の拒否）
第二四条　国土交通大臣又は都道府県知事は、使用の認可を拒否したときは、遅滞なく、その旨を申請に係る事業者に文書で通知しなければならない。

（使用の認可の効果）
第二五条　第二十一条第一項の規定による告示があったときは、当該告示の日において、認可事業者は、当該告示に係る使用の期間中事業区域を使用する権利を取得し、当該事業区域に係る土地に関するその他の権利は、認可事業者による事業区域の使用を妨げ、又は当該告示に係る施設若しくは工作物の耐力及び事業区域の位置からみて認可事業者による事業区域の使用に支障を及ぼす限度においてその行使を制限される。

（占用の許可等の特例）

第二六条 前条の規定に基づく認可事業者による事業区域の使用については、道路法、河川法その他の法令中占用の許可及び占用料の徴収に関する規定は、適用しない。

（使用の認可に基づく地位の承継）

第二七条 相続人、合併又は分割により設立される法人その他認可事業者の一般承継人（分割による承継の場合にあっては、当該認可事業者が施行する事業の全部を承継する法人に限る。）は、被承継人が有していた使用の認可に基づく地位を承継する。

（権利の譲渡）

第二八条 使用の認可に基づく権利の全部又は一部は、第十一条第一項の事業にあっては国土交通大臣、同条第二項の事業にあっては都道府県知事の承認を受けなければ、譲渡することができない。

2 前項の規定による国土交通大臣への承認の申請は、事業所管大臣を経由して行わなければならない。この場合においては、事業所管大臣は、遅滞なく、申請書を検討し、意見を付して、国土交通大臣に送付するものとする。

3 第一項の規定による承認の申請書の様式は、国土交通省令で定める。

4 第十七条の規定は、第一項の規定による承認について準用する。

5 国土交通大臣又は都道府県知事は、第一項の規定による承認をしたときは、それぞれ官報又は当該都道府県の公報で告示しなければならない。

6 国土交通大臣又は都道府県知事は、前項の規定による告示をしたときは、直ちに、その旨を、事業区域が所在する市町村の長に通知するとともに、国土交通大臣にあっては関係都道府県知事に通知し、都道府県知事にあっては国土交通大臣に報告しなければならない。

7 使用の認可に基づく権利の全部又は一部を譲り受けた者は、譲渡人が有していた使用の認可に基づく地位を承継する。

（使用の認可の取消し）

第二九条 国土交通大臣又は都道府県知事は、認可事業者が次の各号のいずれかに該当するときは、使用の認可（前条第一項の規定による承認を含む。以下この条において同じ。）を取り消すことができる。

一 この法律又はこの法律に基づく命令の規定に違反したとき。

二 施行する事業が第十六条各号に掲げる要件のいずれかに該当しないこととなったとき。

三 正当な理由なく事業計画に従って事業を施行していないと認められるとき。

四 第十七条（前条第四項において準用する場合を含む。）の規定により使用の認可に付された条件に違反したとき。

2 国土交通大臣は、前項の規定により使用の認可を取り消そうとするときは、あらかじめ、事業所管大臣の意見を聴かなければならない。

3 国土交通大臣又は都道府県知事は、第一項の規定により使用の認可を取り消したときは、それぞれ官報又は当該都道府県の公報で告示しなければならない。

4 前条第六項の規定は、前項の規定による告示をした場合に準用する。

5 使用の認可は、第三項の規定による告示があった日から将来に向かって、その効力を失う。

（事業の廃止又は変更）

第三〇条 第二十一条第一項の規定による告示があった後、認可事業者が事業の全部若しくは一部を廃止し、又はこれを変更したために事業区域の全部又は一部を使用する必要がなくなったときは、認可事業者は、遅滞なく、国土交通省令で定めるところにより、国土交通大臣又は都道府県知事にその旨（事業区域の一部を使用する必要がなくなったときにあっては、使用の必要がない事業区域の部分及びこれを表示する図面を含む。）を届け出なければならない。

2 国土交通大臣又は都道府県知事は、前項の規定による届出を受け取ったときは、事業区域の全部又は一部の使用が廃止されたこと（事業区域の一部の使用の廃止にあっては、使用の廃止に係る事業区域の部分を含む。）を、それぞれ官報又は当該都道府県の公報で告示しなければならない。

3 国土交通大臣は、前項の規定による告示をしたときは、直ちに、事業区域が所在する市町村の長及び関係都道府県知事に対し、その旨を通知するとともに、事業区域の一部の使用の廃止にあっては、使用の廃止に係る事業区域の部分を表示する図面の写しを送付しなければならない。

4 都道府県知事は、第二項の規定による告示をしたときは、直ちに、その旨を、事業区域が所在する市町村の長に通知し、国土交通大臣に報告するとともに、事業区域の一部の使用の廃止にあっては、当該市町村長に使用の廃止に係る事業区域の部分を表示する図面の写しを送付しなければならない。

5 第三項又は前項の通知（事業区域の一部の使用の廃止に係るものに限る。次項において同じ。）を受けた市町村長は、直ちに、使用の廃止に係る事業区域の部分を表示する図面を第二十二条第二項に規定する日まで公衆の縦覧に供しなければならない。

6 土地収用法第二十四条第四項及び第五項の規定は、市町村長が第三項又は第四項の通知を受けた日から二週間を経過しても前項の規定による手続を行わない場合に準用する。この場合において、同条第四項中「起業地」とあるのは「事業区域」と、「起業者」とあるのは「事業者」と読み替えるものとする。

7 使用の認可は、第二項の規定による告示があった日から将来に向かって、その効力（事業区域の一部の使用の廃止に係るものにあっては、使用の廃止に係る事業区域の部分における効力）を失う。

第四章 事業区域の明渡し等

（事業区域の明渡し）

第三一条 認可事業者は、事業の施行のため必要があるときは、事業区域にある物件を占有している者に対し、期限を定めて、事業区域の明渡しを求めることができる。

2 前項の規定による明渡しの期限は、同項の請求をした日の翌日から起算して三十日を経過した後の日でなければならない。

3 第一項の規定による明渡しの期限までに、物件の引渡し又は移転（以下この章において「物件の引渡し等」という。）を行わなければならない。ただし、次条第三項の規定による支払がないときは、この限りでない。

4 第一項に規定する処分については、行政手続法（平成五年法律第八十八号）第三章の規定は、適用しない。

（事業区域の明渡しに伴う損失の補償）

第三二条 認可事業者は、前条の規定による物件の引渡し等により同条第一項の物件に関し権利を有する者が通常受ける損失を補償しなければならない。

2 前項の規定による損失の補償は、認可事業者と損失を受けた者とが協議して定めなければならない。

3 認可事業者は、前条第二項の明渡しの期限までに第一項の規定による補償額を支払わなければならない。

4 第二項の規定による協議が成立しないときは、土地収用法第九十四条第二項から第十二項までの規定を準用する。この場合において、同条第二項中「起業者」とあるのは「認可事業者」と、同条第六項中「起業者である者」とあるのは「認可事業者である者」と、同条第七項中「この法律」とあるのは「大深度地下の公共的使用に関する特別措置法」と読み替えるものとする。

5 前項において準用する土地収用法第九十四条第二項又は第九項の規定による裁決の申請又は訴えの提起は、事業の進行及び事業区域の使用を停止しない。

（補償金の供託）

第三三条 認可事業者は、次の各号のいずれかに該当する場合においては、前条第三項の規定による補償金の支払に代えて、これを供託することができる。

一 補償金の提供をした場合において、補償金を受けるべき者がその受領を拒んだとき。

二 補償金を受けるべき者が補償金を受領することができないとき。

三 認可事業者が補償金を受けるべき者を確知することができないとき。ただし、認可事業者に過失があるときは、この限りでない。

四 認可事業者が収用委員会が裁決した補償金の額に対して不服があるとき。

五 認可事業者が差押え又は仮差押えにより補償金の払渡しを禁じられたとき。

2 前項第四号の場合において、補償金を受けるべき者の請求があるときは、認可事業者は、自己の見積り金額を払い渡し、裁決による補償金の額との差額を供託しなければならない。

3 認可事業者は、先取特権、質権若しくは抵当権又は仮登記若しくは買戻しの特約の登記に係る権利の目的物について補償金を支払うときは、これらの権利者のすべてから供託しなくてもよい旨の申出があったときを除き、その補償金を供託しなければならない。

4 前三項の規定による供託は、事業区域の所在地の供託所にしなければならない。

5 認可事業者は、第一項から第三項までの規定による供託をしたときは、遅滞なく、その旨を補償金を取得すべき者に通知しなければならない。

（物上代位）

第三四条 前条第三項の先取特権、質権又は抵当権を有する者は、同項の規定により供託された補償金に対してその権利を行うことができる。

（事業区域の明渡しの代行）

第三五条 第三十一条第三項本文の場合において次の各号のいずれかに該当するときは、市町村長は、認可事業者の請求により、物件の引渡し等を行うべき者（以下この条及び次条において「義務者」という。）に代わって、物件を引き渡し、又は移転しなければならない。

一 義務者がその責めに帰することができない理由によりその義務を履行することができないとき。

二 認可事業者が過失がなくて義務者を確知することができないとき。

2 市町村長は、前項の規定により物件の引渡し等を行うのに要した費用を義務者から徴収するものとする。

3 前項の場合において、市町村長は、義務者及び認可事業者にあらかじめ通知した上で、第一項の規定により市町村長が物件の引渡し等を行うのに要した費用に充てるため、その費用の額の範囲内で、義務者が認可事業者から受けるべき第三十二条第一項の補償金を義務者に代わって受けることができる。

4 認可事業者が前項の規定により補償金の全部又は一部を市町村長に支払った場合においては、この法律の適用については、認可事業者が市町村長に支払った金額の限度において、第三十二条第一項の補償金を支払ったものとみなす。

5 市町村長は、第二項に規定する費用を第三項の規定により徴収することができないとき、又は徴収することが適当でないと認めるときは、義務者に対し、あらかじめ納付すべき金額並びに納付の期限及び場所を通知して、これを納付させるものとする。

6 市町村長は、前項の規定によって通知を受けた者が同項の規定によって通知された期限を経過しても同項の規定により納付すべき金額を完納しないときは、督促状によって納付すべき期限を指定して督促しなければならない。

7 前項の規定による督促を受けた者がその指定の期限までに第五項の規定により納付すべき金額を納付しないときは、市町村長は、国税滞納処分の例によって、これを徴収することができる。この場合における徴収金の先取特権の順位は、国税及び地方税に次ぐものとする。

（事業区域の明渡しの代執行）

第三六条 第三十一条第三項本文の場合において義務者がその義務を履行しないとき、履行しても十分でないとき、又は履行しても明渡しの期限までに完了する見込みがないときは、都道府県知事は、認可事業者の請求により、行政代執行法（昭和二十三年法律第四十三号）の定めるところに従い、自ら義務者のなすべき行為をし、又は第三者をしてこれをさせることができる。

2 前条第三項及び第四項の規定は、都道府県知事が前項の規定による代執行に要した費用を徴収する場合に準用する。

（その他の損失の補償）

第三七条 第三十二条第一項に規定する損失のほか、第二十五条の規定による権利の行使の制限によって具体的な損失が生じたときは、当該損失を受けた者は、第二十一条第一項の規定による告示の日から一年以内に限り、認可事業者に対し、その損失の補償を請求することができる。

2 前項の規定による損失の補償については、第三十二条第二項、第四項及び第五項の規定を準用する。

（原状回復の義務）

第三八条 認可事業者は、使用の認可の取消し、事業の廃止又は変更その他の事由によって事業区域の全部又は一部を使用する必要がなくなったときは、遅滞なく、当該事業区域の全部若しくは一部を原状に復し、又は当該事業区域の全部若しくは一部及びその周辺における安全の確保若しくは環境の保全のため必要な措置をとらなければならない。

第五章 雑則

（手数料）

第三九条 第十四条の規定によって国土交通大臣に対して使用の認可を申請する者は、国に実費を勘案して政令で定める額の手数料を納付しなければならない。ただし、その者が国又は都道府県であるときは、この限りでない。

（鑑定人等の旅費及び手当の負担）

第四〇条 第九条又は第三十二条第四項（第三十七条第二項において準用する場合を含む。）において準用する土地収用法第九十四条第六項において準用する同法第六十五条第六項の規定による鑑定人及び参考人の旅費及び手当は、事業者の負担とする。

（行政手続法の適用除外）

第四一条 この法律において準用する土地収用法の規定により収用委員会又はその会長若しくは指名委員がする処分については、行政手続法第二章及び第三章の規定は、適用しない。

（都道府県知事がした処分等に対する不服申立て）

第四二条 都道府県知事がした使用の認可に関する処分に不服がある者は、国土交通大臣に対して審査請求をすることができる。

2 都道府県知事が使用の認可に関する処分についての審査請求の裁決をした場合には、その裁決に不服がある者は、国土交通大臣に対して再審査請求をすることができる。

（不服申立てに対する裁決）

第四三条 国土交通大臣の第十一条第一項の事業に係る使用の認可に関する処分についての審査請求に対する裁決は、事業所管大臣の意見を聴いた後にしなければならない。

2 国土交通大臣又は都道府県知事は、使用の認可についての審査請求又は再審査請求があった場合において、使用の認可に至るまでの手続その他の行為に関して違法があっても、それが軽微なものであって使用の認可に影響を及ぼすおそれがないと認めるときは、裁決をもって当該審査請求又は再審査請求を棄却することができる。

（使用の認可の手続の省略）

第四四条 審査請求又は再審査請求に対する裁決により使用の認可が取り消された場合において、国土交通大臣又は都道府県知事が再び使用の認可に関する処分をしようとするときは、使用の認可につき既に行った手続その他の行為は、法令の規定に違反するものとして当該取消しの理由となったものを除き、省略することができる。

（訴訟）

第四五条 この法律において準用する土地収用法の規定に基づく収用委員会の裁決に関する訴えは、これを提起した者が事業者であるときは損失を受けた者を、損失を受けた者であるときは事業者を、それぞれ被告としなければならない。

（期間の計算、通知及び書類の送達の方法に関する土地収用法の準用）

第四六条 この法律又はこの法律に基づく命令の規定による期間の計算、通知及び書類の送達の方法については、土地収用法第百三十五条の規定を準用する。

（代理人）

第四七条 この法律で定める手続その他の行為を代理人が行うときは、当該代理人は、書面をもって、その権限を証明しなければならない。

（権限の委任）

第四八条 この法律に規定する国土交通大臣又は事業所管大臣の権限は、政令で定めるところにより、その一部を地方支分部局の長に委任することができる。

（事務の区分）

第四九条 この法律の規定により地方公共団体が処理することとされている事務のうち、次の各号に掲げるもの（第十一条第一項の事業に関するものに限る。）は地方自治法第二条第九項第一号に規定する第一号法定受託事務と、第二号に掲げるもの（第十一条第二項の事業に関するものに限る。）は同法第二条第九項第二号に規定する第二号法定受託事務とする。

一 都道府県が第九条において準用する土地収用法第十一条第一項及び第

四項並びに第十四条第一項、第二十条において準用する同法第二十四条第四項及び第五項並びに第二十五条第二項、第二十二条第三項及び第三十条第六項において準用する同法第二十四条第四項及び第五項、第三十三条第一項、第三十六条第一項並びに同条第二項において準用する第三十五条第三項の規定により処理することとされている事務

二　市町村が第九条において準用する土地収用法第十二条第二項並びに第十四条第一項及び第三項、第二十条において準用する同法第二十四条第二項、第二十二条第二項、第三十条第五項並びに第三十五条第一項から第三項まで、第五項及び第六項の規定により処理することとされている事務

（**指定都市の区及び総合区に関する特例**）

第五〇条　この法律（第七条第三項を除く。）の規定中市町村又は市町村長に関する規定は、地方自治法第二百五十二条の十九第一項の指定都市にあっては、当該市の区及び総合区又は区長及び総合区長に適用する。

（**政令への委任**）

第五一条　この法律に定めるもののほか、この法律の実施のために必要な手続その他の事項については、政令で定める。

第六章　罰則

第五二条　第九条又は第三十二条第四項（第三十七条第二項において準用する場合を含む。以下この章において同じ。）において準用する土地収用法第九十四条第六項において準用する同法第六十五条第一項第二号の規定によって収用委員会に出頭を命じられた鑑定人が虚偽の鑑定をしたときは、一年以下の懲役又は五十万円以下の罰金に処する。

第五三条　次の各号のいずれかに該当する者は、五十万円以下の罰金に処する。

一　第九条において準用する土地収用法第十一条第一項に規定する場合において、都道府県知事の許可を受けないで土地に立ち入り、又は立ち入らせた事業者

二　第九条において準用する土地収用法第十三条の規定に違反して同法第十一条第三項の規定による立入りを拒み、又は妨げた者

三　第九条において準用する土地収用法第十四条第一項に規定する場合において、市町村長の許可を受けないで障害物を伐採した者又は都道府県知事の許可を受けないで土地に試掘等（同項に規定する試掘等をいう。）を行った者

第五四条　第九条又は第三十二条第四項において準用する土地収用法第九十四条第六項において準用する同法第六十五条第一項第三号の規定による実地調査を拒み、妨げ、又は忌避した者は、二十万円以下の罰金に処する。

第五五条　法人の代表者又は法人若しくは人の代理人、使用人その他の従業者が、その法人又は人の業務に関し、前二条の違反行為をしたときは、行為者を罰するほか、その法人又は人に対して各本条の刑を科する。

第五六条　次の各号のいずれかに該当する場合は、十万円以下の過料に処する。

一　第九条又は第三十二条第四項において準用する土地収用法第九十四条第六項において準用する同法第六十五条第一項第一号の規定により出頭を命じられた者が、正当の事由がなくて出頭せず、陳述せず、又は虚偽の陳述をしたとき。

二　第九条又は第三十二条第四項において準用する土地収用法第九十四条第六項において準用する同法第六十五条第一項第二号の規定により資料の提出を命じられた者が、正当の事由がなくて資料を提出せず、又は虚偽の資料を提出したとき。

三　第九条又は第三十二条第四項において準用する土地収用法第九十四条第六項において準用する同法第六十五条第一項第二号の規定により出頭を命じられた鑑定人が、正当の事由がなくて出頭せず、又は鑑定をしないとき。

附　則〔抄〕

（**施行期日**）

1　この法律は、公布の日から起算して一年を超えない範囲内において政令で定める日から施行する。

〔平成一二政四九九により、平成一三・四・一から施行〕

附　則〔略〕〔平成一二・五・三一法律九一〕

附　則〔略〕〔平成一三・七・一一法律一〇三〕

附　則〔略〕〔平成一四・一二・四法律一三〇〕

附　則〔略〕〔平成一四・一二・一八法律一八〇〕

附　則〔略〕〔平成一四・一二・一八法律一八二〕

附　則〔略〕〔平成一五・七・二四法律一二五〕

附　則〔抄〕〔平成二〇・三・三一法律八〕

（**施行期日**）

第一条　この法律は、平成二十年四月一日から施行する。〔以下略〕

（**大深度地下の公共的使用に関する特別措置法の一部改正に伴う経過措置**）

第一七条　研究所が新研究所法附則第九条第一項又は第十一条第一項に規定する業務の実施により設置する農業用道路、用水路又は排水路に関する事業は、附則第十五条（第二号に係る部分に限る。）の規定による改正後の大深度地下の公共的使用に関する特別措置法第四条に規定する事業とみなす。

附　則〔抄〕〔平成二三・八・三〇法律一〇五〕

（**施行期日**）

第一条　この法律は、公布の日から施行する。ただし、次の各号に掲げる規定は、当該各号に定める日から施行する。

一〔前略〕第百五十三条〔中略〕の規定　公布の日から起算して三月を経過した日

二〜六〔略〕

（**罰則に関する経過措置**）

第八一条　この法律（附則第一条各号に掲げる規定にあっては、当該規定。以下この条において同じ。）の施行前にした行為及びこの附則の規定によりなお従前の例によることとされる場合におけるこの法律の施行後にした行為に対する罰則の適用については、なお従前の例による。

（**政令への委任**）

第八二条　この附則に規定するもののほか、この法律の施行に関し必要な経過措置（罰則に関する経過措置を含む。）は、政令で定める。

附　則〔抄〕〔平成二五・六・一四法律四四〕

（**施行期日**）

第一条　この法律は、公布の日から施行する。〔以下略〕

（**罰則に関する経過措置**）

第一〇条　この法律（附則第一条各号に掲げる規定にあっては、当該規定）の施行前にした行為に対する罰則の適用については、なお従前の例による。

（**政令への委任**）

第一一条　この附則に規定するもののほか、この法律の施行に関し必要な経過措置（罰則に関する経過措置を含む。）は、政令で定める。

附　則〔略〕〔平成二六・五・三〇法律四二〕

附　則〔抄〕〔平成二六・六・一三法律六九〕

（**施行期日**）

第一条　この法律は、行政不服審査法（平成二十六年法律第六十八号）の施行の日（平成二八・四・一）から施行する。

（**経過措置の原則**）

第五条　行政庁の処分その他の行為又は不作為についての不服申立てであってこの法律の施行前にされた行政庁の処分その他の行為又はこの法律の施行前にされた申請に係る行政庁の不作為に係るものについては、この附則に特別の定めがある場合を除き、なお従前の例による。

（**訴訟に関する経過措置**）

第六条　この法律による改正前の法律の規定により不服申立てに対する行政庁の裁決、決定その他の行為を経た後でなければ訴えを提起できないこととされる事項であって、当該不服申立てを提起しないでこの法律の施行前にこれを提起すべき期間を経過したもの（当該不服申立てが他の不服申立てに対する行政庁の裁決、決定その他の行為を経た後でなければ提起できないとされる場合にあっては、当該他の不服申立てを提起しないでこの法律の施行前にこれを提起すべき期間を経過したものを含む。）の訴えの提起については、なお従前の例による。

2　この法律の規定による改正前の法律の規定（前条の規定によりなお従前の例によることとされる場合を含む。）により異議申立てが提起された処分その他の行為であって、この法律の規定による改正後の法律の規定により審査請求に対する裁決を経た後でなければ取消しの訴えを提起することができないこととされるものの取消しの訴えの提起については、なお従前の例による。

3　不服申立てに対する行政庁の裁決、決定その他の行為の取消しの訴えであって、この法律の施行前に提起されたものについては、なお従前の例に

よる。

（罰則に関する経過措置）

第九条　この法律の施行前にした行為並びに附則第五条及び前二条の規定によりなお従前の例によることとされる場合におけるこの法律の施行後にした行為に対する罰則の適用については、なお従前の例による。

（その他の経過措置の政令への委任）

第一〇条　附則第五条から前条までに定めるもののほか、この法律の施行に関し必要な経過措置（罰則に関する経過措置を含む。）は、政令で定める。

附　則〔抄〕〔平成二六・六・一八法律七二〕

（施行期日）

第一条　この法律は、公布の日から起算して二年六月を超えない範囲内において政令で定める日から施行する。ただし、次の各号に掲げる規定は、当該各号に定める日から施行する。

〔平成二七政二六七により、平成二八・四・一から施行〕

一　附則第九条から第十一条まで、〔中略〕第四十条の規定　公布の日

二・三　〔略〕

（政令への委任）

第四〇条　附則第二条から前条まで、第四十四条、第四十七条、第五十七条、第五十九条、第六十一条、第六十八条及び第七十条に定めるもののほか、この法律の施行に関し必要な経過措置（罰則に関する経過措置を含む。）は、政令で定める。

（大深度地下の公共的使用に関する特別措置法の一部改正に伴う経過措置）

第六八条　施行日前に旧一般電気事業者、旧卸電気事業者又は旧特定電気事業者がした使用の認可の申請につきその使用の認可に関する処分を行う機関については、前条の規定による改正後の大深度地下の公共的使用に関する特別措置法第十一条第一項及び第二項の規定にかかわらず、なお従前の例による。

附　則〔平成二九・六・二法律四五〕

この法律は、民法改正法の施行の日〔令和二・四・一〕から施行する。ただし、〔中略〕第三百六十二条の規定は、公布の日から施行する。

民法の一部を改正する法律の施行に伴う関係法律の整備等に関する法律〔抄〕〔平成二九・六・二法律四五〕

（大深度地下の公共的使用に関する特別措置法の一部改正に伴う経過措置）

第三四条　施行日前に前条の規定による改正前の大深度地下の公共的使用に関する特別措置法第三十二条第一項の規定により補償金の支払義務が生じた場合におけるその補償金の供託については、なお従前の例による。

（罰則に関する経過措置）

第三六一条　施行日前にした行為及びこの法律の規定によりなお従前の例によることとされる場合における施行日以後にした行為に対する罰則の適用については、なお従前の例による。

（政令への委任）

第三六二条　この法律に定めるもののほか、この法律の施行に伴い必要な経過措置は、政令で定める。

附　則〔抄〕〔令和二・六・一二法律四九〕

（施行期日）

第一条　この法律は、令和四年四月一日から施行する。〔以下略〕

〇大深度地下の公共的使用に関する特別措置法施行令〔平成一二・一二・六　政令五〇〇〕

改正　平成一四・一二政三八六、平成一七・三政六〇、令和元・一二政一八三

（建築物の地下室及びその建設の用に通常供されることがない地下の深さ）

第一条　大深度地下の公共的使用に関する特別措置法（以下「法」という。）第二条第一項第一号の政令で定める深さは、地表から四十メートルとする。

（通常の建築物の基礎ぐいを支持することができる地盤等）

第二条　法第二条第一項第二号の通常の建築物の基礎ぐいを支持することができる地盤として政令で定めるものは、その地盤において建築物の基礎ぐいを支持することにより当該基礎ぐいが一平方メートル当たり二千五百キロニュートン以上の許容支持力を有することとなる地盤（以下「支持地盤」という。）とする。

2　前項の許容支持力は、地盤調査の結果に基づき、国土交通大臣が定める方法により算出するものとする。

3　法第二条第一項第二号の政令で定める距離は、十メートルとする。

（対象地域）

第三条　法第三条の政令で定める地域は、別表第一のとおりとする。

（大深度地下使用協議会）

第四条　法第七条第一項の大深度地下使用協議会は、別表第二上欄に掲げる対象地域ごとに、次に掲げる国の行政機関及び同表下欄に定める都道府県により組織する。

一　国土交通省

二　法第四条各号に掲げる事業を所管する行政機関

三　基本方針に定められた法第六条第二項第三号又は第四号に掲げる事項に関係する行政機関

（設置する施設又は工作物の耐力）

第五条　法第十六条第六号の政令で定める耐力は、事業により設置する施設又は工作物の位置、土質及び地下水の状況に応じ、通常の建築物の建築により作用する荷重、土圧及び水圧に対して当該施設又は工作物が安全であることが、国土交通大臣の定める方法により確かめることができる最低の耐力とする。

2　前項の通常の建築物の建築により作用する荷重は、その建築により地表から二十五メートルの深さまで排土するものとした場合において増加荷重が一平方メートル当たり三百キロニュートンとなる建築物（当該建築物を通常の建築物として想定することが、その区域に適用される法令の規定に

よる制限（建築物の高さ制限その他の建築することができる建築物の荷重に影響を及ぼす制限に限る。）からみて適切でない区域として国土交通大臣が指定する区域にあっては、当該区域において建築が想定される最大の荷重の建築物として別に国土交通大臣が定める荷重の建築物）が施設又は工作物に作用する荷重とし、土質、地下水の状況及び支持地盤の位置に応じ、国土交通大臣が定める方法により算定するものとする。

（手数料）

第六条　法第三十九条の規定による手数料の額は、一件につき次のとおりとする。

一　事業区域の延長が二キロメートル以下の場合　七十万八千八百円（電子申請（情報通信技術を活用した行政の推進等に関する法律（平成十四年法律第百五十一号）第六条第一項の規定により同項に規定する電子情報処理組織を使用して行う申請をいう。次号において同じ。）による場合にあっては、七十万六千四百円）

二　事業区域の延長が二キロメートルを超える場合　七十万八千八百円（電子申請による場合にあっては、七十万六千四百円）に事業区域の延長の二キロメートルを超える部分が一キロメートルに達するごとに十四万四千六百円を加えた金額

（通知）

第七条　通知は、書面によってしなければならない。ただし、法第九条において準用する土地収用法第十四条第二項及び第三項の規定による通知は、口頭ですることができる。

2　法第九条において準用する土地収用法第十一条第四項、第十二条第二項及び第九十四条第五項、法第二十一条第一項、法第二十四条、法第三十二条第四項（法第三十七条第二項において準用する場合を含む。）において準用する土地収用法第九十四条第五項、法第三十五条第三項（法第三十六条第二項において準用する場合を含む。）並びに法第三十五条第五項の規定による通知は、通知すべき者が自ら通知をしない場合においては、その命じた職員をして通知を受けるべき者に交付させること又は書留郵便若しくは民間事業者による信書の送達に関する法律（平成十四年法律第九十九号）第二条第六項に規定する一般信書便事業者若しくは同条第九項に規定する特定信書便事業者の提供する同条第二項に規定する信書便の役務のうち書留郵便に準ずるものとして国土交通大臣が定めるものによって通知を受けるべき者に送付することによって行わなければならない。

3　民事訴訟法（平成八年法律第百九号）第百二条、第百三条、第百五条、第百六条及び第百九条の規定は、前項の規定によって通知をする場合に準用する。この場合において、同法第百二条第一項中「訴訟無能力者」とあるのは「未成年者（独立して法律行為をすることができる場合を除く。）又は成年被後見人」と、同法第百九条中「裁判所」とあるのは「通知すべき者」と読み替えるものとする。

4　前項において準用する民事訴訟法第百六条第二項の規定による通知がされたときは、通知すべき者が命じた職員は、その旨を通知を受けた者に通知しなければならない。

第八条　市町村長は、法第三十五条第三項の規定により通知をする場合において、通知を受けるべき者の住所、居所その他通知すべき場所を確知することができないとき又は前条第三項の規定によることができないときは、公示による通知を行うことができる。

2　公示による通知は、通知すべき書類を通知を受けるべき者にいつでも交付する旨を市町村の掲示場に掲示して行うものとする。

3　市町村長は、必要があると認めるときは、事業区域の所在する都道府県の知事に対して公示による通知があった旨を都道府県の掲示場に掲示するとともに都道府県の公報に掲載することを求め、通知を受けるべき者の住所若しくはその者の最後の住所の属する市町村の長に対して公示による通知があった旨を掲示することを求め、又は公示による通知があった旨を官報に掲載することができる。

4　前項の求めを受けた都道府県知事又は市町村長は、それぞれ、その求めを受けた日から一週間以内に、都道府県の掲示場に掲示するとともに都道府県の公報に掲載し、又は当該市町村の掲示場に掲示しなければならない。

5　市町村長が第二項の規定による掲示をしたときは、その掲示を始めた日の翌日から起算して二十日を経過した時に通知があったものとみなす。

第九条　前条の規定は、法第三十六条第二項において準用する法第三十五条第三項の規定により都道府県知事が通知をする場合に準用する。この場合において、前条第一項、第三項及び第五項中「市町村長」とあるのは「都道府県知事」と、同条第二項中「市町村の掲示場に掲示して」とあるのは「都道府県の掲示場に掲示するとともに都道府県の公報に掲載して」と、同条第三項中「所在する都道府県の知事に対して公示による通知があった旨を都道府県の掲示場に掲示するとともに都道府県の公報に掲載することを求め、」とあるのは「所在する市町村の長若しくは」と、同条第四項中「前項の求めを受けた都道府県知事又は市町村長は、それぞれ、その」とあるのは「市町村長は、前項の」と、「都道府県の掲示場に掲示するとともに都道府県の公報に掲載し、又は当該市町村」とあるのは「当該市町村」と、同条第五項中「掲示をした」とあるのは「掲示及び掲載をした」と読み替えるものとする。

第一〇条　前三条の規定によるほか、土地収用法施行令（昭和二十六年政令第三百四十二号）第五条の規定は、法第九条及び第三十二条第四項（法第三十七条第二項において準用する場合を含む。）において準用する土地収用法第九十四条第五項の規定により収用委員会が通知をする場合に準用する。この場合において、同令第五条第一項中「前条第二項」とあるのは「大深度地下の公共的使用に関する特別措置法施行令（平成十二年政令第五百号）第七条第三項」と、同項から同条第三項までの規定中「公示送達」とあるのは「公示による通知」と、同項中「収用し、若しくは使用しようとする土地（法第五条に掲げる権利を収用し、又は使用する場合にあつては当該権利の目的であり、又は当該権利に関係のある土地、河川の敷地、海底、水又は立木、建物その他土地に定着する物件、法第六条に掲げる立木、建物その他土地に定着する物件を収用し、又は使用する場合にあつては立木、建物その他土地に定着する物件、法第七条に規定する土石砂れきを収用する場合にあつては土石砂れきの属する土地）」とあるのは「事業区域」と読み替えるものとする。

（書類の送達）

第一一条　書類の送達については、土地収用法施行令第四条第一項から第三項まで及び第五条の規定を準用する。この場合において、同条第三項中「収用し、若しくは使用しようとする土地（法第五条に掲げる権利を収用し、又は使用する場合にあつては当該権利の目的であり、又は当該権利に関係のある土地、河川の敷地、海底、水又は立木、建物その他土地に定着する物件、法第六条に掲げる立木、建物その他土地に定着する物件を収用し、又は使用する場合にあつては立木、建物その他土地に定着する物件、法第七条に規定する土石砂れきを収用する場合にあつては土石砂れきの属する土地）」とあるのは、「事業区域」と読み替えるものとする。

（事務の区分）

第一二条　この政令の規定により地方公共団体が処理することとされている事務のうち、次の各号に掲げるもの（法第十一条第一項の事業に関するものに限る。）は地方自治法（昭和二十二年法律第六十七号）第二条第九項第一号に規定する第一号法定受託事務と、第二号に掲げるもの（法第十一条第二項の事業に関するものに限る。）は同法第二条第九項第二号に規定する第二号法定受託事務とする。

一　都道府県が第八条第四項、第九条において準用する第八条第一項及び第三項並びに第十条及び前条において準用する土地収用法施行令第五条第一項及び第三項の規定により処理することとされている事務

二　市町村が第八条第一項及び第三項、同条第四項（第九条において準用する場合を含む。）並びに第十条及び前条において準用する土地収用法施行令第五条第四項の規定により処理することとされている事務

附　則　〔抄〕

（施行期日）

第一条　この政令は、法の施行の日（平成十三年四月一日）から施行する。

附　則　〔略〕〔平成一四・一二・一八政令三八六〕

附　則　〔抄〕〔平成一七・三・二四政令六〇〕

（施行期日）

第一条　この政令は、平成十七年四月一日から施行する。〔以下略〕

（大深度地下の公共的使用に関する特別措置法施行令の一部改正に伴う経過措置）

第四条　この政令の施行前にした国土交通大臣に対する使用の認可の申請に係る手数料の額については、第三条の規定による改正後の大深度地下の公共的使用に関する特別措置法施行令第六条の規定にかかわらず、なお従前の例による。

附　則　〔抄〕〔令和元・一二・一三政令一八三〕

（施行期日）

第一条　この政令は、情報通信技術の活用による行政手続等に係る関係者の利便性の向上並びに行政運営の簡素化及び効率化を図るための行政手続等における情報通信の技術の利用に関する法律等の一部を改正する法律（次条において「改正法」という。）の施行の日（令和元年十二月十六日）から施行する。

別表第一（第三条関係）

対象地域の名称	対象地域の範囲
首都圏の対象地域	その区域の全部又は一部が首都圏整備法（昭和三十一年法律第八十三号）第二条第三項に規定する既成市街地又は同条第四項に規定する近郊整備地帯の区域内にある市（特別区を含む。）及び町村の区域
近畿圏の対象地域	その区域の全部又は一部が近畿圏整備法（昭和三十八年法律第百二十九号）第二条第三項に規定する既成都市区域又は同条第四項に規定する近郊整備区域の区域内にある市町村の区域
中部圏の対象地域	その区域の全部又は一部が中部圏開発整備法（昭和四十一年法律第百二号）第二条第三項に規定する都市整備区域の区域内にある市町村の区域

備考　この表に掲げる区域は、平成十三年四月一日において定められている区域によるものとする。

別表第二（第四条関係）

対象地域	都道府県
首都圏の対象地域	茨城県　埼玉県　千葉県　東京都　神奈川県
近畿圏の対象地域	京都府　大阪府　兵庫県　奈良県
中部圏の対象地域	愛知県　三重県

○大深度地下の公共的使用に関する特別措置法施行規則（平成一二・一二・二八　総理府令一五七）

改正　平成一四・七国交令八五、平成一五・四国交令六〇、平成一七・三国交令一二、平成二四・一国交令二、令和二・一二国交令九八、令和六・三国交令二六

（証票及び許可証の様式）

第一条　大深度地下の公共的使用に関する特別措置法（以下「法」という。）第九条において準用する土地収用法（昭和二十六年法律第二百十九号）第十五条第四項の規定による同条第一項に規定する証票（国土交通省の職員が携帯するものを除く。第三項において同じ。）の様式は、別記様式第一とする。

2　法第九条において準用する土地収用法第十五条第四項の規定による同条第一項に規定する許可証の様式は、別記様式第二とする。

3　法第九条において準用する土地収用法第十五条第四項の規定による同条第二項に規定する証票の様式は、別記様式第三とする。

4　法第九条において準用する土地収用法第十五条第四項の規定による同条第二項に規定する許可証の様式は、障害物を伐除しようとする者にあっては別記様式第四、土地に試掘等を行おうとする者にあっては別記様式第四の二とする。

5　法第九条又は法第三十二条第四項（法第三十七条第二項において準用する場合を含む。）において準用する土地収用法第九十四条第六項において準用する同法第六十五条第四項の規定による証票の様式は、別記様式第五とする。

（損失の補償の裁決申請書の様式）

第二条　法第九条又は法第三十二条第四項（法第三十七条第二項において準用する場合を含む。）において準用する土地収用法第九十四条第三項の規定による裁決申請書の様式は、別記様式第六とし、正本一部及び写し一部を提出するものとする。

（事業概要書の様式等）

第三条　事業者は、法第十二条第一項の規定による事業概要書を別記様式第七により作成し、事業区域のおおむねの位置及び施設等の構造の概要を表示した事業概要図（平面図、縦断面図及び横断面図）を添付して送付するものとする。

2　法第十二条第一項第五号の国土交通省令で定める事項は、事業計画の概要とする。

（事業概要書の公告の方法）

第四条　法第十二条第二項の規定による公告は、次に掲げる方法のうち適切な方法により行うものとする。

一　官報への掲載

二　関係都道府県の協力を得て、関係都道府県の公報又は広報紙に掲載すること。

三　関係市町村の協力を得て、関係市町村の公報又は広報紙に掲載すること。

四　時事に関する事項を掲載する日刊新聞紙への掲載

（事業概要書について公告する事項）

第五条　法第十二条第二項の国土交通省令で定める事項は、次に掲げるものとする。

一　法第十二条第一項各号に掲げる事業概要書の記載事項

二　事業概要書の縦覧の場所、期間及び時間

三　公告された事業に関し法第四条各号に掲げる事業との共同化、事業区域の調整その他必要な調整の申出ができる旨

四　法第十二条第五項の規定による申出期限及び申出先その他申出に関し必要な事項

（調書の記載事項及び様式）

第六条　法第十三条第一項第五号の国土交通省令で定める事項は、物件又は物件に関する権利に対する損失の補償の見積り及びその内訳とする。

2　法第十三条第二項の規定による調書の様式は、別記様式第八とする。

（使用認可申請書の様式等）

第七条　法第十四条第一項の規定による使用認可申請書の様式は、別記様式第九とし、正本一部並びに事業区域が所在する都道府県及び市町村の数の合計に一を加えた部数の写しを提出するものとする。

2　法第十四条第一項第三号の事業区域は、当該事業区域に係る土地の所在及び地表からの深さをもって立体的な範囲を明らかにするものとする。

3　事業区域の全部又は一部について、他の事業者と共同して事業を施行する場合には、共同して法第十条の使用の認可の申請をすることができる。

（使用認可申請書の添付書類の様式等）

第八条　法第十四条第二項各号に掲げる添付書類は、それぞれ次の各号に定めるところによって作成し、正本一部及び前条第一項の規定による使用認可申請書と同じ部数の写しを提出するものとする。

一　法第十四条第二項第二号の事業計画書は、次に掲げる事項を記載するものとし、その内容を説明する参考書類があるときは、あわせて添付するものとする。

イ　事業計画の概要

ロ　設置する施設又は工作物の工事の着手及び完成の予定時期

ハ　事業に要する経費及びその財源

ニ　大深度地下において事業の施行を必要とする公益上の理由

ホ　事業区域を当該事業に用いることが相当であり、又は大深度地下の適正かつ合理的な利用に寄与することとなる理由

二　法第十四条第二項第三号の事業区域を表示する図面は、平面図、縦断面図、横断面図その他必要な図面とする。

三　前号の平面図は、次に定めるところにより作成し、符号は、国土地理院発行の縮尺五万分の一の地形図の図式により、これにないものは適宜のものによるものとする。

イ　縮尺二万五千分の一（二万五千分の一がない場合は五万分の一）の一般図によって事業区域に係る土地の位置を示すこと。

ロ　縮尺百分の一から三千分の一程度までの間で、事業区域に係る土地を表示するに便利な適宜の縮尺の地形図によって事業区域に係る土地を薄い黄色で着色し、事業区域内に井戸その他の物件があるときは、当該物件が存する土地の部分を薄い赤色で着色すること。

四　第二号の縦断面図及び横断面図には、事業区域内に物件があるときは、当該物件を図示するものとする。

五　法第十四条第二項第三号の事業計画を表示する図面は、縮尺五十分の一から三千分の一程度までの平面図、縦断面図、横断面図その他必要な図面によって、施設又は工作物の位置及び内容が明らかとなるよう作成するものとする。

六　法第十四条第二項第四号の事業区域が大深度地下にあることを証する書類は、ボーリング調査、物理探査等による地盤調査の結果を記載して、当該事業区域が大深度地下にあることを明らかにしたものとする。

七　法第十四条第二項第八号の事業の用に供する者又は第九号若しくは第十号の行政機関の意見がないときは、その事実を明らかにするものとする。

八　法第十四条第二項第十二号の国土交通省令で定める事項は、基本方針に定められた法第六条第二項第三号に掲げる事項に係る措置（法第十四条第二項第七号に掲げる書類に記載された措置を除く。）を記載した書類とする。

（公聴会の手続）

第九条　法第二十条において準用する土地収用法第二十三条第三項の規定による公聴会の手続に関して必要な事項については、土地収用法施行規則（昭和二十六年建設省令第三十三号）第五条から第十二条までの規定を準用する。この場合において、同令第五条、第六条第二項第一号、第七条第一項、第八条第一項、第九条及び第十一条第二項中「起業者」とあるのは「事業者」と、同令第六条第一項中「法第二十三条第二項（法第百三十八条第一項において準用する場合を含む。）」とあるのは「大深度地下の公共的使用に関する特別措置法第二十条において準用する法第二十三条第二項」と、「起業地の存する」とあるのは「事業区域が所在する」と、同令第七条第一項及び第十条第一項中「事業の認定」とあるのは「使用の認可」と読み替えるものとする。

（登録簿の調製）

第一〇条　登録簿は、調書及び図面をもって組成する。

２　前項の調書には、次に掲げる事項を記載するものとする。

一　使用の認可の年月日

二　認可事業者の名称

三　事業の種類

四　事業により設置する施設又は工作物の耐力

五　事業区域

六　使用の期間

七　調製年月日

３　第一項の図面は、第八条の規定により提出された法第十四条第二項第三号の事業区域及び事業計画を表示する図面の写しとする。

４　都道府県知事は、第一項の調書又は図面について変更があったときは、速やかに、登録簿に必要な修正を加えなければならない。

（登録簿の閲覧）

第一一条　都道府県知事は、登録簿を公衆の閲覧に供するため、登録簿閲覧所（次項において単に「閲覧所」という。）を設けなければならない。

２　都道府県知事は、前項の規定により閲覧所を設けたときは、当該閲覧所の閲覧規則を定めるとともに、当該閲覧所の場所及び閲覧規則を告示しなければならない。

（承認申請書の様式）

第一二条　法第二十八条第三項の規定による承認の申請書の様式は、別記様式第十とする。

（事業の廃止又は変更の届出の様式）

第一三条　法第三十条第一項の規定による事業の廃止又は変更の届出の様式は、別記様式第十一とする。

附　則

この府令は、法の施行の日（平成十三年四月一日）から施行する。

附　則〔略〕〔平成一四・七・九国土交通省令八五〕

附　則〔略〕〔平成一五・四・七国土交通省令六〇施行〕

附　則〔略〕〔平成一七・三・七国土交通省令一二施行〕

附　則〔略〕〔平成二四・一・三〇国土交通省令二施行〕

附　則〔略〕〔令和二・一二・二三国土交通省令九八〕

附　則〔抄〕〔令和六・三・二九国土交通省令二六〕

（施行期日）

第一条　この省令は、令和六年四月一日から施行する。〔以下略〕

別記様式〔略〕

○所有者不明土地の利用の円滑化等に関する特別措置法〔平成三〇・六・一三 法律四九〕

改正　令和三・四法二四、五法三〇、法三七、令和四・五法三八

目次

第一章　総則（第一条・第二条）
第二章　基本方針等（第三条―第五条）
第三章　所有者不明土地の利用の円滑化及び管理の適正化のための特別の措置
第一節　地域福利増進事業の実施のための措置
第一款　地域福利増進事業の実施の準備（第六条―第九条）
第二款　裁定による特定所有者不明土地の使用（第十条―第二十六条）
第二節　特定所有者不明土地の収用又は使用に関する土地収用法の特例
第一款　収用適格事業のための特定所有者不明土地の収用又は使用に関する特例（第二十七条―第三十六条）
第二款　都市計画事業のための特定所有者不明土地の収用又は使用に関する特例（第三十七条）
第三節　所有者不明土地の管理の適正化のための措置（第三十八条―第四十一条）
第四節　所有者不明土地の管理に関する民法の特例（第四十二条）
第四章　土地の所有者の効果的な探索のための特別の措置
第一節　土地所有者等関連情報の利用及び提供（第四十三条）
第二節　特定登記未了土地の相続登記等に関する不動産登記法の特例（第四十四条）
第五章　所有者不明土地対策計画等（第四十五条・第四十六条）
第六章　所有者不明土地利用円滑化等推進法人（第四十七条―第五十二条）
第七章　雑則（第五十三条―第六十条）
第八章　罰則（第六十一条―第六十三条）
附則

第一章　総則

（目的）

第一条　この法律は、社会経済情勢の変化に伴い所有者不明土地が増加していることに鑑み、所有者不明土地の利用の円滑化及び管理の適正化並びに土地の所有者の効果的な探索を図るため、国土交通大臣及び法務大臣による基本方針の策定について定めるとともに、地域福利増進事業の実施のための措置、所有者不明土地の収用又は使用に関する土地収用法（昭和二十六年法律第二百十九号）の特例、土地の所有者等に関する情報の利用及び提供その他の特別の措置を講じ、もって国土の適正かつ合理的な利用に寄与することを目的とする。

（定義）

第二条　この法律において「所有者不明土地」とは、相当な努力が払われたと認められるものとして政令で定める方法により探索を行ってもなおその所有者の全部又は一部を確知することができない一筆の土地をいう。

2　この法律において「特定所有者不明土地」とは、所有者不明土地のうち、現に建築物（物置その他の政令で定める簡易な構造の建築物で政令で定める規模未満のもの又はその利用が困難であり、かつ、引き続き利用されないことが確実であると見込まれる建築物として建築物の損傷、腐食その他の劣化の状況、建築時からの経過年数その他の事情を勘案して政令で定める基準に該当するもの（以下「簡易建築物等」という。）を除く。）が存せず、かつ、業務の用その他の特別の用途に供されていない土地をいう。

3　この法律において「地域福利増進事業」とは、次に掲げる事業であって、地域住民その他の者の共同の福祉又は利便の増進を図るために行われるものをいう。

一　道路法（昭和二十七年法律第百八十号）による道路、駐車場法（昭和三十二年法律第百六号）による路外駐車場その他一般交通の用に供する施設の整備に関する事業

二　学校教育法（昭和二十二年法律第二十六号）による学校又はこれに準ずるその他の教育のための施設の整備に関する事業

三　社会教育法（昭和二十四年法律第二百七号）による公民館（同法第四十二条に規定する公民館に類似する施設を含む。）又は図書館法（昭和二十五年法律第百十八号）による図書館（同法第二十九条に規定する図書館と同種の施設を含む。）の整備に関する事業

四　社会福祉法（昭和二十六年法律第四十五号）による社会福祉事業の用に供する施設の整備に関する事業

五　病院、療養所、診療所又は助産所の整備に関する事業

六　公園、緑地、広場又は運動場の整備に関する事業

七　住宅（被災者の居住の用に供するものに限る。）の整備に関する事業であって、災害（発生した日から起算して三年を経過していないものに限る。次号イにおいて同じ。）に際し災害救助法（昭和二十二年法律第百十八号）が適用された同法第二条第一項に規定する災害発生市町村の区域内において行われるもの

八　購買施設、教養文化施設その他の施設で地域住民その他の者の共同の福祉又は利便の増進に資するものとして政令で定めるものの整備に関する事業であって、次に掲げる区域内において行われるもの

イ　災害に際し災害救助法が適用された同法第二条第一項に規定する災害発生市町村の区域

ロ　その周辺の地域において当該施設と同種の施設が著しく不足している区域

九　備蓄倉庫、非常用電気等供給施設（非常用の電気又は熱の供給施設をいう。）その他の施設で災害対策の実施の用に供するものとして政令で定めるものの整備に関する事業

十　再生可能エネルギー電気の利用の促進に関する特別措置法（平成二十三年法律第百八号）による再生可能エネルギー発電設備のうち、地域住民その他の者の共同の福祉又は利便の増進に資するものとして政令で定める要件に適合するものの整備に関する事業

十一　前各号に掲げる事業のほか、土地収用法第三条各号に掲げるもののうち地域住民その他の者の共同の福祉又は利便の増進に資するものとして政令で定めるものの整備に関する事業

十二　前各号に掲げる事業のために欠くことができない通路、材料置場その他の施設の整備に関する事業

4　この法律において「特定登記未了土地」とは、所有権の登記名義人の死亡後に相続登記等（相続による所有権の移転の登記その他の所有権の登記をいう。以下同じ。）がされていない土地であって、土地収用法第三条各号に掲げるものに関する事業（第二十七条第一項及び第四十三条第一項において「収用適格事業」という。）を実施しようとする区域の適切な選定その他の公共の利益となる事業の円滑な遂行を図るため当該土地の所有権の登記名義人となり得る者を探索する必要があるものをいう。

第二章　基本方針等

（基本方針）

第三条　国土交通大臣及び法務大臣は、所有者不明土地の利用の円滑化及び管理の適正化並びに土地の所有者の効果的な探索（以下「所有者不明土地の利用の円滑化等」という。）に関する基本的な方針（以下「基本方針」という。）を定めなければならない。

2　基本方針においては、次に掲げる事項を定めるものとする。

一　所有者不明土地の利用の円滑化等の意義及び基本的な方向

二　所有者不明土地の利用の円滑化等のための施策に関する基本的な事項

三　特定所有者不明土地を使用する地域福利増進事業に関する基本的な事項

四　特定登記未了土地の相続登記等の促進に関する基本的な事項

五　第四十五条第一項に規定する所有者不明土地対策計画の作成に関する基本的な事項

六　前各号に掲げるもののほか、所有者不明土地の利用の円滑化等に関する重要事項

3　国土交通大臣及び法務大臣は、基本方針を定めようとするときは、関係行政機関の長に協議しなければならない。

4　国土交通大臣及び法務大臣は、基本方針を定めたときは、遅滞なく、これを公表しなければならない。

5　前二項の規定は、基本方針の変更について準用する。

（国の責務）

第四条　国は、所有者不明土地の利用の円滑化等に関する施策を総合的に策定し、及び実施する責務を有する。

2　国は、地方公共団体その他の者が行う所有者不明土地の利用の円滑化等に関する取組のために必要となる情報の収集及び提供その他の支援を行うよう努めなければならない。

3　国は、広報活動、啓発活動その他の活動を通じて、所有者不明土地の利用の円滑化等に関し、国民の理解を深めるよう努めなければならない。

（地方公共団体の責務）

第五条　地方公共団体は、所有者不明土地の利用の円滑化等に関し、国との適切な役割分担を踏まえて、その地方公共団体の区域の実情に応じた施策を策定し、及び実施する責務を有する。

2　市町村は、その区域内における所有者不明土地の利用の円滑化等の的確な実施が図られるよう、この法律に基づく措置その他必要な措置を講ずるよう努めなければならない。

3　都道府県は、前項の市町村の責務が十分に果たされるよう、市町村相互間の連絡調整を行うとともに、市町村に対し、市町村の区域を超えた広域的な見地からの助言その他の援助を行うよう努めなければならない。

第三章　所有者不明土地の利用の円滑化及び管理の適正化のための特別の措置

第一節　地域福利増進事業の実施のための措置

第一款　地域福利増進事業の実施の準備

（特定所有者不明土地への立入り等）

第六条　地域福利増進事業を実施しようとする者は、その準備のため他人の土地（特定所有者不明土地に限る。次条第一項及び第八条第一項において同じ。）又は当該土地にある簡易建築物等その他の工作物に立ち入って測量又は調査を行う必要があるときは、その必要の限度において、当該土地又は工作物に、自ら立ち入り、又はその命じた者若しくは委任した者に立ち入らせることができる。ただし、地域福利増進事業を実施しようとする者が国及び地方公共団体以外の者であるときは、あらかじめ、国土交通省

令で定めるところにより、当該土地の所在地を管轄する都道府県知事の許可を受けた場合に限る。

（障害物の伐採等）

第七条　前条の規定により他人の土地又は工作物に立ち入って測量又は調査を行う者は、その測量又は調査を行うに当たり、やむを得ない必要があって、障害となる植物又は垣、柵その他の工作物（以下「障害物」という。）の伐採又は除去（以下「伐採等」という。）をしようとするときは、国土交通省令で定めるところにより当該障害物の所在地を管轄する都道府県知事の許可を受けて、伐採等をすることができる。この場合において、都道府県知事は、許可を与えようとするときは、あらかじめ、当該障害物の確知所有者（所有者で知れているものをいう。以下同じ。）に対し、意見を述べる機会を与えなければならない。

2　前項の規定により障害物の伐採等をしようとする者は、国土交通省令で定めるところにより、その旨を、伐採等をしようとする日の十五日前までに公告するとともに、伐採等をしようとする日の三日前までに当該障害物の確知所有者に通知しなければならない。

3　第一項の規定により障害物の伐採等をしようとする者は、その現状を著しく損傷しないときは、前二項の規定にかかわらず、国土交通省令で定めるところにより当該障害物の所在地を管轄する都道府県知事の許可を受けて、直ちに伐採等をすることができる。この場合においては、伐採等をした後遅滞なく、国土交通省令で定めるところにより、その旨を、公告するとともに、当該障害物の確知所有者に通知しなければならない。

（証明書等の携帯）

第八条　第六条の規定により他人の土地又は工作物に立ち入ろうとする者は、その身分を示す証明書（国及び地方公共団体以外の者にあっては、その身分を示す証明書及び同条ただし書の許可を受けたことを証する書面）を携帯しなければならない。

2　前条第一項又は第三項の規定により障害物の伐採等をしようとする者は、その身分を示す証明書及び同条第一項又は第三項の許可を受けたことを証する書面を携帯しなければならない。

3　前二項の証明書又は書面は、関係者の請求があったときは、これを提示しなければならない。

（損失の補償）

第九条　地域福利増進事業を実施しようとする者は、第六条又は第七条第一項若しくは第三項の規定による行為により他人に損失を与えたときは、その損失を受けた者に対して、通常生ずべき損失を補償しなければならない。

2　前項の規定による損失の補償については、損失を与えた者と損失を受けた者とが協議しなければならない。

3　前項の規定による協議が成立しないときは、損失を与えた者又は損失を受けた者は、政令で定めるところにより、収用委員会に土地収用法第九十四条第二項の規定による裁決を申請することができる。

第二款　裁定による特定所有者不明土地の使用

（裁定申請）

第一〇条　地域福利増進事業を実施する者（以下「事業者」という。）は、当該事業を実施する区域（以下「事業区域」という。）内にある特定所有者不明土地を使用しようとするときは、当該特定所有者不明土地の所在地を管轄する都道府県知事に対し、次に掲げる権利（以下「土地使用権等」という。）の取得についての裁定を申請することができる。

一　当該特定所有者不明土地の使用権（以下「土地使用権」という。）

二　当該特定所有者不明土地にある所有者不明物件（相当な努力が払われたと認められるものとして政令で定める方法により探索を行ってもなおその所有者の全部又は一部を確知することができない物件をいう。第三項第二号において同じ。）の所有権（次項第七号において「物件所有権」という。）又はその使用権（同項第八号において「物件使用権」という。）

2　前項の規定による裁定の申請（以下この款において「裁定申請」という。）をしようとする事業者は、国土交通省令で定めるところにより、次に掲げる事項を記載した裁定申請書を都道府県知事に提出しなければならない。

一　事業者の氏名又は名称及び住所

二　事業の種別（第二条第三項各号に掲げる事業の別をいう。）

三　事業区域

四　裁定申請をする理由

五　土地使用権の目的となる特定所有者不明土地（以下この款（次条第一項第二号を除く。）において単に「特定所有者不明土地」という。）の所在、地番、地目及び地積

六　特定所有者不明土地の所有者の全部又は一部を確知することができない事情

七　土地使用権等の始期（物件所有権にあっては、その取得の時期。第十三条第二項第二号及び第二十四条において同じ。）

八　土地等使用権（土地使用権又は物件使用権をいう。以下同じ。）の存続期間

3　前項の裁定申請書には、次に掲げる書類を添付しなければならない。

一　次に掲げる事項を記載した事業計画書

イ　事業により整備する施設の種類、位置、規模、構造及び利用条件

ロ　事業区域

ハ　事業区域内にある土地で特定所有者不明土地以外のもの及び当該土地にある物件に関する所有権その他の権利の取得に関する計画（次条第一項第五号において「権利取得計画」という。）

ニ　資金計画

ホ　土地等使用権の存続期間の満了後に特定所有者不明土地を原状に回復するための措置の内容

ヘ　その他国土交通省令で定める事項

二　次に掲げる事項を記載した補償金額見積書

イ　特定所有者不明土地の面積（特定所有者不明土地を含む一団の土地が分割されることとなる場合にあっては、当該一団の土地の全部の面積を含む。）

ロ　特定所有者不明土地にある所有者不明物件の種類及び数量

ハ　特定所有者不明土地等（特定所有者不明土地又は当該特定所有者不明土地にある所有者不明物件をいう。以下この款において同じ。）の確知所有者の全部の氏名又は名称及び住所

ニ　特定所有者不明土地等の確知権利者（土地又は当該土地にある物件に関し所有権以外の権利を有する者であって、相当な努力が払われたと認められるものとして政令で定める方法により探索を行ってもなお確知することができないもの以外の者をいう。次条第五項及び第十七条第一項において同じ。）の全部の氏名又は名称及び住所並びにその権利の種類及び内容

ホ　土地使用権等を取得することにより特定所有者不明土地所有者等（特定所有者不明土地等に関し所有権その他の権利を有する者をいう。以下この款において同じ。）が受ける損失の補償金の見積額及びその内訳並びに当該補償金の支払の時期

三　事業区域の利用について法令の規定による制限があるときは、当該法令の施行について権限を有する行政機関の長の意見書

四　事業の実施に関して行政機関の長の許可、認可その他の処分を必要とする場合においては、これらの処分があったことを証する書類又は当該行政機関の長の意見書

五　その他国土交通省令で定める書類

4　前項第三号及び第四号の意見書は、事業者が意見を求めた日から三週間を経過してもこれを得ることができなかったときは、添付することを要しない。この場合においては、意見書を得ることができなかった事情を疎明する書類を添付しなければならない。

5　事業者は、裁定申請をしようとするときは、当該裁定申請に係る事業の内容について、あらかじめ、協議会の開催その他の国土交通省令で定める方法により、住民の意見を反映させるために必要な措置を講ずるよう努めなければならない。

（公告及び縦覧）

第一一条　都道府県知事は、裁定申請があったときは、当該裁定申請に係る事業が次の各号に掲げる要件のいずれにも該当するかどうかを確認しなければならない。

一　事業が地域福利増進事業に該当し、かつ、土地の適正かつ合理的な利用に寄与するものであること。

二　土地使用権の目的となる土地が特定所有者不明土地に該当するものであること。

三　土地等使用権の存続期間が事業の実施のために必要な期間を超えないものであること。

四　事業により整備される施設の利用条件がその公平かつ適正な利用を図

る観点から適切なものであること。

五　権利取得計画及び資金計画が事業を確実に遂行するため適切なものであること。

六　土地等使用権の存続期間の満了後に第二号の土地を原状に回復するための措置が適正かつ確実に行われると見込まれるものであること。

七　事業者が事業を遂行する十分な意思と能力を有する者であること。

八　その他基本方針に照らして適切なものであること。

2　都道府県知事は、前項の規定による確認をしようとするときは、あらかじめ、地域住民その他の者の共同の福祉又は利便の増進を図る見地からの関係市町村長の意見を聴かなければならない。

3　都道府県知事は、第一項の規定による確認をしようとする場合において、前条第四項の規定により意見書の添付がなかったときその他必要があると認めるときは、裁定申請に係る事業の実施について関係のある行政機関の長の意見を求めなければならない。

4　都道府県知事は、第一項の規定による確認の結果、裁定申請に係る事業が同項各号に掲げる要件のいずれにも該当すると認めるときは、国土交通省令で定めるところにより、次に掲げる事項を公告し、前条第二項の裁定申請書及びこれに添付された同条第三項各号に掲げる書類を当該公告の日から二月間公衆の縦覧に供しなければならない。

一　裁定申請があった旨

二　特定所有者不明土地の所在、地番及び地目

三　次のイ又はロに掲げる者は、縦覧期間内に、国土交通省令で定めるところにより、その権原を証する書面を添えて、都道府県知事に当該イ又はロに定める事項を申し出るべき旨

イ　特定所有者不明土地又は当該特定所有者不明土地にある物件に関し所有権その他の権利を有する者であって、前条第二項の裁定申請書、同条第三項第一号の事業計画書又は同項第二号の補償金額見積書に記載された事項（裁定申請書にあっては、同条第二項第一号及び第六号に掲げる事項を除く。）について異議のあるもの　当該異議の内容及びその理由

ロ　特定所有者不明土地の所有者であって、前条第三項第二号の補償金額見積書に特定所有者不明土地の確知所有者として記載されていないもの（イに掲げる者を除く。）　当該特定所有者不明土地の所有者である旨

四　その他国土交通省令で定める事項

5　都道府県知事は、前項の規定による公告をしようとするときは、あらかじめ、国土交通省令で定めるところにより、裁定申請があった旨を、前条第三項第二号の補償金額見積書に記載された特定所有者不明土地等の確知所有者及び確知権利者に通知しなければならない。

（裁定申請の却下）

第一二条　都道府県知事は、前条第一項の規定による確認の結果、裁定申請に係る事業が同項各号に掲げる要件のいずれかに該当しないと認めるときは、当該裁定申請を却下しなければならない。

2　都道府県知事は、前条第四項の規定による公告をした場合において、同項の縦覧期間内に同項第三号イの規定による申出があったとき又は同号ロに掲げる者の全てから同号ロの規定による申出があったときは、当該公告に係る裁定申請を却下しなければならない。

3　都道府県知事は、前二項の規定により裁定申請を却下したときは、遅滞なく、国土交通省令で定めるところにより、その理由を示して、その旨を当該裁定申請をした事業者に通知しなければならない。

（裁定）

第一三条　都道府県知事は、前条第一項又は第二項の規定により裁定申請を却下する場合を除き、裁定申請をした事業者が土地使用権等を取得することが当該裁定申請に係る事業を実施するため必要かつ適当であると認めるときは、その必要の限度において、土地使用権等の取得についての裁定をしなければならない。

2　前項の裁定（以下この条から第十八条までにおいて単に「裁定」という。）においては、次に掲げる事項を定めなければならない。

一　特定所有者不明土地の所在、地番、地目及び面積

二　土地使用権等の始期

三　土地等使用権の存続期間

四　土地使用権等を取得することにより特定所有者不明土地所有者等が受ける損失の補償金の額及びその支払の時期

3　裁定は、前項第一号に掲げる事項については裁定申請の範囲を超えてはならず、同項第三号の存続期間については裁定申請の範囲内かつ十年（第二条第三項第一号、第六号及び第八号から第十号までに掲げる事業のうち、当該事業の内容その他の事情を勘案して長期にわたる土地の使用を要するものとして政令で定める事業にあっては、二十年）を限度としなければならず、前項第四号の補償金の額については裁定申請に係る補償金の見積額を下限としなければならない。

4　都道府県知事は、裁定をしようとするときは、第二項第四号に掲げる事項（同号の補償金の額に係るものに限る。）について、あらかじめ、収用委員会の意見を聴かなければならない。

5　収用委員会は、前項の規定により意見を述べるため必要があると認めるときは、その委員又はその事務を整理する職員に、裁定申請に係る特定所有者不明土地又は当該特定所有者不明土地にある簡易建築物等その他の工作物に立ち入り、その状況を調査させることができる。

6　前項の規定により立入調査をする委員又は職員は、その身分を示す証明書を携帯し、関係者の請求があったときは、これを提示しなければならない。

7　第五項の規定による立入調査の権限は、犯罪捜査のために認められたものと解してはならない。

（裁定の通知等）

第一四条　都道府県知事は、裁定をしたときは、遅滞なく、国土交通省令で定めるところにより、その旨及び前条第二項各号に掲げる事項を、裁定申請をした事業者及び当該事業に係る特定所有者不明土地所有者等で知れているものに文書で通知するとともに、公告しなければならない。

（裁定の効果）

第一五条　裁定について前条の規定による公告があったときは、当該裁定の定めるところにより、裁定申請をした事業者は、土地使用権等を取得し、特定所有者不明土地等に関するその他の権利は、当該事業者による当該特定所有者不明土地等の使用のため必要な限度においてその行使を制限される。

（損失の補償）

第一六条　裁定申請をした事業者は、次項から第六項までに定めるところにより、土地使用権等を取得することにより特定所有者不明土地所有者等が受ける損失を補償しなければならない。

2　損失の補償は、金銭をもってするものとする。

3　土地使用権等の取得の対価の額に相当する補償金の額は、近傍類似の土地又は近傍同種の物件の借賃その他の当該補償金の額の算定の基礎となる事項を考慮して定める相当の額（土地等使用権の取得に係る当該補償金の額にあっては、当該相当の額から特定所有者不明土地等の管理に要する費用に相当する額を控除して得た額）とする。

4　特定所有者不明土地の一部を使用することにより残地の価格が減じ、その他残地に関して損失が生ずるときは、当該損失を補償しなければならない。

5　特定所有者不明土地の一部を使用することにより残地に通路、溝、垣その他の工作物の新築、改築、増築若しくは修繕又は盛土若しくは切土をする必要が生ずるときは、これに要する費用を補償しなければならない。

6　前三項の規定による補償のほか、土地使用権等を取得することにより特定所有者不明土地所有者等が通常受ける損失は、補償しなければならない。

（補償金の供託）

第一七条　裁定申請をした事業者は、裁定において定められた補償金の支払の時期までに、当該裁定において定められた補償金を特定所有者不明土地所有者等で確知することができないもの（補償金の供託の対象となる特定所有者不明土地等の共有持分の割合が明らかでない場合にあっては、当該特定所有者不明土地等の確知所有者及び確知権利者を含む。）のために供託しなければならない。

2　前項の規定による補償金の供託は、当該特定所有者不明土地の所在地の供託所にするものとする。

（裁定の失効）

第一八条　裁定申請をした事業者が裁定において定められた補償金の支払の時期までに当該裁定において定められた補償金の供託をしないときは、当該裁定は、その時以後その効力を失う。

（土地等使用権の存続期間の延長）

第一九条　第十五条の規定により土地使用権等を取得した事業者（以下「使

用権者」という。）は、第十三条第一項の裁定において定められた土地等使用権の存続期間（第四項において準用する第十五条の規定により土地等使用権の存続期間が延長された場合にあっては、当該延長後の存続期間。第三項及び第二十四条において同じ。）を延長して使用権設定土地（第十五条の規定により取得された土地使用権の目的となっている土地をいう。以下同じ。）の全部又は一部を使用しようとするときは、当該存続期間の満了の日の七月前から四月前までの間に、当該使用権設定土地の所在地を管轄する都道府県知事に対し、土地等使用権の存続期間の延長についての裁定を申請することができる。

2　第十条（第一項及び第五項を除く。）から第十二条までの規定は、前項の規定による裁定の申請について準用する。この場合において、次の表の上欄に掲げる規定中同表の中欄に掲げる字句は、それぞれ同表の下欄に掲げる字句に読み替えるものとするほか、必要な技術的読替えは、政令で定める。

第十条第二項	次に掲げる事項	第一号から第六号まで及び第八号に掲げる事項
第十条第二項第五号	土地使用権の目的となる特定所有者不明土地（以下この款（次条第一項第二号を除く。）において単に「特定所有者不明土地」という。）	第十九条第一項に規定する使用権設定土地（その一部を使用しようとする場合にあっては、当該使用に係る土地の部分に限る。以下単に「使用権設定土地」という。）
第十条第二項第六号並びに第三項第一号ハ及びホ並びに第二号イ及びロ並びに第十一条第四項第二号及び第三号	特定所有者不明土地	使用権設定土地
第十条第二項第八号	存続期間	存続期間を延長する期間及び当該延長後の存続期間
第十条第三項第一号ホ及び第十一条第一項第六号	存続期間	延長後の存続期間
第十条第三項第二号ハからホまで及び第十一条第五項	特定所有者不明土地等	使用権設定土地等
第十条第三項第二号ハ	特定所有者不明土地又は当該特定所有者不明土地	使用権設定土地又は当該使用権設定土地
第十条第三項第二号ホ	土地使用権等を取得する	土地等使用権の存続期間を延長する
	特定所有者不明土地所有者等	使用権設定土地所有者等
第十一条第一項第二号	特定所有者不明土地	所有者不明土地
第十一条第一項第三号	存続期間	存続期間を延長する期間
第十一条第四項	二月間	一月間

3　都道府県知事は、前項において準用する第十二条第一項又は第二項の規定により第一項の規定による裁定の申請を却下する場合を除き、同項の規定による裁定の申請をした使用権者が有する土地等使用権の存続期間を延長することが当該申請に係る事業を実施するため必要かつ適当であると認めるときは、その必要の限度において、土地等使用権の存続期間の延長についての裁定をしなければならない。

4　第十三条（第一項を除く。）から前条までの規定は、前項の裁定について準用する。この場合において、次の表の上欄に掲げる規定中同表の中欄に掲げる字句は、それぞれ同表の下欄に掲げる字句に読み替えるものとするほか、必要な技術的読替えは、政令で定める。

第十三条第二項	次に掲げる事項	第一号、第三号及び第四号に掲げる事項
第十三条第二項第一号	特定所有者不明土地	第十九条第一項に規定する使用権設定土地（その一部を使用しようとする場合にあっては、当該使用に係る土地の部分に限る。以下単に「使用権設定土地」という。）
第十三条第二項第三号	存続期間	存続期間を延長する期間及び当該延長後の存続期間
第十三条第二項第四号並びに第十六条第一項及び第六項	土地使用権等を取得する	土地等使用権の存続期間を延長する
第十三条第二項第四号	特定所有者不明土地所有者等	使用権設定土地所有者等（使用権設定土地等（使用権設定土地又は当該使用権設定土地にある第十条第一項第二号に規定する所有者不明物件をいう。以下同じ。）に関し所有権その他の権利を有する者をいう。以下同じ。）
第十三条第三項	存続期間	土地等使用権の存続期間を延長する期間
第十三条第五項、第十六条第四項及び第五項並びに第十七条第二項	特定所有者不明土地	使用権設定土地
第十四条、第十六条第一項及び第六項並びに第十七条第一項	特定所有者不明土地所有者等	使用権設定土地所有者等
第十五条	は、土地使用権等を取得し	が有する土地等使用権の存続期間は、延長され
第十五条、第十六条第三項及び第十七条第一項	特定所有者不明土地等	使用権設定土地等
第十六条第三項	土地使用権等の取得	土地等使用権の存続期間の延長
	（土地等使用権の取得に係る当該補償金の額にあっては、当該相当の額から	から
	額）	額

（標識の設置）
第二〇条　使用権者は、国土交通省令で定めるところにより、使用権設定土地の区域内に、当該使用権設定土地が地域福利増進事業の用に供されている旨を表示した標識を設けなければならない。ただし、当該区域内に設けることが困難であるときは、事業区域内の見やすい場所にこれを設けることができる。
2　何人も、前項の規定により設けられた標識を使用権者の承諾を得ないで移転し、若しくは除却し、又は汚損し、若しくは損壊してはならない。

（裁定に基づく地位の承継）
第二一条　相続人、合併又は分割により設立される法人その他の使用権者の一般承継人（分割による承継の場合にあっては、当該使用権者が実施する事業の全部を承継する法人に限る。）は、当該使用権者が有していた第十三条第一項の裁定（第十九条第三項の裁定を含む。以下この款において単に「裁定」という。）に基づく地位を承継する。

（権利の譲渡）
第二二条　使用権者は、土地使用権等の全部又は一部を譲り渡そうとするときは、国土交通省令で定めるところにより、都道府県知事の承認を受けなければならない。この場合において、当該使用権者は、土地使用権等の全部を譲り渡そうとするときはその実施する事業の全部を、土地使用権等の一部を譲り渡そうとするときはその実施する事業のうち当該土地使用権等の一部に対応する部分を併せて譲り渡さなければならない。
2　都道府県知事は、前項の承認をしたときは、国土交通省令で定めるところにより、その旨を公告しなければならない。
3　第一項の承認に係る土地使用権等の全部又は一部を譲り受けた者は、使用権者が有していた裁定に基づく地位を承継する。

（裁定の取消し）
第二三条　都道府県知事は、使用権者が次の各号のいずれかに該当するときは、裁定（前条第一項の承認を含む。以下この条において同じ。）を取り消すことができる。
一　この法律又はこの法律に基づく命令の規定に違反したとき。
二　実施する事業が第十一条第一項各号（第二号を除き、第十九条第二項において準用する場合を含む。）に掲げる要件のいずれかに該当しないこととなったとき。
三　正当な理由なく裁定申請（第十九条第一項の規定による裁定の申請を含む。）に係る事業計画に従って事業を実施していないと認められるとき。
2　都道府県知事は、前項の規定により裁定を取り消したときは、国土交通省令で定めるところにより、その旨を公告しなければならない。
3　裁定は、前項の規定による公告があった日以後その効力を失う。

（原状回復の義務）
第二四条　使用権者は、土地等使用権の存続期間が満了したとき、土地使用権等の始期後に第十八条（第十九条第四項において準用する場合を含む。）の規定により裁定が失効したとき又は前条第一項の規定により裁定が取り消されたときは、使用権設定土地を原状に回復し、これを返還しなければならない。ただし、当該使用権設定土地を原状に回復しないことについてその確知所有者の全ての同意が得られたときは、この限りでない。

（原状回復命令等）
第二五条　都道府県知事は、前条の規定に違反した者に対し、相当の期限を定めて、使用権設定土地を原状に回復することを命ずることができる。
2　都道府県知事は、前項の規定により使用権設定土地の原状回復を命じようとする場合において、過失がなくて当該原状回復を命ずべき者を確知することができず、かつ、その違反を放置することが著しく公益に反すると認められるときは、その者の負担において、当該原状回復を自ら行い、又はその命じた者若しくは委任した者に行わせることができる。この場合においては、相当の期限を定めて、当該原状回復を行うべき旨及びその期限までに当該原状回復を行わないときは、都道府県知事又はその命じた者若しくは委任した者が当該原状回復を行うべき旨を、あらかじめ、公告しなければならない。
3　前項の規定により使用権設定土地の原状回復を行おうとする者は、その身分を示す証明書を携帯し、関係者の請求があったときは、これを提示しなければならない。

（報告及び立入検査）
第二六条　都道府県知事は、この款の規定の施行に必要な限度において、使用権者（裁定申請をしている事業者でまだ土地使用権等を取得していないもの及び使用権者であった者を含む。以下この項において同じ。）に対し、その事業に関し報告をさせ、又はその職員に、使用権者の事務所、使用権設定土地その他の場所に立ち入り、その事業の状況若しくは事業に係る施設、帳簿、書類その他の物件を検査させ、若しくは関係者に質問させることができる。
2　第十三条第六項及び第七項の規定は、前項の規定による立入検査について準用する。

第二節　特定所有者不明土地の収用又は使用に関する土地収用法の特例

第一款　収用適格事業のための特定所有者不明土地の収用又は使用に関する特例

（裁定申請）
第二七条　起業者（土地収用法第八条第一項に規定する起業者をいう。以下同じ。）は、同法第二十条の事業の認定を受けた収用適格事業について、その起業地（同法第十七条第一項第二号に規定する起業地をいう。）内にある特定所有者不明土地を収用し、又は使用しようとするときは、同法第二十六条第一項の規定による告示があった日（同法第三十一条の規定により収用又は使用の手続が保留されていた特定所有者不明土地にあっては、同法第三十四条の三の規定による告示があった日）から一年以内に、当該特定所有者不明土地の所在地を管轄する都道府県知事に対し、特定所有者不明土地の収用又は使用についての裁定を申請することができる。
2　前項の規定による裁定の申請（以下この款において「裁定申請」という。）をしようとする起業者は、国土交通省令で定めるところにより、次に掲げる事項を記載した裁定申請書を都道府県知事に提出しなければならない。
一　起業者の氏名又は名称及び住所
二　事業の種類
三　収用し、又は使用しようとする特定所有者不明土地（以下この款（次条第一項各号列記以外の部分及び第二十九条第一項を除く。）において単に「特定所有者不明土地」という。）の所在、地番、地目及び地積
四　特定所有者不明土地の所有者の全部又は一部を確知することができない事情
五　特定所有者不明土地に関する所有権その他の権利を取得し、又は消滅させる時期
六　特定所有者不明土地等（特定所有者不明土地又は当該特定所有者不明土地にある物件をいう。次項第二号ハ及び第三十一条第三項において同じ。）の引渡し又は当該物件の移転の期限（第三十二条第二項第三号において「特定所有者不明土地等の引渡し等の期限」という。）
七　特定所有者不明土地を使用しようとする場合においては、その方法及び期間
3　前項の裁定申請書には、次に掲げる書類を添付しなければならない。
一　土地収用法第四十条第一項第一号の事業計画書に記載すべき事項に相当するものとして国土交通省令で定める事項を記載した事業計画書
二　次に掲げる事項を記載した補償金額見積書
イ　特定所有者不明土地の面積（特定所有者不明土地を含む一団の土地が分割されることとなる場合にあっては、当該一団の土地の全部の面積を含む。）
ロ　特定所有者不明土地にある物件の種類及び数量
ハ　特定所有者不明土地等の確知所有者の全部の氏名又は名称及び住所
ニ　特定所有者不明土地の確知関係人（土地収用法第八条第三項に規定する関係人（ホにおいて単に「関係人」という。）であって、相当な努力が払われたと認められるものとして政令で定める方法により探索を行ってもなお確知することができないもの以外の者をいう。次条第二項において同じ。）の全部の氏名又は名称及び住所並びにその権利の種類及び内容
ホ　特定所有者不明土地を収用し、又は使用することにより特定所有者不明土地所有者等（特定所有者不明土地の所有者又は関係人をいう。以下同じ。）が受ける損失の補償金の見積額及びその内訳
三　その他国土交通省令で定める書類

（公告及び縦覧）
第二八条　都道府県知事は、裁定申請があった場合においては、起業者が収

用し、又は使用しようとする土地が特定所有者不明土地に該当しないと認めるときその他当該裁定申請が相当でないと認めるときを除き、国土交通省令で定めるところにより、次に掲げる事項を公告し、前条第二項の裁定申請書及びこれに添付された同条第三項各号に掲げる書類を当該公告の日から二週間公衆の縦覧に供しなければならない。

一 裁定申請があった旨

二 特定所有者不明土地の所在、地番及び地目

三 次のイ又はロに掲げる者は、縦覧期間内に、国土交通省令で定めるところにより、その権原を証する書面を添えて、都道府県知事に当該イ又はロに定める事項を申し出るべき旨

イ 特定所有者不明土地所有者等又は特定所有者不明土地の準関係人（土地収用法第四十三条第二項に規定する準関係人をいう。）であって、前条第二項の裁定申請書又は同条第三項第二号の補償金額見積書に記載された事項（裁定申請書にあっては、同条第二項第一号、第二号及び第四号に掲げる事項を除く。）について異議のあるもの　当該異議の内容及びその理由

ロ 特定所有者不明土地の所有者であって、前条第三項第二号の補償金額見積書に特定所有者不明土地の確知所有者として記載されていないもの（イに掲げる者を除く。）　当該特定所有者不明土地の所有者である旨

四 その他国土交通省令で定める事項

2 都道府県知事は、前項の規定による公告をしようとするときは、あらかじめ、国土交通省令で定めるところにより、裁定申請があった旨を、前条第三項第二号の補償金額見積書に記載された特定所有者不明土地の確知所有者及び確知関係人に通知しなければならない。

（裁定申請の却下）

第二九条 都道府県知事は、裁定申請があった場合において、起業者が収用し、又は使用しようとする土地が特定所有者不明土地に該当しないと認めるときその他当該裁定申請が相当でないと認めるときは、当該裁定申請を却下しなければならない。

2 都道府県知事は、前条第一項の規定による公告をした場合において、同項の縦覧期間内に同項第三号イの規定による申出があったとき又は同号ロに掲げる者の全てから同号ロの規定による申出があったときは、当該公告に係る裁定申請を却下しなければならない。

3 都道府県知事は、前二項の規定により裁定申請を却下したときは、遅滞なく、国土交通省令で定めるところにより、その理由を示して、その旨を当該裁定申請をした起業者に通知しなければならない。

（裁定手続の開始の決定等）

第三〇条 都道府県知事は、裁定申請があった場合においては、前条第一項又は第二項の規定により当該裁定申請を却下するときを除き、第二十八条第一項の縦覧期間の経過後遅滞なく、国土交通省令で定めるところにより、特定所有者不明土地の収用又は使用についての裁定手続の開始を決定してその旨を公告し、かつ、当該特定所有者不明土地の所在地を管轄する登記所に、当該特定所有者不明土地及び当該特定所有者不明土地に関する権利について、特定所有者不明土地の収用又は使用についての裁定手続の開始の登記を嘱託しなければならない。

2 土地収用法第四十五条の三の規定は、前項の裁定手続の開始の登記について準用する。

3 第一項の規定による裁定手続の開始の決定については、行政手続法（平成五年法律第八十八号）第三章の規定は、適用しない。

（土地収用法との調整）

第三一条 裁定申請に係る特定所有者不明土地については土地収用法第三十九条第一項の規定による裁決の申請をすることができず、同項の規定による裁決の申請に係る特定所有者不明土地については裁定申請をすることができない。

2 裁定申請に係る特定所有者不明土地については、土地収用法第二十九条第一項の規定は、適用しない。

3 裁定申請に係る特定所有者不明土地等については、土地収用法第三十六条第一項の規定にかかわらず、同項の土地調書及び物件調書を作成することを要しない。

4 裁定申請に係る特定所有者不明土地について、第二十八条第一項の規定による公告があるまでの間に土地収用法第三十九条第二項の規定による請求があったときは、当該裁定申請は、なかったものとみなす。

5 裁定申請について第二十八条第一項の規定による公告があったときは、当該裁定申請に係る特定所有者不明土地については、土地収用法第三十九条第二項の規定による請求をすることができない。

6 第二十九条第二項の規定により裁定申請が却下された場合における当該裁定申請に係る特定所有者不明土地についての土地収用法第二十九条第一項及び第三十九条第一項の規定の適用については、これらの規定中「一年以内」とあるのは、「特定期間（当該事業に係る特定所有者不明土地（所有者不明土地の利用の円滑化等に関する特別措置法（平成三十年法律第四十九号）第二条第二項に規定する特定所有者不明土地をいう。）について同法第二十七条第一項の規定による裁定の申請があった日から同法第二十九条第二項の規定による処分に係る同条第三項の規定による通知があった日までの期間をいう。）を除いて一年以内」とする。

（裁定）

第三二条 都道府県知事は、第二十九条第一項又は第二項の規定により裁定申請を却下するとき及び裁定申請が次の各号のいずれかに該当するときを除き、裁定申請をした起業者が当該裁定申請に係る事業を実施するため必要な限度において、特定所有者不明土地の収用又は使用についての裁定をしなければならない。

一 裁定申請に係る事業が土地収用法第二十六条第一項の規定により告示された事業と異なるとき。

二 裁定申請に係る事業計画が土地収用法第十八条第二項の規定により事業認定申請書に添付された事業計画書に記載された計画と著しく異なるとき。

2 前項の裁定（以下この款において単に「裁定」という。）においては、次に掲げる事項を定めなければならない。

一 特定所有者不明土地の所在、地番、地目及び面積

二 特定所有者不明土地に関する所有権その他の権利を取得し、又は消滅させる時期

三 特定所有者不明土地等の引渡し等の期限

四 特定所有者不明土地を使用する場合においては、その方法及び期間

五 特定所有者不明土地を収用し、又は使用することにより特定所有者不明土地所有者等が受ける損失の補償金の額

六 第三十五条第二項の規定による請求書又は要求書の提出があった場合においては、その採否の決定その他当該請求又は要求に係る損失の補償の方法に関し必要な事項

3 裁定は、前項第一号及び第四号に掲げる事項については裁定申請の範囲を超えてはならず、同項第五号の補償金の額については裁定申請に係る補償金の見積額を下限としなければならない。

4 都道府県知事は、裁定をしようとするときは、第二項第五号に掲げる事項について、あらかじめ、収用委員会の意見を聴かなければならない。

5 収用委員会は、前項の規定により意見を述べるため必要があると認めるときは、その委員又はその事務を整理する職員に、裁定申請に係る特定所有者不明土地又は当該特定所有者不明土地にある簡易建築物等その他の工作物に立ち入り、その状況を調査させることができる。

6 第十三条第六項及び第七項の規定は、前項の規定による立入調査について準用する。

（裁定の通知等）

第三三条 都道府県知事は、裁定をしたときは、遅滞なく、国土交通省令で定めるところにより、その旨及び前条第二項各号に掲げる事項を、裁定申請をした起業者及び当該事業に係る特定所有者不明土地所有者等で知れているものに文書で通知するとともに、公告しなければならない。

（裁定の効果）

第三四条 裁定について前条の規定による公告があったときは、当該裁定に係る特定所有者不明土地について土地収用法第四十八条第一項の権利取得裁決及び同法第四十九条第一項の明渡裁決があったものとみなして、同法第七章の規定を適用する。

（損失の補償に関する土地収用法の準用）

第三五条 土地収用法第六章第一節（第七十六条、第七十七条後段、第七十八条、第八十一条から第八十三条まで、第八十六条、第八十七条及び第九十条の二から第九十条の四までを除く。）の規定は、裁定に係る特定所有者不明土地を収用し、又は使用することにより特定所有者不明土地所有者等が受ける損失の補償について準用する。この場合において、同法第七十条ただし書中「第八十二条から第八十六条まで」とあるのは「所有者不明

土地の利用の円滑化等に関する特別措置法（平成三十年法律第四十九号。以下「所有者不明土地法」という。）第三十五条第一項において準用する第八十四条又は第八十五条」と、「収用委員会の裁決」とあるのは「都道府県知事の裁定」と、同法第七十一条中「権利取得裁決」とあり、並びに同法第七十三条、第八十四条第二項及び第八十五条第二項中「明渡裁決」とあるのは「所有者不明土地法第三十二条第一項の裁定」と、同法第八十条中「前二条」とあるのは「所有者不明土地法第三十五条第一項において準用する前条」と、同法第八十四条第一項中「起業者、土地所有者又は関係人」とあるのは「起業者」と、同項及び同条第二項、同条第三項において準用する同法第八十三条第三項から第六項まで並びに同法第八十五条中「収用委員会」とあるのは「都道府県知事」と、同法第八十四条第二項、同条第三項において準用する同法第八十三条第三項及び同法第八十五条第二項中「裁決を」とあるのは「裁定を」と、同条第一項中「起業者又は物件の所有者」とあるのは「起業者」と読み替えるものとするほか、必要な技術的読替えは、政令で定める。

2　前項において準用する土地収用法第七十九条の規定による請求又は同項において準用する同法第八十四条第一項若しくは第八十五条第一項の規定による要求をしようとする起業者は、裁定申請をする際に、併せて当該請求又は要求の内容その他国土交通省令で定める事項を記載した請求書又は要求書を都道府県知事に提出しなければならない。

（立入調査）

第三六条　都道府県知事は、この款の規定の施行に必要な限度において、その職員に、裁定申請に係る特定所有者不明土地又は当該特定所有者不明土地にある簡易建築物等その他の工作物に立ち入り、その状況を調査させることができる。

2　第十三条第六項及び第七項の規定は、前項の規定による立入調査について準用する。

第二款　都市計画事業のための特定所有者不明土地の収用又は使用に関する特例

第三七条　施行者（都市計画法（昭和四十三年法律第百号）第四条第十六項に規定する施行者をいう。第三項において同じ。）は、同法第五十九条第一項から第四項までの認可又は承認を受けた都市計画事業（同法第四条第十五項に規定する都市計画事業をいう。第四十三条第一項及び第五十八条第二号において同じ。）について、その事業地（同法第六十条第二項第一号に規定する事業地をいう。）内にある特定所有者不明土地を収用し、又は使用しようとするときは、当該特定所有者不明土地の所在地を管轄する都道府県知事に対し、特定所有者不明土地の収用又は使用についての裁定を申請することができる。

2　第二十七条第二項及び第三項、第二十八条から第三十条まで並びに第三十一条第一項及び第三項から第五項までの規定は、前項の規定による裁定の申請について準用する。この場合において、第二十七条第二項中「起業者は」とあるのは「施行者（都市計画法第四条第十六項に規定する施行者をいう。以下同じ。）は」と、同項第一号、第二十八条第一項並びに第二十九条第一項及び第三項中「起業者」とあるのは「施行者」と、第二十七条第三項第一号及び第二号ニ、第二十八条第一項第三号イ、第三十条第二項並びに第三十一条第一項及び第三項から第五項までの規定中「土地収用法」とあるのは「都市計画法第六十九条の規定により適用される土地収用法」と読み替えるものとするほか、必要な技術的読替えは、政令で定める。

3　都道府県知事は、前項において準用する第二十九条第一項又は第二項の規定により第一項の規定による裁定の申請（以下この項において「裁定申請」という。）を却下するとき及び裁定申請が次の各号のいずれかに該当するときを除き、裁定申請をした施行者が当該裁定申請に係る事業を実施するため必要な限度において、特定所有者不明土地の収用又は使用についての裁定をしなければならない。

一　裁定申請に係る事業が都市計画法第六十二条第一項の規定により告示された事業と異なるとき。

二　裁定申請に係る事業計画が都市計画法第六十条第一項第三号（同法第六十三条第二項において準用する場合を含む。）の事業計画と著しく異なるとき。

4　第三十二条（第一項を除く。）から前条までの規定は、前項の裁定について準用する。この場合において、第三十三条中「起業者」とあるのは「施行者（都市計画法第四条第十六項に規定する施行者をいう。以下同じ。）」と、第三十四条及び第三十五条中「土地収用法」とあり、及び「同法」とあるのは「都市計画法第六十九条の規定により適用される土地収用法」と、同条第一項中「起業者」」とあるのは「施行者」」と、同条第二項中「起業者」とあるのは「施行者」と読み替えるものとするほか、必要な技術的読替えは、政令で定める。

第三節　所有者不明土地の管理の適正化のための措置

（勧告）

第三八条　市町村長は、所有者不明土地のうち、所有者による管理が実施されておらず、かつ、引き続き管理が実施されないことが確実であると見込まれるもの（以下「管理不全所有者不明土地」という。）による次に掲げる事態の発生を防止するために必要かつ適当であると認める場合には、その必要の限度において、当該管理不全所有者不明土地の確知所有者に対し、期限を定めて、当該事態の発生の防止のために必要な措置（次条及び第四十条第一項において「災害等防止措置」という。）を講ずべきことを勧告することができる。

一　当該管理不全所有者不明土地における土砂の流出又は崩壊その他の事象によりその周辺の土地において災害を発生させること。

二　当該管理不全所有者不明土地の周辺の地域において環境を著しく悪化させること。

2　市町村長は、前項の規定による勧告をする場合において、当該勧告に係る管理不全所有者不明土地に隣接する土地であって、地目、地形その他の条件が類似し、かつ、当該土地の管理の状況が当該管理不全所有者不明土地と同一の状況にあるもの（以下「管理不全隣接土地」という。）による次に掲げる事態の発生を防止するために必要かつ適当であると認めるときは、その必要の限度において、当該管理不全隣接土地の所有者に対しても、期限を定めて、当該管理不全隣接土地について、当該事態の発生の防止のために必要な措置を講ずべきことを勧告することができる。

一　当該管理不全隣接土地及び当該管理不全隣接土地に係る管理不全所有者不明土地における土砂の流出又は崩壊その他の事象によりその周辺の土地において災害を発生させること。

二　当該管理不全隣接土地及び当該管理不全隣接土地に係る管理不全所有者不明土地の周辺の地域において環境を著しく悪化させること。

（災害等防止措置命令）

第三九条　市町村長は、前条第一項の勧告に係る確知所有者が正当な理由がなくて当該勧告に係る災害等防止措置を講じないときは、当該確知所有者に対し、相当の期限を定めて、当該災害等防止措置を講ずべきことを命ずることができる。ただし、当該確知所有者が当該災害等防止措置の実施に必要な共有持分を有しない者である場合は、この限りでない。

（代執行）

第四〇条　市町村長は、次の各号のいずれかに該当する場合において、管理不全所有者不明土地における災害等防止措置に係る事態を放置することが著しく公益に反すると認められるときは、当該管理不全所有者不明土地の所有者の負担において、当該災害等防止措置を自ら講じ、又はその命じた者若しくは委任した者（以下この項において「措置実施者」という。）に当該災害等防止措置を講じさせることができる。この場合において、第一号又は第二号に該当すると認めるときは、市町村長は、相当の期限を定めて、当該災害等防止措置を講ずべき旨及びその期限までに当該災害等防止措置を講じないときは市町村長又は措置実施者が当該災害等防止措置を講ずる旨を、あらかじめ公告しなければならない。

一　管理不全所有者不明土地の確知所有者がいない場合

二　前条ただし書に規定する場合

三　前条の規定により災害等防止措置を講ずべきことを命ぜられた確知所有者が、当該命令に係る期限までに当該命令に係る災害等防止措置を講じない場合、講じても十分でない場合又は講ずる見込みがない場合

2　前項の規定により負担させる費用の徴収については、行政代執行法（昭和二十三年法律第四十三号）第五条及び第六条の規定を準用する。

（立入調査）

第四一条　市町村長は、この節の規定の施行に必要な限度において、その職員に、管理不全所有者不明土地又は管理不全隣接土地に立ち入り、その状況を調査させることができる。

2　第十三条第六項及び第七項の規定は、前項の規定による立入調査について準用する。

第四節　所有者不明土地の管理に関する民法の特例

第四二条　国の行政機関の長又は地方公共団体の長（次項及び第五項並びに次条第二項及び第五項において「国の行政機関の長等」という。）は、所有者不明土地につき、その適切な管理のため特に必要があると認めるときは、家庭裁判所に対し、民法（明治二十九年法律第八十九号）第二十五条第一項の規定による命令又は同法第九百五十二条第一項の規定による相続財産の清算人の選任の請求をすることができる。

2　国の行政機関の長等は、所有者不明土地につき、その適切な管理のため特に必要があると認めるときは、地方裁判所に対し、民法第二百六十四条の二第一項の規定による命令の請求をすることができる。

3　市町村長は、管理不全所有者不明土地につき、次に掲げる事態の発生を防止するため特に必要があると認めるときは、地方裁判所に対し、民法第二百六十四条の九第一項の規定による命令の請求をすることができる。

一　当該管理不全所有者不明土地における土砂の流出又は崩壊その他の事象によりその周辺の土地において災害を発生させること。

二　当該管理不全所有者不明土地の周辺の地域において環境を著しく悪化させること。

4　市町村長は、管理不全隣接土地につき、次に掲げる事態の発生を防止するため特に必要があると認めるときは、地方裁判所に対し、民法第二百六十四条の九第一項の規定による命令の請求をすることができる。

一　当該管理不全隣接土地及び当該管理不全隣接土地に係る管理不全所有者不明土地における土砂の流出又は崩壊その他の事象によりその周辺の土地において災害を発生させること。

二　当該管理不全隣接土地及び当該管理不全隣接土地に係る管理不全所有者不明土地の周辺の地域において環境を著しく悪化させること。

5　国の行政機関の長等は、第二項（市町村長にあっては、前三項）の規定による請求をする場合において、当該請求に係る土地にある建物につき、その適切な管理のため特に必要があると認めるときは、地方裁判所に対し、当該請求と併せて民法第二百六十四条の八第一項又は第二百六十四条の十四第一項の規定による命令の請求をすることができる。

第四章　土地の所有者の効果的な探索のための特別の措置

第一節　土地所有者等関連情報の利用及び提供

第四三条　都道府県知事及び市町村長は、地域福利増進事業、収用適格事業又は都市計画事業（以下「地域福利増進事業等」という。）の実施の準備のため当該地域福利増進事業等を実施しようとする区域内の土地の土地所有者等（土地又は当該土地にある物件に関し所有権その他の権利を有する者をいう。以下同じ。）を知る必要があるとき、第三十八条第一項の規定による勧告を行うため当該勧告に係る土地の土地所有者等を知る必要があるとき又は前条第一項から第三項まで若しくは第五項（第四項に係る部分を除く。）の規定による請求を行うため当該請求に係る土地の土地所有者等を知る必要があるときは、当該土地の土地所有者等の探索に必要な限度で、その保有する土地所有者等関連情報（土地所有者等と思料される者に関する情報のうちその者の氏名又は名称、住所その他国土交通省令で定めるものをいう。以下この条において同じ。）を、その保有に当たって特定された利用の目的以外の目的のために内部で利用することができる。

2　都道府県知事及び市町村長は、地域福利増進事業等を実施しようとする者からその準備のため当該地域福利増進事業等を実施しようとする区域内の土地の土地所有者等を知る必要があるとして、当該市町村長以外の市町村長から第三十八条第一項の規定による勧告を行うため当該勧告に係る土地の土地所有者等を知る必要があるとして、又は国の行政機関の長等から前条第一項から第三項まで若しくは第五項（第四項に係る部分を除く。）の規定による請求を行うため当該請求に係る土地の土地所有者等を知る必要があるとして、土地所有者等関連情報の提供の求めがあったときは、当該土地所有者等の探索に必要な限度で、当該地域福利増進事業等を実施しようとする者、当該市町村長又は当該国の行政機関の長等に対し、土地所有者等関連情報を提供するものとする。

3　前項の場合において、都道府県知事及び市町村長は、国及び地方公共団体以外の者に対し土地所有者等関連情報を提供しようとするときは、あらかじめ、当該土地所有者等関連情報を提供することについて本人（当該土地所有者等関連情報によって識別される特定の個人をいう。）の同意を得なければならない。

4　前項の同意は、その所在が判明している者に対して求めれば足りる。

5　国の行政機関の長等は、地域福利増進事業等の実施の準備のため当該地域福利増進事業等を実施しようとする区域内の土地の土地所有者等を知る必要があるとき、第三十八条第一項の規定による勧告を行うため当該勧告に係る土地の土地所有者等を知る必要があるとき又は前条第一項から第三項まで若しくは第五項（第四項に係る部分を除く。）の規定による請求を行うため当該請求に係る土地の土地所有者等の探索に必要な限度で、当該土地に工作物を設置している者その他の者に対し、土地所有者等関連情報の提供を求めることができる。

第二節　特定登記未了土地の相続登記等に関する不動産登記法の特例

第四四条　登記官は、起業者その他の公共の利益となる事業を実施しようとする者からの求めに応じ、当該事業を実施しようとする区域内の土地につきその所有権の登記名義人に係る死亡の事実の有無を調査した場合において、当該土地が特定登記未了土地に該当し、かつ、当該土地につきその所有権の登記名義人の死亡後十年以上三十年以内において政令で定める期間を超えて相続登記等がされていないと認めるときは、当該土地の所有権の登記名義人となり得る者を探索した上、職権で、所有権の登記名義人の死亡後長期間にわたり相続登記等がされていない土地である旨その他当該探索の結果を確認するために必要な事項として法務省令で定めるものをその所有権の登記に付記することができる。

2　登記官は、前項の規定による探索により当該土地の所有権の登記名義人となり得る者を知ったときは、その者に対し、当該土地についての相続登記等の申請を勧告することができる。この場合において、登記官は、相当でないと認めるときを除き、相続登記等を申請するために必要な情報を併せて通知するものとする。

3　登記官は、前二項の規定の施行に必要な限度で、関係地方公共団体の長その他の者に対し、第一項の土地の所有権の登記名義人に係る死亡の事実その他当該土地の所有権の登記名義人となり得る者に関する情報の提供を求めることができる。

4　前三項に定めるもののほか、第一項の規定による所有権の登記にする付記についての登記簿及び登記記録の記録方法その他の登記の事務並びに第二項の規定による勧告及び通知に関し必要な事項は、法務省令で定める。

第五章　所有者不明土地対策計画等

（所有者不明土地対策計画）

第四五条　市町村は、単独で又は共同して、基本方針に基づき、所有者不明土地の利用の円滑化等を図るための施策に関する計画（以下「所有者不明土地対策計画」という。）を作成することができる。

2　所有者不明土地対策計画には、おおむね次に掲げる事項を記載するものとする。

一　所有者不明土地の利用の円滑化等を図るための施策に関する基本的な方針

二　地域福利増進事業を実施しようとする者に対する情報の提供又は助言その他の所有者不明土地の利用の円滑化を図るために講ずべき施策に関する事項

三　所有者不明土地の確知所有者に対する情報の提供又は助言その他の所有者不明土地の管理の適正化を図るために講ずべき施策に関する事項

四　地域福利増進事業等を実施しようとする区域内の土地その他の土地に係る土地所有者等の効果的な探索を図るために講ずべき施策に関する事項

五　低未利用土地（土地基本法（平成元年法律第八十四号）第十三条第四項に規定する低未利用土地をいう。第四十八条第六号において同じ。）の適正な利用及び管理の促進その他所有者不明土地の発生の抑制のため

に講ずべき施策に関する事項

六　所有者不明土地の利用の円滑化等を図るための体制の整備に関する事項

七　所有者不明土地の利用の円滑化等に関する普及啓発に関する事項

八　前各号に掲げるもののほか、所有者不明土地の利用の円滑化等を図るために必要な事項

3　市町村は、所有者不明土地対策計画を作成しようとする場合において、次条第一項に規定する協議会が組織されているときは、当該所有者不明土地対策計画に記載する事項について当該協議会において協議しなければならない。

4　市町村は、所有者不明土地対策計画を作成したときは、遅滞なく、これを公表するとともに、都道府県にその写しを送付しなければならない。

5　前二項の規定は、所有者不明土地対策計画の変更について準用する。

6　国は、所有者不明土地対策計画に基づいて所有者不明土地の利用の円滑化等を図るために必要な事業又は事務を行う市町村に対し、予算の範囲内において、当該事業又は事務に要する費用の一部を補助することができる。

（所有者不明土地対策協議会）

第四六条　市町村は、単独で又は共同して、所有者不明土地対策計画の作成及び変更に関する協議その他所有者不明土地の利用の円滑化等を図るための施策に関し必要な協議を行うため、所有者不明土地対策協議会（以下この条において「協議会」という。）を組織することができる。

2　協議会は、次に掲げる者をもって構成する。

一　前項の市町村

二　次条第一項に規定する推進法人

三　前項の市町村の区域において地域福利増進事業等を実施し、又は実施しようとする者

3　第一項の規定により協議会を組織する市町村は、必要があると認めるときは、前項各号に掲げる者のほか、協議会に、次に掲げる者を構成員として加えることができる。

一　関係都道府県

二　国の関係行政機関、学識経験者その他の当該市町村が必要と認める者

4　協議会は、必要があると認めるときは、その構成員以外の関係行政機関に対し、資料の提供、意見の表明、説明その他必要な協力を求めることができる。

5　協議会において協議が調った事項については、協議会の構成員は、その協議の結果を尊重しなければならない。

6　前各項に定めるもののほか、協議会の運営に関し必要な事項は、協議会が定める。

第六章　所有者不明土地利用円滑化等推進法人

（所有者不明土地利用円滑化等推進法人の指定）

第四七条　市町村長は、特定非営利活動促進法（平成十年法律第七号）第二条第二項に規定する特定非営利活動法人、一般社団法人若しくは一般財団法人又は所有者不明土地の利用の円滑化等の推進を図る活動を行うことを目的とする会社であって、次条各号に掲げる業務を適正かつ確実に行うことができると認められるものを、その申請により、所有者不明土地利用円滑化等推進法人（以下「推進法人」という。）として指定することができる。

2　市町村長は、前項の規定による指定をしたときは、当該推進法人の名称又は商号、住所及び事務所又は営業所の所在地を公示しなければならない。

3　推進法人は、その名称若しくは商号、住所又は事務所若しくは営業所の所在地を変更するときは、あらかじめ、その旨を市町村長に届け出なければならない。

4　市町村長は、前項の規定による届出があったときは、当該届出に係る事項を公示しなければならない。

（推進法人の業務）

第四八条　推進法人は、次に掲げる業務を行うものとする。

一　地域福利増進事業等を実施し、又は実施しようとする者に対し、情報の提供、相談その他の援助を行うこと。

二　地域福利増進事業を実施すること又は地域福利増進事業に参加すること。

三　所有者不明土地（当該所有者不明土地に隣接する土地であって、地目、地形その他の条件が類似しているものを含む。以下この号において同じ。）の所有者に対し、当該所有者不明土地の管理の方法に関する情報の提供又は相談その他の当該所有者不明土地の適正な管理を図るために必要な援助を行うこと。

四　所有者不明土地の利用の円滑化又は管理の適正化を図るために必要な土地の取得、管理又は譲渡を行うこと。

五　委託に基づき、地域福利増進事業等を実施しようとする区域内の土地その他の土地の土地所有者等の探索を行うこと。

六　低未利用土地の適正な利用及び管理の促進その他所有者不明土地の発生の抑制を図るために必要な事業又は事務を行うこと。

七　所有者不明土地の利用の円滑化等に関する調査研究を行うこと。

八　所有者不明土地の利用の円滑化等に関する普及啓発を行うこと。

九　前各号に掲げるもののほか、所有者不明土地の利用の円滑化等を図るために必要な事業又は事務を行うこと。

（監督等）

第四九条　市町村長は、前条各号に掲げる業務の適正かつ確実な実施を確保するため必要があると認めるときは、推進法人に対し、その業務に関し報告をさせることができる。

2　市町村長は、推進法人が前条各号に掲げる業務を適正かつ確実に実施していないと認めるときは、推進法人に対し、その業務の運営の改善に関し必要な措置を講ずべきことを命ずることができる。

3　市町村長は、推進法人が前項の規定による命令に違反したときは、第四十七条第一項の規定による指定を取り消すことができる。

4　市町村長は、前項の規定により指定を取り消したときは、その旨を公示しなければならない。

（情報の提供等）

第五〇条　国及び関係地方公共団体は、推進法人に対し、その業務の実施に関し必要な情報の提供又は指導若しくは助言をするものとする。

（市町村長への要請）

第五一条　推進法人は、所有者不明土地につきその適切な管理のため特に必要があると認めるとき又は管理不全所有者不明土地若しくは管理不全隣接土地につき第四十二条第三項各号若しくは第四項各号に掲げる事態の発生を防止するため特に必要があると認めるときは、市町村長に対し、同条各項の規定による請求をするよう要請することができる。

2　市町村長は、前項の規定による要請があった場合において、必要があると認めるときは、第四十二条各項の規定による請求をするものとする。

3　市町村長は、第一項の規定による要請があった場合において、第四十二条各項の規定による請求をする必要がないと判断したときは、遅滞なく、その旨及びその理由を、当該要請をした推進法人に通知しなければならない。

（推進法人による所有者不明土地対策計画の作成等の提案）

第五二条　推進法人は、その業務を行うために必要があると認めるときは、市町村に対し、国土交通省令で定めるところにより、所有者不明土地対策計画の作成又は変更をすることを提案することができる。この場合においては、基本方針に即して、当該提案に係る所有者不明土地対策計画の素案を作成して、これを提示しなければならない。

2　前項の規定による提案を受けた市町村は、当該提案に基づき所有者不明土地対策計画の作成又は変更をするか否かについて、遅滞なく、当該提案をした推進法人に通知しなければならない。この場合において、所有者不明土地対策計画の作成又は変更をしないこととするときは、その理由を明らかにしなければならない。

第七章　雑則

（職員の派遣の要請）

第五三条　都道府県知事は、地域福利増進事業等の実施の準備のためその職員に土地所有者等の探索に関する専門的な知識を習得させる必要があるときは、国土交通省令で定めるところにより、国土交通大臣に対し、国土交通省の職員の派遣を要請することができる。

2　市町村長は、次に掲げる場合においては、国土交通省令で定めるところにより、国土交通大臣に対し、国土交通省の職員の派遣を要請することができる。

一　地域福利増進事業等の実施の準備のため又は第三十八条第一項の規定による勧告を適切に行うためその職員に土地所有者等の探索に関する専

門的な知識を習得させる必要があるとき。

二　所有者不明土地対策計画の作成若しくは変更又は所有者不明土地の管理の適正化を図るために行う事業若しくは事務の実施の準備若しくは実施のため必要があるとき。

（職員の派遣の配慮）

第五四条　国土交通大臣は、前条各項の規定による要請があったときは、その所掌事務又は業務の遂行に著しい支障のない限り、適任と認める職員を派遣するよう努めるものとする。

（地方公共団体の援助）

第五五条　地方公共団体は、地域福利増進事業を実施しようとする者その他の所有者不明土地を使用しようとする者の求めに応じ、所有者不明土地の使用の方法に関する提案、所有者不明土地の境界を明らかにするための措置に関する助言、土地の権利関係又は評価について特別の知識経験を有する者のあっせんその他の援助を行うよう努めるものとする。

（手数料）

第五六条　都道府県は、第二十七条第一項又は第三十七条第一項の規定による裁定の申請に係る手数料の徴収については、当該裁定の申請をする者から、実費の範囲内において、当該事務の性質を考慮して損失の補償金の見積額に応じ政令で定める額を徴収することを標準として条例を定めなければならない。

（権限の委任）

第五七条　この法律に規定する国土交通大臣の権限は、国土交通省令で定めるところにより、その一部を地方整備局長又は北海道開発局長に委任することができる。

（事務の区分）

第五八条　この法律の規定により都道府県が処理することとされている事務のうち次に掲げるものは、地方自治法（昭和二十二年法律第六十七号）第二条第九項第一号に規定する第一号法定受託事務とする。

一　第二十八条、第二十九条、第三十条第一項、第三十二条第一項、第三十三条、第三十五条第一項において準用する土地収用法第八十四条第二項、第八十五条第二項及び第八十九条第一項、第三十五条第一項において準用する同法第八十四条第三項において準用する同法第八十三条第三項から第六項まで並びに第三十六条第一項に規定する事務（同法第十七条第一項各号に掲げる事業又は同法第二十七条第二項若しくは第四項の規定により国土交通大臣の事業の認定を受けた事業に関するものに限る。）

二　第三十七条第二項において準用する第二十八条、第二十九条及び第三十条第一項、第三十七条第三項、同条第四項において準用する第三十三条、同項において準用する第三十五条第一項において準用する土地収用法第八十四条第二項、第八十五条第二項及び第八十九条第一項、第三十七条第四項において準用する第三十五条第一項において準用する同法第八十四条第三項において準用する同法第八十三条第三項から第六項まで並びに第三十七条第四項において準用する第三十六条第一項に規定する事務（都市計画法第五十九条第一項から第三項までの規定により国土交通大臣の認可又は承認を受けた都市計画事業に関するものに限る。）

（省令への委任）

第五九条　この法律に定めるもののほか、この法律の実施のため必要な事項は、国土交通省令又は法務省令で定める。

（経過措置）

第六〇条　この法律に基づき命令を制定し、又は改廃する場合においては、その命令で、その制定又は改廃に伴い合理的に必要と判断される範囲内において、所要の経過措置（罰則に関する経過措置を含む。）を定めることができる。

第八章　罰則

第六一条　第二十五条第一項の規定による命令に違反したときは、その違反行為をした者は、一年以下の懲役又は三十万円以下の罰金に処する。

第六二条　次の各号のいずれかに該当する場合には、その違反行為をした者は、三十万円以下の罰金に処する。

一　第十三条第五項（第十九条第四項において準用する場合を含む。）、第三十二条第五項若しくは第三十六条第一項（第三十七条第四項においてこれらの規定を準用する場合を含む。）又は第四十一条第一項の規定による調査を拒み、妨げ、又は忌避したとき。

二　第二十条第一項又は第二項の規定に違反したとき。

三　第二十六条第一項の規定による報告をせず、若しくは虚偽の報告をし、又は同項の規定による検査を拒み、妨げ、若しくは忌避し、若しくは同項の規定による質問に対して答弁をせず、若しくは虚偽の答弁をしたとき。

四　第三十九条の規定による命令に違反したとき。

2　前項（第二号（第二十条第二項に係る部分に限る。）に係る部分に限る。）の規定は、刑法（明治四十年法律第四十五号）その他の罰則の適用を妨げない。

第六三条　法人の代表者又は法人若しくは人の代理人、使用人その他の従業者が、その法人又は人の業務に関し、前二条の違反行為をしたときは、行為者を罰するほか、その法人又は人に対して各本条の罰金刑を科する。

附　則〔抄〕

（施行期日）

1　この法律は、公布の日から起算して六月を超えない範囲内において政令で定める日から施行する。ただし、第三章第一節及び第二節、第四十四条、第四十六条並びに第六章並びに附則第三項の規定は、公布の日から起算して一年を超えない範囲内において政令で定める日から施行する。

〔平成三〇政三〇七により、平成三〇・一一・一五から施行。ただし書の規定は、令和元・六・一から施行〕

（検討）

2　政府は、この法律の施行後三年を経過した場合において、この法律の施行の状況について検討を加え、必要があると認めるときは、その結果に基づいて必要な措置を講ずるものとする。

附　則〔抄〕〔令和三・四・二八法律二四〕

（施行期日）

第一条　この法律は、公布の日から起算して二年を超えない範囲内において政令で定める日から施行する。ただし、次の各号に掲げる規定は、当該各号に定める日から施行する。

〔令和三政三三二により、令和五・四・一から施行〕

一　〔前略〕附則第三十四条の規定　公布の日

二・三　〔略〕

（その他の経過措置の政令等への委任）

第三四条　この附則に定めるもののほか、この法律の施行に関し必要な経過措置は、政令で定める。

2　〔略〕

附　則〔略〕〔令和三・五・一〇法律三〇〕

附　則〔抄〕〔令和三・五・一九法律三七〕

（施行期日）

第一条　この法律〔中略〕は、当該各号に定める日から施行する。

一　〔前略〕附則〔中略〕第七十一条から第七十三条までの規定　公布の日

二〜六　〔略〕

七　〔前略〕附則〔中略〕第五十七条〔中略〕の規定　公布の日から起算して二年を超えない範囲内において、各規定につき、政令で定める日

〔令和四政一七六により、令和五・四・一から施行〕

八〜十　〔略〕

（罰則に関する経過措置）

第七一条　この法律（附則第一条各号に掲げる規定にあっては、当該規定。以下この条において同じ。）の施行前にした行為及びこの附則の規定によりなお従前の例によることとされる場合におけるこの法律の施行後にした行為に対する罰則の適用については、なお従前の例による。

（政令への委任）

第七二条　この附則に定めるもののほか、この法律の施行に関し必要な経過措置（罰則に関する経過措置を含む。）は、政令で定める。

（検討）

第七三条　政府は、行政機関等に係る申請、届出、処分の通知その他の手続において、個人の氏名を平仮名又は片仮名で表記したものを利用して当該個人を識別できるようにするため、個人の氏名を平仮名又は片仮名で表記したものを戸籍の記載事項とすることを含め、この法律の公布後一年以内を目途としてその具体的な方策について検討を加え、その結果に基づいて必要な措置を講ずるものとする。

附　則〔抄〕〔令和四・五・九法律三八〕

（施行期日）

第一条　この法律は、公布の日から起算して六月を超えない範囲内において政令で定める日から施行する。ただし、次の各号に掲げる規定は、当該各号に定める日から施行する。

〔令和四政三三四により、令和四・一一・一から施行〕

一　附則第三条の規定　公布の日

二　第二条の規定　民法等の一部を改正する法律（令和三年法律第二十四号）の施行の日〔令和五・四・一〕

（所有者不明土地に係る裁定に関する経過措置）

第二条　第一条の規定による改正後の所有者不明土地の利用の円滑化等に関する特別措置法（以下この条において「新法」という。）第二条第二項の規定は、この法律の施行の日（以下この条において「施行日」という。）以後に所有者不明土地の利用の円滑化等に関する特別措置法（以下この条において「所有者不明土地法」という。）第十条第一項、第二十七条第一項又は第三十七条第一項の規定による裁定の申請があった場合における当該裁定に係る所有者不明土地について適用し、施行日前にこれらの規定による裁定の申請があった場合における当該裁定に係る所有者不明土地については、なお従前の例による。

2　新法第十一条第四項（新法第十九条第二項において準用する場合を含む。）の規定は、施行日以後に所有者不明土地法第十条第一項又は新法第十九条第一項の規定による裁定の申請があった場合における当該申請に係る縦覧について適用し、施行日前に所有者不明土地法第十条第一項の規定による裁定の申請があった場合における当該申請に係る縦覧については、なお従前の例による。

3　新法第十三条第二項及び第三項並びに第十六条第三項（新法第十九条第四項においてこれらの規定を準用する場合を含む。）の規定は、施行日以後に所有者不明土地法第十条第一項又は新法第十九条第一項の規定による裁定の申請があった場合における当該裁定において定める事項及び当該裁定に係る補償金の額について適用し、施行日前に所有者不明土地法第十条第一項の規定による裁定の申請があった場合における当該裁定において定める事項及び当該裁定に係る補償金の額については、なお従前の例による。

4　新法第十七条第一項及び第十八条（新法第十九条第四項においてこれらの規定を準用する場合を含む。）の規定は、施行日以後に所有者不明土地法第十条第一項又は新法第十九条第一項の規定による裁定の申請があった場合における当該裁定に係る補償金の供託について適用し、施行日前に所有者不明土地法第十条第一項の規定による裁定の申請があった場合における当該裁定に係る補償金の供託については、なお従前の例による。

（政令への委任）

第三条　前条に定めるもののほか、この法律の施行に関し必要な経過措置（罰則に関する経過措置を含む。）は、政令で定める。

（検討）

第四条　政府は、この法律の施行後五年を目途として、この法律による改正後の規定について、その施行の状況等を勘案して検討を加え、必要があると認めるときは、その結果に基づいて所要の措置を講ずるものとする。

○所有者不明土地の利用の円滑化等に関する特別措置法施行令

〔平成三〇・一一・九　政令三〇八〕

改正　令和四・二政三七、三政七一、一〇政三三五、令和五・一〇政三〇四

（土地の所有者の探索の方法）

第一条　所有者不明土地の利用の円滑化等に関する特別措置法（以下「法」という。）第二条第一項の政令で定める方法は、土地の所有者の氏名又は名称及び住所又は居所その他の当該土地の所有者を確知するために必要な情報（以下この条において「土地所有者確知必要情報」という。）を取得するため次に掲げる措置をとる方法とする。

一　当該土地の登記事項証明書の交付を請求すること。

二　当該土地を現に占有する者その他の当該土地に係る土地所有者確知必要情報を保有すると思料される者であって国土交通省令で定めるものに対し、当該土地所有者確知必要情報の提供を求めること。

三　第一号の登記事項証明書に記載されている所有権の登記名義人又は表題部所有者その他の前二号の措置により判明した当該土地の所有者と思料される者（以下この号及び次号において「登記名義人等」という。）が記録されている住民基本台帳、法人の登記簿その他の国土交通省令で定める書類を備えると思料される市町村の長又は登記所の登記官に対し、当該登記名義人等に係る土地所有者確知必要情報の提供を求めること。

四　登記名義人等が死亡し、又は解散していることが判明した場合には、当該登記名義人等又はその相続人、合併後存続し、若しくは合併により設立された法人その他の当該土地の所有者と思料される者が記録されている戸籍簿若しくは除籍簿若しくは戸籍の附票又は法人の登記簿その他の国土交通省令で定める書類を備えると思料される市町村の長又は登記所の登記官に対し、当該土地に係る土地所有者確知必要情報の提供を求めること。

五　前各号の措置により判明した当該土地の所有者と思料される者に対して、当該土地の所有者を特定するための書面の送付その他の国土交通省令で定める措置をとること。

（簡易建築物等の要件）

第二条　法第二条第二項の政令で定める簡易な構造の建築物は、物置、作業

小屋その他これらに類するものとする。

2 法第二条第二項の政令で定める規模は、階数二及び床面積二十平方メートルとする。

3 法第二条第二項の政令で定める基準は、次の各号のいずれにも該当することとする。

一 当該建築物の壁、柱、屋根、建築設備その他の部分の損傷、腐食その他の劣化により、当該建築物をその本来の用途に供することができない状態となったと認められること。

二 当該建築物の建築時からの経過年数が建築物の構造及び用途の区分に応じて国土交通大臣が定める耐用年数を超えていること。

（地域住民等の共同の福祉又は利便の増進に資する施設）

第三条 法第二条第三項第八号の政令で定める施設は、次に掲げるものとする。

一 購買施設

二 教養文化施設

（災害対策の実施の用に供する施設）

第四条 法第二条第三項第九号の政令で定める施設は、次に掲げるものとする。

一 備蓄倉庫

二 非常用電気等供給施設

三 貯水槽

（再生可能エネルギー発電設備の要件）

第五条 法第二条第三項第十号の政令で定める要件は、当該再生可能エネルギー発電設備を用いて発電した再生可能エネルギー電気（再生可能エネルギー電気の利用の促進に関する特別措置法（平成二十三年法律第百八号）第二条第一項に規定する再生可能エネルギー電気をいう。）を災害時において地域住民その他の者に供給することとする。

（土地収用法第三条各号に掲げるもののうち地域住民等の共同の福祉又は利便の増進に資するもの）

第六条 法第二条第三項第十一号の政令で定めるものは、次に掲げるものとする。

一 国、地方公共団体又は土地改良区（土地改良区連合を含む。次号において同じ。）が設置する用水路、排水路又はかんがい用のため池

二 国、都道府県又は土地改良区が土地改良法（昭和二十四年法律第百九十五号）による土地改良事業の施行に伴い設置する用排水機又は地下水源の利用に関する設備

三 鉄道事業法（昭和六十一年法律第九十二号）による鉄道事業者又は索道事業者がその鉄道事業又は索道事業で一般の需要に応ずるものの用に供する施設

四 独立行政法人鉄道建設・運輸施設整備支援機構が設置する鉄道又は軌道の用に供する施設

五 軌道法（大正十年法律第七十六号）による軌道又は同法が準用される無軌条電車の用に供する施設

六 道路運送法（昭和二十六年法律第百八十三号）による一般乗合旅客自動車運送事業（路線を定めて定期に運行する自動車により乗合旅客の運送を行うものに限る。）又は貨物自動車運送事業法（平成元年法律第八十三号）による一般貨物自動車運送事業（特別積合せ貨物運送をするものに限る。）の用に供する施設

七 港湾法（昭和二十五年法律第二百十八号）による港湾施設又は漁港及び漁場の整備等に関する法律（昭和二十五年法律第百三十七号）による漁港施設

八 日本郵便株式会社が日本郵便株式会社法（平成十七年法律第百号）第四条第一項第一号に掲げる業務の用に供する施設

九 電気通信事業法（昭和五十九年法律第八十六号）による認定電気通信事業者がその認定電気通信事業の用に供する施設（同法の規定により土地等を使用することができるものを除く。）

十 電気事業法（昭和三十九年法律第百七十号）による一般送配電事業、送電事業、配電事業、特定送配電事業又は発電事業の用に供する電気工作物

十一 ガス事業法（昭和二十九年法律第五十一号）によるガス工作物

十二 水道法（昭和三十二年法律第百七十七号）による水道事業若しくは水道用水供給事業、工業用水道事業法（昭和三十三年法律第八十四号）による工業用水道事業又は下水道法（昭和三十三年法律第七十九号）による公共下水道、流域下水道若しくは都市下水路の用に供する施設

十三 市町村が消防法（昭和二十三年法律第百八十六号）により設置する消防の用に供する施設

十四 都道府県又は水防法（昭和二十四年法律第百九十三号）による水防管理団体が水防の用に供する施設

十五 国又は地方公共団体が設置する庁舎

十六 独立行政法人水資源機構が設置する独立行政法人水資源機構法（平成十四年法律第百八十二号）による水資源開発施設又は愛知豊川用水施設

（収用委員会の裁決の申請手続）

第七条 法第九条第三項の規定により土地収用法第九十四条第二項の規定による裁決を申請しようとする者は、国土交通省令で定める様式に従い、次に掲げる事項を記載した裁決申請書を収用委員会に提出しなければならない。

一 裁決申請者の氏名又は名称及び住所

二 相手方の氏名又は名称及び住所

三 地域福利増進事業の種別（法第二条第三項各号に掲げる事業の別をいう。）

四 損失の事実

五 損失の補償の見積り及びその内訳

六 協議の経過

（物件の所有者の探索の方法）

第八条 法第十条第一項第二号の政令で定める方法は、物件の所有者の氏名又は名称及び住所又は居所その他の当該物件の所有者を確知するために必要な情報（以下この条において「物件所有者確知必要情報」という。）を取得するため次に掲げる措置をとる方法とする。

一 当該物件（建物又は立木であるものに限る。）の登記事項証明書の交付を請求すること。

二 当該物件を現に占有する者その他の当該物件に係る物件所有者確知必要情報を保有すると思料される者であって国土交通省令で定めるものに対し、当該物件所有者確知必要情報の提供を求めること。

三 第一号の登記事項証明書に記載されている所有権の登記名義人又は表題部所有者その他の前二号の措置により判明した当該物件の所有者と思料される者（以下この号及び次号において「登記名義人等」という。）が記録されている住民基本台帳、法人の登記簿その他の国土交通省令で定める書類を備えると思料される市町村の長又は登記所の登記官に対し、当該登記名義人等に係る物件所有者確知必要情報の提供を求めること。

四 登記名義人等が死亡し、又は解散していることが判明した場合には、当該登記名義人等又はその相続人、合併後存続し、若しくは合併により設立された法人その他の当該物件の所有者と思料される者が記録されている戸籍簿若しくは除籍簿若しくは戸籍の附票又は法人の登記簿その他の国土交通省令で定める書類を備えると思料される市町村の長又は登記所の登記官に対し、当該物件に係る物件所有者確知必要情報の提供を求めること。

五 前各号の措置により判明した当該物件の所有者と思料される者に対して、当該物件の所有者を特定するための書面の送付その他の国土交通省令で定める措置をとること。

（土地等の権利者の探索の方法）

第九条 法第十条第三項第二号（法第十九条第二項において準用する場合を含む。）の政令で定める方法は、土地等（土地又は当該土地にある物件をいう。以下この条において同じ。）の権利者（土地等に関し所有権以外の権利を有する者をいう。以下この条において同じ。）の氏名又は名称及び住所又は居所その他の当該土地等の権利者を確知するために必要な情報（以下この条において「土地等権利者確知必要情報」という。）を取得するため次に掲げる措置をとる方法とする。

一 当該土地等（物件にあっては、建物又は立木であるものに限る。）の登記事項証明書の交付を請求すること。

二 当該土地等を現に占有する者その他の当該土地等に係る土地等権利者確知必要情報を保有すると思料される者であって国土交通省令で定めるものに対し、当該土地等権利者確知必要情報の提供を求めること。

三 第一号の登記事項証明書に記載されている所有権以外の権利の登記名義人その他の前二号の措置により判明した当該土地等の権利者と思料さ

れる者（以下この号及び次号において「登記名義人等」という。）が記録されている住民基本台帳、法人の登記簿その他の国土交通省令で定める書類を備えると思料される市町村の長又は登記所の登記官に対し、当該登記名義人等に係る土地等権利者確知必要情報の提供を求めること。

四　登記名義人等が死亡し、又は解散していることが判明した場合には、当該登記名義人等又はその相続人、合併後存続し、若しくは合併により設立された法人その他の当該土地等の権利者と思料される者が記録されている戸籍簿若しくは除籍簿若しくは戸籍の附票又は法人の登記簿その他の国土交通省令で定める書類を備えると思料される市町村の長又は登記所の登記官に対し、当該土地等に係る土地等権利者確知必要情報の提供を求めること。

五　前各号の措置により判明した当該土地等の権利者と思料される者に対して、当該土地等の権利者を特定するための書面の送付その他の国土交通省令で定める措置をとること。

（長期にわたる土地の使用を要する事業）

第一〇条　法第十三条第三項の政令で定める事業は、次に掲げる事業（仮設工作物の設置その他の一時的な利用に供するため特定所有者不明土地を使用するものを除く。）とする。

一　法第二条第三項第一号に掲げる事業（道路法（昭和二十七年法律第百八十号）による道路の整備に関するものを除く。）又は同項第六号に掲げる事業であって、当該事業により整備される施設と同種の施設がその周辺の地域において不足している区域内において行われるもの

二　法第二条第三項第八号から第十号までに掲げる事業

（土地の関係人の探索の方法）

第一一条　法第二十七条第三項第二号ニ（法第三十七条第二項において準用する場合を含む。）の政令で定める方法は、土地の関係人の氏名又は名称及び住所又は居所その他の当該土地の関係人を確知するために必要な情報（以下この条において「土地関係人確知必要情報」という。）を取得するため次に掲げる措置をとる方法とする。

一　当該土地又は当該土地にある物件（建物又は立木であるものに限る。）の登記事項証明書の交付を請求すること。

二　当該土地又は当該土地にある物件を現に占有する者その他の当該土地に係る土地関係人確知必要情報を保有すると思料される者であって国土交通省令で定めるものに対し、当該土地関係人確知必要情報の提供を求めること。

三　第一号の登記事項証明書に記載されている所有権その他の権利の登記名義人又は表題部所有者（土地の所有権の登記名義人及び表題部所有者を除く。）その他の前二号の措置により判明した当該土地の関係人と思料される者（以下この号及び次号において「登記名義人等」という。）が記録されている住民基本台帳、法人の登記簿その他の国土交通省令で定める書類を備えると思料される市町村の長又は登記所の登記官に対し、当該登記名義人等に係る土地関係人確知必要情報の提供を求めること。

四　登記名義人等が死亡し、又は解散していることが判明した場合には、当該登記名義人等又はその相続人、合併後存続し、若しくは合併により設立された法人その他の当該土地の関係人と思料される者が記録されている戸籍簿若しくは除籍簿若しくは戸籍の附票又は法人の登記簿その他の国土交通省令で定める書類を備えると思料される市町村の長又は登記所の登記官に対し、当該土地に係る土地関係人確知必要情報の提供を求めること。

五　前各号の措置により判明した当該土地の関係人と思料される者に対して、当該土地の関係人を特定するための書面の送付その他の国土交通省令で定める措置をとること。

（損失の補償に関する細目）

第一二条　法第三十五条第一項（法第三十七条第四項において準用する場合を含む。）において準用する土地収用法第八十八条の二の損失の補償に関する細目については、土地収用法第八十八条の二の細目等を定める政令（平成十四年政令第二百四十八号）第一条から第七条まで、第十一条、第十二条、第十六条から第十九条まで及び第二十六条の規定を準用する。この場合において、同令第十九条第一項第一号イ中「明渡裁決」とあるのは「所有者不明土地の利用の円滑化等に関する特別措置法（平成三十年法律第四十九号）第三十二条第一項の裁定（以下この項において単に「裁定」という。）」と、同号ロ及びハ並びに同項第二号及び第三号中「明渡裁決」とあるのは「裁定」と読み替えるものとする。

（特定登記未了土地につき相続登記等がされていない期間）

第一三条　法第四十四条第一項の政令で定める期間は、十年とする。

（手数料）

第一四条　法第五十六条の政令で定める額は、次の各号に掲げる場合の区分に応じ、それぞれ当該各号に定める額とする。

一　損失の補償金の見積額が十万円以下の場合　二万七千円

二　損失の補償金の見積額が十万円を超え百万円以下の場合　二万七千円に損失の補償金の見積額の十万円を超える部分が五万円に達するごとに二千七百円を加えた金額

三　損失の補償金の見積額が百万円を超え五百万円以下の場合　七万五千六百円に損失の補償金の見積額の百万円を超える部分が十万円に達するごとに三千四百円を加えた金額

四　損失の補償金の見積額が五百万円を超え二千万円以下の場合　二十一万千六百円に損失の補償金の見積額の五百万円を超える部分が百万円に達するごとに三千五百円を加えた金額

五　損失の補償金の見積額が二千万円を超え一億円以下の場合　二十六万四千百円に損失の補償金の見積額の二千万円を超える部分が四百万円に達するごとに四千八百円を加えた金額

六　損失の補償金の見積額が一億円を超える場合　三十六万百円

附　則〔抄〕

（施行期日）

第一条　この政令は、法の施行の日（平成三十年十一月十五日）から施行する。ただし、第五条から第九条まで及び第十一条の規定は、法附則第一項ただし書に規定する規定の施行の日（平成三十一年〔令和元年〕六月一日）から施行する。

附　則〔略〕〔令和四・二・二政令三七〕

附　則〔略〕〔令和四・三・二四政令七一〕

附　則〔略〕〔令和四・一〇・二八政令三三五〕

附　則〔令和五・一〇・一八政令三〇四〕

この政令は、漁港漁場整備法及び水産業協同組合法の一部を改正する法律の施行の日（令和六年四月一日）から施行する。

○所有者不明土地の利用の円滑化等に関する特別措置法施行規則

（平成三〇・一一・九 国土交通省令八三）

改正 平成三一・四国交令三五、令和二・一二国交令九八、令和四・一一国交令七五、令和五・三国交令三二、九国交令七〇、令和六・三国交令二六

目次

第一章 総則（第一条―第三条）
第二章 所有者不明土地の利用の円滑化及び管理の適正化のための特別の措置
第一節 地域福利増進事業の実施のための措置
第一款 地域福利増進事業の実施の準備（第四条―第十条）
第二款 裁定による特定所有者不明土地の使用（第十一条―第三十三条）
第二節 特定所有者不明土地の収用又は使用に関する土地収用法の特例
第一款 収用適格事業のための特定所有者不明土地の収用又は使用に関する特例（第三十四条―第五十一条）
第二款 都市計画事業のための特定所有者不明土地の収用又は使用に関する特例（第五十二条）
第三節 所有者不明土地の管理の適正化のための措置（第五十三条）
第三章 土地の所有者の効果的な探索のための特別の措置（第五十四条―第五十七条）
第四章 所有者不明土地利用円滑化等推進法人（第五十八条）
第五章 雑則（第五十九条・第六十条）

第一章 総則

（土地所有者確知必要情報を保有すると思料される者）

第一条 所有者不明土地の利用の円滑化等に関する特別措置法施行令（以下「令」という。）第一条第二号の国土交通省令で定める者は、次に掲げるものとする。ただし、第二号、第三号、第十号イ並びに第十一号イ及びロに掲げる者については、令第一条第一号から第四号まで並びに令第八条第一号から第四号まで及び令第九条第一号から第四号まで又は令第十一条第一号から第四号までに掲げる措置（市町村長が所有者不明土地の利用の円滑化等に関する特別措置法（以下「法」という。）第三十八条第一項の規定による勧告をしようとする場合又は国の行政機関の長若しくは地方公共団体の長（以下「国の行政機関の長等」という。）が法第四十二条第一項から第三項まで若しくは第五項（第四項に係る部分を除く。）の規定による請求をしようとする場合にあっては、令第一条第一号から第四号までに掲げる措置）により判明したものに限る。

一 当該土地を現に占有する者
二 当該土地に関し所有権以外の権利を有する者
三 当該土地にある物件に関し所有権その他の権利を有する者
四 令第一条第五号に規定する措置をとってもなお当該土地の所有者の全部又は一部を確知することができなかった場合においては、当該措置の対象者
五 当該土地の固定資産課税台帳を備えると思料される市町村の長（当該土地が特別区の区域内にある場合にあっては、都の知事）
六 当該土地の地籍調査票を備えると思料される都道府県の知事又は市町村の長
七 当該土地が農地である場合においては、その農地台帳を備えると思料される農業委員会が置かれている市町村の長
八 当該土地が森林の土地である場合においては、その林地台帳を備えると思料される市町村の長
九 当該土地が所有者の探索について特別の事情を有するものとして国土交通大臣が定める土地である場合においては、国土交通大臣が定める者
十 当該土地の所有者と思料される者が個人である場合においては、次に掲げる者
イ 親族
ロ 当該土地の所有者と思料される者が日本の国籍を有し、かつ、外国に住所を有すると思料される場合であって、探索を行う者が国の行政機関の長等である場合においては、在外公館の長
十一 当該土地の所有者と思料される者が法人である場合においては、次に掲げる者
イ 当該法人の代表者
ロ 当該法人が合併以外の事由により解散した法人である場合においては、清算人又は破産管財人
ハ イ又はロに掲げる者が記録されている住民基本台帳、戸籍簿若しくは除籍簿又は戸籍の附票を備えると思料される市町村の長

（土地の所有者と思料される者が記録されている書類）

第二条 令第一条第三号の国土交通省令で定める書類は、次に掲げるものとする。

一 当該土地の所有者と思料される者が個人である場合においては、次に掲げる書類
イ 住民基本台帳
ロ 戸籍簿又は除籍簿
ハ 戸籍の附票
二 当該土地の所有者と思料される者が法人である場合においては、当該法人の登記簿（当該法人が地方自治法（昭和二十二年法律第六十七号）第二百六十条の二第七項に規定する認可地縁団体である場合にあっては、地方自治法施行規則（昭和二十二年内務省令第二十九号）第二十一条第二項に規定する台帳）

2 令第一条第四号の国土交通省令で定める書類は、次に掲げるものとする。
一 当該土地の所有者と思料される者が個人である場合においては、前項第一号イからハまでに掲げる書類
二 当該土地の所有者と思料される者が法人である場合においては、当該法人の登記簿

（土地の所有者を特定するための措置）

第三条 令第一条第五号の国土交通省令で定める措置は、次に掲げるもののいずれかとする。

一 当該土地の所有者と思料される者（未成年者である場合にあっては、その法定代理人を含む。次号において同じ。）に対する書面の送付
二 当該土地の所有者と思料される者への訪問

第二章 所有者不明土地の利用の円滑化及び管理の適正化のための特別の措置

第一節 地域福利増進事業の実施のための措置

第一款 地域福利増進事業の実施の準備

（特定所有者不明土地への立入り等の許可の申請手続）

第四条 法第六条の規定による許可の申請をしようとする者は、次に掲げる事項を記載した立入許可申請書を特定所有者不明土地の所在地を管轄する都道府県知事に提出しなければならない。

一 申請者の氏名又は名称及び住所
二 事業の種別（法第二条第三項各号に掲げる事業の別をいう。次条第一項第二号及び第二十九条第一項第二号において同じ。）
三 立入りの目的
四 特定所有者不明土地の所在及び地番
五 特定所有者不明土地の所有者の全部又は一部を確知することができない事情
六 立ち入ろうとする期間

2 前項の立入許可申請書には、次に掲げる書類を添付しなければならない。
一 申請者が法人である場合にあっては、当該法人の登記事項証明書
二 特定所有者不明土地の所有者の探索の過程において得られた前項第五号に掲げる事項を明らかにする書類
三 特定所有者不明土地の写真

（障害物の伐採等の許可の申請手続）

第五条　法第七条第一項の規定による許可の申請をしようとする者は、次に掲げる事項を記載した伐採等許可申請書を障害物の所在地を管轄する都道府県知事に提出しなければならない。
一　申請者の氏名又は名称及び住所
二　事業の種別
三　伐採等の目的
四　特定所有者不明土地の所在及び地番
五　障害物の種類及び数量
六　障害物の確知所有者の氏名又は名称及び住所
七　伐採等の方法及び範囲
八　伐採等をしようとする期間
2　前項の伐採等許可申請書には、次に掲げる書類を添付しなければならない。
一　申請者が法人である場合にあっては、当該法人の登記事項証明書
二　障害物の写真
三　障害物の位置を表示する図面

（障害物の伐採等の公告及び通知の方法）
第六条　法第七条第二項の規定による公告は、官報又は都道府県若しくは市町村の公報への掲載、インターネットの利用その他の適切な方法により行うものとする。
2　法第七条第二項の規定による通知は、文書により行わなければならない。

（現状を著しく損傷しない場合の障害物の伐採等の許可の申請手続）
第七条　第五条の規定は、法第七条第三項の規定による許可の申請について準用する。

（現状を著しく損傷しない場合の障害物の伐採等の公告及び通知の方法）
第八条　第六条第一項の規定は、法第七条第三項の規定による公告について準用する。
2　第六条第二項の規定は、法第七条第三項の規定による通知について準用する。

（証明書等の様式）
第九条　法第八条第一項に規定する証明書（国土交通省の職員が携帯するものを除く。第三項において同じ。）の様式は、別記様式第一によるものとする。
2　法第八条第一項に規定する書面の様式は、別記様式第二によるものとする。
3　法第八条第二項に規定する証明書の様式は、別記様式第三によるものとする。
4　法第八条第二項に規定する書面の様式は、別記様式第四によるものとする。

（裁決申請書の様式）
第一〇条　令第七条の国土交通省令で定める様式は、別記様式第五によるものとする。

第二款　裁定による特定所有者不明土地の使用

（物件所有者確知必要情報を保有すると思料される者）
第一一条　令第八条第二号の国土交通省令で定める者は、次に掲げるものとする。ただし、第二号、第三号、第六号イ並びに第七号イ及びロに掲げる者については、令第一条第一号から第四号まで、令第八条第一号から第四号まで及び令第九条第一号から第四号までに掲げる措置により判明したものに限る。
一　当該物件を現に占有する者
二　当該物件に関し所有権以外の権利を有する者
三　当該物件がある土地に関し所有権その他の権利を有する者
四　令第八条第五号に規定する措置をとってもなお当該物件の所有者の全部又は一部を確知することができなかった場合においては、当該措置の対象者
五　当該物件（地方税法（昭和二十五年法律第二百二十六号）第三百四十一条第三号に規定する家屋であるものに限る。）の固定資産課税台帳を備えると思料される市町村の長（当該物件が特別区の区域内にある場合にあっては、都の知事）
六　当該物件の所有者と思料される者が個人である場合においては、次に掲げる者
イ　親族
ロ　当該物件の所有者と思料される者が日本の国籍を有し、かつ、外国に住所を有すると思料される場合であって、探索を行う者が国の行政機関の長等である場合においては、在外公館の長
七　当該物件の所有者と思料される者が法人である場合においては、次に掲げる者
イ　当該法人の代表者
ロ　当該法人が合併以外の事由により解散した法人である場合においては、清算人又は破産管財人
ハ　イ又はロに掲げる者が記録されている住民基本台帳、戸籍簿若しくは除籍簿又は戸籍の附票を備えると思料される市町村の長

（物件の所有者と思料される者が記録されている書類）
第一二条　第二条第一項の規定は、令第八条第三号の国土交通省令で定める書類について準用する。
2　第二条第二項の規定は、令第八条第四号の国土交通省令で定める書類について準用する。

（物件の所有者を特定するための措置）
第一三条　第三条の規定は、令第八条第五号の国土交通省令で定める措置について準用する。

（裁定申請書の様式）
第一四条　法第十条第二項（法第十九条第二項において準用する場合を含む。）に規定する裁定申請書の様式は、別記様式第六によるものとする。

（事業計画書の記載事項）
第一五条　法第十条第三項第一号への国土交通省令で定める事項は、次に掲げるものとする。
一　事業により整備する施設の工事の開始及び完了の予定時期
二　法第十条第五項に規定する措置を講じた場合においては、当該措置の概要

（土地等権利者確知必要情報を保有すると思料される者）
第一六条　令第九条第二号の国土交通省令で定める者は、次に掲げるものとする。ただし、第一号ロ及びハ、第二号ロ及びハ、第四号イ並びに第五号イ及びロに掲げる者については、令第一条第一号から第四号まで、令第八条第一号から第四号まで及び令第九条第一号から第四号までに掲げる措置により判明したものに限る。
一　当該土地に関し所有権以外の権利を有する者の探索を行う場合においては、次に掲げる者
イ　当該土地を現に占有する者
ロ　当該土地の所有者
ハ　当該土地にある物件に関し所有権その他の権利を有する者
ニ　当該土地の固定資産課税台帳を備えると思料される市町村の長（当該土地が特別区の区域内にある場合にあっては、都の知事）
ホ　当該土地が農地である場合においては、その農地台帳を備えると思料される農業委員会が置かれている市町村の長
二　当該土地にある物件に関し所有権以外の権利を有する者の探索を行う場合においては、次に掲げる者
イ　当該物件を現に占有する者
ロ　当該物件の所有者
ハ　当該土地に関し所有権その他の権利を有する者
三　令第九条第五号に規定する措置をとってもなお当該土地等の権利者の全部又は一部を確知することができなかった場合においては、当該措置の対象者
四　当該土地等の権利者と思料される者が個人である場合においては、次に掲げる者
イ　親族
ロ　当該土地等の権利者と思料される者が日本の国籍を有し、かつ、外国に住所を有すると思料される場合であって、探索を行う者が国の行政機関の長等である場合においては、在外公館の長
五　当該土地等の権利者と思料される者が法人である場合においては、次に掲げる者
イ　当該法人の代表者
ロ　当該法人が合併以外の事由により解散した法人である場合においては、清算人又は破産管財人
ハ　イ又はロに掲げる者が記録されている住民基本台帳、戸籍簿若しくは除籍簿又は戸籍の附票を備えると思料される市町村の長

（土地等の権利者と思料される者が記録されている書類）

第一七条　第二条第一項の規定は、令第九条第三号の国土交通省令で定める書類について準用する。

２　第二条第二項の規定は、令第九条第四号の国土交通省令で定める書類について準用する。

（土地等の権利者を特定するための措置）

第一八条　第三条の規定は、令第九条第五号の国土交通省令で定める措置について準用する。

（裁定申請書の添付書類）

第一九条　法第十条第三項第五号（法第十九条第二項において準用する場合を含む。）の国土交通省令で定める書類は、次に掲げるもの（地域福利増進事業を実施する者（以下この条において「事業者」といい、法第十九条第一項の規定による裁定の申請をしようとする場合にあっては、使用権者（同項に規定する使用権者をいう。以下同じ。）。以下この条において同じ。）が国又は地方公共団体である場合にあっては、第十三号及び第十四号に掲げるものを除く。）とする。

一　事業者が法人である場合にあっては、当該法人の登記事項証明書

二　事業を実施する区域（以下「事業区域」という。）を表示する図面

三　特定所有者不明土地（法第十九条第一項の規定による裁定の申請をしようとする場合にあっては、使用権設定土地（同項に規定する使用権設定土地をいう。第二十八条において同じ。）。以下この条及び第二十二条において同じ。）の実測平面図

四　特定所有者不明土地の所有者の探索の過程において得られた法第十条第二項第六号に掲げる事項を明らかにする書類

五　特定所有者不明土地の写真

六　特定所有者不明土地にある物件が簡易建築物等（法第二条第二項に規定する簡易建築物等をいう。）のうち、法第二条第二項の政令で定める基準に該当するもの（次号及び第三十九条第一項第六号において「朽廃建築物」という。）以外のもの（以下この号及び第三十九条第一項第五号において「簡易建築物」という。）である場合においては、次に掲げる書類

イ　当該簡易建築物の種類、構造及び床面積を記載した書類

ロ　当該簡易建築物の写真

七　特定所有者不明土地にある物件が朽廃建築物である場合においては、次に掲げる書類

イ　当該朽廃建築物の損傷、腐食その他の劣化の状況を記載した書類

ロ　当該朽廃建築物の建築時からの経過年数を明らかにする書類

ハ　当該朽廃建築物の写真

八　法第二条第三項第一号に掲げる事業（道路法（昭和二十七年法律第百八十号）による道路の整備に関するものを除く。）又は同項第六号に掲げる事業を実施しようとする場合において、長期にわたる土地の使用を要するときは、当該事業により整備する施設と同種の施設がその周辺の地域において不足していることを明らかにする書類

九　事業計画を表示する図面

十　特定所有者不明土地にある物件の所有者の全部又は一部を確知することができない場合においては、次に掲げる書類

イ　当該物件の所有者の全部又は一部を確知することができない事情を記載した書類

ロ　当該物件の所有者の探索の過程において得られたイに規定する事情を明らかにする書類

十一　特定所有者不明土地等の権利者（土地又は当該土地にある物件に関し所有権以外の権利を有する者をいう。以下この号において同じ。）の全部又は一部を確知することができない場合においては、次に掲げる書類

イ　特定所有者不明土地等の権利者の全部又は一部を確知することができない事情を記載した書類

ロ　特定所有者不明土地等の権利者の探索の過程において得られたイに規定する事情を明らかにする書類

十二　法第十条第三項第二号ホの補償金の見積額の積算の基礎を明らかにする書類

十三　事業者の組織体制に関する事項を記載した書類

十四　事業者（法人である場合にあっては、その役員）が暴力団員による不当な行為の防止等に関する法律（平成三年法律第七十七号）第二条第六号に規定する暴力団員又は同号に規定する暴力団員でなくなった日から五年を経過しない者（以下「暴力団員等」という。）に該当しないことを誓約する書類

（住民の意見を反映させるために必要な措置）

第二〇条　法第十条第五項の国土交通省令で定める方法は、協議会の開催又は裁定申請に係る事業計画の案及び当該案に対する住民の意見の提出方法、提出期限、提出先その他住民の意見の提出に必要な事項を印刷物の配布その他適切な手段により住民に周知する方法とする。

（裁定申請があった旨等の公告の方法）

第二一条　法第十一条第四項（法第十九条第二項において準用する場合を含む。）の規定による公告は、都道府県の公報への掲載、インターネットの利用その他の適切な方法により行うほか、都道府県知事がその公告すべき内容を事業区域内の適当な場所に掲示して行わなければならない。ただし、当該事業区域内に掲示して行うことが困難であるときは、当該事業区域の付近にこれを掲示して行うことができる。

（異議等の申出の方法）

第二二条　法第十一条第四項第三号（法第十九条第二項において準用する場合を含む。）の規定による申出をしようとする者は、次に掲げる事項を記載した申出書を都道府県知事に提出しなければならない。

一　申出者の氏名又は名称及び住所

二　当該申出に係る特定所有者不明土地の所在及び地番

三　法第十一条第四項第三号イの規定による申出をしようとする場合においては、当該異議の内容及びその理由

四　法第十一条第四項第三号ロの規定による申出をしようとする場合においては、当該特定所有者不明土地の所有者である旨

（公告事項）

第二三条　法第十一条第四項第四号の国土交通省令で定める事項は、同項の規定による公告の日から二月以内に同項第三号の規定による申出がないときは、都道府県知事が法第十三条第一項の裁定をすることがある旨とする。

２　法第十九条第二項において準用する法第十一条第四項第四号の国土交通省令で定める事項は、同項の規定による公告の日から一月以内に同項第三号の規定による申出がないときは、都道府県知事が法第十九条第三項の裁定をすることがある旨とする。

（裁定申請があった旨の通知の方法）

第二四条　法第十一条第五項（法第十九条第二項において準用する場合を含む。）の規定による通知は、文書により行わなければならない。

（裁定申請の却下の通知の方法）

第二五条　法第十二条第三項（法第十九条第二項において準用する場合を含む。）の規定による通知は、文書により行わなければならない。

（証明書の様式）

第二六条　法第十三条第六項（法第十九条第四項において準用する場合を含む。）に規定する証明書の様式は、別記様式第七によるものとする。

（裁定の公告の方法）

第二七条　法第十四条（法第十九条第四項において準用する場合を含む。）の規定による公告は、都道府県の公報への掲載、インターネットの利用その他の適切な方法により行うものとする。

（標識の設置の方法）

第二八条　法第二十条第一項の規定による標識の設置は、次に掲げる事項を表示した標識により行わなければならない。

一　使用権設定土地が地域福利増進事業の用に供されている旨

二　使用権者の氏名又は名称

三　使用権設定土地の所在及び地番

四　土地使用権等（法第十条第一項に規定する土地使用権等をいう。次条において同じ。）の始期（物件所有権（同項第二号に規定する物件所有権をいう。）にあっては、その取得の時期。次条第一項第七号において同じ。）

五　土地等使用権（法第十条第二項第八号に規定する土地等使用権をいう。以下この号及び次条第一項第八号において同じ。）の存続期間（法第十九条第四項において準用する法第十五条の規定により土地等使用権の存続期間が延長された場合にあっては、当該延長後の存続期間。次条第一項第八号において同じ。）

六　裁定を担当した都道府県の部局の名称及び連絡先

七　法第六十二条第一項第二

号の規定により罰金に処せられる旨

（権利の譲渡の承認の申請手続）

第二九条　法第二十二条第一項の規定による承認の申請をしようとする使用権者は、次に掲げる事項を記載した譲渡承認申請書を都道府県知事に提出しなければならない。

一　使用権者及び土地使用権等の全部又は一部を譲り受けようとする者（以下この条において「譲受人」という。）の氏名又は名称及び住所
二　事業の種別
三　譲受人が実施する事業の事業区域
四　承認の申請をする理由
五　土地使用権等の目的となっている土地の所在及び地番又は物件の種類及び数量
六　土地使用権等を譲り渡す時期
七　土地使用権等の始期
八　土地等使用権の存続期間
九　土地使用権等の一部を譲り渡そうとする場合においては、使用権者が土地使用権等を譲り渡した後に実施する事業の事業区域

2　前項の譲渡承認申請書には、次に掲げる書類（使用権者が国又は地方公共団体である場合にあっては第九号ニに掲げるものを除き、譲受人が国又は地方公共団体である場合にあっては第七号及び第八号に掲げるものを除く。）を添付しなければならない。

一　使用権者が法人である場合にあっては、当該法人の登記事項証明書
二　譲受人が法人である場合にあっては、当該法人の登記事項証明書
三　譲受人が実施する事業の事業区域を表示する図面
四　譲受人が実施する事業の事業計画書
五　譲受人が実施する事業の事業計画を表示する図面
六　事業の実施に関して行政機関の長の許可、認可その他の処分を必要とする場合においては、譲受人について、これらの処分があったことを証する書類又は当該行政機関の長の意見書
七　譲受人の組織体制に関する事項を記載した書類
八　譲受人（法人である場合にあっては、その役員）が暴力団員等に該当しないことを誓約する書類
九　土地使用権等の一部を譲り渡そうとする場合においては、次に掲げる書類
イ　使用権者が土地使用権等を譲り渡した後に実施する事業の事業区域を表示する図面
ロ　使用権者が土地使用権等を譲り渡した後に実施する事業の事業計画書
ハ　使用権者が土地使用権等を譲り渡した後に実施する事業の事業計画を表示する図面
ニ　使用権者（法人である場合にあっては、その役員）が暴力団員等に該当しないことを誓約する書類

（権利の譲渡の承認の公告の方法）

第三〇条　法第二十二条第二項の規定による公告は、都道府県の公報への掲載、インターネットの利用その他の適切な方法により行うものとする。

（裁定の取消しの公告の方法）

第三一条　法第二十三条第二項の規定による公告は、都道府県の公報への掲載、インターネットの利用その他の適切な方法により行うものとする。

（証明書の様式）

第三二条　法第二十五条第三項に規定する証明書の様式は、別記様式第八によるものとする。

第三三条　法第二十六条第二項において準用する法第十三条第六項に規定する証明書の様式は、別記様式第九によるものとする。

第二節　特定所有者不明土地の収用又は使用に関する土地収用法の特例

第一款　収用適格事業のための特定所有者不明土地の収用又は使用に関する特例

（裁定申請書の様式）

第三四条　法第二十七条第二項に規定する裁定申請書の様式は、別記様式第十によるものとする。

（事業計画書の記載事項）

第三五条　法第二十七条第三項第一号の国土交通省令で定める事項は、次に掲げるものとする。

一　事業計画の概要
二　事業の開始及び完成の時期
三　事業に要する経費及びその財源
四　事業の施行を必要とする公益上の理由
五　収用又は使用の別を明らかにした事業に必要な土地の面積及び物件の数量の概数並びにこれらを必要とする理由
六　起業地（土地収用法（昭和二十六年法律第二百十九号）第十七条第一項第二号に規定する起業地をいう。第三十九条において同じ。）を当該事業に用いることが相当であり、又は土地の適正かつ合理的な利用に寄与することになる理由

（土地関係人確知必要情報を保有すると思料される者）

第三六条　令第十一条第二号の国土交通省令で定める者は、次に掲げるものとする。ただし、第一号ロ及びハ、第二号ロ及びハ、第三号ロ及びハ、第五号イ並びに第六号イ及びロに掲げる者については、令第一条第一号から第四号まで及び令第十一条第一号から第四号までに掲げる措置により判明したものに限る。

一　当該土地に関し所有権以外の権利を有する者の探索を行う場合においては、次に掲げる者
イ　当該土地を現に占有する者
ロ　当該土地の所有者
ハ　当該土地にある物件に関し所有権その他の権利を有する者
ニ　当該土地の固定資産課税台帳を備えると思料される市町村の長（当該土地が特別区の区域内にある場合にあっては、都の知事）
ホ　当該土地が農地である場合においては、その農地台帳を備えると思料される農業委員会が置かれている市町村の長
二　当該土地にある物件の所有者の探索を行う場合においては、次に掲げる者
イ　当該物件を現に占有する者
ロ　当該物件に関し所有権以外の権利を有する者
ハ　当該土地に関し所有権その他の権利を有する者
ニ　当該物件（地方税法第三百四十一条第三号に規定する家屋であるものに限る。）の固定資産課税台帳を備えると思料される市町村の長（当該物件が特別区の区域内にある場合にあっては、都の知事）
三　当該土地にある物件に関し所有権以外の権利を有する者の探索を行う場合においては、次に掲げる者
イ　当該物件を現に占有する者
ロ　当該物件の所有者
ハ　当該土地に関し所有権その他の権利を有する者
四　令第十一条第五号に規定する措置をとってもなお当該土地の関係人の全部又は一部を確知することができなかった場合においては、当該措置の対象者
五　当該土地の関係人と思料される者が個人である場合においては、次に掲げる者
イ　親族
ロ　当該土地の関係人と思料される者が日本の国籍を有し、かつ、外国に住所を有すると思料される場合であって、探索を行う者が国の行政機関の長等である場合においては、在外公館の長
六　当該土地の関係人と思料される者が法人である場合においては、次に掲げる者
イ　当該法人の代表者
ロ　当該法人が合併以外の事由により解散した法人である場合においては、清算人又は破産管財人
ハ　イ又はロに掲げる者が記録されている住民基本台帳、戸籍簿若しくは除籍簿又は戸籍の附票を備えると思料される市町村の長

（土地の関係人と思料される者が記録されている書類）

第三七条　第二条第一項の規定は、令第十一条第三号の国土交通省令で定める書類について準用する。

2　第二条第二項の規定は、令第十一条第四号の国土交通省令で定める書類について準用する。

（土地の関係人を特定するための措置）

第三八条　第三条の規定は、令第十一条第五号の国土交通省令で定める措置

について準用する。

（**裁定申請書の添付書類**）

第三九条　法第二十七条第三項第三号の国土交通省令で定める書類は、次に掲げるものとする。

一　起業者（土地収用法第八条第一項に規定する起業者をいう。第四十五条において同じ。）が法人である場合にあっては、当該法人の登記事項証明書

二　特定所有者不明土地の実測平面図

三　特定所有者不明土地の所有者の探索の過程において得られた法第二十七条第二項第四号に掲げる事項を明らかにする書類

四　特定所有者不明土地の写真

五　特定所有者不明土地にある物件が簡易建築物である場合においては、次に掲げる書類

イ　当該簡易建築物の種類、構造及び床面積を記載した書類

ロ　当該簡易建築物の写真

六　特定所有者不明土地にある物件が朽廃建築物である場合においては、次に掲げる書類

イ　当該朽廃建築物の損傷、腐食その他の劣化の状況を記載した書類

ロ　当該朽廃建築物の建築時からの経過年数を明らかにする書類

ハ　当該朽廃建築物の写真

七　起業地を表示する図面

八　事業計画を表示する図面

九　第三十五条各号に掲げる事項の内容を説明する書類がある場合においては、当該書類

十　特定所有者不明土地の関係人の全部又は一部を確知することができない場合においては、次に掲げる書類

イ　特定所有者不明土地の関係人の全部又は一部を確知することができない事情を記載した書類

ロ　特定所有者不明土地の関係人の探索の過程において得られたイに規定する事情を明らかにする書類

十一　法第二十七条第三項第二号ホの補償金の見積額の積算の基礎を明らかにする書類

2　前項第七号に掲げる書類は、次に掲げるところにより作成し、符号は、国土地理院発行の五万分の一の地形図の図式により、これにないものは適宜のものによるものとする。

一　縮尺二万五千分の一（二万五千分の一がない場合は五万分の一）の一般図によって起業地の位置を示すこと。

二　縮尺百分の一から三千分の一程度までの間で、起業地を表示するに便利な適宜の縮尺の地形図によって起業地を収用の部分は薄い黄色で、使用の部分は薄い緑色で着色し、起業地内に物件があるときは、その主要なものを図示すること。

3　第一項第八号に掲げる書類は、縮尺百分の一から三千分の一程度までのもので、施設の位置を明らかに図示するものとし、施設の内容を明らかにするに足りる平面図を添付するものとする。

（**裁定申請があった旨等の公告の方法**）

第四〇条　法第二十八条第一項の規定による公告は、都道府県の公報への掲載、インターネットの利用その他の適切な方法により行うものとする。

（**異議等の申出の方法**）

第四一条　法第二十八条第一項第三号の規定による申出をしようとする者は、次に掲げる事項を記載した申出書を都道府県知事に提出しなければならない。

一　申出者の氏名又は名称及び住所

二　当該申出に係る特定所有者不明土地の所在及び地番

三　法第二十八条第一項第三号イの規定による申出をしようとする場合においては、当該異議の内容及びその理由

四　法第二十八条第一項第三号ロの規定による申出をしようとする場合においては、当該特定所有者不明土地の所有者である旨

（**公告事項**）

第四二条　法第二十八条第一項第四号の国土交通省令で定める事項は、同項の規定による公告の日から二週間以内に同項第三号の規定による申出がないときは、都道府県知事が法第三十二条第一項の裁定をすることがある旨とする。

（**裁定申請があった旨の通知の方法**）

第四三条　法第二十八条第二項の規定による通知は、文書により行わなければならない。

（**裁定申請の却下の通知の方法**）

第四四条　法第二十九条第三項の規定による通知は、文書により行わなければならない。

（**裁定手続開始の決定の通知**）

第四五条　都道府県知事は、法第三十条第一項の規定により裁定手続の開始を決定したときは、直ちに、その旨を起業者に文書で通知しなければならない。

（**裁定手続開始の決定の公告の方法**）

第四六条　法第三十条第一項の規定による公告は、都道府県の公報への掲載、インターネットの利用その他の適切な方法により行うものとする。

（**証明書の様式**）

第四七条　法第三十二条第六項において準用する法第十三条第六項に規定する証明書の様式は、別記様式第十一によるものとする。

（**裁定の公告の方法**）

第四八条　法第三十三条の規定による公告は、都道府県の公報への掲載、インターネットの利用その他の適切な方法により行うものとする。

（**担保の取得及び取戻しに関する手続**）

第四九条　法第三十五条第一項において準用する土地収用法第八十四条第三項において準用する同法第八十三条第七項の担保の取得及び取戻しに関する手続については、土地収用法施行規則（昭和二十六年建設省令第三十三号）第十九条から第二十二条までの規定を準用する。この場合において、同令第十九条、第二十条第一項、第二十一条及び第二十二条第二項中「収用委員会」とあり、並びに同令第二十条第二項中「収用委員会の会長」とあるのは、「都道府県知事」と読み替えるものとする。

（**請求書及び要求書の記載事項**）

第五〇条　法第三十五条第二項の国土交通省令で定める事項は、次に掲げるものとする。

一　法第三十五条第一項において準用する土地収用法第七十九条の規定による請求をしようとする場合においては、次に掲げる事項

イ　移転しなければならない物件の種類及び数量

ロ　移転しなければならない物件の移転料の見積額

ハ　移転しなければならない物件に相当するものを取得するのに要する価格の見積額

二　法第三十五条第一項において準用する土地収用法第八十四条第一項の規定による要求をしようとする場合においては、その理由

三　法第三十五条第一項において準用する土地収用法第八十五条第一項の規定による要求をしようとする場合においては、次に掲げる事項

イ　移転しなければならない物件の種類及び数量

ロ　要求の理由

（**証明書の様式**）

第五一条　法第三十六条第二項において準用する法第十三条第六項に規定する証明書の様式は、別記様式第十二によるものとする。

第二款　都市計画事業のための特定所有者不明土地の収用又は使用に関する特例

第五二条　第三十四条、第三十五条及び第三十九条から第四十六条までの規定は、法第三十七条第一項の規定による裁定の申請について準用する。この場合において、第三十五条第六号中「起業地（土地収用法（昭和二十六年法律第二百十九号）第十七条第一項第二号に規定する起業地をいう。」とあるのは「事業地（都市計画法（昭和四十三年法律第百号）第六十条第二項第一号に規定する事業地をいう。」と、第三十九条第一項中「起業者（土地収用法第八条第一項に規定する起業者をいう。」とあるのは「施行者（都市計画法第四条第十六項に規定する施行者をいう。」と、同項第一号及び第四十五条中「起業者」とあるのは「施行者」と、第三十九条第一項第六号並びに第二項第一号及び第二号中「起業地」とあるのは「事業地」と読み替えるものとする。

2　第四十七条から第五十一条までの規定は、法第三十七条第三項の裁定について準用する。

第三節　所有者不明土地の管理の適正化のための措置

第五三条　法第四十一条第二項において準用する法第十三条第六項に規定する証明書の様式は、別記様式第十三によるものとする。

第三章　土地の所有者の効果的な探索のための特別の措置

（土地所有者等関連情報）

第五四条　法第四十三条第一項の国土交通省令で定める情報は、本籍、出生の年月日、死亡の年月日及び連絡先とする。

（都道府県知事等に対する土地所有者等関連情報の提供の請求手続）

第五五条　法第四十三条第二項の規定による土地所有者等関連情報の提供の求めをしようとする者（以下この条において「請求者」という。）は、次に掲げる事項（市町村長が法第三十八条第一項の規定による勧告を行うため当該勧告に係る土地の土地所有者等（法第四十三条第一項に規定する土地所有者等をいう。以下同じ。）を知る必要があるとして当該求めをしようとする場合又は国の行政機関の長等が法第四十二条第一項から第三項まで若しくは第五項（第四項に係る部分を除く。）の規定による請求を行うため当該請求に係る土地の土地所有者等を知る必要があるとして当該求めをしようとする場合にあっては、第三号に掲げるものを除く。）を記載した情報提供請求書を土地所有者等を知る必要がある土地（以下「対象土地」という。）の所在地を管轄する都道府県知事又は市町村長に提出しなければならない。

一　請求者の氏名又は名称及び住所
二　対象土地の所在及び地番
三　事業の種類及び内容
四　土地所有者等関連情報の提供を求める理由
五　前各号に掲げるもののほか、土地所有者等関連情報の提供について必要な事項

2　前項の情報提供請求書には、次に掲げる書類（請求者が国の行政機関の長等である場合にあっては、第三号、第四号及び第六号に掲げるものを除く。）又は次条第一項に規定する書面を添付しなければならない。

一　請求者が法人である場合にあっては、当該法人の登記事項証明書
二　対象土地の登記事項証明書
三　事業の実施に関して行政機関の長の許可、認可その他の処分を必要とする場合においては、これらの処分があったことを証する書類又は当該行政機関の長の意見書
四　前号に掲げるもののほか、事業を実施する意思を有することを疎明する書類
五　土地所有者等の探索の過程において得られた前項第四号に掲げる事項を明らかにする書類
六　請求者（法人である場合にあっては、その役員）が暴力団員等に該当しないことを誓約する書類

（土地所有者等を知る必要性を証する書面の交付）

第五六条　地域福利増進事業等（法第四十三条第一項に規定する地域福利増進事業等をいう。以下この項及び第五十九条において同じ。）の実施の準備のため当該地域福利増進事業等を実施しようとする区域内の土地の土地所有者等を知る必要があるとして土地所有者等関連情報の提供の求めをしようとする者（国の行政機関の長等を除く。以下この条において「請求者」という。）は、その必要性を証する書面の交付を対象土地の所在地を管轄する市町村長に求めることができる。

2　前項の規定による書面の交付の求めをしようとする請求者は、次に掲げる事項を記載した交付請求書を対象土地の所在地を管轄する市町村長に提出しなければならない。

一　請求者の氏名又は名称及び住所
二　対象土地の所在及び地番
三　事業の種類及び内容
四　土地所有者等関連情報の提供を求める理由
五　土地所有者等関連情報の提供を求めるために必要な氏名及び本籍又は住所
六　前各号に掲げるもののほか、土地所有者等関連情報の提供について必要な事項

3　前項の交付請求書には、次に掲げる書類を添付しなければならない。

一　請求者が法人である場合にあっては、当該法人の登記事項証明書
二　対象土地の登記事項証明書
三　事業の実施に関して行政機関の長の許可、認可その他の処分を必要とする場合においては、これらの処分があったことを証する書類又は当該行政機関の長の意見書
四　前号に掲げるもののほか、事業を実施する意思を有することを疎明する書類
五　土地所有者等の探索の過程において得られた前項第四号に掲げる事項を明らかにする書類
六　請求者（法人である場合にあっては、その役員）が暴力団員等に該当しないことを誓約する書類

（土地に工作物を設置している者等に対する土地所有者等関連情報の提供の請求手続）

第五七条　法第四十三条第五項の規定による土地所有者等関連情報の提供の求めをしようとする国の行政機関の長等は、次に掲げる事項（市町村長が法第三十八条第一項の規定による勧告を行うため当該勧告に係る土地の土地所有者等を知る必要があるとして当該求めをしようとする場合又は国の行政機関の長等が法第四十二条第一項から第三項まで若しくは第五項（第四項に係る部分を除く。）の規定による請求を行うため当該請求に係る土地の土地所有者等を知る必要があるとして当該求めをしようとする場合にあっては、第三号に掲げるものを除く。）を記載した情報提供請求書を対象土地に工作物を設置している者その他の者に提出しなければならない。

一　当該求めをする国又は地方公共団体の機関の名称
二　対象土地の所在及び地番
三　事業の種類及び内容
四　土地所有者等関連情報の提供を求める理由
五　前各号に掲げるもののほか、土地所有者等関連情報の提供について必要な事項

2　前項の情報提供請求書には、次に掲げる書類を添付しなければならない。

一　対象土地の登記事項証明書
二　土地所有者等の探索の過程において得られた前項第四号に掲げる事項を明らかにする書類

第四章　所有者不明土地利用円滑化等推進法人

（所有者不明土地対策計画の作成等の提案）

第五八条　法第五十二条第一項の規定により所有者不明土地対策計画の作成又は変更の提案を行おうとする所有者不明土地利用円滑化等推進法人は、その名称又は商号及び主たる事務所の所在地を記載した提案書に当該提案に係る所有者不明土地対策計画の素案を添えて、市町村に提出しなければならない。

第五章　雑則

（職員の派遣の要請手続）

第五九条　法第五十三条第一項又は第二項の規定による職員の派遣の要請をしようとする都道府県知事又は市町村長は、次に掲げる事項（第一号に掲げる事項にあっては、地域福利増進事業等の実施の準備のためその職員に土地所有者等の探索に関する専門的な知識を習得させる必要があるときに当該要請をしようとする場合に限る。）を記載した職員派遣要請書を国土交通大臣に提出しなければならない。

一　事業の種類及び内容
二　派遣を要請する理由
三　前二号に掲げるもののほか、職員の派遣について必要な事項

（権限の委任）

第六〇条　法第五十三条第一項及び第二項に規定する国土交通大臣の権限は、地方整備局長及び北海道開発局長に委任する。ただし、国土交通大臣が自ら行うことを妨げない。

附　則〔抄〕

（施行期日）

第一条　この省令は、法の施行の日（平成三十年十一月十五日）から施行する。

附　則〔略〕〔平成三一・四・二五国土交通省令三五〕

附　則〔略〕〔令和二・一二・二三国土交通省令九八〕

附　則〔令和四・一一・一国土交通省令七五〕

（施行期日）

1　この省令は、所有者不明土地の利用の円滑化等に関する特別措置法の一部を改正する法律（令和四年法律第三十八号）の施行の日（令和四年十一月一日）から施行する。

（経過措置）

2　この省令の施行の際現にある第一条の規定による改正前の様式による用紙は、当分の間、これを取り繕って使用することができる。

附則〔略〕〔令和五・三・三一国土交通省令三一〕

附則〔略〕〔令和五・九・一五国土交通省令七〇〕

附則〔抄〕〔令和六・三・二九国土交通省令二六〕

（施行期日）

第一条　この省令は、令和六年四月一日から施行する。〔以下略〕

別記様式〔略〕

○測量法〔昭和二四・六・三 法律一八八〕

改正　昭和二六・六法二二〇、昭和二七・七法二八二、昭和三五・七法一一五、昭和三六・六法一〇六、法一四五、昭和三七・九法一六一、昭和四二・六法三六、七法七五、昭和五〇・一二法九〇、昭和五三・四法二七、昭和五六・五法四五、昭和五九・五法二三、昭和六〇・一二法一〇二、平成五・一一法八九、平成一一・七法八七、一二法一五一、法一六〇、平成一二・一一法一二六、平成一三・六法五三、平成一五・六法九六、平成一六・六法七六、一二法一四七、平成一七・七法八七、平成一八・三法一〇、平成一九・五法五五、平成二三・六法六一、平成二九・五法四一、令和元・六法三七、令和六・六法五四

注　□の部分は、令和六年六月一九日法律第五四号により改正され、令和七年四月一日から施行

目次

第一章　総則
　第一節　目的及び用語（第一条―第十条の三）
　第二節　測量の基準（第十一条）
第二章　基本測量
　第一節　計画及び実施（第十二条―第二十六条）
　第二節　測量成果（第二十七条―第三十一条）
第三章　公共測量
　第一節　計画及び実施（第三十二条―第三十九条）
　第二節　測量成果（第四十条―第四十五条）
第四章　基本測量及び公共測量以外の測量（第四十六条・第四十七条）
第五章　測量士及び測量士補（第四十八条―第五十四条の二）
第六章　測量業者
　第一節　登録（第五十五条―第五十五条の十四）
　第二節　業務（第五十六条―第五十六条の六）
　第三節　監督（第五十七条―第五十七条の三）
　第四節　雑則（第五十八条・第五十九条）
第七章　補則（第五十九条の二・第六十条）
第八章　罰則（第六十一条―第六十六条）
附則

第一章　総則

第一節　目的及び用語

（目的）

第一条　この法律は、国若しくは公共団体が費用の全部若しくは一部を負担し、若しくは補助して実施する土地の測量又はこれらの測量の結果を利用する土地の測量について、その実施の基準及び実施に必要な権能を定め、測量の重複を除き、並びに測量の正確さを確保するとともに、測量業を営む者の登録の実施、業務の規制等により、測量業の適正な運営とその健全な発達を図り、もつて各種測量の調整及び測量制度の改善発達に資することを目的とする。

（他の法律との関係）

第二条　土地の測量は、他の法律に特別の定がある場合を除いて、この法律の定めるところによる。

（測量）

第三条　この法律において「測量」とは、土地の測量をいい、地図の調製及び測量用写真の撮影を含むものとする。

（基本測量）

第四条　この法律において「基本測量」とは、すべての測量の基礎となる測量で、国土地理院の行うものをいう。

（公共測量）

第五条　この法律において「公共測量」とは、基本測量以外の測量で次に掲げるものをいい、建物に関する測量その他の局地的測量又は小縮尺図の調製その他の高度の精度を必要としない測量で政令で定めるものを除く。

一　その実施に要する費用の全部又は一部を国又は公共団体が負担し、又は補助して実施する測量

二　基本測量又は前号の測量の測量成果を使用して次に掲げる事業のために実施する測量で国土交通大臣が指定するもの

イ　行政庁の許可、認可その他の処分を受けて行われる事業

ロ　その実施に要する費用の全部又は一部について国又は公共団体の負担又は補助、貸付けその他の助成を受けて行われる事業

（基本測量及び公共測量以外の測量）

第六条　この法律において「基本測量及び公共測量以外の測量」とは、基本測量又は公共測量の測量成果を使用して実施する基本測量及び公共測量以外の測量（建物に関する測量その他の局地的測量又は小縮尺図の調製その他の高度の精度を必要としない測量で政令で定めるものを除く。）をいう。

（測量計画機関）

第七条　この法律において「測量計画機関」とは、前二条に規定する測量を計画する者をいう。測量計画機関が、自ら計画を実施する場合には、測量作業機関となることができる。

（測量作業機関）

第八条　この法律において「測量作業機関」とは、測量計画機関の指示又は委託を受けて測量作業を実施する者をいう。

（測量成果及び測量記録）

第九条　この法律において「測量成果」とは、当該測量において最終の目的

として得た結果をいい、「測量記録」とは、測量成果を得る過程において得た作業記録をいう。

（測量標）

第一〇条　この法律において「測量標」とは、永久標識、一時標識及び仮設標識をいい、これらは、左の各号に掲げる通りとする。

一　永久標識　三角点標石、図根点標石、方位標石、水準点標石、磁気点標石、基線尺検定標石、基線標石及びこれらの標石の代りに設置する恒久的な標識（験潮儀及び験潮場を含む。）をいう。

二　一時標識　測標及び標杭をいう。

三　仮設標識　標旗及び仮杭をいう。

2　前項に掲げる測量標の形状は、国土交通省令で定める。

3　基本測量の測量標には、基本測量の測量標であること及び国土地理院の名称を表示しなければならない。

（測量業）

第一〇条の二　この法律において「測量業」とは、基本測量、公共測量又は基本測量及び公共測量以外の測量を請け負う営業をいう。

（測量業者）

第一〇条の三　この法律において「測量業者」とは、第五十五条の五第一項の規定による登録を受けて測量業を営む者をいう。

第二節　測量の基準

（測量の基準）

第一一条　基本測量及び公共測量は、次に掲げる測量の基準に従つて行わなければならない。

一　位置は、地理学的経緯度及び平均海面からの高さで表示する。ただし、場合により、直角座標及び平均海面からの高さ、極座標及び平均海面からの高さ又は地心直交座標で表示することができる。

二　距離及び面積は、第三項に規定する回転楕円体の表面上の値で表示する。

三　測量の原点は、日本経緯度原点及び日本水準原点とする。ただし、離島の測量その他特別の事情がある場合において、国土地理院の長の承認を得たときは、この限りでない。

四　前号の日本経緯度原点及び日本水準原点の地点及び原点数値は、政令で定める。

2　前項第一号の地理学的経緯度は、世界測地系に従つて測定しなければならない。

3　前項の「世界測地系」とは、地球を次に掲げる要件を満たす扁平な回転楕円体であると想定して行う地理学的経緯度の測定に関する測量の基準をいう。

一　その長半径及び扁平率が、地理学的経緯度の測定に関する国際的な決定に基づき政令で定める値であるものであること。

二　その中心が、地球の重心と一致するものであること。

三　その短軸が、地球の自転軸と一致するものであること。

第二章　基本測量

第一節　計画及び実施

（長期計画）

第一二条　国土交通大臣は、基本測量に関する長期計画を定めなければならない。

（資料又は報告の要求）

第一三条　国土地理院の長は、関係行政機関又はその他の者に対し、基本測量に関する資料又は報告の提出を求めることができる。

（実施の公示）

第一四条　国土地理院の長は、基本測量を実施しようとするときは、あらかじめその地域、期間その他必要な事項を関係都道府県知事に通知しなければならない。

2　国土地理院の長は、基本測量の実施を終つたときは、その旨を関係都道府県知事に通知しなければならない。

3　都道府県知事は、前二項の規定による通知を受けたときは、遅滞なく、これを公示しなければならない。

（土地の立入及び通知）

第一五条　国土地理院の長又はその命を受けた者若しくは委任を受けた者は、基本測量を実施するために必要があるときは、国有、公有又は私有の土地に立ち入ることができる。

2　前項の規定により宅地又はかき、さく等で囲まれた土地に立ち入ろうとする者は、あらかじめその占有者に通知しなければならない。但し、占有者に対してあらかじめ通知することが困難であるときは、この限りでない。

3　第一項に規定する者が、同項の規定により土地に立ち入る場合においては、その身分を示す証明書を携帯し、関係人の請求があつたときは、これを呈示しなければならない。

4　前項に規定する証明書の様式は、国土交通省令で定める。

（障害物の除去）

第一六条　国土地理院の長又はその命を受けた者若しくは委任を受けた者は、基本測量を実施するためにやむを得ない必要があるときは、あらかじめ所有者又は占有者の承諾を得て、障害となる植物又はかき、さく等を伐除することができる。

第一七条　国土地理院の長又はその命を受けた者若しくは委任を受けた者は、山林原野又はこれに類する土地で基本測量を実施する場合において、あらかじめ所有者又は占有者の承諾を得ることが困難であり、且つ、植物又はかき、さく等の現状を著しく損傷しないときは、前条の規定にかかわらず、承諾を得ないで、これらを伐除することができる。この場合においては、遅滞なく、その旨を所有者又は占有者に通知しなければならない。

（土地等の一時使用）

第一八条　国土地理院の長又はその命を受けた者若しくは委任を受けた者は、基本測量を実施する場合において、仮設標識を設置するために必要があるときは、あらかじめ占有者に通知して、土地、樹木、又は工作物を一時使用することができる。但し、占有者に対しあらかじめ通知することが困難であるときは、通知することを要しないものとする。

（土地の収用又は使用）

第一九条　政府は、基本測量を実施するために、必要があるときは、土地、建物、樹木若しくは工作物を収用し、又は使用することができる。

2　前項の規定による収用又は使用に関しては、土地収用法（昭和二十六年法律第二百十九号）を適用する。

（損失補償）

第二〇条　第十六条から第十八条までの規定による植物、垣若しくはさく等の伐除又は土地、樹木若しくは工作物の一時使用により、損失を受けた者がある場合においては、政府は、その損失を受けた者に対して、通常生ずべき損失を補償しなければならない。

2　前項の規定により補償を受けることができる者は、その補償金額に不服がある場合においては、政令で定めるところにより、その金額の通知を受けた日から一月以内に、土地収用法第九十四条第二項の規定による収用委員会の裁決を求めることができる。

（永久標識及び一時標識に関する通知）

第二一条　国土地理院の長は、基本測量において永久標識又は一時標識を設置したときは、遅滞なく、その種類及び所在地その他国土交通省令で定める事項を関係都道府県知事に通知するとともに、これをインターネットの利用その他適切な方法により公表しなければならない。

2　都道府県知事は、前項の規定による通知を受けたときは、遅滞なく、その旨を関係市町村長（特別区の区長を含む。次項及び第三十七条第二項において同じ。）に通知しなければならない。

3　市町村長は、基本測量の永久標識又は一時標識について、滅失、破損その他異状があることを発見したときは、遅滞なく、その旨を国土地理院の長に通知しなければならない。

（測量標の保全）

第二二条　何人も、国土地理院の長の承諾を得ないで、基本測量の測量標を移転し、汚損し、その他その効用を害する行為をしてはならない。

（永久標識及び一時標識の移転、撤去及び廃棄）

第二三条　国土地理院の長は、基本測量の永久標識又は一時標識を移転し、撤去し、又は廃棄したときは、遅滞なく、その種類及び旧所在地その他国土交通省令で定める事項を関係都道府県知事及びその敷地の所有者又は占有者に通知するとともに、これをインターネットの利用その他適切な方法により公表しなければならない。

2　第二十一条第二項の規定は、前項の場合に準用する。

（測量標の移転の請求）

第二四条　基本測量の永久標識又は一時標識の汚損その他その効用を害するおそれがある行為を当該永久標識若しくは一時標識の敷地又はその付近でしようとする者は、理由を記載した書面をもつて、国土地理院の長に当該永久標識又は一時標識の移転を請求することができる。

2　前項の規定による請求（国又は都道府県が行うものを除く。）は、当該永久標識又は一時標識の所在地の都道府県知事を経由して行わなければならない。この場合において、都道府県知事は、当該請求に係る事項に関する意見を付して、国土地理院の長に送付するものとする。

3　国土地理院の長は、第一項の規定による請求に理由があると認めるときは、当該永久標識又は一時標識を移転し、理由がないと認めるときは、その旨を移転を請求した者に通知しなければならない。

4　前項の規定による永久標識又は一時標識の移転に要した費用は、移転を請求した者が負担しなければならない。

第二五条　国土地理院の長は、基本測量の仮設標識の移転の請求があつた場合において、その請求に理由があると認めたときは、当該仮設標識を移転しなければならない。

（測量標の使用）

第二六条　基本測量以外の測量を実施しようとする者は、国土地理院の長の承認を得て、基本測量の測量標を使用することができる。

第二節　測量成果

（測量成果の公表及び保管）

第二七条　国土交通大臣は、基本測量の測量成果を得たときは、当該測量の種類、精度並びにその実施の時期及び地域その他必要と認める事項を官報で公告しなければならない。

2　国土交通大臣は、基本測量の測量成果のうち地図その他一般の利用に供することが必要と認められるものについては、これらを刊行し、又はこれらの内容である情報を電磁的方法（電子情報処理組織を使用する方法その他の情報通信の技術を利用する方法をいう。以下同じ。）であつて国土交通省令で定めるものにより不特定多数の者が提供を受けることができる状態に置く措置をとらなければならない。

3　国土地理院の長は、基本測量の測量成果及び測量記録を保管し、国土交通省令で定めるところにより、これを一般の閲覧に供しなければならない。

（測量成果の公開）

第二八条　基本測量の測量成果及び測量記録の謄本又は抄本の交付を受けようとする者は、国土交通省令で定めるところにより、国土地理院の長に申請をしなければならない。

2　前項の規定により謄本又は抄本の交付の申請をする者は、実費を勘案して政令で定める額の手数料を納めなければならない。

第二八条　何人も、国土地理院の長に対し、国土交通省令で定めるところにより、次に掲げる請求をすることができる。

一　次に掲げる書面の交付の請求

イ　基本測量の測量成果又は測量記録が書面をもつて作成されているときは、当該書面の謄本又は抄本

ロ　基本測量の測量成果又は測量記録が電磁的記録（電子的方式、磁気的方式その他人の知覚によつては認識することができない方式で作られる記録であつて、電子計算機による情報処理の用に供されるものをいう。以下同じ。）をもつて作成されているときは、当該電磁的記録に記録された事項を記載した書面

二　次に掲げる電磁的記録を電磁的方法であつて国土交通省令で定めるものにより提供することの請求

イ　基本測量の測量成果又は測量記録が書面をもつて作成されているときは、当該書面に記載された事項を記録した電磁的記録

ロ　基本測量の測量成果又は測量記録が電磁的記録をもつて作成されているときは、当該電磁的記録に記録された事項を記録した電磁的記録

2　前項の規定による請求をする者は、実費を勘案して政令で定める額の手数料を納めなければならない。

（測量成果の複製）

第二九条　基本測量の測量成果のうち、地図その他の図表、成果表、写真又は成果を記録した文書（これらが電磁的記録（電子的方式、磁気的方式その他人の知覚によつては認識することができない方式で作られる記録であつて、電子計算機による情報処理の用に供されるものをいう。以下同じ。）をもつて作成されている場合における当該電磁的記録を含む。第四十三条において「図表等」という。）を測量の用に供し、刊行し、又は電磁的方法であつて国土交通省令で定めるものにより不特定多数の者が提供を受けることができる状態に置く措置をとるために複製しようとする者は、国土交通省令で定めるところにより、あらかじめ、国土地理院の長の承認を得なければならない。

第二九条　基本測量の測量成果のうち、地図その他の図表、成果表、写真又は成果を記録した文書（これらが電磁的記録をもつて作成されている場合における当該電磁的記録を含む。第四十三条において「図表等」という。）を測量の用に供し、刊行し、又は電磁的方法であつて国土交通省令で定めるものにより不特定多数の者が提供を受けることができる状態に置く措置をとるために複製しようとする者は、国土交通省令で定めるところにより、あらかじめ、国土地理院の長の承認を得なければならない。

（測量成果の使用）

第三〇条　基本測量の測量成果を使用して基本測量以外の測量を実施しようとする者は、国土交通省令で定めるところにより、あらかじめ、国土地理院の長の承認を得なければならない。

2　国土地理院の長は、前項の承認の申請があつた場合において、次の各号のいずれにも該当しないと認めるときは、その承認をしなければならない。

一　申請手続が法令に違反していること。

二　当該測量成果を使用することが当該測量の正確さを確保する上で適切でないこと。

3　第一項の承認を得て測量を実施した者は、その実施により得られた測量成果に基本測量の測量成果を使用した旨を明示しなければならない。

4　基本測量の測量成果を使用して刊行物（当該刊行物が電磁的記録をもつて作成されている場合における当該電磁的記録を含む。以下この項及び第四十四条第四項において同じ。）を刊行し、又は当該刊行物の内容である情報について電磁的方法であつて国土交通省令で定めるものにより不特定多数の者が提供を受けることができる状態に置く措置をとろうとする者は、当該刊行物にその旨を明示しなければならない。

（測量成果の修正）

第三一条　国土地理院の長は、地かく、地ぼう又は地物の変動その他の事由により基本測量の測量成果が現況に適合しなくなつた場合においては、遅滞なく、その測量成果を修正しなければならない。

第三章　公共測量

第一節　計画及び実施

（公共測量の基準）

第三二条　公共測量は、基本測量又は公共測量の測量成果に基いて実施しなければならない。

（作業規程）

第三三条　測量計画機関は、公共測量を実施しようとするときは、当該公共測量に関し観測機械の種類、観測法、計算法その他国土交通省令で定める事項を定めた作業規程を定め、あらかじめ、国土交通大臣の承認を得なければならない。これを変更しようとするときも、同様とする。

2　公共測量は、前項の承認を得た作業規程に基づいて実施しなければならない。

（作業規程の準則）

第三四条　国土交通大臣は、作業規程の準則を定めることができる。

（公共測量の調整）

第三五条　国土交通大臣は、測量の正確さを確保し、又は測量の重複を除くためその他必要があると認めるときは、測量計画機関に対し、公共測量の計画若しくは実施について必要な勧告をし、又は測量計画機関から公共測量についての長期計画若しくは年度計画の報告を求めることができる。

（計画書についての助言）

第三六条　測量計画機関は、公共測量を実施しようとするときは、あらかじめ、次に掲げる事項を記載した計画書を提出して、国土地理院の長の技術

的助言を求めなければならない。その計画書を変更しようとするときも、同様とする。

一　目的、地域及び期間

二　精度及び方法

（公共測量の表示等）

第三七条　公共測量を実施する者は、当該測量において設置する測量標に、公共測量の測量標であること及び測量計画機関の名称を表示しなければならない。

２　公共測量を実施する者は、関係市町村長に対して当該測量を実施するために必要な情報の提供を求めることができる。

３　測量計画機関は、公共測量において永久標識を設置したときは、遅滞なく、その種類及び所在地その他国土交通省令で定める事項を国土地理院の長に通知しなければならない。

４　測量計画機関は、自ら実施した公共測量の永久標識を移転し、撤去し、又は廃棄したときは、遅滞なく、その種類及び旧所在地その他国土交通省令で定める事項を国土地理院の長に通知しなければならない。

（国土地理院が実施する公共測量）

第三八条　第三十三条、第三十五条、第三十六条並びに前条第三項及び第四項の規定は、国土地理院が実施する公共測量については、適用しない。

（基本測量に関する規定の準用）

第三九条　第十四条から第二十六条までの規定は、公共測量に準用する。この場合において、第十四条から第十八条まで、第二十一条第一項及び第二十三条中「国土地理院の長」とあり、並びに第十九条及び第二十条中「政府」とあるのは「測量計画機関」と、第二十一条第三項並びに第二十四条第一項及び第二項中「国土地理院の長」とあるのは「当該永久標識又は一時標識を設置した測量計画機関」と、第二十二条及び第二十六条中「国土地理院の長」とあるのは「公共測量において測量標を設置した測量計画機関」と、第二十二条中「得ないで」とあるのは「得ないで、当該」と、第二十四条第三項中「国土地理院の長」とあるのは「公共測量において永久標識又は一時標識を設置した測量計画機関」と、第二十五条中「国土地理院の長は、」とあるのは「公共測量において仮設標識を設置した測量計画機関は、当該」と、第二十六条中「基本測量以外の測量」とあるのは「測量」と、「得て、」とあるのは「得て、当該」と読み替えるものとする。

第二節　測量成果

（測量成果の提出）

第四〇条　測量計画機関は、公共測量の測量成果を得たときは、遅滞なく、その写を国土地理院の長に送付しなければならない。

２　国土地理院の長は、前項の場合において必要があると認めるときは、測量記録の写の送付を求めることができる。

（測量成果の審査）

第四一条　国土地理院の長は、前条の規定により測量成果の写の送付を受けたときは、すみやかにこれを審査して、測量計画機関にその結果を通知しなければならない。

２　国土地理院の長は、前項の規定による審査の結果当該測量成果が充分な精度を有すると認める場合においては、測量の精度に関し意見を附して、その測量の種類、実施の時期及び地域並びに測量計画機関及び測量作業機関の名称を公表しなければならない。

（測量成果の写しの保管及び閲覧）

第四二条　国土地理院の長は、第四十条第一項の測量成果の写し及び同条第二項の測量記録の写しを保管し、国土交通省令で定めるところにより、これらを一般の閲覧に供しなければならない。

２　前項に規定する測量成果の写し及び測量記録の写しの謄本又は抄本の交付を受けようとする者は、国土交通省令で定めるところにより、国土地理院の長に申請をしなければならない。この場合においては、第二十八条第二項の規定を準用する。

２　第二十八条の規定は、前項に規定する測量成果の写し及び測量記録の写しについての書面の交付の請求又は電磁的記録の提供の請求について準用する。

３　測量計画機関は、当該測量計画機関の作成に係る測量成果及び測量記録の保管並びに当該測量成果に係る次条又は第四十四条第一項の承認の申請の受理に関する事務を国土地理院の長に委託することができる。

（測量成果の複製）

第四三条　公共測量の測量成果のうち図表等を測量の用に供し、刊行し、又は電磁的方法であつて国土交通省令で定めるものにより不特定多数の者が提供を受けることができる状態に置く措置をとるために複製しようとする者は、あらかじめ、当該測量成果を得た測量計画機関の承認を得なければならない。

（測量成果の使用）

第四四条　公共測量の測量成果を使用して測量を実施しようとする者は、あらかじめ、当該測量成果を得た測量計画機関の承認を得なければならない。

２　測量計画機関は、前項の承認の申請があつた場合において、次の各号のいずれにも該当しないと認めるときは、その承認をしなければならない。

一　申請手続が法令に違反していること。

二　当該測量成果を使用することが測量の正確さを確保する上で適切でないこと。

３　第一項の承認を得て測量を実施した者は、その実施により得られた測量成果に公共測量の測量成果を使用した旨を明示しなければならない。

４　公共測量の測量成果を使用して刊行物を刊行し、又は当該刊行物の内容である情報について電磁的方法であつて国土交通省令で定めるものにより不特定多数の者が提供を受けることができる状態に置く措置をとろうとする者は、当該刊行物にその旨を明示しなければならない。

（国土地理院が実施する公共測量の測量成果）

第四五条　第二十七条第一項の規定は国土地理院が実施する公共測量の測量成果について、同条第三項及び第二十八条の規定は国土地理院が実施する公共測量の測量成果及び測量記録について準用する。この場合において、第二十七条第一項中「国土地理院の長」とあるのは「国土交通大臣」と、「官報で公告しなければ」とあるのは「インターネットの利用その他適切な方法により公表しなければ」と読み替えるものとする。

２　第四十条から第四十二条までの規定は、国土地理院が実施する公共測量の測量成果及び測量記録については、適用しない。

第四章　基本測量及び公共測量以外の測量

（届出等）

第四六条　基本測量及び公共測量以外の測量を実施しようとする者は、あらかじめ、国土交通省令で定めるところにより、その旨を国土交通大臣に届け出なければならない。

２　国土交通大臣は、前項の規定による届出があつた場合において、測量の正確さを確保するため必要があると認めるときは、その届出をした者に対し、その届出に係る基本測量及び公共測量以外の測量の実施について必要な勧告をすることができる。

３　国土交通大臣は、前項の規定により勧告をするに当たつては、当該届出に係る基本測量及び公共測量以外の測量の実施を妨げることとならないよう当該勧告の内容について特に配慮しなければならない。

（測量成果及び測量記録の提出等）

第四七条　前条第一項の規定による届出のあつた測量で、国土交通大臣が公共性を有すると認めて指定するものについては、国土地理院の長は、当該測量の実施者に対して、当該測量の測量成果若しくは測量記録の閲覧又はこれらの写しの提出を求めることができる。この場合において、測量成果又は測量記録の写しの提出を求めるときは、その写しの作成に要する費用は、国の負担とする。

２　前項の測量の実施者は、正当な理由があるときは、同項の規定による測量成果若しくは測量記録の閲覧又はこれらの写しの提出を拒むことができる。

第五章　測量士及び測量士補

（測量士及び測量士補）

第四八条　技術者として基本測量又は公共測量に従事する者は、第四十九条の規定に従い登録された測量士又は測量士補でなければならない。

２　測量士は、測量に関する計画を作製し、又は実施する。

３　測量士補は、測量士の作製した計画に従い測量に従事する。

（測量士及び測量士補の登録）

第四九条　次条又は第五十一条の規定により測量士又は測量士補となる資格を有する者は、測量士又は測量士補になろうとする場合においては、国土地理院の長に対してその資格を証する書類を添えて、測量士名簿又は測量士補名簿に登録の申請をしなければならない。

2　測量士名簿及び測量士補名簿は、国土地理院に備える。

（測量士となる資格）

第五〇条　次の各号のいずれかに該当する者は、測量士となる資格を有する。

一　大学（短期大学を除き、旧大学令（大正七年勅令第三百八十八号）による大学を含む。）であつて文部科学大臣の認定を受けたもの（以下この号、次条、第五十一条の五及び第五十一条の六において単に「大学」という。）において、測量に関する科目を修め、当該大学を卒業した者で、測量に関し一年以上の実務の経験を有するもの

二　短期大学（専門職大学の前期課程を含む。）又は高等専門学校（旧専門学校令（明治三十六年勅令第六十一号）による専門学校を含む。）であつて文部科学大臣の認定を受けたもの（以下この号、次条、第五十一条の五及び第五十一条の六において「短期大学等」と総称する。）において、測量に関する科目を修め、当該短期大学等を卒業した者（専門職大学の前期課程にあつては、修了した者。次条第二号、第五十一条の五第一項第二号及び第五十一条の六第二号において同じ。）で、測量に関し三年以上の実務の経験を有するもの

一　大学（短期大学を除く。）であつて文部科学大臣の認定を受けたもの（以下この号及び次条第一号において単に「大学」という。）において、測量に関する科目を修め、当該大学を卒業した者で、測量に関し一年以上の実務の経験を有するもの

二　短期大学（専門職大学の前期課程を含む。）又は高等専門学校であつて文部科学大臣の認定を受けたもの（以下この号及び次条第二号において「短期大学等」と総称する。）において、測量に関する科目を修め、当該短期大学等を卒業した者（専門職大学の前期課程にあつては、修了した者。同号において同じ。）で、測量に関し三年以上の実務の経験を有するもの

三　測量に関する専門の養成施設であつて第五十一条の二から第五十一条の四までの規定により国土交通大臣の登録を受けたものにおいて一年以上測量士補となるのに必要な専門の知識及び技能を修得した者で、測量に関し二年以上の実務の経験を有するもの

四　測量士補で、測量に関する専門の養成施設であつて第五十一条の二から第五十一条の四までの規定により国土交通大臣の登録を受けたものにおいて高度の専門の知識及び技能を修得した者

五　国土地理院の長が行う測量士試験に合格した者

六　国土交通大臣が前各号に掲げる者と同等以上の知識及び技能を有するものと認定した者

（測量士補となる資格）

第五一条　次の各号のいずれかに該当する者は、測量士補となる資格を有する。

一　大学において、測量に関する科目を修め、当該大学を卒業した者

二　短期大学等において、測量に関する科目を修め、当該短期大学等を卒業した者

三　前条第三号の登録を受けた測量に関する専門の養成施設において一年以上測量士補となるのに必要な専門の知識及び技能を修得した者

四　国土地理院の長が行う測量士補試験に合格した者

五　国土交通大臣が前各号に掲げる者と同等以上の知識及び技能を有するものと認定した者

（測量に関する専門の養成施設の登録）

第五一条の二　第五十条第三号又は第四号の登録は、測量に関する専門の知識及び技能を有する者を養成する業務（以下「養成業務」という。）を行おうとする者の申請により行う。

（欠格条項）

第五一条の三　次の各号のいずれかに該当する者は、第五十条第三号又は第四号の登録を受けることができない。

一　この法律又はこの法律に基づく命令に違反し、罰金以上の刑に処せられ、その執行を終わり、又は執行を受けることがなくなつた日から二年を経過しない者

二　第五十一条の十五の規定により第五十条第三号又は第四号の登録を取り消され、その取消しの日から二年を経過しない者

三　法人であつて、養成業務を行う役員のうちに前二号のいずれかに該当する者があるもの

（登録の要件等）

第五一条の四　国土交通大臣は、第五十一条の二の規定による登録の申請が次に掲げる要件のすべてに適合しているときは、その登録をしなければならない。この場合において、登録に関して必要な手続は、国土交通省令で定める。

一　第五十条第三号の登録を受けようとする場合にあつては別表第一の一の項に、同条第四号の登録を受けようとする場合にあつては同表の二の項にそれぞれ掲げる測量に関する科目について、講義及び実習を行うものであること。

二　別表第二の上欄に掲げる実習機器を、それぞれ同表の下欄に掲げる数量以上の数量有していること。

三　別表第一に掲げる測量に関する科目を教授する教員を有し、かつ、これらの教員のうち専任の者（以下「専任教員」という。）の人数が、第五十条第三号の登録を受けようとする場合にあつては三人（百五十人を超える定員を有する養成施設にあつては、その超える数が百人までを増すごとに一を加えた人数）、同条第四号の登録を受けようとする場合にあつては六人（百五十人を超える定員を有する養成施設にあつては、その超える数が百人までを増すごとに二を加えた人数）以上であること。

第五一条の四　国土交通大臣は、第五十一条の二の規定による登録の申請が次に掲げる要件の全てに適合しているときは、その登録をしなければならない。この場合において、登録に関して必要な手続は、国土交通省令で定める。

一　測量に関する科目で国土交通省令で定めるものについて、講義及び実習を行うものであること。

二　測量士及び測量士補の業務において使用される機器であつて、実習のために用いるものとして国土交通省令で定めるものを、国土交通省令で定める数量以上の数量有していること。

三　第一号の国土交通省令で定める測量に関する科目を教授する教員を有し、かつ、専任教員（これらの教員のうち専任の者であつて国土交通省令で定める要件に該当するものをいう。以下この号において同じ。）の人数及び専任教員のうち専門分野を教授することができる者その他の国土交通省令で定める者の人数が、それぞれ国土交通省令で定める人数以上であること。

四　専任教員のうち、専門分野（測地に関する科目（別表第一の一の項第五号から第八号までに掲げる科目をいう。）に関する分野（以下「測地分野」という。）及び地図に関する科目（同項第九号から第十一号までに掲げる科目をいう。）に関する分野（以下「地図分野」という。以下同じ。）を教授することができる者の人数が、測地分野又は地図分野ごとにそれぞれ一人以上であること。

五　専任教員のうち一人は、主任専任教員（専門分野を統括し、かつ、別表第一に掲げる測量に関する科目に関する高度な測量技術を主任する者をいう。以下同じ。）であること。

四号及び五号は、削られます。

2　登録は、登録養成施設登録簿に次に掲げる事項を記載してするものとする。

一　登録年月日及び登録番号

二　第五十条第三号又は第四号の登録を受けた者（以下「登録養成施設設置者」という。）の氏名又は名称及び住所並びに法人にあつては、その代表者の氏名

三　登録養成施設設置者が養成業務を行う第五十条第三号又は第四号の登録を受けた測量に関する専門の養成施設（以下「登録養成施設」という。）の名称、所在地及び学科又は学科に相当するものの名称

四　登録養成施設の別（第五十条第三号の登録又は同条第四号の登録の別をいう。）

五　前各号に掲げるもののほか、国土交通省令で定める事項

（専任教員の資格）

第五一条の五　専任教員は、次の各号のいずれかに該当する者でなければならない。

一　大学において、測量に関する科目を修め、当該大学を卒業した者で、大学、短期大学等又は登録養成施設において、専門分野に関する教育に五年以上従事し、かつ、第四十九条第一項に規定する測量士の登録（以下単に「測量士の登録」という。）を受けているもの

二　短期大学等において、測量に関する科目を修め、当該短期大学等を卒業した者で、大学、短期大学等又は登録養成施設において、専門分野に関する教育に八年以上従事し、かつ、測量士の登録を受けているもの

三　前二号に掲げる者と同等以上の能力を有する者

2　専任教員は、他の養成施設の専任教員と兼務することができない。

（主任専任教員の資格）

第五一条の六　主任専任教員は、次の各号のいずれかに該当する者でなければならない。

一　大学において、測量に関する科目を修め、当該大学を卒業した者で、大学、短期大学等又は登録養成施設において、専門分野のうち第五十一条の四第一項第四号の規定により自己が教授する分野である測地分野又は地図分野（以下この号及び次号において「担当分野」という。）に関する教育に八年以上又は担当分野に関する教育に五年以上かつ専門分野のうち担当分野以外の分野に関する教育に三年以上従事し、かつ、測量士の登録を受けているもの

二　短期大学等において、測量に関する科目を修め、当該短期大学等を卒業した者で、大学、短期大学等又は登録養成施設において、担当分野に関する教育に十一年以上又は担当分野に関する教育に八年以上かつ専門分野のうち担当分野以外の分野に関する教育に三年以上従事し、かつ、測量士の登録を受けているもの

三　前二号に掲げる者と同等以上の能力を有する者

第五一条の五及び第五一条の六　削除

（登録の更新）

第五一条の七　第五十条第三号又は第四号の登録は、五年ごとにその更新を受けなければ、その期間の経過によつて、その効力を失う。

2　第五十一条の二から第五十一条の四までの規定は、前項の登録の更新について準用する。

（養成業務の実施に係る義務）

第五一条の八　登録養成施設設置者は、公正に、かつ、第五十一条の四第一項各号に掲げる要件及び国土交通省令で定める基準に適合する方法により養成業務を行わなければならない。

（変更の届出）

第五一条の九　登録養成施設設置者は、第五十一条の四第二項第二号、第三号又は第五号に掲げる事項を変更しようとするときは、変更しようとする日の二週間前までに、国土交通大臣に届け出なければならない。

（業務規程）

第五一条の一〇　登録養成施設設置者は、養成業務に関する規程（以下「業務規程」という。）を定め、養成業務の開始前に、国土交通大臣に届け出なければならない。これを変更しようとするときも、同様とする。

2　業務規程には、養成業務の実施方法、養成業務に関する料金その他の国土交通省令で定める事項を定めておかなければならない。

（業務の休廃止）

第五一条の一一　登録養成施設設置者は、養成業務の全部又は一部を休止し、又は廃止しようとするときは、国土交通省令で定めるところにより、あらかじめ、その旨を国土交通大臣に届け出なければならない。

（財務諸表等の備付け及び閲覧等）

第五一条の一二　登録養成施設設置者（国及び地方公共団体を除く。次項において同じ。）は、毎事業年度経過後三月以内に、その事業年度の財産目録、貸借対照表及び損益計算書又は収支計算書並びに事業報告書（その作成に代えて電磁的記録の作成がされている場合における当該電磁的記録を含む。同項及び第六十五条の二において「財務諸表等」という。）を作成し、五年間事業所に備えて置かなければならない。

2　第五十条第三号若しくは第五十一条第三号に規定する専門の知識及び技能又は第五十条第四号に規定する高度の専門の知識及び技能を修得しようとする者その他の利害関係人は、登録養成施設設置者の業務時間内は、いつでも、次に掲げる請求をすることができる。ただし、第二号又は第四号の請求をするには、登録養成施設設置者の定めた費用を支払わなければならない。

一　財務諸表等が書面をもつて作成されているときは、当該書面の閲覧又は謄写の請求

二　前号の書面の謄本又は抄本の請求

三　財務諸表等が電磁的記録をもつて作成されているときは、当該電磁的記録に記録された事項を国土交通省令で定める方法により表示したものの閲覧又は謄写の請求

四　前号の電磁的記録に記録された事項を電磁的方法であつて国土交通省令で定めるものにより提供することの請求又は当該事項を記載した書面の交付の請求

（適合命令）

第五一条の一三　国土交通大臣は、登録養成施設が第五十一条の四第一項各号のいずれかに適合しなくなつたと認めるときは、その登録養成施設設置者に対し、これらの規定に適合するため必要な措置をとるべきことを命ずることができる。

（改善命令）

第五一条の一四　国土交通大臣は、登録養成施設設置者が第五十一条の八の規定に違反していると認めるときは、その登録養成施設設置者に対し、同条の規定による養成業務を行うべきこと又は養成業務の方法その他の業務の方法の改善に関し必要な措置をとるべきことを命ずることができる。

（登録の取消し等）

第五一条の一五　国土交通大臣は、登録養成施設設置者が次の各号のいずれかに該当するときは、第五十条第三号若しくは第四号の登録を取り消し、又は期間を定めて養成業務の全部若しくは一部の停止を命ずることができる。

一　第五十一条の三第一号又は第三号に該当するに至つたとき。

二　第五十一条の九から第五十一条の十一まで、第五十一条の十二第一項又は次条の規定に違反したとき。

三　正当な理由がないのに第五十一条の十二第二項各号の規定による請求を拒んだとき。

四　前二条の規定による命令に違反したとき。

五　不正の手段により第五十条第三号又は第四号の登録を受けたとき。

（帳簿の記載）

第五一条の一六　登録養成施設設置者は、国土交通省令で定めるところにより、帳簿を備え、養成業務に関し国土交通省令で定める事項を記載し、これを保存しなければならない。

（報告の徴収）

第五一条の一七　国土交通大臣は、この法律の施行に必要な限度において、登録養成施設設置者に対し、その業務又は経理の状況に関し報告をさせることができる。

（立入検査）

第五一条の一八　国土交通大臣は、この法律の施行に必要な限度において、その職員に、登録養成施設の事務所又は事業所に立ち入り、業務の状況又は帳簿、書類その他の物件を検査させることができる。

2　前項の規定により職員が立入検査をする場合においては、その身分を示す証明書を携帯し、関係者に提示しなければならない。

3　第一項の規定による立入検査の権限は、犯罪捜査のために認められたものと解釈してはならない。

（公示）

第五一条の一九　国土交通大臣は、次の場合には、その旨を官報に公示しなければならない。

一　第五十条第三号又は第四号の登録をしたとき。

二　第五十一条の九の規定による届出があつたとき。

三　第五十一条の十一の規定による届出があつたとき。

四　第五十一条の十五の規定により第五十条第三号若しくは第四号の登録を取り消し、又は養成業務の停止を命じたとき。

（登録の消除）

第五二条　国土地理院の長は、測量士又は測量士補の登録を受けた者が左の各号の一に該当する場合においては、その登録を消除しなければならない。

一　死亡したとき。

二　この法律の規定に違反し罰金以上の刑に処せられたとき。

三　測量士又は測量士補となる資格を有しないことが判明したとき。

（試験手数料）

第五三条　第五十条第五号の測量士試験又は第五十一条第四号の測量士補試験を受けようとする者は、政令で定めるところにより、実費を勘案して政令で定める額の手数料を納めなければならない。

（施行規定）

第五四条　この法律に定めるものを除くの外、測量士又は測量士補の登録に関して必要な手続及び測量士又は測量士補の試験課目その他試験に関して必要な手続は、政令で定める。

（国土交通省令への委任）

第五四条　この法律に定めるものを除くほか、測量士又は測量士補の登録に関して必要な手続及び測量士又は測量士補の試験科目その他試験に関して必要な事項は、国土交通省令で定める。

（測量士及び測量士補となる資格の在り方の検討）

第五四条の二　政府は、測量に関する業務において、測量士及び測量士補の能力が適切に評価され、並びに測量士及び測量士補が十分に活用されるようにするため、測量士及び測量士補の中長期的な育成及び確保に留意して、公共工事の品質確保の促進に関する法律（平成十七年法律第十八号）第三十二条の規定による検討とともに、測量士及び測量士補となる資格の在り方について検討を加え、その結果に基づいて必要な措置を講ずるものとする。

第六章　測量業者

第一節　登録

（測量業者の登録及び登録の有効期間）

第五五条　測量業を営もうとする者は、この法律の定めるところにより、測量業者としての登録を受けなければならない。

2　前項の登録の有効期間は、五年とする。

3　第一項の登録の有効期間の満了後引き続き測量業を営もうとする者は、更新の登録を受けなければならない。

4　前項の更新の登録を受けようとする者が次条第一項の規定による申請をした場合において、第一項の登録の有効期間の満了の日までに、第五十五条の五第一項の規定による登録又は第五十五条の六第一項の規定による登録の拒否の処分がなされないときは、それらの処分があるまでは、第二項の規定にかかわらず、第一項の登録は、なお効力を有するものとみなす。

（登録の申請）

第五五条の二　前条第一項の規定により登録を受けようとする者（前条第三項の規定により更新の登録を受けようとする者を含む。以下「登録申請者」という。）は、国土交通省令で定めるところにより、国土交通大臣に、次に掲げる事項を記載した登録申請書を提出しなければならない。

一　商号又は名称

二　営業所（本店又は支店若しくは政令で定めるこれに準ずるものをいう。以下同じ。）の名称及び所在地

三　法人である場合においては、その資本金又は出資の額及び役員の氏名

四　個人である場合においては、その氏名

五　主として請け負う測量の種類及び測量業以外の営業又は事業を行つている場合においては、当該営業又は事業の種類

（登録申請書の添付書類）

第五五条の三　前条の登録申請書には、国土交通省令で定めるところにより、次に掲げる書類を添付しなければならない。

一　営業経歴書及び法人である場合においては、定款

二　直前二年の各事業年度における測量実施金額を記載した書面

三　直前一年の事業年度の財務に関する書類で国土交通省令で定めるもの

四　使用人数並びに営業所ごとの測量士及び測量士補の人数を記載した書面

五　登録申請者（法人である場合においては、その役員を含む。）及び法定代理人が第五十五条の六第一項第一号から第五号までに該当しない者であることを誓約する書面

五　登録申請者（法人である場合においては、その役員を含む。）及び法定代理人が第五十五条の六第一項第一号から第七号までに該当しない者であることを誓約する書面

六　第五十五条の十三に規定する要件を備えていることを誓約する書面

（登録免許税及び登録手数料）

第五五条の四　第五十五条第一項の規定により登録を受けようとする者（第四十九条の規定に従い登録された測量士を除く。）は、登録免許税法（昭和四十二年法律第三十五号）の定めるところにより登録免許税を納めなければならない。

2　第五十五条第一項の規定により登録を受けようとする者（第四十九条の規定に従い登録された測量士に限る。）及び第五十五条第三項の規定により更新の登録を受けようとする者は、実費を勘案して政令で定める額の登録手数料を納めなければならない。

（登録の実施及び登録の通知）

第五五条の五　国土交通大臣は、第五十五条の二の規定による登録の申請があつた場合においては、次条第一項の規定により登録を拒否する場合を除くほか、遅滞なく、第五十五条の二各号に掲げる事項並びに登録年月日及び登録番号を測量業者登録簿（以下「登録簿」という。）に登録しなければならない。

2　国土交通大臣は、前項の規定による登録をした場合においては、遅滞なく、その旨を当該登録申請者に通知しなければならない。

（登録の拒否）

第五五条の六　国土交通大臣は、登録申請者が次の各号のいずれかに該当する者であるとき、又は登録申請書若しくは添付書類に重要な事項について虚偽の記載があり、若しくは重要な事実の記載が欠けているときは、その登録を拒否しなければならない。

一　破産手続開始の決定を受けて復権を得ない者

二　第五十七条第一項第一号若しくは第三号又は同条第二項各号のいずれかに該当することにより登録を取り消され、その取消しの日から二年を経過しない者（当該取消しに係る測量業者が法人である場合においては、当該取消しの日前三十日以内に当該測量業者の役員であつた者で当該取消しの日から二年を経過しないものを含む。）

三　第五十五条の十四の規定に違反して刑に処せられ、その執行を終わり、又は執行を受けることがなくなつた日から二年を経過しない者（当該刑に処せられた者が法人である場合においては、当該刑に処せられた日前三十日以内に当該法人の役員であつた者で当該刑の執行を終わり、又は執行を受けることがなくなつた日から二年を経過しないものを含む。）

四　営業に関し成年者と同一の行為能力を有しない未成年者でその法定代理人が前三号又は次号のいずれかに該当するもの

五　法人でその役員のうちに第一号から第三号までのいずれかに該当する者のあるもの

六　営業所について第五十五条の十三の要件を欠く者

四　暴力団員による不当な行為の防止等に関する法律（平成三年法律第七十七号）第二条第六号に規定する暴力団員又は同号に規定する暴力団員でなくなつた日から五年を経過しない者（第七号において「暴力団員等」という。）

五　営業に関し成年者と同一の行為能力を有しない未成年者でその法定代理人が前各号又は次号のいずれかに該当するもの

六　法人でその役員のうちに第一号から第四号までのいずれかに該当する者のあるもの

七　暴力団員等がその事業活動を支配する者

八　営業所について第五十五条の十三の要件を欠く者

2　国土交通大臣は、前項の規定による登録の拒否をした場合においては、遅滞なく、その理由を示して、その旨を登録申請者に通知しなければならない。

（変更登録の申請）

第五五条の七　測量業者は、第五十五条の二第一号から第四号までに掲げる事項又は主として請け負う測量の種類について変更があつたときは、国土交通省令で定めるところにより、遅滞なく、国土交通大臣に変更登録の申請をしなければならない。

2　測量業者が前項の変更登録の申請をしようとするときは、当該変更に係る事項を記載した申請書を国土交通大臣に提出しなければならない。この場合において、当該変更に係る事項が法人の役員の増員若しくは交代又は営業所の新設に係るものであるときは、第五十五条の三第五号又は第六号に規定する書面を添附しなければならない。

3　第五十五条の五及び第五十五条の六の規定は、第一項の規定による変更登録の申請があつた場合に、準用する。

（**書類の提出義務**）

第五五条の八　測量業者は、毎事業年度終了の日から三月以内に、当該事業年度の営業経歴書及び当該事業年度に係る第五十五条の三第三号の書類を国土交通大臣に提出しなければならない。

2　測量業者は、定款を変更したときはその都度、毎事業年度終了の時において、第五十五条の三第四号に規定する書面の記載事項について変更があるときは当該事業年度終了の後遅滞なく、国土交通省令で定めるところにより、その変更に係る事項を記載した書面を国土交通大臣に提出しなければならない。

（**廃業等の届出**）

第五五条の九　測量業者が次の各号のいずれかに掲げる場合に該当することとなつたときは、当該各号に掲げる者は、その日から三十日以内に、国土交通大臣にその旨を届け出なければならない。

一　個人である測量業者が死亡した場合　その相続人

二　法人である測量業者が合併により解散した場合　その法人を代表する役員であつた者

三　法人である測量業者が破産手続開始の決定により解散した場合　その破産管財人

四　法人である測量業者が合併又は破産手続開始の決定以外の理由により解散した場合　その清算人

五　測量業を廃止した場合　測量業者であつた個人又は測量業者であつた法人を代表する役員

2　測量業者は、第五十五条の六第一項第一号及び第三号から第六号までの規定に該当するに至つたときは、国土交通省令で定めるところにより、遅滞なく、その旨を国土交通大臣に届け出なければならない。

> 2　測量業者は、第五十五条の六第一項第一号及び第三号から第八号までのいずれかに該当するに至つたときは、国土交通省令で定めるところにより、遅滞なく、その旨を国土交通大臣に届け出なければならない。

（**登録の消除**）

第五五条の一〇　国土交通大臣は、次の各号の一に該当するときは、登録簿につき、当該測量業者の登録を消除しなければならない。

一　前条第一項又は第二項の規定による届出があつたとき。

二　登録の有効期間の満了の際、更新の登録の申請がなかつたとき。

三　第五十七条第一項又は第二項の規定により測量業者の登録を取り消したとき。

2　第五十五条の六第二項の規定は、前項の規定により登録を消除した場合に、準用する。

（**登録の消除の場合における測量の措置**）

第五五条の一一　前条第一項の規定により測量業者の登録が消除された場合においては、測量業者であつた者又はその一般承継人は、第五十五条の十四の規定にかかわらず、登録が消除される以前に締結された請負契約に係る測量を引き続いて実施することができる。この場合において、当該測量業者であつた者又はその一般承継人は、登録を消除された後、遅滞なく、その旨を当該測量の注文者に通知しなければならない。

2　前項に規定する測量の注文者は、前項の規定による通知を受けた日又は当該測量業者の登録が消除されたことを知つた日から三十日以内に限り、その測量の請負契約を解除することができる。

（**登録簿等の閲覧等**）

第五五条の一二　国土交通大臣又は都道府県知事は、次に掲げる書類又は次項の規定により国土交通大臣から送付を受けた書類を、政令で定めるところにより、公衆の閲覧に供さなければならない。

一　登録簿

二　第五十五条の三各号に規定する書類

三　第五十五条の七の規定により変更登録をした場合においては、同条第二項後段に規定する書類

四　第五十五条の八第一項及び第二項に規定する書類

2　国土交通大臣は、次の各号に該当する場合には、当該各号に掲げる書類を、遅滞なく、当該測量業者の営業所の所在する区域を管轄する都道府県知事に送付しなければならない。

一　第五十五条の五第一項の規定により測量業者の登録をした場合　前項第一号及び第二号の書類の写し

二　第五十五条の七の規定により測量業者の変更登録をした場合　前項第一号及び第三号の書類の写し

三　測量業者から第五十五条の八第一項又は第二項の書類の提出があつた場合　当該書類の写し

3　国土交通大臣は、第五十五条の十の規定により測量業者の登録を消除したときは、遅滞なく、当該登録の消除に係る測量業者の営業所の所在する区域を管轄する都道府県知事にその旨を通知しなければならない。

（**測量士の設置**）

第五五条の一三　測量業者は、その営業所ごとに測量士を一人以上置かなければならない。

2　前項の規定は、測量業者（法人である場合においては、その役員のうちいずれかの役員）が測量士であるときは、その者が自ら主として業務を行う営業所については、適用しない。

（**無登録営業の禁止**）

第五五条の一四　第五十五条の五第一項の規定による登録を受けない者は、測量業を営むことができない。

第二節　業務

（**業務処理の原則**）

第五六条　測量業者は、その業務を誠実に行ない、常に測量成果の正確さの確保に努めなければならない。

（**一括下請負の禁止**）

第五六条の二　測量業者は、いかなる方法をもつてするかを問わず、その請け負つた測量を一括して他人に請け負わせ、又は他の測量業者から当該他の測量業者の請け負つた測量を一括して請け負つてはならない。

2　前項の規定は、元請負人があらかじめ注文者の書面による承諾を得た場合には、適用しない。

3　注文者は、前項の規定による書面による承諾に代えて、政令で定めるところにより、同項の元請負人の承諾を得て、電磁的方法であつて国土交通省令で定めるものにより、同項の承諾をする旨の通知をすることができる。この場合において、当該注文者は、当該書面による承諾をしたものとみなす。

（**測量業者以外の者に対する下請負の禁止**）

第五六条の三　測量業者は、その請け負つた測量（第四条から第六条までに規定する測量に限る。第五十七条第二項第四号及び第五十九条において同じ。）を測量業者以外の者に請け負わせてはならない。

（**下請負人の変更請求**）

第五六条の四　注文者は、測量業者に対して、測量の実施につき著しく不適当と認められる下請負人があるときは、その変更を請求することができる。ただし、あらかじめ注文者の書面による承諾を得て選定した下請負人については、この限りでない。

2　注文者は、前項ただし書の規定による書面による承諾に代えて、政令で定めるところにより、同項ただし書の規定により下請負人を選定する者の承諾を得て、電磁的方法であつて国土交通省令で定めるものにより、同項ただし書の承諾をする旨の通知をすることができる。この場合において、当該注文者は、当該書面による承諾をしたものとみなす。

（**標識の掲示**）

第五六条の五　測量業者は、その店舗ごとに、公衆の見やすい場所に、国土交通省令で定める標識を掲げなければならない。

（**国土交通大臣の助言**）

第五六条の六　測量業者は、その業務の改善又は測量技術の向上のために必要があるときは、国土交通大臣に対して、必要な助言を求めることができる。

第三節　監督

（**登録の取消し又は営業の停止**）

第五七条　国土交通大臣は、測量業者が次の各号の一に該当するときは、当該測量業者の登録を取り消さなければならない。

一　不正の手段により第五十五条の五第一項の規定による登録を受けたとき。

二　第五十五条の九第一項の規定による届出がなくて同条同項各号の一に該当する事実が判明したとき。

三　第五十五条の九第二項の規定による届出がなくて第五十五条の六第一項第一号及び第三号から第六号までの規定に該当する事実が判明したとき。

三　第五十五条の九第二項の規定による届出がなくて第五十五条の六第一項第一号及び第三号から第八号までのいずれかに該当する事実が判明したとき。

2　国土交通大臣は、測量業者が次の各号の一に該当するときは、当該測量業者に対し、六月以内の期間を定めて、その営業の全部若しくは一部の停止を命じ、又はその登録を取り消すことができる。

一　第五十五条の七第一項の規定による変更登録の申請をせず、又は虚偽の申請をしたとき。

二　正当の理由がなくて第五十五条の八第一項又は第二項の規定による書類の提出を怠り、又は虚偽の記載をしてこれらの書類を提出したとき。

三　第五十六条の二第一項の規定に違反して、その請け負つた測量を一括して他人に請け負わせ、又は他の測量業者からその請け負つた測量を一括して請け負つたとき。

四　第五十六条の三の規定に違反してその請け負つた測量を測量業者以外の者に請け負わせたとき。

五　測量業者（法人である場合においては、その役員）が禁錮以上の刑に処せられ、又はこの法律若しくは測量に関する他の法令に違反して刑に処せられたとき。

六　この法律の規定に基づく国土交通大臣の処分に違反したとき。

七　その他業務に関して著しく不当な行為をしたとき。

3　第五十五条の六第二項の規定は、前二項の規定により国土交通大臣が登録を取り消し、又は営業の停止を命じた場合に、第五十五条の十一第一項の規定は、前項の規定により測量業者が営業の停止を命ぜられた場合に、準用する。

（参考人の意見聴取）

第五十七条の二　前条第一項又は第二項の規定による登録の取消しに係る聴聞の主宰者は、必要があると認めるときは、参考人の意見を聴かなければならない。

2　前項の規定は、国土交通大臣が前条第二項の規定による営業の停止命令に係る弁明の機会の付与を行う場合に準用する。

（報告及び検査）

第五十七条の三　国土交通大臣は、測量業の適正な運営を確保するため必要があると認めるときは、測量業を営む者について、その業務、財産若しくは測量実施の状況につき、必要な報告を求め、又はその職員に営業所その他営業に関係のある場所に立ち入り、帳簿書類その他の物件を検査させることができる。

2　前項の規定により立入り検査をする職員は、その身分を示す証明書を携帯し、関係人に提示しなければならない。

3　第一項の規定による立入検査の権限は、犯罪捜査のために認められたものと解釈してはならない。

第四節　雑則

（参考人の費用）

第五十八条　第五十七条の二の規定により意見を求められて出頭した参考人は、政令で定めるところにより、旅費及び手当を請求することができる。

（測量業等とみなす場合）

第五十九条　委託その他いかなる名義によるかを問わず、報酬を得て測量の完成を目的として締結する契約は請負契約と、これらの契約に係る測量を行なう営業は測量業とみなして、この法律の規定を適用する。

第七章　補則

（権限の委任）

第五十九条の二　前章に規定する国土交通大臣の権限は、国土交通省令で定めるところにより、その全部又は一部を地方整備局長又は北海道開発局長に委任することができる。

（事務の区分）

第六〇条　第十四条第三項（第三十九条において準用する場合を含む。）、第二十一条第二項（第三十三条第二項及び第三十九条において準用する場合を含む。）、第二十四条第二項（第三十九条において準用する場合を含む。）及び第五十五条の十二第一項の規定により都道府県が処理することとされている事務並びに第二十一条第三項（第三十九条において、測量計画機関が国である公共測量に準用する場合を含む。）の規定により市町村（特別区を含む。次項において同じ。）が処理することとされている事務は、地方自治法（昭和二十二年法律第六十七号）第二条第九項第一号に規定する第一号法定受託事務とする。

2　第三十九条において準用する第二十一条第三項の規定により市町村が処理することとされている事務（測量計画機関が都道府県である公共測量に係るものに限る。）は、地方自治法第二条第九項第二号に規定する第二号法定受託事務とする。

第八章　罰則

第六一条　第二十二条（第三十九条において準用する場合を含む。）の規定に違反した者は、二年以下の懲役又は百万円以下の罰金に処する。

第六一条の二　次の各号のいずれかに該当する者は、一年以下の懲役又は百万円以下の罰金に処する。

一　第五十五条の十四の規定に違反して登録を受けないで測量業を営んだ者

二　第五十七条第二項の規定による営業の停止の処分に違反して測量業を営んだ者

三　不正の手段により第五十五条の五第一項の規定による登録を受けた者

第六二条　次の各号のいずれかに該当する者は、一年以下の懲役又は五十万円以下の罰金に処する。

一　基本測量若しくは公共測量に従事する者又はその他の者で、基本測量又は公共測量の測量成果をして、真実に反するものたらしめる行為をした者

二　第四十八条第一項の規定に違反した者

三　第五十一条の十五の規定による養成業務の停止の命令に違反した登録養成施設設置者の役員又は職員

第六三条　次の各号のいずれかに該当する者は、六月以下の懲役又は三十万円以下の罰金に処する。

一　正当の理由がなくて基本測量又は公共測量の実施を妨げた者

二　第十五条第一項（第三十九条において準用する場合を含む。）の規定による土地の立入りを拒み、又は妨げた者

三　第十八条（第三十九条において準用する場合を含む。）の規定による土地、樹木又は工作物の一時使用を拒み、又は妨げた者

第六三条の二　次の各号のいずれかに該当する者は、三十万円以下の罰金に処する。

一　第五十一条の十一の規定による届出をしないで養成業務の全部を廃止した者

二　第五十一条の十六の規定に違反して同条に規定する帳簿を備えず、帳簿に記載せず、若しくは虚偽の記載をし、又は帳簿を保存しなかつた者

三　第五十一条の十七の規定による報告をせず、又は虚偽の報告をした者

四　第五十一条の十八第一項の規定による検査を拒み、妨げ、又は忌避した者

五　第五十五条の七第一項の規定による変更登録の申請をせず、又は虚偽の申請をした者

六　正当な理由がなくて第五十五条の八第一項又は第二項の規定による書類の提出を怠り、又は虚偽の記載をしてこれらの書類を提出した者

七　第五十五条の九第二項の規定により届出をしなかつた者

八　第五十五条の十一第一項後段の規定による通知をしなかつた者

九　第五十七条の三第一項の規定による報告をせず、若しくは虚偽の報告をし、又は同項の規定による検査を拒み、妨げ、若しくは忌避した者

第六四条　次の各号のいずれかに該当する者は、三十万円以下の罰金に処する。

一　第二十六条（第三十九条において準用する場合を含む。）の規定に違反して測量標を使用した者

二　第二十九条の規定に違反した者

三　第三十条第一項の規定に違反した者

第六五条　法人の代表者又は法人若しくは人の代理人、使用人その他の従業者がその法人又は人の業務に関して第六十一条から前条までの違反行為をしたときは、行為者を罰するほか、その法人又は人に対しても、各本条の罰金刑を科する。

第六五条の二　第五十一条の十二第一項の規定に違反して財務諸表等を備えて置かず、財務諸表等に記載すべき事項を記載せず、若しくは虚偽の記載をし、又は正当な理由がないのに同条第二項各号の規定による請求を拒んだ者は、二十万円以下の過料に処する。

第六六条　次の各号のいずれかに該当する者は、十万円以下の過料に処する。

一　第五十五条の九第一項の規定による届出を怠つた者

二　第五十六条の五の規定による標識を掲げない者

三　第五十七条第三項の規定により準用する第五十五条の十一第一項後段の規定による通知をしなかつた者

附　則

（施行の期日）

1　この法律は、公布の日から起算して九十日を経過した日から施行する。

（陸地測量標条例等の廃止）

2　陸地測量標条例（明治二十三年法律第二十三号）及び陸地測量標条例施行細則（明治二十八年陸軍省令第十七号）は、廃止する。

3　この法律施行前にした陸地測量標条例に違反する行為に対する罰則の適用については、なお、従前の例による。

（測量士及び測量士補に関する経過規定）

4　この法律施行の日から一年間に限り、測量士又は測量士補でない者でも、第四十八条の規定にかかわらず、基本測量又は公共測量に従事することができる。

（この法律施行前の測量成果、測量記録及び測量標）

5　この法律施行前に陸地測量標条例に基いてした測量で、基本測量の範囲に属するものの測量成果、測量記録及び測量標は、この法律に基く基本測量の測量成果、測量記録及び測量標とみなす。

6　この法律施行前にした測量で、国土交通大臣が指定したものの測量成果、測量記録及び測量標は、公共測量の測量成果、測量記録及び測量標とみなす。この場合において第四十条及び第四十一条第一項中「測量計画機関」とあるのは「当該測量を計画した者」と読み替えるものとする。

7　国土交通大臣は、必要と認めるときは、前項の規定により、公共測量の測量成果若しくは測量記録とみなされたもの又はそれらの写しを国土地理院の長に送付させることができる。

（この法律施行の際実施中の公共測量の措置）

8　この法律施行の際、現に実施中の測量で、公共測量に属するものについては、第三十二条、第三十三条及び第三十六条の規定は、適用しない。但し、当該測量がこの法律施行の日から一年以内に完了しない場合においては、一年後に実施される分については、この限りでない。

9　前項本文の規定に該当する場合においては、測量計画機関は、当該指定があつた後遅滞なく第三十三条の作業規程及び第三十六条の作業計画書を国土地理院の長に届け出なければならない。

附　則〔略〕〔昭和二六・六・九法律二二〇〕

附　則〔略〕〔昭和二七・七・三一法律二八二〕

附　則〔略〕〔昭和三五・七・一法律一一五〕

附　則〔抄〕〔昭和三六・六・一法律一〇六〕

（施行期日）

1　この法律は、公布の日から起算して六月をこえない範囲内において政令で定める日から施行する。ただし、第十五条から第十八条まで、第二十五条及び第三十九条の改正規定は、公布の日から施行する。

〔昭和三六政三三三により、昭和三六・一一・三〇から施行〕

（経過措置）

2　第五十五条の十四の規定は、この法律の施行の際現に測量業を営んでいる者については、次の各号の一に該当する場合に限り、適用しない。

一　この法律の施行の日から六十日間（その期間内に第五十五条の二の規定により登録を申請した場合において、その期間内に第五十五条の五第一項の規定による登録又は第五十五条の六第一項の規定による登録の拒否の処分がなされないときは、それらの処分がなされるまでの期間）その測量業を営む場合

二　前号の期間が経過した後において、この法律の施行前に締結した請負契約に係る測量を完了する目的の範囲内で測量業を営む場合

3　この法律の施行の際現に測量業を営んでいる者がこの法律の施行の日から六十日以内に第五十五条の二の規定により登録を申請し、その申請に係る登録が第五十五条の六第一項の規定により拒否された場合において、その者がこの法律の施行の後その登録が拒否されるまでの間に締結した請負契約があるときは、その契約に係る測量の実施については、その者を第五十五条の十第一項の規定により登録が消除された測量業者とみなしてこの法律の規定を適用する。

附　則〔略〕〔昭和三六・六・一七法律一四五〕

附　則〔抄〕〔昭和三七・九・一五法律一六一〕

1　この法律は、昭和三十七年十月一日から施行する。

2　この法律による改正後の規定は、この附則に特別の定めがある場合を除き、この法律の施行前にされた行政庁の処分、この法律の施行前にされた申請に係る行政庁の不作為その他この法律の施行前に生じた事項についても適用する。ただし、この法律による改正前の規定によつて生じた効力を妨げない。

3　この法律の施行前に提起された訴願、審査の請求、異議の申立てその他の不服申立て（以下「訴願等」という。）については、この法律の施行後も、なお従前の例による。この法律の施行前にされた訴願等の裁決、決定その他の処分（以下「裁決等」という。）又はこの法律の施行前に提起された訴願等につきこの法律の施行後にされる裁決等にさらに不服がある場合の訴願等についても、同様とする。

4　前項に規定する訴願等で、この法律の施行後は行政不服審査法による不服申立てをすることができることとなる処分に係るものは、同法以外の法律の適用については、行政不服審査法による不服申立てとみなす。

5　第三項の規定によりこの法律の施行後にされる審査の請求、異議の申立てその他の不服申立ての裁決等については、行政不服審査法による不服申立てをすることができない。

6　この法律の施行前にされた行政庁の処分で、この法律による改正前の規定により訴願等をすることができるものとされ、かつ、その提起期間が定められていなかつたものについて、行政不服審査法による不服申立てをすることができる期間は、この法律の施行の日から起算する。

8　この法律の施行前にした行為に対する罰則の適用については、なお従前の例による。

9　前八項に定めるもののほか、この法律の施行に関して必要な経過措置は、政令で定める。

10　この法律及び行政事件訴訟法の施行に伴う関係法律の整理等に関する法律（昭和三十七年法律第百四十号）に同一の法律についての改正規定がある場合においては、当該法律は、この法律によつてまず改正され、次いで行政事件訴訟法の施行に伴う関係法律の整理等に関する法律によつて改正されるものとする。

附　則〔昭和四二・六・一二法律三六〕

1　この法律は、登録免許税法の施行の日〔昭和四二・八・一〕から施行する。

2　登録免許税法別表第一の第二十三号の(三)、(十三)、(十六)及び(十七)、第三十一号、第四十三号から第四十六号まで並びに第四十八号に掲げる登録又は免許（以下「登録等」という。）の申請書を同法の公布の日前に当該登録等の事務をつかさどる官署（以下「登録官署等」という。）に提出した者が昭和四十二年十二月三十一日までに当該申請書に係る登録等を受ける場合における当該登録等に係る手数料については、なお従前の例による。

3　登録等の申請書を登録免許税法の公布の日から昭和四十二年七月三十一日までの間に登録官署等に提出した者が同日後に当該申請書に係る登録等を受ける場合又は登録等の申請書を同法の公布の日前に登録官署等に提出した者が昭和四十三年一月一日以後に当該申請書に係る登録等を受ける場合において、当該登録等の申請に際し当該登録等に係る手数料を納付しているときは、当該納付した手数料の額は、登録免許税法の規定により納付すべき登録免許税の額の一部として納付したものとみなす。

附　則〔略〕〔昭和四二・七・二一法律七五〕

附　則〔略〕〔昭和五〇・一二・二六法律九〇〕

附　則〔略〕〔昭和五九・五・一法律二三〕

附　則〔抄〕〔昭和六〇・一二・二四法律一〇二〕

（施行期日）

第一条　この法律〔中略〕は、それぞれ当該各号に定める日〔公布の日から

起算して三月を経過した日）から施行する。

（罰則に関する経過措置）

第八条　この法律（附則第一条各号に掲げる規定については、当該各規定の施行前にした行為〔中略〕に対する罰則の適用については、なお従前の例による。

附　則〔抄〕〔平成五・一一・一二法律八九〕

（施行期日）

第一条　この法律は、行政手続法（平成五年法律第八十八号）の施行の日（平成六・一〇・一）から施行する。

（諮問等がされた不利益処分に関する経過措置）

第二条　この法律の施行前に法令に基づき審議会その他の合議制の機関に対し行政手続法第十三条に規定する聴聞又は弁明の機会の付与の手続その他の意見陳述のための手続に相当する手続を執るべきことの諮問その他の求めがされた場合においては、当該諮問その他の求めに係る不利益処分の手続に関しては、この法律による改正後の関係法律の規定にかかわらず、なお従前の例による。

（罰則に関する経過措置）

第一三条　この法律の施行前にした行為に対する罰則の適用については、なお従前の例による。

（聴聞に関する規定の整理に伴う経過措置）

第一四条　この法律の施行前に法律の規定により行われた聴聞、聴聞若しくは聴聞会（不利益処分に係るものを除く。）又はこれらのための手続は、この法律による改正後の関係法律の相当規定により行われたものとみなす。

（政令への委任）

第一五条　附則第二条から前条までに定めるもののほか、この法律の施行に関して必要な経過措置は、政令で定める。

附　則〔抄〕〔平成一一・七・一六法律八七〕

（施行期日）

第一条　この法律は、平成十二年四月一日から施行する。ただし、次の各号に掲げる規定は、当該各号に定める日から施行する。

一　〔前略〕附則〔中略〕第百六十条、第百六十三条、第百六十四条並びに第二百二条の規定　公布の日

二～六　〔略〕

（国等の事務）

第一五九条　この法律による改正前のそれぞれの法律に規定するもののほか、この法律の施行前において、地方公共団体の機関が法律又はこれに基づく政令により管理し又は執行する国、他の地方公共団体その他公共団体の事務（附則第百六十一条において「国等の事務」という。）は、この法律の施行後は、地方公共団体が法律又はこれに基づく政令により当該地方公共団体の事務として処理するものとする。

（処分、申請等に関する経過措置）

第一六〇条　この法律（附則第一条各号に掲げる規定については、当該各規定。以下この条及び附則第百六十三条において同じ。）の施行前に改正前のそれぞれの法律の規定によりされた許可等の処分その他の行為（以下この条において「処分等の行為」という。）又はこの法律の施行の際現に改正前のそれぞれの法律の規定によりされている許可等の申請その他の行為（以下この条において「申請等の行為」という。）で、この法律の施行の日においてこれらの行為に係る行政事務を行うべき者が異なることとなるものは、附則第二条から前条までの規定又は改正後のそれぞれの法律（これに基づく命令を含む。）の経過措置に関する規定に定めるものを除き、この法律の施行の日以後における改正後のそれぞれの法律の適用については、改正後のそれぞれの法律の相当規定によりされた処分等の行為又は申請等の行為とみなす。

2　この法律の施行前に改正前のそれぞれの法律の規定により国又は地方公共団体の機関に対し報告、届出、提出その他の手続をしなければならない事項で、この法律の施行の日前にその手続がされていないものについては、この法律及びこれに基づく政令に別段の定めがあるもののほか、これを、改正後のそれぞれの法律の相当規定により国又は地方公共団体の相当の機関に対して報告、届出、提出その他の手続をしなければならない事項についてその手続がされていないものとみなして、この法律による改正後のそれぞれの法律の規定を適用する。

（不服申立てに関する経過措置）

第一六一条　施行日前にされた国等の事務に係る処分であって、当該処分をした行政庁（以下この条において「処分庁」という。）に施行日前に行政不服審査法に規定する上級行政庁（以下この条において「上級行政庁」という。）があったものについての同法による不服申立てについては、施行日以後においても、当該処分庁に引き続き上級行政庁があるものとみなして、行政不服審査法の規定を適用する。この場合において、当該処分庁の上級行政庁とみなされる行政庁は、施行日前に当該処分庁の上級行政庁であった行政庁とする。

2　前項の場合において、上級行政庁とみなされる行政庁が地方公共団体の機関であるときは、当該機関が行政不服審査法の規定により処理することとされる事務は、新地方自治法第二条第九項第一号に規定する第一号法定受託事務とする。

（手数料に関する経過措置）

第一六二条　施行日前においてこの法律による改正前のそれぞれの法律（これに基づく命令を含む。）の規定により納付すべきであった手数料については、この法律及びこれに基づく政令に別段の定めがあるもののほか、なお従前の例による。

（罰則に関する経過措置）

第一六三条　この法律の施行前にした行為に対する罰則の適用については、なお従前の例による。

（その他の経過措置の政令への委任）

第一六四条　この附則に規定するもののほか、この法律の施行に伴い必要な経過措置（罰則に関する経過措置を含む。）は、政令で定める。

2　〔略〕

附　則〔抄〕〔平成一一・一二・八法律一五一〕

（施行期日）

第一条　この法律は、平成十二年四月一日から施行する。〔以下略〕

（経過措置）

第三条　民法の一部を改正する法律（平成十一年法律第百四十九号）附則第三条第三項の規定により従前の例によることとされる準禁治産者及びその保佐人に関するこの法律による改正規定の適用については、〔中略〕なお従前の例による。〔以下略〕

第四条　この法律の施行前にした行為に対する罰則の適用については、なお従前の例による。

附　則〔略〕〔平成一一・一二・二二法律一六〇〕

附　則〔抄〕〔平成一二・一一・二七法律一二六〕

（施行期日）

第一条　この法律は、公布の日から起算して五月を超えない範囲内において政令で定める日から施行する。〔以下略〕

〔平成一三政三により、平成一三・四・一から施行〕

（罰則に関する経過措置）

第二条　この法律の施行前にした行為に対する罰則の適用については、なお従前の例による。

附　則〔抄〕〔平成一三・六・二〇法律五三〕

（施行期日）

第一条　この法律は、公布の日から起算して一年を超えない範囲内において政令で定める日から施行する。

〔平成一三政四三一により、平成一四・四・一から施行〕

（公共測量等に係る測量の基準に関する経過措置）

第二条　この法律の施行の際現に実施中の公共測量並びに基本測量及び公共測量以外の測量（測量法第四十七条の規定により指定されたものに限る。）に係る測量の基準については、なお従前の例による。

（罰則に関する経過措置）

第四条　この法律の施行前にした行為に対する罰則の適用については、なお従前の例による。

附　則〔抄〕〔平成一五・六・一八法律九六〕

（施行期日）

第一条　この法律は、平成十六年三月一日から施行する。

（測量法の一部改正に伴う経過措置）

第四条　第三条の規定による改正後の測量法（以下この条において「新測量法」という。）第五十条第三号又は第四号の登録を受けようとする者は、第三条の規定の施行前においても、その申請を行うことができる。新測量法第五十一条の十第一項の規定による業務規程の届出についても、同様とする。

2　第三条の規定の施行の際現に同条の規定による改正前の測量法（以下こ

の条において「旧測量法」という。）第五十条第三号若しくは第五十一条第三号の指定を受けている測量に関する専門の養成施設（以下この条において単に「養成施設」という。）又は旧測量法第五十条第四号の指定を受けている養成施設は、第三条の規定の施行の日から起算して六月を経過する日までの間は、それぞれ新測量法第五十条第三号の登録を受けた養成施設又は同条第四号の登録を受けた養成施設とみなす。

3　第三条の規定の施行前に旧測量法第五十条第三号若しくは第五十一条第三号の指定を受けた養成施設において修得した旧測量法第五十条第三号若しくは第五十一条第三号に規定する専門の知識及び技能又は旧測量法第五十条第四号の指定を受けた養成施設において修得した同号に規定する高度の専門の知識及び技能は、それぞれ新測量法第五十条第三号の登録を受けた養成施設において修得した同号若しくは新測量法第五十一条第三号に規定する専門の知識及び技能又は新測量法第五十条第四号の登録を受けた養成施設において修得した同号に規定する高度の専門の知識及び技能とみなす。

（処分、手続等の効力に関する経過措置）

第一四条　附則第二条から前条までに規定するもののほか、この法律の施行前にこの法律による改正前のそれぞれの法律（これに基づく命令を含む。）の規定によってした処分、手続その他の行為であって、この法律による改正後のそれぞれの法律（これに基づく命令を含む。）中相当する規定があるものは、これらの規定によってした処分、手続その他の行為とみなす。

（罰則の適用に関する経過措置）

第一五条　この法律の施行前にした行為及びこの附則の規定によりなお従前の例によることとされる場合におけるこの法律の施行後にした行為に対する罰則の適用については、なお従前の例による。

（その他の経過措置の政令への委任）

第一六条　附則第二条から前条までに定めるもののほか、この法律の施行に関し必要となる経過措置（罰則に関する経過措置を含む。）は、政令で定める。

附　則〔抄〕〔平成一六・六・二法律七六〕

（施行期日）

第一条　この法律は、破産法〔中略〕の施行の日〔平成一七・一・一〕から施行する。〔以下略〕

（罰則の適用等に関する経過措置）

第一二条　〔略〕

5　施行日前にされた破産の宣告、再生手続開始の決定、更生手続開始の決定又は外国倒産処理手続の承認の決定に係る届出、通知又は報告の義務に関するこの法律による改正前の〔中略〕測量法〔中略〕の規定並びにこれらの規定に係る罰則の適用については、なお従前の例による。

（政令への委任）

第一四条　附則第二条から前条までに規定するもののほか、この法律の施行に関し必要な経過措置は、政令で定める。

附　則〔略〕〔平成一六・一二・一法律一四七〕

附　則〔略〕〔平成一六・一二・三法律一五四〕

附　則〔平成一七・七・二六法律八七〕

この法律は、会社法の施行の日〔平成一八・五・一〕から施行する。〔以下略〕

会社法の施行に伴う関係法律の整備等に関する法律〔抄〕

〔平成一七・七・二六 法律八七〕

第十二章　罰則に関する経過措置及び政令への委任

（罰則に関する経過措置）

第五二七条　施行日前にした行為及びこの法律の規定によりなお従前の例によることとされる場合における施行日以後にした行為に対する罰則の適用については、なお従前の例による。

（政令への委任）

第五二八条　この法律に定めるもののほか、この法律の規定による法律の廃止又は改正に伴い必要な経過措置は、政令で定める。

附　則〔抄〕〔平成一八・三・三一法律一〇〕

（施行期日）

第一条　この法律は、平成十八年四月一日から施行する。〔以下略〕

（測量法の一部改正に伴う経過措置）

第一七二条　前条の規定による改正後の測量法（以下この条において「新測量法」という。）第五十五条の四の規定は、施行日以後に新測量法第五十五条第一項の規定により登録を受けようとする者及び同条第三項の規定により更新の登録を受けようとする者について適用し、施行日前に前条の規定による改正前の測量法第五十五条第一項の規定により登録を受けた者及び同条第三項の規定により更新の登録を受けた者については、なお従前の例による。

2　施行日前に前条の規定による改正前の測量法第四十九条の規定に従い登録された測量士が施行日以後に新測量法第五十五条第一項の規定により登録を受ける場合における新測量法第五十五条の四の規定の適用については、次の各号に定めるところによる。

一　新測量法第五十五条の四第一項中「登録を受けようとする者（第四十九条の規定に従い登録された測量士を除く。）」とあるのは、「登録を受けようとする者」とする。

二　新測量法第五十五条の四第二項の規定は、適用しない。

（罰則に関する経過措置）

第二一一条　この法律（附則第一条各号に掲げる規定にあっては、当該規定。以下この条において同じ。）の施行前にした行為及びこの附則の規定によりなお従前の例によることとされる場合におけるこの法律の施行後にした行為に対する罰則の適用については、なお従前の例による。

（その他の経過措置の政令への委任）

第二一二条　この附則に規定するもののほか、この法律の施行に関し必要な経過措置は、政令で定める。

附　則〔抄〕〔平成一九・五・二三法律五五〕

（施行期日）

第一条　この法律は、公布の日から起算して一年を超えない範囲内において政令で定める日から施行する。

〔平成二〇政七により、平成二〇・四・一から施行〕

（公共測量として指定された測量等に関する経過措置）

第二条　この法律の施行前に生じたこの法律による改正前の測量法（以下この条において「旧法」という。）第二十条に規定する損失に対する補償については、なお従前の例による。

2　この法律の施行の際現に旧法第四十七条の規定による指定を受けている測量は、この法律の施行の日にこの法律による改正後の測量法（以下「新法」という。）第五条第二号の規定による指定を受けたものとみなす。

3　この法律の施行前に旧法の規定によってした処分、手続その他の行為であって新法の規定に相当の規定があるものは、これらの規定によってした処分、手続その他の行為とみなす。

（罰則に関する経過措置）

第三条　この法律の施行前にした行為に対する罰則の適用については、なお従前の例による。

（政令への委任）

第四条　前二条に定めるもののほか、この法律の施行に関して必要な経過措置（罰則に関する経過措置を含む。）は、政令で定める。

（検討）

第五条　政府は、この法律の施行後五年を経過した場合において、新法の施行の状況について検討を加え、必要があると認めるときは、その結果に基づいて所要の措置を講ずるものとする。

附　則〔略〕〔平成二三・六・三法律六一〕

附　則〔抄〕〔平成二九・五・三一法律四一〕

（施行期日）

第一条　この法律は、平成三十一年四月一日から施行する。ただし、次条及び附則第四十八条の規定は、公布の日から施行する。

（政令への委任）

第四八条　この附則に規定するもののほか、この法律の施行に関し必要な経過措置は、政令で定める。

附　則〔抄〕〔令和元・六・一四法律三七〕

（施行期日）

第一条　この法律は、公布の日から起算して三月を経過した日から施行する。ただし、次の各号に掲げる規定は、当該各号に定める日から施行する。

一　〔前略〕第百四十三条〔中略〕次条並びに附則第三条及び第六条の規定　公布の日

二～四　〔略〕

（行政庁の行為等に関する経過措置）

第二条　この法律（前条各号に掲げる規定にあっては、当該規定。以下この条及び次条において同じ。）の施行の日前に、この法律による改正前の法律又はこれに基づく命令の規定（欠格条項その他の権利の制限に係る措置を定めるものに限る。）に基づき行われた行政庁の処分その他の行為及び当該規定により生じた失職の効力については、なお従前の例による。

（罰則に関する経過措置）

第三条　この法律の施行前にした行為に対する罰則の適用については、なお従前の例による。

（検討）

第七条　政府は、会社法（平成十七年法律第八十六号）及び一般社団法人及び一般財団法人に関する法律（平成十八年法律第四十八号）における法人の役員の資格を成年被後見人又は被保佐人であることを理由に制限する旨の規定について、この法律の公布後一年以内を目途として検討を加え、その結果に基づき、当該規定の削除その他の必要な法制上の措置を講ずるものとする。

附　則〔抄〕〔令和六・六・一九法律五四〕

（施行期日）

第一条　この法律は、公布の日から施行する。ただし、第三条（測量法第五章中第五十四条の次に一条を加える改正規定を除く。附則第四条及び第五条において同じ。）並びに附則第四条及び第五条の規定は、令和七年四月一日から施行する。

（検討）

第二条　政府は、この法律の施行後五年を目途として、この法律による改正後のそれぞれの法律の施行の状況等について検討を加え、必要があると認めるときは、その結果に基づいて所要の措置を講ずるものとする。

（測量法の一部改正に伴う経過措置）

第四条　第三条の規定の施行の際現に同条の規定による改正前の測量法（以下この条において「旧測量法」という。）第五十条第三号又は第四号の登録を受けている者及び測量に関する専門の養成施設は、それぞれ第三条の規定による改正後の測量法第五十条第三号又は第四号の登録を受けたものとみなす。この場合において、当該登録の有効期間は、旧測量法第五十条第三号又は第四号の登録の有効期間の残存期間とする。

（罰則に関する経過措置）

第五条　第三条の規定の施行前にした行為に対する罰則の適用については、なお従前の例による。

（国土交通省令への委任）

第六条　前三条に定めるもののほか、この法律の施行に関し必要な経過措置は、国土交通省令で定める。

別表第一（第五十一条の四関係）

項	測量に関する科目
一	一　測量に関する法規 二　測量に関する数学 三　測量に関する情報処理 四　測量学概論 五　三角測量 六　多角測量 七　汎地球測位システム測量 八　水準測量 九　地形測量 十　写真測量 十一　地図編集 十二　応用測量 十三　その他の測量関連科目
二	一　測量に関する法規及びこれに関連する国際条約 二　測量に関する基礎理学 三　測量に関する基礎工学 四　測地測量 五　地形測量 六　写真測量 七　地図編集 八　応用測量 九　地理情報システム 十　測量に関する課題研究 十一　測量に関する表現技術 十二　測量実務

別表第二（第五十一条の四関係）

実習機器	数量
セオドライト	十五式（五十人を超える定員を有する養成施設にあっては、その超える数が百人までを増すごとに十を加えた数量）
レベル	十五式（五十人を超える定員を有する養成施設にあっては、その超える数が百人までを増すごとに十を加えた数量）
電子レベル	一式（百五十人を超える定員を有する養成施設にあっては、その超える数が百人までを増すごとに一を加えた数量）
汎地球測位システム測量機	一式（百五十人を超える定員を有する養成施設にあっては、その超える数が百人までを増すごとに一を加えた数量）
平板	二十式（五十人を超える定員を有する養成施設にあっては、その超える数が百人までを増すごとに十を加えた数量）
電子平板	一式（百五十人を超える定員を有する養成施設にあっては、その超える数が百人までを増すごとに一を加えた数量）
反射式実体鏡	五台（五十人を超える定員を有する養成施設にあっては、その超える数が百人までを増すごとに五を加えた数量）
図化機又は解析図化機	一台（百五十人を超える定員を有する養成施設にあっては、その超える数が百人までを増すごとに一を加えた数量）
スキャナ	一台（百五十人を超える定員を有する養成施設にあっては、その超える数が百人までを増すごとに一を加えた数量）
ディジタイザ	一台（百五十人を超える定員を有する養成施設にあっては、その超える数が百人までを増すごとに一を加えた数量）
プロッタ	一台（百五十人を超える定員を有する養成施設にあっては、その超える数が百人までを増すごとに一を加えた数量）
パーソナルコンピュータ	二十台（五十人を超える定員を有する養成施設にあっては、その超える数が百人までを増すごとに五を加えた数量）

備考

一　セオドライトの数量のうち五分の一以上は、距離を測定する機能を備えたものとする。

二　第五十条第四号の登録を受けようとする場合にあっては、汎地球測位システム測量機及び電子平板の項中「一式」とあるのは「二式」とし、かつ、平板を有することを要しない。

別表第一及び別表第二は、削られます。

○測量法施行令〔昭和二四・八・三一 政令三二二〕

改正 昭和二六・二政二四、一〇政三四二、昭和三二・一二政三五一、昭和三五・七政一九〇、昭和三六・一〇政三三四、昭和四一・三政四六、昭和四二・六政一六二、昭和五〇・一一政三三三、昭和五三・四政一四一、昭和五六・三政五八、五政一七七、昭和五八・一二政二六五、昭和五九・五政一三九、昭和六二・三政五七、平成三・三政二五、平成六・三政六九、平成九・三政七四、平成一一・三政一二二、六政三一二、平成一三・一政四、一二政四三二、平成一六・三政五四、平成一八・三政一二八、平成二〇・一政八、平成二三・一〇政三二六、令和元・一二政一八三

目次

第一章 総則（第一条―第三条）
第二章 基本測量及び公共測量（第四条―第九条）
第三章 測量士及び測量士補の登録（第十条―第十六条）
第四章 試験（第十七条―第二十五条）
第五章 測量業者（第二十六条―第二十九条）
附則

第一章 総則

（局地的測量又は高度の精度を必要としない測量の範囲）

第一条 測量法（以下「法」という。）第五条及び法第六条に規定する政令で定める局地的測量又は高度の精度を必要としない測量は、次の各号に掲げるものとする。

一 建物に関する測量
二 百万分の一未満の小縮尺図の調製
三 横断面測量
四 前各号に掲げるものを除くほか、次に掲げる測量。ただし、既に実施された公共測量又は基本測量及び公共測量以外の測量に追加して、又は当該測量を修正するために行なわれる測量を除く。
イ 三角網の面積が七平方キロメートル（北海道にあつては、十平方キロメートル）未満であり、かつ、基本測量又は公共測量によつて設けられた三角点又は図根点を二点以上使用しない三角測量
ロ 路線の長さが六キロメートル（北海道にあつては、十キロメートル）未満であり、かつ、基本測量又は公共測量によつて設けられた三角点、図根点又は多角点を二点以上使用しない多角測量
ハ 路線の長さが十キロメートル未満であり、かつ、基本測量又は公共測量によつて設けられた水準点を二点以上使用しない水準測量（縦断面測量を含む。以下この条において同じ。）
ニ 面積が七平方キロメートル（北海道にあつては、十平方キロメートル）未満であり、かつ、基本測量又は公共測量によつて設けられた三角点、図根点、多角点又は水準点を二点以上使用しない地形測量又は平面測量
五 前各号に掲げるものを除くほか、誤差の許容限度（二以上の誤差の許容限度が定められる場合においては、そのすべての誤差の許容限度）が次に掲げる数値をこえる測量。ただし、既に実施された公共測量又は基本測量及び公共測量以外の測量に追加して、又は当該測量を修正するために行なわれる測量を除く。
イ 三角測量にあつては、三角形の角の閉合差が九十秒又は辺長の較差がその辺長の二千分の一
ロ 多角測量にあつては、座標の閉合比が千分の一
ハ 水準測量にあつては、閉合差が五センチメートルに路線の長さ（単位は、キロメートルとする。）の平方根を乗じたもの
ニ 地形測量又は平面測量にあつては、図上における平面位置の誤差が二ミリメートル

2 三角測量、多角測量、水準測量、地形測量又は平面測量の二以上の測量が一の計画に基づいて行なわれる場合において、そのうちのいずれかが前項第四号及び第五号の測量に該当しないものであるときは、当該計画に係る測量は、同項の規定にかかわらず、同項第四号及び第五号の測量に該当しないものとする。

（日本経緯度原点及び日本水準原点）

第二条 法第十一条第一項第四号に規定する日本経緯度原点の地点及び原点数値は、次のとおりとする。

一 地点 東京都港区麻布台二丁目十八番一地内日本経緯度原点金属標の十字の交点
二 原点数値 次に掲げる値
イ 経度 東経百三十九度四十四分二十八秒八八六九
ロ 緯度 北緯三十五度三十九分二十九秒一五七二
ハ 原点方位角 三十二度二十分四十六秒二〇九（前号の地点において真北を基準として右回りに測定した茨城県つくば市北郷一番地内つくば超長基線電波干渉計観測点金属標の十字の交点の方位角）

2 法第十一条第一項第四号に規定する日本水準原点の地点及び原点数値は、次のとおりとする。

一 地点 東京都千代田区永田町一丁目一番二地内水準点標石の水晶板の零分画線の中点
二 原点数値 東京湾平均海面上二十四・三九〇〇メートル

（長半径及び扁(へん)平率）

第三条 法第十一条第三項第一号に規定する長半径及び扁(へん)平率の政令で定める値は、次のとおりとする。

一 長半径 六百三十七万八千百三十七メートル
二 扁平率 二百九十八・二五七二二二一〇一分の一

第二章 基本測量及び公共測量

（収用委員会の裁決の申請手続）

第四条 法第二十条第二項（法第三十九条において準用する場合を含む。）の規定により土地収用法（昭和二十六年法律第二百十九号）第九十四条第二項の規定による収用委員会の裁決を求めようとする者は、国土交通省令で定める様式に従い、次に掲げる事項を記載した裁決申請書を収用委員会に提出しなければならない。

一 裁決申請者の氏名又は名称及び住所
二 伐除に係る植物、垣若しくはさく等又は一時使用に係る土地、樹木若しくは工作物（次号において「対象物」という。）の所在地
三 対象物について裁決申請者の有する所有権その他の権利
四 損失の内容及び程度並びに損失が発生した時期
五 通知を受けた補償金額及びその通知を受領した年月日
六 通知を受けた補償金額を不服とする理由並びに裁決申請者が求める補償金額及びその内訳
七 前各号に掲げるもののほか、裁決申請者が必要と認める事項

第五条から第八条まで 削除

（測量成果等の謄本又は抄本の交付手数料）

第九条 法第二十八条第二項（法第四十二条第二項及び法第四十五条第一項において準用する場合を含む。）に規定する政令で定める手数料の額は、別表のとおりとする。

第三章 測量士及び測量士補の登録

（登録申請書の記載事項）

第一〇条 法第四十九条第一項の規定により登録の申請をしようとする者は、次の各号に掲げる事項を申請書（以下「登録申請書」という。）に記載しなければならない。

一 氏名及び生年月日
二 事務所又は業務所の名称及び所在地
三 測量士又は測量士補となる資格の種類
四 測量に関する実務の経歴
五 専門とする測量の分野

2 前項の登録申請書の様式は、国土交通省令で定める。

（測量士名簿及び測量士補名簿の記載事項）

第一一条 法第四十九条第一項に規定する測量士名簿又は測量士補名簿の登録事項は、第十二条の規定による国土地理院の長の審査の結果測量士又は

測量士補となる資格を有することの確認を受けた者について、前条第一項各号に掲げる事項並びに登録年月日及び登録番号とする。

2　測量士名簿及び測量士補名簿の様式は、国土交通省令で定める。

（登録）

第一二条　国土地理院の長は、登録申請書の記載事項を審査して、登録を申請した者が法第五十条又は法第五十一条に規定する資格を有することを確認したときは、遅滞なく、測量士名簿又は測量士補名簿にそれぞれ測量士又は測量士補の登録をしなければならない。

2　国土地理院の長は、前項の規定による登録をした場合においては、直ちに、その旨を当該登録申請者に通知しなければならない。

（測量士名簿又は測量士補名簿の記載事項の変更の届出）

第一三条　測量士又は測量士補は、登録を受けた後、測量士名簿又は測量士補名簿の記載事項について変更があつたときは、遅滞なく、その旨を国土地理院の長に届け出なければならない。

（測量に関する科目）

第一四条　法第五十条第一号及び法第五十一条第一号に規定する測量に関する科目は、土木工学科、農業土木学科、林学科、採鉱学科若しくはこれらに相当する学科における測量学又は天文学科、地球物理学科、物理学科、数学科、地理学科、地質学科若しくはこれらに相当する学科を専修する者についてのこれらの科目とする。

2　法第五十条第二号及び法第五十一条第二号に規定する測量に関する科目は、土木科、農業土木科、林科、採鉱科又はこれらに相当する科における測量学とする。

第一五条　削除

（死亡等の届出）

第一六条　測量士又は測量士補が、法第五十二条第一号又は第二号に該当するに至つたときは、本人又は相続人は、遅滞なく、その旨を国土地理院の長に届け出なければならない。

第四章　試験

（測量士試験）

第一七条　法第五十条第五号に規定する測量士試験は、同条第一号から第四号までの資格を有する者と同一の程度の専門的学識及び応用能力を有するかどうかを判定することを目的とし、法別表第一の一の項第六号から第八号まで及び第十三号並びに同表の二の項第一号及び第五号から第九号までに掲げる科目（同表の一の項第十三号に掲げる科目にあつては、国土交通省令で定めるものに限る。）について行う。

（測量士補試験）

第一八条　法第五十一条第四号に規定する測量士補試験は、測量士補となるのに必要な専門的技術を有するかどうかを判定することを目的とし、法別表第一の一の項第一号及び第六号から第十三号までに掲げる科目（同号に掲げる科目にあつては、国土交通省令で定めるものに限る。）について行う。

（試験科目の範囲）

第一九条　前二条に規定する試験科目については、国土交通省令で、その全部又は一部について範囲を定めることができる。

（試験の方法）

第二〇条　法第五十条第五号に規定する測量士試験及び法第五十一条第四号に規定する測量士補試験（以下「各試験」という。）は、それぞれ第十七条又は第十八条に規定する試験科目につき、筆記試験若しくは実地試験により、又は両者を併用して実施する。

（試験の施行）

第二一条　各試験は、毎年一回以上行うものとし、その期日、場所その他試験の施行に関して必要な事項は、国土交通大臣があらかじめ官報で公告する。

（受験願書の提出）

第二二条　各試験を受けようとする者は、国土交通省令の定めるところにより、履歴書及び写真を添え、当該試験の受験願書を国土地理院の長に提出しなければならない。

（試験手数料）

第二三条　法第五十三条に規定する政令で定める手数料の額は、次のとおりとする。

一　測量士　四千二百五十円（情報通信技術を活用した行政の推進等に関する法律（平成十四年法律第百五十一号。以下「情報通信技術活用法」という。）第六条第一項の規定により同項に規定する電子情報処理組織を使用して受験願書を提出する場合にあつては、四千二百円）

二　測量士補　二千八百五十円（情報通信技術活用法第六条第一項の規定により同項に規定する電子情報処理組織を使用して受験願書を提出する場合にあつては、二千八百円）

2　納付した前項に規定する手数料は、各試験を受けなかつた場合においても返還しない。

（合格証書等）

第二四条　国土地理院の長は、測量士試験又は測量士補試験に合格した者の氏名を公告し、本人に合格証書を交付する。

（不正手段による受験者に対する措置）

第二五条　不正の手段によつて各試験を受けようとし、又は受けた者に対しては、その試験を停止し、又は合格の決定を取り消すことができる。

第五章　測量業者

（支店に準ずる営業所）

第二六条　法第五十五条の二第二号に規定する政令で定める支店に準ずる営業所は、常時、測量の請負契約を締結する事務所とする。

（登録手数料）

第二七条　法第五十五条の四第二項に規定する政令で定める登録手数料の額は、一万五千五百円（情報通信技術活用法第六条第一項の規定により同項に規定する電子情報処理組織を使用して登録を申請する場合にあつては、一万五千百円）とする。

（測量業者登録簿閲覧所）

第二八条　国土交通大臣又は都道府県知事は、法第五十五条の十二第一項の規定により同条同項各号に掲げる書類又は同条第二項各号に掲げる書類を公衆の閲覧に供するため、測量業者登録簿閲覧所（以下次項において「閲覧所」という。）を設けなければならない。

2　国土交通大臣又は都道府県知事は、前項の規定により閲覧所を設けたときは、当該閲覧所の閲覧規則を定めるとともに、当該閲覧所の場所及び閲覧規則を告示しなければならない。

（一括下請負の承諾に係る電磁的方法）

第二八条の二　法第五十六条の二第三項の規定により同条第二項の承諾をする旨の通知（次項において「承諾通知」という。）をしようとする注文者は、国土交通省令で定めるところにより、あらかじめ、当該元請負人に対し、その用いる電磁的方法（同条第三項に規定する電磁的方法をいう。以下この条において同じ。）の種類及び内容を示し、書面又は電磁的方法による承諾を得なければならない。

2　前項の規定による承諾を得た注文者は、当該元請負人から書面又は電磁的方法により電磁的方法による通知を受けない旨の申出があつたときは、当該元請負人に対し、承諾通知を電磁的方法によつてしてはならない。ただし、当該元請負人が再び同項の規定による承諾をした場合は、この限りでない。

（下請負人の選定の承諾に係る電磁的方法）

第二八条の三　法第五十六条の四第二項の規定により同条第一項ただし書の承諾をする旨の通知（次項において「承諾通知」という。）をしようとする注文者は、国土交通省令で定めるところにより、あらかじめ、同項ただし書の規定により下請負人を選定する者（次項において「下請負人選定者」という。）に対し、その用いる電磁的方法（同条第二項に規定する電磁的方法をいう。以下この条において同じ。）の種類及び内容を示し、書面又は電磁的方法による承諾を得なければならない。

2　前項の規定による承諾を得た注文者は、下請負人選定者から書面又は電磁的方法により電磁的方法による通知を受けない旨の申出があつたときは、下請負人選定者に対し、承諾通知を電磁的方法によつてしてはならない。ただし、下請負人選定者が再び同項の規定による承諾をした場合は、この限りでない。

（参考人に支給する費用）

第二九条　法第五十八条の規定により参考人が請求することができる旅費は、鉄道賃、船賃、航空賃、車賃及び宿泊料とし、その支給については、国家公務員等の旅費に関する法律（昭和二十五年法律第百十四号）の定めるところによる。

2　法第五十八条の規定により参考人が請求することができる手当は、一日につき千七百円とする。

附　則

（施行期日）

1　この政令は、測量法施行の日（昭和二十四年九月一日）から施行する。

（各試験の実施時期の特例）

2　各試験は、第二十一条の規定にかかわらず、昭和二十四年十二月三十一日までは、実施しない。

附　則〔昭和二六・二・一〇政令二四〕

（施行期日）

1　この政令は、公布の日から施行する。

（実務の経験を有する者に対する試験の特例）

2　昭和二十七年十二月三十一日までに実施される測量士試験においては、第十七条に規定する試験の科目は、同条各号に掲げる測量の一の技能を必要とする実務について左の各号に掲げる経験年数を有する者については、測量学概論及び受験者の選択する同条各号に掲げる科目の一とすることができる。

一　旧専門学校令（明治三十六年勅令第六十一号）による専門学校に準ずる建設大臣が指定する学校において同大臣が指定する測量に関する学科を修めて卒業した者については、四年以上

二　旧中等学校令（昭和十八年勅令第三十六号）による中等学校を卒業した者又はこれと同等以上の能力を有する者と建設大臣が認定した者については、七年以上

三　前二号に該当しない者については、十年以上

3　昭和二十七年十二月三十一日までに実施される測量士補試験においては、第十八条に規定する試験の科目は、同条各号に掲げる測量作業の一の技能を必要とする実務について五年以上の経験年数を有する者については、測量学大意及び受験者の選択する同条各号に掲げる科目の一とすることができる。

4　前二項の規定により、測量士試験又は測量士補試験を受けようとする者は、第二十二条に規定する書類の外、建設省令の定めるところにより、測量に関する実務の経歴書及びこれを証する書面又は経歴書の記載が真実であることを誓約する書面を、あわせて地理調査所の長に提出しなければならない。

5　改正前の第十九条第一項第一号の規定により指定された旧専門学校令による専門学校に準ずる学校及び同校における測量に関する学科並びに同項第二号の規定により旧中等学校令による中等学校を卒業した者と同等以上の能力を有する者と認定された者は、それぞれ附則第二項第一号の規定により指定された学校及び学科並びに同項第二号の規定により認定された者とみなす。

附　則〔略〕〔昭和二六・一〇・二七政令三四二〕

附　則〔略〕〔昭和三六・一〇・三一政令三三四〕

附　則〔略〕〔昭和四一・三・二八政令四六〕

附　則〔略〕〔昭和四二・六・三〇政令一六二〕

附　則〔略〕〔昭和五三・四・二五政令一四一〕

附　則〔略〕〔昭和五六・三・三一政令五八〕

附　則〔略〕〔昭和五六・五・二二政令一七七〕

附　則〔略〕〔昭和五八・一二・二三政令二六五〕

附　則〔昭和五九・五・一五政令一三九〕

1　この政令は、各種手数料等の額の改定及び規定の合理化に関する法律の施行の日（昭和五十九年五月二十一日）から施行する。

2　この政令の施行前にした都道府県知事に対するあつ旋の申請、建設大臣又は都道府県知事に対する事業の認定の申請、収用委員会に対する裁決の申請及び協議の確認の申請並びに建設大臣に対する特定公共事業の認定の申請に係る手数料の額については、なお従前の例による。

附　則〔略〕〔昭和六二・三・二五政令五七〕

附　則〔略〕〔平成三・三・一三政令二五〕

附　則〔略〕〔平成六・三・二四政令六九〕

附　則〔略〕〔平成九・三・二六政令七四〕

附　則〔略〕〔平成一二・三・二九政令一二二〕

附　則〔略〕〔平成一二・六・七政令三一二〕

附　則〔略〕〔平成一三・一・四政令四〕

附　則〔略〕〔平成一三・一二・二八政令四三二〕

附　則〔略〕〔平成一六・三・二四政令五四〕

附　則〔略〕〔平成一八・三・三一政令一二八〕

附　則〔平成二〇・一・一八政令八〕

（施行期日）

1　この政令は、測量法の一部を改正する法律の施行の日（平成二十年四月一日）から施行する。

（経過措置）

2　この政令による改正後の測量法施行令第十七条から第十九条までの規定は、平成二十一年において行われる測量士試験及び測量士補試験から適用し、平成二十年において行われる測量士試験及び測量士補試験については、なお従前の例による。

附　則〔略〕〔平成二三・一〇・二一政令三二六施行〕

附　則〔抄〕〔令和元・一二・一三政令一八三〕

（施行期日）

第一条　この政令は、情報通信技術の活用による行政手続等に係る関係者の利便性の向上並びに行政運営の簡素化及び効率化を図るための行政手続等における情報通信の技術の利用に関する法律等の一部を改正する法律（次条において「改正法」という。）の施行の日（令和元年十二月十六日）から施行する。

別表〔略〕

○測量法施行規則〔昭和二四・九・一二 建設省令一六〕

改正　昭和二五・二建令五、昭和二六・二建令三、昭和二七・四建令八、昭和二八・一二建令三三、昭和三三・二建令四、六建令一九、昭和三五・七建令一一、昭和三六・六建令一九、一一建令三四、昭和四二・八建令二〇、昭和四三・一建令一、昭和五一・一建令一、昭和五三・四建令八、昭和五五・四建令四、昭和五六・五建令七、昭和五八・五建令六、一二建令二一、昭和五九・五建令八、昭和六一・二建令一、昭和六二・四建令八、一二建令二八、平成元・三建令三、平成三・二建令二、平成六・一建令一、平成八・一二建令一七、平成一一・四建令一二、平成一二・一一建令四一、平成一三・三国交令四二、国交令七二、七国交令一〇九、平成一四・三国交令二七、四国交令五五、平成一五・三国交令三六、五国交令六五、平成一六・一国交令一、三国交令一七、平成一八・三国交令三二、四国交令六〇、平成一九・二国交令五、平成二〇・三国交令一一、平成二一・四国交令三〇、平成二三・四国交令三五、平成二五・四国交令二四、平成二六・三国交令二一、平成二九・九国交令五六、令和元・五国交令一、六国交令二〇、令和二・三国交令一六、一二国交令九八、令和四・二国交令七、令和五・九国交令七一、令和六・三国交令二六

（測量標の形状）

第一条　測量法（以下「法」という。）第十条第二項に規定する測量標の形状は、別表第一のとおりとする。

（土地の立入りの身分証明書の様式）

第一条の二　法第十五条第四項（法第三十九条において準用する場合を含む。）の規定による証明書の様式は、別表第一の二のとおりとする。

（収用委員会に対する裁決申請書の様式）

第一条の三　測量法施行令（以下「令」という。）第四条の国土交通省令で定める様式は、別表第一の三のとおりとする。

（永久標識又は一時標識を設置したときの通知事項及び公表事項）

第一条の四　法第二十一条第一項（法第三十九条において読み替えて準用する場合を含む。）の国土交通省令で定める事項は、永久標識又は一時標識を設置した年月日とする。

（永久標識又は一時標識を移転したとき等の通知事項及び公表事項）

第一条の五　法第二十三条第一項（法第三十九条において読み替えて準用する場合を含む。）の国土交通省令で定める事項は、永久標識又は一時標識

の移転、撤去又は廃棄の別及びその年月日並びに移転後の所在地とする。

（測量標又は測量成果の使用承認申請書の様式）

第二条　法第二十六条及び法第三十条の規定により承認を得ようとする者は、別表第二の様式による申請書を国土地理院の長に提出しなければならない。

（法第二十七条第二項の国土交通省令で定める電磁的方法）

第二条の二　法第二十七条第二項の国土交通省令で定める電磁的方法は、国土地理院の使用に係る電子計算機と情報の提供を受ける者の使用に係る電子計算機とを電気通信回線で接続した電子情報処理組織を使用する方法であつて、当該電気通信回線を通じて情報が送信され、当該情報の提供を受ける者の使用に係る電子計算機に備えられたファイルに当該情報が記録されるもののうち、インターネットに接続された自動公衆送信装置（公衆の用に供する電気通信回線に接続することにより、その記録媒体のうち自動公衆送信（公衆によつて直接受信されることを目的として公衆からの求めに応じ自動的に送信を行うことをいい、放送又は有線放送に該当するものを除く。以下この条において同じ。）の用に供する部分に記録され、又は当該装置に入力される情報を自動公衆送信する機能を有する装置をいう。）を使用する方法とする。

（基本測量の測量成果等の閲覧）

第二条の三　国土地理院の長は、法第二十七条第三項（法第四十五条第一項において準用する場合を含む。）の規定により測量成果及び測量記録を一般の閲覧に供するため、測量成果及び測量記録閲覧所（以下「閲覧所」という。）を設けなければならない。

2　国土地理院の長は、前項の規定により閲覧所を設けたときは、当該閲覧所の閲覧規則を定めるとともに、当該閲覧所の場所及び閲覧規則を公告しなければならない。

3　前二項の規定は、法第四十二条第一項に規定する測量成果の写し及び測量記録の写しの閲覧に準用する。

（基本測量の測量成果等の謄抄本交付の手続）

第三条　法第二十八条第一項（法第四十五条第一項において準用する場合を含む。）の規定により測量成果及び測量記録の謄本又は抄本の交付を受けようとする者は、別表第三の様式による申請書を国土地理院の長に提出しなければならない。

2　前項の規定は、法第四十二条第二項に規定する測量成果の写し及び測量記録の写しの謄本又は抄本の交付に準用する。

（法第二十九条の国土交通省令で定める電磁的方法等）

第四条　法第二十九条、法第三十条第四項、法第四十三条及び法第四十四条第四項の国土交通省令で定める電磁的方法は、電子情報処理組織を使用する方法のうち、次の各号のいずれかに該当するものとする。

一　送信者の使用に係る電子計算機と情報の提供を受ける者の使用に係る電子計算機とを接続する電気通信回線を通じて送信し、当該情報の提供を受ける者の使用に係る電子計算機に備えられたファイルに記録する方

二　送信者の使用に係る電子計算機に備えられたファイルに記録された情報の内容を電気通信回線を通じて情報の提供を受ける者の閲覧に供し、当該情報の提供を受ける者の使用に係る電子計算機に備えられたファイルに当該情報を記録する方法

三　前二号に掲げるもののほか、国土地理院の長が定める方法

（測量成果の複製承認申請書の様式）

第四条の二　法第二十九条の規定により承認を得ようとする者は、別表第四の様式による申請書を国土地理院の長に提出しなければならない。

（作業規程に定める事項）

第四条の三　法第三十三条第一項の国土交通省令で定める事項は、次に掲げるものとする。

一　測量計画機関の名称
二　作業規程の名称
三　目的及び適用範囲
四　測量の基準
五　作業計画の作成の方法
六　精度管理の方法
七　図化の方法（図化を実施する場合に限る。）
八　地図編集の方法（地図編集を実施する場合に限る。）
九　測量成果の種類

（法第三十六条の計画書の様式）

第五条　法第三十六条の規定による計画書の様式は、別表第五のとおりとする。

（永久標識を設置したとき等の通知事項）

第五条の二　法第三十七条第三項の国土交通省令で定める事項は、永久標識を設置した年月日とする。

2　法第三十七条第四項の国土交通省令で定める事項は、永久標識の移転、撤去又は廃棄の別及びその年月日並びに移転後の所在地とする。

（基本測量及び公共測量以外の測量に関する届出書の様式）

第六条　法第四十六条第一項の規定により届出をしようとする者は、別表第六の様式による届出書を国土交通大臣に提出しなければならない。

（測量士及び測量士補の登録申請書の様式）

第七条　令第十条第二項の規定による登録申請書の様式は、別表第七のとおりとする。

（資格を証する書類）

第八条　法第四十九条第一項の規定による測量士又は測量士補の資格を証する書類は、次の各号のいずれかとする。

一　法第五十条第一号に規定する大学において、令第十四条第一項に規定する測量に関する科目を修めて卒業した者であること及びその履修科目の内容を記載した当該大学の長の証明書

二　法第五十条第二号に規定する短期大学等において、令第十四条第二項に規定する測量に関する科目を修めて卒業した者（専門職大学の前期課程にあつては、修了した者）であること及びその履修科目の内容を記載した当該短期大学等の長の証明書

三　法第五十条第三号の登録を受けた養成施設（以下「測量士補養成施設」という。）において、同号又は法第五十一条第三号に規定する専門の知識及び技能を修得した者であることを記載した当該養成施設の長の証明書

四　法第五十条第四号の登録を受けた養成施設（以下「測量士養成施設」という。）において、同号に規定する高度の専門の知識及び技能を修得した者であることを記載した当該養成施設の長の証明書

2　法第五十条第一号から第三号までの規定により測量に関し実務の経験を必要とする者の提出する書類は、前項の書類及び令第十条第一項第四号に規定する実務の経歴を証する書面又は別表第八の様式による経歴の記載が真実であることを誓約する書面とする。

（測量士名簿及び測量士補名簿の様式）

第九条　令第十一条第二項の規定による測量士名簿及び測量士補名簿の様式は、別表第九のとおりとする。

（登録の申請）

第九条の二　法第五十条第三号又は第四号の登録（以下この条（第三号を除く。）において「登録」という。）を受けようとする者は、次に掲げる事項を記載した申請書を国土交通大臣に提出しなければならない。

一　登録を受けようとする者の氏名又は名称及び住所並びに法人にあつては、その代表者の氏名
二　養成施設の名称、所在地及び学科又は学科に相当するものの名称
三　受けようとする登録の別（法第五十条第三号の登録又は同条第四号の登録の別をいう。）
四　養成施設の長の氏名
五　養成施設の修業年限、定員及び入所資格並びに授業科目及び授業時数
六　法別表第二の上欄に掲げる実習機器の数量
七　教員の氏名、経歴及び担当授業科目並びに主任専任教員及び専任教員にあつてはその旨（専任教員のうち、専門分野を教授することができる者にあつては、その旨及び教授する専門分野の別（測地分野又は地図分野の別をいう。）を含む。）
八　養成業務を開始しようとする年月日

2　前項の申請書には、次に掲げる書類を添付しなければならない。

一　登録を受けようとする者が法第五十一条の三各号のいずれにも該当しない者であることを誓約する書面
二　専任教員が法第五十一条の五第一項各号のいずれかに該当する者であることを証する書類及び主任専任教員が法第五十一条の六各号のいずれかに該当する者であることを証する書類
三　学則又は学則に相当するもの
四　定款、寄付行為その他の規約

五　法人にあつては、申請の日の属する事業年度及び翌事業年度の収支予算書
六　養成業務を行おうとする建物の各室の用途及び面積並びに当該建物の配置図及び各階平面図
七　実習場の概要を記載した書類
八　その他参考となる事項を記載した書類

（登録養成施設登録簿の記載事項）

第九条の三　法第五十一条の四第二項第五号の国土交通省令で定める事項は、次に掲げるものとする。
一　養成業務を開始する年月日
二　養成施設の長の氏名

（登録の更新）

第九条の四　前二条の規定は、法第五十一条の七第一項の登録の更新について準用する。

（養成業務の実施基準）

第九条の五　法第五十一条の八の国土交通省令で定める基準は、次のとおりとする。
一　養成施設の入所資格は、高等学校若しくはこれに準ずる学校若しくは中等教育学校を卒業した者又はこれに準ずる学力があると国土交通大臣が認める者であることとすること。
二　測量士補養成施設の授業時数及び総授業時数は、別表第九の二に定める授業時数以上とすること。
三　測量士養成施設の授業時数及び総授業時数は、別表第九の三に定める授業時数以上とすること。
四　測量士補養成施設にあつては別表第九の四の一の項の上欄に、測量士養成施設にあつては同表の二の項の上欄にそれぞれ掲げる科目について、同表の中欄に掲げる専門分野を教授することができる専任教員が同表の下欄に掲げる授業時数以上講義及び実習を行うこと。
五　講義及び実習において使用する実習機器は、別表第九の五の上欄に掲げる実習機器に応じ、それぞれ同表の下欄に掲げる性能と同等以上の性能を有するものとすること。
六　一の授業科目について、同時に授業を行う生徒の数は、測量士補養成施設にあつては四十人以下、測量士養成施設にあつては三十人以下とすること。ただし、授業の方法及び施設、設備その他の教育上の諸条件を考慮して、教育効果を十分に挙げられる場合は、この限りでない。
七　測量士補養成施設にあつては法別表第一の一の項に、測量士養成施設にあつては同表の二の項にそれぞれ掲げる測量に関する科目を修得した者に対して修了試験を実施すること。
八　修了試験において良好な成績を修めた者に対してのみ第八条第一項第三号又は第四号に規定する証明書を交付すること。
九　養成業務を行う建物には、生徒数又は同時に行う授業の数に応じ、必要な数の教室等を備えること。
十　測量の実習を行うために必要な広さ及び起伏等を有する実習場を確保すること。

（業務規程の記載事項）

第九条の六　法第五十一条の十第二項の国土交通省令で定める事項は、次に掲げるものとする。
一　養成業務の目的
二　養成業務の実施方法に関する事項
三　授業料その他の養成業務に関する料金の額及びその収納の方法に関する事項
四　第九条の十第三項の帳簿その他の養成業務に関する書類の管理に関する事項
五　その他養成業務の実施に関し必要な事項

２　前項第二号の養成業務の実施方法には、少なくとも、次に掲げる事項を定めておかなければならない。
一　第九条の二第一項第五号から第七号までに掲げる事項
二　学期及び授業を行わない日に関する事項
三　科目修得の認定に関する事項
四　修了試験に関する事項

（養成業務の休廃止の届出）

第九条の七　登録養成施設設置者は、法第五十一条の十一の規定により養成業務の全部又は一部を休止し、又は廃止しようとするときは、次に掲げる事項を記載した届出書を国土交通大臣に提出しなければならない。
一　休止し、又は廃止しようとする養成業務の範囲
二　休止し、又は廃止しようとする年月日及び休止しようとする場合にあつては、その期間
三　休止又は廃止の理由
四　在学中の生徒があるときは、その措置

（電磁的記録に記録された事項を表示する方法）

第九条の八　法第五十一条の十二第二項第三号の国土交通省令で定める方法は、当該電磁的記録に記録された事項を紙面又は出力装置の映像面に表示する方法とする。

（電磁的記録に記録された事項を提供するための方法）

第九条の九　法第五十一条の十二第二項第四号の国土交通省令で定める方法は、次に掲げるもののうち、登録養成施設設置者が定めるものとする。
一　送信者の使用に係る電子計算機と受信者の使用に係る電子計算機とを電気通信回線で接続した電子情報処理組織を使用する方法であつて、当該電気通信回線を通じて情報が送信され、受信者の使用に係る電子計算機に備えられたファイルに当該情報が記録されるもの
二　磁気ディスクその他これに準ずる方法により一定の情報を確実に記録しておくことができる物（以下「磁気ディスク等」という。）をもつて調製するファイルに情報を記録したものを交付する方法

２　前項各号に掲げる方法は、受信者がファイルへの記録を出力することによる書面を作成することができるものでなければならない。

（帳簿）

第九条の一〇　法第五十一条の十六の養成業務に関し国土交通省令で定める事項は、次に掲げるものとする。
一　生徒（養成施設を卒業した者を含む。次号において同じ。）の氏名、性別及び生年月日
二　生徒の単位修得の状況及び修了試験の成績
三　収受した授業料その他の養成業務に関する料金の額

２　前項各号に掲げる事項が、電子計算機に備えられたファイル又は磁気ディスク等に記録され、必要に応じ登録養成施設において電子計算機その他の機器を用いて明確に紙面に表示されるときは、当該記録をもつて法第五十一条の十六に規定する帳簿への記載に代えることができる。

３　登録養成施設設置者は、法第五十一条の十六に規定する帳簿（前項の規定による記録が行われた同項のファイル又は磁気ディスク等を含む。）を、養成業務の全部を廃止するまで保存しなければならない。

（受験願書並びに履歴書及び写真の様式）

第一〇条　令第二十二条の規定による受験願書の様式は、別表第十のとおりとし、履歴書及び写真の様式は、別表第十の二のとおりとする。

（更新の登録の申請）

第一一条　法第五十五条第三項の規定により更新の登録を受けようとする者は、有効期間満了の日の九十日前から三十日前までの間に登録申請書を提出しなければならない。

（測量業者の登録申請書の様式）

第一二条　法第五十五条の二の規定による登録申請書の様式は、別表第十一のとおりとする。

（添付書類）

第一三条　法第五十五条の三第三号に規定する国土交通省令で定める財務に関する書類は、次の各号に掲げるものとする。
一　法人である場合においては、貸借対照表、損益計算書及び財務に関する事項を記載した一覧表
二　個人である場合においては、貸借対照表及び損益計算書
三　法人にあつては法人税、個人にあつては所得税の納付すべき額及び納付済額を証する書類

２　更新の登録を申請する者は、前項各号に掲げる書類の提出を省略することができる。

（添付書類の様式）

第一四条　法第五十五条の三の規定による添付書類（定款並びに前条第一項第一号及び第三号に規定する書類を除く。）の様式は、別表第十二のとおりとする。

２　前条第一項第一号に規定する財務に関する事項を記載した一覧表の様式は、別表第十三のとおりとする。

（変更登録申請書の様式）

第一五条　法第五十五条の七第二項の規定による申請書の様式は、別表第十四のとおりとする。

（書類の提出）

第一六条　法第五十五条第一項の規定により登録を受けようとする者、同条第三項の規定により更新の登録を受けようとする者、法第五十五条の七第一項の規定により変更登録の申請をしようとする者又は法第五十五条の八第一項若しくは第二項の規定により書類を提出しようとする者は、関係書類の正本一通及び営業所のある都道府県の数と同一の部数のその写しを、法第五十五条の九第一項又は第二項の規定により届出をしようとする者は、届出書一通を提出しなければならない。

2　法第五十五条第一項の規定により登録を受けようとする者、同条第三項の規定により更新の登録を受けようとする者又は法第五十五条の二第一号から第三号までに掲げる事項（営業所の名称及び支店に準ずる営業所の所在地を除く。）についての変更のため法第五十五条の七第一項の規定により変更登録の申請をしようとする者が法人であるときは、前項の正本に登記事項証明書一通を添付するものとする。

第一六条の二から第一六条の五まで　削除

（一括下請負の承諾に係る電磁的方法）

第一六条の六　法第五十六条の二第三項の国土交通省令で定める電磁的方法は、次に掲げるものとする。

一　電子情報処理組織を使用する方法のうちイ又はロに掲げるもの

イ　注文者の使用に係る電子計算機と元請負人の使用に係る電子計算機とを接続する電気通信回線を通じて送信し、受信者の使用に係る電子計算機に備えられたファイルに記録する方法

ロ　注文者の使用に係る電子計算機に備えられたファイルに記録された法第五十六条の二第二項の承諾をする旨を電気通信回線を通じて元請負人の閲覧に供し、当該元請負人の使用に係る電子計算機に備えられたファイルに当該承諾をする旨を記録する方法

二　磁気ディスク等をもって調製するファイルに法第五十六条の二第二項の承諾をする旨を記録したものを交付する方法

2　前項に掲げる方法は、元請負人がファイルへの記録を出力することによる書面を作成することができるものでなければならない。

3　第一項第一号の「電子情報処理組織」とは、注文者の使用に係る電子計算機と、元請負人の使用に係る電子計算機とを電気通信回線で接続した電子情報処理組織をいう。

第一六条の七　令第二十八条の二第一項の規定により示すべき電磁的方法の種類及び内容は、次に掲げる事項とする。

一　前条第一項に規定する電磁的方法のうち注文者が使用するもの

二　ファイルへの記録の方式

2　令第二十八条の二第一項の承諾又は同条第二項の申出（以下この項において「承諾等」という。）をする場合に用いる電磁的方法は、次に掲げるものとする。

一　電子情報処理組織を使用する方法のうちイ又はロに掲げるもの

イ　前条第一項第一号イに掲げる方法

ロ　注文者の使用に係る電子計算機に備えられたファイルに記録された前項に規定する電磁的方法の種類及び内容を電気通信回線を通じて元請負人の閲覧に供し、当該電子計算機に備えられたファイルに承諾等をする旨を記録する方法

二　磁気ディスク等をもって調製するファイルに承諾等をする旨を記録したものを交付する方法

（下請負人の選定の承諾に係る電磁的方法）

第一六条の八　法第五十六条の四第二項の国土交通省令で定める電磁的方法は、次に掲げるものとする。

一　電子情報処理組織を使用する方法のうちイ又はロに掲げるもの

イ　注文者の使用に係る電子計算機と下請負人を選定する者（以下この条及び次条において「下請負人選定者」という。）の使用に係る電子計算機とを接続する電気通信回線を通じて送信し、受信者の使用に係る電子計算機に備えられたファイルに記録する方法

ロ　注文者の使用に係る電子計算機に備えられたファイルに記録された法第五十六条の四第一項ただし書の承諾をする旨を電気通信回線を通じて下請負人選定者の閲覧に供し、当該下請負人選定者の使用に係る電子計算機に備えられたファイルに当該承諾をする旨を記録する方法

二　磁気ディスク等をもって調製するファイルに法第五十六条の四第一項ただし書の承諾をする旨を記録したものを交付する方法

2　前項に掲げる方法は、下請負人選定者がファイルへの記録を出力することによる書面を作成することができるものでなければならない。

3　第一項第一号の「電子情報処理組織」とは、注文者の使用に係る電子計算機と、下請負人選定者の使用に係る電子計算機とを電気通信回線で接続した電子情報処理組織をいう。

第一六条の九　令第二十八条の三第一項の規定により示すべき電磁的方法の種類及び内容は、次に掲げる事項とする。

一　前条第一項に規定する電磁的方法のうち注文者が使用するもの

二　ファイルへの記録の方式

2　令第二十八条の三第一項の承諾又は同条第二項の申出（以下この項において「承諾等」という。）をする場合に用いる電磁的方法は、次に掲げるものとする。

一　電子情報処理組織を使用する方法のうちイ又はロに掲げるもの

イ　前条第一項第一号イに掲げる方法

ロ　注文者の使用に係る電子計算機に備えられたファイルに記録された前項に規定する電磁的方法の種類及び内容を電気通信回線を通じて下請負人選定者の閲覧に供し、当該電子計算機に備えられたファイルに承諾等をする旨を記録する方法

二　磁気ディスク等をもって調製するファイルに承諾等をする旨を記録したものを交付する方法

（標識の掲示）

第一七条　法第五十六条の五の規定により測量業者の掲げる標識は、別表第十五のとおりとする。

（権限の委任）

第一八条　法第六章及び令第二十八条に規定する国土交通大臣の権限は、測量業者又は法第五十五条第一項の規定により登録を受けようとする者の主たる営業所の所在地を管轄する地方整備局長及び北海道開発局長に委任する。ただし、法第五十六条の六、法第五十七条、法第五十七条の二第二項及び法第五十七条の三第一項の規定に基づく権限については、国土交通大臣が自ら行うことを妨げない。

附　則

この省令は、測量法施行の日（昭和二十四年九月一日）から施行する。

附　則〔略〕〔昭和二八・一二・八建設省令三三〕

附　則〔昭和三三・六・三建設省令一九〕

1　この省令は、公布の日から施行する。

2　この省令の施行の際、この省令による改正前の測量法施行規則に基づき現に設置されている測量標は、この省令による改正後の測量法施行規則に基づいて設置されたものとみなす。

附　則〔昭和四三・一・三〇建設省令一〕

1　この省令は、公布の日から施行する。ただし、別表第十三の改正規定は、昭和四十三年四月一日から施行する。

2　この省令の施行の際、この省令による改正前の測量法施行規則に基づき現に設置されている測量標は、この省令による改正後の測量法施行規則に基づいて設置されたものとみなす。

3　第一項ただし書の場合において、施行の日前の決算期に係る貸借対照表、損益計算書、完成測量原価報告書及び利益処分計算書（損失処理計算書）の記載方法については、この省令の施行後も、なお従前の例による。

附　則〔略〕〔昭和五一・一・二八建設省令一〕

附　則〔略〕〔昭和五三・四・二五建設省令八〕

附　則〔略〕〔昭和五六・五・二二建設省令七〕

附　則〔略〕〔昭和五八・五・二八建設省令六〕

附　則〔略〕〔昭和五九・五・一五建設省令八〕

附　則〔略〕〔昭和六一・二・八建設省令一〕

附　則〔略〕〔平成六・一・一九建設省令一〕

附　則〔略〕〔平成一二・一一・二〇建設省令四一〕

附　則〔略〕〔平成一三・三・二六国土交通省令四二〕

附　則〔略〕〔平成一三・三・三〇国土交通省令七二〕

附　則〔略〕〔平成一三・七・一七国土交通省令一〇九〕

附　則〔平成一五・三・二六国土交通省令三六〕

（施行期日）

第一条　この省令は、公布の日から施行する。

（経過措置）
第二条　この省令の施行前に第一条の規定による改正前の測量法施行規則第十九条に規定する地方整備局長又は北海道開発局長（次項において「旧地方整備局長等」という。）がした測量法（昭和二十四年法律第百八十八号）第六章に規定する登録その他の処分又は通知その他の行為（以下「処分等」という。）は、測量業者又は測量法第五十五条の五第一項の登録を受けようとする者の主たる営業所の所在地を管轄する地方整備局長又は北海道開発局長（次項において「新地方整備局長等」という。）がした処分等とみなす。

2　この省令の施行前に旧地方整備局長等に対してした測量法第六章に規定する申請、届出その他の行為（以下「申請等」という。）については、新地方整備局長等に対してした申請等とみなす。

附　則〔抄〕〔平成一六・一・二九国土交通省令一〕

（施行期日）
第一条　この省令は、平成十六年三月一日から施行する。

（測量法施行規則の一部改正に伴う経過措置）
第四条　第三条の規定の施行前に法第三条の規定による改正前の測量法（昭和二十四年法律第百八十八号。以下「旧測量法」という。）第五十条第三号若しくは第五十一条第三号の指定を受けていた測量に関する専門の養成施設の長の証明書又は旧測量法第五十条第四号の指定を受けていた測量に関する専門の養成施設の長の証明書は、それぞれこの省令による改正後の測量法施行規則第八条第一項第三号の証明書又は第四号の証明書とみなす。

附　則〔抄〕〔平成一八・三・三一国土交通省令三二〕

（施行期日）
第一条　この省令は、所得税法等の一部を改正する等の法律（平成十八年法律第十号）の施行の日（平成十八年四月一日。以下「施行日」という。）から施行する。

（測量法施行規則の一部改正に伴う経過措置）
第三条　第二条による改正前の測量法施行規則別表第七及び別表第十四の二による登録申請書及びフレキシブルディスク提出票は、同条による改正後の測量法施行規則別表第七及び別表第十四の二にかかわらず、当分の間、なおこれを使用することができる。

附　則〔平成一九・一・一九国土交通省令五〕

1　この省令は、公布の日から施行する。

2　この省令による改正後の測量法施行規則別表第十二添付書類（ハ）及び添付書類（ニ）並びに別表第十三の規定は、平成十八年五月一日以後に決算期の到来した事業年度に係る書類について適用する。ただし、平成十九年三月三十一日までに決算期の到来した事業年度に係るものについては、なお従前の例によることができる。

3　この省令による改正前の測量法施行規則第十六条の二、第十六条の三、第十六条の四及び第十六条の五並びに別表第十四の二、別表第十四の三、別表第十四の四、別表第十四の五及び別表第十四の六の規定による手続については、平成十九年三月三十一日までは、なお従前の例によることができる。

附　則〔平成二〇・三・二七国土交通省令一一〕

（施行期日）
第一条　この省令は、測量法の一部を改正する法律の施行の日（平成二十年四月一日）から施行する。

（測量法施行規則の一部改正に伴う経過措置）
第二条　この省令の施行の際現に設置されている測量標は、この省令による改正後の測量法施行規則に基づいて設置したものとみなす。

第三条　第一条の規定による改正前の測量法施行規則別表第一の二及び別表第六による証明書及び届出書は、同条の規定による改正後の測量法施行規則別表第一の二及び別表第六にかかわらず、平成二十年六月三十日までの間は、なおこれを使用することができる。

附　則〔平成二三・四・四国土交通省令三五〕

（施行期日）
1　この省令は、公布の日から施行する。

（経過措置）
2　この省令の施行の日の前日までに決算期の到来した事業年度に係る書類については、なお従前の例によることができる。

附　則〔平成二六・三・二五国土交通省令二一〕

（施行期日）
1　この省令は、平成二十六年四月一日から施行する。

（経過措置）
2　この省令の施行の際現にあるこの省令による改正前の別表第七による申請書は、この省令による改正後の別表第七にかかわらず、平成二十六年六月三十日までの間は、なおこれを使用することができる。

附　則〔略〕〔平成二九・九・二九国土交通省令五六〕

附　則〔令和二・三・一八国土交通省令一六〕

（施行期日）
1　この省令は、令和二年四月一日から施行する。

（経過措置）
2　この省令の施行の日の前日までに決算期の到来した事業年度に係る書類については、なお従前の例によることができる。

附　則〔略〕〔令和二・一二・二三国土交通省令九八〕

附　則〔略〕〔令和四・二・二八国土交通省令七〕

附　則〔略〕〔令和五・九・二〇国土交通省令七一施行〕

附　則〔抄〕〔令和六・三・二九国土交通省令二六〕

（施行期日）
第一条　この省令は、令和六年四月一日から施行する。〔以下略〕

別表　〔略〕

●宅地建物取引業法

〔昭和二七・六・一〇〕
〔法律一七六〕

改正　昭和二九・六法一七八、昭和三一・五法一三一、昭和三四・四法一一一、昭和三七・九法一六一、昭和三九・七法一六六、昭和四二・六法三六、八法一一五、昭和四三・六法一〇一、昭和四四・六法三八、昭和四六・六法一一〇、昭和四七・六法一〇〇、昭和五五・五法五六、昭和六一・一二法一〇九、昭和六三・五法二七、平成五・一一法八九、平成七・四法六七、五法九一、六法一〇六、平成九・一一法一〇五、平成一一・七法八七、一二法一五一、法一六〇、平成一二・五法七三、法九七、一一法一二六、平成一三・六法七五、一一法一一七、一二法一三八、平成一四・五法四五、六法六五、七法七九、平成一五・六法九六、平成一六・六法七六、法八八、法一二四、一二法一四七、法一五四、平成一七・七法八七、平成一八・六法五〇、法六六、法九二、平成一九・五法六六、平成二〇・五法二八、平成二一・六法四九、平成二三・六法六一、平成二四・八法五三、平成二五・六法五六、一一法八六、平成二六・六法六九、法八一、平成二八・六法五六、平成二九・六法四五、法四六、令和元・六法二八、法三七、令和二・三法八、六法五〇、令和三・五法三七、法四四、法四八、令和四・六法六一、令和五・一一法七九

注1　［　］の部分は、令和四年六月一七日法律第六八号により改正され、令和七年六月一日から施行

注2　［　］の部分は、令和六年六月一九日法律第五三号により改正され、令和七年四月一日から施行

目次

第一章　総則（第一条・第二条）
第二章　免許（第三条―第十四条）
第三章　宅地建物取引士（第十五条―第二十四条）
第四章　営業保証金（第二十五条―第三十条）
第五章　業務
第一節　通則（第三十一条―第五十条の二の四）
第二節　指定流通機構（第五十条の二の五―第五十条の十五）
第三節　指定保証機関（第五十一条―第六十三条の二）
第四節　指定保管機関（第六十三条の三―第六十四条）
第五章の二　宅地建物取引業保証協会（第六十四条の二―第六十四条の二十五）
第六章　監督（第六十五条―第七十二条）
第七章　雑則（第七十三条―第七十八条の四）
第八章　罰則（第七十九条―第八十六条）
附則

第一章　総則

（目的）

第一条　この法律は、宅地建物取引業を営む者について免許制度を実施し、その事業に対し必要な規制を行うことにより、その業務の適正な運営と宅地及び建物の取引の公正とを確保するとともに、宅地建物取引業の健全な発達を促進し、もつて購入者等の利益の保護と宅地及び建物の流通の円滑化とを図ることを目的とする。

〔改正・昭和三一法一三一・昭和三九法一六六、全改・昭和四六法一一〇、改正・昭和五五法五六〕

（用語の定義）

第二条　この法律において次の各号に掲げる用語の意義は、それぞれ当該各号の定めるところによる。

一　宅地　建物の敷地に供せられる土地をいい、都市計画法（昭和四十三年法律第百号）第八条第一項第一号の用途地域内のその他の土地で、道路、公園、河川その他政令で定める公共の用に供する施設の用に供せられているもの以外のものを含むものとする。

二　宅地建物取引業　宅地若しくは建物（建物の一部を含む。以下同じ。）の売買若しくは交換又は宅地若しくは建物の売買、交換若しくは貸借の代理若しくは媒介をする行為で業として行うものをいう。

三　宅地建物取引業者　第三条第一項の免許を受けて宅地建物取引業を営む者をいう。

四　宅地建物取引士　第二十二条の二第一項の宅地建物取引士証の交付を受けた者をいう。

〔改正・昭和三九法一六六・昭和四三法一〇一・昭和四四法三八・昭和四六法一一〇・平成二六法八一〕

参照【その他政令で定める公共の用に供する施設―令一】

第二章　免許

（免許）

第三条　宅地建物取引業を営もうとする者は、二以上の都道府県の区域内に事務所（本店、支店その他の政令で定めるものをいう。以下同じ。）を設置してその事業を営もうとする場合にあつては国土交通大臣の、一の都道府県の区域内にのみ事務所を設置してその事業を営もうとする場合にあつては当該事務所の所在地を管轄する都道府県知事の免許を受けなければならない。

2　前項の免許の有効期間は、五年とする。

3　前項の有効期間の満了後引き続き宅地建物取引業を営もうとする者は、免許の更新を受けなければならない。

4　前項の免許の更新の申請があつた場合において、第二項の有効期間の満了の日までにその申請について処分がなされないときは、従前の免許は、同項の有効期間の満了後もその処分がなされるまでの間は、なお効力を有する。

5　前項の場合において、免許の更新がなされたときは、その免許の有効期間は、従前の免許の有効期間の満了の日の翌日から起算するものとする。

6　第一項の免許のうち国土交通大臣の免許を受けようとする者は、登録免許税法（昭和四十二年法律第三十五号）の定めるところにより登録免許税を、第三項の規定により国土交通大臣の免許の更新を受けようとする者は、政令の定めるところにより手数料を、それぞれ納めなければならない。

〔全改・昭和三九法一六六、改正・昭和四二法三六・昭和四六法一一〇・昭和六三法二七・平成七法六七・平成一一法八七・法一六〇〕

参照【宅地建物取引業―法二2【その他政令で定める事務所―令一の二【登録免許税―登録免許税法別表第一147―令二、地方公共団体の手数料の標準に関する政令60【免許申請手数料の納付方法―規則一の三【免許の更新の申請期間―規則三【免許の更新がなされなかった旨の通知―規則二七【名簿の消除―規則六【監督処分―法六六①【罰則―法七九1・八四1

（免許の条件）

第三条の二　国土交通大臣又は都道府県知事は、前条第一項の免許（同条第三項の免許の更新を含む。第二十五条第六項を除き、以下同じ。）に条件を付し、及びこれを変更することができる。

２　前項の条件は、宅地建物取引業の適正な運営並びに宅地及び建物の取引の公正を確保するため必要な最小限度のものに限り、かつ、当該免許を受ける者に不当な義務を課することとならないものでなければならない。

〔追加・平成七法六七、改正・平成一一法一六〇〕

参照　【監督処分―法六六②】

（免許の申請）

第四条　第三条第一項の免許を受けようとする者は、二以上の都道府県の区域内に事務所を設置してその事業を営もうとする場合にあつては国土交通大臣に、一の都道府県の区域内にのみ事務所を設置してその事業を営もうとする場合にあつては当該事務所の所在地を管轄する都道府県知事に、次に掲げる事項を記載した免許申請書を提出しなければならない。

一　商号又は名称

二　法人である場合においては、その役員の氏名及び政令で定める使用人があるときは、その者の氏名

三　個人である場合においては、その者の氏名及び政令で定める使用人があるときは、その者の氏名

四　事務所の名称及び所在地

五　前号の事務所ごとに置かれる第三十一条の三第一項に規定する者（同条第二項の規定によりその者とみなされる者を含む。第八条第二項第六号において同じ。）の氏名

> 五　前号の事務所ごとに置かれる第三十一条の三第一項に規定する者（同条第二項の規定によりその者とみなされる者を含む。）の氏名
>
> 六　他に事業を行つているときは、その事業の種類

２　前項の免許申請書には、次の各号に掲げる書類を添付しなければならない。

一　宅地建物取引業経歴書

二　第五条第一項各号に該当しないことを誓約する書面

三　事務所について第三十一条の三第一項に規定する要件を備えていることを証する書面

四　その他国土交通省令で定める書面

> 二　次条第一項各号に該当しないことを誓約する書面
>
> 三　法人である場合においては、その役員の略歴を記載した書類及び政令で定める使用人があるときは、その者の略歴を記載した書類
>
> 四　個人である場合においては、その者の略歴を記載した書類及び政令で定める使用人があるときは、その者の略歴を記載した書類
>
> 五　事務所について第三十一条の三第一項に規定する要件を備えていることを証する書面
>
> 六　法人である場合においては、直前一年の事業年度の貸借対照表及び損益計算書
>
> 七　個人である場合においては、資産の状況を示す書面
>
> 八　その他国土交通省令で定める書面

〔追加・昭和四六法一一〇、改正・昭和五五法五六・昭和六三法二七・平成七法六七・平成一一法八七・法一六〇・平成二六法八一〕

参照　【免許申請書の様式―規則一】【事務所―法三①】【政令で定める使用人―令二の二】【その他国土交通省令で定める書面―規則一の二】【提出すべき書類の部数―規則二】【罰則―法八二1・八四2】【申請書等の経由―法七八の三】【罰則―法八二1・八四2】

（免許の基準）

第五条　国土交通大臣又は都道府県知事は、第三条第一項の免許を受けようとする者が次の各号のいずれかに該当する場合又は免許申請書若しくはその添付書類中に重要な事項について虚偽の記載があり、若しくは重要な事実の記載が欠けている場合においては、免許をしてはならない。

一　破産手続開始の決定を受けて復権を得ない者

二　第六十六条第一項第八号又は第九号に該当することにより免許を取り消され、その取消しの日から五年を経過しない者（当該免許を取り消された者が法人である場合においては、当該取消しに係る聴聞の期日及び場所の公示の日前六十日以内に当該法人の役員（業務を執行する社員、取締役、執行役又はこれらに準ずる者をいい、相談役、顧問、その他いかなる名称を有する者であるかを問わず、法人に対し業務を執行する社員、取締役、執行役又はこれらに準ずる者と同等以上の支配力を有するものと認められる者を含む。以下この条、第十八条第一項、第六十五条第二項及び第六十六条第一項において同じ。）であつた者で当該取消しの日から五年を経過しないものを含む。）

三　第六十六条第一項第八号又は第九号に該当するとして免許の取消処分の聴聞の期日及び場所が公示された日から当該処分をする日又は当該処分をしないことを決定する日までの間に第十一条第一項第四号又は第五号の規定による届出があつた者（解散又は宅地建物取引業の廃止について相当の理由がある者を除く。）で当該届出の日から五年を経過しないもの

四　前号に規定する期間内に合併により消滅した法人又は第十一条第一項第四号若しくは第五号の規定による届出があつた法人（合併、解散又は宅地建物取引業の廃止について相当の理由がある法人を除く。）の前号の公示の日前六十日以内に役員であつた者で当該消滅又は届出の日から五年を経過しないもの

五　禁錮以上の刑に処せられ、その刑の執行を終わり、又は執行を受けることがなくなつた日から五年を経過しない者

> 五　拘禁刑以上の刑に処せられ、その刑の執行を終わり、又は執行を受けることがなくなつた日から五年を経過しない者

六　この法律若しくは暴力団員による不当な行為の防止等に関する法律（平成三年法律第七十七号）の規定（同法第三十二条の三第七項及び第三十二条の十一第一項の規定を除く。第十八条第一項第七号及び第五十二条第七号ハにおいて同じ。）に違反したことにより、又は刑法（明治四十年法律第四十五号）第二百四条、第二百六条、第二百八条、第二百八条の二、第二百二十二条若しくは第二百四十七条の罪若しくは暴力行為等処罰に関する法律（大正十五年法律第六十号）の罪を犯したことにより、罰金の刑に処せられ、その刑の執行を終わり、又は執行を受けることがなくなつた日から五年を経過しない者

七　暴力団員による不当な行為の防止等に関する法律第二条第六号に規定する暴力団員又は同号に規定する暴力団員でなく

なつた日から五年を経過しない者（以下「暴力団員等」という。）
八　免許の申請前五年以内に宅地建物取引業に関し不正又は著しく不当な行為をした者
九　宅地建物取引業に関し不正又は不誠実な行為をするおそれが明らかな者
十　心身の故障により宅地建物取引業を適正に営むことができない者として国土交通省令で定めるもの
十一　営業に関し成年者と同一の行為能力を有しない未成年者でその法定代理人（法定代理人が法人である場合においては、その役員を含む。）が前各号のいずれかに該当するもの
十二　法人でその役員又は政令で定める使用人のうちに第一号から第十号までのいずれかに該当する者のあるもの
十三　個人で政令で定める使用人のうちに第一号から第十号までのいずれかに該当する者のあるもの
十四　暴力団員等がその事業活動を支配する者
十五　事務所について第三十一条の三に規定する要件を欠く者

2　国土交通大臣又は都道府県知事は、免許をしない場合においては、その理由を附した書面をもつて、申請者にその旨を通知しなければならない。

〔改正・昭和二九法一七八・昭和三三法一三一、全改・昭和三九法一六六、旧四条を改正し繰下・昭和四六法一一〇、改正・昭和五五法五六・昭和六三法二七・平成七法六七・法九一・平成一一法一五一・一六〇・平成一三法一三八・平成一四法四五・平成一六法一四七・平成二〇法二八・平成二三法六一・平成二四法五三・平成二五法八六・平成二六法八一・令和元法三七〕

参照【免許申請書―法四①、規則一】【添附書類―法四②、規則一の二】【監督処分―法六六①】【政令で定める使用人―令二の二】【事務所―法三①】【国土交通省令で定めるもの―規則三の二】

（免許証の交付）

第六条　国土交通大臣又は都道府県知事は、第三条第一項の免許をしたときは、免許証を交付しなければならない。

〔改正・昭和三三法一三一、全改・昭和三九法一六六、旧五条を繰下・昭和四六法一一〇、改正・平成一一法一六〇〕

参照【免許証の様式―規則四】【免許証の書換え交付の申請―規則四の二】【免許証の再交付の申請―規則四の三】【免許証の返納―規則四の四】

（免許換えの場合における従前の免許の効力）

第七条　宅地建物取引業者が第三条第一項の免許を受けた後次の各号の一に該当して引き続き宅地建物取引業を営もうとする場合において同項の規定により国土交通大臣又は都道府県知事の免許を受けたときは、その者に係る従前の国土交通大臣又は都道府県知事の免許は、その効力を失う。
一　国土交通大臣の免許を受けた者が一の都道府県の区域内にのみ事務所を有することとなつたとき。
二　都道府県知事の免許を受けた者が当該都道府県の区域内における事務所を廃止して、他の一の都道府県の区域内に事務所を設置することとなつたとき。
三　都道府県知事の免許を受けた者が二以上の都道府県の区域内に事務所を有することとなつたとき。

2　第三条第四項の規定は、宅地建物取引業者が前項各号の一に該当して引き続き宅地建物取引業を営もうとする場合において第四条第一項の規定による申請があつたときについて準用する。

〔全改・昭和三九法一六六、旧六条を繰下・昭和四六法一一〇、改正・昭和六三法二七・平成一一法一六〇〕

参照【事務所―法三①】【免許換えの通知―規則四の五】【名簿の消除―規則六】【監督処分―法六六①】

（宅地建物取引業者名簿）

第八条　国土交通省及び都道府県に、それぞれ宅地建物取引業者名簿を備える。

2　国土交通大臣又は都道府県知事は、宅地建物取引業者名簿に、国土交通大臣にあつてはその免許を受けた宅地建物取引業者に関する次に掲げる事項を、都道府県知事にあつてはその免許を受けた宅地建物取引業者及び国土交通大臣の免許を受けた宅地建物取引業者で当該都道府県の区域内に主たる事務所を有するものに関する次に掲げる事項を登載しなければならない。
一　免許証番号及び免許の年月日
二　商号又は名称
三　法人である場合においては、その役員の氏名及び政令で定める使用人があるときは、その者の氏名
四　個人である場合においては、その者の氏名及び政令で定める使用人があるときは、その者の氏名
五　事務所の名称及び所在地
六　前号の事務所ごとに置かれる第三十一条の三第一項に規定する者の氏名
七　第五十条の二第一項の認可を受けているときは、その旨及び認可の年月日
八　その他国土交通省令で定める事項

二　第四条第一項各号（第五号を除く。）に掲げる事項
三　第五十条の二第一項の認可を受けているときは、その旨及び認可の年月日
四　第六十五条の規定による処分を受けたことがあるときは、当該処分の年月日及び内容

〔全改・昭和三九法一六六、旧七条を改正し繰下・昭和四六法一一〇、改正・昭和五五法五六・平成七法六七・平成一一法八七・法一六〇・平成一二法九七・平成二六法八一〕

参照【宅地建物取引業者―法二3】【政令で定める使用人―令二の二】【事務所―法三①】【その他国土交通省令で定める登載事項―規則五】

（変更の届出）

第九条　宅地建物取引業者は、前条第二項第二号から第六号までに掲げる事項について変更があつた場合においては、国土交通省令の定めるところにより、三十日以内に、その旨をその免許を受けた国土交通大臣又は都道府県知事に届け出なければならない。

第九条　宅地建物取引業者は、第四条第一項第一号から第五号までに掲げる事項について変更があつた場合においては、国土交通省令の定めるところにより、三十日以内に、当該変更に係る事項を記載した届出書をその免許を受けた国土交通大臣又は都道府県知事に提出しなければならない。

2　第四条第二項（第一号、第六号及び第七号を除く。以下この項において同じ。）の規定は、前項の届出書について準用

する。ただし、既に国土交通大臣又は都道府県知事に提出されている同条第二項の書類の内容に変更がないときは、その添付を省略することができる。

〔改正・昭和三二法一三一、全改・昭和三九法一六六、旧八条を繰下・昭和四六法一一〇、改正・平成七法六七・平成一一法一六〇〕

参照 【免許―法三①】【国土交通省令の定める変更等の手続―規則五の三】【名簿の訂正―規則五の四】【罰則―法八三①1・八四2】【申請書等の経由―法七八の三】

（宅地建物取引業者名簿等の閲覧）

第一〇条　国土交通大臣又は都道府県知事は、国土交通省令の定めるところにより、宅地建物取引業者名簿並びに免許の申請及び前条の届出に係る書類又はこれらの写しを一般の閲覧に供しなければならない。

第一〇条　国土交通大臣又は都道府県知事は、国土交通省令の定めるところにより、宅地建物取引業者名簿並びに第四条第二項第一号、同項第三号から第五号まで（前条第二項において準用する場合を含む。）並びに第四条第二項第六号及び第七号に掲げる書類（第七十八条の三第一項において「特定書類」という。）又はこれらの写しを一般の閲覧に供しなければならない。

〔全改・昭和三九法一六六、旧九条を繰下・昭和四六法一一〇、改正・平成一一法一六〇〕

参照 【宅地建物取引業者名簿―法八】【免許の申請―法四】【変更の届出―法九】【国土交通省令の定める名簿等の閲覧―規則五の二】

（廃業等の届出）

第一一条　宅地建物取引業者が次の各号のいずれかに該当することとなつた場合においては、当該各号に掲げる者は、その日（第一号の場合にあつては、その事実を知つた日）から三十日以内に、その旨をその免許を受けた国土交通大臣又は都道府県知事に届け出なければならない。

一　宅地建物取引業者が死亡した場合　その相続人

二　法人が合併により消滅した場合　その法人を代表する役員であつた者

三　宅地建物取引業者について破産手続開始の決定があつた場合　その破産管財人

四　法人が合併及び破産手続開始の決定以外の理由により解散した場合　その清算人

五　宅地建物取引業を廃止した場合　宅地建物取引業者であつた個人又は宅地建物取引業者であつた法人を代表する役員

２　前項第三号から第五号までの規定により届出があつたときは、第三条第一項の免許は、その効力を失う。

〔改正・昭和三二法一三一、全改・昭和三九法一六六、旧一〇条を改正し繰下・昭和四六法一一〇、改正・平成一一法一六〇・平成一六法七六〕

参照 【名簿の消除―規則六】【監督処分―法六六①】【廃業等の手続―規則五の五】【申請書等の経由―法七八の三】【効力を失った旨の通知―規則二七】

（無免許事業等の禁止）

第一二条　第三条第一項の免許を受けない者は、宅地建物取引業を営んではならない。

２　第三条第一項の免許を受けない者は、宅地建物取引業を営む旨の表示をし、又は宅地建物取引業を営む目的をもつて、広告をしてはならない。

〔改正・昭和三二法一三一・昭和三九法一六六、全改・昭和四六法一一〇〕

参照 【罰則―法七九2・八二2・八四】

（名義貸しの禁止）

第一三条　宅地建物取引業者は、自己の名義をもつて、他人に宅地建物取引業を営ませてはならない。

２　宅地建物取引業者は、自己の名義をもつて、他人に、宅地建物取引業を営む旨の表示をさせ、又は宅地建物取引業を営む目的をもつてする広告をさせてはならない。

〔追加・昭和四六法一一〇、改正・昭和五五法五六〕

参照 【監督処分―法六五】【罰則―法七九3・八二2・八四】

（国土交通省令への委任）

第一四条　第三条から第十一条までに規定するもののほか、免許の申請、免許証の交付、書換交付、再交付及び返納並びに宅地建物取引業者名簿の登載、訂正及び消除について必要な事項は、国土交通省令で定める。

〔全改・昭和三九法一六六、旧一一条を改正し繰下・昭和四六法一一〇、改正・平成一一法一六〇〕

参照 【免許の申請―規則一～三】【免許証の交付＝免許証の様式―規則四】【書換交付―規則四の二・四の五】【再交付―規則四の三】【返納―規則四の四】【名簿の登載―規則五】【名簿の訂正―規則五の四】【名簿の消除―規則六】

第三章　宅地建物取引士

〔追加・昭和四六法一一〇、改正・平成二六法八一〕

（宅地建物取引士の業務処理の原則）

第一五条　宅地建物取引士は、宅地建物取引業の業務に従事するときは、宅地又は建物の取引の専門家として、購入者等の利益の保護及び円滑な宅地又は建物の流通に資するよう、公正かつ誠実にこの法律に定める事務を行うとともに、宅地建物取引業に関連する業務に従事する者との連携に努めなければならない。

〔追加・昭和四六法一一〇、改正・昭和五五法五六・昭和六三法二七・平成五法八九・平成一一法一六〇・平成一四法四五、全改・平成二六法八一〕

（信用失墜行為の禁止）

第一五条の二　宅地建物取引士は、宅地建物取引士の信用又は品位を害するような行為をしてはならない。

〔追加・平成二六法八一〕

（知識及び能力の維持向上）

第一五条の三　宅地建物取引士は、宅地又は建物の取引に係る事務に必要な知識及び能力の維持向上に努めなければならない。

〔追加・平成二六法八一〕

（試験）

第一六条　都道府県知事は、国土交通省令の定めるところにより、宅地建物取引士資格試験（以下「試験」という。）を行わなければならない。

2　試験は、宅地建物取引業に関して、必要な知識について行う。

3　第十七条の三から第十七条の五までの規定により国土交通大臣の登録を受けた者（以下「登録講習機関」という。）が国土交通省令で定めるところにより行う講習（以下「登録講習」という。）の課程を修了した者については、国土交通省令で定めるところにより、試験の一部を免除する。

〔追加・昭和四六法一一〇、改正・昭和六一法一〇九・平成七法六七・平成一一法一六〇・平成一五法九六・平成二六法八一〕

参照　【国土交通省令の定めるところによる試験＝試験の基準―規則七、試験の内容―規則八、試験の方法―規則九、試験の施行及び試験の期日等の公告―規則一〇、登録の申請―規則一〇の二、合格の公告及び合格証書の交付―規則一一、宅地建物取引士資格試験合格者の名簿―規則一二、国土交通大臣に対する報告―規則一三【国土交通省令で定めるところによる講習＝登録講習業務の実施基準―規則一〇の五【試験の一部免除―規則一〇の一四

（指定）

第一六条の二　都道府県知事は、国土交通大臣の指定する者に、試験の実施に関する事務（以下「試験事務」という。）を行わせることができる。

2　前項の規定による指定は、試験事務を行おうとする者の申請により行う。

3　都道府県知事は、第一項の規定により国土交通大臣の指定する者に試験事務を行わせるときは、試験事務を行わないものとする。

〔追加・昭和六一法一〇九、改正・平成一一法一六〇〕

参照　【試験の実施に関する事務＝試験の施行及び試験の期日等の公告―規則一〇②・③、合格の公告及び合格証書の交付―規則一一、宅地建物取引士資格試験合格者の名簿―規則一二、国土交通大臣に対する報告―規則一三、試験事務の実施結果の報告―規則一三の一一【指定の申請等―規則一三の二

（指定の基準）

第一六条の三　国土交通大臣は、前条第二項の規定による申請が次の各号に適合していると認めるときでなければ、同条第一項の規定による指定をしてはならない。

一　職員、設備、試験事務の実施の方法その他の事項についての試験事務の実施に関する計画が試験事務の適正かつ確実な実施のために適切なものであること。

二　前号の試験事務の実施に関する計画の適正かつ確実な実施に必要な経理的及び技術的な基礎を有するものであること。

三　申請者が、試験事務以外の業務を行つている場合には、その業務を行うことによつて試験事務が不公正になるおそれがないこと。

2　国土交通大臣は、前条第二項の規定による申請をした者が、次の各号のいずれかに該当するときは、同条第一項の規定による指定をしてはならない。

一　一般社団法人又は一般財団法人以外の者であること。

二　この法律に違反して、刑に処せられ、その執行を終わり、又は執行を受けることがなくなつた日から起算して二年を経過しない者であること。

三　第十六条の十五第一項又は第二項の規定により指定を取り消され、その取消しの日から起算して二年を経過しない者であること。

四　その役員のうちに、次のいずれかに該当する者があること。

イ　第二号に該当する者

ロ　第十六条の六第二項の規定による命令により解任され、その解任の日から起算して二年を経過しない者

〔追加・昭和六一法一〇九、改正・平成一一法一六〇・平成一八法五〇〕

（指定の公示等）

第一六条の四　国土交通大臣は、第十六条の二第一項の規定による指定をしたときは、当該指定を受けた者の名称及び主たる事務所の所在地並びに当該指定をした日を公示しなければならない。

2　第十六条の二第一項の規定による指定を受けた者（以下「指定試験機関」という。）は、その名称又は主たる事務所の所在地を変更しようとするときは、変更しようとする日の二週間前までに、その旨を国土交通大臣に届け出なければならない。

3　国土交通大臣は、前項の規定による届出があつたときは、その旨を公示しなければならない。

〔追加・昭和六一法一〇九、改正・平成一一法一六〇〕

参照　【名称等の変更の届出―規則一三の三①

（委任の公示等）

第一六条の五　第十六条の二第一項の規定により指定試験機関にその試験事務を行わせることとした都道府県知事（以下「委任都道府県知事」という。）は、当該指定試験機関の名称、主たる事務所の所在地及び当該試験事務を取り扱う事務所の所在地並びに当該指定試験機関に試験事務を行わせることとした日を公示しなければならない。

2　指定試験機関は、その名称、主たる事務所の所在地又は試験事務を取り扱う事務所の所在地を変更しようとするときは、委任都道府県知事（試験事務を取り扱う事務所の所在地については、関係委任都道府県知事）に、変更しようとする日の二週間前までに、その旨を届け出なければならない。

3　委任都道府県知事は、前項の規定による届出があつたときは、その旨を公示しなければならない。

〔追加・昭和六一法一〇九、改正・平成七法六七〕

参照　【名称等の変更の届出―規則一三の三②

（役員の選任及び解任）

第一六条の六　指定試験機関の役員の選任及び解任は、国土交通大臣の認可を受けなければ、その効力を生じない。

2　国土交通大臣は、指定試験機関の役員が、この法律（この法律に基づく命令又は処分を含む。）若しくは第十六条の九第一項の試験事務規程に違反する行為をしたとき、又は試験事務に関し著しく不適当な行為をしたときは、指定試験機関に対し、その役員を解任すべきことを命ずることができる。

〔追加・昭和六一法一〇九、改正・平成一一法一六〇〕

参照　【役員の選任又は解任の認可の申請―規則一三の四

（試験委員）

第一六条の七　指定試験機関は、国土交通省令で定める要件を備える者のうちから宅地建物取引士資格試験委員（以下「試験委員」という。）を選任し、試験の問題の作成及び採点を行わせなければならない。

２　指定試験機関は、前項の試験委員を選任し、又は解任したときは、遅滞なく、その旨を国土交通大臣に届け出なければならない。

３　前条第二項の規定は、第一項の試験委員の解任について準用する。

〔追加・昭和六一法一〇九、改正・平成一一法一六〇・平成二六法八二〕

参照【試験委員の要件―規則一三の五】【試験委員の選任又は解任の届出―規則一三の六】

（秘密保持義務等）

第一六条の八　指定試験機関の役員若しくは職員（前条第一項の試験委員を含む。次項において同じ。）又はこれらの職にあつた者は、試験事務に関して知り得た秘密を漏らしてはならない。

２　試験事務に従事する指定試験機関の役員及び職員は、刑法その他の罰則の適用については、法令により公務に従事する職員とみなす。

〔追加・昭和六一法一〇九、改正・昭和六三法二七〕

参照【罰則―法八〇の二】

（試験事務規程）

第一六条の九　指定試験機関は、国土交通省令で定める試験事務の実施に関する事項について試験事務規程を定め、国土交通大臣の認可を受けなければならない。これを変更しようとするときも、同様とする。

２　指定試験機関は、前項後段の規定により試験事務規程を変更しようとするときは、委任都道府県知事の意見を聴かなければならない。

３　国土交通大臣は、第一項の規定により認可をした試験事務規程が試験事務の適正かつ確実な実施上不適当となつたと認めるときは、指定試験機関に対し、これを変更すべきことを命ずることができる。

〔追加・昭和六一法一〇九、改正・平成一一法一六〇〕

参照【試験事務規程―規則一三の七】【試験事務規程の認可の申請―規則一三の八】

（事業計画等）

第一六条の一〇　指定試験機関は、毎事業年度、事業計画及び収支予算を作成し、当該事業年度の開始前に（第十六条の二第一項の規定による指定を受けた日の属する事業年度にあつては、その指定を受けた後遅滞なく）、国土交通大臣の認可を受けなければならない。これを変更しようとするときも、同様とする。

２　指定試験機関は、事業計画及び収支予算を作成し、又は変更しようとするときは、委任都道府県知事の意見を聴かなければならない。

３　指定試験機関は、毎事業年度、事業報告書及び収支決算書を作成し、当該事業年度の終了後三月以内に、国土交通大臣及び委任都道府県知事に提出しなければならない。

〔追加・昭和六一法一〇九、改正・平成一一法一六〇〕

参照【事業計画等の認可の申請―規則一三の九】

（帳簿の備付け等）

第一六条の一一　指定試験機関は、国土交通省令で定めるところにより、試験事務に関する事項で国土交通省令で定めるものを記載した帳簿を備え、保存しなければならない。

〔追加・昭和六一法一〇九、改正・平成一一法一六〇〕

参照【帳簿―規則一三の一〇】【罰則―法八三の二1】

（監督命令等）

第一六条の一二　国土交通大臣は、試験事務の適正な実施を確保するため必要があると認めるときは、指定試験機関に対し、試験事務に関し監督上必要な命令をすることができる。

２　委任都道府県知事は、その行わせることとした試験事務の適正な実施を確保するため必要があると認めるときは、指定試験機関に対し、当該試験事務の適正な実施のために必要な措置をとるべきことを指示することができる。

〔追加・昭和六一法一〇九、改正・平成一一法一六〇〕

（報告及び検査）

第一六条の一三　国土交通大臣は、試験事務の適正な実施を確保するため必要があると認めるときは、指定試験機関に対し、試験事務の状況に関し必要な報告を求め、又はその職員に、指定試験機関の事務所に立ち入り、試験事務の状況若しくは設備、帳簿、書類その他の物件を検査させることができる。

２　委任都道府県知事は、その行わせることとした試験事務の適正な実施を確保するため必要があると認めるときは、指定試験機関に対し、当該試験事務の状況に関し必要な報告を求め、又はその職員に、当該試験事務を取り扱う指定試験機関の事務所に立ち入り、当該試験事務の状況若しくは設備、帳簿、書類その他の物件を検査させることができる。

３　第一項又は前項の規定により立入検査をする職員は、その身分を示す証明書を携帯し、関係人の請求があつたときは、これを提示しなければならない。

４　第一項又は第二項の規定による立入検査の権限は、犯罪捜査のために認められたものと解してはならない。

〔追加・昭和六一法一〇九、改正・平成七法六七・平成一一法一六〇・平成一五法九六〕

参照【罰則―法八三の二2】

（試験事務の休廃止）

第一六条の一四　指定試験機関は、国土交通大臣の許可を受けなければ、試験事務の全部又は一部を休止し、又は廃止してはならない。

２　国土交通大臣は、指定試験機関の試験事務の全部又は一部の休止又は廃止により試験事務の適正かつ確実な実施が損なわれるおそれがないと認めるときでなければ、前項の規定による許可をしてはならない。

３　国土交通大臣は、第一項の規定による許可をしようとするときは、関係委任都道府県知事の意見を聴かなければならない。

４　国土交通大臣は、第一項の規定による許可をしたときは、その旨を、関係委任都道府県知事に通知するとともに、公示しなければならない。

〔追加・昭和六一法一〇九、改正・平成一一法一六〇〕

参照【試験事務の休廃止の許可―規則一三の一一】【罰則―法八三の二3】

（指定の取消し等）

第一六条の一五　国土交通大臣は、指定試験機関が第十六条の三第二項各号（第三号を除く。）の一に該当するに至つたときは、当該指定試験機関の指定を取り消さなければならない。

2　国土交通大臣は、指定試験機関が次の各号の一に該当するときは、当該指定試験機関に対し、その指定を取り消し、又は期間を定めて試験事務の全部若しくは一部の停止を命ずることができる。

一　第十六条の三第一項各号の一に適合しなくなつたと認められるとき。

二　第十六条の七第一項、第十六条の十第一項若しくは第三項、第十六条の十一又は前条第一項の規定に違反したとき。

三　第十六条の六第二項（第十六条の七第三項において準用する場合を含む。）、第十六条の九第三項又は第十六条の十二第一項の規定による命令に違反したとき。

四　第十六条の九第一項の規定により認可を受けた試験事務規程によらないで試験事務を行つたとき。

五　不正な手段により第十六条の二第一項の規定による指定を受けたとき。

3　国土交通大臣は、前二項の規定による処分に係る聴聞を行うに当たつては、その期日の一週間前までに、行政手続法（平成五年法律第八十八号）第十五条第一項の規定による通知をし、かつ、聴聞の期日及び場所を公示しなければならない。

4　前項の通知を行政手続法第十五条第三項に規定する方法によつて行う場合においては、同条第一項の規定により聴聞の期日までにおくべき相当な期間は、二週間を下回つてはならない。

5　第三項の聴聞の期日における審理は、公開により行わなければならない。

6　国土交通大臣は、第一項又は第二項の規定による処分をしたときは、その旨を、関係委任都道府県知事に通知するとともに、公示しなければならない。

〔追加・昭和六一法一〇九、改正・平成五法八九・平成一一法一六〇〕

参照　【罰則―法八〇の三

（委任の撤回の通知等）

第一六条の一六　委任都道府県知事は、指定試験機関に試験事務を行わせないこととするときは、その三月前までに、その旨を指定試験機関に通知しなければならない。

2　委任都道府県知事は、指定試験機関に試験事務を行わせないこととしたときは、その旨を公示しなければならない。

〔追加・昭和六一法一〇九、改正・平成七法六七〕

（委任都道府県知事による試験の実施）

第一六条の一七　委任都道府県知事は、指定試験機関が第十六条の十四第一項の規定により試験事務の全部若しくは一部を休止したとき、国土交通大臣が第十六条の十五第二項の規定により指定試験機関に対し試験事務の全部若しくは一部の停止を命じたとき、又は指定試験機関が天災その他の事由により試験事務の全部若しくは一部を実施することが困難となつた場合において国土交通大臣が必要があると認めるときは、第十六条の二第三項の規定にかかわらず、当該試験事務の全部又は一部を行うものとする。

2　国土交通大臣は、委任都道府県知事が前項の規定により試験事務を行うこととなるとき、又は委任都道府県知事が同項の規定により試験事務を行うこととなる事由がなくなつたときは、速やかにその旨を当該委任都道府県知事に通知しなければならない。

3　委任都道府県知事は、前項の規定による通知を受けたときは、その旨を公示しなければならない。

〔追加・昭和六一法一〇九、改正・平成一一法一六〇〕

（試験事務の引継ぎ等に関する国土交通省令への委任）

第一六条の一八　前条第一項の規定により委任都道府県知事が試験事務を行うこととなつた場合、国土交通大臣が第十六条の十四第一項の規定により試験事務の廃止を許可し、若しくは第十六条の十五第一項若しくは第二項の規定により指定を取り消した場合又は委任都道府県知事が指定試験機関に試験事務を行わせないこととした場合における試験事務の引継ぎその他の必要な事項は、国土交通省令で定める。

〔追加・昭和六一法一〇九、改正・平成一一法一六〇〕

参照　【試験事務の引継ぎ―規則一三の一三

（受験手数料）

第一六条の一九　都道府県は、地方自治法（昭和二十二年法律第六十七号）第二百二十七条の規定に基づき試験に係る手数料を徴収する場合においては、第十六条の二の規定により指定試験機関が行う試験を受けようとする者に、条例で定めるところにより、当該手数料を当該指定試験機関に納めさせ、その収入とすることができる。

〔追加・昭和六一法一〇九、全改・平成一一法八七〕

参照　【試験―法一六

（合格の取消し等）

第一七条　都道府県知事は、不正の手段によつて試験を受け、又は受けようとした者に対しては、合格の決定を取り消し、又はその試験を受けることを禁止することができる。

2　指定試験機関は、前項に規定する委任都道府県知事の職権を行うことができる。

3　都道府県知事は、前二項の規定による処分を受けた者に対し、情状により、三年以内の期間を定めて試験を受けることができないものとすることができる。

〔追加・昭和四六法一一〇、改正・昭和六一法一〇九〕

参照　【試験―法一六【合格の取り消し等の報告―規則一三の一四

（指定試験機関がした処分等に係る審査請求）

第一七条の二　指定試験機関が行う試験事務に係る処分又はその不作為については、国土交通大臣に対し、審査請求をすることができる。この場合において、国土交通大臣は、行政不服審査法（平成二十六年法律第六十八号）第二十五条第二項及び第三項、第四十六条第一項及び第二項、第四十七条並びに第四十九条第三項の規定の適用については、指定試験機関の上級行政庁とみなす。

〔追加・昭和六一法一〇九、改正・平成一一法一六〇・平成二六法六九〕

（登録講習機関の登録）

第一七条の三　第十六条第三項の登録は、登録講習の実施に関する業務（以下「講習業務」という。）を行おうとする者の申請により行う。

〔追加・平成一五法九六〕

参照　【登録の申請―規則一〇の二

（欠格条項）

第一七条の四　次の各号のいずれかに該当する者は、第十六条第三項の登録を受けることができない。

一　この法律又はこの法律に基づく命令に違反し、罰金以上の刑に処せられ、その執行を終わり、又は執行を受けることがなくなつた日から二年を経過しない者

二　第十七条の十四の規定により第十六条第三項の登録を取り消され、その取消しの日から二年を経過しない者

三　法人であつて、講習業務を行う役員のうちに前二号のいずれかに該当する者があるもの

〔追加・平成一五法九六〕

（登録基準等）

第一七条の五　国土交通大臣は、第十七条の三の規定により登録を申請した者の行う登録講習が、別表の上欄に掲げる科目について、それぞれ同表の下欄に掲げる講師によつて行われるものであるときは、その登録をしなければならない。この場合において、登録に関して必要な手続は、国土交通省令で定める。

2　登録は、登録講習機関登録簿に次に掲げる事項を記載してするものとする。

一　登録年月日及び登録番号

二　登録講習機関の氏名又は名称及び住所並びに法人にあつては、その代表者の氏名

三　登録講習機関が講習業務を行う事務所の所在地

四　前三号に掲げるもののほか、国土交通省令で定める事項

〔追加・平成一五法九六〕

参照　【登録に関して必要な手続＝登録の申請―規則一〇の二】【登録講習機関登録簿の記載事項―規則一〇の三

（登録の更新）

第一七条の六　第十六条第三項の登録は、三年を下らない政令で定める期間ごとにその更新を受けなければ、その期間の経過によつて、その効力を失う。

2　前三条の規定は、前項の登録の更新について準用する。

〔追加・平成一五法九六〕

参照　政令―令二の三【登録の更新―規則一〇の二】【登録の更新の申請期間―規則一〇の四

（講習業務の実施に係る義務）

第一七条の七　登録講習機関は、公正に、かつ、第十七条の五第一項の規定及び国土交通省令で定める基準に適合する方法により講習業務を行わなければならない。

〔追加・平成一五法九六〕

参照　【国土交通省令で定める基準＝登録講習業務の実施基準―規則一〇の五

（登録事項の変更の届出）

第一七条の八　登録講習機関は、第十七条の五第二項第二号から第四号までに掲げる事項を変更しようとするときは、変更しようとする日の二週間前までに、その旨を国土交通大臣に届け出なければならない。

〔追加・平成一五法九六〕

参照　【登録事項の変更の届出―規則一〇の六

（講習業務規程）

第一七条の九　登録講習機関は、講習業務に関する規程（以下「講習業務規程」という。）を定め、講習業務の開始前に、国土交通大臣に届け出なければならない。これを変更しようとするときも、同様とする。

2　講習業務規程には、登録講習の実施方法、登録講習に関する料金その他の国土交通省令で定める事項を定めておかなければならない。

〔追加・平成一五法九六〕

参照　【国土交通省令で定める事項＝講習業務規程の記載事項―規則一〇の七

（業務の休廃止）

第一七条の一〇　登録講習機関は、講習業務の全部又は一部を休止し、又は廃止しようとするときは、国土交通省令で定めるところにより、あらかじめ、その旨を国土交通大臣に届け出なければならない。

〔追加・平成一五法九六〕

参照　【登録講習業務の休廃止の届出―規則一〇の八】【罰則―法八三の二3

（財務諸表等の備付け及び閲覧等）

第一七条の一一　登録講習機関は、毎事業年度経過後三月以内に、その事業年度の財産目録、貸借対照表及び損益計算書又は収支計算書並びに事業報告書（その作成に代えて電磁的記録（電子的方式、磁気的方式その他の人の知覚によつては認識することができない方式で作られる記録であつて、電子計算機による情報処理の用に供されるものをいう。以下この条において同じ。）の作成がされている場合における当該電磁的記録を含む。次項及び第八十五条の二において「財務諸表等」という。）を作成し、五年間登録講習機関の事務所に備えて置かなければならない。

2　登録講習を受けようとする者その他の利害関係人は、登録講習機関の業務時間内は、いつでも、次に掲げる請求をすることができる。ただし、第二号又は第四号の請求をするには、登録講習機関の定めた費用を支払わなければならない。

一　財務諸表等が書面をもつて作成されているときは、当該書面の閲覧又は謄写の請求

二　前号の書面の謄本又は抄本の請求

三　財務諸表等が電磁的記録をもつて作成されているときは、当該電磁的記録に記録された事項を国土交通省令で定める方法により表示したものの閲覧又は謄写の請求

四　前号の電磁的記録に記録された事項を電磁的方法であつて国土交通省令で定めるものにより提供することの請求又は当該事項を記載した書面の交付の請求

〔追加・平成一五法九六、改正・平成一七法八七〕

参照　【国土交通省令で定める方法＝電磁的記録に記録された事項を表示する方法―規則一〇の九】【電磁的記録に記録された事項を提供するための方法―規則一〇の一〇】【罰則―法八五の二

（適合命令）

第一七条の一二　国土交通大臣は、登録講習機関が第十七条の五

第一項の規定に適合しなくなつたと認めるときは、その登録講習機関に対し、同項の規定に適合するため必要な措置をとるべきことを命ずることができる。

〔追加・平成一五法九六〕

（改善命令）

第一七条の一三 国土交通大臣は、登録講習機関が第十七条の七の規定に違反していると認めるときは、その登録講習機関に対し、同条の規定による講習業務を行うべきこと又は登録講習の方法その他の業務の方法の改善に関し必要な措置をとるべきことを命ずることができる。

〔追加・平成一五法九六〕

（登録の取消し等）

第一七条の一四 国土交通大臣は、登録講習機関が次の各号のいずれかに該当するときは、その登録を取り消し、又は期間を定めて講習業務の全部若しくは一部の停止を命ずることができる。

一 第十七条の四第一号又は第三号に該当するに至つたとき。

二 第十七条の八から第十七条の十まで、第十七条の十一第一項又は次条の規定に違反したとき。

三 正当な理由がないのに第十七条の十一第二項各号の規定による請求を拒んだとき。

四 前二条の規定による命令に違反したとき。

五 不正の手段により第十六条第三項の登録を受けたとき。

〔追加・平成一五法九六〕

参照 【罰則―法八〇の三

（帳簿の記載）

第一七条の一五 登録講習機関は、国土交通省令で定めるところにより、帳簿を備え、講習業務に関し国土交通省令で定める事項を記載し、これを保存しなければならない。

〔追加・平成一五法九六〕

参照 【国土交通省令で定める事項＝帳簿―規則一〇の一一 【罰則―法八三の二1

（報告の徴収）

第一七条の一六 国土交通大臣は、講習業務の適正な実施を確保するため必要があると認めるときは、登録講習機関に対し、講習業務の状況に関し必要な報告を求めることができる。

〔追加・平成一五法九六〕

参照 【罰則―法八三の二2

（立入検査）

第一七条の一七 国土交通大臣は、講習業務の適正な実施を確保するため必要があると認めるときは、その職員に、登録講習機関の事務所に立ち入り、講習業務の状況又は設備、帳簿、書類その他の物件を検査させることができる。

2 前項の規定により立入検査をする職員は、その身分を示す証明書を携帯し、関係人の請求があつたときは、これを提示しなければならない。

3 第一項の規定による立入検査の権限は、犯罪捜査のために認められたものと解してはならない。

〔追加・平成一五法九六〕

参照 【身分証明書の様式―規則一〇の一三

（公示）

第一七条の一八 国土交通大臣は、次に掲げる場合には、その旨を官報に公示しなければならない。

一 第十六条第三項の登録をしたとき。

二 第十七条の八の規定による届出があつたとき。

三 第十七条の十の規定による届出があつたとき。

四 第十七条の十四の規定により第十六条第三項の登録を取り消し、又は登録講習の業務の停止を命じたとき。

〔追加・平成一五法九六〕

（宅地建物取引士の登録）

第一八条 試験に合格した者で、宅地若しくは建物の取引に関し国土交通省令で定める期間以上の実務の経験を有するもの又は国土交通大臣がその実務の経験を有するものと同等以上の能力を有すると認めたものは、国土交通省令の定めるところにより、当該試験を行つた都道府県知事の登録を受けることができる。ただし、次の各号のいずれかに該当する者については、この限りでない。

一 宅地建物取引業に係る営業に関し成年者と同一の行為能力を有しない未成年者

二 破産手続開始の決定を受けて復権を得ない者

三 第六十六条第一項第八号又は第九号に該当することにより第三条第一項の免許を取り消され、その取消しの日から五年を経過しない者（当該免許を取り消された者が法人である場合においては、当該取消しに係る聴聞の期日及び場所の公示の日前六十日以内にその法人の役員であつた者で当該取消しの日から五年を経過しないもの）

四 第六十六条第一項第八号又は第九号に該当するとして免許の取消処分の聴聞の期日及び場所が公示された日から当該処分をする日又は当該処分をしないことを決定する日までの間に第十一条第一項第五号の規定による届出があつた者（宅地建物取引業の廃止について相当の理由がある者を除く。）で当該届出の日から五年を経過しないもの

五 第五条第一項第四号に該当する者

六 禁錮以上の刑に処せられ、その刑の執行を終わり、又は執行を受けることがなくなつた日から五年を経過しない者

> 六 拘禁刑以上の刑に処せられ、その刑の執行を終わり、又は執行を受けることがなくなつた日から五年を経過しない者

七 この法律若しくは暴力団員による不当な行為の防止等に関する法律の規定に違反したことにより、又は刑法第二百四条、第二百六条、第二百八条、第二百八条の二、第二百二十二条若しくは第二百四十七条の罪若しくは暴力行為等処罰に関する法律の罪を犯したことにより、罰金の刑に処せられ、その刑の執行を終わり、又は執行を受けることがなくなつた日から五年を経過しない者

八 暴力団員等

九 第六十八条の二第一項第二号から第四号まで又は同条第二項第二号若しくは第三号のいずれかに該当することにより登録の消除の処分を受け、その処分の日から五年を経過しない者

十 第六十八条の二第一項第二号から第四号まで又は同条第二項第二号若しくは第三号のいずれかに該当するとして登録の

消除の処分の聴聞の期日及び場所が公示された日から当該処分をする日又は当該処分をしないことを決定する日までの間に登録の消除の申請をした者（登録の消除の申請について相当の理由がある者を除く。）で当該登録が消除された日から五年を経過しないもの

十一　第六十八条第二項又は第四項の規定による禁止の処分を受け、その禁止の期間中に第二十二条第一号の規定によりその登録が消除され、まだその期間が満了しない者

十二　心身の故障により宅地建物取引士の事務を適正に行うことができない者として国土交通省令で定めるもの

2　前項の登録は、都道府県知事が、宅地建物取引士資格登録簿に氏名、生年月日、住所その他国土交通省令で定める事項並びに登録番号及び登録年月日を登載してするものとする。

〔追加・昭和四六法一一〇、改正・昭和五五法五六・昭和六三法二七・平成七法六七・法九一・平成一一法一五一・法一六〇・平成一三法一三八・平成一五法九六・平成一六法一四七・平成二五法八六・平成二六法八一・令和元法三七〕

参照　【試験―法一六】【国土交通省令で定める期間―規則一三の一五】【国土交通大臣が実務の経験を有する者と同等以上の能力を有すると認めた者―規則一三の一六】【登録を受けることのできる都道府県―規則一四】【その他国土交通省令で定める事項―規則一四の二・一四の二の二】【監督処分の記載―規則一四の九】【監督処分―法六八の二】

（登録の手続）

第一九条　前条第一項の登録を受けることができる者がその登録を受けようとするときは、登録申請書を同項の都道府県知事に提出しなければならない。

2　都道府県知事は、前項の登録申請書の提出があつたときは、遅滞なく、登録をしなければならない。

〔追加・昭和四六法一一〇〕

参照　【登録の申請―規則一四の三】【登録の通知等―規則一四の四】

（登録の移転）

第一九条の二　第十八条第一項の登録を受けている者は、当該登録をしている都道府県知事の管轄する都道府県以外の都道府県に所在する宅地建物取引業者の事務所の業務に従事し、又は従事しようとするときは、当該事務所の所在地を管轄する都道府県知事に対し、当該登録をしている都道府県知事を経由して、登録の移転の申請をすることができる。ただし、その者が第六十八条第二項又は第四項の規定による禁止の処分を受け、その禁止の期間が満了していないときは、この限りでない。

〔追加・昭和五五法五六、改正・平成七法六七〕

参照　【宅地建物取引士資格登録の移転の申請―規則一四の五】【登録の移転の通知―規則一四の六】

（変更の登録）

第二〇条　第十八条第一項の登録を受けている者は、登録を受けている事項に変更があつたときは、遅滞なく、変更の登録を申請しなければならない。

〔追加・昭和四六法一一〇、改正・昭和五五法五六〕

参照　【変更の登録―規則一四の七】

（死亡等の届出）

第二一条　第十八条第一項の登録を受けている者が次の各号のいずれかに該当することとなつた場合においては、当該各号に定める者は、その日（第一号の場合にあつては、その事実を知つた日）から三十日以内に、その旨を当該登録をしている都道府県知事に届け出なければならない。

一　死亡した場合　その相続人

二　第十八条第一項第一号から第八号までのいずれかに該当するに至つた場合　本人

三　第十八条第一項第十二号に該当するに至つた場合　本人又はその法定代理人若しくは同居の親族

〔追加・昭和四六法一一〇、改正・昭和五五法五六・昭和六三法二七・平成二六法八一・令和元法三七〕

参照　【死亡等の届出の様式―規則一四の七の二】

（申請等に基づく登録の消除）

第二二条　都道府県知事は、次の各号の一に掲げる場合には、第十八条第一項の登録を消除しなければならない。

一　本人から登録の消除の申請があつたとき。

二　前条の規定による届出があつたとき。

三　前条第一号の規定による届出がなくて同号に該当する事実が判明したとき。

四　第十七条第一項又は第二項の規定により試験の合格の決定を取り消されたとき。

〔追加・昭和四六法一一〇、改正・昭和五五法五六・昭和六一法一〇九〕

参照　【登録の消除―規則一四の八】【試験―法一六】

（宅地建物取引士証の交付等）

第二二条の二　第十八条第一項の登録を受けている者は、登録をしている都道府県知事に対し、宅地建物取引士証の交付を申請することができる。

2　宅地建物取引士証の交付を受けようとする者は、登録をしている都道府県知事が国土交通省令の定めるところにより指定する講習で交付の申請前六月以内に行われるものを受講しなければならない。ただし、試験に合格した日から一年以内に宅地建物取引士証の交付を受けようとする者又は第五項に規定する宅地建物取引士証の交付を受けようとする者については、この限りでない。

3　宅地建物取引士証（第五項の規定により交付された宅地建物取引士証を除く。）の有効期間は、五年とする。

4　宅地建物取引士証が交付された後第十九条の二の規定により登録の移転があつたときは、当該宅地建物取引士証は、その効力を失う。

5　前項に規定する場合において、登録の移転の申請とともに宅地建物取引士証の交付の申請があつたときは、移転後の都道府県知事は、前項の宅地建物取引士証の有効期間が経過するまでの期間を有効期間とする宅地建物取引士証を交付しなければならない。

6　宅地建物取引士は、第十八条第一項の登録が消除されたとき又は宅地建物取引士証が効力を失つたときは、速やかに、宅地建物取引士証をその交付を受けた都道府県知事に返納しなければならない。

7　宅地建物取引士は、第六十八条第二項又は第四項の規定による禁止の処分を受けたときは、速やかに、宅地建物取引士証をその交付を受けた都道府県知事に提出しなければならない。

8　前項の規定により宅地建物取引士証の提出を受けた都道府県知事は、同項の禁止の期間が満了した場合においてその提出者から返還の請求があつたときは、直ちに、当該宅地建物取引士証を返還しなければならない。

〔追加・昭和五五法五六、改正・平成七法六七・平成九法一〇五・平成一一法一六〇・平成二六法八一〕

参照【宅地建物取引士証の交付の申請―規則一四の一〇】【宅地建物取引士証の記載事項及び様式―規則一四の一一】【宅地建物取引士証の書換え交付―規則一四の一三】【登録の移転に伴う宅地建物取引士証の交付―規則一四の一四】【宅地建物取引士証の再交付等―規則一四の一五】【講習の指定―規則一四の一七】【監督処分―法六八の二】【罰則―法八六

（宅地建物取引士証の有効期間の更新）

第二二条の三　宅地建物取引士証の有効期間は、申請により更新する。

2　前条第二項本文の規定は宅地建物取引士証の有効期間の更新を受けようとする者について、同条第三項の規定は更新後の宅地建物取引士証の有効期間について準用する。

〔追加・昭和五五法五六、改正・平成二六法八一〕

参照【宅地建物取引士証の有効期間の更新―規則一四の一六

（宅地建物取引士証の提示）

第二二条の四　宅地建物取引士は、取引の関係者から請求があつたときは、宅地建物取引士証を提示しなければならない。

〔追加・昭和五五法五六、改正・平成二六法八一〕

第二三条　削除〔平成一一法八七〕

（国土交通省令への委任）

第二四条　この章に定めるもののほか、試験、登録講習、登録講習機関、指定試験機関、第十八条第一項の登録、その移転及び宅地建物取引士証に関し必要な事項は、国土交通省令で定める。

〔追加・昭和四六法一一〇、改正・昭和五五法五六・昭和六一法一〇九・平成七法六七・平成一一法一六〇・平成一五法九六・平成二六法八一〕

参照【国土交通省令で定める試験、登録講習、登録講習機関、指定試験機関、第一八条第一項の登録、その移転及び宅地建物取引士証に関し必要な事項＝登録の申請―規則一〇の二、登録講習機関登録簿の記載事項―規則一〇の三、登録更新の申請期間―規則一〇の四、登録講習業務の実施基準―規則一〇の五、登録事項の変更の届出―規則一〇の六、講習業務規程の記載事項―規則一〇の七、登録講習業務の休廃止の届出―規則一〇の八、電磁的記録に記録された事項を表示する方法―規則一〇の九、電磁的記録に記録された事項を提供するための方法―規則一〇の一〇、帳簿―規則一〇の一一、登録講習業務の実施結果の報告―規則一〇の一二、身分証明書の様式―規則一〇の一三、登録を受けることのできる都道府県―規則一四、宅地建物取引士資格登録簿の登載事項―規則一四の二、登録の申請―規則一四の三、登録の通知等―規則一四の四、登録の移転の申請―規則一四の五、登録の移転の通知―規則一四の六、変更の登録―規則一四の七、登録の消除―規則一四の八、監督処分の記載―規則一四の九、宅地建物取引士証の交付の申請―規則一四の一〇、宅地建物取引士証の記載事項及び様式―規則一四の一一、宅地建物取引士証の書換え交付―規則一四の一三、登録の移転に伴う宅地建物取引士証の交付―規則一四の一四、宅地建物取引士証の再交付等―規則一四の一五、宅地建物取引士証の有効期間の更新―規則一四の一六、講習の指定―規則一四の一七

第四章　営業保証金

〔追加・昭和三二法一三一、旧二章の二を繰下・昭和四六法一一〇〕

（営業保証金の供託等）

第二五条　宅地建物取引業者は、営業保証金を主たる事務所のもよりの供託所に供託しなければならない。

2　前項の営業保証金の額は、主たる事務所及びその他の事務所ごとに、宅地建物取引業者の取引の実情及びその取引の相手方の利益の保護を考慮して、政令で定める額とする。

3　第一項の営業保証金は、国土交通省令の定めるところにより、国債証券、地方債証券その他の国土交通省令で定める有価証券（社債、株式等の振替に関する法律（平成十三年法律第七十五号）第二百七十八条第一項に規定する振替債を含む。）をもつて、これに充てることができる。

4　宅地建物取引業者は、営業保証金を供託したときは、その供託物受入れの記載のある供託書の写しを添附して、その旨をその免許を受けた国土交通大臣又は都道府県知事に届け出なければならない。

5　宅地建物取引業者は、前項の規定による届出をした後でなければ、その事業を開始してはならない。

6　国土交通大臣又は都道府県知事は、第三条第一項の免許をした日から三月以内に宅地建物取引業者が第四項の規定による届出をしないときは、その届出をすべき旨の催告をしなければならない。

7　国土交通大臣又は都道府県知事は、前項の催告が到達した日から一月以内に宅地建物取引業者が第四項の規定による届出をしないときは、その免許を取り消すことができる。

8　第二項の規定に基づき政令を制定し、又は改廃する場合においては、その政令で、営業保証金の追加の供託又はその取戻しに関して、所要の経過措置（経過措置に関し監督上必要な措置を含む。）を定めることができる。

〔追加・昭和三二法一三一、改正・昭和三四法一一一・昭和三九法一六六、旧一二条の二を繰下・昭和四六法一一〇、改正・昭和四七法一〇〇・昭和五五法五六・平成一一法一六〇・平成一四法六五・平成一六法八八・平成二一法四九〕

参照【事務所―法三①】【営業保証金の額―令二の四】【その他の国土交通省令で定める有価証券―規則一五・一五の二】【免許―法三①】【営業保証金供託済届出書の様式―規則一五の五】【準用―法二六・二八・二九・六四の七】【監督処分―法六五②2】【罰則―法八一1・八四2】【取り消しの旨の通知―規則二七

（事務所新設の場合の営業保証金）

第二六条　宅地建物取引業者は、事業の開始後新たに事務所を設置したとき（第七条第一項各号の一に該当する場合において事務所の増設があつたときを含むものとする。）は、当該事務所につき前条第二項の政令で定める額の営業保証金を供託しなければならない。

2　前条第一項及び第三項から第五項までの規定は、前項の規定により供託する場合に準用する。

〔追加・昭和三二法一三一、改正・昭和三四法一一一・昭和三九法一六六・昭和四六法一一〇・昭和五五法五六・昭和六三法二七〕

参照【事務所—法三①【営業保証金—法二五、令二の四【監督処分—法六五②2【罰則—法八一1・八四2

（営業保証金の還付）

第二七条　宅地建物取引業者と宅地建物取引業に関し取引をした者（宅地建物取引業者に該当する者を除く。）は、その取引により生じた債権に関し、宅地建物取引業者が供託した営業保証金について、その債権の弁済を受ける権利を有する。

2　前項の権利の実行に関し必要な事項は、法務省令・国土交通省令で定める。

〔追加・昭和三二法一三一、旧二二条の四を繰下・昭和四六法一一〇、改正・平成一一法一六〇・平成二八法五六〕

参照【供託した営業保証金—法二五、令二の四【法務省令・国土交通省令で定める事項—宅地建物取引業者営業保証金規則一～四

（営業保証金の不足額の供託）

第二八条　宅地建物取引業者は、前条第一項の権利を有する者がその権利を実行したため、営業保証金が第二十五条第二項の政令で定める額に不足することとなつたときは、法務省令・国土交通省令で定める日から二週間以内にその不足額を供託しなければならない。

2　宅地建物取引業者は、前項の規定により営業保証金を供託したときは、その供託物受入れの記載のある供託書の写しを添附して、二週間以内に、その旨をその免許を受けた国土交通大臣又は都道府県知事に届け出なければならない。

3　第二十五条第三項の規定は、第一項の規定により供託する場合に準用する。

〔追加・昭和三二法一三一、改正・昭和三四法一一一・昭和三九法一六六・昭和四六法一一〇・昭和五五法五六・平成一一法一六〇〕

参照【営業保証金—法二五、令二の四【法務省令・国土交通省令で定める日—宅地建物取引業者営業保証金規則五【届出の様式—規則一五の五【監督処分—法六五②2

（営業保証金の保管替え等）

第二九条　宅地建物取引業者は、その主たる事務所を移転したためその最寄りの供託所が変更した場合において、金銭のみをもつて営業保証金を供託しているときは、法務省令・国土交通省令の定めるところにより、遅滞なく、費用を予納して、営業保証金を供託している供託所に対し、移転後の主たる事務所の最寄りの供託所への営業保証金の保管替えを請求し、その他のときは、遅滞なく、営業保証金を移転後の主たる事務所の最寄りの供託所に新たに供託しなければならない。

2　第二十五条第二項及び第三項の規定は、前項の規定により供託する場合に準用する。

〔追加・昭和三二法一三一、改正・昭和三四法一一一・昭和三九法一六六、旧二二条の六を改正し繰下・昭和四六法一一〇、改正・平成一一法一六〇〕

参照【事務所—法三①【営業保証金の供託—法二五、令二の四【法務省令・国土交通省令の定める営業保証金の保管替え—宅地建物取引業者営業保証金規則六、規則一五の四（届出）

（営業保証金の取戻し）

第三〇条　第三条第二項の有効期間（同条第四項に規定する場合にあつては、同項の規定によりなお効力を有することとされる期間を含む。第七十六条において同じ。）が満了したとき、第十一条第二項の規定により免許が効力を失つたとき、同条第一項第一号若しくは第二号に該当することとなつたとき、又は第二十五条第七項、第六十六条若しくは第六十七条第一項の規定により免許を取り消されたときは、宅地建物取引業者であつた者又はその承継人（第七十六条の規定により宅地建物取引業者とみなされる者を除く。）は、当該宅地建物取引業者であつた者が供託した営業保証金を取り戻すことができる。宅地建物取引業者が一部の事務所を廃止した場合において、営業保証金の額が第二十五条第二項の政令で定める額を超えることとなつたときは、その超過額について、宅地建物取引業者が前条第一項の規定により供託した場合においては、移転前の主たる事務所のもよりの供託所に供託した営業保証金についても、また同様とする。

2　前項の営業保証金の取りもどし（前条第一項の規定により供託した場合における移転前の主たる事務所のもよりの供託所に供託した営業保証金の取りもどしを除く。）は、当該営業保証金につき第二十七条第一項の権利を有する者に対し、六月を下らない一定期間内に申し出るべき旨を公告し、その期間内にその申出がなかつた場合でなければ、これをすることができない。ただし、営業保証金を取りもどすことができる事由が発生した時から十年を経過したときは、この限りでない。

3　前項の公告その他営業保証金の取戻しに関し必要な事項は、法務省令・国土交通省令で定める。

〔追加・昭和三二法一三一、改正・昭和三四法一一一・昭和三九法一六六、旧二二条の七を改正し繰下・昭和四六法一一〇、改正・昭和五五法五六・昭和六三法二七・平成五法八九・平成一一法一六〇〕

参照【供託した営業保証金—法二五、令二の四【事務所—法三①、令一の二【法務省令・国土交通省令で定める事項—宅地建物取引業者営業保証金規則七～九【準用—法六四の一一・六四の一四・六四の二四

第五章　業務

〔旧三章を繰下・昭和四六法一一〇〕

第一節　通則

〔追加・昭和四六法一一〇〕

（宅地建物取引業者の業務処理の原則）

第三一条　宅地建物取引業者は、取引の関係者に対し、信義を旨とし、誠実にその業務を行なわなければならない。

2　宅地建物取引業者は、第五十条の二第一項に規定する取引一任代理等を行うに当たつては、投機的取引の抑制が図られるよう配慮しなければならない。

〔改正・昭和三九法一六六、旧一三条を改正し繰下・昭和四六法一一〇、改正・平成一二法九七・平成二六法八一〕

（従業者の教育）

第三一条の二　宅地建物取引業者は、その従業者に対し、その業務を適正に実施させるため、必要な教育を行うよう努めなければならない。

〔追加・平成二六法八一〕

（宅地建物取引士の設置）

第三一条の三　宅地建物取引業者は、その事務所その他国土交通省令で定める場所（以下この条及び第五十条第一項において「事

務所等」という。）ごとに、事務所等の規模、業務内容等を考慮して国土交通省令で定める数の成年者である専任の宅地建物取引士を置かなければならない。

2　前項の場合において、宅地建物取引業者（法人である場合においては、その役員（業務を執行する社員、取締役、執行役又はこれらに準ずる者をいう。））が宅地建物取引士であるときは、その者が自ら主として業務に従事する事務所等については、その者は、その事務所等に置かれる成年者である専任の宅地建物取引士とみなす。

3　宅地建物取引業者は、第一項の規定に抵触する事務所等を開設してはならず、既存の事務所等が同項の規定に抵触するに至つたときは、二週間以内に、同項の規定に適合させるため必要な措置を執らなければならない。

〔追加・平成二六法八一〕

参照【国土交通省令で定める場所―規則一五の五の二】【国土交通省令で定める数―規則一五の五の三】【監督処分―法六五】【罰則―法八二2・八四】

（誇大広告等の禁止）

第三二条　宅地建物取引業者は、その業務に関して広告をするときは、当該広告に係る宅地又は建物の所在、規模、形質若しくは現在若しくは将来の利用の制限、環境若しくは交通その他の利便又は代金、借賃等の対価の額若しくはその支払方法若しくは代金若しくは交換差金に関する金銭の貸借のあつせんについて、著しく事実に相違する表示をし、又は実際のものよりも著しく優良であり、若しくは有利であると人を誤認させるような表示をしてはならない。

〔追加・昭和四二法一一五、旧一四条を繰下・昭和四六法一一〇、改正・昭和五五法五六〕

参照【宅地・建物―法二1・2】【監督処分―法六五】【罰則―法八一1・八四2】

（広告の開始時期の制限）

第三三条　宅地建物取引業者は、宅地の造成又は建物の建築に関する工事の完了前においては、当該工事に関し必要とされる都市計画法第二十九条第一項又は第二項の許可、建築基準法（昭和二十五年法律第二百一号）第六条第一項の確認その他法令に基づく許可等の処分で政令で定めるものがあつた後でなければ、当該工事に係る宅地又は建物の売買その他の業務に関する広告をしてはならない。

〔追加・昭和四六法一一〇、改正・平成一二法七三〕

参照【政令で定める許可等の処分―令二の五】

（自己の所有に属しない宅地又は建物の売買契約締結の制限）

第三三条の二　宅地建物取引業者は、自己の所有に属しない宅地又は建物について、自ら売主となる売買契約（予約を含む。）を締結してはならない。ただし、次の各号のいずれかに該当する場合は、この限りでない。

一　宅地建物取引業者が当該宅地又は建物を取得する契約（予約を含み、その効力の発生が条件に係るものを除く。）を締結しているときその他宅地建物取引業者が当該宅地又は建物を取得できることが明らかな場合で国土交通省令・内閣府令で定めるとき。

二　当該宅地又は建物の売買が第四十一条第一項に規定する売買に該当する場合で当該売買に関して同項第一号又は第二号に掲げる措置が講じられているとき。

〔追加・昭和五五法五六、改正・平成一一法一六〇・平成二一法四九〕

参照【国土交通省令・内閣府令で定めるとき―規則一五の六】【監督処分―法六五】【業者間取引への不適用―法七八】

（取引態様の明示）

第三四条　宅地建物取引業者は、宅地又は建物の売買、交換又は貸借に関する広告をするときは、自己が契約の当事者となつて当該売買若しくは交換を成立させるか、代理人として当該売買、交換若しくは貸借を成立させるか、又は媒介して当該売買、交換若しくは貸借を成立させるかの別（次項において「取引態様の別」という。）を明示しなければならない。

2　宅地建物取引業者は、宅地又は建物の売買、交換又は貸借に関する注文を受けたときは、遅滞なく、その注文をした者に対し、取引態様の別を明らかにしなければならない。

〔追加・昭和四二法一一五、旧一四条の二を繰下・昭和四六法一一〇、改正・昭和五五法五六〕

参照【監督処分―法六五】

（媒介契約）

第三四条の二　宅地建物取引業者は、宅地又は建物の売買又は交換の媒介の契約（以下この条において「媒介契約」という。）を締結したときは、遅滞なく、次に掲げる事項を記載した書面を作成して記名押印し、依頼者にこれを交付しなければならない。

一　当該宅地の所在、地番その他当該宅地を特定するために必要な表示又は当該建物の所在、種類、構造その他当該建物を特定するために必要な表示

二　当該宅地又は建物を売買すべき価額又はその評価額

三　当該宅地又は建物について、依頼者が他の宅地建物取引業者に重ねて売買又は交換の媒介又は代理を依頼することの許否及びこれを許す場合の他の宅地建物取引業者を明示する義務の存否に関する事項

四　当該建物が既存の建物であるときは、依頼者に対する建物状況調査（建物の構造耐力上主要な部分又は雨水の浸入を防止する部分として国土交通省令で定めるもの（第三十七条第一項第二号の二において「建物の構造耐力上主要な部分等」という。）の状況の調査であつて、経年変化その他の建物に生じる事象に関する知識及び能力を有する者として国土交通省令で定める者が実施するものをいう。第三十五条第一項第六号の二イにおいて同じ。）を実施する者のあつせんに関する事項

五　媒介契約の有効期間及び解除に関する事項

六　当該宅地又は建物の第五項に規定する指定流通機構への登録に関する事項

七　報酬に関する事項

八　その他国土交通省令・内閣府令で定める事項

2　宅地建物取引業者は、前項第二号の価額又は評価額について意見を述べるときは、その根拠を明らかにしなければならない。

3　依頼者が他の宅地建物取引業者に重ねて売買又は交換の媒介又は代理を依頼することを禁ずる媒介契約（以下「専任媒介契

約」という。）の有効期間は、三月を超えることができない。これより長い期間を定めたときは、その期間は、三月とする。

4　前項の有効期間は、依頼者の申出により、更新することができる。ただし、更新の時から三月を超えることができない。

5　宅地建物取引業者は、専任媒介契約を締結したときは、契約の相手方を探索するため、国土交通省令で定める期間内に、当該専任媒介契約の目的物である宅地又は建物につき、所在、規模、形質、売買すべき価額その他国土交通省令で定める事項を、国土交通省令で定めるところにより、国土交通大臣が指定する者（以下「指定流通機構」という。）に登録しなければならない。

6　前項の規定による登録をした宅地建物取引業者は、第五十条の六に規定する登録を証する書面を遅滞なく依頼者に引き渡さなければならない。

7　前項の宅地建物取引業者は、第五項の規定による登録に係る宅地又は建物の売買又は交換の契約が成立したときは、国土交通省令で定めるところにより、遅滞なく、その旨を当該登録に係る指定流通機構に通知しなければならない。

8　媒介契約を締結した宅地建物取引業者は、当該媒介契約の目的物である宅地又は建物の売買又は交換の申込みがあつたときは、遅滞なく、その旨を依頼者に報告しなければならない。

9　専任媒介契約を締結した宅地建物取引業者は、前項に定めるもののほか、依頼者に対し、当該専任媒介契約に係る業務の処理状況を二週間に一回以上（依頼者が当該宅地建物取引業者が探索した相手方以外の者と売買又は交換の契約を締結することができない旨の特約を含む専任媒介契約にあつては、一週間に一回以上）報告しなければならない。

10　第三項から第六項まで及び前二項の規定に反する特約は、無効とする。

11　宅地建物取引業者は、第一項の書面の交付に代えて、政令で定めるところにより、依頼者の承諾を得て、当該書面に記載すべき事項を電磁的方法（電子情報処理組織を使用する方法その他の情報通信の技術を利用する方法をいう。以下同じ。）であつて同項の規定による記名押印に代わる措置を講ずるものとして国土交通省令で定めるものにより提供することができる。この場合において、当該宅地建物取引業者は、当該書面に記名押印し、これを交付したものとみなす。

12　宅地建物取引業者は、第六項の規定による書面の引渡しに代えて、政令で定めるところにより、依頼者の承諾を得て、当該書面において証されるべき事項を電磁的方法であつて国土交通省令で定めるものにより提供することができる。この場合において、当該宅地建物取引業者は、当該書面を引き渡したものとみなす。

〔追加・昭和五五法五六、改正・昭和六三法二七・平成七法六七・平成一一法一六〇・平成二二法四九・平成二八法五六・令和三法三七〕

参照　【四号の国土交通省令—規則一五の七・一五の八【媒介契約の書面の記載事項—規則一五の九【指定流通機構への登録期間—規則一五の一〇【指定流通機構への登録事項—規則一五の一一【指定流通機構への登録方法—規則一五の一二【指定流通機構への通知—規則一五の一三【監督処分—法六五【一一項の政令—令二の六【一一項の国土交通省令—規則一五の一四【一二項の国土交通省令—規則一五の一七

（代理契約）

第三四条の三　前条の規定は、宅地建物取引業者に宅地又は建物の売買又は交換の代理を依頼する契約について準用する。

〔追加・昭和五五法五六〕

参照　【監督処分—法六五

（重要事項の説明等）

第三五条　宅地建物取引業者は、宅地若しくは建物の売買、交換若しくは貸借の相手方若しくは代理を依頼した者又は宅地建物取引業者が行う媒介に係る売買、交換若しくは貸借の各当事者（以下「宅地建物取引業者の相手方等」という。）に対して、その者が取得し、又は借りようとしている宅地又は建物に関し、その売買、交換又は貸借の契約が成立するまでの間に、宅地建物取引士をして、少なくとも次に掲げる事項について、これらの事項を記載した書面（第五号において図面を必要とするときは、図面）を交付して説明をさせなければならない。

一　当該宅地又は建物の上に存する登記された権利の種類及び内容並びに登記名義人又は登記簿の表題部に記録された所有者の氏名（法人にあつては、その名称）

二　都市計画法、建築基準法その他の法令に基づく制限で契約内容の別（当該契約の目的物が宅地であるか又は建物であるかの別及び当該契約が売買若しくは交換の契約であるか又は貸借の契約であるかの別をいう。以下この条において同じ。）に応じて政令で定めるものに関する事項の概要

三　当該契約が建物の貸借の契約以外のものであるときは、私道に関する負担に関する事項

四　飲用水、電気及びガスの供給並びに排水のための施設の整備の状況（これらの施設が整備されていない場合においては、その整備の見通し及びその整備についての特別の負担に関する事項）

五　当該宅地又は建物が宅地の造成又は建築に関する工事の完了前のものであるときは、その完了時における形状、構造その他国土交通省令・内閣府令で定める事項

六　当該建物が建物の区分所有等に関する法律（昭和三十七年法律第六十九号）第二条第一項に規定する区分所有権の目的であるものであるときは、当該建物を所有するための一棟の建物の敷地に関する権利の種類及び内容、同条第四項に規定する共用部分に関する規約の定めその他の一棟の建物又はその敷地（一団地内に数棟の建物があつて、その団地内の土地又はこれに関する権利がそれらの建物の所有者の共有に属する場合には、その土地を含む。）に関する権利及びこれらの管理又は使用に関する事項で契約内容の別に応じて国土交通省令・内閣府令で定めるもの

六の二　当該建物が既存の建物であるときは、次に掲げる事項

イ　建物状況調査（実施後国土交通省令で定める期間を経過していないものに限る。）を実施しているかどうか、及びこれを実施している場合におけるその結果の概要

ロ　設計図書、点検記録その他の建物の建築及び維持保全の状況に関する書類で国土交通省令で定めるものの保存の状況

七　代金、交換差金及び借賃以外に授受される金銭の額及び当該金銭の授受の目的

八　契約の解除に関する事項

九　損害賠償額の予定又は違約金に関する事項

十　第四十一条第一項に規定する手付金等を受領しようとする場合における同条又は第四十一条の二の規定による措置の概要

十一　支払金又は預り金（宅地建物取引業者の相手方等からその取引の対象となる宅地又は建物に関し受領する代金、交換差金、借賃その他の金銭（第四十一条第一項又は第四十一条の二第一項の規定により保全の措置が講ぜられている手付金等を除く。）であつて国土交通省令・内閣府令で定めるものをいう。第六十四条の三第二項第一号において同じ。）を受領しようとする場合において、同号の規定による保証の措置その他国土交通省令・内閣府令で定める保全措置を講ずるかどうか、及びその措置を講ずる場合におけるその措置の概要

十二　代金又は交換差金に関する金銭の貸借のあつせんの内容及び当該あつせんに係る金銭の貸借が成立しないときの措置

十三　当該宅地又は建物が種類又は品質に関して契約の内容に適合しない場合におけるその不適合を担保すべき責任の履行に関し保証保険契約の締結その他の措置で国土交通省令・内閣府令で定めるものを講ずるかどうか、及びその措置を講ずる場合におけるその措置の概要

十四　その他宅地建物取引業者の相手方等の利益の保護の必要性及び契約内容の別を勘案して、次のイ又はロに掲げる場合の区分に応じ、それぞれ当該イ又はロに定める命令で定める事項

イ　事業を営む場合以外の場合において宅地又は建物を買い、又は借りようとする個人である宅地建物取引業者の相手方等の利益の保護に資する事項を定める場合　国土交通省令・内閣府令

ロ　イに規定する事項以外の事項を定める場合　国土交通省令

2　宅地建物取引業者は、宅地又は建物の割賦販売（代金の全部又は一部について、目的物の引渡し後一年以上の期間にわたり、かつ、二回以上に分割して受領することを条件として販売することをいう。以下同じ。）の相手方に対して、その者が取得しようとする宅地又は建物に関し、その割賦販売の契約が成立するまでの間に、宅地建物取引士をして、前項各号に掲げる事項のほか、次に掲げる事項について、これらの事項を記載した書面を交付して説明をさせなければならない。

一　現金販売価格（宅地又は建物の引渡しまでにその代金の全額を受領する場合の価格をいう。）

二　割賦販売価格（割賦販売の方法により販売する場合の価格をいう。）

三　宅地又は建物の引渡しまでに支払う金銭の額及び賦払金（割賦販売の契約に基づく各回ごとの代金の支払分で目的物の引渡し後のものをいう。第四十二条第一項において同じ。）の額並びにその支払の時期及び方法

3　宅地建物取引業者は、宅地又は建物に係る信託（当該宅地建物取引業者を委託者とするものに限る。）の受益権の売主となる場合における売買の相手方に対して、その者が取得しようとしている信託の受益権に係る信託財産である宅地又は建物に関し、その売買の契約が成立するまでの間に、宅地建物取引士をして、少なくとも次に掲げる事項について、これらの事項を記載した書面（第五号において図面を必要とするときは、図面）を交付して説明をさせなければならない。ただし、その売買の相手方の利益の保護のため支障を生ずることがない場合として国土交通省令で定める場合は、この限りでない。

一　当該信託財産である宅地又は建物の上に存する登記された権利の種類及び内容並びに登記名義人又は登記簿の表題部に記録された所有者の氏名（法人にあつては、その名称）

二　当該信託財産である宅地又は建物に係る都市計画法、建築基準法その他の法令に基づく制限で政令で定めるものに関する事項の概要

三　当該信託財産である宅地又は建物に係る私道に関する負担に関する事項

四　当該信託財産である宅地又は建物に係る飲用水、電気及びガスの供給並びに排水のための施設の整備の状況（これらの施設が整備されていない場合においては、その整備の見通し及びその整備についての特別の負担に関する事項）

五　当該信託財産である宅地又は建物が宅地の造成又は建築に関する工事の完了前のものであるときは、その完了時における形状、構造その他国土交通省令で定める事項

六　当該信託財産である建物が建物の区分所有等に関する法律第二条第一項に規定する区分所有権の目的であるものであるときは、当該建物を所有するための一棟の建物の敷地に関する権利の種類及び内容、同条第四項に規定する共用部分に関する規約の定めその他の一棟の建物又はその敷地（一団地内に数棟の建物があつて、その団地内の土地又はこれに関する権利がそれらの建物の所有者の共有に属する場合には、その土地を含む。）に関する権利及びこれらの管理又は使用に関する事項で国土交通省令で定めるもの

七　その他当該信託の受益権の売買の相手方の利益の保護の必要性を勘案して国土交通省令で定める事項

4　宅地建物取引士は、前三項の説明をするときは、説明の相手方に対し、宅地建物取引士証を提示しなければならない。

5　第一項から第三項までの書面の交付に当たつては、宅地建物取引士は、当該書面に記名しなければならない。

6　次の表の第一欄に掲げる者が宅地建物取引業者である場合においては、同表の第二欄に掲げる規定の適用については、これらの規定中同表の第三欄に掲げる字句は、それぞれ同表の第四欄に掲げる字句とし、前二項の規定は、適用しない。

宅地建物取引業者の相手方等	第一項	宅地建物取引士をして、少なくとも次に掲げる事項について、これらの事項	少なくとも次に掲げる事項
		交付して説明をさせなければ	交付しなければ
第二項に規定する宅地又は建物の割賦販売の相手方	第二項	宅地建物取引士をして、前項各号に掲げる事項のほか、次に掲げる事項について、これらの事項	前項各号に掲げる事項のほか、次に掲げる事項
		交付して説明をさせなければ	交付しなければ

7　宅地建物取引業者は、前項の規定により読み替えて適用する第一項又は第二項の規定により交付すべき書面を作成したときは、宅地建物取引士をして、当該書面に記名させなければならない。

8　宅地建物取引業者は、第一項から第三項までの規定による書面の交付に代えて、政令で定めるところにより、第一項に規定する宅地建物取引業者の相手方等、第二項に規定する宅地若しくは建物の割賦販売の相手方又は第三項に規定する売買の相手方の承諾を得て、宅地建物取引士に、当該書面に記載すべき事

項を電磁的方法であつて第五項の規定による措置に代わる措置を講ずるものとして国土交通省令で定めるものにより提供させることができる。この場合において、当該宅地建物取引業者は、当該宅地建物取引士に当該書面を交付させたものとみなし、同項の規定は、適用しない。

9　宅地建物取引業者は、第六項の規定により読み替えて適用する第一項又は第二項の規定による書面の交付に代えて、政令で定めるところにより、第六項の規定により読み替えて適用する第一項に規定する宅地建物取引業者の相手方等である宅地建物取引業者又は第六項の規定により読み替えて適用する第二項に規定する宅地若しくは建物の割賦販売の相手方である宅地建物取引業者の承諾を得て、当該書面に記載すべき事項を電磁的方法であつて第七項の規定による措置に代わる措置を講ずるものとして国土交通省令で定めるものにより提供することができる。この場合において、当該宅地建物取引業者は、当該書面を交付したものとみなし、同項の規定は、適用しない。

〔追加・昭和四二法一一五、改正・昭和四三法一〇一・昭和四四法三八・昭和四六法一一〇・昭和四七法一〇〇・昭和五五法五六・昭和六三法二七・平成七法六七・平成一一法一六〇・平成一六法一二四・平成一八法六六・法九二・平成二一法四九・平成二六法八一・平成二八法五六・平成二九法四五・令和三法三七〕

参照【法令に基づく制限で政令で定めるもの―令三・三の二【国土交通省令・内閣府令で定める事項―規則一六～一六の四の三【損害賠償額の予定―法三八【六号の二イの国土交通省令―規則一六の二の二【六号の二ロの国土交通省令―規則一六の二の三【支払金又は預り金―規則一六の三【国土交通省令で定める保全措置―規則一六の四～一六の四の七【八項の政令―令三の三【八項の国土交通省令―規則一六の四の八【九項の国土交通省令―規則一六の四の九【割賦販売―法四二、割賦販売法【監督処分―法六五【罰則―法八六

（供託所等に関する説明）

第三五条の二　宅地建物取引業者は、宅地建物取引業者の相手方等（宅地建物取引業者に該当する者を除く。）に対して、当該売買、交換又は貸借の契約が成立するまでの間に、当該宅地建物取引業者が第六十四条の二第一項の規定により指定を受けた一般社団法人の社員でないときは第一号に掲げる事項について、当該宅地建物取引業者が同項の規定により指定を受けた一般社団法人の社員であるときは、第六十四条の八第一項の規定により国土交通大臣の指定する弁済業務開始日前においては第一号及び第二号に掲げる事項について、当該弁済業務開始日以後においては第二号に掲げる事項について説明をするようにしなければならない。

一　営業保証金を供託した主たる事務所の最寄りの供託所及びその所在地

二　社員である旨、当該一般社団法人の名称、住所及び事務所の所在地並びに第六十四条の七第二項の供託所及びその所在地

〔追加・昭和四七法一〇〇、改正・平成一一法一六〇・平成一八法五〇・平成二八法五六〕

参照【宅地建物取引業者の相手方等―法三五①【営業保証金の供託―法二五

（契約締結等の時期の制限）

第三六条　宅地建物取引業者は、宅地の造成又は建物の建築に関する工事の完了前においては、当該工事に関し必要とされる都市計画法第二十九条第一項又は第二項の許可、建築基準法第六条第一項の確認その他法令に基づく許可等の処分で政令で定めるものがあつた後でなければ、当該工事に係る宅地又は建物につき、自ら当事者として、若しくは当事者を代理してその売買若しくは交換の契約を締結し、又はその売買若しくは交換の媒介をしてはならない。

〔追加・昭和四六法一一〇、改正・平成一二法七三〕

参照【法令に基づく許可等の処分で政令で定めるもの―令二の五【監督処分―法六五

（書面の交付）

第三七条　宅地建物取引業者は、宅地又は建物の売買又は交換に関し、自ら当事者として契約を締結したときはその相手方に、当事者を代理して契約を締結したときはその相手方及び代理を依頼した者に、その媒介により契約が成立したときは当該契約の各当事者に、遅滞なく、次に掲げる事項を記載した書面を交付しなければならない。

一　当事者の氏名（法人にあつては、その名称）及び住所

二　当該宅地の所在、地番その他当該宅地を特定するために必要な表示又は当該建物の所在、種類、構造その他当該建物を特定するために必要な表示

二の二　当該建物が既存の建物であるときは、建物の構造耐力上主要な部分等の状況について当事者の双方が確認した事項

三　代金又は交換差金の額並びにその支払の時期及び方法

四　宅地又は建物の引渡しの時期

五　移転登記の申請の時期

六　代金及び交換差金以外の金銭の授受に関する定めがあるときは、その額並びに当該金銭の授受の時期及び目的

七　契約の解除に関する定めがあるときは、その内容

八　損害賠償額の予定又は違約金に関する定めがあるときは、その内容

九　代金又は交換差金についての金銭の貸借のあつせんに関する定めがある場合においては、当該あつせんに係る金銭の貸借が成立しないときの措置

十　天災その他不可抗力による損害の負担に関する定めがあるときは、その内容

十一　当該宅地若しくは建物が種類若しくは品質に関して契約の内容に適合しない場合におけるその不適合を担保すべき責任又は当該責任の履行に関して講ずべき保証保険契約の締結その他の措置についての定めがあるときは、その内容

十二　当該宅地又は建物に係る租税その他の公課の負担に関する定めがあるときは、その内容

2　宅地建物取引業者は、宅地又は建物の貸借に関し、当事者を代理して契約を締結したときはその相手方及び代理を依頼した者に、その媒介により契約が成立したときは当該契約の各当事者に、次に掲げる事項を記載した書面を交付しなければならない。

一　前項第一号、第二号、第四号、第七号、第八号及び第十号に掲げる事項

二　借賃の額並びにその支払の時期及び方法

三　借賃以外の金銭の授受に関する定めがあるときは、その額並びに当該金銭の授受の時期及び目的

3　宅地建物取引業者は、前二項の規定により交付すべき書面を作成したときは、宅地建物取引士をして、当該書面に記名させ

なければならない。

4　宅地建物取引業者は、第一項の規定による書面の交付に代えて、政令で定めるところにより、次の各号に掲げる場合の区分に応じ当該各号に定める者の承諾を得て、当該書面に記載すべき事項を電磁的方法であつて前項の規定による措置に代わる措置を講ずるものとして国土交通省令で定めるものにより提供することができる。この場合において、当該宅地建物取引業者は、当該書面を交付したものとみなし、同項の規定は、適用しない。

一　自ら当事者として契約を締結した場合　当該契約の相手方

二　当事者を代理して契約を締結した場合　当該契約の相手方及び代理を依頼した者

三　その媒介により契約が成立した場合　当該契約の各当事者

5　宅地建物取引業者は、第二項の規定による書面の交付に代えて、政令で定めるところにより、次の各号に掲げる場合の区分に応じ当該各号に定める者の承諾を得て、当該書面に記載すべき事項を電磁的方法であつて第三項の規定による措置に代わる措置を講ずるものとして国土交通省令で定めるものにより提供することができる。この場合において、当該宅地建物取引業者は、当該書面を交付したものとみなし、同項の規定は、適用しない。

一　当事者を代理して契約を締結した場合　当該契約の相手方及び代理を依頼した者

二　その媒介により契約が成立した場合　当該契約の各当事者

〔追加・昭和四二法一二五、改正・昭和四六法一一〇・平成一八法九二・平成二六法八一・平成二八法五六・平成二九法四五・令和三法三七〕

参照【宅地建物取引士―法一五〜二四】【損害賠償額の予定―法三八】【監督処分―法六五】【四項の政令―令三の四】【四項の国土交通省令―規則一六の四の一二】【五項の国土交通省令―規則一六の四の一三】【罰則―法八三①2・八四2】

（事務所等以外の場所においてした買受けの申込みの撤回等）

第三七条の二　宅地建物取引業者が自ら売主となる宅地又は建物の売買契約について、当該宅地建物取引業者の事務所その他国土交通省令・内閣府令で定める場所（以下この条において「事務所等」という。）以外の場所において、当該宅地又は建物の買受けの申込みをした者又は売買契約を締結した買主（事務所等において買受けの申込みをし、事務所等以外の場所において売買契約を締結した買主を除く。）は、次に掲げる場合を除き、書面により、当該買受けの申込みの撤回又は当該売買契約の解除（以下この条において「申込みの撤回等」という。）を行うことができる。この場合において、宅地建物取引業者は、申込みの撤回等に伴う損害賠償又は違約金の支払を請求することができない。

一　買受けの申込みをした者又は買主（以下この条において「申込者等」という。）が、国土交通省令・内閣府令の定めるところにより、申込みの撤回等を行うことができる旨及びその申込みの撤回等を行う場合の方法について告げられた場合において、その告げられた日から起算して八日を経過したとき。

二　申込者等が、当該宅地又は建物の引渡しを受け、かつ、その代金の全部を支払つたとき。

2　申込みの撤回等は、申込者等が前項前段の書面を発した時に、その効力を生ずる。

3　申込みの撤回等が行われた場合においては、宅地建物取引業者は、申込者等に対し、速やかに、買受けの申込み又は売買契約の締結に際し受領した手付金その他の金銭を返還しなければならない。

4　前三項の規定に反する特約で申込者等に不利なものは、無効とする。

〔追加・昭和五五法五六、改正・昭和六三法二七・平成一二法一六〇・平成二一法四九〕

参照【国土交通省令・内閣府令で定める場所―規則一六の五】【申込みの撤回等の告知―規則一六の六】【業者間取引への不適用―法七八】

（損害賠償額の予定等の制限）

第三八条　宅地建物取引業者がみずから売主となる宅地又は建物の売買契約において、当事者の債務の不履行を理由とする契約の解除に伴う損害賠償の額を予定し、又は違約金を定めるときは、これらを合算した額が代金の額の十分の二をこえることとなる定めをしてはならない。

2　前項の規定に反する特約は、代金の額の十分の二をこえる部分について、無効とする。

〔追加・昭和四六法一一〇〕

参照【業者間取引への不適用―法七八】

（手付の額の制限等）

第三九条　宅地建物取引業者は、自ら売主となる宅地又は建物の売買契約の締結に際して、代金の額の十分の二を超える額の手付を受領することができない。

2　宅地建物取引業者が、自ら売主となる宅地又は建物の売買契約の締結に際して手付を受領したときは、その手付がいかなる性質のものであつても、買主はその手付を放棄して、当該宅地建物取引業者はその倍額を現実に提供して、契約の解除をすることができる。ただし、その相手方が契約の履行に着手した後は、この限りでない。

3　前項の規定に反する特約で、買主に不利なものは、無効とする。

〔追加・昭和四六法一一〇、改正・平成二九法四五〕

参照【業者間取引への不適用―法七八】

参考規定―民法五五七

（担保責任についての特約の制限）

第四〇条　宅地建物取引業者は、自ら売主となる宅地又は建物の売買契約において、その目的物が種類又は品質に関して契約の内容に適合しない場合におけるその不適合を担保すべき責任に関し、民法（明治二十九年法律第八十九号）第五百六十六条に規定する期間についてその目的物の引渡しの日から二年以上となる特約をする場合を除き、同条に規定するものより買主に不利となる特約をしてはならない。

2　前項の規定に反する特約は、無効とする。

〔追加・昭和四六法一一〇、改正・昭和六一法一〇九・平成一八法五〇・平成二九法四五〕

参照【業者間取引への不適用―法七八】

（手付金等の保全）

第四一条　宅地建物取引業者は、宅地の造成又は建築に関する工事の完了前において行う当該工事に係る宅地又は建物の売買で自ら売主となるものに関しては、次の各号のいずれかに掲げる措置を講じた後でなければ、買主から手付金等（代金の全部又は一部として授受される金銭及び手付金その他の名義をもつて授受される金銭で代金に充当されるものであつて、契約の締結の日以後当該宅地又は建物の引渡し前に支払われるものをいう。以下同じ。）を受領してはならない。ただし、当該宅地若しくは建物について買主への所有権移転の登記がされたとき、買主が所有権の登記をしたとき、又は当該宅地建物取引業者が受領しようとする手付金等の額（既に受領した手付金等があるときは、その額を加えた額）が代金の額の百分の五以下であり、かつ、宅地建物取引業者の取引の実情及びその取引の相手方の利益の保護を考慮して政令で定める額以下であるときは、この限りでない。

一　銀行その他政令で定める金融機関又は国土交通大臣が指定する者（以下この条において「銀行等」という。）との間において、宅地建物取引業者が受領した手付金等の返還債務を負うこととなつた場合において当該銀行等がその債務を連帯して保証することを委託する契約（以下「保証委託契約」という。）を締結し、かつ、当該保証委託契約に基づいて当該銀行等が手付金等の返還債務を連帯して保証することを約する書面を買主に交付すること。

二　保険事業者（保険業法（平成七年法律第百五号）第三条第一項又は第百八十五条第一項の免許を受けて保険業を行う者をいう。以下この号において同じ。）との間において、宅地建物取引業者が受領した手付金等の返還債務の不履行により買主に生じた損害のうち少なくとも当該返還債務の不履行に係る手付金等の額に相当する部分を当該保険事業者がうめることを約する保証保険契約を締結し、かつ、保険証券又はこれに代わるべき書面を買主に交付すること。

2　前項第一号の規定による保証委託契約は、銀行等が次の各号に掲げる要件に適合する保証契約を買主との間において成立させることを内容とするものでなければならない。

一　保証債務が、少なくとも宅地建物取引業者が受領した手付金等の返還債務の全部を保証するものであること。

二　保証すべき手付金等の返還債務が、少なくとも宅地建物取引業者が受領した手付金等に係る宅地又は建物の引渡しまでに生じたものであること。

3　第一項第二号の規定による保証保険契約は、次の各号に掲げる要件に適合するものでなければならない。

一　保険金額が、宅地建物取引業者が受領しようとする手付金等の額（既に受領した手付金等があるときは、その額を加えた額）に相当する金額であること。

二　保険期間が、少なくとも保証保険契約が成立した時から宅地建物取引業者が受領した手付金等に係る宅地又は建物の引渡しまでの期間であること。

4　宅地建物取引業者が、第一項に規定する宅地又は建物の売買を行う場合（同項ただし書に該当する場合を除く。）において、同項第一号又は第二号に掲げる措置を講じないときは、買主は、手付金等を支払わないことができる。

5　宅地建物取引業者は、次の各号に掲げる措置に代えて、政令で定めるところにより、第一項に規定する買主の承諾を得て、電磁的方法であつて当該各号に掲げる措置に準ずるものとして国土交通省令・内閣府令で定めるものを講じることができる。この場合において、当該国土交通省令・内閣府令で定める措置を講じた者は、当該各号に掲げる措置を講じたものとみなす。

一　第一項第一号に掲げる措置のうち、当該保証委託契約に基づいて当該銀行等が手付金等の返還債務を連帯して保証することを約する書面を買主に交付する措置

二　第一項第二号に掲げる措置のうち、保険証券に代わるべき書面を買主に交付する措置

〔追加・昭和四六法一一〇、改正・昭和六三法二七・平成七法一〇六・平成一一法一六〇・平成一二法一二六・平成一六法一五四・平成二一法四九・令和三法三七〕

参照　【ただし書の政令で定める額―令三の三】【政令で定める金融機関―令四】【情報通信の技術を利用する方法―令四の二、規則一六の七・一六の八】【監督処分―法六五】【罰則―法八二3・八四2】【業者間取引への不適用―法七八】

第四一条の二　宅地建物取引業者は、自ら売主となる宅地又は建物の売買（前条第一項に規定する売買を除く。）に関しては、同項第一号若しくは第二号に掲げる措置を講じた後又は次の各号に掲げる措置をいずれも講じた後でなければ、買主から手付金等を受領してはならない。ただし、当該宅地若しくは建物について買主への所有権移転の登記がされたとき、買主が所有権の登記をしたとき、又は当該宅地建物取引業者が受領しようとする手付金等の額（既に受領した手付金等があるときは、その額を加えた額）が代金の額の十分の一以下であり、かつ、宅地建物取引業者の取引の実情及びその取引の相手方の利益の保護を考慮して政令で定める額以下であるときは、この限りでない。

一　国土交通大臣が指定する者（以下「指定保管機関」という。）との間において、宅地建物取引業者が自己に代理して当該指定保管機関に当該手付金等を受領させることとするとともに、当該指定保管機関が、当該宅地建物取引業者が受領した手付金等の額に相当する額の金銭を保管することを約する契約（以下「手付金等寄託契約」という。）を締結し、かつ、当該手付金等寄託契約を証する書面を買主に交付すること。

二　買主との間において、買主が宅地建物取引業者に対して有することとなる手付金等の返還を目的とする債権の担保として、手付金等寄託契約に基づく寄託金の返還を目的とする債権について質権を設定する契約（以下「質権設定契約」という。）を締結し、かつ、当該質権設定契約を証する書面を買主に交付し、及び当該質権設定契約による質権の設定を民法第四百六十七条の規定による確定日付のある証書をもつて指定保管機関に通知すること。

2　前項第一号の規定による手付金等寄託契約は、次の各号に掲げる要件に適合するものでなければならない。

一　保管される金額が、宅地建物取引業者が受領しようとする手付金等の額（既に受領した手付金等で指定保管機関に保管されていないものがあるときは、その保管されていないものの額を加えた額）に相当する金額であること。

二　保管期間が、少なくとも指定保管機関が宅地建物取引業者に代理して手付金等を受領した時から当該手付金等に係る宅地又は建物の引渡しまでの期間であること。

3　第一項第二号の規定による質権設定契約は、設定される質権の存続期間が、少なくとも当該質権が設定された時から宅地建物取引業者が受領した手付金等に係る宅地又は建物の引渡しまでの期間であるものでなければならない。

4　宅地建物取引業者は、第一項各号に掲げる措置を講ずる場合において、既に自ら手付金等を受領しているときは、自ら受領

した手付金等の額に相当する額（既に指定保管機関が保管する金銭があるときは、その額を除いた額）の金銭を、買主が手付金等の支払をする前に、指定保管機関に交付しなければならない。

5　宅地建物取引業者が、第一項に規定する宅地又は建物の売買を行う場合（同項ただし書に該当する場合を除く。）において、前条第一項第一号若しくは第二号に掲げる措置を講じないとき、第一項各号の一に掲げる措置を講じないとき、又は前項の規定による金銭の交付をしないときは、買主は、手付金等を支払わないことができる。

6　宅地建物取引業者は、次の各号に掲げる措置に代えて、政令で定めるところにより、第一項に規定する買主の承諾を得て、電磁的方法であつて当該各号に掲げる措置に準ずるものとして国土交通省令・内閣府令で定めるものを講じることができる。この場合において、当該国土交通省令・内閣府令で定める措置を講じた者は、当該各号に掲げる措置を講じたものとみなす。

一　第一項第一号に掲げる措置のうち、当該手付金等寄託契約を証する書面を買主に交付する措置

二　第一項第二号に掲げる措置のうち、当該質権設定契約を証する書面を買主に交付する措置

〔追加・昭和六三法二七、改正・平成一一法一六〇・平成一二法一二六・平成二一法四九・令和三法三七〕

参照【ただし書の政令で定める額―令三の五】【情報通信の技術を利用する方法―規則一六の一〇】【監督処分―法六五】【罰則―法八二3・八四2】【業者間取引への不適用―法七八

（宅地又は建物の割賦販売の契約の解除等の制限）

第四二条　宅地建物取引業者は、みずから売主となる宅地又は建物の割賦販売の契約について賦払金の支払の義務が履行されない場合においては、三十日以上の相当の期間を定めてその支払を書面で催告し、その期間内にその義務が履行されないときでなければ、賦払金の支払の遅滞を理由として、契約を解除し、又は支払時期の到来していない賦払金の支払を請求することができない。

2　前項の規定に反する特約は、無効とする。

〔追加・昭和四六法一一〇〕

参照【割賦販売―法三五】【賦払金―法三五】【業者間取引への不適用―法七八

参考規定―割賦販売法五（契約の解除等の制限）

（所有権留保等の禁止）

第四三条　宅地建物取引業者は、みずから売主として宅地又は建物の割賦販売を行なつた場合には、当該割賦販売に係る宅地又は建物を買主に引き渡すまで（当該宅地又は建物を引き渡すまでに代金の額の十分の三をこえる額の金銭の支払を受けていない場合にあつては、代金の額の十分の三をこえる額の金銭の支払を受けるまで）に、登記その他引渡し以外の売主の義務を履行しなければならない。ただし、買主が、当該宅地又は建物につき所有権の登記をした後の代金債務について、これを担保するための抵当権若しくは不動産売買の先取特権の登記を申請し、又はこれを保証する保証人を立てる見込みがないときは、この限りでない。

2　宅地建物取引業者は、みずから売主として宅地又は建物の割賦販売を行なつた場合において、当該割賦販売に係る宅地又は建物を買主に引き渡し、かつ、代金の額の十分の三をこえる額の金銭の支払を受けた後は、担保の目的で当該宅地又は建物を譲り受けてはならない。

3　宅地建物取引業者は、みずから売主として宅地又は建物の売買を行なつた場合において、代金の全部又は一部に充てるための買主の金銭の借入れで、当該宅地又は建物の引渡し後一年以上の期間にわたり、かつ、二回以上に分割して返還することを条件とするものに係る債務を保証したときは、当該宅地又は建物を買主に引き渡すまで（当該宅地又は建物を引き渡すまでに受領した代金の額から当該保証に係る債務で当該宅地又は建物を引き渡すまでに弁済されていないものの額を控除した額が代金の額の十分の三をこえていない場合にあつては、受領した代金の額から当該保証に係る債務で弁済されていないものの額を控除した額が代金の額の十分の三をこえるまで）に、登記その他引渡し以外の売主の義務を履行しなければならない。ただし、宅地建物取引業者が当該保証債務を履行した場合に取得する求償権及び当該宅地又は建物につき買主が所有権の登記をした後の代金債権について、買主が、これを担保するための抵当権若しくは不動産売買の先取特権の登記を申請し、又はこれを保証する保証人を立てる見込みがないときは、この限りでない。

4　宅地建物取引業者は、みずから売主として宅地又は建物の売買を行なつた場合において、当該宅地又は建物の代金の全部又は一部に充てるための買主の金銭の借入れで、当該宅地又は建物の引渡し後一年以上の期間にわたり、かつ、二回以上に分割して返還することを条件とするものに係る債務を保証したときは、当該売買に係る宅地又は建物を買主に引き渡し、かつ、受領した代金の額から当該保証に係る債務で弁済されていないものの額を控除した額が代金の額の十分の三をこえる額の金銭の支払を受けた後は、担保の目的で当該宅地又は建物を譲り受けてはならない。

〔追加・昭和四六法一一〇〕

参照【登記―不動産登記法三1（所有権）・5（先取特権）・7（抵当権）・一六（登記の申請）】【割賦販売―法三五】【監督処分―法六五】【業者間取引への不適用―法七八

参考規定―反対例―割賦販売法七

（不当な履行遅延の禁止）

第四四条　宅地建物取引業者は、その業務に関してなすべき宅地若しくは建物の登記若しくは引渡し又は取引に係る対価の支払を不当に遅延する行為をしてはならない。

〔改正・昭和三九法一六六、旧一四条を繰下・昭和四二法一二五、旧一五条を繰下・昭和四六法一一〇〕

参照【履行遅滞―民法四一二】【監督処分―法六五】【罰則―法八一1・八四2

（秘密を守る義務）

第四五条　宅地建物取引業者は、正当な理由がある場合でなければ、その業務上取り扱つたことについて知り得た秘密を他に漏らしてはならない。宅地建物取引業を営まなくなつた後であつても、また同様とする。

〔旧一六条を繰下・昭和四六法一一〇〕

参照【監督処分―法六五】【罰則―法八三①3（親告罪）

類似規定―不動産の鑑定評価に関する法律三八、税理士法三八、司法

書士法二四

（報酬）

第四六条　宅地建物取引業者が宅地又は建物の売買、交換又は貸借の代理又は媒介に関して受けることのできる報酬の額は、国土交通大臣の定めるところによる。

2　宅地建物取引業者は、前項の額をこえて報酬を受けてはならない。

3　国土交通大臣は、第一項の報酬の額を定めたときは、これを告示しなければならない。

4　宅地建物取引業者は、その事務所ごとに、公衆の見やすい場所に、第一項の規定により国土交通大臣が定めた報酬の額を掲示しなければならない。

〔改正・昭和三九法一六六、旧一七条を繰下・昭和四六法一一〇、改正・平成一一法一六〇〕

参照【国土交通大臣の定める報酬の額―昭和四五年一〇月二三日建設省告示第一五五二号【事務所―法三①、令一の二【監督処分―法六五【罰則―法八二２・八三①２・八四２

（業務に関する禁止事項）

第四七条　宅地建物取引業者は、その業務に関して、宅地建物取引業者の相手方等に対し、次に掲げる行為をしてはならない。

一　宅地若しくは建物の売買、交換若しくは貸借の契約の締結について勧誘をするに際し、又はその契約の申込みの撤回若しくは解除若しくは宅地建物取引業に関する取引により生じた債権の行使を妨げるため、次のいずれかに該当する事項について、故意に事実を告げず、又は不実のことを告げる行為

イ　第三十五条第一項各号又は第二項各号に掲げる事項

ロ　第三十五条の二各号に掲げる事項

ハ　第三十七条第一項各号又は第二項各号（第一号を除く。）に掲げる事項

ニ　イからハまでに掲げるもののほか、宅地若しくは建物の所在、規模、形質、現在若しくは将来の利用の制限、環境、交通等の利便、代金、借賃等の対価の額若しくは支払方法その他の取引条件又は当該宅地建物取引業者若しくは取引の関係者の資力若しくは信用に関する事項であつて、宅地建物取引業者の相手方等の判断に重要な影響を及ぼすこととなるもの

二　不当に高額の報酬を要求する行為

三　手付について貸付けその他信用の供与をすることにより契約の締結を誘引する行為

〔改正・昭和三九法一六六・昭和四二法一二五、旧一八条を改正し繰下・昭和四六法一一〇、改正・昭和四七法一〇〇・平成一八法九二・平成二八法五六〕

参照【相手方等―法三五【報酬―法四六【監督処分―法六五【罰則―法七九の二・八〇・八一２・八四２

第四七条の二　宅地建物取引業者又はその代理人、使用人その他の従業者（以下この条において「宅地建物取引業者等」という。）は、宅地建物取引業に係る契約の締結の勧誘をするに際し、宅地建物取引業者の相手方等に対し、利益を生ずることが確実であると誤解させるべき断定的判断を提供する行為をしてはならない。

2　宅地建物取引業者等は、宅地建物取引業に係る契約を締結させ、又は宅地建物取引業に係る契約の申込みの撤回若しくは解除を妨げるため、宅地建物取引業者の相手方等を威迫してはならない。

3　宅地建物取引業者等は、前二項に定めるもののほか、宅地建物取引業に係る契約の締結に関する行為又は申込みの撤回若しくは解除の妨げに関する行為であつて、第三十五条第一項第十四号イに規定する宅地建物取引業者の相手方等の利益の保護に欠けるものとして国土交通省令・内閣府令で定めるもの及びその他の宅地建物取引業者の相手方等の利益の保護に欠けるものとして国土交通省令で定めるものをしてはならない。

〔追加・平成七法六七、改正・平成一一法一六〇・平成二一法四九〕

参照【国土交通省令・内閣府令で定める行為―規則一六の一二【監督処分―法六五

（宅地建物取引業の業務に関し行つた行為の取消しの制限）

第四七条の三　宅地建物取引業者（個人に限り、未成年者を除く。）が宅地建物取引業の業務に関し行つた行為は、行為能力の制限によつては取り消すことができない。

〔追加・令和元法三七〕

（証明書の携帯等）

第四八条　宅地建物取引業者は、国土交通省令の定めるところにより、従業者に、その従業者であることを証する証明書を携帯させなければ、その者をその業務に従事させてはならない。

2　従業者は、取引の関係者の請求があつたときは、前項の証明書を提示しなければならない。

3　宅地建物取引業者は、国土交通省令で定めるところにより、その事務所ごとに、従業者名簿を備え、従業者の氏名、第一項の証明書の番号その他国土交通省令で定める事項を記載しなければならない。

4　宅地建物取引業者は、取引の関係者から請求があつたときは、前項の従業者名簿をその者の閲覧に供しなければならない。

〔追加・昭和三九法一六六、旧一八条の二を改正し繰下・昭和四六法一一〇、改正・昭和五五法五六・昭和六三法二七・平成一一法一六〇・平成二八法五六〕

参照【証明書の様式―規則一七【罰則―法八三①２・３の２・八四２【従業者名簿―規則一七の二【監督処分―法六五

（帳簿の備付け）

第四九条　宅地建物取引業者は、国土交通省令の定めるところにより、その事務所ごとに、その業務に関する帳簿を備え、宅地建物取引業に関し取引のあつたつど、その年月日、その取引に係る宅地又は建物の所在及び面積その他国土交通省令で定める事項を記載しなければならない。

〔追加・昭和三九法一六六、旧一八条の三を繰下・昭和四六法一一〇、改正・平成一一法一六〇〕

参照【国土交通省令の定める帳簿の備付け―規則一八②【その他国土交通省令で定める事項―規則一八①③【罰則―法八三①４・八四２

（標識の掲示等）

第五〇条　宅地建物取引業者は、事務所等及び事務所等以外の国土交通省令で定めるその業務を行う場所ごとに、公衆の見やすい

い場所に、国土交通省令で定める標識を掲げなければならない。

2　宅地建物取引業者は、国土交通省令の定めるところにより、あらかじめ、第三十一条の三第一項の国土交通省令で定める場所について所在地、業務内容、業務を行う期間及び専任の宅地建物取引士の氏名を免許を受けた国土交通大臣又は都道府県知事及びその所在地を管轄する都道府県知事に届け出なければならない。

〔改正・昭和三九法一六六、旧一九条を改正し繰下・昭和四六法一一〇、改正・昭和六三法二七・平成七法六七・平成一一法一六〇・平成二六法八一〕

参照【事務所―法三①、令一の二【国土交通省令で定める場所―規則一九①【標識の様式―規則一九②【届出手続―規則一九③【罰則―法八三①1・2・八四2

（取引一任代理等に係る特例）

第五〇条の二　宅地建物取引業者が、宅地又は建物の売買、交換又は貸借に係る判断の全部又は一部を次に掲げる契約により一任されるとともに当該判断に基づきこれらの取引の代理又は媒介を行うこと（以下「取引一任代理等」という。）について、あらかじめ、国土交通省令で定めるところにより、国土交通大臣の認可を受けたときは、第三十四条の二及び第三十四条の三の規定は、当該宅地建物取引業者が行う取引一任代理等については、適用しない。

一　当該宅地建物取引業者が金融商品取引法（昭和二十三年法律第二十五号）第二十九条の登録（同法第二十八条第四項に規定する投資運用業の種別に係るものに限る。）を受けて次のイ又はロに掲げる者と締結する当該イ又はロに定める契約

イ　当該宅地建物取引業者がその運用の指図を行う委託者指図型投資信託（投資信託及び投資法人に関する法律（昭和二十六年法律第百九十八号）第二条第一項に規定する委託者指図型投資信託をいう。）の信託財産の受託会社（同法第九条に規定する受託会社をいう。）　同法第三条に規定する投資信託契約

ロ　当該宅地建物取引業者がその資産の運用を行う投資法人（投資信託及び投資法人に関する法律第二条第十二項に規定する投資法人をいう。）　同法第百八十八条第一項第四号に規定する委託契約

二　当該宅地建物取引業者が次のイ又はロに掲げる規定に基づき宅地又は建物の売買、交換又は賃貸に係る業務を受託する場合における当該業務を委託する当該イ又はロに定める者と締結する当該業務の委託に関する契約

イ　資産の流動化に関する法律（平成十年法律第百五号）第二百三条　同法第二条第三項に規定する特定目的会社

ロ　資産の流動化に関する法律第二百八十四条第二項　同法第二条第十六項に規定する受託信託会社等

三　当該宅地建物取引業者が不動産特定共同事業法（平成六年法律第七十七号）第三条第一項の許可（同法第二条第四項第三号に掲げる行為に係る事業に係るものに限る。）を受けて当該宅地建物取引業者に係る同法第二十六条の二第一号に規定する委託特例事業者と締結する業務の委託に関する契約

2　前項の認可を受けた宅地建物取引業者（以下「認可宅地建物取引業者」という。）が取引一任代理等を行う場合には、当該取引一任代理等に係る前項各号に掲げる契約の相手方に対しては、次の各号に掲げる規定にかかわらず、当該各号に定める行為をすることを要しない。

一　第三十五条第一項　同項に規定する書面の交付及び説明

二　第三十五条第二項　同項に規定する書面の交付及び説明

三　第三十五条の二　同条に規定する説明

四　第三十七条第二項　同項に規定する書面の交付

〔追加・平成一二法九七、改正・平成一一法一六〇・平成一三法七五・平成一七法八七・平成一八法六六・平成二五法五六〕

参照【国土交通省令で定める取引一任代理等の認可―規則一九の二【監督処分―法六七の二①1・2

（認可の条件）

第五〇条の二の二　国土交通大臣は、前条第一項の認可に条件を付し、及びこれを変更することができる。

2　前項の条件は、宅地及び建物の取引の公正を確保するため必要な最小限度のものに限り、かつ、当該認可を受ける者に不当な義務を課することとならないものでなければならない。

〔追加・平成一二法九七、改正・平成一一法一六〇〕

参照【監督処分―法六七の二②

（認可の基準等）

第五〇条の二の三　国土交通大臣は、第五十条の二第一項の認可を受けようとする者が次の各号のいずれかに該当するときは、認可をしてはならない。

一　その行おうとする取引一任代理等を健全に遂行するに足りる財産的基礎を有しないこと。

二　その営む業務の収支の見込みが良好でなく、取引一任代理等の公正を害するおそれがあること。

三　その行おうとする取引一任代理等を公正かつ的確に遂行することができる知識及び経験を有しないこと。

2　国土交通大臣は、第五十条の二第一項の認可をしない場合においては、その理由を付した書面をもつて、申請者にその旨を通知しなければならない。

3　国土交通大臣は、第五十条の二第一項の認可をした場合であつて、当該宅地建物取引業者が都道府県知事の免許を受けたものであるときは、遅滞なく、その旨を当該都道府県知事に通知しなければならない。

3　国土交通大臣は、第五十条の二第一項の認可をした場合には、遅滞なく、その旨及び当該認可の年月日を、当該宅地建物取引業者が国土交通大臣の免許を受けたものであるときはその主たる事務所の所在地を管轄する都道府県知事に、当該宅地建物取引業者が都道府県知事の免許を受けたものであるときは当該都道府県知事に、それぞれ通知しなければならない。

〔追加・平成一二法九七・平成一一法一六〇〕

参照【認可の具体的基準―規則一九の二の二

（不動産信託受益権等の売買等に係る特例）

第五〇条の二の四　金融商品取引業者（金融商品取引法第二条第九項に規定する金融商品取引業者をいう。）、金融商品仲介業者（同条第十二項に規定する金融商品仲介業者（金融サービスの提供及び利用環境の整備等に関する法律（平成十二年法律第百一号）第十一条第六項に規

定する金融サービス仲介業者をいい、同条第四項に規定する有価証券等仲介業務の種別に係る同法第十二条の登録を受けているものに限る。）である宅地建物取引業者が、宅地若しくは建物に係る信託の受益権又は当該受益権に対する投資事業に係る組合契約（民法第六百六十七条第一項に規定する組合契約をいう。）、匿名組合契約（商法（明治三十二年法律第四十八号）第五百三十五条に規定する匿名組合契約をいう。）若しくは投資事業有限責任組合契約（投資事業有限責任組合契約に関する法律（平成十年法律第九十号）第三条第一項に規定する投資事業有限責任組合契約をいう。）に基づく権利（以下この条において「不動産信託受益権等」という。）の売主となる場合（暗号等資産（金融商品取引法第二条第二十四項第三号の二に規定する暗号等資産をいう。以下この条において同じ。）を対価とする譲渡をする場合を含む。）又は不動産信託受益権等の売買（暗号等資産を対価とする譲渡又は譲受けを含む。）の代理若しくは媒介をする場合においては、これを当該宅地建物取引業者が宅地又は建物に係る信託（当該宅地建物取引業者を委託者とするものに限る。）の受益権の売主となる場合とみなして第三十五条第三項から第五項まで及び第八項の規定を適用する。この場合において、同条第三項本文中「売買の相手方に対して」とあるのは「売買の相手方又は代理を依頼した者若しくは媒介に係る売買の各当事者（以下「不動産信託受益権売買等の相手方」という。）に対して」と、「信託の受益権に係る」とあるのは「第五十条の二の四に規定する不動産信託受益権等に係る」と、同項ただし書中「売買の相手方」とあり、同項第七号中「信託の受益権の売買の相手方」とあり、及び同条第八項中「第三項に規定する売買の相手方」とあるのは「不動産信託受益権売買等の相手方」とする。

〔追加・平成一八法六六、改正・令和元法二八・令和二法五〇・令和三法三七・令和四法六一・令和五法七九〕

参照【準用―令四の三【国土交通省令で定める事項―規則一九の二の三―一九の二の六

第二節　指定流通機構

〔追加・平成七法六七〕

（指定等）

第五〇条の二の五　第三十四条の二第五項の規定による指定（以下この節において「指定」という。）は、次に掲げる要件を備える者であつて、次条第一項各号に掲げる業務を適正かつ確実に行うことができると認められるものにつき、国土交通省令で定めるところにより、その者の同意を得て行わなければならない。

一　宅地及び建物の取引の適正の確保及び流通の円滑化を目的とする一般社団法人又は一般財団法人であること。

二　第五十条の十四第一項の規定により指定を取り消され、その取消しの日から五年を経過しない者でないこと。

三　役員のうちに次のいずれかに該当する者がないこと。

イ　第五条第一項第一号、第五号又は第六号に該当する者

ロ　指定流通機構が第五十条の十四第一項の規定により指定を取り消された場合において、当該取消しに係る聴聞の期日及び場所の公示の日前六十日以内にその指定流通機構の役員であつた者で当該取消しの日から五年を経過しないもの

ハ　心身の故障により指定流通機構の業務を適正に行うことができない者として国土交通省令で定めるもの

2　国土交通大臣は、指定をしたときは、指定流通機構の名称及び主たる事務所の所在地、当該指定をした日その他国土交通省令で定める事項を公示しなければならない。

3　指定流通機構は、その名称又は主たる事務所の所在地を変更しようとするときは、変更しようとする日の二週間前までに、その旨を国土交通大臣に届け出なければならない。

4　国土交通大臣は、前項の規定による届出があつたときは、その旨を公示しなければならない。

〔追加・平成七法六七、旧五〇条の二を繰下・平成一二法九七、改正・平成一一法一六〇、旧五〇条の二の四を繰下・平成一八法六六、改正・平成一八法五〇・令和元法三七〕

参照【指定流通機構の指定方法―規則一九の二の七【国土交通省令で定めるもの―規則一九の二の八【国土交通省令で定める事項―規則一九の三

（指定流通機構の業務）

第五〇条の三　指定流通機構は、この節の定めるところにより、次に掲げる業務を行うものとする。

一　専任媒介契約その他の宅地建物取引業に係る契約の目的物である宅地又は建物の登録に関すること。

二　前号の登録に係る宅地又は建物についての情報を、宅地建物取引業者に対し、定期的に又は依頼に応じて提供すること。

三　前二号に掲げるもののほか、前号の情報に関する統計の作成その他宅地及び建物の取引の適正の確保及び流通の円滑化を図るために必要な業務

2　指定流通機構は、国土交通省令で定めるところにより、その業務の一部を、国土交通大臣の承認を受けて、他の者に委託することができる。

〔追加・平成七法六七、改正・平成一一法一六〇〕

参照【業務の一部委託の承認申請―規則一九の四

（差別的取扱いの禁止）

第五〇条の四　指定流通機構は、前条第一項第一号及び第二号に掲げる業務（以下この節において「登録業務」という。）の運営に関し、宅地又は建物を登録しようとする者その他指定流通機構を利用しようとする宅地建物取引業者に対して、不当に差別的な取扱いをしてはならない。

〔追加・平成七法六七〕

（登録業務規程）

第五〇条の五　指定流通機構は、登録業務に関する規程（以下この節において「登録業務規程」という。）を定め、国土交通大臣の認可を受けなければならない。これを変更しようとするときも、同様とする。

2　登録業務規程には、登録業務の実施方法（登録業務の連携、代行等に関する他の指定流通機構との協定の締結を含む。）、登録業務に関する料金その他の国土交通省令で定める事項を定めておかなければならない。この場合において、当該料金は、能率的な業務運営の下における適正な原価を償う限度のものであり、かつ、公正妥当なものでなければならない。

3　国土交通大臣は、第一項の認可をした登録業務規程が登録業務の適正かつ確実な実施上不適当となつたと認めるときは、指定流通機構に対し、その登録業務規程を変更すべきことを命ずることができる。

〔追加・平成七法六七、改正・平成一一法一六〇〕

参照【国土交通省令で定める事項―規則一九の五

（登録を証する書面の発行）

第五〇条の六　指定流通機構は、第三十四条の二第五項の規定による登録があつたときは、国土交通省令で定めるところにより、当該登録をした宅地建物取引業者に対し、当該登録を証する書面を発行しなければならない。

〔追加・平成七法六七、改正・平成一一法一六〇〕

参照【国土交通省令で定める書面―規則一九の六

（売買契約等に係る件数等の公表）

第五〇条の七　指定流通機構は、当該指定流通機構に登録された宅地又は建物について、国土交通省令で定めるところにより、毎月の売買又は交換の契約に係る件数その他国土交通省令で定める事項を公表しなければならない。

〔追加・平成七法六七、改正・平成一一法一六〇〕

参照【国土交通省令で定める事項―規則一九の七

（事業計画等）

第五〇条の八　指定流通機構は、毎事業年度、事業計画及び収支予算を作成し、当該事業年度の開始前に（指定を受けた日の属する事業年度にあつては、その指定を受けた後遅滞なく）、国土交通大臣の認可を受けなければならない。これを変更しようとするときも、同様とする。

2　指定流通機構は、毎事業年度、事業報告書及び収支決算書を作成し、当該事業年度の終了後三月以内に、国土交通大臣に提出しなければならない。

〔追加・平成七法六七、改正・平成一一法一六〇〕

（登録業務に関する情報の目的外使用の禁止）

第五〇条の九　指定流通機構の役員若しくは職員又はこれらの職にあつた者は、登録業務に関して得られた情報を、第五十条の三第一項に規定する業務の用に供する目的以外に使用してはならない。

〔追加・平成七法六七〕

（役員の選任及び解任）

第五〇条の一〇　指定流通機構の役員の選任及び解任は、国土交通大臣の認可を受けなければ、その効力を生じない。

2　国土交通大臣は、指定流通機構の役員が、この法律の規定（この法律に基づく命令又は処分を含む。）若しくは第五十条の五第一項の規定により認可を受けた登録業務規程に違反する行為をしたとき、又は登録業務に関し著しく不適当な行為をしたときは、指定流通機構に対し、その役員を解任すべきことを命ずることができる。

〔追加・平成七法六七、改正・平成一一法一六〇〕

（監督命令）

第五〇条の一一　国土交通大臣は、第五十条の三第一項に規定する業務の適正な実施を確保するため必要があると認めるときは、指定流通機構に対し、当該業務に関し監督上必要な命令をすることができる。

〔追加・平成七法六七、改正・平成一一法一六〇〕

参照【罰則―法八五

（報告及び検査）

第五〇条の一二　国土交通大臣は、第五十条の三第一項に規定する業務の適正な実施を確保するため必要があると認めるときは、指定流通機構に対し、当該業務の状況に関し必要な報告を求め、又はその職員に、指定流通機構の事務所に立ち入り、業務の状況若しくは設備、帳簿、書類その他の物件を検査させることができる。

2　前項の規定により立入検査をする職員は、その身分を示す証明書を携帯し、関係人の請求があつたときは、これを提示しなければならない。

3　第一項の規定による立入検査の権限は、犯罪捜査のために認められたものと解してはならない。

〔追加・平成七法六七、改正・平成一一法一六〇〕

参照【罰則―法八三①5・6・法八四

（登録業務の休廃止）

第五〇条の一三　指定流通機構は、登録業務の全部又は一部を休止し、又は廃止しようとするときは、休止し、又は廃止しようとする日の三十日前までに、国土交通省令で定める事項を国土交通大臣に届け出なければならない。

2　国土交通大臣は、前項の届出があつたときは、その旨を公示しなければならない。

〔追加・平成七法六七、改正・平成一一法一六〇〕

参照【国土交通省令で定める事項―規則一九の八

（指定の取消し等）

第五〇条の一四　国土交通大臣は、指定流通機構が次の各号のいずれかに該当するときは、当該指定流通機構に対し、その指定を取り消し、又は期間を定めて登録業務の全部若しくは一部の停止を命ずることができる。

一　登録業務を適正かつ確実に実施することができないと認められるとき。

二　この節の規定又は当該規定に基づく命令若しくは処分に違反したとき。

三　第五十条の五第一項の規定により認可を受けた登録業務規程によらないで登録業務を行つたとき。

2　第十六条の十五第三項から第五項までの規定は、前項の規定による処分に係る聴聞について準用する。

3　国土交通大臣は、第一項の規定による処分をしたときは、その旨を公示しなければならない。

〔追加・平成七法六七、改正・平成一一法一六〇〕

（他の指定流通機構による登録業務の実施等）

第五〇条の一五　国土交通大臣は、第五十条の十三第一項の規定による登録業務の全部若しくは一部の休止若しくは廃止の届出があつたとき、前条第一項の規定により指定を取り消したとき、若しくは登録業務の全部若しくは一部の停止を命じたとき、又は指定流通機構が天災その他の事態により登録業務の全部若しくは一部を実施することが困難となつた場合において必要があると認めるときは、当該登録業務の全部又は一部を、第五十条の五第一項の認可をした登録業務規程に従い、他の指定流通機構に行わせることができる。

2　国土交通大臣は、前項の規定により他の指定流通機構に登録業務を行わせることとしたときは、国土交通省令で定めるところにより、その旨を公示しなければならない。

3　前二項に定めるもののほか、第一項に規定する事由が生じた場合における所要の経過措置は、合理的に必要と判断される範囲内において、国土交通省令で定めることができる。

〔追加・平成七法六七、改正・平成一一法一六〇〕

参照　【他の指定流通機構による登録業務の実施の公示―規則一九の九】

第三節　指定保証機関

〔追加・昭和四六法一一〇、旧二節を三節に繰下・平成七法六七〕

（指定）

第五十一条　第四十一条第一項第一号の指定（以下この節において「指定」という。）は、宅地又は建物の売買に関し宅地建物取引業者が買主から受領する手付金等の返還債務を保証する事業（以下「手付金等保証事業」という。）を営もうとする者の申請により行う。

2　指定を受けようとする者は、国土交通省令の定めるところにより、次に掲げる事項を記載した申請書を国土交通大臣に提出しなければならない。

一　商号

二　役員の氏名及び住所

三　本店、支店その他政令で定める営業所の名称及び所在地

四　資本金の額

3　前項の申請書には、次に掲げる書類を添付しなければならない。

一　定款及び事業方法書

二　収支の見積りその他国土交通省令で定める事項を記載した事業計画書

三　手付金等保証事業に係る保証委託契約約款

四　その他国土交通省令で定める書類

4　前項第一号の事業方法書には、保証の目的の範囲、支店及び政令で定めるその他の営業所の権限に関する事項、保証限度、各保証委託者からの保証の受託の限度、保証委託契約の締結の方法に関する事項、保証の受託の拒否の基準に関する事項その他国土交通省令で定める事項を記載しなければならない。

〔追加・昭和四六法一一〇、改正・昭和六三法二七・平成一一法一六〇・平成一七法八七〕

参照　【国土交通省令で定めるところ―規則二〇～二二】【政令で定める営業所―令五】【国土交通省令で定める書類―規則二五の五】【保証限度―令六】【罰則―法八二8・八四2】【保証委託契約約款―規則二三】

（指定の基準）

第五十二条　国土交通大臣は、指定を申請した者が次の各号のいずれかに該当すると認めるときは、その指定をしてはならない。

一　資本金の額が五千万円以上の株式会社でないこと。

二　前号に規定するほか、その行おうとする手付金等保証事業を健全に遂行するに足りる財産的基礎を有しないこと。

三　定款の規定又は事業方法書若しくは事業計画書の内容が法令に違反し、又は事業の適正な運営を確保するのに十分でないこと。

四　手付金等保証事業に係る保証委託契約約款の内容が国土交通省令で定める基準に適合しないこと。

五　第六十二条第二項の規定により指定を取り消され、その取消しの日から五年を経過しないこと。

六　この法律の規定に違反して罰金の刑に処せられ、その刑の執行を終わり、又は執行を受けることがなくなつた日から五年を経過しないこと。

七　役員のうちに次のいずれかに該当する者のあること。

イ　破産手続開始の決定を受けて復権を得ない者

ロ　禁錮以上の刑に処せられ、その刑の執行を終わり、又は執行を受けることがなくなつた日から五年を経過しない者

ロ　拘禁刑以上の刑に処せられ、その刑の執行を終わり、又は執行を受けることがなくなつた日から五年を経過しない者

ハ　この法律若しくは暴力団員による不当な行為の防止等に関する法律の規定に違反したことにより、又は刑法第二百四条、第二百六条、第二百八条、第二百八条の二、第二百二十二条若しくは第二百四十七条の罪若しくは暴力行為等処罰に関する法律の罪を犯したことにより、罰金の刑に処せられ、その刑の執行を終わり、又は執行を受けることがなくなつた日から五年を経過しない者

ニ　指定を受けた者（以下この節において「指定保証機関」という。）が第六十二条第二項の規定により指定を取り消された場合において、当該取消しに係る聴聞の期日及び場所の公示の日前六十日以内にその指定保証機関の役員であつた者で当該取消しの日から五年を経過しないもの

ホ　心身の故障により手付金等保証事業を適正に営むことができない者として国土交通省令で定めるもの

〔追加・昭和四六法一一〇、改正・昭和五五法五六・昭和六三法二七・平成七法六七・法九一・平成一一法一五一・法一六〇・平成一三法一三八・平成一七法八七・平成二五法八六・令和元法三七〕

参照　【定款の規定、事業方法書、事業計画書―法五一③】【指定取消し等―法六二】【保証委託契約約款の基準―規則二三】【国土交通省令で定めるもの―規則二三の二】

（変更の届出）

第五十三条　指定保証機関は、第五十一条第二項各号に掲げる事項又は同条第三項第一号若しくは第三号に掲げる書類に記載した事項について変更があつた場合においては、国土交通省令の定めるところにより、二週間以内に、その旨を国土交通大臣に届け出なければならない。

〔追加・昭和四六法一一〇、改正・平成一一法一六〇〕

参照　【変更の届出―規則二四】【罰則―法八三①1・八四2】

（事業の不開始又は休止に基づく指定の取消し）

第五十四条　国土交通大臣は、第六十二条第二項の規定により指定を取り消す場合のほか、指定保証機関が指定を受けた日から三月以内に手付金等保証事業を開始しないとき、又は引き続き三月以上その手付金等保証事業を休止したときは、当該指定保証機関の指定を取り消すことができる。

2　第十六条の十五第三項から第五項までの規定は、前項の規定による処分に係る聴聞について準用する。

〔追加・昭和四六法一一〇、改正・昭和六三法二七・平成五法八九・

平成一一法一六〇〕

参照【指定保証機関の指定―法五一

（廃業等の届出）

第五五条　指定保証機関が次の各号のいずれかに該当することとなつた場合においては、当該各号に定める者は、二週間以内に、その旨を国土交通大臣に届け出なければならない。

一　合併により消滅した場合　消滅した会社を代表する役員であつた者

二　破産手続開始の決定により解散した場合　その破産管財人

三　合併又は破産手続開始の決定以外の理由により解散した場合　その清算人

四　手付金等保証事業を廃止した場合　その会社を代表する役員

2　前項第二号から第四号までの規定により届出があつたときは、指定は、その効力を失う。

〔追加・昭和四六法一一〇、改正・昭和六三法二七・平成一一法一六〇・平成一六法七六〕

参照【指定取消し等―法六二

（兼業の制限）

第五六条　指定保証機関は、手付金等保証事業以外の事業を営んではならない。ただし、買主の利益の保護のため支障を生ずることがないと認められるものについて、国土交通大臣の承認を受けたときは、この限りでない。

2　指定保証機関が第四十一条の二第一項第一号の指定を受けたときは、前項ただし書の承認を受けたものとみなす。

〔追加・昭和四六法一一〇、改正・昭和六三法二七・平成一一法一六〇・平成二二法四九〕

参照【罰則―法八二4・7・八四2

（責任準備金の計上）

第五七条　指定保証機関は、事業年度末においてまだ経過していない保証契約があるときは、次に掲げる金額のうちいずれか多い金額を、事業年度ごとに責任準備金として計上しなければならない。

一　当該保証契約の保証期間のうちまだ経過していない期間に対応する保証料の総額に相当する金額

二　当該事業年度において受け取つた保証料の総額から当該保証料に係る保証契約に基づいて支払つた保証金（当該保証金の支払に基づく保証委託者からの収入金を除く。）、当該保証料に係る保証契約のために積み立てるべき支払備金及び当該事業年度の事業費の合計額を控除した残額に相当する金額

2　指定保証機関が前項の規定により責任準備金を計上した場合においては、その計上した金額は、法人税法（昭和四十年法律第三十四号）の規定によるその計上した事業年度の所得の金額の計算上、損金の額に算入する。

3　前項の規定により損金の額に算入された責任準備金の金額は、法人税法の規定によるその翌事業年度の所得の金額の計算上、益金の額に算入する。

〔追加・昭和四六法一一〇、改正・平成一四法七九・令和二法八〕

参照【各事業年度の所得の金額の計算の細目―法人税法六五【支払備金―法五八【準用―法六四の一七

類似規定―公共工事の前払金保証事業に関する法律一五

（支払備金の積立て）

第五八条　指定保証機関は、決算期ごとに、次の各号の一に掲げる金額がある場合においては、支払備金として当該各号に掲げる金額を積み立てなければならない。

一　保証契約に基づいて支払うべき保証金その他の金額のうちに決算期までにその支払が終わらないものがある場合においては、その金額

二　保証契約に基づいて支払う義務が生じたと認められる保証金その他の金額がある場合においては、その支払うべきものと認められる金額

三　現に保証金その他の金額について訴訟が係属しているために支払つていないものがある場合においては、その金額

〔追加・昭和四六法一一〇〕

参照【準用―法六四の一七【指定保証機関―法五二

類似規定―公共工事の前払金保証事業に関する法律一六

（保証基金）

第五九条　指定保証機関は、定款の定めるところにより、保証基金を設けなければならない。

2　指定保証機関は、責任準備金をもつて保証債務を支払うことができない場合においては、当該保証債務の弁済に充てる場合に限り、保証基金を使用することができる。

〔追加・昭和四六法一一〇〕

参照【定款―法五一③【責任準備金―法五七【準用―法六四の一七

（契約締結の禁止）

第六〇条　指定保証機関は、その者が宅地建物取引業者との間において締結する保証委託契約に係る保証債務の額の合計額が、政令で定める額をこえることとなるときは、保証委託契約を締結してはならない。

〔追加・昭和四六法一一〇〕

参照【保証委託契約―法四一【政令で定める額―令六【準用―法六四の一七【罰則―法八二5・八四2

（改善命令）

第六一条　国土交通大臣は、指定保証機関が第五十二条第二号から第四号までの規定に該当することとなつた場合において、買主の利益を保護するため必要かつ適当であると認めるときは、その必要の限度において、当該指定保証機関に対し、財産の状況又はその事業の運営を改善するため必要な措置を執るべきことを命ずることができる。

〔追加・昭和四六法一一〇、改正・昭和五五法五六・平成一一法一六〇・平成二二法四九〕

参照【命令違反の場合の指定取消等―法六二②7【報告及び検査―法六三の二【罰則―法八二6・八四2

（指定の取消し等）

第六二条　国土交通大臣は、指定保証機関が次の各号の一に該当

する場合又はこの法律の規定に違反した場合においては、当該指定保証機関に対して、必要な指示をすることができる。

一　手付金等保証事業に関しその関係者に損害を与えたとき、又は損害を与えるおそれが大であるとき。

二　手付金等保証事業に関し不誠実な行為をしたとき。

三　手付金等保証事業に関し他の法令に違反し、指定保証機関として不適当であると認められるとき。

2　国土交通大臣は、指定保証機関が次の各号の一に該当する場合においては、当該指定保証機関に対し、その指定を取り消し、又は六月以内の期間を定めて手付金等保証事業の全部若しくは一部の停止を命ずることができる。

一　不正の手段により指定を受けたとき。

二　第五十二条第一号、第六号又は第七号に該当することとなつたとき。

三　第五十三条の規定による届出を怠つたとき。

四　第五十五条第一項の規定による届出がなくて同項第二号から第四号までの一に該当する事実が判明したとき。

五　第五十六条第一項の規定に違反して手付金等保証事業以外の事業を営んだとき。

六　第六十条の規定に違反して保証委託契約を締結したとき。

七　前条の規定による改善命令に違反したとき。

八　前項の規定による指示に従わなかつたとき。

九　この法律の規定に基づく国土交通大臣の処分に違反したとき。

3　国土交通大臣は、第一項の規定により必要な指示をし、又は前項の規定により手付金等保証事業の全部若しくは一部の停止を命じようとするときは、行政手続法第十三条第一項の規定による意見陳述のための手続の区分にかかわらず、聴聞を行わなければならない。

4　第十六条の十五第三項から第五項までの規定は、第一項又は第二項の規定による処分に係る聴聞について準用する。

〔追加・昭和四六法一一〇、改正・昭和六三法二七・平成五法八九・平成一一法一六〇〕

参照【保証委託契約―法四一】

（事業報告書等の提出）

第六三条　指定保証機関は、毎事業年度開始前に、収支の見積りその他国土交通省令で定める事項を記載した事業計画書を作成し、国土交通大臣に提出しなければならない。

2　指定保証機関は、事業計画書に記載した事項を変更したときは、遅滞なく、その旨を国土交通大臣に届け出なければならない。

3　指定保証機関は、事業年度ごとに、国土交通省令で定める様式による事業報告書を作成し、毎事業年度経過後三月以内に、国土交通大臣に提出しなければならない。

〔追加・昭和四六法一一〇、改正・平成一一法一六〇〕

参照【事業計画書の記載事項―規則二〇】【事業報告書の様式―規則二五】【罰則―法八三①1・5・八四2】

（報告及び検査）

第六三条の二　国土交通大臣は、手付金等保証事業の適正な運営を確保するため必要があると認めるときは、指定保証機関に対しその業務に関して報告若しくは資料の提出を命じ、又はその職員をしてその業務を行う場所に立ち入り、業務若しくは財産の状況若しくは帳簿、書類その他業務に関係のある物件を検査させることができる。

2　前項の規定により立入検査をする職員は、その身分を示す証明書を携帯し、関係人の請求があつたときは、これを提示しなければならない。

3　第一項の規定による立入検査の権限は、犯罪捜査のために認められたものと解してはならない。

〔追加・昭和四六法一一〇、改正・昭和六三法二七・平成一一法一六〇〕

参照【身分証明書の様式―規則二五の二】【準用―法六四の一八】【罰則―法八三①5・6・八四2】

第四節　指定保管機関

〔追加・昭和六三法二七、旧三節を四節に繰下・平成七法六七〕

（指定等）

第六三条の三　第四十一条の二第一項第一号の指定（以下この節において「指定」という。）は、宅地又は建物の売買（第四十一条第一項に規定する売買を除く。）に関し、宅地建物取引業者に代理して手付金等を受領し、当該宅地建物取引業者が受領した手付金等の額に相当する額の金銭を保管する事業（以下「手付金等保管事業」という。）を営もうとする者の申請により行う。

2　前節（第五十一条第一項、第五十七条から第六十条まで及び第六十二条第二項第六号を除く。）の規定は、指定保管機関について準用する。この場合において、第五十一条第二項第三号中「政令」とあるのは「国土交通省令」と、同条第三項第三号及び第五十二条第四号中「保証委託契約約款」とあるのは「手付金等寄託契約約款」と、第五十一条第四項中「保証の目的の範囲、支店及び政令で定めるその他の営業所の権限に関する事項、保証限度、各保証委託者からの保証の受託の限度、保証委託契約の締結の方法に関する事項、保証の受託の拒否の基準に関する事項」とあるのは「手付金等の保管に関する事項」と、第五十二条第五号及び第七号ニ中「の規定により」とあるのは「又は第六十四条第一項の規定により」と、第五十三条中「書類」とあるのは「書類（事業方法書を除く。）」と、第五十六条第二項中「第四十一条の二第一項第一号」とあるのは「第四十一条第一項第一号」と読み替えるものとする。

〔追加・昭和六三法二七、改正・平成一一法一六〇〕

参照【手付金寄託契約約款の基準等―規則二五の七】【身分証明書の様式―規則二五の一〇】【罰則―法八二6～8・八三①1・5・6・八四2】

（事業方法書の変更）

第六三条の四　指定保管機関は、前条第二項において準用する第五十一条第三項第一号の事業方法書を変更しようとするときは、国土交通大臣の認可を受けなければならない。

〔追加・昭和六三法二七、改正・平成一一法一六〇〕

（寄託金保管簿）

第六三条の五　指定保管機関は、国土交通省令で定めるところにより、寄託金保管簿を備え、国土交通省令で定める事項を記載し、これを保存しなければならない。

〔追加・昭和六三法二七、改正・平成一一法一六〇〕

参照【寄託金保管簿の記載事項等―規則二六】【罰則―法八三①7・八四2】

（指定の取消し等）

第六四条　国土交通大臣は、第六十三条の三第二項において準用する第五十四条第一項又は第六十二条第二項の規定により指定を取り消す場合のほか、指定保管機関が次の各号の一に該当する場合においては、当該指定保管機関に対し、その指定を取り消し、又は六月以内の期間を定めて手付金等保管事業の全部若しくは一部の停止を命ずることができる。

一　第六十三条の三第二項において準用する第五十一条第三項第一号の事業方法書（第六十三条の四の規定による認可を受けたものを含む。第八十二条において同じ。）によらないで手付金等保管事業を営んだとき。

二　前条の規定に違反して寄託金保管簿を備えず、これに同条に規定する事項を記載せず、若しくは虚偽の記載をし、又は寄託金保管簿を保存しなかつたとき。

2　国土交通大臣は、前項の規定により手付金等保管事業の全部又は一部の停止を命じようとするときは、行政手続法第十三条第一項の規定による意見陳述のための手続の区分にかかわらず、聴聞を行わなければならない。

3　第十六条の十五第三項から第五項までの規定は、第一項の規定による処分に係る聴聞について準用する。

〔追加・昭和六三法二七、改正・平成五法八九・平成一一法一六〇〕

第五章の二　宅地建物取引業保証協会

〔追加・昭和四七法一〇〇〕

（指定）

第六四条の二　国土交通大臣は、次に掲げる要件を備える者の申請があつた場合において、その者が次条第一項各号に掲げる業務の全部について適正な計画を有し、かつ、確実にその業務を行うことができると認められるときは、この章に定めるところにより同項各号に掲げる業務を行う者として、指定することができる。

一　申請者が一般社団法人であること。

二　申請者が宅地建物取引業者のみを社員とするものであること。

三　申請者が第六十四条の二十二第一項の規定により指定を取り消され、その取消しの日から五年を経過しない者でないこと。

四　申請者の役員のうちに次のいずれかに該当する者がないこと。

イ　第五条第一項第一号から第八号までのいずれかに該当する者

ロ　指定を受けた者（以下この章において「宅地建物取引業保証協会」という。）が第六十四条の二十二第一項の規定により指定を取り消された場合において、当該取消しに係る聴聞の期日及び場所の公示の日前六十日以内にその役員であつた者で当該取消しの日から五年を経過しないもの

ハ　心身の故障により宅地建物取引業保証協会の業務を適正に行うことができない者として国土交通省令で定めるもの

2　国土交通大臣は、前項の規定による指定をしたときは、当該宅地建物取引業保証協会の名称、住所及び事務所の所在地並びに第六十四条の八第一項の規定により国土交通大臣の指定する弁済業務開始日を官報で公示するとともに、当該宅地建物取引業保証協会の社員である宅地建物取引業者が免許を受けた都道府県知事にその社員である旨を通知するものとする。

3　宅地建物取引業保証協会は、その名称、住所又は事務所の所在地を変更しようとするときは、あらかじめ、その旨を国土交通大臣に届け出なければならない。

4　国土交通大臣は、前項の規定による届出があつたときは、その旨を官報に公示しなければならない。

5　第一項の指定の申請に関し必要な事項は、国土交通省令で定める。

〔追加・昭和四七法一〇〇、改正・昭和五五法五六・平成一一法一六〇・平成一八法五〇・令和元法三七〕

参照【国土交通省令で定めるもの―規則二六の二】【国土交通省令で定める申請手続―規則二六の二の二】

（業務）

第六四条の三　宅地建物取引業保証協会は、次に掲げる業務をこの章に定めるところにより適正かつ確実に実施しなければならない。

一　宅地建物取引業者の相手方等からの社員の取り扱つた宅地建物取引業に係る取引に関する苦情の解決

二　宅地建物取引士その他宅地建物取引業の業務に従事し、又は従事しようとする者（以下「宅地建物取引士等」という。）に対する研修

三　社員と宅地建物取引業に関し取引をした者（社員とその者が社員となる前に宅地建物取引業に関し取引をした者を含み、宅地建物取引業者に該当する者を除く。）の有するその取引により生じた債権に関し弁済をする業務（以下「弁済業務」という。）

2　宅地建物取引業保証協会は、前項の業務のほか、次に掲げる業務を行うことができる。

一　社員である宅地建物取引業者との契約により、当該宅地建物取引業者が受領した支払金又は預り金の返還債務その他宅地建物取引業に関する債務を負うこととなつた場合においてその返還債務その他宅地建物取引業に関する債務を連帯して保証する業務（第六十四条の十七において「一般保証業務」という。）

二　手付金等保管事業

三　全国の宅地建物取引業者を直接又は間接の社員とする一般社団法人による宅地建物取引士等に対する研修の実施に要する費用の助成

3　宅地建物取引業保証協会は、前二項に規定するもののほか、国土交通大臣の承認を受けて、宅地建物取引業の健全な発達を図るため必要な業務を行うことができる。

4　宅地建物取引業保証協会は、国土交通省令の定めるところにより、その業務の一部を、国土交通大臣の承認を受けて、他の者に委託することができる。

〔追加・昭和四七法一〇〇、改正・昭和五五法五六・昭和六三法二七・平成一一法一六〇・平成二六法八一・平成二八法五六〕

参照【宅地建物取引業保証協会―法六四の二①4ロ】【支払金又は預り金―法三五】【委託に関し国土交通省令で定めるもの―規則二六の三・二六の四】

（社員の加入等）

第六四条の四　一の宅地建物取引業保証協会の社員である者は、他の宅地建物取引業保証協会の社員となることができない。

2　宅地建物取引業保証協会は、新たに社員が加入し、又は社員がその地位を失つたときは、直ちに、その旨を当該社員である宅地建物取引業者が免許を受けた国土交通大臣又は都道府県知事に報告しなければならない。

3　宅地建物取引業保証協会は、社員が社員となる前（第六十四条の八第一項の規定により国土交通大臣の指定する弁済業務開始日前に社員となつた者については当該弁済業務開始日前）に当該社員と宅地建物取引業に関し取引をした者の有するその取引により生じた債権に関し同項の規定による弁済が行なわれることにより弁済業務の円滑な運営に支障を生ずるおそれがあると認めるときは、当該社員に対し、担保の提供を求めることができる。

〔追加・昭和四七法一〇〇、改正・平成一一法一六〇〕

参照【弁済業務―法六四の三①3

（苦情の解決）

第六四条の五　宅地建物取引業保証協会は、宅地建物取引業者の相手方等から社員の取り扱つた宅地建物取引業に係る取引に関する苦情について解決の申出があつたときは、その相談に応じ、申出人に必要な助言をし、当該苦情に係る事情を調査するとともに、当該社員に対し当該苦情の内容を通知してその迅速な処理を求めなければならない。

2　宅地建物取引業保証協会は、前項の申出に係る苦情の解決について必要があると認めるときは、当該社員に対し、文書若しくは口頭による説明を求め、又は資料の提出を求めることができる。

3　社員は、宅地建物取引業保証協会から前項の規定による求めがあつたときは、正当な理由がある場合でなければ、これを拒んではならない。

4　宅地建物取引業保証協会は、第一項の申出及びその解決の結果について社員に周知させなければならない。

〔追加・昭和四七法一〇〇〕

参照【相手方等―法三五【苦情の解決―法六四の三①1

（宅地建物取引業に関する研修）

第六四条の六　宅地建物取引業保証協会は、一定の課程を定め、宅地建物取引士の職務に関し必要な知識及び能力についての研修その他宅地建物取引業の業務に従事し、又は従事しようとする者に対する宅地建物取引業に関する研修を実施しなければならない。

〔追加・昭和四七法一〇〇、改正・昭和五五法五六・平成二六法八一〕

参照【宅地建物取引業に関する研修―法六四の三①2

（弁済業務保証金の供託）

第六四条の七　宅地建物取引業保証協会は、第六十四条の九第一項又は第二項の規定により弁済業務保証金分担金の納付を受けたときは、その日から一週間以内に、その納付を受けた額に相当する額の弁済業務保証金を供託しなければならない。

2　弁済業務保証金の供託は、法務大臣及び国土交通大臣の定める供託所にしなければならない。

3　第二十五条第三項及び第四項の規定は、第一項の規定により供託する場合に準用する。この場合において、同条第四項中「その旨をその免許を受けた国土交通大臣又は都道府県知事に」とあるのは、「当該供託に係る社員である宅地建物取引業者が免許を受けた国土交通大臣又は都道府県知事に当該社員に係る供託をした旨を」と読み替えるものとする。

〔追加・昭和四七法一〇〇、改正・平成一一法一六〇〕

参照【法務大臣及び国土交通大臣の定める供託所―東京法務局（昭和四十八年五月七日建設省告示第一号）【準用―法六四の八

（弁済業務保証金の還付等）

第六四条の八　宅地建物取引業保証協会の社員と宅地建物取引業に関し取引をした者（社員とその者が社員となる前に宅地建物取引業に関し取引をした者を含み、宅地建物取引業者に該当する者を除く。）は、その取引により生じた債権に関し、当該社員が社員でないとしたならばその者が供託すべき第二十五条第二項の政令で定める営業保証金の額に相当する額の範囲内（当該社員について、既に次項の規定により認証した額があるときはその額を控除し、第六十四条の十第二項の規定により納付を受けた還付充当金があるときはその額を加えた額の範囲内）において、当該宅地建物取引業保証協会が供託した弁済業務保証金について、当該宅地建物取引業保証協会について国土交通大臣の指定する弁済業務開始日以後、弁済を受ける権利を有する。

2　前項の権利を有する者がその権利を実行しようとするときは、同項の規定により弁済を受けることができる額について当該宅地建物取引業保証協会の認証を受けなければならない。

3　宅地建物取引業保証協会は、第一項の権利の実行があつた場合においては、法務省令・国土交通省令で定める日から二週間以内に、その権利の実行により還付された弁済業務保証金の額に相当する額の弁済業務保証金を供託しなければならない。

4　前条第三項の規定は、前項の規定により供託する場合に準用する。

5　第一項の権利の実行に関し必要な事項は法務省令・国土交通省令で、第二項の認証に関し必要な事項は国土交通省令で定める。

〔追加・昭和四七法一〇〇、改正・昭和五五法五六・平成一一法一六〇・平成二八法五六〕

参照【法務省令・国土交通省令で定める日―宅地建物取引業保証協会弁済業務保証金規則一【法務省令・国土交通省令で定める権利の実行に関し必要な事項―宅地建物取引業保証協会弁済業務保証金規則二・三・四【国土交通省令で定める認証に関し必要な事項―規則二六の五～二六の七

（弁済業務保証金分担金の納付等）

第六四条の九　次の各号に掲げる者は、当該各号に掲げる日までに、弁済業務保証金に充てるため、主たる事務所及びその他の事務所ごとに政令で定める額の弁済業務保証金分担金を当該宅地建物取引業保証協会に納付しなければならない。

一　宅地建物取引業者で宅地建物取引業保証協会に加入しようとする者　その加入しようとする日

二　第六十四条の二第一項の規定による指定の日にその指定を受けた宅地建物取引業保証協会の社員である者　前条第一項の規定により国土交通大臣の指定する弁済業務開始日の一月前の日

2　宅地建物取引業保証協会の社員は、前項の規定による弁済業務保証金分担金を納付した後に、新たに事務所を設置したとき（第七条第一項各号の一に該当する場合において事務所の増設があつたときを含むものとする。）は、その日から二週間以内に、同項の政令で定める額の弁済業務保証金分担金を当該宅地建物取引業保証協会に納付しなければならない。

3　宅地建物取引業保証協会の社員は、第一項第二号に規定する期日までに、又は前項に規定する期間内に、これらの規定による弁済業務保証金分担金を納付しないときは、その地位を失う。

4　第一項の規定に基づき政令を制定し、又は改廃する場合においては、その政令で、弁済業務保証金の追加の供託及び弁済業務保証金の取戻し及び弁済業務保証金分担金の追加納付又は弁済業務保証金分担金の返還に関して、所要の経過措置（経過措置に関し監督上必要な措置を含む。）を定めることができる。

〔追加・昭和四七法一〇〇、改正・昭和五五法五六・昭和六三法二七・平成一一法一六〇〕

参照【弁済業務保証金分担金の額─令七】【監督処分─法六五②2】

（還付充当金の納付等）

第六四条の一〇　宅地建物取引業保証協会は、第六十四条の八第一項の権利の実行により弁済業務保証金の還付があつたときは、当該還付に係る社員又は社員であつた者に対し、当該還付額に相当する額の還付充当金を宅地建物取引業保証協会に納付すべきことを通知しなければならない。

2　前項の通知を受けた社員又は社員であつた者は、その通知を受けた日から二週間以内に、その通知された額の還付充当金を当該宅地建物取引業保証協会に納付しなければならない。

3　宅地建物取引業保証協会の社員は、前項に規定する期間内に第一項の還付充当金を納付しないときは、その地位を失う。

〔追加・昭和四七法一〇〇〕

参照【準用─法六四の一二】【監督処分─法六五②2】

（弁済業務保証金の取戻し等）

第六四条の一一　宅地建物取引業保証協会は、社員が社員の地位を失つたときは当該社員であつた者が第六十四条の九第一項及び第二項の規定により納付した弁済業務保証金分担金の額に相当する額の弁済業務保証金を、社員がその一部の事務所を廃止したため当該社員につき同条第一項及び第二項の規定により納付した弁済業務保証金分担金の額が同条第一項の政令で定める額を超えることになつたときはその超過額に相当する額の弁済業務保証金を取り戻すことができる。

2　宅地建物取引業保証協会は、前項の規定により弁済業務保証金を取りもどしたときは、当該社員であつた者又は社員に対し、その取りもどした額に相当する額の弁済業務保証金分担金を返還する。

3　前項の場合においては、当該社員が社員の地位を失つたときは次項に規定する期間が経過した後に、宅地建物取引業保証協会が当該社員であつた者又は社員に対して債権を有するときはその債権に関し弁済が完了した後に、宅地建物取引業保証協会が当該社員であつた者又は社員に関し第六十四条の八第二項の規定による認証をしたときは当該認証した額に係る前条第一項の還付充当金の債権に関し弁済が完了した後に、前項の弁済業務保証金分担金を返還する。

4　宅地建物取引業保証協会は、社員が社員の地位を失つたときは、当該社員であつた者に係る宅地建物取引業に関する取引により生じた債権に関し第六十四条の八第一項の権利を有する者に対し、六月を下らない一定期間内に同条第二項の規定による認証を受けるため申し出るべき旨を公告しなければならない。

5　宅地建物取引業保証協会は、前項に規定する期間内に申出のなかつた同項の債権に関しては、第六十四条の八第二項の規定による認証をすることができない。

6　第三十条第三項の規定は、第一項の規定により弁済業務保証金を取りもどす場合に準用する。

〔追加・昭和四七法一〇〇、改正・昭和五五法五六〕

参照【弁済業務保証金の取りもどし─宅地建物取引業保証協会弁済業務保証金規則五】

（弁済業務保証金準備金）

第六四条の一二　宅地建物取引業保証協会は、第六十四条の八第三項の規定により弁済業務保証金を供託する場合において還付充当金の納付がなかつたときの弁済業務保証金の供託に充てるため、弁済業務保証金準備金を積み立てなければならない。

2　宅地建物取引業保証協会は、弁済業務保証金（第六十四条の七第三項及び第六十四条の八第四項において準用する第二十五条第三項の規定により供託された有価証券を含む。）から生ずる利息又は配当金を弁済業務保証金準備金に繰り入れなければならない。

3　宅地建物取引業保証協会は、第六十四条の八第三項の規定により弁済業務保証金を供託する場合において、第一項の弁済業務保証金準備金をこれに充ててなお不足するときは、その不足額に充てるため、社員に対し、その者に係る第六十四条の九第一項の政令で定める弁済業務保証金分担金の額に応じ特別弁済業務保証金分担金を宅地建物取引業保証協会に納付すべきことを通知しなければならない。

4　前項の通知を受けた社員は、その通知を受けた日から一月以内に、その通知された額の特別弁済業務保証金分担金を当該宅地建物取引業保証協会に納付しなければならない。

5　第六十四条の十第三項の規定は、前項の場合に準用する。

6　宅地建物取引業保証協会は、弁済業務保証金準備金を第六十四条の八第三項の規定による弁済業務保証金の供託に充てた後において、第六十四条の十第二項の規定により当該弁済業務保証金の供託に係る還付充当金の納付を受けたときは、その還付充当金を弁済業務保証金準備金に繰り入れなければならない。

7　宅地建物取引業保証協会は、弁済業務保証金準備金の額が国土交通省令で定める額を超えることとなるときは、第六十四条の三第一項から第三項までに規定する業務の実施に要する費用に充て、又は宅地建物取引業の健全な発達に寄与する事業に出えんするため、国土交通大臣の承認を受けて、その超過額の弁済業務保証金準備金を取り崩すことができる。

〔追加・昭和四七法一〇〇、改正・昭和五五法五六・平成一一法一六〇〕

参照【国土交通省令で定める額─規則二六の八】【監督処分─法六五②2】

（営業保証金の供託の免除）

第六四条の一三　宅地建物取引業保証協会の社員は、第六十四条の八第一項の規定により国土交通大臣の指定する弁済業務開始日以後においては、宅地建物取引業者が供託すべき営業保証金を供託することを要しない。

〔追加・昭和四七法一〇〇、改正・平成一一法一六〇〕

参照【営業保証金―法二五

（供託を免除された場合の営業保証金の取りもどし）

第六四条の一四　宅地建物取引業者は、前条の規定により営業保証金を供託することを要しなくなつたときは、供託した営業保証金を取りもどすことができる。

２　第三十条第三項の規定は、前項の規定により営業保証金を取りもどす場合に準用する。

〔追加・昭和四七法一〇〇〕

参照【取りもどしの特則―宅地建物取引業者営業保証金規則一〇

（社員の地位を失つた場合の営業保証金の供託）

第六四条の一五　宅地建物取引業者は、第六十四条の八第一項の規定により国土交通大臣の指定する弁済業務開始日以後に宅地建物取引業保証協会の社員の地位を失つたときは、当該地位を失つた日から一週間以内に、第二十五条第一項から第三項までの規定により営業保証金を供託しなければならない。この場合においては、同条第四項の規定の適用があるものとする。

〔追加・昭和四七法一〇〇、改正・平成一一法一六〇〕

参照【監督処分―法六五②2

（事業計画書等）

第六四条の一六　宅地建物取引業保証協会は、毎事業年度開始前に（第六十四条の二第一項の規定による指定を受けた日の属する事業年度にあつては、その指定を受けた後すみやかに）、収支の見積りその他国土交通省令で定める事項を記載した事業計画書を作成し、国土交通大臣の承認を受けなければならない。これを変更しようとするときも同様とする。

２　宅地建物取引業保証協会は、事業年度ごとに、国土交通省令で定める様式による事業報告書を作成し、毎事業年度経過後三月以内に、国土交通大臣に提出しなければならない。

〔追加・昭和四七法一〇〇、改正・平成一一法一六〇〕

参照【事業計画書の記載事項―規則二六の九【事業報告書の様式―規則二六の一〇

（一般保証業務）

第六四条の一七　宅地建物取引業保証協会は、一般保証業務を行なう場合においては、あらかじめ、国土交通省令の定めるところにより、国土交通大臣の承認を受けなければならない。

２　宅地建物取引業保証協会は、一般保証業務を廃止したときは、その旨を国土交通大臣に届け出なければならない。

３　第五十七条から第六十条までの規定は、一般保証業務を行なう宅地建物取引業保証協会に準用する。この場合において、第六十条中「政令」とあるのは、「国土交通省令」と読み替えるものとする。

〔追加・昭和四七法一〇〇、改正・平成一一法一六〇〕

参照【国土交通省令の定める承認申請手続―規則二六の一一【一般保証業務―法六四の三②【一般保証業務の変更の届出―規則二六の一二【一般保証の限度額―規則二六の一三【罰則―法八二5・八四2

（手付金等保管事業）

第六四条の一七の二　宅地建物取引業保証協会は、手付金等保管事業を行う場合においては、あらかじめ、事業方法書を定め、国土交通省令で定めるところにより、国土交通大臣の承認を受けなければならない。

２　宅地建物取引業保証協会が手付金等保管事業について前項の承認を受けたときは、第四十一条の二第一項第一号の指定を受けたものとみなす。この場合においては、第六十三条の三及び第六十四条の規定は適用せず、第六十三条の四中「前条第二項において準用する第五十一条第三項第一号」とあるのは、「第六十四条の十七の二第一項」と読み替えて、同条の規定を適用する。

３　宅地建物取引業保証協会は、手付金等保管事業を廃止したときは、その旨を国土交通大臣に届け出なければならない。この場合において、届出があつたときは、第一項の承認は、その効力を失う。

〔追加・昭和六三法二七、改正・平成一一法一六〇〕

参照【手付金保管事業の承認の申請―規則二六の一三の二【手付金保管事業の変更の届出―規則二六の一三の三

（報告及び検査）

第六四条の一八　第六十三条の二の規定は、宅地建物取引業保証協会について準用する。この場合において、同条第一項中「手付金等保証事業」とあるのは、「宅地建物取引業保証協会の業務」と読み替えるものとする。

〔追加・昭和四七法一〇〇、改正・昭和六三法二七〕

参照【罰則―法八三①5・6・八四2

（役員の選任等）

第六四条の一九　宅地建物取引業保証協会の役員の選任及び解任並びに解散の決議は、国土交通大臣の認可を受けなければ、その効力を生じない。

〔追加・昭和四七法一〇〇、改正・平成一一法一六〇〕

（改善命令）

第六四条の二〇　国土交通大臣は、この章の規定を施行するため必要があると認めるときは、その必要の限度において、宅地建物取引業保証協会に対し、財産の状況又はその事業の運営を改善するため必要な措置をとるべきことを命ずることができる。

〔追加・昭和四七法一〇〇、改正・平成一一法一六〇〕

参照【罰則―法八二6・八四2

（解任命令）

第六四条の二一　国土交通大臣は、宅地建物取引業保証協会の役員が、この法律、この法律に基づく命令若しくは処分に違反したとき、又はその在任により当該宅地建物取引業保証協会が第六十四条の二第一項第四号に掲げる要件に適合しなくなるときは、当該宅地建物取引業保証協会に対し、その役員を解任すべきことを命ずることができる。

〔追加・昭和四七法一〇〇、改正・平成一一法一六〇〕

（指定の取消し等）

第六四条の二二　国土交通大臣は、宅地建物取引業保証協会が次の各号の一に該当するときは、当該宅地建物取引業保証協会に対して、第六十四条の二第一項の規定による指定を取り消すことができる。

一　弁済業務を適正かつ確実に実施することができないと認められるとき。

二　この法律又はこの法律に基づく命令に違反したとき。

三　第六十四条の二十又は前条の規定による処分に違反したとき。

2　国土交通大臣は、第六十四条の二第一項の規定による指定を取り消したとき、又は宅地建物取引業保証協会が解散したときは、その旨を官報で公示しなければならない。

3　第十六条の十五第三項から第五項までの規定は、第一項の規定による処分に係る聴聞について準用する。

〔追加・昭和四七法一〇〇、改正・昭和五五法五六・平成五法八九・平成一一法一六〇〕

（指定の取消し等の場合の営業保証金の供託）

第六四条の二三　宅地建物取引業保証協会が第六十四条の二第一項の規定による指定を取り消され、又は解散した場合においては、当該宅地建物取引業保証協会の社員であつた宅地建物取引業者は、前条第二項の規定による公示の日から二週間以内に、第二十五条第一項から第三項までの規定により営業保証金を供託しなければならない。この場合においては、同条第四項の規定の適用があるものとする。

〔追加・昭和四七法一〇〇〕

参照【監督処分―法六五②2】

（指定の取消し等の場合の弁済業務）

第六四条の二四　第六十四条の二第一項の規定による指定を取り消され、又は解散した宅地建物取引業保証協会（以下この条及び次条において「旧協会」という。）は、第六十四条の二十二第二項の規定による公示の日から一週間以内に、指定を取り消され、又は解散した日において社員であつた宅地建物取引業者に係る宅地建物取引業に関する取引により生じた債権に関し第六十四条の八第一項の権利を有する者に対し、六月を下らない一定期間内に同条第二項の規定による認証を受けるため申し出るべき旨を公告しなければならない。

2　旧協会は、前項の規定による公告をした後においては、当該公告に定める期間内に申出のあつた同項に規定する債権について、なお第六十四条の八第二項の規定による認証の事務を行なうものとする。

3　旧協会は、第一項の公告に定める期間内に第六十四条の八第二項の規定による認証を受けるための申出があつた場合において、同項に規定する認証に係る事務が終了したときは、その時において供託されている弁済業務保証金のうちその時までに同項の規定により認証した額で同条第一項の権利が実行されていないものの合計額を控除した額の弁済業務保証金を取りもどすことができる。

4　旧協会は、第一項の公告に定める期間内に第六十四条の八第二項の規定による認証を受けるための申出がなかつたときは、供託されている弁済業務保証金を取りもどすことができる。ただし、同項の規定により認証した額で同条第一項の権利が実行されていないものの合計額に相当する額の弁済業務保証金については、この限りでない。

5　旧協会は、第六十四条の八第二項の規定又は第二項の規定により認証した額で第六十四条の二十二第二項の規定による公示の日から十年を経過する日までに第六十四条の八第一項の権利が実行されていないものに係る弁済業務保証金については、これを取りもどすことができる。

6　第三十条第三項の規定は、第一項の規定による公告及び前三項の規定による弁済業務保証金の取りもどしについて準用する。

〔追加・昭和四七法一〇〇〕

（指定の取消し等の場合の弁済業務保証金等の交付）

第六四条の二五　旧協会は、前条第三項から第五項までの規定により取り戻した弁済業務保証金、第六十四条の二第一項の規定による指定を取り消され、又は解散した日（以下この条において「指定取消し等の日」という。）以後において第六十四条の十第二項の規定により納付された還付充当金並びに弁済業務保証金準備金（指定取消し等の日以後において第六十四条の十二第四項の規定により納付された特別弁済業務保証金分担金を含む。）を、指定取消し等の日に社員であつた者に対し、これらの者に係る第六十四条の九第一項の政令で定める弁済業務保証金分担金の額に応じ、国土交通省令の定めるところにより、交付する。

〔追加・昭和四七法一〇〇、改正・昭和五五法五六・平成一一法一六〇〕

参照【国土交通省令の定める交付手続―未制定】

第六章　監督

〔追加・昭和四六法一一〇〕

（指示及び業務の停止）

第六五条　国土交通大臣又は都道府県知事は、その免許（第五十条の二第一項の認可を含む。次項及び第七十条第二項において同じ。）を受けた宅地建物取引業者が次の各号のいずれかに該当する場合又はこの法律の規定若しくは特定住宅瑕疵担保責任の履行の確保等に関する法律（平成十九年法律第六十六号。以下この条において「履行確保法」という。）第十一条第一項若しくは第六項、第十二条第一項、第十三条、第十五条第一項若しくは履行確保法第十六条において読み替えて準用する履行確保法第七条第一項若しくは第二項若しくは第八条第一項若しくは第二項の規定に違反した場合においては、当該宅地建物取引業者に対して、必要な指示をすることができる。

第六五条　国土交通大臣又は都道府県知事は、その免許（第五十条の二第一項の認可を含む。次項において同じ。）を受けた宅地建物取引業者が次の各号のいずれかに該当する場合又はこの法律の規定若しくは特定住宅瑕疵担保責任の履行の確保等に関する法律（平成十九年法律第六十六号。以下この条において「履行確保法」という。）第十一条第一項若しくは第六項、第十二条第一項、第十三条、第十五条第一項若しくは履行確保法第十六条において読み替えて準用する履行確保法第七条第一項若しくは第二項若しくは第八条第一項若しくは第二項の規定に違反した場合においては、当該宅地建物取引業者に対して、必要な指示をすることができる。

一　業務に関し取引の関係者に損害を与えたとき又は損害を与えるおそれが大であるとき。

二　業務に関し取引の公正を害する行為をしたとき又は取引の公正を害するおそれが大であるとき。

三　業務に関し他の法令（履行確保法及びこれに基づく命令を

除く。）に違反し、宅地建物取引業者として不適当であると認められるとき。

四　宅地建物取引士が、第六十八条又は第六十八条の二第一項の規定による処分を受けた場合において、宅地建物取引業者の責めに帰すべき理由があるとき。

2　国土交通大臣又は都道府県知事は、その免許を受けた宅地建物取引業者が次の各号のいずれかに該当する場合においては、当該宅地建物取引業者に対し、一年以内の期間を定めて、その業務の全部又は一部の停止を命ずることができる。

一　前項第一号又は第二号に該当するとき（認可宅地建物取引業者の行う取引一任代理等に係るものに限る。）。

一の二　前項第三号又は第四号に該当するとき。

二　第十三条、第二十五条第五項（第二十六条第二項において準用する場合を含む。）、第二十八条第一項、第三十一条の三第三項、第三十二条、第三十三条の二、第三十四条、第三十四条の二第一項若しくは第二項（第三十四条の三において準用する場合を含む。）、第三十五条第一項から第三項まで、第三十六条、第三十七条第一項若しくは第二項、第四十一条第一項、第四十一条の二第一項、第四十三条から第四十五条まで、第四十六条第二項、第四十七条、第四十七条の二、第四十八条第一項若しくは第三項、第六十四条の九第二項、第六十四条の十第二項、第六十四条の十二第四項、第六十四条の十五前段若しくは第六十四条の二十三前段の規定又は履行確保法第十一条第一項、第十三条若しくは履行確保法第十六条において読み替えて準用する履行確保法第七条第一項の規定に違反したとき。

三　前項又は次項の規定による指示に従わないとき。

四　この法律の規定に基づく国土交通大臣又は都道府県知事の処分に違反したとき。

五　前三号に規定する場合のほか、宅地建物取引業に関し不正又は著しく不当な行為をしたとき。

六　営業に関し成年者と同一の行為能力を有しない未成年者である場合において、その法定代理人（法定代理人が法人である場合においては、その役員を含む。）が業務の停止をしようとするとき以前五年以内に宅地建物取引業に関し不正又は著しく不当な行為をしたとき。

七　法人である場合において、その役員又は政令で定める使用人のうちに業務の停止をしようとするとき以前五年以内に宅地建物取引業に関し不正又は著しく不当な行為をした者があるに至つたとき。

八　個人である場合において、政令で定める使用人のうちに業務の停止をしようとするとき以前五年以内に宅地建物取引業に関し不正又は著しく不当な行為をした者があるに至つたとき。

3　都道府県知事は、国土交通大臣又は他の都道府県知事の免許を受けた宅地建物取引業者で当該都道府県の区域内において業務を行うものが、当該都道府県の区域内における業務に関し、第一項各号のいずれかに該当する場合又はこの法律の規定若しくは履行確保法第十一条第一項若しくは第六項、第十二条第一項、第十三条、第十五条第一項若しくは履行確保法第十六条において読み替えて準用する履行確保法第七条第一項若しくは第二項若しくは第八条第一項若しくは第二項の規定に違反した場合においては、当該宅地建物取引業者に対して、必要な指示をすることができる。

4　都道府県知事は、国土交通大臣又は他の都道府県知事の免許を受けた宅地建物取引業者で当該都道府県の区域内において業務を行うものが、当該都道府県の区域内における業務に関し、次の各号のいずれかに該当する場合においては、当該宅地建物取引業者に対し、一年以内の期間を定めて、その業務の全部又は一部の停止を命ずることができる。

一　第一項第三号又は第四号に該当するとき。

二　第十三条、第三十一条の三第三項（事務所に係る部分を除く。）、第三十二条、第三十三条の二、第三十四条、第三十四条の二第一項若しくは第二項（第三十四条の三において準用する場合を含む。）、第三十五条第一項から第三項まで、第三十六条、第三十七条第一項若しくは第二項、第四十一条第一項、第四十一条の二第一項、第四十三条から第四十五条まで、第四十六条第二項、第四十七条、第四十七条の二又は第四十八条第一項若しくは第三項の規定に違反したとき。

三　第一項又は前項の規定による指示に従わないとき。

四　この法律の規定に基づく国土交通大臣又は都道府県知事の処分に違反したとき。

五　前三号に規定する場合のほか、不正又は著しく不当な行為をしたとき。

（追加・昭和四六法一一〇、改正・昭和四七法一〇〇・昭和五五法五六・昭和六三法二七・平成七法六七・平成一一法一六〇・平成一二法九七・平成一六法一四七・平成一八法六六・平成一九法六六・平成二三法六一・平成二六法八一・令和三法四八）

参照　【処分した旨の通知―規則二七】【政令で定める使用人―令二の二】【罰則―法七九4・八四1】

（免許の取消し）

第六六条　国土交通大臣又は都道府県知事は、その免許を受けた宅地建物取引業者が次の各号のいずれかに該当する場合においては、当該免許を取り消さなければならない。

一　第五条第一項第一号、第五号から第七号まで、第十号又は第十四号のいずれかに該当するに至つたとき。

二　営業に関し成年者と同一の行為能力を有しない未成年者である場合において、その法定代理人（法定代理人が法人である場合においては、その役員を含む。）が第五条第一項第一号から第七号まで又は第十号のいずれかに該当するに至つたとき。

三　法人である場合において、その役員又は政令で定める使用人のうちに第五条第一項第一号から第七号まで又は第十号のいずれかに該当する者があるに至つたとき。

四　個人である場合において、政令で定める使用人のうちに第五条第一項第一号から第七号まで又は第十号のいずれかに該当する者があるに至つたとき。

五　第七条第一項各号のいずれかに該当する場合において第三条第一項の免許を受けていないことが判明したとき。

六　免許を受けてから一年以内に事業を開始せず、又は引き続いて一年以上事業を休止したとき。

七　第十一条第一項の規定による届出がなくて同項第三号から第五号までのいずれかに該当する事実が判明したとき。

八　不正の手段により第三条第一項の免許を受けたとき。

九　前条第二項各号のいずれかに該当し情状が特に重いとき又は同条第二項若しくは第四項の規定による業務の停止の処分に違反したとき。

2　国土交通大臣又は都道府県知事は、その免許を受けた宅地建物取引業者が第三条の二第一項の規定により付された条件に違反したときは、当該宅地建物取引業者の免許を取り消すことができる。

〔追加・昭和四六法一一〇、改正・昭和六三法二七・平成七法六七・平成一一法一六〇・平成一六法一四七・平成二三法六一・平成二六法八一・令和元法三七〕

参照【処分した旨の通知―規則二七【政令で定める使用人―令二の二

第六七条　国土交通大臣又は都道府県知事は、その免許を受けた宅地建物取引業者の事務所の所在地を確知できないとき、又はその免許を受けた宅地建物取引業者の所在（法人である場合においては、その役員の所在をいう。）を確知できないときは、官報又は当該都道府県の公報でその事実を公告し、その公告の日から三十日を経過しても当該宅地建物取引業者から申出がないときは、当該宅地建物取引業者の免許を取り消すことができる。

2　前項の規定による処分については、行政手続法第三章の規定は、適用しない。

〔追加・昭和四六法一一〇、改正・平成五法八九・平成一一法一六〇〕

参照【事務所―法三①、令一の二【処分した旨の通知―規則二七

（認可の取消し等）

第六七条の二　国土交通大臣は、認可宅地建物取引業者が次の各号のいずれかに該当する場合においては、当該認可を取り消すことができる。

一　認可を受けてから一年以内に第五十条の二第一項各号のいずれかに該当する契約を締結せず、又は引き続いて一年以上同項各号のいずれかに該当する契約を締結していないとき。

二　不正の手段により第五十条の二第一項の認可を受けたとき。

三　第六十五条第二項各号のいずれかに該当し情状が特に重いとき、又は同項の規定による業務の停止の処分に違反したとき。

2　国土交通大臣は、認可宅地建物取引業者が第五十条の二第一項の規定により付された条件に違反したときは、当該認可宅地建物取引業者に係る認可を取り消すことができる。

3　第三条第二項の有効期間が満了した場合において免許の更新がなされなかつたとき、第十一条第二項の規定により免許が効力を失つたとき、又は認可宅地建物取引業者が同条第一項第二号に該当したとき、若しくは第二十五条第七項、第六十六条若しくは第六十七条第一項の規定により免許を取り消されたときは、当該認可宅地建物取引業者に係る認可は、その効力を失う。

〔追加・平成一二法九七、改正・平成一一法一六〇〕

参照【処分した旨の通知―規則二七

（宅地建物取引士としてすべき事務の禁止等）

第六八条　都道府県知事は、その登録を受けている宅地建物取引士が次の各号のいずれかに該当する場合においては、当該宅地建物取引士に対し、必要な指示をすることができる。

一　宅地建物取引業者に自己が専任の宅地建物取引士として従事している事務所以外の事務所の専任の宅地建物取引士である旨の表示をすることを許し、当該宅地建物取引業者がその旨の表示をしたとき。

二　他人に自己の名義の使用を許し、当該他人がその名義を使用して宅地建物取引士である旨の表示をしたとき。

三　宅地建物取引士として行う事務に関し不正又は著しく不当な行為をしたとき。

2　都道府県知事は、その登録を受けている宅地建物取引士が前項各号のいずれかに該当する場合又は同項若しくは次項の規定による指示に従わない場合においては、当該宅地建物取引士に対し、一年以内の期間を定めて、宅地建物取引士としてすべき事務を行うことを禁止することができる。

3　都道府県知事は、当該都道府県の区域内において、他の都道府県知事の登録を受けている宅地建物取引士が第一項各号のいずれかに該当する場合においては、当該宅地建物取引士に対し、必要な指示をすることができる。

4　都道府県知事は、当該都道府県の区域内において、他の都道府県知事の登録を受けている宅地建物取引士が第一項各号のいずれかに該当する場合又は同項若しくは前項の規定による指示に従わない場合においては、当該宅地建物取引士に対し、一年以内の期間を定めて、宅地建物取引士としてすべき事務を行うことを禁止することができる。

〔追加・昭和四六法一一〇、全改・昭和五五法五六、改正・平成七法六七・平成二六法八一〕

参照【宅地建物取引士―法三一の三【名義貸しの禁止―法一三【宅地建物取引士の登録―法一八【監督処分の記載―規則一四の九

（登録の消除）

第六八条の二　都道府県知事は、その登録を受けている宅地建物取引士が次の各号のいずれかに該当する場合においては、当該登録を消除しなければならない。

一　第十八条第一項第一号から第八号まで又は第十二号のいずれかに該当するに至つたとき。

二　不正の手段により第十八条第一項の登録を受けたとき。

三　不正の手段により宅地建物取引士証の交付を受けたとき。

四　前条第一項各号のいずれかに該当し情状が特に重いとき又は同条第二項若しくは第四項の規定による事務の禁止の処分に違反したとき。

2　第十八条第一項の登録を受けている者で宅地建物取引士証の交付を受けていないものが次の各号のいずれかに該当する場合においては、当該登録をしている都道府県知事は、当該登録を消除しなければならない。

一　第十八条第一項第一号から第八号まで又は第十二号のいずれかに該当するに至つたとき。

二　不正の手段により第十八条第一項の登録を受けたとき。

三　宅地建物取引士としてすべき事務を行い、情状が特に重いとき。

〔追加・昭和五五法五六、改正・昭和六三法二七・平成五法八九・平成七法六七・平成二六法八一・令和元法三七〕

（聴聞の特例）

第六九条　国土交通大臣又は都道府県知事は、第六十五条又は第六十八条の規定による処分をしようとするときは、行政手続法第十三条第一項の規定による意見陳述のための手続の区分にかかわらず、聴聞を行わなければならない。

2　第十六条の十五第三項から第五項までの規定は、第六十五条、第六十六条、第六十七条の二第一項若しくは第二項、第六十八条又は前条の規定による処分に係る聴聞について準用する。

〔追加・昭和四六法一一〇、改正・昭和五五法五六、全改・平成五法八九、改正・平成一一法一六〇・平成一二法九七〕

参照 宅地建物取引士―法二二の三【宅地建物取引士資格者―法六八の二】【準用―法五四・六二】

（監督処分の公告等）

第七〇条　国土交通大臣又は都道府県知事は、第六十五条第二項若しくは第四項、第六十六条又は第六十七条の二第一項若しくは第二項の規定による処分をしたときは、国土交通省令の定めるところにより、その旨を公告しなければならない。

2　国土交通大臣は、第六十五条第二項の規定による処分（第五十条の二第一項の認可に係る処分に限る。）又は第六十七条の二第一項若しくは第二項の規定による処分をした場合であつて、当該認可宅地建物取引業者が都道府県知事の免許を受けたものであるときは、遅滞なく、その旨を当該都道府県知事に通知しなければならない。

3　都道府県知事は、第六十五条第三項又は第四項の規定による処分をしたときは、遅滞なく、その旨を、当該宅地建物取引業者が国土交通大臣の免許を受けたものであるときは国土交通大臣に報告し、当該宅地建物取引業者が他の都道府県知事の免許を受けたものであるときは当該他の都道府県知事に通知しなければならない。

4　都道府県知事は、第六十八条第三項又は第四項の規定による処分をしたときは、遅滞なく、その旨を当該宅地建物取引士の登録をしている都道府県知事に通知しなければならない。

> 2　国土交通大臣は、第六十五条第一項若しくは第二項又は第六十七条の二第一項若しくは第二項の規定による処分をした場合には、遅滞なく、当該処分の年月日及び内容（同条第一項又は第二項の規定による処分をした場合にあつては、その旨）を、当該宅地建物取引業者が国土交通大臣の免許を受けたものであるときはその主たる事務所の所在地を管轄する都道府県知事に、当該宅地建物取引業者が都道府県知事の免許を受けたものであるときは当該都道府県知事に、それぞれ通知しなければならない。
>
> 3　都道府県知事は、第六十五条第三項又は第四項の規定による処分をしたときは、遅滞なく、当該処分の年月日及び内容を、当該宅地建物取引業者が国土交通大臣の免許を受けたものであるときは国土交通大臣に報告し、当該宅地建物取引業者が他の都道府県知事の免許を受けたものであるときは当該他の都道府県知事に通知しなければならない。
>
> 4　国土交通大臣は、前項の規定による報告を受けたときは、遅滞なく、当該処分の年月日及び内容を当該宅地建物取引業者の主たる事務所の所在地を管轄する都道府県知事（当該報告をした都道府県知事を除く。）に通知しなければならない。
>
> 5　都道府県知事は、第六十八条第三項又は第四項の規定による処分をしたときは、遅滞なく、その旨を当該宅地建物取引士の登録をしている都道府県知事に通知しなければならない。

〔追加・昭和四六法一一〇、改正・昭和五五法五六・平成七法六七・平成一一法一六〇・平成二六法八一〕

参照 【監督処分の公告―規則二九】【処分した旨の通知―規則二七】

（指導等）

第七一条　国土交通大臣はすべての宅地建物取引業者に対して、都道府県知事は当該都道府県の区域内で宅地建物取引業を営む宅地建物取引業者に対して、宅地建物取引業の適正な運営を確保し、又は宅地建物取引業の健全な発達を図るため必要な指導、助言及び勧告をすることができる。

〔全改・昭和三九法一六六、改正・昭和四二法一一五、旧二一条を繰下・昭和四六法一一〇、改正・平成一一法一六〇〕

（内閣総理大臣との協議等）

第七一条の二　国土交通大臣は、その免許を受けた宅地建物取引業者が第三十一条第一項、第三十二条から第三十四条まで、第三十四条の二第一項（第三十四条の三において準用する場合を含む。次項において同じ。）、第三十五条（第三項を除き、同条第四項及び第五項にあつては、同条第一項及び第二項に係る部分に限る。次項において同じ。）、第三十五条の二から第四十五条まで、第四十七条又は第四十七条の二の規定に違反した場合（当該宅地建物取引業者が、第三十五条第一項第十四号イに規定する宅地建物取引業者の相手方等と契約を締結する場合に限る。）において、第六十五条第一項（第二号から第四号までを除く。）若しくは第二項（第一号及び第一号の二を除く。）又は第六十六条第一項（第一号から第八号までを除く。）の規定による処分をしようとするときは、あらかじめ、内閣総理大臣に協議しなければならない。

2　内閣総理大臣は、国土交通大臣の免許を受けた宅地建物取引業者の相手方等の利益の保護を図るため必要があると認めるときは、国土交通大臣に対し、前項に規定する処分（当該宅地建物取引業者が第三十一条第一項、第三十二条から第三十四条まで、第三十四条の二第一項、第三十五条から第四十五条まで、第四十七条又は第四十七条の二の規定に違反した場合（当該宅地建物取引業者が同号イに規定する宅地建物取引業者の相手方等と契約を締結する場合に限る。）におけるものに限る。）に関し、必要な意見を述べることができる。

〔追加・平成二一法四九〕

（報告及び検査）

第七二条　国土交通大臣は、宅地建物取引業を営むすべての者に対して、都道府県知事は、当該都道府県の区域内で宅地建物取引業を営む者に対して、宅地建物取引業の適正な運営を確保するため必要があると認めるときは、その業務について必要な報告を求め、又はその職員に事務所その他その業務を行なう場所に立ち入り、帳簿、書類その他業務に関係のある物件を検査させることができる。

2　内閣総理大臣は、前条第二項の規定による意見を述べるため特に必要があると認めるときは、同項に規定する宅地建物取引業者に対して、その業務について必要な報告を求め、又はその職員に事務所その他その業務を行う場所に立ち入り、帳簿、書類その他業務に関係のある物件を検査させることができる。

3　国土交通大臣は、全ての宅地建物取引士に対して、都道府県知事は、その登録を受けている宅地建物取引士及び当該都道府県の区域内でその事務を行う宅地建物取引士に対して、宅地建物取引士の事務の適正な遂行を確保するため必要があると認めるときは、その事務について必要な報告を求めることができる。

4　第一項及び第二項の規定により立入検査をする職員は、その身分を示す証明書を携帯し、関係人の請求があつたときは、これを提示しなければならない。

5　第一項及び第二項の規定による立入検査の権限は、犯罪捜査のために認められたものと解してはならない。

6　内閣総理大臣は、第二項の規定による報告を求め、又は立入検査をしようとするときは、あらかじめ、国土交通大臣に協議しなければならない。

〔追加・昭和三九法一六六、旧二二条を繰下・昭和四六法一一〇、改正・昭和五五法五六・平成一一法一六〇・平成二二法四九・平成二六法八一〕

参照【事務所―法三①、令一の二【身分証明書の様式―規則三〇【罰則―法八三①5・6・八四2

第七章　雑則

〔全改・昭和三九法一六六、旧四章を繰下・昭和四六法一一〇〕

（宅地建物取引業審議会）

第七三条　都道府県は、都道府県知事の諮問に応じて宅地建物取引業に関する重要事項を調査審議させるため、地方自治法第百三十八条の四第三項の規定により、宅地建物取引業審議会を置くことができるものとする。

〔追加・昭和三九法一六六、旧二二条の二を繰下・昭和四六法一一〇、改正・平成一一法一六〇〕

（宅地建物取引業協会及び宅地建物取引業協会連合会）

第七四条　その名称中に宅地建物取引業協会という文字を用いる一般社団法人（次項に規定するものを除く。）は、宅地建物取引業の適正な運営を確保するとともに宅地建物取引業の健全な発達を図るため、社員の指導及び連絡に関する事務を行うことを目的とし、かつ、一の都道府県の区域内において事業を行う旨及び宅地建物取引業者を社員とする旨の定款の定めがあるものでなければならない。

2　その名称中に宅地建物取引業協会連合会という文字を用いる一般社団法人は、宅地建物取引業の適正な運営を確保するとともに宅地建物取引業の健全な発達を図るため、社員の指導及び連絡に関する事務を行うことを目的とし、かつ、全国において事業を行う旨及び前項に規定する一般社団法人（以下「宅地建物取引業協会」という。）を社員とする旨の定款の定めがあるものでなければならない。

3　前二項に規定する定款の定めは、これを変更することができない。

4　宅地建物取引業協会及び第二項に規定する一般社団法人（以下「宅地建物取引業協会連合会」という。）は、成立したときは、成立の日から二週間以内に、登記事項証明書及び定款の写しを添えて、その旨を、宅地建物取引業協会にあつては都道府県知事に、宅地建物取引業協会連合会にあつては国土交通大臣に届け出なければならない。

5　国土交通大臣は、宅地建物取引業協会連合会に対して、都道府県知事は、宅地建物取引業協会に対して、宅地建物取引業の適正な運営を確保し、又は宅地建物取引業の健全な発達を図るため、必要な事項に関して報告を求め、又は必要な指導、助言及び勧告をすることができる。

〔追加・昭和三三法一三一、全改・昭和三九法一六六、旧二二条の三を改正し繰下・昭和四六法一一〇、改正・平成一一法一六〇・平成一八法五〇〕

（名称の使用制限）

第七五条　宅地建物取引業協会及び宅地建物取引業協会連合会でない者は、宅地建物取引業協会又は宅地建物取引業協会連合会という文字をその名称中に用いてはならない。

〔追加・昭和三九法一六六、旧二二条の四を繰下・昭和四六法一一〇、改正・平成一八法五〇〕

参照【宅地建物取引業協会、宅地建物取引業協会連合会―法七四【罰則―法八六

（宅地建物取引業者を社員とする一般社団法人による体系的な研修の実施）

第七五条の二　宅地建物取引業者を直接又は間接の社員とする一般社団法人は、宅地建物取引士等がその職務に関し必要な知識及び能力を効果的かつ効率的に習得できるよう、法令、金融その他の多様な分野に係る体系的な研修を実施するよう努めなければならない。

〔追加・平成二八法五六〕

（宅地建物取引業者の使用人等の秘密を守る義務）

第七五条の三　宅地建物取引業者の使用人その他の従業者は、正当な理由がある場合でなければ、宅地建物取引業者の業務を補助したことについて知り得た秘密を他に漏らしてはならない。宅地建物取引業者の使用人その他の従業者でなくなつた後であつても、また同様とする。

〔追加・昭和五五法五六、旧七五条の二を繰下・平成二八法五六〕

参照【罰則―法八三①3（親告罪）

（内閣総理大臣への資料提供等）

第七五条の四　内閣総理大臣は、国土交通大臣の免許を受けた宅地建物取引業者の第三十五条第一項第十四号イに規定する宅地建物取引業者の相手方等の利益の保護を図るため必要があると認めるときは、国土交通大臣に対し、資料の提供、説明その他必要な協力を求めることができる。

〔追加・平成二一法四九、旧七五条の三を繰下・平成二八法五六〕

（免許の取消し等に伴う取引の結了）

第七六条　第三条第二項の有効期間が満了したとき、第十一条第二項の規定により免許が効力を失つたとき、又は宅地建物取引業者が第十一条第一項第一号若しくは第二号に該当したとき、若しくは第二十五条第七項、第六十六条若しくは第六十七条第一項の規定により免許を取り消されたときは、当該宅地建物取引業者であつた者又はその一般承継人は、当該宅地建物取引業者が締結した契約に基づく取引を結了する目的の範囲内においては、なお宅地建物取引業者とみなす。

〔追加・昭和四六法一一〇、改正・昭和五五法五六・昭和六三法二七・平成五法八九〕

（信託会社等に関する特例）

第七七条　第三条から第七条まで、第十二条、第二十五条第七項、第六十六条及び第六十七条第一項の規定は、信託業法（平成十六年法律第百五十四号）第三条又は第五十三条第一項の免許を受けた信託会社（政令で定めるものを除く。次項及び第三項において同じ。）には、適用しない。

2　宅地建物取引業を営む信託会社については、前項に掲げる規定を除き、国土交通大臣の免許を受けた宅地建物取引業者とみなしてこの法律の規定を適用する。

3　信託会社は、宅地建物取引業を営もうとするときは、国土交通省令の定めるところにより、その旨を国土交通大臣に届け出なければならない。

4　信託業務を兼営する金融機関及び第一項の政令で定める信託会社に対するこの法律の規定の適用に関し必要な事項は、政令で定める。

〔追加・昭和三九法一六六、旧二二条の六を繰上・昭和四二法一一五、旧二二条の五を改正し繰下・昭和四六法一一〇、改正・昭和五五法五六・平成五法八九・平成一一法一六〇・平成一三法一一七・平成一六法一五四〕

参照【政令で定める信託会社―令八・九、規則三一の二】【国土交通省令の定めるところ―規則三二】【罰則―法八三①1・八四2】

第七七条の二　第三条から第七条まで、第十二条、第二十五条第七項、第六十六条及び第六十七条第一項の規定は、認可宅地建物取引業者がその資産の運用を行う登録投資法人（投資信託及び投資法人に関する法律第二条第十三項に規定する登録投資法人をいう。）には、適用しない。

2　前項の登録投資法人については、前項に掲げる規定並びに第三十一条の三、第三十五条、第三十五条の二、第三十七条及び第四十八条から第五十条までの規定を除き、国土交通大臣の免許を受けた宅地建物取引業者とみなしてこの法律の規定を適用する。

〔追加・平成一二法九七、改正・平成一一法一六〇・平成一八法六六・平成二六法八一〕

第七七条の三　第三条から第七条まで、第十二条、第二十五条第七項、第六十六条及び第六十七条第一項の規定は、特例事業者（不動産特定共同事業法第二条第九項に規定する特例事業者をいう。次項において同じ。）には、適用しない。

2　特例事業者については、前項に掲げる規定並びに第三十一条の三、第三十五条、第三十五条の二、第三十七条及び第四十八条から第五十条までの規定を除き、国土交通大臣の免許を受けた宅地建物取引業者とみなしてこの法律の規定を適用する。

〔追加・平成二五法五六、改正・平成二六法八一・平成二九法四六〕

（適用の除外）

第七八条　この法律の規定は、国及び地方公共団体には、適用しない。

2　第三十三条の二及び第三十七条の二から第四十三条までの規定は、宅地建物取引業者相互間の取引については、適用しない。

〔改正・昭和二九法一七八・昭和三二法一三一・昭和三九法一六六、旧二三条を改正し繰下・昭和四六法一一〇、改正・昭和五五法五六〕

（権限の委任）

第七八条の二　この法律に規定する国土交通大臣の権限は、国土交通省令で定めるところにより、その一部を地方整備局長又は北海道開発局長に委任することができる。

2　この法律に規定する内閣総理大臣の権限（政令で定めるものを除く。）は、消費者庁長官に委任する。

〔追加・平成一一法一六〇、改正・平成二一法四九〕

参照【国土交通省令で定める―規則三二】【政令で定める権限―令一〇】

（都道府県知事への書類の写しの送付等）

第七八条の三　国土交通大臣は、次の各号に掲げる場合には、当該各号に定める書類の写しを、遅滞なく、宅地建物取引業者の主たる事務所の所在地を管轄する都道府県知事に送付しなければならない。

一　第三条第一項の免許をした場合　第四条第一項の免許申請書及び同条第二項各号に掲げる書類

二　第九条の規定による届出を受理した場合　当該届出に係る書類

（都道府県知事への免許等に関する情報の提供）

第七八条の三　国土交通大臣は、次の各号に掲げる場合には、当該各号に定める事項及び当該各号に掲げる場合において第四条第一項の免許申請書又は第九条第一項の届出書に添付された特定書類の写しを、遅滞なく、宅地建物取引業者の主たる事務所の所在地を管轄する都道府県知事に提供しなければならない。

一　第三条第一項の免許をした場合　その免許を受けた宅地建物取引業者に関する第八条第二項各号に掲げる事項

二　第九条第一項の届出書を受理した場合　当該届出書に記載された事項（第四条第一項第五号に掲げる事項を除く。）

2　国土交通大臣は、第十一条第一項の規定による届出を受理したときは、遅滞なく、同項各号のいずれかに該当することとなつた者の主たる事務所の所在地を管轄する都道府県知事にその旨を通知しなければならない。

〔追加・平成一一法八七、旧七八条の二を改正し繰下・平成一一法一六〇、改正・令和三法四四〕

（事務の区分）

第七八条の四　第八条、第十条及び第十四条の規定により都道府県が処理することとされている事務（国土交通大臣の免許を受けた宅地建物取引業者に係る宅地建物取引業者名簿の備付け、登載、閲覧、訂正及び消除に関するものに限る。）は、地方自治法第二条第九項第一号に規定する第一号法定受託事務とする。

〔追加・平成一一法八七、旧七八条の三を改正し繰下・平成一一法一六〇、改正・令和三法四四〕

第八章　罰則

〔旧五章を繰下・昭和四六法一一〇〕

第七九条　次の各号のいずれかに該当する者は、三年以下の懲役若しくは三百万円以下の罰金に処し、又はこれを併科する。

第七九条　次の各号のいずれかに該当する者は、三年以下の拘禁刑若しくは三百万円以下の罰金に処し、又はこれを併科する。

一　不正の手段によつて第三条第一項の免許を受けた者

二　第十二条第一項の規定に違反した者

三　第十三条第一項の規定に違反して他人に宅地建物取引業を営ませた者

四　第六十五条第二項又は第四項の規定による業務の停止の命令に違反して業務を営んだ者

〔改正・昭和三二法一三一・昭和三九法一六六・昭和四二法一一五、旧二四条を改正し繰下・昭和四六法一一〇、改正・昭和五五法五六・平成七法六七・平成一八法九二〕

第七九条の二　第四十七条の規定に違反して同条第一号に掲げる行為をした者は、二年以下の懲役若しくは三百万円以下の罰金に処し、又はこれを併科する。

第七九条の二　第四十七条の規定に違反して同条第一号に掲げる行為をした者は、二年以下の拘禁刑若しくは三百万円以下の罰金に処し、又はこれを併科する。

第八〇条　第四十七条の規定に違反して同条第二号に掲げる行為をした者は、一年以下の懲役若しくは百万円以下の罰金に処し、又はこれを併科する。

〔追加・平成一八法九二〕

> **第八〇条**　第四十七条の規定に違反して同条第二号に掲げる行為をした者は、一年以下の拘禁刑若しくは百万円以下の罰金に処し、又はこれを併科する。

第八〇条の二　第十六条の八第一項の規定に違反した者は、一年以下の懲役又は百万円以下の罰金に処する。

〔改正・昭和四三法一一五、旧二五条を改正し繰下・昭和四六法一一〇、改正・昭和五五法五六・平成七法六七・平成一八法九二〕

> **第八〇条の二**　第十六条の八第一項の規定に違反した者は、一年以下の拘禁刑又は百万円以下の罰金に処する。

第八〇条の三　第十六条の十五第二項又は第十七条の十四の規定による試験事務又は講習業務の停止の命令に違反したときは、その違反行為をした指定試験機関の役員若しくは職員又は登録講習機関（その者が法人である場合にあつては、その役員）若しくはその職員（第八十三条の二において「指定試験機関等の役員等」という。）は、一年以下の懲役又は百万円以下の罰金に処する。

〔追加・昭和六一法一〇九、改正・平成一八法九二〕

> **第八〇条の三**　第十六条の十五第二項又は第十七条の十四の規定による試験事務又は講習業務の停止の命令に違反したときは、その違反行為をした指定試験機関の役員若しくは職員又は登録講習機関（その者が法人である場合にあつては、その役員）若しくはその職員（第八十三条の二において「指定試験機関等の役員等」という。）は、一年以下の拘禁刑又は百万円以下の罰金に処する。

第八一条　次の各号のいずれかに該当する者は、六月以下の懲役若しくは百万円以下の罰金に処し、又はこれを併科する。

〔追加・昭和六一法一〇九、改正・平成一五法九六・平成一八法九二〕

> **第八一条**　次の各号のいずれかに該当する者は、六月以下の拘禁刑若しくは百万円以下の罰金に処し、又はこれを併科する。

一　第二十五条第五項（第二十六条第二項において準用する場合を含む。）、第三十二条又は第四十四条の規定に違反した者

二　第四十七条の規定に違反して同条第三号に掲げる行為をした者

第八二条　次の各号のいずれかに該当する者は、百万円以下の罰金に処する。

〔追加・昭和四六法一一〇、改正・昭和五五法五六・平成七法六七・平成一八法九二〕

一　第四条第一項の免許申請書又は同条第二項の書類に虚偽の記載をして提出した者

二　第十二条第二項、第十三条第二項、第三十一条の三第三項又は第四十六条第二項の規定に違反した者

三　不正の手段によつて第四十一条第一項第一号又は第四十一条の二第一項第一号の指定を受けた者

四　第五十六条第一項の規定に違反して手付金等保証事業以外の事業を営んだ者

五　第六十条（第六十四条の十七第三項において準用する場合を含む。）の規定に違反して保証委託契約を締結した者

六　第六十一条（第六十三条の三第二項において準用する場合を含む。）又は第六十四条の二十の規定による命令に違反した者

七　第六十三条の三第二項において準用する第五十六条第一項の規定に違反して手付金等保管事業以外の事業を営んだ者

八　第六十三条の三第二項において準用する第五十一条第三項第一号の事業方法書によらないで手付金等保管事業を営んだ者

〔追加・昭和四六法一一〇、改正・昭和四七法一〇〇・昭和五五法五六・昭和六三法二七・平成七法六七・平成一八法九二・平成二六法八一〕

第八三条　次の各号のいずれかに該当する者は、五十万円以下の罰金に処する。

一　第九条、第五十条第二項、第五十三条（第六十三条の三第二項において準用する場合を含む。）、第六十三条第二項（第六十三条の三第二項において準用する場合を含む。）又は第七十七条第三項の規定による届出をせず、又は虚偽の届出をした者

二　第三十七条、第四十六条第四項、第四十八条第一項又は第五十条第一項の規定に違反した者

三　第四十五条又は第七十五条の三の規定に違反した者

三の二　第四十八条第三項の規定に違反して従業者名簿を備えず、又はこれに同項に規定する事項を記載せず、若しくは虚偽の記載をした者

四　第四十九条の規定による帳簿を備え付けず、又はこれに同条に規定する事項を記載せず、若しくは虚偽の記載をした者

五　第五十条の十二第一項、第六十三条第一項若しくは第三項（これらの規定を第六十三条の三第二項において準用する場合を含む。）、第六十三条の二第一項（第六十三条の三第二項及び第六十四条の十八において準用する場合を含む。）又は第七十二条第一項から第三項までの規定による報告をせず、若しくは事業計画書、事業報告書若しくは資料の提出をせず、又は虚偽の報告をし、若しくは虚偽の記載をした事業計画書、事業報告書若しくは虚偽の資料を提出した者

六　第五十条の十二第一項、第六十三条の二第一項（第六十三条の三第二項及び第六十四条の十八において準用する場合を含む。）又は第七十二条第一項若しくは第二項の規定による検査を拒み、妨げ、又は忌避した者

七　第六十三条の五の規定に違反して寄託金保管簿を備えず、これに同条に規定する事項を記載せず、若しくは虚偽の記載をし、又は寄託金保管簿を保存しなかつた者

2　前項第三号の罪は、告訴がなければ公訴を提起することができない。

〔改正・昭和三九法一六六・昭和四三法一一五、旧二七条を改正し繰下・昭和四六法一一〇、改正・昭和四七法一〇〇・昭和五五法五六・昭和六三法二七・平成七法六七・平成一五法九六・平成一八法九二・平成二一法四九・平成二八法五六〕

第八三条の二　次の各号のいずれかに該当するときは、その違反行為をした指定試験機関等の役員等は、五十万円以下の罰金に処する。

一　第十六条の十一又は第十七条の十五の規定に違反して帳簿を備えず、帳簿に記載せず、若しくは帳簿に虚偽の記載をし、又は帳簿を保存しなかつたとき。

二　第十六条の十三第一項若しくは第二項又は第十七条の十六の規定による報告を求められて、報告をせず、若しくは虚偽の報告をし、又はこれらの規定による検査を拒み、妨げ、若

しくは忌避したとき。

三　第十六条の十四第一項の規定による許可を受けないで試験事務の全部を廃止し、又は第十七条の十の規定による届出をしないで講習業務の全部を廃止したとき。

〔追加・昭和六一法一〇九、改正・平成七法六七・平成一五法九六・平成一八法九二〕

第八四条　法人の代表者又は法人若しくは人の代理人、使用人その他の従業者が、その法人又は人の業務に関し、次の各号に掲げる規定の違反行為をしたときは、その行為者を罰するほか、その法人に対して当該各号に定める罰金刑を、その人に対して各本条の罰金刑を科する。

一　第七十九条又は第七十九条の二　一億円以下の罰金刑

二　第八十条又は第八十一条から第八十三条まで（同条第一項第三号を除く。）　各本条の罰金刑

〔改正・昭和三九法一六六、旧二八条を改正し繰下・昭和四六法一一〇、改正・昭和六一法一〇九・平成一八法九二〕

第八五条　第五十条の十一の規定による命令に違反した者は、三十万円以下の過料に処する。

〔追加・平成七法六七〕

第八五条の二　第十七条の十一第一項の規定に違反して財務諸表等を備えて置かず、財務諸表等に記載すべき事項を記載せず、若しくは虚偽の記載をし、又は正当な理由がないのに同条第二項各号の規定による請求を拒んだ者は、二十万円以下の過料に処する。

〔追加・平成一五法九六〕

第八六条　第二十二条の二第六項若しくは第七項、第三十五条第四項又は第七十五条の規定に違反した者は、十万円以下の過料に処する。

〔追加・昭和三九法一六六、旧二九条を改正し繰下・昭和四六法一一〇、改正・昭和五五法五六・平成七法六七、旧八五条を繰下・平成七法六七、改正・平成一八法六六〕

附　則〔抄〕

（施行期日）

1　この法律の施行期日は、公布の日から起算して九十日をこえない期間内において、政令で定める。

〔昭和二七政一九八により、昭和二七・八・一から施行〕

（この法律施行の際宅地建物取引業を営んでいる者）

2　この法律施行の際、現に宅地建物取引業を営んでいる者は、第五条第一項の規定による登録を受けないでも、その施行の日から起算して六十日間を限り、宅地建物取引業者とみなす。その者がその期間内に第四条の規定により登録を申請した場合において、その期間を経過したときは、その申請に対する処分のある日まで、また同様とする。

附　則〔抄〕〔昭和三二・五・二七法律一三一〕

（施行期日）

1　この法律は、昭和三十二年八月一日から施行する。

（経過規定）

2　この法律の施行の際現に個人である宅地建物取引業者（宅地建物取引業法第八条第一項に規定する宅地建物取引業者をいう。以下同じ。）又は宅地建物取引業者である法人（この法律の施行の際現に宅地建物取引業を営んでいる信託会社及び信託業務を兼営する銀行を含む。）の役員（業務を執行する社員、取締役又はこれらに準ずる者をいう。以下同じ。）であつて、この法律の施行の日から二年をこえない範囲内において政令で定める日（以下「指定日」という。）までにおいて、引き続く四年をこえる期間宅地建物取引業者又は宅地建物取引業者である法人（宅地建物取引業を営む信託会社及び信託業務を兼営する銀行を含む。）の役員であり、かつ、建設省令の定めるところにより都道府県知事が行う選考により、宅地建物取引業に関し必要な知識を有すると認められた者は、改正後の宅地建物取引業法の適用については、同法第十一条の二第一項に規定する宅地建物取引員とみなす。

3　第十一条の三第三項の改正規定は、前項の選考について準用する。

4　第十一条の二の改正規定は、指定日までは適用しない。

5　指定日の翌日において現に設置されている宅地建物取引業者の事務所に関しては、改正後の宅地建物取引業法第十一条の二の規定及び同法第八条中同法第四条第一項第五号に係る部分の規定の適用については、同日新たに設置されたものとみなす。

6　第二章の二の改正規定は、この法律の施行の際現に宅地建物取引業者であるもの（この法律の施行の日以後において宅地建物取引業者であつて、この法律の施行の際現に宅地建物取引業法第三条第三項の更新の登録を受けた者を含む。）に対しては、昭和三十四年七月三十一日までは適用しない。

7　前項に規定する者は、昭和三十四年八月三十一日までに、第十二条の二の改正規定により営業保証金の供託をし、当該供託をした旨を供託物受入の記載ある供託書の写を添附して、主たる事務所の所在地を管轄する都道府県知事に届け出なければならない。

8　前項の規定に違反した者は、改正後の宅地建物取引業法第十二条の五第一項の規定に違反したものとみなし、同法の規定を適用する。

9　この法律の施行の際現に宅地建物取引業を営んでいる信託会社及び信託業務を兼営する銀行は、改正後の宅地建物取引業法第五条第一項の規定による登録を受けないでも、この法律の施行の日から起算して二箇月間を限り、宅地建物取引業者とみなす。その者がその期間内に同法第四条の規定により登録を申請した場合において、その期間を経過したときは、その申請に対する処分のある日まで、また同様とする。

10　附則第六項から第八項までの規定は、この法律の施行の際現に宅地建物取引業を営んでいる信託会社又は信託業務を兼営する銀行であつて、前項の期間内に改正後の宅地建物取引業法第四条の規定により登録を申請し、かつ、同法第五条第一項の規定による登録を受けたものについて準用する。

附　則〔抄〕〔昭和三七・九・一五法律一六一〕

1　この法律は、昭和三十七年十月一日から施行する。

2　この法律による改正後の規定は、この附則に特別の定めがある場合を除き、この法律の施行前にされた行政庁の処分、この法律の施行前にされた申請に係る行政庁の不作為その他この法律の施行前に生じた事項についても適用する。ただし、この法律による改正前の規定によつて生じた効力を妨げない。

3　この法律の施行前に提起された訴願、審査の請求、異議の申立てその他の不服申立て（以下「訴願等」という。）については、この法律の施行後も、なお従前の例による。この法律の施行前にされた訴願等の裁決、決定その他の処分（以下「裁決等」という。）又はこの法律の施行前に提起された訴願等につきこの法律の施行後にされる裁決等にさらに不服がある場合の訴願等についても、同様とする。

4　前項に規定する訴願等で、この法律の施行後は行政不服審査法による不服申立てをすることができることとなる処分に係るものは、同法以外の法律の適用については、行政不服審査法による不服申立てとみなす。

5　第三項の規定によりこの法律の施行後にされる審査の請求、異議の申立てその他の不服申立ての裁決等については、行政不服審査法による不服申立てをすることができない。

6　この法律の施行前にされた行政庁の処分で、この法律による改正前の規定により訴願等をすることができるものとされ、かつ、その提起期間が定められていなかつたものについて、行政不服審査法による不服申立てをすることができる期間は、この法律の施行の日から起算する。

8　この法律の施行前にした行為に対する罰則の適用については、なお従前の例による。

9　前八項に定めるもののほか、この法律の施行に関して必要な経過措置は、政令で定める。

附　則〔抄〕〔昭和三九・七・一〇法律一六六〕

（施行期日）

1　この法律は、昭和四十年四月一日から施行する。ただし、第二十二条の三の改正規定、同条の次に三条を加える改正規定中第二十二条の四に係る部分、本則中第二十八条の次に一条を加える改正規定及び附則第十八項の規定は、昭和四十二年四月一日から、附則第二十項中建設省設置法（昭和二十三年法律第百十三号）第十条第一項の表の改正規定は、公布の日から施行する。

（経過規定）

2　この法律（前項ただし書に係る部分を除く。以下同じ。）の施行の際現に改正後の宅地建物取引業法（以下「新法」という。）第二条第一号及び第二号の規定により新たに宅地建物取引業となる事業を営んでいる者（改正前の宅地建物取引業法（以下「旧法」という。）第八条第一項に規定する宅地建物取引業者（以下「宅地建物取引業者」という。）である者を除く。）は、この法律の施行の日から一年間は、新法第三条第一項の免許を受けないでも、引き続き当該事業を営むことができる。その者がその期間内に当該免許の申請をした場合において、その期間を経過したときは、その申請に対し免許をするかどうかの処分がある日まで、また同様とする。

3　この法律の施行の際現に宅地建物取引業者である者（宅地建物取引業を営む信託会社及び信託業務を兼営する銀行を除く。）は、旧法第五条第一項の規定による登録の有効期間が満了する日までは、新法第三条第一項の免許を受けないでも、引き続き宅地建物取引業を営むことができる。その者がその期間内に当該免許の申請をした場合において、その期間を経過したときは、その申請に対し免許をするかどうかの処分がある日まで、また同様とする。

4　前項の規定の適用については、旧法第五条第一項の規定による登録の有効期間がこの法律の施行の日から一年以内に満了することとなる者にあつては、当該登録の有効期間は、この法律の施行の日から一年を経過した時に満了するものとみなす。

5　附則第三項の規定により引き続き宅地建物取引業を営むことができる者については、この附則に別段の定めがあるものを除くほか、なお従前の例による。

6　新法第十七条、第十八条の二から第十九条まで、第二十条（第十七条、第十八条の二から第十九条まで及び第二十条の二に係る部分に限る。）及び第二十条の二から第二十二条までの規定（これらの規定に係る罰則を含む。）は、附則第三項の規定により引き続き宅地建物取引業を営むことができる者についても、適用する。この場合において、新法第二十条第二項、第二十条の二及び第二十一条中「免許」とあるのは、「登録」とする。

7　新法第十八条の二から第十九条（この法律による改正に係る部分に限る。）までの規定は、附則第三項の規定により引き続き宅地建物取引業を営むことができる者については、前項の規定にかかわらず、この法律の施行の日から二月間は、適用しない。

8　この法律の施行の際現に宅地建物取引業を営んでいる信託会社及び信託業務を兼営する銀行は、この法律の施行の日から二週間以内に、建設省令の定めるところにより、その旨を建設大臣に届け出なければならない。

9　前項の規定による届出をせず、又は虚偽の届出をした者は、二万円以下の罰金に処する。

10　法人の代表者又は法人の代理人、使用人その他の従業者が、その法人の業務に関し、前項の違反行為をしたときは、その行為者を罰するほか、その法人に対しても同項の刑を科する。ただし、法人の代理人、使用人その他の従業者の当該違反行為を防止するため、当該業務に対し相当の注意及び監督が尽くされたことの証明があつたときは、その法人については、この限りでない。

11　旧法の規定による宅地建物取引員試験に合格した者（宅地建物取引業法の一部を改正する法律（昭和三十二年法律第百三十一号）附則第二項の規定により旧法第十一条の二第一項に規定する宅地建物取引員とみなされた者を含む。）は、新法の規定による宅地建物取引主任者資格試験に合格した者とみなす。

12　旧法（附則第五項の規定により従前の例によることとされる場合を含む。以下附則第十六項において同じ。）の規定に基づき供託された営業保証金は、新法の規定に基づき供託された営業保証金とみなす。

13　この法律の施行の際現に宅地建物取引業者である者でこの法律の施行の日以後において新法第三条第一項の免許を受けて引き続き宅地建物取引業を営むもの又はこの法律の施行の際現に宅地建物取引業を営んでいる信託会社及び信託業務を兼営する銀行について、新法第十二条の二の規定を適用することとしたならばその営業保証金の額が新法第十二条の二第二項に規定する額に不足することとなる場合においては、その者に係る営業保証金の額は、この法律の施行の日から二年間は、なお従前の例による。

14　前項に規定する者は、同項の期間の経過の際その営業保証金の額が新法第十二条の二の規定の適用により新法第十二条の二第二項に規定する額に不足することとなる場合においては、前項の期間が経過した日から一月以内に、その不足額を供託し、当該供託した旨を、その供託物受入れの記載のある供託書の写しを添附して、新法第三条第一項の免許を受けた建設大臣又は都道府県知事（宅地建物取引業を営む信託会社及び信託業務を兼営する銀行にあつては、建設大臣）に届け出なければならない。

15　前項の規定に違反した者は、新法第十二条の五第一項の規定に違反したものとみなし、新法第二十条第二項から第六項までの規定を適用する。

16　旧法第二十条第一項第一号又は第二項第三号から第五号までの規定によりなされた登録の取消しは、新法第二十条第二項第二号から第五号までの規定によりなされた免許の取消しとみなす。

17　昭和四十二年三月三十一日までは、宅地建物取引業法第二十二条の三第一項及び第三項中「宅地建物取引員」とあるのは、「試験に合格した者」と読み替えるものとする。

18　第二十二条の三の改正規定の施行の際現に存する旧法第二十二条の三の規定により設立された宅地建物取引員会は、第二十二条の三の改正規定の施行の日から三月以内に、定款を変更して、新法第二十二条の三の規定による宅地建物取引業協会となることができる。

19　この法律の施行前にした行為及びこの附則の規定により従前の例によることとされる宅地建物取引業に係るこの法律の施行後にした行為に対する罰則の適用については、なお従前の例による。

附　則〔昭和四二・六・一二法律三六〕

1　この法律は、登録免許税法の施行の日〔昭和四二・八・一〕から施行する。

2　登録免許税法別表第一の第二十三号の(三)、(十三)、(十六)及び(十七)、第三十一号、第四十三号から第四十六号まで並びに第四十八号に掲げる登録又は免許（以下「登録等」という。）の申請書を同法の公布の日前に当該登録等の事務をつかさどる官署（以下「登録官署等」という。）に提出した者が昭和四十二年十二月三十一日までに当該申請書に係る登録等を受ける場合における当該登録等に係る手数料については、なお従前の例による。

3　登録等の申請書を登録免許税法の公布の日から昭和四十二年七月三十一日までの間に登録官署等に提出した者が同日後に当該申請書に係る登録等を受ける場合又は登録等の申請書を同法の公布の日前に登録官署等に提出した者が昭和四十三年一月一日以後に当該申請書に係る登録等を受ける場合において、当該登録等の申請に際し当該登録等に係る手数料を納付しているときは、当該納付した手数料の額は、登録免許税法の規定により納付すべき登録免許税の額の一部として納付したものとみなす。

附　則〔昭和四二・八・一法律一一五〕

（施行期日）

1　この法律は、公布の日から起算して二月を経過した日から施行する。

（経過規定）

2　この法律の施行前に宅地建物取引業者が依頼者から委託を受けて契約を締結した場合における契約書の送付については、なお従前の例による。

3　この法律の施行前にした行為に対する罰則の適用については、なお従前の例による。

附　則〔略〕〔昭和四三・六・一五法律一〇一〕

附　則〔抄〕〔昭和四六・六・一六法律一一〇〕

（施行期日）

1　この法律は、公布の日から起算して六月をこえない範囲内において政令で定める日から施行する。ただし、次項の規定は、公布の日から施行する。

〔昭和四六政三四〇により、昭和四六・一二・一五から施行〕

（指定保証機関の指定手続の特例）

2　この法律による改正後の宅地建物取引業法（以下「新法」という。）第四十一条第一項第一号の指定に関し必要な手続その他の行為は、この法律の施行前においても、新法の例によりすることができる。

（経過措置）

3　新法第三十八条から第四十三条までの規定は、この法律の施行前に締結された宅地若しくは建物の売買契約又はこの法律の施行前に締結された売買契約に係る宅地若しくは建物については、適用しない。

4　宅地建物取引主任者資格試験に合格した者が宅地建物取引業に従事する場合においては、この法律の施行の日から六月間（その者が、その期間内に新法第十八条第一項の登録を受けたときは、その登録を受けた日の前日まで）は、新法の規定による取引主任者とみなす。その者がその期間内に新法第十八条第一項の登録の申請をした場合において、その期間を経過したときは、その申請に対し登録をするかどうかの処分がある日まで、同様とする。

5　宅地建物取引業者が、この法律の施行前にこの法律による改正前の宅地建物取引業法（以下「旧法」という。）第二十条第一項から第三項まで又は第二十条の二第一項に規定する場合に該当した場合における当該宅地建物取引業者に対する処分については、新法第六十五条又は第六十六条に規定する相当の場合に該当したものとみなして、これらの規定を適用する。

6　旧法の規定により建設大臣又は都道府県知事がした処分その他の行為は、新法の規定により建設大臣又は都道府県知事がした処分その他の行為とみなす。

7　この法律の施行前にした行為に対する罰則の適用については、なお従前の例による。

附　則〔昭和四七・六・二四法律一〇〇〕

（施行期日）

1　この法律は、公布の日から施行する。ただし、第二十五条第二項の改正規定及び附則第二項から第四項までの規定は、公布の日から起算して一年を経過した日から施行する。

（経過措置）

2　宅地建物取引業者は、第二十五条第二項の改正規定の施行の際に供託している営業保証金の額が改正後の宅地建物取引業法（以下「新法」という。）第二十五条第二項に規定する営業保証金の額に不足することとなる場合においては、第二十五条第二項の改正規定の施行の日から一月以内に、主たる事務所のもよりの供託所にその不足額を供託しなければならない。

3　新法第二十五条第三項及び第四項の規定は、前項の場合に準用する。

4　附則第二項の規定に違反した者は、新法第二十八条第一項の規定に違反したものとみなし、新法の規定を適用する。

附　則〔昭和五五・五・二一法律五六〕

（施行期日）

1　この法律は、公布の日から起算して一年を超えない範囲内において政令で定める日から施行する。ただし、第一条中宅地建物取引業法第六十四条の三第三項を同条第四項とし、同条第二項の次に一項を加える改正規定及び同法第六十四条の十二第七項の改正規定並びに附則第六項の規定は公布の日から、同法第三十四条の次に二条を加える改正規定は公布の日から起算して二年を経過する日から施行する。

〔昭和五五政二二一により、次の各号に掲げる区分に応じ、それぞれ当該各号に定める日から施行〕

一　法第一条中宅地建物取引業法（昭和二十七年法律第百七十六号）第四条第一項第五号及び第二項第三号、第八条第二項第六号、第十五条並びに第十八条第一項第四号の改正規定、同号の次に二号を加える改正規定、同項第五号及び第六号の改正規定、同項第七号を同項第八号とし、同項第六号の次に一号を加える改正規定、同法第二十二条第三号の改正規定、同条第四号を削り、同条第五号を同条第四号とする改正規定、同条の次に三条を加える改正規定、同法第三十五条第三項を同条第四項とし、同条第二項の次に一項を加える改正規定、同法第四十八条第三項の改正規定、同条第二項を削り、同条第三項を同条第二項とする改正規定、同法第六十八条の改正規定、同条の次に一条を加える改正規定、同法第八十五条の改正規定（「第七十五条」を「第二十二条の二第六項若しくは第七項、第三十五条第三項又は第七十五条」に改める部分に限る。）並びに法附則第二項から第五項まで及び第七項の規定

　昭和五十六年四月一日

二　法第一条中法附則第一項ただし書及び前号に規定する改正

規定以外の改正規定並びに〔中略〕法附則第八項から第十項までの規定　昭和五十五年十二月一日）

（経過措置）

２　この法律の施行の日から六月を経過する日までの間においては、この法律の施行の際現に宅地建物取引業者である者に対する改正後の宅地建物取引業法の規定の適用については、同法第十五条第一項中「、その業務に従事する者の数に応じて建設省令で定める数の成年者である専任の取引主任者」とあるのは、「成年者である専任の取引主任者」とする。

３　この法律の施行の日から三年を経過する日までの間においては、この法律の施行の際現に改正前の宅地建物取引業法第十八条第一項の登録を受けている者は、その登録をしている都道府県知事が定める期間内に限り、改正後の宅地建物取引業法第二十二条の二第一項の宅地建物取引主任者証（以下「取引主任者証」という。）の交付を申請することができる。

４　この法律の施行の日から前項の規定により都道府県知事が定める期間の満了の日（同項の規定による申請があつたときは、その申請に係る取引主任者証が交付される日）までの間においては、同項に規定する者に対しては、改正前の宅地建物取引業法第四十八条第二項の証明書又は次項の規定による証明書を取引主任者証とみなして、改正後の宅地建物取引業法の規定を適用する。

５　宅地建物取引業者は、前項に規定する期間において、附則第三項に規定する者に対し、改正前の宅地建物取引業法第四十八条第二項の証明書の例により、取引主任者の証明書を交付することができる。

６　都道府県知事は、この法律の施行前に、建設省令の定めるところにより、取引主任者証の交付を受けようとする者が受講すべき講習を指定することができる。

７　前項の講習の受講は、改正後の宅地建物取引業法の適用については、同法第二十二条の二第二項の講習の受講とみなす。

８　改正後の宅地建物取引業法第三十七条の二〔中略〕の規定は、この法律の施行前にされた宅地又は建物の買受けの申込み若しくは売買契約〔中略〕については、適用しない。

９　この法律の施行の際現に改正前の宅地建物取引業法第三条第一項の免許、同法第十八条第一項の登録、同法第四十一条第一項第一号の指定若しくは同法第六十四条の二第一項の指定〔中略〕（以下「免許等」という。）を受けている者に対する免許等の取消しその他の監督上の処分に関しては、この法律の施行前に生じた事由については、なお従前の例による。

10　この法律の施行前にした行為に対する罰則の適用については、なお従前の例による。

附　則〔抄〕〔昭和六一・一二・二六法律一〇九〕

（施行期日）

第一条　この法律〔中略〕は、それぞれ当該各号に定める日〔公布の日から起算して六月を超えない範囲内において政令で定める日〕から施行する。

〔昭和六二政六六により、昭和六二・四・一から施行〕

（罰則に関する経過措置）

第八条　この法律の施行前にした行為及び附則第二条第一項の規定により従前の例によることとされる場合における第四条の規定の施行後にした行為に対する罰則の適用については、なお従前の例による。

附　則〔昭和六三・五・六法律二七〕

（施行期日）

１　この法律は、公布の日から起算して一年を超えない範囲内において政令で定める日から施行する。ただし、第一条中宅地建物取引業法第三十四条の二の改正規定は、公布の日から起算して二年を経過した日から施行する。

〔昭和六三政三三五により、昭和六三・一二・二二から施行〕

（経過措置）

２　改正後の宅地建物取引業法第十五条及び第五十条第二項の規定は、この法律の施行の際現に宅地建物取引業者である者が設置する場所で事務所以外のもの及びその場所における取引主任者については、この法律の施行の日から六月を経過する日までの間は、適用しない。

３　改正後の宅地建物取引業法第三十七条の二（改正後の積立式宅地建物販売業法第四十条第一項において適用する場合を含む。）の規定は、この法律の施行前にされた宅地又は建物の買受けの申込み若しくは売買契約〔中略〕については、適用しない。

４　改正後の宅地建物取引業法第四十一条の二の規定は、この法律の施行前に締結された宅地又は建物の売買契約については、適用しない。

５　この法律の施行の際現に改正前の宅地建物取引業法第五十一条第一項の規定による指定を受けている者は、この法律の施行の日において改正後の宅地建物取引業法第五十一条第一項の規定による指定を受けたものとみなす。

６　この法律の施行の際現に改正前の宅地建物取引業法第三条第一項の免許、同法第十八条第一項の登録若しくは同法第六十四条の二第一項の指定〔中略〕（以下「免許等」という。）を受けている者に対する免許等の取消しその他の監督上の処分に関しては、この法律の施行前に生じた事由については、なお従前の例による。

７　この法律の施行前にした行為に対する罰則の適用については、なお従前の例による。

附　則〔抄〕〔平成五・一一・一二法律八九〕

（施行期日）

第一条　この法律は、行政手続法（平成五年法律第八十八号）の施行の日〔平成六・一〇・一〕から施行する。

（諮問等がされた不利益処分に関する経過措置）

第二条　この法律の施行前に法令に基づき審議会その他の合議制の機関に対し行政手続法第十三条に規定する聴聞又は弁明の機会の付与の手続その他の意見陳述のための手続に相当する手続を執るべきことの諮問その他の求めがされた場合においては、当該諮問その他の求めに係る不利益処分の手続に関しては、この法律による改正後の関係法律の規定にかかわらず、なお従前の例による。

（罰則に関する経過措置）

第一三条　この法律の施行前にした行為に対する罰則の適用については、なお従前の例による。

（聴聞に関する規定の整理に伴う経過措置）

第一四条　この法律の施行前に法律の規定により行われた聴聞、聴問若しくは聴聞会（不利益処分に係るものを除く。）又はこれらのための手続は、この法律による改正後の関係法律の相当規定により行われたものとみなす。

（政令への委任）

第一五条　附則第二条から前条までに定めるもののほか、この法律の施行に関して必要な経過措置は、政令で定める。

附　則〔平成七・四・二一法律六七〕

（施行期日）

１　この法律は、公布の日から起算して一年を超えない範囲内において政令で定める日から施行する。ただし、次の各号に掲げる規定は、当該各号に定める日から施行する。

〔平成七政四〇一により、平成八・四・一から施行〕

一　第四条第一項の改正規定（「前条第一項」を「第三条第一項」に改める部分及び「（同条第三項の免許の更新を含む。第二十五条第六項を除き、以下同じ。）」を削る部分を除く。）、第八条第二項、第九条、第十六条の五第一項、第十六条の十六第二項及び第五十条第二項の改正規定並びに附則第五項及び第八項の規定　この法律の公布の日

二　目次及び第三十四条の二の改正規定、第五章の改正規定（第三節を第四節とし、第二節を第三節とし、第一節の次に一節を加える改正規定に限る。）、第八十三条第一項第五号及び第六号の改正規定、第八十五条を第八十六条とし、第八十四条の次に一条を加える改正規定並びに附則第六項の規定　この法律の公布の日から起算して二年を経過した日〔平成九・四・一九〕

（指定流通機構の指定手続の特例）

2　改正後の宅地建物取引業法（以下「新法」という。）第三十四条の二第五項の規定による指定に関し必要な手続その他の行為は、前項第二号に掲げる改正規定の施行前においても、新法の例によりすることができる。

（免許の有効期間に関する経過措置）

3　この法律の施行の際現に改正前の宅地建物取引業法（以下「旧法」という。）第三条第一項の免許（同条第三項の免許の更新を含む。以下同じ。）を受けている者又はこの法律の施行前にした免許の申請に基づきこの法律の施行後に同条第一項の免許を受けた者（免許の更新の場合にあっては、この法律の施行後に免許の有効期間が満了する者を除く。）の当該免許の有効期間については、なお従前の例による。

（免許、登録又は指定の基準に関する経過措置）

4　この法律の施行前に旧法第三条第一項の免許の申請をした者（免許の更新の場合にあっては、この法律の施行後に免許の有効期間が満了する者を除く。）、旧法第十八条第一項の登録の申請をした者又は旧法第四十一条第一項第一号、第四十一条の二第一項第一号若しくは第六十四条の二第一項の指定の申請をした者の当該申請に係る免許、登録又は指定の基準については、なお従前の例による。

（変更等の届出に関する経過措置）

5　附則第一項第一号に掲げる改正規定の施行前に生じた事由に係る旧法第九条の変更の届出又は旧法第五十条第二項の届出については、なお従前の例による。

（媒介の契約に関する経過措置）

6　附則第一項第二号に掲げる改正規定の施行前に締結された宅地又は建物の売買又は交換の媒介の契約については、新法第三十四条の二の規定にかかわらず、なお従前の例による。〔平成九・四・一九施行〕

（監督処分に関する経過措置）

7　附則第三項に規定する者に対する免許の取消しその他の監督上の処分、この法律の施行の際現に旧法第十八条第一項の登録を受けている者若しくはこの法律の施行前にした当該登録の申請に基づきこの法律の施行後に登録を受けた者に対する登録の消除その他の監督上の処分又はこの法律の施行の際現に旧法第四十一条第一項第一号、第四十一条の二第一項第一号若しくは第六十四条の二第一項の指定を受けている者若しくはこの法律の施行前にしたこれらの指定の申請に基づきこの法律の施行後に指定を受けた者に対する指定の取消しその他の監督上の処分に関しては、この法律の施行前に生じた事由については、なお従前の例による。

（罰則に関する経過措置）

8　この法律（附則第一項第一号に掲げる改正規定にあっては、当該改正規定）の施行前にした行為及び附則第五項の規定によりなお従前の例によることとされる場合における当該規定の施行後にした行為に対する罰則の適用については、なお従前の例による。

附　則〔略〕〔平成七・五・一二法律九一〕

附　則〔抄〕〔平成七・六・七法律一〇六〕

（施行期日）

第一条　この法律は、保険業法（平成七年法律第百五号）の施行の日〔平成八・四・一〕から施行する。

（罰則の適用に関する経過措置）

第六条　施行日前にした行為及びこの附則の規定によりなお従前の例によることとされる事項に係る施行日以後にした行為に対する罰則の適用については、なお従前の例による。

（政令への委任）

第七条　附則第二条から前条までに定めるもののほか、この法律の施行に関し必要な経過措置は、政令で定める。

附　則〔抄〕〔平成九・一一・二一法律一〇五〕

（施行期日）

1　この法律〔中略〕は、当該各号に定める日〔公布の日から起算して一月を経過した日〕から施行する。

（宅地建物取引業法の一部改正に伴う経過措置）

8　第十六条の規定による改正後の宅地建物取引業法第二十二条の二第三項（同法第二十二条の三第二項において準用する場合を含む。）の規定は、第十六条の規定の施行後に交付され、又は有効期間の更新を受ける宅地建物取引業法第二十二条の二第一項の取引主任者証から適用する。

附　則〔抄〕〔平成一一・七・一六法律八七〕

（施行期日）

第一条　この法律は、平成十二年四月一日から施行する。ただし、次の各号に掲げる規定は、当該各号に定める日から施行する。

一　〔前略〕附則〔中略〕第百六十条、第百六十三条、第百六十四条並びに第二百二条の規定　公布の日

二～六　〔略〕

（国等の事務）

第一五九条　この法律による改正前のそれぞれの法律に規定するもののほか、この法律の施行前において、地方公共団体の機関が法律又はこれに基づく政令により管理し又は執行する国、他の地方公共団体その他公共団体の事務（附則第百六十一条において「国等の事務」という。）は、この法律の施行後は、地方公共団体が法律又はこれに基づく政令により当該地方公共団体の事務として処理するものとする。

（処分、申請等に関する経過措置）

第一六〇条　この法律（附則第一条各号に掲げる規定については、当該各規定。以下この条及び附則第百六十三条において同じ。）の施行前に改正前のそれぞれの法律の規定によりされた許可等の処分その他の行為（以下この条において「処分等の行為」という。）又はこの法律の施行の際現に改正前のそれぞれの法律の規定によりされている許可等の申請その他の行為（以下この条において「申請等の行為」という。）で、この法律の施行の日においてこれらの行為に係る行政事務を行うべき者が異なることとなるものは、附則第二条から前条までの規定又は改正後

のそれぞれの法律（これに基づく命令を含む。）の経過措置に関する規定に定めるものを除き、この法律の施行の日以後における改正後のそれぞれの法律の適用については、改正後のそれぞれの法律の相当規定によりされた処分等の行為又は申請等の行為とみなす。

2　この法律の施行前に改正前のそれぞれの法律の規定により国又は地方公共団体の機関に対し報告、届出、提出その他の手続をしなければならない事項で、この法律の施行の日前にその手続がされていないものについては、この法律及びこれに基づく政令に別段の定めがあるもののほか、これを、改正後のそれぞれの法律の相当規定により国又は地方公共団体の相当の機関に対して報告、届出、提出その他の手続をしなければならない事項についてその手続がされていないものとみなして、この法律による改正後のそれぞれの法律の規定を適用する。

（不服申立てに関する経過措置）

第一六一条　施行日前にされた国等の事務に係る処分であって、当該処分をした行政庁（以下この条において「処分庁」という。）に施行日前に行政不服審査法に規定する上級行政庁（以下この条において「上級行政庁」という。）があったものについての同法による不服申立てについては、施行日以後においても、当該処分庁に引き続き上級行政庁があるものとみなして、行政不服審査法の規定を適用する。この場合において、当該処分庁の上級行政庁とみなされる行政庁は、施行日前に当該処分庁の上級行政庁であった行政庁とする。

2　前項の場合において、上級行政庁とみなされる行政庁が地方公共団体の機関であるときは、当該機関が行政不服審査法の規定により処理することとされる事務は、新地方自治法第二条第九項第一号に規定する第一号法定受託事務とする。

（手数料に関する経過措置）

第一六二条　施行日前においてこの法律による改正前のそれぞれの法律（これに基づく命令を含む。）の規定により納付すべきであった手数料については、この法律及びこれに基づく政令に別段の定めがあるもののほか、なお従前の例による。

（罰則に関する経過措置）

第一六三条　この法律の施行前にした行為に対する罰則の適用については、なお従前の例による。

（その他の経過措置の政令への委任）

第一六四条　この附則に規定するもののほか、この法律の施行に伴い必要な経過措置（罰則に関する経過措置を含む。）は、政令で定める。

2　〔略〕

附　則　〔抄〕〔平成一一・一二・八法律一五一〕

（施行期日）

第一条　この法律は、平成十二年四月一日から施行する。〔以下略〕

（経過措置）

第三条　民法の一部を改正する法律（平成十一年法律第百四十九号）附則第三条第三項の規定により従前の例によることとされる準禁治産者及びその保佐人に関するこの法律による改正規定の適用については、〔中略〕なお従前の例による。〔以下略〕

第四条　この法律の施行前にした行為に対する罰則の適用については、なお従前の例による。

附　則　〔略〕〔平成一一・一二・二二法律一六〇〕

附　則　〔略〕〔平成一二・五・一九法律七三〕

附　則　〔抄〕〔平成一二・五・三一法律九七〕

（施行期日）

第一条　この法律は、公布の日から起算して六月を超えない範囲内において政令で定める日（以下「施行日」という。）から施行する。〔以下略〕

〔平成一二政四七八により、平成一二・一一・三〇から施行〕

（処分等の効力）

第六四条　この法律〔中略〕の施行前に改正前のそれぞれの法律（これに基づく命令を含む。以下この条において同じ。）の規定によってした処分、手続その他の行為であって、改正後のそれぞれの法律の規定に相当の規定があるものは、この附則に別段の定めがあるものを除き、改正後のそれぞれの法律の相当の規定によってしたものとみなす。

（罰則の適用に関する経過措置）

第六五条　この法律〔中略〕の施行前にした行為及びこの附則の規定によりなお従前の例によることとされる場合におけるこの法律の施行後にした行為に対する罰則の適用については、なお従前の例による。

（その他の経過措置の政令への委任）

第六七条　この附則に規定するもののほか、この法律の施行に関し必要な経過措置は、政令で定める。

（検討）

第六八条　政府は、この法律の施行後五年以内に、新資産流動化法、新投信法及び第八条の規定による改正後の宅地建物取引業法（以下この条において「新宅地建物取引業法」という。）の施行状況、社会経済情勢の変化等を勘案し、新資産流動化法及び新投信法の規定並びに新宅地建物取引業法第五十条の二第二項に規定する認可宅地建物取引業者に係る制度について検討を加え、必要があると認めるときは、その結果に基づいて所要の措置を講ずるものとする。

附　則　〔抄〕〔平成一二・一一・二七法律一二六〕

（施行期日）

第一条　この法律は、公布の日から起算して五月を超えない範囲内において政令で定める日から施行する。〔以下略〕

〔平成一三政三により、平成一三・四・一から施行〕

（罰則に関する経過措置）

第二条　この法律の施行前にした行為に対する罰則の適用については、なお従前の例による。

附　則　〔抄〕〔平成一三・六・二七法律七五〕

改正　平成一四・六法六五

（施行期日等）

第一条　この法律は、平成十四年四月一日（以下「施行日」という。）から施行し、施行日以後に発行される短期社債等について適用する。

（罰則の適用に関する経過措置）

第七条　施行日前にした行為及びこの附則の規定によりなおその効力を有することとされる場合における施行日以後にした行為に対する罰則の適用については、なお従前の例による。

（その他の経過措置の政令への委任）

第八条　この附則に規定するもののほか、この法律の施行に関し必要な経過措置は、政令で定める。

（検討）

第九条　政府は、この法律の施行後五年を経過した場合において、この法律の施行状況、社会経済情勢の変化等を勘案し、振替機関に係る制度について検討を加え、必要があると認めるときは、その結果に基づいて所要の措置を講ずるものとする。

附　則　〔抄〕〔平成一三・一一・九法律一一七〕

（施行期日）

第一条　この法律〔中略〕は、当該各号に定める日から施行する。

一〔前略〕附則第九条及び第十三条から第十六条までの規定　公布の日から起算して一月を経過した日〔平成一三・一二・九〕

二　第十条から第十二条までの規定並びに附則第十条から第十二条まで及び第十七条の規定　公布の日から起算して三月を超えない範囲内において政令で定める日

〔平成一四政九により、平成一四・二・一から施行〕

（宅地建物取引業法の一部改正に伴う経過措置）

第一一条　信託業務を兼営する銀行で第十一条の規定の施行の際現に宅地建物取引業を営んでいるものについては、同条の規定による改正後の宅地建物取引業法第七十七条の規定にかかわらず、なお従前の例による。

（権限の委任）

第一三条　内閣総理大臣は、この附則の規定による権限（政令で定めるものを除く。）を金融庁長官に委任する。

2　前項の規定により金融庁長官に委任された権限については、政令で定めるところにより、その一部を財務局長又は財務支局長に委任することができる。

（処分等の効力）

第一四条　この法律の各改正規定の施行前に改正前のそれぞれの法律（これに基づく命令を含む。以下この条において同じ。）の規定によってした処分、手続その他の行為であって、改正後のそれぞれの法律の規定に相当の規定があるものは、この附則に別段の定めがあるものを除き、改正後のそれぞれの法律の相当の規定によってしたものとみなす。

（罰則に関する経過措置）

第一五条　この法律の各改正規定の施行前にした行為及びこの附則の規定によりなお従前の例によることとされる事項に係る各改正規定の施行後にした行為に対する罰則の適用については、それぞれなお従前の例による。

（その他の経過措置の政令への委任）

第一六条　附則第二条から前条までに定めるもののほか、この法律の施行に関し必要な経過措置（罰則に係る経過措置を含む。）は、政令で定める。

附　則〔略〕〔平成一三・一二・五法律一三八〕

附　則〔略〕〔平成一四・五・二九法律四五〕

附　則〔抄〕〔平成一四・六・一二法律六五〕

改正　平成一七・一〇法一〇二

（施行期日）

第一条　この法律は、平成十五年一月六日から施行する。〔以下略〕

（罰則の適用に関する経過措置）

第八四条　この法律（附則第一条各号に掲げる規定にあっては、当該規定。以下この条において同じ。）の施行前にした行為及びこの附則の規定によりなお従前の例によることとされる場合におけるこの法律の施行後にした行為に対する罰則の適用については、なお従前の例による。

（その他の経過措置の政令への委任）

第八五条　この附則に規定するもののほか、この法律の施行に関し必要な経過措置は、政令で定める。

附　則〔略〕〔平成一四・七・三法律七九〕

附　則〔抄〕〔平成一五・六・一八法律九六〕

（施行期日）

第一条　この法律は、平成十六年三月一日から施行する。

（宅地建物取引業法の一部改正に伴う経過措置）

第八条　第七条の規定による改正後の宅地建物取引業法（以下この条において「新取引業法」という。）第十六条第三項の登録を受けようとする者は、第七条の規定の施行前においても、その申請を行うことができる。新取引業法第十七条の九第一項の規定による講習業務規程の届出についても、同様とする。

2　第七条の規定の施行の際現に同条の規定による改正前の宅地建物取引業法（以下この条において「旧取引業法」という。）第十六条第三項の指定を受けている者は、第七条の規定の施行の日から起算して六月を経過する日までの間は、新取引業法第十六条第三項の登録を受けているものとみなす。

3　第七条の規定の施行前三年以内に修了した旧取引業法第十六条第三項の指定を受けた者が同項の規定により行った講習は、その講習の課程を修了した日から起算して三年を経過する日までの間は、新取引業法第十六条第三項の登録を受けた者が同項の規定により行う講習とみなす。

（処分、手続等の効力に関する経過措置）

第一四条　附則第二条から前条までに規定するもののほか、この法律の施行前にこの法律による改正前のそれぞれの法律（これに基づく命令を含む。）の規定によってした処分、手続その他の行為であって、この法律による改正後のそれぞれの法律（これに基づく命令を含む。）中相当する規定があるものは、これらの規定によってした処分、手続その他の行為とみなす。

（罰則の適用に関する経過措置）

第一五条　この法律の施行前にした行為及びこの附則の規定によりなお従前の例によることとされる場合におけるこの法律の施行後にした行為に対する罰則の適用については、なお従前の例による。

（その他の経過措置の政令への委任）

第一六条　附則第二条から前条までに定めるもののほか、この法律の施行に関し必要となる経過措置（罰則に関する経過措置を含む。）は、政令で定める。

附　則〔抄〕〔平成一六・六・二法律七六〕

（施行期日）

第一条　この法律は、破産法（平成十六年法律第七十五号〔中略〕）の施行の日〔平成一七・一・一〕から施行する。〔以下略〕

2～5　〔略〕

（罰則の適用等に関する経過措置）

第一二条　施行日前にした行為〔中略〕に対する罰則の適用については、なお従前の例による。〔以下略〕

（政令への委任）

第一四条　附則第二条から前条までに規定するもののほか、この法律の施行に関し必要な経過措置は、政令で定める。

附　則〔略〕〔平成一六・六・九法律八八〕

附　則〔略〕〔平成一六・六・一八法律一二四〕

附　則〔略〕〔平成一六・一二・一法律一四七〕

附　則〔抄〕〔平成一六・一二・三法律一五四〕

（施行期日）

第一条　この法律は、公布の日から起算して六月を超えない範囲内において政令で定める日（以下「施行日」という。）から施行する。〔以下略〕

〔平成一六政四二六により、平成一六・一二・三〇から施行〕

（処分等の効力）

第一二一条　この法律の施行前のそれぞれの法律（これに基づく命令を含む。以下この条において同じ。）の規定によってした処分、手続その他の行為であって、改正後のそれぞれの法律の規定に相当の規定があるものは、この附則に別段の定めがあるものを除き、改正後のそれぞれの法律の相当の規定によってしたものとみなす。

（罰則に関する経過措置）

第一二二条　この法律の施行前にした行為並びにこの附則の規定によりなお従前の例によることとされる場合及びこの附則の規定によりなおその効力を有することとされる場合におけるこの法律の施行後にした行為に対する罰則の適用については、なお従前の例による。

（その他の経過措置の政令への委任）

第一二三条　この附則に規定するもののほか、この法律の施行に伴い必要な経過措置は、政令で定める。

（検討）

第一二四条　政府は、この法律の施行後三年以内に、この法律の施行の状況について検討を加え、必要があると認めるときは、その結果に基づいて所要の措置を講ずるものとする。

附　則〔略〕〔平成一七・七・二六法律八七〕

附　則〔略〕〔平成一七・一〇・二一法律一〇二〕

附　則〔略〕〔平成一七・一一・二法律一〇六〕

附　則〔抄〕〔平成一八・六・二法律五〇〕

改正　平成二三・六法七四

この法律は、一般社団・財団法人法の施行の日〔平成二〇・一二・一〕から施行する。〔以下略〕

一般社団法人及び一般財団法人に関する法律及び公益社団法人及び公益財団法人の認定等に関する法律の施行に伴う関係法律の整備等に関する法律〔抄〕〔平成一八・六・二法律五〇〕

（宅地建物取引業法の一部改正に伴う経過措置）

第四一〇条　第四十条第一項の規定により存続する一般社団法人であってその名称中に宅地建物取引業協会又は宅地建物取引業協会連合会という文字を用いるものの定款に前条の規定による改正後の宅地建物取引業法第七十四条第一項又は第二項に規定する内容の定めがない場合においては、この定めがあるものとみなす。

（罰則に関する経過措置）

第四五七条　施行日前にした行為及びこの法律の規定によりなお従前の例によることとされる場合における施行日以後にした行為に対する罰則の適用については、なお従前の例による。

（政令への委任）

第四五八条　この法律に定めるもののほか、この法律の規定による法律の廃止又は改正に伴い必要な経過措置は、政令で定める。

附　則〔抄〕〔平成一八・六・一四法律六六〕

この法律は、平成十八年証券取引法改正法の施行の日〔平成一九・九・三〇〕から施行する。〔以下略〕

証券取引法等の一部を改正する法律の施行に伴う関係法律の整備等に関する法律〔抄〕〔平成一八・六・一四法律六六〕

（権限の委任）

第二一五条　内閣総理大臣は、この法律の規定による権限（政令で定めるものを除く。）を金融庁長官に委任する。

（処分等の効力）

第二一六条　この法律の施行前にした旧外国証券業者法、旧証券投資顧問業法、旧抵当証券業規制法、旧金融先物取引法若しくは旧商品投資事業規制法又はこれらに基づく命令の規定によってした処分、手続その他の行為であって、新金融商品取引法の規定に相当の規定があるものは、この法律に別段の定めがあるものを除き、新金融商品取引法の相当の規定によってしたものとみなす。

（罰則の適用に関する経過措置）

第二一七条　この法律（附則各号に掲げる規定にあっては、当該規定。以下この条において同じ。）の施行前にした行為並びにこの法律の規定によりなお従前の例によることとされる場合及びなおその効力を有することとされる場合における法律の施行後にした行為に対する罰則の適用については、なお従前の例による。

（その他の経過措置の政令等への委任）

第二一八条　この法律に規定するもののほか、この法律の施行に関し必要な経過措置は、政令で定める。

２　第一条の規定による金融先物取引法の廃止に伴う登記に関する手続について必要な経過措置は、法務省令で定める。

附　則〔抄〕〔平成一八・六・二一法律九二〕

（施行期日）

第一条　この法律は、公布の日から起算して一年を超えない範囲内において政令で定める日から施行する。ただし、次の各号に掲げる規定は、当該各号に定める日から施行する。

〔平成一九政四八により、平成一九・六・二〇から施行〕

一　第三条、第四条並びに附則第五条から第七条まで及び第十一条の規定　公布の日から起算して六月を超えない範囲内において政令で定める日

〔平成一八政三七二により、平成一八・一二・二〇から施行〕

二　〔略〕

（宅地建物取引業法の一部改正に伴う経過措置）

第六条　附則第一条第一号に掲げる規定の施行の際現に第四条の規定による改正前の宅地建物取引業法第三条第一項の免許を受けている者に対する免許の取消しその他の監督上の処分に関しては、同号に掲げる規定の施行前に生じた事由については、なお従前の例による。

（政令への委任）

第七条　この附則に定めるもののほか、この法律の施行に関して必要な経過措置（罰則に関する経過措置を含む。）は、政令で定める。

（検討）

第八条　政府は、この法律の施行後五年を経過した場合において、第一条から第四条までの規定による改正後の規定の施行の状況について検討を加え、必要があると認めるときは、その結果に基づいて必要な措置を講ずるものとする。

附　則〔略〕〔平成一九・五・三〇法律六六〕

附　則〔略〕〔平成二〇・五・二法律二八施行〕

附　則〔抄〕〔平成二一・六・五法律四九〕

（施行期日）

第一条　この法律は、消費者庁及び消費者委員会設置法（平成二十一年法律第四十八号）の施行の日〔平成二一・九・一〕から施行する。ただし、次の各号に掲げる規定は、当該各号に定める日から施行する。

一　附則第九条の規定　この法律の公布の日

二～六　〔略〕

（処分等に関する経過措置）

第四条　この法律の施行前にこの法律による改正前のそれぞれの法律（これに基づく命令を含む。以下「旧法令」という。）の規定によりされた免許、許可、認可、承認、指定その他の処分

又は通知その他の行為は、法令に別段の定めがあるもののほか、この法律の施行後は、この法律による改正後のそれぞれの法律（これに基づく命令を含む。以下「新法令」という。）の相当規定によりされた免許、許可、認可、承認、指定その他の処分又は通知その他の行為とみなす。

2　この法律の施行の際現に旧法令の規定によりされている免許の申請、届出その他の行為は、法令に別段の定めがあるもののほか、この法律の施行後は、新法令の相当規定によりされた免許の申請、届出その他の行為とみなす。

3　この法律の施行前に旧法令の規定により報告、届出、提出その他の手続をしなければならない事項で、この法律の施行日前にその手続がされていないものについては、法令に別段の定めがあるもののほか、この法律の施行後は、これを、新法令の相当規定によりその手続がされていないものとみなして、新法令の規定を適用する。

（命令の効力に関する経過措置）

第五条　旧法令に規定により発せられた内閣府設置法第七条第三項の内閣府令又は国家行政組織法第十二条第一項の省令は、法令に別段の定めがあるもののほか、この法律の施行後は、新法令の相当規定に基づいて発せられた相当の内閣府設置法第七条第三項の内閣府令又は国家行政組織法第十二条第一項の省令としての効力を有するものとする。

（罰則の適用に関する経過措置）

第八条　この法律の施行前にした行為及びこの法律の附則においてなお従前の例によることとされる場合におけるこの法律の施行後にした行為に対する罰則の適用については、なお従前の例による。

（政令への委任）

第九条　附則第二条から前条までに定めるもののほか、この法律の施行に関し必要な経過措置（罰則に関する経過措置を含む。）は、政令で定める。

附　則（略）〔平成二三・六・三法律六一〕

附　則（略）〔平成二三・六・二四法律七四〕

附　則（略）〔平成二四・八・一法律五三〕

附　則〔抄〕〔平成二五・六・二一法律五六〕

（施行期日）

第一条　この法律は、公布の日から起算して六月を超えない範囲内において政令で定める日から施行する。

〔平成二五政三三八により、平成二五・一二・二〇から施行〕

附　則（略）〔平成二五・一一・二七法律八六〕

附　則（略）〔平成二六・六・一三法律六九〕

附　則〔抄〕〔平成二六・六・二五法律八一〕

（施行期日）

第一条　この法律は、公布の日から起算して一年を超えない範囲内において政令で定める日から施行する。

〔平成二六政三三二により、平成二七・四・一から施行〕

（宅地建物取引主任者資格試験に合格した者に関する経過措置）

第二条　この法律の施行前にこの法律による改正前の宅地建物取引業法（以下「旧法」という。）第十六条第一項の宅地建物取引主任者資格試験に合格した者は、この法律による改正後の宅地建物取引業法（以下「新法」という。）第十六条第一項の宅地建物取引士資格試験に合格した者とみなす。

（秘密保持義務に関する経過措置）

第三条　旧法第十六条の二第一項の試験事務に従事する旧法第十六条の四第二項の指定試験機関の役員若しくは職員（旧法第十六条の七第一項の試験委員を含む。）又はこれらの職にあった者に係る当該試験事務に関して知り得た秘密を漏らしてはならない義務については、この法律の施行後も、なお従前の例による。

（取引主任者証に関する経過措置）

第四条　この法律の施行の際現に交付されている旧法第二十二条の二第一項の宅地建物取引主任者証は、新法第二十二条の二第一項の宅地建物取引士証とみなす。

（処分、手続等に関する経過措置）

第八条　この法律の施行前にこの法律による改正前のそれぞれの法律（これに基づく命令を含む。以下この条において同じ。）の規定によってした処分、手続その他の行為であって、この法律による改正後のそれぞれの法律の規定に相当の規定があるものは、この附則に別段の定めがあるものを除き、この法律による改正後のそれぞれの法律の相当の規定によってしたものとみなす。

（罰則に関する経過措置）

第九条　この法律の施行前にした行為及び附則第三条の規定によりなお従前の例によることとされる事項に係るこの法律の施行後にした行為に対する罰則の適用については、なお従前の例による。

（政令への委任）

第一〇条　この附則に定めるもののほか、この法律の施行に関して必要な経過措置（罰則に関する経過措置を含む。）は、政令で定める。

附　則〔平成二八・六・三法律五六〕

（施行期日）

第一条　この法律は、公布の日から起算して一年を超えない範囲内において政令で定める日から施行する。ただし、第三十四条の二第一項の改正規定、第三十五条第一項第六号の次に一号を加える改正規定及び第三十七条第一項第二号の次に一号を加える改正規定並びに附則第三条の規定は、公布の日から起算して二年を超えない範囲内において政令で定める日から施行する。

〔平成二八政三九四により、平成二九・四・一から施行。ただし書の規定は、平成三〇・四・一から施行〕

（経過措置）

第二条　この法律の施行の日（以下「施行日」という。）前に宅地建物取引業に関する取引がされた場合におけるその取引により生じた債権に係る営業保証金の還付及び弁済業務保証金の還付については、この法律による改正後の宅地建物取引業法（以下「新法」という。）第二十七条第一項及び第六十四条の八第一項の規定にかかわらず、なお従前の例による。

2　新法第三十四条の二第八項の規定は、施行日前に締結された宅地又は建物の売買又は交換の媒介の契約（以下「媒介契約」という。）については、適用しない。

3　施行日前に締結された媒介契約については、新法第三十四条の二第十項の規定にかかわらず、なお従前の例による。

4　施行日前に宅地建物取引業に関する取引がされた場合におけるその取引により生じた債権に係る弁済については、新法第六十四条の三第一項の規定にかかわらず、なお従前の例による。

第三条　附則第一条ただし書に規定する規定の施行の日（次項において「一部施行日」という。）前に締結された媒介契約に係る書面の交付については、新法第三十四条の二第一項の規定にかかわらず、なお従前の例による。

2　一部施行日前に宅地又は建物の売買又は交換の契約が締結され又は成立した場合におけるその契約に係る書面の交付につい

ては、新法第三十七条第一項の規定にかかわらず、なお従前の例による。

（罰則に関する経過措置）

第四条　施行日前にした行為に対する罰則の適用については、なお従前の例による。

（政令への委任）

第五条　前三条に定めるもののほか、この法律の施行に関して必要な経過措置は、政令で定める。

（検討）

第六条　政府は、この法律の施行後五年を経過した場合において、新法の施行の状況について検討を加え、その結果に基づいて必要な措置を講ずるものとする。

附　則〔平成二九・六・二法律四五〕

この法律は、民法改正法の施行の日〔令和二・四・一〕から施行する。ただし、〔中略〕第三百六十二条の規定は、公布の日から施行する。

民法の一部を改正する法律の施行に伴う関係法律の整備等に関する法律〔抄〕

〔平成二九・六・二 法律四五〕

（宅地建物取引業法の一部改正に伴う経過措置）

第三一七条　施行日前に宅地（前条の規定による改正前の宅地建物取引業法（次項において「旧宅地建物取引業法」という。）第二条第一号に規定する宅地をいう。以下この条において同じ。）又は建物の売買又は交換の契約が締結され又は成立した場合におけるその契約に係る書面の交付については、前条の規定による改正後の宅地建物取引業法（以下この条において「新宅地建物取引業法」という。）第三十七条第一項の規定にかかわらず、なお従前の例による。

2　施行日前に宅地建物取引業者（旧宅地建物取引業法第二条第三号に規定する宅地建物取引業者をいう。次項において同じ。）が自ら売主となる宅地又は建物の売買契約が締結された場合におけるその契約の解除については、新宅地建物取引業法第三十九条第二項の規定にかかわらず、なお従前の例による。

3　施行日前に宅地建物取引業者が自ら売主となる宅地又は建物の売買契約が締結された場合におけるその契約に係る担保責任についての特約の制限については、新宅地建物取引業法第四十条第一項の規定にかかわらず、なお従前の例による。

（罰則に関する経過措置）

第三六一条　施行日前にした行為及びこの法律の規定によりなお従前の例によることとされる場合における施行日以後にした行為に対する罰則の適用については、なお従前の例による。

（政令への委任）

第三六二条　この法律に定めるもののほか、この法律の施行に伴い必要な経過措置は、政令で定める。

附　則〔抄〕〔平成二九・六・二法律四六〕

（施行期日）

第一条　この法律は、公布の日から起算して六月を超えない範囲内において政令で定める日から施行する。ただし、附則第十六条の規定は、公布の日から施行する。

〔平成二九政二二〇により、平成二九・一二・一から施行〕

（罰則に関する経過措置）

第一五条　この法律の施行前にした行為及びこの附則の規定によりなお従前の例によることとされる場合におけるこの法律の施行後にした行為に対する罰則の適用については、なお従前の例による。

（政令への委任）

第一六条　この附則に定めるもののほか、この法律の施行に関し必要な経過措置（罰則に関する経過措置を含む。）は、政令で定める。

附　則〔抄〕〔令和元・六・七法律二八〕

（施行期日）

第一条　この法律は、公布の日から起算して一年を超えない範囲内において政令で定める日から施行する。ただし、附則第三十一条の規定は、公布の日から施行する。

〔令和二政一四一により、令和二・五・一から施行〕

（罰則に関する経過措置）

第三〇条　この法律の施行前にした行為に対する罰則の適用については、なお従前の例による。

（その他の経過措置の政令への委任）

第三一条　この附則に規定するもののほか、この法律の施行に関し必要な経過措置（罰則に関する経過措置を含む。）は、政令で定める。

附　則〔抄〕〔令和元・六・一四法律三七〕

（施行期日）

第一条　この法律は、公布の日から起算して三月を経過した日から施行する。ただし、次の各号に掲げる規定は、当該各号に定める日から施行する。

一　〔前略〕次条並びに附則第三条及び第六条の規定　公布の日

二～四　〔略〕

（行政庁の行為等に関する経過措置）

第二条　この法律（前条各号に掲げる規定にあっては、当該規定。以下この条及び次条において同じ。）の施行の日前に、この法律による改正前の法律又はこれに基づく命令の規定（欠格条項その他の権利の制限に係る措置を定めるものに限る。）に基づき行われた行政庁の処分その他の行為及び当該規定により生じた失職の効力については、なお従前の例による。

（罰則に関する経過措置）

第三条　この法律の施行前にした行為に対する罰則の適用については、なお従前の例による。

（検討）

第七条　政府は、会社法（平成十七年法律第八十六号）及び一般社団法人及び一般財団法人に関する法律（平成十八年法律第四十八号）における法人の役員の資格を成年被後見人又は被保佐人であることを理由に制限する旨の規定について、この法律の公布後一年以内を目途として検討を加え、その結果に基づき、当該規定の削除その他の必要な法制上の措置を講ずるものとする。

附　則〔抄〕〔令和二・三・三一法律八〕

（施行期日）

第一条　この法律は、令和二年四月一日から施行する。ただし、次の各号に掲げる規定は、当該各号に定める日から施行する。

一～四　〔略〕

五　次に掲げる規定　令和四年四月一日

イ　〔略〕

ロ　〔前略〕附則〔中略〕第百五十一条から第百五十六条まで〔中略〕の規定

ハ～ナ　〔略〕

六～十二　〔略〕

（罰則に関する経過措置）

第一七一条　この法律（附則第一条各号に掲げる規定にあっては、当該規定。以下この条において同じ。）の施行前にした行為並びにこの附則の規定によりなお従前の例によることとされる場合及びこの附則の規定によりなおその効力を有することとされる場合におけるこの法律の施行後にした行為に対する罰則の適用については、なお従前の例による。

（政令への委任）

第一七二条　この附則に規定するもののほか、この法律の施行に関し必要な経過措置は、政令で定める。

附　則〔抄〕〔令和二・六・一二法律五〇〕

（施行期日）

第一条　この法律は、公布の日から起算して一年六月を超えない範囲内において政令で定める日から施行する。ただし、次の各号に掲げる規定は、当該各号に定める日から施行する。

〔令和三政一六一により、令和三・一二・一から施行〕

一　附則第二十七条の規定　公布の日

二　〔前略〕附則〔中略〕第二十六条の規定　公布の日から起算して一年を超えない範囲内において政令で定める日

〔令和三政五一により、令和三・五・一から施行〕

（罰則に関する経過措置）

第二六条　附則第一条第二号に掲げる規定の施行前にした行為及びこの法律の附則においてなお従前の例によることとされる場合における同号に掲げる規定の施行後にした行為に対する罰則の適用については、なお従前の例による。

（政令への委任）

第二七条　この附則に規定するもののほか、この法律の施行に関し必要な経過措置（罰則に関する経過措置を含む。）は、政令で定める。

（検討）

第二八条　政府は、この法律の施行後五年を目途として、この法律による改正後のそれぞれの法律（以下この条において「改正後の各法律」という。）の施行の状況等を勘案し、必要があると認めるときは、改正後の各法律の規定について検討を加え、その結果に基づいて所要の措置を講ずるものとする。

附　則〔抄〕〔令和三・五・一九法律三七〕

（施行期日）

第一条　この法律〔中略〕は、当該各号に定める日から施行する。

一　〔前略〕附則〔中略〕第七十一条から第七十三条までの規定　公布の日

二・三　〔略〕

四　第十七条〔中略〕の規定　公布の日から起算して一年を超えない範囲内において、各規定につき、政令で定める日

〔令和四政一八〇により、令和四・五・一八から施行〕

五～十　〔略〕

（罰則に関する経過措置）

第七一条　この法律（附則第一条各号に掲げる規定にあっては、当該規定。以下この条において同じ。）の施行前にした行為及びこの附則の規定によりなお従前の例によることとされる場合におけるこの法律の施行後にした行為に対する罰則の適用については、なお従前の例による。

（政令への委任）

第七二条　この附則に定めるもののほか、この法律の施行に関し必要な経過措置（罰則に関する経過措置を含む。）は、政令で定める。

（検討）

第七三条　政府は、行政機関等に係る申請、届出、処分の通知その他の手続において、個人の氏名を平仮名又は片仮名で表記したものを利用して当該個人を識別できるようにするため、個人の氏名を平仮名又は片仮名で表記したものを戸籍の記載事項とすることを含め、この法律の公布後一年以内を目途としてその具体的な方策について検討を加え、その結果に基づいて必要な措置を講ずるものとする。

附　則〔抄〕〔令和三・五・二六法律四四〕

（施行期日）

第一条　この法律〔中略〕は、当該各号に定める日から施行する。

一　〔前略〕附則第四条の規定　公布の日

二～四　〔略〕

五　〔前略〕第七条の規定　公布の日から起算して三年を超えない範囲内において政令で定める日

〔令和六政一五により、令和六・五・二五から施行〕

（政令への委任）

第四条　前条に規定するもののほか、この法律の施行に関し必要な経過措置は、政令で定める。

附　則〔略〕〔令和三・五・二八法律四八〕

附　則〔抄〕〔令和四・六・一〇法律六一〕

（施行期日）

第一条　この法律は、公布の日から起算して一年を超えない範囲内において政令で定める日から施行する。ただし、次の各号に掲げる規定は、当該各号に定める日から施行する。

〔令和五政一八五により、令和五・六・一から施行〕

一　附則第二十九条の規定　公布の日

二　〔略〕

（政令への委任）

第二九条　この附則に規定するもののほか、この法律の施行に関し必要な経過措置は、政令で定める。

（検討）

第三〇条　政府は、この法律の施行後五年を目途として、この法律による改正後のそれぞれの法律（以下この条において「改正後の各法律」という。）の施行の状況等を勘案し、必要があると認めるときは、改正後の各法律の規定について検討を加え、その結果に基づいて所要の措置を講ずるものとする。

附　則〔抄〕〔令和四・六・一七法律六八〕

（施行期日）

1　この法律は、刑法等一部改正法〔令和四年法律第六十七号〕施行日〔令和七・六・一〕から施行する。ただし、次の各号に掲げる規定は、当該各号に定める日から施行する。

一　第五百九条の規定　公布の日

二　〔略〕

刑法等の一部を改正する法律の施行に伴う関係法律の整理等に関する法律〔抄〕

〔令和四・六・一七法律六八〕

（罰則の適用等に関する経過措置）

第四四一条　刑法等の一部を改正する法律（令和四年法律第六十七号。以下「刑法等一部改正法」という。）及びこの法律（以下「刑法等一部改正法等」という。）の施行前にした行為の処罰については、次章に別段の定めがあるもののほか、なお従前の例による。

2　刑法等一部改正法等の施行後にした行為に対して、他の法律の規定によりなお従前の例によることとされ、なお効力を有することとされ又は改正前若しくは廃止前の法律の規定の例によ

ることとされる罰則を適用する場合において、当該罰則に定める刑（刑法施行法第十九条第一項の規定又は第八十二条の規定による改正後の沖縄の復帰に伴う特別措置に関する法律第二十五条第四項の規定の適用後のものを含む。）に刑法等一部改正法第二条の規定による改正前の刑法（明治四十年法律第四十五号。以下この項において「旧刑法」という。）第十二条に規定する懲役（以下「懲役」という。）、旧刑法第十三条に規定する禁錮（以下「禁錮」という。）又は旧刑法第十六条に規定する拘留（以下「旧拘留」という。）が含まれるときは、当該刑のうち無期の懲役又は禁錮はそれぞれ無期拘禁刑と、有期の懲役又は禁錮はそれぞれその刑と長期及び短期（刑法施行法第二十条の規定の適用後のものを含む。）を同じくする有期拘禁刑と、旧拘留は長期及び短期（刑法施行法第二十条の規定の適用後のものを含む。）を同じくする拘留とする。

（裁判の効力とその執行に関する経過措置）

第四四二条　懲役、禁錮及び旧拘留の確定裁判の効力並びにその執行については、次章に別段の定めがあるもののほか、なお従前の例による。

（人の資格に関する経過措置）

第四四三条　懲役、禁錮又は旧拘留に処せられた者に係る人の資格に関する法令の規定の適用については、無期の懲役又は禁錮に処せられた者はそれぞれ無期拘禁刑に処せられた者と、有期の懲役又は禁錮に処せられた者はそれぞれ刑期を同じくする有期拘禁刑に処せられた者と、旧拘留に処せられた者は拘留に処せられた者とみなす。

2　拘禁刑又は拘留に処せられた者に係る他の法律の規定によりなお従前の例によることとされ、なお効力を有することとされ又は改正前若しくは廃止前の法律の規定の例によることとされる人の資格に関する法令の規定の適用については、無期拘禁刑に処せられた者は無期禁錮に処せられた者と、有期拘禁刑に処せられた者は刑期を同じくする有期禁錮に処せられた者と、拘留に処せられた者は刑期を同じくする旧拘留に処せられた者とみなす。

（経過措置の政令への委任）

第五〇九条　この編に定めるもののほか、刑法等一部改正法等の施行に伴い必要な経過措置は、政令で定める。

附　則〔略〕〔令和五・一一・二九法律七九〕

附　則〔抄〕〔令和六・六・一九法律五三〕

（施行期日）

第一条　この法律は、令和七年四月一日から施行する。ただし、次の各号に掲げる規定は、当該各号に定める日から施行する。

一　〔前略〕附則第八条の規定　公布の日

二～五　〔略〕

（宅地建物取引業法の一部改正に伴う経過措置）

第五条　第八条の規定による改正後の宅地建物取引業法（以下この条において「新宅地建物取引業法」という。）第十条の規定は、この法律の施行の日以後にされる宅地建物取引業法第三条第一項の免許（同条第三項の免許の更新を含む。以下この条において同じ。）の申請又は新宅地建物取引業法第九条の規定による届出に係る宅地建物取引業者名簿等の閲覧について適用し、同日前にされた当該免許の申請又は第八条の規定による改正前の宅地建物取引業法第九条の規定による届出に係る宅地建物取引業者名簿等の閲覧については、なお従前の例による。

（政令への委任）

第八条　附則第二条から前条までに規定するもののほか、この法律の施行に関し必要な経過措置（罰則に関する経過措置を含む。）は、政令で定める。

別表（第十七条の五関係）

科目	講師
一　この法律その他関係法令に関する科目 二　宅地及び建物の取引に係る紛争の防止に関する科目	一　弁護士 二　宅地建物取引士であつて、宅地建物取引士として宅地建物取引業に従事した経験を有する者 三　前号に掲げる者と同等以上の知識及び経験を有する者
三　土地の形質、地積、地目及び種別並びに建物の形質、構造及び種別に関する科目 四　宅地及び建物の需給に関する科目 五　宅地及び建物の調査に関する科目	一　不動産鑑定士 二　宅地建物取引士であつて、宅地建物取引士として宅地建物取引業に従事した経験を有する者 三　前号に掲げる者と同等以上の知識及び経験を有する者
六　宅地及び建物の取引に係る税務に関する科目	一　税理士 二　宅地建物取引士であつて、宅地建物取引士として宅地建物取引業に従事した経験を有する者 三　前号に掲げる者と同等以上の知識及び経験を有する者

〔追加・平成一五法九六、改正・平成二八法五六〕

○宅地建物取引業法施行令

〔昭和三九・一二・二八
政令三八三〕

改正　昭和四二・八政二二七、一一政三四五、昭和四三・一政九、昭和四四・六政一五八、七政二〇六、八政二三一、昭和四五・一二政三三三、昭和四六・一一政三四一、昭和四七・七政二八四、一二政四三一、昭和四九・一政三、八政二八五、一二政三八八、昭和五〇・一政二、九政二六四、政二九三、一〇政三〇四、政三〇六、昭和五二・九政二六六、昭和五三・三政三七、昭和五五・八政二一三、一〇政二七三、昭和五六・三政五八、四政一四四、昭和六二・三政五七、一〇政三四八、昭和六三・二政二五、七政二三六、一一政三二一、平成元・一一政三〇九、平成二・一一政三二三、政三二五、平成三・三政二五、四政一五四、七政二三四、一〇政三三三、平成四・七政二六六、平成五・一政二、五政一六四、政一七〇、平成六・三政六九、一一政三五二、平成七・二政三六、五政二一四、九政三四五、一二政四〇二、平成九・三政七四、六政一九六、八政二七四、一一政三二五、平成一〇・八政二八四、平成一一・一政五、一一政三五二、平成一二・六政三一二、平成一三・一政四、三政八四、政九八、八政二六一、平成一四・一政一〇、五政一九一、一一政三三一、政三三六、平成一五・二政三四、一二政四九六、政五二三、平成一六・三政五〇、政五四、四政一六八、一二政三九六、政三九九、政四二二、政四二九、平成一七・一政五、五政一八二、政一九二、平成一八・四政一八一、九政三一〇、一一政三五〇、一二政三七九、平成一九・八政二三三、九政三〇四、平成二〇・五政一八〇、七政二三七、平成二〇・一〇政三三八、一二政三六四、平成二一・八政二〇八、政二一七、一〇政二四六、一二政二八五、平成二二・二政一三、平成二三・一二政四〇九、政四二七、平成二四・六政一五八、政一七八、一一政二八六、平成二五・八政二三七、九政二八五、一一政三二三、平成二六・一政一五、五政一八七、七政二三九、八政二八三、平成二七・一政六、政一一、七政二七三、八政二八九、平成二八・一政二七、八政二八八、平成二九・六政一五六、政一五八、七政一八八、平成三〇・六政一七八、七政二〇二、九政二五五、政二八〇、政二八一、一〇政二九八、一一政三二〇、令和元・六政三〇、九政九一、一二政一八三、令和二・七政二一七、九政二六八、一一政三二九、令和三・九政二六一、一〇政二八二、政二九六、一二政三二五、令和四・四政一八一、九政三〇八、一一政三五一、一二政三八一、政三九三

注　［　］の部分は、令和六年六月二八日政令第二三八号により改正され、令和七年四月一日から施行

（公共施設）

第一条　宅地建物取引業法（以下「法」という。）第二条第一号の政令で定める公共の用に供する施設は、広場及び水路とする。

（法第三条第一項の事務所）

第一条の二　法第三条第一項の事務所は、次に掲げるものとする。

一　本店又は支店（商人以外の者にあつては、主たる事務所又は従たる事務所）

二　前号に掲げるもののほか、継続的に業務を行なうことができる施設を有する場所で、宅地建物取引業に係る契約を締結する権限を有する使用人を置くもの

（免許手数料）

第二条　法第三条第六項に規定する免許手数料の額は、三万三千円とする。

２　前項の免許手数料は、国土交通省令で定めるところにより、収入印紙をもつて納付しなければならない。

（法第四条第一項第二号等の政令で定める使用人）

第二条の二　法第四条第一項第二号及び第三号、第五条第一項第十二号及び第十三号、第八条第二項第三号及び第四号、第六十五条第二項第七号及び第八号並びに第六十六条第一項第三号及び第四号の政令で定める使用人は、宅地建物取引業者の使用人で、宅地建物取引業に関し第一条の二に規定する事務所の代表者であるものとする。

［

（手数料）

第二条　法第三条第六項の手数料の額は、三万三千円（同条第三項の免許の更新の申請を情報通信技術を活用した行政の推進等に関する法律（平成十四年法律第百五十一号）第六条第一項の規定により同項に規定する電子情報処理組織を使用する方法により行う場合にあつては、二万六千五百円）とする。

２　前項の手数料は、国土交通省令で定めるところにより、収入印紙をもつて納付しなければならない。

（法第四条第一項第二号等の政令で定める使用人）

第二条の二　法第四条第一項第二号及び第三号並びに第二項第三号及び第四号、第五条第一項第十二号及び第十三号、第六十五条第二項第七号及び第八号並びに第六十六条第一項第三号及び第四号の政令で定める使用人は、宅地建物取引業者の使用人で、宅地建物取引業に関し第一条の二に規定する事務所の代表者であるものとする。

］

（登録講習機関の登録の有効期間）

第二条の三　法第十七条の六第一項の政令で定める期間は、三年とする。

（営業保証金の額）

第二条の四　法第二十五条第二項に規定する営業保証金の額は、主たる事務所につき千万円、その他の事務所につき事務所ごとに五百万円の割合による金額の合計額とする。

（法第三十三条等の法令に基づく許可等の処分）

第二条の五　法第三十三条及び第三十六条の法令に基づく許可等の処分で政令で定めるものは、次に掲げるものとする。

一　都市計画法（昭和四十三年法律第百号）第三十五条の二第一項本文、第四十一条第二項ただし書、第四十二条第一項ただし書、第四十三条第一項、第五十二条第一項、第五十二条の二第一項（同法第五十七条の三第一項において準用する場合を含む。）、第五十三条第一項及び第六十五条第一項の許可並びに同法第五十八条第一項及び第五十八条の三第一項の規定に基づく条例の規定による処分

二　建築基準法（昭和二十五年法律第二百一号）第四十三条第二項第二号、第四十四条第一項第四号、第四十七条ただし書、第四十八条第一項ただし書、第二項ただし書、第三項ただし書、第四項ただし書、第五項ただし書、第六項ただし書、第七項ただし書、第八項ただし書、第九項ただし書、第十項ただし書、第十一項ただし書、第十二項ただし書、第十三項ただし書及び第十四項ただし書、第五十二条第十項、第十一項及び第十四項、第五十三条第四項、第五項及び第六項第三号、第五十三条の二第一項第三号及び第四号（これらの規定を同法第五十七条の五第三項において準用する場合を含む。）、第五十五条第三項及び第四項各号、第五十六条の二第一項ただし書、第五十七条の四第一項ただし書、第五十八条第二項、第五十九条第四項、第五十九条の二第一項、第六十条の二の二第三項ただし書、第六十条の三第二項ただし書、第六十七条第三項第二号、第六十八条第一項第二号及び第三項第二号、第六十八条の三第四項、第六十八条の五の三第二項、第六十八条の七第五項、第八十六条第三項及び第四項並びに第八十六条の二第二項及び第三項の許可、同法第四十三条第二項第一号、第五十二条第六項第三号、第八十六条第一項及び第二項、第八十六条の二第一項並びに第八十六条の八第一項及び第三項の規定による認定、同法第五十七条の二第三項の規定による指定並びに同法第三十九条第二項、第四十三条の二、第四十九条第一項、第四十九条の二、第五十条、第六十八条の二第一項及び第六十八条の九の規定に基づく条例の規定による処分

三　古都における歴史的風土の保存に関する特別措置法（昭和四十一年法律第一号）第八条第一項の許可

四　都市緑地法（昭和四十八年法律第七十二号）第十四条第一項及び第三十五条第二項各号の許可並びに同法第二十条第一項及び第三十九条第一項の規定に基づく条例の規定による処分

五　生産緑地法（昭和四十九年法律第六十八号）第八条第一項の許可

六　特定空港周辺航空機騒音対策特別措置法（昭和五十三年法律第二十六号）第五条第二項ただし書（同条第五項において準用する場合を含む。）

の許可

七　密集市街地における防災街区の整備の促進に関する法律（平成九年法律第四十九号）第百十六条第一項、第百九十七条第一項及び第二百八十三条第一項の許可

八　景観法（平成十六年法律第百十号）第二十二条第一項及び第三十一条第一項の許可、同法第六十三条第一項の認定並びに同法第七十二条第一項、第七十三条第一項、第七十五条第一項及び第二項並びに第七十六条第一項の規定に基づく条例の規定による処分

九　土地区画整理法（昭和二十九年法律第百十九号）第七十六条第一項の許可

十　大都市地域における住宅及び住宅地の供給の促進に関する特別措置法（昭和五十年法律第六十七号）第七条第一項、第二十六条第一項及び第六十七条第一項の許可

十一　地方拠点都市地域の整備及び産業業務施設の再配置の促進に関する法律（平成四年法律第七十六号）第二十一条第一項の許可

十二　被災市街地復興特別措置法（平成七年法律第十四号）第七条第一項の許可

十三　新住宅市街地開発法（昭和三十八年法律第百三十四号）第三十二条第一項の承認

十四　新都市基盤整備法（昭和四十七年法律第八十六号）第五十一条第一項の承認

十五　旧公共施設の整備に関連する市街地の改造に関する法律（昭和三十六年法律第百九号）第十三条第一項（都市再開発法（昭和四十四年法律第三十八号）附則第四条第二項の規定によりなおその効力を有するものとされる旧防災建築街区造成法（昭和三十六年法律第百十号）第五十五条第一項において準用する場合に限る。）の許可

十六　首都圏の近郊整備地帯及び都市開発区域の整備に関する法律（昭和三十三年法律第九十八号）第二十五条第一項の承認

十七　近畿圏の近郊整備区域及び都市開発区域の整備及び開発に関する法律（昭和三十九年法律第百四十五号）第三十四条第一項の承認

十八　流通業務市街地の整備に関する法律（昭和四十一年法律第百十号）第五条第一項ただし書の許可及び同法第三十八条第一項の承認

十九　都市再開発法第七条の四第一項及び第六十六条第一項の許可

二十　港湾法（昭和二十五年法律第二百十八号）第三十七条第一項第四号に係る同項の許可

二十一　住宅地区改良法（昭和三十五年法律第八十四号）第九条第一項の許可

二十二　農地法（昭和二十七年法律第二百二十九号）第三条第一項、第四条第一項及び第五条第一項の許可

二十三　宅地造成及び特定盛土等規制法（昭和三十六年法律第百九十一号）第十二条第一項、第十六条第一項、第三十条第一項及び第三十五条第一項の許可

二十四　マンションの建替え等の円滑化に関する法律（平成十四年法律第七十八号）第百五条第一項の許可

二十五　長期優良住宅の普及の促進に関する法律（平成二十年法律第八十七号）第十八条第一項の許可

二十六　自然公園法（昭和三十二年法律第百六十一号）第二十条第三項、第二十一条第三項及び第二十二条第三項の許可並びに同法第七十三条第一項（利用調整地区に係る部分を除く。）の規定に基づく条例の規定による処分

二十七　河川法（昭和三十九年法律第百六十七号）第二十六条第一項、第二十七条第一項、第五十五条第一項、第五十七条第一項、第五十八条の四第一項及び第五十八条の六第一項（これらの規定を同法第百条第一項において準用する場合を含む。）の許可

二十八　特定都市河川浸水被害対策法（平成十五年法律第七十七号）第三十条、第三十七条第一項、第三十九条第一項、第五十七条第一項、第六十二条第一項、第六十六条及び第七十一条第一項の許可

二十九　海岸法（昭和三十一年法律第百一号）第八条第一項の許可

三十　津波防災地域づくりに関する法律（平成二十三年法律第百二十三号）第二十三条第一項、第七十三条第一項、第七十八条第一項、第八十二条及び第八十七条第一項の許可

三十一　砂防法（明治三十年法律第二十九号）第四条第一項（同法第三条において準用する場合を含む。）の規定に基づく制限として行う処分

三十二　地すべり等防止法（昭和三十三年法律第三十号）第十八条第一項及び第四十二条第一項の許可

三十三　急傾斜地の崩壊による災害の防止に関する法律（昭和四十四年法律第五十七号）第七条第一項の許可

三十四　土砂災害警戒区域等における土砂災害防止対策の推進に関する法律（平成十二年法律第五十七号）第十条第一項及び第十七条第一項の許可

三十五　森林法（昭和二十六年法律第二百四十九号）第十条の二第一項並びに第三十四条第一項及び第二項（これらの規定を同法第四十四条において準用する場合を含む。）の許可

三十六　道路法（昭和二十七年法律第百八十号）第九十一条第一項の許可

三十七　土地収用法（昭和二十六年法律第二百十九号）第二十八条の三第一項（同法第百三十八条第一項において準用する場合を含む。）の許可

三十八　文化財保護法（昭和二十五年法律第二百十四号）第四十三条第一項及び第百二十五条第一項の許可、同法第四十五条第一項及び第百二十八条第一項の規定に基づく制限として行う処分並びに同法第百四十三条第一項（同条第二項において準用する場合を含む。）及び第百八十二条第二項の規定に基づく条例の規定による処分

三十九　航空法（昭和二十七年法律第二百三十一号）第四十九条第一項ただし書（同法第五十五条の二第三項若しくは第五十六条の三第二項又は自衛隊法（昭和二十九年法律第百六十五号）第百七条第二項において準用する場合を含む。）の承認

四十　核原料物質、核燃料物質及び原子炉の規制に関する法律（昭和三十二年法律第百六十六号）第五十一条の二十九第一項の許可

（法第三十四条の二第十一項の規定による承諾等に関する手続等）

第二条の六　法第三十四条の二第十一項の規定による承諾は、宅地建物取引業者が、国土交通省令で定めるところにより、あらかじめ、当該承諾に係る依頼者に対し同項の規定による電磁的方法による提供に用いる電磁的方法の種類及び内容を示した上で、当該依頼者から書面又は電子情報処理組織を使用する方法その他の情報通信の技術を利用する方法であつて国土交通省令で定めるもの（次項において「書面等」という。）によつて得るものとする。

2　宅地建物取引業者は、前項の承諾を得た場合であつても、当該承諾に係る依頼者から書面等により法第三十四条の二第十一項の規定による電磁的方法による提供を受けない旨の申出があつたときは、当該電磁的方法による提供をしてはならない。ただし、当該申出の後に当該依頼者から再び前項の承諾を得た場合は、この限りでない。

3　前二項の規定は、法第三十四条の二第十二項の規定による承諾について準用する。

（法第三十五条第一項第二号の法令に基づく制限）

第三条　法第三十五条第一項第二号の法令に基づく制限で政令で定めるものは、宅地又は建物の貸借の契約以外の契約については、次に掲げる法律の規定（これらの規定に基づく命令及び条例の規定を含む。）に基づく制限で当該宅地又は建物に係るもの及び都市計画法施行法（昭和四十三年法律第百一号）第三十八条第三項の規定により、なお従前の例によるものとされる緑地地域内における建築物又は土地に関する工事若しくは権利に関する制限（同法第二十六条及び第二十八条の規定により同法第三十八条第三項の規定の例によるものとされるものを含む。）で当該宅地又は建物に係るものとする。

一　都市計画法第二十九条第一項及び第二項、第三十五条の二第一項、第四十一条第二項、第四十二条第一項、第四十三条第一項、第五十二条第一項、第五十二条の二第一項（同法第五十七条の三第一項において準用する場合を含む。）、第五十二条の三第二項及び第四項（これらの規定を同法第五十七条の四及び密集市街地における防災街区の整備の促進に関する法律第二百八十四条において準用する場合を含む。次項において同じ。）、第五十三条第一項、第五十七条第二項及び第四項、第五十八条の二第一項及び第二項、第五十八条の三第一項、第六十五条第一項並びに第六十七条第一項及び第三項

二　建築基準法第三十九条第二項、第四十三条、第四十三条の二、第四十四条第一項、第四十五条第一項、第四十七条、第四十八条第一項から第十四項まで（同法第八十八条第二項において準用する場合を含む。）、第四十九条（同法第八十八条第二項において準用する場合を含む。）、第四十九条の二（同法第八十八条第二項において準用する場合を含む。）、第

五十条（同法第八十八条第二項において準用する場合を含む。）、第五十二条第一項から第十四項まで、第五十三条第一項から第八項まで、第五十三条の二第一項から第三項まで、第五十四条、第五十五条第一項から第四項まで、第五十六条、第五十六条の二、第五十七条の二第三項、第五十七条の四第一項、第五十七条の五、第五十八条第一項及び第二項、第五十九条第一項及び第二項、第五十九条の二第一項、第六十条第一項及び第二項、第六十条の二第一項、第二項、第三項（同法第八十八条第二項において準用する場合を含む。）及び第六項、第六十条の二の二第一項から第三項まで及び第四項（同法第八十八条第二項において準用する場合を含む。）、第六十条の三第一項、第二項及び第三項（同法第八十八条第二項において準用する場合を含む。）、第六十一条、第六十七条第一項及び第三項から第七項まで、第六十八条第一項から第四項まで、第六十八条の二第一項及び第五項（これらの規定を同法第八十八条第二項において準用する場合を含む。）、第六十八条の九、第七十五条、第七十五条の二第五項、第七十六条の三第五項、第八十六条第一項から第四項まで、第八十六条の二第一項から第三項まで並びに第八十六条の八第一項及び第三項

三　古都における歴史的風土の保存に関する特別措置法第八条第一項

四　都市緑地法第八条第一項、第十四条第一項、第二十条第一項、第二十九条、第三十五条第一項、第二項及び第四項、第三十六条、第三十九条第一項、第五十条、第五十一条第五項並びに第五十四条第四項

五　生産緑地法第八条第一項

六　特定空港周辺航空機騒音対策特別措置法第五条第一項及び第二項（これらの規定を同条第五項において準用する場合を含む。）

七　景観法第十六条第一項及び第二項、第二十二条第一項、第三十一条第一項、第四十一条、第六十三条第一項、第七十二条第一項、第七十三条第一項、第七十五条第一項及び第二項、第七十六条第一項、第八十六条、第八十七条第五項並びに第九十条第四項

八　土地区画整理法第七十六条第一項、第九十九条第一項及び第三項、第百条第二項並びに第百十七条の二第一項及び第二項

九　大都市地域における住宅及び住宅地の供給の促進に関する特別措置法第八十三条において準用する土地区画整理法第九十九条第一項及び第三項並びに第百条第二項並びに大都市地域における住宅及び住宅地の供給の促進に関する特別措置法第七条第一項、第二十六条第一項及び第六十七条第一項

十　地方拠点都市地域の整備及び産業業務施設の再配置の促進に関する法律第二十一条第一項

十一　被災市街地復興特別措置法第七条第一項

十二　新住宅市街地開発法第三十一条及び第三十二条第一項

十三　新都市基盤整備法第三十九条において準用する土地区画整理法第九十九条第一項及び第三項並びに第百条第二項並びに新都市基盤整備法第五十条及び第五十一条第一項

十四　旧公共施設の整備に関連する市街地の改造に関する法律第十三条第一項（都市再開発法附則第四条第二項の規定によりなおその効力を有するものとされる旧防災建築街区造成法第五十五条第一項において準用する場合に限る。）

十五　首都圏の近郊整備地帯及び都市開発区域の整備に関する法律第二十五条第一項

十六　近畿圏の近郊整備区域及び都市開発区域の整備及び開発に関する法律第三十四条第一項

十七　流通業務市街地の整備に関する法律第五条第一項、第三十七条第一項及び第三十八条第一項

十八　都市再開発法第七条の四第一項、第六十六条第一項及び第九十五条の二

十九　幹線道路の沿道の整備に関する法律（昭和五十五年法律第三十四号）第十条第一項及び第二項

二十　集落地域整備法（昭和六十二年法律第六十三号）第六条第一項及び第二項

二十一　密集市街地における防災街区の整備の促進に関する法律第三十三条第一項及び第二項、第百九十七条第一項、第二百三十条、第二百八十三条第一項、第二百九十四条、第二百九十五条第五項並びに第二百九十八条第四項

二十二　地域における歴史的風致の維持及び向上に関する法律（平成二十年法律第四十号）第十五条第一項及び第二項並びに第三十三条第一項及び第二項

二十三　港湾法第三十七条第一項第四号、第四十条第一項（同法第五十条の五第二項の規定により読み替えて適用する場合を含む。）、第四十五条の五、第五十条の十三及び第五十条の二十

二十四　住宅地区改良法第九条第一項

二十五　公有地の拡大の推進に関する法律（昭和四十七年法律第六十六号）第四条第一項及び第八条

二十六　農地法第三条第一項、第四条第一項及び第五条第一項

二十七　宅地造成及び特定盛土等規制法第十二条第一項、第十六条第一項、第二十七条第一項、第二十八条第一項、第三十条第一項及び第三十五条第一項

二十八　マンションの建替え等の円滑化に関する法律第百五条第一項

二十九　長期優良住宅の普及の促進に関する法律第十八条第一項

三十　都市公園法（昭和三十一年法律第七十九号）第二十三条

三十一　自然公園法第二十条第三項、第二十一条第三項、第二十二条第三項、第三十三条第一項、第四十八条及び第七十三条第一項（利用調整地区に係る部分を除く。）

三十二　首都圏近郊緑地保全法（昭和四十一年法律第百一号）第十三条

三十三　近畿圏の保全区域の整備に関する法律（昭和四十二年法律第百三号）第十四条

三十四　都市の低炭素化の促進に関する法律（平成二十四年法律第八十四号）第四十三条

三十五　水防法（昭和二十四年法律第百九十三号）第十五条の八第一項

三十六　下水道法（昭和三十三年法律第七十九号）第二十五条の九

三十七　河川法第二十六条第一項、第二十七条第一項、第五十五条第一項、第五十七条第一項、第五十八条の四第一項及び第五十八条の六第一項（これらの規定を同法第百条第一項において準用する場合を含む。）

三十八　特定都市河川浸水被害対策法第二十四条、第三十条、第三十七条第一項、第三十九条第一項、第四十六条第一項、第五十二条、第五十五条第一項、第五十七条第一項、第六十二条第一項、第六十六条及び第七十一条第一項

三十九　海岸法第八条第一項

四十　津波防災地域づくりに関する法律第二十三条第一項、第五十二条第一項、第五十八条、第六十八条、第七十三条第一項、第七十八条第一項、第八十二条及び第八十七条第一項

四十一　砂防法第四条（同法第三条において準用する場合を含む。）

四十二　地すべり等防止法第十八条第一項及び第四十二条第一項

四十三　急傾斜地の崩壊による災害の防止に関する法律第七条第一項

四十四　土砂災害警戒区域等における土砂災害防止対策の推進に関する法律第十条第一項及び第十七条第一項

四十五　森林法第十条の二第一項、第十条の十一の六、第三十一条（同法第四十四条において準用する場合を含む。）並びに第三十四条第一項及び第二項（これらの規定を同法第四十四条において準用する場合を含む。）

四十六　森林経営管理法（平成三十年法律第三十五号）第七条第三項及び第三十七条第三項

四十七　道路法第四十七条の十九、第四十八条の二十九の七、第四十八条の三十九及び第九十一条第一項

四十八　踏切道改良促進法（昭和三十六年法律第百九十五号）第十条

四十九　全国新幹線鉄道整備法（昭和四十五年法律第七十一号）第十一条第一項（同法附則第十三項において準用する場合を含む。）

五十　土地収用法第二十八条の三第一項（同法第百三十八条第一項において準用する場合を含む。）

五十一　文化財保護法第四十三条第一項、第四十五条第一項、第四十六条第一項及び第五項（これらの規定を同法第八十三条において準用する場合を含む。次項において同じ。）、第百二十五条第一項、第百二十八条第一項、第百四十三条第一項（同条第二項において準用する場合を含む。）並びに第百八十二条第二項

五十二　航空法第四十九条第一項（同法第五十五条の二第三項又は自衛隊法第百七条第二項において準用する場合を含む。）及び第五十六条の三第一項

五十三　国土利用計画法（昭和四十九年法律第九十二号）第十四条第一項、

第二十三条第一項並びに第二十七条の四第一項及び第三項（これらの規定を同法第二十七条の七第一項において準用する場合を含む。）

五十四　核原料物質、核燃料物質及び原子炉の規制に関する法律第五十一条の二十九第一項

五十五　廃棄物の処理及び清掃に関する法律（昭和四十五年法律第百三十七号）第十五条の十九第一項及び第三項

五十六　土壌汚染対策法（平成十四年法律第五十三号）第九条並びに第十二条第一項及び第三項

五十七　都市再生特別措置法（平成十四年法律第二十二号）第四十五条の七、第四十五条の八第五項及び第四十五条の十一第四項（これらの規定を同法第四十五条の十三第三項、第四十五条の十四第三項、第四十五条の二十一第三項、第七十三条第二項及び第百九条の四第三項において準用する場合を含む。）、第四十五条の二十、第八十八条第一項及び第二項並びに第百八条第一項及び第二項

五十八　地域再生法（平成十七年法律第二十四号）第十七条の十八第一項及び第三項

五十九　高齢者、障害者等の移動等の円滑化の促進に関する法律（平成十八年法律第九十一号）第四十六条、第四十七条第三項及び第五十条第四項（これらの規定を同法第五十一条の二第三項において準用する場合を含む。）

六十　災害対策基本法（昭和三十六年法律第二百二十三号）第四十九条の五（同法第四十九条の七第二項において準用する場合を含む。）

六十一　東日本大震災復興特別区域法（平成二十三年法律第百二十二号）第六十四条第四項及び第五項

六十二　大規模災害からの復興に関する法律（平成二十五年法律第五十五号）第二十八条第四項及び第五項

六十三　重要施設周辺及び国境離島等における土地等の利用状況の調査及び利用の規制等に関する法律（令和三年法律第八十四号）第十三条第一項

2　法第三十五条第一項第二号の法令に基づく制限で政令で定めるものは、宅地の貸借の契約については、前項に規定する制限のうち、都市計画法第五十二条の三第二項及び第四項、第五十七条第二項及び第四項並びに第六十七条第一項及び第三項、新住宅市街地開発法第三十一条、新都市基盤整備法第五十条、流通業務市街地の整備に関する法律第三十七条第一項並びに文化財保護法第四十六条第一項及び第五項の規定並びに前項第二十五号及び第六十三号に掲げる法律の規定に基づくもの以外のもので、当該宅地に係るものとする。

3　法第三十五条第一項第二号の法令に基づく制限で政令で定めるものは、建物の貸借の契約については、新住宅市街地開発法第三十二条第一項、新都市基盤整備法第五十一条第一項及び流通業務市街地の整備に関する法律第三十八条第一項の規定に基づく制限で、当該建物に係るものとする。

（法第三十五条第三項第二号の法令に基づく制限）

第三条の二　法第三十五条第三項第二号の法令に基づく制限で政令で定めるものは、前条第一項各号に掲げる法律の規定（これらの規定に基づく命令及び条例の規定を含む。）に基づく制限で当該信託財産である宅地又は建物に係るもの及び都市計画法施行法第三十八条第三項の規定により、なお従前の例によるものとされる緑地地域内における建築物又は土地に関する工事若しくは権利に関する制限（同法第二十六条及び第二十八条の規定により同法第三十八条第三項の規定の例によるものとされるものを含む。）で当該信託財産である宅地又は建物に係るものとする。

（法第三十五条第八項の規定による承諾等に関する手続等）

第三条の三　法第三十五条第八項の規定による承諾は、宅地建物取引業者が、国土交通省令で定めるところにより、あらかじめ、当該承諾に係る宅地建物取引業者の相手方等、宅地若しくは建物の割賦販売の相手方又は売買の相手方（以下この項及び次項において「相手方等」という。）に対し同条第八項の規定による電磁的方法による提供に用いる電磁的方法の種類及び内容を示した上で、当該相手方等から書面又は電子情報処理組織を使用する方法その他の情報通信の技術を利用する方法であつて国土交通省令で定めるもの（次項において「書面等」という。）によつて得るものとする。

2　宅地建物取引業者は、前項の承諾を得た場合であつても、相手方等から書面等により法第三十五条第八項の規定による電磁的方法による提供を受けない旨の申出があつたときは、当該電磁的方法による提供をしてはならない。ただし、当該申出の後に当該相手方等から再び前項の承諾を得た場合は、この限りでない。

3　前二項の規定は、法第三十五条第九項の規定による承諾について準用する。この場合において、第一項中「宅地建物取引業者の相手方等」とあるのは「宅地建物取引業者の相手方等である宅地建物取引業者又は」と、「又は売買の相手方」とあるのは「である宅地建物取引業者」と読み替えるものとする。

（法第三十七条第四項の規定による承諾等に関する手続等）

第三条の四　法第三十七条第四項の規定による承諾は、宅地建物取引業者が、国土交通省令で定めるところにより、あらかじめ、当該承諾に係る同項各号に定める者（以下この項及び次項において「相手方等」という。）に対し同条第四項の規定による電磁的方法による提供に用いる電磁的方法の種類及び内容を示した上で、当該相手方等から書面又は電子情報処理組織を使用する方法その他の情報通信の技術を利用する方法であつて国土交通省令で定めるもの（次項において「書面等」という。）によつて得るものとする。

2　宅地建物取引業者は、前項の承諾を得た場合であつても、相手方等から書面等により法第三十七条第四項の規定による電磁的方法による提供を受けない旨の申出があつたときは、当該電磁的方法による提供をしてはならない。ただし、当該申出の後に当該相手方等から再び前項の承諾を得た場合は、この限りでない。

3　前二項の規定は、法第三十七条第五項の規定による承諾について準用する。

（法第四十一条第一項ただし書及び第四十一条の二第一項ただし書の政令で定める額）

第三条の五　法第四十一条第一項ただし書及び第四十一条の二第一項ただし書の政令で定める額は、千万円とする。

（法第四十一条第一項第一号の政令で定める金融機関）

第四条　法第四十一条第一項第一号の政令で定める金融機関は、株式会社日本政策投資銀行、農林中央金庫、信用金庫、信用協同組合で出資の総額が五千万円以上であるもの、株式会社商工組合中央金庫及び労働金庫とする。

（法第四十一条第五項の規定による承諾等に関する手続等）

第四条の二　法第四十一条第五項の規定による承諾は、宅地建物取引業者が、国土交通省令・内閣府令で定めるところにより、あらかじめ、当該承諾に係る買主に対し電磁的措置（同項に規定する国土交通省令・内閣府令で定める措置をいう。次項において同じ。）の種類及び内容を示した上で、当該買主から書面又は電子情報処理組織を使用する方法その他の情報通信の技術を利用する方法であつて国土交通省令・内閣府令で定めるもの（次項において「書面等」という。）によつて得るものとする。

2　宅地建物取引業者は、前項の承諾を得た場合であつても、当該承諾に係る買主から書面等により電磁的措置を受けない旨の申出があつたときは、当該電磁的措置を講じてはならない。ただし、当該申出の後に当該買主から再び同項の承諾を得た場合は、この限りでない。

3　前二項の規定は、法第四十一条の二第六項の規定による承諾について準用する。

（不動産信託受益権等の売買等に係る特例）

第四条の三　法第五十条の二の四の規定により法第三十五条第八項の規定を読み替えて適用する場合における第三条の三第一項及び第二項の規定の適用については、同条第一項中「売買の相手方」とあるのは、「不動産信託受益権売買等の相手方」とする。

（法第五十一条第二項第三号及び第四項の政令で定める営業所）

第五条　法第五十一条第二項第三号及び第四項の政令で定める営業所は、常時手付金等保証事業に係る保証委託契約を締結する事務所とする。

（法第六十条の政令で定める額）

第六条　法第六十条の政令で定める額は、指定保証機関の資本金の額、資本準備金の額、利益準備金の額及び保証基金の額の合計額に四十を乗じて得た額とする。

（弁済業務保証金分担金の額）

第七条　法第六十四条の九第一項に規定する弁済業務保証金分担金の額は、主たる事務所につき六十万円、その他の事務所につき事務所ごとに三十万円の割合による金額の合計額とする。

（信託業務を兼営する金融機関等に関する特例）

第八条　法第七十七条第一項の政令で定める信託会社は、次に掲げるものとする。

一　農業協同組合法（昭和二十二年法律第百三十二号）第十一条の六十六第一項第四号に掲げる会社であつて、農業協同組合連合会の子会社（同法第十一条の二第二項に規定する子会社をいう。）であるもの
二　水産業協同組合法（昭和二十三年法律第二百四十二号）第八十七条の二第一項第四号に掲げる会社であつて、漁業協同組合連合会の子会社（同法第九十二条第一項において準用する同法第十一条の八第二項に規定する子会社をいう。）であるもの
三　協同組合による金融事業に関する法律（昭和二十四年法律第百八十三号）第四条の四第一項第五号に掲げる会社であつて、信用協同組合連合会の子会社（同法第四条第一項に規定する子会社をいう。）であるもの
四　信用金庫法（昭和二十六年法律第二百三十八号）第五十四条の十七第一項第五号に掲げる会社であつて、信用金庫連合会の子会社（同法第三十二条第六項に規定する子会社をいう。）であるもの
五　長期信用銀行法（昭和二十七年法律第百八十七号）第十三条の二第一項第六号に掲げる会社であつて、長期信用銀行（同法第二条に規定する長期信用銀行をいう。）の子会社（同法第十三条の二第二項に規定する子会社をいう。以下この号において同じ。）であるもの及び同法第十六条の四第一項第五号に掲げる会社であつて、長期信用銀行持株会社（同項に規定する長期信用銀行持株会社をいう。）の子会社であるもの
六　労働金庫法（昭和二十八年法律第二百二十七号）第五十八条の五第一項第五号に掲げる会社であつて、労働金庫連合会の子会社（同法第三十二条第五項に規定する子会社をいう。）であるもの
七　銀行法（昭和五十六年法律第五十九号）第十六条の二第一項第六号に掲げる会社であつて、銀行（同法第二条第一項に規定する銀行をいう。）の子会社（同法第二条第八項に規定する子会社をいう。以下この号において同じ。）であるもの及び同法第五十二条の二十三第一項第五号に掲げる会社であつて、銀行持株会社（同法第二条第十三項に規定する銀行持株会社をいう。）の子会社であるもの
八　保険業法（平成七年法律第百五号）第百六条第一項第七号に掲げる会社であつて、保険会社（同法第二条第二項に規定する保険会社をいう。）の子会社（同法第二条第十二項に規定する子会社をいう。以下この号において同じ。）であるもの及び同法第二百七十一条の二十二第一項第七号に掲げる会社であつて、保険持株会社（同法第二条第十六項に規定する保険持株会社をいう。）の子会社であるもの
九　農林中央金庫法（平成十三年法律第九十三号）第七十二条第一項第四号に掲げる会社であつて、農林中央金庫の子会社（同法第二十四条第四項に規定する子会社をいう。）であるもの
十　株式会社商工組合中央金庫法（平成十九年法律第七十四号）第三十九条第一項第五号に掲げる会社であつて、株式会社商工組合中央金庫の子会社（同法第二十三条第二項に規定する子会社をいう。）であるもの

第九条　法第七十七条第一項に規定する規定は、信託業務を兼営する金融機関及び特別信託会社（前条各号に掲げる信託会社をいう。以下この条において同じ。）には、適用しない。

2　信託業務を兼営する金融機関（銀行法等の一部を改正する法律（平成十三年法律第百十七号）附則第十一条の規定によりなお従前の例によるものとされ、引き続き宅地建物取引業を営んでいるものを除く。次項において同じ。）及び特別信託会社で宅地建物取引業を営むものについては、前項に規定する規定を除き、法第三条の二第一項の規定により業として行うことができる行為の範囲を法第二条第二号に規定する行為のうち金融機関の信託業務の兼営等に関する法律（昭和十八年法律第四十三号）第一条第一項に規定する信託業務に該当するものに限る旨の条件が付された国土交通大臣の免許を受けた宅地建物取引業者とみなして、法の規定を適用する。

3　信託業務を兼営する金融機関及び特別信託会社は、宅地建物取引業を営もうとするときは、国土交通省令で定めるところにより、その旨を国土交通大臣に届け出なければならない。

（消費者庁長官に委任されない権限）

第一〇条　法第七十八条の二第二項の政令で定める権限は、法第七十一条の二及び第七十五条の四に規定する内閣総理大臣の権限とする。

附　則〔抄〕

（施行期日）

1　この政令は、宅地建物取引業法の一部を改正する法律（昭和三十九年法律第百六十六号）の施行の日（昭和四十年四月一日）から施行する。

附　則（略）〔昭和四二・八・一政令二二七〕
附　則（略）〔昭和四二・一一・一五政令三四五〕
附　則（略）〔昭和四三・一・二九政令九〕
附　則（略）〔昭和四四・六・一三政令一五八〕
附　則（略）〔昭和四四・七・三一政令二〇六〕
附　則（略）〔昭和四四・八・二六政令二二二〕
附　則（略）〔昭和四五・一二・二政令三三三〕
附　則（略）〔昭和四六・一一・一五政令三四一〕
附　則（略）〔昭和四七・七・一七政令二八四〕
附　則（略）〔昭和四七・一二・一八政令四三一〕
附　則（略）〔昭和四九・一・一〇政令三〕
附　則（略）〔昭和四九・八・一政令二八五〕
附　則（略）〔昭和四九・一二・二〇政令三八八〕
附　則（略）〔昭和五〇・一・九政令二〕
附　則（略）〔昭和五〇・九・二政令二六四〕
附　則（略）〔昭和五〇・九・三〇政令二九三〕
附　則（略）〔昭和五〇・一〇・二四政令三〇四〕
附　則（略）〔昭和五〇・一〇・二四政令三〇六〕
附　則（略）〔昭和五二・九・一七政令二六六〕
附　則（略）〔昭和五三・三・二二政令三七〕
附　則（略）〔昭和五五・八・一九政令二一三〕
附　則（略）〔昭和五五・一〇・二四政令二七三〕
附　則（略）〔昭和五六・三・三一政令五八〕
附　則（略）〔昭和五六・四・二四政令一四四〕
附　則（略）〔昭和六二・三・二五政令五七〕
附　則（略）〔昭和六二・一〇・六政令三四八〕
附　則（略）〔昭和六三・二・二三政令二五〕
附　則〔昭和六三・七・二九政令二二八〕

（施行期日）

1　この政令は、昭和六十三年十一月二十一日から施行する。

（経過措置）

2　宅地建物取引業者は、この政令の施行の際に供託している営業保証金の額が改正後の宅地建物取引業法施行令（以下「新令」という。）第二条の四に規定する営業保証金の額に不足することとなる場合においては、この政令の施行の日から三月以内に、その不足額を主たる事務所の最寄りの供託所に供託し、その供託物受入れの記載のある供託書の写しを添付して、その旨を免許を受けた建設大臣又は都道府県知事に届け出なければならない。

3　宅地建物取引業法（以下「法」という。）第二十五条第三項の規定は、前項の規定により供託する場合に準用する。

4　建設大臣又は都道府県知事は、その免許を受けた宅地建物取引業者が附則第二項の期間内に同項の規定による届出をしないときは、その届出をすべき旨の催告をしなければならない。

5　建設大臣又は都道府県知事は、前項の催告が到達した日から一月以内に宅地建物取引業者が附則第二項の規定による届出をしないときは、当該宅地建物取引業者に対し、同項の規定による届出をするまでの間、その業務の全部又は一部の停止を命ずることができる。

6　法第六十六条第九号の規定は宅地建物取引業者が前項の規定による処分に違反した場合について、法第六十九条の規定は建設大臣又は都道府県知事がこの項において準用する法第六十六条第九号の規定による処分をしようとする場合について、法第七十条の規定は建設大臣又は都道府県知事が前項の規定による処分をした場合及びこの項において準用する法第六十六条第九号の規定による処分をした場合について準用する。

7　この政令の施行の際に宅地建物取引業保証協会の社員である者は、この政令の施行の際に納付している弁済業務保証金分担金の額が新令第七条に規定する弁済業務保証金分担金の額に不足することとなる場合においては、この政令の施行の日から三月以内に、当該宅地建物取引業保証協会にその不足額を納付しなければならない。

8　宅地建物取引業保証協会は、前項の規定により弁済業務保証金分担金の不足額の納付を受けたときは、その日から一週間以内に、法第六十四条の七第二項に規定する供託所にその納付を受けた額に相当する額の弁済業務保証金を供託しなければならない。

9　法第六十四条の七第三項の規定は、前項の規定により供託する場合に準用する。

10　宅地建物取引業保証協会の社員は、附則第七項に規定する期間内に、同項の規定による弁済業務保証金分担金の不足額の納付をしないときは、その地位を失う。

附　則〔略〕〔昭和六三・一一・一一政令三二二〕
附　則〔略〕〔平成元・一一・二一政令三〇九〕
附　則〔略〕〔平成二・一一・九政令三二三〕
附　則〔略〕〔平成二・一一・九政令三二五〕
附　則〔略〕〔平成三・三・一三政令二五〕
附　則〔略〕〔平成三・七・一二政令二三四〕
附　則〔略〕〔平成三・一〇・二五政令三三三〕
附　則〔略〕〔平成四・七・三一政令二六六〕
附　則〔略〕〔平成五・五・六政令一六四〕
附　則〔抄〕〔平成五・五・一二政令一七〇〕

（施行期日）
第一条　この政令は、都市計画法及び建築基準法の一部を改正する法律（以下「改正法」という。）の施行の日（平成五年六月二十五日）から施行する。

（地方公共団体手数料令等の一部改正に伴う経過措置）
第一三条　この政令の施行の際現に旧都市計画法の規定により定められている都市計画区域に係る用途地域に関しては、この政令の施行の日から起算して三年を経過する日までの間は、この政令による改正後の次に掲げる政令の規定中用途地域に係る部分は適用せず、この政令による改正前の次に掲げる政令の規定中用途地域に係る部分は、なおその効力を有する。
一・二〔略〕
三　宅地建物取引業法施行令
四〔略〕

附　則〔略〕〔平成六・三・二四政令六九〕
附　則〔略〕〔平成七・二・二六政令三六〕
附　則〔略〕〔平成七・五・二四政令二一四〕
附　則〔略〕〔平成七・九・二七政令三四五〕
附　則〔略〕〔平成七・一二・八政令四〇二〕
附　則〔略〕〔平成九・三・二六政令七四〕
附　則〔略〕〔平成九・八・二九政令二七四〕
附　則〔略〕〔平成九・一一・六政令三二五〕
附　則〔略〕〔平成一〇・八・二六政令二八四〕
附　則〔略〕〔平成一一・一・一三政令五〕
附　則〔略〕〔平成一一・一一・一〇政令三五二〕
附　則〔略〕〔平成一二・六・七政令三一二〕
附　則〔略〕〔平成一三・一・四政令四〕
附　則〔略〕〔平成一三・三・二八政令八四〕
附　則〔略〕〔平成一三・三・三〇政令九八〕
附　則〔略〕〔平成一三・八・八政令二六一〕
附　則〔略〕〔平成一四・一・二三政令一〇〕
附　則〔略〕〔平成一四・五・三一政令一九一〕
附　則〔略〕〔平成一四・一一・一三政令三三一〕
附　則〔略〕〔平成一四・一一・一三政令三三六〕
附　則〔略〕〔平成一五・二・五政令三四〕
附　則〔略〕〔平成一五・一二・一〇政令四九六〕
附　則〔略〕〔平成一五・一二・一七政令五二三〕
附　則〔略〕〔平成一六・三・一九政令五〇〕
附　則〔略〕〔平成一六・三・二四政令五四〕
附　則〔略〕〔平成一六・四・二一政令一六八〕
附　則〔略〕〔平成一六・一二・一五政令三九六〕
附　則〔略〕〔平成一六・一二・一五政令三九九〕
附　則〔略〕〔平成一六・一二・二七政令四二二〕
附　則〔略〕〔平成一六・一二・二八政令四二九〕
附　則〔略〕〔平成一七・一・六政令五〕
附　則〔略〕〔平成一七・五・二五政令一八二〕
附　則〔略〕〔平成一七・五・二七政令一九二〕
附　則〔略〕〔平成一八・四・二六政令一八一〕
附　則〔略〕〔平成一八・九・二二政令三一〇〕
附　則〔略〕〔平成一八・一一・六政令三五〇〕
附　則〔略〕〔平成一八・一二・八政令三七九〕
附　則〔略〕〔平成一九・八・三政令二三三〕
附　則〔略〕〔平成一九・九・二五政令三〇四〕
附　則〔略〕〔平成二〇・五・二一政令一八〇〕
附　則〔略〕〔平成二〇・七・二五政令二三七〕
附　則〔略〕〔平成二〇・一〇・三一政令三三八〕
附　則〔略〕〔平成二〇・一二・三政令三六四〕
附　則〔略〕〔平成二一・八・一四政令二〇八〕
附　則〔略〕〔平成二一・八・一四政令二一七〕
附　則〔略〕〔平成二一・一〇・一五政令二四六〕
附　則〔抄〕〔平成二一・一二・一一政令二八五〕

（施行期日）
第一条　この政令は、農地法等の一部を改正する法律（以下「改正法」という。）の施行の日（平成二十一年十二月十五日）から施行する。〔以下略〕

（宅地建物取引業法施行令の一部改正に伴う経過措置）
第二条　改正法附則第六条第四項の規定によりなお従前の例によることとされる場合における旧農地法第七十三条第一項の規定に基づく土地等の処分の制限については、前条の規定による改正後の宅地建物取引業法施行令第二条の五及び第三条第一項の規定にかかわらず、なお従前の例による。

附　則〔略〕〔平成二二・二・一五政令一三〕
附　則〔略〕〔平成二三・一二・二二政令四〇九〕
附　則〔略〕〔平成二三・一二・二六政令四二七〕
附　則〔略〕〔平成二四・六・一政令一五八〕
附　則〔略〕〔平成二四・六・二九政令一七八〕
附　則〔略〕〔平成二四・一一・三〇政令二八六〕
附　則〔略〕〔平成二五・八・一九政令二三七〕
附　則〔略〕〔平成二五・九・二六政令二八五〕
附　則〔略〕〔平成二五・一一・二九政令三二三〕
附　則〔略〕〔平成二六・一・二四政令一五〕
附　則〔略〕〔平成二六・五・二八政令一八七〕
附　則〔略〕〔平成二六・七・二政令二三九〕
附　則〔略〕〔平成二六・八・二〇政令二八三〕
附　則〔略〕〔平成二七・一・一五政令六〕
附　則〔略〕〔平成二七・一・二一政令一一〕
附　則〔略〕〔平成二七・七・一七政令二七三〕
附　則〔略〕〔平成二七・八・七政令二八九〕
附　則〔略〕〔平成二八・一・二九政令二七〕
附　則〔略〕〔平成二八・八・二九政令二八八〕
附　則〔略〕〔平成二九・六・一四政令一五六〕
附　則〔略〕〔平成二九・六・一四政令一五八〕
附　則〔略〕〔平成二九・七・七政令一八八〕
附　則〔略〕〔平成三〇・六・一政令一七八施行〕
附　則〔略〕〔平成三〇・七・一一政令二〇二〕
附　則〔略〕〔平成三〇・九・一二政令二五五〕
附　則〔略〕〔平成三〇・九・二八政令二八〇〕
附　則〔略〕〔平成三〇・九・二八政令二八一〕
附　則〔略〕〔平成三〇・一〇・一九政令二九八〕
附　則〔略〕〔平成三〇・一二・二一政令三二〇〕
附　則〔略〕〔令和元・六・一九政令三〇〕
附　則〔略〕〔令和元・九・六政令九一〕
附　則〔略〕〔令和元・一二・一三政令一八三〕
附　則〔抄〕〔令和二・七・八政令二一七〕

（施行期日）
第一条　この政令は、改正法施行日（令和二年十二月一日）から施行する。〔以下略〕

（罰則に関する経過措置）
第五条　この政令の施行前にした行為及び附則第二条の規定によりなおその効力を有することとされる場合におけるこの政令の施行後にした行為に対する罰則の適用については、なお従前の例による。

附　則〔略〕〔令和二・九・四政令二六八〕
附　則〔略〕〔令和二・一一・二〇政令三二九〕
附　則〔略〕〔令和三・九・二四政令二六一〕
附　則〔略〕〔令和三・一〇・四政令二八二〕
附　則〔略〕〔令和三・一〇・二九政令二九六〕
附　則〔略〕〔令和三・一二・八政令三二五〕

附　則〔略〕〔令和四・四・二七政令一八一〕

附　則〔略〕〔令和四・九・一六政令三〇八〕

附　則〔令和四・一一・一六政令三五二〕

（施行期日）

1　この政令は、脱炭素社会の実現に資するための建築物のエネルギー消費性能の向上に関する法律等の一部を改正する法律附則第一条第三号に掲げる規定の施行の日（令和五年四月一日）から施行する。

（罰則に関する経過措置）

2　この政令の施行前にした行為に対する罰則の適用については、なお従前の例による。

附　則〔略〕〔令和四・一二・一四政令三八一〕

附　則〔略〕〔令和四・一二・二三政令三九三〕

附　則〔令和六・六・二八政令二三八〕

この政令は、令和七年四月一日から施行する。

○宅地建物取引業法施行規則

〔昭和三二・七・二二 建設省令一二〕

改正　昭和三二・一二建令二五、昭和三四・四建令八、八建令二三、昭和四〇・二建令四、昭和四二・八建令二〇、昭和四六・一二建令二八、昭和四七・一二建令三八、昭和四九・八建令一〇、昭和五〇・九建令一五、昭和五一・一建令二、昭和五三・九建令一五、昭和五五・一一建令一四、昭和五六・九建令一二、昭和五七・五建令五、昭和五八・六建令八、昭和六二・四建令七、昭和六三・一一建令二三、平成元・三建令三、平成二・一建令一、五建令四、平成三・六建令一一、平成六・一建令二、九建令二五、平成七・四建令一三、平成八・一建令一、一〇建令一四、平成九・一二建令二二、平成一一・九建令四一、平成一二・一建令一〇、二建令一二、三建令一七、九建令三四、一一建令四一、建令四五、平成一三・三国交令四一、国交令四二、国交令七一、国交令七二、四国交令八五、八国交令一一五、平成一四・二国交令八、三国交令二七、八国交令九三、一二国交令一二一、平成一五・三国交令二六、国交令三六、五国交令六五、一〇国交令一〇九、平成一六・二国交令四、三国交令一七、国交令一九、国交令三四、六国交令七〇、国交令七四、一二国交令一一一、六国交令一一四、平成一七・三国交令一二、国交令二一、六国交令六六、七国交令七七、平成一八・三国交令九、国交令二五、四国交令六〇、九国交令八八、国交令九〇、一二国交令一〇七、平成一九・三国交令二七、四国交令五五、七国交令七〇、八国交令七七、平成二〇・三国交令一〇、一二国交令九七、平成二一・四国交令三〇、平成二二・三国交令一二、平成二三・五国交令四一、八国交令六四、内府・国交令一、一二内府・国交令七、平成二四・三国交令一七、四国交令五一、平成二五・四国交令一九、九国交令七六、平成二六・一〇国交令七九、平成二七・一国交令二、一二国交令八二、平成二九・三国交令一三、令和元・五国交令一、六国交令一五、国交令二〇、九国交令三四、一二国交令四七、国交令五二、令和二・七内府・国交令二、一二国交令九八、令和三・八国交令五三、一〇国交令六八、令和四・二国交令七、四内府・国交令三、国交令四三、令和五・三内府・国交令二、令和五・九国交令六七、一二内府・国交令八、国交令九八、令和六・一国交令四、三国交令二六、五国交令六二、六国交令七〇

注　┆　┆の部分は、令和六年六月二八日国土交通省令第七〇号により改正され、令和七年四月一日から施行

（免許申請書の様式）

第一条　宅地建物取引業法（以下「法」という。）第四条第一項に規定する免許申請書の様式は、別記様式第一号によるものとする。

（添付書類）

第一条の二　法第四条第二項第四号に規定する国土交通省令で定める書面は、次に掲げるものとする。

一　法第三条第一項の免許を受けようとする者（法人である場合においてはその役員並びに相談役及び顧問をいい、営業に関し成年者と同一の行為能力を有しない未成年者である場合においてはその法定代理人（法定代理人が法人である場合においては、その役員）を含む。以下この条において「免許申請者」という。）及び宅地建物取引業法施行令（昭和三十九年政令第三百八十三号。以下「令」という。）第二条の二で定める使用人が法第五条第一項第一号に規定する破産手続開始の決定を受けて復権を得ない者に該当しない旨の市町村（特別区を含む。以下同じ。）の長の証明書

（添付書類）

第一条の二　法第四条第二項第八号に規定する国土交通省令で定める書面は、次に掲げるものとする。

一　法第三条第一項の免許を受けようとする者（法人である場合においてはその役員並びに相談役及び顧問をいい、営業に関し成年者と同一の行為能力を有しない未成年者である場合においてはその法定代理人（法定代理人が法人である場合においては、その役員）を含む。）及び宅地建物取引業法施行令（昭和三十九年政令第三百八十三号。以下「令」という。）第二条の二で定める使用人が法第五条第一項第一号に規定する破産手続開始の決定を受けて復権を得ない者に該当しない旨の市町村（特別区を含む。以下同じ。）の長の証明書

二　法人である場合においては、相談役及び顧問の氏名及び住所並びに発行済株式総数の百分の五以上の株式を有する株主又は出資の額の百分の五以上の額に相当する出資をしている者の氏名又は名称、住所及びその有する株式の数又はその者のなした出資の金額を記載した書面

三　事務所を使用する権原に関する書面

四　事務所付近の地図及び事務所の写真

五　免許申請者、令第二条の二で定める使用人及び事務所ごとに置かれる法第三十一条の三第一項に規定する宅地建物取引士の略歴を記載した書面

六　法人である場合においては、直前一年の各事業年度の貸借対照表及び損益計算書

七　個人である場合においては、資産に関する調書

五　法人である場合においては、相談役及び顧問の略歴を記載した書類
六　個人である場合（営業に関し成年者と同一の行為能力を有しない未成年者である場合に限る。）においては、その法定代理人（法定代理人が法人である場合においては、その役員）の略歴を記載した書類
七　事務所ごとに置かれる法第三十一条の三第一項に規定する宅地建物取引士の略歴を記載した書類
八　法第三条第一項の免許を受けようとする者（法人である場合においてはその役員）及び令第二条の二で定める使用人の氏名、住所並びに電話番号その他の連絡先を記載した書面

八　宅地建物取引業に従事する者の名簿
九　法人である場合においては法人税、個人である場合においては所得税の直前一年の各年度における納付すべき額及び納付済額を証する書面
十　法人である場合においては、登記事項証明書
十一　個人である場合（営業に関し成年者と同一の行為能力を有しない未成年者であつて、その法定代理人が法人である場合に限る。）においては、その法定代理人の登記事項証明書

八号から十一号は、九号から十二号に繰り下げられます。

2　国土交通大臣又は都道府県知事は、免許申請者（個人に限る。）に係る本人確認情報（住民基本台帳法（昭和四十二年法律第八十一号）第三十条の六第一項に規定する本人確認情報をいう。以下同じ。）のうち住民票コード（同法第七条第十三号に規定する住民票コードをいう。以下同じ。）以外のものについて、同法第三十条の九若しくは第三十条の十一第一項（同項第一号に係る部分に限る。）の規定によるその提供を受けることができないとき、又は同法第三十条の十五第一項（同項第一号に係る部分に限る。）の規定によるその利用ができないときは、その者に対し、住民票の抄本又はこれに代わる書面を提出させることができる。

3　国土交通大臣及び都道府県知事は、免許申請者に対し、第一項に規定するもののほか、必要と認める書類を提出させることができる。

4　法第四条第二項第一号から第三号まで並びに第一項第二号、第三号、第五号、第七号及び第八号に掲げる添付書類の様式は、別記様式第二号によるものとする。

2　国土交通大臣又は都道府県知事は、法第三条第一項の免許を受けようとする者（個人である場合に限る。）に係る本人確認情報（住民基本台帳法（昭和四十二年法律第八十一号）第三十条の六第一項に規定する本人確認情報をいう。以下同じ。）のうち住民票コード（同法第七条第十三号に規定する住民票コードをいう。以下同じ。）以外のものについて、同法第三十条の九若しくは第三十条の十一第一項（同項第一号に係る部分に限る。）の規定によるその提供を受けることができないとき、又は同法第三十条の十五第一項（同項第一号に係る部分に限る。）の規定によるその利用ができないときは、その者に対し、住民票の抄本又はこれに代わる書面を提出させることができる。

3　国土交通大臣及び都道府県知事は、法第三条第一項の免許を受けようとする者に対し、第一項に規定するもののほか、必要と認める書類を提出させることができる。

4　法第四条第二項第一号から第五号まで及び第七号並びに第一項第二号、第三号及び第五号から第九号までに掲げる添付書類の様式は、別記様式第二号によるものとする。

（免許申請手数料の納付方法）

第一条の三　法第三条第六項に規定する手数料は、法第四条第一項の規定による免許申請書に収入印紙を貼つて納付するものとする。

（提出すべき書類の部数）

第二条　法第三条第一項の規定により国土交通大臣の免許を受けようとする者が法第四条の規定により提出すべき免許申請書及びその添付書類の部数は、正本一通及びその写し一通とする。ただし、免許申請書の添付書類のうち、第一条の二第一項第四号に規定する事務所付近の地図及び事務所の写真は、写しには添付することを要しないものとする。

2　法第三条第一項の規定により都道府県知事の免許を受けようとする者が法第四条の規定により提出すべき免許申請書及びその添附書類の部数は、当該都道府県知事の定めるところによる。

（免許の更新の申請期間）

第三条　法第三条第三項の規定により同項の免許の更新を受けようとする者は、免許の有効期間満了の日の九十日前から三十日前までの間に免許申請書を提出しなければならない。

（心身の故障により宅地建物取引業を適正に営むことができない者）

第三条の二　法第五条第一項第十号の国土交通省令で定める者は、精神の機能の障害により宅地建物取引業を適正に営むに当たつて必要な認知、判断及び意思疎通を適切に行うことができない者とする。

（免許証の様式）

第四条　法第六条の規定により交付しなければならない免許証の様式は、別記様式第三号によるものとする。

（免許証の書換え交付の申請）

第四条の二　宅地建物取引業者は、免許証の記載事項に変更を生じたときは、その免許証を添え、法第九条の規定による変更の届出と併せて、その免許を受けた国土交通大臣又は都道府県知事に免許証の書換え交付を申請しなければならない。

2　前項の規定による書換え交付の申請は、別記様式第三号の二による宅地建物取引業者免許証書換え交付申請書により行うものとする。

（免許証の再交付の申請）

第四条の三　宅地建物取引業者は、免許証を亡失し、滅失し、汚損し、又は破損したときは、遅滞なく、その免許を受けた国土交通大臣又は都道府県知事に免許証の再交付を申請しなければならない。

2　免許証を汚損し、又は破損した宅地建物取引業者が前項の申請をする場合には、その汚損し、又は破損した免許証を添えてしなければならない。

3　第一項の規定による再交付の申請は、別記様式第三号の三による宅地建物取引業者免許証再交付申請書により行うものとする。

（返納）

第四条の四　宅地建物取引業者は、次の各号のいずれかに該当する場合には、遅滞なく、その免許を受けた国土交通大臣又は都道府県知事に免許証を返納しなければならない。

一　法第七条第一項の規定により免許がその効力を失つたとき。
二　法第六十六条又は第六十七条第一項の規定により免許を取り消されたとき。
三　亡失した免許証を発見したとき。

2　法第十一条の規定により廃業等の届出をする者は、当該廃業等に係る宅地建物取引業者が国土交通大臣の免許を受けた者であるときは国土交通大臣に、都道府県知事の免許を受けた者であるときは都道府県知事に免許証を返納しなければならない。

（免許換えの通知）

第四条の五　宅地建物取引業者が法第三条第一項の免許を受けた後、法第七条第一項各号のいずれかに該当して引き続き宅地建物取引業を営もうとする場合において、国土交通大臣又は都道府県知事は、法第三条第一項の免許をしたときは、遅滞なく、その旨を、従前の免許をした都道府県知事又は国土交通大臣に通知するものとする。

（名簿の登載事項）

第五条　法第八条第二項第八号に規定する省令で定める事項は、次の各号に掲げるものとする。

一　法第六十五条第一項若しくは第三項に規定する指示又は同条第二項若しくは第四項に規定する業務停止の処分があつたときは、その年月日及び内容
二　宅地建物取引業以外の事業を行なつているときは、その事業の種類

第五条は、削られます。

（名簿等の閲覧）

第五条の二　国土交通大臣又は都道府県知事は、法第十条の規定により宅地建物取引業者名簿並びに免許の申請及び法第九条の規定による変更の届出に係る書類を一般の閲覧に供するため、宅地建物取引業者名簿閲覧所（以下この条において「閲覧所」という。）を設けなければならない。

（名簿等の閲覧）

第五条　国土交通大臣又は都道府県知事は、法第十条の規定により宅地建物取引業者名簿及び同条に規定する特定書類を一般の閲覧に供するため、宅地建物取引業者名簿閲覧所（以下この条において「閲覧所」とい

う。）を設けなければならない。

2　国土交通大臣又は都道府県知事は、前項の規定により閲覧所を設けたときは、当該閲覧規則を定めるとともに、当該閲覧所の場所及び閲覧規則を告示しなければならない。

（変更等の手続）

第五条の三　法第九条の規定による変更の届出は、別記様式第三号の四による宅地建物取引業者名簿登載事項変更届出書により行うものとする。

2　法第九条の規定により変更の届出をしようとする者は、その変更が法人の役員、令第二条の二で定める使用人若しくは事務所ごとに置かれる法第三十一条の三第一項に規定する宅地建物取引士の増員若しくは交代又は事務所の新設若しくは移転によるものであるときは、その届出に係る者又は事務所に関する法第四条第二項第二号及び第三号並びに第一条の二第一項第一号及び第三号から第五号までに掲げる書類を添付して届け出なければならない。

（変更の手続）

第五条の二　法第九条の規定による変更の届出は、別記様式第三号の四による変更届出書により行うものとする。

2　法第九条第二項において準用する法第四条第二項第八号に規定する国土交通省令で定める書面は、第一条の二第一項第一号及び第三号から第八号までに掲げる書面とする。

3　第二条の規定は、法第九条の規定により変更の届出をする際の提出すべき書類の部数について準用する。

（名簿の訂正）

第五条の四　国土交通大臣又は都道府県知事は、法第九条の規定による届出があつたときは、宅地建物取引業者名簿につき、当該変更に係る事項を訂正しなければならない。

（廃業等の手続）

第五条の五　法第十一条第一項の規定による廃業等の届出は、別記様式第三号の五による廃業等届出書により行うものとする。

第五条の四及び第五条の五は、第五条の三及び第五条の四に繰り上げられます。

（名簿の消除）

第六条　国土交通大臣又は都道府県知事は、次の各号の一に掲げる場合には、宅地建物取引業者名簿につき、当該宅地建物取引業者に係る部分を消除しなければならない。

一　法第三条第二項の有効期間が満了したとき。

二　法第七条第一項又は第十一条第二項の規定により免許がその効力を失つたとき。

三　法第十一条第一項第一号若しくは第二号の規定により届出があつたとき又は同項の規定による届出がなくて同項第一号若しくは第二号に該当する事実が判明したとき。

四　法第二十五条第七項、第六十六条又は第六十七条第一項の規定により免許を取り消したとき。

五　法第七十七条の二第一項に規定する登録投資法人が投資信託及び投資法人に関する法律（昭和二十六年法律第百九十八号）第二百十七条の規定により同法第百八十七条の登録が抹消されたとき、又は当該登録投資法人の資産の運用を行う認可宅地建物取引業者（法第五十条の二第一項に規定する認可宅地建物取引業者をいう。以下同じ。）に係る法第五十条の二第一項の認可が法第六十七条の二第一項若しくは第二項の規定により取り消され、若しくは同条第三項の規定によりその効力を失つたとき。

2　国土交通大臣は、前項の規定により宅地建物取引業者名簿を消除したときは、遅滞なく、その旨を、その消除に係る宅地建物取引業者であつた者の主たる事務所の所在地を管轄する都道府県知事に通知するものとする。

（試験の基準）

第七条　法第十六条第一項の規定による試験（以下「試験」という。）は、宅地建物取引業に関する実用的な知識を有するかどうかを判定することに基準を置くものとする。

（試験の内容）

第八条　前条の基準によつて試験すべき事項は、おおむね次のとおりである。

一　土地の形質、地積、地目及び種別並びに建物の形質、構造及び種別に関すること。

二　土地及び建物についての権利及び権利の変動に関する法令に関すること。

三　土地及び建物についての法令上の制限に関すること。

四　宅地及び建物についての税に関する法令に関すること。

五　宅地及び建物の需給に関する法令及び実務に関すること。

六　宅地及び建物の価格の評定に関すること。

七　宅地建物取引業法及び同法の関係法令に関すること。

（試験の方法）

第九条　試験は、筆記試験により行なう。

（試験の施行及び試験の期日等の公告）

第一〇条　試験は、毎年少なくとも一回行なう。

2　都道府県知事（法第十六条の二第一項の規定による指定を受けた者（以下「指定試験機関」という。）が試験の実施に関する事務（以下「試験事務」という。）を行う場合にあつては、指定試験機関。第十条の五第七号、第十一条第一項及び第十三条において同じ。）は、試験を施行する期日、場所その他試験の施行に関し必要な事項をあらかじめ公告しなければならない。

3　指定試験機関が前項の公告を行うときは、法第十六条の二第一項の規定に基づき当該指定試験機関に試験事務を行わせることとした都道府県知事（以下「委任都道府県知事」という。）を明示し、法第十六条の九第一項の試験事務規程に定める方法により行わなければならない。

（登録の申請）

第一〇条の二　法第十六条第三項の登録又は法第十七条の六第一項の登録の更新（以下この条において「登録等」という。）を受けようとする者は、別記様式第三号の六による申請書（第十条の四において「申請書」という。）に次に掲げる書類を添えて、これを国土交通大臣に提出しなければならない。

一　法人である場合においては、次に掲げる書類

イ　定款又は寄附行為及び登記事項証明書

ロ　申請に係る意思の決定を証する書類

ハ　役員の氏名及び略歴を記載した書類

二　個人である場合においては、登録等を受けようとする者の略歴を記載した書類

三　法第十六条第三項の講習（以下「登録講習」という。）が法別表の上欄に掲げる科目（以下「登録講習科目」という。）について、同表の下欄に掲げる講師（以下「登録講習講師」という。）により行われるものであることを証する書類

四　法第十七条の三の講習業務（以下「登録講習業務」という。）以外の業務を行おうとするときは、その業務の種類及び概要を記載した書類

五　登録等を受けようとする者が法第十七条の四各号のいずれにも該当しない者であることを誓約する書面

六　その他参考となる事項を記載した書類

2　国土交通大臣は、登録等を受けようとする者（個人である場合に限る。）に係る機構保存本人確認情報（住民基本台帳法第三十条の七第四項に規定する機構保存本人確認情報をいう。以下同じ。）のうち住民票コード以外のものについて、同法第三十条の九の規定によるその提供を受けることができないときは、その者に対し、住民票の抄本又はこれに代わる書面を提出させることができる。

（登録講習機関登録簿の記載事項）

第一〇条の三　法第十七条の五第二項第四号（法第十七条の六第二項において準用する場合を含む。）の国土交通省令で定める事項は、法第十六条第三項の登録講習機関（以下「登録講習機関」という。）が法人である場合における役員の氏名とする。

（登録の更新の申請期間）

第一〇条の四　法第十七条の六第一項の登録の更新を受けようとする者は、登録の有効期間満了の日の九十日前から三十日前までの間に申請書を提出しなければならない。

（登録講習業務の実施基準）

第一〇条の五　法第十七条の七の国土交通省令で定める基準は、次に掲げるとおりとする。

一　宅地建物取引業に従事する者に対して、登録講習を行うこと。

二　登録講習を毎年一回以上行うこと。
三　登録講習は講義により行い、講義時間の合計はおおむね五十時間とし、登録講習科目ごとの講義時間は国土交通大臣が定める時間とすること。ただし、国土交通大臣の定めるところにより登録講習の一部を通信の方法により行う場合はこの限りでない。
四　登録講習科目に応じ国土交通大臣が定める事項を含む適切な内容の教材（以下「登録講習教材」という。）を用いること。
五　登録講習師は登録講習の内容に関する受講者の質問に対し、登録講習中に適切に応答すること。
六　国土交通大臣の定めるところにより登録講習修了試験を行い、当該試験に合格した者（以下「登録講習修了者」という。）に対して、次に掲げる事項を通知すること。
イ　登録番号
ロ　登録講習修了試験に合格した年月日
ハ　修了番号
七　国土交通大臣の定めるところにより、都道府県知事に対して、次に掲げる事項を通知すること。
イ　登録講習修了者の氏名（片仮名で振り仮名を付するものとする。）
ロ　登録講習修了者の生年月日
ハ　前号イからハまでに掲げる事項
八　不正な受講を防止するための措置を講じること。
九　登録講習を実施する日時、場所その他登録講習の実施に関し必要な事項及び当該講習が登録講習である旨を公示すること。
十　登録講習業務以外の業務を行う場合にあつては、当該業務が登録講習業務であると誤認されるおそれがある表示その他の行為をしないこと。

（登録事項の変更の届出）
第一〇条の六　登録講習機関は、法第十七条の八の規定による届出をしようとするときは、次に掲げる事項を記載した届出書を国土交通大臣に提出しなければならない。
一　変更しようとする事項
二　変更しようとする年月日
三　変更の理由

（講習業務規程の記載事項）
第一〇条の七　法第十七条の九第二項の国土交通省令で定める事項は、次に掲げるものとする。
一　登録講習業務を行う時間及び休日に関する事項
二　登録講習業務を行う事務所及び講義実施場所に関する事項
三　登録講習の実施に係る公示の方法に関する事項
四　登録講習の受講の申請に関する事項
五　登録講習の実施方法に関する事項
六　登録講習に関する料金の額及びその収納方法に関する事項
七　登録講習の内容及び時間に関する事項
八　登録講習教材に関する事項
九　登録講習修了試験の実施方法
十　第十条の五第六号の規定による通知に関する事項
十一　登録講習業務に関する秘密の保持に関する事項
十二　第十条の十一第三項の帳簿その他の登録講習業務に関する書類の管理に関する事項
十三　不正受講者の処分に関する事項
十四　その他登録講習業務の実施に関し必要な事項

（登録講習業務の休廃止の届出）
第一〇条の八　登録講習機関は、法第十七条の十の規定により登録講習業務の全部又は一部を休止し、又は廃止しようとするときは、次に掲げる事項を記載した届出書を国土交通大臣に提出しなければならない。
一　休止し、又は廃止しようとする登録講習業務の範囲
二　休止し、又は廃止しようとする年月日及び休止しようとする場合にあつては、その期間
三　休止又は廃止の理由

（電磁的記録に記録された事項を表示する方法）
第一〇条の九　法第十七条の十一第二項第三号の国土交通省令で定める方法は、当該電磁的記録に記録された事項を紙面又は出力装置の映像面に表示する方法とする。

（電磁的記録に記録された事項を提供するための方法）
第一〇条の一〇　法第十七条の十一第二項第四号の国土交通省令で定める方法は、次に掲げるもののうち、登録講習機関が定めるものとする。
一　送信者の使用に係る電子計算機（入出力装置を含む。以下同じ。）と受信者の使用に係る電子計算機とを電気通信回線で接続した電子情報処理組織を使用する方法であつて、当該電気通信回線を通じて情報が送信され、受信者の使用に係る電子計算機に備えられたファイルに当該情報が記録されるもの
二　電磁的記録媒体（電磁的記録（電子的方式、磁気的方式その他の人の知覚によつては認識することができない方式で作られる記録であつて、電子計算機による情報処理の用に供されるものをいう。第十三条の二十五において同じ。）に係る記録媒体をいう。以下同じ。）をもつて調製するファイルに情報を記録したものを交付する方法
2　前項各号に掲げる方法は、受信者がファイルへの記録を出力することによる書面を作成することができるものでなければならない。

（帳簿）
第一〇条の一一　法第十七条の十五の国土交通省令で定める事項は、次に掲げるものとする。
一　登録講習の実施期間
二　講義の実施場所
三　登録講習講師の氏名並びに講義において担当した登録講習科目及び時間
四　受講者の氏名、生年月日及び住所
五　登録講習修了者にあつては、前号に掲げる事項のほか、登録講習修了試験に合格した年月日及び修了番号
2　前項各号に掲げる事項が、電子計算機に備えられたファイル又は電磁的記録媒体に記録され、必要に応じ登録講習機関において電子計算機その他の機器を用いて明確に紙面に表示されるときは、当該記録をもつて帳簿への記載に代えることができる。
3　登録講習機関は、法第十七条の十五に規定する帳簿（前項の規定による記録が行われた同項のファイル又は電磁的記録媒体を含む。）を、登録講習業務の全部を廃止するまで保存しなければならない。
4　登録講習機関は、登録講習に用いた登録講習教材並びに登録講習修了試験に用いた問題用紙及び答案用紙を登録講習を実施した日から三年間保存しなければならない。

（登録講習業務の実施結果の報告）
第一〇条の一二　登録講習機関は、登録講習業務を実施したときは、遅滞なく、次に掲げる事項を記載した報告書を国土交通大臣に提出しなければならない。
一　登録講習の実施期間
二　講義の実施場所
三　受講申請者数
四　受講者数
五　登録講習修了者数
2　前項の報告書には、登録講習修了者の氏名、生年月日及び住所並びに登録講習修了試験に合格した年月日及び修了番号を記載した修了者一覧表、登録講習に用いた登録講習教材並びに登録講習修了試験の問題用紙、解答及び合否判定基準を証する書面を添えなければならない。

（試験の一部免除）
第一〇条の一三　削除
第一〇条の一四　登録講習修了者については、登録講習修了試験に合格した日から三年以内に行われる試験について、第八条に掲げる試験すべき事項のうち同条第一号及び第五号に掲げるものを免除する。

（合格の公告及び合格証書の交付）
第一一条　都道府県知事は、その行つた試験に合格した者の受験番号を公告し、当該合格者に合格証書を交付しなければならない。
2　指定試験機関が前項の公告を行うときは、第十条第三項の規定は公告の方法について準用する。

（宅地建物取引士資格試験合格者の名簿）
第一二条　都道府県知事は、宅地建物取引士資格試験合格者の名簿を作成し、これを保管しなければならない。
2　都道府県知事は、指定試験機関が試験事務を行う場合にあつては、第十三条の十一第二項の合格者一覧表をもつて前項の名簿に代えることができる。

（国土交通大臣に対する報告）

第一三条　都道府県知事は、試験を終了したときは、国土交通大臣に対して当該試験の受験者数及び合格者数をすみやかに報告しなければならない。

（指定の申請等）

第一三条の二　法第十六条の二第二項に規定する指定を受けようとする者は、次に掲げる事項を記載した申請書を国土交通大臣に提出しなければならない。

一　名称及び住所
二　試験事務を行おうとする事務所の名称及び所在地
三　指定を受けようとする年月日

2　前項の申請書には、次に掲げる書類を添えなければならない。

一　定款及び登記事項証明書
二　申請の日の属する事業年度の前事業年度における財産目録及び貸借対照表（申請の日の属する事業年度に設立された法人にあつては、その設立時における財産目録）
三　申請の日の属する事業年度及び翌事業年度における事業計画書及び収支予算書
四　申請に係る意思の決定を証する書類
五　役員の氏名及び略歴を記載した書類
六　組織及び運営に関する事項を記載した書類
七　試験事務を行おうとする事務所ごとの試験用設備の概要及び整備計画を記載した書類
八　現に行つている業務の概要を記載した書類
九　試験事務の実施の方法に関する計画を記載した書類
十　法第十六条の七第一項に規定する試験委員の選任に関する事項を記載した書類
十一　法第十六条の三第二項第四号イ又はロの規定に関する役員の誓約書
十二　その他参考となる事項を記載した書類

3　指定試験機関の名称及び主たる事務所の所在地並びに指定をした日は、次のとおりとする。

指定試験機関		指定をした日
名称	主たる事務所の所在地	
一般財団法人不動産適正取引推進機構	東京都港区虎ノ門三丁目八番二十一号	昭和六十二年五月十一日

（名称等の変更の届出）

第一三条の三　指定試験機関は、法第十六条の四第二項の規定による届出をしようとするときは、次に掲げる事項を記載した届出書を国土交通大臣に提出しなければならない。

一　変更後の指定試験機関の名称又は主たる事務所の所在地
二　変更しようとする年月日
三　変更の理由

2　指定試験機関は、法第十六条の五第二項の規定による届出をしようとするときは、次に掲げる事項を記載した届出書を委任都道府県知事（試験事務を取り扱う事務所の所在地については、関係委任都道府県知事）に提出しなければならない。

一　変更後の指定試験機関の名称、主たる事務所の所在地又は試験事務を取り扱う事務所の所在地
二　変更しようとする年月日
三　変更の理由

（役員の選任又は解任の認可の申請）

第一三条の四　指定試験機関は、法第十六条の六第一項の規定により認可を受けようとするときは、次に掲げる事項を記載した申請書を国土交通大臣に提出しなければならない。

一　役員として選任しようとする者又は解任しようとする役員の氏名
二　選任又は解任の理由
三　選任の場合にあつては、その者の略歴

2　前項の場合において、選任の認可を受けようとするときは、同項の申請書に、当該選任に係る者の就任承諾書及び法第十六条の三第二項第四号イ又はロの規定に関する誓約書を添えなければならない。

（試験委員の要件）

第一三条の五　法第十六条の七第一項の国土交通省令で定める要件は、次のいずれかに該当する者であることとする。

一　学校教育法（昭和二十二年法律第二十六号）による大学において民事法学、行政法学、租税法学、不動産鑑定理論、土木工学又は建築学に関する科目を担当する教授若しくは准教授の職にあり、又はあつた者その他これらの者に相当する知識及び経験を有する者
二　国又は地方公共団体の職員又は職員であつた者で、第八条各号に掲げる事項について専門的な知識を有するもの

（試験委員の選任又は解任の届出）

第一三条の六　指定試験機関は、法第十六条の七第二項の規定による届出をしようとするときは、次に掲げる事項を記載した届出書を国土交通大臣に提出しなければならない。

一　試験委員の氏名
二　選任又は解任の理由
三　選任の場合にあつては、その者の略歴

2　前項の場合において、選任の届出をしようとするときは、同項の届出書に、当該選任した試験委員が前条に規定する要件を備えていることを証明する書類の写しを添えなければならない。

（試験事務規程の記載事項）

第一三条の七　法第十六条の九第一項に規定する国土交通省令で定める試験事務の実施に関する事項は、次のとおりとする。

一　試験事務を行う時間及び休日に関する事項
二　試験事務を行う事務所及び試験地に関する事項
三　試験事務の実施の方法に関する事項
四　受験手数料の収納の方法に関する事項
五　試験委員の選任及び解任に関する事項
六　試験事務に関する秘密の保持に関する事項
七　試験事務に関する帳簿及び書類の管理に関する事項
八　その他試験事務の実施に関し必要な事項

（試験事務規程の認可の申請）

第一三条の八　指定試験機関は、法第十六条の九第一項前段の規定により認可を受けようとするときは、その旨を記載した申請書に、当該認可に係る試験事務規程を添え、これを国土交通大臣に提出しなければならない。

2　指定試験機関は、法第十六条の九第一項後段の規定により認可を受けようとするときは、次に掲げる事項を記載した申請書を国土交通大臣に提出しなければならない。

一　変更しようとする事項
二　変更しようとする年月日
三　変更の理由
四　法第十六条の九第二項の規定による委任都道府県知事の意見の概要

（事業計画等の認可の申請）

第一三条の九　指定試験機関は、法第十六条の十第一項前段の規定により認可を受けようとするときは、その旨及び同条第二項の規定による委任都道府県知事の意見の概要を記載した申請書に、当該認可に係る事業計画書及び収支予算書を添え、これを国土交通大臣に提出しなければならない。

2　指定試験機関は、法第十六条の十第一項後段の規定により認可を受けようとするときは、次に掲げる事項を記載した申請書を国土交通大臣に提出しなければならない。

一　変更しようとする事項
二　変更しようとする年月日
三　変更の理由
四　法第十六条の十第二項の規定による委任都道府県知事の意見の概要

（帳簿）

第一三条の一〇　法第十六条の十一に規定する国土交通省令で定める事項は、次のとおりとする。

一　委任都道府県知事
二　試験年月日
三　試験地
四　受験者の受験番号、氏名、生年月日及び合否の別
五　合格した者の氏名又は受験番号を公告した日（次条において「合格公告日」という。）

2　前項各号に掲げる事項が、電子計算機に備えられたファイル又は電磁的記録媒体に記録され、必要に応じ当該指定試験機関において電子計算機その他の機器を用いて明確に紙面に表示されるときは、当該記録をもつて法

第十六条の十一に規定する帳簿への記載に代えることができる。

3　法第十六条の十一に規定する帳簿（前項の規定による記録が行われた同項のファイル又は電磁的記録媒体を含む。）は、委任都道府県知事ごとに備え、試験事務を廃止するまで保存しなければならない。

（試験事務の実施結果の報告）

第一三条の一一　指定試験機関は、試験事務を実施したときは、遅滞なく次に掲げる事項を記載した報告書を委任都道府県知事に提出しなければならない。

一　試験年月日
二　試験地
三　受験申込者数
四　受験者数
五　合格者数
六　合格公告日

2　前項の報告書には、合格者の受験番号、氏名及び生年月日を記載した合格者一覧表を添えなければならない。

（試験事務の休廃止の許可）

第一三条の一二　指定試験機関は、法第十六条の十四第一項の規定により許可を受けようとするときは、次に掲げる事項を記載した申請書を国土交通大臣に提出しなければならない。

一　休止し、又は廃止しようとする試験事務の範囲
二　休止し、又は廃止しようとする年月日及び休止しようとする場合にあつては、その期間
三　休止又は廃止の理由

（試験事務の引継ぎ）

第一三条の一三　指定試験機関は、法第十六条の十八に規定する場合には、次に掲げる事項を行わなければならない。

一　試験事務を委任都道府県知事に引き継ぐこと。
二　試験事務に関する帳簿及び書類を委任都道府県知事に引き継ぐこと。
三　その他委任都道府県知事が必要と認める事項

（合格の取消し等の報告等）

第一三条の一四　指定試験機関は、法第十七条第二項の規定により同条第一項に規定する都道府県知事の職権を行つたときは、遅滞なく次に掲げる事項を記載した報告書を委任都道府県知事に提出しなければならない。

一　不正行為者の氏名、住所及び生年月日
二　不正行為に係る試験の年月日及び試験地
三　不正行為の事実
四　処分の内容及び年月日
五　その他参考事項

2　都道府県知事は、法第十七条第三項の規定による処分を行つたときは、遅滞なく、その旨を指定試験機関に通知するものとする。

（法第十八条第一項の国土交通省令で定める期間）

第一三条の一五　法第十八条第一項の国土交通省令で定める期間は、二年とする。

（法第十八条第一項の国土交通大臣が実務の経験を有する者と同等以上の能力を有すると認めた者）

第一三条の一六　法第十八条第一項の規定により国土交通大臣がその実務の経験を有するものと同等以上の能力を有すると認めた者は、次のいずれかに該当する者とする。

一　宅地又は建物の取引に関する実務についての講習であつて、次条から第十三条の十九までの規定により国土交通大臣の登録を受けたもの（以下「登録実務講習」という。）を修了した者
二　国、地方公共団体又は国若しくは地方公共団体の出資により設立された法人において宅地又は建物の取得又は処分の業務に従事した期間が通算して二年以上である者
三　国土交通大臣が前二号に掲げる者と同等以上の能力を有すると認めた者

（登録の申請）

第一三条の一七　前条第一号の登録は、登録実務講習の実施に関する事務（以下「登録実務講習事務」という。）を行おうとする者の申請により行う。

2　前条第一号の登録を受けようとする者（以下「登録実務講習事務申請者」という。）は、別記様式第三号の九による申請書に次に掲げる書類を添えて、これを国土交通大臣に提出しなければならない。

一　個人である場合においては、次に掲げる書類
イ　住民票の抄本又はこれに代わる書面
ロ　登録実務講習事務申請者の略歴を記載した書類
二　法人である場合においては、次に掲げる書類
イ　定款又は寄附行為及び登記事項証明書
ロ　株主名簿若しくは社員名簿の写し又はこれらに代わる書面
ハ　申請に係る意思の決定を証する書類
ニ　役員（持分会社（会社法（平成十七年法律第八十六号）第五百七十五条第一項に規定する持分会社をいう。）にあつては、業務を執行する社員をいう。次条第三号において同じ。）の氏名及び略歴を記載した書類
三　講師が第十三条の十九第一項第二号イからハまでのいずれかに該当する者であることを証する書類
四　登録実務講習事務以外の業務を行おうとするときは、その業務の種類及び概要を記載した書類
五　登録実務講習事務申請者が次条各号のいずれにも該当しない者であることを誓約する書面
六　その他参考となる事項を記載した書類

（欠格条項）

第一三条の一八　次の各号のいずれかに該当する者が行う講習は、第十三条の十六第一号の登録を受けることができない。

一　法又は法に基づく命令に違反し、罰金以上の刑に処せられ、その執行を終わり、又は執行を受けることがなくなつた日から起算して二年を経過しない者
二　第十三条の二十八の規定により第十三条の十六第一号の登録を取り消され、その取消しの日から起算して二年を経過しない者
三　法人であつて、登録実務講習事務を行う役員のうちに前二号のいずれかに該当する者があるもの

（登録の要件等）

第一三条の一九　国土交通大臣は、第十三条の十七の規定による登録の申請が次に掲げる要件のすべてに適合しているときは、その登録をしなければならない。

一　第十三条の二十一第四号に掲げる基準に適合する講習を行おうとするものであること。
二　講師が次のいずれかに該当する者であること。
イ　宅地建物取引士として宅地建物取引業に七年以上従事した経験を有する宅地建物取引士であつて、宅地及び建物の取引の実務に関し適切に指導することができる能力を有する者
ロ　弁護士、不動産鑑定士又は税理士であつて宅地及び建物の取引に係る実務に関する知識を有する者
ハ　国土交通大臣がイ又はロに掲げる者と同等以上の能力を有すると認める者

2　第十三条の十六第一号の登録は、登録実務講習登録簿に次に掲げる事項を記載してするものとする。

一　登録年月日及び登録番号
二　登録実務講習を行う者（以下「登録実務講習実施機関」という。）の氏名又は名称及び住所並びに法人にあつては、その代表者の氏名
三　登録実務講習事務を行う事務所の名称及び所在地
四　登録実務講習事務を開始する年月日

（登録の更新）

第一三条の二〇　第十三条の十六第一号の登録は、三年ごとにその更新を受けなければ、その期間の経過によつて、その効力を失う。

2　前三条の規定は、前項の登録の更新について準用する。ただし、前項の登録の更新を受けようとする者は、前項の登録の有効期間満了の日の九十日前から三十日前までの間に申請書を提出しなければならない。

（登録実務講習事務の実施に係る義務）

第一三条の二一　登録実務講習実施機関は、公正に、かつ、第十三条の十九第一項第二号に掲げる要件及び次に掲げる基準に適合する方法により登録実務講習事務を行わなければならない。

一　試験に合格した者で、第十三条の十五に定める期間以上の実務の経験を有しない者に対し、登録実務講習を行うこと。
二　登録実務講習を毎年一回以上行うこと。
三　講義、国土交通大臣の定める方法による演習及び登録実務講習修了試

験により登録実務講習を行うこと。

四　講義及び演習の総時間数はおおむね五十時間とし、次の表の上欄に掲げる科目の区分に応じ、それぞれ同表の中欄に掲げる内容について、同表の下欄に掲げる時間以上登録実務講習を行うこと。ただし、国土交通大臣の定めるところにより登録実務講習の一部を通信の方法により行う場合は、この限りでない。

科目	内容	時間
一　宅地建物取引士制度に関する科目	イ　宅地建物取引士制度の概要 ロ　宅地建物取引士の役割及び義務	講義 一時間
二　宅地又は建物の取引実務に関する科目	イ　受付、物件調査及び価格査定の実務に関する事項 ロ　媒介契約に関する事項 ハ　宅地又は建物の取引に係る広告に関する事項 ニ　宅地又は建物の取引条件の交渉に関する事項 ホ　法第三十五条第一項及び第二項の書面の作成に関する事項 ヘ　宅地又は建物の取引に係る契約の締結に関する事項 ト　宅地又は建物の取引に係る契約の履行に関する事項 チ　宅地又は建物の取引に係る資金計画及び税務に関する事項 リ　紛争の防止に関する事項	講義 三十七時間
三　取引実務の演習に関する科目（業務の標準的手順の修得のための演習）	イ　取引の目的となる宅地又は建物の調査手法に関する事項 ロ　法第三十五条第一項及び第二項に規定する説明の実施に関する事項 ハ　宅地又は建物の取引に係る標準的な契約書の作成に関する事項	演習 十二時間

五　受講者があらかじめ受講を申し込んだ者本人であることを確認すること。

六　第四号の表の上欄に掲げる科目に応じ、国土交通大臣が定める事項を含む適切な内容の教材を用いて登録実務講習を行うこと。

七　講師は、講義及び演習の内容に関する受講者の質問に対し、講義及び演習中に適切に応答すること。

八　登録実務講習修了試験は、講義及び演習の終了後に国土交通大臣の定めるところにより行い、受講者が登録実務講習の内容全体について十分に理解しているかどうか的確に把握できるものであること。

九　登録実務講習を実施する日時、場所その他登録実務講習の実施に関し必要な事項をあらかじめ公示すること。

十　登録実務講習に関する不正行為を防止するための措置を講じること。

十一　国土交通大臣の定めるところにより作成した基準（以下「修了認定基準」という。）によつて登録実務講習の修了の認定がなされること。

十二　終了した登録実務講習の教材及び修了認定基準を公表すること。

十三　登録実務講習を修了した者（以下「修了者」という。）に対し、別記様式第三号の十による修了証（以下単に「修了証」という。）を交付すること。

（登録事項の変更の届出）

第一三条の二二　登録実務講習実施機関は、第十三条の十九第二項第二号から第四号までに掲げる事項を変更しようとするときは、変更しようとする日の二週間前までに、その旨を国土交通大臣に届け出なければならない。

（登録実務講習事務規程）

第一三条の二三　登録実務講習実施機関は、次に掲げる事項を記載した登録実務講習事務に関する規程を定め、当該事務の開始前に、国土交通大臣に届け出なければならない。これを変更しようとするときも、同様とする。

一　登録実務講習事務を行う時間及び休日に関する事項

二　登録実務講習の受講の申込みに関する事項

三　登録実務講習事務を行う事務所及び登録実務講習の実施場所に関する事項

四　登録実務講習に関する料金の額及びその収納の方法に関する事項

五　登録実務講習の日程、公示方法その他の登録実務講習事務の実施の方法に関する事項

六　講師の選任及び解任に関する事項

七　登録実務講習に用いる教材の作成並びに登録実務講習修了試験の問題の作成及び修了認定の方法に関する事項

八　終了した登録実務講習の教材並びに登録実務講習修了試験の問題及び修了認定基準の公表に関する事項

九　修了証の交付及び再交付に関する事項

十　登録実務講習事務に関する秘密の保持に関する事項

十一　登録実務講習事務に関する公正の確保に関する事項

十二　不正受講者の処分に関する事項

十三　第十三条の二十九第三項の帳簿その他の登録実務講習事務に関する書類の管理に関する事項

十四　その他登録実務講習事務に関し必要な事項

（登録実務講習事務の休廃止）

第一三条の二四　登録実務講習実施機関は、登録実務講習事務の全部又は一部を休止し、又は廃止しようとするときは、あらかじめ、次に掲げる事項を記載した届出書を国土交通大臣に提出しなければならない。

一　休止し、又は廃止しようとする登録実務講習事務の範囲

二　休止し、又は廃止しようとする年月日及び休止しようとする場合にあつては、その期間

三　休止又は廃止の理由

（財務諸表等の備付け及び閲覧等）

第一三条の二五　登録実務講習実施機関は、毎事業年度経過後三月以内に、その事業年度の財産目録、貸借対照表及び損益計算書又は収支計算書並びに事業報告書（その作成に代えて電磁的記録の作成がされている場合における当該電磁的記録を含む。次項において「財務諸表等」という。）を作成し、五年間事務所に備えて置かなければならない。

2　登録実務講習を受講しようとする者その他の利害関係人は、登録実務講習実施機関の業務時間内は、いつでも、次に掲げる請求をすることができる。ただし、第二号又は第四号の請求をするには、登録実務講習実施機関の定めた費用を支払わなければならない。

一　財務諸表等が書面をもつて作成されているときは、当該書面の閲覧又は謄写の請求

二　前号の書面の謄本又は抄本の請求

三　財務諸表等が電磁的記録をもつて作成されているときは、当該電磁的記録に記録された事項を紙面又は出力装置の映像面に表示したものの閲覧又は謄写の請求

四　前号の電磁的記録に記録された事項を電磁的方法であつて、次に掲げるもののうち登録実務講習実施機関が定めるものにより提供することの請求又は当該事項を記載した書面の交付の請求

イ　送信者の使用に係る電子計算機と受信者の使用に係る電子計算機とを電気通信回線で接続した電子情報処理組織を使用する方法であつて、当該電気通信回線を通じて情報が送信され、受信者の使用に係る電子計算機に備えられたファイルに当該情報が記録されるもの

ロ　電磁的記録媒体をもつて調製するファイルに情報を記録したものを交付する方法

3　前項第四号イ又はロに掲げる方法は、受信者がファイルへの記録を出力することにより書面を作成することができるものでなければならない。

（適合命令）

第一三条の二六　国土交通大臣は、登録実務講習実施機関が第十三条の十九第一項の規定に適合しなくなつたと認めるときは、当該登録実務講習実施機関に対し、同項の規定に適合するため必要な措置をとるべきことを命ずることができる。

（改善命令）

第一三条の二七　国土交通大臣は、登録実務講習実施機関が第十三条の二十一の規定に違反していると認めるときは、当該登録実務講習実施機関に対し、同条の規定による登録実務講習事務を行うべきこと又は登録実務講習事務の方法その他の業務の方法の改善に関し必要な措置をとるべきことを

命ずることができる。

（登録の取消し等）

第一三条の二八 国土交通大臣は、登録実務講習実施機関が次の各号のいずれかに該当するときは、当該登録実務講習実施機関が行う登録実務講習の登録を取り消し、又は期間を定めて登録実務講習事務の全部若しくは一部の停止を命ずることができる。

一 第十三条の十八第一号又は第三号に該当するに至つたとき。

二 第十三条の二十二から第十三条の二十四まで、第十三条の二十五第一項又は次条の規定に違反したとき。

三 正当な理由がないのに第十三条の二十五第二項各号の規定による請求を拒んだとき。

四 前二条の規定による命令に違反したとき。

五 第十三条の三十一の規定による報告を求められて、報告をせず、又は虚偽の報告をしたとき。

六 不正の手段により第十三条の十六第一号の登録を受けたとき。

（帳簿の記載等）

第一三条の二九 登録実務講習実施機関は、登録実務講習に関する次に掲げる事項を記載した帳簿を備えなければならない。

一 実施年月日

二 実施場所

三 受講者の受講番号、氏名、生年月日及び修了認定の結果

四 修了者にあつては、前号に掲げる事項のほか、修了年月日、修了証の交付年月日及び修了証番号

2 前項各号に掲げる事項が、電子計算機に備えられたファイル又は電磁的記録媒体に記録され、必要に応じ登録実務講習実施機関において電子計算機その他の機器を用いて明確に紙面に表示されるときは、当該記録をもつて同項に規定する帳簿への記載に代えることができる。

3 登録実務講習実施機関は、第一項に規定する帳簿（前項の規定による記録が行われた同項のファイル又は電磁的記録媒体を含む。）を、登録実務講習事務の全部を廃止するまで保存しなければならない。

4 登録実務講習実施機関は、次に掲げる書類を備え、登録実務講習を実施した日から三年間保存しなければならない。

一 登録実務講習の受講申込書及び添付書類

二 終了した登録実務講習の教材

三 終了した登録実務講習修了試験の問題用紙及び答案用紙

（登録実務講習事務の実施結果の報告）

第一三条の三〇 登録実務講習実施機関は、登録実務講習事務を実施したときは、遅滞なく、登録実務講習に関する次に掲げる事項を記載した報告書を国土交通大臣に提出しなければならない。

一 実施年月日

二 実施場所

三 受講申込者数

四 受講者数

五 修了者数

2 前項の報告書には、修了者の氏名、生年月日、住所、修了年月日、修了証の交付年月日及び修了証番号を記載した修了者一覧表、登録実務講習に用いた教材、登録実務講習修了試験の問題及び解答並びに修了認定基準を記載した書面を添えなければならない。

（報告の徴収）

第一三条の三一 国土交通大臣は、登録実務講習事務の適切な実施を確保するため必要があると認めるときは、登録実務講習実施機関に対し、登録実務講習事務の状況に関し必要な報告を求めることができる。

（公示）

第一三条の三二 国土交通大臣は、次に掲げる場合には、その旨を官報に公示しなければならない。

一 第十三条の十六第一号の登録をしたとき。

二 第十三条の二十二の規定による届出があつたとき。

三 第十三条の二十四の規定による届出があつたとき。

四 第十三条の二十八の規定により登録を取り消し、又は登録実務講習事務の停止を命じたとき。

（登録を受けることのできる都道府県）

第一四条 二以上の都道府県において試験に合格した者は、当該試験を行なつた都道府県知事のうちいずれか一の都道府県知事の登録のみを受けることができる。

（心身の故障により宅地建物取引士の事務を適正に行うことができない者）

第一四条の二 法第十八条第一項第十二号の国土交通省令で定める者は、精神の機能の障害により宅地建物取引士の事務を適正に行うに当たつて必要な認知、判断及び意思疎通を適切に行うことができない者とする。

（宅地建物取引士資格登録簿の登載事項）

第一四条の二の二 法第十八条第二項に規定する国土交通省令で定める事項は、次に掲げるものとする。

一 本籍（日本の国籍を有しない者にあつては、その者の有する国籍）及び性別

二 試験の合格年月日及び合格証書番号

三 法第十八条第一項の実務の経験を有する者である場合においては、申請時現在の当該実務の経験の期間及びその内容並びに従事していた宅地建物取引業者の商号又は名称及び免許証番号

四 法第十八条第一項の規定により能力を有すると認められた者である場合においては、当該認定の内容及び年月日

五 宅地建物取引業者の業務に従事する者にあつては、当該宅地建物取引業者の商号又は名称及び免許証番号

2 法第十八条第二項の規定による登録簿の様式は、別記様式第四号によるものとする。

（登録の申請）

第一四条の三 法第十九条第一項の登録申請書には、氏名、生年月日、住所及び前条第一項各号に掲げる事項を記載しなければならない。

2 前項の登録申請書には、登録の申請前六月以内に撮影した無帽、正面、上三分身、無背景の縦の長さ三センチメートル、横の長さ二・四センチメートルの写真を貼付しなければならない。

3 第一項の登録申請書には、次に掲げる書類を添付しなければならない。

一 未成年者にあつては、法第十八条第一項第一号に該当しないことを証する書面

二 法第十八条第一項の実務の経験を有する者であることを証する書面又は同項の規定により能力を有すると認められた者であることを証する書面

三 法第十八条第一項第二号に規定する破産手続開始の決定を受けて復権を得ない者に該当しない旨の市町村の長の証明書

四 法第十八条第一項第三号から第十二号までに該当しない旨を誓約する書面

4 都道府県知事は、法第十八条第一項の登録を受けようとする者に係る本人確認情報のうち住民票コード以外のものについて、住民基本台帳法第三十条の十一第一項（同項第一号に係る部分に限る。）の規定によるその提供を受けることができないとき、又は同法第三十条の十五第一項（同項第一号に係る部分に限る。）の規定によるその利用ができないときは、その者に対し、住民票の抄本又はこれに代わる書面を提出させることができる。

5 都道府県知事は、法第十八条第一項の登録を受けようとする者に対し、第三項に規定するもののほか、必要と認める書類を提出させることができる。

6 第一項の登録申請書、第三項第二号の書面のうち法第十八条第一項の実務の経験を有する者であることを証する書面及び第三項第四号の誓約書の様式は、それぞれ別記様式第五号、別記様式第五号の二及び別記様式第六号によるものとする。

（登録の通知等）

第一四条の四 都道府県知事は、法第十九条第二項の規定により登録をしたときは、遅滞なく、その旨を当該登録に係る者に通知しなければならない。

2 都道府県知事は、法第十八条第一項の登録を受けようとする者が次の各号の一に該当する者であるときは、その登録を拒否するとともに、遅滞なく、その理由を示して、その旨をその者に通知しなければならない。

一 法第十八条第一項の実務の経験を有する者又は同項の規定により能力を有すると認められた者以外の者

二 法第十八条第一項各号の一に該当する者

三 他の都道府県知事の登録を現に受けている者

（宅地建物取引士資格登録の移転の申請）

第一四条の五 法第十九条の二の規定による登録の移転の申請をしようとする者は、次に掲げる事項を記載した登録移転申請書を提出しなければならない。

一　氏名、生年月日、住所、本籍（日本の国籍を有しない者にあつては、その者の有する国籍）及び性別
二　申請時現在の登録番号
三　申請時現在の登録をしている都道府県知事
四　移転を必要とする理由
五　移転後において業務に従事し、又は従事しようとする宅地建物取引業者の商号又は名称及び免許証番号

2　前項の登録移転申請書には、登録の移転の申請前六月以内に撮影した無帽、正面、上三分身、無背景の縦の長さ三センチメートル、横の長さ二・四センチメートルの写真を貼付しなければならない。

3　第一項の登録移転申請書の様式は、別記様式第六号の二によるものとする。

（登録の移転の通知）

第一四条の六　都道府県知事は、法第十九条の二の規定による登録の移転をしたときは、遅滞なく、その旨を登録の移転の申請をした者及び移転前に登録をしていた都道府県知事に通知しなければならない。

（変更の登録）

第一四条の七　法第二十条の規定による変更の登録を申請しようとする者は、別記様式第七号による変更登録申請書をその者の登録をしている都道府県知事に提出しなければならない。

2　都道府県知事は、前項に規定する変更登録申請書の提出があつたときは、遅滞なく、変更の登録をするとともに、その旨を変更の登録を申請した者に通知しなければならない。

（死亡等の届出の様式）

第一四条の七の二　法第二十一条の規定による死亡等の届出は、別記様式第七号の二による死亡等届出書により行うものとする。

2　宅地建物取引士又はその法定代理人若しくは同居の親族は、法第二十一条第三号の規定による届出をする場合においては、前項の死亡等届出書に、病名、障害の程度、病因、病後の経過、治癒の見込みその他参考となる所見を記載した医師の診断書を添え、これを登録を受けている都道府県知事に提出しなければならない。

（登録の消除）

第一四条の八　都道府県知事は、法第二十二条の規定により登録を消除したときは、その理由を示して、その登録の消除に係る者、相続人、法定代理人又は同居の親族に通知しなければならない。

（監督処分の記載）

第一四条の九　都道府県知事は、法第六十八条第一項若しくは第三項の規定による指示又は同条第二項若しくは第四項の規定による禁止の処分をしたときは、その内容及び年月日を宅地建物取引士資格登録簿に記載するものとする。

（宅地建物取引士証の交付の申請）

第一四条の一〇　法第二十二条の二第一項の規定により宅地建物取引士証の交付を申請しようとする者は、次に掲げる事項を記載した宅地建物取引士証交付申請書（以下この条において「交付申請書」という。）に交付の申請前六月以内に撮影した無帽、正面、上三分身、無背景の縦の長さ三センチメートル、横の長さ二・四センチメートルの写真でその裏面に氏名及び撮影年月日を記入したもの（以下「宅地建物取引士証用写真」という。）を添えて、登録を受けている都道府県知事に提出しなければならない。
一　申請者の氏名、生年月日及び住所
二　登録番号
三　宅地建物取引業者の業務に従事している場合にあつては、当該宅地建物取引業者の商号又は名称及び免許証番号
四　試験に合格した後一年を経過しているか否かの別

2　都道府県知事は、法第二十二条の二第一項の規定により宅地建物取引士証の交付を申請しようとする者に対し、前項に規定するもののほか、必要と認める書類を提出させることができる。

3　法第十九条の二の規定による登録の移転の申請とともに宅地建物取引士証の交付を申請しようとする者は、第十四条の五の登録移転申請書と交付申請書をあわせて提出しなければならない。この場合において、交付申請書には第一項第二号に掲げる事項は記載することを要しないものとする。

4　交付申請書の様式は、別記様式第七号の二の二によるものとする。

（宅地建物取引士証の記載事項及び様式）

第一四条の一一　宅地建物取引士証には、次に掲げる事項を記載するものとする。
一　宅地建物取引士の氏名、生年月日及び住所
二　登録番号及び登録年月日
三　宅地建物取引士証の交付年月日
四　宅地建物取引士証の有効期間の満了する日

2　宅地建物取引士証の様式は、別記様式第七号の三によるものとする。

（宅地建物取引士証の交付の記載）

第一四条の一二　都道府県知事は、宅地建物取引士証を交付したときは、交付年月日、有効期間の満了する日及び発行番号を宅地建物取引士資格登録簿に記載するものとする。

（宅地建物取引士証の書換え交付）

第一四条の一三　宅地建物取引士は、その氏名又は住所を変更したときは、法第二十条の規定による変更の登録の申請とあわせて、宅地建物取引士証の書換え交付を申請しなければならない。

2　前項の規定による書換え交付の申請は、宅地建物取引士証用写真を添付した別記様式第七号の四による宅地建物取引士証書換え交付申請書により行うものとする。ただし、住所のみの変更の場合にあつては、宅地建物取引士証用写真は添付することを要しないものとする。

3　宅地建物取引士証の書換え交付は、当該宅地建物取引士が現に有する宅地建物取引士証と引換えに新たな宅地建物取引士証を交付して行うものとする。ただし、住所のみの変更の場合にあつては、当該宅地建物取引士が現に有する宅地建物取引士証の裏面に変更した後の住所を記載することをもつてこれに代えることができる。

（登録の移転に伴う宅地建物取引士証の交付）

第一四条の一四　法第十九条の二の規定による登録の移転の申請とともに宅地建物取引士証の交付の申請があつた場合における宅地建物取引士証の交付は、当該宅地建物取引士が現に有する宅地建物取引士証と引換えに新たな宅地建物取引士証を交付して行うものとする。

（宅地建物取引士証の再交付等）

第一四条の一五　宅地建物取引士は、宅地建物取引士証の亡失、滅失、汚損又は破損その他の事由を理由として、その交付を受けた都道府県知事に宅地建物取引士証の再交付を申請することができる。

2　前項の規定による再交付を申請しようとする者は、宅地建物取引士証用写真を添付した別記様式第七号の五による宅地建物取引士証再交付申請書を提出しなければならない。

3　第一項の規定による再交付を申請しようとする者は、都道府県が条例で当該再交付に係る手数料を定めているときは、当該手数料を納めなければならない。

4　汚損又は破損その他の事由を理由とする宅地建物取引士証の再交付は、申請者が現に有する宅地建物取引士証と引換えに新たな宅地建物取引士証を交付して行うものとする。

5　宅地建物取引士は、宅地建物取引士証の亡失によりその再交付を受けた後において、亡失した宅地建物取引士証を発見したときは、速やかに、発見した宅地建物取引士証をその交付を受けた都道府県知事に返納しなければならない。

（宅地建物取引士証の有効期間の更新）

第一四条の一六　宅地建物取引士証の有効期間の更新の申請は、新たな宅地建物取引士証の交付を申請することにより行うものとする。

2　第十四条の十第一項、第二項及び第四項の規定は、前項の交付申請について準用する。

3　第一項の新たな宅地建物取引士証の交付は、当該宅地建物取引士が現に有する宅地建物取引士証と引換えに行うものとする。

（講習の指定）

第一四条の一七　法第二十二条の二第二項（法第二十二条の三第二項において準用する場合を含む。）の規定により都道府県知事が指定する講習は、次の各号のすべてに該当するもの又は当該都道府県知事の実施するものでなければならない。
一　一般社団法人又は一般財団法人で、講習を行うのに必要かつ適切な組織及び能力を有すると都道府県知事が認める者が実施する講習であること。
二　正当な理由なく受講を制限する講習でないこと。
三　国土交通大臣が定める講習の実施要領に従つて実施される講習であること。

（**営業保証金又は弁済業務保証金に充てることができる有価証券の価額**）

第一五条　法第二十五条第三項（法第二十六条第二項、第二十八条第三項、第二十九条第二項、第六十四条の七第三項及び第六十四条の八第四項において準用する場合を含む。）の規定により有価証券を営業保証金又は弁済業務保証金に充てる場合における当該有価証券の価額は、次の各号に掲げる有価証券の区分に従い、それぞれ当該各号に定めるところによる。

一　国債証券（その権利の帰属が社債、株式等の振替に関する法律（平成十三年法律第七十五号）の規定による振替口座簿の記載又は記録により定まるものとされるものを含む。次条において同じ。）については、その額面金額（その権利の帰属が社債、株式等の振替に関する法律の規定による振替口座簿の記載又は記録により定まるものとされるものにあつては、振替口座簿に記載又は記録された金額）

二　地方債証券又は政府がその債務について保証契約をした債券については、その額面金額の百分の九十

三　前各号以外の債券については、その額面金額の百分の八十

2　割引の方法により発行した債券で供託の日から償還期限までの期間が五年をこえるものについては、前項の規定の適用については、その発行価額に別記算式により算出した額を加えた額を額面金額とみなす。

（**営業保証金又は弁済業務保証金に充てることができる有価証券**）

第一五条の二　法第二十五条第三項（法第二十六条第二項、第二十八条第三項、第二十九条第二項、第六十四条の七第三項及び第六十四条の八第四項において準用する場合を含む。）に規定する国土交通省令で定める有価証券は、次に掲げるものとする。

一　国債証券

二　地方債証券

三　前二号に掲げるもののほか、国土交通大臣が指定した社債券その他の債券

第一五条の三　削除

（**営業保証金の保管替え等の届出**）

第一五条の四　宅地建物取引業者は、法第二十九条第一項の規定により、営業保証金の保管替えがされ、又は営業保証金を新たに供託したときは、遅滞なく、その旨を、供託書正本の写しを添附して、その免許を受けている国土交通大臣又は都道府県知事に届け出るものとする。

（**営業保証金の変換の届出**）

第一五条の四の二　宅地建物取引業者は、営業保証金の変換のため新たに供託したときは、遅滞なく、その旨を、供託書正本の写しを添付して、その免許を受けている国土交通大臣又は都道府県知事に届け出るものとする。

（**営業保証金供託済届出書の様式**）

第一五条の五　法第二十五条第四項（法第二十六条第二項において準用する場合を含む。）若しくは第二十八条第二項の規定による営業保証金を供託した旨の届出、第十五条の四の規定による営業保証金の保管替えがされ、若しくは営業保証金を新たに供託した旨の届出又は前条の規定による営業保証金を新たに供託した旨の届出は、別記様式第七号の六による営業保証金供託済届出書により行うものとする。

（**法第三十一条の三第一項の国土交通省令で定める場所**）

第一五条の五の二　法第三十一条の三第一項の国土交通省令で定める場所は、次に掲げるもので、宅地若しくは建物の売買若しくは交換の契約（予約を含む。以下この項において同じ。）若しくは宅地若しくは建物の売買、交換若しくは貸借の代理若しくは媒介の契約を締結し、又はこれらの契約の申込みを受けるものとする。

一　継続的に業務を行うことができる施設を有する場所で事務所以外のもの

二　宅地建物取引業者が十区画以上の一団の宅地又は十戸以上の一団の建物の分譲（以下この条、第十六条の五及び第十九条第一項において「一団の宅地建物の分譲」という。）を案内所を設置して行う場合にあつては、その案内所

三　他の宅地建物取引業者が行う一団の宅地建物の分譲の代理又は媒介を案内所を設置して行う場合にあつては、その案内所

四　宅地建物取引業者が業務に関し展示会その他これに類する催しを実施する場合にあつては、これらの催しを実施する場所

（**法第三十一条の三第一項の国土交通省令で定める数**）

第一五条の五の三　法第三十一条の三第一項の国土交通省令で定める数は、事務所にあつては当該事務所において宅地建物取引業者の業務に従事する者の数に対する同項に規定する宅地建物取引士（同条第二項の規定によりその者とみなされる者を含む。）の数の割合が五分の一以上となる数、前条に規定する場所にあつては一以上とする。

（**法第三十三条の二第一号の国土交通省令・内閣府令で定めるとき**）

第一五条の六　法第三十三条の二第一号の国土交通省令・内閣府令で定めるときは、次に掲げるとおりとする。

一　当該宅地が都市計画法（昭和四十三年法律第百号）の規定により当該宅地建物取引業者が開発許可を受けた開発行為又は開発行為に関する工事に係るものであつて、かつ、公共施設（同法第四条第十四項に規定する公共施設をいう。）の用に供されている土地で国又は地方公共団体が所有するものである場合において、当該開発許可に係る開発行為又は開発行為に関する工事の進捗の状況からみて、当該宅地について同法第四十条第一項の規定の適用を受けることが確実と認められるとき。

二　当該宅地が新住宅市街地開発法（昭和三十八年法律第百三十四号）第二条第一項に規定する新住宅市街地開発事業で当該宅地建物取引業者が施行するものに係るものであつて、かつ、公共施設（同条第五項に規定する公共施設をいう。）の用に供されている土地で国又は地方公共団体が所有するものである場合において、当該新住宅市街地開発事業の進捗の状況からみて、当該宅地について同法第二十九条第一項の規定の適用を受けることが確実と認められるとき。

三　当該宅地が土地区画整理法（昭和二十九年法律第百十九号）第百条の二の規定により土地区画整理事業の施行者の管理する土地又は大都市地域における住宅及び住宅地の供給の促進に関する特別措置法（昭和五十年法律第六十七号）第八十三条の規定において準用する土地区画整理法第百条の二の規定により住宅街区整備事業の施行者の管理する土地（以下この号において「保留地予定地」という。）である場合において、当該宅地建物取引業者が、当該土地区画整理事業又は当該住宅街区整備事業に係る換地処分の公告の日の翌日に当該施行者が取得する当該保留地予定地である宅地を当該施行者から取得する契約を締結しているとき。

四　当該宅地又は建物について、当該宅地建物取引業者が買主となる売買契約その他の契約であつて当該宅地又は建物の所有権を当該宅地建物取引業者が指定する者（当該宅地建物取引業者を含む場合に限る。）に移転することを約するものを締結しているとき。

（**建物の構造耐力上主要な部分等**）

第一五条の七　法第三十四条の二第一項第四号の建物の構造耐力上主要な部分として国土交通省令で定めるものは、住宅の基礎、基礎ぐい、壁、柱、小屋組、土台、斜材（筋かい、方づえ、火打材その他これらに類するものをいう。）、床版、屋根版又は横架材（はり、けたその他これらに類するものをいう。）で、当該住宅の自重若しくは積載荷重、積雪、風圧、土圧若しくは水圧又は地震その他の震動若しくは衝撃を支えるものとする。

2　法第三十四条の二第一項第四号の建物の雨水の浸入を防止する部分として国土交通省令で定めるものは、次に掲げるものとする。

一　住宅の屋根若しくは外壁又はこれらの開口部に設ける戸、わくその他の建具

二　雨水を排除するため住宅に設ける排水管のうち、当該住宅の屋根若しくは外壁の内部又は屋内にある部分

（**法第三十四条の二第一項第四号の国土交通省令で定める者等**）

第一五条の八　法第三十四条の二第一項第四号の国土交通省令で定める者は、次の各号のいずれにも該当する者とする。

一　建築士法（昭和二十五年法律第二百二号）第二条第一項に規定する建築士（以下「建築士」という。）

二　国土交通大臣が定める講習を修了した者

2　前項に規定する者は、建物状況調査を実施するときは、国土交通大臣が定める基準に従って行うものとする。

（**媒介契約の書面の記載事項**）

第一五条の九　法第三十四条の二第一項第八号の国土交通省令・内閣府令で定める事項は、次に掲げるものとする。

一　専任媒介契約にあつては、依頼者が他の宅地建物取引業者の媒介又は代理によつて売買又は交換の契約を成立させたときの措置

二　依頼者が売買又は交換の媒介を依頼した宅地建物取引業者が探索した相手方以外の者と売買又は交換の契約を締結することができない旨の特約を含む専任媒介契約（次条及び第十五条の十一において「専属専任媒介契約」という。）にあつては、依頼者が当該相手方以外の者と売買又は

は交換の契約を締結したときの措置

三　依頼者が他の宅地建物取引業者に重ねて売買又は交換の媒介又は代理を依頼することを許し、かつ、他の宅地建物取引業者を明示する義務がある媒介契約にあつては、依頼者が明示していない他の宅地建物取引業者の媒介又は代理によつて売買又は交換の契約を成立させたときの措置

四　当該媒介契約が国土交通大臣が定める標準媒介契約約款に基づくものであるか否かの別

（指定流通機構への登録期間）

第一五条の一〇　法第三十四条の二第五項の国土交通省令で定める期間は、専任媒介契約の締結の日から七日（専属専任媒介契約にあつては、五日）とする。

2　前項の期間の計算については、休業日数は算入しないものとする。

（指定流通機構への登録事項）

第一五条の一一　法第三十四条の二第五項の国土交通省令で定める事項は、次に掲げるものとする。

一　当該宅地又は建物に係る都市計画法その他の法令に基づく制限で主要なもの

二　当該宅地又は建物の取引の申込みの受付に関する状況

三　当該専任媒介契約が宅地又は建物の交換の契約に係るものである場合にあつては、当該宅地又は建物の評価額

四　当該専任媒介契約が専属専任媒介契約である場合にあつては、その旨

（指定流通機構への登録方法）

第一五条の一二　法第三十四条の二第五項の規定による登録（第十九条の二の七において「登録」という。）は、当該宅地又は建物の所在地を含む第十九条の二の七の規定により国土交通大臣が定める地域を対象として法第五十条の三第一項第一号及び第二号に掲げる業務（第十九条の五、第十九条の八及び第十九条の九において「登録業務」という。）を現に行つている指定流通機構に対して行うものとする。

（指定流通機構への通知）

第一五条の一三　法第三十四条の二第七項の規定による通知は、次に掲げる事項について行うものとする。

一　登録番号

二　宅地又は建物の取引価格

三　売買又は交換の契約の成立した年月日

（媒介契約の書面の交付に係る情報通信の技術を利用する方法）

第一五条の一四　法第三十四条の二第十一項の国土交通省令で定める方法は、次に掲げるものとする。

一　電子情報処理組織を使用する方法のうちイ又はロに掲げるもの

イ　宅地建物取引業者等（宅地建物取引業者又は法第三十四条の二第十一項に規定する事項の提供を行う宅地建物取引業者との契約によりファイルを自己の管理する電子計算機に備え置き、これを依頼者若しくは当該宅地建物取引業者の用に供する者をいう。以下この条及び次条において同じ。）の使用に係る電子計算機と依頼者等（依頼者又は依頼者との契約により依頼者ファイル（専ら依頼者の用に供されるファイルをいう。以下この条において同じ。）を自己の管理する電子計算機に備え置く者をいう。以下この項において同じ。）の使用に係る電子計算機とを接続する電気通信回線を通じて書面に記載すべき事項（以下この条において「記載事項」という。）を送信し、依頼者等の使用に係る電子計算機に備えられた依頼者ファイルに記録する方法

ロ　宅地建物取引業者等の使用に係る電子計算機に備えられたファイルに記録された記載事項を電気通信回線を通じて依頼者の閲覧に供し、依頼者等の使用に係る電子計算機に備えられた当該依頼者の依頼者ファイルに当該記載事項を記録する方法

二　電磁的記録媒体をもつて調製するファイルに記載事項を記録したものを交付する方法

2　前項各号に掲げる方法は、次に掲げる基準に適合するものでなければならない。

一　依頼者が依頼者ファイルへの記録を出力することにより書面を作成できるものであること。

二　ファイルに記録された記載事項について、改変が行われていないかどうかを確認することができる措置を講じていること。

三　前項第一号ロに掲げる方法にあつては、記載事項を宅地建物取引業者等の使用に係る電子計算機に備えられたファイルに記録する旨又は記録した旨を依頼者に対し通知するものであること。ただし、依頼者が当該記載事項を閲覧していたことを確認したときはこの限りでない。

（媒介契約の書面の交付に係る電磁的方法の種類及び内容）

第一五条の一五　令第二条の六第一項（同条第三項において準用する場合を含む。）の規定により示すべき電磁的方法の種類及び内容は、次に掲げる事項とする。

一　前条第一項各号に掲げる方法のうち宅地建物取引業者等が使用するもの

二　ファイルへの記録の方式

（媒介契約の書面の交付に係る情報通信の技術を利用した承諾の取得）

第一五条の一六　令第二条の六第一項（同条第三項において準用する場合を含む。）の国土交通省令で定める方法は、次に掲げるものとする。

一　電子情報処理組織を使用する方法のうち、イ又はロに掲げるもの

イ　依頼者の使用に係る電子計算機から電気通信回線を通じて宅地建物取引業者の使用に係る電子計算機に令第二条の六第一項の承諾又は同条第二項の申出（以下この項において「承諾等」という。）をする旨を送信し、当該電子計算機に備えられたファイルに記録する方法

ロ　宅地建物取引業者の使用に係る電子計算機に備えられたファイルに記録された前条に規定する電磁的方法の種類及び内容を電気通信回線を通じて依頼者の閲覧に供し、当該電子計算機に備えられたファイルに承諾等をする旨を記録する方法

二　電磁的記録媒体をもつて調製するファイルに承諾等をする旨を記録したものを交付する方法

2　前項各号に掲げる方法は、宅地建物取引業者がファイルへの記録を出力することにより書面を作成することができるものでなければならない。

（法第三十四条の二第六項の規定により交付しなければならない書面の交付に係る情報通信の技術を利用する方法）

第一五条の一七　法第三十四条の二第十二項の国土交通省令で定める方法は、次に掲げるものとする。

一　電子情報処理組織を使用する方法のうちイ又はロに掲げるもの

イ　宅地建物取引業者等（宅地建物取引業者又は法第三十四条の二第十二項に規定する事項の提供を行う宅地建物取引業者との契約によりファイルを自己の管理する電子計算機に備え置き、これを依頼者若しくは当該宅地建物取引業者の用に供する者をいう。以下この条において同じ。）の使用に係る電子計算機と依頼者等（依頼者又は依頼者との契約により依頼者ファイル（専ら依頼者の用に供されるファイルをいう。以下この条において同じ。）を自己の管理する電子計算機に備え置く者をいう。以下この号において同じ。）の使用に係る電子計算機とを接続する電気通信回線を通じて書面において証されるべき事項（以下この条において「記載事項」という。）を送信し、依頼者等の使用に係る電子計算機に備えられた依頼者ファイルに記録する方法

ロ　宅地建物取引業者等の使用に係る電子計算機に備えられたファイルに記録された記載事項を電気通信回線を通じて依頼者の閲覧に供し、依頼者等の使用に係る電子計算機に備えられた当該依頼者の依頼者ファイルに当該記載事項を記録する方法

二　電磁的記録媒体をもつて調製するファイルに記載事項を記録したものを交付する方法

2　前項各号に掲げる方法は、次に掲げる基準に適合するものでなければならない。

一　依頼者が依頼者ファイルへの記録を出力することにより書面を作成できるものであること。

二　前項第一号ロに掲げる方法にあつては、記載事項を宅地建物取引業者等の使用に係る電子計算機に備えられたファイルに記録する旨又は記録した旨を依頼者に対し通知するものであること。ただし、依頼者が当該記載事項を閲覧していたことを確認したときはこの限りでない。

（法第三十五条第一項第五号の国土交通省令・内閣府令で定める事項）

第一六条　法第三十五条第一項第五号の国土交通省令・内閣府令で定める事項は、宅地の場合にあつては宅地の造成の工事の完了時における当該宅地に接する道路の構造及び幅員、建物の場合にあつては建築の工事の完了時における当該建物の主要構造部、内装及び外装の構造又は仕上げ並びに設備の設置及び構造とする。

（法第三十五条第一項第六号の国土交通省令・内閣府令で定める事項）

第一六条の二　法第三十五条第一項第六号の国土交通省令・内閣府令で定め

る事項は、建物の貸借の契約以外の契約にあつては次に掲げるもの、建物の貸借の契約にあつては第三号及び第八号に掲げるものとする。

一　当該建物を所有するための一棟の建物の敷地に関する権利の種類及び内容

二　建物の区分所有等に関する法律（昭和三十七年法律第六十九号。以下この条、第十六条の四の三、第十六条の四の六及び第十九条の二の五において「区分所有法」という。）第二条第四項に規定する共用部分に関する規約の定め（その案を含む。次号において同じ。）があるときは、その内容

三　区分所有法第二条第三項に規定する専有部分の用途その他の利用の制限に関する規約の定めがあるときは、その内容

四　当該一棟の建物又はその敷地の一部を特定の者にのみ使用を許す旨の規約（これに類するものを含む。次号及び第六号において同じ。）の定め（その案を含む。次号及び第六号において同じ。）があるときは、その内容

五　当該一棟の建物の計画的な維持修繕のための費用、通常の管理費用その他の当該建物の所有者が負担しなければならない費用を特定の者にのみ減免する旨の規約の定めがあるときは、その内容

六　当該一棟の建物の計画的な維持修繕のための費用の積立てを行う旨の規約の定めがあるときは、その内容及び既に積み立てられている額

七　当該建物の所有者が負担しなければならない通常の管理費用の額

八　当該一棟の建物及びその敷地の管理が委託されているときは、その委託を受けている者の氏名（法人にあつては、その商号又は名称）及び住所（法人にあつては、その主たる事務所の所在地）

九　当該一棟の建物の維持修繕の実施状況が記録されているときは、その内容

（法第三十五条第一項第六号の二イの国土交通省令で定める期間）

第一六条の二の二　法第三十五条第一項第六号の二イの国土交通省令で定める期間は、一年（鉄筋コンクリート造又は鉄骨鉄筋コンクリート造の共同住宅等（住宅の品質確保の促進等に関する法律施行規則（平成十二年建設省令第二十号）第一条第四号に規定する共同住宅等をいう。）にあつては、二年）とする。

（法第三十五条第一項第六号の二ロの国土交通省令で定める書類）

第一六条の二の三　法第三十五条第一項第六号の二ロの国土交通省令で定める書類は、売買又は交換の契約に係る住宅に関する書類で次の各号に掲げるものとする。

一　建築基準法（昭和二十五年法律第二百一号）第六条第一項（同法第八十七条第一項又は同法第八十七条の四において準用する場合を含む。）の規定による確認の申請書及び同法第十八条第二項（同法第八十七条第一項又は同法第八十七条の四において準用する場合を含む。）の規定による計画通知書並びに同法第六条第一項及び同法第十八条第三項（これらの規定を同法第八十七条第一項又は同法第八十七条の四において準用する場合を含む。）の確認済証

二　建築基準法第七条第五項及び同法第十八条第十八項（これらの規定を同法第八十七条の四において準用する場合を含む。）の検査済証

三　法第三十四条の二第一項第四号に規定する建物状況調査の結果についての報告書

四　既存住宅に係る住宅の品質確保の促進等に関する法律（平成十一年法律第八十一号）第六条第三項に規定する建設住宅性能評価書

五　建築基準法施行規則（昭和二十五年建設省令第四十号）第五条第三項及び同規則第六条第三項に規定する書類

六　当該住宅が昭和五十六年五月三十一日以前に新築の工事に着手したものであるときは、地震に対する安全性に係る建築基準法並びにこれに基づく命令及び条例の規定に適合するもの又はこれに準ずるものであることを確認できる書類で次に掲げるもの

イ　建築物の耐震改修の促進に関する法律（平成七年法律第百二十三号）第四条第一項に規定する基本方針のうち同条第二項第三号の技術上の指針となるべき事項に基づいて建築士が行つた耐震診断の結果についての報告書

ロ　既存住宅に係る住宅の品質確保の促進等に関する法律第六条第三項の建設住宅性能評価書

ハ　既存住宅の売買に係る特定住宅瑕疵担保責任の履行の確保等に関する法律（平成十九年法律第六十六号）第十九条第二号の保険契約が締結されていることを証する書類

ニ　イからハまでに掲げるもののほか、住宅の耐震性に関する書類

（支払金又は預り金）

第一六条の三　法第三十五条第一項第十一号の国土交通省令・内閣府令で定める支払金又は預り金は、代金、交換差金、借賃、権利金、敷金その他いかなる名義をもつて授受されるかを問わず、宅地建物取引業者の相手方等から宅地建物取引業者がその取引の対象となる宅地又は建物に関し受領する金銭とする。ただし、次の各号に該当するものを除く。

一　受領する額が五十万円未満のもの

二　法第四十一条又は第四十一条の二の規定により、保全措置が講ぜられている手付金等

三　売主又は交換の当事者である宅地建物取引業者が登記以後に受領するもの

四　報酬

（支払金又は預り金の保全措置）

第一六条の四　宅地建物取引業者が受領しようとする支払金又は預り金について法第三十五条第一項第十一号の国土交通省令・内閣府令で定める保全措置は、次の各号の一に掲げるものとする。

一　銀行、信託会社その他令第四条に定める金融機関又は指定保証機関（以下「銀行等」という。）との間において、宅地建物取引業者が受領した支払金又は預り金の返還債務その他の当該支払金又は預り金に関する債務を負うこととなつた場合において当該銀行等がその債務を連帯して保証することを委託する契約（以下「一般保証委託契約」という。）を締結し、かつ、当該一般保証委託契約に基づいて当該銀行等が当該債務を連帯して保証することを約する書面を宅地建物取引業者の相手方等に交付すること。

二　保険事業者との間において、宅地建物取引業者が受領した支払金又は預り金の返還債務その他の当該支払金又は預り金に関する債務の不履行により宅地建物取引業者の相手方等に生じた損害のうち少なくとも当該債務の不履行に係る支払金又は預り金の額に相当する部分を当該保険事業者がうめることを約する保証保険契約を締結し、かつ、保険証券又はこれに代わるべき書面を宅地建物取引業者の相手方等に交付すること。

三　次のイからハまでに掲げる措置をいずれも講ずること。

イ　指定保管機関との間において、宅地建物取引業者が自己に代理して当該指定保管機関に支払金又は預り金を受領させることとするとともに、当該指定保管機関が、当該宅地建物取引業者が受領した支払金又は預り金の額に相当する額の金銭を保管することを約する契約（以下「一般寄託契約」という。）を締結し、かつ、当該一般寄託契約を証する書面を宅地建物取引業者の相手方等に交付すること。

ロ　宅地建物取引業者の相手方等との間において、宅地建物取引業者の相手方等が宅地建物取引業者に対して有することとなる支払金又は預り金の返還を目的とする債権の担保として、一般寄託契約に基づく寄託金の返還を目的とする債権について質権を設定する契約（以下「一般質権設定契約」という。）を締結し、かつ、当該一般質権設定契約を証する書面を宅地建物取引業者の相手方等に交付し、及び当該一般質権設定契約による質権の設定を民法（明治二十九年法律第八十九号）第四百六十七条の規定による確定日付のある証書をもつて指定保管機関に通知すること。

ハ　イ及びロに掲げる措置を講ずる場合において、既に自ら支払金又は預り金を受領しているときは、自ら受領した支払金又は預り金の額に相当する額（既に指定保管機関が保管する金銭があるときは、その額を除いた額）の金銭を、宅地建物取引業者の相手方等が支払金又は預り金の支払をする前に、指定保管機関に交付すること。

2　前項第一号の規定による一般保証委託契約は、銀行等が次の各号に掲げる要件に適合する保証契約を宅地建物取引業者の相手方等との間において成立させることを内容とするものでなければならない。

一　保証債務が、少なくとも宅地建物取引業者が受領した支払金又は預り金の額に相当する額の債務を保証するものであること。

二　保証すべき債務が、少なくとも宅地建物取引業者が売主又は交換の当事者である場合においては登記まで、買主である場合においては代金の支払まで、その他の場合においては支払金又は預り金を売主、交換の他の当事者又は貸主が受領するまで（売買又は交換に係る支払金又は預り金を登記前に宅地建物取引業者が受領するときは、登記まで）に生じた

ものであること。

3　第一項第二号の規定による保証保険契約は、次の各号に掲げる要件に適合するものでなければならない。

一　保険金額が、宅地建物取引業者が受領しようとする支払金又は預り金の額（既に受領した支払金又は預り金があるときは、その額を加えた額）に相当する金額であること。

二　保険期間が、少なくとも保証保険契約が成立した時から、宅地建物取引業者が売主又は交換の当事者である場合においては登記まで、買主である場合においては代金の支払まで、その他の場合においては支払金又は預り金を売主、交換の他の当事者又は貸主が受領するまで（売買又は交換に係る支払金又は預り金を登記前に宅地建物取引業者が受領するときは、登記まで）の期間であること。

4　第一項第三号イの規定による一般寄託契約は、次に掲げる要件に適合するものでなければならない。

一　保管される金額が、宅地建物取引業者が受領しようとする支払金又は預り金の額（既に受領した支払金又は預り金で指定保管機関に保管されていないものがあるときは、その保管されていないものの額を加えた額）に相当する金額であること。

二　保管期間が、少なくとも指定保管機関が宅地建物取引業者に代理して支払金又は預り金を受領した時から、宅地建物取引業者が売主又は交換の当事者である場合においては登記まで、買主である場合においては代金の支払まで、その他の場合においては支払金又は預り金を売主、交換の他の当事者又は貸主が受領するまで（売買又は交換に係る支払金又は預り金を登記前に宅地建物取引業者が受領するときは、登記まで）の期間であること。

5　第一項第三号ロの規定による一般質権設定契約は、設定される質権の存続期間が、少なくとも当該質権が設定された時から、宅地建物取引業者が売主又は交換の当事者である場合においては登記まで、買主である場合においては代金の支払まで、その他の場合においては支払金又は預り金を売主、交換の他の当事者又は貸主が受領するまで（売買又は交換に係る支払金又は預り金を登記前に宅地建物取引業者が受領するときは、登記まで）の期間であるものでなければならない。

（担保責任の履行に関する措置）

第一六条の四の二　法第三十五条第一項第十三号の国土交通省令・内閣府令で定める措置は、次の各号のいずれかに掲げるものとする。

一　当該宅地又は建物が種類又は品質に関して契約の内容に適合しない場合におけるその不適合を担保すべき責任の履行に関する保証保険契約又は責任保険契約の締結

二　当該宅地又は建物が種類又は品質に関して契約の内容に適合しない場合におけるその不適合を担保すべき責任の履行に関する保証保険又は責任保険を付保することを委託する契約の締結

三　当該宅地又は建物が種類又は品質に関して契約の内容に適合しない場合におけるその不適合を担保すべき責任の履行に関する債務について銀行等が連帯して保証することを委託する契約の締結

四　特定住宅瑕疵担保責任の履行の確保等に関する法律第十一条第一項に規定する住宅販売瑕疵担保保証金の供託

（法第三十五条第一項第十四号イの国土交通省令・内閣府令及び同号ロの国土交通省令で定める事項）

第一六条の四の三　法第三十五条第一項第十四号イの国土交通省令・内閣府令及び同号ロの国土交通省令で定める事項は、宅地の売買又は交換の契約にあつては第一号から第三号の二までに掲げるもの、建物の売買又は交換の契約にあつては第一号から第六号までに掲げるもの、宅地の貸借の契約にあつては第一号から第三号の二まで及び第八号から第十三号までに掲げるもの、建物の貸借の契約にあつては第一号から第五号まで及び第七号から第十二号までに掲げるものとする。

一　当該宅地又は建物が宅地造成及び特定盛土等規制法（昭和三十六年法律第百九十一号）第四十五条第一項により指定された造成宅地防災区域内にあるときは、その旨

二　当該宅地又は建物が土砂災害警戒区域等における土砂災害防止対策の推進に関する法律（平成十二年法律第五十七号）第七条第一項により指定された土砂災害警戒区域内にあるときは、その旨

三　当該宅地又は建物が津波防災地域づくりに関する法律（平成二十三年法律第百二十三号）第五十三条第一項により指定された津波災害警戒区域内にあるときは、その旨

三の二　水防法施行規則（平成十二年建設省令第四十四号）第十一条第一号の規定により当該宅地又は建物が所在する市町村の長が提供する図面に当該宅地又は建物の位置が表示されているときは、当該図面における当該宅地又は建物の所在地

四　当該建物について、石綿の使用の有無の調査の結果が記録されているときは、その内容

五　当該建物（昭和五十六年六月一日以降に新築の工事に着手したものを除く。）が建築物の耐震改修の促進に関する法律第四条第一項に規定する基本方針のうち同条第二項第三号の技術上の指針となるべき事項に基づいて次に掲げる者が行う耐震診断を受けたものであるときは、その内容

イ　建築基準法第七十七条の二十一第一項に規定する指定確認検査機関

ロ　建築士

ハ　住宅の品質確保の促進等に関する法律第五条第一項に規定する登録住宅性能評価機関

ニ　地方公共団体

六　当該建物が住宅の品質確保の促進等に関する法律第五条第一項に規定する住宅性能評価を受けた新築住宅であるときは、その旨

七　台所、浴室、便所その他の当該建物の設備の整備の状況

八　契約期間及び契約の更新に関する事項

九　借地借家法（平成三年法律第九十号）第二条第一号に規定する借地権で同法第二十二条第一項の規定の適用を受けるものを設定しようとするとき、又は建物の賃貸借で同法第三十八条第一項若しくは高齢者の居住の安定確保に関する法律（平成十三年法律第二十六号）第五十二条第一項の規定の適用を受けるものをしようとするときは、その旨

十　当該宅地又は建物の用途その他の利用に係る制限に関する事項（当該建物が区分所有法第二条第一項に規定する区分所有権の目的であるものにあつては、第十六条の二第三号に掲げる事項を除く。）

十一　敷金その他いかなる名義をもつて授受されるかを問わず、契約終了時において精算することとされている金銭の精算に関する事項

十二　当該宅地又は建物（当該建物が区分所有法第二条第一項に規定する区分所有権の目的であるものを除く。）の管理が委託されているときは、その委託を受けている者の氏名（法人にあつては、その商号又は名称）及び住所（法人にあつては、その主たる事務所の所在地）

十三　契約終了時における当該宅地の上の建物の取壊しに関する事項を定めようとするときは、その内容

（法第三十五条第三項ただし書の国土交通省令で定める場合）

第一六条の四の四　法第三十五条第三項ただし書の国土交通省令で定める場合は、次に掲げる場合とする。

一　金融商品取引法（昭和二十三年法律第二十五号）第二条第三十一項に規定する特定投資家（同法第三十四条の二第五項により特定投資家以外の顧客とみなされる者を除く。）及び同法第三十四条の三第四項により特定投資家とみなされる者を信託の受益権の売買の相手方とする場合

二　信託の受益権の売買契約の締結前一年以内に売買の相手方に対し当該契約と同一の内容の契約について書面を交付して説明をしている場合

三　売買の相手方に対し金融商品取引法第二条第十項に規定する目論見書（書面を交付して説明すべき事項のすべてが記載されているものに限る。）を交付している場合

2　書面を交付して説明をした日（この項の規定により書面を交付して説明をしたものとみなされた日を含む。）から一年以内に当該説明に係る売買契約と同一の内容の売買契約の締結を行つた場合には、当該締結の日において書面を交付して説明をしたものとみなして、前項第二号の規定を適用する。

（法第三十五条第三項第五号の国土交通省令で定める事項）

第一六条の四の五　法第三十五条第三項第五号に規定する国土交通省令で定める事項は、当該信託財産が宅地の場合にあつては宅地の造成の工事の完了時における当該宅地に接する道路の構造及び幅員、建物の場合にあつては建築の工事の完了時における当該建物の主要構造部、内装及び外装の構造又は仕上げ並びに設備の設置及び構造とする。

（法第三十五条第三項第六号の国土交通省令で定める事項）

第一六条の四の六　法第三十五条第三項第六号の国土交通省令で定める事項

は、次に掲げるものとする。

一　当該信託財産である建物を所有するための一棟の建物の敷地に関する権利の種類及び内容

二　区分所有法第二条第四項に規定する共用部分に関する規約の定め（その案を含む。次号において同じ。）があるときは、その内容

三　区分所有法第二条第三項に規定する専有部分の用途その他の利用の制限に関する規約の定めがあるときは、その内容

四　当該信託財産である一棟の建物又はその敷地の一部を特定の者にのみ使用を許す旨の規約（これに類するものを含む。次号及び第六号において同じ。）の定め（その案を含む。次号及び第六号において同じ。）があるときは、その内容

五　当該信託財産である一棟の建物の計画的な維持修繕のための費用、通常の管理費用その他の当該建物の所有者が負担しなければならない費用を特定の者にのみ減免する旨の規約の定めがあるときは、その内容

六　当該信託財産である一棟の建物の計画的な維持修繕のための費用の積立てを行う旨の規約の定めがあるときは、その内容及び既に積み立てられている額

七　当該信託財産である建物の所有者が負担しなければならない通常の管理費用の額

八　当該信託財産である一棟の建物及びその敷地の管理が委託されているときは、その委託を受けている者の氏名（法人にあつては、その商号又は名称）及び住所（法人にあつては、その主たる事務所の所在地）

九　当該信託財産である一棟の建物の維持修繕の実施状況が記録されているときは、その内容

（法第三十五条第三項第七号の国土交通省令で定める事項）

第一六条の四の七　法第三十五条第三項第七号の国土交通省令で定める事項は、当該信託財産が宅地の場合にあつては第一号から第三号の二まで及び第七号に掲げるもの、当該信託財産が建物の場合にあつては第一号から第七号までに掲げるものとする。

一　当該信託財産である宅地又は建物が宅地造成及び特定盛土等規制法第四十五条第一項により指定された造成宅地防災区域内にあるときは、その旨

二　当該信託財産である宅地又は建物が土砂災害警戒区域等における土砂災害防止対策の推進に関する法律第七条第一項により指定された土砂災害警戒区域内にあるときは、その旨

三　当該信託財産である宅地又は建物が津波防災地域づくりに関する法律第五十三条第一項により指定された津波災害警戒区域内にあるときは、その旨

三の二　水防法施行規則第十一条第一号の規定により当該信託財産である宅地又は建物が所在する市町村の長が提供する図面に当該信託財産である宅地又は建物の位置が表示されているときは、当該図面における当該信託財産である宅地又は建物の所在地

四　当該信託財産である建物について、石綿の使用の有無の調査の結果が記録されているときは、その内容

五　当該信託財産である建物（昭和五十六年六月一日以降に新築の工事に着手したものを除く。）が建築物の耐震改修の促進に関する法律第四条第一項に規定する基本方針のうち同条第二項第三号の技術上の指針となるべき事項に基づいて次に掲げる者が行う耐震診断を受けたものであるときは、その内容

イ　建築基準法第七十七条の二十一第一項に規定する指定確認検査機関

ロ　建築士

ハ　住宅の品質確保の促進等に関する法律第五条第一項に規定する登録住宅性能評価機関

ニ　地方公共団体

六　当該信託財産である建物が住宅の品質確保の促進等に関する法律第五条第一項に規定する住宅性能評価を受けた新築住宅であるときは、その旨

七　当該信託財産である宅地又は建物が種類又は品質に関して契約の内容に適合しない場合におけるその不適合を担保すべき責任の履行に関し保証保険契約の締結その他の措置で次に掲げるものを講じられているときは、その概要

イ　当該信託財産である宅地又は建物が種類又は品質に関して契約の内容に適合しない場合におけるその不適合を担保すべき責任の履行に関する保証保険契約又は責任保険契約の締結

ロ　当該信託財産である宅地又は建物が種類又は品質に関して契約の内容に適合しない場合におけるその不適合を担保すべき責任の履行に関する保証保険又は責任保険を付保することを委託する契約の締結

ハ　当該信託財産である宅地又は建物が種類又は品質に関して契約の内容に適合しない場合におけるその不適合を担保すべき責任の履行に関する債務について銀行等が連帯して保証することを委託する契約の締結

（重要事項説明に係る書面の交付に係る情報通信の技術を利用する方法）

第一六条の四の八　法第三十五条第八項の国土交通省令で定める方法は、次に掲げるものとする。

一　電子情報処理組織を使用する方法のうちイ又はロに掲げるもの

イ　宅地建物取引業者等（宅地建物取引業者又は法第三十五条第八項に規定する事項の提供を行う宅地建物取引業者との契約によりファイルを自己の管理する電子計算機に備え置き、これを相手方（法第三十五条第一項に規定する宅地建物取引業者の相手方等、同条第二項に規定する宅地若しくは建物の割賦販売の相手方又は同条第三項に規定する売買の相手方をいう。以下この条及び第十六条の四の十一において同じ。）若しくは当該宅地建物取引業者の用に供する者をいう。以下この条及び第十六条の四の十において同じ。）の使用に係る電子計算機と相手方等（相手方又は相手方との契約により相手方ファイル（専ら相手方の用に供されるファイルをいう。以下この条において同じ。）を自己の管理する電子計算機に備え置く者をいう。以下この項において同じ。）の使用に係る電子計算機とを接続する電気通信回線を通じて書面に記載すべき事項（以下この条において「記載事項」という。）を送信し、相手方等の使用に係る電子計算機に備えられた相手方ファイルに記録する方法

ロ　宅地建物取引業者等の使用に係る電子計算機に備えられたファイルに記録された記載事項を電気通信回線を通じて相手方の閲覧に供し、相手方等の使用に係る電子計算機に備えられた当該相手方の相手方ファイルに当該記載事項を記録する方法

二　電磁的記録媒体をもつて調製するファイルに記載事項を記録したものを交付する方法

2　前項各号に掲げる方法は、次に掲げる基準に適合するものでなければならない。

一　相手方が相手方ファイルへの記録を出力することにより書面を作成することができるものであること。

二　ファイルに記録された記載事項について、改変が行われていないかどうかを確認することができる措置を講じていること。

三　前項第一号ロに掲げる方法にあつては、記載事項を宅地建物取引業者等の使用に係る電子計算機に備えられたファイルに記録する旨又は記録した旨を相手方に対し通知するものであること。ただし、相手方が当該記載事項を閲覧していたことを確認したときはこの限りでない。

四　書面の交付に係る宅地建物取引士が明示されるものであること。

第一六条の四の九　法第三十五条第九項の国土交通省令で定める方法については、前条の規定を準用する。

（重要事項説明に係る書面の交付に係る電磁的方法の種類及び内容）

第一六条の四の一〇　令第三条の三第一項（同条第三項において準用する場合を含む。）の規定により示すべき電磁的方法の種類及び内容は、次に掲げる事項とする。

一　第十六条の四の八第一項各号に掲げる方法のうち宅地建物取引業者等が使用するもの

二　ファイルへの記録の方式

（重要事項説明に係る書面の交付に係る情報通信の技術を利用した承諾の取得）

第一六条の四の一一　令第三条の三第一項（同条第三項において準用する場合を含む。）の国土交通省令で定める方法は、次に掲げるものとする。

一　電子情報処理組織を使用する方法のうち、イ又はロに掲げるもの

イ　相手方の使用に係る電子計算機から電気通信回線を通じて宅地建物取引業者の使用に係る電子計算機に令第三条の三第一項の承諾又は同条第二項の申出（以下この項において「承諾等」という。）をする旨を送信し、当該電子計算機に備えられたファイルに記録する方法

ロ　宅地建物取引業者の使用に係る電子計算機に備えられたファイルに

記録された前条に規定する電磁的方法の種類及び内容を電気通信回線を通じて相手方の閲覧に供し、当該電子計算機に備えられたファイルに承諾等をする旨を記録する方法

二　電磁的記録媒体をもつて調製するファイルに承諾等をする旨を記録したものを交付する方法

2　前項各号に掲げる方法は、宅地建物取引業者がファイルへの記録を出力することにより書面を作成することができるものでなければならない。

（書面の交付に係る情報通信の技術を利用する方法）

第一六条の四の一二　法第三十七条第四項の国土交通省令で定める方法は、次に掲げるものとする。

一　電子情報処理組織を使用する方法のうちイ又はロに掲げるもの

イ　宅地建物取引業者等（宅地建物取引業者又は法第三十七条第四項に規定する事項の提供を行う宅地建物取引業者との契約によりファイルを自己の管理する電子計算機に備え置き、これを相手方（同項各号に掲げる場合の区分に応じ当該各号に定める者をいう。以下この条及び第十六条の四の十五において同じ。）若しくは当該宅地建物取引業者の用に供する者をいう。以下この条及び第十六条の四の十四において同じ。）の使用に係る電子計算機と相手方等（相手方又は相手方との契約により相手方ファイル（専ら相手方の用に供されるファイルをいう。以下この条において同じ。）を自己の管理する電子計算機に備え置く者をいう。以下この項において同じ。）の使用に係る電子計算機とを接続する電気通信回線を通じて書面に記載すべき事項（以下この条において「記載事項」という。）を送信し、相手方等の使用に係る電子計算機に備えられた相手方ファイルに記録する方法

ロ　宅地建物取引業者等の使用に係る電子計算機に備えられたファイルに記録された記載事項を電気通信回線を通じて相手方の閲覧に供し、相手方等の使用に係る電子計算機に備えられた当該相手方の相手方ファイルに当該記載事項を記録する方法

二　電磁的記録媒体をもつて調製するファイルに記載事項を記録したものを交付する方法

2　前項各号に掲げる方法は、次に掲げる基準に適合するものでなければならない。

一　相手方が相手方ファイルへの記録を出力することにより書面を作成することができるものであること。

二　ファイルに記録された記載事項について、改変が行われていないかどうかを確認することができる措置を講じていること。

三　前項第一号ロに掲げる方法にあつては、記載事項を宅地建物取引業者等の使用に係る電子計算機に備えられたファイルに記録する旨又は記録した旨を相手方に対し通知するものであること。ただし、相手方が当該記載事項を閲覧していたことを確認したときはこの限りでない。

四　書面の交付に係る宅地建物取引士が明示されるものであること。

第一六条の四の一三　法第三十七条第五項の国土交通省令で定める方法については、前条の規定を準用する。

（書面の交付に係る電磁的方法の種類及び内容）

第一六条の四の一四　令第三条の四第一項（同条第三項において準用する場合を含む。）の規定により示すべき電磁的方法の種類及び内容は、次に掲げる事項とする。

一　第十六条の四の十二第一項各号に掲げる方法のうち宅地建物取引業者等が使用するもの

二　ファイルへの記録の方式

（書面の交付に係る情報通信の技術を利用した承諾の取得）

第一六条の四の一五　令第三条の四第一項（同条第三項において準用する場合を含む。）の国土交通省令で定める方法は、次に掲げるものとする。

一　電子情報処理組織を使用する方法のうち、イ又はロに掲げるもの

イ　相手方の使用に係る電子計算機から電気通信回線を通じて宅地建物取引業者の使用に係る電子計算機に令第三条の四第一項の承諾又は同条第二項の申出（以下この項において「承諾等」という。）をする旨を送信し、当該電子計算機に備えられたファイルに記録する方法

ロ　宅地建物取引業者の使用に係る電子計算機に備えられたファイルに記録された前条に規定する電磁的方法の種類及び内容を電気通信回線を通じて相手方の閲覧に供し、当該電子計算機に備えられたファイルに承諾等をする旨を記録する方法

二　電磁的記録媒体をもつて調製するファイルに承諾等をする旨を記録したものを交付する方法

2　前項各号に掲げる方法は、宅地建物取引業者がファイルへの記録を出力することにより書面を作成することができるものでなければならない。

（法第三十七条の二第一項の国土交通省令・内閣府令で定める場所）

第一六条の五　法第三十七条の二第一項の国土交通省令・内閣府令で定める場所は、次に掲げるものとする。

一　次に掲げる場所のうち、法第三十一条の三第一項の規定により同項に規定する宅地建物取引士を置くべきもの

イ　当該宅地建物取引業者の事務所以外の場所で継続的に業務を行うことができる施設を有するもの

ロ　当該宅地建物取引業者が一団の宅地建物の分譲を案内所（土地に定着する建物内に設けられるものに限る。ニにおいて同じ。）を設置して行う場合にあつては、その案内所

ハ　当該宅地建物取引業者が他の宅地建物取引業者に対し、宅地又は建物の売却について代理又は媒介の依頼をした場合にあつては、代理又は媒介の依頼を受けた他の宅地建物取引業者の事務所又は事務所以外の場所で継続的に業務を行うことができる施設を有するもの

ニ　当該宅地建物取引業者が一団の宅地建物の分譲の代理又は媒介の依頼をし、かつ、依頼を受けた宅地建物取引業者がその代理又は媒介を案内所を設置して行う場合にあつては、その案内所

ホ　当該宅地建物取引業者（当該宅地建物取引業者が他の宅地建物取引業者に対し、宅地又は建物の売却について代理又は媒介の依頼をした場合にあつては、代理又は媒介の依頼を受けた他の宅地建物取引業者を含む。）が法第三十一条の三第一項の規定により同項に規定する宅地建物取引士を置くべき場所（土地に定着する建物内のものに限る。）で宅地又は建物の売買契約に関する説明をした後、当該宅地又は建物に関し展示会その他これに類する催しを土地に定着する建物内において実施する場合にあつては、これらの催しを実施する場所

二　当該宅地建物取引業者の相手方がその自宅又は勤務する場所において宅地又は建物の売買契約に関する説明を受ける旨を申し出た場合にあつては、その相手方の自宅又は勤務する場所

（申込みの撤回等の告知）

第一六条の六　法第三十七条の二第一項第一号の規定により申込みの撤回等を行うことができる旨及びその申込みの撤回等を行う場合の方法について告げるときは、次に掲げる事項を記載した書面を交付して告げなければならない。

一　買受けの申込みをした者又は買主の氏名（法人にあつては、その商号又は名称）及び住所

二　売主である宅地建物取引業者の商号又は名称及び住所並びに免許証番号

三　告げられた日から起算して八日を経過する日までの間は、宅地又は建物の引渡しを受け、かつ、その代金の全部を支払つた場合を除き、書面により買受けの申込みの撤回又は売買契約の解除を行うことができること。

四　前号の買受けの申込みの撤回又は売買契約の解除があつたときは、宅地建物取引業者は、その買受けの申込みの撤回又は売買契約の解除に伴う損害賠償又は違約金の支払を請求することができないこと。

五　第三号の買受けの申込みの撤回又は売買契約の解除は、買受けの申込みの撤回又は売買契約の解除を行う旨を記載した書面を発した時に、その効力を生ずること。

六　第三号の買受けの申込みの撤回又は売買契約の解除があつた場合において、その買受けの申込み又は売買契約の締結に際し手付金その他の金銭が支払われているときは、宅地建物取引業者は、遅滞なく、その全額を返還すること。

（法第四十一条第一項の規定により交付しなければならない書面の交付に係る情報通信の技術を利用する方法）

第一六条の七　法第四十一条第五項の国土交通省令・内閣府令で定める措置は、次に掲げる措置とする。

一　電子情報処理組織を使用する措置のうちイ又はロに掲げるもの

イ　宅地建物取引業者の使用に係る電子計算機と買主の使用に係る電子計算機とを接続する電気通信回線を通じて送信し、受信者の使用に係る電子計算機に備えられたファイルに記録する措置

ロ　宅地建物取引業者の使用に係る電子計算機に備えられたファイルに

記録された法第四十一条第一項第一号に規定する保証委託契約に基づき当該契約を締結した銀行等が手付金等の返還債務を連帯して保証する旨又は同項第二号に規定する保証保険契約で約する事項（以下「契約事項」という。）を電気通信回線を通じて買主の閲覧に供し、当該買主の使用に係る電子計算機に備えられたファイルに当該契約事項を記録する措置

二　電磁的記録媒体をもつて調製するファイルに契約事項を記録したものを交付する措置

2　前項に掲げる措置は、次に掲げる技術的基準に適合するものでなければならない。

一　買主がファイルへの記録を出力することによる書面を作成することができるものであること。

二　ファイルに記録された契約事項について、改変が行われていないかどうかを確認することができる措置を講じていること。

3　第一項第一号の「電子情報処理組織」とは、宅地建物取引業者の使用に係る電子計算機と、買主の使用に係る電子計算機とを電気通信回線で接続した電子情報処理組織をいう。

（法第四十一条第一項の規定により交付しなければならない書面の交付に係る電磁的方法の種類及び内容）

第一六条の八　令第四条の二第一項の規定により示すべき電磁的措置の種類及び内容は、次に掲げる事項とする。

一　第十六条の七第一項に掲げる措置のうち宅地建物取引業者が使用するもの

二　ファイルへの記録の方式

（法第四十一条第一項の規定により交付しなければならない書面の交付に係る情報通信の技術を利用した承諾の取得）

第一六条の九　令第四条の二第一項の国土交通省令・内閣府令で定める方法は、次に掲げる方法とする。

一　電子情報処理組織を使用する方法のうちイ又はロに掲げるもの

イ　宅地建物取引業者の使用に係る電子計算機と買主の使用に係る電子計算機とを接続する電気通信回線を通じて送信し、受信者の使用に係る電子計算機に備えられたファイルに記録する方法

ロ　宅地建物取引業者の使用に係る電子計算機に備えられたファイルに記録された法第四十一条第五項の承諾に関する事項（令第四条の三第一項に規定する電磁的方法による承諾又は当該承諾をしない旨の申出をする場合にあつては、法第四十一条の二第六項の承諾に関する事項）を電気通信回線を通じて買主の閲覧に供し、当該宅地建物取引業者の使用に係る電子計算機に備えられたファイルに当該承諾に関する事項を記録する方法

二　電磁的記録媒体をもつて調製するファイルに当該承諾に関する事項を記録したものを交付する方法

2　前項第一号の「電子情報処理組織」とは、宅地建物取引業者の使用に係る電子計算機と、買主の使用に係る電子計算機とを電気通信回線で接続した電子情報処理組織をいう。

（法第四十一条の二第一項の規定により交付しなければならない書面の交付に係る情報通信の技術を利用する方法）

第一六条の一〇　第十六条の七の規定は、法第四十一条の二第六項の国土交通省令・内閣府令で定める措置について準用する。この場合において、第十六条の七第一項第一号ロ中「法第四十一条第一項第一号に規定する保証委託契約に基づき当該契約を締結した銀行等が手付金等の返還債務を連帯して保証する旨又は同項第二号に規定する保証保険契約で約する事項」とあるのは「法第四十一条の二第一項第一号に規定する手付金等寄託契約で約する事項及び同項第二号に規定する質権設定契約で約する事項」と読み替えるものとする。

（法第四十七条の二第三項の国土交通省令・内閣府令及び同項の国土交通省令で定める行為）

第一六条の一一　法第四十七条の二第三項の国土交通省令・内閣府令及び同項の国土交通省令で定める行為は、次に掲げるものとする。

一　宅地建物取引業に係る契約の締結の勧誘をするに際し、宅地建物取引業者の相手方等に対し、次に掲げる行為をすること。

イ　当該契約の目的物である宅地又は建物の将来の環境又は交通その他の利便について誤解させるべき断定的判断を提供すること。

ロ　正当な理由なく、当該契約を締結するかどうかを判断するために必要な時間を与えることを拒むこと。

ハ　当該勧誘に先立つて宅地建物取引業者の商号又は名称及び当該勧誘を行う者の氏名並びに当該契約の締結について勧誘をする目的である旨を告げずに、勧誘を行うこと。

ニ　宅地建物取引業者の相手方等が当該契約を締結しない旨の意思（当該勧誘を引き続き受けることを希望しない旨の意思を含む。）を表示したにもかかわらず、当該勧誘を継続すること。

ホ　迷惑を覚えさせるような時間に電話し、又は訪問すること。

ヘ　深夜又は長時間の勧誘その他の私生活又は業務の平穏を害するような方法によりその者を困惑させること。

二　宅地建物取引業者の相手方等が契約の申込みの撤回を行うに際し、既に受領した預り金を返還することを拒むこと。

三　宅地建物取引業者の相手方等が手付を放棄して契約の解除を行うに際し、正当な理由なく、当該契約の解除を拒み、又は妨げること。

（証明書の様式）

第一七条　法第四十八条第一項に規定する証明書の様式は、別記様式第八号によるものとする。

（従業者名簿の記載事項等）

第一七条の二　法第四十八条第三項の国土交通省令で定める事項は、次に掲げるものとする。

一　生年月日

> 一号は、削られます。

二　主たる職務内容

三　宅地建物取引士であるか否かの別

四　当該事務所の従業者となつた年月日

五　当該事務所の従業者でなくなつたときは、その年月日

> 二号から五号は、一号から四号に繰り上げられます。

2　法第四十八条第三項に規定する従業者名簿の様式は、別記様式第八号の二によるものとする。

3　法第四十八条第三項に規定する従業者名簿の氏名、住所及び同条第一項の証明書の番号並びに第一項各号に掲げる事項が、電子計算機に備えられたファイル又は電磁的記録媒体に記録され、必要に応じ当該事務所において電子計算機その他の機器を用いて明確に紙面に表示されるときは、当該記録をもつて法第四十八条第三項に規定する従業者名簿への記載に代えることができる。この場合における同条第四項の規定による閲覧は、当該ファイル又は電磁的記録媒体に記録されている事項を紙面又は入出力装置の映像面に表示する方法で行うものとする。

> 3　法第四十八条第三項に規定する従業者の氏名及び同条第一項の証明書の番号並びに第一項各号に掲げる事項が、電子計算機に備えられたファイル又は電磁的記録媒体に記録され、必要に応じ当該事務所において電子計算機その他の機器を用いて明確に紙面に表示されるときは、当該記録をもつて同条第三項に規定する従業者名簿への記載に代えることができる。この場合における同条第四項の規定による閲覧は、当該ファイル又は電磁的記録媒体に記録されている事項を紙面又は入出力装置の映像面に表示する方法で行うものとする。

4　宅地建物取引業者は、法第四十八条第三項に規定する従業者名簿（前項の規定による記録が行われた同項のファイル又は電磁的記録媒体を含む。）を最終の記載をした日から十年間保存しなければならない。

（帳簿の記載事項等）

第一八条　法第四十九条に規定する国土交通省令で定める事項は、次のとおりとする。

一　売買若しくは交換又は売買、交換若しくは貸借の代理若しくは媒介の別（取引一任代理等（法第五十条の二第一項に規定する取引一任代理等をいう。以下同じ。）に係るものである場合は、その旨を含む。）

二　売買、交換若しくは貸借の相手方若しくは代理を依頼した者又は媒介に係る売買、交換若しくは貸借の各当事者及びこれらの者の代理人の氏名及び住所

三　取引に関与した他の宅地建物取引業者の商号又は名称（当該宅地建物取引業者が個人である場合においては、その者の氏名）

四　宅地の場合にあつては、現況地目、位置、形状その他当該宅地の概況

五　建物の場合にあつては、構造上の種別、用途その他当該建物の概況

六　売買金額、交換物件の品目及び交換差金又は賃料

七　報酬の額

八　宅地建物取引業者が自ら売主となる新築住宅（住宅の品質確保の促進等に関する法律第二条第二項に規定する新築住宅をいう。以下この条において同じ。）の場合にあつては、次に掲げる事項

イ　当該新築住宅を引き渡した年月日

ロ　当該新築住宅の床面積

ハ　当該新築住宅が特定住宅瑕疵担保責任の履行の確保等に関する法律施行令（平成十九年政令第三百九十五号）第六条第一項の販売新築住宅であるときは、同項の書面に記載された二以上の宅地建物取引業者それぞれの販売瑕疵負担割合（同項に規定する販売瑕疵負担割合をいう。以下この号において同じ。）の合計に対する当該宅地建物取引業者の販売瑕疵負担割合の割合

ニ　当該新築住宅について、住宅瑕疵担保責任保険法人（特定住宅瑕疵担保責任の履行の確保等に関する法律第十七条第一項に規定する住宅瑕疵担保責任保険法人をいう。）と住宅販売瑕疵担保責任保険契約（同法第二条第六項に規定する住宅販売瑕疵担保責任保険契約をいう。）を締結し、保険証券又はこれに代わるべき書面を買主に交付しているときは、当該住宅瑕疵担保責任保険法人の名称

九　取引に関する特約その他参考となる事項

2　法第四十九条に規定する宅地建物取引のあつた年月日、その取引に係る宅地又は建物の所在及び面積並びに第一項各号に掲げる事項が、電子計算機に備えられたファイル又は電磁的記録媒体に記録され、必要に応じ当該事務所において電子計算機その他の機器を用いて明確に紙面に表示されるときは、当該記録をもつて法第四十九条に規定する帳簿への記載に代えることができる。

3　宅地建物取引業者は、法第四十九条に規定する帳簿（前項の規定による記録が行われた同項のファイル又は電磁的記録媒体を含む。）を各事業年度の末日をもつて閉鎖するものとし、閉鎖後五年間（当該宅地建物取引業者が自ら売主となる新築住宅に係るものにあつては、十年間）当該帳簿を保存しなければならない。

（標識の掲示等）

第一九条　法第五十条第一項の国土交通省令で定める業務を行う場所は、次に掲げるもので第十五条の五の二に規定する場所以外のものとする。

一　継続的に業務を行うことができる施設を有する場所で事務所以外のもの

二　宅地建物取引業者が一団の宅地建物の分譲をする場合における当該宅地又は建物の所在する場所

三　前号の分譲を案内所を設置して行う場合にあつては、その案内所

四　他の宅地建物取引業者が行う一団の宅地建物の分譲の代理又は媒介を案内所を設置して行う場合にあつては、その案内所

五　宅地建物取引業者が業務に関し展示会その他これに類する催しを実施する場合にあつては、これらの催しを実施する場所

2　法第五十条第一項の規定により宅地建物取引業者が掲げる標識の様式は、次の各号に掲げる場所の区分に応じ、当該各号に掲げる様式とする。

一　事務所　別記様式第九号

二　前項第一号、第三号又は第五号に規定する場所で法第三十一条の三第一項の規定により同項に規定する宅地建物取引士を置くべきもの　別記様式第十号

三　前項第一号、第三号又は第五号に規定する場所で前号に規定するもの以外のもの　別記様式第十号の二

四　前項第二号に規定する場所　別記様式第十一号

五　前項第四号に規定する場所で法第三十一条の三第一項の規定により同項に規定する宅地建物取引士を置くべきもの　別記様式第十一号の二

六　前項第四号に規定する場所で前号に規定するもの以外のもの　別記様式第十一号の三

3　法第五十条第二項の規定による届出をしようとする者は、その業務を開始する日の十日前までに、別記様式第十二号による届出書を提出しなければならない。

（取引一任代理等に係る認可の申請）

第一九条の二　法第五十条の二第一項の認可を受けようとする者は、次に掲げる事項を記載した認可申請書を国土交通大臣に提出しなければならない。

一　商号

二　免許証番号

三　資本金の額（外国の法令に準拠して設立された法人にあつては、その本邦支店の持込資本金（資本金に対応する資産のうち国内に持ち込むものをいう。）の額とする。次条第一号において同じ。）並びに役員及び重要な使用人（取引一任代理等に係る業務を行う事務所の業務を統括する者及びこれに準ずる者、取引一任代理等に係る業務の用に供する目的で宅地若しくは建物の価値の分析又は当該分析に基づく投資判断を行う者並びに投資判断並びに宅地又は建物の売買、交換、貸借及び管理に係る各判断に関する業務を統括する者及びこれに準ずる者をいう。以下同じ。）の氏名

四　取引一任代理等に係る業務を行う事務所の名称及び所在地

五　取引一任代理等に係る業務の方法

六　認可を申請しようとする法人の発行済株式総数の百分の五以上の株式を有する株主又は出資の額の百分の五以上の額に相当する出資をしている者の氏名又は名称、住所及びその有する株式の数又はその者のなした出資の金額

七　認可を申請しようとする法人の役員が、他の会社の常務に従事し、又は事業を営んでいるときは、当該役員の氏名並びに当該他の会社の商号及び業務の種類又は当該事業の種類

2　前項の認可申請書には、次に掲げる書類を添えなければならない。

一　役員及び重要な使用人が、破産手続開始の決定を受けて復権を得ない者に該当しない旨の市町村の長の証明書又はこれに代わる書面

二　役員及び重要な使用人が、法第五条第一項各号に該当しないことを誓約する書面

三　役員及び重要な使用人の略歴を記載した書面

四　定款及び登記事項証明書又はこれに代わる書面

五　直前一年の各事業年度の貸借対照表、損益計算書及び株主資本等変動計算書

六　今後三年間（業務の開始を予定する日の属する事業年度及び当該事業年度の翌事業年度から起算して三事業年度をいう。以下同じ。）における当該業務の収支の見込みを記載した書面

七　今後三年間の純資産額（資産総額から負債総額を減じた金額をいう。以下同じ。）の見込みを記載した書面

八　今後三年間の取引一任代理等に係る契約に係る契約資産額の見込みを記載した書面

九　取引一任代理等に係る業務に関する管理体制の整備状況を記載した書面

十　取引一任代理等に係る業務に関する苦情処理体制の整備状況を記載した書面

3　国土交通大臣は、法第五十条の二第一項の認可を受けようとする者の役員及び重要な使用人に係る機構保存本人確認情報のうち住民票コード以外のものについて、住民基本台帳法第三十条の九の規定によるその提供を受けることができないときは、法第五十条の二第一項の認可を受けようとする者に対し、住民票の抄本又はこれに代わる書面を提出させることができる。

4　国土交通大臣は、法第五十条の二第一項の認可を受けようとする者に対し、第二項に規定するもののほか、必要と認める書類を提出させることができる。

5　第一項に規定する認可申請書の様式は、別記様式第十二号の二によるものとし、第二項第二号及び第三号並びに第六号から第十号までに掲げる添付書類の様式は、別記様式第十二号の三によるものとする。

（認可の具体的基準）

第一九条の二の二　国土交通大臣は、法第五十条の二第一項の規定による認可の申請が法第五十条の二の三第一項に掲げる基準に該当するかどうかを審査するに当たつては、次の各号のいずれかに該当するかどうかを審査しなければならない。

一　法第五十条の二の三第一項第一号に掲げる基準については、資本金の額が五千万円以上の株式会社（外国の法令に準拠して設立された株式会社と同種類の法人で国内に営業所を有するものを含む。）でないこと。

二　法第五十条の二の三第一項第二号に掲げる基準については、次のイ又

はロのいずれかを満たしていないこと。

イ　今後三年間の純資産額が、五千万円を下回らない水準に維持されると見込まれること。

ロ　取引一任代理等に係る業務の収支の見込みが、今後三年間に黒字になると見込まれること。

三　法第五十条の二の三第一項第三号に掲げる基準として次のイからへのいずれかを満たしていないこと。

イ　取引一任代理等に係る業務を公正かつ的確に遂行できる経営体制であり、かつ、経営方針も健全なものであること。

ロ　役員のうちに、経歴及び業務遂行上の能力等に照らして認可宅地建物取引業者としての業務運営に不適切な資質を有する者がいないこと。

ハ　重要な使用人のうちに、大規模な投資判断又は宅地若しくは建物の売買、交換、貸借及び管理に係る各判断に関する業務を的確に遂行することができる知識及び経験を有する者が含まれていること。

ニ　管理部門（法令その他の規則の遵守状況を管理し、その遵守を指導する部門をいう。）の責任者が定められ、法令その他の規則が遵守される体制が整っていること。

ホ　管理部門の責任者と取引一任代理等に係る業務に係る部門の担当者又はその責任者が兼任していないこと。

ヘ　顧客からの資産運用状況の照会に、短時間に回答できる体制となっていること等取引一任代理等に係る業務について管理体制が整備されていること。

（法第五十条の二の四の規定により読み替えて適用される法第三十五条第三項ただし書の国土交通省令で定める場合）

第一九条の二の三　法第五十条の二の四の規定により読み替えて適用される法第三十五条第三項ただし書の国土交通省令で定める場合は、次に掲げる場合とする。

一　法第五十条の二の四に規定する投資事業が、主として宅地又は建物に係る信託の受益権以外に対するものである場合

二　金融商品取引法第二条第三十一項に規定する特定投資家（同法第三十四条の二第五項により特定投資家以外の顧客とみなされる者を除く。）及び同法第三十四条の三第四項により特定投資家とみなされる者を不動産信託受益権売買等の相手方とする場合

三　不動産信託受益権売買等の契約締結前一年以内に売買の相手方に対し当該契約と同一の内容の契約について書面を交付して説明をしている場合

四　売買の相手方に対し金融商品取引法第二条第十項に規定する目論見書（書面を交付して説明すべき事項のすべてが記載されているものに限る。）を交付している場合

2　書面を交付して説明をした日（この項の規定により書面を交付して説明をしたものとみなされた日を含む。）から一年以内に当該説明に係る売買契約と同一の内容の売買契約の締結を行った場合には、当該締結の日において書面を交付して説明をしたものとみなして、前項第三号の規定を適用する。

（法第五十条の二の四の規定により読み替えて適用される法第三十五条第三項第五号の国土交通省令で定める事項）

第一九条の二の四　法第五十条の二の四の規定により読み替えて適用される法第三十五条第三項第五号に規定する国土交通省令で定める事項は、当該信託財産が宅地の場合にあつては宅地の造成の工事の完了時における当該宅地に接する道路の構造及び幅員、建物の場合にあつては建築の工事の完了時における当該建物の主要構造部、内装及び外装の構造又は仕上げ並びに設備の設置及び構造とする。

（法第五十条の二の四の規定により読み替えて適用される法第三十五条第三項第六号の国土交通省令で定める事項）

第一九条の二の五　法第五十条の二の四の規定により読み替えて適用される法第三十五条第三項第六号の国土交通省令で定める事項は、次に掲げるものとする。

一　当該信託財産である建物を所有するための一棟の建物の敷地に関する権利の種類及び内容

二　区分所有法第二条第四項に規定する共用部分に関する規約の定め（その案を含む。次号において同じ。）があるときは、その内容

三　区分所有法第二条第三項に規定する専有部分の用途その他の利用の制限に関する規約の定めがあるときは、その内容

四　当該信託財産である一棟の建物又はその敷地の一部を特定の者にのみ使用を許す旨の規約（これに類するものを含む。次号及び第六号において同じ。）の定め（その案を含む。次号及び第六号において同じ。）があるときは、その内容

五　当該信託財産である一棟の建物の計画的な維持修繕のための費用、通常の管理費用その他の当該建物の所有者が負担しなければならない費用を特定の者にのみ減免する旨の規約の定めがあるときは、その内容

六　当該信託財産である一棟の建物の計画的な維持修繕のための費用の積立てを行う旨の規約の定めがあるときは、その内容及び既に積み立てられている額

七　当該信託財産である建物の所有者が負担しなければならない通常の管理費用の額

八　当該信託財産である一棟の建物及びその敷地の管理が委託されているときは、その委託を受けている者の氏名（法人にあつては、その商号又は名称）及び住所（法人にあつては、その主たる事務所の所在地）

九　当該信託財産である一棟の建物の維持修繕の実施状況が記録されているときは、その内容

（法第五十条の二の四の規定により読み替えて適用される法第三十五条第三項第七号の国土交通省令で定める事項）

第一九条の二の六　法第五十条の二の四の規定により読み替えて適用される法第三十五条第三項第七号の国土交通省令で定める事項は、当該信託財産が宅地である場合にあつては第一号から第三号の二まで及び第七号に掲げるもの、当該信託財産が建物である場合にあつては第一号から第七号までに掲げるものとする。

一　当該信託財産である宅地又は建物が宅地造成及び特定盛土等規制法第四十五条第一項により指定された造成宅地防災区域内にあるときは、その旨

二　当該信託財産である宅地又は建物が土砂災害警戒区域等における土砂災害防止対策の推進に関する法律第七条第一項により指定された土砂災害警戒区域内にあるときは、その旨

三　当該信託財産である宅地又は建物が津波防災地域づくりに関する法律第五十三条第一項により指定された津波災害警戒区域内にあるときは、その旨

三の二　水防法施行規則第十一条第一号の規定により当該信託財産である宅地又は建物が所在する市町村の長が提供する図面に当該信託財産である宅地又は建物の位置が表示されているときは、当該図面における当該信託財産である宅地又は建物の所在地

四　当該信託財産である建物について、石綿の使用の有無の調査の結果が記録されているときは、その内容

五　当該信託財産である建物（昭和五十六年六月一日以降に新築の工事に着手したものを除く。）が建築物の耐震改修の促進に関する法律第四条第一項に規定する基本方針のうち同条第二項第三号の技術上の指針となるべき事項に基づいて次に掲げる者が行う耐震診断を受けたものであるときは、その内容

イ　建築基準法第七十七条の二十一第一項に規定する指定確認検査機関

ロ　建築士

ハ　住宅の品質確保の促進等に関する法律第五条第一項に規定する登録住宅性能評価機関

ニ　地方公共団体

六　当該信託財産である建物が住宅の品質確保の促進等に関する法律第五条第一項に規定する住宅性能評価を受けた新築住宅であるときは、その旨

七　当該信託財産である宅地又は建物が種類又は品質に関して契約の内容に適合しない場合におけるその不適合を担保すべき責任の履行に関し保証保険契約の締結その他の措置で次に掲げるものを講じられているときは、その概要

イ　当該信託財産である宅地又は建物が種類又は品質に関して契約の内容に適合しない場合におけるその不適合を担保すべき責任の履行に関する保証保険契約又は責任保険契約の締結

ロ　当該信託財産である宅地又は建物が種類又は品質に関して契約の内容に適合しない場合におけるその不適合を担保すべき責任の履行に関する保証保険又は責任保険を付保することを委託する契約の締結

八　当該信託財産である宅地又は建物が種類又は品質に関して契約の内容に適合しない場合におけるその不適合を担保すべき責任の履行に関する債務について銀行等が連帯して保証することを委託する契約の締結

（指定流通機構の指定方法）

第一九条の二の七　法第五十条の二の五第一項の規定による指定は、宅地及び建物の流通の実情、相当数の登録の見込み、宅地及び建物の取引に係る情報ネットワークの効率的な構築の見通し等を勘案して国土交通大臣が定める地域ごとに一を限り、行うものとする。

（心身の故障により指定流通機構の業務を適正に行うことができない者）

第一九条の二の八　法第五十条の二の五第一項第三号ハの国土交通省令で定める者は、精神の機能の障害により指定流通機構の業務を適正に行うに当たつて必要な認知、判断及び意思疎通を適切に行うことができない者とする。

（指定流通機構の指定の公示事項）

第一九条の三　法第五十条の二の五第二項の国土交通省令で定める事項は、前条の規定により国土交通大臣が定める地域のうち当該指定流通機構に係る地域とする。

（指定流通機構の指定の公示事項）

第一九条の三　法第五十条の二の五第二項の国土交通省令で定める事項は、第十九条の二の七の規定により国土交通大臣が定める地域のうち当該指定流通機構に係る地域とする。

（業務の一部委託の承認申請）

第一九条の四　指定流通機構は、法第五十条の三第二項の規定により、その業務の一部を他の者に委託しようとするときは、次に掲げる事項を記載した委託承認申請書を国土交通大臣に提出しなければならない。

一　受託者の商号又は名称及び代表者の氏名
二　受託者の事務所の所在地
三　委託しようとする業務内容及び範囲
四　委託の期間
五　委託を必要とする理由

2　前項の委託承認申請書には、次に掲げる書類を添付しなければならない。

一　受託者の定款又は寄附行為
二　受託者の登記事項証明書
三　受託者の役員の履歴書
四　業務の委託契約書の写し
五　受託者の業務の実施に関する基本的な計画
六　受託者の直前三年の各年度における事業報告書及び収支決算書
七　受託者の役員が法第五十条の二の五第一項第三号イに規定する破産手続開始の決定を受けて復権を得ない者に該当しない旨の市町村の長の証明書
八　受託者の役員が法第五十条の二の五第一項第三号イ（法第五条第一項第一号に係る部分を除く。）からハまでに該当しないことを誓約する書面

3　国土交通大臣は、指定流通機構に対し、前項に規定するもののほか、必要と認める書類を提出させることができる。

4　第一項の規定による委託承認申請書の様式は、別記様式第十二号の四によるものとし、第二項第八号の誓約書の様式は、別記様式第十二号の五によるものとする。

（登録業務規程で定めるべき事項）

第一九条の五　法第五十条の五第二項の国土交通省令で定める事項は、次に掲げるものとする。

一　登録業務の実施方法（登録業務の連携、代行等に関する他の指定流通機構との協定の締結を含む。）
二　登録業務に関する料金
三　登録業務に関する契約約款
四　登録業務の一部委託に関する事項
五　その他登録業務に関し必要な事項

（登録を証する書面の発行）

第一九条の六　法第五十条の六の規定による登録を証する書面の発行は、少なくとも次に掲げる事項について行うものとする。

一　登録番号
二　登録年月日
三　法第三十四条の二第五項の規定により登録された事項

（売買契約等に係る件数等の公表）

第一九条の七　法第五十条の七の国土交通省令で定める事項は、毎月の売買又は交換の契約に係る物件についての都道府県別及び種類別の単位面積当たりの取引価格の平均とする。

2　法第五十条の七の規定による公表は、当該指定流通機構の事務所における備付けその他の適当な方法により、毎年少なくとも一回行うものとする。

（登録業務の休廃止の届出事項）

第一九条の八　法第五十条の十三の国土交通省令で定める事項は、次に掲げるものとする。

一　休止し、又は廃止しようとする登録業務の範囲
二　休止し、又は廃止しようとする年月日及び休止しようとする場合にあつては、その期間
三　休止又は廃止の理由

（他の指定流通機構による登録業務の実施の公示）

第一九条の九　法第五十条の十五第二項の規定による公示は、次に掲げる事項について行うものとする。

一　代行される指定流通機構の名称
二　代行する指定流通機構の名称
三　代行する業務の範囲
四　代行する業務を開始する年月日

（事業計画書の記載事項）

第二〇条　法第五十一条第三項第二号及び第六十三条第一項に規定する国土交通省令で定める事項は、主要な保証委託者別及び支店別保証計画とする。

（添付書類等）

第二一条　法第五十一条第三項第四号に規定する国土交通省令で定める書類は、次に掲げるものとする。

一　登記事項証明書
二　申請時における貸借対照表
三　役員の履歴書
四　役員が法第五十二条第七号イに規定する破産手続開始の決定を受けて復権を得ない者に該当しない旨の市町村の長の証明書
五　役員が法第五十二条第七号ロからホまでに該当しないことを誓約する書面

2　国土交通大臣は、法第四十一条第一項第一号の指定を受けようとする者に対し、前項に規定するもののほか、必要と認める書類を提出させることができる。

3　法第五十一条第二項の規定による申請書の様式は、別記様式第十三号によるものとし、第一項第五号の誓約書の様式は、別記様式第十四号によるものとする。

（事業方法書の記載事項）

第二二条　法第五十一条第四項の国土交通省令で定める事項は、指定保証機関の資産の運用方法に関する事項並びに保証委託者の業務及び財産の状況の調査方法に関する事項とする。

（保証委託契約約款の基準）

第二三条　保証委託契約約款には、少なくとも次に掲げる事項が定められていなければならない。

一　保証債務の範囲及び保証期間に関する事項
二　保証金の請求に関する事項
三　保証金の支払に関する事項
四　保証委託者の通知義務に関する事項
五　調査に関する事項

2　前項各号に掲げる事項の内容は、次に掲げる基準に合致するものでなければならない。

一　前項第一号に掲げる事項にあつては、法第四十一条第二項各号に掲げる要件に適合する保証契約を成立させる旨が定められていること。
二　前項第二号に掲げる事項にあつては、買主が保証金の支払を受けようとするときは、保証証書を提示して請求すべき旨が定められていること。
三　前項第三号に掲げる事項にあつては、指定保証機関は、買主から保証金の支払の請求があつた場合においては、その日から三十日をこえない一定期間内に保証金を支払う旨が定められていること。
四　前項第四号に掲げる事項にあつては、保証に係る宅地又は建物の売買

契約の内容の重大な変更その他保証債務の履行に重大な影響を及ぼすおそれのある事実が生じた場合には、保証委託者は、当該事実を、遅滞なく、指定保証機関に通知すべき旨が定められていること。

五　前項第五号に掲げる事項にあつては、指定保証機関は、保証債務を履行するうえで必要と認める場合に、保証委託者の業務及び財産の状況について調査を行ない、又は報告を求めることができる旨が定められていること。

3　保証委託契約款には、次の事項が記載されていてはならない。

一　戦争、暴動その他の事変又は地震、噴火その他これらに類する天災等保証委託者の責に帰すことのできない事由以外の事由によつて手付金等の返還債務が生じた場合に正当の理由がなくてその保証債務の履行の責に任じない旨の定め

二　保証契約に基づいて、保証金を支払つた場合に、保証委託者に対し有することとなる求償権を放棄し、又は買主に代位しない旨の定め

三　前二号に掲げる事項のほか買主に著しく不利となる定め又は指定保証機関の健全な運営に重大な支障となる定め

（心身の故障により手付金等保証事業を適正に営むことができない者）

第二三条の二　法第五十二条第七号ホの国土交通省令で定める者は、精神の機能の障害により手付金等保証事業を適正に営むに当たつて必要な認知、判断及び意思疎通を適切に行うことができない者とする。

（変更の届出）

第二四条　指定保証機関は、法第五十三条の規定による届出を行なおうとするときは、その旨を書面で国土交通大臣に届け出なければならない。

2　前項の規定による変更の届出が商号、役員の氏名若しくは住所、本店若しくは支店の名称若しくは所在地、資本金の額又は定款に係るものであるときは、その変更を証する書面を前項の書面に添付しなければならない。

3　第一項の規定による変更の届出が新たに就任した役員に係るものであるときは、前項に掲げる書面のほか、当該役員の履歴書、法第五十二条第七号イに規定する破産手続開始の決定を受けて復権を得ない者に該当しない旨の市町村の長の証明書及び同号ロからホまでに該当しないことを誓約する書面を第一項の書面に添付しなければならない。

（事業報告書の様式）

第二五条　法第六十三条第三項に規定する事業報告書の様式は、別記様式第十五号によるものとする。

第二五条の二　削除

（法第六十三条の三第二項において準用する法第五十一条第二項第三号の国土交通省令で定める営業所）

第二五条の三　法第六十三条の三第二項において読み替えて準用する法第五十一条第二項第三号の国土交通省令で定める営業所は、常時手付金等保管事業に係る手付金等寄託契約を締結する事務所とする。

（事業計画書の記載事項）

第二五条の四　法第六十三条の三第二項において準用する法第五十一条第三項第二号及び第六十三条第一項の国土交通省令で定める事項は、主要な寄託者別及び支店別保管計画とする。

（添付書類等）

第二五条の五　法第六十三条の三第二項において準用する法第五十一条第三項第四号の国土交通省令で定める書類は、次に掲げるものとする。

一　登記事項証明書

二　申請時における貸借対照表

三　役員の履歴書

四　役員が法第六十三条の三第二項において準用する法第五十二条第七号イに規定する破産手続開始の決定を受けて復権を得ない者に該当しない旨の市町村の長の証明書

五　役員が法第六十三条の三第二項において準用する法第五十二条第七号ロからホまでに該当しないことを誓約する書面

六　手付金等保管事業に係る質権設定契約約款

2　国土交通大臣は、法第四十一条の二第一項第一号の指定を受けようとする者に対し、前項に規定するもののほか、必要と認める書類を提出させることができる。

3　法第六十三条の三第二項において準用する法第五十一条第二項の規定による申請書の様式は、別記様式第十六号の二によるものとし、第一項第五号の誓約書の様式は、別記様式第十六号の三によるものとする。

（事業方法書の記載事項）

第二五条の六　法第六十三条の三第二項において準用する法第五十一条第四項の国土交通省令で定める事項は、次に掲げるものとする。

一　支店及び第二十五条の三に規定する営業所の権限に関する事項

二　手付金等寄託契約の締結の方法に関する事項

三　寄託金に係る質権の実行に関する事項

四　寄託金に係る質権の消滅に関する事項

五　指定保管機関の資産の運用方法に関する事項

六　寄託者の業務及び財産の状況の調査方法に関する事項

七　事業方法書の変更に関する事項

（手付金等寄託契約約款の基準等）

第二五条の七　手付金等寄託契約約款には、少なくとも次に掲げる事項が定められていなければならない。

一　保管される金額及び保管期間に関する事項

二　寄託金に係る質権の実行に伴う寄託金の支払請求に関する事項

三　寄託金に係る質権の消滅に伴う寄託金の支払請求に関する事項

四　寄託金に係る質権の実行に伴う寄託金の支払に関する事項

五　手付金等を受領する権限に関する事項

六　寄託者の通知義務に関する事項

七　調査に関する事項

2　前項各号に掲げる事項の内容は、次に掲げる基準に合致するものでなければならない。

一　前項第一号に掲げる事項にあつては、法第四十一条の二第二項各号に掲げる要件に適合する手付金等寄託契約を成立させる旨が定められていること。

二　前項第二号に掲げる事項にあつては、買主が質権の実行に伴い指定保管機関から寄託金の支払を受けようとするときは、質権設定契約書及び寄託金の保管を証する書面を提示して請求すべき旨が定められていること。

三　前項第三号に掲げる事項にあつては、寄託者が質権の消滅に伴い指定保管機関から寄託金の支払を受けようとするときは、質権の消滅を証する書面及び寄託金の保管を証する書面を提示して請求すべき旨が定められていること。

四　前項第四号に掲げる事項にあつては、買主から寄託金の支払の請求があつた場合においては、指定保管機関は、その日から三十日を超えない一定期間内に寄託金を支払う旨が定められていること。

五　前項第五号に掲げる事項にあつては、寄託者が指定保管機関に対して自己に代理して手付金等を受領する権限を授与する旨の意思表示がなされる定め及び当該寄託者が自ら手付金等を受領せず、かつ、指定保管機関以外の者に対して自己に代理して手付金等を受領する権限を授与しない旨が定められていること。

六　前項第六号に掲げる事項にあつては、寄託に係る宅地又は建物の売買契約の内容の重大な変更その他寄託金の返還債務の履行に重大な影響を及ぼすおそれのある事実が生じた場合には、寄託者は、当該事実を、遅滞なく、指定保管機関に通知すべき旨が定められていること。

七　前項第七号に掲げる事項にあつては、指定保管機関は、寄託金の返還債務を履行する上で必要と認める場合は、寄託者の業務及び財産の状況について調査を行い、又は報告を求めることができる旨が定められていること。

3　質権設定契約約款には、少なくとも次に掲げる事項が定められていなければならない。

一　質権の目的となる債権に関する事項

二　質権の存続期間に関する事項

三　質権の担保すべき債権に関する事項

4　前項各号に掲げる事項の内容は、次に掲げる基準に合致するものでなければならない。

一　前項第一号に掲げる事項にあつては、手付金等寄託契約に基づく寄託金の返還を目的とする債権について質権を設定する旨が定められていること。

二　前項第二号に掲げる事項にあつては、法第四十一条の二第三項に掲げる要件に適合する質権設定契約を成立させる旨が定められていること。

三　前項第三号に掲げる事項にあつては、買主が宅地建物取引業者に対して有することとなる手付金等の返還を目的とする債権の担保として質権を設定する旨が定められていること。

5　手付金等寄託契約約款及び質権設定契約約款には、買主に著しく不利となる定め又は指定保管機関の健全な運営に重大な支障となる定めが記載されていてはならない。

（心身の故障により手付金等保管事業を適正に営むことができない者）

第二五条の七の二　法第六十三条の三第二項において準用する法第五十二条第七号ホの国土交通省令で定める者は、精神の機能の障害により手付金等保管事業を適正に営むに当たつて必要な認知、判断及び意思疎通を適切に行うことができない者とする。

（変更の届出）

第二五条の八　指定保管機関は、法第六十三条の三第二項において準用する法第五十三条の規定による届出を行おうとするときは、その旨を書面で国土交通大臣に届け出なければならない。

2　前項の規定による変更の届出が商号、役員の氏名若しくは住所、本店若しくは支店の名称若しくは所在地、資本金の額又は定款に係るものであるときは、その変更を証する書面を前項の書面に添付しなければならない。

3　第一項の規定による変更の届出が新たに就任した役員に係るものであるときは、前項に掲げる書面のほか、当該役員の履歴書、法第六十三条の三第二項において準用する法第五十二条第七号イに規定する破産手続開始の決定を受けて復権を得ない者に該当しない旨の市町村の長の証明書及び同号ロからホまでに該当しないことを誓約する書面を第一項の書面に添付しなければならない。

（事業報告書の様式）

第二五条の九　法第六十三条の三第二項において準用する法第六十三条第三項に規定する事業報告書の様式は、別記様式第十六号の四によるものとする。

（寄託金保管簿の記載事項等）

第二六条　法第六十三条の五の国土交通省令で定める事項は、次に掲げるものとする。

一　保管番号
二　手付金等寄託契約を締結した年月日
三　民法第四百六十七条の規定による確定日付のある証書をもつて質権の設定の通知を受けた年月日
四　寄託金を受領した年月日
五　受領した寄託金の額
六　寄託者の商号又は名称（当該寄託者が個人である場合においては、その者の氏名）
七　質権者の氏名（当該質権者が法人である場合においては、その商号又は名称）
八　寄託金の保管を証する書面を発行した年月日
九　保管期間の終了予定年月日
十　寄託金を支払つた年月日
十一　支払つた寄託金の額
十二　寄託金を支払つた相手方の商号又は名称（当該相手方が個人である場合においては、その者の氏名）

2　前項各号に掲げる事項が、電子計算機に備えられたファイル又は電磁的記録媒体に記録され、必要に応じ当該指定保管機関において電子計算機その他の機器を用いて明確に紙面に表示されるときは、当該記録をもつて法第六十三条の五に規定する寄託金保管簿への記載に代えることができる。

3　指定保管機関は、法第六十三条の五に規定する寄託金保管簿（前項の規定による記録が行われた同項のファイル又は電磁的記録媒体を含む。）及び手付金等寄託契約に関する書類を、寄託金保管簿にあつては最終の記載をした日から、手付金等寄託契約に関する書類にあつては寄託金を支払つた日から十年間保存しなければならない。

4　法第六十三条の五に規定する寄託金保管簿の様式は、別記様式第十六号の六によるものとする。

（心身の故障により宅地建物取引業保証協会の業務を適正に行うことができない者）

第二六条の二　法第六十四条の二第一項第四号ハの国土交通省令で定める者は、精神の機能の障害により宅地建物取引業保証協会の業務を適正に行うに当たつて必要な認知、判断及び意思疎通を適切に行うことができない者とする。

（宅地建物取引業保証協会の指定の申請）

第二六条の二の二　法第六十四条の二第一項の指定を受けようとする者は、次の各号に掲げる事項を記載した別記様式第十七号による指定申請書を国土交通大臣に提出しなければならない。

一　名称及び住所並びに代表者の氏名
二　事務所の所在地
三　資産の総額

2　前項の指定申請書には、次の各号に掲げる書類を添付しなければならない。

一　登記事項証明書
二　社員である宅地建物取引業者の商号又は名称、住所、免許証番号及び免許の年月日を記載した書類
三　法第六十四条の三に掲げる業務の実施に関する基本的な計画
四　役員が法第六十四条の二第一項第四号イからハまでに該当しないことを誓約する書面
五　資産の種類及びこれを証する書類

3　国土交通大臣は、法第六十四条の二第一項の指定を受けようとする者に対し、前項に規定するもののほか、必要と認める書類を提出させることができる。

4　第二項第二号の書類は、宅地建物取引業者の免許を受けた国土交通大臣又は各都道府県知事ごとに別紙として二部添付するものとし、第二項第四号の誓約書の様式は、別記様式第十八号によるものとする。

（宅地建物取引業保証協会の業務の一部委託承認申請）

第二六条の三　宅地建物取引業保証協会は、法第六十四条の三第四項の規定により、その業務の一部を他の者に委託しようとするときは、次の各号に掲げる事項を記載した委託承認申請書を国土交通大臣に提出しなければならない。

一　受託者の名称及び代表者の氏名
二　受託者の事務所の所在地
三　委託しようとする法第六十四条の三に規定する業務内容及び範囲
四　委託の期間
五　委託を必要とする理由

2　前項の委託承認申請書には、次に掲げる書類を添付しなければならない。

一　受託者の定款
二　受託者の登記事項証明書
三　受託者の役員名簿及び履歴書
四　法第六十四条の三に規定する業務の委託契約書の写
五　受託者の業務の実施に関する基本的な計画
六　受託者の直前三年の各年度における事業報告書及び収支決算書
七　受託者の役員が法第五条第一項第一号に規定する破産手続開始の決定を受けて復権を得ない者に該当しない旨の市町村の長の証明書
八　受託者の役員が法第五条第一項第二号から第八号まで及び第十号に該当しないことを誓約する書面

3　国土交通大臣は、宅地建物取引業保証協会に対し、前項に規定するもののほか、必要と認める書類を提出させることができる。

4　第一項の規定による委託承認申請書の様式は、別記様式第十九号によるものとし、第二項第八号の誓約書の様式は、別記様式第二十号によるものとする。

（宅地建物取引業保証協会の業務の一部委託承認基準）

第二六条の四　国土交通大臣は、前条第一項の委託承認申請書を受理した場合において、その申請が次の各号に掲げる基準に適合していると認められるときは、これを承認するものとする。

一　業務の委託が宅地建物取引業保証協会の業務を運営するために必要であること。
二　受託者が一般社団法人若しくは一般財団法人又は銀行等であること。
三　受託者がその受託する業務について、適正な計画を有し、かつ、確実にその業務を行なうことができるものであること。

（認証の申出）

第二六条の五　法第六十四条の八第二項の規定により宅地建物取引業保証協会の認証を受けようとする者は、その者と取引をした社員が属する宅地建物取引業保証協会に別記様式第二十一号による認証申出書を三通提出しなければならない。

2　前項の認証申出書には、次の各号に掲げる書類を添附しなければならない。

一　債権発生の原因である事実、取引が成立した時期、債権の額及び認証

を申し出るに至つた経緯を記載した書面

二　法第六十四条の八第一項の権利を有することを証する書面

三　認証の申出人が法人である場合においては、その代表者の資格を証する書面

四　代理人によつて認証の申出をしようとするときは、代理人の権限を証する書面

（認証の基準）

第二六条の六　宅地建物取引業保証協会は、認証の申出があつたときは、当該申出に理由がないと認める場合を除き、当該認証の申出をした者と宅地建物取引業に関し取引をした社員に係る法第六十四条の八第一項に規定する額の範囲内において、当該申出に係る債権に関し認証をしなければならない。

（認証事務の処理）

第二六条の七　宅地建物取引業保証協会は、認証に係る事務を処理する場合には、認証申出書の受理の順序に従つてしなければならない。

２　宅地建物取引業保証協会は、第二十六条の五第一項の規定により受け取つた認証申出書に奥書の式により認証する旨、又は認証を拒否する旨、及びその理由を記載して、これを申出人に対し送付しなければならない。

（弁済業務保証金準備金の取りくずし）

第二六条の八　法第六十四条の十二第七項に規定する国土交通省令で定める額は、次の表の上欄に掲げる宅地建物取引業保証協会ごとに同表の下欄に掲げる額とする。

宅地建物取引業保証協会	額
公益社団法人全国宅地建物取引業保証協会	十五億円
公益社団法人不動産保証協会	三億円

（事業計画書の記載事項）

第二六条の九　法第六十四条の十六第一項に規定する国土交通省令で定める事項は、宅地建物取引業保証協会の社員の加入計画及び弁済業務保証金の還付計画とする。

（事業報告書の様式）

第二六条の一〇　法第六十四条の十六第二項に規定する事業報告書の様式は、別記様式第二十二号によるものとする。

（一般保証業務の承認申請）

第二六条の一一　宅地建物取引業保証協会は、法第六十四条の十七第一項の規定により、一般保証業務の承認を受けようとするときは、次の各号に掲げる事項を記載した別記様式第二十三号による一般保証業務承認申請書を国土交通大臣に提出しなければならない。

一　名称及び住所並びに代表者の氏名

二　資産の総額

２　前項の一般保証業務承認申請書には、次の各号に掲げる書類を添附しなければならない。

一　一般保証業務方法書

二　保証基金の収支の見積り書

三　一般保証委託契約約款

３　前項第一号の規定による一般保証業務方法書には、保証の目的の範囲、保証限度、各保証委託者からの保証の受託の限度、一般保証委託契約の締結の方法に関する事項、保証受託の拒否の基準に関する事項、資産の運用方法に関する事項並びに保証委託者の業務及び財産の状況の調査方法に関する事項を記載しなければならない。

４　第二十三条の規定は、宅地建物取引業保証協会の一般保証委託契約約款に準用する。この場合において、同条第二項第一号中「法第四十一条第二項各号」とあるのは「第十六条の四第二項各号」と、同項第二号及び第三号中「買主」とあるのは「宅地建物取引業者の相手方等」と、同項第四号中「売買契約」とあるのは「売買、交換又は貸借契約」と、第三項第一号中「手付金等の返還債務」とあるのは「支払金又は預り金の返還債務その他の当該支払金又は預り金に関する債務」、同項第二号及び第三号中「買主」とあるのは「宅地建物取引業者の相手方等」と読み替えるものとする。

（一般保証業務の変更の届出）

第二六条の一二　宅地建物取引業保証協会は、前条第一項第二号に掲げる事項又は同条第二項第一号若しくは第三号に掲げる書類に記載した事項について変更があつた場合においては、二週間以内に、その旨を国土交通大臣に届け出なければならない。

（一般保証の限度額）

第二六条の一三　法第六十四条の十七第三項の規定により宅地建物取引業保証協会が行なう一般保証は、保証基金の額に七十五を乗じて得た額を限度とする。

（手付金等保管事業の承認申請）

第二六条の一三の二　宅地建物取引業保証協会は、法第六十四条の十七の二第一項の規定により、手付金等保管事業の承認を受けようとするときは、次に掲げる事項を記載した別記様式第二十三号の二による手付金等保管事業承認申請書を国土交通大臣に提出しなければならない。

一　名称及び住所並びに代表者の氏名

二　常時手付金等保管事業に係る手付金等寄託契約を締結する事務所の名称及び所在地

三　資産の総額

２　前項の手付金等保管事業承認申請書には、次に掲げる書類を添付しなければならない。

一　定款

二　手付金等保管事業方法書

三　収支の見積り書

四　手付金等保管事業に係る手付金等寄託契約約款及び質権設定契約約款

五　登記事項証明書

六　申請時における貸借対照表

３　前項第二号の規定による手付金等保管事業方法書には、次に掲げる事項を記載しなければならない。

一　手付金等の保管に関する事項

二　事務所の権限に関する事項

三　手付金等寄託契約の締結の方法に関する事項

四　寄託金に係る質権の実行に関する事項

五　寄託金に係る質権の消滅に関する事項

六　資産の運用方法に関する事項

七　寄託者の業務及び財産の状況の調査方法に関する事項

八　手付金等保管事業方法書の変更に関する事項

４　第二十五条の七の規定は、宅地建物取引業保証協会の手付金等保管事業に係る手付金等寄託契約約款及び質権設定契約約款に準用する。

（手付金等保管事業の変更の届出）

第二六条の一三の三　宅地建物取引業保証協会は、前条第一項第二号若しくは第三号に掲げる事項又は同条第二項第四号に掲げる書類に記載した事項について変更があつた場合においては、二週間以内に、その旨を国土交通大臣に届け出なければならない。

（処分した旨等の通知）

第二七条　国土交通大臣は、法第六十五条第一項若しくは第二項、第六十六条、第六十七条第一項又は第六十七条の二第一項若しくは第二項の規定による処分をしたときは、遅滞なく、その旨を、宅地建物取引業者の事務所の所在地を管轄する都道府県知事に通知するものとする。

２　都道府県知事は、法第三条第二項の有効期間が満了した場合において認可宅地建物取引業者の免許の更新がなされなかつたとき、認可宅地建物取引業者の免許が効力を失つたとき、法第十一条第二項の規定により認可宅地建物取引業者が同条第一項第二号に該当したとき、若しくは法第二十五条第七項、第六十六条若しくは第六十七条第一項の規定により認可宅地建物取引業者の免許を取り消したときは、遅滞なく、その旨を国土交通大臣に通知するものとする。

第二八条　削除

（監督処分の公告）

第二九条　法第七十条第一項の規定による公告は、国土交通大臣の処分に係るものにあつては官報により、都道府県知事の処分に係るものにあつては当該都道府県の公報又はウェブサイトへの掲載その他の適切な方法により行うものとする。

（身分証明書の様式）

第三〇条　法第七十二条第四項に規定する身分を示す証明書（国の職員が携帯するものを除く。）の様式は、別記様式第二十四号によるものとする。

（信託会社等の届出）

第三一条　法第七十七条第三項又は令第九条第三項の規定による届出は、次の各号に掲げる事項（法第七十七条第三項の規定による届出にあつては第五号に掲げる事項を除く。）を記載した届出書により行うものとする。

一　商号
二　役員の氏名及び住所並びに令第二条の二で定める使用人があるときは、その者の氏名及び住所

二　役員の氏名及び令第二条の二で定める使用人があるときは、その者の氏名

三　事務所の名称及び所在地
四　前号の事務所ごとに置かれる法第三十一条の三第一項に規定する宅地建物取引士の氏名及び住所（同条第二項の規定により同条第一項の宅地建物取引士とみなされる者にあつては、その氏名）

四　前号の事務所ごとに置かれる法第三十一条の三第一項に規定する宅地建物取引士の氏名

五　金融機関の信託業務の兼営等に関する法律（昭和十八年法律第四十三号。以下この条において「兼営法」という。）第一条第一項に規定する信託業務のうち宅地建物取引業として行おうとするものの内容

2　前項の届出書には、次に掲げる書類を添付しなければならない。
一　法第五条第一項各号に該当しないことを誓約する書面

一　法第四条第二項第二号、第三号、第五号及び第六号並びに第一条の二第一項各号（第七号及び第十一号を除く。）に掲げる書面

二　事務所について法第三十一条の三第一項に規定する要件を備えていることを証する書面
三　届出をしようとする者の役員（相談役及び顧問を含む。）、令二条の二で定める使用人及び事務所ごとに置かれる法第三十一条の三第一項に規定する宅地建物取引士が法第五条第一項第一号に規定する破産手続開始の決定を受けて復権を得ない者に該当しない旨の市町村の長の証明書
四　相談役及び顧問の氏名及び住所並びに発行済株式総数の百分の五以上の株式を有する株主の氏名又は名称、住所及びその有する株式の数を記載した書面
五　事務所を使用する権原に関する書面
六　事務所付近の地図及び事務所の写真
七　届出をしようとする者の役員（相談役及び顧問を含む。）、令第二条の二で定める使用人及び事務所ごとに置かれる法第三十一条の三第一項に規定する宅地建物取引士の略歴を記載した書面
八　直前三年の各事業年度の貸借対照表及び損益計算書
九　宅地建物取引業に従事する者の名簿
十　法人税の直前三年の各年度における納付すべき額及び納付済額を証する書面
十一　登記事項証明書

二号から十一号は、削られます。

十二　信託業務を兼営する金融機関にあつては、兼営法第一条第一項の認可を受けたことを証する書面及び金融機関の信託業務の兼営等に関する法律施行規則（昭和五十七年大蔵省令第十六号）第一条第一項に規定する業務の種類及び方法書
十三　令第九条第一項に規定する特別信託会社にあつては、信託業法（平成十六年法律第百五十四号）第三条の免許を受けたことを証する書面及び同法第四条第二項第三号に掲げる業務方法書

十二号及び十三号は、一号及び三号に繰り上げられます。

3　国土交通大臣は、法第七十七条第三項又は令第九条第三項の規定による届出をしようとする者に対し、前項に規定するもののほか、必要と認める書類を提出させることができる。

（準用）
第三十一条の二　令第九条第二項の規定により信託業務を兼営する金融機関について法第五十条第一項を適用する場合においては、第十九条第二項第一号中「別記様式第九号」とあるのは「別記様式第二十七号」と、同項第二号中「別記様式第十号」とあるのは「別記様式第二十八号」と、同項第三号中「別記様式第十号の二」とあるのは「別記様式第二十九号」と、同項第四号中「別記様式第十一号」とあるのは「別記様式第三十号」と読み替えるものとする。

（権限の委任）
第三十二条　法及びこの省令に規定する国土交通大臣の権限のうち、次に掲げるものは、宅地建物取引業者又は法第三条第一項の免許を受けようとする者の本店又は主たる事務所の所在地を管轄する地方整備局長及び北海道開発局長に委任する。ただし、第十三号から第十九号まで及び第二十七号に掲げる権限については、国土交通大臣が自ら行うことを妨げない。
一　法第三条第一項の規定による免許をし、及び同条第三項の規定による免許の更新をすること。
二　法第三条の二第一項の規定により免許に条件を付し、及びこれを変更すること。
三　法第四条第一項の規定による免許申請書を受理すること。
四　法第六条の規定により免許証を交付すること。
五　法第八条第一項の規定により宅地建物取引業者名簿を備え、及び同条第二項の規定により国土交通大臣の免許を受けた宅地建物取引業者に関する同項各号に掲げる事項を登載すること。
六　法第九条の規定による届出を受理すること。
七　法第十条の規定により一般の閲覧に供すること。
八　法第十一条第一項の規定による届出を受理すること。
九　法第二十五条第四項（法第二十六条第二項、法第六十四条の七第三項、法第六十四条の十五及び法第六十四条の二十三において準用する場合を含む。）の規定による届出を受理し、同条第六項の規定により催告をし、及び同条第七項の規定により免許を取り消すこと。
十　法第二十八条第二項の規定による届出を受理すること。
十一　法第五十条第二項の規定による届出を受理すること。
十二　法第六十四条の四第二項の規定による報告を徴収すること。
十三　法第六十五条第一項の規定により必要な指示をし、及び同条第二項の規定により業務の全部又は一部の停止を命ずること（認可宅地建物取引業者が行う取引一任代理等についてするものを除く。）。
十四　法第六十六条第一項及び第二項の規定により免許を取り消すこと。
十五　法第六十七条第一項の規定により公告し、及び免許を取り消すこと。
十六　法第六十九条第一項の規定により聴聞を行い、並びに同条第二項において準用する法第十六条の十五第三項の規定により通知をし、及び公示すること（認可宅地建物取引業者が行う取引一任代理等についてするものを除く。）。
十七　法第七十条第一項の規定により公告し、及び同条第三項の規定による報告を徴収すること（認可宅地建物取引業者が行う取引一任代理等についてするものを除く。）。

十七　法第七十条第一項の規定により公告し、同条第二項及び第四項の規定により通知し、並びに同条第三項の規定による報告を徴収すること（認可宅地建物取引業者が行う取引一任代理等についてするものを除く。）。

十八　法第七十一条の規定により必要な指導、助言及び勧告をすること（認可宅地建物取引業者が行う取引一任代理等についてするものを除く。）。
十九　法第七十二条第一項の規定により必要な報告を求め、又はその職員に立入検査させ、及び同条第二項の規定により必要な報告を求めること（認可宅地建物取引業者が行う取引一任代理等についてするものを除く。）。
二十　法第七十八条の三第一項の規定により書類の写しを送付し、及び同条第二項の規定により通知すること。

二十　法第七十八条の三第一項の規定により免許等に関する情報を提供し、及び同条第二項の規定により通知すること。

二十一　第四条の二第一項及び第四条の三第一項の規定による申請を受理すること。
二十二　第四条の四第一項及び第二項の規定による受納をすること。
二十三　第四条の五の規定により通知すること。
二十四　第五条の四の規定により訂正すること。

二十四　第五条の三の規定により訂正すること。

二十五　第六条第一項の規定により消除し、及び同条第二項の規定により通知すること。
二十六　第十五条の四及び第十五条の四の二の規定による届出を受理すること。

二十七　第二十七条第一項の規定により通知すること（認可宅地建物取引業者が行う取引一任代理等についてするものを除く。）。

2　前項第十三号、第十六号から第十九号まで及び第二十七号に掲げる権限で宅地建物取引業者の支店、従たる事務所又は令第一条の二第二号に規定する事務所（以下本条において「支店等」という。）に関するものについては、前項に規定する地方整備局長及び北海道開発局長のほか、当該支店等の所在地を管轄する地方整備局長及び北海道開発局長も当該権限を行うことができる。

附　則

（施行期日）

1　この省令は、昭和三十二年八月一日から施行する。

（経過規定）

2　この省令中取引主任者に係る部分は、宅地建物取引業法の一部を改正する法律（昭和三十二年法律第百三十一号）附則第二項の指定日までは適用しない。

3　この省令の施行の際現に提出されている登録申請書の様式は、なお従前の例による。

4　この省令の施行の際現に使用している法第二十一条第二項に規定する証票の様式は、なお従前の例による。

（旧省令の廃止）

5　宅地建物取引業法施行規則（昭和二十七年建設省令第十八号）は、廃止する。

附　則〔昭和三二・一二・二五建設省令二五〕

（施行期日）

第一条　この省令は、昭和三十三年八月一日から施行する。ただし、次条の規定は、公布の日から施行する。

（選考の申込及び選考申込書の提出期日等の公告）

第二条　宅地建物取引業法の一部を改正する法律（昭和三十二年法律第百三十一号）附則第二項の規定による選考（以下「選考」という。）を受けようとする者は、選考申込書に、次の各号に掲げる書類を添え、これを都道府県知事に提出しなければならない。

一　経歴書

二　個人である宅地建物取引業者又は宅地建物取引業者である法人の役員としての期間（当該選考を行う都道府県知事の登録に係る期間を除く。）を証する都道府県知事の証明書

三　取引の実績を記載した書類

2　都道府県知事は、選考申込書を提出する期日、場所その他選考の申込に関し必要な事項をあらかじめ公告しなければならない。

（選考の基準）

第三条　選考は、昭和三十年八月一日以後において、引き続く二年間における一年ごとのその宅地又は建物に係る取引の件数（法人の役員にあつては、当該法人の役員である期間中における当該法人の取引の件数）が三件以上五件以下の範囲内で都道府県知事が定める件数以上で、宅地建物取引業に関する実用的な知識を有すると認められる者であることを判定することに基準を置くものとする。

2　前項の取引の件数の算定は、次の各号に掲げる取引についてはそれぞれ当該各号に定めるところによる。

一　建物の全部又は一部の貸借の代理又は媒介一件は、三分の一件とみなす。

二　建物及び当該建物の敷地の一体としての取引は、これを一件とみなす。

三　一件の金額が五百万円をこえる取引は、五百万円をこえるごとに一件とみなす。

（試験に関する規定の準用）

第四条　第十一条、第十二条及び第十四条の規定は、選考について準用する。

附　則〔略〕〔昭和四〇・二・一五建設省令四〕

附　則〔略〕〔昭和四六・一二・一四建設省令二八〕

附　則〔略〕〔昭和四七・一二・二七建設省令三八〕

附　則〔略〕〔昭和五〇・九・九建設省令一五〕

附　則〔略〕〔昭和五一・一・三〇建設省令二〕

附　則〔昭和五五・一一・二九建設省令一四〕

（施行期日）

1　この省令の施行期日は、次の各号に掲げる区分に応じ、それぞれ当該各号に定める日とする。

一　第一条の二の見出しの改正規定、同条第一項第一号、第三号及び第五号の改正規定、同項第六号を削る改正規定、同項第七号の改正規定、同号を同項第六号とし、同項第八号から第十三号までを一号ずつ繰り上げる改正規定、同条第二項、第二条第一項及び第五条の三第一項の改正規定、第六条の次に一条を加える改正規定、第十四条の三第二項の改正規定、同条第三項を同条第四項とし、同条第二項を同条第三項とし、同条第一項の次に一項を加える改正規定、第十四条の九の次に八条を加える改正規定、第十七条第三項の改正規定、同条第二項を削り、同条第三項を同条第二項とする改正規定、第十九条第一項及び第二項の改正規定、第三十一条第四号の改正規定、別記様式第一号、様式第二号、様式第四号、様式第五号及び様式第六号の改正規定、別記様式第七号の次に五様式を加える改正規定（様式第七号の六に係る部分を除く。）、別記様式第九号の改正規定及び別記様式第十一号の次に一様式を加える改正規定　昭和五十六年四月一日

二　第二十六条の三第一項の改正規定、別記様式第十九号の改正規定及び附則第二項の規定　この省令の公布の日

三　前二号に掲げる改正規定以外の改正規定並びに附則第三項及び第四項の規定　昭和五十五年十二月一日

（宅地建物取引業法及び積立式宅地建物販売業法の一部を改正する法律附則第六項の規定による講習の指定）

2　宅地建物取引業法及び積立式宅地建物販売業法の一部を改正する法律（昭和五十五年法律第五十六号。第四項において「改正法」という。）附則第六項の規定により都道府県知事が指定する講習は、改正後の宅地建物取引業法施行規則第十四条の十七の規定の例による。

（宅地建物取引業法施行令及び地方公共団体手数料令の一部を改正する政令附則第二項の規定による営業保証金の供託の届出書の様式）

3　宅地建物取引業法施行令及び地方公共団体手数料令の一部を改正する政令（昭和五十五年政令第二百十三号）附則第二項の規定による営業保証金の供託をした旨の届出は、次の様式による営業保証金追加供託済届出書により行うものとする。

〔次の様式略〕

（経過措置）

4　改正法附則第四項及び第五項の規定により宅地建物取引業者が同法附則第三項に規定する者に対して交付する取引主任者の証明書の様式は、改正前の宅地建物取引業法施行規則別記様式第九号によるものとする。

附　則〔抄〕〔昭和五六・九・二八建設省令一二〕

（施行期日）

第一条　この省令〔中略〕は、昭和五十六年十月一日から施行する。

（宅地建物取引業法施行規則の一部改正に伴う経過措置）

第七条　法附則第六条第一項により解散した旧日本住宅公団が旧日本住宅公団法第四十九条第一項の規定により発行した住宅債券及び法附則第七条第一項の規定により解散した旧宅地開発公団が旧宅地開発公団法（昭和五十年法律第四十五号）第三十四条第一項の規定により発行した宅地開発債券は、前条の規定による改正後の宅地建物取引業法施行規則第十五条の二各号に規定する有価証券とみなす。

附　則〔略〕〔昭和五七・五・七建設省令五〕

附　則〔抄〕〔昭和六三・一一・一八建設省令二三〕

（施行期日）

1　この省令は、昭和六十三年十一月二十一日から施行する。ただし、第一条中宅地建物取引業法施行規則別記様式第七号の三の改正規定は、昭和六十四年四月一日から施行する。

（経過措置）

2　この省令の施行の際現に宅地建物取引業者である者が事務所ごとに置くべき宅地建物取引業法第十五条第一項に規定する取引主任者の数については、この省令の施行の日から六月を経過する日までの間は、この省令による改正後の宅地建物取引業法施行規則（以下「新省令」という。）第六条の三の規定にかかわらず、なお従前の例による。

3　第一条中宅地建物取引業法施行規則別記様式第七号の三の改正規定の施行の際現に交付されている取引主任者証の様式については、新省令別記様式第七号の三の様式にかかわらず、なお従前の例による。

4　この省令の施行の際現に交付されている改正前の宅地建物取引業法施行規則（以下「旧省令」という。）第十七条第一項の規定による証明書は、この省令の施行の日から六月を経過する日までの間は、新省令第十七条の

規定による証明書とみなす。

5　この省令の施行の際現に宅地建物取引業者である者が掲げる旧省令第十九条第二項の規定による標識は、この省令の施行の日から六月を経過する日までの間は、新省令第十九条第二項の規定による標識とみなす。

（宅地建物取引業法施行令及び積立式宅地建物販売業法施行令の一部を改正する政令附則第二項の規定による営業保証金の供託の届出書の様式）

7　宅地建物取引業法施行令及び積立式宅地建物販売業法施行令の一部を改正する政令（昭和六十三年政令第二百三十六号）附則第二項の規定による営業保証金の供託をした旨の届出は、次の様式による営業保証金追加供託済届出書により行うものとする。

〔次の様式略〕

附　則〔略〕〔平成二・一・三〇建設省令一〕

附　則〔略〕〔平成二・五・一一建設省令四〕

附　則〔略〕〔平成六・一・二四建設省令二〕

附　則〔略〕〔平成六・九・一九建設省令二五〕

附　則〔平成八・一・二三建設省令一〕

（施行期日）

1　この省令は、宅地建物取引業法の一部を改正する法律（附則第三項において「改正法」という。）の施行の日（平成八年四月一日）から施行する。

（経過措置）

2　この省令による改正前の別記様式第二号による宅地建物取引業経歴書は、この省令の施行の日から三月間は、この省令による改正後の別記様式第二号による宅地建物取引業経歴書とみなす。

3　改正法附則第三項に規定する者の宅地建物取引業法第四十九条に規定する帳簿を保存する期間については、なお従前の例による。

4　この省令の施行の際現に宅地建物取引業者が掲げているこの省令による改正前の別記様式第十号から別記様式第十一号の三までによる標識は、この省令の施行の日から三月間は、それぞれこの省令による改正後の別記様式第十号から別記様式第十一号の三までによる標識とみなす。

附　則〔平成八・一〇・一五建設省令一四〕

（施行期日）

1　この省令は、平成九年四月十九日から施行する。ただし、第十五条の二の改正規定及び次項の規定は、公布の日から施行する。

（宅地建物取引業法の一部を改正する法律附則第二項の規定による指定流通機構の指定）

2　宅地建物取引業法の一部を改正する法律（平成七年法律第六十七号）附則第二項の規定による指定に関し必要な手続その他の行為については、この省令による改正後の宅地建物取引業法施行規則第十九条の二及び第十九条の三の規定の例による。

附　則〔平成九・一二・一二建設省令二二〕

（施行期日）

1　この省令は、公布の日から施行する。ただし、別記様式第一号、第三号の四、第五号、第六号の二及び第七号の改正規定は、平成十年二月二日から施行する。

（経過措置）

2　宅地建物取引主任者証及び従業者証明書の様式については、改正後の宅地建物取引業法施行規則（以下「新省令」という。）別記様式第七号の三及び第八号の様式にかかわらず、平成十年三月三十一日までの間、なお従前の例によることができる。

3　前項に規定する日までに交付された従前の様式による宅地建物取引主任者証及び従業者証明書の様式については、新省令別記様式第七号の三及び第八号の様式にかかわらず、平成十年四月一日以後においてもなお従前の例による。

附　則〔抄〕〔平成一一・九・二七建設省令四一〕

（施行期日）

第一条　この省令（中略）は、法（都市基盤整備公団法）の一部の施行の日（平成十一年十月一日）から施行する。

（宅地建物取引業法施行規則の一部改正に伴う経過措置）

第一三条　住宅・都市整備公団が旧公団法第五十五条第一項の規定により発行した住宅・都市整備債券は、前条の規定による改正後の宅地建物取引業法施行規則第十五条の二各号に規定する有価証券とみなす。

附　則〔略〕〔平成一二・一・三一建設省令一〇〕

附　則〔略〕〔平成一二・二・一七建設省令一二〕

附　則〔平成一二・三・三一建設省令一七〕

（施行期日）

1　この省令は、後見登記等に関する法律及び民事再生法の施行の日（平成十二年四月一日）から施行する。

（経過措置）

2　廃止前の和議法による和議開始の決定を受け、この省令の施行の際和議認可の決定の確定がない会社に係る改正後の第十五条の二の規定の適用については、なお従前の例による。

附　則〔略〕〔平成一二・九・二九建設省令三四〕

附　則〔略〕〔平成一二・一一・二〇建設省令四一〕

附　則〔略〕〔平成一二・一一・三〇建設省令四五〕

附　則〔略〕〔平成一三・三・二一国土交通省令四一〕

附　則〔略〕〔平成一三・三・二六国土交通省令四二〕

附　則〔略〕〔平成一三・三・三〇国土交通省令七一〕

附　則〔略〕〔平成一三・三・三〇国土交通省令七二〕

附　則〔略〕〔平成一三・四・一九国土交通省令八五〕

附　則〔略〕〔平成一三・八・三国土交通省令一一五〕

附　則〔略〕〔平成一四・八・二国土交通省令九三〕

附　則〔略〕〔平成一四・一二・二七国土交通省令一二二〕

附　則〔抄〕〔平成一五・一〇・一国土交通省令一〇九〕

（施行期日）

第一条　この省令は、公布の日から施行する。〔以下略〕

（宅地建物取引業法施行規則の一部改正に伴う経過措置）

第六条　水資源開発公団が独立行政法人水資源機構法（平成十四年法律第百八十二号）附則第六条の規定による廃止前の水資源開発公団法（昭和三十六年法律第二百十八号）第三十九条第一項の規定により発行した水資源開発債券、日本鉄道建設公団が独立行政法人鉄道建設・運輸施設整備支援機構法（平成十四年法律第百八十号）附則第十四条の規定による廃止前の日本鉄道建設公団法（昭和三十九年法律第三号）第二十九条第一項の規定により発行した鉄道建設債券及び運輸施設整備事業団が独立行政法人鉄道建設・運輸施設整備支援機構法附則第十四条の規定による廃止前の運輸施設整備事業団法（平成九年法律第八十三号）第三十条第一項の規定により発行した運輸施設整備事業団債券は、第十一条の規定による改正後の宅地建物取引業法施行規則第十五条の二各号に規定する有価証券とみなす。

附　則〔略〕〔平成一六・二・一七国土交通省令四〕

附　則〔抄〕〔平成一六・三・二二国土交通省令一九〕

（施行期日）

第一条　この省令（中略）は、平成十六年四月一日から施行する。

（宅地建物取引業法施行規則の一部改正に伴う経過措置）

第五条　新東京国際空港公団（以下「公団」という。）が法附則第二十条の規定による廃止前の新東京国際空港公団法（昭和四十年法律第百十五号。以下「公団法」という。）第二十九条第一項の規定により発行した新東京国際空港債券は、前条の規定による改正後の宅地建物取引業法施行規則第十五条の二各号に規定する有価証券とみなす。

附　則〔抄〕〔平成一六・六・一八国土交通省令七〇〕

（施行期日）

第一条　この省令は、平成十六年七月一日から施行する。

（宅地建物取引業法施行規則の一部改正に伴う経過措置）

第二条　都市基盤整備公団が旧都市公団法第五十五条第一項の規定により発行した都市基盤整備債券は、前条の規定による改正後の宅地建物取引業法施行規則第十五条の二各号に規定する有価証券とみなす。

附　則〔抄〕〔平成一六・六・三〇国土交通省令七四〕

（施行期日）

第一条　この省令は、独立行政法人中小企業基盤整備機構の成立の時（平成一六・七・一）から施行する。

（宅地建物取引業法施行規則の一部改正に伴う経過措置）

第二条　地域振興整備公団が中小企業金融公庫法及び独立行政法人中小企業基盤整備機構法の一部を改正する法律（平成十六年法律第三十五号）附則第八条の規定による廃止前の地域振興整備公団法（昭和三十七年法律第九十五号。次条において「旧地域公団法」という。）第二十六条第一項の規定により発行した地域振興整備債券は、第二条の規定による改正後の宅地建物取引業法施行規則第十五条の二各号に規定する有価証券とみなす。

附　則〔略〕〔平成一六・一二・二八国土交通省令一一一〕

附　則〔略〕〔平成一六・一二・二八国土交通省令一一四〕

附　則〔略〕〔平成一七・三・七国土交通省令一二〕

附　則〔略〕〔平成一七・三・二八国土交通省令二一〕

附　則〔平成一七・六・一国土交通省令六六〕

この省令は、法の施行の日（平成十七年十月一日）から施行する。〔以下略〕

日本道路公団等の民営化に伴う経過措置及び国土交通省関係省令の整備等に関する省令〔抄〕

〔平成一七・六・一国土交通省令六六〕

（宅地建物取引業法施行規則の一部改正に伴う経過措置）

第一三条　日本道路公団が法第三十七条第一号の規定による廃止前の日本道路公団法（昭和三十一年法律第六号。第十九条において「旧道路公団法」という。）第二十六条第一項の規定により発行した道路債券、首都高速道路公団が法第三十七条第二号の規定による廃止前の首都高速道路公団法（昭和三十四年法律第百三十三号。第十九条において「旧首都公団法」という。）第三十七条第一項の規定により発行した首都高速道路債券、阪神高速道路公団が法第三十七条第三号の規定による廃止前の阪神高速道路公団法（昭和三十七年法律第四十三号。第十九条において「旧阪神公団法」という。）第三十六条第一項の規定により発行した阪神高速道路債券及び本州四国連絡橋公団が法第三十七条第四号の規定による廃止前の本州四国連絡橋公団法（昭和四十五年法律第八十一号。第十九条において「旧本州四国公団法」という。）第三十八条第一項の規定により発行した本州四国連絡橋債券は、前条の規定による改正後の宅地建物取引業法施行規則第十五条の二各号に規定する有価証券とみなす。

附　則〔略〕〔平成一七・七・一国土交通省令七七施行〕

附　則〔略〕〔平成一八・三・一三国土交通省令九〕

附　則〔抄〕〔平成一八・三・三一国土交通省令二五〕

（施行期日）

第一条　この省令は、公布の日から施行する。

（宅地建物取引業法施行規則の一部改正に伴う経過措置）

第二条　この省令の施行の際現に第一条の規定による改正前の宅地建物取引業法施行規則（次項において「旧規則」という。）第十三条の十六第一項第一号の指定を受けている講習は、この省令の施行の日から起算して一年を経過する日までの間は、第一条の規定による改正後の宅地建物取引業法施行規則（次項において「新規則」という。）第十三条の十六第一号の登録を受けているものとみなす。

2　この省令の施行前に旧規則第十三条の十六第一項第一号の指定を受けた講習を修了した者は、新規則第十三条の十六第一号に該当する者とみなす。

附　則〔抄〕〔平成一八・四・二八国土交通省令六〇抄〕

（施行期日）

1　この省令は、会社法の施行の日（平成十八年五月一日）から施行する。

（経過措置）

2　この省令の施行の際現にあるこの省令による改正前の様式又は書式による申請書その他の文書は、この省令による改正後のそれぞれの様式又は書式にかかわらず、当分の間、なおこれを使用することができる。

3　この省令の施行前にこの省令による改正前のそれぞれの省令の規定によってした処分、手続、その他の行為であって、この省令による改正後のそれぞれの省令の規定に相当の規定があるものは、これらの規定によってした処分、手続その他の行為とみなす。

附　則〔略〕〔平成一八・九・二〇国土交通省令八八〕

附　則〔略〕〔平成一八・九・二七国土交通省令九〇〕

附　則〔略〕〔平成一八・一二・一国土交通省令一〇七〕

附　則〔平成一九・三・三〇国土交通省令二七〕

（施行期日）

1　この省令は、平成十九年四月一日から施行する。

（助教授の在職に関する経過措置）

2　この省令の規定による改正後の次に掲げる省令の規定の適用については、この省令の施行前における助教授としての在職は、准教授としての在職とみなす。

一～五　〔略〕

六　宅地建物取引業法施行規則第十三条の五

七～十四　〔略〕

附　則〔略〕〔平成一九・七・一〇国土交通省令七〇施行〕

附　則〔略〕〔平成一九・八・六国土交通省令七七〕

附　則〔略〕〔平成二〇・三・二四国土交通省令一〇〕

附　則〔略〕〔平成二〇・一二・一国土交通省令九七施行〕

附　則〔略〕〔平成二一・八・二六国土交通省令五一施行〕

附　則〔略〕〔平成二二・三・三一国土交通省令一二〕

附　則〔略〕〔平成二三・五・九国土交通省令四一施行〕

附　則〔略〕〔平成二三・八・一二国土交通省令六四〕

附　則〔略〕〔平成二三・八・三一内閣府・国土交通省令一〕

附　則〔略〕〔平成二三・一二・二六内閣府・国土交通省令七〕

附　則〔略〕〔平成二四・三・一五国土交通省令一七〕

附　則〔略〕〔平成二四・四・二四国土交通省令五一施行〕

附　則〔略〕〔平成二五・四・一国土交通省令一九〕

附　則〔略〕〔平成二五・九・一三国土交通省令七六〕

附　則〔略〕〔平成二六・一〇・一国土交通省令七九〕

附　則〔略〕〔平成二七・一・一六国土交通省令二〕

附　則〔抄〕〔平成二七・一二・九国土交通省令八二〕

（施行期日）

第一条　この省令は、公布の日から施行する。ただし、第三条、第八条、第十七条、第二十四条及び第二十五条の規定は、行政手続における特定の個人を識別するための番号の利用等に関する法律（平成二十五年法律第二十七号。以下「番号利用法」という。）附則第一条第四号に掲げる規定の施行の日（平成二十八年一月一日）から施行する。

（宅地建物取引業法施行規則の一部改正に伴う経過措置）

第五条　当分の間、第二十四条及び第二十五条の規定による改正後の宅地建物取引業法施行規則第一条の二第二項、第十条の二第二項、第十四条の三第四項及び第十九条の二第三項の規定の適用については、同令第一条の二第二項中「のうち住民票コード（同法第七条第十三号に規定する住民票コードをいう。以下同じ。）以外のものについて」とあるのは「について」と、同令第十条の二第二項、第十四条の三第四項及び第十九条の二第三項中「のうち住民票コード以外のものについて」とあるのは「について」とする。

附　則〔平成二九・三・二八国土交通省令一三〕

（施行期日）

第一条　この省令は、宅地建物取引業法の一部を改正する法律の施行の日（平成二十九年四月一日）から施行する。ただし、第二条の規定は、平成三十年四月一日から施行する。

（経過措置）

第二条　この省令による改正後の宅地建物取引業法施行規則別記様式第二十二号は、平成二十九年三月三十一日以後に終了する事業年度に係る事業報告書について適用し、同日前に終了した事業年度に係るものについては、なお従前の例による。

附　則〔略〕〔令和元・六・二〇国土交通省令一五〕

附　則〔略〕〔令和元・六・二八国土交通省令二〇〕

附　則〔略〕〔令和元・九・一三国土交通省令三四〕

附　則〔略〕〔令和元・一二・一六国土交通省令四七〕

附　則〔略〕〔令和元・一二・二七国土交通省令五二〕

附　則〔略〕〔令和二・七・一七内閣府・国土交通省令二〕

附　則〔略〕〔令和二・一二・二三国土交通省令九八〕

附　則〔略〕〔令和三・八・三一国土交通省令五三〕

附　則〔略〕〔令和三・一〇・二二国土交通省令六八施行〕

附　則〔略〕〔令和四・二・二八国土交通省令七〕

附　則〔略〕〔令和四・四・二七内閣府・国土交通省令三〕

附　則〔略〕〔令和四・四・二七国土交通省令四三〕

附　則〔略〕〔令和五・三・三一内閣府・国土交通省令二〕

附　則〔令和五・九・一国土交通省令六七〕

（施行期日）

第一条　この省令は、令和五年十月一日（次条及び附則第三条において「施行日」という。）から施行する。

（経過措置）

第二条　施行日前に第一条の規定による改正前の宅地建物取引業法施行規則（以下この条及び附則第四条において「旧規則」という。）第十条の五第六号の規定により証明書を交付された登録講習修了者に係る宅地建物取引業法（以下「法」という。）第十七条の十五に規定する帳簿及び旧規則第十条の十二第二項に規定する修了者一覧表の記載事項については、第一条の規定による改正後の宅地建物取引業法施行規則（次条及び附則第四条において「新規則」という。）第十条の十一第一項第五号及び第十条の十二第二項の規定にかかわらず、なお従前の例による。

第三条　この省令の施行の際現に法第十六条第三項の登録を受けている者は、施行日前においても、法第十七条の九第一項の規定により新規則第十条の七第十号に掲げる事項についての変更の届出をすることができる。この場合において、当該届出は、施行日に行われたものとみなす。

第四条　旧規則別記様式第七号の二の二による交付申請書は、新規則別記様式第七号の二の二にかかわらず、当分の間、なおこれを使用することができる。

附　則〔略〕〔令和五・一二・二八内閣府・国土交通省令八施行〕

附　則〔略〕〔令和五・一二・二八国土交通省令九八施行〕

附　則〔略〕〔令和六・一・二四国土交通省令四〕

附　則〔略〕〔令和六・三・二九国土交通省令二六〕

附　則〔略〕〔令和六・五・二七国土交通省令六二〕

附　則〔令和六・六・二八国土交通省令七〇〕

この省令は、令和七年四月一日から施行する。ただし、第十五条の十一の改正規定は、令和七年一月一日から施行する。

別記様式〔略〕

○賃貸住宅の管理業務等の適正化に関する法律

〔令和二・六・一九　法律六〇〕

目次

第一章　総則（第一条・第二条）
第二章　賃貸住宅管理業
　第一節　登録（第三条―第九条）
　第二節　業務（第十条―第二十一条）
　第三節　監督（第二十二条―第二十七条）
第三章　特定賃貸借契約の適正化のための措置等（第二十八条―第三十六条）
第四章　雑則（第三十七条―第四十条）
第五章　罰則（第四十一条―第四十六条）
附則

第一章　総則

（目的）

第一条　この法律は、社会経済情勢の変化に伴い国民の生活の基盤としての賃貸住宅の役割の重要性が増大していることに鑑み、賃貸住宅の入居者の居住の安定の確保及び賃貸住宅の賃貸に係る事業の公正かつ円滑な実施を図るため、賃貸住宅管理業を営む者に係る登録制度を設け、その業務の適正な運営を確保するとともに、特定賃貸借契約の適正化のための措置等を講ずることにより、良好な居住環境を備えた賃貸住宅の安定的な確保を図り、もって国民生活の安定向上及び国民経済の発展に寄与することを目的とする。

（定義）

第二条　この法律において「賃貸住宅」とは、賃貸の用に供する住宅（人の居住の用に供する家屋又は家屋の部分をいう。次項第一号において同じ。）をいう。ただし、人の生活の本拠として使用する目的以外の目的に供されていると認められるものとして国土交通省令で定めるものを除く。

２　この法律において「賃貸住宅管理業」とは、賃貸住宅の賃貸人から委託を受けて、次に掲げる業務（以下「管理業務」という。）を行う事業をいう。

一　当該委託に係る賃貸住宅の維持保全（住宅の居室及びその他の部分について、点検、清掃その他の維持を行い、及び必要な修繕を行うことをいう。以下同じ。）を行う業務（賃貸住宅の賃貸人のために当該維持保全に係る契約の締結の媒介、取次ぎ又は代理を行う業務を含む。）

二　当該賃貸住宅に係る家賃、敷金、共益費その他の金銭の管理を行う業

3　務（前号に掲げる業務と併せて行うものに限る。）
3　この法律において「賃貸住宅管理業者」とは、次条第一項の登録を受けて賃貸住宅管理業を営む者をいう。
4　この法律において「特定賃貸借契約」とは、賃貸住宅の賃貸借契約（賃借人が人的関係、資本関係その他の関係において賃貸人と密接な関係を有する者として国土交通省令で定める者であるものを除く。）であって、賃借人が当該賃貸住宅を第三者に転貸する事業を営むことを目的として締結されるものをいう。
5　この法律において「特定転貸事業者」とは、特定賃貸借契約に基づき賃借した賃貸住宅を第三者に転貸する事業を営む者をいう。

第二章　賃貸住宅管理業

第一節　登録

（登録）

第三条　賃貸住宅管理業を営もうとする者は、国土交通大臣の登録を受けなければならない。ただし、その事業の規模が、当該事業に係る賃貸住宅の戸数その他の事項を勘案して国土交通省令で定める規模未満であるときは、この限りでない。
2　前項の登録は、五年ごとにその更新を受けなければ、その期間の経過によって、その効力を失う。
3　前項の更新の申請があった場合において、同項の期間（以下この項及び次項において「登録の有効期間」という。）の満了の日までにその申請に対する処分がされないときは、従前の登録は、登録の有効期間の満了後もその処分がされるまでの間は、なおその効力を有する。
4　前項の場合において、登録の更新がされたときは、その登録の有効期間は、従前の登録の有効期間の満了の日の翌日から起算するものとする。
5　第二項の登録の更新を受けようとする者は、実費を勘案して政令で定める額の手数料を納めなければならない。

（登録の申請）

第四条　前条第一項の登録（同条第二項の登録の更新を含む。以下同じ。）を受けようとする者は、次に掲げる事項を記載した申請書を国土交通大臣に提出しなければならない。
一　商号、名称又は氏名及び住所
二　法人である場合においては、その役員の氏名
三　未成年者である場合においては、その法定代理人の氏名及び住所（法定代理人が法人である場合にあっては、その商号又は名称及び住所並びにその役員の氏名）
四　営業所又は事務所の名称及び所在地
2　前項の申請書には、前条第一項の登録を受けようとする者が第六条第一項各号のいずれにも該当しないことを誓約する書面その他の国土交通省令で定める書類を添付しなければならない。

（登録の実施）

第五条　国土交通大臣は、前条第一項の規定による登録の申請があったときは、次条第一項の規定により登録を拒否する場合を除き、次に掲げる事項を賃貸住宅管理業者登録簿に登録しなければならない。
一　前条第一項各号に掲げる事項
二　登録年月日及び登録番号
2　国土交通大臣は、前項の規定による登録をしたときは、遅滞なく、その旨を申請者に通知しなければならない。

（登録の拒否）

第六条　国土交通大臣は、第三条第一項の登録を受けようとする者が次の各号のいずれかに該当するとき、又は第四条第一項の申請書若しくはその添付書類のうちに重要な事項について虚偽の記載があり、若しくは重要な事実の記載が欠けているときは、その登録を拒否しなければならない。
一　心身の故障により賃貸住宅管理業を的確に遂行することができない者として国土交通省令で定めるもの
二　破産手続開始の決定を受けて復権を得ない者
三　第二十三条第一項又は第二項の規定により登録を取り消され、その取消しの日から五年を経過しない者（当該登録を取り消された者が法人である場合にあっては、当該取消しの日前三十日以内に当該法人の役員であった者で当該取消しの日から五年を経過しないものを含む。）
四　禁錮以上の刑に処せられ、又はこの法律の規定により罰金の刑に処せられ、その執行を終わり、又は執行を受けることがなくなった日から起算して五年を経過しない者
五　暴力団員による不当な行為の防止等に関する法律（平成三年法律第七十七号）第二条第六号に規定する暴力団員又は同号に規定する暴力団員でなくなった日から五年を経過しない者（第九号において「暴力団員等」という。）
六　賃貸住宅管理業に関し不正又は不誠実な行為をするおそれがあると認めるに足りる相当の理由がある者として国土交通省令で定めるもの
七　営業に関し成年者と同一の行為能力を有しない未成年者でその法定代理人が前各号のいずれかに該当するもの
八　法人であって、その役員のうちに第一号から第六号までのいずれかに該当する者があるもの
九　暴力団員等がその事業活動を支配する者
十　賃貸住宅管理業を遂行するために必要と認められる国土交通省令で定める基準に適合する財産的基礎を有しない者
十一　営業所又は事務所ごとに第十二条の規定による業務管理者を確実に選任すると認められない者
2　国土交通大臣は、前項の規定により登録を拒否したときは、遅滞なく、その理由を示して、その旨を申請者に通知しなければならない。

（変更の届出）

第七条　賃貸住宅管理業者は、第四条第一項各号に掲げる事項に変更があったときは、その日から三十日以内に、その旨を国土交通大臣に届け出なければならない。
2　国土交通大臣は、前項の規定による届出を受理したときは、当該届出に係る事項が前条第一項第七号又は第八号に該当する場合を除き、当該事項を賃貸住宅管理業者登録簿に登録しなければならない。
3　第四条第二項の規定は、第一項の規定による届出について準用する。

（賃貸住宅管理業者登録簿の閲覧）

第八条　国土交通大臣は、賃貸住宅管理業者登録簿を一般の閲覧に供しなければならない。

（廃業等の届出）

第九条　賃貸住宅管理業者が次の各号のいずれかに該当することとなったときは、当該各号に定める者は、国土交通省令で定めるところにより、その日（第一号の場合にあっては、その事実を知った日）から三十日以内に、その旨を国土交通大臣に届け出なければならない。
一　賃貸住宅管理業者である個人が死亡したとき　その相続人
二　賃貸住宅管理業者である法人が合併により消滅したとき　その法人を代表する役員であった者
三　賃貸住宅管理業者である法人が破産手続開始の決定により解散したとき　その破産管財人
四　賃貸住宅管理業者である法人が合併及び破産手続開始の決定以外の理由により解散したとき　その清算人
五　賃貸住宅管理業を廃止したとき　賃貸住宅管理業者であった個人又は賃貸住宅管理業者であった法人を代表する役員
2　賃貸住宅管理業者が前項各号のいずれかに該当することとなったときは、第三条第一項の登録は、その効力を失う。

第二節　業務

（業務処理の原則）

第一〇条　賃貸住宅管理業者は、信義を旨とし、誠実にその業務を行わなければならない。

（名義貸しの禁止）

第一一条　賃貸住宅管理業者は、自己の名義をもって、他人に賃貸住宅管理業を営ませてはならない。

（業務管理者の選任）

第一二条　賃貸住宅管理業者は、その営業所又は事務所ごとに、一人以上の第四項の規定に適合する者（以下「業務管理者」という。）を選任して、当該営業所又は事務所における業務に関し、管理受託契約（管理業務の委託を受けることを内容とする契約をいう。以下同じ。）の内容の明確性、管理業務として行う賃貸住宅の維持保全の実施方法の妥当性その他の賃貸住宅の入居者の居住の安定及び賃貸住宅の賃貸に係る事業の円滑な実施を確保するため必要な国土交通省令で定める事項についての管理及び監督に関する事務を行わせなければならない。

2　賃貸住宅管理業者は、その営業所若しくは事務所の業務管理者として選任した者の全てが第六条第一項第一号から第七号までのいずれかに該当し、又は選任した者の全てが欠けるに至ったときは、新たに業務管理者を選任するまでの間は、その営業所又は事務所において管理受託契約を締結してはならない。

3　業務管理者は、他の営業所又は事務所の業務管理者となることができない。

4　業務管理者は、第六条第一項第一号から第七号までのいずれにも該当しない者で、賃貸住宅管理業者の営業所又は事務所における業務に関し第一項に規定する事務を行うのに必要な知識及び能力を有する者として賃貸住宅管理業に関する一定の実務の経験その他の国土交通省令で定める要件を備えるものでなければならない。

（管理受託契約の締結前の書面の交付）

第一三条　賃貸住宅管理業者は、管理受託契約を締結しようとするときは、管理業務を委託しようとする賃貸住宅の賃貸人（賃貸住宅管理業者である者その他の管理業務に係る専門的知識及び経験を有すると認められる者として国土交通省令で定めるものを除く。）に対し、当該管理受託契約を締結するまでに、管理受託契約の内容及びその履行に関する事項であって国土交通省令で定めるものについて、書面を交付して説明しなければならない。

2　賃貸住宅管理業者は、前項の規定による書面の交付に代えて、政令で定めるところにより、管理業務を委託しようとする賃貸住宅の賃貸人の承諾を得て、当該書面に記載すべき事項を電磁的方法（電子情報処理組織を使用する方法その他の情報通信の技術を利用する方法であって国土交通省令で定めるものをいう。第三十条第二項において同じ。）により提供することができる。この場合において、当該賃貸住宅管理業者は、当該書面を交付したものとみなす。

（管理受託契約の締結時の書面の交付）

第一四条　賃貸住宅管理業者は、管理受託契約を締結したときは、管理業務を委託する賃貸住宅の賃貸人（以下「委託者」という。）に対し、遅滞なく、次に掲げる事項を記載した書面を交付しなければならない。

一　管理業務の対象となる賃貸住宅
二　管理業務の実施方法
三　契約期間に関する事項
四　報酬に関する事項
五　契約の更新又は解除に関する定めがあるときは、その内容
六　その他国土交通省令で定める事項

2　前条第二項の規定は、前項の規定による書面の交付について準用する。

（管理業務の再委託の禁止）

第一五条　賃貸住宅管理業者は、委託者から委託を受けた管理業務の全部を他の者に対し、再委託してはならない。

（分別管理）

第一六条　賃貸住宅管理業者は、管理受託契約に基づく管理業務（第二条第二項第二号に掲げるものに限る。以下この条において同じ。）において受領する家賃、敷金、共益費その他の金銭を、整然と管理する方法として国土交通省令で定める方法により、自己の固有財産及び他の管理受託契約に基づく管理業務において受領する家賃、敷金、共益費その他の金銭と分別して管理しなければならない。

（証明書の携帯等）

第一七条　賃貸住宅管理業者は、国土交通省令で定めるところにより、その業務に従事する使用人その他の従業者に、その従業者であることを証する証明書を携帯させなければ、その者をその業務に従事させてはならない。

2　賃貸住宅管理業者の使用人その他の従業者は、その業務を行うに際し、委託者その他の関係者から請求があったときは、前項の証明書を提示しなければならない。

（帳簿の備付け等）

第一八条　賃貸住宅管理業者は、国土交通省令で定めるところにより、その営業所又は事務所ごとに、その業務に関する帳簿を備え付け、委託者ごとに管理受託契約について契約年月日その他の国土交通省令で定める事項を記載し、これを保存しなければならない。

（標識の掲示）

第一九条　賃貸住宅管理業者は、その営業所又は事務所ごとに、公衆の見やすい場所に、国土交通省令で定める様式の標識を掲げなければならない。

（委託者への定期報告）

第二〇条　賃貸住宅管理業者は、管理業務の実施状況その他の国土交通省令で定める事項について、国土交通省令で定めるところにより、定期的に、委託者に報告しなければならない。

（秘密を守る義務）

第二一条　賃貸住宅管理業者は、正当な理由がある場合でなければ、その業務上取り扱ったことについて知り得た秘密を他に漏らしてはならない。賃貸住宅管理業を営まなくなった後においても、同様とする。

2　賃貸住宅管理業者の代理人、使用人その他の従業者は、正当な理由がある場合でなければ、賃貸住宅管理業の業務を補助したことについて知り得た秘密を他に漏らしてはならない。賃貸住宅管理業者の代理人、使用人その他の従業者でなくなった後においても、同様とする。

第三節　監督

（業務改善命令）

第二二条　国土交通大臣は、賃貸住宅管理業の適正な運営を確保するため必要があると認めるときは、その必要の限度において、賃貸住宅管理業者に対し、業務の方法の変更その他業務の運営の改善に必要な措置をとるべきことを命ずることができる。

（登録の取消し等）

第二三条　国土交通大臣は、賃貸住宅管理業者が次の各号のいずれかに該当するときは、その登録を取り消し、又は一年以内の期間を定めてその業務の全部若しくは一部の停止を命ずることができる。

一　第六条第一項各号（第三号を除く。）のいずれかに該当することとなったとき。
二　不正の手段により第三条第一項の登録を受けたとき。
三　その営む賃貸住宅管理業に関し法令又は前条若しくはこの項の規定による命令に違反したとき。

2　国土交通大臣は、賃貸住宅管理業者が登録を受けてから一年以内に業務を開始せず、又は引き続き一年以上業務を行っていないと認めるときは、その登録を取り消すことができる。

3　第六条第二項の規定は、前二項の規定による処分をした場合について準用する。

（登録の抹消）

第二四条　国土交通大臣は、第三条第二項若しくは第九条第二項の規定により登録がその効力を失ったとき、又は前条第一項若しくは第二項の規定により登録を取り消したときは、当該登録を抹消しなければならない。

（監督処分等の公告）

第二五条　国土交通大臣は、第二十三条第一項又は第二項の規定による処分をしたときは、国土交通省令で定めるところにより、その旨を公告しなければならない。

（報告徴収及び立入検査）

第二六条　国土交通大臣は、賃貸住宅管理業の適正な運営を確保するため必要があると認めるときは、賃貸住宅管理業者に対し、その業務に関し報告を求め、又はその職員に、賃貸住宅管理業者の営業所、事務所その他の施設に立ち入り、その業務の状況若しくは設備、帳簿書類その他の物件を検査させ、若しくは関係者に質問させることができる。

2　前項の規定により立入検査をする職員は、その身分を示す証明書を携帯し、関係者に提示しなければならない。

3　第一項の規定による立入検査の権限は、犯罪捜査のために認められたものと解してはならない。

（登録の取消し等に伴う業務の結了）

第二七条　第三条第二項の登録の更新をしなかったとき、第九条第二項の規定により登録が効力を失ったとき、又は第二十三条第一項若しくは第二項の規定により登録が取り消されたときは、当該登録に係る賃貸住宅管理業者であった者又はその一般承継人は、当該賃貸住宅管理業者が締結した管理受託契約に基づく業務を結了する目的の範囲内においては、なお賃貸住宅管理業者とみなす。

第三章　特定賃貸借契約の適正化のための措置等

（誇大広告等の禁止）

第二八条　特定転貸事業者又は勧誘者（特定転貸事業者が特定賃貸借契約の締結についての勧誘を行わせる者をいう。以下同じ。）（以下「特定転貸事

業者等」という。）は、第二条第五項に規定する事業に係る特定賃貸借契約の条件について広告をするときは、特定賃貸借契約に基づき特定転貸事業者が支払うべき家賃、賃貸住宅の維持保全の実施方法、特定賃貸借契約の解除に関する事項その他の国土交通省令で定める事項について、著しく事実に相違する表示をし、又は実際のものよりも著しく優良であり、若しくは有利であると人を誤認させるような表示をしてはならない。

（不当な勧誘等の禁止）

第二九条 特定転貸事業者等は、次に掲げる行為をしてはならない。

一 特定賃貸借契約の締結の勧誘をするに際し、又はその解除を妨げるため、特定賃貸借契約の相手方又は相手方となろうとする者に対し、当該特定賃貸借契約に関する事項であって特定賃貸借契約の相手方又は相手方となろうとする者の判断に影響を及ぼすこととなる重要なものにつき、故意に事実を告げず、又は不実のことを告げる行為

二 前号に掲げるもののほか、特定賃貸借契約に関する行為であって、特定賃貸借契約の相手方又は相手方となろうとする者の保護に欠けるものとして国土交通省令で定めるもの

（特定賃貸借契約の締結前の書面の交付）

第三〇条 特定転貸事業者は、特定賃貸借契約を締結しようとするときは、特定賃貸借契約の相手方となろうとする者（特定転貸事業者である者その他の特定賃貸借契約に係る専門的知識及び経験を有すると認められる者として国土交通省令で定めるものを除く。）に対し、当該特定賃貸借契約を締結するまでに、特定賃貸借契約の内容及びその履行に関する事項であって国土交通省令で定めるものについて、書面を交付して説明しなければならない。

2 特定転貸事業者は、前項の規定による書面の交付に代えて、政令で定めるところにより、当該特定賃貸借契約の相手方となろうとする者の承諾を得て、当該書面に記載すべき事項を電磁的方法により提供することができる。この場合において、当該特定転貸事業者は、当該書面を交付したものとみなす。

（特定賃貸借契約の締結時の書面の交付）

第三一条 特定転貸事業者は、特定賃貸借契約を締結したときは、当該特定賃貸借契約の相手方に対し、遅滞なく、次に掲げる事項を記載した書面を交付しなければならない。

一 特定賃貸借契約の対象となる賃貸住宅

二 特定賃貸借契約の相手方に支払う家賃その他賃貸の条件に関する事項

三 特定転貸事業者が行う賃貸住宅の維持保全の実施方法

四 契約期間に関する事項

五 転借人の資格その他の転貸の条件に関する事項

六 契約の更新又は解除に関する定めがあるときは、その内容

七 その他国土交通省令で定める事項

2 前条第二項の規定は、前項の規定による書面の交付について準用する。

（書類の閲覧）

第三二条 特定転貸事業者は、国土交通省令で定めるところにより、当該特定転貸事業者の業務及び財産の状況を記載した書類を、特定賃貸借契約に関する業務を行う営業所又は事務所に備え置き、特定賃貸借契約の相手方又は相手方となろうとする者の求めに応じ、閲覧させなければならない。

（指示）

第三三条 国土交通大臣は、特定転貸事業者が第二十八条から前条までの規定に違反した場合又は勧誘者が第二十八条若しくは第二十九条の規定に違反した場合において特定賃貸借契約の適正化を図るため必要があると認めるときは、その特定転貸事業者に対し、当該違反の是正のための措置その他の必要な措置をとるべきことを指示することができる。

2 国土交通大臣は、勧誘者が第二十八条又は第二十九条の規定に違反した場合において特定賃貸借契約の適正化を図るため必要があると認めるときは、その勧誘者に対し、当該違反の是正のための措置その他の必要な措置をとるべきことを指示することができる。

3 国土交通大臣は、前二項の規定による指示をしたときは、その旨を公表しなければならない。

（特定賃貸借契約に関する業務の停止等）

第三四条 国土交通大臣は、特定転貸事業者が第二十八条から第三十二条までの規定に違反した場合若しくは勧誘者が第二十八条若しくは第二十九条の規定に違反した場合において特定賃貸借契約の適正化を図るため特に必要があると認めるとき、又は特定転貸事業者が前条第一項の規定による指示に従わないときは、その特定転貸事業者に対し、一年以内の期間を限り、特定賃貸借契約の締結について勧誘を行い若しくは勧誘者に勧誘を行わせることを停止し、又はその行う特定賃貸借契約に関する業務の全部若しくは一部を停止すべきことを命ずることができる。

2 国土交通大臣は、勧誘者が第二十八条若しくは第二十九条の規定に違反した場合において特定賃貸借契約の適正化を図るため特に必要があると認めるとき、又は勧誘者が前条第二項の規定による指示に従わないときは、その勧誘者に対し、一年以内の期間を限り、特定賃貸借契約の締結について勧誘を行うことを停止すべきことを命ずることができる。

3 国土交通大臣は、前二項の規定による命令をしたときは、その旨を公表しなければならない。

（国土交通大臣に対する申出）

第三五条 何人も、特定賃貸借契約の適正化を図るため必要があると認めるときは、国土交通大臣に対し、その旨を申し出て、適当な措置をとるべきことを求めることができる。

2 国土交通大臣は、前項の規定による申出があったときは、必要な調査を行い、その申出の内容が事実であると認めるときは、この法律に基づく措置その他適当な措置をとらなければならない。

（報告徴収及び立入検査）

第三六条 国土交通大臣は、特定賃貸借契約の適正化を図るため必要があると認めるときは、特定転貸事業者等に対し、その業務に関し報告を求め、又はその職員に、特定転貸事業者等の営業所、事務所その他の施設に立ち入り、その業務の状況若しくは設備、帳簿書類その他の物件を検査させ、若しくは関係者に質問させることができる。

2 前項の規定により立入検査をする職員は、その身分を示す証明書を携帯し、関係者に提示しなければならない。

3 第一項の規定による立入検査の権限は、犯罪捜査のために認められたものと解してはならない。

第四章　雑則

（適用の除外）

第三七条 この法律の規定は、国及び地方公共団体には、適用しない。

（権限の委任）

第三八条 この法律に規定する国土交通大臣の権限は、国土交通省令で定めるところにより、その一部を地方整備局長又は北海道開発局長に委任することができる。

（国土交通省令への委任）

第三九条 この法律に定めるもののほか、この法律の実施のための手続その他この法律の施行に関し必要な事項は、国土交通省令で定める。

（経過措置）

第四〇条 この法律に基づき命令を制定し、又は改廃する場合においては、その命令で、その制定又は改廃に伴い合理的に必要と判断される範囲内において、所要の経過措置（罰則に関する経過措置を含む。）を定めることができる。

第五章　罰則

第四一条 次の各号のいずれかに該当するときは、その違反行為をした者は、一年以下の懲役若しくは百万円以下の罰金に処し、又はこれを併科する。

一 第三条第一項の規定に違反して、賃貸住宅管理業を営んだとき。

二 不正の手段により第三条第一項の登録を受けたとき。

三 第十一条の規定に違反して、他人に賃貸住宅管理業を営ませたとき。

第四二条 次の各号のいずれかに該当するときは、その違反行為をした者は、六月以下の懲役若しくは五十万円以下の罰金に処し、又はこれを併科する。

一 第二十三条第一項の規定による命令に違反したとき。

二 第二十九条（第一号に係る部分に限る。）の規定に違反して、故意に事実を告げず、又は不実のことを告げたとき。

三 第三十四条第一項又は第二項の規定による命令に違反したとき。

第四三条 第三十条第一項若しくは第三十一条第一項の規定に違反して、書面を交付せず、若しくはこれらの規定に規定する事項を記載しない書面若しくは虚偽の記載のある書面を交付したとき、又は第三十条第二項（第三十一条第二項において準用する場合を含む。以下この条において同じ。）に規定する方法により提供する場合において、第三十条第二項に規定する

事項を欠いた提供若しくは虚偽の事項の提供をしたときは、その違反行為をした者は、五十万円以下の罰金に処する。

第四四条 次の各号のいずれかに該当するときは、その違反行為をした者は、三十万円以下の罰金に処する。

一 第七条第一項の規定による届出をせず、又は虚偽の届出をしたとき。

二 第十二条第一項の規定に違反して、業務管理者を選任しなかったとき。

三 第十二条第二項の規定に違反して、管理受託契約を締結したとき。

四 第十四条第一項の規定に違反して、書面を交付せず、若しくは同項に規定する事項を記載しない書面若しくは虚偽の記載のある書面を交付したとき、又は同条第二項において準用する第十三条第二項に規定する方法により提供する場合において、同項に規定する事項を欠いた提供若しくは虚偽の事項の提供をしたとき。

五 第十七条第一項若しくは第二項又は第十九条の規定に違反したとき。

六 第十八条の規定に違反して、帳簿を備え付けず、帳簿に記載せず、若しくは帳簿に虚偽の記載をし、又は帳簿を保存しなかったとき。

七 第二十一条第一項又は第二項の規定に違反して、秘密を漏らしたとき。

八 第二十二条の規定による命令に違反したとき。

九 第二十六条第一項の規定による報告をせず、若しくは虚偽の報告をし、又は同項の規定による検査を拒み、妨げ、若しくは忌避し、若しくは同項の規定による質問に対して答弁せず、若しくは虚偽の答弁をしたとき。

十 第二十八条の規定に違反して、著しく事実に相違する表示をし、又は実際のものよりも著しく優良であり、若しくは有利であると人を誤認させるような表示をしたとき。

十一 第三十二条の規定に違反して書類を備え置かず、若しくは特定賃貸借契約の相手方若しくは相手方となろうとする者の求めに応じて閲覧させず、又は虚偽の記載のある書類を備え置き、若しくは特定賃貸借契約の相手方若しくは相手方となろうとする者に閲覧させたとき。

十二 第三十三条第一項又は第二項の規定による指示に違反したとき。

十三 第三十六条第一項の規定による報告をせず、若しくは虚偽の報告をし、又は同項の規定による検査を拒み、妨げ、若しくは忌避し、若しくは同項の規定による質問に対して答弁せず、若しくは虚偽の答弁をしたとき。

第四五条 法人の代表者又は法人若しくは人の代理人、使用人その他の従業者が、その法人又は人の業務に関し、第四十一条から前条まで（同条第七号を除く。）の違反行為をしたときは、行為者を罰するほか、その法人又は人に対して各本条の罰金刑を科する。

第四六条 第九条第一項の規定による届出をせず、又は虚偽の届出をしたときは、その違反行為をした者は、二十万円以下の過料に処する。

附　則〔抄〕

（施行期日）

第一条 この法律は、公布の日から起算して一年を超えない範囲内において政令で定める日から施行する。ただし、次の各号に掲げる規定は、当該各号に定める日から施行する。

〔令和三政一四二により、令和三・六・一五から施行〕

一 附則第四条の規定　公布の日

二 第一章、第三章、第四章、第四十二条（第二号及び第三号に係る部分に限る。）、第四十三条、第四十四条（第十号から第十三号までに係る部分に限る。）及び第四十五条並びに附則第三条第二項の規定　公布の日から起算して六月を超えない範囲内において政令で定める日

〔令和二政三一二により、令和二・一二・一五から施行〕

（経過措置）

第二条 この法律の施行の際現に賃貸住宅管理業を営んでいる者は、この法律の施行の日から起算して一年間（当該期間内に第六条第一項の規定による登録の拒否の処分があったとき、又は次項の規定により読み替えて適用される第二十三条第一項の規定により賃貸住宅管理業の全部の廃止を命じられたときは、当該処分のあった日又は当該廃止を命じられた日までの間）は、第三条第一項の規定にかかわらず、当該賃貸住宅管理業を営むことができる。その者がその期間内に第四条第一項の規定による登録の申請をした場合において、その期間を経過したときは、その申請について登録又は登録の拒否の処分があるまでの間も、同様とする。

2 前項の規定により賃貸住宅管理業を営むことができる場合においては、その者を賃貸住宅管理業者と、その営業所若しくは事務所を代表する者又はこれに準ずる地位にある者を第十二条第一項の規定により選任される業務管理者とみなして、第十条、第十一条、第十二条（第四項を除く。）、第十三条から第十八条まで、第二十条から第二十二条まで、第二十三条第一項（第二号を除く。）及び第三項並びに第二十五条から第二十七条までの規定（これらの規定に係る罰則を含む。）を適用する。この場合において、第二十三条第一項中「その登録を取り消し」とあるのは、「賃貸住宅管理業の全部の廃止を命じ」とするほか、必要な技術的読替えは、政令で定める。

3 前項の規定により読み替えて適用される第二十三条第一項の規定により賃貸住宅管理業の全部の廃止を命じられた場合におけるこの法律の規定の適用については、当該廃止を命じられた者を第二十三条第一項の規定により登録を取り消された者と、当該廃止を命じられた日を同項の規定による登録の取消しの日とみなす。

第三条 第十四条及び第二十条の規定は、この法律の施行前に締結された管理受託契約については、適用しない。

2 第三十一条の規定は、附則第一条第二号に掲げる規定の施行前に締結された特定賃貸借契約については、適用しない。

（政令への委任）

第四条 前二条に定めるもののほか、この法律の施行に関し必要な経過措置（罰則に関する経過措置を含む。）は、政令で定める。

（検討）

第五条 政府は、この法律の施行後三年を経過した場合において、この法律の施行の状況について検討を加え、必要があると認めるときは、その結果に基づいて必要な措置を講ずるものとする。

○賃貸住宅の管理業務等の適正化に関する法律施行令〔令和二・一〇・一六 政令三一三〕

改正 令和三・四政一四三

（賃貸住宅管理業者の登録の更新の手数料）

第一条 賃貸住宅の管理業務等の適正化に関する法律（以下「法」という。）第三条第五項の政令で定める額は、一万八千七百円（情報通信技術を活用した行政の推進等に関する法律（平成十四年法律第百五十一号）第六条第一項の規定により同項に規定する電子情報処理組織を使用して法第三条第二項の登録の更新の申請をする場合にあっては、一万八千円）とする。

（法第十三条第二項の規定による承諾に関する手続等）

第二条 法第十三条第二項の規定による承諾は、賃貸住宅管理業者が、国土交通省令で定めるところにより、あらかじめ、当該承諾に係る賃貸住宅の賃貸人に対し同項の規定による提供に用いる電磁的方法の種類及び内容を示した上で、当該賃貸住宅の賃貸人から書面又は電子情報処理組織を使用する方法その他の情報通信の技術を利用する方法であって国土交通省令で定めるもの（次項並びに次条第一項及び第二項において「書面等」という。）によって得るものとする。

2 賃貸住宅管理業者は、前項の承諾を得た場合であっても、当該承諾に係る賃貸住宅の賃貸人から書面等により法第十三条第二項の規定による電磁的方法による提供を受けない旨の申出があったときは、当該電磁的方法による提供をしてはならない。ただし、当該申出の後に当該賃貸住宅の賃貸人から再び前項の承諾を得た場合は、この限りでない。

3 前二項の規定は、法第十四条第二項において法第十三条第二項の規定を準用する場合について準用する。

（法第三十条第二項の規定による承諾に関する手続等）

第三条 法第三十条第二項の規定による承諾は、特定転貸事業者が、国土交通省令で定めるところにより、あらかじめ、当該承諾に係る特定賃貸借契約の相手方となろうとする者に対し同項の規定による電磁的方法による提供に用いる電磁的方法の種類及び内容を示した上で、当該特定賃貸借契約の相手方となろうとする者から書面等によって得るものとする。

2 特定転貸事業者は、前項の承諾を得た場合であっても、当該承諾に係る特定賃貸借契約の相手方となろうとする者から書面等により法第三十条第二項の規定による電磁的方法による提供を受けない旨の申出があったときは、当該電磁的方法による提供をしてはならない。ただし、当該申出の後に当該特定賃貸借契約の相手方となろうとする者から再び前項の承諾を得た場合は、この限りでない。

3 前二項の規定は、法第三十一条第二項において法第三十条第二項の規定を準用する場合について準用する。

附 則〔抄〕

（施行期日）

1 この政令は、法附則第一条第二号に掲げる規定の施行の日（令和二年十二月十五日）から施行する。

（法附則第二条第一項の規定の適用がある場合における経過措置）

2 法附則第二条第二項の規定により法第十三条及び第十四条の規定の適用がある場合における第二条の規定の適用については、法附則第二条第一項の規定により賃貸住宅管理業を営むことができる者を賃貸住宅管理業者とみなす。

附 則〔令和三・四・一二政令一四三〕

この政令は、賃貸住宅の管理業務等の適正化に関する法律の施行の日（令和三年六月十五日）から施行する。

○賃貸住宅の管理業務等の適正化に関する法律施行規則〔令和二・一〇・一六 国土交通省令八三〕

改正 令和三・四国交令三四、八国交令五三、令和五・一二国交令九八、令和六・三国交令二六、五国交令六一

目次

第一章 総則（第一条・第二条）
第二章 賃貸住宅管理業（第三条―第四十一条）
第三章 特定賃貸借契約の適正化のための措置等（第四十二条―第四十九条）
第四章 雑則（第五十条）
附則

第一章 総則

（法第二条第一項の国土交通省令で定める住宅）

第一条 賃貸住宅の管理業務等の適正化に関する法律（令和二年法律第六十号。以下「法」という。）第二条第一項の人の生活の本拠として使用する目的以外の目的に供されていると認められる住宅として国土交通省令で定めるものは、次の各号のいずれかに該当するものとする。

一 旅館業法（昭和二十三年法律第百三十八号）第三条第一項の規定による許可に係る施設である住宅

二 国家戦略特別区域法（平成二十五年法律第百七号）第十三条第一項の規定による認定に係る施設である住宅のうち、認定事業（同条第五項に規定する認定事業をいう。）の用に供されているもの

三 住宅宿泊事業法（平成二十九年法律第六十五号）第三条第一項の規定による届出に係る住宅のうち、住宅宿泊事業（同法第二条第三項に規定する住宅宿泊事業をいう。）の用に供されているもの

（人的関係、資本関係その他の関係において賃貸人と密接な関係を有する者）

第二条 法第二条第四項の国土交通省令で定める者は、次に掲げる者とする。

一 賃貸人が個人である場合における次に掲げる者

イ 当該賃貸人の親族

ロ 当該賃貸人又はその親族が役員である法人

二 賃貸人が会社（会社法（平成十七年法律第八十六号）第二条第一号に規定する会社をいう。）である場合における次に掲げる会社等（会社法

施行規則（平成十八年法務省令第十二号）第二条第三項第二号に規定する会社等をいう。以下この号において同じ。）（以下この条において「関係会社」という。）
イ　当該賃貸人の親会社（会社法第二条第四号に規定する親会社をいう。以下この号において同じ。）
ロ　当該賃貸人の子会社（会社法第二条第三号に規定する子会社をいう。以下この号において同じ。）
ハ　当該賃貸人の関連会社（会社計算規則（平成十八年法務省令第十三号）第二条第三項第十八号に規定する関連会社をいう。以下この号において同じ。）
ニ　当該賃貸人が他の会社等の関連会社である場合における当該他の会社等
ホ　当該賃貸人の親会社の子会社（当該賃貸人を除く。）
三　賃貸人が登録投資法人（投資信託及び投資法人に関する法律（昭和二十六年法律第百九十八号）第二条第十三項に規定する登録投資法人をいう。以下同じ。）である場合における当該登録投資法人の資産運用会社（同条第二十一項に規定する資産運用会社をいう。第七号において同じ。）の関係会社
四　賃貸人が特定目的会社（資産の流動化に関する法律（平成十年法律第百五号）第二条第三項に規定する特定目的会社をいう。以下同じ。）である場合における当該特定目的会社の委託を受けて特定資産の管理及び処分に係る業務を行う者の関係会社
五　賃貸人が組合（当該組合の組合員の間で不動産特定共同事業法（平成六年法律第七十七号）第二条第三項に規定する不動産特定共同事業契約（同項第一号に掲げる契約に限る。）が締結されているものに限る。以下同じ。）である場合における当該組合の業務執行者又は当該業務執行者の関係会社
六　賃貸人が特例事業者（不動産特定共同事業法第二条第九項に規定する特例事業者をいう。以下同じ。）である場合における当該特例事業者の委託を受けて当該特例事業者が当事者である不動産特定共同事業契約に基づき営まれる不動産取引に係る業務を行う不動産特定共同事業者（同条第五項に規定する不動産特定共同事業者をいう。）の関係会社又は当該業務を行う小規模不動産特定共同事業者（同条第七項に規定する小規模不動産特定共同事業者をいう。）の関係会社
七　賃貸人が賃貸住宅に係る信託の受託者である場合における次に掲げる者
イ　当該信託の委託者又は受益者（以下この号及び第三十条第六号において「委託者等」という。）の関係会社
ロ　委託者等が登録投資法人である場合における当該登録投資法人の資産運用会社の関係会社
ハ　委託者等が特定目的会社である場合における当該特定目的会社の委託を受けて特定資産の管理及び処分に係る業務を行う者の関係会社

第二章　賃貸住宅管理業

（法第三条第一項の国土交通省令で定める規模）
第三条　法第三条第一項の国土交通省令で定める規模は、賃貸住宅管理業に係る賃貸住宅の戸数が二百戸であることとする。

（登録の更新の申請期間）
第四条　法第三条第二項の登録の更新を受けようとする者は、その者が現に受けている登録の有効期間の満了の日の九十日前から三十日前までの間に法第四条第一項の申請書（以下「登録申請書」という。）を国土交通大臣に提出しなければならない。

（手数料）
第五条　法第三条第五項の手数料は、登録申請書に収入印紙を貼って納めなければならない。

（登録申請書の様式）
第六条　登録申請書は別記様式第一号によるものとする。

（登録申請書の添付書類）
第七条　法第四条第二項（法第七条第三項において準用する場合を含む。）の国土交通省令で定める書類は、次に掲げるものとする。
一　法第三条第一項の登録（同条第二項の登録の更新を含む。）を受けようとする者（以下この条において「登録申請者」という。）が法人である場合においては、次に掲げる書類
イ　定款又は寄附行為
ロ　登記事項証明書
ハ　法人税の直前一年の各年度における納付すべき額及び納付済額を証する書面
ニ　役員が破産手続開始の決定を受けて復権を得ない者に該当しない旨の市町村（特別区を含む。次号において同じ。）の長の証明書
ホ　別記様式第二号による役員並びに相談役及び顧問の略歴を記載した書面
ヘ　別記様式第三号による相談役及び顧問の氏名及び住所並びに発行済株式総数の百分の五以上の株式を有する株主又は出資の額の百分の五以上の額に相当する出資をしている者の氏名又は名称、住所及びその有する株式の数又はその者のなした出資の金額を記載した書面
ト　最近の事業年度における貸借対照表及び損益計算書
チ　別記様式第四号による賃貸住宅管理業に係る賃貸住宅の戸数その他の登録申請者の業務の状況及び財産の分別管理の状況を記載した書面
リ　別記様式第五号による業務管理者の配置の状況及び当該業務管理者が第十四条各号に掲げる要件のいずれかに該当する者である旨を記載した書面
ヌ　別記様式第六号による法第六条第一項第二号から第四号まで、第六号及び第八号から第十一号までのいずれにも該当しないことを誓約する書面
二　登録申請者（営業に関し成年者と同一の行為能力を有しない未成年者である場合にあっては、その法定代理人（法定代理人が法人である場合にあっては、その役員）を含む。以下この条において同じ。）が個人である場合においては、次に掲げる書類
イ　所得税の直前一年の各年度における納付すべき額及び納付済額を証する書面
ロ　登録申請者が破産手続開始の決定を受けて復権を得ない者に該当しない旨の市町村の長の証明書
ハ　別記様式第二号による登録申請者の略歴を記載した書面
ニ　営業に関し成年者と同一の行為能力を有しない未成年者であって、その法定代理人が法人である場合においては、その法定代理人の登記事項証明書
ホ　別記様式第七号による財産に関する調書
ヘ　前号チ及びリに掲げる書類
ト　別記様式第八号による法第六条第一項第一号から第七号まで及び第九号から第十一号までのいずれにも該当しないことを誓約する書面
2　国土交通大臣は、登録申請者（個人である場合に限る。）に係る機構保存本人確認情報（住民基本台帳法（昭和四十二年法律第八十一号）第三十条の七第四項に規定する機構保存本人確認情報をいう。）のうち住民票コード以外のものについて、同法第三十条の九の規定によるその提供を受けることができないときは、その者に対し、住民票の抄本又はこれに代わる書面を提出させることができる。
3　国土交通大臣は、登録申請者に対し、前二項に規定するもののほか、必要と認める書類を提出させることができる。
4　国土交通大臣は、特に必要がないと認めるときは、この規則の規定により登録申請書に添付しなければならない書類の一部を省略させることができる。

（心身の故障により賃貸住宅管理業を的確に遂行することができない者）
第八条　法第六条第一項第一号の国土交通省令で定める者は、精神の機能の障害により賃貸住宅管理業を的確に遂行するに当たって必要な認知、判断及び意思疎通を適切に行うことができない者とする。

（不正な行為等をするおそれがあると認められる者）
第九条　法第六条第一項第六号の国土交通省令で定める者は、次の各号のいずれかに該当する者とする。
一　法第二十三条第一項各号のいずれかに該当するとして登録の取消しの処分に係る行政手続法（平成五年法律第八十八号）第十五条の規定による通知があった日から当該処分をする日又は処分をしないことの決定をする日までの間に法第九条第一項第四号又は第五号の規定による届出をした者（解散又は賃貸住宅管理業の廃止について相当の理由のある者を除く。）で当該届出の日から五年を経過しないもの
二　前号の期間内に法第九条第一項第二号、第四号又は第五号の規定によ

る届出をした法人（合併、解散又は賃貸住宅管理業の廃止について相当の理由がある法人を除く。）の役員であった者であって前号に規定する通知があった日前三十日に当たる日から当該法人の合併、解散又は廃止の日までの間にその地位にあったもので当該届出の日から五年を経過しないもの

（賃貸住宅管理業を遂行するために必要と認められる財産的基礎）

第一〇条　法第六条第一項第十号の国土交通省令で定める基準は、財産及び損益の状況が良好であることとする。

（登録事項の変更の届出）

第一一条　賃貸住宅管理業者は、法第七条第一項の規定による届出をしようとするときは、国土交通大臣に、別記様式第九号による登録事項変更届出書を提出しなければならない。

２　変更に係る事項が法人の役員の氏名であるときは、前項の登録事項変更届出書に当該役員に関する第七条第一項第一号ニ及びホに掲げる書類並びに当該役員が法第六条第一項第八号に該当しないことを誓約する書面を添付しなければならない。

（廃業等の届出）

第一二条　賃貸住宅管理業者は、法第九条第一項の規定による届出をしようとするときは、国土交通大臣に、別記様式第十号による廃業等届出書を提出しなければならない。

（業務管理者の職務）

第一三条　法第十二条第一項の国土交通省令で定める事項は、次のとおりとする。

一　法第十三条の規定による書面の交付及び説明に関する事項
二　法第十四条の規定による書面の交付に関する事項
三　管理業務として行う賃貸住宅の維持保全の実施に関する事項及び賃貸住宅に係る家賃、敷金、共益費その他の金銭の管理に関する事項
四　法第十八条の規定による帳簿の備付け等に関する事項
五　法第二十条の規定による定期報告に関する事項
六　法第二十一条の規定による秘密の保持に関する事項
七　賃貸住宅の入居者からの苦情の処理に関する事項
八　前各号に掲げるもののほか、賃貸住宅の入居者の居住の安定及び賃貸住宅の賃貸に係る事業の円滑な実施を確保するため必要な事項として国土交通大臣が定める事項

（業務管理者の要件）

第一四条　法第十二条第四項の国土交通省令で定める要件は、管理業務に関し二年以上の実務の経験を有する者又は国土交通大臣がその実務の経験を有する者と同等以上の能力を有すると認めた者で、次の各号のいずれかに該当するものであることとする。

一　法第十二条第四項の知識及び能力を有すると認められることを証明する事業（以下「証明事業」という。）として、次条から第二十九条までの規定により国土交通大臣の登録を受けたもの（以下「登録証明事業」という。）による証明を受けている者
二　宅地建物取引士（宅地建物取引業法（昭和二十七年法律第百七十六号）第二条第四号に規定する宅地建物取引士をいう。第十七条第一項第二号ロにおいて同じ。）で、国土交通大臣が指定する管理業務に関する実務についての講習を修了した者

（登録の申請）

第一五条　前条第一号の登録は、登録証明事業を行おうとする者の申請により行う。

２　前条第一号の登録を受けようとする者（以下この条において「登録申請者」という。）は、次に掲げる事項を記載した申請書を国土交通大臣に提出しなければならない。

一　登録申請者の氏名又は商号若しくは名称及び住所並びに法人にあっては、その代表者の氏名
二　登録証明事業を行おうとする事務所の名称及び所在地
三　登録を受けようとする証明事業の名称
四　登録証明事業を開始しようとする年月日
五　試験委員（第十七条第一項第二号に規定する合議制の機関を構成する者をいう。以下同じ。）となるべき者の氏名及び略歴並びに同号イからハまでのいずれに該当するかの別
六　登録を受けようとする証明事業に係る試験の科目及び内容

３　前項の申請書には、次に掲げる書類を添付しなければならない。

一　個人である場合においては、次に掲げる書類
　イ　住民票の抄本又はこれに代わる書面
　ロ　登録申請者の略歴を記載した書類
二　法人である場合においては、次に掲げる書類
　イ　定款若しくは寄附行為又はこれらに代わる書面及び登記事項証明書
　ロ　株主名簿若しくは社員名簿の写し又はこれらに代わる書面
　ハ　申請に係る意思の決定を証する書類
　ニ　役員（持分会社（会社法第五百七十五条第一項に規定する持分会社をいう。）にあっては業務を執行する社員をいい、当該社員が法人であるときは当該社員の職務を行うべき者を含む。次条第五号において同じ。）の氏名又は商号若しくは名称及び略歴又は沿革を記載した書類
三　試験委員が第十七条第一項第二号イからハまでのいずれかに該当する者であることを証する書類
四　登録証明事業以外の業務を行うときは、その業務の種類及び概要を記載した書面
五　登録申請者が次条各号のいずれにも該当しない者であることを誓約する書面
六　その他参考となる事項を記載した書類

（欠格条項）

第一六条　次の各号のいずれかに該当する者が行おうとする証明事業は、第十四条第一号の登録を受けることができない。

一　法又は法に基づく命令の規定に違反し、罰金以上の刑に処せられ、その執行を終わり、又は執行を受けることがなくなった日から起算して二年を経過しない者
二　第二十六条の規定により第十四条第一号の登録を取り消され、その取消しの日から起算して二年を経過しない者
三　暴力団員による不当な行為の防止等に関する法律（平成三年法律第七十七号）第二条第六号に規定する暴力団員又は同号に規定する暴力団員でなくなった日から五年を経過しない者（次号において「暴力団員等」という。）
四　暴力団員等がその事業活動を支配する法人
五　法人であって、証明事業を行う役員のうちに第一号から第三号までのいずれかに該当する者があるもの

（登録要件等）

第一七条　国土交通大臣は、第十五条の規定による登録の申請が次に掲げる要件の全てに適合しているときは、その登録をしなければならない。

一　第十九条第一項第一号イからヘまでの事項を含む内容について登録証明事業に係る試験（以下「登録試験」という。）が行われるものであること。
二　次のいずれかに該当する者五名以上によって構成される合議制の機関により試験問題の作成及び合否判定が行われるものであること。
　イ　管理業務に七年以上従事した経験があり、かつ、管理業務その他賃貸住宅の管理の実務に関し適切に指導することができる能力を有すると認められる者
　ロ　弁護士、公認会計士、税理士、学校教育法（昭和二十二年法律第二十六号）第一条に規定する大学において教授若しくは准教授の職にある者又は宅地建物取引士であって管理業務その他の賃貸住宅の管理の実務に関する知識を有する者
　ハ　国土交通大臣がイ又はロに掲げる者と同等以上の能力を有すると認める者

２　第十四条第一号の登録は、登録証明事業登録簿に次に掲げる事項を記載してするものとする。

一　登録年月日及び登録番号
二　登録証明事業を行う者（以下「登録証明事業実施機関」という。）の氏名又は商号若しくは名称及び住所並びに法人にあっては、その代表者の氏名
三　登録証明事業を行う事務所の名称及び所在地
四　登録証明事業の名称
五　登録証明事業を開始する年月日

（登録の更新）

第一八条　第十四条第一号の登録は、五年ごとにその更新を受けなければ、その期間の経過によって、その効力を失う。

2 前三条の規定は、前項の登録の更新について準用する。

（登録証明事業の実施に係る義務）

第一九条 登録証明事業実施機関は、公正に、かつ、第十七条第一項各号に掲げる要件及び次に掲げる基準に適合する方法により登録証明事業を行わなければならない。

一 次のイからヘまでの事項を含む内容について登録試験を行うこと。

イ 管理受託契約に関する事項

ロ 管理業務として行う賃貸住宅の維持保全に関する事項

ハ 家賃、敷金、共益費その他の金銭の管理に関する事項

ニ 賃貸住宅の賃貸借に関する事項

ホ 法に関する事項

ヘ イからホまでに掲げるもののほか、管理業務その他の賃貸住宅の管理の実務に関する事項

二 登録試験を実施する日時、場所、登録試験の出題範囲その他登録試験の実施に関し必要な事項を公示すること。

三 登録試験に関する不正行為を防止するための措置を講じること。

四 終了した登録試験の問題及び当該登録試験の合格基準を公表すること。

五 登録試験に合格した者に対し、合格証明書を交付すること。

六 登録試験に合格した者について、管理業務に関し二年以上の実務の経験を有すること又はこれと同等以上の能力を有することを確認することにより、証明の判定がなされること。

七 登録証明事業による証明を受けた者に対し、証明書を交付すること。

八 登録証明事業による証明を受けた者の知識及び技能の維持のための措置が適切に講じられているものであること。

九 登録証明事業が特定の者又は事業のみを利することとならないものであり、かつ、その実施が十分な社会的信用を得られる見込みがあるものであること。

（登録事項の変更の届出）

第二〇条 登録証明事業実施機関は、第十七条第二項第二号から第五号までに掲げる事項及び試験委員を変更しようとするときは、変更しようとする日の二週間前までに、その旨を国土交通大臣に届け出なければならない。

（登録証明事業実施規程）

第二一条 登録証明事業実施機関は、次に掲げる事項を記載した登録証明事業に関する規程を定め、当該登録証明事業の開始前に、国土交通大臣に届け出なければならない。これを変更しようとするときも、同様とする。

一 登録証明事業を行う時間及び休日に関する事項

二 登録証明事業を行う事務所及び登録試験の試験地に関する事項

三 登録試験の受験の申込みに関する事項

四 登録試験の受験手数料の額及び収納の方法に関する事項

五 登録試験の日程、公示方法その他の登録試験の実施に関する事務（以下この条において「登録試験事務」という。）の実施の方法に関する事項

六 登録試験の科目及び内容に関する事項

七 試験委員の選任及び解任に関する事項

八 登録試験の問題の作成、登録試験の合否判定及び証明の判定の方法に関する事項

九 終了した登録試験の問題及び当該登録試験の合格基準の公表に関する事項

十 登録試験の合格証明書の交付及び再交付に関する事項

十一 登録証明事業による証明を受けた者に対し交付すべき証明書に関する事項

十二 登録証明事業による証明を受けた者の知識及び技能の維持のための措置に関する事項

十三 登録試験事務に関する秘密の保持に関する事項

十四 登録試験事務に関する公正の確保に関する事項

十五 不正受験者の処分に関する事項

十六 第二十七条第三項の帳簿その他の登録証明事業に関する書類の管理に関する事項

十七 その他登録証明事業に関し必要な事項

（登録証明事業の休廃止）

第二二条 登録証明事業実施機関は、登録証明事業の全部又は一部を休止し、又は廃止しようとするときは、あらかじめ、次に掲げる事項を記載した届出書を国土交通大臣に提出しなければならない。

一 休止し、又は廃止しようとする登録証明事業の範囲

二 休止し、又は廃止しようとする年月日及び休止しようとする場合にあっては、その期間

三 休止又は廃止の理由

（財務諸表等の備付け及び閲覧等）

第二三条 登録証明事業実施機関は、毎事業年度経過後三月以内に、その事業年度の財産目録、貸借対照表及び損益計算書又は収支計算書並びに事業報告書（その作成に代えて電磁的記録（電子的方式、磁気的方式その他の人の知覚によっては認識することができない方式で作られる記録であって、電子計算機による情報処理の用に供されるものをいう。以下同じ。）の作成がされている場合における当該電磁的記録を含む。次項において「財務諸表等」という。）を作成し、五年間事務所に備えて置かなければならない。

2 登録証明事業による証明を受けようとする者その他の利害関係人は、登録証明事業実施機関の業務時間内は、いつでも、次に掲げる請求をすることができる。ただし、第二号又は第四号の請求をするには、登録証明事業実施機関の定めた費用を支払わなければならない。

一 財務諸表等が書面をもって作成されているときは、当該書面の閲覧又は謄写の請求

二 前号の書面の謄本又は抄本の請求

三 財務諸表等が電磁的記録をもって作成されているときは、当該電磁的記録に記録された事項を紙面又は出力装置の映像面に表示したものの閲覧又は謄写の請求

四 前号の電磁的記録に記録された事項を電磁的方法であって、次に掲げるもののうち登録証明事業実施機関が定めるものにより提供することの請求又は当該事項を記載した書面の交付の請求

イ 送信者の使用に係る電子計算機と受信者の使用に係る電子計算機とを電気通信回線で接続した電子情報処理組織を使用する方法であって、当該電気通信回線を通じて情報が送信され、受信者の使用に係る電子計算機に備えられたファイルに当該情報が記録されるもの

ロ 電磁的記録媒体（電磁的記録に係る記録媒体をいう。以下同じ。）をもって調製するファイルに情報を記録したものを交付する方法

3 前項第四号イ又はロに掲げる方法は、受信者がファイルへの記録を出力することによる書面を作成することができるものでなければならない。

（適合命令）

第二四条 国土交通大臣は、登録証明事業実施機関が第十七条第一項の規定に適合しなくなったと認めるときは、当該登録証明事業実施機関に対し、同項の規定に適合するため必要な措置をとるべきことを命ずることができる。

（改善命令）

第二五条 国土交通大臣は、登録証明事業実施機関が第十九条の規定に違反していると認めるときは、当該登録証明事業実施機関に対し、同条の規定による登録証明事業を行うべきこと又は登録証明事業の方法その他の業務の方法の改善に関し必要な措置をとるべきことを命ずることができる。

（登録の取消し等）

第二六条 国土交通大臣は、登録証明事業実施機関が次の各号のいずれかに該当するときは、当該登録証明事業実施機関が行う登録証明事業の登録を取り消し、又は期間を定めて登録証明事業の全部若しくは一部の停止を命ずることができる。

一 第十六条各号（第二号を除く。）に該当するに至ったとき。

二 第二十条から第二十二条まで、第二十三条第一項又は次条の規定に違反したとき。

三 正当な理由がないのに第二十三条第二項各号の規定による請求を拒んだとき。

四 前二条の規定による命令に違反したとき。

五 第二十八条の規定による報告を求められて、報告をせず、又は虚偽の報告をしたとき。

六 不正の手段により第十四条第一号の登録を受けたとき。

（帳簿の記載等）

第二七条 登録証明事業実施機関は、登録証明事業に関する次に掲げる事項を記載した帳簿を備えなければならない。

一 登録試験の試験年月日

二　登録試験の試験地
三　登録試験の受験者の受験番号、氏名、生年月日及び合否の別
四　登録試験の合格年月日
五　証明年月日
2　前項各号に掲げる事項が、電子計算機に備えられたファイル又は電磁的記録媒体に記録され、必要に応じ登録証明事業実施機関において電子計算機その他の機器を用いて明確に紙面に表示されるときは、当該記録をもって同項に規定する帳簿への記載に代えることができる。
3　登録証明事業実施機関は、第一項に規定する帳簿（前項の規定による記録が行われた同項のファイル又は電磁的記録媒体を含む。）を、登録証明事業の全部を廃止するまで保存しなければならない。
4　登録証明事業実施機関は、次に掲げる書類を備え、登録試験を実施した日から三年間保存しなければならない。
一　登録試験の受験申込書及び添付書類
二　終了した登録試験の問題及び答案用紙

（報告の徴収）
第二八条　国土交通大臣は、登録証明事業の適正な実施を確保するため必要があると認めるときは、登録証明事業実施機関に対し、登録証明事業の状況に関し必要な報告を求めることができる。

（公示）
第二九条　国土交通大臣は、次に掲げる場合には、その旨を官報に公示しなければならない。
一　第十四条第一号の登録をしたとき。
二　第十八条第一項の規定により登録の更新をしたとき。
三　第二十条の規定による届出があったとき。ただし、試験委員に関する事項は除く。
四　第二十二条の規定による届出があったとき。
五　第二十六条の規定により登録を取り消し、又は登録証明事業の停止を命じたとき。

（管理業務に係る専門的知識及び経験を有すると認められる者）
第三〇条　法第十三条第一項の国土交通省令で定める者は、次に掲げる者とする。
一　賃貸住宅管理業者
二　特定転貸事業者
三　宅地建物取引業者（宅地建物取引業法第二条第三号に規定する宅地建物取引業者をいい、同法第七十七条第二項の規定により宅地建物取引業者とみなされる信託会社（宅地建物取引業法施行令（昭和三十九年政令第三百八十三号）第九条第二項の規定により宅地建物取引業者とみなされる信託業務を兼営する金融機関及び銀行法等の一部を改正する法律（平成十三年法律第百十七号）附則第十一条の規定によりなお従前の例によるものとされ、引き続き宅地建物取引業を営んでいる銀行並びに宅地建物取引業法第七十七条第一項の政令で定める信託会社を含む。）、同法第七十七条の二第二項の規定により宅地建物取引業者とみなされる登録投資法人及び同法第七十七条の三第二項の規定により宅地建物取引業者とみなされる特例事業者を含む。第四十四第三号において同じ。）
四　特定目的会社
五　組合
六　賃貸住宅に係る信託の受託者（委託者等が第一号から第四号までのいずれかに該当する場合に限る。第四十四条第六号において同じ。）
七　独立行政法人都市再生機構
八　地方住宅供給公社

（管理受託契約の締結前の説明事項）
第三一条　法第十三条第一項の国土交通省令で定める事項は、次に掲げるものとする。
一　管理受託契約を締結する賃貸住宅管理業者の商号、名称又は氏名並びに登録年月日及び登録番号
二　管理業務の対象となる賃貸住宅
三　管理業務の内容及び実施方法
四　報酬の額並びにその支払の時期及び方法
五　前号に掲げる報酬に含まれていない管理業務に関する費用であって、賃貸住宅管理業者が通常必要とするもの
六　管理業務の一部の再委託に関する事項
七　責任及び免責に関する事項
八　法第二十条の規定による委託者への報告に関する事項
九　契約期間に関する事項
十　賃貸住宅の入居者に対する第三号に掲げる事項の周知に関する事項
十一　管理受託契約の更新及び解除に関する事項

（情報通信の技術を利用する方法）
第三二条　法第十三条第二項（法第十四条第三項において準用する場合を含む。）の国土交通省令で定める方法は、次に掲げるものとする。
一　電子情報処理組織を使用する方法のうち次に掲げるもの
イ　送信者等（送信者又は送信者との契約によりファイルを自己の管理する電子計算機に備え置き、これを受信者若しくは当該送信者の用に供する者をいう。以下この条及び次条において同じ。）の使用に係る電子計算機と受信者等（受信者又は受信者との契約により受信者ファイル（専ら受信者の用に供されるファイルをいう。以下この条において同じ。）を自己の管理する電子計算機に備え置く者をいう。以下この条において同じ。）の使用に係る電子計算機とを接続する電気通信回線を通じて書面に記載すべき事項（以下この条において「記載事項」という。）を送信し、受信者等の使用に係る電子計算機に備えられた受信者ファイルに記録する方法
ロ　送信者等の使用に係る電子計算機に備えられたファイルに記録された記載事項を電気通信回線を通じて受信者の閲覧に供し、受信者等の使用に係る電子計算機に備えられた当該受信者の受信者ファイルに当該記載事項を記録する方法
ハ　送信者等の使用に係る電子計算機に備えられた受信者ファイルに記録された記載事項を電気通信回線を通じて受信者の閲覧に供する方法
二　電磁的記録媒体をもって調製するファイルに記載事項を記録したものを交付する方法
2　前項各号に掲げる方法は、次に掲げる基準に適合するものでなければならない。
一　受信者が受信者ファイルへの記録を出力することにより書面を作成できるものであること。
二　前項第一号ロに掲げる方法にあっては、記載事項を送信者等の使用に係る電子計算機に備えられたファイルに記録する旨又は記録した旨を受信者に対し通知するものであること。ただし、受信者が当該記載事項を閲覧していたことを確認したときはこの限りではない。
三　前項第一号ハに掲げる方法にあっては、記載事項を送信者等の使用に係る電子計算機に備えられた受信者ファイルに記録する旨又は記録した旨を受信者に対し通知するものであること。ただし、受信者が当該記載事項を閲覧していたことを確認したときはこの限りでない。

（電磁的方法の種類及び内容）
第三三条　賃貸住宅の管理業務等の適正化に関する法律施行令（令和二年政令第三百十三号。以下「令」という。）第二条第一項（同条第三項において準用する場合を含む。）の規定により示すべき電磁的方法の種類及び内容は、次に掲げる事項とする。
一　前条第一項各号に掲げる方法のうち送信者等が使用するもの
二　ファイルへの記録の方式

（情報通信の技術を利用した承諾の取得）
第三四条　令第二条第一項（同条第三項において準用する場合を含む。）の国土交通省令で定める方法は、次に掲げるものとする。
一　電子情報処理組織を使用する方法のうち、イ又はロに掲げるもの
イ　送信者の使用に係る電子計算機から電気通信回線を通じて受信者の使用に係る電子計算機に令第二条第一項の承諾又は同条第二項の申出（以下この項において「承諾等」という。）をする旨を送信し、当該電子計算機に備えられたファイルに記録する方法
ロ　受信者の使用に係る電子計算機に備えられたファイルに記録された前条に規定する電磁的方法の種類及び内容を電気通信回線を通じて送信者の閲覧に供し、当該電子計算機に備えられたファイルに承諾等をする旨を記録する方法
二　電磁的記録媒体をもって調製するファイルに承諾等をする旨を記録したものを交付する方法
2　前項各号に掲げる方法は、受信者がファイルへの記録を出力することにより書面を作成することができるものでなければならない。

（管理受託契約の締結時の書面の記載事項）
第三五条　法第十四条第一項第四号に掲げる事項には、報酬の額並びにその

支払の時期及び方法を含むものとする。

2　法第十四条第一項第六号の国土交通省令で定める事項は、次に掲げるものとする。

一　管理受託契約を締結する賃貸住宅管理業者の商号、名称又は氏名並びに登録年月日及び登録番号

二　管理業務の内容

三　管理業務の一部の再委託に関する定めがあるときは、その内容

四　責任及び免責に関する定めがあるときは、その内容

五　法第二十条の規定による委託者への報告に関する事項

六　賃貸住宅の入居者に対する法第十四条第一項第二号及び第三号に掲げる事項の周知に関する事項

（財産の分別管理）

第三六条　法第十六条の国土交通省令で定める方法は、管理受託契約に基づく管理業務（法第二条第二項第二号に掲げるものに限る。以下この条において同じ。）において受領する家賃、敷金、共益費その他の金銭を管理するための口座を自己の固有財産を管理するための口座と明確に区分し、かつ、当該金銭がいずれの管理受託契約に基づく管理業務に係るものであるかが自己の帳簿（その作成に代えて電磁的記録の作成がされている場合における当該電磁的記録を含む。）により直ちに判別できる状態で管理する方法とする。

（証明書の様式）

第三七条　法第十七条第一項の証明書の様式は、別記様式第十一号によるものとする。

（帳簿の記載事項）

第三八条　法第十八条の国土交通省令で定める事項は、次に掲げるものとする。

一　管理受託契約を締結した委託者の商号、名称又は氏名

二　管理受託契約を締結した年月日

三　契約の対象となる賃貸住宅

四　受託した管理業務の内容

五　報酬の額

六　管理受託契約における特約その他参考となる事項

2　前項各号に掲げる事項が、電子計算機に備えられたファイル又は電磁的記録媒体に記録され、必要に応じ賃貸住宅管理業者の営業所又は事務所において電子計算機その他の機器を用いて明確に紙面に表示されるときは、当該記録をもって法第十八条の規定による帳簿への記載に代えることができる。

3　賃貸住宅管理業者は、法第十八条の帳簿（前項の規定による記録が行われた同項のファイル又は電磁的記録媒体を含む。）を各事業年度の末日をもって閉鎖するものとし、閉鎖後五年間当該帳簿を保存しなければならない。

（標識の様式）

第三九条　法第十九条の国土交通省令で定める様式は、別記様式第十二号によるものとする。

（委託者への定期報告）

第四〇条　賃貸住宅管理業者は、法第二十条の規定により委託者への報告を行うときは、管理受託契約を締結した日から一年を超えない期間ごとに、及び管理受託契約の期間の満了後遅滞なく、当該期間における管理受託契約に係る管理業務の状況について次に掲げる事項（以下この条において「記載事項」という。）を記載した管理業務報告書を作成し、これを委託者に交付して説明しなければならない。

一　報告の対象となる期間

二　管理業務の実施状況

三　管理業務の対象となる賃貸住宅の入居者からの苦情の発生状況及び対応状況

2　賃貸住宅管理業者は、前項の規定による管理業務報告書の交付に代えて、第四項で定めるところにより、当該管理業務報告書を交付すべき委託者の承諾を得て、記載事項を電子情報処理組織を使用する方法その他の情報通信の技術を利用する方法であって次に掲げるもの（以下この条において「電磁的方法」という。）により提供することができる。この場合において、当該賃貸住宅管理業者は、当該管理業務報告書を交付したものとみなす。

一　電子情報処理組織を使用する方法のうち次に掲げるもの

イ　賃貸住宅管理業者等（賃貸住宅管理業者又は記載事項の提供を行う賃貸住宅管理業者との契約によりファイルを自己の管理する電子計算機に備え置き、これを委託者若しくは当該賃貸住宅管理業者の用に供する者をいう。以下この条において同じ。）の使用に係る電子計算機と委託者等（委託者又は委託者との契約により委託者ファイル（専ら委託者の用に供されるファイルをいう。以下この条において同じ。）を自己の管理する電子計算機に備え置く者をいう。以下この項において同じ。）の使用に係る電子計算機とを接続する電気通信回線を通じて記載事項を送信し、委託者等の使用に係る電子計算機に備えられた委託者ファイルに記録する方法

ロ　賃貸住宅管理業者等の使用に係る電子計算機に備えられたファイルに記録された記載事項を電気通信回線を通じて委託者の閲覧に供し、委託者等の使用に係る電子計算機に備えられた当該委託者の委託者ファイルに当該記載事項を記録する方法

ハ　賃貸住宅管理業者等の使用に係る電子計算機に備えられた委託者ファイルに記録された記載事項を電気通信回線を通じて委託者の閲覧に供する方法

二　電磁的記録媒体をもって調製するファイルに記載事項を記録したものを交付する方法

3　前項各号に掲げる方法は、次に掲げる基準に適合するものでなければならない。

一　委託者が委託者ファイルへの記録を出力することにより書面を作成できるものであること。

二　前項第一号ロに掲げる方法にあっては、記載事項を賃貸住宅管理業者等の使用に係る電子計算機に備えられたファイルに記録する旨又は記録した旨を委託者に対し通知するものであること。ただし、委託者が当該記載事項を閲覧していたことを確認したときはこの限りでない。

三　前項第一号ハに掲げる方法にあっては、記載事項を賃貸住宅管理業者等の使用に係る電子計算機に備えられた委託者ファイルに記録する旨又は記録した旨を委託者に対し通知するものであること。ただし、委託者が当該記載事項を閲覧していたことを確認したときはこの限りでない。

4　賃貸住宅管理業者は、第二項の規定により記載事項を提供しようとするときは、あらかじめ、当該委託者に対し、その用いる電磁的方法の種類及び内容を示し、書面又は電子情報処理組織を使用する方法その他の情報通信の技術を利用する方法であって次に掲げるものによる承諾を得なければならない。

一　電子情報処理組織を使用する方法のうち次に掲げるもの

イ　委託者の使用に係る電子計算機から電気通信回線を通じて賃貸住宅管理業者の使用に係る電子計算機に承諾をする旨を送信し、当該電子計算機に備えられたファイルに記録する方法

ロ　賃貸住宅管理業者の使用に係る電子計算機に備えられたファイルに記録された第六項に規定する電磁的方法の種類及び内容を電気通信回線を通じて委託者の閲覧に供し、当該電子計算機に備えられたファイルに承諾をする旨を記録する方法

二　電磁的記録媒体をもって調製するファイルに承諾をする旨を記録したものを交付する方法

5　前項各号に掲げる方法は、賃貸住宅管理業者がファイルへの記録を出力することにより書面を作成することができるものでなければならない。

6　第四項の規定により示すべき電磁的方法の種類及び内容は、次に掲げる事項とする。

一　第二項各号に掲げる方法のうち賃貸住宅管理業者等が使用するもの

二　ファイルへの記録の方式

7　賃貸住宅管理業者は、第四項の承諾を得た場合であっても、委託者から書面又は電子情報処理組織を使用する方法その他の情報通信の技術を利用する方法であって次に掲げるものにより電磁的方法による提供を受けない旨の申出があったときは、当該電磁的方法による提供をしてはならない。ただし、当該申出の後に当該委託者から再び同項の承諾を得た場合は、この限りでない。

一　電子情報処理組織を使用する方法のうち次に掲げるもの

イ　委託者の使用に係る電子計算機から電気通信回線を通じて賃貸住宅管理業者の使用に係る電子計算機に申出をする旨を送信し、当該電子計算機に備えられたファイルに記録する方法

ロ　賃貸住宅管理業者の使用に係る電子計算機に備えられたファイルに記録された前項に規定する電磁的方法の種類及び内容を電気通信回線

を通じて委託者の閲覧に供し、当該電子計算機に備えられたファイルに申出をする旨を記録する方法

二　電磁的記録媒体をもって調製するファイルに申出をする旨を記録したものを交付する方法

8　第五項の規定は、前項各号に掲げる方法について準用する。

（公告の方法）

第四一条　法第二十五条の規定による監督処分等の公告は、官報によるものとする。

第三章　特定賃貸借契約の適正化のための措置等

（誇大広告等をしてはならない事項）

第四二条　法第二十八条の国土交通省令で定める事項は、次に掲げる事項とする。

一　特定賃貸借契約の相手方に支払う家賃の額、支払期日及び支払方法等の賃貸の条件並びにその変更に関する事項
二　賃貸住宅の維持保全の実施方法
三　賃貸住宅の維持保全に要する費用の分担に関する事項
四　特定賃貸借契約の解除に関する事項

（特定賃貸借契約の相手方等の保護に欠ける禁止行為）

第四三条　法第二十九条第二号の国土交通省令で定める行為は、次に掲げるものとする。

一　特定賃貸借契約を締結若しくは更新させ、又は特定賃貸借契約の申込みの撤回若しくは解除を妨げるため、特定賃貸借契約の相手方又は相手方となろうとする者（以下「相手方等」という。）を威迫する行為
二　特定賃貸借契約の締結又は更新について相手方等に迷惑を覚えさせるような時間に電話又は訪問により勧誘する行為
三　特定賃貸借契約の締結又は更新について深夜又は長時間の勧誘その他の私生活又は業務の平穏を害するような方法により相手方等を困惑させる行為
四　特定賃貸借契約の締結又は更新をしない旨の意思（当該契約の締結又は更新の勧誘を受けることを希望しない旨の意思を含む。）を表示した相手方等に対して執ように勧誘する行為

（特定賃貸借契約に係る専門的知識及び経験を有すると認められる者）

第四四条　法第三十条第一項の国土交通省令で定める者は、次に掲げる者とする。

一　特定転貸事業者
二　賃貸住宅管理業者
三　宅地建物取引業者
四　特定目的会社
五　組合
六　賃貸住宅に係る信託の受託者
七　独立行政法人都市再生機構
八　地方住宅供給公社

（特定賃貸借契約の締結前の説明事項）

第四五条　法第三十条第一項の国土交通省令で定める事項は、次に掲げるものとする。

一　特定賃貸借契約を締結する特定転貸事業者の商号、名称又は氏名及び住所
二　特定賃貸借契約の対象となる賃貸住宅
三　特定賃貸借契約の相手方に支払う家賃の額、支払期日及び支払方法等の賃貸の条件並びにその変更に関する事項
四　特定転貸事業者が行う賃貸住宅の維持保全の実施方法
五　特定転貸事業者が行う賃貸住宅の維持保全に要する費用の分担に関する事項
六　特定賃貸借契約の相手方に対する維持保全の実施状況の報告に関する事項
七　損害賠償額の予定又は違約金に関する事項
八　責任及び免責に関する事項
九　契約期間に関する事項
十　転借人の資格その他の転貸の条件に関する事項
十一　転借人に対する第四号に掲げる事項の周知に関する事項
十二　特定賃貸借契約の更新及び解除に関する事項
十三　特定賃貸借契約が終了した場合における特定転貸事業者の権利義務の承継に関する事項
十四　借地借家法（平成三年法律第九十号）その他特定賃貸借契約に係る法令に関する事項の概要

第四六条　令第三条第一項（同条第三項において準用する場合を含む。）の規定により示すべき電磁的方法の種類及び内容については、第三十三条の規定を準用する。

（法第三十一条第一項第七号の国土交通省令で定める事項）

第四七条　法第三十一条第一項第七号の国土交通省令で定める事項は、次に掲げるものとする。

一　特定賃貸借契約を締結する特定転貸事業者の商号、名称又は氏名及び住所
二　特定転貸事業者が行う賃貸住宅の維持保全に要する費用の分担に関する事項
三　特定賃貸借契約の相手方に対する維持保全の実施状況の報告に関する事項
四　損害賠償額の予定又は違約金に関する定めがあるときは、その内容
五　責任及び免責に関する定めがあるときは、その内容
六　転借人に対する法第三十一条第一項第三号に掲げる事項の周知に関する事項
七　特定賃貸借契約が終了した場合における特定転貸事業者の権利義務の承継に関する事項

（書類の閲覧）

第四八条　法第三十二条に規定する特定転貸事業者の業務及び財産の状況を記載した書類は、別記様式第十三号による業務状況調書、貸借対照表及び損益計算書又はこれらに代わる書面（以下この条において「業務状況調書等」という。）とする。

2　業務状況調書等が、電子計算機に備えられたファイル又は電磁的記録媒体に記録され、必要に応じ営業所又は事務所ごとに電子計算機その他の機器を用いて明確に紙面に表示されるときは、当該記録をもって法第三十二条に規定する書類への記載に代えることができる。この場合における同条の規定による閲覧は、当該業務状況調書等を紙面又は当該営業所又は事務所に設置された入出力装置の映像面に表示する方法で行うものとする。

3　特定転貸事業者は、第一項の書類（前項の規定による記録が行われた同項のファイル又は電磁的記録媒体を含む。次項において同じ。）を事業年度ごとに当該事業年度経過後三月以内に作成し、遅滞なく営業所又は事務所ごとに備え置くものとする。

4　第一項の書類は、営業所又は事務所に備え置かれた日から起算して三年を経過する日までの間、当該営業所又は事務所に備え置くものとし、当該営業所又は事務所の営業時間中、相手方等の求めに応じて閲覧させるものとする。

（国土交通大臣に対する申出の手続）

第四九条　法第三十五条第一項の規定により国土交通大臣に対して申出をしようとする者は、次の事項を記載した申出書を提出しなければならない。

一　申出人の氏名又は名称及び住所
二　申出の趣旨
三　その他参考となる事項

第四章　雑則

（権限の委任）

第五〇条　法に規定する国土交通大臣の権限のうち、次に掲げるものは、賃貸住宅管理業者若しくは法第三条第一項の登録を受けようとする者又は特定転貸事業者の主たる営業所又は事務所の所在地を管轄する地方整備局長及び北海道開発局長に委任する。ただし、いずれも国土交通大臣が自ら行うことを妨げない。

一　法第四条第一項の規定により登録申請書を受理すること。
二　法第五条第一項の規定により登録し、及び同条第二項の規定により通知すること。
三　法第六条第一項の規定により登録を拒否し、及び同条第二項の規定により通知すること。
四　法第七条第一項の規定による届出を受理し、及び同条第二項の規定により登録すること。

五　法第八条の規定により一般の閲覧に供すること。
六　法第九条第一項の規定による届出を受理すること。
七　法第二十二条の規定により必要な措置をとるべきことを命ずること。
八　法第二十三条第一項又は第二項の規定により登録を取り消し、及び同条第三項の規定により通知すること。
九　法第二十三条第一項の規定により業務の全部又は一部の停止を命じ、及び同条第三項の規定により通知すること。
十　法第二十四条の規定により登録を抹消すること。
十一　法第二十五条の規定により公告すること。
十二　法第二十六条第一項の規定により必要な報告を求め、又は立入検査させ、若しくは関係者に質問させること。
十三　法第三十三条第一項の規定により必要な措置をとるべきことを指示し、及び同条第三項の規定による公表をすること。
十四　法第三十三条第二項の規定により必要な措置をとるべきことを指示し、及び同条第三項の規定による公表をすること。
十五　法第三十四条第一項の規定により勧誘を行うこと若しくは勧誘者に勧誘を行わせることの停止又は特定賃貸借契約に関する業務の全部若しくは一部の停止を命じ、及び同条第三項の規定による公表をすること。
十六　法第三十四条第二項の規定により勧誘を行うことの停止を命じ、及び同条第三項の規定による公表をすること。
十七　法第三十五条第一項の規定による申出を受け、並びに同条第二項の規定により必要な調査を行い、及び同項の規定による措置をとること。
十八　法第三十六条第一項の規定により必要な報告を求め、又は立入検査させ、若しくは関係者に質問させること。

2　前項第七号、第九号、第十一号及び第十二号に掲げる権限で賃貸住宅管理業者の従たる営業所又は事務所に関するものについては、前項に規定する地方整備局長及び北海道開発局長のほか、当該従たる営業所又は事務所の所在地を管轄する地方整備局長及び北海道開発局長も当該権限を行うことができる。

附　則〔抄〕

（施行期日）
第一条　この省令は、法附則第一条第二号に掲げる規定の施行の日（令和二年十二月十五日）から施行する。

附　則〔抄〕〔令和三・四・二一国土交通省令三四〕

（施行期日）
第一条　この省令は、賃貸住宅の管理業務等の適正化に関する法律（次条において「法」という。）の施行の日（令和三年六月十五日）から施行する。

（経過措置）
第二条　法第十二条第四項の知識及び能力に関する国土交通大臣が定める要件に該当する者で、この省令の施行の日から一年を経過する日までに国土交通大臣が指定する講習を修了したものは、登録証明事業による証明を受けている者とみなす。

第三条　この省令の施行前にその課程を修了した講習であって、前条又はこの省令による改正後の賃貸住宅の管理業務等の適正化に関する法律施行規則第十四条第二号の講習に相当するものとして国土交通大臣が定めるものは、それぞれ前条又は同号の講習とみなす。

附　則〔略〕〔令和三・八・三一国土交通省令五三〕

附　則〔略〕〔令和五・一二・二八国土交通省令九八施行〕

附　則〔略〕〔令和六・三・二九国土交通省令二六〕

附　則〔令和六・五・二七国土交通省令六二〕

この省令は、情報通信技術の活用による行政手続等に係る関係者の利便性の向上並びに行政運営の簡素化及び効率化を図るための行政手続等における情報通信の技術の利用に関する法律等の一部を改正する法律附則第一条第十号に掲げる規定の施行の日（令和六年五月二十七日）から施行する。

別記様式〔略〕

〇不動産特定共同事業法〔平成六・六・二九　法律七七〕

改正　平成七・五法九一、平成九・四法三八、六法一〇二、平成一〇・一〇法一三一、平成一一・七法八七、一二法一五一、法一六〇、平成一二・五法七三、平成一三・一一法一一七、一二法一三八、平成一四・五法四五、平成一六・六法七六、法一二四、一二法一五四、平成一七・七法八七、平成一八・六法五〇、法六五、平成二〇・五法二八、平成二四・八法五三、平成二五・六法五六、一一法八六、平成二六・五法四四、平成二九・五法三七、六法四六、令和元・六法三七、令和三・五法三七、令和五・一一法七九

目次

第一章　総則（第一条・第二条）
第二章　許可（第三条―第十三条）
第三章　業務（第十四条―第三十一条の二）
第四章　監督（第三十二条―第四十条）
第五章　小規模不動産特定共同事業者
　第一節　登録（第四十一条―第四十九条）
　第二節　業務（第五十条）
　第三節　監督（第五十一条―第五十七条）
第六章　特例事業者（第五十八条）
第七章　適格特例投資家限定事業者（第五十九条―第六十一条）
第八章　不動産特定共同事業協会（第六十二条―第六十四条）
第九章　雑則（第六十五条―第七十六条）
第十章　罰則（第七十七条―第八十七条）
第十一章　没収に関する手続等の特例（第八十八条―第九十条）
附則

第一章　総則

（目的）
第一条　この法律は、不動産特定共同事業を営む者について許可等の制度を実施して、その業務の遂行に当たっての責務等を明らかにし、及び事業参加者が受けることのある損害を防止するため必要な措置を講ずることにより、その業務の適正な運営を確保し、もって事業参加者の利益の保護を図るとともに、不動産特定共同事業の健全な発達に寄与することを目的とする。

る。

（定義）

第二条　この法律（第十一章を除く。）において「不動産」とは、宅地建物取引業法（昭和二十七年法律第百七十六号）第二条第一号に掲げる宅地又は建物をいう。

2　この法律において「不動産取引」とは、不動産の売買、交換又は賃貸借をいう。

3　この法律において「不動産特定共同事業契約」とは、次に掲げる契約（予約を含む。）であって、契約（予約を含む。）の締結の態様、当事者の関係等を勘案して収益又は利益の分配を受ける者の保護が確保されていると認められる契約（予約を含む。）として政令で定めるものを除いたものをいう。

一　各当事者が、出資を行い、その出資による共同の事業として、そのうちの一人又は数人の者にその業務の執行を委任して不動産取引を営み、当該不動産取引から生ずる収益の分配を行うことを約する契約

二　当事者の一方が相手方の行う不動産取引のため出資を行い、相手方がその出資された財産により不動産取引を営み、当該不動産取引から生ずる利益の分配を行うことを約する契約

三　当事者の一方が相手方の行う不動産取引のため自らの共有に属する不動産の賃貸をし、又はその賃貸の委任をし、相手方が当該不動産により不動産取引を営み、当該不動産取引から生ずる収益の分配を行うことを約する契約

四　外国の法令に基づく契約であって、前三号に掲げるものに相当するもの

五　前各号に掲げるもののほか、不動産取引から生ずる収益又は利益の分配を行うことを約する契約（外国の法令に基づく契約を含む。）であって、当該不動産取引に係る事業の公正及び当該不動産取引から生ずる収益又は利益の分配を受ける者の保護を確保することが必要なものとして政令で定めるもの

4　この法律において「不動産特定共同事業」とは、次に掲げる行為で業として行うものをいう。

一　不動産特定共同事業契約を締結して当該不動産特定共同事業契約に基づき営まれる不動産取引から生ずる収益又は利益の分配を行う行為（前項第一号に掲げる不動産特定共同事業契約若しくは同項第四号に掲げる不動産特定共同事業契約のうち同項第一号に掲げる不動産特定共同事業契約に相当するもの又はこれらに類する不動産特定共同事業契約として政令で定めるものにあっては、業務の執行の委任を受けた者又はこれに相当する者の行うものに限る。）

二　不動産特定共同事業契約の締結の代理又は媒介をする行為（第四号に掲げるもの及び適格特例投資家限定事業者と適格特例投資家との間の不動産特定共同事業契約に係るものを除く。）

三　特例事業者の委託を受けて当該特例事業者が当事者である不動産特定共同事業契約に基づき営まれる不動産取引に係る業務を行う行為

四　特例事業者が当事者である不動産特定共同事業契約の締結の代理又は媒介をする行為

5　この法律において「不動産特定共同事業者」とは、次条第一項の許可を受けて不動産特定共同事業を営む者をいう。

6　この法律において「小規模不動産特定共同事業」とは、次に掲げる行為で業として行うものをいう。

一　第四項第一号に掲げる行為であって、当該行為に係る不動産特定共同事業契約（第三項第一号又は第二号に掲げる不動産特定共同事業契約に限る。次号において同じ。）に基づき事業参加者が行う出資の価額及び当該出資の合計額が事業参加者の保護に欠けるおそれのないものとして政令で定める金額を超えないもの

二　第四項第三号に掲げる行為であって、当該行為に係る不動産特定共同事業契約に基づき事業参加者が行う出資の価額及び当該出資の合計額が事業参加者の保護に欠けるおそれのないものとして政令で定める金額を超えないもの

7　この法律において「小規模不動産特定共同事業者」とは、第四十一条第一項の登録を受けて小規模不動産特定共同事業を営む者をいう。

8　この法律において「特例事業」とは、第四項第一号に掲げる行為で業として行うものであって、次の各号に掲げる要件のいずれにも該当するものをいう。

一　当該行為を専ら行うことを目的とする法人（不動産特定共同事業者、小規模不動産特定共同事業者又は適格特例投資家限定事業者であるもの及び外国法人で国内に事務所を有しないものを除く。）が行うものであること。

二　不動産特定共同事業契約に基づき営まれる不動産取引に係る業務を一の不動産特定共同事業者（第四項第三号に掲げる行為に係る事業（以下「第三号事業」という。）を行う者に限る。）又は小規模不動産特定共同事業者（第六項第二号に掲げる行為に係る事業（以下「小規模第二号事業」という。）を行う者に限る。）に委託するものであること。

三　不動産特定共同事業契約の締結の勧誘の業務を不動産特定共同事業者（第四項第四号に掲げる行為に係る事業（以下「第四号事業」という。）を行う者に限る。）に委託するものであること。

四　不動産特定共同事業契約に係る不動産取引の目的となる不動産について、宅地の造成又は建物の建築に関する工事その他主務省令で定める工事であってその費用の額が事業参加者の保護に欠けるおそれのないものとして主務省令で定める金額を超えるものを行う場合にあっては、特例投資家のみを相手方又は事業参加者とするものであること。

五　その他事業参加者の利益の保護を図るために必要なものとして主務省令で定める要件に適合するものであること。

9　この法律において「特例事業者」とは、第五十八条第二項の規定による届出をした者をいう。

10　この法律において「適格特例投資家限定事業」とは、第四項第一号に掲げる行為で業として行うものであって、適格特例投資家のみを相手方又は事業参加者とするものをいう。

11　この法律において「適格特例投資家限定事業者」とは、第五十九条第二項の規定による届出をした者をいう。

12　この法律において「事業参加者」とは、不動産特定共同事業契約の当事者で、当該不動産特定共同事業契約に基づき不動産特定共同事業を営む者以外のものをいう。

13　この法律において「特例投資家」とは、銀行、信託会社その他不動産に対する投資に係る専門的知識及び経験を有すると認められる者として主務省令で定める者並びに資本金の額が主務省令で定める金額以上の株式会社をいう。

14　この法律において「適格特例投資家」とは、特例投資家のうち、不動産に対する投資に係る専門的知識及び経験を特に有すると認められる者として主務省令で定める者をいう。

第二章　許可

（不動産特定共同事業の許可）

第三条　不動産特定共同事業を営もうとする者は、主務大臣（一の都道府県の区域内にのみ事務所（本店、支店その他の政令で定めるものをいう。以下同じ。）を設置して不動産特定共同事業を行おうとする者（第三号事業又は第四号事業を行おうとする者を除く。）にあっては、当該事務所の所在地を管轄する都道府県知事）の許可を受けなければならない。

2　前項の許可のうち主務大臣の許可を受けようとする者は、登録免許税法（昭和四十二年法律第三十五号）で定めるところにより登録免許税を納めなければならない。

（許可の条件）

第四条　主務大臣又は都道府県知事は、前条第一項の許可に条件を付し、及びこれを変更することができる。

2　前項の条件は、不動産特定共同事業の適正な運営を確保するため必要な最小限度のものに限り、かつ、許可を受ける者に不当な義務を課することとなるものであってはならない。

（許可の申請）

第五条　第三条第一項の許可を受けようとする者は、主務大臣又は都道府県知事に、次に掲げる事項を記載した許可申請書を提出しなければならない。

一　商号又は名称及び住所

二　役員の氏名及び政令で定める使用人があるときは、その者の氏名

三　事務所の名称及び所在地並びに事務所ごとに置かれる第十七条第一項に規定する者の氏名

四　資本金又は出資の額

五　宅地建物取引業法第三条第一項の免許に関する事項

六　不動産特定共同事業の種別（第二条第四項各号の種別をいう。以下同

じ。）

七　不動産特定共同事業契約（当該不動産特定共同事業契約に基づく権利が電子情報処理組織を用いて移転することができる財産的価値（電子機器その他の物に電子的方法により記録されるものに限る。）に表示されるものに限る。）の締結の勧誘の業務（以下「特定勧誘業務」という。）を行おうとする場合にあっては、別表各号の上欄に掲げるその行おうとする不動産特定共同事業の区分に応じそれぞれ当該各号の下欄に掲げる登録又は届出に関する事項

八　第四号事業（特定勧誘業務のみを行うものを除く。次条第十三号及び第六十七条第一項において同じ。）を行おうとする場合にあっては、金融商品取引法（昭和二十三年法律第二十五号）第二十九条の登録（同法第二十八条第二項に規定する第二種金融商品取引業の種別に係るものに限る。次条第十三号及び第六十七条第一項において同じ。）に関する事項

九　第二条第四項第一号に掲げる行為に係る事業（以下「第一号事業」という。）を行おうとする場合にあっては、特例投資家のみを相手方又は事業参加者とするものであるか否かの別

十　第三号事業を行おうとする場合にあっては、特例投資家のみを事業参加者とする特例事業者のみの委託を受けて行うものであるか否かの別

十一　電子取引業務（電子情報処理組織を使用する方法その他の情報通信の技術を利用する方法であって主務省令で定めるものにより、勧誘の相手方に不動産特定共同事業契約の締結の申込みをさせる業務をいう。以下同じ。）を行おうとする場合にあっては、その旨

十二　他に事業を行っているときは、その事業の種類

十三　その他主務省令で定める事項

2　前項の許可申請書には、次に掲げる書類（第一号事業又は第三号事業を行おうとする者以外の者にあっては第四号に掲げるものを除き、特例投資家のみを相手方又は事業参加者として第一号事業を行おうとする者にあっては第一号事業に係る第四号に掲げるものを除き、特例投資家のみを事業参加者とする特例事業者のみの委託を受けて第三号事業を行おうとする者にあっては第三号事業に係る第四号に掲げるものを除く。）を添付しなければならない。

一　定款又はこれに代わる書面

二　登記事項証明書又はこれに代わる書面

三　事務所について第十七条第一項に規定する要件を備えていることを証する書面

四　不動産特定共同事業契約約款

五　その他主務省令で定める事項を記載した書類

（欠格事由）

第六条　次の各号のいずれかに該当する者は、第三条第一項の許可を受けることができない。

一　法人でない者（外国法人で国内に事務所を有しないものを含む。）

二　宅地建物取引業法第三条第一項の免許を受けていない法人

三　第三十六条の規定により第三条第一項の許可を取り消され、その取消しの日から五年を経過しない法人又はこの法律に相当する外国の法令の規定により当該外国において受けている同種の許可（当該許可に類する登録その他の行政処分を含む。第十号ルにおいて同じ。）を取り消され、その取消しの日から五年を経過しない法人

四　第三十六条各号のいずれかに該当するとして第三条第一項の許可の取消しの処分に係る行政手続法（平成五年法律第八十八号）第十五条の規定による通知があった日から当該処分があった日又は処分をしないことの決定があった日までの間に第十一条第一項第四号に該当する旨の同項の規定による届出をした法人で当該届出の日から五年を経過しないもの

五　第五十三条の規定により第四十一条第一項の登録を取り消され、その取消しの日から五年を経過しない法人

六　第五十三条各号のいずれかに該当するとして第四十一条第一項の登録の取消しの処分に係る行政手続法第十五条の規定による通知があった日から当該処分があった日又は処分をしないことの決定があった日までの間に第四十八条第一項第四号に該当する旨の同項の規定による届出をした法人で当該届出の日から五年を経過しないもの

七　第六十一条第八項の規定により適格特例投資家限定事業の廃止を命ぜられ、その命令の日から五年を経過しない法人

八　第六十一条第八項の規定による適格特例投資家限定事業の廃止の処分に係る行政手続法第十五条の規定による通知があった日から当該処分があった日又は処分をしないことの決定があった日までの間に第十一条第一項第四号に該当する旨の同項の規定による届出をした法人で当該届出の日から五年を経過しないもの

九　この法律、宅地建物取引業法若しくは出資の受入れ、預り金及び金利等の取締りに関する法律（昭和二十九年法律第百九十五号）又はこれらに相当する外国の法令の規定により罰金の刑（これに相当する外国の法令による刑を含む。）に処せられ、その刑の執行を終わり、又はその刑の執行を受けることがなくなった日から五年を経過しない法人

十　役員（業務を執行する社員、取締役若しくは執行役又はこれらに準ずる者をいい、相談役、顧問、その他いかなる名称を有する者であるかを問わず、法人に対し業務を執行する社員、取締役若しくは執行役又はこれらに準ずる者と同等以上の支配力を有するものと認められる者を含む。以下この号、次条第三号、第三十五条第一項第六号、第四十四条第五号、第五十二条第一項第六号及び第六十一条第六項第六号において同じ。）又は政令で定める使用人のうちに次のいずれかに該当する者のある法人

イ　破産手続開始の決定を受けて復権を得ない者又は外国の法令上これと同様に取り扱われている者

ロ　禁錮以上の刑（これに相当する外国の法令による刑を含む。）に処せられ、その刑の執行を終わり、又はその刑の執行を受けることがなくなった日から五年を経過しない者

ハ　前号に規定する法律若しくは暴力団員による不当な行為の防止等に関する法律（平成三年法律第七十七号）の規定（同法第三十二条の三第七項及び第三十二条の十一第一項の規定を除く。）若しくはこれらに相当する外国の法令の規定に違反したことにより、又は刑法（明治四十年法律第四十五号）第二百四条、第二百六条、第二百八条、第二百八条の二、第二百二十二条若しくは第二百四十七条の罪若しくは暴力行為等処罰に関する法律（大正十五年法律第六十号）の罪を犯したことにより、罰金の刑（これに相当する外国の法令による刑を含む。）に処せられ、その刑の執行を終わり、又はその刑の執行を受けることがなくなった日から五年を経過しない者

ニ　暴力団員による不当な行為の防止等に関する法律第二条第六号に規定する暴力団員又は同号に規定する暴力団員でなくなった日から五年を経過しない者（次号において「暴力団員等」という。）

ホ　不動産特定共同事業者が第三十六条の規定により第三条第一項の許可を取り消された場合において、その取消しの処分に係る行政手続法第十五条の規定による通知があった日前六十日以内に当該不動産特定共同事業者の役員であった者で当該取消しの日から五年を経過しないもの

ヘ　不動産特定共同事業者が第三十六条各号のいずれかに該当するとして第三条第一項の許可の取消しの処分に係る行政手続法第十五条の規定による通知があった日から当該処分があった日又は処分をしないことの決定があった日までの間に第十一条第一項第四号に該当する旨の同項の規定による届出をした場合において、当該通知があった日前六十日以内に当該不動産特定共同事業者の役員であった者で当該届出の日から五年を経過しないもの

ト　小規模不動産特定共同事業者が第五十三条の規定により第四十一条第一項の登録を取り消された場合において、その取消しの処分に係る行政手続法第十五条の規定による通知があった日前六十日以内に当該小規模不動産特定共同事業者の役員であった者で当該取消しの日から五年を経過しないもの

チ　小規模不動産特定共同事業者が第五十三条各号のいずれかに該当するとして第四十一条第一項の登録の取消しの処分に係る行政手続法第十五条の規定による通知があった日から当該処分があった日又は処分をしないことの決定があった日までの間に第四十八条第一項第四号に該当する旨の同項の規定による届出をした場合において、当該通知があった日前六十日以内に当該小規模不動産特定共同事業者の役員であった者で当該届出の日から五年を経過しないもの

リ　適格特例投資家限定事業者が第六十一条第八項の規定により適格特例投資家限定事業の廃止を命ぜられた場合において、その廃止の処分に係る行政手続法第十五条の規定による通知があった日前六十日以内に当該適格特例投資家限定事業者の役員であった者で当該処分の日か

ら五年を経過しないもの

ヌ　適格特例投資家限定事業者が第六十一条第八項の規定による適格特例投資家限定事業の廃止の処分に係る行政手続法第十五条の規定による通知があった日から当該処分があった日又は処分をしないことの決定があった日までの間に第十一条第一項第四号に該当する旨の同項の規定による届出をした場合において、当該通知があった日前六十日以内に当該適格特例投資家限定事業者の役員であった者で当該届出の日から五年を経過しないもの

ル　この法律に相当する外国の法令の規定により当該外国において受けている同種の許可を取り消され、その取消しの日から五年を経過しない者（当該許可を取り消された法人の当該取消しの日前六十日以内に役員に相当する者であった者で当該取消しの日から五年を経過しないものを含む。）

ヲ　心身の故障により不動産特定共同事業の業務を適正に行うことができない者として主務省令で定めるもの

十一　暴力団員等がその事業活動を支配する法人

十二　特定勧誘業務を行おうとする場合にあっては、別表各号の上欄に掲げるその行おうとする不動産特定共同事業の区分に応じそれぞれ当該各号の下欄に掲げる登録を受けていない法人又は届出をしていない法人

十三　第四号事業を行おうとする場合にあっては、金融商品取引法第二十九条の登録を受けていない法人

（許可の基準）

第七条　主務大臣又は都道府県知事は、第五条の規定による許可の申請をした者が次に掲げる基準（第一号事業又は第三号事業を行おうとする者以外の者にあっては第五号に掲げるものを除き、特例投資家のみを相手方又は事業参加者として第一号事業を行おうとする者にあっては第一号事業に係る第五号に掲げるものを除き、特例投資家のみを事業参加者とする特例事業者のみの委託を受けて第三号事業を行おうとする者にあっては第三号事業に係る第五号に掲げるものを除き、電子取引業務を行おうとする者以外の者にあっては第七号に掲げるものを除く。）に適合していると認めるときでなければ、第三条第一項の許可をしてはならない。

一　その資本金又は出資の額が事業参加者の保護のため必要かつ適当なものとして不動産特定共同事業の種別ごとに政令で定める金額を満たすものであること。

二　その資産の合計額から負債の合計額を控除した額が資本金又は出資の額の百分の九十に相当する額を満たすものであること。

三　その者又はその役員若しくは政令で定める使用人が当該許可の申請前五年以内に不動産特定共同事業に関し不正又は著しく不当な行為をしたものでないこと。

四　その事務所が第十七条第一項に規定する要件を満たすものであること。

五　その不動産特定共同事業契約約款の内容が政令で定める基準に適合するものであること。

六　不動産特定共同事業を適確に遂行するに足りる財産的基礎及び人的構成を有するものであること。

七　電子取引業務を適確に遂行するために必要な体制が整備されているものであること。

（変更の許可）

第八条　不動産特定共同事業者が第三条第一項の許可を受けた後次の各号のいずれかに該当して引き続き不動産特定共同事業を営もうとする場合（不動産特定共同事業の種別の変更をしようとする場合を除く。）においては、第五条の規定にかかわらず、第一号又は第二号に該当するときは当該各号に定めるその有し、又は設置することとなった事務所の所在地を管轄する都道府県知事に対し、第三号に該当するときは主務大臣に対し、主務省令で定めるところにより、同条第一項第三号及び第十三号に掲げる事項を記載した許可申請書を提出しなければならない。

一　主務大臣の許可を受けた者（第三号事業又は第四号事業を行う者以外の者に限る。）が一の都道府県の区域内にのみ事務所を有することとなったとき。

二　都道府県知事の許可を受けた者が当該都道府県の区域内における事務所を廃止して、他の一の都道府県の区域内に事務所を設置することとなったとき。

三　都道府県知事の許可を受けた者が二以上の都道府県の区域内に事務所を有することとなったとき。

2　前項の規定による許可申請書の提出があった場合においては、主務大臣又は都道府県知事は、前条の規定にかかわらず、その提出をした者が同条第三号、第四号及び第六号に掲げる基準に適合すると認めるときは、第三条第一項の許可をしなければならない。

（許可換えの場合における従前の許可の効力）

第八条の二　主務大臣又は都道府県知事の第三条第一項の許可を受けた者がその不動産特定共同事業の種別又は事務所の所在地の変更をして引き続き不動産特定共同事業を営もうとする場合において、同項又は前条第二項の規定により新たに都道府県知事又は主務大臣の第三条第一項の許可を受けたときは、その者に係る従前の主務大臣又は都道府県知事の同項の許可は、その効力を失う。

（変更の認可）

第九条　不動産特定共同事業者は、次の各号のいずれかに該当するときは、主務省令で定めるところにより、第三条第一項の許可を受けた主務大臣又は都道府県知事の認可を受けなければならない。

一　不動産特定共同事業の種別を変更しようとするとき（主務大臣又は都道府県知事の第三条第一項の許可を受けた者が同項の規定により新たに都道府県知事又は主務大臣の同項の許可を受けなければならないときを除く。）。

二　新たに不動産特定共同事業契約約款の作成をし、又は不動産特定共同事業契約約款の追加若しくは変更（不動産特定共同事業契約約款に記載された事項の追加又は変更で主務省令で定める軽微なものを除く。第六十七条第四項及び第八十条第二号において同じ。）をしようとするとき。

三　新たに電子取引業務を行おうとするとき。

2　不動産特定共同事業者が、事務所を追加して設置しようとするとき（第八条第一項各号に掲げるときを除く。）も、前項と同様とする。

（変更の届出）

第一〇条　不動産特定共同事業者は、第五条第一項各号（第五号から第十号までを除く。）に掲げる事項について変更（同項第三号に掲げる事務所の所在地の変更については、第八条第一項各号及び前条第二項の規定に該当するものを除く。）があったとき、又は新たに特定勧誘業務を行うこととしたとき若しくは特定勧誘業務を行わないこととしたときは、三十日以内に、主務省令で定めるところにより、その旨を第三条第一項の許可を受けた主務大臣又は都道府県知事に届け出なければならない。

（廃業等の届出）

第一一条　不動産特定共同事業者が次の各号のいずれかに該当することとなった場合においては、当該各号に定める者は、三十日以内に、主務省令で定めるところにより、その旨を第三条第一項の許可を受けた主務大臣又は都道府県知事に届け出なければならない。

一　合併により消滅した場合　消滅した法人を代表する役員であった者

二　破産手続開始の決定により解散した場合　破産管財人

三　合併及び破産手続開始の決定以外の理由により解散した場合　清算人

四　不動産特定共同事業を廃止した場合（外国法人にあっては、国内に事務所を有しないこととなった場合を含む。）　不動産特定共同事業者であった法人を代表する役員

2　不動産特定共同事業者が前項各号のいずれかに該当することとなったときは、当該不動産特定共同事業者に対する第三条第一項の許可は、その効力を失う。

（不動産特定共同事業者名簿）

第一二条　主務大臣及び都道府県知事は、主務大臣にあっては、その第三条第一項の許可を受けた不動産特定共同事業者に関する第五条第一項第一号から第十二号までに掲げる事項その他主務省令で定める事項を、都道府県知事にあっては、その第三条第一項の許可を受けた不動産特定共同事業者及び同項の主務大臣の許可を受けた不動産特定共同事業者で当該都道府県の区域内に主たる事務所を有するものに関するこれらの事項を登載した不動産特定共同事業者名簿を備えなければならない。

（不動産特定共同事業者名簿等の閲覧）

第一三条　主務大臣又は都道府県知事は、主務省令で定めるところにより、第五条第二項第一号から第四号までに掲げる書類、不動産特定共同事業者名簿その他主務省令で定める書類を一般の閲覧に供しなければならない。

第三章　業務

（業務遂行の原則）
第一四条　不動産特定共同事業者は、信義を旨とし、誠実にその業務を行わなければならない。
2　不動産特定共同事業者は、その業務を行うに当たっては、不動産の適正かつ合理的な利用の確保に努めるとともに、投機的取引の抑制が図られるよう配慮しなければならない。

（名義貸しの禁止）
第一五条　不動産特定共同事業者は、自己の名義をもって、他人に不動産特定共同事業を営ませてはならない。

（標識の掲示）
第一六条　不動産特定共同事業者は、事務所ごとに、公衆の見やすい場所に、主務省令で定める様式の標識を掲示しなければならない。
2　不動産特定共同事業者以外の者は、前項の標識又はこれに類似する標識を掲示してはならない。

（業務管理者）
第一七条　不動産特定共同事業者は、事務所ごとに、第二十四条第二項、第二十五条第二項及び第二十八条第三項の規定による業務のほか、当該事務所における次に掲げる業務の実施に関し必要な助言、指導その他の監督管理を行わせるため、その従業者であって宅地建物取引業法第二条第四号に規定する宅地建物取引士であることその他主務省令で定める要件を満たす者を置かなければならない。
一　不動産特定共同事業契約の締結の勧誘
二　不動産特定共同事業契約の内容についての説明
三　第二十八条第一項の規定による業務
2　不動産特定共同事業者は、主務省令で定めるところにより、事務所ごとに、前項の規定により置かれた者（以下この章並びに第三十七条第一項及び第二項において「業務管理者」という。）の氏名その他主務省令で定める事項を記載した名簿（第三十一条の二第三項において「業務管理者名簿」という。）を備え置き、事業参加者（不動産特定共同事業契約の締結をしようとする者を含む。）から請求があったときは、これをその者の閲覧に供しなければならない。
3　不動産特定共同事業者は、第一項の規定に抵触する事務所を開設してはならず、既存の事務所が同項の規定に抵触するに至ったときは、二週間以内に、同項の規定に適合させるため必要な措置を執らなければならない。

（広告の規制）
第一八条　不動産特定共同事業者は、宅地の造成又は建物の建築に関する工事の完了前においては、当該工事に関し必要とされる都市計画法（昭和四十三年法律第百号）第二十九条第一項又は第二項の許可、建築基準法（昭和二十五年法律第二百一号）第六条第一項の確認その他法令に基づく許可等の処分で政令で定めるものがあった後でなければ、当該工事に係る宅地又は建物について不動産特定共同事業者は、その行おうとする不動産特定共同事業に関する広告をしてはならない。
2　不動産特定共同事業者は、その行おうとする不動産特定共同事業に関する広告をするときは、自己が不動産特定共同事業契約の当事者となるか、若しくはその代理人となるか、又は不動産特定共同事業契約の締結の媒介を行うかの別及び当該不動産特定共同事業契約の第二条第三項各号に掲げる契約の種別を明示しなければならない。
3　不動産特定共同事業者は、その業務に関して広告をするときは、不動産取引による利益の見込みその他主務省令で定める事項について、著しく事実に相違する表示をし、又は著しく人を誤認させるような表示をしてはならない。

（事業実施の時期に関する制限）
第一九条　不動産特定共同事業者は、宅地の造成又は建物の建築に関する工事の完了前においては、当該工事に関し必要とされる都市計画法第二十九条第一項又は第二項の許可、建築基準法第六条第一項の確認その他法令に基づく許可等の処分で政令で定めるものがあった後でなければ、当該工事に係る宅地又は建物について不動産特定共同事業を行ってはならない。

（不当な勧誘等の禁止）
第二〇条　不動産特定共同事業者は、不動産特定共同事業契約の締結の勧誘をするに際し、その相手方に対し、当該不動産特定共同事業契約に関する事項であってその相手方の判断に影響を及ぼすこととなる重要なものにつき、故意に事実を告げず、又は不実のことを告げる行為をしてはならない。
2　不動産特定共同事業者は、不動産特定共同事業契約の解除（組合からの脱退を含む。以下同じ。）を妨げるため、事業参加者に対し、当該不動産特定共同事業契約に関する事項であって事業参加者の判断に影響を及ぼすこととなる重要なものにつき、不実のことを告げる行為をしてはならない。

第二一条　不動産特定共同事業者又はその代理人、使用人その他の従業者（以下この条において「不動産特定共同事業者等」という。）は、不動産特定共同事業契約の締結の勧誘をするに際し、その相手方に対し、利益を生ずることが確実であると誤解させるべき断定的判断を提供する行為をしてはならない。
2　不動産特定共同事業者等は、不動産特定共同事業契約の締結の勧誘をするに際し、その相手方が当該不動産特定共同事業契約を締結しない旨の意思（当該勧誘を引き続き受けることを希望しない旨の意思を含む。）を表示したにもかかわらず、当該勧誘を継続する行為をしてはならない。
3　不動産特定共同事業者等は、不動産特定共同事業契約の解除を妨げるため、事業参加者を、威迫して困惑させてはならない。
4　不動産特定共同事業者等は、前三項に定めるもののほか、不動産特定共同事業契約の締結の勧誘又は解除の妨げに関する行為であって、相手方又は事業参加者の保護に欠けるものとして主務省令で定めるものをしてはならない。

（金融商品取引法の準用）
第二一条の二　金融商品取引法第三十九条（第三項ただし書、第四項、第六項及び第七項を除く。）及び第四十条の規定は、不動産特定共同事業者が行う不動産特定共同事業契約（当該不動産特定共同事業契約に基づく権利が電子情報処理組織を用いて移転することができる財産的価値（電子機器その他の物に電子的方法により記録されるものに限る。）に表示されるもの又は特例事業者が締結するものであって、金銭（これに類するものとして主務省令で定めるものを含む。）をもって出資の目的とするものを除く。）の締結又はその代理若しくは媒介について準用する。この場合において、同法第三十九条第一項、第二項各号及び第三項並びに第四十条中「金融商品取引業者等」とあるのは「不動産特定共同事業者」と、同法第三十九条第一項第一号中「有価証券の売買その他の取引（買戻価格があらかじめ定められている買戻条件付売買その他の政令で定める取引を除く。）又はデリバティブ取引（以下この条において「有価証券売買取引等」という。）」とあり、同項第二号及び第三号並びに同条第二項各号中「有価証券売買取引等」とあり、並びに同法第四十条第一号中「金融商品取引行為」とあるのは「不動産特定共同事業契約の締結」と、同法第三十九条第一項第一号中「有価証券又はデリバティブ取引（以下この条において「有価証券等」という。）」とあり、同項第二号及び第三号中「有価証券等」とあり、並びに同法第四十条第一号中「金融商品取引契約」とあるのは「不動産特定共同事業契約」と、同法第三十九条第一項各号及び第三項並びに第四十条第二号中「顧客」とあり、同法第三十九条第二項中「金融商品取引業者等の顧客」とあり、並びに同法第四十条第二号中「投資者」とあるのは「事業参加者」と、同法第三十九条第一項第一号中「有価証券の売買又はデリバティブ取引を行う」とあるのは「不動産特定共同事業契約の締結をする」と、同条第三項及び同法第四十条第二号中「内閣府令」とあるのは「主務省令」と、同法第三十九条第三項中「以下この節及び次節」とあるのは「第五項」と、同法第四十条第一号中「顧客」とあり、及び「投資者」とあるのは「相手方又は事業参加者」と読み替えるものとする。

（金銭等の貸付け又はその媒介等の禁止）
第二二条　不動産特定共同事業者は、不動産特定共同事業契約の締結の勧誘をするに際し、その行う不動産特定共同事業に関し、その相手方に対し金銭若しくは有価証券を貸し付け、又はその相手方への第三者による金銭若しくは有価証券の貸付けにつき媒介、取次ぎ若しくは代理をしてはならない。

（勧誘における告知）
第二二条の二　不動産特定共同事業者は、不動産特定共同事業契約の締結の勧誘をするに際し、当該不動産特定共同事業契約の締結が第三条第一項の許可又は第九条第一項の認可に係る不動産特定共同事業契約約款に基づかないでされる場合にあっては、その相手方に対し、その旨その他主務省令で定める事項を告げなければならない。
2　不動産特定共同事業契約の締結の代理又は媒介をする不動産特定共同事業者は、不動産特定共同事業契約の締結の勧誘をするに際し、当該不動産特定共同事業契約の締結が不動産特定共同事業者、小規模不動産特定共同事業者又は特例事業者がその不動産取引に係る業務を委託する不動産特定共同事業者若しくは小規模不動産特定共同事業者の第三条第一項の許可若しくは第九条第一項の認可又は第四十一条第一項の登録若しくは第四十六条第一項の変更登録に係る不動産特定共同事業契約約款に基づかないでされる場合にあっては、その相手方に対し、その旨その他主務省令で定める事項を告げなければならない。

3　小規模不動産特定共同事業者又は小規模特例事業者（小規模不動産特定共同事業者に業務を委託する特例事業者をいう。以下同じ。）が当事者である不動産特定共同事業契約の締結の代理又は媒介をする不動産特定共同事業者は、不動産特定共同事業契約の締結の勧誘をするに際し、その相手方に対し、当該不動産特定共同事業契約に基づき不動産特定共同事業を営む者が小規模不動産特定共同事業者又は小規模特例事業者であることその他主務省令で定める事項を告げなければならない。

（約款に基づく契約の締結）

第二三条　不動産特定共同事業者は、不動産特定共同事業契約の締結をするときは、第三条第一項の許可又は第九条第一項の認可に係る不動産特定共同事業契約約款に基づいて、これをしなければならない。

2　不動産特定共同事業契約の締結の代理をする不動産特定共同事業者は、その代理する不動産特定共同事業者又はその代理する特例事業者がその不動産取引に係る業務を委託する不動産特定共同事業者の第三条第一項の許可又は第九条第一項の認可に係る不動産特定共同事業契約約款に基づいて、これをしなければならない。

3　不動産特定共同事業契約の締結の代理をする不動産特定共同事業者は、その代理する小規模不動産特定共同事業者又はその代理する小規模特例事業者がその不動産取引に係る業務を委託する小規模不動産特定共同事業者の第四十一条第一項の登録又は第四十六条第一項の変更登録に係る不動産特定共同事業契約約款に基づいて、これをしなければならない。

（不動産特定共同事業契約の成立前の書面の交付）

第二四条　不動産特定共同事業者は、不動産特定共同事業契約が成立するまでの間に、その申込者に対し、不動産特定共同事業契約の内容及びその履行に関する事項であって主務省令で定めるものについて、書面を交付して説明しなければならない。

2　不動産特定共同事業者は、前項の規定により交付すべき書面を作成するときは、業務管理者をして、当該書面に記名させなければならない。

3　不動産特定共同事業者は、第一項の規定による書面の交付に代えて、政令で定めるところにより、申込者の承諾を得て、当該書面に記載すべき事項を電子情報処理組織を使用する方法その他の情報通信の技術を利用する方法であって前項の規定による措置に準ずる措置を講ずるものとして主務省令で定めるものにより提供することができる。この場合において、当該不動産特定共同事業者は、当該書面を交付したものとみなし、同項の規定は、適用しない。

（不動産特定共同事業契約の成立時の書面の交付）

第二五条　不動産特定共同事業者は、不動産特定共同事業契約が成立したときは、当該不動産特定共同事業契約の当事者に対し、遅滞なく、次に掲げる事項を記載した書面を交付しなければならない。

一　不動産特定共同事業契約に係る第二条第三項各号に掲げる契約の種別

二　不動産特定共同事業契約に係る不動産取引の目的となる不動産を特定するために必要な表示及びその不動産取引の内容

三　事業参加者に対する収益又は利益の分配に関する事項

四　不動産特定共同事業契約に係る財産の管理に関する事項

五　契約期間に関する事項

六　契約終了時の清算に関する事項

七　契約の解除に関する定めがあるときは、その内容

八　その他主務省令で定める事項

2　不動産特定共同事業者は、前項の規定により交付すべき書面を作成するときは、業務管理者をして、当該書面に記名させなければならない。

3　前条第三項の規定は、第一項の規定による書面の交付について準用する。この場合において、同条第三項中「前項」とあるのは、「次条第二項」と読み替えるものとする。

（書面による解除）

第二六条　事業参加者は、その締結した不動産特定共同事業契約について前条第一項の書面を受領した日から起算して八日を経過するまでの間、書面により当該不動産特定共同事業契約の解除をすることができる。

2　前項の解除は、その解除をする旨の書面を発した時に、その効力を生ずる。

3　第一項の規定による解除があった場合には、当該不動産特定共同事業者は、その解除に伴う損害賠償又は違約金の支払を請求することができない。

4　前三項の規定に反する特約で事業参加者に不利なものは、無効とする。

（自己取引等の禁止）

第二六条の二　不動産特定共同事業者は、次に掲げる行為をしてはならない。ただし、事業参加者の保護に欠けるおそれのない場合として主務省令で定める場合は、この限りでない。

一　当該不動産特定共同事業者と当該不動産特定共同事業者に業務を委託した特例事業者（以下「委託特例事業者」という。）との間において不動産取引を行うこと。

二　委託特例事業者相互間の不動産取引の代理又は媒介を行うこと。

（特例事業者から委託された業務の再委託の禁止）

第二六条の三　不動産特定共同事業者（第三号事業を行う者に限る。）は、委託特例事業者から委託された業務の全部を他の者に対し、再委託してはならない。

（財産の分別管理）

第二七条　不動産特定共同事業者は、主務省令で定めるところにより、不動産特定共同事業契約に係る財産を、自己の固有財産及び他の不動産特定共同事業契約に係る財産と分別して管理しなければならない。

（財産管理報告書の交付等）

第二八条　不動産特定共同事業者は、事業参加者の求めに応じ、不動産特定共同事業契約に係る財産の管理の状況について説明しなければならない。

2　不動産特定共同事業者は、事業参加者に対し、主務省令で定めるところにより、定期に、不動産特定共同事業契約に係る財産の管理の状況についての報告書を交付しなければならない。

3　不動産特定共同事業者は、前項の規定により交付すべき書面を作成するときは、業務管理者をして、当該書面に記名させなければならない。

4　第二十四条第三項の規定は、第二項の規定による書面の交付について準用する。この場合において、同条第三項中「前項」とあるのは、「第二十八条第三項」と読み替えるものとする。

（書類の閲覧）

第二九条　不動産特定共同事業者（第一号事業又は第三号事業を行う者に限る。）は、主務省令で定めるところにより、その業務及び財産の状況（第三号事業を行う者にあっては、委託特例事業者の業務及び財産の状況）を記載した書類を事務所ごとに備え置き、事業参加者の求めに応じ、これを閲覧させなければならない。

（事業参加者名簿）

第三〇条　不動産特定共同事業者（第一号事業又は第三号事業を行う者に限る。）又は委託特例事業者が不動産特定共同事業契約を締結したときは、主務省令で定めるところにより、不動産特定共同事業契約に係る事業参加者の名簿（次項において「事業参加者名簿」という。）を作成し、これを保存しなければならない。

2　不動産特定共同事業者（第一号事業又は第三号事業を行う者に限る。）は、事業参加者名簿に登載された事業参加者の求めに応じ、これを閲覧させなければならない。

（秘密を守る義務）

第三一条　不動産特定共同事業者は、正当な理由がある場合でなければ、その業務上取り扱ったことについて知り得た秘密を他に漏らしてはならない。不動産特定共同事業を営まなくなった後においても、同様とする。

2　不動産特定共同事業者の代理人、使用人その他の従業者は、正当な理由がある場合でなければ、不動産特定共同事業の業務を補助したことについて知り得た秘密を他に漏らしてはならない。不動産特定共同事業者の代理人、使用人その他の従業者でなくなった後においても、同様とする。

（電子取引業務に関する特則）

第三一条の二　電子取引業務を行う不動産特定共同事業者は、主務省令で定めるところにより、商号又は名称その他主務省令で定める事項を、電子情報処理組織を使用する方法その他の情報通信の技術を利用する方法であって主務省令で定めるものにより公表しなければならない。

2　電子取引業務を行う不動産特定共同事業者は、主務省令で定めるところ

により、電子取引業務を適確に遂行するための業務管理体制を整備しなければならない。

3　電子取引業務を行う不動産特定共同事業者は、業務管理者名簿その他電子取引業務の相手方又は事業参加者の判断に重要な影響を与えるものとして主務省令で定める事項について、電子情報処理組織を使用する方法その他の情報通信の技術を利用する方法であって主務省令で定めるものにより、電子取引業務を行う期間及び電子取引業務に係る不動産特定共同事業の期間中、当該相手方又は事業参加者が閲覧することができる状態に置かなければならない。

第四章　監督

（業務に関する帳簿書類）

第三二条　不動産特定共同事業者は、主務省令で定めるところにより、その業務に関する帳簿書類（第三号事業を行う者にあっては、委託特例事業者の業務に関する帳簿書類を含む。）を作成し、これを保存しなければならない。

（事業報告書の提出）

第三三条　不動産特定共同事業者は、事業年度ごとに、主務省令で定める様式による事業報告書を作成し、毎事業年度経過後三月以内に、第三条第一項の許可を受けた主務大臣又は都道府県知事に提出しなければならない。

（指示）

第三四条　主務大臣又は都道府県知事は、その第三条第一項の許可を受けた不動産特定共同事業者が次の各号のいずれかに該当するとき、又はこの法律の規定に違反したときは、当該不動産特定共同事業者に対し、必要な指示をすることができる。

一　業務に関し、事業参加者に損害を与えたとき、又は損害を与えるおそれが大であるとき。

二　業務に関し、その公正を害する行為をしたとき、又はその公正を害するおそれが大であるとき。

三　業務に関し他の法令に違反し、不動産特定共同事業者として不適当であると認められるとき。

2　都道府県知事は、主務大臣又は他の都道府県知事の第三条第一項の許可を受けた不動産特定共同事業者で当該都道府県の区域内において業務を行うものが、当該都道府県の区域内における業務に関し、前項各号のいずれかに該当するとき、又はこの法律の規定に違反したときは、当該不動産特定共同事業者に対し、必要な指示をすることができる。

3　都道府県知事は、前項の規定による処分をしたときは、遅滞なく、その旨を、当該不動産特定共同事業者が主務大臣の第三条第一項の許可を受けたものであるときは主務大臣に報告し、当該不動産特定共同事業者が他の都道府県知事の同項の許可を受けたものであるときは当該他の都道府県知事に通知しなければならない。

（業務停止命令）

第三五条　主務大臣又は都道府県知事は、その第三条第一項の許可を受けた不動産特定共同事業者が次の各号のいずれかに該当するときは、当該不動産特定共同事業者に対し、一年以内の期間を定めて、その業務の全部又は一部の停止を命ずることができる。

一　前条第一項各号のいずれかに該当するとき。

二　第八条第一項、第九条、第十条、第十五条、第十六条第一項、第十七条、第十八条第二項若しくは第三項、第十九条から第二十一条まで、第二十二条から第二十三条まで、第二十四条第一項若しくは第二項、第二十五条第一項若しくは第二項、第二十六条の二から第二十七条まで、第二十八条第一項から第三項まで、第二十九条、第三十条、第三十一条第一項、第三十一条の二、第三十二条若しくは第三十七条第一項後段（同条第三項において準用する場合を含む。）又は第二十一条の二において準用する金融商品取引法（以下「準用金融商品取引法」という。）第三十九条第一項若しくは第四十条の規定に違反したとき。

三　前条第一項又は第二項の規定による指示に従わないとき。

四　この法律の規定に基づく主務大臣又は都道府県知事の処分に違反したとき。

五　不動産特定共同事業に関し、不正又は著しく不当な行為をしたとき。

六　役員又は政令で定める使用人のうちに、業務の停止をしようとするとき以前五年以内に不動産特定共同事業に関し不正又は著しく不当な行為をした者があるに至ったとき。

2　都道府県知事は、主務大臣又は他の都道府県知事の第三条第一項の許可を受けた不動産特定共同事業者で当該都道府県の区域内において業務を行うものが、当該都道府県の区域内における業務に関し、前項第一号から第五号までのいずれかに該当するときは、当該不動産特定共同事業者に対し、一年以内の期間を定めて、その業務の全部又は一部の停止を命ずることができる。

3　前条第三項の規定は、前項の場合について準用する。

（許可の取消し）

第三六条　主務大臣又は都道府県知事は、その第三条第一項の許可を受けた不動産特定共同事業者が次の各号のいずれかに該当するときは、当該不動産特定共同事業者に対し、同項の許可を取り消すことができる。

一　第六条第二号、第三号（この法律に相当する外国の法令の規定に係る部分に限る。）、第五号、第六号又は第九号から第十三号までのいずれかに該当するに至ったとき。

二　第七条第一号又は第二号に掲げる基準に適合しなくなったとき。

三　不正の手段により第三条第一項の許可を受けたとき。

四　第四条第一項の規定により付された条件に違反したとき。

五　前条第一項各号のいずれかに該当し情状が特に重いとき、又は同条第一項若しくは第二項の規定による業務の停止の命令に違反したとき。

（業務管理者の解任命令）

第三七条　主務大臣又は都道府県知事は、その第三条第一項の許可を受けた不動産特定共同事業者に係る業務管理者がその業務に関し不正又は著しく不当な行為をしたときは、当該不動産特定共同事業者に対し、その解任を命ずることができる。この場合において、当該不動産特定共同事業者は、その命令を受けた日から一年以内においてその命令をした主務大臣又は都道府県知事が定める期間内は、その命令に係る者を業務管理者として選任してはならない。

2　都道府県知事は、主務大臣又は他の都道府県知事の第三条第一項の許可を受けた不動産特定共同事業者に係る業務管理者が当該都道府県の区域内において前項に規定する行為をしたときは、当該不動産特定共同事業者に対し、その解任を命ずることができる。

3　第三十四条第三項の規定及び第一項後段の規定は、前項の場合について準用する。

（監督処分の公告）

第三八条　主務大臣又は都道府県知事は、第三十五条第一項若しくは第二項又は第三十六条の規定による処分をしたときは、主務省令で定めるところにより、その旨を公告しなければならない。

（指導等）

第三九条　主務大臣はすべての不動産特定共同事業者に対し、都道府県知事は当該都道府県の区域内において不動産特定共同事業を営む不動産特定共同事業者に対し、不動産特定共同事業の適正な運営を確保し、又は不動産特定共同事業の健全な発達を図るため、必要な指導、助言及び勧告をすることができる。

（立入検査等）

第四〇条　主務大臣又は都道府県知事は、この法律の施行のため必要があると認めるときは、不動産特定共同事業（特例事業者が営むものを除く。以下この項において同じ。）を営む者（都道府県知事にあっては、当該都道府県の区域内においてこれを営む者に限る。以下この項において同じ。）、当該不動産特定共同事業を営む者と取引をする者若しくは当該不動産特定共同事業を営む者から業務の委託を受けた者に対し、当該不動産特定共同事業を営む者の業務若しくは財産について報告若しくは資料の提出を命じ、又はその職員に当該不動産特定共同事業を営む者若しくは当該不動産特定共同事業を営む者から業務の委託を受けた者の事務所その他その業務が行われる場所に立ち入り、当該不動産特定共同事業を営む者の業務若しくは財産の状況若しくは帳簿書類その他の物件を検査させ、若しくは関係者に質問させることができる。

2　前項の規定により立入検査をする職員は、その身分を示す証明書を携帯し、関係人の請求があったときは、これを提示しなければならない。

3　第一項の規定による立入検査の権限は、犯罪捜査のために認められたものと解してはならない。

第五章　小規模不動産特定共同事業者

第一節　登録

（小規模不動産特定共同事業の登録）

第四十一条　第三条第一項の規定にかかわらず、主務大臣（一の都道府県の区域内のみに事務所を設置して小規模不動産特定共同事業を行おうとする者（小規模第二号事業を行おうとする者を除く。）にあっては、当該事務所の所在地を管轄する都道府県知事）の登録を受けた者は、小規模不動産特定共同事業を営むことができる。

2　前項の登録の有効期間は、登録の日から起算して五年とする。

3　有効期間の満了後引き続き小規模不動産特定共同事業を営もうとする者は、政令で定める期間内に、登録の更新の申請をしなければならない。

4　前項の登録の更新がされたときは、その登録の有効期間は、従前の登録の有効期間の満了の日の翌日から起算して五年とする。

5　第三項の登録の更新の申請があった場合において、その登録の有効期間の満了の日までにその申請について処分がされないときは、従前の登録は、その有効期間の満了後もその処分がされるまでの間は、なお効力を有する。

（登録の申請）

第四十二条　前条第一項の登録（同条第三項の登録の更新を含む。第四十四条、第五十三条第三号、第七十一条及び第七十七条第五号において同じ。）を受けようとする者は、主務大臣又は都道府県知事に、次に掲げる事項を記載した登録申請書を提出しなければならない。

一　商号又は名称及び住所
二　役員の氏名及び政令で定める使用人があるときは、その者の氏名
三　事務所の名称及び所在地並びに事務所ごとに置かれる第五十条第二項において準用する第十七条第一項に規定する者の氏名
四　資本金又は出資の額
五　宅地建物取引業法第三条第一項の免許に関する事項
六　小規模不動産特定共同事業の種別（第二条第六項各号の種別をいう。以下同じ。）
七　特定勧誘業務を行おうとする場合にあっては、別表第一号の下欄に掲げる登録又は届出に関する事項
八　電子取引業務を行おうとする場合にあっては、その旨
九　他に事業を行っているときは、その事業の種類
十　その他主務省令で定める事項

2　前項の登録申請書には、次に掲げる書類を添付しなければならない。

一　定款又はこれに代わる書面
二　登記事項証明書又はこれに代わる書面
三　事務所について第五十条第二項において準用する第十七条第一項に規定する要件を備えていることを証する書面
四　不動産特定共同事業契約約款
五　その他主務省令で定める事項を記載した書類

（登録簿への登録）

第四十三条　主務大臣又は都道府県知事は、第四十一条第一項の登録の申請があった場合においては、次条の規定により登録を拒否する場合を除くほか、次に掲げる事項を小規模不動産特定共同事業者登録簿に登録しなければならない。

一　前条第一項第一号から第九号までに掲げる事項その他主務省令で定める事項
二　登録年月日及び登録番号

2　主務大臣又は都道府県知事は、第四十一条第一項の登録をしたときは、遅滞なく、その旨を前条第一項の規定による登録の申請をした者に通知しなければならない。

（登録の拒否）

第四十四条　主務大臣又は都道府県知事は、第四十一条第一項の登録の申請をした者が次の各号のいずれかに該当するときは、同項の登録を拒否しなければならない。

一　第六条各号（第十三号を除く。）のいずれかに該当する者
二　その資本金又は出資の額が事業参加者の保護のため必要かつ適当なものとして小規模不動産特定共同事業の種別ごとに政令で定める金額に満たない者
三　その資産の合計額から負債の合計額を控除した額が資本金又は出資の額の百分の九十に相当する額に満たない者
四　当該登録の申請前五年以内に不動産特定共同事業に関し、不正又は著しく不当な行為をした者
五　その役員又は政令で定める使用人のうちに、当該登録の申請前五年以内に不動産特定共同事業に関し不正又は著しく不当な行為をした者がある者
六　その事務所が第五十条第二項において準用する第十七条第一項に規定する要件を満たさない者
七　その不動産特定共同事業契約約款の内容が政令で定める基準に適合しない者
八　小規模不動産特定共同事業を適確に遂行するために必要なものとして主務省令で定める基準に適合する財産的基礎及び人的構成を有すると認められない者
九　電子取引業務を行おうとする場合にあっては、電子取引業務を適確に遂行するために必要な体制が整備されていると認められない者
十　不動産特定共同事業者（第一号事業又は第三号事業を行う者に限る。）

（登録換えの場合における従前の登録の効力）

第四十五条　主務大臣又は都道府県知事の第四十一条第一項の登録を受けた者がその小規模不動産特定共同事業の種別又は事務所の所在地の変更をして引き続き小規模不動産特定共同事業を営もうとする場合において、同項の規定により新たに都道府県知事又は主務大臣の同項の登録を受けたときは、その者に係る従前の主務大臣又は都道府県知事の同項の登録は、その効力を失う。

（変更の登録）

第四十六条　小規模不動産特定共同事業者は、小規模不動産特定共同事業の種別を変更しようとするとき（主務大臣又は都道府県知事の第四十一条第一項の登録を受けた者が同項の規定により新たに都道府県知事又は主務大臣の同項の登録を受けなければならないときを除く。）、不動産特定共同事業契約約款の追加若しくは変更（不動産特定共同事業契約約款に記載された事項の追加又は変更で主務省令で定める軽微なものを除く。第八十条第五号において同じ。）をしようとするとき、又は新たに電子取引業務を行おうとするときは、主務省令で定めるところにより、第四十一条第一項の登録を受けた主務大臣又は都道府県知事の変更登録を受けなければならない。

2　小規模不動産特定共同事業者が、事務所を追加して設置しようとするとき（都道府県知事の第四十一条第一項の登録を受けた者が同項の規定により新たに主務大臣の同項の登録を受けなければならないときを除く。）も、前項と同様とする。

3　第四十三条及び第四十四条の規定は、前二項の変更登録について準用する。この場合において、第四十三条第一項中「次に掲げる事項」とあるのは「変更に係る事項」と、第四十四条中「次の各号のいずれか」とあるのは「次の各号（第一号及び第十号を除く。）のいずれか」と読み替えるものとする。

（変更の届出）

第四十七条　小規模不動産特定共同事業者は、第四十二条第一項各号（第五号から第七号までを除く。）に掲げる事項について変更（同項第三号に掲げる事務所の所在地の変更については、第四十五条及び前条第二項の規定に該当するものを除く。）があったとき、又は新たに特定勧誘業務を行うこととしたとき若しくは特定勧誘業務を行わないこととしたときは、三十日以内に、主務省令で定めるところにより、その旨を第四十一条第一項の登録を受けた主務大臣又は都道府県知事に届け出なければならない。

2　主務大臣又は都道府県知事は、前項の規定による届出を受理したときは、届出があった事項を小規模不動産特定共同事業者登録簿に登録しなければならない。

（廃業等の届出）

第四十八条　小規模不動産特定共同事業者が次の各号のいずれかに該当することとなった場合においては、当該各号に定める者は、三十日以内に、主務省令で定めるところにより、その旨を第四十一条第一項の登録を受けた主務大臣又は都道府県知事に届け出なければならない。

一　合併により消滅した場合　消滅した法人を代表する役員であった者
二　破産手続開始の決定により解散した場合　破産管財人
三　合併及び破産手続開始の決定以外の理由により解散した場合　清算人
四　小規模不動産特定共同事業を廃止した場合（外国法人にあっては、国

内に事務所を有しないこととなった場合を含む。）　小規模不動産特定共同事業者であった法人を代表する役員

2　小規模不動産特定共同事業者が前項各号のいずれかに該当することとなったときは、当該小規模不動産特定共同事業者に対する第四十一条第一項の登録は、その効力を失う。

（小規模不動産特定共同事業者登録簿等の閲覧）

第四九条　主務大臣又は都道府県知事は、主務省令で定めるところにより、第四十二条第二項第一号から第四号までに掲げる書類、小規模不動産特定共同事業者登録簿その他主務省令で定める書類（都道府県知事にあっては、主務大臣の第四十一条第一項の登録を受けた小規模不動産特定共同事業者で当該都道府県の区域内に主たる事務所を有するものに関するこれらの書類を含む。）を一般の閲覧に供しなければならない。

第二節　業務

第五〇条　小規模不動産特定共同事業者は、不動産特定共同事業契約の締結の勧誘をするに際し、その相手方に対し、当該不動産特定共同事業契約に基づき不動産特定共同事業を営む者が小規模不動産特定共同事業者であることその他主務省令で定める事項を告げなければならない。

2　第三章（第二十一条の二、第二十二条の二第二項及び第三項並びに第二十三条第二項及び第三項を除く。）並びに準用金融商品取引法第三十九条（第三項ただし書、第四項、第六項及び第七項を除く。）及び第四十条の規定は、小規模不動産特定共同事業者が行う小規模不動産特定共同事業について準用する。この場合において、第十八条第二項中「自己が不動産特定共同事業契約の当事者となるか、若しくはその代理人となるか、又は不動産特定共同事業契約の締結の媒介を行うかの別及び当該不動産特定共同事業契約の第二条第三項各号に掲げる契約の種別」とあるのは「当該不動産特定共同事業契約の第二条第三項第一号又は第二号に掲げる契約の種別」と、第二十二条の二第一項及び第二十三条第一項中「第三条第一項の許可又は第九条第一項の認可」とあるのは「第四十一条第一項の登録又は第四十六条第一項の変更登録」と、第二十五条第一項第一号中「第二条第三項各号」とあるのは「第二条第三項第一号又は第二号」と、第二十六条の三中「第三号事業」とあるのは「小規模第二号事業」と、第二十九条中「第三号事業を行う者にあっては」とあるのは「小規模第二号事業を行う者にあっては」と、第三十条第一項中「第一号事業を行う者」とあるのは「第二条第六項第一号に掲げる行為に係る事業を行う者」と読み替えるものとするほか、必要な技術的読替えは、政令で定める。

第三節　監督

（指示）

第五一条　主務大臣又は都道府県知事は、その第四十一条第一項の登録を受けた小規模不動産特定共同事業者が次の各号のいずれかに該当するとき、又はこの法律の規定に違反したときは、当該小規模不動産特定共同事業者に対し、必要な指示をすることができる。

一　業務に関し、事業参加者に損害を与えたとき、又は損害を与えるおそれが大であるとき。

二　業務に関し、その公正を害する行為をしたとき、又はその公正を害するおそれが大であるとき。

三　業務に関し他の法令に違反し、小規模不動産特定共同事業者として不適当であると認められるとき。

2　都道府県知事は、主務大臣又は他の都道府県知事の第四十一条第一項の登録を受けた小規模不動産特定共同事業者で当該都道府県の区域内において業務を行うものが、当該都道府県の区域内における業務に関し、前項各号のいずれかに該当するとき、又はこの法律の規定に違反したときは、当該小規模不動産特定共同事業者に対し、必要な指示をすることができる。

3　都道府県知事は、前項の規定による処分をしたときは、遅滞なく、その旨を、当該小規模不動産特定共同事業者が主務大臣の第四十一条第一項の登録を受けたものであるときは主務大臣に報告し、当該小規模不動産特定共同事業者が他の都道府県知事の同項の登録を受けたものであるときは当該他の都道府県知事に通知しなければならない。

（業務停止命令）

第五二条　主務大臣又は都道府県知事は、その第四十一条第一項の登録を受けた小規模不動産特定共同事業者が次の各号のいずれかに該当するときは、当該小規模不動産特定共同事業者に対し、一年以内の期間を定めて、その業務の全部又は一部の停止を命ずることができる。

一　前条第一項各号のいずれかに該当するとき。

二　第四十六条第一項若しくは第二項、第四十七条第一項、第五十条第一項、同条第二項において準用する第十五条、第十六条第一項、第十七条、第十八条第二項若しくは第三項、第十九条から第二十一条まで、第二十二条、第二十二条の二第一項、第二十三条第一項、第二十四条第一項若しくは第二項、第二十五条第一項若しくは第二項、第二十六条の二から第二十七条まで、第二十八条第一項から第三項まで、第二十九条、第三十条、第三十一条第一項若しくは第三十一条の二若しくは準用金融商品取引法第三十九条第一項若しくは第四十条、第五十四条第一項後段（同条第三項において準用する場合を含む。）又は第五十七条において準用する第三十二条の規定に違反したとき。

三　前条第一項又は第二項の規定による指示に従わないとき。

四　この法律の規定に基づく主務大臣又は都道府県知事の処分に違反したとき。

五　不動産特定共同事業に関し、不正又は著しく不当な行為をしたとき。

六　役員又は政令で定める使用人のうちに、業務の停止をしようとするとき以前五年以内に不動産特定共同事業に関し不正又は著しく不当な行為をした者があるに至ったとき。

2　都道府県知事は、主務大臣又は他の都道府県知事の第四十一条第一項の登録を受けた小規模不動産特定共同事業者で当該都道府県の区域内において業務を行うものが、当該都道府県の区域内における業務に関し、前項第一号から第五号までのいずれかに該当するときは、当該小規模不動産特定共同事業者に対し、一年以内の期間を定めて、その業務の全部又は一部の停止を命ずることができる。

3　前条第三項の規定は、前項の場合について準用する。

（登録の取消し）

第五三条　主務大臣又は都道府県知事は、その第四十一条第一項の登録を受けた小規模不動産特定共同事業者が次の各号のいずれかに該当するときは、当該小規模不動産特定共同事業者の同項の登録を取り消すことができる。

一　第六条第二号から第四号まで又は第九号から第十二号までのいずれかに該当するに至ったとき。

二　第四十四条第二号又は第三号のいずれかに該当するに至ったとき。

三　不正の手段により第四十一条第一項の登録を受けたとき。

四　前条第一項各号のいずれかに該当し情状が特に重いとき、又は同条第一項若しくは第二項の規定による業務の停止の命令に違反したとき。

（業務管理者の解任命令）

第五四条　主務大臣又は都道府県知事は、その第四十一条第一項の登録を受けた小規模不動産特定共同事業者に係る業務管理者（第五十条第二項において準用する第十七条第一項の規定により置かれた者をいう。以下この条において同じ。）がその業務に関し不正又は著しく不当な行為をしたときは、当該小規模不動産特定共同事業者に対し、その解任を命ずることができる。この場合において、当該小規模不動産特定共同事業者は、その命令を受けた日から一年以内においてその命令をした主務大臣又は都道府県知事が定める期間内は、その命令に係る者を業務管理者として選任してはならない。

2　都道府県知事は、主務大臣又は他の都道府県知事の第四十一条第一項の登録を受けた小規模不動産特定共同事業者に係る業務管理者が当該都道府県の区域内において前項に規定する行為をしたときは、当該小規模不動産特定共同事業者に対し、その解任を命ずることができる。

3　第五十一条第三項の規定及び第一項後段の規定は、前項の場合について準用する。

（登録の失効）

第五五条　小規模不動産特定共同事業者が第四十一条第一項の登録を受けた後、第三条第一項の許可（第一号事業又は第三号事業に係るものに限る。）又は第九条第一項の認可（第一号事業又は第三号事業を行う旨の変更に係るものに限る。）を受けたときは、その者に係る従前の主務大臣又は都道府県知事の第四十一条第一項の登録は、その効力を失う。

（登録の抹消）

第五六条　主務大臣又は都道府県知事は、第四十一条第三項の登録の更新を

しなかったとき、第四十五条、第四十八条第二項若しくは前条の規定により第四十一条第一項の登録がその効力を失ったとき、又は第五十三条の規定により同項の登録を取り消したときは、当該登録を抹消しなければならない。

（監督に関する規定の準用）

第五七条　第三十二条、第三十三条、第三十八条及び第三十九条の規定は、小規模不動産特定共同事業者が行う小規模不動産特定共同事業について準用する。この場合において、第三十二条中「第三号事業」とあるのは「小規模第二号事業」と、第三十三条中「第三条第一項の許可」とあるのは「第四十一条第一項の登録」と、第三十八条中「第三十五条第一項若しくは第二項又は第三十六条」とあるのは「第五十二条第一項若しくは第二項又は第五十三条」と読み替えるものとするほか、必要な技術的読替えは、政令で定める。

第六章　特例事業者

第五八条　特例事業については、第三条第一項の規定は、適用しない。

2　特例事業を営もうとする法人は、あらかじめ、主務省令で定めるところにより、次に掲げる事項を主務大臣に届け出なければならない。

一　商号又は名称及び住所

二　役員の氏名及び政令で定める使用人があるときは、その者の氏名

三　事務所の名称及び所在地

四　資本金又は出資の額

五　業務を委託する不動産特定共同事業者又は小規模不動産特定共同事業者の商号又は名称及び住所

六　その他主務省令で定める事項

3　前項の規定による届出には、次に掲げる書類を添付しなければならない。

一　定款又はこれに代わる書面

二　登記事項証明書又はこれに代わる書面

三　その他主務省令で定める事項を記載した書類

4　特例事業者は、第二項各号に掲げる事項に変更があったときは、三十日以内に、主務省令で定めるところにより、その旨を主務大臣に届け出なければならない。

5　特例事業者（小規模特例事業者を除く。）が特例事業を営む場合においては、当該特例事業者を主務大臣の第三条第一項の許可を受けた不動産特定共同事業者とみなして、第十一条第一項、第十二条から第十五条まで、第二十三条第一項、第二十六条及び第二十七条並びに準用金融商品取引法第三十九条（第三項ただし書、第四項、第六項及び第七項を除く。）及び第四十条（第一号を除く。）並びにこれらの規定に係る第十章及び第十一章の規定を適用する。この場合において、第十二条中「第五条第一項第一号から第十二号まで」とあるのは「第五十八条第二項第一号から第五号まで」と、同条及び第十三条中「不動産特定共同事業者名簿」とあるのは「特例事業者名簿」と、同条中「第五条第二項第一号から第四号まで」とあるのは「第五十八条第三項第一号及び第二号」と、第二十三条第一項中「ときは、」とあるのは「ときは、その不動産取引に係る業務を委託する不動産特定共同事業者の」とするほか、必要な技術的読替えは、政令で定める。

6　小規模特例事業者が特例事業を営む場合においては、当該小規模特例事業者を主務大臣の第四十一条第一項の登録を受けた小規模不動産特定共同事業者とみなして、第四十八条第一項及び第四十九条並びに第五十条第二項において準用する第十四条、第十五条、第二十三条第一項、第二十六条及び第二十七条並びに準用金融商品取引法第三十九条（第三項ただし書、第四項、第六項及び第七項を除く。）及び第四十条（第一号を除く。）並びにこれらの規定に係る第十章及び第十一章の規定を適用する。この場合において、第四十九条中「第四十二条第二項第一号から第四号まで」とあるのは「第五十八条第三項第一号及び第二号」と、「小規模不動産特定共同事業者登録簿」とあるのは「第五十八条第二項第一号から第五号までに掲げる事項その他主務省令で定める事項を登載した小規模特例事業者名簿」と、「書類を含む。」とあるのは「書類」と、第五十条第二項において準用する第二十三条第一項中「ときは、」とあるのは「ときは、その不動産取引に係る業務を委託する小規模不動産特定共同事業者の」とするほか、必要な技術的読替えは、政令で定める。

7　主務大臣は、特例事業者が特例事業として開始した事業が特例事業に該当しなくなったときは、当該特例事業者に対し、三月以内の期間を定めて、必要な措置をとることを命ずることができる。

8　特例事業者は、特例事業として開始した事業が特例事業に該当しなくなったときは、三十日以内に、主務省令で定めるところにより、その旨を主務大臣に届け出なければならない。

9　主務大臣は、特例事業者に対し、その業務に係る状況を確認するため特に必要があると認めるときは、その必要の限度において、第二項の規定による届出に係る事項に関し参考となるべき報告若しくは資料の提出を命じ、又はその職員に事務所その他その業務が行われる場所に立ち入り、帳簿書類その他の物件の検査（同項の規定による届出に係る事項に関し必要なものに限る。）をさせ、若しくは同項の規定による届出に係る事項に関し関係者に質問させることができる。

10　第四十条第二項及び第三項の規定は、前項の規定による立入検査について準用する。

第七章　適格特例投資家限定事業者

（適格特例投資家限定事業の届出等）

第五九条　適格特例投資家限定事業については、第三条第一項の規定は、適用しない。

2　適格特例投資家限定事業を営もうとする法人（不動産特定共同事業者、小規模不動産特定共同事業者及び特例事業者を除く。）は、あらかじめ、主務省令で定めるところにより、次に掲げる事項を主務大臣に届け出なければならない。

一　商号又は名称及び住所

二　役員の氏名及び政令で定める使用人があるときは、その者の氏名

三　事務所の名称及び所在地

四　資本金又は出資の額

五　適格特例投資家限定事業の概要

六　特定勧誘業務を行おうとする場合にあっては、別表第一号の下欄に掲げる登録又は届出に関する事項

七　他に事業を行っているときは、その事業の種類

八　その他主務省令で定める事項

3　前項の規定による届出には、次に掲げる書類を添付しなければならない。

一　定款又はこれに代わる書面

二　登記事項証明書又はこれに代わる書面

三　次項に掲げる事項に該当しないことを誓約する書面

四　その他主務省令で定める書面

4　第六条各号（第十三号を除く。）のいずれか（不動産特定共同事業契約に基づき営まれる不動産取引に係る業務の全てを宅地建物取引業法第二条第三号に規定する宅地建物取引業者（第六十九条第一項及び第二項において「宅地建物取引業者」という。）に委託する場合にあっては、第六条第二号を除く。）に該当する者（不動産特定共同事業者及び小規模不動産特定共同事業者を除く。）は、適格特例投資家限定事業を行ってはならない。

5　適格特例投資家限定事業者は、第二項各号（第六号を除く。）に掲げる事項に変更があったとき、又は新たに特定勧誘業務を行うこととしたとき若しくは特定勧誘業務を行わないこととしたときは、三十日以内に、主務省令で定めるところにより、その旨を主務大臣に届け出なければならない。

（業務等に関する規定の適用）

第六〇条　適格特例投資家限定事業者が適格特例投資家限定事業を営む場合においては、当該適格特例投資家限定事業者を主務大臣の第三条第一項の許可を受けた不動産特定共同事業者とみなして、第十一条第一項、第十二条から第十五条まで、第二十七条、第二十八条第一項及び第二十九条から第三十一条まで並びに準用金融商品取引法第三十九条（第三項ただし書、第四項、第六項及び第七項を除く。）並びにこれらの規定に係る第十章及び第十一章の規定を適用する。この場合において、第十二条中「第五条第一項第一号から第十二号まで」とあるのは「第五十九条第二項第一号から第七号まで」と、同条及び第十三条中「不動産特定共同事業者名簿」とあるのは「適格特例投資家限定事業者名簿」と、同条中「第五条第二項第一号から第四号まで」とあるのは「第五十九条第三項第一号及び第二号」とするほか、必要な技術的読替えは、政令で定める。

（監督）

第六一条　適格特例投資家限定事業者は、主務省令で定めるところにより、その適格特例投資家限定事業に関する帳簿書類を作成し、これを保存しな

ければならない。

2　適格特例投資家限定事業者は、事業年度ごとに、主務省令で定める様式による事業報告書を作成し、毎事業年度経過後三月以内に、主務大臣に提出しなければならない。

3　主務大臣は、適格特例投資家限定事業者が適格特例投資家限定事業として開始した事業が適格特例投資家限定事業に該当しなくなったときは、当該適格特例投資家限定事業者に対し、三月以内の期間を定めて、必要な措置をとることを命ずることができる。

4　適格特例投資家限定事業者は、適格特例投資家限定事業として開始した事業が適格特例投資家限定事業に該当しなくなったときは、三十日以内に、主務省令で定めるところにより、その旨を主務大臣に届け出なければならない。

5　主務大臣又は都道府県知事は、主務大臣にあっては、適格特例投資家限定事業者が次の各号のいずれかに該当するとき、又はこの法律の規定に違反したとき、都道府県知事にあっては、当該都道府県の区域内において業務を行う適格特例投資家限定事業者が当該都道府県の区域内における業務に関し、次の各号のいずれかに該当するとき、又はこの法律の規定に違反したときは、当該適格特例投資家限定事業者に対し、必要な指示をすることができる。

一　業務に関し、事業参加者に損害を与えたとき、又は損害を与えるおそれが大であるとき。

二　業務に関し、その公正を害する行為をしたとき、又はその公正を害するおそれが大であるとき。

三　業務に関し他の法令に違反し、適格特例投資家限定事業者として不適当であると認められるとき。

6　主務大臣又は都道府県知事は、主務大臣にあっては、適格特例投資家限定事業者が次の各号のいずれかに該当するとき、都道府県知事にあっては、当該都道府県の区域内において業務を行う適格特例投資家限定事業者が当該都道府県の区域内における業務に関し、次の各号（第六号を除く。）のいずれかに該当するときは、当該適格特例投資家限定事業者に対し、一年以内の期間を定めて、その業務の全部又は一部の停止を命ずることができる。

一　前項各号のいずれかに該当するとき。

二　第十五条、第二十七条、第二十八条第一項、第二十九条、第三十条、第三十一条第一項、第五十九条第五項、この条第一項又は準用金融商品取引法第三十九条第一項の規定に違反したとき。

三　前項の規定による指示に従わないとき。

四　この法律の規定に基づく主務大臣又は都道府県知事の処分に違反したとき。

五　適格特例投資家限定事業に関し、不正又は著しく不当な行為をしたとき。

六　役員又は政令で定める使用人のうちに、業務の停止をしようとするとき以前五年以内に不動産特定共同事業に関し不正又は著しく不当な行為をした者があるに至ったとき。

7　都道府県知事は、前二項の規定による処分をしたときは、遅滞なく、その旨を主務大臣に報告しなければならない。

8　主務大臣は、適格特例投資家限定事業者が第六項各号のいずれかに該当し情状が特に重いとき、又は同項の規定による業務の停止の命令に違反したときは、当該適格特例投資家限定事業者に対し、事業の廃止を命ずることができる。

9　主務大臣は、前項の規定による処分をしようとするときは、行政手続法第十三条第一項の規定による意見陳述のための手続の区分にかかわらず、聴聞を行わなければならない。

10　主務大臣又は都道府県知事は、主務大臣にあっては第六項又は第八項の規定による処分をしたとき、都道府県知事にあっては第六項の規定による処分をしたときは、主務省令で定めるところにより、その旨を公告しなければならない。

第八章　不動産特定共同事業協会

（不動産特定共同事業協会）

第六十二条　その名称中に不動産特定共同事業協会という文字を用いる一般社団法人は、事業参加者の保護を図るとともに、不動産特定共同事業の健全な発展に資することを目的とし、かつ、不動産特定共同事業者又は小規模不動産特定共同事業者を社員とする旨の定款の定めがあるものでなければならない。

2　前項に規定する一般社団法人（以下この章において「協会」という。）は、その目的を達成するため、次に掲げる業務を行う。

一　会員の営む不動産特定共同事業の業務に関し、この法律、宅地建物取引業法、出資の受入れ、預り金及び金利等の取締りに関する法律その他の法令の規定を遵守させるための会員に対する指導、勧告その他の業務

二　会員の営む不動産特定共同事業に関し、不動産特定共同事業契約の内容の適正化その他事業参加者の利益の保護を図るため必要な指導、勧告その他の業務

三　会員の営む不動産特定共同事業の業務に関する事業参加者等からの苦情の解決

四　不動産の適正かつ合理的な利用の確保及び投機的取引の抑制を図るため必要な調査及び研究

五　その他協会の目的を達成するため必要な業務

3　第一項に規定する定款の定めは、これを変更することができない。

4　協会は、成立したときは、成立の日から二週間以内に、登記事項証明書及び定款の写しを添えて、その旨を、主務大臣に届け出なければならない。

5　協会は、会員の名簿を公衆の縦覧に供しなければならない。

6　主務大臣は、協会に対して、不動産特定共同事業の適正な運営を確保し、又は不動産特定共同事業の健全な発展を図るため、必要な事項に関して報告を求め、又は必要な指導、助言及び勧告をすることができる。

（名称の使用の制限）

第六十三条　協会でない者は、その名称中に不動産特定共同事業協会という文字を用いてはならない。

2　協会に加入していない者は、その名称中に不動産特定共同事業協会会員という文字を用いてはならない。

（苦情の解決）

第六十四条　協会は、事業参加者等から会員の営む不動産特定共同事業の業務に関する苦情について解決の申出があったときは、その相談に応じ、申出人に必要な助言をし、その苦情に係る事情を調査するとともに、当該会員に対しその苦情の内容を通知してその迅速な処理を求めなければならない。

2　協会は、前項の申出に係る苦情の解決について必要があると認めるときは、当該会員に対し、文書若しくは口頭による説明を求め、又は資料の提出を求めることができる。

3　会員は、協会から前項の規定による求めがあったときは、正当な理由がないのに、これを拒んではならない。

4　協会は、第一項の申出、当該苦情に係る事情及びその解決の結果について、会員に周知させなければならない。

第九章　雑則

（許可又は登録の取消し等に伴う業務の結了）

第六十五条　第十一条第二項の規定により第三条第一項の許可が効力を失ったとき、又は第三十六条の規定により同項の許可が取り消されたときは、当該許可に係る不動産特定共同事業者であった者又はその一般承継人は、当該不動産特定共同事業者又は当該不動産特定共同事業者に係る委託特例事業者が締結した不動産特定共同事業契約に基づく業務を結了する目的の範囲内においては、なお不動産特定共同事業者とみなす。

2　第四十一条第三項の登録の更新をしなかったとき、第四十八条第二項の規定により第四十一条第一項の登録が効力を失ったとき、又は第五十三条の規定により同項の登録が取り消されたときは、当該登録に係る小規模不動産特定共同事業者であった者又はその一般承継人は、当該小規模不動産特定共同事業者又は当該小規模不動産特定共同事業者に係る委託小規模特例事業者（当該小規模不動産特定共同事業者に業務を委託した小規模特例事業者をいう。）が締結した不動産特定共同事業契約に基づく業務を結了する目的の範囲内においては、なお小規模不動産特定共同事業者とみなす。

（外国法人等に対するこの法律の規定の適用に当たっての技術的読替え等）

第六十六条　不動産特定共同事業者、小規模不動産特定共同事業者、特例事業者若しくは適格特例投資家限定事業者が外国法人である場合又は不動産特定共同事業に係る不動産が外国にある場合において、当該不動産特定共同

事業者、当該小規模不動産特定共同事業者、当該特例事業者若しくは当該適格特例投資家限定事業者又は当該不動産特定共同事業に対するこの法律の規定の適用に当たっての技術的読替えその他この法律の規定の適用に関し必要な事項は、政令で定める。

（信託会社等に関する特例）

第六七条 第三条から第十条まで及び第三十六条の規定は、信託業法（平成十六年法律第百五十四号）第三条又は第五十三条第一項の免許を受けた信託会社（政令で定めるものを除く。）で宅地建物取引業法第七十七条第三項の規定による届出をしたもの（特定勧誘業務を行おうとする信託会社にあっては別表各号の上欄に掲げるその行おうとする不動産特定共同事業の区分に応じそれぞれ当該各号の下欄に掲げる登録を受けているもの又は届出をしているもの、第四号事業を行おうとする信託会社にあっては金融商品取引法第二十九条の登録を受けているものに限る。以下この条において「特定信託会社」という。）には、適用しない。

2 不動産特定共同事業を営む特定信託会社については、前項に規定する規定を除き、主務大臣の第三条第一項の許可を受けた不動産特定共同事業者とみなしてこの法律の規定を適用する。この場合において、第二十二条の二第一項及び第二十三条第一項中「第三条第一項の許可又は第九条第一項の認可」とあるのは「第六十七条第三項又は第四項の届出」と、第三十八条中「第三十六条の規定による処分」とあるのは「第六十七条第五項の規定による業務の停止の命令」とする。

3 特定信託会社は、不動産特定共同事業を営もうとするときは、主務省令で定めるところにより、不動産特定共同事業契約約款を添付して、その旨を主務大臣に届け出なければならない。

4 第二項の規定により不動産特定共同事業者とみなされた特定信託会社は、第十一条の規定により不動産特定共同事業者名簿に登載された事項（第五条第一項第五号、第七号及び第八号に掲げるものを除く。）について変更があったとき、新たに特定勧誘業務を行うこととしたとき若しくは特定勧誘業務を行わないこととしたとき、又は不動産特定共同事業契約約款の追加若しくは変更をしたときは、三十日以内に、主務省令で定めるところにより、その旨を主務大臣に届け出なければならない。

5 第二項の規定により不動産特定共同事業者とみなされた特定信託会社が、第三十五条第一項各号のいずれかに該当し情状が特に重いとき、又は同項若しくは同条第二項の規定による業務の停止の命令に違反したときは、主務大臣は、当該特定信託会社に対し、五年以内の期間を定めて、その業務の全部又は一部の停止を命ずることができる。

6 信託業務を兼営する金融機関及び第一項の政令で定める信託会社に対するこの法律の規定の適用に関し必要な事項は、政令で定める。

（適用の除外）

第六八条 第十九条から第二十一条まで、第二十二条、第二十四条から第二十六条まで並びに第二十八条第二項及び第三項並びに準用金融商品取引法第四十条（これらの規定を第五十条第二項において準用する場合を含む。）の規定は、不動産特定共同事業者又は小規模不動産特定共同事業者が、特例投資家を相手方又は事業参加者として不動産特定共同事業を行う場合については、適用しない。

2 第二十六条及び準用金融商品取引法第四十条（第一号を除く。）（これらの規定を第五十条第二項において準用する場合を含む。）の規定は、特例事業者が、特例投資家を相手方又は事業参加者として特例事業を行う場合については、適用しない。

3 第二十三条第一項（第五十条第二項において準用する場合（第五十八条第六項の規定により読み替えて適用する場合を含む。）並びに第五十八条第五項及び前条第二項の規定により読み替えて適用する場合を含む。）の規定は、不動産特定共同事業者、小規模不動産特定共同事業者又は特例事業者が特例投資家のみを相手方として不動産特定共同事業契約の締結をする場合であって、当該不動産特定共同事業契約により当該不動産特定共同事業契約上の権利義務を他の特例投資家に譲渡する場合以外の譲渡が禁止される旨の制限が付されているときについては、適用しない。

4 第二十三条第二項及び第三項の規定は、不動産特定共同事業者が特例投資家のみを相手方として不動産特定共同事業契約の締結の代理をする場合であって、当該不動産特定共同事業契約により当該不動産特定共同事業契約上の権利義務を他の特例投資家に譲渡する場合以外の譲渡が禁止される旨の制限が付されているときについては、適用しない。

第六九条 第二十二条（第五十条第二項において準用する場合を含む。）の規定は、宅地建物取引業者を相手方とする場合については、適用しない。

2 第二十六条（第五十条第二項において準用する場合を含む。）の規定は、事業参加者が宅地建物取引業者である場合については、適用しない。

3 この法律の規定は、国及び地方公共団体については、適用しない。

（宅地建物取引業法の規定の不適用）

第七〇条 宅地建物取引業法の規定は、第二条第三項第一号に掲げる契約に基づき不動産取引を行う事業参加者その他政令で定める事業参加者については、適用しない。

（都道府県知事への通知）

第七一条 主務大臣は、第三条第一項の許可、第九条第一項若しくは第二項の認可、第四十一条第一項の登録若しくは第四十六条第一項若しくは第二項の変更登録をし、又は第十条、第十一条第一項、第四十七条第一項、第四十八条第一項、第五十八条第二項、第四項若しくは第八項、第五十九条第二項若しくは第五項若しくは第六十一条第四項に規定する届出を受理したときは、遅滞なく、その旨その他主務省令で定める事項を、不動産特定共同事業者、小規模不動産特定共同事業者、特例事業者又は適格特例投資家限定事業者の主たる事務所の所在地を管轄する都道府県知事に通知しなければならない。

（事務の区分）

第七二条 第十二条及び第十三条（これらの規定を第五十八条第五項及び第六十条の規定により読み替えて適用する場合を含む。）並びに第四十九条（第五十八条第六項の規定により読み替えて適用する場合を含む。）の規定により都道府県が処理することとされている事務（第十二条及び第十三条の規定により処理することとされているものについては主務大臣の許可を受けた不動産特定共同事業者に係る不動産特定共同事業者名簿の備付け、登載及び閲覧に、第四十九条の規定により処理することとされているものについては主務大臣の登録を受けた小規模不動産特定共同事業者に係る同条に規定する書類の閲覧に関するものに限る。）は、地方自治法（昭和二十二年法律第六十七号）第二条第九項第一号に規定する第一号法定受託事務とする。

（主務大臣等）

第七三条 この法律における主務大臣は、次のとおりとする。

一 第二条第三項第一号若しくは第二号に掲げる不動産特定共同事業契約若しくは同項第四号に掲げる不動産特定共同事業契約のうち同項第一号若しくは第二号に掲げる不動産特定共同事業契約に相当するもの又はこれらに類する不動産特定共同事業契約として政令で定めるものであって、金銭をもって出資の目的とし、かつ、契約の終了の場合における残余財産の分割若しくは出資の返還が金銭により行われることを内容とするもの又はこれらに類する事項として政令で定めるものを内容とするものに係る不動産特定共同事業に関する事項については、内閣総理大臣及び国土交通大臣

二 前号に規定する不動産特定共同事業以外の不動産特定共同事業に関する事項については、国土交通大臣

2 この法律における主務省令は、内閣府令・国土交通省令とする。

3 内閣総理大臣は、この法律による権限（政令で定めるものを除く。）を金融庁長官に委任する。

4 前項の規定により金融庁長官に委任された権限及びこの法律による国土交通大臣の権限については、政令で定めるところにより、その一部を地方支分部局の長（当該金融庁長官に委任された権限にあっては、財務局長又は財務支局長）に委任することができる。

（財務大臣への資料提出等）

第七四条 財務大臣は、その所掌に係る金融破綻処理制度及び金融危機管理に関し、不動産特定共同事業に係る制度の企画又は立案をするため必要があると認めるときは、内閣総理大臣に対し、必要な資料の提出及び説明を求めることができる。

（主務省令への委任）

第七五条 この法律に定めるもののほか、この法律を実施するため必要な事項は、主務省令で定める。

（経過措置）

第七六条 この法律の規定に基づき命令を制定し、又は改廃する場合においては、その命令で、その制定又は改廃に伴い合理的に必要とされる範囲内において、所要の経過措置（罰則に関する経過措置を含む。）を定めることができる。

第十章　罰則

第七七条　次の各号のいずれかに該当する者は、三年以下の懲役若しくは三百万円以下の罰金に処し、又はこれを併科する。
一　第三条第一項の規定に違反して同項の許可を受けないで不動産特定共同事業を営んだ者
二　不正の手段により第三条第一項の許可を受けた者
三　第十五条（第五十条第二項において準用する場合を含む。）の規定に違反して、他人に不動産特定共同事業を営ませた者
四　第三十五条第一項若しくは第二項、第五十二条第一項若しくは第二項、第六十一条第六項又は第六十七条第五項の規定による業務の停止の命令に違反した者
五　不正の手段により第四十一条第一項の登録を受けた者
六　第五十九条第二項の規定に違反して、届出をしないで適格特例投資家限定事業を営んだ者
七　第六十一条第八項の規定による適格特例投資家限定事業の廃止の処分に違反した者

第七八条　第二十六条の二（第一号に係る部分に限る。）又は準用金融商品取引法第三十九条第一項（これらの規定を第五十条第二項において準用する場合を含む。）の規定に違反した場合においては、その行為をした不動産特定共同事業者又は小規模不動産特定共同事業者の代表者、代理人、使用人その他の従業者は、三年以下の懲役若しくは三百万円以下の罰金に処し、又はこれを併科する。

第七九条　次の各号のいずれかに該当する者は、一年以下の懲役若しくは三百万円以下の罰金に処し、又はこれを併科する。
一　第二十条第一項（第五十条第二項において準用する場合を含む。）の規定に違反して、故意に事実を告げず、又は不実のことを告げた者
二　第二十条第二項（第五十条第二項において準用する場合を含む。）の規定に違反して、不実のことを告げた者
三　第五十八条第二項の規定に違反して、届出をしないで特例事業を営んだ者
四　第五十八条第七項又は第六十一条第三項の規定による命令に違反した者
五　第五十八条第八項又は第六十一条第四項の規定に違反して、届出をせず、又は虚偽の届出をした者

第八〇条　次の各号のいずれかに該当する者は、一年以下の懲役若しくは百万円以下の罰金に処し、又はこれを併科する。
一　第四条第一項の規定により付された条件に違反した者
二　第九条第一項の規定に違反して、不動産特定共同事業の種別の変更をし、新たに不動産特定共同事業契約約款の作成をし、若しくは不動産特定共同事業契約約款の追加若しくは変更をし、又は新たに電子取引業務を行った者
三　準用金融商品取引法第三十九条第二項（第五十条第二項において準用する場合を含む。）の規定に違反した者
四　第二十二条（第五十条第二項において準用する場合を含む。）の規定に違反して、相手方に対し金銭若しくは有価証券を貸し付け、又は相手方への第三者による金銭若しくは有価証券の貸付けにつき媒介、取次ぎ若しくは代理をした者
五　第四十六条第一項の規定に違反して、小規模不動産特定共同事業の種別の変更をし、不動産特定共同事業契約約款の追加若しくは変更をし、又は新たに電子取引業務を行った者

第八一条　前条第三号の場合において、犯人又は情を知った第三者が受けた財産上の利益は、没収する。その全部又は一部を没収することができないときは、その価額を追徴する。
2　金融商品取引法第二百九条の二及び第二百九条の三第二項の規定は、前項の規定による没収について準用する。この場合において、同法第二百九条の二第一項中「第百九十八条の二第一項又は第二百条の二」とあるのは「不動産特定共同事業法第八十一条第一項」と、「この条、次条第一項及び第二百九条の四第一項」とあるのは「この項」と、同条第二項中「混和財産（第二百条の二の規定に係る不法財産が混和したものに限る。）」とあるのは「混和財産」と、同法第二百九条の三第二項中「第百九十八条の二第一項又は第二百条の二」とあるのは「不動産特定共同事業法第八十一条第一項」と読み替えるものとする。

第八二条　次の各号のいずれかに該当する者は、六月以下の懲役若しくは五十万円以下の罰金に処し、又はこれを併科する。
一　第五条第一項の許可申請書又は同条第二項各号に掲げる書類に虚偽の記載をして提出した者
二　第十八条第三項（第五十条第二項において準用する場合を含む。）の規定に違反して、著しく事実に相違する表示をし、又は著しく人を誤認させるような表示をした者
三　第二十四条第一項、第二十五条第一項若しくは第二十八条第二項（これらの規定を第五十条第二項において準用する場合を含む。）の規定に違反して、書面若しくは報告書を交付せず、若しくはこれらの規定に規定する事項を記載しない書面若しくは報告書若しくは虚偽の記載のある書面若しくは報告書を交付した者又は第二十四条第三項（第二十五条第三項及び第二十八条第四項（これらの規定を第五十条第二項において準用する場合を含む。）並びに第五十条第二項において準用する場合を含む。）に規定する方法により当該事項を欠いた提供若しくは虚偽の事項の提供をした者
四　第三十一条の二第三項（第五十条第二項において準用する場合を含む。以下この号において同じ。）の規定に違反して、第三十一条の二第三項に規定する事項を閲覧することができる状態に置かず、又は虚偽の事項を閲覧することができる状態に置いた者
五　第四十二条第一項の登録申請書又は同条第二項各号に掲げる書類に虚偽の記載をして提出した者

第八三条　次の各号のいずれかに該当するときは、その違反行為をした者は、五十万円以下の罰金に処する。
一　第八条第一項の許可申請書に虚偽の記載をして提出したとき。
二　第十七条第三項（第五十条第二項において準用する場合を含む。）の規定に違反して、事務所を開設し、又は必要な措置を執らなかったとき。
三　第二十四条第二項（第五十条第二項において準用する場合を含む。）の規定による記名のない書面を不動産特定共同事業契約の申込者に対し交付したとき。
四　第二十五条第二項（第五十条第二項において準用する場合を含む。）の規定による記名のない書面を不動産特定共同事業契約の当事者に対し交付したとき。
五　第二十八条第三項（第五十条第二項において準用する場合を含む。）の規定による記名のない書面を事業参加者に対し交付したとき。
六　第二十九条（第五十条第二項において準用する場合を含む。）の規定に違反して、書類を備え置かず、若しくは事業参加者の求めに応じて閲覧させず、又は虚偽の記載のある書類を備え置き、若しくは事業参加者に閲覧させたとき。
七　第三十二条（第五十七条において準用する場合を含む。）又は第六十一条第一項の規定に違反して、帳簿書類を作成せず、若しくは保存せず、又は虚偽の帳簿書類を作成し、若しくは保存したとき。
八　第三十三条（第五十七条において準用する場合を含む。）又は第六十一条第二項の規定に違反して、事業報告書を作成せず、若しくは提出せず、又は虚偽の事業報告書を作成し、若しくは提出したとき。
九　第三十七条第一項前段若しくは第二項若しくは第五十四条第一項前段若しくは第二項の規定による命令に違反して業務管理者（第十七条第一項（第五十条第二項において準用する場合を含む。）の規定により置かれた者をいう。以下この号において同じ。）を解任せず、又は第三十七条第一項後段（同条第三項において準用する場合を含む。）若しくは第五十四条第一項後段（同条第三項において準用する場合を含む。）の規定に違反して業務管理者を選任したとき。
十　第四十条第一項若しくは第五十八条第九項の規定による命令に違反して、報告をせず、若しくは資料の提出をせず、若しくは虚偽の報告をし、若しくは虚偽の記載のある資料の提出をし、又はこれらの規定による立入検査を拒み、妨げ、若しくは忌避したとき。
十一　第五十八条第二項の規定による届出に関し虚偽の届出をしたとき。
十二　第五十八条第三項各号に掲げる書類に虚偽の記載をして提出したとき。

第八四条　次の各号のいずれかに該当する者は、三十万円以下の罰金に処する。

一　第十条、第四十七条第一項、第五十八条第四項又は第五十九条第五項の規定に違反して、届出をせず、又は虚偽の届出をした者
二　第十六条第一項（第五十条第二項において準用する場合を含む。次号において同じ。）又は第三十一条の二第一項（第五十条第二項において準用する場合を含む。）の規定に違反した者
三　第十六条第二項（第五十条第二項において準用する場合を含む。）の規定に違反して、第十六条第一項の標識又はこれに類似する標識を掲示した者
四　第十七条第二項（第五十条第二項において準用する場合を含む。以下この号において同じ。）の規定に違反して、業務管理者名簿（第十七条第二項に規定する名簿をいう。）を備え置かず、又はこれに同項に規定する事項を記載せず、若しくは虚偽の記載をした者
五　第二十三条第一項（第五十条第二項において準用する場合（第五十八条第六項の規定により読み替えて適用する場合を含む。）並びに第五十八条第五項及び第六十七条第二項の規定により読み替えて適用する場合を含む。）、第二項又は第三項の規定に違反して、不動産特定共同事業契約約款に基づかないで不動産特定共同事業契約の締結又はその締結の代理をした者
六　第三十条（第五十条第二項において準用する場合を含む。以下この号において同じ。）の規定に違反して、事業参加者名簿（第三十条第一項に規定する名簿をいう。以下この号において同じ。）を作成せず、若しくは保存せず、若しくはこれを事業参加者の求めに応じて閲覧させず、又は虚偽の事業参加者名簿を作成し、若しくは保存し、若しくはこれを事業参加者に閲覧させた者
七　第六十三条第二項の規定に違反して、その名称中に不動産特定共同事業協会会員という文字を用いた者
八　第六十七条第三項の規定に違反して、届出をしないで、又は虚偽の届出をして不動産特定共同事業を営んだ者
九　第六十七条第四項の規定に違反して、届出をせず、又は虚偽の届出をした者

第八五条　法人（法人でない社団又は財団で代表者又は管理人の定めのあるものを含む。以下この項において同じ。）の代表者又は法人若しくは人の代理人、使用人その他の従業者が、その法人又は人の業務又は財産に関し、次の各号に掲げる規定の違反行為をしたときは、その行為者を罰するほか、その法人に対して当該各号に定める罰金刑を、その人に対して各本条の罰金刑を科する。
一　第七十八条　三億円以下の罰金刑
二　第七十七条、第七十九条第一号若しくは第二号又は第八十条第三号　一億円以下の罰金刑
三　第七十九条第三号から第五号まで、第八十条第一号、第二号、第四号若しくは第五号又は前三条　各本条の罰金刑

2　法人でない社団又は財団について前項の規定の適用がある場合には、その代表者又は管理人がその訴訟行為につきその法人でない社団又は財団を代表するほか、法人を被告人又は被疑者とする場合の刑事訴訟に関する法律の規定を準用する。

第八六条　第十一条第一項又は第四十八条第一項の規定に違反して、届出をせず、又は虚偽の届出をした者は、百万円以下の過料に処する。

第八七条　第六十三条第一項の規定に違反して、その名称中に不動産特定共同事業協会という文字を用いた者は、十万円以下の過料に処する。

第十一章　没収に関する手続等の特例

（第三者の財産の没収手続等）

第八八条　第八十一条第一項の規定により没収すべき財産である債権等（不動産及び動産以外の財産をいう。次条及び第九十条において同じ。）が被告人以外の者（以下この条において「第三者」という。）に帰属する場合において、当該第三者が被告事件の手続への参加を許されていないときは、没収の裁判をすることができない。

2　第八十一条第一項の規定により、地上権、抵当権その他の第三者の権利がその上に存在する財産を没収しようとする場合において、当該第三者が被告事件の手続への参加を許されていないときも、前項と同様とする。

3　金融商品取引法第二百九条の四第三項から第五項までの規定は、地上権、抵当権その他の第三者の権利がその上に存在する財産を没収する場合において、第八十一条第二項において準用する同法第二百九条の三第二項の規定により当該権利を存続させるべきときについて準用する。この場合において、同法第二百九条の四第三項及び第四項中「前条第二項」とあるのは、「不動産特定共同事業法第八十一条第二項において準用する前条第二項」と読み替えるものとする。

4　第一項及び第二項に規定する財産の没収に関する手続については、この法律に特別の定めがあるもののほか、刑事事件における第三者所有物の没収手続に関する応急措置法（昭和三十八年法律第百三十八号）の規定を準用する。

（没収された債権等の処分等）

第八九条　金融商品取引法第二百九条の五第一項の規定は第八十条第三号の罪に関し没収された債権等について、同法第二百九条の五第二項の規定は同号の罪に関し没収すべき債権の没収の裁判が確定したときについて、同法第二百九条の六の規定は権利の移転について登記又は登録を要する財産を同号の罪に関し没収する裁判に基づき権利の移転の登記又は登録を関係機関に嘱託する場合について、それぞれ準用する。

（刑事補償の特例）

第九〇条　第八十条第三号の罪に関し没収すべき債権等の没収の執行に対する刑事補償法（昭和二十五年法律第一号）による補償の内容については、同法第四条第六項の規定を準用する。

附　則〔抄〕

（施行期日）

第一条　この法律は、公布の日から起算して一年を超えない範囲内において政令で定める日から施行する。

〔平成六政四一一により、平成七・四・一から施行〕

（経過措置）

第二条　この法律の施行の際現に不動産特定共同事業を営んでいる者は、この法律の施行の日から六月間（当該期間内に第六条若しくは第七条の規定に基づく不許可の処分があったとき、又は次項の規定により読み替えて適用される第三十六条の規定により不動産特定共同事業の廃止を命ぜられたときは、当該処分のあった日又は当該廃止を命ぜられた日までの間）に限り、第三条の規定にかかわらず、引き続き不動産特定共同事業を営むことができる。その者がその期間内に第五条の規定による許可の申請をした場合において、その期間を経過したときは、その申請について許可又は不許可の処分があるまでの間も、同様とする。

2　前項の規定により引き続き不動産特定共同事業を営むことができる場合においては、その者を、二以上の都道府県の区域内に事務所を設置して営んでいる場合にあっては主務大臣の第三条第一項の許可を受けた不動産特定共同事業者と、一の都道府県の区域内にのみ事務所を設置して営んでいる場合にあっては当該事務所の所在地を管轄する都道府県知事の同項の許可を受けた不動産特定共同事業者と、これらの事務所を代表する者又はこれに準ずる地位にある者を第十七条第一項の規定により置かれる業務管理者とみなして、第八条第三項、第十一条、第十四条、第十七条から第二十二条まで、第二十四条から第三十五条まで、第三十六条（第二号から第四号までを除く。）、第三十七条、第三十九条、第四十条及び第四十四条の規定（これらの規定に係る罰則を含む。）を適用する。この場合において、第十一条第一項第一号中「合併により」とあるのは「死亡し、又は合併により」と、「消滅した法人」とあるのは「相続人又は消滅した法人」と、同項第四号中「不動産特定共同事業者であった」とあるのは「不動産特定共同事業者であった個人又は不動産特定共同事業者であった」と、第十七条第三項中「既存の事務所が同項の規定に抵触するに至ったときは」とあるのは「この法律の施行の際附則第二条第二項の規定により業務管理者とみなされる者がいないときはこの法律の施行の日から、既存の事務所が第一項の規定に抵触するに至ったときはその日から」と、第三十六条中「同項の許可を取り消す」とあるのは「不動産特定共同事業の廃止を命ずる」と、同条第一号中「第六条第二号、第三号」とあるのは「第六条第三号」と、第四十四条中「とき、又は第三十六条の規定により同項の許可が取り消されたときは」とあるのは「ときは」と、第五十二条第一号中「第三条第一項の許可を受けないで」とあるのは「附則第二条第二項の規定により読み替えて適用される第三十六条の規定による不動産特定共同事業の廃止の命令に違反して」とする。

3　前項の規定により読み替えて適用される第三十六条の規定により不動産特定共同事業の廃止が命ぜられた場合における第六条第六号ホの規定の適

用については、当該廃止の命令を第三条第一項の許可の取消しの処分と、当該廃止を命ぜられた日を同項の許可の取消しの日とみなす。

4　第二項の規定にかかわらず、第二十五条、第二十六条及び第二十八条の規定は、この法律の施行前に締結された不動産特定共同事業契約については、適用しない。

5　第二項の規定により不動産特定共同事業者とみなされる者は、主務省令で定めるところにより、この法律の施行の日から起算して二週間以内に、第五条第一項各号に掲げる事項（その者が個人である場合にあっては、同項第一号に掲げる事項に代えて、氏名及び住所。）を記載した書面に同条第二項各号（第三号及び第四号を除く。）に掲げる書類その他主務省令で定める書類を添付して、第三条第一項の許可を受けたものとみなされる主務大臣又は都道府県知事に提出しなければならない。

6　第二項の規定により不動産特定共同事業者とみなされる者は、前項の規定により提出した書面（添付された書類を含む。）に記載された事項（第五条第一項第五号に掲げる事項を除く。）に変更があった場合には、主務省令で定めるところにより、変更があった日から起算して二週間以内に、その旨を第三条第一項の許可を受けたものとみなされる主務大臣又は都道府県知事に届け出なければならない。

7　前項の規定による届出は、第五条第一項第三号に規定する事務所の所在地の変更があった場合において第八条第一項各号のいずれかに該当するときは、前項の規定にかかわらず、同項に規定する期間内に、第二項の規定により現に第三条第一項の許可を受けたものとみなされる主務大臣又は都道府県知事を経由して、新たに同項の許可を受けたものとみなされる主務大臣又は都道府県知事にしなければならない。

8　第五項の規定に違反して書面若しくは添付書類を提出せず、若しくは書面若しくは添付書類に虚偽の記載をして提出し、又は前二項の規定に違反して届出をせず、若しくは虚偽の届出をした者は、三十万円以下の罰金に処する。

9　法人の代表者又は法人若しくは人の代理人、使用人その他の従業者が、その法人又は人の業務に関し前項の違反行為をしたときは、その行為者を罰するほか、その法人又は人に対しても同項の刑を科する。

10　第二項の規定により不動産特定共同事業者とみなされる者は、第一項の規定により不動産特定共同事業を営むことができる期間内に締結した不動産特定共同事業契約に基づく業務については、その期間経過後においても、第三条第一項の許可を受けないで結了することができるものとし、当該業務を結了する目的の範囲内においては、その者を引き続き不動産特定共同事業者とみなす。

（検討）

第三条　政府は、この法律の施行後十年以内に、この法律の実施状況、社会経済情勢の推移等を勘案し、事業参加者の利益の保護及び不動産特定共同事業の健全な発達の観点からこの法律に規定する不動産特定共同事業に係る制度等について総合的に検討を加え、その結果に基づいて必要な措置を講ずるものとする。

附　則〔略〕〔平成七・五・一二法律九一〕

附　則〔平成九・四・二三法律三八〕

（施行期日）

1　この法律は、公布の日から起算して一月を経過した日から施行する。

（経過措置）

2　この法律の施行前に生じた事由に係る改正前の第十条及び第四十六条第四項の規定による届出については、なお従前の例による。

3　不動産特定共同事業者に対する許可の取消しその他の監督上の処分に関しては、この法律の施行前に生じた事由については、なお従前の例による。

4　この法律の施行前にした行為及び附則第二項の規定によりなお従前の例によることとされる場合におけるこの法律の施行後にした行為に対する罰則の適用については、なお従前の例による。

附　則〔抄〕〔平成九・六・二〇法律一〇二〕

（施行期日）

第一条　この法律は、金融監督庁設置法（平成九年法律第百一号）の施行の日〔平成一〇・六・二二〕から施行する。

（大蔵大臣等がした処分等に関する経過措置）

第二条　この法律による改正前の（中略）不動産特定共同事業法（中略）（以下「旧担保附社債信託法等」という。）の規定により大蔵大臣その他の国の機関がした免許、許可、認可、承認、指定その他の処分又は通知その他の行為は、この法律による改正後の（中略）不動産特定共同事業法（中略）（以下「新担保附社債信託法等」という。）の相当規定に基づいて、内閣総理大臣その他の相当の国の機関がした免許、許可、認可、承認、指定その他の処分又は通知その他の行為とみなす。

2　この法律の施行の際現に旧担保附社債信託法等の規定により大蔵大臣その他の国の機関に対してされている申請、届出その他の行為は、新担保附社債信託法等の相当規定に基づいて、内閣総理大臣その他の相当の国の機関に対してされた申請、届出その他の行為とみなす。

3　旧担保附社債信託法等の規定により大蔵大臣その他の国の機関に対し報告、届出、提出その他の手続をしなければならない事項で、この法律の施行の日前にその手続がされていないものについては、これを、新担保附社債信託法等の相当規定により内閣総理大臣その他の相当の国の機関に対して報告、届出、提出その他の手続をしなければならない事項についてその手続がされていないものとみなして、新担保附社債信託法等の規定を適用する。

（大蔵省令等に関する経過措置）

第三条　この法律の施行の際現に効力を有する旧担保附社債信託法等の規定に基づく命令は、新担保附社債信託法等の相当規定に基づく命令としての効力を有するものとする。

（罰則に関する経過措置）

第五条　この法律の施行前にした行為に対する罰則の適用については、なお従前の例による。

（政令への委任）

第六条　附則第二条から前条までに定めるもののほか、この法律の施行に関し必要な経過措置は、政令で定める。

附　則〔平成一〇・一〇・一六法律一三一〕

（施行期日）

第一条　この法律は、金融再生委員会設置法（平成十年法律第百三十号）の施行の日〔平成一〇・一二・一五〕から施行する。

（経過措置）

第二条　この法律による改正前の（中略）不動産特定共同事業法（中略）（以下「旧担保附社債信託法等」という。）の規定により内閣総理大臣その他の国の機関がした免許、許可、認可、承認、指定その他の処分又は通知その他の行為は、この法律による改正後の（中略）不動産特定共同事業法（中略）（以下「新担保附社債信託法等」という。）の相当規定に基づいて、金融再生委員会その他の相当の国の機関がした免許、許可、認可、承認、指定その他の処分又は通知その他の行為とみなす。

2　この法律の施行の際現に旧担保附社債信託法等の規定により内閣総理大臣その他の国の機関に対してされている申請、届出その他の行為は、新担保附社債信託法等の相当規定に基づいて、金融再生委員会その他の相当の国の機関に対してされた申請、届出その他の行為とみなす。

3　旧担保附社債信託法等の規定により内閣総理大臣その他の国の機関に対し報告、届出、提出その他の手続をしなければならない事項で、この法律の施行の日前にその手続がされていないものについては、これを、新担保附社債信託法等の相当規定により金融再生委員会その他の相当の国の機関に対して報告、届出、提出その他の手続をしなければならない事項についてその手続がされていないものとみなして、新担保附社債信託法等の規定を適用する。

第三条　この法律の施行の際現に効力を有する旧担保附社債信託法等の規定に基づく命令は、新担保附社債信託法等の相当規定に基づく命令としての効力を有するものとする。

第四条　この法律の施行前にした行為に対する罰則の適用については、なお従前の例による。

（政令への委任）

第五条　前三条に定めるもののほか、この法律の施行に関し必要な経過措置は、政令で定める。

附　則〔抄〕〔平成一一・七・一六法律八七〕

（施行期日）

第一条　この法律は、平成十二年四月一日から施行する。ただし、次の各号に掲げる規定は、当該各号に定める日から施行する。

一〔前略〕附則〔中略〕第百六十条、第百六十三条、第百六十四条並びに第二百二条の規定　公布の日

二～六〔略〕

（国等の事務）

第一五九条　この法律による改正前のそれぞれの法律に規定するもののほか、この法律の施行前において、地方公共団体の機関が法律又はこれに基づく政令により管理し又は執行する国、他の地方公共団体その他公共団体の事務（附則第百六十一条において「国等の事務」という。）は、この法律の施行後は、地方公共団体が法律又はこれに基づく政令により当該地方公共団体の事務として処理するものとする。

（処分、申請等に関する経過措置）

第一六〇条　この法律（附則第一条各号に掲げる規定については、当該各規定。以下この条及び附則第百六十三条において同じ。）の施行前に改正前のそれぞれの法律の規定によりされた許可等の処分その他の行為（以下この条において「処分等の行為」という。）又はこの法律の施行の際現に改正前のそれぞれの法律の規定によりされている許可等の申請その他の行為（以下この条において「申請等の行為」という。）で、この法律の施行の日においてこれらの行為に係る行政事務を行うべき者が異なることとなるものは、附則第二条から前条までの規定又は改正後のそれぞれの法律（これに基づく命令を含む。）の経過措置に関する規定に定めるものを除き、この法律の施行の日以後における改正後のそれぞれの法律の適用については、改正後のそれぞれの法律の相当規定によりされた処分等の行為又は申請等の行為とみなす。

２　この法律の施行前に改正前のそれぞれの法律の規定により国又は地方公共団体の機関に対し報告、届出、提出その他の手続をしなければならない事項で、この法律の施行の日前にその手続がされていないものについては、この法律及びこれに基づく政令に別段の定めがあるもののほか、これを、改正後のそれぞれの法律の相当規定により国又は地方公共団体の相当の機関に対して報告、届出、提出その他の手続をしなければならない事項についてその手続がされていないものとみなして、この法律による改正後のそれぞれの法律の規定を適用する。

（不服申立てに関する経過措置）

第一六一条　施行日前にされた国等の事務に係る処分であって、当該処分をした行政庁（以下この条において「処分庁」という。）に施行日前に行政不服審査法に規定する上級行政庁（以下この条において「上級行政庁」という。）があったものについての同法による不服申立てについては、施行日以後においても、当該処分庁に引き続き上級行政庁があるものとみなして、行政不服審査法の規定を適用する。この場合において、当該処分庁の上級行政庁とみなされる行政庁は、施行日前に当該処分庁の上級行政庁であった行政庁とする。

２　前項の場合において、上級行政庁とみなされる行政庁が地方公共団体の機関であるときは、当該機関が行政不服審査法の規定により処理することとされる事務は、新地方自治法第二条第九項第一号に規定する第一号法定受託事務とする。

（手数料に関する経過措置）

第一六二条　施行日前においてこの法律による改正前のそれぞれの法律（これに基づく命令を含む。）の規定により納付すべきであった手数料については、この法律及びこれに基づく政令に別段の定めがあるもののほか、なお従前の例による。

（罰則に関する経過措置）

第一六三条　この法律の施行前にした行為に対する罰則の適用については、なお従前の例による。

（その他の経過措置の政令への委任）

第一六四条　この附則に規定するもののほか、この法律の施行に伴い必要な経過措置（罰則に関する経過措置を含む。）は、政令で定める。

２　（略）

附　則〔抄〕〔平成一一・一二・八法律一五一〕

（施行期日）

第一条　この法律は、平成十二年四月一日から施行する。〔以下略〕

（経過措置）

第三条　民法の一部を改正する法律（平成十一年法律第百四十九号）附則第三条第三項の規定により従前の例によることとされる準禁治産者及びその保佐人に関するこの法律による改正規定の適用については、〔中略〕なお従前の例による。〔以下略〕

第四条　この法律の施行前にした行為に対する罰則の適用については、なお従前の例による。

附　則〔略〕〔平成一一・一二・二二法律一六〇〕

附　則〔略〕〔平成一二・五・一九法律七三〕

附　則〔抄〕〔平成一三・一一・九法律一一七〕

（施行期日）

第一条　この法律〔中略〕は、当該各号に定める日から施行する。

一　〔前略〕附則第九条及び第十三条から第十六条までの規定　公布の日から起算して一月を経過した日

二　第十条から第十二条までの規定並びに附則第十条から第十二条まで及び第十七条の規定　公布の日から起算して三月を超えない範囲内において政令で定める日

〔平成一四政九により、平成一四・二・一から施行〕

（不動産特定共同事業法の一部改正に伴う経過措置）

第一二条　信託業務を兼営する銀行で第十二条の規定の施行の際現に不動産特定共同事業を営んでいるものについては、同条の規定による改正後の不動産特定共同事業法第四十六条の規定にかかわらず、なお従前の例による。

（権限の委任）

第一三条　内閣総理大臣は、この附則の規定による権限（政令で定めるものを除く。）を金融庁長官に委任する。

２　前項の規定により金融庁長官に委任された権限については、政令で定めるところにより、その一部を財務局長又は財務支局長に委任することができる。

（処分等の効力）

第一四条　この法律の各改正規定の施行前に改正前のそれぞれの法律（これに基づく命令を含む。以下この条において同じ。）の規定によってした処分、手続その他の行為であって、改正後のそれぞれの法律の規定に相当の規定があるものは、この附則に別段の定めがあるものを除き、改正後のそれぞれの法律の相当の規定によってしたものとみなす。

（罰則に関する経過措置）

第一五条　この法律の各改正規定の施行前にした行為及びこの附則の規定によりなお従前の例によることとされる事項に係る各改正規定の施行後にした行為に対する罰則の適用については、それぞれなお従前の例による。

（その他の経過措置の政令への委任）

第一六条　附則第二条から前条までに定めるもののほか、この法律の施行に関し必要な経過措置（罰則に係る経過措置を含む。）は、政令で定める。

附　則〔略〕〔平成一三・一一・一五法律一三八〕

附　則〔略〕〔平成一四・五・二九法律四五〕

附　則〔抄〕〔平成一六・六・二法律七六〕

（施行期日）

第一条　この法律は、破産法（中略）の施行の日〔平成一七・一・一〕から施行する。〔以下略〕

（罰則の適用等に関する経過措置）

第一二条　〔略〕

５　施行日前にされた破産の宣告、再生手続開始の決定、更生手続開始の決定又は外国倒産処理手続の承認の決定に係る届出、通知又は報告の義務に関するこの法律による改正前の〔中略〕不動産特定共同事業法〔中略〕の規定並びにこれらの規定に係る罰則の適用については、なお従前の例による。

（政令への委任）

第一四条　附則第二条から前条までに規定するもののほか、この法律の施行に関し必要な経過措置は、政令で定める。

附　則〔略〕〔平成一六・六・一八法律一二四〕

附　則〔抄〕〔平成一六・一二・三法律一五四〕

（施行期日）

第一条　この法律は、公布の日から起算して六月を超えない範囲内において政令で定める日（以下「施行日」という。）から施行する。〔以下略〕

〔平成一六政四二六により、平成一六・一二・三〇から施行〕

（処分等の効力）

第一二一条　この法律の施行前のそれぞれの法律（これに基づく命令を含む。以下この条において同じ。）の規定によってした処分、手続その他の行為であって、改正後のそれぞれの法律の規定に相当の規定があるものは、この附則に別段の定めがあるものを除き、改正後のそれぞれの法律の相当の規定によってしたものとみなす。

（罰則に関する経過措置）

第一二二条　この法律の施行前にした行為並びにこの附則の規定によりなお従前の例によることとされる場合及びこの附則の規定によりなおその効力を有することとされる場合におけるこの法律の施行後にした行為に対する罰則の適用については、なお従前の例による。

（その他の経過措置の政令への委任）

第一二三条　この附則に規定するもののほか、この法律の施行に伴い必要な経過措置は、政令で定める。

（検討）

第一二四条　政府は、この法律の施行後三年以内に、この法律の施行の状況について検討を加え、必要があると認めるときは、その結果に基づいて所要の措置を講ずるものとする。

附　則〔平成一七・七・二六法律八七〕

この法律は、会社法の施行の日〔平成一八・五・一〕から施行する。〔以下略〕

会社法の施行に伴う関係法律の整備等に関する法律〔抄〕〔平成一七・七・二六　法律八七〕

第十二章　罰則に関する経過措置及び政令への委任

（罰則に関する経過措置）

第五二七条　施行日前にした行為及びこの法律の規定によりなお従前の例によることとされる場合における施行日以後にした行為に対する罰則の適用については、なお従前の例による。

（政令への委任）

第五二八条　この法律に定めるもののほか、この法律の規定による法律の廃止又は改正に伴い必要な経過措置は、政令で定める。

附　則〔平成一八・六・二法律五〇〕

改正　平成二三・六法七四

この法律は、一般社団・財団法人法の施行の日〔平成二〇・一二・一〕から施行する。〔以下略〕

一般社団法人及び一般財団法人に関する法律及び公益社団法人及び公益財団法人の認定等に関する法律の施行に伴う関係法律の整備等に関する法律〔抄〕〔平成一八・六・二　法律五〇〕

（不動産特定共同事業法の一部改正に伴う経過措置）

第四三七条　第四十条第一項の規定により存続する一般社団法人であってその名称中に不動産特定共同事業協会という文字を用いるものの定款に前条の規定による改正後の不動産特定共同事業法第四十一条第一項に規定する内容の定めがない場合においては、この定めがあるものとみなす。

（罰則に関する経過措置）

第四五七条　施行日前にした行為及びこの法律の規定によりなお従前の例によることとされる場合における施行日以後にした行為に対する罰則の適用については、なお従前の例による。

（政令への委任）

第四五八条　この法律に定めるもののほか、この法律の規定による法律の廃止又は改正に伴い必要な経過措置は、政令で定める。

附　則〔略〕〔平成一八・六・一四法律六五〕

附　則〔略〕〔平成二〇・五・二法律二八施行〕

附　則〔略〕〔平成二三・六・二四法律七四〕

附　則〔略〕〔平成二四・八・一法律五三〕

附　則〔抄〕〔平成二五・六・二一法律五六〕

（施行期日）

第一条　この法律は、公布の日から起算して六月を超えない範囲内において政令で定める日から施行する。

〔平成二五政三二八により、平成二五・一二・二〇から施行〕

（経過措置）

第二条　この法律の施行前にこの法律による改正前の不動産特定共同事業法（次条において「旧法」という。）第八条第一項の規定によりされた変更の許可の申請であって、この法律の施行の際、許可又は不許可の処分がされていないものについての許可又は不許可の処分については、なお従前の例による。

第三条　この法律の施行の際現に旧法第三条第一項の許可を受けている者に対するこの法律による改正後の不動産特定共同事業法（附則第五条において「新法」という。）第三十五条第一項又は第二項の規定による業務の停止の命令に関しては、この法律の施行前に生じた事由については、なお従前の例による。

（政令への委任）

第四条　前二条に定めるもののほか、この法律の施行に関し必要な経過措置は、政令で定める。

（検討）

第五条　政府は、この法律の施行後五年を経過した場合において、新法の施行の状況について検討を加え、必要があると認めるときは、その結果に基づいて所要の措置を講ずるものとする。

附　則〔略〕〔平成二五・一一・二七法律八六〕

附　則〔略〕〔平成二六・五・三〇法律四四〕

附　則〔抄〕〔平成二九・五・二四法律三七〕

（施行期日）

第一条　この法律は、公布の日から起算して一年を超えない範囲内において政令で定める日から施行する。ただし、附則〔中略〕第二十六条の規定は、公布の日から施行する。

〔平成二九政三二五により、平成三〇・四・一から施行〕

（罰則に関する経過措置）

第二五条　この法律の施行前にした行為に対する罰則の適用については、なお従前の例による。

（その他の経過措置の政令への委任）

第二六条　附則第二条から第四条まで及び前条に定めるもののほか、この法律の施行に関し必要な経過措置（罰則に関する経過措置を含む。）は、政令で定める。

附　則〔抄〕〔平成二九・六・二法律四六〕

（施行期日）

第一条　この法律は、公布の日から起算して六月を超えない範囲内において政令で定める日から施行する。ただし、附則第十六条の規定は、公布の日から施行する。

〔平成二九政二二〇により、平成二九・一二・一から施行〕

（許可に関する経過措置）

第二条　この法律の施行の際現にこの法律による改正前の不動産特定共同事業法（以下この条において「旧法」という。）第三条第一項の規定によりされている許可又は次項の規定によりなお従前の例によることとされる旧法第三条第一項の許可であって旧法第二条第四項第三号に掲げる行為に係る事業（以下この項において「旧第三号事業」という。）に係るものは、この法律による改正後の不動産特定共同事業法（以下「新法」という。）第三条第一項の許可であって、新法第四条第一項の規定により、行うことができる新法第二条第四項第三号に掲げる行為に係る事業を旧第三号事業に相当するものに限る旨の条件が付されているものとみなす。

2　この法律の施行の日（以下「施行日」という。）前にされた旧法第三条第一項の許可の申請であって、この法律の施行の際、許可をするかどうかの処分がなされていないものについての当該処分については、なお従前の例による。

（都道府県知事への通知に関する経過措置）

第三条　新法第七十一条の規定は、施行日前にされた許可若しくは認可の申請又は届出については、適用しない。

（監督上の処分に関する経過措置）

第四条　不動産特定共同事業者に対する許可の取消しその他の監督上の処分に関しては、この法律の施行前に生じた事由については、なお従前の例による。

（罰則に関する経過措置）

第一五条　この法律の施行前にした行為及びこの附則の規定によりなお従前の例によることとされる場合におけるこの法律の施行後にした行為に対する罰則の適用については、なお従前の例による。

（政令への委任）

第一六条　この附則に定めるもののほか、この法律の施行に関し必要な経過措置（罰則に関する経過措置を含む。）は、政令で定める。

（検討）

第一七条　政府は、この法律の施行後五年を経過した場合において、新法の施行の状況について検討を加え、必要があると認めるときは、その結果に基づいて所要の措置を講ずるものとする。

附　則　〔抄〕〔令和元・六・一四法律三七〕

（施行期日）

第一条　この法律は、公布の日から起算して三月を経過した日から施行する。ただし、次の各号に掲げる規定は、当該各号に定める日から施行する。

一　〔前略〕次条並びに附則第三条及び第六条の規定　公布の日

二～四　〔略〕

（行政庁の行為等に関する経過措置）

第二条　この法律（前条各号に掲げる規定にあっては、当該規定。以下この条及び次条において同じ。）の施行の日前に、この法律による改正前の法律又はこれに基づく命令の規定（欠格条項その他の権利の制限に係る措置を定めるものに限る。）に基づき行われた行政庁の処分その他の行為及び当該規定により生じた失職の効力については、なお従前の例による。

（罰則に関する経過措置）

第三条　この法律の施行前にした行為に対する罰則の適用については、なお従前の例による。

（検討）

第七条　政府は、会社法（平成十七年法律第八十六号）及び一般社団法人及び一般財団法人に関する法律（平成十八年法律第四十八号）における法人の役員の資格を成年被後見人又は被保佐人であることを理由に制限する旨の規定について、この法律の公布後一年以内を目途として検討を加え、その結果に基づき、当該規定の削除その他の必要な法制上の措置を講ずるものとする。

附　則　〔抄〕〔令和三・五・一九法律三七〕

（施行期日）

第一条　この法律は、令和三年九月一日から施行する。ただし、次の各号に掲げる規定は、当該各号に定める日から施行する。

一　〔前略〕附則〔中略〕第七十一条から第七十三条までの規定　公布の日

二～十　〔略〕

（罰則に関する経過措置）

第七十一条　この法律（附則第一条各号に掲げる規定にあっては、当該規定。以下この条において同じ。）の施行前にした行為及びこの附則の規定によりなお従前の例によることとされる場合におけるこの法律の施行後にした行為に対する罰則の適用については、なお従前の例による。

（政令への委任）

第七十二条　この附則に定めるもののほか、この法律の施行に関し必要な経過措置（罰則に関する経過措置を含む。）は、政令で定める。

（検討）

第七十三条　政府は、行政機関等に係る申請、届出、処分の通知その他の手続において、個人の氏名を平仮名又は片仮名で表記したものを利用して当該個人を識別できるようにするため、個人の氏名を平仮名又は片仮名で表記したものを戸籍の記載事項とすることを含め、この法律の公布後一年以内を目途としてその具体的な方策について検討を加え、その結果に基づいて必要な措置を講ずるものとする。

附　則　〔抄〕〔令和五・一一・二九法律第七九〕

（施行期日）

第一条　この法律は、公布の日から起算して一年を超えない範囲内において政令で定める日から施行する。ただし、次の各号に掲げる規定は、当該各号に定める日から施行する。

一　附則第六十八条の規定　公布の日

二　〔略〕

三　〔前略〕附則〔中略〕第六十七条の規定　令和六年四月一日

四・五　〔略〕

（罰則に関する経過措置）

第六十七条　この法律（附則第一条第三号及び第四号に掲げる規定にあっては、当該規定。以下この条及び次条において同じ。）の施行前にした行為及びこの附則の規定によりなお従前の例によることとされる場合におけるこの法律の施行後にした行為に対する罰則の適用については、なお従前の例による。

（政令への委任）

第六十八条　この附則に規定するもののほか、この法律の施行に関し必要な経過措置（罰則に関する経過措置を含む。）は、政令で定める。

別表（第五条、第六条、第四十二条、第五十九条、第六十七条関係）

一　第一号事業、小規模不動産特定共同事業（第二条第六項第一号に掲げる行為に係るものに限る。）又は適格特例投資家限定事業	金融商品取引法第二十九条の登録（同法第二十八条第二項に規定する第二種金融商品取引業の種別に係るものに限る。）又は同法第六十三条第二項の規定による届出（同条第一項第一号に掲げる行為に係るものに限る。）
二　第二条第四項第二号に掲げる行為に係る事業又は第四号事業のうち、不動産特定共同事業契約に基づく権利の流通性その他の事情を勘案して主務省令で定めるもの	金融商品取引法第二十九条の登録（同法第二十八条第一項に規定する第一種金融商品取引業の種別に係るものに限る。）
三　第二条第四項第二号に掲げる行為に係る事業又は第四号事業のうち、前号に規定する主務省令で定めるもの以外のもの	金融商品取引法第二十九条の登録（同法第二十八条第二項に規定する第二種金融商品取引業の種別に係るものに限る。）

○不動産特定共同事業法施行令

〔平成六・一二・二六 政令四一三〕

改正　平成七・二政三六、五政二一四、九政三四五、平成九・六政一九六、八政二七四、一一政三二五、平成一〇・五政一八四、一二政三九三、平成一一・一政五、平成一二・六政二四四、政三一二、平成一三・三政八四、政九八、平成一四・一政一〇、一一政三三一、平成一五・二政三四、一二政五二三、平成一六・三政五〇、四政一六八、一二政三九六、政三九九、政四二二、政四二九、平成一七・五政一八二、政一九二、平成一八・四政一八一、九政三一〇、一一政三五〇、平成一九・八政二三三、平成二〇・五政一八〇、一二政三六四、平成二一・一二政二八五、平成二二・二政一三、平成二三・一二政四二七、平成二四・六政一五八、平成二五・一二政三三九、平成二六・一政八、政一五、七政二三九、八政二八三、平成二七・一政六、政一一、平成二八・一政二七、八政二八八、平成二九・六政一五六、八政二二一、平成三〇・九政二五五、政二八一、令和元・六政三〇、令和二・七政二一七、九政二六八、令和三・一〇政二八二、政二九六、令和四・一一政三五一、一二政三九三

（不動産特定共同事業契約から除かれる契約）

第一条　不動産特定共同事業法（以下「法」という。）第二条第三項の規定により不動産特定共同事業契約から除かれるものは、次に掲げる契約（予約を含む。）とする。

一　法第二条第三項第三号に掲げる契約で、宅地建物取引業者（宅地建物取引業法（昭和二十七年法律第百七十六号）第二条第三号に規定する宅地建物取引業者をいう。）が法第二条第三項第三号に規定する賃貸又は賃貸の委任の目的となることを示して行った販売又はその代理若しくは媒介に係る不動産以外の不動産を不動産取引の目的とするもの

二　外国において締結される契約で、当該外国の法令の規定により収益又は利益の分配を受ける者の保護が確保されていると認められる契約として主務省令で定めるもの

（小規模不動産特定共同事業に係る出資の価額及び当該出資の合計額）

第二条　法第二条第六項第一号の政令で定める金額は、次の各号に掲げる額の区分に応じ、当該各号に定める金額とする。

一　事業参加者が行う出資の価額　百万円（当該事業参加者が特例投資家である場合にあっては、一億円）

二　事業参加者が行う出資の合計額　一億円

2　法第二条第六項第二号の政令で定める金額は、次の各号に掲げる額の区分に応じ、当該各号に定める金額とする。

一　事業参加者が行う出資の価額　百万円（当該事業参加者が特例投資家である場合にあっては、一億円）

二　事業参加者が行う出資の合計額　一億円（不動産特定共同事業契約に基づき営まれる不動産取引に係る業務を委託する特例事業者が二以上あり、かつ、それぞれの特例事業者につき事業参加者が行う出資の合計額が一億円を超えない場合にあっては、十億円）

（許可に係る事務所）

第三条　法第三条第一項の事務所は、次に掲げるものとする。

一　本店又は支店（商人以外の者にあっては、主たる事務所又は従たる事務所）

二　前号に掲げるもののほか、継続的に業務を行うことができる施設を有する場所で、不動産特定共同事業に係る契約を締結する権限を有する使用人を置くもの

（不動産特定共同事業者の使用人）

第四条　法第五条第一項第二号、第六条第十号、第七条第三号及び第三十五条第一項第六号の政令で定める使用人は、不動産特定共同事業者の使用人で、不動産特定共同事業に関し前条に規定する事務所の代表者であるものとする。

（許可に係る資本金又は出資の額）

第五条　法第七条第一号の政令で定める金額は、次の各号に掲げる法人の区分に応じ、当該各号に定める金額（次の各号のうち二以上の号に掲げる法人に該当するときは、当該二以上の号に定める金額のうち最も高いもの）とする。

一　第一号事業を行おうとする法人　一億円（主務省令で定める法人にあっては、二千万円）

二　法第二条第四項第二号に掲げる行為に係る事業を行おうとする法人　千万円

三　第三号事業を行おうとする法人　五千万円

四　第四号事業を行おうとする法人　千万円

（不動産特定共同事業契約約款の内容の基準）

第六条　不動産特定共同事業契約約款には、少なくとも次に掲げる事項が定められなければならない。

一　法第二条第三項各号（小規模不動産特定共同事業者の不動産特定共同事業契約約款にあっては、同項第一号及び第二号）に掲げる契約の種別に関する事項

二　不動産特定共同事業契約に係る不動産取引の目的となる不動産の特定及びその不動産取引の内容に関する事項

三　事業参加者に対する収益又は利益の分配に関する事項

四　不動産特定共同事業契約に係る財産の管理に関する事項

五　契約期間に関する事項

六　契約終了時の清算に関する事項

七　契約の解除に関する事項

八　不動産特定共同事業者又は小規模不動産特定共同事業者の報酬に関する事項

九　その他主務大臣が事業参加者の保護のため必要かつ適当であると認めて主務省令で定める事項

2　前項に定めるもののほか、不動産特定共同事業契約約款の内容は、主務大臣が事業参加者の保護のため必要かつ適当であると認めて主務省令で定める基準に合致するものでなければならない。

（広告の規制等に係る許可等の処分）

第七条　法第十八条第一項及び第十九条（これらの規定を法第五十条第二項において準用する場合を含む。）の法令に基づく許可等の処分で政令で定めるものは、次に掲げるものとする。

一　都市計画法（昭和四十三年法律第百号）第三十五条の二第一項本文、第四十一条第二項ただし書、第四十二条第一項ただし書、第四十三条第一項、第五十二条第一項、第五十二条の二第一項（同法第五十七条の三第一項において準用する場合を含む。）、第五十三条第一項及び第六十五条第一項の許可並びに同法第五十八条第一項及び第五十八条の三第一項の規定に基づく条例の規定による処分

二　建築基準法（昭和二十五年法律第二百一号）第四十三条第二項第二号、第四十四条第一項第四号、第四十七条ただし書、第四十八条第一項ただし書、第二項ただし書、第三項ただし書、第四項ただし書、第五項ただし書、第六項ただし書、第七項ただし書、第八項ただし書、第九項ただし書、第十項ただし書、第十一項ただし書、第十二項ただし書、第十三項ただし書及び第十四項ただし書、第五十二条第十項、第十一項及び第十四項、第五十三条第四項、第五項及び第六項第三号、第五十三条の二第一項第三号及び第四号（これらの規定を同法第五十七条の五第三項において準用する場合を含む。）、第五十五条第三項及び第四項各号、第五十六条の二第一項ただし書、第五十七条の四第一項ただし書、第五十八条第二項、第五十九条第四項、第五十九条の二第一項、第六十条の二の二第三項ただし書、第六十条の三第二項ただし書、第六十七条第三項第二号、第六十八条第一項第二号及び第三項第二号、第六十八条の三第四項、第六十八条の五の三第二項、第六十八条の七第五項、第八十六条第三項及び第四項並びに第八十六条の二第二項及び第三項の許可、同法第四十三条第二項第一号、第五十二条第六項第三号、第八十六条第一項及び第二項、第八十六条の二第一項並びに第八十六条の八第一項及び第三項の規定による認定、同法第五十七条の二第三項の規定による指定並びに同法第三十九条第二項、第四十三条の二、第四十九条第一項、第四十九条の二、第五十条、第六十八条の二第一項及び第六十八条の九の規定に基づく条例の規定による処分

三　古都における歴史的風土の保存に関する特別措置法（昭和四十一年法律第一号）第八条第一項の許可

四　都市緑地法（昭和四十八年法律第七十二号）第十四条第一項及び第三十五条第二項各号の許可並びに同法第二十条第一項及び第三十九条第一項の規定に基づく条例の規定による処分

五　生産緑地法（昭和四十九年法律第六十八号）第八条第一項の許可

六　特定空港周辺航空機騒音対策特別措置法（昭和五十三年法律第二十六号）第五条第二項ただし書（同条第五項において準用する場合を含む。）の許可

七　密集市街地における防災街区の整備の促進に関する法律（平成九年法律第四十九号）第百十六条第一項、第百九十七条第一項及び第二百八十三条第一項の許可

八　景観法（平成十六年法律第百十号）第二十二条第一項及び第三十一条第一項の許可、同法第六十三条第一項の認定並びに同法第七十二条第一項、第七十三条第一項、第七十五条第一項及び第二項並びに第七十六条第一項の規定に基づく条例の規定による処分

九　土地区画整理法（昭和二十九年法律第百十九号）第七十六条第一項の許可

十　大都市地域における住宅及び住宅地の供給の促進に関する特別措置法（昭和五十年法律第六十七号）第七条第一項、第二十六条第一項及び第六十七条第一項の許可

十一　地方拠点都市地域の整備及び産業業務施設の再配置の促進に関する法律（平成四年法律第七十六号）第二十一条第一項の許可

十二　被災市街地復興特別措置法（平成七年法律第十四号）第七条第一項の許可

十三　新住宅市街地開発法（昭和三十八年法律第百三十四号）第三十二条第一項の承認

十四　新都市基盤整備法（昭和四十七年法律第八十六号）第五十一条第一項の承認

十五　旧公共施設の整備に関連する市街地の改造に関する法律（昭和三十六年法律第百九号）第十三条第一項（都市再開発法（昭和四十四年法律第三十八号）附則第四条第二項の規定によりなおその効力を有するものとされる旧防災建築街区造成法（昭和三十六年法律第百十号）第五十五条第一項において準用する場合に限る。）の許可

十六　首都圏の近郊整備地帯及び都市開発区域の整備に関する法律（昭和三十三年法律第九十八号）第二十五条第一項の承認

十七　近畿圏の近郊整備区域及び都市開発区域の整備及び開発に関する法律（昭和三十九年法律第百四十五号）第三十四条第一項の承認

十八　流通業務市街地の整備に関する法律（昭和四十一年法律第百十号）第五条第一項ただし書の許可及び同法第三十八条第一項の承認

十九　都市再開発法第七条の四第一項及び第六十六条第一項の許可

二十　港湾法（昭和二十五年法律第二百十八号）第三十七条第一項第四号に係る同項の許可

二十一　住宅地区改良法（昭和三十五年法律第八十四号）第九条第一項の許可
二十二　農地法（昭和二十七年法律第二百二十九号）第三条第一項、第四条第一項及び第五条第一項の許可
二十三　宅地造成及び特定盛土等規制法（昭和三十六年法律第百九十一号）第十二条第一項、第十六条第一項、第三十条第一項及び第三十五条第一項の許可
二十四　マンションの建替え等の円滑化に関する法律（平成十四年法律第七十八号）第百五条第一項の許可
二十五　長期優良住宅の普及の促進に関する法律（平成二十年法律第八十七号）第十八条第一項の許可
二十六　自然公園法（昭和三十二年法律第百六十一号）第二十条第三項、第二十一条第三項及び第二十二条第三項の許可並びに同法第七十三条第一項（利用調整地区に係る部分を除く。）の規定に基づく条例の規定による処分
二十七　河川法（昭和三十九年法律第百六十七号）第二十六条第一項、第二十七条第一項、第五十五条第一項、第五十七条第一項、第五十八条の四第一項及び第五十八条の六第一項（これらの規定を同法第百条第一項において準用する場合を含む。）の許可
二十八　特定都市河川浸水被害対策法（平成十五年法律第七十七号）第三十条、第三十七条第一項、第三十九条第一項、第五十七条第一項、第六十二条第一項、第六十六条及び第七十一条第一項の許可
二十九　海岸法（昭和三十一年法律第百一号）第八条第一項の許可
三十　津波防災地域づくりに関する法律（平成二十三年法律第百二十三号）第二十三条第一項、第七十三条第一項、第七十八条第一項、第八十二条及び第八十七条第一項の許可
三十一　砂防法（明治三十年法律第二十九号）第四条第一項（同法第三条において準用する場合を含む。）の規定に基づく制限として行う処分
三十二　地すべり等防止法（昭和三十三年法律第三十号）第十八条第一項及び第四十二条第一項の許可
三十三　急傾斜地の崩壊による災害の防止に関する法律（昭和四十四年法律第五十七号）第七条第一項の許可
三十四　土砂災害警戒区域等における土砂災害防止対策の推進に関する法律（平成十二年法律第五十七号）第十条第一項及び第十七条第一項の許可
三十五　森林法（昭和二十六年法律第二百四十九号）第十条の二第一項並びに第三十四条第一項及び第二項（これらの規定を同法第四十四条において準用する場合を含む。）の許可
三十六　道路法（昭和二十七年法律第百八十号）第九十一条第一項の許可
三十七　土地収用法（昭和二十六年法律第二百十九号）第二十八条の三第一項（同法第百三十八条第一項において準用する場合を含む。）の許可
三十八　文化財保護法（昭和二十五年法律第二百十四号）第四十三条第一項及び第百二十五条第一項の許可、同法第四十五条第一項及び第百二十八条第一項の規定に基づく制限として行う処分並びに同法第百四十三条第一項（同条第二項において準用する場合を含む。）及び第百八十二条第二項の規定に基づく条例の規定による処分
三十九　航空法（昭和二十七年法律第二百三十一号）第四十九条第一項ただし書（同法第五十五条の二第三項若しくは第五十六条の三第二項又は自衛隊法（昭和二十九年法律第百六十五号）第百七条第二項において準用する場合を含む。）の承認
四十　核原料物質、核燃料物質及び原子炉の規制に関する法律（昭和三十二年法律第百六十六号）第五十一条の二十九第一項の許可

（不動産特定共同事業者による書面の交付に代わる情報通信の技術を利用した提供）

第八条　不動産特定共同事業者は、法第二十四条第三項（法第二十五条第三項及び第二十八条第四項において準用する場合を含む。以下この条において同じ。）の規定により法第二十四条第三項に規定する事項を提供しようとするときは、主務省令で定めるところにより、あらかじめ、当該事項の提供を受ける申込者に対し、その用いる同項に規定する情報通信の技術を利用する方法（次項において「電磁的方法」という。）の種類及び内容を示し、書面又は電子情報処理組織を使用する方法その他の情報通信の技術を利用する方法であって主務省令で定めるもの（次項において「書面等」という。）による承諾を得なければならない。

2　前項の規定による承諾を得た不動産特定共同事業者は、当該申込者から書面等により電磁的方法による提供を受けない旨の申出があったときは、当該申込者に対し、法第二十四条第三項に規定する事項の提供を電磁的方法によってしてはならない。ただし、当該申込者が再び前項の規定による承諾をした場合は、この限りでない。

（小規模不動産特定共同事業者の登録の更新の申請期間）

第九条　法第四十一条第三項の政令で定める期間は、同条第一項の登録の有効期間の満了する日の前日の三月前の日から二月前の日までとする。

（小規模不動産特定共同事業者の使用人）

第一〇条　法第四十二条第一項第二号、第四十四条第五号（法第四十六条第三項において準用する場合を含む。）及び第五十二条第一項第六号の政令で定める使用人は、小規模不動産特定共同事業者の使用人で、小規模不動産特定共同事業に関し次に掲げる事務所の代表者であるものとする。

一　本店又は支店（商人以外の者にあっては、主たる事務所又は従たる事務所）

二　前号に掲げるもののほか、継続的に業務を行うことができる施設を有する場所で、小規模不動産特定共同事業に係る契約を締結する権限を有する使用人を置くもの

（登録に係る資本金又は出資の額）

第一一条　法第四十四条第二号（法第四十六条第三項において準用する場合を含む。）の政令で定める金額は、いずれの小規模不動産特定共同事業の種別についても、千万円とする。

（小規模不動産特定共同事業者による書面の交付に代わる情報通信の技術を利用した提供）

第一二条　第八条の規定は、小規模不動産特定共同事業者に準用する。この場合において、同条中「第二十四条第三項」とあるのは「第五十条第二項において準用する法第二十四条第三項」と、同条第一項中「第二十五条第三項」とあるのは「第五十条第二項において準用する法第二十五条第三項」と読み替えるものとする。

（特例事業者の使用人）

第一三条　法第五十八条第二項第二号の政令で定める使用人は、特例事業者の使用人で、事務所の代表者であるものとする。

（適格特例投資家限定事業者の使用人）

第一四条　法第五十九条第二項第二号及び第六十一条第六項第六号の政令で定める使用人は、適格特例投資家限定事業者の使用人で、適格特例投資家限定事業に関し次に掲げる事務所の代表者であるものとする。

一　本店又は支店（商人以外の者にあっては、主たる事務所又は従たる事務所）

二　前号に掲げるもののほか、継続的に業務を行うことができる施設を有する場所で、適格特例投資家限定事業に係る契約を締結する権限を有する使用人を置くもの

（外国法人等に対する法の規定の適用に当たっての技術的読替え）

第一五条　法第六十六条の規定による不動産特定共同事業者、小規模不動産特定共同事業者、特例事業者若しくは適格特例投資家限定事業者が外国法人である場合又は不動産特定共同事業に係る不動産が外国にある場合における法の規定の適用に当たっての技術的読替えは、次の表のとおりとする。

読み替える法の規定	読み替えられる字句	読み替える字句
第五条第一項第三号及び第二項第三号、第七条第四号、第八条の二、第九条第二項、第十六条第一項（第五十条第二項において準用する場合を含む。）、第十七条（第五十条第二項において準用する場合を含む。）、第二十九条（第五十条第二項において準用する場合を含む。）、第四十二条第一項第三号及	事務所	国内における事務所

び第二項第三号、第四十四条第六号（第四十六条第三項において準用する場合を含む。）、第四十五条、第四十六条第二項、第五十八条第二項第三号、第五十九条第二項第三号、第八十三条第二号並びに附則第二条第二項及び第七項		
第十八条第一項（第五十条第二項において準用する場合を含む。）	都市計画法（昭和四十三年法律第百号）第二十九条第一項又は第二項の許可、建築基準法（昭和二十五年法律第二百一号）第六条第一項の確認その他法令に基づく許可等の処分で政令で定めるもの	都市計画法（昭和四十三年法律第百号）第二十九条第一項又は第二項の許可、建築基準法（昭和二十五年法律第二百一号）第六条第一項の確認その他法令に基づく許可等の処分で政令で定めるものに相当する外国の法令に基づく処分
第十九条（第五十条第二項において準用する場合を含む。）	都市計画法第二十九条第一項又は第二項の許可、建築基準法第六条第一項の確認その他法令に基づく許可等の処分で政令で定めるもの	都市計画法第二十九条第一項又は第二項の許可、建築基準法第六条第一項の確認その他法令に基づく許可等の処分で政令で定めるものに相当する外国の法令に基づく処分

（信託業務を兼営する金融機関等に関する特例）

第十六条　法第六十七条第一項の政令で定める信託会社は、次に掲げるものとする。

一　農業協同組合法（昭和二十二年法律第百三十二号）第十一条の六十六第一項第四号に掲げる会社であって、農業協同組合連合会の子会社（同法第十一条の二第二項に規定する子会社をいう。）であるもの

二　水産業協同組合法（昭和二十三年法律第二百四十二号）第八十七条の二第一項第四号に掲げる会社であって、漁業協同組合連合会の子会社（同法第九十二条第一項において準用する同法第十一条の八第二項に規定する子会社をいう。）であるもの

三　協同組合による金融事業に関する法律（昭和二十四年法律第百八十三号）第四条の四第一項第五号に掲げる会社であって、信用協同組合連合会の子会社（同法第四条第一項に規定する子会社をいう。）であるもの

四　信用金庫法（昭和二十六年法律第二百三十八号）第五十四条の二十三第一項第五号に掲げる会社であって、信用金庫連合会の子会社（同法第三十二条第六項に規定する子会社をいう。）であるもの

五　長期信用銀行法（昭和二十七年法律第百八十七号）第十三条の二第一項第六号に掲げる会社であって、長期信用銀行（同法第二条に規定する長期信用銀行をいう。）の子会社（同法第十三条の二第二項に規定する子会社をいう。以下この号において同じ。）であるもの及び同法第十六条の四第一項第五号に掲げる会社であって、長期信用銀行持株会社（同項に規定する長期信用銀行持株会社をいう。）の子会社であるもの

六　労働金庫法（昭和二十八年法律第二百二十七号）第五十八条の五第一項第五号に掲げる会社であって、労働金庫連合会の子会社（同法第三十二条第五項に規定する子会社をいう。）であるもの

七　銀行法（昭和五十六年法律第五十九号）第十六条の二第一項第六号に掲げる会社であって、銀行（同法第二条第一項に規定する銀行をいう。）の子会社（同法第二条第八項に規定する子会社をいう。以下この号において同じ。）であるもの及び同法第五十二条の二十三第一項第五号に掲げる会社であって、銀行持株会社（同法第二条第十三項に規定する銀行持株会社をいう。）の子会社であるもの

八　保険業法（平成七年法律第百五号）第百六条第一項第七号に掲げる会社であって、保険会社（同法第二条第二項に規定する保険会社をいう。）の子会社（同法第二条第十二項に規定する子会社をいう。以下この号において同じ。）であるもの及び同法第二百七十一条の二十二第一項第七号に掲げる会社であって、保険持株会社（同法第二条第十六項に規定する保険持株会社をいう。）の子会社であるもの

九　農林中央金庫法（平成十三年法律第九十三号）第七十二条第一項第四号に掲げる会社であって、農林中央金庫の子会社（同法第二十四条第四項に規定する子会社をいう。）であるもの

十　株式会社商工組合中央金庫法（平成十九年法律第七十四号）第三十九条第一項第五号に掲げる会社であって、株式会社商工組合中央金庫の子会社（同法第二十三条第二項に規定する子会社をいう。）であるもの

第十七条　法第六十七条第一項に規定する規定は、信託業務を兼営する金融機関及び前条各号に掲げる信託会社で宅地建物取引業法施行令（昭和三十九年政令第三百八十三号）第九条第三項の規定による届出をしたもの（以下この条において「特別金融機関等」という。）には、適用しない。

2　不動産特定共同事業を営む特別金融機関等については、前項に規定する規定を除き、法第四条第一項の規定により業として行うことができる行為の範囲を法第二条第四項に規定する行為のうち金融機関の信託業務の兼営等に関する法律（昭和十八年法律第四十三号）第一条第一項に規定する信託業務に該当するものに限る旨の条件が付された主務大臣の許可を受けた不動産特定共同事業者とみなして、法の規定を適用する。この場合において、法第二十三条第一項中「第三条第一項の許可又は第九条第一項の認可」とあるのは「不動産特定共同事業法施行令（以下「令」という。）第十七条第三項又は第四項の届出」と、法第三十八条中「第三十六条の規定による処分」とあるのは「令第十七条第五項の規定による業務の停止の命令」とする。

3　特別金融機関等は、不動産特定共同事業を営もうとするときは、主務省令で定めるところにより、不動産特定共同事業契約約款を添付して、その旨を主務大臣に届け出なければならない。

4　第二項の規定により不動産特定共同事業者とみなされた特別金融機関等は、法第十二条の規定により不動産特定共同事業者名簿に登載された事項（法第五条第一項第五号及び第六号に掲げるものを除く。）について変更があったとき、又は不動産特定共同事業契約約款の追加若しくは変更をしたときは、三十日以内に、主務省令で定めるところにより、その旨を主務大臣に届け出なければならない。

5　第二項の規定により不動産特定共同事業者とみなされた特別金融機関等が、法第三十五条第一項各号のいずれかに該当し情状が特に重いとき、又は同項若しくは同条第二項の規定による業務の停止の命令に違反したときは、主務大臣は、当該特別金融機関等に対し、五年以内の期間を定めて、その業務の全部又は一部の停止を命ずることができる。

（権限の委任）

第十八条　法第七十三条第三項の規定により金融庁長官に委任された権限のうち法第十条、第十一条第一項、第十二条（法第五十八条第五項及び第六十条の規定により読み替えて適用する場合を含む。第四項において同じ。）、第十三条（法第五十八条第五項及び第六十条の規定により読み替えて適用する場合を含む。第四項において同じ。）、第三十三条（法第五十七条において準用する場合を含む。第四項において同じ。）、第三十四条第一項、第三十七条第一項、第三十九条（法第五十七条において準用する場合を含む。以下この条において同じ。）、第四十条第一項、第四十七条第一項、第四十八条第一項、第五十一条第一項、第五十四条第一項、第五十八条第二項、第四項及び第七項から第九項まで、第五十九条第二項及び第五項並びに第六十一条第二項から第五項までの規定による権限は、不動産特定共同事業者、小規模不動産特定共同事業者、特例事業者又は適格特例投資家限定事業者（以下この条において「不動産特定共同事業者等」という。）の主たる事務所の所在地を管轄する財務局長（当該所在地が福岡財務支局の管轄区域内にある場合にあっては、福岡財務支局長）に委任するものとする。ただし、法第三十四条第一項、第三十七条第一項、第三十九条、第四十条第一項、第五十一条第一項、第五十四条第一項、第五十八条第七項及び第九項並びに第六十一条第三項及び第五項の規定による権限は、金融庁長官が自ら行うことを妨げない。

2　検査等（法第四十条第一項及び第五十八条第九項の規定による報告若しくは資料の提出の命令又は検査若しくは質問をいう。以下この条において同じ。）で特定事務所（不動産特定共同事業者等の主たる事務所以外の事

務所又は不動産特定共同事業者等（特例事業者を除く。）と取引をする者若しくは不動産特定共同事業者等（特例事業者を除く。）から業務の委託を受けた者の事務所をいう。以下この条において同じ。）に対して行うものについては、前項に規定する財務局長又は福岡財務支局長のほか、当該特定事務所の所在地を管轄する財務局長（当該所在地が福岡財務支局の管轄区域内にある場合にあっては、福岡財務支局長）も行うことができる。

3　前項の規定により、特定事務所に対して検査等を行った財務局長又は福岡財務支局長は、当該検査等に係る不動産特定共同事業者等又は不動産特定共同事業者等（特例事業者を除く。）と取引をする者若しくは不動産特定共同事業者等（特例事業者を除く。）から業務の委託を受けた者の当該特定事務所以外の事務所に対して検査等の必要を認めたときは、当該事務所に対し、検査等を行うことができる。

4　法第十条、第十一条第一項、第十二条、第十三条、第三十三条、第三十四条第一項、第三十七条第一項、第三十九条、第四十条第一項、第四十七条第一項、第四十八条第一項、第五十一条第一項、第五十四条第一項、第五十八条第二項、第四項及び第七項から第九項まで、第五十九条第二項及び第五項並びに第六十一条第二項から第五項までの規定による国土交通大臣の権限は、不動産特定共同事業者等の主たる事務所の所在地を管轄する地方整備局長又は北海道開発局長に委任するものとする。ただし、法第三十四条第一項、第三十七条第一項、第三十九条、第四十条第一項、第五十一条第一項、第五十四条第一項、第五十八条第七項及び第九項並びに第六十一条第三項及び第五項の規定による権限は、国土交通大臣が自ら行うことを妨げない。

5　検査等で特定事務所に対して行うものについては、前項に規定する地方整備局長又は北海道開発局長のほか、当該特定事務所の所在地を管轄する地方整備局長又は北海道開発局長も行うことができる。

6　前項の規定により、特定事務所に対して検査等を行った地方整備局長又は北海道開発局長は、当該検査等に係る不動産特定共同事業者等又は不動産特定共同事業者等（特例事業者を除く。）と取引をする者若しくは不動産特定共同事業者等（特例事業者を除く。）から業務の委託を受けた者の当該特定事務所以外の事務所に対して検査等の必要を認めたときは、当該事務所に対し、検査等を行うことができる。

（主務省令）

第一九条　この政令における主務省令は、内閣府令・国土交通省令とする。

附　則〔抄〕

（施行期日）

第一条　この政令は、法の施行の日（平成七年四月一日）から施行する。

附　則〔略〕〔平成七・二・二六政令三六〕

附　則〔略〕〔平成七・五・二四政令二一四〕

附　則〔略〕〔平成七・九・二七政令三四五〕

附　則〔略〕〔平成九・八・二九政令二七四〕

附　則〔略〕〔平成九・一一・六政令三二五〕

附　則〔略〕〔平成一〇・五・二七政令一八四〕

附　則〔略〕〔平成一一・一・一三政令五〕

附　則〔略〕〔平成一二・六・七政令二四四〕

附　則〔略〕〔平成一二・六・七政令三一二〕

附　則〔略〕〔平成一三・三・二八政令八四〕

附　則〔略〕〔平成一三・三・三〇政令九八〕

附　則〔略〕〔平成一四・一・二三政令一〇〕

附　則〔略〕〔平成一四・一一・一三政令三三二〕

附　則〔略〕〔平成一五・二・五政令三四〕

附　則〔略〕〔平成一五・一二・一七政令五二三〕

附　則〔略〕〔平成一六・三・一九政令五〇〕

附　則〔略〕〔平成一六・四・二一政令一六八〕

附　則〔略〕〔平成一六・一二・一五政令三九六〕

附　則〔略〕〔平成一六・一二・一五政令三九九〕

附　則〔略〕〔平成一六・一二・二七政令四二二〕

附　則〔略〕〔平成一六・一二・二八政令四二九〕

附　則〔略〕〔平成一七・五・二五政令一八二〕

附　則〔抄〕〔平成一七・五・二七政令一九二〕

（施行期日）

第一条　この政令は、建築物の安全性及び市街地の防災機能の確保等を図るための建築基準法等の一部を改正する法律（以下「改正法」という。）の施行の日（平成十七年六月一日。附則第四条において「施行日」という。）から施行する。

（罰則に関する経過措置）

第五条　この政令の施行前にした行為及び前条の規定によりなお従前の例によることとされる場合におけるこの政令の施行後にした行為に対する罰則の適用については、なお従前の例による。

附　則〔略〕〔平成一八・四・二六政令一八一〕

附　則〔略〕〔平成一八・九・二二政令三一〇〕

附　則〔略〕〔平成一八・一一・六政令三五〇〕

附　則〔略〕〔平成一九・八・三政令二三三〕

附　則〔抄〕〔平成二〇・五・二一政令一八〇〕

（施行期日）

第一条　この政令は、平成二十年十月一日から施行する。

（罰則に関する経過措置）

第四条　この政令の施行前にした行為に対する罰則の適用については、なお従前の例による。

附　則〔略〕〔平成二〇・一二・三政令三六四〕

附　則〔抄〕〔平成二一・一二・一一政令二八五〕

（施行期日）

第一条　この政令は、農地法等の一部を改正する法律（以下「改正法」という。）の施行の日（平成二十一年十二月十五日）から施行する。〔以下略〕

（不動産特定共同事業法施行令の一部改正に伴う経過措置）

第三四条　改正法附則第六条第四項の規定によりなお従前の例によることとされる場合における旧農地法第七十三条第一項の規定に基づく土地等の処分の制限については、前条の規定による改正後の不動産特定共同事業法施行令第六条の規定にかかわらず、なお従前の例による。

附　則〔略〕〔平成二二・二・一五政令一三〕

附　則〔略〕〔平成二三・一二・二六政令四二七〕

附　則〔略〕〔平成二四・六・一政令一五八〕

附　則〔平成二五・一二・一一政令三一九〕

（施行期日）

1　この政令は、不動産特定共同事業法の一部を改正する法律の施行の日（平成二十五年十二月二十日）から施行する。

（不動産特定共同事業法施行令の一部改正に伴う経過措置）

2　この政令の施行前に締結したこの政令による改正前の不動産特定共同事業法施行令第一条第一号、第二号又は第四号に掲げる契約（予約を含む。）については、なお従前の例による。

附　則〔抄〕〔平成二六・一・一六政令八〕

（施行期日）

第一条　この政令は、平成二十六年四月一日から施行する。

（不動産特定共同事業法施行令の一部改正に伴う経過措置）

第二条　この政令の施行前に不動産特定共同事業法（次項において「法」という。）第十条、第十一条第一項、第三十三条又は第四十条の二第二項、第四項若しくは第七項の規定により金融庁長官又は国土交通大臣に対してした届出又は提出は、相当の財務局長若しくは福岡財務支局長又は地方整備局長若しくは北海道開発局長に対してした届出又は提出とみなす。

2　この政令の施行前に法第十条、第十一条第一項、第三十三条又は第四十条の二第二項、第四項若しくは第七項の規定により金融庁長官又は国土交通大臣に対し届出又は提出をしなければならない事項で、この政令の施行前に当該届出又は提出がされていないものについては、これを、これらの規定により財務局長若しくは福岡財務支局長又は地方整備局長若しくは北海道開発局長に対して届出又は提出をしなければならない事項について当該届出又は提出がされていないものとみなして、法の規定を適用する。

附　則〔略〕〔平成二六・一・二四政令一五〕

附　則〔略〕〔平成二六・七・二政令二三九〕

附　則〔略〕〔平成二六・八・二〇政令二八三〕

附　則〔略〕〔平成二七・一・一五政令六〕

附　則〔略〕〔平成二七・一・二一政令一一〕

附　則〔略〕〔平成二八・一・二九政令二七〕

附　則〔略〕〔平成二八・八・二九政令二八八〕

附　則〔略〕〔平成二九・六・一四政令一五六〕

附　則〔略〕〔平成二九・八・一四政令二二二〕

附　則〔平成三〇・九・一二政令二五五〕

（施行期日）

1　この政令は、建築基準法の一部を改正する法律附則第一条第二号に掲げる規定の施行の日（平成三十年九月二十五日）から施行する。

（罰則に関する経過措置）

2　この政令の施行前にした行為に対する罰則の適用については、なお従前の例による。

附　則〔略〕〔平成三〇・九・二八政令二八一〕

附　則〔略〕〔令和元・六・一九政令三〇〕

附　則〔抄〕〔令和二・七・八政令二一七〕

（施行期日）

第一条　この政令は、改正法施行日（令和二年十二月一日）から施行する。〔以下略〕

（罰則に関する経過措置）

第五条　この政令の施行前にした行為及び附則第二条の規定によりなおその効力を有することとされる場合におけるこの政令の施行後にした行為に対する罰則の適用については、なお従前の例による。

附　則〔略〕〔令和二・九・四政令二六八〕

附　則〔略〕〔令和三・一〇・四政令二八二〕

附　則〔略〕〔令和三・一〇・二九政令二九六〕

附　則〔令和四・一一・一六政令三五一〕

（施行期日）

1　この政令は、脱炭素社会の実現に資するための建築物のエネルギー消費性能の向上に関する法律等の一部を改正する法律附則第一条第三号に掲げる規定の施行の日（令和五年四月一日）から施行する。

（罰則に関する経過措置）

2　この政令の施行前にした行為に対する罰則の適用については、なお従前の例による。

附　則〔抄〕〔令和四・一二・二三政令三九三〕

（施行期日）

1　この政令は、宅地造成等規制法の一部を改正する法律の施行の日（令和五年五月二十六日）から施行する。

○不動産特定共同事業法施行規則

〔平成七・三・一三　大蔵・建設省令二〕

改正　平成九・五大・建令四、平成一〇・四大・建令二、六大・建令四、総・大・建令一、一二総・大・建令二、平成一一・二総・大・建令一、九総・大・建令二、平成一二・二総・大・建令一、三総・大・建令二、六総・大・建令三、総・建令一、九総・建令二、一〇総・建令三、一一総・建令五、総・建令六、平成一三・七内府・国交令一、平成一四・二内府・国交令一、三内府・国交令二、平成一五・三内府・国交令一、平成一六・一内府・国交令一、四内府・国交令三、一二内府・国交令六、平成一七・三内府・国交令二、六内府・国交令四、一二内府・国交令七、平成一八・三内府・国交令二、内府・国交令三、四内府・国交令四、平成一九・八内府・国交令一、九内府・国交令三、平成二〇・九内府・国交令三、平成二二・三内府・国交令一、平成二三・一二内府・国交令六、平成二五・四内府・国交令三、一二内府・国交令六、平成二六・四内府・国交令三、平成二七・一内府・国交令一、平成二九・一二内府・国交令四、平成三一・三内府・国交令一、令和元・九内府・国交令二、令和二・一二内府・国交令一〇、令和五・一二内府・国交令七、令和六・三内府・国交令二

（令第一条第二号の主務省令で定める契約）

第一条　不動産特定共同事業法施行令（以下「令」という。）第一条第二号の主務省令で定める契約は、国内でその締結の勧誘が行われる契約で当該契約の当事者が一時的に外国に移動し当該外国において締結するもの以外のものとする。

（特例事業における工事）

第二条　不動産特定共同事業法（以下「法」という。）第二条第八項第四号の主務省令で定める工事は、建物の修繕又は模様替に関する工事とする。

2　法第二条第八項第四号の主務省令で定める金額は、不動産特定共同事業契約に係る不動産取引に係る業務を一の不動産特定共同事業者（第三号事業を行う者に限る。）に委託する場合にあっては、当該不動産取引の目的となる不動産（以下「対象不動産」という。）の価格（鑑定評価額、公示価格、路線価、販売公表価格その他これらに準じて公正と認められる価格をいう。）の一割に相当する額とし、当該業務を一の小規模不動産特定共同事業者（小規模第二号事業を行う者に限る。）に委託する場合にあっては、一億円とする。

（事業参加者の利益の保護を図るために必要な要件）

第三条　法第二条第八項第五号の主務省令で定める要件は、不動産特定共同事業契約に基づき営まれる不動産取引に係る業務を不動産特定共同事業者（第三号事業を行う者に限る。）又は小規模不動産特定共同事業者（小規模第二号事業を行う者に限る。）に委託する契約において、少なくとも次に掲げる事項が定められていることとする。

一　当該不動産特定共同事業者又は小規模不動産特定共同事業者は、当該特例事業者の同意なく、当該業務の再委託を行わないこと。

二　当該不動産特定共同事業者又は小規模不動産特定共同事業者は、当該特例事業者の業務及び財産の状況を記載した書類を事務所ごとに備え置き、当該特例事業者の求めに応じ、これを閲覧させなければならないこと。

三　当該不動産特定共同事業者又は小規模不動産特定共同事業者は、当該特例事業者の求めに応じ、当該特例事業者の業務及び財産の状況について説明しなければならないこと。

（特例投資家の範囲）

第四条　法第二条第十三項の主務省令で定める者は、次に掲げる者とする。

一　不動産特定共同事業者

二　認可宅地建物取引業者（宅地建物取引業法（昭和二十七年法律第百七十六号）第五十条の二第二項に規定する認可宅地建物取引業者をいう。）

三　不動産に対する投資に係る投資判断に関し助言を行うのに十分な知識及び能力を有する者として国土交通大臣の登録を受けているもの（次号、次条第一項第二号及び第十一条第二項第十五号リにおいて「不動産投資顧問業者」という。）

四　特例事業者との間で当該特例事業者に対して不動産を売買若しくは交換により譲渡する契約又は賃貸する契約を締結している者であって、かつ、不動産特定共同事業契約の締結に関し、不動産投資顧問業者との間で不動産の価値の分析若しくは当該分析に基づく投資判断に関し助言を受けること又は投資判断の全部若しくは一部を一任することを内容とする契約を締結している者

五　金融商品取引法（昭和二十三年法律第二十五号）第二条第三十一項に規定する特定投資家（同法第三十四条の二第五項の規定により特定投資家以外の顧客とみなされる者を除く。）及び同法第三十四条の三第四項（同法第三十四条の四第六項において準用する場合を含む。）の規定により特定投資家とみなされる者

六　有限責任事業組合契約に関する法律（平成十七年法律第四十号）第二条に規定する有限責任事業組合（次条第一項第五号において「有限責任事業組合」という。）のうち、組合員が前各号に掲げる者のみであるもの

2　法第二条第十三項の主務省令で定める金額は、五億円とする。

（適格特例投資家の範囲）

第五条　法第二条第十四項の主務省令で定める者は、次に掲げる者とする。
一　前条第一項第一号及び第二号に掲げる者
二　不動産投資顧問業者のうち、不動産に対する投資に係る投資判断の全部又は一部を一任されるのに十分な知識及び能力を有する者として国土交通大臣の登録を受けているもの
三　金融商品取引法第二条に規定する定義に関する内閣府令（平成五年大蔵省令第十四号）第十条第一項各号（第十号から第十一号まで、第十六号、第十七号、第二十号、第二十三号から第二十四号まで及び第二十六号を除く。）に掲げる者
四　株式会社地域経済活性化支援機構
五　有限責任事業組合のうち、組合員が前各号及び次号から第八号までに掲げる者のみであるもの
六　民間都市開発の推進に関する特別措置法（昭和六十二年法律第六十二号）第三条第一項に規定する民間都市開発推進機構
七　次に掲げる要件のいずれかに該当するものとして主務大臣に届出を行った法人（存続厚生年金基金（公的年金制度の健全性及び信頼性の確保のための厚生年金保険法等の一部を改正する法律（平成二十五年法律第六十三号）附則第三条第十一号に規定する存続厚生年金基金をいう。）を除き、ロに該当するものとして届出を行った法人にあっては、業務執行組合員等（組合契約（民法（明治二十九年法律第八十九号）第六百六十七条第一項に規定する組合契約をいう。以下この号において同じ。）を締結して組合の業務の執行を委任された組合員、匿名組合契約（商法（明治三十二年法律第四十八号）第五百三十五条に規定する匿名組合契約をいう。以下この号において同じ。）を締結した営業者若しくは有限責任事業組合契約（有限責任事業組合契約に関する法律第三条第一項に規定する有限責任事業組合契約をいう。以下この号において同じ。）を締結して組合の重要な業務の執行の決定に関与し、かつ、当該業務を自ら執行する組合員又は外国の法令に基づくこれらに類する者をいう。以下この号において同じ。）として不動産特定共同事業契約を締結する場合に限る。）
イ　当該法人が次に掲げる全ての要件に該当すること。
(1)　当該届出を行おうとする日の直近の日（以下この条において「直近日」という。）における当該法人が保有する有価証券の残高及び不動産特定共同事業契約に基づく出資の合計額が十億円以上であること。
(2)　宅地建物取引業法第三条第一項の免許を取得していること。
ロ　当該法人が業務執行組合員等であって、次に掲げる全ての要件に該当すること（イに該当する場合を除く。）。
(1)　直近日における当該組合契約、匿名組合契約若しくは有限責任事業組合契約又は外国の法令に基づくこれらに類する契約に基づく権利を有する者が出資した財産を充てて行う事業により業務執行組合員等として当該法人が保有する有価証券の残高及び不動産特定共同事業契約（法第二条第三項第一号若しくは第二号に掲げる契約又は同項第四号に掲げる契約のうち同項第一号若しくは第二号に掲げるものに相当するもの又はこれらに類する契約に限る。次号において同じ。）に基づく出資の合計額が十億円以上であること。
(2)　当該法人が当該届出を行うことについて、当該組合契約に係る組合の他の全ての組合員、当該匿名組合契約に基づく権利を有する者が出資した財産を充てて行う事業に係る権利を有する他の全ての匿名組合契約に係る匿名組合員若しくは当該有限責任事業組合契約に係る組合の他の全ての組合員又は外国の法令に基づくこれらに類する契約に係る全ての組合員その他の者の同意を得ていること。
(3)　宅地建物取引業法第三条第一項の免許を取得していること。
八　次に掲げる要件のいずれかに該当するものとして主務大臣に届出を行った特定目的会社（資産の流動化に関する法律（平成十年法律第百五号。以下この号及び次項第七号において「資産流動化法」という。）第二条第三項に規定する特定目的会社（その発行する資産対応証券（資産流動化法第二条第十一項に規定する資産対応証券をいう。）を適格特例投資家以外の者が取得しているものを除く。）をいう。以下この号において同じ。）
イ　資産流動化法第四条第一項の規定による届出が行われた資産流動化法第二条第四項に規定する資産流動化計画（当該資産流動化計画の変更に係る資産流動化法第九条第一項の規定による届出が行われた場合には、当該変更後の資産流動化計画）における特定資産（資産流動化法第二条第一項に規定する特定資産をいう。以下この号において同じ。）に不動産特定共同事業契約に基づく出資が含まれ、かつ、当該出資の合計額が十億円以上であること。
ロ　資産流動化法第二百条第一項の規定により、特定資産の管理及び処分に係る業務を行わせるため信託会社等（資産流動化法第三十三条第一項に規定する信託会社等のうち、適格特例投資家に該当する者をいう。）と当該特定資産に係る信託契約を締結しており、かつ、当該届出を行うことについての当該特定目的会社の社員総会の決議があること。
ハ　資産流動化法第二百条第二項の規定により、特定資産の管理及び処分に係る業務を当該特定資産の管理及び処分を適正に遂行するに足りる財産的基礎及び人的構成を有する者に委託しており、かつ、当該届出を行うことについての当該特定目的会社の社員総会の決議があること。
2　前項第七号又は第八号の規定により当該各号に掲げる者として主務大臣に届出を行おうとする者は、次の各号に定める事項を記載した書面により、その旨を主務大臣に届け出なければならない。
一　商号又は名称
二　代表者の役職名及び氏名
三　本店又は主たる事務所の所在地
四　前項第七号イ若しくはロ又は同項第八号イからハまでのいずれに該当するかの別
五　直近日において保有する有価証券の残高、不動産特定共同事業契約に基づく出資の価額及びこれらの合計額（前項第七号イ又はロに該当する場合に限る。）
六　宅地建物取引業法第三条第一項の免許に関する事項（前項第七号に該当する場合に限る。）
七　当該資産流動化法第二条第四項に規定する資産流動化計画の届出日並びに当該資産流動化計画に記載された不動産特定共同事業契約に基づく出資の価額（前項第八号イに該当する場合に限る。）
八　前項第八号ロに規定する信託契約を締結している信託会社等の名称（同号ロに該当する場合に限る。）
九　前項第八号ハに規定する者の名称（同号ハに該当する場合に限る。）
十　前項第八号ロ又はハに規定する決議を行った社員総会の議事の内容（同号ロ又はハに該当する場合に限る。）
3　前項の届出書の様式は、別記様式第一号によるものとする。
4　第二項の規定により届出を行った場合の適格特例投資家に該当することとなる期間は、当該届出が行われた月の翌々月の初日から二年を経過する日までとする。
5　第二項の規定により届出を行った者は、前項に規定する適格特例投資家に該当することとなる期間において、当該届出に係る事項（第二項第一号又は第三号に掲げる事項に限る。）に変更があった場合には、遅滞なく、その旨を主務大臣に届け出なければならない。
6　主務大臣は、第二項の規定により届出が行われたときは、当該届出が行われた月の翌々月の初日までに、当該届出を行った者の商号又は名称、本店又は主たる事務所の所在地、適格特例投資家に該当する期間（第四項に規定する期間をいう。）及び当該届出を行った者が第一項第七号ロに該当するものとして届出を行ったものである場合にはその旨を官報に公告しなければならない。
7　主務大臣は、第五項の規定による届出が行われたときは、遅滞なく、届出のあった事項を官報に公告しなければならない。

（情報通信の技術を利用する方法）
第六条　法第五条第一項第十号の主務省令で定める方法は、次に掲げるものとする。
一　不動産特定共同事業者又は小規模不動産特定共同事業者（以下この条及び第十一条第二項において「不動産特定共同事業者等」という。）の使用に係る電子計算機に備えられたファイルに記録された申込者が申し込もうとする不動産特定共同事業契約に関する事項を電気通信回線を通じて申込者の閲覧に供し、当該不動産特定共同事業者等の使用に係る電子計算機に備えられたファイルに当該申込者の申込みに関する事項を記録する方法
二　不動産特定共同事業者等の使用に係る電子計算機と不動産特定共同事

業契約の締結の申込みをしようとする申込者の使用に係る電子計算機とを接続する電気通信回線を通じて又はこれに類する方法により申込者が申し込もうとする不動産特定共同事業契約に関する事項を送信し（音声の送受信による通話を伴う場合を除く。）、当該不動産特定共同事業者等の使用に係る電子計算機に備えられたファイルに当該申込者の申込みに関する事項を記録する方法

（許可申請書の記載事項）

第七条　法第五条第一項第十二号の主務省令で定める事項は、次に掲げるものとする。

一　不動産特定共同事業に係る業務の方法

二　役員が他の法人の常務に従事し、又は事業を営んでいる場合にあっては、当該役員の氏名並びに当該他の法人の商号又は名称及び業務又は当該事業の種類

三　電子取引業務を行う場合にあっては、電子取引業務を遂行するための体制に関する事項

2　法第五条第一項に規定する許可申請書の様式は、別記様式第二号によるものとする。

（許可申請書の添付書類の記載事項等）

第八条　法第五条第二項第五号の主務省令で定める事項は、次に掲げるものとする。

一　発行済株式総数の百分の五以上の株式を有する株主又は出資の額の百分の五以上の額に相当する出資をしている者の商号若しくは名称又は氏名、住所及びその有する株式の数又はその者のなした出資の額並びに役員が法人であるときは、当該法人の商号又は名称並びに当該役員の職務を行うべき者の氏名及び住所

二　役員、令第四条で定める使用人及び事務所ごとに置かれる法第十七条第一項に規定する者の略歴又は沿革並びに第二十一条第一項に規定する要件に該当する者に関する事項

三　不動産特定共同事業の業務を執行するための組織に関する事項

2　法第五条第一項に規定する許可申請書には、法第五条第二項各号に掲げる書類のほか、次に掲げる書類を添付するものとする。

一　法第六条各号及び第七条第三号に該当しないことを誓約する書面

二　直前三年の各事業年度の貸借対照表及び損益計算書又はこれらに代わる書面（公認会計士（公認会計士法（昭和二十三年法律第百三号）第十六条の二第五項に規定する外国公認会計士を含む。以下同じ。）又は監査法人の監査を受けたものに限る。）

三　法人税の直前三年の各年度における納付すべき額及び納付済額を証する書面

四　その発行済株式の総数又は出資の総額を資本金又は出資の額が一億円以上の不動産特定共同事業者（第一号事業を行う者に限る。以下「契約締結法人」という。）が保有している法人であって第十条各号に掲げる要件に該当するものについては、その営む不動産特定共同事業に関して当該契約締結法人が連帯して債務を負担する旨を記載した書面

3　法第五条第二項第三号に掲げる書面、第一項各号に掲げる事項を記載した書類及び前項第一号に掲げる書類の様式は、別記様式第三号によるものとする。

（提出すべき書類の部数）

第九条　法第三条第一項の規定により主務大臣又は都道府県知事の許可を受けようとする者が法第五条及び前条第二項の規定により提出すべき許可申請書及びその添付書類の部数は、正本一部及びその写し四部とする。

（心身の故障により不動産特定共同事業の業務を適正に行うことができない者）

第九条の二　法第六条第十号ヲの主務省令で定める者は、精神の機能の障害により不動産特定共同事業の業務を適正に行うに当たって必要な認知、判断及び意思疎通を適切に行うことができない者とする。

（令第五条第一号の主務省令で定める法人）

第一〇条　令第五条第一号の主務省令で定める法人は、その発行済株式の総数又は出資の総額を資本金又は出資の額が一億円以上の不動産特定共同事業者が保有している法人であって次に掲げる要件に該当するものとする。

一　不動産特定共同事業以外の事業を営まないこと。

二　その営む不動産特定共同事業に関して当該契約締結法人が連帯して債務を負担すること。

（不動産特定共同事業契約約款の内容の基準）

第一一条　令第六条第一項第九号の主務省令で定める事項は、次に掲げるもの（対象不動産を追加して取得し、又は自己の財産若しくは他の不動産特定共同事業契約に係る財産を対象不動産に追加すること（以下「対象不動産の追加取得」という。）により対象不動産の変更を行うこと（以下「対象不動産の変更」という。）を予定する不動産特定共同事業契約（以下「対象不動産変更型契約」という。）以外の不動産特定共同事業契約に基づき不動産特定共同事業を行う場合にあっては、第七号及び第八号に掲げるものを除く。）とする。

一　対象不動産の所有権の帰属に関する事項

二　不動産特定共同事業契約に係る不動産取引から損失が生じた場合における当該損失の負担に関する事項

三　業務及び財産の状況に係る情報の開示に関する事項

四　対象不動産を売却し、又は自己の固有財産とし、若しくは他の不動産特定共同事業契約に係る財産とする行為（以下「対象不動産の売却等」という。）に関する事項

五　事業参加者の契約上の権利及び義務の譲渡に関する事項

六　不動産特定共同事業の業務を行う上での余裕金（以下「業務上の余裕金」という。）の運用に関する事項

七　対象不動産の変更に係る手続に関する事項

八　不動産特定共同事業契約に基づき出資された財産のうち不動産特定共同事業の業務に係る金銭以外の金銭（以下「業務外金銭」という。）の運用に関する事項

九　第三号事業又は小規模第二号事業を行おうとする者の不動産特定共同事業契約約款にあっては、不動産特定共同事業契約に基づき営まれる不動産取引に係る業務の委託先に関する事項

十　第三号事業又は小規模第二号事業を行おうとする者の不動産特定共同事業契約約款にあっては、委託特例事業者の報酬に関する事項

2　令第六条第二項の主務省令で定める基準は、次の各号（対象不動産変更型契約に基づき不動産特定共同事業を行う場合にあっては第十一号ハを、対象不動産変更型契約以外の不動産特定共同事業契約に基づき不動産特定共同事業を行う場合にあっては第十五号及び第十六号を除く。）に掲げるとおりとする。

一　令第六条第一項第一号に掲げる事項については、法第二条第三項各号（小規模不動産特定共同事業者の不動産特定共同事業契約約款にあっては、同項第一号及び第二号）に掲げる契約の種別のいずれに該当するかを明示したものであること。

二　令第六条第一項第二号に掲げる事項については、次に掲げるものであること。

イ　不動産特定共同事業契約の締結をするときに、対象不動産の所在、地番、用途、土地面積、延べ床面積その他の対象不動産を特定するために必要な事項を記載する欄があるもの（対象不動産変更型契約にあっては、変更前の対象不動産に関するものに限る。）

ロ　対象不動産の変更の予定の有無に関する定めがあるもの

ハ　法第二条第三項第一号若しくは第二号に掲げる契約又は同項第四号に掲げる契約のうち同項第一号若しくは第二号に掲げる契約に相当するもの（以下「出資を伴う契約」という。）のうち、金銭をもって出資の目的とする契約にあっては、対象不動産の取得の予定時期に関する定め及び当該予定時期までに取得できなかった対象不動産がある場合においては、当該対象不動産により営むことを予定していた不動産取引を行うのに必要な額として出資された額について出資総額に対する出資の割合に応じて事業参加者に対し返還する旨その他これに準ずる公正な定めがあるもの（対象不動産変更型契約にあっては、変更前の対象不動産に関するものに限る。）

ニ　対象不動産の取得の予定時期までに出資された金銭を運用する場合（対象不動産変更型契約に基づき不動産特定共同事業を行う場合にあっては、対象不動産の売却等（当該対象不動産の売却等により契約が終了するものを除く。）により得られた金銭（第十五号ロ及びハにおいて「特定金銭」という。）を運用する場合及び前項第八号の運用をする場合を除く。）にあっては、当該出資された金銭について約款に定められた前項第六号に掲げる事項に関する規定を準用する旨の表示があるもの

三　令第六条第一項第三号に掲げる事項については、事業参加者に対し分配すべき収益又は利益の額の算定の方法並びにその分配の時期及び方法

に関する定めがあること。

四　令第六条第一項第四号に掲げる事項については、次に掲げるものであること。

イ　出資を伴う契約のうち、金銭をもって出資の目的とする契約にあっては、当該契約の締結をするときに支払期日又は支払期限及び出資総額の限度額又は出資予定総額を記載する欄があるもの

ロ　出資又は賃貸若しくは賃貸の委任の目的である財産を、当該不動産特定共同事業契約に係る不動産取引により運用する旨を明示したもの

ハ　修繕費、損害保険料その他対象不動産を管理するために必要な費用の負担に関する定めがあるもの

ニ　不動産特定共同事業契約においてあらかじめ定められた出資又は費用の額を超えて負担を求める場合にあっては、その要件及び事業参加者の同意に係る手続その他これに準ずる公正な手続に関する定めがあるもの

ホ　出資を伴う契約にあっては、対象不動産を当該不動産特定共同事業契約に基づく不動産特定共同事業の目的以外のために担保に供し、又は出資の目的とすることを禁ずる旨を明示したもの

ヘ　法第二条第三項第一号に掲げる契約のうち不動産の所有権を出資するものにあっては、対象不動産につき事務の執行の委任を受けた者を登記名義人として民法第六百六十七条第一項の出資を登記原因とする所有権移転の登記を行う旨の定めがあるもの

五　令第六条第一項第五号に掲げる事項については、不動産特定共同事業契約の締結をするときに契約期間を記載する欄並びに契約期間の延長を予定する場合にあってはその要件及び手続に関する定め（契約期間を定めない場合にあっては、その旨の定め）があること。

六　令第六条第一項第六号に掲げる事項については、次に掲げるものであること。

イ　契約終了の原因となる事由及び契約終了時の残余財産の分配の方法その他の清算の手続について明確かつ公正な定めがあるもの

ロ　出資が予定した財産に満たない場合であって不動産特定共同事業者等が出資を行わないときその他のやむを得ない事由があるときには、不動産特定共同事業契約が終了する旨の定めがあるもの

七　令第六条第一項第七号に掲げる事項については、やむを得ない事由が存する場合に契約を解除し、又は組合から脱退することができる旨の定めがあること。

七の二　前号の場合を除き、契約を解除し、又は組合から脱退することができる場合にあっては、その条件及び手続に関する定めがあること。

八　令第六条第一項第八号に掲げる事項については、不動産特定共同事業者等の報酬の額の算定の方法並びに収受の時期及び方法に関する定めがあること。

八の二　対象不動産変更型契約における前号の報酬の額の算定の方法は、対象不動産の価額又は収益若しくは利益に対する割合を基礎として算定する方法その他の公正な方法であること。

九　前項第一号に掲げる事項については、対象不動産の所有権の帰属する主体に関する定めがあること。

十　前項第二号に掲げる事項については、次に掲げるものであること。

イ　出資を伴う契約にあっては、元本の返還について保証されたものではない旨を明示しているもの

ロ　法第二条第三項第一号に掲げる契約又は同項第四号に掲げる契約のうち同項第一号に掲げる契約に相当するもの（以下「任意組合契約等」という。）であって事業参加者が無限責任を負うものにあっては、事業参加者が無限責任を負う旨（不動産特定共同事業者等が事業参加者に代わって不動産特定共同事業契約に係る不動産取引から損失が生じた場合における当該損失を負担する旨の特約をする場合にあっては、その旨。以下同じ。）を明示しているもの

十一　前項第三号に掲げる事項については、業務及び財産の状況に係る情報であって次に掲げるものが事業参加者に開示されるための方法に関する定めがあること。

イ　法第二十八条第二項（小規模不動産特定共同事業者にあっては、法第五十条第二項において準用する法第二十八条第二項）の規定により交付される財産の管理の状況についての報告書の記載事項

ロ　法第二十九条（小規模不動産特定共同事業者にあっては、法第五十条第二項において準用する法第二十九条）の規定により閲覧される業務及び財産の状況を記載した書類の記載事項

ハ　法第三十条第二項（小規模不動産特定共同事業者にあっては、法第五十条第二項において準用する法第三十条第二項）の規定により閲覧される事業参加者名簿の記載事項

十二　前項第四号に掲げる事項については、次に掲げるものであること。

イ　対象不動産の売却等の予定の有無に関する定めがあるもの

ロ　対象不動産の売却等を予定する場合にあっては、当該対象不動産の売却等の手続及び当該対象不動産の売却等の価格が当該不動産の鑑定評価額又は近傍同種の不動産の取引価格等に照らし合理的なものであることを担保するために必要かつ適切な措置に関する定めがあるもの

ハ　不動産特定共同事業者等は、対象不動産の売却等をした場合には、遅滞なく、事業参加者に当該対象不動産の売却等により生ずる収益又は利益の分配を行う旨その他これに準ずる公正な定めがあるもの

十三　前項第五号に掲げる事項については、契約の相手方である不動産特定共同事業者等の同意を得た場合に限り、事業参加者の契約上の権利及び義務を譲渡することができる旨の定めがあること。

十四　前項第六号に掲げる事項については、次に掲げる方法によるほか、業務上の余裕金を運用しない旨の定めがあること。

イ　国債、地方債若しくは政府保証債（その元本の償還及び利息の支払について政府が保証する債券をいう。）、長期信用銀行法（昭和二十七年法律第百八十七号）に規定する長期信用銀行、信金中央金庫、農林中央金庫若しくは株式会社商工組合中央金庫の発行する債券又は金融商品取引法第二条第一項第十五号に掲げる有価証券（あらかじめ約定した期日にあらかじめ約定した価格で売り戻すことを約して購入されるものに限る。）の取得

ロ　銀行、信用金庫、信金中央金庫、信用協同組合、全国を地区とする中小企業等協同組合法（昭和二十四年法律第百八十一号）第九条の九第一項第一号の事業を行う協同組合連合会、労働金庫、労働金庫連合会、農業協同組合法（昭和二十二年法律第百三十二号）第十条第一項第三号の事業を行う農業協同組合若しくは農業協同組合連合会、農林中央金庫又は株式会社商工組合中央金庫への預金又は貯金

十五　前項第七号に掲げる事項については、次に掲げるものであること。

イ　対象不動産の追加取得の方針及び手続について、次に掲げる欄及び定めがあるもの

(1)　不動産特定共同事業契約の締結をするときに対象不動産の追加取得の方針に関する次に掲げる事項を記載する欄

(i)　追加取得する不動産の所在地域、延べ床面積、構造方法、用途及び建築後の経過年数並びに敷地面積その他の追加取得する不動産の選定の基準に関する事項

(ii)　地域別、用途別その他の追加取得する対象不動産に係る分類別の比率の予定が明らかである場合にあっては、当該比率に関する事項

(iii)　追加取得に係る借入れに関する制限に関する事項

(iv)　その他事業参加者の判断に重大な影響を与える事項

(2)　対象不動産の追加取得の手続に関する定め

(3)　対象不動産の追加取得の方針及び手続の変更に関する明確かつ公正な定め

(4)　対象不動産の追加取得の方針及び手続の変更に反対する旨を通知した事業参加者の契約上の権利及び義務を取得し、又は第三者に取得させることその他の事業参加者の保護のために必要かつ適切な措置に関する定め

(5)　対象不動産の追加取得の価格が当該対象不動産の鑑定評価額又は近傍同種の不動産の取引価格等に照らし合理的なものであることを担保するために必要かつ適切な措置に関する定め

ロ　不動産特定共同事業者等は、対象不動産の売却等（当該対象不動産の売却等により契約が終了するものを除く。）をしたときは、当該対象不動産の売却等をした日から三十日以内に、事業参加者に対し、当該対象不動産の売却等に係る対象不動産の所在、地番、用途、土地面積、延べ床面積その他の当該対象不動産を特定するために必要な表示、当該対象不動産の売却等をした日、当該対象不動産の売却等の価格、譲受人と不動産特定共同事業者等との関係、当該対象不動産の売却等をした日における財産の状況並びに対象不動産の追加取得の方針及び手続並びに対象不動産の追加取得の予定時期の定めがある場合にあっ

ては当該予定時期を記載した書面を交付する旨又は当該書面に記載すべき事項を電磁的方法（第四十四条第一項各号に掲げる方法であって、同条第二項に掲げる基準（同項第三号に掲げる基準を除く。）に適合するものをいう。以下この号において同じ。）により提供する旨の定めがあるもの

ハ　特定金銭の運用方法について明確かつ公正な定めがあるもの

ニ　不動産特定共同事業者等は、対象不動産の追加取得をしたときは、当該対象不動産の追加取得をした日から三十日以内に、事業参加者に対し、当該対象不動産の追加取得に係る対象不動産の所在、地番、用途、土地面積、延べ床面積その他の当該対象不動産を特定するために必要な表示、当該対象不動産の追加取得をした日、当該対象不動産の追加取得の価格、譲渡人と不動産特定共同事業者等との関係、当該対象不動産の追加取得をした日における財産の状況、当該対象不動産に係る不動産取引の方法、修繕費、損害保険料その他の当該対象不動産を管理するために必要な費用の負担に関する事項、当該対象不動産の売却等の予定の有無及び当該対象不動産の売却等を予定する場合における当該対象不動産の売却等の手続を記載した書面を交付する旨又は当該書面に記載すべき事項を電磁的方法により提供する旨の定めがあるもの

ホ　不動産特定共同事業者等は、次に掲げる行為又は取引をする場合においては、事業参加者に対し、当該行為又は取引に係る財産を特定するために必要な表示、当該行為又は取引の予定時期並びに当該財産の評価額及びその算出根拠を記載した書面を事前に交付する旨又は当該書面に記載すべき事項を電磁的方法により提供する旨の定めがあるもの

(1)　不動産特定共同事業契約に係る財産を、自己の固有財産又は他の不動産特定共同事業契約に係る財産とする行為

(2)　自己の固有財産又は他の不動産特定共同事業契約に係る財産を不動産特定共同事業契約に係る財産とする行為

(3)　利害関係人との間における不動産特定共同事業契約に係る財産に関する取引

ヘ　既に締結された対象不動産変更型契約に追加して行う不動産特定共同事業契約の締結の勧誘（以下「追加募集」という。）の予定の有無に関する定めがあるもの

ト　追加募集を予定する場合にあっては、次に掲げる欄及び定めがあるもの

(1)　不動産特定共同事業者等は、追加募集を開始する前に、事業参加者に対し、当該追加募集に係る募集予定総額、当該追加募集の方法、出資された財産により追加取得する対象不動産の所在、地番、用途、土地面積、延べ床面積その他の当該対象不動産を特定するために必要な表示及び当該対象不動産により行う不動産取引の方法を記載した書面を交付する旨又は当該書面に記載すべき事項を電磁的方法により提供する旨の定め

(2)　追加募集に係る募集額の決定方法、当該追加募集の方法その他の当該追加募集に係る公正な手続に関する定め

(3)　追加募集に係る募集額の累計額の上限を定める場合にあっては、不動産特定共同事業契約の締結をするときに当該累計額の上限を記載する欄及び当該累計額の上限を超える追加募集を行う場合の手続に関する定め

(4)　追加募集を直接の原因として当該追加募集の開始前から事業参加者である者が有する不動産特定共同事業に係る権利の価格が変動するおそれがある旨の定め及び不動産特定共同事業契約の締結をするときに想定されるその変動の概要を記載する欄

チ　不動産特定共同事業者等が対象不動産の変更をするときに、当該対象不動産の変更に係る対象不動産の選定並びに当該対象不動産の変更の時期及び方法に関し助言を受けることを内容とする契約を締結する場合にあっては、不動産特定共同事業契約の締結をするときに、当該助言を受けることを内容とする契約の相手方の商号若しくは名称又は氏名、住所、法人にあってはその代表者の氏名及び当該契約の内容を記載する欄があるもの（当該契約の相手方が不動産投資顧問業者である場合にあっては、不動産特定共同事業契約の締結をするときに、当該助言を受けることを内容とする契約の相手方の商号又は名称、住所、その代表者の氏名、当該契約の内容及び不動産投資顧問業者の登録を受けている旨を記載する欄があるもの）

リ　対象不動産の売却等及び追加取得に係る判断が弁護士、公認会計士又は不動産鑑定士その他の者であって不動産取引に係る実務に関する知識を有する公正な第三者が関与して適正に行われることを担保するための必要かつ適切な措置に関する定めがあるもの

十六　前項第八号に掲げる事項については、次に掲げるものであること。

イ　業務外金銭の運用方法について前号ハの定めを準用する旨の定めその他これに準ずる明確かつ公正な定めがあるもの

ロ　業務外金銭及び特定金銭の合計額が、一年以上継続して不動産特定共同事業の業務に係る財産の額から特定金銭の額を控除した額の七分の三を超えない旨の定めがあるもの

ハ　業務外金銭及び特定金銭の合計額がロの定めに反することとなった場合において、ロに規定する割合を超える部分に係る金銭について出資総額に対する出資の割合に応じて事業参加者に対し速やかに返還する旨の定めその他これに準ずる明確かつ公正な定めがあるもの

十七　前項第九号に掲げる事項については、次に掲げるものであること。

イ　不動産特定共同事業契約に基づき営まれる不動産取引に係る業務の委託先の商号又は名称及び住所を明示したもの

ロ　不動産特定共同事業契約の締結をするときに当該委託に係る契約の概要を記載する欄があるもの

十八　前項第十号に掲げる事項については、委託特例事業者の報酬の額の算定の方法並びに収受の時期及び方法に関する定めがあること。

（財産的基礎及び人的構成の審査）

第一二条　主務大臣又は都道府県知事は、法第七条第六号に規定する不動産特定共同事業を適確に遂行するに足りる財産的基礎及び人的構成を有する法人であるかどうかを審査するときは、法第五条第一項の規定による許可の申請をした者が次に掲げる基準に適合するかどうかを審査するものとする。

一　財産的基礎が次に掲げる基準に該当すること。

イ　許可の申請の日を含む事業年度の前事業年度における財産及び損益の状況が良好であること。

ロ　財産及び損益の状況が許可の申請の日を含む事業年度以降良好に推移することが見込まれること。

二　人的構成が次に掲げる基準に該当すること。

イ　不動産特定共同事業を公正かつ適確に遂行できる組織構成を有すること。

ロ　許可の申請をした法人の役員が当該法人以外の法人の常務に従事し、又は事業を営んでいる場合にあっては、当該役員が当該法人以外の法人の常務に従事し、又は事業を営むことにより不動産特定共同事業の公正かつ適確な遂行に支障を及ぼすおそれがないこと。

（変更の許可の申請）

第一三条　法第八条第一項に規定する許可申請書の様式は、別記様式第四号によるものとする。

2　法第八条第一項の規定により許可申請書を提出する場合において新たに設置することとなった事務所があるときは、当該事務所に係る次に掲げる書類を前項の許可申請書に添付するものとする。

一　法第五条第二項第三号に掲げる書面

二　事務所に置かれる法第十七条第一項に規定する者に係る第八条第一項第二号に掲げる事項を記載した書面

3　法第八条第一項及び前項の規定により提出すべき許可申請書及びその添付書類の部数については、第九条の規定を準用する。

（軽微な追加又は変更）

第一四条　法第九条第一項第二号の主務省令で定める軽微な追加又は変更は、令第六条第一項第一号から第八号までに掲げる事項及び第十一条第一項に掲げる事項（第十一条第一項第九号に掲げる事項のうち、不動産特定共同事業契約に基づき営まれる不動産取引に係る業務の委託先の商号又は名称及び住所を除く。）以外の事項の追加又は変更とする。

（変更の認可の申請）

第一五条　法第九条の規定による認可の申請は、別記様式第五号による認可申請書を提出して行うものとする。

2　前項の認可申請書には、次に掲げる書類を添付するものとする。

一　不動産特定共同事業の種別を変更しようとする場合にあっては、不動産特定共同事業の業務を執行するための組織に関する事項を記載した書

類

二　新たに不動産特定共同事業契約約款の作成をし、又は不動産特定共同事業契約約款の追加若しくは変更をしようとする場合にあっては、新たに作成若しくは追加しようとする不動産特定共同事業契約約款又は変更後の不動産特定共同事業契約約款

三　新たに電子取引業務を行おうとする場合にあっては、電子取引業務を遂行するための体制に関する事項を記載した書類

四　事務所を追加して設置しようとする場合にあっては、当該事務所に係る第十三条第二項各号に掲げる書類

3　前二項の規定により提出すべき認可申請書及びその添付書類の部数については、第九条の規定を準用する。

（許可申請書の記載事項の変更の届出）

第一六条　法第十条の規定による変更の届出は、別記様式第六号による変更届出書を提出して行うものとする。

2　法第十条の規定により変更の届出をしようとする場合において当該変更が次に掲げるものであるときは、前項の変更届出書に当該各号に掲げる書類を添付するものとする。

一　法第五条第一項第一号又は第四号に掲げる事項についての変更　変更後の登記事項証明書又はこれに代わる書面

二　法第五条第一項第二号に掲げる事項についての変更（新たに役員又は令第四条で定める使用人となる者がある場合に限る。）　新たに役員又は令第四条で定める使用人となる者に係る第八条第一項第二号に掲げる事項を記載した書面

三　法第五条第一項第三号に掲げる事項のうち事務所の所在地についての変更（事務所の廃止に伴うものを除く。）　変更後の登記事項証明書又はこれに代わる書面

四　法第五条第一項第三号に掲げる事項のうち事務所ごとに置かれる法第十七条第一項に規定する者の変更（同項に規定する者が新たに事務所に置かれる場合に限る。）　新たに事務所に置かれる法第十七条第一項に規定する者に係る第八条第一項第二号に掲げる事項を記載した書面

五　法第五条第一項第十一号に掲げる事項についての変更（定款又はこれに代わる書面の変更を伴うものに限る。）　変更後の定款又はこれに代わる書面

3　前項の規定により提出すべき変更届出書及びその添付書類の部数については、第九条の規定を準用する。

（廃業等の届出）

第一七条　法第十一条第一項の規定による届出は、別記様式第七号による廃業等届出書を提出して行うものとする。

2　前項の規定により提出すべき廃業等届出書の部数は、正本一部及びその写し四部とする。

（不動産特定共同事業者名簿等の登載事項）

第一八条　法第十二条の主務省令で定める事項は、次に掲げるものとする。

一　第七条第一項第二号に掲げる事項

二　法第三条第一項の許可の年月日及び許可番号（法第六十七条第二項の規定により不動産特定共同事業者とみなされた同条第一項に規定する特定信託会社（以下「届出特定信託会社」という。）にあっては、同条第三項の規定による届出の年月日及び受理番号、令第十七条第二項の規定により不動産特定共同事業者とみなされた同条第一項に規定する特別金融機関等（以下「届出特別金融機関等」という。）にあっては、同条第三項の規定による届出の年月日及び受理番号）

三　法第三条第一項の許可又は法第九条第一項の認可に係る対象不動産変更型契約に係る不動産特定共同事業契約約款の有無

四　法第三十四条第一項若しくは第二項の規定による指示又は法第三十五条第一項若しくは第二項の規定による業務停止の命令があったときは、当該指示又は命令の年月日及び内容

2　法第五十八条第五項の規定により法第十二条を読み替えて適用する場合における同条の主務省令で定める事項は、前項の規定にかかわらず、法第五十八条第二項の規定による届出の年月日及び受理番号とする。

3　法第六十条の規定により法第十二条を読み替えて適用する場合における同条の主務省令で定める事項は、第一項の規定にかかわらず、次に掲げるものとする。

一　法第五十九条第二項の規定による届出の年月日及び受理番号

二　法第六十一条第五項の規定による指示又は同条第六項の規定による業務停止の命令があったときは、当該指示又は命令の年月日及び内容

（不動産特定共同事業者名簿等の閲覧）

第一九条　法第十三条の主務省令で定める書類は、第八条第二項各号に掲げる書類（届出特定信託会社又は届出特別金融機関等については、同項第一号に掲げる書類を除く。）とする。

2　主務大臣又は都道府県知事は、法第十三条（法第五十八条第五項及び第六十条の規定により読み替えて適用する場合を含む。）に規定する書類を一般の閲覧に供するため、不動産特定共同事業者名簿等閲覧所（次項において「閲覧所」という。）を設けなければならない。

3　主務大臣又は都道府県知事は、前項の規定により閲覧所を設けたときは、当該閲覧所の閲覧規則を定めるとともに、当該閲覧所の場所及び閲覧規則を告示しなければならない。

（標識の様式）

第二〇条　法第十六条第一項の主務省令で定める様式は、別記様式第八号によるものとする。

（業務管理者の要件等）

第二一条　法第十七条第一項の主務省令で定める要件は、次の各号のいずれかに該当する者であることとする。

一　不動産特定共同事業の業務に関し三年以上の実務の経験を有する者

二　主務大臣が指定する不動産特定共同事業に関する実務についての講習を修了した者

三　第一号に掲げる者と同等以上の能力を有すると認められることを証明する事業として、次条から第二十四条までの規定により国土交通大臣の登録を受けたもの（以下「登録証明事業」という。）による証明を受けている者

2　法第十七条第二項の主務省令で定める事項は、次に掲げるものとする。

一　宅地建物取引業法第十八条第二項の登録番号及び登録年月日

二　前項第一号の実務の経験を有する者については、当該事務所の業務管理者となった日までの当該実務の経験の年数及びその内容

三　前項第二号又は第三号に該当する者については、その旨

四　当該事務所の業務管理者となった年月日

五　当該事務所の業務管理者でなくなったときは、その年月日

3　法第十七条第二項に規定する業務管理者名簿（次項及び第五項において「業務管理者名簿」という。）の様式は、別記様式第九号によるものとする。

4　業務管理者の氏名及び第二項各号に掲げる事項が、電子計算機に備えられたファイル又は電磁的記録媒体（電磁的記録（電子的方式、磁気的方式その他人の知覚によっては認識することができない方式で作られる記録であって、電子計算機による情報処理の用に供されるものをいう。第三十条において同じ。）に係る記録媒体をいう。以下同じ。）に記録され、必要に応じ当該事務所において電子計算機その他の機器を用いて明確に紙面に表示されるときは、当該記録をもって業務管理者名簿への記載に代えることができる。この場合における法第十七条第二項の規定による閲覧は、当該ファイル又は電磁的記録媒体に記録されている事項を紙面又は当該事務所に設置された入出力装置の映像面に表示する方法で行うものとする。

5　不動産特定共同事業者は、業務管理者名簿（前項の規定による記録が行われた同項のファイル又は電磁的記録媒体を含む。以下この項において同じ。）に記載された者（ファイル又は電磁的記録媒体にあっては、記録された者）が当該事務所の業務管理者でなくなった日から十年間当該業務管理者名簿を保存するものとする。

（登録の申請）

第二二条　前条第一項第三号の登録は、登録証明事業を行おうとする者の申請により行う。

2　前条第一項第三号の登録を受けようとする者（以下「登録申請者」という。）は、次に掲げる事項を記載した申請書を国土交通大臣に提出しなければならない。

一　登録申請者の氏名又は商号若しくは名称及び住所並びに法人にあっては、その代表者の氏名

二　登録証明事業を行おうとする事務所の名称及び所在地

三　登録を受けようとする証明事業の名称
四　登録証明事業を開始しようとする年月日
五　試験委員（第二十四条第一項第二号に規定する合議制の機関を構成する者をいう。以下同じ。）となるべき者の氏名及び略歴並びに同号イからハまでに該当する者にあっては、その旨
六　登録を受けようとする証明事業に係る試験の科目及び内容
3　前項の申請書には、次に掲げる書類を添付しなければならない。
一　個人である場合においては、次に掲げる書類
イ　住民票の抄本又はこれに代わる書面
ロ　登録申請者の略歴を記載した書類
二　法人である場合においては、次に掲げる書類
イ　定款若しくは寄附行為又はこれらに代わる書面及び登記事項証明書
ロ　株主名簿若しくは社員名簿の写し又はこれらに代わる書面
ハ　申請に係る意思の決定を証する書類
ニ　役員（持分会社（会社法（平成十七年法律第八十六号）第五百七十五条第一項に規定する持分会社をいう。）にあっては業務を執行する社員をいい、当該社員が法人であるときは当該社員の職務を行うべき者を含む。次条第五号において同じ。）の氏名又は商号若しくは名称及び略歴又は沿革を記載した書類
三　試験委員が第二十四条第一項第二号イからハまでに該当する者にあっては、その資格等を有することを証する書類
四　登録証明事業以外の業務を行うときは、その業務の種類及び概要を記載した書面
五　登録申請者が次条各号のいずれにも該当しない者であることを誓約する書面
六　その他参考となる事項を記載した書類

（欠格条項）
第二三条　次の各号のいずれかに該当する者が行おうとする登録証明事業は、第二十一条第一項第三号の登録を受けることができない。
一　法又は法に基づく命令の規定に違反し、罰金以上の刑に処せられ、その執行を終わり、又は執行を受けることがなくなった日から起算して二年を経過しない者
二　第三十三条の規定により第二十一条第一項第三号の登録を取り消され、その取消しの日から起算して二年を経過しない者
三　暴力団員による不当な行為の防止等に関する法律（平成三年法律第七十七号）第二条第六号に規定する暴力団員又は同号に規定する暴力団員でなくなった日から五年を経過しない者（次号において「暴力団員等」という。）
四　暴力団員等がその事業活動を支配する法人
五　法人であって、登録証明事業を行う役員のうちに第一号から第三号までのいずれかに該当する者があるもの

（登録要件等）
第二四条　国土交通大臣は、第二十二条の規定による登録の申請が次に掲げる要件の全てに適合しているときは、その登録をしなければならない。
一　第二十六条第一項第一号イからチまでの事項を含む内容について登録証明事業に係る試験（以下「登録試験」という。）が行われるものであること。
二　次のいずれかに該当する者五名以上によって構成される合議制の機関により試験問題の作成及び合否判定が行われるものであること。
イ　不動産取引に係る業務に七年以上従事した経験があり、かつ、不動産特定共同事業その他の不動産の証券化の実務に関し適切に指導することができる能力を有すると認められる者
ロ　弁護士、公認会計士、税理士、学校教育法（昭和二十二年法律第二十六号）第一条に規定する大学において教授若しくは准教授の職にある者又は不動産鑑定士であって不動産取引に係る実務に関する知識を有する者
ハ　国土交通大臣がイ又はロに掲げる者と同等以上の能力を有すると認める者
2　第二十一条第一項第三号の登録は、登録証明事業登録簿に次に掲げる事項を記載してするものとする。
一　登録年月日及び登録番号
二　登録証明事業を行う者（以下「登録証明事業実施機関」という。）の氏名又は商号若しくは名称及び住所並びに法人にあっては、その代表者の氏名
三　登録証明事業を行う事務所の名称及び所在地
四　登録証明事業の名称
五　登録証明事業を開始する年月日

（登録の更新）
第二五条　第二十一条第一項第三号の登録は、五年ごとにその更新を受けなければ、その期間の経過によって、その効力を失う。
2　前三条の規定は、前項の登録の更新について準用する。

（登録証明事業の実施に係る義務）
第二六条　登録証明事業実施機関は、公正に、かつ、第二十四条第一項各号に掲げる要件及び次に掲げる基準に適合する方法により登録証明事業を行わなければならない。
一　次のイからチまでの事項を含む内容について登録試験を行うこと。
イ　不動産取引に係る事業の企画及び立案に関する事項
ロ　不動産取引に係る法務、税務及び会計に関する事項
ハ　不動産の賃貸借に関する事項
ニ　不動産の管理に関する事項
ホ　不動産特定共同事業の仕組みその他不動産の証券化に関する事項
ヘ　不動産の価値に作用する諸要因についての調査又は分析に関する事項
ト　不動産投資市場及び不動産流通市場の動向に関する事項
チ　金融市場の動向に関する事項
二　登録試験を実施する日時、場所、登録試験の出題範囲その他登録試験の実施に関し必要な事項を公示すること。
三　登録試験に関する不正行為を防止するための措置を講じること。
四　終了した登録試験の問題及び当該登録試験の合格基準を公表すること。
五　登録試験に合格した者に対し、合格証明書を交付すること。
六　不動産取引に係る実務経験の年数その他の客観的かつ公正な基準によって証明の判定がなされること。
七　登録証明事業による証明を受けた者に対し、証明書を交付すること。
八　登録証明事業による証明を受けた者の知識及び技能の維持のための措置が適切に講じられているものであること。
九　登録証明事業が特定の者又は事業のみを利することとならないものであり、かつ、その実施が十分な社会的信用を得られる見込みがあるものであること。

（登録事項の変更の届出）
第二七条　登録証明事業実施機関は、第二十四条第二項第二号から第五号までに掲げる事項及び試験委員を変更しようとするときは、変更しようとする日の二週間前までに、その旨を国土交通大臣に届け出なければならない。

（登録証明事業実施規程）
第二八条　登録証明事業実施機関は、次に掲げる事項を記載した登録証明事業に関する規程を定め、当該登録証明事業の開始前に、国土交通大臣に届け出なければならない。これを変更しようとするときも、同様とする。
一　登録証明事業を行う時間及び休日に関する事項
二　登録証明事業を行う事務所及び登録試験の試験地に関する事項
三　登録試験の受験の申込みに関する事項
四　登録試験の受験手数料の額及び収納の方法に関する事項
五　登録試験の日程、公示方法その他の登録試験の実施に関する事務（以下「登録試験事務」という。）の実施の方法に関する事項
六　登録試験の科目及び内容に関する事項
七　試験委員の選任及び解任に関する事項
八　登録試験の問題の作成、登録試験の合否判定及び証明の判定の方法に関する事項
九　終了した登録試験の問題及び当該登録試験の合格基準の公表に関する事項
十　登録試験の合格証明書の交付及び再交付に関する事項
十一　登録証明事業による証明を受けた者に対し交付すべき証明書に関する事項
十二　登録証明事業による証明を受けた者の知識及び技能の維持のための措置に関する事項
十三　登録試験事務に関する秘密の保持に関する事項
十四　登録試験事務に関する公正の確保に関する事項

十五　不正受験者の処分に関する事項
十六　第三十四条第三項の帳簿その他の登録証明事業に関する書類の管理に関する事項
十七　その他登録証明事業に関し必要な事項

（登録証明事業の休廃止）
第二九条　登録証明事業実施機関は、登録証明事業の全部又は一部を休止し、又は廃止しようとするときは、あらかじめ、次に掲げる事項を記載した届出書を国土交通大臣に提出しなければならない。
一　休止し、又は廃止しようとする登録証明事業の範囲
二　休止し、又は廃止しようとする年月日及び休止しようとする場合にあっては、その期間
三　休止又は廃止の理由

（財務諸表等の備付け及び閲覧等）
第三〇条　登録証明事業実施機関は、毎事業年度経過後三月以内に、その事業年度の財産目録、貸借対照表及び損益計算書又は収支計算書並びに事業報告書（その作成に代えて電磁的記録の作成がされている場合における当該電磁的記録を含む。次項において「財務諸表等」という。）を作成し、五年間事務所に備えて置かなければならない。
2　登録証明事業による証明を受けようとする者その他の利害関係人は、登録証明事業実施機関の業務時間内は、いつでも、次に掲げる請求をすることができる。ただし、第二号又は第四号の請求をするには、登録証明事業実施機関の定めた費用を支払わなければならない。
一　財務諸表等が書面をもって作成されているときは、当該書面の閲覧又は謄写の請求
二　前号の書面の謄本又は抄本の請求
三　財務諸表等が電磁的記録をもって作成されているときは、当該電磁的記録に記録された事項を紙面又は出力装置の映像面に表示したものの閲覧又は謄写の請求
四　前号の電磁的記録に記録された事項を電磁的方法であって、次に掲げるもののうち登録証明事業実施機関が定めるものにより提供することの請求又は当該事項を記載した書面の交付の請求
イ　送信者の使用に係る電子計算機と受信者の使用に係る電子計算機とを電気通信回線で接続した電子情報処理組織を使用する方法であって、当該電気通信回線を通じて情報が送信され、受信者の使用に係る電子計算機に備えられたファイルに当該情報が記録されるもの
ロ　電磁的記録媒体をもって調製するファイルに情報を記録したものを交付する方法
3　前項第四号イ又はロに掲げる方法は、受信者がファイルへの記録を出力することによる書面を作成することができるものでなければならない。

（適合命令）
第三一条　国土交通大臣は、登録証明事業実施機関が第二十四条第一項の規定に適合しなくなったと認めるときは、当該登録証明事業実施機関に対し、同項の規定に適合するため必要な措置をとるべきことを命ずることができる。

（改善命令）
第三二条　国土交通大臣は、登録証明事業実施機関が第二十六条の規定に違反していると認めるときは、当該登録証明事業実施機関に対し、同条の規定による登録証明事業を行うべきこと又は登録証明事業の方法その他の業務の方法の改善に関し必要な措置をとるべきことを命ずることができる。

（登録の取消し等）
第三三条　国土交通大臣は、登録証明事業実施機関が次の各号のいずれかに該当するときは、当該登録証明事業実施機関が行う登録証明事業の登録を取り消し、又は期間を定めて登録証明事業の全部若しくは一部の停止を命ずることができる。
一　第二十三条各号（第二号を除く。）に該当するに至ったとき。
二　第二十七条から第二十九条まで、第三十条第一項又は次条の規定に違反したとき。
三　正当な理由がないのに第三十条第二項各号の規定による請求を拒んだとき。
四　前二条の規定による命令に違反したとき。
五　第三十五条の規定による報告を求められて、報告をせず、又は虚偽の報告をしたとき。
六　不正の手段により第二十一条第一項第三号の登録を受けたとき。

（帳簿の記載等）
第三四条　登録証明事業実施機関は、登録証明事業に関する次に掲げる事項を記載した帳簿を備えなければならない。
一　登録試験の試験年月日
二　登録試験の試験地
三　登録試験の受験者の受験番号、氏名、生年月日及び合否の別
四　登録試験の合格年月日
五　証明年月日
2　前項各号に掲げる事項が、電子計算機に備えられたファイル又は電磁的記録媒体に記録され、必要に応じ登録証明事業実施機関において電子計算機その他の機器を用いて明確に紙面に表示されるときは、当該記録をもって同項に規定する帳簿への記載に代えることができる。
3　登録証明事業実施機関は、第一項に規定する帳簿（前項の規定による記録が行われた同項のファイル又は電磁的記録媒体を含む。）を、登録証明事業の全部を廃止するまで保存しなければならない。
4　登録証明事業実施機関は、次に掲げる書類を備え、登録試験を実施した日から三年間保存しなければならない。
一　登録試験の受験申込書及び添付書類
二　終了した登録試験の問題及び答案用紙

（報告の徴収）
第三五条　国土交通大臣は、登録証明事業の適正な実施を確保するため必要があると認めるときは、登録証明事業実施機関に対し、登録証明事業の状況に関し必要な報告を求めることができる。

（公示）
第三六条　国土交通大臣は、次に掲げる場合には、その旨を官報に公示しなければならない。
一　第二十一条第一項第三号の登録をしたとき。
二　第二十五条第一項の規定により登録の更新をしたとき。
三　第二十七条の規定による届出があったとき。ただし、試験委員に関する事項は除く。
四　第二十九条の規定による届出があったとき。
五　第三十三条の規定により登録を取り消し、又は登録証明事業の停止を命じたとき。

（広告の規制）
第三七条　法第十八条第三項の主務省令で定める事項は、次に掲げるものとする。
一　不動産特定共同事業者及び特例事業者の資力又は信用に関する事項
二　不動産特定共同事業の実績に関する事項
三　不動産取引の内容に関する事項
四　事業参加者に対し分配を行う収益又は利益の保証に関する事項
五　不動産特定共同事業契約の解除に関する事項
六　不動産取引から損失が生じた場合における当該損失の負担に関する事項
七　不動産取引に係る市況に関する事項
八　不動産特定共同事業契約に係る金銭の運用に関する事項

（相手方又は事業参加者の保護に欠ける行為）
第三八条　法第二十一条第四項の主務省令で定める行為は、次に掲げるものとする。
一　不動産特定共同事業契約の締結の勧誘をするに際しその相手方に対し特別の利益を提供することを約する行為
二　不動産特定共同事業契約の締結又は更新について顧客に迷惑を覚えさせるような時間に電話又は訪問により勧誘する行為
三　不動産特定共同事業契約の締結又は更新をしない旨の意思を表示した者に対して執ように勧誘する行為
四　事業参加者が被る損失の範囲について十分な知識を有しない顧客に対し、不動産特定共同事業契約の締結又は更新の勧誘をする行為
五　不動産特定共同事業契約の締結又は更新について勧誘をするに際し、事業参加者の取得する契約上の権利及び義務を、あらかじめ特定した価格（あらかじめ特定した額につき一定の基準により算出される価格を含む。以下この号において同じ。）若しくはこれを超える価格により買い取る旨又はあらかじめ特定した価格若しくはこれを超える価格により第三者に買い取らせることをあっせんする旨の表示をし、又はこれらの表示と誤認されるおそれがある表示をする行為

六　不動産特定共同事業契約の締結又は更新について勧誘をするに際し、事業参加者の取得する契約上の権利及び義務に関し一定の期間につき、利益の配当、収益の分配その他いかなる名称をもってするを問わず、一定の額（一定の基準によりあらかじめ算出することができる額を含む。以下この号において同じ。）又はこれを超える額の金銭（処分することにより一定の額又はこれを超える額の金銭を得ることができるものを含む。）の供与が行われる旨の表示をし、又はこれらの表示と誤認されるおそれがある表示をする行為（その内容が予想に基づくものである旨が明示されている場合を除く。）

（事故）

第三九条　法第二十一条の二において準用する金融商品取引法第三十九条第三項に規定する主務省令で定めるものは、不動産特定共同事業契約の締結につき、不動産特定共同事業者の代表者、代理人、使用人その他の従業者が、当該不動産特定共同事業者の業務に関し、次に掲げる行為を行うことにより事業参加者に損失を及ぼしたものとする。

一　次に掲げるものについて相手方を誤認させるような不動産特定共同事業契約の締結の勧誘をすること。

イ　不動産特定共同事業契約に係る権利の性質

ロ　不動産特定共同事業契約の条件

ハ　不動産特定共同事業契約に係る権利の価格の騰貴又は下落

二　過失又は電子情報処理組織の異常により事務処理を誤ること。

三　その他法令に違反する行為を行うこと。

（業務の運営の状況が公益に反し又は投資者の保護に支障を生ずるおそれがあるもの）

第四〇条　法第二十一条の二において準用する金融商品取引法第四十条第二号に規定する主務省令で定める状況は、次に掲げる状況とする。

一　その取り扱う個人である事業参加者に関する情報の安全管理、従業者の監督及び当該情報の取扱いを委託する場合には、その委託先の監督について、当該情報の漏えい、滅失又はき損の防止を図るために必要かつ適切な措置を講じていないと認められる状況

二　その取り扱う個人である事業参加者に関する人種、信条、門地、本籍地、保健医療又は犯罪経歴についての情報その他業務上知り得た公表されていない特別の情報を、適切な業務の運営の確保その他必要と認められる目的以外の目的のために利用しないことを確保するための措置を講じていないと認められる状況

三　不動産特定共同事業に係る電子情報処理組織の管理が十分でないと認められる状況

四　不動産特定共同事業者が、電気通信回線に接続している電子計算機を利用してその業務を営む場合において、事業参加者が当該不動産特定共同事業者を他の者と誤認することを防止するための適切な措置を講じていないと認められる状況

（金銭に類するもの）

第四一条　法第二十一条の二の金銭に類するものとして主務省令で定めるものは、金融商品取引法第二条第一項に規定する有価証券（同条第二項の規定により有価証券とみなされるものを含む。）、為替手形及び約束手形とする。

（勧誘時における告知事項）

第四二条　法第二十二条の二第一項及び第二項の主務省令で定める事項は、不動産特定共同事業契約上の権利義務を他の特例投資家に譲渡する場合以外の譲渡が禁止される旨とする。

2　法第二十二条の二第三項の主務省令で定める事項は、事業参加者が不動産特定共同事業契約に基づき行うことができる出資の価額の上限額とする。

（不動産特定共同事業契約の成立前の説明事項）

第四三条　法第二十四条第一項の主務省令で定める事項は、次に掲げるもの（第四号事業を行う者以外の者にあっては第八号から第十号まで及び第二十九号に掲げるものを、不動産特定共同事業契約に基づく出資の目的である財産が対象不動産である不動産特定共同事業を行う場合にあっては第十七号から第十九号までに掲げるものを、対象不動産変更型契約以外の不動産特定共同事業契約に基づき不動産特定共同事業を行う場合にあっては第三十七号から第四十二号までに掲げるものを、電子取引業務を行う者以外の者にあっては第四十三号に掲げるものをそれぞれ除く。）とする。ただし、対象不動産変更型契約に基づき不動産特定共同事業を行う場合にあっては、第十六号から第十九号まで及び第三十号に掲げるものは、変更前（追加募集に係る対象不動産の変更にあっては、当該変更の直後）の対象不動産に関するものに限る。

一　不動産特定共同事業者の商号又は名称、住所及び代表者の氏名

二　不動産特定共同事業者の許可番号（届出特定信託会社にあっては、法第六十七条第三項の規定による届出の受理番号、届出特別金融機関等にあっては、令第十七条第三項の規定による届出の受理番号）

三　不動産特定共同事業者の資本金又は出資の額及び発行済株式総数の百分の五以上の株式を有する株主又は出資の額の百分の五以上の額に相当する出資をしている者の商号若しくは名称又は氏名

四　不動産特定共同事業者がその発行済株式の総数又は出資の総額を契約締結法人により保有されている法人であって第十条各号に掲げる要件に該当するものであるときは、その営む不動産特定共同事業に関して当該契約締結法人が連帯して債務を負担する契約の内容

五　不動産特定共同事業者が他に事業を行っているときは、その事業の種類

六　不動産特定共同事業者（第一号事業を行う者に限る。次号において同じ。）の事業開始日を含む事業年度の直前三年の各事業年度の貸借対照表及び損益計算書の要旨

七　不動産特定共同事業者の役員の氏名並びに役員が他の法人の常務に従事し、又は事業を営んでいるときは、当該他の法人の商号又は名称及び業務又は当該事業の種類

八　委託特例事業者の商号又は名称、住所及び代表者の氏名

九　委託特例事業者の法第五十八条第二項の規定による届出の受理番号

十　委託特例事業者の資本金又は出資の額

十一　不動産特定共同事業契約の法第二条第三項各号に掲げる契約の種別及び当該種別に応じた不動産特定共同事業の仕組み

十二　不動産特定共同事業に係る業務（軽微なものを除く。）の委託の有無並びに当該業務を委託する場合には委託先の商号若しくは名称又は氏名、住所又は所在地及び委託する業務の内容

十三　利害関係人との間の不動産特定共同事業に係る重要な取引の有無並びに当該取引がある場合には当該利害関係人と不動産特定共同事業者との関係、当該利害関係人の商号若しくは名称又は氏名、住所又は所在地、取引の額及び取引の内容

十四　不動産特定共同事業契約に係る法令に関する事項の概要

十五　事業参加者の権利及び責任の範囲等に関する次の事項

イ　出資又は賃貸若しくは賃貸の委任の目的である財産に関する事業参加者の監視権の有無及びその内容

ロ　事業参加者の第三者に対する責任の範囲

ハ　収益又は利益及び契約終了時における残余財産の受領権並びに出資を伴う契約にあっては、出資の返還を受ける権利に関する事項（契約の解除又は組合からの脱退に当たり事業参加者が出資の返還を受けることができる金額の計算方法及び支払方法並びに時期を含む。）

ニ　収益又は利益の分配及び出資の返還についての信用補完の有無、当該信用補完を行う者の氏名（法人にあっては、商号又は名称及び代表者の氏名）、住所及び当該信用補完の内容

十六　対象不動産の特定及び当該対象不動産に係る不動産取引の内容に関する次の事項

イ　対象不動産の所在、地番、用途、土地面積、延べ床面積その他の対象不動産を特定するために必要な事項

ロ　対象不動産の変更の予定がある場合にあっては、その旨

ハ　対象不動産に係る不動産取引の取引態様の別

ニ　出資を伴う契約にあっては、対象不動産に係る借入れ及びその予定の有無並びに当該借入れ又はその予定がある場合には借入先の属性、借入残高又は借入金額、返済期限及び返済方法、利率、担保の設定に関する事項並びに借入れの目的及び使途

ホ　不動産取引の開始予定日（追加募集に係る不動産特定共同事業契約の締結をしようとする場合にあっては、不動産取引の開始日）

ヘ　不動産取引の終了予定日

十七　対象不動産に関する次の事項

イ　対象不動産の上に存する登記された権利の種類及び内容並びに登記名義人又は登記簿の表題部に記録された所有者の氏名（法人にあっては、その名称

ロ　対象不動産に係る宅地建物取引業法施行令（昭和三十九年政令第三百八十三号）第三条第一項に規定する制限に関する事項の概要
ハ　対象不動産に係る私道に関する負担に関する事項
ニ　対象不動産に係る飲用水、電気及びガスの供給並びに排水のための施設の整備の状況（これらの施設が整備されていない場合においては、その整備の見通し及びその整備についての特別の負担に関する事項）
ホ　対象不動産が宅地の造成又は建築に関する工事の完了前のものであるときは、その完了時における形状、構造その他宅地建物取引業法施行規則（昭和三十二年建設省令第十二号）第十六条に規定する事項
ヘ　対象不動産（建物である場合に限る。）が建物の区分所有等に関する法律（昭和三十七年法律第六十九号）第二条第一項に規定する区分所有権の目的であるものであるときは、宅地建物取引業法施行規則第十六条の二各号に掲げるもの
ト　宅地建物取引業法施行規則第十六条の四の二各号に掲げる措置が講じられているときは、その概要
チ　宅地建物取引業法施行規則第十六条の四の三第一号から第六号までに掲げる事項（対象不動産が宅地である場合にあっては、同条第一号から第三号までに掲げるものに限る。）
リ　対象不動産の状況に関する第三者による調査の有無並びに当該調査を受けた場合にはその結果の概要及び調査者の氏名又は名称
ヌ　対象不動産が既存の建物であるときは、次に掲げる事項
(1)　建物状況調査（宅地建物取引業法第三十四条の二第一項第四号に規定する建物状況調査をいい、実施後一年を経過していないものに限る。）を実施しているかどうか、及びこれを実施している場合におけるその結果の概要
(2)　宅地建物取引業法施行規則第十六条の二の三各号に掲げる書類の保存の状況
十八　対象不動産の価格及び当該価格の算定方法（当該算定について算式がある場合においては当該算式を含む。）
十九　対象不動産に関して不動産特定共同事業者等（不動産特定共同事業者又は委託特例事業者及びこれらの者と対象不動産について売買契約を締結した相手方がある場合にあっては当該契約締結の相手方をいう。以下この号において同じ。）が賃貸借契約（賃借人が当該不動産特定共同事業者等であるものを除く。以下この号において同じ。）を締結した相手方（以下この号において「テナント」という。）がある場合にあっては次の事項（やむを得ない事情により開示できない場合にあってはその旨）
イ　テナントの総数、全賃料収入（対象不動産に係る不動産特定共同事業者等の賃料収入の総額をいう。以下この号において同じ。）、全賃貸面積（不動産特定共同事業者等が対象不動産に関してテナントと締結した賃貸借契約に係る面積の総計をいう。以下この号において同じ。）、全賃貸可能面積（対象不動産について賃貸借契約を締結することが可能である面積の総計をいう。以下この号において同じ。）及び直前五年の稼働率（各年同一日における稼働率をいう。以下この号において同じ。）の推移
ロ　対象不動産ごとのテナントの数、賃料収入、賃貸面積、賃貸可能面積及び直前五年の稼働率の推移
ハ　主要なテナント（当該テナントへの賃貸面積が全賃貸面積の十パーセント以上を占めるものをいう。）に関する次の事項
(1)　テナントの名称
(2)　業種
(3)　年間賃料
(4)　賃貸面積
(5)　契約満了日
(6)　契約更改の方法
(7)　敷金及び保証金
(8)　(1)から(7)までに掲げるもののほか、賃貸借契約に関する重要な事項
ニ　対象不動産に係る賃料の支払状況（賃料の支払を延滞したテナントの数のテナントの総数に対する割合及び支払が延滞された賃料の全賃料収入に対する割合をいう。）
ホ　直前五年間の全賃料収入及び賃貸に係る費用、対象不動産ごとの賃料収入及び賃貸に係る費用並びに当該賃料収入の全賃料収入に対する割合（過去の賃貸に係る費用等が分からない場合はその旨）
二十　出資を伴う契約にあっては次の事項
イ　収益又は利益の分配及び出資の返還を受ける権利の名称がある場合にはその名称
ロ　出資予定総額又は出資総額の限度額
ハ　申込の期間及び方法
ニ　払込又は引渡しの期日及び方法
二十一　第五十条第一号の期間（以下この条において「報告対象期間」という。）に係る同条第三号及び第四号に掲げる事項に対する公認会計士又は監査法人の監査を受ける予定の有無及びその予定がある場合には監査を受ける範囲
二十二　事業参加者に対する収益又は利益の分配に関する事項
二十三　不動産特定共同事業契約に係る財産の管理に関する事項
二十四　契約期間に関する事項
二十五　契約終了時の清算に関する事項
二十六　契約の解除に関する次の事項
イ　契約の解除又は組合からの脱退の可否及びその条件
ロ　契約の解除又は組合からの脱退の方法
ハ　契約の解除又は組合からの脱退に係る手数料
ニ　契約の解除又は組合からの脱退の申込期間
ホ　契約の解除又は組合からの脱退が多発したときは、不動産取引を行うことができなくなるおそれがある旨
ヘ　事業参加者は、その締結した不動産特定共同事業契約について法第二十五条第一項の書面を受領した日（当該書面の交付に代えて、第四十四条に規定する方法により当該書面に記載すべき事項の提供が行われた場合にあっては、次に掲げる場合の区分に応じ、それぞれ次に定める日。第五十四条第三号において同じ。）から起算して八日を経過するまでの間、書面により当該不動産特定共同事業契約の解除を行うことができる旨
(1)　第四十四条第一項第一号に掲げる方法により提供された場合　当該書面に記載すべき事項が事業参加者の使用に係る電子計算機に備えられたファイルへ記録された日
(2)　第四十四条第一項第二号に掲げる方法により提供された場合　同号に規定するファイルを受領した日
ト　法第二十六条第一項から第三項までの規定に関する事項
二十七　不動産特定共同事業契約の変更に関する事項（変更手続及び開示方法に関する事項を含む。）
二十八　不動産特定共同事業者の報酬に関する次の事項
イ　報酬の計算方法
ロ　支払額（未定の場合にあってはその旨）
ハ　支払方法
ニ　支払時期
二十九　委託特例事業者の報酬に関する次の事項
イ　報酬の計算方法
ロ　支払額（未定の場合にあってはその旨）
ハ　支払方法
ニ　支払時期
三十　対象不動産の所有権の帰属に関する事項
三十一　不動産特定共同事業の実施により予想される損失発生要因に関する事項
三十二　不動産特定共同事業契約に係る不動産取引から損失が生じた場合における当該損失の負担に関する事項
三十三　業務及び財産の状況に係る情報の開示に関する事項
三十四　対象不動産の売却等に関する事項
三十五　事業参加者の契約上の権利及び義務の譲渡の可否、条件、方法、手数料、支払方法及び支払時期
三十六　業務上の余裕金の運用に関する事項
三十七　対象不動産の変更に係る手続に関する事項
三十八　業務外金銭の運用に関する事項
三十九　追加募集に係る不動産特定共同事業契約の締結をしようとする場合における、勧誘の開始日の属する報告対象期間の直前五年の各報告対象期間の満了の日における財産の総額及び収益又は利益の分配の推移
四十　前号の場合における、直前五年間の各報告対象期間ごとの不動産特定共同事業契約の締結及び解除の実績並びに出資を伴う契約にあっては

出資の返還の額

四十一　第三十九号の場合における、当該勧誘の開始日の属する報告対象期間の直前の報告対象期間に係る不動産特定共同事業の不動産取引の内容、当該不動産取引から生じた収益又は利益及び損失の状況並びに当該不動産特定共同事業に係る財産の状況

四十二　前号に掲げる事項（不動産取引の内容を除く。）その他の財務計算に関する事項に対する公認会計士又は監査法人の監査の有無及び監査を受けた場合にはその範囲（法第二十四条第一項に規定する書面に公認会計士又は監査法人の監査証明に係る書類が添付されており、かつ、当該書類に監査を受けた範囲が明記されている場合を除く。）

四十三　第五十四条第二号に規定する措置の概要及び当該不動産特定共同事業契約に関する当該措置の実施結果の概要

四十四　不動産特定共同事業契約に当該不動産特定共同事業契約に関する訴訟について管轄権を有する裁判所の定めがある場合にあっては、その名称及び所在地

2　不動産特定共同事業者は、法第二十四条第一項の規定による説明をする場合において、前項第十六号、第十八号、第二十三号、第三十一号及び第三十二号に掲げる事項については、少なくとも、次に掲げる事項を説明するものとする。

一　前項第十六号イその他の対象不動産を特定するために必要な事項については、自己の固有財産、利害関係人が有する資産を対象不動産とする場合にはその旨

二　前項第十八号に掲げる対象不動産の価格については、不動産鑑定士による鑑定評価の有無並びに当該鑑定評価を受けた場合には鑑定評価の結果及び方法の概要（当該鑑定評価の年月日を含む。）並びに鑑定評価を行った者の氏名

三　前項第二十三号に掲げる事項について次に掲げる事項

イ　法第二十七条に規定する財産の分別管理を行っている旨

ロ　当該分別管理が信託法（平成十八年法律第百八号）第三十四条に基づく分別管理と異なるときは、その旨

ハ　修繕費、損害保険料その他対象不動産を管理するために必要な負担に関する事項

四　前項第三十一号に掲げる事項について次に掲げる事項

イ　不動産特定共同事業者の業務又は財産の状況の変化を直接の原因として元本欠損が生ずるおそれがあるときは、その旨

ロ　契約上の権利を行使することができる期間の制限又は契約の解除若しくは契約上の権利及び義務の譲渡をすることができる期間の制限があるときは、その旨及び当該内容

ハ　金利、通貨の価格、金融商品取引法第二条第十四項に規定する金融商品市場における相場その他の指標に係る変動を直接の原因として元本欠損が生ずるおそれがあるときは、その旨及び当該指標

五　前項第三十二号に掲げる事項について次に掲げる事項

イ　出資を伴う契約にあっては元本の返還について保証されたものではない旨

ロ　任意組合契約等であって事業参加者が無限責任を負うものにあっては、事業参加者が無限責任を負う旨

（情報通信の技術を利用した提供）

第四十四条　法第二十四条第三項（法第二十五条第三項及び第二十八条第四項において準用する場合を含む。以下この条及び第四十六条第一項第一号イにおいて同じ。）の主務省令で定める方法は、次に掲げるものとする。

一　電子情報処理組織を使用する方法のうち次に掲げるもの

イ　不動産特定共同事業者等（不動産特定共同事業者又は法第二十四条第三項に規定する事項の提供を行う不動産特定共同事業者との契約によりファイルを自己の管理する電子計算機に備え置き、これを申込者若しくは当該不動産特定共同事業者の用に供する者をいう。以下この号において同じ。）の使用に係る電子計算機と申込者等（申込者又は申込者との契約により申込者ファイル（専ら申込者の用に供されるファイルをいう。以下この条において同じ。）を自己の管理する電子計算機に備え置く者をいう。以下この条において同じ。）の使用に係る電子計算機とを接続する電気通信回線を通じて書面に記載すべき事項（以下この条において「記載事項」という。）を送信し、申込者等の使用に係る電子計算機に備えられた申込者ファイルに記録する方法

ロ　不動産特定共同事業者等の使用に係る電子計算機に備えられたファイルに記録された記載事項を電気通信回線を通じて申込者の閲覧に供し、申込者等の使用に係る電子計算機に備えられた当該申込者の申込者ファイルに当該記載事項を記録する方法

ハ　不動産特定共同事業者等の使用に係る電子計算機に備えられた申込者ファイルに記録された記載事項を電気通信回線を通じて申込者の閲覧に供する方法

ニ　閲覧ファイル（不動産特定共同事業者等の使用に係る電子計算機に備えられたファイルであって、同時に複数の申込者の閲覧に供するため記載事項を記録させるファイルをいう。以下この条において同じ。）に記録された記載事項を電気通信回線を通じて申込者の閲覧に供する方法

二　電磁的記録媒体をもって調製するファイルに記載事項を記録したものを交付する方法

2　前項各号に掲げる方法は、次に掲げる基準に適合するものでなければならない。

一　申込者が申込者ファイル又は閲覧ファイルへの記録を出力することにより書面を作成できるものであること。

二　前項第一号イ、ハ又はニに掲げる方法（申込者の使用に係る電子計算機に備えられた申込者ファイルに記載事項を記録する方法を除く。）にあっては、記載事項を申込者ファイル又は閲覧ファイルに記録する旨又は記録した旨を申込者に対し通知するものであること。ただし、申込者が当該記載事項を閲覧していたことを確認したときはこの限りでない。

三　不動産特定共同事業契約に係る業務管理者が明示されるものであること。

四　前項第一号ニに掲げる方法にあっては、次に掲げる基準に適合するものであること。

イ　申込者が閲覧ファイルを閲覧するために必要な情報を申込者ファイルに記録するものであること。

ロ　イの規定により申込者が閲覧ファイルを閲覧するために必要な情報を記録した申込者ファイルと当該閲覧ファイルとを電気通信回線を通じて接続可能な状態を維持させること。ただし、閲覧の提供を受けた申込者が接続可能な状態を維持させることについて不要である旨通知した場合は、この限りでない。

（電磁的方法の種類及び内容）

第四十五条　令第八条第一項の規定により示すべき方法の種類及び内容は、次に掲げる事項とする。

一　前条第一項各号又は次条第一項各号に掲げる方法のうち不動産特定共同事業者等が使用するもの

二　ファイルへの記録の方式

（情報通信の技術を利用した承諾の取得）

第四十六条　令第八条第一項の主務省令で定める方法は、次に掲げるものとする。

一　電子情報処理組織を使用する方法のうち次に掲げるもの

イ　不動産特定共同事業者の使用に係る電子計算機と法第二十四条第三項の規定により承諾を得ようとする申込者の使用に係る電子計算機とを接続する電気通信回線を通じて送信し、当該不動産特定共同事業者の使用に係る電子計算機に備えられたファイルに記録する方法

ロ　不動産特定共同事業者の使用に係る電子計算機に備えられたファイルに記録された申込者の承諾に関する事項を電気通信回線を通じて当該申込者の閲覧に供し、当該不動産特定共同事業者の使用に係る電子計算機に備えられたファイルに当該申込者の承諾に関する事項を記録する方法

二　電磁的記録媒体をもって調製するファイルに承諾に関する事項を記録したものを得る方法

2　前項各号に掲げる方法は、不動産特定共同事業者がファイルへの記録を出力することにより書面を作成することができるものでなければならない。

（不動産特定共同事業契約の成立時の書面の記載事項）

第四十七条　法第二十五条第一項第七号に掲げる事項には、次に掲げる事項を含むものとする。

一　契約の解除又は組合からの脱退の可否及びその条件

二　契約の解除又は組合からの脱退の方法

三　契約の解除又は組合からの脱退に係る手数料

四　契約の解除又は組合からの脱退の申込期間
五　契約の解除又は組合からの脱退が多発したときは、不動産取引を行うことができなくなるおそれがある旨
六　法第二十六条第一項の規定による契約の解除は、当該契約の解除をする旨の書面を発した時に、その効力を生ずる旨

2　法第二十五条第一項第八号の主務省令で定める事項は、次に掲げるもの（第四号事業を行う者以外の者にあっては、第二号、第四号及び第八号に掲げるものを、対象不動産変更型契約以外の不動産特定共同事業契約に基づき不動産特定共同事業を行う場合にあっては、第十五号及び第十六号に掲げるものを除く。）とする。

一　当事者の商号若しくは名称又は氏名及び住所並びに法人にあっては、その代表者の氏名（事業参加者にあっては、その商号若しくは名称又は氏名）
二　委託特例事業者の委託を受けた不動産特定共同事業者の商号又は名称、住所及び代表者の氏名
三　不動産特定共同事業者の許可番号（届出特定信託会社にあっては、法第六十七条第三項の規定による届出の受理番号、届出特別金融機関等にあっては、令第十七条第三項の規定による届出の受理番号）
四　委託特例事業者の法第五十八条第二項の規定による届出の受理番号
五　不動産特定共同事業契約を締結した年月日
六　事業参加者の権利及び責任の範囲等に関する次の事項
　イ　出資又は賃貸若しくは賃貸の委任の目的である財産に関する事業参加者の監視権の有無及びその内容
　ロ　事業参加者の第三者に対する責任の範囲
　ハ　収益又は利益及び契約終了時における残余財産の受領権並びに出資を伴う契約にあっては出資の返還を受ける権利に関する事項（契約の解除又は組合からの脱退に当たり事業参加者が出資の返還を受けることができる金額の計算方法及び支払方法並びに時期を含む。）
　ニ　出資を伴う契約のうち、金銭をもって出資の目的とする契約にあっては、事業参加者の出資額又は出資の限度額及び出資予定総額に対する出資の割合に関する事項
七　不動産特定共同事業者の報酬に関する事項
八　委託特例事業者の報酬に関する事項
九　対象不動産の所有権の帰属に関する事項
十　不動産特定共同事業契約に係る不動産取引から損失が生じた場合における当該損失の負担に関する事項
十一　業務及び財産の状況に係る情報の開示に関する事項
十二　対象不動産の売却等に関する事項
十三　事業参加者の契約上の権利及び義務の譲渡に関する事項
十四　業務上の余裕金の運用に関する事項
十五　対象不動産の変更に係る手続に関する事項
十六　業務外金銭の運用に関する事項

3　不動産特定共同事業者は、法第二十五条第一項の規定による書面の交付をする場合において、同項第二号、第四号及び前項第十号に掲げる事項については、少なくとも、次に掲げる事項を記載するものとする。

一　法第二十五条第一項第二号に掲げる表示については、対象不動産の所在、地番、用途、土地面積、延べ床面積その他の不動産を特定するために必要な表示に関する事項
二　同項第四号に掲げる事項について次に掲げる事項
　イ　法第二十七条に規定する財産の分別管理を行っている旨
　ロ　当該分別管理が信託法第三十四条に基づく分別管理と異なるときは、その旨
　ハ　修繕費、損害保険料その他対象不動産を管理するために必要な費用の負担に関する事項
三　前項第十号に掲げる事項について次に掲げる事項
　イ　出資を伴う契約にあっては元本の返還について保証されたものではない旨
　ロ　任意組合契約等であって事業参加者が無限責任を負うものにあっては、事業参加者が無限責任を負う旨

（自己取引等の禁止の適用除外）

第四八条　法第二十六条の二ただし書の主務省令で定める場合は、次に掲げる要件のいずれかに該当する場合とする。

一　個別の不動産取引ごとに、当該不動産取引の対象となる不動産に係る不動産特定共同事業契約の全ての事業参加者に当該不動産取引の内容及び当該不動産取引を行おうとする理由の説明を行い、当該全ての事業参加者の同意を得たものであること。
二　不動産鑑定士による鑑定評価を踏まえて調査した価額により行う不動産取引であって、かつ、前号の説明を行い、当該事業参加者の過半数の同意を得たものであること。

（分別管理の方法）

第四九条　不動産特定共同事業者（第一号事業又は第三号事業を行う者に限る。）、特例事業者又は適格特例投資家限定事業者は、対象不動産が同一である不動産特定共同事業契約ごとに、次の各号（第二号にあっては、宅地の造成又は建物の建築に関する工事を伴う不動産特定共同事業で当該対象不動産の賃貸を行わないものに係るものを除く。）に掲げるところにより、当該不動産特定共同事業契約に係る財産を自己の固有財産及び他の不動産特定共同事業契約に係る財産と分別して管理するものとする。

一　第五十六条に定めるところにより、その業務に関する帳簿書類を作成すること。
二　不動産特定共同事業契約に係る財産のうち不動産特定共同事業の業務に係る金銭を第十一条第二項第十四号ロに掲げる方法（当該金銭であることがその名義により明らかなものに限る。）又は信託会社（信託業法（平成十六年法律第百五十四号）第二条第二項に規定する信託会社をいう。以下この条において同じ。）若しくは信託業務を営む金融機関（金融機関の信託業務の兼営等に関する法律（昭和十八年法律第四十三号。第八十五条第一項及び第二項第五号において「兼営法」という。）第一条第一項の認可を受けた金融機関をいう。以下この条において同じ。）への金銭信託（当該金銭であることがその名義により明らかなものに限る。）により管理すること。

2　不動産特定共同事業者（第二号事業（法第二条第四項第二号に掲げる行為に係る事業をいう。）又は第四号事業を行う者に限る。）が、電子取引業務を行う場合において、当該電子取引業務に関して事業参加者から金銭の預託を受けるときは、次に掲げるところにより、当該預託を受けた金銭と自己の固有財産とを分別して管理するものとする。

一　第五十六条に定めるところにより、その業務に関する帳簿書類を作成すること。
二　当該金銭を第十一条第二項第十四号ロに掲げる方法（当該金銭であることがその名義により明らかなものであって、当該不動産特定共同事業者が当該金銭について次号に掲げる金銭信託をする基準日として週に一日以上設ける日の翌日から起算して三営業日以内に当該金銭信託をする場合に限る。）により管理すること。
三　当該金銭を信託会社又は信託業務を営む金融機関への金銭信託（当該金銭であることがその名義により明らかなものであって、当該不動産特定共同事業者を委託者とし、当該不動産特定共同事業者の行う電子取引業務に係る事業参加者を元本の受益者とするもののうち、金融商品取引業等に関する内閣府令（平成十九年内閣府令第五十二号）第百四十一条第一項第四号イからハまでに掲げる方法により運用されるもの又は元本補塡の契約のあるものに限る。）により管理すること。

（財産管理報告書の作成及び交付）

第五〇条　不動産特定共同事業者は、一年を超えない期間ごとに、不動産特定共同事業契約に係る財産の管理の状況について次に掲げる事項を記載した法第二十八条第二項に規定する報告書（第五十六条第一項第五号において「財産管理報告書」という。）を作成し、これを事業参加者に対し交付しなければならない。

一　報告の対象となる期間
二　前号の期間の満了の日における当該事業参加者の出資に係る持分、出資の割合又は賃貸若しくは賃貸の委任の目的である財産の共有持分
三　当該不動産特定共同事業契約に基づき第一号の期間及びその直前三年の各期間内に営んだ不動産取引の内容、当該不動産取引から生じた収益又は利益及び損失の状況並びに運用の経過
四　第一号の期間及びその直前三年の各期間のそれぞれ満了の日における当該不動産特定共同事業契約に係る財産の状況
五　前二号に掲げる事項（不動産取引の内容を除く。）に対する公認会計士又は監査法人の監査の有無及び監査を受けた場合にはその範囲（財産管理報告書に公認会計士又は監査法人の監査証明に係る書類が添付されており、かつ、当該書類に監査を受けた範囲が明記されている場合を除

く。）

六　第一号の期間における第四十三条第一項第十二号に掲げる事項（当該不動産特定共同事業契約に係る財産の管理に係るものに限る。）

七　第一号の期間における第四十三条第一項第十三号に掲げる事項（当該不動産特定共同事業契約に係る財産の管理に係るものに限る。）

八　第一号の期間における第四十三条第一項第十六号ニに掲げる事項

（書類の閲覧）

第五一条　法第二十九条に規定する不動産特定共同事業者の業務及び財産の状況（第三号事業を行う者にあっては、委託特例事業者の業務及び財産の状況）を記載した書類は、別記様式第十号による業務状況調書及び比較貸借対照表並びに別記様式第十一号による比較損益計算書、株主資本等変動計算書又は社員資本等変動計算書及び主要株主名簿又は主要社員名簿その他の主要な社員の状況を記載した書面とする。

2　前項の書類（以下この条において「業務状況調書等」という。）が、電子計算機に備えられたファイル又は電磁的記録媒体に記録され、必要に応じ事務所ごとに電子計算機その他の機器を用いて明確に紙面に表示されるときは、当該記録をもって法第二十九条に規定する書類への記載に代えることができる。この場合における法第二十九条の規定による閲覧は、当該業務状況調書等を紙面又は当該事務所に設置された入出力装置の映像面に表示する方法で行うものとする。

3　不動産特定共同事業者（第一号事業又は第三号事業を行う者に限る。）は、業務状況調書等（前項の規定による記録が行われた同項のファイル又は電磁的記録媒体を含む。次項において同じ。）を、事業年度ごとに当該事業年度経過後三月以内に作成し、遅滞なく事務所ごとに備え置くものとする。

4　業務状況調書等は、事務所に備え置かれた日から起算して三年を経過する日までの間、当該事務所に備え置くものとし、当該事務所の営業時間中、事業参加者の求めに応じて閲覧させるものとする。

（事業参加者名簿）

第五二条　事業参加者名簿には、事業参加者の商号若しくは名称又は氏名及び住所その他の連絡先を登載するものとする。

2　事業参加者の商号若しくは名称又は氏名及び住所その他の連絡先が、電子計算機に備えられたファイル又は電磁的記録媒体に記録され、必要に応じ電子計算機その他の機器を用いて明確に紙面に表示されるときは、当該記録をもって法第三十条第二項に規定する事業参加者名簿への登載に代えることができる。

3　事業参加者名簿（前項の規定による記録が行われた同項のファイル又は電磁的記録媒体を含む。以下この項及び次項において同じ。）は、対象不動産が同一である不動産特定共同事業契約ごとに、当該不動産特定共同事業契約の締結後遅滞なく作成し、不動産特定共同事業者の主たる事務所において保存するものとする。

4　事業参加者名簿は、当該事業参加者名簿に係る不動産特定共同事業契約の終了の日から起算して五年を経過する日までの間、保存するものとする。

5　第二項の規定によりファイル又は電磁的記録媒体に記録された事項の閲覧は、当該事項を紙面又は当該事務所に設置された入出力装置の映像面に表示する方法で行うものとする。

（不動産特定共同事業者による商号等の公表）

第五三条　法第三十一条の二第一項の主務省令で定める事項は、次に掲げる事項とする。

一　不動産特定共同事業者である旨

二　許可番号

三　代表者の氏名

四　事務所ごとの業務管理者の氏名

五　本店又は主たる事務所の所在地

六　電話番号

七　不動産特定共同事業の種別（電子取引業務を行う旨を含む。）

2　不動産特定共同事業者は、法第三十一条の二第一項の規定による公表をするときは、同項に規定する事項を、当該事項を閲覧しようとする者の使用に係る電子計算機の映像面において、当該者にとって見やすい箇所に明瞭かつ正確に表示されるようにしなければならない。

3　法第三十一条の二第一項の主務省令で定める方法は、電子取引業務を行う不動産特定共同事業者の使用に係る電子計算機に備えられたファイルに記録された情報の内容を電気通信回線を通じて公衆の閲覧に供する方法とする。

（電子取引業務に係る業務管理体制）

第五四条　法第三十一条の二第二項の規定により電子取引業務を行う不動産特定共同事業者が整備しなければならない業務管理体制は、次に掲げる要件を満たさなければならない。

一　不動産特定共同事業に係る電子情報処理組織の管理を十分に行うための措置がとられていること。

二　電子取引業務に係る不動産特定共同事業契約に関し、その不動産特定共同事業契約に係る不動産特定共同事業者等（不動産特定共同事業者及び当該不動産特定共同事業者に不動産取引に係る業務を委託する特例事業者をいう。第四号において同じ。）の財務状況、事業計画の内容及び資金使途その他電子取引業務の対象とすることの適否の判断に資する事項の適切な審査を行うための措置がとられていること。

三　電子取引業務に係る不動産特定共同事業契約を締結した事業参加者が当該不動産特定共同事業契約について法第二十五条第一項の書面を受領した日から起算して八日を経過するまでの間、事業参加者が当該不動産特定共同事業契約の解除を行うことができることを確認するための措置がとられていること。

四　不動産特定共同事業者等が不動産特定共同事業契約を締結した後に、当該不動産特定共同事業者等が事業参加者に対して不動産特定共同事業の状況について定期的に適切な情報を提供することを確保するための措置がとられていること。

（電子取引業務に係る重要事項の閲覧）

第五五条　法第三十一条の二第三項の主務省令で定める事項は、第四十三条第一項第一号、第二号、第六号、第八号、第十六号、第十八号、第二十号、第二十三号、第二十六号、第二十八号、第二十九号、第三十一号、第三十二号、第三十五号、第三十七号（対象不動産の追加取得の方針に係る部分に限る。）及び第四十三号に掲げる事項とする。

2　電子取引業務を行う不動産特定共同事業者は、前項に規定する事項を、電子取引業務の相手方の使用に係る電子計算機の映像面において、当該相手方にとって見やすい箇所に明瞭かつ正確に表示されるようにしなければならない。

3　第一項に規定する事項のうち第四十三条第一項第三十一号、第三十二号及び第三十五号に掲げる事項の文字又は数字については、当該事項以外の事項の文字又は数字のうち最も大きなものと著しく異ならない大きさで表示するものとする。

4　法第三十一条の二第三項の主務省令で定める方法は、電子取引業務を行う不動産特定共同事業者の使用に係る電子計算機に備えられたファイルに記録された情報の内容を電気通信回線を通じて当該電子取引業務の相手方の閲覧に供する方法とする。

（業務に関する帳簿書類の作成等）

第五六条　不動産特定共同事業者は、対象不動産が同一である不動産特定共同事業契約ごとに次に掲げる書類（特例投資家のみを相手方又は事業参加者として不動産特定共同事業を行う者にあっては第一号及び第六号に掲げる書類に限る。）を調製することにより、法第三十二条に規定する業務に関する帳簿書類を作成するものとする。

一　事業参加者の商号若しくは名称又は氏名及び住所その他の連絡先を記載した書面

二　法第二十四条第一項に規定する書面の写し

三　法第二十五条第一項に規定する書面の写し

四　法第二十六条第一項の規定による契約の解除があった場合においては、同条第二項に規定する書面

五　財産管理報告書の写し

六　不動産特定共同事業者（第一号事業又は第三号事業を行う者に限る。）にあっては、次に掲げる書類

イ　不動産特定共同事業契約に係る不動産取引から生ずる収益又は利益の明細を記載した書面

ロ　不動産特定共同事業契約に係る財産の明細を記載した書面

ハ　出資を伴う契約にあっては、不動産特定共同事業契約に基づき出資された財産の明細を記載した書面

2　前項各号に掲げる書類が、電子計算機に備えられたファイル又は電磁的記録媒体をもって調製され、必要に応じ電子計算機その他の機器を用いて明確に紙面に表示されるときは、当該調製をもって法第三十二条に規定する業務に関する帳簿書類の作成に代えることができる。

3　第一項の業務に関する帳簿書類（前項の規定による調製が行われた同項のファイル又は電磁的記録媒体を含む。）は、当該業務に関する帳簿書類に係る不動産特定共同事業契約の終了の日から起算して五年を経過する日までの間、保存するものとする。

（事業報告書の様式）

第五七条　法第三十三条に規定する事業報告書の様式は、別記様式第十一号によるものとする。

2　前項の事業報告書（会計に関する部分に限る。）については、公認会計士又は監査法人の監査を受けたものとする。

（監督処分の公告）

第五八条　法第三十八条の規定による公告は、主務大臣の処分に係るものにあっては官報により、都道府県知事の処分に係るものにあっては当該都道府県の公報又はウェブサイトへの掲載その他の適切な方法によるものとする。

（身分証明書の様式）

第五九条　法第四十条第二項（法第五十八条第十項において準用する場合を含む。）の規定により国の職員が携帯するその身分を示す証明書は、別記様式第十二号によるものとする。ただし、金融庁又は財務局若しくは福岡財務支局の職員が検査をするときに携帯すべき証明書については、この限りでない。

2　法第四十条第二項の規定により都道府県の職員が携帯するその身分を示す証明書は、別記様式第十二号の二によるものとする。

3　前項の規定にかかわらず、法第四十条第二項の規定により都道府県の職員が携帯するその身分を示す証明書は、別記様式第十二号によることができる。

（登録申請書の記載事項）

第六〇条　法第四十二条第一項第九号の主務省令で定める事項は、次に掲げるものとする。

一　小規模不動産特定共同事業に係る業務の方法

二　役員が他の法人の常務に従事し、又は事業を営んでいる場合にあっては、当該役員の氏名並びに当該他の法人の商号又は名称及び業務又は当該事業の種類

三　電子取引業務を行う場合にあっては、電子取引業務を遂行するための体制に関する事項

2　法第四十二条第一項に規定する登録申請書の様式は、別記様式第十三号によるものとする。

（登録申請書の添付書類の記載事項等）

第六一条　法第四十二条第二項第五号の主務省令で定める事項は、次に掲げる事項とする。

一　発行済株式総数の百分の五以上の株式を有する株主又は出資の額の百分の五以上の額に相当する出資をしている者の商号若しくは名称又は氏名、住所及びその有する株式の数又はその者のなした出資の額並びに役員が法人であるときは、当該法人の商号又は名称並びに当該役員の職務を行うべき者の氏名及び住所

二　役員、令第十条で定める使用人及び事務所ごとに置かれる法第五十条第二項において準用する法第十七条第一項に規定する者の略歴又は沿革並びに第二十一条第一項に規定する要件に該当する者に関する事項

三　小規模不動産特定共同事業の業務を執行するための組織に関する事項

2　法第四十二条第一項の登録申請書には、法第四十二条第二項各号に掲げる書類のほか、次に掲げる書類を添付するものとする。

一　法第四十四条第一号、第四号、第五号及び第八号に該当しないことを誓約する書面

二　直前二年の各事業年度の貸借対照表及び損益計算書又はこれらに代わる書面

三　法人税の直前二年の各年度における納付すべき額及び納付済額を証する書面

3　法第四十二条第二項第三号に掲げる書面、第一項各号に掲げる事項を記載した書類及び前項第一号に掲げる書類の様式は、別記様式第十四号によるものとする。

（提出すべき書類の部数）

第六二条　法第四十一条第一項の規定により主務大臣又は都道府県知事の登録を受けようとする者が法第四十二条及び前条第二項の規定により提出すべき登録申請書及びその添付書類の部数については、第九条の規定を準用する。

（小規模不動産特定共同事業者登録簿の登載事項）

第六三条　法第四十三条第一項第一号の主務省令で定める事項は、次に掲げるものとする。

一　第六十条第一項第二号に掲げる事項

二　法第四十二条第一項の登録又は法第四十六条第一項の変更登録に係る対象不動産変更型契約に係る不動産特定共同事業契約約款の有無

三　法第五十一条第一項若しくは第二項の規定による指示又は法第五十二条第一項若しくは第二項の規定による業務停止の命令があったときは、当該指示又は命令の年月日及び内容

（財産的基礎及び人的構成）

第六四条　主務大臣又は都道府県知事は、法第四十四条第八号に規定する小規模不動産特定共同事業を適確に遂行するに足りる財産的基礎及び人的構成を有する法人であるかどうかを審査するときは、法第四十二条第一項の規定による登録の申請をした者が次に掲げる基準に適合するかどうかを審査するものとする。

一　財産的基礎が次に掲げる全ての要件に該当すること。

イ　その有する借入金の全部又は一部が、次のいずれにも該当しないこと。

(1)　元本又は利息の弁済の見込みがないもの

(2)　元本又は利息の支払が約定支払日の翌日から三月以上遅延しているもの（(1)に掲げるものを除く。）

(3)　経営再建を図ること又は支援を受けることを目的として、債権者との間で金利の減免、利息の支払猶予、元本の返済猶予、債権放棄その他の自己に有利となる取決めを行ったもの（(1)及び(2)に掲げるものを除く。）

ロ　次のいずれにも該当しないこと。

(1)　会社法による特別清算、破産法（平成十六年法律第七十五号）による破産手続、民事再生法（平成十一年法律第二百二十五号）による再生手続若しくは会社更生法（昭和二十七年法律第百七十二号）による更生手続開始の申立てが行われている者又は外国の法令上これらと同種類の申立てが行われている者

(2)　会社法による特別清算開始の命令を受け、特別清算終結の決定の確定がない者、破産法による破産手続開始の決定を受け、破産手続終結の決定若しくは破産手続廃止の決定の確定がない者、民事再生法による再生手続開始の決定を受け、再生手続終結の決定若しくは再生手続廃止の決定の確定がない者、会社更生法による更生手続開始の決定を受け、更生手続終結の決定若しくは更生手続廃止の決定の確定がない者又は外国の法令上これらと同様に取り扱われている者

(3)　清算中の者

ハ　直前二年の各事業年度において、当期純損失が生じていないこと。

二　人的構成が次に掲げる全ての要件に該当すること。

イ　管理部門（法令その他の規則の遵守状況を管理し、その遵守を指導する部門をいう。ロにおいて同じ。）の責任者が定められ、法令その他の規則が遵守される体制が整っていること。

ロ　管理部門の責任者と小規模不動産特定共同事業に係る業務に係る部門の担当者又はその責任者が兼任していないこと。

（軽微な追加又は変更）

第六五条　法第四十六条第一項の主務省令で定める軽微な追加又は変更は、令第六条第一項第一号から第八号までに掲げる事項及び第十一条第一項に掲げる事項（第十一条第一項第九号に掲げる事項のうち、不動産特定共同事業契約に基づき営まれる不動産取引に係る業務の委託先の商号又は名称及び住所を除く。）以外の事項の追加又は変更とする。

（変更の登録の申請）

第六六条　法第四十六条の規定による変更登録の申請は、別記様式第十五号による変更登録申請書を提出して行うものとする。

2　前項の変更登録申請書には、次に掲げる書類を添付するものとする。

一　小規模不動産特定共同事業の種別を変更しようとする場合にあっては、小規模不動産特定共同事業の業務を執行するための組織に関する事項を記載した書類

二　新たに不動産特定共同事業契約約款を作成し、又は不動産特定共同事業契約約款の追加若しくは変更をしようとする場合にあっては、新たに

作成若しくは追加しようとする不動産特定共同事業契約約款又は変更後の不動産特定共同事業契約約款

三　新たに電子取引業務を行おうとする場合にあっては、電子取引業務を遂行するための体制に関する事項を記載した書類

四　事務所を追加して設置しようとする場合にあっては、当該事務所に係る次に掲げる書類

イ　法第四十二条第二項第三号に掲げる書面

ロ　事務所に置かれる法第五十条第二項において準用する法第十七条第一項に規定する者に係る第六十条第一項第三号に掲げる事項を記載した書面

3　前二項の規定により提出すべき変更登録申請書及びその添付書類の部数については、第九条の規定を準用する。

（登録申請書の記載事項の変更の届出）

第六七条　法第四十七条第一項の規定による変更の届出は、別記様式第十六号による変更届出書を提出して行うものとする。

2　法第四十七条第一項の規定により変更の届出をしようとする場合において当該変更が次に掲げるものであるときは、前項の変更届出書に当該各号に掲げる書類を添付するものとする。

一　法第四十二条第一項第一号又は第四号に掲げる事項についての変更　変更後の登記事項証明書又はこれに代わる書面

二　法第四十二条第一項第二号に掲げる事項についての変更（新たに役員又は令第十条で定める使用人となる者がある場合に限る。）　新たに役員又は令第十条で定める使用人となる者に係る第六十一条第一項第二号に掲げる事項を記載した書面

三　法第四十二条第一項第三号に掲げる事項のうち事務所の所在地についての変更（事務所の廃止に伴うものを除く。）　変更後の登記事項証明書又はこれに代わる書面

四　法第四十二条第一項第三号に掲げる事項のうち事務所ごとに置かれる法第五十条第二項において準用する法第十七条第一項に規定する者の変更（同項に規定する者が新たに事務所に置かれる場合に限る。）　新たに事務所に置かれる法第五十条第二項において準用する法第十七条第一項に規定する者に係る第六十一条第一項第二号に掲げる事項を記載した書面

五　法第四十二条第一項第八号に掲げる事項についての変更（定款又はこれに代わる書面の変更を伴うものに限る。）　変更後の定款又はこれに代わる書面

3　前項の規定により提出すべき変更届出書及びその添付書類の部数については、第九条の規定を準用する。

（廃業等の届出）

第六八条　法第四十八条第一項の規定による届出は、別記様式第十七号による廃業等届出書を提出して行うものとする。

2　前項の規定により提出すべき廃業等届出書の部数については、第十七条第二項の規定を準用する。

（小規模不動産特定共同事業者登録簿等の閲覧）

第六九条　法第四十九条の主務省令で定める書類は、第六十一条第二項各号に掲げる書類とする。

2　法第五十八条第六項の規定により法第四十九条を読み替えて適用する場合における同条の主務省令で定める事項は、法第五十八条第二項の規定による届出の年月日及び受理番号とする。

3　主務大臣又は都道府県知事は、法第四十九条に規定する書類を一般の閲覧に供するため、小規模不動産特定共同事業者登録簿等閲覧所（次項において「閲覧所」という。）を設けなければならない。

4　主務大臣又は都道府県知事は、前項の規定により閲覧所を設けたときは、当該閲覧所の閲覧規則を定めるとともに、当該閲覧所の場所及び閲覧規則を告示しなければならない。

（小規模不動産特定共同事業者の勧誘時における告知事項）

第七〇条　法第五十条第一項の主務省令で定める事項は、事業参加者が不動産特定共同事業契約に基づき行うことができる出資の価額の上限額とする。

（業務に関する規定の準用等）

第七一条　第二十条から第四十条まで、第四十二条第一項、第四十三条（同条第一項第四号を除く。）、第四十四条から第四十九条第一項まで及び第五十条から第五十五条までの規定は、小規模不動産特定共同事業者が行う小規模不動産特定共同事業について準用する。この場合において、第二十条中「第十六条第一項」とあるのは「第五十条第二項において準用する法第十六条第一項」と、「別記様式第八号」とあるのは「別記様式第十八号」と、第二十一条第一項中「第十七条第一項」とあるのは「第五十条第二項において準用する法第十七条第一項」と、第二十一条第二項及び第三項中「第十七条第二項」とあるのは「第五十条第二項において準用する法第十七条第二項」と、第三十七条第一項中「第十八条第三項」とあるのは「第五十条第二項において準用する法第十八条第三項」と、第三十八条中「第二十一条第四項」とあるのは「第五十条第二項において準用する法第二十一条第四項」と、第三十九条中「第二十一条の二において準用する金融商品取引法第三十九条第三項」とあるのは「第五十条第二項において準用する準用金融商品取引法第三十九条第三項」と、第四十条中「第二十一条の二において準用する金融商品取引法第四十条第二号」とあるのは「第五十条第二項において準用する準用金融商品取引法第四十条第二号」と、第四十二条第一項中「第二十二条の二第一項及び第二項」とあるのは「第五十条第二項において準用する法第二十二条の二第一項」と、第四十三条中「第二十四条第一項」とあるのは「第五十条第二項において準用する法第二十四条第一項」と、同条第一項第二号及び第四十七条第二項第三号中「許可番号（届出特定信託会社にあっては、法第六十七条第三項の規定による届出の受理番号、届出特別金融機関等にあっては、令第十七条第三項の規定による届出の受理番号）」とあるのは「登録番号」と、第四十三条第一項第六号中「第一号事業」とあるのは「法第二条第六項第一号に掲げる行為に係る事業」と、「三年」とあるのは「二年」と、同項第十一号中「第二条第三項各号」とあるのは「第二条第三項第一号又は第二号」と、同項第十六号へ、第四十七条第三項及び第五十四条第三号中「第二十五条第一項」とあるのは「第五十条第二項において準用する法第二十五条第一項」と、第四十三条第一項第二十六号ト中「第二十六条第二項及び第三項」とあるのは「第五十条第二項において準用する法第二十六条第二項及び第三項」と、同条第二項第三号イ中「第二十七条」とあるのは「第五十条第二項において準用する法第二十七条」と、第四十四条第一項及び第四十六条第一項中「第二十四条第三項」とあるのは「第五十条第二項において準用する法第二十四条第三項」と、「第二十五条第三項」とあるのは「第五十条第二項において準用する法第二十五条第三項」と、第四十五条及び第四十六条第一項中「第八条第一項」とあるのは「第十二条において準用する令第八条第一項」と、第四十七条第一項中「第二十五条第一項第七号」とあるのは「第五十条第二項において準用する法第二十五条第一項第七号」と、同項第六号中「第二十六条第一項」とあるのは「第五十条第二項において準用する法第二十六条第一項」と、同条第二項中「第二十五条第一項第八号」とあるのは「第五十条第二項において準用する法第二十五条第一項第八号」と、第四十八条中「第二十六条の二ただし書」とあるのは「第五十条第二項において準用する法第二十六条の二ただし書」と、第五十条中「第二十八条第二項」とあるのは「第五十条第二項において準用する法第二十八条第二項」と、第五十一条第一項及び第二項中「第二十九条」とあるのは「第五十条第二項において準用する法第二十九条」と、同条第一項中「第三号事業」とあるのは「小規模第二号事業」と、第五十二条第二項中「第三十条第二項」とあるのは「第五十条第二項において準用する法第三十条第二項」と、第五十三条中「第三十一条の二第一項」とあるのは「第五十条第二項において準用する法第三十一条の二第一項」と、同条第一項第二号中「許可番号」とあるのは「登録番号」と、第五十四条中「第三十一条の二第二項」とあるのは「第五十条第二項において準用する法第三十一条の二第二項」と、第五十五条第一項及び第四項中「第三十一条の二第三項」とあるのは「第五十条第二項において準用する法第三十一条の二第三項」と読み替えるものとする。

（監督に関する規定の準用等）

第七二条　第五十六条、第五十七条第一項及び第五十八条の規定は、小規模不動産特定共同事業者が行う小規模不動産特定共同事業について準用する。この場合において、第五十六条第一項及び第二項中「第三十二条」とあるのは「第五十七条において準用する法第三十二条」と、同条第一項第二号中「第二十四条第一項」とあるのは「第五十条第二項において準用する法第二十四条第一項」と、同項第三号中「第二十五条第一項」とあるのは「第五十条第二項において準用する法第二十五条第一項」と、同項第四号中「第二十六条第一項」とあるのは「第五十条第二項において準用する法第二十六条第一項」と、同項第六号中「不動産特定共同事業者（第一号

事業又は第三号事業を行う者に限る。）にあっては、次に掲げる書類」とあるのは「次に掲げる書類」と、第五十七条第一項中「第三十三条」とあるのは「第五十七条において準用する法第三十三条」と、第五十八条中「第三十八条」とあるのは「第五十七条において準用する法第三十八条」と読み替えるものとする。

（特例事業の開始に係る届出）

第七三条　法第五十八条第二項の規定による届出は、別記様式第十九号による届出書を提出して行うものとする。

2　前項の届出書及び法第五十八条第三項の規定による添付書類の部数については、第九条の規定を準用する。

（特例事業開始届出書の添付書類の記載事項等）

第七四条　法第五十八条第三項第三号の主務省令で定める事項は、次に掲げるものとする。

一　役員が法人であるときは、当該法人の商号又は名称並びに当該役員の職務を行うべき者の氏名及び住所

二　役員及び令第十三条で定める使用人の略歴又は沿革

2　前項各号に掲げる事項を記載した書類の様式は、別記様式第二十号によるものとする。

（特例事業開始届出書の記載事項の変更の届出）

第七五条　法第五十八条第四項の規定による変更の届出は、別記様式第二十一号による変更届出書を提出して行うものとする。

2　法第五十八条第四項の規定により届出をしようとする場合において当該変更が次に掲げるものであるときは、前項の変更届出書に当該各号に掲げる書類を添付するものとする。

一　法第五十八条第二項第一号又は第四号に掲げる事項についての変更　変更後の登記事項証明書又はこれに代わる書面

二　法第五十八条第二項第二号に掲げる事項についての変更（新たに役員又は令第十三条で定める使用人となる者がある場合に限る。）　新たに役員又は令第十三条で定める使用人となる者に係る前条第一項第二号に掲げる事項を記載した書面

3　前二項の規定により提出すべき変更届出書及びその添付書類の部数については、第九条の規定を準用する。

（特例事業に該当しなくなった場合の届出）

第七六条　法第五十八条第八項の規定による届出は、別記様式第二十二号による特例事業に該当しなくなった場合の届出書を提出して行うものとする。

2　前項の規定により提出すべき特例事業に該当しなくなった場合の届出書の部数については、第十七条第二項の規定を準用する。

第七七条　削除

（適格特例投資家限定事業の開始に係る届出）

第七八条　法第五十九条第二項第七号の主務省令で定める事項は、次に掲げるものとする。

一　宅地建物取引業法第三条第一項の免許に関する事項（第三号に規定する場合を除く。）

二　相手方又は事業参加者となる適格特例投資家の商号又は名称、種別及び主たる事務所の所在地

三　不動産特定共同事業契約に基づき営まれる不動産取引に係る業務の全てを宅地建物取引業者に委託する場合にあっては、当該宅地建物取引業者の商号又は名称、主たる事務所の所在地及び宅地建物取引業法第三条第一項の免許に関する事項

2　法第五十九条第二項の規定による届出は、別記様式第二十四号による届出書を提出して行うものとする。

3　前項の届出書及び法第五十九条第三項の規定による添付書類の部数については、第九条の規定を準用する。

（適格特例投資家限定事業開始届出の添付書類）

第七九条　法第五十九条第三項第四号の主務省令で定める書面は、次に掲げるものとする。

一　役員が法人であるときは、当該法人の商号又は名称並びに当該役員の職務を行うべき者の氏名及び住所を記載した書面

二　役員及び令第十四条で定める使用人の略歴又は沿革を記載した書面

三　適格特例投資家限定事業の業務を執行するための組織に関する事項を記載した書面

2　法第五十九条第三項第三号に掲げる書面及び前項各号に掲げる書面の様式は、別記様式第二十五号によるものとする。

（適格特例投資家限定事業開始届出書の記載事項の変更の届出）

第八〇条　法第五十九条第五項の規定による変更の届出は、別記様式第二十六号による変更届出書を提出して行うものとする。

2　法第五十九条第五項の規定により届出をしようとする場合において当該変更が次に掲げるものであるときは、前項の変更届出書に当該各号に掲げる書類を添付するものとする。

一　法第五十九条第二項第一号又は第四号に掲げる事項についての変更　変更後の登記事項証明書又はこれに代わる書面

二　法第五十九条第二項第二号に掲げる事項についての変更（新たに役員又は令第十四条で定める使用人となる者がある場合に限る。）　新たに役員又は令第十四条で定める使用人となる者に係る前条第一項第二号に掲げる書面

三　法第五十九条第二項第三号に掲げる事項についての変更（事務所の廃止に伴うものを除く。）　変更後の登記事項証明書又はこれに代わる書面

四　法第五十九条第二項第六号に掲げる事項についての変更（定款又はこれに代わる書面の変更を伴うものに限る。）　変更後の定款又はこれに代わる書面

3　前項の規定により提出すべき変更届出書及びその添付書類の部数については、第九条の規定を準用する。

（適格特例投資家限定事業に関する帳簿書類の作成等）

第八一条　適格特例投資家限定事業者は、対象不動産が同一である不動産特定共同事業契約ごとに次に掲げる書類を調製することにより、法第六十一条第一項に規定する適格特例投資家限定事業に関する帳簿書類を作成するものとする。

一　事業参加者の商号又は名称及び住所その他の連絡先を記載した書面

二　不動産特定共同事業契約に係る不動産取引から生ずる収益又は利益の明細を記載した書面

三　不動産特定共同事業契約に係る財産の明細を記載した書面

四　不動産特定共同事業契約に基づき出資された財産の明細を記載した書面

2　第五十六条第二項及び第三項の規定は、前項の書類について準用する。

（適格特例投資家限定事業に係る事業報告書の様式）

第八二条　法第六十一条第二項に規定する事業報告書の様式は、別記様式第二十一号によるものとする。

（適格特例投資家限定事業に該当しなくなった場合の届出）

第八三条　法第六十一条第四項の規定による届出は、別記様式第二十七号による適格特例投資家限定事業に該当しなくなった場合の届出書を提出して行うものとする。

2　前項の規定により提出すべき適格特例投資家限定事業に該当しなくなった場合の届出書の部数については、第十七条第二項の規定を準用する。

（適格特例投資家限定事業者に対する監督処分の公告）

第八四条　法第六十一条第十項の規定による公告は、主務大臣の処分に係るものにあっては官報により、都道府県知事の処分に係るものにあっては当該都道府県の公報又はウェブサイトへの掲載その他の適切な方法によるものとする。

（特定信託会社等の届出）

第八五条　法第六十七条第三項の規定による届出は、法第五条第一項各号に掲げる事項（同項第五号に掲げるものを除く。）を記載した届出書を、令第十七条第三項の規定による届出は、法第五条第一項各号に掲げる事項（同項第五号に掲げるものを除く。）及び兼営法第一条第一項に規定する信託業務のうち不動産特定共同事業として行おうとするものの内容を記載した届出書を提出して行うものとする。

2　前項の届出書には、次に掲げる書類を添付するものとする。

一　不動産特定共同事業契約約款

二　法第五条第二項第一号から第三号までに掲げる書類

三　第八条第一項各号に掲げる事項を記載した書類

四　第八条第二項第二号及び第三号に掲げる書類

五　信託業務を兼営する金融機関で宅地建物取引業法施行令第九条第三項の規定による届出をしたものにあっては、兼営法第一条第一項の認可を受けたことを証する書面及び金融機関の信託業務の兼営等に関する法律施行規則（昭和五十七年大蔵省令第十六号）第一条第一項に規定する業務の種類及び方法書

六　令第十六条各号に掲げる信託会社で宅地建物取引業法施行令第九条第三項の規定による届出をしたものにあつては、信託業法第三条の免許を受けたことを証する書面及び同法第四条第二項第三号に掲げる業務方法書

3　法第二条第四項第二号に掲げる行為に係る事業若しくは第四号事業のみを行おうとする法第六十七条第一項に規定する特定信託会社若しくは令第十六条第一項に規定する特別金融機関等又は特例投資家のみを相手方若しくは事業参加者として不動産特定共同事業を行おうとする法第六十七条第一項に規定する特定信託会社若しくは令第十六条第一項に規定する特別金融機関等は、法第六十七条第三項又は令第十七条第三項の規定による届出を行う場合において不動産特定共同事業契約約款の添付を要しないものとする。

4　法第六十七条第三項の規定、令第十七条第三項の規定並びに第一項及び第二項の規定により提出すべき届出書及びその添付書類の部数については、第九条の規定を準用する。

（特定信託会社等の変更の届出）

第八六条　届出特定信託会社又は届出特別金融機関等は、不動産特定共同事業者名簿に登載された第十八条第一項第三号に掲げる事項について変更があつた場合においては、法第六十七条第四項又は令第十七条第四項の規定による届出を行うことを要しないものとする。

2　法第六十七条第四項又は令第十七条第四項の規定による変更の届出は、変更届出書を提出して行うものとする。

3　法第六十七条第四項又は令第十七条第四項の規定により変更の届出をしようとする場合において当該変更が次に掲げるものであるときは、前項の変更届出書に当該各号に掲げる書類を添付するものとする。

一　法第五条第一項第一号又は第四号に掲げる事項についての変更	変更後の登記事項証明書又はこれに代わる書面
二　法第五条第一項第二号に掲げる事項についての変更（新たに役員又は令第四条で定める使用人となる者がある場合に限る。）	新たに役員又は令第四条で定める使用人となる者に係る第八条第一項第二号に掲げる事項を記載した書面
三　法第五条第一項第三号に掲げる事項のうち事務所の所在地についての変更（事務所の廃止に伴うものを除く。）	変更後の登記事項証明書又はこれに代わる書面
四　法第五条第一項第三号に掲げる事項のうち事務所ごとに置かれる法第十七条第一項に規定する者の変更（同項に規定する者が新たに事務所に置かれる場合に限る。）	新たに事務所に置かれる法第十七条第一項に規定する者に係る第八条第一項第二号に掲げる事項を記載した書面
五　法第五条第一項第十一号に掲げる事項についての変更（定款の変更を伴うものに限る。）	変更後の定款
六　不動産特定共同事業契約約款の追加又は変更	追加した不動産特定共同事業契約約款又は変更後の不動産特定共同事業契約約款

4　前二項の規定により提出すべき変更届出書及びその添付書類の部数については、第九条の規定を準用する。

（準用）

第八七条　令第十七条第二項の規定により届出特別金融機関等について法第十六条第一項を適用する場合においては、第二十条中「別記様式第八号」とあるのは「別記様式第二十八号」と読み替えるものとする。

（標準処理期間）

第八八条　主務大臣は、法、令又はこの命令の規定による主務大臣の許可又は認可の申請が到達してから処分するまでの期間を九十日以内と、法、令又はこの命令の規定による主務大臣の登録の申請が到達してから処分するまでの期間を六十日以内とするよう努めるものとする。

2　前項に規定する期間には、次に掲げる期間を含まないものとする。

一　前項の申請を補正するために要する期間

二　前項の申請をした者が当該申請の内容を変更するために要する期間

三　前項の申請をした者が当該申請に係る審査に必要と認められる資料を追加するために要する期間

（訳文の添付）

第八九条　法、令又はこの規則の規定により金融庁長官、国土交通大臣、財務局長、福岡財務支局長、地方整備局長、北海道開発局長又は都道府県知事に提出する書類で、特別の事情により日本語で記載することができないものがあるときは、その訳文を付さなければならない。

附　則

（施行期日）

第一条　この省令は、法の施行の日（平成七年四月一日）から施行する。

（経過措置）

第二条　法附則第二条第二項の規定により不動産特定共同事業者とみなされる者についての第十三条及び第二十条の規定の適用に関しては、第十三条中「廃業等届出書」とあるのは「廃業等届出書に準ずる様式による書面」と、第二十条第一項第一号中「商号又は名称、住所及び代表者の氏名」とあるのは「商号若しくは名称又は氏名及び住所並びに法人にあつては、その代表者の氏名」と、同項第二号中「許可番号」とあるのは「法附則第二条第五項の規定による提出についての受理番号」とする。

2　法附則第二条第五項に規定する主務省令で定める書類は、現に使用している約款その他これに類する書類及び第五条第二項第三号から第五号までに掲げる書類（その者が個人である場合にあつては、同項第五号に掲げる書類を除く。）とする。

3　法附則第二条第五項に規定する書面の様式は、別記様式第一号に準ずる様式によるものとする。

4　法附則第二条第五項の規定により主務大臣に書類を提出しようとする者は、その主たる事務所の所在地を管轄する都道府県知事を経由して提出しなければならない。

5　法附則第二条第五項及び第二項の規定により提出すべき届出書及びその添付書類の部数については、第六条の規定を準用する。

6　法附則第二条第六項の規定による届出は、変更届出書を提出して行うものとする。

7　法附則第二条第六項の規定により変更の届出をしようとする場合において当該変更が次に掲げるものであるときは、前項の変更届出書に当該各号に掲げる書類を添付するものとする。

一　法第五条第一項第一号に掲げる事項についての変更	変更後の定款又はこれに代わる書面
二　法第五条第一項第二号に掲げる事項についての変更（新たに役員又は令第三条で定める使用人となる者がある場合に限る。）	新たに役員又は令第三条で定める使用人となる者に係る第五条第一項第三号に掲げる事項を記載した書面
三　法第五条第一項第三号に掲げる事項のうち事務所の所在地についての変更（事務所の廃止に伴うものを除く。）	所在地の変更があつた事務所に係る第五条第一項第二号に掲げる事項を記載した書面並びに同条第二項第三号に掲げる地図及び写真
四　法第五条第一項第三号に掲げる事項のうち事務所に置かれる法第十七条第一項に規定する者の氏名又は住所についての変更（同項に規定する者が新たに事務所に置かれる場合に限る。）	新たに事務所に置かれる法第十七条第一項に規定する者に係る第五条第一項第三号に掲げる事項を記載した書面
五　法第五条第一項第四号に掲げる事項についての変更	発行済株式総数の百分の五以上の株式を有する株主又は出資の額の百分の五以上の額に相当する出資をしている者の氏名又は名称、住所及びその有する株式の数又はその者のなした出資の額を記載した書面
六　法第五条第一項第七号に掲げる事項についての変更（定款又はこれに代わる書面の変更を伴うものに限る。）	変更後の定款又はこれに代わる書面
七　約款その他これに類する書類の追加又は変更	追加した約款その他これに類する書類又は変更後の約款その他これに類する書類

8　前二項の規定により提出すべき変更届出書及びその添付書類の部数につ

いては、第六条の規定を準用する。

附　則〔平成九・五・二三大蔵・建設省令四〕

（施行期日）

1　この省令は、不動産特定共同事業法の一部を改正する法律の施行の日（平成九年五月二十三日）から施行する。

（経過措置）

2　この省令による改正前の別記様式第一号、第三号及び第四号による申請書並びにこの省令の施行後に生じた事由に係る別記様式第五号による届出書は、この省令の施行の日から三月間は、それぞれこの省令による改正後の別記様式第一号、第三号及び第四号による申請書並びに別記様式第五号による届出書とみなす。

附　則〔略〕〔平成一〇・六・八大蔵・建設省令四〕

附　則〔略〕〔平成一〇・六・一八総理府・大蔵・建設省令一〕

附　則〔平成一一・九・二七総理府・大蔵・建設省令二〕

（施行期日）

第一条　この命令は、公布の日から施行する。

（経過措置）

第二条　この命令の施行の際現に改正前の第十七条第一項の規定により主務大臣が定める基準に適合する者は、改正後の同項第三号の規定により建設大臣が事業を定めるまでの間は、同号に規定する証明を受けた者とみなす。

附　則〔略〕〔平成一二・二・一総理府・大蔵・建設省令一〕

附　則〔略〕〔平成一二・三・三一総理府・大蔵・建設省令二〕

附　則〔略〕〔平成一二・六・二八総理府・大蔵・建設省令三〕

附　則〔略〕〔平成一二・六・三〇総理府・建設省令一〕

附　則〔略〕〔平成一二・九・二九総理府・建設省令二〕

附　則〔略〕〔平成一二・一〇・三〇総理府・建設省令三〕

附　則〔略〕〔平成一二・一一・一七総理府・建設省令五〕

附　則〔略〕〔平成一二・一一・一七総理府・建設省令六〕

附　則〔略〕〔平成一六・一・三〇内閣府・国土交通省令一〕

附　則〔平成一六・四・一内閣府・国土交通省令三〕

1　この命令は、公布の日から施行する。

2　この命令による改正後の不動産特定共同事業法施行規則別記様式第九号及び第十号は、平成十六年三月三十一日以後に終了する事業年度に係る比較貸借対照表及び比較損益計算表について適用し、同日前に終了した事業年度に係るものについては、なお従前の例による。

附　則〔略〕〔平成一六・一二・二八内閣府・国土交通省令六〕

附　則〔略〕〔平成一七・六・一六内閣府・国土交通省令四〕

附　則〔略〕〔平成一七・一二・二二内閣府・国土交通省令七〕

附　則〔平成一八・三・三一内閣府・国土交通省令三〕

（施行期日）

第一条　この命令は、公布の日から施行する。

（不動産特定共同事業法施行規則の一部改正に伴う経過措置）

第二条　この命令の施行の際現にこの命令による改正前の不動産特定共同事業法施行規則（以下「旧規則」という。）第十七条第一項第三号の指定を受けている事業は、この命令の施行の日から起算して一年を経過する日までの間は、改正後の不動産特定共同事業法施行規則（以下「新規則」という。）第十七条第一項第三号の登録を受けているものとみなす。

2　この命令の施行前及びこの命令の施行の日から起算して一年を経過する日までの間に旧規則第十七条第一項第三号の指定を受けた事業に係る試験に合格した者は、新規則第十七条第一項第三号の登録を受けた事業に係る試験に合格した者とみなす。

3　この命令の施行の際現に旧規則第十七条第一項第三号の指定を受けた事業による証明を受けている者は、当該証明を受けている間は、新規則第十七条第一項第三号の登録を受けた事業による証明を受けている者とみなす。

附　則〔平成一八・四・二八内閣府・国土交通省令四〕

（施行期日）

1　この命令は、会社法の施行の日（平成十八年五月一日）から施行する。

（経過措置）

2　この命令の施行の際現にあるこの命令による改正前の様式又は書式による申請書その他の文書は、この命令による改正後のそれぞれの様式又は書式にかかわらず、当分の間、なおこれを使用することができる。

3　この命令の施行前にしたこの命令による改正前の不動産特定共同事業法施行規則の規定による処分、手続その他の行為は、この命令による改正後の不動産特定共同事業法施行規則（以下「新規則」という。）の規定の適用については、新規則の相当規定によってしたものとみなす。

附　則〔略〕〔平成一九・八・九内閣府・国土交通省令一〕

附　則〔平成一九・九・二七内閣府・国土交通省令三〕

1　この命令は、平成十九年十月一日から施行する。

2　旧郵便貯金（郵政民営化法等の施行に伴う関係法律の整備等に関する法律附則第三条第十号に規定する旧郵便貯金をいう。）は、この命令による改正後の不動産特定共同事業法施行規則第八条第二項第十四号ロの規定の適用については、銀行への預金とみなす。

附　則〔略〕〔平成二〇・九・三〇内閣府・国土交通省令三〕

附　則〔略〕〔平成二一・三・三一内閣府・国土交通省令一〕

附　則〔略〕〔平成二三・一二・二六内閣府・国土交通省令六〕

附　則〔抄〕〔平成二五・四・一内閣府・国土交通省令三〕

1　この命令は、公布の日から施行する。ただし、第二十条及び第二十三条の改正規定は、平成二十五年十月一日から施行する。

2　この命令による改正後の第五条第二項第四号及び第二十六条第二項の規定は、平成二十五年十月一日以後に開始する事業年度に係る書類から適用し、同日前に開始した事業年度に係る書類については、なお従前の例による。

3　この命令による改正後の第二十一条の二及び第二十二条の規定は、平成二十五年十月一日以後に開始する事業年度から適用し、同日前に開始した事業年度については、なお従前の例による。

附　則〔平成二五・一二・一一内閣府・国土交通省令六〕

（施行期日）

第一条　この命令は、不動産特定共同事業法の一部を改正する法律（次条及び附則第三条において「改正法」という。）の施行の日（平成二十五年十二月二十日）から施行する。

（経過措置）

第二条　この命令の施行前に改正法による改正前の不動産特定共同事業法（次条において「旧法」という。）第五条の規定によりされた許可の申請であって、この命令の施行の際、許可又は不許可の処分がされていないものについての許可又は不許可の処分については、なお従前の例による。

第三条　この命令による改正後の不動産特定共同事業法施行規則（附則第五条において「新規則」という。）第二十条第一項の規定は、この命令の施行の日（以下この条において「施行日」という。）以後にされた改正法による改正後の不動産特定共同事業法（以下この条において「新法」という。）第三条第一項の許可又は新法第九条第一項の認可に係る不動産特定共同事業契約約款（前条の規定によりなお従前の例によりされた許可に係るものを除く。）に基づく不動産特定共同事業契約（予約を含む。以下この条及び次条において同じ。）について適用し、施行日前にされた旧法第三条第一項の許可又は旧法第九条第一項の認可に係る不動産特定共同事業契約約款及び前条の規定によりなお従前の例によりされた許可に係る不動産特定共同事業契約約款に基づく不動産特定共同事業契約については、なお従前の例による。

第四条　この命令の施行の際現にこの命令による改正前の不動産特定共同事業法施行規則（次条において「旧規則」という。）第三十一条第一項第三号に該当する者については、この命令の施行前に締結した不動産特定共同事業契約に限り、特例投資家とみなす。

第五条　この命令の施行の際現にある旧規則の様式による申請書その他の文書は、新規則のそれぞれの様式にかかわらず、当分の間、なおこれを使用することができる。

附　則〔平成二六・四・一内閣府・国土交通省令三〕

（施行期日）

1　この命令は、平成二十六年四月一日から施行する。

（経過措置）

2　この命令の施行の際現にあるこの命令による改正前の様式による用紙に

ついては、当分の間、これを取り繕って使用することができる。

附　則〔平成二七・一・一五内閣府・国土交通省令一〕

（施行期日）

第一条　この命令は、公布の日から施行する。ただし、別記様式第八号の改正規定（「取引主任者」を「宅地建物取引士」に改める部分に限る。）は、平成二十七年四月一日から施行する。

（経過措置）

第二条　この命令の施行の際現にあるこの命令による改正前の様式による用紙については、当分の間、これを取り繕って使用することができる。

附　則〔平成二九・一二・一内閣府・国土交通省令四〕

（施行期日）

第一条　この命令は、公布の日から施行する。ただし、第四十三条第一項第十七号ヌの改正規定は、平成三十年四月一日から施行する。

（経過措置）

第二条　この命令の施行の際現に電子取引業務（改正法第一条の規定による改正後の不動産特定共同事業法（以下「新法」という。）第五条第一項第十号に規定する電子取引業務をいう。）を行っている不動産特定共同事業者については、この命令の施行の日（附則第三条及び第四条において「施行日」という。）から起算して六月を経過する日までの間（当該不動産特定共同事業者が当該期間内に新法第九条第一項第三号の規定による認可の申請をした場合において当該期間を経過したときは、その申請について認可又は不認可の処分があるまでの間）は、この命令による改正後の不動産特定共同事業法施行規則（以下「新規則」という。）第四十三条第一項第四十三号及び第五十三条から第五十五条までの規定は、適用しない。

第三条　施行日前にされた改正法による改正前の不動産特定共同事業法（以下この条及び次条において「旧法」という。）第三条第一項の許可又は旧法第九条第一項の認可に係る不動産特定共同事業契約約款及び改正法附則第二条第二項の規定によりなお従前の例によりされた許可に係る不動産特定共同事業契約約款に基づく不動産特定共同事業契約については、なお従前の例による。

第四条　改正法の施行の際現に旧法第三条第一項の許可を受けている者についての新規則第四十三条及び第四十七条の規定の適用については、施行日から起算して六月を経過する日までの間は、なお従前の例によることができる。

第五条　この命令の施行の際現にあるこの命令による改正前の不動産特定共同事業法施行規則の別記様式による申請書その他の文書は、新規則のそれぞれの様式にかかわらず、当分の間、なおこれを使用することができる。

附　則〔平成三一・三・二九内閣府・国土交通省令一〕

（施行期日）

第一条　この命令は、平成三十一年四月十五日から施行する。

（経過措置）

第二条　この命令の施行の日（以下「施行日」という。）前にされた不動産特定共同事業法（以下「法」という。）第三条第一項の許可、法第九条第一項の認可、法第四十一条第一項の登録又は法第四十六条第一項の変更登録に係る不動産特定共同事業契約約款に基づく不動産特定共同事業契約（対象不動産変更型契約に限る。）については、施行日から起算して六月を経過する日までの間（当該期間内に法第九条第一項の認可又は法第四十六条第一項の変更登録の申請がこの命令による改正後の不動産特定共同事業法施行規則（附則第四条において「新規則」という。）に基づいてされた場合において当該期間を経過したときは、その申請について認可若しくは不認可又は変更登録若しくは変更登録の拒否の処分があるまでの間）は、なお従前の例による。

第三条　前条の場合を除き、施行日前にされた法第三条第一項の許可、法第九条第一項の認可、法第四十一条第一項の登録又は法第四十六条第一項の変更登録に係る不動産特定共同事業契約約款に基づく不動産特定共同事業契約については、なお従前の例による。

第四条　この命令の施行の際現に法第三条第一項の許可又は法第四十一条第一項の登録を受けている者についての新規則第四十三条及び第四十七条の規定の適用については、施行日から起算して六月を経過する日までの間は、なお従前の例によることができる。

附　則〔令和元・九・一三内閣府・国土交通省令二〕

（施行期日）

1　この命令は、成年被後見人等の権利の制限に係る措置の適正化等を図るための関係法律の整備に関する法律の施行の日（令和元年九月十四日）から施行する。

（経過措置）

2　この命令の施行の際現にあるこの命令による改正前の不動産特定共同事業法施行規則の別記様式による申請書その他の文書は、この命令による改正後の不動産特定共同事業法施行規則のそれぞれの様式にかかわらず、当分の間、なおこれを使用することができる。

附　則〔略〕〔令和二・一二・二三内閣府・国土交通省令一〇〕

附　則〔略〕〔令和五・一二・二八内閣府・国土交通省令七施行〕

附　則〔令和六・三・二九内閣府・国土交通省令二〕

（施行期日）

第一条　この命令は、令和六年四月一日から施行する。

（不動産特定共同事業法の規定に基づく立入検査の際に携帯する職員の身分を示す証明書の様式の特例に関する命令の廃止）

第二条　不動産特定共同事業法の規定に基づく立入検査の際に携帯する職員の身分を示す証明書の様式の特例に関する命令（令和三年内閣府・国土交通省令第六号）は、廃止する。

（経過措置）

第三条　この命令の施行の際現にあるこの命令による改正又は廃止前の様式（次項において「旧様式」という。）により使用されている身分証明書は、この命令による改正後の様式によるものとみなす。

2　この命令の施行の際現にある旧様式による用紙は、当分の間、これを取り繕って使用することができる。

別記様式〔略〕

●建設業関係細目次●

◉**建設業法**（昭二四法一〇〇）……二八〇三
第一章　総則……二八〇三
第二章　建設業の許可……二八〇三
第三章　建設工事の請負契約……二八〇九
第三章の二　建設工事の請負契約に関する紛争の処理……二八一四
第四章　施工技術の確保……二八一七
第四章の二　建設業者の経営に関する事項の審査等……二八二四
第四章の三　建設業者団体……二八二七
第五章　監督……二八二七
第六章　中央建設業審議会等……二八三〇
第七章　雑則……二八三一
第八章　罰則……二八三三
○建設業法施行令（昭三一政二七三）……二八四五
○建設業法施行規則（昭二四建令一四）……二八五二
○公共工事の入札及び契約の適正化の促進に関する法律（平一二法一二七）……二八九〇
第一章　総則……二八九〇
第二章　情報の公表……二八九〇
第三章　不正行為等に対する措置……二八九一
第四章　適正な金額での契約の締結等のための措置……二八九一
第五章　施工体制の適正化……二八九一
第六章　適正化指針……二八九一
第七章　国による情報の収集、整理及び提供等……二八九二
○公共工事の入札及び契約の適正化の促進に関する法律施行令（平一三政三四）……二八九三
○公共工事の品質確保の促進に関する法律（平一七法一八）……二八九五
第一章　総則……二八九五
第二章　基本方針等……二八九七
第三章　多様な入札及び契約の方法等……二八九八
第四章　公共工事の品質確保のための基盤の整備等……二八九九
○建設工事従事者の安全及び健康の確保の推進に関する法律（平二八法一一一）……二九〇〇
第一章　総則……二九〇〇
第二章　基本計画等……二九〇〇
第三章　基本的施策……二九〇一
第四章　建設工事従事者安全健康確保推進会議……二九〇一
○公共工事の前払金保証事業に関する法律（昭二七法一八四）……二九〇一
第一章　総則……二九〇一
第二章　登録……二九〇二
第三章　前払金保証事業……二九〇三
第四章　監督……二九〇四
第五章　雑則……二九〇四
第六章　罰則……二九〇五
○公共工事の前払金保証事業に関する法律施行令（昭二七政二八六）……二九〇六
○公共工事の前払金保証事業に関する法律施行規則（昭二七建令二三）……二九〇七
○建設機械抵当法（昭二九法九七）……二九〇八
○建設機械抵当法施行令（昭二九政二九四）……二九一〇
○建設機械抵当法施行規則（昭二九建令三五）……二九一三
○建設工事に係る資材の再資源化等に関する法律（平一二法一〇四）……二九一三
第一章　総則……二九一三
第二章　基本方針等……二九一四
第三章　分別解体等の実施……二九一四
第四章　再資源化等の実施……二九一五
第五章　解体工事業……二九一五
第六章　雑則……二九一七
第七章　罰則……二九一七
○建設工事に係る資材の再資源化等に関する法律施行令（平一二政四九五）……二九一九
○建設工事に係る資材の再資源化等に関する法律施行規則（平一四国交・環令一）……二九二一
○特定特殊自動車排出ガスの規制等に関する法律（平一七法五一）……二九二二
第一章　総則……二九二二
第二章　特定原動機及び特定特殊自動車……二九二二
第三章　特定特殊自動車の使用の制限等……二九二三
第四章　登録特定原動機検査機関及び登録特定特殊自動車検査機関……二九二四
第五章　雑則……二九二五
第六章　罰則……二九二六

◉建設業法 〔昭和二四・五・二四 法律一〇〇〕

改正 昭和二六・六法一七八、法二一一、昭和二七・六法一八四、昭和二八・八法二三三、昭和三一・六法一二五、昭和三五・五法七四、昭和三六・五法八六、六法一四五、昭和三七・九法一六一、昭和四二・六法三六、昭和四六・四法三一、昭和五〇・一二法九〇、昭和五三・五法五五、昭和五八・一二法八三、昭和六二・六法六九、平成五・一一法八九、平成六・六法六三、平成七・五法九一、平成八・六法一一〇、平成一〇・六法一〇一、平成一一・七法八七、法一〇二、一二法一四六、法一五一、法一六〇、平成一二・一一法一二六、法一二七、平成一三・一二法一三八、平成一四・五法四五、一二法一五二、平成一五・六法九六、八法一三八、平成一六・六法七六、一二法一四七、平成一七・七法八七、平成一八・六法五〇、法九二、一二法一一四、平成一九・五法六六、平成二〇・五法二八、平成二三・六法六一、平成二四・八法五三、平成二五・六法四四、一一法八六、平成二六・六法五五、法六九、平成二九・五法四一、六法四五、令和元・六法二六、法三〇、法三七、令和三・五法三七、法四八、令和六・六法四九

注１ ［　］の部分は、令和四年六月一七日法律第六八号により改正され、令和七年六月一日から施行

注２ ［　］の部分は、令和六年六月一四日法律第四九号により改正され、公布の日から起算して一年六月を超えない範囲内において政令で定める日から施行

目次

第一章 総則（第一条・第二条）
第二章 建設業の許可
第一節 通則（第三条−第四条）
第二節 一般建設業の許可（第五条−第十四条）
第三節 特定建設業の許可（第十五条−第十七条）
第四節 承継（第十七条の二・第十七条の三）
第三章 建設工事の請負契約
第一節 通則（第十八条−第二十四条）
第二節 元請負人の義務（第二十四条の二−第二十四条の八）
第三章の二 建設工事の請負契約に関する紛争の処理（第二十五条−第二十五条の二十六）
第四章 施工技術の確保（第二十五条の二十七−第二十七条の二十二）
第四章の二 建設業者の経営に関する事項の審査等（第二十七条の二十三−第二十七条の三十六）
第四章の三 建設業者団体（第二十七条の三十七−第二十七条の四十）
第五章 監督（第二十八条−第三十二条）
第六章 中央建設業審議会等（第三十三条−第三十九条の三）
第七章 雑則（第三十九条の四−第四十四条の三）
第八章 罰則（第四十五条−第五十五条）
附則

第一章 総則

（目的）

第一条 この法律は、建設業を営む者の資質の向上、建設工事の請負契約の適正化等を図ることによつて、建設工事の適正な施工を確保し、発注者を保護するとともに、建設業の健全な発達を促進し、もつて公共の福祉の増進に寄与することを目的とする。

〔全改・昭和四六法三一〕

（定義）

第二条 この法律において「建設工事」とは、土木建築に関する工事で別表第一の上欄に掲げるものをいう。

2 この法律において「建設業」とは、元請、下請その他いかなる名義をもつてするかを問わず、建設工事の完成を請け負う営業をいう。

3 この法律において「建設業者」とは、第三条第一項の許可を受けて建設業を営む者をいう。

4 この法律において「下請契約」とは、建設工事を他の者から請け負つた建設業を営む者と他の建設業を営む者との間で当該建設工事の全部又は一部について締結される請負契約をいう。

5 この法律において「発注者」とは、建設工事（他の者から請け負つたものを除く。）の注文者をいい、「元請負人」とは、下請契約における注文者で建設業者であるものをいい、「下請負人」とは、下請契約における請負人をいう。

〔改正・昭和三六法八六・昭和四六法三一・平成一五法九六〕

参照 【請負契約とみなす場合—法二四】

第二章 建設業の許可

〔追加・昭和四六法三一〕

第一節 通則

（建設業の許可）

第三条 建設業を営もうとする者は、次に掲げる区分により、この章で定めるところにより、二以上の都道府県の区域内に営業所（本店又は支店若しくは政令で定めるこれに準ずるものをいう。以下同じ。）を設けて営業をしようとする場合にあつては国土交通大臣の、一の都道府県の区域内にのみ営業所を設けて営業をしようとする場合にあつては当該営業所の所在地を管轄する都道府県知事の許可を受けなければならない。ただし、政令で定める軽微な建設工事のみを請け負うことを営業とする者は、この限りでない。

一 建設業を営もうとする者であつて、次号に掲げる者以外のもの

二 建設業を営もうとする者であつて、その営業にあたつて、その者が発注者から直接請け負う一件の建設工事につき、その工事の全部又は一部を、下請代金の額（その工事に係る下請契約が二以上あるときは、下請代金の額の総額）が政令で定める金額以上となる下請契約を締結して施工しようとするもの

2 前項の許可は、別表第一の上欄に掲げる建設工事の種類ごとに、それぞれ同表の下欄に掲げる建設業に分けて与えるものとする。

3 第一項の許可は、五年ごとにその更新を受けなければ、その期間の経過によつて、その効力を失う。

4 前項の更新の申請があつた場合において、同項の期間（以下「許可の有効期間」という。）の満了の日までにその申請に対する処分がされないときは、従前の許可は、許可の有効期間の満了後もその処分がされるまでの間は、なおその効力を有する。

5 前項の場合において、許可の更新がされたときは、その許可の有効期間は、従前の許可の有効期間の満了の日の翌日から起算するものとする。

6　第一項第一号に掲げる者に係る同項の許可（第三項の許可の更新を含む。以下「一般建設業の許可」という。）を受けた者が、当該許可に係る建設業について、第一項第二号に掲げる者に係る同項の許可（第三項の許可の更新を含む。以下「特定建設業の許可」という。）を受けたときは、その者に対する当該建設業に係る一般建設業の許可は、その効力を失う。

〔改正・昭和二八法二一三、全改・昭和四六法三一、改正・平成六法六三・平成一一法一六〇・平成一五法九六〕

参照【建設業―法二②【許可基準―法七・八・一五【支店に準ずる営業所―令一【政令で定める軽微な建設工事―令一の二【政令で定める金額―令二【許可の更新の申請―規則五【許可の取消―法二九・二九の二・三二【違反者の相手方に対する監督処分―法二八①6【罰則―法四七①1・5・②・五三

（許可の条件）

第三条の二　国土交通大臣又は都道府県知事は、前条第一項の許可に条件を付し、及びこれを変更することができる。

2　前項の条件は、建設工事の適正な施工の確保及び発注者の保護を図るため必要な最小限度のものに限り、かつ、当該許可を受ける者に不当な義務を課することとならないものでなければならない。

〔追加・平成六法六三、改正・平成一一法一六〇〕

参照【条件―法二九②

（附帯工事）

第四条　建設業者は、許可を受けた建設業に係る建設工事を請け負う場合においては、当該建設工事に附帯する他の建設業に係る建設工事を請け負うことができる。

〔全改・昭和四六法三一〕

参照【附帯工事の施工―法二六の二②

第二節　一般建設業の許可

〔追加・昭和四六法三一〕

（許可の申請）

第五条　一般建設業の許可（第八条第二号及び第三号を除き、以下この節において「許可」という。）を受けようとする者は、国土交通省令で定めるところにより、二以上の都道府県の区域内に営業所を設けて営業をしようとする場合にあつては国土交通大臣に、一の都道府県の区域内にのみ営業所を設けて営業をしようとする場合にあつては当該営業所の所在地を管轄する都道府県知事に、次に掲げる事項を記載した許可申請書を提出しなければならない。

一　商号又は名称

二　営業所の名称及び所在地

三　法人である場合においては、その資本金額（出資総額を含む。第二十四条の六第一項において同じ。）及び役員等（業務を執行する社員、取締役、執行役若しくはこれらに準ずる者又は相談役、顧問その他いかなる名称を有する者であるかを問わず、法人に対し業務を執行する社員、取締役、執行役若しくはこれらに準ずる者と同等以上の支配力を有するものと認められる者をいう。以下同じ。）の氏名

四　個人である場合においては、その者の氏名及び支配人があるときは、その者の氏名

五　その営業所ごとに置かれる第七条第二号に規定する営業所技術者の氏名

六　許可を受けようとする建設業

七　他に営業を行つている場合においては、その営業の種類

〔改正・昭和二六法一一一・昭和二八法二一三・昭和三六法八六、旧六条を改正し繰上・昭和四六法三一、改正・平成六法六三・平成一一法一六〇・平成二六法五五・令和元法三〇・令和六法四九〕

参照【国土交通省令で定めるところ―規則二・六【許可手数料等―法一〇【特定建設業の許可への準用―法一七【罰則―法五〇①1・②・五三

（許可申請書の添付書類）

第六条　前条の許可申請書には、国土交通省令の定めるところにより、次に掲げる書類を添付しなければならない。

一　工事経歴書

二　直前三年の各事業年度における工事施工金額を記載した書面

三　使用人数を記載した書面

四　許可を受けようとする者（法人である場合においては当該法人、その役員等及び政令で定める使用人、個人である場合においてはその者及び政令で定める使用人）及び法定代理人（法人である場合においては、当該法人及びその役員等）が第八条各号に掲げる欠格要件に該当しない者であることを誓約する書面

五　次条第一号及び第二号に掲げる基準を満たしていることを証する書面

六　前各号に掲げる書面以外の書類で国土交通省令で定めるもの

2　許可の更新を受けようとする者は、前項の規定にかかわらず、同項第一号から第三号までに掲げる書類を添付することを要しない。

〔改正・昭和二八法二一三・昭和三六法八六、旧七条を改正し繰上・昭和四六法三一、改正・昭和五八法八三・平成六法六三・平成一一法一六〇・平成一七法八七・平成二三法六一・平成二六法五五〕

参照【国土交通省令の定めるところ―規則二・三【政令で定める使用人―令三【国土交通省令で定めるもの―規則四【特定建設業の許可への準用―法一七【罰則―法五〇①1・②・五三

（許可の基準）

第七条　国土交通大臣又は都道府県知事は、許可を受けようとする者が次に掲げる基準に適合していると認めるときでなければ、許可をしてはならない。

一　建設業に係る経営業務の管理を適正に行うに足りる能力を有するものとして国土交通省令で定める基準に適合する者であること。

二　その営業所ごとに、営業所技術者（建設工事の請負契約の締結及び履行の業務に関する技術上の管理をつかさどる者であつて、次のいずれかに該当する者をいう。第十一条第四項及び第二十六条の五において同じ。）を専任の者として置く者であること。

イ　許可を受けようとする建設業に係る建設工事に関し学校教育法（昭和二十二年法律第二十六号）による高等学校（旧中等学校令（昭和十八年勅令第三十六号）による実業学校を含む。第二十六条の八第一項第二号ロにおいて同じ。）若しくは中等教育学校を卒業した後五年以上又は同法によ

る大学（旧大学令（大正七年勅令第三百八十八号）による大学を含む。同号ロにおいて同じ。）若しくは高等専門学校（旧専門学校令（明治三十六年勅令第六十一号）による専門学校を含む。同号ロにおいて同じ。）を卒業した（同法による専門職大学の前期課程を修了した場合を含む。）後三年以上実務の経験を有する者で在学中に国土交通省令で定める学科を修めたもの

ロ　許可を受けようとする建設業に係る建設工事に関し十年以上実務の経験を有する者

ハ　国土交通大臣がイ又はロに掲げる者と同等以上の知識及び技術又は技能を有するものと認定した者

三　法人である場合においては当該法人又はその役員等若しくは政令で定める使用人が、個人である場合においてはその者又は政令で定める使用人が、請負契約に関して不正又は不誠実な行為をするおそれが明らかな者でないこと。

四　請負契約（第三条第一項ただし書の政令で定める軽微な建設工事に係るものを除く。）を履行するに足りる財産的基礎又は金銭的信用を有しないことが明らかな者でないこと。

〔追加・昭和四六法三一、改正・平成一〇法一〇一・平成一一法一六〇・平成一四法四五・平成一五法九六・平成二六法五五・平成二九法四一・令和元法三〇・令和六法四九〕

参照　【取締役等に準ずる者―中小企業等協同組合法三五①、中小企業団体の組織に関する法律五の二三③【国土交通省令で定める基準―規則七【国土交通省令で定める学科―規則一【知識及び技術又は技能を有するものと認められた者―規則七の三【政令で定める使用人―令三【許可の取消―法二九①1【特定建設業の許可の基準―法一五

第八条　国土交通大臣又は都道府県知事は、許可を受けようとする者が次の各号のいずれか（許可の更新を受けようとする者にあつては、第一号又は第七号から第十四号までのいずれか）に該当するとき、又は許可申請書若しくはその添付書類中に重要な事項について虚偽の記載があり、若しくは重要な事実の記載が欠けているときは、許可をしてはならない。

一　破産手続開始の決定を受けて復権を得ない者

二　第二十九条第一項第七号又は第八号に該当することにより一般建設業の許可又は特定建設業の許可を取り消され、その取消しの日から五年を経過しない者

三　第二十九条第一項第七号又は第八号に該当するとして一般建設業の許可又は特定建設業の許可の取消しの処分に係る行政手続法（平成五年法律第八十八号）第十五条の規定による通知があつた日から当該処分があつた日又は処分をしないことの決定があつた日までの間に第十二条第五号に該当する旨の同条の規定による届出をした者で当該届出の日から五年を経過しないもの

四　前号に規定する期間内に第十二条第五号に該当する旨の同条の規定による届出があつた場合において、前号の通知の日前六十日以内に当該届出に係る法人の役員等若しくは政令で定める使用人であつた者又は当該届出に係る個人の政令で定める使用人であつた者で、当該届出の日から五年を経過しないもの

五　第二十八条第三項又は第五項の規定により営業の停止を命ぜられ、その停止の期間が経過しない者

六　許可を受けようとする建設業について第二十九条の四の規定により営業を禁止され、その禁止の期間が経過しない者

七　禁錮以上の刑に処せられ、その刑の執行を終わり、又はその刑の執行を受けることがなくなつた日から五年を経過しない者

七　拘禁刑以上の刑に処せられ、その刑の執行を終わり、又はその刑の執行を受けることがなくなつた日から五年を経過しない者

八　この法律、建設工事の施工若しくは建設工事に従事する労働者の使用に関する法令の規定で政令で定めるもの若しくは暴力団員による不当な行為の防止等に関する法律（平成三年法律第七十七号）の規定（同法第三十二条の三第七項及び第三十二条の十一第一項の規定を除く。）に違反したことにより、又は刑法（明治四十年法律第四十五号）第二百四条、第二百六条、第二百八条、第二百八条の二、第二百二十二条若しくは第二百四十七条の罪若しくは暴力行為等処罰に関する法律（大正十五年法律第六十号）の罪を犯したことにより、罰金の刑に処せられ、その刑の執行を終わり、又はその刑の執行を受けることがなくなつた日から五年を経過しない者

九　暴力団員による不当な行為の防止等に関する法律第二条第六号に規定する暴力団員又は同号に規定する暴力団員でなくなつた日から五年を経過しない者（第十四号において「暴力団員等」という。）

十　心身の故障により建設業を適正に営むことができない者として国土交通省令で定めるもの

十一　営業に関し成年者と同一の行為能力を有しない未成年者でその法定代理人が前各号又は次号（法人でその役員等のうちに第一号から第四号まで又は第六号から前号までのいずれかに該当する者のあるものに係る部分に限る。）のいずれかに該当するもの

十二　法人でその役員等又は政令で定める使用人のうちに、第一号から第四号まで又は第六号から第十号までのいずれかに該当する者（第二号に該当する者についてはその者が第二十九条の規定により許可を取り消される以前から、第三号又は第四号に該当する者についてはその者が第十二条第五号に該当する旨の同条の規定による届出がされる以前から、第六号に該当する者についてはその者が第二十九条の四の規定により営業を禁止される以前から、建設業者である当該法人の役員等又は政令で定める使用人であつた者を除く。）のあるもの

十三　個人で政令で定める使用人のうちに、第一号から第四号まで又は第六号から第十号までのいずれかに該当する者（第二号に該当する者についてはその者が第二十九条の規定により許可を取り消される以前から、第三号又は第四号に該当する者についてはその者が第十二条第五号に該当する旨の同条の規定による届出がされる以前から、第六号に該当する者についてはその者が第二十九条の四の規定により営業を禁止される以前から、建設業者である当該個人の政令で定める使用人であつた者を除く。）のあるもの

十四　暴力団員等がその事業活動を支配する者

〔全改・昭和四六法三一、改正・平成六法六三・平成七法九一・平成一一法一五一・法一六〇・平成一三法一三八・平成一六法一四七・平成一七法八七・平成二〇法二八・平成二三法六一・平成二四法五三・平成二五法八六・平成二六法五五・令和元法三〇・法三七〕

参照　【政令で定める法令の規定―令三の二【政令で定める使用人―令三【特定建設業の許可への準用―法一七【許可の取消―法二九①2【国土交通省令で定めるもの―規則八の二

（許可換えの場合における従前の許可の効力）

第九条　許可に係る建設業者が許可を受けた後次の各号のいずれかに該当して引き続き許可を受けた建設業を営もうとする場合（第十七条の二第一項から第三項まで又は第十七条の三第四項の規定により他の建設業者の地位を承継したことにより第三号に該当して引き続き許可を受けた建設業を営もうとする場合を除く。）において、第三条第一項の規定により国土交通大臣又は都道府県知事の許可を受けたときは、その者に係る従前の国土交通大臣又は都道府県知事の許可は、その効力を失う。

一　国土交通大臣の許可を受けた者が一の都道府県の区域内にのみ営業所を有することとなつたとき。

二　都道府県知事の許可を受けた者が当該都道府県の区域内における営業所を廃止して、他の一の都道府県の区域内に営業所を設置することとなつたとき。

三　都道府県知事の許可を受けた者が二以上の都道府県の区域内に営業所を有することとなつたとき。

2　第三条第四項の規定は建設業者が前項各号の一に該当して引き続き許可を受けた建設業を営もうとする場合において第五条の規定による申請があつたときについて、第六条第二項の規定はその申請をする者について準用する。

〔改正・昭和二八法二一三、全改・昭和四六法三一、改正・平成六法六三・平成一一法一六〇・令和元法三〇〕

参照【許可換えをしない場合の許可の取消―法二九①3】【特定建設業の許可への準用―法一七】

（登録免許税及び許可手数料）

第一〇条　国土交通大臣の許可を受けようとする者は、次に掲げる区分により、登録免許税法（昭和四十二年法律第三十五号）で定める登録免許税又は政令で定める許可手数料を納めなければならない。

一　許可を受けようとする者であつて、次号に掲げる者以外のものについては、登録免許税

二　第三条第三項の許可の更新を受けようとする者及び既に他の建設業について国土交通大臣の許可を受けている者については、許可手数料

〔全改・昭和四六法三一、改正・平成一一法八七・法一六〇〕

参照【登録免許税―登録免許税法別表一144】【政令で定める許可手数料―令四、地方公共団体の手数料の標準に関する政令表25】【特定建設業の許可への準用―法一七】

（変更等の届出）

第一一条　許可に係る建設業者は、第五条第一号から第五号までに掲げる事項について変更があつたときは、国土交通省令の定めるところにより、三十日以内に、その旨の変更届出書を国土交通大臣又は都道府県知事に提出しなければならない。

2　許可に係る建設業者は、毎事業年度終了の時における第六条第一項第一号及び第二号に掲げる書類その他国土交通省令で定める書類を、毎事業年度経過後四月以内に、国土交通大臣又は都道府県知事に提出しなければならない。

3　許可に係る建設業者は、第六条第一項第三号に掲げる書面その他国土交通省令で定める書類の記載事項に変更を生じたときは、毎事業年度経過後四月以内に、その旨を書面で国土交通大臣又は都道府県知事に届け出なければならない。

4　許可に係る建設業者は、営業所に置く営業所技術者が当該営業所に置かれなくなつた場合又は第七条第二号ハに該当しなくなつた場合において、これに代わるべき者があるときは、国土交通省令の定めるところにより、二週間以内に、その者について、第六条第一項第五号に掲げる書面を国土交通大臣又は都道府県知事に提出しなければならない。

5　許可に係る建設業者は、第七条第一号若しくは第二号に掲げる基準を満たさなくなつたとき、又は第八条第一号及び第七号から第十四号までのいずれかに該当するに至つたときは、国土交通省令の定めるところにより、二週間以内に、その旨を書面で国土交通大臣又は都道府県知事に届け出なければならない。

〔改正・昭和三六法八六、旧一三条を改正し繰上・昭和四六法三一、改正・昭和五〇法九〇・昭和五八法八三・平成六法六三・平成一一法一六〇・平成一七法八七・平成二六法五五・令和元法三〇・法三七・令和六法四九〕

参照【変更届出書の提出等―規則七の二・九～一〇の二・一一】【特定建設業の許可への準用―法一七】【罰則―法五〇①2・3・②・五三】

（廃業等の届出）

第一二条　許可に係る建設業者が次の各号のいずれかに該当することとなつた場合においては、当該各号に掲げる者は、三十日以内に、国土交通大臣又は都道府県知事にその旨を届け出なければならない。

一　許可に係る建設業者が死亡したとき（第十七条の三第一項に規定する相続人が同項の認可の申請をしなかつたときに限る。）は、その相続人

二　法人が合併により消滅したとき（当該消滅までに、合併後存続し、又は合併により設立される法人について第十七条の二第二項の認可がされなかつたときに限る。）は、その役員（業務を執行する社員、取締役、執行役又はこれらに準ずる者をいう。以下同じ。）であつた者

三　法人が破産手続開始の決定により解散したときは、その破産管財人

四　法人が合併又は破産手続開始の決定以外の事由により解散したときは、その清算人

五　許可を受けた建設業を廃止したとき（第十七条の二第一項又は第三項の認可を受けたときを除く。）は、当該許可に係る建設業者であつた個人又は当該許可に係る建設業者であつた法人の役員

〔旧一四条を改正し繰上・昭和四六法三一、改正・平成一一法一六〇・平成一六法七六・令和元法三〇〕

参照【廃業等に伴う許可の取消―法二九①5】【届出―規則一〇の三】【特定建設業の許可への準用―法一七】【罰則―法五五1】

（提出書類の閲覧）

第一三条　国土交通大臣又は都道府県知事は、政令の定めるところにより、次に掲げる書類又はこれらの写しを公衆の閲覧に供する閲覧所を設けなければならない。

一　第五条の許可申請書

二　第六条第一項に規定する書類（同項第一号から第四号までに掲げる書類であるものに限る。）

三　第十一条第一項の変更届出書

四　第十一条第二項に規定する第六条第一項第一号及び第二号に掲げる書類

五　第十一条第三項に規定する第六条第一項第三号に掲げる書面の記載事項に変更が生じた旨の書面

六　前各号に掲げる書類以外の書類で国土交通省令で定めるも

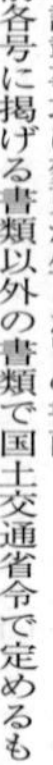

の

〔改正・昭和二八法二一三・昭和三六法八六、旧一六条を改正し繰上・昭和四六法三一、改正・平成六法六三・平成一一法一六〇・平成二六法五五〕

参照【政令で定めるところ―令五】【特定建設業の許可への準用―法一七】【国土交通省令で定めるもの―規則一二】

（国土交通省令への委任）

第一四条 この節に規定するもののほか、許可の申請に関し必要な事項は、国土交通省令で定める。

〔追加・昭和四六法三一、改正・平成一一法一六〇〕

参照【国土交通省令で定める必要な事項―規則五・六・八】

第三節 特定建設業の許可

〔追加・昭和四六法三一〕

（許可の基準）

第一五条 国土交通大臣又は都道府県知事は、特定建設業の許可を受けようとする者が次に掲げる基準に適合していると認めるときでなければ、許可をしてはならない。

一 第七条第一号及び第三号に該当する者であること。

二 その営業所ごとに、特定営業所技術者（建設工事の請負契約の締結及び履行の業務に関する技術上の管理をつかさどる者であつて、次のいずれかに該当する者をいう。第二十六条の五において同じ。）を専任の者として置く者であること。ただし、施工技術（設計図書に従つて建設工事を適正に実施するために必要な専門の知識及びその応用能力をいう。以下同じ。）の総合性、施工技術の普及状況その他の事情を考慮して政令で定める建設業（以下「指定建設業」という。）の許可を受けようとする者にあつては、その営業所ごとに置くべき専任の者は、イに該当する者又はハの規定により国土交通大臣がイに掲げる者と同等以上の能力を有するものと認定した者でなければならない。

イ 第二十七条第一項の規定による技術検定その他の法令の規定による試験で許可を受けようとする建設業の種類に応じ国土交通大臣が定めるものに合格した者又は他の法令の規定による免許で許可を受けようとする建設業の種類に応じ国土交通大臣が定めるものを受けた者

ロ 第七条第二号イ、ロ又はハに該当する者のうち、許可を受けようとする建設業に係る建設工事で、発注者から直接請け負い、その請負代金の額が政令で定める金額以上であるものに関し二年以上指導監督的な実務の経験を有する者

ハ 国土交通大臣がイ又はロに掲げる者と同等以上の能力を有するものと認定した者

三 発注者との間の請負契約で、その請負代金の額が政令で定める金額以上であるものを履行するに足りる財産的基礎を有すること。

〔追加・昭和四六法三一、改正・昭和六二法六九・平成一一法一六〇・令和六法四九〕

参照【営業所―法三①、令一】【二号ただし書の政令で定める建設業―令五の二】【二号ロの政令で定める金額―令五の三】【三号の政令で定める金額―令五の四】【一般建設業の許可の規定の準用―法一七】

（下請契約の締結の制限）

第一六条 特定建設業の許可を受けた者でなければ、その者が発注者から直接請け負つた建設工事を施工するための次の各号の一に該当する下請契約を締結してはならない。

一 その下請契約に係る下請代金の額が、一件で、第三条第一項第二号の政令で定める金額以上である下請契約

二 その下請契約を締結することにより、その下請契約及びすでに締結された当該建設工事を施工するための他のすべての下請契約に係る下請代金の額の総額が、第三条第一項第二号の政令で定める金額以上となる下請契約

〔追加・昭和四六法三一〕

参照【特定建設業の許可―法三①2】【政令で定める金額―令二】【違反者の相手方に対する監督処分―法二八①7】【罰則―法四七①2・②・五三】

（準用規定）

第一七条 第五条、第六条及び第八条から第十四条までの規定は、特定建設業の許可及び特定建設業の許可を受けた者（以下「特定建設業者」という。）について準用する。この場合において、第五条第五号中「第七条第二号に規定する営業所技術者」とあるのは「第十五条第二号に規定する特定営業所技術者」と、第六条第一項第五号中「次条第一号及び第二号」とあるのは「次条第一号及び第十五条第二号」と、第十一条第四項中「営業所技術者」とあるのは「第十五条第二号に規定する特定営業所技術者」と、「第七条第二号ハ」とあるのは「同号イ、ロ若しくはハ」と、同条第五項中「第七条第一号若しくは第二号」とあるのは「第七条第一号若しくは第十五条第二号」と読み替えるものとする。

〔追加・昭和四六法三一、改正・昭和六二法六九・平成六法六三・平成二六法五五・令和元法三〇・令和六法四九〕

参照【本条で準用する法五条の国土交通省令で定めるところ―規則二・六・七】【本条で準用する法六条の国土交通省令で定めるもの―規則二～四】【本条で準用する法六条・八条の政令で定める使用人―令三】【本条で準用する法八条の政令で定める法令の規定―令三の二】【本条で準用する法一〇条の政令で定める許可手数料―令四】【本条で準用する法一一条の国土交通省令の定め―規則九～一〇の二・一一】【本条で準用する法一三条の政令の定め―令五】【本条で準用する法一四条の国土交通省令の定め―規則一三】【罰則―法五〇・五三・五五1】

第四節 承継

〔追加・令和元法三〇〕

（譲渡及び譲受け並びに合併及び分割）

第一七条の二 建設業者が許可に係る建設業の全部（以下単に「建設業の全部」という。）の譲渡を行う場合（当該建設業者（以下この条において「譲渡人」という。）が一般建設業の許可を受けている場合にあつては譲受人（建設業の全部を譲り受ける者をいう。以下この条において同じ。）が当該一般建設業の許可に係る建設業と同一の種類の建設業に係る特定建設業の許可を、譲渡人が特定建設業の許可を受けている場合にあつては譲受人が当該特定建設業の許可に係る建設業と同一の種類の建設業に係る一般建設業の許可を受けている場合を除く。）において、譲渡人及び譲受人が、あらかじめ当該譲渡及び譲受けについて、国土交通省令で定めるところにより次の各号に掲げる場合の区分に応じ当該各号に定める者の認可を受けたときは、譲受人は、当該譲渡及び譲受けの日に、譲渡人のこの法律の規定

による建設業者としての地位を承継する。

一　譲渡人が国土交通大臣の許可を受けているとき　国土交通大臣

二　譲渡人が都道府県知事の許可を受けているとき　当該都道府県知事。ただし、次のいずれかに該当するときは、国土交通大臣とする。

イ　譲受人が国土交通大臣の許可を受けているとき。

ロ　譲受人が当該都道府県知事以外の都道府県知事の許可を受けているとき。

2　建設業者である法人が合併により消滅することとなる場合（当該建設業者である法人（以下この条において「合併消滅法人」という。）（合併消滅法人が二以上あるときは、そのいずれか）が一般建設業の許可を受けている場合にあつては当該一般建設業の許可を受けている合併消滅法人以外の合併消滅法人又は合併存続法人（合併後存続する法人をいう。以下この条において同じ。）が当該一般建設業の許可に係る建設業と同一の種類の建設業に係る特定建設業の許可を、合併消滅法人（合併消滅法人が二以上あるときは、そのいずれか）が特定建設業の許可を受けている場合にあつては合併存続法人が当該特定建設業の許可に係る建設業と同一の種類の建設業に係る一般建設業の許可を受けている場合を除く。）において、合併消滅法人等（合併消滅法人、合併により消滅することとなる法人であつて合併消滅法人でないもの及び合併存続法人をいう。）が、あらかじめ当該合併について、国土交通省令で定めるところにより次の各号に掲げる場合の区分に応じ当該各号に定める者の認可を受けたときは、合併存続法人又は合併により設立される法人は、当該合併の日に、合併消滅法人のこの法律の規定による建設業者としての地位を承継する。

一　合併消滅法人（合併消滅法人が二以上あるときは、そのいずれか）が国土交通大臣の許可を受けているとき　国土交通大臣

二　合併消滅法人が二以上ある場合において、当該合併消滅法人の全てが都道府県知事の許可を受けており、かつ、当該許可をした都道府県知事が同一でないとき　国土交通大臣

三　合併消滅法人が二以上ある場合において当該合併消滅法人の全てが同一の都道府県知事の許可を受けているとき、又は合併消滅法人が一である場合において当該合併消滅法人が都道府県知事の許可を受けているとき　当該都道府県知事。ただし、次のいずれかに該当するときは、国土交通大臣とする。

イ　合併存続法人が国土交通大臣の許可を受けているとき。

ロ　合併存続法人が当該都道府県知事以外の都道府県知事の許可を受けているとき。

3　建設業者である法人が分割により建設業の全部を承継させる場合（当該建設業者である法人（以下この条において「分割被承継法人」という。）（分割被承継法人が二以上あるときは、そのいずれか）が一般建設業の許可を受けている場合にあつては当該一般建設業の許可を受けている分割被承継法人以外の分割被承継法人又は分割承継法人（分割により建設業の全部を承継する法人をいう。以下この条において同じ。）が当該一般建設業の許可に係る建設業と同一の種類の建設業に係る特定建設業の許可を、分割被承継法人（分割被承継法人が二以上あるときは、そのいずれか）が特定建設業の許可を受けている場合にあつては分割承継法人が当該特定建設業の許可に係る建設業と同一の種類の建設業に係る一般建設業の許可を受けている場合を除く。）において、分割被承継法人等（分割被承継法人、分割によりその事業に関して有する権利義務の全部又は一部を承継させる法人であつて分割被承継法人でないもの及び分割承継法人をいう。）が、あらかじめ当該分割について、国土交通省令で定めるところにより次の各号に掲げる場合の区分に応じ当該各号に定める者の認可を受けたときは、分割承継法人は、当該分割の日に、分割被承継法人のこの法律の規定による建設業者としての地位を承継する。

一　分割被承継法人（分割被承継法人が二以上あるときは、そのいずれか）が国土交通大臣の許可を受けているとき　国土交通大臣

二　分割被承継法人が二以上ある場合において、当該分割被承継法人の全てが都道府県知事の許可を受けており、かつ、当該許可をした都道府県知事が同一でないとき　国土交通大臣

三　分割被承継法人が二以上ある場合において当該分割被承継法人の全てが同一の都道府県知事の許可を受けているとき、又は分割被承継法人が一である場合において当該分割被承継法人が都道府県知事の許可を受けているとき　当該都道府県知事。ただし、次のいずれかに該当するときは、国土交通大臣とする。

イ　分割承継法人が国土交通大臣の許可を受けているとき。

ロ　分割承継法人が当該都道府県知事以外の都道府県知事の許可を受けているとき。

4　第七条及び第八条の規定は一般建設業の許可を受けている譲渡人、合併消滅法人又は分割被承継法人（以下この条において「譲渡人等」という。）に係る前三項の認可について、第八条及び第十五条の規定は特定建設業の許可を受けている譲渡人等に係る前三項の認可について、それぞれ準用する。この場合において、第七条及び第八条中「許可を受けようとする者」とあり、並びに第十五条中「特定建設業の許可を受けようとする者」とあるのは、「第十七条の二第一項に規定する譲受人、同条第二項に規定する合併存続法人若しくは合併により設立される法人又は同条第三項に規定する分割承継法人」と読み替えるものとする。

5　国土交通大臣又は都道府県知事は、第一項から第三項までの認可をするに際しては、当該認可をしようとする承継に係る建設業の許可又は譲受人、合併存続法人若しくは分割承継法人が受けている建設業の許可について第三条の二第一項の規定により付された条件（この項（次条第三項において準用する場合を含む。）の規定により変更され、又は新たに付された条件を含む。第二十九条第二項において同じ。）を取り消し、変更し、又は新たに条件を付することができる。この場合においては、第三条の二第二項の規定を準用する。

6　第一項から第三項までの規定により譲渡人等の建設業者としての地位を承継した譲受人等（建設業の全部を譲り受けた者、合併存続法人若しくは合併により設立された法人又は分割により建設業の全部を承継した法人をいう。以下この条において同じ。）が次の各号に掲げる場合のいずれかに該当するときは、当該承継の日に、譲受人等は、当該各号に定める建設業について国土交通大臣の許可を受けたものとみなし、譲受人等に係る都道府県知事の許可は、その効力を失う。

一　国土交通大臣の許可を受けている譲受人等が都道府県知事の許可を受けている譲渡人等の地位を承継したとき　当該都道府県知事の許可に係る建設業（当該国土交通大臣の許可に係る建設業と同一の種類のものを除く。）

二　都道府県知事の許可を受けている譲受人等が国土交通大臣の許可を受けている譲渡人等の地位を承継したとき　当該都

道府県知事の許可に係る建設業（当該国土交通大臣の許可に係る建設業と同一の種類のものを除く。）

三　都道府県知事の許可を受けている譲受人等が他の都道府県知事の許可を受けている譲渡人等の地位を承継したとき　当該都道府県知事の許可に係る建設業及び当該他の都道府県知事の許可に係る建設業

四　建設業の許可を受けていない譲受人等が、同時に、国土交通大臣の許可を受けている譲渡人等の地位及び都道府県知事の許可を受けている譲渡人等の地位を承継したとき　当該都道府県知事の許可に係る建設業（当該国土交通大臣の許可に係る建設業と同一の種類のものを除く。）

五　建設業の許可を受けていない譲受人等が、同時に、都道府県知事の許可を受けている二以上の譲渡人等の地位を承継したとき（当該許可をした都道府県知事が同一であるときを除く。）　当該都道府県知事の許可に係る建設業

7　第一項から第三項までの規定により譲受人等が譲渡人等の建設業者としての地位を承継した場合における承継許可等（当該承継に係る建設業の許可及び当該譲受人等が受けている建設業の許可（当該承継前に自ら受けたものに限る。）をいう。以下この項において同じ。）に係る許可の有効期間については、当該承継の日における承継許可等に係る許可の有効期間の残存期間にかかわらず、当該承継の日の翌日から起算するものとする。

〔追加・令和元法三〇〕

参照　【国土交通省令で定めるところ―規則一三の二】【罰則―法四七①5・②・五三】

（相続）

第一七条の三　建設業者が死亡した場合において、当該建設業者（以下この条において「被相続人」という。）の相続人（相続人が二人以上ある場合において、その全員の同意により被相続人の営んでいた建設業の全部を承継すべき相続人を選定したときは、その者。以下この条において単に「相続人」という。）が被相続人の営んでいた建設業の全部を引き続き営もうとするとき（被相続人が一般建設業の許可を受けていた場合にあつては相続人が当該一般建設業の許可に係る建設業と同一の種類の建設業に係る特定建設業の許可を、被相続人が特定建設業の許可を受けていた場合にあつては相続人が当該特定建設業の許可に係る建設業と同一の種類の建設業に係る一般建設業の許可を受けている場合を除く。）は、その相続人は、国土交通省令で定めるところにより、被相続人の死亡後三十日以内に次の各号に掲げる場合の区分に応じ当該各号に定める者に申請して、その認可を受けなければならない。

一　被相続人が国土交通大臣の許可を受けていたとき　国土交通大臣

二　被相続人が都道府県知事の許可を受けていたとき　当該都道府県知事。ただし、次のいずれかに該当するときは、国土交通大臣とする。

イ　相続人が国土交通大臣の許可を受けているとき。

ロ　相続人が当該都道府県知事以外の都道府県知事の許可を受けているとき。

2　相続人が前項の認可の申請をしたときは、被相続人の死亡の日からその認可を受ける日又はその認可をしない旨の通知を受ける日までは、被相続人に対してした建設業の許可は、その相続人に対してしたものとみなす。

3　第七条及び第八条の規定又は同条及び第十五条の規定は一般建設業の許可を受けていた被相続人又は特定建設業の許可を受けていた被相続人に係る第一項の認可について、前条第五項の規定は第一項の認可をしようとする承継に係る建設業の許可又は相続人が受けている建設業の許可について、それぞれ準用する。

4　第一項の認可を受けた相続人は、被相続人のこの法律の規定による建設業者としての地位を承継する。

5　前条第六項及び第七項の規定は、前項の規定により被相続人の建設業者としての地位を承継した相続人について準用する。

〔追加・令和元法三〇〕

参照　【国土交通省令で定めるところ―規則一三の三】【罰則―法四七①5・②・五三】

第三章　建設工事の請負契約

第一節　通則

〔追加・昭和四六法三一〕

（建設工事の請負契約の原則）

第一八条　建設工事の請負契約の当事者は、各々の対等な立場における合意に基いて公正な契約を締結し、信義に従つて誠実にこれを履行しなければならない。

参照　【請負契約とみなす場合―法二四】

参考規定―民法一②・六三二～六四二

（建設工事の請負契約の内容）

第一九条　建設工事の請負契約の当事者は、前条の趣旨に従つて、契約の締結に際して次に掲げる事項を書面に記載し、署名又は記名押印をして相互に交付しなければならない。

一　工事内容

二　請負代金の額

三　工事着手の時期及び工事完成の時期

四　工事を施工しない日又は時間帯の定めをするときは、その内容

五　請負代金の全部又は一部の前金払又は出来形部分に対する支払の定めをするときは、その支払の時期及び方法

六　当事者の一方から設計変更又は工事着手の延期若しくは工事の全部若しくは一部の中止の申出があつた場合における工期の変更、請負代金の額の変更又は損害の負担及びそれらの額の算定方法に関する定め

七　天災その他不可抗力による工期の変更又は損害の負担及びその額の算定方法に関する定め

八　価格等（物価統制令（昭和二十一年勅令第百十八号）第二条に規定する価格等をいう。）の変動又は変更に基づく工事内容の変更又は請負代金の額の変更及びその額の算定方法に関する定め

九　工事の施工により第三者が損害を受けた場合における賠償金の負担に関する定め

十　注文者が工事に使用する資材を提供し、又は建設機械その他の機械を貸与するときは、その内容及び方法に関する定め

十一　注文者が工事の全部又は一部の完成を確認するための検査の時期及び方法並びに引渡しの時期

十二　工事完成後における請負代金の支払の時期及び方法

十三　工事の目的物が種類又は品質に関して契約の内容に適合

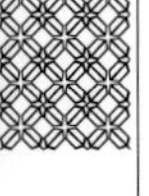

保しない場合におけるその不適合を担保すべき責任又は当該責任の履行に関して講ずべき保証保険契約の締結その他の措置に関する定めをするときは、その内容

十四　各当事者の履行の遅滞その他債務の不履行の場合における遅延利息、違約金その他の損害金

十五　契約に関する紛争の解決方法

十六　その他国土交通省令で定める事項

2　請負契約の当事者は、請負契約の内容で前項に掲げる事項に該当するものを変更するときは、その変更の内容を書面に記載し、署名又は記名押印をして相互に交付しなければならない。

3　建設工事の請負契約の当事者は、前二項の規定による措置に代えて、政令で定めるところにより、当該契約の相手方の承諾を得て、電子情報処理組織を使用する方法その他の情報通信の技術を利用する方法であつて、当該各項の規定による措置に準ずるものとして国土交通省令で定めるものを講ずることができる。この場合において、当該国土交通省令で定める措置を講じた者は、当該各項の規定による措置を講じたものとみなす。

〔改正・昭和四六法三一・平成一二法一二六・平成一八法九二・平成二九法四五・令和元法三〇・令和六法四九〕

参照【政令で定めるところ―令五の五、規則一三の五・一三の六【国土交通省令で定める事項―規則一三の四【引用規定―建設工事に係る資材の再資源化等に関する法律一三①

（現場代理人の選任等に関する通知）

第一九条の二　請負人は、請負契約の履行に関し工事現場に現場代理人を置く場合においては、当該現場代理人の権限に関する事項及び当該現場代理人の行為についての注文者の請負人に対する意見の申出の方法（第三項において「現場代理人に関する事項」という。）を、書面により注文者に通知しなければならない。

2　注文者は、請負契約の履行に関し工事現場に監督員を置く場合においては、当該監督員の権限に関する事項及び当該監督員の行為についての請負人の注文者に対する意見の申出の方法（第四項において「監督員に関する事項」という。）を、書面により請負人に通知しなければならない。

3　請負人は、第一項の規定による書面による通知に代えて、政令で定めるところにより、同項の注文者の承諾を得て、現場代理人に関する事項を、電子情報処理組織を使用する方法その他の情報通信の技術を利用する方法であつて国土交通省令で定めるものにより通知することができる。この場合において、当該請負人は、当該書面による通知をしたものとみなす。

4　注文者は、第二項の規定による書面による通知に代えて、政令で定めるところにより、同項の請負人の承諾を得て、監督員に関する事項を、電子情報処理組織を使用する方法その他の情報通信の技術を利用する方法であつて国土交通省令で定めるものにより通知することができる。この場合において、当該注文者は、当該書面による通知をしたものとみなす。

〔追加・昭和四六法三一、改正・平成一二法一二六〕

参照【政令で定めるところ―令五の六・五の七、規則一三の八・一三の一〇【三項の国土交通省令で定める方法―規則一三の七【四項の国土交通省令で定める方法―規則一三の九

（不当に低い請負代金の禁止）

第一九条の三　注文者は、自己の取引上の地位を不当に利用して、その注文した建設工事を施工するために通常必要と認められる原価に満たない金額を請負代金の額とする請負契約を締結してはならない。

2　建設業者は、自らが保有する低廉な資材を建設工事に用いることができることその他の国土交通省令で定める正当な理由がある場合を除き、その請け負う建設工事を施工するために通常必要と認められる原価に満たない金額を請負代金の額とする請負契約を締結してはならない。

〔追加・昭和四六法三一〕

参照【公正取引委員会への措置要求―法四二・四二の二【違反者に対する適用法令―独禁法二⑨・一九・二〇

類似規定―下請代金支払遅延等防止法四①5

（不当な使用資材等の購入強制の禁止）

第一九条の四　注文者は、請負契約の締結後、自己の取引上の地位を不当に利用して、その注文した建設工事に使用する資材若しくは機械器具又はこれらの購入先を指定し、これらを請負人に購入させて、その利益を害してはならない。

〔追加・昭和四六法三一〕

参照【公正取引委員会への措置請求―法四二・四二の二【違反者に対する適用法令―独禁法二⑨・一九・二〇

（著しく短い工期の禁止）

第一九条の五　注文者は、その注文した建設工事を施工するために通常必要と認められる期間に比して著しく短い期間を工期とする請負契約を締結してはならない。

2　建設業者は、その請け負う建設工事を施工するために通常必要と認められる期間に比して著しく短い期間を工期とする請負契約を締結してはならない。

〔追加・令和元法三〇〕

（発注者に対する勧告等）

第一九条の六　建設業者と請負契約を締結した発注者（私的独占の禁止及び公正取引の確保に関する法律（昭和二十二年法律第五十四号）第二条第一項に規定する事業者に該当するものを除く。）が第十九条の三又は第十九条の四の規定に違反した場合において、特に必要があると認めるときは、当該建設業者の許可をした国土交通大臣又は都道府県知事は、当該発注者に対して必要な勧告をすることができる。

2　建設業者と請負契約（請負代金の額が政令で定める金額以上であるものに限る。）を締結した発注者が前条の規定に違反した場合において、特に必要があると認めるときは、当該建設業者の許可をした国土交通大臣又は都道府県知事は、当該発注者に対して必要な勧告をすることができる。

第一九条の六　建設業者と請負契約を締結した発注者（私的独占の禁止及び公正取引の確保に関する法律（昭和二十二年法律第五十四号）第二条第一項に規定する事業者に該当するものを除く。）が第十九条の三第一項又は第十九条の四の規定に違反した場合において、特に必要があると認めるときは、当該建設業者の許可をした国土交通大臣又は都道府県知事は、当該発注者に対して必要な勧告をすることができる。

2　建設業者と請負契約（請負代金の額が政令で定める金額以上であるものに限る。）を締結した発注者が前条第一項の規定に違反した場合において、特に必要があると認めるときは、当該建設業者の許可をした国土交通大臣又は都道府県知事は、当該発注者に対して必要な勧告をすることができる。

3　国土交通大臣又は都道府県知事は、前項の勧告を受けた発注者がその勧告に従わないときは、その旨を公表することができる。

4　国土交通大臣又は都道府県知事は、第一項又は第二項の勧告を行うため必要があると認めるときは、当該発注者に対して、報告又は資料の提出を求めることができる。

〔追加・昭和四六法三一、改正・平成一一法一六〇、旧一九条の五を改正し繰下・令和元法三〇〕

参照【二項の政令で定める金額―令五の八】

（建設工事の見積り等）

第二〇条　建設業者は、建設工事の請負契約を締結するに際して、工事内容に応じ、工事の種別ごとの材料費、労務費その他の経費の内訳並びに工事の工程ごとの作業及びその準備に必要な日数を明らかにして、建設工事の見積りを行うよう努めなければならない。

2　建設業者は、建設工事の注文者から請求があつたときは、請負契約が成立するまでの間に、建設工事の見積書を交付しなければならない。

3　建設業者は、前項の規定による見積書の交付に代えて、政令で定めるところにより、建設工事の注文者の承諾を得て、当該見積書に記載すべき事項を電子情報処理組織を使用する方法その他の情報通信の技術を利用する方法であつて国土交通省令で定めるものにより提供することができる。この場合において、当該建設業者は、当該見積書を交付したものとみなす。

4　建設工事の注文者は、請負契約の方法が随意契約による場合にあつては契約を締結するまでに、入札の方法により競争に付する場合にあつては入札を行うまでに、第十九条第一項第一号及び第三号から第十六号までに掲げる事項について、できる限り具体的な内容を提示し、かつ、当該提示から当該契約の締結又は入札までに、建設業者が当該建設工事の見積りをするために必要な政令で定める一定の期間を設けなければならない。

第二〇条　建設業者は、建設工事の請負契約を締結するに際しては、工事内容に応じ、工事の種別ごとの材料費、労務費及び当該建設工事に従事する労働者による適正な施工を確保するために不可欠な経費として国土交通省令で定めるもの（以下この条において「材料費等」という。）その他当該建設工事の施工のために必要な経費の内訳並びに工事の工程ごとの作業及びその準備に必要な日数を記載した建設工事の見積書（以下この条において「材料費等記載見積書」という。）を作成するよう努めなければならない。

2　前項の場合において、材料費等記載見積書に記載する材料費等の額は、当該建設工事を施工するために通常必要と認められる材料費等の額を著しく下回るものであつてはならない。

3　建設工事の注文者は、請負契約の方法が随意契約による場合にあつては契約を締結するまでに、入札の方法により競争に付する場合にあつては入札を行うまでに、第十九条第一項各号（第二号を除く。）に掲げる事項について、できる限り具体的な内容を提示し、かつ、当該提示から当該契約の締結又は入札までの間に、建設業者が当該建設工事の見積りをするために必要な期間として政令で定める期間を設けなければならない。

4　建設工事の注文者は、建設工事の請負契約を締結するに際しては、当該建設工事に係る材料費等記載見積書の内容を考慮するよう努めるものとし、建設業者は、建設工事の注文者から請求があつたときは、請負契約が成立するまでに、当該材料費等記載見積書を交付しなければならない。

5　建設業者は、前項の規定による材料費等記載見積書の交付に代えて、政令で定めるところにより、建設工事の注文者の承諾を得て、当該材料費等記載見積書に記載すべき事項を電子情報処理組織を使用する方法その他の情報通信の技術を利用する方法であつて国土交通省令で定めるものにより提供することができる。この場合において、当該建設業者は、当該材料費等記載見積書を交付したものとみなす。

6　建設工事の注文者は、第四項の規定により材料費等記載見積書を交付した建設業者（建設工事の注文者が同項の請求をしないで第一項の規定により作成された材料費等記載見積書の交付を受けた場合における当該交付をした建設業者を含む。次項において同じ。）に対し、その材料費等の額について当該建設工事を施工するために通常必要と認められる材料費等の額を著しく下回ることとなるような変更を求めてはならない。

7　前項の規定に違反した発注者が、同項の求めに応じて変更された見積書の内容に基づき建設業者と請負契約（当該請負契約に係る建設工事を施工するために通常必要と認められる費用の額が政令で定める金額以上であるものに限る。）を締結した場合において、当該建設工事の適正な施工の確保を図るため特に必要があると認めるときは、当該建設業者の許可をした国土交通大臣又は都道府県知事は、当該発注者に対して必要な勧告をすることができる。

8　前条第三項及び第四項の規定は、前項の勧告について準用する。

〔改正・昭和四六法三一・平成六法六三・平成一八法九二・平成二六法五五・令和元法三〇・令和三法三七〕

参照【政令で定めるところ―令五の九、規則一三の二・一三の三【国土交通省令で定めるもの―規則一三の一一【政令で定める一定の期間―令六

参考規定―予算決算及び会計令七四

（工期等に影響を及ぼす事象に関する情報の通知等）

第二〇条の二　建設工事の注文者は、当該建設工事について、地盤の沈下その他の工期又は請負代金の額に影響を及ぼすものとして国土交通省令で定める事象が発生するおそれがあると認めるときは、請負契約を締結するまでに、建設業者に対して、その旨を当該事象の状況の把握のため必要な情報と併せて通知しなければならない。

2　建設業者は、その請け負う建設工事について、主要な資材の供給の著しい減少、資材の価格の高騰その他の工期又は請負代金の額に影響を及ぼすものとして国土交通省令で定める事象が発生するおそれがあると認めるときは、請負契約を締結するまでに、国土交通省令で定めるところにより、注文者に対して、

その旨を当該事象の状況の把握のため必要な情報と併せて通知しなければならない。

3　前項の規定による通知をした建設業者は、同項の請負契約の締結後、当該通知に係る同項に規定する事象が発生した場合には、注文者に対して、第十九条第一項第七号又は第八号の定めに従つた工期の変更、工事内容の変更又は請負代金の額の変更についての協議を申し出ることができる。

4　前項の協議の申出を受けた注文者は、当該申出が根拠を欠く場合その他正当な理由がある場合を除き、誠実に当該協議に応ずるよう努めなければならない。

〔追加・令和元法三〇、改正・令和六法四九〕

参照【国土交通省令で定める―規則一三の一四

（契約の保証）

第二一条　建設工事の請負契約において請負代金の全部又は一部の前金払をする定がなされたときは、注文者は、建設業者に対して前金払をする前に、保証人を立てることを請求することができる。但し、公共工事の前払金保証事業に関する法律（昭和二十七年法律第百八十四号）第二条第四項に規定する保証事業会社の保証に係る工事又は政令で定める軽微な工事については、この限りでない。

2　前項の請求を受けた建設業者は、左の各号の一に規定する保証人を立てなければならない。

一　建設業者の債務不履行の場合の遅延利息、違約金その他の損害金の支払の保証人

二　建設業者に代つて自らその工事を完成することを保証する他の建設業者

3　建設業者が第一項の規定により保証人を立てることを請求された場合において、これを立てないときは、注文者は、契約の定にかかわらず、前金払をしないことができる。

〔改正・昭和二八法二一三〕

参照【政令で定める軽微な工事―令六の二

（一括下請負の禁止）

第二二条　建設業者は、その請け負つた建設工事を、いかなる方法をもつてするかを問わず、一括して他人に請け負わせてはならない。

2　建設業を営む者は、建設業者から当該建設業者の請け負つた建設工事を一括して請け負つてはならない。

3　前二項の建設工事が多数の者が利用する施設又は工作物に関する重要な建設工事で政令で定めるもの以外の建設工事である場合において、当該建設工事の元請負人があらかじめ発注者の書面による承諾を得たときは、これらの規定は、適用しない。

4　発注者は、前項の規定による書面による承諾に代えて、政令で定めるところにより、同項の元請負人の承諾を得て、電子情報処理組織を使用する方法その他の情報通信の技術を利用する方法であつて国土交通省令で定めるものにより、同項の承諾をする旨の通知をすることができる。この場合において、当該発注者は、当該書面による承諾をしたものとみなす。

〔全改・昭和二八法二一三、改正・昭和四六法三一・平成一二法一二六・平成一八法一一四〕

参照【請負契約とみなす場合―法二四【国土交通省令で定める方法―規則一三の一五【監督処分―法二八①4【政令で定めるもの―令六の三【政令で定めるところ―令六の四、規則一三の一六【三項の例外規定―公共工事の入札及び契約の適正化の促進に関する法律一四

（下請負人の変更請求）

第二三条　注文者は、請負人に対して、建設工事の施工につき著しく不適当と認められる下請負人があるときは、その変更を請求することができる。ただし、あらかじめ注文者の書面による承諾を得て選定した下請負人については、この限りでない。

2　注文者は、前項ただし書の規定による書面による承諾に代えて、政令で定めるところにより、同項ただし書の規定により下請負人を選定する者の承諾を得て、電子情報処理組織を使用する方法その他の情報通信の技術を利用する方法であつて国土交通省令で定めるものにより、同項ただし書の承諾をする旨の通知をすることができる。この場合において、当該注文者は、当該書面による承諾をしたものとみなす。

〔改正・昭和四六法三一・平成一二法一二六〕

参照【政令で定めるところ―令七、規則一三の一八【国土交通省令で定める方法―規則一三の一七

（工事監理に関する報告）

第二三条の二　請負人は、その請け負つた建設工事の施工について建築士法（昭和二十五年法律第二百二号）第十八条第三項の規定により建築士から工事を設計図書のとおりに実施するよう求められた場合において、これに従わない理由があるときは、直ちに、第十九条の二第二項の規定により通知された方法により、注文者に対して、その理由を報告しなければならない。

〔追加・平成一八法一一四〕

（請負契約とみなす場合）

第二四条　委託その他いかなる名義をもつてするかを問わず、報酬を得て建設工事の完成を目的として締結する契約は、建設工事の請負契約とみなして、この法律の規定を適用する。

〔旧二五条を繰上・昭和三一法一二五、改正・平成一八法一一四〕

第二節　元請負人の義務

〔追加・昭和四六法三一〕

（下請負人の意見の聴取）

第二四条の二　元請負人は、その請け負つた建設工事を施工するために必要な工程の細目、作業方法その他元請負人において定めるべき事項を定めようとするときは、あらかじめ、下請負人の意見をきかなければならない。

〔追加・昭和四六法三一〕

（下請代金の支払）

第二四条の三　元請負人は、請負代金の出来形部分に対する支払又は工事完成後における支払を受けたときは、当該支払の対象となつた建設工事を施工した下請負人に対して、当該元請負人が支払を受けた金額の出来形に対する割合及び当該下請負人が施工した出来形部分に相応する下請代金を、当該支払を受けた日から一月以内で、かつ、できる限り短い期間内に支払わなければならない。

2　前項の場合において、元請負人は、同項に規定する下請代金のうち労務費に相当する部分については、現金で支払うよう適切な配慮をしなければならない。

3　元請負人は、前払金の支払を受けたときは、下請負人に対して、資材の購入、労働者の募集その他建設工事の着手に必要な費用を前払金として支払うよう適切な配慮をしなければならない。

〔追加・昭和四六法三一、改正・令和元法三〇〕

参照　【公正取引委員会への措置請求―法四二・四二の二】【違反者に対する適用法令―独禁法二⑨・一九・二〇】

（検査及び引渡し）

第二四条の四　元請負人は、下請負人からその請け負つた建設工事が完成した旨の通知を受けたときは、当該通知を受けた日から二十日以内で、かつ、できる限り短い期間内に、その完成を確認するための検査を完了しなければならない。

2　元請負人は、前項の検査によつて建設工事の完成を確認した後、下請負人が申し出たときは、直ちに、当該建設工事の目的物の引渡しを受けなければならない。ただし、下請契約において定められた工事完成の時期から二十日を経過した日以前の一定の日に引渡しを受ける旨の特約がされている場合には、この限りでない。

〔追加・昭和四六法三一〕

参照　【公正取引委員会への措置請求―法四二・四二の二】【違反者に対する適用法令―独禁法二⑨・一九・二〇】

（不利益取扱いの禁止）

第二四条の五　元請負人は、当該元請負人について第十九条の三、第十九条の四、第二十四条の三第一項、前条又は次条第三項若しくは第四項の規定に違反する行為があるとして下請負人が国土交通大臣等（当該元請負人が許可を受けた国土交通大臣又は都道府県知事をいう。）、公正取引委員会又は中小企業庁長官にその事実を通報したことを理由として、当該下請負人に対して、取引の停止その他の不利益な取扱いをしてはならない。

第二四条の五　元請負人は、当該元請負人について第十九条の三第一項、第十九条の四、第二十四条の三第一項、前条又は次条第三項若しくは第四項の規定に違反する行為があるとして下請負人が国土交通大臣等（当該元請負人が許可を受けた国土交通大臣又は都道府県知事をいう。）、公正取引委員会又は中小企業庁長官にその事実を通報したことを理由として、当該下請負人に対して、取引の停止その他の不利益な取扱いをしてはならない。

〔追加・令和元法三〇〕

（特定建設業者の下請代金の支払期日等）

第二四条の六　特定建設業者が注文者となつた下請契約（下請契約における請負人が特定建設業者又は資本金額が政令で定める金額以上の法人であるものを除く。以下この条において同じ。）における下請代金の支払期日は、第二十四条の四第二項の申出の日（同項ただし書の場合にあつては、その一定の日。以下この条において同じ。）から起算して五十日を経過する日以前において、かつ、できる限り短い期間内において定められなければならない。

2　特定建設業者が注文者となつた下請契約において、下請代金の支払期日が定められなかつたときは第二十四条の四第二項の申出の日が、前項の規定に違反して下請代金の支払期日が定められたときは同条第二項の申出の日から起算して五十日を経過する日が下請代金の支払期日と定められたものとみなす。

3　特定建設業者は、当該特定建設業者が注文者となつた下請契約に係る下請代金の支払につき、当該下請代金の支払期日までに一般の金融機関（預金又は貯金の受入れ及び資金の融通を業とする者をいう。）による割引を受けることが困難であると認められる手形を交付してはならない。

4　特定建設業者は、当該特定建設業者が注文者となつた下請契約に係る下請代金を第一項の規定により定められた支払期日又は第二項の支払期日までに支払わなければならない。当該特定建設業者がその支払をしなかつたときは、当該特定建設業者は、下請負人に対して、第二十四条の四第二項の申出の日から起算して五十日を経過した日から当該下請代金の支払をする日までの期間について、その日数に応じ、当該未払金額に国土交通省令で定める率を乗じて得た金額を遅延利息として支払わなければならない。

〔追加・昭和四六法三一、改正・平成一一法一六〇、旧二四条の五を改正し繰下・令和元法三〇〕

参照　【政令で定める金額―令七の二】【国土交通省令で定める遅延利息率―規則一四】【公正取引委員会への措置請求―法四二・四二の二】【違反者に対する適用法令―独禁法二⑨・一九・二〇】
類似規定―下請代金支払遅延等防止法二の二・四②２・四の二

（下請負人に対する特定建設業者の指導等）

第二四条の七　発注者から直接建設工事を請け負つた特定建設業者は、当該建設工事の下請負人が、その下請負に係る建設工事の施工に関し、この法律の規定又は建設工事の施工若しくは建設工事に従事する労働者の使用に関する法令の規定で政令で定めるものに違反しないよう、当該下請負人の指導に努めるものとする。

2　前項の特定建設業者は、その請け負つた建設工事の下請負人である建設業を営む者が同項に規定する規定に違反していると認めたときは、当該建設業を営む者に対し、当該違反している事実を指摘して、その是正を求めるように努めるものとする。

3　第一項の特定建設業者が前項の規定により是正を求めた場合において、当該建設業を営む者が当該違反している事実を是正しないときは、同項の特定建設業者は、当該建設業を営む者が建設業者であるときはその許可をした国土交通大臣若しくは都道府県知事又は営業としてその建設工事の行われる区域を管轄する都道府県知事に、その他の建設業を営む者であるときはその建設工事の現場を管轄する都道府県知事に、速やかに、その旨を通報しなければならない。

〔追加・昭和四六法三一、改正・平成六法六三・平成一一法一六〇、旧二四条の六を繰下・令和元法三〇〕

参照　【政令で定める法令の規定―令七の三】

（施工体制台帳及び施工体系図の作成等）

第二四条の八　特定建設業者は、発注者から直接建設工事を請け負つた場合において、当該建設工事を施工するために締結した下請契約の請負代金の額（当該下請契約が二以上あるときは、それらの請負代金の額の総額）が政令で定める金額以上になるときは、建設工事の適正な施工を確保するため、国土交通省令で定めるところにより、当該建設工事について、下請負人の商号又は名称、当該下請負人に係る建設工事の内容及び工期その

他の国土交通省令で定める事項を記載した施工体制台帳を作成し、工事現場ごとに備え置かなければならない。

2　前項の建設工事の下請負人は、その請け負つた建設工事を他の建設業を営む者に請け負わせたときは、国土交通省令で定めるところにより、同項の特定建設業者に対して、当該他の建設業を営む者の商号又は名称、当該者の請け負つた建設工事の内容及び工期その他の国土交通省令で定める事項を通知しなければならない。

3　第一項の特定建設業者は、同項の発注者から請求があつたときは、同項の規定により備え置かれた施工体制台帳を、その発注者の閲覧に供しなければならない。

4　第一項の特定建設業者は、国土交通省令で定めるところにより、当該建設工事における各下請負人の施工の分担関係を表示した施工体系図を作成し、これを当該工事現場の見やすい場所に掲げなければならない。

〔追加・平成六法六三、改正・平成一一法一六〇、旧二四条の七を繰下・令和元法三〇〕

参照【政令で定める金額―令七の四【施工体制台帳の記載事項等―規則一四の二・一四の五・一四の七【国土交通省令で定める通知等―規則一四の三―一四の四【施工体系図等―規則一四の六・一四の七【三項の例外規定―公共工事の入札及び契約の適正化の促進に関する法律一五②

第三章の二　建設工事の請負契約に関する紛争の処理

〔追加・昭和三一法一二五〕

（建設工事紛争審査会の設置）

第二五条　建設工事の請負契約に関する紛争の解決を図るため、建設工事紛争審査会を設置する。

2　建設工事紛争審査会（以下「審査会」という。）は、この法律の規定により、建設工事の請負契約に関する紛争（以下「紛争」という。）につきあつせん、調停及び仲裁（以下「紛争処理」という。）を行う権限を有する。

3　審査会は、中央建設工事紛争審査会（以下「中央審査会」という。）及び都道府県建設工事紛争審査会（以下「都道府県審査会」という。）とし、中央審査会は、国土交通省に、都道府県審査会は、都道府県に置く。

〔追加・昭和三一法一二五、改正・平成一一法一〇二〕

（審査会の組織）

第二五条の二　審査会は、委員をもつて組織し、中央審査会の委員の定数は、十五人以内とする。

2　委員は、人格が高潔で識見の高い者のうちから、中央審査会にあつては国土交通大臣が、都道府県審査会にあつては都道府県知事が任命する。

3　中央審査会及び都道府県審査会にそれぞれ会長を置き、委員の互選により選任する。

4　会長は、会務を総理する。

5　会長に事故があるときは、委員のうちからあらかじめ互選された者がその職務を代理する。

〔追加・昭和三一法一二五、改正・平成一一法一〇二・平成二五法四四〕

参照【委員の身分―国家公務員法二②、地方公務員法三③2【委員の名簿―令八、規則一六【特別委員に準用―法二五の七③

（委員の任期等）

第二五条の三　委員の任期は、二年とする。ただし、補欠の委員の任期は、前任者の残任期間とする。

2　委員は、再任されることができる。

3　委員は、後任の委員が任命されるまでその職務を行う。

4　委員は、非常勤とする。

〔追加・昭和三一法一二五〕

参照【特別委員、中央建設業審議会の委員、専門委員に準用―法二五の七③・三六・三七③

（委員の欠格条項）

第二五条の四　次の各号のいずれかに該当する者は、委員となることができない。

一　破産手続開始の決定を受けて復権を得ない者

二　禁錮以上の刑に処せられ、その執行を終わり、又はその執行を受けることがなくなつた日から五年を経過しない者

二　拘禁刑以上の刑に処せられ、その執行を終わり、又はその執行を受けることがなくなつた日から五年を経過しない者

〔追加・昭和三一法一二五、改正・平成一一法一五一・令和元法三〇〕

参照【特別委員、中央建設業審議会の委員、専門委員に準用―法二五の七③・三六・三七③

（委員の解任）

第二五条の五　国土交通大臣又は都道府県知事は、それぞれその任命に係る委員が前条各号の一に該当するに至つたときは、その委員を解任しなければならない。

2　国土交通大臣又は都道府県知事は、それぞれその任命に係る委員が次の各号の一に該当するときは、その委員を解任することができる。

一　心身の故障のため職務の執行に堪えないと認められるとき。

二　職務上の義務違反その他委員たるに適しない非行があると認められるとき。

〔追加・昭和三一法一二五、改正・平成一一法一〇二〕

参照【特別委員に準用―法二五の七③

（会議及び議決）

第二五条の六　審査会の会議は、会長が招集する。

2　審査会は、会長又は第二十五条の二第五項の規定により会長を代理する者のほか、委員の過半数が出席しなければ、会議を開き、議決をすることができない。

3　審査会の議事は、出席者の過半数をもつて決する。可否同数のときは、会長が決する。

〔追加・昭和三一法一二五〕

参照【審査会の会議―令一〇【審査会の庶務―令一一・一二

（特別委員）

第二五条の七　紛争処理に参与させるため、審査会に、特別委員

を置くことができる。

2　特別委員の任期は、二年とする。

3　第二十五条の二第二項、第二十五条の三第二項及び第四項、第二十五条の四並びに第二十五条の五の規定は、特別委員について準用する。

4　この法律に規定するもののほか、特別委員に関し必要な事項は、政令で定める。

〔追加・昭和三一法一二五、改正・昭和六二法六九〕

参照　【特別委員に関し必要な事項―令九】

（都道府県審査会の委員等の一般職に属する地方公務員たる性質）

第二五条の八　都道府県審査会の委員及び特別委員は、地方公務員法（昭和二十五年法律第二百六十一号）第三十四条、第六十条第二号及び第六十二条の規定の適用については、同法第三条第二項に規定する一般職に属する地方公務員とみなす。

〔追加・昭和三一法一二五〕

参照　【都道府県審査会委員の特別職たる地位―地方公務員法三③2】

（管轄）

第二五条の九　中央審査会は、次の各号に掲げる場合における紛争処理について管轄する。

一　当事者の双方が国土交通大臣の許可を受けた建設業者であるとき。

二　当事者の双方が建設業者であつて、許可をした行政庁を異にするとき。

三　当事者の一方のみが建設業者であつて、国土交通大臣の許可を受けたものであるとき。

2　都道府県審査会は、次の各号に掲げる場合における紛争処理について管轄する。

一　当事者の双方が当該都道府県の知事の許可を受けた建設業者であるとき。

二　当事者の一方のみが建設業者であつて、当該都道府県の知事の許可を受けたものであるとき。

三　当事者の双方が許可を受けないで建設業を営む者である場合であつて、その紛争に係る建設工事の現場が当該都道府県の区域内にあるとき。

四　前項第三号に掲げる場合及び第二号に掲げる場合のほか、当事者の一方のみが許可を受けないで建設業を営む者である場合であつて、その紛争に係る建設工事の現場が当該都道府県の区域内にあるとき。

3　前二項の規定にかかわらず、当事者は、双方の合意によつて管轄審査会を定めることができる。

〔追加・昭和三一法一二五、改正・昭和四六法三一・平成一一法一六〇〕

参照　【合意管轄―令一三③】

（紛争処理の申請）

第二五条の一〇　審査会に対する紛争処理の申請は、政令の定めるところにより、書面をもつて、中央審査会に対するものにあつては国土交通大臣を、都道府県審査会に対するものにあつては当該都道府県知事を経由してこれをしなければならない。

〔追加・昭和三一法一二五、改正・平成一一法一六〇〕

参照　【政令で定めるところ―令一三・一六の二①】【紛争処理の通知―令一六・一六の二②】

（あつせん又は調停の開始）

第二五条の一一　審査会は、紛争が生じた場合において、次の各号の一に該当するときは、あつせん又は調停を行う。

一　当事者の双方又は一方から、審査会に対しあつせん又は調停の申請がなされたとき。

二　公共性のある施設又は工作物で政令で定めるものに関する紛争につき、審査会が職権に基き、あつせん又は調停を行う必要があると決議したとき。

〔追加・昭和三一法一二五〕

参照　【政令で定めるもの―令一五】【紛争処理の通知―令一六】

（あつせん）

第二五条の一二　審査会によるあつせんは、あつせん委員がこれを行う。

2　あつせん委員は、委員又は特別委員のうちから、事件ごとに、審査会の会長が指名する。

3　あつせん委員は、当事者間をあつせんし、双方の主張の要点を確かめ、事件が解決されるように努めなければならない。

〔追加・昭和三一法一二五〕

（調停）

第二五条の一三　審査会による調停は、三人の調停委員がこれを行う。

2　調停委員は、委員又は特別委員のうちから、事件ごとに、審査会の会長が指名する。

3　審査会は、調停のため必要があると認めるときは、当事者の出頭を求め、その意見をきくことができる。

4　審査会は、調停案を作成し、当事者に対しその受諾を勧告することができる。

5　前項の調停案は、調停委員の過半数の意見で作成しなければならない。

〔追加・昭和三一法一二五〕

参照　【罰則―法五五2】

（あつせん又は調停をしない場合）

第二五条の一四　審査会は、紛争がその性質上あつせん若しくは調停をするのに適当でないと認めるとき、又は当事者が不当な目的でみだりにあつせん若しくは調停の申請をしたと認めるときは、あつせん又は調停をしないものとする。

〔追加・昭和三一法一二五〕

参照　【あつせん又は調停をしない場合等の措置―令一七】

（あつせん又は調停の打切り）

第二五条の一五　審査会は、あつせん又は調停に係る紛争についてあつせん又は調停による解決の見込みがないと認めるときは、あつせん又は調停を打ち切ることができる。

2　審査会は、前項の規定によりあつせん又は調停を打ち切つたときは、その旨を当事者に通知しなければならない。

〔追加・平成一八法一一四〕

（時効の完成猶予）

第二五条の一六　前条第一項の規定によりあつせん又は調停が打ち切られた場合において、当該あつせん又は調停の申請をした者が同条第二項の通知を受けた日から一月以内にあつせん又は調停の目的となつた請求について訴えを提起したときは、時効の完成猶予に関しては、あつせん又は調停の申請の時に、訴えの提起があつたものとみなす。

〔追加・平成一八法一一四、改正・平成二九法四五〕

（訴訟手続の中止）

第二五条の一七　紛争について当事者間に訴訟が係属する場合において、次の各号のいずれかに掲げる事由があり、かつ、当事者の共同の申立てがあるときは、受訴裁判所は、四月以内の期間を定めて訴訟手続を中止する旨の決定をすることができる。

一　当該紛争について、当事者間において審査会によるあつせん又は調停が実施されていること。

二　前号に規定する場合のほか、当事者間に審査会によるあつせん又は調停によつて当該紛争の解決を図る旨の合意があること。

2　受訴裁判所は、いつでも前項の決定を取り消すことができる。

3　第一項の申立てを却下する決定及び前項の規定により第一項の決定を取り消す決定に対しては、不服を申し立てることができない。

〔追加・平成一八法一一四〕

（仲裁の開始）

第二五条の一八　審査会は、紛争が生じた場合において、次の各号のいずれかに該当するときは、仲裁を行う。

一　当事者の双方から、審査会に対し仲裁の申請がなされたとき。

二　この法律による仲裁に付する旨の合意に基づき、当事者の一方から、審査会に対し仲裁の申請がなされたとき。

〔追加・昭和三一法一二五、改正・昭和三七法一六一・昭和四六法三一、旧二五条の一五を改正し繰下・平成一八法一一四〕

参照　【仲裁に付する旨の合意】令一三④

（仲裁）

第二五条の一九　審査会による仲裁は、三人の仲裁委員がこれを行う。

2　仲裁委員は、委員又は特別委員のうちから当事者が合意によつて選定した者につき、審査会の会長が指名する。ただし、当事者の合意による選定がなされなかつたときは、委員又は特別委員のうちから審査会の会長が指名する。

3　仲裁委員のうち少なくとも一人は、弁護士法（昭和二十四年法律第二百五号）第二章の規定により、弁護士となる資格を有する者でなければならない。

4　審査会の行う仲裁については、この法律に別段の定めがある場合を除いて、仲裁委員を仲裁人とみなして、仲裁法（平成十五年法律第百三十八号）の規定を適用する。

〔追加・昭和三一法一二五、改正・平成八法一一〇・平成一五法一三八、旧二五条の一六を改正し繰下・平成一八法一一四〕

参照　【仲裁委員の選定】令一八・一九【仲裁委員の補充】令二〇【仲裁判断の作成】令二一【別段の定め】法二五の一九①②③・二五の二〇～二四

（文書及び物件の提出）

第二五条の二〇　審査会は、仲裁を行う場合において必要があると認めるときは、当事者の申出により、相手方の所持する当該請負契約に関する文書又は物件を提出させることができる。

2　審査会は、相手方が正当な理由なく前項に規定する文書又は物件を提出しないときは、当該文書又は物件に関する申立人の主張を真実と認めることができる。

〔追加・昭和三一法一二五、旧二五条の一七を繰下・平成一八法一一四〕

（立入検査）

第二五条の二一　審査会は、仲裁を行う場合において必要があると認めるときは、当事者の申出により、相手方の占有する工事現場その他事件に関係のある場所に立ち入り、紛争の原因たる事実関係につき検査をすることができる。

2　審査会は、前項の規定により検査をする場合においては、当該仲裁委員の一人をして当該検査を行わせることができる。

3　審査会は、相手方が正当な理由なく第一項に規定する検査を拒んだときは、当該事実関係に関する申立人の主張を真実と認めることができる。

〔追加・昭和三一法一二五、旧二五条の一八を繰下・平成一八法一一四〕

（調停又は仲裁の手続の非公開）

第二五条の二二　審査会の行う調停又は仲裁の手続は、公開しない。ただし、審査会は、相当と認める者に傍聴を許すことができる。

〔追加・昭和三一法一二五、旧二五条の二〇を繰下・平成一八法一一四〕

（紛争処理の手続に要する費用）

第二五条の二三　紛争処理の手続に要する費用は、当事者が当該費用の負担につき別段の定めをしないときは、各自これを負担する。

2　審査会は、当事者の申立に係る費用を要する行為については、当事者に当該費用を予納させるものとする。

3　審査会が前項の規定により費用を予納させようとする場合において、当事者が当該費用の予納をしないときは、審査会は、同項の行為をしないことができる。

〔追加・昭和三一法一二五、旧二五条の二一を改正し繰下・平成一八法一一四〕

参照　【費用の算定方法】令二五

（申請手数料）

第二五条の二四　中央審査会に対して紛争処理の申請をする者は、政令の定めるところにより、申請手数料を納めなければならない。

〔追加・昭和三一法一二五、改正・平成一一法八七、旧二五条の二二を繰下・平成一八法一一四〕

参照　【申請手数料の額】令二六【申請手数料を納めたものとみなす場合】令二六の二【申請手数料の還付】令二六の三【申請手数料の特例】阪神・淡路大震災に伴う建設工事紛争審査会による紛争処理に係る申請手数料の特例に関する政令、地方公共団体の手数料の標準に関する政令表26、東日本大震災に伴う中央建設工事紛争審査会による紛争処理に係る申請手数料の特例に関する政令

（紛争処理状況の報告）

第二五条の二五　中央審査会は、国土交通大臣に対し、都道府県審査会は、当該都道府県知事に対し、国土交通省令の定めると

ころにより、紛争処理の状況について報告しなければならない。

〔追加・昭和三一法一二五、改正・平成一一法一六〇、旧二五条の二三を繰下・平成一八法一一四〕

参照【紛争処理状況の報告―規則一五

（政令への委任）

第二五条の二六　この章に規定するもののほか、紛争処理の手続及びこれに要する費用に関し必要な事項は、政令で定める。

〔追加・昭和三一法一二五、旧二五条の二四を繰下・平成一八法一一四〕

第四章　施工技術の確保

〔改正・昭和二八法二一三・昭和三五法七四〕

（施工技術の確保に関する建設業者等の責務）

第二五条の二七　建設業者は、建設工事の担い手の育成及び確保その他の施工技術の確保に努めなければならない。

2　建設業者は、その労働者が有する知識、技能その他の能力についての公正な評価に基づく適正な賃金の支払その他の労働者の適切な処遇を確保するための措置を効果的に実施するよう努めなければならない。

3　建設工事に従事する者は、建設工事を適正に実施するために必要な知識及び技術又は技能の向上に努めなければならない。

4　国土交通大臣は、前三項の規定による取組に資するため、必要に応じ、講習及び調査の実施、資料の提供その他の措置を講ずるものとする。

〔追加・昭和三五法七四、改正・昭和六二法六九・平成一一法一六〇、旧二五条の二五を繰下・平成一八法一一四、改正・平成二六法五五・令和元法三〇・令和六法四九〕

（建設工事の適正な施工の確保のために必要な措置）

第二五条の二八　特定建設業者は、工事の施工の管理に関する情報システムの整備その他の建設工事の適正な施工を確保するために必要な情報通信技術の活用に関し必要な措置を講ずるよう努めなければならない。

2　発注者から直接建設工事を請け負つた特定建設業者は、当該建設工事の下請負人が、その下請負に係る建設工事の施工に関し、当該特定建設業者が講ずる前項に規定する措置の実施のために必要な措置を講ずることができることとなるよう、当該下請負人の指導に努めるものとする。

3　国土交通大臣は、前二項に規定する措置に関して、その適切かつ有効な実施を図るための指針となるべき事項を定め、これを公表するものとする。

〔追加・令和六法四九〕

（主任技術者及び監理技術者の設置等）

第二六条　建設業者は、その請け負つた建設工事を施工するときは、当該建設工事に関し第七条第二号イ、ロ又はハに該当する者で当該工事現場における建設工事の施工の技術上の管理をつかさどるもの（以下「主任技術者」という。）を置かなければならない。

2　発注者から直接建設工事を請け負つた特定建設業者は、当該建設工事を施工するために締結した下請契約の請負代金の額（当該下請契約が二以上あるときは、それらの請負代金の額の総額）が第三条第一項第二号の政令で定める金額以上になる場合においては、前項の規定にかかわらず、当該建設工事に関し第十五条第二号イ、ロ又はハに該当する者（当該建設工事に係る建設業が指定建設業である場合にあつては、同号イに該当する者又は同号ハの規定により国土交通大臣が同号イに掲げる者と同等以上の能力を有するものと認定した者）で当該工事現場における建設工事の施工の技術上の管理をつかさどるもの（以下「監理技術者」という。）を置かなければならない。

3　公共性のある施設若しくは工作物又は多数の者が利用する施設若しくは工作物に関する重要な建設工事で政令で定めるものについては、前二項の規定により置かなければならない主任技術者又は監理技術者は、工事現場ごとに、専任の者でなければならない。ただし、次に掲げる主任技術者又は監理技術者については、この限りでない。

一　当該建設工事が次のイからハまでに掲げる要件のいずれにも該当する場合における主任技術者又は監理技術者

イ　当該建設工事の請負代金の額が政令で定める金額未満となるものであること。

ロ　当該建設工事の工事現場間の移動時間又は連絡方法その他の当該工事現場の施工体制の確保のために必要な事項に関し国土交通省令で定める要件に適合するものであること。

ハ　主任技術者又は監理技術者が当該建設工事の工事現場の状況の確認その他の当該工事現場に係る第二十六条の四第一項に規定する職務を情報通信技術を利用する方法により行うため必要な措置として国土交通省令で定めるものが講じられるものであること。

二　当該建設工事の工事現場に、当該監理技術者の行うべき第二十六条の四第一項に規定する職務を補佐する者として、当該建設工事に関し第十五条第二号イ、ロ又はハに該当する者に準ずる者として政令で定める者を専任で置く場合における監理技術者

4　前項ただし書の規定は、同項各号の建設工事の工事現場の数が、同一の主任技術者又は監理技術者が各工事現場に係る第二十六条の四第一項に規定する職務を行つたとしてもその適切な遂行に支障を生ずるおそれがないものとして政令で定める数を超えるときは、適用しない。

5　第三項の規定により専任の者でなければならない監理技術者（同項各号に規定する監理技術者を含む。次項において同じ。）は、第二十七条の十八第一項の規定による監理技術者資格者証の交付を受けている者であつて、第二十六条の六から第二十六条の八までの規定により国土交通大臣の登録を受けた講習を受講したもののうちから、これを選任しなければならない。

6　前項の規定により選任された監理技術者は、発注者から請求があつたときは、監理技術者資格者証を提示しなければならない。

〔改正・昭和二八法二一三・昭和三六法八六・昭和四六法三一・昭和六二法六九・平成六法六三・平成一一法一六〇・平成一五法九六・平成一八法一一四・令和元法三〇・令和六法四九〕

参照【政令で定めるもの―令二七【政令で定める者―令二八【政令で定める数―令二九【監督処分―法二八・二九・二九の四【監理技術者―規則一七の一九【罰則―法五二一・五三

第二六条の二　土木工事業又は建築工事業を営む者は、土木一式工事又は建築一式工事を施工する場合において、土木一式工事又は建築一式工事以外の建設工事（第三条第一項ただし書の政令で定める軽微な建設工事を除く。）を施工するときは、当該

建設工事に関し第七条第二号イ、ロ又はハに該当する者で当該工事現場における当該建設工事の施工の技術上の管理をつかさどるものを置いて自ら施工する場合のほか、当該建設工事に係る建設業の許可を受けた建設業者に当該建設工事を施工させなければならない。

2　建設業者は、許可を受けた建設業に係る建設工事に附帯する他の建設工事（第三条第一項ただし書の政令で定める軽微な建設工事を除く。）を施工する場合においては、当該建設工事に関し第七条第二号イ、ロ又はハに該当する者で当該工事現場における当該建設工事の施工の技術上の管理をつかさどるものを置いて自ら施工する場合のほか、当該建設工事に係る建設業の許可を受けた建設業者に当該建設工事を施工させなければならない。

〔追加・昭和四六法三一〕

参照【政令で定める軽微な建設工事―令一の二】【附帯工事―法四】【監督処分―法二八・二九・二九の四】【罰則―法五二2・五三】

第二六条の三　特定専門工事の元請負人及び下請負人（建設業者である下請負人に限る。以下この条において同じ。）は、その合意により、当該元請負人が当該特定専門工事につき第二十六条第一項の規定により置かなければならない主任技術者が、その行うべき次条第一項に規定する職務と併せて、当該下請負人がその下請負に係る建設工事につき第二十六条第一項の規定により置かなければならないこととされる主任技術者の行うべき次条第一項に規定する職務を行うこととすることができる。この場合において、当該下請負人は、第二十六条第一項の規定にかかわらず、その下請負に係る建設工事につき主任技術者を置くことを要しない。

2　前項の「特定専門工事」とは、土木一式工事又は建築一式工事以外の建設工事のうち、その施工技術が画一的であり、かつ、その施工の技術上の管理の効率化を図る必要があるものとして政令で定めるものであつて、当該建設工事の元請負人がこれを施工するために締結した下請契約の請負代金の額（当該下請契約が二以上あるときは、それらの請負代金の額の総額。以下この項において同じ。）が政令で定める金額未満となるものをいう。ただし、元請負人が発注者から直接請け負つた建設工事であつて、当該元請負人がこれを施工するために締結した下請契約の請負代金の額が第二十六条第二項に規定する金額以上となるものを除く。

3　第一項の合意は、書面により、当該特定専門工事（前項に規定する特定専門工事をいう。第七項において同じ。）の内容、当該元請負人が置く主任技術者の氏名その他の国土交通省令で定める事項を明らかにしてするものとする。

4　第一項の元請負人及び下請負人は、前項の規定による書面による合意に代えて、電子情報処理組織を使用する方法その他の情報通信の技術を利用する方法であつて国土交通省令で定めるものにより第一項の合意をすることができる。この場合において、当該元請負人及び下請負人は、当該書面による合意をしたものとみなす。

5　第一項の元請負人は、同項の合意をしようとするときは、あらかじめ、注文者の書面による承諾を得なければならない。

6　注文者は、前項の規定による書面による承諾に代えて、政令で定めるところにより、同項の元請負人の承諾を得て、電子情報処理組織を使用する方法その他の情報通信の技術を利用する方法であつて国土交通省令で定めるものにより、同項の承諾をする旨の通知をすることができる。この場合において、当該注文者は、当該書面による承諾をしたものとみなす。

7　第一項の元請負人が置く主任技術者は、次に掲げる要件のいずれにも該当する者でなければならない。

一　当該特定専門工事と同一の種類の建設工事に関し一年以上指導監督的な実務の経験を有すること。

二　当該特定専門工事の工事現場に専任で置かれること。

8　第一項の元請負人が置く主任技術者については、第二十六条第三項の規定は、適用しない。

9　第一項の下請負人は、その下請負に係る建設工事を他人に請け負わせてはならない。

〔追加・令和元法三〇、改正・令和三法三七〕

参照【監督処分―法二八①4】【政令で定めるもの―令三〇①】【政令で定める金額―令三〇②】【政令で定めるところ―令三一、規則一七の九・一七の一〇】【国土交通省令で定める―規則一七の六―一七の八】【罰則―法五二1・五三】

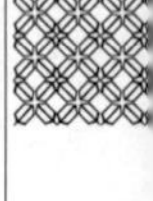

（主任技術者及び監理技術者の職務等）

第二六条の四　主任技術者及び監理技術者は、工事現場における建設工事を適正に実施するため、当該建設工事の施工計画の作成、工程管理、品質管理その他の技術上の管理及び当該建設工事の施工に従事する者の技術上の指導監督の職務を誠実に行わなければならない。

2　工事現場における建設工事の施工に従事する者は、主任技術者又は監理技術者がその職務として行う指導に従わなければならない。

〔追加・平成六法六三、旧二六条の三を繰下・令和元法三〇〕

（営業所技術者等に関する主任技術者又は監理技術者の職務の特例）

第二六条の五　建設業者は、第二十六条第三項本文に規定する建設工事が次の各号に掲げる要件のいずれにも該当する場合には、第七条（第二号に係る部分に限る。）及び第十五条（第二号に係る部分に限る。）及び同項本文の規定にかかわらず、その営業所の営業所技術者又は特定営業所技術者について、営業所技術者にあつては第二十六条第一項の規定により当該工事現場に置かなければならない主任技術者の職務を、特定営業所技術者にあつては当該主任技術者又は同条第二項の規定により当該工事現場に置かなければならない監理技術者の職務を兼ねて行わせることができる。

一　当該営業所において締結した請負契約に係る建設工事であること。

二　当該建設工事の請負代金の額が政令で定める金額未満となるものであること。

三　当該営業所と当該建設工事の工事現場との間の移動時間又は連絡方法その他の当該営業所の業務体制及び当該工事現場の施工体制の確保のために必要な事項に関し国土交通省令で定める要件に適合するものであること。

四　営業所技術者又は特定営業所技術者が当該営業所及び当該建設工事の工事現場の状況の確認その他の当該営業所における建設工事の請負契約の締結及び履行の業務に関する技術上の管理に係る職務並びに当該工事現場に係る前条第一項に規定する職務（次項において「営業所職務等」という。）を情報通信技術を利用する方法により行うため必要な措置として国土交通省令で定めるものが講じられるものであること。

2　前項の規定は、同項の工事現場の数が、営業所技術者又は特定営業所技術者が当該工事現場に係る主任技術者又は監理技術者の職務を兼ねて行つたとしても営業所職務等の適切な遂行に支障を生ずるおそれがないものとして政令で定める数を超えるときは、適用しない。

3　第一項の規定により監理技術者の職務を兼ねて行う特定営業所技術者は、第二十七条の十八第一項の規定による監理技術者資格者証の交付を受けている者であつて、第二十六条第五項の講習を受講したものでなければならない。

4　前項の特定営業所技術者は、発注者から請求があつたときは、監理技術者資格者証を提示しなければならない。

〔追加・令和六法四九〕

（登録）

第二十六条の六　第二十六条第五項の登録は、同項の講習を行おうとする者の申請により行う。

〔追加・平成一五法九六、旧二六条の四を改正し繰下・令和元法三〇、旧二六条の五を繰下・令和六法四九〕

（欠格条項）

第二十六条の七　次の各号のいずれかに該当する者が行う講習は、第二十六条第五項の登録を受けることができない。

一　この法律又はこの法律に基づく命令に違反し、罰金以上の刑に処せられ、その執行を終わり、又は執行を受けることがなくなつた日から二年を経過しない者

二　第二十六条の十七の規定により第二十六条第五項の講習の登録を取り消され、その取消しの日から二年を経過しない者

三　法人であつて、第二十六条第五項の講習を行う役員のうちに前二号のいずれかに該当する者があるもの

〔追加・平成一五法九六、旧二六条の五を改正し繰下・令和元法三〇、旧二六条の六を改正し繰下・令和六法四九〕

（登録の要件等）

第二十六条の八　国土交通大臣は、第二十六条の六の規定により申請のあつた講習が次に掲げる要件の全てに適合しているときは、その登録をしなければならない。この場合において、登録に関して必要な手続は、国土交通省令で定める。

一　次に掲げる科目について行われるものであること。

イ　建設工事に関する法律制度

ロ　建設工事の施工計画の作成、工程管理、品質管理その他の技術上の管理

ハ　建設工事に関する最新の材料、資機材及び施工方法

二　前号ロ及びハに掲げる科目にあつては、次のいずれかに該当する者が講師として講習の業務に従事するものであること。

イ　監理技術者となつた経験を有する者

ロ　学校教育法による高等学校、中等教育学校、大学、高等専門学校又は専修学校における別表第二に掲げる学科の教員となつた経歴を有する者

ハ　イ又はロに掲げる者と同等以上の能力を有する者

三　建設業者に支配されているものとして次のいずれかに該当するものでないこと。

イ　第二十六条の六の規定により登録を申請した者（以下この号において「登録申請者」という。）が株式会社である場合にあつては、建設業者がその親法人（会社法（平成十七年法律第八十六号）第八百七十九条第一項に規定する親法人をいう。第二十七条の三十一第二項第一号において同じ。）であること。

ロ　登録申請者の役員（持分会社（会社法第五百七十五条第一項に規定する持分会社をいう。第二十七条の三十一第二項第二号において同じ。）にあつては、業務を執行する社員）に占める建設業者の役員又は職員（過去二年間に当該建設業者の役員又は職員であつた者を含む。）の割合が二分の一を超えていること。

ハ　登録申請者（法人にあつては、その代表権を有する役員）が建設業者の役員又は職員（過去二年間に当該建設業者の役員又は職員であつた者を含む。）であること。

2　登録は、講習登録簿に次に掲げる事項を記載してするものとする。

一　登録年月日及び登録番号

二　第二十六条第五項の登録を受けた講習（以下「講習」という。）を行う者（以下「登録講習実施機関」という。）の氏名又は名称及び住所並びに法人にあつては、その代表者の氏名

三　登録講習実施機関が講習を行う事務所の所在地

〔追加・平成一五法九六、改正・平成一七法八七、旧二六条の六を改正し繰下・令和元法三〇、旧二六条の七を改正し繰下・令和六法四九〕

参照　【必要な手続―規則一七の四】

（登録の更新）

第二十六条の九　第二十六条第五項の登録は、三年を下らない政令で定める期間ごとにその更新を受けなければ、その期間の経過によつて、その効力を失う。

2　前三条の規定は、前項の登録の更新について準用する。

〔追加・平成一五法九六、旧二六条の七を改正し繰下・令和元法三〇、旧二六条の八を繰下・令和六法四九〕

参照　【政令で定める期間―令三二】【登録の更新―規則一七の五】

（講習の実施に係る義務）

第二十六条の一〇　登録講習実施機関は、公正に、かつ、第二十六条の八第一項第一号及び第二号に掲げる要件並びに国土交通省令で定める基準に適合する方法により講習を行わなければならない。

〔追加・平成一五法九六、旧二六条の八を改正し繰下・令和元法三〇、旧二六条の九を改正し繰下・令和六法四九〕

参照　【国土交通省令で定める基準―規則一七の一一】

（登録事項の変更の届出）

第二十六条の一一　登録講習実施機関は、第二十六条の八第二項第二号又は第三号に掲げる事項を変更しようとするときは、変更しようとする日の二週間前までに、その旨を国土交通大臣に届け出なければならない。

〔追加・平成一五法九六、旧二六条の九を改正し繰下・令和元法三〇、旧二六条の一〇を改正し繰下・令和六法四九〕

（講習規程）

第二十六条の一二　登録講習実施機関は、講習に関する規程（次項において「講習規程」という。）を定め、講習の開始前に、国土交通大臣に届け出なければならない。これを変更しようとするときも、同様とする。

2　講習規程には、講習の実施方法、講習に関する料金その他の国土交通省令で定める事項を定めておかなければならない。

〔追加・平成一五法九六、旧二六条の一〇を改正し繰下・令和元法三〇、旧二六条の一一を繰下・令和六法四九〕

参照【国土交通省令で定める事項―規則一七の一二

(業務の休廃止)

第二六条の一三　登録講習実施機関は、講習の全部又は一部を休止し、又は廃止するときは、国土交通省令で定めるところにより、あらかじめ、その旨を国土交通大臣に届け出なければならない。

〔追加・平成一五法九六、旧二六条の一一を繰下・令和元法三〇、旧二六条の一二を改正し繰下・令和六法四九〕

参照【国土交通省令で定めるところ―規則一七の一三【罰則―法五一1

(財務諸表等の備付け及び閲覧等)

第二六条の一四　登録講習実施機関は、毎事業年度経過後三月以内に、その事業年度の財産目録、貸借対照表及び損益計算書又は収支計算書並びに事業報告書（その作成に代えて電磁的記録（電子的方式、磁気的方式その他の人の知覚によつては認識することができない方式で作られる記録であつて、電子計算機による情報処理の用に供されるものをいう。以下この条において同じ。）の作成がされている場合における当該電磁的記録を含む。次項及び第五十四条において「財務諸表等」という。）を作成し、五年間事務所に備えて置かなければならない。

2　建設業者その他の利害関係人は、登録講習実施機関の業務時間内は、いつでも、次に掲げる請求をすることができる。ただし、第二号又は第四号の請求をするには、登録講習実施機関の定めた費用を支払わなければならない。

一　財務諸表等が書面をもつて作成されているときは、当該書面の閲覧又は謄写の請求

二　前号の書面の謄本又は抄本の請求

三　財務諸表等が電磁的記録をもつて作成されているときは、当該電磁的記録に記録された事項を国土交通省令で定める方法により表示したものの閲覧又は謄写の請求

四　前号の電磁的記録に記録された事項を電子情報処理組織を使用する方法その他の情報通信の技術を利用する方法であつて国土交通省令で定めるものにより提供することの請求又は当該事項を記載した書面の交付の請求

〔追加・平成一五法九六、改正・平成一七法八七、旧二六条の一二を繰下・令和元法三〇、旧二六条の一三を改正し繰下・令和六法四九〕

参照【国土交通省令で定める方法―規則一七の一四【国土交通省令で定めるもの―規則一七の一五【罰則―法五四

(適合命令)

第二六条の一五　国土交通大臣は、講習が第二十六条の八第一項の規定に適合しなくなつたと認めるときは、その登録講習実施機関に対し、同項の規定に適合するため必要な措置をとるべきことを命ずることができる。

〔追加・平成一五法九六、旧二六条の一三を改正し繰下・令和元法三〇、旧二六条の一四を改正し繰下・令和六法四九〕

(改善命令)

第二六条の一六　国土交通大臣は、登録講習実施機関が第二十六条の十の規定に違反していると認めるときは、その登録講習実施機関に対し、同条の規定による講習を行うべきこと又は講習の方法その他の業務の方法の改善に関し必要な措置をとるべきことを命ずることができる。

〔追加・平成一五法九六、旧二六条の一四を改正し繰下・令和元法三〇、旧二六条の一五を改正し繰下・令和六法四九〕

(登録の取消し等)

第二六条の一七　国土交通大臣は、登録講習実施機関が次の各号のいずれかに該当するときは、当該登録講習実施機関の行う講習の登録を取り消し、又は期間を定めて講習の全部若しくは一部の停止を命ずることができる。

一　第二十六条の七第一号又は第三号に該当するに至つたとき。

二　第二十六条の十一から第二十六条の十三まで、第二十六条の十四第一項又は次条の規定に違反したとき。

三　正当な理由がないのに第二十六条の十四第二項各号の請求を拒んだとき。

四　前二条の規定による命令に違反したとき。

五　不正の手段により第二十六条第五項の登録を受けたとき。

〔追加・平成一五法九六、旧二六条の一五を改正し繰下・令和元法三〇、旧二六条の一六を改正し繰下・令和六法四九〕

参照【罰則―法四九

(帳簿の記載)

第二六条の一八　登録講習実施機関は、国土交通省令で定めるところにより、帳簿を備え、講習に関し国土交通省令で定める事項を記載し、これを保存しなければならない。

〔追加・平成一五法九六、旧二六条の一六を繰下・令和元法三〇、旧二六条の一七を繰下・令和六法四九〕

参照【国土交通省令で定めるところ―規則一七の一六【国土交通省令で定める事項―規則一七の一六【罰則―五一2

(国土交通大臣による講習の実施)

第二六条の一九　国土交通大臣は、講習を行う者がいないとき、第二十六条の十三の規定による講習の全部又は一部の休止又は廃止の届出があつたとき、第二十六条の十七の規定により第二十六条第五項の登録を取り消し、又は登録講習実施機関に対し講習の全部若しくは一部の停止を命じたとき、登録講習実施機関が天災その他の事由により講習の全部又は一部を実施することが困難となつたとき、その他必要があると認めるときは、講習の全部又は一部を自ら行うことができる。

2　国土交通大臣が前項の規定により講習の全部又は一部を自ら行う場合における講習の引継ぎその他の必要な事項については、国土交通省令で定める。

〔追加・平成一五法九六、旧二六条の一七を改正し繰下・令和元法三〇、旧二六条の一八を改正し繰下・令和六法四九〕

参照【必要な事項―規則一七の一七

(手数料)

第二六条の二〇　前条第一項の規定により国土交通大臣が行う講習を受けようとする者は、実費を勘案して政令で定める額の手数料を国に納めなければならない。

〔追加・平成一五法九六、旧二六条の一八を繰下・令和元法三〇、旧二六条の一九を繰下・令和六法四九〕

参照【政令で定める額―令三三

(報告の徴収)

第二六条の二一　国土交通大臣は、講習の業務の適正な実施を確

保するために必要な限度において、登録講習実施機関に対し、その業務又は経理の状況に関し報告をさせることができる。

〔追加・平成一五法九六、旧二六条の一九を繰下・令和元法三〇、旧二六条の二〇を改正し繰下・令和六法四九〕

参照 【罰則―法五一３

（立入検査）

第二十六条の二十二　国土交通大臣は、講習の業務の適正な実施を確保するために必要な限度において、その職員に、登録講習実施機関の事務所に立ち入り、その業務の状況又は帳簿、書類その他の物件を検査させることができる。

２　前項の規定により立入検査をする職員は、その身分を示す証明書を携帯し、関係者に提示しなければならない。

３　第一項の規定による立入検査の権限は、犯罪捜査のために認められたものと解してはならない。

〔追加・平成一五法九六、旧二六条の二〇を改正し繰下・令和元法三〇、旧二六条の二一を改正し繰下・令和六法四九〕

参照 【罰則―法五一３

（公示）

第二十六条の二十三　国土交通大臣は、次に掲げる場合には、その旨を官報に公示しなければならない。

一　第二十六条第五項の登録をしたとき。

二　第二十六条の十一の規定による届出があつたとき。

三　第二十六条の十三の規定による届出があつたとき。

四　第二十六条の十七の規定により第二十六条第五項の登録を取り消し、又は講習の停止を命じたとき。

五　第二十六条の十九の規定により講習の全部若しくは一部を自ら行うこととするとき、又は自ら行つていた講習の全部若しくは一部を行わないこととするとき。

〔追加・平成一五法九六、旧二六条の二一を改正し繰下・令和元法三〇、旧二六条の二二を改正し繰下・令和六法四九〕

（技術検定）

第二十七条　国土交通大臣は、施工技術の向上を図るため、建設業者の施工する建設工事に従事し又はしようとする者について、政令の定めるところにより、技術検定を行うことができる。

２　前項の検定は、これを分けて第一次検定及び第二次検定とする。

３　第一次検定は、第一項に規定する者が施工技術の基礎となる知識及び能力を有するかどうかを判定するために行う。

４　第二次検定は、第一項に規定する者が施工技術のうち第二十六条の四第一項に規定する技術上の管理及び指導監督に係る知識及び能力を有するかどうかを判定するために行う。

５　国土交通大臣は、第一次検定又は第二次検定に合格した者に、それぞれ合格証明書を交付する。

６　合格証明書の交付を受けた者は、合格証明書を滅失し、又は損傷したときは、合格証明書の再交付を申請することができる。

７　第一次検定又は第二次検定に合格した者は、それぞれ政令で定める称号を称することができる。

〔全改・昭和三五法七四、改正・昭和六二法六九・平成一一法一六〇・令和元法三〇〕

参照 【政令の定めるところ―令三四【政令で定める称号―令三五～三七【合格証明書の交付―施工技術検定規則一三～一七

（指定試験機関の指定）

第二十七条の二　国土交通大臣は、その指定する者（以下「指定試験機関」という。）に、第一次検定又は第二次検定に必要な試験の実施に関する事務（以下「試験事務」という。）の全部又は一部を行わせることができる。

２　前項の規定による指定は、試験事務を行おうとする者の申請により行う。

３　国土交通大臣は、指定試験機関に試験事務を行わせるときは、当該試験事務を行わないものとする。

〔追加・昭和六二法六九、改正・平成一一法一六〇・令和元法三〇〕

参照 【試験の実施に関する事務＝検定の公告―施工技術検定規則三【受検票の交付―施工技術検定規則一〇【試験の合格の通知―施工技術検定規則一一【合格者の公表―施工技術検定規則一二【指定試験機関の指定―規則一七の二【指定試験機関の指定の申請―規則一七の二

（指定の基準）

第二十七条の三　国土交通大臣は、前条第二項の規定による申請が次の各号に適合していると認めるときでなければ、同条第一項の規定による指定をしてはならない。

一　職員、設備、試験事務の実施の方法その他の事項についての試験事務の実施に関する計画が試験事務の適正かつ確実な実施のために適切なものであること。

二　前号の試験事務の実施に関する計画の適正かつ確実な実施に必要な経理的及び技術的な基礎を有するものであること。

三　試験事務以外の業務を行つている場合には、その業務を行うことによつて試験事務が不公正になるおそれがないこと。

２　国土交通大臣は、前条第二項の規定による申請をした者が次の各号のいずれかに該当するときは、同条第一項の規定による指定をしてはならない。

一　一般社団法人又は一般財団法人以外の者であること。

二　この法律の規定に違反して、刑に処せられ、その執行を終わり、又は執行を受けることがなくなつた日から起算して二年を経過しない者であること。

三　第二十七条の十四第一項又は第二項の規定により指定を取り消され、その取消しの日から起算して二年を経過しない者であること。

四　その役員のうちに、次のいずれかに該当する者があること。

イ　第二号に該当する者

ロ　第二十七条の五第二項の規定による命令により解任され、その解任の日から起算して二年を経過しない者

〔追加・昭和六二法六九、改正・平成一一法一六〇・平成一八法五〇〕

（指定の公示等）

第二十七条の四　国土交通大臣は、第二十七条の二第一項の規定による指定をしたときは、当該指定を受けた者の名称及び主たる事務所の所在地並びに当該指定をした日を公示しなければならない。

２　指定試験機関は、その名称又は主たる事務所の所在地を変更しようとするときは、変更しようとする日の二週間前までに、その旨を国土交通大臣に届け出なければならない。

３　国土交通大臣は、前項の規定による届出があつたときは、その旨を公示しなければならない。

〔追加・昭和六二法六九、改正・平成一一法一六〇〕

参照【名称等の変更の届出―規則一七の二三

（役員の選任及び解任）

第二十七条の五　指定試験機関の役員の選任及び解任は、国土交通大臣の認可を受けなければ、その効力を生じない。

2　国土交通大臣は、指定試験機関の役員が、この法律（この法律に基づく命令又は処分を含む。）若しくは第二十七条の八第一項の試験事務規程に違反する行為をしたとき、又は試験事務に関し著しく不適当な行為をしたときは、指定試験機関に対して、その役員を解任すべきことを命ずることができる。

〔追加・昭和六二法六九、改正・平成一一法一六〇〕

参照【役員の選任又は解任の認可の申請―規則一七の二四

（試験委員）

第二十七条の六　指定試験機関は、国土交通省令で定める要件を備える者のうちから試験委員を選任し、試験の問題の作成及び採点を行わせなければならない。

2　指定試験機関は、前項の試験委員を選任し、又は解任したときは、遅滞なく、その旨を国土交通大臣に届け出なければならない。

3　前条第二項の規定は、第一項の試験委員の解任について準用する。

〔追加・昭和六二法六九、改正・平成一一法一六〇〕

参照【試験委員の要件―規則一七の二五【試験委員の選任又は解任の届出―規則一七の二六

（秘密保持義務等）

第二十七条の七　指定試験機関の役員若しくは職員（前条第一項の試験委員を含む。次項において同じ。）又はこれらの職にあつた者は、試験事務に関して知り得た秘密を漏らしてはならない。

2　試験事務に従事する指定試験機関の役員及び職員は、刑法その他の罰則の適用については、法令により公務に従事する職員とみなす。

〔追加・昭和六二法六九、改正・平成六法六三〕

参照【罰則―法四八

（試験事務規程）

第二十七条の八　指定試験機関は、国土交通省令で定める試験事務の実施に関する事項について試験事務規程を定め、国土交通大臣の認可を受けなければならない。これを変更しようとするときも、同様とする。

2　国土交通大臣は、前項の規定により認可をした試験事務規程が試験事務の適正かつ確実な実施上不適当となつたと認めるときは、指定試験機関に対して、これを変更すべきことを命ずることができる。

〔追加・昭和六二法六九、改正・平成一一法一六〇〕

参照【試験事務規程―規則一七の二七【試験事務規程の認可の申請―規則一七の二八

（事業計画等）

第二十七条の九　指定試験機関は、毎事業年度、事業計画及び収支予算を作成し、当該事業年度の開始前に（第二十七条の二第一項の規定による指定を受けた日の属する事業年度にあつては、その指定を受けた後遅滞なく）、国土交通大臣の認可を受けなければならない。これを変更しようとするときも、同様とする。

2　指定試験機関は、毎事業年度、事業報告書及び収支決算書を作成し、当該事業年度の終了後三月以内に、国土交通大臣に提出しなければならない。

〔追加・昭和六二法六九、改正・平成一一法一六〇〕

参照【事業計画等の認可の申請―規則一七の二九

（帳簿の備付け等）

第二十七条の一〇　指定試験機関は、国土交通省令で定めるところにより、試験事務に関する事項で国土交通省令で定めるものを記載した帳簿を備え、保存しなければならない。

〔追加・昭和六二法六九、改正・平成一一法一六〇〕

参照【帳簿―規則一七の三〇【罰則―法五一2

（監督命令）

第二十七条の一一　国土交通大臣は、試験事務の適正な実施を確保するため必要があると認めるときは、指定試験機関に対して、試験事務に関し監督上必要な命令をすることができる。

〔追加・昭和六二法六九、改正・平成一一法一六〇〕

（報告徴収及び立入検査）

第二十七条の一二　国土交通大臣は、試験事務の適正な実施を確保するために必要な限度において、指定試験機関に対して試験事務の状況に関し必要な報告を求め、又はその職員に、指定試験機関の事務所に立ち入り、試験事務の状況若しくは設備、帳簿、書類その他の物件を検査させることができる。

2　第二十六条の二十二第二項及び第三項の規定は、前項の規定による立入検査について準用する。

〔追加・昭和六二法六九、改正・平成一一法一六〇・令和元法三〇・令和六法四九〕

参照【罰則―法五一3

（試験事務の休廃止）

第二十七条の一三　指定試験機関は、国土交通大臣の許可を受けなければ、試験事務の全部又は一部を休止し、又は廃止してはならない。

2　国土交通大臣は、指定試験機関の試験事務の全部又は一部の休止又は廃止により試験事務の適正かつ確実な実施が損なわれるおそれがないと認めるときでなければ、前項の規定による許可をしてはならない。

3　国土交通大臣は、第一項の規定による許可をしたときは、その旨を公示しなければならない。

〔追加・昭和六二法六九、改正・平成一一法一六〇〕

参照【試験事務の休廃止の許可―規則一七の三一【罰則―法五一1

（指定の取消し等）

第二十七条の一四　国土交通大臣は、指定試験機関が第二十七条の三第二項各号（第三号を除く。）の一に該当するに至つたときは、当該指定試験機関の指定を取り消さなければならない。

2　国土交通大臣は、指定試験機関が次の各号の一に該当するときは、当該指定試験機関に対して、その指定を取り消し、又は期間を定めて試験事務の全部若しくは一部の停止を命ずることができる。

一　第二十七条の三第一項各号の一に適合しなくなつたと認められるとき。

二　第二十七条の四第二項、第二十七条の六第一項若しくは第二項、第二十七条の九、第二十七条の十又は前条第一項の規定に違反したとき。

三　第二十七条の五第二項（第二十七条の六第三項において準用する場合を含む。）、第二十七条の八第二項又は第二十七条の十一の規定による命令に違反したとき。

四　第二十七条の八第一項の規定により認可を受けた試験事務規程によらないで試験事務を行つたとき。

五　不正な手段により第二十七条の二第一項の規定による指定を受けたとき。

3　国土交通大臣は、前二項の規定により指定を取り消し、又は前項の規定により試験事務の全部若しくは一部の停止を命じたときは、その旨を公示しなければならない。

〔追加・昭和六二法六九、改正・平成五法八九・平成一一法一六〇〕

参照　【罰則―法四九】

（国土交通大臣による試験事務の実施）

第二七条の一五　国土交通大臣は、指定試験機関が第二十七条の十三第一項の規定により試験事務の全部若しくは一部を休止したとき、前条第二項の規定により指定試験機関に対して試験事務の全部若しくは一部の停止を命じたとき、又は指定試験機関が天災その他の事由により試験事務の全部若しくは一部を実施することが困難となつた場合において必要があると認めるときは、第二十七条の二第三項の規定にかかわらず、当該試験事務の全部又は一部を行うものとする。

2　国土交通大臣は、前項の規定により試験事務を行うこととし、又は同項の規定により行つている試験事務を行わないこととするときは、あらかじめ、その旨を公示しなければならない。

3　国土交通大臣が、第一項の規定により試験事務を行うこととし、第二十七条の十三第一項の規定により試験事務の廃止を許可し、又は前条第一項若しくは第二項の規定により指定を取り消した場合における試験事務の引継ぎその他の必要な事項は、国土交通省令で定める。

〔追加・昭和六二法六九、改正・平成一一法一六〇〕

参照　【試験事務の引継ぎ―規則一七の三三】

（手数料）

第二七条の一六　第一次検定若しくは第二次検定を受けようとする者又は合格証明書の交付若しくは再交付を受けようとする者は、実費を勘案して政令で定める額の手数料を国（指定試験機関が行う試験を受けようとする者は、指定試験機関）に納めなければならない。

2　前項の規定により指定試験機関に納められた手数料は、指定試験機関の収入とする。

〔追加・昭和六二法六九、改正・令和元法三〇〕

参照　【試験―法二七】【受験手数料等―令三九】

（指定試験機関がした処分等に係る審査請求）

第二七条の一七　指定試験機関が行う試験事務に係る処分又はその不作為については、国土交通大臣に対して、審査請求をすることができる。この場合において、国土交通大臣は、行政不服審査法（平成二十六年法律第六十八号）第二十五条第二項及び第三項、第四十六条第一項及び第二項、第四十七条並びに第四十九条第三項の規定の適用については、指定試験機関の上級行政庁とみなす。

〔追加・昭和六二法六九、改正・平成一一法一六〇・平成二六法六九〕

（監理技術者資格者証の交付）

第二七条の一八　国土交通大臣は、監理技術者資格（建設業の種類に応じ、第十五条第二号イの規定により国土交通大臣が定める試験に合格し、若しくは同号イの規定により国土交通大臣が定める免許を受けていること、第七条第二号イ若しくはロに規定する実務の経験若しくは学科の修得若しくは同号ハの規定による国土交通大臣の認定があり、かつ、第十五条第二号ロに規定する実務の経験を有していること、又は同号ハの規定により同号イ若しくはロに掲げる者と同等以上の能力を有するものとして国土交通大臣がした認定を受けていることをいう。以下同じ。）を有する者の申請により、その申請者に対して、監理技術者資格者証（以下「資格者証」という。）を交付する。

2　資格者証には、交付を受ける者の氏名、交付の年月日、交付を受ける者が有する監理技術者資格、建設業の種類その他の国土交通省令で定める事項を記載するものとする。

3　第一項の場合において、申請者が二以上の監理技術者資格を有する者であるときは、これらの監理技術者資格を合わせて記載した資格者証を交付するものとする。

4　資格者証の有効期間は、五年とする。

5　資格者証の有効期間は、申請により更新する。

6　第四項の規定は、更新後の資格者証の有効期間について準用する。

〔追加・昭和六二法六九、改正・平成六法六三・平成一一法一六〇・平成一五法九六〕

参照　【資格者証の交付の申請―規則一七の三四】【資格者証の記載事項及び様式―規則一七の三五】【資格者証の記載事項の変更―規則一七の三六】【資格者証の再交付等―規則一七の三七】【資格者証の有効期間の更新―規則一七の三八】

（指定資格者証交付機関）

第二七条の一九　国土交通大臣は、その指定する者（以下「指定資格者証交付機関」という。）に、資格者証の交付及びその有効期間の更新の実施に関する事務（以下「交付等事務」という。）を行わせることができる。

2　前項の規定による指定は、交付等事務を行おうとする者の申請により行う。

3　国土交通大臣は、前項の規定による申請をした者が次の各号のいずれかに該当するときは、第一項の規定による指定をしてはならない。

一　一般社団法人又は一般財団法人以外の者であること。

二　第五項において準用する第二十七条の十四第一項又は第二項の規定により指定を取り消され、その取消しの日から起算して二年を経過しない者であること。

4　国土交通大臣は、指定資格者証交付機関に交付等事務を行わせるときは、当該交付等事務を行わないものとする。

5　第二十七条の四、第二十七条の八、第二十七条の十二、第二十七条の十三、第二十七条の十四（同条第二項第一号を除く。）、第二十七条の十五及び第二十七条の十七の規定は、指定資格者証交付機関について準用する。この場合において、第二十七条の四第一項及び第二十七条の十四第二項第五号中「第二十七条の二第一項」とあるのは「第二十七条の十九第一項」と、第二十七条の八及び第二十七条の十四第二項第四号中「試験事務規程」とあるのは「交付等事務規程」と、第二十七条の十二第一項、第二十七条の十三第一項及び第二項、第二十七条の十四第二項及び第三項、第二十七条の十五並びに第二十七条の十七中「試験事務」とあるのは「交付等事務」と、第二十七条の十四第一項中「第二十七条の三第二項各号（第三号を除く。）の一に」とあるのは「第二十七条の十九第三項第一号に」と、同条第二項第二号中「第二十七条の六第一項若しくは第二項、第二十七条の九、第二十七条の十又は前条第一項」とあるのは「前条第一項又は第二十七条の二十」と、同項第三号中「第二十七条の五第二項（第二十七条の六第三項において準用する場合を含む。）、第二十七条の八第二項又は第二十七条の十一」とあるのは「第二十七条の八第二項」と、第二十七条の十五第一項中「第二十七条の二第三項」とあるのは「第二十七条の十九第四項」と読み替えるものとする。

〔追加・昭和六二法六九、改正・平成一一法一六〇・平成一八法五〇〕

参照【指定資格者証交付機関の指定―規則一七の三九】【指定資格者証交付機関の指定の申請―規則一七の四〇】【交付等事務規程の記載事項―規則一七の四一】【罰則（五項関係）―法四九・五一1・3】

（事業計画等）

第二十七条の二〇　指定資格者証交付機関は、毎事業年度、事業計画及び収支予算を作成し、国土交通省令で定めるところにより、国土交通大臣に届け出なければならない。これを変更しようとするときも、同様とする。

2　指定資格者証交付機関は、毎事業年度、事業報告書及び収支決算書を作成し、国土交通省令で定めるところにより、国土交通大臣に提出しなければならない。

〔追加・昭和六二法六九、改正・平成一一法一六〇〕

参照【事業計画等の届出―規則一七の四二】【事業報告書等の提出―規則一七の四三】

（手数料）

第二十七条の二一　資格者証の交付又は資格者証の有効期間の更新を受けようとする者は、実費を勘案して政令で定める額の手数料を国（指定資格者証交付機関が行う資格者証の交付又は資格者証の有効期間の更新を受けようとする者は、指定資格者証交付機関）に納めなければならない。

2　前項の規定により指定資格者証交付機関に納められた手数料は、指定資格者証交付機関の収入とする。

〔追加・昭和六二法六九〕

参照【資格者証交付等手数料―令四一】

（国土交通省令への委任）

第二十七条の二二　この章に規定するもののほか、第二十六条第五項の登録及び講習の受講並びに第二十七条の十八第一項の資格者証に関し必要な事項は、国土交通省令で定める。

〔追加・昭和六二法六九、改正・平成一一法一六〇・平成一五法九六・令和元法三〇〕

参照【講習の受講―規則一七の一九】【資格者証の交付の申請―規則一七の三四】【資格者証の記載事項及び様式―規則一七の三五】【資格者証の記載事項の変更―規則一七の三六】【資格者証の再交付等―規則一七の三七】【資格者証の有効期間の更新―規則一七の三八】

第四章の二　建設業者の経営に関する事項の審査等

〔追加・昭和三六法八六、改正・平成一五法九六〕

（経営事項審査）

第二十七条の二三　公共性のある施設又は工作物に関する建設工事で政令で定めるものを発注者から直接請け負おうとする建設業者は、国土交通省令で定めるところにより、その経営に関する客観的事項について審査を受けなければならない。

2　前項の審査（以下「経営事項審査」という。）は、次に掲げる事項について、数値による評価をすることにより行うものとする。

一　経営状況

二　経営規模、技術的能力その他の前号に掲げる事項以外の客観的事項

3　前項に定めるもののほか、経営事項審査の項目及び基準は、中央建設業審議会の意見を聴いて国土交通大臣が定める。

〔追加・昭和三六法八六、旧二七条の二を改正し繰下・昭和六二法六九、改正・平成六法六三・平成一一法一六〇・平成一五法九六〕

参照【政令で定めるもの―令四二、規則一八】【国土交通省令の定めるところ―規則一八の二】【経営事項審査の客観的事項―規則一八の三】

（経営状況分析）

第二十七条の二四　前条第二項第一号に掲げる事項の分析（以下「経営状況分析」という。）については、第二十七条の三十一の規定及び第二十七条の三十二において準用する第二十六条の七の規定により国土交通大臣の登録を受けた者（以下「登録経営状況分析機関」という。）が行うものとする。

2　経営状況分析の申請は、国土交通省令で定める事項を記載した申請書を登録経営状況分析機関に提出してしなければならない。

3　前項の申請書には、経営状況分析に必要な事実を証する書類として国土交通省令で定める書類を添付しなければならない。

4　登録経営状況分析機関は、経営状況分析のため必要があると認めるときは、経営状況分析の申請をした建設業者に報告又は資料の提出を求めることができる。

〔追加・昭和六二法六九、改正・平成一一法一六〇、全改・平成一五法九六、改正・令和元法三〇・令和六法四九〕

参照【登録―規則二一の五】【経営状況分析の申請―規則一九の二】【国土交通省令で定める事項―規則一九の三】【国土交通省令で定める書類―規則一九の四】【罰則―法五〇①4・②・五二4・五三】

（経営状況分析の結果の通知）

第二十七条の二五　登録経営状況分析機関は、経営状況分析を行つたときは、遅滞なく、国土交通省令で定めるところにより、当

該経営状況分析の申請をした建設業者に対して、当該経営状況分析の結果に係る数値を通知しなければならない。

〔追加・昭和六二法六九、改正・平成一一法一六〇、全改・平成一五法九六〕

参照【国土交通省令で定めるところ―規則一九の五

（経営規模等評価）

第二七条の二六　第二十七条の二十三第二項第二号に掲げる事項の評価（以下「経営規模等評価」という。）については、国土交通大臣又は都道府県知事が行うものとする。

2　経営規模等評価の申請は、国土交通省令で定める事項を記載した申請書を建設業の許可をした国土交通大臣又は都道府県知事に提出してしなければならない。

3　前項の申請書には、経営規模等評価に必要な事実を証する書類として国土交通省令で定める書類を添付しなければならない。

4　国土交通大臣又は都道府県知事は、経営規模等評価のため必要があると認めるときは、経営規模等評価の申請をした建設業者に報告又は資料の提出を求めることができる。

〔追加・昭和六二法六九、改正・平成六法六三・平成一一法一六〇、全改・平成一五法九六〕

参照【経営規模等評価の申請―規則一九の六【国土交通省令で定める事項―規則一九の七【国土交通省令で定める書類―規則一九の八【罰則―法五〇①4・②・五二4・五三

（経営規模等評価の結果の通知）

第二七条の二七　国土交通大臣又は都道府県知事は、経営規模等評価を行つたときは、遅滞なく、国土交通省令で定めるところにより、当該経営規模等評価の申請をした建設業者に対して、当該経営規模等評価の結果に係る数値を通知しなければならない。

〔追加・昭和三六法八六、改正・昭和四六法三一、旧二七条の三を改正し繰下・昭和六二法六九、改正・平成六法六三・平成一一法一六〇、全改・平成一五法九六〕

参照【国土交通省令で定めるところ―規則一九の九

（再審査の申立）

第二七条の二八　経営規模等評価の結果について異議のある建設業者は、当該経営規模等評価を行つた国土交通大臣又は都道府県知事に対して、再審査を申し立てることができる。

〔追加・昭和三六法八六、改正・昭和三七法一六一、旧二七条の四を改正し繰下・昭和六二法六九、改正・平成一一法一六〇、全改・平成一五法九六〕

参照【再審査の申立て―規則二〇【再審査の結果の通知―規則二一

（総合評定値の通知）

第二七条の二九　国土交通大臣又は都道府県知事は、経営規模等評価の申請をした建設業者から請求があつたときは、遅滞なく、国土交通省令で定めるところにより、当該建設業者に対して、総合評定値（経営状況分析の結果に係る数値及び経営規模等評価の結果に係る数値を用いて国土交通省令で定めるところにより算出した客観的事項の全体についての総合的な評定の結果に係る数値をいう。以下同じ。）を通知しなければならない。

2　前項の請求は、第二十七条の二十五の規定により登録経営状況分析機関から通知を受けた経営状況分析の結果に係る数値を当該建設業者の建設業の許可をした国土交通大臣又は都道府県知事に提出してしなければならない。

3　国土交通大臣又は都道府県知事は、第二十七条の二十三第一項の建設工事の発注者から請求があつたときは、遅滞なく、国土交通省令で定めるところにより、当該発注者に対して、同項の建設業者に係る総合評定値（当該発注者から同項の建設業者に係る経営状況分析の結果に係る数値及び経営規模等評価の結果に係る数値の請求があつた場合にあつては、これらの数値を含む。）を通知しなければならない。ただし、第一項の規定による請求をしていない建設業者に係る当該発注者からの請求にあつては、当該建設業者に係る経営規模等評価の結果に係る数値のみを通知すれば足りる。

〔追加・昭和六二法六九、全改・平成一五法九六〕

参照【国土交通省令で定める総合評定値の請求―規則二一の二【国土交通省令で定める総合評定値の算出―規則二一の三【国土交通省令で定める総合評定値の通知―規則二一の四

（手数料）

第二七条の三〇　国土交通大臣に対して第二十七条の二十六第二項の申請又は前条第一項の請求をしようとする者は、政令で定めるところにより、実費を勘案して政令で定める額の手数料を国に納めなければならない。

〔追加・昭和六二法六九、改正・平成一一法一六〇、全改・平成一五法九六〕

参照【政令で定める額―令四三

（登録）

第二七条の三一　第二十七条の二十四第一項の登録は、経営状況分析を行おうとする者の申請により行う。

2　国土交通大臣は、前項の規定により登録を申請した者（以下この項において「登録申請者」という。）が、電子計算機（入出力装置を含む。）及び経営状況分析に必要なプログラム（電子計算機に対する指令であつて、一の結果を得ることができるように組み合わされたものをいう。）を有し、かつ、第二十七条の二十三第一項の規定により経営事項審査を受けなければならないこととされる建設業者（以下この項において単に「建設業者」という。）に支配されているものとして次のいずれかに該当するものでないときは、その登録をしなければならない。この場合において、登録に関して必要な手続は、国土交通省令で定める。

一　登録申請者が株式会社である場合にあつては、建設業者がその親法人であること。

二　登録申請者の役員（持分会社にあつては、業務を執行する社員）に占める建設業者の役員又は職員（過去二年間に当該建設業者の役員又は職員であつた者を含む。）の割合が二分の一を超えていること。

三　登録申請者（法人にあつては、その代表権を有する役員）が建設業者の役員又は職員（過去二年間に当該建設業者の役員又は職員であつた者を含む。）であること。

3　登録は、登録経営状況分析機関登録簿に次に掲げる事項を記載してするものとする。

一　登録年月日及び登録番号

二　登録経営状況分析機関の氏名又は名称及び住所並びに法人

にあつては、その代表者の氏名
三　登録経営状況分析機関が経営状況分析を行う事務所の所在地
〔追加・昭和六二法六九、改正・平成一一法八七・平成一一法一六〇、全改・平成一五法九六、改正・平成一七法八七〕

参照【必要な手続―規則二一の五】

（準用規定）
第二十七条の三十二　第二十六条の七、第二十六条の九から第二十六条の十八まで及び第二十六条の二十一から第二十六条の二十三までの規定は、登録経営状況分析機関について準用する。この場合において、次の表の上欄に掲げる規定中同表の中欄に掲げる字句は、それぞれ同表の下欄に掲げる字句に読み替えるものとする。

上欄	中欄	下欄
第二十六条の七	該当する者が行う講習は、第二十六条第五項	該当する者は、第二十七条の二十四第一項
第二十六条の七第二号	第二十六条第五項の講習	第二十七条の二十四第一項
第二十六条の七第三号	第二十六条第五項の講習	経営状況分析の業務
第二十六条の九第一項、第二十六条の十七第五号並びに第二十六条の二十三第一号及び第四号	第二十六条第五項	第二十七条の二十四第一項
第二十六条の九第二項	前三条	第二十七条の三十一及び第二十七条の三十二において準用する第二十六条の七
第二十六条の十の見出し	講習の実施に係る	経営状況分析の
第二十六条の十	第二十六条の八第一項第一号及び第二号に掲げる要件並びに国土交通省令	国土交通省令
	講習を	経営状況分析を
第二十六条の十一	第二十六条の八第二項第二号又は第三号	第二十七条の三十一第三項第二号又は第三号
第二十六条の十二（見出しを含む。）	講習規程	経営状況分析規程
第二十六条の十二第一項	講習に	経営状況分析の業務に
第二十六条の十二第一項、第二十六条の十三並びに第二十六条の二十三第四号及び第五号	講習の	経営状況分析の業務の
第二十六条の十二第二項、第二十六条の十六、第二十六条の二十一及び第二十六条の二十二第一項	講習の	経営状況分析の
第二十六条の十二第三項及び第二十六条の十八	講習に	経営状況分析に
第二十六条の十四第二項	建設業者	第二十七条の三十一第二項に規定する建設業者
第二十六条の十五	講習が第二十六条の八第一項	登録経営状況分析機関が第二十七条の三十一第二項
第二十六条の十六	第二十六条の十	第二十七条の三十二において準用する第二十六条の十又は第二十七条の三十三
第二十六条の十七	同条の規定による講習	これらの規定による経営状況分析の業務
	当該登録講習実施機関の行う講習の登録	その登録
	講習の全部	経営状況分析の業務の全部
第二十六条の二十三第五号	第二十六条の十九	第二十七条の三十五

〔追加・平成一五法九六、改正・令和元法三〇・令和六法四九〕

参照【本条で準用する法二六条の八の政令で定める期間―令三二】【本条で準用する法二六条の九の国土交通省令で定める基準―規則二一の六】【本条で準用する法二六条の一一の国土交通省令で定める事項―規則二一の七】【本条で準用する法二六条の一七の国土交通省令で定める事項―規則二一の八】【罰則―法四九・五一・五四】

（経営状況分析の義務）

第二十七条の三十三　登録経営状況分析機関は、経営状況分析を行うことを求められたときは、正当な理由がある場合を除き、遅滞なく、経営状況分析を行わなければならない。

〔追加・平成一五法九六〕

（秘密保持義務）
第二十七条の三十四　登録経営状況分析機関の役員若しくは職員又はこれらの職にあつた者は、経営状況分析の業務に関して知り得た秘密を漏らしてはならない。

〔追加・平成一五法九六〕

参照 【罰則─法四八

（国土交通大臣又は都道府県知事による経営状況分析の実施）

第二七条の三五　国土交通大臣又は都道府県知事は、第二十七条の二十四第一項の登録を受けた者がいないとき、第二十七条の三十二において準用する第二十六条の十三の規定による経営状況分析の業務の全部又は一部の休止又は廃止の届出があつたとき、第二十七条の三十二において準用する第二十六条の十七の規定により第二十七条の二十四第一項の登録を取り消し、又は登録経営状況分析機関に対し経営状況分析の業務の全部若しくは一部の停止を命じたとき、登録経営状況分析機関が天災その他の事由により経営状況分析の業務の全部又は一部を実施することが困難となつたとき、その他国土交通大臣が必要があると認めるときは、経営状況分析の業務の全部又は一部を自ら行うことができる。

2　国土交通大臣は、都道府県知事が前項の規定により経営状況分析を行うこととなる場合又は都道府県知事が同項の規定により経営状況分析を行うこととなる事由がなくなつた場合には、速やかにその旨を当該都道府県知事に通知しなければならない。

3　国土交通大臣又は都道府県知事が第一項の規定により経営状況分析の業務の全部又は一部を自ら行う場合における経営状況分析の業務の引継ぎその他の必要な事項については、国土交通省令で定める。

4　第二十七条の三十の規定は、第一項の規定により国土交通大臣が行う経営状況分析を受けようとする者について準用する。

5　都道府県知事は、第一項の規定により経営状況分析の業務の全部若しくは一部を自ら行うこととするとき、又は自ら行つていた経営状況分析の業務の全部若しくは一部を行わないこととするときは、その旨を当該都道府県の公報に公示しなければならない。

〔追加・平成一五法九六、改正・令和元法三〇・令和六法四九〕

参照 【必要な事項─規則二一の九・二一の一〇【本条で準用する法二七条の三〇の政令で定める額─令四四

（国土交通省令への委任）

第二七条の三六　この章に規定するもののほか、経営事項審査及び第二十七条の二十八の再審査に関し必要な事項は、国土交通省令で定める。

〔追加・昭和三六法八六、旧二七条の五を改正し繰下・昭和六二法六九、改正・平成一一法一六〇、旧二七条の三三を繰下・平成一五法九六〕

参照 【必要な事項─規則一八・一八の三・二〇・二一

第四章の三　建設業者団体

〔追加・昭和三六法八六〕

（届出）

第二七条の三七　建設業に関する調査、研究、講習、指導、広報その他の建設工事の適正な施工を確保するとともに、建設業の健全な発達を図ることを目的とする事業を行う社団又は財団で国土交通省令で定めるもの（以下「建設業者団体」という。）は、国土交通省令の定めるところにより、国土交通大臣又は都道府県知事に対して、国土交通省令で定める事項を届け出なければならない。

〔追加・昭和三六法八六、旧二七条の六を改正し繰下・昭和六二法六九、改正・平成一一法一六〇、旧二七条の三三を繰下・平成一五法九六、改正・平成二六法五五〕

参照 【国土交通省令で定める社団又は財団─規則二二【国土交通省令の定めるところ─規則二三【国土交通省令で定める事項─規則二三

（報告等）

第二七条の三八　国土交通大臣又は都道府県知事は、前条の届出のあつた建設業者団体に対して、建設工事の適正な施工を確保し、又は建設業の健全な発達を図るために必要な事項に関して報告を求めることができる。

〔追加・昭和三六法八六、旧二七条の七を繰下・昭和六二法六九、改正・平成一一法一六〇、旧二七条の三四を繰下・平成一五法九六〕

参照 【建設業者団体に対する指導・助言・勧告─法四一①

（建設業者団体等の責務）

第二七条の三九　建設業者団体は、その事業を行うに当たつては、建設工事の担い手の育成及び確保その他の施工技術の確保に資するよう努めなければならない。

2　国土交通大臣は、建設業者団体が行う建設工事の担い手の育成及び確保その他の施工技術の確保に関する取組の状況について把握するよう努めるとともに、当該取組が促進されるように必要な措置を講ずるものとする。

〔追加・平成二六法五五、改正・令和元法三〇〕

第二七条の四〇　建設業者団体は、災害が発生した場合において、当該災害を受けた地域における公共施設その他の施設の復旧工事の円滑かつ迅速な実施が図られるよう、当該復旧工事を施工する建設業者と地方公共団体その他の関係機関との連絡調整、当該復旧工事に使用する資材及び建設機械の調達に関する調整その他の必要な措置を講ずるよう努めなければならない。

〔追加・令和元法三〇〕

第五章　監督

（指示及び営業の停止）

第二八条　国土交通大臣又は都道府県知事は、その許可を受けた建設業者が次の各号のいずれかに該当する場合又はこの法律の規定（第十九条の三、第十九条の四、第二十四条の三第一項、第二十四条の四、第二十四条の五並びに第二十四条の六第三項及び第四項を除き、公共工事の入札及び契約の適正化の促進に関する法律（平成十二年法律第百二十七号。以下「入札契約適正化法」という。）第十五条第一項の規定により読み替えて適用される第二十四条の八第一項、第二項及び第四項を含む。第四項において同じ。）、入札契約適正化法第十五条第二項若しくは第三項の規定若しくは特定住宅瑕疵担保責任の履行の確保等に関する法律（平成十九年法律第六十六号。以下この条において「履行確保法」という。）第三条第六項、第四条第一項、第七条第二項、第八条第一項若しくは第二項若しくは第十条第一項の規定に違反した場合においては、当該建設業者に対して、必要な指示をすることができる。特定建設業者が第四十一条第二項又は第三項の規定による勧告に従わない場合において必要があると認めるときも、同様とする。

第二八条 国土交通大臣又は都道府県知事は、その許可を受けた建設業者が次の各号のいずれかに該当する場合又はこの法律の規定（第十九条の三第一項、第十九条の四、第二十四条の三第一項、第二十四条の四、第二十四条の五並びに第二十四条の六第三項及び第四項を除き、公共工事の入札及び契約の適正化の促進に関する法律（平成十二年法律第百二十七号。以下「入札契約適正化法」という。）第十五条第一項の規定により読み替えて適用される第二十四条の八第一項、第二項及び第四項を含む。第四項において同じ。）、入札契約適正化法第十五条第二項若しくは第三項の規定若しくは特定住宅瑕疵担保責任の履行の確保等に関する法律（平成十九年法律第六十六号。以下この条において「履行確保法」という。）第三条第六項、第四条第一項、第七条第二項、第八条第一項若しくは第二項若しくは第十条第一項の規定に違反した場合においては、当該建設業者に対して、必要な指示をすることができる。特定建設業者が第四十一条第二項又は第三項の規定による勧告に従わない場合において必要があると認めるときも、同様とする。

一 建設業者が建設工事を適切に施工しなかつたために公衆に危害を及ぼしたとき、又は危害を及ぼすおそれが大であるとき。

二 建設業者が請負契約に関し不誠実な行為をしたとき。

三 建設業者（建設業者が法人であるときは、当該法人又はその役員等）又は政令で定める使用人がその業務に関し他の法令（入札契約適正化法及び履行確保法並びにこれらに基づく命令を除く。）に違反し、建設業者として不適当であると認められるとき。

四 建設業者が第二十二条第一項若しくは第二項又は第二十六条の三第九項の規定に違反したとき。

五 第二十六条第一項又は第二項に規定する主任技術者又は監理技術者が工事の施工の管理について著しく不適当であり、かつ、その変更が公益上必要であると認められるとき。

六 建設業者が、第三条第一項の規定に違反して同項の許可を受けないで建設業を営む者と下請契約を締結したとき。

七 建設業者が、特定建設業者以外の建設業を営む者と下請代金の額が第三条第一項第二号の政令で定める金額以上となる下請契約を締結したとき。

八 建設業者が、情を知つて、第三項の規定により営業の停止を命ぜられている者又は第二十九条の四第一項の規定により営業を禁止されている者と当該停止され、又は禁止されている営業の範囲に係る下請契約を締結したとき。

九 履行確保法第三条第一項、第五条又は第七条第一項の規定に違反したとき。

2 都道府県知事は、その管轄する区域内で建設工事を施工している第三条第一項の許可を受けないで建設業を営む者が次の各号のいずれかに該当する場合においては、当該建設業を営む者に対して、必要な指示をすることができる。

一 建設工事を適切に施工しなかつたために公衆に危害を及ぼしたとき、又は危害を及ぼすおそれが大であるとき。

二 請負契約に関し著しく不誠実な行為をしたとき。

3 国土交通大臣又は都道府県知事は、その許可を受けた建設業者が第一項各号のいずれかに該当するとき若しくは同項若しくは次項の規定による指示に従わないとき又は建設業を営む者が前項各号のいずれかに該当するとき若しくは同項の規定による指示に従わないときは、その者に対し、一年以内の期間を定めて、その営業の全部又は一部の停止を命ずることができる。

4 都道府県知事は、国土交通大臣又は他の都道府県知事の許可を受けた建設業者で当該都道府県の区域内において営業を行うものが、当該都道府県の区域内における営業に関し、第一項各号のいずれかに該当する場合又はこの法律の規定、入札契約適正化法第十五条第二項若しくは第三項の規定若しくは履行確保法第三条第六項、第四条第一項、第七条第二項、第八条第一項若しくは第二項若しくは第十条第一項の規定に違反した場合においては、当該建設業者に対して、必要な指示をすることができる。

5 都道府県知事は、国土交通大臣又は他の都道府県知事の許可を受けた建設業者で当該都道府県の区域内において営業を行うものが、当該都道府県の区域内における営業に関し、第一項各号のいずれかに該当するとき又は同項若しくは前項の規定による指示に従わないときは、その者に対し、一年以内の期間を定めて、当該営業の全部又は一部の停止を命ずることができる。

6 都道府県知事は、前二項の規定による処分をしたときは、遅滞なく、その旨を、当該建設業者が国土交通大臣の許可を受けたものであるときは国土交通大臣に報告し、当該建設業者が他の都道府県知事の許可を受けたものであるときは当該他の都道府県知事に通知しなければならない。

7 国土交通大臣又は都道府県知事は、第一項第一号若しくは第三号に該当する建設業者又は第二項第一号に該当する第三条第一項の許可を受けないで建設業を営む者に対して指示をする場合において、特に必要があると認めるときは、注文者に対しても、適当な措置をとるべきことを勧告することができる。

〔改正・昭和二六法一七八・昭和二八法二一三・昭和三一法一二五・昭和三六法八六・昭和四六法三一・平成六法六三・平成一一法一六〇・平成一二法一二七・平成一九法六六・平成二六法五五・令和元法三〇・令和三法三七・法四八〕

参照 【法一九の三・一九の四及び二四の三～二四の六の違反に対する措置―法四一・四二の二、独禁法一九・二〇】【政令で定める使用人―令三】【聴聞―法三二】【営業の停止の場合における建設工事の措置―法二九の三】【営業の禁止―法二九の四①】【営業停止違反に対する許可の取消―法二九8】【所在地、所在の不確知に対する許可の取消―法二九の二①】【欠格要件該当―法八5】【罰則―法四七①3・②・五三】

（許可の取消し）

第二九条 国土交通大臣又は都道府県知事は、その許可を受けた建設業者が次の各号のいずれかに該当するときは、当該建設業者の許可を取り消さなければならない。

一 一般建設業の許可を受けた建設業者にあつては第七条第一号又は第二号、特定建設業者にあつては同条第一号又は第十五条第二号に掲げる基準を満たさなくなつた場合

二 第八条第一号又は第七号から第十四号まで（第十七条において準用する場合を含む。）のいずれかに該当するに至つた場合

二の二 第九条第一項各号（第十七条において準用する場合を含む。）のいずれかに該当する場合において一般建設業の許可又は特定建設業の許可を受けないとき。

三 第九条第一項各号（第十七条において準用する場合を含む。）のいずれかに該当する場合（第十七条の二第一項から

第三項まで又は第十七条の三第四項の規定により他の建設業者の地位を承継したことにより第九条第一項第三号（第十七条において準用する場合を含む。）に該当する場合を除く。）において一般建設業の許可又は特定建設業の許可を受けないとき。

四　許可を受けてから一年以内に営業を開始せず、又は引き続いて一年以上営業を休止した場合

五　第十二条各号（第十七条において準用する場合を含む。）のいずれかに該当するに至つた場合

六　死亡した場合において第十七条の三第一項の認可をしない旨の処分があつたとき。

七　不正の手段により第三条第一項の許可（同条第三項の許可の更新を含む。）又は第十七条の二第一項から第三項まで若しくは第十七条の三第一項の認可を受けた場合

八　前条第一項各号のいずれかに該当し情状特に重い場合又は同条第三項若しくは第五項の規定による営業の停止の処分に違反した場合

2　国土交通大臣又は都道府県知事は、その許可を受けた建設業者が第三条の二第一項の規定により付された条件に違反したときは、当該建設業者の許可を取り消すことができる。

〔改正・昭和二六法一七八・昭和二八法二一三・昭和三一法一二五・昭和三六法八六・昭和四六法三一・平成六法六三・平成一一法一六〇・平成二六法五五・令和元法三〇・法三七〕

参照【聴聞―法三二】【許可の取消の場合における建設工事の措置―法二九の三】【営業の禁止―法二九の四②】【欠格要件該当―法八2】

第二十九条の二　国土交通大臣又は都道府県知事は、建設業者の営業所の所在地を確知できないとき、又は建設業者の所在（法人である場合においては、その役員の所在をいい、個人である場合においては、その支配人の所在を含むものとする。）を確知できないときは、官報又は当該都道府県の公報でその事実を公告し、その公告の日から三十日を経過しても当該建設業者から申出がないときは、当該建設業者の許可を取り消すことができる。

2　前項の規定による処分については、行政手続法第三章の規定は、適用しない。

〔追加・昭和二八法二一三、改正・昭和四六法三一・平成五法八九・平成六法六三・平成一一法一六〇〕

（許可の取消し等の場合における建設工事の措置）

第二十九条の三　第三条第三項の規定により建設業の許可がその効力を失つた場合にあつては当該許可に係る建設業者であつた者又はその一般承継人は、第二十八条第三項若しくは第五項の規定により営業の停止を命ぜられた場合又は前二条の規定により建設業の許可を取り消された場合にあつては当該処分を受けた者又はその一般承継人は、許可がその効力を失う前又は当該処分を受ける前に締結された請負契約に係る建設工事に限り施工することができる。この場合において、これらの者は、許可がその効力を失つた後又は当該処分を受けた後、二週間以内に、その旨を当該建設工事の注文者に通知しなければならない。

2　特定建設業者であつた者又はその一般承継人若しくは特定建設業者の一般承継人が前項の規定により建設工事を施工する場合においては、第十六条の規定は、適用しない。

3　国土交通大臣又は都道府県知事は、第一項の規定にかかわらず、公益上必要があると認めるときは、当該建設工事の施工の差止めを命ずることができる。

4　第一項の規定により建設工事を施工する者で建設業者であつたもの又はその一般承継人は、当該建設工事を完成する目的の範囲内においては、建設業者とみなす。

5　建設工事の注文者は、第一項の規定により通知を受けた日又は同項に規定する許可がその効力を失つたこと、若しくは処分があつたことを知つた日から三十日以内に限り、その建設工事の請負契約を解除することができる。

〔追加・昭和四六法三一、改正・平成六法六三・平成一一法一六〇〕

参照【罰則―法五二3・五三】

（営業の禁止）

第二十九条の四　国土交通大臣又は都道府県知事は、建設業者その他の建設業を営む者に対して第二十八条第三項又は第五項の規定により営業の停止を命ずる場合においては、その者が法人であるときはその役員等及び当該処分の原因である事実について相当の責任を有する政令で定める使用人（当該処分の日前六十日以内においてその役員等又はその政令で定める使用人であつた者を含む。次項において同じ。）に対して、個人であるときはその者及び当該処分の原因である事実について相当の責任を有する政令で定める使用人（当該処分の日前六十日以内においてその政令で定める使用人であつた者を含む。次項において同じ。）に対して、当該停止を命ずる期間と同一の期間を定めて、新たに営業を開始すること（当該停止を命ずる範囲の営業をその目的とする法人の役員等になることを含む。）を禁止しなければならない。

2　国土交通大臣又は都道府県知事は、第二十九条第一項第七号又は第八号に該当することにより建設業者の許可を取り消す場合においては、当該建設業者が法人であるときはその役員等及び当該処分の原因である事実について相当の責任を有する政令で定める使用人に対して、個人であるときは当該処分の原因である事実について相当の責任を有する政令で定める使用人に対して、当該取消しに係る建設業について、五年間、新たに営業（第三条第一項ただし書の政令で定める軽微な建設工事のみを請け負うものを除く。）を開始することを禁止しなければならない。

〔追加・昭和四六法三一、改正・平成六法六三・平成一一法一六〇・平成二六法五五・令和元法三〇〕

参照【政令で定める使用人―令三】【政令で定める軽微な建設工事―令一の二】【聴聞―法三二】【欠格要件該当―法八6】【罰則―法四七①4・②・五三】

（監督処分の公告等）

第二十九条の五　国土交通大臣又は都道府県知事は、第二十八条第三項若しくは第五項、第二十九条又は第二十九条の二第一項の規定による処分をしたときは、国土交通省令で定めるところにより、その旨を公告しなければならない。

2　国土交通省及び都道府県に、それぞれ建設業者監督処分簿を備える。

3　国土交通大臣又は都道府県知事は、その許可を受けた建設業者が第二十八条第一項若しくは第四項の規定による指示又は同条第三項若しくは第五項の規定による営業停止の命令を受けたときは、建設業者監督処分簿に、当該処分の年月日及び内容その他国土交通省令で定める事項を登載しなければならない。

4 国土交通大臣又は都道府県知事は、建設業者監督処分簿を公衆の閲覧に供しなければならない。
〔追加・平成六法六三、改正・平成一一法一六〇・平成二五法四四〕

参照【国土交通省令で定めるところ―規則二三の二】【国土交通省令で定める事項―規則二三の三①】

（不正事実の申告）

第三〇条 建設業者に第二十八条第一項各号の一に該当する事実があるときは、その利害関係人は、当該建設業者が許可を受けた国土交通大臣若しくは都道府県知事又は営業としてその建設工事の行われる区域を管轄する都道府県知事に対し、その事実を申告し、適当な措置をとるべきことを求めることができる。

2 第三条第一項の許可を受けないで建設業を営む者に第二十八条第二項各号の一に該当する事実があるときは、その利害関係人は、当該建設業を営む者が当該建設工事を施工している地を管轄する都道府県知事に対し、その事実を申告し、適当な措置をとるべきことを求めることができる。
〔改正・昭和二八法二一三・昭和四六法三一・平成六法六三・平成一一法一六〇〕

参照【適当な措置―法二八・二九・三一】

（報告徴収及び立入検査）

第三一条 国土交通大臣は、建設業を営む全ての者に対して、都道府県知事は、当該都道府県の区域内で建設業を営む者に対して、この法律の施行に必要な限度において、その業務、財産若しくは工事施工の状況に関し必要な報告を求め、又は当該職員に、営業所その他営業に関係のある場所に立ち入り、帳簿書類その他の物件を検査させることができる。

2 第二十六条の二十二第二項及び第三項の規定は、前項の規定による立入検査について準用する。
〔改正・昭和二八法二一三・昭和四六法三一・平成一一法一六〇・令和元法三〇・令和六法四九〕

参照【身分を示す証票―規則二四】【罰則―法五二5・6・五三】

（参考人の意見聴取）

第三二条 第二十九条の規定による許可の取消しに係る聴聞の主宰者は、必要があると認めるときは、参考人の意見を聴かなければならない。

2 前項の規定は、国土交通大臣又は都道府県知事が第二十八条第一項から第五項まで又は第二十九条の四第一項若しくは第二項の規定による処分に係る弁明の機会の付与を行う場合について準用する。
〔改正・昭和二六法一七八・昭和二八法二一三・昭和四六法三一、全改・平成五法八九、改正・平成六法六三・平成一一法一六〇〕

参照【参考人の費用請求権―法四四】

第六章 中央建設業審議会等

〔改正・昭和三一法一二五・平成一一法一〇二〕

第三三条 削除〔平成一一法一〇二〕

（中央建設業審議会の設置等）

第三四条 国土交通省に、中央建設業審議会を置く。

2 中央建設業審議会は、第二十七条の二十三第三項の規定によりその権限に属させられた事項を処理するほか、建設工事の標準請負契約約款、建設工事の工期及び労務費に関する基準、入札の参加者の資格に関する基準並びに予定価格を構成する材料費及び役務費以外の諸経費に関する基準を作成し、並びにその実施を勧告することができる。

3 前項に規定するもののほか、中央建設業審議会は、公共工事の前払金保証事業に関する法律及び入札契約適正化法の規定によりその権限に属させられた事項を処理する。
〔改正・昭和二八法二一三・昭和三一法一二五・平成一一法一〇二・平成一二法一二七・平成一五法九六・令和元法三〇・令和六法四九〕

参照【権限に属させられた事項―法二七の二三③・三九、令四五、前払法二一・二二②、公共工事の入札及び契約の適正化の促進に関する法律一七⑤】

（中央建設業審議会の組織）

第三五条 中央建設業審議会は、委員二十人以内をもつて組織する。

2 中央建設業審議会の委員は、学識経験のある者、建設工事の需要者及び建設業者のうちから、国土交通大臣が任命する。

3 建設工事の需要者及び建設業者のうちから任命する委員の数は同数とし、これらの委員の総数は、委員の総数の三分の二以上であることができない。
〔改正・昭和三一法一二五・昭和五三法五五・平成一一法一〇二〕

参照【議事の要領―令四六】【部会の設置―令四七】【専門委員―法三七】【庶務の処理―令四八】【専門委員に準用―法三七③】

（準用規定）

第三六条 第二十五条の三第一項、第二項及び第四項並びに第二十五条の四の規定は、中央建設業審議会の委員について準用する。
〔全改・昭和三一法一二五、改正・昭和五三法五五〕

（専門委員）

第三七条 建設業に関する専門の事項を調査審議させるために、中央建設業審議会に専門委員を置くことができる。

2 専門委員は、当該専門の事項に関する調査審議が終了したときは、解任されるものとする。

3 第二十五条の三第四項、第二十五条の四及び第三十五条第二項の規定は、専門委員について準用する。
〔全改・昭和三六法八六〕

（中央建設業審議会の会長）

第三八条 中央建設業審議会に会長を置く。会長は、学識経験のある者である委員のうちから、委員が互選する。

2 会長は、会務を総理する。

3 会長に事故があるときは、学識経験のある者である委員のうちからあらかじめ互選された者が、その職務を代理する。
〔改正・昭和三一法一二五〕

参照【会長の権限―令四八③】

（政令への委任）

第三九条 この章に規定するもののほか、中央建設業審議会の所掌事務その他中央建設業審議会について必要な事項は、政令で定める。

〔改正・昭和三一法一二五・平成一一法一〇二〕

参照 【必要な事項—令四五～四九

（都道府県建設業審議会）

第三九条の二 都道府県知事の諮問に応じ建設業の改善に関する重要事項を調査審議させるため、都道府県は、条例で、都道府県建設業審議会を設置することができる。

2 都道府県建設業審議会に関し必要な事項は、条例で定める。

〔追加・昭和三一法一二五〕

（社会資本整備審議会の調査審議等）

第三九条の三 社会資本整備審議会は、国土交通大臣の諮問に応じ、建設業の改善に関する重要事項を調査審議する。

2 社会資本整備審議会は、建設業に関する事項について関係各庁に意見を述べることができる。

〔追加・平成一一法一〇二〕

第七章 雑則

（電子計算機による処理に係る手続の特例等）

第三九条の四 許可申請書の提出その他のこの法律の規定による国土交通大臣又は都道府県知事（登録経営状況分析機関を含む。）に対する手続であつて国土交通省令で定めるもの（次項において「特定手続」という。）については、国土交通省令で定めるところにより、磁気ディスク（これに準ずる方法により一定の事項を確実に記録しておくことができる物を含む。同項において同じ。）の提出により行うことができる。

2 前項の規定により行われた特定手続については、当該特定手続を書面の提出により行うものとして規定したこの法律の規定に規定する書面の提出により行われたものとみなして、この法律の規定（これに係る罰則を含む。）を適用する。この場合においては、磁気ディスクへの記録をもつて書面への記載とみなす。

〔追加・平成六法六三、旧三九条の三を繰下・平成一一法一〇二、改正・平成一一法一六〇・平成一四法一五二・令和元法三〇〕

（標識の掲示）

第四〇条 建設業者は、その店舗及び建設工事（発注者から直接請け負つたものに限る。）の現場ごとに、公衆の見やすい場所に、国土交通省令の定めるところにより、許可を受けた別表第一の下欄の区分による建設業の名称、一般建設業又は特定建設業の別その他国土交通省令で定める事項を記載した標識を掲げなければならない。

〔改正・昭和三六法八六・昭和四六法三一・平成一一法一六〇・平成一五法九六・令和元法三〇〕

参照 【国土交通省令の定めるところ—規則二五②【国土交通省令で定める事項—規則二五①【表示の制限—法四〇の二【罰則—法五五3

類似規定—建築基準法八九①、建設工事に係る資材の再資源化等に関する法律三三、労働者災害補償保険法施行規則四九

（表示の制限）

第四〇条の二 建設業を営む者は、当該建設業について、第三条第一項の許可を受けていないのに、その許可を受けた建設業者であると明らかに誤認されるおそれのある表示をしてはならない。

〔追加・昭和三六法八六、全改・昭和四六法三一〕

参照 【罰則—法五五4

（帳簿の備付け等）

第四〇条の三 建設業者は、国土交通省令で定めるところにより、その営業所ごとに、その営業に関する事項で国土交通省令で定めるものを記載した帳簿を備え、かつ、当該帳簿及びその営業に関する図書で国土交通省令で定めるものを保存しなければならない。

〔追加・平成六法六三、改正・平成一一法一六〇・平成一八法一一四〕

参照 【国土交通省令で定めるところ—規則二六～二八【罰則—法五五5

（国土交通大臣による調査等）

第四〇条の四 国土交通大臣は、請負契約の適正化及び建設工事に従事する者の適正な処遇の確保を図るため、建設業者に対して、建設工事の請負契約の締結の状況、第二十条の二第二項から第四項までの規定による通知又は協議の状況、第二十五条の二十七第二項に規定する措置の実施の状況その他の国土交通省令で定める事項につき、必要な調査を行い、その結果を公表するものとする。

2 国土交通大臣は、中央建設業審議会に対し、第三十四条第二項に規定する基準の作成に資するよう、前項の調査の結果を報告するものとする。この場合において、国土交通大臣は、中央建設業審議会の求めがあつたときは、その内容について説明をしなければならない。

〔追加・令和六法四九〕

（建設業を営む者及び建設業者団体に対する指導、助言及び勧告）

第四一条 国土交通大臣又は都道府県知事は、建設業を営む者又は第二十七条の三十七の届出のあつた建設業者団体に対して、建設工事の適正な施工を確保し、又は建設業の健全な発達を図るために必要な指導、助言及び勧告を行うことができる。

2 特定建設業者が発注者から直接請け負つた建設工事の全部又は一部を施工している他の建設業を営む者が、当該建設工事の施工のために使用している労働者に対する賃金の支払を遅滞した場合において、必要があると認めるときは、当該特定建設業者の許可をした国土交通大臣又は都道府県知事は、当該特定建設業者に対して、支払を遅滞した賃金のうち当該建設工事における労働の対価として適正と認められる賃金相当額を立替払することその他の適切な措置を講ずることを勧告することができる。

3 特定建設業者が発注者から直接請け負つた建設工事の全部又は一部を施工している他の建設業を営む者が、当該建設工事の施工に関し他人に損害を加えた場合において、必要があると認めるときは、当該特定建設業者の許可をした国土交通大臣又は都道府県知事は、当該特定建設業者に対して、当該他人が受けた損害につき、適正と認められる金額を立替払することその他の適切な措置を講ずることを勧告することができる。

〔全改・昭和四六法三一、改正・昭和六二法六九・平成一一法一六〇・平成一五法九六〕

参照 【建設業者団体に対する報告徴収—法二七の三八【賃金の支払

一労働基準法二四・二五【第二項又は第三項の勧告に従わない場合の措置—法二八①・二九・二九の四

（建設資材製造業者等に対する勧告及び命令等）

第四一条の二　国土交通大臣又は都道府県知事は、その許可を受けた建設業者が第二十八条第一項第一号若しくは第三号に該当することにより当該建設業者に対して同項の規定による指示をする場合又は当該都道府県知事の管轄する区域内で建設工事を施工している第三条第一項の許可を受けないで建設業を営む者が第二十八条第二項第一号に該当することにより当該建設業を営む者に対して同項の規定による指示をする場合において、当該指示に係る違反行為が建設資材（建設工事に使用された資材をいう。以下この条において同じ。）に起因するものであると認められ、かつ、当該建設業者又は建設業を営む者に対する指示のみによつては当該違反行為の再発を防止することが困難であると認められるときは、当該建設業者又は建設業を営む者に当該建設資材を引き渡した建設資材製造業者等（建設資材の製造、加工又は輸入を業として行う者をいう。以下この条において同じ。）に対しても、当該違反行為の再発の防止を図るため適当な措置をとるべきことを勧告することができる。

2　国土交通大臣又は都道府県知事は、前項の規定による勧告を受けた建設資材製造業者等がその勧告に従わないときは、その旨を公表することができる。

3　国土交通大臣又は都道府県知事は、第一項の規定による勧告を受けた建設資材製造業者等が、正当な理由がなくてその勧告に係る措置をとらない場合において、同項の建設資材と同一又は類似の建設資材が使用されることにより建設工事の適正な施工の確保が著しく阻害されるおそれがあると認めるときは、当該建設資材製造業者等に対して、相当の期限を定めて、その勧告に係る措置をとるべきことを命ずることができる。

4　国土交通大臣又は都道府県知事は、前三項の規定の施行に必要な限度において、その許可を受けた建設業者（都道府県知事にあつては、その許可を受けた建設業者又は当該都道府県の区域内で建設業を営む者）に建設資材を引き渡した建設資材製造業者等に対して、その業務に関し報告をさせ、又はその職員に、事務所、工場、倉庫その他の場所に立ち入り、帳簿書類その他の物件を検査させることができる。

5　第二十六条の二十二第二項及び第三項の規定は、前項の規定による立入検査について準用する。

〔追加・令和元法三〇、改正・令和六法四九〕

参照【罰則—法五二5～7・五三

（公正取引委員会への措置請求等）

第四二条　国土交通大臣又は都道府県知事は、その許可を受けた建設業者が第十九条の三、第十九条の四、第二十四条の三第一項、第二十四条の四、第二十四条の五又は第二十四条の六第三項若しくは第四項の規定に違反している事実があり、その事実が私的独占の禁止及び公正取引の確保に関する法律第十九条の規定に違反していると認めるときは、公正取引委員会に対し、同法の規定に従い適当な措置をとるべきことを求めることができる。

> **第四二条**　国土交通大臣又は都道府県知事は、その許可を受けた建設業者が第十九条の三第一項、第十九条の四、第二十四条の三第一項、第二十四条の四、第二十四条の五又は第二十四条の六第三項若しくは第四項の規定に違反している事実があり、その事実が私的独占の禁止及び公正取引の確保に関する法律第十九条の規定に違反していると認めるときは、公正取引委員会に対し、同法の規定に従い適当な措置をとるべきことを求めることができる。

2　国土交通大臣又は都道府県知事は、中小企業者（中小企業基本法（昭和三十八年法律第百五十四号）第二条第一項に規定する中小企業者をいう。次条において同じ。）である下請負人と下請契約を締結した元請負人について、前項の規定により措置をとるべきことを求めたときは、遅滞なく、中小企業庁長官にその旨を通知しなければならない。

〔改正・昭和二八法二三三、全改・昭和四六法三一、改正・平成一一法一四六・平成一一法一六〇・令和元法三〇・令和六法四九〕

参照【法一九の三・一九の四・二四の三～二四の六の違反に対する適用法令—法二八①、独禁法一九・二〇

（中小企業庁長官による措置）

第四二条の二　中小企業庁長官は、中小企業者である下請負人の利益を保護するため特に必要があると認めるときは、元請負人若しくは下請負人に対しその取引に関する報告をさせ、又はその職員に、元請負人若しくは下請負人の営業所その他営業に関係のある場所に立ち入り、帳簿書類その他の物件を検査させることができる。

2　第二十六条の二十二第二項及び第三項の規定は、前項の規定による立入検査について準用する。

3　中小企業庁長官は、第一項の規定による報告徴収又は立入検査の結果中小企業者である下請負人と下請契約を締結した元請負人が第十九条の三、第十九条の四、第二十四条の三第一項、第二十四条の四、第二十四条の五又は第二十四条の六第三項若しくは第四項の規定に違反している事実があり、その事実が私的独占の禁止及び公正取引の確保に関する法律第十九条の規定に違反していると認めるときは、公正取引委員会に対し、同法の規定に従い適当な措置をとるべきことを求めることができる。

> 3　中小企業庁長官は、第一項の規定による報告徴収又は立入検査の結果中小企業者である下請負人と下請契約を締結した元請負人が第十九条の三第一項、第十九条の四、第二十四条の三第一項、第二十四条の四、第二十四条の五又は第二十四条の六第三項若しくは第四項の規定に違反している事実があり、その事実が私的独占の禁止及び公正取引の確保に関する法律第十九条の規定に違反していると認めるときは、公正取引委員会に対し、同法の規定に従い適当な措置をとるべきことを求めることができる。

4　中小企業庁長官は、前項の規定により措置をとるべきことを求めたときは、遅滞なく、当該元請負人につき第三条第一項の許可をした国土交通大臣又は都道府県知事に、その旨を通知しなければならない。

〔追加・昭和四六法三一、改正・平成一一法一六〇・令和元法三〇・令和六法四九〕

参照【罰則—法五二5・6・五三

（都道府県の費用負担）

第四三条　都道府県知事がこの法律を施行するために必要とする経費は、当該都道府県の負担とする。

参考規定―自治法一四八・二三二①、地財法九

（参考人の費用請求権）

第四四条　第三十二条の規定により意見を求められて出頭した参考人は、政令の定めるところにより、旅費、日当その他の費用を請求することができる。

〔改正・昭和二八法二一三・昭和三一法一二五〕

参照【政令の定めるところ―令五〇

参考規定―国家公務員等の旅費に関する法律三④・一五

（経過措置）

第四四条の二　この法律の規定に基づき、命令を制定し、又は改廃する場合においては、その命令で、その制定又は改廃に伴い合理的に必要と判断される範囲内において、所要の経過措置（罰則に関する経過措置を含む。）を定めることができる。

〔追加・昭和六二法六九〕

（権限の委任）

第四四条の三　この法律に規定する国土交通大臣の権限は、国土交通省令で定めるところにより、その一部を地方整備局長又は北海道開発局長に委任することができる。

〔追加・平成一一法一六〇〕

参照【国土交通省令の定めるところ―規則三〇

第八章　罰則

第四五条　登録経営状況分析機関（その者が法人である場合にあつては、その役員）又はその職員で経営状況分析の業務に従事するものが、その職務に関し、賄賂を収受し、又は要求し、若しくは約束したときは、三年以下の懲役に処する。よつて不正の行為をし、又は相当の行為をしないときは、七年以下の懲役に処する。

2　前項に規定する者であつた者が、その在職中に請託を受けて職務上不正の行為をし、又は相当の行為をしなかつたことにつき賄賂を収受し、又は要求し、若しくは約束したときは、三年以下の懲役に処する。

3　第一項に規定する者が、その職務に関し、請託を受けて第三者に賄賂を供与させ、又はその供与を約束したときは、三年以下の懲役に処する。

第四五条　登録経営状況分析機関（その者が法人である場合にあつては、その役員）又はその職員で経営状況分析の業務に従事するものが、その職務に関し、賄賂を収受し、又は要求し、若しくは約束したときは、三年以下の拘禁刑に処する。よつて不正の行為をし、又は相当の行為をしないときは、七年以下の拘禁刑に処する。

2　前項に規定する者であつた者が、その在職中に請託を受けて職務上不正の行為をし、又は相当の行為をしなかつたことにつき賄賂を収受し、又は要求し、若しくは約束したときは、三年以下の拘禁刑に処する。

3　第一項に規定する者が、その職務に関し、請託を受けて第三者に賄賂を供与させ、又はその供与を約束したときは、三年以下の拘禁刑に処する。

4　犯人又は情を知つた第三者の収受した賄賂は、没収する。その全部又は一部を没収することができないときは、その価額を追徴する。

〔追加・平成一五法九六、改正・平成一八法九二〕

第四六条　前条第一項から第三項までに規定する賄賂を供与し、又はその申込み若しくは約束をした者は、三年以下の懲役又は二百万円以下の罰金に処する。

第四六条　前条第一項から第三項までに規定する賄賂を供与し、又はその申込み若しくは約束をした者は、三年以下の拘禁刑又は二百万円以下の罰金に処する。

2　前項の罪を犯した者が自首したときは、その刑を減軽し、又は免除することができる。

〔追加・平成一五法九六〕

第四七条　次の各号のいずれかに該当するときは、その違反行為をした者は、三年以下の懲役又は三百万円以下の罰金に処する。

第四七条　次の各号のいずれかに該当するときは、その違反行為をした者は、三年以下の拘禁刑又は三百万円以下の罰金に処する。

一　第三条第一項の規定に違反して許可を受けないで建設業を営んだとき。

二　第十六条の規定に違反して下請契約を締結したとき。

三　第二十八条第三項又は第五項の規定による営業停止の処分に違反して建設業を営んだとき。

四　第二十九条の四第一項の規定による営業の禁止の処分に違反して建設業を営んだとき。

五　虚偽又は不正の事実に基づいて第三条第一項の許可（同条第三項の許可の更新を含む。）又は第十七条の二第一項から第三項まで若しくは第十七条の三第一項の認可を受けたとき。

2　前項の罪を犯した者には、情状により、懲役及び罰金を併科することができる。

2　前項の罪を犯した者には、情状により、拘禁刑及び罰金を併科することができる。

〔改正・昭和四六法三一・昭和六二法六九・平成六法六三、旧四五条を繰下・平成一五法九六、改正・令和元法三〇・令和六法四九〕

第四八条　第二十七条の七第一項又は第二十七条の三十四の規定に違反した者は、一年以下の懲役又は百万円以下の罰金に処する。

第四八条　第二十七条の七第一項又は第二十七条の三十四の規定に違反した者は、一年以下の拘禁刑又は百万円以下の罰金に処する。

〔追加・昭和六二法六九、旧四五条の二を改正し繰下・平成一五法九六、改正・平成一八法九二〕

第四九条　第二十六条の十七（第二十七条の三十二において準用する場合を含む。）又は第二十七条の十四第二項（第二十七条の十九第五項において準用する場合を含む。）の規定による講習、試験事務、交付等事務又は経営状況分析の停止の命令に違反したときは、その違反行為をした登録講習実施機関（その者が法人である場合にあつては、その役員）若しくはその職員、

指定試験機関若しくは指定資格者証交付機関の役員若しくは職員又は登録経営状況分析機関（その者が法人である場合にあつては、その役員）若しくはその職員（第五十一条において「登録講習実施機関等の役職員」という。）は、一年以下の懲役又は百万円以下の罰金に処する。

第四九条　第二十六条の十七（第二十七条の三十二において準用する場合を含む。）又は第二十七条の十四第二項（第二十七条の十九第五項において準用する場合を含む。）の規定による講習、試験事務、交付等事務又は経営状況分析の停止の命令に違反したときは、その違反行為をした登録講習実施機関（その者が法人である場合にあつては、その役員）若しくはその職員、指定試験機関若しくは指定資格者証交付機関の役員若しくは職員又は登録経営状況分析機関（その者が法人である場合にあつては、その役員）若しくはその職員（第五十一条において「登録講習実施機関等の役職員」という。）は、一年以下の拘禁刑又は百万円以下の罰金に処する。

〔追加・昭和六二法六九、旧四五条の三を改正し繰下・平成一五法九六、改正・平成一八法九二・平成二六法五五・令和元法三〇・令和六法四九〕

第五〇条　次の各号のいずれかに該当するときは、その違反行為をした者は、六月以下の懲役又は百万円以下の罰金に処する。

第五〇条　次の各号のいずれかに該当するときは、その違反行為をした者は、六月以下の拘禁刑又は百万円以下の罰金に処する。

一　第五条（第十七条において準用する場合を含む。）の規定による許可申請書又は第六条第一項（第十七条において準用する場合を含む。）の規定による書類に虚偽の記載をしてこれを提出したとき。

二　第十一条第一項から第四項まで（第十七条において準用する場合を含む。）の規定による書類を提出せず、又は虚偽の記載をしてこれを提出したとき。

三　第十一条第五項（第十七条において準用する場合を含む。）の規定による届出をしなかつたとき。

四　第二十七条の二十四第二項若しくは第二十七条の二十六第二項の申請書又は第二十七条の二十四第三項若しくは第二十七条の二十六第三項の書類に虚偽の記載をしてこれを提出したとき。

2　前項の罪を犯した者には、情状により、懲役及び罰金を併科することができる。

2　前項の罪を犯した者には、情状により、拘禁刑及び罰金を併科することができる。

〔改正・昭和三六法八六・昭和四六法三一・昭和六二法六九・平成六法六三、旧四六条を改正し繰下・平成一五法九六、改正・平成一八法九二・令和六法四九〕

第五一条　次の各号のいずれかに該当するときは、その違反行為をした登録講習実施機関等の役職員は、五十万円以下の罰金に処する。

一　第二十六条の十三（第二十七条の三十二において準用する場合を含む。）の規定による届出をしないで講習若しくは経営状況分析の業務の全部を廃止し、又は第二十七条の十三第一項（第二十七条の十九第五項において準用する場合を含む。）の規定による許可を受けないで試験事務若しくは交付等事務の全部を廃止したとき。

二　第二十六条の十八（第二十七条の三十二において準用する場合を含む。）又は第二十七条の十の規定に違反して帳簿を備えず、帳簿に記載せず、若しくは帳簿に虚偽の記載をし、又は帳簿を保存しなかつたとき。

三　第二十六条の二十一（第二十七条の三十二において準用する場合を含む。）若しくは第二十七条の十二第一項（第二十七条の十九第五項において準用する場合を含む。以下この号において同じ。）の規定による報告を求められて、報告をせず、若しくは虚偽の報告をし、又は第二十六条の二十二（第二十七条の三十二において準用する場合を含む。）若しくは第二十七条の十二第一項の規定による検査を拒み、妨げ、若しくは忌避したとき。

〔追加・平成一五法九六、改正・平成一八法九二・平成二六法五五・令和元法三〇・令和六法四九〕

第五二条　次の各号のいずれかに該当するときは、その違反行為をした者は、百万円以下の罰金に処する。

一　第二十六条第一項から第三項まで又は第二十六条の三第七項の規定による主任技術者又は監理技術者を置かなかつたとき。

二　第二十六条の二の規定に違反したとき。

三　第二十九条の三第一項後段の規定による通知をしなかつたとき。

四　第二十七条の二十四第四項又は第二十七条の二十六第四項の規定による報告をせず、若しくは資料の提出をせず、又は虚偽の報告をし、若しくは虚偽の資料を提出したとき。

五　第三十一条第一項、第四十一条の二第四項又は第四十二条の二第一項の規定による報告をせず、又は虚偽の報告をしたとき。

六　第三十一条第一項、第四十一条の二第四項又は第四十二条の二第一項の規定による検査を拒み、妨げ、又は忌避したとき。

七　第四十一条の二第三項の規定による命令に違反したとき。

〔改正・昭和二八法二一三・昭和四六法三一・昭和六二法六九・平成六法六三、旧四七条を改正し繰下・平成一五法九六、改正・平成一八法九二・令和元法三〇・令和三法三七〕

第五三条　法人の代表者又は法人若しくは人の代理人、使用人、その他の従業者が、その法人又は人の業務又は財産に関し、次の各号に掲げる規定の違反行為をしたときは、その行為者を罰するほか、その法人に対して当該各号に定める罰金刑を、その人に対して各本条の罰金刑を科する。

一　第四十七条　一億円以下の罰金刑

二　第五十条又は前条　各本条の罰金刑

〔改正・昭和六二法六九、旧四八条を改正し繰下・平成一五法九六、改正・平成一八法九二〕

第五四条　第二十六条の十四第一項（第二十七条の三十二において準用する場合を含む。）の規定に違反して財務諸表等を備えて置かず、財務諸表等に記載すべき事項を記載せず、若しくは虚偽の記載をし、又は正当な理由がないのに第二十六条の十四第二項各号（第二十七条の三十二において準用する場合を含む。）の規定による請求を拒んだ者は、二十万円以下の過料に処する。

〔追加・平成一五法九六、改正・令和元法三〇・令和六法四九〕

第五五条　次の各号のいずれかに該当する者は、十万円以下の過料に処する。

一　第十二条（第十七条において準用する場合を含む。）の規定による届出を怠つた者

二　正当な理由がなくて第二十五条の十三第三項の規定による

出頭の要求に応じなかつた者
三　第四十条の規定による標識を掲げない者
四　第四十条の二の規定に違反した者
五　第四十条の三の規定に違反して、帳簿を備えず、帳簿に記載せず、若しくは帳簿に虚偽の記載をし、又は帳簿若しくは図書を保存しなかつた者
〔改正・昭和二八法二一三・昭和三一法一二五・昭和三六法八六・昭和四六法三一・昭和六二法六九・平成六法六三、旧四九条を繰下・平成一五法九六、改正・平成一八法一一四〕

附　則

（施行期日）

1　この法律は、公布の日から起算して六十日をこえ九十日をこえない期間内において政令で定める日から施行する。
〔昭和二四政一八三により、昭和二四・八・二〇から施行〕

（この法律施行の際建設業を営んでいる者）

2　この法律施行の際、現に建設業を営んでいる者は、第四条第一項の規定による登録を受けないでも、その施行の日から六十日を限り、建設業者とみなす。その者がその期間内に第六条の規定により登録を申請した場合においてその期間を経過したときは、その申請に対する処分のある日まで、また同様とする。

3　第十八条から第二十四条まで、第二十六条、第二十七条及び第四十条の規定は、前項の規定により建設業者とみなされた者については、適用しない。

4　第十七条の規定は、附則第二項後段の規定により建設業者とみなされた者の登録が第十一条第一項の規定により拒否された場合に、準用する。

5　前項において準用する第十七条第一項後段の規定による通知をしなかつた者は、二万円以下の罰金に処する。

（最初に建設業審議会の委員となる者の任期）

6　最初に建設業審議会の委員となる者の任期は、関係各庁の職員のうちから命ぜられた委員を除き、その半数は二年、他の半数は四年とし、最初の会議において抽せんで定める。

附　則〔昭和二六・六・二法律一七八〕

1　この法律は、公布の日から施行する。

2　この法律施行の際、現に建設業審議会の委員である者に対する改正後の建設業法第三十七条第一項の規定の適用については、その任期は、この法律施行の日から起算する。

附　則〔略〕〔昭和二六・六・八法律二一一〕

附　則〔略〕〔昭和二七・六・一二法律一八四〕

附　則〔昭和二八・八・一七法律二一三〕

1　この法律は、公布の日から施行する。但し、第十一条第一項第二号及び第三号並びに第二十二条の改正規定は、この法律公布の日から起算して六十日を経過した日から施行する。

2　この法律施行の際、現に建設業を営んでいる者で、この法律の施行によつて新たに建設業法第四条第一項の規定により登録を受けなければならなくなつたものは、同法同条同項による登録を受けないでも、この法律施行の日から起算して六十日を限り、建設業者とみなす。その者がその期間内に同法第六条の規定により登録を申請した場合においてその期間を経過したときは、その申請に対する処分のある日まで、また同様とする。

3　建設業法第十八条から第二十四条まで、第二十六条及び第四十条の規定は、前項の規定により建設業者とみなされた者については、適用しない。

4　建設業法第十七条の規定は、附則第二項後段の規定により建設業者とみなされた者の登録が同法第十一条第一項の規定により拒否された場合について準用する。

5　前項において準用する建設業法第十七条第一項後段に規定する通知をしなかつた者は、二万円以下の罰金に処する。

6　改正後の建設業法第五条第二項の規定は、この法律施行の際、現に建設大臣の登録を受けている者又はこの法律施行の日前若しくは施行の日から起算して六十日以内において建設大臣に登録を申請した者については、適用せず、これらの者については、なお、改正前の建設業法第二十七条及び第四十七条第三号の規定の例によるものとする。

7　この法律施行の際、現に建設業審議会の委員である者の任期は、この法律施行の日前に委員であつた期間を通算する。

附　則〔略〕〔昭和三一・六・二法律一二五〕

附　則〔昭和三五・五・二法律七四〕

1　この法律は、公布の日から施行する。

2　この法律の施行の際現に登録を受けている者又はこの法律の施行の日前若しくは施行の日から起算して六十日以内において登録を申請した者の登録の要件については、改正後の建設業法第五条第一項第二号の規定にかかわらず、なお、従前の例による。

附　則〔昭和三六・五・一六法律八六〕

（施行期日）

1　この法律は、公布の日から起算して六月をこえ一年をこえない範囲内において政令で定める日から施行する。
〔昭和三六政三三五により、昭和三六・一二・一から施行。ただし、三七条の改正規定は昭和三六・一一・一六から施行〕

（経過規定）

2　この法律の施行の際、現にこの法律による改正前の建設業法の定めるところにより登録を受けている建設業者の当該登録に関しては、その有効期間内は、なお、従前の例による。

3　前項の建設業者については、この法律による改正後の建設業法（以下「新法」という。）第二章の二の規定は、当該建設業者が、建設省令の定めるところにより、新法第五条第一項に規定する要件をそなえていることを証する書面を建設大臣又は都道府県知事に提出した場合に限り、適用する。

4　前項の規定により新法第二章の二の規定の適用を受ける建設業者については、附則第二項の規定にかかわらず、同項に規定する登録を新法の定めるところにより受けた登録とみなして新法の規定を適用する。

附　則〔略〕〔昭和三六・六・一七法律一四五〕

附　則〔抄〕〔昭和三七・九・一五法律一六一〕

1　この法律は、昭和三十七年十月一日から施行する。

2　この法律による改正後の規定は、この附則に特別の定めがある場合を除き、この法律の施行前にされた行政庁の処分、この法律の施行前にされた申請に係る行政庁の不作為その他この法律の施行前に生じた事項についても適用する。ただし、この法律による改正前の規定によつて生じた効力を妨げない。

3　この法律の施行前に提起された訴願、審査の請求、異議の申立てその他の不服申立て（以下「訴願等」という。）については、この法律の施行後も、なお従前の例による。この法律の施行前にされた訴願等の裁決、決定その他の処分（以下「裁決等」という。）又はこの法律の施行前に提起された訴願等につきこの法律の施行後にされる裁決等にさらに不服がある場合の訴願等についても、同様とする。

4　前項に規定する訴願等で、この法律の施行後は行政不服審査法による不服申立てをすることができることとなる処分に係るものは、同法以外の法律の適用については、行政不服審査法による不服申立てとみなす。

5　第三項の規定によりこの法律の施行後にされる審査の請求、異議の申立てその他の不服申立ての裁決等については、行政不服審査法による不服申立てをすることができない。

6　この法律の施行前にされた行政庁の処分で、この法律による改正前の規定により訴願等をすることができるものとされ、かつ、その提起期間が定められていなかつたものについて、行政不服審査法による不服申立てをすることができる期間は、この法律の施行の日から起算する。

8　この法律の施行前にした行為に対する罰則の適用については、なお従前の例による。

9　前八項に定めるもののほか、この法律の施行に関して必要な経過措置は、政令で定める。

10　この法律及び行政事件訴訟法の施行に伴う関係法律の整理等に関する法律（昭和三十七年法律第百四十号）に同一の法律についての改正規定がある場合においては、当該法律は、この法律によつてまず改正され、次いで行政事件訴訟法の施行に伴う関係法律の整理等に関する法律によつて改正されるものとする。

附　則〔昭和四二・六・一二法律三六〕

1　この法律は、登録免許税法の施行の日〔昭和四二・八・一〕から施行する。

2　登録免許税法別表第一の第二十三号の(三)、(十三)、(十六)及び(十七)、第三十一号、第四十三号から第四十六号まで並びに第四十八号に掲げる登録又は免許（以下「登録等」という。）の申請書を同法の公布の日前に当該登録等の事務をつかさどる官署（以下「登録官署等」という。）に提出した者が昭和四十二年十二月三十一日までに当該申請書に係る登録等を受ける場合における当該登録等に係る手数料については、なお従前の例による。

3　登録等の申請書を登録免許税法の公布の日から昭和四十二年七月三十一日までの間に登録官署等に提出した者が同日後に当該申請書に係る登録等を受ける場合又は登録等の申請書を同法の公布の日前に登録官署等に提出した者が昭和四十三年一月一日以後に当該申請書に係る登録等を受ける場合において、当該登録等の申請に際し当該登録等に係る手数料を納付しているときは、当該納付した手数料の額は、登録免許税法の規定により納付すべき登録免許税の額の一部として納付したものとみなす。

附　則〔抄〕〔昭和四六・四・一法律三一〕

（施行期日）

1　この法律は、公布の日から起算して一年を経過した日から施行する。

（経過措置）

2　この法律の施行の際現にこの法律による改正後の建設業法（以下「新法」という。）第二条第一項及び第二項の規定により新たに建設業となる事業を営んでいる者は、この法律の施行の日から六十日間は、新法第三条第一項の許可（以下「新法の許可」という。）を受けないでも、引き続き当該建設業を営むことができる。その者がその期間内に当該許可の申請をした場合において、その期間を経過したときは、その申請に対し許可をするかどうかの処分がある日まで、同様とする。

3　前項の規定により引き続き建設業を営むことができる者が、同項前段に規定する期間内に新法の許可を受けなかつた場合においては、その者は、新法第三条第一項の規定にかかわらず、当該期間内に新法の許可の申請をしてその期間が経過する際まだ申請に対し許可をするかどうかの処分がされていないときはこの法律の施行の日から当該処分がある日まで、その他のときはこの法律の施行の日から六十日を経過する日までの間に締結した請負契約に係る建設工事に限り、施工することができる。

4　この法律の施行の際現にこの法律による改正前の建設業法（以下「旧法」という。）の規定により登録を受けて建設業を営んでいる者（新法第三条第一項ただし書の規定により、新法の許可を受けないで建設業を営むことができる者に該当するものを除く。）は、この法律の施行の日から二年間は、新法の許可を受けないでも、引き続き当該登録（その更新を含む。）を受けている限り、旧法第二条第一項に規定する建設工事に係る建設業を引き続き営むことができる。その者がその期間内に当該許可の申請をした場合において、その期間を経過したときは、その申請に対し許可をするかどうかの処分がある日まで、同様とする。

5　前項の場合において、同項の登録を受けて建設業を営んでいる者の営む旧法第二条第一項に規定する建設工事については、この法律附則に別段の定めがあるものを除くほか、なお従前の例による。

6　附則第四項の規定により引き続き建設業を営むことができる者は、同項前段に規定する期間内においても新法の許可を受けることができるものとし、その者がその期間内に新法の許可を受けたときは、その者に係る前項の規定によりその例によるものとされる旧法第八条第一項の規定による登録は、その効力を失う。

7　建設大臣又は都道府県知事は、前項の規定により新法の許可を申請した者が新法第七条第三号及び第四号に掲げる基準に適合しているかどうかを審査する場合には、その者の建設業についての実績を配慮しなければならない。

8　新法第二条第四項及び第五項、第三章（第二十四条の五及び第二十四条の六を除く。）並びに第三章の二の規定（第二十五条の十三第三項の規定に係る罰則を含む。）は、附則第四項の規定により引き続き建設業を営むことができる者についても、適用する。この場合においては、その引き続き建設業を営むことができる者を新法の建設業者とみなすものとし、新法第二十五条の九第一項及び第二項中「許可」とあるのは、「登録」とする。

9　附則第四項の規定により引き続き建設業を営むことができる者が、同項前段に規定する期間内に新法の許可を受けた場合においては、その者は、当該許可を受ける前に締結した請負契約に係る旧法第二条第一項に規定する建設工事を施工することができる。

10　附則第四項の規定により引き続き建設業を営むことができる者が、同項前段に規定する期間内に新法の許可を受けなかつた場合において、当該期間内に新法の許可の申請をしてその期間が経過する際まだ申請に対し許可をするかどうかの処分がされていないときはこの法律の施行の日から当該処分がある日まで、その他のときはこの法律の施行の日から二年を経過する日までの間に締結した請負契約があるときは、当該請負契約に係る建設工事の施工に関しては、その者につき当該処分がある日又は当該期間が経過する日において附則第五項の規定によりその例によるものとされる旧法第十五条第一項の規定による登録の抹消があつたものとみなし、なお従前の例による。

11　この法律の施行の際旧法第二十五条の十九第一項の規定による異議の申出がされている事件の処理については、なお従前の例による。

12　新法の許可を受けた建設業者が、旧法の建設業者であつた間に旧法第二十八条第一項に規定する場合に該当した場合における当該建設業者に対する処分及び注文者に対する勧告については、新法第二十八条第一項に規定する相当の場合に該当したものとみなして、新法第二十八条及び第二十九条の規定を適用する。この場合において、新法第二十八条第三項中「一年以内」とあるのは、「六月以内」とする。

13　旧法第二十九条第一項第五号又は第六号に該当した場合における同項の規定による登録の取消しは、新法第八条（第十七条において準用する場合を含む。）の規定の適用については、新法第二十九条第五号又は第六号に該当した場合における同条の規定による許可の取消しとみなす。

14　この法律の施行前にした行為及びこの法律附則の規定により従前の例によることとされる建設工事に係るこの法律の施行後にした行為に対する罰則の適用については、なお従前の例による。

附　則〔略〕〔昭和五〇・一二・二六法律九〇〕

附　則〔略〕〔昭和五三・五・二三法律五五〕

附　則〔略〕〔昭和五八・一二・一〇法律八三〕

附　則〔昭和六二・六・二六法律六九〕

（施行期日）

1　この法律は、公布の日から起算して一年を経過した日から施行する。

（経過措置）

2　この法律の施行の際現に建設工事紛争審査会の特別委員に任命されている者の任期については、なお従前の例による。

3　この法律の施行前に申出をした建設業者についての経営に関する事項の審査については、なお従前の例による。

4　この法律の施行前に行つた経営に関する事項の審査及び前項の規定によりなお従前の例によることとされる場合におけるこの法律の施行後に行つた経営に関する事項の審査に関する再審査については、なお従前の例による。

5　この法律の施行前にした行為に対する罰則の適用については、なお従前の例による。

附　則〔抄〕〔平成五・一一・一二法律八九〕

（施行期日）

第一条　この法律は、行政手続法（平成五年法律第八十八号）の施行の日〔平成六・一〇・一〕から施行する。

（諮問等がされた不利益処分に関する経過措置）

第二条　この法律の施行前に法令に基づき審議会その他の合議制の機関に対し行政手続法第十三条に規定する聴聞又は弁明の機会の付与の手続その他の意見陳述のための手続に相当する手続を執るべきことの諮問その他の求めがされた場合においては、当該諮問その他の求めに係る不利益処分の手続に関しては、この法律による改正後の関係法律の規定にかかわらず、なお従前の例による。

（罰則に関する経過措置）

第一三条　この法律の施行前にした行為に対する罰則の適用については、なお従前の例による。

（聴聞に関する規定の整理に伴う経過措置）

第一四条　この法律の施行前に法律の規定により行われた聴聞、聴問若しくは聴聞会（不利益処分に係るものを除く。）又はこれらのための手続は、この法律による改正後の関係法律の相当規定により行われたものとみなす。

（政令への委任）

第一五条　附則第二条から前条までに定めるもののほか、この法律の施行に関して必要な経過措置は、政令で定める。

附　則〔平成六・六・二九法律六三〕

（施行期日）

1　この法律は、公布の日から起算して六月を超えない範囲内において政令で定める日から施行する。ただし、次の各号に掲げる規定は、当該各号に定める日から施行する。

〔平成六政三九〇により、平成六・一二・二八から施行〕

一　第六条、第十一条第一項から第四項まで及び第十三条の改正規定、第十七条の改正規定（「第六条第五号」を「第六条第一項第五号」に改める部分に限る。）並びに第四十六条第一号の改正規定並びに附則第四項の規定　この法律の公布の日

二　目次の改正規定（「第二十四条の六」を「第二十四条の七」に改める部分に限る。）、第二十四条の六の次に一条を加える改正規定、第二十七条の十八、第二十七条の二十三、第二十七条の二十六及び第二十七条の二十七の改正規定、第四十六条の改正規定（第三号の次に一号を加える部分に限る。）並びに第四十七条の改正規定（第三号の次に一号を加える部分に限る。）並びに附則第五項から第九項までの規定　この法律の公布の日から起算して一年を経過した日〔平成七・六・二九〕

三　第二十六条の改正規定　この法律の公布の日から起算して二年を経過した日〔平成八・六・二九〕

（許可の有効期間に関する経過措置）

2　この法律の施行の際現に改正前の建設業法第三条第一項の許可を受けている者又はこの法律の施行前にした許可（同条第三項の許可の更新を含む。）の申請に基づきこの法律の施行後に同条第一項の許可を受けた者（許可の更新の場合にあっては、この法律の施行後に許可の有効期間が満了する者を除く。）の当該許可の有効期間については、なお従前の例による。

（許可の基準に関する経過措置）

3　この法律の施行前に改正前の建設業法第三条第一項の許可（同条第三項の許可の更新を含む。）の申請をした者（許可の更新の場合にあっては、この法律の施行後に許可の有効期間が満了する者を除く。）の当該申請に係る許可の基準については、なお従前の例による。

（変更の届出等に関する経過措置）

4　附則第一項第一号に掲げる改正規定の施行前に生じた事由に係る変更届出書の提出、当該改正規定の施行前に終了した営業年度に係る営業年度終了の時における書類の提出又は当該営業年度に係る書類の記載事項に変更が生じた旨の書面による届出については、改正後の建設業法第十一条第一項から第三項までの規定にかかわらず、なお従前の例による。

（監理技術者資格者証及び監理技術者の選任に関する経過措置）

5　附則第一項第二号に掲げる改正規定の施行の際現に改正前の建設業法第二十七条の十八第一項の規定により交付されている指定建設業監理技術者資格者証及び現に指定建設業監理技術者資格者証の交付を受けている者は、それぞれ、改正後の建設業法第二十七条の十八第一項の規定により交付されている監理技術者資格者証及び監理技術者資格者証の交付を受けている者とみなす。

6　附則第一項第二号に掲げる改正規定の施行の時から同項第三号に掲げる改正規定の施行の時までの間（以下この項において「移行期間」という。）における建設業法第二十六条第四項の規定の適用については、同項中「第二十七条の十八第一項の規定による指定建設業監理技術者資格者証の交付を受けている者」

とあるのは「建設業法の一部を改正する法律（平成六年法律第六十三号）附則第五項の規定により監理技術者資格者証の交付を受けている者とみなされた者又は同法による改正前の建設業法第二十七条の十八第一項に規定する指定建設業監理技術者資格を有する者で同法による改正後の建設業法第二十七条の十八第一項の規定による監理技術者資格者証の交付を受けている者」とし、移行期間における建設業法第二十六条第五項の規定の適用については、同項中「指定建設業監理技術者資格者証」とあるのは「建設業法の一部を改正する法律附則第五項の規定により監理技術者資格者証とみなされた指定建設業監理技術者資格者証又は同法による改正後の建設業法第二十七条の十八第一項の規定による監理技術者資格者証」とする。

（経営事項審査に関する経過措置）

7　附則第一項第二号に掲げる改正規定の施行前にされた改正前の建設業法第二十七条の二十三の経営事項審査の申請は、改正後の建設業法第二十七条の二十三の経営事項審査の申請とみなす。

8　附則第一項第二号に掲げる改正規定の施行前一年以内に改正前の建設業法第二十七条の二十七第一項の規定により経営事項審査の結果の通知を受けた建設業者で改正後の建設業法第二十七条の二十三第一項に規定する建設工事を発注者から直接請け負おうとするものは、当該改正規定の施行後一年間に限り、同項の規定にかかわらず、同項の経営事項審査を受けることを要しない。

9　前項の経営事項審査の結果は、改正後の建設業法第二十七条の二十七第三項の規定の適用については、同法第二十七条の二十三第一項の経営事項審査の結果とみなす。

（監督処分に関する経過措置）

10　附則第二項に規定する者に対する許可の取消しその他の監督上の処分に関しては、この法律の施行前に生じた事由については、なお従前の例による。

（罰則に関する経過措置）

11　この法律（附則第一項第一号に掲げる改正規定にあっては、当該改正規定）の施行前にした行為及び附則の規定によりなお従前の例によることとされる場合における当該規定の施行後にした行為に対する罰則の適用については、なお従前の例による。

附　則〔略〕〔平成七・五・一二法律九一〕

附　則〔略〕〔平成八・六・二六法律一一〇〕

附　則〔略〕〔平成一〇・六・一二法律一〇一〕

附　則〔抄〕〔平成一一・七・一六法律八七〕

（施行期日）

第一条　この法律は、平成十二年四月一日から施行する。ただし、次の各号に掲げる規定は、当該各号に定める日から施行する。

一　（前略）附則（中略）第百六十条、第百六十三条、第百六十四条並びに第二百二条の規定　公布の日

二～六　（略）

（国等の事務）

第一五九条　この法律による改正前のそれぞれの法律に規定するもののほか、この法律の施行前において、地方公共団体の機関が法律又はこれに基づく政令により管理し又は執行する国、他の地方公共団体その他公共団体の事務（附則第百六十一条において「国等の事務」という。）は、この法律の施行後は、地方公共団体が法律又はこれに基づく政令により当該地方公共団体の事務として処理するものとする。

（処分、申請等に関する経過措置）

第一六〇条　この法律（附則第一条各号に掲げる規定については、当該各規定。以下この条及び附則第百六十三条において同じ。）の施行前に改正前のそれぞれの法律の規定によりされた許可等の処分その他の行為（以下この条において「処分等の行為」という。）又はこの法律の施行の際現に改正前のそれぞれの法律の規定によりされている許可等の申請その他の行為（以下この条において「申請等の行為」という。）で、この法律の施行の日においてこれらの行為に係る行政事務を行うべき者が異なることとなるものは、附則第二条から前条までの規定又は改正後のそれぞれの法律（これに基づく命令を含む。）の経過措置に関する規定に定めるものを除き、この法律の施行の日以後における改正後のそれぞれの法律の適用については、改正後のそれぞれの法律の相当規定によりされた処分等の行為又は申請等の行為とみなす。

2　この法律の施行前に改正前のそれぞれの法律の規定により国又は地方公共団体の機関に対し報告、届出、提出その他の手続をしなければならない事項で、この法律の施行の日前にその手続がされていないものについては、この法律及びこれに基づく政令に別段の定めがあるもののほか、これを、改正後のそれぞれの法律の相当規定により国又は地方公共団体の相当の機関に対して報告、届出、提出その他の手続をしなければならない事項についてその手続がされていないものとみなして、この法律による改正後のそれぞれの法律の規定を適用する。

（不服申立てに関する経過措置）

第一六一条　施行日前にされた国等の事務に係る処分であって、当該処分をした行政庁（以下この条において「処分庁」という。）に施行日前に行政不服審査法に規定する上級行政庁（以下この条において「上級行政庁」という。）があったものについての同法による不服申立てについては、施行日以後においても、当該処分庁に引き続き上級行政庁があるものとみなして、行政不服審査法の規定を適用する。この場合において、当該処分庁の上級行政庁とみなされる行政庁は、施行日前に当該処分庁の上級行政庁であった行政庁とする。

2　前項の場合において、上級行政庁とみなされる行政庁が地方公共団体の機関であるときは、当該機関が行政不服審査法の規定により処理することとされる事務は、新地方自治法第二条第九項第一号に規定する第一号法定受託事務とする。

（手数料に関する経過措置）

第一六二条　施行日前においてこの法律による改正前のそれぞれの法律（これに基づく命令を含む。）の規定により納付すべきであった手数料については、この法律及びこれに基づく政令に別段の定めがあるもののほか、なお従前の例による。

（罰則に関する経過措置）

第一六三条　この法律の施行前にした行為に対する罰則の適用については、なお従前の例による。

（その他の経過措置の政令への委任）

第一六四条　この附則に規定するもののほか、この法律の施行に伴い必要な経過措置（罰則に関する経過措置を含む。）は、政令で定める。

2　〔略〕

附　則〔抄〕〔平成一一・七・一六法律一〇二〕

（施行期日）

第一条　この法律は、内閣法の一部を改正する法律（平成十一年法律第八十八号）の施行の日（平成一三・一・六）から施行する。ただし、次の各号に掲げる規定は、当該各号に定める日から施行する。

一〔略〕

二　附則〔中略〕第二十八条並びに第三十条の規定　公布の日

（建設業法の一部改正に伴う経過措置）

第二一条　この法律の施行の際現に従前の建設省の中央建設工事紛争審査会の委員である者は、この法律の施行の日に、第百四十五条の規定による改正後の建設業法（以下この条において「新建設業法」という。）第二十五条の二第二項の規定により、国土交通省の中央建設工事紛争審査会の委員として任命されたものとみなす。この場合において、その任命されたものとみなされる者の任期は、新建設業法第二十五条の三第一項の規定にかかわらず、同日における従前の建設省の中央建設工事紛争審査会の委員としての任期の残任期間と同一の期間とする。

2　この法律の施行の際現に従前の建設省の中央建設工事紛争審査会の会長である者は、この法律の施行の日に、新建設業法第二十五条の二第三項の規定により、国土交通省の中央建設工事紛争審査会の会長として選任されたものとみなす。

3　この法律の施行の際現に従前の建設省の中央建設工事紛争審査会の特別委員である者は、この法律の施行の日に、新建設業法第二十五条の七第三項の規定により準用される新建設業法第二十五条の二第二項の規定により、国土交通省の中央建設工事紛争審査会の特別委員として任命されたものとみなす。この場合において、その任命されたものとみなされる者の任期は、新建設業法第二十五条の七第二項の規定にかかわらず、同日における従前の建設省の中央建設工事紛争審査会の特別委員としての任期の残任期間と同一の期間とする。

（委員等の任期に関する経過措置）

第二八条　この法律の施行の日の前日において次に掲げる従前の審議会その他の機関の会長、委員その他の職員である者（任期の定めのない者を除く。）の任期は、当該会長、委員その他の職員の任期を定めたそれぞれの法律の規定にかかわらず、その日に満了する。

一～四十七〔略〕

四十八　中央建設業審議会

四十九～五十八〔略〕

（別に定める経過措置）

第三〇条　第二条から前条までに規定するもののほか、この法律の施行に伴い必要となる経過措置は、別に法律で定める。

附　則〔略〕〔平成一一・一二・三法律一四六〕

附　則〔抄〕〔平成一一・一二・八法律一五一〕

（施行期日）

第一条　この法律は、平成十二年四月一日から施行する。〔以下略〕

（経過措置）

第三条　民法の一部を改正する法律（平成十一年法律第百四十九号）附則第三条第三項の規定により従前の例によることとされる準禁治産者及びその保佐人に関するこの法律による改正規定の適用については、次に掲げる改正規定を除き、なお従前の例による。

一～六〔略〕

七　第三十一条中建設業法第二十五条の四の改正規定

八～二十五〔略〕

第四条　この法律の施行前にした行為に対する罰則の適用については、なお従前の例による。

附　則〔略〕〔平成一一・一二・二二法律一六〇〕

附　則〔抄〕〔平成一二・一一・二七法律一二六〕

（施行期日）

第一条　この法律は、公布の日から起算して五月を超えない範囲内において政令で定める日から施行する。〔以下略〕

〔平成一三政三により、平成一三・四・一から施行〕

（罰則に関する経過措置）

第二条　この法律の施行前にした行為に対する罰則の適用については、なお従前の例による。

附　則〔略〕〔平成一二・一一・二七法律一二七〕

附　則〔略〕〔平成一三・一二・五法律一三八〕

附　則〔略〕〔平成一四・五・二九法律四五〕

附　則〔抄〕〔平成一四・一二・一三法律一五二〕

（施行期日）

第一条　この法律は、行政手続等における情報通信の技術の利用に関する法律（平成十四年法律第百五十一号）の施行の日〔平成一五・二・三〕から施行する。〔以下略〕

（罰則に関する経過措置）

第四条　この法律の施行前にした行為に対する罰則の適用については、なお従前の例による。

（その他の経過措置の政令への委任）

第五条　前三条に定めるもののほか、この法律の施行に関し必要な経過措置は、政令で定める。

附　則〔抄〕〔平成一五・六・一八法律九六〕

（施行期日）

第一条　この法律は、平成十六年三月一日から施行する。

（建設業法の一部改正に伴う経過措置）

第三条　第二条の規定による改正後の建設業法（以下この条において「新建設業法」という。）第二十六条第四項の登録を受けようとする者は、第二条の規定の施行前においても、その申請を行うことができる。新建設業法第二十六条の十第一項の規定による講習規程の届出についても、同様とする。

2　第二条の規定の施行の際現に同条の規定による改正前の建設業法（以下この条において「旧建設業法」という。）第二十七条の十八第四項の指定を受けている講習は、第二条の規定の施行の日から起算して六月を経過する日までの間は、新建設業法第二十六条第四項の登録を受けた講習とみなす。

3　第二条の規定の施行前五年以内に受講した旧建設業法第二十七条の十八第四項の指定を受けた講習は、その講習を修了した日から起算して五年を経過する日までの間は、新建設業法第二十六条第四項の登録を受けた講習とみなす。

4　新建設業法第二十七条の二十四第一項の登録を受けようとする者は、第二条の規定の施行前においても、その申請を行うことができる。新建設業法第二十七条の三十二において準用する新建設業法第二十六条の十第一項の規定による経営状況分析規程の届出についても、同様とする。

5　第二条の規定の施行の際現に旧建設業法第二十七条の二十四第一項の指定を受けている者は、第二条の規定の施行の日から起算して六月を経過する日までの間は、新建設業法第二十七条の二十四第一項の登録を受けているものとみなす。

6　第二条の規定の施行前にされた旧建設業法第二十七条の二十三第四項の規定による旧建設業法第二十七条の二十三第二項に規定する経営事項審査（以下この条において「旧経営事項審査」という。）の申請又は旧建設業法第二十七条の二十六第一項の規定による旧建設業法第二十七条の二十四第一項に規定する経営状況分析（以下この条において「旧経営状況分析」という。）の申請であって、第二条の規定の施行の際、これらの結果の通知がなされていないものについての結果の通知については、なお従前の例による。

7 旧建設業法第二十七条の二十四第一項に規定する指定経営状況分析機関の役員又は職員であった者に係る同項に規定する経営状況分析に関して知り得た秘密を漏らしてはならない義務については、第二条の規定の施行後も、なお従前の例による。
8 第二条の規定の施行の際現に旧建設業法第二十七条の二十四第一項の指定を受けている者が行うべき第二条の規定の施行の日の属する事業年度の事業報告書及び収支決算書の作成並びにこれらの書類の国土交通大臣に対する提出については、なお従前の例による。
9 第二条の規定の施行前にされた旧経営事項審査又は旧経営状況分析の結果（第六項の規定によりなお従前の例によることとされる場合におけるものを含む。）に係る再審査の申立てについては、なお従前の例による。
10 第二条の規定の施行前に旧経営事項審査において旧建設業法第二十七条の二十四第一項に規定する指定経営状況分析機関がした旧経営状況分析（第六項の規定によりなお従前の例によることとされる場合におけるものを含む。）に係る処分又はその不作為に関する行政不服審査法（昭和三十七年法律第百六十号）による審査請求については、なお従前の例による。

（処分、手続等の効力に関する経過措置）
第一四条 附則第二条から前条までに規定するもののほか、この法律の施行前にこの法律による改正前のそれぞれの法律（これに基づく命令を含む。）の規定によってした処分、手続その他の行為であって、この法律による改正後のそれぞれの法律（これに基づく命令を含む。）中相当する規定があるものは、これらの規定によってした処分、手続その他の行為とみなす。

（罰則の適用に関する経過措置）
第一五条 この法律の施行前にした行為及びこの附則の規定によりなお従前の例によることとされる場合におけるこの法律の施行後にした行為に対する罰則の適用については、なお従前の例による。

（その他の経過措置の政令への委任）
第一六条 附則第二条から前条までに定めるもののほか、この法律の施行に関し必要となる経過措置（罰則に関する経過措置を含む。）は、政令で定める。

附 則〔抄〕〔平成一五・八・一法律一三八〕

（施行期日）
第一条 この法律は、公布の日から起算して九月を超えない範囲内において政令で定める日から施行する。
〔平成一五政五四四により、平成一六・三・一から施行〕

（仲裁合意の方式に関する経過措置）
第二条 この法律の施行前に成立した仲裁合意の方式については、なお従前の例による。

附 則〔抄〕〔平成一六・六・二法律七六〕

（施行期日）
第一条 この法律は、破産法（中略）の施行の日〔平成一七・一・一〕から施行する。〔以下略〕

（罰則の適用等に関する経過措置）
第一二条 施行日前にした行為（中略）に対する罰則の適用については、なお従前の例による。〔以下略〕
2～5 〔略〕

（政令への委任）
第一四条 附則第二条から前条までに規定するもののほか、この法律の施行に関し必要な経過措置は、政令で定める。

附 則〔略〕〔平成一六・一二・一法律一四七〕

附 則〔平成一七・七・二六法律八七〕
この法律は、会社法の施行の日〔平成一八・五・一〕から施行する。〔以下略〕

会社法の施行に伴う関係法律の整備等に関する法律〔抄〕〔平成一七・七・二六 法律八七〕

第十二章 罰則に関する経過措置及び政令への委任

（罰則に関する経過措置）
第五二七条 施行日前にした行為及びこの法律の規定によりなお従前の例によることとされる場合における施行日以後にした行為に対する罰則の適用については、なお従前の例による。

（政令への委任）
第五二八条 この法律に定めるもののほか、この法律の規定による法律の廃止又は改正に伴い必要な経過措置は、政令で定める。

附 則〔略〕〔平成一八・六・二法律五〇〕

附 則〔抄〕〔平成一八・六・二一法律九二〕

（施行期日）
第一条 この法律は、公布の日から起算して一年を超えない範囲内において政令で定める日から施行する。ただし、次の各号に掲げる規定は、当該各号に定める日から施行する。
〔平成一九政四八により、平成一九・六・二〇から施行〕
一 第三条、第四条並びに附則第五条から第七条まで及び第十一条の規定 公布の日から起算して六月を超えない範囲内において政令で定める日
〔平成一八政三七二により、平成一八・一二・二〇から施行〕
二 〔略〕

（建設業法の一部改正に伴う経過措置）
第五条 附則第一条第一号に掲げる規定の施行の際現に第三条の規定による改正前の建設業法第三条第一項の許可を受けている者に対する許可の取消しその他の監督上の処分に関しては、同号に掲げる規定の施行前に生じた事由については、なお従前の例による。

（政令への委任）
第七条 この附則に定めるもののほか、この法律の施行に関して必要な経過措置（罰則に関する経過措置を含む。）は、政令で定める。

（検討）
第八条 政府は、この法律の施行後五年を経過した場合において、第一条から第四条までの規定による改正後の規定の施行の状況について検討を加え、必要があると認めるときは、その結果に基づいて必要な措置を講ずるものとする。

附 則〔抄〕〔平成一八・一二・二〇法律一一四〕

（施行期日）
第一条 この法律は、公布の日から起算して二年を超えない範囲内において政令で定める日から施行する。ただし、次の各号に掲げる規定は、当該各号に定める日から施行する。
〔平成二〇政一八五により、平成二〇・一一・二八から施行〕
一 第四条（建設業法第二十二条第一項及び第三項の改正規定、同法第二十三条の次に一条を加える改正規定並びに同法第二十四条、第二十六条第三項から第五項まで、第四十条の三及び第五十五条の改正規定を除く。）（中略）の規定 平成十九年四月一日
二・三 〔略〕

（建設業法の一部改正に伴う経過措置）
第五条 施行日前に建設業者が請け負った建設工事については、第四条の規定による改正後の建設業法（以下「新建設業法」と

いう。）第二十二条第三項の規定にかかわらず、なお従前の例による。

２　附則第一条第一号に掲げる規定の施行の際現に建設工事紛争審査会に係属している第四条の規定による改正前の建設業法（次項において「旧建設業法」という。）第二十五条の十一のあっせん又は調停に関し当該あっせん又は調停の目的となっている請求についての新建設業法第二十五条の十六の規定の適用については、附則第一条第一号に掲げる規定の施行の時に、あっせん又は調停の申請がされたものとみなす。

３　この法律の施行の際現に旧建設業法第三条第一項の許可を受けている者に対する新建設業法第二十九条の規定による許可の取消しその他の監督上の処分に関しては、施行日前に生じた事由については、なお従前の例による。

（罰則に関する経過措置）

第六条　この法律（附則第一条第三号に掲げる規定については、当該規定）の施行前にした行為に対する罰則の適用については、なお従前の例による。

（政令への委任）

第七条　附則第二条から前条までに定めるもののほか、この法律の施行に関して必要な経過措置（罰則に関する経過措置を含む。）は、政令で定める。

（検討）

第八条　政府は、この法律の施行後五年を経過した場合において、第一条から第四条までの規定による改正後の規定の施行の状況について検討を加え、必要があると認めるときは、その結果に基づいて必要な措置を講ずるものとする。

附　則〔略〕〔平成一九・五・三〇法律六六〕

附　則〔略〕〔平成二〇・五・二法律二八施行〕

附　則〔略〕〔平成二三・六・三法律六一〕

附　則〔略〕〔平成二四・八・一法律五三〕

附　則〔略〕〔平成二五・六・一四法律四四〕

附　則〔略〕〔平成二五・一一・二七法律八六〕

附　則〔抄〕〔平成二六・六・四法律五五〕

（施行期日）

第一条　この法律は、公布の日から起算して一年を超えない範囲内において政令で定める日から施行する。ただし、次の各号に掲げる規定は、当該各号に定める日から施行する。

〔平成二六政三〇七により、平成二七・四・一から施行〕

一　第一条（建設業法目次、第二十五条の二十七（見出しを含む。）及び第二十七条の三十七の改正規定並びに同法第四章の三中第二十七条の三十八の次に一条を加える改正規定に限る。）及び附則第七条の規定　公布の日

二　第一条（建設業法別表第一の改正規定に限る。）〔中略〕及び附則第三条の規定　公布の日から起算して二年を超えない範囲内において政令で定める日

〔平成二七政四一九により、平成二八・六・一から施行〕

（建設業法の一部改正に伴う経過措置）

第二条　第一条の規定による改正後の建設業法（以下「新建設業法」という。）第十一条第一項（新建設業法第十七条において準用する場合を含む。）の規定は、新建設業法第五条第一号から第五号までに掲げる事項の変更であってこの法律の施行後にあるものについて適用し、この法律の施行前にあった当該事項の変更については、なお従前の例による。

２　新建設業法第十三条（新建設業法第十七条において準用する場合を含む。）の規定は、この法律の施行後に提出された書類について適用し、この法律の施行前に提出された書類については、なお従前の例による。

第三条　附則第一条第二号に掲げる規定の施行の際現に第一条の規定による改正前の建設業法（以下この条において「旧建設業法」という。）別表第一の下欄に掲げるとび・土工工事業（第五項において「とび・土工工事業」という。）に係る旧建設業法第三条第一項の許可を受けている者であって、新建設業法別表第一の下欄に掲げる解体工事業（以下この条において「解体工事業」という。）に該当する営業を営んでいるものは、同号に掲げる規定の施行の日（第五項において「第二号施行日」という。）から三年間は、解体工事業に係る新建設業法第三条第一項の許可を受けないでも、引き続き当該営業を営むことができる。その者がその期間内に解体工事業に係る同項の許可を申請した場合において、その期間を経過したときは、その申請について許可又は不許可の処分があるまでの間も、同様とする。

２　前項の規定により引き続き解体工事業に該当する営業を営む者については、その者を解体工事業に係る新建設業法第三条第一項の許可を受けた者とみなして、新建設業法第四条及び第二十六条の二の規定を適用する。

３　第一項の規定により引き続き解体工事業に該当する営業を営む者がその請け負った解体工事を施工する場合における新建設業法第二十六条の規定の適用については、同条第一項及び第二項中「当該建設工事に関し」とあるのは、「解体工事又はとび・土工・コンクリート工事に関し」とする。

４　第一項の規定により引き続き解体工事業に該当する営業を営む者については、第四条の規定による改正後の建設工事に係る資材の再資源化等に関する法律（附則第六条において「新建設資材再資源化法」という。）第二十一条第一項の規定は、適用しない。

５　新建設業法第七条第一号の規定による解体工事業に係る許可の基準については、第二号施行日前におけるとび・土工工事業に関する旧建設業法第七条第一号イに規定する経営業務の管理責任者としての経験は、解体工事業に関する新建設業法第七条第一号イに規定する経営業務の管理責任者としての経験とみなす。

（政令への委任）

第七条　附則第二条から前条までに定めるもののほか、この法律の施行に関し必要な経過措置（罰則に関する経過措置を含む。）は、政令で定める。

（検討）

第八条　政府は、この法律の施行後五年を経過した場合において、第一条から第四条までの規定による改正後の規定の施行の状況について検討を加え、必要があると認めるときは、その結果に基づいて所要の措置を講ずるものとする。

附　則〔略〕〔平成二六・六・一三法律六九〕

附　則〔抄〕〔平成二九・五・三一法律四一〕

（施行期日）

第一条　この法律は、平成三十一年四月一日から施行する。ただし、次条及び附則第四十八条の規定は、公布の日から施行する。

（政令への委任）

第四八条　この附則に規定するもののほか、この法律の施行に関し必要な経過措置は、政令で定める。

附　則〔平成二九・六・二法律四五〕

この法律は、民法改正法の施行の日〔令和二・四・一〕から施行する。ただし〔中略〕第三百六十二条の規定は、公布の日から施行する。

民法の一部を改正する法律の施行に伴う関係法律の整備等に関する法律〔抄〕

〔平成二九・六・二
法律四五〕

（建設業法の一部改正に伴う経過措置）

第三〇八条 施行日前に建設工事（前条の規定による改正前の建設業法（次項において「旧建設業法」という。）第二条第一項に規定する建設工事をいう。）の請負契約が締結された場合におけるその契約の内容については、前条の規定による改正後の建設業法（次項において「新建設業法」という。）第十九条第一項の規定にかかわらず、なお従前の例による。

2　施行日前に旧建設業法第二十五条の十一第一号に規定するあっせん又は調停の申請がされた場合におけるその申請に係る時効の特例については、新建設業法第二十五条の十六の規定にかかわらず、なお従前の例による。

（罰則に関する経過措置）

第三六一条 施行日前にした行為及びこの法律の規定によりなお従前の例によることとされる場合における施行日以後にした行為に対する罰則の適用については、なお従前の例による。

（政令への委任）

第三六二条 この法律に定めるもののほか、この法律の施行に伴い必要な経過措置は、政令で定める。

附　則〔抄〕〔令和元・六・七法律二六〕

（施行期日）

第一条 この法律は、公布の日から施行する。ただし、次の各号に掲げる規定は、当該各号に定める日から施行する。

一・二〔略〕

三〔前略〕第十二条〔中略〕の規定　平成三十二年〔令和二年〕四月一日

四〔略〕

附　則〔抄〕〔令和元・六・一二法律三〇〕

（施行期日）

第一条 この法律は、公布の日から起算して一年六月を超えない範囲内において政令で定める日から施行する。ただし、第一条中建設業法第二十七条、第二十七条の二第一項及び第二十七条の十六第一項の改正規定並びに附則第三条及び第八条の規定は、公布の日から起算して二年を超えない範囲内において政令で定める日から施行する。

〔令和元政七八により、本文に係る部分は、令和二・一〇・一から、ただし書に係る部分は、令和三・四・一から施行。ただし、目次中「二七条の三九」を「二七条の四〇」に改める改正規定、二五条の二七（見出しを含む。）の改正規定、二七条の三九の見出しを削り、同条の前に見出しを付する改正規定、四章の三中同条の次に一条を加える改正規定及び三四条二項の改正規定は、令和元・九・一から施行〕

（建設業法の一部改正に伴う経過措置）

第二条 この法律の施行の日（以下「施行日」という。）前にされた建設業法第三条第一項の許可又は同条第三項の許可の更新の申請であって、この法律の施行の際許可又は許可の更新をするかどうかの処分がされていないものについてのこれらの処分については、なお従前の例による。

2　この法律の施行の際現に建設業法第三条第一項の許可を受けている者又は前項の規定によりなお従前の例によることとされる同条第一項の許可若しくは同条第三項の許可の更新を受けた者については、当該許可の有効期間の満了の日までは、引き続き第一条の規定による改正前の建設業法（次条において「旧建設業法」という。）第七条第一号に掲げる基準に適合する限り、第一条の規定による改正後の建設業法（以下「新建設業法」という。）第七条第一号に掲げる基準に適合するものとみなす。

3　施行日前に建設工事の請負契約が締結された場合におけるその契約の内容については、新建設業法第十九条第一項の規定にかかわらず、なお従前の例による。

4　新建設業法第十九条の五の規定は、施行日前に締結された建設工事の請負契約については、適用しない。

5　新建設業法第四十一条の二の規定は、施行日前に同条第一項の建設業者又は建設業を営む者に同項に規定する建設資材を引き渡した同項に規定する建設資材製造業者等については、適用しない。

第三条 附則第一条ただし書に規定する規定の施行の日前に旧建設業法第二十七条第一項に規定する技術検定に合格した者は、新建設業法第二十七条第二項に規定する第二次検定に合格した者とみなす。

2　附則第一条ただし書に規定する規定の施行の際現に旧建設業法第二十七条の二第一項の規定による指定を受けている者は、施行日において新建設業法第二十七条の二第一項の規定による指定を受けたものとみなす。

（罰則に関する経過措置）

第四条 施行日前にした行為に対する罰則の適用については、なお従前の例による。

（政令への委任）

第五条 前三条に定めるもののほか、この法律の施行に関し必要な経過措置は、政令で定める。

（検討）

第六条 政府は、この法律の施行後五年を経過した場合において、新建設業法の施行の状況について検討を加え、必要があると認めるときは、その結果に基づいて必要な措置を講ずるものとする。

附　則〔抄〕〔令和元・六・一四法律三七〕

（施行期日）

第一条 この法律は、公布の日から起算して三月を経過した日から施行する。ただし、次の各号に掲げる規定は、当該各号に定める日から施行する。

一〔前略〕次条並びに附則第三条及び第六条の規定　公布の日

二〜四〔略〕

（行政庁の行為等に関する経過措置）

第二条 この法律（前条各号に掲げる規定にあっては、当該規定。以下この条及び次条において同じ。）の施行の日前に、この法律による改正前の法律又はこれに基づく命令の規定（欠格条項その他の権利の制限に係る措置を定めるものに限る。）に基づき行われた行政庁の処分その他の行為及び当該規定により生じた失職の効力については、なお従前の例による。

（罰則に関する経過措置）

第三条 この法律の施行前にした行為に対する罰則の適用については、なお従前の例による。

（検討）

第七条 政府は、会社法（平成十七年法律第八十六号）及び一般社団法人及び一般財団法人に関する法律（平成十八年法律第四十八号）における法人の役員の資格を成年被後見人又は被保佐人であることを理由に制限する旨の規定について、この法律の公布後一年以内を目途として検討を加え、その結果に基づき、当該規定の削除その他の必要な法制上の措置を講ずるものとする。

附　則〔抄〕〔令和三・五・一九法律三七〕

（施行期日）

第一条　この法律は、令和三年九月一日から施行する。ただし、次の各号に掲げる規定は、当該各号に定める日から施行する。

一　〔前略〕附則〔中略〕第七十一条から第七十三条までの規定　公布の日

二～十　〔略〕

（罰則に関する経過措置）

第七十一条　この法律（附則第一条各号に掲げる規定にあっては、当該規定。以下この条において同じ。）の施行前にした行為及びこの附則の規定によりなお従前の例によることとされる場合におけるこの法律の施行後にした行為に対する罰則の適用については、なお従前の例による。

（政令への委任）

第七十二条　この附則に定めるもののほか、この法律の施行に関し必要な経過措置（罰則に関する経過措置を含む。）は、政令で定める。

（検討）

第七十三条　政府は、行政機関等に係る申請、届出、処分の通知その他の手続において、個人の氏名を平仮名又は片仮名で表記したものを利用して当該個人を識別できるようにするため、個人の氏名を平仮名又は片仮名で表記したものを戸籍の記載事項とすることを含め、この法律の公布後一年以内を目途としてその具体的な方策について検討を加え、その結果に基づいて必要な措置を講ずるものとする。

附　則〔略〕〔令和三・五・二八法律四八〕

附　則〔抄〕〔令和四・六・一七法律六八〕

（施行期日）

1　この法律は、刑法等一部改正法〔令和四年法律第六十七号〕施行日〔令和七・六・一〕から施行する。ただし、次の各号に掲げる規定は、当該各号に定める日から施行する。

一　第五百九条の規定　公布の日

二　〔略〕

刑法等の一部を改正する法律の施行に伴う関係法律の整理等に関する法律〔抄〕

〔令和四・六・一七法律六八〕

（罰則の適用等に関する経過措置）

第四四一条　刑法等の一部を改正する法律（令和四年法律第六十七号。以下「刑法等一部改正法」という。）及びこの法律（以下「刑法等一部改正法等」という。）の施行前にした行為の処罰については、次章に別段の定めがあるもののほか、なお従前の例による。

2　刑法等一部改正法等の施行後にした行為に対して、他の法律の規定によりなお従前の例によることとされ、なお効力を有することとされ又は改正前若しくは廃止前の法律の規定の例によることとされる罰則を適用する場合において、当該罰則に定める刑（刑法施行法第十九条第一項の規定又は第八十二条の規定による改正後の沖縄の復帰に伴う特別措置に関する法律第二十五条第四項の規定の適用後のものを含む。）に刑法等一部改正法第二条の規定による改正前の刑法（明治四十年法律第四十五号。以下この項において「旧刑法」という。）第十二条に規定する懲役（以下「懲役」という。）、旧刑法第十三条に規定する禁錮（以下「禁錮」という。）又は旧刑法第十六条に規定する拘留（以下「旧拘留」という。）が含まれるときは、当該刑のうち無期の懲役又は禁錮はそれぞれ無期拘禁刑と、有期の懲役又は禁錮はそれぞれその刑と長期及び短期（刑法施行法第二十条の規定の適用後のものを含む。）を同じくする有期拘禁刑と、旧拘留は長期及び短期（刑法施行法第二十条の規定の適用後のものを含む。）を同じくする拘留とする。

（裁判の効力とその執行に関する経過措置）

第四四二条　懲役、禁錮及び旧拘留の確定裁判の効力並びにその執行については、次章に別段の定めがあるもののほか、なお従前の例による。

（人の資格に関する経過措置）

第四四三条　懲役、禁錮又は旧拘留に処せられた者に係る人の資格に関する法令の規定の適用については、無期の懲役又は禁錮に処せられた者はそれぞれ無期拘禁刑に処せられた者と、有期の懲役又は禁錮に処せられた者はそれぞれ刑期を同じくする有期拘禁刑に処せられた者と、旧拘留に処せられた者は拘留に処せられた者とみなす。

2　拘禁刑又は拘留に処せられた者に係る他の法律の規定によりなお従前の例によることとされ、なお効力を有することとされ又は改正前若しくは廃止前の法律の規定の例によることとされる人の資格に関する法令の規定の適用については、無期拘禁刑に処せられた者は無期禁錮に処せられた者と、有期拘禁刑に処せられた者は刑期を同じくする有期禁錮に処せられた者と、拘留に処せられた者は刑期を同じくする旧拘留に処せられた者とみなす。

（経過措置の政令への委任）

第五〇九条　この編に定めるもののほか、刑法等一部改正法等の施行に伴い必要な経過措置は、政令で定める。

附　則〔令和六・六・一四法律四九〕

（施行期日）

第一条　この法律は、公布の日から起算して一年六月を超えない範囲内において政令で定める日から施行する。ただし、次の各号に掲げる規定は、当該各号に定める日から施行する。

一　附則第四条の規定　公布の日

二　第一条（建設業法第三十四条の改正規定及び同法第四十条の三の次に一条を加える改正規定に限る。）の規定及び次条第一項の規定　公布の日から起算して三月を超えない範囲内において政令で定める日

三　第一条（建設業法第十九条の三に一項を加える改正規定、同法第十九条の五に一項を加える改正規定、同法第十九条の六の改正規定、同法第二十条の改正規定、同法第二十四条の五の改正規定、同法第二十八条第一項の改正規定、同法第三十四条の改正規定、同法第四十条の三の次に一条を加える改正規定、同法第四十二条第一項の改正規定及び同法第四十二条の二第三項の改正規定（「第十九条の三」を「第十九条の三第一項」に改める部分に限る。）を除く。）〔中略〕の規定並びに次条第二項及び附則第三条の規定　公布の日から起算して六月を超えない範囲内において政令で定める日

（建設業法の一部改正に伴う経過措置）

第二条　前条第二号に掲げる規定の施行の日から同条第三号に掲げる規定の施行の日（次項及び次条において「第三号施行日」という。）の前日までの間における第一条のうち建設業法第四十条の三の次に一条を加える改正規定による改正後の同法第四十条の四第一項の規定の適用については、同項中「建設工事の請負契約の締結の状況、第二十条の二第二項から第四項までの

規定による通知又は協議の状況、第二十五条の二十七第二項に規定する措置の実施の状況」とあるのは、「建設工事の請負契約の締結の状況」とする。

２　第一条のうち建設業法第十九条第一項第八号の改正規定による改正後の同法第十九条第一項（第八号に係る部分に限る。）の規定は、第三号施行日以後に締結される建設工事の請負契約に係る書面に記載する内容について適用し、第三号施行日前に締結された建設工事の請負契約に係る書面に記載された内容については、なお従前の例による。

３　第一条のうち建設業法第十九条の三に一項を加える改正規定及び同法第十九条の五に一項を加える改正規定による改正後の同法第十九条の三第二項及び第十九条の五第二項の規定は、この法律の施行の日（次項において「施行日」という。）前に締結された建設工事の請負契約については、適用しない。

４　第一条のうち建設業法第二十条の改正規定による改正後の同法第二十条の規定は、施行日以後に建設業者が建設工事の注文者に同条第一項の材料費等記載見積書を交付する場合について適用し、施行日前に建設業者が建設工事の注文者に建設工事の見積書を交付した場合については、なお従前の例による。

（罰則に関する経過措置）

第三条　第三号施行日前にした行為に対する罰則の適用については、なお従前の例による。

（政令への委任）

第四条　前二条に定めるもののほか、この法律の施行に関し必要な経過措置は、政令で定める。

（検討）

第五条　政府は、この法律の施行後五年を目途として、この法律による改正後のそれぞれの法律の規定について、その施行の状況等を勘案して検討を加え、必要があると認めるときは、その結果に基づいて所要の措置を講ずるものとする。

別表第一（第二条、第三条、第四十条関係）

土木一式工事	土木工事業
建築一式工事	建築工事業
大工工事	大工工事業
左官工事	左官工事業
とび・土工・コンクリート工事	とび・土工工事業
石工事	石工事業
屋根工事	屋根工事業
電気工事	電気工事業
管工事	管工事業
タイル・れんが・ブロック工事	タイル・れんが・ブロック工事業
鋼構造物工事	鋼構造物工事業
鉄筋工事	鉄筋工事業
舗装工事	舗装工事業
しゆんせつ工事	しゆんせつ工事業
板金工事	板金工事業
ガラス工事	ガラス工事業
塗装工事	塗装工事業
防水工事	防水工事業
内装仕上工事	内装仕上工事業
機械器具設置工事	機械器具設置工事業
熱絶縁工事	熱絶縁工事業
電気通信工事	電気通信工事業
造園工事	造園工事業
さく井工事	さく井工事業
建具工事	建具工事業
水道施設工事	水道施設工事業
消防施設工事	消防施設工事業
清掃施設工事	清掃施設工事業
解体工事	解体工事業

〔改正・令和元法三〇〕

別表第二（第二十六条の八関係）

一　土木工学（農業土木、鉱山土木、森林土木、砂防、治山、緑地又は造園に関するものを含む。）に関する学科

二　都市工学に関する学科

三　衛生工学に関する学科

四　交通工学に関する学科

五　建築学に関する学科

六　電気工学に関する学科

七　電気通信工学に関する学科

八　機械工学に関する学科

九　林学に関する学科

十　鉱山学に関する学科

〔改正・令和元法三〇・令和六法四九〕

○建設業法施行令〔昭和三一・八・二九 政令二七三〕

改正　昭和三五・六政一八二、九政二五二、昭和三六・一〇政三三六、一一政三三九、昭和三七・七政三一四、九政三九一、昭和四〇・三政六三、昭和四四・八政二三一、昭和四五・四政八二、昭和四六・一一政三八〇、昭和四七・六政二一九、八政三一八、一二政四二〇、政四三七、昭和四九・九政三二七、昭和五〇・一政二、四政一三〇、昭和五二・六政一九四、昭和五三・三政三八、五政一九八、昭和五六・三政五八、昭和五八・七政一七四、昭和五九・四政一二〇、六政二〇九、昭和六〇・三政二四、政三一、一二政三一七、昭和六一・三政五〇、六政二〇三、一一政三五二、昭和六二・三政五四、八政二七〇、昭和六三・五政一四八、平成元・三政七二、平成三・三政二五、平成六・三政六九、七政二五一、九政三〇三、一二政三九一、平成九・三政七四、平成一〇・一〇政三五一、平成一一・一一政三五二、政三六七、平成一二・三政一二二、六政三一二、平成一三・一政四、三政五六、平成一四・一二政三八六、平成一五・一政一八、八政三七五、一二政四九六、政五四二、平成一六・三政五四、政五九、平成一七・五政一八二、六政二一四、九政三一四、平成一八・二政一四、九政三一〇、政三二〇、平成一九・三政四七、政四九、平成二〇・五政一八六、平成二三・六政一八一、七政二〇三、八政二八二、一一政三六三、平成二四・八政二一一、平成二五・六政一八四、平成二六・九政三〇八、平成二七・一二政四二〇、平成二八・四政一九二、平成二九・六政一五六、九政二三一、一一政二七六、令和元・九政九一、一二政一八三、令和二・五政一七一、政一七四、六政一九二、一二政三六三、令和三・八政二二四、令和四・一政二五、六政二一一、一一政三五三、一二政三九三

（支店に準ずる営業所）

第一条　建設業法（以下「法」という。）第三条第一項の政令で定める支店に準ずる営業所は、常時建設工事の請負契約を締結する事務所とする。

（法第三条第一項ただし書の軽微な建設工事）

第一条の二　法第三条第一項ただし書の政令で定める軽微な建設工事は、工事一件の請負代金の額が五百万円（当該建設工事が建築一式工事である場合にあつては、千五百万円）に満たない工事又は建築一式工事のうち延べ面積が百五十平方メートルに満たない木造住宅を建設する工事とする。

２　前項の請負代金の額は、同一の建設業を営む者が工事の完成を二以上の契約に分割して請け負うときは、各契約の請負代金の額の合計額とする。ただし、正当な理由に基いて契約を分割したときは、この限りでない。

３　注文者が材料を提供する場合においては、その市場価格又は市場価格及び運送賃を当該請負契約の請負代金の額に加えたものを第一項の請負代金の額とする。

（法第三条第一項第二号の金額）

第二条　法第三条第一項第二号の政令で定める金額は、四千五百万円とする。ただし、同項の許可を受けようとする建設業が建築工事業である場合においては、七千万円とする。

（使用人）

第三条　法第六条第一項第四号（法第十七条において準用する場合を含む。）、法第七条第三号、法第八条第四号、第十二号及び第十三号（これらの規定を法第十七条において準用する場合を含む。）、法第二十八条第一項第三号並びに法第二十九条の四の政令で定める使用人は、支配人及び支店又は第一条に規定する営業所の代表者（支配人である者を除く。）であるものとする。

（法第八条第八号の法令の規定）

第三条の二　法第八条第八号（法第十七条において準用する場合を含む。）の政令で定める建設工事の施工又は建設工事に従事する労働者の使用に関する法令の規定は、次に掲げるものとする。

一　建築基準法（昭和二十五年法律第二百一号）第九条第一項又は第十項前段（これらの規定を同法第八十八条第一項から第三項まで又は第九十条第三項において準用する場合を含む。）の規定による特定行政庁又は建築監視員の命令に違反した者に係る同法第九十八条第一項（第一号に係る部分に限る。）

二　宅地造成及び特定盛土等規制法（昭和三十六年法律第百九十一号）第二十条第二項から第四項まで又は第三十九条第二項から第四項までの規定による都道府県知事の命令に違反した者に係る同法第五十五条第一項（第四号に係る部分に限る。）

三　都市計画法（昭和四十三年法律第百号）第八十一条第一項の規定による国土交通大臣、都道府県知事又は市町村長の命令に違反した者に係る同法第九十一条

四　景観法（平成十六年法律第百十号）第六十四条第一項の規定による市町村長の命令に違反した者に係る同法第百一条

五　労働基準法（昭和二十二年法律第四十九号）第五条の規定に違反した者に係る同法第百十七条（労働者派遣事業の適正な運営の確保及び派遣労働者の保護等に関する法律（昭和六十年法律第八十八号。以下「労働者派遣法」という。）第四十四条第一項（建設労働者の雇用の改善等に関する法律（昭和五十一年法律第三十三号。以下「建設労働法」という。）第四十四条の規定により適用される場合を含む。第七条の三第三号において同じ。）の規定により適用される場合を含む。）又は労働基準法第六条の規定に違反した者に係る同法第百十八条第一項

六　職業安定法（昭和二十二年法律第百四十一号）第四十四条の規定に違反した者に係る同法第六十四条

七　労働者派遣法第四条第一項の規定に違反した者に係る労働者派遣法第五十九条

（許可手数料）

第四条　法第十条第二号（法第十七条において準用する場合を含む。）の許可手数料は、その金額を五万円とし、許可申請書にこれに相当する額の収入印紙を貼つて納めなければならない。

（閲覧所）

第五条　国土交通大臣又は都道府県知事は、閲覧所を設けた場合においては、当該閲覧所の閲覧規則を定めるとともに、当該閲覧所の場所及び閲覧規則を告示しなければならない。

２　国土交通大臣の設ける閲覧所においては、許可申請書等（法第十三条（法第十七条において準用する場合を含む。）に規定する書類をいう。次項において同じ。）で国土交通大臣の許可を受けた建設業者に係るものを公衆の閲覧に供しなければならない。

３　都道府県知事の設ける閲覧所においては、当該都道府県知事の許可を受けた建設業者に係る許可申請書等を公衆の閲覧に供しなければならない。

（法第十五条第二号ただし書の建設業）

第五条の二　法第十五条第二号ただし書の政令で定める建設業は、次に掲げるものとする。

一　土木工事業
二　建築工事業
三　電気工事業
四　管工事業
五　鋼構造物工事業
六　舗装工事業
七　造園工事業

（法第十五条第二号ロの金額）

第五条の三　法第十五条第二号ロの政令で定める金額は、四千五百万円とする。

（法第十五条第三号の金額）

第五条の四　法第十五条第三号の政令で定める金額は、八千万円とする。

（建設工事の請負契約に係る情報通信の技術を利用する方法）

第五条の五　建設工事の請負契約の当事者は、法第十九条第三項の規定により同項に規定する国土交通省令で定める措置（以下この条において「電磁的措置」という。）を講じようとするときは、国土交通省令で定めるところにより、あらかじめ、当該契約の相手方に対し、その講じる電磁的措置の種類及び内容を示し、書面又は電子情報処理組織を使用する方法その他の情報通信の技術を利用する方法であつて国土交通省令で定めるもの（次項において「電磁的方法」という。）による承諾を得なければならない。

２　前項の規定による承諾を得た建設工事の請負契約の当事者は、当該契約

の相手方から書面又は電磁的方法により当該承諾を撤回する旨の申出があつたときは、法第十九条第一項又は第二項の規定による措置に代えて電磁的措置を講じてはならない。ただし、当該契約の相手方が再び同項の規定による承諾をした場合は、この限りでない。

（現場代理人の選任等に関する通知に係る情報通信の技術を利用する方法）

第五条の六　請負人は、法第十九条の二第三項の規定により同項に規定する現場代理人に関する事項を通知しようとするときは、国土交通省令で定めるところにより、あらかじめ、当該注文者に対し、その用いる同項前段に規定する方法（以下この条において「電磁的方法」という。）の種類及び内容を示し、書面又は電磁的方法による承諾を得なければならない。

2　前項の規定による承諾を得た請負人は、当該注文者から書面又は電磁的方法により電磁的方法による通知を受けない旨の申出があつたときは、当該注文者に対し、現場代理人に関する事項の通知を電磁的方法によつてしてはならない。ただし、当該注文者が再び同項の規定による承諾をした場合は、この限りでない。

第五条の七　注文者は、法第十九条の二第四項の規定により同項に規定する監督員に関する事項を通知しようとするときは、国土交通省令で定めるところにより、あらかじめ、当該請負人に対し、その用いる同項前段に規定する方法（以下この条において「電磁的方法」という。）の種類及び内容を示し、書面又は電磁的方法による承諾を得なければならない。

2　前項の規定による承諾を得た注文者は、当該請負人から書面又は電磁的方法により電磁的方法による通知を受けない旨の申出があつたときは、当該請負人に対し、監督員に関する事項の通知を電磁的方法によつてしてはならない。ただし、当該請負人が再び同項の規定による承諾をした場合は、この限りでない。

（著しく短い工期の禁止に係る勧告の対象となる請負契約の請負代金の額の下限）

第五条の八　法第十九条の六第二項の政令で定める金額は、五百万円とする。ただし、当該請負契約に係る建設工事が建築一式工事である場合においては、千五百万円とする。

（法第二十条第三項の規定による承諾に関する手続等）

第五条の九　法第二十条第三項の規定による承諾は、建設業者が、国土交通省令で定めるところにより、あらかじめ、当該承諾に係る建設工事の注文者に対し電磁的方法（同項に規定する方法をいう。以下この条において同じ。）による提供に用いる電磁的方法の種類及び内容を示した上で、当該建設工事の注文者から書面又は電子情報処理組織を使用する方法その他の情報通信の技術を利用する方法であつて国土交通省令で定めるもの（次項において「書面等」という。）によつて得るものとする。

2　建設業者は、前項の承諾を得た場合であつても、当該承諾に係る建設工事の注文者から書面等により電磁的方法による提供を受けない旨の申出があつたときは、当該電磁的方法による提供をしてはならない。ただし、当該申出の後に当該建設工事の注文者から再び同項の承諾を得た場合は、この限りでない。

（建設工事の見積期間）

第六条　法第二十条第四項に規定する見積期間は、次に掲げるとおりとする。ただし、やむを得ない事情があるときは、第二号及び第三号の期間は、五日以内に限り短縮することができる。

一　工事一件の予定価格が五百万円に満たない工事については、一日以上

二　工事一件の予定価格が五百万円以上五千万円に満たない工事については、十日以上

三　工事一件の予定価格が五千万円以上の工事については、十五日以上

2　国が入札の方法により競争に付する場合においては、予算決算及び会計令（昭和二十二年勅令第百六十五号）第七十四条の規定による期間を前項の見積期間とみなす。

（保証人を必要としない軽微な工事）

第六条の二　法第二十一条第一項ただし書の政令で定める軽微な工事は、工事一件の請負代金の額が五百万円に満たない工事とする。

（一括下請負の禁止の対象となる多数の者が利用する施設又は工作物に関する重要な建設工事）

第六条の三　法第二十二条第三項の政令で定める重要な建設工事は、共同住宅を新築する建設工事とする。

（一括下請負の承諾に係る情報通信の技術を利用する方法）

第六条の四　発注者は、法第二十二条第四項の規定により同条第三項の承諾をする旨の通知（次項において「承諾通知」という。）をしようとするときは、国土交通省令で定めるところにより、あらかじめ、当該元請負人に対し、その用いる同条第四項前段に規定する方法（以下この条において「電磁的方法」という。）の種類及び内容を示し、書面又は電磁的方法による承諾を得なければならない。

2　前項の規定による承諾を得た発注者は、当該元請負人から書面又は電磁的方法により電磁的方法による通知を受けない旨の申出があつたときは、当該元請負人に対し、承諾通知を電磁的方法によつてしてはならない。ただし、当該元請負人が再び同項の規定による承諾をした場合は、この限りでない。

（下請負人の選定の承諾に係る情報通信の技術を利用する方法）

第七条　注文者は、法第二十三条第二項の規定により同条第一項ただし書の承諾をする旨の通知（次項において「承諾通知」という。）をしようとするときは、国土交通省令で定めるところにより、あらかじめ、同項ただし書の規定により下請負人を選定する者（次項において「下請負人選定者」という。）に対し、その用いる同条第二項前段に規定する方法（以下この条において「電磁的方法」という。）の種類及び内容を示し、書面又は電磁的方法による承諾を得なければならない。

2　前項の規定による承諾を得た注文者は、下請負人選定者から書面又は電磁的方法により電磁的方法による通知を受けない旨の申出があつたときは、下請負人選定者に対し、承諾通知を電磁的方法によつてしてはならない。ただし、下請負人選定者が再び同項の規定による承諾をした場合は、この限りでない。

（法第二十四条の六第一項の金額）

第七条の二　法第二十四条の六第一項の政令で定める金額は、四千万円とする。

（法第二十四条の七第一項の法令の規定）

第七条の三　法第二十四条の七第一項の政令で定める建設工事の施工又は建設工事に従事する労働者の使用に関する法令の規定は、次に掲げるものとする。

一　建築基準法第九条第一項及び第十項（これらの規定を同法第八十八条第一項から第三項までにおいて準用する場合を含む。）並びに第九十条第二項から第四項まで

二　宅地造成及び特定盛土等規制法第十三条（同法第十六条第三項において準用する場合を含む。）、第二十条第二項から第四項まで、第三十一条（同法第三十五条第三項において準用する場合を含む。）及び第三十九条第二項から第四項まで

三　労働基準法第五条（労働者派遣法第四十四条第一項の規定により適用される場合を含む。）、第六条、第二十四条、第五十六条、第六十三条及び第六十四条の二（労働者派遣法第四十四条第二項（建設労働法第四十四条の規定によりこれらの規定が適用される場合を含む。）の規定により適用される場合を含む。）、第九十六条の二第二項並びに第九十六条の三第一項

四　職業安定法第四十四条、第六十三条第一号及び第六十五条第九号

五　労働安全衛生法（昭和四十七年法律第五十七号）第九十八条第一項（労働者派遣法第四十五条第十五項（建設労働法第四十四条の規定により適用される場合を含む。）の規定により適用される場合を含む。）

六　労働者派遣法第四条第一項

（法第二十四条の八第一項の金額）

第七条の四　法第二十四条の八第一項の政令で定める金額は、四千五百万円とする。ただし、特定建設業者が発注者から直接請け負つた建設工事が建築一式工事である場合においては、七千万円とする。

（名簿の作成）

第八条　建設工事紛争審査会（以下「審査会」という。）は、当該審査会の委員又は特別委員の名簿を作成しておかなければならない。

2　前項の名簿の記載事項は、国土交通省令で定める。

（特別委員の意見の陳述）

第九条　特別委員は、会長の承認を得て、審査会の会議に出席し、意見を述べることができる。

（審査会の会議）

第一〇条　この政令で定めるもののほか、審査会の会議に関し必要な事項は、審査会が定める。

（中央建設工事紛争審査会の庶務）

第一一条　中央建設工事紛争審査会（以下「中央審査会」という。）の庶務は、

国土交通省不動産・建設経済局建設業課において処理する。

（指定職員）

第一二条　審査会の庶務に従事する職員で国土交通大臣又は都道府県知事が指定した者（以下「指定職員」という。）は、審査会の行う紛争処理に立ち会い、調書を作成し、その他紛争処理に関し審査会の命ずる事務を取り扱うものとする。

（紛争処理の申請書の記載事項等）

第一三条　法第二十五条の十の書面には、次に掲げる事項を記載しなければならない。

一　当事者及びその代理人の氏名及び住所
二　当事者の一方又は双方が建設業者である場合においては、その許可をした行政庁の名称及び許可番号
三　あつせん、調停又は仲裁を求める事項
四　紛争の問題点及び交渉経過の概要
五　工事現場その他紛争処理を行うに際し参考となる事項
六　申請手数料の額
七　審査会の表示
八　申請の年月日

2　証拠書類がある場合においては、その原本又は写を前項の書面（以下「申請書」という。）に添附しなければならない。

3　法第二十五条の九第三項の規定により合意によつて管轄審査会が定められたときは、その合意を証する書面を申請書に添附しなければならない。

4　当事者の一方から仲裁の申請をする場合においては、紛争が生じた場合において法による仲裁に付する旨の合意を証する書面を申請書に添附しなければならない。

（代理権の証明）

第一四条　法定代理権又は紛争処理に係る行為を行うに必要な授権は、審査会に対し書面でこれを証明しなければならない。

（公共性のある施設又は工作物）

第一五条　法第二十五条の十一第二号の公共性のある施設又は工作物で政令で定めるものは、次の各号に掲げるものとする。

一　鉄道、軌道、索道、道路、橋、護岸、堤防、ダム、河川に関する工作物、砂防用工作物、飛行場、港湾施設、漁港施設、運河、上水道又は下水道
二　消防施設、水防施設、学校又は国若しくは地方公共団体が設置する庁舎、工場、研究所若しくは試験所
三　電気事業用施設（電気事業の用に供する発電、送電、配電又は変電その他の電気施設をいう。）又はガス事業用施設（ガス事業の用に供するガスの製造又は供給のための施設をいう。）
四　前各号に掲げるもののほか、紛争により当該施設又は工作物に関する工事の工期が遅延することその他適正な施工が妨げられることによつて公共の福祉に著しい障害を及ぼすおそれのある施設又は工作物で国土交通大臣が指定するもの

（紛争処理の通知）

第一六条　審査会は、当事者の一方から紛争処理の申請がなされたときは申請書の写を添えてその相手方に対し、法第二十五条の十一第二号に規定する決議をしたときは当事者の双方に対し、遅滞なく、書面をもつてその旨を通知しなければならない。

（申請の変更）

第一六条の二　あつせん、調停又は仲裁の申請人は、書面をもつて第十三条第一項第三号に掲げる事項を変更することができる。ただし、これにより、当該あつせん、調停又は仲裁の手続を著しく遅延させる場合は、この限りでない。

2　審査会は、前項の規定による変更の申請がなされたときは、同項の書面（以下「変更申請書」という。）の写しを添えて、その相手方に対し、遅滞なく、書面をもつてその旨を通知しなければならない。

（あつせん又は調停をしない場合の措置）

第一七条　審査会は、法第二十五条の十四の規定によりあつせん又は調停をしないものとしたときは、当事者に対し、遅滞なく、書面をもつてその旨を通知しなければならない。

（仲裁委員の選定等）

第一八条　審査会は、仲裁の申請があつたときは、当事者に対して第八条第一項の名簿の写を送付しなければならない。

2　当事者が合意により仲裁委員となるべき者を選定したときは、その者の氏名を前項の名簿の写の送付を受けた日から二週間以内に審査会に対し書面をもつて通知しなければならない。

3　前項の期間内に同項の規定による通知がなかつたときは、当事者の合意による選定がなされなかつたものとみなす。

第一九条　当事者の合意による仲裁委員となるべき者の選定がなされない場合において、各当事者は、仲裁委員に指名されることが適当でないと認める委員又は特別委員があるときは、その者の氏名を前条第二項に規定する期間内に審査会に対し書面をもつて通知することができる。

2　会長は、法第二十五条の十九第二項ただし書の規定により仲裁委員を指名するに当たつては、当該事件の性質、当事者の意思等を勘案してするものとし、仲裁委員を指名したときは、当事者に対し、遅滞なく、その者の氏名を通知しなければならない。

（仲裁委員が欠けた場合の措置）

第二〇条　審査会は、仲裁委員が死亡、解任、辞任その他の理由により欠けた場合においては、当事者に対し、遅滞なく、その旨を通知しなければならない。

2　前二条の規定は、仲裁委員が欠けた場合における後任の仲裁委員となるべき者の選定及び後任の仲裁委員の指名について準用する。

（仲裁判断の作成）

第二一条　審査会は、仲裁判断をするための審訊その他必要な調査を終了したときは、速やかに、仲裁判断をしなければならない。

2　仲裁判断の正本及び謄本には指定職員が正本又は謄本である旨の附記をし、及び記名押印し、かつ、正本には審査会の印を押さなければならない。

3　仲裁判断の正本は、その一通を仲裁判断の記録に添附しなければならない。

第二二条　削除

（調書の作成）

第二三条　指定職員は、審査会が行う紛争処理の手続について国土交通省令で定める様式により調書を作成しなければならない。ただし、あつせん又は調停手続について審査会が必要がないと認めたときは、この限りでない。

（調査の嘱託）

第二四条　審査会は、必要があると認めるときは、事実の調査を官公署その他適当であると認める者に嘱託することができる。

（紛争処理の手続に要する費用）

第二五条　紛争処理の手続に要する費用のうち紛争処理の手続について審査会が必要とする費用の算定は、次の各号に掲げるところによる。

一　委員、特別委員及び指定職員の鉄道賃、船賃、航空賃、車賃、日当、宿泊料及び食卓料は、中央審査会にあつては国家公務員等の旅費に関する法律（昭和二十五年法律第百十四号）の定めるところにより、都道府県建設工事紛争審査会（以下「都道府県審査会」という。）にあつては当該都道府県の条例の定めるところによる。
二　証人及び鑑定人の旅費、日当及び宿泊料の額については、民事訴訟の例により、中央審査会に係るものにあつては国土交通大臣、都道府県審査会に係るものにあつては当該都道府県の知事が相当と認める額とする。
三　鑑定人の特別手当（鑑定について特別の技能若しくは費用又は長時間を要した場合において鑑定人に支給する特別の手当をいう。）は、中央審査会に係るものにあつては国土交通大臣、都道府県審査会に係るものにあつては当該都道府県の知事が相当と認める額とする。
四　執行官の手数料及び立替金は、執行官の手数料及び費用に関する規則（昭和四十一年最高裁判所規則第十五号）の定めるところによる。
五　送付に要する費用、電報料及び電話料は、その実費とする。
六　前各号に掲げるもののほか必要な費用は、その実費とする。

（申請手数料）

第二六条　法第二十五条の二十四の申請手数料の額は、次の表の上欄の申請の区分に応じ、それぞれ同表の下欄に掲げる額とする。

項	上欄	下欄
一	あつせんの申請	あつせんを求める事項の価額に応じて、次に定めるところにより算出して得た額 (一)　あつせんを求める事項の価額が百万円まで　一万円

		(二) あっせんを求める事項の価額が百万円を超え五百万円までの部分 その価額一万円までごとに 二十円 (三) あっせんを求める事項の価額が五百万円を超え二千五百万円までの部分 その価額一万円までごとに 十五円 (四) あっせんを求める事項の価額が二千五百万円を超える部分 その価額一万円までごとに 十円
二	調停の申請	調停を求める事項の価額に応じて、次に定めるところにより算出して得た額 (一) 調停を求める事項の価額が百万円まで 二万円 (二) 調停を求める事項の価額が百万円を超え五百万円までの部分 その価額一万円までごとに 四十円 (三) 調停を求める事項の価額が五百万円を超え一億円までの部分 その価額一万円までごとに 二十五円 (四) 調停を求める事項の価額が一億円を超える部分 その価額一万円までごとに 十五円
三	仲裁の申請	仲裁を求める事項の価額に応じて、次に定めるところにより算出して得た額 (一) 仲裁を求める事項の価額が百万円まで 五万円 (二) 仲裁を求める事項の価額が百万円を超え五百万円までの部分 その価額一万円までごとに 百円 (三) 仲裁を求める事項の価額が五百万円を超え一億円までの部分 その価額一万円までごとに 六十円 (四) 仲裁を求める事項の価額が一億円を超える部分 その価額一万円までごとに 二十円

2 前項の場合において、あっせん、調停又は仲裁を求める事項の価額を算定することができないときは、その価額は、五百万円とみなす。

3 申請手数料は、紛争処理の申請書に申請手数料の金額に相当する額の収入印紙をはつて納めなければならない。

4 あっせん、調停又は仲裁を求める事項の価額を増加するときは、増加後の価額につき納付すべき申請手数料の額と増加前の申請について納められた申請手数料の額との差額に相当する額の申請手数料を納めなければならない。この場合においては、その差額に相当する額の収入印紙を変更申請書にはつて納めなければならない。

（申請手数料を納めたものとみなす場合）

第二十六条の二 あっせん又は調停の申請人が法第二十五条の十五第二項の規定による通知を受けた日から二週間以内に当該あっせん又は調停の目的となつた事項について仲裁の申請をする場合における申請手数料については、当該あっせん又は調停の申請について納めた申請手数料の額に相当する額は、納めたものとみなす。

（申請手数料の還付）

第二十六条の三 審査会は、次の各号に掲げる申請についてそれぞれ当該各号に定める事由が生じた場合においては、納められた申請手数料の額（第二号に掲げる申請にあつては、前条の規定により納めたものとみなされた額を除く。）の二分の一に相当する額の金銭を還付しなければならない。

一 あっせん又は調停の申請 最初にすべきあっせん又は調停の期日の終了前における取下げ

二 仲裁の申請 口頭審理を経ない仲裁手続の終了決定又は最初にすべき口頭審理の期日の終了前における取下げ

（専任の主任技術者又は監理技術者を必要とする建設工事）

第二十七条 法第二十六条第三項の政令で定める重要な建設工事は、次の各号のいずれかに該当する建設工事で工事一件の請負代金の額が四千万円（当該建設工事が建築一式工事である場合にあつては、八千万円）以上のものとする。

一 国又は地方公共団体が注文者である施設又は工作物に関する建設工事

二 第十五条第一号及び第三号に掲げる施設又は工作物に関する建設工事

三 次に掲げる施設又は工作物に関する建設工事

イ 石油パイプライン事業法（昭和四十七年法律第百五号）第五条第二項第二号に規定する事業用施設

ロ 電気通信事業法（昭和五十九年法律第八十六号）第二条第五号に規定する電気通信事業者（同法第九条第一号に規定する電気通信回線設備を設置するものに限る。）が同条第四号に規定する電気通信事業の用に供する施設

ハ 放送法（昭和二十五年法律第百三十二号）第二条第二十三号に規定する基幹放送事業者又は同条第二十四号に規定する基幹放送局提供事業者が同条第一号に規定する放送の用に供する施設（鉄骨造又は鉄筋コンクリート造の塔その他これに類する施設に限る。）

ニ 学校

ホ 図書館、美術館、博物館又は展示場

ヘ 社会福祉法（昭和二十六年法律第四十五号）第二条第一項に規定する社会福祉事業の用に供する施設

ト 病院又は診療所

チ 火葬場、と畜場又は廃棄物処理施設

リ 熱供給事業法（昭和四十七年法律第八十八号）第二条第四項に規定する熱供給施設

ヌ 集会場又は公会堂

ル 市場又は百貨店

ヲ 事務所

ワ ホテル又は旅館

カ 共同住宅、寄宿舎又は下宿

ヨ 公衆浴場

タ 興行場又はダンスホール

レ 神社、寺院又は教会

ソ 工場、ドック又は倉庫

ツ 展望塔

2 前項に規定する建設工事のうち密接な関係のある二以上の建設工事を同一の建設業者が同一の場所又は近接した場所において施工するものについては、同一の専任の主任技術者がこれらの建設工事を管理することができる。

（監理技術者の行うべき職務を補佐する者）

第二十八条 法第二十六条第三項ただし書の政令で定める者は、次の各号のいずれかに該当する者とする。

一 法第七条第二号イ、ロ又はハに該当する者のうち、法第二十六条の四第一項に規定する技術上の管理及び指導監督であつて監理技術者がその職務として行うべきものに係る基礎的な知識及び能力を有すると認められる者として、建設工事の種類に応じ国土交通大臣が定める要件に該当する者

二 国土交通大臣が前号に掲げる者と同等以上の能力を有するものと認定した者

（同一の特例監理技術者を置くことができる工事現場の数）

第二十九条 法第二十六条第四項の政令で定める数は、二とする。

（特定専門工事の対象となる建設工事）

第三十条 法第二十六条の三第二項の政令で定めるものは、次に掲げるものとする。

一 大工工事又はとび・土工・コンクリート工事のうち、コンクリートの打設に用いる型枠の組立てに関する工事

二 鉄筋工事

2 法第二十六条の三第二項の政令で定める金額は、四千万円とする。

（法第二十六条の三第六項の規定による承諾に関する手続等）

第三十一条 法第二十六条の三第六項の規定による承諾は、注文者が、国土交通省令で定めるところにより、あらかじめ、当該承諾に係る元請負人に対し電磁的方法（同項に規定する方法をいう。以下この条において同じ。）による通知に用いる電磁的方法の種類及び内容を示した上で、当該元請負人から書面又は電子情報処理組織を使用する方法その他の情報通信の技術を利用する方法であつて国土交通省令で定めるもの（次項において「書面等」という。）によつて得るものとする。

２　注文者は、前項の承諾を得た場合であつても、当該承諾に係る元請負人から書面等により電磁的方法による通知を受けない旨の申出があつたときは、当該電磁的方法による通知をしてはならない。ただし、当該申出の後に当該元請負人から再び同項の承諾を得た場合は、この限りでない。

（登録の有効期間）

第三十二条　法第二十六条の八第一項（法第二十七条の三十二において準用する場合を含む。）の政令で定める期間は、三年とする。

（国土交通大臣が行う講習手数料）

第三十三条　法第二十六条の十九の政令で定める手数料の額は、一万五百円とする。

（技術検定の検定種目等）

第三十四条　法第二十七条第一項の規定による技術検定（以下「技術検定」という。）は、次の表の検定種目の欄に掲げる種目（以下「検定種目」という。）に区分し、当該検定種目ごとに同表の検定技術の欄に掲げる技術を対象として行う。

検定種目	検定技術
建設機械施工管理	建設機械の統一的かつ能率的な運用を必要とする建設工事の実施に当たり、その施工計画の作成及び当該工事の工程管理、品質管理、安全管理等工事の施工の管理を適確に行うために必要な技術
土木施工管理	土木一式工事の実施に当たり、その施工計画の作成及び当該工事の工程管理、品質管理、安全管理等工事の施工の管理を適確に行うために必要な技術
建築施工管理	建築一式工事の実施に当たり、その施工計画及び施工図の作成並びに当該工事の工程管理、品質管理、安全管理等工事の施工の管理を適確に行うために必要な技術
電気工事施工管理	電気工事の実施に当たり、その施工計画及び施工図の作成並びに当該工事の工程管理、品質管理、安全管理等工事の施工の管理を適確に行うために必要な技術
管工事施工管理	管工事の実施に当たり、その施工計画及び施工図の作成並びに当該工事の工程管理、品質管理、安全管理等工事の施工の管理を適確に行うために必要な技術
電気通信工事施工管理	電気通信工事の実施に当たり、その施工計画及び施工図の作成並びに当該工事の工程管理、品質管理、安全管理等工事の施工の管理を適確に行うために必要な技術
造園施工管理	造園工事の実施に当たり、その施工計画及び施工図の作成並びに当該工事の工程管理、品質管理、安全管理等工事の施工の管理を適確に行うために必要な技術

２　技術検定は、検定種目ごとに、一級及び二級に区分して行う。

３　一級の技術検定は、検定種目ごとに、法第二十七条第一項に規定する者が監理技術者として必要な知識及び能力を有するかどうかを判定するために行う。

４　二級の技術検定は、検定種目ごとに、法第二十七条第一項に規定する者が主任技術者として必要な知識及び能力を有するかどうかを判定するために行う。

５　前各項の規定にかかわらず、建設機械施工管理、土木施工管理及び建築施工管理に係る二級の技術検定（建築施工管理に係る二級の技術検定にあつては、第二次検定に限る。）は、当該検定種目を国土交通省令で定める種別（以下「検定種別」という。）に区分し、当該検定種別ごとに行う。

（技術検定の科目及び基準並びに受検資格）

第三十五条　第一次検定及び第二次検定の科目及び基準並びに受検資格は、前条の規定による技術検定の区分に応じ、国土交通省令で定める。

第三十六条　次の表の上欄に掲げる者については、申請により、それぞれ同表の下欄に掲げる検定を免除する。

学校教育法（昭和二十二年法律第二十六号）による大学、高等専門学校、高等学校若しくは中等教育学校において施工技術の基礎となる工学に関する知識を修得することができるものとして国土交通大臣が定める学科を修めて卒業した者又は国土交通大臣がこれらの者と同等以上の知識を有するものと認定した者	第一次検定の一部で一級及び二級の区分並びに検定種目及び検定種別の区分に応じ国土交通大臣が定めるもの
二級の第二次検定に合格した者	検定種目を同じくする一級の第一次検定又は第二次検定の一部で検定種目の区分に応じ国土交通大臣が定めるもの
他の法令の規定による免許で国土交通大臣が定めるものを受けた者又は国土交通大臣が定める検定若しくは試験に合格した者	第一次検定又は第二次検定の全部又は一部で一級及び二級の区分並びに検定種目及び検定種別の区分に応じ国土交通大臣が定めるもの

（称号）

第三十七条　法第二十七条第七項の政令で定める称号は、第一次検定に合格した者にあつては級及び検定種目の名称を冠する技士補とし、第二次検定に合格した者にあつては級及び検定種目の名称を冠する技士とする。

２　前項に定めるもののほか、第三十四条第五項の規定による二級の技術検定に合格した者にあつては、前項に規定する称号にその合格した技術検定に係る検定種別の名称を付するものとする。

（合格の取消し等）

第三十八条　国土交通大臣は、不正の手段によつて技術検定を受け、又は受けようとした者に対しては、合格の決定を取り消し、又はその技術検定を受けることを禁止することができる。

２　前項の規定により合格の決定を取り消された者は、合格証明書を国土交通大臣に返付しなければならない。

３　国土交通大臣は、第一項の規定による処分を受けた者に対し、三年以内の期間を定めて技術検定を受けることができないものとすることができる。

（受検手数料等）

第三十九条　第一次検定又は第二次検定の受検手数料の額は、次の表に掲げるとおりとする。ただし、第三十六条の規定により第一次検定又は第二次検定の一部の免除を受けることができる者が当該第一次検定又は第二次検定を受けようとする場合においては、当該第一次検定又は第二次検定について同表に掲げる額から国土交通大臣が定める額を減じた額とする。

検定種目	一級		二級	
	第一次検定	第二次検定	第一次検定	第二次検定
建設機械施工管理	一万四千七百円	三万八千七百円	一万四千七百円	二万七千百円
土木施工管理	一万五百円	一万五百円	五千二百五十円	五千二百五十円
建築施工管理	一万八百円	一万八百円	五千四百円	五千四百円
電気工事施工管理	一万三千二百円	一万三千二百円	六千六百円	六千六百円
管工事施工管理	一万五百円	一万五百円	五千二百五十円	五千二百五十円
電気通信工事施工管理	一万三千円	一万三千円	六千五百円	六千五百円
造園施工管理	一万四千四百円	一万四千四百円	七千二百円	七千二百円

2　技術検定の合格証明書の交付又は再交付の手数料の額は、二千二百円とする。

（国土交通省令への委任）

第四〇条　この政令で定めるもののほか、技術検定に関し必要な事項は、国土交通省令で定める。

（資格者証交付等手数料）

第四一条　法第二十七条の二十一第一項の政令で定める額は、七千六百円とする。

（公共性のある施設又は工作物に関する建設工事）

第四二条　法第二十七条の二十三第一項の政令で定める建設工事は、国、地方公共団体、法人税法（昭和四十年法律第三十四号）別表第一に掲げる公共法人（地方公共団体を除く。）又はこれらに準ずるものとして国土交通省令で定める法人が発注者であり、かつ、工事一件の請負代金の額が五百万円（当該建設工事が建築一式工事である場合にあつては、千五百万円）以上のものであつて、次に掲げる建設工事以外のものとする。

一　堤防の欠壊、道路の埋没、電気設備の故障その他施設又は工作物の破壊、埋没等で、これを放置するときは、著しい被害を生ずるおそれのあるものによつて必要を生じた応急の建設工事

二　前号に掲げるもののほか、経営事項審査を受けていない建設業者が発注者から直接請け負うことについて緊急の必要その他やむを得ない事情があるものとして国土交通大臣が指定する建設工事

（国土交通大臣が行う経営規模等評価等手数料）

第四三条　法第二十七条の三十の政令で定める手数料の額のうち経営規模等評価の申請に係るものは、八千百円に法第二十七条の二十三第一項に規定する建設業者が審査を受けようとする建設業（次項において「審査対象建設業」という。）一種類につき二千三百円として計算した額を加算した額とする。

2　法第二十七条の三十の政令で定める手数料の額のうち総合評定値の請求に係るものは、四百円に審査対象建設業一種類につき二百円として計算した額を加算した額とする。

（国土交通大臣が行う経営状況分析手数料）

第四四条　法第二十七条の三十五第四項において準用する法第二十七条の三十の政令で定める手数料の額は、一万五千九百円とする。

（中央建設業審議会の所掌事務）

第四五条　中央建設業審議会は、法第三十四条第一項に規定するもののほか、資源の有効な利用の促進に関する法律（平成三年法律第四十八号）第十七条第三項及び第三十六条第三項並びにプラスチックに係る資源循環の促進等に関する法律（令和三年法律第六十号）第四十六条第五項の規定に基づきその権限に属させられた事項を処理する。

（中央建設業審議会の議事）

第四六条　中央建設業審議会は、委員の総数の二分の一以上が出席しなければ、会議を開くことができない。

2　学識経験のある者、建設工事の需要者又は建設業者のいずれか一に属する委員の出席者の数が出席委員の総数の二分の一を超えるときは、議決をすることができない。

3　中央建設業審議会の議事は、出席委員の過半数をもつて決する。可否同数のときは、会長が決する。

（部会）

第四七条　中央建設業審議会は、その定めるところにより、部会を置くことができる。

2　部会は、それぞれ学識経験のある者、建設工事の需要者及び建設業者である委員のうちから会長が指名した者で組織する。法第三十五条第三項の規定は、この場合に準用する。

3　部会に部会長を置き、会長が指名する。

4　部会長は、部会の事務を掌理する。

5　中央建設業審議会は、その定めるところにより、部会の議決をもつて中央建設業審議会の議決とすることができる。

6　前条の規定は、部会の議事に準用する。この場合において、同条第三項中「会長」とあるのは、「部会長」と読み替えるものとする。

（中央建設業審議会の庶務）

第四八条　中央建設業審議会の庶務は、国土交通省不動産・建設経済局建設業課において処理する。

（中央建設業審議会の運営）

第四九条　この政令で定めるもののほか、中央建設業審議会の運営に関し必要な事項は、中央建設業審議会が定める。

（参考人に支給する費用）

第五〇条　法第四十四条に規定する旅費、日当その他の費用は、国土交通大臣に意見を求められて出頭した参考人に係るものにあつては国家公務員等の旅費に関する法律の定めるところにより、都道府県知事に意見を求められて出頭した参考人に係るものにあつては当該都道府県の条例の定めるところによる。

（権限の委任）

第五一条　この政令に規定する国土交通大臣の権限は、国土交通省令で定めるところにより、その一部を地方整備局長又は北海道開発局長に委任することができる。

附　則

この政令は、昭和三十一年八月三十日から施行する。

附　則〔略〕〔昭和三五・六・二八政令一八二〕

附　則〔略〕〔昭和三五・九・一〇政令二五二〕

附　則〔略〕〔昭和三六・一〇・三一政令三三六〕

附　則〔略〕〔昭和三六・一一・一政令三三九〕

附　則〔略〕〔昭和三七・七・三一政令三一四〕

附　則〔略〕〔昭和三七・九・二九政令三九一〕

附　則〔略〕〔昭和四〇・三・三〇政令六三〕

附　則〔略〕〔昭和四六・一二・二七政令三八〇〕

附　則〔略〕〔昭和四七・八・一九政令三一八〕

附　則〔略〕〔昭和四七・一二・八政令四二〇〕

附　則〔略〕〔昭和四七・一二・二一政令四三七〕

附　則〔略〕〔昭和四九・九・一八政令三二七〕

附　則〔略〕〔昭和五〇・一・九政令二〕

附　則〔略〕〔昭和五二・六・八政令一九四〕

附　則〔略〕〔昭和五三・三・二二政令三八〕

附　則〔略〕〔昭和五六・三・三一政令五八〕

附　則〔昭和五九・四・二七政令一一〇〕

1　この政令は、昭和五十九年十月一日から施行する。ただし、第二十七条の十第一項から第三項までの改正規定は、公布の日から施行する。

2　この政令の施行後に特定建設業の許可（その更新を含む。）を受けようとする者がその営業所ごとに置くべき建設業法第十五条第二号イの実務の経験を有する者のこの政令の施行前における実務の経験の基礎となる建設工事に係る請負代金の額については、改正後の第五条の二の規定にかかわらず、なお従前の例による。

附　則〔略〕〔昭和五九・六・二一政令二〇九〕

附　則〔略〕〔昭和六〇・三・五政令二四〕

附　則〔略〕〔昭和六〇・三・一五政令三一〕

附　則〔略〕〔昭和六〇・一二・二一政令三一七〕

附　則〔略〕〔昭和六一・三・二八政令五〇〕

附　則〔略〕〔昭和六一・六・六政令二〇三〕

附　則〔略〕〔昭和六一・一一・二六政令三五二〕

附　則〔略〕〔昭和六二・三・二〇政令五四〕

附　則〔抄〕〔昭和六三・五・一〇政令一四八〕

（施行期日）

1　この政令は、建設業法の一部を改正する法律（昭和六十二年法律第六十九号）の施行の日（昭和六十三年六月六日）から施行する。ただし、第五条の三の改正規定（金額を改める部分に限る。）及び第七条の二の改正規定は、昭和六十四年一月一日から施行する。

（経過措置）

2　この政令の施行の際現に特定建設業の許可を受けて土木工事業、建築工事業、管工事業、鋼構造物工事業若しくは舗装工事業（以下「五業種」という。）を営んでいる者又はこの政令の施行前に五業種に係る特定建設業の許可の申請をした者に関しては、その営業所ごとに置くべき専任の者の資格及び監理技術者の資格については、この政令の施行の日から起算して二年を経過する日までの間は、なお従前の例による。

3　この政令の施行の日から起算して二年を経過する日までの間は、五業種に係る建設工事は、建設業法第二十六条第四項及び第五項の規定の適用については、指定建設業以外の建設業に係る建設工事とみなす。

4　この政令の施行前にした行為に対する罰則の適用については、なお従前

の例による。

附　則〔抄〕〔平成元・三・二八政令七二〕

（施行期日）

1　この政令は、平成元年四月一日から施行する。

（建設業法施行令及び浄化槽法関係手数料令の一部改正に伴う経過措置）

3　この政令の施行前に実施の公告がされた技術検定の学科試験若しくは実地試験又は浄化槽設備士試験を受けようとする者が納付すべき手数料の額については、なお従前の例による。

附　則〔抄〕〔平成三・三・二三政令二五〕

（施行期日）

1　この政令は、平成三年四月一日から施行する。

（建設業法施行令の一部改正に伴う経過措置）

3　この政令の施行前に実施の公告がされた技術検定の学科試験又は実地試験を受けようとする者が納付すべき手数料の額については、なお従前の例による。

附　則〔抄〕〔平成六・三・二四政令六九〕

（施行期日）

1　この政令は、平成六年四月一日から施行する。

（建設業法施行令の一部改正に伴う経過措置）

3　この政令の施行前にした建設大臣に対する許可の申請（許可の更新の申請にあっては、更新を受けようとする許可の期間が平成六年九月三十日までに満了するものに限る。）に係る許可手数料及びこの政令の施行前に実施の公告がされた技術検定の学科試験又は実地試験を受けようとする者が納付すべき手数料の額については、なお従前の例による。

附　則〔略〕〔平成六・七・二七政令二五一〕

附　則〔略〕〔平成六・九・一九政令三〇三〕

附　則〔抄〕〔平成六・一二・一四政令三九一〕

（施行期日）

1　この政令は、建設業法の一部を改正する法律の施行の日（平成六年十二月二十八日）から施行する。ただし、第五条の二、第五条の四及び第七条の二の改正規定、第七条の三の次に一条を加える改正規定、第二十七条の十三の改正規定、同条を第二十七条の十四とし、第二十七条の十二の次に一条を加える改正規定並びに次項、附則第三項、第五項、第六項及び第八項の規定は、平成七年六月二十九日から施行する。

（経過措置）

2　前項ただし書に規定する改正規定の施行の際現に特定建設業の許可を受けて電気工事業若しくは造園工事業（以下「二業種」という。）を営んでいる者又は当該改正規定の施行前に二業種に係る特定建設業の許可の申請をした者に関しては、その営業所ごとに置くべき専任の者の資格及び監理技術者の資格については、平成八年六月二十八日までの間は、なお従前の例による。

3　二業種に係る建設工事は、建設業法第二十六条第四項及び第五項の規定の適用については、平成八年六月二十八日までの間は、指定建設業以外の建設業に係る建設工事とみなす。

4　この政令の施行後に特定建設業の許可（その更新を含む。）を受けようとする者がその営業所ごとに置くべき建設業法第十五条第二号ロの実務の経験を有する者の当該改正規定の施行前における実務の経験の基礎となる建設工事に係る請負代金の額については、改正後の第五条の三の規定にかかわらず、なお従前の例による。

5　特定建設業の許可の更新の申請をした者（平成九年三月三十一日までの間に許可の有効期間が満了する者に限る。）又は附則第一項ただし書に規定する改正規定の施行前に特定建設業の許可の申請をした者に係る建設業法第十五条第三号に掲げる基準については、改正後の第五条の四の規定にかかわらず、なお従前の例による。

6　附則第一項ただし書に規定する改正規定の施行前に特定建設業者が注文者となって締結された下請契約に関しては、法第二十四条の五第一項の下請契約の範囲を定める下請負人の資本金額については、改正後の第七条の二の規定にかかわらず、なお従前の例による。

7　この政令の施行前にした行為に対する罰則の適用については、なお従前の例による。

附　則〔抄〕〔平成九・三・二六政令七四〕

（施行期日）

1　この政令は、平成九年四月一日から施行する。

（建設業法施行令の一部改正に伴う経過措置）

3　この政令の施行前に実施の公告がされた技術検定の学科試験又は実地試験を受けようとする者が納付すべき手数料の額については、第七条の規定による改正後の建設業法施行令第二十七条の十第一項の規定にかかわらず、なお従前の例による。

附　則〔略〕〔平成一〇・一〇・三〇政令三五一〕

附　則〔略〕〔平成一一・一一・一〇政令三五二〕

附　則〔略〕〔平成一一・一一・一七政令三六七〕

附　則〔略〕〔平成一二・三・二九政令一二二〕

附　則〔略〕〔平成一二・六・七政令三一二〕

附　則〔略〕〔平成一三・一・四政令四〕

附　則〔略〕〔平成一三・三・二二政令五六〕

附　則〔略〕〔平成一四・一二・一八政令三八六〕

附　則〔略〕〔平成一五・一・三一政令二八〕

附　則〔略〕〔平成一五・八・二九政令三七五〕

附　則〔略〕〔平成一五・一二・一〇政令四九六〕

附　則〔略〕〔平成一五・一二・二五政令五四二〕

附　則〔略〕〔平成一六・三・二四政令五四〕

附　則〔略〕〔平成一六・三・二四政令五九〕

附　則〔略〕〔平成一七・五・二五政令一八二〕

附　則〔平成一七・六・一七政令二一四〕

（施行期日）

1　この政令は、公布の日から施行する。

（経過措置）

2　この政令による改正後の建設業法施行令第二十七条の三、第二十七条の五及び第二十七条の七の規定は、平成十八年において行われる技術検定から適用するものとし、平成十七年において行われる技術検定については、なお従前の例による。

附　則〔略〕〔平成一七・九・三〇政令三一四〕

附　則〔略〕〔平成一八・二・一政令一四〕

附　則〔略〕〔平成一八・九・二二政令三一〇〕

附　則〔略〕〔平成一八・九・二六政令三二〇〕

附　則〔略〕〔平成一九・三・一六政令四七〕

附　則〔略〕〔平成一九・三・一六政令四九〕

附　則〔略〕〔平成二〇・五・二三政令一八六〕

附　則〔略〕〔平成二三・六・二四政令一八一〕

附　則〔略〕〔平成二三・七・一政令二〇三施行〕

附　則〔略〕〔平成二三・八・三〇政令二八二施行〕

附　則〔略〕〔平成二三・一一・二八政令三六三〕

附　則〔略〕〔平成二四・八・一〇政令二一一〕

附　則〔略〕〔平成二五・六・一四政令一八四〕

附　則〔抄〕〔平成二六・九・一九政令三〇八〕

（施行期日）

1　この政令は、建設業法等の一部を改正する法律の施行の日（平成二十七年四月一日）から施行する。

（建設業法施行令の一部改正に伴う経過措置）

2　この政令の施行前に行われた技術検定を不正の方法によって受けた者については、第一条の規定による改正後の建設業法施行令第二十七条の九の規定にかかわらず、なお従前の例による。

附　則〔平成二七・一一・一六政令四二〇〕

（施行期日）

1　この政令は、平成二十八年四月一日から施行する。

（経過措置）

2　この政令による改正後の第二十七条の七の表二級の技術検定の学科試験に合格した者の項の規定は、この政令の施行の日以後に二級の技術検定の学科試験に合格した者について適用し、同日前に二級の技術検定の学科試験に合格した者については、なお従前の例による。

附　則〔略〕〔平成二八・四・六政令一九二〕

附　則〔略〕〔平成二九・六・一四政令一五六〕

附　則〔略〕〔平成二九・九・一政令二三二〕

附　則〔平成二九・一一・一〇政令二七六〕

（施行期日）

1　この政令は、公布の日から施行する。

（経過措置）

2　この政令による改正後の建設業法施行令第二十七条の三第三項及び第二十七条の七の表二級の技術検定の学科試験に合格した者の項の規定は、平成三十年において行われる技術検定から適用するものとし、平成二十九年において行われる技術検定については、なお従前の例による。

附　則〔略〕〔令和元・九・六政令九一〕

附　則〔略〕〔令和元・一二・一三政令一八三〕

附　則〔略〕〔令和二・五・二〇政令一七一〕

附　則〔抄〕〔令和二・五・二七政令一七四〕

（施行期日）

第一条　この政令は、建設業法及び公共工事の入札及び契約の適正化の促進に関する法律の一部を改正する法律附則第一条ただし書に規定する規定の施行の日（令和三年四月一日。次条において「一部施行日」という。）から施行する。

（経過措置）

第二条　一部施行日前にこの政令による改正前の建設業法施行令（次項及び第三項において「旧令」という。）第三十四条第一項の表検定種目の欄に規定する建設機械施工に係る一級又は二級の技術検定に合格した者は、それぞれこの政令による改正後の建設業法施行令第三十四条第一項の表検定種目の欄に規定する建設機械施工管理に係る一級又は二級の第二次検定に合格した者とみなす。

2　一部施行日前最後に行われた建設機械施工、土木施工管理、建築施工管理、電気工事施工管理、管工事施工管理、電気通信工事施工管理又は造園施工管理（次項において「旧検定種目」という。）に係る一級の技術検定の学科試験に合格し、かつ、この政令の施行の際現に旧令第三十八条の規定により同条の表一級の技術検定の学科試験に合格した者の項下欄に掲げる試験の免除を受けている者（一部施行日の前日において同条の規定により当該試験の免除を受けることができた者を含む。）は、それぞれこの政令の施行後最初に行われる建設機械施工管理、土木施工管理、建築施工管理、電気工事施工管理、管工事施工管理、電気通信工事施工管理又は造園施工管理（次項において「新検定種目」という。）に係る一級の第二次検定の受検資格を有する者とみなす。

3　一部施行日前に旧検定種目に係る二級の技術検定の学科試験に合格し、かつ、この政令の施行の際現に旧令第三十八条の規定により同条の表二級の技術検定の学科試験に合格した者の項下欄に掲げる試験の免除を受けている者（一部施行日の前日において同条の規定により当該試験の免除を受けることができた者を含む。）は、国土交通大臣が定める期間内に限り、それぞれ新検定種目に係る二級の第二次検定の受検資格を有する者とみなす。

附　則〔略〕〔令和二・六・一九政令一九二〕

附　則〔略〕〔令和二・一二・二三政令三六三〕

附　則〔略〕〔令和三・八・四政令二二四〕

附　則〔略〕〔令和四・一・一九政令二五〕

附　則〔略〕〔令和四・六・一〇政令二一二〕

附　則〔令和四・一一・一八政令三五三〕

（施行期日）

1　この政令は、令和六年四月一日から施行する。ただし、第二条の改正規定、第七条の四の改正規定、第二十七条第一項の改正規定及び第三十条第二項の改正規定並びに次項の規定は、令和五年一月一日から施行する。

（罰則に関する経過措置）

2　この政令の施行前にした行為に対する罰則の適用については、なお従前の例による。

附　則〔抄〕〔令和四・一二・二三政令三九三〕

（施行期日）

1　この政令は、宅地造成等規制法の一部を改正する法律の施行の日（令和五年五月二十六日）から施行する。

○建設業法施行規則

〔昭和二四・七・二八　建設省令一四〕

改正　昭和二五・四建令九、昭和二六・二建令二、七建令二三、昭和二七・四建令一三、昭和二八・八建令一九、昭和三一・八建令二八、昭和三三・一二建令三一、昭和三六・一〇建令二九、昭和三七・二建令二、昭和三九・九建令二三、昭和四二・八建令二〇、昭和四七・一建令一、昭和五〇・四建令一一、昭和五四・三建令五、昭和五六・九建令一二、昭和五七・九建令一二、昭和五八・一二建令一八、昭和五九・四建令六、六建令一〇、昭和六二・一建令一、昭和六三・六建令一〇、一一建令二四、平成元・三建令三、四建令九、平成三・六建令一一、平成五・四建令五、平成六・二建令四、六建令一六、九建令二八、一二建令三三、平成七・六建令一六、平成八・七建令一〇、平成九・三建令四、一二建令二一、平成一〇・六建令二七、九建令三六、平成一一・三建令五、七建令三七、平成一二・一建令一〇、一一建令四一、一二建令四六、平成一三・三国交令四二、国交令七六、国交令七七、一一国交令一四二、平成一四・三国交令三一、国交令三二、六国交令八一、八国交令九三、一〇国交令一〇六、平成一五・二国交令一四、三国交令二六、五国交令六五、国交令七一、七国交令八六、一〇国交令一〇九、国交令一一〇、平成一六・一国交令一、三国交令三四、四国交令五六、六国交令七四、一二国交令一〇三、平成一七・三国交令一二、国交令二一、六国交令六六、九国交令九〇、国交令九九、一二国交令一一三、平成一八・四国交令六〇、七国交令七六、平成一九・三国交令二七、六国交令六七、平成二〇・一国交令三、三国交令一〇、九国交令八〇、一〇国交令八四、一二国交令九七、平成二一・四国交令三〇、七国交令四五、平成二二・二国交令二一、一〇国交令五一、平成二三・一二国交令一〇六、平成二四・三国交令二〇、国交令三三、国交令三四、五国交令五二、一〇国交令八一、平成二五・二国交令四、九国交令七六、平成二六・一〇国交令八五、一二国交令九四、平成二七・二国交令八、三国交令一九、一二国交令八二、国交令八三、平成二八・五国交令四七、平成二九・一一国交令六七、平成三〇・五国交令四四、平成三一・三国交令一八、令和元・五国交令一、九国交令三四、一二国交令四七、令和二・二国交令八、三国交令一四、国交令二四、五国交令五二、八国交令六九、国交令七〇、一二国交令九八、令和三・三国交令九、八国交令五三、一二国交令八一、令和四・三国交令一九、八国交令六〇、令和五・五国交令

四三、一二国交令九八、令和六・三国交令二六、四国交令五四、五国交令六二

（国土交通省令で定める学科）

第一条　建設業法（以下「法」という。）第七条第二号イに規定する学科は、次の表の上欄に掲げる許可（一般建設業の許可をいう。第四条第四項を除き、以下この条から第十条までにおいて同じ。）を受けようとする建設業に応じて同表の下欄に掲げる学科とする。

許可を受けようとする建設業	学科
土木工事業 舗装工事業	土木工学（農業土木、鉱山土木、森林土木、砂防、治山、緑地又は造園に関する学科を含む。以下この表において同じ。）、都市工学、衛生工学又は交通工学に関する学科
建築工事業 大工工事業 ガラス工事業 内装仕上工事業	建築学又は都市工学に関する学科
左官工事業 とび・土工工事業 石工事業 屋根工事業 タイル・れんが・ブロック工事業 塗装工事業 解体工事業	土木工学又は建築学に関する学科
電気工事業 電気通信工事業	電気工学又は電気通信工学に関する学科
管工事業 水道施設工事業 清掃施設工事業	土木工学、建築学、機械工学、都市工学又は衛生工学に関する学科
鋼構造物工事業 鉄筋工事業	土木工学、建築学又は機械工学に関する学科
しゅんせつ工事業	土木工学又は機械工学に関する学科
板金工事業	建築学又は機械工学に関する学科
防水工事業	土木工学又は建築学に関する学科
機械器具設置工事業 消防施設工事業	建築学、機械工学又は電気工学に関する学科
熱絶縁工事業	土木工学、建築学又は機械工学に関する学科
造園工事業	土木工学、建築学、都市工学又は林学に関する学科
さく井工事業	土木工学、鉱山学、機械工学又は衛生工学に関する学科
建具工事業	建築学又は機械工学に関する学科

（許可申請書及び添付書類の様式）

第二条　法第五条の許可申請書及び法第六条第一項の許可申請書の添付書類のうち同条第一項第一号から第四号までに掲げるものの様式は、次に掲げるものとする。

一　許可申請書　別記様式第一号
二　法第六条第一項第一号に掲げる書面　別記様式第二号
三　法第六条第一項第二号に掲げる書面　別記様式第三号
四　法第六条第一項第三号に掲げる書面　別記様式第四号
五　削除
六　法第六条第一項第四号に掲げる書面　別記様式第六号

（法第六条第一項第五号の書面）

第三条　法第六条第一項第五号の書面のうち法第七条第一号に掲げる基準を満たしていることを証する書面は、次に掲げる書面その他当該事項を証するに足りる書面とする。

一　次に掲げる基準に応じ、それぞれ次に定める書面
イ　第七条第一号イに掲げる基準　別記様式第七号による証明書及び常勤役員等（法人である場合においてはその役員のうち常勤であるもの、個人である場合においてはその者又はその支配人をいう。以下同じ。）が当該イ(1)から(3)までのいずれかに規定する経験を有することを証する別記様式第七号による使用者の証明書
ロ　第七条第一号ロに掲げる基準　次に掲げる書面
(1)　別記様式第七号の二による証明書
(2)　常勤役員等が第七条第一号ロ(1)又は(2)に規定する経験を有することを証する別記様式第七号の二による使用者の証明書
(3)　第七条第一号ロ(1)又は(2)に規定する経験を有する常勤役員等を直接に補佐する者が当該ロ柱書に規定する経験を有することを証する別記様式第七号の二による証明書
(4)　組織図（全社的なものを含み、かつ、(3)の常勤役員等を直接に補佐する当該ロ柱書に規定する経験を有する者の位置付けを明確にすること。）
ハ　第七条第一号ハに掲げる基準　当該ハの規定により同号イ又はロに掲げるものと同等以上の経営体制を有すると認定された者であることを証する証明書
二　別記様式第七号の三による第七条第二号イからハまでに規定する届書の内容を記載した書面及び当該届書を提出したことを証する書面

2　法第六条第一項第五号の書面のうち法第七条第二号に掲げる基準を満たしていることを証する書面は、別記様式第八号による証明書並びに第一号及び第二号又は第三号から第四号までのいずれかに掲げる書面その他当該事項を証するに足りる書面とする。

一　学校を卒業したこと及び学科を修めたことを証する学校の証明書
二　実務の経験を証する別記様式第九号による使用者の証明書
三　法第七条第二号ハの規定により知識及び技術又は技能を有すると認定された者であることを証する証明書
四　監理技術者資格者証の写し

3　情報通信技術を活用した行政の推進等に関する法律（平成十四年法律第百五十一号。以下「情報通信技術活用法」という。）第六条第一項の規定により同項に規定する電子情報処理組織を使用して許可を申請する者（許可の更新を申請する者を除く。）は、前項の規定にかかわらず、法第七条第二号に掲げる基準を満たしていることを証する書面（別記様式第八号による証明書を除き、国土交通大臣が定める書面に限る。）の提出を省略することができる。

4　許可の更新を申請する者は、第二項の規定にかかわらず、法第七条第二号に掲げる基準を満たしていることを証する書面の提出を省略することができる。

（法第六条第一項第六号の書類）

第四条　法第六条第一項第六号の国土交通省令で定める書類は、次に掲げるものとする。

一　別記様式第十一号による建設業法施行令（以下「令」という。）第三条に規定する使用人の一覧表
二　削除
三　別記様式第十二号による許可申請者（法人である場合においてはその役員等をいい、営業に関し成年者と同一の行為能力を有しない未成年者である場合においてはその法定代理人（法人である場合においては、その役員等）を含む。次号において同じ。）の住所、生年月日等に関する調書
四　別記様式第十三号による令第三条に規定する使用人（当該使用人に許可申請者が含まれる場合には、当該許可申請者を除く。）の住所、生年月日等に関する調書
五　許可申請者（法人である場合においてはその役員をいい、営業に関し成年者と同一の行為能力を有しない未成年者である場合においてはその法定代理人（法人である場合においては、その役員）を含む。）及び令第三条に規定する使用人が、破産手続開始の決定を受けて復権を得ない者に該当しない旨の市町村の長の証明書

六　法人である場合においては、定款

七　法人である場合においては、別記様式第十四号による総株主の議決権の百分の五以上を有する株主又は出資の総額の百分の五以上に相当する出資をしている者の氏名又は名称、住所及びその有する株式の数又はその者のなした出資の価額を記載した書面

八　株式会社（会社法の施行に伴う関係法律の整備等に関する法律（平成十七年法律第八十七号）第三条第二項に規定する特例有限会社を除く。以下同じ。）以外の法人又は小会社（資本金の額が一億円以下であり、かつ、最終事業年度に係る貸借対照表の負債の部に計上した額の合計額が二百億円以上でない株式会社をいう。以下同じ。）である場合においては別記様式第十五号から第十七号の二までによる直前一年の各事業年度の貸借対照表、損益計算書、株主資本等変動計算書及び注記表、株式会社（小会社を除く。）である場合においてはこれらの書類及び別記様式第十七号の三による附属明細表

九　個人である場合においては、別記様式第十八号及び第十九号による直前一年の各事業年度の貸借対照表及び損益計算書

十　商業登記がなされている場合においては、登記事項証明書

十一　個人である場合（第三号の未成年者であつて、その法定代理人が法人である場合に限る。）においては、その法定代理人の登記事項証明書

十二　別記様式第二十号による営業の沿革を記載した書面

十三　法第二十七条の三十七に規定する建設業者団体に所属する場合においては、別記様式第二十号の二による当該建設業者団体の名称及び当該建設業者団体に所属した年月日を記載した書面

十四　国土交通大臣の許可を申請する者については、法人にあつては法人税、個人にあつては所得税のそれぞれ直前一年の各年度における納付すべき額及び納付済額を証する書面

十五　都道府県知事の許可を申請する者については、事業税の直前一年の各年度における納付すべき額及び納付済額を証する書面

十六　別記様式第二十号の三による主要取引金融機関名を記載した書面

2　国土交通大臣又は都道府県知事は、許可申請者に対し、前項に掲げるもののほか、必要と認める書類を提出させることができる。

3　情報通信技術活用法第六条第一項の規定により同項に規定する電子情報処理組織を使用して許可を申請する者（許可の更新を申請する者を除く。）は、第一項の規定にかかわらず、同項第六号から第十一号まで、第十四号及び第十五号に掲げる書類のうち国土交通大臣が定める書類の提出を省略することができる。

4　一般建設業の許可を申請する者（一般建設業の許可の更新を申請する者を除く。）が、特定建設業の許可又は当該申請に係る建設業以外の建設業の一般建設業の許可を受けているときは、第一項の規定にかかわらず、同項第六号から第十六号までに掲げる書類の提出を省略することができる。ただし、法第九条第一項各号のいずれかに該当して新たに一般建設業の許可を申請する場合は、この限りでない。

5　許可の更新を申請する者は、第一項の規定にかかわらず、同項第六号から第十一号まで及び第十三号から第十六号までに掲げる書類の提出を省略することができる。ただし、同項第六号、第七号、第十号、第十一号、第十三号及び第十六号に掲げる書類については、その記載事項に変更がない場合に限る。

（許可の更新の申請）

第五条　法第三条第三項の規定により、許可の更新を受けようとする者は、有効期間満了の日の三十日前までに許可申請書を提出しなければならない。

（提出すべき書類の部数）

第六条　法第五条の規定により提出すべき許可申請書及びその添付書類の部数は、次のとおりとする。

一　国土交通大臣の許可を受けようとする者にあつては、正本及び副本各一通

二　都道府県知事の許可を受けようとする者にあつては、当該都道府県知事の定める数

（法第七条第一号の基準）

第七条　法第七条第一号の国土交通省令で定める基準は、次のとおりとする。

一　次のいずれかに該当するものであること。

イ　常勤役員等のうち一人が次のいずれかに該当する者であること。

(1)　建設業に関し五年以上経営業務の管理責任者としての経験を有する者

(2)　建設業に関し五年以上経営業務の管理責任者に準ずる地位にある者（経営業務を執行する権限の委任を受けた者に限る。）として経営業務を管理した経験を有する者

(3)　建設業に関し六年以上経営業務の管理責任者に準ずる地位にある者として経営業務の管理責任者を補佐する業務に従事した経験を有する者

ロ　常勤役員等のうち一人が次のいずれかに該当する者であつて、かつ、財務管理の業務経験（許可を受けている建設業者にあつては当該建設業者、許可を受けようとする建設業を営む者にあつては当該建設業を営む者における五年以上の建設業の業務経験に限る。以下このロにおいて同じ。）を有する者、労務管理の業務経験を有する者及び業務運営の業務経験を有する者を当該常勤役員等を直接に補佐する者としてそれぞれ置くものであること。

(1)　建設業に関し、二年以上役員等としての経験を有し、かつ、五年以上役員等又は役員等に次ぐ職制上の地位にある者（財務管理、労務管理又は業務運営の業務を担当するものに限る。）としての経験を有する者

(2)　五年以上役員等としての経験を有し、かつ、建設業に関し、二年以上役員等としての経験を有する者

ハ　国土交通大臣がイ又はロに掲げるものと同等以上の経営体制を有すると認定したもの。

二　次のいずれにも該当する者であること。

イ　健康保険法（大正十一年法律第七十号）第三条第三項に規定する適用事業所に該当する全ての営業所に関し、健康保険法施行規則（大正十五年内務省令第三十六号）第十九条第一項の規定による届書を提出した者であること。

ロ　厚生年金保険法（昭和二十九年法律第百十五号）第六条第一項に規定する適用事業所に該当する全ての営業所に関し、厚生年金保険法施行規則（昭和二十九年厚生省令第三十七号）第十三条第一項の規定による届書を提出した者であること。

ハ　雇用保険法（昭和四十九年法律第百十六号）第五条第一項に規定する適用事業の事業所に該当する全ての営業所に関し、雇用保険法施行規則（昭和五十年労働省令第三号）第百四十一条第一項の規定による届書を提出した者であること。

（変更の届出）

第七条の二　建設業者は、営業所に置く法第七条第二号イ、ロ若しくはハに該当する者として証明された者又は第七条第一号イ若しくはロ柱書に規定する経験を有する者として証明された者若しくは同号ロ(1)若しくは(2)に該当する者として証明された者が氏名を変更したときは、二週間以内に、国土交通大臣又は都道府県知事にその旨を届け出なければならない。

2　建設業者は、前条第一項第一号イ若しくはロ(1)若しくは(2)に該当する者として証明された者が常勤役員等でなくなつた場合、同号ロ柱書に規定する経験を有する者として証明された者が同号ロ(1)若しくは(2)に該当する常勤役員等を直接に補佐する者でなくなつた場合又は同号ハに該当しなくなつた場合において、これらに代わるべき者又は経営体制があるときは、二週間以内に、その者又は経営体制について、第三条第一項第一号に掲げる書面その他当該事項を証するに足りる書面を国土交通大臣又は都道府県知事に提出しなければならない。

3　建設業者は、別記様式第七号の三の記載事項に変更を生じたときは、二週間（当該変更が従業員数のみである場合においては、毎事業年度経過後四月）以内に、別記様式第七号の三による変更後の内容を記載した書面に、当該変更の内容を証する書類を添えて（当該変更が従業員数のみである場合を除く。）、国土交通大臣又は都道府県知事に提出しなければならない。

4　国土交通大臣又は都道府県知事は、第一項の氏名の変更に係る本人確認情報（住民基本台帳法（昭和四十二年法律第八十一号）第三十条の六第一項に規定する本人確認情報をいう。以下同じ。）のうち住民票コード（同法第七条第十三号に規定する住民票コードをいう。以下同じ。）以外のものについて、同法第三十条の九若しくは第三十条の十一第一項（同項第一号に係る部分に限る。）の規定によるその提供を受けることができないとき、又は同法第三十条の十五第一項（同項第一号に係る部分に限る。）の規定によるその利用ができないときは、当該建設業者に対し、戸籍抄本又は住民票の抄本を提出させることができる。

（法第七条第二号ハの知識及び技術又は技能を有するものと認められる者）

第七条の三　法第七条第二号ハの規定により、同号イ又はロに掲げる者と同等以上の知識及び技術又は技能を有するものとして国土交通大臣が認定する者は、次に掲げる者とする。

一　許可を受けようとする建設業に係る建設工事に関し、旧実業学校卒業程度検定規程（大正十四年文部省令第三十号）による検定で第一条に規定する学科に合格した後五年以上又は旧専門学校卒業程度検定規程（昭和十八年文部省令第四十六号）による検定で同条に規定する学科に合格した後三年以上実務の経験を有する者

二　前号に掲げる者のほか、次の表の上欄に掲げる許可を受けようとする建設業の種類に応じ、それぞれ同表の下欄に掲げる者

土木工事業	一　技術検定のうち建設機械施工管理又は土木施工管理に係る一級又は二級の第二次検定（土木施工管理に係る二級の第二次検定にあつては検定種別を「土木」とするものに限る。）に合格した者 二　技術士法（昭和五十八年法律第二十五号）第四条第一項の規定による第二次試験のうち技術部門を建設部門、農業部門（選択科目を「農業農村工学」とするものに限る。）、森林部門（選択科目を「森林土木」とするものに限る。）、水産部門（選択科目を「水産土木」とするものに限る。）又は総合技術監理部門（選択科目を建設部門に係るもの、「農業農村工学」、「森林土木」又は「水産土木」とするものに限る。）とするものに合格した者
建築工事業	一　技術検定のうち建築施工管理に係る一級又は二級の第二次検定（二級の第二次検定にあつては検定種別を「建築」とするものに限る。）に合格した者 二　建築士法（昭和二十五年法律第二百二号）第四条の規定による一級建築士又は二級建築士の免許を受けた者
大工工事業	一　技術検定のうち建築施工管理に係る一級又は二級の第二次検定（二級の第二次検定にあつては検定種別を「躯体」又は「仕上げ」とするものに限る。）に合格した者 二　技術検定のうち建築施工管理に係る一級の第一次検定に合格した後大工工事に関し三年以上実務の経験を有する者 三　技術検定のうち建築施工管理に係る二級の第一次検定又は第二次検定（二級の第二次検定にあつては検定種別を「建築」とするものに限る。）に合格した後大工工事に関し五年以上実務の経験を有する者 四　建築士法第四条の規定による一級建築士、二級建築士又は木造建築士の免許を受けた者 五　職業能力開発促進法（昭和四十四年法律第六十四号）第四十四条第一項の規定による技能検定のうち検定職種を一級の建築大工若しくは型枠施工とするものに合格した者又は検定職種を二級の建築大工若しくは型枠施工とするものに合格した後大工工事に関し三年以上実務の経験を有する者 六　建築一式工事及び大工工事に関し十二年以上実務の経験を有する者のうち、大工工事に関し八年を超える実務の経験を有する者 七　大工工事及び内装仕上工事に関し十二年以上実務の経験を有する者のうち、大工工事に関し八年を超える実務の経験を有する者
左官工事業	一　技術検定のうち建築施工管理に係る一級又は二級の第二次検定（二級の第二次検定にあつては検定種別を「仕上げ」とするものに限る。）に合格した者 二　技術検定のうち土木施工管理、建築施工管理若しくは造園施工管理に係る一級の第一次検定又は土木施工管理若しくは造園施工管理に係る一級の第二次検定に合格した後左官工事に関し三年以上実務の経験を有する者 三　技術検定のうち土木施工管理、建築施工管理又は造園施工管理に係る二級の第一次検定又は第二次検定（建築施工管理に係る二級の第二次検定にあつては検定種別を「建築」又は「躯体」とするものに限る。）に合格した後左官工事に関し五年以上実務の経験を有する者 四　職業能力開発促進法第四十四条第一項の規定による技能検定のうち検定職種を一級の左官とするものに合格した者又は検定職種を二級の左官とするものに合格した後左官工事に関し三年以上実務の経験を有する者
とび・土工工事業	一　技術検定のうち建設機械施工管理、土木施工管理又は建築施工管理に係る一級又は二級の第二次検定（土木施工管理に係る二級の第二次検定にあつては検定種別を「土木」又は「薬液注入」とするものに限り、建築施工管理に係る二級の第二次検定にあつては検定種別を「躯体」とするものに限る。）に合格した者 二　技術検定のうち土木施工管理、建築施工管理若しくは造園施工管理に係る一級の第一次検定又は造園施工管理に係る一級の第二次検定に合格した後とび・土工・コンクリート工事に関し三年以上実務の経験を有する者 三　技術検定のうち土木施工管理、建築施工管理又は造園施工管理に係る二級の第一次検定又は第二次検定（土木施工管理に係る二級の第二次検定にあつては検定種別を「鋼構造物塗装」とするものに限り、建築施工管理に係る二級の第二次検定にあつては検定種別を「建築」又は「仕上げ」とするものに限る。）に合格した後とび・土工・コンクリート工事に関し五年以上実務の経験を有する者 四　技術士法第四条第一項の規定による第二次試験のうち技術部門を建設部門、農業部門（選択科目を「農業農村工学」とするものに限る。）、森林部門（選択科目を「森林土木」とするものに限る。）、水産部門（選択科目を「水産土木」とするものに限る。）又は総合技術監理部門（選択科目を建設部門に係るもの、「農業農村工学」、「森林土木」又は「水産土木」とするものに限る。）とするものに合格した者 五　職業能力開発促進法第四十四条第一項の規定による技能検定のうち検定職種を一級のとび、型枠施工、コンクリート圧送施工若しくはウェルポイント施工とするものに合格した者又は検定職種を二級のとびとするものに合格した後とび工事に関し三年以上実務の経験を有する者、検定職種を二級の型枠施工若しくはコンクリート圧送施工とするものに合格した後コンクリート工事に関し三年以上実務の経験を有する者若しくは検定職種を二級のウェルポイント施工とするものに合格した後土工工事に関し三年以上実務の経験を有する者 六　地すべり防止工事に必要な知識及び技術を確認するための試験であつて次条から第七条の六までの規定により国土交通大臣の登録を受けたもの（以下「登録地すべり防止工事試験」という。）に合格した後土工工事に関し一年以上実務の経験を有する者 七　基礎ぐい工事に必要な知識及び技術を確認するための試験であつて次条から第七条の六までの規定により国土交通大臣の登録を受けたもの（以下「登録基礎ぐい工事試験」という。）に合格した者 八　土木一式工事及びとび・土工・コンクリート工事に関し十二年以上実務の経験を有する者のうち、とび・土工・コンクリート工事に関し八年を超える実務の経験を有する者 九　とび・土工・コンクリート工事及び解体工事に関し十二年以上実務の経験を有する者のうち、とび・土工・コンクリート工事に関し八年を超える実務の経験を有する者
石工事業	一　技術検定のうち土木施工管理又は建築施工管理に係る

	一級又は二級の第二次検定（土木施工管理に係る二級の第二次検定にあつては検定種別を「土木」とするものに限り、建築施工管理に係る二級の第二次検定にあつては検定種別を「仕上げ」とするものに限る。）に合格した者 二　技術検定のうち土木施工管理、建築施工管理若しくは造園施工管理に係る一級の第一次検定又は造園施工管理に係る一級の第二次検定に合格した後石工事に関し三年以上実務の経験を有する者 三　技術検定のうち土木施工管理、建築施工管理又は造園施工管理に係る二級の第一次検定又は第二次検定（土木施工管理に係る二級の第二次検定にあつては検定種別を「鋼構造物塗装」又は「薬液注入」とするものに限り、建築施工管理に係る二級の第二次検定にあつては検定種別を「建築」又は「躯体」とするものに限る。）に合格した後石工事に関し五年以上実務の経験を有する者 四　職業能力開発促進法第四十四条第一項の規定による技能検定のうち検定職種を一級のブロック建築若しくは石材施工とするものに合格した者又は検定職種を二級のブロック建築若しくは石材施工とするものに合格した後石工事に関し三年以上実務の経験を有する者
屋根工事業	一　技術検定のうち建築施工管理に係る一級又は二級の第二次検定（二級の第二次検定にあつては検定種別を「仕上げ」とするものに限る。）に合格した者 二　技術検定のうち土木施工管理、建築施工管理若しくは造園施工管理に係る一級の第一次検定又は土木施工管理若しくは造園施工管理に係る一級の第二次検定に合格した後屋根工事に関し三年以上実務の経験を有する者 三　技術検定のうち土木施工管理、建築施工管理又は造園施工管理に係る二級の第一次検定又は第二次検定（建築施工管理に係る二級の第二次検定にあつては検定種別を「建築」又は「躯体」とするものに限る。）に合格した後屋根工事に関し五年以上実務の経験を有する者 四　建築士法第四条の規定による一級建築士又は二級建築士の免許を受けた者 五　職業能力開発促進法第四十四条第一項の規定による技能検定のうち検定職種を一級の建築板金若しくはかわらぶきとするものに合格した者又は検定職種を二級の建築板金若しくはかわらぶきとするものに合格した後屋根工事に関し三年以上実務の経験を有する者 六　建築一式工事及び屋根工事に関し十二年以上実務の経験を有する者のうち、屋根工事に関し八年を超える実務の経験を有する者
電気工事業	一　技術検定のうち電気工事施工管理に係る一級又は二級の第二次検定に合格した者 二　技術士法第四条第一項の規定による第二次試験のうち技術部門を電気電子部門、建設部門又は総合技術監理部門（選択科目を電気電子部門又は建設部門に係るものとするものに限る。）とするものに合格した者 三　電気工事士法（昭和三十五年法律第百三十九号）第四条第一項の規定による第一種電気工事士免状の交付を受けた者又は同項の規定による第二種電気工事士免状の交付を受けた後電気工事に関し三年以上実務の経験を有する者 四　電気事業法（昭和三十九年法律第百七十号）第四十四条第一項の規定による第一種電気主任技術者免状、第二種電気主任技術者免状又は第三種電気主任技術者免状の交付を受けた者（同法附則第七項の規定によりこれらの免状の交付を受けている者とみなされた者を含む。）であつて、その免状の交付を受けた後電気工事に関し五年以上実務の経験を有する者 五　建築士法第二条第五項に規定する建築設備士となつた後電気工事に関し一年以上実務の経験を有する者 六　建築物その他の工作物若しくはその設備に計測装置、制御装置等を装備する工事又はこれらの装置の維持管理を行う業務に必要な知識及び技術を確認するための試験であつて次条から第七条の六までの規定により国土交通大臣の登録を受けたもの（以下「登録計装試験」という。）に合格した後電気工事に関し一年以上実務の経験を有する者
管工事業	一　技術検定のうち管工事施工管理に係る一級又は二級の第二次検定に合格した者 二　技術士法第四条第一項の規定による第二次試験のうち技術部門を機械部門（選択科目を「熱・動力エネルギー機器」又は「流体機器」とするものに限る。）、上下水道部門、衛生工学部門又は総合技術監理部門（選択科目を「熱・動力エネルギー機器」、「流体機器」又は上下水道部門若しくは衛生工学部門に係るものとするものに限る。）とするものに合格した者 三　職業能力開発促進法第四十四条第一項の規定による技能検定のうち検定職種を一級の建築板金（選択科目を「ダクト板金作業」とするものに限る。以下この欄において同じ。）、冷凍空気調和機器施工若しくは配管（選択科目を「建築配管作業」とするものに限る。以下同じ。）とするものに合格した者又は検定職種を二級の建築板金、冷凍空気調和機器施工若しくは配管とするものに合格した後管工事に関し三年以上実務の経験を有する者 四　建築士法第二条第五項に規定する建築設備士となつた後管工事に関し一年以上実務の経験を有する者 五　水道法（昭和三十二年法律第百七十七号）第二十五条の五第一項の規定による給水装置工事主任技術者免状の交付を受けた後管工事に関し一年以上実務の経験を有する者 六　登録計装試験に合格した後管工事に関し一年以上実務の経験を有する者
タイル・れんが・ブロック工事業	一　技術検定のうち建築施工管理に係る一級又は二級の第二次検定（二級の第二次検定にあつては検定種別を「躯体」又は「仕上げ」とするものに限る。）に合格した者 二　技術検定のうち土木施工管理、建築施工管理若しくは造園施工管理に係る一級の第一次検定又は土木施工管理若しくは造園施工管理に係る一級の第二次検定に合格した後タイル・れんが・ブロック工事に関し三年以上実務の経験を有する者 三　技術検定のうち土木施工管理、建築施工管理又は造園施工管理に係る二級の第一次検定又は第二次検定（建築施工管理に係る二級の第二次検定にあつては検定種別を「建築」とするものに限る。）に合格した後タイル・れんが・ブロック工事に関し五年以上実務の経験を有する者 四　建築士法第四条の規定による一級建築士又は二級建築士の免許を受けた者 五　職業能力開発促進法第四十四条第一項の規定による技能検定のうち検定職種を一級のタイル張り、築炉若しくはブロック建築とするものに合格した者又は検定職種を二級のタイル張り、築炉若しくはブロック建築とするものに合格した後タイル・れんが・ブロック工事に関し三年以上実務の経験を有する者
鋼構造物工事業	一　技術検定のうち土木施工管理又は建築施工管理に係る一級又は二級の第二次検定（土木施工管理に係る二級の第二次検定にあつては検定種別を「土木」とするものに限り、建築施工管理に係る二級の第二次検定にあつては検定種別を「躯体」とするものに限る。）に合格した者 二　建築士法第四条の規定による一級建築士の免許を受け

業種	内容
	た者 三　技術士法第四条第一項の規定による第二次試験のうち技術部門を建設部門（選択科目を「鋼構造及びコンクリート」とするものに限る。）又は総合技術監理部門（選択科目を「鋼構造及びコンクリート」とするものに限る。）とするものに合格した者 四　職業能力開発促進法第四十四条第一項の規定による技能検定のうち検定職種を一級の鉄工（選択科目を「製缶作業」又は「構造物鉄工作業」とするものに限る。以下同じ。）とするものに合格した者又は検定職種を二級の鉄工とするものに合格した後鋼構造物工事に関し三年以上実務の経験を有する者
鉄筋工事業	一　技術検定のうち建築施工管理に係る一級又は二級の第二次検定（二級の第二次検定にあつては検定種別を「躯体」とするものに限る。）に合格した者 二　技術検定のうち土木施工管理、建築施工管理、管工事施工管理若しくは造園施工管理に係る一級の第一次検定又は土木施工管理、管工事施工管理若しくは造園施工管理に係る一級の第二次検定に合格した後鉄筋工事に関し三年以上実務の経験を有する者 三　技術検定のうち土木施工管理、建築施工管理、管工事施工管理又は造園施工管理に係る二級の第一次検定又は第二次検定（建築施工管理に係る二級の第二次検定にあつては検定種別を「建築」又は「仕上げ」とするものに限る。）に合格した後鉄筋工事に関し五年以上実務の経験を有する者 四　職業能力開発促進法第四十四条第一項の規定による技能検定のうち検定職種を鉄筋施工とするものであつて選択科目を「鉄筋施工図作成作業」とするもの及び検定職種を鉄筋施工とするものであつて選択科目を「鉄筋組立て作業」とするものに合格した後鉄筋工事に関し三年以上実務の経験を有する者（検定職種を一級の鉄筋施工とするものであつて選択科目を「鉄筋施工図作成作業」とするもの及び検定職種を一級の鉄筋施工とするものであつて選択科目を「鉄筋組立て作業」とするものに合格した者については、実務の経験を要しない。）
舗装工事業	一　技術検定のうち建設機械施工管理又は土木施工管理に係る一級又は二級の第二次検定（土木施工管理に係る二級の第二次検定にあつては検定種別を「土木」とするものに限る。）に合格した者
	二　技術士法第四条第一項の規定による第二次試験のうち技術部門を建設部門又は総合技術監理部門（選択科目を建設部門に係るものとするものに限る。）とするものに合格した者
しゅんせつ工事業	一　技術検定のうち土木施工管理に係る一級又は二級の第二次検定（二級の第二次検定にあつては検定種別を「土木」とするものに限る。）に合格した者 二　技術検定のうち土木施工管理、建築施工管理、管工事施工管理若しくは造園施工管理に係る一級の第一次検定又は管工事施工管理若しくは造園施工管理に係る一級の第二次検定に合格した後しゅんせつ工事に関し三年以上実務の経験を有する者 三　技術検定のうち土木施工管理、管工事施工管理又は造園施工管理に係る二級の第一次検定又は第二次検定（土木施工管理に係る二級の第二次検定にあつては検定種別を「鋼構造物塗装」又は「薬液注入」とするものに限る。）に合格した後しゅんせつ工事に関し五年以上実務の経験を有する者 四　技術士法第四条第一項の規定による第二次試験のうち技術部門を建設部門、水産部門（選択科目を「水産土木」とするものに限る。）又は総合技術監理部門（選択科目を建設部門に係るもの又は「水産土木」とするものに限る。）とするものに合格した者 五　土木一式工事及びしゅんせつ工事に関し十二年以上実務の経験を有する者のうち、しゅんせつ工事に関し八年を超える実務の経験を有する者
板金工事業	一　技術検定のうち建築施工管理に係る一級又は二級の第二次検定（二級の第二次検定にあつては検定種別を「仕上げ」とするものに限る。）に合格した者 二　技術検定のうち建築施工管理若しくは管工事施工管理に係る一級の第一次検定又は管工事施工管理に係る一級の第二次検定に合格した後板金工事に関し三年以上実務の経験を有する者 三　技術検定のうち建築施工管理又は管工事施工管理に係る二級の第一次検定又は第二次検定（建築施工管理に係る二級の第二次検定にあつては検定種別を「建築」又は「躯体」とするものに限る。）に合格した後板金工事に関し五年以上実務の経験を有する者 四　職業能力開発促進法第四十四条第一項の規定による技能検定のうち検定職種を一級の工場板金若しくは建築板
	金とするものに合格した者又は検定職種を二級の工場板金若しくは建築板金とするものに合格した後板金工事に関し三年以上実務の経験を有する者
ガラス工事業	一　技術検定のうち建築施工管理に係る一級又は二級の第二次検定（二級の第二次検定にあつては検定種別を「仕上げ」とするものに限る。）に合格した者 二　技術検定のうち建築施工管理に係る一級の第一次検定に合格した後ガラス工事に関し三年以上実務の経験を有する者 三　技術検定のうち建築施工管理に係る二級の第一次検定又は第二次検定（二級の第二次検定にあつては検定種別を「建築」又は「躯体」とするものに限る。）に合格した後ガラス工事に関し五年以上実務の経験を有する者 四　職業能力開発促進法第四十四条第一項の規定による技能検定のうち検定職種を一級のガラス施工とするものに合格した者又は検定職種を二級のガラス施工とするものに合格した後ガラス工事に関し三年以上実務の経験を有する者 五　建築一式工事及びガラス工事に関し十二年以上実務の経験を有する者のうち、ガラス工事に関し八年を超える実務の経験を有する者
塗装工事業	一　技術検定のうち土木施工管理又は建築施工管理に係る一級又は二級の第二次検定（土木施工管理に係る二級の第二次検定にあつては検定種別を「鋼構造物塗装」とするものに限り、建築施工管理に係る二級の第二次検定にあつては検定種別を「仕上げ」とするものに限る。）に合格した者 二　技術検定のうち土木施工管理、建築施工管理若しくは造園施工管理に係る一級の第一次検定又は造園施工管理に係る一級の第二次検定に合格した後塗装工事に関し三年以上実務の経験を有する者 三　技術検定のうち土木施工管理、建築施工管理又は造園施工管理に係る二級の第一次検定又は第二次検定（土木施工管理に係る二級の第二次検定にあつては検定種別を「薬液注入」とするものに限り、建築施工管理に係る二級の第二次検定にあつては検定種別を「建築」又は「躯体」とするものに限る。）に合格した後塗装工事に関し五年以上実務の経験を有する者 四　職業能力開発促進法第四十四条第一項の規定による技能検定のうち検定職種を一級の塗装とするものに合格し

	た者若しくは検定職種を路面標示施工とするものに合格した者又は検定職種を二級の塗装とするものに合格した後塗装工事に関し三年以上実務の経験を有する者
防水工事業	一　技術検定のうち建築施工管理に係る一級又は二級の第二次検定（二級の第二次検定にあつては検定種別を「仕上げ」とするものに限る。）に合格した者 二　技術検定のうち土木施工管理、建築施工管理若しくは造園施工管理に係る一級の第一次検定又は土木施工管理若しくは造園施工管理に係る一級の第二次検定に合格した後防水工事に関し三年以上実務の経験を有する者 三　技術検定のうち土木施工管理、建築施工管理又は造園施工管理に係る二級の第一次検定又は第二次検定（建築施工管理に係る二級の第二次検定にあつては検定種別を「建築」又は「躯体」とするものに限る。）に合格した後防水工事に関し五年以上実務の経験を有する者 四　職業能力開発促進法第四十四条第一項の規定による技能検定のうち検定職種を一級の防水施工とするものに合格した者又は検定職種を二級の防水施工とするものに合格した後防水工事に関し三年以上実務の経験を有する者 五　建築一式工事及び防水工事に関し十二年以上実務の経験を有する者のうち、防水工事に関し八年を超える実務の経験を有する者
内装仕上工事業	一　技術検定のうち建築施工管理に係る一級又は二級の第二次検定（二級の第二次検定にあつては検定種別を「仕上げ」とするものに限る。）に合格した者 二　技術検定のうち建築施工管理に係る一級の第一次検定に合格した後内装仕上工事に関し三年以上実務の経験を有する者 三　技術検定のうち建築施工管理に係る二級の第一次検定又は第二次検定（二級の第二次検定にあつては検定種別を「建築」又は「躯体」とするものに限る。）に合格した後内装仕上工事に関し五年以上実務の経験を有する者 四　建築士法第四条の規定による一級建築士又は二級建築士の免許を受けた者 五　職業能力開発促進法第四十四条第一項の規定による技能検定のうち検定職種を一級の畳製作、内装仕上げ施工若しくは表装とするものに合格した者又は検定職種を二級の畳製作、内装仕上げ施工若しくは表装とするものに合格した後内装仕上工事に関し三年以上実務の経験を有する者 六　建築一式工事及び内装仕上工事に関し十二年以上実務の経験を有する者のうち、内装仕上工事に関し八年を超える実務の経験を有する者 七　大工工事及び内装仕上工事に関し十二年以上実務の経験を有する者のうち、内装仕上工事に関し八年を超える実務の経験を有する者
機械器具設置工事業	一　技術検定のうち建築施工管理、電気工事施工管理又は管工事施工管理に係る一級の第一次検定又は第二次検定に合格した後機械器具設置工事に関し三年以上実務の経験を有する者 二　技術検定のうち建築施工管理、電気工事施工管理又は管工事施工管理に係る二級の第一次検定又は第二次検定に合格した後機械器具設置工事に関し五年以上実務の経験を有する者 三　技術士法第四条第一項の規定による第二次試験のうち技術部門を機械部門又は総合技術監理部門（選択科目を機械部門に係るものとするものに限る。）とするものに合格した者
熱絶縁工事業	一　技術検定のうち建築施工管理に係る一級又は二級の第二次検定（二級の第二次検定にあつては検定種別を「仕上げ」とするものに限る。）に合格した者 二　技術検定のうち土木施工管理、建築施工管理、管工事施工管理若しくは造園施工管理に係る一級の第一次検定又は土木施工管理、管工事施工管理若しくは造園施工管理に係る一級の第二次検定に合格した後熱絶縁工事に関し三年以上実務の経験を有する者 三　技術検定のうち土木施工管理、建築施工管理、管工事施工管理又は造園施工管理に係る二級の第一次検定又は第二次検定（建築施工管理に係る二級の第二次検定にあつては検定種別を「建築」又は「躯体」とするものに限る。）に合格した後熱絶縁工事に関し五年以上実務の経験を有する者 四　職業能力開発促進法第四十四条第一項の規定による技能検定のうち検定職種を一級の熱絶縁施工とするものに合格した者又は検定職種を二級の熱絶縁施工とするものに合格した後熱絶縁工事に関し三年以上実務の経験を有する者 五　建築一式工事及び熱絶縁工事に関し十二年以上実務の経験を有する者のうち、熱絶縁工事に関し八年を超える実務の経験を有する者
電気通信工事業	一　技術検定のうち電気通信工事施工管理に係る一級又は二級の第二次検定に合格した者 二　技術士法第四条第一項の規定による第二次試験のうち技術部門を電気電子部門又は総合技術監理部門（選択科目を電気電子部門に係るものとするものに限る。）とするものに合格した者 三　電気通信事業法（昭和五十九年法律第八十六号）第四十六条第三項の規定による電気通信主任技術者資格者証の交付を受けた者であつてその資格者証の交付を受けた後電気通信工事に関し五年以上実務の経験を有する者又は同法第七十二条第二項において準用する同法第四十六条第三項の規定による工事担任者資格者証の交付を受けた者（第一級アナログ通信及び第一級デジタル通信の工事担任者資格者証の交付を受けた者又は総合通信の工事担任者資格者証の交付を受けた者に限る。）であつてその資格者証の交付を受けた後電気通信工事に関し三年以上実務の経験を有する者
造園工事業	一　技術検定のうち造園施工管理に係る一級又は二級の第二次検定に合格した者 二　技術士法第四条第一項の規定による第二次試験のうち技術部門を建設部門、森林部門（選択科目を「林業・林産」又は「森林土木」とするものに限る。）又は総合技術監理部門（選択科目を建設部門に係るもの、「林業・林産」又は「森林土木」とするものに限る。）とするものに合格した者 三　職業能力開発促進法第四十四条第一項の規定による技能検定のうち検定職種を一級の造園とするものに合格した者又は検定職種を二級の造園とするものに合格した後造園工事に関し三年以上実務の経験を有する者
さく井工事業	一　技術検定のうち土木施工管理、管工事施工管理又は造園施工管理に係る一級の第一次検定又は第二次検定に合格した後さく井工事に関し三年以上実務の経験を有する者 二　技術検定のうち土木施工管理、管工事施工管理又は造園施工管理に係る二級の第一次検定又は第二次検定に合格した後さく井工事に関し五年以上実務の経験を有する者 三　技術士法第四条第一項の規定による第二次試験のうち技術部門を上下水道部門（選択科目を「上水道及び工業用水道」とするものに限る。）又は総合技術監理部門（選

	択科目を「上水道及び工業用水道」とするものに限る。）とするものに合格した者 四　職業能力開発促進法第四十四条第一項の規定による技能検定のうち検定職種を一級のさく井とするものに合格した者又は検定職種を二級のさく井とするものに合格した後さく井工事に関し三年以上実務の経験を有する者 五　登録地すべり防止工事試験に合格した後さく井工事に関し一年以上実務の経験を有する者
建具工事業	一　技術検定のうち建築施工管理に係る一級又は二級の第二次検定（二級の第二次検定にあつては検定種別を「仕上げ」とするものに限る。）に合格した者 二　技術検定のうち建築施工管理若しくは管工事施工管理に係る一級の第一次検定又は管工事施工管理に係る一級の第二次検定に合格した後建具工事に関し三年以上実務の経験を有する者 三　技術検定のうち建築施工管理又は管工事施工管理に係る二級の第一次検定又は第二次検定（建築施工管理に係る二級の第二次検定にあつては検定種別を「建築」又は「躯体」とするものに限る。）に合格した後建具工事に関し五年以上実務の経験を有する者 四　職業能力開発促進法第四十四条第一項の規定による技能検定のうち検定職種を一級の建具製作、カーテンウォール施工若しくはサッシ施工とするものに合格した者又は検定職種を二級の建具製作、カーテンウォール施工若しくはサッシ施工とするものに合格した後建具工事に関し三年以上実務の経験を有する者
水道施設工事業	一　技術検定のうち土木施工管理に係る一級又は二級の第二次検定（二級の第二次検定にあつては検定種別を「土木」とするものに限る。）に合格した者 二　技術検定のうち土木施工管理、建築施工管理、管工事施工管理若しくは造園施工管理に係る一級の第一次検定又は建築施工管理、管工事施工管理若しくは造園施工管理に係る一級の第二次検定に合格した後水道施設工事に関し三年以上実務の経験を有する者 三　技術検定のうち土木施工管理、建築施工管理、管工事施工管理又は造園施工管理に係る二級の第一次検定又は第二次検定（土木施工管理に係る二級の第二次検定にあつては検定種別を「鋼構造物塗装」又は「薬液注入」とするものに限る。）に合格した後水道施設工事に関し五年以上実務の経験を有する者 四　技術士法第四条第一項の規定による第二次試験のうち技術部門を上下水道部門、衛生工学部門（選択科目を「水質管理」又は「廃棄物・資源循環」とするものに限る。）又は総合技術監理部門（選択科目を上下水道部門に係るもの、「水質管理」又は「廃棄物・資源循環」とするものに限る。）とするものに合格した者 五　土木一式工事及び水道施設工事に関し十二年以上実務の経験を有する者のうち、水道施設工事に関し八年を超える実務の経験を有する者
消防施設工事業	一　技術検定のうち建築施工管理、電気工事施工管理又は管工事施工管理に係る一級の第一次検定又は第二次検定に合格した後消防施設工事に関し三年以上実務の経験を有する者 二　技術検定のうち建築施工管理、電気工事施工管理又は管工事施工管理に係る二級の第一次検定又は第二次検定に合格した後消防施設工事に関し五年以上実務の経験を有する者 三　消防法（昭和二十三年法律第百八十六号）第十七条の七第一項の規定による甲種消防設備士免状又は乙種消防設備士免状の交付を受けた者
清掃施設工事業	一　技術検定のうち土木施工管理、建築施工管理、管工事施工管理又は造園施工管理に係る一級の第一次検定又は第二次検定に合格した後清掃施設工事に関し三年以上実務の経験を有する者 二　技術検定のうち土木施工管理、建築施工管理、管工事施工管理又は造園施工管理に係る二級の第一次検定又は第二次検定に合格した後清掃施設工事に関し五年以上実務の経験を有する者 三　技術士法第四条第一項の規定による第二次試験のうち技術部門を衛生工学部門（選択科目を「廃棄物・資源循環」とするものに限る。）又は総合技術監理部門（選択科目を「廃棄物・資源循環」とするものに限る。）とするものに合格した者
解体工事業	一　技術検定のうち土木施工管理又は建築施工管理に係る一級又は二級の第二次検定（土木施工管理に係る二級の第二次検定にあつては検定種別を「土木」とするものに限り、建築施工管理に係る二級の第二次検定にあつては検定種別を「建築」又は「躯体」とするものに限る。）に合格した者 二　技術検定のうち土木施工管理、建築施工管理若しくは造園施工管理に係る一級の第一次検定又は造園施工管理に係る一級の第二次検定に合格した後解体工事に関し三年以上実務の経験を有する者 三　技術検定のうち土木施工管理、建築施工管理又は造園施工管理に係る二級の第一次検定又は第二次検定（土木施工管理に係る二級の第二次検定にあつては検定種別を「鋼構造物塗装」又は「薬液注入」とするものに限り、建築施工管理に係る二級の第二次検定にあつては検定種別を「仕上げ」とするものに限る。）に合格した後解体工事に関し五年以上実務の経験を有する者 四　技術士法第四条第一項の規定による第二次試験のうち技術部門を建設部門又は総合技術監理部門（選択科目を建設部門に係るものとするものに限る。）とするものに合格した者 五　職業能力開発促進法第四十四条第一項の規定による技能検定のうち検定職種を一級のとびとするものに合格した者又は検定職種を二級のとびとするものに合格した後解体工事に関し三年以上実務の経験を有する者 六　解体工事に必要な知識及び技術を確認するための試験であつて次条から第七条の六までの規定により国土交通大臣の登録を受けたもの（以下「登録解体工事試験」という。）に合格した者 七　土木一式工事及び解体工事に関し十二年以上実務の経験を有する者のうち、解体工事に関し八年を超える実務の経験を有する者 八　建築一式工事及び解体工事に関し十二年以上実務の経験を有する者のうち、解体工事に関し八年を超える実務の経験を有する者 九　とび・土工・コンクリート工事及び解体工事に関し十二年以上実務の経験を有する者のうち、解体工事に関し八年を超える実務の経験を有する者

三　前二号に掲げる者のほか、第十八条の三第二項第二号に規定する登録基幹技能者講習（許可を受けようとする建設業の種類に応じ、国土交通大臣が認めるものに限る。）を修了した者

四　国土交通大臣が前三号に掲げる者と同等以上の知識及び技術又は技能を有するものと認める者

（登録の申請）

第七条の四　前条第二号の表とび・土工工事業の項第六号若しくは第七号、同表電気工事業の項第六号又は同表解体工事業の項第六号の登録（以下この条から第七条の七まで、第七条の十五及び第七条の十八において「登録」という。）は、それぞれ登録地すべり防止工事試験、登録基礎ぐい工事試験、

登録計装試験又は登録解体工事試験（以下「登録技術試験」という。）の実施に関する事務（以下「登録技術試験事務」という。）を行おうとする者の申請により行う。

2　登録を受けようとする者（以下この項及び次項において「登録技術試験事務申請者」という。）は、次に掲げる事項を記載した申請書を国土交通大臣に提出しなければならない。

一　登録技術試験事務申請者の氏名又は名称及び住所並びに法人にあつては、その代表者の氏名

二　登録技術試験事務を行おうとする事務所の名称及び所在地

三　登録技術試験事務を開始しようとする年月日

四　登録技術試験委員（第七条の六第一項第二号に規定する合議制の機関を構成する者をいう。以下同じ。）となるべき者の氏名及び略歴並びに同号の表地すべり防止工事の項イ若しくはロ、同表計装の項イ若しくはロ又は同表解体工事の項イ若しくはロに該当する者にあつては、その旨

五　申請に係る試験の種目

3　前項の申請書には、次に掲げる書類を添付しなければならない。

一　個人である場合においては、次に掲げる書類

イ　住民票の抄本又はこれに代わる書面

ロ　略歴を記載した書類

二　法人である場合においては、次に掲げる書類

イ　定款又は寄附行為及び登記事項証明書

ロ　株主名簿若しくは社員名簿の写し又はこれらに代わる書面

ハ　申請に係る意思の決定を証する書類

ニ　役員（持分会社（会社法（平成十七年法律第八十六号）第五百七十五条第一項に規定する持分会社をいう。）にあつては、業務を執行する社員をいう。以下同じ。）の氏名及び略歴を記載した書類

三　登録技術試験委員のうち、第七条の六第一項第二号の表地すべり防止工事の項イ若しくはロ、同表計装の項イ若しくはロ又は同表解体工事の項イ若しくはロに該当する者にあつては、その資格等を有することを証する書類

四　登録技術試験事務以外の業務を行おうとするときは、その業務の種類及び概要を記載した書類

五　登録技術試験事務申請者が次条各号のいずれにも該当しない者であることを誓約する書面

六　その他参考となる事項を記載した書類

（欠格条項）

第七条の五　次の各号のいずれかに該当する者が行う試験は、登録を受けることができない。

一　法の規定に違反し、罰金以上の刑に処せられ、その執行を終わり、又は執行を受けることがなくなつた日から起算して二年を経過しない者

二　登録を受けようとする試験と種目を同じくする試験について第七条の十五の規定により登録を取り消され、その取消しの日から起算して二年を経過しない者

三　法人であつて、登録技術試験事務を行う役員のうちに前二号のいずれかに該当する者があるもの

（登録の要件等）

第七条の六　国土交通大臣は、第七条の四の規定による登録の申請が次に掲げる要件のすべてに適合しているときは、その登録をしなければならない。

一　第七条の八第一号の表の第一欄に掲げる種目に応じ、それぞれ同表第二欄に掲げる科目について試験が行われるものであること。

二　次の表の上欄に掲げる種目に応じ、それぞれ同表下欄に掲げる者を二名以上含む十名以上の者によつて構成される合議制の機関により試験問題の作成及び合否判定が行われるものであること。

地すべり防止工事	次のいずれかに該当する者 イ　学校教育法（昭和二十二年法律第二十六号）による大学（旧大学令（大正七年勅令第三百八十八号）による大学を含む。以下同じ。）若しくはこれに相当する外国の学校において砂防学、地すべり学その他の登録地すべり防止工事試験の実施に関する事務に関する科目を担当する教授若しくは准教授の職にあり、若しくはこれらの職にあつた者又は砂防学、地すべり学その他の登録地すべり防止工事試験の実施に関する事務に関する科目の研究により博士の学位を授与された者 ロ　国土交通大臣がイに掲げる者と同等以上の能力を有すると認める者
基礎ぐい工事	次のいずれかに該当する者 イ　学校教育法による大学若しくはこれに相当する外国の学校において地盤工学その他の登録基礎ぐい工事試験の実施に関する事務に関する科目を担当する教授若しくは准教授の職にあり、若しくはこれらの職にあつた者又は地盤工学その他の登録基礎ぐい工事試験の実施に関する事務に関する科目の研究により博士の学位を授与された者 ロ　国土交通大臣がイに掲げる者と同等以上の能力を有すると認める者
計装	次のいずれかに該当する者 イ　学校教育法による大学若しくはこれに相当する外国の学校において計測制御工学その他の登録計装試験の実施に関する事務に関する科目を担当する教授若しくは准教授の職にあり、若しくはこれらの職にあつた者又は計測制御工学その他の登録計装試験の実施に関する事務に関する科目の研究により博士の学位を授与された者 ロ　国土交通大臣がイに掲げる者と同等以上の能力を有すると認める者
解体工事	次のいずれかに該当する者 イ　学校教育法による大学若しくはこれに相当する外国の学校において土木工学、建築工学その他の登録解体工事試験の実施に関する事務に関する科目を担当する教授若しくは准教授の職にあり、若しくはこれらの職にあつた者又は土木工学、建築工学その他の登録解体工事試験の実施に関する事務に関する科目の研究により博士の学位を授与された者 ロ　国土交通大臣がイに掲げる者と同等以上の能力を有すると認める者

2　登録は、登録技術試験登録簿に次に掲げる事項を記載してするものとする。

一　登録年月日及び登録番号

二　登録技術試験事務を行う者（以下「登録技術試験実施機関」という。）の氏名又は名称及び住所並びに法人にあつては、その代表者の氏名

三　登録技術試験事務を行う事務所の名称及び所在地

四　登録技術試験事務を開始する年月日

五　登録に係る試験の種目

（登録の更新）

第七条の七　登録は、五年ごとにその更新を受けなければ、その期間の経過によつて、その効力を失う。

2　前三条の規定は、前項の登録の更新について準用する。

（登録技術試験事務の実施に係る義務）

第七条の八　登録技術試験実施機関は、公正に、かつ、第七条の六第一項各号に掲げる要件及び次に掲げる基準に適合する方法により登録技術試験事務を行わなければならない。

一　次の表の第一欄に掲げる種目ごとに、同表の第二欄に掲げる科目の区分に応じ、それぞれ同表の第三欄に掲げる内容について、同表の第四欄に掲げる時間を標準として試験を行うこと。

種目	科目	内容	時間
地すべり防止工事	一　地すべり一般知識に関する科目	砂防学、地すべり学、土質力学、構造力学、地形・地質学及び地下水学に関する事項	四時間三十分
	二　地すべり関係法	地すべり等防止法（昭和三十	

	令に関する科目	三年法律第三十号）、災害対策基本法（昭和三十六年法律第二百二十三号）、土砂災害警戒区域等における土砂災害防止対策の推進に関する法律（平成十二年法律第五十七号）その他関係法令に関する事項	
	三　地すべり調査に関する科目	地形判読技術、計測技術及び地すべり機構に関する事項	
	四　地すべり対策計画に関する科目	砂防及び地すべりの技術基準に関する事項	
	五　地すべり対策施設設計に関する科目	杭及びアンカーの設計及び施工、地下水排水工並びに土工に関する事項	
基礎ぐい工事	一　基礎ぐい工事の一般知識に関する科目	地盤工学、土質力学、構造力学、材料学その他基礎ぐい工事一般に関する事項	三時間
	二　基礎ぐい工事の施工方法に関する科目	場所打ちぐい工事及び既製ぐい工事の施工方法に関する事項	
	三　基礎ぐい工事の技術上の管理に関する科目	場所打ちぐい工事及び既製ぐい工事の施工計画、施工管理、安全管理その他の技術上の管理に関する事項	
	四　基礎ぐい工事の関係法令に関する科目	労働安全衛生法（昭和四十七年法律第五十七号）その他関係法令に関する事項	
	五　技術者倫理に関する科目	技術者倫理に関する事項	
計装	一　計装一般知識に関する科目	計装一般及び計器に関する事項	八時間
	二　計装設備及び施工管理に関する科目	プラント設備又はビル設備における計装設計、工事積算、検査、調整及び工事施工法に関する事項	
	三　計装関係法令に関する科目	労働安全衛生法その他関係法令に関する事項	
	四　計装設備計画に関する科目	計装設備に係る基本計画及び施工計画に関する事項	
	五　計装設備設計図に関する科目	プラント設備又はビル設備における計装施工設計図の作成に関する事項	
解体工事	一　解体工事の関係法令に関する科目	廃棄物の処理及び清掃に関する法律（昭和四十五年法律第百三十七号）、建設工事に係る資材の再資源化等に関する法律（平成十二年法律第百四号）その他関係法令に関する事項	三時間三十分
	二　土木工学及び建築工学に関する科目	構造力学、材料学その他の基礎的な土木工学及び建築工学に関する事項	
	三　解体工事の技術上の管理に関する科目	解体工事の施工計画、施工管理、安全管理その他の技術上の管理に関する事項	
	四　解体工事の施工方法に関する科目	解体工事に係る木造、鉄筋コンクリート造その他の構造に応じた解体工事の施工方法に関する事項	
	五　解体工事の工法及び機器に関する科目	解体工事の工法及び機器の種類及び選定に関する事項	
	六　解体工事の実務に関する科目	解体工事の実務に関する事項	

二　登録技術試験を実施する日時、場所その他登録技術試験の実施に関し必要な事項をあらかじめ公示すること。
三　登録技術試験に関する不正行為を防止するための措置を講じること。
四　終了した登録技術試験の問題及び合格基準を公表すること。
五　登録技術試験に合格した者に対し、別記様式第二十一号による合格証明書（以下「登録技術試験合格証明書」という。）を交付すること。

（登録事項の変更の届出）

第七条の九　登録技術試験実施機関は、第七条の六第二項第二号から第四号までに掲げる事項を変更しようとするときは、変更しようとする日の二週間前までに、その旨を国土交通大臣に届け出なければならない。

（規程）

第七条の一〇　登録技術試験実施機関は、次に掲げる事項を記載した登録技術試験事務に関する規程を定め、当該事務の開始前に、国土交通大臣に届け出なければならない。これを変更しようとするときも、同様とする。
一　登録技術試験事務を行う時間及び休日に関する事項
二　登録技術試験事務を行う事務所及び試験地に関する事項
三　登録技術試験の日程、公示方法その他の登録技術試験事務の実施の方法に関する事項
四　登録技術試験の受験の申込みに関する事項
五　登録技術試験の受験手数料の額及び収納の方法に関する事項
六　登録技術試験委員の選任及び解任に関する事項
七　登録技術試験の問題の作成及び合否判定の方法に関する事項
八　終了した登録技術試験の問題及び合格基準の公表に関する事項
九　登録技術試験合格証明書の交付及び再交付に関する事項
十　登録技術試験事務に関する秘密の保持に関する事項
十一　登録技術試験事務に関する公正の確保に関する事項
十二　不正受験者の処分に関する事項
十三　第七条の十六第三項の帳簿その他の登録技術試験事務に関する書類の管理に関する事項
十四　その他登録技術試験事務に関し必要な事項

（登録技術試験事務の休廃止）

第七条の一一　登録技術試験実施機関は、登録技術試験事務の全部又は一部を休止し、又は廃止しようとするときは、あらかじめ、次に掲げる事項を記載した届出書を国土交通大臣に提出しなければならない。
一　休止し、又は廃止しようとする登録技術試験事務の範囲
二　休止し、又は廃止しようとする年月日及び休止しようとする場合にあつては、その期間
三　休止又は廃止の理由

（財務諸表等の備付け及び閲覧等）

第七条の一二　登録技術試験実施機関は、毎事業年度経過後三月以内に、その事業年度の財産目録、貸借対照表及び損益計算書又は収支計算書並びに事業報告書（その作成に代えて電磁的記録（電子的方式、磁気的方式その他の人の知覚によつては認識することができない方式で作られる記録であつて、電子計算機による情報処理の用に供されるものをいう。以下同じ。）の作成がされている場合における当該電磁的記録を含む。次項において「財務諸表等」という。）を作成し、五年間事務所に備えて置かなければならない。

2　登録技術試験を受験しようとする者その他の利害関係人は、登録技術試

験実施機関の業務時間内は、いつでも、次に掲げる請求をすることができる。ただし、第二号又は第四号の請求をするには、登録技術試験実施機関の定めた費用を支払わなければならない。

一　財務諸表等が書面をもつて作成されているときは、当該書面の閲覧又は謄写の請求

二　前号の書面の謄本又は抄本の請求

三　財務諸表等が電磁的記録をもつて作成されているときは、当該電磁的記録に記録された事項を紙面又は出力装置の映像面に表示したものの閲覧又は謄写の請求

四　前号の電磁的記録に記録された事項を電磁的方法であつて、次に掲げるもののうち登録技術試験実施機関が定めるものにより提供することの請求又は当該事項を記載した書面の交付の請求

イ　送信者の使用に係る電子計算機と受信者の使用に係る電子計算機とを電気通信回線で接続した電子情報処理組織を使用する方法であつて、当該電気通信回線を通じて情報が送信され、受信者の使用に係る電子計算機に備えられたファイルに当該情報が記録されるもの

ロ　電磁的記録媒体（電磁的記録に係る記録媒体をいう。以下同じ。）をもつて調製するファイルに情報を記録したものを交付する方法

3　前項第四号イ又はロに掲げる方法は、受信者がファイルへの記録を出力することにより書面を作成することができるものでなければならない。

（適合命令）

第七条の一三　国土交通大臣は、登録技術試験実施機関の実施する登録技術試験が第七条の六第一項の規定に適合しなくなつたと認めるときは、当該登録技術試験実施機関に対し、同項の規定に適合するため必要な措置をとるべきことを命ずることができる。

（改善命令）

第七条の一四　国土交通大臣は、登録技術試験実施機関が第七条の八の規定に違反していると認めるときは、当該登録技術試験実施機関に対し、同条の規定による登録技術試験を行うべきこと又は登録技術試験事務の方法その他の業務の方法の改善に関し必要な措置をとるべきことを命ずることができる。

（登録の取消し等）

第七条の一五　国土交通大臣は、登録技術試験実施機関が次の各号のいずれかに該当するときは、当該登録技術試験実施機関が行う試験の登録を取り消し、又は期間を定めて登録技術試験事務の全部若しくは一部の停止を命じることができる。

一　第七条の五第一号又は第三号に該当するに至つたとき。

二　第七条の九から第七条の十一まで、第七条の十二第一項又は次条の規定に違反したとき。

三　正当な理由がないのに第七条の十二第二項各号の規定による請求を拒んだとき。

四　前二条の規定による命令に違反したとき。

五　第七条の十七の規定による報告を求められて、報告をせず、又は虚偽の報告をしたとき。

六　不正の手段により登録を受けたとき。

（帳簿の記載等）

第七条の一六　登録技術試験実施機関は、登録技術試験に関する次に掲げる事項を記載した帳簿を備えなければならない。

一　試験年月日

二　試験地

三　受験者の受験番号、氏名、生年月日及び合否の別

四　合格年月日

2　前項各号に掲げる事項が、電子計算機に備えられたファイル又は電磁的記録媒体に記録され、必要に応じ登録技術試験実施機関において電子計算機その他の機器を用いて明確に紙面又は出力装置の映像面に表示されるときは、当該記録をもつて同項に規定する帳簿への記載に代えることができる。

3　登録技術試験実施機関は、第一項に規定する帳簿（前項の規定による記録が行われた同項のファイル又は電磁的記録媒体を含む。）を、登録技術試験事務の全部を廃止するまで保存しなければならない。

4　登録技術試験実施機関は、次に掲げる書類を備え、登録技術試験を実施した日から三年間保存しなければならない。

一　登録技術試験の受験申込書及び添付書類

二　終了した登録技術試験の問題及び答案用紙

（報告の徴収）

第七条の一七　国土交通大臣は、登録技術試験事務の適切な実施を確保するため必要があると認めるときは、登録技術試験実施機関に対し、登録技術試験事務の状況に関し必要な報告を求めることができる。

（公示）

第七条の一八　国土交通大臣は、次に掲げる場合には、その旨を官報に公示しなければならない。

一　登録をしたとき。

二　第七条の九の規定による届出があつたとき。

三　第七条の十一の規定による届出があつたとき。

四　第七条の十五の規定により登録を取り消し、又は登録技術試験事務の停止を命じたとき。

（使用人の変更の届出）

第八条　建設業者は、新たに令第三条に規定する使用人になつた者がある場合には、二週間以内に、当該使用人に係る法第六条第一項第四号並びに第四条第一項第四号及び第五号に掲げる書面その他国土交通大臣又は都道府県知事が必要と認める書類を添付した別記様式第二十二号の二による変更届出書により、国土交通大臣又は都道府県知事にその旨を届け出なければならない。

（心身の故障により建設業を適正に営むことができない者）

第八条の二　法第八条第十号の国土交通省令で定める者は、精神の機能の障害により建設業を適正に営むに当たつて必要な認知、判断及び意思疎通を適切に行うことができない者とする。

（法第十一条第一項の変更の届出）

第九条　法第十一条第一項の規定による変更届出書は、別記様式第二十二号の二によるものとする。

2　法第十一条第一項の規定により変更届出書を提出する場合において当該変更が次に掲げるものであるときは、当該各号に掲げる書類を添付しなければならない。

一　法第五条第一号から第四号までに掲げる事項の変更（商業登記の変更を必要とする場合に限る。）　当該変更に係る登記事項を記載した登記事項証明書

二　法第五条第二号に掲げる事項のうち営業所の新設に係る変更　当該営業所に係る法第六条第一項第四号及び第五号の書面

三　法第五条第三号に掲げる事項のうち役員等の新任に係る変更及び同条第四号に掲げる事項のうち支配人の新任に係る変更　当該役員等又は支配人に係る法第六条第一項第四号の書面並びに第四条第一項第三号又は第四号及び第五号に掲げる書面その他国土交通大臣又は都道府県知事が必要と認める書類

3　情報通信技術活用法第六条第一項の規定により同項に規定する電子情報処理組織を使用して変更届出書を提出する者は、前項の規定にかかわらず、同項第一号に掲げる書類（第四条第三項の国土交通大臣の定める書類に該当するものに限る。）及び同項第二号に掲げる書面（第三条第三項の国土交通大臣が定める書面に限る。）の提出を省略することができる。

（毎事業年度経過後に届出を必要とする書類）

第一〇条　法第十一条第二項の国土交通省令で定める書類は、次に掲げるものとする。

一　株式会社以外の法人である場合においては別記様式第十五号から第十七号の二までによる貸借対照表、損益計算書、株主資本等変動計算書及び注記表、小会社である場合においてはこれらの書類及び事業報告書、株式会社（小会社を除く。）である場合においては別記様式第十五号から第十七号の三までによる貸借対照表、損益計算書、株主資本等変動計算書、注記表及び附属明細表並びに事業報告書

二　個人である場合においては、別記様式第十八号及び第十九号による貸借対照表及び損益計算書

三　国土交通大臣の許可を受けている者については、法人にあつては法人税、個人にあつては所得税の納付すべき額及び納付済額を証する書面

四　都道府県知事の許可を受けている者については、事業税の納付すべき額及び納付済額を証する書面

2　法第十一条第三項の国土交通省令で定める書類は、第四条第一項第一号及び第六号に掲げる書面とする。

（法第十一条第五項の書面の様式）

第一〇条の二　法第十一条第五項の規定による届出は、別記様式第二十二号の三による届出書により行うものとする。

（廃業等の届出の様式）

第一〇条の三　法第十二条の規定による届出は、別記様式第二十二号の四による廃業届により行うものとする。

（届出書の部数）

第一一条　法第十一条又は第七条の二若しくは第八条の規定により提出すべき届出書及びその添付書類の部数については、第六条の規定を準用する。

（閲覧に供する書類）

第一二条　法第十三条第六号の国土交通省令で定める書類は、次に掲げるものとする。

一　第三条第一項第二号に掲げる書面（届書を提出したことを証する書面を除く。）

二　第四条第一項第一号、第六号、第八号、第九号、第十二号、第十三号及び第十六号に掲げる書類

三　第九条第二項第二号及び第三号に掲げる法第六条第一項第四号の書面

四　第十条第一項第一号及び第二号に掲げる書類

五　第十三条の二第一項柱書の認可申請書及び同項第一号から第四号までに掲げる書類

六　第十三条の二第二項柱書の認可申請書及び同項第二号から第五号までに掲げる書類

七　第十三条の二第三項柱書の認可申請書及び同項第二号から第五号までに掲げる書類

八　第十三条の三第一項柱書の認可申請書及び同項第二号から第五号までに掲げる書類

（特定建設業についての準用）

第一三条　第一条から第六条まで（第三条第二項から第四項までを除く。）、第七条の二及び第八条から前条までの規定は、特定建設業の許可及び特定建設業者について準用する。この場合において、第四条第四項中「一般建設業の許可」とあるのは「特定建設業の許可」と、「特定建設業の許可」とあるのは「一般建設業の許可」と、第七条の二第一項中「第七条第二号イ、ロ若しくはハ」とあるのは「第十五条第二号イ、ロ若しくはハ」と読み替えるものとする。

2　法第十七条において準用する法第六条第一項第五号の書面のうち、法第十五条第二号に掲げる基準を満たしていることを証する書面は、別記様式第八号による証明書及び次の各号のいずれかに掲げる書面（指定建設業の許可を受けようとする者にあつては、第一号、第三号又は第四号に掲げる書面）その他当該事項を証するに足りる書面とする。

一　法第十五条第二号イの規定により国土交通大臣が定める試験に合格したこと又は国土交通大臣が定める免許を受けたことを証する証明書

二　第三条第二項第一号から第三号までのいずれかに掲げる書面及び指導監督的な実務の経験を証する別記様式第十号による使用者の証明書

三　法第十五条第二号ハの規定により能力を有すると認定された者であることを証する証明書

四　監理技術者資格者証の写し

3　情報通信技術活用法第六条第一項の規定により同項に規定する電子情報処理組織を使用して特定建設業の許可を申請する者（特定建設業の許可の更新を申請する者を除く。）は、前項の規定にかかわらず、法第十五条第二号に掲げる基準を満たしていることを証する書面（別記様式第八号による証明書を除き、国土交通大臣が定める書面に限る。）の提出を省略することができる。

4　特定建設業の許可の更新を申請する者は、第二項の規定にかかわらず、法第十五条第二号に掲げる基準を満たしていることを証する書面のうち別記様式第八号による証明書以外の書面の提出を省略することができる。

（譲渡及び譲受け並びに合併及び分割の認可の申請等）

第一三条の二　譲渡人（法第十七条の二第一項に規定する「譲渡人」をいう。以下この条において同じ。）及び譲受人（同項に規定する「譲受人」をいう。以下この条及び第三十条第一項において同じ。）は、同項の規定により譲渡及び譲受けの認可を受けようとするときは、当該譲渡人及び譲受人の氏名又は名称を記載した別記様式第二十二号の五による認可申請書に、次に掲げる書類を添付して、同項各号に掲げる場合の区分に応じ当該各号に定める者に提出しなければならない。

一　別記様式第二号による譲受人に係る工事経歴書

二　別記様式第三号による譲受人に係る直前三年の各事業年度における工事施工金額を記載した書面

三　別記様式第四号による譲受人に係る使用人数を記載した書面

四　別記様式第六号による譲受人（法人である場合においては当該法人、その役員等及び令第三条に規定する使用人、個人である場合においてはその者及び同条に規定する使用人）及び法定代理人（法人である場合においては、当該法人及びその役員等）が法第八条各号に掲げる欠格要件に該当しない者であることを誓約する書面

五　譲受人に係る第三条第一項第一号に掲げる書面その他第七条第一号に掲げる基準を満たすことを証するに足りる書面

六　譲受人に係る第四条第一項各号に掲げる書類（この場合において、同項第三号から第五号まで中「許可申請者」とあるのは、「譲受人」と、同項第十四号及び第十五号中「許可」とあるのは「認可」と読み替えるものとする。）

七　別記様式第二十二号の六による譲受人に係る第八項の規定により読み替えて準用される第七条第二号イからハまでに規定する届書を提出することを誓約する書面

八　譲渡及び譲受けに関する契約書の写し

九　譲渡人又は譲受人が法人である場合は、譲渡若しくは譲受けに関する株主総会若しくは社員総会の決議録、無限責任社員若しくは総社員の同意書又は譲渡若しくは譲受けに関する意思の決定を証する書類

2　合併消滅法人等（法第十七条の二第二項に規定する「合併消滅法人等」をいう。以下この項において同じ。）は、同項の規定により合併の認可を受けようとするときは、当該合併消滅法人等の氏名又は名称を記載した別記様式第二十二号の七による認可申請書に、次に掲げる書類を添付して、同項各号に掲げる場合の区分に応じ当該各号に定める者に提出しなければならない。

一　合併の方法及び条件が記載された書類

二　建設業者としての地位を承継する者が合併存続法人（法第十七条の二第二項に規定する「合併存続法人」をいう。以下この条において同じ。）である場合においては、別記様式第二号による当該合併存続法人に係る工事経歴書

三　建設業者としての地位を承継する者が合併存続法人である場合においては、別記様式第三号による当該合併存続法人に係る直前三年の各事業年度における工事施工金額を記載した書面

四　別記様式第四号による合併存続法人又は合併により設立される法人（以下この項及び第三十条第一項において「合併存続法人等」という。）に係る使用人数を記載した書面

五　別記様式第六号による合併存続法人等並びにその法人の役員等及び令第三条に規定する使用人が法第八条各号に掲げる欠格要件に該当しない者であることを誓約する書面

六　合併存続法人等に係る第三条第一項第一号に掲げる書面その他第七条第一号に掲げる基準を満たすことを証するに足りる書面

七　合併存続法人等に係る第四条第一項各号（同項第九号及び第十一号を除き、当該合併存続法人等が合併により設立される法人である場合においては、同項第一号から第七号まで及び第十六号に限る。）に掲げる書類（この場合において、同項第三号から第五号まで中「許可申請者」とあるのは「合併存続法人等」と、同項第十四号及び第十五号中「許可」とあるのは「認可」と読み替えるものとする。）

八　別記様式第二十二号の六による合併存続法人等に係る第八項の規定により読み替えて準用される第七条第二号イからハまでに規定する届書を提出することを誓約する書面

九　合併契約書の写し及び合併比率説明書

十　合併に関する株主総会若しくは社員総会の決議録、無限責任社員若しくは総社員の同意書又は合併に関する意思の決定を証する書類

3　分割被承継法人等（法第十七条の二第三項に規定する「分割被承継法人等」をいう。以下この項において同じ。）は、同項の規定により分割の認可を受けようとするときは、当該分割被承継法人等の氏名又は名称を記載した別記様式第二十二号の八による認可申請書に、次に掲げる書類を添付して、同項各号に掲げる場合の区分に応じ当該各号に定める者に提出しなければならない。

一　分割の方法及び条件が記載された書類

二　別記様式第二号による分割承継法人（法第十七条の二第三項に規定する「分割承継法人」をいう。以下この条及び第三十条第一項において同じ。）に係る工事経歴書（分割承継法人が新設分割により設立される法人である場合を除く。）

三　別記様式第三号による分割承継法人に係る直前三年の各事業年度における工事施工金額を記載した書面（分割承継法人が新設分割により設立される法人である場合を除く。）

四　別記様式第四号による分割承継法人に係る使用人数を記載した書面

五　別記様式第六号による分割承継法人並びにその法人の役員等及び令第三条に規定する使用人が法第八条各号に掲げる欠格要件に該当しない者であることを誓約する書面

六　分割承継法人に係る第三条第一項第一号に掲げる書面その他第七条第一号に掲げる基準を満たすことを証するに足りる書面

七　分割承継法人に係る第四条第一項各号（同項第九号及び第十一号を除き、当該分割承継法人が新設分割により設立される法人である場合においては、同項第一号から第七号まで及び第十六号に限る。）に掲げる書類（この場合において、同項第三号から第五号まで中「許可申請者」とあるのは「分割承継法人」と、同項第十四号及び第十五号中「許可」とあるのは「認可」と読み替えるものとする。）

八　別記様式第二十二号の六による分割承継法人に係る第八項の規定により読み替えて準用される第七条第二号イからハまでに規定する届書を提出することを誓約する書面

九　分割契約書（新設分割の場合においては、分割計画書）の写し及び分割比率説明書

十　分割に関する株主総会若しくは社員総会の決議録、無限責任社員若しくは総社員の同意書又は分割に関する意思の決定を証する書類

4　前三項のいずれかの規定により認可申請書を国土交通大臣に提出した譲渡人若しくは譲受人、合併消滅法人（法第十七条の二第二項に規定する「合併消滅法人」をいう。第八項において同じ。）若しくは合併存続法人又は分割被承継法人（同条第三項に規定する「分割被承継法人」をいう。第八項において同じ。）若しくは分割承継法人のうち、都道府県知事の許可を受けている者（次項において「知事許可建設業者」という。）は、別記様式第二十二号の九による届出書を当該都道府県知事に提出しなければならない。

5　国土交通大臣は、前項の都道府県知事に対し、知事許可建設業者が法第五条、法第六条又は法第十一条の規定により当該都道府県知事に提出した書類の送付その他必要な協力を求めることができる。

6　国土交通大臣又は都道府県知事は、法第十七条の二第一項から第三項までのいずれかの規定により譲渡及び譲受け又は合併若しくは分割の認可を申請した者（次項において「認可申請者」という。）に対し、第一項から第三項までに掲げるもののほか、必要と認める書類を提出させることができる。

7　認可申請者は、次の各号に掲げる場合においては、第一項から第三項までの規定にかかわらず、当該各号に定める書類の提出を省略することができる。

一　譲受人が建設業者である場合　当該譲受人に係る第四条第一項第三号から第十一号まで及び第十三号から第十六号まで並びに第一項第一号、第二号、第四号及び第五号に掲げる書類。ただし、第四条第一項第三号から第七号まで、第十号、第十一号、第十三号及び第十六号並びに第一項第四号及び第五号に掲げる書類については、当該譲受人が法第三条第一項の許可（同条第三項の許可の更新を含む。次号及び第三号において同じ。）の申請又は法第十一条第一項若しくは第三項の規定による変更の届出の際に国土交通大臣又は都道府県知事に提出したものからその記載事項に変更がない場合に限る。

二　合併存続法人が建設業者である場合　当該合併存続法人に係る第四条第一項第三号から第八号まで、第十号及び第十三号から第十六号まで並びに第二項第二号、第三号、第五号及び第六号に掲げる書類。ただし、第四条第一項第三号から第七号まで、第十号、第十三号及び第十六号並びに第二項第五号及び第六号に掲げる書類については、当該合併存続法人が法第三条第一項の許可の申請又は法第十一条第一項若しくは第三項の規定による変更の届出の際に国土交通大臣又は都道府県知事に提出したものからその記載事項に変更がない場合に限る。

三　分割承継法人が建設業者である場合　当該分割承継法人に係る第四条第一項第三号から第八号まで、第十号及び第十三号から第十六号まで並びに第三項第二号、第三号、第五号及び第六号に掲げる書類。ただし、第四条第一項第三号から第七号まで、第十号、第十三号及び第十六号並びに第三項第五号及び第六号に掲げる書類については、当該分割承継法人が法第三条第一項の許可の申請又は法第十一条第一項若しくは第三項の規定による変更の届出の際に国土交通大臣又は都道府県知事に提出したものからその記載事項に変更がない場合に限る。

8　第七条の規定は、法第十七条の二第一項から第三項までの認可について準用する。この場合において、第七条第二号中「提出した」とあるのは、「提出することが確実に見込まれる」と読み替えるものとする。

9　法第十七条の二第一項から第三項までのいずれかの規定により認可を受けて建設業者としての地位を承継した次の表の上欄に掲げる者は、同表の中欄に掲げる期間内に同表の下欄に掲げる書類を当該認可をした国土交通大臣又は都道府県知事に提出しなければならない。

譲受人、合併存続法人又は分割承継法人（新設分割により設立された法人を除く。）	当該承継の日から二週間以内	第三条第一項第二号に掲げる書面
合併により新設された法人及び分割承継法人（新設分割により設立された法人に限る。）	当該承継の日から二週間以内	第三条第一項第二号に掲げる書面
	当該承継の日から三十日以内	第四条第一項第十号、第十二号及び第十三号に掲げる書類

10　第一項から第三項までの規定により提出すべき認可申請書及びその添付書類並びに前項の規定により提出すべき書類の部数については、第六条の規定を準用する。

（相続の認可の申請等）

第一三条の三　相続人（相続人が二人以上ある場合において、その全員の同意により被相続人（法第十七条の三第一項に規定する「被相続人」をいう。以下この条において同じ。）の営んでいた建設業の全部を承継すべき相続人を選定したときは、その者。）は、同項の規定により相続の認可を受けようとするときは、別記様式第二十二号の十による認可申請書に、次に掲げる書類を添付して、同項各号に掲げる場合の区分に応じ当該各号に定める者に提出しなければならない。

一　申請者と被相続人との続柄を証する書類

二　別記様式第二号による申請者に係る工事経歴書

三　別記様式第三号による申請者に係る直前三年の各事業年度における工事施工金額を記載した書面

四　別記様式第四号による申請者に係る使用人数を記載した書面

五　別記様式第六号による申請者、その者の令第三条に規定する使用人及び法定代理人（法人である場合においては、当該法人及びその役員等）が法第八条各号に掲げる欠格要件に該当しない者であることを誓約する書面

六　申請者に係る第三条第一項第一号に掲げる書面その他第七条第一号に掲げる基準を満たすことを証するに足りる書面

七　申請者に係る第三条第一項第二号に掲げる書面又は別記様式第二条第二十二号の十一による第六項の規定により読み替えて準用される第七号イからハまでに規定する届書を提出することを誓約する書面（第七項において「誓約書」という。）

八　申請者に係る第四条第一項各号（同項第六号から第八号までを除く。）に掲げる書類（この場合において、同項第三号から第五号まで中「許可申請者」とあるのは「申請者」と、同項第十四号及び第十五号中「許可」とあるのは「認可」と読み替えるものとする。）

九　申請者以外に相続人がある場合においては、当該建設業を申請者が継続して営業することに対する当該申請者以外の相続人の同意書

2　前項の規定により認可申請書を国土交通大臣に提出した申請者は、自ら又は被相続人が都道府県知事の許可を受けているときは、別記様式第二十二号の十二による届出書を当該都道府県知事に提出しなければならない。

3　国土交通大臣は、前項の都道府県知事に対し、当該都道府県知事の許可を受けた同項の申請者又は被相続人が法第五条、法第六条及び法第十一条の規定により当該都道府県知事に提出した書類の送付その他必要な協力を求めることができる。

4　国土交通大臣又は都道府県知事は、申請者に対し、第一項に掲げるもののほか、必要と認める書類を提出させることができる。

5　建設業者である申請者は、第一項の規定にかかわらず、第四条第一項第三号から第五号まで、第九号から第十一号まで及び第十三号から第十六号まで並びに第一項第二号、第三号、第五号及び第六号に掲げる書類の提出を省略することができる。ただし、第四条第一項第三号から第五号まで、第十号、第十一号、第十三号及び第十六号並びに第一項第五号及び第六号に掲げる書類については、当該申請者が法第三条第一項の許可（同条第三項の許可の更新を含む。）の申請又は法第十一条第一項若しくは第三項の規定による変更の届出の際に国土交通大臣又は都道府県知事に提出したものからその記載事項に変更がない場合に限る。

6　第七条の規定は、法第十七条の三第一項の認可について準用する。この場合において、第七条第二号中「提出した」とあるのは、「提出した者又は提出することが確実に見込まれる」と読み替えるものとする。

7　法第十七条の三第一項の規定により認可を受けて建設業者としての地位を承継した申請者（第一項第八号に掲げる誓約書を提出した者に限る。）は、当該認可を受けた日から二週間以内に第三条第一項第二号に掲げる書面を当該認可をした国土交通大臣又は都道府県知事に提出しなければならない。

8　第一項の規定により提出すべき認可申請書及びその添付書類並びに前項の規定により提出すべき書類の部数については、第六条の規定を準用する。

（建設工事の請負契約に係る情報通信の技術を利用する方法）

第十三条の四　法第十九条第三項の国土交通省令で定める措置は、次に掲げるものとする。

一　電子情報処理組織を使用する措置のうち次に掲げるもの

イ　建設工事の請負契約の当事者の使用に係る電子計算機（入出力装置を含む。以下同じ。）と当該契約の相手方の使用に係る電子計算機とを接続する電気通信回線を通じて法第十九条第一項に掲げる事項又は請負契約の内容で同項に掲げる事項に該当するものの変更の内容（以下「契約事項等」という。）を送信し、受信者の使用に係る電子計算機に備えられた受信者ファイル（専ら当該契約の相手方の用に供されるファイルをいう。以下この条において同じ。）に記録する措置

ロ　建設工事の請負契約の当事者の使用に係る電子計算機に備えられたファイルに記録された契約事項等を電気通信回線を通じて当該契約の相手方の閲覧に供し、当該契約の相手方の使用に係る電子計算機に備えられた当該契約の相手方の受信者ファイルに当該契約事項等を記録する措置

ハ　建設工事の請負契約の当事者の使用に係る電子計算機に備えられた受信者ファイルに記録された契約事項等を電気通信回線を通じて当該契約の相手方の閲覧に供する措置

二　電磁的記録媒体をもつて調製するファイルに契約事項等を記録したものを交付する措置

2　前項各号に掲げる措置は、次に掲げる技術的基準に適合するものでなければならない。

一　当該契約の相手方がファイルへの記録を出力することによる書面を作成することができるものであること。

二　ファイルに記録された契約事項等について、改変が行われていないかどうかを確認することができる措置を講じていること。

三　当該契約の相手方が本人であることを確認することができる措置を講じていること。

3　第一項各号に掲げる措置は、次に掲げる基準に適合するものでなければならない。

一　第一項第一号ロに掲げる措置にあつては、契約事項等を建設工事の請負契約の当事者の使用に係る電子計算機に備えられたファイルに記録する旨又は記録した旨を当該契約の相手方に対し通知するものであること。ただし、当該契約の相手方が当該契約事項等を閲覧していたことを確認したときはこの限りではない。

二　第一項第一号ハに掲げる措置にあつては、契約事項等を建設工事の請負契約の当事者の使用に係る電子計算機に備えられた受信者ファイルに記録する旨又は記録した旨を当該契約の相手方に対し通知するものであること。ただし、当該契約の相手方が当該契約事項等を閲覧していたことを確認したときはこの限りでない。

4　第一項第一号の「電子情報処理組織」とは、建設工事の請負契約の当事者の使用に係る電子計算機と、当該契約の相手方の使用に係る電子計算機とを電気通信回線で接続した電子情報処理組織をいう。

（建設工事の請負契約に係る電磁的方法の種類及び内容）

第十三条の五　令第五条の五第一項の規定により示すべき措置の種類及び内容は、次に掲げる事項とする。

一　前条第一項に規定する措置のうち建設工事の請負契約の当事者が講じるもの

二　ファイルへの記録の方式

（建設工事の請負契約に係る情報通信の技術を利用した承諾の取得）

第十三条の六　令第五条の五第一項の国土交通省令で定める方法は、次に掲げるものとする。

一　電子情報処理組織を使用する方法のうちイ又はロに掲げるもの

イ　建設工事の請負契約の相手方の使用に係る電子計算機から電気通信回線を通じて建設工事の請負契約の当事者の使用に係る電子計算機に令第五条の五第一項の承諾又は同条第二項の申出（以下この項において「承諾等」という。）をする旨を送信し、当該電子計算機に備えられたファイルに記録する方法

ロ　建設工事の請負契約の当事者の使用に係る電子計算機に備えられたファイルに記録された前条に規定する電磁的方法の種類及び内容を電気通信回線を通じて当該契約の相手方の閲覧に供し、当該電子計算機に備えられたファイルに承諾等をする旨を記録する方法

二　電磁的記録媒体をもつて調製するファイルに承諾等をする旨を記録したものを交付する方法

2　前項各号に掲げる方法は、建設工事の請負契約の当事者がファイルへの記録を出力することにより書面を作成することができるものでなければならない。

3　前項第一号の「電子情報処理組織」とは、建設工事の請負契約の当事者の使用に係る電子計算機と、当該契約の相手方の使用に係る電子計算機とを電気通信回線で接続した電子情報処理組織をいう。

（現場代理人の選任等に関する通知に係る情報通信の技術を利用する方法）

第十三条の七　法第十九条の二第三項の国土交通省令で定める方法は、法第十九条の二第三項前段に規定する方法による通知を受ける旨の承諾又は受けない旨の申出（以下この項において「承諾等」という。）をする場合にあつては第一号又は第二号に、現場代理人に関する事項を通知する場合にあつては第三号又は第四号に掲げるものとする。

一　電子情報処理組織を使用する方法のうちイ又はロに掲げるもの

イ　注文者の使用に係る電子計算機から電気通信回線を通じて請負人の使用に係る電子計算機に承諾等をする旨を送信し、当該電子計算機に備えられたファイルに記録する方法

ロ　請負人の使用に係る電子計算機に備えられたファイルに記録された次条に規定する電磁的方法の種類及び内容を電気通信回線を通じて注文者の閲覧に供し、当該電子計算機に備えられたファイルに承諾等をする旨を記録する方法

二　電磁的記録媒体をもつて調製するファイルに承諾等をする旨を記録したものを交付する方法

三　電子情報処理組織を使用する方法のうち次に掲げるもの

イ　請負人の使用に係る電子計算機と注文者の使用に係る電子計算機とを接続する電気通信回線を通じて書面に記載すべき事項（以下この条において「記載事項」という。）を送信し、注文者の使用に係る電子計算機に備えられた受信者ファイル（専ら注文者の用に供されるファイルをいう。以下この条において同じ。）に記録する方法

ロ　請負人の使用に係る電子計算機に備えられたファイルに記録された記載事項を電気通信回線を通じて注文者の閲覧に供し、注文者の使用に係る電子計算機に備えられた当該注文者の受信者ファイルに当該記載事項を記録する方法

ハ　請負人の使用に係る電子計算機に備えられた受信者ファイルに記録された記載事項を電気通信回線を通じて注文者の閲覧に供する方法

四　電磁的記録媒体をもつて調製するファイルに記載事項を記録したものを交付する方法

2　前項第一号及び第二号に掲げる方法は、請負人がファイルへの記録を出力することにより書面を作成することができるものでなければならない。

3　第一項第三号及び第四号に掲げる方法は、次に掲げる基準に適合するものでなければならない。

一　注文者が受信者ファイルへの記録を出力することにより書面を作成できるものであること。

二　第一項第三号ロに掲げる方法にあつては、記載事項を請負人の使用に係る電子計算機に備えられたファイルに記録する旨又は記録した旨を注文者に対し通知するものであること。ただし、注文者が当該記載事項を閲覧していたことを確認したときはこの限りではない。

三　第一項第三号ハに掲げる方法にあつては、記載事項を請負人の使用に係る電子計算機に備えられた受信者ファイルに記録する旨又は記録した旨を注文者に対し通知するものであること。ただし、注文者が当該記載事項を閲覧していたことを確認したときはこの限りでない。

4　第一項第一号及び第三号の「電子情報処理組織」とは、請負人の使用に係る電子計算機と、注文者の使用に係る電子計算機とを電気通信回線で接続した電子情報処理組織をいう。

（現場代理人の選任等に関する通知に係る電磁的方法の種類及び内容）

第一三条の八　令第五条の六第一項の規定により示すべき電磁的方法の種類及び内容は、次に掲げる事項とする。

一　前条第一項第三号及び第四号に規定する方法のうち請負人が使用するもの

二　ファイルへの記録の方式

（監督員の選任等に関する通知に係る情報通信の技術を利用する方法）

第一三条の九　法第十九条の二第四項の国土交通省令で定める方法は、法第十九条の二第四項前段に規定する方法による通知を受ける旨の承諾又は受けない旨の申出（以下この項において「承諾等」という。）をする場合にあつては第一号又は第二号に、監督員に関する事項を通知する場合にあつては第三号又は第四号に掲げるものとする。

一　電子情報処理組織を使用する方法のうちイ又はロに掲げるもの

イ　請負人の使用に係る電子計算機から電気通信回線を通じて注文者の使用に係る電子計算機に承諾等をする旨を送信し、当該電子計算機に備えられたファイルに記録する方法

ロ　注文者の使用に係る電子計算機に備えられたファイルに記録された次条に規定する電磁的方法の種類及び内容を電気通信回線を通じて請負人の閲覧に供し、当該電子計算機に備えられたファイルに承諾等をする旨を記録する方法

二　電磁的記録媒体をもつて調製するファイルに承諾等をする旨を記録したものを交付する方法

三　電子情報処理組織を使用する方法のうち次に掲げるもの

イ　注文者の使用に係る電子計算機と請負人の使用に係る電子計算機とを接続する電気通信回線を通じて書面に記載すべき事項（以下この条において「記載事項」という。）を送信し、請負人の使用に係る電子計算機に備えられた受信者ファイル（専ら請負人の用に供されるファイルをいう。以下この条において同じ。）に記録する方法

ロ　注文者の使用に係る電子計算機に備えられたファイルに記録された記載事項を電気通信回線を通じて請負人の閲覧に供し、請負人の使用に係る電子計算機に備えられた当該請負人の受信者ファイルに当該記載事項を記録する方法

ハ　注文者の使用に係る電子計算機に備えられた受信者ファイルに記録された記載事項を電気通信回線を通じて請負人の閲覧に供する方法

四　電磁的記録媒体をもつて調製するファイルに記載事項を記録したものを交付する方法

2　前項第一号及び第二号に掲げる方法は、注文者がファイルへの記録を出力することにより書面を作成することができるものでなければならない。

3　第一項第三号及び第四号に掲げる方法は、次に掲げる基準に適合するものでなければならない。

一　請負人が受信者ファイルへの記録を出力することにより書面を作成できるものであること。

二　第一項第一号ロに掲げる方法にあつては、記載事項を注文者の使用に係る電子計算機に備えられたファイルに記録する旨又は記録した旨を請負人に対し通知するものであること。ただし、請負人が当該記載事項を閲覧していたことを確認したときはこの限りではない。

三　第一項第一号ハに掲げる方法にあつては、記載事項を注文者の使用に係る電子計算機に備えられた受信者ファイルに記録する旨又は記録した旨を請負人に対し通知するものであること。ただし、請負人が当該記載事項を閲覧していたことを確認したときはこの限りでない。

4　第一項第一号及び第三号の「電子情報処理組織」とは、注文者の使用に係る電子計算機と、請負人の使用に係る電子計算機とを電気通信回線で接続した電子情報処理組織をいう。

（監督員の選任等に関する通知に係る電磁的方法の種類及び内容）

第一三条の一〇　令第五条の七第一項の規定により示すべき電磁的方法の種類及び内容は、次に掲げる事項とする。

一　前条第一項第三号及び第四号に規定する方法のうち注文者が使用するもの

二　ファイルへの記録の方式

（建設工事の見積書に係る情報通信の技術を利用する方法）

第一三条の一一　法第二十条第三項の国土交通省令で定める方法は、次に掲げるものとする。

一　電子情報処理組織を使用する方法のうち次に掲げるもの

イ　建設業者の使用に係る電子計算機と建設工事の注文者の使用に係る電子計算機とを接続する電気通信回線を通じて書面に記載すべき事項（以下この条において「記載事項」という。）を送信し、建設工事の注文者の使用に係る電子計算機に備えられた受信者ファイル（専ら注文者の用に供されるファイルをいう。以下この条において同じ。）に記録する方法

ロ　建設業者の使用に係る電子計算機に備えられたファイルに記録された記載事項を電気通信回線を通じて建設工事の注文者の閲覧に供し、建設工事の注文者の使用に係る電子計算機に備えられた当該建設工事の注文者の受信者ファイルに当該記載事項を記録する方法

ハ　建設業者の使用に係る電子計算機に備えられた受信者ファイルに記録された記載事項を電気通信回線を通じて建設工事の注文者の閲覧に供する方法

二　電磁的記録媒体をもつて調製するファイルに記載事項を記録したものを交付する方法

2　前項各号に掲げる方法は、次に掲げる基準に適合するものでなければならない。

一　建設工事の注文者が受信者ファイルへの記録を出力することにより書面を作成できるものであること。

二　前項第一号ロに掲げる方法にあつては、記載事項を建設業者の使用に係る電子計算機に備えられたファイルに記録する旨又は記録した旨を建設工事の注文者に対し通知するものであること。ただし、建設工事の注文者が当該記載事項を閲覧していたことを確認したときはこの限りではない。

三　前項第一号ハに掲げる方法にあつては、記載事項を建設業者の使用に係る電子計算機に備えられた受信者ファイルに記録する旨又は記録した旨を建設工事の注文者に対し通知するものであること。ただし、建設工事の注文者が当該記載事項を閲覧していたことを確認したときはこの限りでない。

（建設工事の見積書に係る電磁的方法の種類及び内容）

第一三条の一二　令第五条の九第一項の規定により示すべき電磁的方法の種類及び内容は、次に掲げる事項とする。

一　前条第一項各号に規定する方法のうち建設業者が使用するもの

二　ファイルへの記録の方式

（建設工事の見積書に係る情報通信の技術を利用した承諾の取得）

第一三条の一三　令第五条の九第一項の国土交通省令で定める方法は、次に掲げるものとする。

一　電子情報処理組織を使用する方法のうちイ又はロに掲げるもの

イ　建設工事の注文者の使用に係る電子計算機から電気通信回線を通じて建設業者の使用に係る電子計算機に令第五条の九第一項の承諾又は同条第二項の申出（以下この項において「承諾等」という。）をする旨を送信し、当該電子計算機に備えられたファイルに記録する方法

ロ　建設業者の使用に係る電子計算機に備えられたファイルに記録された前条に規定する電磁的方法の種類及び内容を電気通信回線を通じて建設工事の注文者の閲覧に供し、当該電子計算機に備えられたファイルに承諾等をする旨を記録する方法

二　電磁的記録媒体をもつて調製するファイルに承諾等をする旨を記録したものを交付する方法

2　前項各号に掲げる方法は、建設業者がファイルへの記録を出力することにより書面を作成することができるものでなければならない。

（工期等に影響を及ぼす事象）

第一三条の一四　法第二十条の二の国土交通省令で定める事象は、次に掲げる事象とする。

一　地盤の沈下、地下埋設物による土壌の汚染その他の地中の状態に起因する事象

二　騒音、振動その他の周辺の環境に配慮が必要な事象

（一括下請負の承諾に係る情報通信の技術を利用する方法）

第一三条の一五　法第二十二条第四項の国土交通省令で定める方法は、法第二十二条第四項前段に規定する方法による通知を受ける旨の承諾又は受けない旨の申出（以下この項において「承諾等」という。）をする場合にあつては第一号又は第二号に、法第二十二条第三項の承諾をする場合にあつては第三号又は第四号に掲げるものとする。

一　電子情報処理組織を使用する方法のうちイ又はロに掲げるもの

イ　元請負人の使用に係る電子計算機から電気通信回線を通じて発注者の使用に係る電子計算機に承諾等をする旨を送信し、当該電子計算機に備えられたファイルに記録する方法

ロ　発注者の使用に係る電子計算機に備えられたファイルに記録された次条に規定する電磁的方法の種類及び内容を電気通信回線を通じて元請負人の閲覧に供し、当該電子計算機に備えられたファイルに承諾等をする旨を記録する方法

二　電磁的記録媒体をもつて調製するファイルに承諾等をする旨を記録したものを交付する方法

三　電子情報処理組織を使用する方法のうち次に掲げるもの

イ　発注者の使用に係る電子計算機と元請負人の使用に係る電子計算機とを接続する電気通信回線を通じて書面に記載すべき事項（以下この条において「記載事項」という。）を送信し、元請負人の使用に係る電子計算機に備えられた受信者ファイル（専ら元請負人の用に供されるファイルをいう。以下この条において同じ。）に記録する方法

ロ　発注者の使用に係る電子計算機に備えられたファイルに記録された記載事項を電気通信回線を通じて元請負人の閲覧に供し、元請負人の使用に係る電子計算機に備えられた当該元請負人の受信者ファイルに当該記載事項を記録する方法

ハ　発注者の使用に係る電子計算機に備えられた受信者ファイルに記録された記載事項を電気通信回線を通じて元請負人の閲覧に供する方法

四　電磁的記録媒体をもつて調製するファイルに記載事項を記録したものを交付する方法

2　前項第一号及び第二号に掲げる方法は、発注者がファイルへの記録を出力することにより書面を作成することができるものでなければならない。

3　第一項第三号及び第四号に掲げる方法は、次に掲げる基準に適合するものでなければならない。

一　元請負人が受信者ファイルへの記録を出力することにより書面を作成できるものであること。

二　第一項第三号ロに掲げる方法にあつては、記載事項を発注者の使用に係る電子計算機に備えられたファイルに記録する旨又は記録した旨を元請負人に対し通知するものであること。ただし、元請負人が当該記載事項を閲覧していたことを確認したときはこの限りではない。

三　第一項第三号ハに掲げる方法にあつては、記載事項を発注者の使用に係る電子計算機に備えられた受信者ファイルに記録する旨又は記録した旨を元請負人に対し通知するものであること。ただし、元請負人が当該記載事項を閲覧していたことを確認したときはこの限りでない。

4　第一項第一号及び第三号の「電子情報処理組織」とは、発注者の使用に係る電子計算機と、元請負人の使用に係る電子計算機とを電気通信回線で接続した電子情報処理組織をいう。

（一括下請負の承諾に係る電磁的方法の種類及び内容）

第一三条の一六　令第六条の四第一項の規定により示すべき電磁的方法の種類及び内容は、次に掲げる事項とする。

一　前条第一項第三号及び第四号に規定する方法のうち発注者が使用するもの

二　ファイルへの記録の方式

（下請負人の選定の承諾に係る情報通信の技術を利用する方法）

第一三条の一七　法第二十三条第二項の国土交通省令で定める方法は、法第二十三条第二項前段に規定する方法による通知を受ける旨の承諾又は受けない旨の申出（以下この項において「承諾等」という。）をする場合にあつては第一号又は第二号に、法第二十三条第一項ただし書の承諾をする場合にあつては第三号又は第四号に掲げるものとする。

一　電子情報処理組織を使用する方法のうちイ又はロに掲げるもの

イ　下請負人選定者の使用に係る電子計算機から電気通信回線を通じて注文者の使用に係る電子計算機に承諾等をする旨を送信し、当該電子計算機に備えられたファイルに記録する方法

ロ　注文者の使用に係る電子計算機に備えられたファイルに記録された次条に規定する電磁的方法の種類及び内容を電気通信回線を通じて下請負人選定者の閲覧に供し、当該電子計算機に備えられたファイルに承諾等をする旨を記録する方法

二　電磁的記録媒体をもつて調製するファイルに承諾等をする旨を記録したものを交付する方法

三　電子情報処理組織を使用する方法のうち次に掲げるもの

イ　注文者の使用に係る電子計算機と法第二十三条第一項ただし書の規定により下請負人を選定する者（以下この条において「下請負人選定者」という。）の使用に係る電子計算機とを接続する電気通信回線を通じて書面に記載すべき事項（以下この条において「記載事項」という。）を送信し、下請負人選定者の使用に係る電子計算機に備えられた受信者ファイル（専ら下請負人選定者の用に供されるファイルをいう。以下この条において同じ。）に記録する方法

ロ　注文者の使用に係る電子計算機に備えられたファイルに記録された記載事項を電気通信回線を通じて下請負人選定者の閲覧に供し、下請負人選定者の使用に係る電子計算機に備えられた当該下請負人選定者の受信者ファイルに当該記載事項を記録する方法

ハ　注文者の使用に係る電子計算機に備えられた下請負人選定者ファイルに記録された記載事項を電気通信回線を通じて下請負人選定者の閲覧に供する方法

四　電磁的記録媒体をもつて調製するファイルに記載事項を記録したものを交付する方法

2　前項第一号及び第二号に掲げる方法は、注文者がファイルへの記録を出力することにより書面を作成することができるものでなければならない。

3　第一項第三号及び第四号に掲げる方法は、次に掲げる基準に適合するものでなければならない。

一　下請負人選定者が受信者ファイルへの記録を出力することにより書面を作成できるものであること。

二　第一項第一号ロに掲げる方法にあつては、記載事項を注文者の使用に係る電子計算機に備えられたファイルに記録する旨又は記録した旨を下請負人選定者に対し通知するものであること。ただし、下請負人選定者が当該記載事項を閲覧していたことを確認したときはこの限りではない。

三　第一項第一号ハに掲げる方法にあつては、記載事項を注文者の使用に係る電子計算機に備えられた受信者ファイルに記録する旨又は記録した旨を下請負人選定者に対し通知するものであること。ただし、下請負人選定者が当該記載事項を閲覧していたことを確認したときはこの限りでない。

4　第一項第一号及び第三号の「電子情報処理組織」とは、注文者の使用に係る電子計算機と、下請負人選定者の使用に係る電子計算機とを電気通信回線で接続した電子情報処理組織をいう。

（下請負人の選定の承諾に係る電磁的方法の種類及び内容）

第一三条の一八　令第七条第一項の規定により示すべき電磁的方法の種類及び内容は、次に掲げる事項とする。

一　前条第一項第三号及び第四号に規定する方法のうち注文者が使用するもの

二　ファイルへの記録の方式

（法第二十四条の五第四項の率）

第一四条　法第二十四条の六第四項の国土交通省令で定める率は、年十四・六パーセントとする。

（施工体制台帳の記載事項等）

第一四条の二　法第二十四条の八第一項の国土交通省令で定める事項は、次

のとおりとする。

一　作成建設業者（法第二十四条の八第一項の規定（公共工事の入札及び契約の適正化の促進に関する法律（平成十二年法律第百二十七号。次項第一号において「入札契約適正化法」という。）第十五条第一項の規定により読み替えて適用される場合を含む。）により施工体制台帳を作成する場合における当該建設業者をいう。以下同じ。）に関する次に掲げる事項

イ　許可を受けて営む建設業の種類

ロ　健康保険法第四十八条の規定による被保険者の資格の取得の届出、厚生年金保険法第二十七条の規定による被保険者の資格の取得の届出及び雇用保険法第七条の規定による被保険者となつたことの届出の状況（第三号ハにおいて「健康保険等の加入状況」という。）

二　作成建設業者が請け負つた建設工事に関する次に掲げる事項

イ　建設工事の名称、内容及び工期

ロ　発注者と請負契約を締結した年月日、当該発注者の商号、名称又は氏名及び住所並びに当該請負契約を締結した営業所の名称及び所在地

ハ　発注者が監督員を置くときは、当該監督員の氏名及び法第十九条の二第二項に規定する通知事項

ニ　作成建設業者が現場代理人を置くときは、当該現場代理人の氏名及び法第十九条の二第一項に規定する通知事項

ホ　主任技術者又は監理技術者の氏名、その者が有する主任技術者資格（建設業の種類に応じ、法第七条第二号イ若しくはロに規定する実務の経験若しくは学科の修得又は同号ハの規定による国土交通大臣の認定があることをいう。以下同じ。）又は監理技術者資格及びその者が専任の主任技術者又は監理技術者であるか否かの別

ヘ　法第二十六条第三項ただし書の規定により監理技術者の行うべき法第二十六条の四第一項に規定する職務を補佐する者（以下「監理技術者補佐」という。）を置くときは、その者の氏名及びその者が有する監理技術者補佐資格（主任技術者資格を有し、かつ、令第二十八条第一号に規定する国土交通大臣が定める要件に該当すること、又は同条第二号の規定による国土交通大臣の認定があることをいう。次項第三号及び第二十六条第二項第三号イにおいて同じ。）

ト　法第二十六条の二第一項又は第二項の規定により建設工事の施工の技術上の管理をつかさどる者でホの主任技術者若しくは監理技術者又はヘの監理技術者補佐以外のものを置くときは、その者の氏名、その者が管理をつかさどる建設工事の内容及びその者が有する主任技術者資格

チ　建設工事に従事する者に関する次に掲げる事項（建設工事に従事する者が希望しない場合においては、(6)に掲げるものを除く。）

(1)　氏名、生年月日及び年齢

(2)　職種

(3)　健康保険法又は国民健康保険法（昭和三十三年法律第百九十二号）による医療保険、国民年金法（昭和三十四年法律第百四十一号）又は厚生年金保険法による年金及び雇用保険法による雇用保険（第四号チ(3)において「社会保険」という。）の加入等の状況

(4)　中小企業退職金共済法（昭和三十四年法律第百六十号）第二条第七項に規定する被共済者に該当する者（第四号チ(4)において単に「被共済者」という。）であるか否かの別

(5)　安全衛生に関する教育を受けているときは、その内容

(6)　建設工事に係る知識及び技術又は技能に関する資格

リ　出入国管理及び難民認定法（昭和二十六年政令第三百十九号）別表第一の二の表の特定技能の在留資格（同表の特定技能の項の下欄第一号に係るものに限る。）を決定された者（第四号リにおいて「一号特定技能外国人」という。）及び同表の技能実習の在留資格を決定された者（第四号リにおいて「外国人技能実習生」という。）の従事の状況

三　前号の建設工事の下請負人に関する次に掲げる事項

イ　商号又は名称及び住所

ロ　当該下請負人が建設業者であるときは、その者の許可番号及びその請け負つた建設工事に係る許可を受けた建設業の種類

ハ　健康保険等の加入状況

四　前号の下請負人が請け負つた建設工事に関する次に掲げる事項

イ　建設工事の名称、内容及び工期

ロ　当該下請負人が注文者と下請契約を締結した年月日

ハ　注文者が監督員を置くときは、当該監督員の氏名及び法第十九条の二第二項に規定する通知事項

ニ　当該下請負人が現場代理人を置くときは、当該現場代理人の氏名及び法第十九条の二第一項に規定する通知事項

ホ　当該下請負人が建設業者であるときは、その者が置く主任技術者の氏名、当該主任技術者が有する主任技術者資格及び当該主任技術者が専任の者であるか否かの別

ヘ　当該下請負人が法第二十六条の二第一項又は第二項の規定により建設工事の施工の技術上の管理をつかさどる者でホの主任技術者以外のものを置くときは、当該者の氏名、その者が管理をつかさどる建設工事の内容及びその有する主任技術者資格

ト　当該建設工事が作成建設業者の請け負わせたものであるときは、当該建設工事について請負契約を締結した作成建設業者の営業所の名称及び所在地

チ　建設工事に従事する者に関する次に掲げる事項（建設工事に従事する者が希望しない場合においては、(6)に掲げるものを除く。）

(1)　氏名、生年月日及び年齢

(2)　職種

(3)　社会保険の加入等の状況

(4)　被共済者であるか否かの別

(5)　安全衛生に関する教育を受けているときは、その内容

(6)　建設工事に係る知識及び技術又は技能に関する資格

リ　一号特定技能外国人及び外国人技能実習生の従事の状況

2　施工体制台帳には、次に掲げる書類を添付しなければならない。

一　前項第二号ロの請負契約及び同項第四号ロの下請契約に係る法第十九条第一項及び第二項の規定による書面の写し（作成建設業者が注文者となつた下請契約以外の下請契約であつて、公共工事（入札契約適正化法第二条第二項に規定する公共工事をいう。以下同じ。）以外の建設工事について締結されるものに係るものにあつては、請負代金の額に係る部分を除く。）

二　前項第二号ホの主任技術者又は監理技術者が主任技術者資格又は監理技術者資格を有することを証する書面（当該監理技術者が法第二十六条第五項の規定により選任しなければならない者であるときは、監理技術者資格者証の写しに限る。）及び当該主任技術者又は監理技術者が作成建設業者に雇用期間を特に限定することなく雇用されている者であることを証する書面又はこれらの写し

三　監理技術者補佐を置くときは、その者が監理技術者補佐資格を有することを証する書面及びその者が作成建設業者に雇用期間を特に限定することなく雇用されている者であることを証する書面又はこれらの写し

四　前項第二号トに規定する者を置くときは、その者が主任技術者資格を有することを証する書面及びその者が作成建設業者に雇用期間を特に限定することなく雇用されている者であることを証する書面又はこれらの写し

3　第一項各号に掲げる事項が電子計算機に備えられたファイル又は電磁的記録媒体に記録され、必要に応じ当該工事現場において電子計算機その他の機器を用いて明確に紙面又は出力装置の映像面に表示されるときは、当該記録をもつて法第二十四条の八第一項に規定する施工体制台帳への記載に代えることができる。

4　第二項各号に掲げる添付書類の記載事項がスキャナにより読み取る方法その他これに類する方法により、電子計算機に備えられたファイル又は電磁的記録媒体に記録され、必要に応じ当該工事現場において電子計算機その他の機器を用いて明確に紙面又は出力装置の映像面に表示されるときは、当該記録をもつて当該添付書類に代えることができる。

（下請負人に対する通知等）

第一四条の三　建設業者は、作成建設業者に該当することとなつたときは、遅滞なく、その請け負つた建設工事を請け負わせた下請負人に対し次に掲げる事項を書面により通知するとともに、当該事項を記載した書面を当該工事現場の見やすい場所に掲げ、又は当該事項を記録した電磁的記録を当該工事現場の見やすい場所に備え置く出力装置の映像面に表示する方法により当該下請負人の閲覧に供しなければならない。

一　作成建設業者の商号又は名称

二　当該下請負人の請け負つた建設工事を他の建設業を営む者に請け負わ

せたときは法第二十四条の八第二項の規定による通知（以下「再下請負通知」という。）を行わなければならない旨及び当該再下請負通知に係る書類を提出すべき場所

2 建設業者は、前項の規定による書面による通知に代えて、第五項で定めるところにより、当該下請負人の承諾を得て、前項各号に掲げる事項を電子情報処理組織を使用する方法その他の情報通信の技術を利用する方法であつて次に掲げるもの（以下この条において「電磁的方法」という。）により通知することができる。この場合において、当該建設業者は、当該書面による通知をしたものとみなす。

一 電子情報処理組織を使用する方法のうちイ又はロに掲げるもの

イ 建設業者の使用に係る電子計算機と下請負人の使用に係る電子計算機とを接続する電気通信回線を通じて送信し、受信者の使用に係る電子計算機に備えられたファイルに記録する方法

ロ 建設業者の使用に係る電子計算機に備えられたファイルに記録された前項各号に掲げる事項を電気通信回線を通じて下請負人の閲覧に供し、当該下請負人の使用に係る電子計算機に備えられたファイルに当該事項を記録する方法（電磁的方法による通知を受ける旨の承諾又は受けない旨の申出をする場合にあつては、建設業者の使用に係る電子計算機に備えられたファイルにその旨を記録する方法）

二 電磁的記録媒体をもつて調製するファイルに前項各号に掲げる事項を記録したものを交付する方法

3 前項に掲げる方法は、下請負人がファイルへの記録を出力することによる書面を作成することができるものでなければならない。

4 第二項第一号の「電子情報処理組織」とは、建設業者の使用に係る電子計算機と、下請負人の使用に係る電子計算機とを電気通信回線で接続した電子情報処理組織をいう。

5 建設業者は、第二項の規定により第一項各号に掲げる事項を通知しようとするときは、あらかじめ、当該下請負人に対し、その用いる次に掲げる電磁的方法の種類及び内容を示し、書面又は電磁的方法による承諾を得なければならない。

一 第二項各号に規定する方法のうち建設業者が使用するもの

二 ファイルへの記録の方式

6 前項の規定による承諾を得た建設業者は、当該下請負人から書面又は電磁的方法により電磁的方法による通知を受けない旨の申出があつたときは、当該下請負人に対し、第一項各号に掲げる事項の通知を電磁的方法によつてしてはならない。ただし、当該下請負人が再び前項の規定による承諾をした場合は、この限りでない。

（再下請負通知を行うべき事項等）

第一四条の四 法第二十四条の八第二項の国土交通省令で定める事項は、次のとおりとする。

一 再下請負通知人（再下請負通知を行う場合における当該下請負人をいう。以下同じ。）の商号又は名称及び住所並びに当該再下請負通知人が建設業者であるときは、その者の許可番号

二 再下請負通知人が請け負つた建設工事の名称及び注文者の商号又は名称並びに当該建設工事について注文者と下請契約を締結した年月日

三 再下請負通知人が前号の建設工事を請け負わせた他の建設業を営む者に関する第十四条の二第一項第三号イからハまでに掲げる事項並びに当該者が請け負つた建設工事に関する同項第四号イからヘまで、チ及びリに掲げる事項

2 再下請負通知人に該当することとなつた建設業を営む者（以下この条において「再下請負通知人該当者」という。）は、その請け負つた建設工事を他の建設業を営む者に請け負わせる都度、遅滞なく、前項各号に掲げる事項を記載した書面（以下「再下請負通知書」という。）により再下請負通知を行うとともに、当該他の建設業を営む者に対し、前条第一項各号に掲げる事項を書面により通知しなければならない。

3 再下請負通知書には、再下請負通知人が第一項第三号に規定する他の建設業を営む者と締結した請負契約に係る法第十九条第一項及び第二項の規定による書面の写し（公共工事以外の建設工事について締結される請負契約の請負代金の額に係る部分を除く。）を添付しなければならない。

4 再下請負通知人該当者は、第二項の規定による書面による通知に代えて、第七項で定めるところにより、作成建設業者又は第二項に規定する他の建設業を営む者（以下この条において「再下請負人」という。）の承諾を得て、第一項各号に掲げる事項又は前条第一項各号に掲げる事項を電子情報処理組織を使用する方法その他の情報通信の技術を利用する方法であつて次に掲げるもの（以下この条において「電磁的方法」という。）により通知することができる。この場合において、当該再下請負通知人該当者は、当該書面による通知をしたものとみなす。

一 電子情報処理組織を使用する方法のうちイ又はロに掲げるもの

イ 再下請負通知人該当者の使用に係る電子計算機と作成建設業者又は再下請負人の使用に係る電子計算機とを接続する電気通信回線を通じて送信し、受信者の使用に係る電子計算機に備えられたファイルに記録する方法

ロ 再下請負通知人該当者の使用に係る電子計算機に備えられたファイルに記録された第一項各号に掲げる事項又は前条第一項各号に掲げる事項を電気通信回線を通じて作成建設業者又は再下請負人の閲覧に供し、当該作成建設業者又は当該再下請負人の使用に係る電子計算機に備えられたファイルに当該事項を記録する方法（電磁的方法による通知を受ける旨の承諾又は受けない旨の申出をする場合にあつては、再下請負通知人該当者の使用に係る電子計算機に備えられたファイルにその旨を記録する方法）

二 電磁的記録媒体をもつて調製するファイルに第一項各号に掲げる事項又は前条第一項各号に掲げる事項を記録したものを交付する方法

5 前項に掲げる方法は、作成建設業者又は再下請負人がファイルへの記録を出力することによる書面を作成することができるものでなければならない。

6 第四項第一号の「電子情報処理組織」とは、再下請負通知人該当者の使用に係る電子計算機と、作成建設業者又は再下請負人の使用に係る電子計算機とを電気通信回線で接続した電子情報処理組織をいう。

7 再下請負通知人該当者は、第四項の規定により第一項各号に掲げる事項又は前条第一項各号に掲げる事項を通知しようとするときは、あらかじめ、当該作成建設業者又は当該再下請負人に対し、その用いる次に掲げる電磁的方法の種類及び内容を示し、書面又は電磁的方法による承諾を得なければならない。

一 第四項各号に規定する方法のうち再下請負通知人該当者が使用するもの

二 ファイルへの記録の方式

8 前項の規定による承諾を得た再下請負通知人該当者は、当該作成建設業者又は当該再下請負人から書面又は電磁的方法により電磁的方法による通知を受けない旨の申出があつたときは、当該作成建設業者又は当該再下請負人に対し、第一項各号に掲げる事項又は前条第一項各号に掲げる事項の通知を電磁的方法によつてしてはならない。ただし、当該作成建設業者又は当該再下請負人が再び前項の規定による承諾をした場合は、この限りでない。

9 第三項に規定する書面の写しの記載事項がスキャナにより読み取る方法その他これに類する方法により、電子計算機に備えられたファイル又は電磁的記録媒体に記録され、必要に応じ電子計算機その他の機器を用いて明確に紙面又は出力装置の映像面に表示されるときは、当該記録をもつて第三項に規定する添付書類に代えることができる。

（施工体制台帳の記載方法等）

第一四条の五 第十四条の二第二項の規定により添付された書類に同条第一項各号に掲げる事項が記載されているときは、同項の規定にかかわらず、施工体制台帳の当該事項を記載すべき箇所と当該書類との関係を明らかにして、当該事項の記載を省略することができる。この項前段に規定する書類以外の書類で同条第一項各号に掲げる事項が記載されたものを施工体制台帳に添付するときも、同様とする。

2 第十四条の二第一項第三号及び第四号に掲げる事項の記載並びに同条第二項第一号に掲げる書類（同条第一項第四号ロの下請契約に係るものに限る。）及び前項後段に規定する書類（同条第一項第三号又は第四号に掲げる事項が記載されたものに限る。）の添付は、下請負人ごとに、かつ、各下請負人の施工の分担関係が明らかとなるように行わなければならない。

3 作成建設業者は、第十四条の二第一項各号に掲げる事項の記載並びに同条第二項各号に掲げる書類及び第一項後段に規定する書類の添付を、それぞれの事項又は書類に係る事実が生じ、又は明らかとなつたとき（同条第一項第一号に掲げる事項にあつては、作成建設業者に該当することとなつたとき）に、遅滞なく、当該事項又は書類について行い、その見やすいところに商号又は名称、許可番号及び施工体制台帳である旨を明示して、施

工体制台帳を作成しなければならない。

4　第十四条の二第一項各号に掲げる事項又は同条第二項第二号から第四号までに掲げる書類について変更があつたときは、遅滞なく、当該変更があつた年月日を付記して、変更後の当該事項を記載し、又は変更後の当該書類を添付しなければならない。

5　第一項の規定は再下請負通知書における前条第一項各号に掲げる事項の記載について、前項の規定は当該事項に変更があつたときについて準用する。この場合において、第一項中「第十四条の二第二項」とあるのは「前条第三項」と、前項中「記載し、又は変更後の当該書類を添付しなければ」とあるのは「書面により作成建設業者に通知しなければ」と読み替えるものとする。

6　再下請負通知人は、前項において準用する第四項の規定による書面による通知に代えて、第九項で定めるところにより、作成建設業者の承諾を得て、前条第一項各号に掲げる事項を電子情報処理組織を使用する方法その他の情報通信の技術を利用する方法であつて次に掲げるもの（以下この条において「電磁的方法」という。）により通知することができる。この場合において、当該再下請負通知人は、当該書面による通知をしたものとみなす。

一　電子情報処理組織を使用する方法のうちイ又はロに掲げるもの

イ　再下請負通知人の使用に係る電子計算機と作成建設業者の使用に係る電子計算機とを接続する電気通信回線を通じて送信し、受信者の使用に係る電子計算機に備えられたファイルに記録する方法

ロ　再下請負通知人の使用に係る電子計算機に備えられたファイルに記録された前条第一項各号に掲げる事項を電気通信回線を通じて作成建設業者の閲覧に供し、当該作成建設業者の使用に係る電子計算機に備えられたファイルに同項各号に掲げる事項を記録する方法（電磁的方法による通知を受ける旨の承諾又は受けない旨の申出をする場合にあつては、再下請負通知人の使用に係る電子計算機に備えられたファイルにその旨を記録する方法）

二　電磁的記録媒体をもつて調製するファイルに前条第一項各号に掲げる事項を記録したものを交付する方法

7　前項に掲げる方法は、作成建設業者がファイルへの記録を出力することによる書面を作成することができるものでなければならない。

8　第六項第一号の「電子情報処理組織」とは、再下請負通知人の使用に係る電子計算機と、作成建設業者の使用に係る電子計算機とを電気通信回線で接続した電子情報処理組織をいう。

9　再下請負通知人は、第六項の規定により前条第一項各号に掲げる事項を通知しようとするときは、あらかじめ、当該作成建設業者に対し、その用いる次に掲げる電磁的方法の種類及び内容を示し、書面又は電磁的方法による承諾を得なければならない。

一　第六項各号に規定する方法のうち再下請負通知人が使用するもの

二　ファイルへの記録の方式

10　前項の規定による承諾を得た再下請負通知人は、当該作成建設業者から書面又は電磁的方法により電磁的方法による通知を受けない旨の申出があつたときは、当該作成建設業者に対し、前条第一項各号に掲げる事項の通知を電磁的方法によつてしてはならない。ただし、当該作成建設業者が再び前項の規定による承諾をした場合は、この限りでない。

（施工体系図）

第一四条の六　施工体系図は、第一号及び第二号に掲げる事項を表示するほか、第三号及び第四号に掲げる事項を第三号の下請負人ごとに、かつ、各下請負人の施工の分担関係が明らかとなるよう系統的に表示して作成しておかなければならない。

一　作成建設業者の商号又は名称

二　作成建設業者が請け負つた建設工事に関する次に掲げる事項

イ　建設工事の名称及び工期

ロ　発注者の商号、名称又は氏名

ハ　当該作成建設業者が置く主任技術者又は監理技術者の氏名

ニ　監理技術者補佐を置くときは、その者の氏名

ホ　第十四条の二第一項第二号トに規定する者を置くときは、その者の氏名及びその者が管理をつかさどる建設工事の内容

三　前号の建設工事の下請負人で現にその請け負つた建設工事を施工しているものに関する次に掲げる事項（下請負人が建設業者でない場合においては、イ及びロに掲げる事項に限る。）

イ　商号又は名称

ロ　代表者の氏名

ハ　一般建設業又は特定建設業の別

ニ　許可番号

四　前号の請け負つた建設工事に関する次に掲げる事項（下請負人が建設業者でない場合においては、イに掲げる事項に限る。）

イ　建設工事の内容及び工期

ロ　特定専門工事（法第二十六条の三第二項に規定する「特定専門工事」をいう。第十七条の六において同じ。）の該当の有無

ハ　下請負人が置く主任技術者の氏名

ニ　第十四条の二第一項第四号ヘに規定する者を置くときは、その者の氏名及びその者が管理をつかさどる建設工事の内容

（施工体制台帳の備置き等）

第一四条の七　法第二十四条の八第一項の規定による施工体制台帳（施工体制台帳に添付された第十四条の二第二項各号に掲げる書類及び第十四条の五第一項後段に規定する書類を含む。）の備置き及び法第二十四条の八第四項の規定による施工体系図の掲示は、第十四条の二第一項第二号の建設工事の目的物の引渡しをするまで（同号ロの請負契約に基づく債権債務が消滅した場合にあつては、当該債権債務の消滅するまで）行わなければならない。

（紛争処理状況の報告）

第一五条　法第二十五条の二十五の規定による報告は、毎四半期経過後十五日以内に、当該四半期中における次の各号に掲げる事項につきしなければならない。

一　あつせん、調停又は仲裁の申請の件数

二　職権に基きあつせん又は調停を行う必要があると決議した事件の件数

三　あつせん若しくは調停をしないものとした事件又はあつせん若しくは調停を打ち切つた事件の件数

四　あつせん又は調停により解決した事件の件数

五　仲裁判断をした事件の件数

六　その他審査会の事務に関し重要な事項

（名簿の記載事項）

第一六条　令第八条第一項の委員又は特別委員の名簿には、次に掲げる事項を記載するものとする。

一　氏名及び職業

二　経歴及び弁護士となる資格を有する者にあつてはその旨

三　任命及び任期満了の年月日

（調書）

第一七条　令第二十三条の調書は、別記様式第二十三号、第二十四号及び第二十五号により作成しなければならない。

第一七条の二　削除

第一七条の三　削除

（講習の登録の申請）

第一七条の四　法第二十六条第五項の登録（以下この条において「登録」という。）を受けようとする者は、別記様式第二十五号の二による申請書に次に掲げる書類を添えて、これを国土交通大臣に提出しなければならない。

一　法人である場合においては、次に掲げる書類

イ　定款又は寄附行為及び登記事項証明書

ロ　株主名簿又は社員名簿の写し

ハ　申請に係る意思の決定を証する書類

ニ　役員の氏名及び略歴を記載した書類

二　個人である場合においては、登録を受けようとする者の略歴を記載した書類

三　法第二十六条の七第一項第一号ロ又はハに掲げる科目を担当する講師が監理技術者となつた経験を有する場合においては、その者が有する監理技術者資格及び監理技術者となつた建設工事に係る経歴を記載した書類

四　法第二十六条の七第一項第一号ロ又はハに掲げる科目を担当する講師が教員となつた経験を有する場合においては、その経歴を証する書類

五　登録を受けようとする者が法第二十六条の六各号のいずれにも該当しない者であることを誓約する書面

六　その他参考となる事項を記載した書類

2　国土交通大臣は、登録を受けようとする者（個人である場合に限る。）

に係る機構保存本人確認情報（住民基本台帳法第三十条の七第四項に規定する機構保存本人確認情報をいう。以下同じ。）のうち住民票コード以外のものについて、同法第三十条の九の規定によるその提供を受けることができないときは、その者に対し、住民票の抄本又はこれに代わる書面を提出させることができる。

（登録の更新）

第一七条の五　前条の規定は、法第二十六条の八第一項の登録の更新について準用する。

（特定専門工事の合意の内容等）

第一七条の六　法第二十六条の三第三項の国土交通省令で定める事項は、次に掲げるものとする。

一　当該特定専門工事の内容

二　当該特定専門工事の元請負人がこれを施工するために締結した下請契約の請負代金の額（当該下請契約が二以上あるときは、それらの請負代金の額の総額。次号において同じ。）

三　当該特定専門工事が元請負人が発注者から直接請け負つた建設工事に係るものであるときは、当該元請負人が当該発注者から直接請け負つた建設工事を施工するために締結した下請契約の請負代金の額

四　元請負人が置く主任技術者の氏名及びその者が有する資格

2　法第二十六条の三第三項の書面には、次に掲げる書類を添付しなければならない。

一　前項第四号の主任技術者が法第二十六条の三第七項第一号に掲げる要件を満たしていることを証する書面

二　前項第四号の主任技術者が当該特定専門工事の工事現場に専任で置かれることを元請負人が誓約する書面

（特定専門工事の元請負人及び下請負人の合意に係る情報通信の技術を利用する方法）

第一七条の七　法第二十六条の三第四項の国土交通省令で定める方法は、次に掲げるものとする。

一　電子情報処理組織を使用する方法のうち次に掲げるもの

イ　特定専門工事を施工するために締結した下請契約の当事者の使用に係る電子計算機と当該契約の相手方の使用に係る電子計算機とを接続する電気通信回線を通じて書面に記載すべき事項（以下この条において「記載事項」という。）を送信し、受信者の使用に係る電子計算機に備えられた受信者ファイル（専ら受信者の用に供されるファイルをいう。以下この条において同じ。）に記録する方法

ロ　特定専門工事を施工するために締結した下請契約の当事者の使用に係る電子計算機に備えられたファイルに記録された記載事項を電気通信回線を通じて当該契約の相手方の閲覧に供し、当該契約の相手方の使用に係る電子計算機に備えられた当該契約の相手方の受信者ファイルに当該記載事項を記録する方法

ハ　送信者の使用に係る電子計算機に備えられた受信者ファイルに記録された記載事項を電気通信回線を通じて受信者の閲覧に供する方法

二　電磁的記録媒体をもつて調製するファイルに記載事項を記録したものを交付する方法

2　前項各号に掲げる方法は、次に掲げる基準に適合するものでなければならない。

一　当該契約の相手方が受信者ファイルへの記録を出力することにより書面を作成できるものであること。

二　前項第一号ロに掲げる方法にあつては、記載事項を特定専門工事を施工するために締結した下請契約の当事者の使用に係る電子計算機に備えられたファイルに記録する旨又は記録した旨を当該契約の相手方に対し通知するものであること。ただし、当該契約の相手方が当該記載事項を閲覧していたことを確認したときはこの限りではない。

三　前項第一号ハに掲げる方法にあつては、記載事項を特定専門工事を施工するために締結した下請契約の当事者の使用に係る電子計算機に備えられた受信者ファイルに記録する旨又は記録した旨を当該契約の相手方に対し通知するものであること。ただし、当該契約の相手方が当該記載事項を閲覧していたことを確認したときはこの限りでない。

（特定専門工事の注文者の承諾に係る情報通信の技術を利用する方法）

第一七条の八　法第二十六条の三第六項の国土交通省令で定める方法は、次に掲げるものとする。

一　電子情報処理組織を使用する方法のうち次に掲げるもの

イ　注文者の使用に係る電子計算機と元請負人の使用に係る電子計算機とを接続する電気通信回線を通じて書面に記載すべき事項（以下この条において「記載事項」という。）を送信し、元請負人の使用に係る電子計算機に備えられた受信者ファイル（専ら元請負人の用に供されるファイルをいう。以下この条において同じ。）に記録する方法

ロ　注文者の使用に係る電子計算機に備えられたファイルに記録された記載事項を電気通信回線を通じて元請負人の閲覧に供し、元請負人の使用に係る電子計算機に備えられた当該元請負人の受信者ファイルに当該記載事項を記録する方法

ハ　注文者の使用に係る電子計算機に備えられた受信者ファイルに記録された記載事項を電気通信回線を通じて元請負人の閲覧に供する方法

二　電磁的記録媒体をもつて調製するファイルに記載事項を記録したものを交付する方法

2　前項各号に掲げる方法は、次に掲げる基準に適合するものでなければならない。

一　元請負人が受信者ファイルへの記録を出力することにより書面を作成できるものであること。

二　前項第一号ロに掲げる方法にあつては、記載事項を注文者の使用に係る電子計算機に備えられたファイルに記録する旨又は記録した旨を元請負人に対し通知するものであること。ただし、元請負人が当該記載事項を閲覧していたことを確認したときはこの限りではない。

三　前項第一号ハに掲げる方法にあつては、記載事項を注文者の使用に係る電子計算機に備えられた受信者ファイルに記録する旨又は記録した旨を元請負人に対し通知するものであること。ただし、元請負人が当該記載事項を閲覧していたことを確認したときはこの限りでない。

3　第一項第一号の「電子情報処理組織」とは、注文者の使用に係る電子計算機と、元請負人の使用に係る電子計算機とを電気通信回線で接続した電子情報処理組織をいう。

（特定専門工事の注文者の承諾に係る電磁的方法の種類及び内容）

第一七条の九　令第三十一条第一項の規定により示すべき電磁的方法の種類及び内容は、次に掲げる事項とする。

一　前条第一項各号に規定する方法のうち注文者が使用するもの

二　ファイルへの記録の方式

（特定専門工事の注文者の承諾に係る情報通信の技術を利用した承諾の取得）

第一七条の一〇　令第三十一条第一項の国土交通省令で定める方法は、次に掲げるものとする。

一　電子情報処理組織を使用する方法のうち、イ又はロに掲げるもの

イ　元請負人の使用に係る電子計算機から電気通信回線を通じて注文者の使用に係る電子計算機に令第三十一条第一項の承諾又は同条第二項の申出（以下この項において「承諾等」という。）をする旨を送信し、当該電子計算機に備えられたファイルに記録する方法

ロ　注文者の使用に係る電子計算機に備えられたファイルに記録された前条に規定する電磁的方法の種類及び内容を電気通信回線を通じて元請負人の閲覧に供し、当該電子計算機に備えられたファイルに承諾等をする旨を記録する方法

二　電磁的記録媒体をもつて調製するファイルに承諾等をする旨を記録したものを交付する方法

2　前項各号に掲げる方法は、注文者がファイルへの記録を出力することにより書面を作成することができるものでなければならない。

（講習の実施基準）

第一七条の一一　法第二十六条の九の国土交通省令で定める基準は、次に掲げるとおりとする。

一　講習は、講義及び試験により行うものであること。

二　受講者があらかじめ受講を申請した者本人であることを確認すること。

三　講習は、次の表の上欄に掲げる科目に応じ、それぞれ同表の中欄に掲げる内容について、同表の下欄に掲げる時間以上行うこと。

科目	内容	時間
（一）建設工事に関する法律制度	イ　法及び法に基づく命令並びに関係法令等	一・五時間

		ロ　建設工事の適正な施工に係る施策	
(二)	建設工事の施工計画の作成、工程管理、品質管理その他の技術上の管理	イ　建設工事の施工計画の作成に関する事項 ロ　工程管理に関する事項 ハ　品質管理に関する事項 ニ　安全管理に関する事項	二・五時間
(三)	建設工事に関する最新の材料、資機材及び施工方法	イ　最新の材料及び資機材の特性に関する事項 ロ　施工の合理化に係る方法に関する事項 ハ　材料、資機材及び施工方法に係る技術基準に関する事項 ニ　その他材料、資機材及び施工方法に関し必要な事項	二時間

備考　(二)及び(三)に掲げる科目は、最新の事例を用いて講習を行うこと。

四　前号の表の上欄に掲げる科目及び同表の中欄に掲げる内容に応じ、教本等必要な教材を用いて実施されること。
五　講師は、講義の内容に関する受講者の質問に対し、講義中に適切に応答すること。
六　試験は、受講者が講義の内容を十分に理解しているかどうか的確に把握できるものであること。
七　講習の課程を修了した者（以下「修了者」という。）の法第二十七条の十八第一項に規定する資格者証（修了者が資格者証の交付を受けていない場合にあつては、別記様式第二十五号の三によるラベル）に修了した旨を記載すること。
八　講習を実施する日時、場所その他講習の実施に関し必要な事項及び当該講習が国土交通大臣の登録を受けた講習である旨を公示すること。
九　講習以外の業務を行う場合にあつては、当該業務が国土交通大臣の登録を受けた講習であると誤認されるおそれがある表示その他の行為をしないこと。

（講習規程の記載事項）

第一七条の一二　法第二十六条の十一第二項の国土交通省令で定める事項は、次に掲げるものとする。
一　講習に係る業務（以下「講習業務」という。）を行う時間及び休日に関する事項
二　講習業務を行う事務所及び講習の実施場所に関する事項
三　講習の実施に係る公示の方法に関する事項
四　講習の受講の申請に関する事項
五　講習の実施方法に関する事項
六　講習の内容及び時間に関する事項
七　講義に用いる教材に関する事項
八　試験の方法に関する事項
九　修了した旨の記載に関する事項
十　講習に関する料金の額及びその収納の方法に関する事項
十一　第十七条の十六第三項の帳簿その他の講習業務に関する書類の管理に関する事項
十二　その他講習業務の実施に関し必要な事項

（登録講習実施機関に係る業務の休廃止の届出）

第一七条の一三　登録講習実施機関は、法第二十六条の十二の規定により講習業務の全部又は一部を廃止し、又は休止しようとするときは、次に掲げる事項を記載した届出書を国土交通大臣に提出しなければならない。
一　休止し、又は廃止しようとする講習業務の範囲
二　休止し、又は廃止しようとする年月日及び休止しようとする場合にあつては、その期間
三　休止又は廃止の理由

（電磁的記録に記録された事項を表示する方法）

第一七条の一四　法第二十六条の十三第二項第三号の国土交通省令で定める方法は、当該電磁的記録に記録された事項を紙面又は出力装置の映像面に表示する方法とする。

（電磁的記録に記録された事項を提供するための方法）

第一七条の一五　法第二十六条の十三第二項第四号の国土交通省令で定める方法は、次に掲げるもののうち、登録講習実施機関が定めるものとする。
一　送信者の使用に係る電子計算機と受信者の使用に係る電子計算機とを電気通信回線で接続した電子情報処理組織を使用する方法であつて、当該電気通信回線を通じて情報が送信され、受信者の使用に係る電子計算機に備えられたファイルに当該情報が記録されるもの
二　電磁的記録媒体をもつて調製するファイルに情報を記録したものを交付する方法
2　前項各号に掲げる方法は、受信者がファイルへの記録を出力することによる書面を作成することができるものでなければならない。

（帳簿）

第一七条の一六　法第二十六条の十七の講習に関し国土交通省令で定める事項は、次に掲げるものとする。
一　講習の実施年月日
二　講習の実施場所
三　講習を行つた講師の氏名並びに講習において担当した科目及びその時間
四　修了者の氏名、本籍（日本の国籍を有しない者にあつては、その者の有する国籍。以下同じ。）及び住所、生年月日並びに修了した旨を記載した年月日及び修了番号
2　前項各号に掲げる事項が、電子計算機に備えられたファイル又は電磁的記録媒体に記録され、必要に応じ登録講習実施機関において電子計算機その他の機器を用いて明確に紙面又は出力装置の映像面に表示されるときは、当該記録をもつて法第二十六条の十七に規定する帳簿への記載に代えることができる。
3　登録講習実施機関は、法第二十六条の十七に規定する帳簿（前項の規定による記録が行われた同項のファイル又は電磁的記録媒体を含む。）を、講習を実施した日から五年間保存しなければならない。
4　登録講習実施機関は、講義に用いた教材並びに試験に用いた問題用紙及び答案用紙を講習を実施した日から三年間保存しなければならない。

（講習業務の引継ぎ）

第一七条の一七　登録講習実施機関は、法第二十六条の十八第二項に規定する場合には、次に掲げる事項を行わなければならない。
一　講習業務を国土交通大臣に引き継ぐこと。
二　前条第三項の帳簿その他の講習業務に関する書類を国土交通大臣に引き継ぐこと。
三　その他国土交通大臣が必要と認める事項

（講習の実施結果の報告）

第一七条の一八　登録講習実施機関は、講習を行つたときは、国土交通大臣の定める期日までに次に掲げる事項を記載した報告書を国土交通大臣に提出しなければならない。
一　講習の実施年月日
二　講習の実施場所
三　修了者数
2　前項の報告書には、第十七条の十六第一項第四号に掲げる事項を記載した修了者一覧表並びに講義に用いた教材及び試験に用いた問題用紙を添えなければならない。
3　報告書等（第一項の報告書及び前項の添付書類をいう。以下この項において同じ。）の提出については、当該報告書等が電磁的記録で作成されている場合には、次に掲げる電磁的方法をもつて行うことができる。
一　登録講習実施機関の使用に係る電子計算機と国土交通大臣の使用に係る電子計算機とを電気通信回線で接続した電子情報処理組織を使用する方法であつて、当該電気通信回線を通じて情報が送信され、国土交通大臣の使用に係る電子計算機に備えられたファイルに当該情報が記録されるもの
二　電磁的記録媒体をもつて調製するファイルに情報を記録したものを交付する方法

（講習の受講）

第一七条の一九　法第二十六条第五項の規定により選任されている監理技術者は、当該選任の期間中のいずれの日においても同項の登録を受けた講習

を受講した日の属する年の翌年から起算して五年を経過しない者でなければならない。

第一七条の二〇（**検定等の指定**）　令第三十六条の表の他の法令の規定による免許で国土交通大臣の定めるものを受けた者又は国土交通大臣の定める検定若しくは試験に合格した者の項の規定により国土交通大臣が指定する検定又は試験（以下この条において「検定等」という。）は、次のすべてに該当するものでなければならない。

一　一般社団法人又は一般財団法人で、検定等を行うのに必要かつ適切な組織及び能力を有するものが実施する検定等であること。

二　正当な理由なく受検又は受験を制限する検定等でないこと。

三　国土交通大臣が定める検定等の実施要領に従つて実施される検定等であること。

2　前項に規定するもののほか、令第三十六条の表の他の法令の規定による免許で国土交通大臣の定めるものを受けた者又は国土交通大臣の定める検定若しくは試験に合格した者の項の検定等の指定に関し必要な事項は、国土交通大臣が定める。

3　令第三十六条の表の他の法令の規定による免許で国土交通大臣の定めるものを受けた者又は国土交通大臣の定める検定若しくは試験に合格した者の項の規定による指定を受けた検定等を実施する者の名称及び主たる事務所の所在地並びに検定等の名称は、次のとおりとする。

検定等を実施する者		検定等の名称
名称	主たる事務所の所在地	
一般社団法人日本建設機械施工協会	東京都港区芝公園三丁目五番八号	二級建設機械施工技術研修の修了試験
一般財団法人全国建設研修センター	東京都小平市喜平町二丁目一番二号	二級土木施工管理技術研修の修了試験
一般財団法人全国建設研修センター	東京都小平市喜平町二丁目一番二号	土木施工技術者試験
一般財団法人建設業振興基金	東京都港区虎ノ門四丁目二番十二号	二級建築施工管理技術研修の修了試験
一般財団法人建設業振興基金	東京都港区虎ノ門四丁目二番十二号	建築施工技術者試験
一般財団法人建設業振興基金	東京都港区虎ノ門四丁目二番十二号	電気工事施工技術者試験
一般財団法人全国建設研修センター	東京都小平市喜平町二丁目一番二号	二級管工事施工管理技術研修の修了試験
一般財団法人全国建設研修センター	東京都小平市喜平町二丁目一番二号	管工事施工技術者試験
一般財団法人全国建設研修センター	東京都小平市喜平町二丁目一番二号	造園施工技術者試験

第一七条の二一（**指定試験機関の指定**）　法第二十七条の二第一項に規定する指定試験機関の名称及び主たる事務所の所在地並びに指定をした日は、次の表の検定種目の欄に掲げる検定種目に応じて、次のとおりとする。

検定種目	指定試験機関		指定をした日
	名称	主たる事務所の所在地	
建設機械施工管理	一般社団法人日本建設機械施工協会	東京都港区芝公園三丁目五番八号	昭和六十三年十月十七日
土木施工管理	一般財団法人全国建設研修センター	東京都小平市喜平町二丁目一番二号	昭和六十三年十月十七日
建築施工管理	一般財団法人建設業振興基金	東京都港区虎ノ門四丁目二番十二号	昭和六十三年十月十七日
電気工事施工管理	一般財団法人建設業振興基金	東京都港区虎ノ門四丁目二番十二号	昭和六十三年十月十七日
管工事施工管理	一般財団法人全国建設研修センター	東京都小平市喜平町二丁目一番二号	昭和六十三年十月十七日
電気通信工事施工管理	一般財団法人全国建設研修センター	東京都小平市喜平町二丁目一番二号	平成三十年四月十七日
造園施工管理	一般財団法人全国建設研修センター	東京都小平市喜平町二丁目一番二号	昭和六十三年十月十七日

第一七条の二二（**指定試験機関の指定の申請**）　法第二十七条の二第二項に規定する指定を受けようとする者は、次に掲げる事項を記載した申請書を国土交通大臣に提出しなければならない。

一　名称及び住所

二　試験事務を行おうとする事務所の名称及び所在地

三　行おうとする試験事務の範囲

四　試験事務を開始しようとする年月日

2　前項の申請書には、次に掲げる書類を添えなければならない。

一　定款及び登記事項証明書

二　申請の日の属する事業年度の前事業年度における財産目録及び貸借対照表（申請の日の属する事業年度に設立された法人にあつては、その設立時における財産目録）

三　申請の日の属する事業年度及び翌事業年度における事業計画書及び収支予算書

四　申請に係る意思の決定を証する書類

五　役員の氏名及び略歴を記載した書類

六　組織及び運営に関する事項を記載した書類

七　試験事務を行おうとする事務所ごとの試験用設備の概要及び整備計画を記載した書類

八　現に行つている業務の概要を記載した書類

九　試験事務の実施の方法に関する計画を記載した書類

十　法第二十七条の六第一項に規定する試験委員の選任に関する事項を記載した書類

十一　法第二十七条の三第二項第四号イ又はロの規定に関する役員の誓約書

十二　その他参考となる事項を記載した書類

第一七条の二三（**名称等の変更の届出**）　指定試験機関は、法第二十七条の四第二項の規定による届出をしようとするときは、次に掲げる事項を記載した届出書を国土交通大臣に提出しなければならない。

一　変更後の指定試験機関の名称又は主たる事務所の所在地

二　変更しようとする年月日

三　変更の理由

第一七条の二四（**役員の選任又は解任の認可の申請**）　指定試験機関は、法第二十七条の五第一項の規定により認可を受けようとするときは、次に掲げる事項を記載した申請書を国土交通大臣に提出しなければならない。

一　役員として選任しようとする者又は解任しようとする役員の氏名

二　選任又は解任の理由

三　選任の場合にあつては、その者の略歴

2　前項の場合において、選任の認可を受けようとするときは、同項の申請書に、当該選任に係る者の就任承諾書及び法第二十七条の三第二項第四号イ又はロの規定に関する誓約書を添えなければならない。

第一七条の二五（**試験委員の要件**）　法第二十七条の六第一項の国土交通省令で定める要件は、

技術検定に関し識見を有する者であつて、担当する検定種目について専門的な技術又は学識経験を有するものであることとする。

（試験委員の選任又は解任の届出）

第一七条の二六　指定試験機関は、法第二十七条の六第二項の規定による届出をしようとするときは、次に掲げる事項を記載した届出書を国土交通大臣に提出しなければならない。

一　試験委員の氏名
二　選任又は解任の理由
三　選任の場合にあつては、その者の略歴

（試験事務規程の記載事項）

第一七条の二七　法第二十七条の八第一項の国土交通省令で定める試験事務の実施に関する事項は、次のとおりとする。

一　試験事務を行う時間及び休日に関する事項
二　試験事務を行う事務所及び試験地に関する事項
三　試験事務の実施の方法に関する事項
四　受検手数料の収納の方法に関する事項
五　試験委員の選任又は解任に関する事項
六　試験事務に関する秘密の保持に関する事項
七　試験事務に関する帳簿及び書類の管理に関する事項
八　その他試験事務の実施に関し必要な事項

（試験事務規程の認可の申請）

第一七条の二八　指定試験機関は、法第二十七条の八第一項前段の規定により認可を受けようとするときは、その旨を記載した申請書に、当該認可に係る試験事務規程を添え、これを国土交通大臣に提出しなければならない。

2　指定試験機関は、法第二十七条の八第一項後段の規定により認可を受けようとするときは、次に掲げる事項を記載した申請書を国土交通大臣に提出しなければならない。

一　変更しようとする事項
二　変更しようとする年月日
三　変更の理由

（事業計画等の認可の申請）

第一七条の二九　指定試験機関は、法第二十七条の九第一項前段の規定により認可を受けようとするときは、その旨を記載した申請書に、当該認可に係る事業計画書及び収支予算書を添え、これを国土交通大臣に提出しなければならない。

2　指定試験機関は、法第二十七条の九第一項後段の規定により認可を受けようとするときは、次に掲げる事項を記載した申請書を国土交通大臣に提出しなければならない。

一　変更しようとする事項
二　変更しようとする年月日
三　変更の理由

（帳簿）

第一七条の三〇　法第二十七条の十の国土交通省令で定める事項は、次のとおりとする。

一　試験の区分
二　試験年月日
三　試験地
四　受検者の受験番号、氏名、生年月日及び合否の別
五　合格した者に書面でその旨を通知した日（以下「合格通知日」という。）

2　法第二十七条の十に規定する帳簿には、施工技術検定規則（昭和三十五年建設省令第十七号）第七条第一項第二号及び第八条第一項第七号の規定により提出された写真を添付しなければならない。

3　第一項各号に掲げる事項が電子計算機に備えられたファイル又は電磁的記録媒体に記録され、必要に応じ電子計算機その他の機器を用いて明確に紙面又は出力装置の映像面に表示されるときは、当該記録をもつて法第二十七条の十に規定する帳簿への記載に代えることができる。

4　第二項に規定する写真が電子計算機に備えられたファイル又は電磁的記録媒体に記録され、必要に応じ電子計算機その他の機器を用いて明確に紙面又は出力装置の映像面に表示されるときは、当該記録をもつて同項の写真に代えることができる。

5　法第二十七条の十に規定する帳簿（第三項の規定による記録が行われた同項のファイル又は電磁的記録媒体を含む。）及び第二項の規定により添付された写真（前項の規定による記録が行われた同項のファイル又は電磁的記録媒体を含む。）は、試験の区分ごとに備え、試験事務を廃止するまで保存しなければならない。

（試験事務の実施結果の報告）

第一七条の三一　指定試験機関は、試験事務を実施したときは、遅滞なく次に掲げる事項を試験の区分ごとに記載した報告書を国土交通大臣に提出しなければならない。

一　試験年月日
二　試験地
三　受検申請者数
四　受検者数
五　合格者数
六　合格通知日

2　前項の報告書には、合格者の受検番号、氏名及び生年月日を記載した合格者一覧表並びに前条第二項に規定する写真のうち合格者に係るものを記録した電磁的記録媒体を添付しなければならない。

（試験事務の休廃止の許可）

第一七条の三二　指定試験機関は、法第二十七条の十三第一項の規定により許可を受けようとするときは、次に掲げる事項を記載した申請書を国土交通大臣に提出しなければならない。

一　休止し、又は廃止しようとする試験事務の範囲
二　休止し、又は廃止しようとする年月日及び休止しようとする場合にあつては、その期間
三　休止又は廃止の理由

（試験事務の引継ぎ）

第一七条の三三　指定試験機関は、法第二十七条の十五第三項に規定する場合には、次に掲げる事項を行わなければならない。

一　試験事務を国土交通大臣に引き継ぐこと。
二　試験事務に関する帳簿及び書類を国土交通大臣に引き継ぐこと。
三　その他国土交通大臣が必要と認める事項

（資格者証の交付の申請）

第一七条の三四　法第二十七条の十八第一項の規定による資格者証の交付を受けようとする者は、次に掲げる事項を記載した資格者証交付申請書に交付の申請前六月以内に撮影した無帽、正面、上三分身、無背景の縦の長さ三・〇センチメートル、横の長さ二・四センチメートルの写真でその裏面に氏名及び撮影年月日を記入したもの（以下「資格者証用写真」という。）を添えて、これを国土交通大臣（指定資格者証交付機関が交付等事務を行う場合にあつては、指定資格者証交付機関。第三項、第十七条の三十六第一項及び第三項並びに第十七条の三十七第一項及び第四項において同じ。）に提出しなければならない。

一　申請者の氏名、生年月日、本籍及び住所
二　申請者が有する監理技術者資格
三　建設業者の業務に従事している場合にあつては、当該建設業者の商号又は名称及び許可番号

2　前項の資格者証交付申請書には、次に掲げる書類を添付しなければならない。

一　監理技術者資格を有することを証する書面
二　建設業者の業務に従事している場合にあつては、当該建設業者の業務に従事している旨を証する書面

3　国土交通大臣は、資格者証の交付を受けようとする者に係る機構保存本人確認情報のうち住民票コード以外のものについて、住民基本台帳法第三十条の九の規定によるその提供を受けることができないときは、その者に対し、住民票の抄本又はこれに代わる書面を提出させることができる。

4　資格者証交付申請書の様式は、別記様式第二十五号の四によるものとする。

5　資格者証の交付の申請が既に交付された資格者証に記載されている監理技術者資格以外の監理技術者資格の記載に係るものである場合には、当該申請により行う資格者証の交付は、その既に交付された資格者証と引換えに行うものとする。

（資格者証の記載事項及び様式）

第一七条の三五　法第二十七条の十八第二項の国土交通省令で定める事項は、次のとおりとする。

一　交付を受ける者の氏名、生年月日及び住所
二　最初に資格者証の交付を受けた年月日

三　現に所有する資格者証の交付を受けた年月日
四　交付を受ける者が有する監理技術者資格
五　建設業の種類
六　資格者証交付番号
七　資格者証の有効期間の満了する日
八　交付を受ける者が建設業者の業務に従事している場合にあつては、前条第一項第三号に掲げる事項
九　交付を受ける者が法第二十六条第五項の講習を修了した場合にあつては、修了した旨

2　資格者証の様式は、別記様式第二十五号の五によるものとする。

3　資格者証の記載に用いる略語は、国土交通大臣が定めるところによるものとする。

（資格者証の記載事項の変更等）

第一七条の三六　資格者証の交付を受けている者は、次の各号のいずれかに該当することとなつた場合においては、三十日以内に、国土交通大臣に届け出て資格者証に変更に係る事項の記載を受け、又は新たな資格者証の交付を申請しなければならない。
一　氏名又は住所を変更したとき。
二　資格者証に記載されている監理技術者資格を有しなくなつたとき。
三　資格者証の交付を受けている者が建設業者の業務に従事している場合にあつては、第十七条の三十四第一項第三号に掲げる事項について変更があつたとき。

2　前項の規定による届出をしようとする者は、別記様式第二十五号の六による資格者証変更届出書を、前項第三号に該当することとなつた場合においてはこれに第十七条の三十四第二項第二号に掲げる書面を添えて、これを提出しなければならない。

3　国土交通大臣は、第一項の規定による届出をしようとする者に係る機構保存本人確認情報のうち住民票コード以外のものについて、住民基本台帳法第三十条の九の規定によるその提供を受けることができないときは、その者に対し、住民票の抄本又はこれに代わる書面を提出させることができる。

4　第十七条の三十四第一項から第四項までの規定は、第一項の交付申請について準用する。

5　第一項の新たな資格者証の交付は、当該申請者が現に有する資格者証と引換えに行うものとする。

6　第一項の規定により交付を受けた新たな資格者証の有効期間は、その交付を受けた日から起算するものとする。

（資格者証の再交付等）

第一七条の三七　資格者証の交付を受けている者は、資格者証を亡失し、滅失し、汚損し、又は破損したときは、国土交通大臣に資格者証の再交付又は新たな資格者証の交付を申請することができる。

2　前項の規定による再交付を申請しようとする者は、資格者証用写真を添付した別記様式第二十五号の七による資格者証再交付申請書を提出しなければならない。

3　第十七条の三十四第一項から第四項までの規定は、第一項の交付申請について準用する。

4　資格者証を亡失してその再交付又は新たな資格者証の交付を受けた者は、亡失した資格者証を発見したときは、遅滞なく、発見した資格者証を国土交通大臣に返納しなければならない。

5　汚損又は破損を理由とする資格者証の再交付又は新たな資格者証の交付は、汚損し、又は破損した資格者証と引換えに行うものとする。

6　第一項の規定により交付を受けた新たな資格者証の有効期間は、その交付を受けた日から起算するものとする。

（資格者証の有効期間の更新）

第一七条の三八　法第二十七条の十八第五項の規定による資格者証の有効期間の更新の申請は、当該資格者証の有効期間の満了の日の三十日前までに新たな資格者証の交付を申請することにより行うものとする。

2　第十七条の三十四第一項から第四項までの規定は、前項の交付申請について準用する。

3　第一項の新たな資格者証の交付は、当該申請者が現に有する資格者証と引換えに行うものとする。

（指定資格者証交付機関の指定）

第一七条の三九　法第二十七条の十九第一項に規定する指定資格者証交付機関の名称及び主たる事務所の所在地並びに指定をした日は、次のとおりとする。

指定資格者証交付機関		指定をした日
名称	主たる事務所の所在地	
一般財団法人建設業技術者センター	東京都千代田区二番町三番地	昭和六十三年七月十一日

（指定資格者証交付機関の指定の申請）

第一七条の四〇　法第二十七条の十九第二項に規定する指定を受けようとする者は、次に掲げる事項を記載した申請書を国土交通大臣に提出しなければならない。
一　名称及び住所
二　交付等事務を行おうとする事務所の名称及び所在地
三　交付等事務を開始しようとする年月日

2　前項の申請書には、次に掲げる書類を添えなければならない。
一　定款及び登記事項証明書
二　申請の日の属する事業年度の前事業年度における財産目録及び貸借対照表（申請の日の属する事業年度に設立された法人にあつては、その設立時における財産目録）
三　申請の日の属する事業年度及び翌事業年度における事業計画書及び収支予算書
四　申請に係る意思の決定を証する書類
五　役員の氏名及び略歴を記載した書類
六　組織及び運営に関する事項を記載した書類
七　交付等事務を行おうとする事務所ごとの交付等に用いる設備の概要及び整備計画を記載した書類
八　現に行つている業務の概要を記載した書類
九　交付等事務の実施の方法に関する計画を記載した書類
十　その他参考となる事項を記載した書類

（交付等事務規程の記載事項）

第一七条の四一　法第二十七条の十九第五項において準用する法第二十七条の八第一項の国土交通省令で定める交付等事務の実施に関する事項は、次のとおりとする。
一　交付等事務を行う時間及び休日に関する事項
二　交付等事務を行う事務所に関する事項
三　交付等事務の実施の方法に関する事項
四　手数料の収納の方法に関する事項
五　交付等事務に関する書類の管理に関する事項
六　その他交付等事務の実施に関し必要な事項

（事業計画等の届出）

第一七条の四二　指定資格者証交付機関は、法第二十七条の二十第一項前段の規定による届出をしようとするときは、事業計画及び収支予算を記載した届出書を当該事業年度の開始前に国土交通大臣に提出しなければならない。

2　指定資格者証交付機関は、法第二十七条の二十第一項後段の規定による届出をしようとするときは、次に掲げる事項を記載した届出書を国土交通大臣に提出しなければならない。
一　変更しようとする事項
二　変更しようとする年月日
三　変更の理由

（事業報告書等の提出）

第一七条の四三　指定資格者証交付機関は、事業年度の終了後遅滞なく、当該事業年度における資格者証の交付等の件数、当該事業年度の末日において当該指定資格者証交付機関から資格者証の交付を受けている者の人数その他の事項を記載した事業報告書及び収支決算書を国土交通大臣に提出しなければならない。

（準用）

第一七条の四四　第十七条の二十三、第十七条の二十八、第十七条の三十二及び第十七条の三十三の規定は、指定資格者証交付機関について準用する。この場合において、第十七条の二十三中「法第二十七条の四第二項」とあるのは「法第二十七条の十九第五項において準用する法第二十七条の四第

二項」と、第十七条の二十八第一項中「法第二十七条の八第一項前段」とあるのは「法第二十七条の十九第五項において準用する法第二十七条の八第一項前段」と、「試験事務規程」とあるのは「交付等事務規程」と、同条第二項中「法第二十七条の八第一項後段」とあるのは「法第二十七条の十九第五項において準用する法第二十七条の八第一項後段」と、第十七条の三十二中「法第二十七条の十三第一項」とあるのは「法第二十七条の十九第五項において準用する法第二十七条の十三第一項」と、同条第一号並びに第十七条の三十三第一号及び第二号中「試験事務」とあるのは「交付等事務」と、同条中「法第二十七条の十五第三項」とあるのは「法第二十七条の十九第五項において準用する法第二十七条の十五第三項」と読み替えるものとする。

（令第四十二条の法人）

第一八条　令第四十二条の国土交通省令で定める法人は、地方競馬全国協会、消防団員等公務災害補償等共済基金、農林漁業団体職員共済組合、独立行政法人勤労者退職金共済機構、日本たばこ産業株式会社、日本電信電話株式会社、東日本電信電話株式会社、西日本電信電話株式会社、東京湾横断道路の建設に関する特別措置法（昭和六十一年法律第四十五号）第二条第一項に規定する東京湾横断道路建設事業者、北海道旅客鉄道株式会社、四国旅客鉄道株式会社、日本貨物鉄道株式会社、日本私立学校振興・共済事業団、独立行政法人農業者年金基金、国立研究開発法人新エネルギー・産業技術総合開発機構、独立行政法人中小企業基盤整備機構、国立研究開発法人科学技術振興機構、国立研究開発法人理化学研究所、東京地下鉄株式会社、独立行政法人環境再生保全機構、中間貯蔵・環境安全事業株式会社、成田国際空港株式会社、東日本高速道路株式会社、首都高速道路株式会社、中日本高速道路株式会社、西日本高速道路株式会社、阪神高速道路株式会社、本州四国連絡高速道路株式会社、国立研究開発法人日本原子力研究開発機構、新関西国際空港株式会社及び公益財団法人ＪＫＡ（平成十九年八月二十三日に財団法人ＪＫＡという名称で設立された法人をいう。）とする。

（経営事項審査の受審）

第一八条の二　法第二十七条の二十三第一項の建設業者は、同項の建設工事について発注者と請負契約を締結する日の一年七月前の日の直後の事業年度終了の日以降に経営事項審査を受けていなければならない。

（経営事項審査の客観的事項）

第一八条の三　法第二十七条の二十三第二項第二号に規定する客観的事項は、経営規模、技術的能力及び次の各号に掲げる事項とする。

一　建設工事の担い手の育成及び確保に関する取組の状況

二　建設業の営業継続の状況

三　法令遵守の状況

四　建設業の経理に関する状況

五　研究開発の状況

六　防災活動への貢献の状況

七　建設機械の保有状況

八　国又は国際標準化機構が定めた規格による認証又は登録の状況

2　前項に規定する技術的能力は、次の各号に掲げる事項により評価することにより審査するものとする。

一　法第七条第二号イ、ロ若しくはハ又は法第十五条第二号イ、ロ若しくはハに該当する者の数

二　工事現場において基幹的な役割を担うために必要な技能に関する講習であつて、次条から第十八条の六までの規定により国土交通大臣の登録を受けたもの（以下「登録基幹技能者講習」という。）を修了した者の数

三　前号に掲げる者に準ずる者として国土交通大臣が定める者の数

四　元請完成工事高

3　第一項第四号に規定する事項は、次の各号に掲げる事項により評価することにより審査するものとする。

一　会計監査人又は会計参与の設置の有無

二　建設業の経理に関する業務の責任者のうち次に掲げる者による建設業の経理が適正に行われたことの確認の有無

イ　公認会計士又は税理士であつて、国土交通大臣の定めるところにより、建設業の経理に必要な知識を習得させるものとして国土交通大臣が指定する研修を受けたもの

ロ　登録経理試験（建設業の経理に必要な知識を確認するための試験であつて、第十八条の十九、第十八条の二十及び第十八条の二十二において準用する第七条の五の規定により国土交通大臣の登録を受けたものをいう。以下同じ。）に合格した者であつて、合格した日の属する年度の翌年度の開始の日から起算して五年を経過しないもの

ハ　登録経理講習（登録経理試験に合格した者に対する建設業の経理に必要な知識を確認するための講習であつて、第十八条の二十三、第十八条の二十四及び第十九条において準用する第十八条の五の規定により国土交通大臣の登録を受けたものをいう。以下同じ。）を受講した者であつて、受講した日の属する年度の翌年度の開始の日から起算して五年を経過しないもの

ニ　国土交通大臣がイからハまでに掲げる者と同等以上の建設業の経理に必要な知識を有すると認める者

三　建設業に従事する職員のうち前号イからニまでに掲げる者の数

（登録の申請）

第一八条の四　前条第二項第二号の登録は、登録基幹技能者講習の実施に関する事務（以下「登録基幹技能者講習事務」という。）を行おうとする者の申請により行う。

2　前条第二項第二号の登録を受けようとする者（以下「登録基幹技能者講習事務申請者」という。）は、次に掲げる事項を記載した申請書を国土交通大臣に提出しなければならない。

一　登録基幹技能者講習事務申請者の氏名又は名称及び住所並びに法人（法人でない社団又は財団で代表者又は管理人の定めがあるものを含む。以下この条から第十八条の六までにおいて同じ。）にあつては、その代表者の氏名

二　登録基幹技能者講習事務を行おうとする事務所の名称及び所在地

三　登録基幹技能者講習事務を開始しようとする年月日

四　登録基幹技能者講習委員（第十八条の六第一項第二号に規定する合議制の機関を構成する者をいう。次項第四号及び第十八条の十第六号において同じ。）となるべき者の氏名及び略歴並びに同号イ又はロに該当する者にあつては、その旨

五　登録基幹技能者講習の種目

3　前項の申請書には、次に掲げる書類を添付しなければならない。

一　個人である場合においては、次に掲げる書類

イ　住民票の抄本又はこれに代わる書面

ロ　略歴を記載した書類

二　法人である場合においては、次に掲げる書類

イ　定款又は寄附行為及び登記事項証明書

ロ　株主名簿若しくは社員名簿の写し又はこれらに代わる書面

ハ　申請に係る意思の決定を証する書類

ニ　役員の氏名及び略歴を記載した書類

三　登録基幹技能者講習事務の概要を記載した書類

四　登録基幹技能者講習委員のうち、第十八条の六第一項第二号イ又はロに該当する者にあつては、その資格等を有することを証する書類

五　登録基幹技能者講習事務以外の業務を行おうとするときは、その業務の種類及び概要を記載した書類

六　登録基幹技能者講習事務申請者が次条各号のいずれにも該当しない者であることを誓約する書面

七　その他参考となる事項を記載した書類

（欠格条項）

第一八条の五　次の各号のいずれかに該当する者が行う講習は、第十八条の三第二項第二号の登録を受けることができない。

一　法の規定に違反し、罰金以上の刑に処せられ、その執行を終わり、又は執行を受けることがなくなつた日から起算して二年を経過しない者

二　第十八条の十五の規定により第十八条の三第二項第二号の登録を取り消され、その取消しの日から起算して二年を経過しない者

三　法人であつて、登録基幹技能者講習事務を行う役員のうちに前二号のいずれかに該当する者があるもの

（登録の要件等）

第一八条の六　国土交通大臣は、第十八条の四の規定による登録の申請が次に掲げる要件のすべてに適合しているときは、その登録をしなければならない。

一　第十八条の八第三号の表の上欄に掲げる科目について講習が行われるものであること。

二　次のいずれかに該当する者を二名以上含む五名以上の者によつて構成される合議制の機関により試験問題の作成及び合否判定が行われるものであること。

　イ　学校教育法による大学若しくはこれに相当する外国の学校において登録基幹技能者講習の種目に関する科目を担当する教授若しくは准教授の職にあり、若しくはこれらの職にあつた者又は登録基幹技能者講習の種目に関する科目の研究により博士の学位を授与された者

　ロ　国土交通大臣がイに掲げる者と同等以上の能力を有すると認める者

2　第十八条の三第二項第二号の登録は、登録基幹技能者講習登録簿に次に掲げる事項を記載してするものとする。

一　登録年月日及び登録番号

二　登録基幹技能者講習事務を行う者（以下「登録基幹技能者講習実施機関」という。）の氏名又は名称及び住所並びに法人にあつては、その代表者の氏名

三　登録基幹技能者講習事務を行う事務所の名称及び所在地

四　登録基幹技能者講習事務を開始する年月日

五　登録基幹技能者講習の種目

（登録の更新）

第一八条の七　第十八条の三第二項第二号の登録は、五年ごとにその更新を受けなければ、その期間の経過によつて、その効力を失う。

2　前三条の規定は、前項の登録の更新について準用する。

（登録基幹技能者講習事務の実施に係る義務）

第一八条の八　登録基幹技能者講習実施機関は、公正に、かつ、第十八条の六第一項各号に掲げる要件及び次に掲げる基準に適合する方法により登録基幹技能者講習事務を行わなければならない。

一　講習は、講義及び試験により行うものであること。

二　受講者があらかじめ受講を申請した者本人であることを確認すること。

三　講義は、次の表の上欄に掲げる科目に応じ、それぞれ同表の下欄に掲げる内容について、合計十時間以上行うこと。

科目	内容
基幹技能一般知識に関する科目	工事現場における基幹的な役割及び当該役割を担うために必要な技能に関する事項
基幹技能関係法令に関する科目	労働安全衛生法その他関係法令に関する事項
建設工事の施工管理、工程管理、資材管理その他の技術上の管理に関する科目	イ　施工管理に関する事項 ロ　工程管理に関する事項 ハ　資材管理に関する事項 ニ　原価管理に関する事項 ホ　品質管理に関する事項 ヘ　安全管理に関する事項

四　前号の表の上欄に掲げる科目及び同表の下欄に掲げる内容に応じ、教本等必要な教材を用いて実施されること。

五　講師は、講義の内容に関する受講者の質問に対し、講義中に適切に応答すること。

六　試験は、第三号の表の上欄に掲げる科目に応じ、それぞれ同表の下欄に掲げる内容について、一時間以上行うこと。

七　終了した試験の問題及び合格基準を公表すること。

八　講習の課程を修了した者に対して、別記様式第二十五号の八による登録基幹技能者講習修了証を交付すること。

九　講習を実施する日時、場所その他講習の実施に関し必要な事項及び当該講習が国土交通大臣の登録を受けた講習である旨を公示すること。

十　講習以外の業務を行う場合にあつては、当該業務が国土交通大臣の登録を受けた講習であると誤認されるおそれがある表示その他の行為をしないこと。

（登録事項の変更の届出）

第一八条の九　登録基幹技能者講習実施機関は、第十八条の六第二項第二号から第四号までに掲げる事項を変更しようとするときは、変更しようとする日の二週間前までに、その旨を国土交通大臣に届け出なければならない。

（規程）

第一八条の一〇　登録基幹技能者講習実施機関は、次に掲げる事項を記載した登録基幹技能者講習事務に関する規程を定め、当該事務の開始前に、国土交通大臣に届け出なければならない。これを変更しようとするときも、同様とする。

一　登録基幹技能者講習事務を行う時間及び休日に関する事項

二　登録基幹技能者講習事務を行う事務所及び講習の実施場所に関する事項

三　登録基幹技能者講習の日程、公示方法その他の登録基幹技能者講習事務の実施の方法に関する事項

四　登録基幹技能者講習の受講の申込みに関する事項

五　登録基幹技能者講習の受講手数料の額及び収納の方法に関する事項

六　登録基幹技能者講習委員の選任及び解任に関する事項

七　登録基幹技能者講習試験の問題の作成及び合否判定の方法に関する事項

八　終了した登録基幹技能者講習試験の問題及び合格基準の公表に関する事項

九　登録基幹技能者講習修了証の交付及び再交付に関する事項

十　登録基幹技能者講習事務に関する秘密の保持に関する事項

十一　登録基幹技能者講習事務に関する公正の確保に関する事項

十二　不正受講者の処分に関する事項

十三　第十八条の十六第三項の帳簿その他の登録基幹技能者講習事務に関する書類の管理に関する事項

十四　その他登録基幹技能者講習事務に関し必要な事項

（登録基幹技能者講習事務の休廃止）

第一八条の一一　登録基幹技能者講習実施機関は、登録基幹技能者講習事務の全部又は一部を休止し、又は廃止しようとするときは、あらかじめ、次に掲げる事項を記載した届出書を国土交通大臣に提出しなければならない。

一　休止し、又は廃止しようとする登録基幹技能者講習事務の範囲

二　休止し、又は廃止しようとする年月日及び休止しようとする場合にあつては、その期間

三　休止又は廃止の理由

（財務諸表等の備付け及び閲覧等）

第一八条の一二　登録基幹技能者講習実施機関は、毎事業年度経過後三月以内に、その事業年度の財産目録、貸借対照表及び損益計算書又は収支計算書並びに事業報告書（その作成に代えて電磁的記録の作成がされている場合における当該電磁的記録を含む。次項において「財務諸表等」という。）を作成し、五年間事務所に備えて置かなければならない。

2　登録基幹技能者講習を受講しようとする者その他の利害関係人は、登録基幹技能者講習実施機関の業務時間内は、いつでも、次に掲げる請求をすることができる。ただし、第二号又は第四号の請求をするには、登録基幹技能者講習実施機関の定めた費用を支払わなければならない。

一　財務諸表等が書面をもつて作成されているときは、当該書面の閲覧又は謄写の請求

二　前号の書面の謄本又は抄本の請求

三　財務諸表等が電磁的記録をもつて作成されているときは、当該電磁的記録に記録された事項を紙面又は出力装置の映像面に表示したものの閲覧又は謄写の請求

四　前号の電磁的記録に記録された事項を電磁的方法であつて、次に掲げるもののうち登録基幹技能者講習実施機関が定めるものにより提供することの請求又は当該事項を記載した書面の交付の請求

　イ　送信者の使用に係る電子計算機と受信者の使用に係る電子計算機とを電気通信回線で接続した電子情報処理組織を使用する方法であつて、当該電気通信回線を通じて情報が送信され、受信者の使用に係る電子計算機に備えられたファイルに当該情報が記録されるもの

　ロ　電磁的記録媒体をもつて調製するファイルに情報を記録したものを交付する方法

3　前項第四号イ又はロに掲げる方法は、受信者がファイルへの記録を出力することにより書面を作成することができるものでなければならない。

（適合命令）

第一八条の一三　国土交通大臣は、登録基幹技能者講習実施機関の実施する

登録基幹技能者講習が第十八条の六第一項の規定に適合しなくなつたと認めるときは、当該登録基幹技能者講習実施機関に対し、同項の規定に適合するため必要な措置をとるべきことを命ずることができる。

（改善命令）

第一八条の一四　国土交通大臣は、登録基幹技能者講習実施機関が第十八条の八の規定に違反していると認めるときは、当該登録基幹技能者講習実施機関に対し、同条の規定による登録基幹技能者講習事務を行うべきこと又は登録基幹技能者講習事務の方法その他の業務の方法の改善に関し必要な措置をとるべきことを命ずることができる。

（登録の取消し等）

第一八条の一五　国土交通大臣は、登録基幹技能者講習実施機関が次の各号のいずれかに該当するときは、当該登録基幹技能者講習実施機関が行う講習の登録を取り消し、又は期間を定めて登録基幹技能者講習事務の全部若しくは一部の停止を命ずることができる。

一　第十八条の五第一号又は第三号に該当するに至つたとき。

二　第十八条の九から第十八条の十一まで、第十八条の十二第一項又は次条の規定に違反したとき。

三　正当な理由がないのに第十八条の十二第二項各号の規定による請求を拒んだとき。

四　前二条の規定による命令に違反したとき。

五　第十八条の十七の規定による報告を求められて、報告をせず、又は虚偽の報告をしたとき。

六　不正の手段により第十八条の三第二項第二号の登録を受けたとき。

（帳簿の記載等）

第一八条の一六　登録基幹技能者講習実施機関は、登録基幹技能者講習に関する次に掲げる事項を記載した帳簿を備えなければならない。

一　講習の実施年月日

二　講習の実施場所

三　受講者の受講番号、氏名、生年月日及び合否の別

四　登録基幹技能者講習修了証の交付年月日

2　前項各号に掲げる事項が、電子計算機に備えられたファイル又は電磁的記録媒体に記録され、必要に応じ登録基幹技能者講習実施機関において電子計算機その他の機器を用いて明確に紙面又は出力装置の映像面に表示されるときは、当該記録をもつて同項に規定する帳簿への記載に代えることができる。

3　登録基幹技能者講習実施機関は、第一項に規定する帳簿（前項の規定による記録が行われた同項のファイル又は電磁的記録媒体を含む。）を、登録基幹技能者講習事務の全部を廃止するまで保存しなければならない。

4　登録基幹技能者講習実施機関は、次に掲げる書類を備え、登録基幹技能者講習を実施した日から三年間保存しなければならない。

一　登録基幹技能者講習の受講申込書及び添付書類

二　終了した登録基幹技能者講習の試験問題及び答案用紙

（報告の徴収）

第一八条の一七　国土交通大臣は、登録基幹技能者講習事務の適切な実施を確保するため必要があると認めるときは、登録基幹技能者講習実施機関に対し、登録基幹技能者講習事務の状況に関し必要な報告を求めることができる。

（公示）

第一八条の一八　国土交通大臣は、次に掲げる場合には、その旨を官報に公示しなければならない。

一　第十八条の三第二項第二号の登録をしたとき。

二　第十八条の九の規定による届出があつたとき。

三　第十八条の十一の規定による届出があつたとき。

四　第十八条の十五の規定により登録を取り消し、又は登録基幹技能者講習事務の停止を命じたとき。

（登録の申請）

第一八条の一九　第十八条の三第三項第二号ロの登録は、登録経理試験の実施に関する事務（以下「登録経理試験事務」という。）を行おうとする者の申請により行う。

2　第十八条の三第三項第二号ロの登録を受けようとする者（以下「登録経理試験事務申請者」という。）は、次に掲げる事項を記載した申請書を国土交通大臣に提出しなければならない。

一　登録経理試験事務申請者の氏名又は名称及び住所並びに法人にあつては、その代表者の氏名

二　登録経理試験事務を行おうとする事務所の名称及び所在地

三　登録経理試験委員（次条第一項第二号に規定する合議制の機関を構成する者をいう。以下同じ。）となるべき者の氏名及び略歴並びに同号イからニまでのいずれかに該当する者にあつては、その旨

四　登録経理試験事務を開始しようとする年月日

3　前項の申請書には、次に掲げる書類を添付しなければならない。

一　個人である場合においては、次に掲げる書類

イ　住民票の抄本又はこれに代わる書面

ロ　略歴を記載した書類

二　法人である場合においては、次に掲げる書類

イ　定款又は寄附行為及び登記事項証明書

ロ　株主名簿若しくは社員名簿の写し又はこれらに代わる書面

ハ　申請に係る意思の決定を証する書類

ニ　役員の氏名及び略歴を記載した書類

三　登録経理試験委員のうち、次条第一項第二号イからニまでのいずれかに該当する者にあつては、その資格等を有することを証する書類

四　登録経理試験事務以外の業務を行おうとするときは、その業務の種類及び概要を記載した書類

五　登録経理試験事務申請者が第十八条の二十二において準用する第七条の五各号のいずれにも該当しない者であることを誓約する書面

六　その他参考となる事項を記載した書類

（登録の要件等）

第一八条の二〇　国土交通大臣は、前条の規定による登録の申請が次に掲げる要件のすべてに適合しているときは、その登録をしなければならない。

一　次に掲げる内容について試験が行われるものであること。

イ　会計学

ロ　会社法その他会計に関する法令

ハ　建設業に関する法令（会計に関する部分に限る。）

ニ　その他建設業会計に関する知識

二　次のいずれかに該当する者を二名以上含む十名以上の者によつて構成される合議制の機関により試験問題の作成及び合否判定が行われるものであること。

イ　学校教育法による大学若しくはこれに相当する外国の学校において会計学その他の登録経理試験事務に関する科目を担当する教授若しくは准教授の職にあり、若しくはこれらの職にあつた者又は会計学その他の登録経理試験事務に関する科目の研究により博士の学位を授与された者

ロ　建設業者のうち株式会社であつて総売上高のうち建設業に係る売上高の割合が五割を超えているものに対し、金融商品取引法（昭和二十三年法律第二十五号）第百九十三条の二に規定する監査証明又は会社法第三百九十六条に規定する監査に係る業務（ハ並びに第十八条の二十四第一項第二号ロ及びハにおいて「建設業監査等」という。）に五年以上従事した者

ハ　監査法人の行う建設業監査等にその社員として五年以上関与した公認会計士

ニ　国土交通大臣がイからハまでに掲げる者と同等以上の能力を有すると認める者

2　第十八条の三第三項第二号ロの登録は、登録経理試験登録簿に次に掲げる事項を記載してするものとする。

一　登録年月日及び登録番号

二　登録経理試験事務を行う者（以下「登録経理試験実施機関」という。）の氏名又は名称及び住所並びに法人にあつては、その代表者の氏名

三　登録経理試験事務を行う事務所の名称及び所在地

四　登録経理試験事務を開始する年月日

（登録経理試験事務の実施に係る義務）

第一八条の二一　登録経理試験実施機関は、公正に、かつ、前条第一項各号に掲げる要件及び次に掲げる基準に適合する方法により登録経理試験事務を行わなければならない。

一　次の表の第一欄に掲げる級ごとに、同表の第二欄に掲げる科目の区分に応じ、それぞれ同表の第三欄に掲げる内容について、同表の第四欄に掲げる時間を標準として試験を行うこと。

級	科目	内容	時間
一級	一　建設業の原価計算に関する科目	建設工事の施工前における見積り、積算段階における工事原価予測並びに発生原価の把握及び測定による工事原価管理に関する一般的事項	四時間三十分
	二　建設業の財務諸表に関する科目	会計理論、会計基準及び建設業の計算書類の作成に関する一般的事項	
	三　建設業の財務分析に関する科目	財務諸表等を用いた建設業の経営分析に関する一般的事項	
二級	一　建設業の原価計算に関する科目	建設工事の施工前における見積り、積算段階における工事原価予測並びに発生原価の把握及び測定による工事原価管理に関する概略的事項	二時間
	二　建設業の財務諸表に関する科目	会計理論、会計基準及び建設業の計算書類の作成に関する概略的事項	

二　登録経理試験を実施する日時、場所その他登録経理試験の実施に関し必要な事項をあらかじめ公示すること。
三　登録経理試験に関する不正行為を防止するための措置を講じること。
四　終了した登録経理試験の問題及び合格基準を公表すること。
五　登録経理試験に合格した者に対し、別記様式第二十五号の九による合格証明書（以下「登録経理試験合格証明書」という。）を交付すること。

（準用）
第一八条の二二　第七条の五、第七条の七及び第七条の九から第七条の十八までの規定は、登録経理試験実施機関について準用する。この場合において、次の表の上欄に掲げる規定中同表の中欄に掲げる字句は、それぞれ同表の下欄に掲げる字句に読み替えるものとする。

第七条の五	登録を	第十八条の三第三項第二号ロの登録を
第七条の五第三号、第七条の十、第七条の十一（見出しを含む。）、第七条の十四、第七条の十五、第七条の十六第三項、第七条の十七、第七条の十八第四号	登録技術試験事務	登録経理試験事務
第七条の七第一項、第七条の十五第六号、第七条の十八第一号	登録	第十八条の三第三項第二号ロの登録
第七条の七第二項	前三条	第十八条の十九、第十八条の二十及び第十八条の二十二において準用する第七条の五
第七条の九	第七条の六第二項第二号	第十八条の二十第二項第二号
第七条の十第三号	登録技術試験の	登録経理試験の
第七条の十第四号、第五号、第七号及び第八号、第七条の十六第四項各号	登録技術試験	登録経理試験
第七条の十第六号	登録技術試験委員	登録経理試験委員
第七条の十第九号	登録技術試験合格証明書	登録経理試験合格証明書
第七条の十二第二項、第七条の十六第四項	登録技術試験を	登録経理試験を
第七条の十三	登録技術試験が第七条の六第一項	登録経理試験が第十八条の二十第一項
第七条の十四	第七条の八	第十八条の二十一
第七条の十六第一項	登録技術試験に	登録経理試験に

（登録の申請）
第一八条の二三　第十八条の三第三項第二号ハの登録は、登録経理講習の実施に関する事務（以下「登録経理講習事務」という。）を行おうとする者の申請により行う。
2　第十八条の三第三項第二号ハの登録を受けようとする者（以下「登録経理講習事務申請者」という。）は、次に掲げる事項を記載した申請書を国土交通大臣に提出しなければならない。
一　登録経理講習事務申請者の氏名又は名称及び住所並びに法人にあつては、その代表者の氏名
二　登録経理講習事務を行おうとする事務所の名称及び所在地
三　登録経理講習事務を開始しようとする年月日
四　登録経理講習委員（次条第一項第二号に規定する合議制の機関を構成する者をいう。次項第四号及び第十九条において読み替えて準用する第十八条の十第六号において同じ。）となるべき者の氏名及び略歴並びに次条第一項第二号イからニまでのいずれかに該当する者にあつては、その旨
3　前項の申請書には、次に掲げる書類を添付しなければならない。
一　個人である場合においては、次に掲げる書類
イ　住民票の抄本又はこれに代わる書面
ロ　略歴を記載した書類
二　法人である場合においては、次に掲げる書類
イ　定款又は寄附行為及び登記事項証明書
ロ　株主名簿若しくは社員名簿の写し又はこれらに代わる書面
ハ　申請に係る意思の決定を証する書類
ニ　役員の氏名及び略歴を記載した書類
三　登録経理講習事務の概要を記載した書類
四　登録経理講習委員のうち、次条第一項第二号イからニまでのいずれかに該当する者にあつては、その資格等を有することを証する書類
五　登録経理講習事務申請者が登録経理講習事務以外の業務を行おうとするときは、その業務の種類及び概要を記載した書類
六　登録経理講習事務申請者が第十九条において読み替えて準用する第十八条の五各号のいずれにも該当しない者であることを誓約する書面
七　その他参考となる事項を記載した書類

（登録の要件等）
第一八条の二四　国土交通大臣は、前条の規定による登録の申請が次に掲げる要件のすべてに適合しているときは、その登録をしなければならない。
一　次条第三号の表の上欄に掲げる級ごとに中欄に掲げる科目について講習が行われるものであること。
二　次のいずれかに該当する者を二名以上含む五名以上の者によつて構成される合議制の機関により試験問題の作成及び合否判定が行われるものであること。
イ　学校教育法による大学若しくはこれに相当する外国の学校において登録経理講習事務に関する科目を担当する教授若しくは准教授の職にあり、若しくはこれらの職にあつた者又は登録経理講習事務に関する科目の研究により博士の学位を授与された者
ロ　建設業者のうち株式会社であつて総売上高のうち建設業に係る売上高の割合が五割を超えているものに対し、建設業監査等に五年以上従事した者

ハ　監査法人の行う建設業監査等にその社員として五年以上関与した公認会計士

ニ　国土交通大臣がイからハまでに掲げる者と同等以上の能力を有すると認める者

2　第十八条の三第三項第二号ハの登録は、登録経理講習登録簿に次に掲げる事項を記載してするものとする。

一　登録年月日及び登録番号

二　登録経理講習事務を行う者（以下「登録経理講習実施機関」という。）の氏名又は名称及び住所並びに法人にあつては、その代表者の氏名

三　登録経理講習事務を行う事務所の名称及び所在地

四　登録経理講習事務を開始する年月日

（登録経理講習事務の実施に係る義務）

第一八条の二五　登録経理講習実施機関は、公正に、かつ、前条第一項各号に掲げる要件及び次に掲げる基準に適合する方法により登録経理講習事務を行わなければならない。

一　講習は、講義及び試験により行うものであること。

二　受講者があらかじめ受講を申請した者本人であることを確認すること。

三　講義は、次の表の上欄に掲げる級ごとに、同表の中欄に掲げる科目の区分に応じ、それぞれ同表の下欄に掲げる内容について、合計六時間以上行うこと。

級	科目	内容
一級	一　建設業の原価計算に関する科目	建設工事の施工前における見積り、積算段階における工事原価予測並びに発生原価の把握及び測定による工事原価管理に関する一般的事項
	二　建設業の財務諸表に関する科目	会計理論、会計基準及び建設業の計算書類の作成に関する一般的事項
	三　建設業の財務分析に関する科目	財務諸表等を用いた建設業の経営分析に関する一般的事項
二級	一　建設業の原価計算に関する科目	建設工事の施工前における見積り、積算段階における工事原価予測並びに発生原価の把握及び測定による工事原価管理に関する概略的事項
	二　建設業の財務諸表に関する科目	会計理論、会計基準及び建設業の計算書類の作成に関する概略的事項

四　前号の表の上欄に掲げる級ごとに、同表の中欄に掲げる科目の区分及び同表の下欄に掲げる内容に応じ、教本等必要な教材を用いて実施されること。

五　講師は、講義の内容に関する受講者の質問に対し、講義中に適切に応答すること。

六　試験は、第三号の表の上欄に掲げる級ごとに、同表の中欄に掲げる科目の区分に応じ、それぞれ同表の下欄に掲げる内容について、一時間以上行うこと。

七　終了した試験の問題及び合格基準を公表すること。

八　講習の課程を修了した者に対して、別記様式第二十五号の十による登録経理講習修了証を交付すること。

九　講習を実施する日時、場所その他講習の実施に関し必要な事項及び当該講習が国土交通大臣の登録を受けた講習である旨を公示すること。

十　講習以外の業務を行う場合にあつては、当該業務が国土交通大臣の登録を受けた講習であると誤認されるおそれがある表示その他の行為をしないこと。

（準用）

第一九条　第十八条の五、第十八条の七及び第十八条の九から第十八条の十八までの規定は、登録経理講習実施機関について準用する。この場合において、次の表の上欄に掲げる規定中同表の中欄に掲げる字句は、それぞれ同表の下欄に掲げる字句に読み替えるものとする。

第十八条の五、第十八条の七第一項、第十八条の十五第六号及び第十八条の十八第一号	第十八条の三第二項第二号	第十八条の三第三項第二号ハ
第十八条の五第三号、第十八条の十、第十八条の十一（見出しを含む。）、第十八条の十四、第十八条の十五、第十八条の十六第三項、第十八条の十七及び第十八条の十八第四号	登録基幹技能者講習事務	登録経理講習事務
第十八条の七第二項	前三条	第十八条の二十三、第十八条の二十四及び第十九条において準用する第十八条の五
第十八条の九	第十八条の六第二項第二号	第十八条の二十四第二項第二号
第十八条の十及び第十八条の十六第四項	登録基幹技能者講習の	登録経理講習の
第十八条の十第六号	登録基幹技能者講習委員	登録経理講習委員
第十八条の十第七号及び第八号	登録基幹技能者講習試験	登録経理講習試験
第十八条の十第九号及び第十八条の十六第一項第四号	登録基幹技能者講習修了証	登録経理講習修了証
第十八条の十二第二項及び第十八条の十六第四項	登録基幹技能者講習を	登録経理講習を
第十八条の十三	登録基幹技能者講習が第十八条の六第一項	登録経理講習が第十八条の二十四第一項
第十八条の十四	第十八条の八	第十八条の二十五
第十八条の十六第一項	登録基幹技能者講習に	登録経理講習に

（経営状況分析の申請）

第一九条の二　登録経営状況分析機関は、経営状況分析の申請の時期及び方法等を定め、その内容を公示するものとする。

2　法第二十七条の二十四第二項及び第三項の規定により提出すべき経営状況分析申請書及びその添付書類は、前項の規定に基づき公示されたところにより、提出しなければならない。

（経営状況分析申請書の記載事項及び様式）

第一九条の三　法第二十七条の二十四第二項の国土交通省令で定める事項は、次のとおりとする。

一　商号又は名称

二　主たる営業所の所在地

三　許可番号

2　経営状況分析申請書の様式は、別記様式第二十五号の十一によるものとする。

（経営状況分析申請書の添付書類）

第一九条の四　法第二十七条の二十四第三項の国土交通省令で定める書類は、次のとおりとする。

一　会社法第二条第六号に規定する大会社であつて有価証券報告書提出会社（金融商品取引法第二十四条第一項の規定による有価証券報告書を内閣総理大臣に提出しなければならない株式会社をいう。）である場合に

おいては、一般に公正妥当と認められる企業会計の基準に準拠して作成された連結会社の直前三年の各事業年度の連結貸借対照表、連結損益計算書、連結株主資本等変動計算書及び連結キャッシュ・フロー計算書

二　前号の会社以外の法人である場合においては、別記様式第十五号から第十七号の二までによる直前三年の各事業年度の貸借対照表、損益計算書、株主資本等変動計算書及び注記表

三　個人である場合においては、別記様式第十八号及び第十九号による直前三年の各事業年度の貸借対照表及び損益計算書

四　建設業以外の事業を併せて営む者にあつては、別記様式第二十五号の十二による直前三年の各事業年度の当該建設業以外の事業に係る売上原価報告書

五　その他経営状況分析に必要な書類

2　前項第一号から第四号までに掲げる書類のうち、既に提出され、かつ、その内容に変更がないものについては、同項の規定にかかわらず、その添付を省略することができる。

（経営状況分析の結果の通知）

第一九条の五　法第二十七条の二十五の通知は、別記様式第二十五号の十三による通知書により行うものとする。

（経営規模等評価の申請）

第一九条の六　国土交通大臣又は都道府県知事は、経営規模等評価の申請の時期及び方法等を定め、その内容を公示するものとする。

2　法第二十七条の二十六第二項及び第三項の規定により提出すべき経営規模等評価申請書及びその添付書類は、前項の規定に基づき公示されたところにより、国土交通大臣の許可を受けた者にあつては国土交通大臣に、都道府県知事の許可を受けた者にあつては当該都道府県知事に提出しなければならない。

（経営規模等評価申請書の記載事項及び様式）

第一九条の七　法第二十七条の二十六第一項の国土交通省令で定める事項は、第十九条の三第一項各号に掲げる事項及び審査の対象とする建設業の種類とする。

2　経営規模等評価申請書の様式は、別記様式第二十五号の十四によるものとする。

（経営規模等評価申請書の添付書類）

第一九条の八　法第二十七条の二十六第三項の国土交通省令で定める書類は、別記様式第二号による工事経歴書とする。

2　法第六条第一項又は第十一条第二項（法第十七条において準用する場合を含む。）の規定により、経営規模等評価の申請をする日の属する事業年度の開始の日の直前一年間についての別記様式第二号による工事経歴書を国土交通大臣又は都道府県知事に既に提出している者は、前項の規定にかかわらず、その添付を省略することができる。

（経営規模等評価の結果の通知）

第一九条の九　法第二十七条の二十七の通知は、別記様式第二十五号の十五による通知書により行うものとする。

（再審査の申立て）

第二〇条　法第二十七条の二十八に規定する再審査（以下「再審査」という。）の申立ては、法第二十七条の二十七の規定による審査の結果の通知を受けた日から三十日以内にしなければならない。

2　法第二十七条の二十三第三項の経営事項審査の基準その他の評価方法（経営規模等評価に係るものに限る。）が改正された場合において、当該改正前の評価方法に基づく法第二十七条の二十七の規定による審査の結果の通知を受けた者は、前項の規定にかかわらず、当該改正の日から百二十日以内に限り、再審査（当該改正に係る事項についての再審査に限る。）を申し立てることができる。

3　再審査の申立ては、別記様式第二十五号の十四による申立書を経営規模等評価を行つた国土交通大臣又は都道府県知事に提出してしなければならない。

4　第二項の規定による再審査の申立てにおいては、前項の申立書に、再審査のために必要な書類を添付するものとする。

5　第二項の規定により再審査の申立てをする場合において提出する第三項の申立書及びその添付書類は、同項の規定にかかわらず、国土交通大臣の許可を受けた者にあつては国土交通大臣に、都道府県知事の許可を受けた者にあつては当該都道府県知事に提出しなければならない。

（再審査の結果の通知）

第二一条　国土交通大臣又は都道府県知事は、法第二十七条の二十八の規定による再審査を行つたときは、再審査の申立てをした者に、再審査の結果を通知するものとし、再審査の結果が法第二十七条の二十六第一項の規定による評価の結果と異なることとなつた場合において、法第二十七条の二十九第三項の規定による通知を受けた発注者があるときは、当該発注者に、再審査の結果を通知するものとする。

（総合評定値の請求）

第二一条の二　国土交通大臣又は都道府県知事は、総合評定値の請求（建設業者からの請求に限る。次項において同じ。）の時期及び方法等を定め、その内容を公示するものとする。

2　総合評定値の請求は、別記様式第二十五号の十四による請求書により行うものとし、当該請求書には、第十九条の五に規定する通知書を添付するものとする。

3　前項の規定により提出すべき請求書及び通知書は、第一項の規定に基づき公示されたところにより、国土交通大臣の許可を受けた者にあつては国土交通大臣に、都道府県知事の許可を受けた者にあつては当該都道府県知事に提出しなければならない。

（総合評定値の算出）

第二一条の三　法第二十七条の二十九第一項の総合評定値は、次の式によつて算出するものとする。

$$P=0.25X_1+0.15X_2+0.2Y+0.25Z+0.15W$$

この式において、P、X_1、X_2、Y及びWは、それぞれ次の数値を表すものとする。

P　総合評定値

X_1　経営規模等評価の結果に係る数値のうち、完成工事高に係るもの

X_2　経営規模等評価の結果に係る数値のうち、自己資本額及び利益額に係るもの

Y　経営状況分析の結果に係る数値

Z　経営規模等評価の結果に係る数値のうち、技術職員数及び元請完成工事高に係るもの

W　経営規模等評価の結果に係る数値のうち、X_1、X_2、Y及びZ以外に係るもの

（総合評定値の通知）

第二一条の四　法第二十七条の二十九第一項及び第三項の規定による通知は、別記様式第二十五号の十五による通知書により行うものとする。

（登録経営状況分析機関の登録の申請）

第二一条の五　法第二十七条の二十四第一項の登録（以下この条において「登録」という。）を受けようとする者は、別記様式第二十五号の十六の登録経営状況分析機関登録申請書に次に掲げる書類を添えて、これを国土交通大臣に提出しなければならない。

一　法人である場合においては、次に掲げる書類

イ　定款又は寄附行為及び登記事項証明書

ロ　株主名簿又は社員名簿の写し

ハ　申請に係る意思の決定を証する書類

ニ　役員の氏名及び略歴を記載した書類

二　個人である場合においては、登録を受けようとする者の略歴を記載した書類

三　電子計算機及び経営状況分析に必要なプログラムの概要を記載した書類

四　登録を受けようとする者が法第二十七条の三十一において準用する法第二十六条の六各号のいずれにも該当しない者であることを誓約する書面

五　その他参考となる事項を記載した書類

2　国土交通大臣は、登録を受けようとする者（個人である場合に限る。）に係る機構保存本人確認情報のうち住民票コード以外のものについて、住民基本台帳法第三十条の九の規定によるその提供を受けることができないときは、その者に対し、住民票の抄本又はこれに代わる書面を提出させることができる。

（経営状況分析の実施基準）

第二一条の六　法第二十七条の三十二において準用する法第二十六条の九の国土交通省令で定める基準は、次に掲げるとおりとする。

一　法第二十七条の二十三第三項の規定により国土交通大臣が定める経営事項審査の項目及び基準に従い、電子計算機及びプログラムを用いて経営状況分析を行い、数値を算出すること。
二　経営状況分析申請書及び第十九条の四第一項各号に掲げる書類（以下「経営状況分析申請書等」という。）に記載された内容が、国土交通大臣が定める各勘定科目間の関係、各勘定科目に計上された金額等に関する確認基準に該当する場合においては、国土交通大臣が定める方法によりその内容を確認すること。
三　経営状況分析申請書等に記載された内容が、適正でないと認める場合においては、申請をした建設業者から理由を聴取し、又はその補正を求めること。
四　経営状況分析申請書等に記載された内容（前号の規定により補正が行われた場合においては、当該補正後の内容）が、国土交通大臣が定める各勘定科目間の関係、各勘定科目に計上された金額等に関する報告基準に該当する場合においては、国土交通大臣の定めるところにより、別記様式第二十五号の十七による報告書を国土交通大臣又は都道府県知事に提出すること。
五　登録経営状況分析機関が経営状況分析の申請を自ら行つた場合、申請に係る経営状況分析申請書等の作成に関与した場合その他の場合であつて、経営状況分析の公正な実施に支障を及ぼすおそれがあるものとして国土交通大臣が定める場合においては、これらの申請に係る経営状況分析を行わないこと。
六　第四号の報告書の提出については、当該報告書が電磁的記録で作成されている場合には、次に掲げる電磁的方法をもつて行うことができる。
イ　登録経営状況分析機関の使用に係る電子計算機と国土交通大臣又は都道府県知事の使用に係る電子計算機とを電気通信回線で接続した電子情報処理組織を使用する方法であつて、当該電気通信回線を通じて情報が送信され、国土交通大臣又は都道府県知事の使用に係る電子計算機に備えられたファイルに当該情報が記録されるもの
ロ　電磁的記録媒体をもつて調製するファイルに情報を記録したものを交付する方法

（**経営状況分析規程の記載事項**）
第二十一条の七　法第二十七条の三十二において準用する法第二十六条の十一第二項の国土交通省令で定める事項は、次に掲げるものとする。
一　経営状況分析を行う時間及び休日に関する事項
二　経営状況分析を行う事務所に関する事項
三　経営状況分析の実施に係る公示の方法に関する事項
四　経営状況分析の実施方法に関する事項
五　経営状況分析の業務に関する料金の額及び収納の方法に関する事項
六　経営状況分析に関する秘密の保持に関する事項
七　電子計算機その他設備の維持管理に関する事項
八　次条第三項の帳簿その他の経営状況分析に関する書類の管理に関する事項
九　その他経営状況分析の実施に関し必要な事項

（**帳簿**）
第二十一条の八　法第二十七条の三十二において準用する法第二十六条の十七の経営状況分析に関し国土交通省令で定める事項は、次に掲げるものとする。
一　経営状況分析を受けた建設業者の商号又は名称
二　経営状況分析を受けた建設業者の主たる営業所の所在地
三　経営状況分析を受けた建設業者の許可番号
四　経営状況分析を行つた年月日
五　経営状況分析の結果
2　前項各号に掲げる事項が、電子計算機に備えられたファイル又は電磁的記録媒体に記録され、必要に応じ登録経営状況分析機関において電子計算機その他の機器を用いて明確に紙面又は出力装置の映像面に表示されるときは、当該記録をもつて法第二十七条の三十二において準用する法第二十六条の十七に規定する帳簿への記載に代えることができる。
3　登録経営状況分析機関は、法第二十七条の三十二において準用する法第二十六条の十七に規定する帳簿（前項の規定による記録が行われた同項のファイル又は電磁的記録媒体を含む。）を、経営状況分析を行つた日から五年間保存しなければならない。
4　登録経営状況分析機関は、経営状況分析申請書等を経営状況分析を行つた日から三年間保存しなければならない。

（**経営状況分析結果の報告**）
第二十一条の九　登録経営状況分析機関は、経営状況分析を行つたときは、国土交通大臣の定める期日までに別記様式第二十五号の十八による報告書を国土交通大臣に提出しなければならない。
2　前項の報告書の提出については、当該報告書が電磁的記録で作成されている場合には、次に掲げる電磁的方法をもつて行うことができる。
一　登録経営状況分析機関の使用に係る電子計算機と国土交通大臣の使用に係る電子計算機とを電気通信回線で接続した電子情報処理組織を使用する方法であつて、当該電気通信回線を通じて情報が送信され、国土交通大臣の使用に係る電子計算機に備えられたファイルに当該情報が記録されるもの
二　電磁的記録媒体をもつて調製するファイルに情報を記録したものを交付する方法

（**準用**）
第二十一条の一〇　第十七条の五、第十七条の十三から第十七条の十五まで及び第十七条の十七の規定は登録経営状況分析機関について準用する。この場合において、次の表の上欄に掲げる規定中同表の中欄に掲げる字句は、それぞれ同表の下欄に掲げる字句に読み替えるものとする。

第十七条の五	前条	第二十一条の五
	法第二十六条の八第一項	法第二十七条の三十二において準用する法第二十六条の八第一項
第十七条の十三	法第二十六条の十二	法第二十七条の三十二において準用する法第二十六条の十二
第十七条の十三及び第十七条の十七（見出しを含む。）	講習業務	経営状況分析の業務
第十七条の十四	法第二十六条の十三第二項第三号	法第二十七条の三十二において準用する法第二十六条の十三第二項第三号
第十七条の十五第一項	法第二十六条の十三第二項第四号	法第二十七条の三十二において準用する法第二十六条の十三第二項第四号
第十七条の十七	法第二十六条の十八第二項	法第二十七条の三十五第三項
	前条第三項	第二十一条の八第三項

（**建設業者団体**）
第二十二条　法第二十七条の三十七に規定する国土交通省令で定める社団又は財団は、同条に規定する事業を行う社団又は財団のうち、その事業が一の都道府県（指定都市（地方自治法（昭和二十二年法律第六十七号）第二百五十二条の十九第一項に規定するものをいう。）の存する道府県にあつては、指定都市の区域の全域に及ぶもの及びこれらの区域の全域を超えるものとする。

（**建設業者団体の届出**）
第二十三条　建設業者団体は、その設立の日から三十日以内に、次の各号に掲げる事項を書面で、その事業が二以上の都道府県にわたるものにあつては国土交通大臣に、その他のものにあつてはその事務所の所在地を管轄する都道府県知事に届け出なければならない。
一　目的
二　名称
三　設立年月日

四　法人の設立について認可を受けている場合においては、その年月日及び主務官庁の名称
五　事務所の所在地
六　役員又は代表者若しくは管理人の氏名及び住所
七　社団である場合においては、構成員の氏名（構成員が社団又は財団である場合においては、その名称及び役員又は代表者若しくは管理人の氏名）
八　国土交通大臣又は都道府県知事の認可に係る法人以外の社団又は財団にあつては、定款若しくは寄附行為又は規約
2　建設業者団体は、前項各号に掲げる事項について変更があつたときは、遅滞なく、その旨を書面で国土交通大臣又は都道府県知事に届け出なければならない。
3　国土交通大臣又は都道府県知事の認可に係る法人以外の社団又は財団である建設業者団体が解散した場合においては、当該建設業者団体の役員又は代表者若しくは管理人であつた者は、解散の日から三十日以内に、その旨を書面で国土交通大臣又は都道府県知事に届け出なければならない。
4　第一項の規定により国土交通大臣に届出をした建設業者団体は、同項に掲げる事項のほか、次の各号のいずれかに該当する場合には、その内容を国土交通大臣に届け出ることができる。
一　建設工事の担い手の育成及び確保その他の施工技術の確保に関する取組を実施している場合（次号に該当する場合を除く。）
二　建設工事に従事する者の建設工事を適正に実施するために必要な知識及び技術又は技能の向上並びに処遇の改善に関する取組を支援する事業を実施している場合
三　災害が発生した場合における当該災害を受けた地域の公共施設その他の施設の復旧工事の円滑かつ迅速な実施を図るために必要な措置を講じている場合
5　国土交通大臣は、前項の届出があつた場合において、その内容が建設工事の適正な施工の確保及び建設業の健全な発達に特に資するものであり、かつ、法令に違反しないと認めるときは、当該取組が促進されるように必要な措置を講ずるものとする。

（監督処分の公告）
第二十三条の二　法第二十九条の五第一項の規定による公告は、次に掲げる事項について、国土交通大臣にあつては官報で、都道府県知事にあつては当該都道府県の公報又はウェブサイトへの掲載その他の適切な方法で行うものとする。
一　処分をした年月日
二　処分を受けた者の商号又は名称、主たる営業所の所在地及び代表者の氏名並びに当該処分を受けた者が建設業者であるときは、その者の許可番号
三　処分の内容
四　処分の原因となつた事実

（建設業者監督処分簿）
第二十三条の三　法第二十九条の五第三項の国土交通省令で定める事項は、次のとおりとする。
一　処分を行つた者
二　処分を受けた建設業者の商号又は名称、主たる営業所の所在地、代表者の氏名、当該建設業者が許可を受けて営む建設業の種類及び許可番号
三　処分の根拠となる法令の条項
四　処分の原因となつた事実
五　その他参考となる事項
2　建設業者監督処分簿は、法第二十九条の五第三項に規定する処分一件ごとに作成するものとし、その保存期間は、それぞれ当該処分の日から五年間とする。
3　次項の場合を除き、建設業者監督処分簿の様式は、別記様式第二十六号によるものとする。
4　国土交通大臣又は都道府県知事は、建設業者監督処分簿を国土交通省又は都道府県の使用に係る電子計算機に備えられたファイルをもつて調製することができる。

（証明書の様式）
第二十四条　法第三十一条第二項において準用する法第二十六条の二十一第二項に規定する証明書（国の職員が携帯するものを除く。）の様式は、別記様式第二十七号によるものとする。

（標識の記載事項及び様式）
第二十五条　法第四十条の規定により建設業者が掲げる標識の記載事項は、店舗にあつては第一号から第四号までに掲げる事項、建設工事の現場にあつては第一号から第五号までに掲げる事項とする。
一　一般建設業又は特定建設業の別
二　許可年月日、許可番号及び許可を受けた建設業
三　商号又は名称
四　代表者の氏名
五　主任技術者又は監理技術者の氏名
2　法第四十条の規定により建設業者の掲げる標識は店舗にあつては別記様式第二十八号、建設工事の現場にあつては別記様式第二十九号による。

（帳簿の記載事項等）
第二十六条　法第四十条の三の国土交通省令で定める事項は、次のとおりとする。
一　営業所の代表者の氏名及びその者が当該営業所の代表者となつた年月日
二　注文者と締結した建設工事の請負契約に関する次に掲げる事項
イ　請け負つた建設工事の名称及び工事現場の所在地
ロ　イの建設工事について注文者と請負契約を締結した年月日、当該注文者（その法定代理人を含む。）の商号、名称又は氏名及び住所並びに当該注文者が建設業者であるときは、その者の許可番号
ハ　イの建設工事の目的物の完成を確認するための検査が完了した年月日及び当該建設工事の目的物の引渡しをした年月日
三　発注者（宅地建物取引業法（昭和二十七年法律第百七十六号）第二条第三号に規定する宅地建物取引業者を除く。以下この号及び第二十八条において同じ。）と締結した住宅を新築する建設工事の請負契約に関する次に掲げる事項
イ　当該住宅の床面積
ロ　当該住宅が特定住宅瑕疵担保責任の履行の確保等に関する法律施行令（平成十九年政令第三百九十五号）第三条第一項の建設新築住宅であるときは、同項の書面に記載された二以上の建設業者それぞれの建設瑕疵負担割合（同項に規定する建設瑕疵負担割合をいう。以下この号において同じ。）の合計に対する当該建設業者の建設瑕疵負担割合の割合
ハ　当該住宅について、住宅瑕疵担保責任保険法人（特定住宅瑕疵担保責任の履行の確保等に関する法律（平成十九年法律第六十六号）第十七条第一項に規定する住宅瑕疵担保責任保険法人をいう。）と住宅建設瑕疵担保責任保険契約（同法第二条第五項に規定する住宅建設瑕疵担保責任保険契約をいう。）を締結し、保険証券又はこれに代わるべき書面を発注者に交付しているときは、当該住宅瑕疵担保責任保険法人の名称
四　下請負人と締結した建設工事の下請契約に関する次に掲げる事項
イ　下請負人に請け負わせた建設工事の名称及び工事現場の所在地
ロ　イの建設工事について下請負人と下請契約を締結した年月日、当該下請負人（その法定代理人を含む。）の商号又は名称及び住所並びに当該下請負人が建設業者であるときは、その者の許可番号
ハ　イの建設工事の完成を確認するための検査を完了した年月日及び当該建設工事の目的物の引渡しを受けた年月日
ニ　ロの下請契約が法第二十四条の六第一項に規定する下請契約であるときは、当該下請契約に関する次に掲げる事項
(1)　支払つた下請代金の額、支払つた年月日及び支払手段
(2)　下請代金の全部又は一部の支払につき手形を交付したときは、その手形の金額、手形を交付した年月日及び手形の満期
(3)　下請代金の一部を支払つたときは、その後の下請代金の残額
(4)　遅延利息を支払つたときは、その遅延利息の額及び遅延利息を支払つた年月日
2　法第四十条の三に規定する帳簿には、次に掲げる書類を添付しなければならない。
一　法第十九条第一項及び第二項の規定による書面又はその写し
二　前項第四号ロの下請契約が法第二十四条の六第一項に規定する下請契約であるときは、当該下請契約に関する同号ニ(1)に掲げる事項を証する書面又はその写し

三　前項第二号イの建設工事について施工体制台帳を作成しなければならないときは、当該施工体制台帳のうち次に掲げる事項が記載された部分（第十四条の五第一項の規定により次に掲げる事項の記載が省略されているときは、当該事項が記載された同項の書類を含む。）

イ　主任技術者又は監理技術者の氏名及びその有する主任技術者資格又は監理技術者資格、監理技術者補佐を置くときは、その者の氏名及びその者が有する監理技術者補佐資格並びに第十四条の二第一項第二号トに規定する者を置くときは、その者の氏名、その者が管理をつかさどる建設工事の内容及びその者が有する主任技術者資格

ロ　当該建設工事の下請負人の商号又は名称及び当該下請負人が建設業者であるときは、その者の許可番号

ハ　ロの下請負人が請け負つた建設工事の内容及び工期

ニ　ロの下請負人が置いた主任技術者の氏名及びその有する主任技術者資格並びにロの下請負人が第十四条の二第一項第四号へに規定する者を置くときは、その者の氏名、その者が管理をつかさどる建設工事の内容及びその有する主任技術者資格

3　第十四条の七に規定する時までの間は、前項第三号に掲げる書類を法第四十条の三に規定する帳簿に添付することを要しない。

4　第二項の規定により添付された書類に第一項各号に掲げる事項が記載されているときは、同項の規定にかかわらず、法第四十条の三に規定する帳簿の当該事項を記載すべき箇所と当該書類との関係を明らかにして、当該事項の記載を省略することができる。

5　法第四十条の三の国土交通省令で定める図書は、発注者から直接建設工事を請け負つた建設業者（作成建設業者を除く。）にあつては第一号及び第二号に掲げるもの又はその写し、作成建設業者にあつては第一号から第三号までに掲げるもの又はその写しとする。

一　建設工事の施工上の必要に応じて作成し、又は発注者から受領した完成図（建設工事の目的物の完成時の状況を表した図をいう。）

二　建設工事の施工上の必要に応じて作成した工事内容に関する発注者との打合せ記録（請負契約の当事者が相互に交付したものに限る。）

三　施工体系図

6　第一項各号に掲げる事項が電子計算機に備えられたファイル又は電磁的記録媒体に記録され、必要に応じ当該営業所において電子計算機その他の機器を用いて明確に紙面又は出力装置の映像面に表示されるときは、当該記録をもつて法第四十条の三に規定する帳簿への記載に代えることができる。

7　第二項各号に掲げる書類がスキャナにより読み取る方法その他これに類する方法により、電子計算機に備えられたファイル又は電磁的記録媒体に記録され、必要に応じ当該営業所において電子計算機その他の機器を用いて明確に紙面又は出力装置の映像面に表示されるときは、当該記録をもつて同項各号に規定する添付書類に代えることができる。

8　第五項各号に掲げる図書が電子計算機に備えられたファイル又は電磁的記録媒体に記録され、必要に応じ当該営業所において電子計算機その他の機器を用いて明確に紙面又は出力装置の映像面に表示されるときは、当該記録をもつて同項各号の図書に代えることができる。

（帳簿の記載方法等）

第二七条　前条第一項各号に掲げる事項の記載（同条第六項の規定による記録を含む。次項において同じ。）及び同条第二項各号に掲げる書類の添付は、請け負つた建設工事ごとに、それぞれの事項又は書類に係る事実が生じ、又は明らかになつたとき（同条第一項第一号に掲げる事項にあつては、当該建設工事を請け負つたとき）に、遅滞なく、当該事項又は書類について行わなければならない。

2　前条第一項各号に掲げる事項について変更があつたときは、遅滞なく、当該変更があつた年月日を付記して変更後の当該事項を記載しなければならない。

（帳簿及び図書の保存期間）

第二八条　法第四十条の三に規定する帳簿（第二十六条第六項の規定による記録が行われた同項のファイル又は電磁的記録媒体を含む。）及び第二十六条第二項の規定により添付された書類の保存期間は、請け負つた建設工事ごとに、当該建設工事の目的物の引渡しをしたとき（当該建設工事について注文者と締結した請負契約に基づく債権債務が消滅した場合にあつては、当該債権債務の消滅したとき）から五年間（発注者と締結した住宅を新築する建設工事に係るものにあつては、十年間）とする。

2　第二十六条第五項に規定する図書（同条第八項の規定による記録が行われた同項のファイル又は電磁的記録媒体を含む。）の保存期間は、請け負つた建設工事ごとに、当該建設工事の目的物の引渡しをしたときから十年間とする。

（証明書の様式）

第二九条　法第四十一条の二第五項において準用する法第二十六条の二十一第二項に規定する証明書（国の職員が携帯するものを除く。）の様式は、別記様式第三十号によるものとする。

（権限の委任）

第三〇条　法、令及びこの省令に規定する国土交通大臣の権限のうち、次に掲げるもの以外のものは、建設業者、法第三条第一項の許可を受けようとする者、譲受人、合併存続法人等、分割承継法人若しくは相続人の主たる営業所の所在地、法第七条第二号ハ、法第十五条第二号ハ若しくは第七条第一号ハの認定若しくは法第二十七条第五項の合格証明書の交付を受けようとする者若しくは令第三十八条第一項の規定により合格を取り消された者の住所地又は建設業者団体の主たる事務所の所在地を管轄する地方整備局長及び北海道開発局長に委任する。ただし、法第十九条の六第二項から第四項まで（同項については、同条第二項の勧告に関する部分に限る。）、法第二十五条の二十七第三項、法第二十七条の三十八、法第二十七条の三十九第二項、法第二十八条第一項、第三項及び第七項、法第二十九条、法第二十九条の二第一項、法第二十九条の三第三項、法第二十九条の四、法第三十一条第一項、法第四十一条並びに法第四十一条の二（第五項を除く。）並びに第二十三条第五項の規定に基づく権限については、国土交通大臣が自ら行うことを妨げない。

一　法第七条第二号ハの規定により認定すること（外国における学歴又は実務経験に関するものに限る。）。

二　法第十五条第二号イの規定により試験及び免許を定め、並びに同号ハの規定により認定すること（外国における学歴、資格又は実務経験に関するものに限る。）。

三　中央建設工事紛争審査会に関する法第二十五条の二第二項並びに法第二十五条の五第一項及び第二項（法第二十五条の七第三項においてこれらの規定を準用する場合を含む。）、法第二十五条の十並びに法第二十五条の二十五の規定による権限

四　登録講習実施機関及び登録経営状況分析機関に関する法第二十六条の七（法第二十六条の八第二項において準用する場合を含む。）、法第二十六条の十から法第二十六条の十二まで（法第二十六条の十一第二項を除く。）並びに法第二十六条の十四から法第二十六条の十六まで（法第二十七条の三十二においてこれらの規定を準用する場合を含む。）、法第二十六条の十八第一項、法第二十六条の二十、法第二十六条の二十一第一項並びに法第二十六条の二十二（法第二十七条の三十二においてこれらの規定を準用する場合を含む。）、法第二十七条の三十一第二項及び第三項（法第二十七条の三十二において準用する法第二十六条の八第二項において準用する場合を含む。）並びに法第二十七条の三十五第一項及び第二項の規定による権限

五　法第二十七条第一項の規定により技術検定を行うこと。

六　指定試験機関及び指定資格者証交付機関に関する法第二十七条の二第一項及び第三項、法第二十七条の三、法第二十七条の四（法第二十七条の十九第五項において準用する場合を含む。）、法第二十七条の五第一項、同条第二項（法第二十七条の六第三項において準用する場合を含む。）、法第二十七条の六第二項、法第二十七条の八（法第二十七条の十九第五項において準用する場合を含む。）、法第二十七条の九、法第二十七条の十一、法第二十七条の十二第一項（法第二十七条の十九第五項において準用する場合を含む。）、法第二十七条の十三から法第二十七条の十五まで（同条第三項を除く。）並びに法第二十七条の十七（法第二十七条の十九第五項においてこれらの規定を準用する場合を含む。）、法第二十七条の十九第一項、第三項及び第四項並びに法第二十七条の二十の規定による権限

七　法第二十七条の十八第一項の規定により監理技術者資格者証を交付すること。

八　法第二十七条の二十三第三項の規定により経営事項審査の項目及び基準を定めること。

九　法第二十九条の五第一項の規定により公告すること（国土交通大臣の処分に係るものに限る。）。

十　法第三十二条第二項において準用する同条第一項の規定により意見を聴くこと（国土交通大臣の処分に係るものに限る。）。
十一　法第三十五条第二項（法第三十七条第三項において準用する場合を含む。）の規定により任命すること。
十二　法第三十九条の三第一項の規定による諮問をすること。
十三　中央建設工事紛争審査会に関する令第十二条、令第十五条第四号並びに令第二十五条第二号及び第三号の規定による権限
十四　令第二十八条第二号の規定により認定すること。
十五　技術検定に関する令第三十六条、令第三十八条第一項及び令第三十九条第一項の規定による権限
十六　令第四十二条第二号の規定により指定すること。
十七　第七条第一号ハの規定により認定すること（外国における経験に関するものに限る。）。
十八　登録技術試験実施機関及び登録経理試験実施機関に関する第七条の四第二項及び第七条の六第一項（第七条の七第二項（第十八条の二十二において準用する場合を含む。）においてこれらの規定を準用する場合を含む。）、第七条の九から第七条の十一まで及び第七条の十三から第七条の十五まで（第十八条の二十二においてこれらの規定を準用する場合を含む。）、第七条の十七及び第七条の十八（第十八条の二十二においてこれらの規定を準用する場合を含む。）、第十八条の十九第二項並びに第十八条の二十第一項の規定による権限
十九　登録講習実施機関及び登録経営状況分析機関に関する第十七条の四（第十七条の五（第二十一条の十において準用する場合を含む。）において準用する場合を含む。）、第十七条の十三及び第十七条の十七（第二十一条の十においてこれらの規定を準用する場合を含む。）、第十七条の十八第一項、第二十一条の六第二号並びに第二十一条の九第一項の規定による権限
二十　指定試験機関及び指定資格者証交付機関に関する第十七条の二十二第一項、第十七条の二十三（第十七条の四十四において準用する場合を含む。）、第十七条の二十四第一項、第十七条の二十六、第十七条の二十八（第十七条の四十四において準用する場合を含む。）、第十七条の二十九、第十七条の三十一第一項、第十七条の三十二及び第十七条の三十三（第十七条の四十四においてこれらの規定を準用する場合を含む。）、第十七条の四十一第一項、第十七条の四十二並びに第十七条の四十三の規定による権限
二十一　資格者証に関する第十七条の三十四第一項及び第三項（第十七条の三十六第四項、第十七条の三十七第三項及び第十七条の三十八第二項において準用する場合を含む。）、第十七条の三十五第三項、第十七条の三十六第一項及び第三項並びに第十七条の三十七第一項及び第四項の規定による権限
二十二　登録基幹技能者講習機関及び登録経理講習実施機関に関する第十八条の四第二項、第十八条の六第一項、第十八条の九から第十八条の十一まで（第十九条においてこれらの規定を準用する場合を含む。）、第十八条の十三から第十八条の十五まで（第十九条においてこれらの規定を準用する場合を含む。）、第十八条の十七及び第十八条の十八（第十九条においてこれらの規定を準用する場合を含む。）、第十八条の二十三第二項並びに第十八条の二十四の規定による権限
二十三　別記様式第十五号及び第十六号の規定により勘定科目の分類を定めること。
二十四　別記様式第二十五号の十及び第二十五号の十四の規定により認定すること。
2　法第三十一条第一項及び法第四十一条の規定に基づく権限で建設業者の従たる営業所その他営業に関係のある場所（以下「従たる営業所等」という。）に関するものについては、前項に規定する地方整備局長及び北海道開発局長のほか、当該従たる営業所等の所在地を管轄する地方整備局長及び北海道開発局長も当該権限を行うことができる。

附　則
この省令は、建設業法施行の日から施行する。

附　則〔略〕〔昭和二六・二・六建設省令二〕

附　則〔略〕〔昭和二八・八・一七建設省令一九〕

附　則〔略〕〔昭和三一・八・二九建設省令一八〕

附　則〔略〕〔昭和三三・一二・八建設省令三二〕

附　則〔昭和三六・一〇・三一建設省令二九〕

1　この省令は、昭和三十六年十二月一日から施行する。
改正　昭和三七・二建令二
2　建設業法第四条第一項の登録の有効期間のこの省令の施行後における満了に伴い、建設業法施行規則（以下「規則」という。）第一条の規定により、更新の登録について登録申請書をこの省令の施行前に提出しなければならない者は、同条の規定にかかわらず、この省令の施行の日に登録申請書を提出することができる。
3　昭和三十七年に法第二十七条の二第一項に規定する審査を受けようとする者については、この省令による改正後の規則第二十一条中「二月末日」とあるのは、「三月末日」と読み替えるものとする。
4　この省令の施行の際、現に法第二十七条の六に規定する事業を行なつている建設業者団体については、この省令による改正後の規則第二十六条第一項中「その設立の日」とあるのは、「この省令の施行の日」と読み替えるものとする。
5　建設業法の一部を改正する法律附則第三項に規定する書面のうち、学校を卒業したこと及び学科を修めたこと並びに実務の経験を証する書面は、この省令による改正後の規則第三条第一項に規定する書類とする。
6　この省令による改正後の規則第四条の規定は、前項に規定する書面の提出に準用する。

附　則〔昭和三九・九・一〇建設省令二三〕

1　この省令は、昭和三十九年十二月一日から施行する。
2　この省令施行の日の前日までに決算期の到来した営業年度に係る貸借対照表、損益計算書、利益金処分に関する書類、営業用純資本額に関する調書及び収支計算に関する書類の様式については、なお従前の例によることができる。

附　則〔抄〕〔昭和四七・一・一八建設省令一〕

（施行期日）
1　この省令は、建設業法の一部を改正する法律（昭和四十六年法律第三十一号）の施行の日（昭和四十七年四月一日）から施行する。
（経過措置）
2　建設業法の一部を改正する法律（昭和四十六年法律第三十一号）附則第六項の規定により建設業法の許可を申請する場合においては、別記様式第一号中「申請時においてすでに許可を受けている建設業」とあるのは「申請時の登録」と、「建設大臣／知事許可（　）第　号　工事業　昭和年月日許可」とあるのは「建設大臣／知事登録第　号　昭和　年　月　日登録」とし、別記様式第二十号中「許可申請直前の過去3年間で許可を受けて継続して営業した期間」とあるのは「許可申請直前の過去3年間で許可又は登録を受けて継続して営業した期間」とするものとする。

附　則〔略〕〔昭和五〇・四・二五建設省令一一〕

附　則〔略〕〔昭和五六・九・一八建設省令一二〕

附　則〔昭和五七・九・二〇建設省令一二〕

（施行期日）
1　この省令は、昭和五十七年十月一日から施行する。
（経過措置）
2　この省令の施行前に到来した最終の決算期に作成された貸借対照表に記載されている商法等の一部を改正する法律（昭和五十六年法律第七十四号。以下「改正法」という。）による改正前の商法第二百八十七条ノ二に規定する引当金で改正法による改正後の同条の規定により引当金として計上することができないものは、取り崩したものを除き、この省令の施行後最初に到来する決算期に作成すべき貸借対照表においては、資本の部中剰余金の部にその目的のための任意積立金として記載しなければならない。

附　則〔略〕〔昭和五九・四・二七建設省令六〕

附　則〔昭和六二・一・二八建設省令一〕

1　この省令は、昭和六十二年四月一日から施行する。
2　改正後の第三条第三項及び第十三条第三項の規定は、この省令の施行の際現に建設業の許可を受けている者でこの省令の施行後初めて当該建設業の許可の更新を申請するものについては、適用しない。
3　改正後の第四条第二項及び第三項の規定は、この省令の施行後初めて許可を申請する者については、適用しない。

4　この省令の施行の際現に提出されている許可申請書の添付書類並びに許可申請書及びその添付書類の様式は、なお従前の例による。

附　則〔略〕〔平成元・四・一建設省令九〕

附　則〔略〕〔平成六・六・八建設省令一六〕

附　則〔略〕〔平成六・九・二九建設省令二八〕

附　則〔平成六・一二・一六建設省令三三〕

（施行期日）

1　この省令は、建設業法の一部を改正する法律の施行の日（平成六年十二月二十八日）から施行する。ただし、第十七条の十五から第十七条の十七まで及び第十七条の十九の改正規定、第十七条の二十四を第十七条の二十五とし、第十七条の二十から第十七条の二十三までを一条ずつ繰り下げ、第十七条の十九の次に一条を加える改正規定、別表を削る改正規定並びに別記様式第二十五号の二から別記様式第二十五号の六までの改正規定は、平成七年六月二十九日から施行する。

（経過措置）

2　この省令の施行前に注文者と締結した建設工事の請負契約又はこの省令の施行前に下請負人と締結した建設工事の下請契約に関する事項については、建設業法第四十条の三の規定は、適用しない。

3　平成七年十二月三十一日までの間に注文者と締結した建設工事の請負契約又は同日までの間に下請負人と締結した建設工事の下請契約に関する事項については、この省令による改正後の第二十六条の規定にかかわらず、同条第一項第二号ハ及び第三号ハに掲げる事項の記載並びに同条第二項に規定する書類の添付を省略することができる。

4　この省令の施行の際現に提出されている許可申請書の添付書類並びに附則第一項ただし書に規定する改正規定の施行の際現に提出されている資格者証交付申請書、資格者証変更届出書、資格者証再交付申請書及び経営事項審査申請書並びにこれらの書類（経営事項審査申請書を除く。）により行われた申請に対して交付する資格者証の様式は、なお従前の例による。

附　則〔平成七・六・一三建設省令一六〕

（施行期日）

1　この省令は、平成七年六月二十九日から施行する。ただし、第一条、第四条第二項、第十条第二項及び第三項、第十三条第一項、別記様式第七号及び別記様式第八号(1)の改正規定、別記様式第八号(2)を削る改正規定、別記様式第八号(3)の改正規定、同様式を別記様式第八号(2)とする改正規定並びに別記様式第九号から別記様式第十一号の二まで、別記様式第二十二号の三及び別記様式第二十二号の四の改正規定並びに次項及び附則第三項の規定は、平成八年六月二十九日から施行する。

（経過措置）

2　前項ただし書に規定する改正規定の施行後初めて特定建設業の許可（その更新を除く。）を申請する者で当該申請に係る建設業以外の建設業の特定建設業の許可を受けているもの又は当該改正規定の施行後初めて特定建設業の許可の更新を申請する者は、改正後の建設業法施行規則（以下「新規則」という。）第十三条第一項において準用する新規則第四条第二項及び第三項の規定にかかわらず、建設業法第十五条第二号ロに該当する者及び同号ハの規定により建設大臣が同号ロに掲げる者と同等以上の能力を有するものと認定した者に係る新規則第十三条第一項において準用する新規則第四条第一項第二号に掲げる書類を提出しなければならない。ただし、当該改正規定の施行後同条又はこの項本文の定めるところにより既に当該書類を提出した者については、この限りでない。

3　附則第一項ただし書に規定する改正規定の施行の際現に提出されている許可申請書の添付書類及びその様式は、なお従前の例による。

4　この省令の施行前に特定建設業者が発注者と締結した請負契約に係る建設工事については、建設業法第二十四条の七の規定は、適用しない。

5　平成七年十二月三十一日までの間に注文者と締結した建設工事の請負契約又は同日までの間に下請負人と締結した建設工事の下請契約に関する事項については、新規則第二十六条の規定にかかわらず、同条第一項第三号ニに掲げる事項の記載及び同条第二項各号に掲げる書類の添付を省略することができる。

附　則〔平成九・三・二六建設省令四〕

（施行期日）

1　この省令は、平成九年四月一日から施行する。ただし、第十八条の改正規定は、公布の日から施行する。

（経過措置）

2　この省令の施行の日の前日までに決算期の到来した営業年度に係る別記様式第十五号及び第十八号の書類の様式については、なお従前の例によることができる。

附　則〔平成一〇・六・一八建設省令二七〕

改正　平成一二・一一建令四一

1　この省令は、平成十年七月一日から施行する。

2　この省令の施行の日の前日までに決算期の到来した営業年度に係る工事経歴書、貸借対照表及び損益計算書の様式については、なお従前の例によることができる。

3　この省令の施行の日の前日までに決算期の到来した営業年度については、建設業者は、附属明細表を添付又は提出することを要しない。

4　この省令の施行の日以後経営事項審査の申請をする者であって、法第六条第一項又は第十一条第二項（法第十七条において準用する場合を含む。）の規定により、経営事項審査の申請をする日の属する営業年度の開始の日の直前一年間についての別記様式第二号による工事経歴書（この省令の施行の日の前日までに決算期の到来した営業年度に係るものに限る。）を国土交通大臣又は都道府県知事に既に提出しているものは、第十九条の三第一項の規定にかかわらず、同項第一号に掲げる書面の提出を省略することができる。

附　則〔略〕〔平成一〇・九・三〇建設省令三六〕

附　則〔略〕〔平成一二・一・三一建設省令一〇〕

附　則〔略〕〔平成一二・一一・二〇建設省令四一〕

附　則〔略〕〔平成一三・三・二六国土交通省令四二〕

附　則〔略〕〔平成一三・三・三〇国土交通省令七二〕

附　則〔平成一三・三・三〇国土交通省令七六〕

1　この省令は、平成十三年十月一日から施行する。

2　この省令の施行前に特定建設業者が発注者と締結した請負契約に係る建設工事については、なお従前の例による。

附　則〔略〕〔平成一四・八・二国土交通省令九三〕

附　則〔略〕〔平成一五・七・二五国土交通省令八六〕

附　則〔略〕〔平成一五・一〇・一国土交通省令一〇九〕

附　則〔抄〕〔平成一六・一・二九国土交通省令一〕

（施行期日）

第一条　この省令は、平成十六年三月一日から施行する。

（建設業法施行規則の一部改正に伴う経過措置）

第三条　第二条の規定の施行の際現に法第二条の規定による改正前の建設業法（昭和二十四年法律第百号）第二十七条の二十四第一項の指定を受けている指定経営状況分析機関に対して経営状況分析を申請する場合にあっては、第十九条の四第一項第一号から第三号までに掲げる書類のうち、既に当該指定経営状況分析機関に対して提出され、かつ、その内容に変更がないものについては、同項の規定にかかわらず、その添付を省略することができる。

附　則〔略〕〔平成一六・四・九国土交通省令五六〕

附　則〔略〕〔平成一六・六・三〇国土交通省令七四〕

附　則〔略〕〔平成一六・一二・一五国土交通省令一〇三〕

附　則〔略〕〔平成一七・三・七国土交通省令一二〕

附　則〔略〕〔平成一七・三・二八国土交通省令二一〕

附　則〔略〕〔平成一七・六・一国土交通省令六六〕

附　則〔略〕〔平成一七・九・二一国土交通省令九〇〕

附　則〔略〕〔平成一七・九・三〇国土交通省令九九〕

附　則〔略〕〔平成一七・一二・一六国土交通省令一一三〕

附　則〔平成一八・四・二八国土交通省令六〇〕

（施行期日）

1　この省令は、会社法の施行の日（平成十八年五月一日）から施行する。

（経過措置）

2　この省令の施行の際現にあるこの省令による改正前の様式又は書式による申請書その他の文書は、この省令による改正後のそれぞれの様式又は書式にかかわらず、当分の間、なおこれを使用することができる。

3　この省令の施行前にこの省令による改正前のそれぞれの省令の規定によってした処分、手続その他の行為であって、この省令による改正後のそれぞれの省令の規定に相当の規定があるものは、これらの規定によってした処分、手続その他の行為とみなす。

附　則〔平成一八・七・七国土交通省令七六〕

1　この省令は、公布の日から施行する。

2　この省令による改正後の建設業法施行規則の規定は、平成十八年五月一日以後に決算期の到来した事業年度に係る書類について適用する。ただし、平成十九年三月三十一日までに決算期の到来した事業年度に係るものについては、なお従前の例によることができる。

附　則〔平成一九・三・三〇国土交通省令二七〕

（施行期日）

1　この省令は、平成十九年四月一日から施行する。

（助教授の在職に関する経過措置）

2　この省令の規定による改正後の次に掲げる省令の規定の適用については、この省令の施行前における助教授としての在職は、准教授としての在職とみなす。

一　〔略〕

二　建設業法施行規則第七条の六、第七条の二十及び第十八条の五

三〜十四　〔略〕

附　則〔略〕〔平成一九・六・一九国土交通省令六七〕

附　則〔略〕〔平成二〇・一・三一国土交通省令三〕

附　則〔略〕〔平成二〇・三・二四国土交通省令一〇〕

附　則〔略〕〔平成二〇・一〇・八国土交通省令八四〕

附　則〔略〕〔平成二〇・一二・一国土交通省令九七施行〕

附　則〔略〕〔平成二一・七・七国土交通省令四五施行〕

附　則〔略〕〔平成二二・一〇・一五国土交通省令五一〕

附　則〔抄〕〔平成二四・三・二三国土交通省令二〇〕

（施行期日）

第一条　この省令は、法の施行の日（平成二十四年七月一日）から施行する。ただし、次の各号に掲げる規定は、当該各号に定める日から施行する。

一　〔略〕

二　〔前略〕附則第十一条の規定（建設業法施行規則（昭和二十四年建設省令第十四号）第十八条の改正規定中「消防団員等公務災害補償等共済基金」の下に「、新関西国際空港株式会社」を加える部分に限る。）　法附則第一条第二号に掲げる規定の施行の日（平成二十四年四月一日）

附　則〔略〕〔平成二四・三・三〇国土交通省令三三〕

附　則〔略〕〔平成二四・三・三〇国土交通省令三四〕

附　則〔平成二四・五・一国土交通省令五二〕

1　この省令は、平成二十四年十一月一日から施行する。ただし、別記様式第二十五号の十一の改正規定及び別記様式第二十五号の十二の改正規定は、平成二十四年七月一日から施行する。

2　この省令の施行前に特定建設業者が受注者と締結した請負契約に係る建設工事については、この省令による改正後の第十四条の二第一項及び第十四条の四第一項の規定にかかわらず、なお従前の例による。

附　則〔略〕〔平成二四・一〇・一国土交通省令八一〕

附　則〔略〕〔平成二五・二・一三国土交通省令四〕

附　則〔略〕〔平成二五・九・一三国土交通省令七六〕

附　則〔略〕〔平成二六・一〇・三一国土交通省令八五〕

附　則〔略〕〔平成二六・一二・二四国土交通省令九四施行〕

附　則〔略〕〔平成二七・二・一〇国土交通省令八〕

附　則〔略〕〔平成二七・三・三一国土交通省令一九〕

附　則〔抄〕〔平成二七・一二・九国土交通省令八二〕

（施行期日）

第一条　この省令は、公布の日から施行する。ただし、第三条、第八条、第十七条、第二十四条及び第二十五条の規定は、行政手続における特定の個人を識別するための番号の利用等に関する法律（平成二十五年法律第二十七号。以下「番号利用法」という。）附則第一条第四号に掲げる規定の施行の日（平成二十八年一月一日）から施行する。

（建設業法施行規則の一部改正に伴う経過措置）

第三条　当分の間、第二十四条及び第二十五条の規定による改正後の建設業法施行規則第七条の二第二項、第十七条の四第二項、第十七条の二十九第三項、第十七条の三十一第三項及び第二十一条の五第二項の規定の適用については、同令第七条の二第二項中「のうち住民票コード（同法第七条第十三号に規定する住民票コードをいう。以下同じ。）以外のものについて」とあるのは「について」と、同令第十七条の四第二項、第十七条の二十九第三項、第十七条の三十一第三項及び第二十一条の五第二項中「のうち住民票コード以外のものについて」とあるのは「について」とする。

附　則〔平成二七・一二・一六国土交通省令八三〕

改正　令和元・一二国交令四七、令和二・八国交令六九、令和三・三国交令九

（施行期日）

第一条　この省令は、建設業法等の一部を改正する法律（平成二十六年法律第五十五号）附則第一条第二号に掲げる規定の施行の日（平成二八・六・一）から施行する。

（経過措置）

第二条　平成二十七年度までに実施された建設業法第二十七条第一項の規定による技術検定のうち検定種目を一級の土木施工管理若しくは二級の土木施工管理（種別を「土木」とするものに限る。）又は一級の建築施工管理若しくは二級の建築施工管理（種別を「建築」又は「躯体」とするものに限る。）とするものに合格した者についての改正後の第七条の三の規定の適用については、同条第二号の表解体工事業の項第一号中「合格した者」とあるのは、「合格した者であつて、解体工事に関し必要な知識及び技術又は技能に関する講習であつて国土交通大臣の登録を受けたものを修了したもの又は当該技術検定に合格した後解体工事に関し一年以上実務の経験を有するもの」とする。

2　前項の規定により読み替えて適用される建設業法施行規則第七条の三第二号の表解体工事業の項第一号の登録については、建設業法施行規則第十八条の四から第十八条の十八まで（第十八条の四第二項第五号、第十八条の六第二項第五号及び第十八条の八第七号を除く。）の規定を準用する。この場合において、次の表の上欄に掲げる規定中同表の中欄に掲げる字句は、それぞれ同表の下欄に掲げる字句に読み替えるものとする。

第十八条の四第一項	前条第二項第二号の登録	建設業法施行規則の一部を改正する省令（平成二十七年国土交通省令第八十三号。以下「改正規則」という。）附則第二条第一項の規定により読み替えて適用される第七条の三第二号の表解体工事業の項第一号の登録
	登録基幹技能者講習の	解体工事に関し必要な知識及び技術又は技能に関する講習であつて国土交通大臣の登録を受けたもの（以下「登録解体工事講習」という。）の
第十八条の四第一項、第二項第二号及び第三号並びに第三項第三号及び第五号、第十八条の五第三号、第十八条の六第二項第二号から第四号まで、第十八条の八（見出しを含む。）、第十八条の十、第十八条の十一（見出しを含む。）、第十八条の十四、第十八条の十五、第十八条の十六第三項、第十八条の十七並びに第十八条の十八第四号	登録基幹技能者講習事務	登録解体工事講習事務

<table>
<tr><td>第十八条の四第二項</td><td>前条第二項第二号の登録</td><td>改正規則附則第二条第一項の規定により読み替えて適用される第七条の三第二号の表解体工事業の項第一号の登録</td></tr>
<tr><td>第十八条の四第二項及び第三項第六号</td><td>登録基幹技能者講習事務申請者</td><td>登録解体工事講習事務申請者</td></tr>
<tr><td>第十八条の四第二項第四号及び第三項第四号並びに第十八条の十第六号</td><td>登録基幹技能者講習委員</td><td>登録解体工事講習委員</td></tr>
<tr><td>第十八条の四第二項第四号</td><td>第十八条の六第一項第二号に規定する合議制の機関を構成する者</td><td>改正規則附則第二条第二項の規定により読み替えて準用する第十八条の六第一項第二号に規定する講師として登録解体工事講習事務に従事する者</td></tr>
<tr><td>第十八条の五、第十八条の六第二項、第十八条の七第一項、第十八条の十五第六号及び第十八条の十八第一号</td><td>第十八条の三第二項第二号の登録</td><td>改正規則附則第二条第一項の規定により読み替えて適用される第七条の三第二号の表解体工事業の項第一号の登録</td></tr>
<tr><td>第十八条の六第一項</td><td>二　次のいずれかに該当する者を二名以上含む五名以上の者によつて構成される合議制の機関により試験問題の作成及び合否判定が行われるものであること。
イ　学校教育法による大学若しくはこれに相当する外国の学校において登録基幹技能者講習の種目に関する科目を担当する教授若しくは准教授の職にあり、若しくはこれらの職にあつた者又は登録基幹技能者講習の種目に関する科目の研究により博士の学位を授与された者
ロ　国土交通大臣がイに掲げる者と同等以上の能力を有すると認める者</td><td>二　次のいずれかに該当する者が講師として登録解体工事講習事務に従事するものであること。
イ　解体工事の監理技術者となつた経験を有する者
ロ　学校教育法による大学若しくはこれに相当する外国の学校において土木工学、建築工学その他登録解体工事講習に関する科目を担当する教授若しくは准教授の職にあり、若しくはこれらの職にあつた者又は登録解体工事講習に関する科目の研究により博士の学位を授与された者
ハ　国土交通大臣がイ又はロに掲げる者と同等以上の能力を有すると認める者</td></tr>
<tr><td>第十八条の六第二項</td><td>登録基幹技能者講習登録簿</td><td>登録解体工事講習登録簿</td></tr>
<tr><td>第十八条の六第二項第二号及び第十八条の八から第十八条の十七まで</td><td>登録基幹技能者講習実施機関</td><td>登録解体工事講習実施機関</td></tr>
<tr><td>第十八条の八</td><td>三　講義は、次の表の上欄に掲げる科目に応じ、それぞれ同表の下欄に掲げる内容について、合計十時間以上行うこと。
<table>
<tr><th>科目</th><th>内容</th></tr>
<tr><td>基幹技能一般知識に関する科目</td><td>工事現場における基幹的な役割及び当該役割を担うために必要な技能に関する事項</td></tr>
<tr><td>基幹技能関係法令に関する科目</td><td>労働安全衛生法その他関係法令に関する事項</td></tr>
<tr><td>建設工事の施工管理、工程管理、資材管理その他の技術上の管理に関する科目</td><td>イ　施工管理に関する事項
ロ　工程管理に関する事項
ハ　資材管理に関する事項
ニ　原価管理に関する事項
ホ　品質管理に関する事項
ヘ　安全管理に関する事項</td></tr>
</table>
六　試験は、第三号の表の上欄に掲げる科目に応じ、それぞれ同表の下欄に掲げる内容について、一時間以上行うこと。</td><td>三　講義は、次の表の上欄に掲げる科目に応じ、それぞれ同表の下欄に掲げる内容について、合計三・五時間以上行うこと。
<table>
<tr><th>科目</th><th>内容</th></tr>
<tr><td>解体工事の関係法令に関する科目</td><td>廃棄物の処理及び清掃に関する法律（昭和四十五年法律第百三十七号）、建設工事に係る資材の再資源化等に関する法律（平成十二年法律第百四号）その他関係法令に関する事項</td></tr>
<tr><td>解体工事の工法に関する科目</td><td>木造、鉄筋コンクリート造その他の構造に応じた解体工事の施工方法に関する事項</td></tr>
<tr><td>解体工事の実務に関する科目</td><td>解体工事の作業の特性等の実務に関する事項</td></tr>
</table>
六　試験は、受講者が講義の内容を十分に理解しているかどうか的確に把握できるものであること。</td></tr>
<tr><td>第十八条の八第八号</td><td>別記様式第三十号</td><td>改正規則附則様式</td></tr>
<tr><td>第十八条の八第八号、第十八条の十第九号及び第十八条の十六第一項第四号</td><td>登録基幹技能者講習修了証</td><td>登録解体工事講習修了証</td></tr>
<tr><td>第十八条の十第三号</td><td>登録基幹技能者講習の</td><td>登録解体工事講習の</td></tr>
<tr><td>第十八条の十第四号及び第五</td><td>登録基幹技能者講習</td><td>登録解体工事講習</td></tr>
</table>

号、第十八条の十三並びに第十八条の十六第四項第一号及び第二号		
第十八条の十第七号	登録基幹技能者講習試験の問題の作成及び合否判定の方法に関する事項	登録解体工事講習に用いる教材の作成に関する事項
第十八条の十第八号	終了した登録基幹技能者講習試験の問題及び合格基準の公表に関する事項	試験の方法に関する事項
第十八条の十二第二項及び第十八条の十六第四項	登録基幹技能者講習を	登録解体工事講習を
第十八条の十三	登録基幹技能者講習が	登録解体工事講習が
第十八条の十六第一項	登録基幹技能者講習に	登録解体工事講習に
第十八条の十六第一項第三号	受講者の受講番号、氏名、生年月日及び合否の別	受講者の受講番号、氏名及び生年月日

第三条　技術士法（昭和五十八年法律第二十五号）第四条第一項の規定による第二次試験のうち技術部門を建設部門又は総合技術監理部門（選択科目を建設部門に係るものとするものに限る。）とするものに合格した者についての改正後の第七条の三の規定の適用については、当面の間、同条第二号の表解体工事業の項第二号中「合格した者」とあるのは、「合格した者であつて、解体工事に関し必要な知識及び技術又は技能に関する講習であつて国土交通大臣の登録を受けたものを修了したもの又は当該第二次試験に合格した後解体工事に関し一年以上実務の経験を有するもの」とする。

2　前項の規定により読み替えて適用される建設業法施行規則第七条の三第二号の表解体工事業の項第二号の登録については、前条第二項の表の規定により読み替えられた建設業法施行規則第十八条の四から第十八条の十八まで（第十八条の八第七号を除く。）の規定を準用する。

第四条　この省令の施行の際現にとび・土工工事業に関し建設業法施行規則第七条の三第一号及び第二号に掲げる者は、令和三年六月三十日までの間に限り、解体工事業に関し改正後の建設業法施行規則第七条の三に規定する法第七条第二号ハの規定により、同号イ又はロに掲げる者と同等以上の知識及び技術又は技能を有するものとして国土交通大臣が認定する者とみなす。

附則様式〔略〕

附　則〔略〕〔平成二八・五・九国土交通省令四七〕

附　則〔略〕〔平成二九・一一・一〇国土交通省令六七施行〕

附　則〔略〕〔平成三〇・五・一六国土交通省令四四施行〕

附　則〔平成三一・三・二九国土交通省令一八〕

（施行期日）

1　この省令は、出入国管理及び難民認定法及び法務省設置法の一部を改正する法律（平成三十年法律第百二号）の施行の日（平成三十一年四月一日）から施行する。

（経過措置）

2　この省令の施行前に作成建設業者が発注者と締結した請負契約に係る建設工事については、なお従前の例による。

附　則〔略〕〔令和元・九・一三国土交通省令三四〕

附　則〔略〕〔令和元・一二・一六国土交通省令四七〕

附　則〔略〕〔令和二・二・一〇国土交通省令八〕

附　則〔令和二・三・六国土交通省令一四〕

（施行期日）

第一条　この省令は、公布の日から施行する。

（経過措置）

第二条　技術士法施行規則の一部を改正する省令の施行前に技術士法第四条第一項の規定による第二次試験のうち技術部門の選択科目を次の表の上欄に掲げるものとするものに合格した者は、この省令による改正後の建設業法施行規則第七条の三第二号の規定の適用については、それぞれ技術士法第四条第一項の規定による第二次試験のうち技術部門の選択科目を同表の下欄に掲げるものとするものに合格した者とみなす。

技術士法施行規則の一部を改正する省令の施行前の選択科目	技術士法施行規則の一部を改正する省令の施行後の選択科目
農業土木	農業農村工学
熱工学	熱・動力エネルギー機器
流体工学	流体機器
林業	林業・林産
廃棄物管理	廃棄物・資源循環

附　則〔略〕〔令和二・三・三一国土交通省令二四〕

附　則〔略〕〔令和二・五・二九国土交通省令五二施行〕

附　則〔抄〕〔令和二・八・二八国土交通省令六九〕

（施行期日）

第一条　この省令は、建設業法及び公共工事の入札及び契約の適正化の促進に関する法律の一部を改正する法律（次条において「改正法」という。）の施行の日（令和二年十月一日。以下「施行日」という。）から施行する。ただし、次の各号に掲げる規定は、当該各号に定める日から施行する。

一　第一条中第二十三条の改正規定　公布の日

二　第一条中第十七条の十四の改正規定〔その日の前五年以内に行われた同項の登録を受けた講習を受講していなければならない」を「同項の登録を受けた講習を受講した日の属する年の翌年から起算して五年を経過しない者でなければならない」に改める部分に限る。〕、別記様式第二十五号の四記載要領11の改正規定及び別記様式第二十五号の七記載要領8の改正規定　令和三年一月一日

（建設業法施行規則の一部改正に伴う経過措置）

第二条　施行日前に改正法第一条の規定による改正前の建設業法第十九条第一項に規定する書面の交付を同条第三項に規定する情報通信の技術を利用する方法により行う場合に講ずる措置が適合すべき技術的基準については、第一条の規定による改正後の建設業法施行規則（以下「新規則」という。）第十三条の四第二項第三号の規定にかかわらず、なお従前の例による。

第三条　施行日前に建設工事の請負契約が締結された場合における施工体制台帳、再下請通知、施工体系図及び法第四十条の三に規定する帳簿の記載事項及び添付書類については、新規則第十四条の二第一項及び第二項、第十四条の四第一項、第十四条の六並びに第二十六条第一項の規定にかかわらず、なお従前の例による。

第四条　新規則第十八条の三の経営事項審査の客観的事項に関する規定は、令和三年度において行われる経営事項審査から適用するものとし、令和二年度において行われる経営事項審査については、なお従前の例による。

第五条　新規則第十八条の三第三項第二号ハの登録を受けようとするものは、施行日前においても、新規則第十八条の二十三の規定の例により、登録の申請をすることができる。

2　国土交通大臣は、前項の申請があつた場合においては、施行日前においても、新規則第十八条の二十四及び第十九条において準用する第十八条の五の規定の例により、登録をすることができる。この場合において、当該登録は、施行日にその効力を生ずる。

附　則〔略〕〔令和二・八・三一国土交通省令七〇〕

附　則〔略〕〔令和二・一二・二三国土交通省令九八〕

附　則〔略〕〔令和三・三・二四国土交通省令九〕

附　則〔略〕〔令和三・八・三一国土交通省令五三〕

附　則〔令和三・一二・二七国土交通省令八一〕

（施行期日）

1　この省令は、公布の日から施行する。

（経過措置）

2　この省令による改正後の第七条の三第二号の表電気通信工事業の項第三号の規定は、令和三年四月一日以後に電気通信事業法（昭和五十九年法律第八十六号）第七十三条第一項の工事担任者試験に合格し、同法第七十二条第二項において準用する同法第四十六条第三項第二号の養成課程を修了し、又は同法第七十二条第二項において準用する同法第四十六条第三項第三号の規定による認定を受けた者について適用し、同日前に同法第七十三条第一項の工事担任者試験に合格し、同法第七十二条第二項において準用する同法第四十六条第三項第二号の養成課程を修了し、又は同法第七十二条第二項において準用する同法第四十六条第三項第三号の規定による認定を受けた者については、なお従前の例による。

附則（略）（令和四・三・三一国土交通省令一九施行）

附則（略）（令和四・八・一五国土交通省令六〇）

附則（略）（令和五・五・一二国土交通省令四三）

附則（略）（令和五・一二・二八国土交通省令九八施行）

附則（略）（令和六・三・二九国土交通省令二六）

附則（略）（令和六・四・二四国土交通省令五四）

附則（令和六・五・二七国土交通省令六二）

この省令は、情報通信技術の活用による行政手続等に係る関係者の利便性の向上並びに行政運営の簡素化及び効率化を図るための行政手続等における情報通信の技術の利用に関する法律等の一部を改正する法律附則第一条第十号に掲げる規定の施行の日（令和六年五月二十七日）から施行する。

別表・別記様式　〔略〕

○公共工事の入札及び契約の適正化の促進に関する法律

〔平成一二・一一・二七　法律一二七〕

改正　平成二一・六法五一、平成二六・六法五五、平成二七・九法六六、令和元・六法三〇、法三七、令和三・五法三六、法三七、令和六・六法四九、法五四

注　〔　　〕の部分は、令和六年六月一四日法律第四九号により改正され、公布の日から起算して一年六月を超えない範囲内において政令で定める日から施行

目次

第一章　総則（第一条―第三条）
第二章　情報の公表（第四条―第九条）
第三章　不正行為等に対する措置（第十条・第十一条）
第四章　適正な金額での契約の締結等のための措置（第十二条・第十三条）
第五章　施工体制の適正化（第十四条―第十七条）
第六章　適正化指針（第十八条―第二十一条）
第七章　国による情報の収集、整理及び提供等（第二十二条・第二十三条）
附則

第一章　総則

（目的）

第一条　この法律は、国、特殊法人等及び地方公共団体が行う公共工事の入札及び契約について、その適正化の基本となるべき事項を定めるとともに、情報の公表、不正行為等に対する措置、適正な金額での契約の締結等のための措置及び施工体制の適正化の措置を講じ、併せて適正化指針の策定等の制度を整備すること等により、公共工事に対する国民の信頼の確保とこれを請け負う建設業の健全な発達を図ることを目的とする。

（定義）

第二条　この法律において「特殊法人等」とは、法律により直接に設立された法人若しくは特別の法律により特別の設立行為をもって設立された法人（総務省設置法（平成十一年法律第九十一号）第四条第一項第八号の規定の適用を受けない法人を除く。）、特別の法律により設立され、かつ、その設立に関し行政官庁の認可を要する法人又は独立行政法人（独立行政法人通則法（平成十一年法律第百三号）第二条第一項に規定する独立行政法人をいう。第六条において同じ。）のうち、次の各号に掲げる要件のいずれにも該当する法人であって政令で定めるものをいう。

一　資本金の二分の一以上が国からの出資による法人又はその事業の運営のために必要な経費の主たる財源を国からの交付金若しくは補助金によって得ている法人であること。

二　その設立の目的を実現し、又はその主たる業務を遂行するため、計画的かつ継続的に建設工事（建設業法（昭和二十四年法律第百号）第二条第一項に規定する建設工事をいう。次項において同じ。）の発注を行う法人であること。

2　この法律において「公共工事」とは、国、特殊法人等又は地方公共団体が発注する建設工事をいう。

3　この法律において「建設業」とは、建設業法第二条第二項に規定する建設業をいう。

4　この法律において「各省各庁の長」とは、財政法（昭和二十二年法律第三十四号）第二十条第二項に規定する各省各庁の長をいう。

（公共工事の入札及び契約の適正化の基本となるべき事項）

第三条　公共工事の入札及び契約については、次に掲げるところにより、その適正化が図られなければならない。

一　入札及び契約の過程並びに契約の内容の透明性が確保されること。

二　入札に参加しようとし、又は契約の相手方になろうとする者の間の公正な競争が促進されること。

三　入札及び契約からの談合その他の不正行為の排除が徹底されること。

四　その請負代金の額によっては公共工事の適正な施工が通常見込まれない契約の締結が防止されること。

五　契約された公共工事の適正な施工が確保されること。

第二章　情報の公表

（国による情報の公表）

第四条　各省各庁の長は、政令で定めるところにより、毎年度、当該年度の公共工事の発注の見通しに関する事項で政令で定めるものを公表しなければならない。

2　各省各庁の長は、前項の見通しに関する事項を変更したときは、政令で定めるところにより、変更後の当該事項を公表しなければならない。

第五条　各省各庁の長は、政令で定めるところにより、次に掲げる事項を公表しなければならない。

一　入札者の商号又は名称及び入札金額、落札者の商号又は名称及び落札金額、入札の参加者の資格を定めた場合における当該資格、指名競争入札における指名した者の商号又は名称その他の政令で定める公共工事の入札及び契約の過程に関する事項

二　契約の相手方の商号又は名称、契約金額その他の政令で定める公共工事の契約の内容に関する事項

（特殊法人等による情報の公表）

第六条　特殊法人等の代表者（当該特殊法人等が独立行政法人である場合に

あっては、その長。以下同じ。）は、前二条の規定に準じて、公共工事の入札及び契約に関する情報を公表するため必要な措置を講じなければならない。

（**地方公共団体による情報の公表**）

第七条　地方公共団体の長は、政令で定めるところにより、毎年度、当該年度の公共工事の発注の見通しに関する事項で政令で定めるものを公表しなければならない。

２　地方公共団体の長は、前項の見通しに関する事項を変更したときは、政令で定めるところにより、変更後の当該事項を公表しなければならない。

第八条　地方公共団体の長は、政令で定めるところにより、次に掲げる事項を公表しなければならない。

一　入札者の商号又は名称及び入札金額、落札者の商号又は名称及び落札金額、入札の参加者の資格を定めた場合における当該資格、指名競争入札における指名した者の商号又は名称その他の政令で定める公共工事の入札及び契約の過程に関する事項

二　契約の相手方の商号又は名称、契約金額その他の政令で定める公共工事の契約の内容に関する事項

第九条　前二条の規定は、地方公共団体が、前二条に規定する事項以外の公共工事の入札及び契約に関する情報の公表に関し、条例で必要な規定を定めることを妨げるものではない。

第三章　不正行為等に対する措置

（**公正取引委員会への通知**）

第一〇条　各省各庁の長、特殊法人等の代表者又は地方公共団体の長（以下「各省各庁の長等」という。）は、それぞれ国、特殊法人等又は地方公共団体（以下「国等」という。）が発注する公共工事の入札及び契約に関し、私的独占の禁止及び公正取引の確保に関する法律（昭和二十二年法律第五十四号）第三条又は第八条第一号の規定に違反する行為があると疑うに足りる事実があるときは、公正取引委員会に対し、その事実を通知しなければならない。

（**国土交通大臣又は都道府県知事への通知**）

第一一条　各省各庁の長等は、それぞれ国等が発注する公共工事の入札及び契約に関し、当該公共工事の受注者である建設業者（建設業法第二条第三項に規定する建設業者をいう。次条において同じ。）に次の各号のいずれかに該当すると疑うに足りる事実があるときは、当該建設業者が建設業の許可を受けた国土交通大臣又は都道府県知事及び当該事実に係る営業が行われる区域を管轄する都道府県知事に対し、その事実を通知しなければならない。

一　建設業法第八条第九号、第十一号（同条第九号に係る部分に限る。）、第十二号（同条第九号に係る部分に限る。）、第十三号（同条第九号に係る部分に限る。）若しくは第十四号（これらの規定を同法第十七条において準用する場合を含む。）又は第二十八条第一項第三号、第四号（同法第二十二条第一項に係る部分に限る。）若しくは第六号から第八号までのいずれかに該当すること。

二　第十五条第二項若しくは第三項、同条第一項の規定により読み替えて適用される建設業法第二十四条の八第一項、第二項若しくは第四項又は同法第十九条の五、第二十六条第一項から第三項まで、第二十六条の二若しくは第二十六条の三第七項の規定に違反したこと。

二　第十五条第二項若しくは第三項、同条第一項の規定により読み替えて適用される建設業法第二十四条の八第一項、第二項若しくは第四項又は同法第十九条の三第二項、第十九条の五、第二十条第二項若しくは第六項、第二十六条第一項から第三項まで、第二十六条の二若しくは第二十六条の三第七項の規定に違反したこと。

第四章　適正な金額での契約の締結等のための措置

（**入札金額の内訳の提出**）

第一二条　建設業者は、公共工事の入札に係る申込みの際に、入札金額の内訳を記載した書類を提出しなければならない。

第一二条　建設業者は、公共工事の入札に係る申込みの際に、入札金額の内訳（材料費、労務費及び当該公共工事に従事する労働者による適正な施工を確保するために不可欠な経費として国土交通省令で定めるものその他当該公共工事の施工のために必要な経費の内訳をいう。）を記載した書類を提出しなければならない。

（**各省各庁の長等の責務**）

第一三条　各省各庁の長等は、その請負代金の額によっては公共工事の適正な施工が通常見込まれない契約の締結を防止し、及び不正行為を排除するため、前条の規定により提出された書類の内容の確認その他の必要な措置を講じなければならない。

２　各省各庁の長等は、公共工事について、主要な資材の供給の著しい減少、資材の価格の高騰その他の工期又は請負代金の額に影響を及ぼすものとして国土交通省令で定める事象が発生した場合において、公共工事の受注者が請負契約の内容の変更について協議を申し出たときは、誠実に当該協議に応じなければならない。

第五章　施工体制の適正化

（**一括下請負の禁止**）

第一四条　公共工事については、建設業法第二十二条第三項の規定は、適用しない。

（**施工体制台帳の作成及び提出等**）

第一五条　公共工事についての建設業法第二十四条の八第一項、第二項及び第四項の規定の適用については、これらの規定中「特定建設業者」とあるのは「建設業者」と、同条第一項中「締結した下請契約の請負代金の額（当該下請契約が二以上あるときは、それらの請負代金の額の総額）が政令で定める金額以上になる」とあるのは「下請契約を締結した」と、同条第四項中「見やすい場所」とあるのは「工事関係者が見やすい場所及び公衆が見やすい場所」とする。

２　公共工事の受注者（前項の規定により読み替えて適用される建設業法第二十四条の八第一項の規定により同項に規定する施工体制台帳（以下「施工体制台帳」という。）を作成しなければならないこととされているものに限る。）は、当該公共工事に関する工事現場の施工体制を発注者が情報通信技術を利用する方法により確認することができる措置として国土交通省令で定めるものを講じている場合を除き、作成した施工体制台帳（同項の規定により記載すべきものとされた事項に変更が生じたことに伴い新たに作成されたものを含む。）の写しを発注者に提出しなければならない。この場合においては、同条第三項の規定は、適用しない。

３　前項の公共工事の受注者は、発注者から、公共工事の施工の技術上の管理をつかさどる者（第十七条第一項において「施工技術者」という。）の設置の状況その他の工事現場の施工体制が施工体制台帳の記載に合致しているかどうかの点検を求められたときは、これを受けることを拒んではならない。

（**公共工事の適正な施工の確保のために必要な措置**）

第一六条　公共工事についての建設業法第二十五条の二十八の規定の適用については、同条第一項及び第二項中「特定建設業者」とあるのは、「建設業者」とする。

（**各省各庁の長等の責務**）

第一七条　公共工事を発注した国等に係る各省各庁の長等は、施工技術者の設置の状況その他の工事現場の施工体制を適正なものとするため、当該工事現場の施工体制が施工体制台帳の記載に合致しているかどうかの点検その他の必要な措置を講じなければならない。

２　前項に規定するもののほか、同項の各省各庁の長等は、前条の規定により読み替えて適用する建設業法第二十五条の二十八第一項及び第二項に規定する措置が適確に講じられるよう、これらの規定に規定する建設業者に対し、必要な助言、指導その他の援助を行うよう努めなければならない。

第六章　適正化指針

（**適正化指針の策定等**）

第一八条　国は、各省各庁の長等による公共工事の入札及び契約の適正化を図るための措置（第二章、第三章、第十三条及び前条に規定するものを除く。）に関する指針（以下「適正化指針」という。）を定めなければならない。

2 適正化指針には、第三条各号に掲げるところに従って、次に掲げる事項を定めるものとする。

一 入札及び契約の過程並びに契約の内容に関する情報（各省各庁の長又は特殊法人等の代表者による措置にあっては第四条及び第五条、地方公共団体の長による措置にあっては第七条及び第八条に規定するものを除く。）の公表に関すること。

二 入札及び契約の過程並びに契約の内容について学識経験を有する者等の第三者の意見を適切に反映する方策に関すること。

三 入札及び契約の過程に関する苦情を適切に処理する方策に関すること。

四 公正な競争を促進し、及びその請負代金の額によっては公共工事の適正な施工が通常見込まれない契約の締結を防止するための入札及び契約の方法の改善に関すること。

五 公共工事の施工に必要な工期の確保及び地域における公共工事の施工の時期の平準化を図るための方策に関すること。

六 将来におけるより適切な入札及び契約のための公共工事の施工状況の評価の方策に関すること。

七 前項に規定する措置に関する事務を適切に行うために必要な体制の整備に関すること。

八 前各号に掲げるもののほか、入札及び契約の適正化を図るため必要な措置に関すること。

3 適正化指針の策定に当たっては、特殊法人等及び地方公共団体の自主性に配慮しなければならない。

4 国土交通大臣、総務大臣及び財務大臣は、あらかじめ各省各庁の長及び特殊法人等を所管する大臣に協議した上、適正化指針の案を作成し、閣議の決定を求めなければならない。

5 国土交通大臣は、適正化指針の案の作成に先立って、中央建設業審議会の意見を聴かなければならない。

6 国土交通大臣、総務大臣及び財務大臣は、第四項の規定による閣議の決定があったときは、遅滞なく、適正化指針を公表しなければならない。

7 第三項から前項までの規定は、適正化指針の変更について準用する。

（適正化指針に基づく責務）

第一九条 各省各庁の長等は、適正化指針に定めるところに従い、公共工事の入札及び契約の適正化を図るため必要な措置を講ずるよう努めなければならない。

（措置の状況の公表）

第二〇条 国土交通大臣及び財務大臣は、各省各庁の長又は特殊法人等を所管する大臣に対し、当該各省各庁の長又は当該大臣が所管する特殊法人等が適正化指針に従って講じた措置の状況について報告を求めることができる。

2 国土交通大臣及び総務大臣は、地方公共団体に対し、適正化指針に従って講じた措置の状況について報告を求めることができる。

3 国土交通大臣、総務大臣及び財務大臣は、毎年度、前二項の報告を取りまとめ、その概要を公表するものとする。

（要請等）

第二一条 国土交通大臣及び財務大臣は、各省各庁の長又は特殊法人等を所管する大臣に対し、公共工事の入札及び契約の適正化を促進するため適正化指針に照らして特に必要があると認められる措置を講ずべきことを要請することができる。

2 国土交通大臣及び総務大臣は、地方公共団体に対し、公共工事の入札及び契約の適正化を促進するため適正化指針に照らして特に必要があると認められる措置を講ずべきことを要請することができる。

3 第一項の規定による要請をした場合において、国土交通大臣及び財務大臣は、前条第一項の規定による報告を踏まえ、適正化指針に照らして特に必要があると認められる措置の的確な実施のために必要があると認めるときは、各省各庁の長又は特殊法人等を所管する大臣に対し、必要な勧告をすることができる。

4 第二項の規定による要請をした場合において、国土交通大臣及び総務大臣は、前条第二項の規定による報告を踏まえ、適正化指針に照らして特に必要があると認められる措置の的確な実施のために必要があると認めるときは、地方公共団体に対し、必要な勧告、助言又は援助をすることができる。

第七章 国による情報の収集、整理及び提供等

（国による情報の収集、整理及び提供）

第二二条 国土交通大臣、総務大臣及び財務大臣は、第二章の規定により公表された情報その他の普及が公共工事の入札及び契約の適正化の促進に資することとなる情報の収集、整理及び提供に努めなければならない。

（関係法令等に関する知識の習得等）

第二三条 国、特殊法人等及び地方公共団体は、それぞれその職員に対し、公共工事の入札及び契約が適正に行われるよう、関係法令及び所管分野における公共工事の施工技術に関する知識を習得させるための教育及び研修その他必要な措置を講ずるよう努めなければならない。

2 国土交通大臣及び都道府県知事は、建設業を営む者に対し、公共工事の入札及び契約が適正に行われるよう、関係法令に関する知識の普及その他必要な措置を講ずるよう努めなければならない。

附 則〔抄〕

（施行期日）

第一条 この法律は、公布の日から起算して三月を超えない範囲内において政令で定める日から施行する。ただし、第二章から第四章まで並びに第十六条、第十七条第一項及び第二項、第十八条並びに附則第三条（建設業法第二十八条の改正規定に係る部分に限る。）の規定は平成十三年四月一日から、第十七条第三項の規定は平成十四年四月一日から施行する。

〔平成一三政三三により、平成一三・二・一六から施行〕

（経過措置）

第二条 第五条及び第八条の規定は、これらの規定の施行前に入札又は随意契約の手続に着手していた場合における当該入札及びこれに係る契約又は当該随意契約については、適用しない。

2 第四章及び次条（建設業法第二十八条の改正規定に係る部分に限る。）の規定は、これらの規定の施行前に締結された契約に係る公共工事については、適用しない。

附 則〔略〕〔平成二一・六・一〇法律五一〕

附 則〔抄〕〔平成二六・六・四法律五五〕

（施行期日）

第一条 この法律は、公布の日から起算して一年を超えない範囲内において政令で定める日から施行する。〔以下略〕

〔平成二六政三〇七により、平成二七・四・一から施行。ただし、第三条及び第十五条第二項第四号の改正規定は、平成二六・九・二〇から施行〕

（公共工事の入札及び契約の適正化の促進に関する法律の一部改正に伴う経過措置）

第四条 第二条の規定による改正後の公共工事の入札及び契約の適正化の促進に関する法律（次項において「新入札契約適正化法」という。）第四章の規定は、この法律の施行の際現に入札に付されている公共工事については、適用しない。

2 この法律の施行前に締結された契約に係る公共工事の施工については、新入札契約適正化法第十五条の規定にかかわらず、なお従前の例による。

附 則〔略〕〔平成二七・九・一一法律六六〕

附 則〔抄〕〔令和元・六・一二法律三〇〕

（施行期日）

第一条 この法律は、公布の日から起算して一年六月を超えない範囲内において政令で定める日から施行する。〔以下略〕

〔令和元政七八により、令和二・一〇・一から施行。一部の改正は令和元・九・一から施行〕

（政令への委任）

第五条 前三条に定めるもののほか、この法律の施行に関し必要な経過措置は、政令で定める。

附 則〔略〕〔令和元・六・一四法律三七〕

附 則〔略〕〔令和三・五・一九法律三六〕

附 則〔略〕〔令和三・五・一九法律三七〕

附 則〔抄〕〔令和六・六・一四法律四九〕

（施行期日）

第一条 この法律は、公布の日から起算して一年六月を超えない範囲内において政令で定める日から施行する。ただし、次の各号に掲げる規定は、当該各号に定める日から施行する。

一　附則第四条の規定　公布の日
二　〔略〕
三　〔前略〕第二条（公共工事の入札及び契約の適正化の促進に関する法律第十一条第二号の改正規定及び同法第十二条の改正規定を除く。）の規定〔中略〕及び附則第三条の規定　公布の日から起算して六月を超えない範囲内において政令で定める日

（罰則に関する経過措置）
第三条　第三号施行日前にした行為に対する罰則の適用については、なお従前の例による。

（政令への委任）
第四条　前二条に定めるもののほか、この法律の施行に関し必要な経過措置は、政令で定める。

（検討）
第五条　政府は、この法律の施行後五年を目途として、この法律による改正後のそれぞれの法律の規定について、その施行の状況等を勘案して検討を加え、必要があると認めるときは、その結果に基づいて所要の措置を講ずるものとする。

附　則　〔抄〕〔令和六・六・一九法律五四〕

（施行期日）
第一条　この法律は、公布の日から施行する。〔以下略〕

（検討）
第二条　政府は、この法律の施行後五年を目途として、この法律による改正後のそれぞれの法律の施行の状況等について検討を加え、必要があると認めるときは、その結果に基づいて所要の措置を講ずるものとする。

（**公共工事の入札及び契約の適正化の促進に関する法律の一部改正に伴う経過措置**）
第三条　第二条の規定による改正後の公共工事の入札及び契約の適正化の促進に関する法律（以下この条において「新入札契約適正化法」という。）第二十条第三項及び第四項の規定の適用については、第二条の規定による改正前の公共工事の入札及び契約の適正化の促進に関する法律第二十条第一項又は第二項の規定による要請は、新入札契約適正化法第二十条第一項又は第二項の規定による要請とみなす。

（国土交通省令への委任）
第六条　前三条に定めるもののほか、この法律の施行に関し必要な経過措置は、国土交通省令で定める。

○公共工事の入札及び契約の適正化の促進に関する法律施行令

〔平成一三・二・一五　政令三四〕

改正　平成一四・一二政三八五、平成一五・六政二九三、政二九五、政二九六、七政三二八、政三二九、八政三六四、政三六五、政三六八、政三六九、政三七〇、九政三九二、政四一〇、政四一三、政四三八、政四三九、一二政四八三、政四八九、政四九〇、政五五五、政五五六、平成一六・一政二、政一四、三政四九、政五〇、四政一六〇、五政一八一、一一政三六六、平成一七・五政一九〇、六政二〇三、政二二四、平成一八・三政一六一、平成一九・三政一一〇、八政二三五、平成二〇・三政一二七、平成二三・六政一六六、一〇政三三四、平成二四・三政五四、九政二二七、平成二六・二政三三、一二政四〇七、平成二七・三政七四、平成二八・三政七八、一二政三九六

（特殊法人等の範囲）
第一条　公共工事の入札及び契約の適正化の促進に関する法律（以下「法」という。）第二条第一項の政令で定める法人は、次のとおりとする。
一　首都高速道路株式会社、新関西国際空港株式会社、中間貯蔵・環境安全事業株式会社、中日本高速道路株式会社、成田国際空港株式会社、西日本高速道路株式会社、阪神高速道路株式会社、東日本高速道路株式会社、本州四国連絡高速道路株式会社、沖縄科学技術大学院大学学園及び日本中央競馬会
二　削除
三　国立研究開発法人宇宙航空研究開発機構、国立研究開発法人科学技術振興機構、国立研究開発法人情報通信研究機構、国立研究開発法人森林研究・整備機構、国立研究開発法人日本原子力研究開発機構、独立行政法人空港周辺整備機構、独立行政法人高齢・障害・求職者雇用支援機構、独立行政法人国際協力機構、独立行政法人国立科学博物館、独立行政法人国立高等専門学校機構、独立行政法人国立女性教育会館、独立行政法人国立青少年教育振興機構、独立行政法人国立美術館、独立行政法人国立文化財機構、独立行政法人自動車事故対策機構、独立行政法人中小企業基盤整備機構、独立行政法人鉄道建設・運輸施設整備支援機構、独立行政法人都市再生機構、独立行政法人日本学生支援機構、独立行政法人日本芸術文化振興会、独立行政法人日本高速道路保有・債務返済機構、独立行政法人日本スポーツ振興センター、独立行政法人水資源機構及び独立行政法人労働者健康安全機構

（**国による発注の見通しに関する事項の公表**）
第二条　各省各庁の長は、毎年度、四月一日（当該日において当該年度の予算が成立していない場合にあっては、予算の成立の日）以後遅滞なく、当該年度に発注することが見込まれる公共工事（国の行為を秘密にする必要があるもの及び予定価格が二百五十万円を超えないと見込まれるものを除く。）に係る次に掲げるものの見通しに関する事項を公表しなければならない。
一　公共工事の名称、場所、期間、種別及び概要
二　入札及び契約の方法
三　入札を行う時期（随意契約を行う場合にあっては、契約を締結する時期）
2　前項の規定による公表は、次のいずれかの方法で行わなければならない。
一　官報又は時事に関する事項を掲載する日刊新聞紙に掲載する方法
二　公衆の見やすい場所に掲示し、又は公衆の閲覧に供する方法
3　前項第二号の規定による公衆の閲覧は、閲覧所を設け、又はインターネットを利用して閲覧に供する方法によらなければならない。この場合においては、各省各庁の長は、あらかじめ、当該閲覧に供する方法を告示しなければならない。
4　第二項第二号に掲げる方法で公表した場合においては、当該年度の三月三十一日まで掲示し、又は閲覧に供しなければならない。
5　各省各庁の長は、少なくとも毎年度一回、十月一日を目途として、第一項の規定により公表した発注の見通しに関する事項を見直し、当該事項に変更がある場合には、変更後の当該事項を公表しなければならない。

第三条　前条第二項から第四項までの規定は、変更後の発注の見通しに関する事項の公表の方法について準用する。

（**国による入札及び契約の過程並びに契約の内容に関する事項の公表**）
第四条　各省各庁の長は、次に掲げる事項を定め、又は作成したときは、遅滞なく、当該事項を公表しなければならない。これを変更したときも、同様とする。
一　予算決算及び会計令（昭和二十二年勅令第百六十五号。以下「予決令」という。）第七十二条第一項に規定する一般競争に参加する者に必要な資格及び同条第三項に規定する当該資格を有する者の名簿
二　予決令第九十五条第一項に規定する指名競争に参加する者に必要な資格及び同条第二項において準用する予決令第七十二条第三項に規定する当該資格を有する者の名簿
三　予決令第九十六条第一項に規定する指名競争に参加する者を指名する場合の基準
四　予決令第八十五条（予決令第九十八条において準用する場合を含む。）に規定する契約の相手方となるべき者の申込みに係る価格によってはその者により当該契約の内容に適合した履行がされないこととなるおそれ

があると認められる場合の基準

2　各省各庁の長は、公共工事（国の行為を秘密にする必要があるもの及び予定価格が二百五十万円を超えないものを除く。）の契約を締結したときは、当該公共工事ごとに、遅滞なく、次に掲げる事項を公表しなければならない。ただし、第一号から第八号までに掲げる事項にあっては、契約の締結前に公表することを妨げない。

一　予決令第七十三条の規定により一般競争に参加する者に必要な資格をさらに定め、その資格を有する者により当該競争を行わせた場合における当該資格

二　一般競争入札を行った場合における当該競争に参加しようとした者の商号又は名称並びにこれらのうち当該競争に参加させなかった者の商号又は名称及びその者を参加させなかった理由

三　指名競争入札を行った場合における指名した者の商号又は名称及びその者を指名した理由

四　入札者の商号又は名称及び入札金額（随意契約を行った場合を除く。）

五　落札者の商号又は名称及び落札金額（随意契約を行った場合を除く。）

六　予決令第八十六条第一項（予決令第九十八条において準用する場合を含む。）の規定により契約の相手方となるべき者により当該契約の内容に適合した履行がされないおそれがあるかどうかについて調査した場合における当該調査から落札者の決定までの経緯

七　予決令第八十九条（予決令第九十八条において準用する場合を含む。）の規定により次順位者を落札者とした場合における入札から落札者の決定までの経緯

八　予決令第九十一条第二項（予決令第九十八条において準用する場合を含む。）の規定により価格その他の条件が国にとって最も有利なものをもって申込みをした者を落札者とした場合におけるその者を落札者とした理由

九　次に掲げる契約の内容

イ　契約の相手方の商号又は名称及び住所

ロ　公共工事の名称、場所、種別及び概要

ハ　工事着手の時期及び工事完成の時期

ニ　契約金額

十　随意契約を行った場合における契約の相手方を選定した理由

3　各省各庁の長は、前項の公共工事について契約金額の変更を伴う契約の変更をしたときは、遅滞なく、変更後の契約に係る同項第九号ロからニまでに掲げる事項及び変更の理由を公表しなければならない。

4　前三項の規定による公表は、公衆の見やすい場所に掲示し、又は公衆の閲覧に供する方法で行わなければならない。

5　第二条第三項の規定は、前項の規定による公衆の閲覧について準用する。

6　第二項又は第三項の規定により公表した事項については、少なくとも、公表した日（第二項第一号から第八号までに掲げる事項のうち契約の締結前に公表した事項については、契約を締結した日）の翌日から起算して一年間が経過する日まで掲示し、又は閲覧に供しなければならない。

（地方公共団体による発注の見通しに関する事項の公表）

第五条　地方公共団体の長は、毎年度、四月一日（当該日において当該年度の予算が成立していない場合にあっては、予算の成立の日）以後遅滞なく、当該年度に発注することが見込まれる公共工事（予定価格が二百五十万円を超えないと見込まれるもの及び公共の安全と秩序の維持に密接に関連する公共工事であって当該地方公共団体の行為を秘密にする必要があるものを除く。）に係る次に掲げるものの見通しに関する事項を公表しなければならない。

一　公共工事の名称、場所、期間、種別及び概要

二　入札及び契約の方法

三　入札を行う時期（随意契約を行う場合にあっては、契約を締結する時期）

2　前項の規定による公表は、次のいずれかの方法で行わなければならない。

一　公報又は時事に関する事項を掲載する日刊新聞紙に掲載する方法

二　公衆の見やすい場所に掲示し、又は公衆の閲覧に供する方法

3　前項第二号の規定による公衆の閲覧は、閲覧所を設け、又はインターネットを利用して閲覧に供する方法によらなければならない。この場合においては、地方公共団体の長は、あらかじめ、当該閲覧に供する方法を告示しなければならない。

4　第二項第二号に掲げる方法で公表した場合においては、当該年度の三月三十一日まで掲示し、又は閲覧に供しなければならない。

5　地方公共団体の長は、少なくとも毎年度一回、十月一日を目途として、第一項の規定により公表した発注の見通しに関する事項を見直し、当該事項に変更がある場合には、変更後の当該事項を公表しなければならない。

第六条　前条第二項から第四項までの規定は、変更後の発注の見通しに関する事項の公表の方法について準用する。

（地方公共団体による入札及び契約の過程並びに契約の内容に関する事項の公表）

第七条　地方公共団体の長は、次に掲げる事項を定め、又は作成したときは、遅滞なく、当該事項を公表しなければならない。これを変更したときも、同様とする。

一　地方自治法施行令（昭和二十二年政令第十六号。以下「自治令」という。）第百六十七条の五第一項に規定する一般競争入札に参加する者に必要な資格及び当該資格を有する者の名簿

二　自治令第百六十七条の十一第二項に規定する指名競争入札に参加する者に必要な資格及び当該資格を有する者の名簿

三　指名競争入札に参加する者を指名する場合の基準

2　地方公共団体の長は、公共工事（予定価格が二百五十万円を超えないもの及び公共の安全と秩序の維持に密接に関連する公共工事であって当該地方公共団体の行為を秘密にする必要があるものを除く。）の契約を締結したときは、当該公共工事ごとに、遅滞なく、次に掲げる事項を公表しなければならない。ただし、第一号から第八号までに掲げる事項にあっては、契約の締結前に公表することを妨げない。

一　自治令第百六十七条の五の二の規定により一般競争入札に参加する者に必要な資格を更に定め、その資格を有する者により当該入札を行わせた場合における当該資格

二　一般競争入札を行った場合における当該入札に参加しようとした者の商号又は名称並びにこれらの者のうち当該入札に参加させなかった者の商号又は名称及びその者を参加させなかった理由

三　指名競争入札を行った場合における指名した者の商号又は名称及びその者を指名した理由

四　入札者の商号又は名称及び入札金額（随意契約を行った場合を除く。）

五　落札者の商号又は名称及び落札金額（随意契約を行った場合を除く。）

六　自治令第百六十七条の十第一項（自治令第百六十七条の十三において準用する場合を含む。）の規定により最低の価格をもって申込みをした者を落札者とせず他の者のうち最低の価格をもって申込みをした者を落札者とした場合におけるその者を落札者とした理由

七　自治令第百六十七条の十第二項（自治令第百六十七条の十三において準用する場合を含む。）の規定により最低制限価格を設け最低の価格をもって申込みをした者を落札者とせず最低制限価格以上の価格をもって申込みをした者のうち最低の価格をもって申込みをした者を落札者とした場合における最低制限価格未満の価格をもって申込みをした者の商号又は名称

八　自治令第百六十七条の十の二第一項若しくは第二項の規定により落札者を決定する一般競争入札（以下「総合評価一般競争入札」という。）又は自治令第百六十七条の十三において準用する自治令第百六十七条の十の二第一項若しくは第二項の規定により落札者を決定する指名競争入札（以下「総合評価指名競争入札」という。）を行った場合における次に掲げる事項

イ　当該総合評価一般競争入札又は当該総合評価指名競争入札を行った理由

ロ　自治令第百六十七条の十の二第三項（自治令第百六十七条の十三において準用する場合を含む。）に規定する落札者決定基準

ハ　自治令第百六十七条の十の二第一項（自治令第百六十七条の十三において準用する場合を含む。）の規定により価格その他の条件が当該地方公共団体にとって最も有利なものをもって申込みをした者を落札者とした場合におけるその者を落札者とした理由

ニ　自治令第百六十七条の十の二第二項（自治令第百六十七条の十三において準用する場合を含む。）の規定により落札者となるべき者を落札者とせず他の者のうち価格その他の条件が当該地方公共団体にとって最も有利なものをもって申込みをした者を落札者とした場合におけるその者を落札者とした理由

九　次に掲げる契約の内容

イ　契約の相手方の商号又は名称及び住所
ロ　公共工事の名称、場所、種別及び概要
ハ　工事着手の時期及び工事完成の時期
ニ　契約金額

十　随意契約を行った場合における契約の相手方を選定した理由

3　地方公共団体の長は、前項の公共工事について契約金額の変更を伴う契約の変更をしたときは、遅滞なく、変更後の契約に係る同項第九号ロからニまでに掲げる事項及び変更の理由を公表しなければならない。

4　前三項の規定による公表は、公衆の見やすい場所に掲示し、又は公衆の閲覧に供する方法で行わなければならない。

5　第五条第三項の規定は、前項の規定による公衆の閲覧について準用する。

6　第二項又は第三項の規定により公表した事項については、少なくとも、公表した日（第二項第一号から第八号までに掲げる事項のうち契約の締結前に公表した事項については、契約を締結した日）の翌日から起算して一年間が経過する日まで掲示し、又は閲覧に供しなければならない。

附　則

（施行期日）

第一条　この政令は、法の施行の日（平成十三年二月十六日）から施行する。ただし、第二条から第七条までの規定は、平成十三年四月一日から施行する。

（特殊法人等の範囲に関する経過措置）

第二条　法第二条第一項の政令で定める法人は、独立行政法人環境再生保全機構が行う独立行政法人環境再生保全機構法（平成十五年法律第四十三号）附則第七条第一項第一号に掲げる業務が終了するまでの間、第一条各号に掲げるもののほか、独立行政法人環境再生保全機構とする。

附　則（略）（平成一四・一二・一八政令三八五）
附　則（略）（平成一五・六・二七政令二九三）
附　則（略）（平成一五・六・二七政令二九五）
附　則（略）（平成一五・六・二七政令二九六）
附　則（略）（平成一五・七・二四政令三二八）
附　則（略）（平成一五・七・二四政令三二九）
附　則（略）（平成一五・八・八政令三六四）
附　則（略）（平成一五・八・八政令三六五）
附　則（略）（平成一五・八・八政令三六八）
附　則（略）（平成一五・八・八政令三六九）
附　則（略）（平成一五・八・八政令三七〇）
附　則（略）（平成一五・九・三政令三九二）
附　則（略）（平成一五・九・一二政令四一〇）
附　則（略）（平成一五・九・一八政令四一三）
附　則（略）（平成一五・九・二五政令四三八）
附　則（略）（平成一五・九・二五政令四三九）
附　則（略）（平成一五・一二・三政令四八三）
附　則（略）（平成一五・一二・五政令四八九）
附　則（略）（平成一五・一二・五政令四九〇）
附　則（略）（平成一五・一二・二五政令五五五）
附　則（略）（平成一五・一二・二五政令五五六）
附　則（略）（平成一六・一・七政令二）
附　則（略）（平成一六・一・三〇政令一四）
附　則（略）（平成一六・三・一九政令四九）
附　則（略）（平成一六・三・一九政令五〇）
附　則（略）（平成一六・四・九政令一六〇）
附　則（略）（平成一六・五・二六政令一八一）
附　則（略）（平成一六・一一・二五政令三六六）
附　則（略）（平成一七・五・二七政令一九〇）
附　則（略）（平成一七・六・一政令二〇三）
附　則（平成一八・三・三一政令一六一）

（施行期日）

1　この政令は、平成十八年四月一日から施行する。ただし、第十九条及び次項の規定は、公布の日から施行する。

（国有財産の無償使用の申請に関する経過措置）

2　独立行政法人国立オリンピック記念青少年総合センターの理事長は、この政令の施行の日前においても、第二十条第一項の国有財産の無償使用の申請を行うことができる。この場合において、当該申請は、この政令の施行の日において、独立行政法人国立青少年教育振興機構の理事長がした同条第二項の規定による申請とみなす。

附　則（略）（平成一九・三・三〇政令一一〇）
附　則（略）（平成一九・八・三政令二三五）
附　則（略）（平成二〇・三・三一政令一一七）
附　則（略）（平成二三・六・一〇政令一六六）
附　則（略）（平成二三・一〇・三一政令三三四）
附　則（略）（平成二四・三・二二政令五四）
附　則（略）（平成二四・九・一四政令二二七）
附　則（略）（平成二六・二・五政令二三）
附　則（略）（平成二六・一二・一九政令四〇七）
附　則（略）（平成二七・三・一八政令七四）
附　則（略）（平成二八・三・二五政令七八）
附　則（平成二八・一二・二六政令三九六）

この政令は、平成二十九年四月一日から施行する。

○公共工事の品質確保の促進に関する法律

（平成一七・三・三一　法律一八）

改正　平成二六・六法五六、令和元・六法三五、令和六・六法五四

目次

第一章　総則（第一条―第八条）
第二章　基本方針等（第九条―第十一条）
第三章　多様な入札及び契約の方法等
　第一節　競争参加者の技術的能力の審査等（第十二条・第十三条）
　第二節　多様な入札及び契約の方法（第十四条―第二十一条）
　第三節　発注関係事務を適切に実施することができる者の活用及び発注者に対する支援等（第二十二条―第二十五条）
第四章　公共工事の品質確保のための基盤の整備等（第二十六条―第三十二条）
附則

第一章　総則

（目的）

第一条　この法律は、公共工事の品質確保が、良質な社会資本の整備を通じて、豊かな国民生活の実現及びその安全の確保、環境の保全（良好な環境の創出を含む。）、自立的で個性豊かな地域社会の形成等に寄与するものであるとともに、現在及び将来の世代にわたる国民の利益であることに鑑み、公共工事の品質確保に関する基本理念、国等の責務、基本方針の策定等その担い手の中長期的な育成及び確保の促進その他の公共工事の品質確保の促進に関する基本的事項を定めることにより、現在及び将来の公共工事の品質確保の促進を図り、もって国民の福祉の向上及び国民経済の健全な発展に寄与することを目的とする。

（定義）

第二条　この法律において「公共工事」とは、公共工事の入札及び契約の適正化の促進に関する法律（平成十二年法律第百二十七号）第二条第二項に規定する公共工事をいう。

2　この法律において「公共工事に関する調査等」とは、公共工事に関し、国、特殊法人等（公共工事の入札及び契約の適正化の促進に関する法律第二条第一項に規定する特殊法人等をいう。以下同じ。）又は地方公共団体が発注する測量、地質調査その他の調査（点検及び診断を含む。）及び設計（以下「調査等」という。）をいう。

（基本理念）

第三条　公共工事の品質は、公共工事が現在及び将来における国民生活及び経済活動の基盤となる社会資本を整備するものとして社会経済上重要な意義を有することに鑑み、国及び地方公共団体並びに公共工事等（公共工事及び公共工事に関する調査等をいう。以下同じ。）の発注者及び受注者がそれぞれの役割を果たすことにより、現在及び将来の国民のために確保されなければならない。

2　公共工事の品質は、建設工事が、目的物が使用されて初めてその品質を確認できること、その品質が工事等（工事及び調査等をいう。以下同じ。）の受注者の技術的能力に負うところが大きいこと、個別の工事により条件が異なること等の特性を有することに鑑み、経済性に配慮しつつ価格以外の多様な要素をも考慮し、価格及び品質が総合的に優れた内容の契約がなされることにより、確保されなければならない。

3　公共工事の品質は、施工技術及び調査等に関する技術の維持向上が図られ、並びにそれらを有する者が公共工事の品質確保の担い手として中長期的に育成され、及び確保されることにより、将来にわたり確保されなければならない。

4　公共工事の品質は、公共工事等の発注者（以下単に「発注者」という。）の能力及び体制を考慮しつつ、工事等の性格、地域の実情等に応じて多様な入札及び契約の方法の中から適切な方法が選択されることにより、確保されなければならない。

5　公共工事の品質は、これを確保する上で工事等の効率性、安全性、環境への影響等が重要な意義を有することに鑑み、地盤の状況に関する情報その他の工事等に必要な情報が的確に把握され、より適切な技術又は工夫が活用されることにより、確保されなければならない。

6　公共工事の品質は、公共工事等に関する技術の研究開発並びにその成果の普及及び実用化が適切に推進され、その技術が新たな技術として活用されることにより、将来にわたり確保されなければならない。

7　公共工事の品質は、完成後の適切な点検、診断、維持、修繕その他の維持管理により、将来にわたり確保されなければならない。

8　公共工事の品質は、地域において災害時における対応を含む社会資本の維持管理が適切に行われるよう、地域の実情を踏まえ地域における公共工事の品質確保の担い手が育成され及び確保されるとともに、災害応急対策又は災害復旧に関する工事等（以下「災害応急対策工事等」という。）が迅速かつ円滑に実施される体制が整備されることにより、将来にわたり確保されなければならない。

9　公共工事の品質は、これを確保する上で公共工事等の受注者のみならず下請負人及びこれらの者に使用される技術者、技能労働者等がそれぞれ重要な役割を果たすことに鑑み、公共工事等における請負契約（下請契約を含む。）の当事者が、各々の対等な立場における合意に基づいて、市場における労務の取引価格、健康保険法（大正十一年法律第七十号）等の定めるところにより事業主が納付義務を負う保険料（第八条第二項及び第二十七条第一項において単に「保険料」という。）等を的確に反映した適正な額の請負代金及び適正な工期又は調査等の履行期（以下「工期等」という。）を定める公正な契約を締結し、その請負代金をできる限り速やかに支払う等信義に従って誠実にこれを履行するとともに、公共工事等に従事する者の賃金、労働時間、休日その他の労働条件、安全衛生その他の労働環境の適正な整備について配慮がなされることにより、確保されなければならない。

10　公共工事の品質確保に当たっては、公共工事等の入札及び契約の過程並びに契約の内容の透明性並びに競争の公正性が確保されること、談合、入札談合等関与行為その他の不正行為の排除が徹底されること、その請負代金の額によっては公共工事等の適正な実施が通常見込まれない契約の締結が防止されること並びに契約された公共工事等の適正な実施が確保されることにより、公共工事等の受注者（以下単に「受注者」という。）としての適格性を有しない建設業者等が排除されること等の入札及び契約の適正化が図られるように配慮されなければならない。

11　公共工事の品質確保に当たっては、民間事業者の能力が適切に評価され、並びに公共工事等の入札及び契約に適切に反映されること、民間事業者の積極的な技術提案（公共工事等に関する技術又は工夫についての提案をいう。以下同じ。）及び創意工夫が活用されること等により民間事業者の能力が活用されるように配慮されなければならない。

12　公共工事の品質確保に当たっては、新たな技術を活用した資材、機械、工法等の採用が公共工事の品質の向上に及ぼす効果が適切に評価されること等により、新たな技術の活用が価格のみを理由として妨げられることのないように配慮されなければならない。

13　公共工事の品質確保に当たっては、調査等、施工及び維持管理の各段階における情報通信技術（デジタル社会形成基本法（令和三年法律第三十五号）第二条に規定する情報通信技術をいう。以下同じ。）の活用（当該各段階におけるデータ（電子的方式、磁気的方式その他人の知覚によっては認識することができない方式で作られる記録に記録された情報をいう。以下この項において同じ。）の適切な引継ぎ及び多様かつ大量のデータの適正かつ効果的な活用を含む。以下同じ。）等を通じて、その生産性の向上が図られるように配慮されなければならない。

14　公共工事の品質確保に当たっては、脱炭素化（脱炭素社会（地球温暖化対策の推進に関する法律（平成十年法律第百十七号）第二条の二に規定する脱炭素社会をいう。）の実現に寄与することを旨として、社会経済活動その他の活動に伴って発生する温室効果ガス（同法第二条第三項に規定する温室効果ガスをいう。）の排出の量の削減並びに吸収作用の保全及び強化を行うことをいう。第七条第一項第二号において同じ。）に向けた技術又は工夫が活用されるように配慮されなければならない。

15　公共工事の品質確保に当たっては、公共工事に関する調査等の業務の内容に応じて必要な知識又は技術を有する者の能力がその者の有する資格等により適切に評価され、及びそれらの者が十分に活用されなければならない。

（国の責務）

第四条　国は、前条の基本理念（以下「基本理念」という。）にのっとり、公共工事の品質確保の促進に関する施策を総合的に策定し、及び実施する責務を有する。

（地方公共団体の責務）

第五条　地方公共団体は、基本理念にのっとり、その地域の実情を踏まえ、公共工事の品質確保の促進に関する施策を策定し、及び実施する責務を有する。

（国及び地方公共団体の相互の連携及び協力）

第六条　国及び地方公共団体は、公共工事の品質確保の促進に関する施策の策定及び実施に当たっては、基本理念の実現を図るため、相互に緊密な連携を図りながら協力しなければならない。

（発注者等の責務）

第七条　発注者は、基本理念にのっとり、現在及び将来の公共工事の品質が確保されるよう、公共工事の品質確保の担い手の中長期的な育成及び確保に配慮しつつ、公共工事等の仕様書及び設計書の作成、予定価格の作成、入札及び契約の方法の選択、契約の相手方の決定、工事等の監督及び検査並びに工事等の実施中及び完了時の施工状況又は調査等の状況（以下「施工状況等」という。）の確認及び評価その他の事務（以下「発注関係事務」という。）を、次に定めるところによる等適切に実施しなければならない。

一　公共工事等を実施する者が、公共工事の品質確保の担い手が中長期的に育成され及び確保されるための適正な利潤を確保することができるよう、適切に作成された仕様書及び設計書に基づき、経済社会情勢の変化を勘案し、市場における労務及び資材等の取引価格、健康保険法等の定めるところにより事業主が納付義務を負う保険料、公共工事等に従事する者の業務上の負傷等に対する補償に必要な金額を担保するための保険契約の保険料、第五項の協定に基づき発注者がその実施を要請する災害応急対策工事等に係る次条第五項の保険契約の保険料、工期等、公共工事等の実施の実態等を的確に反映した積算を行うことにより、予定価格を適正に定めること。

二　価格に加え、工期、安全性、生産性、脱炭素化に対する寄与の程度その他の要素を考慮して総合的に価値の最も高い資材、機械、工法等（新たな技術を活用した資材、機械、工法等を含む。第六号において「総合的に価値の最も高い資材等」という。）を採用するに当たっては、これに必要な費用を適切に反映した積算を行うことにより、予定価格を適正に定めること。

三　入札に付しても定められた予定価格に起因して入札者又は落札者がなかったと認める場合において更に入札に付するとき、災害その他の特別な事情により通常の積算の方法によっては適正な予定価格の算定が困難と認めるときその他必要があると認めるときは、入札に参加する者から当該入札に係る工事等の全部又は一部の見積書を徴することその他の方法により積算を行うことにより、適正な予定価格を定め、できる限り速やかに契約を締結するよう努めること。

四　災害時においては、手続の透明性及び公正性の確保に留意しつつ、災害応急対策又は緊急性が高い災害復旧に関する工事等にあっては随意契約を、その他の災害復旧に関する工事等にあっては指名競争入札を活用する等緊急性に応じた適切な入札及び契約の方法を選択するよう努めること。

五　その請負代金の額によっては公共工事等の適正な実施が通常見込まれない契約の締結を防止するため、その入札金額によっては当該公共工事等の適正な実施が通常見込まれない契約となるおそれがあると認められる場合の基準又は最低制限価格の設定その他の必要な措置を講ずること。

六　公共工事等の発注に関し、経済性に配慮しつつ、総合的に価値の最も高い資材等を採用するよう努めること。

七　地域における公共工事の品質確保の担い手が中長期的に育成され及び確保されるよう、地域の実情を踏まえ、競争に参加する者に必要な資格、発注しようとする公共工事等の規模その他の入札に関する事項を適切に定めること。

八　地域における公共工事の品質確保の担い手がその地域で十分に普及していない技術を円滑に習得することができるよう、発注又は契約の相手方の選定に関し、必要に応じて、当該技術を有する民間事業者と当該地域の民間事業者との連携及び技術的な協力のために必要な措置を講ずること。

九　災害からの迅速な復旧復興に資するよう、発注又は契約の相手方の選定に関し、必要に応じて、災害からの迅速な復旧復興に資する事業のために必要な能力を有する民間事業者と地域の民間事業者との連携及び協力のために必要な措置を講ずること。

十　地域における公共工事等の実施の時期の平準化を図るため、計画的に発注を行うとともに、工期等が一年に満たない公共工事等についての繰越明許費（財政法（昭和二十二年法律第三十四号）第十四条の三第二項に規定する繰越明許費又は地方自治法（昭和二十二年法律第六十七号）第二百十三条第二項に規定する繰越明許費をいう。第十二号において同じ。）又は財政法第十五条に規定する国庫債務負担行為若しくは地方自治法第二百十四条に規定する債務負担行為の活用による翌年度にわたる工期等の設定、他の発注者との連携による中長期的な公共工事等の発注の見通しの作成及び公表その他の必要な措置を講ずること。

十一　公共工事等に従事する者の労働時間その他の労働条件が適正に確保されるよう、公共工事等に従事する者の休日、工事等の実施に必要な準備期間、天候その他のやむを得ない事由により工事等の実施が困難であると見込まれる日数等を考慮し、適正な工期等を設定すること。

十二　設計図書（仕様書、設計書及び図面をいう。以下この号において同じ。）に適切に施工条件又は調査等の実施の条件を明示するとともに、設計図書に示された施工条件と実際の工事現場の状態が一致しない場合、設計図書に示されていない施工条件又は調査等の実施の条件について予期することができない特別な状態が生じた場合その他の場合において必要があると認められるときは、適切に設計図書の変更及びこれに伴い必要となる請負代金の額又は工期等の変更を行うこと。この場合において、工期等が翌年度にわたることとなったときは、繰越明許費の活用その他の必要な措置を適切に講ずること。

十三　公共工事の契約において市場における労務及び資材等の取引価格の変動に基づく請負代金の額の変更及びその適切な算定方法に関する定めを設け、当該定めの適用に関する基準を策定するとともに、当該契約の締結後に当該変動が生じたときは、当該契約及び当該基準に基づき適切に請負代金の額の変更を行うこと。

十四　公共工事等の監督及び検査並びに施工状況等の確認及び評価に当たっては、積極的な情報通信技術の活用を図るとともに、必要に応じて、発注者及び受注者以外の者であって専門的な知識又は技術を有するものによる、工事等が適正に実施されているかどうかの確認の結果の活用を図るよう努めること。

十五　必要に応じて完成後の一定期間を経過した後において施工状況の確認及び評価を実施するよう努めること。

2　発注者は、公共工事等の施工状況等及びその評価に関する資料その他の資料が将来における自らの発注に、及び発注者間においてその発注に相互に、有効に活用されるよう、その評価の標準化のための措置並びにこれらの資料の保存のためのデータベースの整備及び更新その他の必要な措置を講じなければならない。

3　発注者は、発注関係事務を適切に実施するため、その実施に必要な知識又は技術を有する職員の育成及び確保、必要な職員の配置その他の体制の整備に努めるとともに、他の発注者と情報交換を行うこと等により連携を図るよう努めなければならない。

4　発注者は、発注者及び受注者の負担の軽減に資するよう、発注関係事務の実施に関し、情報通信技術の活用等に努めなければならない。

5　発注者は、災害応急対策工事等が迅速かつ円滑に実施されるよう、あらかじめ、建設業法（昭和二十四年法律第百号）第二十七条の三十七に規定する建設業者団体（第二十六条及び第三十一条において単に「建設業者団体」という。）その他の者との災害応急対策工事等の実施に関する協定の締結その他必要な措置を講ずるよう努めるとともに、他の発注者と連携を図るよう努めなければならない。

6　発注者は、災害応急対策工事等の迅速かつ円滑な実施に資するため、公共工事の目的物の被害状況の把握に関し、当該目的物の整備及び維持管理について必要な知識及び経験を有する者を活用するよう努めなければならない。

7　国、特殊法人等及び地方公共団体は、公共工事の目的物の維持管理を行うに際しては、当該目的物の備えるべき品質が将来にわたり確保されるよう、維持管理の担い手の中長期的な育成及び確保並びに生産性の向上に配慮しつつ、情報通信技術の活用等により、当該目的物について、適切に点検、診断、維持、修繕等を実施するよう努めなければならない。この場合において、当該目的物の維持管理を広域的又は包括的に行うときは、必要な連携体制の構築に努めなければならない。

（受注者等の責務）

第八条　受注者は、基本理念にのっとり、契約された公共工事等を適正に実施しなければならない。

2　公共工事等を実施する者は、下請契約を締結するときは、下請負人に使用される技術者、技能労働者等の賃金、労働時間、休日その他の労働条件、安全衛生その他の労働環境が適正に整備されるよう、市場における労務の取引価格、保険料等を的確に反映した適正な額の請負代金及び適正な工期等を定める下請契約を締結しなければならない。

3　公共工事等を実施する者（公共工事等を実施する者となろうとする者を含む。次項において同じ。）は、契約された又は将来実施することとなる公共工事等の適正な実施のために必要な技術的能力（新たな技術を活用した資材、機械、工法等を効果的に活用する能力を含む。）の向上、情報通信技術を活用した公共工事等の実施の効率化等による生産性の向上並びに技術者、技能労働者等の育成及び確保並びにこれらの者に係る賃金、労働時間、休日その他の労働条件、安全衛生その他の労働環境の改善に努めなければならない。

4　公共工事等を実施する者は、その使用する者の有する能力に応じた適切な処遇を確保するとともに、外国人等を含む多様な人材がその有する能力を有効に発揮できるよう、その従事する職業に適応することを容易にするための措置の実施その他の雇用管理の改善に努めなければならない。

5　前条第五項の協定に基づき災害応急対策工事等を実施する受注者は、当該災害応急対策工事等に従事する者の業務上の負傷等に対する補償及び当該災害応急対策工事等の実施について第三者に加えた損害の賠償に必要な金額を担保するため、当該災害応急対策工事等の実施に当たり、適切な保険契約を締結するよう努めなければならない。

第二章　基本方針等

（基本方針）

第九条　政府は、公共工事の品質確保の促進に関する施策を総合的に推進するための基本的な方針（以下「基本方針」という。）を定めなければならない。

2　基本方針は、次に掲げる事項について定めるものとする。

一　公共工事の品質確保の促進の意義に関する事項

二　公共工事の品質確保の促進のための施策に関する基本的な方針

3　基本方針の策定に当たっては、特殊法人等及び地方公共団体の自主性に配慮しなければならない。

4　政府は、基本方針を定めたときは、遅滞なく、これを公表しなければならない。

5　前二項の規定は、基本方針の変更について準用する。

（基本方針に基づく責務）

第一〇条　各省各庁の長（財政法第二十条第二項に規定する各省各庁の長をいう。）、特殊法人等の代表者（当該特殊法人等が独立行政法人（独立行政法人通則法（平成十一年法律第百三号）第二条第一項に規定する独立行政法人をいう。）である場合にあっては、その長）及び地方公共団体の長は、基本方針に定めるところに従い、公共工事の品質確保の促進を図るため必要な措置を講ずるよう努めなければならない。

（関係行政機関の協力体制）

第一一条　政府は、基本方針の策定及びこれに基づく施策の実施に関し、関係行政機関による協力体制の整備その他の必要な措置を講ずるものとする。

第三章　多様な入札及び契約の方法等

第一節　競争参加者の技術的能力の審査等

（競争参加者の技術的能力の審査）

第一二条　発注者は、その発注に係る公共工事等の契約につき競争に付するときは、競争に参加しようとする者について、工事等の経験、施工状況等の評価、当該公共工事等に配置が予定される技術者の経験又は有する資格その他競争に参加しようとする者の技術的能力に関する事項を審査しなければならない。

（競争参加者の中長期的な技術的能力の確保に関する審査等）

第一三条　発注者は、その発注に係る公共工事等の契約につき競争に付するときは、当該公共工事等の性格、地域の実情等に応じ、競争に参加する者（競争に参加しようとする者を含む。以下同じ。）について、若年の技術者、技能労働者等の育成及び確保の状況、建設機械の保有の状況、災害時における工事等の実施体制の確保の状況等に関する事項を適切に審査し、又は評価するよう努めなければならない。

第二節　多様な入札及び契約の方法

（多様な入札及び契約の方法の中からの適切な方法の選択）

第一四条　発注者は、入札及び契約の方法の決定に当たっては、その発注に係る公共工事等の性格、地域の実情等に応じ、この節に定める方式その他の多様な方法の中から適切な方法を選択し、又はこれらの組合せによることができる。

（競争参加者等の技術提案を求める方式）

第一五条　発注者は、競争に参加する者に対し、技術提案を求めるよう努めなければならない。ただし、発注者が、当該公共工事等の内容に照らし、その必要がないと認めるときは、この限りでない。

2　発注者は、前項の規定により技術提案を求めるに当たっては、競争に参加する者の技術提案に係る負担に配慮しなければならない。

3　発注者は、競争に付された公共工事等につき技術提案がされたときは、これを適切に審査し、及び評価しなければならない。この場合において、発注者は、中立かつ公正な審査及び評価が行われるようこれらに関する当事者からの苦情を適切に処理することその他の必要な措置を講ずるものとする。

4　発注者は、競争に付された公共工事等を技術提案の内容に従って確実に実施することができないと認めるときは、当該技術提案を採用しないことができる。

5　発注者は、競争に参加する者に対し技術提案を求めて落札者を決定する場合には、あらかじめその旨及びその評価の方法を公表するとともに、その評価の後にその結果を公表しなければならない。ただし、公共工事の入札及び契約の適正化の促進に関する法律第四条から第八条までに定める公共工事の入札及び契約に関する情報の公表がなされない公共工事についての技術提案の評価の結果については、この限りでない。

6　発注者は、その発注に係る公共工事に関する調査等の契約につき競争に付さないときは、受注者となろうとする者に対し、技術提案を求めるよう努めなければならない。ただし、発注者が、当該公共工事に関する調査等の内容に照らし、その必要がないと認めるときは、この限りでない。

7　第二項から第五項まで（同項ただし書を除く。）の規定は、前項に規定する場合において、技術提案がされたときについて準用する。この場合において、第二項中「前項」とあるのは「第六項」と、第三項及び第四項中「競争に付された公共工事等」とあるのは「競争に付されなかった公共工事に関する調査等」と、第五項中「落札者」とあるのは「受注者」と読み替えるものとする。

（段階的選抜方式）

第一六条　発注者は、競争に参加する者に対し技術提案を求める方式による場合において競争に参加する者の数が多数であると見込まれるときその他必要があると認めるときは、必要な施工技術又は調査等の技術を有する者が新規に競争に参加することが不当に阻害されることのないように配慮しつつ、当該公共工事等に係る技術的能力に関する事項を評価すること等により一定の技術水準に達した者を選抜した上で、これらの者の中から落札者を決定することができる。

（技術提案の改善）

第一七条　発注者は、技術提案をした者に対し、その審査において、当該技術提案についての改善を求め、又は改善を提案する機会を与えることができる。この場合において、発注者は、技術提案の改善に係る過程について、その概要を公表しなければならない。

2　第十五条第五項ただし書の規定は、技術提案の改善に係る過程の概要の公表について準用する。

（技術提案の審査及び価格等の交渉による方式）

第一八条　発注者は、当該公共工事等の性格等により当該工事等の仕様の確定が困難である場合において自らの発注の実績等を踏まえ必要があると認めるときは、技術提案を公募の上、その審査の結果を踏まえて選定した者と工法、価格等の交渉を行うことにより仕様を確定した上で契約することができる。この場合において、発注者は、技術提案の審査及び交渉の結果を踏まえ、予定価格を定めるものとする。

2　発注者は、前項の技術提案の審査に当たり、中立かつ公正な審査が行われるよう、中立の立場で公正な判断をすることができる学識経験者の意見を聴くとともに、当該審査に関する当事者からの苦情を適切に処理することその他の必要な措置を講ずるものとする。

3　発注者は、第一項の技術提案の審査の結果並びに審査及び交渉の過程の概要を公表しなければならない。この場合においては、第十五条第五項ただし書の規定を準用する。

（高度な技術等を含む技術提案を求めた場合の予定価格）

第一九条　発注者は、前条第一項の場合を除くほか、高度な技術又は優れた工夫を含む技術提案を求めたときは、当該技術提案の審査の結果を踏まえて、予定価格を定めることができる。この場合において、発注者は、当該技術提案の審査に当たり、中立の立場で公正な判断をすることができる学識経験者の意見を聴くものとする。

（地域における社会資本の維持管理に資する方式）

第二〇条　発注者は、公共工事等の発注に当たり、地域における社会資本の維持管理の効率的かつ持続的な実施のために必要があると認めるときは、地域の実情に応じ、次に掲げる方式等を活用するものとする。

一　工期が複数年度にわたる公共工事等を一の契約により発注する方式

二　複数の公共工事等を一の契約により発注する方式

三　複数の建設業者等により構成される組合その他の事業体が競争に参加することができることとする方式

（競争が存在しないことの確認による方式）

第二一条　発注者は、その発注に係る公共工事等に必要な技術、設備又は体制等からみて、その地域において受注者となろうとする者が極めて限られており、当該地域において競争が存在しない状況が継続すると見込まれる公共工事等の契約について、当該技術、設備又は体制等及び受注者となることが見込まれる者が存在することを明示した上で公募を行い、競争が存在しないことを確認したときは、随意契約によることができる。

第三節　発注関係事務を適切に実施することができる者の活用及び発注者に対する支援等

（発注関係事務を適切に実施することができる者の活用等）

第二二条　発注者は、その発注に係る公共工事等が専門的な知識又は技術を必要とすること、職員の不足その他の理由により自ら発注関係事務を適切に実施することが困難であると認めるときは、国、地方公共団体その他法令又は契約により発注関係事務の全部又は一部を行うことができる者の能力を活用するよう努めなければならない。この場合において、発注者は、発注関係事務を適正に行うことができる知識及び経験を有する職員が置かれていること、法令の遵守及び秘密の保持を確保できる体制が整備されていることその他発注関係事務を公正に行うことができる条件を備えた者を選定するものとする。

2　発注者は、前項の場合において、契約により発注関係事務の全部又は一部を行うことができる者を選定したときは、その者が行う発注関係事務の公正性を確保するために必要な措置を講ずるものとする。

3　第一項の規定により、契約により発注関係事務の全部又は一部を行う者は、基本理念にのっとり、発注関係事務を適切に実施しなければならない。

4　国及び都道府県は、発注者を支援するため、専門的な知識又は技術を必要とする発注関係事務を適切に実施することができる者の育成及びその活用の促進、発注関係事務を公正に行うことができる条件を備えた者の適切な評価及び選定に関する協力、発注関係事務に関し助言その他の援助を適切に行う能力を有する者の活用の促進、発注者間の連携体制の整備その他の必要な措置を講ずるよう努めなければならない。

5　国及び都道府県は、発注者が発注関係事務の適切な実施に必要な知識又は技術を有する職員を育成することを支援するため、講習会の開催、自らが実施する研修への発注者の職員の受入れ、民間団体による研修の活用の促進その他必要な措置を講ずるよう努めなければならない。

（発注関係事務の実施に関する助言等）

第二三条　国は、発注者の発注関係事務の実施の実態を調査し、及びその結果を公表するよう努めるとともに、その結果を踏まえ、発注者が発注関係事務を適切に実施することができるよう、必要な助言を行わなければならない。

（発注関係事務の運用に関する指針）

第二四条　国は、基本理念にのっとり、発注者を支援するため、地方公共団体、学識経験者、民間事業者その他の関係者の意見を聴いて、公共工事等の性格、地域の実情等に応じた入札及び契約の方法の選択その他の発注関係事務の適切な実施に係る制度の運用に関する指針を定めるものとする。

（国の援助）

第二五条　国は、第二十二条第四項及び第五項並びに前二条に規定するもののほか、地方公共団体が講ずる公共工事の品質確保の担い手の中長期的な育成及び確保の促進その他の公共工事の品質確保の促進に関する施策に関し、必要な助言その他の援助を行うよう努めなければならない。

第四章　公共工事の品質確保のための基盤の整備等

（職業訓練実施者に対する支援等）

第二六条　国及び地方公共団体は、公共工事の品質確保の担い手の中長期的な育成及び確保のため、工事等に関する専門的な知識又は技術を有する人材を育成するための職業訓練を実施する者に対する支援等、工事等に関する基礎的な知識及び技能を習得させるための教育を行う高等学校等と民間事業者及び建設業者団体等との間の連携の促進並びに外国人等を含む多様な人材の確保等に必要な環境の整備の促進について必要な措置を講ずるよう努めなければならない。

（労務費等に関する実態調査等）

第二七条　国は、下請負人その他の公共工事を実施する者（以下この項及び次項において「下請負人等」という。）に対して市場における労務の取引価格、保険料等を的確に反映した適正な額の請負代金が支払われるとともに、下請負人等により公共工事に従事する者に対して適正な額の賃金が支払われるよう、公共工事の請負契約の締結の状況及び下請負人等が講じた公共工事に従事する者の能力等に即した評価に基づく賃金の支払その他の公共工事に従事する者の適切な処遇を確保するための措置に関する実態の調査を行うよう努めなければならない。

2　国は、下請負人等に使用される公共工事に従事する者に対して適切に休日が与えられるよう、その休日の付与の実態の調査を行うよう努めなければならない。

3　国は、前二項の規定による調査の結果を公表するとともに、その結果を踏まえ、公共工事に従事する者の適正な労働条件の確保のために必要な施策の策定及び実施に努めなければならない。

（民間事業者等による研究開発の促進）

第二八条　国は、公共工事等に必要な高度な技術の研究開発に資するため、第十八条第一項の契約の方式の活用を通じた設計に携わる民間事業者と施工に携わる民間事業者との連携その他の民間事業者等相互間の連携を促進するよう努めなければならない。

2　国は、公共工事等に必要な高度な技術の研究開発を民間事業者等に委託し又は請け負わせる場合には、当該民間事業者等がその成果を有効に活用することができるようにするため、当該成果に係る知的財産権の取扱いについて適切に配慮するよう努めなければならない。

（研究開発の安定的な推進）

第二九条　国は、公共工事等に関する技術に係る研究機関の機能の強化並びに当該技術の研究開発並びにその成果の普及及び実用化を中長期にわたって安定的に推進するため、必要な措置を講ずるよう努めなければならない。

（地方公共団体の関係部局の連携）

第三〇条　地方公共団体は、公共工事等の実施の時期の平準化を図るための措置に関する施策その他の公共工事の品質確保の促進に関する施策の実施に当たっては、公共工事等の入札及び契約に関する業務を担当する部局、公共工事等の実施に関する業務を担当する部局、財政に関する業務を担当する部局その他の関係部局の相互の緊密な連携を確保するよう努めなければならない。

（国民の関心及び理解の増進）

第三一条　国及び地方公共団体は、建設業者団体等と連携しつつ、公共工事の品質確保及びその担い手の活動（災害時における活動を含む。）の重要性に関する国民の関心と理解を深めるため、それらに関する広報活動及び啓発活動の充実その他の必要な施策を講ずるよう努めなければならない。

（公共工事に関する調査等に係る資格等に関する検討）

第三二条　国は、公共工事に関する調査等に関し、その業務の内容に応じて必要な知識又は技術を有する者の能力がその者の有する資格等により適切に評価され、及びそれらの者が十分に活用されるようにするため、公共工事に関する調査等の担い手の中長期的な育成及び確保に留意して、これらに係る資格等の評価及び資格等に係る制度の運用の在り方等について検討を加え、その結果に基づいて必要な措置を講ずるものとする。

附　則

（施行期日）

1　この法律は、平成十七年四月一日から施行する。

（検討）

2　政府は、この法律の施行後三年を経過した場合において、この法律の施行の状況等について検討を加え、必要があると認めるときは、その結果に基づいて所要の措置を講ずるものとする。

附　則〔抄〕〔平成二六・六・四法律五六〕

（施行期日）

1　この法律は、公布の日から施行する。

（検討）

2　政府は、この法律の施行後五年を目途として、この法律による改正後の公共工事の品質確保の促進に関する法律の施行の状況等について検討を加え、必要があると認めるときは、その結果に基づいて必要な措置を講ずるものとする。

附　則〔令和元・六・一四法律三五〕

（施行期日）

1　この法律は、公布の日から施行する。

（検討）

2　政府は、この法律の施行後五年を目途として、この法律による改正後の公共工事の品質確保の促進に関する法律の施行の状況等について検討を加え、必要があると認めるときは、その結果に基づいて所要の措置を講ずるものとする。

附　則〔抄〕〔令和六・六・一九法律五四〕

（施行期日）

第一条　この法律は、公布の日から施行する。〔以下略〕

（検討）

第二条　政府は、この法律の施行後五年を目途として、この法律による改正後のそれぞれの法律の施行の状況等について検討を加え、必要があると認めるときは、その結果に基づいて所要の措置を講ずるものとする。

（国土交通省令への委任）

第六条 前三条に定めるもののほか、この法律の施行に関し必要な経過措置は、国土交通省令で定める。

○建設工事従事者の安全及び健康の確保の推進に関する法律

〔平成二八・一二・一六　法律一一一〕

目次

第一章　総則（第一条―第七条）
第二章　基本計画等（第八条・第九条）
第三章　基本的施策（第十条―第十四条）
第四章　建設工事従事者安全健康確保推進会議（第十五条）
附則

第一章　総則

（目的）

第一条 この法律は、国民の日常生活及び社会生活において建設業の果たす役割の重要性、建設業における重大な労働災害の発生状況等を踏まえ、公共工事のみならず全ての建設工事について建設工事従事者の安全及び健康の確保を図ることが等しく重要であることに鑑み、建設工事従事者の安全及び健康の確保に関し、基本理念を定め、並びに国、都道府県及び建設業者等の責務を明らかにするとともに、建設工事従事者の安全及び健康の確保に関する施策の基本となる事項を定めること等により、建設工事従事者の安全及び健康の確保に関する施策を総合的かつ計画的に推進し、もって建設業の健全な発展に資することを目的とする。

（定義）

第二条 この法律において「建設工事」とは、建設業法（昭和二十四年法律第百号）第二条第一項に規定する建設工事をいう。

2 この法律において「建設工事従事者」とは、建設工事に従事する者をいう。

3 この法律において「建設業者」とは、建設業法第二条第三項に規定する建設業者をいう。

4 この法律において「建設業者等」とは、建設業者及び建設業法第二十七条の三十七に規定する建設業者団体をいう。

（基本理念）

第三条 建設工事従事者の安全及び健康の確保は、建設工事の請負契約において適正な請負代金の額、工期等が定められることにより、行われなければならない。

2 建設工事従事者の安全及び健康の確保は、このために必要な措置が建築物等の設計、建設工事の施工等の各段階において適切に講ぜられることにより、行われなければならない。

3 建設工事従事者の安全及び健康の確保は、建設工事従事者の安全及び健康に関する建設業者等及び建設工事従事者の意識を高めることにより、安全で衛生的な作業の遂行が図られることを旨として、行われなければならない。

4 建設工事従事者の安全及び健康の確保は、建設工事従事者の処遇の改善及び地位の向上が図られることを旨として、行われなければならない。

（国の責務）

第四条 国は、前条の基本理念（次条及び第六条において「基本理念」という。）にのっとり、建設工事従事者の安全及び健康の確保に関する施策を総合的に策定し、及び実施する責務を有する。

（都道府県の責務）

第五条 都道府県は、基本理念にのっとり、国との適切な役割分担を踏まえて、当該都道府県の区域の実情に応じた建設工事従事者の安全及び健康の確保に関する施策を策定し、及び実施する責務を有する。

（建設業者等の責務）

第六条 建設業者等は、基本理念にのっとり、その事業活動に関し、建設工事従事者の安全及び健康の確保のために必要な措置を講ずるとともに、国又は都道府県が実施する建設工事従事者の安全及び健康の確保に関する施策に協力する責務を有する。

（法制上の措置等）

第七条 政府は、建設工事従事者の安全及び健康の確保に関する施策を実施するため必要な法制上、財政上又は税制上の措置その他の措置を講じなければならない。

第二章　基本計画等

（基本計画）

第八条 政府は、建設工事従事者の安全及び健康の確保に関する施策の総合的かつ計画的な推進を図るため、建設工事従事者の安全及び健康の確保に関する基本的な計画（以下この条及び次条第一項において「基本計画」という。）を策定しなければならない。

2 基本計画は、次に掲げる事項について定めるものとする。

一 建設工事従事者の安全及び健康の確保に関する施策についての基本的な方針

二 建設工事従事者の安全及び健康の確保に関し、政府が総合的かつ計画的に講ずべき施策

三 前二号に掲げるもののほか、建設工事従事者の安全及び健康の確保に関する施策を総合的かつ計画的に推進するために必要な事項

3 厚生労働大臣及び国土交通大臣は、基本計画の案を作成し、閣議の決定

を求めなければならない。

4　厚生労働大臣及び国土交通大臣は、前項の規定により基本計画の案を作成しようとするときは、あらかじめ、関係行政機関の長に協議しなければならない。

5　政府は、第一項の規定により基本計画を策定したときは、遅滞なく、これを国会に報告するとともに、インターネットの利用その他適切な方法により公表しなければならない。

6　政府は、建設工事従事者の安全及び健康の確保に関する状況の変化を勘案し、並びに建設工事従事者の安全及び健康の確保に関する施策の効果に関する評価を踏まえ、少なくとも五年ごとに、基本計画に検討を加え、必要があると認めるときは、これを変更しなければならない。

7　第三項から第五項までの規定は、基本計画の変更について準用する。

（都道府県計画）

第九条　都道府県は、基本計画を勘案して、当該都道府県における建設工事従事者の安全及び健康の確保に関する計画（次項において「都道府県計画」という。）を策定するよう努めるものとする。

2　都道府県は、都道府県計画を策定し、又は変更したときは、遅滞なく、これを公表しなければならない。

第三章　基本的施策

（建設工事の請負契約における経費の適切かつ明確な積算等）

第一〇条　国及び都道府県は、建設工事の請負契約において建設工事従事者の安全及び健康に十分配慮された請負代金の額、工期等が定められ、これが確実に履行されるよう、建設工事従事者の安全及び健康の確保に関する経費（建設工事従事者に係る労働者災害補償保険の保険料を含む。）の適切かつ明確な積算、明示及び支払の促進その他の必要な施策を講ずるものとする。

（責任体制の明確化）

第一一条　国及び都道府県は、建設工事従事者の安全及び健康の確保に関する責任体制の明確化に資するよう、建設工事に係る下請関係の適正化の促進その他の必要な施策を講ずるものとする。

（建設工事の現場における措置の統一的な実施）

第一二条　国及び都道府県は、建設工事の現場において、建設工事従事者の安全及び健康の確保に関する措置が統一的に講ぜられるよう、建設業者の間の連携の促進、当該現場における作業を行う全ての建設工事従事者に係る労働者災害補償保険の保険関係の状況の把握の促進その他の必要な施策を講ずるものとする。

（建設工事の現場の安全性の点検等）

第一三条　国及び都道府県は、建設工事従事者の安全及び健康の確保を図るため、建設工事の現場の安全性の点検、分析、評価等に係る建設業者等による自主的な取組を促進するものとする。

2　国及び都道府県は、建設工事従事者の安全及び健康の確保を図るため、建設工事従事者の安全及び健康に配慮した建築物等の設計の普及並びに建設工事の安全な実施に資するとともに省力化及び生産性の向上にも配慮した材料、資機材及び施工方法の開発及び普及を促進するものとする。

（建設工事従事者の安全及び健康に関する意識の啓発）

第一四条　国及び都道府県は、建設工事従事者の安全及び健康に関する建設業者等及び建設工事従事者の意識の啓発を図るため、建設業者による建設工事従事者の従事する業務に関する安全又は衛生のための教育の適切な実施の促進、建設業者等による建設工事従事者の安全及び健康に関する意識の啓発に係る自主的な取組の促進その他の必要な施策を講ずるものとする。

第四章　建設工事従事者安全健康確保推進会議

第一五条　政府は、厚生労働省、国土交通省その他の関係行政機関（次項において「関係行政機関」という。）相互の調整を行うことにより、建設工事従事者の安全及び健康の確保の推進を図るため、建設工事従事者安全健康確保推進会議を設けるものとする。

2　関係行政機関は、建設工事従事者の安全及び健康の確保に関し専門的知識を有する者によって構成する建設工事従事者安全健康確保推進専門家会議を設け、前項の調整を行うに際しては、その意見を聴くものとする。

附　則

この法律は、公布の日から起算して三月を経過した日から施行する。

○公共工事の前払金保証事業に関する法律〔昭和二七・六・一二　法律一八四〕

改正　昭和二九・五法九八、昭和三一・四法七六、昭和三四・四法一〇五、昭和三五・七法一二六、昭和三七・三法三八、昭和四〇・三法三六、昭和五九・八法七一、一二法八七、昭和六一・一二法九三、平成五・一一法八九、平成一一・一二法一六〇、平成一四・五法四五、七法七九、平成一六・六法七六、平成一七・七法八七、平成一九・三法六、平成二六・六法九一、令和元・一二法七一、令和二・三法八、令和三・五法三七

目次

第一章　総則（第一条・第二条）
第二章　登録（第三条―第十一条）
第三章　前払金保証事業（第十二条―第二十条）
第四章　監督（第二十一条―第二十四条）
第五章　雑則（第二十五条―第二十八条）
第六章　罰則（第二十九条―第三十四条）
附則

第一章　総則

（この法律の目的）

第一条　この法律は、公共工事に関する前金払の適正且つ円滑な実施を確保するため、前払金保証事業の登録及びその事業の運営の準則を定めることにより、前払金保証事業の健全な発達を図り、もつて公共工事の適正な施工に寄与することを目的とする。

（定義）

第二条　この法律において「公共工事」とは、国又は地方公共団体その他の公共団体の発注する土木建築に関する工事（土木建築に関する工事の設計、土木建築に関する工事に関する調査及び土木建築に関する工事の用に供することを目的とする機械類の製造を含む。以下この項において同じ。）又は測量（土地の測量、地図の調製及び測量用写真の撮影であつて、政令で定めるもの以外のものをいう。以下同じ。）をいい、資源の開発等についての重要な土木建築に関する工事又は測量であつて、国土交通大臣の指定するものを含むものとする。

2　この法律において「前払金の保証」とは、公共工事に関してその発注者

が前金払をする場合において、請負者から保証料を受け取り、当該請負者が債務を履行しないために発注者がその公共工事の請負契約を解除したときに、前金払をした額（出来形払をしたときは、その金額を加えた額）から当該公共工事の既済部分に対する代価に相当する額を控除した額（前金払をした額に出来形払をした額を加えた場合においては、前金払をした額を限度とする。以下「保証金」という。）の支払を当該請負者に代つて引き受けることをいう。

3　この法律において「前払金保証事業」とは、前払金の保証（これに関連して行なう第十三条の二第一項の規定による支払を含む。）をすることを目的とする事業をいう。

4　この法律において「保証事業会社」とは、第五条の規定により国土交通大臣の登録を受けて前払金保証事業を営む会社をいう。

5　この法律において「保証契約」とは、前払金の保証（これに関連して行なう第十三条の二第一項の規定による支払を含む。）に関する契約をいう。

第二章　登録

（登録）

第三条　前払金保証事業を営もうとする者は、この法律で定めるところにより、登録を受けなければならない。

（登録の申請）

第四条　前条の登録を受けようとする者（以下「登録申請者」という。）は、国土交通省令で定めるところにより、次に掲げる事項を記載した登録申請書を国土交通大臣に提出しなければならない。

一　商号

二　本店、支店その他政令で定める営業に使用する場所の名称及び所在地

三　資本金の額

四　取締役及び監査役（監査等委員会設置会社にあつては取締役、指名委員会等設置会社にあつては取締役及び執行役）（以下「役員」という。）の氏名

2　前項の登録申請書には、次に掲げる書類を添付しなければならない。

一　定款及び事業方法書

二　役員の履歴書並びにその者が第六条第一項第五号及び第六号の規定に該当しないことを誓約する書面

三　収支の見積りその他国土交通省令で定める事項を記載した事業計画書

四　その他国土交通省令で定める書類

3　前項第一号の事業方法書には、保証の目的の範囲、支店及び政令で定める営業に使用する場所の権限に関する事項、保証限度、保証金額及び保証期間の制限、保証契約の締結の手続に関する事項、保証の拒否の基準に関する事項その他国土交通省令で定める事項を記載しなければならない。

（登録の実施及び登録の通知）

第五条　前条の規定による登録の申請があつた場合においては、第六条の規定により登録を拒否する場合を除く外、国土交通大臣は、遅滞なく、前条第一項各号に掲げる事項並びに登録年月日及び登録番号を保証事業会社登録簿に登録しなければならない。

2　国土交通大臣は、前項の規定による登録をした場合においては、遅滞なく、その旨を当該登録申請者に通知しなければならない。

（登録の拒否）

第六条　国土交通大臣は、第四条の規定による登録の申請があつた場合において、登録申請者が次の各号のいずれかに該当するものであると認められるとき、又は登録申請書若しくはその添付書類のうちに重要な事項について虚偽の記載があり、若しくは重要な事実の記載が欠けているときは、登録申請者に通知して意見の聴取を行つた後、その登録を拒否しなければならない。

一　資本金の額が三千万円以上の株式会社でないこと。

二　定款の規定又は事業方法書若しくは事業計画書の内容が法令に違反し、又は事業の適正な運営を確保するのに十分でないこと。

三　第二十二条第二項の規定により登録を取り消され、その取消しの日から五年を経過しないこと。

四　この法律の規定により罰金の刑に処せられ、その執行を終わつた後又は執行を受けることがないこととなつた日から五年を経過しないこと。

五　役員のうちに、破産手続開始の決定を受けて復権を得ない者、禁錮以上の刑若しくはこの法律により罰金以上の刑に処せられ、その執行を終わつた後若しくは執行を受けることがないこととなつた日から五年を経過するまでの者又は第二十二条第二項の規定により登録を取り消された会社の役員で、当該処分のあつた日以前三十日以内にその職にあつたものであり、かつ、当該処分があつた日から五年を経過しないものがあること。

六　役員のうちに、心身の故障により前払金保証事業を適正に営むことができない者として国土交通省令で定めるものがあること。

2　国土交通大臣は、前項の規定により登録を拒否しようとするときは、あらかじめ事項、場所及び期日を通知した上、その職員をして、当該登録申請者について意見の聴取を行わせなければならない。ただし、登録申請者が正当な理由がなくて意見の聴取に応じないときは、意見の聴取を行わないで登録を拒否することができる。

3　国土交通大臣は、前項の規定によりその職員をして意見の聴取を行わせる場合において、必要があると認めるときは、参考人の出頭を求めて、その職員をして意見を聴取させなければならない。

4　前項の規定により出頭を求められた参考人は、政令で定めるところにより、旅費、日当その他の費用を請求することができる。

5　国土交通大臣は、第一項の規定により登録を拒否したときは、遅滞なく、その旨を登録申請者に通知しなければならない。

（申請による登録の変更）

第七条　保証事業会社は、第四条第一項各号に掲げる事項又は同条第二項第一号に掲げる書類について変更しようとするときは、遅滞なく、その旨を記載した登録変更申請書を国土交通大臣に提出しなければならない。

2　前項の場合においては、その変更を証する書面を登録変更申請書に添付しなければならない。ただし、その変更が政令で定める営業に使用する場所の名称及び所在地に関するもの並びに事業方法書に関するものであるときは、この限りでない。

3　第一項の規定による登録の変更の申請が新たに就任した役員に係るものであるときは、当該役員の履歴書、その者が前条第一項第五号及び第六号の規定に該当しないことを誓約する書面その他国土交通省令で定める書類を登録変更申請書に添付しなければならない。

4　前二条の規定は、第一項の規定による登録の変更の申請について準用する。この場合において、第五条第一項及び前条第一項中「登録の申請」とあるのは「登録の変更の申請」と、第五条第一項中「前条第一項各号に掲げる事項」とあるのは「登録の変更の申請に係る事項」と、第五条第二項並びに前条第一項、第二項及び第五項中「登録申請者」とあるのは「保証事業会社」と読み替えるものとする。

（営業の不開始又は休止に基づく登録の取消し）

第八条　国土交通大臣は、第二十二条第二項の規定により登録を取り消す場合のほか、保証事業会社が第五条第一項の規定による登録を受けた日から三月以内に営業を開始しないとき、又は引き続き三月以上その営業を休止したときは、当該保証事業会社の登録を取り消すことができる。

2　前項の規定による登録の取消しに係る聴聞の主宰者は、必要があると認めるときは、参考人の出頭を求めて意見を聴かなければならない。

3　第六条第四項の規定は、前項の規定により出頭を求められた参考人について準用する。

（廃業等の届出）

第九条　保証事業会社が次の各号のいずれかに掲げる場合に該当することとなつたときは、当該各号に掲げる者は、遅滞なく、その旨を国土交通大臣に届け出なければならない。

一　会社が合併により消滅した場合においては、その業務を執行する役員であつた者

二　破産手続開始の決定により解散した場合においては、その破産管財人

三　会社が合併又は破産手続開始の決定以外の事由により解散した場合においては、その清算人

四　前払金保証事業を廃止した場合においては、当該保証事業会社の業務を執行する役員であつた者

（登録の抹消）

第一〇条　国土交通大臣は、次の各号の一に掲げる場合においては、保証事業会社登録簿につき、当該保証事業会社に関する登録を抹消しなければならない。

一　第八条第一項又は第二十二条第二項の規定により登録を取り消した場合

二　前条の規定による届出があつた場合
三　国土交通大臣が前条各号の一に掲げる場合に該当するものと認めて、当該各号に掲げる者に通知して意見の聴取を行つた後、その事実を確認した場合

2　第六条第二項から第四項までの規定は、前項第三号の規定により意見の聴取を行おうとする場合について準用する。この場合において、同条第二項中「拒否しようとするときは」とあるのは「抹消しようとするときは」と、「登録申請者」とあるのは「第九条各号の一に掲げる者」と、「拒否することができる」とあるのは「抹消することができる」と読み替えるものとする。

（登録のまつ消の場合における保証契約の措置）

第一一条　前条の規定により登録がまつ消された場合においては、当該保証事業会社であつた者又は第九条第一号に規定する場合において合併後存続する会社若しくは合併に因り設立された会社は、その登録のまつ消前に締結された保証契約については、その保証契約が結了するまでは、第三条の規定にかかわらず、当該保証契約の目的の範囲内においては、なお保証事業会社とみなす。

第三章　前払金保証事業

（保証約款）

第一二条　保証事業会社は、保証契約を締結しようとするときは、あらかじめ国土交通大臣の承認を受けた前払金保証約款（以下「保証約款」という。）に基かなければならない。

2　保証約款においては、左に掲げる事項を定めなければならない。
一　保証料の料率及び支払に関する事項
二　保証金の額の決定及び支払に関する事項
三　保証契約の解約に関する事項
四　その他国土交通省令で定める事項

3　保証事業会社は、第一項の規定による承認を受けようとするときは、承認申請書に保証約款を記載した書類を添えて、これを国土交通大臣に提出しなければならない。

4　国土交通大臣は、前項の規定による承認の申請があつた場合においては、第五項の規定により承認を拒否する場合を除く外、遅滞なく、その承認をしなければならない。

5　国土交通大臣は、第三項の規定による承認の申請があつた場合において、保証約款の内容が法令に違反し、若しくは公正な運営を確保するため適当でないとき、又は保証約款を記載した書類のうちに重要な事項について虚偽の記載があり、若しくは重要な事項の記載が欠けているときは、当該保証事業会社に通知して意見の聴取を行つた後、その承認を拒否しなければならない。

6　第六条第二項から第四項までの規定は、前項の規定により意見の聴取を行おうとする場合について準用する。この場合において、同条第二項中「登録」とあるのは「承認」と、「登録申請者」とあるのは「保証事業会社」と読み替えるものとする。

7　国土交通大臣は、第四項又は第五項の規定により承認をし、又は承認を拒否した場合においては、遅滞なく、その旨を書面をもつて当該保証事業会社に通知しなければならない。

8　保証事業会社は、保証約款を変更しようとするときは、その変更しようとする事項について国土交通大臣の承認を受けなければならない。

9　第六条第二項から第四項まで並びに第三項から第五項まで及び第七項の規定は、前項の規定による変更の承認の場合について準用する。この場合において、第六条第二項中「登録」とあるのは「変更の承認」と、「登録申請者」とあるのは「保証事業会社」と読み替えるものとする。

（保証金の支払）

第一三条　保証契約に係る公共工事の発注者は、保証契約の締結を条件として前金払をした場合においては、当該保証契約の利益を享受する旨の意思表示があつたものとみなす。

2　前項に規定する発注者は、当該公共工事の請負者がその責に帰すべき事由に因り債務を履行しないためにその請負契約を解除したときは、保証事業会社に対して、保証契約で定めるところにより、書面をもつて保証金の支払を請求することができる。

3　第一項に規定する発注者は、前項の規定による書面による請求に代えて、政令で定めるところにより、保証事業会社の承諾を得て、電磁的方法（電子情報処理組織を使用する方法その他の情報通信の技術を利用する方法であつて国土交通省令で定めるものをいう。次項において同じ。）により当該請求をすることができる。この場合において、当該発注者は、当該書面による請求をしたものとみなす。

4　前項の規定による電磁的方法（国土交通省令で定める方法を除く。）による請求は、保証事業会社の使用に係る電子計算機に備えられたファイルへの記録がされた時に当該保証事業会社に到達したものとみなす。

5　第二項の請求があつた場合においては、保証事業会社は、同項の書面を受理した日から三十日以内に保証金を支払わなければならない。

（工事完成保証人に対する支払）

第一三条の二　保証契約に係る公共工事の請負者がその責に帰すべき事由に因り債務を履行しないために発注者がその請負契約を解除できる場合において、その解除をしないで工事完成保証人（保証契約に係る公共工事の請負者がその請負債務を履行しない場合において、請負者に代わつて自らその公共工事を完成することを発注者に対して約する者をいう。以下同じ。）にその公共工事を完成することを請求するとともに、その旨を保証事業会社に通知し、工事完成保証人がこれを完成したときは、保証事業会社は、保証約款で定めるところにより、発注者がその解除をしたとするならば支払を請求することができた保証金に相当する額を限度として、工事完成保証人が請負者に求償することができる金額を工事完成保証人に対して支払うことができる。

2　保証事業会社及び工事完成保証人は、協議により、発注者の意見を聞いて、前項に規定する支払の額を予定することができる。

（保証料の払戻し）

第一四条　保証事業会社は、第五条の規定により登録を受けた日の属する事業年度以降三事業年度を限つて、保証約款で定めるところにより、保証契約を締結した請負者（以下「保証契約者」という。）が支払つた保証料の総額に応じて保証料の一部を当該保証契約者に対して払い戻すことができる。

2　保証事業会社が前項の規定により保証料の一部を払い戻したときは、その金額は、法人税法（昭和四十年法律第三十四号）の規定によるその払戻しをした事業年度の所得の金額の計算上、損金の額に算入する。

3　前項の規定は、法人税法第二条第三十号に規定する中間申告書で同法第七十二条第一項各号に掲げる事項を記載したもの又は同法第二条第三十一号に規定する確定申告書に前項の規定の適用を受けようとする旨及び払い戻した保証料の額に関する事項の記載がない場合においては、税務署長において特別の事情があると認める場合を除くほか、適用しない。

（責任準備金の計上）

第一五条　保証事業会社は、事業年度末においてまだ経過していない保証契約があるときは、次に掲げる金額のうちいずれか多い金額を、事業年度ごとに責任準備金として計上しなければならない。
一　当該保証契約の保証期間のうちまだ経過していない期間に対応する保証料の総額に相当する金額
二　当該事業年度において受け取つた保証料（当該保証料に係る保証契約の解約により返還した保証料を除く。）の総額から当該保証料に係る保証契約に基いて支払つた保証金（当該保証金の支払に基く保証契約者からの収入金を除く。）及び保証金以外の支払金、当該保証料に係る保証契約のために積み立てるべき支払備金並びに当該事業年度の事業費の合計額を控除した残額に相当する金額

2　保証事業会社が前項の規定により責任準備金を計上した場合においては、その計上した金額は、法人税法の規定によるその計上した事業年度の所得の金額の計算上、損金の額に算入する。

3　前項の規定により損金の額に算入された責任準備金の金額は、法人税法の規定によるその翌事業年度の所得の金額の計算上、益金の額に算入する。

（支払備金の積立）

第一六条　保証事業会社は、決算期ごとに左の各号の一に掲げる金額がある場合においては、支払備金として当該各号に掲げる金額を積み立てなければならない。
一　保証契約に基いて支払うべき保証金その他の金額のうちに決算期までにその支払が終らないものがある場合においては、その金額
二　保証契約に基いて支払う義務が生じたと認められる保証金その他の金額がある場合においては、その支払うべきものと認められる金額

三　現に保証金その他の金額について訴訟が係属しているために支払っていないものがある場合においては、その金額

第一七条　削除

（保証契約の解約）

第一八条　保証事業会社は、発注者の責に帰すべき事由に因り請負契約が解除された場合においては、発注者（第十三条の二第一項の規定による支払に関する事項が保証約款に定められている場合においては、工事完成保証人を含む。以下本条中同じ。）の同意を得ないで保証契約を解約することができる。

2　保証事業会社は、保証契約者から申入があり、且つ、発注者が同意した場合においては、保証契約を解約することができる。

（兼業の制限）

第一九条　保証事業会社は、左に掲げる事業の外、他の事業を営んではならない。

一　公共工事の請負者が銀行その他の政令で定める金融機関から当該公共工事に関する資金（設備の取得及び改良に関する資金を除く。）の貸付を受ける場合において、その債務を保証する事業

二　土木建築に関する工事の請負を業とする者が前号に規定する金融機関から土木建築に関する工事の用に供することを目的とする重要な機械類の取得に関する資金の貸付を受ける場合（次号に規定する場合に該当する場合を除く。）において、その債務を保証する事業

三　土木建築に関する工事の請負を業とする者又は土木建築に関する工事の設計若しくは監理若しくは土木建築に関する工事に関する調査、企画、立案若しくは助言を行うことの請負若しくは受託を業とする者（以下「建設コンサルタント」という。）が銀行その他の政令で定める金融機関から外国において行うこれらの業務（公共工事に関するものを除く。）に関する資金の貸付又は債務の保証を受ける場合において、これらの者が当該金融機関に対して負担する債務を保証する事業

四　前払金保証事業及び前各号に掲げる事業に附随する事業

（金融保証約款）

第一九条の二　保証事業会社は、前条第一号から第三号までに規定する債務の保証に関する契約を締結しようとするときは、あらかじめ国土交通大臣の承認を受けた公共工事金融保証約款、建設機械金融保証約款又は海外建設事業金融保証約款（以下「金融保証約款」と総称する。）に基かなければならない。

2　金融保証約款において定めるべき事項は、国土交通省令で定める。

3　第十二条第三項から第九項までの規定は、金融保証約款に関する承認について準用する。この場合において、同条第三項、第五項及び第八項中「保証約款」とあるのは、「金融保証約款」と読み替えるものとする。

（常務役員の専業主義）

第二〇条　保証事業会社の常務に従事する役員が他の会社の常務に従事しようとするときは、国土交通大臣の認可を受けなければならない。

第四章　監督

（事業改善の命令）

第二一条　国土交通大臣は、保証事業会社の行う事業について発注者、請負者又は受託者の利便を阻害している事実があると認めるときは、中央建設業審議会の意見を聴いた上で、当該保証事業会社に対して、事業方法書又は保証約款若しくは金融保証約款を変更することを命ずることができる。

2　前項の規定による処分に係る弁明の機会の付与は、中央建設業審議会の意見を聴く前に行わなければならない。

（違反行為等に対する処分）

第二二条　国土交通大臣は、保証事業会社又はその役員がこの法律又はこの法律に基づく命令に違反していると認めるときは、当該保証事業会社又は役員に対して、違反是正のため必要な指示をし、又は違反是正のための適当な措置をとるべきことを命ずることができる。

2　国土交通大臣は、保証事業会社又はその役員が次の各号のいずれかに該当すると認めるときは、中央建設業審議会の意見を聴いた上で、当該保証事業会社に対して、その登録を取り消し、若しくは六月以内の期間を定めて事業の停止を命じ、又は役員の解任を命ずることができる。

一　この法律若しくはこの法律に基づく命令又はこれらに基づく処分に違反したとき。

二　第六条第一項第一号、第二号又は第四号から第六号までのいずれかに該当することとなつたとき。

三　不正の手段により第五条の規定による登録を受けたとき。

3　第八条第二項及び第三項並びに前条第二項の規定は、前項の規定による処分に係る聴聞又は弁明の機会の付与を行う場合について準用する。

（事業報告書の提出）

第二三条　保証事業会社は、事業年度ごとに、国土交通省令で定める様式による事業報告書を作成し、毎事業年度経過後三月以内に、国土交通大臣に提出しなければならない。

（報告及び検査）

第二四条　国土交通大臣は、第一条の目的を達成するため必要があると認めるときは、保証事業会社に対しその行う事業に関して報告若しくは資料の提出を命じ、又はその職員をして当該保証事業会社の業務若しくは財産の状況若しくは帳簿、書類その他の物件を検査させることができる。

2　前項の職員は、同項の規定により検査をする場合においては、その身分を示す証票を携帯し、関係人の請求があるときは、これを呈示しなければならない。

3　第一項の検査の権限は、犯罪捜査のために認められたものと解釈してはならない。

第五章　雑則

（審査の請求）

第二五条　土木建築に関する工事（第二条第一項の規定により土木建築に関する工事に含まれる機械類の製造を含む。以下本条中同じ。）の請負を業とする者（建設コンサルタントを含む。以下本条中同じ。）又は測量の請負を業とする者は、国土交通省令で定めるところにより、保証事業会社若しくはその役員について第二十二条第二項各号の一に該当する事実があると認めるとき、又は保証事業会社の行う事業について土木建築に関する工事の請負を業とする者若しくは測量の請負を業とする者の利便を不当に阻害している事実があると認められるときは、国土交通大臣に審査の請求をすることができる。

2　国土交通大臣は、前項の審査の請求を受けたときは、明らかに審査の請求に係る事実がないと認める場合を除き、その職員をして当該審査の請求をした者及び当該審査の請求に係る保証事業会社又はその役員について審問を行わせなければならない。

3　第六条第二項本文、第三項及び第四項の規定は、前項の規定による審問について準用する。この場合において、同条第二項中「登録を拒否しようとするときは、」とあるのは「審査の請求を受けたときは、」と、「登録申請者」とあるのは「当該審査の請求をした者及び当該審査の請求に係る保証事業会社又はその役員」と読み替えるものとする。

4　国土交通大臣は、前二項の規定による審査の結果、保証事業会社又はその役員について第二十二条第二項各号の一に該当する事実があると認めたときは同項の規定による処分をし、また、土木建築に関する工事の請負を業とする者又は測量の請負を業とする者の利便を不当に阻害している事実があると認めたときは第二十一条第一項の規定による処分若しくは必要な指示をし、又は適当な措置をとるべきことを勧告することができる。

（財務大臣との協議）

第二六条　国土交通大臣は、第五条、第六条、第十二条、第十九条の二、第二十一条又は第二十二条に規定する処分をしようとするときは、あらかじめ財務大臣に協議しなければならない。

（前払金の使途の監査）

第二七条　保証事業会社は、保証契約の締結を条件として、発注者が請負者に前払金を支払つた場合においては、当該請負者が前払金を適正に当該公共工事に使用しているかどうかについて、厳正な監査を行わなければならない。

（不適用規定）

第二八条　第十九条及び第二十条の規定は、銀行その他の政令で定める者が第五条の規定により登録を受けて前払金保証事業を営む場合については、適用しない。

第六章　罰則

（罰則）
第二九条　保証事業会社の役員又は職員がその職務に関して、賄ろを収受し、又はその要求若しくは約束をしたときは、これを三年以下の懲役に処する。
2　前項の場合において、収受した賄ろは、没収する。その全部又は一部を没収することができないときは、その価額を追徴する。
3　第一項の賄ろを供与し、又はその申込若しくは約束をした者は、二年以下の懲役又は五万円以下の罰金に処する。
第三〇条　第三条の規定に違反して登録を受けないで前払金保証事業を営んだ者は、一年以下の懲役又は十万円以下の罰金に処し、又はこれを併科する。
第三一条　左の各号の一に該当する者は、十万円以下の罰金に処する。
一　不正の手段により第五条の規定による登録を受けた者
二　第十二条第一項の規定による承認を受けた保証約款によらないで保証契約を締結した者
三　第十九条の規定に違反して同条各号に掲げる事業以外の事業を営んだ者
四　第二十二条第二項の規定による営業の停止の命令に違反した者
第三二条　次の各号の一に該当する者は、五万円以下の罰金に処する。
一　第七条第一項の規定による申請をせず、又は虚偽の申請をした者
二　第二十条の規定に違反して他の会社の常務に従事した者
三　第二十一条第一項の規定による命令に違反した者
第三三条　左の各号の一に該当する者は、三万円以下の罰金に処する。
一　第二十三条又は第二十四条第一項の規定による報告をせず、又は虚偽の報告をした者
二　第二十四条第一項の規定による資料の提出をせず、又は虚偽の資料を提出した者
三　第二十四条第一項の規定による検査を拒み、妨げ、又は忌避した者
第三四条　法人の代表者又は法人若しくは人の代理人、使用人その他の従業者がその法人又は人の業務に関し前四条の違反行為をしたときは、その行為者を罰する外、その法人又は人に対しても、各本条の罰金刑を科する。但し、法人又は人の代理人、使用人その他の従業者の当該違反行為を防止するため、当該業務に対し相当の注意及び監督が尽されたことの証明があつたときは、その法人又は人については、この限りでない。

附　則〔抄〕
1　この法律は、公布の日から起算して六十日をこえない期間内において政令で定める日から施行する。
〔昭和二七政二八五により、昭和二七・七・三一から施行〕
2　保証事業会社が第五条の規定による登録を受けた日の属する事業年度において計上すべき責任準備金は、第十五条第一項の規定にかかわらず、保証料の総額に政令で定める割合を乗じて得た金額によることができる。第十五条第二項及び第三項の規定は、この場合について準用する。

附　則〔昭和三七・三・二九法律三八〕
1　この法律は、公布の日から起算して六十日をこえない範囲内において政令で定める日から施行する。
〔昭和三七政二一九により、昭和三七・五・二六から施行〕
2　この法律の施行の際現に積み立てられている保証基金については、なお従前の例による。
3　この法律の施行前にした行為に対する罰則の適用については、なお従前の例による。

附　則〔抄〕〔昭和四〇・三・三一法律三六〕
（施行期日）
第一条　この法律は、昭和四十年四月一日から施行する。〔以下略〕
（その他の法令の一部改正に伴う経過規定の原則）
第五条　第二章の規定による改正後の法令の規定は、別段の定めがあるものを除き、昭和四十年分以後の所得税又はこれらの法令の規定に規定する法人の施行日以後に終了する事業年度分の法人税について適用し、昭和三十九年分以前の所得税又は当該法人の同日前に終了した事業年度分の法人税については、なお従前の例による。
（政令への委任）
第一五条　附則第一条から前条までに定めるもののほか、この法律の施行に関し必要な経過措置は、政令で定める。
（罰則に関する経過規定）
第一六条　施行日前にした行為及びこの附則の規定によりなお従前の例によることとされる国税に係る同日以後にした行為に対する罰則の適用については、なお従前の例による。

附　則〔略〕〔昭和五九・八・一〇法律七一〕
附　則〔略〕〔昭和五九・一二・二五法律八七〕
附　則〔略〕〔昭和六一・一二・四法律九三〕
附　則〔抄〕〔平成五・一一・一二法律八九〕
（施行期日）
第一条　この法律は、行政手続法（平成五年法律第八十八号）の施行の日（平成六・一〇・一）から施行する。
（諮問等がされた不利益処分に関する経過措置）
第二条　この法律の施行前に法令に基づき審議会その他の合議制の機関に対し行政手続法第十三条に規定する聴聞又は弁明の機会の付与の手続その他の意見陳述のための手続に相当する手続を執るべきことの諮問その他の求めがされた場合においては、当該諮問その他の求めに係る不利益処分の手続に関しては、この法律による改正後の関係法律の規定にかかわらず、なお従前の例による。
（罰則に関する経過措置）
第一三条　この法律の施行前にした行為に対する罰則の適用については、なお従前の例による。
（聴聞に関する規定の整理に伴う経過措置）
第一四条　この法律の施行前に法律の規定により行われた聴聞、聴問若しくは聴聞会（不利益処分に係るものを除く。）又はこれらのための手続は、この法律による改正後の関係法律の相当規定により行われたものとみなす。
（政令への委任）
第一五条　附則第二条から前条までに定めるもののほか、この法律の施行に関して必要な経過措置は、政令で定める。

附　則〔略〕〔平成一一・一二・二二法律一六〇〕
附　則〔略〕〔平成一四・五・二九法律四五〕
附　則〔略〕〔平成一四・七・三法律七九〕
附　則〔略〕〔平成一六・六・二法律七六〕
附　則〔略〕〔平成一七・七・二六法律八七〕
附　則〔略〕〔平成一九・三・三〇法律六〕
附　則〔略〕〔平成二六・六・二七法律九一〕
附　則〔令和元・一二・一一法律七一〕
この法律は、会社法改正法の施行の日（令和三・三・一）から施行する。ただし、次の各号に掲げる規定は、当該各号に定める日から施行する。
一　〔前略〕第百二十四条及び第百二十五条の規定　公布の日
二・三　〔略〕

会社法の一部を改正する法律の施行に伴う関係法律の整備等に関する法律〔抄〕〔令元・一二・一一法七一〕
（罰則に関する経過措置）
第一二四条　この法律（附則各号に掲げる規定にあっては、当該規定。以下この条において同じ。）の施行前にした行為及びこの法律の規定によりなお従前の例によることとされる場合におけるこの法律の施行後にした行為に対する罰則の適用については、なお従前の例による。
（政令への委任）
第一二五条　この法律に定めるもののほか、この法律の施行に関し必要な経過措置は、政令で定める。

附　則〔抄〕〔令和二・三・三一法律八〕
（施行期日）
第一条　この法律は、令和二年四月一日から施行する。ただし、次の各号に掲げる規定は、当該各号に定める日から施行する。
一～四　〔略〕
五　次に掲げる規定　令和四年四月一日
イ　〔略〕
ロ　〔前略〕附則〔中略〕第百五十一条から第百五十六条まで〔中略〕の規定

八～十　〔略〕

六～十二　〔略〕

（罰則に関する経過措置）

第一七一条　この法律（附則第一条各号に掲げる規定にあっては、当該規定。以下この条において同じ。）の施行前にした行為並びにこの附則の規定によりなお従前の例によることとされる場合及びこの附則の規定によりなおその効力を有することとされる場合におけるこの法律の施行後にした行為に対する罰則の適用については、なお従前の例による。

（政令への委任）

第一七二条　この附則に規定するもののほか、この法律の施行に関し必要な経過措置は、政令で定める。

附　則〔抄〕〔令和三・五・一九法律三七〕

（施行期日）

第一条　この法律は、令和三年九月一日から施行する。ただし、次の各号に掲げる規定は、当該各号に定める日から施行する。

一　〔前略〕附則〔中略〕第七十一条から第七十三条までの規定　公布の日

二～十　〔略〕

（罰則に関する経過措置）

第七一条　この法律（附則第一条各号に掲げる規定にあっては、当該規定。以下この条において同じ。）の施行前にした行為及びこの附則の規定によりなお従前の例によることとされる場合におけるこの法律の施行後にした行為に対する罰則の適用については、なお従前の例による。

（政令への委任）

第七二条　この附則に定めるもののほか、この法律の施行に関し必要な経過措置（罰則に関する経過措置を含む。）は、政令で定める。

（検討）

第七三条　政府は、行政機関等に係る申請、届出、処分の通知その他の手続において、個人の氏名を平仮名又は片仮名で表記したものを利用して当該個人を識別できるようにするため、個人の氏名を平仮名又は片仮名で表記したものを戸籍の記載事項とすることを含め、この法律の公布後一年以内を目途としてその具体的な方策について検討を加え、その結果に基づいて必要な措置を講ずるものとする。

○公共工事の前払金保証事業に関する法律施行令〔昭和二七・七・三〇 政令二八六〕

改正　昭和二九・一一政二九五、昭和三四・四政一四九、昭和三七・五政二二〇、平成一一・九政二六七、政二七一、平成一二・六政三一二、平成二〇・五政一八〇、七政二三七、九政二九七、平成二三・一二政四二三、令和三・八政二二四

（法第二条第一項に規定する政令で定める土地の測量等）

第一条　公共工事の前払金保証事業に関する法律（以下「法」という。）第二条第一項に規定する政令で定める土地の測量、地図の調製及び測量用写真の撮影は、次の各号の一に該当しないものとする。

一　測量法（昭和二十四年法律第百八十八号）に規定する基本測量、公共測量並びに基本測量及び公共測量以外の測量

二　土木建築に関する工事に関するもの

（法第四条等に規定する営業に使用する場所）

第二条　法第四条第一項第二号、同条第三項及び第七条第二項に規定する政令で定める営業に使用する場所は、常時前払金の保証に関する契約を締結する事務所とする。

（参考人に支給する費用）

第三条　法第六条第四項に規定する旅費、日当その他の費用の額は、政府職員に支給するこれらの費用の額の範囲内において、国土交通大臣が財務大臣と協議して定める。

（法第十三条第三項の規定による承諾に関する手続等）

第四条　法第十三条第三項の規定による承諾は、同項に規定する発注者が、国土交通省令で定めるところにより、あらかじめ、当該承諾に係る保証事業会社に対し同項の規定による電磁的方法による請求に用いる電磁的方法の種類及び内容を示した上で、当該保証事業会社から書面又は電子情報処理組織を使用する方法その他の情報通信の技術を利用する方法であつて国土交通省令で定めるもの（次項において「書面等」という。）によつて得るものとする。

2　前項の発注者は、同項の承諾を得た場合であつても、当該承諾に係る保証事業会社から書面等により法第十三条第三項の規定による電磁的方法による請求を受けない旨の申出があつたときは、当該電磁的方法による請求をしてはならない。ただし、当該申出の後に当該保証事業会社から再び前項の承諾を得た場合は、この限りでない。

（法第十九条に規定する金融機関）

第五条　法第十九条第一号に規定する政令で定める金融機関は、銀行、株式会社日本政策投資銀行、株式会社商工組合中央金庫、株式会社日本政策金融公庫及び農林中央金庫とする。

2　法第十九条第三号に規定する政令で定める金融機関は、銀行、株式会社日本政策投資銀行及び株式会社国際協力銀行とする。

（法第二十八条に規定する政令で定める者）

第六条　法第二十八条に規定する政令で定める者は、銀行とする。

（初年度における責任準備金）

第七条　法附則第二項に規定する政令で定める割合は、十分の五以下であつて国土交通大臣が財務大臣と協議して定める率とする。

附　則

この政令は、法施行の日（昭和二十七年七月三十一日）から施行する。

附　則〔略〕〔昭和三七・五・二五政令二二〇〕

附　則〔略〕〔平成一一・九・一六政令二六七〕

附　則〔略〕〔平成一一・九・二〇政令二七一〕

附　則〔略〕〔平成一二・六・七政令三一二〕

附　則〔略〕〔平成二〇・五・二一政令一八〇〕

附　則〔略〕〔平成二〇・七・二五政令二三七〕

附　則〔略〕〔平成二〇・九・一九政令二九七〕

附　則〔略〕〔平成二三・一二・二六政令四二三〕

附　則〔令和三・八・四政令二二四〕

この政令は、令和三年九月一日から施行する。

○公共工事の前払金保証事業に関する法律施行規則

〔昭和二七・七・三〇　建設省令二三〕

改正　昭和二九・五建令一六、昭和三四・六建令一四、昭和三六・四建令一三、昭和三七・五建令一四、昭和四〇・一建令二、昭和四四・三建令一九、昭和五一・三建令五、昭和五八・四建令五、昭和五九・六建令一一、昭和六一・四建令五、一二建令一二、平成元・三建令三、九建令一四、平成二・九建令九、平成三・六建令一一、平成四・四建令四、平成六・二建令四、平成七・一〇建令二三、平成八・三建令二、平成一一・三建令八、平成一二・一一建令四一、平成一三・六国交令九六、平成一四・三国交令二七、平成一五・三国交令三六、国交令三七、五国交令六五、平成一六・三国交令一七、平成一八・四国交令六〇、平成一九・五国交令五九、平成二一・四国交令三〇、平成二五・二国交令五、平成二七・四国交令三八、令和元・五国交令一、令和二・一二国交令九八、令和三・三国交令七、八国交令五三、令和四・三国交令一九、令和五・一二国交令九八、令和六・三国交令二六

（登録の申請）

第一条　公共工事の前払金保証事業に関する法律（以下「法」という。）第四条第一項に規定する登録申請書は、別記様式第一号により作成するものとする。

（登録申請書の添付書類）

第二条　法第四条第二項第四号に規定する国土交通省令で定める書類は、法第四条第一項に規定する登録申請者が法第六条第一項第六号の規定に該当しないことを証する書類（国土交通大臣が必要と認める場合に限る。）とする。

（事業計画書の記載事項）

第三条　法第四条第二項第三号に規定する国土交通省令で定める事項は、初年度における年間の都道府県別及び主要な発注者別保証計画とする。

（事業方法書の記載事項）

第四条　法第四条第三項に規定する国土交通省令で定める事項は、左に掲げるものとする。

一　責任準備金の算出方法に関する事項

二　前払金の使途の監査方法に関する事項

三　財産の利用方法に関する事項

四　法第十九条第一号から第三号までに規定する事業（以下「金融保証事業」という。）を営もうとする場合においては、同条第一号から第三号までに規定する債務の保証に関する契約（以下「金融保証契約」という。）の締結の手続に関する事項

五　金融保証事業を営もうとする場合においては、金融保証契約に係る貸付資金の使途の監査方法に関する事項

（心身の故障により前払金保証事業を適正に営むことができない者）

第五条　法第六条第一項第六号（法第七条第四項において準用する場合を含む。）に規定する国土交通省令で定める者は、精神の機能の障害により前払金保証事業を適正に営むに当たつて必要な認知、判断及び意思疎通を適切に行うことができない者とする。

（登録変更申請書の添付書類）

第六条　法第七条第三項に規定する国土交通省令で定める書類は、保証事業会社が法第六条第一項第六号の規定に該当しないことを証する書類（国土交通大臣が必要と認める場合に限る。この場合において、同号中「役員」とあるのは「第七条第三項に規定する新たに就任した役員」と読み替えるものとする。）とする。

（保証約款の記載事項）

第七条　法第十二条第二項第四号に規定する国土交通省令で定める事項は、次に掲げるものとする。

一　保証金支払の免責事由に関する事項

二　請負契約を変更する場合における措置に関する事項

三　保証契約者及び被保証者の通知義務に関する事項

四　保証金支払に関する紛争の調停人に関する事項

五　保証事業会社が保証金を支払つた場合における代位に関する事項

六　法第十三条の二第一項の規定による支払を行おうとする場合においては、工事完成保証人の受益の意思表示、同項に規定する支払の額（以下「支払金」という。）の決定及び支払、支払金支払の免責事由、請負者及び工事完成保証人の通知義務、支払金支払に関する紛争の調停人並びに保証事業会社が支払金を支払つた場合における代位に関する事項

七　保証契約に関する訴訟の裁判管轄に関する事項

八　保証契約に前払金保証事業に付随する事業についての特約を付して当該付随する事業を営もうとする場合においては、当該特約に関する事項

（保証金の支払に係る情報通信の技術を利用する方法）

第八条　法第十三条第三項の国土交通省令で定める方法は、次に掲げるものとする。

一　電子情報処理組織を使用する方法のうち次に掲げるもの

イ　発注者の使用に係る電子計算機と保証事業会社の使用に係る電子計算機とを接続する電気通信回線を通じて書面に記載すべき事項（以下この条において「記載事項」という。）を送信し、保証事業会社の使用に係る電子計算機に備えられた受信者ファイル（専ら保証事業会社の用に供されるファイルをいう。以下この条において同じ。）に記録する方法

ロ　発注者の使用に係る電子計算機に備えられたファイルに記録された記載事項を電気通信回線を通じて保証事業会社の閲覧に供し、保証事業会社の使用に係る電子計算機に備えられた当該保証事業会社の受信者ファイルに当該記載事項を記録する方法

ハ　発注者の使用に係る電子計算機に備えられた受信者ファイルに記録された記載事項を電気通信回線を通じて保証事業会社の閲覧に供する方法

二　電磁的記録媒体（電子的方式、磁気的方式その他人の知覚によつては認識することができない方式で作られる記録であつて、電子計算機による情報処理の用に供されるものに係る記録媒体をいう。第十一条第一項第二号において同じ。）をもつて調製するファイルに記載事項を記録したものを交付する方法

2　前項各号に掲げる方法は、次に掲げる基準に適合するものでなければならない。

一　保証事業会社が受信者ファイルへの記録を出力することにより書面を作成できるものであること。

二　前項第一号ロに掲げる方法にあつては、記載事項を発注者の使用に係る電子計算機に備えられたファイルに記録する旨又は記録した旨を保証事業会社に対し通知するものであること。ただし、保証事業会社が当該記載事項を閲覧していたことを確認したときはこの限りではない。

三　前項第一号ハに掲げる方法にあつては、記載事項を発注者の使用に係る電子計算機に備えられた受信者ファイルに記録する旨又は記録した旨を保証事業会社に対し通知するものであること。ただし、保証事業会社が当該記載事項を閲覧していたことを確認したときはこの限りでない。

第九条　法第十三条第四項の国土交通省令で定める方法は、前条第一項第二号に掲げる方法とする。

（保証金の支払に係る電磁的方法の種類及び内容）

第一〇条　令第四条第一項の規定により示すべき電磁的方法の種類及び内容は、次に掲げる事項とする。

一　第八条第一項各号に規定する方法のうち発注者が使用するもの

二　ファイルへの記録の方式

（保証金の支払に係る情報通信の技術を利用した承諾の取得）

第一一条　令第四条第一項の国土交通省令で定める方法は、次に掲げるものとする。

一　電子情報処理組織を使用する方法のうち、イ又はロに掲げるもの

イ　保証事業会社の使用に係る電子計算機から電気通信回線を通じて発注者の使用に係る電子計算機に令第四条第一項の承諾又は同条第二項の申出（以下この項において「承諾等」という。）をする旨を送信し、当該電子計算機に備えられたファイルに記録する方法

ロ　発注者の使用に係る電子計算機に備えられたファイルに記録された前条に規定する電磁的方法の種類及び内容を電気通信回線を通じて保

証事業会社の閲覧に供し、当該電子計算機に備えられたファイルに承諾等をする旨を記録する方法

二　電磁的記録媒体をもつて調製するファイルに承諾等をする旨を記録したものを交付する方法

2　前項各号に掲げる方法は、発注者がファイルへの記録を出力することにより書面を作成することができるものでなければならない。

（金融保証約款の記載事項）

第一二条　法第十九条の二第二項に規定する国土交通省令で定める事項は、左に掲げるものとする。

一　保証料の料率及び支払に関する事項

二　保証金の額の決定及び支払に関する事項

三　金融保証契約の解約に関する事項

四　貸付契約を変更する場合における措置に関する事項

五　保証事業会社が保証金を支払つた場合における代位に関する事項

六　金融保証契約に関する訴訟の裁判管轄に関する事項

（事業報告書の様式）

第一三条　法第二十三条に規定する事業報告書の様式は、別記様式第二号によるものとする。

（審査の請求の手続）

第一四条　法第二十五条第一項の規定により審査の請求をしようとする者は、その者の名称又は氏名及び住所、保証事業会社の名称又は役員の氏名並びに請求に係る事実の概要を記載した書面を国土交通大臣に提出するものとする。

附　則

この省令は、法施行の日（昭和二十七年七月三十一日）から施行する。

附　則〔略〕〔昭和三七・五・二三建設省令一四〕

附　則〔略〕〔平成一二・一一・二〇建設省令四一〕

附　則〔略〕〔令和二・一二・二三国土交通省令九八〕

附　則〔略〕〔令和三・三・一国土交通省令七〕

附　則〔略〕〔令和三・八・三一国土交通省令五三〕

附　則〔略〕〔令和四・三・三一国土交通省令一九施行〕

附　則〔略〕〔令和五・一二・二八国土交通省令九八施行〕

附　則〔抄〕〔令和六・三・二九国土交通省令二六〕

（施行期日）

第一条　この省令は、令和六年四月一日から施行する。〔以下略〕

様式　〔略〕

○建設機械抵当法 〔昭和二九・五・一五 法律九七〕

改正　昭和三八・七法一二六、昭和四六・六法九九、昭和五四・三法五、昭和五九・五法二五、平成元・一二法九一、平成五・一一法八九、平成一一・七法八七、一二法一六〇、平成一四・七法八九、平成一六・一二法一四七、平成一八・五法四〇、平成二九・六法四五

（この法律の目的）

第一条　この法律は、建設機械に関する動産信用の増進により、建設工事の機械化の促進を図ることを目的とする。

（定義）

第二条　この法律で「建設機械」とは、建設業法（昭和二十四年法律第百号）第二条第一項に規定する建設工事の用に供される機械類をいう。

2　前項の機械類の範囲は、政令で定める。

（所有権保存登記）

第三条　建設機械については、建設業法第二条第三項に規定する建設業者で、その建設機械につき第三者に対抗することのできる所有権を有するものの申請により、所有権保存の登記をすることができる。但し、次条に規定する打刻又は検認を受けていない建設機械については、この限りでない。

2　質権又は差押、仮差押若しくは仮処分の目的となつている建設機械について所有権保存の登記がされたときは、その登記は、質権者又は差押、仮差押若しくは仮処分の債権者に対しては、効力を生じない。

（打刻）

第四条　前条第一項の規定により建設機械の所有権保存の登記を申請しようとする者は、あらかじめ、当該建設機械につき、国土交通大臣の行う記号の打刻又は既に打刻された記号の検認を受けなければならない。

2　前項の記号の打刻及び検認については、行政手続法（平成五年法律第八十八号）第二章の規定は、適用しない。

3　第一項の記号の打刻及び検認に関し必要な事項は、政令で定める。

4　第一項に規定する国土交通大臣の権限に属する打刻又は検認に関する事務の全部又は一部は、政令で定めるところにより、都道府県知事が行うこととすることができる。

5　何人も、第一項の規定により打刻した記号をき損してはならない。

（抵当権の目的）

第五条　既登記の建設機械は、抵当権の目的とすることができる。

（抵当権の内容）

第六条　抵当権者は、債務者又は第三者が占有を移さないで債務の担保に供した既登記の建設機械（以下「抵当建設機械」という。）につき、他の債権者に先だつて、自己の債権の弁済を受けることができる。

（対抗要件等）

第七条　既登記の建設機械の所有権及び抵当権の得喪及び変更は、建設機械登記簿に登記をしなければ、第三者に対抗することができない。

2　建設機械登記簿は、一個の建設機械につき一用紙を備える。

（登記用紙の閉鎖）

第八条　建設機械の所有権保存の登記後三十日以内に抵当権設定の登記がされないとき、又は抵当権の登記が全部まつ消された後三十日以内に新たな抵当権設定の登記がされないときは、登記官は、当該建設機械の登記用紙を閉鎖しなければならない。但し、所有権の登記以外の登記があるときは、この限りでない。

（政令への委任）

第九条　この法律に定めるもののほか、建設機械の登記に関し必要な事項は、政令で定める。

（抵当権の効力の及ぶ範囲）

第一〇条　抵当権は、抵当建設機械に付加して一体となつている物に及ぶ。ただし、設定行為に別段の定めがある場合及び債務者の行為について民法（明治二十九年法律第八十九号）第四百二十四条第三項に規定する詐害行為取消請求をすることができる場合は、この限りでない。

（不可分性）

第一一条　抵当権者は、債権の全部の弁済を受けるまでは、抵当建設機械の全部につき、その権利を行使することができる。

（物上代位）

第一二条　抵当権は、抵当建設機械の売却、賃貸、滅失又はき損によつて抵当権設定者が受けるべき金銭その他の物に対しても、これを行使することができる。この場合においては、その払渡又は引渡前に差押をしなければならない。

（物上保証人の求償権）

第一三条　他人の債務を担保するため抵当権を設定した者がその債務を弁済し、又は抵当権の実行によつて抵当建設機械の所有権を失つたときは、保証債務に関する規定に従い、債務者に対して求償権を有する。

（抵当権の順位）

第一四条　数個の債権を担保するため同一の建設機械につき抵当権を設定したときは、その抵当権の順位は、登記の前後による。

2　民法第三百七十四条の規定は、抵当権の順位の変更について準用する。

（先取特権との順位）

第一五条　同一の建設機械につき抵当権及び先取特権が競合する場合には、抵当権は、民法第三百三十条第一項に規定する第一順位の先取特権と同順位とする。

（担保される利息等）

第一六条　抵当権者が利息その他の定期金を請求する権利を有するときは、

その満期となつた最後の二年分についてのみその抵当権を行使することができる。但し、それ以前の定期金についても満期後特別の登記をしたときは、その登記の時からこれを行使することを妨げない。

2　前項の規定は、抵当権者が債務の不履行によつて生じた損害の賠償を請求する権利を有する場合において、その最後の二年分についても適用する。但し、利息その他の定期金と通算して二年分をこえることができない。

（抵当権の処分）

第一七条　抵当権者は、その抵当権を他の債権の担保とし、又は同一の債務者に対する他の債権者の利益のためその抵当権若しくはその順位を譲渡し、若しくは放棄することができる。

2　前項の場合において、抵当権者が数人のためにその抵当権の処分をしたときは、その処分の利益を受ける者の権利の順位は、抵当権の登記にした附記の前後による。

第一八条　前条第一項の規定による抵当権の処分は、民法第四百六十七条の規定に従い、主たる債務者にこれを通知し、又はその債務者がこれを承諾しなければ、その債務者、保証人、抵当権設定者又はこれらの承継人に対抗することができない。

2　主たる債務者が前項の通知を受け、又は承諾をしたときは、抵当権の処分の利益を受ける者の同意を得ないでした弁済は、その受益者に対抗することができない。

（代価弁済）

第一九条　抵当建設機械を買い受けた第三者が抵当権者の請求に応じてその代価を弁済したときは、抵当権は、その第三者のために消滅する。

（第三取得者の費用償還請求権）

第二〇条　抵当建設機械を取得した第三者が抵当建設機械につき必要費又は有益費を出したときは、民法第百九十六条の区別に従い、抵当建設機械の代価をもつて最も先にその償還を受けることができる。

（共同抵当の代価の配当）

第二一条　債権者が同一の債権の担保として数個の建設機械の上に抵当権を有する場合において、同時にその代価を配当すべきときは、その各建設機械の価格に応じてその債権の負担を分ける。

2　ある抵当建設機械の代価のみを配当すべきときは、抵当権者は、その代価につき債権の全部の弁済を受けることができる。この場合において、次の順位にある抵当権者は、右の抵当権者が前項の規定により他の抵当建設機械につき弁済を受けるべき金額に達するまでこれに代位して抵当権を行使することができる。

3　前項後段の規定により代位して抵当権を行使する者は、その抵当権の登記にその代位を附記することができる。

（一般財産からの弁済）

第二二条　抵当権者は、抵当建設機械の代価で弁済を受けない債権の部分についてのみ他の財産から弁済を受けることができる。

2　前項の規定は、抵当建設機械の代価に先だつて他の財産の代価を配当すべき場合には、適用しない。

3　前項の場合において、抵当権者に第一項の規定による弁済を受けさせるため、他の各債権者は、抵当権者に配当すべき金額の供託を請求することができる。

（時効による消滅）

第二三条　抵当権は、債務者及び抵当権設定者に対しては、その担保する債権と同時でなければ、時効によつて消滅しない。

第二四条　債務者又は抵当権設定者以外の者が抵当建設機械につき取得時効に必要な条件を具備した占有をしたときは、抵当権は、これによつて消滅する。

（根抵当権）

第二四条の二　抵当権は、設定行為をもつて定めるところにより、一定の範囲に属する不特定の債権を極度額の限度において担保するためにも設定することができる。

2　民法第三百九十八条の二第二項及び第三項並びに第三百九十八条の三から第三百九十八条の二十二までの規定は、前項の抵当権について準用する。

（質権設定の禁止）

第二五条　既登記の建設機械は、質権の目的とすることができない。

（既登記の建設機械に対する強制執行等）

第二六条　既登記の建設機械に対する強制執行及び仮差押えの執行については、地方裁判所が執行裁判所又は保全執行裁判所として、これを管轄する。ただし、仮差押えの執行で最高裁判所規則で定めるものについては、地方裁判所以外の裁判所が保全執行裁判所として、これを管轄する。

2　前項の強制執行及び仮差押えの執行に関し必要な事項は、最高裁判所規則で定める。

3　前二項の規定は、既登記の建設機械の競売について準用する。

（補則）

第二七条　第二条第二項の規定に基く政令の改正により新たに建設機械となつたもので、その改正の際現に道路運送車両法（昭和二十六年法律第百八十五号）により所有権の登録を受けているものは、その登録がある間は、同条に規定する建設機械でないものとみなす。

2　第二条第二項の規定に基く政令の改正により建設機械でなくなつたもので、その改正の際現に所有権の登記があるものは、その登記がある間は、同条に規定する建設機械とみなす。

第二八条　この法律で政令又は最高裁判所の定めるところに委任するものを除くほか、この法律の実施のための手続その他その執行について必要な細則は、政令で定める。

（罰則）

第二九条　第四条第五項の規定に違反して記号をき損した者は、一年以下の懲役又は三万円以下の罰金に処する。

第三〇条　競売を免かれる目的をもつて抵当建設機械を隠匿し、又は損壊した者は、二年以下の懲役又は五万円以下の罰金に処する。

附　則〔抄〕

1　この法律の施行期日は、公布の日から起算して六箇月をこえない範囲内において、政令で定める。

〔昭和二九政二九三により、昭和二九・一一・一四から施行〕

（経過規定）

4　この法律の施行の際現に道路運送車両法により所有権の登録を受けている建設機械については、その登録がある間は、なお、従前の例による。

5　陸運局長は、この法律の施行の日から十五日以内に、前項に規定する建設機械の自動車登録原簿の謄本を建設大臣に送付しなければならない。

6　国土交通大臣は、附則第四項に規定する建設機械については、道路運送車両法第十五条の規定により永久抹消登録、同法第十五条の二第二項の規定による輸出抹消仮登録又は同法第十六条第一項の申請に基づく一時抹消登録をするまでは、第四条の規定による打刻をすることができない。

附　則〔略〕〔昭和三八・七・九法律一二六〕

附　則〔略〕〔昭和四六・六・三法律九九〕

附　則〔抄〕〔昭和五四・三・三〇法律五〕

（施行期日）

1　この法律は、民事執行法（昭和五十四年法律第四号）の施行の日（昭和五十五年十月一日）から施行する。

（経過措置）

2　この法律の施行前に申し立てられた民事執行、企業担保権の実行及び破産の事件については、なお従前の例による。

3　前項の事件に関し執行官が受ける手数料及び支払又は償還を受ける費用の額については、同項の規定にかかわらず、最高裁判所規則の定めるところによる。

附　則〔略〕〔平成元・一二・二二法律九一〕

附　則〔抄〕〔平成五・一一・一二法律八九〕

（施行期日）

第一条　この法律は、行政手続法（平成五年法律第八十八号）の施行の日〔平成六・一〇・一〕から施行する。

（諮問等がされた不利益処分に関する経過措置）

第二条　この法律の施行前に法令に基づき審議会その他の合議制の機関に対し行政手続法第十三条に規定する聴聞又は弁明の機会の付与の手続その他の意見陳述のための手続に相当する手続を執るべきことの諮問その他の求めがされた場合においては、当該諮問その他の求めに係る不利益処分の手続に関しては、この法律による改正後の関係法律の規定にかかわらず、なお従前の例による。

（罰則に関する経過措置）

第一三条　この法律の施行前にした行為に対する罰則の適用については、なお従前の例による。

（聴聞に関する規定の整理に伴う経過措置）

第一四条　この法律の施行前に法律の規定により行われた聴聞、聴問若しくは聴聞会（不利益処分に係るものを除く。）又はこれらのための手続は、この法律による改正後の関係法律の相当規定により行われたものとみなす。

（政令への委任）

第一五条　附則第二条から前条までに定めるもののほか、この法律の施行に関して必要な経過措置は、政令で定める。

附　則〔抄〕〔平成一一・七・一六法律八七〕

（施行期日）

第一条　この法律は、平成十二年四月一日から施行する。ただし、次の各号に掲げる規定は、当該各号に定める日から施行する。

一　〔前略〕附則〔中略〕第百六十条、第百六十三条、第百六十四条並びに第二百二条の規定　公布の日

二～六　〔略〕

（国等の事務）

第一五九条　この法律による改正前のそれぞれの法律に規定するもののほか、この法律の施行前において、地方公共団体の機関が法律又はこれに基づく政令により管理し又は執行する国、他の地方公共団体その他公共団体の事務（附則第百六十一条において「国等の事務」という。）は、この法律の施行後は、地方公共団体が法律又はこれに基づく政令により当該地方公共団体の事務として処理するものとする。

（処分、申請等に関する経過措置）

第一六〇条　この法律（附則第一条各号に掲げる規定については、当該各規定。以下この条及び附則第百六十三条において同じ。）の施行前に改正前のそれぞれの法律の規定によりされた許可等の処分その他の行為（以下この条において「処分等の行為」という。）又はこの法律の施行の際現に改正前のそれぞれの法律の規定によりされている許可等の申請その他の行為（以下この条において「申請等の行為」という。）で、この法律の施行の日においてこれらの行為に係る行政事務を行うべき者が異なることとなるものは、附則第二条から前条までの規定又は改正後のそれぞれの法律（これに基づく命令を含む。）の経過措置に関する規定に定めるものを除き、この法律の施行の日以後における改正後のそれぞれの法律の適用については、改正後のそれぞれの法律の相当規定によりされた処分等の行為又は申請等の行為とみなす。

2　この法律の施行前に改正前のそれぞれの法律の規定により国又は地方公共団体の機関に対し報告、届出、提出その他の手続をしなければならない事項で、この法律の施行の日前にその手続がされていないものについては、この法律及びこれに基づく政令に別段の定めがあるもののほか、これを、改正後のそれぞれの法律の相当規定により国又は地方公共団体の相当の機関に対して報告、届出、提出その他の手続をしなければならない事項についてその手続がされていないものとみなして、この法律による改正後のそれぞれの法律の規定を適用する。

（不服申立てに関する経過措置）

第一六一条　施行日前にされた国等の事務に係る処分であって、当該処分をした行政庁（以下この条において「処分庁」という。）に施行日前に行政不服審査法に規定する上級行政庁（以下この条において「上級行政庁」という。）があったものについての同法による不服申立てについては、施行日以後においても、当該処分庁に引き続き上級行政庁があるものとみなして、行政不服審査法の規定を適用する。この場合において、当該処分庁の上級行政庁とみなされる行政庁は、施行日前に当該処分庁の上級行政庁であった行政庁とする。

2　前項の場合において、上級行政庁とみなされる行政庁が地方公共団体の機関であるときは、当該機関が行政不服審査法の規定により処理することとされる事務は、新地方自治法第二条第九項第一号に規定する第一号法定受託事務とする。

（手数料に関する経過措置）

第一六二条　施行日前においてこの法律による改正前のそれぞれの法律（これに基づく命令を含む。）の規定により納付すべきであった手数料については、この法律及びこれに基づく政令に別段の定めがあるもののほか、なお従前の例による。

（罰則に関する経過措置）

第一六三条　この法律の施行前にした行為に対する罰則の適用については、なお従前の例による。

（その他の経過措置の政令への委任）

第一六四条　この附則に規定するもののほか、この法律の施行に伴い必要な経過措置（罰則に関する経過措置を含む。）は、政令で定める。

2　〔略〕

附　則〔略〕〔平成一一・一二・二二法律一六〇〕

附　則〔略〕〔平成一四・七・一七法律八九〕

附　則〔略〕〔平成一六・一二・一法律一四七〕

附　則〔略〕〔平成一八・五・一九法律四〇〕

附　則〔平成二九・六・二法律四五〕

この法律は、民法改正法の施行の日（令和二・四・一）から施行する。ただし、〔中略〕第三百六十二条の規定は、公布の日から施行する。

民法の一部を改正する法律の施行に伴う関係法律の整備等に関する法律〔抄〕〔平成二九・六・二法律四五〕

（罰則に関する経過措置）

第三六一条　施行日前にした行為及びこの法律の規定によりなお従前の例によることとされる場合における施行日以後にした行為に対する罰則の適用については、なお従前の例による。

（政令への委任）

第三六二条　この法律に定めるもののほか、この法律の施行に伴い必要な経過措置は、政令で定める。

〇建設機械抵当法施行令

〔昭和二九・一一・一三 政令二九四〕

改正　昭和二九・一二政三〇五、昭和三三・一二政三四五、昭和四〇・七政二五六、昭和四六・一二政三八〇、昭和四八・五政一四一、昭和五九・六政一七六、平成一一・一一政三五二、平成一二・六政三一一、平成一五・一二政四九五、平成二〇・三政八二

（建設機械の範囲）

第一条　建設機械抵当法（以下「法」という。）第二条第一項の機械類の範囲は、別表のとおりとする。

（打刻又は検認の申請）

第二条　建設機械に対する記号の打刻又はすでに打刻された記号の検認は、建設業法（昭和二十四年法律第百号）第二条第三項に規定する建設業者で、その建設機械につき第三者に対抗することのできる所有権を有するものの申請によつてする。

（都道府県知事による打刻又は検認）

第三条　都道府県知事の許可を受けた建設業者の申請に係る打刻又は検認に関する事務は、打刻又は検認の際当該建設機械が所在する地を管轄する都道府県知事が行うこととする。

2　前項の場合においては、法中同項に規定する事務に係る国土交通大臣に関する規定は、都道府県知事に関する規定として都道府県知事に適用があるものとする。

3　第一項の規定により都道府県が処理する次条から第十条までの事務は、地方自治法（昭和二十二年法律第六十七号）第二条第九項第一号に規定する第一号法定受託事務とする。

（申請書の提出）

第四条　打刻又は検認の申請をしようとする者は、国土交通省令の定めるところにより、国土交通大臣又は都道府県知事に対し、次に掲げる事項を記載した申請書及びその副本各一通を提出しなければならない。

一　当該建設機械につき次に掲げる事項

イ　名称、型式及び国土交通省令で定める仕様

ロ　製造者名、製造年月及び製造番号

ハ　原動機（起動用原動機、エア・モーターその他国土交通省令で定めるものを除く。）を有するときは、その原動機につき種類、定格出力及びこの号ロに掲げる事項

ニ　道路運送車両法（昭和二十六年法律第百八十五号）による自動車登

録番号を有するときは、その自動車登録番号
ホ　所在地
二　取得の原因及び年月日
三　所有者の建設業法による許可年月日及び許可番号並びに主たる営業所の所在地
2　検認の申請書には、前項各号に掲げる事項のほか、打刻された記号をも記載しなければならない。

（建設機械の所有権等の調査）
第五条　国土交通大臣又は都道府県知事は、打刻又は検認の申請があつたときは、当該建設機械につき申請人が第三者に対抗することのできる所有権を有するかどうか及び当該建設機械が質権又は差押、仮差押若しくは仮処分の目的となつているかどうかを調査しなければならない。この場合においては、申請人に対して調査のため必要な協力を求めることができる。

（建設機械等の呈示）
第六条　申請人は、国土交通大臣又は都道府県知事から求められたときは、当該建設機械及び第四条第一項各号に掲げる事項を証するに足りる資料を呈示しなければならない。

（打刻又は検認の拒否）
第七条　国土交通大臣又は都道府県知事は、次の各号の一に該当する場合には、打刻又は検認をすることができない。
一　申請人が当該建設機械につき第三者に対抗することのできる所有権を有することが明らかでないとき。
二　当該建設機械が質権又は差押、仮差押若しくは仮処分の目的となつていることが明らかなとき。
2　国土交通大臣又は都道府県知事は、次の各号の一に該当する場合には、打刻又は検認をしないことができる。
一　申請人が、正当な理由がなくて、前二条の求めに応じないとき。
二　打刻又は検認の手数料を納付しないとき。

（打刻及び検認）
第八条　打刻は、国土交通省令の定めるところにより、打刻をした年、打刻の際申請人の主たる営業所が所在する都道府県、打刻をした者及び打刻の番号を表示する記号を、当該建設機械の主要な部分の見易い位置に打刻することによつて行う。
2　検認は、当該建設機械に打刻された記号が前項に規定する記号であるかどうか及びその打刻が正当にされたものであるかどうかを検認することによつて行う。

（証明書の交付）
第九条　国土交通大臣又は都道府県知事は、建設機械に打刻又は検認をしたときは、申請人に建設機械打刻証明書又は建設機械打刻検認証明書を交付しなければならない。
2　建設機械打刻証明書及び建設機械打刻検認証明書には、当該建設機械の所有者の氏名及び住所（法人にあつては、名称及び主たる事務所の所在地）並びに第四条第一項第一号イから二までに掲げる事項のほか、建設機械打刻証明書にあつては打刻した記号及び打刻の年月日を、建設機械打刻検認証明書にあつては検認した記号及び検認の年月日を記載しなければならない。
3　建設機械打刻証明書及び建設機械打刻検認証明書の様式は、国土交通省令で定める。

（申請書の副本の送付等）
第一〇条　都道府県知事は、打刻又は検認をしたときは、遅滞なく、国土交通大臣に対し、申請書の副本を送付するとともに、打刻し又は検認した記号及び打刻又は検認の年月日を通知しなければならない。

（建設機械台帳）
第一一条　国土交通大臣は、建設機械台帳を備え、これに次に掲げる事項を記載しなければならない。
一　所有者の氏名及び住所（法人にあつては、名称及び主たる事務所の所在地）
二　第四条第一項各号に掲げる事項
三　打刻された記号及び打刻の年月日
四　検認の年月日
五　所有権保存の登記の有無
2　利害関係人は、国土交通大臣に対し、建設機械台帳の閲覧又はその記載に関する証明を求めることができる。

（変更等の届出）
第一二条　打刻された建設機械の所有者は、次の各号の一に該当する場合には、遅滞なく、国土交通省令の定めるところにより、国土交通大臣に届け出なければならない。
一　前条第一項第一号並びに第四条第一項第一号イ（名称を除く。）、ハからホまで及び第三号に掲げる事項につき変更があつたとき（同一都道府県内で建設機械の所在地の変更があつた場合を除く。）。
二　当該建設機械が滅失し、又は解体されたとき（輸送、整備又は改造のために解体された場合を除く。）。
2　打刻された建設機械を新たに取得した者は、その取得の後、遅滞なく、国土交通省令の定めるところにより、国土交通大臣に届け出なければならない。

（都道府県知事への通知）
第一三条　国土交通大臣は、別表の改正が行われた場合において、その改正により新たに建設機械となつたもので、法第二十七条第一項の規定により建設機械でないものとみなされるものがあるときは、遅滞なく、各都道府県知事に必要な事項を通知しなければならない。
2　国土交通大臣は、前項に規定する建設機械について道路運送車両法第十五条の規定による永久抹消登録、同法第十五条の二第二項の規定による輸出抹消仮登録又は同法第十六条第一項の申請に基づく一時抹消登録をしたときは、遅滞なく、各都道府県知事に必要な事項を通知しなければならない。

附　則

（施行期日）
1　この政令は、法の施行の日（昭和二十九年十一月十四日）から施行する。

（都道府県知事による打刻又は検認）
2　建設機械の打刻又は検認に関する事務で第四条から第九条までの規定により国土交通大臣が行うべき事務は、当分の間、打刻又は検認の際当該建設機械が所在する地を管轄する都道府県知事が行うこととする。
3　前項の場合においては、法中同項に規定する事務に係る国土交通大臣に関する規定は、都道府県知事に関する規定として都道府県知事に適用があるものとする。
4　第十条の規定は、第二項の規定により国土交通大臣の事務を行う都道府県知事が打刻又は検認をした場合に準用する。

（事務の区分）
5　第二項及び前項において準用する第十条の規定により都道府県が処理する事務は、地方自治法第二条第九項第一号に規定する第一号法定受託事務とする。

（都道府県知事への通知）
6　第十三条第二項の規定は、国土交通大臣が法附則第四項に規定する建設機械について道路運送車両法第十五条の規定による永久抹消登録、同法第十五条の二第二項の規定による輸出抹消仮登録又は同法第十六条第一項の申請に基づく一時抹消登録をした場合に準用する。

附　則（略）（昭和二九・一一・六政令三〇五）
附　則（略）（昭和三三・一一・二五政令三四五）
附　則（略）（昭和四六・一二・二七政令三八〇）
附　則（略）（昭和四八・五・二二政令一四一）
附　則（略）（昭和五九・六・六政令一七六）
附　則（略）（平成一一・一一・一〇政令三五二）
附　則（略）（平成一二・六・七政令三一二）
附　則（略）（平成一五・一二・一〇政令四九五）
附　則（平成二〇・三・二八政令八二）
この政令は、道路運送法等の一部を改正する法律附則第一条第四号に掲げる規定の施行の日（平成二十年十一月四日）から施行する。

別表

種類	名称	範囲
1 掘削機械	ショベル系掘削機	ショベル、バックホウ、ドラグライン、クラムシェル、クレーン又はパイルドライバーのアタッチメントを有するもの
	連続式バケット掘削機	走行装置及び二二キロワット以上の掘削用原動機を有するもの
2 基礎工事用機械	くい打ち機及びくい抜き機	やぐら及び原動機を有し、ハンマー、起振機又はくい抜き装置の重量が〇・五トン以上のもの
	グラウトポンプ	原動機及びグラウトポンプ用ミキサーを有するもの
	ペーパードレーンマシン	
	大口径掘削機	スクリュー式でないもの
	アースオーガー	
	地下連続壁施工用機械	
3 トラクター類	トラクター	自重が三トン以上のもの
	ブルドーザー	
	トラクターショベル	バケット容量が〇・四立方メートル以上のもの
4 運搬機械	スクレーパー	積載容量が三立方メートル以上のもの
	機関車	
	運搬車	積載重量が一五トン以上のもの
5 起重機類	ジブクレーン	つり上げ能力が三トン以上のもの
	タワークレーン	
	デリッククレーン	
	ケーブルクレーン	巻上げ装置、走行装置及び原動機を有し、つり上げ能力が二トン以上のもの
	ウインチ	二二キロワット以上の原動機を有するもの
	エレベーター	
6 ボーリング機械	ボーリングマシン	三キロワット以上の原動機を有するもの
	ドリルジャンボ	鑿(さく)岩機を支持するアームが二本以上のもの
	クローラードリル	
7 トンネル機械	たて坑掘進機	
	トンネル掘進機	
	シールド掘進機	
	ずり積み機	
8 整地・締め固め機械	モーターグレーダー	自重が五トン以上のもの
	スタビライザー	
	アグリゲートスプレッダー	
	ロードローラー	自重が八トン以上のもの
	タイヤローラー	
	振動ローラー	自走式のものにあつては自重が八トン以上のもの、被牽(けん)引式のものにあつては自重が二トン以上のもの
9 砕石・選別機械	フィーダー	三キロワット以上の原動機を有するもの
	クラッシャー	ジョークラッシャー、ジャイレクトリークラッシャー、コーンクラッシャー、ロールクラッシャー、インパクトクラッシャー、ロッドミル又はボールミルで、三キロワット以上の原動機を有するもの
	選別機	トロンメル、バイブレイティングスクリーン又はクラッシファイヤーで、三キロワット以上の原動機を有するもの
	ウォッシャー	ドラムウォッシャー又はスクリューウォッシャーで、三キロワット以上の原動機を有するもの
10 コンクリート機械	セメント空気輸送機	フラクソー式輸送機又はキニオンポンプ
	コンクリートプラント	骨材貯蔵びん、計量装置及びミキサーを有するもの
	コンクリートミキサー	混練容量が〇・三五立方メートル以上のもの
	コンクリートポンプ	排送能力が毎時五立方メートル以上のもの
	コンクリートプレーサー	打設能力が毎時一〇立方メートル以上のもの
	アジテーターカー	ゴムタイヤ式でないもの
11 舗装機械	アスファルトフィニッシャー	敷きならし装置、仕上げ装置、走行装置及び原動機を有するもの
	アスファルトプラント	コールドエレベーター、骨材乾燥機、ホットエレベーター、ふるい分け装置、骨材貯蔵びん、アスファルト溶解がま及びミキサーを有するもの
	アスファルトクッカー	
	コンクリートフィニッシャー	振動機及び原動機を有するもの
	コンクリートスプレッダー	原動機を有するもの
	コンクリートペーバー	装軌式のもの
12 船舶	しゆんせつ船	ポンプしゆんせつ船、ディッパーしゆんせつ船又はグラブしゆんせつ船で、独航機能を有しないもの
	砕岩船	独航機能を有しないもの
	起重機船	
	くい打ち船	
	コンクリートミキサー船	
	サンドドレーン船	
	土運船	鋼製で、独航機能を有しないもの
13 その他	作業台船	
	空気圧縮機	一四キロワット以上の原動機を有するもの
	サンドポンプ	二九キロワット以上の原動機を有するもの
	発動発電機	発電機容量が一五キロボルトアンペア以上のもの

○建設機械抵当法施行規則

〔昭和二九・一一・一三　建設省令三五〕

改正　昭和二九・一二建令三六、昭和三三・一二建令三四、昭和四〇・七建令二四、昭和四七・一建令一、五建令一六、昭和四八・六建令一一、平成元・三建令三、平成六・二建令四、平成一二・一一建令四一、令和元・五国交令一、令和二・一二国交令九八

（申請書の提出）

第一条　建設機械抵当法施行令（以下「令」という。）第四条に規定する申請書及びその副本は、国土交通大臣の許可を受けた建設業者にあつては国土交通大臣に、都道府県知事の許可を受けた建設業者にあつては打刻又は検認の際当該建設機械が所在する地を管轄する都道府県知事に提出しなければならない。

（申請書の様式）

第二条　令第四条に規定する申請書は、別記様式第一号により作成しなければならない。

（建設機械の仕様）

第二条の二　令第四条第一項第一号イに規定する国土交通省令で定める仕様は、別表第一のとおりとする。

（打刻の記号の様式及び打刻の位置）

第三条　令第八条第一項に規定する打刻は、別表第二に定める位置に、別記様式第二号により行わなければならない。この場合において、打刻の番号は、同一暦年中においては、重複してはならない。

（建設機械打刻証明書等の様式）

第四条　令第九条第一項の規定により国土交通大臣又は都道府県知事が交付する建設機械打刻証明書及び建設機械打刻検認証明書の様式は、それぞれ別記様式第三号及び第四号のとおりとする。

（変更等の届出）

第五条　令第十二条第一項第一号に該当する場合には、別記様式第五号により、次に掲げる事項を届け出なければならない。

一　変更事項及びその内容

二　変更の原因

三　変更の年月日

２　令第十二条第一項第二号に該当する場合には、別記様式第六号により、次に掲げる事項を届け出なければならない。

一　滅失し、又は解体された建設機械の名称、型式及び当該建設機械に打刻された記号

二　滅失又は解体の事由

三　滅失又は解体の年月日

四　届出当時の当該建設機械の状態

３　令第十二条第二項に規定する建設機械を取得した者は、別記様式第七号により、取得の原因及び年月日等を届け出なければならない。

附　則

（施行期日）

１　この省令は、建設機械抵当法の施行の日（昭和二十九年十一月十四日）から施行する。

（申請書の提出）

２　国土交通大臣の許可を受けた建設業者で打刻又は検認の申請をしようとする者は、当分の間、第一条の規定にかかわらず、打刻又は検認の際当該建設機械が所在する地を管轄する都道府県知事に申請書を提出しなければならない。

（建設機械打刻証明書等の様式の準用）

３　第四条の規定は、前項の規定により申請書の提出を受けた都道府県知事が建設機械打刻証明書又は建設機械打刻検認証明書を交付する場合に準用する。

附　則（略）〔昭和三三・一二・二五建設省令三四〕

附　則（略）〔昭和四〇・七・二〇建設省令二四〕

附　則（略）〔昭和四七・一・一八建設省令一〕

附　則（略）〔平成六・二・二三建設省令四〕

附　則（略）〔平成一二・一一・二〇建設省令四一〕

附　則（略）〔令和二・一二・二三国土交通省令九八〕

別表・別記様式（略）

○建設工事に係る資材の再資源化等に関する法律

〔平成一二・五・三一　法律一〇四〕

改正　平成一一・一二法一六〇、平成一二・一一法一二六、平成一四・五法四五、平成一五・六法九六、平成一六・六法七六、一二法一四七、平成二三・六法六一、八法一〇五、平成二六・六法五五、令和三・五法三七

目次

第一章　総則（第一条・第二条）
第二章　基本方針等（第三条―第八条）
第三章　分別解体等の実施（第九条―第十五条）
第四章　再資源化等の実施（第十六条―第二十条）
第五章　解体工事業（第二十一条―第三十七条）
第六章　雑則（第三十八条―第四十七条）
第七章　罰則（第四十八条―第五十三条）
附則

第一章　総則

（目的）

第一条　この法律は、特定の建設資材について、その分別解体等及び再資源化等を促進するための措置を講ずるとともに、解体工事業者について登録制度を実施すること等により、再生資源の十分な利用及び廃棄物の減量等を通じて、資源の有効な利用の確保及び廃棄物の適正な処理を図り、もって生活環境の保全及び国民経済の健全な発展に寄与することを目的とする。

（定義）

第二条　この法律において「建設資材」とは、土木建築に関する工事（以下「建設工事」という。）に使用する資材をいう。

２　この法律において「建設資材廃棄物」とは、建設資材が廃棄物（廃棄物の処理及び清掃に関する法律（昭和四十五年法律第百三十七号）第二条第一項に規定する廃棄物をいう。以下同じ。）となったものをいう。

３　この法律において「分別解体等」とは、次の各号に掲げる工事の種別に応じ、それぞれ当該各号に定める行為をいう。

一　建築物その他の工作物（以下「建築物等」という。）の全部又は一部を解体する建設工事（以下「解体工事」という。）　建築物等に用いられた建設資材に係る建設資材廃棄物をその種類ごとに分別しつつ当該工事

を計画的に施工する行為

二　建築物等の新築その他の解体工事以外の建設工事（以下「新築工事等」という。）に伴い副次的に生ずる建設資材廃棄物をその種類ごとに分別しつつ当該工事を施工する行為

4　この法律において建設資材廃棄物について「再資源化」とは、次に掲げる行為であって、分別解体等に伴って生じた建設資材廃棄物の運搬又は処分（再生することを含む。）に該当するものをいう。

一　分別解体等に伴って生じた建設資材廃棄物について、資材又は原材料として利用すること（建設資材廃棄物をそのまま用いることを除く。）ができる状態にする行為

二　分別解体等に伴って生じた建設資材廃棄物であって燃焼の用に供することができるもの又はその可能性のあるものについて、熱を得ることに利用することができる状態にする行為

5　この法律において「特定建設資材」とは、コンクリート、木材その他建設資材のうち、建設資材廃棄物となった場合におけるその再資源化が資源の有効な利用及び廃棄物の減量を図る上で特に必要であり、かつ、その再資源化が経済性の面において制約が著しくないと認められるものとして政令で定めるものをいう。

6　この法律において「特定建設資材廃棄物」とは、特定建設資材が廃棄物となったものをいう。

7　この法律において建設資材廃棄物について「縮減」とは、焼却、脱水、圧縮その他の方法により建設資材廃棄物の大きさを減ずる行為をいう。

8　この法律において特定建設資材廃棄物について「再資源化等」とは、再資源化及び縮減をいう。

9　この法律において「建設業」とは、建設工事を請け負う営業（その請け負った建設工事を他の者に請け負わせて営むものを含む。）をいう。

10　この法律において「下請契約」とは、建設工事を他の者から請け負った建設業を営む者と他の建設業を営む者との間で当該建設工事の全部又は一部について締結される請負契約をいい、「発注者」とは、建設工事（他の者から請け負ったものを除く。）の注文者をいい、「元請業者」とは、発注者から直接建設工事を請け負った建設業を営む者をいい、「下請負人」とは、下請契約における請負人をいう。

11　この法律において「解体工事業」とは、建設業のうち建築物等を除却するための解体工事を請け負う営業（その請け負った解体工事を他の者に請け負わせて営むものを含む。）をいう。

12　この法律において「解体工事業者」とは、第二十一条第一項の登録を受けて解体工事業を営む者をいう。

第二章　基本方針等

（基本方針）

第三条　主務大臣は、建設工事に係る資材の有効な利用の確保及び廃棄物の適正な処理を図るため、特定建設資材に係る分別解体等及び特定建設資材廃棄物の再資源化等の促進等に関する基本方針（以下「基本方針」という。）を定めるものとする。

2　基本方針においては、次に掲げる事項を定めるものとする。

一　特定建設資材に係る分別解体等及び特定建設資材廃棄物の再資源化等の促進等の基本的方向

二　建設資材廃棄物の排出の抑制のための方策に関する事項

三　特定建設資材廃棄物の再資源化等に関する目標の設定その他特定建設資材廃棄物の再資源化等の促進のための方策に関する事項

四　特定建設資材廃棄物の再資源化により得られた物の利用の促進のための方策に関する事項

五　環境の保全に資するものとしての特定建設資材に係る分別解体等、特定建設資材廃棄物の再資源化等及び特定建設資材廃棄物の再資源化により得られた物の利用の意義に関する知識の普及に係る事項

六　その他特定建設資材に係る分別解体等及び特定建設資材廃棄物の再資源化等の促進等に関する重要事項

3　主務大臣は、基本方針を定め、又はこれを変更したときは、遅滞なく、これを公表しなければならない。

（実施に関する指針）

第四条　都道府県知事は、基本方針に即し、当該都道府県における特定建設資材に係る分別解体等及び特定建設資材廃棄物の再資源化等の促進等の実施に関する指針を定めることができる。

2　都道府県知事は、前項の指針を定め、又はこれを変更したときは、遅滞なく、これを公表するよう努めなければならない。

（建設業を営む者の責務）

第五条　建設業を営む者は、建築物等の設計及びこれに用いる建設資材の選択、建設工事の施工方法等を工夫することにより、建設資材廃棄物の発生を抑制するとともに、分別解体等及び建設資材廃棄物の再資源化等に要する費用を低減するよう努めなければならない。

2　建設業を営む者は、建設資材廃棄物の再資源化により得られた建設資材（建設資材廃棄物の再資源化により得られた物を使用した建設資材を含む。次条及び第四十一条において同じ。）を使用するよう努めなければならない。

（発注者の責務）

第六条　発注者は、その注文する建設工事について、分別解体等及び建設資材廃棄物の再資源化等に要する費用の適正な負担、建設資材廃棄物の再資源化により得られた建設資材の使用等により、分別解体等及び建設資材廃棄物の再資源化等の促進に努めなければならない。

（国の責務）

第七条　国は、建築物等の解体工事に関し必要な情報の収集、整理及び活用、分別解体等及び建設資材廃棄物の再資源化等の促進に資する科学技術の振興を図るための研究開発の推進及びその成果の普及等必要な措置を講ずるよう努めなければならない。

2　国は、教育活動、広報活動等を通じて、分別解体等、建設資材廃棄物の再資源化等及び建設資材廃棄物の再資源化により得られた物の利用の促進に関する国民の理解を深めるとともに、その実施に関する国民の協力を求めるよう努めなければならない。

3　国は、建設資材廃棄物の再資源化等を促進するために必要な資金の確保その他の措置を講ずるよう努めなければならない。

（地方公共団体の責務）

第八条　都道府県及び市町村は、国の施策と相まって、当該地域の実情に応じ、分別解体等及び建設資材廃棄物の再資源化等を促進するよう必要な措置を講ずることに努めなければならない。

第三章　分別解体等の実施

（分別解体等実施義務）

第九条　特定建設資材を用いた建築物等に係る解体工事又はその施工に特定建設資材を使用する新築工事等であって、その規模が第三項又は第四項の建設工事の規模に関する基準以上のもの（以下「対象建設工事」という。）の受注者（当該対象建設工事の全部又は一部について下請契約が締結されている場合における各下請負人を含む。以下「対象建設工事受注者」という。）又はこれを請負契約によらないで自ら施工する者（以下単に「自主施工者」という。）は、正当な理由がある場合を除き、分別解体等をしなければならない。

2　前項の分別解体等は、特定建設資材廃棄物をその種類ごとに分別することを確保するための適切な施工方法に関する基準として主務省令で定める基準に従い、行わなければならない。

3　建設工事の規模に関する基準は、政令で定める。

4　都道府県は、当該都道府県の区域のうちに、特定建設資材廃棄物の再資源化等をするための施設及び廃棄物の最終処分場における処理量の見込みその他の事情から判断して前項の基準によっては当該区域において生じる特定建設資材廃棄物をその再資源化等により減量することが十分でないと認められる区域があるときは、当該区域について、条例で、同項の基準に代えて適用すべき建設工事の規模に関する基準を定めることができる。

（対象建設工事の届出等）

第一〇条　対象建設工事の発注者又は自主施工者は、工事に着手する日の七日前までに、主務省令で定めるところにより、次に掲げる事項を都道府県知事に届け出なければならない。

一　解体工事である場合においては、解体する建築物等の構造

二　新築工事等である場合においては、使用する特定建設資材の種類

三　工事着手の時期及び工程の概要

四　分別解体等の計画

五　解体工事である場合においては、解体する建築物等に用いられた建設

資材の量の見込み

六　その他主務省令で定める事項

2　前項の規定による届出をした者は、その届出に係る事項のうち主務省令で定める事項を変更しようとするときは、その届出に係る工事に着手する日の七日前までに、主務省令で定めるところにより、その旨を都道府県知事に届け出なければならない。

3　都道府県知事は、第一項又は前項の規定による届出があった場合において、その届出に係る分別解体等の計画が前条第二項の主務省令で定める基準に適合しないと認めるときは、その届出を受理した日から七日以内に限り、その届出をした者に対し、その届出に係る分別解体等の計画の変更その他必要な措置を命ずることができる。

（国等に関する特例）

第一一条　国の機関又は地方公共団体は、前条第一項の規定により届出を要する行為をしようとするときは、あらかじめ、都道府県知事にその旨を通知しなければならない。

（対象建設工事の届出に係る事項の説明等）

第一二条　対象建設工事（他の者から請け負ったものを除く。次項において同じ。）を発注しようとする者から直接当該工事を請け負おうとする建設業を営む者は、当該発注しようとする者に対し、少なくとも第十条第一項第一号から第五号までに掲げる事項について、これらの事項を記載した書面を交付して説明しなければならない。

2　前項の建設業を営む者は、同項の規定による書面の交付に代えて、政令で定めるところにより、同項の対象建設工事を発注しようとする者の承諾を得て、当該書面に記載すべき事項を電子情報処理組織を使用する方法その他の情報通信の技術を利用する方法であって主務省令で定めるものにより提供することができる。この場合において、当該建設業を営む者は、当該書面を交付したものとみなす。

3　対象建設工事受注者は、その請け負った建設工事の全部又は一部を他の建設業を営む者に請け負わせようとするときは、当該他の建設業を営む者に対し、当該対象建設工事について第十条第一項の規定により届け出られた事項（同条第二項の規定による変更の届出があった場合には、その変更後のもの）を告げなければならない。

（対象建設工事の請負契約に係る書面の記載事項）

第一三条　対象建設工事の請負契約（当該対象建設工事の全部又は一部について下請契約が締結されている場合における各下請契約を含む。以下この条において同じ。）の当事者は、建設業法（昭和二十四年法律第百号）第十九条第一項に定めるもののほか、分別解体等の方法、解体工事に要する費用その他の主務省令で定める事項を書面に記載し、署名又は記名押印をして相互に交付しなければならない。

2　対象建設工事の請負契約の当事者は、請負契約の内容で前項に規定する事項に該当するものを変更するときは、その変更の内容を書面に記載し、署名又は記名押印をして相互に交付しなければならない。

3　対象建設工事の請負契約の当事者は、前二項の規定による措置に代えて、政令で定めるところにより、当該契約の相手方の承諾を得て、電子情報処理組織を使用する方法その他の情報通信の技術を利用する方法であって、当該各項の規定による措置に準ずるものとして主務省令で定めるものを講ずることができる。この場合において、当該主務省令で定める措置を講じた者は、当該各項の規定による措置を講じたものとみなす。

（助言又は勧告）

第一四条　都道府県知事は、対象建設工事受注者又は自主施工者の分別解体等の適正な実施を確保するため必要があると認めるときは、基本方針（第四条第二項の規定により同条第一項の指針を公表した場合には、当該指針）を勘案して、当該対象建設工事受注者又は自主施工者に対し、分別解体等の実施に関し必要な助言又は勧告をすることができる。

（命令）

第一五条　都道府県知事は、対象建設工事受注者又は自主施工者が正当な理由がなくて分別解体等の適正な実施に必要な行為をしない場合において、分別解体等の適正な実施を確保するため特に必要があると認めるときは、基本方針（第四条第二項の規定により同条第一項の指針を公表した場合には、当該指針）を勘案して、当該対象建設工事受注者又は自主施工者に対し、分別解体等の方法の変更その他必要な措置をとるべきことを命ずることができる。

第四章　再資源化等の実施

（再資源化等実施義務）

第一六条　対象建設工事受注者は、分別解体等に伴って生じた特定建設資材廃棄物について、再資源化をしなければならない。ただし、特定建設資材廃棄物でその再資源化について一定の施設を必要とするもののうち政令で定めるもの（以下この条において「指定建設資材廃棄物」という。）に該当する特定建設資材廃棄物については、主務省令で定める距離に関する基準の範囲内に当該指定建設資材廃棄物の再資源化をするための施設が存しない場所で工事を施工する場合その他地理的条件、交通事情その他の事情により再資源化をすることには相当程度に経済性の面での制約があるものとして主務省令で定める場合には、再資源化に代えて縮減をすれば足りる。

第一七条　都道府県は、当該都道府県の区域における対象建設工事の施工に伴って生じる特定建設資材廃棄物の発生量の見込み及び廃棄物の最終処分場における処理量の見込みその他の事情を考慮して、当該都道府県の区域において生じる特定建設資材廃棄物の再資源化による減量を図るため必要と認めるときは、条例で、前条の距離に関する基準に代えて適用すべき距離に関する基準を定めることができる。

（発注者への報告等）

第一八条　対象建設工事の元請業者は、当該工事に係る特定建設資材廃棄物の再資源化等が完了したときは、主務省令で定めるところにより、その旨を当該工事の発注者に書面で報告するとともに、当該再資源化等の実施状況に関する記録を作成し、これを保存しなければならない。

2　前項の規定による報告を受けた発注者は、同項に規定する再資源化等が適正に行われなかったと認めるときは、都道府県知事に対し、その旨を申告し、適当な措置をとるべきことを求めることができる。

3　対象建設工事の元請業者は、第一項の規定による書面による報告に代えて、政令で定めるところにより、同項の発注者の承諾を得て、当該書面に記載すべき事項を、電子情報処理組織を使用する方法その他の情報通信の技術を利用する方法であって主務省令で定めるものにより通知することができる。この場合において、当該元請業者は、当該書面による報告をしたものとみなす。

（助言又は勧告）

第一九条　都道府県知事は、対象建設工事受注者の特定建設資材廃棄物の再資源化等の適正な実施を確保するため必要があると認めるときは、基本方針（第四条第二項の規定により同条第一項の指針を公表した場合には、当該指針）を勘案して、当該対象建設工事受注者に対し、特定建設資材廃棄物の再資源化等の実施に関し必要な助言又は勧告をすることができる。

（命令）

第二〇条　都道府県知事は、対象建設工事受注者が正当な理由がなくて特定建設資材廃棄物の再資源化等の適正な実施に必要な行為をしない場合において、特定建設資材廃棄物の再資源化等の適正な実施を確保するため特に必要があると認めるときは、基本方針（第四条第二項の規定により同条第一項の指針を公表した場合には、当該指針）を勘案して、当該対象建設工事受注者に対し、特定建設資材廃棄物の再資源化等の方法の変更その他必要な措置をとるべきことを命ずることができる。

第五章　解体工事業

（解体工事業者の登録）

第二一条　解体工事業を営もうとする者（建設業法別表第一の下欄に掲げる土木工事業、建築工事業又は解体工事業に係る同法第三条第一項の許可を受けた者を除く。）は、当該業を行おうとする区域を管轄する都道府県知事の登録を受けなければならない。

2　前項の登録は、五年ごとにその更新を受けなければ、その期間の経過によって、その効力を失う。

3　前項の更新の申請があった場合において、同項の期間（以下「登録の有効期間」という。）の満了の日までにその申請に対する処分がされないときは、従前の登録は、登録の有効期間の満了後もその処分がされるまでの間は、なおその効力を有する。

4　前項の場合において、登録の更新がされたときは、その登録の有効期間は、従前の登録の有効期間の満了の日の翌日から起算するものとする。

5　第一項の登録（第二項の登録の更新を含む。以下「解体工事業者の登録」

という。）を受けた者が、第一項に規定する許可を受けたときは、その登録は、その効力を失う。

（登録の申請）

第二二条　解体工事業者の登録を受けようとする者は、次に掲げる事項を記載した申請書を都道府県知事に提出しなければならない。

一　商号、名称又は氏名及び住所

二　営業所の名称及び所在地

三　法人である場合においては、その役員（業務を執行する社員、取締役、執行役又はこれらに準ずる者をいい、相談役、顧問その他いかなる名称を有する者であるかを問わず、法人に対し業務を執行する社員、取締役、執行役又はこれらに準ずる者と同等以上の支配力を有するものと認められる者を含む。次号及び第二十四条第一項において同じ。）の氏名

四　未成年者である場合においては、その法定代理人の氏名及び住所（法定代理人が法人である場合においては、その商号又は名称及び住所並びにその役員の氏名）

五　第三十一条に規定する者の氏名

2　前項の申請書には、解体工事業者の登録を受けようとする者が第二十四条第一項各号に該当しない者であることを誓約する書面その他主務省令で定める書類を添付しなければならない。

（登録の実施）

第二三条　都道府県知事は、前条の規定による申請書の提出があったときは、次条第一項の規定により登録を拒否する場合を除くほか、次に掲げる事項を解体工事業者登録簿に登録しなければならない。

一　前条第一項各号に掲げる事項

二　登録年月日及び登録番号

2　都道府県知事は、前項の規定による登録をしたときは、遅滞なく、その旨を申請者に通知しなければならない。

（登録の拒否）

第二四条　都道府県知事は、解体工事業者の登録を受けようとする者が次の各号のいずれかに該当するとき、又は申請書若しくはその添付書類のうちに重要な事項について虚偽の記載があり、若しくは重要な事実の記載が欠けているときは、その登録を拒否しなければならない。

一　第三十五条第一項の規定により登録を取り消され、その処分のあった日から二年を経過しない者

二　解体工事業者で法人であるものが第三十五条第一項の規定により登録を取り消された場合において、その処分のあった日前三十日以内にその解体工事業者の役員であった者でその処分のあった日から二年を経過しないもの

三　第三十五条第一項の規定により事業の停止を命ぜられ、その停止の期間が経過しない者

四　この法律又はこの法律に基づく処分に違反して罰金以上の刑に処せられ、その執行を終わり、又は執行を受けることがなくなった日から二年を経過しない者

五　暴力団員による不当な行為の防止等に関する法律（平成三年法律第七十七号）第二条第六号に規定する暴力団員又は同号に規定する暴力団員でなくなった日から五年を経過しない者（第九号において「暴力団員等」という。）

六　解体工事業に関し成年者と同一の行為能力を有しない未成年者でその法定代理人が前各号又は次号のいずれかに該当するもの

七　法人でその役員のうちに第一号から第五号までのいずれかに該当する者があるもの

八　第三十一条に規定する者を選任していない者

九　暴力団員等がその事業活動を支配する者

2　都道府県知事は、前項の規定により登録を拒否したときは、遅滞なく、その理由を示して、その旨を申請者に通知しなければならない。

（変更の届出）

第二五条　解体工事業者は、第二十二条第一項各号に掲げる事項に変更があったときは、その日から三十日以内に、その旨を都道府県知事に届け出なければならない。

2　都道府県知事は、前項の規定による届出を受理したときは、当該届出に係る事項が前条第一項第六号から第八号までのいずれかに該当する場合を除き、届出があった事項を解体工事業者登録簿に登録しなければならない。

3　第二十二条第二項の規定は、第一項の規定による届出について準用する。

（解体工事業者登録簿の閲覧）

第二六条　都道府県知事は、解体工事業者登録簿を一般の閲覧に供しなければならない。

（廃業等の届出）

第二七条　解体工事業者が次の各号のいずれかに該当することとなった場合においては、当該各号に定める者は、その日から三十日以内に、その旨を都道府県知事（第五号に掲げる場合においては、当該廃止した解体工事業に係る解体工事業者の登録をした都道府県知事）に届け出なければならない。

一　死亡した場合　その相続人

二　法人が合併により消滅した場合　その法人を代表する役員（業務を執行する社員、取締役、執行役又はこれらに準ずる者をいう。第五号において同じ。）であった者

三　法人が破産手続開始の決定により解散した場合　その破産管財人

四　法人が合併及び破産手続開始の決定以外の理由により解散した場合　その清算人

五　その登録に係る都道府県の区域内において解体工事業を廃止した場合　解体工事業者であった個人又は解体工事業者であった法人を代表する役員

2　解体工事業者が前項各号のいずれかに該当するに至ったときは、解体工事業者の登録は、その効力を失う。

（登録の抹消）

第二八条　都道府県知事は、第二十一条第二項若しくは第五項若しくは前条第二項の規定により登録がその効力を失ったとき、又は第三十五条第一項の規定により登録を取り消したときは、当該解体工事業者の登録を抹消しなければならない。

（登録の取消し等の場合における解体工事の措置）

第二九条　解体工事業者について、第二十一条第二項若しくは第二十七条第二項の規定により登録が効力を失ったとき、又は第三十五条第一項の規定により登録が取り消されたときは、当該解体工事業者であった者又はその一般承継人は、登録がその効力を失う前又は当該処分を受ける前に締結された請負契約に係る解体工事に限り施工することができる。この場合において、これらの者は、登録がその効力を失った後又は当該処分を受けた後、遅滞なく、その旨を当該解体工事の注文者に通知しなければならない。

2　都道府県知事は、前項の規定にかかわらず、公益上必要があると認めるときは、当該解体工事の施工の差止めを命ずることができる。

3　第一項の規定により解体工事を施工する解体工事業者であった者又はその一般承継人は、当該解体工事を完成する目的の範囲内においては、解体工事業者とみなす。

4　解体工事の注文者は、第一項の規定により通知を受けた日又は同項に規定する登録がその効力を失ったこと、若しくは処分があったことを知った日から三十日以内に限り、その解体工事の請負契約を解除することができる。

（解体工事の施工技術の確保）

第三〇条　解体工事業者は、解体工事の施工技術の確保に努めなければならない。

2　主務大臣は、前項の施工技術の確保に資するため、必要に応じ、講習の実施、資料の提供その他の措置を講ずるものとする。

（技術管理者の設置）

第三一条　解体工事業者は、工事現場における解体工事の施工の技術上の管理をつかさどる者で主務省令で定める基準に適合するもの（以下「技術管理者」という。）を選任しなければならない。

（技術管理者の職務）

第三二条　解体工事業者は、その請け負った解体工事を施工するときは、技術管理者に当該解体工事の施工に従事する他の者の監督をさせなければならない。ただし、技術管理者以外の者が当該解体工事に従事しない場合は、この限りでない。

（標識の掲示）

第三三条　解体工事業者は、主務省令で定めるところにより、その営業所及び解体工事の現場ごとに、公衆の見やすい場所に、商号、名称又は氏名、登録番号その他主務省令で定める事項を記載した標識を掲げなければならない。

（帳簿の備付け等）

第三四条　解体工事業者は、主務省令で定めるところにより、その営業所ごとに帳簿を備え、その営業に関する事項で主務省令で定めるものを記載し、これを保存しなければならない。

（登録の取消し等）

第三五条　都道府県知事は、解体工事業者が次の各号のいずれかに該当するときは、その登録を取り消し、又は六月以内の期間を定めてその事業の全部若しくは一部の停止を命ずることができる。
一　不正の手段により解体工事業者の登録を受けたとき。
二　第二十四条第一項第二号又は第四号から第九号までのいずれかに該当することとなったとき。
三　第二十五条第一項の規定による届出をせず、又は虚偽の届出をしたとき。

2　第二十四条第二項の規定は、前項の規定による処分をした場合に準用する。

（主務省令への委任）

第三六条　この章に定めるもののほか、解体工事業者登録簿の様式その他解体工事業者の登録に関し必要な事項については、主務省令で定める。

（報告及び検査）

第三七条　都道府県知事は、当該都道府県の区域内で解体工事業を営む者に対して、特に必要があると認めるときは、その業務又は工事施工の状況につき、必要な報告をさせ、又はその職員をして営業所その他営業に関係のある場所に立ち入り、帳簿、書類その他の物件を検査し、若しくは関係者に質問させることができる。

2　前項の規定により立入検査をする職員は、その身分を示す証明書を携帯し、関係者の請求があったときは、これを提示しなければならない。

3　第一項の規定による立入検査の権限は、犯罪捜査のために認められたものと解釈してはならない。

第六章　雑則

（分別解体等及び再資源化等に要する費用の請負代金の額への反映）

第三八条　国は、特定建設資材に係る資源の有効利用及び特定建設資材廃棄物の減量を図るためには、対象建設工事の発注者が分別解体等及び特定建設資材廃棄物の再資源化等に要する費用を適正に負担することが重要であることにかんがみ、当該費用を建設工事の請負代金の額に適切に反映させることに寄与するため、この法律の趣旨及び内容について、広報活動等を通じて国民に周知を図り、その理解と協力を得るよう努めなければならない。

（下請負人に対する元請業者の指導）

第三九条　対象建設工事の元請業者は、各下請負人が自ら施工する建設工事の施工に伴って生じる特定建設資材廃棄物の再資源化等を適切に行うよう、当該対象建設工事における各下請負人の施工の分担関係に応じて、各下請負人の指導に努めなければならない。

（再資源化をするための施設の整備）

第四〇条　国及び地方公共団体は、対象建設工事受注者による特定建設資材廃棄物の再資源化の円滑かつ適正な実施を確保するためには、特定建設資材廃棄物の再資源化をするための施設の適正な配置を図ることが重要であることにかんがみ、当該施設の整備を促進するために必要な措置を講ずるよう努めなければならない。

（利用の協力要請）

第四一条　主務大臣又は都道府県知事は、対象建設工事の施工に伴って生じる特定建設資材廃棄物の再資源化の円滑な実施を確保するため、建設資材廃棄物の再資源化により得られた建設資材の利用を促進することが特に必要であると認めるときは、主務大臣にあっては関係行政機関の長に対し、都道府県知事にあっては新築工事等に係る対象建設工事の発注者（国を除く。）に対し、建設資材廃棄物の再資源化により得られた建設資材の利用について必要な協力を要請することができる。

（報告の徴収）

第四二条　都道府県知事は、特定建設資材に係る分別解体等の適正な実施を確保するために必要な限度において、政令で定めるところにより、対象建設工事の発注者、自主施工者又は対象建設工事受注者に対し、特定建設資材に係る分別解体等の実施の状況に関し報告をさせることができる。

2　都道府県知事は、特定建設資材廃棄物の再資源化等の適正な実施を確保するために必要な限度において、政令で定めるところにより、対象建設工事受注者に対し、特定建設資材廃棄物の再資源化等の実施の状況に関し報告をさせることができる。

（立入検査）

第四三条　都道府県知事は、特定建設資材に係る分別解体等及び特定建設資材廃棄物の再資源化等の適正な実施を確保するために必要な限度において、政令で定めるところにより、その職員に、対象建設工事の現場又は対象建設工事受注者の営業所その他営業に関係のある場所に立ち入り、帳簿、書類その他の物件を検査させることができる。

2　前項の規定により立入検査をする職員は、その身分を示す証明書を携帯し、関係者に提示しなければならない。

3　第一項の規定による立入検査の権限は、犯罪捜査のために認められたものと解釈してはならない。

（主務大臣等）

第四四条　この法律における主務大臣は、次のとおりとする。
一　第三条第一項の規定による基本方針の策定並びに同条第三項の規定による基本方針の変更及び公表に関する事項　国土交通大臣、環境大臣、農林水産大臣及び経済産業大臣
二　第三十条第二項の規定による措置及び第四十一条の規定による協力の要請に関する事項　国土交通大臣

2　この法律における主務省令は、国土交通大臣及び環境大臣の発する命令とする。ただし、第十条第一項及び第二項、第十二条第二項、第十三条第一項及び第三項、第二十二条第二項、第三十一条、第三十三条、第三十四条、第三十六条並びに次条の主務省令については、国土交通大臣の発する命令とする。

（権限の委任）

第四五条　第四十一条の規定による主務大臣の権限は、主務省令で定めるところにより、地方支分部局の長に委任することができる。

（政令で定める市町村の長による事務の処理）

第四六条　この法律の規定により都道府県知事の権限に属する事務の一部は、政令で定めるところにより、政令で定める市町村（特別区を含む。）の長が行うこととすることができる。

（経過措置）

第四七条　この法律の規定に基づき命令を制定し、又は改廃する場合においては、その命令で、その制定又は改廃に伴い合理的に必要と判断される範囲内において、所要の経過措置（罰則に関する経過措置を含む。）を定めることができる。

第七章　罰則

第四八条　次の各号のいずれかに該当する者は、一年以下の懲役又は五十万円以下の罰金に処する。
一　第二十一条第一項の規定に違反して登録を受けないで解体工事業を営んだ者
二　不正の手段によって第二十一条第一項の登録（同条第二項の登録の更新を含む。）を受けた者
三　第三十五条第一項の規定による事業の停止の命令に違反して解体工事業を営んだ者

第四九条　第十五条又は第二十条の規定による命令に違反した者は、五十万円以下の罰金に処する。

第五〇条　次の各号のいずれかに該当する者は、三十万円以下の罰金に処する。
一　第十条第三項の規定による命令に違反した者
二　第二十五条第一項の規定による届出をせず、又は虚偽の届出をした者

第五一条　次の各号のいずれかに該当する者は、二十万円以下の罰金に処する。
一　第十条第一項又は第二項の規定による届出をせず、又は虚偽の届出をした者
二　第二十九条第一項後段の規定による通知をしなかった者
三　第三十一条の規定に違反して技術管理者を選任しなかった者
四　第三十七条第一項又は第四十二条の規定による報告をせず、又は虚偽の報告をした者
五　第三十七条第一項の規定による検査を拒み、妨げ、若しくは忌避し、

又は質問に対して答弁をせず、若しくは虚偽の答弁をした者

六　第四十三条第一項の規定による検査を拒み、妨げ、又は忌避した者

第五二条　法人の代表者又は法人若しくは人の代理人、使用人その他の従業者が、その法人又は人の業務に関して、第四十八条から前条までの違反行為をしたときは、その行為者を罰するほか、その法人又は人に対しても、各本条の罰金刑を科する。

第五三条　次の各号のいずれかに該当する者は、十万円以下の過料に処する。

一　第十八条第一項の規定に違反して、記録を作成せず、若しくは虚偽の記録を作成し、又は記録を保存しなかった者

二　第二十七条第一項の規定による届出を怠った者

三　第三十三条の規定による標識を掲げない者

四　第三十四条の規定に違反して、帳簿を備えず、帳簿に記載せず、若しくは虚偽の記載をし、又は帳簿を保存しなかった者

附　則　〔抄〕

（施行期日）

第一条　この法律は、公布の日から起算して六月を超えない範囲内において政令で定める日から施行する。ただし、次の各号に掲げる規定は、当該各号に定める日から施行する。

〔平成一二政四九四により、平成一二・一一・三〇から施行〕

一　第五章、第四十八条、第五十条第二号、第五十一条第二号、第三号、第四号（第三十七条第一項に係る部分に限る。）及び第五号並びに第五十三条第二号から第四号までの規定　公布の日から起算して一年を超えない範囲内において政令で定める日

〔平成一三政一七七により、平成一三・五・三〇から施行〕

二　第三章、第四章、第三十八条から第四十三条まで、第四十九条、第五十条第一号、第五十一条第一号、第四号（第四十二条に係る部分に限る。）及び第六号並びに第五十三条第一号の規定　公布の日から起算して二年を超えない範囲内において政令で定める日

〔平成一四政六により、平成一四・五・三〇から施行〕

三　附則第五条の規定　公布の日

（対象建設工事に関する経過措置）

第二条　第三章、第四章及び第三十八条から第四十三条までの規定は、これらの規定の施行前に締結された請負契約に係る対象建設工事又はこれらの規定の施行の際既に着手している対象建設工事については、適用しない。

（解体工事業に係る経過措置）

第三条　第五章の規定の施行の際現に解体工事業を営んでいる者（第二十一条第一項に規定する許可を受けている者を除く。）は、同章の規定の施行の日から六月間（当該期間内に第二十四条第一項の規定による登録の拒否の処分があったとき、又は第二十一条第一項に規定する許可を受けたときは、当該処分のあった日又は当該許可を受けた日までの間）は、同項の登録を受けないでも、引き続き当該営業を営むことができる。その者がその期間内に当該登録の申請をした場合において、その期間を経過したときは、その申請について登録又は登録の拒否の処分があるまでの間も、同様とする。

2　前項の規定により引き続き解体工事業を営むことができる場合においては、その者を当該業を行おうとする区域を管轄する都道府県知事の登録を受けた解体工事業者とみなして、第二十九条から第三十二条まで、第三十四条、第三十五条第一項（登録の取消しに係る部分を除く。）及び第二項並びに第三十七条の規定（これらの規定に係る罰則を含む。）を適用する。この場合において、第二十九条第一項中「第二十一条第二項若しくは第三十五条第一項の規定により登録を取り消されたときは」とあるのは「この章の規定の施行の日から六月間（当該期間内に第二十四条第一項の規定による登録の拒否の処分があったときは、その日までの間）が経過したときは」と、「登録がその効力を失う前」とあるのは「当該期間が経過する前」と、「登録がその効力を失った後」とあるのは「当該期間が経過した後」とする。

（検討）

第四条　政府は、附則第一条第二号に規定する規定の施行後五年を経過した場合において、この法律の施行の状況について検討を加え、その結果に基づいて必要な措置を講ずるものとする。

附　則　〔略〕〔平成一一・一二・二二法律一六〇〕

附　則　〔抄〕〔平成一二・一一・二七法律一二六〕

（施行期日）

第一条　この法律は、公布の日から起算して五月を超えない範囲内において政令で定める日から施行する。〔以下略〕

〔平成一三政三により、平成一三・四・一から施行〕

（罰則に関する経過措置）

第二条　この法律の施行前にした行為に対する罰則の適用については、なお従前の例による。

附　則　〔略〕〔平成一四・五・二九法律四五〕

附　則　〔略〕〔平成一五・六・一八法律九六〕

附　則　〔略〕〔平成一六・六・二法律七六〕

附　則　〔略〕〔平成一六・一二・一法律一四七〕

附　則　〔略〕〔平成二三・六・三法律六一〕

附　則　〔抄〕〔平成二三・八・三〇法律一〇五〕

（施行期日）

第一条　この法律は、公布の日から施行する。〔以下略〕

（罰則に関する経過措置）

第八一条　この法律（附則第一条各号に掲げる規定にあっては、当該規定。以下この条において同じ。）の施行前にした行為及びこの附則の規定によりなお従前の例によることとされる場合におけるこの法律の施行後にした行為に対する罰則の適用については、なお従前の例による。

（政令への委任）

第八二条　この附則に規定するもののほか、この法律の施行に関し必要な経過措置（罰則に関する経過措置を含む。）は、政令で定める。

附　則　〔抄〕〔平成二六・六・四法律五五〕

（施行期日）

第一条　この法律は、公布の日から起算して一年を超えない範囲内において政令で定める日から施行する。ただし、次の各号に掲げる規定は、当該各号に定める日から施行する。

〔平成二六政三〇七により、平成二七・四・一から施行〕

一　〔前略〕附則第七条の規定　公布の日

二　〔前略〕第四条（建設工事に係る資材の再資源化等に関する法律第二十一条第一項の改正規定に限る。）〔中略〕の規定　公布の日から起算して二年を超えない範囲内において政令で定める日

〔平成二七政四一九により、平成二八・六・一から施行〕

（建設工事に係る資材の再資源化等に関する法律の一部改正に伴う経過措置）

第六条　新建設資材再資源化法第二十五条第一項の規定は、新建設資材再資源化法第二十二条第一項各号に掲げる事項の変更であってこの法律の施行後にあるものについて適用し、この法律の施行前にあった当該事項の変更については、なお従前の例による。

（政令への委任）

第七条　附則第二条から前条までに定めるもののほか、この法律の施行に関し必要な経過措置（罰則に関する経過措置を含む。）は、政令で定める。

（検討）

第八条　政府は、この法律の施行後五年を経過した場合において、第一条から第四条までの規定による改正後の規定の施行の状況について検討を加え、必要があると認めるときは、その結果に基づいて所要の措置を講ずるものとする。

附　則　〔抄〕〔令和三・五・一九法律三七〕

（施行期日）

第一条　この法律は、令和三年九月一日から施行する。ただし、次の各号に掲げる規定は、当該各号に定める日から施行する。

一　〔前略〕附則〔中略〕第七十一条から第七十三条までの規定　公布の日

二～十　〔略〕

（罰則に関する経過措置）

第七一条　この法律（附則第一条各号に掲げる規定にあっては、当該規定。以下この条において同じ。）の施行前にした行為及びこの附則の規定によりなお従前の例によることとされる場合におけるこの法律の施行後にした行為に対する罰則の適用については、なお従前の例による。

（政令への委任）

第七二条　この附則に定めるもののほか、この法律の施行に関し必要な経過措置（罰則に関する経過措置を含む。）は、政令で定める。

（検討）

第七三条　政府は、行政機関等に係る申請、届出、処分の通知その他の手続において、個人の氏名を平仮名又は片仮名で表記したものを利用して当該個人を識別できるようにするため、個人の氏名を平仮名又は片仮名で表記したものを戸籍の記載事項とすることを含め、この法律の公布後一年以内を目途としてその具体的な方策について検討を加え、その結果に基づいて必要な措置を講ずるものとする。

○建設工事に係る資材の再資源化等に関する法律施行令（平成一二・一一・二九 政令四九五）

改正　平成一四・一政七、平成一七・一一政三三九、平成一九・一一政三三九、平成二〇・一〇政三一六、平成二七・一二政三九九、令和元・六政三九、令和三・八政二二四、令和五・九政二九三

注　［　］の部分は、令和六年四月一九日政令第一七二号により改正され、令和七年四月一日から施行

（特定建設資材）

第一条　建設工事に係る資材の再資源化等に関する法律（以下「法」という。）第二条第五項のコンクリート、木材その他建設資材のうち政令で定めるものは、次に掲げる建設資材とする。

一　コンクリート

二　コンクリート及び鉄から成る建設資材

三　木材

四　アスファルト・コンクリート

（建設工事の規模に関する基準）

第二条　法第九条第三項の建設工事の規模に関する基準は、次に掲げるとおりとする。

一　建築物（建築基準法（昭和二十五年法律第二百一号）第二条第一号に規定する建築物をいう。以下同じ。）に係る解体工事については、当該建築物（当該解体工事に係る部分に限る。）の床面積の合計が八十平方メートルであるもの

二　建築物に係る新築又は増築の工事については、当該建築物（増築の工事にあっては、当該工事に係る部分に限る。）の床面積の合計が五百平方メートルであるもの

三　建築物に係る新築工事等（法第二条第三項第二号に規定する新築工事等をいう。以下同じ。）であって前号に規定する新築又は増築の工事に該当しないものについては、その請負代金の額（法第九条第一項に規定する自主施工者が施工するものについては、これを請負人に施工させることとした場合における適正な請負代金相当額。次号において同じ。）が一億円であるもの

四　建築物以外のものに係る解体工事又は新築工事等については、その請負代金の額が五百万円であるもの

２　解体工事又は新築工事等を同一の者が二以上の契約に分割して請け負う場合においては、これを一の契約で請け負ったものとみなして、前項に規定する基準を適用する。ただし、正当な理由に基づいて契約を分割したときは、この限りでない。

（法第十二条第二項の規定による承諾に関する手続等）

第三条　法第十二条第二項の規定による承諾は、同項に規定する建設業を営む者（次項において「建設業者」という。）が、主務省令で定めるところにより、あらかじめ、当該承諾に係る同条第二項に規定する対象建設工事を発注しようとする者（以下この条において「発注者」という。）に対し、電磁的方法（同項に規定する方法をいう。以下この条において同じ。）による提供に用いる電磁的方法の種類及び内容を示した上で、当該発注者から書面又は電子情報処理組織を使用する方法その他の情報通信の技術を利用する方法であって主務省令で定めるもの（次項において「書面等」という。）によって得るものとする。

２　建設業者は、前項の承諾を得た場合であっても、当該承諾に係る発注者から書面等により電磁的方法による提供を受けない旨の申出があったときは、当該電磁的方法による提供をしてはならない。ただし、当該申出の後に当該発注者から再び同項の承諾を得た場合は、この限りでない。

（対象建設工事の請負契約に係る情報通信の技術を利用する方法）

第四条　対象建設工事の請負契約の当事者は、法第十三条第三項の規定により同項に規定する主務省令で定める措置（以下この条において「電磁的措置」という。）を講じようとするときは、主務省令で定めるところにより、あらかじめ、当該契約の相手方に対し、その講じる電磁的措置の種類及び内容を示し、書面又は電子情報処理組織を使用する方法その他の情報通信の技術を利用する方法であって主務省令で定めるもの（次項において「電磁的方法」という。）による承諾を得なければならない。

２　前項の規定による承諾を得た対象建設工事の請負契約の当事者は、当該契約の相手方から書面又は電磁的方法により当該承諾を撤回する旨の申出があったときは、法第十三条第一項又は第二項の規定による措置に代えて電磁的措置を講じてはならない。ただし、当該契約の相手方が再び前項の規定による承諾をした場合は、この限りでない。

（指定建設資材廃棄物）

第五条　法第十六条ただし書の政令で定めるものは、木材が廃棄物となったものとする。

（発注者への報告に係る情報通信の技術を利用する方法）

第六条　対象建設工事の元請業者は、法第十八条第三項の規定により同項に規定する事項を通知しようとするときは、主務省令で定めるところにより、あらかじめ、当該工事の発注者に対し、その用いる同項前段に規定する方法（以下この条において「電磁的方法」という。）の種類及び内容を示し、書面又は電磁的方法による承諾を得なければならない。

２　前項の規定による承諾を得た対象建設工事の元請業者は、当該工事の発注者から書面又は電磁的方法により電磁的方法による通知を受けない旨の申出があったときは、当該工事の発注者に対し、同項に規定する事項の通知を電磁的方法によってしてはならない。ただし、当該工事の発注者が再

び同項の規定による承諾をした場合は、この限りでない。

（報告の徴収）

第七条 都道府県知事は、法第四十二条第一項の規定により、対象建設工事の発注者に対し、特定建設資材に係る分別解体等の実施の状況につき、次に掲げる事項に関し報告をさせることができる。

一 当該対象建設工事の元請業者が当該発注者に対して法第十二条第一項の規定により交付した書面に関する事項

二 その他分別解体等に関する事項として主務省令で定める事項

2 都道府県知事は、法第四十二条第一項の規定により、自主施工者又は対象建設工事受注者に対し、特定建設資材に係る分別解体等の実施の状況につき、次に掲げる事項に関し報告をさせることができる。

一 分別解体等の方法に関する事項

二 その他分別解体等に関する事項として主務省令で定める事項

3 都道府県知事は、法第四十二条第二項の規定により、対象建設工事受注者に対し、特定建設資材廃棄物の再資源化等の実施の状況につき、次に掲げる事項に関し報告をさせることができる。

一 再資源化等の方法に関する事項

二 再資源化等をした施設に関する事項

三 その他特定建設資材廃棄物の再資源化等に関する事項として主務省令で定める事項

（立入検査）

第八条 都道府県知事は、法第四十三条第一項の規定により、その職員に、対象建設工事により生じた特定建設資材廃棄物その他の物、特定建設資材に係る分別解体等又は特定建設資材廃棄物の再資源化等をするための設備及びその関連施設並びに関係帳簿書類を検査させることができる。

（市町村の長による事務の処理）

第九条 法に規定する都道府県知事の権限に属する事務であって、建築主事を置く市町村又は特別区の区域内において施工される対象建設工事に係るもののうち、次に掲げるものは、当該市町村又は当該特別区の長が行うこととする。この場合においては、法の規定中当該事務に係る都道府県知事に関する規定は、当該市町村又は当該特別区の長に関する規定として当該市町村又は当該特別区の長に適用があるものとする。

一 法第十条第一項及び第二項の規定による届出の受理並びに同条第三項の規定による命令に関する事務

二 法第十一条の規定による通知の受理に関する事務

三 法第十四条の規定による助言又は勧告に関する事務

四 法第十五条の規定による命令に関する事務

五 法第四十二条第一項の規定による報告の徴収に関する事務

六 法第四十三条第一項の規定による立入検査に関する事務（特定建設資材に係る分別解体等の適正な実施を確保するために必要なものに限る。）

2 前項の規定にかかわらず、法に規定する都道府県知事の権限に属する事務であって、建築基準法第九十七条の二第一項又は第二項の規定により建築主事又は建築副主事を置く市町村の区域内において施工される対象建設工事に係るものについては、同法第六条第一項第四号に掲げる建築物（その新築、改築、増築又は移転に関して、法律並びにこれに基づく命令及び条例の規定により都道府県知事の許可を必要とするものを除く。）以外の建築物等についての対象建設工事に係るものは、当該市町村の区域を管轄する都道府県知事が行う。

3 第一項の規定にかかわらず、法に規定する都知事の権限に属する事務であって、建築基準法第九十七条の三第一項又は第二項の規定により建築主事又は建築副主事を置く特別区の区域内において施工される対象建設工事に係るもののうち、建築基準法施行令（昭和二十五年政令第三百三十八号）第百四十九条第一項各号に掲げる建築物等（同項第二号に掲げる建築物及び工作物にあっては、地方自治法（昭和二十二年法律第六十七号）第二百五十二条の十七の二第一項の規定により同号に規定する処分に関する事務を特別区が処理することとされた場合における当該建築物及び当該工作物を除く。）に関する対象建設工事に係るものは、都知事が行う。

2 前項の規定にかかわらず、法に規定する都道府県知事の権限に属する事務であって、建築基準法第九十七条の二第一項又は第二項の規定により建築主事又は建築副主事を置く市町村の区域内において施工される対象建設工事に係るものについては、建築基準法施行令（昭和二十五年政令第三百三十八号）第百四十八条第一項第一号又は第二号に掲げる建築物（その新築、改築、増築又は移転に関して、法律並びにこれに基づく命令及び条例の規定により都道府県知事の許可を必要とするものを除く。）以外の建築物等についての対象建設工事に係るものは、当該市町村の区域を管轄する都道府県知事が行う。

3 第一項の規定にかかわらず、法に規定する都知事の権限に属する事務であって、建築基準法第九十七条の三第一項又は第二項の規定により建築主事又は建築副主事を置く特別区の区域内において施工される対象建設工事に係るもののうち、建築基準法施行令第百四十九条第一項各号に掲げる建築物等（同項第二号に掲げる建築物及び工作物にあっては、地方自治法（昭和二十二年法律第六十七号）第二百五十二条の十七の二第一項の規定により同号に規定する処分に関する事務を特別区が処理することとされた場合における当該建築物及び当該工作物を除く。）に関する対象建設工事に係るものは、都知事が行う。

4 法に規定する都道府県知事の権限に属する事務であって、地方自治法第二百五十二条の十九第一項に規定する指定都市又は同法第二百五十二条の二十二第一項に規定する中核市（以下「指定都市等」という。）の区域内において施工される対象建設工事に係るもののうち、次に掲げるものは、当該指定都市等の長が行うこととする。この場合においては、法の規定中当該事務に係る都道府県知事に関する規定は、当該指定都市等の長に関する規定として当該指定都市等の長に適用があるものとする。

一 法第十八条第二項の規定による申告等の受理に関する事務

二 法第十九条の規定による助言又は勧告に関する事務

三 法第二十条の規定による命令に関する事務

四 法第四十二条第二項の規定による報告の徴収に関する事務

五 法第四十三条第一項の規定による立入検査に関する事務（特定建設資材廃棄物の再資源化等の適正な実施を確保するために必要なものに限る。）

附 則〔抄〕

（施行期日）

第一条 この政令は、法の施行の日（平成十二年十一月三十日）から施行する。

附 則〔略〕〔平成一四・一・二三政令七〕

附 則〔抄〕〔平成一七・一一・一六政令三三九〕

（施行期日）

第一条 この政令は、平成十八年四月一日から施行する。

（経過措置）

第二条 この政令の施行前に建設工事に係る資材の再資源化等に関する法律の規定により小樽市長がした命令その他の行為（この政令による改正前の建設工事に係る資材の再資源化等に関する法律施行令第八条第四項に規定する事務に関するものに限る。以下「命令等」という。）は、北海道知事がした命令等とみなし、この政令の施行の際現に同法の規定により小樽市長に対してされている申告その他の行為（同項に規定する事務に関するものに限る。以下「申告等」という。）は、北海道知事に対してされた申告等とみなす。

附 則〔略〕〔平成一九・一一・二一政令三三九〕

附 則〔略〕〔平成二〇・一〇・一六政令三一六〕

附 則〔略〕〔平成二七・一二・二政令三九九〕

附 則〔略〕〔令和元・六・二六政令三九〕

附 則〔略〕〔令和三・八・四政令二二四〕

附 則〔略〕〔令和五・九・二九政令二九三〕

附 則〔令和六・四・一九政令一七二〕

（施行期日）

1 この政令は、脱炭素社会の実現に資するための建築物のエネルギー消費性能の向上に関する法律等の一部を改正する法律の施行の日（令和七年四月一日）から施行する。

（罰則に関する経過措置）

2 この政令の施行前にした行為に対する罰則の適用については、なお従前の例による。

○建設工事に係る資材の再資源化等に関する法律施行規則

〔平成一四・三・五　国土交通・環境省令一〕

改正　平成二二・二国交・環令一、令和三・八国交・環令二

（用語）

第一条　この省令において使用する用語は、建設工事に係る資材の再資源化等に関する法律（以下「法」という。）において使用する用語の例による。

（分別解体等に係る施工方法に関する基準）

第二条　法第九条第二項の主務省令で定める基準は、次のとおりとする。

一　対象建設工事に係る建築物等（以下「対象建築物等」という。）及びその周辺の状況に関する調査、分別解体等をするために必要な作業を行う場所（以下「作業場所」という。）に関する調査、対象建設工事の現場からの当該対象建設工事により生じた特定建設資材廃棄物その他の物の搬出の経路（以下「搬出経路」という。）に関する調査、残存物品（解体する建築物の敷地内に存する物品で、当該建築物に用いられた建設資材に係る建設資材廃棄物以外のものをいう。以下同じ。）の有無の調査、吹付け石綿その他の対象建築物等に用いられた特定建設資材に付着したもの（以下「付着物」という。）の有無の調査その他対象建築物等に関する調査を行うこと。

二　前号の調査に基づき、分別解体等の計画を作成すること。

三　前号の分別解体等の計画に従い、作業場所及び搬出経路の確保並びに残存物品の搬出の確認を行うとともに、付着物の除去その他の工事着手前における特定建設資材に係る分別解体等の適正な実施を確保するための措置を講ずること。

四　第二号の分別解体等の計画に従い、工事を施工すること。

2　前項第二号の分別解体等の計画には、次に掲げる事項を記載しなければならない。

一　建築物以外のものに係る解体工事又は新築工事等である場合においては、工事の種類

二　前項第一号の調査の結果

三　前項第三号の措置の内容

四　解体工事である場合においては、工事の工程の順序並びに当該工程ごとの作業内容及び分別解体等の方法並びに当該順序が次項本文、第四項本文及び第五項本文に規定する順序により難い場合にあってはその理由

五　新築工事等である場合においては、工事の工程ごとの作業内容

六　解体工事である場合においては、対象建築物等に用いられた特定建設資材に係る特定建設資材廃棄物の種類ごとの量の見込み及びその発生が見込まれる当該対象建築物等の部分

七　新築工事等である場合においては、当該工事に伴い副次的に生ずる特定建設資材廃棄物の種類ごとの量の見込み並びに当該工事の施工において特定建設資材が使用される対象建築物等の部分及び当該特定建設資材廃棄物の発生が見込まれる対象建築物等の部分

八　前各号に掲げるもののほか、分別解体等の適正な実施を確保するための措置に関する事項

3　建築物に係る解体工事の工程は、次に掲げる順序に従わなければならない。ただし、建築物の構造上その他解体工事の施工の技術上これにより難い場合は、この限りでない。

一　建築設備、内装材その他の建築物の部分（屋根ふき材、外装材及び構造耐力上主要な部分（建築基準法施行令（昭和二十五年政令第三百三十八号）第一条第三号に規定する構造耐力上主要な部分をいう。以下同じ。）を除く。）の取り外し

二　屋根ふき材の取り外し

三　外装材並びに構造耐力上主要な部分のうち基礎及び基礎ぐいを除いたものの取り壊し

四　基礎及び基礎ぐいの取り壊し

4　前項第一号の工程において内装材に木材が含まれる場合には、木材と一体となった石膏ボードその他の建設資材（木材が廃棄物となったものの分別の支障となるものに限る。）をあらかじめ取り外してから、木材を取り外さなければならない。この場合においては、前項ただし書の規定を準用する。

5　建築物以外のもの（以下「工作物」という。）に係る解体工事の工程は、次に掲げる順序に従わなければならない。この場合においては、第三項ただし書の規定を準用する。

一　さく、照明設備、標識その他の工作物に附属する物の取り外し

二　工作物のうち基礎以外の部分の取り壊し

三　基礎及び基礎ぐいの取り壊し

6　解体工事の工程に係る分別解体等の方法は、次のいずれかの方法によらなければならない。

一　手作業

二　手作業及び機械による作業

7　前項の規定にかかわらず、建築物に係る解体工事の工程が第三項第一号の工程又は同項第二号の工程である場合には、当該工程に係る分別解体等の方法は、手作業によらなければならない。ただし、建築物の構造上その他解体工事の施工の技術上これにより難い場合においては、手作業及び機械による作業によることができる。

（指定建設資材廃棄物の再資源化をするための施設までの距離に関する基準）

第三条　法第十六条の主務省令で定める距離に関する基準は、五十キロメートルとする。

（地理的条件、交通事情その他の事情により再資源化に代えて縮減をすれば足りる場合）

第四条　法第十六条の主務省令で定める場合は、対象建設工事の現場付近から指定建設資材廃棄物の再資源化をするための施設までその運搬の用に供する車両が通行する道路が整備されていない場合であって、当該指定建設資材廃棄物の縮減をするために行う運搬に要する費用の額がその再資源化（運搬に該当するものに限る。）に要する費用の額より低い場合とする。

（発注者への報告）

第五条　法第十八条第一項の規定により対象建設工事の元請業者が当該工事の発注者に報告すべき事項は、次に掲げるとおりとする。

一　再資源化等が完了した年月日

二　再資源化等をした施設の名称及び所在地

三　再資源化等に要した費用

（発注者への報告に係る情報通信の技術を利用する方法）

第六条　法第十八条第三項の主務省令で定める方法は、次に掲げる方法とする。

一　電子情報処理組織を使用する方法のうちイ又はロに掲げるもの

イ　対象建設工事の元請業者の使用に係る電子計算機と当該工事の発注者の使用に係る電子計算機とを接続する電気通信回線を通じて送信し、受信者の使用に係る電子計算機に備えられたファイルに記録する方法

ロ　対象建設工事の元請業者の使用に係る電子計算機に備えられたファイルに記録された同条第一項に規定する書面に記載すべき事項を電気通信回線を通じて当該工事の発注者の閲覧に供し、当該工事の発注者の使用に係る電子計算機に備えられたファイルに当該書面に記載すべき事項を記録する方法（同条第三項前段に規定する方法による通知を受ける旨の承諾又は受けない旨の申出をする場合にあっては、対象建設工事の元請業者の使用に係る電子計算機に備えられたファイルにその旨を記録する方法）

二　磁気ディスク等をもって調製するファイルに同条第一項に規定する書面に記載すべき事項を記録したものを交付する方法

2　前項に掲げる方法は、当該工事の発注者がファイルへの記録を出力することによる書面を作成することができるものでなければならない。

3　第一項第一号の「電子情報処理組織」とは、対象建設工事の元請業者の使用に係る電子計算機と、当該工事の発注者の使用に係る電子計算機とを電気通信回線で接続した電子情報処理組織をいう。

第七条　建設工事に係る資材の再資源化等に関する法律施行令（以下「令」という。）第六条第一項の規定により示すべき方法の種類及び内容は、次に掲げる事項とする。

一　前条第一項に規定する方法のうち対象建設工事の元請業者が使用する

もの

二　ファイルへの記録の方式

（報告の徴収に関する事項）

第八条　令第七条第三項第三号の主務省令で定める事項は、法第十三条第一項及び第二項の規定により交付した書面又は同条第三項の規定により講じた措置に関する事項その他特定建設資材廃棄物の再資源化等に関し都道府県知事が必要と認める事項とする。

附　則

この省令は、法附則第一条第二号に掲げる規定の施行の日（平成十四年五月三十日）から施行する。

附　則（平成二二・二・九国土交通省・環境省令一）

（施行期日）

第一条　この省令は、平成二十二年四月一日から施行する。

（対象建設工事に関する経過措置）

第二条　この省令による改正後の建設工事に係る資材の再資源化等に関する法律施行規則第二条第四項の規定は、この省令の施行の際既に着手している対象建設工事については、適用しない。

附　則（令和三・八・三一国土交通・環境省令二）

この省令は、令和三年九月一日から施行する。

○特定特殊自動車排出ガスの規制等に関する法律〔平成一七・五・二五 法律五一〕

改正　平成一七・七法八七、平成二七・六法四四、法五〇、平成二九・五法四一

目次

第一章　総則（第一条―第四条）
第二章　特定原動機及び特定特殊自動車
第一節　特定原動機の型式指定等（第五条―第八条）
第二節　特定特殊自動車の型式届出等（第九条―第十六条）
第三章　特定特殊自動車の使用の制限等（第十七条・第十八条）
第四章　登録特定原動機検査機関及び登録特定特殊自動車検査機関
第一節　登録特定原動機検査機関（第十九条―第二十五条）
第二節　登録特定特殊自動車検査機関（第二十六条・第二十七条）
第五章　雑則（第二十八条―第三十六条）
第六章　罰則（第三十七条―第四十五条）
附則

第一章　総則

（目的）

第一条　この法律は、特定原動機及び特定特殊自動車について技術上の基準を定め、特定特殊自動車の使用について必要な規制を行うこと等により、特定特殊自動車排出ガスの排出を抑制し、もって大気の汚染に関し、国民の健康を保護するとともに生活環境を保全することを目的とする。

（定義）

第二条　この法律において「特定特殊自動車」とは、道路運送車両法（昭和二十六年法律第百八十五号）第二条第二項に規定する自動車（同条第五項に規定する運行の用に供するものを除く。）であって、次に掲げるもの（けん引して陸上を移動させることを目的として製作した用具その他政令で定めるものを除く。）をいう。

一　道路運送車両法第三条に規定する大型特殊自動車及び小型特殊自動車

二　建設機械抵当法（昭和二十九年法律第九十七号）第二条に規定する建設機械に該当する自動車（前号に掲げるものを除く。）その他の構造が特殊な自動車であって政令で定めるもの

2　この法律において「特定原動機」とは、特定特殊自動車に搭載される原動機及びこれと一体として搭載される装置で主務省令で定めるものをいう。

3　この法律において「特定特殊自動車排出ガス」とは、特定特殊自動車の使用に伴い発生する一酸化炭素、炭化水素、鉛その他の人の健康又は生活環境に係る被害を生ずるおそれがある物質で政令で定めるものをいう。

（国及び都道府県の責務）

第三条　国は、特定特殊自動車排出ガスの規制に関する国際的な連携の確保、特定特殊自動車排出ガスの排出の抑制に関する啓発及び知識の普及その他の特定特殊自動車排出ガスによる大気の汚染の防止に関する施策を推進するよう努めなければならない。

2　都道府県は、国との連携を図りつつ、特定特殊自動車排出ガスによる大気の汚染の防止に関する施策を推進するよう努めなければならない。

（事業者及び使用者の責務）

第四条　特定特殊自動車製作等事業者（特定特殊自動車の製作又は輸入（以下「製作等」という。）を業とする者をいう。以下同じ。）は、特定特殊自動車の製作等に際して、その製作等に係る特定特殊自動車が使用されることにより排出される特定特殊自動車排出ガスによる大気の汚染の防止が図られるよう努めなければならない。

2　特定特殊自動車を使用する者は、特定特殊自動車排出ガスの排出の抑制のため必要な措置を講ずるよう努めるとともに、国及び都道府県が実施する特定特殊自動車排出ガスによる大気の汚染の防止に関する施策に協力しなければならない。

第二章　特定原動機及び特定特殊自動車

第一節　特定原動機の型式指定等

（特定原動機の技術基準）

第五条　主務大臣は、特定原動機について、主務省令で、特定特殊自動車排出ガスによる大気の汚染の防止を図るため必要な技術上の基準（以下「特定原動機技術基準」という。）を定めなければならない。

（特定原動機の型式指定）

第六条　主務大臣は、特定原動機の製作等を業とする者（以下「特定原動機製作等事業者」という。）の申請により、特定原動機をその型式について指定する。

2　前項の指定の申請は、本邦に輸出される特定原動機について、外国において当該特定原動機を製作することを業とする者又はその者から当該特定原動機を購入する契約を締結している者であって当該特定原動機を本邦に輸出することを業とするものも行うことができる。

3　第一項の指定は、申請に係る特定原動機が特定原動機技術基準に適合し、かつ、均一性を有するものであるかどうかを判定することによって行う。

4　第一項の指定は、当該特定原動機を取り付けることができる特定特殊自

動車の範囲を限定して行うことができる。

5　主務大臣は、第一項の規定によりその型式について指定を受けた特定原動機（以下「型式指定特定原動機」という。）が特定原動機技術基準に適合しなくなり、又は均一性を有するものでなくなつたときは、その指定を取り消すことができる。この場合において、主務大臣は、取消しの日までに製作された特定原動機について取消しの効力の及ぶ範囲を限定することができる。

6　前項の規定によるほか、主務大臣は、指定外国特定原動機製作者等（第二項に規定する者であつてその製作し、又は輸出する特定原動機の型式について第一項の指定を受けたものをいう。以下この項において同じ。）が次の各号のいずれかに該当する場合には、当該指定外国特定原動機製作者等に係る第一項の指定を取り消すことができる。

一　指定外国特定原動機製作者等が第八条の規定に基づく主務省令の規定（第一項の指定に係る部分に限る。）に違反したとき。

二　主務大臣がこの法律の施行に必要な限度において指定外国特定原動機製作者等に対しその業務に関し報告を求めた場合において、その報告がされず、又は虚偽の報告がされたとき。

三　主務大臣がこの法律の施行に必要な限度においてその職員に指定外国特定原動機製作者等の工場若しくは事業場又は型式指定特定原動機の所在すると認める場所において当該特定原動機、帳簿、書類その他の物件についての検査をさせ、又は関係者に質問をさせようとした場合において、その検査が拒まれ、妨げられ、若しくは忌避され、又は質問に対して陳述がされず、若しくは虚偽の陳述がされたとき。

7　道路運送車両法第七十五条の三第一項に規定する特定装置のうち主務省令で定めるものは、同項の規定によりその型式について指定を受けた場合には、第十条第一項の規定の適用については、型式指定特定原動機とみなす。

（特定原動機の表示）

第七条　前条第一項の申請をした者は、その申請に係る型式指定特定原動機につき、主務省令で定める表示を付することができる。

2　何人も、前項に規定する場合を除くほか、特定原動機に同項の表示又はこれと紛らわしい表示を付してはならない。

（主務省令への委任）

第八条　この節に定めるもののほか、特定原動機の型式の指定の手続その他この節の規定の施行に関し必要な事項は、主務省令で定める。

第二節　特定特殊自動車の型式届出等

（特定特殊自動車の技術基準）

第九条　主務大臣は、特定特殊自動車の特定原動機以外の部分について、主務省令で、特定特殊自動車排出ガスによる大気の汚染の防止を図るため必要な技術上の基準（以下「特定特殊自動車技術基準」という。）を定めなければならない。

（特定特殊自動車の型式届出）

第一〇条　特定特殊自動車製作等事業者は、その製作等に係る特定特殊自動車に型式指定特定原動機を搭載し、かつ、当該特定特殊自動車と同一の型式に属する特定特殊自動車のいずれもが特定特殊自動車技術基準に適合するものとなることを確保することができると認めるときは、主務省令で定めるところにより、次に掲げる事項を主務大臣に届け出ることができる。

一　氏名又は名称及び住所並びに法人にあつては、その代表者の氏名

二　当該特定特殊自動車の車名及び型式

三　当該特定特殊自動車に係る型式指定特定原動機の型式

四　当該型式に属する特定特殊自動車のいずれもが特定特殊自動車技術基準に適合することの確認の方法（以下「確認方法」という。）

2　前項の届出は、本邦に輸出される特定特殊自動車について、外国において当該特定特殊自動車を製作することを業とする者又はその者から当該特定特殊自動車を購入する契約を締結している者であつて当該特定特殊自動車を本邦に輸出することを業とするものも行うことができる。

3　第一項の規定による届出をした者（以下「届出事業者」という。）は、同項第一号又は第四号に掲げる事項に変更があつたときは、主務省令で定めるところにより、遅滞なく、その旨を主務大臣に届け出なければならない。

4　主務大臣は、第一項の規定による届出があつたときは、その旨を公示しなければならない。前項の規定による届出があつた場合において、その公示した事項に変更があつたときも、同様とする。

（技術基準適合義務等）

第一一条　届出事業者は、前条第一項の規定による届出に係る特定特殊自動車（以下「型式届出特定特殊自動車」という。）の製作等をする場合においては、当該型式届出特定特殊自動車について、特定特殊自動車技術基準に適合するようにしなければならない。

2　届出事業者は、前条第一項の規定による届出に係る確認方法に従い、その製作等に係る型式届出特定特殊自動車について検査を行い、主務省令で定めるところにより、その検査記録を作成し、これを保存しなければならない。

（特定特殊自動車の表示）

第一二条　届出事業者は、型式届出特定特殊自動車について、前条第二項の規定による義務を履行したときは、当該型式届出特定特殊自動車に主務省令で定める表示（以下「基準適合表示」という。）を付することができる。

2　特定特殊自動車製作等事業者は、その製作等に係る特定特殊自動車について、前条第二項の規定による義務と同等なものとして主務省令で定める道路運送車両法に基づく命令の規定による義務を履行したときは、基準適合表示を付することができる。

3　特定特殊自動車製作等事業者は、特定特殊自動車排出ガスの排出状況その他の事情を勘案して政令で定める台数以下の同一の型式に属する特定特殊自動車（以下「少数生産車」という。）の製作等をした場合であつて、主務省令で定める基準に適合するものとして主務省令で定めるところにより主務大臣の承認を受けたときは、当該少数生産車に主務省令で定める表示（以下「少数特例表示」という。）を付することができる。

4　何人も、前三項の規定により表示を付する場合を除くほか、特定特殊自動車に基準適合表示若しくは少数特例表示又はこれらと紛らわしい表示を付してはならない。

（届出事業者に対する改善命令）

第一三条　主務大臣は、届出事業者が第十一条第一項の規定に違反していると認めるときその他型式届出特定特殊自動車が特定特殊自動車技術基準に適合することを確保するため必要があると認めるときは、当該届出事業者に対し、第十条第一項の規定による届出に係る確認方法その他の業務の方法の改善に関し必要な措置を講ずべきことを命ずることができる。

（表示の禁止）

第一四条　主務大臣は、次の各号に掲げる場合には、届出事業者に対し、当該各号に定める型式に属する特定特殊自動車に基準適合表示を付することを禁止することができる。

一　同一の型式に属する型式届出特定特殊自動車の全部又は大部分が特定特殊自動車技術基準に適合していないと認めるとき。　当該型式届出特定特殊自動車の型式

二　届出事業者が前条の規定による命令に違反したとき。　当該違反に係る型式届出特定特殊自動車の型式

2　主務大臣は、前項の規定により基準適合表示を付することを禁止したときは、その旨を公示しなければならない。

（基準適合表示の失効）

第一五条　同一の型式に属する型式届出特定特殊自動車の全部又は大部分が特定特殊自動車技術基準に適合していないと主務大臣が認めて公示したときは、当該型式届出特定特殊自動車の型式に属する特定特殊自動車に係る基準適合表示は、その効力を失う。

（主務省令への委任）

第一六条　この節に定めるもののほか、特定特殊自動車の型式の届出の手続その他この節の規定の施行に関し必要な事項は、主務省令で定める。

第三章　特定特殊自動車の使用の制限等

（使用の制限）

第一七条　特定特殊自動車は、基準適合表示又は少数特例表示が付されたものでなければ、使用してはならない。ただし、主務省令で定めるところにより、その使用の開始前に、主務大臣の検査を受け、その特定特殊自動車が特定原動機技術基準及び特定特殊自動車技術基準に適合することの確認を受けたときは、この限りでない。

2　試験研究の目的で使用する場合、使用の開始後に第十五条の規定により

基準適合表示が失効した場合その他の主務省令で定める場合については、前項本文の規定は適用しない。

（技術基準適合命令）

第一八条　都道府県知事は、当該都道府県の区域内において特定特殊自動車が技術基準（特定原動機技術基準及び特定特殊自動車技術基準（第十二条第三項の規定による承認を受けた少数生産車にあっては、同項の基準）をいう。以下同じ。）に適合しない状態になったと認めるときは、当該特定特殊自動車の使用者に対し、期間を定めて技術基準に適合させるために必要な整備を行うべきことを命ずることができる。

２　都道府県知事は、前項の規定による命令をしたときは、主務省令で定めるところにより、その内容を主務大臣に報告しなければならない。

第四章　登録特定原動機検査機関及び登録特定特殊自動車検査機関

第一節　登録特定原動機検査機関

（登録特定原動機検査機関）

第一九条　主務大臣は、主務省令で定めるところにより、第六条第一項の規定による特定原動機の型式の指定に関する主務大臣の事務のうち、当該特定原動機が特定原動機技術基準に適合するかどうかの検査の実施に関する事務（以下「特定原動機検査事務」という。）について、主務大臣の登録を受けた者（以下「登録特定原動機検査機関」という。）があるときは、その登録特定原動機検査機関に行わせるものとする。

２　前項の登録（以下この節において「登録」という。）は、特定原動機検査事務を行おうとする者の申請により行う。

３　次の各号のいずれかに該当する者は、登録を受けることができない。

一　この法律又はこの法律に基づく命令の規定に違反し、罰金以上の刑に処せられ、その執行を終わり、又は執行を受けることがなくなった日から起算して二年を経過しない者であること。

二　第二十三条第四項又は第五項の規定により登録を取り消され、その取消しの日から起算して二年を経過しない者であること。

三　法人であって、その業務を行う役員のうちに前二号のいずれかに該当する者があること。

４　主務大臣は、登録の申請をした者（以下この項において「登録申請者」という。）が次の各号のいずれにも適合しているときは、その登録をしなければならない。この場合において、登録に関して必要な手続は、主務省令で定める。

一　学校教育法（昭和二十二年法律第二十六号）に基づく大学若しくは高等専門学校において工学その他原動機に関して必要な課程を修めて卒業した者（これを修めて同法に基づく専門職大学の前期課程を修了した者を含む。第二十六条第二項第二号において同じ。）又はこれと同等以上の学力を有する者であって、通算して三年以上原動機に関する実務の経験を有するものが特定原動機検査事務を実施し、その人数が二名以上であること。

二　登録申請者が、特定原動機製作等事業者に支配されているものとして次のいずれかに該当するものでないこと。

イ　登録申請者が株式会社である場合にあっては、特定原動機製作等事業者がその親法人（会社法（平成十七年法律第八十六号）第八百七十九条第一項に規定する親法人をいう。以下同じ。）であること。

ロ　登録申請者の役員（持分会社（会社法第五百七十五条第一項に規定する持分会社をいう。以下同じ。）にあっては、業務を執行する社員）に占める特定原動機製作等事業者の役員又は職員（過去二年間にその特定原動機製作等事業者の役員又は職員であった者を含む。）の割合が二分の一を超えていること。

ハ　登録申請者（法人にあっては、その代表権を有する役員）が、特定原動機製作等事業者の役員又は職員（過去二年間にその特定原動機製作等事業者の役員又は職員であった者を含む。）であること。

５　登録は、登録特定原動機検査機関登録簿に次に掲げる事項を記載してするものとする。

一　登録の年月日及び番号

二　登録を受けた者の氏名又は名称及び住所並びに法人にあっては、その代表者の氏名

三　登録を受けた者が特定原動機検査事務を実施する事業場の名称及び所在地

四　前三号に掲げるもののほか、主務省令で定める事項

６　主務大臣は、登録をしたときは、登録に係る特定原動機検査事務を行わないものとする。

（登録の更新）

第二〇条　登録は、三年を下らない政令で定める期間ごとにその更新を受けなければ、その期間の経過によって、その効力を失う。

２　前条第二項から第五項までの規定は、前項の登録の更新について準用する。

（遵守事項等）

第二一条　登録特定原動機検査機関は、特定原動機検査事務を実施することを求められたときは、正当な理由がある場合を除き、遅滞なく、特定原動機検査事務を実施しなければならない。

２　登録特定原動機検査機関は、公正に、かつ、主務省令で定める方法により特定原動機検査事務を実施しなければならない。

３　登録特定原動機検査機関は、特定原動機検査事務を実施する事業場の所在地を変更しようとするときは、変更しようとする日の二週間前までに、主務大臣に届け出なければならない。

４　登録特定原動機検査機関は、その特定原動機検査事務の開始前に、主務省令で定めるところにより、その特定原動機検査事務の実施に関する規程を定め、主務大臣の認可を受けなければならない。これを変更しようとするときも、同様とする。

５　登録特定原動機検査機関は、毎事業年度経過後三月以内に、その事業年度の財産目録、貸借対照表及び損益計算書又は収支計算書並びに事業報告書（その作成に代えて電磁的記録（電子的方式、磁気的方式その他の人の知覚によっては認識することができない方式で作られる記録であって、電子計算機による情報処理の用に供されるものをいう。以下同じ。）の作成がされている場合における当該電磁的記録を含む。以下「財務諸表等」という。）を作成し、五年間事業場に備えて置かなければならない。

６　特定原動機製作等事業者その他の利害関係人は、登録特定原動機検査機関の業務時間内は、いつでも、次に掲げる請求をすることができる。ただし、第二号又は第四号の請求をするには、登録特定原動機検査機関の定めた費用を支払わなければならない。

一　財務諸表等が書面をもって作成されているときは、当該書面の閲覧又は謄写の請求

二　前号の書面の謄本又は抄本の請求

三　財務諸表等が電磁的記録をもって作成されているときは、当該電磁的記録に記録された事項を主務省令で定める方法により表示したものの閲覧又は謄写の請求

四　前号の電磁的記録に記録された事項を電磁的方法であって主務省令で定めるものにより提供することの請求又は当該事項を記載した書面の交付の請求

７　登録特定原動機検査機関は、主務省令で定めるところにより、帳簿を備え、特定原動機検査事務に関し主務省令で定める事項を記載し、これを保存しなければならない。

８　登録特定原動機検査機関は、主務大臣の許可を受けなければ、その特定原動機検査事務の全部又は一部を休止し、又は廃止してはならない。

９　主務大臣は、登録特定原動機検査機関が前項の許可を受けてその特定原動機検査事務の全部若しくは一部を休止したとき、第二十三条第五項の規定により登録特定原動機検査機関に対し特定原動機検査事務の全部若しくは一部の停止を命じたとき、又は登録特定原動機検査機関が天災その他の事由によりその特定原動機検査事務の全部若しくは一部を実施することが困難となった場合において必要があると認めるときは、その特定原動機検査事務の全部又は一部を自ら行うものとする。

10　主務大臣が前項の規定により特定原動機検査事務の全部若しくは一部を自ら行う場合、登録特定原動機検査機関が第八項の許可を受けてその特定原動機検査事務の全部若しくは一部を廃止する場合又は主務大臣が第二十三条第四項若しくは第五項の規定により登録を取り消した場合における特定原動機検査事務の引継ぎその他の必要な事項は、主務省令で定める。

（秘密保持義務等）

第二二条　登録特定原動機検査機関の役員若しくは職員又はこれらの職にあった者は、その特定原動機検査事務に関し知り得た秘密を漏らしてはならない。

2　特定原動機検査事務に従事する登録特定原動機検査機関の役員又は職員は、刑法（明治四十年法律第四十五号）その他の罰則の適用については、法令により公務に従事する職員とみなす。

（登録特定原動機検査機関に対する適合命令等）

第二三条　主務大臣は、登録特定原動機検査機関が第十九条第四項各号のいずれかに適合しなくなったと認めるときは、その登録特定原動機検査機関に対し、これらの規定に適合するため必要な措置を講ずべきことを命ずることができる。

2　主務大臣は、登録特定原動機検査機関が第二十一条第一項又は第二項の規定に違反していると認めるときは、その登録特定原動機検査機関に対し、特定原動機検査事務を実施すべきこと又は特定原動機検査事務の方法の改善に関し必要な措置を講ずべきことを命ずることができる。

3　主務大臣は、第二十一条第四項の規程が特定原動機検査事務の公正な実施上不適当となったと認めるときは、その規程を変更すべきことを命ずることができる。

4　主務大臣は、登録特定原動機検査機関が第十九条第三項第一号又は第三号に該当するに至ったときは、登録を取り消さなければならない。

5　主務大臣は、登録特定原動機検査機関が次の各号のいずれかに該当するときは、その登録を取り消し、又は期間を定めて特定原動機検査事務の全部若しくは一部の停止を命ずることができる。

一　第二十一条第三項から第五項まで、第七項又は第八項の規定に違反したとき。

二　第二十一条第四項の規程によらないで特定原動機検査事務を実施したとき。

三　正当な理由がないのに第二十一条第六項各号の規定による請求を拒んだとき。

四　第一項から第三項までの規定による命令に違反したとき。

五　不正の手段により登録を受けたとき。

（報告徴収及び立入検査）

第二四条　主務大臣は、この節の規定の施行に必要な限度において、登録特定原動機検査機関に対し、その特定原動機検査事務に関し報告を求め、又はその職員に、登録特定原動機検査機関の事務所その他の事業場に立ち入り、登録特定原動機検査機関の帳簿、書類その他必要な物件を検査させ、若しくは関係者に質問させることができる。

2　前項の規定による立入検査をする職員は、その身分を示す証明書を携帯し、関係者に提示しなければならない。

3　第一項の規定による権限は、犯罪捜査のために認められたものと解釈してはならない。

（公示）

第二五条　主務大臣は、次に掲げる場合には、その旨を官報に公示しなければならない。

一　登録をしたとき。

二　第二十一条第三項の規定による届出があったとき。

三　第二十一条第八項の規定による許可をしたとき。

四　第二十一条第九項の規定により主務大臣が特定原動機検査事務の全部若しくは一部を自ら行うこととするとき、又は自ら行っていた特定原動機検査事務の全部若しくは一部を行わないこととするとき。

五　第二十三条第四項若しくは第五項の規定により登録を取り消し、又は同項の規定により特定原動機検査事務の全部若しくは一部の停止を命じたとき。

第二節　登録特定特殊自動車検査機関

（登録特定特殊自動車検査機関）

第二六条　主務大臣は、主務省令で定めるところにより、第十七条第一項ただし書に規定する主務大臣の事務のうち当該特定特殊自動車が技術基準に適合するかどうかの検査の実施に関する事務（以下「特定特殊自動車検査事務」という。）について、主務大臣の登録を受けた者（以下「登録特定特殊自動車検査機関」という。）があるときは、その登録特定特殊自動車検査機関に行わせるものとする。

2　主務大臣は、前項の登録の申請をした者（以下この項において「登録申請者」という。）が次の各号のいずれにも適合しているときは、その登録をしなければならない。この場合において、登録に関して必要な手続は、主務省令で定める。

一　特定特殊自動車排出ガスの濃度計その他の器具を用いて特定特殊自動車検査事務を行うものであること。

二　学校教育法に基づく大学若しくは高等専門学校において工学その他原動機に関して必要な課程を修めて卒業した者又はこれと同等以上の学力を有する者であって、通算して三年以上原動機に関する実務の経験を有するものが特定特殊自動車検査事務を実施し、その人数が二名以上であること。

三　登録申請者が、特定特殊自動車製作等事業者に支配されているものとして次のいずれかに該当するものでないこと。

イ　登録申請者が株式会社である場合にあっては、特定特殊自動車製作等事業者がその親法人であること。

ロ　登録申請者の役員（持分会社にあっては、業務を執行する社員）に占める特定特殊自動車製作等事業者の役員又は職員（過去二年間にその特定特殊自動車製作等事業者の役員又は職員であった者を含む。）の割合が二分の一を超えていること。

ハ　登録申請者（法人にあっては、その代表権を有する役員）が、特定特殊自動車製作等事業者の役員又は職員（過去二年間にその特定特殊自動車製作等事業者の役員又は職員であった者を含む。）であること。

（準用）

第二七条　第十九条第二項、第三項、第五項及び第六項並びに第二十条の規定は前条第一項の登録について、第二十一条から第二十五条までの規定は登録特定特殊自動車検査機関について準用する。この場合において、これらの規定中「特定原動機検査事務」とあるのは「特定特殊自動車検査事務」と、第十九条第五項中「登録特定原動機検査機関登録簿」とあるのは「登録特定特殊自動車検査機関登録簿」と、第二十一条第六項中「特定原動機製作等事業者」とあるのは「特定特殊自動車製作等事業者」と読み替えるものとするほか、必要な技術的読替えは、政令で定める。

第五章　雑則

（指針）

第二八条　主務大臣は、特定特殊自動車排出ガスの排出の抑制を図るために必要があると認めるときは、特定特殊自動車を業として使用する者が使用する特定特殊自動車の燃料の種類その他の事項について必要な指針を定め、これを公表するものとする。

2　都道府県知事は、当該都道府県の区域内において特定特殊自動車を業として使用する者に対し、前項の指針に即して特定特殊自動車排出ガスの排出の抑制を図ることについて指導及び助言を行うことができる。

3　都道府県知事は、前項の規定による指導又は助言をしたときは、主務省令で定めるところにより、その内容を主務大臣に報告しなければならない。

（報告徴収）

第二九条　主務大臣は、この法律の施行に必要な限度において、第六条第一項の規定による特定原動機の型式の指定を受けた者（次条第一項において「指定事業者」という。）、届出事業者、第十二条第三項の規定による少数生産車の承認を受けた者（次条第一項において「承認事業者」という。）又は特定特殊自動車の使用者に対し、その業務の状況、特定特殊自動車の使用の状況その他必要な事項に関し報告をさせることができる。

2　都道府県知事は、第十八条第一項又は前条第二項の規定の施行に必要な限度において、特定特殊自動車の使用者に対し、その業務の状況、特定特殊自動車の使用の状況その他必要な事項に関し報告をさせることができる。

3　第一項の規定による報告の徴収（前項の規定により都道府県知事が行うことができることとされるものに限る。）は、特定特殊自動車排出ガスによる大気の汚染により人の健康又は生活環境に係る被害が生ずることを防止するため緊急の必要があると認められる場合に行うものとする。

4　都道府県知事は、第二項の規定により特定特殊自動車の使用者に報告をさせたときは、主務省令で定めるところにより、その結果を主務大臣に報告しなければならない。

（立入検査）

第三〇条　主務大臣は、この法律の施行に必要な限度において、その職員に、指定事業者、届出事業者、承認事業者若しくは特定特殊自動車の使用者の工場若しくは事業場又は特定特殊自動車の所在すると認められる場所に立ち入り、特定特殊自動車、帳簿、書類その他の物件を検査させ、又は関係者に質問させることができる。

2 都道府県知事は、第十八条第一項又は第二十八条第二項の規定の施行に必要な限度において、その職員に、特定特殊自動車の使用者の工場若しくは事業場又は特定特殊自動車の所在すると認められる場所に立ち入り、特定特殊自動車、帳簿、書類その他の物件を検査させ、又は関係者に質問させることができる。

3 第一項の規定による立入検査（前項の規定により都道府県知事が行うことができることとされるものに限る。）は、特定特殊自動車排出ガスによる大気の汚染により人の健康又は生活環境に係る被害が生ずることを防止するため緊急の必要があると認められる場合に行うものとする。

4 都道府県知事は、第二項の規定による立入検査をしたときは、主務省令で定めるところにより、その結果を主務大臣に報告しなければならない。

5 第一項又は第二項の規定による立入検査をする職員は、その身分を示す証明書を携帯し、関係者に提示しなければならない。

6 第一項又は第二項の規定による権限は、犯罪捜査のために認められたものと解釈してはならない。

（関係都道府県知事に対する通知等）

第三一条 主務大臣は、次に掲げる場合には、遅滞なく、関係都道府県知事に対して、通知その他の情報の提供のために必要な措置を講じなければならない。

一 第十条第四項の規定による公示をしたとき。

二 第十二条第三項の規定による承認をしたとき。

三 第十三条の規定による命令をしたとき。

四 第十四条第二項の規定による公示をしたとき。

五 第十五条の規定による公示をしたとき。

六 第十七条第一項ただし書の規定による確認をしたとき。

七 第二十八条第一項の規定による公表をしたとき。

八 第二十九条第一項の規定による報告の徴収（特定特殊自動車の使用者に係るものに限る。）をしたとき。

九 前条第一項の規定による立入検査（特定特殊自動車の使用者に係るものに限る。）をしたとき。

（手数料）

第三二条 次に掲げる者は、実費を勘案して政令で定める額の手数料を国（登録特定原動機検査機関が特定原動機検査事務を行う場合にあっては登録特定原動機検査機関、登録特定特殊自動車検査機関が特定特殊自動車検査事務を行う場合にあっては登録特定特殊自動車検査機関）に納めなければならない。

一 第六条第一項の指定を受けようとする者

二 第十二条第三項の承認を受けようとする者

三 第十七条第一項ただし書の検査を受けようとする者

2 前項の規定により登録特定原動機検査機関又は登録特定特殊自動車検査機関に納められた手数料は、それぞれ、登録特定原動機検査機関又は登録特定特殊自動車検査機関の収入とする。

（経過措置の命令への委任）

第三三条 この法律の規定に基づき命令を制定し、又は改廃する場合においては、その命令で、その制定又は改廃に伴い合理的に必要と判断される範囲内において、所要の経過措置（罰則に関する経過措置を含む。）を定めることができる。

（主務大臣等）

第三四条 この法律における主務大臣は、環境大臣、経済産業大臣及び国土交通大臣とする。ただし、次の各号に掲げる事項については、当該各号に定める大臣とする。

一 第十八条第二項の規定による報告、第二十九条第一項の規定による報告徴収（特定特殊自動車の使用者に係るものに限る。）及び同条第四項の規定による報告並びに第三十条第一項の規定による立入検査（特定特殊自動車の使用者に係るものに限る。）及び同条第四項の規定による報告に関する事項　環境大臣及び特定特殊自動車を使用する事業を所管する大臣

二 第二十八条第一項の規定による指針の策定及び公表並びに同条第三項の規定による報告に関する事項　特定特殊自動車を使用する事業を所管する大臣

2 この法律における主務省令は、主務大臣の発する命令とする。

3 主務大臣は、第二十八条第一項の指針を定めようとするときは、あらかじめ、環境大臣に協議しなければならない。これを変更しようとするときも、同様とする。

（主務大臣と都道府県知事の連携）

第三五条 主務大臣又は都道府県知事がこの法律に規定する事務を行うときは、相互に密接な連携の下に行うものとする。

（権限の委任）

第三六条 この法律の規定により主務大臣の権限に属する事項は、主務省令で定めるところにより、地方支分部局の長に委任することができる。

第六章　罰則

第三七条 第十四条第一項の規定による禁止に違反した者は、一年以下の懲役又は百万円以下の罰金に処する。

第三八条 第二十二条第一項（第二十七条において準用する場合を含む。）の規定に違反した者は、六月以下の懲役又は五十万円以下の罰金に処する。

第三九条 第二十三条第五項（第二十七条において準用する場合を含む。）の規定による特定原動機検査事務又は特定特殊自動車検査事務の停止命令に違反したときは、その違反行為をした登録特定原動機検査機関又は登録特定特殊自動車検査機関の役員又は職員は、六月以下の懲役又は五十万円以下の罰金に処する。

第四〇条 第十二条第四項の規定に違反して表示を付した者は、五十万円以下の罰金に処する。

第四一条 次の各号のいずれかに該当する者は、三十万円以下の罰金に処する。

一 第七条第二項の規定に違反して表示を付した者

二 第十条第一項の規定による届出をする場合において虚偽の届出をした者

三 第十一条第二項の規定に違反して、記録を作成せず、若しくは虚偽の記録を作成し、又は記録を保存しなかった者

四 第十七条第一項の規定に違反して特定特殊自動車を使用した者

五 第十八条第一項の規定による命令に違反した者

六 第二十九条第一項又は第二項の規定による報告をせず、又は虚偽の報告をした者

七 第三十条第一項又は第二項の規定による検査を拒み、妨げ、若しくは忌避し、又は質問に対して陳述をせず、若しくは虚偽の陳述をした者

第四二条 次の各号のいずれかに該当するときは、その違反行為をした登録特定原動機検査機関又は登録特定特殊自動車検査機関の役員又は職員は、三十万円以下の罰金に処する。

一 第二十一条第七項（第二十七条において準用する場合を含む。）の規定に違反して、同項に規定する事項の記載をせず、若しくは虚偽の記載をし、又は帳簿を保存しなかったとき。

二 第二十一条第八項（第二十七条において準用する場合を含む。）の許可を受けないで特定原動機検査事務又は特定特殊自動車検査事務の全部を廃止したとき。

三 第二十四条第一項（第二十七条において準用する場合を含む。）の規定による報告をせず、若しくは虚偽の報告をし、又は同項の規定による検査を拒み、妨げ、若しくは忌避し、若しくは質問に対して陳述をせず、若しくは虚偽の陳述をしたとき。

第四三条 法人の代表者又は法人若しくは人の代理人、使用人その他の従業者が、その法人又は人の業務又は所有し、若しくは使用する特定特殊自動車に関し、第三十七条、第四十条又は第四十一条の違反行為をしたときは、行為者を罰するほか、その法人又は人に対して各本条の罰金刑を科する。

第四四条 第十条第三項の規定に違反して、届出をせず、又は虚偽の届出をした者は、二十万円以下の過料に処する。

第四五条 次の各号のいずれかに該当するときは、その違反行為をした登録特定原動機検査機関又は登録特定特殊自動車検査機関の役員又は職員は、二十万円以下の過料に処する。

一 第二十一条第五項（第二十七条において準用する場合を含む。）の規定に違反して、財務諸表等を備えて置かず、財務諸表等に記載すべき事項を記載せず、又は虚偽の記載をしたとき。

二 正当な理由がないのに第二十一条第六項各号（第二十七条において準用する場合を含む。）の規定による請求を拒んだとき。

附　則〔抄〕

（施行期日）

第一条　この法律は、公布の日から起算して一年を超えない範囲内において政令で定める日から施行する。ただし、第三章、第二十八条第二項、第二十九条（特定特殊自動車の使用者に係るものに限る。）並びに第三十八条第四号及び第五号の規定は、公布の日から起算して一年六月を超えない範囲内において政令で定める日から施行する。

〔平成一八政六一により、平成一八・四・一から施行。ただし、同法第六条（第七項を除く。）の規定は、平成一八・五・一から施行。ただし書の規定は、平成一八政二一六により、平成一八・一〇・一から施行〕

（経過措置）

第二条　前条ただし書に規定する日前に製作された特定特殊自動車であって、主務省令で定めるところにより同日前に製作されたものであることを証する書類その他の物件を備え付けているものについては、第三章の規定（これらの規定に係る罰則を含む。）は、適用しない。

（検討）

第三条　政府は、この法律の施行後五年を経過した場合において、この法律の施行の状況を勘案し、必要があると認めるときは、この法律の規定について検討を加え、その結果に基づいて必要な措置を講ずるものとする。

附　則〔略〕〔平成一七・七・二六法律八七〕

附　則〔略〕〔平成二七・六・二四法律四四〕

附　則〔抄〕〔平成二七・六・二六法律五〇〕

（施行期日）

第一条　この法律〔中略〕は、当該各号に定める日から施行する。

一　〔前略〕附則第四条及び第六条から第八条までの規定　公布の日

二　〔略〕

三　第十条及び第十九条の規定　平成二十九年四月一日

四・五　〔略〕

（処分、申請等に関する経過措置）

第六条　この法律（附則第一条各号に掲げる規定については、当該各規定。以下この条及び次条において同じ。）の施行前にこの法律による改正前のそれぞれの法律の規定によりされた許可等の処分その他の行為（以下この項において「処分等の行為」という。）又はこの法律の施行の際現にこの法律による改正前のそれぞれの法律の規定によりされている許可等の申請その他の行為（以下この項において「申請等の行為」という。）で、この法律の施行の日においてこれらの行為に係る行政事務を行うべき者が異なることとなるものは、附則第二条から前条までの規定又は附則第八条の規定に基づく政令の規定に定めるものを除き、この法律の施行の日以後におけるこの法律による改正後のそれぞれの法律の適用については、この法律による改正後のそれぞれの法律の相当規定によりされた処分等の行為又は申請等の行為とみなす。

２　この法律の施行前にこの法律による改正前のそれぞれの法律の規定により国又は地方公共団体の機関に対し報告、届出、提出その他の手続をしなければならない事項で、この法律の施行の日前にその手続がされていないものについては、附則第二条から前条までの規定又は附則第八条の規定に基づく政令の規定に定めるもののほか、これを、この法律による改正後のそれぞれの法律の相当規定により国又は地方公共団体の相当の機関に対して報告、届出、提出その他の手続をしなければならない事項についてその手続がされていないものとみなして、この法律による改正後のそれぞれの法律の規定を適用する。

（罰則に関する経過措置）

第七条　この法律の施行前にした行為に対する罰則の適用については、なお従前の例による。

（政令への委任）

第八条　附則第二条から前条までに規定するもののほか、この法律の施行に関し必要な経過措置（罰則に関する経過措置を含む。）は、政令で定める。

附　則〔抄〕〔平成二九・五・三一法律四一〕

（施行期日）

第一条　この法律は、平成三十一年四月一日から施行する。ただし、次条及び附則第四十八条の規定は、公布の日から施行する。

（政令への委任）

第四八条　この附則に規定するもののほか、この法律の施行に関し必要な経過措置は、政令で定める。

●諸法細目次●

○国土形成計画法（昭二五法二〇五）……三三〇三
第一章　総則……三三〇三
第二章　国土審議会の調査審議等……三三〇三
第三章　国土形成計画の策定……三三〇三
第四章　国土形成計画の実施……三三〇四
第五章　補則……三三〇四
○国土形成計画法施行令（平一八政二三〇）……三三〇五
○国土形成計画法施行規則（平一七国交令一一四）……三三〇六
○国土利用計画法（昭四九法九二）……三三〇七
第一章　総則……三三〇七
第二章　国土利用計画……三三〇七
第三章　土地利用基本計画等……三三〇八
第四章　土地に関する権利の移転等の許可……三三〇八
第五章　土地に関する権利の移転等の届出……三三一〇
第六章　遊休土地に関する措置……三三一二
第七章　審議会等及び土地利用審査会……三三一三
第八章　雑則……三三一三
第九章　罰則……三三一三
○国土利用計画法施行令（昭四九政三八七）……三三一七
○国土利用計画法施行規則（昭四九総府令七二）……三三二三
○広域的地域活性化のための基盤整備に関する法律（平一九法五二）……三三二八
第一章　総則……三三二八
第二章　基本方針……三三二九
第三章　広域的地域活性化基盤整備計画及びこれに基づく措置……三三二九
第四章　雑則……三三三三
第五章　罰則……三三三三
○広域的地域活性化のための基盤整備に関する法律施行令（平一九政二四九）……三三三四
○広域的地域活性化のための基盤整備に関する法律施行規則（平一九国交令七四）……三三三四
○民法〔抄〕（明二九法八九）……三三三六
○国有財産法（昭二三法七三）……三三五六
第一章　総則……三三五六
第二章　管理及び処分の機関……三三五七
第三章　管理及び処分……三三五七
第三章の二　立入り及び境界確定……三三六〇
第四章　台帳、報告書及び計算書……三三六〇
第五章　雑則……三三六一
○行政手続法（平五法八八）……三三六三
第一章　総則……三三六三
第二章　申請に対する処分……三三六四
第三章　不利益処分……三三六五
第四章　行政指導……三三六七
第四章の二　処分等の求め……三三六七
第五章　届出……三三六七
第六章　意見公募手続等……三三六七
第七章　補則……三三六八
○行政手続法施行令（平六政二六五）……三三六九
○国土交通省聴聞手続規則（平一二総・運・建令一）……三三七二
○行政機関の保有する情報の公開に関する法律（平一一法四二）……三三七四
第一章　総則……三三七四
第二章　行政文書の開示……三三七四
第三章　審査請求等……三三七六
第四章　補則……三三七七
○行政機関の保有する情報の公開に関する法律施行令（平一二政四一）……三三七八
○行政代執行法（昭二三法四三）……三三八三
○行政事件訴訟法（昭三七法一三九）……三三八四
第一章　総則……三三八四
第二章　抗告訴訟……三三八四
第三章　当事者訴訟……三三八八
第四章　民衆訴訟及び機関訴訟……三三八八
第五章　補則……三三八八
○行政不服審査法（平二六法六八）……三三九一
第一章　総則……三三九一
第二章　審査請求……三三九二
第三章　再調査の請求……三三九七
第四章　再審査請求……三三九八
第五章　行政不服審査会等……三三九八
第六章　補則……三三九九
○国家賠償法（昭二二法一二五）……三四〇五
○日本電信電話株式会社の株式の売払収入の活用による社会資本の整備の促進に関する特別措置法（昭六二法八六）……三四〇五
○日本電信電話株式会社の株式の売払収入の活用による社会資本の整備の促進に関する特別措置法施行令（昭六二政二九一）……三四〇八

○国土形成計画法〔昭和二五・五・二六／法律二〇五〕

改正　昭和二七・六法二一七、七法二八四、昭和三〇・七法七四、昭和三一・四法八三、昭和三二・五法一一〇、昭和三四・三法六〇、昭和三五・四法六三、一二法一七一、法一七二、昭和三七・五法一四三、昭和三八・七法一二九、昭和四一・七法一〇二、昭和四六・一二法一三一、昭和四九・六法九二、法九八、昭和五三・五法五五、平成一一・七法一〇二、一二法一六〇、平成一四・三法一四、平成一七・七法八九、平成二四・三法一三

目次

第一章　総則（第一条―第三条）
第二章　国土審議会の調査審議等（第四条・第五条）
第三章　国土形成計画の策定（第六条―第十二条）
第四章　国土形成計画の実施（第十三条・第十四条）
第五章　補則（第十五条・第十六条）
附則

第一章　総則

（目的）

第一条　この法律は、国土の自然的条件を考慮して、経済、社会、文化等に関する施策の総合的見地から国土の利用、整備及び保全を推進するため、国土形成計画の策定その他の措置を講ずることにより、国土利用計画法（昭和四十九年法律第九十二号）による措置と相まつて、現在及び将来の国民が安心して豊かな生活を営むことができる経済社会の実現に寄与することを目的とする。

（国土形成計画）

第二条　この法律において「国土形成計画」とは、国土の利用、整備及び保全（以下「国土の形成」という。）を推進するための総合的かつ基本的な計画で、次に掲げる事項に関するものをいう。

一　土地、水その他の国土資源の利用及び保全に関する事項

二　海域の利用及び保全（排他的経済水域及び大陸棚に関する法律（平成八年法律第七十四号）第一条第一項の排他的経済水域又は同法第二条の大陸棚における同法第三条第一項第一号から第三号までに規定する行為を含む。）に関する事項

三　震災、水害、風害その他の災害の防除及び軽減に関する事項

四　都市及び農山漁村の規模及び配置の調整並びに整備に関する事項

五　産業の適正な立地に関する事項

六　交通施設、情報通信施設、科学技術に係る研究施設その他の重要な公共的施設の利用、整備及び保全に関する事項

七　文化、厚生及び観光に関する資源の保護並びに施設の利用及び整備に関する事項

八　国土における良好な環境の創出その他の環境の保全及び良好な景観の形成に関する事項

２　前項の国土形成計画は、第六条第二項に規定する全国計画及び第九条第二項に規定する広域地方計画とする。

（国土形成計画の基本理念）

第三条　国土形成計画は、我が国及び世界における人口、産業その他の社会経済構造の変化に的確に対応し、その特性に応じて自立的に発展する地域社会、国際競争力の強化及び科学技術の振興等による活力ある経済社会、安全が確保された国民生活並びに地球環境の保全にも寄与する豊かな環境の基盤となる国土を実現するよう、我が国の自然的、経済的、社会的及び文化的諸条件を維持向上させる国土の形成に関する施策を、当該施策に係る国内外の連携の確保に配意しつつ、適切に定めるものとする。

２　国土形成計画は、総合的な国土の形成に関する施策の実施に関し、地方公共団体の主体的な取組を尊重しつつ、全国的な規模で又は全国的な視点に立つて行わなければならない施策の実施その他の国が本来果たすべき役割を踏まえ、国の責務が全うされることとなるよう定めるものとする。

第二章　国土審議会の調査審議等

（国土審議会の調査審議等）

第四条　国土審議会は、国土形成計画及びその実施に関し必要な事項について調査審議し、その結果を国土交通大臣に報告し、又は勧告する。

２　国土審議会は、国土形成計画について必要があると認める場合においては、国土交通大臣を通じて、関係各行政機関の長に対し、意見を申し出ることができる。

３　関係各行政機関の長は、その所掌事務に係る基本的な計画で国土形成計画と密接な関係を有するものについて、国土審議会の意見を聴くことができる。

（要旨の公表）

第五条　国土審議会は、この法律の規定により調査審議した結果について必要があると認める場合においては、その要旨を公表するものとする。

第三章　国土形成計画の策定

（全国計画）

第六条　国は、総合的な国土の形成に関する施策の指針となるべきものとして、全国の区域について、国土形成計画を定めるものとする。

２　前項の国土形成計画（以下「全国計画」という。）には、次に掲げる事項を定めるものとする。

一　国土の形成に関する基本的な方針

二　国土の形成に関する目標

三　前号の目標を達成するために全国的な見地から必要と認められる基本的な施策に関する事項

３　全国計画は、環境の保全に関する国の基本的な計画との調和が保たれたものでなければならない。

４　国土交通大臣は、全国計画の案を作成し、閣議の決定を求めなければならない。

５　国土交通大臣は、前項の規定により全国計画の案を作成しようとするときは、あらかじめ、国土交通省令で定めるところにより、国民の意見を反映させるために必要な措置を講ずるとともに、環境大臣その他関係行政機関の長に協議し、都道府県及び指定都市（地方自治法（昭和二十二年法律第六十七号）第二百五十二条の十九第一項の指定都市をいう。以下同じ。）の意見を聴き、並びに国土審議会の調査審議を経なければならない。

６　国土交通大臣は、全国計画について第四項の閣議の決定があつたときは、遅滞なく、これを公表するものとする。

７　全国計画は、国土利用計画法第四条の全国の区域について定める国土の利用に関する計画と一体のものとして定めなければならない。

８　第四項から前項までの規定は、全国計画の変更について準用する。

（全国計画に係る政策の評価）

第七条　国土交通大臣は、行政機関が行う政策の評価に関する法律（平成十三年法律第八十六号）第六条第一項の基本計画を定めるときは、同条第二項第六号の政策として、全国計画を定めなければならない。

２　国土交通大臣は、前条第六項（同条第八項において準用する場合を含む。）の規定による公表の日から二年を経過した日以後、行政機関が行う政策の評価に関する法律第七条第一項の実施計画を初めて定めるときは、同条第二項第一号の政策として、全国計画を定めなければならない。

（全国計画に係る提案等）

第八条　都道府県又は指定都市は、単独で又は共同して、国土交通大臣に対し、当該都道府県又は指定都市の区域内における第二条第一項各号に掲げる事項に関する施策の効果を一層高めるために必要な全国計画の案（全国計画の変更の案を含む。以下この条において同じ。）を作成することを提案することができる。この場合においては、当該提案に係る全国計画の案の素案を添えなければならない。

２　国土交通大臣は、前項の規定による提案（以下この条において「計画提案」という。）が行われたときは、遅滞なく、当該計画提案を踏まえた全国計画の案（計画提案に係る全国計画の案の素案の内容の全部又は一部を実現することとなる全国計画の案をいう。第四項において同じ。）を作成する必要があるかどうかを判断し、当該全国計画の案を作成する必要があると認めるときは、その案を作成しなければならない。

3 国土交通大臣は、当該計画提案を踏まえた全国計画の案（計画提案に係る全国計画の素案の内容の一部を実現することとなる全国計画の案をいう。）を作成しようとする場合において、第六条第五項（同条第八項において準用する場合を含む。）の規定により国土審議会における調査審議を経ようとするときは、当該計画提案に係る全国計画の案の素案を提出しなければならない。

4 国土交通大臣は、当該計画提案を踏まえた全国計画の案を作成する必要がないと判断したときは、遅滞なく、その旨及びその理由を、当該計画提案をした都道府県又は指定都市に通知しなければならない。

5 国土交通大臣は、前項の規定による通知をしようとするときは、あらかじめ、国土審議会に当該計画提案に係る全国計画の素案を提出してその意見を聴かなければならない。

（広域地方計画）

第九条 国土交通大臣は、次に掲げる区域（以下「広域地方計画区域」という。）について、それぞれ国土形成計画を定めるものとする。

一 首都圏（埼玉県、東京都、神奈川県その他政令で定める県の区域を一体とした区域をいう。）

二 近畿圏（京都府、大阪府、兵庫県その他政令で定める県の区域を一体とした区域をいう。）

三 中部圏（愛知県、三重県その他政令で定める県の区域を一体とした区域をいう。）

四 その他自然、経済、社会、文化等において密接な関係が相当程度認められる二以上の県の区域であつて、一体として総合的な国土の形成を推進する必要があるものとして政令で定める区域

2 前項の国土形成計画（以下「広域地方計画」という。）には、全国計画を基本として、次に掲げる事項を定めるものとする。

一 当該広域地方計画区域における国土の形成に関する方針

二 当該広域地方計画区域における国土の形成に関する目標

三 当該広域地方計画区域における前号の目標を達成するために一の都府県の区域を超える広域の見地から必要と認められる主要な施策（当該広域地方計画区域における総合的な国土の形成を推進するため特に必要があると認められる当該広域地方計画区域外にわたるものを含む。）に関する事項

3 国土交通大臣は、第一項の規定により広域地方計画を定めようとするときは、あらかじめ、国土交通省令で定めるところにより、国民の意見を反映させるために必要な措置を講ずるとともに、次条第一項の広域地方計画協議会における協議を経て、関係各行政機関の長に協議しなければならない。

4 国土交通大臣は、広域地方計画を定めたときは、遅滞なく、これを公表するものとする。

5 前三項の規定は、広域地方計画の変更について準用する。

（広域地方計画協議会）

第一〇条 広域地方計画及びその実施に関し必要な事項について協議するため、広域地方計画区域ごとに、政令で定めるところにより、国の関係各地方行政機関、関係都府県及び関係指定都市（以下この条において「国の地方行政機関等」という。）により、広域地方計画協議会（以下「協議会」という。）を組織する。

2 協議会は、必要があると認めるときは、協議により、当該広域地方計画区域内の市町村（指定都市を除く。）、当該広域地方計画区域に隣接する地方公共団体その他広域地方計画の実施に密接な関係を有する者を加えることができる。

3 第一項の協議を行うための会議（第六項において「会議」という。）は、次に掲げる者をもつて構成する。

一 国の地方行政機関等の長又はその指名する職員

二 前項の規定により加わつた地方公共団体の長又はその指名する職員

三 前項の規定により加わつた者（地方公共団体を除く。）の代表者又はその指名する者

4 協議会は、必要があると認めるときは、関係各行政機関に対し、資料の提供、意見の表明、説明その他の協力を求めることができる。

5 協議会は、前条第三項（同条第五項において準用する場合を含む。）の規定による協議を行う場合においては、学識経験を有する者の意見を聴くものとする。

6 会議において協議が調つた事項については、協議会の構成員は、その協議の結果を尊重しなければならない。

7 協議会の庶務は、国土交通省において処理する。

8 前各項に定めるもののほか、協議会の運営に関し必要な事項は、協議会が定める。

（広域地方計画に係る提案等）

第一一条 広域地方計画区域内の市町村（協議会の構成員である市町村を除く。）は、単独で又は共同して、国土交通大臣に対し、国土交通省令で定めるところにより、都府県を経由して、当該市町村の区域内における第二条第一項各号に掲げる事項に関する施策の効果を一層高めるために必要な広域地方計画の策定又は変更をすることを提案することができる。この場合においては、当該提案に係る広域地方計画の素案を添えなければならない。

2 国土交通大臣は、前項の規定による提案（以下この条において「計画提案」という。）が行われたときは、遅滞なく、当該計画提案を踏まえた広域地方計画の策定又は変更（計画提案に係る広域地方計画の素案の内容の全部又は一部を実現することとなる広域地方計画の策定又は変更をいう。第四項において同じ。）をする必要があるかどうかを判断し、当該広域地方計画の策定又は変更をする必要があると認めるときは、その案を作成しなければならない。

3 国土交通大臣は、当該計画提案を踏まえた広域地方計画の策定又は変更（計画提案に係る広域地方計画の素案の内容の一部を実現することとなる広域地方計画の策定又は変更をいう。）をしようとする場合において、第九条第三項（同条第五項において準用する場合を含む。）の規定により協議会における協議を経ようとするときは、当該計画提案に係る広域地方計画の素案を提出しなければならない。

4 国土交通大臣は、当該計画提案を踏まえた広域地方計画の策定又は変更をする必要がないと判断したときは、遅滞なく、その旨及びその理由を、当該計画提案をした市町村に通知しなければならない。

5 国土交通大臣は、前項の規定による通知をしようとするときは、あらかじめ、協議会に当該計画提案に係る広域地方計画の素案を提出してその意見を聴かなければならない。

第四章 国土形成計画の実施

（調査の調整）

第一二条 国土交通大臣は、関係各行政機関の長が国土形成計画に関して行う調査について必要な調整を行い、当該各行政機関の長に対し、調査の結果について報告を求めることができる。

2 国土交通大臣は、前項の規定による調整を行う場合において、必要があると認めるときは、関係各行政機関の長の意見を聴いて、特に調査すべき地域を指定することができる。

（広域地方計画に関する調整）

第一三条 広域地方計画が定められた広域地方計画区域内の都府県又は市町村は、当該広域地方計画を実施する上で必要があると認める場合においては、単独で又は共同して、国土交通大臣に対し、関係各行政機関の事務の調整を行うことを要請することができる。

2 国土交通大臣は、前項の規定による要請があつた場合において、必要があると認めるときは、国土審議会の意見を聴いて、必要な調整を行うものとする。

（国土形成計画の実施に関する勧告）

第一四条 国土交通大臣は、国土形成計画の実施について調整を行うため必要があると認める場合においては、関係各行政機関の長に対し、必要な勧告をすることができる。

第五章 補則

（沖縄振興基本方針との調整）

第一五条 沖縄振興基本方針と国土形成計画との調整は、国土交通大臣が内閣総理大臣と国土審議会の意見を聴いて行うものとする。

（政令への委任）

第一六条 この法律の実施のための手続その他その執行について必要な事項は、政令で定める。

附則〔抄〕

1 この法律は、昭和二十五年六月一日から施行する。

附　則〔略〕〔昭和二七・六・二八法律二一七〕

附　則〔略〕〔昭和二七・七・三一法律二八四〕

附　則〔略〕〔昭和三〇・七・二〇法律七四施行〕

附　則〔略〕〔昭和三一・四・二六法律八三〕

附　則〔略〕〔昭和三二・五・一七法律一一〇〕

附　則〔略〕〔昭和三四・三・三〇法律六〇〕

附　則〔略〕〔昭和三五・四・二八法律六三施行〕

附　則〔略〕〔昭和三五・一二・二七法律一七一施行〕

附　則〔略〕〔昭和三七・五・一九法律一四三施行〕

附　則〔略〕〔昭和三八・七・一〇法律一二九施行〕

附　則〔略〕〔昭和四一・七・一法律一〇二施行〕

附　則〔略〕〔昭和四六・一二・三一法律一三一〕

附　則〔略〕〔昭和四九・六・二五法律九二〕

附　則〔抄〕〔昭和四九・六・二六法律九八〕

（施行期日）

第一条 この法律は、公布の日から施行する。

（経過措置）

第五三条 この法律の施行の際現にこの法律による改正前の国土総合開発法〔中略〕（以下「国土総合開発法等」と総称する。）の規定により国の機関がした許可、承認、指定その他の処分又は通知その他の行為は、この法律による改正後の国土総合開発法等の相当規定に基づいて、相当の国の機関がした許可、承認、指定その他の処分又は通知その他の行為とみなす。

2 この法律の施行の際現にこの法律による改正前の国土総合開発法等の規定により国の機関に対してされている申請、届出その他の行為は、この法律による改正後の国土総合開発法等の相当規定に基づいて、相当の国の機関に対してされた申請、届出その他の行為とみなす。

第五四条 この法律の施行の際現に効力を有する首都圏整備委員会規則、建設省令又は自治省令で、この法律による改正後の国土総合開発法等の規定により総理府令で定めるべき事項を定めているものは、この法律の施行後は、総理府令としての効力を有するものとする。

附　則〔略〕〔昭和五三・五・二三法律五五〕

附　則〔略〕〔平成一一・七・一六法律一〇二〕

附　則〔略〕〔平成一一・一二・二二法律一六〇〕

附　則〔略〕〔平成一四・三・三一法律一四〕

附　則〔抄〕〔平成一七・七・二九法律八九〕

（施行期日等）

第一条 この法律は、公布の日から起算して六月を超えない範囲内において政令で定める日（以下「施行日」という。）から施行する。ただし、次項及び附則第二十七条の規定は、公布の日から施行する。

〔平成一七政三七四により、平成一七・一二・二二から施行〕

2 第一条の規定による改正後の国土形成計画法（以下単に「国土形成計画法」という。）第六条第四項の規定による全国計画の案の作成については、国土審議会は、この法律の施行前においても調査審議することができる。

3 国土形成計画法第六条第一項の規定により国土形成計画が定められるまでの間においては、国土形成計画法第九条から第十一条まで及び第十三条の規定は、適用しない。

（国土総合開発法の一部改正に伴う経過措置）

第二条 施行日以後国土形成計画法第六条第一項の規定により国土形成計画が定められるまでの間においては、この法律の施行の際現に第一条の規定による改正前の国土総合開発法第七条第一項の規定により作成されている全国総合開発計画を国土形成計画法第六条第一項の規定により定められた国土形成計画とみなす。

2 前項の規定により国土形成計画法第六条第一項の規定により定められた国土形成計画とみなされる全国総合開発計画については、国土形成計画法第七条及び第八条の規定は、適用しない。

（政令への委任）

第二七条 この附則に規定するもののほか、この法律の施行に関して必要な経過措置は、政令で定める。

附　則〔略〕〔平成二四・三・三一法律一三〕

○国土形成計画法施行令 〔平成一八・七・七 政令二三〇〕

改正 平成一八・一〇政三三八、平成二〇・一〇政三二五、平成二一・一〇政二五一、平成二三・一〇政三二三

（広域地方計画区域）

第一条 国土形成計画法（以下「法」という。）第九条第一項第一号の政令で定める県は、茨城県、栃木県、群馬県、千葉県及び山梨県とする。

2 法第九条第一項第二号の政令で定める県は、滋賀県、奈良県及び和歌山県とする。

3 法第九条第一項第三号の政令で定める県は、長野県、岐阜県及び静岡県とする。

4 法第九条第一項第四号の政令で定める区域は、次に掲げる区域とする。

一 東北圏（青森県、岩手県、宮城県、秋田県、山形県、福島県及び新潟県の区域を一体とした区域をいう。別表において同じ。）

二 北陸圏（富山県、石川県及び福井県の区域を一体とした区域をいう。別表において同じ。）

三 中国圏（鳥取県、島根県、岡山県、広島県及び山口県の区域を一体とした区域をいう。別表において同じ。）

四 四国圏（徳島県、香川県、愛媛県及び高知県の区域を一体とした区域をいう。別表において同じ。）

五 九州圏（福岡県、佐賀県、長崎県、熊本県、大分県、宮崎県及び鹿児島県の区域を一体とした区域をいう。別表において同じ。）

（広域地方計画協議会の組織）

第二条 法第十条第一項の広域地方計画協議会は、別表の上欄に掲げる広域地方計画区域ごとに、次に掲げる国の地方行政機関で当該広域地方計画区域の全部又は一部を管轄するもの並びに同表の下欄に定める都府県及び指定都市（地方自治法（昭和二十二年法律第六十七号）第二百五十二条の十九第一項の指定都市をいう。）により組織する。

一 管区警察局

二 総合通信局

三 財務局

四 地方厚生局

五 地方農政局

六 森林管理局

七 経済産業局

八 地方整備局

九 地方運輸局

十 管区海上保安本部

十一　地方環境事務所

附　則

この政令は、公布の日から施行する。

附　則〔略〕〔平成一八・一〇・二七政令三三八〕

附　則〔略〕〔平成二〇・一〇・一六政令三一五〕

附　則〔略〕〔平成二一・一〇・二八政令二五一〕

附　則〔略〕〔平成二三・一〇・二一政令三二三〕

別表（第二条関係）

首都圏	茨城県　栃木県　群馬県　埼玉県　千葉県　東京都　神奈川県　山梨県　さいたま市　千葉市　横浜市　川崎市　相模原市
近畿圏	滋賀県　京都府　大阪府　兵庫県　奈良県　和歌山県　京都市　大阪市　堺市　神戸市
中部圏	長野県　岐阜県　静岡県　愛知県　三重県　静岡市　浜松市　名古屋市
東北圏	青森県　岩手県　宮城県　秋田県　山形県　福島県　新潟県　仙台市　新潟市
北陸圏	富山県　石川県　福井県
中国圏	鳥取県　島根県　岡山県　広島県　山口県　岡山市　広島市
四国圏	徳島県　香川県　愛媛県　高知県
九州圏	福岡県　佐賀県　長崎県　熊本県　大分県　宮崎県　鹿児島県　北九州市　福岡市　熊本市

○国土形成計画法施行規則

〔平成一七・一二・二二　国土交通省令一一四〕

改正　平成一八・七国交令七四、平成二〇・七国交令五八

（全国計画について国民の意見を反映させるために必要な措置）

第一条　国土交通大臣は、国土形成計画法（以下「法」という。）第六条第四項の規定により同条第二項に規定する全国計画（以下単に「全国計画」という。）の案を作成しようとするときは、あらかじめ、当該全国計画の原案及び当該原案に対する意見の提出方法、提出期限、提出先その他意見の提出に必要な事項を、インターネットの利用、印刷物の配布その他適切な方法により一般に周知するものとする。

2　前項の規定は、全国計画の変更について準用する。

（都道府県及び指定都市の意見聴取）

第二条　国土交通大臣は、法第六条第四項の規定により全国計画の案を作成しようとするときは、あらかじめ、当該全国計画の原案を都道府県及び指定都市（地方自治法（昭和二十二年法律第六十七号）第二百五十二条の十九第一項の指定都市をいう。次項において同じ。）に送付するものとする。

2　都道府県又は指定都市は、前項の送付があった場合において、法第六条第五項の規定により国土交通大臣に意見を述べようとするときは、国土交通大臣が指定する期日までに意見を提出するものとする。

3　前二項の規定は、全国計画の変更について準用する。

（国土交通大臣の広域地方計画協議会に対する要請）

第三条　国土交通大臣は、法第九条第一項の規定により同条第二項に規定する広域地方計画（以下単に「広域地方計画」という。）を定めようとする場合において、必要があると認めるときは、法第十条第一項の広域地方計画協議会（以下「協議会」という。）による法第九条第三項の規定による協議を行うための会議（以下「会議」という。）について、関係する協議会に対し、次に掲げる措置を講ずるよう要請することができる。

一　広域地方計画区域内の一部の区域について、関係する一部の構成員による会議を開くこと。

二　複数の広域地方計画区域にまたがる区域について、関係する協議会が共同して会議（関係する一部の構成員による会議を含む。）を開くこと。

2　前項の規定は、広域地方計画の変更について準用する。

（広域地方計画について国民の意見を反映させるために必要な措置）

第四条　国土交通大臣は、法第九条第一項の規定により広域地方計画を定めようとするときは、あらかじめ、当該広域地方計画の原案及び当該原案に対する意見の提出方法、提出期限、提出先その他意見の提出に必要な事項を、インターネットの利用、印刷物の配布その他適切な方法により一般に周知するものとする。

2　前項の規定は、広域地方計画の変更について準用する。

（広域地方計画に係る提案）

第五条　法第十一条第一項の規定により同条第二項に規定する計画提案（以下単に「計画提案」という。）を行おうとする市町村は、次に掲げる事項を記載した提案書に当該計画提案に係る広域地方計画の素案を添えて、これらの書類一通を、都府県を経由して、国土交通大臣に提出するとともに、その写し一通を当該都府県の知事に提出しなければならない。

一　市町村の名称

二　市町村の区域内における法第二条第一項各号に掲げる事項に関する施策の効果を一層高めるために広域地方計画の策定又は変更を必要とする理由その他計画提案の理由

附　則

この省令は、総合的な国土の形成を図るための国土総合開発法等の一部を改正する等の法律（平成十七年法律第八十九号）の施行の日（平成十七年十二月二十二日）から施行する。

附　則〔略〕〔平成一八・七・七国土交通省令七四施行〕

附　則〔略〕〔平成二〇・七・四国土交通省令五八施行〕

○国土利用計画法〔昭和四九・六・二五 法律九二〕

改正　昭和四九・六法九八、昭和五三・五法五五、昭和五八・一二法七八、昭和六〇・五法三七、七法九〇、昭和六二・六法四七、平成元・一二法八四、法八五、平成二・六法六一、平成一〇・六法八六、平成一一・七法八七、一二法一五一、法一六〇、平成一二・五法七三、平成一六・三法一〇、六法六六、平成一七・七法八九、平成二三・五法三五、法三七、八法一〇五、平成二五・六法四四、平成二六・六法五一、法六九、平成二九・四法二五、令和二・六法四三

目次

第一章　総則（第一条―第三条）
第二章　国土利用計画（第四条―第八条）
第三章　土地利用基本計画等（第九条―第十一条）
第四章　土地に関する権利の移転等の許可（第十二条―第二十二条）
第五章　土地に関する権利の移転等の届出（第二十三条―第二十七条の十）
第六章　遊休土地に関する措置（第二十八条―第三十五条）
第七章　審議会等及び土地利用審査会（第三十六条―第三十九条）
第八章　雑則（第四十条―第四十五条）
第九章　罰則（第四十六条―第五十条）
附則

第一章　総則

（目的）

第一条　この法律は、国土利用計画の策定に関し必要な事項について定めるとともに、土地利用基本計画の作成、土地取引の規制に関する措置その他土地利用を調整するための措置を講ずることにより、国土形成計画法（昭和二十五年法律第二百五号）による措置と相まつて、総合的かつ計画的な国土の利用を図ることを目的とする。

（基本理念）

第二条　国土の利用は、国土が現在及び将来における国民のための限られた資源であるとともに、生活及び生産を通ずる諸活動の共通の基盤であることにかんがみ、公共の福祉を優先させ、自然環境の保全を図りつつ、地域の自然的、社会的、経済的及び文化的条件に配意して、健康で文化的な生活環境の確保と国土の均衡ある発展を図ることを基本理念として行うものとする。

第三条　削除

第二章　国土利用計画

（国土利用計画）

第四条　国土利用計画は、全国の区域について定める国土の利用に関する計画（以下「全国計画」という。）、都道府県の区域について定める国土の利用に関する計画（以下「都道府県計画」という。）及び市町村の区域について定める国土の利用に関する計画（以下「市町村計画」という。）とする。

（全国計画）

第五条　国は、政令で定めるところにより、国土の利用に関する基本的な事項について全国計画を定めるものとする。

2　国土交通大臣は、全国計画の案を作成して、閣議の決定を求めなければならない。

3　国土交通大臣は、全国計画の案を作成する場合には、国土審議会及び都道府県知事の意見を聴かなければならない。

4　国土交通大臣は、前項の規定により都道府県知事の意見を聴くほか、都道府県知事の意向が全国計画の案に十分に反映されるよう必要な措置を講ずるものとする。

5　国土交通大臣は、全国計画の案を作成するに当たつては、国土の利用の現況及び将来の見通しに関する調査を行うものとする。

6　国土交通大臣は、第二項の規定による閣議の決定があつたときは、遅滞なく、全国計画を公表しなければならない。

7　国土交通大臣は、全国計画の案の作成に関する事務のうち環境の保全に関する基本的な政策に係るものについては、環境大臣と共同して行うものとする。

8　第二項から前項までの規定は、全国計画の変更について準用する。

（全国計画と他の国の計画との関係）

第六条　全国計画以外の国の計画は、国土の利用に関しては、全国計画を基本とするものとする。

（都道府県計画）

第七条　都道府県は、政令で定めるところにより、当該都道府県の区域における国土の利用に関し必要な事項について都道府県計画を定めることができる。

2　都道府県計画は、全国計画を基本とするものとする。

3　都道府県は、都道府県計画を定める場合には、あらかじめ、第三十八条第一項の審議会その他の合議制の機関及び市町村長の意見を聴かなければならない。

4　都道府県は、前項の規定により市町村長の意見を聴くほか、市町村長の意向が都道府県計画に十分に反映されるよう必要な措置を講ずるものとする。

5　都道府県は、都道府県計画を定めたときは、遅滞なく、その要旨を公表

するよう努めるとともに、都道府県計画を国土交通大臣に報告しなければならない。

6 国土交通大臣は、前項の規定により都道府県計画について報告を受けたときは、国土審議会の意見を聴いて、都道府県に対し、必要な助言又は勧告をすることができる。

7 国土交通大臣は、第五項の規定により都道府県計画について報告を受けたときは、これを関係行政機関の長に送付しなければならない。この場合において、関係行政機関の長は、国土交通大臣に対し、当該都道府県計画について意見を申し出ることができる。

8 国土交通大臣は、前項後段の規定による意見の申出があつたときは、関係行政機関の長に協議するとともに、国土審議会の意見を聴いて、都道府県に対し、必要な助言又は勧告をすることができる。

9 第三項から前項までの規定は、都道府県計画の変更について準用する。

（市町村計画）

第八条 市町村は、政令で定めるところにより、当該市町村の区域における国土の利用に関し必要な事項について市町村計画を定めることができる。

2 市町村計画は、都道府県計画が定められているときは都道府県計画を基本とするものとする。

3 市町村は、市町村計画を定める場合には、あらかじめ、公聴会の開催等住民の意向を十分に反映させるために必要な措置を講ずるよう努めなければならない。

4 市町村は、市町村計画を定めたときは、遅滞なく、その要旨を公表するよう努めるとともに、市町村計画を都道府県知事に報告しなければならない。

5 都道府県知事は、前項の規定により市町村計画について報告を受けたときは、第三十八条第一項の審議会その他の合議制の機関の意見を聴いて、市町村に対し、必要な助言又は勧告をすることができる。

6 前三項の規定は、市町村計画の変更について準用する。

第三章 土地利用基本計画等

（土地利用基本計画）

第九条 都道府県は、当該都道府県の区域について、土地利用基本計画を定めるものとする。

2 土地利用基本計画は、政令で定めるところにより、次の地域を定めるものとする。

一 都市地域
二 農業地域
三 森林地域
四 自然公園地域
五 自然保全地域

3 土地利用基本計画は、前項各号に掲げる地域のほか、土地利用の調整等に関する事項について定めるものとする。

4 第二項第一号の都市地域は、一体の都市として総合的に開発し、整備し、及び保全する必要がある地域とする。

5 第二項第二号の農業地域は、農用地として利用すべき土地があり、総合的に農業の振興を図る必要がある地域とする。

6 第二項第三号の森林地域は、森林の土地として利用すべき土地があり、林業の振興又は森林の有する諸機能の維持増進を図る必要がある地域とする。

7 第二項第四号の自然公園地域は、優れた自然の風景地で、その保護及び利用の増進を図る必要があるものとする。

8 第二項第五号の自然保全地域は、良好な自然環境を形成している地域で、その自然環境の保全を図る必要があるものとする。

9 土地利用基本計画は、全国計画（都道府県計画が定められているときは、全国計画及び都道府県計画）を基本とするものとする。

10 都道府県は、土地利用基本計画を定める場合には、あらかじめ、第三十八条第一項の審議会その他の合議制の機関並びに国土交通大臣及び市町村長の意見を聴かなければならない。

11 国土交通大臣は、前項の規定により意見を述べようとするときは、あらかじめ、関係行政機関の長の意見を聴かなければならない。

12 都道府県は、第十項の規定により市町村長の意見を聴くほか、市町村長の意向が土地利用基本計画に十分に反映されるよう必要な措置を講ずるものとする。

13 都道府県は、土地利用基本計画を定めたときは、遅滞なく、その要旨を公表するよう努めなければならない。

14 第十項から前項までの規定は、土地利用基本計画の変更（政令で定める軽易な変更を除く。）について準用する。

（土地利用の規制に関する措置等）

第一〇条 土地利用基本計画に即して適正かつ合理的な土地利用が図られるよう、関係行政機関の長及び関係地方公共団体は、この法律に定めるものを除くほか、別に法律で定めるところにより、公害の防止、自然環境及び農林地の保全、歴史的風土の保存、治山、治水等に配意しつつ、土地利用の規制に関する措置その他の措置を講ずるものとする。

（土地取引の規制に関する措置）

第一一条 土地の投機的取引及び地価の高騰が国民生活に及ぼす弊害を除去し、かつ、適正かつ合理的な土地利用の確保を図るため、全国にわたり土地取引の規制に関する措置の強化が図られるべきものとし、その緊急性にかんがみ、次章及び第五章で定めるところにより、土地取引の規制に関する措置が講じられるものとする。

第四章 土地に関する権利の移転等の許可

（規制区域の指定）

第一二条 都道府県知事は、当該都道府県の区域のうち、次に掲げる区域を、期間を定めて、規制区域として指定するものとする。

一 都市計画法（昭和四十三年法律第百号）第四条第二項に規定する都市計画区域にあつては、その全部又は一部の区域で土地の投機的取引が相当範囲にわたり集中して行われ、又は行われるおそれがあり、及び地価が急激に上昇し、又は上昇するおそれがあると認められるもの

二 都市計画法第四条第二項に規定する都市計画区域以外の区域にあつては、前号の事態が生ずると認められる場合において、その事態を緊急に除去しなければ適正かつ合理的な土地利用の確保が著しく困難となると認められる区域

2 規制区域の指定の期間は、次項の規定による公告があつた日から起算して五年以内で定めるものとする。

3 都道府県知事は、規制区域を指定する場合には、その旨並びにその区域及び期間を公告しなければならない。

4 規制区域の指定は、前項の規定による公告によつてその効力を生ずる。

5 都道府県知事は、第三項の規定による公告をしたときは、速やかに、指定された区域及び期間その他国土交通省令で定める事項を国土交通大臣に報告し、かつ、関係市町村長に通知するとともに、当該事項を周知させるため必要な措置を講じなければならない。

6 都道府県知事は、第三項の規定による公告をしたときは、その公告の日から起算して二週間以内に、関係市町村長の意見を付して規制区域の指定が相当であることについて土地利用審査会の確認を求めなければならない。

7 土地利用審査会は、前項の規定により確認を求められたときは、二週間以内に、規制区域の指定が相当であるかどうかの決定をし、都道府県知事にその旨を通知しなければならない。

8 都道府県知事は、規制区域の指定について第六項の確認を受けられなかつたときは、その旨を公告するとともに、国土交通大臣に報告しなければならない。

9 規制区域の指定は、前項の規定による公告があつたときは、その指定の時にさかのぼつて、その効力を失う。

10 都道府県知事は、規制区域を指定した場合には、当該区域を含む周辺の地域における地価の動向、土地取引の状況等を常時は握するため、これらに関する調査を行わなければならない。

11 都道府県知事は、規制区域の指定期間が満了する場合において、前項の規定による調査の結果、指定の事由がなくなつていないと認めるときは、第一項の規定により規制区域の指定を行うものとする。

12 都道府県知事は、第十項の規定による調査の結果、規制区域についてその指定の事由がなくなつたと認めるときは、その旨を公告して、当該規制区域の指定を解除するものとする。

13 都道府県知事は、前項の規定による公告をしようとするときは、あらかじめ、その旨を関係市町村長に通知し、当該関係市町村長の意見を付して

規制区域の指定の解除が相当であることについて土地利用審査会の確認を受けなければならない。

14　第五項の規定は、第十二項の規定による公告について準用する。この場合において、第五項中「指定された区域及び期間その他国土交通省令で定める事項」及び「当該事項」とあるのは、「その旨」と読み替えるものとする。

15　前三項の規定は、規制区域に係る区域の減少及びその公告について準用する。

（国土交通大臣の指示等）

第一三条　国土交通大臣は、土地の投機的取引及び地価の高騰が国民生活に及ぼす弊害を除去し、かつ、適正かつ合理的な土地利用の確保を図るため、国の立場から特に必要があると認めるときは、都道府県知事に対し、期限を定めて、規制区域の指定若しくは指定の解除又はその区域の減少を指示することができる。この場合においては、都道府県知事は、正当な理由がない限り、その指示に従わなければならない。

2　国土交通大臣は、都道府県知事が所定の期限までに正当な理由がなく前項の規定により指示された措置を講じないときは、正当な理由がないことについて国土審議会の確認を受けて、自ら当該措置を講ずることができるものとする。

（土地に関する権利の移転等の許可）

第一四条　規制区域に所在する土地について、土地に関する所有権若しくは地上権その他の政令で定める使用及び収益を目的とする権利又はこれらの権利の取得を目的とする権利（以下「土地に関する権利」という。）の移転又は設定（対価を得て行われる移転又は設定に限る。以下同じ。）をする契約（予約を含む。以下「土地売買等の契約」という。）を締結しようとする場合には、当事者は、都道府県知事の許可を受けなければならない。その許可に係る事項のうち、土地に関する権利の移転若しくは設定の予定対価の額（予定対価が金銭以外のものであるときは、これを時価を基準として金銭に見積つた額。以下同じ。）の変更（その額を減額する場合を除く。）をして、又は土地に関する権利の移転若しくは設定後における土地の利用目的の変更をして、当該契約を締結しようとするときも、同様とする。

2　前項の規定は、民事調停法（昭和二十六年法律第二百二十二号）による調停に基づく場合その他政令で定める場合には、適用しない。

3　第一項の許可を受けないで締結した土地売買等の契約は、その効力を生じない。

（許可申請の手続）

第一五条　前条第一項の許可を受けようとする者は、次の事項を記載した申請書を、国土交通省令で定めるところにより、申請に係る土地が所在する市町村の長を経由して、都道府県知事に提出しなければならない。

一　当事者の氏名又は名称及び住所並びに法人にあつては、その代表者の氏名

二　土地に関する権利の移転又は設定に係る土地の所在及び面積

三　移転又は設定に係る土地に関する権利の種別及び内容

四　土地に関する権利の移転又は設定の予定対価の額

五　土地に関する権利の移転又は設定後における土地の利用目的

六　前各号に掲げるもののほか、国土交通省令で定める事項

2　市町村長は、前項の規定により申請書を受理したときは、遅滞なく、これを都道府県知事に送付しなければならない。この場合において、市町村長は、当該申請書の内容について意見があるときは、その意見を付さなければならない。

（許可基準）

第一六条　都道府県知事は、第十四条第一項の許可の申請が次の各号の一に該当すると認めるときは、許可してはならない。

一　申請に係る土地に関する権利の移転又は設定の予定対価の額が、近傍類地の取引価格等を考慮して政令で定めるところにより算定した第十二条第三項の規定による公告の時における土地に関する権利の相当な価額（その申請に係る土地が同項の規定による公告の時に地価公示法（昭和四十四年法律第四十九号）第二条第一項に規定する公示区域に所在し、かつ、同法第六条の規定による公示価格を取引の指標とすべきものであつた場合において、その申請に係る土地に関する権利が所有権であるときは、政令で定めるところにより同条の規定による公示価格を規準として算定した第十二条第三項の規定による公告の時における所有権の価額）に政令で定める方法により算定した当該申請の時までの物価の変動に応ずる修正率を乗じて得た額（同項の規定による公告の時以後当該申請の時までの間に、当該申請をした者で当該土地に関する権利を有しているもの（その者が第十四条第一項の許可を受けて当該土地に関する権利の移転又は設定を受けたものであるときは、第十二条第三項の規定による公告の時以後当該移転又は設定をした者を含む。）が当該申請に係る土地に関する権利について、宅地の造成等のための費用で政令で定めるものの負担をしたときは、都道府県知事が認定した当該費用の額を加えるものとする。）に照らし、適正を欠くこと。

二　申請に係る土地に関する権利の移転又は設定後における土地の利用目的が次のいずれにも該当しないものであること。

イ　土地収用法（昭和二十六年法律第二百十九号）その他の法律により土地を収用し、又は使用することができる事業を施行する者がその事業の用に供するためのものであるとき。

ロ　自己の居住の用に供するためのものであるとき。

ハ　規制区域が指定された際現にその区域内において事業を行つている者がその事業の用に供するためのものであるとき、又はその者の事業と密接な関連を有する事業を行う者がその事業の用に供するためのものであるとき。

ニ　規制区域内に居住する者の福祉又は利便のために必要な施設で申請に係る土地が所在する市町村の長が認定したものを設置しようとする者がその施設を設置するためのものであるとき。

ホ　規制区域を含む地域の健全な発展を図るために必要であり、かつ、当該規制区域における土地利用上適切であると認められる事業を行う者がその事業の用に供するためのものであるとき。

ヘ　イからホまでに定めるもののほか、政令で定める場合に該当するものであるとき。

三　申請に係る土地に関する権利の移転又は設定後における土地の利用目的が土地利用基本計画その他の土地利用に関する計画に適合しないこと。

四　申請に係る土地に関する権利の移転又は設定後における土地の利用目的が、道路、水道その他の公共施設若しくは学校その他の公益的施設の整備の予定からみて、又は周辺の自然環境の保全上、明らかに不適当なものであること。

2　都道府県知事は、前項第二号ホ又はヘに該当するものについて許可する場合においては、あらかじめ、土地利用審査会の意見を聴かなければならない。

（許可又は不許可の処分）

第一七条　都道府県知事は、第十四条第一項の許可の申請があつたときは、その申請があつた日から起算して六週間以内に、許可又は不許可の処分をしなければならない。

2　前項の期間内に同項の処分がされなかつたときは、当該期間の満了の日の翌日において第十四条第一項の許可があつたものとみなす。

（国等が行う土地に関する権利の移転等の特例）

第一八条　第十四条第一項に規定する場合において、その当事者の一方又は双方が国、地方公共団体その他政令で定める法人（以下「国等」という。）であるときは、当該国等の機関が都道府県知事と協議し、その協議が成立することをもつて、同項の許可があつたものとみなす。

（土地に関する権利の買取り請求）

第一九条　規制区域に所在する土地について土地に関する権利を有している者は、第十四条第一項の許可の申請をした場合において、不許可の処分を受けたときは、都道府県知事に対し、当該土地に関する権利を買い取るべきことを請求することができる。

2　都道府県知事は、前項の規定による請求があつたときは、当該土地に関する権利を、近傍類地の取引価格等を考慮して政令で定めるところにより算定した第十二条第三項の規定による公告の時における土地に関する権利の相当な価額（その請求に係る土地が同項の規定による公告の時に地価公示法第二条第一項に規定する公示区域に所在し、かつ、同法第六条の規定による公示価格を取引の指標とすべきものであつた場合において、その請求に係る土地に関する権利が所有権であるときは、政令で定めるところにより同条の規定による公示価格を規準として算定した第十二条第三項の規定による公告の時における所有権の価額）に第十六条第一項第一号の政令で定める方法により算定した当該請求の時までの物価の変動に応ずる修正率を乗じて得た額（第十二条第三項の規定による公告の時以後当該請求の

時までの間に、当該請求をした者（その者が第十四条第一項の許可を受けて当該土地に関する権利の移転又は設定を受けたものであるときは、第十二条第三項の規定による公告の時以後当該移転又は設定をした者を含む。）が当該請求に係る土地に関する権利について、宅地の造成等のための費用で政令で定めるものの負担をしたときは、都道府県知事が認定した当該費用の額を加えるものとする。）で買い取るものとする。

（不服申立て）

第二〇条　第十四条第一項の規定に基づく処分に不服がある者は、土地利用審査会に対して審査請求をすることができる。

２　土地利用審査会は、前項の規定による審査請求がされた場合においては、当該審査請求がされた日（行政不服審査法（平成二十六年法律第六十八号）第二十三条の規定により不備を補正すべきことを命じた場合にあつては、当該不備が補正された日）から起算して二月以内に、裁決をしなければならない。

３　土地利用審査会は、前項の裁決を行う場合においては、行政不服審査法第二十四条の規定により当該審査請求を却下する場合を除き、あらかじめ、審査請求人、処分をした行政庁その他の関係人又はこれらの者の代理人の出頭を求めて、公開による口頭審理を行わなければならない。

４　第一項の規定による審査請求については、行政不服審査法第三十一条の規定は適用せず、前項の口頭審理については、同法第九条第三項の規定により読み替えられた同法第三十一条第二項から第五項までの規定を準用する。

５　土地利用審査会の裁決に不服がある者は、国土交通大臣に対して再審査請求をすることができる。

第二一条　削除

（適正かつ合理的な土地利用の確保）

第二二条　都道府県知事は、規制区域を指定したときは、速やかに、都市計画その他の土地利用に関する計画の決定又は土地利用に関する計画に係る事業の実施等の措置を講ずることにより、当該規制区域の指定の期間が経過し、又はその指定を解除した後のその区域の適正かつ合理的な土地利用が図られるよう努めなければならない。

第五章　土地に関する権利の移転等の届出

（土地に関する権利の移転又は設定後における利用目的等の届出）

第二三条　土地売買等の契約を締結した場合には、当事者のうち当該土地売買等の契約により土地に関する権利の移転又は設定を受けることとなる者（次項において「権利取得者」という。）は、その契約を締結した日から起算して二週間以内に、次に掲げる事項を、国土交通省令で定めるところにより、当該土地が所在する市町村の長を経由して、都道府県知事に届け出なければならない。

一　土地売買等の契約の当事者の氏名又は名称及び住所並びに法人にあつては、その代表者の氏名

二　土地売買等の契約を締結した年月日

三　土地売買等の契約に係る土地の所在及び面積

四　土地売買等の契約に係る土地に関する権利の種別及び内容

五　土地売買等の契約による土地に関する権利の移転又は設定後における土地の利用目的

六　土地売買等の契約に係る土地の土地に関する権利の移転又は設定の対価の額（対価が金銭以外のものであるときは、これを時価を基準として金銭に見積つた額）

七　前各号に掲げるもののほか、国土交通省令で定める事項

２　前項の規定は、次の各号のいずれかに該当する場合には、適用しない。

一　次のイからハまでに規定する区域に応じそれぞれその面積が次のイからハまでに規定する面積未満の土地について土地売買等の契約を締結した場合（権利取得者が当該土地を含む一団の土地で次のイからハまでに規定する区域に応じそれぞれその面積が次のイからハまでに規定する面積以上のものについて土地に関する権利の移転又は設定を受けることとなる場合を除く。）

イ　都市計画法第七条第一項の規定による市街化区域にあつては、二千平方メートル

ロ　都市計画法第四条第二項に規定する都市計画区域（イに規定する区域を除く。）にあつては、五千平方メートル

ハ　イ及びロに規定する区域以外の区域にあつては、一万平方メートル

二　第十二条第一項の規定により指定された規制区域、第二十七条の三第一項の規定により指定された注視区域又は第二十七条の六第一項の規定により指定された監視区域に所在する土地について、土地売買等の契約を締結した場合

三　前二号に定めるもののほか、民事調停法による調停に基づく場合、当事者の一方又は双方が国等である場合その他政令で定める場合

３　第十五条第二項の規定は、第一項の規定による届出のあつた場合について準用する。

（土地の利用目的に関する勧告）

第二四条　都道府県知事は、前条第一項の規定による届出があつた場合において、その届出に係る土地に関する権利の移転又は設定後における土地の利用目的に従つた土地利用が土地利用基本計画その他の土地利用に関する計画（国土交通省令で定めるところにより、公表されているものに限る。）に適合せず、当該土地を含む周辺の地域の適正かつ合理的な土地利用を図るために著しい支障があると認めるときは、土地利用審査会の意見を聴いて、その届出をした者に対し、その届出に係る土地の利用目的について必要な変更をすべきことを勧告することができる。

２　前項の規定による勧告は、前条第一項の規定による届出があつた日から起算して三週間以内にしなければならない。

３　都道府県知事は、前条第一項の規定による届出があつた場合において、実地の調査を行うため必要があるときその他前項の期間内にその届出をした者に対し第一項の規定による勧告をすることができない合理的な理由があるときは、三週間の範囲内において、前項の期間を延長することができる。この場合においては、その届出をした者に対し、同項の期間内に、その延長する期間及びその期間を延長する理由を通知しなければならない。

（勧告に基づき講じた措置の報告）

第二五条　都道府県知事は、前条第一項の規定による勧告をした場合において、必要があると認めるときは、その勧告を受けた者に対し、その勧告に基づいて講じた措置について報告をさせることができる。

（公表）

第二六条　都道府県知事は、第二十四条第一項の規定による勧告をした場合において、その勧告を受けた者がその勧告に従わないときは、その旨及びその勧告の内容を公表することができる。

（土地に関する権利の処分についてのあつせん等）

第二七条　都道府県知事は、第二十四条第一項の規定による勧告に基づき当該土地の利用目的が変更された場合において、必要があると認めるときは、当該土地に関する権利の処分についてのあつせんその他の措置を講ずるよう努めなければならない。

（助言）

第二七条の二　都道府県知事は、第二十三条第一項の規定による届出があつた場合において、その届出をした者に対し、その届出に係る土地に関する権利の移転又は設定後における土地の利用目的について、当該土地を含む周辺の地域の適正かつ合理的な土地利用を図るために必要な助言をすることができる。

（注視区域の指定）

第二七条の三　都道府県知事は、当該都道府県の区域のうち、地価が一定の期間内に社会的経済的事情の変動に照らして相当な程度を超えて上昇し、又は上昇するおそれがあるものとして国土交通大臣が定める基準に該当し、これによつて適正かつ合理的な土地利用の確保に支障を生ずるおそれがあると認められる区域（第十二条第一項の規定により規制区域として指定された区域又は第二十七条の六第一項の規定により監視区域として指定された区域を除く。）を、期間を定めて、注視区域として指定することができる。

２　都道府県知事は、注視区域を指定しようとする場合には、あらかじめ、土地利用審査会及び関係市町村長の意見を聴かなければならない。

３　第十二条第二項から第五項まで及び第十項から第十二項までの規定は、注視区域の指定について準用する。この場合において、同条第十一項中「第一項」とあるのは「第二十七条の三第一項」と、「行うものとする」とあるのは「行うことができる」と読み替えるものとする。

４　第二項及び第十二条第五項の規定は、前項において準用する同条第十二項の規定による注視区域の指定の解除及びその公告について準用する。この場合において、同条第五項中「第三項」とあるのは「第二十七条の三第

三項において準用する第十二条第十二項」と、「指定された区域及び期間その他国土交通省令で定める事項」とあり、及び「当該事項」とあるのは「その旨」と読み替えるものとする。

5　第三項において準用する第十二条第十二項及び前項の規定は、注視区域に係る区域の減少及びその公告について準用する。

6　注視区域の全部又は一部の区域が、第十二条第一項の規定により規制区域として指定された場合又は第二十七条の六第一項の規定により監視区域として指定された場合においては、当該注視区域の指定が解除され、又は当該一部の区域について注視区域に係る区域の減少があつたものとする。この場合においては、第十二条第三項（第二十七条の六第三項において準用する場合を含む。）の規定による公告をもつて注視区域の指定の解除又は区域の減少の公告があつたものとみなす。

（注視区域における土地に関する権利の移転等の届出）

第二十七条の四　注視区域に所在する土地について土地売買等の契約を締結しようとする場合には、当事者は、第十五条第一項各号に掲げる事項を、国土交通省令で定めるところにより、当該土地が所在する市町村の長を経由して、あらかじめ、都道府県知事に届け出なければならない。その届出に係る事項のうち、土地に関する権利の移転若しくは設定の予定対価の額の変更（その額を減額する場合を除く。）をして、又は土地に関する権利の移転若しくは設定後における土地の利用目的の変更をして、当該契約を締結しようとするときも、同様とする。

2　前項の規定は、次の各号のいずれかに該当する場合には、適用しない。

一　第二十三条第二項第一号イからハまでに規定する区域に応じそれぞれその面積が同号イからハまでに規定する面積未満の土地について土地売買等の契約を締結する場合（土地売買等の契約の当事者の一方又は双方が当該土地を含む一団の土地で同号イからハまでに規定する区域に応じそれぞれその面積が同号イからハまでに規定する面積以上のものについて土地に関する権利の移転又は設定をすることとなる場合を除く。）

二　前号に定めるもののほか、民事調停法による調停に基づく場合、当事者の一方又は双方が国等である場合その他政令で定める場合

3　第一項の規定による届出をした者は、その届出をした日から起算して六週間を経過する日までの間、その届出に係る土地売買等の契約を締結してはならない。ただし、次条第一項の規定による勧告又は同条第三項の規定による通知を受けた場合は、この限りでない。

4　第十五条第二項の規定は、第一項の規定による届出のあつた場合について準用する。

（注視区域における土地売買等の契約に関する勧告等）

第二十七条の五　都道府県知事は、前条第一項の規定による届出があつた場合において、その届出に係る事項が次の各号のいずれかに該当し当該土地を含む周辺の地域の適正かつ合理的な土地利用を図るために著しい支障があると認めるときは、土地利用審査会の意見を聴いて、その届出をした者に対し、当該土地売買等の契約の締結を中止すべきことその他その届出に係る事項について必要な措置を講ずべきことを勧告することができる。

一　届出に係る土地に関する権利の移転又は設定の予定対価の額が、近傍類地の取引価格等を考慮して政令で定めるところにより算定した土地に関する権利の相当な価額（その届出に係る土地が地価公示法第二条第一項に規定する公示区域に所在し、かつ、同法第六条の規定による公示価格を取引の指標とすべきものである場合において、その届出に係る土地に関する権利が所有権であるときは、政令で定めるところにより同条の規定による公示価格を規準として算定した所有権の価額）に照らし、著しく適正を欠くこと。

二　届出に係る土地に関する権利の移転又は設定後における土地の利用目的が土地利用基本計画その他の土地利用に関する計画に適合しないこと。

三　届出に係る土地に関する権利の移転又は設定後における土地の利用目的が、道路、水道その他の公共施設若しくは学校その他の公益的施設の整備の予定からみて、又は周辺の自然環境の保全上、明らかに不適当なものであること。

2　前項の規定による勧告は、前条第一項の規定による届出があつた日から起算して六週間以内にしなければならない。

3　都道府県知事は、第一項の規定による勧告をする必要がないと認めたときは、遅滞なく、その旨を前条第一項の規定による届出をした者に通知しなければならない。

4　第二十五条から第二十七条までの規定は、第一項の規定による勧告について準用する。この場合において、同条中「当該土地の利用目的が変更された」とあるのは、「当該土地売買等の契約の締結が中止された」と読み替えるものとする。

（監視区域の指定）

第二十七条の六　都道府県知事は、当該都道府県の区域のうち、地価が急激に上昇し、又は上昇するおそれがあり、これによつて適正かつ合理的な土地利用の確保が困難となるおそれがあると認められる区域（第十二条第一項の規定により規制区域として指定された区域を除く。）を、期間を定めて、監視区域として指定することができる。

2　都道府県知事は、監視区域を指定しようとする場合には、あらかじめ、土地利用審査会及び関係市町村長の意見を聴かなければならない。

3　第十二条第二項から第五項まで及び第十項から第十二項までの規定は、監視区域の指定について準用する。この場合において、同条第十一項中「第一項」とあるのは「第二十七条の六第一項」と、「行うものとする」とあるのは「行うことができる」と読み替えるものとする。

4　第二項及び第十二条第五項の規定は、前項において準用する同条第十二項の規定による監視区域の指定の解除及びその公告について準用する。この場合において、同条第五項中「第三項」とあるのは「第二十七条の六第三項において準用する第十二条第十二項」と、「指定された区域及び期間その他国土交通省令で定める事項」とあり、及び「当該事項」とあるのは「その旨」と読み替えるものとする。

5　第三項において準用する第十二条第十二項及び前項の規定は、監視区域に係る区域の減少及びその公告について準用する。

6　監視区域の全部又は一部の区域が、第十二条第一項の規定により規制区域として指定された場合においては、当該監視区域の指定が解除され、又は当該一部の区域について監視区域に係る区域の減少があつたものとする。この場合においては、同条第三項の規定による公告をもつて監視区域の指定の解除又は区域の減少の公告があつたものとみなす。

（監視区域における土地に関する権利の移転等の届出）

第二十七条の七　第二十七条の四の規定は、監視区域に所在する土地について土地売買等の契約を締結しようとする場合について準用する。この場合において、同条第二項第一号中「同号イからハまでに規定する面積未満」とあるのは「同号イからハまでに規定する面積に満たない範囲内で都道府県知事が都道府県の規則で定める面積未満」と、「同号イからハまでに規定する面積以上」とあるのは「当該都道府県の規則で定められた面積以上」と、同条第三項中「次条第一項」とあるのは「第二十七条の八第一項」と、「同条第三項」とあるのは「同条第二項において準用する第二十七条の五第三項」と読み替えるものとする。

2　都道府県知事は、前条第一項の規定により監視区域を指定するときは、前項において読み替えて準用する第二十七条の四第二項第一号に規定する都道府県の規則を定めなければならない。

3　都道府県知事は、前条第三項において準用する第十二条第十項の規定による調査の結果、必要があると認めるときは、前項の都道府県の規則で定める面積を変更するものとする。

4　前条第二項の規定は、第二項の都道府県の規則を定めようとする場合について準用する。

（監視区域における土地売買等の契約に関する勧告等）

第二十七条の八　都道府県知事は、前条第一項において準用する第二十七条の四第一項の規定による届出があつた場合において、その届出に係る事項が次の各号のいずれかに該当すると認めるときは、土地利用審査会の意見を聴いて、その届出をした者に対し、当該土地売買等の契約の締結を中止すべきことその他その届出に係る事項について必要な措置を講ずべきことを勧告することができる。

一　その届出に係る事項が第二十七条の五第一項各号のいずれかに該当し当該土地を含む周辺の地域の適正かつ合理的な土地利用を図るために著しい支障があること。

二　その届出が土地に関する権利の移転をする契約の締結につきされたものである場合において、その届出に係る事項が次のイからへまでのいずれにも該当し当該土地を含む周辺の地域の適正な地価の形成を図る上で著しい支障を及ぼすおそれがあること。

イ　届出に係る土地に関する権利を移転しようとする者が当該権利を土地売買等の契約により取得したものであること（その土地売買等の契

約が民事調停法による調停に基づくものである場合、当該権利が国等から取得されたものである場合その他政令で定める場合を除く。）。

ロ　届出に係る土地に関する権利を移転しようとする者により当該権利が取得された後二年を超えない範囲内において政令で定める期間内にその届出がされたものであること。

ハ　届出に係る土地に関する権利を移転しようとする者が、当該権利を取得した後、その届出に係る土地を自らの居住又は事業のための用その他の自ら利用するための用途（一時的な利用その他の政令で定める利用を除く。以下この号において「自ら利用するための用途」という。）に供していないこと。

ニ　届出に係る土地に関する権利を移転しようとする者が次のいずれにも該当しないこと。

(1)　事業として届出に係る土地について区画形質の変更又は建築物その他の工作物の建築若しくは建設（以下この号において「区画形質の変更等」という。）を行つた者

(2)　債権の担保その他の政令で定める通常の経済活動として届出に係る土地に関する権利を取得した者

ホ　届出に係る土地に関する権利の移転が次のいずれにも該当しないこと。

(1)　債権の担保その他の政令で定める通常の経済活動として行われるもの

(2)　区画形質の変更等の事業の用又はこれらの事業の用に供する土地の代替の用に供するために土地に関する権利を買い取られた者に対しその権利の代替の用に供するために行われるものであつて政令で定めるもの

(3)　届出に係る土地に関する権利を移転しようとする者に政令で定める特別の事情があつて行われるもの

ヘ　届出に係る土地に関する権利の移転を受けようとする者が次のいずれにも該当しないこと。

(1)　届出に係る土地を自ら利用するための用途に供しようとする者

(2)　事業として届出に係る土地について区画形質の変更等を行つた後、その事業としてその届出に係る土地に関する権利を移転しようとする者

(3)　届出に係る土地を自ら利用するための用途に供しようとする者にその届出に係る土地に関する権利を移転することが確実であると認められる者

(4)　届出に係る土地について区画形質の変更等を事業として行おうとする者にその届出に係る土地に関する権利を移転することが確実であると認められる者

2　第二十五条から第二十七条までの規定並びに第二十七条の五第二項及び第三項の規定は、前項の規定による勧告について準用する。この場合において、第二十七条中「当該土地の利用目的が変更された」とあるのは「当該土地売買等の契約の締結が中止された」と、第二十七条の五第二項及び第三項中「前条第一項」とあるのは「第二十七条の七第一項において準用する第二十七条の四第一項」と読み替えるものとする。

（報告の徴収）

第二七条の九　都道府県知事は、第二十七条の六第三項において準用する第十二条第十項の規定による調査を適正に行うため必要があると認めるときは、政令で定めるところにより、監視区域に所在する土地について土地売買等の契約を締結した者（第二十七条の七第一項において準用する第二十七条の四第一項の規定による届出をした者及び同条第二項第二号に該当するため同条第一項の規定による届出をしないで土地売買等の契約を締結した者を除く。）に対し、当該土地売買等の契約及び当該契約に係る土地の利用について報告を求めることができる。

（国等の適正な地価の形成についての配慮）

第二七条の一〇　国等は、土地売買等の契約を締結しようとする場合には、適正な地価の形成が図られるよう配慮するものとする。

第六章　遊休土地に関する措置

（遊休土地である旨の通知）

第二八条　都道府県知事は、第十四条第一項の許可又は第二十三条第一項若しくは第二十七条の四第一項（第二十七条の七第一項において準用する場合を含む。）の規定による届出に係る土地を所有している者のその所有に係る土地（都市計画法第五十八条の七第一項の規定による通知に係る土地を除く。）が次の各号の要件に該当すると認めるときは、国土交通省令で定めるところにより、当該土地の所有者（当該土地の全部又は一部について地上権その他の政令で定める使用及び収益を目的とする権利が設定されているときは、当該権利を有している者及び当該土地の所有者）に当該土地が遊休土地である旨を通知するものとする。

一　その土地が、その所在する次のイからハまでに規定する区域に応じそれぞれ次のイからハまでに規定する面積以上の一団の土地であること。

イ　規制区域にあつては、次の(1)から(3)までに規定する区域に応じそれぞれ次の(1)から(3)までに規定する面積

(1)　都市計画法第七条第一項の規定による市街化区域にあつては、千平方メートル

(2)　都市計画法第四条第二項に規定する都市計画区域（(1)に規定する区域を除く。）にあつては、三千平方メートル

(3)　(1)及び(2)に規定する区域以外の区域にあつては、五千平方メートル

ロ　監視区域にあつては、第二十七条の七第二項の都道府県の規則で定める面積（当該面積がイの(1)から(3)までに規定する区域に応じそれぞれイの(1)から(3)までに規定する面積に満たないときは、それぞれイの(1)から(3)までに規定する面積）

ハ　規制区域及び監視区域以外の区域にあつては、第二十三条第二項第一号イからハまでに規定する区域に応じそれぞれ同号イからハまでに規定する面積

二　その土地の所有者が当該土地を取得した後二年を経過したものであること。

三　その土地が住宅の用、事業の用に供する施設の用その他の用途に供されていないことその他の政令で定める要件に該当するものであること。

四　土地利用基本計画その他の土地利用に関する計画に照らしその土地を含む周辺の地域における計画的な土地利用の増進を図るため、当該土地の有効かつ適切な利用を特に促進する必要があること。

2　市町村長は、当該市町村の区域内に所在する土地のうち前項の要件に該当するものがあるときは、都道府県知事に対し、同項の規定による通知をすべき旨を申し出ることができる。

3　都道府県知事は、都市計画法第七条第一項の規定による市街化区域に所在する土地について第一項の規定による通知をしたときは、遅滞なく、その旨をその通知に係る土地が所在する市町村の長に通知しなければならない。

（遊休土地に係る計画の届出）

第二九条　前条第一項の規定による通知を受けた者は、その通知があつた日から起算して六週間以内に、国土交通省令で定めるところにより、その通知に係る遊休土地の利用又は処分に関する計画を、当該土地が所在する市町村の長を経由して、都道府県知事に届け出なければならない。

2　第十五条第二項の規定は、前項の規定による届出のあつた場合について準用する。

（助言）

第三〇条　都道府県知事は、前条第一項の規定による届出をした者に対し、その届出に係る遊休土地の有効かつ適切な利用の促進に関し、必要な助言をすることができる。

（勧告等）

第三一条　都道府県知事は、第二十九条第一項の規定による届出があつた場合において、その届出に係る計画に従つて当該遊休土地を利用し、又は処分することが当該土地の有効かつ適切な利用の促進を図る上で支障があると認めるときは、土地利用審査会の意見を聴いて、その届出をした者に対し、相当の期限を定めて、その届出に係る計画を変更すべきことその他必要な措置を講ずべきことを勧告することができる。

2　第二十五条の規定は、前項の規定による勧告について準用する。

（遊休土地の買取りの協議）

第三二条　都道府県知事は、前条第一項の規定による勧告をした場合において、その勧告を受けた者がその勧告に従わないときは、その勧告に係る遊休土地の買取りを希望する地方公共団体、土地開発公社その他政令で定める法人（以下「地方公共団体等」という。）のうちから買取りの協議を行う者を定めて、その者が買取りの協議を行う旨をその勧告を受けた者に通

知するものとする。

2　前項の規定により協議を行う者として定められた地方公共団体等は、同項の規定による通知があつた日から起算して六週間を経過する日までの間、その通知を受けた者と当該遊休土地の買取りの協議を行うことができる。この場合において、その通知を受けた者は、正当な理由がなければ、当該遊休土地の買取りの協議を行うことを拒んではならない。

（遊休土地の買取り価格）

第三三条　地方公共団体等は、前条の規定により遊休土地を買い取る場合には、近傍類地の取引価格等を考慮して政令で定めるところにより算定した当該土地の相当な価額（その買取りの協議に係る遊休土地が地価公示法第二条第一項に規定する公示区域に所在し、かつ、同法第六条の規定による公示価格を取引の指標とすべきものであるときは、政令で定めるところにより同条の規定による公示価格を規準として算定した価額）を基準とし、当該土地の取得の対価の額及び当該土地の管理に要した費用の額を勘案して算定した価格をもつてその価格としなければならない。

（買取りに係る遊休土地の利用）

第三四条　第三十二条の規定により遊休土地を買い取つた地方公共団体等は、土地利用基本計画その他の土地利用に関する計画に従つて当該土地の有効かつ適切な利用を図らなければならない。

（土地利用に関する計画の決定等の措置）

第三五条　都道府県知事は、第三十二条の規定による遊休土地の買取りの協議が成立しない場合において、住宅を建設し、又は公園、広場その他の公共施設若しくは学校その他の公益的施設を整備することが特に必要であると認めるときは、速やかに、都市計画その他の土地利用に関する計画の決定等の措置を講ずることにより、当該土地の有効かつ適切な利用が図られるようにしなければならない。

第七章　審議会等及び土地利用審査会

第三六条及び第三七条　削除

（審議会等）

第三八条　この法律の規定によりその権限に属させられた事項を調査審議するほか、都道府県知事の諮問に応じ、当該都道府県の区域における国土の利用に関する基本的な事項及び土地利用に関し重要な事項を調査審議するため、都道府県に、これらの事項の調査審議に関する審議会その他の合議制の機関（次項において「審議会等」という。）を置く。

2　審議会等の組織及び運営に関し必要な事項は、都道府県の条例で定める。

（土地利用審査会）

第三九条　都道府県に、土地利用審査会を置く。

2　土地利用審査会は、この法律の規定によりその権限に属させられた事項を処理する。

3　土地利用審査会は、委員五人以上で組織する。

4　委員は、土地利用、地価その他の土地に関する事項について優れた経験と知識を有し、公共の福祉に関し公正な判断をすることができる者のうちから、都道府県知事が、都道府県の議会の同意を得て、任命する。

5　次の各号のいずれかに該当する者は、委員となることができない。

一　破産者で復権を得ない者

二　禁錮以上の刑に処せられ、その執行を終わるまで又はその執行を受けることがなくなるまでの者

6　都道府県知事は、委員が前項各号の一に該当するに至つたときは、その委員を解任しなければならない。

7　都道府県知事は、委員が次の各号の一に該当するときは、都道府県の議会の同意を得て、その委員を解任することができる。

一　心身の故障のため職務の執行に堪えないと認められるとき。

二　職務上の義務違反その他委員たるに適しない非行があると認められるとき。

8　委員は、自己又は三親等以内の親族の利害に関係のある事件については、議事に加わることができない。

9　土地利用審査会は、第十二条第六項、同条第十三項（同条第十五項において準用する場合を含む。）、第十六条第二項、第二十四条第一項、第二十七条の三第二項（同条第四項（同条第五項において準用する場合を含む。）において準用する場合を含む。）、第二十七条の五第一項、第二十七条の六第二項（同条第四項（同条第五項において準用する場合を含む。）及び第二十七条の七第四項において準用する場合を含む。）、第二十七条の八第一項又は第三十一条第一項の規定に係る所掌事務を処理するときは、関係市町村長の出席を求め、その意見を聴かなければならない。

10　第三項から前項までに定めるもののほか、土地利用審査会の組織及び運営に関し必要な事項は、都道府県の条例で定める。

第八章　雑則

第四〇条　削除

（立入検査等）

第四一条　都道府県知事は、この法律の施行に必要な限度において、その職員に、第十四条第一項の許可の申請若しくは第二十三条第一項、第二十七条の四第一項（第二十七条の七第一項において準用する場合を含む。）若しくは第二十九条第一項の規定による届出に係る土地又は当該許可の申請若しくは届出に係る当事者の営業所、事務所その他の場所に立ち入り、土地、帳簿、書類その他の物件を検査させ、又は関係者に質問させることができる。

2　前項の規定により立入検査又は質問をする職員は、その身分を示す証明書を携帯し、関係者の請求があつたときは、これを提示しなければならない。

3　第一項の規定による立入検査及び質問の権限は、犯罪捜査のために認められたものと解釈してはならない。

（土地調査員）

第四二条　前条第一項の規定による立入検査及び質問に関する職務を行わせるため、都道府県に、土地調査員を置くことができる。

2　土地調査員に関し必要な事項は、政令で定める。

（書類の閲覧等）

第四三条　都道府県知事は、第十六条第一項第一号、第十九条第二項又は第二十七条の五第一項第一号に規定する土地に関する権利の相当な価額の算定に関し必要があると認めるときは、官公署に対し、必要な書類を閲覧させ、又はその内容を記録させることを求めることができる。

（大都市の特例）

第四四条　第十二条、第十四条、第十六条、第十八条、第十九条、第二十二条から第二十七条の九まで、第二十八条から第三十二条まで、第三十五条、第四十一条及び前条の規定により都道府県知事の権限に属するものとされている事務は、地方自治法（昭和二十二年法律第六十七号）第二百五十二条の十九第一項の指定都市（以下「指定都市」という。）においては、当該指定都市の長が行う。この場合においては、第十二条から第十九条まで、第二十二条から第二十七条の九まで、第二十八条から第三十二条まで、第三十五条、第三十九条及び前三条の規定中都道府県知事に関する規定は、指定都市の長に関する規定として指定都市又は指定都市の長に適用があるものとする。

（事務の区分）

第四四条の二　第十五条第一項、第二十三条第一項、第二十七条の四第一項（第二十七条の七第一項において準用する場合を含む。）及び第二十九条第一項の規定により市町村が処理することとされている事務は、地方自治法第二条第九項第二号に規定する第二号法定受託事務とする。

（政令への委任）

第四五条　この法律に定めるもののほか、この法律の実施のため必要な事項は、政令で定める。

第九章　罰則

第四六条　第十四条第一項の規定に違反して、許可を受けないで土地売買等の契約を締結した者は、三年以下の懲役又は二百万円以下の罰金に処する。

第四七条　次の各号の一に該当する者は、六月以下の懲役又は百万円以下の罰金に処する。

一　第二十三条第一項又は第二十九条第一項の規定に違反して、届出をしなかつた者

二　第二十七条の四第一項（第二十七条の七第一項において準用する場合を含む。）の規定に違反して、届出をしないで土地売買等の契約を締結した者

三　第二十三条第一項、第二十七条の四第一項（第二十七条の七第一項に

おいて準用する場合を含む。）又は第二十九条第一項の規定による届出について、虚偽の届出をした者

第四八条　第二十七条の四第三項（第二十七条の七第一項において準用する場合を含む。）の規定に違反して、土地売買等の契約を締結した者は、五十万円以下の罰金に処する。

第四九条　次の各号の一に該当する者は、三十万円以下の罰金に処する。

一　第二十五条（第二十七条の五第四項、第二十七条の八第二項及び第三十一条第二項において準用する場合を含む。）の規定による報告をせず、又は虚偽の報告をした者

二　第四十一条第一項の規定による検査を拒み、妨げ、若しくは忌避し、又は同項の規定による質問に対して答弁をせず、若しくは虚偽の答弁をした者

第五〇条　法人の代表者又は法人若しくは人の代理人、使用人その他の従業者が、その法人又は人の業務に関し、第四十六条から前条までの違反行為をしたときは、行為者を罰するほか、その法人又は人に対して各本条の罰金刑を科する。

附　則〔抄〕

（施行期日）

第一条　この法律は、公布の日から起算して六月を超えない範囲内において政令で定める日から施行する。ただし、第三十八条、第三十九条及び第四十四条の規定は、公布の日から起算して三月を超えない範囲内において政令で定める日から施行する。

〔昭和四九政三八五により、昭和四九・一二・二四から施行。三八条・三九条及び四四条の規定は、昭和四九政三二二により、昭和四九・九・一〇から施行〕

（この法律の施行前の取得に係る遊休土地に関する措置）

第二条　都道府県知事は、この法律の施行の際現に土地を所有している者のその所有に係る土地（国又は地方公共団体が所有する土地その他政令で定める土地を除く。）が、次の各号の要件に該当すると認めるときは、総理府令で定めるところにより、当該土地の所有者（当該土地の全部又は一部について地上権その他の政令で定める使用及び収益を目的とする権利が設定されているときは、当該権利を有している者及び当該土地の所有者）に当該土地が遊休土地である旨を通知するものとする。

一　その土地が次のイからハまでに規定する区域に応じそれぞれ次のイからハまでに規定する面積以上の一団の土地であること。

イ　都市計画法第七条第一項の規定による市街化区域にあつては、二千平方メートル

ロ　都市計画法第四条第二項に規定する都市計画区域（イに規定する区域を除く。）にあつては、五千平方メートル

ハ　イ及びロに規定する区域以外の区域にあつては、一万平方メートル

二　その土地の所有者が当該土地を昭和四十四年一月一日（沖縄県の区域内に所在する土地については、昭和四十七年五月十五日）以後取得したものであること。

三　その土地が住宅の用、事業の用に供する施設の用その他の用途に供されていないことその他の政令で定める要件に該当するものであること。

四　土地利用基本計画その他の土地利用に関する計画に照らしその土地を含む周辺の地域における計画的な土地利用の増進を図るため、当該土地の有効かつ適切な利用を特に促進する必要があること。

2　前項の規定による通知は、この法律の施行の日から起算して二年を経過する日までの間に限り行うことができる。

3　市町村長は、当該市町村の区域内に所在する土地のうち第一項の要件に該当するものがあるときは、都道府県知事に対し、同項の規定による通知をすべき旨を申し出ることができる。

4　第一項の規定による通知を受けた者は、その通知があつた日から起算して六週間以内に、総理府令で定めるところにより、その通知に係る遊休土地の利用又は処分に関する計画を、当該土地が所在する市町村の長を経由して、都道府県知事に届け出なければならない。

5　前項の規定による届出は、第二十九条第一項の規定による届出とみなして、同条第二項、第三十条、第三十一条、第四十一条第一項及び第四十九条の規定を適用する。

6　第一項及び第四項の規定により都道府県知事の権限に属するものとされている事務は、指定都市においては、当該指定都市の長が行う。この場合においては、第一項、第三項及び第四項の規定中都道府県知事に関する規定は、指定都市の長に関する規定として指定都市の長に適用があるものとする。

第三条　前条第四項の規定による届出をせず、又は虚偽の届出をした者は、六月以下の懲役又は三十万円以下の罰金に処する。

2　法人の代表者又は法人若しくは人の代理人、使用人その他の従業者が、その法人又は人の業務に関し、前項の違反行為をしたときは、行為者を罰するほか、その法人又は人に対して同項の罰金刑を科する。

附　則〔略〕〔昭和四九・六・二六法律九八施行〕

附　則〔抄〕〔昭和五三・五・二三法律五五〕

（施行期日等）

1　この法律は、公布の日から施行する。ただし、次の各号に掲げる規定は、当該各号に定める日から施行する。

一〔略〕

二〔前略〕第十四条から第三十二条までの規定　昭和五十四年三月三十一日までの間において政令で定める日

〔昭和五四政三二により、昭和五四・三・三一から施行〕

（経過措置）

3　従前の総理府の国土利用計画審議会並びにその会長、委員及び臨時委員〔中略〕は、それぞれ国土庁の相当の機関及び職員となり、同一性をもつて存続するものとする。

附　則〔昭和五八・一二・二法律七八〕

1　この法律（第一条を除く。）は、昭和五十九年七月一日から施行する。

2　この法律の施行の日の前日において法律の規定により置かれている機関等で、この法律の施行の日以後は国家行政組織法又はこの法律による改正後の関係法律の規定に基づく政令（以下「関係政令」という。）の規定により置かれることとなるものに関し必要となる経過措置その他この法律の施行に伴う関係政令の制定又は改廃に関し必要となる経過措置は、政令で定めることができる。

附　則〔抄〕〔昭和六〇・五・一八法律三七〕

（施行期日等）

1　この法律は、公布の日から施行する。

2　この法律による改正後の法律の規定（昭和六十年度の特例に係る規定を除く。）は、同年度以降の年度の予算に係る国の負担（当該国の負担に係る都道府県又は市町村の負担を含む。以下この項及び次項において同じ。）若しくは補助（昭和五十九年度以前の年度における事務又は事業の実施により昭和六十年度以降の年度に支出される国の負担又は補助及び昭和五十九年度以前の年度の国庫債務負担行為に基づき昭和六十年度以降の年度に支出すべきものとされた国の負担又は補助を除く。）又は交付金の交付について適用し、昭和五十九年度以前の年度における事務又は事業の実施により昭和六十年度以降の年度に支出される国の負担又は補助、昭和五十九年度以前の年度の国庫債務負担行為に基づき昭和六十年度以降の年度に支出すべきものとされた国の負担又は補助及び昭和五十九年度以前の年度の歳出予算に係る国の負担又は補助で昭和六十年度以降の年度に繰り越されたものについては、なお従前の例による。

附　則〔略〕〔昭和六〇・七・一二法律九〇〕

附　則〔抄〕〔昭和六二・六・二法律四七〕

（施行期日等）

1　この法律は、公布の日から起算して三月を超えない範囲内において政令で定める日から施行する。ただし、目次の改正規定、第二十三条及び第二十四条の改正規定、第二十七条の次に四条を加える改正規定（第二十七条の五に係る部分に限る。）、第四十八条の改正規定並びに次項及び附則第五項の規定は、公布の日から施行する。

〔昭和六二政二六〇により、昭和六二・八・一から施行〕

2　改正後の国土利用計画法（以下「新法」という。）第二十七条の二第一項の規定による監視区域の指定及び新法第二十七条の三第二項の規定による都道府県の規則の制定（新法第四十四条の規定により地方自治法（昭和二十二年法律第六十七号）第二百五十二条の十九第一項の指定都市（以下「指定都市」という。）の長に適用があるものとされた新法第二十七条の三第二項の規定による指定都市の規則の制定を含む。）については、都道府県知事及び指定都市の長は、この法律の施行前においても土地利用審査会及び関係市町村長の意見を聴くことができる。

（条例との関係）

3　都道府県又は指定都市の条例の規定で新法第五章の規定に相当するもの

（新法第五章の規定に係る新法第八章及び第九章の規定に相当する規定を伴うものに限る。以下単に「条例の規定」という。）に基づく新法第二十三条第一項の規定による届出に相当する行為（以下「届出相当行為」という。）のうち、この法律の施行前に行われたものについて、条例で、この法律の施行後も土地売買等の契約（新法第十四条第一項の土地売買等の契約をいう。以下同じ。）に関し従前の例による規制を行う旨を規定する場合においては、当該届出相当行為を行った者がこの法律の施行後に当該届出相当行為に係る土地売買等の契約を締結しようとするときにおいても、新法第二十三条第一項の規定による届出を要しない。

4　この法律の施行前に行われた届出相当行為に係る土地又はこの法律の施行前に条例の規定に違反して届出相当行為を行わないで土地売買等の契約が締結された土地を含む一団の土地につき土地に関する権利の移転又は設定（新法第十四条第一項の土地に関する権利の移転又は設定をいう。）をすることとなるときは、当該土地の面積を含めて、新法第二十七条の三第一項の規定により読み替えて適用される新法第二十三条第二項第一号に規定する当該一団の土地の面積を算定する。

附　則〔略〕〔平成元・一二・二二法律八四施行〕

附　則〔抄〕〔平成元・一二・二二法律八五〕

（施行期日）

1　この法律は、公布の日から起算して三月を超えない範囲内において政令で定める日から施行する。

〔平成二政五により、平成二・三・二〇から施行〕

（経過措置）

2　改正後の国土利用計画法（以下「新法」という。）第二十三条第三項、第二十七条の四、第三十九条第九項及び第四十九条第一号の規定は、この法律の施行の日（以下「施行日」という。）以後にされる国土利用計画法第二十三条第一項の規定による届出について適用するものとし、施行日前にされた同項の規定による届出については、なお従前の例による。

3　新法第二十八条第一項の規定は、施行日以後にされる国土利用計画法第十四条第一項の許可又は同法第二十三条第一項の規定による届出に係る土地について適用するものとし、施行日前にされた同法第十四条第一項の許可又は同法第二十三条第一項の規定による届出に係る土地については、なお従前の例による。

附　則〔抄〕〔平成二・六・二九法律六一〕

（施行期日）

1　この法律は、公布の日から起算して六月を超えない範囲内において政令で定める日から施行する。

〔平成二政三二二により、平成二・一一・二〇から施行〕

附　則〔抄〕〔平成一〇・六・二法律八六〕

（施行期日等）

第一条　この法律は、公布の日から起算して三月を超えない範囲内において政令で定める日から施行する。ただし、次項及び第三項の規定は、公布の日から施行する。

〔平成一〇政二八三により、平成一〇・九・一から施行〕

2　改正後の国土利用計画法（以下「新法」という。）第二十七条の三第一項に規定する内閣総理大臣が定める基準は、この法律の施行前においても定めることができる。

3　新法第二十七条の三第一項の規定による注視区域の指定については、都道府県知事及び地方自治法（昭和二十二年法律第六十七号）第二百五十二条の十九第一項の指定都市の長は、この法律の施行前においても土地利用審査会及び関係市町村長の意見を聴くことができる。

（経過措置）

第二条　この法律の施行の日（以下「施行日」という。）前に改正前の国土利用計画法（以下「旧法」という。）の規定によりされた監視区域の指定並びにその指定、指定の解除及び区域の減少のために行われた手続その他の行為は、それぞれ新法の相当規定によりされたものとみなす。

2　施行日前にされた旧法第二十三条第一項の規定による届出に係る土地売買等の契約については、なお従前の例による。

3　施行日前にした行為及び前項の規定によりなお従前の例によることとされる場合におけるこの法律の施行後にした行為に対する罰則の適用については、なお従前の例による。

附　則〔抄〕〔平成一一・七・一六法律八七〕

（施行期日）

第一条　この法律は、平成十二年四月一日から施行する。ただし、次の各号に掲げる規定は、当該各号に定める日から施行する。

一　〔前略〕附則〔中略〕第百六十条、第百六十三条、第百六十四条並びに第二百二条の規定　公布の日

二～六　〔略〕

（国土利用計画法の一部改正に伴う経過措置）

第四三条　施行日前に第八十四条の規定による改正前の国土利用計画法（以下この条において「旧国土利用計画法」という。）第九条第十項（同条第十四項において準用する場合を含む。）の規定によりされた承認又はこの法律の施行の際現にこれらの規定によりされている承認の申請は、それぞれ第八十四条の規定による改正後の国土利用計画法第九条第十項（同条第十四項において準用する場合を含む。）の規定によりされた同意又は協議の申出とみなす。

2　施行日前に旧国土利用計画法第十四条第一項の規定により行われた処分についての旧国土利用計画法第二十条第一項又は第四項の規定による審査請求又は再審査請求については、なお従前の例による。

（国等の事務）

第一五九条　この法律による改正前のそれぞれの法律に規定するもののほか、この法律の施行前において、地方公共団体の機関が法律又はこれに基づく政令により管理し又は執行する国、他の地方公共団体その他公共団体の事務（附則第百六十一条において「国等の事務」という。）は、この法律の施行後は、地方公共団体が法律又はこれに基づく政令により当該地方公共団体の事務として処理するものとする。

（処分、申請等に関する経過措置）

第一六〇条　この法律（附則第一条各号に掲げる規定については、当該各規定。以下この条及び附則第百六十三条において同じ。）の施行前に改正前のそれぞれの法律の規定によりされた許可等の処分その他の行為（以下この条において「処分等の行為」という。）又はこの法律の施行の際現に改正前のそれぞれの法律の規定によりされている許可等の申請その他の行為（以下この条において「申請等の行為」という。）で、この法律の施行の日においてこれらの行為に係る行政事務を行うべき者が異なることとなるものは、附則第二条から前条までの規定又は改正後のそれぞれの法律（これに基づく命令を含む。）の経過措置に関する規定に定めるものを除き、この法律の施行の日以後における改正後のそれぞれの法律の適用については、改正後のそれぞれの法律の相当規定によりされた処分等の行為又は申請等の行為とみなす。

2　この法律の施行前に改正前のそれぞれの法律の規定により国又は地方公共団体の機関に対し報告、届出、提出その他の手続をしなければならない事項で、この法律の施行の日前にその手続がされていないものについては、この法律及びこれに基づく政令に別段の定めがあるもののほか、これを、改正後のそれぞれの法律の相当規定により国又は地方公共団体の相当の機関に対して報告、届出、提出その他の手続をしなければならない事項についてその手続がされていないものとみなして、この法律による改正後のそれぞれの法律の規定を適用する。

（不服申立てに関する経過措置）

第一六一条　施行日前にされた国等の事務に係る処分であって、当該処分をした行政庁（以下この条において「処分庁」という。）に施行日前に行政不服審査法に規定する上級行政庁（以下この条において「上級行政庁」という。）があったものについての同法による不服申立てについては、施行日以後においても、当該処分庁に引き続き上級行政庁があるものとみなして、行政不服審査法の規定を適用する。この場合において、当該処分庁の上級行政庁とみなされる行政庁は、施行日前に当該処分庁の上級行政庁であった行政庁とする。

2　前項の場合において、上級行政庁とみなされる行政庁が地方公共団体の機関であるときは、当該機関が行政不服審査法の規定により処理することとされる事務は、新地方自治法第二条第九項第一号に規定する第一号法定受託事務とする。

（手数料に関する経過措置）

第一六二条　施行日前においてこの法律による改正前のそれぞれの法律（これに基づく命令を含む。）の規定により納付すべきであった手数料については、この法律及びこれに基づく政令に別段の定めがあるもののほか、なお従前の例による。

（罰則に関する経過措置）

第一六三条　この法律の施行前にした行為に対する罰則の適用については、なお従前の例による。

（その他の経過措置の政令への委任）

第一六四条　この附則に規定するもののほか、この法律の施行に伴い必要な経過措置（罰則に関する経過措置を含む。）は、政令で定める。

2　〔略〕

附　則　〔抄〕〔平成一一・一二・八法律一五一〕

（施行期日）

第一条　この法律は、平成十二年四月一日から施行する。〔以下略〕

（経過措置）

第三条　民法の一部を改正する法律（平成十一年法律第百四十九号）附則第三条第三項の規定により従前の例によることとされる準禁治産者及びその保佐人に関するこの法律による改正規定の適用については、次に掲げる改正規定を除き、なお従前の例による。

一～五　〔略〕

六　第二十八条の規定による〔中略〕国土利用計画法第三十九条第五項の改正規定

七～二十五　〔略〕

第四条　この法律の施行前にした行為に対する罰則の適用については、なお従前の例による。

附　則　〔略〕〔平成一一・一二・二二法律一六〇〕

附　則　〔略〕〔平成一二・五・一九法律七三〕

附　則　〔略〕〔平成一六・三・三一法律一〇〕

附　則　〔略〕〔平成一六・六・二法律六六〕

附　則　〔略〕〔平成一七・七・二九法律八九〕

附　則　〔略〕〔平成二三・五・二法律三五〕

附　則　〔略〕〔平成二三・五・二法律三七〕

附　則　〔略〕〔平成二三・八・三〇法律一〇五施行〕

附　則　〔略〕〔平成二五・六・一四法律四四施行〕

附　則　〔略〕〔平成二六・六・四法律五一〕

附　則　〔抄〕〔平成二六・六・一三法律六九〕

（施行期日）

第一条　この法律は、行政不服審査法（平成二十六年法律第六十八号）の施行の日〔平二八・四・一〕から施行する。

（経過措置の原則）

第五条　行政庁の処分その他の行為又は不作為についての不服申立てであってこの法律の施行前にされた行政庁の処分その他の行為又はこの法律の施行前にされた申請に係る行政庁の不作為に係るものについては、この附則に特別の定めがある場合を除き、なお従前の例による。

（訴訟に関する経過措置）

第六条　この法律による改正前の法律の規定により不服申立てに対する行政庁の裁決、決定その他の行為を経た後でなければ訴えを提起できないこととされる事項であって、当該不服申立てを提起しないでこの法律の施行前にこれを提起すべき期間を経過したもの（当該不服申立てが他の不服申立てに対する行政庁の裁決、決定その他の行為を経た後でなければ提起できないとされる場合にあっては、当該他の不服申立てを提起しないでこの法律の施行前にこれを提起すべき期間を経過したものを含む。）の訴えの提起については、なお従前の例による。

2　この法律の規定による改正前の法律の規定（前条の規定によりなお従前の例によることとされる場合を含む。）により異議申立てが提起された処分その他の行為であって、この法律の規定による改正後の法律の規定により審査請求に対する裁決を経た後でなければ取消しの訴えを提起することができないこととされるものの取消しの訴えの提起については、なお従前の例による。

3　不服申立てに対する行政庁の裁決、決定その他の行為の取消しの訴えであって、この法律の施行前に提起されたものについては、なお従前の例による。

（罰則に関する経過措置）

第九条　この法律の施行前にした行為並びに附則第五条及び前二条の規定によりなお従前の例によることとされる場合におけるこの法律の施行後にした行為に対する罰則の適用については、なお従前の例による。

（その他の経過措置の政令への委任）

第一〇条　附則第五条から前条までに定めるもののほか、この法律の施行に関し必要な経過措置（罰則に関する経過措置を含む。）は、政令で定める。

附　則　〔抄〕〔平成二九・四・二六法律二五〕

（施行期日）

第一条　この法律〔中略〕は、当該各号に定める日から施行する。

一　〔前略〕第十条の規定並びに附則第六条から第八条まで〔中略〕の規定　公布の日

二・三　〔略〕

（国土利用計画法の一部改正に伴う経過措置）

第六条　附則第一条第一号に掲げる規定の施行の際現に第十条の規定による改正前の国土利用計画法（次項において「旧国土利用計画法」という。）第九条第十項（同条第十四項において準用する場合を含む。）の規定により国土交通大臣に対してされている協議の申出は、第十条の規定による改正後の国土利用計画法（次項において「新国土利用計画法」という。）第九条第十項（同条第十四項において準用する場合を含む。）の規定により国土交通大臣に対してされた意見の聴取の申出とみなす。

2　附則第一条第一号に掲げる規定の施行の際現に旧国土利用計画法第九条第十二項（同条第十四項において準用する場合を含む。）の規定によりされている協議の申出は、新国土利用計画法第九条第十一項（同条第十四項において準用する場合を含む。）の規定によりされた意見の聴取の申出とみなす。

（処分、申請等に関する経過措置）

第七条　この法律（附則第一条各号に掲げる規定については、当該各規定。以下この条において同じ。）の施行の日前にこの法律による改正前のそれぞれの法律の規定によりされた認定等の処分その他の行為（以下この項において「処分等の行為」という。）又はこの法律の施行の際現にこの法律による改正前のそれぞれの法律の規定によりされている認定等の申請その他の行為（以下この項において「申請等の行為」という。）で、この法律の施行の日においてこれらの行為に係る行政事務を行うべき者が異なることとなるものは、附則第二条から前条までの規定又は次条の規定に基づく政令に定めるものを除き、この法律の施行の日以後におけるこの法律による改正後のそれぞれの法律の適用については、この法律による改正後のそれぞれの法律の相当規定によりされた処分等の行為又は申請等の行為とみなす。

2　この法律の施行の日前にこの法律による改正前のそれぞれの法律の規定により国又は地方公共団体の機関に対し、報告、届出、提出その他の手続をしなければならない事項で、この法律の施行の日前にその手続がされていないものについては、附則第二条から前条までの規定又は次条の規定に基づく政令に定めるもののほか、これを、この法律による改正後のそれぞれの法律の相当規定により国又は地方公共団体の相当の機関に対して報告、届出、提出その他の手続をしなければならない事項についてその手続がされていないものとみなして、この法律による改正後のそれぞれの法律の規定を適用する。

（政令への委任）

第八条　附則第二条から前条までに規定するもののほか、この法律の施行に関し必要な経過措置は、政令で定める。

附　則　〔抄〕〔令和二・六・一〇法律四三〕

（施行期日）

第一条　この法律は、公布の日から起算して三月を超えない範囲内において政令で定める日から施行する。〔以下略〕

〔令和二政二六七により、令和二・九・七から施行〕

○国土利用計画法施行令

〔昭和四九・一二・二〇
政令三八七〕

改正　昭和五〇・四政一三三、八政二四八、昭和五三・六政二六〇、昭和五五・八政二三一、九政二四二、昭和五六・八政二六八、一一政三二一、昭和五九・六政一八二、八政二五九、昭和六〇・三政二四、政三二、五政一三八、昭和六二・三政五四、七政二六一、昭和六三・七政二三二、一二政三五九、平成元・三政三九、平成二・一政六、一一政三二三、平成四・八政二七八、平成七・一一政三九四、平成八・九政二八〇、平成九・一一政三三三、平成一〇・八政二八四、一〇政三三六、政三三八、平成一一・三政六〇、八政二五六、九政二七六、政三〇六、一〇政三四六、平成一二・三政八六、六政三一二、政三五四、平成一三・二政二八、政三一、政三二一、三政九八、平成一四・一二政三八五、平成一五・一政一、三政一二一、六政二九三、政二九六、七政三二九、八政三六一、九政四三八、一二政四八九、政五五三、平成一六・三政五〇、政九三、四政一六〇、五政一八一、一〇政三一八、平成一七・三政三八、六政二〇三、平成一八・一政一二、四政一八一、平成一九・八政二三五、平成二〇・三政一二七、一〇政三三四、平成二一・一二政二八五、平成二四・七政一九七、平成二五・一二政三三九、平成二六・三政五四、九政二九一、平成二七・一一政三九二、平成二九・八政二二一、令和二・九政二六八

（**全国計画、都道府県計画及び市町村計画の計画事項**）

第一条　国土利用計画法（以下「法」という。）第五条第一項の全国計画には、次に掲げる事項を定めるものとする。

一　国土の利用に関する基本構想

二　国土の利用目的に応じた区分ごとの規模の目標及びその地域別の概要

三　前号に掲げる事項を達成するために必要な措置の概要

２　法第七条第一項の都道府県計画を定める場合には、当該都道府県の区域における国土の利用に関し前項各号に掲げる事項について定めるものとする。

３　法第八条第一項の市町村計画を定める場合には、当該市町村の区域における国土の利用に関し第一項各号に掲げる事項について定めるものとする。

（**土地利用基本計画**）

第二条　法第九条第一項の土地利用基本計画には、縮尺五万分の一の地形図により同条第二項各号に掲げる地域を定めるものとする。

第三条　法第九条第十四項の政令で定める軽易な変更は、市町村の名称の変更、市町村の区域内の町若しくは字の区域の新設若しくは廃止若しくは区域若しくはその名称の変更又は地番の変更に伴う変更とする。

（**規制区域の指定等に係る登記所への通知**）

第四条　都道府県知事は、法第十二条第三項、第八項又は第十二項（同条第十五項において準用する場合を含む。）の規定による公告をしたときは、遅滞なく、その公告に係る区域を管轄する登記所にその公告に係る事項を通知しなければならない。

（**使用及び収益を目的とする権利**）

第五条　法第十四条第一項の政令で定める使用及び収益を目的とする権利は、土地に関する地上権及び賃借権とする。

（**土地に関する権利の移転等の許可を要しない場合**）

第六条　法第十四条第二項の政令で定める場合は、次のとおりとする。

一　法第十九条第一項の規定による買取り請求（以下「買取り請求」という。）に基づき土地に関する権利を買い取る場合

二　民事訴訟法（平成八年法律第百九号）による和解である場合

三　預金保険法（昭和四十六年法律第三十四号）第五章若しくは第七章の二、農水産業協同組合貯金保険法（昭和四十八年法律第五十三号）第六章、保険業法（平成七年法律第百五号）第二編第十章第二節、金融機関等の更生手続の特例等に関する法律（平成八年法律第九十五号）、金融機能の再生のための緊急措置に関する法律（平成十年法律第百三十二号）、民事再生法（平成十一年法律第二百二十五号）、農水産業協同組合の再生手続の特例等に関する法律（平成十二年法律第九十五号）、外国倒産処理手続の承認援助に関する法律（平成十二年法律第百二十九号）、会社更生法（平成十四年法律第百五十四号）、破産法（平成十六年法律第七十五号）又は会社法（平成十七年法律第八十六号）第二編第九章若しくは第三編第八章の規定に基づく手続において裁判所の許可を得て行われる場合

四　公有水面埋立法（大正十年法律第五十七号）第二十七条第一項の許可を受けることを要する場合

五　家事事件手続法（平成二十三年法律第五十二号）による調停に基づく場合

六　土地収用法（昭和二十六年法律第二百十九号）第十五条の二のあつせんに基づく場合又は同法第五十条の規定による和解である場合

七　農地法（昭和二十七年法律第二百二十九号）第三条第一項の許可を受けることを要する場合（同項各号に掲げる場合のうち国土交通省令で定める場合を含む。）

八　新住宅市街地開発法（昭和三十八年法律第百三十四号）第三十条第一項の規定により同法及び同法第二十二条第一項の認可を受け、又は同条第二項の同意を得た処分計画に従つて造成施設等を処分する場合

九　新都市基盤整備法（昭和四十七年法律第八十六号）第四十八条第一項の規定により同法及び同法第四十五条第一項の同意を得た処分計画に従つて施設用地を処分する場合

十　滞納処分、強制執行、担保権の実行としての競売（その例による競売を含む。）又は企業担保権の実行により換価する場合

十一　非常災害に際し必要な応急措置を講ずるために行われる場合（当該土地が所在する市町村の長の認定を受けている場合に限る。）

十二　一の区域が法第十二条第一項の規定により規制区域として指定された際当該区域に係る土地について法第二十七条の四第一項（法第二十七条の七第一項において準用する場合を含む。）の規定による届出がされており、かつ、その土地について、その届出に係る事項のうち、土地に関する権利の移転又は設定の予定対価の額等の変更（土地に関する権利の移転又は設定の予定対価の額の変更（その額を減額する場合を除く。）及び土地に関する権利の移転又は設定後における土地の利用目的の変更をいう。以下同じ。）をしないで、土地売買等の契約が締結される場合

（**土地に関する権利の相当な価額の算定**）

第七条　法第十六条第一項第一号の規定により近傍類地の取引価格等を考慮して法第十二条第三項の規定による公告（以下「規制区域の指定の公告」という。）の時における法第十四条第一項の許可の申請（以下「許可申請」という。）に係る土地に関する権利の相当な価額を算定するには、次に掲げるところによるものとする。

一　許可申請に係る土地に関する権利が宅地の所有権である場合には、当該所有権の相当な価額は、次のイ又はロに掲げる場合の区分に応じ、それぞれ次のイ又はロに定めるところにより算定した額とする。

イ　規制区域の指定の公告の時において、許可申請に係る土地が市街地を形成している区域のうち土地の利用状況が安定していると認められる一帯の地域で第九条第一項の規定により選定された画地（以下「基準地」という。）を含むものの内に所在し、かつ、当該土地の利用価値が当該基準地の利用価値に類似している場合（当該土地が特殊な形状その他国土交通省令で定める態様に該当する場合を除く。）　許可申請に係る土地の固定資産税評価額（規制区域の指定の公告の時において地方税法（昭和二十五年法律第二百二十六号）第三百八十一条第一項又は第二項の規定により土地課税台帳又は土地補充課税台帳に登録されている価格をいう。以下同じ。）の単位面積当たりの価格に、指定時標準価格（第九条第一項の規定により判定された標準価格に係る基準日から規制区域の指定の公告の時までの間の土地の価格の変動に応じ社会的経済的事情を勘案して当該標準価格を修正した価格をいう。以下同じ。）で当該基準地に係るものを当該基準地の固定資産税評価額の単位面積当たりの価格で除して得た値を乗じて得た額に更に許可申請に係る土地の面積を乗じて得た額

ロ　イに掲げる場合以外の場合　次の⑴又は⑵に定めるところにより算定した額

⑴　国土交通省令で定めるところにより、許可申請に係る土地と規制

区域の指定の公告の時においてこれに類似する利用価値を有すると認められる一又は二以上の基準地との位置、地積、環境等の土地の客観的価値に作用する諸要因についての比較を行い、その結果に基づき、当該基準地の指定時標準価格に比準して得た額

(2) (1)の規定により基準地の指定時標準価格に比準して額を算定することが困難であるときは、規制区域の指定の公告の時における近傍類地の取引価格から算定される推定の価格、その時における近傍類地の地代等から算定される推定の価格及びその時における同等の効用を有する土地の造成に要する推定の費用の額を勘案して算定した額

二 許可申請に係る土地に関する権利が森林の土地の所有権である場合には、当該所有権の相当な価額は、次のイ又はロに掲げる場合の区分に応じ、それぞれ次のイ又はロに定めるところにより算定した額とする。

イ 規制区域の指定の公告の時において許可申請に係る土地に類似する利用価値を有すると認められる基準地がある場合 前号ロ(1)の規定に準じて比準して得た額

ロ イに掲げる場合以外の場合 規制区域の指定の公告の時における近傍類地の取引価格から算定される推定の価格及びその時における近傍類地の地代等から算定される推定の価格を勘案して算定した額

三 許可申請に係る土地に関する権利が宅地及び森林の土地以外の土地の所有権である場合には、当該所有権の相当な価額は、次のイ又はロに掲げる場合の区分に応じ、それぞれ次のイ又はロに定めるところにより算定した額とする。

イ 規制区域の指定の公告の時において許可申請に係る土地に類似する利用価値を有すると認められる基準地がある場合 第一号ロ(1)の規定に準じて比準して得た額

ロ イに掲げる場合以外の場合 規制区域の指定の公告の時における近傍類地の取引価格から算定される推定の価格、その時における近傍類地の地代等から算定される推定の価格及びその時における同等の効用を有する土地の造成に要する推定の費用の額を勘案して算定した額(これらの推定の価格及び推定の費用の額を求めることが困難であるときは、国土交通省令で定めるところにより、その時において許可申請に係る土地を宅地であつたものとして第一号の規定に準じて算定した額、当該土地を宅地とするための造成に要する推定の費用の額等に基づき算定した額又はその時における周辺の宅地若しくは森林の土地について前二号の規定に準じて算定した額若しくはその時における周辺の農地若しくは採草放牧地について近傍類地の取引価格から算定される推定の価格等を勘案して算定した額に基づき算定した額)

四 許可申請に係る土地に関する権利が土地の使用及び収益を目的とする権利の目的となつている土地の所有権である場合には、当該所有権の相当な価額は、前三号の規定にかかわらず、規制区域の指定の公告の時における近傍類地に関する当該土地の使用及び収益を目的とする権利と同種の権利に係る地代又は借賃、権利金、権利の存続期間その他の契約内容、その時において許可申請に係る土地を含む地域において慣行となつていると認められる借地権割合(借地権価格と借地権の目的となつている土地の所有権の価格(借地権が存しないものとして通常成立すると認められる価格をいう。)との割合をいう。以下同じ。)等に応じ、その時における当該同種の権利の目的となつている土地の取引価格から算定される推定の価格及びその時における当該同種の権利に係る地代等から算定される推定の価格を勘案して算定した額とする。

五 許可申請に係る土地に関する権利が土地に関する地上権又は賃借権である場合には、当該権利の相当な価額は、規制区域の指定の公告の時における近傍類地に関する当該権利と同種の権利に係る地代又は借賃、権利金、権利の存続期間その他の契約内容、その時において許可申請に係る土地を含む地域において慣行となつていると認められる借地権割合等に応じ、その時における当該同種の権利の取引価格から算定される推定の価格及びその時における当該同種の権利に係る地代等から算定される推定の価格を勘案して算定した額とする。

六 許可申請に係る土地に関する権利が土地に関する所有権、地上権又は賃借権の取得を目的とする権利である場合には、当該権利の相当な価額は、その取得の目的となつている土地の所有権及びその所有権に係る土地の態様並びにその土地に関する地上権及び賃借権の区分に応じ、前各号の規定に準じて算定した額とする。

2 許可申請に係る土地が土地の面積、形状等につき国土交通省令で定める要件に該当する一団の土地の区域内に所在し、かつ、当該一団の土地に係る土地の所有者のうち相当数の者が同時に許可申請をした場合には、前項の規定にかかわらず、当該一団の土地を地目、地形その他の条件が類似していると認められる地区に分け、その地区において当該条件からみて標準的と認められる土地を選定し、その選定された土地につき同項第一号から第三号までの規定に基づき算定した規制区域の指定の公告の時における価額を基準として、その選定された土地を含む地区内の許可申請に係る土地の所有権のその時における相当な価額を算定することができる。

3 地目変換、法令に基づく措置その他の国土交通省令で定める事由により許可申請に係る土地の状況又は当該土地の周辺の事情が規制区域の指定の公告の時における当該土地の状況又は当該土地の周辺の事情と著しく異なることとなつていると認められる場合(国土交通省令で定める特別な事情がある場合を除く。)には、近傍類地の取引価格等を考慮して算定する規制区域の指定の公告の時における許可申請に係る土地に関する権利の相当な価額については、その時において、当該土地が許可申請の時におけるその状況であり又は当該土地の周辺の事情が許可申請の時におけるその事情であつたものとして、前二項の規定を適用して算定するものとする。この場合において、第一項中「算定した額とする」とあるのは「算定した額(規制区域の指定の公告の時以後宅地の造成等のための費用の負担があるときは、その費用の額を除く。)とする」と、前項中「算定することができる」とあるのは「算定することができる。この場合において、その時以後宅地の造成等のための費用の負担があるときは、その時における相当な価額の算定に当たつてその費用の額を除くものとする」とする。

4 第一項第一号ロ(2)、第二号ロ、第三号ロ、第四号又は第五号の推定の価格又は推定の費用の額は、次に掲げるところによるほか、国土交通省令で定めるところにより求めるものとする。

一 近傍類地等の取引価格又は地代等が投機的取引、当該土地を特別な用途に供するための取引その他の特別な事情を反映して形成されていると認められるときは、その事情を除去するための補正を行うものとする。

二 近傍類地等の取引価格又は地代等が規制区域の指定の公告の時前のものであり、かつ、その時までの間に土地の価格に変動があると認められるときは、その変動に応じ社会的経済的事情を勘案して修正するものとする。

(公示価格を規準とする土地の所有権の価額の算定)

第八条 法第十六条第一項第一号の規定により地価公示法(昭和四十四年法律第四十九号)第六条の規定による公示価格(以下「公示価格」という。)を規準として規制区域の指定の公告の時における許可申請に係る土地の所有権の価額を算定するには、次に掲げるところによるものとする。

一 許可申請に係る土地が宅地である場合には、当該土地の所有権の価額は、国土交通省令で定めるところにより、許可申請に係る土地と規制区域の指定の公告の時においてこれに類似する利用価値を有すると認められる一若しくは二以上の標準地(地価公示法第二条第一項に規定する標準地をいう。以下同じ。)若しくは基準地との位置、地積、環境等の土地の客観的価値に作用する諸要因についての比較を行い、その結果に基づき、当該標準地の指定時公示価格(公示価格に係る基準日から規制区域の指定の公告の時までの間の土地の価格の変動に応じ社会的経済的事情を勘案して当該公示価格を修正した価格をいう。以下同じ。)若しくは当該基準地の指定時標準価格に比準して得た額又は規制区域の指定の公告の時において当該土地に類似する利用価値を有すると認められる一若しくは二以上の標準地若しくは基準地の指定時公示価格若しくは指定時標準価格と均衡を保つように前条第一項第一号ロ(2)の規定に準じて算定した額とする。

二 許可申請に係る土地が宅地及び森林の土地以外の土地である場合には、当該土地の所有権の価額は、規制区域の指定の公告の時において当該土地に類似する利用価値を有すると認められる一又は二以上の標準地又は基準地の指定時公示価格又は指定時標準価格と均衡を保つように前条第一項第三号の規定に準じて算定した額とする。

三 許可申請に係る土地が土地の使用及び収益を目的とする権利の目的となつている土地(森林の土地を除く。)である場合には、当該土地の所有権の価額は、前二号の規定にかかわらず、規制区域の指定の公告の時において当該土地に類似する利用価値を有すると認められる一又は二以上の標準地又は基準地の指定時公示価格又は指定時標準価格と均衡を保

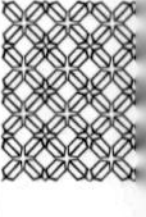

つように前条第一項第四号の規定に準じて算定した額とする。

2　前条第二項及び第三項の規定は、法第十六条第一項第一号の規定により公示価格を規準として規制区域の指定の公告の時における許可申請に係る土地の所有権の価額を算定する場合に準用する。

（基準地の標準価格）

第九条　都道府県知事は、自然的及び社会的条件からみて類似の利用価値を有すると認められる地域（法第十二条第一項の規定により指定された規制区域を除く。）において、土地の利用状況、環境等が通常と認められる画地を選定し、その選定された画地について、毎年一回、一人以上の不動産鑑定士の鑑定評価を求め、その結果を審査し、必要な調整を行つて、国土交通省令で定める一定の基準日における当該画地の単位面積当たりの標準価格を判定するものとする。

2　前項の標準価格は、土地について、自由な取引が行われるとした場合におけるその取引（農地又は採草放牧地の取引（農地及び採草放牧地以外のものとするための取引を除く。）を除く。）において通常成立すると認められる価格（当該土地に建物その他の定着物が存する場合又は当該土地に関して当該土地の使用及び収益を目的とする権利が存する場合には、これらの定着物又は権利が存しないものとして通常成立すると認められる価格）とする。

3　都道府県知事は、第一項の規定により標準価格を判定するに当たつては、その標準価格に係る基準地が地価公示法第二条第一項に規定する公示区域内に所在する土地（森林の土地を除く。）であるときは、公示価格を規準とし、その標準価格に係る基準地が当該公示区域内に所在する森林の土地であり又は当該公示区域外に所在するときは、近傍類地の取引価格から算定される推定の価格、近傍類地の地代等から算定される推定の価格及び同等の効用を有する土地の造成に要する推定の費用の額を勘案して行うものとする。

4　都道府県知事は、前項の推定の価格又は推定の費用の額を求めるには、次に掲げるところによるほか、国土交通省令で定めるところにより行うものとする。

一　近傍類地の取引価格又は地代等が投機的取引、当該土地を特別な用途に供するための取引その他の特別な事情を反映して形成されていると認められるときは、その事情を除去するための補正を行うものとする。

二　近傍類地の取引価格又は地代等が標準価格を判定する基準日前のものであり、かつ、その基準日までの間に土地の価格に変動があると認められるときは、その変動に応じ社会的経済的事情を勘案して修正するものとする。

5　都道府県知事は、第一項の規定により標準価格を判定したときは、基準地の所在、基準地の単位面積当たりの価格、価格判定の基準日その他必要と認める事項の周知に努めるものとする。

（物価の変動に応ずる修正率の算定の方法）

第一〇条　法第十六条第一項第一号又は第十九条第二項に規定する修正率の算定の方法は、総務省統計局が統計法（平成十九年法律第五十三号）第二条第四項に規定する基幹統計である小売物価統計のための調査の結果に基づき作成する消費者物価指数のうち全国総合指数（以下「全国総合消費者物価指数」という。）及び日本銀行が同法第二十五条の規定により届け出て行う統計調査の結果に基づき作成する企業物価指数のうち投資財指数（以下「投資財指数」という。）を用いて、付録の式により算定する方法とする。

（宅地の造成等のための費用）

第一一条　法第十六条第一項第一号の宅地の造成等のための費用で政令で定めるものは、本工事費、附帯工事費その他の宅地の造成等に要する工事費、宅地の造成等に伴う公共施設又は公益的施設に係る負担、当該宅地等の販売に要する経費及び宅地の造成等の事業に要する一般管理費並びにこれらに充当する資金に要する費用とする。

（法第十六条第一項第二号への政令で定める場合）

第一二条　法第十六条第一項第二号への政令で定める場合は、次のとおりとする。

一　土地収用法その他の法律により土地に関する権利を収用された者又は法第十六条第一項第二号イに規定する事業を施行する者若しくは同号ハ若しくはホに規定する事業を行う者にこれらの事業の用に供するためのものとして、若しくは同号ニに規定する施設を設置する者にその施設を設置するためのものとして土地に関する権利を買い取られた者がその代替の用に供するためのものである場合

二　法第十六条第一項第二号イに規定する事業を施行する者若しくは同号ハ若しくはホに規定する事業を行う者がこれらの事業の用に供する土地の代替の用に供し、又は同号ニに規定する施設を設置する者がその施設を設置する土地の代替の用に供するためのものである場合

三　法第十六条第一項第二号イに規定する事業を施行し、同号ハ若しくはホに規定する事業を行い、又は同号ニに規定する施設を設置する国、地方公共団体又は第十四条に規定する法人がこれらの事業の用に供し、又はその施設を設置するための土地について、これらの者に土地に関する権利を移転するためのものである場合（その移転が確実であると認められる場合に限る。）

四　通常の経済活動として行われる債権の担保若しくは債務の弁済のためのものであり、又は通常の経済活動として行われる債務の弁済によるものである場合

（許可又は不許可の通知）

第一三条　都道府県知事は、法第十四条第一項の規定による処分をしたときは、遅滞なく、その旨並びに当該処分に係る土地の所在及び面積その他国土交通省令で定める事項を記載した文書をもつて申請者に通知しなければならない。法第十七条第二項の規定により法第十四条第一項の許可があつたものとみなされたときも、同様とする。

2　都道府県知事は、前項の規定による通知をしたときは、遅滞なく、その土地が所在する市町村の長にその通知に係る事項を通知しなければならない。

（法第十八条の政令で定める法人）

第一四条　法第十八条の政令で定める法人は、港務局、独立行政法人都市再生機構、独立行政法人水資源機構、独立行政法人中小企業基盤整備機構、独立行政法人鉄道建設・運輸施設整備支援機構、地方住宅供給公社、日本勤労者住宅協会、独立行政法人空港周辺整備機構、地方道路公社及び土地開発公社とする。

（土地に関する権利の買取り請求）

第一五条　土地に関する権利の買取り請求をしようとする者は、国土交通省令で定めるところにより、買取り請求に係る土地に関する権利の種別及び内容、その土地の所在及び面積その他国土交通省令で定める事項を記載した請求書を都道府県知事に提出しなければならない。

第一六条　第七条第一項から第三項までの規定は、法第十九条第二項の規定により近傍類地の取引価格等を考慮して規制区域の指定の公告の時における買取り請求に係る土地に関する権利の相当な価額を算定する場合に準用する。この場合において、第七条第一項から第三項までの規定中「許可申請」とあるのは、「買取り請求」と読み替えるものとする。

2　第七条第二項及び第三項並びに第八条第一項の規定は、法第十九条第二項の規定により公示価格を規準として規制区域の指定の公告の時における買取り請求に係る土地の所有権の価額を算定する場合に準用する。この場合において、第七条第二項及び第三項並びに第八条第一項中「許可申請」とあるのは、「買取り請求」と読み替えるものとする。

3　第十一条の規定は、買取り請求に係る者が負担した宅地の造成等のための費用について準用する。

（口頭審理についての準用）

第一六条の二　法第二十条第三項の口頭審理については、行政不服審査法施行令（平成二十七年政令第三百九十一号）第二条の規定により読み替えられた同令第八条の規定を準用する。この場合において、同条中「総務省令」とあるのは、「国土交通省令」と読み替えるものとする。

（土地に関する権利の移転又は設定後における利用目的等の届出を要しない場合）

第一七条　法第二十三条第二項第三号の政令で定める場合は、土地売買等の契約の締結が次に掲げる場合に該当して行われたものである場合とする。

一　第六条第二号から第八号まで、第十号又は第十一号に掲げる場合

二　法第三十二条の規定により遊休土地を買い取る場合

三　土地収用法第二十六条第一項（同法第百三十八条第一項において準用する場合を含む。）の規定による事業の認定の告示（都市計画法（昭和四十三年法律第百号）その他の法律の規定により事業の認定の告示とみなされるものを含む。）に係る事業の用に供される土地に関する権利について移転又は設定が行われる場合

四　森林法（昭和二十六年法律第二百四十九号）第五十条第一項に規定す

る使用権が設定されている土地について同法第五十五条第一項の協議に基づきその所有権の移転が行われる場合

五　都市計画法第五十五条第四項の規定により土地の買取りの申出の相手方として公告された者が同法第五十六条第一項の規定により土地を買い取る場合

六　都市計画法第五十八条の十の規定により遊休土地を買い取る場合

七　法第十二条第八項の規定による公告がされた際、規制区域の指定が解除された際、規制区域に係る区域の減少があつた際、又は規制区域の指定期間が満了することにより一の区域が規制区域でなくなつた際当該区域に係る土地について許可申請がされ、若しくは法第十四条第一項の許可を受け、又は法第十七条第二項の規定により法第十四条第一項の許可があつたものとみなされており、かつ、その土地について、その許可申請又は許可に係る事項のうち土地に関する権利の移転又は設定後における土地の利用目的の変更をしないで、土地売買等の契約が締結される場合

八　注視区域若しくは監視区域の指定が解除された際、注視区域若しくは監視区域に係る区域の減少があつた際、又は注視区域若しくは監視区域の指定期間が満了することにより一の区域が注視区域若しくは監視区域でなくなつた際当該区域に係る土地について法第二十七条の四第一項（法第二十七条の七第一項において準用する場合を含む。）の規定による届出がされており、かつ、その土地について、その届出に係る事項のうち土地に関する権利の移転又は設定後における土地の利用目的の変更をしないで、土地売買等の契約が締結される場合

（注視区域における土地に関する権利の移転等の届出を要しない場合）

第一七条の二　法第二十七条の四第二項第二号の政令で定める場合は、次のとおりとする。

一　第六条第二号から第八号まで、第十号又は第十一号に掲げる場合

二　前条第二号から第六号までに掲げる場合

三　住宅施設及び医療施設、購買施設その他の居住者の共同の福祉又は利便のため必要な施設の用に供するために造成された宅地である一団の土地について次に掲げる区画を設け、その区画に係る土地ごとに、国土交通省令で定めるところによりその予定対価の額が法第二十七条の五第一項第一号に該当しない旨の都道府県知事の確認を受けて土地に関する権利の移転又は設定を行う場合（都道府県知事がその予定対価の額が同号に該当しないと認められる期間を定めて確認した場合にあつては、当該期間内に土地に関する権利の移転又は設定を行う場合に限る。）

イ　住宅施設に係る五百平方メートル以下の面積の区画（面積が八百平方メートル以下の区画であつて、法面の部分を除いた面積が五百平方メートル以下のものを含む。）

ロ　居住者の共同の福祉又は利便のため必要な施設に係る千平方メートル以下の面積の区画

ハ　主として保養の目的に供される住宅施設その他の国土交通省令で定める施設に係る区画であつて、その周辺の地域における土地取引及び土地利用の動向に照らし、イ又はロに定める面積を超えることとすることが適当であるものとして、都道府県知事が、都道府県の規則で、区域を限り、イ又はロに定める面積を超え千五百平方メートル以下の範囲内で定める面積以下のもの（イ又はロに該当するものを除く。）

四　国土交通省令で定めるところによりその予定対価の額が法第二十七条の五第一項第一号に該当しない旨の都道府県知事の確認を受けて土地に関する権利の移転又は設定を当該土地に関する権利に係る建物で区分所有に係るものの区分所有権の移転と併せて行う場合（都道府県知事がその予定対価の額が同号に該当しないと認められる期間を定めて確認した場合にあつては、当該期間内に土地に関する権利の移転又は設定を行う場合に限る。）であつて、当該土地に関する権利が当該建物の区分所有権者の共有となるものである場合

五　国土交通省令で定めるところによりその予定対価の額が法第二十七条の五第一項第一号に該当しない旨の都道府県知事の確認を受けて不動産特定共同事業法（平成六年法律第七十七号）第二条第三項に規定する不動産特定共同事業契約に基づく出資、賃貸、賃貸の委任その他国土交通省令で定める行為の目的となる土地に関する権利の移転又は設定を行う場合（都道府県知事がその予定対価の額が同号に該当しないと認められる期間を定めて確認した場合にあつては、当該期間内に土地に関する権利の移転又は設定を行う場合に限る。）であつて、当該土地に関する権利が当該不動産特定共同事業契約に係る同条第五項に規定する不動産特定共同事業者、同条第七項に規定する小規模不動産特定共同事業者、同条第九項に規定する特例事業者若しくは同条第十一項に規定する適格特例投資家限定事業者と同条第十二項に規定する事業参加者との共有となるもの又は当該不動産特定共同事業契約に係る同項に規定する事業参加者の共有となるものである場合（当該土地に関する権利の移転又は設定が当該土地を含む周辺の地域の適正かつ合理的な土地利用を図るために著しい支障がある場合として国土交通省令で定める場合を除く。）

六　法第十二条第八項の規定による公告がされた際、規制区域の指定が解除された際、規制区域に係る区域の減少があつた際、又は規制区域の指定期間が満了することにより一の区域が規制区域でなくなつた際当該区域に係る土地について許可申請がされ、若しくは法第十四条第一項の許可を受け、又は法第十七条第二項の規定により法第十四条第一項の許可があつたものとみなされており、かつ、その土地について、その許可申請又は許可に係る事項のうち土地に関する権利の移転又は設定の予定対価の額等の変更をしないで、土地売買等の契約が締結される場合

七　監視区域の指定が解除された際、監視区域に係る区域の減少があつた際、又は監視区域の指定期間が満了することにより一の区域が監視区域でなくなつた際当該区域に係る土地について法第二十七条の七第一項において準用する法第二十七条の四第一項の規定による届出がされており、かつ、その土地について、その届出に係る事項のうち土地に関する権利の移転又は設定の予定対価の額等の変更をしないで、土地売買等の契約が締結される場合

2　都道府県知事は、前項第三号から第五号までに規定する確認の申請があつたときは、その申請があつた日から起算して六週間以内に、確認をする場合にあつてはその旨を、確認をしない場合にあつては理由を付してその旨を申請者に通知しなければならない。

3　都道府県知事は、第一項第三号から第五号までの規定による確認の申請があつた場合において、申請書の記載によつては当該申請に係る土地に関する権利の移転又は設定の予定対価の額が法第二十七条の五第一項第一号に該当するか否かを前項の期間内に確認することが困難であるときは、三週間の範囲内において、同項の期間を延長することができる。この場合においては、同項の期間内に、延長する期間及び期間を延長する理由を申請者に通知しなければならない。

（届出に係る土地に関する権利の価額についての準用）

第一八条　第七条第一項及び第二項の規定は、法第二十七条の五第一項第一号の規定により近傍類地の取引価格等を考慮して法第二十七条の四第一項（法第二十七条の七第一項において準用する場合を含む。）の規定による届出に係る土地に関する権利の相当な価額を算定する場合に準用する。この場合において、第七条第一項第一号中「許可申請に係る土地に」とあるのは「法第二十七条の四第一項（法第二十七条の七第一項において準用する場合を含む。）の規定による届出（以下この項及び次項において「届出」という。）に係る土地に」と、同号イ及びロ中「許可申請」とあり、「規制区域の指定の公告」とあるのは「届出」と、「指定時標準価格」とあるのは「届出時標準価格」と、同項第二号から第五号までの規定中「許可申請」とあり、「規制区域の指定の公告」とあるのは「届出」と、同条第二項中「許可申請」とあり、「規制区域の指定の公告」とあるのは「届出」と読み替えるものとする。

2　第七条第二項及び第八条第一項の規定は、法第二十七条の五第一項第一号及び第二十七条の八第一項第一号の規定により公示価格を規準として法第二十七条の四第一項（法第二十七条の七第一項において準用する場合を含む。）の規定による届出に係る土地の所有権の価額を算定する場合に準用する。この場合において、第七条第二項中「許可申請に係る土地が」とあるのは「法第二十七条の四第一項（法第二十七条の七第一項において準用する場合を含む。）の規定による届出（以下この項及び次条第一項において「届出」という。）に係る土地が」と、「許可申請を」とあるのは「届出を」と、「規制区域の指定の公告」とあるのは「届出」と、「許可申請に係る土地の」とあるのは「届出に係る土地の」と、第八条第一項中「許可申請」とあり、「規制区域の指定の公告」とあるのは「届出」と、「指定時公示価格」とあるのは「届出時公示価格」と、「指定時標準価格」とあるのは「届出時標準価格」と読み替えるものとする。

（監視区域における土地に関する権利の移転等の届出を要しない場合）

第一八条の二　法第二十七条の七第一項において準用する法第二十七条の四第二項第二号の政令で定める場合は、次のとおりとする。
一　第六条第二号から第八号まで、第十号又は第十一号に掲げる場合
二　第十七条第二号から第六号までに掲げる場合
三　第十七条の二第一項第三号から第六号までに掲げる場合
四　一の区域が法第二十七条の六第一項の規定により監視区域として指定された際当該区域に係る土地について法第二十七条の四第一項の規定による届出がされており、かつ、その土地について、その届出に係る事項のうち土地に関する権利の移転又は設定の予定対価の額等の変更をしないで、土地売買等の契約が締結される場合

（法第二十七条の八第一項第二号イの政令で定める場合）
第一八条の三　法第二十七条の八第一項第二号イの政令で定める場合は、次のとおりとする。
一　その土地売買等の契約の締結が第六条第二号から第八号まで、第十号若しくは第十一号、第十七条第二号から第六号まで又は第十七条の二第一項第六号に掲げる場合に該当して行われたものである場合
二　当該権利が土地に関する権利の売買の媒介の契約に付された特約で国土交通省令で定める要件に該当するものに基づき取得されたものである場合

（法第二十七条の八第一項第二号ロの政令で定める期間）
第一八条の四　法第二十七条の八第一項第二号ロの政令で定める期間は、一年とする。

（法第二十七条の八第一項第二号ハの政令で定める利用）
第一八条の五　法第二十七条の八第一項第二号ハの政令で定める利用は、次のとおりとする。
一　建築物その他の工作物で仮設のものによる利用その他の一時的な利用
二　その届出に係る土地又はその土地に係る建築物その他の工作物の整備の状況等からみて、その土地の周辺の地域における同一の用途又はこれに類する用途に供されている土地の利用の程度に比し、その程度が著しく劣つていると認められる利用
三　その届出に係る土地に係る建築物その他の工作物の利用の程度が、その本来の利用の程度に比し著しく劣つていると認められる利用

（通常の経済活動）
第一八条の六　法第二十七条の八第一項第二号ニ(2)及びホ(1)の政令で定める通常の経済活動は、債権の担保又は代物弁済とする。

（買い取られた土地に関する権利の代替の用に供するために行われる土地に関する権利の移転）
第一八条の七　法第二十七条の八第一項第二号ホ(2)の政令で定める土地に関する権利の移転は、その届出に係る土地に関する権利を移転しようとする者の行う区画形質の変更等の事業の用又はこれらの事業の用に供する土地の代替の用に供するために土地に関する権利を買い取られたその届出に係る土地に関する権利の移転を受けようとする者に対し、その買い取られた土地に関する権利の代替の用に供するために行われるものとする。

（特別の事情）
第一八条の八　法第二十七条の八第一項第二号ホ(3)の政令で定める特別の事情は、災害その他やむを得ない理由により、その届出に係る土地についての区画形質の変更又は建築物その他の工作物の建築若しくは建設の事業を行うことが著しく困難又は不適当と認められることとする。

（報告の徴収）
第一八条の九　法第二十七条の九の規定により報告を求めることができる事項は、次のとおりとする。
一　土地売買等の契約の相手方の氏名又は名称及び住所並びに法人にあつては、その代表者の氏名
二　土地売買等の契約を締結した年月日
三　土地売買等の契約に係る土地の面積
四　土地売買等の契約に係る土地に関する権利の移転又は設定の対価の額
五　土地売買等の契約に係る土地の土地に関する権利の移転又は設定時における利用状況及び当該移転又は設定後における利用目的
六　土地売買等の契約に係る土地が当該契約により移転され、又は設定される権利以外の権利の目的となつているときは、当該権利の種別及び内容
七　土地売買等の契約に係る土地に建築物その他の工作物又は木竹が存するときは、当該工作物又は木竹に関する事項で国土交通省令で定めるもの

（使用及び収益を目的とする権利）
第一九条　法第二十八条第一項の政令で定める使用及び収益を目的とする権利は、土地に関する地上権及び賃借権とする。

（法第二十八条第一項第三号の政令で定める要件）
第二〇条　法第二十八条第一項第三号の政令で定める要件は、次の各号に掲げる要件のいずれかとする。
一　その土地が住宅の用、事業の用に供する施設の用その他の用途に供されていないこと。
二　その土地が住宅の用、事業の用に供する施設の用その他の用途に供されている場合（現に日常的な居住の用に供されている場合を除く。）には、その土地又はその土地に存する建築物その他の工作物の整備の状況等からみて、その土地の利用の程度がその周辺の地域における同一の用途又はこれに類する用途に供されている土地の利用の程度に比し著しく劣つていると認められること。

（遊休土地の買取りの協議を行う法人）
第二一条　法第三十二条第一項の政令で定める法人は、第十四条に規定する法人（土地開発公社を除く。）並びに土地の造成及び処分の業務を主たる目的とする法人で国（国の全額出資に係る法人を含む。）又は地方公共団体の出資がその資本金、基本金その他これに準ずるものの二分の一以上であるものとする。

（遊休土地の買取り価格）
第二二条　法第三十三条の規定により遊休土地を買い取る時において当該遊休土地が規制区域内に所在する場合には、当該遊休土地の相当な価額は、第七条（第一項第五号及び第六号を除く。）又は第八条の規定に準じて算定した当該遊休土地の当該規制区域の指定の公告の時における価額に第十条の規定による算定の方法に準じて算定した当該買取りの時までの物価の変動に応ずる修正率を乗じて得た額とする。
2　第七条第一項（第五号及び第六号を除く。）及び第二項の規定は、法第三十三条の規定により近傍類地の取引価格等を考慮して遊休土地を買い取る場合（その買取りの時において当該遊休土地が規制区域内に所在する場合を除く。）の当該遊休土地の相当な価額を算定する場合に準用する。この場合において、第七条第一項第一号中「許可申請」とあり、「規制区域の指定の公告」とあるのは「遊休土地の買取り」と、「指定時標準価格」とあるのは「遊休土地の買取りの時の標準価格」と、同項第二号から第四号までの規定中「許可申請」とあり、「規制区域の指定の公告」とあるのは「遊休土地の買取り」と、同条第二項中「許可申請」とあり、「規制区域の指定の公告」とあるのは「遊休土地の買取り」と読み替えるものとする。
3　第七条第二項及び第八条第一項の規定は、法第三十三条の規定により公示価格を規準として遊休土地を買い取る場合（その買取りの時において当該遊休土地が規制区域内に所在する場合を除く。）の当該遊休土地の価額を算定する場合に準用する。この場合において、第七条第二項中「許可申請」とあり、「規制区域の指定の公告」とあるのは「遊休土地の買取り」と、第八条第一項中「許可申請」とあり、「規制区域の指定の公告」とあるのは「遊休土地の買取り」と、「指定時公示価格」とあるのは「遊休土地の買取りの時の公示価格」と、「指定時標準価格」とあるのは「遊休土地の買取りの時の標準価格」と読み替えるものとする。

（土地調査員）
第二三条　土地調査員は、都道府県の職員で土地利用又は不動産の評価に関して経験と知識を有するもののうちから、都道府県知事が任命するものとする。

（大都市の特例）
第二四条　第四条、第十三条、第十五条、第十七条の二及び前条の規定により都道府県知事の権限に属するものとされている事務は、地方自治法（昭和二十二年法律第六十七号）第二百五十二条の十九第一項の指定都市（以下この条において「指定都市」という。）においては、当該指定都市の長が行う。この場合においては、第四条、第十三条、第十五条、第十七条の二及び前条の規定中都道府県又は都道府県知事に関する規定は、指定都市又は指定都市の長に関する規定として指定都市又は指定都市の長に適用があるものとする。

（国土交通省令への委任）
第二五条　法及びこの政令に定めるもののほか、法及びこの政令の実施のた

め必要な手続その他の事項は、国土交通省令で定める。

附 則

（施行期日）

第一条 この政令は、法の施行の日（昭和四十九年十二月二十四日）から施行する。

（法附則第二条第一項の政令で定める土地）

第二条 法附則第二条第一項の政令で定める土地は、次のとおりとする。

一 土地に関する所有権の移転（対価を得て行われるものに限る。）をする契約以外の事由により取得された土地

二 第十七条第一号又は第三号から第五号までに掲げる場合に該当してその所有権が取得された土地

（法附則第二条第一項の政令で定める使用及び収益を目的とする権利）

第三条 法附則第二条第一項の政令で定める使用及び収益を目的とする権利は、土地に関する地上権及び賃借権とする。

（法附則第二条第一項第三号の政令で定める要件）

第四条 法附則第二条第一項第三号の政令で定める要件は、次の各号に掲げる要件のいずれかとする。

一 その土地が住宅の用、事業の用に供する施設の用その他の用途に供されていないこと。

二 その土地が住宅の用、事業の用に供する施設の用その他の用途に供されている場合（現に日常的な居住の用に供されている場合を除く。）には、その土地又はその土地に存する建築物その他の工作物の整備の状況等からみて、その土地の利用の程度がその周辺の地域における同一の用途又はこれに類する用途に供されている土地の利用の程度に比し著しく劣っていると認められること。

（経過措置）

第五条 この政令の施行後最初に到来する第九条第一項に規定する基準日における標準価格が判定されるまでの間において都道府県知事が基準地に相当する画地を選定し、その画地について標準価格に相当する単位面積当たりの価格を判定している場合には、法第十六条第一項第一号、第十九条第二項若しくは第二十四条第一項第一号の土地に関する権利の相当な価額若しくは土地の所有権の価額又は法第三十三条の遊休土地の価額の算定については、当該画地を基準地と、当該画地について判定された価格を標準価格とみなして、第七条第一項第一号から第三号まで（第十六条第一項、第十八条第一項及び第二十二条第二項において準用する場合を含む。）又は第八条第一項（第十六条第二項、第十八条第二項及び第二十二条第三項において準用する場合を含む。）の規定を適用する。

附 則（略）（昭和五〇・四・二五政令一三三）

附 則（略）（昭和五〇・八・五政令二四八施行）

附 則（略）（昭和五三・六・二七政令二六〇施行）

附 則（略）（昭和五五・八・三〇政令二三一）

附 則（略）（昭和五五・九・二九政令二四二）

附 則（略）（昭和五六・八・三政令二六八）

附 則（略）（昭和五六・一一・一七政令三二一）

附 則（略）（昭和五九・六・九政令一八二）

附 則（略）（昭和五九・八・二四政令二五九）

附 則（略）（昭和六〇・三・五政令二四）

附 則（略）（昭和六〇・三・一五政令三一）

附 則（抄）（昭和六〇・五・一八政令一三八）

（施行期日）

1 この政令は、公布の日から施行する。

（経過措置）

3 第五条の規定による改正後の国土利用計画法施行令第二十三条の規定は、昭和六十年度以降の年度の予算に係る交付金の交付について適用する。

附 則（略）（昭和六一・三・二〇政令五四）

附 則（略）（昭和六二・七・二一政令二六一）

附 則（略）（昭和六三・七・二二政令二二二）

附 則（略）（昭和六三・一二・二七政令三五九施行）

附 則（平成元・三・一〇政令三九）

1 この政令は、公布の日から施行する。

2 改正後の第二十三条第二項の規定は、昭和六十三年度の予算に係る交付金の交付のうちこの政令の施行の日以後に交付の決定がされるものから適用する。

附 則（略）（平成二・一・二六政令六）

附 則（略）（平成二・一一・九政令三二三）

附 則（略）（平成四・八・一二政令二七八）

附 則（略）（平成七・一一・二二政令三九四）

附 則（略）（平成八・九・一九政令二八〇）

附 則（略）（平成九・一一・一九政令三三三）

附 則（略）（平成一〇・八・二六政令二八四）

附 則（略）（平成一〇・一〇・二一政令三三六）

附 則（略）（平成一〇・一〇・二二政令三三八）

附 則（略）（平成一一・三・二五政令六〇）

附 則（略）（平成一一・八・一八政令二五六）

附 則（略）（平成一一・九・二〇政令二七六）

附 則（略）（平成一一・九・二九政令三〇六）

附 則（抄）（平政一一・一〇・二九政令三四六）

（施行期日）

1 この政令は、平成十二年四月一日から施行する。

（国土利用計画法施行令の一部改正に伴う経過措置）

3 施行日前にされた第十八条の規定による改正前の国土利用計画法施行令第十七条の二第三号から第五号までの規定に基づく総理府令の規定による土地に関する権利の移転若しくは設定の予定対価の額が国土利用計画法（昭和四十九年法律第九十二号）第二十七条の五第一項第一号に該当しない旨の確認（以下この項において「総理府令の規定による確認」という。）又はこの政令の施行の際現にされている総理府令の規定による確認の申請は、それぞれ第十八条の規定による改正後の国土利用計画法施行令第十七条の二第三号から第五号までの規定によりされた確認又は確認の申請とみなす。

附 則（略）（平成一二・三・二三政令八六）

附 則（略）（平成一二・六・七政令三一二）

附 則（略）（平成一二・六・二三政令三五四）

附 則（略）（平成一三・二・九政令二八）

附 則（略）（平成一三・二・一五政令三一）

附 則（略）（平成一三・二・一五政令三二）

附 則（略）（平成一三・三・三〇政令九八）

附 則（略）（平成一四・一二・一八政令三八五）

附 則（略）（平成一五・一・八政令一）

附 則（略）（平成一五・三・二八政令一一二）

附 則（略）（平成一五・六・二七政令二九三）

附 則（略）（平成一五・六・二七政令二九六）

附 則（略）（平成一五・七・二四政令三二九）

附 則（略）（平成一五・八・八政令三六一）

附 則（略）（平成一五・九・二五政令四三八）

附 則（略）（平成一五・一二・五政令四八九）

附 則（略）（平成一五・一二・二五政令五五三）

附 則（略）（平成一六・三・一九政令五〇）

附 則（略）（平成一六・三・三一政令九三）

附 則（略）（平成一六・四・九政令一六〇）

附 則（略）（平成一六・五・二六政令一八一）

附 則（略）（平成一六・一〇・二〇政令三一八）

附 則（略）（平成一七・三・九政令三八）

附 則（略）（平成一七・六・一政令二〇三）

附 則（抄）（平成一八・一・二七政令一二）

（施行期日）

第一条 この政令は、平成十八年二月一日から施行する。

（新都市基盤整備法施行令等の一部改正に伴う経過措置）

第四条 附則第二条に規定する者の鑑定評価による新都市基盤整備法施行令第十条第一項の最低制限価額の定め、国土利用計画法施行令第九条第一項の規定による標準価格の判定及び土地の再評価に関する法律施行令第二条に規定する事業用土地の再評価については、第四条の規定による改正後の同条各号に掲げる政令の規定にかかわらず、なお従前の例による。

附 則（抄）（平成一八・四・二六政令一八一）

（施行期日）

第一条 この政令は、会社法の施行の日（平成十八年五月一日）から施行する。

（国土利用計画法施行令の一部改正に伴う経過措置）

第三条　会社法の施行に伴う関係法律の整備等に関する法律第百七条の規定によりなお従前の例によることとされる会社の整理又は同法第百八条の規定によりなお従前の例によることとされる株式会社の清算の手続において裁判所の許可を得て国土利用計画法（昭和四十九年法律第九十二号）第十四条第一項に規定する土地売買等の契約の締結が行われる場合については、第七条の規定による改正後の国土利用計画法施行令第六条第三号に規定する手続において裁判所の許可を得て行われる場合とみなす。

附　則〔略〕〔平成一九・八・三政令二三五〕

附　則〔略〕〔平成二〇・三・三一政令一一七〕

附　則〔略〕〔平成二〇・一〇・三一政令三三四〕

附　則〔抄〕〔平成二一・一二・一一政令二八五〕

（施行期日）

第一条　この政令は、農地法等の一部を改正する法律（以下「改正法」という。）の施行の日（平成二十一年十二月十五日）から施行する。〔以下略〕

（国土利用計画法施行令の一部改正に伴う経過措置）

第二四条　改正法附則第八条第四項の規定によりなおその効力を有するものとされる旧農地法第八十条第二項の規定による売払いについては、前条の規定による改正後の国土利用計画法施行令第六条の規定にかかわらず、なお従前の例による。

附　則〔抄〕〔平成二四・七・一九政令一九七〕

この政令は、新非訟事件手続法の施行の日（平成二十五年一月一日）から施行する。

非訟事件手続法等の施行に伴う関係政令の整備に関する政令〔抄〕〔平成二四・七・一九政令一九七〕

（国土利用計画法施行令の一部改正に伴う経過措置）

第三一条　前条の規定による改正後の国土利用計画法施行令第六条第五号の規定の適用については、旧家事審判法による調停（整備法第四条の規定によりなお従前の例によることとされる場合におけるものを含む。）を家事事件手続法による調停とみなす。

附　則〔略〕〔平成二五・一二・一一政令三三九〕

附　則〔略〕〔平成二六・三・五政令五四〕

附　則〔略〕〔平成二六・九・三政令二九一〕

附　則〔抄〕〔平成二七・一一・二六政令三九二〕

（施行期日）

第一条　この政令は、行政不服審査法の施行の日（平成二十八年四月一日）から施行する。

（経過措置の原則）

第二条　行政庁の処分その他の行為又は不作為についての不服申立てであってこの政令の施行前にされた行政庁の処分その他の行為又はこの政令の施行前にされた申請に係る行政庁の不作為に係るものについては、この附則に特別の定めがある場合を除き、なお従前の例による。

附　則〔略〕〔平成二九・八・一四政令二一二〕

附　則〔令和二・九・四政令二六八〕

この政令は、都市再生特別措置法等の一部を改正する法律の施行の日（令和二年九月七日）から施行する。

付録（第十条関係）

$$\frac{Pc'}{Pc}\times 0.8+\frac{Pi'}{Pi}\times 0.2$$

備考

一　Pc、Pc′、Pi、Pi′は、それぞれ次の数値を表すものとする。

Pc　規制区域の指定の公告がされた日の属する月及びその前後の月の全国総合消費者物価指数の相加平均。ただし、許可申請の日又は買取り請求の日においてこれらの月の全国総合消費者物価指数及び投資財指数が公表されていない場合においては、これらの指数が公表されている最近の三箇月の全国総合消費者物価指数の相加平均とする。

Pc′　許可申請の日又は買取り請求の日において全国総合消費者物価指数及び投資財指数が公表されている最近の三箇月の全国総合消費者物価指数の相加平均

Pi　規制区域の指定の公告がされた日の属する月及びその前後の月の投資財指数の相加平均。ただし、許可申請の日又は買取り請求の日においてこれらの月の全国総合消費者物価指数及び投資財指数が公表されていない場合においては、これらの指数が公表されている最近の三箇月の投資財指数の相加平均とする。

Pi′　許可申請の日又は買取り請求の日において全国総合消費者物価指数及び投資財指数が公表されている最近の三箇月の投資財指数の相加平均

二　各月の全国総合消費者物価指数の基準年が異なる場合又は各月の投資財指数の基準年が異なる場合においては、従前の基準年に基づく月の指数を変更後の基準年である年の従前の基準年に基づく指数で除し、百を乗じて得た数値（その数値に小数点以下一位未満の端数があるときは、これを四捨五入する。）を、当該月の指数とする。

三　$\frac{Pc'}{Pc}$又は$\frac{Pi'}{Pi}$により算出した数値に小数点以下三位未満の端数があるときは、これを四捨五入する。

四　$\frac{Pc'}{Pc}$又は$\frac{Pi'}{Pi}$により算出した数値が経済事情の急激な変動その他の特別な事情を反映して著しく不適当なものとなつていると認められる場合には、国土交通省令で定めるところにより、合理的な範囲内でその数値を修正する。

○国土利用計画法施行規則

〔昭和四九・一二・二一　総理府令七二〕

改正　昭和五〇・一二総府令七六、昭和五〇・一二総府令七九、昭和五四・一総府令一、昭和五九・一〇総府令四九、昭和六二・七総府令四三、平成二・三総府令二、平成三・四総府令八、平成七・一二総府令五六、平成一〇・八総府令五二、平成一一・一一総府令六〇、平成一二・八総府令一〇三、平成一七・三国交令一二、平成二一・一二国交令六八、平成二五・一二国交令九七、平成二六・二国交令一四、平成二七・一国交令六、平成二八・三国交令二三、平成二九・一一国交令七〇、令和二・一二国交令九八、令和五・三国交令三三

（法第十二条第五項の国土交通省令で定める事項）

第一条　国土利用計画法（以下「法」という。）第十二条第五項（法第二十七条の三第三項及び第二十七条の六第三項において準用する場合を含む。）の国土交通省令で定める事項は、指定の事由とする。

（規制区域の指定等の公告）

第二条　国土交通大臣は、法第十二条第五項（同条第十四項（同条第十五項において準用する場合を含む。）において準用する場合を含む。）又は第八項の規定による報告を受けたときは、その旨を官報で公告するものとする。

（令第六条第七号の国土交通省令で定める場合）

第三条　国土利用計画法施行令（以下「令」という。）第六条第七号の国土交通省令で定める場合は、農地法（昭和二十七年法律第二百二十九号）第三条第一項第十三号又は第十四号の二に掲げる場合とする。

（許可申請書の記載事項）

第四条　法第十五条第一項第六号の国土交通省令で定める事項は、次のとおりとする。

一　土地に関する権利の移転又は設定に係る土地の地目及び利用の現況

二　土地に関する権利の移転又は設定に係る土地が移転又は設定に係る権利以外の権利の目的となつているときは、当該権利の種別及び内容並びに当該権利を有する者の氏名又は名称及び住所並びに法人にあつては、その代表者の氏名

三　土地に関する権利の移転又は設定に係る土地に建築物その他の工作物又は木竹（以下「工作物等」という。）が存するときは、次のイ又はロに掲げる工作物等の区分に応じ、それぞれ次のイ又はロに掲げる事項

イ　土地に関する権利の移転又は設定と併せて権利の移転又は設定をする工作物等

(1)　工作物等の種類及び概要
(2)　移転又は設定に係る工作物等に関する権利の種別及び内容
(3)　工作物等に関する権利の移転又は設定の予定対価の額
(4)　工作物等が移転又は設定に係る権利以外の権利の目的となつているときは、当該権利の種別及び内容並びに当該権利を有する者の氏名又は名称及び住所並びに法人にあつては、その代表者の氏名

ロ　イに掲げるもの以外の工作物等
(1)　工作物等の種類及び概要
(2)　工作物等の所有者の氏名又は名称及び住所並びに法人にあつては、その代表者の氏名
(3)　工作物等が所有権以外の権利の目的となつているときは、当該権利の種別及び内容並びに当該権利を有する者の氏名又は名称及び住所並びに法人にあつては、その代表者の氏名

四　土地に関する権利の移転又は設定後における土地の利用目的に係る土地が、法第二十三条第二項第一号イからハまでに規定する区域に応じ、それぞれ同号イからハまでに規定する面積以上のものであるときは、当該土地の利用に関する計画の概要

（許可申請）
第五条　法第十四条第一項の規定による許可の申請（以下「許可申請」という。）は、別記様式第一による申請書の正本及び副本を提出してしなければならない。
2　前項の申請書には、次に掲げる図書を添付しなければならない。ただし、土地に関する権利の移転又は設定後における土地の利用目的に係る土地が、法第二十三条第二項第一号イからハまでに規定する区域に応じ、それぞれ同号イからハまでに規定する面積未満のものである場合は、第三号の図面は添付することを要しない。
一　登記事項証明書
二　土地の位置を明らかにした縮尺五万分の一以上の地形図
三　土地及びその付近の状況を明らかにした縮尺五千分の一以上の図面
四　土地の形状を明らかにした図面
五　土地の面積の実測の方法を示した図書
六　土地の利用目的が法第十六条第一項第二号イからへまでのいずれかに該当するものであることを説明した書面

（令第七条第一項第一号イの国土交通省令で定める態様）
第六条　令第七条第一項第一号イ（令第十六条第一項、第十八条第一項及び第二十二条第二項において準用する場合を含む。）の国土交通省令で定める態様は、面積が令第九条第一項の規定により選定された画地（以下「基準地」という。）の面積に比較して著しく異なるものであること、高圧線下若しくは高架の道路の路面下の土地又は袋地であることその他基準地と比較して特殊な態様のものであることとする。

（比準の方法）
第七条　令第七条第一項第一号ロ(1)（令第十六条第一項、第十八条第一項及び第二十二条第二項において準用する場合を含む。）の規定による比準は、次に掲げるところによりするものとする。
一　基準地が、法第十二条第三項の規定による公告（以下「規制区域の指定の公告」という。）の時において、許可申請に係る土地を含む地域で当該土地の用途と土地の用途が同質と認められるまとまりのあるもの（以下「近隣地域」という。）の内にあるときは、当該近隣地域の地域要因（土地の客観的価値に作用する諸要因（以下「価格形成要因」という。）のうち土地の用途が同質と認められるまとまりのある地域内の土地の価格の水準に作用するものをいう。以下同じ。）を考慮したうえ、許可申請に係る土地及び基準地のその時におけるそれぞれの個別的要因（価格形成要因のうち土地の価格について当該土地を含む地域で土地の用途が同質と認められるまとまりのあるものにおける土地の価格の水準に比し個別的な差異を生じさせるものをいう。以下同じ。）の比較を行つてするものとする。
二　基準地が、規制区域の指定の公告の時において、土地の用途が同質と認められるまとまりのある地域で当該地域内の土地の用途が近隣地域内の土地の用途と同質又は類似のもの（以下「類似地域」という。）の内にあるとき（当該類似地域が、許可申請に係る土地と一般的に代替関係が成立してその価格の形成について相互に影響を及ぼす関係にある他の土地の存する圏域（以下「同一需給圏」という。）内にあるときに限る。）は、当該類似地域及び近隣地域のその時におけるそれぞれの地域要因を考慮し、かつ、相互に比較を行つたうえ、許可申請に係る土地及び基準地のその時におけるそれぞれの個別的要因の比較を行つてするものとする。

（宅地、森林の土地以外の土地の所有権の相当な価額の算定）
第八条　令第七条第一項第三号ロ（令第十六条第一項、第十八条第一項及び第二十二条第二項において準用する場合を含む。）の規定による所有権の相当な価額の算定は、次に掲げるところによりするものとする。
一　許可申請に係る土地が宅地としての適地であると認められる場合は、規制区域の指定の公告の時において当該土地を宅地であつたものとして令第七条第一項第一号の規定に準じて算定した額からその時において当該土地を宅地としての適地以外の土地であつたものとして同項第二号の規定に準じて算定した額又はその時における近傍類地の取引価格から算定される推定の価格、その時における近傍類地の地代等から算定される推定の価格及びその時における同等の効用を有する土地の造成に要する推定の費用の額を勘案して算定した額並びにその時における当該土地を宅地とするための造成に要する推定の費用の額を控除して得た額のうちこれらの算定した額及び推定の費用の額を考慮して適正と認められるものをその時において当該土地を宅地としての適地以外の土地であつたものとして算定した額に加えてするものとする。
二　前号に掲げる場合以外の場合は、規制区域の指定の公告の時における許可申請に係る土地の周辺の宅地若しくは森林の土地について令第七条第一項第一号若しくは第二号の規定に準じて算定した額又はその時における周辺の農地若しくは採草放牧地について近傍類地の取引価格から算定される推定の価格及び近傍類地の地代等から算定される推定の価格を勘案して算定した額を求めたうえ、許可申請に係る土地及びその周辺の宅地若しくは森林の土地又は農地若しくは採草放牧地のその時におけるそれぞれの価格形成要因の比較を行い、かつ、その時における当該土地を宅地若しくは森林の土地又は農地若しくは採草放牧地とするための造成に要する推定の費用の額を考慮してするものとする。

（令第七条第二項の国土交通省令で定める要件）
第九条　令第七条第二項（令第八条第二項、第十六条第一項及び第二項、第十八条並びに第二十二条第二項及び第三項において準用する場合を含む。）の国土交通省令で定める要件は、土地の面積が一ヘクタール以上であり、かつ、土地の形状等が一団の土地として有効な利用を図るために適当と認められるものであることとする。

（令第七条第三項の国土交通省令で定める事由）
第一〇条　令第七条第三項（令第八条第二項並びに第十六条第一項及び第二項において準用する場合を含む。）の国土交通省令で定める事由は、地目変換、法令に基づく措置、土地の区画形質の変更、土地に関する所有権以外の権利の設定、消滅又は内容の変更、水道、道路その他の公共施設又は学校その他の公益的施設の整備その他これらに準ずると認められるものとする。

（令第七条第三項の国土交通省令で定める特別な事情がある場合）
第一一条　令第七条第三項（令第八条第二項並びに第十六条第一項及び第二項において準用する場合を含む。）の国土交通省令で定める特別な事情がある場合は、規制区域の指定の公告の時以後に許可申請に係る土地について都市計画法（昭和四十三年法律第百号）その他の法令により制限が課せられ、かつ、当該法令の規定により当該土地の土地に関する権利を取得することができる者が当該権利を買い取る場合とする。

（推定の価格又は推定の費用の額の算定）
第一二条　令第七条第四項の規定による推定の価格又は推定の費用の額は、次に掲げるところにより求めるものとする。
一　近傍類地の取引価格から算定される推定の価格は、近隣地域又は同一需給圏内の類似地域（以下「近隣地域等」という。）に存する土地に係る取引の事例に基づき、事例に係る土地が近隣地域にあるときは当該近隣地域の地域要因を考慮した上、事例に係る土地が同一需給圏内の類似地域にあるときは当該類似地域及び近隣地域のそれぞれの地域要因を考慮し、かつ、相互に比較を行つた上、許可申請に係る土地及び各事例に係る土地のそれぞれの個別的要因の比較を行い、その比較の結果に従い、各事例に係る土地の取引価格から求められた各価格を相互に比較考量して求めるものとする。この場合において、近隣地域等に存する土地に係る取引の事例の大部分が令第七条第四項第一号に規定する特別な事情を反映して形成されていると認められるときは、同一需給圏内の近隣地域

の周辺の地域（以下「周辺地域」という。）に存する土地に係る取引の事例に基づき、当該周辺地域に存する事例に係る土地を含む地域で土地の用途が同質と認められるまとまりのあるもの及び近隣地域のそれぞれの地域要因を考慮し、かつ、相互に比較を行つた上、許可申請に係る土地及び各事例に係る土地のそれぞれの個別的要因の比較を行い、その比較の結果に従い、各事例に係る土地の取引価格から求められた各価格を相互に比較考量して求めることができるものとする。

二　近傍類地の地代等から算定される推定の価格は、許可申請に係る土地に係る総収益及び総費用から求められた当該土地の純収益（総収益から総費用を控除して得た額でその実現が確実であると認められるものをいう。以下同じ。）を還元利回りで元本に還元することにより求めなければならない。ただし、許可申請に係る土地に係る総収益及び総費用を適切に求めることが困難である場合その他やむを得ない理由がある場合にあつては、近隣地域等に存する土地に係る賃貸借等の事例に基づき、事例に係る土地が近隣地域にあるときは当該近隣地域の地域要因を考慮した上、事例に係る土地が同一需給圏内の類似地域にあるときは当該類似地域及び近隣地域のそれぞれの地域要因を考慮し、かつ、相互に比較を行つた上、許可申請に係る土地及び事例に係る土地のそれぞれの個別的要因の比較を行い、その比較の結果に従い、各事例に係る土地の純収益から求められた各純収益を相互に比較考量して得た許可申請に係る土地の純収益を還元利回りで元本に還元することにより求めることができる。この場合において、近隣地域等に存する土地の賃貸借等に係る事例の大部分が令第七条第四項第一号に規定する特別な事情を反映して形成されていると認められるときは、周辺地域に存する土地に係る事例に基づき、当該周辺地域に存する事例に係る土地を含む地域で、土地の用途が同質と認められるまとまりのあるもの及び近隣地域のそれぞれの地域要因を考慮し、かつ、相互に比較を行つた上、許可申請に係る土地及び各事例に係る土地のそれぞれの個別的要因の比較を行い、その比較の結果に従い、各事例に係る土地の純収益から求められた各純収益を相互に比較考量して得た許可申請に係る土地の純収益を還元利回りで元本に還元することにより求めることができるものとする。

三　前号の場合において、純収益を元本に還元する場合における還元利回りは、最も一般的と認められる投資の利回りを標準とし、その投資の対象及び許可申請に係る土地の投資対象としての流動性、管理の難易、資産としての安全度等を相互に比較考量して決定しなければならない。

四　同等の効用を有する土地の造成に要する推定の費用の額は、許可申請に係る土地を規制区域の指定の公告の時において造成すると仮定したならばその造成に要すると認められる適正な費用（以下「造成原価」という。）の額とする。この場合において、当該許可申請に係る土地が当該仮定に係る造成が行われた土地と比較して減価していると認められるときは、当該造成原価の額から当該減価の額に相当する額を控除した額としなければならない。

五　近傍類地に関する同種の権利の目的となつている土地の取引価格から算定される推定の価格、近傍類地に関する同種の権利に係る地代等から算定される推定の価格又は近傍類地に関する同種の権利の取引価格から算定される推定の価格は、第一号又は第二号の規定に準じて求めるものとする。

（**公示価格を規準とする土地の所有権の価額の算定についての準用**）

第一三条　第七条の規定は、令第八条第一項第一号（令第十六条第二項、第十八条第二項及び第二十二条第三項において準用する場合を含む。）の規定により公示価格を規準として規制区域の指定の公告の時における許可申請に係る土地の所有権の価額を算定する場合に準用する。この場合において、第七条中「基準地」とあるのは、「標準地（地価公示法（昭和四十四年法律第四十九号）第二条第一項に規定する標準地をいう。）又は基準地」と読み替えるものとする。

（**基準日**）

第一四条　令第九条第一項の国土交通省令で定める一定の基準日は、七月一日（都道府県知事が指定する基準地にあつては、規制区域の指定の公告の日の属する年に限り、当該公告の日）とする。

（**基準地の標準価格についての準用**）

第一五条　第十二条第一号から第四号までの規定は、令第九条第四項の規定により推定の価格又は推定の費用の額を求める場合に準用する。この場合において、第十二条第一号から第三号までの規定中「許可申請に係る土地」とあるのは「基準地」と、同条第四号中「許可申請に係る土地」とあるのは「基準地」と、「規制区域の指定の公告の時」とあるのは「基準日（令第九条第一項に規定する基準日をいう。）」と読み替えるものとする。

（**許可又は不許可の処分の通知書の記載事項**）

第一六条　令第十三条第一項の国土交通省令で定める事項は、不許可の処分にあつてはその理由とし、許可の処分にあつては次のとおりとする。

一　土地に関する権利の移転又は設定に係る土地の地目

二　移転又は設定に係る土地に関する権利の種別及び内容

三　土地に関する権利の移転又は設定の予定対価の額

四　土地に関する権利の移転又は設定後における土地の利用目的

（**協議が成立した旨の文書**）

第一七条　都道府県知事は、法第十八条の規定による協議が成立したときは、遅滞なく、その旨並びに当該協議に係る土地の所在、面積及び地目並びに当該協議に係る土地に関する権利の種別及び内容を記載した文書を当該協議に係る国等に交付しなければならない。

（**買取り請求書の記載事項**）

第一八条　令第十五条の国土交通省令で定める事項は、次のとおりとする。

一　買取り請求に係る土地の地目及び利用の現況

二　買取り請求に係る土地が買取り請求に係る権利以外の権利の目的となつているときは、当該権利の種別及び内容並びに当該権利を有する者の氏名又は名称及び住所並びに法人にあつては、その代表者の氏名

三　買取り請求に係る土地に工作物等が存するときは、次に掲げる事項

イ　工作物等の種類及び概要

ロ　工作物等の所有者の氏名又は名称及び住所並びに法人にあつては、その代表者の氏名

ハ　工作物等が所有権以外の権利の目的となつているときは、当該権利の種別及び内容並びに当該権利を有する者の氏名又は名称及び住所並びに法人にあつては、その代表者の氏名

（**買取り請求**）

第一九条　法第十九条第一項の規定による買取り請求は、別記様式第二による請求書の正本及び副本を提出してしなければならない。

（**映像等の送受信による通話の方法による口頭審理**）

第一九条の二　令第十六条の二において準用する行政不服審査法施行令（平成二十七年政令第三百九十一号）第八条に規定する方法によつて口頭審理の期日における審理を行う場合には、審理関係人（行政不服審査法（平成二十六年法律第六十八号）第二十八条に規定する審理関係人をいう。以下この条において同じ。）の意見を聴いて、当該審理に必要な装置が設置された場所であつて審査庁（同法第九条第一項に規定する審査庁をいう。）が相当と認める場所を、審理関係人ごとに指定して行う。

（**事後届出に係る届出書の記載事項**）

第一九条の三　第四条の規定は、法第二十三条第一項第七号の国土交通省令で定める事項について準用する。この場合において、第四条第三号イ(3)中「予定対価」とあるのは「対価」と読み替えるものとする。

（**事後届出**）

第二〇条　法第二十三条第一項の規定による届出（以下この条及び第二十条の三第二項において「事後届出」という。）は、別記様式第三による届出書の正本及び副本を提出してしなければならない。

2　前項の届出書には、第五条第二項第二号から第四号までに掲げる図書及び当該事後届出に係る土地売買等の契約の契約書の写し又はこれに代わるその他の書類を添付しなければならない。ただし、土地売買等の契約の当事者の一方若しくは双方が事後届出に係る土地を含む一団の土地のうち一の土地について既に事後届出若しくは法第二十七条の四第一項（法第二十七条の七第一項において準用する場合を含む。）の規定による届出（第二十条の三において「事前届出」という。）をしている場合又は都道府県知事が必要がないと認める場合にあつては、第五条第二項第二号の地形図を添付することを要しない。

（**公表**）

第二〇条の二　法第二十四条第一項に規定する公表は、土地利用に関する計画又は当該計画を定め、若しくは変更した旨を官報に掲載して（地方公共団体にあつては、条例の公布と同一の方法により）行われ、かつ、当該計画を事務所における備付けその他の適当な方法により公にしておかれるものとする。

（**事前届出**）

第二〇条の三 事前届出は、別記様式第三の二による届出書の正本及び副本を提出してしなければならない。

2 前項の届出書には、第五条第二項第二号から第五号までに掲げる図書及び監視区域に所在する土地についての土地に関する権利の移転の事前届出にあつては、登記事項証明書その他の当該事前届出に係る事項が法第二十七条の八第一項第二号に該当するかどうかを明らかにすることができる書類を添付しなければならない。ただし、土地売買等の契約の当事者の一方又は双方が事前届出に係る土地を含む一団の土地のうち一の土地について既に事後届出又は事前届出をしている場合にあつては、第五条第二項第二号の地形図を、土地に関する権利の移転又は設定後における土地の利用目的に係る土地が、法第二十三条第二項第一号イからハまでに規定する区域に応じ、それぞれ同号イからハまでに規定する面積未満のものである場合にあつては、第五条第二項第三号の図面を添付することを要しない。

（確認）

第二一条 令第十七条の二第一項第三号から第五号までの規定による確認を受けようとする者は、次の事項（令第十七条の二第一項第三号又は第四号の土地に関する権利の移転又は設定の対価として予定している価額について同項第三号又は第四号の規定による確認を受けようとする者にあつては、第三号、第八号及び第九号に掲げる事項を除く。）を記載した別記様式第四による申請書を都道府県知事（地方自治法（昭和二十二年法律第六十七号）第二百五十二条の十九第一項の指定都市（第二十六条において「指定都市」という。）においては、その長）に提出しなければならない。

一 申請者の氏名又は名称及び住所並びに法人にあつては、その代表者の氏名

二 土地に関する権利の移転又は設定に係る土地及び当該土地が一団の土地に含まれる場合には当該一団の土地の所在、面積及び区画数（令第十七条の二第一項第五号の土地に関する権利の移転又は設定の対価として予定している価額について同号の規定による確認を受けようとする者にあつては、当該権利の共有持分の割合）

三 土地に関する権利の移転又は設定に係る土地に係る不動産特定共同事業法（平成六年法律第七十七号）（以下「事業法」という。）第二条第三項に規定する不動産特定共同事業契約（以下単に「事業契約」という。）に基づく出資、賃貸又は賃貸の委任の目的となる土地（土地に関する権利の移転又は設定に係る土地を除く。以下この号において「他の土地」という。）の所在及び面積並びに他の土地に関する権利の共有持分の割合

四 移転又は設定に係る土地に関する権利の種別及び内容

五 土地に関する権利の移転又は設定の対価として予定している価額

六 土地に関する権利の移転又は設定後における土地の用途

七 土地に関する権利の移転又は設定に係る土地に土地に関する権利の移転又は設定と併せて権利の移転又は設定をする工作物等が存するときは、次に掲げる事項

イ 工作物等の種類及び概要

ロ 移転又は設定に係る工作物等に関する権利の種別及び内容

ハ 工作物等に関する権利の移転又は設定の対価として予定している価額

八 事業契約の当事者である事業法第二条第五項に規定する不動産特定共同事業者、同条第七項に規定する小規模不動産特定共同事業者、同条第九項に規定する特例事業者又は同条第十一項に規定する適格特例投資家限定事業者（以下単に「事業者」という。）以外の者が申請者である場合にあつては、事業者の名称及び住所並びにその代表者の氏名

九 事業契約に係る事業法第二条第二項に規定する不動産取引の内容、事業契約の契約期間及び次に掲げる事業契約の当事者である事業者の区分に応じそれぞれ次に掲げる番号

イ 事業法第二条第五項に規定する不動産特定共同事業者 事業法第三条第一項の規定による許可の許可番号（事業法第六十七条第一項に規定する特定信託会社にあつては同条第三項の規定による届出の受理番号、不動産特定共同事業法施行令（平成六年政令第四百十三号）第十七条第一項に規定する特別金融機関等にあつては同条第三項の規定による届出の受理番号）

ロ 事業法第二条第七項に規定する小規模不動産特定共同事業者 事業法第四十一条第一項の規定による登録の登録番号

ハ 事業法第二条第九項に規定する特例事業者 事業法第五十八条第二項の規定による届出の受理番号

ニ 事業法第二条第十一項に規定する適格特例投資家限定事業者 事業法第五十九条第二項の規定による届出の受理番号

2 前項の申請書には、次に掲げる図面及び令第十七条の二第一項第五号の土地に関する権利の移転又は設定の対価として予定している価額について同号の規定による確認を受けようとする者にあつては、前項の申請書に係る事項が第二十一条の三各号のいずれかに該当することを明らかにすることができる書類を添付しなければならない。

一 土地の位置を明らかにした縮尺五万分の一以上の地形図

二 土地の形状を明らかにした縮尺二千五百分の一以上の図面

（令第十七条の二第一項第三号ハの国土交通省令で定める施設）

第二一条の二 令第十七条の二第一項第三号ハの国土交通省令で定める施設は、主として保養の目的に供される住宅施設とする。

（令第十七条の二第一項第五号の国土交通省令で定める場合）

第二一条の三 令第十七条の二第一項第五号の国土交通省令で定める場合は、次の各号のいずれにも該当しない場合とする。

一 第二十一条第一項の規定に基づき行われる申請書の提出が当該土地に関する権利の移転をする契約の締結につきされたものであり、かつ、当該申請書に係る事項が次のイからニまでのいずれかに該当する場合

イ 当該土地に関する権利を移転する者により当該権利が取得された日の翌日から起算して一年を経過した日以後に当該申請書が提出されたものであること。

ロ 当該土地に関する権利を移転する者が次のいずれかに該当すること。

(1) 当該権利を取得した後、当該土地を法第二十七条の八第一項第二号ハに規定する自ら利用するための用途に供している者

(2) 事業として当該土地について同号ニ(1)に規定する区画形質の変更等（以下この条において「区画形質の変更等」という。）を行つた者

(3) 通常の経済活動として行われる債権の担保のため又は代物弁済により当該土地に関する権利を取得した者

ハ 事業契約が事業法第二条第一項に規定する不動産の賃貸借から生ずる収益又は利益の分配を行うことを約するものであること。

ニ 事業契約により当該土地に関する権利の移転を受ける者又は事業者が当該土地について区画形質の変更等を行うこととされていること。

二 第二十一条第一項の規定に基づき行われる申請書の提出が当該土地に関する権利の設定をする契約の締結につきされたものである場合

（令第十八条の三第二号の国土交通省令で定める要件）

第二一条の四 令第十八条の三第二号の国土交通省令で定める要件は、個人が宅地建物取引業法（昭和二十七年法律第百七十六号）第二条第三号に規定する宅地建物取引業者（以下この条において「宅地建物取引業者」という。）若しくは宅地建物取引業者が代理する者から、又は宅地建物取引業者の媒介により取得した自らの日常的な居住の用に供する居住を目的として設けられた家屋及び当該家屋に係る土地に関する権利（以下この条において「居住用家屋等」という。）の対価に充てるため、当該宅地建物取引業者との間において締結した当該個人が現に日常的な居住の用に供している居住用家屋等の売買の媒介の契約に付された特約であつて、当該媒介の契約の有効期間内に媒介による売買契約が成立しない場合には当該宅地建物取引業者が当該媒介の契約に係る居住用家屋等を取得することとするものであることとする。

（令第十八条の九第七号の国土交通省令で定める事項）

第二一条の五 令第十八条の九第七号の国土交通省令で定める事項は、次の各号に掲げる工作物等の区分に応じ、それぞれ当該各号に掲げる事項とする。

一 土地売買等の契約と併せて権利の移転又は設定をした工作物等

イ 工作物等の種類及び概要

ロ 移転又は設定に係る工作物等に関する権利の種別及び内容

ハ 工作物等に関する権利の移転又は設定の対価の額

ニ 工作物等が移転又は設定に係る権利以外の権利の目的となつているときは、当該権利の種別及び内容

二 前号に掲げるもの以外の工作物等

イ 工作物等の種類及び概要

ロ 工作物等が所有権以外の権利の目的となつているときは、当該権利

の種別及び内容

（遊休土地である旨の通知）

第二十二条　法第二十八条第一項の規定による通知は、別記様式第五による通知書によりするものとする。

（遊休土地に係る計画の届出）

第二十三条　法第二十九条第一項の規定による届出は、別記様式第六による届出書の正本及び副本を提出してしなければならない。

（証明書）

第二十四条　法第四十一条第二項の証明書は、別記様式第七によるものとする。

（物価の変動に応ずる修正率の算定の方法に係る数値の修正）

第二十五条　令付録の備考四の規定による修正は、次に掲げるところによりするものとする。

一　令付録の$\frac{Pc'}{Pc}$により算出した数値が次の式により算出する数値を超える場合は、$\frac{Pc'}{Pc}$に替えて次の式により算出する数値を用いるものとする。

$$\left(\frac{Pc'}{Pc''}\right)^{\frac{n}{60}}$$

この式において、Pc'、Pc''及びｎは、それぞれ次の数値を表すものとする。

Pc''　Pc'　令付録の備考一に規定するPc'

Pc'の数値を算定する基礎となつた三箇月に対応する五年前の三箇月の令第十条に規定する全国総合消費者物価指数の相加平均

ｎ　令付録の備考一に規定するPcの数値を算定する基礎となつた三箇月の第二月目の月からPc'の数値を算定する基礎となつた三箇月の第二月目の月までの月数

二　令付録の$\frac{Pi'}{Pi}$により算出した数値が次の式により算出する数値を超える場合は、$\frac{Pi'}{Pi}$に替えて次の式により算出する数値を用いるものとする。

$$\left(\frac{Pi'}{Pi''}\right)^{\frac{n}{60}}$$

この式において、Pi'、Pi''及びｎは、それぞれ次の数値を表すものとする。

Pi''　Pi'　令付録の備考一に規定するPi'

Pi'の数値を算定する基礎となつた三箇月に対応する五年前の三箇月の令第十条に規定する投資財指数の相加平均

ｎ　前号に規定するｎ

（大都市の特例）

第二十六条　第十七条及び第二十条第二項の規定により都道府県知事の権限に属するものとされている事務は、指定都市においては、当該指定都市の長が行う。この場合においては、これらの規定中都道府県知事に関する規定は、指定都市の長に関する規定として指定都市の長に適用があるものとする。

附　則

（施行期日）

第一条　この府令は、法の施行の日（昭和四十九年十二月二十四日）から施行する。

（確認の特例）

第二条　第二十一条の規定によるほか、令第十七条第七号又は第八号の土地に関する権利の移転又は設定の予定対価の額が法第二十四条第一項第一号に該当しないことが明らかになつているときは、東京都の条例の規定により、昭和六十二年七月三十一日以前になされた第二十一条第二項の規定による申請に相当する行為について、同条第一項の確認に相当する行為（以下「確認相当行為」という。）を受けた場合で、当該確認相当行為に係る価額を超えない価額で、かつ、東京都知事が当該確認相当行為に係る価額が著しく適正を欠かないと認められる期間を定めたときは当該期間内に、当該確認相当行為に係る土地に関する権利の移転又は設定をするときとする。

（法附則第二条の遊休土地に関する措置）

第三条　法附則第二条第一項の規定による通知は、別記様式第五による通知書によりするものとする。

2　法附則第二条第四項の規定による届出は、別記様式第六による届出書の正本及び副本を提出してしなければならない。

附　則〔略〕〔昭和五〇・一二・一二総理府令七六施行〕

附　則〔略〕〔昭和五〇・一二・二四総理府令七九〕

1　この府令は、公布の日から施行する。

2　改正後の国土利用計画法施行規則第二十一条第一項の規定は、この府令の施行後に土地に関する権利の移転又は設定の対価として予定している価額が国土利用計画法（昭和四十九年法律第九十二号）第二十四条第一項第一号に該当しない旨の都道府県知事の確認（以下この項において単に「確認」という。）を受けた場合について適用し、この府令の施行前に確認を受けた場合については、なお従前の例による。

附　則〔略〕〔昭和五四・一・一六総理府令一〕

附　則〔略〕〔昭和五九・一〇・一一総理府令四九〕

附　則〔略〕〔昭和六二・七・三〇総理府令四三〕

附　則〔略〕〔平成二・三・一三総理府令一〕

附　則〔略〕〔平成三・四・一総理府令八施行〕

附　則〔略〕〔平成七・一二・一五総理府令五六施行〕

附　則〔抄〕〔平成一〇・八・二六総理府令五二〕

（施行期日）

1　この府令は、国土利用計画法の一部を改正する法律の施行の日（平成十年九月一日）から施行する。

（経過措置）

2　この府令の施行の日前にした改正前の国土利用計画法施行規則（以下「旧府令」という。）第二十一条第一項の規定による確認及びその申請は、改正後の国土利用計画法施行規則（以下「新府令」という。）第二十一条第一項の規定による確認及びその申請とみなす。

3　この府令の施行の際現にある旧府令別記様式第三の届出書は、平成十年十二月三十一日までの間、これを取り繕って新府令別記様式第三の届出書又は別記様式第三の二の届出書として使用することができる。

附　則〔略〕〔平成一一・一一・二四総理府令六〇〕

附　則〔略〕〔平成一二・八・一四総理府令一〇三〕

附　則〔略〕〔平成一七・三・七国土交通省令一二施行〕

附　則〔平成二一・一二・一〇国土交通省令六八〕

（施行期日）

1　この省令は、農地法等の一部を改正する法律の施行の日（平成二十一年十二月十五日）から施行する。

（国土利用計画法施行規則の一部改正に伴う経過措置）

2　農地法等の一部を改正する法律附則第十二条第一項の規定によりなお従前の例により旧市町村農地保有合理化法人が行う旧農地売買等事業について、当該法人が当該事業の実施により農地法第三条第一項各号列記以外の部分に規定する権利を取得する場合については、この省令による改正後の国土利用計画法施行規則第三条の規定にかかわらず、なお従前の例による。

附　則〔略〕〔平成二五・一二・一一国土交通省令九七〕

附　則〔略〕〔平成二六・二・二八国土交通省令一四〕

附　則〔略〕〔平成二七・一・三〇国土交通省令六〕

附　則〔略〕〔平成二八・三・三一国土交通省令二三〕

附　則〔略〕〔平成二九・一一・三〇国土交通省令七〇〕

附　則〔略〕〔令和二・一二・二三国土交通省令九八〕

附　則〔令和五・三・三一国土交通省令二三〕

この省令は、令和五年七月一日から施行する。

別記様式〔略〕

○広域的地域活性化のための基盤整備に関する法律〔平成一九・五・一八 法律五二〕

改正　平成一八・六法五〇、平成二〇・六法七五、平成二三・四法三二、八法一〇五、平成二四・三法一三、令和六・五法三一

目次

第一章　総則（第一条―第三条）
第二章　基本方針（第四条）
第三章　広域的地域活性化基盤整備計画及びこれに基づく措置
　第一節　広域的地域活性化基盤整備計画の作成等（第五条・第六条）
　第二節　民間拠点施設整備事業計画の認定等（第七条―第十八条）
　第三節　交付金（第十九条―第二十一条）
　第四節　特定居住促進計画の作成等（第二十二条―第二十七条）
　第五節　特定居住支援法人（第二十八条―第三十二条）
第四章　雑則（第三十三条・第三十四条）
第五章　罰則（第三十五条）
附則

第一章　総則

（目的）

第一条　この法律は、人口構造の変化、経済社会生活圏の広域化、国際化の進展等の経済社会情勢の変化に伴い、全国各地域において広域にわたる活発な人の往来又は物資の流通を通じた地域の活性化（以下「広域的地域活性化」という。）を図ることが重要となっていることにかんがみ、広域的地域活性化のための基盤整備を推進するため、国土交通大臣が策定する基本方針について定めるとともに、都道府県が作成する広域的地域活性化基盤整備計画に基づく民間拠点施設整備事業計画の認定及び拠点施設関連基盤施設整備事業その他の事業又は事務の実施に要する経費に充てるための交付金の交付等の措置を講じ、もって地域社会の自立的な発展並びに国民生活の向上及び国民経済の健全な発展に寄与することを目的とする。

（定義）

第二条　この法律において「広域的特定活動」とは、次に掲げる活動をいう。

一　次に掲げる活動であって、当該活動が行われる地域外の広域からの来訪者を増加させ、又は当該広域にわたる物資の流通を促進する効果が高いもの

イ　国際的又は全国的な規模の会議、研修会、見本市又はスポーツの競技会の開催

ロ　国際観光地その他の主要な観光地において行われる次に掲げる活動

(1)　観光旅客に対する観光案内、宿泊その他の役務の提供に関する事業活動（相当数の事業者により行われるものに限る。）

(2)　文化的資産の展示又は伝統芸能の公演

ハ　特定居住（当該地域外に住所を有する者が定期的な滞在のため当該地域内に居所を定めることをいう。以下同じ。）のため必要な住宅又は事務所その他の施設の提供その他の当該地域における特定居住の促進に関する活動（相当数の者を対象として行われるものに限る。）

ニ　高等教育の段階における教育活動

ホ　国際的又は全国的な規模の工業製品の製造に関する事業活動（相当数の事業者により行われるものに限る。）又は共同研究開発

ヘ　イからホまでに掲げるもののほか、これらに類するものとして国土交通省令で定める活動

二　前号に掲げるもののほか、同号に規定する活動を行う者又は同号に規定する来訪者の利便を増進する貨客の運送に関する事業活動であって国土交通省令で定めるもの

2　この法律において「拠点施設」とは、地域における広域的特定活動の拠点となる施設であって、次の各号に掲げる活動の区分に応じ、当該各号に定めるものをいう。

一　前項第一号イに掲げる活動　会議場施設、研修施設、見本市場施設又はスポーツ施設

二　前項第一号ロ(1)に掲げる活動　一団地の観光施設

三　前項第一号ロ(2)に掲げる活動　教養文化施設

四　前項第一号ハに掲げる活動　一団地の住宅施設、特定居住を行う者（以下「特定居住者」という。）の共同利用に供する事務所、事業所その他の業務施設、特定居住者と地域住民との交流の促進に資する施設その他の特定居住の促進のため必要なものとして国土交通省令で定める施設

五　前項第一号ニに掲げる活動　教育施設

六　前項第一号ホに掲げる活動　工業団地又は研究開発施設

七　前項第一号ヘ又は第二号に掲げる活動　同項第一号ヘ又は第二号の国土交通省令で定める活動の種類ごとに国土交通省令で定める施設

3　この法律において「拠点施設関連基盤施設整備事業」とは、都道府県が実施する事業であって、次に掲げるものをいう。

一　次に掲げる事業であって、拠点施設の整備を特に促進することが適当と認められる地区（以下「重点地区」という。）の区域における民間事業者その他の者による拠点施設の整備に関する事業の施行に関連して当該事業と一体的に実施することが必要となるもの

イ　道路法（昭和二十七年法律第百八十号）第三条第二号の一般国道又は同条第三号の都道府県道の新設、改築又は修繕に関する事業

ロ　鉄道事業法（昭和六十一年法律第九十二号）第八条第一項に規定する鉄道施設の建設又は改良に関する事業

ハ　空港法（昭和三十一年法律第八十号）第五条第一項に規定する地方管理空港における同法第八条第一項又は第四項に規定する工事に関する事業

ニ　港湾法（昭和二十五年法律第二百十八号）第二条第五項に規定する港湾施設のうち、水域施設、外郭施設、係留施設、臨港交通施設、港湾公害防止施設、廃棄物処理施設（廃棄物埋立護岸、廃油処理施設及び同法第十二条第一項第十一号の三の海洋性廃棄物処理施設に限る。）又は港湾環境整備施設の建設又は改良に関する事業

ホ　都市公園法（昭和三十一年法律第七十九号）第二条第一項に規定する都市公園の新設又は改築に関する事業

ヘ　下水道法（昭和三十三年法律第七十九号）第二条第三号に規定する公共下水道、同条第四号に規定する流域下水道又は同条第五号に規定する都市下水路の設置又は改築に関する事業

ト　河川法（昭和三十九年法律第百六十七号）第四条第一項に規定する一級河川の改良工事若しくは修繕又は同法第五条第一項に規定する二級河川の改良工事に関する事業

チ　公営住宅法（昭和二十六年法律第百九十三号）第二条第五号に規定する公営住宅の建設等若しくは同条第十二号に規定する共同施設の建設等に関する事業、大都市地域における住宅及び住宅地の供給の促進に関する特別措置法（昭和五十年法律第六十七号）第二条第五号に規定する都心共同住宅供給事業（第二十条において単に「都心共同住宅供給事業」という。）、特定優良賃貸住宅の供給の促進に関する法律（平成五年法律第五十二号）第十八条第二項に規定する賃貸住宅の建設に関する事業、中心市街地の活性化に関する法律（平成十年法律第九十二号）第三十四条第二項に規定する住宅の建設に関する事業又は高齢者の居住の安定確保に関する法律（平成十三年法律第二十六号）第四十五条第一項に規定する賃貸住宅の整備に関する事業

リ　土地区画整理法（昭和二十九年法律第百十九号）による土地区画整理事業又は都市再開発法（昭和四十四年法律第三十八号）による市街地再開発事業

ヌ　その他国土交通省令で定める事業

二　前号に掲げるもののほか、拠点施設において行われる広域的特定活動に伴う人の往来又は物資の流通に対応するために必要な同号イからニまで及びヌに掲げる事業（同号ヌに掲げる事業にあっては、国土交通省令で定める事業に限る。）

4　この法律において「公共施設」とは、道路、公園、広場その他政令で定める公共の用に供する施設をいう。

（国、地方公共団体等の努力義務）

第三条　国は、広域的地域活性化のための基盤整備の効果が十分に発揮されるよう、アジア地域その他の地域における海上輸送網の拠点となる港湾及び主要な国際航空路線に必要な空港、全国的な幹線道路その他の交通施設

で高速交通の用に供するものの総合的かつ体系的な整備に努めなければならない。

2　国及び地方公共団体は、広域的地域活性化のための基盤整備の推進に当たっては、地域の自主性を尊重するとともに、それぞれの地域の個性及び特色の伸長に資するよう努めなければならない。

3　国及び地方公共団体は、広域的地域活性化のための基盤整備の推進に当たっては、広域的特定活動を担うべき人材の育成及び確保に関する施策、新たに企業を設立して行う広域的特定活動の開始に対する支援に関する施策、都市と農山漁村との間の交流の促進に関する施策その他の関連する広域的特定活動の促進に関する施策との連携を図るよう努めなければならない。

4　国、地方公共団体、広域的地域活性化を図る活動を行うことを目的とする特定非営利活動法人（特定非営利活動促進法（平成十年法律第七号）第二条第二項に規定する特定非営利活動法人をいう。第五条第八項、第二十二条第十項及び第二十八条第一項において同じ。）、広域的特定活動を行う民間事業者その他の関係者は、広域的地域活性化のための基盤整備を重点的、効果的かつ効率的に推進するため、相互に連携を図りながら協力するよう努めなければならない。

第二章　基本方針

第四条　国土交通大臣は、広域的地域活性化のための基盤整備に関する基本的な方針（以下「基本方針」という。）を定めなければならない。

2　基本方針においては、次に掲げる事項を定めるものとする。

一　広域的地域活性化のための基盤整備に関する基本的方向

二　拠点施設の選定及び重点地区の設定に関する基本的事項

三　拠点施設関連基盤施設整備事業に関する基本的事項

四　関連する広域的特定活動の促進に関する施策との連携に関する基本的事項

五　広域的地域活性化のための基盤整備に係る都道府県間その他の関係者間における連携及び協力に関する基本的事項

六　次条第一項に規定する広域的地域活性化基盤整備計画の作成に関する基本的事項

七　第二十二条第一項に規定する特定居住促進計画の作成に関する基本的事項

八　前各号に掲げるもののほか、広域的地域活性化のための基盤整備に関する重要事項

3　基本方針は、国土形成計画法（昭和二十五年法律第二百五号）第六条第二項に規定する全国計画との調和が保たれたものでなければならない。

4　国土交通大臣は、基本方針を定めようとするときは、関係行政機関の長に協議しなければならない。

5　国土交通大臣は、基本方針を定めたときは、遅滞なく、これを公表しなければならない。

6　前二項の規定は、基本方針の変更について準用する。

第三章　広域的地域活性化基盤整備計画及びこれに基づく措置

第一節　広域的地域活性化基盤整備計画の作成等

（広域的地域活性化基盤整備計画）

第五条　都道府県は、その区域について、基本方針に基づき、広域的地域活性化のための基盤整備に関する計画（以下「広域的地域活性化基盤整備計画」という。）を作成することができる。

2　広域的地域活性化基盤整備計画には、次に掲げる事項を記載するものとする。

一　拠点施設に関する事項（広域的地域活性化のために拠点施設の整備を特に促進することが必要な場合にあっては、その拠点施設に関する事項及び重点地区の区域）

二　広域的地域活性化のために必要な拠点施設関連基盤施設整備事業に関する事項

三　前号の拠点施設関連基盤施設整備事業と一体となってその効果を一層高めるために必要な事業又は事務（以下この条及び第十九条において「事業等」という。）に関する事項

四　計画期間

3　前項各号に掲げるもののほか、広域的地域活性化基盤整備計画には、広域的地域活性化のための基盤整備に関する方針を定めるよう努めるものとする。

4　広域的地域活性化基盤整備計画は、国土形成計画、北海道総合開発計画、沖縄振興基本方針、社会資本整備重点計画及び環境基本計画との調和が保たれ、かつ、法令に基づく拠点施設関連基盤施設整備事業に関する方針又は計画であって国土交通省令で定めるものに適合するものでなければならない。

5　広域的地域活性化基盤整備計画のうち都市計画法（昭和四十三年法律第百号）第四条第二項に規定する都市計画区域に係る部分は、同法第六条の二に規定する都市計画区域の整備、開発及び保全の方針並びに同法第七条の二第一項に規定する都市再開発方針等との調和が保たれたものでなければならない。

6　都道府県は、広域的地域活性化基盤整備計画を作成するときは、あらかじめ、関係市町村の意見を聴かなければならない。

7　都道府県は、第二項第二号に掲げる事項に第二条第三項第二号に掲げる事業（同項第一号イ、ロ又はヌに掲げる事業（同号ヌに掲げる事業にあっては、国土交通省令で定める事業に限る。）で他の都道府県との境界に係るものに限る。）に関する事項を記載するときは、当該事項について、あらかじめ、当該他の都道府県の意見を聴かなければならない。

8　第二項第三号に掲げる事項には、都道府県が実施する事業等に係るものを記載するほか、必要に応じ、市町村、地方自治法（昭和二十二年法律第六十七号）第二百八十四条第一項に規定する一部事務組合若しくは広域連合、港湾法第四条第一項の規定による港務局又は広域的地域活性化を図る活動を行うことを目的とする特定非営利活動法人、一般社団法人若しくは一般財団法人若しくはこれらに準ずるものとして国土交通省令で定める者（以下「市町村等」という。）が実施する事業等（都道府県が当該事業等に要する経費の一部を負担してその推進を図るものに限る。）に係るものを記載することができる。

9　都道府県は、広域的地域活性化基盤整備計画に市町村等が実施する事業等に係る事項を記載するときは、当該事項について、あらかじめ、当該市町村等の同意を得なければならない。

10　市町村は、都道府県に対し、国土交通省令で定めるところにより、第二十二条第一項に規定する特定居住拠点施設に関する事項及び特定居住重点地区の区域をその内容に含む広域的地域活性化基盤整備計画を作成することを提案することができる。この場合においては、基本方針に即して、当該提案に係る広域的地域活性化基盤整備計画の素案を作成して、これを提示しなければならない。

11　前項の規定による提案を受けた都道府県は、当該提案に基づき広域的地域活性化基盤整備計画を作成するか否かについて、遅滞なく、当該提案をした市町村に通知するものとする。この場合において、広域的地域活性化基盤整備計画を作成しないこととするときは、その理由を明らかにしなければならない。

12　都道府県は、広域的地域活性化基盤整備計画を作成したときは、遅滞なく、これを公表するとともに、関係市町村に広域的地域活性化基盤整備計画の写しを送付しなければならない。

13　第六項から前項までの規定は、広域的地域活性化基盤整備計画の変更について準用する。

（広域地方計画協議会における協議の特例）

第六条　広域的地域活性化基盤整備計画を作成した都道府県を構成員に含む広域地方計画協議会（国土形成計画法第十条第一項の広域地方計画協議会をいう。以下同じ。）は、同項に規定する事項のほか、当該広域的地域活性化基盤整備計画の実施に関し必要な事項について協議することができる。

2　前項の規定により広域地方計画協議会が同項に規定する事項について協議する場合には、国土形成計画法第十条第二項中「有する者」とあるのは、「有する者及び広域的地域活性化のための基盤整備に関する法律（平成十九年法律第五十二号）第五条第一項に規定する広域的地域活性化基盤整備計画の実施に密接な関係を有する者」とする。

第二節　民間拠点施設整備事業計画の認定等

（民間拠点施設整備事業計画の認定）

第七条　広域的地域活性化基盤整備計画に記載された重点地区の区域における拠点施設の整備に関する事業（建築物及びその敷地の整備に関する事業（これに附帯する事業を含む。）で公共施設の整備を伴うものに限る。）であって、当該事業を施行する土地（水面を含む。）の区域（以下「事業区域」という。）の面積が政令で定める規模以上のもの（以下「拠点施設整備事業」という。）を施行しようとする民間事業者は、国土交通省令で定めるところにより、当該拠点施設整備事業に関する計画（以下「民間拠点施設整備事業計画」という。）を作成し、国土交通大臣の認定を申請することができる。

２　民間拠点施設整備事業計画には、次に掲げる事項を記載しなければならない。

一　事業区域の位置及び面積

二　拠点施設の概要

三　建築物及びその敷地の整備に関する事業の概要

四　公共施設の整備に関する事業の概要及び当該公共施設の管理者又は管理者となるべき者

五　工事着手の時期及び事業施行期間

六　用地取得計画

七　資金計画

八　前各号に掲げるもののほか、拠点施設整備事業に関する事項であって国土交通省令で定めるもの

（民間拠点施設整備事業計画の認定基準等）

第八条　国土交通大臣は、前条第一項の規定による認定の申請があった場合において、当該申請に係る民間拠点施設整備事業計画が次に掲げる基準に適合すると認めるときは、その認定をすることができる。

一　当該拠点施設整備事業が、基本方針のうち第四条第二項第二号に掲げる事項及び広域的地域活性化基盤整備計画のうち当該重点地区の区域に係る第五条第二項第一号に掲げる事項に照らして適切なものであること。

二　当該拠点施設整備事業が、都市における土地の合理的かつ健全な利用及び都市機能の増進に寄与するものであること。

三　工事着手の時期、事業施行期間及び用地取得計画が、当該拠点施設整備事業を確実に遂行するために適切なものであること。

四　当該拠点施設整備事業を適確に施行するに足りる経理的基礎及び技術的能力その他の能力があること。

２　国土交通大臣は、前項の認定（以下「計画の認定」という。）をしようとするときは、あらかじめ、関係地方公共団体及び当該拠点施設整備事業の施行により整備される公共施設の管理者又は管理者となるべき者（以下「公共施設の管理者等」という。）の意見を聴かなければならない。

（計画の認定の通知）

第九条　国土交通大臣は、計画の認定をしたときは、速やかに、その旨を関係地方公共団体、公共施設の管理者等及び民間都市開発の推進に関する特別措置法（昭和六十二年法律第六十二号。以下「民間都市開発法」という。）第三条第一項に規定する民間都市開発推進機構（以下「民間都市機構」という。）に通知するとともに、計画の認定を受けた民間事業者（以下「認定事業者」という。）の氏名又は名称、事業区域、事業施行期間その他国土交通省令で定める事項を公表しなければならない。

（民間拠点施設整備事業計画の変更）

第一〇条　認定事業者は、計画の認定を受けた民間拠点施設整備事業計画（以下「認定計画」という。）の変更（国土交通省令で定める軽微な変更を除く。）をしようとするときは、国土交通大臣の認定を受けなければならない。

２　前二条の規定は、前項の場合について準用する。

（報告の徴収）

第一一条　国土交通大臣は、認定事業者に対し、認定計画（認定計画の変更があったときは、その変更後のもの。以下同じ。）に係る拠点施設整備事業（以下「認定事業」という。）の施行の状況について報告を求めることができる。

（地位の承継）

第一二条　認定事業者の一般承継人又は認定事業者から認定計画に係る事業区域内の土地の所有権その他当該認定事業の施行に必要な権原を取得した者は、国土交通大臣の承認を受けて、当該認定事業者が有していた計画の認定に基づく地位を承継することができる。

２　国土交通大臣は、前項の承認をしようとするときは、あらかじめ、関係地方公共団体の意見を聴かなければならない。

（改善命令）

第一三条　国土交通大臣は、認定事業者が認定計画に従って認定事業を施行していないと認めるときは、当該認定事業者に対し、相当の期間を定めて、その改善に必要な措置を命ずることができる。

（計画の認定の取消し）

第一四条　国土交通大臣は、認定事業者が前条の規定による命令に違反したときは、計画の認定を取り消すことができる。

２　国土交通大臣は、前項の規定により計画の認定を取り消したときは、速やかに、その旨を、関係地方公共団体、公共施設の管理者等及び民間都市機構に通知するとともに、公表しなければならない。

（民間都市機構の行う拠点施設整備事業支援業務）

第一五条　民間都市機構は、民間都市開発法第四条第一項各号に掲げる業務及び民間都市開発法第十四条の八第一項の規定により国土交通大臣の指示を受けて行う業務のほか、民間事業者による拠点施設整備事業を推進するため、国土交通大臣の承認を受けて、次に掲げる業務を行うことができる。

一　次に掲げる方法により、認定事業者の認定事業の施行に要する費用の一部（公共施設並びにこれに準ずる避難施設、駐車場その他建築物の利用者、都市の居住者及び滞在者その他の関係者の利便の増進に寄与する施設の整備に要する費用の額の範囲内に限る。）について支援すること。

イ　認定事業者（専ら認定事業の施行を目的とする株式会社又は合同会社に限る。）に対する出資

ロ　専ら、認定事業者から認定事業の施行により整備される建築物及びその敷地（以下この号において「認定建築物等」という。）を取得し、当該認定建築物等の管理及び処分を行うことを目的とする株式会社、合同会社又は資産の流動化に関する法律（平成十年法律第百五号）第二条第三項に規定する特定目的会社に対する出資

ハ　不動産特定共同事業法（平成六年法律第七十七号）第二条第二項に規定する不動産取引（認定建築物等を整備し、又は整備された認定建築物等を取得し、当該認定建築物等の管理及び処分を行うことを内容とするものに限る。）を対象とする同条第三項に規定する不動産特定共同事業契約に基づく出資

ニ　信託（受託した土地において認定建築物等を整備し、当該認定建築物等の管理及び処分を行うことを内容とするものに限る。）の受益権の取得

ホ　イからニまでに掲げる方法に準ずるものとして国土交通省令で定める方法

二　認定事業者に対し、必要な助言、あっせんその他の援助を行うこと。

三　前二号に掲げる業務に附帯する業務を行うこと。

２　前項の規定により民間都市機構が同項各号に掲げる業務を行う場合には、民間都市開発法第十二条第一項中「第四条第一項各号」とあるのは「第四条第一項各号及び広域的地域活性化のための基盤整備に関する法律（平成十九年法律第五十二号。以下「広域的地域活性化基盤整備法」という。）第十五条第一項各号」と、民間都市開発法第十四条中「第四条第一項各号」とあるのは「第四条第一項各号及び広域的地域活性化基盤整備法第十五条第一項各号」と、「第四条第一項第一号及び第二号」とあるのは「第四条第一項第一号及び第二号並びに広域的地域活性化基盤整備法第十五条第一項第一号」と、民間都市開発法第二十条第一号中「第十一条第一項」とあるのは「第十一条第一項（広域的地域活性化基盤整備法第十五条第二項の規定により読み替えて適用する場合を含む。以下この号において同じ。）」と、「同項」とあるのは「第十一条第一項」と、同条第二号中「第十二条」とあるのは「第十二条（広域的地域活性化基盤整備法第十五条第二項の規定により読み替えて適用する場合を含む。）」とする。

３　民間都市機構は、第一項第一号に掲げる業務を行う場合においては、国土交通省令で定める基準に従って行わなければならない。

（認定事業者による都市計画の決定等の提案）

第一六条　認定事業者は、都市計画法第十五条第一項の都道府県若しくは市町村又は同法第八十七条の二第一項の指定都市（同法第二十二条第一項の場合にあっては、同項の国土交通大臣（同法第八十五条の二の規定により同項に規定する国土交通大臣の権限が地方整備局長又は北海道開発局長に委任されている場合にあっては、当該地方整備局長又は北海道開発局長）

又は市町村」（次条において「都市計画決定権者」と総称する。）に対し、当該認定事業の施行の効果を一層高めるために必要な次に掲げる都市計画の決定又は変更をすることを提案することができる。この場合においては、当該提案に係る都市計画の素案を添えなければならない。

一　都市計画法第十二条の四第一項第一号の地区計画に関する都市計画

二　土地区画整理法による土地区画整理事業に関する都市計画

三　都市再開発法による市街地再開発事業に関する都市計画

四　都市計画法第四条第五項に規定する都市施設で政令で定めるものに関する都市計画

五　その他政令で定める都市計画

2　前項の規定による提案（以下「計画提案」という。）は、当該認定事業に係る土地の全部又は一部を含む一団の土地の区域について、次に掲げるところに従って、国土交通省令で定めるところにより行うものとする。

一　当該計画提案に係る都市計画の素案の内容が、都市計画法第十三条その他の法令の規定に基づく都市計画に関する基準に適合するものであること。

二　当該計画提案に係る都市計画の素案の対象となる土地（国又は地方公共団体の所有している土地で公共施設の用に供されているものを除く。以下この条において同じ。）の区域内の土地について所有権又は借地権（建物の所有を目的とする対抗要件を備えた地上権又は賃借権（臨時設備その他一時使用のため設定されたことが明らかなものを除く。）をいう。以下この条において同じ。）を有する者の三分の二以上の同意を得ており、かつ、同意をした者が所有するその区域内の土地の地積と同意をした者が有する借地権の目的となっているその区域内の土地の地積の合計が、その区域内の土地の総地積と借地権の目的となっている土地の総地積との合計の三分の二以上であること。

3　前項第二号の場合において、所有権又は借地権が数人の共有に属する土地があるときは、当該土地について所有権を有する者又は借地権を有する者の数をそれぞれ一とみなし、同意をした所有権を有する者の共有持分の割合の合計又は同意をした借地権を有する者の共有持分の割合の合計をそれぞれ当該土地について同意をした者の数とみなし、当該土地の地積に同意をした所有権を有する者の共有持分の割合の合計又は同意をした借地権を有する者の共有持分の割合の合計を乗じて得た面積を当該土地について同意をした者が所有する土地の地積又は同意をした者が有する借地権の目的となっている土地の地積とみなす。

（計画提案を踏まえた都市計画の決定等）

第一七条　都市計画決定権者は、計画提案が行われたときは、遅滞なく、当該計画提案を踏まえた都市計画の決定又は変更（計画提案に係る都市計画の素案の内容の全部又は一部を実現することとなる都市計画の決定又は変更をいう。第三項において同じ。）をする必要があるかどうかを判断し、当該都市計画の決定又は変更をする必要があると認めるときは、その案を作成しなければならない。

2　都市計画決定権者は、当該計画提案を踏まえた都市計画の決定又は変更（計画提案に係る都市計画の素案の内容の一部を実現することとなる都市計画の決定又は変更をいう。）をしようとする場合において、都市計画法第十八条第一項又は第十九条第一項（これらの規定を同法第二十一条第二項において準用する場合を含む。）の規定により都市計画の案を都道府県都市計画審議会又は市町村都市計画審議会に付議しようとするときは、当該都市計画の案に併せて、当該計画提案に係る都市計画の素案を提出しなければならない。

3　都市計画決定権者は、当該計画提案を踏まえた都市計画の決定又は変更をする必要がないと判断したときは、遅滞なく、その旨及びその理由を、当該計画提案をした認定事業者に通知しなければならない。

4　都市計画決定権者は、前項の規定による通知をしようとするときは、あらかじめ、都道府県都市計画審議会（都市計画決定権者である市町村に市町村都市計画審議会が置かれているときは、当該市町村都市計画審議会）に当該計画提案に係る都市計画の素案を提出してその意見を聴かなければならない。

（広域地方計画協議会における認定事業の円滑かつ確実な施行のために必要な協議）

第一八条　認定事業者は、第六条第一項に規定する広域地方計画協議会に対し、その認定事業の円滑かつ確実な施行のために必要な協議を行うことを求めることができる。

2　前項の協議を行うことを求められた広域地方計画協議会に関する国土形成計画法第十条第四項の規定の適用については、同項中「関係各行政機関」とあるのは、「関係各行政機関及び広域的地域活性化のための基盤整備に関する法律（平成十九年法律第五十二号）第十八条第一項の協議を行うことを求めた同項の認定事業者」とする。

3　広域地方計画協議会は、第一項の協議を行うことを求められた場合において、当該協議が調ったとき又は当該協議が調わないこととなったときはその結果を、当該協議の結果を得るに至っていないときは当該協議を行うことを求められた日から六月を経過するごとにその間の経過を、速やかに、当該協議を行うことを求めた認定事業者に通知するものとする。

第三節　交付金

（交付金の交付等）

第一九条　都道府県は、次項の交付金を充てて広域的地域活性化基盤整備計画に記載された第五条第二項第二号及び第三号の事業等の実施（同号の事業等にあっては、市町村等が実施する事業等に要する費用の一部の負担を含む。次項において同じ。）をしようとするときは、当該広域的地域活性化基盤整備計画を国土交通大臣に提出しなければならない。

2　国は、都道府県に対し、前項の規定により提出された広域的地域活性化基盤整備計画に記載された第五条第二項第二号及び第三号の事業等の実施に要する経費に充てるため、第二条第三項第一号イからチまでに規定する施設の整備の状況その他の事項を基礎として国土交通省令で定めるところにより、予算の範囲内で、交付金を交付することができる。

3　前項の交付金を充てて行う事業に要する費用については、道路法その他の法令の規定に基づく国の負担又は補助は、当該規定にかかわらず、行わないものとする。

4　前三項に定めるもののほか、第二項の交付金の交付に関し必要な事項は、国土交通省令で定める。

（交付金に係る都心共同住宅供給事業により建設された住宅の家賃又は分譲価額等）

第二〇条　大都市地域における住宅及び住宅地の供給の促進に関する特別措置法第百一条の五第一項に規定する認定事業者である都府県が前条第二項の交付金を充てて実施する都心共同住宅供給事業により建設される住宅についての同法第百一条の十一の規定の適用については、同条第一項中「前条第一項又は第二項の規定による補助」とあるのは「広域的地域活性化のための基盤整備に関する法律（平成十九年法律第五十二号）第十九条第二項の交付金」と、同条第三項中「前条第一項又は第二項の規定による補助」とあるのは「広域的地域活性化のための基盤整備に関する法律第十九条第二項の交付金」とする。

（交付金に係る高齢者向けの優良な賃貸住宅についての周知措置）

第二一条　都道府県が第十九条第二項の交付金を充てて整備する高齢者の居住の安定確保に関する法律第四十五条第一項に規定する賃貸住宅についての同法第五十条の規定の適用については、同条中「第四十五条、第四十七条第四項、第四十八条第一項若しくは前条又は第四十七条第一項の規定による費用の補助又は負担を受けて整備し、又は家賃を減額する」とあるのは、「広域的地域活性化のための基盤整備に関する法律（平成十九年法律第五十二号）第十九条第二項の交付金を充てて整備し、又は第四十五条第二項の規定による補助を受けて家賃を減額する」とする。

第四節　特定居住促進計画の作成等

（特定居住促進計画）

第二二条　市町村は、第五条第二項第一号に掲げる事項として第二条第二項第四号に定める拠点施設（以下この条において「特定居住拠点施設」という。）に関する事項及び当該特定居住拠点施設に係る重点地区（以下この項において「特定居住重点地区」という。）の区域が記載された広域的地域活性化基盤整備計画について第五条第十二項（同条第十三項において準用する場合を含む。）の規定による送付を受けたときは、単独で又は共同して、基本方針及び当該広域的地域活性化基盤整備計画に基づき、当該市町村の区域内の特定居住重点地区の区域内において特定居住の促進を図るための計画（以下「特定居住促進計画」という。）を作成することができる。

2　特定居住促進計画には、おおむね次に掲げる事項を記載するものとする。

一　特定居住促進計画の区域（以下「特定居住促進区域」という。）
二　第二条第一項第一号ハに掲げる活動に関する基本的な方針
三　特定居住促進区域における特定居住拠点施設の整備に関する事項
四　前号に掲げるもののほか、特定居住者の生活の利便性の向上又は就業の機会の創出に資するため必要な施設の整備に関する事項
五　前二号に規定する施設の整備に関する事業と一体となってその効果を一層高めるために必要な事業又は事務に関する事項
六　第三号又は第四号に規定する施設の整備に関する事業と拠点施設関連基盤施設整備事業との連携に関する事項
七　計画期間

3　前項第三号又は第四号に掲げる事項には、特定居住促進区域（都市計画法第八条第一項第一号に掲げる第一種低層住居専用地域、第二種低層住居専用地域、第一種中高層住居専用地域又は第二種中高層住居専用地域に該当する区域に限る。）内において特定居住の促進を図るため必要な建築物（建築基準法（昭和二十五年法律第二百一号）第二条第一号に規定する建築物をいう。以下この条において同じ。）について第二十四条の規定により読み替えて適用する同法第四十八条第一項から第四項まで（これらの規定を同法第八十七条第二項又は第三項において準用する場合を含む。）の規定のただし書の規定の適用を受けるための要件（以下この条及び第二十四条において「用途特例適用要件」という。）に関する事項を定めることができる。

4　第二項第三号に掲げる事項には、特定居住拠点施設の整備のために実施する公的賃貸住宅等整備事業（地域における多様な需要に応じた公的賃貸住宅等の整備等に関する特別措置法（平成十七年法律第七十九号）第六条第二項第一号又は第二号に規定する事業又は事務（いずれも同項第一号イに掲げる事業に係るものに限る。）をいう。第十項及び第二十五条において同じ。）に関する事項を定めることができる。

5　市町村は、特定居住促進計画を作成するときは、あらかじめ、都道府県の意見を聴かなければならない。

6　市町村は、特定居住促進計画を作成するときは、あらかじめ、当該特定居住促進区域内の住民の意見を反映させるために必要な措置を講ずるものとする。

7　市町村は、特定居住促進計画を作成する場合において、次条第一項に規定する特定居住促進協議会が組織されているときは、当該特定居住促進計画に記載する事項について当該特定居住促進協議会において協議しなければならない。

8　市町村は、特定居住促進計画に用途特例適用要件に関する事項を記載するときは、あらかじめ、当該事項について、当該特定居住促進区域内の建築物について建築基準法第四十八条第一項から第四項まで（これらの規定を同法第八十七条第二項又は第三項において準用する場合を含む。）の規定のただし書の規定による許可の権限を有する特定行政庁（同法第二条第三十五号に規定する特定行政庁をいう。次項において同じ。）と協議をし、その同意を得なければならない。

9　前項の規定により用途特例適用要件に関する事項について協議を受けた特定行政庁は、第三項に規定する建築物（第二十四条において「特例適用建築物」という。）を用途特例適用要件に適合する用途に供することが特定居住促進区域における特定居住の促進のためにやむを得ないものであると認めるときは、前項の同意をすることができる。

10　市町村は、第四項に規定する事項として独立行政法人都市再生機構、地方住宅供給公社又は地域における良好な居住環境の形成を図る活動を行うことを目的とする特定非営利活動法人、一般社団法人若しくは一般財団法人若しくはこれらに準ずるものとして国土交通省令で定める者（以下この項において「機構等」という。）が実施する公的賃貸住宅等整備事業に係る事項を記載するときは、当該事項について、あらかじめ、当該機構等の同意を得なければならない。

11　市町村（地方自治法第二百五十二条の十九第一項の指定都市及び同法第二百五十二条の二十二第一項の中核市を除く。）は、特定居住促進計画に市街化調整区域（都市計画法第七条第一項に規定する市街化調整区域をいう。第二十六条において同じ。）の区域を含む特定居住促進区域を定めるときは、あらかじめ、当該特定居住促進区域の区域並びに第二項第三号及び第四号に掲げる事項について、都道府県知事と協議をしなければならない。

12　特定居住促進計画は、都市計画法第六条の二の都市計画区域の整備、開発及び保全の方針及び同法第十八条の二の市町村の都市計画に関する基本的な方針との調和が保たれたものでなければならない。

13　市町村は、特定居住促進計画を作成したときは、遅滞なく、これを公表するとともに、都道府県に当該特定居住促進計画の写しを送付しなければならない。

14　第五項から前項までの規定は、特定居住促進計画の変更について準用する。

（特定居住促進協議会）
第二三条　市町村は、単独で又は共同して、特定居住促進計画の作成及び実施に関する協議その他特定居住の促進を図るための施策に関し必要な協議を行うための協議会（以下この条において「特定居住促進協議会」という。）を組織することができる。

2　特定居住促進協議会の構成員は、前項の市町村及び当該市町村を区域に含む都道府県のほか、第二十八条第一項に規定する特定居住支援法人、地域住民、宅地建物取引業者（宅地建物取引業法（昭和二十七年法律第百七十六号）第二条第三号に規定する宅地建物取引業者をいう。）その他の当該市町村が必要と認める者とする。

3　特定居住促進協議会において協議が調った事項については、特定居住促進協議会の構成員は、その協議の結果を尊重しなければならない。

4　前三項に定めるもののほか、特定居住促進協議会の運営に関し必要な事項は、特定居住促進協議会が定める。

（建築基準法の特例）
第二四条　特定居住促進計画（用途特例適用要件に関する事項が定められたものに限る。）が第二十二条第十三項（同条第十四項において準用する場合を含む。第二十六条において同じ。）の規定により公表されたときは、当該公表の日以後は、特例適用建築物に対する建築基準法第四十八条第一項から第四項まで（これらの規定を同法第八十七条第二項又は第三項において準用する場合を含む。以下この条において同じ。）の規定の適用については、同法第四十八条第一項から第四項までの規定のただし書の規定中「特定行政庁が」とあるのは「特定行政庁が、」と、「認め、」とあるのは「認めて許可した場合」と、同条第一項ただし書中「公益上やむを得ない」とあるのは「広域的地域活性化のための基盤整備に関する法律（平成十九年法律第五十二号）第二十二条第十三項（同条第十四項において準用する場合を含む。）の規定により公表された同条第一項に規定する特定居住促進計画に定められた同条第三項に規定する用途特例適用要件（以下この条において「特例適用要件」という。）に適合すると認めて許可した場合その他公益上やむを得ない」と、同条第二項から第四項までの規定のただし書の規定中「公益上やむを得ない」とあるのは「特例適用要件に適合すると認めて許可した場合その他公益上やむを得ない」とする。

（地域における多様な需要に応じた公的賃貸住宅等の整備等に関する特別措置法の特例）
第二五条　市町村が特定居住促進計画に公的賃貸住宅等整備事業に関する事項を定めた場合における地域における多様な需要に応じた公的賃貸住宅等の整備等に関する特別措置法第七条の規定の適用については、同条第一項中「地域住宅計画に」とあるのは「特定居住促進計画（広域的地域活性化のための基盤整備に関する法律（平成十九年法律第五十二号）第二十二条第一項に規定する特定居住促進計画をいう。以下この条において同じ。）に」と、「事業等の」とあるのは「公的賃貸住宅等整備事業（同法第二十二条第四項に規定する公的賃貸住宅等整備事業をいう。以下この条において同じ。）の」と、「事業等に」とあるのは「公的賃貸住宅等整備事業に」と、「同項」とあるのは「次項」と、「地域住宅計画を」とあるのは「特定居住促進計画を」と、同条第二項中「地域住宅計画」とあるのは「特定居住促進計画」と、「事業等」とあるのは「公的賃貸住宅等整備事業」とする。

（建築物の用途変更についての配慮）
第二六条　都道府県知事は、第二十二条第十三項の規定により公表された特定居住促進計画に記載された特定居住促進区域（市街化調整区域に該当する区域に限る。）内の建築物（都市計画法第四条第十項に規定する建築物をいう。以下この条において同じ。）について、当該建築物を第二十二条第二項第三号又は第四号に規定する施設の用に供するため同法第四十二条第一項ただし書又は第四十三条第一項の許可（いずれも当該建築物の用途の変更に係るものに限る。）を求められたときは、第二十二条第十一項の協議の結果を踏まえ、当該建築物の当該施設としての活用の促進が図られるよう適切な配慮をするものとする。

（地方住宅供給公社の業務の特例）

第二七条　地方住宅供給公社は、地方住宅供給公社法（昭和四十年法律第百二十四号）第二十一条に規定する業務のほか、特定居住促進区域内において、特定居住促進計画を作成した市町村からの委託に基づき、特定居住者の居住の用に供する住宅の整備及び賃貸その他の管理に関する業務を行うことができる。

2　前項の規定により地方住宅供給公社が同項に規定する業務を行う場合における地方住宅供給公社法第四十九条の規定の適用については、同条第三号中「第二十一条」とあるのは、「第二十一条に規定する業務及び広域的地域活性化のための基盤整備に関する法律（平成十九年法律第五十二号）第二十七条第一項」とする。

第五節　特定居住支援法人

（特定居住支援法人の指定）

第二八条　市町村長は、特定非営利活動法人、一般社団法人若しくは一般財団法人その他の営利を目的としない法人又は特定居住の促進を図る活動を行うことを目的とする会社であって、次条各号に掲げる業務を適正かつ確実に行うことができると認められるものを、その申請により、特定居住支援法人（以下「支援法人」という。）として指定することができる。

2　市町村長は、前項の規定による指定をしたときは、当該支援法人の名称又は商号、住所及び事務所又は営業所の所在地を公示しなければならない。

3　支援法人は、その名称若しくは商号、住所又は事務所若しくは営業所の所在地を変更するときは、あらかじめ、その旨を市町村長に届け出なければならない。

4　市町村長は、前項の規定による届出があったときは、当該届出に係る事項を公示しなければならない。

（支援法人の業務）

第二九条　支援法人は、次に掲げる業務を行うものとする。

一　特定居住者又は特定居住を希望する者に対し、特定居住に関する情報の提供又は相談その他の特定居住に関し必要な援助を行うこと。

二　第二十二条第二項第三号及び第四号に規定する施設の整備を行うこと。

三　特定居住の促進に関する調査研究を行うこと。

四　特定居住に関する普及啓発を行うこと。

五　前各号に掲げるもののほか、特定居住の促進のために必要な業務を行うこと。

（監督等）

第三〇条　市町村長は、前条各号に掲げる業務の適正かつ確実な実施を確保するため必要があると認めるときは、支援法人に対し、その業務に関し報告をさせることができる。

2　市町村長は、支援法人が前条各号に掲げる業務を適正かつ確実に実施していないと認めるときは、支援法人に対し、その業務の運営の改善に関し必要な措置を講ずべきことを命ずることができる。

3　市町村長は、支援法人が前項の規定による命令に違反したときは、第二十八条第一項の規定による指定を取り消すことができる。

4　市町村長は、前項の規定により指定を取り消したときは、その旨を公示しなければならない。

（情報の提供等）

第三一条　国及び地方公共団体は、支援法人に対し、その業務の実施に関し必要な情報の提供又は指導若しくは助言をするものとする。

2　市町村長は、支援法人からその業務の遂行のため特定居住促進区域内の住宅若しくは事務所その他の施設又は当該住宅若しくは施設の敷地である土地の所有者又は管理者（以下この項において「所有者等」という。）を知る必要があるとして、当該所有者等に関する情報（以下この条において「所有者等関連情報」という。）の提供の求めがあったときは、当該所有者等の探索に必要な限度で、当該支援法人に対し、所有者等関連情報を提供するものとする。

3　前項の場合において、市町村長は、支援法人に対し所有者等関連情報を提供するときは、あらかじめ、当該所有者等関連情報を提供することについて本人（当該所有者等関連情報によって識別される特定の個人をいう。）の同意を得なければならない。

4　前項の同意は、その所在が判明している者に対して求めれば足りる。

（支援法人による特定居住促進計画の作成等の提案）

第三二条　支援法人は、その業務を行うために必要があると認めるときは、市町村に対し、国土交通省令で定めるところにより、特定居住促進計画の作成又は変更をすることを提案することができる。この場合においては、基本方針及び広域的地域活性化基盤整備計画に即して、当該提案に係る特定居住促進計画の素案を作成して、これを提示しなければならない。

2　前項の規定による提案を受けた市町村は、当該提案に基づき特定居住促進計画の作成又は変更をするか否かについて、遅滞なく、当該提案をした支援法人に通知するものとする。この場合において、特定居住促進計画の作成又は変更をしないこととするときは、その理由を明らかにしなければならない。

第四章　雑則

（国土交通省令への委任）

第三三条　この法律に定めるもののほか、この法律の実施のために必要な事項は、国土交通省令で定める。

（経過措置）

第三四条　この法律の規定に基づき命令を制定し、又は改廃する場合においては、その命令で、その制定又は改廃に伴い合理的に必要と判断される範囲内において、所要の経過措置を定めることができる。

第五章　罰則

第三五条　第十一条の規定による報告をせず、又は虚偽の報告をしたときは、その違反行為をした者は、三十万円以下の罰金に処する。

2　法人の代表者又は法人若しくは人の代理人、使用人その他の従業者が、その法人又は人の業務に関し、前項の違反行為をしたときは、行為者を罰するほか、その法人又は人に対して同項の刑を科する。

附　則　〔抄〕

（施行期日）

第一条　この法律は、公布の日から起算して三月を超えない範囲内において政令で定める日から施行する。

〔平成一九政二四八により、平成一九・八・六から施行〕

（検討）

第二条　政府は、この法律の施行後十年以内に、この法律の施行の状況について検討を加え、その結果に基づいて必要な措置を講ずるものとする。

附　則　〔略〕〔平成一八・六・二法律五〇〕

附　則　〔抄〕〔平成二〇・六・一八法律七五〕

（施行期日等）

第一条　この法律は、公布の日から施行する。〔以下略〕

（広域的地域活性化のための基盤整備に関する法律の一部改正に伴う経過措置）

第三八条　当分の間、前条の規定による改正後の広域的地域活性化のための基盤整備に関する法律第二条第三項第一号ハ中「地方管理空港」とあるのは「地方管理空港及び空港整備法及び航空法の一部を改正する法律（平成二十年法律第七十五号）附則第三条第一項に規定する特定地方管理空港」と、「同法第八条第一項又は第四項」とあるのは「空港法第八条第一項若しくは第四項又は空港整備法及び航空法の一部を改正する法律附則第三条第一項の規定によりなお従前の例によることとされる場合における同法第一条の規定による改正前の空港整備法（昭和三十一年法律第八十号）第八条第一項若しくは第四項」とする。

附　則　〔略〕〔平成二三・四・二八法律三二〕

附　則　〔略〕〔平成二三・八・三〇法律一〇五〕

附　則　〔略〕〔平成二四・三・三一法律一三〕

附　則　〔令和六・五・二二法律三一〕

（施行期日）

第一条　この法律は、公布の日から起算して六月を超えない範囲内において政令で定める日から施行する。ただし、附則第三条の規定は、公布の日から施行する。

（経過措置）

第二条　地方自治法の一部を改正する法律（平成二十六年法律第四十二号）附則第二条に規定する施行時特例市に対するこの法律による改正後の第二

十二条第十一項及び第二十六条の規定の適用については、同項中「指定都市及び」とあるのは「指定都市、」と、「中核市」とあるのは「中核市及び地方自治法の一部を改正する法律（平成二十六年法律第四十二号）附則第二条に規定する施行時特例市」とする。

（政令への委任）

第三条 前条に定めるもののほか、この法律の施行に関し必要な経過措置は、政令で定める。

（検討）

第四条 政府は、この法律の施行後五年を目途として、この法律による改正後の規定について、その施行の状況等を勘案して検討を加え、必要があると認めるときは、その結果に基づいて所要の措置を講ずるものとする。

○広域的地域活性化のための基盤整備に関する法律施行令

〔平成一九・八・三 政令二四九〕

改正 平成二〇・三政一〇五、平成二三・一一政三六三

（公共施設）

第一条 広域的地域活性化のための基盤整備に関する法律（以下「法」という。）第二条第四項の政令で定める公共の用に供する施設は、下水道、緑地、河川、運河及び水路並びに防水、防砂又は防潮の施設並びに港湾における水域施設、外郭施設及び係留施設とする。

（民間事業者が計画の認定を申請することができる拠点施設の整備に関する事業の規模）

第二条 法第七条第一項の政令で定める規模は、次の各号に掲げる拠点施設の整備に関する事業の区分に応じ、それぞれ当該各号に定める面積とする。

一 次に掲げる区域における拠点施設の整備に関する事業（次号に掲げる拠点施設の整備に関する事業を除く。） 〇・五ヘクタール

イ 首都圏整備法（昭和三十一年法律第八十三号）第二条第三項に規定する既成市街地又は同条第四項に規定する近郊整備地帯

ロ 近畿圏整備法（昭和三十八年法律第百二十九号）第二条第三項に規定する既成都市区域又は同条第四項に規定する近郊整備区域

ハ 中部圏開発整備法（昭和四十一年法律第百二号）第二条第三項に規定する都市整備区域

ニ 地方自治法（昭和二十二年法律第六十七号）第二百五十二条の十九第一項に規定する指定都市の区域

二 前号イからニまでに掲げる区域における拠点施設の整備に関する事業であって、当該拠点施設の整備に関する事業の事業区域に隣接し、又は近接してこれと一体的に他の拠点施設の整備に関する事業で次のイからハまでのいずれにも該当するものが施行され、又は施行されることが確実であると見込まれ、かつ、これらの拠点施設の整備に関する事業の事業区域の面積の合計が〇・五ヘクタール以上となる場合における当該拠点施設の整備に関する事業 〇・二五ヘクタール

イ 広域的地域活性化基盤整備計画に記載された重点地区の区域における建築物及びその敷地の整備に関する事業（これに附帯する事業を含む。）で公共施設の整備を伴うものであること。

ロ 基本方針のうち法第四条第二項第二号に掲げる事項及び広域的地域活性化基盤整備計画のうち当該重点地区の区域に係る法第五条第二項第一号に掲げる事項に照らして適切なものであること。

ハ 都市における土地の合理的かつ健全な利用及び都市機能の増進に寄与するものであること。

三 第一号イからニまでに掲げる区域以外の区域における拠点施設の整備に関する事業 〇・二ヘクタール

（認定事業者が都市計画の決定等を提案することができる都市施設）

第三条 法第十六条第一項第四号の政令で定める都市施設は、次に掲げるものとする。

一 道路、都市高速鉄道、駐車場、自動車ターミナルその他の交通施設

二 公園、緑地、広場その他の公共空地

三 水道、電気供給施設、ガス供給施設、下水道、ごみ焼却場その他の供給施設又は処理施設

四 河川、運河その他の水路

五 学校、図書館、研究施設その他の教育文化施設

六 病院、保育所その他の医療施設又は社会福祉施設

七 防水、防砂又は防潮の施設

附 則〔抄〕

（施行期日）

1 この政令は、法の施行の日（平成十九年八月六日）から施行する。

附 則〔略〕〔平成二〇・三・三一政令一〇五〕

附 則〔抄〕〔平成二三・一一・二八政令三六三〕

（施行期日）

第一条 この政令は、地域の自主性及び自立性を高めるための改革の推進を図るための関係法律の整備に関する法律附則第一条第一号に掲げる規定の施行の日（平成二十三年十一月三十日）から施行する。〔以下略〕

○広域的地域活性化のための基盤整備に関する法律施行規則

〔平成一九・八・三 国土交通省令七四〕

改正 平成二〇・三国交令一六、一二国交令九七、平成二三・一一国交令八二、平成二七・七国交令五四、令和二・一二国交令九八、令和三・一〇国交令六九、令和六・三国交令四〇

（広域的特定活動）

第一条 広域的地域活性化のための基盤整備に関する法律（以下「法」という。）第二条第一項第一号ホの国土交通省令で定める活動は、次に掲げるものとする。

一 博覧会、芸術の発表会、芸能及びスポーツの興行、祭礼その他の催しであって国際的又は全国的な規模又は知名度を有するものの実施

二 当該活動が行われる地域外の全国における都市の住民を対象とする、農山漁村への移住若しくは都市における住所のほか農山漁村に居所を有することを促進する活動又は我が国若しくは地域の固有の自然、文化等に関する体験の機会を提供する活動

三 国土形成計画法（昭和二十五年法律第二百五号）第九条第一項に規定する広域地方計画区域又は北海道若しくは沖縄県の区域の内外の消費者等の多様かつ高度な需要に応ずる商業若しくはサービス業に係る事業活動（相当数の事業者により行われるものに限る。）であって都道府県における広域的地域活性化を図る上で中核となるもの又は高度かつ専門的な医療活動

四 国際的又は全国的な規模の物資の流通に係る事業活動（相当数の事業者により行われるものに限る。）であって前号に規定する区域における物資の流通の中核となるもの

五 前各号に掲げるもののほか、当該活動が行われる地域外の広域からの来訪者を増加させ、又は当該広域にわたる物資の流通を促進する効果が高く、都道府県における広域的地域活性化を図る上で中核となる活動として国土交通大臣が認めるもの

（貨客の運送に関する事業活動）

第二条 法第二条第一項第二号の国土交通省令で定める事業活動は、鉄道事業法（昭和六十一年法律第九十二号）、道路運送法（昭和二十六年法律第百八十三号）その他の法令の規定による許可、認可、免許、登録その他の処分を受けて行う貨客の運送に関する事業活動とする。

（拠点施設）

第三条　法第二条第二項第六号の国土交通省令で定める施設は、次の各号に掲げる活動の区分に応じ、それぞれ当該各号に定めるものとする。

一　第一条第一号に掲げる活動　教養文化施設、スポーツ施設その他の同号に規定する催しが実施される施設

二　第一条第二号に掲げる活動　交流施設、集会施設又は体験学習施設

三　第一条第三号に掲げる活動　商業施設その他の同号に規定する事業活動を行うための事業場として相当数の事業者が利用するための施設又は医療施設

四　第一条第四号に掲げる活動　流通業務施設

五　第一条第五号に掲げる活動　同号に規定する活動の拠点となる施設として国土交通大臣が認めるもの

六　前条に掲げる活動　交通施設（拠点施設関連基盤施設整備事業の対象となる施設を除く。）又は流通業務施設

（拠点施設関連基盤施設整備事業）

第四条　法第二条第三項第一号ヌの国土交通省令で定める事業は、次に掲げるものとする。

一　軌道法（大正十年法律第七十六号）による軌道施設の建設又は改良に関する事業

二　河川環境の整備に関する事業で国土交通大臣が定めるもの

三　住宅施設の整備又は住宅市街地の整備改善に関する事業で国土交通大臣が定めるもの

（広域的特定活動に伴う人の往来又は物資の流通に対応するために必要な事業）

第五条　法第二条第三項第二号の国土交通省令で定める事業は、前条第一号に掲げる事業とする。

第六条　削除

（広域的地域活性化基盤整備計画が適合すべき拠点施設関連基盤施設整備事業に関する方針又は計画）

第七条　法第五条第四項の国土交通省令で定める拠点施設関連基盤施設整備事業に関する方針又は計画は、次に掲げるものとする。

一　高速自動車国道法（昭和三十二年法律第七十九号）第五条第一項に規定する整備計画

二　港湾法（昭和二十五年法律第二百十八号）第三条の二に規定する基本方針及び同法第三条の三に規定する港湾計画

三　下水道法（昭和三十三年法律第七十九号）第二条の二第一項に規定する流域別下水道整備総合計画並びに同法第四条第一項及び第二十五条の二十三第一項の事業計画

四　河川法（昭和三十九年法律第百六十七号）第十六条に規定する河川整備基本方針及び同法第十六条の二に規定する河川整備計画

五　住生活基本法（平成十八年法律第六十一号）第二条第一項に規定する住生活基本計画

（他の都道府県の意見を聴く事業）

第八条　法第五条第七項（同条第十一項において準用する場合を含む。）の国土交通省令で定める事業は、第四条第一号に掲げる事業とする。

（特定非営利活動法人又は一般社団法人若しくは一般財団法人に準ずる者）

第九条　法第五条第八項（同条第十一項において準用する場合を含む。）の国土交通省令で定める者は、次に掲げるものとする。

一　営利を目的としない法人格を有しない社団であって、代表者の定めがあり、かつ、広域的地域活性化を図る活動を行うことを目的とするもの

二　地方公共団体が資本金の二分の一以上を出資している株式会社で、公共施設その他の公益的施設の整備等に関する事業を営むもの

三　前二号に掲げるもののほか、広域的地域活性化のための基盤整備を推進する観点から必要と認められる事業等を実施する者として、都道府県知事が指定したもの

（民間拠点施設整備事業計画の認定等の申請）

第一〇条　法第七条第一項の規定により認定の申請をしようとする者は、別記様式第一による申請書に次に掲げる図書（これらの図書を提出することができない正当な理由があるときは、これらに代わるべき図書として適当なものであることを国土交通大臣が認めた図書）を添えて、これらを国土交通大臣に提出しなければならない。

一　方位、道路及び目標となる地物並びに事業区域を表示した付近見取図

二　縮尺、方位、事業区域、敷地の境界線、敷地内における建築物の位置並びに事業区域内に整備する公共施設並びにこれに準ずる避難施設、駐車場その他建築物の利用者、都市の居住者及び滞在者その他の関係者の利便の増進に寄与する施設の配置を表示した事業区域内に建築する建築物の配置図

三　縮尺、方位、間取り及び設備の概要を表示した建築する建築物の各階平面図

四　拠点施設整備事業の工程表

五　拠点施設整備事業についての事業区域内の土地及び付近地の住民に対する説明会の開催の状況及び当該住民から提出された当該拠点施設整備事業に関する意見の概要

六　縮尺、方位、事業区域、申請者が従前から所有権、借地権その他の使用及び収益を目的とする権利（次号において「所有権等」という。）を有する土地及び申請者が所有権の取得又は借地権その他の使用及び収益を目的とする権利の取得若しくは設定をしようとする土地の境界線並びに事業区域内の建築物の位置を表示した事業区域内にある土地及び建築物の配置図

七　申請者が事業区域内の土地について所有権等を有する者であることを証する書類その他の申請者が事業区域内において事業を実施することが可能であることを証する書類

八　申請者が法人である場合においては、登記事項証明書、定款並びに直前三年の各事業年度の貸借対照表、損益計算書及び収支の状況を明らかにすることができる書類

九　申請者が個人である場合においては、住民票の抄本又はこれに代わる書面、資産及び負債に関する調書並びに所得の状況を明らかにすることができる書類

十　拠点施設整備事業により整備される建築物に係る収支の見込みを記載した書類

十一　拠点施設整備事業の施行に必要な資金の調達の相手方並びに当該相手方ごとのおおむねの調達額及びその調達方法を記載した書類

十二　広域的地域活性化のための基盤整備に関する法律施行令（平成十九年政令第二百四十九号）第二条第二号の規定が適用される拠点施設整備事業にあっては、同号に規定する他の拠点施設の整備に関する事業が同号イからハまでのいずれにも該当し、かつ、これらの拠点施設の整備に関する事業が同号に規定する場合に該当することを明らかにすることができる図書

十三　前各号に掲げるもののほか、法第八条第一項各号に掲げる基準に適合することを明らかにするために国土交通大臣が必要と認める図書

2　法第十条第一項の規定により変更の認定の申請をしようとする者は、別記様式第一による申請書に前項各号に掲げる図書のうち変更に係るもの（これらの図書を提出することができない正当な理由があるときは、これらに代わるべき図書として適当なものであることを国土交通大臣が認めた図書）を添えて、これらを国土交通大臣に提出しなければならない。この場合において、前項第十三号中「法第八条第一項各号」とあるのは、「法第十条第二項において準用する法第八条第一項各号」と読み替えるものとする。

（民間拠点施設整備事業計画の記載事項）

第一一条　法第七条第二項第八号の国土交通省令で定める事項は、次に掲げるものとする。

一　拠点施設整備事業の名称及び目的

二　当該拠点施設整備事業が、基本方針のうち法第四条第二項第二号に掲げる事項及び広域的地域活性化基盤整備計画のうち当該重点地区の区域に係る法第五条第二項第一号に掲げる事項に照らして適切なものであることを明らかにするために参考となるべき事項

三　当該拠点施設整備事業が、都市における土地の合理的かつ健全な利用及び都市機能の増進に寄与するものであることを明らかにするために参考となるべき事項

（民間拠点施設整備事業計画の公表）

第一二条　法第九条（法第十条第二項において準用する場合を含む。）の国土交通省令で定める事項は、次に掲げるものとする。

一　拠点施設整備事業の名称及び目的

二　認定計画に係る建築物及びその敷地並びに公共施設の整備に関する事業の概要

（民間拠点施設整備事業計画の軽微な変更）

第一三条　法第十条第一項の国土交通省令で定める軽微な変更は、次に掲げ

るものとする。

一　地域の名称の変更又は地番の変更に伴う変更

二　工事着手の時期及び事業施行期間の六月以内の変更

三　前二号に掲げるもののほか、拠点施設整備事業の施行に支障がないと国土交通大臣が認める変更

（**認定事業の施行に要する費用の一部についての支援の方法**）

第一四条　法第十五条第一項第一号ホの国土交通省令で定める方法は、次に掲げるものとする。

一　認定事業者（専ら認定事業の施行を目的とする特定目的会社に限る。）に対する出資

二　認定事業者（認定事業に係る財産を自己の固有財産及び他の認定事業に係る財産と分別して管理するものに限る。）に対する出資

三　認定事業者から認定建築物等を取得し、当該認定建築物等の管理及び処分を行う株式会社、合同会社又は特定目的会社（認定事業に係る財産を自己の固有財産及び他の認定事業に係る財産と分別して管理するものに限る。）に対する出資

（**民間都市機構の行う拠点施設整備事業支援業務の基準**）

第一五条　法第十五条第三項の国土交通省令で定める基準は、一般の金融機関の行う金融等を補完するものであることとする。

（**都市計画の決定等の提案**）

第一六条　法第十六条第一項の規定により提案を行おうとする者は、氏名及び住所（法人にあっては、その名称及び主たる事務所の所在地）を記載した提案書に次に掲げる図書を添えて、これらを都市計画決定権者に提出しなければならない。

一　都市計画の素案

二　別記様式第二による認定事業に関する計画書

三　認定事業に関する次に掲げる図書

イ　方位、道路及び目標となる地物並びに事業区域を表示した付近見取図

ロ　縮尺、方位、事業区域、敷地の境界線、敷地内における建築物の位置及び事業区域内に整備する公共施設の配置を表示した事業区域内に建築する建築物の配置図

四　第一号の都市計画の素案の内容が当該認定事業の施行の効果を一層高めるために必要である理由を示す書類

五　法第十六条第二項第二号の同意を得たことを証する書類

（**交付金の額**）

第一七条　法第十九条第二項の規定による交付金（以下「交付金」という。）は都道府県ごとに交付するものとし、その額は、広域的地域活性化基盤整備計画ごとに、次に掲げる式により算出された額を限度とする。

A×C×T×0.5

（この式において、A、C及びTは、それぞれ次の数値を表すものとする。

A　当該広域的地域活性化基盤整備計画に記載された拠点施設から都道府県の境界若しくは海岸線までの最短距離（当該広域的地域活性化基盤整備計画に複数の拠点施設が記載されている場合にあっては、そのうち最も大きい値をとるものの値）又は十キロメートルのうちいずれか大きい数値を半径とする円の面積

C　法第二条第三項第一号イからチまでに規定する施設の整備に関する一の年度における単位面積当たりの標準的な投資額として国土交通大臣が定める額

T　当該広域的地域活性化基盤整備計画の計画期間）

2　前項に定めるもののほか、交付金の額を算出するために必要な事項は、国土交通大臣が定める。

附　則〔抄〕

（**施行期日**）

1　この省令は、法の施行の日（平成十九年八月六日）から施行する。

附　則〔略〕〔平成二〇・三・三一国土交通省令一六〕

附　則〔略〕〔平成二〇・一二・一国土交通省令九七施行〕

附　則〔略〕〔平成二三・一一・二八国土交通省令八二〕

附　則〔略〕〔平成二七・七・一七国土交通省令五四〕

附　則〔略〕〔令和二・一二・二三国土交通省令九八〕

附　則〔略〕〔令和三・一〇・二九国土交通省令六九〕

附　則〔令和六・三・二九国土交通省令四〇〕

この省令は、令和六年四月一日から施行する。

様式〔略〕

○民法〔抄〕〔明治二九・四・二七法律八九〕

改正　明治三一・六法九、明治三四・四法三六、明治三五・四法三七、大正一四・四法四二、大正一五・四法六九、昭和一三・三法一八、昭和一六・三法二一、昭和一七・二法七、昭和二二・四法六一、一二法二二二、昭和二三・一二法二六〇、昭和二四・五法一一五、法一四一、昭和二五・五法一二三、昭和三三・三法五、四法六二、昭和三七・三法四〇、四法六九、昭和三八・七法一二六、昭和三九・六法一〇〇、昭和四一・六法九三、七法一一一、昭和四六・六法九九、昭和五一・六法六六、昭和五四・三法五、一二法六八、昭和五五・五法五一、昭和六二・九法一〇一、平成元・六法二七、一二法九一、平成二・六法六五、平成三・五法七九、平成八・六法一一〇、平成一一・七法八七、一二法一四九、法二二五、平成一二・五法九一、平成一三・六法四一、平成一五・七法一〇九、八法一三四、法一三八、平成一六・六法七六、法一二四、一二法一四七、平成一七・七法八七、平成一八・六法五〇、法七三、法七八、平成二三・五法五三、六法六一、平成二五・一二法九四、平成二八・四法二七、六法七一、平成二九・六法四四、平成三〇・六法五九、七法七二、令和元・五法二、六法三四、令和三・四法二四、五法三七、令和四・一二法一〇二

注1　［　］の部分は、令和五年六月一四日法律第五三号により改正され、公布の日から起算して二年六月を超えない範囲内において政令で定める日から施行

注2　令和四年五月二五日法律第四八号の改正は、公布の日から起算して四年を超えない範囲内において政令で定める日から施行のため、改正を加えてありません。

注3　令和五年六月一四日法律第五三号の改正の一部は、公布の日から起算して五年を超えない範囲内において政令で定める日から施行のため、改正を加えてありません。

注4　令和六年五月二四日法律第三三号の改正は、公布の日から起算して二年を超えない範囲内において政令で定める日から施行のため、改正を加えてありません。

第一編　総則

第一章　通則

（**基本原則**）

第一条　私権は、公共の福祉に適合しなければならない。

2　権利の行使及び義務の履行は、信義に従い誠実に行わなければならない。

3　権利の濫用は、これを許さない。

（解釈の基準）
第二条　この法律は、個人の尊厳と両性の本質的平等を旨として、解釈しなければならない。

第二章　人

第一節　権利能力

第三条　私権の享有は、出生に始まる。
２　外国人は、法令又は条約の規定により禁止される場合を除き、私権を享有する。

第二節　意思能力

第三条の二　法律行為の当事者が意思表示をした時に意思能力を有しなかったときは、その法律行為は、無効とする。

第三節　行為能力

（成年）
第四条　年齢十八歳をもって、成年とする。

（未成年者の法律行為）
第五条　未成年者が法律行為をするには、その法定代理人の同意を得なければならない。ただし、単に権利を得、又は義務を免れる法律行為については、この限りでない。
２　前項の規定に反する法律行為は、取り消すことができる。
３　第一項の規定にかかわらず、法定代理人が目的を定めて処分を許した財産は、その目的の範囲内において、未成年者が自由に処分することができる。目的を定めないで処分を許した財産を処分するときも、同様とする。

（未成年者の営業の許可）
第六条　一種又は数種の営業を許された未成年者は、その営業に関しては、成年者と同一の行為能力を有する。
２　前項の場合において、未成年者がその営業に堪えることができない事由があるときは、その法定代理人は、第四編（親族）の規定に従い、その許可を取り消し、又はこれを制限することができる。

（後見開始の審判）
第七条　精神上の障害により事理を弁識する能力を欠く常況にある者については、家庭裁判所は、本人、配偶者、四親等内の親族、未成年後見人、未成年後見監督人、保佐人、保佐監督人、補助人、補助監督人又は検察官の請求により、後見開始の審判をすることができる。

（成年被後見人及び成年後見人）
第八条　後見開始の審判を受けた者は、成年被後見人とし、これに成年後見人を付する。

（成年被後見人の法律行為）
第九条　成年被後見人の法律行為は、取り消すことができる。ただし、日用品の購入その他日常生活に関する行為については、この限りでない。

（後見開始の審判の取消し）
第一〇条　第七条に規定する原因が消滅したときは、家庭裁判所は、本人、配偶者、四親等内の親族、後見人（未成年後見人及び成年後見人をいう。以下同じ。）、後見監督人（未成年後見監督人及び成年後見監督人をいう。以下同じ。）又は検察官の請求により、後見開始の審判を取り消さなければならない。

（保佐開始の審判）
第一一条　精神上の障害により事理を弁識する能力が著しく不十分である者については、家庭裁判所は、本人、配偶者、四親等内の親族、後見人、後見監督人、補助人、補助監督人又は検察官の請求により、保佐開始の審判をすることができる。ただし、第七条に規定する原因がある者については、この限りでない。

（被保佐人及び保佐人）
第一二条　保佐開始の審判を受けた者は、被保佐人とし、これに保佐人を付する。

（保佐人の同意を要する行為等）
第一三条　被保佐人が次に掲げる行為をするには、その保佐人の同意を得なければならない。ただし、第九条ただし書に規定する行為については、この限りでない。
一　元本を領収し、又は利用すること。
二　借財又は保証をすること。
三　不動産その他重要な財産に関する権利の得喪を目的とする行為をすること。
四　訴訟行為をすること。
五　贈与、和解又は仲裁合意（仲裁法（平成十五年法律第百三十八号）第二条第一項に規定する仲裁合意をいう。）をすること。
六　相続の承認若しくは放棄又は遺産の分割をすること。
七　贈与の申込みを拒絶し、遺贈を放棄し、負担付贈与の申込みを承諾し、又は負担付遺贈を承認すること。
八　新築、改築、増築又は大修繕をすること。
九　第六百二条に定める期間を超える賃貸借をすること。
十　前各号に掲げる行為を制限行為能力者（未成年者、成年被後見人、被保佐人及び第十七条第一項の審判を受けた被補助人をいう。以下同じ。）の法定代理人としてすること。
２　家庭裁判所は、第十一条本文に規定する者又は保佐人若しくは保佐監督人の請求により、被保佐人が前項各号に掲げる行為以外の行為をする場合であってもその保佐人の同意を得なければならない旨の審判をすることができる。ただし、第九条ただし書に規定する行為については、この限りでない。
３　保佐人の同意を得なければならない行為について、保佐人が被保佐人の利益を害するおそれがないにもかかわらず同意をしないときは、家庭裁判所は、被保佐人の請求により、保佐人の同意に代わる許可を与えることができる。
４　保佐人の同意を得なければならない行為であって、その同意又はこれに代わる許可を得ないでしたものは、取り消すことができる。

（保佐開始の審判等の取消し）
第一四条　第十一条本文に規定する原因が消滅したときは、家庭裁判所は、本人、配偶者、四親等内の親族、未成年後見人、未成年後見監督人、保佐人、保佐監督人又は検察官の請求により、保佐開始の審判を取り消さなければならない。
２　家庭裁判所は、前条に規定する者の請求により、前条第二項の審判の全部又は一部を取り消すことができる。

（補助開始の審判）
第一五条　精神上の障害により事理を弁識する能力が不十分である者については、家庭裁判所は、本人、配偶者、四親等内の親族、後見人、後見監督人、保佐人、保佐監督人又は検察官の請求により、補助開始の審判をすることができる。ただし、第七条又は第十一条本文に規定する原因がある者については、この限りでない。
２　本人以外の者の請求により補助開始の審判をするには、本人の同意がなければならない。
３　補助開始の審判は、第十七条第一項の審判又は第八百七十六条の九第一項の審判とともにしなければならない。

（被補助人及び補助人）
第一六条　補助開始の審判を受けた者は、被補助人とし、これに補助人を付する。

（補助人の同意を要する旨の審判等）
第一七条　家庭裁判所は、第十五条第一項本文に規定する者又は補助人若しくは補助監督人の請求により、被補助人が特定の法律行為をするにはその補助人の同意を得なければならない旨の審判をすることができる。ただし、その審判によりその同意を得なければならないものとすることができる行為は、第十三条第一項に規定する行為の一部に限る。
２　本人以外の者の請求により前項の審判をするには、本人の同意がなければならない。
３　補助人の同意を得なければならない行為について、補助人が被補助人の利益を害するおそれがないにもかかわらず同意をしないときは、家庭裁判所は、被補助人の請求により、補助人の同意に代わる許可を与えることができる。
４　補助人の同意を得なければならない行為であって、その同意又はこれに代わる許可を得ないでしたものは、取り消すことができる。

（補助開始の審判等の取消し）

第一八条 第十五条第一項本文に規定する原因が消滅したときは、家庭裁判所は、本人、配偶者、四親等内の親族、未成年後見人、未成年後見監督人、補助人、補助監督人又は検察官の請求により、補助開始の審判を取り消さなければならない。
2 家庭裁判所は、前項に規定する者の請求により、前条第一項の審判の全部又は一部を取り消すことができる。
3 前条第一項の審判及び第八百七十六条の九第一項の審判をすべて取り消す場合には、家庭裁判所は、補助開始の審判を取り消さなければならない。

（審判相互の関係）
第一九条 後見開始の審判をする場合において、本人が被保佐人又は被補助人であるときは、家庭裁判所は、その本人に係る保佐開始又は補助開始の審判を取り消さなければならない。
2 前項の規定は、保佐開始の審判をする場合において本人が成年被後見人若しくは被補助人であるとき、又は補助開始の審判をする場合において本人が成年被後見人若しくは被保佐人であるときについて準用する。

（制限行為能力者の相手方の催告権）
第二〇条 制限行為能力者の相手方は、その制限行為能力者が行為能力者（行為能力の制限を受けない者をいう。以下同じ。）となった後、その者に対し、一箇月以上の期間を定めて、その期間内にその取り消すことができる行為を追認するかどうかを確答すべき旨の催告をすることができる。この場合において、その者がその期間内に確答を発しないときは、その行為を追認したものとみなす。
2 制限行為能力者の相手方が、制限行為能力者が行為能力者とならない間に、その法定代理人、保佐人又は補助人に対し、その権限内の行為について前項に規定する催告をした場合において、これらの者が同項の期間内に確答を発しないときも、同項後段と同様とする。
3 特別の方式を要する行為については、前二項の期間内にその方式を具備した旨の通知を発しないときは、その行為を取り消したものとみなす。
4 制限行為能力者の相手方は、被保佐人又は第十七条第一項の審判を受けた被補助人に対しては、第一項の期間内にその保佐人又は補助人の追認を得るべき旨の催告をすることができる。この場合において、その被保佐人又は被補助人がその期間内にその追認を得た旨の通知を発しないときは、その行為を取り消したものとみなす。

（制限行為能力者の詐術）
第二一条 制限行為能力者が行為能力者であることを信じさせるため詐術を用いたときは、その行為を取り消すことができない。

第四節　住所

（住所）
第二二条 各人の生活の本拠をその者の住所とする。

（居所）
第二三条 住所が知れない場合には、居所を住所とみなす。
2 日本に住所を有しない者は、その者が日本人又は外国人のいずれであるかを問わず、日本における居所をその者の住所とみなす。ただし、準拠法を定める法律に従いその者の住所地法によるべき場合は、この限りでない。

（仮住所）
第二四条 ある行為について仮住所を選定したときは、その行為に関しては、その仮住所を住所とみなす。

第五節　不在者の財産の管理及び失踪の宣告

（不在者の財産の管理）
第二五条 従来の住所又は居所を去った者（以下「不在者」という。）がその財産の管理人（以下この節において単に「管理人」という。）を置かなかったときは、家庭裁判所は、利害関係人又は検察官の請求により、その財産の管理について必要な処分を命ずることができる。本人の不在中に管理人の権限が消滅したときも、同様とする。
2 前項の規定による命令後、本人が管理人を置いたときは、家庭裁判所は、その管理人、利害関係人又は検察官の請求により、その命令を取り消さなければならない。

（管理人の改任）
第二六条 不在者が管理人を置いた場合において、その不在者の生死が明らかでないときは、家庭裁判所は、利害関係人又は検察官の請求により、管理人を改任することができる。

（管理人の職務）
第二七条 前二条の規定により家庭裁判所が選任した管理人は、その管理すべき財産の目録を作成しなければならない。この場合において、その費用は、不在者の財産の中から支弁する。
2 不在者の生死が明らかでない場合において、利害関係人又は検察官の請求があるときは、家庭裁判所は、不在者が置いた管理人にも、前項の目録の作成を命ずることができる。
3 前二項に定めるもののほか、家庭裁判所は、管理人に対し、不在者の財産の保存に必要と認める処分を命ずることができる。

（管理人の権限）
第二八条 管理人は、第百三条に規定する権限を超える行為を必要とするときは、家庭裁判所の許可を得て、その行為をすることができる。不在者の生死が明らかでない場合において、その管理人が不在者が定めた権限を超える行為を必要とするときも、同様とする。

（管理人の担保提供及び報酬）
第二九条 家庭裁判所は、管理人に財産の管理及び返還について相当の担保を立てさせることができる。
2 家庭裁判所は、管理人と不在者との関係その他の事情により、不在者の財産の中から、相当な報酬を管理人に与えることができる。

（失踪の宣告）
第三〇条 不在者の生死が七年間明らかでないときは、家庭裁判所は、利害関係人の請求により、失踪の宣告をすることができる。
2 戦地に臨んだ者、沈没した船舶の中に在った者その他死亡の原因となるべき危難に遭遇した者の生死が、それぞれ、戦争が止んだ後、船舶が沈没した後又はその他の危難が去った後一年間明らかでないときも、前項と同様とする。

（失踪の宣告の効力）
第三一条 前条第一項の規定により失踪の宣告を受けた者は同項の期間が満了した時に、同条第二項の規定により失踪の宣告を受けた者はその危難が去った時に、死亡したものとみなす。

（失踪の宣告の取消し）
第三二条 失踪者が生存すること又は前条に規定する時と異なる時に死亡したことの証明があったときは、家庭裁判所は、本人又は利害関係人の請求により、失踪の宣告を取り消さなければならない。この場合において、その取消しは、失踪の宣告後その取消し前に善意でした行為の効力に影響を及ぼさない。
2 失踪の宣告によって財産を得た者は、その取消しによって権利を失う。ただし、現に利益を受けている限度においてのみ、その財産を返還する義務を負う。

第六節　同時死亡の推定

第三二条の二 数人の者が死亡した場合において、そのうちの一人が他の者の死亡後になお生存していたことが明らかでないときは、これらの者は、同時に死亡したものと推定する。

第三章　法人

（法人の成立等）
第三三条 法人は、この法律その他の法律の規定によらなければ、成立しない。
2 学術、技芸、慈善、祭祀、宗教その他の公益を目的とする法人、営利事業を営むことを目的とする法人その他の法人の設立、組織、運営及び管理については、この法律その他の法律の定めるところによる。

（法人の能力）
第三四条 法人は、法令の規定に従い、定款その他の基本約款で定められた目的の範囲内において、権利を有し、義務を負う。

（外国法人）
第三五条 外国法人は、国、国の行政区画及び外国会社を除き、その成立を認許しない。ただし、法律又は条約の規定により認許された外国法人は、この限りでない。

2　前項の規定により認許された外国法人は、日本において成立する同種の法人と同一の私権を有する。ただし、外国人が享有することのできない権利及び法律又は条約中に特別の規定がある権利については、この限りでない。

（登記）

第三六条　法人及び外国法人は、この法律その他の法令の定めるところにより、登記をするものとする。

（外国法人の登記）

第三七条　外国法人（第三十五条第一項ただし書に規定する外国法人に限る。以下この条において同じ。）が日本に事務所を設けたときは、三週間以内に、その事務所の所在地において、次に掲げる事項を登記しなければならない。

一　外国法人の設立の準拠法
二　目的
三　名称
四　事務所の所在場所
五　存続期間を定めたときは、その定め
六　代表者の氏名及び住所

2　前項各号に掲げる事項に変更を生じたときは、三週間以内に、変更の登記をしなければならない。この場合において、登記前にあっては、その変更をもって第三者に対抗することができない。

3　代表者の職務の執行を停止し、若しくはその職務を代行する者を選任する仮処分命令又はその仮処分命令を変更し、若しくは取り消す決定がされたときは、その登記をしなければならない。この場合においては、前項後段の規定を準用する。

4　前二項の規定により登記すべき事項が外国において生じたときは、登記の期間は、その通知が到達した日から起算する。

5　外国法人が初めて日本に事務所を設けたときは、その事務所の所在地において登記するまでは、第三者は、その法人の成立を否認することができる。

6　外国法人が事務所を移転したときは、旧所在地においては三週間以内に移転の登記をし、新所在地においては四週間以内に第一項各号に掲げる事項を登記しなければならない。

7　同一の登記所の管轄区域内において事務所を移転したときは、その移転を登記すれば足りる。

8　外国法人の代表者が、この条に規定する登記を怠ったときは、五十万円以下の過料に処する。

第三八条から第八四条まで　削除

第四章　物

（定義）

第八五条　この法律において「物」とは、有体物をいう。

（不動産及び動産）

第八六条　土地及びその定着物は、不動産とする。

2　不動産以外の物は、すべて動産とする。

（主物及び従物）

第八七条　物の所有者が、その物の常用に供するため、自己の所有に属する他の物をこれに附属させたときは、その附属させた物を従物とする。

2　従物は、主物の処分に従う。

（天然果実及び法定果実）

第八八条　物の用法に従い収取する産出物を天然果実とする。

2　物の使用の対価として受けるべき金銭その他の物を法定果実とする。

（果実の帰属）

第八九条　天然果実は、その元物から分離する時に、これを収取する権利を有する者に帰属する。

2　法定果実は、これを収取する権利の存続期間に応じて、日割計算によりこれを取得する。

第五章　法律行為

第一節　総則

（公序良俗）

第九〇条　公の秩序又は善良の風俗に反する法律行為は、無効とする。

（任意規定と異なる意思表示）

第九一条　法律行為の当事者が法令中の公の秩序に関しない規定と異なる意思を表示したときは、その意思に従う。

（任意規定と異なる慣習）

第九二条　法令中の公の秩序に関しない規定と異なる慣習がある場合において、法律行為の当事者がその慣習による意思を有しているものと認められるときは、その慣習に従う。

第二節　意思表示

（心裡留保）

第九三条　意思表示は、表意者がその真意ではないことを知ってしたときであっても、そのためにその効力を妨げられない。ただし、相手方がその意思表示が表意者の真意ではないことを知り、又は知ることができたときは、その意思表示は、無効とする。

2　前項ただし書の規定による意思表示の無効は、善意の第三者に対抗することができない。

（虚偽表示）

第九四条　相手方と通じてした虚偽の意思表示は、無効とする。

2　前項の規定による意思表示の無効は、善意の第三者に対抗することができない。

（錯誤）

第九五条　意思表示は、次に掲げる錯誤に基づくものであって、その錯誤が法律行為の目的及び取引上の社会通念に照らして重要なものであるときは、取り消すことができる。

一　意思表示に対応する意思を欠く錯誤
二　表意者が法律行為の基礎とした事情についてのその認識が真実に反する錯誤

2　前項第二号の規定による意思表示の取消しは、その事情が法律行為の基礎とされていることが表示されていたときに限り、することができる。

3　錯誤が表意者の重大な過失によるものであった場合には、次に掲げる場合を除き、第一項の規定による意思表示の取消しをすることができない。

一　相手方が表意者に錯誤があることを知り、又は重大な過失によって知らなかったとき。
二　相手方が表意者と同一の錯誤に陥っていたとき。

4　第一項の規定による意思表示の取消しは、善意でかつ過失がない第三者に対抗することができない。

（詐欺又は強迫）

第九六条　詐欺又は強迫による意思表示は、取り消すことができる。

2　相手方に対する意思表示について第三者が詐欺を行った場合においては、相手方がその事実を知り、又は知ることができたときに限り、その意思表示を取り消すことができる。

3　前二項の規定による詐欺による意思表示の取消しは、善意でかつ過失がない第三者に対抗することができない。

（意思表示の効力発生時期等）

第九七条　意思表示は、その通知が相手方に到達した時からその効力を生ずる。

2　相手方が正当な理由なく意思表示の通知が到達することを妨げたときは、その通知は、通常到達すべきであった時に到達したものとみなす。

3　意思表示は、表意者が通知を発した後に死亡し、意思能力を喪失し、又は行為能力の制限を受けたときであっても、そのためにその効力を妨げられない。

（公示による意思表示）

第九八条　意思表示は、表意者が相手方を知ることができず、又はその所在を知ることができないときは、公示の方法によってすることができる。

2　前項の公示は、公示送達に関する民事訴訟法（平成八年法律第百九号）の規定に従い、裁判所の掲示場に掲示し、かつ、その掲示があったことを官報に少なくとも一回掲載して行う。ただし、裁判所は、相当と認めるときは、官報への掲載に代えて、市役所、区役所、町村役場又はこれらに準ずる施設の掲示場に掲示すべきことを命ずることができる。

3　公示による意思表示は、最後に官報に掲載した日又はその掲載に代わる掲示を始めた日から二週間を経過した時に、相手方に到達したものとみなす。ただし、表意者が相手方を知らないこと又はその所在を知らないことについて過失があったときは、到達の効力を生じない。

4 公示に関する手続は、相手方を知ることができない場合には表意者の住所地の、相手方の所在を知ることができない場合には相手方の最後の住所地の簡易裁判所の管轄に属する。

5 裁判所は、表意者に、公示に関する費用を予納させなければならない。

（意思表示の受領能力）

第九八条の二 意思表示の相手方がその意思表示を受けた時に意思能力を有しなかったとき又は未成年者若しくは成年被後見人であったときは、その意思表示をもってその相手方に対抗することができない。ただし、次に掲げる者がその意思表示を知った後は、この限りでない。

一 相手方の法定代理人

二 意思能力を回復し、又は行為能力者となった相手方

第三節 代理

（代理行為の要件及び効果）

第九九条 代理人がその権限内において本人のためにすることを示してした意思表示は、本人に対して直接にその効力を生ずる。

2 前項の規定は、第三者が代理人に対してした意思表示について準用する。

（本人のためにすることを示さない意思表示）

第一〇〇条 代理人が本人のためにすることを示さないでした意思表示は、自己のためにしたものとみなす。ただし、相手方が、代理人が本人のためにすることを知り、又は知ることができたときは、前条第一項の規定を準用する。

（代理行為の瑕疵）

第一〇一条 代理人が相手方に対してした意思表示の効力が意思の不存在、錯誤、詐欺、強迫又はある事情を知っていたこと若しくは知らなかったことにつき過失があったことによって影響を受けるべき場合には、その事実の有無は、代理人について決するものとする。

2 相手方が代理人に対してした意思表示の効力が意思表示を受けた者がある事情を知っていたこと又は知らなかったことにつき過失があったことによって影響を受けるべき場合には、その事実の有無は、代理人について決するものとする。

3 特定の法律行為をすることを委託された代理人がその行為をしたときは、本人は、自ら知っていた事情について代理人が知らなかったことを主張することができない。本人が過失によって知らなかった事情についても、同様とする。

（代理人の行為能力）

第一〇二条 制限行為能力者が代理人としてした行為は、行為能力の制限によっては取り消すことができない。ただし、制限行為能力者が他の制限行為能力者の法定代理人としてした行為については、この限りでない。

（権限の定めのない代理人の権限）

第一〇三条 権限の定めのない代理人は、次に掲げる行為のみをする権限を有する。

一 保存行為

二 代理の目的である物又は権利の性質を変えない範囲内において、その利用又は改良を目的とする行為

（任意代理人による復代理人の選任）

第一〇四条 委任による代理人は、本人の許諾を得たとき、又はやむを得ない事由があるときでなければ、復代理人を選任することができない。

（法定代理人による復代理人の選任）

第一〇五条 法定代理人は、自己の責任で復代理人を選任することができる。この場合において、やむを得ない事由があるときは、本人に対してその選任及び監督についての責任のみを負う。

（復代理人の権限等）

第一〇六条 復代理人は、その権限内の行為について、本人を代表する。

2 復代理人は、本人及び第三者に対して、その権限の範囲内において、代理人と同一の権利を有し、義務を負う。

（代理権の濫用）

第一〇七条 代理人が自己又は第三者の利益を図る目的で代理権の範囲内の行為をした場合において、相手方がその目的を知り、又は知ることができたときは、その行為は、代理権を有しない者がした行為とみなす。

（自己契約及び双方代理等）

第一〇八条 同一の法律行為について、相手方の代理人として、又は当事者双方の代理人としてした行為は、代理権を有しない者がした行為とみなす。ただし、債務の履行及び本人があらかじめ許諾した行為については、この限りでない。

2 前項本文に規定するもののほか、代理人と本人との利益が相反する行為については、代理権を有しない者がした行為とみなす。ただし、本人があらかじめ許諾した行為については、この限りでない。

（代理権授与の表示による表見代理等）

第一〇九条 第三者に対して他人に代理権を与えた旨を表示した者は、その代理権の範囲内においてその他人が第三者との間でした行為について、その責任を負う。ただし、第三者が、その他人が代理権を与えられていないことを知り、又は過失によって知らなかったときは、この限りでない。

2 第三者に対して他人に代理権を与えた旨を表示した者は、その代理権の範囲内においてその他人が第三者との間で行為をしたとすれば前項の規定によりその責任を負うべき場合において、その他人が第三者との間でその代理権の範囲外の行為をしたときは、第三者がその行為についてその他人の代理権があると信ずべき正当な理由があるときに限り、その行為についての責任を負う。

（権限外の行為の表見代理）

第一一〇条 前条第一項本文の規定は、代理人がその権限外の行為をした場合において、第三者が代理人の権限があると信ずべき正当な理由があるときについて準用する。

（代理権の消滅事由）

第一一一条 代理権は、次に掲げる事由によって消滅する。

一 本人の死亡

二 代理人の死亡又は代理人が破産手続開始の決定若しくは後見開始の審判を受けたこと。

2 委任による代理権は、前項各号に掲げる事由のほか、委任の終了によって消滅する。

（代理権消滅後の表見代理等）

第一一二条 他人に代理権を与えた者は、代理権の消滅後にその代理権の範囲内においてその他人が第三者との間でした行為について、代理権の消滅の事実を知らなかった第三者に対してその責任を負う。ただし、第三者が過失によってその事実を知らなかったときは、この限りでない。

2 他人に代理権を与えた者は、代理権の消滅後に、その代理権の範囲内においてその他人が第三者との間で行為をしたとすれば前項の規定によりその責任を負うべき場合において、その他人が第三者との間でその代理権の範囲外の行為をしたときは、第三者がその行為についてその他人の代理権があると信ずべき正当な理由があるときに限り、その行為についての責任を負う。

（無権代理）

第一一三条 代理権を有しない者が他人の代理人としてした契約は、本人がその追認をしなければ、本人に対してその効力を生じない。

2 追認又はその拒絶は、相手方に対してしなければ、その相手方に対抗することができない。ただし、相手方がその事実を知ったときは、この限りでない。

（無権代理の相手方の催告権）

第一一四条 前条の場合において、相手方は、本人に対し、相当の期間を定めて、その期間内に追認をするかどうかを確答すべき旨の催告をすることができる。この場合において、本人がその期間内に確答をしないときは、追認を拒絶したものとみなす。

（無権代理の相手方の取消権）

第一一五条 代理権を有しない者がした契約は、本人が追認をしない間は、相手方が取り消すことができる。ただし、契約の時において代理権を有しないことを相手方が知っていたときは、この限りでない。

（無権代理行為の追認）

第一一六条 追認は、別段の意思表示がないときは、契約の時にさかのぼってその効力を生ずる。ただし、第三者の権利を害することはできない。

（無権代理人の責任）

第一一七条 他人の代理人として契約をした者は、自己の代理権を証明したとき、又は本人の追認を得たときを除き、相手方の選択に従い、相手方に

対して履行又は損害賠償の責任を負う。

２　前項の規定は、次に掲げる場合には、適用しない。

一　他人の代理人として契約をした者が代理権を有しないことを相手方が知っていたとき。

二　他人の代理人として契約をした者が代理権を有しないことを相手方が過失によって知らなかったとき。ただし、他人の代理人として契約をした者が自己に代理権がないことを知っていたときは、この限りでない。

三　他人の代理人として契約をした者が行為能力の制限を受けていたとき。

（単独行為の無権代理）

第百十八条　単独行為については、その行為の時において、相手方が、代理人と称する者が代理権を有しないで行為をすることに同意し、又はその代理権を争わなかったときに限り、第百十三条から前条までの規定を準用する。代理権を有しない者に対しその同意を得て単独行為をしたときも、同様とする。

第四節　無効及び取消し

（無効な行為の追認）

第百十九条　無効な行為は、追認によっても、その効力を生じない。ただし、当事者がその行為の無効であることを知って追認をしたときは、新たな行為をしたものとみなす。

（取消権者）

第百二十条　行為能力の制限によって取り消すことができる行為は、制限行為能力者（他の制限行為能力者の法定代理人としてした行為にあっては、当該他の制限行為能力者を含む。）又はその代理人、承継人若しくは同意をすることができる者に限り、取り消すことができる。

２　錯誤、詐欺又は強迫によって取り消すことができる行為は、瑕疵ある意思表示をした者又はその代理人若しくは承継人に限り、取り消すことができる。

（取消しの効果）

第百二十一条　取り消された行為は、初めから無効であったものとみなす。

（原状回復の義務）

第百二十一条の二　無効な行為に基づく債務の履行として給付を受けた者は、相手方を原状に復させる義務を負う。

２　前項の規定にかかわらず、無効な無償行為に基づく債務の履行として給付を受けた者は、給付を受けた当時その行為が無効であること（給付を受けた後に前条の規定により初めから無効であったものとみなされた行為にあっては、給付を受けた当時その行為が取り消すことができるものであること）を知らなかったときは、その行為によって現に利益を受けている限度において、返還の義務を負う。

３　第一項の規定にかかわらず、行為の時に意思能力を有しなかった者は、その行為によって現に利益を受けている限度において、返還の義務を負う。行為の時に制限行為能力者であった者についても、同様とする。

（取り消すことができる行為の追認）

第百二十二条　取り消すことができる行為は、第百二十条に規定する者が追認したときは、以後、取り消すことができない。

（取消し及び追認の方法）

第百二十三条　取り消すことができる行為の相手方が確定している場合には、その取消し又は追認は、相手方に対する意思表示によってする。

（追認の要件）

第百二十四条　取り消すことができる行為の追認は、取消しの原因となっていた状況が消滅し、かつ、取消権を有することを知った後にしなければ、その効力を生じない。

２　次に掲げる場合には、前項の追認は、取消しの原因となっていた状況が消滅した後にすることを要しない。

一　法定代理人又は制限行為能力者の保佐人若しくは補助人が追認をするとき。

二　制限行為能力者（成年被後見人を除く。）が法定代理人、保佐人又は補助人の同意を得て追認をするとき。

（法定追認）

第百二十五条　追認をすることができる時以後に、取り消すことができる行為について次に掲げる事実があったときは、追認をしたものとみなす。ただし、異議をとどめたときは、この限りでない。

一　全部又は一部の履行

二　履行の請求

三　更改

四　担保の供与

五　取り消すことができる行為によって取得した権利の全部又は一部の譲渡

六　強制執行

（取消権の期間の制限）

第百二十六条　取消権は、追認をすることができる時から五年間行使しないときは、時効によって消滅する。行為の時から二十年を経過したときも、同様とする。

第五節　条件及び期限

（条件が成就した場合の効果）

第百二十七条　停止条件付法律行為は、停止条件が成就した時からその効力を生ずる。

２　解除条件付法律行為は、解除条件が成就した時からその効力を失う。

３　当事者が条件が成就した場合の効果をその成就した時以前にさかのぼらせる意思を表示したときは、その意思に従う。

（条件の成否未定の間における相手方の利益の侵害の禁止）

第百二十八条　条件付法律行為の各当事者は、条件の成否が未定である間は、条件が成就した場合にその法律行為から生ずべき相手方の利益を害することができない。

（条件の成否未定の間における権利の処分等）

第百二十九条　条件の成否が未定である間における当事者の権利義務は、一般の規定に従い、処分し、相続し、若しくは保存し、又はそのために担保を供することができる。

（条件の成就の妨害等）

第百三十条　条件が成就することによって不利益を受ける当事者が故意にその条件の成就を妨げたときは、相手方は、その条件が成就したものとみなすことができる。

２　条件が成就することによって利益を受ける当事者が不正にその条件を成就させたときは、相手方は、その条件が成就しなかったものとみなすことができる。

（既成条件）

第百三十一条　条件が法律行為の時に既に成就していた場合において、その条件が停止条件であるときはその法律行為は無条件とし、その条件が解除条件であるときはその法律行為は無効とする。

２　条件が成就しないことが法律行為の時に既に確定していた場合において、その条件が停止条件であるときはその法律行為は無効とし、その条件が解除条件であるときはその法律行為は無条件とする。

３　前二項に規定する場合において、当事者が条件が成就したこと又は成就しなかったことを知らない間は、第百二十八条及び第百二十九条の規定を準用する。

（不法条件）

第百三十二条　不法な条件を付した法律行為は、無効とする。不法な行為をしないことを条件とするものも、同様とする。

（不能条件）

第百三十三条　不能の停止条件を付した法律行為は、無効とする。

２　不能の解除条件を付した法律行為は、無条件とする。

（随意条件）

第百三十四条　停止条件付法律行為は、その条件が単に債務者の意思のみに係るときは、無効とする。

（期限の到来の効果）

第百三十五条　法律行為に始期を付したときは、その法律行為の履行は、期限が到来するまで、これを請求することができない。

２　法律行為に終期を付したときは、その法律行為の効力は、期限が到来した時に消滅する。

（期限の利益及びその放棄）

第百三十六条　期限は、債務者の利益のために定めたものと推定する。

２　期限の利益は、放棄することができる。ただし、これによって相手方の利益を害することはできない。

（**期限の利益の喪失**）

第一三七条　次に掲げる場合には、債務者は、期限の利益を主張することができない。

一　債務者が破産手続開始の決定を受けたとき。

二　債務者が担保を滅失させ、損傷させ、又は減少させたとき。

三　債務者が担保を供する義務を負う場合において、これを供しないとき。

第六章　期間の計算

（**期間の計算の通則**）

第一三八条　期間の計算方法は、法令若しくは裁判上の命令に特別の定めがある場合又は法律行為に別段の定めがある場合を除き、この章の規定に従う。

（**期間の起算**）

第一三九条　時間によって期間を定めたときは、その期間は、即時から起算する。

第一四〇条　日、週、月又は年によって期間を定めたときは、期間の初日は、算入しない。ただし、その期間が午前零時から始まるときは、この限りでない。

（**期間の満了**）

第一四一条　前条の場合には、期間は、その末日の終了をもって満了する。

第一四二条　期間の末日が日曜日、国民の祝日に関する法律（昭和二十三年法律第百七十八号）に規定する休日その他の休日に当たるときは、その日に取引をしない慣習がある場合に限り、期間は、その翌日に満了する。

（**暦による期間の計算**）

第一四三条　週、月又は年によって期間を定めたときは、その期間は、暦に従って計算する。

2　週、月又は年の初めから期間を起算しないときは、その期間は、最後の週、月又は年においてその起算日に応当する日の前日に満了する。ただし、月又は年によって期間を定めた場合において、最後の月に応当する日がないときは、その月の末日に満了する。

第七章　時効

第一節　総則

（**時効の効力**）

第一四四条　時効の効力は、その起算日にさかのぼる。

（**時効の援用**）

第一四五条　時効は、当事者（消滅時効にあっては、保証人、物上保証人、第三取得者その他権利の消滅について正当な利益を有する者を含む。）が援用しなければ、裁判所がこれによって裁判をすることができない。

（**時効の利益の放棄**）

第一四六条　時効の利益は、あらかじめ放棄することができない。

（**裁判上の請求等による時効の完成猶予及び更新**）

第一四七条　次に掲げる事由がある場合には、その事由が終了する（確定判決又は確定判決と同一の効力を有するものによって権利が確定することなくその事由が終了した場合にあっては、その終了の時から六箇月を経過する）までの間は、時効は、完成しない。

一　裁判上の請求

二　支払督促

三　民事訴訟法第二百七十五条第一項の和解又は民事調停法（昭和二十六年法律第二百二十二号）若しくは家事事件手続法（平成二十三年法律第五十二号）による調停

四　破産手続参加、再生手続参加又は更生手続参加

2　前項の場合において、確定判決又は確定判決と同一の効力を有するものによって権利が確定したときは、時効は、同項各号に掲げる事由が終了した時から新たにその進行を始める。

（**強制執行等による時効の完成猶予及び更新**）

第一四八条　次に掲げる事由がある場合には、その事由が終了する（申立ての取下げ又は法律の規定に従わないことによる取消しによってその事由が終了した場合にあっては、その終了の時から六箇月を経過する）までの間は、時効は、完成しない。

一　強制執行

二　担保権の実行

三　民事執行法（昭和五十四年法律第四号）第百九十五条に規定する担保権の実行としての競売の例による競売

四　民事執行法第百九十六条に規定する財産開示手続又は同法第二百四条に規定する第三者からの情報取得手続

2　前項の場合には、時効は、同項各号に掲げる事由が終了した時から新たにその進行を始める。ただし、申立ての取下げ又は法律の規定に従わないことによる取消しによってその事由が終了した場合は、この限りでない。

（**仮差押え等による時効の完成猶予**）

第一四九条　次に掲げる事由がある場合には、その事由が終了した時から六箇月を経過するまでの間は、時効は、完成しない。

一　仮差押え

二　仮処分

（**催告による時効の完成猶予**）

第一五〇条　催告があったときは、その時から六箇月を経過するまでの間は、時効は、完成しない。

2　催告によって時効の完成が猶予されている間にされた再度の催告は、前項の規定による時効の完成猶予の効力を有しない。

（**協議を行う旨の合意による時効の完成猶予**）

第一五一条　権利についての協議を行う旨の合意が書面でされたときは、次に掲げる時のいずれか早い時までの間は、時効は、完成しない。

一　その合意があった時から一年を経過した時

二　その合意において当事者が協議を行う期間（一年に満たないものに限る。）を定めたときは、その期間を経過した時

三　当事者の一方から相手方に対して協議の続行を拒絶する旨の通知が書面でされたときは、その通知の時から六箇月を経過した時

2　前項の規定により時効の完成が猶予されている間にされた再度の同項の合意は、同項の規定による時効の完成猶予の効力を有する。ただし、その効力は、時効の完成が猶予されなかったとすれば時効が完成すべき時から通じて五年を超えることができない。

3　催告によって時効の完成が猶予されている間にされた第一項の合意は、同項の規定による時効の完成猶予の効力を有しない。同項の規定により時効の完成が猶予されている間にされた催告についても、同様とする。

4　第一項の合意がその内容を記録した電磁的記録（電子的方式、磁気的方式その他人の知覚によっては認識することができない方式で作られる記録であって、電子計算機による情報処理の用に供されるものをいう。以下同じ。）によってされたときは、その合意は、書面によってされたものとみなして、前三項の規定を適用する。

5　前項の規定は、第一項第三号の通知について準用する。

（**承認による時効の更新**）

第一五二条　時効は、権利の承認があったときは、その時から新たにその進行を始める。

2　前項の承認をするには、相手方の権利についての処分につき行為能力の制限を受けていないこと又は権限があることを要しない。

（**時効の完成猶予又は更新の効力が及ぶ者の範囲**）

第一五三条　第百四十七条又は第百四十八条の規定による時効の完成猶予又は更新は、完成猶予又は更新の事由が生じた当事者及びその承継人の間においてのみ、その効力を有する。

2　第百四十九条から第百五十一条までの規定による時効の完成猶予は、完成猶予の事由が生じた当事者及びその承継人の間においてのみ、その効力を有する。

3　前条の規定による時効の更新は、更新の事由が生じた当事者及びその承継人の間においてのみ、その効力を有する。

第一五四条　第百四十八条第一項各号又は第百四十九条各号に掲げる事由に係る手続は、時効の利益を受ける者に対してしないときは、その者に通知をした後でなければ、第百四十八条又は第百四十九条の規定による時効の完成猶予又は更新の効力を生じない。

第一五五条から第一五七条まで　削除

（**未成年者又は成年被後見人と時効の完成猶予**）

第一五八条　時効の期間の満了前六箇月以内の間に未成年者又は成年被後見人に法定代理人がないときは、その未成年者若しくは成年被後見人が行為

能力者となった時又は法定代理人が就職した時から六箇月を経過するまでの間は、その未成年者又は成年被後見人に対して、時効は、完成しない。

2　未成年者又は成年被後見人がその財産を管理する父、母又は後見人に対して権利を有するときは、その未成年者若しくは成年被後見人が行為能力者となった時又は後任の法定代理人が就職した時から六箇月を経過するまでの間は、その権利について、時効は、完成しない。

（夫婦間の権利の時効の完成猶予）

第一五九条　夫婦の一方が他の一方に対して有する権利については、婚姻の解消の時から六箇月を経過するまでの間は、時効は、完成しない。

（相続財産に関する時効の完成猶予）

第一六〇条　相続財産に関しては、相続人が確定した時、管理人が選任された時又は破産手続開始の決定があった時から六箇月を経過するまでの間は、時効は、完成しない。

（天災等による時効の完成猶予）

第一六一条　時効の期間の満了の時に当たり、天災その他避けることのできない事変のため第百四十七条第一項各号又は第百四十八条第一項各号に掲げる事由に係る手続を行うことができないときは、その障害が消滅した時から三箇月を経過するまでの間は、時効は、完成しない。

第二節　取得時効

（所有権の取得時効）

第一六二条　二十年間、所有の意思をもって、平穏に、かつ、公然と他人の物を占有した者は、その所有権を取得する。

2　十年間、所有の意思をもって、平穏に、かつ、公然と他人の物を占有した者は、その占有の開始の時に、善意であり、かつ、過失がなかったときは、その所有権を取得する。

（所有権以外の財産権の取得時効）

第一六三条　所有権以外の財産権を、自己のためにする意思をもって、平穏に、かつ、公然と行使する者は、前条の区別に従い二十年又は十年を経過した後、その権利を取得する。

（占有の中止等による取得時効の中断）

第一六四条　第百六十二条の規定による時効は、占有者が任意にその占有を中止し、又は他人によってその占有を奪われたときは、中断する。

第一六五条　前条の規定は、第百六十三条の場合について準用する。

第三節　消滅時効

（債権等の消滅時効）

第一六六条　債権は、次に掲げる場合には、時効によって消滅する。

一　債権者が権利を行使することができることを知った時から五年間行使しないとき。

二　権利を行使することができる時から十年間行使しないとき。

2　債権又は所有権以外の財産権は、権利を行使することができる時から二十年間行使しないときは、時効によって消滅する。

3　前二項の規定は、始期付権利又は停止条件付権利の目的物を占有する第三者のために、その占有の開始の時から取得時効が進行することを妨げない。ただし、権利者は、その時効を更新するため、いつでも占有者の承認を求めることができる。

（人の生命又は身体の侵害による損害賠償請求権の消滅時効）

第一六七条　人の生命又は身体の侵害による損害賠償請求権の消滅時効についての前条第一項第二号の規定の適用については、同号中「十年間」とあるのは、「二十年間」とする。

（定期金債権の消滅時効）

第一六八条　定期金の債権は、次に掲げる場合には、時効によって消滅する。

一　債権者が定期金の債権から生ずる金銭その他の物の給付を目的とする各債権を行使することができることを知った時から十年間行使しないとき。

二　前号に規定する各債権を行使することができる時から二十年間行使しないとき。

2　定期金の債権者は、時効の更新の証拠を得るため、いつでも、その債務者に対して承認書の交付を求めることができる。

（判決で確定した権利の消滅時効）

第一六九条　確定判決又は確定判決と同一の効力を有するものによって確定した権利については、十年より短い時効期間の定めがあるものであっても、その時効期間は、十年とする。

2　前項の規定は、確定の時に弁済期の到来していない債権については、適用しない。

第一七〇条から第一七四条まで　削除

第二編　物権

第一章　総則

（物権の創設）

第一七五条　物権は、この法律その他の法律に定めるもののほか、創設することができない。

（物権の設定及び移転）

第一七六条　物権の設定及び移転は、当事者の意思表示のみによって、その効力を生ずる。

（不動産に関する物権の変動の対抗要件）

第一七七条　不動産に関する物権の得喪及び変更は、不動産登記法（平成十六年法律第百二十三号）その他の登記に関する法律の定めるところに従いその登記をしなければ、第三者に対抗することができない。

（動産に関する物権の譲渡の対抗要件）

第一七八条　動産に関する物権の譲渡は、その動産の引渡しがなければ、第三者に対抗することができない。

（混同）

第一七九条　同一物について所有権及び他の物権が同一人に帰属したときは、当該他の物権は、消滅する。ただし、その物又は当該他の物権が第三者の権利の目的であるときは、この限りでない。

2　所有権以外の物権及びこれを目的とする他の権利が同一人に帰属したときは、当該他の権利は、消滅する。この場合においては、前項ただし書の規定を準用する。

3　前二項の規定は、占有権については、適用しない。

第二章　占有権

第一節　占有権の取得

（占有権の取得）

第一八〇条　占有権は、自己のためにする意思をもって物を所持することによって取得する。

（代理占有）

第一八一条　占有権は、代理人によって取得することができる。

（現実の引渡し及び簡易の引渡し）

第一八二条　占有権の譲渡は、占有物の引渡しによってする。

2　譲受人又はその代理人が現に占有物を所持する場合には、占有権の譲渡は、当事者の意思表示のみによってすることができる。

（占有改定）

第一八三条　代理人が自己の占有物を以後本人のために占有する意思を表示したときは、本人は、これによって占有権を取得する。

（指図による占有移転）

第一八四条　代理人によって占有をする場合において、本人がその代理人に対して以後第三者のためにその物を占有することを命じ、その第三者がこれを承諾したときは、その第三者は、占有権を取得する。

（占有の性質の変更）

第一八五条　権原の性質上占有者に所有の意思がないものとされる場合には、その占有者が、自己に占有をさせた者に対して所有の意思があることを表示し、又は新たな権原により更に所有の意思をもって占有を始めるのでなければ、占有の性質は、変わらない。

（占有の態様等に関する推定）

第一八六条　占有者は、所有の意思をもって、善意で、平穏に、かつ、公然と占有をするものと推定する。

2　前後の両時点において占有をした証拠があるときは、占有は、その間継続したものと推定する。

（占有の承継）

第一八七条 占有者の承継人は、その選択に従い、自己の占有のみを主張し、又は自己の占有に前の占有者の占有を併せて主張することができる。

2 前の占有者の占有を併せて主張する場合には、その瑕疵をも承継する。

第二節 占有権の効力

（占有物について行使する権利の適法の推定）

第一八八条 占有者が占有物について行使する権利は、適法に有するものと推定する。

（善意の占有者による果実の取得等）

第一八九条 善意の占有者は、占有物から生ずる果実を取得する。

2 善意の占有者が本権の訴えにおいて敗訴したときは、その訴えの提起の時から悪意の占有者とみなす。

（悪意の占有者による果実の返還等）

第一九〇条 悪意の占有者は、果実を返還し、かつ、既に消費し、過失によって損傷し、又は収取を怠った果実の代価を償還する義務を負う。

2 前項の規定は、暴行若しくは強迫又は隠匿によって占有をしている者について準用する。

（占有者による損害賠償）

第一九一条 占有物が占有者の責めに帰すべき事由によって滅失し、又は損傷したときは、その回復者に対し、悪意の占有者はその損害の全部の賠償をする義務を負い、善意の占有者はその滅失又は損傷によって現に利益を受けている限度において賠償をする義務を負う。ただし、所有の意思のない占有者は、善意であるときであっても、全部の賠償をしなければならない。

（即時取得）

第一九二条 取引行為によって、平穏に、かつ、公然と動産の占有を始めた者は、善意であり、かつ、過失がないときは、即時にその動産について行使する権利を取得する。

（盗品又は遺失物の回復）

第一九三条 前条の場合において、占有物が盗品又は遺失物であるときは、被害者又は遺失者は、盗難又は遺失の時から二年間、占有者に対してその物の回復を請求することができる。

第一九四条 占有者が、盗品又は遺失物を、競売若しくは公の市場において、又はその物と同種の物を販売する商人から、善意で買い受けたときは、被害者又は遺失者は、占有者が支払った代価を弁償しなければ、その物を回復することができない。

（動物の占有による権利の取得）

第一九五条 家畜以外の動物で他人が飼育していたものを占有する者は、その占有の開始の時に善意であり、かつ、その動物が飼主の占有を離れた時から一箇月以内に飼主から回復の請求を受けなかったときは、その動物について行使する権利を取得する。

（占有者による費用の償還請求）

第一九六条 占有者が占有物を返還する場合には、その物の保存のために支出した金額その他の必要費を回復者から償還させることができる。ただし、占有者が果実を取得したときは、通常の必要費は、占有者の負担に帰する。

2 占有者が占有物の改良のために支出した金額その他の有益費については、その価格の増加が現存する場合に限り、回復者の選択に従い、その支出した金額又は増価額を償還させることができる。ただし、悪意の占有者に対しては、裁判所は、回復者の請求により、その償還について相当の期限を許与することができる。

（占有の訴え）

第一九七条 占有者は、次条から第二百二条までの規定に従い、占有の訴えを提起することができる。他人のために占有をする者も、同様とする。

（占有保持の訴え）

第一九八条 占有者がその占有を妨害されたときは、占有保持の訴えにより、その妨害の停止及び損害の賠償を請求することができる。

（占有保全の訴え）

第一九九条 占有者がその占有を妨害されるおそれがあるときは、占有保全の訴えにより、その妨害の予防又は損害賠償の担保を請求することができる。

（占有回収の訴え）

第二〇〇条 占有者がその占有を奪われたときは、占有回収の訴えにより、その物の返還及び損害の賠償を請求することができる。

2 占有回収の訴えは、占有を侵奪した者の特定承継人に対して提起することができない。ただし、その承継人が侵奪の事実を知っていたときは、この限りでない。

（占有の訴えの提起期間）

第二〇一条 占有保持の訴えは、妨害の存する間又はその消滅した後一年以内に提起しなければならない。ただし、工事により占有物に損害を生じた場合において、その工事に着手した時から一年を経過し、又はその工事が完成したときは、これを提起することができない。

2 占有保全の訴えは、妨害の危険の存する間は、提起することができる。この場合において、工事により占有物に損害を生ずるおそれがあるときは、前項ただし書の規定を準用する。

3 占有回収の訴えは、占有を奪われた時から一年以内に提起しなければならない。

（本権の訴えとの関係）

第二〇二条 占有の訴えは本権の訴えを妨げず、また、本権の訴えは占有の訴えを妨げない。

2 占有の訴えについては、本権に関する理由に基づいて裁判をすることができない。

第三節 占有権の消滅

（占有権の消滅事由）

第二〇三条 占有権は、占有者が占有の意思を放棄し、又は占有物の所持を失うことによって消滅する。ただし、占有者が占有回収の訴えを提起したときは、この限りでない。

（代理占有権の消滅事由）

第二〇四条 代理人によって占有をする場合には、占有権は、次に掲げる事由によって消滅する。

一 本人が代理人に占有をさせる意思を放棄したこと。

二 代理人が本人に対して以後自己又は第三者のために占有物を所持する意思を表示したこと。

三 代理人が占有物の所持を失ったこと。

2 占有権は、代理権の消滅のみによっては、消滅しない。

第四節 準占有

第二〇五条 この章の規定は、自己のためにする意思をもって財産権の行使をする場合について準用する。

第三章 所有権

第一節 所有権の限界

第一款 所有権の内容及び範囲

（所有権の内容）

第二〇六条 所有者は、法令の制限内において、自由にその所有物の使用、収益及び処分をする権利を有する。

（土地所有権の範囲）

第二〇七条 土地の所有権は、法令の制限内において、その土地の上下に及ぶ。

第二〇八条 削除

第二款 相隣関係

（隣地の使用）

第二〇九条 土地の所有者は、次に掲げる目的のため必要な範囲内で、隣地を使用することができる。ただし、住家については、その居住者の承諾がなければ、立ち入ることはできない。

一 境界又はその付近における障壁、建物その他の工作物の築造、収去又は修繕

二　境界標の調査又は境界に関する測量
三　第二百三十三条第三項の規定による枝の切取り

2　前項の場合には、使用の日時、場所及び方法は、隣地の所有者及び隣地を現に使用している者（以下この条において「隣地使用者」という。）のために損害が最も少ないものを選ばなければならない。

3　第一項の規定により隣地を使用する者は、あらかじめ、その目的、日時、場所及び方法を隣地の所有者及び隣地使用者に通知しなければならない。ただし、あらかじめ通知することが困難なときは、使用を開始した後、遅滞なく、通知することをもって足りる。

4　第一項の場合において、隣地の所有者又は隣地使用者が損害を受けたときは、その償金を請求することができる。

（公道に至るための他の土地の通行権）

第二一〇条　他の土地に囲まれて公道に通じない土地の所有者は、公道に至るため、その土地を囲んでいる他の土地を通行することができる。

2　池沼、河川、水路若しくは海を通らなければ公道に至ることができないとき、又は崖があって土地と公道とに著しい高低差があるときも、前項と同様とする。

第二一一条　前条の場合には、通行の場所及び方法は、同条の規定による通行権を有する者のために必要であり、かつ、他の土地のために損害が最も少ないものを選ばなければならない。

2　前条の規定による通行権を有する者は、必要があるときは、通路を開設することができる。

第二一二条　第二百十条の規定による通行権を有する者は、その通行する他の土地の損害に対して償金を支払わなければならない。ただし、通路の開設のために生じた損害に対するものを除き、一年ごとにその償金を支払うことができる。

第二一三条　分割によって公道に通じない土地が生じたときは、その土地の所有者は、公道に至るため、他の分割者の所有地のみを通行することができる。この場合においては、償金を支払うことを要しない。

2　前項の規定は、土地の所有者がその土地の一部を譲り渡した場合について準用する。

（継続的給付を受けるための設備の設置権等）

第二一三条の二　土地の所有者は、他の土地に設備を設置し、又は他人が所有する設備を使用しなければ電気、ガス又は水道水の供給その他これらに類する継続的給付（以下この項及び次条第一項において「継続的給付」という。）を受けることができないときは、継続的給付を受けるため必要な範囲内で、他の土地に設備を設置し、又は他人が所有する設備を使用することができる。

2　前項の場合には、設備の設置又は使用の場所及び方法は、他の土地又は他人が所有する設備（次項において「他の土地等」という。）のために損害が最も少ないものを選ばなければならない。

3　第一項の規定により他の土地に設備を設置し、又は他人が所有する設備を使用する者は、あらかじめ、その目的、場所及び方法を他の土地等の所有者及び他の土地を現に使用している者に通知しなければならない。

4　第一項の規定による権利を有する者は、同項の規定により他の土地に設備を設置し、又は他人が所有する設備を使用するために当該他の土地又は当該他人が所有する設備がある土地を使用することができる。この場合においては、第二百九条第一項ただし書及び第二項から第四項までの規定を準用する。

5　第一項の規定により他の土地に設備を設置する者は、その土地の損害（前項において準用する第二百九条第四項に規定する損害を除く。）に対して償金を支払わなければならない。ただし、一年ごとにその償金を支払うことができる。

6　第一項の規定により他人が所有する設備を使用する者は、その設備の使用を開始するために生じた損害に対して償金を支払わなければならない。

7　第一項の規定により他人が所有する設備を使用する者は、その利益を受ける割合に応じて、その設置、改築、修繕及び維持に要する費用を負担しなければならない。

第二一三条の三　分割によって他の土地に設備を設置しなければ継続的給付を受けることができない土地が生じたときは、その土地の所有者は、継続的給付を受けるため、他の分割者の所有地のみに設備を設置することができる。この場合においては、前条第五項の規定は、適用しない。

2　前項の規定は、土地の所有者がその土地の一部を譲り渡した場合について準用する。

（自然水流に対する妨害の禁止）

第二一四条　土地の所有者は、隣地から水が自然に流れて来るのを妨げてはならない。

（水流の障害の除去）

第二一五条　水流が天災その他避けることのできない事変により低地において閉塞したときは、高地の所有者は、自己の費用で、水流の障害を除去するため必要な工事をすることができる。

（水流に関する工作物の修繕等）

第二一六条　他の土地に貯水、排水又は引水のために設けられた工作物の破壊又は閉塞により、自己の土地に損害が及び、又は及ぶおそれがある場合には、その土地の所有者は、当該他の土地の所有者に、工作物の修繕若しくは障害の除去をさせ、又は必要があるときは予防工事をさせることができる。

（費用の負担についての慣習）

第二一七条　前二条の場合において、費用の負担について別段の慣習があるときは、その慣習に従う。

（雨水を隣地に注ぐ工作物の設置の禁止）

第二一八条　土地の所有者は、直接に雨水を隣地に注ぐ構造の屋根その他の工作物を設けてはならない。

（水流の変更）

第二一九条　溝、堀その他の水流地の所有者は、対岸の土地が他人の所有に属するときは、その水路又は幅員を変更してはならない。

2　両岸の土地が水流地の所有者に属するときは、その所有者は、水路及び幅員を変更することができる。ただし、水流が隣地と交わる地点において、自然の水路に戻さなければならない。

3　前二項の規定と異なる慣習があるときは、その慣習に従う。

（排水のための低地の通水）

第二二〇条　高地の所有者は、その高地が浸水した場合にこれを乾かすため、又は自家用若しくは農工業用の余水を排出するため、公の水流又は下水道に至るまで、低地に水を通過させることができる。この場合においては、低地のために損害が最も少ない場所及び方法を選ばなければならない。

（通水用工作物の使用）

第二二一条　土地の所有者は、その所有地の水を通過させるため、高地又は低地の所有者が設けた工作物を使用することができる。

2　前項の場合には、他人の工作物を使用する者は、その利益を受ける割合に応じて、工作物の設置及び保存の費用を分担しなければならない。

（堰の設置及び使用）

第二二二条　水流地の所有者は、堰を設ける必要がある場合には、対岸の土地が他人の所有に属するときであっても、その堰を対岸に付着させて設けることができる。ただし、これによって生じた損害に対して償金を支払わなければならない。

2　対岸の土地の所有者は、水流地の一部がその所有に属するときは、前項の堰を使用することができる。

3　前条第二項の規定は、前項の場合について準用する。

（境界標の設置）

第二二三条　土地の所有者は、隣地の所有者と共同の費用で、境界標を設けることができる。

（境界標の設置及び保存の費用）

第二二四条　境界標の設置及び保存の費用は、相隣者が等しい割合で負担する。ただし、測量の費用は、その土地の広狭に応じて分担する。

（囲障の設置）

第二二五条　二棟の建物がその所有者を異にし、かつ、その間に空地があるときは、各所有者は、他の所有者と共同の費用で、その境界に囲障を設けることができる。

2　当事者間に協議が調わないときは、前項の囲障は、板塀又は竹垣その他これらに類する材料のものであって、かつ、高さ二メートルのものでなければならない。

（囲障の設置及び保存の費用）

第二二六条　前条の囲障の設置及び保存の費用は、相隣者が等しい割合で負担する。

（相隣者の一人による囲障の設置）

第二二七条　相隣者の一人は、第二百二十五条第二項に規定する材料より良好なものを用い、又は同項に規定する高さを増して囲障を設けることができる。ただし、これによって生ずる費用の増加額を負担しなければならない。

（囲障の設置等に関する慣習）

第二二八条　前三条の規定と異なる慣習があるときは、その慣習に従う。

（境界標等の共有の推定）

第二二九条　境界線上に設けた境界標、囲障、障壁、溝及び堀は、相隣者の共有に属するものと推定する。

第二三〇条　一棟の建物の一部を構成する境界線上の障壁については、前条の規定は、適用しない。

2　高さの異なる二棟の隣接する建物を隔てる障壁の高さが、低い建物の高さを超えるときは、その障壁のうち低い建物を超える部分についても、前項と同様とする。ただし、防火障壁については、この限りでない。

（共有の障壁の高さを増す工事）

第二三一条　相隣者の一人は、共有の障壁の高さを増すことができる。ただし、その障壁がその工事に耐えないときは、自己の費用で、必要な工作を加え、又はその障壁を改築しなければならない。

2　前項の規定により障壁の高さを増したときは、その高さを増した部分は、その工事をした者の単独の所有に属する。

第二三二条　前条の場合において、隣人が損害を受けたときは、その償金を請求することができる。

（竹木の枝の切除及び根の切取り）

第二三三条　土地の所有者は、隣地の竹木の枝が境界線を越えるときは、その竹木の所有者に、その枝を切除させることができる。

2　前項の場合において、竹木が数人の共有に属するときは、各共有者は、その枝を切り取ることができる。

3　第一項の場合において、次に掲げるときは、土地の所有者は、その枝を切り取ることができる。

一　竹木の所有者に枝を切除するよう催告したにもかかわらず、竹木の所有者が相当の期間内に切除しないとき。

二　竹木の所有者を知ることができず、又はその所在を知ることができないとき。

三　急迫の事情があるとき。

4　隣地の竹木の根が境界線を越えるときは、その根を切り取ることができる。

（境界線付近の建築の制限）

第二三四条　建物を築造するには、境界線から五十センチメートル以上の距離を保たなければならない。

2　前項の規定に違反して建築をしようとする者があるときは、隣地の所有者は、その建築を中止させ、又は変更させることができる。ただし、建築に着手した時から一年を経過し、又はその建物が完成した後は、損害賠償の請求のみをすることができる。

第二三五条　境界線から一メートル未満の距離において他人の宅地を見通すことのできる窓又は縁側（ベランダを含む。次項において同じ。）を設ける者は、目隠しを付けなければならない。

2　前項の距離は、窓又は縁側の最も隣地に近い点から垂直線によって境界線に至るまでを測定して算出する。

（境界線付近の建築に関する慣習）

第二三六条　前二条の規定と異なる慣習があるときは、その慣習に従う。

（境界線付近の掘削の制限）

第二三七条　井戸、用水だめ、下水だめ又は肥料だめを掘るには境界線から二メートル以上、池、穴蔵又はし尿だめを掘るには境界線から一メートル以上の距離を保たなければならない。

2　導水管を埋め、又は溝若しくは堀を掘るには、境界線からその深さの二分の一以上の距離を保たなければならない。ただし、一メートルを超えることを要しない。

（境界線付近の掘削に関する注意義務）

第二三八条　境界線の付近において前条の工事をするときは、土砂の崩壊又は水若しくは汚液の漏出を防ぐため必要な注意をしなければならない。

第二節　所有権の取得

（無主物の帰属）

第二三九条　所有者のない動産は、所有の意思をもって占有することによって、その所有権を取得する。

2　所有者のない不動産は、国庫に帰属する。

（遺失物の拾得）

第二四〇条　遺失物は、遺失物法（平成十八年法律第七十三号）の定めるところに従い公告をした後三箇月以内にその所有者が判明しないときは、これを拾得した者がその所有権を取得する。

（埋蔵物の発見）

第二四一条　埋蔵物は、遺失物法の定めるところに従い公告をした後六箇月以内にその所有者が判明しないときは、これを発見した者がその所有権を取得する。ただし、他人の所有する物の中から発見された埋蔵物については、これを発見した者及びその他人が等しい割合でその所有権を取得する。

（不動産の付合）

第二四二条　不動産の所有者は、その不動産に従として付合した物の所有権を取得する。ただし、権原によってその物を附属させた他人の権利を妨げない。

（動産の付合）

第二四三条　所有者を異にする数個の動産が、付合により、損傷しなければ分離することができなくなったときは、その合成物の所有権は、主たる動産の所有者に帰属する。分離するのに過分の費用を要するときも、同様とする。

第二四四条　付合した動産について主従の区別をすることができないときは、各動産の所有者は、その付合の時における価格の割合に応じてその合成物を共有する。

（混和）

第二四五条　前二条の規定は、所有者を異にする物が混和して識別することができなくなった場合について準用する。

（加工）

第二四六条　他人の動産に工作を加えた者（以下この条において「加工者」という。）があるときは、その加工物の所有権は、材料の所有者に帰属する。ただし、工作によって生じた価格が材料の価格を著しく超えるときは、加工者がその加工物の所有権を取得する。

2　前項に規定する場合において、加工者が材料の一部を供したときは、その価格に工作によって生じた価格を加えたものが他人の材料の価格を超えるときに限り、加工者がその加工物の所有権を取得する。

（付合、混和又は加工の効果）

第二四七条　第二百四十二条から前条までの規定により物の所有権が消滅したときは、その物について存する他の権利も、消滅する。

2　前項に規定する場合において、物の所有者が、合成物、混和物又は加工物（以下この項において「合成物等」という。）の単独所有者となったときは、その物について存する他の権利は以後その合成物等について存し、物の所有者が合成物等の共有者となったときは、その物について存する他の権利は以後その持分について存する。

（付合、混和又は加工に伴う償金の請求）

第二四八条　第二百四十二条から前条までの規定の適用によって損失を受けた者は、第七百三条及び第七百四条の規定に従い、その償金を請求することができる。

第三節　共有

（共有物の使用）

第二四九条　各共有者は、共有物の全部について、その持分に応じた使用をすることができる。

2　共有物を使用する共有者は、別段の合意がある場合を除き、他の共有者に対し、自己の持分を超える使用の対価を償還する義務を負う。

3　共有者は、善良な管理者の注意をもって、共有物の使用をしなければならない。

（共有持分の割合の推定）

第二五〇条　各共有者の持分は、相等しいものと推定する。

（共有物の変更）

第二五一条　各共有者は、他の共有者の同意を得なければ、共有物に変更（その形状又は効用の著しい変更を伴わないものを除く。次項において同じ。）を加えることができない。

2　共有者が他の共有者を知ることができず、又はその所在を知ることができないときは、裁判所は、共有者の請求により、当該他の共有者以外の他の共有者の同意を得て共有物に変更を加えることができる旨の裁判をすることができる。

（共有物の管理）

第二五二条　共有物の管理に関する事項（次条第一項に規定する共有物の管理者の選任及び解任を含み、共有物に前条第一項に規定する変更を加えるものを除く。次項において同じ。）は、各共有者の持分の価格に従い、その過半数で決する。共有物を使用する共有者があるときも、同様とする。

2　裁判所は、次の各号に掲げるときは、当該各号に規定する他の共有者以外の共有者の請求により、当該他の共有者以外の共有者の持分の価格に従い、その過半数で共有物の管理に関する事項を決することができる旨の裁判をすることができる。

一　共有者が他の共有者を知ることができず、又はその所在を知ることができないとき。

二　共有者が他の共有者に対し相当の期間を定めて共有物の管理に関する事項を決することについて賛否を明らかにすべき旨を催告した場合において、当該他の共有者がその期間内に賛否を明らかにしないとき。

3　前二項の規定による決定が、共有者間の決定に基づいて共有物を使用する共有者に特別の影響を及ぼすべきときは、その承諾を得なければならない。

4　共有者は、前三項の規定により、共有物に、次の各号に掲げる賃借権その他の使用及び収益を目的とする権利（以下この項において「賃借権等」という。）であって、当該各号に定める期間を超えないものを設定することができる。

一　樹木の栽植又は伐採を目的とする山林の賃借権等　十年

二　前号に掲げる賃借権等以外の土地の賃借権等　五年

三　建物の賃借権等　三年

四　動産の賃借権等　六箇月

5　各共有者は、前各項の規定にかかわらず、保存行為をすることができる。

（共有物の管理者）

第二五二条の二　共有物の管理者は、共有物の管理に関する行為をすることができる。ただし、共有者の全員の同意を得なければ、共有物に変更（その形状又は効用の著しい変更を伴わないものを除く。次項において同じ。）を加えることができない。

2　共有物の管理者が共有者を知ることができず、又はその所在を知ることができないときは、裁判所は、共有物の管理者の請求により、当該共有者以外の共有者の同意を得て共有物に変更を加えることができる旨の裁判をすることができる。

3　共有物の管理者は、共有者が共有物の管理に関する事項を決した場合には、これに従ってその職務を行わなければならない。

4　前項の規定に違反して行った共有物の管理者の行為は、共有者に対してその効力を生じない。ただし、共有者は、これをもって善意の第三者に対抗することができない。

（共有物に関する負担）

第二五三条　各共有者は、その持分に応じ、管理の費用を支払い、その他共有物に関する負担を負う。

2　共有者が一年以内に前項の義務を履行しないときは、他の共有者は、相当の償金を支払ってその者の持分を取得することができる。

（共有物についての債権）

第二五四条　共有者の一人が共有物について他の共有者に対して有する債権は、その特定承継人に対しても行使することができる。

（持分の放棄及び共有者の死亡）

第二五五条　共有者の一人が、その持分を放棄したとき、又は死亡して相続人がないときは、その持分は、他の共有者に帰属する。

（共有物の分割請求）

第二五六条　各共有者は、いつでも共有物の分割を請求することができる。ただし、五年を超えない期間内は分割をしない旨の契約をすることを妨げない。

2　前項ただし書の契約は、更新することができる。ただし、その期間は、更新の時から五年を超えることができない。

第二五七条　前条の規定は、第二百二十九条に規定する共有物については、適用しない。

（裁判による共有物の分割）

第二五八条　共有物の分割について共有者間に協議が調わないとき、又は協議をすることができないときは、その分割を裁判所に請求することができる。

2　裁判所は、次に掲げる方法により、共有物の分割を命ずることができる。

一　共有物の現物を分割する方法

二　共有者に債務を負担させて、他の共有者の持分の全部又は一部を取得させる方法

3　前項に規定する方法により共有物を分割することができないとき、又は分割によってその価格を著しく減少させるおそれがあるときは、裁判所は、その競売を命ずることができる。

4　裁判所は、共有物の分割の裁判において、当事者に対して、金銭の支払、物の引渡し、登記義務の履行その他の給付を命ずることができる。

第二五八条の二　共有物の全部又はその持分が相続財産に属する場合において、共同相続人間で当該共有物の全部又はその持分について遺産の分割をすべきときは、当該共有物又はその持分について前条の規定による分割をすることができない。

2　共有物の持分が相続財産に属する場合において、相続開始の時から十年を経過したときは、前項の規定にかかわらず、相続財産に属する共有物の持分について前条の規定による分割をすることができる。ただし、当該共有物の持分について遺産の分割の請求があった場合において、相続人が当該共有物の持分について同条の規定による分割をすることに異議の申出をしたときは、この限りでない。

3　相続人が前項ただし書の申出をする場合には、当該申出は、当該相続人が前条第一項の規定による請求を受けた裁判所から当該請求があった旨の通知を受けた日から二箇月以内に当該裁判所にしなければならない。

（共有に関する債権の弁済）

第二五九条　共有者の一人が他の共有者に対して共有に関する債権を有するときは、分割に際し、債務者に帰属すべき共有物の部分をもって、その弁済に充てることができる。

2　債権者は、前項の弁済を受けるため債務者に帰属すべき共有物の部分を売却する必要があるときは、その売却を請求することができる。

（共有物の分割への参加）

第二六〇条　共有物について権利を有する者及び各共有者の債権者は、自己の費用で、分割に参加することができる。

2　前項の規定による参加の請求があったにもかかわらず、その請求をした者を参加させないで分割をしたときは、その分割は、その請求をした者に対抗することができない。

（分割における共有者の担保責任）

第二六一条　各共有者は、他の共有者が分割によって取得した物について、売主と同じく、その持分に応じて担保の責任を負う。

（共有物に関する証書）

第二六二条　分割が完了したときは、各分割者は、その取得した物に関する証書を保存しなければならない。

2　共有者の全員又はそのうちの数人に分割した物に関する証書は、その物の最大の部分を取得した者が保存しなければならない。

3　前項の場合において、最大の部分を取得した者がないときは、分割者間の協議で証書の保存者を定める。協議が調わないときは、裁判所が、これを指定する。

4　証書の保存者は、他の分割者の請求に応じて、その証書を使用させなければならない。

（所在等不明共有者の持分の取得）

第二六二条の二　不動産が数人の共有に属する場合において、共有者が他の共有者を知ることができず、又はその所在を知ることができないときは、裁判所は、共有者の請求により、その共有者に、当該他の共有者（以下この条において「所在等不明共有者」という。）の持分を取得させる旨の裁判をすることができる。この場合において、請求をした共有者が二人以上あるときは、請求をした各共有者に、所在等不明共有者の持分を、請求をした各共有者の持分の割合で按分してそれぞれ取得させる。

2　前項の請求があった持分に係る不動産について第二百五十八条第一項の規定による請求又は遺産の分割の請求があり、かつ、所在等不明共有者以外の共有者が前項の請求を受けた裁判所に同項の裁判をすることについて異議がある旨の届出をしたときは、裁判所は、同項の裁判をすることがで

きない。

3　所在等不明共有者の持分が相続財産に属する場合（共同相続人間で遺産の分割をすべき場合に限る。）において、相続開始の時から十年を経過していないときは、裁判所は、第一項の裁判をすることができない。

4　第一項の規定により共有者が所在等不明共有者の持分を取得したときは、所在等不明共有者は、当該共有者に対し、当該共有者が取得した持分の時価相当額の支払を請求することができる。

5　前各項の規定は、不動産の使用又は収益をする権利（所有権を除く。）が数人の共有に属する場合について準用する。

（所在等不明共有者の持分の譲渡）

第二六二条の三　不動産が数人の共有に属する場合において、共有者が他の共有者を知ることができず、又はその所在を知ることができないときは、裁判所は、共有者の請求により、その共有者に、当該他の共有者（以下この条において「所在等不明共有者」という。）以外の共有者の全員が特定の者に対してその有する持分の全部を譲渡することを停止条件として所在等不明共有者の持分を当該特定の者に譲渡する権限を付与する旨の裁判をすることができる。

2　所在等不明共有者の持分が相続財産に属する場合（共同相続人間で遺産の分割をすべき場合に限る。）において、相続開始の時から十年を経過していないときは、裁判所は、前項の裁判をすることができない。

3　第一項の裁判により付与された権限に基づき共有者が所在等不明共有者の持分を第三者に譲渡したときは、所在等不明共有者は、当該譲渡をした共有者に対し、不動産の時価相当額を所在等不明共有者の持分に応じて按分して得た額の支払を請求することができる。

4　前三項の規定は、不動産の使用又は収益をする権利（所有権を除く。）が数人の共有に属する場合について準用する。

（共有の性質を有する入会権）

第二六三条　共有の性質を有する入会権については、各地方の慣習に従うほか、この節の規定を適用する。

（準共有）

第二六四条　この節（第二百六十二条の二及び第二百六十二条の三を除く。）の規定は、数人で所有権以外の財産権を有する場合について準用する。ただし、法令に特別の定めがあるときは、この限りでない。

第四節　所有者不明土地管理命令及び所有者不明建物管理命令

（所有者不明土地管理命令）

第二六四条の二　裁判所は、所有者を知ることができず、又はその所在を知ることができない土地（土地が数人の共有に属する場合にあっては、共有者を知ることができず、又はその所在を知ることができない土地の共有持分）について、必要があると認めるときは、利害関係人の請求により、その請求に係る土地又は共有持分を対象として、所有者不明土地管理人（第四項に規定する所有者不明土地管理人をいう。以下同じ。）による管理を命ずる処分（以下「所有者不明土地管理命令」という。）をすることができる。

2　所有者不明土地管理命令の効力は、当該所有者不明土地管理命令の対象とされた土地（共有持分を対象として所有者不明土地管理命令が発せられた場合にあっては、共有物である土地）にある動産（当該所有者不明土地管理命令の対象とされた土地の所有者又は共有持分を有する者が所有するものに限る。）に及ぶ。

3　所有者不明土地管理命令は、所有者不明土地管理命令が発せられた後に当該所有者不明土地管理命令が取り消された場合において、当該所有者不明土地管理命令の対象とされた土地又は共有持分及び当該所有者不明土地管理命令の効力が及ぶ動産の管理、処分その他の事由により所有者不明土地管理人が得た財産について、必要があると認めるときも、することができる。

4　裁判所は、所有者不明土地管理命令をする場合には、当該所有者不明土地管理命令において、所有者不明土地管理人を選任しなければならない。

（所有者不明土地管理人の権限）

第二六四条の三　前条第四項の規定により所有者不明土地管理人が選任された場合には、所有者不明土地管理命令の対象とされた土地又は共有持分及び所有者不明土地管理命令の効力が及ぶ動産並びにその管理、処分その他の事由により所有者不明土地管理人が得た財産（以下「所有者不明土地等」という。）の管理及び処分をする権利は、所有者不明土地管理人に専属する。

2　所有者不明土地管理人が次に掲げる行為の範囲を超える行為をするには、裁判所の許可を得なければならない。ただし、この許可がないことをもって善意の第三者に対抗することはできない。

一　保存行為

二　所有者不明土地等の性質を変えない範囲内において、その利用又は改良を目的とする行為

（所有者不明土地等に関する訴えの取扱い）

第二六四条の四　所有者不明土地管理命令が発せられた場合には、所有者不明土地等に関する訴えについては、所有者不明土地管理人を原告又は被告とする。

（所有者不明土地管理人の義務）

第二六四条の五　所有者不明土地管理人は、所有者不明土地等の所有者（その共有持分を有する者を含む。）のために、善良な管理者の注意をもって、その権限を行使しなければならない。

2　数人の者の共有持分を対象として所有者不明土地管理命令が発せられたときは、所有者不明土地管理人は、当該所有者不明土地管理命令の対象とされた共有持分を有する者全員のために、誠実かつ公平にその権限を行使しなければならない。

（所有者不明土地管理人の解任及び辞任）

第二六四条の六　所有者不明土地管理人がその任務に違反して所有者不明土地等に著しい損害を与えたことその他重要な事由があるときは、裁判所は、利害関係人の請求により、所有者不明土地管理人を解任することができる。

2　所有者不明土地管理人は、正当な事由があるときは、裁判所の許可を得て、辞任することができる。

（所有者不明土地管理人の報酬等）

第二六四条の七　所有者不明土地管理人は、所有者不明土地等から裁判所が定める額の費用の前払及び報酬を受けることができる。

2　所有者不明土地管理人による所有者不明土地等の管理に必要な費用及び報酬は、所有者不明土地等の所有者（その共有持分を有する者を含む。）の負担とする。

（所有者不明建物管理命令）

第二六四条の八　裁判所は、所有者を知ることができず、又はその所在を知ることができない建物（建物が数人の共有に属する場合にあっては、共有者を知ることができず、又はその所在を知ることができない建物の共有持分）について、必要があると認めるときは、利害関係人の請求により、その請求に係る建物又は共有持分を対象として、所有者不明建物管理人（第四項に規定する所有者不明建物管理人をいう。以下この条において同じ。）による管理を命ずる処分（以下この条において「所有者不明建物管理命令」という。）をすることができる。

2　所有者不明建物管理命令の効力は、当該所有者不明建物管理命令の対象とされた建物（共有持分を対象として所有者不明建物管理命令が発せられた場合にあっては、共有物である建物）にある動産（当該所有者不明建物管理命令の対象とされた建物の所有者又は共有持分を有する者が所有するものに限る。）及び当該建物を所有し、又は当該建物の共有持分を有するための建物の敷地に関する権利（賃借権その他の使用及び収益を目的とする権利（所有権を除く。）であって、当該所有者不明建物管理命令の対象とされた建物の所有者又は共有持分を有する者が有するものに限る。）に及ぶ。

3　所有者不明建物管理命令は、所有者不明建物管理命令が発せられた後に当該所有者不明建物管理命令が取り消された場合において、当該所有者不明建物管理命令の対象とされた建物又は共有持分並びに当該所有者不明建物管理命令の効力が及ぶ動産及び建物の敷地に関する権利の管理、処分その他の事由により所有者不明建物管理人が得た財産について、必要があると認めるときも、することができる。

4　裁判所は、所有者不明建物管理命令をする場合には、当該所有者不明建物管理命令において、所有者不明建物管理人を選任しなければならない。

5　第二百六十四条の三から前条までの規定は、所有者不明建物管理命令及び所有者不明建物管理人について準用する。

第五節　管理不全土地管理命令及び管理不全建物管理命令

（管理不全土地管理命令）

第二六四条の九　裁判所は、所有者による土地の管理が不適当であることによって他人の権利又は法律上保護される利益が侵害され、又は侵害されるおそれがある場合において、必要があると認めるときは、利害関係人の請求により、当該土地を対象として、管理不全土地管理人（第三項に規定する管理不全土地管理人をいう。以下同じ。）による管理を命ずる処分（以下「管理不全土地管理命令」という。）をすることができる。

2　管理不全土地管理命令の効力は、当該管理不全土地管理命令の対象とされた土地にある動産（当該管理不全土地管理命令の対象とされた土地の所有者又はその共有持分を有する者が所有するものに限る。）に及ぶ。

3　裁判所は、管理不全土地管理命令をする場合には、当該管理不全土地管理命令において、管理不全土地管理人を選任しなければならない。

（管理不全土地管理人の権限）

第二六四条の一〇　管理不全土地管理人は、管理不全土地管理命令の対象とされた土地及び管理不全土地管理命令の効力が及ぶ動産並びにその管理、処分その他の事由により管理不全土地管理人が得た財産（以下「管理不全土地等」という。）の管理及び処分をする権限を有する。

2　管理不全土地管理人が次に掲げる行為の範囲を超える行為をするには、裁判所の許可を得なければならない。ただし、この許可がないことをもって善意でかつ過失がない第三者に対抗することはできない。

一　保存行為

二　管理不全土地等の性質を変えない範囲内において、その利用又は改良を目的とする行為

3　管理不全土地管理命令の対象とされた土地の処分についての前項の許可をするには、その所有者の同意がなければならない。

（管理不全土地管理人の義務）

第二六四条の一一　管理不全土地管理人は、管理不全土地等の所有者のために、善良な管理者の注意をもって、その権限を行使しなければならない。

2　管理不全土地等が数人の共有に属する場合には、管理不全土地管理人は、その共有持分を有する者全員のために、誠実かつ公平にその権限を行使しなければならない。

（管理不全土地管理人の解任及び辞任）

第二六四条の一二　管理不全土地管理人がその任務に違反して管理不全土地等に著しい損害を与えたことその他重要な事由があるときは、裁判所は、利害関係人の請求により、管理不全土地管理人を解任することができる。

2　管理不全土地管理人は、正当な事由があるときは、裁判所の許可を得て、辞任することができる。

（管理不全土地管理人の報酬等）

第二六四条の一三　管理不全土地管理人は、管理不全土地等から裁判所が定める額の費用の前払及び報酬を受けることができる。

2　管理不全土地管理人による管理不全土地等の管理に必要な費用及び報酬は、管理不全土地等の所有者の負担とする。

（管理不全建物管理命令）

第二六四条の一四　裁判所は、所有者による建物の管理が不適当であることによって他人の権利又は法律上保護される利益が侵害され、又は侵害されるおそれがある場合において、必要があると認めるときは、利害関係人の請求により、当該建物を対象として、管理不全建物管理人（第三項に規定する管理不全建物管理人をいう。第四項において同じ。）による管理を命ずる処分（以下この条において「管理不全建物管理命令」という。）をすることができる。

2　管理不全建物管理命令は、当該管理不全建物管理命令の対象とされた建物にある動産（当該管理不全建物管理命令の対象とされた建物の所有者又はその共有持分を有する者が所有するものに限る。）及び当該建物を所有するための建物の敷地に関する権利（賃借権その他の使用及び収益を目的とする権利（所有権を除く。）であって、当該管理不全建物管理命令の対象とされた建物の所有者又はその共有持分を有する者が有するものに限る。）に及ぶ。

3　裁判所は、管理不全建物管理命令をする場合には、当該管理不全建物管理命令において、管理不全建物管理人を選任しなければならない。

4　第二百六十四条の十から前条までの規定は、管理不全建物管理命令及び管理不全建物管理人について準用する。

第四章　地上権

（地上権の内容）

第二六五条　地上権者は、他人の土地において工作物又は竹木を所有するため、その土地を使用する権利を有する。

（地代）

第二六六条　第二百七十四条から第二百七十六条までの規定は、地上権者が土地の所有者に定期の地代を支払わなければならない場合について準用する。

2　地代については、前項に規定するもののほか、その性質に反しない限り、賃貸借に関する規定を準用する。

（相隣関係の規定の準用）

第二六七条　前章第一節第二款（相隣関係）の規定は、地上権者間又は地上権者と土地の所有者との間について準用する。ただし、第二百二十九条の規定は、境界線上の工作物が地上権の設定後に設けられた場合に限り、地上権者について準用する。

（地上権の存続期間）

第二六八条　設定行為で地上権の存続期間を定めなかった場合において、別段の慣習がないときは、地上権者は、いつでもその権利を放棄することができる。ただし、地代を支払うべきときは、一年前に予告をし、又は期限の到来していない一年分の地代を支払わなければならない。

2　地上権者が前項の規定によりその権利を放棄しないときは、裁判所は、当事者の請求により、二十年以上五十年以下の範囲内において、工作物又は竹木の種類及び状況その他地上権の設定当時の事情を考慮して、その存続期間を定める。

（工作物等の収去等）

第二六九条　地上権者は、その権利が消滅した時に、土地を原状に復してその工作物及び竹木を収去することができる。ただし、土地の所有者が時価相当額を提供してこれを買い取る旨を通知したときは、地上権者は、正当な理由がなければ、これを拒むことができない。

2　前項の規定と異なる慣習があるときは、その慣習に従う。

（地下又は空間を目的とする地上権）

第二六九条の二　地下又は空間は、工作物を所有するため、上下の範囲を定めて地上権の目的とすることができる。この場合においては、設定行為で、地上権の行使のためにその土地の使用に制限を加えることができる。

2　前項の地上権は、第三者がその土地の使用又は収益をする権利を有する場合においても、その権利又はこれを目的とする権利を有するすべての者の承諾があるときは、設定することができる。この場合において、土地の使用又は収益をする権利を有する者は、その地上権の行使を妨げることができない。

第五章　永小作権

（永小作権の内容）

第二七〇条　永小作人は、小作料を支払って他人の土地において耕作又は牧畜をする権利を有する。

（永小作人による土地の変更の制限）

第二七一条　永小作人は、土地に対して、回復することのできない損害を生ずべき変更を加えることができない。

（永小作権の譲渡又は土地の賃貸）

第二七二条　永小作人は、その権利を他人に譲り渡し、又はその権利の存続期間内において耕作若しくは牧畜のため土地を賃貸することができる。ただし、設定行為で禁じたときは、この限りでない。

（賃貸借に関する規定の準用）

第二七三条　永小作人の義務については、この章の規定及び設定行為で定めるもののほか、その性質に反しない限り、賃貸借に関する規定を準用する。

（小作料の減免）

第二七四条　永小作人は、不可抗力により収益について損失を受けたときであっても、小作料の免除又は減額を請求することができない。

（永小作権の放棄）

第二七五条　永小作人は、不可抗力によって、引き続き三年以上全く収益を得ず、又は五年以上小作料より少ない収益を得たときは、その権利を放棄することができる。

（永小作権の消滅請求）
第二七六条　永小作人が引き続き二年以上小作料の支払を怠ったときは、土地の所有者は、永小作権の消滅を請求することができる。

（永小作権に関する慣習）
第二七七条　第二百七十一条から前条までの規定と異なる慣習があるときは、その慣習に従う。

（永小作権の存続期間）
第二七八条　永小作権の存続期間は、二十年以上五十年以下とする。設定行為で五十年より長い期間を定めたときであっても、その期間は、五十年とする。
2　永小作権の設定は、更新することができる。ただし、その存続期間は、更新の時から五十年を超えることができない。
3　設定行為で永小作権の存続期間を定めなかったときは、その期間は、別段の慣習がある場合を除き、三十年とする。

（工作物等の収去等）
第二七九条　第二百六十九条の規定は、永小作権について準用する。

第六章　地役権

（地役権の内容）
第二八〇条　地役権者は、設定行為で定めた目的に従い、他人の土地を自己の土地の便益に供する権利を有する。ただし、第三章第一節（所有権の限界）の規定（公の秩序に関するものに限る。）に違反しないものでなければならない。

（地役権の付従性）
第二八一条　地役権は、要役地（地役権者の土地であって、他人の土地から便益を受けるものをいう。以下同じ。）の所有権に従たるものとして、その所有権とともに移転し、又は要役地について存する他の権利の目的となるものとする。ただし、設定行為に別段の定めがあるときは、この限りでない。
2　地役権は、要役地から分離して譲り渡し、又は他の権利の目的とすることができない。

（地役権の不可分性）
第二八二条　土地の共有者の一人は、その持分につき、その土地のために又はその土地について存する地役権を消滅させることができない。
2　土地の分割又はその一部の譲渡の場合には、地役権は、その各部のために又はその各部について存する。ただし、地役権がその性質により土地の一部のみに関するときは、この限りでない。

（地役権の時効取得）
第二八三条　地役権は、継続的に行使され、かつ、外形上認識することができるものに限り、時効によって取得することができる。
第二八四条　土地の共有者の一人が時効によって地役権を取得したときは、他の共有者も、これを取得する。
2　共有者に対する時効の更新は、地役権を行使する各共有者に対してしなければ、その効力を生じない。
3　地役権を行使する共有者が数人ある場合には、その一人について時効の完成猶予の事由があっても、時効は、各共有者のために進行する。

（用水地役権）
第二八五条　用水地役権の承役地（地役権者以外の者の土地であって、要役地の便益に供されるものをいう。以下同じ。）において、水が要役地及び承役地の需要に比して不足するときは、その各土地の需要に応じて、まずこれを生活用に供し、その残余を他の用途に供するものとする。ただし、設定行為に別段の定めがあるときは、この限りでない。
2　同一の承役地について数個の用水地役権を設定したときは、後の地役権者は、前の地役権者の水の使用を妨げてはならない。

（承役地の所有者の工作物の設置義務等）
第二八六条　設定行為又は設定後の契約により、承役地の所有者が自己の費用で地役権の行使のために工作物を設け、又はその修繕をする義務を負担したときは、承役地の所有者の特定承継人も、その義務を負担する。
第二八七条　承役地の所有者は、いつでも、地役権に必要な土地の部分の所有権を放棄して地役権者に移転し、これにより前条の義務を免れることができる。

（承役地の所有者の工作物の使用）
第二八八条　承役地の所有者は、地役権の行使を妨げない範囲内において、その行使のために承役地の上に設けられた工作物を使用することができる。
2　前項の場合には、承役地の所有者は、その利益を受ける割合に応じて、工作物の設置及び保存の費用を分担しなければならない。

（承役地の時効取得による地役権の消滅）
第二八九条　承役地の占有者が取得時効に必要な要件を具備する占有をしたときは、地役権は、これによって消滅する。
第二九〇条　前条の規定による地役権の消滅時効は、地役権者がその権利を行使することによって中断する。

（地役権の消滅時効）
第二九一条　第百六十六条第二項に規定する消滅時効の期間は、継続的でなく行使される地役権については最後の行使の時から起算し、継続的に行使される地役権についてはその行使を妨げる事実が生じた時から起算する。
第二九二条　要役地が数人の共有に属する場合において、その一人のために時効の完成猶予又は更新があるときは、その完成猶予又は更新は、他の共有者のためにも、その効力を生ずる。
第二九三条　地役権者がその権利の一部を行使しないときは、その部分のみが時効によって消滅する。

（共有の性質を有しない入会権）
第二九四条　共有の性質を有しない入会権については、各地方の慣習に従うほか、この章の規定を準用する。

第七章　留置権

（留置権の内容）
第二九五条　他人の物の占有者は、その物に関して生じた債権を有するときは、その債権の弁済を受けるまで、その物を留置することができる。ただし、その債権が弁済期にないときは、この限りでない。
2　前項の規定は、占有が不法行為によって始まった場合には、適用しない。

（留置権の不可分性）
第二九六条　留置権者は、債権の全部の弁済を受けるまでは、留置物の全部についてその権利を行使することができる。

（留置権者による果実の収取）
第二九七条　留置権者は、留置物から生ずる果実を収取し、他の債権者に先立って、これを自己の債権の弁済に充当することができる。
2　前項の果実は、まず債権の利息に充当し、なお残余があるときは元本に充当しなければならない。

（留置権者による留置物の保管等）
第二九八条　留置権者は、善良な管理者の注意をもって、留置物を占有しなければならない。
2　留置権者は、債務者の承諾を得なければ、留置物を使用し、賃貸し、又は担保に供することができない。ただし、その物の保存に必要な使用をすることは、この限りでない。
3　留置権者が前二項の規定に違反したときは、債務者は、留置権の消滅を請求することができる。

（留置権者による費用の償還請求）
第二九九条　留置権者は、留置物について必要費を支出したときは、所有者にその償還をさせることができる。
2　留置権者は、留置物について有益費を支出したときは、これによる価格の増加が現存する場合に限り、所有者の選択に従い、その支出した金額又は増価額を償還させることができる。ただし、裁判所は、所有者の請求により、その償還について相当の期限を許与することができる。

（留置権の行使と債権の消滅時効）
第三〇〇条　留置権の行使は、債権の消滅時効の進行を妨げない。

（担保の供与による留置権の消滅）
第三〇一条　債務者は、相当の担保を供して、留置権の消滅を請求することができる。

（占有の喪失による留置権の消滅）
第三〇二条　留置権は、留置権者が留置物の占有を失うことによって、消滅する。ただし、第二百九十八条第二項の規定により留置物を賃貸し、又は質権の目的としたときは、この限りでない。

第八章　先取特権

第一節　総則

（先取特権の内容）

第三〇三条　先取特権者は、この法律その他の法律の規定に従い、その債務者の財産について、他の債権者に先立って自己の債権の弁済を受ける権利を有する。

（物上代位）

第三〇四条　先取特権は、その目的物の売却、賃貸、滅失又は損傷によって債務者が受けるべき金銭その他の物に対しても、行使することができる。ただし、先取特権者は、その払渡し又は引渡しの前に差押えをしなければならない。

2　債務者が先取特権の目的物につき設定した物権の対価についても、前項と同様とする。

（先取特権の不可分性）

第三〇五条　第二百九十六条の規定は、先取特権について準用する。

第二節　先取特権の種類

第一款　一般の先取特権

（一般の先取特権）

第三〇六条　次に掲げる原因によって生じた債権を有する者は、債務者の総財産について先取特権を有する。

一　共益の費用
二　雇用関係
三　葬式の費用
四　日用品の供給

（共益費用の先取特権）

第三〇七条　共益の費用の先取特権は、各債権者の共同の利益のためにされた債務者の財産の保存、清算又は配当に関する費用について存在する。

2　前項の費用のうちすべての債権者に有益でなかったものについては、先取特権は、その費用によって利益を受けた債権者に対してのみ存在する。

（雇用関係の先取特権）

第三〇八条　雇用関係の先取特権は、給料その他債務者と使用人との間の雇用関係に基づいて生じた債権について存在する。

（葬式費用の先取特権）

第三〇九条　葬式の費用の先取特権は、債務者のためにされた葬式の費用のうち相当な額について存在する。

2　前項の先取特権は、債務者がその扶養すべき親族のためにした葬式の費用のうち相当な額についても存在する。

（日用品供給の先取特権）

第三一〇条　日用品の供給の先取特権は、債務者又はその扶養すべき同居の親族及びその家事使用人の生活に必要な最後の六箇月間の飲食料品、燃料及び電気の供給について存在する。

第二款　動産の先取特権

（動産の先取特権）

第三一一条　次に掲げる原因によって生じた債権を有する者は、債務者の特定の動産について先取特権を有する。

一　不動産の賃貸借
二　旅館の宿泊
三　旅客又は荷物の運輸
四　動産の保存
五　動産の売買
六　種苗又は肥料（蚕種又は蚕の飼養に供した桑葉を含む。以下同じ。）の供給
七　農業の労務
八　工業の労務

（不動産賃貸の先取特権）

第三一二条　不動産の賃貸の先取特権は、その不動産の賃料その他の賃貸借関係から生じた賃借人の債務に関し、賃借人の動産について存在する。

（不動産賃貸の先取特権の目的物の範囲）

第三一三条　土地の賃貸人の先取特権は、その土地又はその利用のための建物に備え付けられた動産、その土地の利用に供された動産及び賃借人が占有するその土地の果実について存在する。

2　建物の賃貸人の先取特権は、賃借人がその建物に備え付けた動産について存在する。

第三一四条　賃借権の譲渡又は転貸の場合には、賃貸人の先取特権は、譲受人又は転借人の動産にも及ぶ。譲渡人又は転貸人が受けるべき金銭についても、同様とする。

（不動産賃貸の先取特権の被担保債権の範囲）

第三一五条　賃借人の財産のすべてを清算する場合には、賃貸人の先取特権は、前期、当期及び次期の賃料その他の債務並びに前期及び当期に生じた損害の賠償債務についてのみ存在する。

第三一六条　賃貸人は、第六百二十二条の二第一項に規定する敷金を受け取っている場合には、その敷金で弁済を受けない債権の部分についてのみ先取特権を有する。

（旅館宿泊の先取特権）

第三一七条　旅館の宿泊の先取特権は、宿泊客が負担すべき宿泊料及び飲食料に関し、その旅館に在るその宿泊客の手荷物について存在する。

（運輸の先取特権）

第三一八条　運輸の先取特権は、旅客又は荷物の運送賃及び付随の費用に関し、運送人の占有する荷物について存在する。

（即時取得の規定の準用）

第三一九条　第百九十二条から第百九十五条までの規定は、第三百十二条から前条までの規定による先取特権について準用する。

（動産保存の先取特権）

第三二〇条　動産の保存の先取特権は、動産の保存のために要した費用又は動産に関する権利の保存、承認若しくは実行のために要した費用に関し、その動産について存在する。

（動産売買の先取特権）

第三二一条　動産の売買の先取特権は、動産の代価及びその利息に関し、その動産について存在する。

（種苗又は肥料の供給の先取特権）

第三二二条　種苗又は肥料の供給の先取特権は、種苗又は肥料の代価及びその利息に関し、その種苗又は肥料を用いた後一年以内にこれを用いた土地から生じた果実（蚕種又は蚕の飼養に供した桑葉の使用によって生じた物を含む。）について存在する。

（農業労務の先取特権）

第三二三条　農業の労務の先取特権は、その労務に従事する者の最後の一年間の賃金に関し、その労務によって生じた果実について存在する。

（工業労務の先取特権）

第三二四条　工業の労務の先取特権は、その労務に従事する者の最後の三箇月間の賃金に関し、その労務によって生じた製作物について存在する。

第三款　不動産の先取特権

（不動産の先取特権）

第三二五条　次に掲げる原因によって生じた債権を有する者は、債務者の特定の不動産について先取特権を有する。

一　不動産の保存
二　不動産の工事
三　不動産の売買

（不動産保存の先取特権）

第三二六条　不動産の保存の先取特権は、不動産の保存のために要した費用又は不動産に関する権利の保存、承認若しくは実行のために要した費用に関し、その不動産について存在する。

（不動産工事の先取特権）

第三二七条　不動産の工事の先取特権は、工事の設計、施工又は監理をする者が債務者の不動産に関してした工事の費用に関し、その不動産について存在する。

2　前項の先取特権は、工事によって生じた不動産の価格の増加が現存する

場合に限り、その増価額についてのみ存在する。

（不動産売買の先取特権）

第三二八条　不動産の売買の先取特権は、不動産の代価及びその利息に関し、その不動産について存在する。

第三節　先取特権の順位

（一般の先取特権の順位）

第三二九条　一般の先取特権が互いに競合する場合には、その優先権の順位は、第三百六条各号に掲げる順序に従う。

2　一般の先取特権と特別の先取特権とが競合する場合には、特別の先取特権は、一般の先取特権に優先する。ただし、共益の費用の先取特権は、その利益を受けたすべての債権者に対して優先する効力を有する。

（動産の先取特権の順位）

第三三〇条　同一の動産について特別の先取特権が互いに競合する場合には、その優先権の順位は、次に掲げる順序に従う。この場合において、第二号に掲げる動産の保存の先取特権について数人の保存者があるときは、後の保存者が前の保存者に優先する。

一　不動産の賃貸、旅館の宿泊及び運輸の先取特権

二　動産の保存の先取特権

三　動産の売買、種苗又は肥料の供給、農業の労務及び工業の労務の先取特権

2　前項の場合において、第一順位の先取特権者は、その債権取得の時において第二順位又は第三順位の先取特権者があることを知っていたときは、これらの者に対して優先権を行使することができない。第一順位の先取特権者のために物を保存した者に対しても、同様とする。

3　果実に関しては、第一の順位は農業の労務に従事する者に、第二の順位は種苗又は肥料の供給者に、第三の順位は土地の賃貸人に属する。

（不動産の先取特権の順位）

第三三一条　同一の不動産について特別の先取特権が互いに競合する場合には、その優先権の順位は、第三百二十五条各号に掲げる順序に従う。

2　同一の不動産について売買が順次された場合には、売主相互間における不動産売買の先取特権の優先権の順位は、売買の前後による。

（同一順位の先取特権）

第三三二条　同一の目的物について同一順位の先取特権者が数人あるときは、各先取特権者は、その債権額の割合に応じて弁済を受ける。

第四節　先取特権の効力

（先取特権と第三取得者）

第三三三条　先取特権は、債務者がその目的である動産をその第三取得者に引き渡した後は、その動産について行使することができない。

（先取特権と動産質権との競合）

第三三四条　先取特権と動産質権とが競合する場合には、動産質権者は、第三百三十条の規定による第一順位の先取特権者と同一の権利を有する。

（一般の先取特権の効力）

第三三五条　一般の先取特権者は、まず不動産以外の財産から弁済を受け、なお不足があるのでなければ、不動産から弁済を受けることができない。

2　一般の先取特権者は、不動産については、まず特別担保の目的とされていないものから弁済を受けなければならない。

3　一般の先取特権者は、前二項の規定に従って配当に加入することを怠ったときは、その配当加入をしたならば弁済を受けることができた額については、登記をした第三者に対してその先取特権を行使することができない。

4　前三項の規定は、不動産以外の財産の代価に先立って不動産の代価を配当し、又は他の不動産の代価に先立って特別担保の目的である不動産の代価を配当する場合には、適用しない。

（一般の先取特権の対抗力）

第三三六条　一般の先取特権は、不動産について登記をしなくても、特別担保を有しない債権者に対抗することができる。ただし、登記をした第三者に対しては、この限りでない。

（不動産保存の先取特権の登記）

第三三七条　不動産の保存の先取特権の効力を保存するためには、保存行為が完了した後直ちに登記をしなければならない。

（不動産工事の先取特権の登記）

第三三八条　不動産の工事の先取特権の効力を保存するためには、工事を始める前にその費用の予算額を登記しなければならない。この場合において、工事の費用が予算額を超えるときは、先取特権は、その超過額については存在しない。

2　工事によって生じた不動産の増価額は、配当加入の時に、裁判所が選任した鑑定人に評価させなければならない。

（登記をした不動産保存又は不動産工事の先取特権）

第三三九条　前二条の規定に従って登記をした先取特権は、抵当権に先立って行使することができる。

（不動産売買の先取特権の登記）

第三四〇条　不動産の売買の先取特権の効力を保存するためには、売買契約と同時に、不動産の代価又はその利息の弁済がされていない旨を登記しなければならない。

（抵当権に関する規定の準用）

第三四一条　先取特権の効力については、この節に定めるもののほか、その性質に反しない限り、抵当権に関する規定を準用する。

第九章　質権

第一節　総則

（質権の内容）

第三四二条　質権者は、その債権の担保として債務者又は第三者から受け取った物を占有し、かつ、その物について他の債権者に先立って自己の債権の弁済を受ける権利を有する。

（質権の目的）

第三四三条　質権は、譲り渡すことができない物をその目的とすることができない。

（質権の設定）

第三四四条　質権の設定は、債権者にその目的物を引き渡すことによって、その効力を生ずる。

（質権設定者による代理占有の禁止）

第三四五条　質権者は、質権設定者に、自己に代わって質物の占有をさせることができない。

（質権の被担保債権の範囲）

第三四六条　質権は、元本、利息、違約金、質権の実行の費用、質物の保存の費用及び債務の不履行又は質物の隠れた瑕疵によって生じた損害の賠償を担保する。ただし、設定行為に別段の定めがあるときは、この限りでない。

（質物の留置）

第三四七条　質権者は、前条に規定する債権の弁済を受けるまでは、質物を留置することができる。ただし、この権利は、自己に対して優先権を有する債権者に対抗することができない。

（転質）

第三四八条　質権者は、その権利の存続期間内において、自己の責任で、質物について、転質をすることができる。この場合において、転質をしたことによって生じた損失については、不可抗力によるものであっても、その責任を負う。

（契約による質物の処分の禁止）

第三四九条　質権設定者は、設定行為又は債務の弁済期前の契約において、質権者に弁済として質物の所有権を取得させ、その他法律に定める方法によらないで質物を処分させることを約することができない。

（留置権及び先取特権の規定の準用）

第三五〇条　第二百九十六条から第三百条まで及び第三百四条の規定は、質権について準用する。

（物上保証人の求償権）

第三五一条　他人の債務を担保するため質権を設定した者は、その債務を弁済し、又は質権の実行によって質物の所有権を失ったときは、保証債務に関する規定に従い、債務者に対して求償権を有する。

第二節　動産質

（動産質の対抗要件）

第三五二条　動産質権者は、継続して質物を占有しなければ、その質権をもって第三者に対抗することができない。

（質物の占有の回復）

第三五三条　動産質権者は、質物の占有を奪われたときは、占有回収の訴えによってのみ、その質物を回復することができる。

（動産質権の実行）

第三五四条　動産質権者は、その債権の弁済を受けないときは、正当な理由がある場合に限り、鑑定人の評価に従い質物をもって直ちに弁済に充てることを裁判所に請求することができる。この場合において、動産質権者は、あらかじめ、その請求をする旨を債務者に通知しなければならない。

（動産質権の順位）

第三五五条　同一の動産について数個の質権が設定されたときは、その質権の順位は、設定の前後による。

第三節　不動産質

（不動産質権者による使用及び収益）

第三五六条　不動産質権者は、質権の目的である不動産の用法に従い、その使用及び収益をすることができる。

（不動産質権者による管理の費用等の負担）

第三五七条　不動産質権者は、管理の費用を支払い、その他不動産に関する負担を負う。

（不動産質権者による利息の請求の禁止）

第三五八条　不動産質権者は、その債権の利息を請求することができない。

（設定行為に別段の定めがある場合等）

第三五九条　前三条の規定は、設定行為に別段の定めがあるとき、又は担保不動産収益執行（民事執行法第百八十条第二号に規定する担保不動産収益執行をいう。以下同じ。）の開始があったときは、適用しない。

（不動産質権の存続期間）

第三六〇条　不動産質権の存続期間は、十年を超えることができない。設定行為でこれより長い期間を定めたときであっても、その期間は、十年とする。

2　不動産質権の設定は、更新することができる。ただし、その存続期間は、更新の時から十年を超えることができない。

（抵当権の規定の準用）

第三六一条　不動産質権については、この節に定めるもののほか、その性質に反しない限り、次章（抵当権）の規定を準用する。

第四節　権利質

（権利質の目的等）

第三六二条　質権は、財産権をその目的とすることができる。

2　前項の質権については、この節に定めるもののほか、その性質に反しない限り、前三節（総則、動産質及び不動産質）の規定を準用する。

第三六三条　削除

（債権を目的とする質権の対抗要件）

第三六四条　債権を目的とする質権の設定（現に発生していない債権を目的とするものを含む。）は、第四百六十七条の規定に従い、第三債務者にその質権の設定を通知し、又は第三債務者がこれを承諾しなければ、これをもって第三債務者その他の第三者に対抗することができない。

第三六五条　削除

（質権者による債権の取立て等）

第三六六条　質権者は、質権の目的である債権を直接に取り立てることができる。

2　債権の目的物が金銭であるときは、質権者は、自己の債権額に対応する部分に限り、これを取り立てることができる。

3　前項の債権の弁済期が質権者の債権の弁済期前に到来したときは、質権者は、第三債務者にその弁済をすべき金額を供託させることができる。この場合において、質権は、その供託金について存在する。

4　債権の目的物が金銭でないときは、質権者は、弁済として受けた物について質権を有する。

第三六七条及び第三六八条　削除

第十章　抵当権

第一節　総則

（抵当権の内容）

第三六九条　抵当権者は、債務者又は第三者が占有を移転しないで債務の担保に供した不動産について、他の債権者に先立って自己の債権の弁済を受ける権利を有する。

2　地上権及び永小作権も、抵当権の目的とすることができる。この場合においては、この章の規定を準用する。

（抵当権の効力の及ぶ範囲）

第三七〇条　抵当権は、抵当地の上に存する建物を除き、その目的である不動産（以下「抵当不動産」という。）に付加して一体となっている物に及ぶ。ただし、設定行為に別段の定めがある場合及び債務者の行為について第四百二十四条第三項に規定する詐害行為取消請求をすることができる場合は、この限りでない。

第三七一条　抵当権は、その担保する債権について不履行があったときは、その後に生じた抵当不動産の果実に及ぶ。

（留置権等の規定の準用）

第三七二条　第二百九十六条、第三百四条及び第三百五十一条の規定は、抵当権について準用する。

第二節　抵当権の効力

（抵当権の順位）

第三七三条　同一の不動産について数個の抵当権が設定されたときは、その抵当権の順位は、登記の前後による。

（抵当権の順位の変更）

第三七四条　抵当権の順位は、各抵当権者の合意によって変更することができる。ただし、利害関係を有する者があるときは、その承諾を得なければならない。

2　前項の規定による順位の変更は、その登記をしなければ、その効力を生じない。

（抵当権の被担保債権の範囲）

第三七五条　抵当権者は、利息その他の定期金を請求する権利を有するときは、その満期となった最後の二年分についてのみ、その抵当権を行使することができる。ただし、それ以前の定期金についても、満期後に特別の登記をしたときは、その登記の時からその抵当権を行使することを妨げない。

2　前項の規定は、抵当権者が債務の不履行によって生じた損害の賠償を請求する権利を有する場合におけるその最後の二年分についても適用する。ただし、利息その他の定期金と通算して二年分を超えることができない。

（抵当権の処分）

第三七六条　抵当権者は、その抵当権を他の債権の担保とし、又は同一の債務者に対する他の債権者の利益のためにその抵当権若しくはその順位を譲渡し、若しくは放棄することができる。

2　前項の場合において、抵当権者が数人のためにその抵当権の処分をしたときは、その処分の利益を受ける者の権利の順位は、抵当権の登記にした付記の前後による。

（抵当権の処分の対抗要件）

第三七七条　前条の場合には、第四百六十七条の規定に従い、主たる債務者に抵当権の処分を通知し、又は主たる債務者がこれを承諾しなければ、これをもって主たる債務者、保証人、抵当権設定者及びこれらの者の承継人に対抗することができない。

2　主たる債務者が前項の規定により通知を受け、又は承諾をしたときは、抵当権の処分の利益を受ける者の承諾を得ないでした弁済は、その受益者に対抗することができない。

（代価弁済）

第三七八条　抵当不動産について所有権又は地上権を買い受けた第三者が、

抵当権者の請求に応じてその抵当権者にその代価を弁済したときは、抵当権は、その第三者のために消滅する。

（抵当権消滅請求）

第三七九条　抵当不動産の第三取得者は、第三百八十三条の定めるところにより、抵当権消滅請求をすることができる。

第三八〇条　主たる債務者、保証人及びこれらの者の承継人は、抵当権消滅請求をすることができない。

第三八一条　抵当不動産の停止条件付第三取得者は、その停止条件の成否が未定である間は、抵当権消滅請求をすることができない。

（抵当権消滅請求の時期）

第三八二条　抵当不動産の第三取得者は、抵当権の実行としての競売による差押えの効力が発生する前に、抵当権消滅請求をしなければならない。

（抵当権消滅請求の手続）

第三八三条　抵当不動産の第三取得者は、抵当権消滅請求をするときは、登記をした各債権者に対し、次に掲げる書面を送付しなければならない。

一　取得の原因及び年月日、譲渡人及び取得者の氏名及び住所並びに抵当不動産の性質、所在及び代価その他取得者の負担を記載した書面

二　抵当不動産に関する登記事項証明書（現に効力を有する登記事項のすべてを証明したものに限る。）

三　債権者が二箇月以内に抵当権を実行して競売の申立てをしないときは、抵当不動産の第三取得者が第一号に規定する代価又は特に指定した金額を債権の順位に従って弁済し又は供託すべき旨を記載した書面

（債権者のみなし承諾）

第三八四条　次に掲げる場合には、前条各号に掲げる書面の送付を受けた債権者は、抵当不動産の第三取得者が同条第三号に掲げる書面に記載したところにより提供した同号の代価又は金額を承諾したものとみなす。

一　その債権者が前条各号に掲げる書面の送付を受けた後二箇月以内に抵当権を実行して競売の申立てをしないとき。

二　その債権者が前号の申立てを取り下げたとき。

三　第一号の申立てを却下する旨の決定が確定したとき。

四　第一号の申立てに基づく競売の手続を取り消す旨の決定（民事執行法第百八十八条において準用する同法第六十三条第三項若しくは第六十八条の三第三項の規定又は同法第百八十三条第一項第五号の謄本が提出された場合における同条第二項の規定による決定を除く。）が確定したとき。

四　第一号の申立てに基づく競売の手続を取り消す旨の決定（民事執行法第百八十八条において準用する同法第六十三条第三項若しくは第六十八条の三第三項の規定又は同法第百八十三条第一項第二号に掲げる文書が提出された場合における同条第二項の規定による決定を除く。）が確定したとき。

（競売の申立ての通知）

第三八五条　第三百八十三条各号に掲げる書面の送付を受けた債権者は、前条第一号の申立てをするときは、同号の期間内に、債務者及び抵当不動産の譲渡人にその旨を通知しなければならない。

（抵当権消滅請求の効果）

第三八六条　登記をしたすべての債権者が抵当不動産の第三取得者の提供した代価又は金額を承諾し、かつ、抵当不動産の第三取得者がその承諾を得た代価又は金額を払い渡し又は供託したときは、抵当権は、消滅する。

（抵当権者の同意の登記がある場合の賃貸借の対抗力）

第三八七条　登記をした賃貸借は、その登記前に登記をした抵当権を有するすべての者が同意をし、かつ、その同意の登記があるときは、その同意をした抵当権者に対抗することができる。

2　抵当権者が前項の同意をするには、その抵当権を目的とする権利を有する者その他抵当権者の同意によって不利益を受けるべき者の承諾を得なければならない。

（法定地上権）

第三八八条　土地及びその上に存する建物が同一の所有者に属する場合において、その土地又は建物につき抵当権が設定され、その実行により所有者を異にするに至ったときは、その建物について、地上権が設定されたものとみなす。この場合において、地代は、当事者の請求により、裁判所が定める。

（抵当地の上の建物の競売）

第三八九条　抵当権の設定後に抵当地に建物が築造されたときは、抵当権者は、土地とともにその建物を競売することができる。ただし、その優先権は、土地の代価についてのみ行使することができる。

2　前項の規定は、その建物の所有者が抵当地を占有するについて抵当権者に対抗することができる権利を有する場合には、適用しない。

（抵当不動産の第三取得者による買受け）

第三九〇条　抵当不動産の第三取得者は、その競売において買受人となることができる。

（抵当不動産の第三取得者による費用の償還請求）

第三九一条　抵当不動産の第三取得者は、抵当不動産について必要費又は有益費を支出したときは、第百九十六条の区別に従い、抵当不動産の代価から、他の債権者より先にその償還を受けることができる。

（共同抵当における代価の配当）

第三九二条　債権者が同一の債権の担保として数個の不動産につき抵当権を有する場合において、同時にその代価を配当すべきときは、その各不動産の価額に応じて、その債権の負担を按分する。

2　債権者が同一の債権の担保として数個の不動産につき抵当権を有する場合において、ある不動産の代価のみを配当すべきときは、抵当権者は、その代価から債権の全部の弁済を受けることができる。この場合において、次順位の抵当権者は、その弁済を受ける抵当権者が前項の規定に従い他の不動産の代価から弁済を受けるべき金額を限度として、その抵当権者に代位して抵当権を行使することができる。

（共同抵当における代位の付記登記）

第三九三条　前条第二項後段の規定により代位によって抵当権を行使する者は、その抵当権の登記にその代位を付記することができる。

（抵当不動産以外の財産からの弁済）

第三九四条　抵当権者は、抵当不動産の代価から弁済を受けない債権の部分についてのみ、他の財産から弁済を受けることができる。

2　前項の規定は、抵当不動産の代価に先立って他の財産の代価を配当すべき場合には、適用しない。この場合において、他の各債権者は、抵当権者に同項の規定による弁済を受けさせるため、抵当権者に配当すべき金額の供託を請求することができる。

（抵当建物使用者の引渡しの猶予）

第三九五条　抵当権者に対抗することができない賃貸借により抵当権の目的である建物の使用又は収益をする者であって次に掲げるもの（次項において「抵当建物使用者」という。）は、その建物の競売における買受人の買受けの時から六箇月を経過するまでは、その建物を買受人に引き渡すことを要しない。

一　競売手続の開始前から使用又は収益をする者

二　強制管理又は担保不動産収益執行の管理人が競売手続の開始後にした賃貸借により使用又は収益をする者

2　前項の規定は、買受人の買受けの時より後に同項の建物の使用をしたことの対価について、買受人が抵当建物使用者に対し相当の期間を定めてその一箇月分以上の支払の催告をし、その相当の期間内に履行がない場合には、適用しない。

第三節　抵当権の消滅

（抵当権の消滅時効）

第三九六条　抵当権は、債務者及び抵当権設定者に対しては、その担保する債権と同時でなければ、時効によって消滅しない。

（抵当不動産の時効取得による抵当権の消滅）

第三九七条　債務者又は抵当権設定者でない者が抵当不動産について取得時効に必要な要件を具備する占有をしたときは、抵当権は、これによって消滅する。

（抵当権の目的である地上権等の放棄）

第三九八条　地上権又は永小作権を抵当権の目的とした地上権者又は永小作人は、その権利を放棄しても、これをもって抵当権者に対抗することができない。

第四節　根抵当

（根抵当権）

第三九八条の二　抵当権は、設定行為で定めるところにより、一定の範囲に属する不特定の債権を極度額の限度において担保するためにも設定することができる。
2　前項の規定による抵当権（以下「根抵当権」という。）の担保すべき不特定の債権の範囲は、債務者との特定の継続的取引契約によって生ずるものその他債務者との一定の種類の取引によって生ずるものに限定して、定めなければならない。
3　特定の原因に基づいて債務者との間に継続して生ずる債権、手形上若しくは小切手上の請求権又は電子記録債権（電子記録債権法（平成十九年法律第百二号）第二条第一項に規定する電子記録債権をいう。次条第二項において同じ。）は、前項の規定にかかわらず、根抵当権の担保すべき債権とすることができる。

（根抵当権の被担保債権の範囲）
第三九八条の三　根抵当権者は、確定した元本並びに利息その他の定期金及び債務の不履行によって生じた損害の賠償の全部について、極度額を限度として、その根抵当権を行使することができる。
2　債務者との取引によらないで取得する手形上若しくは小切手上の請求権又は電子記録債権を根抵当権の担保すべき債権とした場合において、次に掲げる事由があったときは、その前に取得したものについてのみ、その根抵当権を行使することができる。ただし、その後に取得したものであっても、その事由を知らないで取得したものについては、これを行使することを妨げない。
一　債務者の支払の停止
二　債務者についての破産手続開始、再生手続開始、更生手続開始又は特別清算開始の申立て
三　抵当不動産に対する競売の申立て又は滞納処分による差押え

（根抵当権の被担保債権の範囲及び債務者の変更）
第三九八条の四　元本の確定前においては、根抵当権の担保すべき債権の範囲の変更をすることができる。債務者の変更についても、同様とする。
2　前項の変更をするには、後順位の抵当権者その他の第三者の承諾を得ることを要しない。
3　第一項の変更について元本の確定前に登記をしなかったときは、その変更をしなかったものとみなす。

（根抵当権の極度額の変更）
第三九八条の五　根抵当権の極度額の変更は、利害関係を有する者の承諾を得なければ、することができない。

（根抵当権の元本確定期日の定め）
第三九八条の六　根抵当権の担保すべき元本については、その確定すべき期日を定め又は変更することができる。
2　第三百九十八条の四第二項の規定は、前項の場合について準用する。
3　第一項の期日は、これを定め又は変更した日から五年以内でなければならない。
4　第一項の期日の変更についてその変更前の期日より前に登記をしなかったときは、担保すべき元本は、その変更前の期日に確定する。

（根抵当権の被担保債権の譲渡等）
第三九八条の七　元本の確定前に根抵当権者から債権を取得した者は、その債権について根抵当権を行使することができない。元本の確定前に債務者のために又は債務者に代わって弁済をした者も、同様とする。
2　元本の確定前に債務の引受けがあったときは、根抵当権者は、引受人の債務について、その根抵当権を行使することができない。
3　元本の確定前に免責的債務引受があった場合における債権者は、第四百七十二条の四第一項の規定にかかわらず、根抵当権を引受人が負担する債務に移すことができない。
4　元本の確定前に債権者の交替による更改があった場合における更改前の債権者は、第五百十八条第一項の規定にかかわらず、根抵当権を更改後の債務に移すことができない。元本の確定前に債務者の交替による更改があった場合における債権者も、同様とする。

（根抵当権者又は債務者の相続）
第三九八条の八　元本の確定前に根抵当権者について相続が開始したときは、根抵当権は、相続開始の時に存する債権のほか、相続人と根抵当権設定者との合意により定めた相続人が相続の開始後に取得する債権を担保する。
2　元本の確定前にその債務者について相続が開始したときは、根抵当権は、相続開始の時に存する債務のほか、根抵当権者と根抵当権設定者との合意により定めた相続人が相続の開始後に負担する債務を担保する。
3　第三百九十八条の四第二項の規定は、前二項の合意をする場合について準用する。
4　第一項及び第二項の合意について相続の開始後六箇月以内に登記をしないときは、担保すべき元本は、相続開始の時に確定したものとみなす。

（根抵当権者又は債務者の合併）
第三九八条の九　元本の確定前に根抵当権者について合併があったときは、根抵当権は、合併の時に存する債権のほか、合併後存続する法人又は合併によって設立された法人が合併後に取得する債権を担保する。
2　元本の確定前にその債務者について合併があったときは、根抵当権は、合併の時に存する債務のほか、合併後存続する法人又は合併によって設立された法人が合併後に負担する債務を担保する。
3　前二項の場合には、根抵当権設定者は、担保すべき元本の確定を請求することができる。ただし、前項の場合において、その債務者が根抵当権設定者であるときは、この限りでない。
4　前項の規定による請求があったときは、担保すべき元本は、合併の時に確定したものとみなす。
5　第三項の規定による請求は、根抵当権設定者が合併のあったことを知った日から二週間を経過したときは、することができない。合併の日から一箇月を経過したときも、同様とする。

（根抵当権者又は債務者の会社分割）
第三九八条の一〇　元本の確定前に根抵当権者を分割をする会社とする分割があったときは、根抵当権は、分割の時に存する債権のほか、分割をした会社及び分割により設立された会社又は当該分割をした会社がその事業に関して有する権利義務の全部又は一部を当該会社から承継した会社が分割後に取得する債権を担保する。
2　元本の確定前にその債務者を分割をする会社とする分割があったときは、根抵当権は、分割の時に存する債務のほか、分割をした会社及び分割により設立された会社又は当該分割をした会社がその事業に関して有する権利義務の全部又は一部を当該会社から承継した会社が分割後に負担する債務を担保する。
3　前条第三項から第五項までの規定は、前二項の場合について準用する。

（根抵当権の処分）
第三九八条の一一　元本の確定前においては、根抵当権者は、第三百七十六条第一項の規定による根抵当権の処分をすることができない。ただし、その根抵当権を他の債権の担保とすることを妨げない。
2　第三百七十七条第二項の規定は、前項ただし書の場合において元本の確定前にした弁済については、適用しない。

（根抵当権の譲渡）
第三九八条の一二　元本の確定前においては、根抵当権者は、根抵当権設定者の承諾を得て、その根抵当権を譲り渡すことができる。
2　根抵当権者は、その根抵当権を二個の根抵当権に分割して、その一方を前項の規定により譲り渡すことができる。この場合において、その根抵当権を目的とする権利は、譲り渡した根抵当権について消滅する。
3　前項の規定による譲渡をするには、その根抵当権を目的とする権利を有する者の承諾を得なければならない。

（根抵当権の一部譲渡）
第三九八条の一三　元本の確定前においては、根抵当権者は、根抵当権設定者の承諾を得て、その根抵当権の一部譲渡（譲渡人が譲受人と根抵当権を共有するため、これを分割しないで譲り渡すことをいう。以下この節において同じ。）をすることができる。

（根抵当権の共有）
第三九八条の一四　根抵当権の共有者は、それぞれその債権額の割合に応じて弁済を受ける。ただし、元本の確定前に、これと異なる割合を定め、又はある者が他の者に先立って弁済を受けるべきことを定めたときは、その定めに従う。
2　根抵当権の共有者は、他の共有者の同意を得て、第三百九十八条の十二第一項の規定によりその権利を譲り渡すことができる。

（抵当権の順位の譲渡又は放棄と根抵当権の譲渡又は一部譲渡）
第三九八条の一五　抵当権の順位の譲渡又は放棄を受けた根抵当権者が、その根抵当権の譲渡又は一部譲渡をしたときは、譲受人は、その順位の譲渡又は放棄の利益を受ける。

（共同根抵当）

第三九八条の一六　第三百九十二条及び第三百九十三条の規定は、根抵当権については、その設定と同時に同一の債権の担保として数個の不動産につき根抵当権が設定された旨の登記をした場合に限り、適用する。

（共同根抵当の変更等）

第三九八条の一七　前条の登記がされている根抵当権の担保すべき債権の範囲、債務者若しくは極度額の変更又はその譲渡若しくは一部譲渡は、その根抵当権が設定されているすべての不動産について登記をしなければ、その効力を生じない。

2　前条の登記がされている根抵当権の担保すべき元本は、一個の不動産についてのみ確定すべき事由が生じた場合においても、確定する。

（累積根抵当）

第三九八条の一八　数個の不動産につき根抵当権を有する者は、第三百九十八条の十六の場合を除き、各不動産の代価について、各極度額に至るまで優先権を行使することができる。

（根抵当権の元本の確定請求）

第三九八条の一九　根抵当権設定者は、根抵当権の設定の時から三年を経過したときは、担保すべき元本の確定を請求することができる。この場合において、担保すべき元本は、その請求の時から二週間を経過することによって確定する。

2　根抵当権者は、いつでも、担保すべき元本の確定を請求することができる。この場合において、担保すべき元本は、その請求の時に確定する。

3　前二項の規定は、担保すべき元本の確定すべき期日の定めがあるときは、適用しない。

（根抵当権の元本の確定事由）

第三九八条の二〇　次に掲げる場合には、根抵当権の担保すべき元本は、確定する。

一　根抵当権者が抵当不動産について競売若しくは担保不動産収益執行又は第三百七十二条において準用する第三百四条の規定による差押えを申し立てたとき。ただし、競売手続若しくは担保不動産収益執行手続の開始又は差押えがあったときに限る。

二　根抵当権者が抵当不動産に対して滞納処分による差押えをしたとき。

三　根抵当権者が抵当不動産に対する競売手続の開始又は滞納処分による差押えがあったことを知った時から二週間を経過したとき。

四　債務者又は根抵当権設定者が破産手続開始の決定を受けたとき。

2　前項第三号の競売手続の開始若しくは差押え又は同項第四号の破産手続開始の決定の効力が消滅したときは、担保すべき元本は、確定しなかったものとみなす。ただし、元本が確定したものとしてその根抵当権又はこれを目的とする権利を取得した者があるときは、この限りでない。

（根抵当権の極度額の減額請求）

第三九八条の二一　元本の確定後においては、根抵当権設定者は、その根抵当権の極度額を、現に存する債務の額と以後二年間に生ずべき利息その他の定期金及び債務の不履行による損害賠償の額とを加えた額に減額することを請求することができる。

2　第三百九十八条の十六の登記がされている根抵当権の極度額の減額については、前項の規定による請求は、そのうちの一個の不動産についてすれば足りる。

（根抵当権の消滅請求）

第三九八条の二二　元本の確定後において現に存する債務の額が根抵当権の極度額を超えるときは、他人の債務を担保するためその根抵当権を設定した者又は抵当不動産について所有権、地上権、永小作権若しくは第三者に対抗することができる賃借権を取得した第三者は、その極度額に相当する金額を払い渡し又は供託して、その根抵当権の消滅請求をすることができる。この場合において、その払渡し又は供託は、弁済の効力を有する。

2　第三百九十八条の十六の登記がされている根抵当権は、一個の不動産について前項の消滅請求があったときは、消滅する。

3　第三百八十条及び第三百八十一条の規定は、第一項の消滅請求について準用する。

〇国有財産法（昭和二三・六・三〇 法律七三）

改正　昭和二四・五法一三四、法一四五、六法一九六、昭和二五・五法一四一、法二一四、一二法二九〇、昭和二七・六法二一九、七法二六八、昭和二八・八法一一四、法一九四、法二一三、昭和三一・四法六四、五法一一三、昭和三二・五法一〇七、昭和三七・五法一四〇、昭和三九・七法一三〇、昭和四五・五法八一、昭和四八・七法六七、昭和五三・六法七三、昭和五六・六法七五、昭和六一・六法七八、平成元・六法四八、平成三・一〇法九〇、平成一一・七法八七、法一〇二、法一〇四、一二法一五六、法一六〇、平成一三・六法七五、法八〇、一一法一二九、平成一四・六法六五、一二法一五二、平成一六・六法八八、法一一一、平成一七・七法八七、平成一八・四法三五、六法六六、平成一九・六法七四、平成二四・六法四二、令和元・五法一六、令和三・五法三六、法三七

目次

第一章　総則（第一条―第四条）
第二章　管理及び処分の機関（第五条―第九条の四）
第三章　管理及び処分
第一節　通則（第九条の五―第十七条）
第二節　行政財産（第十八条・第十九条）
第三節　普通財産（第二十条―第三十一条）
第三章の二　立入り及び境界確定（第三十一条の二―第三十一条の五）
第四章　台帳、報告書及び計算書（第三十二条―第三十八条）
第五章　雑則（第三十九条・第四十条）
附則

第一章　総則

（この法律の趣旨）

第一条　国有財産の取得、維持、保存及び運用（以下「管理」という。）並びに処分については、他の法律に特別の定めのある場合を除くほか、この法律の定めるところによる。

（国有財産の範囲）

第二条　この法律において国有財産とは、国の負担において国有となつた財産又は法令の規定により、若しくは寄附により国有となつた財産であつて次に掲げるものをいう。

一　不動産
二　船舶、浮標、浮桟橋及び浮ドック並びに航空機
三　前二号に掲げる不動産及び動産の従物
四　地上権、地役権、鉱業権その他これらに準ずる権利
五　特許権、著作権、商標権、実用新案権その他これらに準ずる権利
六　株式、新株予約権、社債（特別の法律により法人の発行する債券に表示されるべき権利を含み、短期社債等を除く。）、地方債、信託の受益権及びこれらに準ずるもの並びに出資による権利（国が資金又は積立金の運用及びこれに準ずる目的のために臨時に所有するものを除く。）

2　前項第六号の「短期社債等」とは、次に掲げるものをいう。
一　社債、株式等の振替に関する法律（平成十三年法律第七十五号）第六十六条第一号に規定する短期社債
二　投資信託及び投資法人に関する法律（昭和二十六年法律第百九十八号）第百三十九条の十二第一項に規定する短期投資法人債
三　信用金庫法（昭和二十六年法律第二百三十八号）第五十四条の四第一項に規定する短期債
四　保険業法（平成七年法律第百五号）第六十一条の十第一項に規定する短期社債
五　資産の流動化に関する法律（平成十年法律第百五号）第二条第八項に規定する特定短期社債
六　農林中央金庫法（平成十三年法律第九十三号）第六十二条の二第一項に規定する短期農林債

（国有財産の分類及び種類）

第三条　国有財産は、行政財産と普通財産とに分類する。

2　行政財産とは、次に掲げる種類の財産をいう。
一　公用財産　国において国の事務、事業又はその職員（国家公務員宿舎法（昭和二十四年法律第百十七号）第二条第二号の職員をいう。）の住居の用に供し、又は供するものと決定したもの
二　公共用財産　国において直接公共の用に供し、又は供するものと決定したもの
三　皇室用財産　国において皇室の用に供し、又は供するものと決定したもの
四　森林経営用財産　国において森林経営の用に供し、又は供するものと決定したもの

3　普通財産とは、行政財産以外の一切の国有財産をいう。

（総括、所管換及び所属替の意義）

第四条　この法律において「国有財産の総括」とは、国有財産の適正な方法による管理及び処分を行うため、国有財産に関する制度を整え、その管理及び処分の事務を統一し、その増減、現在額及び現状を明らかにし、並びにその管理及び処分について必要な調整をすることをいう。

2　この法律において「国有財産の所管換」とは、衆議院議長、参議院議長、内閣総理大臣、各省大臣、最高裁判所長官及び会計検査院長（以下「各省各庁の長」という。）の間において、国有財産の所管を移すことをいう。

3　この法律において「国有財産の所属替」とは、同一所管内に二以上の部局等がある場合に、一の部局等の所属に属する国有財産を他の部局等の所属に移すことをいう。

第二章　管理及び処分の機関

（行政財産の管理の機関）

第五条　各省各庁の長は、その所管に属する行政財産を管理しなければならない。

第五条の二　二以上の各省各庁の長において使用する行政財産のうち統一的に管理する必要があるもので財務大臣が指定する財産は、これを使用する各省各庁の長のうち財務大臣が指定する者の所管に属するものとする。

（普通財産の管理及び処分の機関）

第六条　普通財産は、財務大臣が管理し、又は処分しなければならない。

（国有財産の総括の機関）

第七条　財務大臣は、国有財産の総括をしなければならない。

（国有財産の引継ぎ）

第八条　行政財産の用途を廃止した場合又は普通財産を取得した場合においては、各省各庁の長は、財務大臣に引き継がなければならない。ただし、政令で定める特別会計に属するもの及び引き継ぐことを適当としないものとして政令で定めるものについては、この限りでない。

2　前項ただし書の普通財産については、第六条の規定にかかわらず、当該財産を所管する各省各庁の長が管理し、又は処分するものとする。

（事務の分掌及び地方公共団体の行う事務）

第九条　各省各庁の長は、その所管に属する国有財産に関する事務の一部を、部局等の長に分掌させることができる。

2　財務大臣は、国有財産の総括に関する事務の一部を部局等の長に分掌させることができる。

3　国有財産に関する事務の一部は、政令で定めるところにより、都道府県又は市町村が行うこととすることができる。

4　前項の規定により都道府県又は市町村が行うこととされる事務は、地方自治法（昭和二十二年法律第六十七号）第二条第九項第一号に規定する第一号法定受託事務とする。

（国有財産地方審議会）

第九条の二　財務局ごとに、国有財産地方審議会（以下「地方審議会」という。）を置く。

第九条の三　地方審議会は、財務局長の諮問に応じて国有財産の管理及び処分について調査審議し、並びにこれに関し財務局長に意見を述べることができる。

2　地方審議会は、前項に規定するもののほか、第二十八条の二第二項、第二十八条の四及び第三十一条の四第三項の規定により諮問される事項を調査審議する。

第九条の四　前条に定めるもののほか、地方審議会の組織及び委員その他の職員その他地方審議会に関し必要な事項については、政令で定める。

第三章　管理及び処分

第一節　通則

（管理及び処分の原則）

第九条の五　各省各庁の長は、その所管に属する国有財産について、良好な状態での維持及び保存、用途又は目的に応じた効率的な運用その他の適正な方法による管理及び処分を行わなければならない。

（管理及び処分の総括）

第一〇条　財務大臣は、前条に規定する国有財産の適正な方法による管理及び処分を行うため必要があると認めるときは、各省各庁の長に対し、その所管に属する国有財産について、その状況に関する資料若しくは報告を求め、実地監査をし、又は用途の変更、用途の廃止、所管換その他必要な措置を求めることができる。

2　財務大臣は、前項の規定により措置を求めたときは、各省各庁の長に対し、そのとつた措置について報告を求めることができる。

3　財務大臣は、前項の報告を求めた場合において、必要があると認めるときは、閣議の決定を経て、各省各庁の長に対し、その所管する国有財産について、用途の変更、用途の廃止、所管換その他必要な指示をすることができる。

4　財務大臣は、一定の用途に供する目的で国有財産の譲渡又は貸付けを受けた者に対し、その用途に供されているかどうかを確かめるため、自ら、又は各省各庁の長に委任して、当該財産について、その状況に関する資料若しくは報告を求め、又は当該職員に実地監査をさせることができる。

第一一条　財務大臣は、各省各庁の長の所管に属する国有財産につき、その現況に関する記録を備え、常時その状況を明らかにしておかなければならない。

第一二条　各省各庁の長が、国有財産の所管換を受けようとするときは、当該財産を所管する各省各庁の長及び財務大臣に協議しなければならない。ただし、次条の規定により国会の議決を経なければならない場合又は政令で定める場合に該当するときは、財務大臣への協議は、要しないものとする。

第一三条　公園又は広場として公共の用に供し、又は供するものと決定した公共用財産について、その用途を廃止し、若しくは変更し、又は公共用財産以外の行政財産としようとするときは、国会の議決を経なければならない。ただし、当該財産の価額が一億五千万円以上である場合を除くほか、毎年四月一日から翌年三月三十一日までの期間内に、その用途を廃止し、若しくは変更し、又は公共用財産以外の行政財産とする財産の価額の合計額が十五億円に達するに至るまでの場合については、この限りでない。

2　皇室用財産とする目的で寄附若しくは交換により財産を取得し、又は皇室用財産以外の国有財産を皇室用財産としようとするときは、国会の議決を経なければならない。ただし、当該財産の価額が一億五千万円以上である場合を除くほか、毎年四月一日から翌年三月三十一日までの期間内に、その寄附若しくは交換により取得し、又は皇室用財産とする財産の価額の合計額が十五億円に達するに至るまでの場合については、この限りでない。

第一四条　次に掲げる場合においては、当該国有財産を所管する各省各庁の長は、財務大臣に協議しなければならない。ただし、前条の規定により国会の議決を経なければならない場合又は政令で定める場合に該当するときは、この限りでない。

一　行政財産とする目的で土地又は建物を取得しようとするとき。
二　普通財産を行政財産としようとするとき。
三　行政財産の種類を変更しようとするとき。
四　行政財産である土地又は建物について、所属替をし、又は用途を変更しようとするとき。
五　行政財産である建物を移築し、又は改築しようとするとき。
六　行政財産を他の各省各庁の長に使用させようとするとき。
七　国以外の者に行政財産を使用させ、又は収益させようとするとき。
八　特別会計に属する普通財産である土地又は建物を貸し付け、若しくは貸付け以外の方法により使用させ若しくは収益させ、又は当該土地又は建物の売払いをしようとするとき。
九　普通財産である土地（その土地の定着物を含む。）を信託しようとするとき。

（異なる会計間の所管換等）

第一五条　国有財産を、所属を異にする会計の間において、所管換若しくは所属替をし、又は所属を異にする会計に使用させるときは、当該会計間において有償として整理するものとする。ただし、国において直接公共の用に供する目的をもつてする場合であつて、当該財産の価額が政令で定める金額に達しないときは、この限りでない。

（職員の行為の制限）

第一六条　国有財産に関する事務に従事する職員は、その取扱いに係る国有財産を譲り受け、又は自己の所有物と交換することができない。

2　前項の規定に違反する行為は、無効とする。

第一七条　削除

第二節　行政財産

（処分等の制限）

第一八条　行政財産は、貸し付け、交換し、売り払い、譲与し、信託し、若しくは出資の目的とし、又は私権を設定することができない。

2　前項の規定にかかわらず、行政財産は、次に掲げる場合には、その用途又は目的を妨げない限度において、貸し付け、又は私権を設定することができる。

一　国以外の者が行政財産である土地の上に政令で定める堅固な建物その他の土地に定着する工作物であつて当該行政財産である土地の供用の目的を効果的に達成することに資すると認められるものを所有し、又は所有しようとする場合（国と一棟の建物を区分して所有する場合を除く。）において、その者（当該行政財産を所管する各省各庁の長が当該行政財産の適正な方法による管理を行う上で適当と認める者に限る。）に当該土地を貸し付けるとき。
二　国が地方公共団体又は政令で定める法人と行政財産である土地の上に一棟の建物を区分して所有するためその者に当該土地を貸し付ける場合
三　国が行政財産である土地及びその隣接地の上に国以外の者と一棟の建物を区分して所有するためその者（当該建物のうち行政財産である部分を所管することとなる各省各庁の長が当該行政財産の適正な方法による管理を行う上で適当と認める者に限る。）に当該土地を貸し付ける場合
四　国の庁舎等の使用調整等に関する特別措置法（昭和三十二年法律第百十五号）第二条第二項に規定する庁舎等についてその床面積又は敷地に余裕がある場合として政令で定める場合において、国以外の者（当該庁舎等を所管する各省各庁の長が当該庁舎等の適正な方法による管理を行う上で適当と認める者に限る。）に当該余裕がある部分を貸し付けるとき（前三号に掲げる場合に該当する場合を除く。）。
五　行政財産である土地を地方公共団体又は政令で定める法人の経営する鉄道、道路その他政令で定める施設の用に供する場合において、その者のために当該土地に地上権を設定するとき。
六　行政財産である土地を地方公共団体又は政令で定める法人の使用する電線路その他政令で定める施設の用に供する場合において、その者のために当該土地に地役権を設定するとき。

3　前項第二号に掲げる場合において、当該行政財産である土地の貸付けを受けた者が当該土地の上に所有する一棟の建物の一部（以下この条において「特定施設」という。）を国以外の者に譲渡しようとするときは、当該特定施設を譲り受けようとする者（当該行政財産を所管する各省各庁の長が当該行政財産の適正な方法による管理を行う上で適当と認める者に限る。）に当該土地を貸し付けることができる。

4　前項の規定は、同項（この項において準用する場合を含む。）の規定により行政財産である土地の貸付けを受けた者が当該特定施設を譲渡しようとする場合について準用する。

5　前各項の規定に違反する行為は、無効とする。

6　行政財産は、その用途又は目的を妨げない限度において、その使用又は収益を許可することができる。

7　地方公共団体、特別の法律により設立された法人のうち政令で定めるもの又は地方道路公社が行政財産を道路、水道又は下水道の用に供する必要がある場合において、第二項第一号の貸付け、同項第五号の地上権若しくは同項第六号の地役権の設定又は前項の許可をするときは、これらの者に当該行政財産を無償で使用させ、又は収益させることができる。

8　第六項の規定による許可を受けてする行政財産の使用又は収益については、借地借家法（平成三年法律第九十号）の規定は、適用しない。

（準用規定）

第一九条　第二十一条から第二十五条まで（前条第二項第五号又は第六号の規定により地上権又は地役権を設定する場合にあつては第二十一条及び第二十三条を除き、前条第六項の規定により使用又は収益を許可する場合にあつては第二十一条第一項第二号を除く。）の規定は、前条第二項第一号から第四号までの貸付け、同項第五号の地上権若しくは同項第六号の地役権の設定、同条第三項（同条第四項において準用する場合を含む。）の貸付け又は同条第六項の許可により行政財産の使用又は収益をさせる場合について準用する。

第三節　普通財産

（処分等）

第二〇条　普通財産は、第二十一条から第三十一条までの規定により貸し付け、管理を委託し、交換し、売り払い、譲与し、信託し、又は私権を設定することができる。

2　普通財産は、法律で特別の定めをした場合に限り、出資の目的とすることができる。

（貸付期間）

第二一条　普通財産の貸付けは、次の各号に掲げる場合に応じ、当該各号に定める期間とする。

一　植樹を目的として土地及び土地の定着物（建物を除く。以下この条及び第二十七条において同じ。）を貸し付ける場合　六十年以内
二　建物の所有を目的として土地及び土地の定着物を貸し付ける場合において、借地借家法第二十二条第一項の規定に基づく借地権の存続期間を設定するとき　五十年以上
三　前二号の場合を除くほか、土地及び土地の定着物を貸し付ける場合　三十年以内
四　建物その他の物件を貸し付ける場合　十年以内

2　前項の期間は、同項第二号に掲げる場合を除き、更新することができる。この場合においては、更新の日から同項各号に規定する期間とする。

（無償貸付）

第二二条　普通財産は、次に掲げる場合においては、地方公共団体、水害予防組合及び土地改良区（以下「公共団体」という。）に、無償で貸し付けることができる。

一　公共団体において、緑地、公園、ため池、用排水路、火葬場、墓地、ごみ処理施設、し尿処理施設、と畜場又は信号機、道路標識その他公共用若しくは公用に供する政令で定める小規模な施設の用に供するとき。
二　公共団体において、保護を要する生活困窮者の収容の用に供するとき。

三　公共団体において、災害が発生した場合における応急措置の用に供するとき。

四　地方公共団体において、大規模地震対策特別措置法（昭和五十三年法律第七十三号）第二条第十四号の地震防災応急対策の実施の用に供するとき。

五　地方公共団体において、原子力災害対策特別措置法（平成十一年法律第百五十六号）第二条第五号の緊急事態応急対策の実施の用に供するとき。

六　地方公共団体において、武力攻撃事態等における国民の保護のための措置に関する法律（平成十六年法律第百十二号）第二条第三項の国民の保護のための措置又は同法第百七十二条第一項の緊急対処保護措置の実施の用に供するとき。

2　前項の無償貸付は、公共団体における当該施設の経営が営利を目的とし、又は利益をあげる場合には、行うことができない。

3　各省各庁の長は、第一項の規定により、普通財産を無償で貸し付けた場合において、公共団体の当該財産の管理が良好でないと認めるとき又は前項の規定に該当することとなつたときは、直ちにその契約を解除しなければならない。

（貸付料）

第二三条　普通財産の貸付料は、毎年定期に納付させなければならない。ただし、数年分を前納させることを妨げない。

2　前項の場合において、当該財産を所管する各省各庁の長は、借受人から、預金又は貯金の払出しとその払い出した金銭による貸付料の納付をその預金口座又は貯金口座のある金融機関に委託して行うことを希望する旨の申出があつた場合には、その納付が確実と認められ、かつ、その申出を承認することが貸付料の徴収上有利と認められるときに限り、その申出を承認することができる。

（貸付契約の解除）

第二四条　普通財産を貸し付けた場合において、その貸付期間中に国又は公共団体において公共用、公用又は公益事業の用に供するため必要を生じたときは、当該財産を所管する各省各庁の長は、その契約を解除することができる。

2　前項の規定により契約を解除した場合においては、借受人は、これによつて生じた損失につき当該財産を所管する各省各庁の長に対し、その補償を求めることができる。

第二五条　前条第二項の規定により補償の請求があつたときは、当該財産を所管する各省各庁の長は、会計検査院の審査に付することができる。

2　各省各庁の長は、前項の審査の結果に関し、会計検査院の通知を受けたときは、その通知のあつた判定に基づき、適当な措置をとらなければならない。

（準用規定）

第二六条　第二十一条から前条まで（鉄道、道路、電線路その他政令で定める施設の用に供される土地に地上権又は地役権を設定する場合にあつては、第二十一条及び第二十三条を除く。）の規定は、貸付け以外の方法により普通財産の使用又は収益をさせる場合（次条の規定に基づいて使用又は収益をさせる場合を除く。）について準用する。

（管理の委託）

第二六条の二　普通財産は、各省各庁の長が当該財産の有効な利用を図るため特に必要があると認める場合には、政令で定めるところにより、その適当と認める者に管理を委託することができる。

2　前項の規定による管理の委託を受けた者（以下「管理受託者」という。）は、管理の目的を妨げない限度において、各省各庁の長の承認を受けて、当該普通財産を使用し、又は収益することができる。

3　管理受託者は、その管理の委託を受けた普通財産の管理の費用を負担しなければならない。

4　管理の委託を受けた普通財産から生ずる収益は、管理受託者の収入とする。ただし、その収益が前項の管理の費用を著しく超える場合として政令で定める場合には、管理受託者は、その超える金額の範囲内で各省各庁の長の定める金額を国に納付しなければならない。

（交換）

第二七条　普通財産は、土地又は土地の定着物若しくは堅固な建物に限り、国又は公共団体において公共用、公用又は公益事業の用に供するため必要があるときは、それぞれ土地又は土地の定着物若しくは堅固な建物と交換することができる。ただし、価額の差額が、その高価なものの価額の四分の一を超えるときは、この限りでない。

2　前項の交換をする場合において、その価額が等しくないときは、その差額を金銭で補足しなければならない。

3　第一項の規定により堅固な建物を交換しようとするときは、各省各庁の長は、事前に、会計検査院に通知しなければならない。

（譲与）

第二八条　普通財産は、次に掲げる場合においては、譲与することができる。

一　公共団体において維持及び保存の費用を負担した公共用財産の用途を廃止した場合において、当該用途の廃止によつて生じた普通財産をその負担した費用の額が当該用途の廃止時における当該財産の価額に対して占める割合に対応する価額の範囲内において当該公共団体に譲与するとき。

二　公共団体又は私人において公共用財産の用途に代わるべき他の施設をしたためその用途を廃止した場合において、当該用途の廃止によつて生じた普通財産をその負担した費用の額が当該用途の廃止時における当該財産の価額に対して占める割合に対応する価額の範囲内において当該公共団体又は当該私人若しくはその相続人その他の包括承継者に譲与するとき。

三　公共用財産のうち寄附に係るものの用途を廃止した場合において、当該用途の廃止によつて生じた普通財産をその寄附者又はその相続人その他の包括承継者に譲与するとき。ただし、寄附の際特約をした場合を除くほか、寄附を受けた後二十年を経過したものについては、この限りでない。

四　公共団体において火葬場、墓地、ごみ処理施設、し尿処理施設又はと畜場として公共の用に供する普通財産を当該公共団体に譲与するとき。ただし、公共団体における当該施設の経営が営利を目的とし、又は利益をあげる場合においては、この限りでない。

（信託）

第二八条の二　普通財産は、土地（その土地の定着物を含む。以下この条、第二十八条の四及び第二十八条の五において同じ。）に限り、政令で定めるところにより、信託することができる。ただし、次に掲げる場合は、この限りでない。

一　第二十二条（第二十六条において準用する場合を含む。）、第二十七条又は前条の規定に該当しない無償貸付、交換又は譲与をすることを信託の目的とするとき。

二　国以外の者を信託の受益者とするとき。

三　土地の信託をすることにより国の通常享受すると見込まれる利益が、当該土地の貸付け又は売払いをすることにより国の通常享受すると見込まれる利益を下回ることが確実と見込まれるとき。

2　各省各庁の長は、前項の規定により土地を信託しようとする場合には、次に掲げる事項について、政令で定めるところにより、あらかじめ財政制度等審議会又は地方審議会に諮問し、その議を経なければならない。

一　信託の目的

二　信託の受託者の選定方法

三　信託の収支見積り

四　信託の受託者が当該信託に必要な資金の借入れをする場合の当該借入金の限度額

五　その他政令で定める事項

3　各省各庁の長は、第一項の規定により土地を信託しようとする場合には、事前に、会計検査院に通知しなければならない。

（信託期間）

第二八条の三　信託期間は、二十年を超えることができない。

2　前項の信託期間は、更新することができる。この場合においては、更新の日から二十年を超えることができない。

（信託に係る協議等）

第二八条の四　各省各庁の長は、第二十八条の二第一項の規定により土地を信託した場合において当該信託の信託期間を更新しようとするときその他政令で定めるときは、財務大臣に協議するとともに、政令で定める事項について、同条第二項の規定により諮問した財政制度等審議会又は地方審議会に諮問し、その議を経なければならない。

（信託に係る実地監査等）

第二八条の五　各省各庁の長は、第二十八条の二第一項の規定により土地を信託した場合には、当該土地に係る信託事務の処理を適正に行うため、政令で定めるところにより、その信託の受託者に対し、信託事務の処理状況に関する資料若しくは報告を求め、又は必要があると認めるときは、当該職員に実地監査をさせ、信託事務の処理について必要な指示をすることができる。

（用途指定の売払い等）

第二九条　普通財産の売払い又は譲与をする場合は、当該財産を所管する各省各庁の長は、その買受人又は譲与を受けた者に対して用途並びにその用途に供しなければならない期日及び期間を指定しなければならない。ただし、政令で定める場合に該当するときは、この限りでない。

第三〇条　前条の規定によつて用途並びにその用途に供しなければならない期日及び期間を指定して普通財産の売払い又は譲与をした場合において、指定された期日を経過してもなおその用途に供せず、又はその用途に供した後指定された期間内にその用途を廃止したときは、当該財産を所管した各省各庁の長は、その契約を解除することができる。

2　前項の規定により契約を解除した場合において、損害の賠償を求めるときは、各省各庁の長は、その額について財務大臣に協議しなければならない。

（売払代金等の納付）

第三一条　普通財産の売払代金又は交換差金は、当該財産の引渡前に納付させなければならない。ただし、当該財産の譲渡を受けた者が公共団体又は教育若しくは社会事業を営む団体である場合において、各省各庁の長は、その代金又は差金を一時に支払うことが困難であると認めるときは、確実な担保を徴し、利息を付し、五年以内の延納の特約をすることができる。

2　前項ただし書の規定により延納の特約をしようとする場合において、普通財産の譲渡を受けた者が地方公共団体であるときは、担保を徴しないことができる。

3　第一項ただし書の規定により延納の特約をしようとするときは、各省各庁の長は、延納期限、担保及び利率について、財務大臣に協議しなければならない。

4　第一項ただし書の規定により延納の特約をした場合において、当該財産の譲渡を受けた者のする管理が適当でないと認めるときは、各省各庁の長は、直ちにその特約を解除しなければならない。

第三章の二　立入り及び境界確定

（他人の土地への立入り）

第三一条の二　各省各庁の長は、その所管に属する国有財産の調査又は測量を行うためやむを得ない必要があるときは、その所属の職員を他人の占有する土地に立ち入らせることができる。

2　各省各庁の長は、前項の規定によりその職員を他人の占有する土地に立ち入らせようとするときは、あらかじめその占有者にその旨を通知しなければならない。この場合において、通知を受けるべき者の所在が知れないときは、当該通知は、公告をもつてこれに代えることができる。

3　第一項の規定により宅地又は垣、さく等で囲まれた土地に立ち入ろうとする者は、立入りの際あらかじめその旨を当該土地の占有者に告げなければならない。

4　第一項の規定により他人の占有する土地に立ち入ろうとする者は、その身分を示す証明書を携帯し、関係人の請求があつたときは、提示しなければならない。

5　各省各庁の長は、第一項の規定による立入りにより損失を受けた者に対し、通常生ずべき損失を補償しなければならない。

（境界確定の協議）

第三一条の三　各省各庁の長は、その所管に属する国有財産の境界が明らかでないためその管理に支障がある場合には、隣接地の所有者に対し、立会場所、期日その他必要な事項を通知して、境界を確定するための協議を求めることができる。

2　前項の規定により協議を求められた隣接地の所有者は、やむを得ない場合を除き、同項の通知に従い、その場所に立ち会つて境界の確定につき協議しなければならない。

3　第一項の協議が調つた場合には、各省各庁の長及び隣接地の所有者は、書面により、確定された境界を明らかにしなければならない。

4　第一項の協議が調わない場合には、境界を確定するためにいかなる行政上の処分も行われてはならない。

（境界の決定）

第三一条の四　各省各庁の長は、前条第一項の規定により協議を求めた隣接地の所有者が立ち会わないため協議することができないときは、当該隣接地の所在する市町村の職員の立会いを求めて、境界を定めるための調査を行うものとする。ただし、当該隣接地の所有者が正当な理由により立ち会うことができない場合において、その旨をあらかじめ当該各省各庁の長に通知したときは、この限りでない。

2　各省各庁の長は、前項の調査に基づいてその調査に係る境界を定めることができる。

3　各省各庁の長は、前項の規定により境界を定めようとするときは、当該境界の存する地域を管轄する財務局に置かれた地方審議会に諮問し、その意見に基づいて、定めなければならない。

4　地方審議会は、前項の諮問に係る事案を調査審議する際、当該事案に係る隣接地の所有者及び当該隣接地の知れたその他の権利者に対して意見を述べる機会を与えなければならない。

5　各省各庁の長は、第二項の規定により境界を定めた場合には、当該境界及び当該境界を定めた経過を当該隣接地の所有者及び当該隣接地の知れたその他の権利者に通知するとともに公告しなければならない。この場合において、当該通知及び公告には、次条第一項の期間内に同項の規定による通告がないときは、境界の確定に関し、当該隣接地の所有者の同意があつたものとみなされる旨を付記しなければならない。

第三一条の五　隣接地の所有者その他の権利者は、前条の規定により各省各庁の長が定めた境界に異議がある場合には、同条第五項の公告のあつた日から起算して六十日以内に、理由を付して、当該各省各庁の長に対し、その定めた境界に同意しない旨を通告することができる。

2　前項の期間内に前条第五項の通知を受けた隣接地の所有者から前項の規定による通告がなかつた場合には、当該期間満了の時に、境界の確定に関し、その者の同意があつたものとみなす。ただし、同項の期間内に当該隣接地のその他の権利者から同項の規定による通告があつたときは、この限りでない。

3　前項の規定により同意があつたものとみなされる場合には、各省各庁の長は、速やかに、境界が確定した旨を当該隣接地の所有者及び当該隣接地の知れたその他の権利者に通知するとともに公告しなければならない。

4　第三十一条の三第四項の規定は、第一項の期間内に同項の通告があつた場合について準用する。

第四章　台帳、報告書及び計算書

（台帳）

第三二条　衆議院、参議院、内閣（内閣府及びデジタル庁を除く。）、内閣府、デジタル庁、各省、最高裁判所及び会計検査院（以下「各省各庁」という。）は、第三条の規定による国有財産の分類及び種類に従い、その台帳を備えなければならない。ただし、部局等の長において、国有財産に関する事務の一部を分掌するときは、その部局等ごとに備え、各省各庁には、その総括簿を備えるものとする。

2　各省各庁の長又は部局等の長は、その所管に属し、又は所属に属する国有財産につき、取得、所管換、処分その他の理由に基づく変動があつた場合においては、直ちに台帳に記載し、又は記録しなければならない。

（増減及び現在額報告書、総計算書）

第三三条　各省各庁の長は、その所管に属する国有財産につき、毎会計年度間における増減及び毎会計年度末現在における現在額の報告書を作成し、翌年度七月三十一日までに、財務大臣に送付しなければならない。

2　財務大臣は、前項の規定により送付を受けた国有財産増減及び現在額報告書に基づき、国有財産増減及び現在額総計算書を作成しなければならない。

3　内閣は、前項の国有財産増減及び現在額総計算書を第一項の国有財産増減及び現在額報告書とともに、翌年度十月三十一日までに、会計検査院に送付し、その検査を受けなければならない。

第三四条　内閣は、会計検査院の検査を経た国有財産増減及び現在額総計算書を、翌年度開会の国会の常会に報告することを常例とする。

2　前項の国有財産増減及び現在額総計算書には、会計検査院の検査報告のほか、国有財産の増減及び現在額に関する説明書を添付する。

（**見込現在額報告書、総計算書**）

第三五条　各省各庁の長は、毎会計年度ごとに当該年度末及び翌年度末における国有財産見込現在額報告書を作成し、当該年度九月三十日までに、財務大臣に送付しなければならない。

2　財務大臣は、前項の規定により送付を受けた国有財産見込現在額報告書に基づき、当該年度末及び翌年度末における国有財産見込現在額総計算書を作成しなければならない。

（**無償貸付状況報告書、総計算書**）

第三六条　各省各庁の長は、毎会計年度末において第二十二条第一項の規定（第十九条及び第二十六条において準用する場合を含む。）により無償貸付をした国有財産につき、毎会計年度末における国有財産無償貸付状況報告書を作成し、翌年度七月三十一日までに、財務大臣に送付しなければならない。

2　財務大臣は、前項の規定により送付を受けた国有財産無償貸付状況報告書に基づき、国有財産無償貸付状況総計算書を作成しなければならない。

3　内閣は、前項の国有財産無償貸付状況総計算書を、第一項の各省各庁の国有財産無償貸付状況報告書とともに、翌年度十月三十一日までに、会計検査院に送付し、その検査を受けなければならない。

第三七条　内閣は、会計検査院の検査を経た国有財産無償貸付状況総計算書を、翌年度開会の国会の常会に報告することを常例とする。

2　前項の国有財産無償貸付状況総計算書には、会計検査院の検査報告のほか、国有財産の無償貸付状況に関する説明書を添付する。

（**適用除外**）

第三八条　本章の規定は、公共の用に供する財産で政令で定めるものについては、適用しない。

第五章　雑則

（**電磁的記録による作成**）

第三九条　この法律（第三十一条の三第三項を除く。）又はこの法律に基づく命令の規定により作成することとされている報告書等（報告書その他文字、図形その他の人の知覚によつて認識することができる情報が記載された紙その他の有体物をいう。次条において同じ。）については、当該報告書等に記載すべき事項を記録した電磁的記録（電子的方式、磁気的方式その他人の知覚によつては認識することができない方式で作られる記録であつて、電子計算機による情報処理の用に供されるものとして財務大臣が定めるものをいう。同条第一項において同じ。）の作成をもつて、当該報告書等の作成に代えることができる。この場合において、当該電磁的記録は、当該報告書等とみなす。

（**電磁的方法による提出**）

第四〇条　この法律又はこの法律に基づく命令の規定による報告書等の提出については、当該報告書等が電磁的記録をもつて作成されている場合には、電磁的方法（電子情報処理組織を使用する方法その他の情報通信の技術を利用する方法であつて財務大臣が定めるものをいう。次項において同じ。）をもつて行うことができる。

2　前項の規定により報告書等の提出が電磁的方法によつて行われたときは、当該報告書等の提出を受けるべき者の使用に係る電子計算機に備えられたファイルへの記録がされた時に当該提出を受けるべき者に到達したものとみなす。

附　則

第一条　この法律は、昭和二十三年七月一日から施行する。ただし、第三十三条、第三十四条及び第三十六条から第三十八条までの規定は、昭和二十二年度分から適用し、第十三条の規定は、第四十五条の規定による国会の議決のあつた日から施行する。

第二条　第三十三条第一項、第三十五条第一項及び第三十六条第一項の規定により作成すべき報告書には、外国に係る分は、省略することができる。

第三条　この法律施行前にした国有財産の交換、売払い、譲与及び出資並びに貸付け、私権の設定その他使用又は収益をさせる行為は、この法律の規定によつてしたものとみなす。

2　前項に掲げる行為であつてこの法律の規定に抵触するものは、その抵触する限りにおいて、この法律施行の日に、その効力を失う。

第四条　旧陸軍省、海軍省及び軍需省の所管に属していた機械及び重要な器具は、第二条に規定する国有財産とする。ただし、この法律施行前に物品として各省各庁の長に移管されたもの、各省各庁の長（大蔵大臣を除く。）に所管換（旧国有財産法（大正十年法律第四十三号）の規定による管理換を含む。）されたもの及び物品管理法（昭和三十一年法律第百十三号）の施行前に事業所、作業所、学校、病院、研究所その他これらに準ずる施設においてその用に供したものについては、この限りでない。

第五条　この法律施行の際現に存する法令の規定でこの法律の規定に抵触するものは、この法律施行の日から、その効力を失う。

第六条　国有財産法（大正十年法律第四十三号）は、廃止する。

附　則〔抄〕〔昭和三一・五・二二法律一一三〕

1　この法律は、公布の日から起算して八月をこえない範囲内で政令で定める日から施行する。

〔昭和三一政三三八により、昭和三二・一・一〇から施行〕

5　改正前の国有財産法の規定による国有財産でこの法律の施行により物品となつたものの昭和三十一年度分以前の同法第三十三条及び第三十六条に規定する報告書及び総計算書については、なお従前の例による。

附　則〔抄〕〔昭和三二・五・一七法律一〇七〕

1　この法律は、公布の日から施行する。

2　改正後の国有財産法第十一条の二第一項の規定による普通財産の管理及び処分に関する計画の通知の期限は、昭和三十二年度分に限り、同項の規定にかかわらず、昭和三十二年五月三十一日とする。

附　則〔略〕〔昭和三七・五・一六法律一四〇〕

附　則〔抄〕〔昭和三九・七・一法律一三〇〕

1　この法律は、公布の日から施行する。

2　この法律の施行の際現に改正前の国有財産法第十八条の規定に基づいてされている行政財産の使用又は収益については、なお従前の例による。

附　則〔抄〕〔昭和四八・七・二七法律六七〕

（**施行期日**）

第一条　この法律は、公布の日から施行する。

（**国有財産法の一部改正に伴う経過措置**）

第二条　この法律の施行前に公共用財産の用途を廃止したことによつて生じた普通財産に対する第一条の規定による改正後の国有財産法第二十八条第一号又は第二号の規定の適用については、当該公共用財産の用途の廃止は、この法律の施行の日にされたものとみなす。

2　この法律の施行の際現に存する第一条の規定による改正前の国有財産法第三十一条第一項ただし書の規定による延納の特約に附された条件のうち、担保の徴取を内容とするもので地方公共団体に対する延納の特約に附されているもの及び同条第三項第二号の解除を内容とするものは、この法律の施行の日以後は、附されていないものとみなす。

附　則〔略〕〔昭和五三・六・一五法律七三〕

附　則〔略〕〔昭和五六・六・九法律七五〕

附　則〔略〕〔平成元・六・二八法律四八〕

附　則〔略〕〔平成三・一〇・四法律九〇〕

附　則〔抄〕〔平成一一・七・一六法律八七〕

（**施行期日**）

第一条　この法律は、平成十二年四月一日から施行する。ただし、次の各号に掲げる規定は、当該各号に定める日から施行する。

一　〔前略〕附則〔中略〕第百六十条、第百六十三条、第百六十四条並びに第二百二条の規定　公布の日

二～六　〔略〕

（**国等の事務**）

第一五九条　この法律による改正前のそれぞれの法律に規定するもののほか、この法律の施行前において、地方公共団体の機関が法律又はこれに基づく政令により管理し又は執行する国、他の地方公共団体その他公共団体の事務（附則第百六十一条において「国等の事務」という。）は、この法律の施行後は、地方公共団体が法律又はこれに基づく政令により当該地方公共団体の事務として処理するものとする。

（**処分、申請等に関する経過措置**）

第一六〇条　この法律（附則第一条各号に掲げる規定については、当該各規定。以下この条及び附則第百六十三条において同じ。）の施行前に改正前のそれぞれの法律の規定によりされた許可等の処分その他の行為（以下この条において「処分等の行為」という。）又はこの法律の施行の際現に改正前のそれぞれの法律の規定によりされている許可等の申請その他の行為（以下この条において「申請等の行為」という。）で、この法律の施行の日

においてこれらの行為に係る行政事務を行うべき者が異なることとなるものは、附則第二条から前条までの規定又は改正後のそれぞれの法律（これに基づく命令を含む。）の経過措置に関する規定に定めるものを除き、この法律の施行の日以後における改正後のそれぞれの法律の適用については、改正後のそれぞれの法律の相当規定によりされた処分等の行為又は申請等の行為とみなす。

２　この法律の施行前に改正前のそれぞれの法律の規定により国又は地方公共団体の機関に対し報告、届出、提出その他の手続をしなければならない事項で、この法律の施行の日前にその手続がされていないものについては、この法律及びこれに基づく政令に別段の定めがあるもののほか、これを、改正後のそれぞれの法律の相当規定により国又は地方公共団体の相当の機関に対して報告、届出、提出その他の手続をしなければならない事項についてその手続がされていないものとみなして、この法律による改正後のそれぞれの法律の規定を適用する。

（不服申立てに関する経過措置）

第一六一条　施行日前にされた国等の事務に係る処分であって、当該処分をした行政庁（以下この条において「処分庁」という。）に施行日前に行政不服審査法に規定する上級行政庁（以下この条において「上級行政庁」という。）があったものについての同法による不服申立てについては、施行日以後においても、当該処分庁に引き続き上級行政庁があるものとみなして、行政不服審査法の規定を適用する。この場合において、当該処分庁の上級行政庁とみなされる行政庁は、施行日前に当該処分庁の上級行政庁であった行政庁とする。

２　前項の場合において、上級行政庁とみなされる行政庁が地方公共団体の機関であるときは、当該機関が行政不服審査法の規定により処理することとされる事務は、新地方自治法第二条第九項第一号に規定する第一号法定受託事務とする。

（手数料に関する経過措置）

第一六二条　施行日前においてこの法律による改正前のそれぞれの法律（これに基づく命令を含む。）の規定により納付すべきであった手数料については、この法律及びこれに基づく政令に別段の定めがあるもののほか、なお従前の例による。

（その他の経過措置の政令への委任）

第一六四条　この附則に規定するもののほか、この法律の施行に伴い必要な経過措置（中略）は、政令で定める。

２　（略）

附　則〔抄〕〔平成一一・七・一六法律一〇二〕

（施行期日）

第一条　この法律は、内閣法の一部を改正する法律（平成十一年法律第八十八号）の施行の日（平成一三・一・六）から施行する。ただし、次の各号に掲げる規定は、当該各号に定める日から施行する。

一　（略）

二　附則（中略）第二十八条並びに第三十条の規定　公布の日

（委員等の任期に関する経過措置）

第二八条　この法律の施行の日の前日において次に掲げる従前の審議会その他の機関の会長、委員その他の職員である者（任期の定めのない者を除く。）の任期は、当該会長、委員その他の職員の任期を定めたそれぞれの法律の規定にかかわらず、その日に満了する。

一～十四　（略）

十五　国有財産中央審議会

十六～五十八　（略）

（別に定める経過措置）

第三〇条　第二条から前条までに規定するもののほか、この法律の施行に伴い必要となる経過措置は、別に法律で定める。

附　則〔略〕〔平成一一・七・一六法律一〇四〕

附　則〔略〕〔平成一一・一二・一七法律一五六〕

附　則〔略〕〔平成一一・一二・二二法律一六〇〕

附　則〔抄〕〔平成一三・六・二七法律七五〕

改正　平成一四・六法六五

（施行期日等）

第一条　この法律は、平成十四年四月一日（以下「施行日」という。）から施行し、施行日以後に発行される短期社債等について適用する。

（罰則の適用に関する経過措置）

第七条　施行日前にした行為及びこの附則の規定によりなおその効力を有することとされる場合における施行日以後にした行為に対する罰則の適用については、なお従前の例による。

（その他の経過措置の政令への委任）

第八条　この附則に規定するもののほか、この法律の施行に関し必要な経過措置は、政令で定める。

（検討）

第九条　政府は、この法律の施行後五年を経過した場合において、この法律の施行状況、社会経済情勢の変化等を勘案し、振替機関に係る制度について検討を加え、必要があると認めるときは、その結果に基づいて所要の措置を講ずるものとする。

附　則〔平成一三・六・二九法律八〇〕

この法律は、商法等改正法の施行の日〔平成一三・一〇・一〕から施行する。

商法等の一部を改正する等の法律の施行に伴う関係法律の整備に関する法律〔抄〕

〔平成一三・六・二九法律八〇〕

（罰則に関する経過措置）

第一〇四条　この法律の施行前にした行為及びこの法律においてなお従前の例によることとされる場合におけるこの法律の施行後にした行為に対する罰則の適用については、なお従前の例による。

（その他の経過措置の政令への委任）

第一〇五条　この法律に規定するもののほか、この法律の施行に伴い必要な経過措置は、政令で定める。

附　則〔平成一三・一一・二八法律一二九〕

（施行期日）

１　この法律は、平成十四年四月一日から施行する。〔以下略〕

（罰則の適用に関する経過措置）

２　この法律の施行前にした行為及びこの法律の規定により従前の例によることとされる場合におけるこの法律の施行後にした行為に対する罰則の適用については、なお従前の例による。

商法等の一部を改正する法律の施行に伴う関係法律の整備に関する法律〔抄〕

〔平成一三・一一・二八法律一二九〕

（国有財産法の一部改正に伴う経過措置）

第一二条　商法等の一部を改正する法律附則第七条第一項の規定によりなお従前の例によることとされた新株引受権付社債を発行する際に旧商法第三百四十一条ノ十三第一項の規定に基づき発行する新株引受権証券は、新株予約権証券とみなして、前条の規定による改正後の国有財産法第二条第一項の規定を適用する。

附　則〔抄〕〔平成一四・六・一二法律六五〕

改正　平成一七・一〇法一〇二

（施行期日）

第一条　この法律は、平成十五年一月六日から施行する。〔以下略〕

（罰則の適用に関する経過措置）

第八三条　この法律（附則第一条各号に掲げる規定にあっては、当該規定。以下この条において同じ。）の施行前にした行為及びこの附則の規定によりなお従前の例によることとされる場合におけるこの法律の施行後にした行為に対する罰則の適用については、なお従前の例による。

（その他の経過措置の政令への委任）

第八五条　この附則に規定するもののほか、この法律の施行に関し必要な経過措置は、政令で定める。

附　則〔略〕〔平成一四・一二・一三法律一五二〕

附　則〔略〕〔平成一六・六・九法律八八〕

附　則〔略〕〔平成一六・六・一八法律一一二〕

附　則〔略〕〔平成一七・七・二六法律八七〕

附　則〔略〕〔平成一七・一〇・二一法律一〇二〕

附　則〔抄〕〔平成一八・四・二八法律三五〕

（施行期日）

第一条　この法律は、公布の日から施行する。ただし、次の各号に掲げる規定は、当該各号に定める日から施行する。

一　（略）

一　第一条中国有財産法第十八条、第十九条及び第二十一条の改正規定並びに第二十六条の改正規定（「場合に、これを」を「場合（次条の規定に基づいて使用又は収益をさせる場合を除く。）について」に改める部分を除く。）〔中略〕　公布の日から起算して一年を超えない範囲内において政令で定める日

〔平成一八政三九三により、平成一九・一・一二から施行〕

二　第一条中国有財産法第二十三条に一項を加える改正規定〔中略〕　公布の日から起算して四年を超えない範囲内において政令で定める日

〔平成二二政五により、平成二二・二・一から施行〕

附　則〔略〕〔平成一八・六・一四法律六六〕

附　則〔抄〕〔平成一九・六・一法律七四〕

（施行期日）

第一条　この法律は、平成二十年十月一日から施行する。〔以下略〕

（国有財産法の一部改正に伴う経過措置）

第四九条　施行日前に転換前の法人が発行した短期商工債についての国有財産法の規定の適用については、当該短期商工債を同法第二条第二項に規定する短期社債等とみなす。

附　則〔略〕〔平成二四・六・二七法律四二〕

附　則〔略〕〔令和元・五・三一法律一六〕

附　則〔略〕〔令和三・五・一九法律三六〕

附　則〔抄〕〔令和三・五・一九法律三七〕

（施行期日）

第一条　この法律〔中略〕は、当該各号に定める日〔令和四・五・一八〕から施行する。

○行政手続法

〔平成五・一一・一二　法律八八〕

改正　平成一一・一二法一五一、法一六〇、平成一四・一二法一五二、平成一五・七法一一九、平成一七・六法七三、平成一八・六法五八、法六六、平成二六・六法六九、法七〇、平成二九・三法四、令和四・五法五二、令和五・六法五六、令和六・六法六五

注　令和五年六月一六日法律第六三号の改正は、公布の日から起算して三年を超えない範囲内において政令で定める日から施行のため、改正を加えてありません。

目次

第一章　総則（第一条―第四条）
第二章　申請に対する処分（第五条―第十一条）
第三章　不利益処分
　第一節　通則（第十二条―第十四条）
　第二節　聴聞（第十五条―第二十八条）
　第三節　弁明の機会の付与（第二十九条―第三十一条）
第四章　行政指導（第三十二条―第三十六条の二）
第四章の二　処分等の求め（第三十六条の三）
第五章　届出（第三十七条）
第六章　意見公募手続等（第三十八条―第四十五条）
第七章　補則（第四十六条）
附則

第一章　総則

（目的等）

第一条　この法律は、処分、行政指導及び届出に関する手続並びに命令等を定める手続に関し、共通する事項を定めることによって、行政運営における公正の確保と透明性（行政上の意思決定について、その内容及び過程が国民にとって明らかであることをいう。第四十六条において同じ。）の向上を図り、もって国民の権利利益の保護に資することを目的とする。

2　処分、行政指導及び届出に関する手続並びに命令等を定める手続に関しこの法律に規定する事項について、他の法律に特別の定めがある場合は、その定めるところによる。

（定義）

第二条　この法律において、次の各号に掲げる用語の意義は、当該各号に定めるところによる。

一　法令　法律、法律に基づく命令（告示を含む。）、条例及び地方公共団体の執行機関の規則（規程を含む。以下「規則」という。）をいう。

二　処分　行政庁の処分その他公権力の行使に当たる行為をいう。

三　申請　法令に基づき、行政庁の許可、認可、免許その他の自己に対し何らかの利益を付与する処分（以下「許認可等」という。）を求める行為であって、当該行為に対して行政庁が諾否の応答をすべきこととされているものをいう。

四　不利益処分　行政庁が、法令に基づき、特定の者を名あて人として、直接に、これに義務を課し、又はその権利を制限する処分をいう。ただし、次のいずれかに該当するものを除く。

イ　事実上の行為及び事実上の行為をするに当たりその範囲、時期等を明らかにするために法令上必要とされている手続としての処分

ロ　申請により求められた許認可等を拒否する処分その他申請に基づき当該申請をした者を名あて人としてされる処分

ハ　名あて人となるべき者の同意の下にすることとされている処分

ニ　許認可等の効力を失わせる処分であって、当該許認可等の基礎となった事実が消滅した旨の届出があったことを理由としてされるもの

五　行政機関　次に掲げる機関をいう。

イ　法律の規定に基づき内閣に置かれる機関若しくは内閣の所轄の下に置かれる機関、宮内庁、内閣府設置法（平成十一年法律第八十九号）第四十九条第一項若しくは第二項に規定する機関、国家行政組織法（昭和二十三年法律第百二十号）第三条第二項に規定する機関、会計検査院若しくはこれらに置かれる機関又はこれらの機関の職員であって法律上独立に権限を行使することを認められた職員

ロ　地方公共団体の機関（議会を除く。）

六　行政指導　行政機関がその任務又は所掌事務の範囲内において一定の行政目的を実現するため特定の者に一定の作為又は不作為を求める指導、勧告、助言その他の行為であって処分に該当しないものをいう。

七　届出　行政庁に対し一定の事項の通知をする行為（申請に該当するものを除く。）であって、法令により直接に当該通知が義務付けられているもの（自己の期待する一定の法律上の効果を発生させるためには当該通知をすべきこととされているものを含む。）をいう。

八　命令等　内閣又は行政機関が定める次に掲げるものをいう。

イ　法律に基づく命令（処分の要件を定める告示を含む。次条第二項において単に「命令」という。）又は規則

ロ　審査基準（申請により求められた許認可等をするかどうかをその法令の定めに従って判断するために必要とされる基準をいう。以下同じ。）

ハ　処分基準（不利益処分をするかどうか又はどのような不利益処分とするかについてその法令の定めに従って判断するために必要とされる基準をいう。以下同じ。）

ニ　行政指導指針（同一の行政目的を実現するため一定の条件に該当す

る複数の者に対し行政指導をしようとするときにこれらの行政指導に共通してその内容となるべき事項をいう。以下同じ。）

（適用除外）

第三条　次に掲げる処分及び行政指導については、次章から第四章の二までの規定は、適用しない。

一　国会の両院若しくは一院又は議会の議決によってされる処分

二　裁判所若しくは裁判官の裁判により、又は裁判の執行としてされる処分

三　国会の両院若しくは一院若しくは議会の議決を経て、又はこれらの同意若しくは承認を得た上でされるべきものとされている処分

四　検査官会議で決すべきものとされている処分及び会計検査の際にされる行政指導

五　刑事事件に関する法令に基づいて検察官、検察事務官又は司法警察職員がする処分及び行政指導

六　国税又は地方税の犯則事件に関する法令（他の法令において準用する場合を含む。）に基づいて国税庁長官、国税局長、税務署長、国税庁、国税局若しくは税務署の当該職員、税関長、税関職員又は徴税吏員（他の法令の規定に基づいてこれらの職員の職務を行う者を含む。）がする処分及び行政指導並びに金融商品取引の犯則事件に関する法令（他の法令において準用する場合を含む。）に基づいて証券取引等監視委員会、その職員（当該法令においてその職員とみなされる者を含む。）、財務局長又は財務支局長がする処分及び行政指導

七　学校、講習所、訓練所又は研修所において、教育、講習、訓練又は研修の目的を達成するために、学生、生徒、児童若しくは幼児若しくはこれらの保護者、講習生、訓練生又は研修生に対してされる処分及び行政指導

八　刑務所、少年刑務所、拘置所、留置施設、海上保安留置施設、少年院又は少年鑑別所において、収容の目的を達成するためにされる処分及び行政指導

九　公務員（国家公務員法（昭和二十二年法律第百二十号）第二条第一項に規定する国家公務員及び地方公務員法（昭和二十五年法律第二百六十一号）第三条第一項に規定する地方公務員をいう。以下同じ。）又は公務員であった者に対してその職務又は身分に関してされる処分及び行政指導

十　外国人の出入国、出入国管理及び難民認定法（昭和二十六年政令第三百十九号）第六十一条の二第一項に規定する難民の認定、同条第二項に規定する補完的保護対象者の認定又は帰化に関する処分及び行政指導

十一　専ら人の学識技能に関する試験又は検定の結果についての処分

十二　相反する利害を有する者の間の利害の調整を目的として法令の規定に基づいてされる裁定その他の処分（その双方を名宛人とするものに限る。）及び行政指導

十三　公衆衛生、環境保全、防疫、保安その他の公益に関わる事象が発生し又は発生する可能性のある現場において警察官若しくは海上保安官又はこれらの公益を確保するために行使すべき権限を法律上直接に与えられたその他の職員によってされる処分及び行政指導

十四　報告又は物件の提出を命ずる処分その他その職務の遂行上必要な情報の収集を直接の目的としてされる処分及び行政指導

十五　審査請求、再調査の請求その他の不服申立てに対する行政庁の裁決、決定その他の処分

十六　前号に規定する処分の手続又は第三章に規定する聴聞若しくは弁明の機会の付与の手続その他の意見陳述のための手続において法令に基づいてされる処分及び行政指導

2　次に掲げる命令等を定める行為については、第六章の規定は、適用しない。

一　法律の施行期日について定める政令

二　恩赦に関する命令

三　命令又は規則を定める行為が処分に該当する場合における当該命令又は規則

四　法律の規定に基づき施設、区間、地域その他これらに類するものを指定する命令又は規則

五　公務員の給与、勤務時間その他の勤務条件について定める命令等

六　審査基準、処分基準又は行政指導指針であって、法令の規定により若しくは慣行として、又は命令等を定める機関の判断により公にされるもの以外のもの

3　第一項各号及び前項各号に掲げるもののほか、地方公共団体の機関がする処分（その根拠となる規定が条例又は規則に置かれているものに限る。）及び行政指導、地方公共団体の機関に対する届出（前条第七号の通知の根拠となる規定が条例又は規則に置かれているものに限る。）並びに地方公共団体の機関が命令等を定める行為については、次章から第六章までの規定は、適用しない。

（国の機関等に対する処分等の適用除外）

第四条　国の機関又は地方公共団体若しくはその機関に対する処分（これらの機関又は団体がその固有の資格において当該処分の名あて人となるものに限る。）及び行政指導並びにこれらの機関又は団体がする届出（これらの機関又は団体がその固有の資格においてすべきこととされているものに限る。）については、この法律の規定は、適用しない。

2　次の各号のいずれかに該当する法人に対する処分であって、当該法人の監督に関する法律の特別の規定に基づいてされるもの（当該法人の解散を命じ、若しくは設立に関する認可を取り消す処分又は当該法人の役員若しくは当該法人の業務に従事する者の解任を命ずる処分を除く。）については、次章及び第三章の規定は、適用しない。

一　法律により直接に設立された法人又は特別の法律により特別の設立行為をもって設立された法人

二　特別の法律により設立され、かつ、その設立に関し行政庁の認可を要する法人のうち、その行う業務が国又は地方公共団体の行政運営と密接な関連を有するものとして政令で定める法人

3　行政庁が法律の規定に基づく試験、検査、検定、登録その他の行政上の事務について当該法律に基づきその全部又は一部を行わせる者を指定した場合において、その指定を受けた者（その者が法人である場合にあっては、その役員）又は職員その他の者が当該事務に従事することに関し公務に従事する職員とみなされるときは、その指定を受けた者に対し当該法律に基づいて当該事務に関し監督上される処分（当該指定を取り消す処分、その指定を受けた者が法人である場合におけるその役員の解任を命ずる処分又はその指定を受けた者の当該事務に従事する者の解任を命ずる処分を除く。）については、次章及び第三章の規定は、適用しない。

4　次に掲げる命令等を定める行為については、第六章の規定は、適用しない。

一　国又は地方公共団体の機関の設置、所掌事務の範囲その他の組織について定める命令等

二　皇室典範（昭和二十二年法律第三号）第二十六条の皇統譜について定める命令等

三　公務員の礼式、服制、研修、教育訓練、表彰及び報償並びに公務員の間における競争試験について定める命令等

四　国又は地方公共団体の予算、決算及び会計について定める命令等（入札の参加者の資格、入札保証金その他の国又は地方公共団体の契約の相手方又は相手方になろうとする者に係る事項を定める命令等を除く。）並びに国又は地方公共団体の財産及び物品の管理について定める命令等（国又は地方公共団体が財産及び物品を貸し付け、交換し、売り払い、譲与し、信託し、若しくは出資の目的とし、又はこれらに私権を設定することについて定める命令等であって、これらの行為の相手方又は相手方になろうとする者に係る事項を定めるものを除く。）

五　会計検査について定める命令等

六　国の機関相互間の関係について定める命令等並びに地方自治法（昭和二十二年法律第六十七号）第二編第十二章に規定する国と普通地方公共団体との関係及び普通地方公共団体相互間の関係その他の国と地方公共団体との関係及び地方公共団体相互間の関係について定める命令等（第一項の規定によりこの法律の規定を適用しないこととされる処分に係る命令等を含む。）

七　第二項各号に規定する法人の役員及び職員、業務の範囲、財務及び会計その他の組織、運営及び管理について定める命令等（これらの法人に対する処分であって、これらの法人の解散を命じ、若しくは設立に関する認可を取り消す処分又はこれらの法人の役員若しくはこれらの法人の業務に従事する者の解任を命ずる処分に係る命令等を除く。）

第二章　申請に対する処分

（審査基準）

第五条　行政庁は、審査基準を定めるものとする。

2　行政庁は、審査基準を定めるに当たっては、許認可等の性質に照らして

できる限り具体的なものとしなければならない。

3　行政庁は、行政上特別の支障があるときを除き、法令により申請の提出先とされている機関の事務所における備付けその他の適当な方法により審査基準を公にしておかなければならない。

（標準処理期間）

第六条　行政庁は、申請がその事務所に到達してから当該申請に対する処分をするまでに通常要すべき標準的な期間（法令により当該行政庁と異なる機関が当該申請の提出先とされている場合は、併せて、当該申請が当該提出先とされている機関の事務所に到達してから当該行政庁の事務所に到達するまでに通常要すべき標準的な期間）を定めるよう努めるとともに、これを定めたときは、これらの当該申請の提出先とされている機関の事務所における備付けその他の適当な方法により公にしておかなければならない。

（申請に対する審査、応答）

第七条　行政庁は、申請がその事務所に到達したときは遅滞なく当該申請の審査を開始しなければならず、かつ、申請書の記載事項に不備がないこと、申請書に必要な書類が添付されていること、申請をすることができる期間内にされたものであることその他の法令に定められた申請の形式上の要件に適合しない申請については、速やかに、申請をした者（以下「申請者」という。）に対し相当の期間を定めて当該申請の補正を求め、又は当該申請により求められた許認可等を拒否しなければならない。

（理由の提示）

第八条　行政庁は、申請により求められた許認可等を拒否する処分をする場合は、申請者に対し、同時に、当該処分の理由を示さなければならない。ただし、法令に定められた許認可等の要件又は公にされた審査基準が数量的指標その他の客観的指標により明確に定められている場合であって、当該申請がこれらに適合しないことが申請書の記載又は添付書類その他の申請の内容から明らかであるときは、申請者の求めがあったときにこれを示せば足りる。

2　前項本文に規定する処分を書面でするときは、同項の理由は、書面により示さなければならない。

（情報の提供）

第九条　行政庁は、申請者の求めに応じ、当該申請に係る審査の進行状況及び当該申請に対する処分の時期の見通しを示すよう努めなければならない。

2　行政庁は、申請をしようとする者又は申請者の求めに応じ、申請書の記載及び添付書類に関する事項その他の申請に必要な情報の提供に努めなければならない。

（公聴会の開催等）

第一〇条　行政庁は、申請に対する処分であって、申請者以外の者の利害を考慮すべきことが当該法令において許認可等の要件とされているものを行う場合には、必要に応じ、公聴会の開催その他の適当な方法により当該申請者以外の者の意見を聴く機会を設けるよう努めなければならない。

（複数の行政庁が関与する処分）

第一一条　行政庁は、申請の処理をするに当たり、他の行政庁において同一の申請者からされた関連する申請が審査中であることをもって自らすべき許認可等をするかどうかについての審査又は判断を殊更に遅延させるようなことをしてはならない。

2　一の申請又は同一の申請者からされた相互に関連する複数の申請に対する処分について複数の行政庁が関与する場合においては、当該複数の行政庁は、必要に応じ、相互に連絡をとり、当該申請者からの説明の聴取を共同して行う等により審査の促進に努めるものとする。

第三章　不利益処分

第一節　通則

（処分の基準）

第一二条　行政庁は、処分基準を定め、かつ、これを公にしておくよう努めなければならない。

2　行政庁は、処分基準を定めるに当たっては、不利益処分の性質に照らしてできる限り具体的なものとしなければならない。

（不利益処分をしようとする場合の手続）

第一三条　行政庁は、不利益処分をしようとする場合には、次の各号の区分に従い、この章の定めるところにより、当該不利益処分の名あて人となるべき者について、当該各号に定める意見陳述のための手続を執らなければならない。

一　次のいずれかに該当するとき　聴聞

イ　許認可等を取り消す不利益処分をしようとするとき。

ロ　イに規定するもののほか、名あて人の資格又は地位を直接にはく奪する不利益処分をしようとするとき。

ハ　名あて人が法人である場合におけるその役員の解任を命ずる不利益処分、名あて人の業務に従事する者の解任を命ずる不利益処分又は名あて人の会員である者の除名を命ずる不利益処分をしようとするとき。

ニ　イからハまでに掲げる場合以外の場合であって行政庁が相当と認めるとき。

二　前号イからニまでのいずれにも該当しないとき　弁明の機会の付与

2　次の各号のいずれかに該当するときは、前項の規定は、適用しない。

一　公益上、緊急に不利益処分をする必要があるため、前項に規定する意見陳述のための手続を執ることができないとき。

二　法令上必要とされる資格がなかったこと又は失われるに至ったことが判明した場合に必ずすることとされている不利益処分であって、その資格の不存在又は喪失の事実が裁判所の判決書又は決定書、一定の職に就いたことを証する当該任命権者の書類その他の客観的な資料により直接証明されたものをしようとするとき。

三　施設若しくは設備の設置、維持若しくは管理又は物の製造、販売その他の取扱いについて遵守すべき事項が法令において技術的な基準をもって明確にされている場合において、専ら当該基準が充足されていないことを理由として当該基準に従うべきことを命ずる不利益処分であってその不充足の事実が計測、実験その他客観的な認定方法によって確認されたものをしようとするとき。

四　納付すべき金銭の額を確定し、一定の額の金銭の納付を命じ、又は金銭の給付決定の取消しその他の金銭の給付を制限する不利益処分をしようとするとき。

五　当該不利益処分の性質上、それによって課される義務の内容が著しく軽微なものであるため名あて人となるべき者の意見をあらかじめ聴くことを要しないものとして政令で定める処分をしようとするとき。

（不利益処分の理由の提示）

第一四条　行政庁は、不利益処分をする場合には、その名あて人に対し、同時に、当該不利益処分の理由を示さなければならない。ただし、当該理由を示さないで処分をすべき差し迫った必要がある場合は、この限りでない。

2　行政庁は、前項ただし書の場合においては、当該名あて人の所在が判明しなくなったときその他処分後において理由を示すことが困難な事情があるときを除き、処分後相当の期間内に、同項の理由を示さなければならない。

3　不利益処分を書面でするときは、前二項の理由は、書面により示さなければならない。

第二節　聴聞

（聴聞の通知の方式）

第一五条　行政庁は、聴聞を行うに当たっては、聴聞を行うべき期日までに相当な期間をおいて、不利益処分の名あて人となるべき者に対し、次に掲げる事項を書面により通知しなければならない。

一　予定される不利益処分の内容及び根拠となる法令の条項

二　不利益処分の原因となる事実

三　聴聞の期日及び場所

四　聴聞に関する事務を所掌する組織の名称及び所在地

2　前項の書面においては、次に掲げる事項を教示しなければならない。

一　聴聞の期日に出頭して意見を述べ、及び証拠書類又は証拠物（以下「証拠書類等」という。）を提出し、又は聴聞の期日への出頭に代えて陳述書及び証拠書類等を提出することができること。

二　聴聞が終結する時までの間、当該不利益処分の原因となる事実を証する資料の閲覧を求めることができること。

3　行政庁は、不利益処分の名あて人となるべき者の所在が判明しない場合においては、第一項の規定による通知を、その者の氏名、同項第三号及び第四号に掲げる事項並びに当該行政庁が同項各号に掲げる事項を記載した書面をいつでもその者に交付する旨を当該行政庁の事務所の掲示場に掲示することによって行うことができる。この場合においては、掲示を始めた日から二週間を経過したときに、当該通知がその者に到達したものとみなす。

（代理人）

第一六条 前条第一項の通知を受けた者（同条第三項後段の規定により当該通知が到達したものとみなされる者を含む。以下「当事者」という。）は、代理人を選任することができる。

2 代理人は、各自、当事者のために、聴聞に関する一切の行為をすることができる。

3 代理人の資格は、書面で証明しなければならない。

4 代理人がその資格を失ったときは、当該代理人を選任した当事者は、書面でその旨を行政庁に届け出なければならない。

（参加人）

第一七条 第十九条の規定により聴聞を主宰する者（以下「主宰者」という。）は、必要があると認めるときは、当事者以外の者であって当該不利益処分の根拠となる法令に照らし当該不利益処分につき利害関係を有するものと認められる者（同条第二項第六号において「関係人」という。）に対し、当該聴聞に関する手続に参加することを求め、又は当該聴聞に関する手続に参加することを許可することができる。

2 前項の規定により当該聴聞に関する手続に参加する者（以下「参加人」という。）は、代理人を選任することができる。

3 前条第二項から第四項までの規定は、前項の代理人について準用する。この場合において、同条第二項及び第四項中「当事者」とあるのは、「参加人」と読み替えるものとする。

（文書等の閲覧）

第一八条 当事者及び当該不利益処分がされた場合に自己の利益を害されることとなる参加人（以下この条及び第二十四条第三項において「当事者等」という。）は、聴聞の通知があった時から聴聞が終結する時までの間、行政庁に対し、当該事案についてした調査の結果に係る調書その他の当該不利益処分の原因となる事実を証する資料の閲覧を求めることができる。この場合において、行政庁は、第三者の利益を害するおそれがあるときその他正当な理由があるときでなければ、その閲覧を拒むことができない。

2 前項の規定は、当事者等が聴聞の期日における審理の進行に応じて必要となった資料の閲覧を更に求めることを妨げない。

3 行政庁は、前二項の閲覧について日時及び場所を指定することができる。

（聴聞の主宰）

第一九条 聴聞は、行政庁が指名する職員その他政令で定める者が主宰する。

2 次の各号のいずれかに該当する者は、聴聞を主宰することができない。

一 当該聴聞の当事者又は参加人

二 前号に規定する者の配偶者、四親等内の親族又は同居の親族

三 第一号に規定する者の代理人又は次条第三項に規定する補佐人

四 前三号に規定する者であった者

五 第一号に規定する者の後見人、後見監督人、保佐人、保佐監督人、補助人又は補助監督人

六 参加人以外の関係人

（聴聞の期日における審理の方式）

第二〇条 主宰者は、最初の聴聞の期日の冒頭において、行政庁の職員に、予定される不利益処分の内容及び根拠となる法令の条項並びにその原因となる事実を聴聞の期日に出頭した者に対し説明させなければならない。

2 当事者又は参加人は、聴聞の期日に出頭して、意見を述べ、及び証拠書類等を提出し、並びに主宰者の許可を得て行政庁の職員に対し質問を発することができる。

3 前項の場合において、当事者又は参加人は、主宰者の許可を得て、補佐人とともに出頭することができる。

4 主宰者は、聴聞の期日において必要があると認めるときは、当事者若しくは参加人に対し質問を発し、意見の陳述若しくは証拠書類等の提出を促し、又は行政庁の職員に対し説明を求めることができる。

5 主宰者は、当事者又は参加人の一部が出頭しないときであっても、聴聞の期日における審理を行うことができる。

6 聴聞の期日における審理は、行政庁が公開することを相当と認めるときを除き、公開しない。

（陳述書等の提出）

第二一条 当事者又は参加人は、聴聞の期日への出頭に代えて、主宰者に対し、聴聞の期日までに陳述書及び証拠書類等を提出することができる。

2 主宰者は、聴聞の期日に出頭した者に対し、その求めに応じて、前項の陳述書及び証拠書類等を示すことができる。

（続行期日の指定）

第二二条 主宰者は、聴聞の期日における審理の結果、なお聴聞を続行する必要があると認めるときは、さらに新たな期日を定めることができる。

2 前項の場合においては、当事者及び参加人に対し、あらかじめ、次回の聴聞の期日及び場所を書面により通知しなければならない。ただし、聴聞の期日に出頭した当事者及び参加人に対しては、当該聴聞の期日においてこれを告知すれば足りる。

3 第十五条第三項の規定は、前項本文の場合において、当事者又は参加人の所在が判明しないときにおける通知の方法について準用する。この場合において、同条第三項中「不利益処分の名あて人となるべき者」とあるのは「当事者又は参加人」と、「掲示を始めた日から二週間を経過したとき」とあるのは「掲示を始めた日から二週間を経過したとき（同一の当事者又は参加人に対する二回目以降の通知にあっては、掲示を始めた日の翌日）」と読み替えるものとする。

（当事者の不出頭等の場合における聴聞の終結）

第二三条 主宰者は、当事者の全部若しくは一部が正当な理由なく聴聞の期日に出頭せず、かつ、第二十一条第一項に規定する陳述書若しくは証拠書類等を提出しない場合、又は参加人の全部若しくは一部が聴聞の期日に出頭しない場合には、これらの者に対し改めて意見を述べ、及び証拠書類等を提出する機会を与えることなく、聴聞を終結することができる。

2 主宰者は、前項に規定する場合のほか、当事者の全部又は一部が聴聞の期日に出頭せず、かつ、第二十一条第一項に規定する陳述書又は証拠書類等を提出しない場合において、これらの者の聴聞の期日への出頭が相当期間引き続き見込めないときは、これらの者に対し、期限を定めて陳述書及び証拠書類等の提出を求め、当該期限が到来したときに聴聞を終結することとすることができる。

（聴聞調書及び報告書）

第二四条 主宰者は、聴聞の審理の経過を記載した調書を作成し、当該調書において、不利益処分の原因となる事実に対する当事者及び参加人の陳述の要旨を明らかにしておかなければならない。

2 前項の調書は、聴聞の期日における審理が行われた場合には各期日ごとに、当該審理が行われなかった場合には聴聞の終結後速やかに作成しなければならない。

3 主宰者は、聴聞の終結後速やかに、不利益処分の原因となる事実に対する当事者等の主張に理由があるかどうかについての意見を記載した報告書を作成し、第一項の調書とともに行政庁に提出しなければならない。

4 当事者又は参加人は、第一項の調書及び前項の報告書の閲覧を求めることができる。

（聴聞の再開）

第二五条 行政庁は、聴聞の終結後に生じた事情にかんがみ必要があると認めるときは、主宰者に対し、前条第三項の規定により提出された報告書を返戻して聴聞の再開を命ずることができる。第二十二条第二項本文及び第三項の規定は、この場合について準用する。

（聴聞を経てされる不利益処分の決定）

第二六条 行政庁は、不利益処分の決定をするときは、第二十四条第一項の調書の内容及び同条第三項の報告書に記載された主宰者の意見を十分に参酌してこれをしなければならない。

（審査請求の制限）

第二七条 この節の規定に基づく処分又はその不作為については、審査請求をすることができない。

（役員等の解任等を命ずる不利益処分をしようとする場合の聴聞等の特例）

第二八条 第十三条第一項第一号ハに該当する不利益処分に係る聴聞において第十五条第一項の通知があった場合におけるこの節の規定の適用については、名あて人である法人の役員、名あて人の業務に従事する者又は名あて人の会員である者（当該処分において解任し又は除名すべきこととされている者に限る。）は、同項の通知を受けた者とみなす。

2 前項の不利益処分のうち名あて人である法人の役員又は名あて人の業務に従事する者（以下この項において「役員等」という。）の解任を命ずるものに係る聴聞が行われた場合においては、当該処分にその名あて人が従わないことを理由として法令の規定によりされる当該役員等を解任する不利益処分については、第十三条第一項の規定にかかわらず、行政庁は、当該役員等について聴聞を行うことを要しない。

第三節　弁明の機会の付与

（弁明の機会の付与の方式）
第二九条　弁明は、行政庁が口頭ですることを認めたときを除き、弁明を記載した書面（以下「弁明書」という。）を提出してするものとする。
2　弁明をするときは、証拠書類等を提出することができる。

（弁明の機会の付与の通知の方式）
第三〇条　行政庁は、弁明書の提出期限（口頭による弁明の機会の付与を行う場合には、その日時）までに相当な期間をおいて、不利益処分の名あて人となるべき者に対し、次に掲げる事項を書面により通知しなければならない。
一　予定される不利益処分の内容及び根拠となる法令の条項
二　不利益処分の原因となる事実
三　弁明書の提出先及び提出期限（口頭による弁明の機会の付与を行う場合には、その旨並びに出頭すべき日時及び場所）

（聴聞に関する手続の準用）
第三一条　第十五条第三項及び第十六条の規定は、弁明の機会の付与について準用する。この場合において、第十五条第三項中「第一項」とあるのは「第三十条」と、「同項第三号及び第四号」とあるのは「同条第三号」と、第十六条第一項中「前条第一項」とあるのは「第三十条」と、「同条第三項後段」とあるのは「第三十一条において準用する第十五条第三項後段」と読み替えるものとする。

第四章　行政指導

（行政指導の一般原則）
第三二条　行政指導にあっては、行政指導に携わる者は、いやしくも当該行政機関の任務又は所掌事務の範囲を逸脱してはならないこと及び行政指導の内容があくまでも相手方の任意の協力によってのみ実現されるものであることに留意しなければならない。
2　行政指導に携わる者は、その相手方が行政指導に従わなかったことを理由として、不利益な取扱いをしてはならない。

（申請に関連する行政指導）
第三三条　申請の取下げ又は内容の変更を求める行政指導にあっては、行政指導に携わる者は、申請者が当該行政指導に従う意思がない旨を表明したにもかかわらず当該行政指導を継続すること等により当該申請者の権利の行使を妨げるようなことをしてはならない。

（許認可等の権限に関連する行政指導）
第三四条　許認可等をする権限又は許認可等に基づく処分をする権限を有する行政機関が、当該権限を行使することができない場合又は行使する意思がない場合においてする行政指導にあっては、行政指導に携わる者は、当該権限を行使し得る旨を殊更に示すことにより相手方に当該行政指導に従うことを余儀なくさせるようなことをしてはならない。

（行政指導の方式）
第三五条　行政指導に携わる者は、その相手方に対して、当該行政指導の趣旨及び内容並びに責任者を明確に示さなければならない。
2　行政指導に携わる者は、当該行政指導をする際に、行政機関が許認可等をする権限又は許認可等に基づく処分をする権限を行使し得る旨を示すときは、その相手方に対して、次に掲げる事項を示さなければならない。
一　当該権限を行使し得る根拠となる法令の条項
二　前号の条項に規定する要件
三　当該権限の行使が前号の要件に適合する理由
3　行政指導が口頭でされた場合において、その相手方から前二項に規定する事項を記載した書面の交付を求められたときは、当該行政指導に携わる者は、行政上特別の支障がない限り、これを交付しなければならない。
4　前項の規定は、次に掲げる行政指導については、適用しない。
一　相手方に対しその場において完了する行為を求めるもの
二　既に文書（前項の書面を含む。）又は電磁的記録（電子的方式、磁気的方式その他人の知覚によっては認識することができない方式で作られる記録であって、電子計算機による情報処理の用に供されるものをいう。）によりその相手方に通知されている事項と同一の内容を求めるもの

（複数の者を対象とする行政指導）
第三六条　同一の行政目的を実現するため一定の条件に該当する複数の者に対し行政指導をしようとするときは、行政機関は、あらかじめ、事案に応じ、行政指導指針を定め、かつ、行政上特別の支障がない限り、これを公表しなければならない。

（行政指導の中止等の求め）
第三六条の二　法令に違反する行為の是正を求める行政指導（その根拠となる規定が法律に置かれているものに限る。）の相手方は、当該行政指導が当該法律に規定する要件に適合しないと思料するときは、当該行政指導をした行政機関に対し、その旨を申し出て、当該行政指導の中止その他必要な措置をとることを求めることができる。ただし、当該行政指導がその相手方について弁明その他意見陳述のための手続を経てされたものであるときは、この限りでない。
2　前項の申出は、次に掲げる事項を記載した申出書を提出してしなければならない。
一　申出をする者の氏名又は名称及び住所又は居所
二　当該行政指導の内容
三　当該行政指導がその根拠とする法律の条項
四　前号の条項に規定する要件
五　当該行政指導が前号の要件に適合しないと思料する理由
六　その他参考となる事項
3　当該行政機関は、第一項の規定による申出があったときは、必要な調査を行い、当該行政指導が当該法律に規定する要件に適合しないと認めるときは、当該行政指導の中止その他必要な措置をとらなければならない。

第四章の二　処分等の求め

第三六条の三　何人も、法令に違反する事実がある場合において、その是正のためにされるべき処分又は行政指導（その根拠となる規定が法律に置かれているものに限る。）がされていないと思料するときは、当該処分をする権限を有する行政庁又は当該行政指導をする権限を有する行政機関に対し、その旨を申し出て、当該処分又は行政指導をすることを求めることができる。
2　前項の申出は、次に掲げる事項を記載した申出書を提出してしなければならない。
一　申出をする者の氏名又は名称及び住所又は居所
二　法令に違反する事実の内容
三　当該処分又は行政指導の内容
四　当該処分又は行政指導の根拠となる法令の条項
五　当該処分又は行政指導がされるべきであると思料する理由
六　その他参考となる事項
3　当該行政庁又は行政機関は、第一項の規定による申出があったときは、必要な調査を行い、その結果に基づき必要があると認めるときは、当該処分又は行政指導をしなければならない。

第五章　届出

（届出）
第三七条　届出が届出書の記載事項に不備がないこと、届出書に必要な書類が添付されていることその他の法令に定められた届出の形式上の要件に適合している場合は、当該届出が法令により当該届出の提出先とされている機関の事務所に到達したときに、当該届出をすべき手続上の義務が履行されたものとする。

第六章　意見公募手続等

（命令等を定める場合の一般原則）
第三八条　命令等を定める機関（閣議の決定により命令等が定められる場合にあっては、当該命令等の立案をする各大臣。以下「命令等制定機関」という。）は、命令等を定めるに当たっては、当該命令等がこれを定める根拠となる法令の趣旨に適合するものとなるようにしなければならない。
2　命令等制定機関は、命令等を定めた後においても、当該命令等の規定の実施状況、社会経済情勢の変化等を勘案し、必要に応じ、当該命令等の内容について検討を加え、その適正を確保するよう努めなければならない。

（意見公募手続）
第三九条　命令等制定機関は、命令等を定めようとする場合には、当該命令等の案（命令等で定めようとする内容を示すものをいう。以下同じ。）及びこれに関連する資料をあらかじめ公示し、意見（情報を含む。以下同じ。）の提出先及び意見の提出のための期間（以下「意見提出期間」という。）

を定めて広く一般の意見を求めなければならない。

２　前項の規定により公示する命令等の案は、具体的かつ明確な内容のものであって、かつ、当該命令等の題名及び当該命令等を定める根拠となる法令の条項が明示されたものでなければならない。

３　第一項の規定により定める意見提出期間は、同項の公示の日から起算して三十日以上でなければならない。

４　次の各号のいずれかに該当するときは、第一項の規定は、適用しない。

一　公益上、緊急に命令等を定める必要があるため、第一項の規定による手続（以下「意見公募手続」という。）を実施することが困難であるとき。

二　納付すべき金銭について定める法律の制定又は改正により必要となる当該金銭の額の算定の基礎となるべき金額及び率並びに算定方法についての命令等その他当該法律の施行に関し必要な事項を定める命令等を定めようとするとき。

三　予算の定めるところにより金銭の給付決定を行うために必要となる当該金銭の額の算定の基礎となるべき金額及び率並びに算定方法その他の事項を定める命令等を定めようとするとき。

四　法律の規定により、内閣府設置法第四十九条第一項若しくは第二項若しくは国家行政組織法第三条第二項に規定する委員会又は内閣府設置法第三十七条若しくは第五十四条若しくは国家行政組織法第八条に規定する機関（以下「委員会等」という。）の議を経て定めることとされている命令等であって、相反する利害を有する者の間の利害の調整を目的として、法律又は政令の規定により、これらの者及び公益をそれぞれ代表する委員をもって組織される委員会等において審議を行うこととされているものとして政令で定める命令等を定めようとするとき。

五　他の行政機関が意見公募手続を実施して定めた命令等と実質的に同一の命令等を定めようとするとき。

六　法律の規定に基づき法令の規定の適用又は準用について必要な技術的読替えを定める命令等を定めようとするとき。

七　命令等を定める根拠となる法令の規定の削除に伴い当然必要とされる当該命令等の廃止をしようとするとき。

八　他の法令の制定又は改廃に伴い当然必要とされる規定の整理その他の意見公募手続を実施することを要しない軽微な変更として政令で定めるものを内容とする命令等を定めようとするとき。

（意見公募手続の特例）

第四〇条　命令等制定機関は、命令等を定めようとする場合において、三十日以上の意見提出期間を定めることができないやむを得ない理由があるときは、前条第三項の規定にかかわらず、三十日を下回る意見提出期間を定めることができる。この場合においては、当該命令等の案の公示の際その理由を明らかにしなければならない。

２　命令等制定機関は、委員会等の議を経て命令等を定めようとする場合（前条第四項第四号に該当する場合を除く。）において、当該委員会等が意見公募手続に準じた手続を実施したときは、同条第一項の規定にかかわらず、自ら意見公募手続を実施することを要しない。

（意見公募手続の周知等）

第四一条　命令等制定機関は、意見公募手続を実施して命令等を定めるに当たっては、必要に応じ、当該意見公募手続の実施について周知するよう努めるとともに、当該意見公募手続の実施に関連する情報の提供に努めるものとする。

（提出意見の考慮）

第四二条　命令等制定機関は、意見公募手続を実施して命令等を定める場合には、意見提出期間内に当該命令等制定機関に対し提出された当該命令等の案についての意見（以下「提出意見」という。）を十分に考慮しなければならない。

（結果の公示等）

第四三条　命令等制定機関は、意見公募手続を実施して命令等を定めた場合には、当該命令等の公布（公布をしないものにあっては、公にする行為。第五項において同じ。）と同時期に、次に掲げる事項を公示しなければならない。

一　命令等の題名

二　命令等の案の公示の日

三　提出意見（提出意見がなかった場合にあっては、その旨）

四　提出意見を考慮した結果（意見公募手続を実施した命令等の案と定めた命令等との差異を含む。）及びその理由

２　命令等制定機関は、前項の規定にかかわらず、必要に応じ、同項第三号の提出意見に代えて、当該提出意見を整理又は要約したものを公示することができる。この場合においては、当該公示の後遅滞なく、当該提出意見を当該命令等制定機関の事務所における備付けその他の適当な方法により公にしなければならない。

３　命令等制定機関は、前二項の規定により提出意見を公示し又は公にすることにより第三者の利益を害するおそれがあるとき、その他正当な理由があるときは、当該提出意見の全部又は一部を除くことができる。

４　命令等制定機関は、意見公募手続を実施したにもかかわらず命令等を定めないこととした場合には、その旨（別の命令等の案について改めて意見公募手続を実施しようとする場合にあっては、その旨を含む。）並びに第一項第一号及び第二号に掲げる事項を速やかに公示しなければならない。

５　命令等制定機関は、第三十九条第四項各号のいずれかに該当することにより意見公募手続を実施しないで命令等を定めた場合には、当該命令等の公布と同時期に、次に掲げる事項を公示しなければならない。ただし、第一号に掲げる事項のうち命令等の趣旨については、同項第一号から第四号までのいずれかに該当することにより意見公募手続を実施しなかった場合において、当該命令等自体から明らかでないときに限る。

一　命令等の題名及び趣旨

二　意見公募手続を実施しなかった旨及びその理由

（準用）

第四四条　第四十二条の規定は第四十条第二項に該当することにより命令等制定機関が自ら意見公募手続を実施しないで命令等を定める場合について、前条第一項から第三項までの規定は第四十条第二項に該当することにより命令等制定機関が自ら意見公募手続を実施しないで命令等を定めた場合について、前条第四項の規定は第四十条第二項に該当することにより命令等制定機関が自ら意見公募手続を実施しないで命令等を定めないこととした場合について準用する。この場合において、第四十二条中「当該命令等制定機関」とあるのは「委員会等」と、前条第一項第二号中「命令等の案の公示の日」とあるのは「委員会等が命令等の案について公示に準じた手続を実施した日」と、同項第四号中「意見公募手続を実施した」とあるのは「委員会等が意見公募手続に準じた手続を実施した」と読み替えるものとする。

（公示の方法）

第四五条　第三十九条第一項並びに第四十三条第一項（前条において読み替えて準用する場合を含む。）、第四項（前条において準用する場合を含む。）及び第五項の規定による公示は、電子情報処理組織を使用する方法により行うものとする。

２　前項の公示に関し必要な事項は、総務大臣が定める。

第七章　補則

（地方公共団体の措置）

第四六条　地方公共団体は、第三条第三項において第二章から前章までの規定を適用しないこととされた処分、行政指導及び届出並びに命令等を定める行為に関する手続について、この法律の規定の趣旨にのっとり、行政運営における公正の確保と透明性の向上を図るため必要な措置を講ずるよう努めなければならない。

附　則

（施行期日）

１　この法律は、公布の日から起算して一年を超えない範囲内において政令で定める日から施行する。

〔平成六政三〇二により、平成六・一〇・一から施行〕

（経過措置）

２　この法律の施行前に第十五条第一項又は第三十条の規定による通知に相当する行為がされた場合においては、当該通知に相当する行為に係る不利益処分の手続に関しては、第三章の規定にかかわらず、なお従前の例による。

３　この法律の施行前に、届出その他政令で定める行為（以下「届出等」という。）がされた後一定期間内に限りすることができることとされている不利益処分に係る当該届出等がされた場合においては、当該不利益処分に係る手続に関しては、第三章の規定にかかわらず、なお従前の例による。

４　前二項に定めるもののほか、この法律の施行に関して必要な経過措置は、政令で定める。

附　則〔抄〕〔平成一一・一二・八法律一五一〕

（施行期日）

第一条　この法律は、平成十二年四月一日から施行する。〔以下略〕

（経過措置）

第三条　民法の一部を改正する法律（平成十一年法律第百四十九号）附則第三条第三項の規定により従前の例によることとされる準禁治産者及びその保佐人に関するこの法律による改正規定の適用については、〔中略〕なお従前の例による。〔以下略〕

附　則〔略〕〔平成一一・一二・二二法律一六〇〕

附　則〔略〕〔平成一四・一二・一三法律一五二〕

附　則〔略〕〔平成一五・七・一六法律一一九〕

附　則〔抄〕〔平成一七・六・二九法律七三〕

（施行期日）

第一条　この法律は、公布の日から起算して一年を超えない範囲内において政令で定める日から施行する。ただし、次条及び附則第八条の規定は、公布の日から施行する。

〔平成一八政一七により、平成一八・四・一から施行〕

（経過措置）

第二条　この法律による改正後の行政手続法（以下「新法」という。）第二条第八号に規定する命令等（以下この条において「命令等」という。）を定める機関（以下この条において「命令等制定機関」という。）は、命令等を定めようとするときは、この法律の施行前においても、新法第六章の規定の例によることができる。この場合において、同章の規定の例により実施した手続は、新法の適用については、当該命令等制定機関が同章の規定により実施したものとみなす。

2　前項の規定の適用がある場合を除き、命令等制定機関がこの法律の施行の日から六十日以内に定める命令等については、新法第六章の規定は、適用しない。

附　則〔略〕〔平成一八・六・八法律五八〕

附　則〔略〕〔平成一八・六・一四法律六六〕

附　則〔略〕〔平成二六・六・一三法律六九〕

附　則〔略〕〔平成二六・六・一三法律七〇〕

附　則〔略〕〔平成二九・三・三一法律四〕

附　則〔抄〕〔令和四・五・二五法律五二〕

（施行期日）

第一条　この法律は、令和六年四月一日から施行する。ただし、次の各号に掲げる規定は、当該各号に定める日から施行する。

一〔前略〕附則〔中略〕第三十八条の規定　公布の日

二～四〔略〕

（政令への委任）

第三十八条　この附則に定めるもののほか、この法律の施行に関し必要な経過措置は、政令で定める。

附　則〔略〕〔令和五・六・一六法律五六〕

附　則〔抄〕〔令和六・六・二六法律六五〕

（施行期日）

第一条　この法律は、公布の日から起算して三月を経過した日から施行する。〔以下略〕

○行政手続法施行令〔平成六・八・五　政令二六五〕

改正　平成九・三政八四、平成一一・六政二〇四、平成一二・三政一七一、七政三八四、一一政四七四、政四九二、平成一三・七政二三六、平成一四・一政四、平成一五・三政六四、政九三、七政三一九、一二政四八七、政四九三、政五二三、平成一六・一政一四、三政三二、政八三、五政一八一、一二政三八三、平成一八・二政一八、八政二八六、九政三一八、一〇政三三五、平成一九・七政二一〇、八政二五二、平成二〇・二政二八、三政一一六、九政二八三、平成二一・三政五二、一二政二九六、政三〇五、平成二二・三政四〇、政七〇、平成二三・五政一五一、八政二五七、平成二四・八政二一一、平成二六・三政七三、七政二四四、八政二七三、平成二七・九政三四〇、平成二八・一政二七、三政一四〇、政一四一、一一政三六一、一二政三七二、政三九九、平成二九・三政一二九、六政一七六、七政二〇三、平成三〇・五政一七五、九政二五三、平成三一・四政一五五、令和元・一二政二一一、令和二・三政一三八、七政二一九、令和三・八政二三五、九政二六八、令和四・一政二三、三政一七一、令和五・一二政三七九、令和六・一政二二、五政一八六

（申請に対する処分及び不利益処分に関する規定の適用が除外される法人）

第一条　行政手続法（以下「法」という。）第四条第二項第二号の政令で定める法人は、外国人技能実習機構、危険物保安技術協会、行政書士会、漁業共済組合連合会、金融経済教育推進機構、軽自動車検査協会、健康保険組合、健康保険組合連合会、原子力損害賠償・廃炉等支援機構、広域的運営推進機関、広域臨海環境整備センター、港務局、小型船舶検査機構、国民健康保険組合、国民健康保険団体連合会、国民年金基金、国民年金基金連合会、国家公務員共済組合、国家公務員共済組合連合会、市街地再開発組合、自動車安全運転センター、司法書士会、社会保険労務士会、住宅街区整備組合、商工会連合会、水害予防組合、水害予防組合連合、税理士会、石炭鉱業年金基金、全国健康保険協会、全国市町村職員共済組合連合会、全国社会保険労務士会連合会、脱炭素成長型経済構造移行推進機構、地方公務員共済組合、地方公務員共済組合連合会、地方公務員災害補償基金、地方住宅供給公社、地方道路公社、地方独立行政法人、中央職業能力開発協会、中央労働災害防止協会、中小企業団体中央会、土地開発公社、土地

改良区、土地改良区連合、土地家屋調査士会、土地区画整理組合、都道府県職業能力開発協会、日本行政書士会連合会、日本銀行、日本下水道事業団、日本公認会計士協会、日本司法書士会連合会、日本商工会議所、日本税理士会連合会、日本赤十字社、日本土地家屋調査士会連合会、日本弁理士会、日本水先人会連合会、農業共済組合、農業共済組合連合会、農水産業協同組合貯金保険機構、防災街区整備事業組合、水先人会、預金保険機構及び労働災害防止協会とする。

（不利益処分をしようとする場合の手続を要しない処分）

第二条　法第十三条第二項第五号の政令で定める処分は、次に掲げる処分とする。

一　法令の規定により行政庁が交付する書類であって交付を受けた者の資格又は地位を証明するもの（以下この号において「証明書類」という。）について、法令の規定に従い、既に交付した証明書類の記載事項の訂正（追加を含む。以下この号において同じ。）をするためにその提出を命ずる処分及び訂正に代えて新たな証明書類の交付をする場合に既に交付した証明書類の返納を命ずる処分

二　届出をする場合に提出することが義務付けられている書類について、法令の規定に従い、当該書類が法令に定められた要件に適合することとなるようにその訂正を命ずる処分

（職員以外に聴聞を主宰することができる者）

第三条　法第十九条第一項の政令で定める者は、次に掲げる者とする。

一　法令に基づき審議会その他の合議制の機関の答申を受けて行うこととされている処分に係る聴聞にあっては、当該合議制の機関の構成員

二　保健師助産師看護師法（昭和二十三年法律第二百三号）第十四条第二項の規定による処分に係る聴聞にあっては、准看護師試験委員

三　歯科衛生士法（昭和二十三年法律第二百四号）第八条第一項の規定による処分に係る聴聞にあっては、歯科衛生士の業務に関する学識経験を有する者

四　医療法（昭和二十三年法律第二百五号）第二十三条の二、第二十四条第一項、第二十四条の二、第二十八条又は第二十九条第一項若しくは第二項の規定による処分に係る聴聞にあっては、診療に関する学識経験を有する者

（意見公募手続を実施することを要しない命令等）

第四条　法第三十九条第四項第四号の政令で定める命令等は、次に掲げる命令等とする。

一　健康保険法（大正十一年法律第七十号）第七十条第一項（同法第八十五条第九項、第八十五条の二第五項、第八十六条第四項、第百十条第七項及び第百四十九条において準用する場合を含む。）及び第三項、第七十二条第一項（同法第八十五条第九項、第八十五条の二第五項、第八十六条第四項、第百十条第七項及び第百四十九条において準用する場合を含む。）並びに第九十二条第二項（指定訪問看護の取扱いに係る部分に限り、同法第百十一条第三項及び第百四十九条において準用する場合を含む。）の命令等

二　船員保険法（昭和十四年法律第七十三号）第五十四条第二項（同法第六十一条第七項、第六十二条第四項、第六十三条第四項及び第七十六条第六項において準用する場合を含む。）及び第六十五条第十項（同法第七十八条第三項において準用する場合を含む。）の命令等

三　労働基準法（昭和二十二年法律第四十九号）第三十二条の四第三項及び第三十八条の四第三項（同法第四十一条の二第三項において準用する場合を含む。）の命令等

四　労働者災害補償保険法（昭和二十二年法律第五十号）第七条第一項第二号、第二項第二号及び第三号並びに第三項、第八条第二項及び第三項、第八条の二第一項第二号（同号の厚生労働省令に係る部分に限る。）、第二項各号（同法第八条の三第二項において準用する場合を含む。）及び第三項（同法第八条の二第四項（同法第八条の三第二項において準用する場合を含む。）及び第八条の三第一項第二号（同号の厚生労働省令に係る部分に限り、同法第八条の四において準用する場合を含む。）、第十二条の二、第十二条の七、第十二条の八第三項第二号及び第四項、第十三条第三項（同法第二十条の三第二項及び第二十二条第二項において準用する場合を含む。）、第十四条第二項（同法第二十条の四第二項及び第二十二条の二第二項において準用する場合を含む。）、第十四条の二（同法第二十条の四第二項及び第二十二条の二第二項において準用する場合を含む。）、第十五条第一項、第十五条の二（同法第二十条の五第三項及び第二十二条の三第三項において準用する場合を含む。）、第十六条の二第一項第四号（同法第二十条の六第三項及び第二十二条の四第三項において準用する場合を含む。）、第十七条（同法第二十条の七第二項及び第二十二条の五第二項において準用する場合を含む。）、第十八条の二（同法第二十条の八第二項及び第二十三条第二項において準用する場合を含む。）、第十九条の二（同法第二十条の九第二項及び第二十四条第二項において準用する場合を含む。）、第二十条、第二十条の三第一項、第二十条の十、第二十二条第一項、第二十五条、第二十六条第一項及び第二項第一号、第二十七条、第二十八条、第二十九条第二項、第三十一条第一項から第三項まで、第三十三条第一号、第三号及び第五号から第七号まで、第三十四条第一項第三号（同法第三十六条第一項第二号において準用する場合を含む。）、第三十五条第一項、第三十七条、第四十六条、第四十七条、第四十九条第一項、第五十条、第五十八条第一項、第五十九条第二項及び第三項（同法第六十条の三第三項及び第六十二条第三項において準用する場合を含む。）、第六十条第二項、第三項（同法第六十条の四第四項及び第六十三条第三項において準用する場合を含む。）及び第四項（同法第六十三条第三項において準用する場合を含む。）並びに第六十条の二第一項、同法第六十条の四第三項において読み替えて適用する同法第二十条の六第三項の規定により読み替えられた同法第十六条の六第一項第二号並びに同法第六十一条第一項、第六十四条第二項及び別表第一各号（同法第二十条の五第三項、第二十二条の四第三項及び第二十三条第二項において準用する場合を含む。）の命令等

五　国民健康保険法（昭和三十三年法律第百九十二号）第四十条第二項（同法第五十二条第六項、第五十二条の二第三項、第五十三条第三項及び第五十四条の三第二項において準用する場合を含む。）及び第五十四条の二第十項（同法第五十四条の三第二項において準用する場合を含む。）の命令等

六　労働施策の総合的な推進並びに労働者の雇用の安定及び職業生活の充実等に関する法律（昭和四十一年法律第百三十二号）第三十条の二第三項の命令等

七　労働保険の保険料の徴収等に関する法律（昭和四十四年法律第八十四号）第二条第二項、第四条の二、第七条第三号及び第五号、第八条第一項、第九条、第十一条第三項、第十二条第二項、第三項及び第五項、第十二条の二、第十三条、第十四条第一項、第十四条の二第一項、第十五条第一項及び第二項、第十六条（同法附則第五条において準用する場合を含む。）、第十七条第二項（同法第二十条第四項及び第二十一条第三項において準用する場合を含む。）、第十八条、第十九条第一項、第二項、第五項及び第六項、第二十条第一項（同条第二項において準用する場合を含む。）及び第三項、第二十一条の二、第二十二条第五項（同項の第一級保険料日額、第二級保険料日額及び第三級保険料日額の変更に係る部分に限る。）、第三十三条第一項、第三十六条、第三十九条、第四十二条並びに第四十五条の二の命令等

八　高年齢者等の雇用の安定等に関する法律（昭和四十六年法律第六十八号）第二十二条第四号、第二十四条第一項第三号及び第二十五条第一項（同項の計画に係る部分に限る。）の命令等

九　雇用の分野における男女の均等な機会及び待遇の確保等に関する法律（昭和四十七年法律第百十三号）第十条第一項、第十一条第四項、第十一条の三第三項及び第十三条第二項の命令等

十　雇用保険法（昭和四十九年法律第百十六号）第十条の四第一項、第十三条第一項及び第三項、第十八条第三項、第二十条第一項（同項の厚生労働省令で定める理由に係る部分に限る。）及び第二項（同項の厚生労働省令で定める理由に係る部分に限る。）、第二十条の二（同条の厚生労働省令で定める事業及び厚生労働省令で定める者に係る部分に限る。）、第二十二条第二項、第二十四条の二第一項（同項第二号の厚生労働大臣が指定する地域に係る部分を除く。）、第二十五条第一項（同項の政令で定める基準に係る部分に限る。）及び第三項、第二十六条第二項、第二十七条第一項（同項の政令で定める基準に係る部分に限る。）及び第二項、第二十九条第二項、第三十二条第三項（同法第三十七条の四第六項及び第四十条第四項において準用する場合を含む。）、第三十三条第二項（同法第三十七条の四第六項及び第四十条第四項において準用する場合を含む。）、第三十七条の三第一項、第三十七条の五第一項第三号、第三十八

条第一項第二号、第三十九条第一項、第五十二条第二項（同法第五十五条第四項において準用する場合を含む。）、第五十六条の三第一項（同項の厚生労働省令で定める基準に係る部分及び同項第二号の就職が困難な者として厚生労働省令で定めるものに係る部分に限る。）、第六十一条の四第一項（同項の厚生労働省令で定める理由に係る部分に限る。）、第六十一条の七第一項（同項（同条第四項の規定により読み替えて適用する場合を含む。）の厚生労働省令で定める理由に係る部分及び同条第四項の規定により読み替えて適用する同条第一項の厚生労働省令で定める日に係る部分に限る。）及び第二項並びに第六十一条の八第一項（同項の厚生労働省令で定める理由に係る部分に限る。）の命令等並びに同法の施行に関する重要事項に係る命令等

十一　高齢者の医療の確保に関する法律（昭和五十七年法律第八十号）第七十一条第一項（同項の療養の給付の取扱い及び担当に関する基準に係る部分に限る。）、第七十四条第四項、第七十五条第四項、第七十六条第三項及び第七十九条第一項（指定訪問看護の取扱いに係る部分に限る。）の命令等

十二　労働者派遣事業の適正な運営の確保及び派遣労働者の保護等に関する法律（昭和六十年法律第八十八号）第四条第一項第三号、第三十五条の四第一項並びに第四十条の二第一項第二号、第四号及び第五号の命令等

十三　育児休業、介護休業等育児又は家族介護を行う労働者の福祉に関する法律（平成三年法律第七十六号）第二条第一号及び第三号から第五号まで、第五条第二項、第三項及び第四項第二号、第六条第一項第二号（同法第九条の三第二項、第十二条第二項、第十六条の三第二項及び第十六条の六第二項において準用する場合を含む。）及び第三項、第七条第二項及び第三項（同法第九条の四及び第十三条において準用する場合を含む。）、第八条第三項及び第四項（同法第九条の四及び第十四条第三項において準用する場合を含む。）、第九条第二項第一号、第九条の三第三項及び第四項第一号、第九条の五第二項、第四項、第五項及び第六項第一号、第十条、第十二条第三項、第十五条第三項第一号、第十六条の二第一項及び第二項、第十六条の五第一項及び第二項、第十六条の八第一項第二号（同法第十六条の九第一項において準用する場合を含む。）、第三項（同法第十六条の九第一項において準用する場合を含む。）及び第四項第一号（同法第十六条の九第一項において準用する場合を含む。）、第十七条第一項第二号（同法第十八条第一項において準用する場合を含む。）、第三項（同法第十八条第一項において準用する場合を含む。）及び第四項第一号（同法第十八条第一項において準用する場合を含む。）、第十九条第一項第二号（同法第二十条第一項において準用する場合を含む。）及び第三号（同法第二十条第一項において準用する場合を含む。）、第三項（同法第二十条第一項において準用する場合を含む。）並びに第四項第一号（同法第二十条第一項において準用する場合を含む。）、第二十一条第一項、第二十二条第一項第三号、第二十二条の二、第二十三条第一項から第三項まで、第二十五条第一項並びに第二十八条の命令等並びに同法の施行に関する重要事項に係る命令等

十四　短時間労働者及び有期雇用労働者の雇用管理の改善等に関する法律（平成五年法律第七十六号）第十五条第一項の命令等

2　法第三十九条第四項第八号の政令で定める軽微な変更は、次に掲げるものとする。

一　他の法令の制定又は改廃に伴い当然必要とされる規定の整理

二　前号に掲げるもののほか、用語の整理、条、項又は号の繰上げ又は繰下げその他の形式的な変更

附　則

（施行期日）

第一条　この政令は、法の施行の日（平成六・一〇・一）から施行する。

（雇用保険法に係る意見公募手続を実施することを要しない命令等に関する特例）

第二条　雇用保険法附則第四条第二項の規定の適用がある場合における第四条第一項第十号の規定の適用については、同号中「の命令等」とあるのは、「並びに附則第四条第一項の命令等」とする。

2　雇用保険法附則第五条第四項の規定の適用がある場合における第四条第一項第十号の規定の適用については、同号中「の命令等」とあるのは、「並びに附則第五条第一項（同項の厚生労働大臣が指定する地域に係る部分を除く。）の命令等」とする。

3　雇用保険法附則第十条第二項の規定の適用がある場合における第四条第一項第十号の規定の適用については、同号中「の命令等」とあるのは、「並びに附則第十条第一項の規定により読み替えて適用する同法第五十七条第二項（同項の厚生労働省令で定める者に係る部分に限る。）の命令等」とする。

4　雇用保険法附則第十一条の二第一項の規定の適用がある場合における第四条第一項第十号の規定の適用については、同号中「の命令等」とあるのは、「並びに附則第十一条の二第一項（同項の厚生労働省令で定める者に係る部分に限る。）の命令等」とする。

附　則〔抄〕〔平成九・三・二八政令八四〕

（施行期日）

第一条　この政令は、平成九年四月一日から施行する。

（行政手続法施行令の一部改正に伴う経過措置）

第四条　平成八年改正法附則第三十二条第二項に規定する存続組合に対する第十一条の規定による改正後の行政手続法施行令第一条第三号の規定の適用については、同号中「国家公務員共済組合、国家公務員共済組合連合会」とあるのは、「国家公務員共済組合、厚生年金保険法等の一部を改正する法律（平成八年法律第八十二号）附則第三十二条第二項に規定する存続組合、国家公務員共済組合連合会」とする。

附　則〔略〕〔平成一一・六・二三政令二〇四〕

附　則〔略〕〔平成一二・三・三一政令一七一〕

附　則〔略〕〔平成一二・七・一四政令三八四〕

附　則〔略〕〔平成一二・一一・一五政令四七四〕

附　則〔略〕〔平成一二・一一・二七政令四九二〕

附　則〔略〕〔平成一三・七・四政令二三六〕

附　則〔略〕〔平成一四・一・一七政令四〕

附　則〔略〕〔平成一五・三・二四政令六四〕

附　則〔略〕〔平成一五・三・六政令九三〕

附　則〔略〕〔平成一五・七・二四政令三一九〕

附　則〔略〕〔平成一五・一二・三政令四八七〕

附　則〔略〕〔平成一五・一二・一〇政令四九三〕

附　則〔平成一五・一二・一七政令五二三〕

（施行期日）

第一条　この政令は、密集市街地における防災街区の整備の促進に関する法律等の一部を改正する法律の施行の日（平成十五年十二月十九日）から施行する。

（罰則に関する経過措置）

第二条　この政令の施行前にした行為に対する罰則の適用については、なお従前の例による。

附　則〔略〕〔平成一六・一・三〇政令一四〕

附　則〔略〕〔平成一六・三・五政令三二〕

附　則〔略〕〔平成一六・三・二六政令八三〕

附　則〔略〕〔平成一六・五・二六政令一八一〕

附　則〔略〕〔平成一六・一二・三政令三八三〕

附　則〔略〕〔平成一八・二・三政令一八〕

附　則〔略〕〔平成一八・八・三〇政令二八六〕

附　則〔抄〕〔平成一八・九・二六政令三一八〕

（施行期日）

第一条　この政令は、平成十九年四月一日から施行する。

（罰則に関する経過措置）

第三条　この政令の施行前にした行為に対する罰則の適用については、なお従前の例による。

附　則〔略〕〔平成一八・一〇・一二政令三三五〕

附　則〔略〕〔平成一九・七・一三政令二一〇〕

附　則〔略〕〔平成一九・八・八政令二五二〕

附　則〔略〕〔平成二〇・二・二〇政令二八〕

附　則〔略〕〔平成二〇・三・三一政令一一六〕

附　則〔略〕〔平成二〇・九・一二政令二八三〕

附　則〔略〕〔平成二一・三・二三政令五二〕

附　則〔略〕〔平成二一・一二・二四政令二九六〕

附　則〔略〕〔平成二一・一二・二八政令三〇五〕

附　則〔略〕〔平成二二・三・二五政令四〇〕

附　則〔略〕〔平成二二・三・三一政令七〇〕

附　則〔抄〕〔平成二三・五・二七政令一五一〕

改正　平成二八・二政二七

（施行期日）

第一条　この政令は、平成二十三年六月一日から施行する。〔以下略〕

（行政手続法施行令の一部改正に伴う経過措置）

第七条　存続共済会に対する行政手続法施行令第一条の規定の適用については、同条中「全国社会保険労務士会連合会」とあるのは、「全国社会保険労務士会連合会、地方公務員等共済組合法の一部を改正する法律（平成二十三年法律第五十六号）附則第二十三条第一項第三号に規定する存続共済会」とする。

附　則〔略〕〔平成二三・八・一〇政令二五七施行〕

附　則〔略〕〔平成二四・八・一〇政令二一一〕

附　則〔抄〕〔平成二六・三・二四政令七三〕

（施行期日）

第一条　この政令は、公的年金制度の健全性及び信頼性の確保のための厚生年金保険法等の一部を改正する法律（以下「平成二十五年改正法」という。）の施行の日（平成二十六年四月一日）から施行する。

（行政手続法施行令の一部改正に伴う経過措置）

第七条　存続厚生年金基金に対する第二十六条の規定による改正後の行政手続法施行令第一条の規定の適用については、同条中「広域臨海環境整備センター」とあるのは、「広域臨海環境整備センター、公的年金制度の健全性及び信頼性の確保のための厚生年金保険法等の一部を改正する法律（平成二十五年法律第六十三号）附則第三条第十一号に規定する存続厚生年金基金」とする。

2　存続連合会に対する第二十六条の規定による改正後の行政手続法施行令第一条の規定の適用については、同条中「危険物保安技術協会」とあるのは、「公的年金制度の健全性及び信頼性の確保のための厚生年金保険法等の一部を改正する法律（平成二十五年法律第六十三号）附則第三条第十三号に規定する存続連合会、危険物保安技術協会」とする。

附　則〔略〕〔平成二六・七・二政令二四四〕

附　則〔略〕〔平成二六・八・六政令二七三〕

附　則〔略〕〔平成二七・九・二九政令三四〇〕

附　則〔抄〕〔平成二八・一・二九政令二七〕

（施行期日）

第一条　この政令は、平成二十八年四月一日から施行する。

（行政手続法施行令の一部改正に伴う経過措置）

第八条　存続中央会に対する第二十二条の規定による改正後の行政手続法施行令第一条の規定の適用については、同条中「農業共済組合連合会」とあるのは、「農業共済組合連合会、農業協同組合法等の一部を改正する等の法律（平成二十七年法律第六十三号）附則第十条に規定する存続中央会」とする。

附　則〔略〕〔平成二八・三・三一政令一四〇〕

附　則〔略〕〔平成二八・三・三一政令一四一〕

附　則〔略〕〔平成二八・一一・二八政令三六一施行〕

附　則〔略〕〔平成二八・一二・七政令三七二〕

附　則〔略〕〔平成二八・一二・二六政令三九九〕

附　則〔略〕〔平成二九・三・三一政令一二九〕

附　則〔略〕〔平成二九・六・三〇政令一七六〕

附　則〔略〕〔平成二九・七・二六政令二〇三〕

附　則〔略〕〔平成三〇・五・三〇政令一七五〕

附　則〔略〕〔平成三〇・九・七政令二五三〕

附　則〔略〕〔平成三一・四・一七政令一五五〕

附　則〔略〕〔令和元・六・一四政令二七施行〕

附　則〔略〕〔令和元・一二・二六政令二一一〕

附　則〔略〕〔令和二・三・三一政令一三八〕

附　則〔略〕〔令和二・七・八政令二一九〕

附　則〔略〕〔令和三・八・二五政令二三五〕

附　則〔略〕〔令和三・九・二七政令二六八〕

附　則〔略〕〔令和四・一・一九政令二三〕

附　則〔略〕〔令和四・三・三一政令一七一〕

附　則〔略〕〔令和五・一二・二七政令三七九〕

附　則〔略〕〔令和六・一・三一政令二二〕

附　則〔抄〕〔令和六・五・一七政令一八六〕

（施行期日）

1　この政令は、公布の日から施行する。

○国土交通省聴聞手続規則

〔平成一二・一二・一四
総理府・運輸・建設省令一〕

改正　平成二〇・九国交令七七、令和三・三国交令一一

（趣旨）

第一条　この省令は、国土交通大臣、国土交通省の本省に置かれる特別の機関若しくは地方支分部局の長、観光庁長官、気象庁長官、海上保安庁長官、気象庁若しくは海上保安庁に置かれる地方支分部局の長又は海上保安官（以下「行政庁」という。）が行政手続法（以下「法」という。）第三章第二節の定めるところにより行う聴聞の手続に関し必要な事項を定めるものとする。

2　この省令に規定する事項について、他の法律又はこれに基づく命令（告示を含む。）に特別の定めがある場合は、その定めるところによる。

（用語）

第二条　この省令において使用する用語は、法において使用する用語の例による。

（聴聞の期日又は場所の変更）

第三条　行政庁が法第十五条第一項の通知をした場合（同条第三項の規定により通知をした場合を含む。）において、当事者は、やむを得ない理由があるときには、行政庁に対し、聴聞の期日又は場所の変更を申し出ることができる。

2　行政庁は、前項の申出により、又は職権により、聴聞の期日又は場所を変更することができる。

3　行政庁は、前項の規定により聴聞の期日又は場所を変更したときは、速やかに、当該変更後の聴聞の期日又は場所を当事者及び参加人（その時までに法第十七条第一項の求めを受諾し、又は同項の許可を受けている者に限る。）に通知しなければならない。

（関係人の参加の許可）

第四条　法第十七条第一項の規定による許可の申請については、関係人は、聴聞の期日の五日前までに、聴聞の件名並びに当該関係人の氏名、住所及び当該聴聞に係る不利益処分につき利害関係を有することの疎明を記載した書面を主宰者に提出してこれを行うものとする。

2　主宰者は、前項の申請をした者の参加を許可したときは、速やかに、その旨を当該申請者に通知しなければならない。

（文書等の閲覧）

第五条　法第十八条第一項の規定による閲覧の求めについては、当事者又は当該不利益処分がされた場合に自己の利益を害されることとなる参加人

（以下この条及び第十二条第三項において「当事者等」という。）は、聴聞の件名、当該当事者等の氏名及び住所並びに閲覧をしようとする資料の標目を記載した書面を行政庁に提出してこれを行うものとする。ただし、聴聞の期日における審理の進行に応じて必要となった場合の閲覧については、口頭で求めれば足りる。

2　行政庁は、当事者等から前項の求めがあった場合において、法第十八条第三項の規定により閲覧について日時及び場所を指定したときは、速やかに、当該日時及び場所を当該当事者等に通知しなければならない。この場合において、指定する日時及び場所は、聴聞の期日における審理のための当該当事者等の準備を妨げることがないよう配慮したものでなければならない。

3　行政庁は、当事者等から法第十八条第二項の閲覧の求めがあった場合において、同条第三項の規定により閲覧について日時及び場所を指定するときは、法第二十二条第一項の規定により、当該指定する日以降の日を新たな聴聞の期日として定めるものとする。

（主宰者の指名）

第六条　法第十九条第一項の規定による主宰者の指名は、法第十五条第一項の通知の時までに行わなければならない。

2　主宰者が法第十九条第二項各号（第四号を除く。）のいずれかに該当するに至ったときは、行政庁は、速やかに、主宰者を変更しなければならない。

3　行政庁は、職権により、主宰者を変更することができる。

4　行政庁は、前二項の規定により主宰者を変更したときは、速やかに、その旨を当事者及び参加人（その時までに法第十七条第一項の求めを受諾し、又は同項の許可を受けている者に限る。）に通知しなければならない。

（補佐人の出頭の許可）

第七条　法第二十条第三項の規定による許可の申請については、当事者又は参加人は、聴聞の期日の四日前までに、聴聞の件名並びに補佐人の氏名、住所、当事者又は参加人との関係及び補佐する事項を記載した書面を主宰者に提出してこれを行うものとする。ただし、同項の許可を受けた当事者又は参加人が、当該許可に係る補佐人及びその補佐する事項について、法第二十二条第二項本文（法第二十五条後段において準用する場合を含む。）の規定により通知された聴聞の期日における補佐人の出頭の許可を受けようとするときは、当該聴聞の期日までに口頭で求めれば足りる。

2　主宰者は、補佐人の出頭を許可したときは、速やかに、その旨を当該当事者又は参加人に通知しなければならない。

3　補佐人が行った意見の陳述は、当事者又は参加人が直ちに取り消さない限り、当該当事者又は参加人が自ら行ったものとみなす。

（参考人）

第八条　主宰者は、必要があると認めるときは、聴聞への参考人（聴聞に係る事案に関する専門的事項、当該事案の事実関係等について証言する者をいう。以下同じ。）の出席を求め、その意見を聴くことができる。

（聴聞の期日における意見の陳述の制限及び秩序の維持）

第九条　主宰者は、聴聞の期日に出頭した者が当該聴聞に係る事案の範囲を超えて意見の陳述を行うときその他聴聞の期日における審理の適正な進行を図るためやむを得ないと認めるときは、その者が行う意見の陳述を制限することができる。

2　主催者は、前項に規定する場合のほか、聴聞の審理の秩序を維持するため、聴聞の審理を妨害し、又はその秩序を乱す者に対し退場を命ずる等適当な措置をとることができる。

（聴聞の期日における審理の公開）

第一〇条　行政庁は、法第二十条第六項の規定により聴聞の期日における審理を公開することが相当と認めたときは、当該聴聞の期日、場所及び事案の内容を公示するとともに、速やかに、その旨を当事者及び参加人（その時までに法第十七条第一項の求めを受諾し、又は同項の許可を受けている者に限る。）に通知しなければならない。

2　行政庁は、前項の規定による公示後において、第三条第二項の規定により聴聞の期日又は場所を変更したときは、速やかに、当該変更後の聴聞の期日又は場所を公示しなければならない。

（陳述書の記載事項）

第一一条　法第二十一条第一項の陳述書には、聴聞の件名並びに提出する者の氏名、住所及び当該聴聞に係る不利益処分の原因となる事実その他当該聴聞に係る事案に対する意見を記載するものとする。

（聴聞調書及び報告書の記載事項等）

第一二条　法第二十四条第一項の調書（以下「聴聞調書」という。）には、次に掲げる事項（聴聞の期日における審理が行われなかった場合にあっては、第四号、第五号及び第八号に掲げる事項を除く。）を記載し、主宰者がこれに記名しなければならない。

一　聴聞の件名
二　聴聞の期日及び場所
三　主宰者の氏名及び職名
四　聴聞の期日に出頭した当事者及び参加人又はこれらの者の代理人並びに補佐人及び参考人（以下この項において「聴聞参加者」という。）の氏名及び住所
五　当該聴聞の期日における審理で説明を行った行政庁の職員の氏名及び職名
六　聴聞の期日に出頭しなかった聴聞参加者の氏名及び住所並びに当事者及びその代理人が聴聞の期日に出頭しなかった場合にあっては出頭しなかったことについての正当な理由の有無
七　聴聞参加者の陳述した意見（法第二十一条第一項の陳述書に記載された意見を含む。）の要旨
八　行政庁の職員が行った説明の要旨
九　証拠書類等が提出された場合にあっては、その標目
十　その他参考となるべき事項

2　聴聞調書には、書面、図面、写真その他主宰者が適当と認めるものを添付して聴聞調書の一部とすることができる。

3　法第二十四条第三項の報告書（次条において「報告書」という。）には、次に掲げる事項を記載し、主宰者がこれに記名しなければならない。

一　不利益処分の原因となる事実に対する当事者等の主張
二　不利益処分の原因となる事実に対する当事者等の主張に理由があるかどうかについての意見
三　前号の意見の理由

（聴聞調書及び報告書の閲覧）

第一三条　法第二十四条第四項の規定による閲覧の求めについては、当事者又は参加人は、聴聞の件名、当該当事者又は参加人の氏名及び住所並びに閲覧をしようとする聴聞調書又は報告書の件名を記載した書面を、聴聞の終結前にあっては主宰者に、聴聞の終結後にあっては行政庁に提出してこれを行うものとする。

2　主宰者又は行政庁は、当事者又は参加人から前項の求めがあった場合において、閲覧について日時及び場所を指定するときは、速やかに、当該日時及び場所を当該当事者又は参加人に通知しなければならない。

附　則〔抄〕

（施行期日）

1　この命令は、内閣法の一部を改正する法律（平成十一年法律第八十八号）の施行の日（平成十三年一月六日）から施行する。

（運輸省聴聞手続規則及び建設省聴聞手続規則の廃止）

2　運輸省聴聞手続規則（平成六年運輸省令第四十一号）及び建設省聴聞手続規則（平成六年建設省令第二十四号）は、廃止する。

附　則〔略〕〔平成二〇・九・一国土交通省令七七〕

附　則〔略〕〔令和三・三・二六国土交通省令一一施行〕

○行政機関の保有する情報の公開に関する法律

（平成一一・五・一四 法律四二）

改正 平成一一・七法一〇二、一二法一六〇、平成一三・一二法一四〇、平成一四・七法九八、平成一五・五法六一、七法一一九、平成一六・六法八四、平成一七・一〇法一〇二、平成二一・七法六六、平成二四・六法四二、平成二六・六法六七、法六九、平成二八・五法五一、令和三・五法三七

目次

第一章 総則（第一条・第二条）
第二章 行政文書の開示（第三条―第十七条）
第三章 審査請求等（第十八条―第二十一条）
第四章 補則（第二十二条―第二十六条）
附則

第一章 総則

（目的）

第一条 この法律は、国民主権の理念にのっとり、行政文書の開示を請求する権利につき定めること等により、行政機関の保有する情報の一層の公開を図り、もって政府の有するその諸活動を国民に説明する責務が全うされるようにするとともに、国民の的確な理解と批判の下にある公正で民主的な行政の推進に資することを目的とする。

（定義）

第二条 この法律において「行政機関」とは、次に掲げる機関をいう。

一 法律の規定に基づき内閣に置かれる機関（内閣府を除く。）及び内閣の所轄の下に置かれる機関

二 内閣府、宮内庁並びに内閣府設置法（平成十一年法律第八十九号）第四十九条第一項及び第二項に規定する機関（これらの機関のうち第四号の政令で定める機関が置かれる機関にあっては、当該政令で定める機関を除く。）

三 国家行政組織法（昭和二十三年法律第百二十号）第三条第二項に規定する機関（第五号の政令で定める機関が置かれる機関にあっては、当該政令で定める機関を除く。）

四 内閣府設置法第三十九条及び第五十五条並びに宮内庁法（昭和二十二年法律第七十号）第十六条第二項の機関並びに内閣府設置法第四十条及び第五十六条（宮内庁法第十八条第一項において準用する場合を含む。）の特別の機関で、政令で定めるもの

五 国家行政組織法第八条の二の施設等機関及び同法第八条の三の特別の機関で、政令で定めるもの

六 会計検査院

2 この法律において「行政文書」とは、行政機関の職員が職務上作成し、又は取得した文書、図画及び電磁的記録（電子的方式、磁気的方式その他人の知覚によっては認識することができない方式で作られた記録をいう。以下同じ。）であって、当該行政機関の職員が組織的に用いるものとして、当該行政機関が保有しているものをいう。ただし、次に掲げるものを除く。

一 官報、白書、新聞、雑誌、書籍その他不特定多数の者に販売することを目的として発行されるもの

二 公文書等の管理に関する法律（平成二十一年法律第六十六号）第二条第七項に規定する特定歴史公文書等

三 政令で定める研究所その他の施設において、政令で定めるところにより、歴史的若しくは文化的な資料又は学術研究用の資料として特別の管理がされているもの（前号に掲げるものを除く。）

第二章 行政文書の開示

（開示請求権）

第三条 何人も、この法律の定めるところにより、行政機関の長（前条第一項第四号及び第五号の政令で定める機関にあっては、その機関ごとに政令で定める者をいう。以下同じ。）に対し、当該行政機関の保有する行政文書の開示を請求することができる。

（開示請求の手続）

第四条 前条の規定による開示の請求（以下「開示請求」という。）は、次に掲げる事項を記載した書面（以下「開示請求書」という。）を行政機関の長に提出してしなければならない。

一 開示請求をする者の氏名又は名称及び住所又は居所並びに法人その他の団体にあっては代表者の氏名

二 行政文書の名称その他の開示請求に係る行政文書を特定するに足りる事項

2 行政機関の長は、開示請求書に形式上の不備があると認めるときは、開示請求をした者（以下「開示請求者」という。）に対し、相当の期間を定めて、その補正を求めることができる。この場合において、行政機関の長は、開示請求者に対し、補正の参考となる情報を提供するよう努めなければならない。

（行政文書の開示義務）

第五条 行政機関の長は、開示請求があったときは、開示請求に係る行政文書に次の各号に掲げる情報（以下「不開示情報」という。）のいずれかが記録されている場合を除き、開示請求者に対し、当該行政文書を開示しなければならない。

一 個人に関する情報（事業を営む個人の当該事業に関する情報を除く。）であって、当該情報に含まれる氏名、生年月日その他の記述等（文書、図画若しくは電磁的記録に記載され、若しくは記録され、又は音声、動作その他の方法を用いて表された一切の事項をいう。次条第二項において同じ。）により特定の個人を識別することができるもの（他の情報と照合することにより、特定の個人を識別することができることとなるものを含む。）又は特定の個人を識別することはできないが、公にすることにより、なお個人の権利利益を害するおそれがあるもの。ただし、次に掲げる情報を除く。

イ 法令の規定により又は慣行として公にされ、又は公にすることが予定されている情報

ロ 人の生命、健康、生活又は財産を保護するため、公にすることが必要であると認められる情報

ハ 当該個人が公務員等（国家公務員法（昭和二十二年法律第百二十号）第二条第一項に規定する国家公務員（独立行政法人通則法（平成十一年法律第百三号）第二条第四項に規定する行政執行法人の役員及び職員を除く。）、独立行政法人等（独立行政法人等の保有する情報の公開に関する法律（平成十三年法律第百四十号。以下「独立行政法人等情報公開法」という。）第二条第一項に規定する独立行政法人等をいう。以下同じ。）の役員及び職員、地方公務員法（昭和二十五年法律第二百六十一号）第二条に規定する地方公務員並びに地方独立行政法人（地方独立行政法人法（平成十五年法律第百十八号）第二条第一項に規定する地方独立行政法人をいう。以下同じ。）の役員及び職員をいう。）である場合において、当該情報がその職務の遂行に係る情報であるときは、当該情報のうち、当該公務員等の職及び当該職務遂行の内容に係る部分

一の二 個人情報の保護に関する法律（平成十五年法律第五十七号）第六十条第三項に規定する行政機関等匿名加工情報（同条第四項に規定する行政機関等匿名加工情報ファイルを構成するものに限る。以下この号において「行政機関等匿名加工情報」という。）又は行政機関等匿名加工情報の作成に用いた同条第一項に規定する保有個人情報から削除した同法第二条第一項第一号に規定する記述等若しくは同条第二項に規定する個人識別符号

二 法人その他の団体（国、独立行政法人等、地方公共団体及び地方独立行政法人を除く。以下「法人等」という。）に関する情報又は事業を営む個人の当該事業に関する情報であって、次に掲げるもの。ただし、人の生命、健康、生活又は財産を保護するため、公にすることが必要であると認められる情報を除く。

イ 公にすることにより、当該法人等又は当該個人の権利、競争上の地位その他正当な利益を害するおそれがあるもの

ロ 行政機関の要請を受けて、公にしないとの条件で任意に提供された

ものであって、法人等又は個人における通例として公にしないこととされているものその他の当該条件を付することが当該情報の性質、当時の状況等に照らして合理的であると認められるもの

三　公にすることにより、国の安全が害されるおそれ、他国若しくは国際機関との信頼関係が損なわれるおそれ又は他国若しくは国際機関との交渉上不利益を被るおそれがあると行政機関の長が認めることにつき相当の理由がある情報

四　公にすることにより、犯罪の予防、鎮圧又は捜査、公訴の維持、刑の執行その他の公共の安全と秩序の維持に支障を及ぼすおそれがあると行政機関の長が認めることにつき相当の理由がある情報

五　国の機関、独立行政法人等、地方公共団体及び地方独立行政法人の内部又は相互間における審議、検討又は協議に関する情報であって、公にすることにより、率直な意見の交換若しくは意思決定の中立性が不当に損なわれるおそれ、不当に国民の間に混乱を生じさせるおそれ又は特定の者に不当に利益を与え若しくは不利益を及ぼすおそれがあるもの

六　国の機関、独立行政法人等、地方公共団体又は地方独立行政法人が行う事務又は事業に関する情報であって、公にすることにより、次に掲げるおそれその他当該事務又は事業の性質上、当該事務又は事業の適正な遂行に支障を及ぼすおそれがあるもの

イ　監査、検査、取締り、試験又は租税の賦課若しくは徴収に係る事務に関し、正確な事実の把握を困難にするおそれ又は違法若しくは不当な行為を容易にし、若しくはその発見を困難にするおそれ

ロ　契約、交渉又は争訟に係る事務に関し、国、独立行政法人等、地方公共団体又は地方独立行政法人の財産上の利益又は当事者としての地位を不当に害するおそれ

ハ　調査研究に係る事務に関し、その公正かつ能率的な遂行を不当に阻害するおそれ

ニ　人事管理に係る事務に関し、公正かつ円滑な人事の確保に支障を及ぼすおそれ

ホ　独立行政法人等、地方公共団体が経営する企業又は地方独立行政法人に係る事業に関し、その企業経営上の正当な利益を害するおそれ

（部分開示）

第六条　行政機関の長は、開示請求に係る行政文書の一部に不開示情報が記録されている場合において、不開示情報が記録されている部分を容易に区分して除くことができるときは、開示請求者に対し、当該部分を除いた部分につき開示しなければならない。ただし、当該部分を除いた部分に有意の情報が記録されていないと認められるときは、この限りでない。

2　開示請求に係る行政文書に前条第一号の情報（特定の個人を識別することができるものに限る。）が記録されている場合において、当該情報のうち、氏名、生年月日その他の特定の個人を識別することができることとなる記述等の部分を除くことにより、公にしても、個人の権利利益が害されるおそれがないと認められるときは、当該部分を除いた部分は、同号の情報に含まれないものとみなして、前項の規定を適用する。

（公益上の理由による裁量的開示）

第七条　行政機関の長は、開示請求に係る行政文書に不開示情報（第五条第一号の二に掲げる情報を除く。）が記録されている場合であっても、公益上特に必要があると認めるときは、開示請求者に対し、当該行政文書を開示することができる。

（行政文書の存否に関する情報）

第八条　開示請求に対し、当該開示請求に係る行政文書が存在しているか否かを答えるだけで、不開示情報を開示することとなるときは、行政機関の長は、当該行政文書の存否を明らかにしないで、当該開示請求を拒否することができる。

（開示請求に対する措置）

第九条　行政機関の長は、開示請求に係る行政文書の全部又は一部を開示するときは、その旨の決定をし、開示請求者に対し、その旨及び開示の実施に関し政令で定める事項を書面により通知しなければならない。

2　行政機関の長は、開示請求に係る行政文書の全部を開示しないとき（前条の規定により開示請求を拒否するとき及び開示請求に係る行政文書を保有していないときを含む。）は、開示をしない旨の決定をし、開示請求者に対し、その旨を書面により通知しなければならない。

（開示決定等の期限）

第一〇条　前条各項の決定（以下「開示決定等」という。）は、開示請求があった日から三十日以内にしなければならない。ただし、第四条第二項の規定により補正を求めた場合にあっては、当該補正に要した日数は、当該期間に算入しない。

2　前項の規定にかかわらず、行政機関の長は、事務処理上の困難その他正当な理由があるときは、同項に規定する期間を三十日以内に限り延長することができる。この場合において、行政機関の長は、開示請求者に対し、遅滞なく、延長後の期間及び延長の理由を書面により通知しなければならない。

（開示決定等の期限の特例）

第一一条　開示請求に係る行政文書が著しく大量であるため、開示請求があった日から六十日以内にそのすべてについて開示決定等をすることにより事務の遂行に著しい支障が生ずるおそれがある場合には、前条の規定にかかわらず、行政機関の長は、開示請求に係る行政文書のうちの相当の部分につき当該期間内に開示決定等をし、残りの行政文書については相当の期間内に開示決定等をすれば足りる。この場合において、行政機関の長は、同条第一項に規定する期間内に、開示請求者に対し、次に掲げる事項を書面により通知しなければならない。

一　本条を適用する旨及びその理由

二　残りの行政文書について開示決定等をする期限

（事案の移送）

第一二条　行政機関の長は、開示請求に係る行政文書が他の行政機関により作成されたものであるときその他他の行政機関の長において開示決定等をすることにつき正当な理由があるときは、当該他の行政機関の長と協議の上、当該他の行政機関の長に対し、事案を移送することができる。この場合においては、移送をした行政機関の長は、開示請求者に対し、事案を移送した旨を書面により通知しなければならない。

2　前項の規定により事案が移送されたときは、移送を受けた行政機関の長において、当該開示請求についての開示決定等をしなければならない。この場合において、移送をした行政機関の長が移送前にした行為は、移送を受けた行政機関の長がしたものとみなす。

3　前項の場合において、移送を受けた行政機関の長が第九条第一項の決定（以下「開示決定」という。）をしたときは、当該行政機関の長は、開示の実施をしなければならない。この場合において、移送をした行政機関の長は、当該開示の実施に必要な協力をしなければならない。

（独立行政法人等への事案の移送）

第一二条の二　行政機関の長は、開示請求に係る行政文書が独立行政法人等により作成されたものであるときその他独立行政法人等において独立行政法人等情報公開法第十条第一項に規定する開示決定等をすることにつき正当な理由があるときは、当該独立行政法人等と協議の上、当該独立行政法人等に対し、事案を移送することができる。この場合においては、移送をした行政機関の長は、開示請求者に対し、事案を移送した旨を書面により通知しなければならない。

2　前項の規定により事案が移送されたときは、当該事案については、行政文書を移送を受けた独立行政法人等が保有する独立行政法人等情報公開法第二条第二項に規定する法人文書と、開示請求を移送を受けた独立行政法人等に対する独立行政法人等情報公開法第四条第一項に規定する開示請求とみなして、独立行政法人等情報公開法の規定を適用する。この場合において、独立行政法人等情報公開法第十条第一項中「第四条第二項」とあるのは「行政機関の保有する情報の公開に関する法律（平成十一年法律第四十二号）第四条第二項」と、独立行政法人等情報公開法第十七条第一項中「開示請求をする者又は法人文書」とあるのは「法人文書」と、「により、それぞれ」とあるのは「により」と、「開示請求に係る手数料又は開示」とあるのは「開示」とする。

3　第一項の規定により事案が移送された場合において、移送を受けた独立行政法人等が開示の実施をするときは、移送をした行政機関の長は、当該開示の実施に必要な協力をしなければならない。

（第三者に対する意見書提出の機会の付与等）

第一三条　開示請求に係る行政文書に国、独立行政法人等、地方公共団体、地方独立行政法人及び開示請求者以外の者（以下この条、第十九条第二項及び第二十条第一項において「第三者」という。）に関する情報が記録されているときは、行政機関の長は、開示決定等をするに当たって、当該情報に係る第三者に対し、開示請求に係る行政文書の表示その他政令で定める事項を通知して、意見書を提出する機会を与えることができる。

2　行政機関の長は、次の各号のいずれかに該当するときは、開示決定に先立ち、当該第三者に対し、開示請求に係る行政文書の表示その他政令で定める事項を書面により通知して、意見書を提出する機会を与えなければならない。ただし、当該第三者の所在が判明しない場合は、この限りでない。

一　第三者に関する情報が記録されている行政文書を開示しようとする場合であって、当該情報が第五条第一号ロ又は同条第二号ただし書に規定する情報に該当すると認められるとき。

二　第三者に関する情報が記録されている行政文書を第七条の規定により開示しようとするとき。

3　行政機関の長は、前二項の規定により意見書の提出の機会を与えられた第三者が当該行政文書の開示に反対の意思を表示した意見書を提出した場合において、開示決定をするときは、開示決定の日と開示を実施する日との間に少なくとも二週間を置かなければならない。この場合において、行政機関の長は、開示決定後直ちに、当該意見書（第十九条において「反対意見書」という。）を提出した第三者に対し、開示決定をした旨及びその理由並びに開示を実施する日を書面により通知しなければならない。

（開示の実施）

第一四条　行政文書の開示は、文書又は図画については閲覧又は写しの交付により、電磁的記録についてはその種別、情報化の進展状況等を勘案して政令で定める方法により行う。ただし、閲覧の方法による行政文書の開示にあっては、行政機関の長は、当該行政文書の保存に支障を生ずるおそれがあると認めるときその他正当な理由があるときは、その写しにより、これを行うことができる。

2　開示決定に基づき行政文書の開示を受ける者は、政令で定めるところにより、当該開示決定をした行政機関の長に対し、その求める開示の実施の方法その他の政令で定める事項を申し出なければならない。

3　前項の規定による申出は、第九条第一項に規定する通知があった日から三十日以内にしなければならない。ただし、当該期間内に当該申出をすることができないことにつき正当な理由があるときは、この限りでない。

4　開示決定に基づき行政文書の開示を受けた者は、最初に開示を受けた日から三十日以内に限り、行政機関の長に対し、更に開示を受ける旨を申し出ることができる。この場合においては、前項ただし書の規定を準用する。

（他の法令による開示の実施との調整）

第一五条　行政機関の長は、他の法令の規定により、何人にも開示請求に係る行政文書が前条第一項本文に規定する方法と同一の方法で開示することとされている場合（開示の期間が定められている場合にあっては、当該期間内に限る。）には、同項本文の規定にかかわらず、当該行政文書については、当該同一の方法による開示を行わない。ただし、当該他の法令の規定に一定の場合には開示をしない旨の定めがあるときは、この限りでない。

2　他の法令の規定に定める開示の方法が縦覧であるときは、当該縦覧を前条第一項本文の閲覧とみなして、前項の規定を適用する。

（手数料）

第一六条　開示請求をする者又は行政文書の開示を受ける者は、政令で定めるところにより、それぞれ、実費の範囲内において政令で定める額の開示請求に係る手数料又は開示の実施に係る手数料を納めなければならない。

2　前項の手数料の額を定めるに当たっては、できる限り利用しやすい額とするよう配慮しなければならない。

3　行政機関の長は、経済的困難その他特別の理由があると認めるときは、政令で定めるところにより、第一項の手数料を減額し、又は免除することができる。

（権限又は事務の委任）

第一七条　行政機関の長は、政令（内閣の所轄の下に置かれる機関及び会計検査院にあっては、当該機関の命令）で定めるところにより、この章に定める権限又は事務を当該行政機関の職員に委任することができる。

第三章　審査請求等

（審理員による審理手続に関する規定の適用除外等）

第一八条　開示決定等又は開示請求に係る不作為に係る審査請求については、行政不服審査法（平成二十六年法律第六十八号）第九条、第十七条、第二十四条、第二章第三節及び第四節並びに第五十条第二項の規定は、適用しない。

2　開示決定等又は開示請求に係る不作為に係る審査請求についての行政不服審査法第二章の規定の適用については、同法第十一条第二項中「第九条第一項の規定により指名された者（以下「審理員」という。）」とあるのは「第四条（行政機関の保有する情報の公開に関する法律（平成十一年法律第四十二号）第二十条第二項の規定に基づく政令を含む。）の規定により審査請求がされた行政庁（第十四条の規定により引継ぎを受けた行政庁を含む。以下「審査庁」という。）」と、同法第十三条第一項及び第二項中「審理員」とあるのは「審査庁」と、同法第二十五条第七項中「あったとき、又は審理員から第四十条に規定する執行停止をすべき旨の意見書が提出されたとき」とあるのは「あったとき」と、同法第四十四条中「行政不服審査会等」とあるのは「情報公開・個人情報保護審査会（審査庁が会計検査院の長である場合にあっては、別に法律で定める審査会。第五十条第一項第四号において同じ。）」と、「受けたとき（前条第一項の規定による諮問を要しない場合（同項第二号又は第三号に該当する場合を除く。）にあっては審理員意見書が提出されたとき、同項第二号又は第三号に該当する場合にあっては同項第二号又は第三号に規定する議を経たとき）」とあるのは「受けたとき」と、同法第五十条第一項第四号中「審理員意見書又は行政不服審査会等若しくは審議会等」とあるのは「情報公開・個人情報保護審査会」とする。

（審査会への諮問）

第一九条　開示決定等又は開示請求に係る不作為について審査請求があったときは、当該審査請求に対する裁決をすべき行政機関の長は、次の各号のいずれかに該当する場合を除き、情報公開・個人情報保護審査会（審査請求に対する裁決をすべき行政機関の長が会計検査院の長である場合にあっては、別に法律で定める審査会）に諮問しなければならない。

一　審査請求が不適法であり、却下する場合

二　裁決で、審査請求の全部を認容し、当該審査請求に係る行政文書の全部を開示することとする場合（当該行政文書の開示について反対意見書が提出されている場合を除く。）

2　前項の規定により諮問をした行政機関の長は、次に掲げる者に対し、諮問をした旨を通知しなければならない。

一　審査請求人及び参加人（行政不服審査法第十三条第四項に規定する参加人をいう。以下この項及び次条第一項第二号において同じ。）

二　開示請求者（開示請求者が審査請求人又は参加人である場合を除く。）

三　当該審査請求に係る行政文書の開示について反対意見書を提出した第三者（当該第三者が審査請求人又は参加人である場合を除く。）

（第三者からの審査請求を棄却する場合等における手続等）

第二〇条　第十三条第三項の規定は、次の各号のいずれかに該当する裁決をする場合について準用する。

一　開示決定に対する第三者からの審査請求を却下し、又は棄却する裁決

二　審査請求に係る開示決定等（開示請求に係る行政文書の全部を開示する旨の決定を除く。）を変更し、当該審査請求に係る行政文書を開示する旨の裁決（第三者である参加人が当該行政文書の開示に反対の意思を表示している場合に限る。）

2　開示決定等又は開示請求に係る不作為についての審査請求については、政令で定めるところにより、行政不服審査法第四条の規定の特例を設けることができる。

（訴訟の移送の特例）

第二一条　行政事件訴訟法（昭和三十七年法律第百三十九号）第十二条第四項の規定により同項に規定する特定管轄裁判所に開示決定等の取消しを求める訴え又は開示決定等若しくは開示請求に係る不作為に係る審査請求に対する裁決の取消しを求める訴え（次項及び附則第二項において「情報公開訴訟」という。）が提起された場合においては、同法第十二条第五項の規定にかかわらず、他の裁判所に同一又は同種若しくは類似の行政文書に係る開示決定等又は開示決定等若しくは開示請求に係る不作為に係る審査請求に対する裁決に係る抗告訴訟（同法第三条第一項に規定する抗告訴訟をいう。次項において同じ。）が係属しているときは、当該特定管轄裁判所は、当事者の住所又は所在地、尋問を受けるべき証人の住所、争点又は証拠の共通性その他の事情を考慮して、相当と認めるときは、申立てにより又は職権で、訴訟の全部又は一部について、当該他の裁判所又は同法第十二条第一項から第三項までに定める裁判所に移送することができる。

2　前項の規定は、行政事件訴訟法第十二条第四項の規定により同項に規定する特定管轄裁判所に開示決定等又は開示決定等若しくは開示請求に係る不作為に係る審査請求に対する裁決に係る抗告訴訟で情報公開訴訟以外の

ものが提起された場合について準用する。

第四章　補則

（開示請求をしようとする者に対する情報の提供等）

第二二条　行政機関の長は、開示請求をしようとする者が容易かつ的確に開示請求をすることができるよう、公文書等の管理に関する法律第七条第二項に規定するもののほか、当該行政機関が保有する行政文書の特定に資する情報の提供その他開示請求をしようとする者の利便を考慮した適切な措置を講ずるものとする。

2　総務大臣は、この法律の円滑な運用を確保するため、開示請求に関する総合的な案内所を整備するものとする。

（施行の状況の公表）

第二三条　総務大臣は、行政機関の長に対し、この法律の施行の状況について報告を求めることができる。

2　総務大臣は、毎年度、前項の報告を取りまとめ、その概要を公表するものとする。

（行政機関の保有する情報の提供に関する施策の充実）

第二四条　政府は、その保有する情報の公開の総合的な推進を図るため、行政機関の保有する情報が適時に、かつ、適切な方法で国民に明らかにされるよう、行政機関の保有する情報の提供に関する施策の充実に努めるものとする。

（地方公共団体の情報公開）

第二五条　地方公共団体は、この法律の趣旨にのっとり、その保有する情報の公開に関し必要な施策を策定し、及びこれを実施するよう努めなければならない。

（政令への委任）

第二六条　この法律に定めるもののほか、この法律の実施のため必要な事項は、政令で定める。

附　則

1　この法律は、公布の日から起算して二年を超えない範囲内において政令で定める日から施行する。ただし、第二十三条第一項中両議院の同意を得ることに関する部分、第四十条から第四十二条まで及び次項の規定は、公布の日から施行する。

〔平成一二政四〇により、平成一三・四・一から施行〕

2　政府は、独立行政法人及び特殊法人の保有する情報の公開に関し、この法律の公布後二年を目途として、第四十二条の法制上の措置を講ずるものとする。

3　政府は、この法律の施行後四年を目途として、この法律の施行の状況及び情報公開訴訟の管轄の在り方について検討を加え、その結果に基づいて必要な措置を講ずるものとする。

附　則〔抄〕〔平成一一・七・一六法律一〇二〕

（施行期日）

第一条　この法律は、内閣法の一部を改正する法律（平成十一年法律第八十八号）の施行の日〔平成一三・一・六〕から施行する。ただし、次の各号に掲げる規定は、当該各号に定める日から施行する。

一　〔略〕

二　附則〔中略〕第十四条第三項〔中略〕並びに第三十条の規定　公布の日

（行政機関の保有する情報の公開に関する法律の一部改正に伴う経過措置）

第一四条　行政機関の保有する情報の公開に関する法律（以下この条において「情報公開法」という。）の施行の日がこの法律の施行の日前である場合には、この法律の施行の際現に従前の総理府の情報公開審査会の委員である者は、この法律の施行の日に、第二十九条の規定による改正後の情報公開法（以下この条において「新情報公開法」という。）第二十三条第一項の規定により、内閣府の情報公開審査会の委員として任命されたものとみなす。この場合において、その任命されたとみなされる者の任期は、同条第四項の規定にかかわらず、同日における従前の総理府の情報公開審査会の委員としての任期の残任期間と同一の期間とする。

2　情報公開法の施行の日がこの法律の施行の日前である場合には、この法律の施行の際現に従前の総理府の情報公開審査会の会長である者は、この法律の施行の日に、新情報公開法第二十四条第一項の規定により、内閣府の情報公開審査会の会長に定められたものとみなす。

3　情報公開法の施行の日がこの法律の施行の日以後である場合には、新情報公開法第二十三条第一項の規定による情報公開審査会の委員の任命のために必要な行為は、この法律の施行前においても行うことができる。

（別に定める経過措置）

第三〇条　第二条から前条までに規定するもののほか、この法律の施行に伴い必要となる経過措置は、別に法律で定める。

附　則〔略〕〔平成一一・一二・二二法律一六〇〕

附　則〔抄〕〔平成一三・一二・五法律一四〇〕

（施行期日）

第一条　この法律は、公布の日から起算して一年を超えない範囲内において政令で定める日から施行する。〔以下略〕

〔平成一四政一九八により、平成一四・一〇・一から施行〕

（行政機関情報公開法の一部改正に伴う経過措置）

第四条　前条の規定による改正後の行政機関の保有する情報の公開に関する法律第五条、第十二条の二及び第十三条第一項の規定は、前条の規定の施行後にされた開示請求（同法第四条第一項に規定する開示請求をいう。以下この条において同じ。）について適用し、前条の規定の施行前にされた開示請求については、なお従前の例による。

附　則〔抄〕〔平成一四・七・三一法律九八〕

（施行期日）

第一条　この法律は、公社法〔日本郵政公社法〕の施行の日〔平成一五・四・一〕から施行する。ただし、次の各号に掲げる規定は、当該各号に定める日から施行する。

一　〔前略〕附則〔中略〕第三十九条の規定　公布の日

二　〔略〕

（その他の経過措置の政令への委任）

第三九条　この法律に規定するもののほか、公社法及びこの法律の施行に関し必要な経過措置（罰則に関する経過措置を含む。）は、政令で定める。

附　則〔平成一五・五・三〇法律六一〕

（施行期日）

第一条　この法律は、行政機関の保有する個人情報の保護に関する法律の施行の日〔平成一七・四・一〕から施行する。

（情報公開審査会の廃止及び情報公開・個人情報保護審査会の設置に伴う経過措置）

第二条　この法律の施行の際現に第八条の規定による改正前の行政機関の保有する情報の公開に関する法律（以下この条において「旧行政機関情報公開法」という。）第二十三条第一項又は第二項の規定により任命された情報公開審査会の委員である者は、それぞれ、この法律の施行の日に、情報公開・個人情報保護審査会設置法（平成十五年法律第六十号）第四条第一項又は第二項の規定により情報公開・個人情報保護審査会の委員として任命されたものとみなす。この場合において、その任命されたものとみなされる者の任期は、同条第四項の規定にかかわらず、同日における旧行政機関情報公開法第二十三条第一項又は第二項の規定により任命された情報公開審査会の委員としての任期の残任期間と同一の期間とする。

2　この法律の施行の際現に旧行政機関情報公開法第二十四条第一項の規定により定められた情報公開審査会の会長である者又は同条第三項の規定により指名された委員である者は、それぞれ、この法律の施行の日に、情報公開・個人情報保護審査会設置法第五条第一項の規定により会長として定められ、又は同条第三項の規定により会長の職務を代理する委員として指名されたものとみなす。

3　この法律の施行前に情報公開審査会にされた諮問でこの法律の施行の際当該諮問に対する答申がされていないものは情報公開・個人情報保護審査会にされた諮問とみなし、当該諮問について情報公開審査会がした調査審議の手続は情報公開・個人情報保護審査会がした調査審議の手続とみなす。

（守秘義務等に関する経過措置）

第三条　情報公開審査会の委員であった者に係るその職務に関して知り得た秘密を漏らしてはならない義務については、第八条の規定の施行後も、なお従前の例による。

2　第八条の規定の施行前にした行為及び前項の規定によりなお従前の例によることとされる場合における同項の規定の施行後にした行為に対する罰則の適用については、なお従前の例による。

（その他の経過措置の政令への委任）

第四条　前二条に定めるもののほか、この法律の施行に関し必要な経過措置は、政令で定める。

附　則〔略〕〔平成一五・七・一六法律一一九〕

附　則〔抄〕〔平成一六・六・九法律八四〕

（施行期日）

第一条　この法律（中略）は、それぞれ当該各号に定める日から施行する。

一　附則（中略）第四十五条の規定　行政機関の保有する個人情報の保護に関する法律等の施行に伴う関係法律の整備等に関する法律（平成十五年法律第六十一号）の施行の日〔平成一七・四・一〕又はこの法律の施行の日〔平成一七・四・一〕のいずれか遅い日

二　〔略〕

（行政機関の保有する情報の公開に関する法律の一部改正に伴う経過措置）

第四六条　この法律の施行の日が行政機関の保有する個人情報の保護に関する法律等の施行に伴う関係法律の整備等に関する法律の施行の日前である場合には、同法の施行の日の前日までの間における行政機関の保有する情報の公開に関する法律第三十六条第二項の規定の適用については、同項中「第十二条」とあるのは、「第十二条第一項から第三項まで」とする。

附　則〔略〕〔平成一七・一〇・二一法律一〇二〕

附　則〔略〕〔平成二一・七・一法律六六〕

附　則〔略〕〔平成二四・六・二七法律四二〕

附　則〔略〕〔平成二六・六・一三法律六七〕

附　則〔略〕〔平成二六・六・一三法律六九〕

附　則〔抄〕〔平成二八・五・二七法律五一〕

（施行期日）

第一条　この法律は、公布の日から起算して一年六月を超えない範囲内において政令で定める日から施行する。ただし、附則第三条及び第四条の規定は、公布の日から施行する。

〔平成二九政一八により、平成二九・五・三〇から施行〕

（政令への委任）

第三条　前条に定めるもののほか、この法律の施行に関し必要な経過措置は、政令で定める。

附　則〔抄〕〔令和三・五・一九法律三七〕

（施行期日）

第一条　この法律（中略）は、当該各号に定める日から施行する。

一　（前略）附則（中略）第七十一条から第七十三条までの規定　公布の日

二・三　〔略〕

四　（前略）第三十三条から第三十五条まで（中略）の規定　公布の日から起算して一年を超えない範囲内において、各規定につき、政令で定める日

〔令和三政二九一により、令和四・四・一から施行〕

五～十　〔略〕

（罰則に関する経過措置）

第七一条　この法律（附則第一条各号に掲げる規定にあっては、当該規定。以下この条において同じ。）の施行前にした行為及びこの附則の規定によりなお従前の例によることとされる場合におけるこの法律の施行後にした行為に対する罰則の適用については、なお従前の例による。

（政令への委任）

第七二条　この附則に定めるもののほか、この法律の施行に関し必要な経過措置（罰則に関する経過措置を含む。）は、政令で定める。

（検討）

第七三条　政府は、行政機関等に係る申請、届出、処分の通知その他の手続において、個人の氏名を平仮名又は片仮名で表記したものを利用して当該個人を識別できるようにするため、個人の氏名を平仮名又は片仮名で表記したものを戸籍の記載事項とすることを含め、この法律の公布後一年以内を目途としてその具体的な方策について検討を加え、その結果に基づいて必要な措置を講ずるものとする。

○行政機関の保有する情報の公開に関する法律施行令〔平成一二・二・一六 政令四一〕

改正　平成一二・三政一六六、六政三〇三、平成一四・六政一九九、一二政三八五、政三八六、平成一五・四政二〇一、一二政四八三、政四九一、政五五一、平成一七・一二政三七一、平成一八・二政一八、平成一九・三政三九、平成二一・一二政三一〇、平成二二・一二政二五〇、平成二五・一二政三四九、平成二六・五政一九五、一二政四〇一、平成二七・一一政三九二、令和元・六政四四、一二政一八三、令和三・七政一九五、令和五・八政二六一、一二政三五五

（法第二条第一項第四号及び第五号の政令で定める機関）

第一条　行政機関の保有する情報の公開に関する法律（以下「法」という。）第二条第一項第四号の政令で定める特別の機関は、警察庁とする。

2　法第二条第一項第五号の政令で定める特別の機関は、検察庁とする。

（法第二条第二項第三号の政令で定める施設）

第二条　法第二条第二項第三号の政令で定める施設は、公文書等の管理に関する法律施行令（平成二十二年政令第二百五十号）第三条第一項の規定により内閣総理大臣が指定した施設とする。

（法第二条第二項第三号の歴史的な資料等の範囲）

第三条　法第二条第二項第三号の歴史的若しくは文化的な資料又は学術研究用の資料は、公文書等の管理に関する法律施行令第四条に規定する方法により管理されているものとする。

（法第三条の政令で定める者）

第四条　法第三条の政令で定める者は、次に掲げる者とする。

一　警察庁にあっては、警察庁長官

二　最高検察庁にあっては、検事総長

三　高等検察庁にあっては、その庁の検事長

四　地方検察庁にあっては、その庁の検事正

五　区検察庁にあっては、その庁の対応する裁判所の所在地を管轄する地方裁判所に対応する地方検察庁の検事正

（開示請求書の記載事項）

第五条　開示請求書には、開示請求に係る行政文書について次に掲げる事項を記載することができる。

一　求める開示の実施の方法

二　事務所における開示（次号に規定する方法並びに第九条第二項第一号

ニ及び第三項第三号へに掲げる方法以外の方法による行政文書の開示をいう。以下この号、次条第一項第三号及び第二項第一号並びに第十一条第一項第三号において同じ。）の実施を求める場合にあっては、当該事務所における開示の実施を希望する日

三　写しの送付の方法による行政文書の開示の実施を求める場合にあっては、その旨

2　前項第一号、次条第一項第一号及び第二号、第十一条第一項第一号並びに第十四条第四項において「開示の実施の方法」とは、第九条に規定する開示の実施の方法をいう。

（法第九条第一項の政令で定める事項）

第六条　法第九条第一項の政令で定める事項は、次に掲げる事項とする。

一　開示決定に係る行政文書について求めることができる開示の実施の方法

二　前号の開示の実施の方法ごとの開示の実施に係る手数料（以下「開示実施手数料」という。）の額（第十四条第四項の規定により開示実施手数料を減額し、又は免除すべき開示の実施の方法については、その旨を含む。）

三　事務所における開示を実施することができる日、時間及び場所並びに事務所における開示を希望する場合には法第十四条第二項の規定による申出をする際に当該事務所における開示を実施することができる日のうちから事務所における開示の実施を希望する日を選択すべき旨

四　写しの送付の方法による行政文書の開示を実施する場合における準備に要する日数及び送付に要する費用

五　第九条第二項第一号（同号ニに係る部分に限る。）又は第三項第三号（同号へに係る部分に限る。）に定める方法による行政文書の開示を実施する場合における準備に要する日数その他当該開示の実施に必要な事項

2　開示請求書に前条第一項各号に掲げる事項が記載されている場合における法第九条第一項の政令で定める事項は、前項の規定にかかわらず、次の各号に掲げる場合の区分に応じ、当該各号に定める事項とする。

一　前条第一項第一号の方法による行政文書の開示を実施することができる場合（事務所における開示については、同項第二号の日に実施することができる場合に限る。）　その旨並びに前項第一号及び第三号から第五号までに掲げる事項（同条第一項第一号の方法に係るものを除く。）並びに前項第二号に掲げる事項

二　前号に掲げる場合以外の場合　その旨及び前項各号に掲げる事項

（法第十三条第一項の政令で定める事項）

第七条　法第十三条第一項の政令で定める事項は、次に掲げる事項とする。

一　開示請求の年月日

二　開示請求に係る行政文書に記録されている当該第三者に関する情報の内容

三　意見書を提出する場合の提出先及び提出期限

（法第十三条第二項の政令で定める事項）

第八条　法第十三条第二項の政令で定める事項は、次に掲げる事項とする。

一　開示請求の年月日

二　法第十三条第二項第一号又は第二号の規定の適用の区分及び当該規定を適用する理由

三　開示請求に係る行政文書に記録されている当該第三者に関する情報の内容

四　意見書を提出する場合の提出先及び提出期限

（行政文書の開示の実施の方法）

第九条　次の各号に掲げる文書又は図画の閲覧の方法は、それぞれ当該各号に定めるものを閲覧することとする。

一　文書又は図画（次号から第四号まで又は第四項に該当するものを除く。）　当該文書又は図画（法第十四条第一項ただし書の規定が適用される場合にあっては、次項第一号イに規定するもの）

二　マイクロフィルム　当該マイクロフィルムを専用機器により映写したもの。ただし、これにより難い場合にあっては、当該マイクロフィルムを日本産業規格A列一番（以下「A一判」という。）以下の大きさの用紙に印刷したもの

三　写真フィルム　当該写真フィルムを印画紙（縦八十九ミリメートル、横百二十七ミリメートルのもの又は縦二百三ミリメートル、横二百五十四ミリメートルのものに限る。以下同じ。）に印画したもの

四　スライド（第五項に規定する場合におけるものを除く。次項第四号において同じ。）　当該スライドを専用機器により映写したもの

2　次の各号に掲げる文書又は図画の法第十四条第一項（第一号ニにあっては、同項及び情報通信技術を活用した行政の推進等に関する法律（平成十四年法律第百五十一号。以下「情報通信技術活用法」という。）第七条第一項）の規定による開示の実施の方法は、それぞれ当該各号に定める方法とする。

一　文書又は図画（次号から第四号まで又は第四項に該当するものを除く。）　次に掲げる方法（ロからニまでに掲げる方法にあっては当該文書又は図画の保存に支障を生ずるおそれがなく、かつ、行政機関がその保有する処理装置及びプログラム（電子計算機に対する指令であって、一の結果を得ることができるように組み合わされたものをいう。以下同じ。）により当該文書又は図画の開示を実施することができる場合に限り、ニに掲げる方法にあっては情報通信技術活用法第六条第一項の規定により同項に規定する電子情報処理組織を使用して開示請求があった場合（以下「電子開示請求の場合」という。）に限る。）

イ　当該文書又は図画を複写機により日本産業規格A列三番（以下「A三判」という。）以下の大きさの用紙に複写したものの交付（ロに掲げる方法に該当するものを除く。）。ただし、これにより難い場合にあっては、当該文書若しくは図画を複写機によりA一判若しくは日本産業規格A列二番（以下「A二判」という。）の用紙に複写したものの交付（ロに掲げる方法に該当するものを除く。）又は当該文書若しくは図画を撮影した写真フィルムを印画紙に印画したものの交付

ロ　当該文書又は図画を複写機により用紙にカラーで複写したものの交付

ハ　当該文書又は図画をスキャナにより読み取ってできた電磁的記録を光ディスク（日本産業規格X〇六〇六及びX六二八一又はX六二四一に適合する直径百二十ミリメートルの光ディスクの再生装置で再生することが可能なものに限る。次項第三号ホにおいて同じ。）に複写したものの交付

ニ　当該文書又は図画の開示の実施を情報通信技術活用法第七条第一項の規定により情報通信技術活用法第六条第一項に規定する電子情報処理組織を使用して行う方法（別表一の項チにおいて「情報通信技術活用法の適用による方法」という。）

二　マイクロフィルム　当該マイクロフィルムを日本産業規格A列四番（以下「A四判」という。）の用紙に印刷したものの交付。ただし、これにより難い場合にあっては、A一判、A二判又はA三判の用紙に印刷したものの交付

三　写真フィルム　当該写真フィルムを印画紙に印画したものの交付

四　スライド　当該スライドを印画紙に印画したものの交付

3　次の各号に掲げる電磁的記録についての法第十四条第一項の政令で定める方法は、それぞれ当該各号に定める方法とする。

一　録音テープ（第五項に規定する場合におけるものを除く。以下この号において同じ。）又は録音ディスク　次に掲げる方法

イ　当該録音テープ又は録音ディスクを専用機器により再生したものの聴取

ロ　当該録音テープ又は録音ディスクを録音カセットテープ（日本産業規格C五五六八に適合する記録時間百二十分のものに限る。別表五の項ロにおいて同じ。）に複写したものの交付

二　ビデオテープ又はビデオディスク　次に掲げる方法

イ　当該ビデオテープ又はビデオディスクを専用機器により再生したものの視聴

ロ　当該ビデオテープ又はビデオディスクをビデオカセットテープ（日本産業規格C五五八一に適合する記録時間百二十分のものに限る。以下同じ。）に複写したものの交付

三　電磁的記録（前二号、次号又は次項に該当するものを除く。）　次に掲げる方法であって、行政機関がその保有する処理装置及びプログラムにより行うことができるもの（へに掲げる方法にあっては、電子開示請求の場合に限る。）

イ　当該電磁的記録をA三判以下の大きさの用紙に出力したものの閲覧

ロ　当該電磁的記録を専用機器（開示を受ける者の閲覧又は視聴の用に供するために備え付けられているものに限る。別表七の項ロにおいて同じ。）により再生したものの閲覧又は視聴

ハ　当該電磁的記録をA三判以下の大きさの用紙に出力したものの交付

（ニに掲げる方法に該当するものを除く。）
ニ　当該電磁的記録をA三判以下の大きさの用紙にカラーで出力したものの交付
ホ　当該電磁的記録を光ディスクに複写したものの交付
ヘ　当該電磁的記録を電子情報処理組織（行政機関の使用に係る電子計算機（入出力装置を含む。以下この号において同じ。）と開示を受ける者の使用に係る電子計算機とを電気通信回線で接続した電子情報処理組織をいう。）を使用して開示を受ける者の使用に係る電子計算機に備えられたファイルに複写させる方法（別表七の項トにおいて「電子情報処理組織を使用する方法」という。）
四　電磁的記録（前号ホに掲げる方法による開示の実施をすることができない特性を有するものに限る。）　次に掲げる方法であって、行政機関がその保有する処理装置及びプログラムにより行うことができるもの
イ　前号イからハまで及びへに掲げる方法（同号へに掲げる方法にあっては、電子開示請求の場合に限る。）
ロ　当該電磁的記録を幅十二・七ミリメートルのオープンリールテープ（日本産業規格X六一〇三、X六一〇四又はX六一〇五に適合する長さ七百三十一・五二メートルのものに限る。別表七の項チにおいて同じ。）に複写したものの交付
ハ　当該電磁的記録を幅十二・七ミリメートルの磁気テープカートリッジ（日本産業規格X六一二三、X六一三二若しくはX六一三五又は国際標準化機構及び国際電気標準会議の規格（以下「国際規格」という。）一四八三三、一五八九五若しくは一五三〇七に適合するものに限る。別表七の項リにおいて同じ。）に複写したものの交付
ニ　当該電磁的記録を幅八ミリメートルの磁気テープカートリッジ（日本産業規格X六一四一若しくはX六一四二又は国際規格一五七五七に適合するものに限る。別表七の項ヌにおいて同じ。）に複写したものの交付
ホ　当該電磁的記録を幅三・八一ミリメートルの磁気テープカートリッジ（日本産業規格X六一二七、X六一二九、X六一三〇又はX六一三七に適合するものに限る。別表七の項ルにおいて同じ。）に複写したものの交付

4　映画フィルムの開示の実施の方法は、次に掲げる方法とする。
一　当該映画フィルムを専用機器により映写したものの視聴
二　当該映画フィルムをビデオカセットテープに複写したものの交付

5　スライド及び当該スライドの内容に関する音声を記録した録音テープを同時に視聴する場合における開示の実施の方法は、次に掲げる方法とする。
一　当該スライド及び当該録音テープを専用機器により再生したものの視聴
二　当該スライド及び当該録音テープをビデオカセットテープに複写したものの交付

（開示の実施の方法等の申出）

第一〇条　法第十四条第二項の規定による申出は、書面により行わなければならない。

2　第六条第二項第一号の場合に該当する旨の法第九条第一項に規定する通知があった場合（開示実施手数料が無料である場合に限る。）において、第五条第一項各号に掲げる事項を変更しないときは、法第十四条第二項の規定による申出を改めて行うことを要しない。

（法第十四条第二項の政令で定める事項）

第一一条　法第十四条第二項の政令で定める事項は、次に掲げる事項とする。
一　求める開示の実施の方法（開示決定に係る行政文書の部分ごとに異なる開示の実施の方法を求める場合にあっては、その旨及び当該部分ごとの開示の実施の方法）
二　開示決定に係る行政文書の一部について開示の実施を求める場合にあっては、その旨及び当該部分
三　事務所における開示の実施を求める場合にあっては、当該事務所における開示の実施を希望する日
四　写しの送付の方法による行政文書の開示の実施を求める場合にあっては、その旨

2　第六条第二項第一号の場合に該当する旨の法第九条第一項に規定する通知があった場合（開示実施手数料が無料である場合を除く。）における法第十四条第二項の政令で定める事項は、前項の規定にかかわらず、行政文書の開示を受ける旨とする。

（更なる開示の申出）

第一二条　法第十四条第四項の規定による申出は、次に掲げる事項を記載した書面により行わなければならない。
一　法第九条第一項に規定する通知があった日
二　最初に開示を受けた日
三　前条第一項各号に掲げる事項

2　前項の場合において、既に開示を受けた行政文書（その一部につき開示を受けた場合にあっては、当該部分）につきとられた開示の実施の方法と同一の方法を当該行政文書について求めることはできない。ただし、当該同一の方法を求めることにつき正当な理由があるときは、この限りでない。

（手数料の額等）

第一三条　法第十六条第一項の手数料の額は、次の各号に掲げる手数料の区分に応じ、それぞれ当該各号に定める額とする。
一　開示請求に係る手数料（以下「開示請求手数料」という。）　開示請求に係る行政文書一件につき三百円（情報通信技術活用法第六条第一項の規定により同項に規定する電子情報処理組織を使用して開示請求をする場合にあっては、二百円）
二　開示実施手数料　開示を受ける行政文書一件につき、別表の上欄に掲げる行政文書の種別ごとに、同表の中欄に掲げる開示の実施の方法に応じそれぞれ同表の下欄に定める額（複数の実施の方法により開示を受ける場合にあっては、その合算額。以下この号及び次項において「基本額」という。）。ただし、基本額（法第十四条第四項の規定により更に開示を受ける場合にあっては、当該開示を受ける場合の基本額に既に開示の実施を求めた際の基本額を加えた額）が前号に定める額に相当する額（次のイからハまでのいずれかに該当する場合は、それぞれ当該イからハまでに定める額。ハを除き、以下この号において同じ。）に達するまでは無料とし、前号に定める額に相当する額を超えるとき（同項の規定により更に開示を受ける場合であって既に開示の実施を求めた際の基本額が前号に定める額に相当する額を超えるときを除く。）は当該基本額から前号に定める額に相当する額を減じた額とする。
イ　独立行政法人等の保有する情報の公開に関する法律（平成十三年法律第百四十号。以下「独立行政法人等情報公開法」という。）第十三条第一項の規定に基づき、独立行政法人等から事案が移送された場合（ロに掲げる場合を除く。）　当該独立行政法人等が独立行政法人等情報公開法第十七条第一項の規定に基づき定める開示請求に係る手数料の額に相当する額（以下この号において「開示請求手数料相当額」という。）
ロ　独立行政法人等情報公開法第十三条第一項の規定に基づき独立行政法人等から法人文書の一部について移送された場合　開示請求手数料相当額のうち法第十四条の規定に基づき開示を実施する行政機関の長が分担するものとして、当該独立行政法人等と協議して定める額
ハ　法第十二条の二の規定に基づき独立行政法人等に行政文書の一部について移送した場合　前号に定める額に相当する額のうち法第十四条の規定に基づき開示を実施する行政機関の長が分担するものとして、当該独立行政法人等と協議して定める額

2　開示請求者が次の各号のいずれかに該当する複数の行政文書の開示請求を一の開示請求書によって行うときは、前項第一号の規定の適用については、当該複数の行政文書を一件の行政文書とみなし、かつ、当該複数の行政文書である行政文書の開示を受ける場合における同項第二号ただし書の規定の適用については、当該複数の行政文書である行政文書に係る基本額に先に開示の実施を求めた当該複数の行政文書である他の行政文書に係る基本額を順次加えた額を基本額とみなす。
一　一の行政文書ファイル（公文書等の管理に関する法律（平成二十一年法律第六十六号）第五条第二項に規定する行政文書ファイルをいう。）にまとめられた複数の行政文書
二　前号に掲げるもののほか、相互に密接な関連を有する複数の行政文書

3　開示請求手数料又は開示実施手数料は、次の各号のいずれかに掲げる場合を除いて、それぞれ開示請求書又は第十条第一項若しくは前条第一項に規定する書面に収入印紙を貼って納付しなければならない。
一　次に掲げる行政機関又は部局若しくは機関が保有する行政文書に係る開示請求手数料又は開示実施手数料を納付する場合
イ　特許庁
ロ　その長が第十五条第一項の規定による委任を受けることができる部

局又は機関（開示請求手数料については、当該委任を受けた部局又は機関に限る。）であって、当該部局又は機関が保有する行政文書に係る開示請求手数料又は開示実施手数料の納付について収入印紙によることが適当でないものとして行政機関の長が官報に公示したもの

二　行政機関又はその部局若しくは機関（前号イ及びロに掲げるものを除く。）の事務所において開示請求手数料又は開示実施手数料の納付を現金ですることが可能である旨及び当該事務所の所在地を当該行政機関の長が官報で公示した場合において、当該行政機関が保有する行政文書に係る開示請求手数料又は開示実施手数料を当該事務所において現金で納付する場合

4　行政文書の開示を受ける者は、開示実施手数料のほか送付に要する費用を納付して、行政文書の写しの送付を求めることができる。この場合において、当該費用は、総務省令で定める方法により納付しなければならない。

（手数料の減免）

第一四条　行政機関の長（法第十七条の規定により委任を受けた職員があるときは、当該職員。以下この条において同じ。）は、行政文書の開示を受ける者が経済的困難により開示実施手数料を納付する資力がないと認めるときは、開示請求一件につき二千円を限度として、開示実施手数料を減額し、又は免除することができる。

2　前項の規定による開示実施手数料の減額又は免除を受けようとする者は、法第十四条第二項又は第四項の規定による申出を行う際に、併せて当該減額又は免除を求める額及びその理由を記載した申請書を行政機関の長に提出しなければならない。

3　前項の申請書には、申請人が生活保護法（昭和二十五年法律第百四十四号）第十一条第一項各号に掲げる扶助を受けていることを理由とする場合にあっては当該扶助を受けていることを証明する書面を、その他の事実を理由とする場合にあっては当該事実を証明する書面を添付しなければならない。

4　第一項の規定によるもののほか、行政機関の長は、開示決定に係る行政文書を一定の開示の実施の方法により一般に周知させることが適当であると認めるときは、当該開示の実施の方法に係る開示実施手数料を減額し、又は免除することができる。

（権限又は事務の委任）

第一五条　行政機関の長（第四条に規定する者を除く。）は、法第十七条の規定により、内閣総務官、内閣感染症危機管理監、国家安全保障局長、内閣官房副長官補若しくは内閣サイバーセキュリティセンター長、内閣広報官、内閣情報官若しくは内閣人事局長若しくは人事政策統括官、内閣府設置法（平成十一年法律第八十九号）第十七条若しくは第五十三条の官房、局若しくは部の長、同法第十七条第一項若しくは第六十二条第一項若しくは第二項の職、同法第十八条の重要政策に関する会議の長、同法第三十七条若しくは第五十四条の審議会等若しくはその事務局の長、同法第三十九条若しくは第五十五条の施設等機関の長、同法第四十条若しくは第五十六条（宮内庁法（昭和二十二年法律第七十号）第十八条第一項において準用する場合を含む。）の特別の機関若しくはその事務局の長、内閣府設置法第四十三条若しくは第五十七条（宮内庁法第十八条第一項において準用する場合を含む。）の地方支分部局の長、内閣府設置法第五十二条の委員会の事務局若しくはその官房若しくは部の長、同条の委員会の事務総局若しくはその官房、局、部若しくは地方事務所若しくはその支所の長、宮内庁法第三条の長官官房、侍従職等若しくは部の長、同法第十四条第一項の職、同法第十六条第一項の機関若しくはその事務局の長、同条第二項の機関の長若しくは同法第十七条の地方支分部局の長、デジタル庁設置法（令和三年法律第三十六号）第十三条第一項の職又は国家行政組織法（昭和二十三年法律第百二十号）第七条の官房、局若しくは部の長、同条の委員会の事務局若しくはその官房若しくは部の長、同条の委員会の事務総局の長、同法第八条の審議会等若しくはその事務局の長、同法第八条の二の施設等機関の長、同法第八条の三の特別の機関若しくはその事務局の長、同法第九条の地方支分部局の長若しくは同法第二十条第一項若しくは第二項の職に法第二章に定める権限又は事務のうちその所掌に係るものを委任することができる。

2　警察庁長官は、法第十七条の規定により、警察法（昭和二十九年法律第百六十二号）第十九条第一項の長官官房若しくは局、同条第二項の部、同法第二十七条第一項、第二十八条第一項若しくは第二十九条第一項の附属機関又は同法第三十条第一項若しくは第三十三条第一項の地方機関の長に法第二章に定める権限又は事務のうちその所掌に係るものを委任することができる。

3　行政機関の長は、前二項の規定により権限又は事務を委任しようとするときは、委任を受ける職員の官職、委任する権限又は事務及び委任の効力の発生する日を官報で公示しなければならない。

附　則

この政令は、法の施行の日（平成十三年四月一日）から施行する。

附　則〔略〕〔平成一二・三・三一政令一六六〕

附　則〔略〕〔平成一二・六・七政令三〇三〕

附　則〔略〕〔平成一四・六・五政令一九九〕

附　則〔略〕〔平成一四・一二・一八政令三八五〕

附　則〔略〕〔平成一四・一二・一八政令三八六〕

附　則〔略〕〔平成一五・四・九政令二〇一〕

附　則〔略〕〔平成一五・一二・三政令四八三〕

附　則〔略〕〔平成一五・一二・一〇政令四九一〕

附　則〔略〕〔平成一五・一二・二五政令五五一〕

附　則〔平成一七・一二・二一政令三七一〕

（施行期日）

第一条　この政令は、平成十八年四月一日から施行する。

（経過措置）

第二条　第一条の規定による改正後の行政機関の保有する情報の公開に関する法律施行令の規定は、この政令の施行の日（以下「施行日」という。）以後にされた開示請求について適用し、施行日前にされた開示請求については、なお従前の例による。

2　〔略〕

附　則〔略〕〔平成一八・二・三政令一八〕

附　則〔平成一九・三・二政令三九〕

この政令は、一般社団法人及び一般財団法人に関する法律の施行の日（平成二〇・一二・一）から施行する。

一般社団法人及び一般財団法人に関する法律等の施行に伴う関係政令の整備等に関する政令〔抄〕

〔平成一九・三・二政令三九〕

（行政機関の保有する情報の公開に関する法律施行令の一部改正に伴う経過措置）

第一九条　この政令の施行の日（以下「施行日」という。）前に保存を開始した整備法第三十八条の規定による改正前の民法（明治二十九年法律第八十九号）第三十四条の規定による法人の業務の実績報告書及び施行日以後に保存を開始した整備法第四十二条第二項に規定する特例民法法人の業務の実績報告書の保存期間の基準については、前条の規定による改正後の行政機関の保有する情報の公開に関する法律施行令別表第二の行政文書の区分欄三の項ロに掲げる実績報告書の例による。

附　則〔略〕〔平成二一・一二・二八政令三一〇〕

附　則〔略〕〔平成二二・一二・二二政令二五〇〕

附　則〔略〕〔平成二五・一二・二〇政令三四九〕

附　則〔略〕〔平成二六・五・二九政令一九五〕

附　則〔略〕〔平成二六・一二・一九政令四〇一〕

附　則〔抄〕〔平成二七・一一・二六政令三九二〕

（施行期日）

第一条　この政令は、行政不服審査法の施行の日（平成二十八年四月一日）から施行する。

（経過措置の原則）

第二条　行政庁の処分その他の行為又は不作為についての不服申立てであってこの政令の施行前にされた行政庁の処分その他の行為又はこの政令の施行前にされた申請に係る行政庁の不作為に係るものについては、この附則に特別の定めがある場合を除き、なお従前の例による。

附　則〔略〕〔令和元・六・二八政令四四〕

附　則〔略〕〔令和元・一二・一三政令一八三〕

附　則〔略〕〔令和三・七・二政令一九五〕

附　則〔略〕〔令和五・八・一四政令二六一〕

附　則〔令和五・一二・一五政令三五五〕

（施行期日）

1　この政令は、令和六年四月一日から施行する。

（経過措置）

２　この政令による改正後の規定は、この政令の施行の日（以下「施行日」という。）以後にされた開示請求について適用し、施行日前にされた開示請求については、なお従前の例による。

別表（第十三条関係）

行政文書の種別	開示の実施の方法	開示実施手数料の額
一　文書又は図画（二の項から四の項まで又は八の項に該当するものを除く。）	イ　閲覧	百枚までごとにつき百円
	ロ　撮影した写真フィルムを印画紙に印画したものの閲覧	一枚につき百円に十二枚までごとに七百六十円を加えた額
	ハ　複写機により用紙に複写したものの交付（ニに掲げる方法に該当するものを除く。）	用紙一枚につき十円（A二判については四十円、A一判については八十円）
	ニ　複写機により用紙にカラーで複写したものの交付	用紙一枚につき二十円（A二判については百四十円、A一判については百八十円）
	ホ　撮影した写真フィルムを印画紙に印画したものの交付	一枚につき百二十円（縦二百三ミリメートル、横二百五十四ミリメートルのものについては、五百二十円）に十二枚までごとに七百六十円を加えた額
	ヘ　スキャナにより読み取ってできた電磁的記録を光ディスク（日本産業規格X〇六〇六及びX六二八一に適合する直径百二十ミリメートルの光ディスクの再生装置で再生することが可能なものに限る。）に複写したものの交付	一枚につき百円に当該文書又は図画一枚ごとに十円を加えた額
	ト　スキャナにより読み取ってできた電磁的記録を光ディスク（日本産業規格X六二四一に適合する直径百二十ミリメートルの光ディスクの再生装置で再生することが可能なものに限る。）に複写したものの交付	一枚につき百二十円に当該文書又は図画一枚ごとに十円を加えた額
	チ　情報通信技術活用法の適用による方法	当該文書又は図画一枚につき十円
二　マイクロフィルム	イ　用紙に印刷したものの閲覧	用紙一枚につき十円
	ロ　専用機器により映写したものの閲覧	一巻につき二百九十円
	ハ　用紙に印刷したものの交付	用紙一枚につき八十円（A三判については百四十円、A二判については三百七十円、A一判については六百九十円）
三　写真フィルム	イ　印画紙に印画したものの閲覧	一枚につき十円
	ロ　印画紙に印画したものの交付	一枚につき三十円（縦二百三ミリメートル、横二百五十四ミリメートルのものについては、四百三十円）
四　スライド（九の項に該当するものを除く。）	イ　専用機器により映写したものの閲覧	一巻につき三百九十円
	ロ　印画紙に印画したものの交付	一枚につき百円（縦二百三ミリメートル、横二百五十四ミリメートルのものについては、千三百円）
五　録音テープ（九の項に該当するものを除く。）又は録音ディスク	イ　専用機器により再生したものの聴取	一巻につき二百九十円
	ロ　録音カセットテープに複写したものの交付	一巻につき四百三十円
六　ビデオテープ又はビデオディスク	イ　専用機器により再生したものの視聴	一巻につき二百九十円
	ロ　ビデオカセットテープに複写したものの交付	一巻につき五百八十円
七　電磁的記録（五の項、六の項又は八の項に該当するものを除く。）	イ　用紙に出力したものの閲覧	用紙百枚までごとにつき二百円
	ロ　専用機器により再生したものの閲覧又は視聴	一ファイルにつき四百十円
	ハ　用紙に出力したものの交付（ニに掲げる方法に該当するものを除く。）	用紙一枚につき十円
	ニ　用紙にカラーで出力したものの交付	用紙一枚につき二十円
	ホ　光ディスク（日本産業規格X〇六〇六及びX六二八一に適合する直径百二十ミリメートルの光ディスクの再生装置で再生することが可能なものに限る。）に複写したものの交付	一枚につき百円に一ファイルごとに二百十円を加えた額
	ヘ　光ディスク（日本産業規格X六二四一に適合する直径百二十ミリメートルの光ディスクの再生装置で再生することが可能なものに限	一枚につき百二十円に一ファイルごとに二百十円を加えた額

	る。）に複写したものの交付	
	ト　電子情報処理組織を使用する方法	一ファイルにつき二百十円
	チ　幅十二・七ミリメートルのオープンリールテープに複写したものの交付	一巻につき七千円に一ファイルごとに二百十円を加えた額
	リ　幅十二・七ミリメートルの磁気テープカートリッジに複写したものの交付	一巻につき八百円（日本産業規格X六一三五に適合するものについては二千五百円、国際規格一四八三三、一五八九五又は一五三〇七に適合するものについてはそれぞれ八千六百円、一万五百円又は一万二千九百円）に一ファイルごとに二百十円を加えた額
	ヌ　幅八ミリメートルの磁気テープカートリッジに複写したものの交付	一巻につき千八百円（日本産業規格X六一四二に適合するものについては二千六百円、国際規格一五七五七に適合するものについては三千二百円）に一ファイルごとに二百十円を加えた額
	ル　幅三・八一ミリメートルの磁気テープカートリッジに複写したものの交付	一巻につき五百九十円（日本産業規格X六一二九、X六一三〇又はX六一三七に適合するものについては、それぞれ八百円、千三百円又は千七百五十円）に一ファイルごとに二百十円を加えた額
八　映画フィルム	イ　専用機器により映写したものの視聴	一巻につき三百九十円
	ロ　ビデオカセットテープに複写したものの交付	六千八百円（十六ミリメートル映画フィルムについては一万三千円、三十五ミリメートル映画フィルムについては一万百円）に記録時間十分までごとに二千七百五十円（十六ミリメートル映画フィルムについては三千二百円、三十五ミリメートル映画フィルムについては二千六百五十円）を加えた額
九　スライド及び録音テープ（第九条第五項に規定する場合におけるものに限る。）	イ　専用機器により再生したものの視聴	一巻につき六百八十円
	ロ　ビデオカセットテープに複写したものの交付	五千二百円（スライド二十枚を超える場合にあっては、五千二百円にその超える枚数一枚につき百十円を加えた額）

備考　一の項ハ若しくはニ、二の項ハ又は七の項ハ若しくはニの場合において、両面印刷の用紙を用いるときは、片面を一枚として額を算定する。

○行政代執行法〔昭和二三・五・一五　法律四三〕

改正　昭和二六・三法九五、昭和三四・四法一四八、昭和三七・九法一六一

〔適用〕

第一条　行政上の義務の履行確保に関しては、別に法律で定めるものを除いては、この法律の定めるところによる。

〔代執行〕

第二条　法律（法律の委任に基く命令、規則及び条例を含む。以下同じ。）により直接に命ぜられ、又は法律に基き行政庁により命ぜられた行為（他人が代つてなすことのできる行為に限る。）について義務者がこれを履行しない場合、他の手段によつてその履行を確保することが困難であり、且つその不履行を放置することが著しく公益に反すると認められるときは、当該行政庁は、自ら義務者のなすべき行為をなし、又は第三者をしてこれをなさしめ、その費用を義務者から徴収することができる。

〔戒告・代執行令書〕

第三条　前条の規定による処分（代執行）をなすには、相当の履行期限を定め、その期限までに履行がなされないときは、代執行をなすべき旨を、予め文書で戒告しなければならない。

② 義務者が、前項の戒告を受けて、指定の期限までにその義務を履行しないときは、当該行政庁は、代執行令書をもつて、代執行をなすべき時期、代執行のために派遣する執行責任者の氏名及び代執行に要する費用の概算による見積額を義務者に通知する。

③ 非常の場合又は危険切迫の場合において、当該行為の急速な実施について緊急の必要があり、前二項に規定する手続をとる暇がないときは、その手続を経ないで代執行をすることができる。

〔証票の携帯〕

第四条　代執行のために現場に派遣される執行責任者は、その者が執行責任者たる本人であることを示すべき証票を携帯し、要求があるときは、何時でもこれを呈示しなければならない。

〔費用の徴収〕

第五条　代執行に要した費用の徴収については、実際に要した費用の額及びその納期日を定め、義務者に対し、文書をもつてその納付を命じなければならない。

第六条　代執行に要した費用は、国税滞納処分の例により、これを徴収することができる。

② 代執行に要した費用については、行政庁は、国税及び地方税に次ぐ順位の先取特権を有する。

③ 代執行に要した費用を徴収したときは、その徴収金は、事務費の所属に従い、国庫又は地方公共団体の経済の収入となる。

附　則

① この法律は、公布の日から起算し、三十日を経過した日から、これを施行する。

② 行政執行法は、これを廃止する。

附　則〔抄〕〔昭和三七・九・一五法律一六一〕

1 この法律は、昭和三十七年十月一日から施行する。

○行政事件訴訟法〔昭和三七・五・一六 法律一三九〕

改正 平成元・一二法九一、平成八・六法一一〇、平成一六・六法七四、法八四、法一〇二、法一〇五、一二法一五五、平成一七・七法八二、一〇法一〇二、平成一九・三法一六、五法五八、法六四、六法七四、法七六、法八二、法八五、法一〇〇、七法一〇九、平成二一・七法七六、平成二三・五法三九、法五四、八法九四、平成二六・五法四〇、六法六九、平成二七・七法五九、平成二八・一一法八九、令和四・五法五四、令和五・五法三二、一一法七九

注1 [　]の部分は、令和五年六月七日法律第四七号により改正され、令和七年四月一日から施行

注2 令和四年五月二五日法律第四八号の改正は、公布の日から起算して四年を超えない範囲内において政令で定める日から施行のため、改正を加えてありません。

注3 令和六年六月二一日法律第六〇号の改正は、公布の日から起算して三年を超えない範囲内において政令で定める日から施行のため、改正を加えてありません。

目次

第一章　総則（第一条―第七条）
第二章　抗告訴訟
　第一節　取消訴訟（第八条―第三十五条）
　第二節　その他の抗告訴訟（第三十六条―第三十八条）
第三章　当事者訴訟（第三十九条―第四十一条）
第四章　民衆訴訟及び機関訴訟（第四十二条・第四十三条）
第五章　補則（第四十四条―第四十六条）
附則

第一章　総則

（この法律の趣旨）

第一条 行政事件訴訟については、他の法律に特別の定めがある場合を除くほか、この法律の定めるところによる。

（行政事件訴訟）

第二条 この法律において「行政事件訴訟」とは、抗告訴訟、当事者訴訟、民衆訴訟及び機関訴訟をいう。

（抗告訴訟）

第三条 この法律において「抗告訴訟」とは、行政庁の公権力の行使に関する不服の訴訟をいう。

2 この法律において「処分の取消しの訴え」とは、行政庁の処分その他公権力の行使に当たる行為（次項に規定する裁決、決定その他の行為を除く。以下単に「処分」という。）の取消しを求める訴訟をいう。

3 この法律において「裁決の取消しの訴え」とは、審査請求その他の不服申立て（以下単に「審査請求」という。）に対する行政庁の裁決、決定その他の行為（以下単に「裁決」という。）の取消しを求める訴訟をいう。

4 この法律において「無効等確認の訴え」とは、処分若しくは裁決の存否又はその効力の有無の確認を求める訴訟をいう。

5 この法律において「不作為の違法確認の訴え」とは、行政庁が法令に基づく申請に対し、相当の期間内に何らかの処分又は裁決をすべきであるにかかわらず、これをしないことについての違法の確認を求める訴訟をいう。

6 この法律において「義務付けの訴え」とは、次に掲げる場合において、行政庁がその処分又は裁決をすべき旨を命ずることを求める訴訟をいう。

一 行政庁が一定の処分をすべきであるにかかわらずこれがされないとき（次号に掲げる場合を除く。）。

二 行政庁に対し一定の処分又は裁決を求める旨の法令に基づく申請又は審査請求がされた場合において、当該行政庁がその処分又は裁決をすべきであるにかかわらずこれがされないとき。

7 この法律において「差止めの訴え」とは、行政庁が一定の処分又は裁決をすべきでないにかかわらずこれがされようとしている場合において、行政庁がその処分又は裁決をしてはならない旨を命ずることを求める訴訟をいう。

（当事者訴訟）

第四条 この法律において「当事者訴訟」とは、当事者間の法律関係を確認し又は形成する処分又は裁決に関する訴訟で法令の規定によりその法律関係の当事者の一方を被告とするもの及び公法上の法律関係に関する確認の訴えその他の公法上の法律関係に関する訴訟をいう。

（民衆訴訟）

第五条 この法律において「民衆訴訟」とは、国又は公共団体の機関の法規に適合しない行為の是正を求める訴訟で、選挙人たる資格その他自己の法律上の利益にかかわらない資格で提起するものをいう。

（機関訴訟）

第六条 この法律において「機関訴訟」とは、国又は公共団体の機関相互間における権限の存否又はその行使に関する紛争についての訴訟をいう。

（この法律に定めがない事項）

第七条 行政事件訴訟に関し、この法律に定めがない事項については、民事訴訟の例による。

第二章　抗告訴訟

第一節　取消訴訟

（処分の取消しの訴えと審査請求との関係）

第八条　処分の取消しの訴えは、当該処分につき法令の規定により審査請求をすることができる場合においても、直ちに提起することを妨げない。ただし、法律に当該処分についての審査請求に対する裁決を経た後でなければ処分の取消しの訴えを提起することができない旨の定めがあるときは、この限りでない。

2　前項ただし書の場合においても、次の各号の一に該当するときは、裁決を経ないで、処分の取消しの訴えを提起することができる。

一　審査請求があつた日から三箇月を経過しても裁決がないとき。

二　処分、処分の執行又は手続の続行により生ずる著しい損害を避けるため緊急の必要があるとき。

三　その他裁決を経ないことにつき正当な理由があるとき。

3　第一項本文の場合において、当該処分につき審査請求がされているときは、裁判所は、その審査請求に対する裁決があるまで（審査請求があつた日から三箇月を経過しても裁決がないときは、その期間を経過するまで）、訴訟手続を中止することができる。

（原告適格）

第九条　処分の取消しの訴え及び裁決の取消しの訴え（以下「取消訴訟」という。）は、当該処分又は裁決の取消しを求めるにつき法律上の利益を有する者（処分又は裁決の効果が期間の経過その他の理由によりなくなつた後においてもなお処分又は裁決の取消しによつて回復すべき法律上の利益を有する者を含む。）に限り、提起することができる。

2　裁判所は、処分又は裁決の相手方以外の者について前項に規定する法律上の利益の有無を判断するに当たつては、当該処分又は裁決の根拠となる法令の規定の文言のみによることなく、当該法令の趣旨及び目的並びに当該処分において考慮されるべき利益の内容及び性質を考慮するものとする。この場合において、当該法令の趣旨及び目的を考慮するに当たつては、当該法令と目的を共通にする関係法令があるときはその趣旨及び目的をも参酌するものとし、当該利益の内容及び性質を考慮するに当たつては、当該処分又は裁決がその根拠となる法令に違反してされた場合に害されることとなる利益の内容及び性質並びにこれが害される態様及び程度をも勘案するものとする。

（取消しの理由の制限）

第一〇条　取消訴訟においては、自己の法律上の利益に関係のない違法を理由として取消しを求めることができない。

2　処分の取消しの訴えとその処分についての審査請求を棄却した裁決の取消しの訴えとを提起することができる場合には、裁決の取消しの訴えにおいては、処分の違法を理由として取消しを求めることができない。

（被告適格等）

第一一条　処分又は裁決をした行政庁（処分又は裁決があつた後に当該行政庁の権限が他の行政庁に承継されたときは、当該他の行政庁。以下同じ。）が国又は公共団体に所属する場合には、取消訴訟は、次の各号に掲げる訴えの区分に応じてそれぞれ当該各号に定める者を被告として提起しなければならない。

一　処分の取消しの訴え　当該処分をした行政庁の所属する国又は公共団体

二　裁決の取消しの訴え　当該裁決をした行政庁の所属する国又は公共団体

2　処分又は裁決をした行政庁が国又は公共団体に所属しない場合には、取消訴訟は、当該行政庁を被告として提起しなければならない。

3　前二項の規定により被告とすべき国若しくは公共団体又は行政庁がない場合には、取消訴訟は、当該処分又は裁決に係る事務の帰属する国又は公共団体を被告として提起しなければならない。

4　第一項又は前項の規定により国又は公共団体を被告として取消訴訟を提起する場合には、訴状には、民事訴訟の例により記載すべき事項のほか、次の各号に掲げる訴えの区分に応じてそれぞれ当該各号に定める行政庁を記載するものとする。

一　処分の取消しの訴え　当該処分をした行政庁

二　裁決の取消しの訴え　当該裁決をした行政庁

5　第一項又は第三項の規定により国又は公共団体を被告として取消訴訟が提起された場合には、被告は、遅滞なく、裁判所に対し、前項各号に掲げる訴えの区分に応じてそれぞれ当該各号に定める行政庁を明らかにしなければならない。

6　処分又は裁決をした行政庁は、当該処分又は裁決に係る第一項の規定による国又は公共団体を被告とする訴訟について、裁判上の一切の行為をする権限を有する。

（管轄）

第一二条　取消訴訟は、被告の普通裁判籍の所在地を管轄する裁判所又は処分若しくは裁決をした行政庁の所在地を管轄する裁判所の管轄に属する。

2　土地の収用、鉱業権の設定その他不動産又は特定の場所に係る処分又は裁決についての取消訴訟は、その不動産又は場所の所在地の裁判所にも、提起することができる。

3　取消訴訟は、当該処分又は裁決に関し事案の処理に当たつた下級行政機関の所在地の裁判所にも、提起することができる。

4　国又は独立行政法人通則法（平成十一年法律第百三号）第二条第一項に規定する独立行政法人若しくは別表に掲げる法人を被告とする取消訴訟は、原告の普通裁判籍の所在地を管轄する高等裁判所の所在地を管轄する地方裁判所（次項において「特定管轄裁判所」という。）にも、提起することができる。

5　前項の規定により特定管轄裁判所に同項の取消訴訟が提起された場合であつて、他の裁判所に事実上及び法律上同一の原因に基づいてされた処分又は裁決に係る抗告訴訟が係属している場合においては、当該特定管轄裁判所は、当事者の住所又は所在地、尋問を受けるべき証人の住所、争点又は証拠の共通性その他の事情を考慮して、相当と認めるときは、申立てにより又は職権で、訴訟の全部又は一部について、当該他の裁判所又は第一項から第三項までに定める裁判所に移送することができる。

（関連請求に係る訴訟の移送）

第一三条　取消訴訟と次の各号の一に該当する請求（以下「関連請求」という。）に係る訴訟とが各別の裁判所に係属する場合において、相当と認めるときは、関連請求に係る訴訟の係属する裁判所は、申立てにより又は職権で、その訴訟を取消訴訟の係属する裁判所に移送することができる。ただし、取消訴訟又は関連請求に係る訴訟の係属する裁判所が高等裁判所であるときは、この限りでない。

一　当該処分又は裁決に関連する原状回復又は損害賠償の請求

二　当該処分とともに一個の手続を構成する他の処分の取消しの請求

三　当該処分に係る裁決の取消しの請求

四　当該裁決に係る処分の取消しの請求

五　当該処分又は裁決の取消しを求める他の請求

六　その他当該処分又は裁決の取消しの請求と関連する請求

（出訴期間）

第一四条　取消訴訟は、処分又は裁決があつたことを知つた日から六箇月を経過したときは、提起することができない。ただし、正当な理由があるときは、この限りでない。

2　取消訴訟は、処分又は裁決の日から一年を経過したときは、提起することができない。ただし、正当な理由があるときは、この限りでない。

3　処分又は裁決につき審査請求をすることができる場合又は行政庁が誤つて審査請求をすることができる旨を教示した場合において、審査請求があつたときは、処分又は裁決に係る取消訴訟は、その審査請求をした者については、前二項の規定にかかわらず、これに対する裁決があつたことを知つた日から六箇月を経過したとき又は当該裁決の日から一年を経過したときは、提起することができない。ただし、正当な理由があるときは、この限りでない。

（被告を誤つた訴えの救済）

第一五条　取消訴訟において、原告が故意又は重大な過失によらないで被告とすべき者を誤つたときは、裁判所は、原告の申立てにより、決定をもつて、被告を変更することを許すことができる。

2　前項の決定は、書面でするものとし、その正本を新たな被告に送達しなければならない。

3　第一項の決定があつたときは、出訴期間の遵守については、新たな被告に対する訴えは、最初に訴えを提起した時に提起されたものとみなす。

4　第一項の決定があつたときは、従前の被告に対しては、訴えの取下げがあつたものとみなす。

5　第一項の決定に対しては、不服を申し立てることができない。

6　第一項の申立てを却下する決定に対しては、即時抗告をすることができる。

7　上訴審において第一項の決定をしたときは、裁判所は、その訴訟を管轄裁判所に移送しなければならない。

（請求の客観的併合）
第一六条　取消訴訟には、関連請求に係る訴えを併合することができる。
2　前項の規定により訴えを併合する場合において、取消訴訟の第一審裁判所が高等裁判所であるときは、関連請求に係る訴えの被告の同意を得なければならない。被告が異議を述べないで、本案について弁論をし、又は弁論準備手続において申述をしたときは、同意したものとみなす。

（共同訴訟）
第一七条　数人は、その数人の請求又はその数人に対する請求が処分又は裁決の取消しの請求と関連請求とである場合に限り、共同訴訟人として訴え、又は訴えられることができる。
2　前項の場合には、前条第二項の規定を準用する。

（第三者による請求の追加的併合）
第一八条　第三者は、取消訴訟の口頭弁論の終結に至るまで、その訴訟の当事者の一方を被告として、関連請求に係る訴えをこれに併合して提起することができる。この場合において、当該取消訴訟が高等裁判所に係属しているときは、第十六条第二項の規定を準用する。

（原告による請求の追加的併合）
第一九条　原告は、取消訴訟の口頭弁論の終結に至るまで、関連請求に係る訴えをこれに併合して提起することができる。この場合において、当該取消訴訟が高等裁判所に係属しているときは、第十六条第二項の規定を準用する。
2　前項の規定は、取消訴訟について民事訴訟法（平成八年法律第百九号）第百四十三条の規定の例によることを妨げない。

第二〇条　前条第一項前段の規定により、処分の取消しの訴えをその処分についての審査請求を棄却した裁決の取消しの訴えに併合して提起する場合には、同項後段において準用する第十六条第二項の規定にかかわらず、処分の取消しの訴えの被告の同意を得ることを要せず、また、その提起があつたときは、出訴期間の遵守については、処分の取消しの訴えは、裁決の取消しの訴えを提起した時に提起されたものとみなす。

（国又は公共団体に対する請求への訴えの変更）
第二一条　裁判所は、取消訴訟の目的たる請求を当該処分又は裁決に係る事務の帰属する国又は公共団体に対する損害賠償その他の請求に変更することが相当であると認めるときは、請求の基礎に変更がない限り、口頭弁論の終結に至るまで、原告の申立てにより、決定をもつて、訴えの変更を許すことができる。
2　前項の決定には、第十五条第二項の規定を準用する。
3　裁判所は、第一項の規定により訴えの変更を許す決定をするには、あらかじめ、当事者及び損害賠償その他の請求に係る訴えの被告の意見をきかなければならない。
4　訴えの変更を許す決定に対しては、即時抗告をすることができる。
5　訴えの変更を許さない決定に対しては、不服を申し立てることができない。

（第三者の訴訟参加）
第二二条　裁判所は、訴訟の結果により権利を害される第三者があるときは、当事者若しくはその第三者の申立てにより又は職権で、決定をもつて、その第三者を訴訟に参加させることができる。
2　裁判所は、前項の決定をするには、あらかじめ、当事者及び第三者の意見をきかなければならない。
3　第一項の申立てをした第三者は、その申立てを却下する決定に対して即時抗告をすることができる。
4　第一項の規定により訴訟に参加した第三者については、民事訴訟法第四十条第一項から第三項までの規定を準用する。
5　第一項の規定により第三者が参加の申立てをした場合には、民事訴訟法第四十五条第三項及び第四項の規定を準用する。

（行政庁の訴訟参加）
第二三条　裁判所は、処分又は裁決をした行政庁以外の行政庁を訴訟に参加させることが必要であると認めるときは、当事者若しくはその行政庁の申立てにより又は職権で、決定をもつて、その行政庁を訴訟に参加させることができる。
2　裁判所は、前項の決定をするには、あらかじめ、当事者及び当該行政庁の意見をきかなければならない。
3　第一項の規定により訴訟に参加した行政庁については、民事訴訟法第四十五条第一項及び第二項の規定を準用する。

（釈明処分の特則）
第二三条の二　裁判所は、訴訟関係を明瞭にするため、必要があると認めるときは、次に掲げる処分をすることができる。
一　被告である国若しくは公共団体に所属する行政庁又は被告である行政庁に対し、処分又は裁決の内容、処分又は裁決の根拠となる法令の条項、処分又は裁決の原因となる事実その他処分又は裁決の理由を明らかにする資料（次項に規定する審査請求に係る事件の記録を除く。）であつて当該行政庁が保有するものの全部又は一部の提出を求めること。
二　前号に規定する行政庁以外の行政庁に対し、同号に規定する資料であつて当該行政庁が保有するものの全部又は一部の送付を嘱託すること。
2　裁判所は、処分についての審査請求に対する裁決を経た後に取消訴訟の提起があつたときは、次に掲げる処分をすることができる。
一　被告である国若しくは公共団体に所属する行政庁又は被告である行政庁に対し、当該審査請求に係る事件の記録であつて当該行政庁が保有するものの全部又は一部の提出を求めること。
二　前号に規定する行政庁以外の行政庁に対し、同号に規定する事件の記録であつて当該行政庁が保有するものの全部又は一部の送付を嘱託すること。

（職権証拠調べ）
第二四条　裁判所は、必要があると認めるときは、職権で、証拠調べをすることができる。ただし、その証拠調べの結果について、当事者の意見をきかなければならない。

（執行停止）
第二五条　処分の取消しの訴えの提起は、処分の効力、処分の執行又は手続の続行を妨げない。
2　処分の取消しの訴えの提起があつた場合において、処分、処分の執行又は手続の続行により生ずる重大な損害を避けるため緊急の必要があるときは、裁判所は、申立てにより、決定をもつて、処分の効力、処分の執行又は手続の続行の全部又は一部の停止（以下「執行停止」という。）をすることができる。ただし、処分の効力の停止は、処分の執行又は手続の続行の停止によつて目的を達することができる場合には、することができない。
3　裁判所は、前項に規定する重大な損害を生ずるか否かを判断するに当たつては、損害の回復の困難の程度を考慮するものとし、損害の性質及び程度並びに処分の内容及び性質をも勘案するものとする。
4　執行停止は、公共の福祉に重大な影響を及ぼすおそれがあるとき、又は本案について理由がないとみえるときは、することができない。
5　第二項の決定は、疎明に基づいてする。
6　第二項の決定は、口頭弁論を経ないですることができる。ただし、あらかじめ、当事者の意見をきかなければならない。
7　第二項の申立てに対する決定に対しては、即時抗告をすることができる。
8　第二項の決定に対する即時抗告は、その決定の執行を停止する効力を有しない。

（事情変更による執行停止の取消し）
第二六条　執行停止の決定が確定した後に、その理由が消滅し、その他事情が変更したときは、裁判所は、相手方の申立てにより、決定をもつて、執行停止の決定を取り消すことができる。
2　前項の申立てに対する決定及びこれに対する不服については、前条第五項から第八項までの規定を準用する。

（内閣総理大臣の異議）
第二七条　第二十五条第二項の申立てがあつた場合には、内閣総理大臣は、裁判所に対し、異議を述べることができる。執行停止の決定があつた後においても、同様とする。
2　前項の異議には、理由を附さなければならない。
3　前項の異議の理由においては、内閣総理大臣は、処分の効力を存続し、処分を執行し、又は手続を続行しなければ、公共の福祉に重大な影響を及ぼすおそれのある事情を示すものとする。
4　第一項の異議があつたときは、裁判所は、執行停止をすることができず、また、すでに執行停止の決定をしているときは、これを取り消さなければならない。
5　第一項後段の異議は、執行停止の決定をした裁判所に対して述べなければならない。ただし、その決定に対する抗告が抗告裁判所に係属しているときは、抗告裁判所に対して述べなければならない。
6　内閣総理大臣は、やむをえない場合でなければ、第一項の異議を述べてはならず、また、異議を述べたときは、次の常会において国会にこれを報告しなければならない。

（執行停止等の管轄裁判所）

第二八条　執行停止又はその決定の取消しの申立ての管轄裁判所は、本案の係属する裁判所とする。

（執行停止に関する規定の準用）

第二九条　前四条の規定は、裁決の取消しの訴えの提起があつた場合における執行停止に関する事項について準用する。

（裁量処分の取消し）

第三〇条　行政庁の裁量処分については、裁量権の範囲をこえ又はその濫用があつた場合に限り、裁判所は、その処分を取り消すことができる。

（特別の事情による請求の棄却）

第三一条　取消訴訟については、処分又は裁決が違法ではあるが、これを取り消すことにより公の利益に著しい障害を生ずる場合において、原告の受ける損害の程度、その損害の賠償又は防止の程度及び方法その他一切の事情を考慮したうえ、処分又は裁決を取り消すことが公共の福祉に適合しないと認めるときは、裁判所は、請求を棄却することができる。この場合には、当該判決の主文において、処分又は裁決が違法であることを宣言しなければならない。

2　裁判所は、相当と認めるときは、終局判決前に、判決をもつて、処分又は裁決が違法であることを宣言することができる。

3　終局判決に事実及び理由を記載するには、前項の判決を引用することができる。

（取消判決等の効力）

第三二条　処分又は裁決を取り消す判決は、第三者に対しても効力を有する。

2　前項の規定は、執行停止の決定又はこれを取り消す決定に準用する。

第三三条　処分又は裁決を取り消す判決は、その事件について、処分又は裁決をした行政庁その他の関係行政庁を拘束する。

2　申請を却下し若しくは棄却した処分又は審査請求を却下し若しくは棄却した裁決が判決により取り消されたときは、その処分又は裁決をした行政庁は、判決の趣旨に従い、改めて申請に対する処分又は審査請求に対する裁決をしなければならない。

3　前項の規定は、申請に基づいてした処分又は審査請求を認容した裁決が判決により手続に違法があることを理由として取り消された場合に準用する。

4　第一項の規定は、執行停止の決定に準用する。

（第三者の再審の訴え）

第三四条　処分又は裁決を取り消す判決により権利を害された第三者で、自己の責めに帰することができない理由により訴訟に参加することができなかつたため判決に影響を及ぼすべき攻撃又は防御の方法を提出することができなかつたものは、これを理由として、確定の終局判決に対し、再審の訴えをもつて、不服の申立てをすることができる。

2　前項の訴えは、確定判決を知つた日から三十日以内に提起しなければならない。

3　前項の期間は、不変期間とする。

4　第一項の訴えは、判決が確定した日から一年を経過したときは、提起することができない。

（訴訟費用の裁判の効力）

第三五条　国又は公共団体に所属する行政庁が当事者又は参加人である訴訟における確定した訴訟費用の裁判は、当該行政庁が所属する国又は公共団体に対し、又はそれらの者のために、効力を有する。

第二節　その他の抗告訴訟

（無効等確認の訴えの原告適格）

第三六条　無効等確認の訴えは、当該処分又は裁決に続く処分により損害を受けるおそれのある者その他当該処分又は裁決の無効等の確認を求めるにつき法律上の利益を有する者で、当該処分若しくは裁決の存否又はその効力の有無を前提とする現在の法律関係に関する訴えによつて目的を達することができないものに限り、提起することができる。

（不作為の違法確認の訴えの原告適格）

第三七条　不作為の違法確認の訴えは、処分又は裁決についての申請をした者に限り、提起することができる。

（義務付けの訴えの要件等）

第三七条の二　第三条第六項第一号に掲げる場合において、義務付けの訴えは、一定の処分がされないことにより重大な損害を生ずるおそれがあり、かつ、その損害を避けるため他に適当な方法がないときに限り、提起することができる。

2　裁判所は、前項に規定する重大な損害を生ずるか否かを判断するに当たつては、損害の回復の困難の程度を考慮するものとし、損害の性質及び程度並びに処分の内容及び性質をも勘案するものとする。

3　第一項の義務付けの訴えは、行政庁が一定の処分をすべき旨を命ずることを求めるにつき法律上の利益を有する者に限り、提起することができる。

4　前項に規定する法律上の利益の有無の判断については、第九条第二項の規定を準用する。

5　義務付けの訴えが第一項及び第三項に規定する要件に該当する場合において、その義務付けの訴えに係る処分につき、行政庁がその処分をすべきであることがその処分の根拠となる法令の規定から明らかであると認められ又は行政庁がその処分をしないことがその裁量権の範囲を超え若しくはその濫用となると認められるときは、裁判所は、行政庁がその処分をすべき旨を命ずる判決をする。

第三七条の三　第三条第六項第二号に掲げる場合において、義務付けの訴えは、次の各号に掲げる要件のいずれかに該当するときに限り、提起することができる。

一　当該法令に基づく申請又は審査請求に対し相当の期間内に何らの処分又は裁決がされないこと。

二　当該法令に基づく申請又は審査請求を却下し又は棄却する旨の処分又は裁決がされた場合において、当該処分又は裁決が取り消されるべきものであり、又は無効若しくは不存在であること。

2　前項の義務付けの訴えは、同項各号に規定する法令に基づく申請又は審査請求をした者に限り、提起することができる。

3　第一項の義務付けの訴えを提起するときは、次の各号に掲げる区分に応じてそれぞれ当該各号に定める訴えをその義務付けの訴えに併合して提起しなければならない。この場合において、当該各号に定める訴えに係る訴訟の管轄について他の法律に特別の定めがあるときは、当該義務付けの訴えに係る訴訟の管轄は、第三十八条第一項において準用する第十二条の規定にかかわらず、その定めに従う。

一　第一項第一号に掲げる要件に該当する場合　同号に規定する処分又は裁決に係る不作為の違法確認の訴え

二　第一項第二号に掲げる要件に該当する場合　同号に規定する処分又は裁決に係る取消訴訟又は無効等確認の訴え

4　前項の規定により併合して提起された義務付けの訴え及び同項各号に定める訴えに係る弁論及び裁判は、分離しないでしなければならない。

5　義務付けの訴えが第一項から第三項までに規定する要件に該当する場合において、同項各号に定める訴えに係る請求に理由があると認められ、かつ、その義務付けの訴えに係る処分又は裁決につき、行政庁がその処分若しくは裁決をすべきであることがその処分若しくは裁決の根拠となる法令の規定から明らかであると認められ又は行政庁がその処分若しくは裁決をしないことがその裁量権の範囲を超え若しくはその濫用となると認められるときは、裁判所は、その義務付けの訴えに係る処分又は裁決をすべき旨を命ずる判決をする。

6　第四項の規定にかかわらず、裁判所は、審理の状況その他の事情を考慮して、第三項各号に定める訴えについてのみ終局判決をすることがより迅速な争訟の解決に資すると認めるときは、当該訴えについてのみ終局判決をすることができる。この場合において、裁判所は、当該訴えについてのみ終局判決をしたときは、当事者の意見を聴いて、当該訴えに係る訴訟手続が完結するまでの間、義務付けの訴えに係る訴訟手続を中止することができる。

7　第一項の義務付けの訴えのうち、行政庁が一定の裁決をすべき旨を命ずることを求めるものは、処分についての審査請求がされた場合において、当該処分に係る処分の取消しの訴え又は無効等確認の訴えを提起することができないときに限り、提起することができる。

（差止めの訴えの要件）

第三七条の四　差止めの訴えは、一定の処分又は裁決がされることにより重大な損害を生ずるおそれがある場合に限り、提起することができる。ただし、その損害を避けるため他に適当な方法があるときは、この限りでない。

2　裁判所は、前項に規定する重大な損害を生ずるか否かを判断するに当たつては、損害の回復の困難の程度を考慮するものとし、損害の性質及び程度並びに処分又は裁決の内容及び性質をも勘案するものとする。

3　差止めの訴えは、行政庁が一定の処分又は裁決をしてはならない旨を命ずることを求めるにつき法律上の利益を有する者に限り、提起することができる。

4　前項に規定する法律上の利益の有無の判断については、第九条第二項の規定を準用する。

5　差止めの訴えが第一項及び第三項に規定する要件に該当する場合において、その差止めの訴えに係る処分又は裁決につき、行政庁がその処分若しくは裁決をすべきでないことがその処分若しくは裁決の根拠となる法令の規定から明らかであると認められ又は行政庁がその処分若しくは裁決をすることがその裁量権の範囲を超え若しくはその濫用となると認められるときは、裁判所は、行政庁がその処分又は裁決をしてはならない旨を命ずる判決をする。

（仮の義務付け及び仮の差止め）

第三七条の五　義務付けの訴えの提起があつた場合において、その義務付けの訴えに係る処分又は裁決がされないことにより生ずる償うことのできない損害を避けるため緊急の必要があり、かつ、本案について理由があるとみえるときは、裁判所は、申立てにより、決定をもつて、仮に行政庁がその処分又は裁決をすべき旨を命ずること（以下この条において「仮の義務付け」という。）ができる。

2　差止めの訴えの提起があつた場合において、その差止めの訴えに係る処分又は裁決がされることにより生ずる償うことのできない損害を避けるため緊急の必要があり、かつ、本案について理由があるとみえるときは、裁判所は、申立てにより、決定をもつて、仮に行政庁がその処分又は裁決をしてはならない旨を命ずること（以下この条において「仮の差止め」という。）ができる。

3　仮の義務付け又は仮の差止めは、公共の福祉に重大な影響を及ぼすおそれがあるときは、することができない。

4　第二十五条第五項から第八項まで、第二十六条から第二十八条まで及び第三十三条第一項の規定は、仮の義務付け又は仮の差止めに関する事項について準用する。

5　前項において準用する第二十五条第七項の即時抗告についての裁判又は前項において準用する第二十六条第一項の決定により仮の義務付けの決定が取り消されたときは、当該行政庁は、当該仮の義務付けの決定に基づいてした処分又は裁決を取り消さなければならない。

（取消訴訟に関する規定の準用）

第三八条　第十一条から第十三条まで、第十六条から第十九条まで、第二十一条から第二十三条まで、第二十四条、第三十三条及び第三十五条の規定は、取消訴訟以外の抗告訴訟について準用する。

2　第十条第二項の規定は、処分の無効等確認の訴えとその処分についての審査請求を棄却した裁決に係る抗告訴訟とを提起することができる場合に、第二十条の規定は、処分の無効等確認の訴えをその処分についての審査請求を棄却した裁決に係る抗告訴訟に併合して提起する場合に準用する。

3　第二十三条の二、第二十五条から第二十九条まで及び第三十二条第二項の規定は、無効等確認の訴えについて準用する。

4　第八条及び第十条第二項の規定は、不作為の違法確認の訴えに準用する。

第三章　当事者訴訟

（出訴の通知）

第三九条　当事者間の法律関係を確認し又は形成する処分又は裁決に関する訴訟で、法令の規定によりその法律関係の当事者の一方を被告とするものが提起されたときは、裁判所は、当該処分又は裁決をした行政庁にその旨を通知するものとする。

（出訴期間の定めがある当事者訴訟）

第四〇条　法令に出訴期間の定めがある当事者訴訟は、その法令に別段の定めがある場合を除き、正当な理由があるときは、その期間を経過した後であつても、これを提起することができる。

2　第十五条の規定は、法令に出訴期間の定めがある当事者訴訟について準用する。

（抗告訴訟に関する規定の準用）

第四一条　第二十三条、第二十四条、第三十三条第一項及び第三十五条の規定は当事者訴訟について、第二十三条の二の規定は当事者訴訟における処分又は裁決の理由を明らかにする資料の提出について準用する。

2　第十三条の規定は、当事者訴訟とその目的たる請求と関連請求の関係にある請求に係る訴訟とが各別の裁判所に係属する場合における移送に、第十六条から第十九条までの規定は、これらの訴えの併合について準用する。

第四章　民衆訴訟及び機関訴訟

（訴えの提起）

第四二条　民衆訴訟及び機関訴訟は、法律に定める場合において、法律に定める者に限り、提起することができる。

（抗告訴訟又は当事者訴訟に関する規定の準用）

第四三条　民衆訴訟又は機関訴訟で、処分又は裁決の取消しを求めるものについては、第九条及び第十条第一項の規定を除き、取消訴訟に関する規定を準用する。

2　民衆訴訟又は機関訴訟で、処分又は裁決の無効の確認を求めるものについては、第三十六条の規定を除き、無効等確認の訴えに関する規定を準用する。

3　民衆訴訟又は機関訴訟で、前二項に規定する訴訟以外のものについては、第三十九条及び第四十条第一項の規定を除き、当事者訴訟に関する規定を準用する。

第五章　補則

（仮処分の排除）

第四四条　行政庁の処分その他公権力の行使に当たる行為については、民事保全法（平成元年法律第九十一号）に規定する仮処分をすることができない。

（処分の効力等を争点とする訴訟）

第四五条　私法上の法律関係に関する訴訟において、処分若しくは裁決の存否又はその効力の有無が争われている場合には、第二十三条第一項及び第二項並びに第三十九条の規定を準用する。

2　前項の規定により行政庁が訴訟に参加した場合には、民事訴訟法第四十五条第一項及び第二項の規定を準用する。ただし、攻撃又は防御の方法は、当該処分若しくは裁決の存否又はその効力の有無に関するものに限り、提出することができる。

3　第一項の規定により行政庁が訴訟に参加した後において、処分若しくは裁決の存否又はその効力の有無に関する争いがなくなつたときは、裁判所は、参加の決定を取り消すことができる。

4　第一項の場合には、当該争点について第二十三条の二及び第二十四条の規定を準用し、訴訟費用の裁判について第三十五条の規定を準用する。

（取消訴訟等の提起に関する事項の教示）

第四六条　行政庁は、取消訴訟を提起することができる処分又は裁決をする場合には、当該処分又は裁決の相手方に対し、次に掲げる事項を書面で教示しなければならない。ただし、当該処分を口頭でする場合は、この限りでない。

一　当該処分又は裁決に係る取消訴訟の被告とすべき者

二　当該処分又は裁決に係る取消訴訟の出訴期間

三　法律に当該処分についての審査請求に対する裁決を経た後でなければ処分の取消しの訴えを提起することができない旨の定めがあるときは、その旨

2　行政庁は、法律に処分についての審査請求に対してした裁決に対してのみ取消訴訟を提起することができる旨の定めがある場合において、当該処分をするときは、当該処分の相手方に対し、法律にその定めがある旨を書面で教示しなければならない。ただし、当該処分を口頭でする場合は、この限りでない。

3　行政庁は、当事者間の法律関係を確認し又は形成する処分又は裁決に関する訴訟で法令の規定によりその法律関係の当事者の一方を被告とするものを提起することができる処分又は裁決をする場合には、当該処分又は裁決の相手方に対し、次に掲げる事項を書面で教示しなければならない。ただし、当該処分を口頭でする場合は、この限りでない。

一　当該訴訟の被告とすべき者
二　当該訴訟の出訴期間

附　則

（施行期日）
第一条　この法律は、昭和三十七年十月一日から施行する。

（行政事件訴訟特例法の廃止）
第二条　行政事件訴訟特例法（昭和二十三年法律第八十一号。以下「旧法」という。）は、廃止する。

（経過措置に関する原則）
第三条　この法律は、この附則に特別の定めがある場合を除き、この法律の施行前に生じた事項にも適用する。ただし、旧法によつて生じた効力を妨げない。

（訴願前置に関する経過措置）
第四条　法令の規定により訴願をすることができる処分又は裁決であつて、訴願を提起しないでこの法律の施行前にこれを提起すべき期間を経過したものの取消訴訟の提起については、この法律の施行後も、なお旧法第二条の例による。

（取消しの理由の制限に関する経過措置）
第五条　この法律の施行の際現に係属している裁決の取消しの訴えについては、第十条第二項の規定を適用しない。

（被告適格に関する経過措置）
第六条　この法律の施行の際現に係属している取消訴訟の被告適格については、なお従前の例による。

（出訴期間に関する経過措置）
第七条　この法律の施行の際現に旧法第五条第一項の期間が進行している処分又は裁決の取消しの訴えの出訴期間で、処分又は裁決があつたことを知つた日を基準とするものについては、なお従前の例による。ただし、その期間は、この法律の施行の日から起算して三箇月をこえることができない。
2　この法律の施行の際現に旧法第五条第三項の期間が進行している処分又は裁決の取消しの訴えの出訴期間で、処分又は裁決があつた日を基準とするものについては、なお従前の例による。
3　前二項の規定は、この法律の施行後に審査請求がされた場合における第十四条第四項の規定の適用を妨げない。

（取消訴訟以外の抗告訴訟に関する経過措置）
第八条　取消訴訟以外の抗告訴訟で、この法律の施行の際現に係属しているものの原告適格及び被告適格については、なお従前の例による。
2　附則第五条の規定は、処分の無効等確認の訴えとその処分についての審査請求を棄却した裁決に係る抗告訴訟とを提起することができる場合に準用する。

（当事者訴訟に関する経過措置）
第九条　第三十九条の規定は、この法律の施行後に提起される当事者訴訟についてのみ、適用する。

（民衆訴訟及び機関訴訟に関する経過措置）
第一〇条　民衆訴訟及び機関訴訟のうち、処分又は裁決の取消しを求めるものについては、取消訴訟に関する経過措置に関する規定を、処分又は裁決の無効の確認を求めるものについては、無効等確認の訴えに関する経過措置に関する規定を準用する。

（処分の効力等を争点とする訴訟に関する経過措置）
第一一条　第三十九条の規定は、この法律の施行の際現に係属している私法上の法律関係に関する訴訟については、この法律の施行後に新たに処分若しくは裁決の存否又はその効力の有無が争われるに至つた場合にのみ、準用する。

附　則〔略〕〔平成元・一二・二二法律九一〕

附　則〔平成八・六・二六法律一一〇〕

この法律は、新民訴法の施行の日〔平成一〇・一・一〕から施行する。
〔以下略〕

民事訴訟法の施行に伴う関係法律の整備等に関する法律〔抄〕〔平成八・六・二六　法律一一〇〕

（行政事件訴訟法の一部改正に伴う経過措置）
第三六条　新民訴法附則第十三条の規定により前条の規定の施行後も従前の例によることとされる準備手続において、被告が異議を述べないで申述をした場合における関連請求については、なお従前の例による。

附　則〔略〕〔平成一六・六・二法律七四〕

附　則〔抄〕〔平成一六・六・九法律八四〕

（施行期日）
第一条　この法律は、公布の日から起算して一年を超えない範囲内において政令で定める日から施行する。〔以下略〕
〔平成一六政三二一により、平成一七・四・一から施行〕

（経過措置に関する原則）
第二条　この法律による改正後の規定は、この附則に特別の定めがある場合を除き、この法律の施行前に生じた事項にも適用する。ただし、この法律による改正前の規定により生じた効力を妨げない。

（被告適格に関する経過措置）
第三条　この法律の施行の際現に係属している抗告訴訟（この法律による改正後の行政事件訴訟法（以下「新法」という。）第三条第一項に規定する抗告訴訟をいう。）並びに民衆訴訟（新法第五条に規定する民衆訴訟をいう。）及び機関訴訟（新法第六条に規定する機関訴訟をいう。）のうち処分（新法第三条第二項に規定する処分をいう。以下同じ。）又は裁決（同条第三項に規定する裁決をいう。以下同じ。）の取消し又は無効の確認を求めるものの被告適格に関しては、新法第十一条、第二十三条第一項及び第三十三条第一項（これらの規定を新法第三十八条第一項（新法第四十三条第二項において準用する場合を含む。）又は新法第四十三条第一項において準用する場合を含む。）並びに附則第十八条の規定による改正後の地方税法（昭和二十五年法律第二百二十六号）第十九条の十四第一項、附則第三十六条の規定による改正後の国税通則法（昭和三十七年法律第六十六号）第百十六条第一項、附則第四十三条の規定による改正後のたばこ事業法（昭和五十九年法律第六十八号）附則第二十三条及び附則第四十四条の規定による改正後の塩事業法（平成八年法律第三十九号）附則第三十四条の規定にかかわらず、なお従前の例による。

（出訴期間に関する経過措置）
第四条　この法律の施行前にその期間が満了した処分又は裁決に関する訴訟の出訴期間については、なお従前の例による。

（取消訴訟等の提起に関する事項の教示に関する経過措置）
第五条　この法律の施行前にされた処分又は裁決については、新法第四十六条の規定は、適用しない。

（検討）
第五〇条　政府は、この法律の施行後五年を経過した場合において、新法の施行の状況について検討を加え、必要があると認めるときは、その結果に基づいて所要の措置を講ずるものとする。

附　則〔抄〕〔平成一六・六・九法律一〇二〕

（施行期日）
第一条　この法律は、平成十八年三月三十一日までの間において政令で定める日から施行する。〔以下略〕
〔平成一七政二〇〇により、平成一七・一〇・一から施行〕

（検討）
第二条　政府は、この法律の施行後十年以内に、日本道路公団等民営化関係法の施行の状況について検討を加え、その結果に基づいて必要な措置を講ずるものとする。

（行政事件訴訟法等の一部改正に伴う経過措置）
第四九条　この法律の施行前に前条第一号の規定による改正前の行政事件訴訟法の規定に基づき提起された公団を被告とする取消訴訟（第十五条第一項の規定により会社が承継することとなる権利及び義務に関するものに限る。）の管轄については、なお従前の例による。
2・3　〔略〕

附　則〔略〕〔平成一六・六・一一法律一〇五〕

附　則〔略〕〔平成一六・一二・三法律一五五〕

附　則〔略〕〔平成一七・七・六法律八二〕

附　則〔略〕〔平成一七・一〇・二一法律一〇二〕

附　則〔抄〕〔平成一九・三・三一法律一六〕

（施行期日）
第一条　この法律は、平成十九年四月一日から施行する。ただし、次の各号に掲げる規定は、当該各号に定める日から施行する。
一　〔前略〕附則第五条から第十二条まで〔中略〕の規定　平成十九年十月一日
二　〔略〕

（第二条の規定による改正に伴う関係法律の一部改正に伴う経過措置）

第九条　前条の規定の施行前に同条第二号の規定による改正前の行政事件訴訟法の規定に基づき提起された日本船舶振興会を被告とする抗告訴訟の管轄については、なお従前の例による。

附　則〔略〕〔平成一九・五・二五法律五八〕

附　則〔抄〕〔平成一九・五・三〇法律六四〕

（施行期日）

第一条　この法律〔中略〕附則〔中略〕第三十六条から第四十一条まで〔中略〕の規定は、平成二十年十月一日から施行する。

（行政事件訴訟法の一部改正に伴う経過措置）

第三九条　前条の規定の施行前に同条の規定による改正前の行政事件訴訟法の規定に基づき提起された公庫を被告とする抗告訴訟の管轄については、なお従前の例による。

附　則〔抄〕〔平成一九・六・一法律七四〕

（施行期日）

第一条　この法律は、平成二十年十月一日から施行する。〔以下略〕

（行政事件訴訟法の一部改正に伴う経過措置）

第六七条　この法律の施行前に前条の規定による改正前の行政事件訴訟法の規定に基づき提起された転換前の法人を被告とする抗告訴訟の管轄については、なお従前の例による。

附　則〔抄〕〔平成一九・六・六法律七六〕

（施行期日）

第一条　この法律は、公布の日から起算して一年を超えない範囲内において政令で定める日から施行する。〔以下略〕

〔平成一九政三八七により、平成二〇・一・一から施行〕

（行政事件訴訟法の一部改正に伴う経過措置）

第一六条　この法律の施行前に前条第一号の規定による改正前の行政事件訴訟法の規定に基づき提起された地方競馬全国協会を被告とする抗告訴訟の管轄については、なお従前の例による。

附　則〔抄〕〔平成一九・六・一三法律八二〕

（施行期日）

第一条　この法律〔中略〕は、当該各号に定める日から施行する。

一　〔前略〕附則〔中略〕第二十一条〔中略〕の規定　平成二十年一月三十一日までの間において政令で定める日

〔平成一九政三〇一により、平成一九・一〇・一から施行〕

二　〔前略〕附則〔中略〕第二十五条〔中略〕の規定　平成二十年四月三十日までの間において政令で定める日

〔平成二〇政一一により、平成二〇・四・一から施行〕

（第二条の規定による改正に伴う行政事件訴訟法等の一部改正に伴う経過措置）

第二二条　前条の規定の施行前に同条の規定による改正前の行政事件訴訟法の規定に基づき提起された日本自転車振興会を被告とする抗告訴訟の管轄については、なお従前の例による。

（第四条の規定による改正に伴う行政事件訴訟法等の一部改正に伴う経過措置）

第二六条　前条の規定の施行前に同条の規定による改正前の行政事件訴訟法の規定に基づき提起された日本小型自動車振興会を被告とする抗告訴訟の管轄については、なお従前の例による。

附　則〔抄〕〔平成一九・六・一三法律八五〕

（施行期日）

第一条　この法律〔中略〕は、当該各号に定める日〔平成二〇・一〇・一〕から施行する。

（行政事件訴訟法の一部改正に伴う経過措置）

第四三条　前条第一号の規定の施行前に同号の規定による改正前の行政事件訴訟法の規定に基づき提起された政投銀を被告とする抗告訴訟（附則第十五条第一項の規定により会社が承継することとなる権利及び義務に関するものに限る。）の管轄については、なお従前の例による。

附　則〔略〕〔平成一九・六・二七法律一〇〇〕

附　則〔略〕〔平成一九・七・六法律一〇九〕

附　則〔略〕〔平成二一・七・一〇法律七六〕

附　則〔略〕〔平成二三・五・二法律三九〕

附　則〔略〕〔平成二三・五・二五法律五四〕

附　則〔略〕〔平成二三・八・一〇法律九四施行〕

附　則〔略〕〔平成二六・五・二一法律四〇〕

附　則〔略〕〔平成二六・六・一三法律六九〕

附　則〔略〕〔平成二七・七・一七法律五九〕

附　則〔抄〕〔平成二八・一一・二八法律八九〕

（施行期日）

第一条　この法律は、公布の日から起算して一年を超えない範囲内において政令で定める日から施行する。ただし、〔中略〕附則〔中略〕第十四条〔中略〕第二十六条の規定は、公布の日から施行する。

〔平成二九政一三五により、平成二九・一一・一から施行〕

（罰則に関する経過措置）

第二五条　この法律の施行前にした行為及びこの法律の規定によりなお従前の例によることとされる場合におけるこの法律の施行後にした行為に対する罰則の適用については、なお従前の例による。

（政令への委任）

第二六条　この附則に規定するもののほか、この法律の施行に伴い必要な経過措置（罰則に関する経過措置を含む。）は、政令で定める。

附　則〔略〕〔令和四・五・二七法律五四〕

附　則〔略〕〔令和五・五・一九法律三二〕

附　則〔抄〕〔令和五・六・七法律四七〕

（施行期日）

第一条　この法律は、国立健康危機管理研究機構法（令和五年法律第四十六号）の施行の日（以下「施行日」という。）〔令和七・四・一〕から施行する。ただし、附則第五条の規定は、公布の日から施行する。

（罰則に関する経過措置）

第四条　この法律の施行前にした行為及び前条の規定によりなお従前の例によることとされる場合におけるこの法律の施行後にした行為に対する罰則の適用については、なお従前の例による。

（政令への委任）

第五条　前三条に定めるもののほか、この法律の施行に関し必要な経過措置は、政令で定める。

附　則〔抄〕〔令和五・一一・二九法律七九〕

（施行期日）

第一条　この法律は、公布の日から起算して一年を超えない範囲内において政令で定める日から施行する。ただし、次の各号に掲げる規定は、当該各号に定める日から施行する。

一　附則第六十八条の規定　公布の日

二　〔前略〕附則〔中略〕第四十一条から第四十三条までの規定〔中略〕公布の日から起算して三月を超えない範囲内において政令で定める日

〔令和六政二一により、令和六・二・一から施行〕

三　〔前略〕附則〔中略〕第六十七条の規定　令和六年四月一日

四・五　〔略〕

（罰則に関する経過措置）

第六七条　この法律（附則第一条第三号及び第四号に掲げる規定にあっては、当該規定。以下この条及び次条において同じ。）の施行前にした行為及びこの附則の規定によりなお従前の例によることとされる場合におけるこの法律の施行後にした行為に対する罰則の適用については、なお従前の例による。

（政令への委任）

第六八条　この附則に規定するもののほか、この法律の施行に関し必要な経過措置（罰則に関する経過措置を含む。）は、政令で定める。

（検討）

第六九条　政府は、この法律の施行後五年を目途として、この法律による改正後のそれぞれの法律（以下この条において「改正後の各法律」という。）の施行の状況等を勘案し、必要があると認めるときは、改正後の各法律の規定について検討を加え、その結果に基づいて所要の措置を講ずるものとする。

別表（第十二条関係）

名称	根拠法
沖縄科学技術大学院大学学園	沖縄科学技術大学院大学学園法（平成二十一年法律第七十六号）
沖縄振興開発金融公庫	沖縄振興開発金融公庫法（昭和四十七年法律第三十一号）
外国人技能実習機構	外国人の技能実習の適正な実施及び技能実習生の保護に関する法律（平成二十八年法律第八十九号）
株式会社国際協力銀行	株式会社国際協力銀行法（平成二十三年法律第三十九号）
株式会社日本政策金融公庫	株式会社日本政策金融公庫法（平成十九年法律第五十七号）
株式会社日本貿易保険	貿易保険法（昭和二十五年法律第六十七号）
金融経済教育推進機構	金融サービスの提供及び利用環境の整備等に関する法律（平成十二年法律第百一号）
原子力損害賠償・廃炉等支援機構	原子力損害賠償・廃炉等支援機構法（平成二十三年法律第九十四号）
国立健康危機管理研究機構	国立健康危機管理研究機構法（令和五年法律第四十六号）
国立大学法人	国立大学法人法（平成十五年法律第百十二号）
新関西国際空港株式会社	関西国際空港及び大阪国際空港の一体的かつ効率的な設置及び管理に関する法律（平成二十三年法律第五十四号）
大学共同利用機関法人	国立大学法人法
脱炭素成長型経済構造移行推進機構	脱炭素成長型経済構造への円滑な移行の推進に関する法律（令和五年法律第三十二号）
日本銀行	日本銀行法（平成九年法律第八十九号）
日本司法支援センター	総合法律支援法（平成十六年法律第七十四号）
日本私立学校振興・共済事業団	日本私立学校振興・共済事業団法（平成九年法律第四十八号）
日本中央競馬会	日本中央競馬会法（昭和二十九年法律第二百五号）
日本年金機構	日本年金機構法（平成十九年法律第百九号）
農水産業協同組合貯金保険機構	農水産業協同組合貯金保険法（昭和四十八年法律第五十三号）
福島国際研究教育機構	福島復興再生特別措置法（平成二十四年法律第二十五号）
放送大学学園	放送大学学園法（平成十四年法律第百五十六号）
預金保険機構	預金保険法（昭和四十六年法律第三十四号）

〇行政不服審査法〔平成二六・六・一三 法律六八〕

改正　平成二九・三法四、令和三・五法三七、令和四・五法五二

注　令和五年六月一六日法律第六三号の改正は、公布の日から起算して三年を超えない範囲内において政令で定める日から施行のため、改正を加えてありません。

目次

第一章　総則（第一条―第八条）
第二章　審査請求
　第一節　審査庁及び審理関係人（第九条―第十七条）
　第二節　審査請求の手続（第十八条―第二十七条）
　第三節　審理手続（第二十八条―第四十二条）
　第四節　行政不服審査会等への諮問（第四十三条）
　第五節　裁決（第四十四条―第五十三条）
第三章　再調査の請求（第五十四条―第六十一条）
第四章　再審査請求（第六十二条―第六十六条）
第五章　行政不服審査会等
　第一節　行政不服審査会
　　第一款　設置及び組織（第六十七条―第七十三条）
　　第二款　審査会の調査審議の手続（第七十四条―第七十九条）
　　第三款　雑則（第八十条）
　第二節　地方公共団体に置かれる機関（第八十一条）
第六章　補則（第八十二条―第八十七条）
附則

第一章　総則

（**目的等**）

第一条　この法律は、行政庁の違法又は不当な処分その他公権力の行使に当たる行為に関し、国民が簡易迅速かつ公正な手続の下で広く行政庁に対する不服申立てをすることができるための制度を定めることにより、国民の権利利益の救済を図るとともに、行政の適正な運営を確保することを目的

とする。

2　行政庁の処分その他公権力の行使に当たる行為（以下単に「処分」という。）に関する不服申立てについては、他の法律に特別の定めがある場合を除くほか、この法律の定めるところによる。

（処分についての審査請求）

第二条　行政庁の処分に不服がある者は、第四条及び第五条第二項の定めるところにより、審査請求をすることができる。

（不作為についての審査請求）

第三条　法令に基づき行政庁に対して処分についての申請をした者は、当該申請から相当の期間が経過したにもかかわらず、行政庁の不作為（法令に基づく申請に対して何らの処分をもしないことをいう。以下同じ。）がある場合には、次条の定めるところにより、当該不作為についての審査請求をすることができる。

（審査請求をすべき行政庁）

第四条　審査請求は、法律（条例に基づく処分については、条例）に特別の定めがある場合を除くほか、次の各号に掲げる場合の区分に応じ、当該各号に定める行政庁に対してするものとする。

一　処分庁等（処分をした行政庁（以下「処分庁」という。）又は不作為に係る行政庁（以下「不作為庁」という。）をいう。以下同じ。）に上級行政庁がない場合又は処分庁等が主任の大臣若しくは宮内庁長官若しくは内閣府設置法（平成十一年法律第八十九号）第四十九条第一項若しくは第二項若しくは国家行政組織法（昭和二十三年法律第百二十号）第三条第二項に規定する庁の長である場合　当該処分庁等

二　宮内庁長官又は内閣府設置法第四十九条第一項若しくは第二項若しくは国家行政組織法第三条第二項に規定する庁の長が処分庁等の上級行政庁である場合　宮内庁長官又は当該庁の長

三　主任の大臣が処分庁等の上級行政庁である場合（前二号に掲げる場合を除く。）　当該主任の大臣

四　前三号に掲げる場合以外の場合　当該処分庁等の最上級行政庁

（再調査の請求）

第五条　行政庁の処分につき処分庁以外の行政庁に対して審査請求をすることができる場合において、法律に再調査の請求をすることができる旨の定めがあるときは、当該処分に不服がある者は、処分庁に対して再調査の請求をすることができる。ただし、当該処分について第二条の規定により審査請求をしたときは、この限りでない。

2　前項本文の規定により再調査の請求をしたときは、当該再調査の請求についての決定を経た後でなければ、審査請求をすることができない。ただし、次の各号のいずれかに該当する場合は、この限りでない。

一　当該処分につき再調査の請求をした日（第六十一条において読み替えて準用する第二十三条の規定により不備を補正すべきことを命じられた場合にあっては、当該不備を補正した日）の翌日から起算して三月を経過しても、処分庁が当該再調査の請求につき決定をしない場合

二　その他再調査の請求についての決定を経ないことにつき正当な理由がある場合

（再審査請求）

第六条　行政庁の処分につき法律に再審査請求をすることができる旨の定めがある場合には、当該処分についての審査請求の裁決に不服がある者は、再審査請求をすることができる。

2　再審査請求は、原裁決（再審査請求をすることができる処分についての審査請求の裁決をいう。以下同じ。）又は当該処分（以下「原裁決等」という。）を対象として、前項の法律に定める行政庁に対してするものとする。

（適用除外）

第七条　次に掲げる処分及びその不作為については、第二条及び第三条の規定は、適用しない。

一　国会の両院若しくは一院又は議会の議決によってされる処分

二　裁判所若しくは裁判官の裁判により、又は裁判の執行としてされる処分

三　国会の両院若しくは一院若しくは議会の議決を経て、又はこれらの同意若しくは承認を得た上でされるべきものとされている処分

四　検査官会議で決すべきものとされている処分

五　当事者間の法律関係を確認し、又は形成する処分で、法令の規定により当該処分に関する訴えにおいてその法律関係の当事者の一方を被告とすべきものと定められているもの

六　刑事事件に関する法令に基づいて検察官、検察事務官又は司法警察職員がする処分

七　国税又は地方税の犯則事件に関する法令（他の法令において準用する場合を含む。）に基づいて国税庁長官、国税局長、税務署長、国税庁、国税局若しくは税務署の当該職員、税関長、税関職員又は徴税吏員（他の法令の規定に基づいてこれらの職員の職務を行う者を含む。）がする処分及び金融商品取引の犯則事件に関する法令（他の法令において準用する場合を含む。）に基づいて証券取引等監視委員会、その職員（当該法令においてその職員とみなされる者を含む。）、財務局長又は財務支局長がする処分

八　学校、講習所、訓練所又は研修所において、教育、講習、訓練又は研修の目的を達成するために、学生、生徒、児童若しくは幼児若しくはこれらの保護者、講習生、訓練生又は研修生に対してされる処分

九　刑務所、少年刑務所、拘置所、留置施設、海上保安留置施設、少年院又は少年鑑別所において、収容の目的を達成するためにされる処分

十　外国人の出入国又は帰化に関する処分

十一　専ら人の学識技能に関する試験又は検定の結果についての処分

十二　この法律に基づく処分（第五章第一節第一款の規定に基づく処分を除く。）

2　国の機関又は地方公共団体その他の公共団体若しくはその機関に対する処分で、これらの機関又は団体がその固有の資格において当該処分の相手方となるもの及びその不作為については、この法律の規定は、適用しない。

（特別の不服申立ての制度）

第八条　前条の規定は、同条の規定により審査請求をすることができない処分又は不作為につき、別に法令で当該処分又は不作為の性質に応じた不服申立ての制度を設けることを妨げない。

第二章　審査請求

第一節　審査庁及び審理関係人

（審理員）

第九条　第四条又は他の法律若しくは条例の規定により審査請求がされた行政庁（第十四条の規定により引継ぎを受けた行政庁を含む。以下「審査庁」という。）は、審査庁に所属する職員（第十七条に規定する名簿を作成した場合にあっては、当該名簿に記載されている者）のうちから第三節に規定する審理手続（この節に規定する手続を含む。）を行う者を指名するとともに、その旨を審査請求人及び処分庁等（審査庁以外の処分庁等に限る。）に通知しなければならない。ただし、次の各号のいずれかに掲げる機関が審査庁である場合若しくは条例に基づく処分について条例に特別の定めがある場合又は第二十四条の規定により当該審査請求を却下する場合は、この限りでない。

一　内閣府設置法第四十九条第一項若しくは第二項又は国家行政組織法第三条第二項に規定する委員会

二　内閣府設置法第三十七条若しくは第五十四条又は国家行政組織法第八条に規定する機関

三　地方自治法（昭和二十二年法律第六十七号）第百三十八条の四第一項に規定する委員会若しくは委員又は同条第三項に規定する機関

2　審査庁が前項の規定により指名する者は、次に掲げる者以外の者でなければならない。

一　審査請求に係る処分若しくは当該処分に係る再調査の請求についての決定に関与した者又は審査請求に係る不作為に係る処分に関与し、若しくは関与することとなる者

二　審査請求人

三　審査請求人の配偶者、四親等内の親族又は同居の親族

四　審査請求人の代理人

五　前二号に掲げる者であった者

六　審査請求人の後見人、後見監督人、保佐人、保佐監督人、補助人又は補助監督人

七　第十三条第一項に規定する利害関係人

3　審査庁が第一項各号に掲げる機関である場合又は同項ただし書の特別の定めがある場合においては、別表第一の上欄に掲げる規定の適用については、これらの規定中同表の中欄に掲げる字句は、それぞれ同表の下欄に掲げる字句に読み替えるものとし、第十七条、第四十条、第四十二条及び第

五十条第二項の規定は、適用しない。

4　前項に規定する場合において、審査庁は、必要があると認めるときは、その職員（第二項各号（第一項各号に掲げる機関の構成員にあっては、第一号を除く。）に掲げる者以外の者に限る。）に、前項において読み替えて適用する第三十一条第一項の規定による審査請求人若しくは第十三条第四項に規定する参加人の意見の陳述を聴かせ、前項において読み替えて適用する第三十四条の規定による参考人の陳述を聴かせ、同項において読み替えて適用する第三十五条第一項の規定による検証をさせ、前項において読み替えて適用する第三十六条の規定による第二十八条に規定する審理関係人に対する質問をさせ、又は同項において読み替えて適用する第三十七条第一項若しくは第二項の規定による意見の聴取を行わせることができる。

（法人でない社団又は財団の審査請求）

第一〇条　法人でない社団又は財団で代表者又は管理人の定めがあるものは、その名で審査請求をすることができる。

（総代）

第一一条　多数人が共同して審査請求をしようとするときは、三人を超えない総代を互選することができる。

2　共同審査請求人が総代を互選しない場合において、必要があると認めるときは、第九条第一項の規定により指名された者（以下「審理員」という。）は、総代の互選を命ずることができる。

3　総代は、各自、他の共同審査請求人のために、審査請求の取下げを除き、当該審査請求に関する一切の行為をすることができる。

4　総代が選任されたときは、共同審査請求人は、総代を通じてのみ、前項の行為をすることができる。

5　共同審査請求人に対する行政庁の通知その他の行為は、二人以上の総代が選任されている場合においても、一人の総代に対してすれば足りる。

6　共同審査請求人は、必要があると認める場合には、総代を解任することができる。

（代理人による審査請求）

第一二条　審査請求は、代理人によってすることができる。

2　前項の代理人は、各自、審査請求人のために、当該審査請求に関する一切の行為をすることができる。ただし、審査請求の取下げは、特別の委任を受けた場合に限り、することができる。

（参加人）

第一三条　利害関係人（審査請求人以外の者であって審査請求に係る処分又は不作為に係る処分の根拠となる法令に照らし当該処分につき利害関係を有するものと認められる者をいう。以下同じ。）は、審理員の許可を得て、当該審査請求に参加することができる。

2　審理員は、必要があると認める場合には、利害関係人に対し、当該審査請求に参加することを求めることができる。

3　審査請求への参加は、代理人によってすることができる。

4　前項の代理人は、各自、第一項又は第二項の規定により当該審査請求に参加する者（以下「参加人」という。）のために、当該審査請求への参加に関する一切の行為をすることができる。ただし、審査請求への参加の取下げは、特別の委任を受けた場合に限り、することができる。

（行政庁が裁決をする権限を有しなくなった場合の措置）

第一四条　行政庁が審査請求がされた後法令の改廃により当該審査請求につき裁決をする権限を有しなくなったときは、当該行政庁は、第十九条に規定する審査請求書又は第二十一条第二項に規定する審査請求録取書及び関係書類その他の物件を新たに当該審査請求につき裁決をする権限を有することとなった行政庁に引き継がなければならない。この場合において、その引継ぎを受けた行政庁は、速やかに、その旨を審査請求人及び参加人に通知しなければならない。

（審理手続の承継）

第一五条　審査請求人が死亡したときは、相続人その他法令により審査請求の目的である処分に係る権利を承継した者は、審査請求人の地位を承継する。

2　審査請求人について合併又は分割（審査請求の目的である処分に係る権利を承継させるものに限る。）があったときは、合併後存続する法人その他の社団若しくは財団若しくは合併により設立された法人その他の社団若しくは財団又は分割により当該権利を承継した法人は、審査請求人の地位を承継する。

3　前二項の場合には、審査請求人の地位を承継した相続人その他の者又は法人その他の社団若しくは財団は、書面でその旨を審査庁に届け出なければならない。この場合には、届出書には、死亡若しくは分割による権利の承継又は合併の事実を証する書面を添付しなければならない。

4　第一項又は第二項の場合において、前項の規定による届出がされるまでの間において、死亡者又は合併前の法人その他の社団若しくは財団若しくは分割をした法人に宛ててされた通知が審査請求人の地位を承継した相続人その他の者又は合併後の法人その他の社団若しくは財団若しくは分割により審査請求人の地位を承継した法人に到達したときは、当該通知は、これらの者に対する通知としての効力を有する。

5　第一項の場合において、審査請求人の地位を承継した相続人その他の者が二人以上あるときは、その一人に対する通知その他の行為は、全員に対してされたものとみなす。

6　審査請求の目的である処分に係る権利を譲り受けた者は、審査庁の許可を得て、審査請求人の地位を承継することができる。

（標準審理期間）

第一六条　第四条又は他の法律若しくは条例の規定により審査庁となるべき行政庁（以下「審査庁となるべき行政庁」という。）は、審査請求がその事務所に到達してから当該審査請求に対する裁決をするまでに通常要すべき標準的な期間を定めるよう努めるとともに、これを定めたときは、当該審査庁となるべき行政庁及び関係処分庁（当該審査請求の対象となるべき処分の権限を有する行政庁であって当該審査庁となるべき行政庁以外のものをいう。次条において同じ。）の事務所における備付けその他の適当な方法により公にしておかなければならない。

（審理員となるべき者の名簿）

第一七条　審査庁となるべき行政庁は、審理員となるべき者の名簿を作成するよう努めるとともに、これを作成したときは、当該審査庁となるべき行政庁及び関係処分庁の事務所における備付けその他の適当な方法により公にしておかなければならない。

第二節　審査請求の手続

（審査請求期間）

第一八条　処分についての審査請求は、処分があったことを知った日の翌日から起算して三月（当該処分について再調査の請求をしたときは、当該再調査の請求についての決定があったことを知った日の翌日から起算して一月）を経過したときは、することができない。ただし、正当な理由があるときは、この限りでない。

2　処分についての審査請求は、処分（当該処分について再調査の請求をしたときは、当該再調査の請求についての決定）があった日の翌日から起算して一年を経過したときは、することができない。ただし、正当な理由があるときは、この限りでない。

3　次条に規定する審査請求書を郵便又は民間事業者による信書の送達に関する法律（平成十四年法律第九十九号）第二条第六項に規定する一般信書便事業者若しくは同条第九項に規定する特定信書便事業者による同条第二項に規定する信書便で提出した場合における前二項に規定する期間（以下「審査請求期間」という。）の計算については、送付に要した日数は、算入しない。

（審査請求書の提出）

第一九条　審査請求は、他の法律（条例に基づく処分については、条例）に口頭ですることができる旨の定めがある場合を除き、政令で定めるところにより、審査請求書を提出してしなければならない。

2　処分についての審査請求書には、次に掲げる事項を記載しなければならない。

一　審査請求人の氏名又は名称及び住所又は居所

二　審査請求に係る処分の内容

三　審査請求に係る処分（当該処分について再調査の請求についての決定を経たときは、当該決定）があったことを知った年月日

四　審査請求の趣旨及び理由

五　処分庁の教示の有無及びその内容

六　審査請求の年月日

3　不作為についての審査請求書には、次に掲げる事項を記載しなければならない。

一　審査請求人の氏名又は名称及び住所又は居所

二　当該不作為に係る処分についての申請の内容及び年月日

三　審査請求の年月日

4　審査請求人が、法人その他の社団若しくは財団である場合、総代を互選した場合又は代理人によって審査請求をする場合には、審査請求書には、第二項各号又は前項各号に掲げる事項のほか、その代表者若しくは管理人、総代又は代理人の氏名及び住所又は居所を記載しなければならない。

5　処分についての審査請求書には、第二項及び前項に規定する事項のほか、次の各号に掲げる場合においては、当該各号に定める事項を記載しなければならない。

一　第五条第二項第一号の規定により再調査の請求についての決定を経ないで審査請求をする場合　再調査の請求をした年月日

二　第五条第二項第二号の規定により再調査の請求についての決定を経ないで審査請求をする場合　その決定を経ないことについての正当な理由

三　審査請求期間の経過後において審査請求をする場合　前条第一項ただし書又は第二項ただし書に規定する正当な理由

（口頭による審査請求）

第二〇条　口頭で審査請求をする場合には、前条第二項から第五項までに規定する事項を陳述しなければならない。この場合において、陳述を受けた行政庁は、その陳述の内容を録取し、これを陳述人に読み聞かせて誤りのないことを確認しなければならない。

（処分庁等を経由する審査請求）

第二一条　審査請求をすべき行政庁が処分庁等と異なる場合における審査請求は、処分庁等を経由してすることができる。この場合において、審査請求人は、処分庁等に審査請求書を提出し、又は処分庁等に対し第十九条第二項から第五項までに規定する事項を陳述するものとする。

2　前項の場合には、処分庁等は、直ちに、審査請求書又は審査請求録取書（前条後段の規定により陳述の内容を録取した書面をいう。第二十九条第一項及び第五十五条において同じ。）を審査庁となるべき行政庁に送付しなければならない。

3　第一項の場合における審査請求期間の計算については、処分庁に審査請求書を提出し、又は処分庁に対し当該事項を陳述した時に、処分についての審査請求があったものとみなす。

（誤った教示をした場合の救済）

第二二条　審査請求をすることができる処分につき、処分庁が誤って審査請求をすべき行政庁でない行政庁を審査請求をすべき行政庁として教示した場合において、その教示された行政庁に書面で審査請求がされたときは、当該行政庁は、速やかに、審査請求書を処分庁又は審査庁となるべき行政庁に送付し、かつ、その旨を審査請求人に通知しなければならない。

2　前項の規定により処分庁に審査請求書が送付されたときは、処分庁は、速やかに、これを審査庁となるべき行政庁に送付し、かつ、その旨を審査請求人に通知しなければならない。

3　第一項の処分のうち、再調査の請求をすることができない処分につき、処分庁が誤って再調査の請求をすることができる旨を教示した場合において、当該処分庁に再調査の請求がされたときは、処分庁は、速やかに、再調査の請求書（第六十一条において読み替えて準用する第十九条に規定する再調査の請求書をいう。以下この条において同じ。）又は再調査の請求録取書（第六十一条において準用する第二十条後段の規定により陳述の内容を録取した書面をいう。以下この条において同じ。）を審査庁となるべき行政庁に送付し、かつ、その旨を再調査の請求人に通知しなければならない。

4　再調査の請求をすることができる処分につき、処分庁が誤って審査請求をすることができる旨を教示しなかった場合において、当該処分庁に再調査の請求がされた場合であって、再調査の請求人から申立てがあったときは、処分庁は、速やかに、再調査の請求書又は再調査の請求録取書及び関係書類その他の物件を審査庁となるべき行政庁に送付しなければならない。この場合において、その送付を受けた行政庁は、速やかに、その旨を再調査の請求人及び第六十一条において読み替えて準用する第十三条第一項又は第二項の規定により当該再調査の請求に参加する者に通知しなければならない。

5　前各項の規定により審査請求書又は再調査の請求書若しくは再調査の請求録取書が審査庁となるべき行政庁に送付されたときは、初めから審査庁となるべき行政庁に審査請求がされたものとみなす。

（審査請求書の補正）

第二三条　審査請求書が第十九条の規定に違反する場合には、審査庁は、相当の期間を定め、その期間内に不備を補正すべきことを命じなければならない。

（審理手続を経ないでする却下裁決）

第二四条　前条の場合において、審査請求人が同条の期間内に不備を補正しないときは、審査庁は、次節に規定する審理手続を経ないで、第四十五条第一項又は第四十九条第一項の規定に基づき、裁決で、当該審査請求を却下することができる。

2　審査請求が不適法であって補正することができないことが明らかなときも、前項と同様とする。

（執行停止）

第二五条　審査請求は、処分の効力、処分の執行又は手続の続行を妨げない。

2　処分庁の上級行政庁又は処分庁である審査庁は、必要があると認める場合には、審査請求人の申立てにより又は職権で、処分の効力、処分の執行又は手続の続行の全部又は一部の停止その他の措置（以下「執行停止」という。）をとることができる。

3　処分庁の上級行政庁又は処分庁のいずれでもない審査庁は、必要があると認める場合には、審査請求人の申立てにより、処分庁の意見を聴取した上、執行停止をすることができる。ただし、処分の効力、処分の執行又は手続の続行の全部又は一部の停止以外の措置をとることはできない。

4　前二項の規定による審査請求人の申立てがあった場合において、処分、処分の執行又は手続の続行により生ずる重大な損害を避けるために緊急の必要があると認めるときは、審査庁は、執行停止をしなければならない。ただし、公共の福祉に重大な影響を及ぼすおそれがあるとき、又は本案について理由がないとみえるときは、この限りでない。

5　審査庁は、前項に規定する重大な損害を生ずるか否かを判断するに当たっては、損害の回復の困難の程度を考慮するものとし、損害の性質及び程度並びに処分の内容及び性質をも勘案するものとする。

6　第二項から第四項までの場合において、処分の効力の停止は、処分の効力の停止以外の措置によって目的を達することができるときは、することができない。

7　執行停止の申立てがあったとき、又は審理員から第四十条に規定する執行停止をすべき旨の意見書が提出されたときは、審査庁は、速やかに、執行停止をするかどうかを決定しなければならない。

（執行停止の取消し）

第二六条　執行停止をした後において、執行停止が公共の福祉に重大な影響を及ぼすことが明らかとなったとき、その他事情が変更したときは、審査庁は、その執行停止を取り消すことができる。

（審査請求の取下げ）

第二七条　審査請求人は、裁決があるまでは、いつでも審査請求を取り下げることができる。

2　審査請求の取下げは、書面でしなければならない。

第三節　審理手続

（審理手続の計画的進行）

第二八条　審査請求人、参加人及び処分庁等（以下「審理関係人」という。）並びに審理員は、簡易迅速かつ公正な審理の実現のため、審理において、相互に協力するとともに、審理手続の計画的な進行を図らなければならない。

（弁明書の提出）

第二九条　審理員は、審査庁から指名されたときは、直ちに、審査請求書又は審査請求録取書の写しを処分庁等に送付しなければならない。ただし、処分庁等が審査庁である場合には、この限りでない。

2　審理員は、相当の期間を定めて、処分庁等に対し、弁明書の提出を求めるものとする。

3　処分庁等は、前項の弁明書に、次の各号の区分に応じ、当該各号に定める事項を記載しなければならない。

一　処分についての審査請求に対する弁明書　処分の内容及び理由

二　不作為についての審査請求に対する弁明書　処分をしていない理由並びに予定される処分の時期、内容及び理由

4　処分庁が次に掲げる書面を保有する場合には、前項第一号に掲げる弁明書にこれを添付するものとする。

一　行政手続法（平成五年法律第八十八号）第二十四条第一項の調書及び同条第三項の報告書
二　行政手続法第二十九条第一項に規定する弁明書

5　審理員は、処分庁等から弁明書の提出があったときは、これを審査請求人及び参加人に送付しなければならない。

（反論書等の提出）

第三〇条　審査請求人は、前条第五項の規定により送付された弁明書に記載された事項に対する反論を記載した書面（以下「反論書」という。）を提出することができる。この場合において、審理員が、反論書を提出すべき相当の期間を定めたときは、その期間内にこれを提出しなければならない。

2　参加人は、審査請求に係る事件に関する意見を記載した書面（第四十条及び第四十二条第一項を除き、以下「意見書」という。）を提出することができる。この場合において、審理員が、意見書を提出すべき相当の期間を定めたときは、その期間内にこれを提出しなければならない。

3　審理員は、審査請求人から反論書の提出があったときはこれを参加人及び処分庁等に、参加人から意見書の提出があったときはこれを審査請求人及び処分庁等に、それぞれ送付しなければならない。

（口頭意見陳述）

第三一条　審査請求人又は参加人の申立てがあった場合には、審理員は、当該申立てをした者（以下この条及び第四十一条第二項第二号において「申立人」という。）に口頭で審査請求に係る事件に関する意見を述べる機会を与えなければならない。ただし、当該申立人の所在その他の事情により当該意見を述べる機会を与えることが困難であると認められる場合には、この限りでない。

2　前項本文の規定による意見の陳述（以下「口頭意見陳述」という。）は、審理員が期日及び場所を指定し、全ての審理関係人を招集してさせるものとする。

3　口頭意見陳述において、申立人は、審理員の許可を得て、補佐人とともに出頭することができる。

4　口頭意見陳述において、審理員は、申立人のする陳述が事件に関係のない事項にわたる場合その他相当でない場合には、これを制限することができる。

5　口頭意見陳述に際し、申立人は、審理員の許可を得て、審査請求に係る事件に関し、処分庁等に対して、質問を発することができる。

（証拠書類等の提出）

第三二条　審査請求人又は参加人は、証拠書類又は証拠物を提出することができる。

2　処分庁等は、当該処分の理由となる事実を証する書類その他の物件を提出することができる。

3　前二項の場合において、審理員が、証拠書類若しくは証拠物又は書類その他の物件を提出すべき相当の期間を定めたときは、その期間内にこれを提出しなければならない。

（物件の提出要求）

第三三条　審理員は、審査請求人若しくは参加人の申立てにより又は職権で、書類その他の物件の所持人に対し、相当の期間を定めて、その物件の提出を求めることができる。この場合において、審理員は、その提出された物件を留め置くことができる。

（参考人の陳述及び鑑定の要求）

第三四条　審理員は、審査請求人若しくは参加人の申立てにより又は職権で、適当と認める者に、参考人としてその知っている事実の陳述を求め、又は鑑定を求めることができる。

（検証）

第三五条　審理員は、審査請求人若しくは参加人の申立てにより又は職権で、必要な場所につき、検証をすることができる。

2　審理員は、審査請求人又は参加人の申立てにより前項の検証をしようとするときは、あらかじめ、その日時及び場所を当該申立てをした者に通知し、これに立ち会う機会を与えなければならない。

（審理関係人への質問）

第三六条　審理員は、審査請求人若しくは参加人の申立てにより又は職権で、審査請求に係る事件に関し、審理関係人に質問することができる。

（審理手続の計画的遂行）

第三七条　審理員は、審査請求に係る事件について、審理すべき事項が多数であり又は錯綜しているなど事件が複雑であることその他の事情により、迅速かつ公正な審理を行うため、第三十一条から前条までに定める審理手続を計画的に遂行する必要があると認める場合には、期日及び場所を指定して、審理関係人を招集し、あらかじめ、これらの審理手続の申立てに関する意見の聴取を行うことができる。

2　審理員は、審理関係人が遠隔の地に居住している場合その他相当と認める場合には、政令で定めるところにより、審理員及び審理関係人が音声の送受信により通話をすることができる方法によって、前項に規定する意見の聴取を行うことができる。

3　審理員は、前二項の規定による意見の聴取を行ったときは、遅滞なく、第三十一条から前条までに定める審理手続の期日及び場所並びに第四十一条第一項の規定による審理手続の終結の予定時期を決定し、これらを審理関係人に通知するものとする。当該予定時期を変更したときも、同様とする。

（審査請求人等による提出書類等の閲覧等）

第三八条　審査請求人又は参加人は、第四十一条第一項又は第二項の規定により審理手続が終結するまでの間、審理員に対し、提出書類等（第二十九条第四項各号に掲げる書面又は第三十二条第一項若しくは第二項若しくは第三十三条の規定により提出された書類その他の物件をいう。次項において同じ。）の閲覧（電磁的記録（電子的方式、磁気的方式その他人の知覚によっては認識することができない方式で作られる記録であって、電子計算機による情報処理の用に供されるものをいう。以下同じ。）にあっては、記録された事項を審査庁が定める方法により表示したものの閲覧）又は当該書面若しくは当該書類の写し若しくは当該電磁的記録に記録された事項を記載した書面の交付を求めることができる。この場合において、審理員は、第三者の利益を害するおそれがあると認めるとき、その他正当な理由があるときでなければ、その閲覧又は交付を拒むことができない。

2　審理員は、前項の規定による閲覧をさせ、又は同項の規定による交付をしようとするときは、当該閲覧又は交付に係る提出書類等の提出人の意見を聴かなければならない。ただし、審理員が、その必要がないと認めるときは、この限りでない。

3　審理員は、第一項の規定による閲覧について、日時及び場所を指定することができる。

4　第一項の規定による交付を受ける審査請求人又は参加人は、政令で定めるところにより、実費の範囲内において政令で定める額の手数料を納めなければならない。

5　審理員は、経済的困難その他特別の理由があると認めるときは、政令で定めるところにより、前項の手数料を減額し、又は免除することができる。

6　地方公共団体（都道府県、市町村及び特別区並びに地方公共団体の組合に限る。以下同じ。）に所属する行政庁が審査庁である場合における前二項の規定の適用については、これらの規定中「政令」とあるのは、「条例」とし、国又は地方公共団体に所属しない行政庁が審査庁である場合におけるこれらの規定の適用については、これらの規定中「政令で」とあるのは、「審査庁が」とする。

（審理手続の併合又は分離）

第三九条　審理員は、必要があると認める場合には、数個の審査請求に係る審理手続を併合し、又は併合された数個の審査請求に係る審理手続を分離することができる。

（審理員による執行停止の意見書の提出）

第四〇条　審理員は、必要があると認める場合には、審査庁に対し、執行停止をすべき旨の意見書を提出することができる。

（審理手続の終結）

第四一条　審理員は、必要な審理を終えたと認めるときは、審理手続を終結するものとする。

2　前項に定めるもののほか、審理員は、次の各号のいずれかに該当するときは、審理手続を終結することができる。

一　次のイからホまでに掲げる規定の相当の期間内に、当該イからホまでに定める物件が提出されない場合において、更に一定の期間を示して、当該物件の提出を求めたにもかかわらず、当該提出期間内に当該物件が提出されなかったとき。
イ　第二十九条第二項　弁明書
ロ　第三十条第一項後段　反論書
ハ　第三十条第二項後段　意見書
ニ　第三十二条第三項　証拠書類若しくは証拠物又は書類その他の物件

ホ　第三十三条前段　書類その他の物件

二　申立人が、正当な理由なく、口頭意見陳述に出頭しないとき。

3　審理員が前二項の規定により審理手続を終結したときは、速やかに、審理関係人に対し、審理手続を終結した旨並びに次条第一項に規定する審理員意見書及び事件記録（審査請求書、弁明書その他審査請求に係る事件に関する書類その他の物件のうち政令で定めるものをいう。同条第二項及び第四十三条第二項において同じ。）を審査庁に提出する予定時期を通知するものとする。当該予定時期を変更したときも、同様とする。

（審理員意見書）

第四十二条　審理員は、審理手続を終結したときは、遅滞なく、審査庁がすべき裁決に関する意見書（以下「審理員意見書」という。）を作成しなければならない。

2　審理員は、審理員意見書を作成したときは、速やかに、これを事件記録とともに、審査庁に提出しなければならない。

第四節　行政不服審査会等への諮問

第四十三条　審査庁は、審理員意見書の提出を受けたときは、次の各号のいずれかに該当する場合を除き、審査庁が主任の大臣又は宮内庁長官若しくは内閣府設置法第四十九条第一項若しくは第二項若しくは国家行政組織法第三条第二項に規定する庁の長である場合にあっては行政不服審査会に、審査庁が地方公共団体の長（地方公共団体の組合にあっては、長、管理者又は理事会）である場合にあっては第八十一条第一項又は第二項の機関に、それぞれ諮問しなければならない。

一　審査請求に係る処分をしようとするときに他の法律又は政令（条例に基づく処分については、条例）に第九条第一項各号に掲げる機関若しくは地方公共団体の議会又はこれらの機関に類するものとして政令で定めるもの（以下「審議会等」という。）の議を経るべき旨又は経ることができる旨の定めがあり、かつ、当該議を経て当該処分がされた場合

二　裁決をしようとするときに他の法律又は政令（条例に基づく処分については、条例）に第九条第一項各号に掲げる機関若しくは地方公共団体の議会又はこれらの機関に類するものとして政令で定めるものの議を経るべき旨又は経ることができる旨の定めがあり、かつ、当該議を経て裁決をしようとする場合

三　第四十六条第三項又は第四十九条第四項の規定により審議会等の議を経て裁決をしようとする場合

四　審査請求人から、行政不服審査会又は第八十一条第一項若しくは第二項の機関（以下「行政不服審査会等」という。）への諮問を希望しない旨の申出がされている場合（参加人から、行政不服審査会等に諮問しないことについて反対する旨の申出がされている場合を除く。）

五　審査請求が、行政不服審査会等によって、国民の権利利益及び行政の運営に対する影響の程度その他当該事件の性質を勘案して、諮問を要しないものと認められたものである場合

六　審査請求が不適法であり、却下する場合

七　第四十六条第一項の規定により審査請求に係る処分（法令に基づく申請を却下し、又は棄却する処分及び事実上の行為を除く。）の全部を取り消し、又は第四十七条第一号若しくは第二号の規定により審査請求に係る事実上の行為の全部を撤廃すべき旨を命じ、若しくは撤廃することとする場合（当該処分の全部を取り消すこと又は当該事実上の行為の全部を撤廃すべき旨を命じ、若しくは撤廃することについて反対する旨の意見書が提出されている場合及び口頭意見陳述においてその旨の意見が述べられている場合を除く。）

八　第四十六条第二項各号又は第四十九条第三項各号に定める措置（法令に基づく申請の全部を認容すべき旨を命じ、又は認容するものに限る。）をとることとする場合（当該申請の全部を認容することについて反対する旨の意見書が提出されている場合及び口頭意見陳述においてその旨の意見が述べられている場合を除く。）

2　前項の規定による諮問は、審理員意見書及び事件記録の写しを添えてしなければならない。

3　第一項の規定により諮問をした審査庁は、審理関係人（処分庁等が審査庁である場合にあっては、審査請求人及び参加人）に対し、当該諮問をした旨を通知するとともに、審理員意見書の写しを送付しなければならない。

第五節　裁決

（裁決の時期）

第四十四条　審査庁は、行政不服審査会等から諮問に対する答申を受けたとき（前条第一項の規定による諮問を要しない場合（同項第二号又は第三号に該当する場合を除く。）にあっては審理員意見書が提出されたとき、同項第二号又は第三号に該当する場合にあっては同項第二号又は第三号に規定する議を経たとき）は、遅滞なく、裁決をしなければならない。

（処分についての審査請求の却下又は棄却）

第四十五条　処分についての審査請求が法定の期間経過後にされたものである場合その他不適法である場合には、審査庁は、裁決で、当該審査請求を却下する。

2　処分についての審査請求が理由がない場合には、審査庁は、裁決で、当該審査請求を棄却する。

3　審査請求に係る処分が違法又は不当ではあるが、これを取り消し、又は撤廃することにより公の利益に著しい障害を生ずる場合において、審査請求人の受ける損害の程度、その損害の賠償又は防止の程度及び方法その他一切の事情を考慮した上、処分を取り消し、又は撤廃することが公共の福祉に適合しないと認めるときは、審査庁は、裁決で、当該審査請求を棄却することができる。この場合には、審査庁は、裁決の主文で、当該処分が違法又は不当であることを宣言しなければならない。

（処分についての審査請求の認容）

第四十六条　処分（事実上の行為を除く。以下この条及び第四十八条において同じ。）についての審査請求が理由がある場合（前条第三項の規定の適用がある場合を除く。）には、審査庁は、裁決で、当該処分の全部若しくは一部を取り消し、又はこれを変更する。ただし、審査庁が処分庁の上級行政庁又は処分庁のいずれでもない場合には、当該処分を変更することはできない。

2　前項の規定により法令に基づく申請を却下し、又は棄却する処分の全部又は一部を取り消す場合において、次の各号に掲げる審査庁は、当該申請に対して一定の処分をすべきものと認めるときは、当該各号に定める措置をとる。

一　処分庁の上級行政庁である審査庁　当該処分庁に対し、当該処分をすべき旨を命ずること。

二　処分庁である審査庁　当該処分をすること。

3　前項に規定する一定の処分に関し、第四十三条第一項第一号に規定する議を経るべき旨の定めがある場合において、審査庁が前項各号に定める措置をとるために必要があると認めるときは、審査庁は、当該定めに係る審議会等の議を経ることができる。

4　前項に規定する定めがある場合のほか、第二項に規定する一定の処分に関し、他の法令に関係行政機関との協議の実施その他の手続をとるべき旨の定めがある場合において、審査庁が同項各号に定める措置をとるために必要があると認めるときは、審査庁は、当該手続をとることができる。

第四十七条　事実上の行為についての審査請求が理由がある場合（第四十五条第三項の規定の適用がある場合を除く。）には、審査庁は、裁決で、当該事実上の行為が違法又は不当である旨を宣言するとともに、次の各号に掲げる審査庁の区分に応じ、当該各号に定める措置をとる。ただし、審査庁が処分庁の上級行政庁以外の審査庁である場合には、当該事実上の行為を変更すべき旨を命ずることはできない。

一　処分庁以外の審査庁　当該処分庁に対し、当該事実上の行為の全部若しくは一部を撤廃し、又はこれを変更すべき旨を命ずること。

二　処分庁である審査庁　当該事実上の行為の全部若しくは一部を撤廃し、又はこれを変更すること。

（不利益変更の禁止）

第四十八条　第四十六条第一項本文又は前条の場合において、審査庁は、審査請求人の不利益に当該処分を変更し、又は当該事実上の行為を変更すべき旨を命じ、若しくはこれを変更することはできない。

（不作為についての審査請求の裁決）

第四十九条　不作為についての審査請求が当該不作為に係る処分についての申請から相当の期間が経過しないでされたものである場合その他不適法である場合には、審査庁は、裁決で、当該審査請求を却下する。

2　不作為についての審査請求が理由がない場合には、審査庁は、裁決で、当該審査請求を棄却する。

3　不作為についての審査請求が理由がある場合には、審査庁は、裁決で、当該不作為が違法又は不当である旨を宣言する。この場合において、次の各号に掲げる審査庁は、当該申請に対して一定の処分をすべきものと認めるときは、当該各号に定める措置をとる。
一　不作為庁の上級行政庁である審査庁　当該不作為庁に対し、当該処分をすべき旨を命ずること。
二　不作為庁である審査庁　当該処分をすること。
4　審査請求に係る不作為に係る処分に関し、第四十三条第一項第一号に規定する議を経るべき旨の定めがある場合において、審査庁が前項各号に定める措置をとるために必要があると認めるときは、審査庁は、当該定めに係る審議会等の議を経ることができる。
5　前項に規定する定めがある場合のほか、審査請求に係る不作為に係る処分に関し、他の法令に関係行政機関との協議の実施その他の手続をとるべき旨の定めがある場合において、審査庁が第三項各号に定める措置をとるために必要があると認めるときは、審査庁は、当該手続をとることができる。

（裁決の方式）
第五〇条　裁決は、次に掲げる事項を記載し、審査庁が記名押印した裁決書によりしなければならない。
一　主文
二　事案の概要
三　審理関係人の主張の要旨
四　理由（第一号の主文が審理員意見書又は行政不服審査会等若しくは審議会等の答申書と異なる内容である場合には、異なることとなった理由を含む。）
2　第四十三条第一項の規定による行政不服審査会等への諮問を要しない場合には、前項の裁決書には、審理員意見書を添付しなければならない。
3　審査庁は、再審査請求をすることができる裁決をする場合には、裁決書に再審査請求をすることができる旨並びに再審査請求をすべき行政庁及び再審査請求期間（第六十二条に規定する期間をいう。）を記載して、これらを教示しなければならない。

（裁決の効力発生）
第五一条　裁決は、審査請求人（当該審査請求が処分の相手方以外の者のしたものである場合における第四十六条第一項及び第四十七条の規定による裁決にあっては、審査請求人及び処分の相手方）に送達された時に、その効力を生ずる。
2　裁決の送達は、送達を受けるべき者に裁決書の謄本を送付することによってする。ただし、送達を受けるべき者の所在が知れない場合その他裁決書の謄本を送付することができない場合には、公示の方法によってすることができる。
3　公示の方法による送達は、審査庁が裁決書の謄本を保管し、いつでもその送達を受けるべき者に交付する旨を当該審査庁の掲示場に掲示し、かつ、その旨を官報その他の公報又は新聞紙に少なくとも一回掲載してするものとする。この場合において、その掲示を始めた日の翌日から起算して二週間を経過した時に裁決書の謄本の送付があったものとみなす。
4　審査庁は、裁決書の謄本を参加人及び処分庁等（審査庁以外の処分庁等に限る。）に送付しなければならない。

（裁決の拘束力）
第五二条　裁決は、関係行政庁を拘束する。
2　申請に基づいてした処分が手続の違法若しくは不当を理由として裁決で取り消され、又は申請を却下し、若しくは棄却した処分が裁決で取り消された場合には、処分庁は、裁決の趣旨に従い、改めて申請に対する処分をしなければならない。
3　法令の規定により公示された処分が裁決で取り消され、又は変更された場合には、処分庁は、当該処分が取り消され、又は変更された旨を公示しなければならない。
4　法令の規定により処分の相手方以外の利害関係人に通知された処分が裁決で取り消され、又は変更された場合には、処分庁は、その通知を受けた者（審査請求人及び参加人を除く。）に、当該処分が取り消され、又は変更された旨を通知しなければならない。

（証拠書類等の返還）
第五三条　審査庁は、裁決をしたときは、速やかに、第三十二条第一項又は第二項の規定により提出された証拠書類若しくは証拠物又は書類その他の物件及び第三十三条の規定による提出要求に応じて提出された書類その他の物件をその提出人に返還しなければならない。

第三章　再調査の請求

（再調査の請求期間）
第五四条　再調査の請求は、処分があったことを知った日の翌日から起算して三月を経過したときは、することができない。ただし、正当な理由があるときは、この限りでない。
2　再調査の請求は、処分があった日の翌日から起算して一年を経過したときは、することができない。ただし、正当な理由があるときは、この限りでない。

（誤った教示をした場合の救済）
第五五条　再調査の請求をすることができる処分につき、処分庁が誤って再調査の請求をすることができる旨を教示しなかった場合において、審査請求がされた場合であって、審査請求人から申立てがあったときは、審査庁は、速やかに、審査請求書又は審査請求録取書を処分庁に送付しなければならない。ただし、審査請求人に対し弁明書が送付された後においては、この限りでない。
2　前項本文の規定により審査請求書又は審査請求録取書の送付を受けた処分庁は、速やかに、その旨を審査請求人及び参加人に通知しなければならない。
3　第一項本文の規定により審査請求書又は審査請求録取書が処分庁に送付されたときは、初めから処分庁に再調査の請求がされたものとみなす。

（再調査の請求についての決定を経ずに審査請求がされた場合）
第五六条　第五条第二項ただし書の規定により審査請求がされたときは、同項の再調査の請求は、取り下げられたものとみなす。ただし、処分庁において当該審査請求がされた日以前に再調査の請求に係る処分（事実上の行為を除く。）を取り消す旨の第六十条第一項の決定書の謄本を発している場合又は再調査の請求に係る事実上の行為を撤廃している場合は、当該審査請求（処分（事実上の行為を除く。）の一部を取り消す旨の第五十九条第一項の決定がされている場合又は事実上の行為の一部が撤廃されている場合にあっては、その部分に限る。）が取り下げられたものとみなす。

（三月後の教示）
第五七条　処分庁は、再調査の請求がされた日（第六十一条において読み替えて準用する第二十三条の規定により不備を補正すべきことを命じた場合にあっては、当該不備が補正された日）の翌日から起算して三月を経過しても当該再調査の請求が係属しているときは、遅滞なく、当該処分について直ちに審査請求をすることができる旨を書面でその再調査の請求人に教示しなければならない。

（再調査の請求の却下又は棄却の決定）
第五八条　再調査の請求が法定の期間経過後にされたものである場合その他不適法である場合には、処分庁は、決定で、当該再調査の請求を却下する。
2　再調査の請求が理由がない場合には、処分庁は、決定で、当該再調査の請求を棄却する。

（再調査の請求の認容の決定）
第五九条　処分（事実上の行為を除く。）についての再調査の請求が理由がある場合には、処分庁は、決定で、当該処分の全部若しくは一部を取り消し、又はこれを変更する。
2　事実上の行為についての再調査の請求が理由がある場合には、処分庁は、決定で、当該事実上の行為が違法又は不当である旨を宣言するとともに、当該事実上の行為の全部若しくは一部を撤廃し、又はこれを変更する。
3　処分庁は、前二項の場合において、再調査の請求人の不利益に当該処分又は当該事実上の行為を変更することはできない。

（決定の方式）
第六〇条　前二条の決定は、主文及び理由を記載し、処分庁が記名押印した決定書によりしなければならない。
2　処分庁は、前項の決定書（再調査の請求に係る処分の全部を取り消し、又は撤廃する決定に係るものを除く。）に、再調査の請求に係る処分につき審査請求をすることができる旨（却下の決定である場合にあっては、当該却下の決定が違法な場合に限り審査請求をすることができる旨）並びに審査請求をすべき行政庁及び審査請求期間を記載して、これらを教示しなければならない。

（審査請求に関する規定の準用）
第六一条　第九条第四項、第十条から第十六条まで、第十八条第三項、第十九条（第三項並びに第五項第一号及び第二号を除く。）、第二十条、第二十三条、第二十四条、第二十五条（第三項を除く。）、第二十六条、第二十七条、第三十一条（第五項を除く。）、第三十二条（第二項を除く。）、第三十九条、第五十一条及び第五十三条の規定は、再調査の請求について準用する。この場合において、別表第二の上欄に掲げる規定中同表の中欄に掲げる字句は、それぞれ同表の下欄に掲げる字句に読み替えるものとする。

第四章　再審査請求

（再審査請求期間）
第六二条　再審査請求は、原裁決があったことを知った日の翌日から起算して一月を経過したときは、することができない。ただし、正当な理由があるときは、この限りでない。
2　再審査請求は、原裁決があった日の翌日から起算して一年を経過したときは、することができない。ただし、正当な理由があるときは、この限りでない。

（裁決書の送付）
第六三条　第六十六条第一項において読み替えて準用する第十一条第二項に規定する審理員又は第六十六条第一項において準用する第九条第一項各号に掲げる機関である再審査庁（他の法律の規定により再審査請求がされた行政庁（第六十六条第一項において読み替えて準用する第十四条の規定により引継ぎを受けた行政庁を含む。）をいう。以下同じ。）は、原裁決をした行政庁に対し、原裁決に係る裁決書の送付を求めるものとする。

（再審査請求の却下又は棄却の裁決）
第六四条　再審査請求が法定の期間経過後にされたものである場合その他不適法である場合には、再審査庁は、裁決で、当該再審査請求を却下する。
2　再審査請求が理由がない場合には、再審査庁は、裁決で、当該再審査請求を棄却する。
3　再審査請求に係る原裁決（審査請求を却下し、又は棄却したものに限る。）が違法又は不当である場合において、当該審査請求に係る処分が違法又は不当のいずれでもないときは、再審査庁は、裁決で、当該再審査請求を棄却する。
4　前項に規定する場合のほか、再審査請求に係る原裁決等が違法又は不当ではあるが、これを取り消し、又は撤廃することにより公の利益に著しい障害を生ずる場合において、再審査請求人の受ける損害の程度、その損害の賠償又は防止の程度及び方法その他一切の事情を考慮した上、原裁決等を取り消し、又は撤廃することが公共の福祉に適合しないと認めるときは、再審査庁は、裁決で、当該再審査請求を棄却することができる。この場合には、再審査庁は、裁決の主文で、当該原裁決等が違法又は不当であることを宣言しなければならない。

（再審査請求の認容の裁決）
第六五条　原裁決等（事実上の行為を除く。）についての再審査請求が理由がある場合（前条第三項に規定する場合及び同条第四項の規定の適用がある場合を除く。）には、再審査庁は、裁決で、当該原裁決等の全部又は一部を取り消す。
2　事実上の行為についての再審査請求が理由がある場合（前条第四項の規定の適用がある場合を除く。）には、裁決で、当該事実上の行為が違法又は不当である旨を宣言するとともに、処分庁に対し、当該事実上の行為の全部又は一部を撤廃すべき旨を命ずる。

（審査請求に関する規定の準用）
第六六条　第二章（第九条第三項、第十八条（第三項を除く。）、第十九条第三項並びに第五項第一号及び第二号、第二十二条、第二十五条第二項、第二十九条（第一項を除く。）、第三十条第一項、第四十一条第二項第一号イ及びロ、第四節、第四十五条から第四十九条まで並びに第五十条第三項を除く。）の規定は、再審査請求について準用する。この場合において、別表第三の上欄に掲げる規定中同表の中欄に掲げる字句は、それぞれ同表の下欄に掲げる字句に読み替えるものとする。
2　再審査庁が前項において準用する第九条第一項各号に掲げる機関である場合には、前項において準用する第十七条、第四十条、第四十二条及び第五十条第二項の規定は、適用しない。

第五章　行政不服審査会等

第一節　行政不服審査会

第一款　設置及び組織

（設置）
第六七条　総務省に、行政不服審査会（以下「審査会」という。）を置く。
2　審査会は、この法律の規定によりその権限に属させられた事項を処理する。

（組織）
第六八条　審査会は、委員九人をもって組織する。
2　委員は、非常勤とする。ただし、そのうち三人以内は、常勤とすることができる。

（委員）
第六九条　委員は、審査会の権限に属する事項に関し公正な判断をすることができ、かつ、法律又は行政に関して優れた識見を有する者のうちから、両議院の同意を得て、総務大臣が任命する。
2　委員の任期が満了し、又は欠員を生じた場合において、国会の閉会又は衆議院の解散のために両議院の同意を得ることができないときは、総務大臣は、前項の規定にかかわらず、同項に定める資格を有する者のうちから、委員を任命することができる。
3　前項の場合においては、任命後最初の国会で両議院の事後の承認を得なければならない。この場合において、両議院の事後の承認が得られないときは、総務大臣は、直ちにその委員を罷免しなければならない。
4　委員の任期は、三年とする。ただし、補欠の委員の任期は、前任者の残任期間とする。
5　委員は、再任されることができる。
6　委員の任期が満了したときは、当該委員は、後任者が任命されるまで引き続きその職務を行うものとする。
7　総務大臣は、委員が心身の故障のために職務の執行ができないと認める場合又は委員に職務上の義務違反その他委員たるに適しない非行があると認める場合には、両議院の同意を得て、その委員を罷免することができる。
8　委員は、職務上知ることができた秘密を漏らしてはならない。その職を退いた後も同様とする。
9　委員は、在任中、政党その他の政治的団体の役員となり、又は積極的に政治運動をしてはならない。
10　常勤の委員は、在任中、総務大臣の許可がある場合を除き、報酬を得て他の職務に従事し、又は営利事業を営み、その他金銭上の利益を目的とする業務を行ってはならない。
11　委員の給与は、別に法律で定める。

（会長）
第七〇条　審査会に、会長を置き、委員の互選により選任する。
2　会長は、会務を総理し、審査会を代表する。
3　会長に事故があるときは、あらかじめその指名する委員が、その職務を代理する。

（専門委員）
第七一条　審査会に、専門の事項を調査させるため、専門委員を置くことができる。
2　専門委員は、学識経験のある者のうちから、総務大臣が任命する。
3　専門委員は、その者の任命に係る当該専門の事項に関する調査が終了したときは、解任されるものとする。
4　専門委員は、非常勤とする。

（合議体）
第七二条　審査会は、委員のうちから、審査会が指名する者三人をもって構成する合議体で、審査請求に係る事件について調査審議する。
2　前項の規定にかかわらず、審査会が定める場合においては、委員の全員をもって構成する合議体で、審査請求に係る事件について調査審議する。

（事務局）
第七三条　審査会の事務を処理させるため、審査会に事務局を置く。
2　事務局に、事務局長のほか、所要の職員を置く。
3　事務局長は、会長の命を受けて、局務を掌理する。

第二款　審査会の調査審議の手続

（審査会の調査権限）
第七四条　審査会は、必要があると認める場合には、審査請求に係る事件に関し、審査請求人、参加人又は第四十三条第一項の規定により審査会に諮問をした審査庁（以下この款において「審査関係人」という。）にその主張を記載した書面（以下この款において「主張書面」という。）又は資料の提出を求めること、適当と認める者にその知っている事実の陳述又は鑑定を求めることその他必要な調査をすることができる。

（意見の陳述）
第七五条　審査会は、審査関係人の申立てがあった場合には、当該審査関係人に口頭で意見を述べる機会を与えなければならない。ただし、審査会が、その必要がないと認める場合には、この限りでない。
2　前項本文の場合において、審査請求人又は参加人は、審査会の許可を得て、補佐人とともに出頭することができる。

（主張書面等の提出）
第七六条　審査関係人は、審査会に対し、主張書面又は資料を提出することができる。この場合において、審査会が、主張書面又は資料を提出すべき相当の期間を定めたときは、その期間内にこれを提出しなければならない。

（委員による調査手続）
第七七条　審査会は、必要があると認める場合には、その指名する委員に、第七十四条の規定による調査をさせ、又は第七十五条第一項本文の規定による審査関係人の意見の陳述を聴かせることができる。

（提出資料の閲覧等）
第七八条　審査関係人は、審査会に対し、審査会に提出された主張書面若しくは資料の閲覧（電磁的記録にあっては、記録された事項を審査会が定める方法により表示したものの閲覧）又は当該主張書面若しくは当該資料の写し若しくは当該電磁的記録に記録された事項を記載した書面の交付を求めることができる。この場合において、審査会は、第三者の利益を害するおそれがあると認めるとき、その他正当な理由があるときでなければ、その閲覧又は交付を拒むことができない。
2　審査会は、前項の規定による閲覧をさせ、又は同項の規定による交付をしようとするときは、当該閲覧又は交付に係る主張書面又は資料の提出人の意見を聴かなければならない。ただし、審査会が、その必要がないと認めるときは、この限りでない。
3　審査会は、第一項の規定による閲覧について、日時及び場所を指定することができる。
4　第一項の規定による交付を受ける審査請求人又は参加人は、政令で定めるところにより、実費の範囲内において政令で定める額の手数料を納めなければならない。
5　審査会は、経済的困難その他特別の理由があると認めるときは、政令で定めるところにより、前項の手数料を減額し、又は免除することができる。

（答申書の送付等）
第七九条　審査会は、諮問に対する答申をしたときは、答申書の写しを審査請求人及び参加人に送付するとともに、答申の内容を公表するものとする。

第三款　雑則

（政令への委任）
第八〇条　この法律に定めるもののほか、審査会に関し必要な事項は、政令で定める。

第二節　地方公共団体に置かれる機関

第八一条　地方公共団体に、執行機関の附属機関として、この法律の規定によりその権限に属させられた事項を処理するための機関を置く。
2　前項の規定にかかわらず、地方公共団体は、当該地方公共団体における不服申立ての状況等に鑑み同項の機関を置くことが不適当又は困難であるときは、条例で定めるところにより、事件ごとに、執行機関の附属機関として、この法律の規定によりその権限に属させられた事項を処理するための機関を置くこととすることができる。
3　前節第二款の規定は、前二項の機関について準用する。この場合において、第七十八条第四項及び第五項中「政令」とあるのは、「条例」と読み替えるものとする。
4　前三項に定めるもののほか、第一項又は第二項の機関の組織及び運営に関し必要な事項は、当該機関を置く地方公共団体の条例（地方自治法第二百五十二条の七第一項の規定により共同設置する機関にあっては、同項の規約）で定める。

第六章　補則

（不服申立てをすべき行政庁等の教示）
第八二条　行政庁は、審査請求若しくは再調査の請求又は他の法令に基づく不服申立て（以下この条において「不服申立て」と総称する。）をすることができる処分をする場合には、処分の相手方に対し、当該処分につき不服申立てをすることができる旨並びに不服申立てをすべき行政庁及び不服申立てをすることができる期間を書面で教示しなければならない。ただし、当該処分を口頭でする場合は、この限りでない。
2　行政庁は、利害関係人から、当該処分が不服申立てをすることができる処分であるかどうか並びに当該処分が不服申立てをすることができるものである場合における不服申立てをすべき行政庁及び不服申立てをすることができる期間につき教示を求められたときは、当該事項を教示しなければならない。
3　前項の場合において、教示を求めた者が書面による教示を求めたときは、当該教示は、書面でしなければならない。

（教示をしなかった場合の不服申立て）
第八三条　行政庁が前条の規定による教示をしなかった場合には、当該処分について不服がある者は、当該処分庁に不服申立書を提出することができる。
2　第十九条（第五項第一号及び第二号を除く。）の規定は、前項の不服申立書について準用する。
3　第一項の規定により不服申立書の提出があった場合において、当該処分が処分庁以外の行政庁に対し審査請求をすることができる処分であるときは、処分庁は、速やかに、当該不服申立書を当該行政庁に送付しなければならない。当該処分が他の法令に基づき、処分庁以外の行政庁に不服申立てをすることができる処分であるときも、同様とする。
4　前項の規定により不服申立書が送付されたときは、初めから当該行政庁に審査請求又は当該法令に基づく不服申立てがされたものとみなす。
5　第三項の場合を除くほか、第一項の規定により不服申立書が提出されたときは、初めから当該処分庁に審査請求又は当該法令に基づく不服申立てがされたものとみなす。

（情報の提供）
第八四条　審査請求、再調査の請求若しくは再審査請求又は他の法令に基づく不服申立て（以下この条及び次条において「不服申立て」と総称する。）につき裁決、決定その他の処分（同条において「裁決等」という。）をする権限を有する行政庁は、不服申立てをしようとする者又は不服申立てをした者の求めに応じ、不服申立書の記載に関する事項その他の不服申立てに必要な情報の提供に努めなければならない。

（公表）
第八五条　不服申立てにつき裁決等をする権限を有する行政庁は、当該行政庁がした裁決等の内容その他当該行政庁における不服申立ての処理状況について公表するよう努めなければならない。

（政令への委任）
第八六条　この法律に定めるもののほか、この法律の実施のために必要な事項は、政令で定める。

（罰則）
第八七条　第六十九条第八項の規定に違反して秘密を漏らした者は、一年以下の懲役又は五十万円以下の罰金に処する。

附　則

（施行期日）
第一条　この法律は、公布の日から起算して二年を超えない範囲内において政令で定める日から施行する。ただし、次条の規定は、公布の日から施行する。
〔平成二七政三九〇により、平成二八・四・一から施行〕

（準備行為）
第二条　第六十九条第一項の規定による審査会の委員の任命に関し必要な行為は、この法律の施行の日前においても、同項の規定の例によりすることができる。

（経過措置）

第三条　行政庁の処分又は不作為についての不服申立てであって、この法律の施行前にされた行政庁の処分又はこの法律の施行前にされた申請に係る行政庁の不作為に係るものについては、なお従前の例による。

第四条　この法律の施行後最初に任命される審査会の委員の任期は、第六十九条第四項本文の規定にかかわらず、九人のうち、三人は二年、六人は三年とする。

2　前項に規定する各委員の任期は、総務大臣が定める。

（その他の経過措置の政令への委任）

第五条　前二条に定めるもののほか、この法律の施行に関し必要な経過措置は、政令で定める。

（検討）

第六条　政府は、この法律の施行後五年を経過した場合において、この法律の施行の状況について検討を加え、必要があると認めるときは、その結果に基づいて所要の措置を講ずるものとする。

附　則〔略〕〔平成二九・三・三一法律四〕

附　則〔略〕〔令和三・五・一九法律三七〕

附　則〔抄〕〔令和四・五・二五法律五二〕

（施行期日）

第一条　この法律は、令和六年四月一日から施行する。ただし、次の各号に掲げる規定は、当該各号に定める日から施行する。

一　〔前略〕附則〔中略〕第三十八条の規定　公布の日

二～四　〔略〕

（政令への委任）

第三八条　この附則に定めるもののほか、この法律の施行に関し必要な経過措置は、政令で定める。

別表第一（第九条関係）

第十一条第二項	第九条第一項の規定により指名された者（以下「審理員」という。）	審査庁
第十三条第一項及び第二項	審理員	審査庁
第二十五条第七項	執行停止の申立てがあったとき、又は審理員から第四十条に規定する執行停止をすべき旨の意見書が提出されたとき	執行停止の申立てがあったとき
第二十八条	審理員	審査庁
第二十九条第一項	審理員は、審査庁から指名されたときは、直ちに	審査庁は、審査請求がされたときは、第二十四条の規定により当該審査請求を却下する場合を除き、速やかに
第二十九条第二項	審理員は	審査庁は、審査庁が処分庁等以外である場合にあっては
	提出を求める	提出を求め、審査庁が処分庁等である場合にあっては、相当の期間内に、弁明書を作成する
第二十九条第五項	審理員は	審査庁は、第二項の規定により
	提出があったとき	提出があったとき、又は弁明書を作成したとき
第三十条第一項及び第二項	審理員	審査庁
第三十条第三項	審理員	審査庁
	参加人及び処分庁等	参加人及び処分庁等（処分庁等が審査庁である場合にあっては、参加人）
	審査請求人及び処分庁等	審査請求人及び処分庁等（処分庁等が審査庁である場合にあっては、審査請求人）
第三十一条第一項	審理員	審査庁
第三十一条第二項	審理員	審査庁
	審理関係人	審理関係人（処分庁等が審査庁である場合にあっては、審査請求人及び参加人。以下この節及び第五十条第一項第三号において同じ。）
第三十一条第三項から第五項まで、第三十二条第三項、第三十三条から第三十七条まで、第三十八条第一項から第三項まで及び第五項、第三十九条並びに第四十一条第一項及び第二項	審理員	審査庁
第四十一条第三項	審理員が	審査庁が
	終結した旨並びに次条第一項に規定する審理員意見書及び事件記録（審査請求書、弁明書その他審査請求に係る事件に関する書類その他の物件のうち政令で定めるものをいう。同条第二項及び第四十三条第二項において同じ。）を審査庁に提出する予定時期を通知するものとする。当該予定時期を変更したときも、同様とする	終結した旨を通知するものとする
第四十四条	行政不服審査会等から諮問に対する答申を受けたとき（前条第一項の規定による諮問を要しない場合（同項第二号又は第三号に該当する場合を除く。）にあっては審理員意見書が提出されたとき、同項第二号又は第三号に該当する場合にあっては同項第二号又は第三号に規定する議を経たとき）	審理手続を終結したとき

第五十条第一項第四号	理由（第一号の主文が審理員意見書又は行政不服審査会等若しくは審議会等の答申書と異なる内容である場合には、異なることとなった理由を含む。）	理由

別表第二（第六十一条関係）

第九条第四項	前項に規定する場合において、審査庁	処分庁
	（第二項各号（第一項各号に掲げる機関の構成員にあっては、第一号を除く。）に掲げる者以外の者に限る。）に、前項において読み替えて適用する	に、第六十一条において読み替えて準用する
	若しくは第十三条第四項	又は第六十一条において準用する第十三条第四項
	聴かせ、前項において読み替えて適用する第三十四条の規定による参考人の陳述を聴かせ、同項において読み替えて適用する第三十五条第一項の規定による検証をさせ、前項において読み替えて適用する第三十六条の規定による第二十八条に規定する審理関係人に対する質問をさせ、又は同項において読み替えて適用する第三十七条第一項若しくは第二項の規定による意見の聴取を行わせる	聴かせる
第十一条第二項	第九条第一項の規定により指名された者（以下「審理員」という。）	処分庁
第十三条第一項	処分又は不作為に係る処分	処分
	審理員	処分庁
第十三条第二項	審理員	処分庁
第十四条	第十九条に規定する審査請求書	第六十一条において読み替えて準用する第十九条に規定する再調査の請求書
	第二十一条第二項に規定する審査請求録取書	第二十二条第三項に規定する再調査の請求録取書
第十六条	第四条又は他の法律若しくは条例の規定により審査庁となるべき行政庁（以下「審査庁となるべき行政庁」という。）	再調査の請求の対象となるべき処分の権限を有する行政庁
	当該審査庁となるべき行政庁及び関係処分庁（当該審査請求の対象となるべき処分の権限を有する行政庁であって当該審査庁となるべき行政庁以外のものをいう。次条において同じ。）	当該行政庁
第十八条第三項	次条に規定する審査請求書	第六十一条において読み替えて準用する次条に規定する再調査の請求書
	前二項に規定する期間（以下「審査請求期間」という。）	第五十四条に規定する期間
第十九条の見出し及び同条第一項	審査請求書	再調査の請求書
第十九条第二項	処分についての審査請求書	再調査の請求書
	処分（当該処分について再調査の請求についての決定を経たときは、当該決定）	処分
第十九条第四項	審査請求書	再調査の請求書
	第二項各号又は前項各号	第二項各号
第十九条第五項	処分についての審査請求書	再調査の請求書
	審査請求期間	第五十四条に規定する期間
	前条第一項ただし書又は第二項ただし書	同条第一項ただし書又は第二項ただし書
第二十条	前条第二項から第五項まで	第六十一条において読み替えて準用する前条第二項、第四項及び第五項
第二十三条（見出しを含む。）	審査請求書	再調査の請求書
第二十四条第一項	次節に規定する審理手続を経ないで、第四十五条第一項又は第四十九条第一項	審理手続を経ないで、第五十八条第一項
第二十五条第二項	処分庁の上級行政庁又は処分庁である審査庁	処分庁
第二十五条第四項	前二項	第二項
第二十五条第六項	第二項から第四項まで	第二項及び第四項
第二十五条第七項	執行停止の申立てがあったとき、又は審理員から第四十条に規定する執行停止をすべき旨の意見書が提出されたとき	執行停止の申立てがあったとき
第三十一条第一項	審理員	処分庁
	この条及び第四十一条第二項第二号	この条

第三十一条第二項	審理員	処分庁
	全ての審理関係人	再調査の請求人及び参加人
第三十一条第三項及び第四項	審理員	処分庁
第三十二条第三項	前二項	第一項
	審理員	処分庁
第三十九条	審理員	処分庁
第五十一条第一項	第四十六条第一項及び第四十七条	第五十九条第一項及び第二項
第五十一条第四項	参加人及び処分庁等（審査庁以外の処分庁等に限る。）	参加人
第五十三条	第三十二条第一項又は第二項の規定により提出された証拠書類若しくは証拠物又は書類その他の物件及び第三十三条の規定による提出要求に応じて提出された書類その他の物件	第六十一条において準用する第三十二条第一項の規定により提出された証拠書類又は証拠物

別表第三（第六十六条関係）

第九条第一項	第四条又は他の法律若しくは条例の規定により審査請求がされた行政庁（第十四条の規定により引継ぎを受けた行政庁を含む。以下「審査庁」という。）	第六十三条に規定する再審査庁（以下この章において「再審査庁」という。）
	この節	この節及び第六十三条
	処分庁等（審査庁以外の処分庁等に限る。）	裁決庁等（原裁決をした行政庁（以下この章において「裁決庁」という。）又は処分庁をいう。以下この章において同じ。）
	若しくは条例に基づく処分について条例に特別の定めがある場合又は第二十四条	又は第六十六条第一項において読み替えて準用する第二十四条
第九条第二項第一号	審査請求に係る処分若しくは	原裁決に係る審査請求に係る処分、
	に関与した者又は審査請求に係る不作為に係る処分に関与し、若しくは関与することとなる者	又は原裁決に関与した者
第九条第四項	前項に規定する場合において、審査庁	第一項各号に掲げる機関である再審査庁（以下「委員会等である再審査庁」という。）
	前項において	第六十六条第一項において
	適用する	準用する
	第十三条第四項	第六十六条第一項において準用する第十三条第四項
	第二十八条	同項において読み替えて準用する第二十八条
第十一条第二項	第九条第一項の規定により指名された者（以下「審理員」という。）	第六十六条第一項において読み替えて準用する第九条第一項の規定により指名された者（以下「審理員」という。）又は委員会等である再審査庁
第十三条第一項	処分又は不作為に係る処分の根拠となる法令に照らし当該処分	原裁決等の根拠となる法令に照らし当該原裁決等
	審理員	審理員又は委員会等である再審査庁
第十三条第二項	審理員	審理員又は委員会等である再審査庁
第十四条	第十九条に規定する審査請求書	第六十六条第一項において読み替えて準用する第十九条に規定する再審査請求書
	第二十一条第二項に規定する審査請求録取書	同項において読み替えて準用する第二十一条第二項に規定する再審査請求録取書
第十五条第一項、第二項及び第六項	審査請求の	原裁決に係る審査請求の
第十六条	第四条又は他の法律若しくは条例	他の法律
	関係処分庁（当該審査請求の対象となるべき処分の権限を有する行政庁であって当該審査庁となるべき行政庁以外のものをいう。次条において同じ。）	当該再審査請求の対象となるべき裁決又は処分の権限を有する行政庁
第十七条	関係処分庁	当該再審査請求の対象となるべき裁決又は処分の権限を有する行政庁
第十八条第三項	次条に規定する審査請求書	第六十六条第一項において読み替えて準用する次条に規定する再審査請求書
	前二項に規定する期間（以下「審査請求期間」という。）	第五十条第三項に規定する再審査請求期間（以下この章において「再審査請求期間」という。）

第十九条の見出し及び同条第一項	審査請求書	再審査請求書
第十九条第二項	処分についての審査請求書	再審査請求書
	処分の内容	原裁決等の内容
	審査請求に係る処分（当該処分について再調査の請求についての決定を経たときは、当該決定）	原裁決
	処分庁	裁決庁
第十九条第四項	審査請求書	再審査請求書
	第二項各号又は前項各号	第二項各号
第十九条第五項	処分についての審査請求書	再審査請求書
	審査請求期間	再審査請求期間
	前条第一項ただし書又は第二項ただし書	第六十二条第一項ただし書又は第二項ただし書
第二十条	前条第二項から第五項まで	第六十六条第一項において読み替えて準用する前条第二項、第四項及び第五項
第二十一条の見出し	処分庁等	処分庁又は裁決庁
第二十一条第一項	審査請求をすべき行政庁が処分庁等と異なる場合における審査請求は、処分庁等	再審査請求は、処分庁又は裁決庁
	処分庁等に	処分庁若しくは裁決庁に
	審査請求書	再審査請求書
	第十九条第二項から第五項まで	第六十六条第一項において読み替えて準用する第十九条第二項、第四項及び第五項
第二十一条第二項	処分庁等	処分庁又は裁決庁
	審査請求書又は審査請求録取書（前条後段	再審査請求書又は再審査請求録取書（第六十六条第一項において準用する前条後段
	第二十九条第一項及び第五十五条	第六十六条第一項において読み替えて準用する第二十九条第一項
第二十一条第三項	審査請求期間	再審査請求期間
	処分庁に	処分庁若しくは裁決庁に
	審査請求書	再審査請求書
	処分についての審査請求	再審査請求
第二十三条（見出しを含む。）	審査請求書	再審査請求書
第二十四条第一項	審理手続を経ないで、第四十五条第一項又は第四十九条第一項	審理手続（第六十三条に規定する手続を含む。）を経ないで、第六十四条第一項
第二十五条第一項	処分	原裁決等
第二十五条第三項	処分庁の上級行政庁又は処分庁のいずれでもない審査庁	再審査庁
	処分庁の意見	裁決庁等の意見
	執行停止をすることができる。ただし、処分の効力、処分の執行又は手続の続行の全部又は一部の停止以外の措置をとることはできない	原裁決等の効力、原裁決等の執行又は手続の続行の全部又は一部の停止（以下「執行停止」という。）をすることができる
第二十五条第四項	前二項	前項
	処分	原裁決等
第二十五条第六項	第二項から第四項まで	第三項及び第四項
	処分	原裁決等
第二十五条第七項	第四十条に規定する執行停止をすべき旨の意見書が提出されたとき	第六十六条第一項において準用する第四十条に規定する執行停止をすべき旨の意見書が提出されたとき（再審査庁が委員会等である再審査庁である場合にあっては、執行停止の申立てがあったとき）
第二十八条	処分庁等	裁決庁等
	審理員	審理員又は委員会等である再審査庁
第二十九条第一項	審理員は	審理員又は委員会等である再審査庁は、審理員にあっては
	審査請求書又は審査請求録取書の写しを処分庁等に送付しなければならない。ただし、処分庁等が審査庁である場合には、この限りでない	委員会等である再審査庁にあっては、再審査請求がされたときは第六十六条第一項において読み替えて準用する第二十四条の規定により当該再審査請求を却下する場合を除き、速やかに、それぞれ、再審査請求書又は再審査請求録取書の写しを裁決庁等に送付しなければならない
第三十条の見出し	反論書等	意見書

		し
第三十条第二項	審理員	審理員又は委員会等である再審査庁
第三十条第三項	審理員は、審査請求人から反論書の提出があったときはこれを参加人及び処分庁等に	審理員又は委員会等である再審査庁は
	これを審査請求人及び処分庁等に、それぞれ	、これを再審査請求人及び裁決庁等に
第三十一条第一項から第四項まで	審理員	審理員又は委員会等である再審査庁
第三十一条第五項	審理員	審理員又は委員会等である再審査庁
	処分庁等	裁決庁等
第三十二条第二項	処分庁等は、当該処分	裁決庁等は、当該原裁決等
第三十二条第三項及び第三十三条から第三十七条まで	審理員	審理員又は委員会等である再審査庁
第三十八条第一項	審理員	審理員又は委員会等である再審査庁
	第二十九条第四項各号に掲げる書面又は第三十二条第一項若しくは第二項若しくは	第六十六条第一項において準用する第三十二条第一項若しくは第二項又は
第三十八条第二項、第三項及び第五項、第三十九条並びに第四十一条第一項	審理員	審理員又は委員会等である再審査庁
第四十一条第二項	審理員	審理員又は委員会等である再審査庁
	イからホまで	ハからホまで
第四十一条第三項	審理員が	審理員又は委員会等である再審査庁が
	審理手続を終結した旨並びに次条第一項	審理員にあっては審理手続を終結した旨並びに第六十六条第一項において準用する次条第一項
	審査請求書、弁明書	再審査請求書、原裁決に係る裁決書
	同条第二項及び第四十三条第二項	第六十六条第一項において準用する次条第二項
	を通知する	を、委員会等である再審査庁にあっては審理手続を終結した旨を、それぞれ通知する
	当該予定時期	審理員が当該予定時期
第四十四条	行政不服審査会等から諮問に対する答申を受けたとき（前条第一項の規定による諮問を要しない場合（同項第二号又は第三号に該当する場合を除く。）にあっては審理員意見書が提出されたとき、同項第二号又は第三号に該当する場合にあっては同項第二号又は第三号に規定する議を経たとき）	審理員意見書が提出されたとき（委員会等である再審査庁にあっては、審理手続を終結したとき）
第五十条第一項第四号	第一号の主文が審理員意見書又は行政不服審査会等若しくは審議会等の答申書と異なる内容である場合には	再審査庁が委員会等である再審査庁以外の行政庁である場合において、第一号の主文が審理員意見書と異なる内容であるときは
第五十条第二項	第四十三条第一項の規定による行政不服審査会等への諮問を要しない場合	再審査庁が委員会等である再審査庁以外の行政庁である場合
第五十一条第一項	処分	原裁決等
	第四十六条第一項及び第四十七条	第六十五条
第五十一条第四項	及び処分庁等（審査庁以外の処分庁等に限る。）	並びに処分庁及び裁決庁（処分庁以外の裁決庁に限る。）
第五十二条第二項	申請を	申請若しくは審査請求を
	棄却した処分	棄却した原裁決等
	処分庁	裁決庁等
	申請に対する処分	申請に対する処分又は審査請求に対する裁決
第五十二条第三項	処分が	原裁決等が
	処分庁	裁決庁等
第五十二条第四項	処分の	原裁決等の
	処分が	原裁決等が
	処分庁	裁決庁等

○国家賠償法〔昭和二二・一〇・二七 法律一二五〕

〔公権力の行使に当る公務員の加害行為に基く損害賠償責任・その公務員に対する求償権〕

第一条　国又は公共団体の公権力の行使に当る公務員が、その職務を行うについて、故意又は過失によつて違法に他人に損害を加えたときは、国又は公共団体が、これを賠償する責に任ずる。

②　前項の場合において、公務員に故意又は重大な過失があつたときは、国又は公共団体は、その公務員に対して求償権を有する。

〔公の営造物の設置管理の瑕疵に基く損害の賠償責任・損害の責任者に対する求償権〕

第二条　道路、河川その他の公の営造物の設置又は管理に瑕疵があつたために他人に損害を生じたときは、国又は公共団体は、これを賠償する責に任ずる。

②　前項の場合において、他に損害の原因について責に任ずべき者があるときは、国又は公共団体は、これに対して求償権を有する。

〔費用負担者の損害賠償責任・内部関係で責任ある者に対する求償権〕

第三条　前二条の規定によつて国又は公共団体が損害を賠償する責に任ずる場合において、公務員の選任若しくは監督又は公の営造物の設置若しくは管理に当る者と公務員の俸給、給与その他の費用又は公の営造物の設置若しくは管理の費用を負担する者とが異なるときは、費用を負担する者もまた、その損害を賠償する責に任ずる。

②　前項の場合において、損害を賠償した者は、内部関係でその損害を賠償する責任ある者に対して求償権を有する。

〔民法の適用〕

第四条　国又は公共団体の損害賠償の責任については、前三条の規定によるの外、民法の規定による。

〔他の法律の適用〕

第五条　国又は公共団体の損害賠償の責任について民法以外の他の法律に別段の定があるときは、その定めるところによる。

〔外国人が被害者である場合の相互保証主義〕

第六条　この法律は、外国人が被害者である場合には、相互の保証があるときに限り、これを適用する。

附　則〔略〕〔昭和二二・一〇・二七法律一二五施行〕

○日本電信電話株式会社の株式の売払収入の活用による社会資本の整備の促進に関する特別措置法〔昭和六二・九・四 法律八六〕

改正　平成三・四法四三、平成一一・六法七三、七法八七、一二法一六〇、平成一四・二法一、平成一八・三法一八、六法五〇、平成一九・三法二三、令和三・六法五四、令和六・四法二〇

（趣旨）

第一条　この法律は、日本電信電話株式会社等に関する法律（昭和五十九年法律第八十五号）第一条の二第一項に規定する日本電信電話株式会社（日本電信電話株式会社等に関する法律（昭和五十九年法律第八十五号）第一条の二第一項に規定する日本電信電話株式会社をいう。第六条第一項において同じ。）の株式の売払収入による国債整理基金の資金の一部を運用し、社会資本の整備の促進を図るため、国の融資等に関する特別措置を講ずるとともに当該資金の運用等に関し必要な事項を定めるものとする。

（国の無利子貸付け）

第二条　国は、当分の間、別に法律で定めるところにより、道路、公園その他の公共の用に供する施設を整備する事業その他の公共的な建設の事業及び官公庁施設の建設等の事業（以下この項、次条及び第七条において「公共的建設事業」という。）で、次に掲げるものに要する費用に充てる資金を無利子で貸し付けることができる。

一　地方公共団体以外の者が国の直接又は間接の負担又は補助を受けずに実施する公共的建設事業のうち、当該公共的建設事業（これと密接に関連する他の事業を含む。）により生ずる収益をもつて当該公共的建設事業に要する費用を支弁することができると認められるもの

二　国の負担又は補助を受ける公共的建設事業のうち、民間投資の拡大又は地域における就業機会の増大に寄与すると認められる社会資本を整備するものであつて、緊急に実施する必要のあるもの

2　前項の国の貸付金の償還期間は、同項第一号に係るものにあつては二十年（五年以内の据置期間を含む。）を超えない範囲内で、同項第二号に係るものにあつては五年（二年以内の据置期間を含む。）を超えない範囲内で、それぞれ別に法律で定める。

第二条の二　国は、当分の間、次の各号に掲げる事業で、国が負担又は補助を行う必要があると認められるもののうち、民間投資の拡大又は地域における就業機会の増大に寄与すると認められる社会資本を整備するものであつて、緊急に実施する必要のある公共的建設事業に要する費用に充てる資金の全部又は一部を、当該各号に定める者に対し、予算の範囲内において、無利子で貸し付けることができる。

一　消防の用に供する施設を整備する事業　都道府県

二　削除

三　ライフサイエンス（生命現象の解明及びその成果の応用に関する総合的科学技術をいう。以下この号において同じ。）に関する研究開発、ライフサイエンスに関する研究開発に係る情報の収集及び解析並びにこれらの成果の普及及び活用の促進を行うための施設を整備する事業　地方公共団体

四　農林畜水産物及び食品の流通の増進及び改善のための施設を整備する事業　地方公共団体

五　食品循環資源（食品循環資源の再生利用等の促進に関する法律（平成十二年法律第百十六号）第二条第三項の食品循環資源をいう。）の有効な利用を確保するための施設を整備する事業　地方公共団体

六　農林漁業の生産力の維持増進のための施設並びに農用地及び漁場を整備する事業　都道府県

七　地勢等の地理的条件が悪く経済的社会的諸条件が不利な地域における良好な生活環境を確保するための施設の整備に関する事業　都道府県

八　都市と農山漁村との間の交流の促進に資する施設の整備に関する事業　都道府県

九　都市の健全な発展と秩序ある整備を図るため土地区画整理法（昭和二十九年法律第百十九号）による土地区画整理事業その他の事業を計画に基づき総合的に行う事業　地方公共団体

十　相当規模の住宅の敷地の整備、住宅地の造成又は住宅の建設と公共の用に供する施設の整備を一体的に行う事業及びこれに付随する事業　地方公共団体又は地方住宅供給公社

十一　鉄道の技術の高度化に資する研究開発を行うための施設を整備する事業　鉄道の技術に関する試験研究等を行うことにより鉄道事業の健全な発達に寄与することを目的とする一般社団法人又は一般財団法人

十二　自然環境の保護又は健全な利用のための施設（都道府県が執行する自然公園法（昭和三十二年法律第百六十一号）第二条第六号に規定する公園事業に該当するものを除く。）を整備する事業　地方公共団体

十三　地球温暖化対策の推進に関する法律（平成十年法律第百十七号）第二条第二項に規定する温室効果ガスの排出の量の削減等に資する技術を用いた住宅その他の施設の普及の促進のための施設を整備する事業　地方公共団体

2　前項の国の貸付金の償還期間は、五年（二年以内の据置期間を含む。）を超えない範囲内で政令で定める。

3　前項に定めるもののほか、第一項の国の貸付金の償還方法、償還期限の繰上げその他償還に関し必要な事項は、政令で定める。

第三条　国は、当分の間、国民経済の基盤の充実に資する施設の整備を民間事業者の能力を活用して促進することを目的とする法律に基づき当該施設を整備する事業その他の政令で定める事業のうち、地方公共団体（その出資され、又は拠出された金額の全部が地方公共団体により出資され、又は拠出されている法人を含む。）の出資又は拠出に係る法人が行う事業でこれらの事業により整備される施設がその周辺の相当程度広範囲の地域に対して適切な経済的効果を及ぼすと認められるもの（次項において「特定事業」という。）に係る資金について、日本政策投資銀行及び沖縄振興開発金融公庫（以下この条、第六条、第七条及び附則第三条において「日本政策投資銀行等」という。）が行う無利子の貸付けに要する資金の財源に充てるため、日本政策投資銀行等に対し、無利子で、必要な資金の貸付けをすることができる。

２　国は、当分の間、特定事業に準ずるものとして政令で定める事業に係る資金について、日本政策投資銀行等が行う貸付けに要する資金の財源の一部に充てるため、日本政策投資銀行等に対し、無利子で、必要な資金の貸付けをすることができる。

３　前二項の国の貸付金の償還期間は、十五年（三年以内の据置期間を含む。）以内とする。

４　前項に定めるもののほか、第一項又は第二項の国の貸付金の償還方法、償還期限の繰上げその他償還に関し必要な事項は、政令で定める。

（無利子貸付け対象事業に係る国の負担金等の交付）

第四条　国は、第二条第一項第二号に該当する事業に要する費用に充てる資金を無利子で貸し付けた場合には、当該貸付けの対象とした事業に係る国の負担又は補助については、別に法律で定めるところにより、当該貸付金の償還時において行うものとする。

第四条の二　国は、第二条の二第一項に該当する事業に要する費用に充てる資金の全部又は一部を同項各号に定める者に対し無利子で貸し付けた場合には、当該貸付けの対象とした事業について、当該貸付金に相当する金額の補助を行うものとし、当該補助については、当該貸付金の償還時において、当該各号に定める者に当該貸付金の償還金に相当する金額を交付することにより行うものとする。

２　第二条の二第一項の規定により貸付けを受けた者が、当該貸付金について、同条第二項及び第三項の規定に基づき定められる償還期限を繰り上げて償還を行つた場合（政令で定める場合を除く。）における前項の規定の適用については、当該償還は、当該償還期限の到来時に行われたものとみなす。

（補助金等に係る予算の執行の適正化に関する法律の準用等）

第五条　補助金等に係る予算の執行の適正化に関する法律（昭和三十年法律第百七十九号。以下この条において「補助金等適正化法」という。）の規定（罰則を含む。）は、国が第二条第一項第二号又は第二条の二第一項に該当する事業に要する費用に充てる資金を無利子で貸し付ける場合における当該無利子の貸付金（以下この条において「無利子貸付金」という。）について準用する。この場合において、補助金等適正化法の規定（第二条第一項、第四項及び第五項、第三条第二項、第六条第一項、第七条第二項、第十条第三項、第十一条、第十五条、第十七条第三項、第十八条第一項及び第二項、第二十条、第二十七条並びに第二十九条を除く。）中「交付」とあるのは、「貸付け」と読み替えるほか、別表の上欄に掲げる補助金等適正化法の規定中同表の中欄に掲げる字句は、それぞれ同表の下欄に掲げる字句に読み替えるものとする。

２　国の債権の管理等に関する法律（昭和三十一年法律第百十四号）第三十六条の規定は、無利子貸付金については、適用しない。

３　補助金等適正化法第七条、第十条から第十六条まで、第三十条及び第三十一条（第三号を除く。）の規定は、無利子貸付金の貸付けの対象とされた事業に係る国の負担金又は補助金については、適用しない。

（繰入規定）

第六条　政府は、当分の間、次に掲げる財源に充てるため、各会計年度において、国債の償還等国債整理基金の運営に支障の生じない範囲内で、日本電信電話株式会社の株式の売払収入金に相当する金額の一部を、予算で定めるところにより、国債整理基金特別会計から一般会計に繰り入れることができる。

一　別に法律で定めるところにより第二条第一項又は第二条の二第一項の規定による貸付けに関する経理を行う特別会計（以下「特別融資関係特別会計」という。）への繰入れの財源

二　第二条第一項又は第二条の二第一項の規定による貸付け（特別融資関係特別会計において経理されるものを除く。）の財源

三　第三条第一項又は第二項の規定による日本政策投資銀行等への貸付けの財源

四　次条第二項に規定する当該公共的建設事業の費用に充てるための財源及び当該公共的建設事業に関する経理を行う場合の特別会計（次条において「特別事業関係特別会計」という。）への同項の規定による繰入れの財源

２　政府は、後日、前項の規定により国債整理基金特別会計から一般会計に繰り入れられた金額に達するまでの金額を、予算で定めるところにより、一般会計から国債整理基金特別会計に繰り入れるものとする。

（特別融資関係特別会計及び特別事業関係特別会計への繰入れ）

第七条　前条第一項の規定により、国債整理基金特別会計から一般会計に繰り入れられたときは、第二条第一項又は第二条の二第一項の規定による貸付けの財源に充てるため、特別融資関係特別会計の当該貸付金に相当する金額を特別融資関係特別会計に、予算で定めるところにより、繰り入れるものとする。

２　前条第一項の規定により、国債整理基金特別会計から一般会計に繰り入れられたときは、国が実施する公共的建設事業であつて民間投資の拡大又は地域における就業機会の増大に寄与すると認められる社会資本を整備するもののうち緊急に実施する必要のあるものの財源に充てるため、当該公共的建設事業に要する費用（国が負担すべき費用に限る。）に相当する金額を特別事業関係特別会計に、予算で定めるところにより、繰り入れるものとする。

３　財務大臣は、他の各省各庁の長の同意を得て、当該各省各庁に置かれた官職を指定することにより、その官職にある者に第二条第一項又は第二条の二第一項の規定による貸付金（特別融資関係特別会計において経理されるものを除く。）に係る支出負担行為に関する事務を委任するものとする。

附　則

（施行期日）

第一条　この法律は、公布の日から施行する。

（産業投資特別会計法の特例に関する経過措置）

第二条　第七条の規定は、昭和六十二年度の予算から適用し、昭和六十一年度の収入及び支出並びに同年度以前の年度の決算に関しては、なお従前の例による。

２　産業投資特別会計法第九条の規定により昭和六十二年度の歳入に繰り入れるべき金額は、産業投資特別会計産業投資勘定の同年度の歳入に繰り入れるものとする。

３　この法律の施行の日の前日までに収納した産業投資特別会計の昭和六十二年度の歳入に属する収入は産業投資特別会計産業投資勘定の歳入と、同日までに産業投資特別会計の同年度の予算に基づいてした債務の負担又は支出は同勘定の同年度の予算に基づいてした債務の負担又は支出とみなす。

４　この法律の施行の際、産業投資特別会計に所属する権利義務は、政令で定めるところにより、産業投資特別会計産業投資勘定に帰属するものとする。

（国の無利子貸付けの特例）

第三条　国は、平成十八年三月三十一日までを限り、民間資金等の活用による公共施設等の整備等の促進に関する法律（平成十一年法律第百十七号）第二条第四項に規定する選定事業に要する費用のうち、民間投資の拡大又は地域における就業機会の増大に寄与すると認められる公共施設等（同条第一項に規定する公共施設等をいう。）の建設に要する費用に充てる資金について、日本政策投資銀行等が行う無利子の貸付けに要する資金の財源に充てるため、日本政策投資銀行等に対し、無利子で、必要な資金の貸付けをすることができる。

２　前項の国の貸付金の償還期間は、三十年（五年以内の据置期間を含む。）以内とする。

３　前項に定めるもののほか、第一項の国の貸付金の償還方法、償還期限の繰上げその他償還に関し必要な事項は、政令で定める。

４　第一項の規定により、日本政策投資銀行等に対し貸付けを行う場合における第六条及び第七条の適用については、第六条第二項第三号並びに第七条第一項及び第四項中「第三条第一項又は第二項」とあるのは、「第三条第一項、第二項又は附則第三条第一項」とする。

附　則〔略〕〔平成三・四・二六法律四三〕

附　則〔略〕〔平成一一・六・一一法律七三〕

附　則〔略〕〔平成一一・七・一六法律八七〕

附　則〔略〕〔平成一一・七・三〇法律一一七〕

附　則〔略〕〔平成一一・一二・二二法律一六〇〕

附　則〔略〕〔平成一四・二・八法律一〕

附　則〔略〕〔平成一八・三・三一法律一八〕

附　則〔略〕〔平成一八・六・二法律五〇〕

附　則〔抄〕〔平成一九・三・三一法律二三〕

改正　平成一九・七法一〇九

（施行期日）

第一条　この法律は、平成十九年四月一日から施行し、平成十九年度の予算から適用する。ただし、次の各号に掲げる規定は、当該各号に定める日から施行〔中略〕する。

一　附則〔中略〕第三百十七条〔中略〕の規定　平成二十年四月一日

一の二～三　〔略〕

（日本電信電話株式会社の株式の売払収入の活用による社会資本の整備の促進に関する特別措置法の一部改正に伴う経過措置）

第三八八条　附則第三百十六条の規定による改正前の日本電信電話株式会社の株式の売払収入の活用による社会資本の整備の促進に関する特別措置法に基づく産業投資特別会計の社会資本整備勘定（以下この条において「旧社会資本整備勘定」という。）の平成十八年度の収入及び支出並びに同年度以前の年度の決算に関しては、なお従前の例による。この場合において、旧社会資本整備勘定の平成十九年度の歳入に繰り入れるべき金額があるときは、附則第三百十六条の規定による改正後の日本電信電話株式会社の株式の売払収入の活用による社会資本の整備の促進に関する特別措置法に基づく産業投資特別会計の社会資本整備勘定（以下この条及び次条において「暫定社会資本整備勘定」という。）の歳入に繰り入れるものとする。

2　旧社会資本整備勘定の平成十八年度の歳出予算の経費の金額のうち財政法第十四条の三第一項若しくは第四十二条ただし書又は附則第六十六条第十五号の規定による廃止前の産業投資特別会計法第十五条第一項の規定による繰越しを必要とするものは、暫定社会資本整備勘定に繰り越して使用することができる。

3　この法律の施行の際、旧社会資本整備勘定に所属する権利義務は、暫定社会資本整備勘定に帰属するものとする。

4　前項の規定により暫定社会資本整備勘定に帰属する権利義務に係る収入及び支出は、暫定社会資本整備勘定の歳入及び歳出とする。

第三八九条　暫定社会資本整備勘定の平成十九年度の収入及び支出並びに決算に関しては、なお従前の例による。この場合において、暫定社会資本整備勘定の平成二十年度の歳入に繰り入れるべき金額があるときは、一般会計の歳入に繰り入れるものとする。

2　暫定社会資本整備勘定の平成十九年度の歳出予算の経費の金額のうち財政法第十四条の三第一項又は第四十二条ただし書の規定による繰越しを必要とするものは、一般会計に繰り越して使用することができる。

3　附則第三百十七条の規定による改正後の日本電信電話株式会社の株式の売払収入の活用による社会資本の整備の促進に関する特別措置法の施行の際、暫定社会資本整備勘定に所属する権利義務は、一般会計に帰属するものとする。

（一般会計からの繰入れに関する他の法令の適用）

第三九〇条　第六条の規定は、この法律の施行前に他の法令において定められた一般会計から特別会計への繰入れに関する規定の適用を妨げるものではない。

（罰則に関する経過措置）

第三九一条　この法律の施行前にした行為及びこの附則の規定によりなお従前の例によることとされる場合におけるこの法律の施行後にした行為に対する罰則の適用については、なお従前の例による。

（その他の経過措置の政令への委任）

第三九二条　附則第二条から第六十五条まで、第六十七条から第二百五十九条まで及び第三百八十二条から前条までに定めるもののほか、この法律の施行に関し必要となる経過措置は、政令で定める。

附　則〔略〕〔令和三・六・一一法律五四施行〕

附　則〔抄〕〔令和六・四・二四法律二〇〕

（施行期日）

第一条　この法律は、公布の日の翌日から施行する。

別表（第五条関係）

第二条第四項	交付の目的に従って	貸付けの目的に従って
第三条第二項	交付の	貸付けの
第六条第一項	交付の	貸付けの
	交付が	貸付けが
	交付すべきもの	貸し付けるべきもの
第十条第三項	交付の	貸付けの
第十一条第一項	交付の決定	貸付けの決定
第十五条	交付の	貸付けの
	交付すべき	貸し付けるべき
第十七条第三項	交付すべき	貸し付けるべき
第十八条第一項	交付の	貸付けの
	交付されているとき	貸し付けられているとき
第十八条第二項	交付すべき	貸し付けるべき
	交付されているとき	貸し付けられているとき
	期限を定めて	当該超える部分について貸付けの決定を取り消し、期限を定めて
第二十条	交付すべき	貸し付けるべき
	その交付	その貸付け
第二十六条第一項	委任すること	委任すること（他の各省各庁の長から当該事務の一部の委任を受けた各省各庁の長が、当該各省各庁の機関に委任する場合を含む。）
第二十七条	交付する	貸し付ける
第二十九条第一項	交付を	貸付けを
第二十九条第二項	交付又は	貸付け又は交付若しくは

○日本電信電話株式会社の株式の売払収入の活用による社会資本の整備の促進に関する特別措置法施行令

〔昭和六二・九・四 政令二九一〕

改正　昭和六三・八政二四九、一〇政二九一、平成元・九政二五三、平成二・九政二九二、平成三・四政一四九、六政二二八、平成四・一〇政三三三、平成五・七政二六四、平成六・四政一三二、一〇政三三一、平成七・六政二四七、一一政三六九、政三七〇、政三八八、平成八・五政一五五、八政二四九、平成一〇・一二政三八五、平成一一・二政二二、六政二〇四、九政二七二、平成一二・二政三二、五政二三二、六政三〇七、平成一三・八政二七一、平成一四・二政二七、平成一五・三政六一、四政一八六、平成一六・一政一四、四政一七一、平成一七・一政一、四政一四三、平成一八・三政一五五、五政二〇一、八政二六五、一二政三七九、平成一九・三政一二四、平成二三・七政二三九、八政二八二、平成二六・六政二二五、七政二四一、平成二七・四政二三一、令和二・一〇政三〇二、令和三・九政二七二、令和五・三政一二六

（法第二条の二第一項の国の貸付金の償還期間等）

第一条　日本電信電話株式会社の株式の売払収入の活用による社会資本の整備の促進に関する特別措置法（以下「法」という。）第二条の二第一項に規定する同条第一項の国の貸付金の償還期間は、五年（二年の据置期間を含む。）とする。

2　前項の償還期間は、法第五条第一項の規定により読み替えて準用される補助金等に係る予算の執行の適正化に関する法律（昭和三十年法律第百七十九号）第六条第一項の規定による貸付けの決定（以下「貸付決定」という。）ごとに、当該貸付決定に係る法第二条の二第一項の国の貸付金の交付を完了した日（その日が当該貸付決定があつた日の属する年度の末日の前日以後の日である場合には、当該年度の末日の前々日）の翌日から起算する。

3　法第二条の二第一項の国の貸付金の償還は、均等年賦償還の方法によるものとする。

4　国は、国の財政状況を勘案し、相当と認めるときは、法第二条の二第一項の国の貸付金の全部又は一部について、前三項の規定により定められた償還期限を繰り上げて償還させることができる。

（法第三条第一項に規定する政令で定める事業）

第一条の二　法第三条第一項に規定する政令で定める事業は、次に掲げる事業とする。

一　次に掲げる民間都市開発事業（民間都市開発の推進に関する特別措置法（昭和六十二年法律第六十二号。以下この号において「民間都市開発法」という。）第二条第二項に規定する民間都市開発事業をいう。）のうち集会場その他の都市機能の増進に資する施設を整備する事業で財務大臣の定める基準に適合するもの（民間都市開発法附則第十四条第一項第一号に規定する民間都市開発事業を除く。）

イ　民間都市開発法第四条第一項第一号に規定する特定民間都市開発事業

ロ　民間都市開発法第三条第一項に規定する民間都市開発推進機構から民間都市開発法附則第十四条第二項第一号の規定により譲渡された同号の事業見込地において行う民間都市開発事業（イに掲げるものを除く。）

ハ　民間都市開発法附則第十四条第二項第三号に規定する民間都市開発事業（イに掲げるものを除く。）

二　関西文化学術研究都市建設促進法（昭和六十二年法律第七十二号）第二条第二項に規定する文化学術研究地区において同条第四項に規定する文化学術研究施設又は同条第五項に規定する文化学術研究交流施設を整備する事業で同法第五条第一項の同意を得た計画に基づいて行われるもの

三　有線テレビジョン放送施設その他電気通信の高度化に資する施設を整備する事業であつて財務大臣の定めるもの

四　多極分散型国土形成促進法（昭和六十三年法律第八十三号。以下この号において「多極法」という。）第七条第二項第二号に規定する重点整備地区において同項第三号に規定する中核的民間施設（財務大臣の定める基準に適合するものに限る。）を整備する事業で多極法第十一条第一項に規定する同意基本構想に基づいて行われるもの及び多極法第二十二条第三項第三号に規定する業務施設集積地区において同項第四号に規定する中核的民間施設（財務大臣の定める基準に適合するものに限る。）を整備する事業で多極法第二十六条に規定する同意基本構想に基づいて行われるもの

五　地域における医療及び介護の総合的な確保の促進に関する法律（平成元年法律第六十四号）第二条第四項に規定する特定民間施設（財務大臣の定める基準に適合するものに限る。）を整備する事業で同法第十九条に規定する認定計画に基づいて行われるもの

六　産業廃棄物の処理に係る特定施設の整備の促進に関する法律（平成四年法律第六十二号）第十七条第一号に規定する特定債務保証対象施設を整備する事業

七　大阪湾臨海地域開発整備法（平成四年法律第百十号）第二条第四項に規定する中核的施設を整備する事業で同法第七条第一項の同意を得た同項に規定する整備計画（同条第四項において準用する同条第一項の規定による変更の同意があつたときは、その変更後のもの）に基づいて行われるもの

八　高齢者、障害者等の移動等の円滑化の促進に関する法律（平成十八年法律第九十一号）第二条第十九号に規定する特別特定建築物に係る同条第二十号に規定する建築物特定施設を整備する事業で同法第十七条第三項の認定を受けた計画（同法第十八条第一項の規定による変更の認定があつたときは、その変更後のもの）に基づいて行われるもの

九　大都市地域における住宅及び住宅地の供給の促進に関する特別措置法（昭和五十年法律第六十七号）第二条第五号に規定する都心共同住宅供給事業として行われる同号に規定する関連公益的施設（財務大臣の定める基準に適合するものに限る。）を整備する事業で同法第百一条の八に規定する認定計画に基づいて行われるもの

十　中心市街地の活性化に関する法律（平成十年法律第九十二号）第七条第八項に規定する特定商業施設等整備事業（同条第二項に規定する商業基盤施設を整備する事業に限る。）で同法第四十九条第一項に規定する認定特定民間中心市街地活性化事業計画に基づいて行われるもの

（法第三条第二項に規定する政令で定める事業）

第二条　法第三条第二項に規定する政令で定める事業は、次に掲げる事業とする。

一　前条各号に掲げる事業であつて法第三条第一項に規定する特定事業以外のもの

二　法第三条第一項に規定する特定事業又は前号に掲げる事業と一体的に行われる事業のうち財務大臣の定める基準に適合するもの

（法第三条第一項の国の貸付金の償還方法等）

第三条　法第三条第一項の国の貸付金の償還方法については、日本政策投資銀行法（平成十一年法律第七十三号）附則第十六条第二項及び沖縄振興開発金融公庫法（昭和四十七年法律第三十一号）附則第五条の二の規定による無利子の貸付金について定められる償還方法を考慮して、財務大臣が定める。

2　前項の場合において、日本政策投資銀行及び沖縄振興開発金融公庫（次条及び附則第三条第二項において「日本政策投資銀行等」という。）が同項に規定する無利子の貸付金について償還期限を繰り上げて償還を受けたときは、遅滞なく、当該償還を受けた額に相当する金額を国に償還するものとする。

（法第三条第二項の国の貸付金の償還方法等）

第四条　法第三条第二項の国の貸付金の償還方法については、日本政策投資銀行法附則第十六条第三項及び沖縄振興開発金融公庫法附則第五条の三の規定による日本政策投資銀行等の貸付金（次項において「特定貸付金」という。）について定められる償還方法を考慮して、財務大臣が定める。

２　前項の場合において、日本政策投資銀行等が特定貸付金について償還期限を繰り上げて償還を受けたときは、遅滞なく、当該償還を受けた額のうちの元本に相当する金額に当該特定貸付金に係る法第三条第二項の規定による国の貸付金の金額の当該特定貸付金の金額に占める割合を乗じて得た額に相当する金額を国に償還するものとする。

（法第四条の二第二項に規定する政令で定める場合）

第四条の二　法第四条の二第二項に規定する政令で定める場合は、第一条第四項の規定により償還期限を繰り上げて償還を行つた場合とする。

（無利子貸付金に係る補助金等に係る予算の執行の適正化に関する法律施行令の準用）

第五条　法第五条第一項に規定する無利子貸付金については、補助金等に係る予算の執行の適正化に関する法律施行令（昭和三十年政令第二百五十五号）の規定を準用する。この場合において、同令の規定（第一条、第二条、第三条第一項、第六条、第九条第二項及び第四項、第十条第一項、第十二条、第十四条第一項第一号並びに第十六条第三項を除く。）中「法」とあるのは「日本電信電話株式会社の株式の売払収入の活用による社会資本の整備の促進に関する特別措置法第五条第一項において準用する法」と、「交付」とあるのは「貸付け」と、それぞれ読み替えるほか、次の表の上欄に掲げる同令の規定中同表の中欄に掲げる字句は、それぞれ同表の下欄に掲げる字句に読み替えるものとする。

第三条第一項	法	日本電信電話株式会社の株式の売払収入の活用による社会資本の整備の促進に関する特別措置法（昭和六十二年法律第八十六号）第五条第一項において準用する法
	交付	貸付け
第六条	法	日本電信電話株式会社の株式の売払収入の活用による社会資本の整備の促進に関する特別措置法第五条第一項において準用する法
第十条第一項	交付されている	貸し付けられている
	法	日本電信電話株式会社の株式の売払収入の活用による社会資本の整備の促進に関する特別措置法第五条第一項において準用する法
第十二条	法	日本電信電話株式会社の株式の売払収入の活用による社会資本の整備の促進に関する特別措置法第五条第一項において準用する法
第十六条第一項	当該各省各庁	各省各庁
	委任すること	委任すること（他の各省各庁の長から補助金等の貸付けに関する事務の一部の委任を受けた各省各庁の長が、当該各省各庁の機関に委任する場合を含む。）
第十七条第一項	行うこととすること	行うこととすること（他の各省各庁の長から補助金等の貸付けに関する事務の一部の委任を受けた各省各庁の長が、知事等が行うこととする場合を含む。）

附　則

（施行期日等）

第一条　この政令は、公布の日から施行し、第四条及び第五条の規定は、昭和六十二年度の予算から適用する。

（権利義務の帰属に関する経過措置）

第二条　法附則第二条第四項の規定により産業投資特別会計産業投資勘定に帰属する権利義務の範囲、帰属の時期その他帰属に関し必要な事項は、大蔵大臣が定める。

（法附則第三条第一項の国の貸付金の償還方法等）

第三条　法附則第三条第一項の国の貸付金の償還方法については、日本政策投資銀行法附則第十六条第四項及び沖縄振興開発金融公庫法附則第五条の四の規定による無利子の貸付金について定められる償還方法を考慮して、財務大臣が定める。

２　前項の場合において、日本政策投資銀行等が同項に規定する無利子の貸付金について償還期限を繰り上げて償還を受けたときは、遅滞なく、当該償還を受けた額に相当する金額を国に償還するものとする。

附　則〔略〕〔昭和六三・八・九政令二四九〕
附　則〔略〕〔昭和六三・一〇・四政令二九一〕
附　則〔略〕〔平成元・九・八政令二五三〕
附　則〔略〕〔平成二・九・二八政令二九二〕
附　則〔略〕〔平成三・四・二六政令一四九〕
附　則〔略〕〔平成三・六・二八政令二二八〕
附　則〔略〕〔平成四・一〇・九政令三三三〕
附　則〔略〕〔平成五・七・二八政令二六四〕
附　則〔略〕〔平成六・四・二二政令一三二〕
附　則〔略〕〔平成六・一〇・一三政令三三一〕
附　則〔略〕〔平成七・六・一六政令二四七〕
附　則〔略〕〔平成七・一一・一政令三六九〕
附　則〔略〕〔平成七・一一・一政令三七〇〕
附　則〔略〕〔平成七・一一・一五政令三八八〕
附　則〔略〕〔平成八・五・二四政令一五五〕
附　則〔略〕〔平成八・八・二三政令二四九〕
附　則〔略〕〔平成一〇・一二・九政令三八五〕
附　則〔略〕〔平成一一・二・一五政令二二〕
附　則〔略〕〔平成一一・六・二三政令二〇四〕
附　則〔略〕〔平成一一・九・二〇政令二七二〕
附　則〔略〕〔平成一二・二・一四政令三二〕
附　則〔略〕〔平成一二・五・三一政令二三二〕
附　則〔略〕〔平成一二・六・七政令三〇七〕
附　則〔略〕〔平成一三・八・一〇政令二七一〕
附　則〔略〕〔平成一四・二・八政令二七〕
附　則〔略〕〔平成一五・三・二四政令六一〕
附　則〔略〕〔平成一五・四・一政令一八六〕
附　則〔略〕〔平成一六・一・三〇政令一四〕
附　則〔略〕〔平成一六・四・二八政令一七一〕
附　則〔略〕〔平成一七・一・四政令一〕
附　則〔略〕〔平成一七・四・一政令一四三〕
附　則〔略〕〔平成一八・三・三一政令一五五〕
附　則〔抄〕〔平成一八・五・二四政令二〇一〕

（施行期日）

第一条　この政令は、民間事業者の能力の活用による特定施設の整備の促進に関する臨時措置法及び輸入の促進及び対内投資事業の円滑化に関する臨時措置法を廃止する法律（以下「廃止法」という。）の施行の日（平成十八年五月二十九日）から施行する。

（日本電信電話株式会社の株式の売払収入の活用による社会資本の整備の促進に関する特別措置法施行令の一部改正に伴う経過措置）

第三条　この政令による改正前の日本電信電話株式会社の株式の売払収入の活用による社会資本の整備の促進に関する特別措置法施行令第一条の二第一号に該当する事業に係る資金についてされた日本電信電話株式会社の株式の売払収入の活用による社会資本の整備の促進に関する特別措置法（昭和六十二年法律第八十六号）第三条第一項又は第二項の規定による資金の貸付けについては、なお従前の例による。

附　則〔略〕〔平成一八・八・一一政令二六五〕
附　則〔略〕〔平成一八・一二・八政令三七九〕
附　則〔略〕〔平成一九・三・三一政令一一四〕
附　則〔平成二三・七・二九政令二三九〕

（施行期日）

第一条　この政令は、電気通信基盤充実臨時措置法の一部を改正する法律の施行の日（平成二十三年八月三十一日）から施行する。

（日本電信電話株式会社の株式の売払収入の活用による社会資本の整備の促進に関する特別措置法施行令の一部改正に伴う経過措置）

第二条　第三条の規定による改正前の日本電信電話株式会社の株式の売払収入の活用による社会資本の整備の促進に関する特別措置法施行令第一条の二第六号に掲げる事業に係る資金について、日本電信電話株式会社の株式の売払収入の活用による社会資本の整備の促進に関する特別措置法第三条第一項又は第二項の規定により貸された資金の貸付けについては、なお従前の例による。

附　則〔略〕〔平成二三・八・三〇政令二八二施行〕

附　則〔略〕〔平成二六・六・二五政令二二五〕

附　則〔略〕〔平成二六・七・二政令二四一〕

附　則〔平成二七・四・二四政令二一二〕

（施行期日）

1　この政令は、公布の日から施行する。

（日本電信電話株式会社の株式の売払収入の活用による社会資本の整備の促進に関する特別措置法施行令の一部改正に伴う経過措置）

2　第二条の規定による改正前の日本電信電話株式会社の株式の売払収入の活用による社会資本の整備の促進に関する特別措置法施行令第一条の二第十一号に掲げる事業に係る資金について、日本電信電話株式会社の株式の売払収入の活用による社会資本の整備の促進に関する特別措置法（昭和六十二年法律第八十六号）第三条第一項又は第二項の規定により貸された資金の貸付けについては、なお従前の例による。

附　則〔略〕〔令和二・一〇・二政令三〇二〕

附　則〔略〕〔令和三・九・二七政令二七二〕

附　則〔抄〕〔令和五・三・三〇政令一二六〕

（施行期日）

第一条　この政令は、令和五年四月一日から施行する。

■国土交通六法（社会資本整備編）

令和６年版

令和６年９月１日　初版発行

監　修　国土交通省大臣官房総務課
発行者　星　沢　卓　也
発行所　東京法令出版株式会社

112-0002　東京都文京区小石川５丁目17番３号　03(5803)3304
534-0024　大阪市都島区東野田町１丁目17番12号　06(6355)5226
062-0902　札幌市豊平区豊平２条５丁目１番27号　011(822)8811
980-0012　仙台市青葉区錦町１丁目１番10号　022(216)5871
460-0003　名古屋市中区錦１丁目６番34号　052(218)5552
730-0005　広島市中区西白島町11番９号　082(212)0888
810-0011　福岡市中央区高砂２丁目13番22号　092(533)1588
380-8688　長野市南千歳町1005番地
〔営業〕TEL 026(224)5411　FAX 026(224)5419
〔編集〕TEL 026(224)5412　FAX 026(224)5439
https://www.tokyo-horei.co.jp/

ISBN978-4-8090-5136-4

賃貸住宅の管理業務等の適正化に関する法律施行令……二五九八
賃貸住宅の管理業務等の適正化に関する法律施行規則……二五九八

つ

津波防災地域づくりに関する法律……二三四三
津波防災地域づくりに関する法律施行令……二三五四
津波防災地域づくりに関する法律施行規則……二三五六

て

電線共同溝の整備等に関する特別措置法……二三三三

と

道路構造令……二二〇一
道路整備事業に係る国の財政上の特別措置に関する法律……二二四五
道路整備事業に係る国の財政上の特別措置に関する法律施行令……二二四九
道路整備事業に係る国の財政上の特別措置に関する法律施行規則……二二五三
道路整備特別措置法……二二六九
道路整備特別措置法施行令……二二八五
道路整備特別措置法施行規則……二三〇〇
道路の修繕に関する法律……二二一七
道路の修繕に関する法律の施行に関する政令……二二一七
道路法……二一〇三
道路法施行令……二一五七
道路法施行規則……二一九二
特定車両停留施設の構造及び設備の基準を定める省令……二二一三
特定住宅瑕疵担保責任の履行の確保等に関する法律……一六五七
特定住宅瑕疵担保責任の履行の確保等に関する法律施行令……一六六四
特定住宅瑕疵担保責任の履行の確保等に関する法律施行規則……一六六六
特定多目的ダム法……八八〇
特定多目的ダム法施行令……八八四
特定多目的ダム法施行規則……八八八
特定特殊自動車排出ガスの規制等に関する法律……二九二三
特定都市河川浸水被害対策法……九五九
特定都市河川浸水被害対策法施行令……九七〇
特定都市河川浸水被害対策法施行規則……九七二
特定優良賃貸住宅の供給の促進に関する法律……一四六八
特定優良賃貸住宅の供給の促進に関する法律施行令……一四七〇
独立行政法人住宅金融支援機構法……一五七一
独立行政法人住宅金融支援機構法施行令……一五七七
独立行政法人住宅金融支援機構に関する省令……一五八三
独立行政法人都市再生機構法……一五九三
独立行政法人都市再生機構法施行令……一六〇二
独立行政法人都市再生機構に関する省令……一六一〇
独立行政法人日本高速道路保有・債務返済機構法……二三一一
独立行政法人日本高速道路保有・債務返済機構法施行令……二三一四
独立行政法人日本高速道路保有・債務返済機構に関する省令……二三一七
独立行政法人水資源機構法……九九〇
都市開発資金の貸付けに関する法律……六九〇
都市開発資金の貸付けに関する法律施行令……六九五
都市開発資金の貸付けに関する法律施行規則……七〇〇
都市計画区域外の景観重要樹木及び景観協定に関する省令……五〇七
都市計画法……一〇五
都市計画法施行法〔抄〕……一五五
都市計画法施行令……一五五
都市計画法施行規則……一七二
都市公園法……四三七
都市公園法施行令……四四五
都市公園法施行規則……四五三
都市再開発法……六〇一
都市再開発法施行令……六四一
都市再開発法施行規則……六六〇
都市再生特別措置法……一八八
都市再生特別措置法施行令……二二四
都市再生特別措置法施行規則……二三九
都市の低炭素化の促進に関する法律……三七四
都市の低炭素化の促進に関する法律施行令……三八四
都市の低炭素化の促進に関する法律施行規則……三八五
都市の美観風致を維持するための樹木の保存に関する法律……四六一
都市の美観風致を維持するための樹木の保存に関する法律施行令……四六二
都市の美観風致を維持するための樹木の保存に関する法律施行規則……四六二
土砂災害警戒区域等における土砂災害防止対策の推進に関する法律……九一六
土砂災害警戒区域等における土砂災害防止対策の推進に関する法律施行令……九二一
土砂災害警戒区域等における土砂災害防止対策の推進に関する法律施行規則……九二三
都市緑地法……四六二
都市緑地法施行令……四八〇
都市緑地法施行規則……四八四
土地基本法……二四〇三
土地区画整理法……五五〇
土地区画整理法施行令……五八一
土地区画整理法施行規則……五九三
土地収用法……二四〇五
土地収用法施行令……二四四五
土地収用法施行規則……二四五七
土地収用法第八十八条の二の細目等を定める政令……二四五五

に

日本下水道事業団法……一〇三一